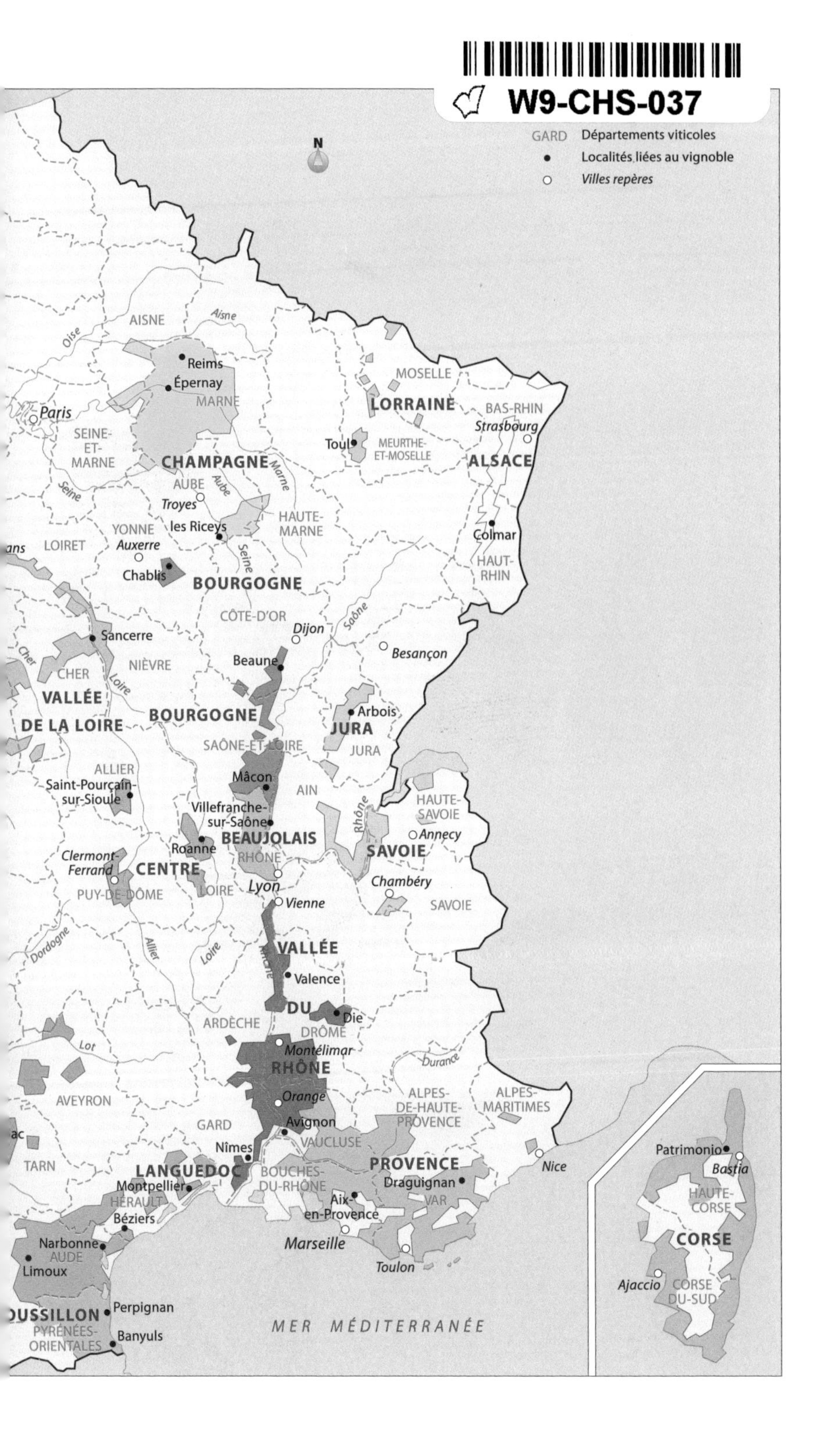
GARD Départements viticoles
Localités liées au vignoble
Villes repères
N
AISNE
Aisne
Oise
Reims
Épernay
MARNE
Paris
SEINE-ET-MARNE
CHAMPAGNE
Marne
AUBE
Aube
Troyes
Seine
les Riceys
YONNE
Auxerre
LOIRET
Chablis
BOURGOGNE
MOSELLE
LORRAINE
BAS-RHIN
Strasbourg
Toul
MEURTHE-ET-MOSELLE
ALSACE
HAUTE-MARNE
Colmar
HAUT-RHIN
CÔTE-D'OR
Dijon
Saône
Besançon
Sancerre
Cher
CHER
Loire
NIÈVRE
Beaune
VALLÉE DE LA LOIRE
BOURGOGNE
Arbois
JURA
JURA
SAÔNE-ET-LOIRE
ALLIER
Mâcon
AIN
Saint-Pourçain-sur-Sioule
Villefranche-sur-Saône
Rhône
HAUTE-SAVOIE
Annecy
BEAUJOLAIS
Roanne
SAVOIE
RHÔNE
Clermont-Ferrand
CENTRE
Lyon
Chambéry
LOIRE
Vienne
PUY-DE-DÔME
SAVOIE
Dordogne
Allier
Loire
VALLÉE
Valence
DU
Die
ARDÈCHE
DRÔME
Lot
Montélimar
Durance
RHÔNE
AVEYRON
Orange
ALPES-DE-HAUTE-PROVENCE
ALPES-MARITIMES
GARD
Avignon
VAUCLUSE
Nîmes
TARN
LANGUEDOC
BOUCHES-DU-RHÔNE
PROVENCE
Nice
Montpellier
Draguignan
HÉRAULT
Aix-en-Provence
VAR
Béziers
Narbonne
Marseille
AUDE
Limoux
Toulon
Perpignan
PYRÉNÉES-ORIENTALES
Banyuls
MER MÉDITERRANÉE
Patrimonio
Bastia
HAUTE-CORSE
CORSE
Ajaccio
CORSE-DU-SUD

LE GUIDE HACHETTE DES VINS

2013

LE GUIDE HACHETTE DES VINS

Direction de l'ouvrage : Stéphane Rosa.

Ont collaboré : Christian Asselin ; Guillaume Baroin ; Claude Bérenguer ; Richard Bertin, *œnologue* ; Olivier Bompas ; Anne Buchet, *chambre d'Agriculture du Loir-et-Cher* ; Marie-Aude Bussière, *œnologue* ; Jean-Jacques Cabassy, *œnologue* ; Pierre Carbonnier ; Étienne Carre, *laboratoire de Touraine* ; Béatrice de Chabert, *œnologue* ; César Compadre ; Jacques Conscience ; Bernadette Delas, *œnologue* ; Gérard Delorme ; François Denis ; Régis d'Espinay ; Bernard Hébrard, *œnologue* ; Florence Kennel ; Robert Lala, *œnologue* ; Antoine Lebègue ; Michel Lescaillon ; François Merveilleau ; Mariska Pezzutto, *œnologue* ; Pascal Ribéreau-Gayon, *ancien doyen de la Faculté d'œnologie de Bordeaux II* ; André Roth, *ingénieur des travaux agricoles* ; Alex Schaeffer, *œnologue* ; Anne Seguin ; Yves Zier.

Editeurs : Christine Cuperly, Laurence Lehoux, Valérie Quaireau.

Lecture-correction : Nicole Chatelier ; Isabelle Chotel ; Hélène Ducoutumany ; Isabelle Labbé ; Frédéric Lorreyte ; Micheline Martel ; Hélène Nguyen.

Informatique éditoriale : Luc Audrain ; Elsa Bonnier ; Marie-Line Gros-Desormeaux ; Kathy Koch ; Martine Lavergne.

Nous exprimons nos très vifs remerciements aux 1 000 membres des commissions de dégustation réunies spécialement pour l'élaboration de ce guide, et qui, selon l'usage, demeurent anonymes, ainsi qu'aux organismes qui ont bien voulu apporter leur appui à l'ouvrage ou participer à sa documentation générale : l'Institut National de l'Origine et de la Qualité, INAO ; l'Institut National de la Recherche Agronomique, INRA ; la Direction de la Concurrence de la Consommation et de la Répression des Fraudes ; UBIFRANCE ; la DGDDI ; les Comités, Conseils, Fédérations et Unions interprofessionnels ; FranceAgriMer ; l'Institut des Hautes Études de la Vigne de Montpellier et l'Agro-Montpellier ; l'Université Paul Sabatier de Toulouse et l'ENSAT ; les Syndicats viticoles ; les Chambres d'agriculture ; les laboratoires départementaux d'analyse ; les lycées agricoles d'Amboise, d'Avize, de Blanquefort, de Bommes, de Montagne-Saint-Émilion, de Montreuil-Bellay, d'Orange ; les lycées hôteliers de Bastia et de Tain-l'Hermitage ; le CFPPA d'Hyères ; l'Institut Rhodanien ; l'Union française des œnologues et les Fédérations régionales d'œnologues ; les Syndicats des Courtiers de vins ; l'Union de la Sommellerie française ; pour la Suisse, l'Office fédéral de l'agriculture, la Commission fédérale du Contrôle du commerce des vins, les responsables des Services de la viticulture cantonaux, l'OVV, l'OPAV, l'OPAGE ; pour le Grand-Duché de Luxembourg, l'Institut viti-vinicole luxembourgeois, la Marque nationale du vin luxembourgeois, le Fonds de solidarité.

Couverture : Nicole Dassonville.

Maquette : François Huertas, Nicole Dassonville.

Cartographie : Légendes Cartographie ; Frédéric Clémençon ; Aurélie Huot. **Illustrations :** Véronique Chappée.

Production : Caroline Artemon, Nathalie Chappant, Patricia Coulaud, Charles De Roy, Adrian Hurst, Nathalie Lautout.

Composition et photogravure : Maury, Malesherbes.

Impression, reliure : NIIAG – Italie

Papier : Imprimé sur Royal Press 400 Matt, fabriqué dans les usines de Sappi Fine Paper Europe.

Crédits iconographiques : Bordeaux fête le vin/Gilles Arroyo (p. 14) ; Charlus (p. 38) ; Scope/Jean-Luc Barde (pp. 13, 17, 22, 25, 27, 53, 55) ; Scope/Laurence Delderfield (p. 19) ; Scope/Jacques Guillard (pp. 12, 18, 23, 29, 36, 41, 44, 46, 47, 52, 60b) ; Scope/Michel Guillard (pp. 32, 56, 58, 60h, 65) ; Scope/Noël Hautemanière (p. 21) ; Scope/Ogier (p. 50).

Imprimé en Italie – Dépôt légal : Août 2012
Achevé d'imprimer : Août 2012 – 23.8430.3/01 – ISBN 978.2.01.238430.9

LE GUIDE HACHETTE DES VINS

2013

TABLE DES CARTES

Alsace 68

Lorraine 135

Beaujolais 139

Bordelais 182-183

- Blayais et Bourgeais 225
- Libournais 247
- Libournais (Nord-Ouest) 251
- Région de Saint-Émilion 267
- Entre Garonne et Dordogne 313
- Région des Graves 327
- Médoc et Haut-Médoc 345
- Moulis et Listrac 363
- Margaux 365
- Pauillac 375
- Saint-Estèphe 381
- Saint-Julien 386
- Les vins blancs liquoreux 389

Bourgogne 403

- Chablisien 427
- Côte de Nuits 451
- Côte de Beaune 489
- Chalonnais et Mâconnais 573

Champagne 610-611

Jura 695

Savoie et Bugey 713

Languedoc 730-731

Roussillon 785

Poitou-Charentes 819

Provence 844-845

- Bandol 825

Corse 869

Sud-Ouest 883

- Bergerac 913

Vallée de la Loire et Centre 954-955

- Région nantaise 961
- Anjou et Saumur 977
- Touraine 1017
- Centre 1069

Vallée du Rhône

- Nord 1107
- Sud 1112-1113

Vins de pays 1202-1203

Luxembourg 1259

Suisse 1266-1267

SOMMAIRE

Mode d'emploi 6

Tableau des symboles 8

QUOI DE NEUF DANS LES VIGNOBLES ? 9

TOUT SAVOIR SUR LE VIN 31

ACHETER ET CONSERVER

Comment identifier un vin ? 32

Lire l'étiquette 34

Acheter : les circuits d'achats 36

Acheter : les contenants 38

Conserver son vin 40

Les millésimes 42

DÉGUSTER ET SERVIR

Le service des vins 44

La dégustation 46

Les accords mets et vins 50

DE LA VIGNE AU VIN

La vigne et les terroirs 54

Le cycle des travaux de la vigne 56

Le calendrier du vigneron 59

La naissance du vin 60

La vinification et l'élevage 62

La viticulture biologique 66

SOMMAIRE

10 000 vins à découvrir

- L'ALSACE ET LA LORRAINE 67
  - L'Alsace 69
  - La Lorraine 133
- LE BEAUJOLAIS ET LE LYONNAIS 137
- LE BORDELAIS 179
  - Les appellations régionales du Bordelais 184
  - Le Blayais et le Bourgeais 223
  - Le Libournais 242
  - Entre Garonne et Dordogne 311
  - La région des Graves 324
  - Le Médoc 342
  - Les vins blancs liquoreux 387
- LA BOURGOGNE 399
  - Les appellations régionales de Bourgogne 404
  - Le Chablisien 422
  - La Côte de Nuits 448
  - La Côte de Beaune 486
  - La Côte chalonnaise 568
  - Le Mâconnais 583
- LA CHAMPAGNE 606
- LE JURA, LA SAVOIE ET LE BUGEY 691
  - Le Jura 692
  - La Savoie et le Bugey 710
- LE LANGUEDOC ET LE ROUSSILLON 723
  - Le Languedoc 724
  - Les vins doux naturels du Languedoc 778
  - Le Roussillon 782
  - Les vins doux naturels du Roussillon 798
- LE POITOU ET LES CHARENTES 814
- LA PROVENCE ET LA CORSE 822
  - La Provence 823
  - La Corse 867
- LE SUD-OUEST 879
  - Le piémont du Massif central 880
  - La moyenne Garonne 900
  - Le Bergeracois et Duras 908
  - Le piémont pyrénéen 930
- LA VALLÉE DE LA LOIRE ET LE CENTRE 948
  - Les appellations régionales du Val de Loire 950
  - La région nantaise 956
  - Anjou-Saumur 973
  - La Touraine 1014
  - Les vignobles du Centre 1067
- LA VALLÉE DU RHÔNE 1102
  - Les appellations régionales de la vallée du Rhône 1104
  - La vallée du Rhône septentrionale 1134
  - La vallée du Rhône méridionale 1153
  - Les vins doux naturels de la vallée du Rhône 1197
- LES VINS DE PAYS/IGP 1199
- LES VINS DU LUXEMBOURG 1255
- LES VINS DE SUISSE 1262
- GLOSSAIRE 1283

INDEX
- des appellations 1296
- des communes 1299
- des producteurs 1311
- des vins 1348

Le Guide Hachette des vins : mode d'emploi

Quels vins sont dégustés ?

Chaque édition est 100 % nouvelle : les vins sélectionnés ont été dégustés dans l'année. Le Guide remet ainsi tous les ans les compteurs à zéro pour déguster le dernier millésime mis en bouteilles. Le vin n'étant pas un produit industriel, chaque nouveau millésime possède des caractéristiques propres. Un producteur peut avoir très bien réussi une année et moins bien la suivante... ou l'inverse ! De plus, chaque année, de nouveaux producteurs s'installent ou arrivent aux commandes de domaines existants. Le Guide vous fait découvrir les meilleurs d'entre eux.

Comment les vins sont-ils dégustés ?

Les vins sont dégustés à l'aveugle. Les dégustateurs ne connaissent ni le nom du producteur, ni celui du vin ou de la cuvée qu'ils goûtent. Cela leur permet de s'affranchir de paramètres subjectifs tels que la notoriété du domaine ou l'esthétique de l'étiquette. Les jurés connaissent seulement l'appellation et le millésime qu'ils jugent.

Qui déguste les vins ?

Les dégustateurs sont des professionnels du monde du vin (œnologues, négociants, courtiers, sommeliers...). Ils possèdent tous les repères pour juger de la qualité d'un vin et maîtrisent le vocabulaire de la dégustation, ce qui leur permet de bien décrire les vins et donc d'apporter au lecteur l'information la plus complète possible.

Comment sont notés les vins ?

Les vins sont décrits (couleur, qualités olfactives et gustatives) et notés par les jurés sur une échelle de 0 à 5.

0 : vin à défaut, éliminé
1 : petit vin ou vin moyen, éliminé
2 : vin réussi, cité sans étoile
3 : vin très réussi, une étoile ★
4 : vin remarquable, deux étoiles ★★
5 : vin exceptionnel, trois étoiles ★★★

Les notes doivent être comparées au sein d'une même appellation. Il est en effet impossible de juger des appellations différentes avec le même barème.

Pourquoi certaines étiquettes sont reproduites et non les autres ?

L'étiquette signale un coup de cœur ♥, décerné à l'aveugle par les jurys. Elle est reproduite librement, sans qu'aucune participation financière directe ou indirecte ne soit demandée au producteur concerné. De même, la présentation des vins aux dégustations du Guide par les producteurs est entièrement gratuite.

Pourquoi certains vins ne sont pas dans le Guide ?

Des vins connus, parfois même réputés, peuvent être absents de cette édition : soit parce que les producteurs ne les ont pas présentés, soit parce qu'ils ont été éliminés.

À quoi correspondent les durées de garde indiquées dans les notices ?

Ces temps de garde sont donnés par les dégustateurs, sous réserve de bonnes conditions de conservation. On les prendra en compte à partir de l'année de parution du Guide et non du millésime du vin. Elles ne correspondent en aucune façon à une « date limite de consommation », mais au moment où le vin peut commencer à être bu (apogée). Certains vins gardent en effet toutes leurs qualités des années après avoir atteint leur apogée (on parle alors de longévité).

Et le plaisir dans tout cela ?

Nous n'oublions pas que le vin est fait pour être bu à table, en bonne compagnie, et qu'une bouteille raconte une histoire qui dépasse le cadre strict de la dégustation technique. C'est pourquoi, une fois la dégustation terminée et l'anonymat levé par nos équipes, le Guide prend plaisir, pour chaque vin retenu, à parler des hommes et des femmes qui le font, des terroirs et des paysages, des meilleurs moments pour le découvrir et des plats pour le mettre en valeur.

Avertissements

- La dégustation à la propriété est bien souvent gratuite. On n'en abusera pas : elle représente un coût non négligeable pour le producteur qui ne peut ouvrir ses vieilles bouteilles.
- Les amateurs qui conduisent un véhicule n'oublieront pas qu'ils ne doivent pas boire le vin, mais le recracher comme le font les professionnels. Si des crachoirs ne sont pas proposés dans les caves, vous pouvez en demander.
- Les prix présentés sous forme de fourchette (pour les vins, gîtes ruraux et chambres d'hôtes) sont soumis à l'évolution des cours et donnés sous toutes réserves.
- Le pictogramme V signale les producteurs pratiquant la vente à la propriété. Toutefois, certains vins sélectionnés ont parfois une diffusion quasi confidentielle. S'ils ne sont pas disponibles au domaine, nous invitons le lecteur à les rechercher auprès des cavistes (en ville ou en ligne), des grandes surfaces et des négociants, ou sur les cartes des restaurants.

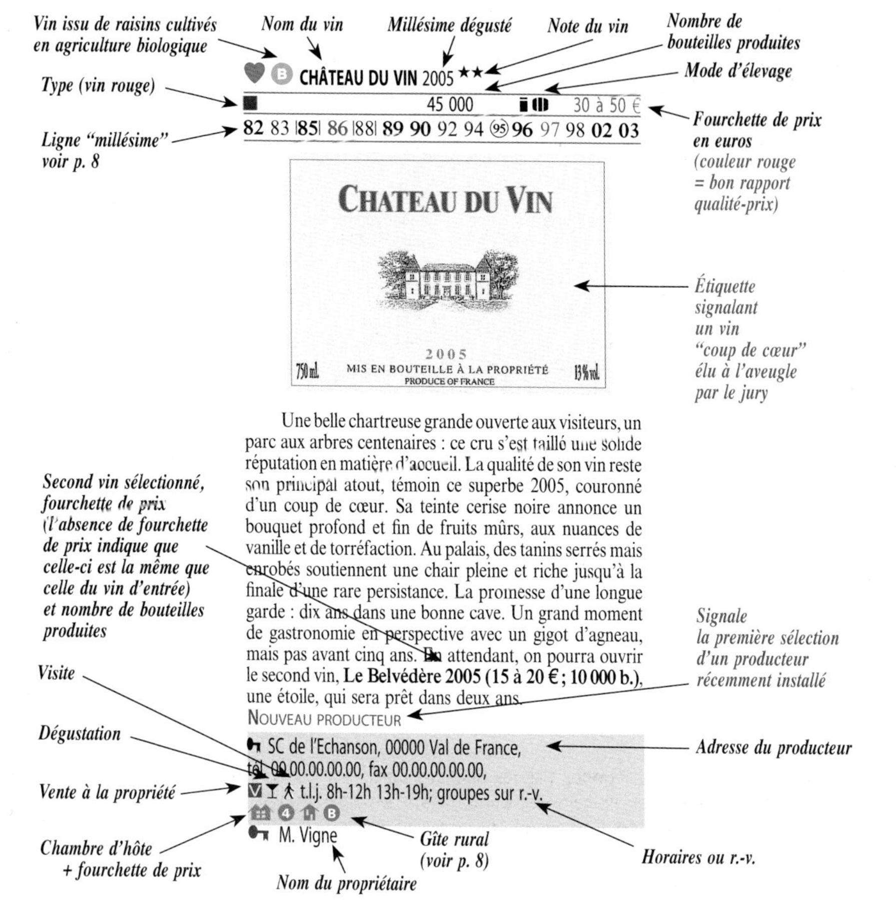

SYMBOLES UTILISÉS DANS LE GUIDE

LES VINS

La reproduction d'une étiquette et le symbole ♥ signalent un « coup de cœur » décerné à l'aveugle par les jurys.

★★★ vin exceptionnel
★★ vin remarquable
★ vin très réussi
vin réussi (cité sans étoile)

2009 millésime ou année du vin dégusté

- B vin produit en agriculture biologique certifiée (voir p. 66)
- vin tranquille blanc
- vin blanc doux
- vin tranquille rosé
- vin tranquille rouge
- vin effervescent blanc
- vin effervescent demi-sec
- vin effervescent rosé

50 000, 12 500... nombre moyen de bouteilles du vin présenté

- élevage en cuve
- élevage en fût

LES PRODUCTEURS

- vente à la propriété
- dégustation
- visite (r.-v. = sur rendez-vous)
- adresse, téléphone, fax, e-mail
- nom du propriétaire, si différent de celui figurant dans l'adresse
- n.c. information non communiquée
- gîte rural
- chambre d'hôte

NOUVEAU PRODUCTEUR = signale la première sélection d'un producteur récemment installé

LES PRIX

- Les prix (prix moyen de la bouteille en France par carton de 12) sont donnés sous toutes réserves. L'indication de la fourchette de prix **en rouge signale un bon rapport qualité/prix.**

- 5 €	5 à 8 €	8 à 11 €	11 à 15 €	15 à 20 €	20 à 30 €	30 à 50 €	50 à 75 €	75 à 100 €	+ 100 €

- Chambre d'hôte
  Prix moyen par nuit en haute saison
  - 1 = - de 50 €
  - 2 = 51 à 65 €
  - 3 = 66 à 80 €
  - 4 = 81 à 100 €
  - 5 = + de 100 €
- Gîte rural
  Prix moyen par semaine en haute saison
  - A = - de 300 €
  - B = 301 à 400 €
  - C = 401 à 500 €
  - D = 501 à 600 €
  - E = + de 600 €

LES MILLÉSIMES

(82) 83 **85** |**86**| **89** |90| 91 92 93 |**95**| |**96**| 97 **98 99 00** (01) 02 **03** 04 **05**

83 01	les millésimes en rouge sont prêts (01 = millésime 2001)
99 05	les millésimes en noir sont à garder (05 = millésime 2005)
|95| |02|	les millésimes en noir entre deux traits verticaux sont prêts pouvant attendre
83 95	les meilleurs millésimes sont en gras
(90)	les millésimes exceptionnels sont dans un cercle

Les millésimes indiqués n'impliquent pas une disponibilité à la vente chez le producteur. On pourra les trouver chez les cavistes ou les restaurateurs.

QUOI DE NEUF
DANS LES VIGNOBLES ?

MILLÉSIME CLIMAT
MATURITÉ VENDANGES
PRIX EXPORT TOURISME
CONSOMMATION
CÉPAGES CLASSEMENT
FÊTES ÉCONOMIE
APPELLATION PRODUCTION

Le vin, le monde et la crise

Alors que dans toute l'Europe, il n'est question que de dette et de déficit, les exportations de vins et de spiritueux ont valu à la France un excédent de quelque 8,5 milliards d'euros, dont sept pour les seuls vins. C'est le meilleur résultat de ces cinq dernières années. Vins et spiritueux constituent le deuxième poste positif de la balance commerciale, derrière l'aéronautique... en baisse. Si les cognacs, les bordeaux, les champagnes représentent l'essentiel en valeur, la hausse concerne presque toutes les régions. L'actualité nationale et européenne, centrée sur la crise financière et industrielle, a laissé dans l'ombre le secteur viticole. Tableau d'ensemble, qui montre à quel point le vin reflète le monde et ses débats.

Le changement, c'est maintenant ?

Les changements politiques en France vont-ils avoir une influence dans le monde du vin ? On dit le nouveau président plus amateur que son devancier... Mais l'époque est à la modération. Un exemple : lors de l'édition 2012 de la fête du vin à Bordeaux, la contenance du verre à dégustation est ramenée de 7 à 5 cl... Il est hautement improbable également que la loi Evin, promulguée sous un gouvernement socialiste en 1991, soit assouplie : ce n'est pas demain que l'on verra le vin en « réclame » à la télévision. Par ailleurs, pour le moins maximaliste dans son interprétation de la loi, la cour de cassation a annulé en février 2012 une campagne de publicité de 2004 pour les vins de bordeaux qui montrait de jeunes professionnels lever leur verres pour présenter leur production, au motif que ces images « visaient à promouvoir une image de convivialité associée aux vins de Bordeaux de nature à inciter le consommateur à absorber les produits vantés »... Les préoccupations hygiénistes à l'échelle européenne se traduisent aussi dans une nouvelle réglementation de l'étiquetage qui obligera désormais les producteurs à signaler les produits potentiellement allergènes présents dans le vin fini, comme le blanc d'œuf ou les produits du lait.

L'UE aux commandes : vin bio et libéralisation

La réforme des marchés de 2008 a montré la part prépondérante prise par l'UE dans le pilotage de la politique viticole. C'est elle qui a imposé la nouvelle segmentation de la production en « vins sans indication géographique » et « vins avec indication géographique », alors que l'ancien clivage entre « vins de qualité produits dans des régions déterminées » et « vins de table », qui mettait en exergue les vins d'AOC, calquait la hiérarchie qui avait cours en France. C'est aussi à l'échelle européenne, après une longue concertation entre les pays membres, qu'a été défini en 2012 le « vin biologique », et non plus seulement le vin « issu de raisins de l'agriculture biologique ». Désormais, pour obtenir ce label, européen, le vin doit bannir certains produits ou certaines pratiques au chai. Une mesure importante, les surfaces viticoles en bio ayant presque triplé en quatre ans (7,4 % des surfaces viticoles en France). À suivre... C'est enfin à l'échelon européen que se prendra la décision définitive en matière de droits de plantations, dont la commission avait programmé la libéralisation pour 2016 dans cette même réforme des marchés. Un enjeu capital pour les pays producteurs qui veulent obtenir la remise en cause de cette dérégulation, toutes tendances politiques confondues, par crainte de surproduction, d'instabilité des cours, de nivellement de l'offre par le bas et, accessoirement, de la ruine des AOC, à la source des excédents et du prestige de la viticulture nationale. L'année 2012 devrait être décisive.

De nouvelles appellations

Professionnels et INAO gardent la main dans la définition et la délimitation des appellations. Au 31 décembre 2011, tous les cahiers des charges des AOC (357), revus au préalable, ont été transmis à la Commission européenne, qui doit les valider. Tous contiennent un paragraphe justifiant le lien entre les caractères du vin et son origine géographique, fondement de l'appellation. Les AOC ne sont pas en voie de disparition, à en juger par les nouvelles reconnaissances. Le modèle est celui de grands vignobles historiques, tels la Bourgogne et le Bordelais, avec leur hiérarchie, de l'appellation régionale aux grands crus en passant par les AOC sous-régionales et communales. En Alsace, onze dénominations communales ont ainsi été définies ; trois dans le Muscadet et deux en savennières ; un grand cru et un 1er cru en coteaux-du-layon ; deux nouveaux crus en Languedoc et en Provence.

L'INAO, qui a aussi désormais la tutelle des IGP (anciens vins de pays), en a réduit la liste et en a publié les cahiers des charges. Avec des nouveautés, comme la possibilité de proposer des vins effervescents selon le procédé de la deuxième fermentation en bouteilles. La nouvelle segmentation en AOC et en IGP a entraîné enfin la disparition en 2011 des AOVDQS (appellation d'origine vin délimité de qualité supérieure), catégorie de vins très importante après guerre, sas vers l'AOC. Il n'en restait plus que 17. La plupart ont accédé à l'AOC.

Le retour des vins de table

La réforme des marchés avait autorisé les vins sans indication géographique à faire figurer millésime et cépages sur l'étiquette. Ces « vins de table nouvelle manière », plus personnalisés, se développent : + 1 076 % en Bordelais pour les vins de cépage rouges et rosés ; + 25 % au total à l'export ! Le phénomène sera-t-il durable ? La fracture entre ces vins sans origine et le sommet de la hiérarchie s'estompe. Il n'y a pas si longtemps, il n'était pas possible de produire des vins de table ou même des vins de pays dans des vignobles historiques comme la Gironde ou la Bourgogne. Et interdit, sauf exceptions, aux AOC, vins de terroir, de mentionner des cépages sur les étiquettes, ce qui devient pratique courante. Cette tendance va-t-elle brouiller l'image des AOC ou faut-il saluer la chance donnée aux vins sans indication géographique de trouver un public, a priori plus néophyte, et de constituer une « passerelle » vers des vins plus qualitatifs ?

La vigne Monument historique

Loin de ces considérations, les *climats* bourguignons ou les paysages champenois espéraient un classement au Patrimoine Mondial de l'Unesco. Ce sera pour une prochaine fois : les terrils du Nord ont eu la préférence du comité de sélection... Il n'empêche, l'intérêt pour les vins ne se départit pas de cette dimension culturelle, historique, géographique ou paysagère. Une illustration emblématique de cette tendance : l'inscription aux Monuments historiques d'une vieille parcelle de vignes du Gers, à Sarragachies, dont certains pieds remontent à 1830. Un « remarquable exemple de biodiversité et de patrimoine génétique », témoignant « de modes de culture ancestraux disparus avec la crise du phylloxéra ». Un « lieu de mémoire végétale préservé grâce à l'action de professionnels passionnés ».

Le Guide en mandarin

Ces professionnels passionnés, le Guide Hachette continue plus que jamais de les mettre en valeur dans ses colonnes, et aussi sur les « nouveaux médias », Internet et smartphones. Ainsi, cette année, en plus de la sélection 2013, l'application Iphone et Ipad du Guide s'enrichit des éditions 2009 à 2012, soit au total... 50 000 vins à mettre dans sa poche ! Et signe des temps, cette édition sera traduite en mandarin : en valeur, la Chine est devenue le cinquième client des vins français. Nous espérons faire connaître aux amateurs et importateurs de l'Empire du Milieu, qui semblent moins priser les seuls crus spéculatifs, toute la diversité de notre viticulture.

Quoi de neuf en Alsace ?

Après une année 2010 maussade, tardive, et des récoltes fortement déficitaires, 2011 marque un retour à la normale en termes de volumes. L'année s'est montrée précoce mais chaotique. Les vins de ce millésime sont gourmands, bien ouverts, avec beaucoup de fruit et de fraîcheur. L'année 2011 est aussi pour l'Alsace celle d'une nouveauté : la définition d'appellations communales.

Après un hiver rigoureux, (-20 °C le 26 décembre 2010 !), le millésime s'annonçait très précoce : débourrement début avril, en avance d'une quinzaine de jours, puis floraison à la fin mai, avec deux à trois semaines d'avance. Malgré un début d'été frais et très humide, l'année est restée assez précoce. Le grand beau temps a fait son retour dans la deuxième quinzaine d'août. Enfin l'Alsace a bénéficié d'une belle arrière-saison après la mi-septembre.

Les vendanges ont débuté le 25 août pour les crémants, à partir du 7 septembre pour les vins tranquilles ; du 26 septembre pour certaines vendanges tardives. Localement, le tri des raisins s'est imposé ; en raison de la chaleur, il a fallu souvent maîtriser les fermentations pour conserver le potentiel aromatique de la vendange.
Les crémants et les sylvaners font partie des très belles réussites de ce millésime. Pour les pinots blancs, auxerrois et pinot gris, le choix de la date

de récolte a été capital pour préserver leur état sanitaire, ces cépages ayant souffert des conditions estivales humides. La maîtrise des rendements fut la clé de réussite des rieslings. Pour les gewurztraminers, les fermentations ont dû être parfaitement maîtrisées pour éviter des montées trop importantes en alcool. Il y a peu de sélections de grains nobles (3 000 hl), davantage de vendanges tardives (21 000 hl).
Le volume global de la récolte s'élève à 1,16 Mhl, en hausse (+27 % par rapport à 2010 exceptionnellement faible et +6 % par rapport à la moyenne quinquennale) : 840 000 en AOC alsace, 45 500 hl en grand cru et 275 000 hl en crémant-d'alsace.
Les ventes en bouteilles ont pâti du faible volume de la récolte 2010, avec un volume global commercialisé, toutes AOC et tous circuits confondus, de 1 049 250 hl, en baisse de 4,5 % par rapport à l'année précédente. La baisse a été plus marquée sur le marché français (-4,7 %) qu'à l'export (-3,9 %).

Des appellations communales en Alsace

Exactement cinquante ans après la reconnaissance de l'AOC alsace (1962), une nouveauté de taille : la définition de onze appellations (« dénominations géographiques complémentaires ») se situant entre les grands crus, au sommet de la pyramide, et les AOC alsace. Les rendements sont limités (72 hl/ha pour les blancs et 65 hl/ha pour les rouges) dans ces aires délimitées, parfois réservées à certains cépages qui ont fait leur notoriété.
Ce sont Scherwiller et Wolxheim (67), pour le riesling ; Ottrott (67), Rodern et Saint-Hippolyte (68), pour le pinot noir ; Heiligenstein (67), confirmé pour son klevener ou savagnin rose ; Blienschwiller et côtes de Barr (67), pour le sylvaner ; Val Saint-Grégoire (68), dans la vallée de Munster sur les communes de Turckheim, Zimmerbach, Walbach et Wihr-au-Val, pour l'auxerrois, le pinot blanc et le pinot gris ; les côtes de Rouffach (68), pour les riesling, gewurztraminer, pinot gris et pinot noir ; la Vallée Noble, à Soultzmatt et Westhalten (68), pour les riesling, gewurztraminer et pinot gris.

Quoi de neuf en Beaujolais ?

Comme dans les films à la guimauve qui font battre le cœur, c'est au dernier moment que le millésime 2011 a été sauvé par un soleil musclé ayant séché les foyers de pourriture et fait mûrir les grappes. 2011 est donc résolument précoce et globalement sain. Les rendements, raisonnables, sont supérieurs de 10 % à 2010 (qui était une petite année en quantité) et les vins se révèlent équilibrés en alcool et en acidité.

Le printemps 2011 démarre pourtant comme un conte de fées, lumineux, chaud et précoce, sans les soubresauts froids qui avaient plombé les débuts de 2010 : trois semaines d'avance ! Pas une goutte d'eau fin mars, ni en avril, les vignes poussent à un rythme effréné par 25 °C à l'ombre. Mais le scénariste de 2011, voyant les vignerons se frotter les mains et annoncer un millésime exceptionnel, a créé le suspense en convoquant l'ennemi n° 2, la pluie, qui règne en juillet.
Heureusement l'ennemi n° 1, la grêle, est resté dans les coulisses – fait rare dans les crus. Août marque le retour du prince charmant, ensoleillé

Voir primeur

et peu arrosé. Les vendanges restent précoces, puisqu'elles débutent autour du 24 août, sous la canicule, avec des pointes à 35 °C qui font flamber les degrés et flétrissent même quelques baies. Elles s'achèvent au 16 septembre, presque au moment où, en 2010, elles débutaient.

Les coteaux bourguignons, la nouvelle appellation

Coteaux-bourguignons : cette nouvelle appellation figurera sur les étiquettes à partir du millésime 2011, en ce qui concerne la grande Bourgogne, de l'Auxerrois au Beaujolais. Elle concerne donc aussi le Beaujolais. Elle remplacera à la rentrée le « bourgogne ordinaire » et le « bourgogne grand ordinaire » (BGO), de piètre réputation. Actuellement, ces derniers représentent 10 000 hl ; avec cette AOC un peu plus haut de gamme, les volumes pourraient doubler. Pour cela, les professionnels s'imposent un degré minimum un soupçon plus exigeant (10 % vol. en rouge, contre 9 % en BGO)... Mais les conditions de production restent souples : elles autorisent toute la gamme des cépages locaux, des couleurs et des assemblages. Il appartiendra aux producteurs de ne pas considérer ces coteaux comme une « appellation rebut » mais comme « un socle ». Dans le meilleur des cas, les coteaux bourguignons seront une alternative ludique et variée à l'appellation bourgogne, qui sera, elle, monocépage : pinot noir en rouge, chardonnay en blanc.

Brève du vignoble

En 2011, le beaujolais nouveau a fêté son cinquantième anniversaire. Ses débuts furent timides : 15 000 hl au milieu des années 1950 ! Puis vint son heure de gloire, à partir des années 1970. Un négoce dynamique et un réseau encore dense de bistrots appuyaient le beaujolais nouveau, main dans la main avec des pouvoirs publics œnophiles, des artistes et journalistes enthousiastes. Un marketing conquérant faisait déferler ces bouteilles dans le monde entier... Aujourd'hui, 266 000 hl. Mais dans les années 1990, les chiffres pouvaient atteindre le double... Le vignoble n'oublie plus qu'il a des vins de garde.

Quoi de neuf en Bordelais ?

Hors normes, le millésime 2011 est globalement de moindre qualité que ses deux glorieux prédécesseurs, entraînant une campagne des primeurs décevante. En revanche, la valorisation du vrac est un peu meilleure. Sur le front international, la Chine accapare les esprits : premiers clients à l'exportation, les Chinois ont acquis une trentaine de châteaux girondins. En juin, la fête du vin a connu un grand succès et elle est maintenant reproduite dans trois villes étrangères : Dalian (Chine), Québec et Hong Kong.

De l'hiver à l'été

Le 2011 est né dans la douleur. Un millésime pratiquement sans printemps, passant en un saut de cabri de l'hiver à l'été : avril 2011 fut le plus chaud depuis 1900. Le débourrement, en mars, fut suivi d'une floraison exceptionnellement précoce et d'un coup de chaud fin juin (+ de 40 °C). Puis juillet se déroula sous les parapluies... Sans oublier la grêle – dans le Sauternais le 25 avril (500 ha touchés) ; dans les Graves, l'Entre-deux-Mers et le Blayais début mai ; ou à Saint-Estèphe, juste avant les vendanges.

Avec ces conditions rares, le cycle de la vigne s'est accéléré, précipitant les stades végétatifs. Localement, des parcelles ont souffert de sécheresse. Le mois d'août fut presque automnal, septembre à nouveau chaud et sec. Un casse-tête pour amener à maturité le raisin et espérer un vin de qualité. Premiers coups de sécateur le 17 août pour les blancs secs, le 5 septembre pour le merlot et une semaine plus tard pour les cabernets. Rien de facile, en particulier le choix des dates de récolte. Avec des grappes à maturité hétérogène, 2011 a été l'année du tri, à la vigne comme au chai. Les machines perfectionnées se sont généralisées dans les grands crus. Ailleurs, un travail manuel fastidieux s'imposa.

Des sauternes ou des VSIG ?

La qualité des rouges 2011 est hétérogène mais couleur, fruité et structure tannique sont au rendez-vous. Comme la fraîcheur, malgré les rudes températures. De même pour les blancs secs, aromatiques et aux belles acidités. Le meilleur est sans doute chez les liquoreux : précocité puis récolte rapide et groupée en septembre feront le bonheur des amateurs.

La récolte, 5,4 Mhl, est légèrement inférieure aux deux précédentes (5,7 Mhl). Nouveauté de l'année : près de 40 000 hl sont des VSIG (vins sans indication géographique), les anciens vins de table. Avec des rendements supérieurs aux AOC et une demande soutenue, il est financièrement plus intéressant pour certains vignerons d'en produire que de rester en AOC ! Il faut aussi ajouter les volumes presque équivalents de vins de pays/IGP de l'Atlantique, créés en 2006 (mais dont la zone s'étend sur quatre autres départements). Un sacré pied de nez pour un vignoble d'une telle notoriété qui était fièrement devenu ces dernières décennies « tout AOC »... Une évolution conforme au plan Bordeaux demain qui soulignait en 2010 le poids de l'offre « basique » en bordeaux, trop peu valorisée et à réorienter.

Primeurs en berne

Après les grands 2009 et 2010, et avec ce 2011 revenu dans le rang, la campagne de vente en primeur n'a pas emballé le marché. Sans compter que les tarifs se sont globalement peu rapprochés de ceux du 2008, comme le souhaitait le négoce. Difficile de baisser, une fois les hausses acquises... Peu de vins ont fait une belle campagne. Pour certains opérateurs, c'est même le début de la fin des « primeurs flamboyantes ». Sans compter que Latour, icône de Pauillac, a lancé un pavé dans la marre en annonçant son retrait du marché des primeurs à partir du millésime 2012. Le château de François Pinault stockera à la propriété et vendra les vins plus tard, à sa guise.

Les 200 à 300 propriétés vendant tout ou partie en primeur sont une élite. À l'autre bout de la chaîne, la campagne 2011/2012 a connu un regain d'activité sur le marché du vrac. Rappelons qu'un litre sur deux en Bordelais y transite : vignerons et coopératives vendent à des négo-

ciants qui conditionnent et cherchent à leur tour des clients. Le prix moyen du bordeaux rouge, la principale AOC, a remonté, flirtant avec les 1 000 € le tonneau (900 l), ce qui n'était plus arrivé depuis la crise financière de 2008. Mais à un euro et quelques le litre payé au producteur, il n'y a pas de quoi pavoiser.
Le plan anti-crise échafaudé par la profession en 2010 porte des fruits. Une campagne de publicité a été par exemple lancée par le Conseil interprofessionnel du vin de Bordeaux (CIVB) dans sept pays prioritaires. Malgré ces clignotants repassant au vert (pâle), dans les campagnes, des propriétaires baissent les bras et les enfants ne veulent plus reprendre. Grâce au recensement agricole de 2010, nous avons une image claire des forces en présence : la Gironde compte 7 400 exploitations et 5 700 vignerons, des chiffres à la baisse. Et un producteur sur deux a plus de cinquante ans, d'où l'enjeu de la transmission mais aussi de l'aménagement du territoire : près des villes, certains vendent des parcelles en terrain à bâtir. Étalement urbain, mitage... la question est complexe dans un département où 10 % des surfaces sont occupées par la vigne. Le CIVB a même embauché un « Monsieur défense de la vigne » et attaque en justice des délibérations municipales où ce secteur ne serait pas préservé.

Les Chinois en force

La Chine (avec Hong Kong) est toujours le premier client à l'exportation des vins girondins, en volume et en valeur. Si producteurs et négociants y multiplient les voyages, des dizaines des ressortissants de l'empire du Milieu travaillent désormais dans des structures viticoles. D'autant que des investisseurs s'intéressent aux châteaux : une trentaine sont passés sous pavillon chinois. Citons Tour Saint-Christophe et Monlot (saint-émilion), Barateau et Lafon (haut-médoc), la Patache (pomerol) ou Grand Mouëys (entre-deux-mers). Un mystérieux M. Qu, qui refuse de se montrer, en aurait acquis une dizaine à lui seul, recrutant un ancien président du CIVB pour s'en occuper. Ce milliardaire de Dalian (à une heure d'avion de Pékin), vivant aussi à Londres, a des ambitions pour ce « business ». Produire et vendre du vin, et aussi ouvrir des magasins, des parcs d'attraction, des écoles de dégustation...
Le portrait-type de ces acquisitions est le même : des exploitations sans notoriété, mais de belles bâtisses, avec des tours. De « vrais » châteaux. Le vin produit – à petit prix – est revendu avec de confortables marges en Chine. Du moment que ces hommes d'affaires ont un pied en Gironde, leur « légitimité viticole » est acquise.
Un souci qui perdure : la contrefaçon est un fléau. Ce qui conduit par exemple de grands châteaux à utiliser des parades (codes sur les bouteilles par exemple). Avec l'impératif pour tous de déposer leur marque auprès des autorités du pays pour les mêmes raisons. Un autre défi, et de taille : faire reconnaître les AOC en Chine...
Les châteaux ne sont pas tout : au cœur de Bordeaux, sur les allées de Tourny, un magasin chinois (La Cave du Dynastie) s'est installé. Diva, négociant historique de la Place, spécialiste des grands crus, a cédé la majorité de son capital à une entreprise chinoise. À Shanghai, le CIVB a participé à l'installation d'un bar à vin 100 % bordeaux. Et l'on peut multiplier les exemples.

La fête du vin exportée

Ce fut l'événement populaire de 2012 sur les bords de Garonne. *Bordeaux Fête le Vin*, pour sa 8e édition – en juin, les années paires depuis 1998 – a rassemblé environ 500 000 amateurs pendant quatre jours. C'est la plus grande fête viticole d'Europe, pour le moins. Une « route des vins » sur 2 km, des dizaines de stands (près de mille vignerons mobilisés) et un système de pass pour déguster, des ateliers de dégustation, une librairie. Aucune bouteille vendue ni tolérée sur ce site de 7 ha, pour éviter tout débordement. Concerts, spectacles et feux d'artifices complètent le tableau.
Ce concept marche si bien qu'il est reproduit à l'étranger. Depuis 2009, fin octobre, c'est le cas le long de la magnifique baie de Hong Kong, avec de nombreux producteurs aquitains qui font le voyage. Deux nouveautés en 2012 : une fête du vin à Dalian (Chine), en juillet ; et à Québec, début septembre. Les deux villes sont jumelées depuis un demi-siècle, et cette province canadienne est un gros client pour les vins girondins.

Brèves de vignoble

À noter, de belles transactions : à l'été 2011, Lascombes (110 ha en margaux) fut vendu à une mutuelle parisienne (MACSF). Un an plus tard, Calon Ségur, autre cru classé en 1855 (saint-estèphe), fut cédé à Suravenir Assurances (Crédit Mutuel). Château le Thil, qui a fait monter les enchères en AOC pessac-léognan, a été scindé en deux : une partie pour les voisins de Smith Haut Lafitte, l'autre pour le promoteur Patrice Pichet qui complète la surface des Carmes Haut-Brion, propriété acquise à prix d'or, en 2011.

La recherche de financement pour le futur Centre culturel et touristique du vin (CCTV) se poursuit. Reste à trouver 15 M€ auprès de mécènes. Ce projet unique en France, à 63 M€ de budget, doit ouvrir en 2015 au nord de Bordeaux. Les architectes et scénographes sont connus.
L'œnotourisme gagne du terrain. De plus en plus de châteaux proposent des chambres (Cos d'Estournel à Saint-Estèphe ou Lagrange à Saint-Julien), d'autres ouvrent des restaurants, comme Troplong Mondot ou Candale, tous deux à Saint-Émilion.
Le processus de classement de Saint-Émilion, mené par deux organismes indépendants sous le contrôle de l'INAO, est bien engagé, mais à l'heure où nous mettons sous presse, la liste des classés n'est pas publiée. Elle devra l'être avant la déclaration de récolte 2012.

Quoi de neuf en Bourgogne ?

Après des débuts précoces et idylliques, 2011 a mis en été les nerfs des professionnels à rude épreuve, leur imposant travail minutieux et vigilance de tous les instants à la vigne comme au chai. Heureusement, la météo a été très favorable à l'époque des vendanges. Un « millésime de vigneron », qui offrira dans les bonnes maisons de très belles bouteilles bien équilibrées.

Déluges en juillet

Hiver froid, printemps chaud et été maussade : le scénario de 2007, 2008 et 2010 se répète en 2011. De fait, 2011 se distingue, comme 2007, par un printemps exceptionnel qui fait prendre à la vigne trois semaines d'avance sur son calendrier habituel (moyenne établie sur 1994-2010). Il fait 30 °C tous les après-midi fin avril ! Cette météo caniculaire se poursuit en mai. Le stade pleine fleur est atteint autour du 20 mai, sous un temps sec et chaud. L'état sanitaire est parfait... La sécheresse menace dans la Côte. Heureusement, des pluies début juin limitent le stress hydrique.
La Bourgogne nage donc dans le bonheur... jusqu'au 7 juillet. À cette date, l'instabilité devient chronique, les orages sont quotidiens. Ces records de pluie placent juillet 2011 au troisième rang des mois de juillet les plus humides depuis quatre-vingt-dix ans. Le 12 juillet, les grêlons ravagent Rully, Bouzeron, Chassagne. Le 23 juillet, Gevrey-Chambertin est touché. Rully est sinistré : en juillet, il est tombé 140 mm d'eau, contre 60 mm habituellement. La pourriture sera au rendez-vous. À Mercurey, un seul orage déverse 80 mm d'eau ! À Chablis aussi, un épisode de grêle occasionne des dégâts importants sur la rive droite du Serein, et affecte le 1er cru Fourchaume. Août fait alterner épisodes chauds et journées maussades. Il tombe en deux semaines l'équivalent d'un mois de précipitations... La course contre l'herbe épuise les vignerons, notamment ceux en bio, qui doivent aussi se battre contre le botrytis.

Un millésime sauvé des eaux

Les dix derniers jours d'août son enfin secs. Les vendanges débutent le 1er septembre en Côte de Beaune pour les rouges, le chardonnay étant légèrement en retard. La bienfaisante bise venue du nord assèche les foyers de pourriture. Mais il faut trier pour enlever les raisins pourris ou grêlés.
Effeuillage, aération des grappes, tonte de l'herbe entre et sous les rangs : 2011 est un millésime « technique ». Les vignerons n'ont pas connu de répit. Le résultat est à la hauteur de leurs efforts : des peaux assez épaisses en rouge, avec de bonnes couleurs et un équilibre alcool-acidité intéressant, notamment en Côte de Nuits, légèrement moins arrosée que la Côte de Beaune en juillet. Des blancs au même profil, aromatiques et pas trop alcooleux : Chablis tient un millésime septentrional, frais et nerveux.

Brèves du vignoble

La Vente des Hospices de Beaune s'est bien passée, mais sans frisson. Elle a tout de même rapporté 4,9 M€ : un beau sparadrap pour l'hôpital ! Mais on sentait que toute la Bourgogne retenait son souffle en s'attendant à voir les banques s'effondrer en 2012...
Une prudence unanime prévalait donc sur la place de Beaune, dans un contexte économique par ailleurs morose : « Je suis frappé par le tassement des ventes en restauration, et, aux États-Unis, les 2009 ne sont pas tous écoulés », soulignait avant la vente Louis-Fabrice Latour, patron des négociants (Union des maisons de

vins de Bourgogne). « La situation des stocks est saine, les prix sont plus attractifs qu'en 2008, donc on n'aura pas la crise que l'on a connue en 2008. Mais je nourris des inquiétudes pour 2012. Nous devrons nous montrer raisonnables, sans arrogance. » À l'export, les vins de Bourgogne ont progressé de près de 17 % en valeur mais montrent une légère érosion en volume (-1 %). Dans ce contexte de repli sur les acquis, une maison tranchait par son dynamisme : quelques jours après les Hospices, Jean-Claude Boisset prenait en effet le contrôle des Vins Skalli, pour les vignobles situés dans la vallée du Rhône et le Languedoc.

Mauvaise nouvelle, 2012 a vu le retour des affaires de fraudes : coup sur coup, fin mars et début juin, deux négociants sont tombés pour des coupages et falsifications. Le nom du premier est resté confidentiel, mais l'on sait que la fraude concerne des milliers de bouteilles commercialisées après 2000. La deuxième affaire a fait trembler la Bourgogne viticole car elle concerne la maison Labouré-Roi, d'honorable réputation, qui, entre 2005 et 2009, a écoulé plus de deux millions de bouteilles suspectes (sur toute la gamme des appellations). Ce scandale Labouré-Roi est l'un des plus importants de ces dix dernières années.

Une clarification dans le nouveau cahier des charges de l'appellation régionale bourgogne : les crus du Beaujolais (y compris régnié, auparavant exclu du dispositif) sont toujours autorisés à commercialiser du vin rouge sous l'étiquette « bourgogne », mais désormais, le gamay

ne devra pas excéder 30 % de sa composition. Les « tout-gamay » (85 % ou plus) devront être étiquetés « bourgogne-gamay ».

Premier achat de vignes par un Chinois : le jeune Shi Yi a acquis un domaine de 2 ha à Vosne-Romanée. Vivant dans la région, il a obtenu un master « vins et spiritueux » de l'école supérieure de commerce de Dijon.

Quoi de neuf en Champagne ?

Crise ? Vous avez dit crise ? Certes, le marché intérieur pourrait être plus éclatant, mais il se maintient. Et les Champenois ont expédié 323 millions de cols, pas loin du record de 2007. Leurs bulles, à l'export, ont rapporté plus de deux milliards d'euros et pétillent dans les pays émergents. Quant à l'année, précoce malgré un été maussade, elle n'est pas si mauvaise, et même bonne pour le chardonnay.

Encore une année atypique...

Depuis longtemps, la Champagne n'a connu un tel début d'hiver : un nombre de jours de gel supérieur à la moyenne décennale. Le froid fait une dernière offensive du 20 janvier au 3 février. Fin mars, une douceur printanière s'installe. Mars est exceptionnellement sec et ensoleillé. Le débourrement est précoce : le 5 avril pour le chardonnay, le 8 pour le pinot noir et le 10 pour le meunier, soit une semaine d'avance sur les moyennes décennales. Hormis deux épisodes de gel les 13 avril et 4-5 mai (au total, 2 650 ha sont touchés, surtout dans la Côte des Bar), un temps estival prévaut d'avril à fin mai. Avec deux à trois semaines d'avance, la floraison est observée le 24 mai pour le chardonnay, le 25 pour le pinot noir et le 29 pour le meunier.

Changement en juin. Ce mois fait alterner épisodes de pluies, de fraîcheur et de fortes chaleurs, le tout ponctué d'orages violents, parfois

porteurs de grêle. Juillet et août sont humides, peu ensoleillés ; la vigne perd un peu des trois semaines d'avance enregistrées début juillet, mais l'année reste précoce. La récolte commence le 19 août dans les crus les plus hâtifs, et le 23 dans les autres. L'état sanitaire est satisfaisant malgré quelques foyers de botrytis, surtout sur les meuniers. Les grappes de chardonnay sont exceptionnelles. Le degré d'alcool potentiel moyen est de 9,4 % vol. Le rendement moyen est de 13 200 kg/ha. Les premières dégustations des vins clairs montrent des pinots noirs fruités, nets et francs. Les chardonnays présentent une belle fraîcheur et les meuniers offrent des arômes citronnés qui s'accompagnent d'une petite pointe végétale.

De beaux chiffres à l'export

En 2011, les expéditions totales de champagne enregistrent une croissance supérieure à 7 % en valeur, soit 4,4 Md€, pour un volume de 323 millions de bouteilles. Le dernier record était en 2007, avec plus de 338 millions de cols. À l'export, les ventes se montent à 2,12 Md€ ; elles progressent de 4,7 % en volume et de 9,3 % en valeur.

Les plus fortes hausses sont réalisées sur les marchés lointains. Aux États-Unis : 19,4 millions de bouteilles (+14,4 %) ; au Japon : 7,9 millions de bouteilles (+6,7 %) ; en Australie : 4,9 millions de bouteilles (+ 32 %).

Les ventes à destination de l'UE (hors France) progressent de 2,1 %, tirées par l'Allemagne (14,2 millions de bouteilles, +8,5 %), la Belgique (9,5 millions de bouteilles, +8,5 %), l'Italie (7,6 millions de bouteilles, +6,3 %) et la Suède qui fait son entrée parmi les dix premiers marchés export (2,4 millions de bouteilles, +6,6 %). Le marché français est en légère baisse comparé à l'an passé (-1,9 %) en raison d'un tassement des ventes au cours des derniers mois de l'année.

Les pays émergents confirment leur statut de relais de croissance. La Russie progresse de 24 %, le Brésil de 7 %. Plusieurs pays d'Asie connaissent de fortes hausses : Singapour (+20 %), Hong-Kong (+15 %), Chine (+19%), Corée du sud (+31 %), Inde (+58 %), Malaisie (+44 %). Les Émirats Arabes Unis confirment un fort potentiel avec près de 1,4 million de bouteilles (+18 %), soit près de cinq fois plus qu'il y a dix ans.

La protection de l'AOC champagne

Présent depuis longtemps dans les dix premiers marchés d'exportation du Champagne, le Comité interprofessionnel du vin de Champagne (CIVC) investit peu à peu les marchés émergents. Après l'ouverture d'un Bureau du Champagne en Chine en 2006, en Inde en 2009, en Russie en 2011, c'est aujourd'hui le tour du Brésil, marché en constante augmentation depuis dix ans. De 402 000 bouteilles en 2002, celui-ci est passé à 979 611 bouteilles en 2010 pour dépasser le million de bouteilles en 2011. Comme pour toutes les autres antennes internationales de l'interprofession champenoise, dont la première a été ouverte en 1954 aux États-Unis, les mis-

sions du CIVC sont doubles : communication et veille juridique pour assurer la protection de l'AOC.
La défense de l'appellation, le Comité interprofessionnel des vins de Champagne l'envisage aussi à sa porte. L'organisme veut remettre en cause la possibilité – confirmée par les nouveaux cahiers des charges en 2011 – donnée aux voisins haut-marnais (hors du petit secteur de ce département inclus dans l'AOC) de produire dans la catégorie IGP (anciens vins de pays) des mousseux issus de seconde fermentation en bouteille. Rappelons qu'il y a précisément un siècle, au printemps 1911, la Champagne a été à feu et à sang pour des questions de délimitations et espérons un règlement à l'amiable de ce litige.

Candidature au patrimoine mondial de l'UNESCO

Une entreprise de longue haleine. La candidature « Coteaux, Maisons et Caves de Champagne » au patrimoine mondial de l'Unesco est portée par l'association Paysages du Champagne. L'avenue de Champagne d'Épernay, la colline Saint-Nicaise de Reims, le coteau d'Aÿ à Hautvillers : ces trois ensembles (urbain, souterrain et paysager) constituent la zone centrale de la candidature.

Quoi de neuf dans le Jura ?

Quinze jours d'avance pour la récolte 2011 : on n'avait pas vu une telle précocité depuis 2003. Et ce malgré un mois de juillet fort maussade. Néanmoins, en raison des pluies du début de l'été, la qualité n'a été atteinte qu'au prix de tris drastiques.

Comme ailleurs, l'été a commencé dans la fraîcheur et l'humidité. Mais l'avance prise en mai était telle – trois semaines – que les vendanges ont débuté fin août avec quinze jours d'avance sur les dates habituelles. 2011 reste donc un millésime précoce, dopé par une météo estivale à partir de la mi-août. Les gros degrés naturels sont fréquents, et peu de vignerons auront eu recours à la chaptalisation. Pour autant, Rien à voir avec 2009, aux acidités basses et aux arômes caramélisés. L'état sanitaire de la récolte, moins bon, a imposé de jeter une partie des raisins vendangés pour obtenir des vins nets, notamment en bio.

Un jura très « vert »

Le Jura est une terre d'élection de vignerons bio et biodynamistes. Un attachement d'autant plus méritoire que les vins au prix de vente restent serrés au regard de coûts d'exploitation plus élevés qu'en conventionnel. L'édition 2012 du salon des vins bio du Jura, *Le Nez dans le Vert*, à Gevingey, a accueilli de nouveaux domaines en conversion. Des chiffres ? 39 domaines en bio dans le Jura ; 247 ha, soit 13 % de son vignoble : le Jura est décidément en pointe sur le sujet, comme l'atteste aussi l'ouverture à Montmorot, près de Lons-le-Saunier, à la rentrée 2012, du premier BTS viti-œno bio en France. La formation accueillera une vingtaine de jeunes.

Brèves du vignobles

La saga de la maison Henri Maire, acteur n° 2 de la région, continue. Certes, depuis 2010, un groupe d'investisseurs franco-luxembourgeois, Verdoso Industries, contrôle désormais 55 % des actions du groupe. Mais en 2011, Emmanuel Laurent, l'œnologue de la maison (recruté chez Antonin Rodet), a isolé 30 ha du domaine de Sorbier afin de les vinifier séparément et de recentrer une petite partie de la production sur les vins de propriété. Ajoutons à cela un vaste programme échelonné de replantations (250 ha environ) : l'aventure Henri Maire ne semble pas terminée.
La dix-septième Percée du vin jaune aura lieu les 2 et 3 février 2013 à Voiteur, qui organisera cette fête pour la deuxième fois. Espérons que le froid sera moins polaire qu'en 2012 à Ruffey-sur-Seille, qui fut, avec -18 °C, l'édition la plus froide de toutes. Trente-mille visiteurs n'en ont pas moins afflué pour goûter les vins du Jura, même si l'on en attendait 40 000...

Quoi de neuf en Languedoc-Roussillon ?

Depuis 2007, le vignoble de la région affiche des millésimes caractérisés par de petits volumes. 2011 annonce enfin une hausse quantitative de 20 % en moyenne, et un bon niveau qualitatif, à mettre au compte d'une arrière-saison idyllique. Après un printemps affichant des records de température inégalés depuis les années 1950, l'été en demi-teinte a stoppé l'avance de deux semaines en moyenne du cycle végétatif de la vigne, relayé par un mois de septembre idéalement chaud. Résultats : des conditions de vendanges rêvées, et des vins qui s'annoncent fins et fruités, avec des blancs superbes et de très beaux vins doux naturels.

2011, la magie de l'été indien

À l'inverse de 2010, l'hiver dans la région se caractérise par un net déficit de précipitations, compensé par les fortes pluies de la mi-mars qui ont permis de reconstituer en grande partie les réserves en eau. Une manne pour le vignoble qui a commencé avec vigueur, dès le 20 mars et avec une avance de plus de dix jours par rapport à 2010, son cycle végétatif. Un printemps marqué par des températures supérieures de 3 °C en moyenne aux normales de saison a précipité cette avance, annonçant des vendanges historiquement précoces.

L'été mitigé a rebattu les cartes, juin et juillet alternant périodes de froid et de chaud, et épisodes pluvieux. Dans le Roussillon, le fort orage de grêle du 5 août a endommagé un millier d'hectares, de la région des Aspres au littoral ; le mois d'août s'est caractérisé à peu près partout par une première quinzaine plutôt chaude et sèche. Passés les orages de la mi-août, l'équilibre s'annonçait précaire. Les vignerons ont dû scruter le ciel et particulièrement surveiller la maturation des raisins. Heureusement, septembre a offert une arrière-saison magnifique, combinant un ensoleillement remarquable, juste ce qu'il fallait de vent du nord et de tramontane, et des nuits fraîches propices à la fraîcheur et à la pureté aromatique des vins. Volumes en hausse mesurée et qualité satisfaisante de la vendange pour l'ensemble des cépages caractérisent en fin de compte ce millésime.

Des vins fruités, frais et tout en rondeur

Les blancs sont les grands gagnants de ce millésime relativement abondant et caractérisé par beaucoup de fraîcheur. Aromatiques et tendus, les blancs de Saint-Chinian, de Faugères, de la zone océanique de Limoux, mais également des secteurs maritimes de la Clape ou du picpoul de Pinet, sont particulièrement équilibrés. À l'instar des blancs, les rosés sont expressifs, fins et frais et continuent leur ascension qualitative.

Les rouges se révèlent plus hétérogènes. Ils offrent pour la plupart un profil souple, fruité et frais, mais certains manquent de matière. Plus que jamais la vigilance et le travail du vigneron ont fait la différence. Dans l'ensemble, les plus réussis sont délicats et profonds, portés par des tanins aimables. Un satisfecit particulier pour les Terrasses du Larzac, véritable pépinière de vignerons talentueux, et qui confirment cette année leur très fort potentiel.

Enfin la douceur du mois de septembre a favorisé la production de vins doux naturels de qualité : un beau millésime en perspective dans les appellations de muscats, qui ne cessent de gagner en finesse, mais également en maury, banyuls et rivesaltes qui devraient proposer d'excellents rimages.

Appellations : la hiérarchisation se précise

Depuis 2007, la région s'est dotée d'une appellation régionale. Dorénavant, les vignerons du Languedoc mais aussi du Roussillon ont la possibilité de produire de l'AOC languedoc, à l'exception de ceux situés en AOC malepère, dans l'ouest audois, qui n'a pas l'encépagement requis. L'appellation régionale a été créée sur la base du décret de l'appellation coteaux-du-languedoc. Cette dernière a donc été profondément restructurée et divisée en huit nouveaux terroirs appelés zones pédo-climatiques, vouées à devenir, après validation par l'INAO, huit nouvelles AOC indépendantes.

Trois correspondent à des terroirs déjà très connus : pic-saint-loup, la clape et picpoul-de-pinet, les cinq autres étant le fruit d'un tout récent découpage effectué sur la base de plus de vingt-cinq ans d'AOC et de mise en valeur du vignoble (Terrasses du Larzac, grès de Montpellier, Sommières, Pézenas, Terrasses de Béziers). À l'heure où nous écrivons ces lignes, l'INAO. serait sur le point d'officialiser le classement en AOC des appellations Picpoul de Pinet, pic Saint-Loup et la Clape, et envisage de classer dans les meilleurs délais les terrasses du Larzac.

Brèves du vignoble

Les vignerons de la région mettent particulièrement l'accent sur l'œnotourisme, encouragés en cela par le succès, désormais établi, des balades vigneronnes. Trois périples pédestres, verre en main, à travers les vignobles du pic Saint-Loup, de la Clape et des terrasses du Larzac, ponctués d'étapes gastronomiques en harmonie avec les vins du cru. Tous les mardis de l'été ont également lieu les Festivales de Saporta, soirées rencontre avec les vignerons des coteaux du Languedoc, et tous les vendredis, les Estivales de Montpellier, selon le même principe, sur la Place de la Comédie.

L'Été des Corbières, fin juin, constitue l'événement majeur du vignoble audois, tandis qu'en Roussillon, la fête de la vigne et du vin donne le départ des festivités, suivie de la nuit de la Saint Bacchus qui offre la possibilité de déguster.

Après une tentative infructueuse en 1980, l'appellation rivesaltes a relancé le rosé, mettant à profit l'engouement pour cette couleur : le rosé figure dans le nouveau cahier des charges, à côté des grenat, ambré, tuilé et hors d'âge. Il représente déjà quelque 10 % des volumes revendiqués. Destiné à un nouveau public, un vin doux naturel élevé en milieu réducteur comme le grenat, axé sur le fruité frais, simple et facile, à l'opposé des rivesaltes d'élevage tuilés et ambrés.

Quoi de neuf en Provence et en Corse ?

En Provence, un hiver pluvieux, un printemps chaud et sec, des orages périodiques pendant l'été résument la météo de 2011. Aucun accident climatique, une floraison précoce dans de bonnes conditions, une petite avance à la vendange et des volumes légèrement supérieurs à ceux de 2010. Résultat, un beau millésime 2011, en particulier pour les rouges.

Par rapport au continent, la Corse se singularise. Ici une séquence inversée. Nulle sécheresse de printemps mais au contraire une fraîcheur et une pluviosité durables suivies d'un été sec puis caniculaire : la vigne a refait son retard et l'année a été précoce, ici aussi. En Provence, le rosé continue de régner, et dans l'île de Beauté, il représente plus de la moitié des volumes.

En Provence

Les vendanges 2011 ont commencé dès la mi-août (le 24 en 2010) pour se finir vers la fin octobre. Les températures étaient fraîches et la récolte souvent réalisée la nuit, ce qui a permis de préserver la qualité aromatique des cépages.

Les rosés dominent toujours la production, particulièrement hégémoniques en côtes-de-provence et en coteaux-varois (89 %). Cependant, 2011 a permis de produire des rouges de grande qualité. La somme des trois principales AOC en volume (coteaux-d'aix-en-provence, côtes-de-provence et coteaux-varois-en-provence, soit 96 % des volumes AOC de la région) s'élève à 1,31 Mhl : 976 000 hl pour les côtes-de-provence, 211 000 hl pour les coteaux-d'aix, 123 000 hl pour les coteaux-varois. Le rosé reste largement prépondérant avec 87 % du total (9 % en rouge et 4 % en blanc). Mais les volumes en rouge ont été plus importants : 120 000 hl (+10,5 %). Les coteaux-d'aix rouges sont très réussis ; puissants et structurés, ils sont déjà harmonieux tout en offrant un potentiel comparable aux 2007 et 2003. Dans cette couleur, les côtes-de-provence sont fondus, complexes et flatteurs, les coteaux-varois assez chaleureux mais équilibrés. Les blancs sont ronds et fins.

Les perspectives sont également bonnes pour les baux, qui offriront des rouges de garde et des rosés structurés. L'AOC bandol a bénéficié de mois de juillet et août ventés, de nuits fraîches et d'une fin de saison lumineuse. Les rouges affichent un beau potentiel et les rosés, gras et vifs, sont faits pour la table. Les blancs, tout aussi frais, sont eux aussi étoffés, avec une légère et agréable amertume en finale.

Les côtes-de-provence sont vendus à 60 % en vrac contre 40 % des vins en moyenne en France. C'est particulièrement vrai du rosé dont les deux tiers sont vendus de la sorte (seulement 20 % des blancs et 10 % des rouges). Les cours du vrac restent fermes autour de 147 euros/hl et progressent régulièrement depuis quatre ans. La France reste le débouché principal (87 %) mais l'export progresse. La grande distribution représente 40 % des volumes.

Brèves du vignoble

L'appellation les-baux-de-provence n'est plus réservée aux rouges et aux rosés. Les nouveaux cahiers de charges publiés en 2011 et révisant le décret de 1995 ayant reconnu l'AOC ont admis les blancs jusqu'alors produits en coteaux-d'aix : les vignerons des sept communes productrices avaient formulé la demande il y a trois ans. Ces blancs, vifs et aromatiques, sont des assemblages de trois cépages principaux (clairette, grenache blanc, vermentino), avec un cépage complémentaire, la roussanne, et trois cépages accessoires, le bourboulenc, la marsanne et l'ugni blanc. Le cahier des charges insiste sur la préservation du milieu physique et biologique, ainsi que des éléments structurant le paysage : murets, terrasses, talus, banquettes. De fait, 85 % de l'aire géographique (350 ha) est cultivée en bio par une quinzaine de producteurs.

La Chambre d'agriculture, subventionnée par le Conseil général, a développé dans le Var une route des Vignobles et du Patrimoine.

En Corse

Pour la quatrième année consécutive, l'automne et l'hiver 2010-2011 ont été particulièrement pluvieux, ce qui a permis de reconstituer la réserve hydrique, faisant oublier la décennie 1997-2007. Ces chutes de pluies se sont accompagnées de températures plutôt fraîches et de chutes de neige abondantes en altitude, et ce jusqu'en mai. La présence de neige sur les sommets a ralenti l'entrée en végétation. La pluviométrie enregistrée au printemps a été supérieure à la moyenne, mai et juin ont été humides et chauds, entraînant mildiou et oïdium. On aurait pu s'attendre à une année assez tardive ; mais le début de l'été a été sec et frais et la véraison s'est déroulée à des dates normales. Après un long épisode caniculaire entre le 15 août et le 15 septembre, l'année s'est finalement révélée plus précoce que 2010 : les vendanges ont débuté dès le 20 août pour s'achever vers le 15 septembre, le niellucciu demandant 15 jours supplémentaires pour donner des rouges concentrés. En 2010, ces derniers étaient rentrés à la mi-octobre. Les pluies, apparues sur la côte ouest vers la mi-septembre, ont eu un impact plutôt positif.

Avec 342 159 hl, la récolte a été inférieure en volume de 10 à 15 % à celle de l'année précédente, avec des niveaux de rendements très variables d'un secteur à l'autre. Un chiffre finalement assez proche de la moyenne quinquennale, surtout si l'on considère les arrachages récents. En rouge, les récoltes les plus précoces ont été orientées vers la production de rosés. Sur la production globale, les AOC représentent 113 798 hl, soit 33 % ; les IGP (vins de pays) totalisent 203 380 hl, soit 59 % (légère baisse) et les vins sans indication géographique 24 981 hl, soit 7 %. Les vins-de-corse représentent 87 459 hl, soit 77 % des volumes AOC, dont 54 % pour ceux sans dénomination ; patrimonio : 13,8 % ; ajaccio : 7,65 %. Dans la production globale corse, les rouges ont représenté 28 % des sorties de chais, les rosés 55 % et les blancs 16 %. Les précieux muscats-du-cap-corse sont toujours aussi confidentiels (1,66 % des volumes AOC).

Quoi de neuf en Savoie ?

Il a neigé le 6 juin 2011 à partir de 600 m ! Voilà qui rappelle que la Savoie est un vignoble de montagne. Malgré tout, la région s'aligne sur le modèle climatique français du millésime : un printemps excessivement chaud et sec, un été très moyen, une arrière-saison superbe qui a sauvé la mise. À l'ordre du jour, une étude des terroirs et de nouvelles délimitations.

En Savoie, mai fut encore plus précoce que 2003, dès le débourrement. Fin juin, le vignoble comptait trois semaines d'avance, mais juillet, pluvieux et froid, apporta mildiou, oïdium et black-rot ; pas de vacances pour les vignerons !

Heureusement, le soleil revient à partir des derniers jours d'août. Les vendanges ont commencé début septembre dans la Combe de Savoie et à Jongieux. Il faisait chaud le jour et frais la nuit : les machines et les hommes travaillaient à l'aube pour s'arrêter l'après-midi. Moyennant un tri draconien, les jacquères, très aromatiques, présentent un bon équilibre, avec moins d'acidité qu'en 2010. En rouge, la mondeuse a donné un peu plus de rendement que l'année précédente. Il faudra être vigilant sur la maturité des tanins.

Vers un vignoble de terroir

La Savoie, aidée par le conseil régional, met les bouchées doubles pour asseoir son image de vignoble de terroir, avec des vins d'élite comme le chignin-bergeron. Pour ce dernier, une redélimitation, qui devrait voir le jour en 2012, exclura les bas de pente pour ne retenir que les secteurs propices à la surmaturité.

Par ailleurs, une étude menée avec le laboratoire Sigales de Grenoble analyse sols et sous-sols pour mieux adapter les cépages au terroir. Une autre recherche ambitionne de

sélectionner des variétés anciennes des cépages locaux, à partir de vieilles vignes de la Combe de Savoie, afin d'offrir une alternative aux clones développés par l'INRA dans les années 1980 pour leurs gros rendements. Un troisième axe de recherche vise à déterminer les bonnes pratiques pour vinifier jacquère et mondeuse.

Enfin, une nouvelle appellation devrait aussi voir le jour fin 2012 : le crémant-de-savoie.

Quoi de neuf dans le Sud-Ouest ?

Un été chahuté, des vendanges difficiles et au bout, une qualité hétérogène pour le millésime 2011. Sur les linéaires, les vignobles du Sud-Ouest souffrent car le voisin Bordelais est à l'offensive. Duras mène une réflexion de fond, Cahors lorgne vers l'export, Bergerac compte sur ses liquoreux, et partout le rosé perce.

Comme chez le grand voisin girondin, le millésime 2011 est arrivé par des chemins de traverse. Pas de belles lignes droites – comme en 2009 et 2010 – mais un climat qui a zigzagué : l'été au printemps, l'imperméable en juillet et le parasol en septembre. Face à cette météo crispante pour les nerfs des vignerons, la vigilance fut de mise pour éviter l'essor des maladies et autres déconvenues.

Heureusement, l'arrière-saison – comme souvent ici – a aidé les producteurs. Auparavant, on a noté de la grêle à Tursan (Landes) le 12 juillet, et par endroits du stress hydrique : des ceps ont manqué d'eau, or, il est interdit d'irriguer la vigne dans la région (les cahiers des charges de 2011 ouvrent d'ailleurs cette possibilité dans certaines AOC comme gaillac ou fronton). Presque partout, les vendanges 2011 furent moins précoces que prévu. En jurançon cependant, elles se sont terminées avec trois semaines d'avance sur les dates habituelles grâce au soleil de septembre et d'octobre.

Liquoreux et moelleux sont de belle facture. Les rouges sont corrects mais n'ont pas la puissance et la finesse des 2009 et 2010. On gardera cependant en mémoire qu'il y a vingt ans, ce 2011 aurait été jugé remarquable. Aujourd'hui, grâce aux techniques modernes et aux savoir-faire, il est presque impossible de rater un millésime. Tant mieux pour les amateurs. Grâce aux écarts de température entre nuit et jour, dans la dernière ligne droite, les blancs secs affichent fruité et fraîcheur, les qualités premières qu'on leur demande. Comme partout en France, le rosé gagne du terrain.

Des ventes à la peine

À Bergerac (11 200 ha pour 950 producteurs, dont la moitié coopérateurs), la récolte 2011 est de 530 000 hl. C'est le plus vaste vignoble du Sud-Ouest et pourtant il ne pèse « que » 10 % du mastodonte bordelais. C'est dire s'il en est dépendant – lui comme les autres – à l'heure des bilans. Sur les derniers chiffres de campagne (août 2011 à fin avril 2012), 360 000 hl ont trouvé preneur, soit -12 % par rapport à l'exercice précédent. Le négoce acheteur ne se précipite pas et la campagne est molle. Quand Bordeaux est agressif sur les linéaires, eu égard à sa notoriété supérieure, difficile de lutter... Pourtant la bouteille de bergerac rouge est à 2,40 € en moyenne dans la grande distribution. En comparaison, c'est 2,79 € pour un cahors, 3,72 € pour un buzet ou 3,17 € pour un gaillac. On assiste à une véritable guerre des prix sur le rouge, au centime près. Le monbazillac reste une valeur sûre qui assure au producteur une rémunération correcte, en vrac comme en bouteille. En revanche, l'exportation n'assure que 12 % des débouchés : un handicap, car l'essentiel des relais de croissance est là.

C'est justement vers l'export que se tourne Cahors grâce à l'avantage concurrentiel de son cépage malbec. Peu planté sur la planète (sauf en Argentine), il donne une identité forte au vignoble cadurcien. Ainsi, 20 % des vins sont exportés, à 3 € HT la bouteille en moyenne. La maison des vins ouverte en juillet 2011 (Villa Cahors Malbec) pourrait avoir une succursale à New-York (ainsi qu'à Toulouse). Un effort vers les marchés extérieurs compréhensible si l'on sait que, comme les autres, Cahors souffre en France : 40 % de la production est écoulée à moins de 2 € la bouteille. Heureusement, la récolte 2011 fut correcte en volume (180 000 hl) après un faible millésime 2010, amputé par les aléas climatiques. À souligner que Cahors devient de plus en plus un vignoble mixte : sur

4 200 ha, 3 300 vont vers l'AOC ; le solde préférant les indications géographiques protégées (IGP, ex vins de pays) ou les vins sans indication géographique (VSIG, ex vins de table).

Actions de promotion communes

Chez le voisin lot-et-garonnais, la coopération est chez elle : à Buzet (où les installations sont recouvertes de panneaux solaires), à Marmande (où la gamme des vins est refondue par une nouvelle équipe) ou à Duras. Ici, une personnalité a pris les commandes début 2012 de la plus petite interprofession de France : l'homme d'affaire Alain Tingaud, trente ans dans l'informatique et président du club de rugby d'Agen. Alors que son fils s'occupe du domaine familial, il s'investit dans la stratégie de ce vignoble de 1 500 ha qui a produit 77 000 hl d'AOC en 2011 (200 ha ont préféré les IGP ou les VSIG). Modernisation des statuts et des outils, Livre Blanc pour fixer un cap, tout y passe. En mai, pour la première fois, les productions agroalimentaires du département ont même mené une opération commune à Paris : vin, fraise, pruneau, blonde d'Aquitaine... L'idée de travailler ensemble pour la promotion fait également son chemin à un niveau plus large puisque les régions Aquitaine et Midi-Pyrénées ont officialisé la marque commune « Sud-Ouest France », label censé accueillir les productions agroalimentaires des deux territoires. Pour aller au-delà des querelles de clocher, gageons que cette nouveauté soit le trait d'union de productions viticoles locales éparses. Déjà le Lot-et-Garonne, Bergerac et la petite interprofession des vins du Sud-Ouest (IVSO, Fronton, Gaillac, Saint-Mont, Madiran, Irouléguy...) coopéraient un peu, et cela pourrait aller plus loin (données statistiques, exportation, grande distribution...).

Brèves du vignoble

L'INAO a approuvé l'adjonction de la mention traditionnelle « vendanges tardives » à l'AOC

gaillac. Réservée auparavant à certains jurançon et bien sûr à l'Alsace, la mention s'applique à des gaillac doux dont la production est assortie de conditions strictes (rendements à 25 hl/ha ; 250 g/l de sucres dans le moût ; degré naturel de 17 % vol.)
Les dernières AOVDQS ont accédé à l'AOC. Outre les coteaux-du-quercy, saint-sardos, tursan, les côtes-du-brulhois, saint-mont, les petites appellations du Massif central (estaing, entraygues-le-fel). Lavilledieu a préféré la catégorie IGP.
À Bergerac, le château Monestier Latour a été acheté par Karl-Friedrich Scheufele, co-président du Suisse Chopard (horlogerie, bijouterie), qui possède aussi dans son pays des magasins de vin.

Quoi de neuf dans la vallée de la Loire ?

Dans la vallée de la Loire, la météo a montré le même profil que dans une grande partie de la France, avec un printemps sec, un été frais et arrosé jusqu'à la mi-août et une belle arrière-saison. Les vignobles proches de l'embouchure ont plus pâti de l'humidité estivale que le Centre. La région nantaise réagit aux vicissitudes climatiques et commerciales en misant sur ses crus, muscadets hautement qualitatifs, aptes à la garde, créant une hiérarchisation du vignoble, alors que les vignobles d'amont jouent plutôt sur les vins à boire jeunes, surfant sur la vogue du rosé ou des fines bulles, sans oublier leurs vins de prestige qui constituent l'autre face du vignoble ligérien.

DANS LA RÉGION NANTAISE

Été pourri

Atypique ; 2011 montre à quel point il est difficile de juger une année tant que le raisin n'est pas en cave. Certes, on trouvera de très bons vins, mais ces bonnes bouteilles sont le produit d'un important travail au chai et non de la générosité d'un millésime qui a douché les espoirs d'un printemps très précoce, chaud et très sec de mars à mai, avec un débourrement le 25 mars, et une floraison mi-mai. À partir de juin, la tendance s'est inversée, avec des températures inférieures aux normales et un mois de juillet très pluvieux. La végétation a parfois perdu son avance, la pourriture a sévi. Après une véraison à partir du 18 juillet, les vendanges ont commencé le 24 août et les producteurs se sont hâtés de rentrer le raisin. Le muscadet 2011 offre un profil plus acide que les 2009 et 2010. De l'avis général, c'est un millésime difficile et à oublier.
Les superficies déclarées continuent à diminuer : 9 100 ha pour le muscadet, 595 ha pour le gros-plant. Il faut reconnaître que les producteurs peinent à valoriser leurs produits : si les sorties de chai montrent une hausse de 10 %, les prix sont disparates : en moyenne, 113,21 €/hl pour le muscadet et 45 €/hl pour le gros-plant. En grande distribution, deux bouteilles sur trois de sèvre-et-maine sur lie se vendent entre 2,50 € et 3,50 €.

Trois nouveaux crus

La profession mise sur le haut de gamme et les crus : enfin, l'INAO a reconnu en novembre 2011 trois dénominations géographiques complémentaires : Le Pallet, Clisson et Gorges. Délimitation, âge des vignes, rendements, élevage : les conditions sont plus restrictives. Un élevage sur lies de dix-huit mois à deux ans selon les dénominations est obligatoire, et les vins sont vendus en bouteilles. Par ailleurs, le gros-plant et les coteaux-d'ancenis ont accédé à l'AOC à la suite de la suppression fin 2011 de la catégorie des AOVDQS, dont ils faisaient partie.

EN ANJOU-SAUMUR

Les rosés, jusqu'à quand ?

Les conditions météorologiques ont évidemment bien des traits communs avec ce qui a été observé en aval, et les vendanges débutent le 25 août avec les chardonnays. Les rouges récoltés en début de vendanges seront légers et friands. Les cabernets vendangés en octobre donneront des vins mûrs et structurés. La belle arrière-saison a laissé espérer quelques jolies bouteilles en liquoreux lorsque le travail de tries a été bien mené.
Mais l'Anjou, plus que jamais, est un vignoble de vins rosés. Ces cinq dernières années, plus de 45 % des surfaces viticoles sont destinés à ce type de vin (8 520 ha). C'est dans cette couleur que l'on trouve les grandes AOC en surface et en volume, tel le cabernet-d'anjou, qui, avec plus de 5 200 ha en production est devenu en quelques années la deuxième appellation en surface du Val de Loire, juste derrière l'AOC muscadet. En second, le rosé-d'anjou représente 2 200 ha (moyenne sur cinq ans). Le cabernet-d'anjou a particulièrement les faveurs de la grande distribution, exportant peu (10 %), alors que le rosé-d'anjou écoule sa production à 40 % à l'étranger (Pays-Bas pour la moitié, États-Unis et Belgique). Les deux autres AOC, un rosé-de-loire qui s'essouffle et un cabernet-de-saumur confidentiel, sont secondaires. Cette prévalence du rosé contribue à l'image simple mais positive des vins d'Anjou auprès du grand public.
Rappelons que les rosés d'Anjou se sont popularisés au début du XXe s., lorsqu'après la crise phylloxérique, la région a misé sur des cépages rouges nouveaux, souvent plantés sur de nouveaux sites : le cabernet franc, ainsi que les prolifiques grolleau et le gamay. Il y a dix ans, ce type de vins a connu un renouveau, favorisé par une amélioration des techniques à la vigne (enherbement, maîtrise des charges, effeuillage...) et au chai (maîtrise des températures afin de préserver les arômes par exemple).

Cependant après le record de 2011, les cours s'effritent et les stocks augmentent : quelques exploitations spécialisées dans cette production connaissent des difficultés. La fin d'un cycle ou la conséquence d'une hausse trop rapide ?
Les vins effervescents ont eux aussi le vent en poupe. Apparus au début du XIXe s. dans la région de Saumur, ils ont également été favorisés par la reconstruction phylloxérique : les porte-greffes adaptés aux sols calcaires, par leur vigueur, ne favorisaient pas la maturité des raisins, si bien que les producteurs ont préféré élaborer des mousseux, d'autant que la région de Saumur comptait de nombreuses caves. Environ 7 millions de bouteilles étaient produites avant la guerre de 1914-1918. Issue de cette tradition, l'AOC saumur produit un peu moins de 11 millions de cols, surtout destinés au marché national (-44 % à l'export ces cinq dernières années). Cette AOC historique s'est fait doubler en 2011 par un crémant-de-loire en pleine expansion, plus présent sur les marchés extérieurs (près de la moitié de la production, notamment en Allemagne).

Grand cru et premier cru

À côté de ces productions importantes ayant les faveurs du grand public, l'Anjou possède cependant une deuxième face, avec des vignobles de prestige à l'échelle du lieu-dit. En 2011 ont ainsi été reconnues les AOC savennières-coulée-de-serrant et savennières-roche-aux-moines pour des vins blancs secs provenant de sites identifiés dès le début du Xe s. Dans la vallée du Layon, 2011 a vu l'avènement des mentions « grand cru » pour l'AOC quarts-de-chaume et « premier cru » pour l'AOC coteaux-du-layon Chaume, mentions réservées aux appellations les plus renommées et les plus exigeantes (pour le quarts-de-chaume grand cru, 18 % vol. nature et une interdiction d'enrichissement par exemple). En revanche, les appellations de vins blancs – production historique de la région – ont perdu environ 800 ha en dix ans (3 160 ha en 2011 pour 3 980 ha en 2002). Elles ne représentent plus qu'environ 20 % du vignoble. Cette baisse s'explique surtout par la diminution des vins secs des AOC anjou et saumur. En liquoreux également, les grandes appellations connaissent des difficultés, alors que celles conduites par de petites entités progressent en surface et en notoriété. Seuls les vins de caractère gardent leur public. Cépage vigoureux, tardif et gros producteur, le chenin ne donne sa pleine mesure qu'avec des techniques culturales exigeantes, comme le soulignait déjà le Dr Guyot en 1875.

EN TOURAINE

L'ouest entre rouges et fines bulles

Le millésime 2011 devrait offrir de bonnes surprises pour les cabernets. Récoltés à la fin des vendanges, en octobre, ceux-ci ont bénéficié d'excellentes conditions météorologiques, et donneront – lorsqu'ils proviennent des coteaux argilo-calcaires – de bonnes bouteilles à la fois mûres et étoffées, aptes à la garde, moins sévères et plus structurées que leurs devancières de 2010. Le chenin devrait surtout produire, à côté de quelques moelleux, des secs, des « secs tendres » et des fines bulles. Les blancs secs seront vifs et sur le fruit. Il en sera de même du touraine issu de sauvignon.
Le bilan économique d'ensemble ressemble à celui de la précédente campagne. Les sorties de chais sont ainsi dominées par les vins rouges (environ 42 %), suivis des blancs (26 %), puis des fines bulles (22 %) et des rosés (10 %). Les volumes exportés sont en légère augmentation (15 % des volumes), les vins effervescents connaissent une année record et les rosés progressent dans des AOC traditionnellement productrices de vins rouges comme chinon et saint-nicolas-de-bourgueil. La commercialisation en grande surface représente 25 % des volumes.
Les appellations communales de l'ouest (chinon, bourgueil, saint-nicolas-de-bourgueil), qui ont

un ancrage historique ancien, connaissent une situation stable, représentant un peu plus de 55 % du vignoble (7 360 ha sur les 13 300 ha de Touraine). Déjà renommées au Moyen Âge, elles ont fait partie de la première vague d'AOC reconnues dans les années 1930. La tendance actuelle favorise les fines bulles aux dépens des rouges, qui stagnent si l'on excepte bourgueil et surtout saint-nicolas-de-bourgueil, avec ses vins de terrasses gouleyants, qui s'écoulent à 210 €/hl. En matière de fines bulles, l'AOC vouvray fait figure de locomotive dans un marché en expansion ; les effervescents y représentent aujourd'hui 60 % des superficies revendiquées, contre 40 % en 2002.

À l'est, de nouveaux vins de terroir

L'AOC touraine a connu en dix ans une profonde mutation et a redéfini ses produits. Les rouges ont perdu presque la moitié de leurs surfaces : 2 749 ha en 2002, 1 473 ha en 2012. Ils ne représentent plus que 30 % des surface, contre près de la moitié il ya dix ans. Les blancs sont stables (2 300 ha), les rosés minoritaires (460 ha). Les effervescents doublent leurs superficies en restant secondaires (un peu moins de 600 ha). Dans le même temps l'AOC touraine s'est recentrée sur ses cépages fondamentaux : pour les blancs, le sauvignon exclusivement ; pour les rouges, le gamay, qui doit s'afficher sur l'étiquette, ou un assemblage comprenant au moins 50 % de cot (complété par le cabernet) ; les rosés doivent assembler au moins deux cépages. Cette redéfinition vise à faire des touraines des vins de terroir plutôt que des vins de cépage : un changement de stratégie. La reconnaissance en 2011 des deux nouvelles dénominations Chenonceaux et Oisly va dans le même sens.
Quant aux appellations « satellites » de faible ou moyenne superficie, comme orléans-cléry, courcheverny, jasnières, cheverny ou valençay, elles assoient leur identité grâce à l'originalité de leurs vins associée à la forte identité de leurs milieux naturels ou de leur histoire.

EN CENTRE-LOIRE

Une précocité mémorable

L'été au printemps et l'automne en été, telles furent, insolites et paradoxales, les conditions météorologiques qui ont construit le millésime 2011. Le millésime fut sans doute un des plus précoces depuis le fameux 1893, plus précoce même que 1976 et 2003. Fin d'hiver douce, explosion des bourgeons dès la première semaine d'avril, floraison terminée dans les derniers jours de mai, avec trois semaines d'avance. L'atmosphère s'est faite plus fraîche et humide en été, surtout entre le 14 juillet et le 15 août, pour le plus grand bénéfice des raisins qui commençaient à souffrir d'un déficit hydrique. La période de maturation fut plus chaude et ponctuée localement de pluies orageuses, mais les précipitations n'ont jamais été menaçantes et la pourriture n'a touché que 10 % des vignobles. Malgré la précocité de l'année, la maturation fut lente, et la plupart des viticulteurs, en raison du bon état sanitaire des raisins, ont pu attendre pour récolter. Les vendanges se sont étalées sur près d'un mois sous un ciel clément. Les premiers coups de sécateurs ont été donnés le 29 août en blanc à Sancerre. La majorité des parcelles ont été vendangées entre le 5 et le 17 septembre. Tout était rentré le 22 septembre, alors que les vendanges de l'année 2010 n'avaient pas commencé !

Souplesse et fraîcheur

Les raisins se caractérisent par des taux de sucres importants, sans être excessifs comme en 2009, et des acidités plutôt basses. Grâce aux températures modérées pour la saison et au ciel souvent couvert, les vins conservent leur fraîcheur aromatique et gustative caractéristique du Centre-Loire, tout en se montrant souples et pleins. Les blancs sont tendres, imprégnés d'une forte sucrosité naturelle, volumineux, avec ce qu'il faut de fraîcheur. Leur palette élégante est dominée par les fleurs et les fruits (agrumes et fruits blancs). Les rouges sont ronds en attaque, gras, avec une certaine fermeté tannique.
Après les productions déficitaires en 2008 et en 2009, les récoltes 2010 et 2011 ont permis de reconstituer les stocks. En 2011, 307 936 hl (contre 317 307 hl en 2010), dont 253 343 hl en blanc (82 %), 17 011 hl en rosé (6 %) et 37 582 hl en rouge (12 %). Depuis un an, pour l'ensemble des appellations, les ventes ont continué de progresser tant sur le marché intérieur qu'à l'export. Les sorties sur douze mois sont en hausse de 7 % en volume.

Brève du vignoble

Le vignoble de Reuilly a fêté les cinquante ans de son accession à l'AOC (1961) en organisant des événements autour de la gastronomie berrichonne.

Quoi de neuf dans la vallée du Rhône ?

En 2011, la vallée du Rhône partage avec d'autres vignobles certains traits : l'année laissait espérer des records de précocité, mais un début d'été plus arrosé que le précédent lui a fait perdre un peu de son avance. Heureusement, des conditions favorables en août et septembre ont rétabli la situation : globalement, le millésime apparaît chaud et sec. La récolte est supérieure en volume à celle de 2010 et de bonne qualité. Et les vins du Rhône ont fait de belles percées à l'export.

Des vendanges étalées dans le temps

Après un temps sec et doux à la fin de l'hiver, un mois de mars très pluvieux, le printemps se montre très chaud et sec. Les pluies de juin permettent de réduire le déficit hydrique. Juillet se montre non seulement frais, mais surtout peu ensoleillé et beaucoup plus arrosé que la normale (+65 %). En revanche, août et septembre se montre chauds, secs, avec des durées d'insolation également supérieures aux normales (+7 % en août et +16 % en septembre). Finalement, le déficit de précipitations cumulé à la fin septembre est de 20 % (soit -146 mm).

Les observations au vignoble lors des premiers contrôles de maturité d'août traduisent un état de maturité précoce sans plus, loin des 20 jours de fin juin, comparable à 2009. On observe aussi une certaine hétérogénéité entre les parcelles, les souches et même à l'intérieur d'une même grappe. Heureusement, le beau temps d'août et de septembre a permis à chaque vigneron d'attendre l'homogénéité de maturité au vignoble et d'avoir le libre choix pour optimiser sa récolte. Il a également contribué à une bonne maturation des raisins ainsi qu'à une concentration de tous les composés des baies.

Les vendanges se sont étalées de la fin août dans les secteurs les plus précoces à la fin octobre pour les plus tardifs. En raison de la chaleur de l'arrière-saison, les départs en fermentation des moûts ont été assez rapides, et l'une des difficultés du millésime a été de maîtriser les températures de fermentation. Le fort potentiel alcoolique parfois constaté a requis une grande maîtrise, afin de magnifier une matière première prometteuse mais difficile à gérer. Les conditions climatiques estivales ont conduit à des pH élevés, ainsi qu'à des acidités volatiles un peu plus importantes qu'une année normale.

Le millésime 2011 est un millésime à deux visages. Les vins issus de vendanges précoces sont francs, fruités et tanniques. Ceux issus de

raisins ramassés à une maturité plus avancée sont chaleureux, amples, avec des tanins enrobés et des arômes de fruits mûrs, de confitures et des senteurs d'épices douces.
Avec 3,077 Mhl, la production globale montre une progression de 8,6% par rapport à 2010. Les surfaces des vignobles couvrent environ 71 000 ha. En côtes-du-rhône, le volume passe de 1,40 Mhl en 2010 à 1,6 Mhl en 2011. En côtes-du-rhône-villages, le volume passe de 320 000 hl en 2010 à 290 000 hl, soit une diminution de 10 %.

Niveau record des exportations

À l'export, les vins de la vallée du Rhône ont atteint un niveau record depuis dix ans pour générer 361 M€. Pour mémoire, en 2002, la valeur des exportations s'élevait à 342 M€. Une progression de 9,69 % en volume et de 20 % en valeur. Ces exportations représentent 22,5 % du chiffre d'affaires, les ventes s'élevant au total à 1,6 Md€. La Chine ? +97 % mais avec un volume qui reste relativement faible : 29 790 hl. Le Royaume-Uni reste le principal client étranger (182 000 hl).

Les enjeux environnementaux

Selon la fédération des syndicats des producteurs de Châteauneuf-du-Pape, la production en agriculture biologique atteint 20 %. Un autre défi a trait à la préservation de la biodiversité et au maintien de la qualité paysagère. Il faut replanter des haies, garder des bandes enherbées pour limiter l'érosion. L'évolution climatique qui impose des températures de plus en plus élevées demande à chaque vigneron de bien tirer parti de la diversité des treize cépages, atout de l'appellation, pour se préserver de vins trop puissants. Cette tendance pourrait redonner un rôle plus important au cinsault, moins alcoogène, quelque peu délaissé depuis vingt ans.
On rappellera que la viticulture biologique connaît une forte progression dans la vallée du Rhône : avec 4 691 ha (+15 % par rapport à 2010, dont 2 527 ha en conversion) ; le vignoble est nettement au-dessus de la moyenne nationale (7 %), notamment dans la Drôme (16 %), le Vaucluse (15 %) et le Gard (11 %) qui appartiennent en la matière au « top 10 » des départements.

Les trente ans du lycée hôtelier

Le lycée hôtelier de Tain-l'Hermitage, créé en 1981, fête donc ses trente ans. C'est le premier établissement de l'Éducation nationale à avoir proposé une formation au métier de sommelier en deux ans, à une époque où l'on devenait souvent sommelier par hasard. Ce cursus s'adresse à de jeunes titulaires d'un CAP, BTS... généraliste en hôtellerie-restauration. Grâce à une équipe de professeurs et d'intervenants passionnés, grâce à l'impulsion donnée par le proviseur Gérard Astier aidé de Gérard Pierrefeu, alors président de l'interprofession des vins de la vallée du Rhône, et grâce à l'appui de grands noms de la restauration (Alain Chapel, Georges Blanc, Michel Guérard...), l'école a formé des sommeliers de renom disséminés dans le monde entier. La formation prévoit deux stages en restauration, chez Alain Ducasse à Monaco, Anne-Sophie Pic à Valence, au Relais Bernard Loiseau, ou Troisgros à Roanne. Les sortants ont le choix entre 2 à 5 offres en France et à l'étranger. « À ma connaissance, aucun de nos anciens ne connaît le chômage », se réjouit Pascal Bouchet, professeur au lycée. Et d'ajouter : « Inter Rhône a d'ailleurs créé une GoogleMap des élèves sommeliers de Tain ; 60 % en France et 40 % à l'étranger, et beaucoup en Asie à Taïwan, Séoul, Shanghaï... il faut aller voir ça ! »

TOUT SAVOIR SUR LE VIN

DÉGUSTATION BIO
TERROIR ÉLEVAGE ACCORDS
ACHAT TEMPÉRATURE
CONSERVATION
VINIFICATION SERVICE
MILLÉSIMES VITICULTURE
ÉTIQUETTE CÉPAGE

Comment identifier un vin ?

Les rayons des cavistes et des grandes surfaces offrent une large palette de vins français, voire étrangers. Cette variété, qui fait le charme du vin pour l'amateur averti, rend aussi le choix difficile et déroute le néophyte : la France produit à elle seule plusieurs dizaines de milliers de vins qui ont tous des caractères propres. Leur carte d'identité ? L'étiquette. Les pouvoirs publics, français et désormais européens, et les instances professionnelles se sont attachés à la réglementer. Capsules et bouchons complètent l'identification.

Les catégories de vin

L'étiquette indique l'appartenance du vin à l'une des catégories réglementées en France : vin de France (ex-vin de table), indication géographique protégée IGP (ex-vin de pays), appellation d'origine contrôlée (AOC, AOP pour l'UE).

L'appellation d'origine protégée

La classe reine, celle de tous les grands vins. L'étiquette porte obligatoirement la mention « Appellation X protégée », parfois « X appellation protégée ». Si l'appellation porte le nom d'une entité géographique (région, ensemble de communes, commune, parfois lieu-dit), cette seule provenance ne suffit pas à la définir. Pour bénéficier de l'AOC, un vin doit provenir d'une aire délimitée, caractérisée par ses sols et son climat, plantée de cépages spécifiques, cultivés et vinifiés selon les traditions régionales. C'est ce que l'on appelle les « usages locaux, loyaux et constants ».

Du domaine et du terroir à l'étiquette.

L'appellation d'origine vin délimité de qualité supérieure

Une catégorie supprimée en 2011, naguère antichambre de l'appellation d'origine contrôlée, et soumise sensiblement aux mêmes règles. Nombreux il y a trente ans, les VDQS ont souvent accédé à l'AOC.

Les IGP/vins de pays

Ils portent le nom de leur lieu de naissance, mais ne sont pas des AOC. La différence ? Les vins de pays ne font pas l'objet d'une délimitation parcellaire, en fonction des types de sol ; ils sont issus de cépages dont la liste est définie réglementairement ; cette liste est plus large que pour les AOC. En un mot, leur rapport au terroir est moins fort. L'étiquette précise la provenance géographique du vin. On lira donc « Indication géographique protégée » (IGP) suivie du nom d'une région (ex : Val de Loire), d'un département (ex : Ardèche) ou d'une zone plus restreinte (ex : Cité de Carcassonne).

Les vins de France

Sans provenance géographique affichée, ils peuvent être issus de coupages, c'est-à-dire de mélanges de vins de plusieurs régions. Cela en fait en général des vins assez standard – sans surprise mais sans personnalité. Si les vins de France sont souvent des produits d'entrée de gamme commercialisés en gros volumes, il existe aussi des vins de table de propriété – souvent des « vins d'auteurs » élaborés hors des canons de l'appellation. Depuis une récente réforme, ces vins sont autorisés à afficher millésime et nom des cépages.

Le responsable légal du vin

L'étiquette doit permettre d'identifier le vin et son responsable légal en cas de contestation. Le dernier intervenant dans l'élaboration du vin est celui qui le met en bouteilles ; ce sont obligatoirement son nom et son adresse qui figurent sur l'étiquette. Il peut s'agir d'un négociant, d'une coopérative ou d'un propriétaire-récoltant. Dans certains cas, ces renseignements

La réforme de la classification des vins

Mise en place en 2009, cette réforme a entraîné trois changements importants, concernant chaque étage de la pyramide qualitative. Les vins de table sont devenus vins de France, mais ils ont surtout gagné, au-delà du droit de porter comme étendard le nom de notre pays, ce qui n'est pas rien, la possibilité d'afficher cépage(s) et millésime. Deux mentions en général perçues comme qualitatives, ici autorisées pour les vins du bas de l'échelle : on peut légitimement s'interroger sur la pertinence de cette modification réglementaire. Les vins de pays (VDP) sont devenus des IGP, indications géographiques protégées. Un bouleversement majeur puisque auparavant les VDP faisaient partie de la même catégorie que les vins de table ; ils entrent dorénavant dans la famille des vins avec indication géographique, qui comprend également les AOC/AOP. Un changement qui leur donne des droits (protection juridique du nom comme les AOP, appellation d'origine protégée) mais aussi des devoirs : démonstration à faire de leur lien à l'origine et mise en place de procédures de contrôle renforcées. En 2011, les 150 VDP alors existants ont vu leur nombre réduit à 75. Enfin, les AOP sont depuis cette réforme soumises à de nouveaux modes de contrôle, la tant décriée dégustation systématique d'agrément étant supprimée au profit de contrôles moins fréquents mais plus proches du produit commercialisé. On attendra pour voir l'efficacité de ces nouvelles mesures sur la qualité des vins.

sont confirmés par les mentions portées au sommet de la capsule de surbouchage.

La mise en bouteilles

L'étiquette mentionne si le vin a été mis en bouteille à la propriété. L'amateur exigeant ne tolérera que les mises en bouteilles au domaine, à la propriété, au château. Les formules « Mis en bouteilles dans la région de production, mis en bouteilles par nos soins, mis en bouteilles dans nos chais, mis en bouteilles par x (x étant un intermédiaire) », pour exactes qu'elles soient, n'apportent pas la garantie d'origine que procure la mise en bouteilles à la propriété où le vin a été vinifié.

Le millésime

La mention du millésime, année de naissance du vin, c'est-à-dire de la vendange, n'est pas obligatoire. Elle est portée soit sur l'étiquette, soit sur une collerette collée au niveau de l'épaule de la bouteille. Les vins issus d'assemblage de différentes années ne sont pas millésimés. C'est le cas de certains champagnes et crémants, ou encore de certains vins de liqueur et vins doux naturels. À noter que l'Europe s'est alignée sur la règle en vigueur dans certains pays tiers, selon laquelle il suffit que 85 % du vin soit d'un millésime donné pour que l'étiquette puisse afficher le millésime.

La capsule

La plupart des bouteilles sont coiffées d'une capsule de surbouchage (capsule représentative de droits ou CRD) qui porte généralement une vignette fiscale, preuve que les droits de circulation auxquels toute boisson alcoolisée est soumise ont été acquittés. Cette vignette permet aussi de déterminer le statut du producteur (propriétaire ou négociant) et la région de production. Elle est verte pour les AOC, bleue pour les vins de pays. En l'absence de capsule fiscalisée, les bouteilles doivent être accompagnées d'un document délivré par le producteur.

Le bouchon

Les producteurs de vins de qualité ont éprouvé le besoin de marquer leurs bouchons, car si une étiquette peut être décollée et remplacée frauduleusement, le bouchon demeure ; l'origine du vin et le millésime y sont ainsi étampés.

Lire l'étiquette

Sur les étiquettes, les indications foisonnent. Protection de l'origine géographique, de l'environnement, de la santé publique, exigence de traçabilité, souci de marketing : tous ces impératifs successifs les ont fait proliférer. Obligatoires ou facultatives, ces mentions donnent des indices sur le style du vin.

Les mentions obligatoires

Obligatoires pour toutes les catégories de vins, ces mentions suffisent à ce que le vin soit légalement mis en vente :

Volume ①

Voir le chapitre « Acheter : les contenants »

Degré alcoolique ②

Cette mention contribue à apprécier le style du vin ; à 11 % vol. ou moins, c'est un vin léger ; à 13 % vol. ou plus, c'est un vin corsé et chaleureux.

Catégorie de vin ③

Elle indique la place du vin dans une hiérarchie réglementaire : vin de France, indication géographique protégée, vin d'appellation (AOC). Pour ces deux dernières catégories, elle informe aussi sur la provenance géographique du vin.

Embouteilleur ④

Le nom et l'adresse du responsable légal du vin permettent d'éventuelles réclamations.

Mentions sanitaires ⑤

La réglementation européenne a fait ajouter la mention « Contient des sulfites » lorsque le vin contient plus de 10 mg/l de SO_2 (cas fréquent, le soufre étant un antiseptique et un antibactérien utile pour la bonne conservation du vin, et le seuil autorisé bien supérieur) ; les pouvoirs publics français imposent par ailleurs depuis 2007 une mise en garde à l'adresse des femmes enceintes.

Les mentions facultatives

La marque et le domaine ⑥

Pour personnaliser le vin, nombre de producteurs lui donnent une marque : marque commerciale ou, notamment chez les récoltants, nom familial. Les termes de « château » ou « domaine » sont assimilés à des marques.

Le millésime ⑦

Souvent indiqué, il n'est pas pour autant obligatoire (voir p. précédente). Cette mention est fort utile, car elle permet d'évaluer les perspectives de garde en fonction de la cotation régionale des millésimes.

Le cépage ⑧

La mention du cépage est autorisée pour les vins de pays et certains vins d'appellation. Comme pour le millésime, l'Union européenne a adopté la règle des « 85/15 » : elle permet désormais d'indiquer le nom du cépage, même si 15 % du vin provient d'une autre variété.

Mise en bouteille à la propriété ⑨

Un gage d'authenticité. Les caves coopératives, considérées comme le prolongement de la propriété, ont le droit d'utiliser cette mention. En Champagne, plusieurs sigles indiquent le statut du metteur en bouteilles, par exemple RM pour récoltant-manipulant (un vigneron), NM pour négociant-manipulant ou CM pour coopérative de manipulation (voir chapitre « Champagne »).

Classements

Dans certaines régions, il existe des classements officiels. En Bordelais (Médoc, Graves, Saint-Émilion, Sauternes), ce sont les propriétés, les châteaux qui sont classés. En Bourgogne, ce sont les terroirs : premiers ou grands crus, qui sont des lieux-dits (appelés localement climats). L'Alsace a également ses grands crus (terroirs classés), et la Champagne, ses premiers et grands crus (communes classées).

Bio

Jusqu'en 2012, faute d'accord à l'échelle européenne sur un cahier des charges en matière de vinification biologique, il n'y avait pas de « vin bio », seulement des « vins issus de raisins de l'agriculture biologique » (ou « de raisins biologiques » ou « cultivés en agriculture biologique »). Une telle mention, ainsi que le nom ou le numéro d'agrément de l'organisme certificateur qui vérifie le respect du cahier des charges, éventuellement accompagnée du logo AB, garantissaient une agriculture biologique (il faut cependant noter que certains domaines prestigieux pratiquent une viticulture bio sans le signaler). En 2012, un règlement européen a été publié. En conséquence, à partir de ce millésime, les mentions du type « vin issu de raisins de l'agriculture biologique » ne seront plus autorisées. Elles seront remplacées par le terme de « vin biologique » – à condition évidemment que les producteurs respectent la nouvelle réglementation pour l'élaboration de leurs vins –, accompagné du logo européen et du numéro de code de l'organisme certificateur. Le logo français AB reste facultatif (voir p. 66).

Style de vins

D'autres mentions renseignent sur le style de vins, sur son élaboration. Certaines sont traditionnelles et ont un caractère officiel : « vendanges tardives » (vin blanc moelleux d'Alsace), « sélection de grains nobles » (liquoreux d'Alsace ou d'Anjou), « vin jaune », « vin de paille » (vins originaux du Jura), « méthode traditionnelle » (effervescent résultant d'une seconde fermentation en bouteille). Autres précisions réglementées, le dosage d'un champagne (extra-brut, brut, demi-sec, etc.), qui indique son caractère plus ou moins sec ; en blanc, la mention « sec » ou « doux », utile lorsque l'appellation produit les deux types de vins ; le terme « sur lie », appliqué au muscadet ; l'adjectif « ambré », qui s'applique à un rivesaltes blanc, tandis que le « tuilé » est rouge. Non réglementées mais utiles, la mention d'un élevage en fût de chêne, l'absence de filtration, de soufre, etc. On se référera aux chapitres de chaque région pour une explication détaillée de ces mentions.

Étiquette, contre-étiquette, collerette

Si de nombreuses bouteilles comportent une étiquette unique, où figurent toutes les mentions obligatoires et facultatives, l'usage de la contre-étiquette se répand. Soit elle ne porte que des mentions facultatives (description du vin, conseils pour la température de service et les accords gourmands), soit elle affiche tout ou partie des mentions légales et obligatoires. Dans ce dernier cas, l'étiquette la plus visible a une fonction avant tout esthétique et porte des mentions succintes (marque, nom de cuvée, de commune). L'étiquette légale, placée « au dos » de la bouteille, ressemble à une contre-étiquette. Elle n'en comprend pas moins des précisions essentielles et mérite une lecture attentive. Certaines bouteilles portent une collerette, qui indique en général le millésime si celui-ci ne figure pas sur l'étiquette.

Nom de cuvée ⑩

On peut trouver sur l'étiquette des noms de lieux-dits, de communes ou de régions qui précisent la provenance : ce sont là des mentions réglementées. Cuvée Prestige, Vieilles Vignes, cuvée au nom des enfants du vigneron : ces mentions identifient un vin, mais elles ne garantissent pas une qualité supérieure. Si vous voulez acquérir une cuvée distinguée par le Guide, notez non seulement le nom du vin, mais aussi, s'il y a lieu, le nom de la cuvée et toutes les mentions qui figurent à côté du nom principal.

Acheter : les circuits d'achats

En grande surface, chez le caviste, le producteur... Les circuits de distribution du vin sont multiples, chacun présentant ses avantages. À chacun de trouver la formule qui lui convient.

Chez le producteur

La vente directe permet-elle de faire des économies ? Pas nécessairement, car les producteurs veillent à ne pas concurrencer leurs diffuseurs. Ainsi, nombre de châteaux bordelais, quand ils vendent aux particuliers, proposent-ils leurs crus à des prix supérieurs à ceux pratiqués par les détaillants. D'autant que les revendeurs obtiennent, grâce à des commandes massives, des prix plus intéressants que le particulier. En résumé, on achètera sur place les vins de producteurs dont la diffusion est limitée, et non les vins de grands châteaux, sauf millésimes rares ou cuvées spéciales.

L'achat à la propriété, un moyen de découvrir les secrets du vin.

La visite au producteur apporte bien d'autres satisfactions que celle d'une simple bonne affaire : on découvre un paysage, un terroir, des méthodes de travail ; on comprend les relations étroites qui existent entre un homme et son vin. Sur les routes des Vins, on se souviendra du slogan : « Celui qui conduit est celui qui ne boit pas ». Les producteurs ont prévu des crachoirs pour permettre aux conducteurs de goûter comme le font les professionnels.

En cave coopérative

Les coopératives regroupent des producteurs d'une aire géographique donnée : une commune ou une zone plus large. Les adhérents apportent leur raisin et les responsables techniques se chargent du pressurage, de la vinification, de l'élevage et de la commercialisation. L'instauration de chartes de qualité avec les vignerons, la possibilité d'élaborer des cuvées selon la qualité spécifique de chaque livraison de raisin ou selon une sélection de terroirs ouvrent aux meilleures coopératives le secteur des vins de qualité, voire de garde.

Chez le négociant

Le négociant, par définition, achète des vins pour les revendre, mais il est souvent lui-même propriétaire de vignobles : il peut donc agir en producteur et commercialiser sa production, ou bien vendre le vin de producteurs indépendants sans autre intervention que le transfert (cas des négociants bordelais qui ont à leur catalogue des vins mis en bouteilles au château), ou encore signer un contrat de monopole de vente avec une unité de production. Le négociant-éleveur assemble des vins de même appellation fournis par divers producteurs et les élève dans ses chais. Il est ainsi le créateur du produit à double titre : par le choix de ses achats et par l'assemblage qu'il exécute. Le propre d'un négociant est de diffuser, donc d'alimenter les réseaux de vente qu'il ne doit pas concurrencer en vendant chez lui ses vins à des prix très inférieurs.

Chez le caviste

Pour le citadin, c'est le mode d'achat le plus facile et le plus rapide, le plus sûr également lorsque le caviste est qualifié. Il existe nombre de boutiques spécialisées dans la vente de vins de qualité, indépendantes ou franchisées. Qu'est-ce qu'un bon caviste ? Celui qui est équipé pour entreposer les vins dans de bonnes conditions, celui qui sait choisir des vins originaux de producteurs amoureux de leur métier. En outre, le bon détaillant saura conseiller l'acheteur, lui faire découvrir des vins que celui-ci ignore et lui suggérer des accords gastronomiques.

En grande surface

Aujourd'hui, nombre de grandes surfaces possèdent un rayon spécialisé bien équipé, où les bouteilles sont couchées et souvent classées par région. L'amateur y trouve – notamment en hypermarché – une large gamme, des vins de table aux crus prestigieux. Seuls les appellations confidentielles et les vins de petites propriétés sont moins représentés. Les foires aux vins des grandes surfaces proposent une offre élargie. Si celles de printemps misent plutôt sur les vins d'été à boire jeunes, celles d'automne proposent une importante sélection de crus renommés et de garde à des prix intéressants, même si les grands millésimes des domaines les plus prestigieux ne sont pas toujours disponibles. On consultera au préalable les catalogues, Guide en main, pour repérer cuvées et millésimes, et on viendra dès l'ouverture – voire en avant-première.

Dans les clubs

Quantité de bouteilles, livrées en cartons ou en caisses, arrivent directement chez l'amateur grâce aux clubs qui offrent à leurs adhérents un certain nombre d'avantages. Le choix est assez vaste et comporte parfois des vins peu courants. Il faut toutefois noter que beaucoup de clubs sont des négociants.

Dans les foires et salons

Organisés périodiquement dans les villes, foires et salons permettent aux amateurs de rencontrer un grand nombre de vignerons et de goûter certaines de leurs cuvées sans aller sur le lieu de production. L'offre est abondante, et l'atmosphère souvent conviviale – à condition d'éviter les heures d'affluence... Mieux vaut préparer sa visite, Guide en main.

Les ventes aux enchères

Ces ventes sont organisées par des commissaires-priseurs assistés d'un expert. Il importe de connaître l'origine des bouteilles. Si elles proviennent d'un grand restaurant ou de la riche cave d'un amateur, leur conservation est probablement parfaite, ce qui n'est pas toujours le cas si elles constituent un regroupement de petits lots divers. Les bouteilles dont le niveau n'atteint plus que le bas de l'épaule ou d'une teinte « usée » (bronze pour les blancs, brune pour les rouges) ont sûrement dépassé leur apogée.
On réalise rarement de bonnes affaires dans les grandes appellations, qui intéressent des restaurateurs. En revanche, les appellations moins connues, moins recherchées par les professionnels, sont parfois très abordables.

Sur Internet

Les cavistes en ligne donnent souvent quelques informations sur les bouteilles qu'ils vendent, voire sur les vignobles ou la dégustation, sans aller jusqu'au conseil personnalisé que l'on peut trouver chez les meilleurs détaillants. Comme les clubs, ils font des offres commerciales (dégustations, visites). On privilégiera les sites connus, qui proposent des dispositifs de paiement sécurisé. On s'assurera des délais de livraison et l'on vérifiera si les prix sont intéressants en prenant en compte le coût du transport.

Acheter en primeur

Le principe est simple : acquérir un vin avant qu'il ne soit élevé et mis en bouteilles, à un prix supposé inférieur à celui qu'il atteindra à sa sortie de la propriété. Les souscriptions sont ouvertes pour un volume contingenté et pour un temps limité, généralement au printemps et au début de l'été qui suivent les vendanges. Elles sont organisées par les propriétaires, par des sociétés de négoce et des clubs de vente de vin. L'acheteur s'acquitte de la moitié du prix convenu à la commande et s'engage à verser le solde à la livraison des bouteilles, c'est-à-dire de douze à quinze mois plus tard. Ainsi, le producteur s'assure des rentrées d'argent rapides et l'acheteur réalise une bonne opération... lorsque le cours des vins augmente !

Acheter : les contenants

Vrac ou bouteille ? De nouveaux conditionnements apparaissent, mais si l'on souhaite acquérir du vin pour qu'il se bonifie en cave, on l'achètera dans la bouteille traditionnelle, en verre lourd et souvent teinté, dont la forme varie souvent avec les régions.

Acheter en vrac

Le vin non logé en bouteilles est dit en vrac. La vente en vrac est pratiquée par les producteurs et par des détaillants qui débitent quelques vins « à la tireuse ». Il s'agit le plus souvent de vins d'entrée de gamme ou de qualité moyenne. Il faut garder en mémoire que le producteur sélectionne toujours les meilleures cuves pour ses mises en bouteilles.

L'achat en bouteilles

Le poids, la couleur et la forme donnent une première indication – certes vague et incertaine – sur le style de vin, sa destination, voire son origine.

Le matériau

À l'instar des Australiens qui lancent du vin en canette alu, on voit apparaître des côtes-du-rhône, bordeaux ou autre beaujolais (nouveau) en bouteille PET, et du vin de pays en Tetrapak. En France, malgré les progrès du bib, dans l'univers des vins de qualité et a fortiori de garde, la bouteille de verre reprend ses droits. Non seulement parce que les vertus de ces nouveaux matériaux restent à prouver pour la conservation, mais aussi parce que la dégustation festive des vins de qualité est associée à un certain cérémonial – ne serait-ce que le bruit du bouchon.

Le vrac aujourd'hui : « cubi » et « bib »

Pour le particulier, l'achat en vrac porte souvent sur d'assez faibles volumes. Le cubitainer, léger et solide, facile à empiler, sert avant tout au transport. En effet, ce petit tonneau moderne, une fois ouvert, laisse passer l'air, et le vin s'oxyde rapidement. De conception plus récente, le bag-in-box ou bib (fontaine à vin) est une solution intermédiaire entre le vrac et la bouteille. Cette poche en plastique rétractable, enveloppée dans un carton et munie d'un robinet, préserve le vin de l'air et permet ainsi de le conserver en bon état après ouverture pendant deux à trois mois. D'une capacité de 3 à 5 l le plus souvent, le bib est adapté à une consommation occasionnelle, quoique sans cérémonie. Il permet également aux restaurateurs de proposer au verre des produits de qualité honorable.

Le poids

Les bouteilles destinées aux vins de garde, qui s'empileront dans des casiers, doivent être plus lourdes, et plus encore celles qui contiennent des vins effervescents : elles ont à supporter la pression du gaz carbonique.

Les couleurs

Elles vont du verre incolore au brun fumé, en passant par le vert bouteille ou feuille morte. Incolores, les bouteilles enveloppent souvent des vins à boire jeunes, blancs, rouges primeurs ou ces rosés dont la teinte contribue à l'agrément. Elles contiennent parfois des vins de garde liquoreux ; plus rarement, des champagnes : on s'empressera de mettre ces flacons en cave. La lumière a un effet aussi rapide que néfaste sur l'évolution des vins, en particulier des effervescents – dont les cuvées prestige sont d'ailleurs souvent vendues en coffrets. Les vins rouges et blancs secs de garde sont embouteillés dans des flacons de verre teinté qui font dans une certaine mesure écran aux rayons ultraviolets. D'autres couleurs ? On voit apparaître des verres bleus. Une mode récente qui concerne rarement des bouteilles de garde.

Les formes

Certaines sont réglementées, comme la flûte, réservée aux vins d'Alsace, ou le clavelin pour les vins jaunes jurassiens. Dans la plupart des cas, le respect des formes régionales est une question de tradition. La bouteille bordelaise, aux épaules larges destinées à retenir les tanins, est utilisée aussi pour les vins du Sud-Ouest et du Languedoc-Roussillon ; la bouteille bourguignonne aux épaules tombantes s'est répandue dans le Beaujolais, la vallée du Rhône et à Sancerre. La Loire préfère les bouteilles élancées. Des formes nouvelles se répandent, et le producteur peut mettre sa touche personnelle dans le conditionnement.

Le bouchon

Le liège obture la majorité des bouteilles. C'est un matériau étanche qui présente une certaine porosité à l'air. Meilleur est le vin, plus long doit être le bouchon pour permettre une garde optimale. La texture importe aussi. Le bouchon sera plein, non fissuré. Le liège d'une dizaine d'années a toute la souplesse désirée pour bien obturer le flacon. Cependant, la capsule à vis, utilisée d'abord pour les spiritueux, est en net progrès, car elle garantit l'absence de goût de bouchon : son utilisation a décuplé en cinq ans ! L'Australie et la Nouvelle-Zélande l'ont adoptée. Des négociants réputés, bourguignons ou bordelais, l'utilisent pour les vins de qualité, notamment pour les blancs. Des producteurs de vins de garde illustres conduisent des expérimentations. Le consommateur européen suivra-t-il le mouvement ? Quant au bouchon synthétique, il se répand pour les vins à boire jeunes.

Le transport du vin

Les températures

Il faut préserver le vin des températures extrêmes, surtout des températures élevées qui l'affectent définitivement.

La réglementation

Le transport des boissons alcoolisées fait l'objet de taxes fiscales matérialisées soit par une capsule apposée au sommet de chaque bouteille, soit par un document d'accompagnement commercial délivré par le vigneron (notamment pour le transport de vin en vrac). Transporter du vin sans capsule ou document d'accompagnement est assimilé à une fraude fiscale et puni comme telle.

Les grandes bouteilles

Nom de la bouteille	En Champagne	En Bordelais
Magnum	2 bouteilles (1,5 l)	2 bouteilles (1,5 l)
Double magnum		4 bouteilles (3 l)
Jéroboam	4 bouteilles (3 l)	6 bouteilles (4,5 l)
Mathusalem	8 bouteilles (6 l)	12 bouteilles (9 l)
Salmanazar	12 bouteilles (9 l)	
Balthazar	16 bouteilles (12 l)	
Nabuchodonosor	20 bouteilles (15 l)	20 bouteilles (15 l)

Conserver son vin

À l'inverse de la grappe de raisin avide de la lumière solaire, le vin recherche l'ombre. Il mûrit dans un lieu sombre et frais, protégé des vibrations et des odeurs. Il lui faut une atmosphère assez humide sans excès, suffisamment aérée mais à l'abri des courants d'air, et il redoute particulièrement les brusques changements de températures. Faute d'une cave enterrée idéale pour le stockage, ces exigences conduiront souvent à des aménagements divers, voire à opter pour une solution alternative.

Aménager sa cave

Une bonne cave est un lieu clos, sombre, à l'abri des trépidations et du bruit, exempt de toutes odeurs, protégé des courants d'air mais bien ventilé, d'un degré hygrométrique de 75 % et surtout d'une température stable, la plus proche possible de 11 ou 12 °C.

Les caves citadines présentent rarement de telles caractéristiques. Il faut donc, avant d'entreposer du vin, améliorer le local : établir une légère aération ou au contraire obstruer un soupirail trop ouvert ; humidifier l'atmosphère en déposant une bassine d'eau contenant un peu de charbon de bois, ou l'assécher par du gravier et en augmentant la ventilation ; tenter de stabiliser la température en posant des panneaux isolants ; éventuellement, monter les casiers sur des blocs caoutchouc pour neutraliser les vibrations. Mais si une chaudière se trouve à proximité, si des odeurs de mazout se répandent dans le local, celui-ci ne fera jamais une cave satisfaisante.

Équiper sa cave

L'expérience prouve qu'une cave est toujours trop petite. Le rangement des bouteilles doit donc être rationnel. Le casier à bouteilles classique, à un ou deux rangs, offre bien des avantages : il est peu coûteux et donne accès aisément à l'ensemble des flacons.

Malheureusement, ce casier à alvéoles est volumineux au regard du nombre de bouteilles logées. Si l'on possède une grande quantité de flacons, notamment lorsqu'on achète les mêmes références en quantités importantes, il faut empiler les bouteilles pour gagner de la place. Afin de séparer les piles pour avoir accès aux différents vins, on montera des casiers à compartiments pouvant contenir 24, 36 ou 48 bouteilles en pile, sur deux rangs. Si la cave n'est pas humide à l'excès, si le bois ne pourrit pas, il est possible d'élever des casiers en planches. Il est nécessaire de les surveiller, car des insectes peuvent s'y installer, qui attaquent les bouchons et rendent les bouteilles couleuses. Les constructeurs proposent aujourd'hui nombre de casiers à compartiments, fixes, empilables et modulables, dans les matériaux les plus divers. Deux instruments indispensables complètent l'aménagement de la cave : un thermomètre à maxima et minima, et un hygromètre.

Ranger ses bouteilles

Dans la mesure du possible, on entreposera les vins blancs près du sol, les vins rouges au-dessus ; les vins de garde dans les rangées (ou casiers) du fond, les moins accessibles ; les bouteilles à boire, en situation frontale. Si les bouteilles achetées en carton ne doivent pas demeurer dans leur emballage, celles livrées en caisse de bois peuvent y être conservées un temps, notamment si l'on envisage de revendre le vin. Néanmoins, les caisses prennent beaucoup de place, sont une proie aisée des pilleurs de caves, et il faut surveiller régulièrement leur

Pas de cave ?

Si l'on ne dispose pas de cave ou que celle-ci est inutilisable, plusieurs solutions sont possibles :

– acheter une armoire à vin, dont la température et l'hygrométrie sont automatiquement maintenues ;

– construire de toutes pièces, en retrait dans son appartement, un lieu de stockage dont la température varie sans à-coups et ne dépasse pas 16 °C. (Plus la température est élevée, plus le vin évolue rapidement. Or, un vin qui atteint rapidement son apogée dans de mauvaises conditions de garde ne sera jamais aussi bon que s'il avait vieilli lentement dans une cave fraîche.) ;

– acquérir une cave en kit, à installer dans son logement, ou faire aménager une cave préfabriquée, qui se monte en général sous la maison. Ces espaces, qui pallient l'absence de cave enterrée, représentent un investissement plus lourd qu'une armoire à vin.

état. On repérera casiers et bouteilles par un système de notation (alphanumérique par exemple), à reporter sur le livre de cave.

Constituer sa cave

Constituer une cave demande de l'organisation. Au préalable, on évaluera le budget dont on dispose et la capacité de sa cave. Il est utile aussi d'estimer dans les grandes lignes sa consommation annuelle. Ensuite, il convient d'acquérir des vins dont l'évolution n'est pas semblable, afin qu'ils n'atteignent pas tous en même temps leur apogée. Et pour ne pas boire toujours les mêmes, fussent-ils les meilleurs, on a intérêt à élargir sa sélection afin de disposer de bouteilles adaptées à différentes occasions et préparations culinaires. Plus le nombre de bouteilles est restreint, plus il faut veiller à les renouveler. On pourra se reporter à nos trois propositions de caves en les adaptant à ses goûts (voir en fin d'ouvrage). Celles-ci n'incluent ni de vins primeurs, ni de vins à boire jeunes. Les valeurs indiquées ne sont bien sûr que des ordres de grandeur.

Vins à boire, vins à encaver

Souhaite-t-on consommer ses vins sur une courte période ou suivre leur évolution dans le temps ? La démarche sera différente. Si l'on recherche une bouteille prête à boire, on privilégiera les bouteilles à boire jeunes ou de courte garde : vins primeurs (de type beaujolais nouveau), vins de pays ou d'appellation régionale. Faut-il écarter les appellations prestigieuses, les vins de garde ? Non, mais on se tournera vers des millésimes à évolution rapide – ces « petits » millésimes qui ont l'avantage d'être prêts plus tôt. Il est difficile de trouver sur le marché de grands vins parvenus à leur apogée. Certains cavistes ou propriétaires en proposent, mais à un prix évidemment très élevé. Lorsqu'on souhaite conserver ses vins dans l'espoir de les voir se bonifier, mieux vaut être très sélectif dans le choix des producteurs et acquérir les meilleurs millésimes (voir tableau des millésimes pages suivantes).

Quand faut-il boire le vin ?

Les vins évoluent de manières très différentes. Ils atteignent leur apogée après une garde plus ou moins longue : de un à vingt ans. Quant à la phase d'apogée, elle varie de quelques mois pour les vins à boire jeunes, à plusieurs décennies pour quelques rares grandes bouteilles.

La garde varie selon l'appellation – et donc selon le cépage, le terroir et la vinification. La qualité du millésime influe aussi sur la conservation : un petit millésime peut évoluer deux ou trois fois plus rapidement qu'un autre millésime d'une même appellation. Néanmoins, il est possible d'évaluer le potentiel de garde des vins selon leur origine géographique. À chacun, ensuite, d'ajuster cette garde en fonction des conditions de conservation dans sa cave et de sa connaissance des millésimes.

Les millésimes

Les vins de qualité sont millésimés à l'exception des vins de liqueur, de certains vins doux naturels et de nombreux effervescents élaborés par assemblage de plusieurs années. Dans ce cas, la qualité du produit dépend du talent de l'assembleur, mais ces vins ne gagnent pas à vieillir. Fonction des conditions météorologiques au moment de la maturation et de la récolte, la qualité des millésimes varie selon les régions viticoles et selon les producteurs.

Qu'est-ce qu'un grand millésime ?

Il est généralement issu de faibles rendements même si de bonnes conditions climatiques engendrent parfois l'abondance et la qualité, comme en 1989 et en 1990. Le grand millésime résulte souvent de vendanges précoces. Dans tous les cas, il a été élaboré à partir de raisins parfaitement sains, exempts de pourriture.

Peu importe les conditions météorologiques qui ont marqué le début du cycle végétatif : on peut même soutenir que des incidents tels que gel ou coulure (chute de jeunes baies avant maturation) ont des conséquences favorables puisqu'elles diminuent le nombre de grappes par pied. En revanche, la période qui s'étend du 15 août aux vendanges est capitale : un maximum de chaleur et de soleil est alors nécessaire. 1961 demeure la grande année du XXe s. A contrario, les années 1963, 1965 et 1968 furent désastreuses, parce qu'elles cumulèrent froid et pluie, d'où l'absence de maturité et un fort rendement de raisins gorgés d'eau. Pluie et chaleur ne valent guère mieux, car leur conjonction favorise la pourriture ;, 1976 – le grand millésime potentiel du Sud-Ouest de la France – en a pâti. Quant à la canicule de 2003, elle a parfois grillé le raisin et produit des vins lourds.

Comment lire un tableau de cotation ?

Il est d'usage de résumer la qualité des millésimes dans des tableaux de cotation, mais il faut en connaître les limites. Ces notes, des moyennes, ne prennent pas en compte les microclimats, pas plus que les efforts de tris de raisins à la vendange ou les sélections des vins en cuve. On peut élaborer un excellent vin dans une année cotée zéro.

Propositions de cotation (de 0 à 20)

	Alsace	Beaujolais	Bordeaux rouge	Bordeaux liquoreux	Bordeaux sec	Bourgogne rouge	Bourgogne blanc	Champagne	Jura (vin jaune)	Languedoc-Roussillon	Provence rouge	Sud-Ouest rouge	Sud-Ouest blanc liquoreux	Loire rouge	Loire blanc liquoreux	Rhône (nord)	Rhône (sud)
1945	20		20	20	18	20	18	20					19				
1946	9		14	9	10	10	13	10					12				
1947	17		18	20	18	18	18	18					20				
1948	15		16	16	16	10	14	11					12				
1949	19		19	20	18	20	18	17					16				
1950	14		13	18	16	11	19	16					14				
1951	8		8	6	6	7	6	7					7				
1952	14		16	16	16	16	18	16					15				
1953	18		19	17	16	18	17	17					18				
1954	9	9	10			14	11	15					9				
1955	17	13	16	19	18	15	18	19					16				
1956	9	6	5										9				
1957	13	11	10	15		14	15						13				
1958	12	7	11	14		10	9						12				
1959	20	13	19	20	18	19	17	17					19				
1960	12	5	11	10	10	10	7	14					9				
1961	19	16	20	15	16	18	17	16					16				
1962	14	13	16	16	16	17	19	17					15				
1963		6					10										

	Alsace	Beaujolais	Bordeaux rouge	Bordeaux liquoreux	Bordeaux sec	Bourgogne rouge	Bourgogne blanc	Champagne	Jura (vin jaune)	Languedoc-Roussillon	Provence rouge	Sud-Ouest rouge	Sud-Ouest blanc liquoreux	Loire rouge	Loire blanc liquoreux	Rhône (nord)	Rhône (sud)
1964	18	8	16	9	13	16	17	18					16				
1965					12								8				
1966	12	11	17	15	16	18	18	17					15				
1967	14	13	14	18	16	15	16						13				
1968																	
1969	16	14	10	13	12	19	18	16					15				
1970	14	13	17	17	18	15	15	17					15				
1971	18	15	16	17	19	18	20	16					17				
1972	9	6	10		9	11	13						9				
1973	16	7	13	12		12	16	16					16				
1974	13	8	11	14		12	13	8					11				
1975	15	7	18	17	18		11	18					15				
1976	19	16	15	19	16	18	15	15					18				
1977	12	9	12	7	14	11	12	9					11				
1978	15	12	17	14	17	19	17	16					17				
1979	16	13	16	18	18	15	16	15					14				
1980	10	10	13	17	18	12	12	14					13			15	
1981	17	14	16	16	17	14	15	15					15				
1982	15	12	18	14	16	14	16	16			17	17	15	14		14	15
1983	20	17	17	17	16	15	16	15	16			16	18	12		16	16
1984	15	11	13	13	12	13	14	5		13		10		10		13	15
1985	19	16	18	15	14	17	17	17	17	18	17	17	17	16	16	17	16
1986	10	15	17	17	12	12	15	12	17	15	16	16	16	13	14	15	13
1987	13	14	13	11	16	12	11	10	16	14	14	14		13		16	12
1988	17	15	16	19	18	16	14	18	16	17	17	18	18	16	18	17	15
1989	16	16	18	19	18	16	18	16	17	16	16	17	17	20	19	18	16
1990	18	14	18	20	17	18	16	18	18	17	16	16	18	17	20	19	19
1991	13	15	13	14	13	14	15	11		14	13	14		12	9	15	13
1992	15	9	12	10	14	15	17	12		13	9	9		14		11	16
1993	13	11	13	8	15	14	13	12		14	11	14	14	13	12	11	14
1994	12	14	14	14	17	14	16	12		12	10	14	15	14	12	14	11
1995	12	16	16	18	17	14	16	16	17	15	15	15	16	17	17	15	16
1996	13	14	15	18	16	17	18	19	18	13	14	14	13	17	17	15	13
1997	16	13	14	18	14	14	17	15	16	13	13	13	16	16	16	14	13
1998	13	13	15	16	14	15	14	13	14	17	16	16	13	14		18	18
1999	10	11	14	17	13	13	12	15	17	15	16	14	10	12	10	16	14
2000	12	12	18	10	16	11	15	15	16	16	14	14	13	16	13	17	15
2001	13	11	15	17	16	13	16	9		16	14	16	18	13	16	17	11
2002	11	10	14	18	16	17	17	17	14	12	11	15	14	14	10	8	9
2003	12	15	15	18	13	17	18	14	17	15	13	14	17	15	17	16	14
2004	13	12	14	10	17	13	15	16	13	15	15	13	15	14	10	12	16
2005	15	18	18	17	18	19	18	14	17	15	12	16	17	16	18	16	18
2006	12	12	14	16	14	14	16	15		15	16	13	15	10	10	16	15
2007	16	14	14	17	15	12	13	13		16	14	12	14	12	13	15	18
2008	14	14	15	16	15	14	15	16		15	12	13	12	15	12	14	14
2009	15	18	18	18	19	17	16	15		15	14	18	17	17	14	18	16
2010	14	16	18	18	19	16	17	14		17	14	15	12	17	16	16	15
2011	15	14	16	17	15	14	15	13	15	16	16	14	13	15	15	14	14

Le service des vins

Si de nombreux vins ne demandent qu'un bon tire-bouchon, on traitera avec ménagement les flacons longuement vieillis. Et quels que soient leur type et leur âge, on apprécie d'autant mieux les vins qu'ils sont servis à la bonne température. Si l'on prévoit plus d'une bouteille au cours du repas, on les proposera dans un ordre qui mette chacune en valeur.

Déboucher

On coupera la capsule en dessous de la bague ou au milieu. Le vin ne doit pas entrer en contact avec le métal de la capsule. Dans le cas où le goulot est ciré, on enlèvera la cire avec un couteau sur la partie supérieure du col. Pour extraire le bouchon, seul le tire-bouchon à vis en queue de cochon donne satisfaction (avec le tire-bouchon à lames, d'un maniement délicat). Il faut veiller à ne pas transpercer le bouchon afin d'éviter que de petits bouts de liège ne tombent dans le vin. Une fois extrait, il ne sert à rien de le humer : le goût de bouchon ne se détecte vraiment que dans le vin lui-même. Ensuite, on goûte le vin avant de le servir aux convives.

Servir

Quand déboucher ? De nombreux vins gagnent à prendre un peu l'air. L'aération fait apparaître les jeunes vins rouges tanniques plus soyeux, plus fondus, et permet à tous les vins d'épanouir leurs arômes. Des études ont toutefois montré qu'il ne suffit pas de déboucher la bouteille longtemps à l'avance, la surface en contact avec l'air par le goulot étant trop petite. Pour aérer un vin, on doit le passer en carafe une à deux heures avant le service. Cette opération, inutile pour les vins à boire jeunes tels que les rosés, les blancs vifs ou les rouges gouleyants, est bénéfique pour les autres, y compris les blancs élevés en fût et les moelleux. Elle n'est pas toujours judicieuse pour les vins très âgés, car ils s'oxydent parfois très rapidement, perdant leurs arômes. Pour ces vieux flacons, le passage en carafe a pour objectif de séparer, par décantation, le vin des sédiments qui se sont déposés au fond de la bouteille avec le temps. On parle dans ce cas de décantage. On transvase alors le vin avec soin, si possible devant une source lumineuse, et on le déguste sans attendre. Très fragile, le vin vieux est à manier avec précaution : à la cave, on redressera lentement la bouteille, à moins qu'on ne la dépose, à peine relevée, directement dans un panier-verseur.

À quelle température ?

On peut tuer un vin en le servant à une température inadéquate. Le mieux est de vérifier la température de service à l'aide d'un thermomètre à vin. La température idéale est fonction du type de vin, de son âge et, dans une moindre mesure, de la température ambiante. Les vins rouges se dégustent à une température plus élevée que les blancs, car le froid durcit leurs tanins. Les vins jeunes se servent plus frais que les vins âgés. Les températures doivent être augmentées d'un degré ou deux lorsque le vin est vieux. Les vins doux et les effervescents s'apprécient frais, mais non glacés. On sert légèrement plus frais les vins destinés à l'apéritif que ceux qui accompagnent le repas. Enfin, on gardera à l'esprit que le vin se réchauffe dans le verre.

Grands vins rouges de Bordeaux à leur apogée	16-17 °C
Grands vins rouges de Bourgogne à leur apogée	15-16 °C
Grands vins rouges avant leur apogée, vins rouges de qualité	14-16 °C
Grands vins blancs secs	12-14 °C
Vins rouges légers, fruités, jeunes	11-12 °C
Vins primeurs et rosés	10 °C
Vins blancs secs vifs et légers	10-12 °C
Champagnes, crémants, vins effervescents	8-9 °C
Vins liquoreux	8-9 °C

Les verres

Certaines régions comme l'Alsace ont adopté un type de verre particulier. Dans la pratique, on se contentera soit d'un verre universel (de style verre à dégustation), soit des deux types les plus usités : le verre à bordeaux et le verre à bourgogne. On les remplit modérément, plus près du tiers que de la moitié. On les lave à l'eau claire ou légèrement savonneuse, avant de bien les rincer et de les faire sécher à l'air libre, tête en bas.

L'ordre de service des vins

Rien n'empêche de servir un vin unique pour tout le repas. Cette pratique s'accorde avec les impératifs de modération et la simplicité des repas courants, parfois faits d'un plat unique. On choisit alors un vin aimable, facile à accorder avec la plupart des plats prévus ; on peut aussi réserver la bouteille au plat principal, en suivant les règles d'accord des mets et des vins.

Si l'on souhaite sophistiquer le repas en offrant plusieurs types de vin, on réfléchira à leur ordre de service. Aucun vin ne doit faire regretter le précédent ; il s'agit dont d'aller crescendo, du plus léger au plus corsé. Du plus jeune au plus vieux ? Oui, sauf si le vin jeune est particulièrement chaleureux et puissant : il risque alors de saturer les papilles avant la dégustation du vieux vin, souvent plus délicat. Du blanc au rouge ? Oui, mais attention, certains vins blancs, les liquoreux par exemple, ont une telle puissance qu'ils écrasent les rouges qui les suivent. Il convient donc de les réserver pour la fin du repas.

Au restaurant

Une carte correcte doit comporter, pour chaque vin, les informations suivantes : appellation, millésime, nom du producteur. Une belle carte présentera un large éventail d'appellations et de millésimes. Elle fera la part belle aux vins locaux si l'établissement est situé dans une région viticole.

Pourquoi fait-on goûter le vin au restaurant ? Pas pour savoir si le vin plaît au client, puisqu'il l'a choisi, mais pour vérifier que la bouteille ouverte n'a pas de défaut. Il est parfaitement admis, voire normal, de renvoyer un vin si l'on y trouve – cas le plus fréquent – un goût de bouchon.

La dégustation

Pour l'amateur, savoir déguster, c'est découvrir toutes les facettes du vin en trois étapes : l'œil, le nez, la bouche. Simple exercice de frime, manifestation de snobisme ? Parfois, mais surtout on comprend et on apprécie mieux tout ce que l'on parvient à traduire en mots, ses sensations par exemple. Cela demande un petit effort, mais le plaisir que l'on peut en retirer en vaut la peine. En tout état de cause, déguster doit rester un jeu, un moment de partage.

Les conditions idéales

Le cadre

Pour bien déguster, mieux vaut être dans une pièce bien éclairée (lumière naturelle ou éclairage ne modifiant pas les couleurs, dit lumière du jour), sans odeurs parasites telles que parfum, fumée (tabac ou cheminée), odeurs de cuisine ou de fleurs. La température ne doit pas dépasser 18-20 °C. Si l'on déguste le vin pour lui-même, le meilleur moment est avant les repas (le matin vers 11 h, l'après-midi vers 18 h). À table, autour d'un plat, le vin révèlera une facette différente mais tout aussi – voire plus – intéressante de sa personnalité.

Le verre

Le verre est comme un outil pour le dégustateur. Il est primordial qu'il soit le mieux adapté possible. Un vin ne s'exprimera pas aussi bien – voire pas du tout – dans un verre à moutarde que dans un verre à pied. Un verre incolore, afin que la robe du vin soit bien visible, et si possible fin. Sa forme sera celle d'une tulipe légèrement refermée pour mieux retenir les arômes. Son corps sera séparé du pied par une tige : ainsi, le vin ne se réchauffera pas lorsqu'on tiendra le verre par son pied et pourra facilement être agité pour s'oxygéner et révéler son bouquet. La forme du verre a une telle influence sur l'appréciation olfactive et gustative du vin que l'Association française de normalisation (Afnor) et les instances internationales de normalisation (Iso) ont adopté, après étude, un type de verre qui offre de bonnes garanties d'efficacité, appelé verre INAO. L'Union des œnologues de France a également mis au point des verres à dégustation.

Les étapes de la dégustation

La dégustation fait successivement appel à la vue, à l'odorat et au goût – et même au sens tactile, par l'entremise de la bouche, sensible à la température, à la consistance, à la présence de gaz.

Déguster pour acheter

Lorsqu'on déguste un vin dans une perspective d'achat, il faut s'assurer qu'on l'apprécie dans de bonnes conditions. On évitera de le goûter au sortir d'un repas, après l'absorption d'eau-de-vie, de café, de chocolat ou de bonbons à la menthe, ou encore après avoir fumé. Attention aux aliments qui modifient la sensibilité du palais, comme le fromage ou les noix (ces dernières améliorent les vins).
Si l'on souhaite acquérir un vin pour le conserver, on se rappellera que ce sont l'alcool, l'acidité et, pour les rouges, la présence et la bonne qualité des tanins qui assurent la garde.

L'œil

L'examen de la robe (ensemble des caractères visuels), marquée par le cépage d'origine et le mode d'élaboration, est riche d'enseignements. Il porte sur :

– La limpidité. Aujourd'hui, les vins mis sur le marché sont limpides. Tout au plus peut-on trouver de petits cristaux de bitartrates (insolubles), précipitation que connaissent les vins victimes d'un coup de froid ; leur qualité n'en est pas altérée. On détermine la transparence (vin rouge) en inclinant son verre sur un fond blanc, nappe ou feuille de papier.

– La nuance de la robe. Le mode d'élaboration a parfois une influence sur la teinte : les vins blancs élevés en fût ont souvent une teinte plus foncée. La couleur de la robe informe surtout sur l'âge du vin et son état de conservation. La teinte des vins blancs jeunes, jaune pâle, présente parfois des reflets verts. Avec l'âge, elle fonce, devient jaune d'or, puis cuivrée, voire bronzée. Ces teintes ambrées, normales pour un vin liquoreux, doivent alerter pour un vin sec : il a sans doute dépassé son apogée. Quant aux vins rouges, leur robe affiche des nuances violettes lorsqu'ils sont jeunes. Des reflets orangés ou brique annoncent un vin évolué, qu'il ne faut pas tarder à boire.

– L'intensité de la couleur. On ne confondra pas intensité et nuance (le ton) de la robe. Une couleur claire reflète parfois un vin dilué. Mais l'intensité de la couleur est aussi fonction du cépage : en rouge, par exemple, le cabernet-sauvignon, la syrah et le tannat donnent des robes plus profondes que le pinot noir. Elle peut aussi varier en fonction de la vinification : une macération courte donne des robes légères, une cuvaison longue, des robes foncées, signe d'une plus forte extraction. La robe légère n'est pas forcément un défaut pour un vin gouleyant à boire jeune : pour juger, on tiendra compte du type du vin.

– Les larmes ou jambes. Il s'agit des écoulements que le vin forme sur la paroi du verre quand on l'anime d'un mouvement rotatif pour humer les arômes. Les larmes traduisent la présence de glycérol, un composé visqueux au goût sucré qui se forme pendant la fermentation et qui donne au vin son onctuosité (le « gras » du vin).

Qualificatifs se rapportant à l'examen visuel de la robe

	Nuances	Intensité	Limpidité
Blancs	jaune clair, paille, or, ambré	**Légère** **Soutenue** **Intense** **Foncée** **Profonde**	**Opaque** **Louche** **Voilée** **Cristalline**
Rosés	églantine, œil de perdrix, saumon, rose, framboise, grenadine		
Rouges	rubis, cerise, pivoine, pourpre, grenat, violet		

Le nez

Deuxième étape de la dégustation, l'examen olfactif permet aux dégustateurs professionnels de détecter certains défauts rédhibitoires, telles la piqûre acétique ou l'odeur du liège moisi (goût de bouchon). Pour les amateurs, heureusement, la plupart du temps, il ne s'agit que de démêler des impressions plus agréables. Le nez du vin rassemble un faisceau de parfums en mouvance permanente, qui se présentent successivement selon la température et l'aération. On commencera par humer ce qui se dégage du verre immobile, puis on imprimera au vin un mouvement de rotation : l'air fait alors son effet et d'autres parfums apparaissent. Les composants aromatiques du vin s'expriment selon leur volatilité. Il s'agit en quelque sorte d'une évaporation du vin, ce qui explique que la température de service soit si importante : trop froide, les arômes ne s'expriment pas ; trop chaude, ils s'évaporent trop rapidement, s'oxydent, les parfums très volatils disparaissent, tandis que ressortent des éléments aromatiques lourds. La qualité d'un vin est fonction de l'intensité et de la complexité du bouquet. Le vocabulaire relatif aux arômes est riche, car il procède par analogie. Divers systèmes de classification des arômes ont été proposés ; pour simplifier, retenons les familles florale, fruitée, végétale (ou herbacée), épicée, balsamique, animale, empyreumatique (en référence au feu), minérale, lactée et la pâtisserie.

La bouche

Une faible quantité de vin est mise en bouche. Pour permettre sa diffusion dans l'ensemble de la cavité buccale, on aspire un filet d'air. À défaut, le vin est simplement mâché. Dans la bouche, il s'échauffe, diffuse de nouveaux éléments aromatiques recueillis par la voie rétronasale, qui utilise le passage reliant le palais aux fosses nasales – étant entendu que les papilles de la langue ne sont sensibles qu'aux quatre saveurs élémentaires : l'amer, l'acide, le sucré et le salé. Voilà pourquoi une personne enrhumée ne peut goûter un vin, la voie rétronasale étant inopérante. Outre les quatre saveurs élémentaires, la bouche est sensible à la température du vin, à sa viscosité, à la présence ou à l'absence de gaz carbonique et à l'astringence (effet tactile : absence de lubrification par la salive et contraction des muqueuses sous l'action des tanins).
C'est en bouche que se révèlent l'équilibre, l'harmonie, l'élégance ou, au contraire, le caractère de vins mal bâtis. L'harmonie des vins blancs et rosés s'apprécie à leur équilibre entre acidité et alcool pour les vins secs, acidité et moelleux (sucre) pour les vins doux. Pour les vins rouges, elle tient à l'équilibre entre l'acidité, l'alcool et les tanins. Ces éléments supportent sa richesse aromatique ; un grand vin se distingue par sa construction rigoureuse et puissante, quoique fondue, par son ampleur et par sa complexité aromatique.
Après cette analyse en bouche, le vin est avalé. Le dégustateur se concentre alors pour mesurer sa persistance aromatique, appelée aussi longueur en bouche. Plus le vin est riche en arômes, plus il est dense et séveux, plus il tapisse les muqueuses du palais et prolonge l'excitation des sens. En somme, plus un vin est long, plus il est

Les principales familles d'arômes	
Florale	Fleurs blanches (aubépine, jasmin, acacia...), tilleul, violette, iris, pivoine, rose
Fruitée	Fruits rouges (cerise, fraise, framboise, groseille), noirs (cassis, mûre, myrtille), jaunes (pêche, abricot, mirabelle), blancs (pomme, poire, pêche blanche), exotiques (fruit de la Passion, mangue, ananas, litchi), agrumes (citron, pamplemousse, orange, mandarine)
Végétale	Herbe, fougère, mousse, sous-bois, champignon, humus, garrigue
Épicée	Poivre, gingembre, cannelle, vanille, girofle, réglisse
Balsamique	Résine, pin, térébenthine, santal
Animale	Viande, gibier, musc, fourrure, cuir
Empyreumatique	Brûlé, fumé, grillé, toasté, torréfié (café, cacao), caramel, tabac, foin séché
Minérale	Pierre à fusil, graphite, pétrole, iode
Pâtisserie	Brioche, miel
Lactée	Beurre frais, crème

estimable. Cette mesure (exprimée en secondes ou caudalies) ne porte que sur la longueur aromatique, à l'exclusion des éléments de structure du vin (acidité, amertume, sucre et alcool).

La reconnaissance d'un vin

La dégustation consiste le plus souvent à apprécier un vin. Est-il grand, moyen ou petit ? Si son origine est précisée, on cherche parfois s'il est conforme à son type.

Quant à la dégustation d'identification, ou de reconnaissance, c'est un jeu de société. Elle demande un minimum d'informations. On peut reconnaître un cépage, par exemple le cabernet-sauvignon. Mais de quel pays provient-il ? L'identification des grandes régions françaises est possible, mais il est difficile d'être plus précis : si l'on propose six verres de vin en précisant qu'ils représentent les six appellations communales du Médoc (listrac, moulis, margaux, saint-julien, pauillac, saint-estèphe), combien y aura-t-il de sans fautes ?

Une expérience classique prouve la difficulté de la dégustation de reconnaissance : le dégustateur, les yeux bandés, goûte en ordre dispersé des vins rouges peu tanniques et des vins blancs non aromatiques, de préférence élevés dans le bois. Il doit simplement distinguer le blanc du rouge : il est très rare qu'il ne se trompe pas !

S'exercer à la dégustation

Comment commencer ? Il existe dans le commerce des flacons d'arômes qui aident à développer son nez. On peut organiser chez soi des séances d'entraînement, avec jeux de reconnaissance de parfums et dégustations de vins. On apprend beaucoup en comparant : on choisira pour commencer des couples de vins très différents, comme un bourgogne (cépage chardonnay) et un sancerre (cépage sauvignon) en blanc ; un pomerol (dominante de merlot) et un côte-rôtie (syrah) en rouge, ou encore un vin boisé et un autre non boisé. On s'intéressera au goût des aliments ainsi qu'à l'harmonie des vins et des mets. Les passionnés s'inscriront à des stages proposés par de multiples organismes.

Les degrés de l'acidité

Manque	Satisfaisant			Excès
Plat Mou	Tendre	Frais Vif	Nerveux	Vert, mordant Agressif

Les degrés du sucré

Absence	Satisfaisant			Excès
Sec	Tendre Souple	Doux Moelleux	Liquoreux	Sirupeux, pommadé Lourd

Les degrés de la puissance alcoolique

Manque	Satisfaisant			Excès
Pauvre Mince	Léger	Généreux Vineux	Puissant Chaleureux Capiteux	Alcooleux Brûlant

Les tanins (vins rouges)

Absence	Présence harmonieuse			Présence excessive
Gouleyant, souple	Soyeux, velouté, fondu	Construit, structuré	Charpenté, tannique, solide, viril	Rustique, anguleux grossier, astringent, âpre, séchant, dur, acerbe

Les accords mets et vins

S'il n'y a pas de vérité absolue pour l'alliance des plats et des vins, il existe néanmoins quelques règles simples qui permettent de réaliser des accords intéressants et d'éviter les pièges. Pour choisir un vin d'accompagnement, on tiendra compte non seulement de l'ingrédient principal de la recette, mais aussi de son mode de cuisson, des assaisonnements, des sauces et des garnitures qui peuvent modifier son goût. Les appellations citées ci-dessous ne sont que des exemples ; rendez-vous sur www.hachette-vins.com et sur iPhone pour plus d'idées d'accords et de recettes.

L'apéritif

C'est le moment idéal pour servir les vins blancs secs, jeunes et fruités (beaujolais blanc, bourgogne-aligoté, vins de Corse et de Savoie...), le champagne et autres vins effervescents. Ils ouvrent l'appétit et n'ont pas l'effet saturant des apéritifs riches en sucre ou en alcool. De plus, ils permettent de vrais accords avec mini tartines, bouchées, verrines et tapas. Certains rosés et rouges légers peuvent également convenir.

Les entrées

Les blancs frais et onctueux (alsace pinot gris, côtes-du-rhône, saint-véran...) s'accordent parfaitement avec les préparations froides à base de poisson et de fruits de mer et avec la note beurrée et toastée des quiches et autres tartes salées. Le fruité des rosés s'impose sur les tartes aux légumes, les pizzas ou sur un cocktail de crevettes, tandis qu'un rouge gouleyant (du type beaujolais et autres vins issus de gamay) servi frais sera parfait avec les spécialités de tourtes et pâtés à la viande.

Les charcuteries

Emblème du casse-croûte, le saucisson sec se marie aux vins rouges tendres et fruités (beaujolais, touraine, irancy). Les jambons crus de qualité s'accordent aussi bien avec un blanc méridional (collioure, patrimonio) qui souligne la délicatesse du gras, qu'avec un rouge charnu (gigondas, irouléguy) qui flatte la partie maigre aux arômes de viande séchée. Rillettes et andouilles font bon ménage avec les blancs vifs à la minéralité tendue (bergerac, jasnières, quincy), tandis que pâtés et terrines appellent des rouges fruités aux tanins aimables (côtes-de-bourg, marcillac, lirac). On réservera les vins rouges plus puissants à la rusticité du boudin noir (cornas, saint-émilion...).

Le foie gras

Le foie gras en bocal. Moins fondant que le mi-cuit, il impose les vins moelleux ou liquoreux et leur onctuosité (sauternes, vouvray, vendanges tardives d'Alsace, saussignac). Le principe est d'associer le gras du vin au fondant du foie en favorisant la vivacité.

Le foie gras mi-cuit. Son fondant prononcé et sa pureté aromatique autorise le service d'un champagne demi-sec, sec ou extra-dry, ou encore d'un bourgogne blanc comme un meursault ou un pouilly-fuissé.

L'escalope de foie gras poêlée. Un champagne brut donne un accord tonique. C'est le contraste entre l'onctuosité et l'acidité qui est ici recherché. Il est également possible de servir un vin rouge typé du Sud-Ouest ou du Bordelais (buzet, côtes-de-bergerac, lalande-de-pomerol) : les tanins du vin et l'onctuosité du foie se tempèrent.

Les coquillages

Plateau de coquillages. Avec le plateau de coquillages, il est préférable d'éviter les vins blancs boisés et opulents. Ils se révèlent amers en présence du caractère iodé de l'huître. On choisira des vins légers, secs, modérément aromatiques et d'une nette minéralité : muscadet, entre-deux-mers, alsace sylvaner et riesling, chablis, languedoc picpoul-de-pinet...

Les coquilles Saint-Jacques. Fondantes, savoureuses et légèrement douces, elles s'associent aux blancs nerveux de la vallée de la Loire ou d'Alsace. Avec une sauce crémée, on favorisera des vins plus tendres, voire légèrement moelleux (palette, montlouis).

Moules marinières. Servies avec des frites, dont le craquant en rehausse le moelleux, elles nécessitent un vin blanc acidulé au caractère primaire : un bourgogne du Mâconnais, un alsace sylvaner ou encore un vin blanc de Provence.

Les crustacés

Le tourteau et les gambas. Leur chair filandreuse et moelleuse appelle un vin blanc vif, sur le fruit, d'une relative simplicité (vin-de-savoie, petit-chablis, reuilly). Ces produits s'accommodent très bien des blancs servis avec les coquillages crus.
La langoustine. Sa chair fine et fondante s'allie aux vins blancs délicats et ronds dont le choix définitif sera fait en fonction de la sauce. L'accord peut aller d'un champagne brut à un vin blanc méridional comme un côtes-du-rhône sur la note exotique d'une sauce au curry.
Le homard et la langouste. Ils imposent un blanc harmonieux et opulent comme un meursault, un hermitage ou un pessac-léognan. Servis froids accompagnés de mayonnaise, ils s'allient à des vins plus simples, vifs et fruités, comme un chablis, un sancerre ou un faugères blanc.

Les poissons crus et les poissons fumés

L'assaisonnement relevé des tartares et des carpaccios appelle des blancs jeunes, frais et sans exubérance des appellations entre-deux-mers ou sancerre. En présence d'épices, il est possible de servir un rosé vineux (côtes-du-roussillon, tavel). Les poissons fumés comme le saumon, la truite ou l'anguille ont une chair grasse, goûteuse et fondante qui réclame des vins blancs incisifs et de bonne minéralité (mâcon, pouilly-fumé). On recherchera la fraîcheur pour contrecarrer le gras et une pointe de minéralité pour dompter la note fumée.

Les poissons cuisinés

Poissons grillés et fritures. Les poissons grillés et en friture demandent des vins blancs jeunes, vifs et fruités. La fraîcheur d'un muscadet ou d'un petit-chablis compense le gras de la sardine ou du saumon, tandis que la rondeur d'un minervois souligne le fondant d'une daurade. À l'opposé, le caractère iodé du rouget permet un accord avec un rouge tendre servi frais ou avec un rosé vineux et épicé (ajaccio, vacqueyras).
Poissons au four et poêlés. Les grosses pièces cuites au four comme un loup ou une daurade royale nécessitent un vin blanc onctueux et expressif à l'image d'un hermitage blanc ou d'un côtes-de-provence. Un profil de vin qui convient également à un pavé de cabillaud poêlé. De texture délicate, la sole se marie avec un vin blanc frais, tendre et finement aromatique comme le pessac-léognan ou le meursault.
Poissons cuisinés. Une lotte à la crème impose un bourgogne à maturité ou, pour une note plus méridionale, un châteauneuf-du-pape blanc ; une brandade de morue, un blanc méridional comme un costières-de-nîmes, et les poissons d'eau douce, des blancs fins et frais comme les graves, touraine, alsace riesling ou roussette-de-savoie.
Poissons et vins rouges. Rougets grillés à la tapenade, thon grillé et ratatouille s'accommodent très bien de vins rouges méridionaux légers, aux tanins ronds et souples, servis frais. La lamproie à la bordelaise appréciera la présence d'un graves rouge, d'un montravel ou d'un blaye.

Les viandes

Le bœuf. Tandis que les vins souples, jeunes et fruités (bordeaux clairet, faugères, anjou rouge) accompagnent la texture fondante du steack tartare et du carpaccio, une entrecôte grillée ou un rosbif demandent un vin rouge plus structuré (médoc, bordeaux supérieur, gigondas, chinon...). Les tanins denses et veloutés s'allient alors à la texture riche et serrée de la viande saignante. Avec une côte de bœuf, morceau de choix, on montera en gamme avec un saint-estèphe, un margaux, un saint-julien, un pauillac ou encore un vin structuré du Sud-Ouest : pécharmant, madiran.
La chair confite des viandes braisées et mijotées offrent un moelleux qui appelle des vins évolués aux tanins patinés (beaune, mercurey, châteauneuf-du-pape). Enfin, le traditionnel pot-au-feu, riche en viande fondante et en légumes, demande un vin rouge charnu, généreux, au fruité immédiat. On fera son choix dans les crus du Beaujolais, les côtes-du-rhône ou les vins rouges du Jura.
Le veau. Apprécié pour sa finesse et son fondant, le veau rôti ou en sauce demande des vins tendres et peu tanniques : beaujolais, vins de Loire issus de gamay ou bourgognes de la Côte chalonnaise. Avec une côte de veau à la crème ou une blanquette, il est préférable de servir un blanc tendre et fruité, dont un léger boisé renforcera la rondeur et l'onctuosité de l'accord.
L'agneau. L'agneau grillé ou braisé appelle le thym, le romarin et l'ail, et apprécie les vins rouges du Sud, généreux et épicés comme le corbières ou le côtes-de-provence. Un gigot d'agneau cuit rosé s'accorde avec des rouges de caractère comme les vins du Médoc ou des Corbières. Quant au navarin, il nécessite des vins rouges frais et fruités comme les crus de la vallée du Rhône méridionale qui allient richesse et souplesse.
Le porc. Les blancs légers et fruités (graves, côtes-du-rhône) soulignent la délicatesse d'un filet mignon à la crème, tandis qu'un rôti servi avec des petits légumes demande des rouges fruités et toniques (bourgueil, givry, minervois) pour accompagner de leurs tanins soyeux le fondant de la viande. Braisé ou mijoté, le porc nécessite des vins rouges au fruité compoté et aux tanins souples.

Les abats. Rognons, foie de veau, pied de porc, tripes ou tête de veau s'accordent avec les vins rouges frais aux tanins souples (côtes-du-jura, marcillac, crozes-hermitage). Délicate et fondante, la cervelle d'agneau appelle au contraire un vin blanc léger et fruité, l'andouillette grillée un blanc rond au léger boisé, et les ris de veau un blanc onctueux et peu acide qui allie sa suavité à la douceur de ce mets raffiné.

Les volailles

Rôties. Le poulet rôti offre un accord savoureux avec un vin rouge tendre et fruité, sans excès de tanins. Par tradition, le cépage pinot noir est mis à l'honneur. Pensez aux bourgognes, aux rouges d'Alsace ou du Centre-Loire. Les beaujolais et les rouges de Loire sont également parfaits. Les amateurs de bordeaux se tourneront vers les appellations régionales ou les vins de côtes.
On accorde chapons et poulardes selon le même principe mais le caractère festif de ces volailles appelle des rouges fins comme les grands bourgognes et tous les vins raisonnablement tanniques. Pigeon et canard nécessitent des rouges tendres, ronds et aux tanins séveux pour faire écho à la texture de la viande douce et juteuse. Les vins méridionaux ont un caractère épicé et des tanins aimables qui seront tout à fait dans le ton.
Mijotées. Avec un coq au vin par exemple, un vin rouge riche et expressif, comme un volnay ou un cahors, offrira après quelques années de cave des tanins patinés et une richesse aromatique qui s'harmoniseront avec la finesse de la sauce et des chairs confites.
Les confits. C'est dans le cassoulet que l'on déguste le plus fréquemment les confits de canard et d'oie. La richesse de ce plat demande des vins rouges charnus, aux tanins ronds et moelleux comme un cahors, un madiran et de nombreux vins du Languedoc comme les corbières, minervois ou cabardès.
Volailles et vins blancs. Par sa texture moelleuse et très fondante, la poularde à la crème demande un vin blanc riche et élégant, de préférence issu de chardonnay. S'il y a des morilles dans la sauce, un côtes-du-jura sublimera ce plat festif.
Traditionnellement servie avec le bouillon lié à la crème, la poule-au-pot se marie avec les vins blancs fruités et ronds, pas trop acides, comme un mercurey ou un mâcon.
Le lapin. Rôti à la fleur de thym, il sera parfait en compagnie d'un rouge du Sud aux arômes de garrigue comme un languedoc ou un côtes-du-rhône. Cuisiné à la moutarde, il s'accorde à la fraîcheur d'un rouge de Loire (bourgueil, chinon, saumur-champigny).

Le gibier

À plume. Rôtis, faisans et perdreaux offrent une chair fine et savoureuse qui s'associe aux vins rouges tendres et soyeux comme les bourgognes. Cuits en salmis, ils nécessitent des vins plus structurés et évolués, comme un cahors ou un corbières. Le canard sauvage, au goût prononcé, nécessite des vins de caractère, comme un saint-joseph, un languedoc Pic-Saint-Loup ou un médoc.
Lièvre et lapin de garenne. Le jeune lièvre est délicieux rôti. Sa viande délicate et parfumée nécessite des vins rouges élégants et racés comme un moulis-en-médoc ou un saint-chinian. La sauce du civet est onctueuse et puissante, les vins doivent être corpulents et de bonne évolution. On pense à châteauneuf-du-pape, à bandol, à saint-émilion ou aux grands bourgognes (pommard, corton...). On accorde le lapin de garenne selon les mêmes principes en étant plus modeste sur le prestige des cuvées.
Le gros gibier rôti. Avec du chevreuil, de la biche ou du sanglier rôti, il faut choisir un vin rouge au fruité encore vif et avec une belle structure tannique : fronsac, saint-émilion, fitou, santenay, minervois...
Le gros gibier mijoté. On associe les tanins assagis du vin vieux à la texture veloutée de la sauce, et l'équilibre gustatif est complété par la gamme des arômes confits et épicés. Pour peu que le vin soit légèrement animal, l'harmonie est totale.

Le vin et les épices

La cuisine épicée s'accorde aux vins rouges et rosés méridionaux qui offrent une richesse aromatique et une puissance propres à tenir tête à

la force des épices. Cependant, de nombreux vins blancs vifs et minéraux à base de cépages aromatiques comme le gewurztraminer, le viognier, le sauvignon ou encore le chenin blanc sont parfaits avec les plats à base de curry.

Les fromages

Les pâtes molles à croûte fleurie. Camembert ou brie s'associent aux vins rouges légers et souples, voire gouleyants : un beaujolais, un touraine ou un anjou-gamay ou encore un bourgogne de l'Yonne friand à souhait.

Les pâtes molles à croûte lavée. Époisses, livarot et maroilles demandent des blancs puissants, aromatiques et vifs comme un alsace gewurztraminer. Ce dernier équilibre la force du fromage dont la puissance aromatique fait écho au caractère épicé du vin.

Les pâtes pressées non cuites. Cantal, salers et saint-nectaire apprécient les vins rouges charnus et épicés en harmonie avec la pâte dense de ces fromages de caractère : côtes-du-rhône-villages, gaillac, fronton ou rouges de Provence. Un blanc de caractère, gras et aromatique comme un châteauneuf-du-pape révèle le caractère fruité du fromage.

Les pâtes pressées cuites. Comté, beaufort et emmental se marient avec des blancs gras légèrement boisés, aux notes de noisette et de beurre tels que les vins issus du cépage chardonnay ou, pour un accord très original, un vin jaune du Jura ou un vin de voile de Gaillac.

Les pâtes persillées. Le roquefort et les bleus en général offrent un accord très abouti avec les vins doux naturels rouges tels que les banyuls, rivesaltes ou maury dont la puissance aromatique et l'onctuosité se marieront idéalement avec le gras du fromage. Les liquoreux forment aussi de bons accords, ainsi que les rouges puissants (madiran).

Les fromages de chèvre. Des fromages de caractère qui demandent des vins blancs vifs et fruités comme ceux issus du cépage sauvignon que produisent le Centre-Loire ou la Touraine. Les vins de chardonnay élevés en cuve sont possibles, par exemple un mâcon. Lorsque le fromage est très affiné, un rivesaltes ambré ou un montlouis-sur-loire demi-sec adoucissent l'accord.

Les desserts

Les desserts à base de fruits. Sur une salade de fruits, les vins doux naturels issus de muscat apporteront une riche palette aromatique qui rappelle les fruits frais. De nombreux vins moelleux conviennent également, comme les gaillac, pacherenc-du-vic-bilh ou certains rieslings et gewurztraminers issus de vendanges tardives.

Les pâtisseries à base de fruits rouges appellent les vins doux naturels rouges vintage qui offrent une palette aromatique aux nuances de fruits noirs et rouges très mûrs et d'agréables tanins ronds. Les vins de liqueur (pineau-des-charentes, floc-de-gascogne) conviennent également.

Les tartes s'accordent avec les moelleux et les liquoreux de Loire, du Sud-Ouest, d'Alsace et du Bordelais. Garnies de miel ou de fruits secs, elles demandent un vin doux naturel évolué, tendre et aromatique, comme un vieux banyuls.

Les desserts au chocolat et au café. Sur un dessert riche en cacao, on favorise les vins doux naturels de type oxydatif élevés longuement en fût des appellations banyuls ou maury. Ils développent une agréable onctuosité et une touche de rancio qui fait écho à l'amertume du cacao. Si ce même dessert est servi avec un coulis de fruits rouges, on choisira alors un type vintage ou rimage, vin rouge doux, dense et velouté aux arômes de bigarreau très mûrs. Enfin, si le dessert au chocolat contient des fruits confits, des fruits secs ou des épices, et dans le cas d'un dessert au moka, on choisira un vin au caractère évolué comme un rivesaltes ambré ou tuilé.

Les crèmes caramel, crèmes brûlées. L'onctuosité et la finesse des crèmes demandent des blancs moelleux de bonne vivacité : un monbazillac, un jurançon ou encore un alsace vendanges tardives qui favoriseront l'équilibre sur la fraîcheur.

La vigne et les terroirs

À l'origine du vin se trouve une plante domestiquée par l'homme depuis des millénaires. Alliée au terroir, elle lègue au vin un caractère incomparable, différent selon sa variété. Au vigneron ensuite de mettre ces potentialités en valeur. Pour cela, il sélectionne les terroirs et les cépages les mieux adaptés aux sols et aux microclimats.

La vigne, une culture mondiale

C'est en Transcaucasie (actuelles Géorgie et Arménie) que la culture de la vigne se serait développée dès les temps préhistoriques. Elle se diffusa ensuite en Asie Mineure, puis sur tout le pourtour méditerranéen, suivant ainsi les peuples dans leurs migrations : Égyptiens, Perses, Grecs, Romains et tant d'autres. L'histoire ne fit que se répéter lorsque, à la fin du XVe s., les cépages européens voyagèrent jusqu'en Amérique avec les conquistadores espagnols. Aux Hollandais ensuite de les implanter en Afrique du Sud, puis aux Anglais de les porter jusqu'aux Antipodes.

Vitis vinifera

La vigne appartient au genre Vitis dont il existe de nombreuses espèces. *Vitis vinifera,* originaire du continent européen, est l'espèce la mieux adaptée à la production vinicole. La quasi-totalité des vins, dans le monde entier, est issue de différentes variétés de *Vitis vinifera* importées d'Europe. D'autres espèces sont originaires d'Amérique ; certaines sont infertiles et d'autres donnent des produits au caractère organoleptique peu apprécié, qualifié de foxé (fourrure de renard). Cependant, ces dernières espèces présentent une résistance supérieure aux maladies. Dans les années 1930, on a donc cherché à créer, par hybridation, de nouvelles variétés moins vulnérables comme les espèces américaines, mais produisant des vins de même qualité que ceux de *Vitis vinifera* : ce fut un échec qualitatif. Heureusement, l'analyse chimique de la matière colorante a permis de différencier les vins de *Vitis vinifera* de ceux des vignes hybrides qui ont ainsi pu être éliminées du territoire des AOC.

Le phylloxéra : révolution dans le vignoble

À la fin du XIXe s., un puceron, le phylloxéra, fut introduit en France par importation de plants de vignes américaines infestées, mais qui n'avaient pas manifesté la maladie en raison de leur résistance. Il fut responsable de dévastations en Europe, en s'attaquant aux racines de *Vitis vinifera.* Les nombreuses tentatives de protection par des méthodes chimiques se soldèrent par un échec ; le fléau ne put être combattu sans une révolution des modes de culture. Toutes les vignes durent être greffées sur un porte-greffe de vigne américaine résistant au phylloxéra : contrairement à l'hybridation qui crée de nouvelles variétés partageant les caractères des deux parents, le cep garde dans ce cas les propriétés de l'espèce vinifera, mais ses racines ne sont pas infectées par le ravageur. *Vitis vinifera* est aussi sensible à d'autres parasites : par exemple un champignon, le mildiou, et la cicadelle, insecte originaire d'Amérique qui inocule la flavescence, maladie qui détruit la vigne.

À chaque région ses cépages

Vitis vinifera comprend de nombreuses variétés, appelées cépages. Alors que dans certains vignobles les vins proviennent d'un seul cépage (pinot et chardonnay en Bourgogne par exemple), dans d'autres, ils peuvent résulter de l'association de plusieurs variétés complémentaires. Chaque aire viticole a sélectionné les plants les mieux adaptés, mais l'encépagement varie dans le temps au gré de l'évolution du goût des consommateurs et donc des marchés. Sachant qu'il faut attendre quatre ans après sa plantation pour qu'un cep produise du vin, les vignerons ont de plus en plus recours au surgreffage : les greffons d'un nouveau cépage sont greffés sur les anciens pieds de vigne.

Des progrès constants

Chaque cépage admet différents clones, c'est-à-dire des individus qui se distinguent par certaines caractéristiques : plus grande productivité, maturité plus précoce, plus grande résistance aux maladies. Pour les hommes du vin, il s'est toujours agi de sélectionner les meilleures souches tout en veillant à respecter une certaine diversité des clones plantés. Des recherches sont en cours pour améliorer la résistance des vignes grâce à des modifications génétiques.

Les terroirs viticoles

Prise dans son sens le plus large, la notion de terroir viticole regroupe de nombreuses don-

nées d'ordre biologique (choix du cépage), géographique, climatique, géologique et pédologique. Il faut ajouter aussi des facteurs humains – historiques et commerciaux.

L'adaptation au climat

La vigne est cultivée dans l'hémisphère Nord entre le 35e et le 50e parallèle, dans l'hémisphère Sud entre le 28e et le 42e parallèle ; elle est donc adaptée à des climats très différents. Cependant, les vignobles les plus proches des pôles permettent essentiellement la culture des cépages blancs, que l'on choisit précoces et dont les fruits peuvent mûrir avant les froids de l'automne ; sous des climats chauds sont cultivés les cépages tardifs. Pour faire du bon vin, il faut un raisin bien mûr, mais la maturation ne doit être ni trop rapide ni trop complète au risque de perdre des éléments aromatiques. Les grands vignobles des zones climatiques marginales sont confrontés à l'irrégularité des conditions climatiques pendant la période de maturation d'une année à l'autre.

Un sol pauvre et bien drainé

La vigne est une plante peu exigeante qui pousse sur des sols pauvres, mais équilibrés. Cette pauvreté est d'ailleurs un élément de la qualité des vins, car elle favorise des rendements limités qui évitent la dilution des pigments colorants, des arômes et des constituants sapides.

En climat chaud et sec, la régulation de l'alimentation en eau se fait par le contrôle de l'irrigation. En climat tempéré et océanique, avec les précipitations variables d'une année à l'autre, le sol du vignoble joue un rôle essentiel pour régulariser l'alimentation en eau de la plante par ses propriétés physico-chimiques : il apporte de l'eau au printemps, lors de la croissance, et élimine les excès éventuels de pluie pendant la maturation. Un drainage artificiel peut éventuellement pallier les déficiences du sol.

Les sols graveleux et calcaires assurent particulièrement bien ces régulations, mais il existe aussi des crus réputés sur des sols sableux et même argileux. De fait, d'excellents vins peuvent être produits sur des terroirs en apparence très différents. A contrario, des vignobles implantés sur des sols apparemment voisins présentent parfois de grandes disparités de qualité parce que l'aptitude de leur sol à la régularisation de l'eau n'est pas la même.

Tous les goûts sont dans la nature du sol

La couleur ou les caractères aromatiques et gustatifs des vins issus d'un même cépage et produits sous un même climat varient selon la nature du sol et du sous-sol : calcaires, molasses argilo-calcaires, sédiments argileux, sableux ou gravelo-sableux. Par exemple, l'augmentation de la proportion d'argile dans les graves donne des vins plus acides, plus tanniques et corsés, au détriment de la finesse ; le sauvignon blanc prend des arômes plus ou moins puissants sur les calcaires, sur les graves ou sur les marnes.

Le cycle des travaux de la vigne

La vigne est une plante bisannuelle, à feuilles caduques, qui se développe selon un cycle régulier au fil des saisons. Tout commence au printemps par la sortie des bourgeons : le débourrement. Puis apparaissent les fleurs au mois de mai, suivies des fruits (la nouaison). En juillet-août, les grains changent progressivement de couleur et les rameaux se couvrent d'une écorce ligneuse : c'est la véraison, puis l'aoûtement. Seule la maturation du raisin décidera du moment optimal pour vendanger. À l'automne, la vigne perd ses feuilles et entre dans sa période de repos, appelée dormance.

Tailler

Destinée à équilibrer la production des fruits, en évitant le développement exagéré du bois, la taille annuelle s'effectue normalement entre décembre et mars. La longueur des sarments, choisie en fonction de la vigueur de la plante, commande directement l'importance de la récolte. Les labours de printemps déchaussent la plante, en ramenant la terre vers le milieu du rang, et créent une couche meuble qui restera aussi sèche que possible. Le décavaillonnage consiste à enlever la terre qui reste, sous le rang, entre les ceps.

Travailler le sol

Au début de l'hiver, le vigneron laboure son vignoble : il ramène la terre vers les ceps afin de les protéger des gelées ; la formation d'une rigole au centre des rangs permet d'évacuer les eaux de ruissellement. Le labour peut être utilisé pour enfouir des engrais.

En fonction des besoins, les travaux du sol sont poursuivis pendant toute la durée du cycle végétatif ; ils détruisent la végétation adventice, maintiennent le sol meuble et évitent les pertes d'eau par évaporation. Le désherbage peut être effectué chimiquement ; s'il est total, il est effectué à la fin de l'hiver et les travaux aratoires sont complètement supprimés ; on parle alors de non-culture, qui constitue une économie substantielle. Cependant, certains producteurs soucieux de l'environnement préfèrent les vignes enherbées qui permettent de limiter la vigueur de la plante.

Maîtriser la vigne et ses rendements

Pendant toute la période végétative, on procède à différentes opérations pour limiter la prolifération végétale : l'épamprage, suppression de certains rameaux ; le rognage, raccourcissement de leur extrémité ; l'effeuillage, qui permet une meilleure exposition des raisins au soleil, l'accolage, pour maintenir les sarments dans les vignes palissées.

L'amélioration des conditions de culture a une incidence décisive sur la qualité du vin et sur le rendement de la vigne. Certes, il est possible de modifier considérablement le rendement en agissant sur la fertilisation, la densité des plants à l'hectare, le choix du porte-greffe, la taille. Toutefois, la recherche systématique de forts rendements affecte la qualité. L'abondance doit résulter de facteurs naturels favorables à une vendange saine et équilibrée, apte à produire de grands millésimes. Le rendement maximum se situe entre 45 et 60 hl/ha pour produire de grands vins rouges, un peu plus pour les vins blancs secs. Les meilleurs vins proviennent en outre souvent de vignes suffisamment âgées (trente ans et plus) qui ont parfaitement développé leur système racinaire.

LE CYCLE ANNUEL DE LA VIGNE

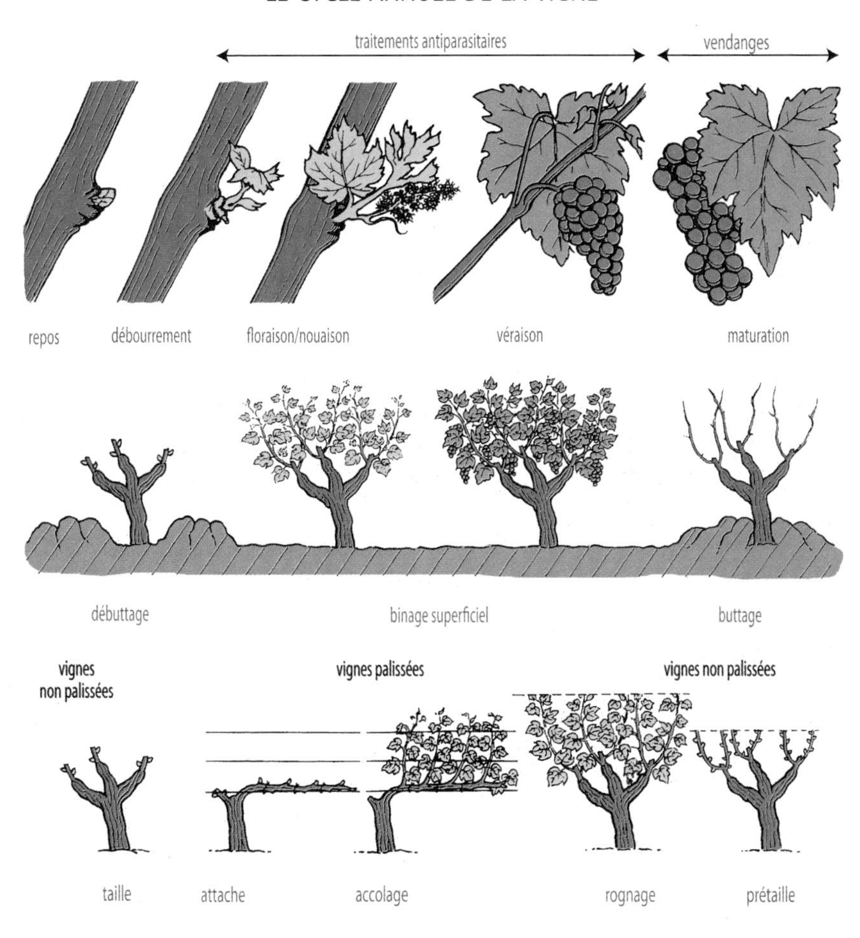

Protéger et traiter

Le viticulteur doit également protéger la vigne des maladies : le service de la protection des végétaux diffuse des informations qui permettent de prévoir les traitements nécessaires, faits par pulvérisation de produits actifs, qu'ils soient naturels (agrobiologie) ou issus de la chimie industrielle.

La lutte raisonnée

La vigne est une plante sensible à de nombreuses maladies – mildiou, oïdium, black-rot, pourriture... – qui compromettent la récolte et communiquent aux raisins de mauvais goûts susceptibles de se retrouver dans le vin. Les viticulteurs disposent de moyens de traitement efficaces, facteurs certains de l'amélioration générale de la qualité. Si, par souci de sécurité, les viticulteurs ont autrefois abusé de l'emploi des pesticides chimiques, ils se sentent aujourd'hui impliqués dans la recherche d'une culture raisonnée qui limite les traitements au strict nécessaire. Par ailleurs, l'agrobiologie, s'appuyant sur une biodynamique du sol, cherche à créer des conditions naturelles rendant la vigne moins sensible aux maladies.

Évaluer la maturité

L'état de maturité du raisin est un facteur essentiel de la qualité du vin. Dans une même région, les conditions climatiques sont variables d'une année à l'autre, entraînant des différences de constitution des raisins qui déterminent les caractéristiques propres de chaque millésime. Il faut prendre en compte l'existence de plusieurs phénomènes biochimiques intervenant au cours de la maturation : accumulation des sucres, diminution de l'acidité, accumulation et affinement des tanins des raisins rouges et des arômes des raisins blancs. Ils n'évoluent pas tous de manière identique ; l'idéal est d'atteindre l'optimum qualitatif pour chacun d'eux au même moment. Sous les climats tempérés, une bonne maturation suppose un temps chaud et sec. On sait que sous des climats particulièrement chauds, l'accumulation de sucre dans le raisin, donc de l'alcool dans le vin, peut obliger à vendanger alors que les tanins des raisins rouges ne sont pas encore mûrs. En tout cas, la date des vendanges doit être fixée avec discernement, en fonction de la situation, de l'évolution de la maturation et de l'état sanitaire du raisin.

Vendanger

De plus en plus, les vendanges manuelles laissent place au ramassage mécanique. Les machines, munies de batteurs, font tomber les grains sur un tapis mobile ; un ventilateur élimine la plus grande partie des feuilles. La brutalité de l'action sur le raisin n'est pas a priori favorable à la qualité, surtout pour les vins blancs : malgré des progrès considérables dans la conception et la conduite de ces machines, les crus de haute réputation seront les derniers à faire appel à ce procédé de ramassage, parce que leurs moyens financiers leur permettent d'effectuer un travail très soigné (de sélection et de tri des raisins), certainement favorable à la qualité, mais relativement onéreux.

LE CALENDRIER DU VIGNERON

JANVIER

Si la taille s'effectue
de décembre à mars,
c'est bien « à la Saint-Vincent
que l'hiver s'en va ou se reprend ».

JUILLET

Les traitements contre
les parasites continuent
ainsi que la surveillance du vin
sous les fortes variations
de température !

FÉVRIER

Le vin se contracte avec l'abaissement
de la température. Surveiller les tonneaux
pour l'ouillage qui se fait
périodiquement toute l'année.
Les fermentations malolactiques
doivent être alors terminées.

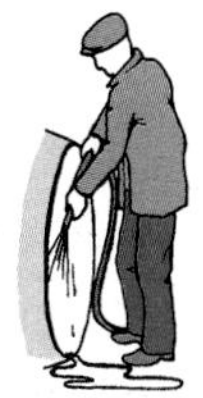

AOÛT

Travailler le sol serait nuisible
à la vigne, mais il faut être vigilant
devant les invasions possibles
de certains parasites.
On prépare la cuverie
dans les régions précoces.

MARS

On « débutte ». On finit la taille
(« taille tôt, taille tard,
rien ne vaut la taille de mars »).
On met en bouteilles les vins
qui se boivent jeunes.

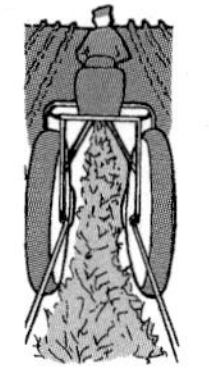

SEPTEMBRE

Étude de la maturation
par prélèvement régulier
des raisins pour fixer la date
des vendanges qui commencent
en région méditerranéenne.

AVRIL

Avant le phylloxéra,
on plantait les paisseaux.
Maintenant on palisse
sur fil de fer, sauf à l'Hermitage,
Côte Rôtie et Condrieu.

OCTOBRE

Les vendanges ont lieu
dans la plupart des vignobles
et la vinification commence.
Les vins de garde vont être
mis en fût pour y être élevés.

MAI

On surveille la vigne
et on la protège
contre les gelées
de prlntemps. Binage.

NOVEMBRE

Les vins primeurs
sont mis en bouteilles.
On surveille l'évolution
des vins nouveaux.
La prétaille commence.

JUIN

On « accole » les vignes palissées
et on commence à rogner les sarments.
La « nouaison » (= donner des baies)
ou la « coulure » vont commander
le volume de la récolte.

DÉCEMBRE

La température des caves
doit être maintenue pour
assurer l'achèvement des
fermentations alcoolique
et malolactique.

La naissance du vin

Depuis quand élabore-t-on du vin ? Depuis que l'homme découvrit que des raisins conservés trop longtemps dans une jarre fermentaient et changeaient de goût, soit entre 6 000 et 8 000 ans avant notre ère. Aujourd'hui, le sens que nous donnons au mot vin n'a guère changé, la réglementation européenne le définissant comme « le produit obtenu exclusivement par la fermentation alcoolique, totale ou partielle, de raisins frais, foulés ou non, ou de moûts de raisins ».

La fermentation alcoolique

Le vin naît d'un phénomène microbiologique : des levures se développent à l'abri de l'air et décomposent le sucre du raisin en alcool et en gaz carbonique. C'est la fermentation alcoolique. Il faut environ 17 g de sucre par litre de moût (jus qui s'écoule lors du pressurage de raisin frais) pour produire 1 % vol. d'alcool par la fermentation. Au cours de ce processus, de nombreux produits secondaires apparaissent (glycérol, acide succinique, esters, etc.), qui participent aux arômes et au goût du vin.

D'où viennent ces levures ? De la nature elle-même : elles ont été déposées sur la peau du raisin ou se sont développées dans la cave à l'occasion des manipulations de la vendange. Elles peuvent aussi provenir de cultures en laboratoire : ces levures sélectionnées, déshydratées, sont ajoutées dans la cuve. Elles favorisent un bon déroulement de la fermentation et évitent certains défauts (odeurs de réduction).

La macération des raisins rouges et le pressurage des raisins blancs

La température, clé du succès

La fermentation dégage des calories qui provoquent l'échauffement de la cuve. Or, au-delà de 35 °C, le processus risque de s'interrompre brutalement avant que la totalité du sucre ait été transformée en alcool. Les levures meurent et laissent alors le champ libre aux bactéries qui décomposent le sucre restant et produisent de l'acide acétique (acidité volatile) ; il s'agit d'un accident grave, connu sous le nom de piqûre. Le vigneron s'attache donc à maîtriser la température à l'aide de divers mécanismes de thermorégulation : serpentins, échangeurs thermiques, cuves Inox informatisées. Les vins rouges fermentent à 28-32 °C afin d'extraire au mieux les constituants de la pellicule du raisin (couleur, tanins), les vins blancs, à 18-20 °C pour protéger les arômes. L'introduction d'oxygène par aération du moût en début de fermentation est nécessaire pour les levures ; c'est une autre condition essentielle pour éviter les arrêts prématurés de la fermentation.

Dans certains cas, une souche adaptée permet de révéler les arômes spécifiques d'un cépage, tel le sauvignon, présents à l'état de molécules inodores (les précurseurs d'arômes) dans le raisin. En tout état de cause, la qualité et la typicité du vin reposent essentiellement sur la qualité du raisin, donc sur des facteurs naturels (cépages, crus et terroirs).

La fermentation malolactique

Dans certains cas, une seconde fermentation intervient après la fermentation alcoolique : la fermentation malolactique. Sous l'influence de bactéries, l'acide malique du raisin est décomposé en acide lactique et en gaz carbonique. Les conséquences sont une baisse d'acidité et un assouplissement du vin, avec affinement des arômes. Simultanément, le vin acquiert une meilleure stabilité pour sa conservation. Si les vins rouges s'en trouvent toujours améliorés, l'avantage est moins systématique pour les vins blancs.

Comment limiter les risques bactériens ?

Au cours de la conservation, il reste toujours des populations bactériennes résiduelles dans le vin qui peuvent provoquer des accidents graves : décomposition de certains constituants du vin ; oxydation et formation d'acide acétique (processus de fabrication du vinaigre). Les soins apportés aujourd'hui à la vinification permettent d'éviter ces risques. La première condition est une parfaite propreté qui évite les contaminations microbiennes excessives ; elle peut être complétée par des procédés d'élimination des microbes présents dans le vin (soutirage, collage, filtration). Enfin, le dioxyde de soufre (SO_2) est un antiseptique très puissant ; bien utilisé, à faible dose, il ne compromet pas la qualité des vins, tout au contraire.

Les types et styles de vins

Au-delà de leur couleur, rouge, blanc ou rosé, les vins se distinguent selon leur type : tranquille ou effervescent. Dans un cas, la surpression du CO_2 dans la bouteille est inférieure à 0,5 kg, dans l'autre, elle dépasse 3 kg (à 20 °C) et un dégagement de gaz carbonique se produit au débouchage. Les vins ont aussi un style : sec ou doux, avec toutes les nuances imaginables entre les deux saveurs.

Les vins secs

Les vins secs contiennent moins de 4 g/l de sucres résiduels ; le goût sucré n'est donc pas perceptible à la dégustation. Ils sont rouges, blancs ou rosés, tranquilles ou effervescents et présentent une grande variété de caractères selon les cépages, les terroirs et les modes de vinification.

Les vins doux

Les vins doux sont caractérisés par un taux de sucre variable, mais toujours supérieur à 4 g/l : ils peuvent être demi-secs, moelleux (entre 12 et 45 g/l de sucres) ou liquoreux (plus de 45 g/l). Leur production suppose des raisins très mûrs, riches en sucre, dont une partie seulement est transformée en alcool par la fermentation.

Les vins liquoreux proviennent de raisins surmûris dont l'extrême concentration est due soit à un passerillage (dessication des baies) sur souche ou sur un lit de paille après la récolte, soit à l'action d'un champignon, le *Botrytis cinerea*, provoquant dans des conditions particulières une forme de pourriture, qualifiée de « noble » : les baies sont alors vendangées à mesure du développement du botrytis, par tries successives. Le titre alcoométrique de ces vins atteint entre 13 et 16 % vol.

Les vins de liqueur et vins doux naturels

Un vin de liqueur – à ne pas confondre avec un vin liquoreux – est obtenu par addition, avant, pendant ou après la fermentation, d'alcool neutre, d'eau-de-vie de vin, de moût de raisin concentré ou d'un mélange de ces produits. L'objectif est d'interrompre la fermentation afin de garder une grande quantité de sucres résiduels : cette opération est appelée mutage. Le pineau-des-charentes, le floc-de-gascogne et le macvin-du-jura en France, de même que le porto produit dans la vallée du Douro, au Portugal, sont des vins de liqueur. Certains vins mutés français, héritiers d'une longue tradition, portent le nom de vins doux naturels. Issus des cépages muscat, grenache, maccabéo et malvoisie, ils sont originaires du Languedoc-Roussillon, de la vallée du Rhône et de la Corse.

Les vins effervescents

Les vins effervescents doivent leur forte teneur en gaz carbonique (pression de l'ordre de 6 à 8 bar) à une seconde fermentation – la prise de mousse – qui peut s'effectuer en bouteille (selon la méthode traditionnelle, autrefois dite champenoise) ou en cuve (méthode en cuve close). Il existe aussi des vins mousseux gazéifiés, obtenus par addition de gaz, procédé interdit pour les vins de qualité d'appellation.

Quant aux vins pétillants, ils possèdent une pression de gaz carbonique comprise entre 1 et 2,5 bar. Leur degré alcoolique est supérieur à 7 % vol.

La vinification et l'élevage

Selon le type de vin souhaité, la couleur et la qualité du raisin vendangé, le vigneron doit choisir un mode de vinification adapté. Le vin nouveau ainsi obtenu est brut, trouble et gazeux. La phase d'élevage (clarification, stabilisation, affinement de la qualité) va le conduire jusqu'à la mise en bouteilles.

Les vins rouges

La macération et la fermentation

Dans la majorité des cas, le raisin est d'abord égrappé ; les grains sont ensuite foulés et le mélange de pulpe, de pépins et de pellicules est envoyé dans la cuve de fermentation. Dès le début du processus, le gaz carbonique soulève toutes les particules solides qui forment, à la partie supérieure de la cuve, une masse compacte appelée chapeau ou marc.

Dans la cuve, la fermentation alcoolique se déroule en même temps que la macération des pellicules et des pépins dans le jus. La macération apporte au vin rouge sa couleur et sa structure tannique. Les vins destinés à un long vieillissement doivent être riches en tanins et subissent donc une longue macération (de deux à trois semaines) à une température de 25 à 30 °C. En revanche, les vins rouges à consommer jeunes, de type primeurs, doivent être fruités et peu tanniques : leur macération est réduite à quelques jours.

Le pressurage

Après la fermentation, le vinificateur sépare la partie liquide, appelée vin de goutte ou grand vin, des parties solides, le marc : c'est l'écoulage. Il presse le marc de façon à obtenir un vin de presse, plus chargé en extraits, qu'il assemblera éventuellement au vin de goutte, selon les caractères gustatifs souhaités.

Vins de goutte et vins de presse sont remis en cuve séparément pour subir les fermentations d'achèvement : disparition des sucres résiduels et fermentation malolactique. Pour les grands vins, l'écoulage peut être fait directement dans des fûts de chêne, dans lesquels s'effectue la fermentation malolactique. Les vins rouges acquièrent ainsi un caractère boisé plus harmonieux.

La macération carbonique

Il existe d'autres procédés de vinification. Seule la macération carbonique a connu un développement certain. Son succès repose sur le fait que la baie de raisin entière, maintenue à l'abri de l'air, subit une fermentation intracellulaire qui apporte, après fermentation alcoolique, des arômes caractéristiques appréciés.

Les vins rosés

Les vins clairets, rosés ou gris sont obtenus par une macération d'importance variable de raisins noirs.

Les rosés de pressurage direct

Les raisins noirs sont vinifiés comme pour élaborer un vin blanc, après un léger pressurage afin d'obtenir un moût peu coloré. De couleur assez pâle, les rosés de pressurage direct doivent être consommés jeunes afin de profiter de leur fraîcheur et de leur fruité.

Les rosés de saignée

La cuve est remplie de raisins comme pour une vinification en rouge classique. Au bout de quelques heures, une certaine proportion de jus est tirée et fermente séparément pour donner un rosé. Le reste de la cuve, complété de raisin, poursuit sa fermentation. Cette technique est souvent utilisée pour obtenir, dans la cuve ainsi saignée, un vin rouge de meilleure qualité, car plus concentré en tanins et en couleur du fait de la diminution du volume de jus par rapport au marc. Les vins rosés de saignée ont une couleur plus soutenue, allant du rose classique au rouge léger des vins clairets. Plus tanniques que les vins de pressurage direct, ils gagnent à être assouplis par une fermentation malolactique.

Les vins blancs secs

La fermentation alcoolique

Le plus souvent, le vin blanc résulte de la fermentation d'un pur jus de raisin : le pressurage précède donc la fermentation. Dans certains cas, cependant, on effectue une courte macération pelliculaire préfermentaire pour extraire les arômes ; les raisins doivent donc être parfaitement sains et mûrs afin d'éviter des défauts gustatifs (amertume) et olfactifs (mauvaises odeurs). L'extraction du jus doit être faite avec beaucoup de soin, par foulage, égouttage

VINIFICATION DES VINS ROUGES

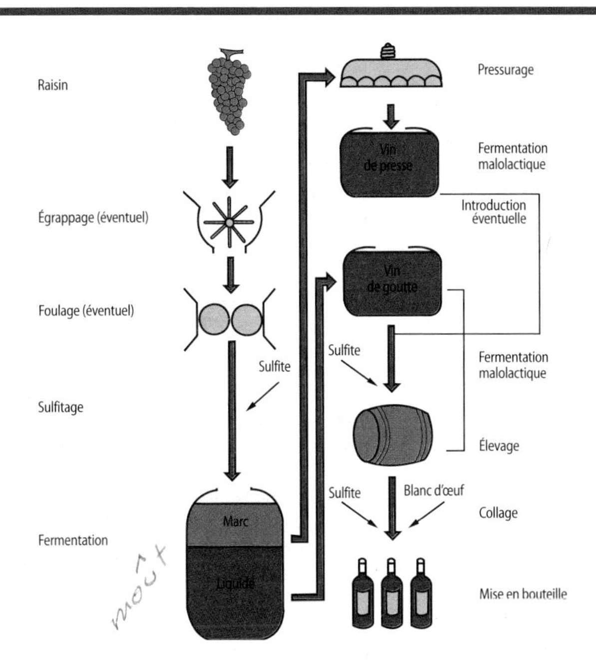

VINIFICATION DES VINS BLANCS

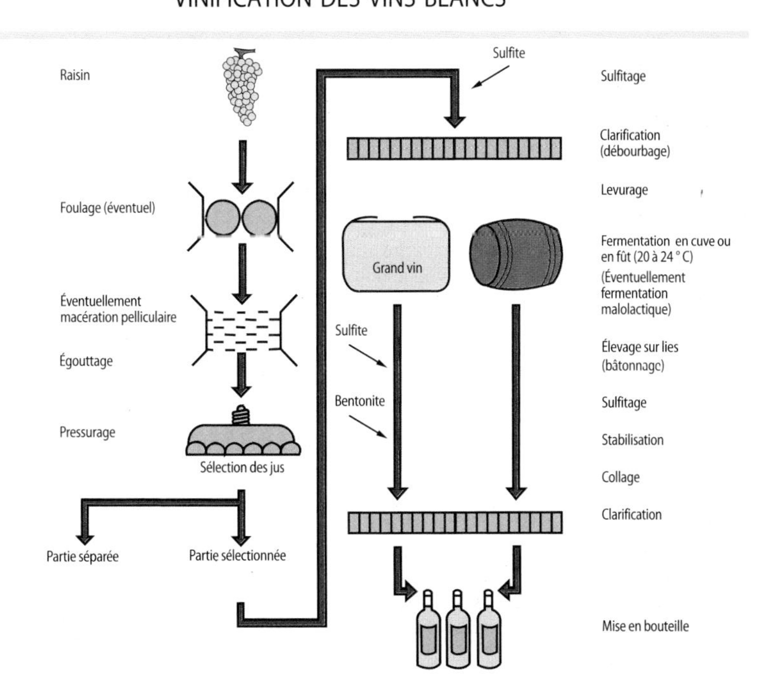

et enfin pressurage. Les derniers jus de presse sont fermentés séparément, car de moins bonne qualité. Le moût blanc, très sensible à l'oxydation, peut être protégé par addition de dioxyde de soufre. Dès l'extraction du jus, on procède à sa clarification par débourbage. La clarification du moût est nécessaire à la qualité des arômes du vin, mais une clarification trop poussée peut rendre la fermentation difficile, surtout à la basse température (18-20 °C) qui est nécessaire à la qualité du vin.

La fermentation malolactique

Elle n'est généralement pas mise en œuvre pour les vins blancs, car ceux-ci méritent de conserver leur fraîcheur due à l'acidité. En outre, cette fermentation secondaire tend à diminuer l'intensité aromatique des cépages vinifiés. Néanmoins, certains vins blancs peuvent en tirer profit en gagnant du gras et du volume lorsqu'ils sont élevés en fût et destinés à un long vieillissement (Bourgogne). La fermentation malolactique assure également la stabilisation biologique des vins en bouteille.

Les vins blancs doux

La vinification des vins doux suppose des raisins riches en sucre. Une partie du sucre est transformée en alcool, mais la fermentation est arrêtée avant son achèvement : le vinificateur ajoute du dioxyde de soufre et élimine les levures par soutirage ou centrifugation (ou encore par pasteurisation, dans les vins ordinaires seulement).

Clarifier et stabiliser

La clarification peut être obtenue par simple sédimentation et décantation (soutirage) si le vin est conservé en récipients de petite capacité (fût de bois), pendant un temps suffisamment long. Il faut faire appel à la centrifugation ou aux différents types de filtration lorsque le vin est conservé en cuve.

LA VINIFICATION EN BARRIQUE

Les grands vins blancs sont vinifiés en barrique ; ils acquièrent ainsi un caractère boisé et fondu. Ils sont ensuite élevés sous bois, sur leurs lies fines (levures) que le maître de chai remet régulièrement en suspension par bâtonnage. Cette pratique permet d'accentuer le caractère gras et moelleux du vin.

Compte tenu de sa complexité, le vin peut donner lieu à des troubles et à des dépôts. Il s'agit de phénomènes naturels, d'origine microbienne ou chimique. Ces accidents sont extrêmement graves lorsqu'ils ont lieu en bouteille ; pour cette raison, la stabilisation doit avoir lieu avant le conditionnement. Les accidents microbiens (piqûre bactérienne ou refermentation) sont évités en conservant le vin dans des conditions de propreté satisfaisantes, à l'abri de l'air en récipient plein. L'ouillage consiste à faire régulièrement le plein des récipients pour éviter le contact avec l'air. En outre, le dioxyde de soufre est un antiseptique et un antioxydant d'un emploi courant. Son action peut être complétée par celle de l'acide sorbique (antiseptique) ou de l'acide ascorbique (antioxydant).
Les produits utilisés sont relativement peu nombreux : leur mode d'action n'affecte pas la qualité, et leur innocuité est démontrée. Des tests de laboratoire permettent de prévoir les risques d'instabilité et de limiter les traitements au strict nécessaire. Le tendance moderne consiste à agir dès la vinification de façon à limiter autant que possible les traitements ultérieurs des vins.

Affiner

L'élevage comprend aussi une phase d'affinage. Il s'agit d'abord d'éliminer le gaz carbonique en excès provenant de la fermentation et dont le taux final dépend du style de vin recherché. Si le gaz carbonique donne de la fraîcheur aux vins blancs secs et aux vins jeunes, il durcit en revanche les vins de garde, particulièrement les grands vins rouges.
L'introduction ménagée d'oxygène assure également une transformation nécessaire des tanins des vins rouges jeunes. Elle est indispensable à leur vieillissement ultérieur en bouteille. L'oxydation ménagée se produit spontanément en fût de chêne ; les techniques dites de microbullage permettent d'introduire, de façon régulière, les quantités d'oxygène juste nécessaires, surtout pour les vins conservés en cuve.

L'influence du chêne

Le chêne a toujours été le meilleur allié du vin. Celui de l'Allier (forêt du Tronçais) est réputé dans le monde entier. À la différence du chêne américain, le bois des chênes sessiles et pédonculés européens doit être fendu (et non scié) puis séché à l'air pendant trois ans avant que le tonnelier n'utilise le merrain pour la fabrication de douelles. Le chêne américain permet d'obtenir rapidement une note boisée, mais n'a pas la complexité et la finesse du chêne de l'Allier.

L'élevage sous bois fait partie de la tradition des grands vins. Il est onéreux (prix d'achat des fûts, travail manuel, pertes par évaporation) et exige une grande rigueur : les fûts devenus vieux peuvent être source de contamination microbienne.

Le chêne apporte aux vins des arômes complexes (vanille, épices, grillé, etc.) qui doivent s'harmoniser parfaitement avec ceux du fruit, surtout lorsque le bois est neuf. Il doit donc être réservé à des vins naturellement riches et structurés, capables d'intégrer son caractère sans perdre leur typicité ni s'assécher en vieillissant. Pour nuancer son empreinte, le maître de chai joue sur la durée de l'élevage, sur la proportion de barriques neuves et même sur le degré de chauffe des douelles, susceptible de transmettre des arômes plus ou moins torréfiés. Un caractère boisé peut être apporté à moindre frais en faisant macérer dans le vin des copeaux de chêne.

Pascal Ribéreau-Gayon
(pour la partie « De la vigne au vin »).

La viticulture biologique

Le Guide Hachette des Vins a introduit un pictogramme pour signaler les vins issus de l'agriculture biologique certifiée. Leur point commun ? Aucun produit de synthèse n'est intervenu dans la culture des raisins d'où ils sont issus. Le « vin bio » est-il différent ? Les cépages, le microclimat, les sols interviennent, autres facteurs de diversité. C'est pourquoi nous n'avons pas testé ces vins à part. Le « vin bio » est-il meilleur ? Tout dépend de l'art du vigneron.

Une viticulture plurielle

La vigne étant sensible à de nombreux parasites – le phylloxéra, au XIXe s., faillit l'éradiquer du sol européen –, la viticulture a fait depuis cette époque massivement appel à la chimie. L'agriculture biologique, en réaction, s'abstient de tout engrais, désherbant et pesticide de synthèse (avec une tolérance en viticulture pour le cuivre et le soufre). Quant à la biodynamie, c'est une forme d'agrobiologie où la plante est en outre appréhendée dans ses liens avec le cosmos. Les façons et les soins – des préparats naturels dilués à l'extrême selon les principes de l'homéopathie – sont rythmés par les cycles lunaires. Intermédiaire entre l'agriculture conventionnelle et l'agriculture biologique, l'agriculture raisonnée, qui s'efforce de limiter le recours aux produits de synthèse sans les interdire a priori, n'est pas considérée comme biologique.

En France, l'agriculture « bio » a été reconnue par la loi en 1980. Propriété du ministère de l'Agriculture, le logo AB peut être apposé sur l'étiquette des produits certifiés. Dans l'Union européenne, le premier règlement remonte à 1991. Jusqu'en 2012, aucun accord n'avait pu être trouvé à l'échelle européenne sur la définition du « vin biologique » et de son mode d'élaboration : c'est le raisin qui était « bio ».

Conversion et certification

Avant de pouvoir revendiquer la dénomination « AB », le domaine doit passer par une période de conversion de trois ans durant laquelle il respecte les contraintes de l'agrobiologie. Le producteur est tenu de déclarer son activité chaque année auprès des pouvoirs publics. Il passe en outre obligatoirement un contrat avec un des six organismes certificateurs accrédités par l'État. Ces instances privées et indépendantes sont chargées d'effectuer des contrôles réguliers dans les exploitations.

L'encadrement réglementaire : du « raisin biologique » au « vin biologique »

En 2012, un accord sur les critères d'une vinification biologique est intervenu entre les États membres de l'UE si bien qu'un nouveau règlement européen définissant le vin biologique a été publié. Désormais, pour produire « bio », il faudra non seulement du raisin biologique, mais aussi une vinification qui respecte le nouveau cahier des charges. Celui-ci dresse la liste des produits œnologiques autorisés, les autres étant interdits (ex. acide sorbique), bannit certaines pratiques (ex. les traitements thermiques supérieurs à 70 °C) ; désormais, tous les intrants doivent être « bio ». Par rapport à la vinification traditionnelle, les doses de sulfites doivent être inférieures de 50 mg/l (de 30 mg/l pour les vins dont la teneur en sucres résiduels est supérieure à 2 g/l.) – voir également p. 35.

Le picto « bio » dans le Guide 

Il ne figure que si l'étiquette du vin présenté porte la mention obligatoire : « Vin issu de raisins biologiques » ou « Vin issu de raisins de l'agriculture biologique » accompagnée de la marque de l'organisme certificateur (le logo AB n'est pas obligatoire). Il ne s'applique qu'au vin et au millésime dégustés (certaines exploitations ne sont pas intégralement conduites en agrobiologie ou n'avaient pas achevé leur période de conversion au moment de la récolte). Par ailleurs, certaines propriétés, parfois réputées, suivent une démarche « bio » sans demander la certification. Dans la mesure du possible, nous l'indiquons alors dans le texte.

L'ALSACE ET LA LORRAINE

RIESLING GEWURZTRAMINER
PINOT GRIS MUSCAT
SYLVANER CÔTES-DE-TOUL
MOSELLE CRÉMANT PINOT BLANC
VENDANGES TARDIVES
GRAINS NOBLES PINOT NOIR
EDELZWICKER

L'Alsace

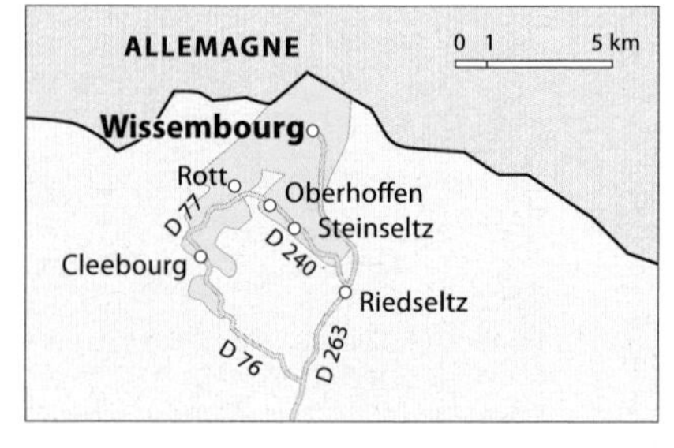

ALLEMAGNE
0 1 5 km
Wissembourg
Rott
Oberhoffen
Steinseltz
D 77
D 240
Cleebourg
Riedseltz
D 76
D 263

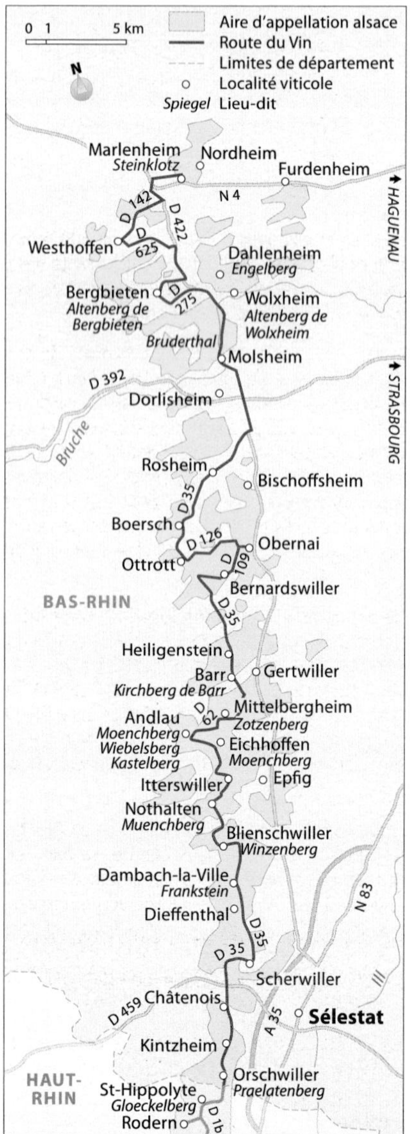

0 1 5 km
Aire d'appellation alsace
Route du Vin
Limites de département
Localité viticole
Spiegel Lieu-dit
N
Marlenheim
Steinklotz
Nordheim
Furdenheim
N 4
HAGUENAU
D 142
D 422
D 625
Westhoffen
Dahlenheim
Engelberg
Bergbieten
Altenberg de Bergbieten
D 275
Wolxheim
Altenberg de Wolxheim
Bruderthal
Molsheim
D 392
STRASBOURG
Dorlisheim
Bruche
Rosheim
Bischoffsheim
D 35
Boersch
D 126
Obernai
Ottrott
D 109
Bernardswiller
BAS-RHIN
D 35
Heiligenstein
Barr
Gertwiller
Kirchberg de Barr
D 62
Mittelbergheim
Andlau
Zotzenberg
Moenchberg
Wiebelsberg
Kastelberg
Eichhoffen
Moenchberg
Epfig
Itterswiller
Nothalten
Muenchberg
Blienschwiller
Winzenberg
Dambach-la-Ville
Frankstein
N 83
Dieffenthal
D 35
D 35
Scherwiller
D 459
Châtenois
A 35
Sélestat
Kintzheim
HAUT-RHIN
Orschwiller
Praelatenberg
St-Hippolyte
Gloeckelberg
Rodern
D 1b

Alsace
Dambach-la-Ville
Frankstein
Dieffenthal
D 35
Scherwiller
Châtenois
A 35
Sélestat
Orschwiller
Kintzheim
Praelatenberg
BAS-RHIN
St-Hippolyte
Gloeckelberg
D 1b
Rodern
Rorschwihr
D 1b
Bergheim
Kanzlerberg
Altenberg de Bergheim
Ribeauvillé
Osterberg
Kirchberg de Ribeauvillé
Geisberg
Hunawihr Rosacker
Zellenberg Froehn
Riquewihr
Schoenenbourg
Sporen
Beblenheim Sonnenglanz
Schlossberg
Mittelwihr Mandelberg
Kientzheim
Bennwihr Marckrain
Furstentum
Kaysersberg
Sigolsheim
N 415
Mambourg
N 83
Ammerschwihr
Kaefferkopf
Katzenthal
Wineck-Schlossberg
Ingersheim
COLMA
Florimont
Niedermorschwihr
Sommerberg
Turckheim
Wintzenheim
Brand
Hengst
Zimmerbach
N 422
Wettolsheim
Steingrubler
Eguisheim
Pfersigsberg, Eichberg
D 14
Husseren-les-Chât.
D 1
Voegtlinshoffen
Herrlisheim
HAUT-RHIN
Hattstatt
Hatschbourg
Gueberschwihr
Goldert
A 35
Pfaffenheim
Steinert
Westhalten
Vorbourg
Rouffach
Soultzmatt
Zinnkoepflé
D 18b
N 83
Orschwihr
Pfingstberg
D 5
Bergholtz
Spiegel
Guebwiller
Saering, Kitterlé, Kessler
Wuenheim
Ollwiller
D 5
N 83
Thur
Cernay
D 35
Thann
Rangen
Vieux-Thann
MULHOUSE
A 36
N
0 1 5 km

L'ALSACE

Le vignoble alsacien s'étire sur plus de 170 km, de Thann au sud à Marlenheim au nord, avec un îlot septentrional limitrophe de l'Allemagne, près de Wissembourg. Jalonné de pittoresques villages remontant au Moyen Âge, il bénéficie d'un climat frais mais abrité qui favorise l'expression aromatique des raisins. Vendus dans leur bouteille élancée appelée « flûte », les vins d'Alsace, blancs à 90 %, s'identifient traditionnellement par leur cépage, car la plupart d'entre eux sont aujourd'hui élaborés à partir d'une seule variété.

Superficie
15 570 ha
Production
1 150 000 hl
Types de vins
Blancs (secs majoritairement, moelleux et liquoreux), effervescents, et 10 % de rouges ou rosés.
Cépages
Blancs : riesling, pinot blanc, gewurztraminer, suivis des pinot gris, pinot blanc, auxerrois, sylvaner, muscats, chasselas, klevener de Heiligenstein.
Rouges : pinot noir.

À l'abri des Vosges La majeure partie du vignoble d'Alsace est implantée sur les collines qui bordent à l'est le massif vosgien et qui prennent pied dans la plaine rhénane. Les Vosges arrêtent la grande masse des précipitations venant de l'Océan : la pluviométrie moyenne annuelle de la région de Colmar est, avec à peine plus de 600 mm, l'une des plus faibles de France. En été, ces montagnes font obstacle à l'influence rafraîchissante des vents atlantiques ; mais ce sont surtout les différents microclimats, nés des nombreuses sinuosités du relief, qui jouent un rôle prépondérant dans la répartition et la qualité des vignobles.

Une mosaïque de sols Une autre caractéristique de ce vignoble est la grande diversité de ses sols. Il y a quelque cinquante millions d'années, Vosges et Forêt-Noire formaient un seul ensemble issu d'une succession de phénomènes tectoniques (immersions, érosions, plissements...). À partir de l'ère tertiaire, la partie médiane de ce massif a commencé à s'effondrer le long de deux failles principales pour donner naissance, bien plus tard, à une plaine. Par suite de cet affaissement, presque toutes les couches de terrain qui s'étaient accumulées au cours des différentes périodes géologiques ont été remises à nu sur la zone de rupture. Or, c'est surtout dans ces champs de faille que sont localisés les vignobles. C'est ainsi que la plupart des communes viticoles sont caractérisées par au moins quatre ou cinq formations de terrains différentes : granite, grès, calcaires, argilo-calcaires, marnes... Chaque cépage s'y exprime différemment.

L'essor médiéval La viticulture en Alsace semble remonter à la conquête romaine. Après un déclin consécutif aux invasions du Ves., le développement du vignoble reprit de plus belle sous l'influence des evêchés et des abbayes. Des documents antérieurs à l'an 900 mentionnent plus de cent soixante localités où la vigne était cultivée (les communes incluses dans l'AOC alsace sont aujourd'hui au nombre de 119). Cette expansion se poursuivit jusqu'au XVIes., qui marqua l'apogée de la viticulture en Alsace. Les riches maisons de style Renaissance, que l'on admire dans maintes communes viticoles, témoignent de la prospérité de ce temps où de grandes quantités de vins d'Alsace étaient déjà exportées dans toute l'Europe.

Le XVIIes. : la fin de l'âge d'or La guerre de Trente Ans (1618-1648) et son cortège de dévastations, de famines et de pestes, eut des conséquences désastreuses pour la viticulture. La paix revint à la fin du Grand Siècle dans une Alsace devenue française ; le vignoble recommença à s'étendre, mais en privilégiant dès lors les cépages communs. Cette tendance s'étant accentuée après la Révolution, sa superficie passa de 23 000 ha en 1808 à 30 000 ha en 1828. L'avènement du chemin de fer et la concurrence des vins du Midi, l'apparition du phylloxéra et de diverses maladies ouvrirent un long processus de déclin. À partir de 1902, la surface du vignoble diminua pour tomber à 9 500 ha vers 1948.

Après 1945 : le renouveau L'essor économique de l'après-guerre et les efforts de la profession favorisèrent le développement du vignoble alsacien, qui s'inscrivit dans le cadre français des appellations d'origine contrôlées. Les superficies repartirent à la hausse pour dépasser les 15 000 ha. Les exportations représentent près du quart des ventes totales. Ce développement a été l'œuvre de l'ensemble des trois branches professionnelles qui se répartissent le marché : les vignerons indépendants (20 % de la commercialisation), les coopératives (38 %) et les négociants (42 %), souvent eux-mêmes producteurs. Le vignoble est cultivé par plus de 4 800 viticulteurs et compte 950 metteurs en bouteilles. Le mouvement coopératif, apparu plus tôt en Alsace que dans le reste de la France, s'est développé après la Seconde Guerre mondiale.

Tourisme La création dès 1953 de la route des vins d'Alsace a fait de la région une pionnière en matière de tourisme viticole. Tout au long de l'année, de nombreuses manifestations se déroulent dans les localités qui la jalonnent : foires aux vins (Guebwiller, Ammerschwihr, Ribeauvillé, Barr et Molsheim, avant Colmar en août), fêtes des vendanges, marchés de Noël... On citera également l'activité de la confrérie Saint-Étienne d'Alsace, née au XIVe s. et restaurée en 1947.

Des cépages aromatiques Le principal atout des vins d'Alsace réside dans le développement optimal des constituants aromatiques des raisins. En effet, l'expression des arômes est favorisée par la maturation lente des raisins sous des climats tempérés et frais. Le caractère gustatif des vins dépend largement du cépage, et l'une des particularités de la région est de nommer les siens d'après leur variété d'origine, alors que les autres vins d'appellation d'origine contrôlée en France portent généralement le nom de la région, ou d'un site géographique plus restreint, qui leur a donné naissance. Il s'agit principalement de vignes blanches, la seule variété rouge, le pinot noir, couvrant un peu moins de 10 % des surfaces. Les autres cépages autorisés sont le riesling (environ 22 % des surfaces), le pinot blanc et l'auxerrois (totalisant 22 %), le gewurztraminer (19 %), le pinot gris (15 %), le sylvaner (9 %), les muscats (muscats blanc et rose à petits grains, muscat ottonel), le chasselas blanc et rose, le klevener de Heiligenstein. Le chardonnay est aussi admis pour les vins effervescents.

Les appellations alsaciennes L'appellation alsace, applicable dans l'ensemble du vignoble, représente les trois quarts de la production. L'étiquette porte le nom du cépage, sauf pour les rares vins d'assemblage (gentil, edelzwicker). À côté des vins blancs secs, majoritaires, on trouve des vins plus ou moins tendres, riches en sucres résiduels, des moelleux et des liquoreux. Le pinot noir est vinifié en rouge et en rosé.

L'AOC crémant-d'alsace, reconnue en 1976, est réservée aux vins effervescents de la région. Elle connaît un développement spectaculaire et représente 21 % de la production.

L'AOC alsace grand cru (4 % de la production) provient de 52 lieux-dits officiellement délimités. Leur création, à partir de 1975, répond au souci de faire renaître dans la région des vins de terroir qui, en plus de la typicité du cépage, portent l'empreinte de leur lieu de naissance ; elle s'appuie sur la très ancienne notoriété de terroirs d'exception.

Les alsaces « vendanges tardives » et « sélections de grains nobles » proviennent de vendanges surmûries, les seconds naissant toujours de vendanges atteintes par la pourriture noble. Ils sont soumis à des conditions de production extrêmement rigoureuses, en particulier pour ce qui concerne le taux de sucre des raisins. Ces mentions spécifiques, officialisées en 1984, ainsi que (pour l'essentiel) celle de l'AOC alsace grand cru sont réservées aux « cépages nobles » : gewurztraminer, riesling, pinot gris et muscat. Il s'agit de vins de classe dont le prix de revient est très élevé.

Dans l'esprit des consommateurs, le vin d'Alsace doit se boire jeune. C'est en grande partie vrai pour le sylvaner, le chasselas, le pinot blanc et l'edelzwicker ; riesling, gewurztraminer, pinot gris gagnent en revanche souvent à attendre deux ans, voire davantage. Certains vins, dans les millésimes favorables, se conservent parfois pendant des dizaines d'années, en particulier ceux de l'AOC alsace grand cru – et surtout les rieslings.

Alsace edelzwicker

Production : 23 080 hl

Cette dénomination ancienne désigne les vins issus d'un assemblage (*Zwicker* en alsacien) de cépages. N'oublions pas qu'il y a un siècle, les parcelles du vignoble alsacien plantées d'une seule variété étaient rares. Aujourd'hui, on utilise le terme « edelzwicker » pour désigner tout assemblage de cépages blancs de l'AOC alsace. Ces cépages peuvent être vinifiés ensemble ou séparément. On a ajouté l'adjectif *Edel* (noble) pour marquer la présence plus fréquente aujourd'hui de cépages nobles, tels que le riesling, le gewurztraminer ou le pinot gris, dans sa composition. Particulièrement apprécié des Alsaciens, l'edelzwicker est servi en carafe dans la plupart des winstubs.

B VINCENT FLEITH 2009 ★

2 900 ▮ 8 à 11 €

Longtemps mentionnée sous le nom de Fleith-Eschard, une propriété bien connue des lecteurs : onze générations de vignerons, une dizaine d'hectares à l'ouest de Colmar conduits en biodynamie. Avec six cépages entrant dans sa composition, Vincent Fleith propose ici un joli résumé de l'Alsace : il n'y manque que le raisin rouge ! L'atout de ce 2009 est d'être très sec, ce qui lui permet d'aiguiser l'appétit à l'apéritif et d'accompagner de nombreux mets. La robe est jaune doré à reflets verts, le nez finement fruité. En bouche, ce vin aérien offre une présence discrète mais réelle. On aime sa vivacité croquante et sa longue finale sur le verger en fleurs et les fruits frais, où le muscat pointe le bout de son nez. (Sucres résiduels : 4 g/l.)

Vincent Fleith, 8, lieu-dit Lange Matten, 68040 Ingersheim, tél. 03.89.27.24.19, fax 03.89.27.56.79, contact@vincent-fleith.fr r.-v. B

DOM. MITTNACHT Cuvée Gyotaku 2010 ★

22 000 ▮ 5 à 8 €

L'edelzwicker semble pousser à la créativité. Gyotaku ? Une technique japonaise d'impression de poissons sur papier, dont on peut voir l'effet sur l'étiquette. Ce vin, très sec, conçu avec les conseils d'un chef japonais, est destiné à accompagner sushis et sashimis. Cinq cépages s'y rencontrent : le pinot blanc (40 %) et le riesling (40 %) jouent les premiers rôles. Le pinot gris (10 %) pourrait bien être à l'origine de la touche fumée du nez. Et il ne faut pas beaucoup de muscat et de gewurztraminer (5 % chacun) pour teinter le fruité, qui prend en bouche des notes d'abricot confit jusqu'à la finale persistante. Un ensemble friand et tonique. (Sucres résiduels : 3 g/l.)

Dom. Mittnacht Frères, 27, rte de Ribeauvillé, 68150 Hunawihr, tél. 03.89.73.62.01, fax 03.89.73.38.10, mittnacht.freres@wanadoo.fr
t.l.j. sf dim. 10h-12h 13h30-18h30 C

JEAN ET GUILLAUME RAPP Les Larmes de Thor 2010 ★

1 200 5 à 8 €

Les Larmes de Thor ? Cette trouvaille a été inspirée à Jean et Guillaume Rapp par l'ancien nom de leur commune, Dorlisheim. Cette petite cité au débouché de la Bruche s'appelait au Moyen Âge Thorolvesheim, « Près de la forêt de Thor ». Sous l'influence du gewurztraminer (60 %) et du muscat, le dieu germanique de la guerre renonce à tonner pour adopter une posture cordiale. Dans son habit jaune pâle brillant, il fait du charme... Le nez est vif, franc, intensément fruité. Tout aussi intense, ample et profond, le palais s'alanguit en rondeurs suaves au milieu d'évocations d'abricot, de fruits confits et, en finale, d'ananas. Le Grand Nord est oublié. Pour l'apéritif ou une recette recherchée, un crumble de poisson aux épices, par exemple. Dès maintenant. (Sucres résiduels : 12 g/l.)

EARL Jean et Guillaume Rapp, 1, fg des Vosges, 67120 Dorlisheim, tél. 03.88.38.28.43, vins-rapp@wanadoo.fr
t.l.j. sf dim. 8h-12h 13h30-18h

DOM. MAURICE SCHOECH Harmonie « R » 2008 ★★

1 000 ▮ 20 à 30 €

On considère souvent l'edelzwicker comme un vin de carafe. Celui-ci ne correspond pas à ce profil. Le « R », sur l'étiquette, dévoile à demi-mot sa noble origine : une parcelle du Rangen de Thann, à l'extrémité sud du vignoble – un terroir escarpé aux sols volcaniques. Dans cette vigne complantée de plusieurs variétés, le pinot gris domine. Le vin, jaune paille à reflets argentés, offre un nez intense, dominé par des impressions minérales. Ample et gras au palais, il déploie des arômes de raisin mûr et de pâte de coings tout en gardant une belle fraîcheur. La minéralité revient dans une très longue finale. Ce 2008 est à son apogée. Vinifié en sec, il est qualifié de vin « d'hiver » ou « de méditation ». On lui réservera les mets les plus fins : poêlée de champignons, purée de patates douces, daube au chocolat... (Sucres résiduels : 4 g/l.)

Dom. Maurice Schoech, 4, rte de Kientzheim, 68770 Ammerschwihr, tél. 03.89.78.25.78, fax 03.89.78.13.66, domaine.schoech@free.fr
t.l.j. sf dim. 8h-12h 13h30-18h D

DOM. SEILLY Vin du pistolet d'Obernai 2010 ★★

5 000 ▮ 11 à 15 €

Du fondateur, tonnelier sous le Second Empire, à l'exploitant actuel, œnologue, chacune des générations a contribué à forger ce domaine. Aujourd'hui, 12 ha de vignes autour d'Obernai, petite cité bas-rhinoise aussi courue pour ses monuments que pour sa gastronomie. On ne vous racontera pas cette fois-ci l'histoire du pistolet, dont il semble exister plusieurs variantes. Il vous suffira de savoir que celui-ci a visé juste. Issu de nombreux cépages, ce vin jaune pâle aux brillants reflets verts séduit autant par ses arômes de fleurs de printemps et de fruits blancs que par son très bel équilibre. Il est frais, aérien et long, porté par une fine acidité. La deuxième étoile n'est pas loin. Une bouteille à partager avec ses amis, à l'apéritif ou avec des entrées. (Sucres résiduels : 8 g/l.)

Dom. Seilly, 18, rue du Gal-Gouraud, 67210 Obernai, tél. 03.88.95.55.80, fax 03.88.95.54.00, info@seilly.fr
t.l.j. 9h-12h 13h-18h

Alsace klevener-de-heiligenstein

Superficie : 42 ha
Production : 2 893 hl

Le klevener-de-heiligenstein n'est autre que le vieux traminer (ou savagnin rose) connu depuis des siècles en Alsace. Il a fait place progressivement à sa variante épicée ou gewurztraminer dans l'ensemble de la région, mais il est resté vivace à Heiligenstein et dans cinq communes voisines. Ses vins sont originaux, à la fois très bien charpentés, élégants et discrètement aromatiques.

CHARLES BOCH Charme d'automne 2010 ★

1 200 | 11 à 15 €

Un spécialiste du klevener-de-heiligenstein, cépage dont on dit qu'il a « la fraîcheur du riesling, l'opulence du pinot gris et la finesse du gewurztraminer ». La cuvée Charme d'automne, récolte tardive (25 octobre) à petits rendements, est une fois de plus au rendez-vous du Guide. D'un jaune d'or soutenu, la robe est en harmonie avec les arômes de fruits jaunes très mûrs et de compote de coings caramélisée. Une même douceur suave règne en bouche dès l'attaque, contrebalancée par une légère pointe d'amertume en finale. Un moelleux tout en rondeur, à savourer dans les deux prochaines années, avec du foie gras, une tarte Tatin ou du pain d'épice de Gertwiller... le village voisin. (Sucres résiduels : 50 g/l.)

EARL Charles Boch, 6, rue Principale, 67140 Heiligenstein, tél. 03.88.08.41.26, fax 03.88.08.58.25, charles.boch@wanadoo.fr r.-v. 2

BURCKEL JUNG 2010

3 800 | 8 à 11 €

Ce domaine de 13 ha a pignon sur rue depuis 1802 dans le village de Gertwiller, à l'est de Barr. Suivant les pratiques d'un ancêtre qui traitait déjà les vignes par les plantes au XIXe s., les Jung travaillent en bio. Leur klevener-de-heiligenstein, jaune pâle à reflets dorés, s'annonce par un nez bien ouvert mêlant les fruits exotiques (litchi) à une touche de grillé. L'attaque souple introduit un palais puissant et gras, où l'on retrouve le fruité de l'olfaction. La finale est marquée par des impressions de douceur. À servir dès maintenant à l'apéritif ou sur une viande blanche en sauce. (Sucres résiduels : 10 g/l.)

Dom. Burckel-Jung, 67, rue de Barr, 67140 Gertwiller, tél. 03.88.08.49.07, fax 03.88.08.59.99, burckel-jung@orange.fr r.-v. B

Thierry Jung

DOM. DOCK Instant douceur 2009 ★★★

2 000 | 11 à 15 €

Voisin de Barr, le village de Heiligenstein s'étire en contrebas du mont Sainte-Odile. Il a donné son nom à l'appellation qui contribue à la survie d'un cépage original, le savagnin rose. André et Christian Dock en ont tiré un moelleux qui sort du lot. La robe or pâle aux brillants

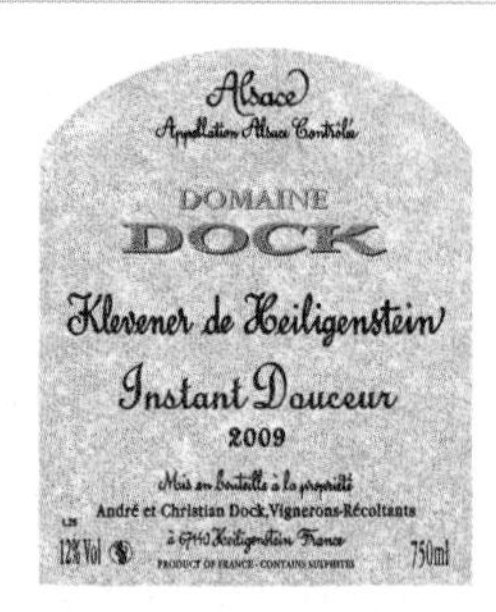

reflets verts et le nez, qui s'épanouit sur des notes de fruits exotiques et d'épices, invitent à poursuivre la dégustation. Si les arômes sont bien présents, c'est surtout grâce à l'élégance de sa structure que ce millésime triomphe. Rond et suave en attaque, sur des nuances de fruits mûrs, c'est un vin concentré, riche et puissant, vivifié par une acidité cristalline qui souligne la persistance de sa finale. On le débouchera dès la fin 2012 à l'apéritif, accompagné de canapés au foie gras, ou au dessert avec, par exemple, une crème brûlée. (Sucres résiduels : 45 g/l.)

Christian Dock, 20, rue Principale, 67140 Heiligenstein, tél. 03.88.08.02.69, fax 03.88.08.19.72
t.l.j. 8h-12h 13h-19h D

DOM. A. RUFF ET FILS Schwendehiesel Vieilles Vignes 2010 ★★

6 000 | 8 à 11 €

La famille Ruff cultive avec ferveur le cépage fétiche de Heiligenstein, si bien qu'elle propose plusieurs cuvées à base de cette variété rare. Le Schwendehiesel provient d'une parcelle plantée il y a quarante ans par Alfred Ruff qui, à quatre-vingt-cinq ans, est toujours actif sur le domaine. À une robe jaune d'or aux brillants reflets dorés fait écho un nez riche et complexe mêlant les fruits jaunes mûrs et le coing. En bouche, on retrouve la pêche, l'abricot, le coing. L'attaque est souple, une pointe de vivacité équilibre la douceur, et l'ensemble apparaît bien fondu et long. Ce vin harmonieux s'accordera avec la cuisine exotique. On peut aussi le servir à l'apéritif ou au dessert. (Sucres résiduels : 19 g/l ; bouteilles de 37,5 cl.)

Daniel Ruff, 64, rue Principale, 67140 Heiligenstein, tél. 03.88.08.10.81, fax 03.88.08.43.61, ruffvigneron@wanadoo.fr
t.l.j. 8h-12h 13h30-18h30 1 B

ZEYSSOLFF Cuvée Z 2010

2 200 | 11 à 15 €

Établie depuis 1778 à Gertwiller, « capitale du pain d'épice », la famille Zeyssolff fait commerce de douceurs dans sa cave et dans son épicerie fine. La commune étant incluse dans l'appellation, le klevener-de-heiligenstein figure tout naturellement sur la carte du domaine. D'un jaune pâle brillant, ce 2010 présente un nez discret, floral et confit. Souple et gras, plutôt long, le palais est équilibré par une belle fraîcheur, avec un retour du fruité en finale. À servir dès maintenant à l'apéritif ou sur une volaille. (Sucres résiduels : 22 g/l.)

G. Zeyssolff, 156, rte de Strasbourg, 67140 Gertwiller, tél. 03.88.08.90.08, fax 03.88.08.91.60, yvan.zeyssolff@wanadoo.fr
t.l.j. 9h-12h 14h-18h C

Alsace pinot ou klevner

Superficie : 3 303 ha
Production : 267 672 hl

Sous ces deux dénominations (la seconde étant un vieux nom alsacien), le vin de cette appellation peut provenir de deux cépages : le pinot blanc vrai et l'auxerrois blanc. Ce sont deux variétés assez peu exigeantes, capables de donner des résultats remarquables dans des situations moyennes, car leurs vins allient agréablement fraîcheur, corps et souplesse. Dans la gamme des vins d'Alsace, le pinot blanc représente le juste milieu, et il n'est pas rare qu'il surclasse certains rieslings. Du point de vue gastronomique, il s'accorde avec de nombreux plats, à l'exception des fromages et des desserts.

DOM. PAUL BLANCK Auxerrois Vieilles Vignes 2010 *

5 600 | 11 à 15 €

Il y a quatre cents ans qu'un ancêtre autrichien des Blanck a fait souche à Kientzheim. La famille est toujours installée dans les murs de la petite cité. Au siècle dernier, Paul Blanck a été pionnier dans la valorisation des grands terroirs, devenus grands crus. Aujourd'hui, Frédéric et Philippe sont à la tête des 32 ha de la propriété. Ils font découvrir cette année un pur auxerrois issu d'un terroir argilo-calcaire. Discrètement fumé et brioché au nez, ce vin demande encore un peu de temps pour s'épanouir. Sa belle matière, équilibrée et persistante, permet une petite garde de deux ans. (Sucres résiduels : 10 g/l.)

Dom. Paul Blanck, 32, Grand-Rue, 68240 Kientzheim, tél. 03.89.78.23.56, fax 03.89.47.16.45, info@blanck.com
t.l.j. sf dim. 10h-12h 14h-18h

AGATHE BURSIN Parad'aux 2010 *

1 300 | 5 à 8 €

Le domaine familial repris par Agathe Bursin est modeste par la surface, mais riche de grands terroirs. Moins de 6 ha, et trente-trois parcelles, vinifiées séparément ! La plus grosse cuve compte 1 500 l. La jeune œnologue s'est lancée dans l'aventure en 2001 et elle exporte le tiers de sa production. Parad'aux ? Un auxerrois planté sur le Strangenberg, colline aussi appelée « Paradis ». Issu d'un sol marno-calcaire, ce 2010 dévoile une grande matière. Déjà intense au nez, il mêle les agrumes aux fruits mûrs. Avec son attaque plutôt souple et sa finale fraîche et longue, il apparaît équilibré et bien structuré. Un vin de gastronomie. (Sucres résiduels : 13 g/l.)

Agathe Bursin, 11, rue de Soultzmatt, 68250 Westhalten, tél. 03.89.47.04.15, agathe.bursin@wanadoo.fr r.-v.

HENRY FUCHS Auxerrois 2010 *

2 700 | 5 à 8 €

Ce domaine familial a son siège à Ribeauvillé, « cité des Ménétriers », l'un des hauts lieux du tourisme alsacien. Paul Fuchs en a pris les commandes en 2006 et a engagé deux ans plus tard la conversion au bio de ses 10 ha de vignes. Originaire d'un terroir argilo-calcaire, son pinot blanc, un pur auxerrois, présente au nez d'élégantes notes d'agrumes confits. Malgré la maturité de la vendange, ce 2010 a conservé une fraîcheur citronnée qui lui donne de la tenue et une réelle harmonie. (Sucres résiduels : 6,5 g/l.)

Dom. Henry Fuchs, 8, rue du 3-Décembre, 68150 Ribeauvillé, tél. 03.89.73.61.70, fax 03.89.73.39.18, hfuchs@terre-net.fr
t.l.j. sf dim. 10h-12h 14h-18h; f. jan.-fév.

AIMÉ GUTHMANN 2010 *

62 000 | 5 à 8 €

À l'intérieur des murs de Bergheim, gros village viticole au riche patrimoine de monuments, règne une belle émulation entre les metteurs en marché. Sous la marque Aimé Guthmann appartenant au propriétaire-négociant Gustave Lorentz, voici une importante cuvée provenant de 7 ha de vignes, et destinée à la grande distribution. Originaire d'un terroir argilo-calcaire, ce pinot blanc habillé d'un or léger apparaît déjà très expressif au nez avec ses notes de brioche et de fruits blancs bien mûrs. Croquant à l'attaque, c'est un vin ample et harmonieux. (Sucres résiduels : 6 g/l.)

Aimé Guthmann, 91, rue des Vignerons, 68750 Bergheim, tél. 03.89.73.22.22, fax 03.89.73.30.49

A. HURST Auxerrois Lilou 2010 **

2 800 | 11 à 15 €

Installé à Turckheim, cité de caractère, Armand Hurst complète par une activité de négoce la production de ses 10 ha de vignes, majoritairement implantées en coteau. La cuvée Lilou porte le nom d'une de ses petites-filles, enfant d'Aurélie – laquelle met déjà ses compétences d'œnologue au service de la maison. Il s'agit d'un pinot original, bien éloigné d'un vin de comptoir. Issu d'un terroir granitique, il offre un nez explosif aux nuances de fruits mûrs et de miel. Souple à l'attaque, le palais est dominé par une pointe de sucrosité équilibrée par une fine acidité qui prolonge la finale. Produit d'une grande matière première, ce 2010 n'atteindra son apogée qu'en 2014 et se maintiendra au moins trois ans à son optimum. (Sucres résiduels : 33 g/l.)

Armand Hurst, 8, rue de la Chapelle, BP 46, 68230 Turckheim, tél. 03.89.27.40.22, fax 03.89.27.47.67, vinsahurst@wanadoo.fr
t.l.j. 8h30-12h 13h30-18h; dim. sur r.-v.

KELHETTER 2010

2 500 | 5 à 8 €

À la tête d'une propriété familiale transmise de père en fils depuis plus d'un siècle, Damien Kelhetter exploite 10 ha de vignes autour de Dahlenheim, à une vingtaine de kilomètres à l'ouest de Strasbourg. Marqué au nez par de délicates senteurs de fleurs et d'agrumes (pamplemousse et citron), ce pinot blanc d'origine argilo-calcaire se montre très élégant. En attaque, de la souplesse, en finale, de la fraîcheur : ce vin équilibré et persistant sera aussi à l'aise avec des crustacés qu'avec des viandes blanches. (Sucres résiduels : 6 g/l.)

Damien Kelhetter, 24, rue Principale, 67310 Dahlenheim, tél. et fax 03.88.50.34.74, info@vinskelhetter.fr
t.l.j. 9h-12h 13h-19h; mer. dim. sur r.-v.

JACQUES LINDENLAUB Auxerrois Barrique 2008 *

2 700 | 8 à 11 €

Christophe Lindenlaub a rejoint son père Jacques sur le domaine, qui couvre 10 ha aux environs de

Dorlisheim, petite cité distante d'environ 25 km de Strasbourg. La conversion du vignoble au bio est engagée, et de nombreuses techniques sont expérimentées. Cet auxerrois tire son originalité d'un séjour de dix-huit mois en barrique. Habillé d'or, il développe un bouquet très complexe où le fruit se mêle à un boisé vanillé et grillé. Vif à l'attaque, sur les fruits mûrs, structuré, gras et équilibré, il finit sur de subtiles notes d'élevage. Plutôt qu'à la tarte flambée, on le destinera à une volaille cuisinée ou à des saint-jacques. On peut le garder encore deux ou trois ans. (Sucres résiduels : 2 g/l.)

Jacques et Christophe Lindenlaub, 6, fg des Vosges, 67120 Dorlisheim, tél. 03.88.38.21.78, fax 03.88.38.55.38, contact@vins-lindenlaub.com r.-v.

JOSEPH MOELLINGER ET FILS Rosenberg 2010 ★★

6 400 | 5 à 8 €

Joseph Moellinger a fait œuvre de pionnier : il s'est lancé dans la mise en bouteilles dès 1945. Aujourd'hui, son petit-fils Michel conduit l'exploitation, qui couvre 14 ha autour de Wettolsheim, gros village jouxtant Colmar au sud-ouest. Il signe un remarquable pinot blanc (auxerrois surtout) issu d'un terroir argilo-calcaire. Ce 2010 s'ouvre sur des senteurs intenses de fleurs blanches, de pêche et d'abricot. Frais à l'attaque, il dévoile une belle matière, riche et harmonieuse, et montre une rare persistance. Un pinot blanc de gastronomie, qui s'épanouira encore dans les deux à trois prochaines années. (Sucres résiduels : 5,4 g/l.)

Joseph Moellinger et Fils, 6, rue de la 5e-D.-B., 68920 Wettolsheim, tél. 03.89.80.62.02, fax 03.89.80.04.94, scea.moellinger@terre-net.fr
t.l.j. 8h-12h 13h30-19h; dim. sur r.-v.

RAYMOND RENCK 2010 ★

2 600 | - de 5 €

Beblenheim, village proche de Riquewihr, est le berceau de la famille Oberlin, dont le nom est attaché à la recherche contre le phylloxéra. Les Schillinger-Renck exploitent quelque 5 ha de vignes aux alentours. Les coups de cœur décernés aux pinots blancs ne sont pas légion, et cette propriété en a décroché un, pour son 2008. Sans atteindre de tels sommets, le 2010 a séduit. C'est un vin marqué par son origine calcaire et par une belle maturité que l'on retrouve dans ses arômes de fruits confits. Plutôt souple à l'attaque, frais en finale, il se montre équilibré, structuré et persistant. On pourra l'attendre deux ans. (Sucres résiduels : 16,7 g/l.)

EARL Raymond Renck, 11, rue de Hoen, 68980 Beblenheim, tél. 03.89.47.91.59
t.l.j. sf dim. 8h-12h 14h-19h

DOM. MICHEL ET VINCENT SCHOEPFER Clos Paradis 2010 ★

4 500 | 5 à 8 €

Cité natale du pape Léon IX, qui régna au XIe s., Eguisheim appartient à l'Association des Plus beaux villages de France, qui s'efforce de maintenir vivantes les petites communes au riche patrimoine. À Eguisheim, les vignerons contribuent à cette vitalité : il suffit de pénétrer dans la cave de Michel et Vincent Schoepfer pour s'en convaincre. On pourra y goûter ce pinot blanc né sur un terroir argilo-calcaire exposé au sud-sud-est. Fin et floral au nez, il séduit par son attaque franche, son acidité bien fondue. La finale est longue et chaleureuse. Un vin tout terrain, prêt à passer à table. (Sucres résiduels : 5,66 g/l.)

Dom. Michel Schoepfer, 43, Grand-Rue, 68420 Eguisheim, tél. 03.89.41.09.06, domaine.schoepfer@gmail.com
t.l.j. sf dim. 8h-11h30 14h-18h

J.-P. WASSLER 2010

5 000 | 5 à 8 €

Créé en 1960, ce domaine a plus que doublé sa superficie tout en multipliant ses équipements, dont un caveau de dégustation. Son pinot blanc, à majorité d'auxerrois, offre tout ce que l'on attend de ce cépage : un nez assez expressif, sur les fleurs et les fruits blancs, une belle attaque, une bouche bien équilibrée entre rondeur et vivacité, et une finale persistante. Il sera aussi à l'aise sur la volaille que sur le poisson. (Sucres résiduels : 6 g/l.)

EARL Jean-Paul Wassler Fils, 1, rte d'Epfig, 67650 Blienschwiller, tél. 03.88.92.41.53, fax 03.88.92.63.11, marc.wassler@wanadoo.fr r.-v.

WELTY Bollenberg Auxerrois 2010 ★

1 250 | 5 à 8 €

Au sud du vignoble, Orschwihr est un village viticole où règne une belle émulation entre des vignerons en nombre. Cette famille est installée depuis le XVIIIe s. au pied de la colline du Bollenberg, aussi célèbre pour ses vignes que pour ses pelouses sèches riches en espèces rares. À la tête du domaine depuis 1984, Jean-Michel Welty a proposé un pinot auxerrois loué pour sa belle matière. Marqué par son origine argilo-calcaire, ce 2010 offre un bouquet dominé par les fruits mûrs et la surmaturation. Cette concentration se retrouve au palais, où le vin se révèle plutôt souple à l'attaque, mais riche et harmonieux. Une suggestion d'accord ? Des escargots au pinot blanc. (Sucres résiduels : 6 g/l.)

Dom. Jean-Michel Welty, 22-24, Grand-Rue, 68500 Orschwihr, tél. 03.89.76.09.03, fax 03.89.76.16.80, vinswelty@terre-net.fr t.l.j. 8h30-11h45 14h-18h30; dim. sur r.-v. 2 B

Alsace sylvaner

Superficie : 1 376 ha
Production : 108 268 hl

Les origines du sylvaner sont très incertaines, mais son aire de prédilection a toujours été limitée au vignoble allemand et à celui du Bas-Rhin en France. C'est un cépage extrêmement intéressant grâce à son rendement et à sa régularité de production. Son vin est d'une remarquable fraîcheur, assez acide, doté d'un fruité discret. On trouve en réalité deux types de sylvaner sur le marché. Le premier, de loin supérieur, provient de terroirs bien exposés et peu enclins à la surproduction. Le second est un vin sans prétention, agréable et frais. Le sylvaner accompagne volontiers la choucroute, les hors-d'œuvre et les entrées, de même que les fruits de mer, et tout spécialement les huîtres.

B DOM. BERNHARD & REIBEL 2010 ★★

2 500 | 5 à 8 €

Fondé en 1981, ce domaine réputé a vite adopté la culture raisonnée, étape vers le bio ; en 2007, il a obtenu la certification. Pierre Bernhard exploite aujourd'hui 21 ha sur des terroirs variés, autour de Châtenois, près de Sélestat. Son sylvaner, issu d'un terroir granitique, est un bon exemple du savoir-faire de la propriété. D'un jaune doré aux reflets argentés, il s'ouvre sur la fleur blanche, développant à l'aération un joli fruité aux nuances de pêche. Ample et suave, il dévoile au palais une belle matière, tonifiée par une fine acidité, et déploie un fruité aux nuances d'ananas et d'abricot. La finale persistante est marquée par une fine touche de pivoine. Le sylvaner serait-il un cépage noble ? (Sucres résiduels : 1,8 g/l.)

Dom. Bernhard-Reibel, 20, rue de Lorraine, 67730 Châtenois, tél. 03.88.82.04.21, fax 03.88.82.59.65, bernhard-reibel@wanadoo.fr r.-v.

PAUL DOCK Weinberg Cuvée Prestige 2009

1 400 | 5 à 8 €

Installés à Heiligenstein, près de Barr, les Dock sont bien connus des lecteurs pour leur klevener-de-heiligenstein, la spécialité du village. Ils signent un sylvaner de bonne facture. Si la robe jaune pâle apparaît classique, le nez est plus original : on y trouve du citron, mais aussi du cédrat, de la réglisse et une touche de surmaturité. Après une attaque fraîche, la bouche montre une pointe de rondeur, pour finir sur une agréable fraîcheur. L'ensemble est équilibré et suffisamment long. (Sucres résiduels : 22 g/l.)

Paul Dock et Fils, 55, rue Principale, 67140 Heiligenstein, tél. 03.88.08.02.49 t.l.j. sf dim. 10h-12h 14h-19h

KARCHER Harth 2010 ★

2 000 | - de 5 €

Avec ce domaine, le visiteur trouvera la route des Vins en pleine ville : la propriété a son siège au cœur de la capitale du vin d'Alsace, dans une ferme de 1602. Une grande partie des 10 ha de vignes est implantée sur des terroirs de graves, au nord-ouest de Colmar. Le sylvaner de la propriété est bien typé, avec sa robe jaune pâle, ses fragrances de fleurs blanches évoquant le jasmin, suivies d'une bouche fraîche à l'attaque, droite, fruitée et assez longue. Pour une tarte à l'oignon. (Sucres résiduels : 9,2 g/l.)

Dom. Robert Karcher et Fils, 11, rue de l'Ours, 68000 Colmar, tél. 03.89.41.14.42, fax 03.89.24.45.05, info@vins-karcher.com t.l.j. 8h-12h 14h-19h; dim. 8h-12h A

PAUL KUBLER Z 2010 ★

n.c. | 11 à 15 €

En Alsace, lorsque vous voyez une initiale sur une étiquette, cherchez le terroir. Il s'agit souvent d'un grand cru, qui ne peut cependant s'afficher sur l'étiquette pour des raisons réglementaires (il ne peut être mentionné que s'il est planté de « cépages nobles », comme le riesling). Le producteur dévoile alors à demi-mot la noble origine de sa cuvée. Ici, Z comme Zinnkoepflé, haut coteau de la Vallée Noble. Ce grand cru « sudiste » est célèbre pour ses liquoreux. Philippe Kubler en tire aussi de beaux vins secs comme ce sylvaner au nez complexe, légèrement grillé, et au palais bien structuré, ample et gras, équilibré par une attaque nerveuse et une finale fraîche. (Sucres résiduels : 4 g/l.)

Dom. Paul Kubler, 103, rue de la Vallée, 68570 Soultzmatt, tél. 03.89.47.00.75, contact@paulkubler.com t.l.j. sf dim. 9h-12h 14h-19h

JÉRÔME LORENTZ FILS Cuvée des Templiers 2010 ★

80 000 | 5 à 8 €

Une des signatures de la maison Gustave Lorentz à Bergheim, qui a pignon sur rue à l'intérieur des murs de la vieille cité. Ce vigneron-négociant propose un sylvaner de très bonne facture. Issu d'un terroir argilo-calcaire, ce vin jaune pâle à reflets verts séduit par son fruité franc et intense aux nuances de fruits blancs et jaunes. Il dévoile une belle matière, ample, bien structurée et longue, avec une petite pointe de rondeur flatteuse. Une dégustatrice le verrait bien sur un rôti de veau aux abricots, carottes et navets. (Sucres résiduels : 3,5 g/l.)

Jérôme Lorentz, 1-3, rue des Vignerons, 68750 Bergheim, tél. 03.89.73.22.22, fax 03.89.73.30.49 t.l.j. sf dim. 10h-12h 14h-18h

JULES MULLER Réserve 2010 ★

90 000 | 5 à 8 €

Présenté par un vigneron-négociant de Bergheim, cité fortifiée au cœur de la route des Vins, voici un sylvaner bien fait, qui n'a rien de confidentiel. Robe jaune pâle à reflets argentés, nez floral, avec des nuances d'herbe coupée et de fruits blancs : l'entrée en matière est engageante. Après une bonne attaque, on découvre un vin friand et long mêlant le chèvrefeuille et la pivoine à la poire et à la mirabelle. La finale fraîche est élégante. Produit d'une belle matière, ce vin s'entendra avec de la charcuterie et des quiches. (Sucres résiduels : 4 g/l.)

Jules Muller et Fils, 91, rue des Vignerons, 68750 Bergheim, tél. 03.89.73.22.22, fax 03.89.73.30.49, info@jules-muller.com t.l.j. sf dim. 10h-12h 14h-18h

FRANCIS MURÉ 2010 ★★

2 000 | 5 à 8 €

Le sylvaner est souvent associé au Bas-Rhin. Celui-ci naît à une vingtaine de kilomètres au sud de Colmar, au débouché de la Vallée Noble – laquelle vient d'être élevée au rang de dénomination communale. Dans ce secteur particulièrement abrité et sec, Francis Muré exploite ses cépages avec succès. Le sylvaner 2005 décrocha naguère un coup de cœur. Le 2010 a peu à lui envier. D'un jaune pâle à reflets dorés, il s'ouvre sur un fruité très fin, nuancé de notes végétales. Il s'impose surtout en bouche : ample et vif à la fois, c'est un vin structuré, racé, d'un remarquable équilibre. Les arômes ? De la poire, du coing, et une plaisante touche de foin fraîchement coupé en finale. Pour une viande blanche. (Sucres résiduels : 1 g/l.)

Francis Muré, 30, rue de Rouffach, 68250 Westhalten, tél. 03.89.47.64.20, fax 03.89.47.09.39, mure_francis@club-internet.fr r.-v. C

Alsace muscat

Superficie : 351 ha
Production : 18 487 hl

Deux variétés de muscat servent à élaborer ce vin sec et aromatique qui donne l'impression de croquer du raisin frais. Le premier, dénommé de longue date muscat d'Alsace, n'est autre que celui que l'on connaît mieux sous le nom de muscat blanc à petits grains (parfois dénommé muscat de Frontignan). Comme il est tardif, on le réserve aux meilleures expositions. Le second, plus précoce et de ce fait plus répandu, est le muscat ottonel. Spécialité aimable et étonnante, l'alsace muscat trouve sa place à l'apéritif et lors de réceptions avec, par exemple, du kougelhopf ou des bretzels. Il s'accorde aussi à merveille avec les asperges.

ANDRÉ ACKERMANN Réserve 2009 ★★★

3 200 | 8 à 11 €

Créé en 1980, ce domaine est situé à Rorschwihr, dans la direction de Bergheim. Il est toujours exploité par son fondateur. André Ackermann a récolté début octobre le muscat à l'origine de cette superbe cuvée. La robe or jaune annonce un nez à la fois puissant et raffiné : la pêche blanche s'allie à l'abricot, avec une fine touche épicée. Souple à l'attaque, doux, le palais reste élégant grâce à sa concentration et à une belle fraîcheur minérale qui souligne la persistance de la finale. Belle image d'un millésime solaire, ce moelleux gourmand fera plaisir durant les cinq années qui viennent. À déguster pour lui-même, à l'apéritif, ou sur un dessert fruité pas trop sucré. (Sucres résiduels : 17 g/l.)

EARL André Ackermann, 25, rte du Vin, 68590 Rorschwihr, tél. 03.89.73.63.87, fax 03.89.73.38.16, andre.ackermann@routeduvin.fr
t.l.j. 8h-12h 14h-18h; sam. dim. sur r.-v.

CLAUDE DIETRICH 2010

1 500 | 5 à 8 €

Fils de viticulteurs, Claude Dietrich a constitué son vignoble dans la vallée de la Weiss, sur les communes de Kaysersberg, de Sigolsheim et de Kientzheim, au nord-ouest de Colmar. Jaune d'or, son muscat livre des parfums printaniers d'acacia. Il se montre vif en bouche, sur des notes d'agrumes et des nuances muscatées. Pour l'apéritif, avec des verrines d'aperges vertes aux crevettes roses. (Sucres résiduels : 7 g/l.)

Claude Dietrich, 15, rte du Vin, 68240 Kientzheim, tél. 03.89.47.19.42, fax 03.89.47.36.67, claude-dietrich@wanadoo.fr r.-v.

LAURENCE ET PHILIPPE GREINER 2010 ★★

1 000 | 5 à 8 €

Coopérateur pendant dix-sept ans, Philippe Greiner a pris son indépendance en 2005. Avec sa femme Laurence, il exploite 9 ha de vignes autour de Riquewihr et s'oriente vers l'agriculture biologique. Les lecteurs du Guide découvriront avec cette cuvée une remarquable expression du muscat. Or blanc aux brillants reflets jaunes, ce 2010 livre des senteurs de fruits frais d'une grande finesse. Toujours fruité en bouche, typé du cépage, il s'impose par sa fraîcheur, sa persistance et son remarquable équilibre. On suggère de le servir avec des gambas poêlées et leur petite pointe d'ail. (Sucres résiduels : 9 g/l.)

Dom. Laurence et Philippe Greiner, 16, rue des Prés, 68340 Riquewihr, tél. et fax 03.89.86.04.68, philippe.greiner@wanadoo.fr r.-v.

♥ **DOM. HAEGI** 2010 ★★

1 480 | 5 à 8 €

ALSACE 2010

DOMAINE HAEGI

Muscat

Daniel Haegi descend d'une longue lignée de... boulangers. C'est son grand-père qui, après son mariage en 1949 avec une fille de viticulteurs, s'est orienté vers la vigne. Dans le superbe cadre de Mittelbergheim, village aux riches maisons du XVIes., vous pourrez peut-être découvrir cette cuvée qui a fait l'unanimité. D'un or blanc cristallin, ce vin offre dès le premier coup de nez tous les parfums et la fraîcheur que l'on apprécie dans les muscats. Au-dessus du verre, des senteurs de raisin frais et de verger en fleurs. Une attaque tonique, puis une bouche croquante, d'une vivacité aérienne, avant une finale élégante, longue et épicée. Si l'acidité est un atout pour la garde (cinq ans), comment ne pas attendre ? À déguster avec des nems. (Sucres résiduels : 4 g/l.)

Dom. Haegi, 33, rue de la Montagne, 67140 Mittelbergheim, tél. 03.88.08.95.80, fax 03.88.08.91.20, info@haegi.fr
t.l.j. sf dim. 9h-12h 13h30-18h

ROGER HEYBERGER Bildstoecklé Vendanges tardives 2009

1 920 | 11 à 15 €

Établi à Obermorschwihr, à une dizaine de kilomètres au sud de Colmar, un coquet domaine de 20 ha. Planté sur argilo-calcaire, le muscat à l'origine de cette cuvée a été récolté le 20 novembre 2009. La robe est jaune paille ; le nez suave évoque les fleurs blanches et le miel. L'attaque ronde dévoile un vin bien équilibré, que le sucre n'empâte pas et qui mêle les arômes du cépage à des notes de fruits secs. Ce moelleux devrait gagner à attendre cinq ans. (Sucres résiduels : 32 g/l ; bouteilles de 50 cl.)

Roger Heyberger et Fils, 5, rue Principale, 68420 Obermorschwihr, tél. 03.89.49.30.01, fax 03.89.49.22.28, info@vins-heyberger.fr
t.l.j. sf dim. 8h-11h45 14h-18h30

MAISON JÜLG 2010 ★

1 500 | 5 à 8 €

Ce muscat vient de l'extrémité nord du vignoble alsacien, dans le pays de Wissembourg, non loin de l'Allemagne. À la robe claire, or blanc à reflets verts, répond un nez printanier et bien typé d'acacia, de fleurs blanches miellées. Une attaque légèrement perlante introduit un palais élégant, suave et rond, aux arômes de fruits jaunes bien mûrs, voire confits. À déboucher dès maintenant à l'apéritif. (Sucres résiduels : 10 g/l.)

Peter Jülg, 116, rue des Églises, 67160 Seebach, tél. 03.88.94.79.98, fax 03.88.53.16.34, maisonpjulg@free.fr
r.-v.

RAYMOND ET MARTIN KLEIN 2010

3 000 | 5 à 8 €

La famille Klein est installée à Soultzmatt, au débouché de la Vallée Noble. Situé à 23 km au sud de Colmar, le village est connu pour ses eaux et surtout pour ses vins. Animé de reflets jaunes, ce muscat offre un nez élégant d'acacia, finement épicé. On retrouve ces notes épicées au palais – le vin rappelle à un dégustateur le gewurztraminer. L'ensemble est expressif et élégant, un peu évolué. À servir à l'apéritif ou sur une salade de fruits. (Sucres résiduels : 8 g/l.)

Raymond et Martin Klein, 61, rue de la Vallée, 68570 Soultzmatt, tél. 03.89.47.01.76, fax 03.89.47.64.53, klein3.martin@orange.fr

t.l.j. sf dim. 8h30-11h30 13h30-18h

LORANG Vendanges tardives 2009

4 080 | 11 à 15 €

La première parcelle a été acquise il y a soixante ans par le grand-père de Philippe Lorang. Ce dernier exploite aujourd'hui 10 ha autour de Katzenthal, au nord-ouest de Colmar. Récolté le 20 novembre 2009, le muscat à l'origine de cette cuvée a donné naissance à un vin jaune paille, au nez aromatique, fruité et frais, assez variétal. Le côté moelleux s'affirme dans une bouche tout en rondeur, aux nuances de fruits secs, de fruits confits et de miel, avec une touche de gingembre. L'ensemble gagnera en harmonie au cours des cinq prochaines années. (Sucres résiduels : 72,7 g/l.)

EARL Victor Lorang et Fils, Au Florimont, 68230 Katzenthal, tél. 03.89.27.05.29, fax 03.89.27.17.37, vins.lorang@orange.fr

t.l.j. 8h-12h 14h-18h

JEAN-LUC MEYER 2010 ★

2 600 | 5 à 8 €

Jean-Luc Meyer et son fils Bruno qui l'a rejoint en 2005 mettent en valeur un domaine de 10 ha très bien situé autour d'Eguisheim, petite cité médiévale qui attire de nombreux visiteurs. Leur muscat a intéressé les dégustateurs par son nez d'acacia et d'agrumes, et par sa bouche équilibrée, belle expression du cépage. À servir dès maintenant à l'apéritif. (Sucres résiduels : 3 g/l.)

Jean-Luc et Bruno Meyer, 4, rue des Trois-Châteaux, 68420 Eguisheim, tél. 03.89.24.53.66, fax 03.89.41.66.46, info@vins-meyer-eguisheim.com

t.l.j. sf dim. 8h-12h 13h30-19h 2

DOM. PFISTER Les 3 Demoiselles Sélection de grains nobles 2007

1 300 | 30 à 50 €

Les 3 Demoiselles ? Le nom donné à la parcelle de muscat plantée par les trois filles d'André et de Marie-Anne Pfister. L'une d'elles, Mélanie, a repris en 2008 le domaine après des études d'œnologie. Le muscat n'occupant qu'une faible part du vignoble alsacien, les Sélections de grains nobles de ce cépage sont rares. Voici la première produite ici, à la faveur d'une année bénéfique. D'un jaune soutenu aux reflets dorés, ce 2007 associe le coing, le raisin sec et le miel à une touche muscatée. À ces arômes miellés et confits fait écho une bouche caractéristique de la pourriture noble, riche, puissante, concentrée et ample, qui finit sur une élégante note mentholée. Apogée entre 2016 et 2020, mais on peut aussi ne pas attendre... (Sucres résiduels : 106 g/l ; bouteilles de 50 cl.)

Dom. Pfister, 53, rue Principale, 67310 Dahlenheim, tél. 03.88.50.66.32, fax 03.88.50.67.49, vins@domaine-pfister.com

t.l.j. sf dim. 9h-12h 14h-18h30

♥ **GILBERT RUHLMANN FILS** Vendanges tardives 2009 ★★

1 500 | 15 à 20 €

Guy et Pascal Ruhlmann, fils de Gilbert, exploitent 14 ha autour de Scherwiller, pittoresque village proche de Sélestat. Les fidèles lecteurs du Guide connaissent notamment leur riesling, cépage vedette de la commune, mais ils n'ignorent pas leur savoir-faire en matière de muscat Vendanges tardives. Issu de graves sablonneuses, ce 2009 a recueilli tous les suffrages. D'un jaune paille aux reflets or, il charme par l'élégance de son nez mêlant l'acacia, le miel, les fruits jaunes confits et les épices. La bouche, elle aussi, apparaît très aromatique, dans le même registre. Après une attaque tout en rondeur, on découvre un vin puissant et riche, qui évite toute lourdeur grâce à une belle fraîcheur. Remarquablement équilibré, ce moelleux atteindra son optimum vers 2017. Aurez-vous la patience ? (Sucres résiduels : 59 g/l.)

Gilbert Ruhlmann Fils, 31, rue de l'Ortenbourg, rte des Vins, 67750 Scherwiller, tél. 03.88.92.03.21, fax 03.88.82.30.19, vin.ruhlmann@terre-net.fr r.-v.

RUHLMANN-DIRRINGER Réserve 2010 ★★★

5 000 | 5 à 8 €

Il faut faire halte à Dambach-la-Ville. Le bourg au cachet médiéval, resserré autour des vestiges de son enceinte, compte de très nombreux vignerons metteurs en marché. Cette famille reçoit les visiteurs dans une cave voûtée du XVIe s. Vous pourrez y découvrir un muscat qui obtient la note maximale. D'un or blanc cristallin, ce vin s'annonce par un nez parfumé et frais aux nuances de fleurs blanches, de pamplemousse et de mangue. On retrouve les fruits exotiques dans un palais consistant, élégant, croquant et persistant. Une superbe expression du cépage, que l'on appréciera à l'apéritif, au cours des cinq prochaines années avec des feuilletés aux asperges. (Sucres résiduels : 6 g/l.)

Ruhlmann-Dirringer, 3, imp. de Mullenheim, 67650 Dambach-la-Ville, tél. 03.88.92.40.28, fax 03.88.92.48.05, ruhlmann.dirringer@terre-net.fr

t.l.j. sf dim. 10h-18h

Alsace gewurztraminer

Superficie : 2 897 ha
Production : 172 116 hl

Le cépage qui est à l'origine de ce vin est une forme particulièrement aromatique de la famille des traminer. Un traité publié en 1551 le désigne déjà comme une variété typiquement alsacienne. Celle-ci atteint dans ce vignoble un optimum de qualité, ce qui lui a conféré une réputation unique dans la viticulture mondiale. Son vin est corsé, bien charpenté, sec ou moelleux, et caractérisé par un bouquet merveilleux, plus ou moins puissant selon les situations et les millésimes. Le gewurztraminer, qui a une production relativement faible et irrégulière, est un cépage précoce aux raisins très sucrés. Souvent servi à l'apéritif ou sur des desserts, ce vin accompagne aussi, lorsqu'il est puissant, les fromages à goût relevé, comme le roquefort et le munster, ou la cuisine épicée, asiatique en particulier.

LUCIEN ALBRECHT Cuvée Martine Albrecht 2010

■ 16 000 ▮ 11 à 15 €

Aux XVIe et XVII[e]s., des Albrecht étaient bangards – gardes élus chargés de la bonne tenue des cultures et du respect de la date des récoltes : cette famille établie dans le sud de l'Alsace appartient au cercle envié des pionniers du vignoble. Forte d'un domaine de 32 ha, elle exporte 60 % de sa production. Issu d'un terroir argilo-gréseux, voici un des gewurztraminers haut de gamme de la propriété : encore jeune, il laisse déjà poindre de délicats effluves floraux. Puissant, dominé aujourd'hui par les sucres, il gagnera en harmonie au cours des deux prochaines années. (Sucres résiduels : 29 g/l.)

Lucien Albrecht, 9, Grand-Rue, 68500 Orschwihr, tél. 03.89.76.95.18, fax 03.89.76.20.22, info@lucien-albrecht.fr
t.l.j. sf dim. 8h-19h

♥ **DOM. ALLIMANT-LAUGNER** 2010 ★★★

■ 14 000 ▮ 5 à 8 €

Charmant village entièrement tourné vers la vigne, Orschwiller semble protégé par l'ombre tutélaire du Haut-Kœnigsbourg. Héritier d'une tradition remontant au XVIII[e]s., Hubert Laugner exploite 12 ha de vignes implantées de part et d'autre de la limite des deux départements alsaciens. Marqué par son origine granitique, son gewurztraminer est à la fois intense et élégant au nez, diffusant généreusement des senteurs de rose et d'acacia. D'une belle harmonie entre vivacité et rondeur, remarquablement persistant, ce vin gourmand fera plaisir dès maintenant à l'heure de l'apéritif, du fromage ou avec un plat sucré-salé. Il devrait encore se bonifier au cours des trois prochaines années. (Sucres résiduels : 27 g/l.)

Allimant-Laugner, 10, Grand-Rue, 67600 Orschwiller, tél. 03.88.92.06.52, fax 03.88.82.76.38, alaugner@terre-net.fr
t.l.j. sf dim. 9h-18h

MARC ANSTOTZ Glintzberg Vendanges tardives 2009 ★

■ 1 850 ▮ 15 à 20 €

Établi dans la partie nord de la route des Vins, non loin de Marlenheim et de Strasbourg, Marc Anstotz exploite 15 ha de vignes sur différents terroirs. Vendangé début novembre, ce gewurztraminer a tiré parti des sols marneux très lourds du Glintzberg. Il a engendré un vin paille aux reflets dorés, dont le nez demande à être sollicité pour livrer ses parfums de rose, puis de fruits jaunes. Dans le même registre aromatique, ample, tout en rondeur, la bouche est marquée par une douceur qui l'alourdit quelque peu. Si elles sont déjà plaisantes, ces Vendanges tardives gagneront toutefois en harmonie au cours des cinq prochaines années. (Sucres résiduels : 65 g/l.)

Anstotz et Fils, 51, rue Balbach, 67310 Balbronn, tél. 03.88.50.30.55, fax 03.88.50.58.06, christine.anstotz@wanadoo.fr
t.l.j. 9h-12h 13h30-18h; dim. sur r.-v.

LAURENT BANNWARTH Lieu-dit Bildstoecklé 2010 ★

■ 9 050 ▮ 8 à 11 €

Laurent Bannwarth s'est installé dans les années 1950 et a construit sa cave en 1968 ; aujourd'hui, son fils Stéphane exploite en biodynamie les 12 ha du domaine. Fleuron d'Obermorschwihr, le lieu-dit du Bildstoecklé, aux sols limono-calcaires, a donné une belle typicité à ce gewurztraminer – fort loué dans les millésimes précédents. Doré dans le verre, le 2010 développe d'intenses senteurs de fruits confits. Au palais, il dévoile de plaisants arômes de pêche et séduit par sa structure, son gras et sa persistance. Il devrait garder ses agréments plusieurs années et accompagner volontiers un dessert aux fruits jaunes. (Sucres résiduels : 27,7 g/l.)

Laurent Bannwarth et Fils, 9, rue Principale, rte du Vin, 68420 Obermorschwihr, tél. 03.89.49.30.87, fax 03.89.49.29.02, laurent@bannwarth.fr
r.-v.

BESTHEIM Vendanges tardives 2009

■ 84 000 20 à 30 €

La maison Bestheim vinifie 700 ha de vignes. Pas moins de 11 ha de gewurztraminer ont été dédiés à ces Vendanges tardives d'un jaune éclatant, au nez riche et complexe évoquant les fruits confits. Ces beaux arômes de surmaturation s'épanouissent dans une bouche intense, ample, onctueuse, qui penche un peu vers le sucre tout en restant équilibrée. Déjà plaisant, l'ensemble devrait gagner en harmonie au cours des deux prochaines années. À servir à l'apéritif ou sur du foie gras aux figues. (Sucres résiduels : 80 g/l.)

Bestheim Cave de Bennwihr, 3, rue du Gal-de-Gaulle, 68630 Bennwihr, tél. 03.89.49.09.29, fax 03.89.49.09.20, vignobles@bestheim.com
t.l.j. sf dim. 9h-11h45 14h-17h45

ANDRÉ BLANCK ET SES FILS Vendanges tardives 2009 ★

	1 000	15 à 20 €

Ce domaine a son siège dans l'ancienne cour des chevaliers de Malte, présents en Alsace à la fin du Moyen Âge, et jouxte le musée du Vignoble et des Vins d'Alsace, propriété de la confrérie Saint-Étienne. Ses Vendanges tardives représentent bien les grands moelleux d'Alsace. Vendangé le 8 novembre, le gewurztraminer a donné naissance à un vin jaune paille à reflets d'or. Discret mais subtil, le nez s'ouvre sur des arômes de fruits confits qui se prolongent en bouche. D'une belle présence au palais, ample et gras, ce 2009 pourra être apprécié dès la sortie du Guide. (Sucres résiduels : 70 g/l.)

EARL André Blanck et Fils, Ancienne Cour des Chevaliers de Malte, 68240 Kientzheim, tél. 03.89.78.24.72, fax 03.89.47.17.07, charles.blanck@free.fr
t.l.j. sf dim. 8h-12h 13h30-19h B

DOM. CLAUDE ET CHRISTOPHE BLÉGER
Coteaux du Haut-Kœnigsbourg L'Inoubliable 2009 ★

	4 400		11 à 15 €

Dernier village du Bas-Rhin vers le sud, Orschwiller est dominé par la forteresse du Haut-Kœnigsbourg. C'est dans cette commune que Claude Bléger et son fils Christophe perpétuent une tradition vigneronne remontant à 1630. Ils signent un gewurztraminer au caractère bien affirmé, reflet de son terroir de gneiss. Intensément floral au nez, ce 2009 dévoile au palais une grande matière, équilibrée et persistante. Sa fraîcheur contrebalançant bien les sucres lui permettra de se placer facilement à table, avec un poulet au curry par exemple. À noter que le domaine est aujourd'hui conduit en bio. (Sucres résiduels : 30 g/l.)

Dom. Bléger, 23, Grand-Rue, 67600 Orschwiller, tél. 03.88.92.32.56, fax 03.88.82.59.95, contact@bleger.fr
t.l.j. 9h-12h15 13h15-19h 1 A

DOM. BOTT FRÈRES Réserve personnelle 2010

	15 000		11 à 15 €

Si Ribeauvillé est devenue l'une des villes les plus touristiques de la région, elle n'a rien perdu de son authenticité. Cette propriété y cultive l'amour du terroir depuis 1835. D'origine calcaire, son gewurztraminer Réserve personnelle apparaît encore très jeune avec sa robe or clair à reflets verts, mais il laisse déjà poindre au nez des nuances florales. Ample au palais, il finit sur des notes de fruits exotiques qui appellent une cuisine asiatique. Il sera plus épanoui en 2014. (Sucres résiduels : 60,3 g/l.)

Dom. Bott Frères, 13, av. du Gal-de-Gaulle, 68150 Ribeauvillé, tél. 03.89.73.22.50, fax 03.89.73.22.59, vins@bott-freres.fr
t.l.j. 9h-12h 14h-18h; f. dim. de jan. à fév.

DOM. DU BOUXHOF Clos du Bouxhof 2010 ★

	2 900		8 à 11 €

En Alsace, l'architecture fut longtemps défensive, si bien que les villages sont groupés, montrant parfois des restes de murailles. L'originalité de ce domaine, ancienne abbaye cistercienne, réside dans ses bâtiments isolés au milieu des vignes. Le Clos du Bouxhof, d'où provient ce gewurztraminer, se caractérise par des sols argilo-calcaires. Le vin, en robe dorée, fait preuve d'une réelle élégance, avec son nez délicatement floral et fruité, et sa bouche ample et très équilibrée, où la rondeur de l'attaque est relayée par une belle fraîcheur. Il trouvera sa place dès maintenant, de l'apéritif au dessert. (Sucres résiduels : 30 g/l.)

François Edel et Fils, Dom. du Bouxhof, 68630 Mittelwihr, tél. 03.89.47.90.34, fax 03.89.47.84.82, edel.bouxhof@online.fr
t.l.j. 9h-12h30 13h30-19h 2 B

FRANÇOIS BRAUN ET SES FILS Cuvée Sainte-Cécile 2010

	2 500		8 à 11 €

Orschwihr est un important village viticole à 25 km au sud de Colmar. Héritier du domaine familial dans les années 1930, François Braun a été le premier à se lancer dans la mise en bouteilles. La propriété, qui rassemble 21 ha de vignes, est conduite par ses petits-fils Philippe et Pascal. Souvent retenue, la cuvée Sainte-Cécile provient d'un terroir argilo-calcaire. Lumineuse dans le verre, déjà bien ouverte et florale au nez, elle se montre fraîche en attaque, harmonieuse et longue. À servir dès maintenant. (Sucres résiduels : 25 g/l.)

François Braun et Fils, 19, Grand-Rue, 68500 Orschwihr, tél. 03.89.76.95.13, fax 03.89.76.10.97, francois-braun@orange.fr
t.l.j. sf dim. 8h-12h 14h-17h30

CATTIN FRÈRES 2010 ★

	58 000		5 à 8 €

Voegtlinshoffen est une charmante bourgade viticole dominant la plaine d'Alsace, au sud de Colmar. Les Cattin y sont vignerons depuis 1850, mais c'est à partir de la fin des années 1970 que la propriété, doublée d'une structure de négoce, a connu un développement fulgurant, et son succès n'a rien de surprenant quand on mesure la qualité de ce gewurztraminer. D'un or cristallin, ce 2010 livre d'intenses parfums de litchi avant de dévoiler un palais équilibré et long, où le fruit exotique se marie à la pêche et aux épices : l'archétype du cépage. Une bouteille que l'on appréciera avant, pendant ou après le repas et qui s'épanouira pendant plusieurs années. (Sucres résiduels : 16 g/l.)

Cattin Frères, 19, rue Roger-Frémeaux, 68420 Voegtlinshoffen, tél. 03.89.49.30.21, fax 03.89.49.26.02, contact@cattin.fr t.l.j. sf dim. 8h-12h 14h-18h

CAVE LES FAÎTIÈRES Cuvée exceptionnelle Surmaturation 2009 ★

	11 500		8 à 11 €

La cave coopérative Les Faîtières regroupe la majeure partie des exploitants d'Orschwiller, ainsi que des cultivateurs des villages voisins de Kintzheim et de Saint-Hippolyte. Son œnologue sait tirer le meilleur du terroir, témoin ce gewurztraminer issu d'un sol de gneiss. D'un jaune doré, ce moelleux offre un nez séducteur mêlant les épices, les fleurs et des notes de surmaturation rappelant les fruits jaunes confiturés. Souple à l'attaque, riche et onctueux, le palais montre une générosité caractéristique du millésime tout en faisant preuve de finesse et de complexité : les fruits exotiques, la pêche, la poire cuite, les fleurs et le miel s'invitent en finale. À déguster dès aujourd'hui. (Sucres résiduels : 58 g/l.)

Les Faîtières, 3, rte du Vin, 67600 Orschwiller, tél. 03.88.92.09.87, cave@cave-orschwiller.fr
t.l.j. 10h-19h

FISCHBACH Vendanges tardives 2009 ★

	2 900	▮	11 à 15 €

Le domaine est situé à Traenheim – l'un des dix-neuf villages proches de la métropole alsacienne associés sous le nom de Couronne d'or de Strasbourg. Couvrant 8 ha, il est aujourd'hui géré par deux sœurs, Annelise et Lilly Fischbach. D'une couleur engageante, jaune paille aux reflets dorés, ce 2009 a séduit par la finesse de son nez aux nuances de surmaturation et par son équilibre au palais. Rond, gras et fondu, il est soutenu par une pointe d'acidité qui lui garantit une bonne évolution : on peut l'attendre quatre ou cinq ans. (Sucres résiduels : 69 g/l ; bouteilles de 50 cl.)

GAEC Fischbach, 34, rue Principale, 67310 Traenheim, tél. 03.88.50.30.33, fax 03.88.50.32.79, domainefischbach@live.fr t.l.j. sf dim. 8h-19h Ⓐ

ROBERT FREUDENREICH
Bergweingarten Cuvée sélectionnée 2010 ★

	1 687		11 à 15 €

Le clocher moderne de Pfaffenheim ne doit pas faire illusion : le village est ancien et bien ancré dans la tradition viticole. Christophe Freudenreich, quant à lui, est attaché à la vinification en foudre de bois. Lieu-dit réputé pour ses sols argilo-calcaires, le Bergweingarten a légué le meilleur de lui-même à ce gewurztraminer, qui plaira aussi bien à l'apéritif qu'au dessert. Complexe au nez avec ses parfums de fleurs, de fruits confits et d'épices, ce 2010 dévoile en bouche une riche palette (coing, poire, fruits exotiques et miel) ainsi qu'un réel équilibre : rond, ample et persistant, il fait preuve d'assez de fraîcheur pour bien évoluer jusqu'en 2015, voire 2020. Le 2007 avait décroché un coup de cœur. (Sucres résiduels : 62 g/l.)

Robert Freudenreich et Fils, 31, rue de l'Église, 68250 Pfaffenheim, tél. 03.89.49.60.88, fax 03.89.49.69.36, robert.freudenreich@wanadoo.fr r.-v. Ⓑ

DOM. FRITZ Cuvée de l'ami Fritz 2010 ★

	1 900	▮	11 à 15 €

L'ami Fritz ? En l'occurrence, c'est Thierry, qui a repris le domaine familial (8 ha) autour de Sigolsheim, à quelques kilomètres au nord de Colmar. Cette cuvée, conforme à son origine argilo-calcaire, demande encore un peu de temps pour révéler tous ses secrets. Elle laisse déjà deviner de plaisants arômes de litchi et de surmaturation, et dévoile une matière onctueuse, ample et bien équilibrée entre rondeur et fraîcheur. Les impatients pourront la déboucher dès les fêtes de fin d'année, à l'apéritif ou avec le foie gras, mais elle mérite d'attendre jusqu'en 2014-2015 pour épanouir ses arômes. (Sucres résiduels : 32 g/l.)

Dom. Fritz, 3, rue du Vieux-Moulin, 68240 Sigolsheim, tél. 03.89.47.11.15, fax 03.89.78.17.07, domaine.fritz@wanadoo.fr t.l.j. 9h-19h

FROEHLICH Vendanges tardives 2009 ★

	1 800	▮	20 à 30 €

Si le siège de la propriété se trouve dans un village de la plaine, où les ceps cèdent la place à d'autres cultures, les 9 ha du vignoble sont répartis dans trois communes réputées : Beblenheim, Zellenberg et Ribeauvillé, au centre de la route des Vins. Récolté le 10 novembre sur un terroir marno-calcaire, le gewurztraminer à l'origine de cette cuvée a donné naissance à un vin jaune doré aux reflets brillants. Intense, le nez livre des fragrances de rose puis s'oriente vers les fruits jaunes confits et le miel. L'attaque souple introduit un palais ample, gras, généreux et long, équilibré par une pointe de fraîcheur. Du plaisir en perspective durant les cinq prochaines années. (Sucres résiduels : 65 g/l.)

Dom. Fernand Froehlich et Fils, 29, rte de Colmar, 68150 Ostheim, tél. 03.89.86.01.46, fax 03.89.86.01.54, froehlich.michel@neuf.fr
t.l.j. sf dim. 8h-11h45 13h-18h; f. fév. Ⓒ

GRUSS Les Roches 2010 ★

	10 000	▮	8 à 11 €

Village natal du pape Léon IX qui vécut au XIe s., Eguisheim, au sud de Colmar, se flatte aussi d'être le berceau du vignoble alsacien. La famille Gruss y a pignon sur rue depuis des générations. Elle gère un vignoble et une affaire de négoce. Sa cuvée des Roches est un beau gewurztraminer de terroir marno-calcaire : habillée d'or, elle est déjà bien ouverte au nez, dévoilant de délicats arômes de rose, de fruit de la Passion et de fruits mûrs. Corsé, ample et généreux sans la moindre lourdeur, ce 2010 s'épanouira encore au cours des trois prochaines années. (Sucres résiduels : 22 g/l.)

Joseph Gruss et Fils, 25, Grand-Rue, 68420 Eguisheim, tél. 03.89.41.28.78, fax 03.89.41.76.66, domainegruss@hotmail.com
t.l.j. sf dim. 8h-12h 13h30-18h30

HALBEISEN Rotenberg 2010 ★★

	2 640	▮	5 à 8 €

Établis à Bergheim depuis 1737, les Halbeisen, venus de Bâle, affichent fièrement sur leurs étiquettes le blason remis par Frédéric III de Styrie à leur ancêtre Henry Halbeisen. Encore faut-il que le contenu de la bouteille soit à la hauteur des armoiries. Les dégustateurs, à l'aveugle, ont été conquis par ce gewurztraminer issu d'un terroir calcaire. La robe jaune doré donne le ton. Le nez, d'une belle complexité, marie les fruits exotiques, les fruits jaunes et le miel. C'est surtout au palais que ce vin montre sa splendeur. On y retrouve une palette aromatique riche et flatteuse, faite de mangue, d'ananas, de miel, de confiture de coings et d'épices. Quant à la texture, ample et harmonieuse, elle annonce un fort potentiel. Gourmand à souhait, ce moelleux sera encore meilleur en 2014-2015 et se gardera au moins jusqu'à la prochaine décennie. (Sucres résiduels : 73 g/l.)

Halbeisen, 3, rte du Vin, 68750 Bergheim, tél. 03.89.73.63.81, fax 03.89.73.38.81, info@halbeisen-vins.com
t.l.j. 10h-12h 13h30-18h30 3

VICTOR HERTZ Vendanges tardives 2009 ★★★

	1 200	▮	20 à 30 €

Le domaine couvre 8 ha répartis sur trois villages viticoles des environs de Colmar, si bien que Béatrice Hertz peut s'appuyer sur une grande diversité de sols pour élaborer des vins qui expriment leur terroir. Voici de superbes Vendanges tardives nées de gewurztraminer planté sur argilo-calcaire et vendangé le 19 novembre. D'un jaune d'or intense, ce 2009 libère des parfums discrets mais typés, complexes et tout en finesse. Ses fragrances de fruits confits, évocateurs de la surmaturation, s'allient à des notes d'ananas d'une grande fraîcheur. Au palais, les dégustateurs louent « une sacrée présence ».

On y retrouve le fruité complexe du nez, au sein d'une superbe matière, riche, onctueuse, ample et remarquablement équilibrée. La belle finale laisse le souvenir d'un ensemble subtil et élégant, que l'on pourra déguster dès à présent ou attendre cinq ans. Apéritif, fromage de caractère, tarte fine ? Vous avez le choix. (Sucres résiduels : 105 g/l ; bouteilles de 50 cl.)
Dom. Victor Hertz, 8, rue Saint-Michel, 68420 Herrlisheim-près-Colmar, tél. 03.89.49.31.67, fax 03.89.49.22.84, beatrice@vinsvictorhertz.com
t.l.j. 8h-12h 14h-18h; sam. dim. sur r.-v.

MICHEL HEYBERGER 2010 ★★

3 350 | 5 à 8 €

Établi sur les pentes dominées par le Haut-Kœnigsbourg, Saint-Hippolyte bénéficie d'une situation privilégiée. Les Heyberger, qui exploitent aujourd'hui près de 10 ha, y sont vignerons depuis 1900. Conforme à son origine argilo-gréseuse, leur gewurztraminer apparaît déjà bien épanoui. Expressif au nez, intensément fruité, il s'impose au palais par son équilibre, sa vivacité contrebalançant une pointe de rondeur. Un vin gourmand pour accompagner des plats sucrés-salés. Il est prêt, et tiendra aussi plusieurs années. (Sucres résiduels : 30 g/l.)
EARL Michel Heyberger, 4, rue de l'Ancien-Abattoir, 68590 Saint-Hippolyte, tél. 03.89.73.00.78, michel.heyberger@sfr.fr r.-v.

BERNARD HUMBRECHT Vendanges tardives 2008

2 700 | 15 à 20 €

Jean-Bernard Humbrecht exploite 8,5 ha aux alentours de Gueberschwihr, village célèbre pour son clocher roman. Son gewurztraminer Vendanges tardives arbore une robe doré brillant et un nez riche et complexe associant le zeste d'orange confit, le caramel, le miel et une pointe poivrée. Après une attaque sur la douceur, on découvre un vin ample, puissant et gras, encore dominé par le sucre mais suffisamment frais pour rester équilibré. L'agrume confit se nuance en bouche d'une note de gingembre, et la finale se montre suave. Les dégustateurs verraient bien cette bouteille avec une tarte aux fruits ou au chocolat. Elle est prête. (Sucres résiduels : 94 g/l ; bouteilles de 50 cl.)
Jean-Bernard Humbrecht, 10, pl. de la Mairie, 68420 Gueberschwihr, tél. 03.89.49.31.42, vins.bernard.humbrecht@wanadoo.fr
t.l.j. 8h-12h 13h-19h; dim. 10h-12h 14h-18h

MAISON MARTIN JUND Cuvée Sainte-Cécile 2010

600 | 11 à 15 €

Fait rarissime, cette exploitation a son siège au cœur de la vieille ville de Colmar. Elle dispose de 19 ha de vignes, dont une partie sur le territoire de la capitale des vins d'Alsace. Issu d'une parcelle granitique en conversion à la biodynamie, ce gewurztraminer apparaît encore assez discret au nez. Son attaque vive, son palais puissant, droit et long lui permettront de se placer facilement à table, sur de la cuisine exotique, du poisson au safran, des fromages frais ou une salade de fruits. (Sucres résiduels : 34,8 g/l.)
Maison Martin Jund, 12, rue de l'Ange, 68000 Colmar, tél. 03.89.41.58.72, fax 03.89.23.15.83, martinjund@hotmail.com
t.l.j. sf dim. 9h-12h 14h-18h 1

B JEAN-LOUIS ET FABIENNE MANN Génération terroir Steinweg Vieilles Vignes Cuvée Fabienne et Jean-Louis 2010 ★★

2 700 | 15 à 20 €

Fabienne et Jean-Louis Mann ont repris la propriété familiale en 1982 : près de 10 ha de vignes très bien situées. Conversion au bio en 2005, puis en 2009 à la biodynamie, à l'arrivée de Sébastien. Marqué par son origine granitique, le gewurztraminer du Steinweg possède un nez aussi exubérant que complexe, où l'ananas voisine avec la mangue, la confiture de coings, le miel mille fleurs... Miel que l'on retrouve, associé au fruit jaune, dans une bouche suave en attaque et d'une belle ampleur. Cette expression remarquable, cette douceur exempte de lourdeur contribueront à compléter la belle collection d'étoiles du domaine. Apogée vers 2014-2016. (Sucres résiduels : 60 g/l.)
EARL Jean-Louis Mann, 11, rue du Traminer, 68420 Eguisheim, tél. 03.89.24.26.47, fax 03.89.24.09.41, mann.jean-louis@wanadoo.fr t.l.j. sf dim. 9h-18h

METZ-GEIGER Vieilles Vignes 2010 ★

1 500 | 5 à 8 €

Tête de pont du vignoble vers la plaine, Epfig mérite le détour non seulement pour sa chapelle romane mais aussi pour le grand nombre de vignerons présents sur son territoire, comme cette famille, dans le métier depuis près d'un siècle. Son gewurztraminer Vieilles Vignes, d'origine argilo-calcaire, possède tous les attributs du cépage : d'une couleur dorée avenante, il développe déjà d'intenses arômes de rose et de fruits. Sa pointe de sucre au palais est contrebalancée par une belle fraîcheur. Ce vin pourra accompagner dès maintenant des plats sucrés-salés et s'ouvrira encore au cours des deux à trois prochaines années. (Sucres résiduels : 26 g/l.)
Metz-Geiger, 9, rue Fronholz, 67680 Epfig, tél. et fax 03.88.85.55.21 r.-v.

HUBERT MEYER 2010 ★

3 100 | 5 à 8 €

Hubert Meyer a été rejoint en 2009 par son fils Pierre. Forts de leurs 10 ha de vignes répartis sur Blienschwiller et les communes voisines de Dambach-la-Ville et d'Epfig, ces vignerons ont une profession de foi : « C'est à la vigne que naît le bon vin. » Bon, ce gewurztraminer l'est assurément. Son origine granitique se reflète dans une expression aromatique intense, sur la rose, l'abricot et le fruit de la Passion. Puissant, généreux et harmonieux au palais, ce 2010 s'entendra avec des plats épicés, comme des crevettes sel et poivre, ou des fromages de caractère, un munster fermier par exemple. (Sucres résiduels : 24 g/l.)
Hubert Meyer, 34, route des Vins, 67650 Blienschwiller, tél. 03.88.92.47.33, pierre.meyer.67@hotmail.fr
t.l.j. 8h-12h 13h-18h A

DOM. DU MITTELBURG Vendanges tardives 2009 ★

2 900 | 20 à 30 €

La famille Martischang est établie à Pfaffenheim, village dominé par le Schauenberg, hauteur d'où l'on peut découvrir les Alpes par beau temps. Elle propose de très belles Vendanges tardives, où les caractères de surmaturation s'expriment avec finesse. La robe jaune d'or annonce beaucoup de gras. Le nez subtil mêle les fruits jaunes confits, la bergamote, le bois exotique, la cardamome et le poivre. L'attaque souple mais franche prélude à une bouche ample, onctueuse, équilibrée et élégante. On y retrouve les fruits associés au miel, avec un retour des épices en finale. Déjà prêt tout en ne manquant pas de réserves, un joli moelleux à servir à l'apéritif ou sur un munster affiné. (Sucres résiduels : 90 g/l.)

EARL Henri Martischang et Fils, 15, rue du Fossé, 68250 Pfaffenheim, tél. 03.89.49.60.83, fax 03.89.49.76.61, vin.h.martischang@free.fr
t.l.j. sf dim. 8h-12h 14h-18h30

MOCHEL-LORENTZ Sélection de grains nobles 2009 ★

1 602 | 15 à 20 €

Assez proche de la capitale régionale, le village de Traenheim appartient à la Couronne d'or de Strasbourg. Le vignoble remonte ici aux Mérovingiens. Quant à cette famille, à la tête d'une quinzaine d'hectares, elle est au service du vin depuis 1634. Dans ce secteur, les terroirs, souvent argilo ou marno-calcaires, conviennent parfaitement à la lente maturation du gewurztraminer. En voici une version liquoreuse des plus réussies. D'un jaune paille à reflets dorés, ce 2009 exprime au nez comme en bouche des arômes de surmaturation : les fruits secs se mêlent aux fruits jaunes confits, avec des nuances exotiques (mangue). Ample, puissant, onctueux et assez long, le palais dévoile une belle matière. Ce 2009 gagnera à attendre jusqu'en 2015 et devrait se garder encore dix ans. Le 2005 avait obtenu un coup de cœur. (Sucres résiduels : 106 g/l ; bouteilles de 50 cl.)

Mochel-Lorentz, 19, rue Principale, 67310 Traenheim, tél. 03.88.50.38.17, fax 03.88.50.59.18, plorentz@mochel-lorentz.com
t.l.j. sf dim. 8h-11h30 13h-19h

PREISS-ZIMMER Vieilles Vignes 2009 ★★

27 600 | 5 à 8 €

Dans l'une des plus belles cités viticoles d'Alsace, ce négociant est installé dans une maison des plus charmantes avec son enseigne et ses colombages ouvragés. Les cuvées sont élaborées par les équipes de la cave de Turckheim. Ce gewurztraminer aux chatoyants reflets dorés apparaît déjà très ouvert au nez, alliant l'acacia à la rose et aux fruits jaunes, avant que le litchi ne s'invite en bouche. Plutôt rond, puissant et long, c'est un vin gourmand, à savourer dès maintenant et pendant les cinq prochaines années avec du foie gras. (Sucres résiduels : 30 g/l.)

SARL Preiss-Zimmer, BP 20, 40, rue du Gal-de-Gaulle, 68340 Riquewihr, tél. 03.89.47.86.91, fax 03.89.27.35.33, preiss-zimmer@calixo.net

RENTZ ET FILS Burg 2010 ★

2 200 | 8 à 11 €

Installés à Zellenberg, village perché très pittoresque, Catherine et Patrick Rentz ont pris en 1995 la suite de leur père Raymond et créé la marque Rentz et Fils. Avec ses 20 ha cultivés en lutte raisonnée, leur domaine fait partie des propriétés qui comptent dans la région. Issu d'un lieu-dit aux sols marno-sableux, le gewurztraminer du Burg ne manque pas de caractère. Aussi intense au nez qu'au palais, il s'annonce par des parfums bien typés de rose, de fruits exotiques et d'épices. Ample et puissant, il est équilibré par une belle fraîcheur. Cette bouteille déjà fort harmonieuse s'épanouira au cours des trois ou quatre prochaines années. (Sucres résiduels : 35 g/l.)

SARL Rentz et Fils, 7, rte du Vin, 68340 Zellenberg, tél. 03.89.47.90.17, fax 03.89.47.97.27, info@edmondrentz.com t.l.j. sf dim. 8h-12h 14h-18h

DANIEL RUFF Vendanges tardives 2009 ★★

2 000 | 20 à 30 €

Daniel Ruff est établi à Heiligenstein, localité du pays de Barr située au pied du mont Sainte-Odile. S'il cultive avec succès le cépage klevener, qui a valu à son village une dénomination communale, il ne néglige pas non plus l'autre cépage aux grains roses de l'Alsace : le gewurztraminer. Ces Vendanges tardives sont remarquables. La couleur est belle, un doré soutenu aux multiples reflets. Le nez, bien ouvert et complexe, marie la rose, la pêche, l'abricot et les fruits exotiques. Une attaque souple introduit un palais concentré, puissant, gras et ample, équilibré par une belle fraîcheur qui donne de l'allonge à la finale. Une bouteille que l'on pourra déguster pour elle-même, à l'apéritif. Elle sera encore meilleure dans un an ou deux... si vous avez la patience d'attendre. (Sucres résiduels : 55 g/l.)

Daniel Ruff, 64, rue Principale, 67140 Heiligenstein, tél. 03.88.08.10.81, fax 03.88.08.43.61, ruffvigneron@wanadoo.fr
t.l.j. 8h-12h 13h30-18h30

RUHLMANN-DIRRINGER Vendanges tardives 2009 ★★

3 400 | 15 à 20 €

Les terroirs granitiques de Dambach-la-Ville sont réputés propices au riesling, mais ces vignerons savent en tirer des vins de haute expression quel que soit le cépage. Voyez ce gewurztraminer, récolté le 12 novembre. La robe d'un jaune soutenu aux brillants reflets dorés inspire confiance. Le nez s'ouvre sur la mirabelle confiturée, les fruits jaunes confits et les épices douces (girofle). Intensément aromatique, elle aussi, la bouche s'impose par son ampleur, sa puissance et sa concentration. Elle évite toute lourdeur grâce à une belle acidité qui contribue à son harmonie. Ce moelleux flatteur présente aussi la structure d'un vin de garde : il mérite d'attendre jusqu'en 2013 ou 2014 et devrait traverser la décennie. (Sucres résiduels : 60 g/l.)

Ruhlmann-Dirringer, 3, imp. de Mullenheim, 67650 Dambach-la-Ville, tél. 03.88.92.40.28, fax 03.88.92.48.05, ruhlmann.dirringer@terre-net.fr
t.l.j. sf dim. 10h-18h

JEAN-PAUL SCHAFFHAUSER Vendanges tardives 2009 ★

5 340 | 11 à 15 €

Créateur du domaine en 1984, Jean-Paul Schaffhauser a passé le relais à Jean-Marc en 1996. Ce dernier signe des Vendanges tardives très appréciées. Ce gewurztraminer aux arômes de rose et de fruits exotiques plutôt variétaux n'est pas un monstre de puissance, mais il a suffisamment de présence, d'ampleur et de densité pour retenir l'attention. Les dégustateurs ont aimé sa fraîcheur minérale qui lui donne un bel équilibre et qui contribue à l'agrément de la finale. Ce moelleux fera un beau vin d'apéritif dès maintenant. (Sucres résiduels : 71,5 g/l.)

SARL Jean-Paul Schaffhauser, 8, rte du Vin, 68920 Wettolsheim, tél. 03.89.79.99.97, fax 03.89.80.58.21, schaffhauserjpaul@free.fr
t.l.j. sf dim. 8h30-12h 14h-18h30

SCHILLINGER Vendanges tardives 2009

■ 3 000 15 à 20 €

À la tête de 5,5 ha de vignes autour de Gueberschwihr, au sud de Colmar, Gérard Schillinger signe des Vendanges tardives de bonne facture. D'un jaune d'or brillant, ce gewurztraminer attire par ses parfums de poire et de coing confit. Il suit la même ligne aromatique au palais, où il fait preuve dès l'attaque de la puissance attendue dans ce style de vin. Il accompagnera dès à présent et pendant plusieurs années un foie gras poêlé aux fruits. (Sucres résiduels : 73 g/l.)

EARL Émile Schillinger, 2, rue de la Chapelle, 68420 Gueberschwihr, tél. 03.89.47.91.59 t.l.j. sf dim. 8h-12h 14h-19h

DOM. FRANÇOIS SCHWACH Muehlforst 2010 ★

■ 6 500 11 à 15 €

Ce domaine a son siège à Hunawihr, village célèbre pour son église fortifiée et pour son parc aux cigognes, proche de la propriété. Créé il y a à peine soixante ans, il ne compte pas moins de 18 ha, conduits à présent par Sébastien, le petit-fils du fondateur. Ce dernier propose un gewurztraminer en provenance du Muehlforst. Ce lieu-dit argilo-calcaire est réputé produire des vins bien structurés, et ce gewurztraminer correspond plutôt à ce portrait. Encore discret au nez, sur la poire et les épices, puis sur les fruits jaunes au palais, c'est un moelleux ample et persistant, qui s'ouvrira au cours des deux prochaines années. (Sucres résiduels : 45 g/l.)

Sébastien Schwach, 28, rte de Ribeauvillé, 68150 Hunawihr, tél. 03.89.73.62.15, fax 03.89.73.37.84, sebastien@schwach.com t.l.j. 9h-12h 14h-18h30; f. dim. de jan. à mars inclus

♥ **DOM. DES SEPT VIGNES**
Les Vieilles Treilles 2010 ★★★

■ 2 300 20 à 30 €

À la tête du domaine familial depuis 2006, Emmanuel Saouliak recherche la surmaturité et récolte ses raisins trois à quatre semaines après la date d'ouverture des vendanges : le gewurztraminer à l'origine de cette cuvée a ainsi été cueilli le 20 octobre. Souhaitant aussi obtenir des arômes exubérants, le vigneron pratique une courte macération des raisins avant un pressurage et une fermentation prolongés. Le résultat a convaincu. Ce gewurztraminer d'origine marno-calcaire fait preuve en effet d'une rare complexité, mêlant des arômes variétaux à des notes de surmaturation. On y respire le litchi, la mangue et le fruit de la Passion. Doux, souple et onctueux en attaque, puissant et long, le palais conjugue opulence et fraîcheur. Un liquoreux gourmand, pour l'apéritif ou le dessert. Encore un peu jeune, il devrait atteindre son optimum à partir de 2015. (Sucres résiduels : 109,9 g/l.)

Emmanuel Saouliak, 102, rte des Vins, 67680 Nothalten, tél. 03.88.92.45.73, domaine.saouliak@orange.fr r.-v.

J.-M. SOHLER Pflintz 2010 ★

2 000 8 à 11 €

Village entièrement dédié à la vigne, Blienschwiller se blottit tout autour de la flèche de son clocher. Vignerons depuis des générations, les Sohler sont fiers de leur cave de 1563 et élèvent leurs vins dans les foudres traditionnels. Habillé d'or, leur gewurztraminer provient d'un terroir argilo-calcaire. Déjà très expressif avec ses arômes de litchi et d'épices, il se montre frais en attaque, franc, riche et persistant. On pourra l'ouvrir dès à présent, à l'apéritif. (Sucres résiduels : 9 g/l.)

Jean-Marie et Hervé Sohler, 16, rue du Winzenberg, 67650 Blienschwiller, tél. 03.88.92.42.93 r.-v.

DOM. STENTZ-BUECHER Rosenberg 2010

4 000 8 à 11 €

Si proche de Colmar et pourtant si différent, le village de Wettolsheim a su préserver son potentiel viticole. Toute la famille Stentz s'active sur le domaine – 13 ha de vignes aujourd'hui en bio certifié. Stéphane, au chai, a vinifié ce gewurztraminer issu d'un terroir argilo-calcaire. Le vin offre un bouquet complexe et généreux, aux nuances d'épices et de fruits exotiques. Franc en attaque, fruité, il apparaît assez sec, contrairement à la plupart des vins issus de ce cépage : mieux vaut ne pas l'ouvrir sur un dessert, mais on n'aura aucun mal à trouver des accords gourmands, de l'apéritif au fromage. (Sucres résiduels : 12 g/l.)

Dom. Stentz-Buecher, 21, rue Kleb, 68920 Wettolsheim, tél. 03.89.80.68.09, fax 03.89.79.60.53, stentz-buecher@wanadoo.fr r.-v.

DOM. DE LA TOUR Cuvée Clin d'œil 2010 ★

■ 4 100 8 à 11 €

Dernier de la lignée, Jean-Sébastien Straub, qui a rejoint en 2005 ses parents sur l'exploitation, perpétue une tradition viticole vieille de cinq siècles. Le domaine s'est agrandi (14 ha) et s'est équipé d'une cuverie moderne, tout en conservant la belle cave du XVIes. Issu d'un terroir granitique, voici un gewurztraminer bien ouvert, sur la rose juste éclose et les fruits exotiques. Souple à l'attaque, ce vin est puissant, fondu et élégant, avec une finale fraîche et épicée. On pourra le déguster dès la sortie du Guide, avec du foie gras ou un fromage à croûte lavée. (Sucres résiduels : 42 g/l.)

Joseph Straub Fils, M.-Anne, J.-François et J.-Sébastien Straub, 35, rte des Vins, 67650 Blienschwiller, tél. 03.88.92.48.72, fax 03.88.92.62.90, contact@vins-straub.fr t.l.j. sf dim. 9h-11h30 14h-18h

CAVE DE TURCKHEIM Vendanges tardives 2009 ★

■ 41 000 20 à 30 €

Fondée en 1955, la Cave de Turckheim est à même de proposer régulièrement des vendanges tardives de qualité, dans des volumes intéressants. Ce gewurztraminer d'un jaune doré brillant provient ainsi d'une superficie de plus de 5 ha. Issu d'un terroir granitique, il offre un bouquet très expressif où les fragrances de rose caractéristiques du cépage s'allient à des nuances confites et

miellées de surmaturation. Après une attaque franche, la bouche, aromatique, montre beaucoup de volume tout en restant élégante. Déjà prêt, ce millésime pourra être servi dès l'apéritif. (Sucres résiduels : 57 g/l.)
Cave de Turckheim, 16, rue des Tuileries, 68230 Turckheim, tél. 03.89.30.23.60, fax 03.89.27.35.33, info@cave-turckheim.com t.l.j. 9h-18h

J.-P. WASSLER 2010 ★

4 000 | 5 à 8 €

À la tête du domaine familial depuis 1990, Marc Wassler exploite 12 ha de vignes réparties sur cinq communes autour de Blienschwiller, et recherche l'expression des meilleurs terroirs. Reflétant son origine granitique, le gewurztraminer de sa gamme Tradition apparaît intense au nez, partagé entre le litchi et les fruits mûrs. Rond à l'attaque, aromatique, harmonieux et persistant, il offre tout ce que l'on apprécie dans les vins de ce cépage. Il accompagnera dès maintenant un munster ou un gâteau au chocolat, et peut aussi attendre trois à quatre ans. (Sucres résiduels : 30 g/l.)
EARL Jean-Paul Wassler Fils, 1, rte d'Epfig, 67650 Blienschwiller, tél. 03.88.92.41.53, fax 03.88.92.63.11, marc.wassler@wanadoo.fr r.-v.

WUNSCH ET MANN Vendanges tardives 2009

3 133 | 20 à 30 €

Créée en 1948, cette affaire familiale exploite 23 ha de vignes en propre, et double sa production grâce à une activité de négoce. La nouveauté pour l'heure, c'est la conversion au bio (de 2008 à 2011), aussi bien pour la propriété que pour les apporteurs de raisins. Wunsch et Mann signe des Vendanges tardives satisfaisantes sous tous les rapports. De couleur vieil or, ce gewurztraminer s'ouvre sur la prune macérée, la bergamote et les agrumes mûrs. L'attaque souple, douce et suave introduit un vin puissant, finement épicé, équilibré par une belle fraîcheur. La finale chaleureuse, qui renoue avec les fruits cuits, suggère aux dégustateurs un accord avec un dessert fruité et flambé. Déjà agréable, ce 2009 gagnera en fondu au cours des cinq prochaines années. (Sucres résiduels : 87 g/l.)
Wunsch et Mann, 2, rue des Clefs, 68920 Wettolsheim, tél. 03.89.22.91.25, fax 03.89.80.05.21, wunsch-mann@wanadoo.fr
t.l.j. sf dim. 8h-12h 13h30-18h30

W. WURTZ Vendanges tardives 2009 ★★

800 | 20 à 30 €

Ces vignerons sont établis à Mittelwihr, village célèbre pour sa colline des Amandiers qui témoigne de la précocité du microclimat. Planté sur argilo-calcaire, le gewurztraminer à l'origine de ces Vendanges tardives a été récolté le 10 novembre pour donner « un des vins les plus intenses de la série », selon un membre du jury. D'un jaune soutenu animé de reflets dorés, ce 2009 s'ouvre sur des notes variétales de rose et de litchi, puis s'oriente vers les notes de coing et de fruits jaunes confits caractéristiques de la surmaturation. Après une attaque franche, le palais se montre à la fois concentré et élégant, typé et particulièrement persistant. Déjà remarquable, cette bouteille aura encore gagné en harmonie dans deux ans ; elle pourra alors être appréciée pendant cinq ans et au-delà. (Sucres résiduels : 60 g/l.)
EARL Willy Wurtz et Fils, 6, rue du Bouxhof, 68630 Mittelwihr, tél. 03.89.47.93.16, fax 03.89.47.89.01, famille.wurtz@wanadoo.fr
t.l.j. sf dim. 9h-12h 14h-19h

ZINK 2010 ★★

15 000 | 5 à 8 €

Chez les Zink, la passion du vin remonte à très loin, puisque la cave date de 1616 et qu'elle contient des foudres de bois vieux pour certains de deux cents ans ! L'attention des vignerons se retrouve dans ce gewurztraminer, aussi remarquable que son devancier de 2009. D'un jaune doré, ce 2010 attire par des parfums à la fois intenses et délicats de fruits confits. En bouche, il s'impose par son excellente structure. Onctueux sans la moindre lourdeur, il offre une finale d'une rare persistance, aux nuances d'écorce de citron confit. Il a frôlé le coup de cœur. Cette belle expression du millésime se bonifiera encore au cours des trois prochaines années. À conseiller pour toutes les cuisines relevées. (Sucres résiduels : 20 g/l.)
Pierre-Paul Zink, 27, rue de la Lauch, 68250 Pfaffenheim, tél. 03.89.49.60.87, fax 03.89.49.73.05, infos@vins-zink.fr r.-v.

MAISON ZOELLER Cuvée réservée 2010

8 000 | 5 à 8 €

Installé à Wolxheim, à une vingtaine de kilomètres à l'ouest de Strasbourg, Mathieu Zoeller perpétue une tradition remontant à 1600 et garde de cette époque ancienne un vieux pressoir. Il s'est orienté vers la viticulture raisonnée en 2000 avant d'engager dix ans plus tard la conversion au bio de ses 11 ha de vignes. Le maître mot de cette dégustation ? Délicatesse. Le nez est discret, subtil, sur le litchi, et la bouche ronde avec élégance. À servir dès la sortie du Guide. (Sucres résiduels : 15 g/l.)
EARL Maison Zoeller, 14, rue de l'Église, 67120 Wolxheim, tél. et fax 03.88.38.15.90, vins.zoeller@wanadoo.fr
t.l.j. 8h30-12h 13h30-19h; dim. sur r.-v.

Alsace riesling

Superficie : 3 376 ha
Production : 247 952 hl

Le riesling est le cépage rhénan par excellence, et la vallée du Rhin, son berceau. Il s'agit d'une variété tardive pour la région, dont la production est régulière et bonne.

Le riesling alsacien est souvent sec, ce qui le différencie d'une façon générale de son homologue allemand. Ses atouts résident dans l'harmonie entre son bouquet et son fruité délicats, son corps et son acidité assez prononcée mais extrêmement fine. Or, pour atteindre cette qualité, il doit provenir d'une bonne situation.

Le riesling a essaimé dans de nombreux autres pays viticoles, où la dénomination riesling, sauf s'il est précisé « riesling rhénan », n'est pas totalement fiable : une dizaine d'autres cépages ont été baptisés de ce nom de par le monde ! Du point de vue gastronomique, le riesling convient particulièrement aux poissons, aux fruits de mer, aux fromages de chèvre et, bien entendu, à la choucroute garnie à l'alsacienne ou au coq au... riesling – lorsqu'il ne contient pas de sucres résiduels ; les sélections de grains nobles et les vendanges tardives se prêtent aux accords des vins liquoreux.

MARC ANSTOTZ Westerweingarten
Vendanges tardives 2009 ★★

950 15 à 20 €

Le riesling est l'un des cépages les plus choyés de cette exploitation située à 25 km de Strasbourg – les fidèles lecteurs du Guide le savent bien –, et ces remarquables Vendanges tardives confirment son savoir-faire. Les raisins ont mûri sur un sol marno-calcaire qui garantit à ce vin une longue garde. Ce 2009 n'a d'ailleurs pas dit son dernier mot et il serait dommage de l'ouvrir tout de suite, car il ne devrait pas atteindre son apogée avant 2017. Les dégustateurs ont d'ores et déjà apprécié sa robe or à reflets verts, son nez encore discret, sur les fruits surmûris nuancés de réglisse. Ils louent en particulier son développement en bouche : l'attaque est ample et souple, sur les fruits confiturés, la matière concentrée. Une fine acidité contribue à l'harmonie d'ensemble et souligne la longueur de la finale. Domaine en conversion au bio. (Sucres résiduels : 45 g/l.)

Anstotz et Fils, 51, rue Balbach, 67310 Balbronn,
tél. 03.88.50.30.55, fax 03.88.50.58.06,
christine.anstotz@wanadoo.fr
t.l.j. 9h-12h 13h30-18h; dim. sur r.-v. B

BECK DOM. DU REMPART
Coteaux de Dambach-la-Ville 2010 ★

5 000 5 à 8 €

Avec ses maisons à pignon resserrées en contrebas de ses coteaux, Dambach-la-ville est une commune viticole importante, et ancienne, tout comme la tradition qui lie la famille Beck à la vigne. Les terroirs sont surtout granitiques. Gilbert Beck en a tiré un riesling expressif et complexe, qui s'ouvre sur des effluves de fleurs blanches avant de s'épanouir à l'aération sur des parfums de pêche et d'abricot frais. Franche à l'attaque, la bouche dévoile une belle matière, ample, riche et fraîche. Les arômes évoluent de la pêche blanche aux agrumes pour finir sur une note minérale très pure. Un ensemble typé, tendu et fin, qui sera à son optimum à partir de 2014. (Sucres résiduels : 6 g/l.)

Beck, Dom. du Rempart, 5, rue des Remparts,
67650 Dambach-la-Ville, tél. 03.88.92.42.43,
fax 03.88.92.49.40, beck.domaine@wanadoo.fr
t.l.j. 9h-11h30 14h-18h30; dim. sur r.-v. B

DOM. CLAUDE ET CHRISTOPHE BLÉGER
L'Inoubliable 2009 ★

4 000 8 à 11 €

Installés à Orschwiller, dernier village du Bas-Rhin sur la route des Vins, Claude Bléger et son fils Christophe ont obtenu la certification bio après ce millésime. Ils exploitent 9 ha répartis sur quatre communes et des terroirs variés. Cuvée haut de gamme, ce riesling provient de sols schisteux et caillouteux. Il offre une belle expression du cépage et du millésime 2009 : un joli nez floral, citronné, un rien minéral, une attaque souple et un palais aux arômes de citron confit, où l'on retrouve la minéralité, assortie d'une touche de vanille. Un vin complet et équilibré qui se prêtera dès cette année à toutes sortes d'accords gourmands. (Sucres résiduels : 3 g/l.)

Dom. Bléger, 23, Grand-Rue, 67600 Orschwiller,
tél. 03.88.92.32.56, fax 03.88.82.59.95, contact@bleger.fr
t.l.j. 9h-12h15 13h15-19h 1 A

DOM. DU BOUXHOF Bouxgarten 2010 ★

1 600 5 à 8 €

Des bâtiments imposants du XVIIe s. classés s'élèvent au milieu des vignes : le domaine du Bouxhof occupe les vestiges d'une abbaye cistercienne. Originaire de sols marno-calcaires, son riesling du Bouxgarten s'habille d'une robe jaune paille à reflets verts et s'ouvre sur les fleurs blanches. L'attaque est agréable et fraîche, l'acidité bien mariée. Une pointe de rondeur marque la finale. À servir dès l'an prochain sur de la volaille. (Sucres résiduels : 14 g/l.)

François Edel et Fils, Dom. du Bouxhof,
68630 Mittelwihr, tél. 03.89.47.90.34, fax 03.89.47.84.82,
edel.bouxhof@online.fr
t.l.j. 9h-12h30 13h30-19h 2 B

CAVE DE CLÉEBOURG 2010

94 000 5 à 8 €

Aux portes de l'Allemagne, la coopérative de Cléebourg a contribué au maintien d'un îlot viticole éloigné de 80 km du reste du vignoble. Elle vinifie l'essentiel des vendanges de la région de Wissembourg. Jaune clair, son riesling développe un fruité d'agrumes nuancé par une minéralité naissante. Son équilibre penche vers la fraîcheur, soulignée par des arômes de citron et un retour de la minéralité. Ce jeune vin sera à son optimum en 2017. (Sucres résiduels : 7 g/l.)

Cave vinicole de Cléebourg, rte du Vin,
67160 Cléebourg, tél. 03.88.94.50.33, fax 03.88.94.57.08,
info@cave-cleebourg.com
t.l.j. 8h-12h 14h-18h (dim. à partir de 10h)

♥ **DOM. ANDRÉ DUSSOURT** Scherwiller
Réserve Prestige 2010 ★★

2 111 8 à 11 €

Ce coup de cœur échoit à Paul Dussourt alors que son village vient d'être reconnu en appellation communale pour son riesling. Voilà qui comblera ce vigneron membre de la confrérie des Rieslingers, fervente ambassadrice depuis des années du cépage roi de Scherwiller. En contrebas des forteresses de l'Ortenbourg et du Ramstein, cette variété prospère grâce à des sols sablo-granitiques et à une exposition à l'est et au sud-est. Ce 2010 jaune clair à reflets verts en offre une remarquable expression. Il s'impose par la complexité de ses arômes de fleurs blanches, d'agrumes et d'épices, et par l'harmonie de sa bouche, riche, ample, fraîche, fruitée et longue, où l'agrume se teinte en finale de minéralité. Cette bouteille élégante atteindra son optimum en 2014. Elle accompagnera coquilles Saint-Jacques et poissons fins. (Sucres résiduels : 6,92 g/l.)

Dom. Dussourt, 2, rue de Dambach, 67750 Scherwiller, tél. 03.88.92.10.27, fax 03.88.92.18.44, info@domainedussourt.com
t.l.j. sf dim. 8h30-12h 13h30-18h30

EBLIN-FUCHS Zellenberg 2010

5 000 | 11 à 15 €

Une des plus vieilles familles vigneronnes d'Alsace, installée à Zellenberg, village perché sur un éperon à l'est de Riquewihr. Les Eblin cultivent en biodynamie leurs 10 ha de vignes. Des ceps de cinquante ans sont à l'origine de ce 2010 associant les fleurs blanches et l'herbe coupée à une minéralité naissante que l'on retrouve en bouche. Souple et ample à l'attaque, le palais penche ensuite vers la vivacité, sur des notes de citron confit. À servir dès 2012. (Sucres résiduels : 2 g/l.)

Dom. Eblin-Fuchs, 19, rte des Vins, 68340 Zellenberg, tél. 03.89.47.91.14, fax 03.89.49.05.12, alsace@eblin-fuchs.com
t.l.j. sf dim. 9h-11h30 14h-18h

JEAN-PAUL ECKLÉ Lieu-dit Hinterburg 2010 ★★

4 000 | 5 à 8 €

Des vignerons installés à Katzenthal, petit village lové au fond d'un vallon, à quelques kilomètres à l'ouest de Colmar. Le millésime précédent de ce riesling avait ajouté un coup de cœur à la collection de la famille Ecklé. Si la couronne échappe au 2010, ce vin issu d'alluvions offre tout de même une remarquable expression du cépage : un nez complexe, citronné et minéral, et un palais vif, ample, gras et long, finissant sur une élégante minéralité. Tonique et d'une belle présence, cette bouteille accompagnera dès maintenant une choucroute de la mer. (Sucres résiduels : 5 g/l.)

Jean-Paul Ecklé et Fils, 29, Grand-Rue, 68230 Katzenthal, tél. 03.89.27.09.41, fax 03.89.80.86.18, eckle.jean-paul@wanadoo.fr
t.l.j. 8h30-12h 13h30-19h

HENRI EHRHART Cuvée du vallon 2010 ★

42 000 | 5 à 8 €

Cette affaire familiale a son siège à Ammerschwihr, la plus importante commune viticole du Haut-Rhin, à 9 km au nord-ouest de Colmar. Or pâle à reflets argentés, sa cuvée du Vallon présente un nez puissant évoquant la surmaturation avec ses notes d'agrumes confits. Dans le même registre citronné et surmûri, la bouche se montre fraîche de l'attaque à la finale, sans manquer d'ampleur ni de gras. Déjà agréable, cette bouteille peut attendre trois à cinq ans. Elle accompagnera un poisson ou de la volaille en sauce. (Sucres résiduels : 7 g/l.)

Henri Ehrhart, quartier des Fleurs, 68770 Ammerschwihr, tél. 03.89.78.23.74, fax 03.89.47.32.59, he@henri-ehrhart.com
t.l.j. sf sam. dim. 9h-11h 15h-17h; f. 15 juil.-15 août

FRÉDÉRIC ENGEL ET FILS Vieilles Vignes 2010 ★★

1 500 | 5 à 8 €

Les deux fils de Frédéric Engel gèrent le domaine de 8 ha, qui a son siège dans le plus célèbre des villages viticoles d'Alsace. Des ceps âgés d'un demi-siècle, plantés sur des sols argilo-gréseux, sont à l'origine de cette cuvée qui mérite bien son nom. Or pâle à reflets verts, ce 2010 offre un nez complexe et fin, sur les fleurs blanches et les agrumes (citron), relevé d'une touche épicée. C'est un vin corsé, ample, bien structuré et long, à l'acidité fondue. Son fruité citronné persiste longuement en bouche. Un riesling équilibré, dense, harmonieux et frais, qui gagnera à attendre jusqu'en 2014 ou 2015 avant d'accompagner poissons fins ou crustacés. (Sucres résiduels : 9 g/l.)

GAEC Frédéric Engel et Fils, 36, rue des Remparts, 68340 Riquewihr, tél. 03.89.47.83.88, fax 03.89.86.05.08, yvan.engel@wanadoo.fr r.-v.

PIERRE-HENRI GINGLINGER 2010

7 000 | 5 à 8 €

À la tête de l'exploitation depuis 2001, Mathieu Ginglinger a converti au bio le domaine familial tout en l'agrandissant : la propriété compte aujourd'hui 15 ha. Il propose avec cette cuvée un riesling classique et bien réussi, né d'un terroir argilo-calcaire. Jaune clair à reflets verts, ce 2010 offre un nez discret de fleurs blanches nuancées d'une touche fumée. Franc à l'attaque, tendu, équilibré, il évolue sur de légères notes d'agrumes. À servir dès maintenant sur une choucroute. (Sucres résiduels : 6 g/l.)

Dom. Pierre-Henri Ginglinger, 33, Grand-Rue, 68420 Eguisheim, tél. 03.89.41.32.55, fax 03.89.24.58.91, contact@vins-ginglinger.fr
t.l.j. 9h-12h 13h30-18h30

EDGARD GUETH Felsen 2010 ★

1 000 | 8 à 11 €

Edgard Gueth est établi à Walbach, dans la vallée de Munster, non loin de Turckheim. Provenant d'arènes granitiques, son riesling a été récolté à la mi-octobre. Habillé d'une robe pâle, jaune vert, le vin livre des senteurs originales associant le cyprès et la résine à une note d'abricot sec. Plus classique au palais, il attaque avec vivacité, monte en puissance et tient la distance. La longue finale est marquée par une touche épicée. L'ensemble laisse une impression de richesse et d'harmonie. Déjà prêt, ce 2010 devrait former une belle alliance avec du poulet au gingembre. (Sucres résiduels : 15 g/l.)

EARL Edgard Gueth, 5, rue Saint-Sébastien, 68230 Walbach, tél. 03.89.71.11.20, fax 03.89.71.18.13, gueth.edgar@neuf.fr r.-v.

JEAN HAULLER ET FILS Pleine Lune 2010

1 377 | 5 à 8 €

Implantée à Dambach-la-Ville, près de Sélestat, cette maison de négoce familiale développe depuis 2008 une gamme de vins issus de raisins biologiques, baptisée « Pleine Lune ». D'un jaune intense, son 2010 libère des senteurs complexes d'amande et de fruits très mûrs évoquant la poire et la pêche de vigne. L'attaque dévoile un riesling à la fois gras et nerveux, pas très long mais assez harmonieux, prêt à passer à table. (Sucres résiduels : 0,2 g/l.)

🔑 SA Hauller, 3, rue de la Gare, BP 70001,
67650 Dambach-la-Ville, tél. 03.88.92.40.21,
fax 03.88.92.45.41, contact@hauller.fr ☑ 🍷 r.-v.

HERTZOG Tradition 2010

5 200 ▮ 5 à 8 €

Implanté à une dizaine de kilomètres au sud de Colmar, le domaine est une valeur sûre du Guide. Une vigne de 75 ares sur argilo-calcaires est à l'origine de cette cuvée de riesling qui offre tout ce que l'on attend de ce cépage : un nez discret mais élégant de fleurs blanches, avec une pointe d'herbe fraîche et une nuance de citron ; une bouche florale tout au long de la dégustation, agréablement fluide, vive à l'attaque et fraîche en finale. Un classique, pour les trois prochaines années. (Sucres résiduels : 4 g/l.)

🔑 EARL Sylvain Hertzog, 18, rte du Vin,
68420 Obermorschwihr, tél. 03.89.49.31.93,
fax 03.89.49.28.85 ☑ 🍷 🚶 t.l.j. sf dim. 9h-19h 🏨 ❸ 🏠 Ⓑ

MARCEL HUGG Réserve Saint-Jean 2010

80 000 8 à 11 €

Une cuvée signée par un vigneron-négociant installé à Bergheim, au nord de Ribeauvillé. Avec son enceinte, ses maisons à colombages et ses fontaines, la petite cité offre une image typique de l'Alsace viticole. Ce riesling est typique, lui aussi, avec son nez de fleurs blanches, son attaque franche et sa nervosité citronnée. La vivacité de la finale suggère de l'attendre jusqu'en 2013 ou 2015 au moins. C'est un vin de garde, qui tiendra plusieurs années. (Sucres résiduels : 5 g/l.)

🔑 Marcel Hugg, 91, rue des Vignerons, BP 37,
68750 Bergheim, tél. 03.89.73.25.26, info@marcelhugg.com
☑ 🍷 🚶 t.l.j. sf dim. 10h-12h 14h-18h

HUMBRECHT Vieilles Vignes 2010

3 494 ⫼ 5 à 8 €

Un vin à découvrir à Gueberschwihr, superbe village au sud de Colmar. Les vignerons se succèdent ici depuis près de quatre siècles. En 1992, Claude a pris la conduite de l'exploitation, appliquant une démarche proche du bio. D'origine marno-calcaire, son riesling Vieilles Vignes s'ouvre sur la fleur blanche, puis sur l'agrume vert. Vif à l'attaque, frais en finale, il dévoile une matière ronde et riche, tout en gardant un caractère sec. À ouvrir maintenant ou dans deux ans sur des saint-jacques à la crème. (Sucres résiduels : 18,3 g/l.)

🔑 Claude et Georges Humbrecht, 33, rue de Pfaffenheim,
68420 Gueberschwihr, tél. 03.89.49.31.51, fax 03.89.49.30.68,
claude.humbrecht@orange.fr ☑ 🍷 🚶 r.-v. 🏨 ❷ 🏠 Ⓑ

Ⓑ **P. HUMBRECHT** Fleur 2009 ★★

2 600 15 à 20 €

Un passage de relais en fanfare : Paul Humbrecht vient de transmettre les rênes du domaine à son fils Marc (la lignée remonte à 1620). La démarche biodynamique a été engagée dès 1999, et toute la famille s'est impliquée dans cette approche qui aiguise le regard porté sur chaque pied de vigne. La nouveauté de l'année ? Le labour à cheval. Des vignes de plus de soixante ans, plantées sur argilo-calcaire ; une vinification sans chaptalisation ni levurage ; à l'arrivée, un riesling d'un jaune brillant, qui séduit d'emblée par sa complexité : la fleur blanche s'allie à la cire et à une minéralité que l'on retrouve en bouche. L'agrume et le fruit frais s'invitent dans un palais d'une grande fraîcheur, ample et puissant. Ce 2009 s'entendra dès maintenant avec tous les plats raffinés : homard aux pois gourmands, volaille ou poisson en sauce... Il devrait aussi se garder jusqu'en 2020. (Sucres résiduels : 6 g/l.)

🔑 Dom. Paul Humbrecht, 6, pl. Notre-Dame,
68250 Pfaffenheim, tél. 03.89.49.62.97, fax 03.89.49.77.94,
domaine.humbrecht@gmail.com
☑ 🍷 🚶 t.l.j. sf dim. 9h-12h 14h-18h 🏨 ❷

CH. ISENBOURG Le Clos Les Tommeries 2010 ★

4 800 ▮ 11 à 15 €

« Château », un terme rare dans le vignoble alsacien. La forteresse médiévale a fait place à un hôtel de luxe. D'origine ecclésiastique, le domaine est vraiment clos. Situé à l'entrée nord de la petite ville de Rouffach, exposé à l'est-sud-est, il couvre 5 ha. Reflétant son terroir argilo-calcaire et le millésime, ce riesling 2010 apparaît fermé et vif. Jaune pâle à reflets verts, il offre un nez frais de fleurs blanches, d'agrumes, de pomme verte, avec une touche de poivre. Le verger en fleurs et le citron vert règnent dans une bouche bien structurée, fine et fraîche jusqu'à la finale. À ouvrir en 2014 sur une sole ou un turbot. (Sucres résiduels : 8,2 g/l.)

🔑 Le Clos Ch. Isenbourg, 5, rue du Chai,
68250 Pfaffenheim, tél. 03.89.78.08.09, fax 03.89.49.71.65,
info@chateauxterroirs.com ☑ 🍷 r.-v.
🔑 Châteaux et Terroirs

KIENTZ La P'tite Vigne à Émeline 2010

4 000 ⫼ 5 à 8 €

André Kientz exploite 10 ha autour de Blienschwiller, petit village viticole à 2 km au nord de Dambach-la-Ville. Implantée sur un terroir argilo-limoneux, sa « petite vigne » a donné naissance à un vin facile à boire et à servir dès maintenant. Les senteurs mûres de fruits blancs (pomme) et jaunes, accompagnées d'une touche épicée, annoncent une bouche ronde et ample, qui garde assez de fraîcheur et reste fruitée. (Sucres résiduels : 11 g/l.)

🔑 René Kientz Fils, 51, rte des Vins, 67650 Blienschwiller,
tél. 03.88.92.49.06, fax 03.88.92.45.87,
alsacekientz@wanadoo.fr ☑ 🍷 🚶 r.-v.

Ⓑ **MARC KREYDENWEISS** Andlau 2010 ★

12 000 ⫼ 11 à 15 €

L'un des précurseurs de la biodynamie (1989), établi à Andlau, charmant village s'étirant le long de la rivière du même nom. Ici, la montagne touche la plaine, et c'est dans des sols issus du grès des Vosges que ce riesling plonge ses racines. Ce 2010 est jaune à reflets or ; le nez intensément fruité montre une belle complexité à l'aération, associant la mirabelle mûre, l'abricot et des touches minérales. On retrouve les fruits jaunes dans une bouche franche à l'attaque, ample et riche, tonifiée par une fine acidité. Un vin puissant et de garde, à servir avec une belle volaille, mais pas avant 2015. (Sucres résiduels : 6 g/l.)

🔑 Dom. Marc Kreydenweiss, 12, rue Deharbe,
67140 Andlau, tél. 03.88.08.95.83, marc@kreydenweiss.com
☑ 🍷 r.-v.

JÉRÔME LORENTZ FILS Cuvée des Templiers 2010 ★

90 000 8 à 11 €

Marque de Gustave Lorentz, vigneron-négociant situé dans Bergheim intra-muros. Les Templiers, qui mirent en valeur de bons terroirs de la cité fortifiée, sont à l'origine du nom de cette cuvée. La couleur est dorée, le nez fin et bien ouvert se partage entre les agrumes et les fleurs blanches. Tout aussi expressif, le palais apparaît gras, mûr, riche et rond, équilibré par une belle fraîcheur. Un riesling à déboucher dès la fin 2012 sur une volaille, une tourte ou un poisson cuisiné. (Sucres résiduels : 5 g/l.)

Jérôme Lorentz, 1-3, rue des Vignerons,
68750 Bergheim, tél. 03.89.73.22.22, fax 03.89.73.30.49
t.l.j. sf dim. 10h-12h 14h-18h

MADER Vendanges tardives 2009 ★★

1 000 | 20 à 30 €

Célèbre pour son église fortifiée perchée sur une colline au milieu des vignes, le village de Hunawihr abrite de nombreux vignerons, dont Jean-Luc et Jérôme Mader qui sont des valeurs sûres. Ce 2009 récolté le 25 octobre sur un terroir argilo-calcaire se montre déjà flatteur tout en affichant un potentiel intéressant. D'un jaune paille aux reflets citron, il séduit par l'intensité et la fraîcheur de son nez mariant les agrumes bien mûrs au miel. L'attaque souple dévoile un vin ample et puissant où l'on retrouve les agrumes et le miel. La finale est longue et fraîche, sur des notes de pamplemousse. Un riesling complexe, généreux et fin, qui gagnera à attendre jusqu'en 2014. (Sucres résiduels : 85 g/l.)

Dom. Mader, 13, Grand-Rue, 68150 Hunawihr,
tél. 03.89.73.80.32, fax 03.89.73.31.22,
vins.mader@laposte.net r.-v.

JEAN-LOUIS ET FABIENNE MANN
Steinweg Cuvée Fabienne et Jean-Louis 2010 ★

2 397 | 15 à 20 €

Ces vignerons sont installés dans l'une des rues qui font le tour d'Eguisheim, cité médiévale au plan circulaire. Entre 1998 et 2008, ils sont passés graduellement au bio en commençant par la lutte raisonnée. En 2009, avec l'arrivée de Sébastien sur l'exploitation, ils se sont convertis à la biodynamie. Leur riesling du Steinweg naît sur un terroir d'alluvions granitiques. La robe vieil or annonce des arômes confits de surmaturation perceptibles au nez comme en bouche. Le vin est complexe, concentré, riche et puissant, avec ce qu'il faut de vivacité. Il sera à son optimum entre 2015 et 2018, et accompagnera une poularde au riesling. (Sucres résiduels : 34 g/l.)

EARL Jean-Louis Mann, 11, rue du Traminer,
68420 Eguisheim, tél. 03.89.24.26.47, fax 03.89.24.09.41,
mann.jean-louis@wanadoo.fr t.l.j. sf dim. 9h-18h

PIERRE MERCKLE ET SA FILLE AUDREY Sonnenberg 2010

1 000 | 5 à 8 €

Vaste commune viticole du Haut-Rhin renommée pour sa foire aux vins, Ammerschwihr compte de nombreux vignerons. La famille Merckle a aménagé son caveau de dégustation dans une des vieilles tours de la ville. Vous pourrez y découvrir ce riesling issu d'un terroir d'arènes granitiques. Jaune clair à reflets verts, c'est un classique, au nez délicat, discrètement floral, au palais léger mais équilibré, sur le citron vert et le pamplemousse. À servir dans les trois prochaines années avec des fruits de mer. (Sucres résiduels : 3,5 g/l.)

Pierre Merckle, 1, pl. du Vieux-Marché,
68770 Ammerschwihr, tél. 03.89.78.28.82, fax 03.89.78.14.26,
pmerckle@terre-net.fr
t.l.j. sf dim. 8h-18h30; sam. 8h30-18h

JOSEPH MOELLINGER ET FILS Sélection 2010 ★★

9 000 | 5 à 8 €

À la tête de 14 ha de vignes conduites en culture raisonnée, Michel Moellinger est établi à Wettolsheim, gros village viticole jouxtant Colmar au sud-ouest. Sa cuvée Sélection, issue d'un terroir de graves, a été fort louée. D'un or soutenu, ce riesling livre au premier nez des nuances d'acacia, avant de s'épanouir sur le fruit jaune mûr – une note de surmaturation que l'on retrouve en bouche. Le palais séduit par son ampleur, son gras, sa richesse, son équilibre et sa texture harmonieuse où tous les éléments sont fondus. On pourra dès la fin de l'année ouvrir cette bouteille, qui devrait être à son optimum en 2014. (Sucres résiduels : 4 g/l.)

Joseph Moellinger et Fils, 6, rue de la 5e-D.-B.,
68920 Wettolsheim, tél. 03.89.80.62.02, fax 03.89.80.04.94,
scea.moellinger@terre-net.fr
t.l.j. 8h-12h 13h30-19h; dim. sur r.-v.

MOLTÈS Vendanges tardives 2009 ★

1 500 | 15 à 20 €

À la tête de 15 ha de vignes autour de Pfaffenheim, Stéphane et Mickaël Moltès semblent avoir pris un abonnement au Guide, mais nos lecteurs ne connaissaient guère leurs rieslings. En voici un de très belle facture, dans la version « vendanges tardives », né sur un terroir calcaire. Le nez donne le ton : intensité et finesse. Il livre avec générosité des parfums élégants associant le pamplemousse, le citron et le miel. La bouche attaque avec ampleur et souplesse, équilibrée par des sensations de fraîcheur que soulignent des notes d'agrumes. La finale assez longue laisse le souvenir d'un ensemble agréable et cohérent. Déjà plaisant, ce millésime aura encore gagné en harmonie en 2014. (Sucres résiduels : 80 g/l.)

Dom. Antoine Moltès, 8, rue du Fossé,
68250 Pfaffenheim, tél. 03.89.49.60.85, fax 03.89.49.50.43,
domaine@vin-moltes.com t.l.j. sf dim. 8h-12h 14h-18h

CHARLES MULLER ET FILS
Vendanges tardives 2009 ★★★

4 000 | 15 à 20 €

La route des Vins peut aussi se prendre par le nord. Dans la région proche de Strasbourg, que l'on appelle « Couronne d'or », la vigne remonte proprement aux Mérovingiens. Quant à la famille Muller, elle est au service du vin depuis 1580, et sa cave ne manque pas de foudres centenaires. La modernité, c'est le bio certifié, qui concerne l'ensemble du domaine depuis 2008. Né sur un terroir marneux, ce riesling or étincelant a fermenté sans levurage et a été élevé un an. Il montre d'emblée sa complexité, mêlant des agrumes confits variés. Le palais dévoile de rares qualités d'ampleur, de puissance et de générosité, et est soutenu en finale par une acidité cristalline qui assurera à ces Vendanges tardives une grande longévité. Ce 2009 atteindra en 2014 un apogée qui devrait durer une bonne décennie. (Sucres résiduels : 83 g/l ; bouteilles de 50 cl.)

Charles Muller et Fils, 89c, rte du Vin, 67310 Traenheim, tél. 03.88.50.38.04, fax 03.88.50.58.54, earlmullercharles@hotmail.fr r.-v.

ANDRÉ REGIN Cuvée Thomas 2010

3 200 ■ 5 à 8 €

La famille Regin est installée à Wolxheim. Ce village, qui fait partie des localités viticoles les plus proches de Strasbourg, est célèbre de longue date pour son riesling, si bien qu'il bénéficie depuis 2011 d'une dénomination communale pour ce cépage. Ce 2010 d'un or pâle brillant a intéressé le jury pour son expression florale élégante et suave, et pour sa bouche légère, équilibrée et fraîche. Il est prêt. (Sucres résiduels : 4 g/l.)

André Regin, 4, rue de la Forge, 67120 Wolxheim, tél. et fax 03.88.38.17.02, andre.regin@wanadoo.fr r.-v.

VIGNOBLES REINHART Vendanges tardives 2009 ★

1 400 ■ 15 à 20 €

À la tête de 6 ha de vignes en coteau, Pierre Reinhart est l'un des nombreux metteurs en marché d'Orschwihr, à l'extrémité sud de la route des Vins. Issu d'un terroir argilo-calcaire, son riesling Vendanges tardives offre une belle expression du millésime : sa robe soutenue, jaune d'or, annonce le nez aux nuances de surmaturation : des parfums gourmands d'abricot dans la bassine à confiture, alliés à une pointe minérale. On retrouve l'abricot compoté, associé à la pêche, dans un palais ample, gras et puissant. Une belle acidité contribue à l'équilibre de l'ensemble et donne de l'allonge à la finale marquée par une minéralité très fine. Déjà plaisant, ce 2009 sera à son optimum vers 2015. (Sucres résiduels : 45 g/l.)

Pierre Reinhart, 7, rue du Printemps, 68500 Orschwihr, tél. 03.89.76.95.12, fax 03.89.74.84.08, pierre@vignobles-reinhart.com r.-v.

CAVE DE RIBEAUVILLÉ Monoprix 2010 ★

31 100 ■ 5 à 8 €

La plus ancienne coopérative de France est grand ouverte aux visites, mais vous n'y trouverez pas cette cuvée, élaborée pour Monoprix et vendue sous la marque de cette enseigne. D'un or intense, ce 2010 libère des senteurs assez complexes d'acacia et d'agrumes mûrs, avec une touche épicée. Frais et concentré, il est construit sur une fine acidité qui lui donne de la tenue et porte loin ses arômes fruités : une belle expression du riesling. À servir dans les cinq ans. (Sucres résiduels : 4 g/l.)

Cave de Ribeauvillé, 2, rte de Colmar, 68150 Ribeauvillé, tél. 03.89.73.61.80, fax 03.89.73.31.21, cave@cave-ribeauville.com t.l.j. 8h-12h 14h-18h

CHRISTOPHE RIEFLÉ Vendanges tardives 2009 ★

1 000 ■ 11 à 15 €

Installé à Pfaffenheim, à une douzaine de kilomètres au sud de Colmar, Christophe Rieflé exploite 15 ha de vignes en lutte raisonnée. Il signe un beau riesling Vendanges tardives né sur argilo-calcaire. D'un jaune paille à reflets verts, ce 2009 offre un nez expressif et élégant partagé entre le miel d'acacia et la bergamote. L'attaque très souple prélude à un palais gras, puissant et ample, équilibré par une fine acidité qui promet une belle évolution. La finale est longue et suave, avec un retour du miel. À déguster dès maintenant. (Sucres résiduels : 60 g/l.)

Christophe Rieflé, 32 A, rue de la Lauch, 68250 Pfaffenheim, tél. et fax 03.89.49.77.85, christopheriefle@aol.com t.l.j. 9h-12h 13h30-19h

DOM. DU CH. DE RIQUEWIHR Les Murailles 2010 ★★

30 000 ■ 11 à 15 €

La maison Dopff & Irion, à la tête du Ch. de Riquewihr, trouve ses lointaines origines au XVIe s. Elle a connu un nouvel élan après 1945, lorsque René Dopff a réorganisé le vignoble, le partageant en cinq ensembles dédiés chacun à un cépage. Le plus vaste (8 ha sur 27), appelé Les Murailles, est planté de riesling. C'est dire l'importance de cette variété pour la maison. Son 2010 a recueilli tous les suffrages. Or pâle aux reflets verts, ce vin offre un nez intense et complexe alliant l'acacia, les agrumes citronnés et une touche minérale. Il s'impose en bouche par son superbe équilibre. Croquant, vif, franc et persistant sur des nuances d'agrumes, c'est un produit typé et de garde. On pourra le servir dès aujourd'hui sur une sole grillée, mais il n'atteindra son apogée que vers 2015. (Sucres résiduels : 10,2 g/l.)

Dopff et Irion, Dom. du Ch. de Riquewihr, 1, cour du Château, 68340 Riquewihr, tél. 03.89.47.92.51, fax 03.89.47.98.90, post@dopff-irion.com r.-v.

CAVE DU ROI DAGOBERT Les Terres du roi 2010 ★

66 666 ■ 8 à 11 €

Dagobert ? Deuxième du nom, roi d'Austrasie, ayant palais aux alentours de Traenheim, à l'ouest de Strasbourg. Un des Mérovingiens que les vieux manuels d'histoire représentaient vautrés dans un char traîné par des bœufs. Les coopérateurs, qui cultivent aujourd'hui 900 ha de vignes selon un strict cahier des charges, les techniciens et les œnologues de la cave n'ont rien des rois fainéants. Le riesling est certainement l'un de leurs points forts. Issu d'un terroir marno-calcaire, celui-ci séduit par l'élégance de son nez partagé entre les fleurs blanches et le citron, avec un soupçon de minéralité. Gardant le même registre en bouche, il reste vif et croquant jusqu'à la finale minérale. Parfait pour des fruits de mer, il demeurera au mieux de sa forme jusqu'en 2017. (Sucres résiduels : 4,5 g/l.)

Cave du Roi Dagobert, 1, rte de Scharrachbergheim, 67310 Traenheim, tél. 03.88.50.69.00, fax 03.88.50.69.09, dagobert@cave-dagobert.com t.l.j. 9h-18h30

♥ **ROLLY GASSMANN**
Silberberg de Rorschwihr 2010 ★★

8 490 | 11 à 15 €

Situé en contrebas du Haut-Kœnigsbourg, un vaste domaine (50 ha) réputé pour ses nombreuses cuvées vinifiées par terroir. Le Silberberg est un coteau dominant le village, aux sols de calcaires coquilliers. Laissé sur pied jusqu'à la mi-octobre, le riesling a engendré un vin doré aux riches et complexes senteurs de surmaturation rappelant la mangue. Dans le même registre aromatique, le palais montre une certaine rondeur, mais l'impression de fraîcheur domine grâce à une vivacité agréable, sensible dès l'attaque. Un vin à la fois concentré, riche et tonique. (Sucres résiduels : 16 g/l.) Quant au **Silberberg de Rorschwihr Sélection de grains nobles 2009 (20 à 30 € ; 3 350 b.)**, cité, c'est un liquoreux aérien, généreux et puissant, qui évite la lourdeur grâce à une fine acidité. (Sucres résiduels : 68 g/l.) Ces deux rieslings pourront être débouchés dès 2013. Tous deux sont des vins de gastronomie à marier, par exemple, à de nobles crustacés en sauce.

Rolly Gassmann, 2, rue de l'Église, 68590 Rorschwihr,
tél. 03.89.73.63.28, fax 03.89.73.33.06,
rollygassmann@wanadoo.fr
t.l.j. sf dim. 9h-12h 13h30-18h

SCHERB Vendanges tardives 2009

1 800 | 11 à 15 €

Les chais de ces vignerons se trouvent sous l'hôtel-restaurant géré par la famille : ces Vendanges tardives n'auront pas de mal à trouver leur chemin autour d'une table... On pourra aussi les acheter au village de Gueberschwihr, qui mérite le détour. De couleur jaune paille, ce riesling penche moins vers la surmaturation que vers la fraîcheur. Le nez est élégant, sur le citron et la bergamote. Ces notes d'agrumes se prolongent dans un palais riche et gras, soutenu en finale par une belle acidité. (Sucres résiduels : 60 g/l ; bouteilles de 50 cl.)

SCEA Bernard Scherb et Fils, 3, rue Basse,
68420 Gueberschwihr, tél. 03.89.49.33.82, fax 03.89.49.35.83,
vins.scherb@orange.fr t.l.j. 9h-12h 14h-18h

DOM. SCHIRMER Weingarten 2010

3 000 | 5 à 8 €

Thierry Schirmer exploite 10 ha autour de Soultzmatt, au débouché de la Vallée Noble. Dans cette région de la haute Alsace, le microclimat est abrité et sec. Le riesling à l'origine de cette cuvée provient d'un coteau situé en contrebas du grand cru Zinnkoepflé, aux sols argilo-gréseux. Nez fin, suave, discrètement floral ; bouche légère, sur les fleurs et les fruits blancs, à la finale vive : une bouteille facile à placer à table. À déboucher dès la sortie du Guide. (Sucres résiduels : 4 g/l.)

Dom. Lucien Schirmer et Fils, 22, rue de la Vallée,
68570 Soultzmatt, tél. 03.89.47.03.82, fax 03.89.47.02.33,
vins.alsace.schirmer@orange.fr
t.l.j. 9h-12h 13h30-19h; dim. sur r.-v.

DOMAINES SCHLUMBERGER Vendanges tardives 2009 ★★

4 191 | 30 à 50 €

Au sud de l'Alsace, près de Guebwiller, les vignobles réputés de l'abbaye de Murbach, sécularisés à la Révolution, ont été achetés il y a deux cents ans par l'industriel Nicolas Schlumberger. Aujourd'hui, avec 140 ha, la famille possède la plus vaste propriété viticole de la région. Elle exporte les deux tiers de sa production. Ces Vendanges tardives ne terniront pas l'image de la viticulture alsacienne. D'un bel or à reflets verts, ce riesling s'ouvre sur des notes de pamplemousse et de citron enrobées de miel. Souple à l'attaque, le palais se montre ample et gras. Les agrumes prennent en bouche des nuances confites et miellées, et le pamplemousse rose marque d'une touche franche et tonique la longue finale vive. Ce 2009 mérite d'attendre jusqu'en 2014 et il pourra aussi se garder durant une bonne décennie. On le dégustera à l'apéritif, avec des verrines à la mousse de saumon. (Sucres résiduels : 63 g/l.)

Domaines Schlumberger, 100, rue Théodore-Deck,
68500 Guebwiller, tél. 03.89.74.27.00, fax 03.89.74.85.75,
mail@domaines-schlumberger.com
t.l.j. sf sam. dim. 8h-18h (ven. 17h);
f. trois premières sem. d'août

JEAN-LOUIS SCHOEPFER L'Hétéroclite 2008

1 100 | 8 à 11 €

Après Louis, premier de la lignée en 1656, treize générations se sont succédé sur ce domaine sis à Wettolsheim, près de Colmar. Christophe Schoepfer propose un riesling 2008, né sur argilo-calcaire. Or vert, ce vin mêle au nez les fleurs blanches et des notes plus mûres évoquant le coing, avec une touche de minéralité. Rond et gras à l'attaque, il est équilibré par une acidité cristalline que souligne en finale une pointe minérale. Un ensemble typé à servir dans les deux ans sur un poisson en sauce. (Sucres résiduels : 12 g/l.)

Jean-Louis Schoepfer, 35, rue Herzog,
68920 Wettolsheim, tél. 03.89.80.71.29, fax 03.89.79.61.35,
jlschoepfer@libertysurf.fr
t.l.j. sf dim. 8h-12h 13h30-19h (sam. 18h)

DOM. FRANÇOIS SCHWACH Muehlforst 2010 ★

7 000 | 8 à 11 €

En 1950, François Schwach, courtier, achète ses premières parcelles. Aujourd'hui, Sébastien est à la tête d'un coquet domaine couvrant 18 ha répartis sur sept communes, de Bergheim à Ammerschwihr. Son riesling du Muehlforst naît à Hunawihr, sur un terroir argilo-calcaire voisin du grand cru Rosacker. Il donne toute satisfaction : le nez fruité aux nuances d'agrumes et de fruits jaunes se teinte d'une touche minérale typique du cépage. La bouche, bien structurée, fraîche, franche et assez longue, garde cette minéralité citronnée. Déjà prête, cette bouteille se bonifiera dans les cinq prochaines années. (Sucres résiduels : 8 g/l.)

Sébastien Schwach, 28, rte de Ribeauvillé,
68150 Hunawihr, tél. 03.89.73.62.15, fax 03.89.73.37.84,
sebastien@schwach.com t.l.j. 9h-12h 14h-18h30;
f. dim. de jan. à mars inclus 2 B

STINTZI Cuvée spéciale 2008 ★

2 000	■	5 à 8 €

Husseren-les-Châteaux, village haut perché au sud de Colmar, est à un saut de puce de Rouffach, où se trouve le lycée viticole. Olivier Stintzi n'a pas eu à aller bien loin pour faire ses études, mais il a voyagé ensuite jusqu'à la Napa Valley pour voir la vigne pousser sous d'autres climats. Installé depuis 2004 sur 8 ha, il signe un riesling de très bonne facture. C'est un 2008, et la robe affiche une teinte jaune d'or, tandis que le nez aux nuances de fruits jaunes mûrs développe une belle minéralité. Vif, gras et long, un peu miellé mais frais, ce vin dévoile une belle matière. Prêt à accompagner volaille ou poisson cuisiné, il devrait pouvoir se garder encore quelques années. (Sucres résiduels : 5 g/l.)

Gérard Stintzi, 29, rue Principale, 68420 Husseren-les-Châteaux, tél. 03.89.49.30.10, fax 03.89.49.34.99, gerard.stintzi@wanadoo.fr
t.l.j. sf dim. 10h-12h 14h-18h

VIGNOBLE VORBURGER-MEYER
Vendanges tardives Cuvée Daphné 2009 ★★

1 600	■	15 à 20 €

Un vigneron installé au centre de Voegtlinshoffen, l'un des villages viticoles le plus haut perché d'Alsace, au sud de Colmar. Ce moelleux domine lui aussi la situation. Cette cuvée haut de gamme de la propriété a brillé dans les années favorables à la surmaturation comme 2005 (coup de cœur), 2007 et donc 2009. Le riesling est resté sur pied jusqu'au 2 novembre pour donner un vin jaune d'or soutenu qui s'ouvre sur la fleur d'acacia avant de s'épanouir sur de chaleureuses notes d'agrumes et d'abricot confits. Le palais suit la même ligne, y ajoutant les fruits exotiques. Il s'impose par sa concentration, son ampleur et sa puissance. Les gourmands apprécieront ce 2009 dès la sortie du Guide ; les gourmets le mettront en réserve jusqu'en 2015 pour laisser aux sucres le temps de se fondre. (Sucres résiduels : 55 g/l.)

Vignoble Vorburger-Meyer, 1, pl. de la Mairie, 68420 Voegtlinshoffen, tél. 03.89.49.29.87, fax 03.89.49.39.30, jean-marie.vorburger@wanadoo.fr
r.-v.

Alsace pinot gris

Superficie : 2 355 ha
Production : 165 954 hl

La dénomination locale tokay qui fut donnée au pinot gris pendant quatre siècles ne laisse pas d'étonner, puisque cette variété n'a jamais été utilisée en Hongrie orientale... Selon la légende, le tokay aurait été rapporté de ce pays par le général Lazare de Schwendi, grand propriétaire de vignobles en Alsace. Son aire d'origine semble être, comme celle de tous les pinots, le territoire de l'ancien duché de Bourgogne. Ce cépage a connu une spectaculaire expansion. Le pinot gris peut produire un vin capiteux, très corsé, plein de noblesse, susceptible de remplacer un vin rouge sur les plats de viande. Lorsqu'il est somptueux comme en 1989, 1990 ou 2000, années exceptionnelles, c'est l'un des meilleurs accompagnements du foie gras.

LE PINOT GRIS DE JEAN-BAPTISTE ADAM
Letzenberg 2010 ★

2 850	■■	15 à 20 €

Les Adam sont au service du vin depuis le début du XVII^e^s. La maison exerce une double activité de négociant et de producteur en bio. Cette cuvée est issue de raisins cultivés en biodynamie. Elle est née dans un bon terroir argilo-calcaire, le Letzenberg, qui domine Ingersheim. La robe est dorée, le nez à la fois intense et fin, sur l'amande grillée, le beurre et le miel. L'agrume s'ajoute à cette palette dans une bouche qui s'équilibre entre douceur et vivacité. Pour l'apprécier à son optimum, on ouvrira cette bouteille à partir de 2013-2014, sur un foie gras poêlé. (Sucres résiduels : 36,9 g/l.)

Jean-Baptiste Adam, 5, rue de l'Aigle, 68770 Ammerschwihr, tél. 03.89.78.23.21, fax 03.89.47.35.91, jbadam@jb-adam.fr
t.l.j. 8h30-12h 14h-18h; f. dim. de jan. à Pâques

FRÉDÉRIC ARBOGAST ET FILS 2010

8 000	■	5 à 8 €

Installé en 2003, Frédéric Arbogast représente la quatorzième génération de vignerons à Westhoffen. Il travaille ses 16 ha de vignes en lutte intégrée et pratique une vinification « nature », sans levurage ni adjuvants. Son pinot gris, né sur un terroir argilo-calcaire, a plu par son expression aromatique alliant les fruits jaunes confits et une touche fumée bien typée. La structure est plutôt ample et riche, soutenue par ce qu'il faut de fraîcheur. Pour une pintade, une terrine de volaille ou de foie gras. Agréable dès maintenant, ce moelleux devrait se bonifier durant les cinq prochaines années. (Sucres résiduels : 21 g/l.)

Vignoble Frédéric Arbogast, 3, pl. de l'Église, 67310 Westhoffen, tél. 06.45.58.94.95, fax 03.88.50.36.40, frederic@vignoble-arbogast.fr r.-v.

DOM. BADER Cuvée Romain 2009

900	■	8 à 11 €

Domaine acquis en 2004 par l'œnologue Pierre Scharsch, qui a repris la mise en bouteilles après avoir remodelé le vignoble. Né sur un terroir de gneiss, ce pinot gris offre une note de surmaturation sans masquer le caractère du cépage. Puissant, il penche vers une opulence typique de son millésime, tout en offrant assez de fraîcheur pour rester équilibré. Un vin d'apéritif, qui devrait également s'entendre avec du comté ou du beaufort. Il est prêt, mais on peut aussi l'attendre deux ou trois ans. (Sucres résiduels : 35 g/l.)

Dom. Bader, 1, rue de l'Église, 67680 Epfig, tél. 06.70.52.09.56, domaine-bader@laposte.net r.-v.

LAURENT BANNWARTH Lieu-dit Bildstoecklé 2010 ★

5 160	■	8 à 11 €

Depuis 2004, Stéphane Bannwarth a adopté l'approche biodynamique pour conduire ses 12 ha de vignes. En cave, il bannit le levurage et limite l'apport de soufre. Originaire du Bildstoecklé, terroir de qualité à dominante calcaire, son pinot gris se pare d'une robe dorée aux reflets orangés et s'ouvre sur des nuances complexes de fruits confits et d'écorce d'orange, auxquelles s'ajoutent en bouche des notes épicées. Le palais est riche et gras, tout en offrant un caractère nettement sec. Un vin de repas, qui fera une belle alliance avec un rôti de veau aux morilles. Déjà agréable, il gagnera à attendre deux à quatre ans. (Sucres résiduels : 10,1 g/l.)

Laurent Bannwarth et Fils, 9, rue Principale, rte du Vin, 68420 Obermorschwihr, tél. 03.89.49.30.87, fax 03.89.49.29.02, laurent@bannwarth.fr

r.-v.

BAUMANN-ZIRGEL Sélection de grains nobles 2009 ★★

1 000 | 30 à 50 €

Benjamin Zirgel conduit en bio non certifié un vignoble de 10 ha éparpillé en une centaine de parcelles dans six communes. Il propose un liquoreux remarquable, que l'on pourra déguster pour lui-même ou accompagné d'un foie gras de canard voire d'un moelleux au chocolat. D'un jaune d'or brillant, ce 2009 dessine des larmes sur les parois du verre, indice d'une grande concentration. Son fruité riche et complexe décline la figue, le raisin sec et le coing confit, avec une touche d'ananas et d'épices. La douceur et la rondeur de l'attaque sont équilibrées par une fraîcheur très agréable. La longue finale évoque la verveine, le thé vert et le miel. De la générosité et de la finesse. Cette bouteille gagnera à attendre 2015. (Sucres résiduels : 127 g/l ; bouteilles de 50 cl.)

Baumann-Zirgel, 5, rue du Vignoble, 68630 Mittelwihr, tél. 03.89.47.90.40, fax 03.89.49.04.89, baumann-zirgel@wanadoo.fr

t.l.j. 8h-12h 14h-19h; dim. sur r.-v.

Zirgel

LÉON BAUR 2010 ★★

4 000 | 5 à 8 €

Fondé en 1738, ce domaine familial a son siège à l'intérieur des remparts circulaires de la cité médiévale d'Eguisheim, haut lieu touristique, et s'étend sur 10 ha répartis dans plusieurs communes. Voilà quarante ans que Jean-Louis Baur est à sa tête. Son pinot gris livre d'intenses parfums de miel et de fruits mûrs, voire confits, accompagnés d'une note de fleur de sureau que l'on retrouve en bouche. Frais, fin et élégant, il offre une expression typée du cépage. À servir dès maintenant sur du saumon cru ou sur du magret de canard séché. (Sucres résiduels : 15 g/l.)

Maison Léon Baur, 22, rue du Rempart-Nord, 68420 Eguisheim, tél. 03.89.41.79.13, fax 03.89.41.93.72, jean-louis.baur@terre-net.fr

t.l.j. 9h-12h 13h30-18h, dim 9h-12h

BIRGHAN Schneckenberg Sélection de grains nobles 2009

3 800 | 15 à 20 €

Un nouveau nom dans le Guide. Le domaine, conduit par Jacques Formaniak, couvre 8 ha aux alentours de Pfaffenheim. Sa sélection de grains nobles provient de la « Montagne aux escargots », coteau dominant le village. Les sols argilo-calcaires ont favorisé la maturité du raisin. Le vin, jaune doré, mêle au nez le miel et le coing confit à une touche de sous-bois. En bouche, l'abricot et le raisin sec entrent en scène. L'attaque est douce, la matière riche et chaleureuse, mais elle reste équilibrée. Ce liquoreux peut accompagner une tarte aux abricots dès aujourd'hui, mais il gagnera en harmonie lorsque les sucres seront fondus. (Sucres résiduels : 109,3 g/l.)

NOUVEAU PRODUCTEUR

SCA René Birghan, 21, rue de la Chapelle, 68250 Pfaffenheim, tél. 03.89.49.62.91, fax 03.89.49.75.98, sca.birghan.rene@orange.fr

t.l.j. 8h-19h; dim. sur r.-v.

JEAN BOESCH ET PETIT-FILS Vendanges tardives 2009

1 405 | 15 à 20 €

Le petit-fils, c'est Denis, installé il y a dix ans. Jean, son grand-père, a constitué le domaine il y a cinquante ans. Implanté à Soultzmatt, à 23 km au sud de Colmar, le vignoble bénéficie d'un microclimat abrité et bien sec. Les sols, argilo-calcaires, sont propices au pinot gris. Récolté le 20 novembre, le raisin a donné un vin à la robe plutôt claire, jaune à reflets verts, mais aux riches parfums de coing, de datte, de fruits exotiques et d'abricot confits. En bouche, c'est la fraîcheur qui l'emporte de l'attaque à la finale, sur des notes de citron confit. Ces vendanges tardives n'impressionnent pas par leur volume mais séduisent par leur bonne structure acide et par leur finesse. Elles pourront s'apprécier à partir de 2014 et se bonifieront pendant la prochaine décennie. (Sucres résiduels : 90 g/l.)

EARL Jean Boesch et Petit-Fils, 8, rue du Bois, 68570 Soultzmatt, tél. 03.89.47.00.87, fax 03.89.47.08.19, jean.boesch@wanadoo.fr

t.l.j. 8h-11h30 13h-19h; dim. sur r.-v.

MARIE-CLAIRE ET PIERRE BORÈS
Schieferberg Vendanges tardives 2009 ★★★

2 600 | 15 à 20 €

Schieferberg ? « Le mont des Schistes ». Une veine de cette roche, plutôt rare en Alsace, est présente près de Barr, au niveau d'Andlau et de Reichsfeld. Ce dernier village, où sont installés les Borès, est situé en pleine montagne, au fond d'un vallon encaissé abrité par l'Ungersberg, le plus haut sommet du Bas-Rhin. Le vignoble n'a rien de plat... Ce type de terroir est propice au pinot gris, et ce 2009 frôle le coup de cœur. Habillé de jaune d'or étincelant, il dévoile des arômes de surmaturation intenses, complexes et d'une grande finesse : les fruits jaunes très mûrs se mêlent au coing, avec une note de pain d'épice en bouche. Puissant, gras, concentré, intense et fondu, le palais offre une finale longue et fraîche qui laisse le souvenir d'une rare harmonie. Agréable dès maintenant, ce moelleux devrait vivre pendant des décennies. (Sucres résiduels : 74 g/l.)

Marie-Claire et Pierre Borès, 15, lieu-dit Leh, 67140 Reichsfeld, tél. 03.88.85.58.87, vinsbores@wanadoo.fr

r.-v.

FRANÇOIS BRAUN ET SES FILS Vendanges tardives 2008 ★

1 500 | 20 à 30 €

Installés à l'extrémité méridionale de la route des Vins, Philippe Braun et son frère Pascal exploitent en lutte raisonnée 21 ha de vignes sur plus de quatre-vingts parcelles. Le pinot gris à l'origine de cette cuvée a été récolté le 10 novembre. Le vin, or soutenu, est à la fois puissant et fin au nez : on y respire le miel, la cire, la confiture de mirabelles, les agrumes et les fruits secs, auxquels s'ajoute en bouche le raisin de Corinthe. L'attaque franche dévoile un palais dense et riche, moelleux à souhait, vivifié par une fine acidité « typée 2008 », qui souligne la longue finale. « On se fait plaisir », conclut une dégustatrice. Ce millésime devrait bien évoluer pendant une décennie. (Sucres résiduels : 65 g/l.)

François Braun et Fils, 19, Grand-Rue, 68500 Orschwihr, tél. 03.89.76.95.13, fax 03.89.76.10.97, francois-braun@orange.fr
t.l.j. sf dim. 8h-12h 14h-17h30

PAUL BUECHER Clos Gottesthal 2010 ★★★

7 000 | 8 à 11 €

1952, mariage de Paul Buecher : le domaine est constitué de 5 ha de vignes et commence à se spécialiser. Soixante ans plus tard, il couvre 32 ha, dont ce Clos Gottesthal. Naguère abandonnée, cette parcelle sur sols marno-calcaires située à Leimbach, à l'extrémité méridionale de la route des Vins, a été récemment remise en valeur. Excellente initiative à en juger par cette nouvelle cuvée qui a frôlé le coup de cœur. Le nez s'ouvre sur des notes grillées, fumées, avant de dévoiler des fragrances florales. La bouche ronde et soyeuse révèle un fruité mûr et finit sur une pointe de fraîcheur. Un vin gourmand pour un plat de fête, quasi de veau aux champignons ou poularde. Son apogée devrait survenir en 2015 et se prolonger pendant de longues années. (Sucres résiduels : 19 g/l.)

Paul Buecher, 15, rue Sainte-Gertrude, 68920 Wettolsheim, tél. 03.89.80.64.73, fax 03.89.80.58.62, vins@paul-buecher.com t.l.j. sf dim. 8h-12h 14h-18h

AGATHE BURSIN 2010

800 | 8 à 11 €

Après avoir repris en 2000 les vignes de son arrière-grand-père, Agathe Bursin se retrouve à la tête d'un petit domaine – un peu moins de 6 ha. Son vignoble ne comprend pas moins de trente-trois parcelles qu'elle vinifie séparément. La réussite est au rendez-vous, puisqu'un tiers de la production est exporté. Jaune pâle à reflets dorés, son pinot gris présente un nez tendre sur les fruits confits, avec une touche de fumé et de sous-bois. Souple à l'attaque, il offre en finale un retour aromatique et une pointe de fraîcheur qui le rendent assez croquant. Il sera plus ouvert en 2013. À servir à l'apéritif ou avec un poisson en sauce. (Sucres résiduels : 14 g/l.)

Agathe Bursin, 11, rue de Soultzmatt, 68250 Westhalten, tél. 03.89.47.04.15, agathe.bursin@wanadoo.fr r.-v.

CLOS SAINTE-APOLLINE Bollenberg Cuvée Prestige 2010 ★★

3 140 | 15 à 20 €

Hôtel, restaurant, vignoble : toute la famille Meyer est au service du vin et de la bonne chère. Créé en 1887, le domaine compte 25 ha. La dernière génération s'est installée en 2010 et, pour mieux mettre en valeur le Bollenberg, site protégé, elle a engagé une démarche de conversion au bio. Née sur ce lieu-dit au microclimat très sec, cette cuvée Prestige offre des arômes expressifs soulignés d'une touche vanillée et boisée. Charpentée et fraîche, elle fait preuve d'un remarquable équilibre. Une bouteille à déguster sur une viande blanche ou du foie gras – foie gras que l'on peut trouver au domaine ou à l'auberge *Au Vieux Pressoir*, le restaurant familial. Comme tous les moelleux, ce vin est déjà agréable, mais devrait bien évoluer pendant les huit prochaines années. (Sucres résiduels : 25,8 g/l.)

Clos Sainte-Apolline, Dom. du Bollenberg, 68250 Westhalten, tél. 03.89.49.60.04, fax 03.89.49.76.16, info@bollenberg.com t.l.j. 8h30-19h
Meyer

HENRI EHRHART Réserve particulière 2010 ★★

36 000 | 5 à 8 €

Fondée en 1951, cette exploitation familiale a créé à la fin des années 1970 une structure de négoce. Aujourd'hui, la maison exporte un tiers de sa production vers l'Europe et la Chine. Ce vin sera-t-il dégusté dans l'empire du Milieu ? Or pâle à reflets verts, il s'annonce par un nez discret mais franc, finement floral et fruité. Le palais est gourmand, bien structuré, avec une douceur marquée, mais suffisamment de fraîcheur, et une finale agréable. Une bouteille flatteuse, à déguster dès maintenant avec une bouchée à la reine, un suprême de volaille ou un filet mignon à la crème. (Sucres résiduels : 18 g/l.)

Henri Ehrhart, quartier des Fleurs, 68770 Ammerschwihr, tél. 03.89.78.23.74, fax 03.89.47.32.59, he@henri-ehrhart.com
t.l.j. sf sam. dim. 9h-11h 15h-17h; f. 15 juil-15 août

ENGEL Tradition 2010

13 000 | 5 à 8 €

Le vignoble d'Orschwiller couvre des pentes dominées par le château du Haut-Kœnigsbourg. Les frères Engel y exploitent un domaine de 21 ha. Le terroir de gneiss marque leur pinot gris Tradition de son empreinte : le nez aux nuances de fruits jaunes et de fumé est bien typé, mais il doit encore s'ouvrir. Le palais apparaît équilibré, racé, et la finale laisse une impression d'harmonie. Un côté minéral devrait s'affirmer avec le temps. Intéressant dès 2013, ce 2010 devrait s'épanouir pendant cinq ans, voire une décennie. Il s'entendra avec des saint-jacques. (Sucres résiduels : 22 g/l.)

Dom. Engel Frères, 1, rue des Vignes, Haut-Kœnigsbourg, 67600 Orschwiller, tél. 03.88.92.01.83, fax 03.88.92.17.27, vins-engel@wanadoo.fr t.l.j. 9h-11h30 14h-18h

FAHRER-ACKERMANN Cuvée d'automne 2010

2 460 | 11 à 15 €

Déjà retenu dans le millésime précédent, ce pinot gris naît sur un terroir siliceux bien exposé, au pied du Haut-Kœnigsbourg. C'est un vin marqué par la richesse, de la robe jaune d'or au palais tout en rondeur en passant par le nez exubérant aux nuances de fruits confits, de coing, de raisin sec et d'épices. Une bouteille pour les amateurs de douceur, à déguster dès maintenant sur un foie gras de canard et sa confiture de figues. (Sucres résiduels : 65 g/l.)

Dom. Fahrer-Ackermann, 10, rte du Vin, 68590 Rorschwihr, tél. 03.89.73.83.69, vincent.ackermann@wanadoo.fr r.-v.

LUC FALLER Vendanges tardives 2008

1 300 | 20 à 30 €

Dans le pays de Barr, Itterswiller est traversé par la route des Vins, et la vigne s'ajoute aux fleurs pour orner le village. Luc Faller y exploite son domaine en bio. Jaune paille, la robe de son pinot gris vendanges tardives annonce la couleur : ce 2008 ne s'impose pas par sa richesse mais par son équilibre, sa fraîcheur et sa finesse. Au nez, une belle palette : de l'acacia, du citron confit, un rien de sous-bois, un soupçon de truffe. Une attaque fraîche, pas trop de sucre mais ce qu'il faut de rondeur ; de l'ananas, du fruit sec, des épices et un retour du sous-bois en finale. « Bien dans son millésime », conclut un juré. Ce vin sera à son optimum entre 2014 et 2018. (Sucres résiduels : 88 g/l.)

Luc Faller, 51, rte des Vins, 67140 Itterswiller, tél. 03.88.85.51.42 r.-v.

MICHEL FONNÉ Roemerberg 2010 ★

2 000 | 8 à 11 €

Œnologue, Michel Fonné privilégie l'expression des terroirs et exporte les trois quarts de sa production vers trois continents. D'un terroir argilo-limoneux, il a tiré un pinot gris jaune doré, au nez franc mariant les agrumes et l'amande grillée à une note fumée. La pêche s'ajoute à cette palette dans un palais plaisant par son équilibre, d'abord suave, puis frais en finale. Déjà agréable, ce 2010 sera à son optimum en 2015 et devrait bien évoluer pendant dix ans. (Sucres résiduels : 40 g/l.)

Dom. Michel Fonné, 24, rue du Gal-de-Gaulle, 68630 Bennwihr, tél. 03.89.47.92.69, fax 03.89.49.04.86, michel@michelfonne.com
t.l.j. 9h-12h 13h15-19h; dim. sur r.-v.

ROBERT FREUDENREICH L'Élixir de chez Freud 2009 ★

1 968 | 15 à 20 €

Cette exploitation fondée en 1730 est fidèle aux traditionnels foudres de chêne. Avec cet « élixir », Christophe Freudenreich propose un alsace pinot gris hors normes. Sa robe jaune d'or et son nez de fruits jaunes compotés, de raisins secs, agrémenté d'une note de sous-bois, annoncent une grande concentration. En bouche, on découvre un vin ample et tout en rondeur, équilibré en finale par une fraîcheur bienvenue. Un vin généreux, à servir dès maintenant avec le foie gras ou un dessert. (Sucres résiduels : 102 g/l ; bouteilles de 50 cl.)

Robert Freudenreich et Fils, 31, rue de l'Église, 68250 Pfaffenheim, tél. 03.89.49.60.88, fax 03.89.49.69.36, robert.freudenreich@wanadoo.fr r.-v.

PAUL GASCHY Sélection de grains nobles 2008 ★

1 220 | 20 à 30 €

Établi tout près du centre historique de la cité médiévale d'Eguisheim, Hervé Gaschy signe un liquoreux d'un jaune intense aux reflets paille. Le nez monte en puissance pour libérer une palette complexe : fruits mûrs, abricot sec et raisin, avec une touche de curcuma et de thé vert, complétés en bouche par d'autres nuances comme la noisette ou le coing. L'attaque dévoile un vin tout en rondeur, puissant, riche et ample. La longue finale sur le miel d'acacia et la cire d'abeille est vivifiée par une pointe d'acidité. Un ensemble flatteur et généreux, que l'on pourra déguster dès la fin 2012 mais qui ne perdra rien à attendre trois ans. (Sucres résiduels : 156 g/l ; bouteilles de 50 cl.)

Paul Gaschy, 16, Grand-Rue, 68420 Eguisheim, tél. 03.89.41.67.34, fax 03.89.24.33.12, info@vins-paul-gaschy.fr r.-v.

GEIGER-KOENIG Eichelberg Brumes d'automne 2010

n.c. | 8 à 11 €

Le domaine est en conversion bio. Il signe un pinot gris récolté à surmaturité sur les pentes de l'Eichelberg, aux sols d'éboulis volcaniques. Avec sa palette mêlant les agrumes à des notes briochées, grillées et fumées, ce 2010 offre un profil aromatique caractéristique du cépage, au nez comme en bouche. Bien structuré, il peut déjà paraître à table, mais mieux vaut lui laisser le temps (trois ou quatre ans) de s'harmoniser et de livrer des nuances minérales liées au terroir. (Sucres résiduels : 30 g/l.)

Simone, Richard et Patrick Geiger-Kœnig, 21, rue Principale, 67140 Bernardvillé, tél. 03.88.85.56.84, simonerichard@free.fr t.l.j. 10h-19h

DOM. LAURENCE ET PHILIPPE GREINER 2010 ★

3 000 | 5 à 8 €

À la tête de 9 ha de vignes, Laurence et Philippe Greiner se sont lancés avec succès dans la mise en bouteilles. Ils sont passés de la lutte raisonnée à l'agriculture biologique. Issu de raisins « en conversion », ce 2010 reste sur sa réserve, mais apparaît bien structuré. Frais au nez, sur les agrumes, il se montre franc à l'attaque, aromatique et ample. Une pointe de fraîcheur accompagne la finale. Mieux vaut attendre 2015 avant de servir cette bouteille sur des viandes blanches ou du foie gras poêlé. (Sucres résiduels : 35 g/l.)

Dom. Laurence et Philippe Greiner, 16, rue des Prés, 68340 Riquewihr, tél. et fax 03.89.86.04.68, philippe.greiner@wanadoo.fr r.-v.

HAEFFELIN Vendanges tardives 2009

1 700 | 15 à 20 €

En 2012, Sébastien et Damien, les deux fils de Daniel Haeffelin, s'installent sur le domaine, assurant la continuité d'une exploitation fondée en 1770. Dans le caveau de dégustation situé en plein centre de la cité médiévale d'Eguisheim, vous pourrez peut-être goûter ces vendanges tardives dont la robe ambrée à reflets orangés annonce la concentration. C'est un vin puissant, très flatteur par la complexité de ses arômes de surmaturation : gelée de coing, compote de pommes, figue, abricot sec et miel, relevés d'une note de poivre. L'attaque suave et douce introduit un palais tout en rondeur, équilibré en finale par une acidité bienvenue. Ce 2009 ne sera sans doute pas de très longue garde, mais c'est assurément un vin de fête qui tiendra sa place dès maintenant à l'apéritif ou au dessert. (Sucres résiduels : 64,3 g/l.)

Vignoble Daniel Haeffelin, 35, Grand-Rue, 68420 Eguisheim, tél. 03.89.41.77.85, fax 03.89.23.32.43, vins.alsace.haeffelindaniel@wanadoo.fr
t.l.j. 9h30-12h 13h30-18h30; dim. sur r.-v.

BERNARD HAEGELIN Bollenberg 2010 ★

13 048 | 5 à 8 €

Installés dans la partie sud de la route des Vins, Christian et Michel Haegelin, fils de Bernard, ont converti graduellement leur domaine au bio et s'orientent vers la biodynamie. Le Bollenberg ? Un lieu-dit mythique, la « montagne des Sorcières », qui ne manque pas d'aptitudes viticoles : ses sols argilo-calcaires et son exposition au midi ont engendré une cuvée au nez typé, associant notes grillées, miellées et fruitées. Dans le même registre aromatique, la bouche dévoile une belle matière, équilibrée par ce qu'il faut de fraîcheur. À servir dès la fin 2012. (Sucres résiduels : 27 g/l.)

SCEA Bernard Haegelin, 26, rue de l'Église, 68500 Orschwihr, tél. 03.89.76.14.62, fax 03.89.74.36.46, bernard.haegelin@wanadoo.fr
t.l.j. 8h-19h; sam. 9h-18h; dim. sur r.-v.

HARTWEG 2010 ★★

	12 191		5 à 8 €

Établie dans le coquet village de Beblenheim, au centre de la route des Vins, la famille Hartweg dispose de 9 ha de vignes et d'une belle cave à foudres de chêne. Frank, qui s'est installé en 1996, signe un pinot gris qui a fait l'unanimité. D'un jaune paille aux reflets dorés, ce vin offre de séduisants parfums de fruits mûrs et confits (figue, raisin sec, datte) et de miel. Sa matière ample et bien équilibrée s'accorde avec ces arômes de surmaturation. La finale est longue et agréable. Ce millésime tiendra sa place dès les fêtes de fin d'année à l'apéritif, avec un foie gras poêlé, des cailles aux raisins, un entremets... (Sucres résiduels : 30 g/l.)

Jean-Paul et Frank Hartweg, 39, rue Jean-Macé, 68980 Beblenheim, tél. 03.89.47.94.79, fax 03.89.49.00.83, frank.hartweg@free.fr

t.l.j. sf dim. 8h30-11h30 14h-17h30; sam. sur r.-v.

CHRISTIAN ET VÉRONIQUE HEBINGER
Vendanges tardives 2009

	2 200		20 à 30 €

L'année 2009 est celle de la certification pour Christian et Véronique Hebinger qui exploitent leurs 11 ha de vignes en biodynamie. Issu d'un terroir argilo-calcaire, ce pinot gris d'un jaune soutenu mêle au nez les fruits jaunes confits à une touche de sous-bois. Dans le même registre aromatique, le palais, après une attaque fraîche, se montre puissant et bien équilibré entre sucre et acidité. Ces Vendanges tardives seront prêtes pour la fin de l'année 2012. (Sucres résiduels : 74 g/l.)

Christian et Véronique Hebinger, 14, Grand-Rue, 68420 Eguisheim, tél. 03.89.41.19.90, fax 03.89.41.15.61, hebinger.christian@wanadoo.fr

t.l.j. sf dim. 8h-12h 14h-18h

HOSPICES DE COLMAR 2010 ★★

	8 000		8 à 11 €

Propriété des Hospices civils de Colmar, fondés au XIIIe s., ce vignoble d'une trentaine d'hectares est essentiellement implanté sur des alluvions de graves. Son pinot gris porte la signature de ce terroir, avec son nez subtil de fleurs blanches (sureau) et d'amande, annonce d'un corps très élégant, puissant, frais et long, où l'on retrouve les nuances florales. Ce que l'on appelle un « vin féminin ». Il accompagnera dès maintenant et pendant plusieurs années un foie gras poêlé, une volaille rôtie aux champignons ou un poisson noble en sauce. (Sucres résiduels : 18,6 g/l.)

Dom. viticole de la Ville de Colmar, 2, rue du Stauffen, 68000 Colmar, tél. 03.89.79.11.87, fax 03.89.80.38.66, cave@domaineviticolecolmar.fr

t.l.j. sf sam. dim. 8h-12h 14h-18h

HUEBER Vieilles Vignes 2010 ★

	10 000		5 à 8 €

Cette exploitation familiale a son siège au milieu des vignes, à 400 m de l'entrée de Riquewihr. Valentin Hueber a rejoint son père en 1995. Ses études en hôtellerie et en sommellerie l'ont certainement aidé à développer l'accueil sur ce domaine de 11 ha. Avec quel plat marier ce pinot gris ? Avec des viandes blanches, ou encore du poisson en sauce. Ses parfums fruités se nuancent de notes d'herbe coupée, un rien mentholées, et d'une touche minérale. Une attaque franche, un corps bien structuré, persistant, à la fois souple et frais, composent un vin plutôt original, qui sera à son optimum à partir de 2013 et qui tiendra plusieurs années. (Sucres résiduels : 22 g/l.)

SARL Jean-Paul Hueber et Fils, 6, rte de Colmar, 68340 Riquewihr, tél. 03.89.47.92.30, fax 03.89.49.04.53, jeanpaul.hueber68@orange.fr

t.l.j. 8h-12h 13h-18h

DOM. HENRI KLÉE Cuvée Martin 2010 ★

	5 000		8 à 11 €

Une lignée vigneronne remontant à 1624... Philippe, qui a repris l'exploitation en 1985, représente la dixième génération sur ce domaine. Il a dédié cette cuvée à son fils Martin, entré en 2011 au lycée viticole : la relève. Issu d'arènes granitiques, ce pinot gris récolté en surmaturation s'habille d'une robe or aux reflets orangés. Avec son fruité confit, sa matière dense et sa rondeur, contrebalancée par une certaine fraîcheur, il laisse une impression de richesse. On pourra le déguster dès la fin 2012 sur un foie gras poêlé aux figues, ou le garder environ huit ans. (Sucres résiduels : 48 g/l.)

EARL Henri Klée, 11, Grand-Rue, 68230 Katzenthal, tél. 03.89.27.03.81, fax 03.89.27.28.17, contact@vins-klee-henri.com r.-v.

KLÉE FRÈRES Hinterbourg 2010 ★

	1 500		5 à 8 €

Les trois frères Klée mettent en valeur un microdomaine (moins de 2 ha) dans le vallon de Katzenthal. Francis, l'œnologue, maîtrise parfaitement les vinifications en petits volumes. Des sols argilo-calcaires de l'Hinterbourg, il a tiré un vin aux parfums délicats, typés du cépage, et au palais franc, suave, puissant et persistant, équilibré grâce à sa fraîcheur acidulée. Déjà agréable, ce pinot gris gagnera à attendre deux ou trois ans. Un dégustateur suggère un accord insolite : un couscous riche en raisins de Corinthe. (Sucres résiduels : 38 g/l.)

SCEA Klée Frères, 18, Grand-Rue, 68230 Katzenthal, tél. 06.21.90.07.04, info@klee-freres.com r.-v.

KOEHLY Lieu-dit Hahnenberg 2010 ★★

	8 500		5 à 8 €

Dans le ciel de Kintzheim, on peut voir en été évoluer de grands rapaces au-dessus du château du Haut-Kœnigsbourg : les oiseaux de la volerie des Aigles. Cette attraction touristique ne fera pas oublier la cave de Jean-Marie Koehly. Ce récoltant exploite 20 ha de vignes implantées à la frontière des deux départements alsaciens, sur des terroirs essentiellement granitiques. Né sur le coteau du Hahnenberg, exposé à l'est-sud-est entre Kintzheim et Châtenois, ce pinot gris dévoile un nez discret mais complexe, qui s'épanouit à l'aération sur les fruits, les fleurs et le fumé. Souple à l'attaque, puissant,

bien étoffé et gras, il finit sur une légère touche de mandarine. À servir avec une volaille maintenant ou, mieux, dans deux à cinq ans. (Sucres résiduels : 10 g/l.)
Jean-Marie Koehly, 64, rue du Gal-de-Gaulle, 67600 Kintzheim, tél. 03.88.82.09.77, fax 03.88.82.70.49, jean-marie.koehly@wanadoo.fr
t.l.j. 8h-12h 13h-18h; f. 24 déc.-5 jan.

MARC KREYDENWEISS Lerchenberg 2010

3 000 | 11 à 15 €

Lerchenberg ? Le mont des Alouettes. Situé au sud du bourg d'Andlau, ce terroir se caractérise par des sols limono-argileux qui tendent à donner des vins bien structurés. C'est bien le cas de ce 2010, au nez intense mêlant les fruits surmûris et des notes fumées. Au palais, il dévoile une bonne étoffe, conjuguant fraîcheur et puissance. Mieux vaut le garder jusqu'à la fin 2013 avant de le servir sur un poisson cuisiné. On notera que le domaine est conduit de longue date en biodynamie et l'on soulignera le graphisme de ses étiquettes, aux antipodes du folklore. (Sucres résiduels : 4 g/l.)
Dom. Marc Kreydenweiss, 12, rue Deharbe, 67140 Andlau, tél. 03.88.08.95.83, marc@kreydenweiss.com
r.-v.

DOM. DU MANOIR Clos du Letzenberg 2010

2 360 | 8 à 11 €

À la tête d'une dizaine d'hectares, la famille Thomann a remis en valeur, au-dessus d'Ingersheim, le vignoble escarpé du Letzenberg, laissé à l'abandon après la Première Guerre mondiale. Elle a restauré les murs de soutènement en pierre sèche et aménagé des terrasses. Exposé plein sud, le pinot gris a donné un vin or soutenu, au nez intense de coing et de fruits confits. Bien structuré et long, ce 2010 montre une grande richesse tout en restant équilibré. À servir dès maintenant sur du foie gras ou un moelleux au chocolat. (Sucres résiduels : 56,6 g/l.)
SCEA Dom. du Manoir, 56, rue de la Promenade, 68040 Ingersheim, tél. 03.89.27.23.69, thomann@terre-net.fr
t.l.j. sf dim. 10h-12h 14h-18h; sur r.-v. aux vendanges
Thomann

ANDRÉ MAULER Rosenbourg 2010

1 000 | 8 à 11 €

Installé à Beblenheim, village voisin de Riquewihr, Christian Mauler est à la tête du domaine familial depuis 1984. Son pinot gris du Rosenbourg, né sur un terroir schisteux, délivre des arômes de fruits mûrs agrémentés d'une légère note fumée caractéristique du cépage. La belle attaque prélude à une bouche joliment fruitée, à l'acidité bien fondue et à la finale puissante. Déjà prêt, ce vin peut attendre cinq ans. (Sucres résiduels : 9 g/l.)
Dom. Mauler, 3, rue Jean-Macé, 68980 Beblenheim, tél. 03.89.47.90.50, fax 03.89.47.80.08, contact@domaine-mauler.fr r.-v.

DOM. MERSIOL 2010 ★

5 000 | 5 à 8 €

À la tête d'un vignoble de 12 ha implanté autour de Dambach-la-Ville sur des terroirs essentiellement granitiques, les deux frères Mersiol ont engagé la conversion au bio du domaine familial en 2006. Doré à souhait, leur pinot gris s'ouvre sur des parfums bien nets de fruits mûrs accompagnés d'une touche de noisette avant de dévoiler une belle matière au palais. C'est un vin sec, harmonieux et persistant, qui accompagnera du saumon fumé, une volaille à la crème ou une poêlée de girolles. Il atteindra son apogée vers 2014-2015. (Sucres résiduels : 2,8 g/l.)
Mersiol, 13, rte du Vin, 67650 Dambach-la-Ville, tél. 03.88.92.40.43, fax 03.88.92.48.73, domaine-mersiol@orange.fr t.l.j. 8h-12h 13h-19h

GILBERT MEYER Cuvée Clémentine 2010

3 600 | 8 à 11 €

De Voegtlinshoffen, au sud de Colmar, on domine les collines viticoles et toute la plaine d'Alsace. Cette cuvée provient des terroirs marno-calcaires situés en contrebas de ce charmant village perché. De couleur jaune pâle, elle offre un nez complexe, fin et typé aux nuances de grillé et de fumé. Après une attaque un peu nerveuse, elle se montre ronde et souple, et s'agrémente en finale d'une note de fruits secs. À servir dès aujourd'hui sur des entrées chaudes, des viandes blanches ou du poisson en sauce. (Sucres résiduels : 26 g/l.)
Gilbert Meyer, 5, rue du Schauenberg, 68420 Voegtlinshoffen, tél. 03.89.49.36.65, fax 03.89.86.42.45, meyerfab@aol.com r.-v.

JEAN-LUC MEYER Vieilles Vignes 2010 ★

3 200 | 5 à 8 €

Le siège de l'exploitation est à quelques pas du centre historique de la vieille cité médiévale d'Eguisheim. En 2005, Bruno Meyer a rejoint son père Jean-Luc pour valoriser les 10 ha du vignoble familial et engager sa conversion au bio. Environ 30 % des vins élaborés ici sont exportés vers divers pays d'Europe. Celui-ci a retenu l'attention par la finesse de sa palette aromatique, qui se dévoile à l'aération : le miel s'allie aux fruits secs. En bouche, ce pinot gris est bien équilibré, intense et complexe, marqué par une fine acidité. À découvrir dès 2013 sur un poisson en sauce ou des cailles aux raisins. (Sucres résiduels : 28 g/l.)
Jean-Luc et Bruno Meyer, 4, rue des Trois-Châteaux, 68420 Eguisheim, tél. 03.89.24.53.66, fax 03.89.41.66.46, info@vins-meyer-eguisheim.com
t.l.j. sf dim. 8h-12h 13h30-19h

LUCIEN MEYER ET FILS Sélection de grains nobles 2009 ★

1 150 | 20 à 30 €

Fondée à la fin du XIXᵉs., cette exploitation couvre 9 ha et a son siège à Hattstatt, au sud de Colmar. Elle signe un liquoreux issu d'un terroir marno-calcaire. Or à reflets argentés, ce pinot gris attire par son nez complexe, riche et élégant à la fois, associant le raisin sec et les fruits confits à une touche fumée. L'attaque dévoile beaucoup de rondeur, de puissance et de douceur, une forte acidité donnant à l'ensemble de l'équilibre et de la tenue. Les arômes confits se nuancent de thé vert en finale. Ce vin intense gagnera encore en harmonie durant les deux ou trois prochaines années : à ouvrir en 2014 et à servir à l'apéritif ou sur un dessert au chocolat. (Sucres résiduels : 119 g/l.)
EARL Lucien Meyer et Fils, 57, rue du Mal-Leclerc, 68420 Hattstatt, tél. 03.89.49.31.74, fax 03.89.49.24.81, info@earl-meyer.com r.-v.

PREISS-ZIMMER Vendanges tardives 2009 ★

15 900 | 20 à 30 €

Une étoile brille sur la vieille enseigne de la maison Preiss-Zimmer, dans la rue principale de Riquewihr, comme sur ces vendanges tardives de très bonne facture. D'un jaune d'or brillant, ce pinot gris offre un nez bien ouvert et complexe, aux nuances de coing confit, de figue et de datte. La pâte de coings, qui marque l'attaque de sa suavité, annonce un vin concentré, riche et puissant, équilibré par une belle acidité qui apporte de la fraîcheur. La longue finale laisse le souvenir d'un vin élégant. Déjà agréable, ce 2009 sera à son optimum en 2014 et tiendra une décennie. À noter que la marque Preiss-Zimmer est rattachée à la cave de Turckheim. (Sucres résiduels : 83 g/l.)

SARL Preiss-Zimmer, BP 20, 40, rue du Gal-de-Gaulle, 68340 Riquewihr, tél. 03.89.47.86.91, fax 03.89.27.35.33, preiss-zimmer@calixo.net

CHRISTOPHE RIEFLÉ Côte de Rouffach 2010

1 800 | 5 à 8 €

De souche vigneronne, Christophe Rieflé a créé il y a neuf ans sa propre exploitation, qui couvre 15 ha. Située sur les collines de Rouffach et de Pfaffenheim, au sud de Colmar, la Côte de Rouffach, d'où provient ce pinot gris, se caractérise par des sols calcaires, argileux ou limoneux. Elle est devenue en 2011 une des nouvelles appellations « village » de la région. Ce 2010 offre un nez aussi élégant que typé, sur des notes fumées et du fruit confit. Ample, puissant, complexe et équilibré, il finit sur une petite pointe d'amertume. À servir dès la sortie du Guide avec une viande blanche en sauce. (Sucres résiduels : 30 g/l.)

Christophe Rieflé, 32 A, rue de la Lauch, 68250 Pfaffenheim, tél. et fax 03.89.49.77.85, christopheriefle@aol.com
t.l.j. 9h-12h 13h30-19h

JOSEPH RUDLOFF Vendanges tardives 2009 ★

16 000 | 20 à 30 €

Marque créée en 2011 pour la grande distribution par le domaine Fernand Engel, une valeur sûre du Guide. Ces vendanges tardives proviennent de raisins passerillés et botrytisés récoltés sur un terroir marno-calcaire très lourd, propice à la maturation du pinot gris. La robe jaune à reflets dorés est engageante. Le nez, typé, associe les fruits jaunes confits à des notes de sous-bois. L'attaque franche dévoile une matière riche et puissante, aux arômes de pêche confite, et vivifiée par une finale acidulée. À servir dès maintenant. (Sucres résiduels : 78 g/l.)

Dom. Fernand Engel, 1, rte du Vin, 68590 Rorschwihr, tél. 03.89.73.77.27, fax 03.89.73.63.70, f-engel@wanadoo.fr
t.l.j. sf dim. 8h-11h30 13h-18h

DOM. RUNNER 2010 ★

4 500 | 5 à 8 €

En 1997, Francis Runner a pris les rênes de cette exploitation familiale créée entre les deux guerres, qui compte aujourd'hui 12 ha. Après un parcours dans les vignes au pied du Schauenberg, vous pourrez découvrir la cave à foudres et goûter ce pinot gris au nez déjà ouvert sur des notes d'agrumes, avec une touche de surmaturation. On retrouve les fruits frais au palais, où le vin affiche une rondeur charnue, une bonne structure et de la fraîcheur en finale. À servir dès 2013 à l'apéritif ou sur une viande blanche. (Sucres résiduels : 15 g/l.)

EARL François Runner et Fils, 1, rue de la Liberté, 68250 Pfaffenheim, tél. 03.89.49.62.89, fax 03.89.49.73.69, francoisrunner@aol.com
t.l.j. 8h-12h 13h-19h; dim. sur r.-v.

SAULNIER 2010 ★

1 340 | 5 à 8 €

Alors qu'il était technicien viticole, Marco Saulnier a créé progressivement son exploitation pour s'installer en 1992. Aujourd'hui, il conduit un peu plus de 7 ha de vignes sur plusieurs coteaux. De couleur jaune pâle, son pinot gris, discret mais franc au nez, libère de délicates notes de fleurs blanches, puis d'agrumes. Il séduit par sa finesse, sa netteté, son élégance et sa fraîcheur minérale. Il devrait être à son optimum en 2014 et accompagnera un pâté en croûte chaud ou froid. (Sucres résiduels : 17 g/l.)

EARL Marco Saulnier, 32A, rte de Colmar, 68040 Ingersheim, tél. 03.89.86.42.02, fax 03.89.49.34.82, marco.saulnier@wanadoo.fr r.-v.

DOM. JOSEPH SCHARSCH Clos Saint-Materne 2009

2 650 | 8 à 11 €

Le domaine familial est implanté à une vingtaine de kilomètres de Strasbourg. Nicolas Scharsch, le fils, en a pris les rênes en 2011, tout en restant impliqué dans les organisations viticoles régionales. Issu d'un terroir fermé naturellement par des amas de pierres et une falaise calcaire, son Clos Saint-Materne provient d'une vigne située sur la colline d'Avolsheim. De couleur assez claire, il s'ouvre sur des notes fruitées et légèrement fumées. Des nuances confites soulignent le côté chaleureux du palais, qui garde suffisamment de vivacité. Un vin à apprécier dans les quatre ans sur une salade gourmande au magret. (Sucres résiduels : 33 g/l.)

Dom. Joseph Scharsch, 12, rue de l'Église, 67120 Wolxheim, tél. 03.88.38.30.61, fax 03.88.38.01.13, cave@domaine-scharsch.com r.-v.

SCHEIDECKER Réserve 2010 ★

4 700 | 8 à 11 €

Philippe Scheidecker a repris en 1990 le domaine familial implanté à Mittelwihr, village célèbre pour sa colline des Amandiers. Sa cuvée Réserve se pare d'une robe somptueuse, dorée à l'or fin, en accord avec un nez franc de fruits surmûris. En bouche, son ampleur, son gras et sa douceur sont équilibrés par une fraîcheur remarquée. L'ensemble gagnera en harmonie et en fondu au cours des deux prochaines années : à ouvrir en 2013 ou en 2014. (Sucres résiduels : 48 g/l.)

Philippe Scheidecker, 13, rue des Merles, 68630 Mittelwihr, tél. 03.89.49.01.29, fax 03.89.49.06.63, vins.scheidecker@wanadoo.fr t.l.j. 9h-12h 14h-18h

ANDRÉ SCHERER Kammerhof 2010 ★

2 400 | 11 à 15 €

Haut perché juste sous les bois, le village de Husseren-les-Châteaux offre un point de vue qui mérite le détour sur la plaine d'Alsace. Le vignoble se situe en contrebas des maisons, sur des sols essentiellement argilo-calcaires. Il a produit une cuvée jaune doré qui laisse des larmes sur les parois du verre tout en déployant au nez des nuances de surmaturation : coing, figue, mangue... Après une attaque douce, on retrouve le fruité dans une structure chaleureuse et riche, équilibrée en finale par une fraîcheur bienvenue. Ce vin harmonieux fera un bel apéritif. Il devrait être à son optimum entre 2013 et 2015. (Sucres résiduels : 12 g/l.)

Vignoble André Scherer, 12, rte du Vin, BP 4, 68420 Husseren-les-Châteaux, tél. 03.89.49.30.33, fax 03.89.49.27.48, contact@andre-scherer.com
t.l.j. sf dim. 8h-12h 13h-18h30

EDMOND SCHUELLER 2010

1 600 ▮ 8 à 11 €

Damien Schueller, fils d'Edmond, gère depuis 1999 le domaine familial : 5 ha de vignes implantées au pied des trois châteaux de Husseren qui, telles des sentinelles, dominent la plaine d'Alsace. La conversion bio est en cours. À découvrir au nouveau caveau de dégustation, ce pinot gris en robe or clair et au nez plaisant, bien ouvert sur les fruits jaunes. L'attaque est fraîche, sur le fruit, le milieu de bouche bien structuré, une touche minérale soulignant la finale. Déjà agréable, ce 2010 gagnera à attendre jusqu'en 2014-2015. (Sucres résiduels : 7,6 g/l.)

Edmond et Damien Schueller, 26, rte du Vin, 68420 Husseren-les-Châteaux, tél. 03.89.49.32.60, info@alsace-schueller.com r.-v.

DOM. J.-L. SCHWARTZ Vieilles Vignes 2010 ★★

2 500 ▮ 8 à 11 €

Jean-Luc Schwartz exploite depuis trente ans le domaine familial implanté à Itterswiller, petit village du pays de Barr réputé pour son fleurissement et ses restaurants. Son vignoble, en conversion bio, couvre 8 ha sur un coteau exposé plein sud. Le pinot gris Vieilles Vignes s'annonce par une robe or pâle à reflets verts et par un nez élégant et subtil, nuancé d'une touche de réglisse. Une même finesse se retrouve au palais, où la belle matière, souple et franche, est équilibrée par des impressions de fraîcheur qui soulignent la longue finale. Ce 2010 devrait faire plaisir durant une décennie. On pourra le servir dès maintenant à l'apéritif, sur des saint-jacques ou des plats sucrés-salés. (Sucres résiduels : 25 g/l.)

Dom. J.-L. Schwartz, 70, rte des Vins, 67140 Itterswiller, tél. 03.88.85.51.59, fax 03.88.85.59.16, jean-luc@domaine-schwartz.com
t.l.j. 9h30-19h; dim. 9h30-13h

ALINE ET RÉMY SIMON Vieilles Vignes 2010 ★

3 000 ▮▮▮ 8 à 11 €

Établis à Saint-Hippolyte, au pied du Haut-Kœnigsbourg, Aline et Rémy Simon, installés en 1996, ont notablement agrandi le domaine familial (6,5 ha aujourd'hui). Parmi leurs multiples cuvées, ce pinot gris, né de vignes de plus de cinquante ans, est régulièrement distingué par les dégustateurs. Le 2010, jaune doré, séduit par son nez complexe alliant les fruits confits à des notes fumées et grillées caractéristiques du cépage. Après une attaque fraîche, la bouche apparaît riche, miellée et souple, sans lourdeur. La longue finale conjugue puissance et finesse. Dès la fin 2012, ce vin élégant fera un bel apéritif autour de canapés au foie gras ou au magret. (Sucres résiduels : 26 g/l.)

Dom. Aline et Rémy Simon, 12, rue Saint-Fulrade, 68590 Saint-Hippolyte, tél. et fax 03.89.73.04.92, alineremy.simon@wanadoo.fr
t.l.j. 9h-12h15 13h-19h

DOM. JEAN SIPP Trottacker 2010 ★

3 000 ▮▮▮ 11 à 15 €

La famille fait état d'un arbre généalogique remontant au milieu du XVIIe s. Jean-Jacques Sipp a développé et transmis ce domaine en 2010 à son fils Jean-Guillaume, qui dispose de 24 ha de vignes et d'une belle cave. Ancienne propriété des Ribeaupierre, seigneurs de Ribeauvillé, le Trottacker, ou « champ du Pressoir », est un des fleurons de la propriété. Le pinot gris planté sur ses sols argilo-calcaires engendre des vins régulièrement distingués (le 2008 fut élu coup de cœur). Le 2010 associe aux nuances du cépage des senteurs de fruits secs et confits. Le nougat s'ajoute en bouche à cette palette au sein d'une matière ample, puissante et équilibrée, chaleureuse et longue en finale. Pour du foie gras ou une pintade aux figues, maintenant ou dans trois ans. (Sucres résiduels : 30 g/l.)

Jean Sipp, 60, rue de la Fraternité, 68150 Ribeauvillé, tél. 03.89.73.60.02, fax 03.89.73.82.38, domaine@jean-sipp.com
t.l.j. sf dim. 9h-12h 14h-18h

SIPP-MACK Vendanges tardives Amélie 2009 ★

1 700 ▮ 20 à 30 €

En 1959, François Sipp de Ribeauvillé épouse Marie-Louise Mack, du village voisin Hunawihr. À la génération suivante, l'ancien monde s'est allié au nouveau lors du mariage de Jacques et de Laura, venue des États-Unis. Voici des vendanges tardives opulentes et très riches en sucres, qui rappellent à un dégustateur une sélection de grains nobles. D'un jaune intense aux reflets cuivrés, ce pinot gris offre un nez complexe associant des notes confites de botrytis et de mangue surmûrie à une touche fumée. L'attaque, dominée par des impressions de douceur, dévoile un vin puissant et gras, plus frais en finale. Pour laisser au sucre et à l'acidité le temps de se fondre, on attendra cette bouteille jusqu'en 2014. (Sucres résiduels : 99,6 g/l.)

Dom. Sipp-Mack, 1, rue des Vosges, 68150 Hunawihr, tél. 03.89.73.61.88, fax 03.89.73.36.70, sippmack@sippmack.com
t.l.j. sf dim. 9h-12h 14h-18h

DOM. PHILIPPE SOHLER Rebberg 2010 ★

2 000 ▮▮▮ 8 à 11 €

Depuis 1997, Philippe Sohler exploite le domaine familial – 10 ha aux environs de Nothalten, au sud de Barr. Il signe un pinot gris né dans le Rebberg, un lieu-dit schisteux au sud d'Andlau. Ce substrat a conféré de beaux caractères à ce vin : un nez typé s'épanouissant à l'aération sur d'élégantes notes de fruits jaunes et de fleurs blanches ; une bouche franche et fraîche à l'attaque, plus chaleureuse en finale. Ce 2010, qui sera à son apogée entre 2013 et 2015, accompagnera agréablement un suprême de volaille. (Sucres résiduels : 11 g/l.)

Dom. Philippe Sohler, 80A, rte des Vins, 67680 Nothalten, tél. et fax 03.88.92.49.89, contact@sohler.fr
r.-v.

VORBURGER 2010 ★★★

n.c. ▮ 5 à 8 €

Constituée dans les années 1950, cette exploitation est dirigée par Jean-Pierre Vorburger et son fils Philippe. Elle a son siège à Voegtlinshoffen, village assez haut perché à une douzaine de kilomètres au sud de Colmar. Issu d'un sol argilo-calcaire, son pinot gris est habillé d'or clair et mêle des senteurs sur des notes de fleurs blanches et de fruits jaunes, agrémentées de touches briochées et d'un léger fumé. En bouche, on découvre une remarquable matière, où fraîcheur nerveuse et rondeur font alliance dans un superbe équilibre, sur des arômes de fleurs du verger et de miel. Fin et friand, charmeur et gourmand, un vin à déguster dès l'an prochain, que l'on pourra aussi garder une décennie. Foie gras poêlé, saint-jacques ou cuisines du monde... les accords sont légion. (Sucres résiduels : 20 g/l.)

EARL Jean-Pierre Vorburger et Fils, 3, rue de la Source, 68420 Voegtlinshoffen, tél. 03.89.49.35.52, fax 03.89.86.40.56
r.-v.

MARTIN ZAHN 2010

60 000 ▮ 8 à 11 €

La plus ancienne coopérative de France (1895), présidée depuis 2003 par Yves Baltenweck, vinifie aujourd'hui les vendanges de 265 ha de vignes. Les visiteurs font l'objet de toutes les attentions : musée, salle des foudres, expositions d'art moderne toujours renouvelées et vaste caveau de dégustation. Originaire d'un terroir argilo-calcaire, ce 2010 apparaît encore réservé au nez. Assez léger au palais, il est élégant, frais et plutôt bien structuré. Il accompagnera dès 2013 terrines, tourtes et volailles cuisinées. (Sucres résiduels : 13 g/l.)

Cave de Ribeauvillé, 2, rte de Colmar, 68150 Ribeauvillé, tél. 03.89.73.61.80, fax 03.89.73.31.21, cave@cave-ribeauville.com t.l.j. 8h-12h 14h-18h

ALBERT ZIEGLER Cuvée Bollenberg 2010 ★

4 591 8 à 11 €

Michel et Christine Voelklin-Ziegler ont repris en 1998 le domaine familial. Ils exploitent aujourd'hui 19 ha sur les coteaux environnant Orschwihr, au sud de la route des Vins. Colline riche en légendes remontant sans doute à l'époque celte, le Bollenberg est aussi un terroir argilo-calcaire privilégié par un microclimat de type méditerranéen. Issu de raisins surmûris, ce pinot gris s'ouvre sur les agrumes très mûrs ou confits. En bouche, le vin apparaît bien structuré : ample, riche et gras, il fait preuve d'une belle fraîcheur qui souligne sa longueur. Déjà agréable, il atteindra son apogée en 2014-2015. On suggère de le servir avec une viande blanche à la créole. (Sucres résiduels : 48,34 g/l.)

EARL Albert Ziegler, 10, rue de l'Église, 68500 Orschwihr, tél. 03.89.76.01.12, fax 03.89.74.91.32, ziegler.voelklin@wanadoo.fr
t.l.j. 8h-12h 13h-19h; dim. sur r.-v.

♥ **ZIEGLER-MAULER** Vendanges tardives Cuvée Solenn 2009 ★★★

1 000 ▮ 20 à 30 €

En 1996, Philippe Ziegler a succédé à son père. Pour la conduite de son vignoble, il a adopté une démarche proche du bio, sans certification. Son village, Mittelwihr, bénéficie d'un microclimat très favorable. Ce pinot gris, planté sur argilo-calcaire, a été récolté le 20 octobre. Il a donné naissance à un vin or paille à reflets verts, qui charme dès le premier coup de nez. Les parfums, nets et d'une grande finesse, captivent par leur complexité : le fumé caractéristique du cépage se mêle aux fleurs, à la mirabelle et aux agrumes confits, ainsi qu'au miel, aux fruits secs et aux épices. La bouche, qui suit la même ligne aromatique, séduit par son fondu et son superbe équilibre : sucre et alcool sont bien présents, mais sans excès, contrebalancés par une fine acidité qui donne de l'allonge à la finale teintée de minéralité. Ce vin « haute couture », déjà prêt, pourra aussi tenir quinze ans ou plus dans une bonne cave. (Sucres résiduels : 72 g/l.)

Dom. J.-J. Ziegler-Mauler Fils, 2, rue des Merles, 68630 Mittelwihr, tél. 03.89.47.90.37, fax 03.89.47.98.27, vins.zieglermauler@orange.fr r.-v.

♥ **ZINK** 2010 ★★★

15 000 5 à 8 €

La maison, datée de 1616, a été témoin de l'engagement de onze générations de vignerons. Aujourd'hui, Pierre-Paul Zink et son fils Étienne, à la tête de 8 ha de vignes en coteaux, évoquent un « goût de l'excellence reçu en héritage ». Une profession de foi validée par la dégustation : le jury a décerné, dans deux éditions de suite, un coup de cœur à leur pinot gris, issu de millésimes fort différents. Ce 2010 se pare d'une robe jaune doré et s'exprime intensément sur des notes de coing, de miel et de fruits confits. On retrouve ce côté confit dans une bouche vive à l'attaque, puis tout en rondeur, puissante et charmeuse. La finale est douce, sans lourdeur. Un grand vin qui atteindra son optimum en 2015 et qui tiendra une décennie. On l'ouvrira à l'apéritif et on terminera la bouteille sur un foie gras poêlé ou une volaille de fête. (Sucres résiduels : 16 g/l.)

Pierre-Paul Zink, 27, rue de la Lauch, 68250 Pfaffenheim, tél. 03.89.49.60.87, fax 03.89.49.73.05, infos@vins-zink.fr r.-v.

Alsace pinot noir

Superficie : 1 509 ha
Production : 108 326 hl

L'Alsace est surtout réputée pour ses vins blancs ; mais sait-on qu'au Moyen Âge les rouges y occupaient une place considérable ? Après avoir presque disparu, le pinot noir (le meilleur cépage rouge des régions septentrionales) a connu une notable expansion.

On connaît bien le type rosé ou rouge léger, vin agréable, sec et fruité, susceptible d'accompagner une foule de mets, comme d'autres rosés. Cependant, la tendance est à élaborer un véritable vin rouge de garde à partir de ce cépage.

DOM. AGAPÉ Hélios « B » 2009

■ 2 500 15 à 20 €

On retrouve le domaine de Vincent Sipp dans le Guide avec ce pinot noir né sur un des meilleurs coteaux de Ribeauvillé et élevé un an en pièce de chêne. Dans le verre, quelques reflets orangés ; au nez, de la griotte, une touche de grillé, de vanille et une nuance animale. En bouche, une attaque franche, ce qu'il faut de tanins et de la fraîcheur. À servir dès la fin 2012 sur un rôti de bœuf.

Vincent Sipp, Dom. Agapé, 10, rue des Tuileries, 68340 Riquewihr, tél. 03.89.47.94.23, fax 03.89.47.89.34, domaine@alsace-agape.fr t.l.j. sf dim. 9h-18h

YVES AMBERG Kappentanz Vieilles Vignes 2010 ★

■ 4 000 5 à 8 €

Yves Amberg est installé à Epfig, commune bas-rhinoise qui se flatte de posséder le plus important vignoble d'Alsace. Il a converti son domaine au bio depuis une quinzaine d'années. Son pinot noir du Kappentanz provient d'un sol siliceux assez léger. La robe grenat foncé aux reflets violets annonce un nez intense aux nuances de cassis, arôme que l'on retrouve au palais. Ample, généreux, assez complexe et long, bâti sur des tanins mûrs, ce 2010 est déjà plaisant mais peut aussi se garder jusqu'en 2015.

EARL Dom. Yves Amberg, 19, rue du Fronholz, 67680 Epfig, tél. 03.88.85.51.28, fax 03.88.85.52.71 r.-v.

DOM. DE L'ANCIEN MONASTÈRE Rouge de Saint-Léonard Les 900 ans d'anniversaire 2009

■ 2 600 5 à 8 €

L'ancien monastère ? Fondé par les bénédictins en 1109 à Boersch, à deux pas d'Ottrott et d'Obernai. Ces moines auraient introduit le pinot noir dans la région. Neuf cents ans plus tard, Odile Hummel prend les rênes de l'exploitation. Encore jeune d'aspect avec ses reflets violets, son Rouge de Saint-Léonard plaît par ses arômes de framboise et de cassis, légèrement torréfiés. Fruité, souple et gouleyant, c'est un « vin plaisir » pour maintenant.

Dom. de l'Ancien Monastère, 4, cour du Chapître, Saint-Léonard, 67530 Boersch, tél. 03.88.95.81.21, fax 03.88.48.11.21, b.hummel@wanadoo.fr

t.l.j. 9h-12h 13h30-19h; dim. sur r.-v.

Odile Hummel

CAVE VINICOLE D'ANDLAU-BARR Rouge d'Ottrott 2010

■ 12 000 8 à 11 €

À une robe rubis sombre aux reflets légèrement tuilés répond un nez bien ouvert : des épices (poivre), une touche de tabac, puis des fragrances florales et des nuances de fruits mûrs. L'attaque dévoile un vin frais, suffisamment structuré, discrètement fruité. Quelques petits tanins en finale pourraient inciter à attendre ce millésime jusqu'en 2014.

Cave vinicole d'Andlau et environs, 15, av. des Vosges, 67140 Barr, tél. 03.88.47.60.10, fax 03.88.47.60.22, vignobles@bestheim.com r.-v.

FRANÇOIS BAUR Sang du dragon 2009

■ 5 800 15 à 20 €

Le Sang du dragon ? Bien coloré, grenat foncé. À l'issue d'une longue cuvaison et d'un élevage de deux ans en fût, la vanille marque le nez, laissant percer griotte et fruits noirs. Dans la même tonalité aromatique, la bouche est ample, généreuse, avec un retour vanillé et épicé. Les amateurs de vins boisés apprécieront ce 2009 dès la sortie du Guide avec du gibier. Domaine exploité en biodynamie.

François Baur Petit-Fils, 3, Grand-Rue, 68230 Turckheim, tél. 03.89.27.06.62, fax 03.89.27.47.21, pierrebaur@vinsbaur.com

t.l.j. 9h-12h 14h-18h

PIERRE ET FRÉDÉRIC BECHT Cuvée Frédéric 2010 ★

■ 3 000 8 à 11 €

Très souvent distinguée par nos dégustateurs, une cuvée choyée par les Becht, vignerons installés au débouché de la vallée de la Bruche, près de Molsheim. Issu d'un terroir marno-calcaire et élevé un an en fût, ce 2010 affiche une couleur franche. Après un premier nez sur la vanille et les notes toastées de la barrique, il laisse parler le fruit. L'élevage est encore dominant en bouche, mais la matière est belle, bien structurée ; les tanins du raisin apparaissent déjà fondus, et le fruit noir mûr pointe sous le chêne. Les amateurs de vins boisés peuvent déjà ouvrir cette bouteille, qui sera à son apogée vers 2014-2016.

Pierre et Frédéric Becht, 26, fg des Vosges, 67120 Dorlisheim, tél. 03.88.38.18.22, fax 03.88.38.87.81, info@domaine-becht.com

t.l.j. sf dim. 8h30-11h30 14h-18h30

FRANCIS BECK Barriques 2010 ★★

■ 1 950 11 à 15 €

Œnologue, Julien Beck travaille depuis huit ans avec son père Francis. De sa formation en Bourgogne, il a gardé le goût des élevages sous bois. Ce pinot noir, fermenté avec des levures indigènes, est resté un an sur ses lies jusqu'à sa mise en bouteilles. D'un grenat profond tirant sur le noir, sa robe annonce une belle concentration. Son nez, complexe et franc, mêle les petits fruits des bois à un léger boisé épicé. L'attaque fraîche prélude à une bouche ample et persistante. La belle matière traduit une vendange mûre, et la structure tannique est déjà harmonieuse. « Un exemple d'équilibre et de finesse », conclut un dégustateur. Cette bouteille de garde pourra donner la réplique à des mets relevés.

EARL Francis Beck et Fils, 79, rue Sainte-Marguerite, 67680 Epfig, tél. 03.88.85.54.84, fax 03.88.57.83.81, vins@francisbeck.com

t.l.j. 9h-12h 14h-18h; dim. sur r.-v.

BECKER Rouge « F » de Zellenberg 2010

■ 3 900 11 à 15 €

Les Becker sont issus d'une lignée remontant à 1610 – quatre cents ans avant ce millésime... Installés à Zellenberg, près de Riquewihr, ils travaillent leur domaine en bio. On retrouve leur cuvée « F », originaire du meilleur terroir du village, aux sols argilo-marneux. Plus modeste que le 2009, ce 2010 montre quelques reflets orangés dans sa robe rubis clair. Il a connu le bois, mais c'est le fruit rouge qui ressort. Sa belle attaque, son ampleur et sa souplesse rendent ce vin déjà agréable. Une petite garde est possible (jusqu'en 2015-2016).

GAEC J.-Philippe et J.-François Becker, 2, rte d'Ostheim, 68340 Zellenberg, tél. 03.89.47.87.56, jphilippebecker@aol.com r.-v.

BOECKEL Les Terres rouges Élevé en barrique 2009

■ 2 000 | 11 à 15 €

Une famille pionnière, installée à Mittelbergheim depuis quatre siècles, à la tête d'un domaine de 21 ha en conversion au bio. Son pinot noir Terres rouges tire son nom de son lieu-dit d'origine (Rotland). Grenat foncé montrant quelques reflets orangés, ce 2009 élevé près de deux ans en fût a divisé les dégustateurs : certains l'auraient souhaité moins boisé, d'autres louent ses qualités de structure – attaque, ampleur, puissance, tanins déjà soyeux – et son potentiel, le comparant au bourgogne. À ouvrir entre 2015 et 2017.

Boeckel, 2, rue de la Montagne, 67140 Mittelbergheim, tél. 03.88.08.91.02, boeckel@boeckel-alsace.com

BOHN 2010

■ 3 000 | 5 à 8 €

Les pinots noirs de René Bohn intéressent souvent les dégustateurs. Élevé neuf mois en foudre, ce 2010 attire par sa robe grenat foncé aux reflets violets et par son petit nez de cerise légèrement épicé. Peu de longueur, mais un bel équilibre, de la souplesse et des arômes de fruits des bois en cohérence avec l'olfaction. De quoi se faire plaisir dès la sortie du Guide.

René Bohn Fils, 67, rte des Vins, 67650 Blienschwiller, tél. et fax 03.88.92.41.33, rene.bohn@wanadoo.fr r.-v.

♥ (B) **CAMILLE BRAUN** Rouge d'Alsace 2009 ★★

■ 1 800 | 11 à 15 €

Une lignée vigneronne qui se perd dans la nuit des temps, installée au sud de la route des Vins, entre le Bollenberg et les Vosges. Aujourd'hui, 14 ha exploités en biodynamie et environ quarante cuvées de terroir. Et un nouveau coup de cœur : pour un millésime 2009, année qui aura décidément souri à Christophe Braun. Après un gewurztraminer couvert d'éloges, voici ce Rouge d'Alsace : un pinot noir provenant d'un terroir argilo-calcaire, élevé un an en fût sur ses lies. À une robe magnifique d'intensité et de jeunesse, grenat foncé aux reflets violets, répond un nez tout aussi intense, franc, élégant et complexe, où la barrique (vanille, cannelle, torréfaction) laisse parler les fruits (cerise noire et framboise). Ample, gras, généreux et long, le palais dévoile une belle charpente de tanins qui commencent à se fondre. Il serait toutefois dommage d'ouvrir avant 2014 cette bouteille dont les dégustateurs situent l'apogée entre 2017 et 2020.

Camille Braun, 16, Grand-Rue, 68500 Orschwihr, tél. 03.89.76.95.20, fax 03.89.74.35.03, cbraun@camille-braun.com t.l.j. sf dim. 8h30-12h 13h30-18h30 (C)

DAVID ERMEL Coteau du Helfant 2010 ★

■ 5 200 | 8 à 11 €

Installés à Hunawihr, village célèbre pour son église fortifiée assiégée par les ceps, les Ermel exploitent 13 ha de vignes. Ils signent un pinot noir né en haut d'un coteau. Ce 2010, qui a la couleur et les parfums de la framboise, séduit par sa brillance et son fruité intense et complexe, marqué aussi par la cerise et le cassis. Dans le même registre, la bouche se montre harmonieuse, ample et riche, bâtie sur des tanins mûrs. La finale est fraîche et longue. Du plaisir pour les quatre à cinq prochaines années.

David Ermel, 30, rte de Ribeauvillé, 68150 Hunawihr, tél. 03.89.73.61.71, fax 03.89.03.32.56, david.ermel@wanadoo.fr t.l.j. 8h-12h 13h30-19h

(B) **LUC FALLER** 2010 ★

■ 1 700 | 11 à 15 €

Ce pinot noir vient d'un domaine cultivé en bio autour d'Itterswiller, village étiré le long de la route des Vins et entièrement voué au vin et à la bonne chère. D'un grenat intense à reflets violets, il dévoile son séjour dans le chêne à travers une légère note torréfiée qui vient souligner avec finesse des parfums de fruits des bois. Cerise, fraise sauvage... : on retrouve dans l'attaque ce joli fruité tout en fraîcheur. La bouche, ample et structurée, finit sur des petits tanins qui demandent à se fondre. Attendre 2014 ou 2015 avant de déboucher cette bouteille sur une viande rouge aux airelles.

Luc Faller, 51, rte des Vins, 67140 Itterswiller, tél. 03.88.85.51.42 r.-v.

(B) **VINCENT FLEITH** F 2009 ★

■ 1 600 | 20 à 30 €

Un domaine bien connu des lecteurs. René, le père, l'a agrandi et modernisé ; Vincent l'a converti graduellement à la biodynamie (certification Demeter depuis 2008). Cuvée F ? Les initiales du Furstentum, terroir argilo-calcaro-gréseux qui peut seulement s'afficher comme grand cru lorsqu'il est planté en riesling, gewurztraminer, pinot gris ou muscat. Après deux ans de fût, ce pinot noir arbore une robe grenat dense auquel fait écho un nez concentré, mariant la cerise noire à quelques touches de boisé. L'attaque suave dévoile une matière puissante, équilibrée en finale par une pointe de fraîcheur. À servir sur une viande rouge dans les trois prochaines années.

Vincent Fleith, 8, lieu-dit Lange Matten, 68040 Ingersheim, tél. 03.89.27.24.19, fax 03.89.27.56.79, contact@vincent-fleith.fr r.-v. (B)

♥ (B) **DOMINIQUE ET JULIEN FREY**
Quintessence 2009 ★★

■ 3 000 | 11 à 15 €

Les Frey travaillent leurs 13 ha de vignes en bio certifié depuis 1999 et en biodynamie depuis 2001. Plus d'une fois remarquée par nos dégustateurs, leur Quintessence, cuvée de pinot noir, décroche cette année un coup de cœur. Issu de sables granitiques, ce 2009, après un élevage de deux ans en barrique, se pare d'une robe rubis foncé aux reflets violets et livre un nez complexe et fin, alliant la cerise noire caractéristique du cépage à un léger vanillé. Ce fruité agréable se prolonge dans un palais équilibré, ample et frais, aux tanins serrés mais bien fondus, qui finit avec élégance sur une touche épicée. Cette bouteille d'une réelle harmonie apparaît déjà agréable, mais elle gagnera à attendre trois ans. À marier avec du gibier ou une viande en sauce.

Charles et Dominique Frey, 4, rue des Ours, 67650 Dambach-la-Ville, tél. 03.88.92.41.04, fax 03.88.92.62.23, frey.dom.bio@orange.fr
t.l.j. sf dim. 9h-12h 13h30-18h

J. FRITSCH 2010

	2 100		5 à 8 €

Cette exploitation familiale de 9 ha accueille les visiteurs dans l'ancienne cave du domaine, datée de 1703 et située au centre du petit bourg fortifié de Kientzheim. Issu d'un terroir argilo-calcaire, son pinot noir se pare d'une robe cerise. Il est un peu léger, mais on aime ses arômes affirmés de fruits noirs (mûre, myrtille et cassis). Sa vivacité s'accordera avec de la charcuterie.

Joseph Fritsch, 31, Grand-Rue, 68240 Kientzheim, tél. 03.89.78.24.27, fax 03.89.78.16.53, vinsjosephfritsch@wanadoo.fr
t.l.j. sf dim. 10h-12h 14h-18h

PAUL GINGLINGER Les Rocailles Élevé en fût de chêne 2010

	1 600		15 à 20 €

Michel Ginglinger, fils de Paul, est œnologue. Il signe un 2010 qui marque le 400e anniversaire du domaine. Cette cuvée des Rocailles affiche une belle couleur grenat à reflets violets « qui renvoie la lumière ». Le nez, fin, associe des notes de fruits rouges avec des touches de tabac et de grillé. La bouche est structurée, fraîche, assez tannique en finale. On pourra cependant ouvrir cette bouteille dès la sortie du Guide.

Paul Ginglinger, 8, pl. Charles-de-Gaulle, 68420 Eguisheim, tél. 03.89.41.44.25, fax 03.89.24.94.88
t.l.j. 8h-12h 13h30-18h30

JOSEPH GSELL P 2009 ★★

	900		11 à 15 €

Installé entre Colmar et Mulhouse, Joseph Gsell a été rejoint par son fils Julien en 2004. Les deux vignerons ont entrepris en 2007 la conversion de leur domaine (9 ha) au bio. Pas encore de certification pour ce 2009, fort complimenté au demeurant. Un pinot noir de belle origine (« P », comprenez Pfingsberg, un terroir marno-gréseux, grand cru s'il est planté des quatre « cépages nobles ») ; les ceps ont quarante ans et le vin a vieilli dix-huit mois en fût. La robe est intense et limpide, le nez bien ouvert sur la cerise et la fraise. En bouche, cette bouteille s'impose par sa matière, son fruit, ses tanins mûrs et sa finale fraîche et longue. Déjà plaisante, elle peut aussi attendre quatre ou cinq ans.

Joseph Gsell, 26, Grand-Rue, 68500 Orschwihr, tél. 03.89.76.95.11, fax 03.89.76.20.54, joseph.gsell@wanadoo.fr
t.l.j. sf dim. 9h-12h 14h-18h

DOM. ROBERT HAAG ET FILS Élevé en barrique 2009

	n.c.		8 à 11 €

Bien qu'établi à Scherwiller, haut lieu du riesling, François Haag ne néglige pas son pinot noir. Avec ce 2009 issu d'un terroir de sable granitique, il propose une bouteille de garde. La couleur est sombre et jeune, d'un grenat foncé à reflets violets. Le nez complexe mêle la cerise, la framboise et le cassis surmûris au boisé légué par un séjour de quinze mois en barrique. La mise en bouche dévoile un vin structuré, tannique dès l'attaque, très extrait, où les notes de fruits noirs, à l'arrière-plan, percent en finale. À laisser en cave jusqu'en 2015 ou 2016 au moins.

Dom. Robert Haag et Fils, 21, rue de la Mairie, 67750 Scherwiller, tél. 03.88.92.11.83, fax 03.88.82.15.85, vins.haag.robert@estvideo.fr
t.l.j. sf dim. 9h-12h 13h30-19h

HUBER ET BLÉGER Rouge de Saint-Hippolyte Burgreben Élevé en barrique 2009 ★

	4 100		8 à 11 €

Au pied du Haut-Kœnigsbourg, Saint-Hippolyte cultive de longue date le pinot noir, si bien qu'en 2011, le village a obtenu une dénomination communale pour ses vins rouges. Cette exploitation familiale – un GAEC constitué par deux cousins à la génération précédente – en tire une fois de plus une cuvée fort honorable. Grenat sombre, ce 2009 livre des notes vanillées, fumées et torréfiées qui trahissent son élevage d'un an en barrique ; la cerise du pinot reste en retrait. Ample et long, bâti sur des tanins fondus, ce vin est déjà agréable mais il peut attendre cinq ans.

Dom. Huber et Bléger, 6, rte des Vins, 68590 Saint-Hippolyte, tél. 03.89.73.01.12, fax 03.89.73.00.81, domaine@huber-bleger.fr t.l.j. sf dim. 9h-12h 14h-18h

KLEIN-BRAND Élevé en fût de chêne 2009 ★

	2 400		8 à 11 €

Installé à Soultzmatt, à la sortie de la Vallée Noble, Éric Klein a élevé son pinot noir un an en barrique. Les atouts de ce 2009 ? Une robe grenat profond, un fruité à la fois intense, complexe et délicat, sur les fruits rouges cuits, le cassis, la mûre, avec une touche d'épices. La bouche est tout aussi agréable : de l'ampleur, du gras, beaucoup d'arômes de fruits noirs entremêlés, une note de tabac, des tanins bien maîtrisés, encore présents en finale. On pourra apprécier cette bouteille dès 2013, mais elle sera à son optimum vers 2015.

SARL Klein-Brand, 96, rue de la Vallée, 68570 Soultzmatt, tél. 03.89.47.00.08, fax 03.89.47.65.53, kleinbrand@sfr.fr t.l.j. sf dim. 8h-12h 13h30-18h30
Éric Klein

DOM. LANDMANN La Quintessence Vieilles Vignes 2010

	4 000		8 à 11 €

Voilà vingt ans qu'Armand Landmann a quitté la banque pour mettre en valeur les vignes familiales sur les coteaux de Nothalten. Il dit rechercher la finesse et le plaisir. De fait, ce pinot noir né sur cailloutis argilo-calcaires et élevé six mois sous bois n'engendre pas l'austérité : robe grenat foncé aux reflets sombres, nez bien ouvert associant la griotte et la cerise noire à un léger grillé, tanins présents mais fondus, joli retour de la cerise et finale épicée. De l'harmonie et une certaine profondeur : ouverture en 2012-2013.

🔑 EARL Armand Landmann, 74, rte du Vin, 67680 Nothalten, tél. et fax 03.88.92.41.12, armand.landmann@yahoo.fr
t.l.j. sf dim. 8h-12h 14h-18h

MARCEL LICHTLÉ FILS Cuvée Sigismond 2010

1 270 | 5 à 8 €

La famille Lichtlé est installée à Ammerschwihr, la plus importante commune viticole du Haut-Rhin. Sa cuvée Sigismond est un pinot noir d'origine argilo-calcaire. Grenat aux légers reflets orangés, elle offre un nez tout en finesse, qui s'ouvre sur les fruits rouges, griotte en tête, avec une petite pointe d'alcool. L'attaque est franche et fraîche, le corps puissant et rond finit sur une note chaleureuse. L'ensemble sera bientôt fondu : à ouvrir dès 2013.

🔑 Marcel Lichtlé Fils, 5, pl. de la Sinne, 68770 Ammerschwihr, tél. 03.89.47.16.12, marcel.lichtle.fils@wanadoo.fr
t.l.j. sf dim. 8h-12h 13h-19h

MADER Cuvée Théophile 2010 ★

1 200 | 11 à 15 €

L'année 2010 est celle de la certification bio pour Jean-Luc et Jérôme Mader, à la tête de près de 10 ha de vignes au cœur de la route des Vins. Née sur argilo-calcaires, la cuvée Théophile a fini sa fermentation en barrique où elle est restée onze mois. D'un grenat profond à reflets pourpres, elle s'annonce par un nez complexe et fin alliant les fruits rouges, les épices et le tabac. Sans être un monstre de puissance, elle flatte le palais par son ampleur, ses tanins mûrs et sa finale fraîche. Déjà agréable, elle peut aussi attendre trois ans. Un bel hommage à l'arrière-grand-père.

🔑 Dom. Mader, 13, Grand-Rue, 68150 Hunawihr, tél. 03.89.73.80.32, fax 03.89.73.31.22, vins.mader@laposte.net r.-v.

JACQUES MAETZ Cuvée Fruits rouges 2010 ★

920 | 8 à 11 €

Vous trouverez cette exploitation à l'entrée de Rosheim, pittoresque ville fortifiée entre Molsheim et Obernai. Sa cuvée Fruits rouges, bien nommée, n'a pas connu le bois. Cerise à l'œil, avec des reflets violacés, cassis et mûre au nez, ce 2010 apparaît encore un peu brut et vif en bouche, mais sa matière est belle, ample, en cohérence avec l'olfaction par ses arômes de cerise noire et de petits fruits des bois, sa finale fraîche et assez longue. À boire sur son fruit dès la sortie du Guide ou à attendre une paire d'années.

🔑 Dom. Jacques Maetz, 49, av. de la Gare, 67560 Rosheim, tél. 03.88.50.43.29, fax 03.88.49.20.57, contact@jacquesmaetz.com
t.l.j. sf dim. lun. 8h-20h 3

DOM. PFISTER Barriques 2009 ★★

2 600 | 15 à 20 €

Le domaine Pfister : 10 ha en quarante parcelles, sur les pentes bien exposées du Scharrachberg, à une vingtaine de kilomètres de Strasbourg. Fondé en 1780, il est exploité depuis 2008 par Mélanie Pfister, ingénieur œnologue. Son pinot noir Barriques est couvert d'éloges. « Ce pinot noir est noir » : franc et profond. Complexe et harmonieux, le nez pinote sur des nuances de cerise bien mûre, de fruits confits, alliées à un léger boisé et à des touches de fruits secs. Le vin est ample, séveux, riche d'arômes confits qui tapissent le palais jusqu'à la finale persistante. « De la puissance et du nerf. » À boire chambré. Dès 2012 ? Si vous êtes impatient. Les jurés voient plutôt le début de son apogée en 2014.

🔑 Dom. Pfister, 53, rue Principale, 67310 Dahlenheim, tél. 03.88.50.66.32, fax 03.88.50.67.49, vins@domaine-pfister.com
t.l.j. sf dim. 9h-12h 14h-18h30 B

SCHOENHEITZ Herrenreben Élevé en fût de chêne 2010

3 000 | 11 à 15 €

Wihr-au-Val est une commune de la vallée de Munster, située à flanc de coteau. Le pinot noir semble se plaire sur ses terroirs granitiques, à en juger par les dernières sélections du Guide. Herrenreben ? « Les vignes des seigneurs ». Elles ont donné un 2010 grenat aux reflets orangés. Discret mais franc, le nez mêle le fruit rouge du pinot à des nuances de sous-bois et de tabac. L'attaque apparaît un peu vive, mais l'ensemble reste agréable, expressif, assez long. À déguster dès 2013.

🔑 Henri Schoenheitz, 1, rue de Walbach, 68230 Wihr-au-Val, tél. 03.89.71.03.96, fax 03.89.71.14.33, cave@vins-schoenheitz.fr r.-v.

CHRISTIAN SCHWARTZ Collection Marine Vieilles Vignes 2010 ★

2 000 | 11 à 15 €

Un village viticole au clocher effilé, avec l'Ungersberg boisé à l'arrière-plan. Cette montagne a donné son nom à une rue où vous trouverez Christian Schwartz. Son pinot noir Vieilles Vignes, né de sols limoneux, achève sa fermentation en barrique où il reste quatorze mois. La robe est profonde, grenat sombre à reflets violets. Intense et complexe, le nez mêle la barrique, sa vanille et ses épices à une ribambelle de petits fruits qui défilent à l'arrière-plan : griotte, fraise des bois et cassis. En bouche, le fruit noir s'allie à la réglisse. À l'attaque franche fait suite une bouche ample, puissante, fondue et longue, plus tannique en finale. À laisser en cave jusqu'en 2014-2015, même si les amateurs de vins jeunes peuvent déjà servir cette bouteille, en carafe.

🔑 Christian Schwartz, 8, rue de l'Ungersberg, 67650 Blienschwiller, tél. 03.88.92.63.06, christian.schwartz67@free.fr r.-v. D

JEAN-CHARLES ET STÉPHANE VONVILLE Rouge d'Ottrott Tradition 2009

7 000 | 8 à 11 €

Dans la famille Vonville, le pinot noir est roi. Il faut dire que le domaine est implanté à Ottrott, village bas-rhinois connu depuis neuf cents ans pour ses vins rouges. La cuvée Tradition séjourne près de deux ans en fût. Le 2009 affiche une robe assez foncée qui commence à se tuiler. Boisé au premier nez, il laisse percer les fruits rouges à l'agitation. Ample, bien structuré, il dévoile en bouche un fruité mûr et réglissé. Un ensemble de belle tenue, déjà plaisant, que l'on peut garder trois ans.

🔑 Jean-Charles Vonville et Fils, 4, pl. des Tilleuls, 67530 Ottrott, tél. 03.88.95.80.25, fax 03.88.95.96.40, earl.vonville@wanadoo.fr t.l.j. 8h30-12h 13h30-19h

CHARLES WANTZ Rouge d'Ottrott 2009

■	10 000	▮	8 à 11 €

Ottrott, illustre pour ses vins rouges, est à moins de 10 km de Barr, où cette maison a pignon sur rue depuis le XVIes. On ne s'étonnera donc pas de voir le Rouge d'Ottrott figurer sur sa carte des vins. Ce 2009 plaît par sa robe franche, ses arômes fruités mêlant la groseille, les fleurs, les épices, et par sa bouche légère, fraîche et fondue. Un vin pour les trois prochaines années, à servir sur des grillades.

SAS Charles Wantz, 36, rue Saint-Marc, 67140 Barr, tél. 03.88.08.90.44, fax 03.88.08.54.61, charles.wantz@wanadoo.fr
t.l.j. sf dim. 8h-12h 14h-18h
Moser

STÉPHANE WANTZ Eden 2009

■	1 500	▮▮	8 à 11 €

Des vignerons enracinés à Mittelbergheim depuis le XVIes. Nos lecteurs connaissent leurs vins sous le nom d'Alfred Wantz. Ingénieur agronome et œnologue, le petit-fils de ce dernier signe aujourd'hui des cuvées, comme ce pinot noir issu d'un terroir marno-calcaire et élevé en foudre. Sans offrir une matière imposante, ce 2009 attire par l'intensité de sa robe rubis et de ses arômes de griotte et d'épices. Souple, frais et toujours fruité en bouche, plus tannique en finale, il sera à son optimum en 2014, mais il peut aussi accompagner dès maintenant carré d'agneau et canard rôti.

Dom. Alfred Wantz, 3, rue des Vosges, 67140 Mittelbergheim, tél. 03.88.08.91.43, fax 03.88.08.58.74, stephane.wantz@wanadoo.fr r.-v.

Alsace grand cru

Superficie : 850 ha
Production : 43 278 hl

Dans le but de promouvoir les meilleures situations du vignoble, un décret de 1975 a institué l'appellation « alsace grand cru », liée à un certain nombre de contraintes plus rigoureuses en matière de rendement et de teneur en sucre. Une appellation réservée au gewurztraminer, au pinot gris, au riesling et au muscat, jusqu'au décret de mars 2005 qui autorise l'introduction du sylvaner, en assemblage avec le gewurztraminer, le pinot gris et le riesling dans le grand cru Altenberg-de-Bergheim, et en remplacement du muscat dans le grand cru Zotzenberg. Les terroirs, délimités, produisent le nec plus ultra des vins d'Alsace. En 1983, un décret a défini un premier groupe de 25 lieux-dits admis dans cette appellation. Il a été complété par trois décrets en 1992, 2001 et 2007. Avec le kaefferkopf, reconnu en 2007, le vignoble d'Alsace compte 51 grands crus, répartis sur 47 communes. Leurs surfaces sont comprises entre 3,23 ha et 80,28 ha, et leur terroir présente une certaine homogénéité géologique. Les disciplines nouvelles, depuis 2001, concernent l'élévation à 11 % vol. du degré minimum des rieslings et des muscats, et à 12,5 % vol. de celui des pinots gris et des gewurztraminers, la codification des règles de conduite de la vigne (densité de plantation, treille), ainsi que la responsabilisation de chacun des 51 syndicats de cru.

DOM. PIERRE ADAM Kaefferkopf Gewurztraminer 2010 ★★

■	4 000	▮	11 à 15 €

À la tête de 14 ha autour d'Ammerschwihr, importante bourgade viticole, Rémy Adam valorise avec talent plusieurs parcelles dans le grand cru de la commune. Le gewurztraminer y donne de très bons résultats, pour preuve le 2008, coup de cœur de l'édition 2011, et ce remarquable 2010, au nez de fruits exotiques et d'abricot sec. Expressif, ample, puissant et persistant, ce vin est aussi remarquablement équilibré grâce à une pointe d'acidité : « un régal », conclut un dégustateur. À déguster entre 2013 et 2018. Pourquoi pas sur une tarte aux poires et au roquefort ou sur une spécialité asiatique ? (Sucres résiduels : 30 g/l.) Cité, le **Kaefferkopf Riesling 2010 (8 à 11 € ; 2 000 b.)**, encore fermé, semble prometteur : on attendra deux ou trois ans avant de le servir sur un bar au four. (Sucres résiduels : 6 g/l.)

Dom. Pierre Adam, 8, rue du Lt-Louis-Mourier, 68770 Ammerschwihr, tél. 03.89.78.23.07, fax 03.89.47.39.68, info@domaine-adam.com
t.l.j. 8h-12h 13h30-18h30

PIERRE ARNOLD Frankstein Riesling 2010 ★

■	1 500	▮▮	8 à 11 €

La famille Arnold a un blason, figurant sur ses étiquettes : trois épis de blé. Trois siècles plus tard, elle se consacre à la vigne, et au meilleur terroir de Dambach-la-Ville, où elle cultive plusieurs cépages. Le riesling a donné un vin intéressant, qui montre une complexité naissante dans sa palette aromatique : le fruit mûr s'allie à des notes grillées et minérales. La rondeur de l'attaque est équilibrée par une belle acidité. À servir dès maintenant sur une croûte de fruits de mer ou un bar en sauce épicée (sucres résiduels : 13 g/l). Le **Frankstein Gewurztraminer 2010 (11 à 15 € ; 1 500 b.)** se montre discret au nez, mais il obtient lui aussi une étoile pour sa matière équilibrée. On pourra l'attendre quatre ou cinq ans. (Sucres résiduels : 55 g/l.)

Pierre Arnold, 16, rue de la Paix, 67650 Dambach-la-Ville, tél. 03.88.92.41.70, fax 03.88.92.62.95, alsace.pierre.arnold@orange.fr
t.l.j. 9h-19h; dim. sur r.-v.

♥ **BARON DE HOEN** Sonnenglanz Pinot gris 2010 ★★★

■	22 100	▮	11 à 15 €

Beblenheim jouxte Riquewihr, au centre de la route des Vins. Fondée en 1952, sa coopérative fête son soixantième anniversaire avec deux superbes cuvées issues du grand cru dominant le village. Exposé au sud-est, le Sonnenglanz bénéficie d'un ensoleillement qui lui vaut son nom (« Rayon de soleil »). Il a engendré un pinot gris qui a fait l'unanimité. Jaune pâle aux reflets dorés, ce 2010 s'annonce par un nez très fin et typé avec ses notes de fruits

jaunes bien mûrs nuancées de touches de pain grillé. En bouche, il dévoile une matière opulente, qui conjugue générosité et finesse, et persiste longuement sur une pointe de fraîcheur. Un régal pendant dix ans, à l'apéritif ou sur un foie gras poêlé (sucres résiduels : 29 g/l). Quant au **Sonnenglanz Riesling 2010 (8 à 11 €; 5 200 b.)**, il obtient deux étoiles pour son nez intense de pêche blanche et d'abricot, pour sa bouche ample, équilibrée par une finale fraîche et citronnée : une belle expression du cépage et du terroir. Déjà prêt, il peut attendre trois ans. (Sucres résiduels : 10 g/l.)

SICA Baron de Hoen, 20, rue de Hoen, 68980 Beblenheim, tél. 03.89.47.90.02, fax 03.89.47.86.85, info@cave-beblenheim.com
t.l.j. sf sam. dim. 9h-12h 14h-18h

BAUMANN-ZIRGEL Schlossberg Riesling Cuvée Amélie 2010

1 500 | 11 à 15 €

Créée au début des années 1950, cette exploitation familiale est passée en 2008 aux mains de Benjamin Zirgel qui conduit le vignoble selon une démarche bio (sans certification). Le domaine, qui couvre 10 ha, est éclaté sur six communes et une centaine de parcelles. Une belle mosaïque, qui comprend un demi-hectare en grand cru Schlossberg, un terroir d'arènes granitiques favorable au riesling. Un peu discret, celui-ci s'ouvre sur des fragrances de fleurs blanches assorties de nuances minérales et citronnées. S'il n'est pas très long, il apparaît bien équilibré, structuré, droit grâce à une fine acidité. Il peut attendre cinq ans et accompagnera viandes blanches ou saint-jacques. (Sucres résiduels : 7 g/l.)

Baumann-Zirgel, 5, rue du Vignoble, 68630 Mittelwihr, tél. 03.89.47.90.40, fax 03.89.49.04.89, baumann-zirgel@wanadoo.fr
t.l.j. 8h-12h 14h-19h; dim. sur r.-v. B
Zirgel

A. L. BAUR Hatschbourg Gewurztraminer Vendanges tardives 2009 ★★

2 700 | 20 à 30 €

L'année 2009, ensoleillée jusqu'à l'automne, n'a pas été avare de vendanges tardives. Récolté le dernier jour d'octobre, ce gewurztraminer offre une remarquable illustration de ce style de vin. Il provient d'un grand cru aux sols marneux situé au sud de Colmar, à cheval sur Hattstatt et Voegtlinshoffen. D'un jaune paille animé de reflets or, ce millésime déploie des fragrances de rose, qui évoluent à l'aération sur des notes de fruits jaunes bien mûrs. Ces arômes s'épanouissent dans un palais puissant, ample, gras et long, qui trouve son équilibre dans une belle fraîcheur. Déjà harmonieux, ce vin donnera toute sa

mesure dans cinq ans et pourrait traverser la décennie. On le verrait bien sur une tarte Tatin aux mangues, mais il fera aussi un bel apéritif. (Sucres résiduels : 60 g/l.)

A. L. Baur, 4, rue Roger-Frémeaux, 68420 Voegtlinshoffen, tél. 03.89.49.30.97, fax 03.89.49.21.37, albauralsace@orange.fr r.-v. B

CHARLES BAUR Pfersigberg Gewurztraminer Vendanges tardives 2009 ★

3 380 | 20 à 30 €

Un tandem père-fils – Armand, œnologue, et Arnaud, jeune ingénieur en agriculture – exploitent ce domaine de 16 ha, riche de deux grands crus. Le Pfersigberg, propice au gewurztraminer, a engendré de très belles vendanges tardives. D'un jaune d'or intense, ce 2009, encore timide au nez, s'ouvre à l'aération sur des fragrances de rose, puis de fruits jaunes. Dans le même registre surmûri, le palais se montre rond à l'attaque, équilibré par une bonne fraîcheur et assez long. Cette bouteille s'épanouira au cours des cinq prochaines années, sur une tarte alsacienne aux fruits. (Sucres résiduels : 66 g/l.)

Dom. Charles Baur, 29, Grand-Rue, 68420 Eguisheim, tél. 03.89.41.32.49, fax 03.89.41.55.79, cave@vinscharlesbaur.fr t.l.j. sf dim. 8h-12h 14h-19h

HUBERT BECK Frankstein Pinot gris 2010

3 220 | 8 à 11 €

Ces vignerons négociants perpétuent une lignée remontant à la fin du XVI[e]s. Ils exploitent une parcelle de pinot gris sur le Frankstein, le grand cru de leur commune, caractérisé par des sols légers d'arènes granitiques. Ce 2010, s'il peut déjà plaire, comme tous les moelleux, mérite d'attendre jusqu'en 2014. Le nez, réservé, libère quelques effluves de zeste d'orange, tandis que c'est la pêche qui marque la bouche. Ce vin tout en rondeur penche pour l'heure vers le sucre. Il accompagnera une salade de fruits ou de la cuisine sucrée-salée. (Sucres résiduels : 55 g/l.)

Hubert Beck, 34, rue du Mal-Foch, 67650 Dambach-la-Ville, tél. 03.88.92.45.90, fax 03.88.92.61.81, alsace.beck@free.fr r.-v. B
Ruhlmann

DOM. JEAN-MARC BERNHARD Wineck-Schlossberg Riesling 2010

2 500 | 11 à 15 €

Voilà douze ans que Frédéric Bernhard a rejoint son père Jean-Marc, après de nombreux stages en France et jusqu'en Afrique du Sud. Le domaine (10 ha en conversion au bio) détient des parcelles dans six grands crus. Sur les sols granitiques du Wineck-Schlossberg, le riesling s'affirme bien. Celui-ci offre un nez minéral et fumé. Son ampleur et sa souplesse sont équilibrées par une finale

LES CINQUANTE ET UN

Grands crus	Communes	Surface délimitée (ha)
Altenberg-de-bergbieten	Bergbieten (67)	30
Altenberg-de-bergheim	Bergheim (68)	35
Altenberg-de-wolxheim	Wolxheim (67)	31
Brand	Turckheim (68)	58
Bruderthal	Molsheim (67)	18
Eichberg	Eguisheim (68)	57
Engelberg	Dahlenheim, Scharrachbergheim (67)	14
Florimont	Ingersheim, Katzenthal (68)	21
Frankstein	Dambach-la-Ville (67)	56
Froehn	Zellenberg (68)	14
Furstentum	Kientzheim, Sigolsheim (68)	30
Geisberg	Ribeauvillé (68)	8
Gloeckelberg	Rodern, Saint-Hippolyte (68)	23
Goldert	Gueberschwihr (68)	45
Hatschbourg	Hattstatt, Voegtlinshoffen (68)	47
Hengst	Wintzenheim (68)	76
Kaefferkopf	Ammerschwihr (68)	71
Kanzlerberg	Bergheim (68)	3
Kastelberg	Andlau (67)	6
Kessler	Guebwiller (68)	28
Kirchberg-de-barr	Barr (67)	40
Kirchberg-de-ribeauvillé	Ribeauvillé (68)	11
Kitterlé	Guebwiller (68)	25
Mambourg	Sigolsheim (68)	62
Mandelberg	Mittelwihr, Beblenheim (68)	22
Marckrain	Bennwihr, Sigolsheim (68)	53
Moenchberg	Andlau, Eichhoffen (67)	12
Muenchberg	Nothalten (67)	18
Ollwiller	Wuenheim (68)	36
Osterberg	Ribeauvillé (68)	24
Pfersigberg	Eguisheim, Wettolsheim (68)	74
Pfingstberg	Orschwihr (68)	28
Praelatenberg	Kintzheim (67)	18
Rangen	Thann, Vieux-Thann (68)	19
Rosacker	Hunawihr (68)	26
Saering	Guebwiller (68)	27
Schlossberg	Kientzheim (68)	80
Schoenenbourg	Riquewihr, Zellenberg (68)	53
Sommerberg	Niedermorschwihr, Katzenthal (68)	28
Sonnenglanz	Beblenheim (68)	33
Spiegel	Bergholtz, Guebwiller (68)	18
Sporen	Riquewihr (68)	23
Steinert	Pfaffenheim, Westhalten (68)	38
Steingrubler	Wettolsheim (68)	23
Steinklotz	Marlenheim (67)	40
Vorbourg	Rouffach, Westhalten (68)	72
Wiebelsberg	Andlau (67)	12
Wineck-schlossberg	Katzenthal, Ammerschwihr (68)	27
Winzenberg	Blienschwiller (67)	19
Zinnkoepflé	Soultzmatt, Westhalten (68)	68
Zotzenberg	Mittelbergheim (67)	36

GRANDS CRUS ALSACIENS

Exposition	Sols	Cépages de prédilection
S.-E.	Marnes dolomitiques du keuper	Riesling, gewurztraminer
S.	Sols marno-calcaires caillouteux d'origine jurassique	Gewurztraminer
S.-S.-O.	Terroir du lias, marno-calcaires riches en cailloutis	Riesling
S.	Granite	Riesling, gewurztraminer
S.-E.	Marno-calcaires caillouteux du muschelkalk	Riesling, gewurztraminer
S.-E.	Marnes mêlées de cailloutis calcaires ou siliceux	Gewurztraminer puis riesling, pinot gris
S.	Calcaires du muschelkalk	Gewurztraminer
S. et E.	Marno-calcaires recouverts d'éboulis calcaires du bathonien et du bajocien	Gewurztraminer puis riesling
S.-E.	Arènes granitiques	Riesling
S.	Marnes schisteuses	Gewurztraminer
S.	Sols bruns calcaires caillouteux	Gewurztraminer puis riesling
S.	Marnes dolomitiques du muschelkalk	Riesling
S.-E.	Sols bruns à dominante sableuse de grès vosgien	Gewurztraminer, pinot gris
E.	Marnes riches en cailloutis calcaires	Gewurztraminer
S.-E.	Marnes	Gewurztraminer, pinot gris, muscat
S.-E.	Marno-calcaires oligocènes	Gewurztraminer, pinot gris
E. et S.-E.	Sols bruns d'origine granitique, calcaire ou gréseuse	Gewurztraminer, assemblages
S. et S.-O.	Marno-calcaires	Riesling, gewurztraminer
S.	Schistes caillouteux	Riesling
S.-E.	Sable de grès rose et matrice argileuse	Gewurztraminer
S.	Calcaires du jurassique moyen	Gewurztraminer, riesling, pinot gris
S.-S.-O.	Marnes dolomitiques	Riesling
S.-O.	Grès	Riesling
S.	Marno-calcaires	Gewurztraminer
S.-S.-E.	Marno-calcaires oligocènes	Riesling, gewurztraminer
E.	Marno-calcaires	Gewurztraminer
S.	Sols limono-sableux du quaternaire	Riesling
S.	Terroirs sablonneux du permien	Riesling
S.-S.-E.	Marnes caillouteuses	Riesling
E.-S.-E.	Sols triasiques assez marneux	Gewurztraminer puis riesling
S.-E.	Sols caillouteux calcaires de l'oligocène	Gewurztraminer puis riesling
S.-E.	Grès et calcaires du buntsandstein et du muschelkalk	Riesling
E.-S.-E.	Sables gneissiques	Riesling
S.	Sols volcaniques	Pinot gris, riesling
E.-S.-E.	Marnes et calcaires du muschelkalk	Riesling
S.-E.	Sols marno-sableux avec cailloutis	Riesling
S.	Arènes granitiques	Riesling
S. et S.-E.	Marnes du keuper recouvertes de calcaires coquilliers	Riesling
S.	Arènes granitiques	Riesling
S.-E.	Conglomérats et marnes de l'oligocène	Gewurztraminer, pinot gris
E.	Marnes de l'oligocène et sables gréseux du trias	Gewurztraminer
S.-E.	Sols marneux du lias	Gewurztraminer
E.	Cailloutis calcaires oolithiques	Gewurztraminer, pinot gris
S.	Marnes oligocènes	Gewurztraminer, riesling, pinot gris
S.	Marnes recouvertes d'éboulis calcaires du muschelkalk	Riesling, gewurztraminer
S.-S.-E.	Marno-calcaires	Gewurztraminer, puis riesling, pinot gris
S.	Sables gréseux triasiques	Riesling
S. et S.-E.	Granite	Riesling
S.-S.-E.	Arènes granitiques	Riesling
S.	Terroir calcaro-gréseux	Gewurztraminer
S.	Calcaires jurassiques et conglomérats marno-calcaires de l'oligocène	Riesling, sylvaner

fraîche et assez persistante, où l'on retrouve la minéralité. Cette bouteille peut attendre deux ou trois ans. (Sucres résiduels : 8 g/l.)

Dom. Jean-Marc Bernhard, 21, Grand-Rue, 68230 Katzenthal, tél. 03.89.27.05.34, fax 03.89.27.58.72, vins@jeanmarcbernhard.fr r.-v.

BESTHEIM Mambourg Pinot gris 2010 ★★

6 400 | 11 à 15 €

Bestheim – plusieurs centaines de coopérateurs des deux départements alsaciens, une activité de négoce, une marque – continue son développement : la cave d'Obernai est maintenant dans son orbite. La société, qui dispose de 700 ha de vignes, a présenté des cuvées qu'il est permis de juger confidentielles. On espère que celle-ci est représentative de la qualité générale, car elle a fait l'unanimité. Elle provient du Mambourg, coteau qui domine Sigolsheim. Un terroir exposé plein sud, presque aride. Ce pinot gris charme par son nez intense et tout en finesse, où l'acacia fait alliance avec le miel, le coing et les fruits confits. Tout aussi élégante, suave, complexe et typée avec sa touche fumée, la bouche suit la même ligne aromatique, et montre à un haut degré ampleur, équilibre et persistance. Déjà plaisant, ce vin s'épanouira au cours des années à venir et fera plaisir tout au long de la décennie (sucres résiduels : 34 g/l). Le **Mambourg Gewurztraminer 2010 (29 000 b.)**, cité, est un moelleux offrant une belle expression du cépage avec ses notes de rose, de litchi et d'épices. (Sucres résiduels : 34 g/l.)

Cave de Sigolsheim, 12, rue Saint-Jacques, 68240 Sigolsheim, tél. 03.89.49.09.29, fax 03.89.49.09.20, vignobles@bestheim.com

ÉMILE BEYER Pfersigberg Riesling 2010 ★★

2 500 | 15 à 20 €

Ici, l'Histoire est omniprésente : la lignée remonte au XVIe s., la propriété est implantée à Eguisheim, qui se flatte d'être le berceau du vignoble, et le siège de l'exploitation est installé dans une ancienne auberge qui logea Turenne en 1675... Mais loin de céder à l'immobilisme, Christian Beyer, aux commandes depuis 1997, réalise nombre de projets : construction d'une cave moderne hors les murs, conversion enfin officielle au bio engagée en 2011... Son terroir de prédilection est le Pfersigberg, et ce riesling fut élu coup de cœur dans le millésime 2008. Le 2010 ne démérite pas. Ses arômes d'agrumes tendent vers le confit, agrémentés d'une minéralité intense. Rond à l'attaque, il se montre à la fois ample, riche, franc et droit. La minéralité revient en finale, apportant équilibre et fraîcheur. Un vin complet, gastronomique, qui gagnera à être attendu deux ou trois ans. (Sucres résiduels : 11 g/l.)

Émile Beyer, 7, pl. du Château, 68420 Eguisheim, tél. 03.89.41.40.45, fax 03.89.41.64.21, info@emile-beyer.fr r.-v.

DOM. PAUL BLANCK Wineck-Schlossberg Pinot gris 2010 ★

1 300 | 15 à 20 €

Paul Blanck s'est fait le promoteur des grands crus. À présent, Frédéric et Philippe valorisent cinq de ces terroirs d'élite. Le Wineck-Schlossberg de Katzenthal se caractérise par une exposition sud-sud-est et par des sols sablonneux d'origine granitique. Un demi-hectare planté en pinot gris a donné naissance à ce vin jaune pâle, associant au nez l'amande fraîche à un léger fumé. Le citron confit rejoint l'amande dans un palais construit sur une belle trame acide, qui équilibre la douceur finale. De beaux accords en perspective avec canard laqué, viande blanche ou poisson en sauce, maintenant ou dans deux ans. (Sucres résiduels : 24 g/l.)

Dom. Paul Blanck, 32, Grand-Rue, 68240 Kientzheim, tél. 03.89.78.23.56, fax 03.89.47.16.45, info@blanck.com t.l.j. sf dim. 10h-12h 14h-18h

ANDRÉ BLANCK ET SES FILS Schlossberg Gewurztraminer 2010 ★

3 500 | 11 à 15 €

Un cadre vénérable pour cette propriété installée dans l'ancienne cour des Chevaliers de Malte à Kientzheim. La famille exploite une parcelle dans le grand cru de cette commune, le Schlossberg. Planté sur des sols légers, granitiques, le gewurztraminer a engendré un vin partagé entre des notes variétales de rose, de litchi, d'épices et des touches confites de surmaturation. Ample, suave et harmonieuse, cette bouteille accompagnera dès maintenant un munster crémeux ou une charlotte aux poires et au chocolat. (Sucres résiduels : 45 g/l.)

EARL André Blanck et Fils, Ancienne Cour des Chevaliers de Malte, 68240 Kientzheim, tél. 03.89.78.24.72, fax 03.89.47.17.07, charles.blanck@free.fr t.l.j. sf dim. 8h-12h 13h30-19h

FRANÇOIS BLÉGER Mambourg Pinot gris 2008 ★★★

400 | 15 à 20 €

Établi à Saint-Hippolyte, François Bléger détient 11 ares de pinot gris dans le grand cru Mambourg, à 15 km plus au sud. Il en a tiré un vin exemplaire, qui n'a qu'un seul défaut : son caractère confidentiel. Le nez intense et complexe a captivé le jury : les fruits confits, l'orange très mûre, le miel de nougat se bousculent au nez, et l'on perçoit même une touche de réglisse. L'attaque, riche et ample, est relayée par une acidité tranchante et mûre, qui donne de l'élégance au palais et souligne sa persistance. Déjà flatteur, ce 2008 se bonifiera jusqu'en 2015 au moins. Certains dégustateurs le voient vivre jusqu'en 2030... (Sucres résiduels : 75 g/l.)

François Bléger, 63, rte du Vin, 68590 Saint-Hippolyte, tél. et fax 03.89.73.06.07, domaine.bleger@wanadoo.fr r.-v. 2

ALBERT BOHN Kaefferkopf Riesling 2008 ★

1 800 | 8 à 11 €

Parmi les grands crus d'Alsace, le Kaefferkopf d'Ammerschwihr se distingue par l'hétérogénéité de ses terroirs. Autre originalité, la possibilité donnée aux vignerons de complanter plusieurs cépages sur la même parcelle ou de réaliser des assemblages. Ici, il s'agit d'un pur riesling issu d'une zone argilo-granitique. Sa palette aromatique, complexe, associe le tilleul, la menthe et des notes minérales, tant au nez qu'au palais. La bouche est solide, charpentée, construite sur une belle fraîcheur qui assure une longue persistance : du caractère et de la classe. Ce vin accompagnera dès aujourd'hui viande blanche et poisson noble, et se gardera cinq ans au moins. (Sucres résiduels : 6 g/l.)

EARL Albert Bohn et Fils, 4, rue du Cerf, 68770 Ammerschwihr, tél. 03.89.78.25.77, fax 03.89.78.16.34, info@vins-bohn.fr r.-v.

FRANÇOIS BOHN Florimont Pinot gris 2010

600 | 11 à 15 €

Sur la butte du Florimont, la tulipe des vignes refleurit. Quant à la vigne, elle bénéficie d'un microclimat très sec. Planté sur une parcelle de 12 ares, le pinot gris a donné naissance à une microcuvée de belle origine. Souple, riche, équilibré, ce moelleux offre de plaisants arômes confits évoquant l'abricot, avec des touches de fruits secs et de sous-bois. Il est à son optimum et tiendra cinq ou six ans. (Sucres résiduels : 69 g/l.)

François Bohn, 24, lieu-dit Langematten, 68040 Ingersheim, tél. et fax 03.89.27.31.27, vinsfrancoisbohn@orange.fr r.-v.

DOM. BOTT-GEYL Sonnenglanz Gewurztraminer 2010 ★★

n.c. | 20 à 30 €

À la tête du domaine familial depuis 1993, Jean-Christophe Bott conduit en biodynamie son exploitation, qui compte cinq grands crus. Le talent du vigneron vient encore renforcer l'éclat de ce Sonnenglanz : ce lieu-dit a valu cinq coups de cœur à la propriété – qui en a obtenu neuf. Pas moins de 1,3 ha est à l'origine de cette remarquable cuvée de gewurztraminer : la robe jaune d'or annonce un nez bien ouvert de fruits jaunes en surmaturation et un palais ample, gras, généreux et complexe, dans le même registre que l'olfaction. La finale fraîche et longue laisse une impression d'équilibre et d'harmonie. Du plaisir en perspective pour les dix ans à venir, avec des saveurs d'ici ou d'ailleurs : poulet tandoori, fromages à croûte lavée ou à pâte persillée, tarte aux abricots... (Sucres résiduels : 50 g/l.)

Bott-Geyl, 1, rue du Petit-Château, 68980 Beblenheim, tél. 03.89.47.90.04, fax 03.89.47.97.33, info@bott-geyl.com r.-v.

JUSTIN BOXLER Brand Riesling 2010

1 400 | 11 à 15 €

Établie à Niedermorschwihr en 1672, la famille Boxler gère un domaine de 12 ha ainsi que l'hôtel de l'Ange, situé dans la même rue que l'exploitation. Elle valorise des parcelles dans quatre grands crus. Terroir granitique et solaire situé sur les hauteurs de Turckheim, le Brand a engendré un riesling fort prometteur. Dans sa robe pâle de jeunesse, ce 2010 sec et droit délivre des arômes citronnés et offre une longue finale minérale. Il sera pleinement ouvert en 2014-2015 et accompagnera une cassolette de saint-jacques ou un poisson noble. (Sucres résiduels : 10 g/l.)

GAEC Justin Boxler, 15, rue des Trois-Épis, 68230 Niedermorschwihr, tél. 03.89.27.11.07, fax 03.89.27.01.44, justin.boxler@free.fr t.l.j. 8h-12h 14h-19h

BROBECKER Eichberg Pinot gris 2010 ★

1 900 | 8 à 11 €

Pascal Joblot a pris en 1998 les rênes du domaine qui porte le nom de son beau-père. L'agriculture raisonnée a été une étape vers la conversion au bio, qui a été engagée en 2009. Bien que modeste, la propriété possède des parcelles sur les deux grands crus d'Eguisheim. Exposé au sud-est, l'Eichberg domine le village. Son sol argilo-calcaire convient au pinot gris, comme le montre ce vin jaune pâle aux parfums flatteurs et typés de pêche jaune et de mangue. Doux à l'attaque, riche, il est équilibré par une longue finale fraîche. Il est prêt. (Sucres résiduels : 27 g/l.)

SCEA Vins Brobecker, 3, pl. de l'Église, 68420 Eguisheim, tél. 06.87.52.80.72, pascal.joblot@free.fr r.-v.

P. Joblot

PAUL BUECHER Sommerberg Riesling 2010 ★

1 700 | 11 à 15 €

Développé par Paul Buecher il y a soixante ans, géré par son fils Henri, ce domaine familial dispose de 32 ha répartis sur de nombreuses communes et terroirs à l'ouest de Colmar. À la cave, c'est surtout Jérôme, œnologue, qui veille aux nombreuses cuvées. Né sur le Sommerberg, coteau escarpé qui semble plonger sur le village de Niedermorschwihr, ce riesling s'est plu sur les sols granitiques de ce terroir. Le nez s'ouvre franchement sur des notes minérales bien typées. Ample et souple à l'attaque, la bouche évolue sur des arômes d'agrumes portés par la fraîcheur du cépage. On attendra cette bouteille un an ou deux avant de la servir sur un poisson en sauce. (Sucres résiduels : 15 g/l.)

Paul Buecher, 15, rue Sainte-Gertrude, 68920 Wettolsheim, tél. 03.89.80.64.73, fax 03.89.80.58.62, vins@paul-buecher.com t.l.j. sf dim. 8h-12h 14h-18h

BURGHART-SPETTEL Schlossberg Gewurztraminer 2010 ★★

1 700 | 11 à 15 €

Jérôme Spettel, vingt-deux ans, a rejoint ses parents sur l'exploitation implantée à Mittelwihr, l'une des « perles du vignoble ». Le domaine, qui couvre près de 13 ha disséminés dans sept communes, dispose d'une large palette de terroirs. Situé dans le proche village de Kientzheim, au débouché de la vallée de Kaysersberg, le Schlossberg bénéficie de fortes pentes exposées au sud : le lieu de naissance de ce gewurztraminer bien doré, qui penche plutôt vers la fleur d'oranger et les agrumes que vers la rose. À ces arômes répond en bouche une franche acidité, qui équilibre bien le sucre et qui permettra de garder ce vin six ou sept ans. Accord classique avec un dessert, mais aussi avec du canard à l'orange. (Sucres résiduels : 43 g/l.)

Vins d'Alsace Burghart-Spettel, 9, rte du Vin, 68630 Mittelwihr, tél. 03.89.47.93.19, fax 03.89.49.07.62, burghart-spettel@wanadoo.fr t.l.j. sf dim. 10h-18h

Spettel

DOM. ERNEST BURN Goldert Clos Saint-Imer Muscat Vendanges tardives 2009 ★★

2 000 | 20 à 30 €

De souche vigneronne ancienne, Ernest Burn a créé son domaine à partir de 1934. L'œuvre de sa vie : l'acquisition et la restauration patiente du Clos Saint-Imer, vignoble historique situé dans la partie supérieure du Goldert, le grand cru de Gueberschwihr. Aujourd'hui, Francis et Joseph, les fils du fondateur, y cultivent les quatre « cépages nobles », ce qui leur permet de proposer un rare muscat de vendanges tardives. Jaune paille aux brillants reflets or, ce 2009 captive par un nez intense et complexe où le grain de raisin fait alliance avec le fruit de la Passion, l'abricot sec, le miel et les épices (gingembre). Après une attaque ronde et douce, la bouche se déploie, ample et chaleureuse, sur des arômes de fruits secs, vivifiée par une fine acidité. Bien structuré et long, ce moelleux mérite d'attendre cinq ans (sucres résiduels : 26 g/l). Quant au **Goldert Clos Saint-Imer Gewurztraminer Vendanges tardives 2009 (2 500 b.)**, cité pour son fruité et pour son harmonie, il fera plaisir dès maintenant. (Sucres résiduels : 33 g/l.)

Dom. Ernest Burn, 8, rue Basse, 68420 Gueberschwihr, tél. 03.89.49.20.68, fax 03.89.49.28.56, j.f.burn@wanadoo.fr r.-v.

BUTTERLIN Steingrubler Pinot gris 2010

1 200 | 11 à 15 €

Jean Butterlin et son fils Thomas exploitent 8 ha à Wettolsheim et dans quatre autres villages. Délimité dans leur commune, le Steingrubler, exposé au sud-est, favorise tous les cépages. Ce pinot gris n'est pas des plus complexes, mais il intéresse par ses arômes bien typés de fruits, de sous-bois et de grillé, par son attaque intense, et par sa bouche généreuse vivifiée par une belle acidité. Il devrait s'ouvrir dans les deux prochaines années. (Sucres résiduels : 34 g/l.)

Jean Butterlin, 27, rue Herzog, 68920 Wettolsheim, tél. 03.89.80.60.85, info@butterlin.fr r.-v.

DOM. VITICOLE DE COLMAR Florimont Riesling 2010 **

3 200 | 8 à 11 €

Le domaine viticole de Colmar a pris la suite de l'Institut Oberlin, fondé par l'ampélographe Chrétien Oberlin à la fin du XIXes. La famille Haeffelin l'a développé à partir de 1980, si bien que le vignoble compte aujourd'hui 30 ha répartis sur cinq communes, dont cette parcelle de 60 ares sur la butte marno-calcaire du Florimont – un grand cru qui domine Ingersheim, au voisinage de Colmar. La vigne bénéficie d'un microclimat très sec, et ce riesling affiche une robe jaune soutenu et un nez complexe, où les fleurs et les agrumes s'allient à de légères touches de fruits exotiques, de pêche et de fumée. Ample et gras sans lourdeur, légèrement minéral en bouche, il s'impose par sa longueur. Déjà harmonieux, il sera à son optimum à partir de 2014 et accompagnera un homard en sauce relevée. (Sucres résiduels : 6,4 g/l.)

Dom. viticole de la Ville de Colmar, 2, rue du Stauffen, 68000 Colmar, tél. 03.89.79.11.87, fax 03.89.80.38.66, cave@domaineviticolecolmar.fr
t.l.j. sf sam. dim. 8h-12h 14h-18h

JEAN DIETRICH Schlossberg Riesling 2010 *

4 150 | 8 à 11 €

Schlossberg, ou « mont du Château », fait référence à la forteresse impériale qui domine Kaysersberg. En effet, ce coteau se déploie entre cette commune et celle de Kientzheim. Dès 1928, les vignerons avaient consigné dans une convention écrite les contraintes de production de ce cru, dont Jean-Jacques Dietrich détient une parcelle d'un hectare. Un bon terroir à riesling, comme le montre ce vin d'un jaune éclatant, bien ouvert sur les fleurs blanches et les fruits. Riche et frais à la fois, droit et minéral, marqué par une touche citronnée, il mettra en valeur dès maintenant tous les produits de la mer. (Sucres résiduels : 9 g/l.)

Jean Dietrich, 51, rte de Lapoutroie, 68240 Kaysersberg, tél. 03.89.78.25.24, fax 03.89.47.30.72, dietrich.jean-et-fils@wanadoo.fr
t.l.j. 10h-12h 14h-18h30

DIRINGER Zinnkoepflé Riesling 2010

3 500 | 11 à 15 €

L'histoire viticole de cette famille commence en 1740. Aujourd'hui, c'est Sébastien Diringer qui vinifie les 14 ha d'un domaine riche d'une grande diversité de terroirs. Dominant les villages de Westhalten et de Soultzmatt, à l'entrée de la Vallée Noble, le Zinnkoepflé est un grand cru solaire par ses terrasses d'exposition plein sud et par son sol calcaro-gréseux. Ce riesling en porte l'empreinte dans son fruité complexe d'agrumes confits et d'écorce d'orange, qui pointe au nez avant de s'épanouir en bouche. Après une attaque fraîche, il se montre ample, marqué par une douceur de jeunesse mais soutenu par une bonne acidité citronnée. Il attendra deux ou trois ans et accompagnera saint-jacques et gambas. (Sucres résiduels : 13 g/l.)

Dom. Diringer, 18, rue de Rouffach, 68250 Westhalten, tél. 03.89.47.01.06, fax 03.89.47.62.64, info@diringer.fr
t.l.j. sf dim. 8h30-12h 14h-18h30 B

B **DIRLER-CADÉ** Saering Riesling 2010

4 700 | 15 à 20 €

Jean Dirler, doté de 9 ha de vignes, épouse en 1998 Ludivine Hell-Cadé qui hérite bientôt des terres de sa propre famille : voilà neuf autres hectares, et le domaine Dirler-Cadé constitué. Depuis 2007, toutes les superficies sont conduites en biodynamie. La propriété ne compte pas moins de quatre grands crus au sud du vignoble. Le Saering, aux sols marno-calcaro-gréseux, est un coteau situé au nord-est de Guebwiller. Le riesling y est roi. Encore un peu pâle, celui-ci s'annonce plaisant par son intense fruité d'agrumes. Typé par sa fraîcheur citronnée, bien structuré et long, il se plaira avec des poissons grillés. Il peut attendre. (Sucres résiduels : 3,8 g/l.)

Dirler-Cadé, 13, rue d'Issenheim, 68500 Bergholtz, tél. 03.89.76.91.00, fax 03.89.76.85.97, dirler-cade@terre-net.fr r.-v.
Jean Dirler

DISCHLER Altenberg de Wolxheim Riesling 2009 *

1 900 | 8 à 11 €

Créée en 1960, cette exploitation, qui couvre 8 ha, ne s'est spécialisée que dans les années 1970. La maison borde l'ancien canal latéral à la Bruche, aménagé par Vauban pour acheminer les pierres extraites dans de proches carrières et destinées à bâtir la citadelle de Strasbourg récemment conquise. Y transportait-on aussi du vin ? Vous trouverez celui-ci à la propriété, ou dans les salons. Il provient du grand cru Altenberg de Wolxheim, remarquablement exposé au pied du rocher du Horn. Or clair, ce riesling se montre d'abord discrètement floral et fruité avant d'afficher des notes minérales. Il dévoile une belle matière, équilibrée et fraîche. Il sera très plaisant à partir de 2014. (Sucres résiduels : 5,9 g/l.)

Dom. André Dischler, 23, Le Canal, 67120 Wolxheim, tél. 03.88.38.22.55, fax 03.88.49.86.80, dischler@domaine-dischler.com
t.l.j. 8h-12h 13h-19h C

DOPFF AU MOULIN Schoenenbourg Riesling 2009

19 000 | 11 à 15 €

À Riquewihr, la famille Dopff est aussi ancienne que les maisons patriciennes qui bordent la rue principale. Très présente dans l'économie viticole depuis le XVIIes., elle a fondé une maison de négoce qui s'appuie non seulement sur 300 apporteurs de raisin, mais aussi sur un vaste domaine de 63 ha, dont 12 en grand cru. Coteau pentu au nord de la ville, le Schoenenbourg, l'un des trois terroirs d'élite de Riquewihr, est favorable au riesling. Celui-ci libère des arômes intenses d'agrumes et de fleurs blanches. Plutôt rond et chaleureux, sur les fruits mûrs, il finit sur une note de fraîcheur bienvenue. À déguster dès aujourd'hui avec un poisson en sauce. (Sucres résiduels : 12 g/l.)

Dopff au Moulin, 2, av. Jacques-Preiss, 68340 Riquewihr, tél. 03.89.49.09.69, fax 03.89.47.83.61, domaines@dopff-au-moulin.fr
t.l.j. 9h30-12h 13h30-18h

ANNA ET ANDRÉ DURRMANN Wiewelsbari Riesling 2010 ★

1 000 | 20 à 30 €

Un nouveau nom dans le Guide. L'exploitation n'est pourtant pas née d'hier. Le grand-père, cordonnier, avait des vignes : ce fut le noyau de la propriété, créée en 1979. Aujourd'hui, 7 ha, en bio depuis 1998. Attachés à la biodiversité, André et Anna Durrmann défendent aussi la diversité linguistique : sur leurs étiquettes, le nom des grands crus s'affiche en alsacien... Leur village, Andlau, possède trois grands crus, et le domaine en fait découvrir deux, propices au riesling. Les sols sableux sur grès rose du Wiebelsberg (Wiewelsbari) ont marqué cette cuvée : des notes minérales teintent ses arômes de fleurs blanches et d'agrumes, au nez comme en bouche. Franc, vif, un peu salin, le vin livre une longue finale agréable et typée, sur les agrumes. Il mérite d'attendre deux ans et accompagnera crustacés et fins poissons grillés (sucres résiduels : 7 g/l). Tout aussi bien noté, le **Kastelbari Riesling 2010 (1 100 b.)**, issu des sols schisteux du Kastelberg, penche vers la fleur blanche et la pêche de vigne, le citron en arrière-plan. Son étoffe est légèrement plus souple. Il n'en offre pas moins la fraîcheur rectiligne et la finale vive des bons rieslings. On le servira dans les cinq ans avec du poisson en sauce et des viandes blanches. (Sucres résiduels : 12 g/l.)

A. et A. Durrmann, 11, rue des Forgerons, 67140 Andlau, tél. 03.88.08.26.42, agroecologievin@sfr.fr
t.l.j. sf dim. 10h-18h

JEAN-PAUL ECKLÉ Wineck-Schlossberg Riesling 2009 ★

3 000 | 8 à 11 €

À la tête de ce domaine familial depuis 1996, Emmanuel Ecklé se veut garant d'une expression traditionnelle des vins. Les cinq coups de cœur obtenus au fil des éditions témoignent de son savoir-faire. Des vignes dans le Wineck-Schlossberg, coteau dominant son village de Katzenthal, constituent un autre atout. Les sols granitiques de ce grand cru favorisent le riesling. Celui-ci surprend par sa fraîcheur. Un peu fermé, il s'ouvre à l'aération sur des notes d'agrumes qui se prolongent en bouche. Franc et droit, il offre un bel équilibre. On peut encore l'attendre trois ou quatre ans avant de le servir sur un poisson en sauce. (Sucres résiduels : 12 g/l.)

Jean-Paul Ecklé et Fils, 29, Grand-Rue, 68230 Katzenthal, tél. 03.89.27.09.41, fax 03.89.80.86.18, eckle.jean-paul@wanadoo.fr
t.l.j. 8h30-12h 13h30-19h

DOM. DE L'ÉCOLE Vorbourg Pinot gris Fleuron 2010

2 650 | 11 à 15 €

Le domaine de l'École n'est autre que le vignoble du lycée viticole de Rouffach : près de 15 ha, avec plusieurs parcelles dans le Vorbourg, le grand cru qui s'étage au-dessus de la petite ville. Ce terroir argilo-calcaire, protégé de l'humidité par le Petit et le Grand Ballon du massif vosgien, favorise la surmaturation. De fait, ce pinot gris au nez discret de pêche blanche montre dès l'attaque sa rondeur et sa générosité, malgré une belle acidité de soutien : il rappelle une vendange tardive. On pourra le déboucher dès la fin de l'année et le garder quelques années. (Sucres résiduels : 79 g/l.)

Dom. de l'École, Lycée agricole et viticole, 8, aux Remparts, 68250 Rouffach, tél. 03.89.78.73.16, fax 03.89.78.73.43, expl.legta.rouffach@educagri.fr
t.l.j. sf sam. dim. 9h-12h 13h30-17h

DOM. ANDRÉ EHRHART Hengst Gewurztraminer 2010

4 000 | 8 à 11 €

Rejoint par sa fille Élise en 2011, Antoine Ehrhart exploite 10 ha autour de Wettolsheim, gros village jouxtant Colmar. Il détient une belle parcelle de 60 ares de gewurztraminer dans le Hengst, grand cru délimité dans la commune voisine de Wintzenheim. Reflétant ce terroir marno-calcaire réputé donner des vins de garde assez longs à se faire, ce vin jaune d'or exprime des arômes variétaux (rose, épices) discrets mais fins. Dès l'attaque, il affiche sa rondeur tout en restant équilibré. Il gagnera en expression au cours des trois à cinq prochaines années. (Sucres résiduels : 55 g/l.)

Dom. André Ehrhart et Fils, 68, rue Herzog, 68920 Wettolsheim, tél. 03.89.80.66.16, fax 03.89.79.44.20, ehrhart.andre@neuf.fr t.l.j. sf dim. 9h-12h 13h-18h

DOM. FERNAND ENGEL Gloeckelberg Pinot gris Vendanges tardives 2010 ★★

2 700 | 11 à 15 €

Ce domaine a connu une croissance considérable en un demi-siècle. Avec 53 ha de vignes situées au pied du Haut-Kœnigsbourg, c'est l'un des plus vastes d'Alsace, conduit en biodynamie depuis 2003. Loin d'avoir pâti de cette extension, la qualité se confirme d'année en année, grâce aux multiples compétences de trois générations, et notamment au talent de Xavier Baril, l'œnologue. Ce pinot gris jaune paille vaut un quatrième coup de cœur à la propriété – chaque cépage noble en aura ainsi décroché un ! Il provient d'une parcelle d'un grand cru récemment acquise, aux sols acides et sableux sur schistes. Complexe et délicat, le nez mêle les fleurs à de somptueuses nuances de surmaturation : mirabelle, abricot sec, miel... relevées d'une touche épicée. Tout aussi complexe, la bouche est ronde à l'attaque, équilibrée par une fine acidité qui allonge la finale. Tout est fondu et harmonieux. Déjà excellent, ce moelleux sera encore meilleur dans deux ans (sucres résiduels : 51 g/l). Pas de coup de cœur, mais deux étoiles également pour l'**Altenberg de Bergheim Gewurztraminer 2010 (15 à 20 € ; 3 800 b.)**, issu lui aussi d'une vendange en partie botrytisée, un liquoreux remarquable par sa complexité (citron et fruits jaunes confits), son élégance, sa longueur et son potentiel, qui fait rimer richesse avec finesse. (Sucres résiduels : 70 g/l.)

Dom. Fernand Engel, 1, rte du Vin, 68590 Rorschwihr, tél. 03.89.73.77.27, fax 03.89.73.63.70, f-engel@wanadoo.fr
t.l.j. sf dim. 8h-11h30 13h-18h

FRÉDÉRIC ENGEL ET FILS Schoenenbourg Riesling 2010 ★★

2 600 | 8 à 11 €

Le domaine a été constitué en 1960, ce qui est récent pour la région. Aujourd'hui, Yvan et Alain Engel, fils de Frédéric, sont à la tête de 8 ha, dont une parcelle bien située sur le grand cru Schoenenbourg, qui couvre le flanc sud d'un coteau, au nord de Riquewihr. Sur ce terroir argilo-marno-gypseux déjà réputé au Moyen Âge, le riesling est roi. Celui-ci séduit par son fruité franc, partagé entre les fruits exotiques et la pêche. Après une belle attaque, il se montre équilibré en bouche, avec ce qu'il faut de fraîcheur. Il sera à son optimum en 2014-2015 et accompagnera un poisson en sauce ou une poularde au riesling. (Sucres résiduels : 11 g/l.)

GAEC Frédéric Engel et Fils, 36, rue des Remparts, 68340 Riquewihr, tél. 03.89.47.83.88, fax 03.89.86.05.08, yvan.engel@wanadoo.fr r.-v.

RENÉ FLECK Zinnkoepflé Pinot gris 2010 ★★

1 300 | 8 à 11 €

Chez les Fleck, Nathalie, la plus jeune des filles de René, est au chai, tandis que Stéphane Steinmetz, le gendre, est à la vigne. Le couple dispose d'un atout de poids : il détient plusieurs parcelles et cultive tous les cépages dans le Zinnkoepflé. Ce coteau escarpé qui culmine à 420 m d'altitude à l'entrée de la Vallée Noble bénéficie d'un microclimat très sec dont a profité ce pinot gris. D'un jaune clair aux reflets verts, ce 2010 s'ouvre sur de plaisants parfums d'abricot et de brioche. C'est en bouche qu'il s'impose : doux et suave à l'attaque, il déploie une matière intense, riche sans excès, équilibrée par une belle fraîcheur qui donne de l'allonge à la finale. Un plaisir durable (dix ans environ) à l'apéritif, avec du foie gras ou un magret aux fruits. (Sucres résiduels : 41 g/l.)

Dom. René Fleck et Fille, 27, rue d'Orschwihr, 68570 Soultzmatt, tél. 03.89.47.01.20, fax 03.89.47.09.24, renefleck@voila.fr
t.l.j. 8h30-12h 13h30-18h30; dim. sur r.-v.

GEORGES ET CLAUDE FREYBURGER Altenberg de Bergheim 2010

1 467 | 20 à 30 €

Conduits en biodynamie, les 12 ha de ce domaine familial sont mis en valeur en fonction des terroirs. Coteau pentu dominant au nord la cité fortifiée de Bergheim, l'Altenberg est l'un des deux grands crus d'Alsace à autoriser la complantation de plusieurs cépages. Dans cette cuvée, le riesling représente un peu plus de la moitié, complété par le pinot gris et le gewurztraminer. Il en résulte un vin moelleux en robe jaune doré, qui s'ouvre sur les fruits confits et le miel, avec une touche botrytisée. L'attaque est franche, le palais riche et rond mais bien équilibré grâce à une pointe d'acidité. À servir dès maintenant sur une pintade aux raisins ou un rôti de porc à l'ananas. (Sucres résiduels : 70 g/l.)

Georges et Claude Freyburger, rte des Vins, 2, fg Saint-Pierre, 68750 Bergheim, tél. 03.89.73.63.78, fax 03.89.73.82.91, cfreyburger@terre-net.fr
t.l.j. sf dim. 8h-12h 13h30-18h

MAISON MARCEL FREYBURGER Kaefferkopf Pinot gris 2010 ★★

n.c. | 11 à 15 €

Christophe et Nathalie Freyburger exploitent 7 ha de vignes, dont 40 % en coteaux. Grand cru d'Ammerschwihr, le Kaefferkopf est certainement leur meilleur terroir. Les sols, divers, sont granitiques sur la parcelle à l'origine de ce remarquable pinot gris intense au nez, qui évoque la surmaturation avec ses arômes de fruits jaunes et de raisin sec. Après une belle attaque, le palais suit la même ligne aromatique et s'impose par sa puissance et sa longueur, équilibré par une belle fraîcheur. Une harmonie durable (une dizaine d'années). Apéritif ? Canard aux pêches ? Dessert ? Vous aurez l'embarras du choix (sucres résiduels : 28 g/l). À ouvrir en 2014-2015, le **Kaefferkopf Gewurztraminer 2010 (1 900 b.)** est cité pour ses jolis arômes de rose, d'épices et de surmaturation, pour son équilibre et sa finesse. (Sucres résiduels : 51 g/l.)

Marcel Freyburger, 13, Grand-Rue, 68770 Ammerschwihr, tél. 03.89.78.25.72, fax 03.89.78.15.50, marcel.freyburger@orange.fr
t.l.j. 9h-12h 13h30-18h; dim. sur r.-v.

FREY-SOHLER Frankstein Gewurztraminer 2009

2 500 | 15 à 20 €

Vignerons-négociants à la tête d'un domaine de 30 ha, Damien et Nicolas Sohler sont installés à deux pas de Dambach-la-Ville d'où provient ce gewurztraminer grand cru. Un moelleux qui a divisé les jurés. Les uns mettent en avant son équilibre et ses arômes bien typés de rose ancienne et d'épices, avec une touche d'amande. Les autres auraient souhaité plus de fraîcheur. Tous sont d'accord sur un point : rien ne sert d'attendre ce 2009, qui accompagnera un bavarois aux fruits exotiques ou un gâteau au chocolat dès la sortie du Guide. (Sucres résiduels : 43 g/l.)

Frey-Sohler, 72, rue de l'Ortenbourg, 67750 Scherwiller, tél. 03.88.92.10.13, fax 03.88.82.57.11, contact@frey-sohler.fr
t.l.j. 8h-12h 13h-19h
Damien et Nicolas Sohler

PIERRE FRICK Steinert Gewurztraminer 2010 ★★★

1 600 | 20 à 30 €

Installé à Pfaffenheim, à 13 km au sud de Colmar, Jean-Pierre Frick est l'un des pionniers de l'agriculture biologique en Alsace : il la pratique depuis 1970. Converti à la biodynamie dès 1981, il s'est fait le militant de cette démarche, qui correspond à une vision du monde. Cela n'en fait pas un apôtre de la tradition, puisqu'il a préféré la capsule Inox pour obturer ses bouteilles. Au chai, il récuse les « additifs de confort », les enrichissements, levurages et collages qui font des vins standard. Ce gewurztraminer a été plébiscité. Il est né sur le fleuron de sa commune, le Steinert, coteau calcaire exposé au levant. Les senteurs, d'une grande finesse, évoquent le tilleul puis la pêche, ainsi qu'une note grillée. Le palais sait se montrer rond et gras avec élégance. Riche en arômes de fruits exotiques, il se distingue par sa persistance. Déjà agréable, cette bouteille tiendra au moins jusqu'à la prochaine décennie. Elle sera excellente sur un dessert pas trop sucré. (Sucres résiduels : 59 g/l.)

Pierre Frick, 5, rue de Baer, 68250 Pfaffenheim, tél. 03.89.49.62.99, fax 03.89.49.73.78, contact@pierrefrick.com
t.l.j. sf dim. 8h-11h30 13h30-18h

LUCIEN GANTZER Goldert Pinot gris 2010

2 200 | 8 à 11 €

Jeannine Gantzer a repris en 1995 le domaine fondé par son père Lucien à Gueberschwihr, au sud de Colmar. Le siège de l'exploitation, au nord du village, est tout près de la célèbre église au beau clocher roman. Il n'est pas non plus éloigné du Goldert, le grand cru où les Gantzer cultivent plusieurs cépages. Le pinot gris a engendré un vin au nez de fruits jaunes, de poire et de coing. Sans être d'une grande puissance, ce 2010 inspire confiance par son équilibre. À attendre un peu. (Sucres résiduels : 24 g/l.)

SCEA Lucien Gantzer, 9, rue du Nord, 68420 Gueberschwihr, tél. 03.89.49.31.81, fax 03.89.49.23.34, jeannine.gantzer@orange.fr
t.l.j. sf dim. 9h-11h30 14h-18h

PAUL GASCHY Eichberg Riesling 2009 ★★

3 040 | 8 à 11 €

Les premières bouteilles ont été commercialisées en 1964 sous le nom de Paul Gaschy. Bernard a spécialisé l'exploitation en 1974 ; Hervé, aux commandes depuis 2001, a construit une nouvelle cuverie et engagé la conversion au bio de ses 8,5 ha de vignes. Il propose un riesling né sur l'Eichberg, coteau argilo-calcaire dominant Eguisheim. Ce 2009 affiche une robe jaune doré à laquelle fait écho un nez intense, aux accents légèrement surmûris de pêche et d'abricot. Assez doux à l'attaque, chaleureux au palais, il offre une finale agréable et fraîche, soyeuse et longue. À savourer dès aujourd'hui avec une viande blanche, un filet de veau en croûte par exemple. (Sucres résiduels : 10 g/l.)

Paul Gaschy, 16, Grand-Rue, 68420 Eguisheim, tél. 03.89.41.67.34, fax 03.89.24.33.12, info@vins-paul-gaschy.fr r.-v.

JEAN GEILER Sommerberg Riesling 2010

11 000 | 8 à 11 €

Fondée en 1926, la coopérative d'Ingersheim s'identifie par la marque Jean Geiler. Elle met en valeur plusieurs grands crus, dont le Sommerberg, un terroir qui, par ses pentes abruptes, son exposition plein sud et ses sols granitiques souligne les caractères du riesling. Celui-ci, déjà cité l'an dernier, offre un profil différent. S'ouvrant sur des notes de fleurs blanches et d'agrumes, il séduit par son attaque fraîche et par son palais ample et de bonne longueur, équilibré par une belle acidité. Un vin droit qui s'exprimera pleinement dans deux ou trois ans. (Sucres résiduels : 10,2 g/l.)

Cave Jean Geiler, 45, rue de la République, 68040 Ingersheim, tél. 03.89.27.90.27, fax 03.89.27.90.30, vin@geiler.fr r.-v.

JEAN-PAUL GERBER Frankstein Riesling 2010

1 500 | 8 à 11 €

Au Moyen Âge, le Frankstein était convoité par les évêchés et les abbayes. Exposés au sud-est, les quatre coteaux formant ce grand cru dominent Dambach-la-Ville. Daniel Gerber, qui a repris en 1996 l'exploitation familiale, y cultive une parcelle de riesling de 25 ares. Au nez, un fruité délicat de pêche et de poire précède une légère minéralité. Souple et ample, la bouche est équilibrée par une belle fraîcheur soulignée d'un fruité croquant aux nuances d'agrumes. On attendra ce 2010 quelques années si l'on veut qu'il développe sa minéralité. (Sucres résiduels : 11 g/l.)

EARL Jean-Paul et Dany Gerber, 16, rue Théophile-Bader, 67650 Dambach-la-Ville, tél. 03.88.92.41.84, fax 03.88.92.42.18, dany@vinsgerber.fr
r.-v.

DOM. ARMAND GILG Zotzenberg Sylvaner 2010

5 900 | 8 à 11 €

Un domaine familial bien représentatif de Mittelbergheim : la maison est cossue et ancienne, tout comme les plus vieilles caves, où dorment de vieux foudres aux verrous sculptés. Le vignoble ne compte pas moins de 28 ha, dont plus de 5 dans le terroir le plus réputé de la commune, le Zotzenberg, seul grand cru alsacien à admettre le sylvaner sur ses pentes. Un cépage à l'origine de ce vin pour l'heure assez fermé, aux nuances d'agrumes relevés d'une touche de poivre. Le palais est gras, équilibré, flatteur en somme. À servir dès maintenant sur une terrine de lapin. (Sucres résiduels : 11,25 g/l.)

Dom. Armand Gilg, 2, rue Rotland, 67140 Mittelbergheim, tél. 03.88.08.92.76, fax 03.88.08.25.91, armandgilg@wanadoo.fr
t.l.j. 8h-12h 13h30-18h; dim. 9h-11h30

PIERRE HENRI GINGLINGER Eichberg Riesling 2010 ★★★

1 900 | 11 à 15 €

Certes, les comtes d'Eguisheim ont contribué au lustre de la cité au XIe s., mais ce sont aujourd'hui les vignerons qui font vivre ces vieilles pierres. Cette propriété, qui a son siège dans le centre historique de la bourgade, trouve son origine au début du XVIIe s. Installé en 2001, Mathieu Ginglinger travaille en bio les 15 ha du domaine. Son riesling de l'Eichberg a fait grande impression. Il charme d'abord par son nez mêlant les agrumes et les fleurs blanches à des notes plus mûres de pêche, d'abricot et de poire légèrement confite. Intense et concentré en bouche, il suit ce même registre surmûri, tout en offrant de l'équilibre, avec ce qu'il faut de vivacité en finale. Bel accord en perspective avec un crustacé ou un poisson noble, maintenant ou dans trois ans. (Sucres résiduels : 11,9 g/l.)

Dom. Pierre-Henri Ginglinger, 33, Grand-Rue, 68420 Eguisheim, tél. 03.89.41.32.55, fax 03.89.24.58.91, contact@vins-ginglinger.fr
t.l.j. 9h-12h 13h30-18h30

WILLY GISSELBRECHT Frankstein Riesling Œnothèque 2010

7 000 ■ 8 à 11 €

Le domaine est souvent retenu pour ses rieslings, car c'est le cépage de prédilection de ces vignerons-négociants, qui exploitent en propre 17 ha de vignes. Le Frankstein, grand cru granitique de Dambach-la-Ville, est justement propice à ce cépage. Sans avoir l'intensité du millésime précédent, ce 2010, récolté en légère surmaturation, offre une belle expression. Il mêle au nez des notes minérales de pierre à fusil à des nuances de fruits secs et confits. Droit et assez long au palais, il dévoile une belle acidité, soulignée par des arômes d'agrumes et un retour de la minéralité. Un vin de garde qui se révélera davantage en 2015-2016. (Sucres résiduels : 6 g/l.)

Willy Gisselbrecht et Fils, 5, rte du Vin, 67650 Dambach-la-Ville, tél. 03.88.92.41.02, fax 03.88.92.45.50, info@vins-gisselbrecht.com

DOM. GRESSER Kastelberg Riesling 2010 ★

2 000 ■ 15 à 20 €

Rémy Gresser fait remonter sa généalogie à 1525, époque où un Thiébaut Gresser était vigneron et prévôt d'Andlau. Comme son ancêtre attaché à la vie de son village, il est impliqué dans le monde professionnel. Soucieux de transmettre ses terres en bon état aux générations futures, il conduit ses 10 ha en bio certifié. Il exploite des parcelles dans les trois grands crus dominant sa commune, différents par leurs sols mais tous favorables au riesling. Né sur le terroir schisteux du Kastelberg, celui-ci n'a pas dit son dernier mot. Encore jeune, il s'exprime sur la fleur blanche et les agrumes. Citron, clémentine, ces derniers sont très présents en bouche. Bien équilibré, frais et long, ce 2010 mérite d'attendre deux à trois ans pour gagner en complexité et traduire son terroir d'origine. (Sucres résiduels : 8,02 g/l.)

Dom. Gresser, 2, rue de l'École, 67140 Andlau, tél. 03.88.08.95.88, fax 03.88.08.55.99, domaine@gresser.fr t.l.j. sf dim. 10h-12h 14h-17h30

DOM. MAURICE GRISS Kaefferkopf Gewurztraminer 2010

2 700 ■ 11 à 15 €

En 2004, Josiane Griss, jusqu'alors responsable administrative et financière, décide de reprendre la propriété familiale : un peu plus de 8 ha autour d'Ammerschwihr. Elle fait découvrir avec ce gewurztraminer une belle expression du Kaefferkopf, le grand cru de sa commune. S'il ne s'impose pas par une puissance hors du commun, ce 2010 or clair retient l'attention par la finesse de ses parfums d'acacia, de litchi et d'épices. Ample et long, il gagnera en harmonie au cours des deux prochaines années. (Sucres résiduels : 40 g/l.)

Dom. Maurice Griss, 1, rte du Vin, 68770 Ammerschwihr, tél. 03.89.47.14.53, fax 03.89.78.13.21, griss@free.fr t.l.j. 8h-12h 13h30-19h

HENRI GSELL Eichberg Riesling 2010 ★

1 300 ■ 8 à 11 €

Si Eguisheim abrite de nombreux caveaux de dégustation, vitrines des exploitations, Henri Gsell est le dernier vigneron à vinifier à l'intérieur de l'enceinte de la cité médiévale. Il est installé dans une très belle maison à colombages, et le mur de sa cave est un vestige de l'ancien rempart. C'est dans ce cadre que vous pourrez goûter ce riesling né sur le terroir marno-calcaire de l'Eichberg, déjà réputé au XIe s. Un vin prometteur par son nez tout en finesse, floral et citronné, et par sa bouche bien structurée, franche et fraîche. Il devrait encore s'ouvrir : on le gardera en cave jusqu'en 2014-2015 (sucres résiduels : 7 g/l). À noter que le domaine est en conversion bio.

Henri Gsell, 22, rue du Rempart-Sud, 68420 Eguisheim, tél. et fax 03.89.41.96.40, gsell.henri@orange.fr r.-v.

JEAN-MARIE HAAG Zinnkoepflé Gewurztraminer Cuvée Marie 2010 ★★★

3 000 ■ 11 à 15 €

Si les châteaux qui ont valu son nom à la Vallée Noble ont presque tous disparu, ses vignobles ont gardé leurs lettres de noblesse, grâce au grand cru Zinnkoepflé, à une vingtaine de kilomètres au sud de Colmar : abrités de l'humidité par les plus hauts sommets des Vosges, les ceps grimpent jusqu'à 420 m. Le microclimat est ici aride, et l'on peut entendre les cigales en été. Ce terroir de choix a déjà valu à Jean-Marie Haag deux coups de cœur récents. Cette cuvée de gewurztraminer, déjà couronnée dans le millésime 2008, renouvelle l'exploit. Les dégustateurs louent son nez mêlant le litchi et les épices du cépage à des notes de fruits confits évoquant la surmaturation. Le palais tient les promesses du nez, frais à l'attaque, généreux et surmûri, remarquablement équilibré et persistant. À déguster dès maintenant (sucres résiduels : 51 g/l). On attendra en revanche un an ou deux le **Zinnkoepflé Riesling cuvée Marion 2010 (2 000 b.)**, cité pour son équilibre entre ampleur et fraîcheur et pour sa belle finale. (Sucres résiduels : 10 g/l.)

Jean-Marie Haag, 17, rue des Chèvres, 68570 Soultzmatt, tél. 03.89.47.02.38, fax 03.89.47.64.79, jean-marie.haag@wanadoo.fr r.-v.

DOM. HAEGI Zotzenberg Sylvaner 2010 ★

1 200 ■ 11 à 15 €

Au sud de Barr, Mittelbergheim rassemble autour de ses deux clochers ses maisons aux toits aussi pentus que le coteau du Zotzenberg, terroir qui a fait sa renommée. Ce grand cru a donné au sylvaner ses lettres de noblesse et Daniel Haegi en propose un exemplaire fort réussi. D'un jaune pâle brillant, ce vin offre un joli fruité complexe, explorant la fleur blanche, puis le citron, avec un soupçon de pêche et de mangue traduisant la surmaturation. Franc à l'attaque, équilibré, il conjugue ampleur et fraîcheur, et ses arômes prolongent bien ceux du nez. Un ensemble flatteur, qui peut rester encore deux ans en cave. (Sucres résiduels : 16 g/l.)

Dom. Haegi, 33, rue de la Montagne, 67140 Mittelbergheim, tél. 03.88.08.95.80, fax 03.88.08.91.20, info@haegi.fr t.l.j. sf dim. 9h-12h 13h30-18h

ANDRÉ HARTMANN Hatschbourg Pinot gris Armoirie 2010 ★★

1 900 | 11 à 15 €

Coteau marno-calcaire à cheval entre Hattstatt et Voegtlinshoffen, le Hatschbourg n'a plus de secrets pour la famille Hartmann, installée dans le second village depuis le XVII[e]s. Ce grand cru a donné de beaux vins en 2010, à l'image de ce pinot gris développant au nez comme en bouche des arômes typés de fruits secs, de fruits jaunes (abricot), de fumé, de lichen, de sous-bois. Le palais n'est pas en reste avec son attaque souple, son arête acide très fine et sa persistance. Remarquablement équilibré, ce vin devrait tenir dix ans et s'accordera avec une pintade sur lit de coings (sucres résiduels : 32 g/l). Le **Hatschbourg Gewurztraminer Armoirie 2010 (2 600 b.)** reçoit une étoile : assez rond, il séduit par la finesse de sa palette, où la violette et le calisson se mêlent à la rose et au poivre. Il est prêt. (Sucres résiduels : 30 g/l.)

André Hartmann, 11, rue Roger-Frémeaux, 68420 Voegtlinshoffen, tél. 03.89.49.38.34, fax 03.89.49.26.18, andre.hartmann@free.fr

t.l.j. sf dim. 9h-12h 14h-18h B

GÉRARD ET SERGE HARTMANN Hatschbourg Muscat Vendanges tardives Cuvée Lucienne 2009 ★

3 000 | 15 à 20 €

Chaud et sec, le millésime 2009 a permis l'élaboration de nombreuses vendanges tardives. Sur le coteau du Hatschbourg, exposé plein sud au-dessus d'un petit vallon, le muscat a fait le plein de soleil jusqu'au 20 octobre pour donner ce beau moelleux, qui charme par sa complexité : notes variétales, abricot sec, fruits confits, gingembre. Rond à l'attaque, concentré et long, il mérite d'attendre trois ou quatre ans, pour permettre au sucre de se fondre (sucres résiduels : 54 g/l). Le **Hatschbourg Pinot gris vendanges tardives Cuvée Serge 2009 (20 à 30 €; 2 600 b.)** fait jeu égal. Ses atouts ? Une robe jaune d'or, un nez intense et riche (fleurs, miel, épices, abricot sec), une bouche ample, généreuse et ronde, allégée par une finale fraîche et finement épicée. (Sucres résiduels : 58 g/l.)

Gérard et Serge Hartmann, 13, rue Frémeaux, 68420 Voegtlinshoffen, tél. 03.89.49.30.27, fax 03.89.49.29.78

t.l.j. 9h-12h 15h-18h; dim. sur r.-v.

HARTWEG Mandelberg Riesling 2010

1 100 | 11 à 15 €

Frank Hartweg a succédé en 1996 à Jean-Paul sur l'exploitation, qui couvre 9 ha. Il développe son offre de vins haut de gamme, comme cette cuvée issue du Mandelberg. Ce grand cru marno-calcaire est exposé plein sud, si bien que les amandiers cohabitent avec la vigne. De belle origine, ce riesling dévoile des senteurs de fleurs blanches, puis d'abricot et de pêche. L'attaque est souple et ronde, mais l'acidité bien présente. Déjà agréable, cette bouteille peut attendre deux à trois ans. (Sucres résiduels : 7 g/l.)

Jean-Paul et Frank Hartweg, 39, rue Jean-Macé, 68980 Beblenheim, tél. 03.89.47.94.79, fax 03.89.49.00.83, frank.hartweg@free.fr

t.l.j. sf dim. 8h30-11h30 14h-17h30; sam. sur r.-v. B

BRUNO HERTZ Rangen Riesling Cuvée Michaela 2009 ★★

1 300 | 20 à 30 €

Le siège de l'exploitation est situé à l'intérieur des murs de la vieille cité médiévale d'Eguisheim, mais Bruno Hertz met aussi en valeur des vignes dans le Rangen, à l'extrémité sud de la route des Vins. Un terroir exceptionnel par sa pente, son microclimat et par ses sols siliceux et volcaniques qui se réchauffent facilement. Ce riesling en robe jaune doré est un panier de fruits : agrumes, pêche blanche, ananas se bousculent au nez. Au palais, des nuances de surmaturation (citron confit) s'épanouissent dans une matière à la fois ample, ronde et fraîche. Un grand vin de garde (dix ans), que l'on pourra déboucher dès maintenant à l'apéritif ou sur un carpaccio de poisson. (Sucres résiduels : 17,2 g/l.)

SCEA Bruno Hertz, 9, pl. de l'Église, 68420 Eguisheim, tél. 03.89.41.81.61, fax 03.89.41.68.32, lesvinshertz@aol.com

r.-v. A

ÉMILE HERZOG Brand Riesling 2010 ★

480 | 11 à 15 €

Établie à Turckheim depuis 1686, la famille Herzog conduit un domaine de 12 ha. Elle a remis en service le cheval de trait pour labourer certaines parcelles étroites ou en terrasses – comme cette vigne, sans doute, qui ne couvre que 12 ares sur le Brand, coteau escarpé surplombant la petite ville. Voici donc une microcuvée. Un riesling en robe dorée qui s'ouvre sur des arômes minéraux typés de son terroir granitique. Souple à l'attaque, frais en finale, le palais est bien structuré. On attendra ce 2010 quatre ou cinq ans avant de le servir sur des huîtres chaudes. (Sucres résiduels : 23 g/l.)

Vins d'Alsace Émile Herzog, 28, rue du Florimont, 68230 Turckheim, tél. 03.89.27.08.79, e.herzog@laposte.net

r.-v.

HORCHER Sporen Gewurztraminer 2010 ★

1 060 | 11 à 15 €

Alfred Horcher a été rejoint par Thomas et Lise sur le domaine implanté à Mittelwihr et disséminé sur six communes avec des parcelles dans plusieurs grands crus. Le Sporen de Riquewihr, avec son sol profond, marno-calcaire, est favorable à l'expression du gewurztraminer. Ce moelleux est une belle illustration du potentiel de ce terroir. La robe est d'un jaune doré, le nez marie le coing, les fruits secs et la mangue, complétés au palais par la pêche. Ronde, onctueuse et longue, équilibrée par une belle acidité, la bouche ne déçoit pas. Le sucre encore assez marqué devrait se fondre au cours des deux prochaines années. On pourra déboucher ce vin à l'apéritif, sur un munster ou un gâteau aux fruits ou au chocolat. (Sucres résiduels : 52 g/l.)

Alfred Horcher, 8, rue du Vignoble, 68630 Mittelwihr, tél. 03.89.47.93.26, fax 03.89.49.04.92, info@horcher.fr

t.l.j. sf dim. 9h-12h 14h-18h; f. 3e sem. de jan. D

CAVE VINICOLE DE HUNAWIHR Schoenenbourg Riesling 2010 ★

15 000 | 8 à 11 €

Située au cœur du charmant village de Hunawihr, célèbre pour son église fortifiée, cette coopérative vinifie les 200 ha de ses 110 adhérents et ne valorise pas moins de cinq grands crus. Entre Riquewihr et Zellenberg, le Schoenenbourg était réputé dans toute l'Europe dès le XVI[e]s. Il s'agit d'un terroir marno-gréseux dont ce riesling porte la signature. S'il affiche déjà une complexité naissante dans ses arômes de fleurs et d'agrumes, nuancés de citron confit, il montre en bouche une pointe de rondeur qui demande à se fondre. Le potentiel est là, et ce 2010

accompagnera volontiers des saint-jacques ou un filet mignon de veau à partir de 2015. (Sucres résiduels : 8 g/l.)
Cave vinicole de Hunawihr, 48, rte de Ribeauvillé, 68150 Hunawihr, tél. 03.89.73.61.67, fax 03.89.73.33.95, info@cave-hunawihr.com
t.l.j. 9h-12h 14h-18h; f. dim. de jan. à mars

HUNOLD Vorbourg Pinot gris 2010 ★

3 100 | 8 à 11 €

Les Hunold exploitent en famille leurs 14 ha de vignes autour de Rouffach, à une vingtaine de kilomètres au sud de Colmar. Dominant la ville, le grand cru Vorbourg bénéficie de l'un des microclimats les plus secs d'Alsace, car il est protégé par les plus hauts sommets vosgiens. C'est le lieu de naissance de ce pinot gris à la robe jaune clair, qui s'ouvre à l'aération sur des parfums de fruits jaunes, de pêche et de poire. Riche, ample et rond à l'attaque, frais en finale, c'est un vin droit et équilibré, qui accompagnera un baeckeoffe. Il devrait être à son optimum entre 2013 et 2020. (Sucres résiduels : 23 g/l.)
EARL Bruno Hunold, 29, rue Aux-Quatre-Vents, 68250 Rouffach, tél. 03.89.49.60.57, fax 03.89.49.67.66, info@bruno-hunold.com
t.l.j. 9h-12h 13h-19h; dim. 9h-12h

JACQUES ILTIS Altenberg de Bergheim Riesling 2010 ★

850 | 11 à 15 €

Connu des anciens (« Alten »), le terroir marno-calcaire caillouteux de l'Altenberg, situé sur les hauteurs de Bergheim, était déjà réputé au XIIe s. Christophe et Benoît Iltis, établis dans le village voisin de Saint-Hippolyte, en ont tiré cette microcuvée généreuse par ses arômes d'agrumes, par sa souplesse à l'attaque et par son ampleur au palais. Cette richesse appelle des saint-jacques à la crème et du poisson en sauce. (Sucres résiduels : 14 g/l.)
Dom. Jacques Iltis et Fils, 1, rue Schlossreben, 68590 Saint-Hippolyte, tél. 03.89.73.00.67, fax 03.89.73.01.82, jacques.iltis@calixo.net
t.l.j. 8h-12h 14h-18h; dim. sur r.-v.

JOGGERST Osterberg Riesling 2008 ★★★

1 860 | 11 à 15 €

La famille Joggerst exploite 7,5 ha de vignes, en bio certifié depuis 2010. Elle est installée dans le centre historique de Ribeauvillé. Dominant la ville, l'Osterberg est fréquemment cité dans des documents du Moyen Âge : il appartenait aux puissants Ribeaupierre, seigneurs de Ribeauvillé. Son exposition est-sud-est, ses pentes et son terroir marno-calcaire en font une terre d'élection du riesling. Celui-ci, paré d'une robe pâle, jaune clair aux reflets verts, offre un nez expressif et complexe, floral, fruité et minéral. Le palais suit la même ligne aromatique. Bien typé par sa fraîcheur, ses arômes d'agrumes et sa persistance, harmonieux et élégant, il a fait l'unanimité. Sa vivacité appelle des coquillages, des crustacés et de fins poissons grillés. Déjà prêt, ce 2008 peut encore attendre trois ans. (Sucres résiduels : 4,8 g/l.)
EARL Joggerst et Fils, 19, Grand-Rue, 68150 Ribeauvillé, tél. 03.89.73.66.32, fax 03.89.73.65.45, info@vins-joggerst.com
t.l.j. 9h30-12h 14h-18h30; f. jan.-mars

KAMM Frankstein Riesling 2010

2 000 | 8 à 11 €

Les Kamm père et fils exploitent près de 7 ha, surtout de vieilles vignes. Ils ont engagé la conversion de leur domaine au bio. Typé par ses nuances de fleurs blanches et d'agrumes, leur riesling du Frankstein commence à afficher sa minéralité. Bien sec, il présente une bouche fine et droite, à la finale un peu nerveuse. Il gagnera en harmonie au cours des trois à quatre prochaines années. (Sucres résiduels : 6 g/l.)
Jean-Louis et Éric Kamm, 59, rue du Mal-Foch, 67650 Dambach-la-Ville, tél. et fax 03.88.92.49.03, jl.kamm@orange.fr t.l.j. sf dim. 8h-18h

ALBERT KLÉE Wineck-Schlossberg Riesling 2010 ★

1 300 | 11 à 15 €

En Alsace, les châteaux forts, campés sur des hauteurs, regardent de haut les cultures. Seul celui du Wineck est au milieu des vignes. Presque tous ses ceps appartiennent au grand cru Wineck-Schlossberg – l'un des fleurons du domaine d'Albert Klée –, dont les sols granitiques favorisent le riesling. Ce 2010 offre un bouquet frais et élégant, mêlant les fleurs blanches à des touches grillées et fumées. Après une attaque souple, il dévoile une matière à la fois ample et vive, qui laisse en finale une impression de puissance. Mieux vaut attendre cette bouteille jusqu'en 2014-2015 avant de la servir sur des gambas poêlées ou une assiette nordique. (Sucres résiduels : 8,8 g/l.)
Albert Klée, 13, Grand-Rue, 68230 Katzenthal, tél. 03.89.27.25.27, fax 03.89.27.52.91, vinsklee@free.fr
r.-v.

HENRI KLÉE Wineck-Schlossberg Riesling 2010 ★★

3 500 | 8 à 11 €

Martin Klée, le fils de Philippe, poursuit des études au lycée viticole de Rouffach : la succession est assurée sur ce domaine de Katzenthal, dont les origines remontent à 1624. Faisant suite à un gewurztraminer élu coup de cœur l'an dernier, ce riesling ne démérite pas. Il provient d'une parcelle de 66 ares, dominée par le château du Wineck. Des reflets dorés animent sa robe jaune pâle. Des senteurs de fruits blancs et des notes minérales lui donnent une réelle complexité. La belle matière conjugue fraîcheur citronnée et gras. Déjà flatteur, ce 2010 accompagnera dès aujourd'hui un poisson en sauce ou un coq au riesling. Il peut aussi attendre deux ou trois ans. (Sucres résiduels : 9 g/l.)
EARL Henri Klée, 11, Grand-Rue, 68230 Katzenthal, tél. 03.89.27.03.81, fax 03.89.27.28.17, contact@vins-klee-henri.com r.-v.

KLIPFEL Kastelberg Riesling 2010 ★

n.c. | 11 à 15 €

Ce domaine, qui situe ses origines à Barr en 1824, est resté familial, tout en gagnant en importance. Depuis 1982, Jean-Louis Lorentz, secondé par ses deux filles, Marie et Anne-Sophie, gère une affaire de négoce et un vignoble de 40 ha (dont 15 en grand cru). Les visiteurs pourront découvrir les anciennes caves avec leurs foudres centenaires et un musée du Vin avant de goûter les cuvées de la maison. Ce riesling est né sur un grand cru schisteux d'Andlau. Il développe un bouquet délicat de fleurs blanches et d'agrumes. Équilibré, il est construit sur une fraîcheur nerveuse qui lui confère de l'élégance et donne de l'allonge à sa finale. Déjà intéressant, il mérite d'attendre un à deux ans. (Sucres résiduels : 5 g/l.)
Klipfel, 6, av. du Dr-Marcel-Krieg, 67140 Barr, tél. 03.88.58.59.00, fax 03.88.08.53.18, alsacewine@klipfel.com t.l.j. 10h-12h 14h-18h
J.-L. Lorentz

KLUR Wineck-Schlossberg Riesling 2010 ★

3 000 | 15 à 20 €

Amateurs d'écoconstructions, vous trouverez en Clément Klur un passionné de la question et vous découvrirez sa cave ronde et bioclimatique, avec crépis à la chaux, ossature de bois, isolation et climatisation naturelles, etc. Toutes les pratiques de l'exploitation, en cohérence, suivent la démarche bio, jusqu'à la piscine naturelle qui agrémente le gîte rural. Né sur le grand cru granitique du Wineck-Schlossberg, ce riesling s'annonce par une robe jaune paille intense et par un nez bien minéral, élégant et fin, accompagné de notes fruitées et grillées. Dans le même registre, la bouche est ample et souple, déjà évoluée. Prêt à accompagner un poisson fin, ce vin peut attendre trois ans. (Sucres résiduels : 7 g/l.)

Clément Klur, 105, rue des Trois-Épis, 68230 Katzenthal, tél. 03.89.80.94.29, fax 03.89.27.30.17, info@klur.net
t.l.j. sf dim. 13h30-18h; mat. sur r.-v.

JEAN-CLAUDE KOEHLER ET FILS
Zinnkoepflé Gewurztraminer 2010 ★

2 664 | 11 à 15 €

Perpétuant une lignée de vignerons remontant à 1621, Christian Koehler est installé à Westhalten, à l'entrée de la vallée de l'Ohmbach plus connue sous le nom de Vallée Noble. Il fait découvrir un gewurztraminer issu du grand cru Zinnkoepflé, impressionnant coteau dominant son village. Le cépage a bénéficié pleinement d'un microclimat chaud et aride, et de sols calcaro-gréseux, donnant un vin jaune d'or au nez discret mais fin de pêche. En bouche, ce 2010 offre toutes les qualités d'arômes, d'ampleur et de gras que l'on recherche dans un gewurztraminer de grande origine. Il gagnera en harmonie au cours des deux prochaines années. (Sucres résiduels : 46 g/l.)

EARL Jean-Claude Koehler et Fils, 7, rue de Soultzmatt, 68250 Westhalten, tél. et fax 03.89.47.01.23, info@vins-koehler.fr
t.l.j. 8h-12h 13h-18h; dim. sur r.-v.

PAUL KUBLER Zinnkoepflé Gewurztraminer 2010 ★★

n.c. | 11 à 15 €

Philippe Kubler est installé à Soultzmatt, village dominé par le majestueux coteau du Zinnkoepflé, « la colline du Soleil », qui culmine à 420 m. Ce grand cru de la haute Alsace, qui bénéficie d'un microclimat particulièrement sec et abrité, donne régulièrement des vins moelleux de grande qualité. Celui-ci, un gewurztraminer, s'annonce par une robe doré soutenu, à laquelle fait écho un nez mêlant la rose et le litchi à des notes de surmaturation évoquant le miel, le coing et le caramel. Tout aussi aromatique, le palais séduit par son gras, sa rondeur et sa longueur. Déjà agréable, ce 2010 sera de garde. Un 2006 vendanges tardives avait obtenu un coup de cœur. (Sucres résiduels : 45 g/l.)

Dom. Paul Kubler, 103, rue de la Vallée, 68570 Soultzmatt, tél. 03.89.47.00.75, contact@paulkubler.com
t.l.j. sf dim. 9h-12h 14h-19h

KUEHN Florimont Riesling 2010 ★

13 500 | 8 à 11 €

Fondée en 1675, cette vénérable maison d'Ammerschwihr, importante commune viticole, fait figurer cinq grands crus dans sa carte des vins. Dominant Ingersheim, le Florimont se caractérise par des sols marno-calcaires caillouteux et bénéficie du microclimat très sec de la région de Colmar. Né sur 2,65 ha, ce riesling offre une palette plutôt minérale, complexe et d'une grande finesse. Encore jeune et peu expressif, il allie gras et acidité mûre dans un bel équilibre : un potentiel intéressant. On laissera cette bouteille en cave jusqu'en 2014 ou 2015 et on la servira avec des saint-jacques ou des huîtres chaudes. (Sucres résiduels : 5,3 g/l.)

SA Vins d'Alsace Kuehn, 3, Grand-Rue, 68770 Ammerschwihr, tél. 03.89.78.23.16, fax 03.89.47.18.32, vin@kuehn.fr r.-v.

KUENTZ Steinert Pinot gris 2009

1 510 | 8 à 11 €

Terroir argilo-calcaire très caillouteux exposé à l'est, le Steinert est favorable au pinot gris. Michel Kuentz a tiré de ce cépage un vin très riche, au nez puissant de miel, de raisin sec et de caramel. La bouche, liquoreuse, conjugue douceur et puissance. Elle en impose, même si l'on aurait aimé un peu plus de fraîcheur. Proche d'une vendange tardive, cette bouteille sera servie à l'apéritif, avec du foie gras, ou au dessert, sur une crème brûlée par exemple. (Sucres résiduels : 94 g/l ; bouteilles de 50 cl.)

Romain Kuentz et Fils, 22-24, rue du Fossé, 68250 Pfaffenheim, tél. 03.89.49.61.90, fax 03.89.49.77.17, vinskuentz@yahoo.fr
t.l.j. 9h-12h 13h30-19h; dim. sur r.-v.

KUHLMANN-PLATZ Rosacker Gewurztraminer 2010 ★★

10 000 | 11 à 15 €

Ancienne maison de négoce, Kuhlmann-Platz est aujourd'hui une marque de la Cave vinicole de Hunawihr. Sous cette étiquette, la coopérative propose deux vins remarquables, nés dans le même grand cru. Situé entre Ribeauvillé et Hunawihr, caractérisé par des sols assez lourds de marnes et dolomies compactes aérés par des éboulis siliceux, ce terroir engendre des vins de garde. C'est le cas de ce gewurztraminer qui traversera la décennie et qu'il est conseillé d'attendre jusqu'en 2014. Les dégustateurs ont admiré l'or de sa robe, l'intensité de ses parfums de litchi, d'épices et de coing ; puis ils se sont attardés avec plaisir sur son attaque fraîche, son palais aromatique, complexe, équilibré et long. Une vraie personnalité (sucres résiduels : 35 g/l). Le **Rosacker Pinot gris 2010 (12 000 b.)** obtient également deux étoiles pour son nez complexe, typé et fin, sur les fleurs blanches, le miel et les fruits confits, ainsi que pour son élégance en bouche. Il gagnera lui aussi à rester deux ans en cave et devrait se conserver jusqu'à la prochaine décennie. (Sucres résiduels : 52 g/l.)

Kuhlmann-Platz, 48, rte de Ribeauvillé, 68150 Hunawihr, tél. 03.89.73.61.67, fax 03.89.73.33.95, info@cave-hunawihr.com
t.l.j. 9h-12h 14h-18h; f. dim jan-mars

DOM. KUMPF ET MEYER Bruderthal Pinot gris 2008 ★

750 | 11 à 15 €

Créé en 1996 par l'union de deux familles, le domaine regroupe une quinzaine d'hectares répartis sur plusieurs communes aux environs de Rosheim et de Molsheim, à quelque 30 km de Strasbourg. Le grand cru Bruderthal, aux sols marno-calcaires, est le fleuron de la propriété. Il tient son nom (« val des Frères ») des moines cisterciens qui le mirent en valeur au Moyen Âge. Ses vignerons en ont tiré une microcuvée de pinot gris, un moelleux concentré et rond, séduisant par son fruité exotique (litchi, fruit de la Passion, ananas), concentré et rond en bouche (sucres résiduels : 31 g/l). Quant au **Bruderthal Riesling 2009 (1 000 b.)**, cité, c'est un vin de caractère mêlant au nez agrumes, épices et surtout notes pétrolées bien typées. Plus fruité en bouche, légèrement confit, il montre une vivacité peu courante pour le millésime. On pourra le déboucher dès la fin 2012 ou le garder deux ou trois ans. (Sucres résiduels : 7,2 g/l.)

Dom. Kumpf et Meyer, 34, rte de Rosenwiller,
67560 Rosheim, tél. 03.88.50.20.07, fax 03.88.50.26.75,
kumpfetmeyer@free.fr r.-v.

SEPPI LANDMANN Zinnkoepflé Riesling
Sélection de grains nobles 2009 ★★★

950 | + de 100 €

En 2012, Seppi Landmann fête les trente ans de son domaine, qui couvre environ 8,5 ha à Soultzmatt. Excellent vigneron, il sait parler et faire parler des superbes terroirs de la Vallée Noble et de son grand cru, le Zinnkoepflé ou « colline du Soleil ». Sur ce haut coteau, un microclimat aride permet d'obtenir régulièrement des sélections de grains nobles dont Seppi Landmann est spécialiste. Après un pinot gris élu coup de cœur l'an dernier, voici un riesling de la même veine. Or pâle, ce 2009 offre un nez des plus élégants : le citron prend des nuances confites et se mêle à l'écorce d'orange, à l'abricot, le tout enrobé de miel. Attaque suave, bouche riche et concentrée, fine acidité soulignant la finale d'une rare persistance où l'on retrouve le citron très mûr ; voilà un vin harmonieux, gourmand, frais, durable (dix ans, voire bien davantage), qui n'a qu'un seul défaut : sa rareté (sucres résiduels : 110 g/l). À la fois gras et frais, bien typé avec ses arômes de fumé, de pêche et de sous-bois, le **Zinnkoepflé Pinot gris 2010 (20 à 30 € ; 2 200 b.)** est cité. Il est prêt. (Sucres résiduels : 56 g/l.)

Seppi Landmann, 20, rue de la Vallée,
68570 Soultzmatt, tél. 03.89.47.09.33, fax 03.89.47.06.99,
contact@seppi-landmann.fr r.-v.

FRANÇOIS LIPP Pfersigberg Riesling 2010

2 900 | 8 à 11 €

Le fournisseur de la célèbre brasserie parisienne du même nom. À la tête du domaine familial depuis vingt ans, Jean-François Lipp exploite 7,5 ha au pied des trois châteaux de Husseren. Le village domine la plaine d'Alsace et le grand Pfersigberg, lieu d'origine de ce vin. Un peu fermé à l'approche, ce riesling s'ouvre sur des notes d'agrumes et de légères touches minérales. Frais et droit en bouche, il retrouve la minéralité dans une finale vive et citronnée. Choucroute ? Poisson ? Choucroute de poisson ? Vous vous déciderez dans deux ans. (Sucres résiduels : 7 g/l.)

Jean-François Lipp, 6, rte du Vin,
68420 Husseren-les-Châteaux, tél. 03.89.49.30.37,
fax 03.89.49.32.23, lipp-francois-etfils@wanadoo.fr
r.-v. 1

B **ALBERT MANN** Furstentum Pinot gris 2010 ★★

2 600 | 20 à 30 €

Maurice et Jacky Barthelmé conduisent en biodynamie le domaine familial : 20 ha, une centaine de parcelles. Les deux frères jouent avec talent d'une grande palette de terroirs, dont cinq grands crus. Coteau escarpé dominant Kientzheim, exposé au sud-sud-ouest et riche d'une flore méditerranéenne, le Furstentum est le lieu de naissance de ce pinot gris. Jaune pâle, le 2010 livre des parfums intenses de pêche blanche, un peu confits, complétés en bouche par des touches de noisette. Après une attaque souple, une élégante vivacité prend le relais, soulignant la longue finale, et laisse augurer une belle longévité : quinze ans de garde. Cette bouteille accompagnera aujourd'hui des saint-jacques aux épices, et dans trois ans une volaille aux champignons (sucres résiduels : 15 g/l). Le **Steingrubler Gewurztraminer 2010 (1 800 b.)**, né sur un coteau à l'ouest de Wettolsheim, séduit par ses fins arômes de fruits exotiques confits et d'épices. Il sait être rond avec délicatesse et ne manque pas de potentiel (cinq ans). Une étoile. (Sucres résiduels : 30 g/l.)

Dom. Albert Mann, 13, rue du Château,
68920 Wettolsheim, tél. 03.89.80.62.00, fax 03.89.80.34.23,
vins@albertmann.com t.l.j. sf dim. 9h-12h 14h-18h
Barthelmé

ALFRED MEYER Kaefferkopf Riesling 2010

3 500 | 8 à 11 €

Alfred Meyer avait agrandi l'exploitation familiale (aujourd'hui 7 ha aux environs de Katzenthal). En 2004, son fils Daniel a pris les rênes de la propriété qu'il modernise progressivement. Les visiteurs sont ainsi accueillis dans un nouveau caveau bioclimatique à la sortie du village. Ils pourront y déguster ce riesling issu de la zone granitique du Kaefferkopf. Outre les classiques notes florales et citronnées, ce 2010 offre un côté épicé. Sa vivacité marquée lui promet un bel avenir. À ouvrir en 2014-2015 avec des fruits de mer. (Sucres résiduels : 8 g/l.)

EARL Alfred Meyer, 98, rue des Trois-Épis,
68230 Katzenthal, tél. 03.89.27.24.50, fax 03.89.27.55.40,
daniel.meyer0813@orange.fr
t.l.j. sf dim. 8h30-12h 13h30-19h A

FRANÇOIS MEYER Winzenberg Riesling 2010

1 200 | 8 à 11 €

Dominant le village de Blienschwiller, le coteau du Winzenberg, exposé au sud-sud-est, bénéficie d'un ensoleillement exceptionnel. Ses sols granitiques sont favorables au riesling. François Meyer et son fils Pierre-Yves, qui l'a rejoint il y a dix ans, en ont tiré une cuvée jaune pâle, encore jeune. Le nez, discret, s'ouvre progressivement sur des notes de fleurs blanches et d'agrumes, complétées d'une touche minérale bien typée. Frais et droit, ce vin montre un bon équilibre et suffisamment de persistance. À ouvrir en 2013 sur un feuilleté au fromage frais ou un bar en croûte de sel. (Sucres résiduels : 8 g/l.)

EARL François Meyer, 5, rue du Winzenberg,
67650 Blienschwiller, tél. et fax 03.88.92.45.67,
vins.francois.meyer@free.fr r.-v. A

RENÉ MEYER Florimont Pinot gris 2010 ★

1 200 | 11 à 15 €

Jean-Paul Meyer conduit plus de 9 ha aux environs de Katzenthal, près de Colmar. Une partie du grand cru Florimont, avancée des collines sous-vosgiennes dominant la plaine, est délimitée sur son village et il en valorise plusieurs parcelles avec bonheur. Récolté à la fin octobre, ce pinot gris, jaune soutenu aux reflets dorés, en impose par sa richesse. Discrètement miellé au premier nez, il s'ouvre à l'aération sur des notes de fumé, de pain grillé et de fruits confits. Ample et souple à l'attaque, il montre une belle concentration, associée à des arômes de surmaturation. On l'appréciera dès maintenant – et pendant plusieurs années – à l'apéritif, avec des toasts au foie gras. (Sucres résiduels : 79 g/l.)

EARL René Meyer et Fils, 14, Grand-Rue, 68230 Katzenthal, tél. 03.89.27.04.67 r.-v.

LUCIEN MEYER ET FILS Hatschbourg Gewurztraminer 2010 ★

3 000 | 8 à 11 €

Installé voici trente ans, Jean-Marc Meyer perpétue l'exploitation fondée par un de ses arrière-grands-pères. Un hectare et demi, sur les neuf que compte sa propriété, est situé sur le Hatschbourg, le grand cru dominant son village. Il en a tiré un gewurztraminer aux parfums floraux et exotiques bien typés. Souple à l'attaque, ample, équilibré, ce 2010 développe en bouche des arômes de surmaturation et finit sur de subtiles touches épicées. Une bouteille élégante, prête à paraître à table. Un dégustateur la verrait bien avec un poisson au safran. (Sucres résiduels : 30 g/l.)

EARL Lucien Meyer et Fils, 57, rue du Mal-Leclerc, 68420 Hattstatt, tél. 03.89.49.31.74, fax 03.89.49.24.81, info@earl-meyer.com r.-v.

MEYER-FONNÉ Kaefferkopf Pinot gris 2010 ★★

2 000 | 11 à 15 €

François Meyer et son fils Félix ont porté à 13 ha la superficie de la propriété familiale, en étendant ses surfaces en grand cru : ils exploitent des vignes disséminées dans sept communes et valorisent cinq grands crus. Du Kaefferkopf d'Ammerschwihr, ils ont tiré un pinot gris remarquable par ses arômes et par son potentiel. Le nez, bien ouvert, déploie des senteurs de coing et de fruits jaunes (pêche et mirabelle) que l'on retrouve dans une bouche ronde à l'attaque, ample, concentrée et fraîche. Cette bouteille remarquablement équilibrée s'épanouira au cours des années à venir et pourrait traverser la décennie. (Sucres résiduels : 15 g/l.)

Dom. Meyer-Fonné, 24, Grand-Rue, 68230 Katzenthal, tél. 03.89.27.16.50, fax 03.89.27.34.17, felix@meyer-fonne.com r.-v.

François et Félix Meyer

MEYER-KRUMB Mambourg Gewurztraminer 2010 ★

2 770 | 8 à 11 €

Fernand et Christiane Meyer ont été rejoints en 2006 par leur fille Aurélie. La famille est installée à Sigolsheim, gros bourg viticole situé à l'entrée de la vallée de Kaysersberg. La commune est dominée au nord par le Mambourg, coteau très ensoleillé où la famille détient plusieurs parcelles. Une vigne de 56 ares est à l'origine de ce vin au nez encore retenu, qui laisse poindre des arômes typés de litchi. En bouche, ce 2010 inspire confiance par sa structure. Franc à l'attaque, il est riche, miellé, fruité, et bénéficie d'une belle acidité. Il gagnera en expression au cours des deux prochaines années et devrait se garder une décennie. (Sucres résiduels : 36,3 g/l.)

Vins d'Alsace Meyer-Krumb, 1 A, rte des Vins, 68240 Sigolsheim, tél. 03.89.47.13.20, fax 03.89.47.13.90, meyer-krumb-earl@wanadoo.fr t.l.j. 10h30-18h30

Christaine, Aurélie et Fernand Meyer

FRÉDÉRIC MOCHEL Altenberg de Bergbieten Riesling Cuvée Henriette 2010 ★★★

6 300 | 11 à 15 €

La famille Mochel conserve un pressoir du XVIIe s. C'est en 1669, lors de la reconstruction du vignoble après la guerre de Trente Ans, qu'elle s'est établie à Traenheim, à l'ouest de Strasbourg. Héritier de cette longue tradition, Guillaume Mochel a pris en 2001 les rênes de la propriété après des stages dans les vignobles du monde qui l'ont mené jusqu'en Nouvelle-Zélande. Sur les 10 ha de vignes du domaine, la moitié est implantée dans le grand cru Altenberg de Bergbieten. Né dans ce terroir marno-calcaire gypsifère, ce vin a été couvert d'éloges. Un riesling singulier par ses notes de chèvrefeuille et de pêche qui traduisent une bonne maturité. Bien étoffé, intense et généreux, il offre une finale longue et vive sur le pamplemousse et le citron, qui laisse une impression d'harmonie et qui lui garantit une bonne garde. Pour des crustacés et des poissons nobles. (Sucres résiduels : 8,6 g/l.)

Dom. Frédéric Mochel, 56, rue Principale, 67310 Traenheim, tél. 03.88.50.38..67, fax 03.88.50.56.19, infos@mochel.net r.-v.

MOCHEL-LORENTZ Altenberg de Bergbieten Gewurztraminer 2010

2 758 | 8 à 11 €

Établi à Traenheim, l'un des villages de la Couronne d'or de Strasbourg, Philippe Lorentz a pris la suite d'une lignée de vignerons remontant à 1634. À la tête de 15 ha de vignes, il exploite une parcelle dans le grand cru Altenberg de Bergbieten, dont les sols argilo-calcaires sont propices au gewurztraminer. Celui-ci possède un nez charmeur, à la fois intense et fin, sur la rose et les épices, qui prend à l'aération des nuances de pâte de fruits. Ce fruité se prolonge dans un palais vif à l'attaque, sur les agrumes mûrs, puis le vin se fait ample et gras avant de finir sur une pointe chaleureuse. À servir dans les six à huit prochaines années, à l'apéritif ou sur de la cuisine asiatique. (Sucres résiduels : 20 g/l.)

Mochel-Lorentz, 19, rue Principale, 67310 Traenheim, tél. 03.88.50.38.17, fax 03.88.50.59.18, plorentz@mochel-lorentz.com t.l.j. sf dim. 8h-11h30 13h-19h

DOM. MORITZ Kastelberg Riesling 2010 ★★

2 400 | 11 à 15 €

Claude Moritz est vigneron à Andlau depuis trente-cinq ans. Il exploite 12 ha dans son village et dans quatre communes environnantes, disposant ainsi d'une belle palette de terroirs dont il recherche l'expression. Le Kastelberg présente des sols schisteux propices au riesling. Il en a tiré un vin aux reflets d'or qui a fait grande impression. Le nez associe les agrumes et des nuances de surmaturation à des notes minérales, « pétrolées ». La minéralité persiste et signe dans un palais explosif, ample à l'attaque, gras, charpenté et long. Expression d'une vendange mûre et de sa bonne origine, un vin déjà séduisant et de grande garde, qui peut durer vingt ans. Il accompagnera poisson en sauce et viande blanche. (Sucres résiduels : 7,6 g/l.)

Dom. Claude Moritz, 6, rue du Gal-Koenig, 67140 Andlau, tél. 03.88.08.01.43, fax 03.88.92.61.70, alsacemoritz@voila.fr r.-v. E

B **RENÉ MURÉ** Vorbourg Pinot gris Clos Saint-Landelin 2010 ★★★

4 700 | 15 à 20 €

Lorsque, au VIIIe s., l'évêque de Strasbourg dota le monastère d'Ettenheim de « vignes parmi les meilleures d'Alsace », il choisit ce « bien de Saint-Landelin », au sud de la région. À l'extrémité méridionale du grand cru Vorbourg, ce coteau pentu exposé au sud-sud-est et aménagé en terrasses constitue le fleuron de la famille Muré, qui l'a acquis en 1935. Ce superbe pinot gris, d'un jaune intense aux reflets or, illustre le potentiel de ce terroir. Au nez, il se partage entre l'abricot, le pain grillé et des touches fumées. Souple et rond à l'attaque, il monte en puissance, dévoilant une matière imposante vivifiée par une fine acidité. Ce vin puissant, long et racé, encore sur la réserve, peut déjà accompagner du saumon mariné, mais il sera « extraordinaire dans cinq à sept ans »... (sucres résiduels : 35 g/l). Avec ses notes de botrytis, de citron confit, de truffe blanche, le **Vorbourg Clos Saint-Landelin Gewurztraminer Sélection de grains nobles 2009 (50 à 75 € ; 400 b.)** offre toute la concentration, la complexité et les perspectives de garde attendues de ce style de vin, sans oublier la fraîcheur : une étoile (sucres résiduels : 241 g/l). Même note pour le **Vorbourg Clos Saint-Landelin Riesling 2010 (20 à 30 € ; 6 900 b.)**. Des agrumes, de la minéralité, de la droiture, une fraîcheur vive : l'étoffe d'un riesling de garde, à attendre quatre ou cinq ans. (Sucres résiduels : 9 g/l.)

Muré - Clos Saint-Landelin, rte du Vin, 68250 Rouffach, tél. 03.89.78.58.00, fax 03.89.78.58.01, domaine@mure.com r.-v.

GÉRARD NEUMEYER Bruderthal Pinot gris 2010

3 600 | 15 à 20 €

Le domaine a été créé dans les années 1920 par le grand-père de Gérard Neumeyer, ancien ouvrier des établissements Bugatti qui ont contribué à la notoriété de la petite cité bas-rhinoise de Molsheim. Le vignoble est aujourd'hui en conversion au bio (certification en 2012). Son fleuron, le grand cru Bruderthal, domine l'exploitation. Ses sols marno-calcaires conviennent à tous les cépages. Le pinot gris a donné ici naissance à un vin au nez généreux de fruits jaunes et de pain grillé. Vif à l'attaque, puissant, chaleureux et assez long, ce 2010 accompagnera une viande blanche en sauce. (Sucres résiduels : 16,4 g/l.)

Dom. Gérard Neumeyer, 29, rue Ettore-Bugatti, 67120 Molsheim, tél. 03.88.38.12.45, fax 03.88.38.11.27, contact@gerardneumeyer.fr
t.l.j. sf dim. 9h-12h 14h-19h

NICOLLET Zinnkoepflé Pinot gris 2010 ★

2 200 | 8 à 11 €

Marc Nicollet a pris il y a huit ans les rênes de l'exploitation familiale qui compte 13 ha autour de Soultzmatt, dans la Vallée Noble. Ce secteur bien abrité de l'humidité donne des vins très riches, en particulier lorsque ceux-ci naissent sur le grand cru Zinnkoepflé, « toit du vignoble » (420 m). Ce pinot gris de couleur jaune clair se montre bien rond, mais ce qui retient d'emblée l'attention, ce sont ses fraîches senteurs d'acacia, nuancées de la note fumée du cépage. À ces premières impressions répondent la vivacité de l'attaque et l'acidité cristalline de la finale, qui confèrent à ce moelleux un bel équilibre. Un « vin plaisir » que l'on pourra servir dès maintenant (sucres résiduels : 60 g/l). Également prêt, le **Zinnkoepflé Riesling vendanges tardives 2009 (15 à 20 € ; 2 600 b.)** obtient la même note pour son nez bien ouvert sur les fruits confiturés et la mangue, et pour sa bouche riche et concentrée évoquant la pourriture noble. (Sucres résiduels : 37 g/l.)

Gérard Nicollet et Fils, 33, rue de la Vallée, 68570 Soultzmatt, tél. 03.89.47.03.90, vinsnicollet@wanadoo.fr
t.l.j. sf dim. 9h-12h 14h-18h D

CH. OLLWILLER Ollwiller Riesling 2008

8 480 | 11 à 15 €

Déjà connu pour ses vins au XIIIe s., ce château situé à l'extrémité méridionale de la route des Vins a été acquis en 1825 par Jacques Gabriel Gros, industriel du textile. Le vignoble, développé par ses descendants, couvre 25 ha sur les coteaux du Vieil Armand. Les vins sont élaborés et commercialisés par la cave de Soultz-Wuenheim. Marqué par son terroir sablo-argileux, ce riesling offre une expression intense, sur les fleurs et les fruits confits, avec une touche minérale. La bouche aux nuances de surmaturation dévoile une matière ample et ronde, équilibrée par une vivacité citronnée typée du cépage. À servir en 2013 ou 2014. Bel accord en perspective avec un filet mignon aux légumes de printemps. (Sucres résiduels : 7,4 g/l.)

Cave du Vieil Armand, 1, rte de Cernay, 68360 Soultz-Wuenheim, tél. 03.89.76.73.75, fax 03.89.76.70.75, caveau@cavevieilarmand.com
t.l.j. 8h-12h 14h-18h30; dim. 10h-12h 14h-18h

CAVE DE PFAFFENHEIM Steinert Pinot gris 2010

28 000 | 11 à 15 €

Forte des 270 ha de ses adhérents, cette coopérative propose un large éventail de cuvées, notamment plusieurs grands crus de Pfaffenheim et du voisinage, tous situés au sud de Colmar. Ici, un pinot gris du Steinert, coteau aux sols calcaires et caillouteux très filtrants. Jaune à reflets verts, ce 2010, discrètement fruité, s'ouvre sur des notes de pêche, d'abricot et de poire. Riche et ample à l'attaque, bien équilibré, il laisse en finale une impression de fraîcheur qui permettra de le placer facilement à table, avec des plats relevés par exemple. Si les impatients peuvent l'ouvrir dès la fin de l'année, il devrait se garder une bonne décennie et sera à son optimum dans cinq ans. (Sucres résiduels : 20,4 g/l.)

Cave des vignerons de Pfaffenheim, 5, rue du Chai, 68250 Pfaffenheim, tél. 03.89.78.08.08, fax 03.89.49.71.65, cave@pfaffenheim.com t.l.j. 9h-18h (19h en été)

VIGNOBLES REINHART Saering Pinot gris 2010 ★

1 200 | 8 à 11 €

Pierre Reinhart perpétue une tradition viticole qui remonte au début du XVIIIe s. Établi à Orschwihr, l'un des villages les plus méridionaux de la route des Vins, il exploite 6 ha de vignes, avec des parcelles dans deux grands crus. Ce pinot gris est né à Guebwiller, dans le Saering, coteau bien exposé à l'est-sud-est. D'un doré soutenu, il s'ouvre sur des parfums flatteurs de pêche surmûrie nuancés d'une pointe vanillée. Complexe au palais, rond, franc, équilibré et de bonne longueur, il accompagnera aussi bien un poisson cuisiné qu'une volaille. Déjà prêt, il peut attendre cinq ans. (Sucres résiduels : 25 g/l.)

Pierre Reinhart, 7, rue du Printemps, 68500 Orschwihr, tél. 03.89.76.95.12, fax 03.89.74.84.08, pierre@vignobles-reinhart.com r.-v.

CAVE DE RIBEAUVILLÉ Gloeckelberg Pinot gris 2010 ★

7 600 | 15 à 20 €

La plus ancienne des coopératives de France (1895) ne s'est pas laissée dépasser. Pour vinifier les 265 ha de ses adhérents, elle s'est dotée d'une charte de qualité, a installé un nouveau vendangeoir et s'est attaché les conseils de Denis Dubourdieu. Sa carte des vins comprend huit grands crus. Une grande partie du Gloeckelberg, située à Rodern, est cultivée par ses vignerons. Le pinot gris réussit bien sur ces terrains sablonneux acides. Celui-ci s'ouvre sur des notes grillées puis s'oriente vers la mangue. On retrouve la torréfaction dans un palais gras, ample et tonifié par une belle acidité. La longue finale est marquée d'une touche réglissée. Un vin de fête pour foie gras poêlé, canard laqué... (Sucres résiduels : 48 g/l.)

Cave de Ribeauvillé, 2, rte de Colmar, 68150 Ribeauvillé, tél. 03.89.73.61.80, fax 03.89.73.31.21, cave@cave-ribeauville.com t.l.j. 8h-12h 14h-18h

RIEFFEL Zotzenberg Gewurztraminer 2010 ★

4 000 | 11 à 15 €

Installé dans le superbe village de Mittelbergheim, Lucas Rieffel exploite 10 ha de vignes implantées dans cette commune et dans les deux bourgs voisins : Barr, au nord, et Andlau, au sud. Le Zotzenberg de Mittelbergheim est un vignoble en forme de cuvette. Exposé à l'est et au sud, il bénéficie d'un ensoleillement privilégié. Son sol de conglomérats marno-calcaires convient particulièrement bien au gewurztraminer. Belle expression du cépage, ce vin a été apprécié pour sa structure puissante, son gras et sa richesse, équilibrés par une belle acidité. On le laissera en cave jusqu'en 2014 pour permettre à ses arômes de s'épanouir (sucres résiduels : 35 g/l). Le **Wiebelsberg Riesling 2009 (4 000 b.)** provient d'un grand cru d'Andlau favorable au cépage par ses fortes pentes, ses sols gréseux et son exposition. Son nez de fleurs blanches, avec une touche minérale, son attaque ronde et sa finale fraîche, ponctuée d'une fine amertume, lui valent une citation. Pour une truite, dès maintenant. (Sucres résiduels : 1 g/l.)

André Rieffel, 11, rue Principale, 67140 Mittelbergheim, tél. 03.88.08.95.48, andre.rieffel@wanadoo.fr r.-v.

DOM. RIEFLÉ Zinnkoepflé Pinot gris Bonheur exceptionnel 2010

3 000 | 15 à 20 €

De vieille souche vigneronne, la famille Rieflé a développé une structure de négoce qui exporte 70 % de sa production, des États-Unis au Japon. Son pinot gris du grand cru Zinnkoepflé, sans avoir l'ambition du 2009, élu coup de cœur l'an dernier, retient l'attention par sa richesse, sa puissance et son bon équilibre. Il est encore fermé, si bien que les dégustateurs conseillent de le carafer ou de l'attendre au moins jusqu'en 2014. (Sucres résiduels : 44 g/l.)

Dom. Rieflé, 7, rue du Drotfeld, BP 43, 68250 Pfaffenheim, tél. 03.89.78.52.21, fax 03.89.49.50.98, riefle@riefle.com t.l.j. sf dim. 9h-12h 14h-18h

RIETSCH Zotzenberg Riesling 2009

3 260 | 11 à 15 €

Cette vieille famille de Mittelbergheim exploite 11 ha en conversion au bio. Dans la cave, des foudres centenaires permettent de longs élevages : ce riesling, issu d'un grand cru marno-calcaire, est resté sur ses lies plus de deux ans. Il s'ouvre sur des parfums complexes, qui gagnent en intensité à l'aération : agrumes, abricot, mirabelle, avec une touche de réglisse. Au palais, sa fraîcheur et son équilibre sec lui confèrent un côté racé. La finale assez longue est marquée par une pointe de fine amertume. Ce vin de gastronomie devrait atteindre son apogée à partir de 2014, mais il accompagnera dès maintenant une choucroute au poisson. (Sucres résiduels : 2,5 g/l.)

Dom. Rietsch, 32, rue Principale, 67140 Mittelbergheim, tél. 03.88.08.00.64, fax 03.88.08.40.91, rietsch@wanadoo.fr t.l.j. sf dim. 9h-12h 13h30-18h

ÉRIC ROMINGER Zinnkoepflé Gewurztraminer Les Sinneles 2010 ★★

1 500 | 15 à 20 €

Éric Rominger exploite 12 ha en haute Alsace, dont 35 % en grand cru. Un riesling 1996 du Zinnkoepflé valut à son domaine un coup de cœur et la Grappe de bronze du Guide. Le nom de ce majestueux coteau, à cheval sur les communes de Westhalten et de Soultzmatt, signifie « colline du Soleil ». Jadis, les Germains vénéraient l'astre du jour au sommet de cette hauteur aride, protégée de l'humidité par les plus hauts sommets vosgiens. C'est de ce terroir calcaro-gréseux que provient ce gewurztraminer issu d'une culture en biodynamie. Le nez, précis, associe la rose et des nuances de poire confite. Dans le même registre floral, la bouche séduit par son équilibre et son élégance. À servir dès maintenant avec du foie gras. (Sucres résiduels : 50 g/l.)

Dom. Éric Rominger, 16, rue Saint-Blaise, 68250 Westhalten, tél. 03.89.47.68.60, fax 03.89.47.68.61, vins-rominger.eric@orange.fr r.-v.

MARTIN SCHAETZEL Kaefferkopf Riesling Granit 2010 ★

900 | 15 à 20 €

À Ammerschwihr, l'une des plus vastes communes viticoles d'Alsace, le cinquante et unième grand cru possède un terroir complexe, une réglementation propre, une confrérie dynamique, et compte de nombreux metteurs en marché. Parmi eux, Jean Schaetzel conduit son domaine en biodynamie. Le riesling grand cru soumis aux dégustateurs affiche les caractères de son terroir granitique : au nez, il mêle des notes minérales à des senteurs de fleurs blanches et d'agrumes. Franc à l'attaque, ample, frais et salin, harmonieux et long, il se bonifiera au cours des deux à trois ans à venir. Bel accord en perspective avec un poisson de mer, un turbot par exemple. (Sucres résiduels : 3 g/l.)

Martin Schaetzel, 3, rue de la 5e-D.-B.,
68770 Ammerschwihr, tél. 03.89.47.11.39, fax 03.89.78.29.77,
contact@martin-schaetzel.com
t.l.j. sf dim. 9h-12h 13h30-18h30

SCHALLER Mandelberg Riesling 2010 ★★

2 100 | 11 à 15 €

La famille Schaller fait remonter son arbre généalogique à 1609. Le domaine s'est développé à partir des années 1950, avec Edgard puis avec Patrick et Charles. Il compte aujourd'hui 9 ha. Les sols marno-calcaires du grand cru Mandelberg et son microclimat presque méridional, qui explique le nom de « colline des Amandiers », ont marqué ce riesling de leur empreinte. D'un jaune intense et brillant, ce 2010 dévoile un nez puissant et complexe, alliant les fruits mûrs et le raisin sec à des touches plus fraîches, mentholées, que l'on retrouve en bouche. L'attaque ronde annonce un corps étoffé, bien équilibré, minéral, salin et long, à la finale assez vive. Un vin de gastronomie que l'on peut servir dès maintenant ou attendre trois ans. (Sucres résiduels : 8 g/l.)

EARL Edgard Schaller et Fils, 1, rue du Château,
68630 Mittelwihr, tél. 03.89.47.90.28, fax 03.89.49.02.66,
edgard.schaller@wanadoo.fr
t.l.j. 9h-12h30 14h30-18h30

DOM. JOSEPH SCHARSCH Altenberg de Wolxheim Riesling 2009 ★★

3 270 | 8 à 11 €

Pratiquement aux portes de la capitale régionale (à une vingtaine de kilomètres), on peut trouver un grand cru : l'Altenberg de Wolxheim, un vignoble détenu par l'évêque de Strasbourg dès l'an mille. Ce lieu-dit marno-calcaire est particulièrement favorable au riesling, cépage qui fait la renommée de Wolxheim. Le domaine Scharsch, dirigé depuis 2011 par Nicolas, en tire de très beaux vins. Jugé aussi remarquable que le 2008, ce 2009 porte la signature de son terroir. Original par ses arômes intenses de fruits, de fleurs et de réglisse, c'est un riesling complexe et harmonieux qui conjugue ampleur et fraîcheur. On peut déjà le déguster, mais il se gardera plusieurs années. Bel accord en perspective avec un poisson cuisiné. (Sucres résiduels : 8 g/l.)

Dom. Joseph Scharsch, 12, rue de l'Église,
67120 Wolxheim, tél. 03.88.38.30.61, fax 03.88.38.01.13,
cave@domaine-scharsch.com r.-v.

SCHEIDECKER Mandelberg Gewurztraminer 2010 ★

900 | 15 à 20 €

Signée par Philippe Scheidecker, cette microcuvée montre que le grand cru Mandelberg, connu pour sa précocité et ses sols argilo-calcaires, convient parfaitement au gewurztraminer. On aime la robe jaune doré de ce 2010, sa palette mêlant le litchi, les épices et le miel. Le palais ne déçoit pas : structuré, ample et gras, il est tonifié par une belle acidité qui souligne la finale longue et élégante, sur les fruits exotiques. Ce vin gagnera en fondu au cours des deux prochaines années et devrait plaire jusqu'à la prochaine décennie. (Sucres résiduels : 38 g/l.)

Philippe Scheidecker, 13, rue des Merles,
68630 Mittelwihr, tél. 03.89.49.01.29, fax 03.89.49.06.63,
vins.scheidecker@wanadoo.fr t.l.j. 9h-12h 14h-18h

LOUIS SCHERB ET FILS Goldert Riesling 2010 ★

2 800 | 8 à 11 €

Les ancêtres des Scherb cultivaient déjà la vigne au XVIIes. à Gueberschwihr, à 13 km au sud de Colmar. Aujourd'hui, la famille exploite près de 12 ha et propose plusieurs cépages issus du Goldert, grand cru dominant le village. Le nom de ce lieu-dit évoque la couleur or des vins qui y prennent naissance. C'est bien le cas de ce riesling qui affiche une robe jaune doré. Très expressif, il joue sur le registre des fruits confits, avec des nuances de fleurs séchées. La bouche suave est soutenue par une acidité bien fondue et finit sur une touche mentholée. À servir dans les trois ou quatre ans à venir sur une viande blanche. (Sucres résiduels : 7,5 g/l.)

Louis Scherb et Fils, 1, rte de Saint-Marc,
68420 Gueberschwihr, tél. 03.89.49.30.83, fax 03.89.49.30.65,
louis.scherb@wanadoo.fr
t.l.j. sf dim. 8h-12h 13h30-19h
Burner

SCHLEGEL-BOEGLIN Zinnkoepflé Riesling 2010 ★★

3 800 | 8 à 11 €

Jean-Luc Schlegel est établi à Westhalten, à une vingtaine de kilomètres au sud de Colmar. Installé en 1991 à la tête du domaine familial, il travaille ses 13 ha de vignes en culture raisonnée et récolte les raisins à pleine maturité, voire en surmaturation partielle. Le caractère solaire du grand cru Zinnkoepflé se reflète dans ce flacon, un riesling dont la couleur jaune doré s'accorde au nez intense de miel d'acacia et de fruits confits. Riche, onctueux, encore très marqué par les sucres, ce vin évoque une vendange tardive. On le verrait bien à l'apéritif, avec un foie gras poêlé aux abricots ou encore avec le chapon de Noël. Maintenant ou... en 2020 (sucres résiduels : 22 g/l). Par ailleurs, le **Vorbourg Pinot gris 2009 (2 000 b.)**, issu d'un grand cru voisin, est cité pour son bel équilibre. On l'ouvrira dès 2013 sur une entrée chaude ou une salade folle. (Sucres résiduels : 47 g/l.)

Dom. Schlegel-Boeglin, 22 A, rue d'Orschwihr,
68250 Westhalten, tél. 03.89.47.00.93, fax 03.89.47.65.32,
schlegel-boeglin@wanadoo.fr r.-v.

DOM. ROLAND SCHMITT Altenberg de Bergbieten Gewurztraminer Vendanges tardives 2009 ★

1 300 | 30 à 50 €

Ce sont Anne-Marie Schmitt et ses deux fils, Julien (pour la technique) et Bruno (pour le marketing), qui continuent l'œuvre de Roland Schmitt. Situé non loin de Strasbourg, leur domaine comporte plusieurs parcelles dans l'Altenberg de Bergbieten. Les sols lourds, marno-calcaires, de ce grand cru favorisent la lente maturation du gewurztraminer, ce qui permet d'obtenir une grande concentration aromatique. D'un or intense, ces Vendanges tardives libèrent des senteurs assez fraîches de thé vert, d'orange mûre, d'ananas confit. L'attaque ample introduit une bouche riche et généreuse, aux arômes de fruits en confiture. La douceur, très présente, est bien intégrée.

Une pointe de fraîcheur bienvenue donne de l'allonge à la finale. À servir dès maintenant sur un fromage à croûte lavée ou sur une salade de fruits exotiques. (Sucres résiduels : 100 g/l ; bouteilles de 50 cl.)

Dom. Roland Schmitt, 35, rue des Vosges,
67310 Bergbieten, tél. 03.88.38.20.72, fax 03.88.38.75.84,
cave@roland-schmitt.fr
t.l.j. sf dim. 9h-12h 13h30-18h

SCHMITT & CARRER Wineck-Schlossberg Pinot gris Vendanges tardives Schloessel Mühle 2008 ★★★

1 880 | 15 à 20 €

Domaine né au début des années 1990 de l'association entre Roger Schmitt, de souche vigneronne, et son gendre. Géré par Sylvie et Roland Carrer, rejoints par Anne-Cécile, il couvre 15 ha et aura achevé sa conversion bio en 2013. Il détient dans le grand cru Wineck-Schlossberg une parcelle de pinot gris à l'origine de ces superbes vendanges tardives. Jaune paille à reflets verts, ce 2008 charme par un nez intense et complexe, alliant de fraîches senteurs d'agrumes, des touches fumées, de la minéralité, à des fragrances plus suaves de fleurs et de miel. En bouche, des nuances botrytisées de mirabelle confite, de coing, de cire, des notes balsamiques viennent encore enrichir la palette. L'attaque toute ronde prélude à un palais puissant et élégant, fondu et long, tonifié par une finale fraîche, délicatement minérale. D'une rare harmonie, cette bouteille accompagnera avec bonheur une caille farcie ou une tarte aux abricots. Elle se gardera cinq ans au moins. (Sucres résiduels : 66 g/l.)

Schmitt et Carrer, 11, pl. du Lieutenant-Dutilh,
68240 Kientzheim, tél. 03.89.78.24.17, fax 03.89.78.00.00,
contact@schmitt-carrer.com
t.l.j. sf dim. 8h-12h 13h-19h

DOM. SCHOFFIT Rangen Pinot gris Clos Saint-Théobald 2010 ★

8 500 | 20 à 30 €

À la tête d'un domaine de 17 ha, la famille Schoffit ne se contente pas de son vignoble autour de Colmar. Elle semble avoir un faible pour les terroirs en forte pente : celui-ci lui a déjà valu sept coups de cœur. Surplombant la ville de Thann à l'extrémité méridionale de la route des Vins, il a pour originalité son sol de roches volcaniques de couleur sombre qui favorisent l'accumulation de la chaleur. Sans avoir l'envergure de millésimes précédents, ce pinot gris intéresse par ses arômes typés de pêche et de fumé, accompagnés d'une touche vanillée. Puissant en bouche, il est construit sur une belle acidité qui marque la finale. Ce caractère lui permettra de bien se garder (jusqu'à dix ans) et d'être servi à table. (Sucres résiduels : 37 g/l.)

Dom. Schoffit, 66-68, Nonnenholz-Weg, 68000 Colmar,
tél. 03.89.24.41.14, fax 03.89.41.40.52,
domaine.schoffit@free.fr r.-v.

MAURICE SCHUELLER Goldert Gewurztraminer 2010 ★★

2 550 | 11 à 15 €

Marc Schueller a pris en 1994 les rênes du domaine fondé par son grand-père dans les années 1930. Sa demeure est typique de l'habitat de Gueberschwihr, avec sa grande porte ronde datée de 1609. Quant au vignoble – environ 7,5 ha –, il compte plusieurs parcelles sur le Goldert, grand cru propice au gewurztraminer. Récolté le

20 octobre, le raisin a donné naissance à un vin jaune soutenu, qui s'ouvre sur des senteurs d'acacia et de rose, puis de coing et d'épices. Ample, chaleureuse, intense et persistante, la bouche séduit aussi par sa complexité et sa finesse : le jury est conquis. Ce 2010 devrait atteindre son optimum dans deux ans. Il permettra une large palette d'accords gourmands, de l'apéritif au dessert (sucres résiduels : 37,1 g/l). Quant au **Goldert Muscat Sélection de grains nobles 2009 (20 à 30 € ; 730 b. de 50 cl)**, il obtient une étoile pour ses parfums exubérants et croquants, et pour sa fraîcheur. (Sucres résiduels : 67,3 g/l.)

EARL Maurice Schueller, 17, rue Basse,
68420 Gueberschwihr, tél. 03.89.49.34.80, fax 03.89.49.26.60,
marc@vins-schueller.com r.-v.

DOM. FERNAND SELTZ Zotzenberg Sylvaner 2010

1 350 | 11 à 15 €

Le sylvaner n'a droit à l'appellation alsace grand cru que sur le terroir du Zotzenberg, à Mittelbergheim. Ce coteau possède des sols lourds, argilo-calcaires, qui favorisent la maturation lente de ce cépage et donnent des vins de garde. D'un jaune doré brillant, celui-ci offre un nez intense et frais, partagé entre le citron et la pêche blanche. Franc à l'attaque, le palais suit la même ligne aromatique, droit, vif, équilibré. Avec un peu plus de puissance, le vin aurait eu une étoile. On le servira dès aujourd'hui sur un pot-au-feu de poisson ou des fruits de mer. (Sucres résiduels : 4 g/l.)

EARL Fernand Seltz et Fils, 42, rue Principale,
67140 Mittelbergheim, tél. 03.88.08.93.92,
seltz.michel@wanadoo.fr r.-v.

JEAN SIEGLER Mandelberg Riesling 2009

2 300 | 8 à 11 €

Dans cette famille, on est vigneron de père en fils depuis 1784. Installé en 1973, Hugues Siegler a développé l'exploitation qui couvre aujourd'hui 10 ha. Ce riesling 2009 présente un nez déjà évolué, teinté de minéralité. Au palais, il se montre intense, équilibré, ample et frais à la fois, agrémenté d'une finale sur les fleurs blanches et les agrumes. À découvrir dès maintenant sur un poisson en sauce. (Sucres résiduels : 16,2 g/l.)

Jean Siegler, Clos des Terres-Brunes, 26, rue des Merles,
68630 Mittelwihr, tél. 03.89.47.90.70,
jean.siegler@wanadoo.fr
t.l.j. 8h-12h 14h-19h

ÉTIENNE SIMONIS Kaefferkopf Gewurztraminer 2010 ★

1 700 | 11 à 15 €

René Simonis a transmis en 1996 le vignoble familial à son fils Étienne qui l'a converti au bio. La production aura la certification biodynamique à partir du millésime 2011. Son gewurztraminer du Kaefferkopf, élu coup de cœur l'an dernier, reste de belle tenue. Il délivre des arômes complexes de fruits jaunes confits évoquant la surmaturation. Franc à l'attaque, gras, rond et opulent, il offre une finale fraîche et longue. Ce vin, qui rappelle une vendange tardive, devrait s'entendre avec un dessert au chocolat (sucres résiduels : 60 g/l). Produit sur le même secteur granitique, le **Kaefferkopf Riesling (940 b.)** fait jeu égal avec ses notes surmaturées (fruits confits, coing, pain grillé), son ampleur et son élégance. Pour une volaille dans un an ou deux. (Sucres résiduels : 6 g/l.)

Étienne Simonis, 2, rue des Moulins, 68770 Ammerschwihr, tél. 03.89.47.30.79, rene.etienne.simonis@gmail.com
t.l.j. sf dim. 9h-12h 13h30-18h30

JEAN-MARC SIMONIS Kaefferkopf 2010 *

2 500 | 8 à 11 €

Dirigée depuis 1993 par Jean-Marc Simonis, cette exploitation familiale mise de longue date sur le Kaefferkopf. Le 51e et dernier promu des grands crus d'Alsace permet l'élaboration de vins d'assemblage, comme celui-ci, où le riesling (30 %) souligne de sa vivacité le fruité du gewurztraminer. Le nez mêle les fleurs blanches et les agrumes aux fruits confits et aux épices ; souple et ronde à l'attaque, bien structurée, la bouche persiste sur des impressions de fraîcheur. Une union réussie et durable, et un beau vin d'apéritif à déguster à partir de 2013. (Sucres résiduels : 28 g/l.)

EARL Jean-Paul Simonis et Fils, 1, rue des Chasseurs-Besombes-et-Brunet, 68770 Ammerschwihr, tél. 03.89.47.13.51, fax 03.89.47.65.70, jmsimonis@orange.fr
t.l.j. sf dim. 8h-11h45 13h30-18h

DOM. DE LA SINNE Kaefferkopf Gewurztraminer 2010

2 300 | 11 à 15 €

Gros bourg viticole, Ammerschwihr compte plusieurs dizaines de vignerons. Parmi eux, Frédéric Geschickt exploite plus de 11 ha en biodynamie. Sur le grand cru de sa commune, il détient plusieurs parcelles, dont celle-ci, plantée de gewurztraminer. Son 2010 montre des caractères de vivacité et de jeunesse : une robe jaune pâle, de discrets arômes d'agrumes nuancés d'épices et de minéralité, un corps puissant et riche, soutenu par une franche acidité. Une bouteille de garde (dix ans) qui mérite de patienter en cave jusqu'en 2014. (Sucres résiduels : 35 g/l.)

Frédéric Geschickt, 1, pl. de la Sinne, 68770 Ammerschwihr, tél. 03.89.47.12.54, vignoble@geschickt.fr r.-v.

JEAN SIPP Kirchberg de Ribeauvillé Riesling 2010

6 000 | 15 à 20 €

Au Moyen Âge, les seigneurs de Ribeaupierre détenaient des vignes sur les terroirs marno-calcaro-gréseux escarpés dominant Ribeauvillé. Celles-ci sont passées en d'autres mains. Les héritiers des Sipp, famille enracinée dans la cité depuis le XVIIes, en cultivent une parcelle. Succédant à son père Jean, Jean-Guillaume a pris la tête des 24 ha de la propriété en 2010. Son riesling du Kirchberg affiche une timidité de jeunesse : discrètement fruité au nez, il laisse percer des notes confites de surmaturation. Ample et riche en bouche, avec une pointe de douceur, il est soutenu par une bonne fraîcheur. Déjà plaisant par sa longueur et sa minéralité naissante, ce 2010 mérite d'attendre deux à trois ans pour être apprécié à son optimum. (Sucres résiduels : 6,5 g/l.)

Jean Sipp, 60, rue de la Fraternité, 68150 Ribeauvillé, tél. 03.89.73.60.02, fax 03.89.73.82.38, domaine@jean-sipp.com
t.l.j. sf dim. 9h-12h 14h-18h

LOUIS SIPP Kirchberg de Ribeauvillé Riesling 2010

5 300 | 15 à 20 €

À Ribeauvillé, cette maison est très en vue. Elle a son siège dans l'ancienne cour des nobles de Pflixbourg, qui date de 1512, et dispose de vastes caves adossées aux remparts de la vieille ville. Après une activité dans la recherche et l'industrie, Étienne Sipp a rejoint en 1996 le domaine, qui ne compte pas moins de 40 ha. Sa démarche ? L'expression des terroirs et le bio : la certification a été acquise en 2008. Le vignoble pentu du Kirchberg est favorable au riesling. Celui-ci laisse apparaître une complexité naissante, des senteurs de fleurs et surtout d'agrumes. Vif à l'attaque, sur des notes de citron vert, de bonne longueur, il dévoile une belle matière, dont la nervosité appelle toutefois une garde de trois à quatre ans. (Sucres résiduels : 4,5 g/l.)

Grands vins d'Alsace Louis Sipp, 5, Grand-Rue, 68150 Ribeauvillé, tél. 03.89.73.60.01, fax 03.89.73.31.46, louis@sipp.com r.-v.

SIPP-MACK Rosacker Riesling 2010 *

6 000 | 15 à 20 €

Le domaine a été constitué à la suite du mariage des parents de Jacques Sipp, originaires de deux villages voisins : Hunawihr et Ribeauvillé. Quant à ce dernier, installé en 1984, il a pris femme aux États-Unis. Le couple propose régulièrement de beaux vins, comme ce riesling né sur le grand cru de Hunawihr. Le nez, tout en finesse, évoque les fleurs et les fruits blancs. La bouche, franche et équilibrée, y ajoute des arômes d'agrumes et une nuance minérale. Déjà harmonieux, ce 2010 gagnera en expression au cours des trois à quatre prochaines années. À servir sur un poisson noble. (Sucres résiduels : 8,4 g/l.)

Dom. Sipp-Mack, 1, rue des Vosges, 68150 Hunawihr, tél. 03.89.73.61.88, fax 03.89.73.36.70, sippmack@sippmack.com
t.l.j. sf dim. 9h-12h 14h-18h

DOM. BRUNO SORG Pfersigberg Riesling 2008

2 100 | 11 à 15 €

Ce domaine familial comporte deux pôles : à Ingersheim, village jouxtant Colmar au nord-ouest, et à Eguisheim, au sud de la préfecture du Haut-Rhin. C'est dans cette dernière localité, célèbre par son plan circulaire et ses maisons anciennes très fleuries, qu'est situé le grand cru Pfersigberg, lieu de naissance de ce riesling. Jaune pâle aux reflets dorés, ce 2008 est bien typé par ses intenses senteurs d'agrumes, nuancées d'une belle minéralité. Souple à l'attaque, il affiche ensuite la fraîcheur caractéristique du millésime, avec un retour en finale des notes minérales. Un vin franc et frais, à servir dans les cinq ans sur poissons et tourtes. (Sucres résiduels : 7 g/l.)

Dom. Bruno Sorg, 8, rue Mgr-Stumpf, 68420 Eguisheim, tél. 03.89.41.80.85, fax 03.89.41.22.64
t.l.j. sf dim. 9h-12h 14h-18h

♥ **PAUL SPANNAGEL** Kaefferkopf Pinot gris 2010 ★★★

1 600 | 11 à 15 €

Le premier de la lignée vivait en 1598 à Katzenthal, village lové dans un vallon à quelques kilomètres à l'ouest de Colmar. Depuis 1988, ce sont Yves et Claudine Spannagel, rejoints en 2011 par Jérôme, qui perpétuent l'exploitation. Déjà retenu dans des millésimes antérieurs, leur pinot gris du Kaefferkopf sort du lot cette année. Ce vin jaune paille aux reflets dorés captive par son nez tout en finesse, mêlant les fleurs et les fruits à des notes épicées (safran, curry). Doux et suave en attaque, il déploie au palais une matière ample, puissante et concentrée, aux nuances de pêche et de mirabelle. Moelleux sans manquer de fraîcheur, il fait l'unanimité. Ce millésime, qui devrait se garder dix ans, donnera la réplique à des viandes blanches. Pourquoi pas à un poulet au curry ? (Sucres résiduels : 25 g/l.)

Dom. Paul Spannagel, 1, Grand-Rue, 68230 Katzenthal, tél. 03.89.27.01.70, fax 03.89.27.45.93, paul.spannagel@gmail.com
t.l.j. sf dim. 8h-12h 14h-18h

VINCENT SPANNAGEL Wineck-Schlossberg Pinot gris 2009 ★★

2 000 | 11 à 15 €

Installé à Katzenthal près de Colmar, Vincent Spannagel exploite 10 ha de vignes aux environs. Il cultive plusieurs parcelles dédiées à différents cépages sur le coteau granitique du Wineck-Schlossberg, au-dessus de son village. Sur ce coteau pentu bien exposé au sud-sud-est, le pinot gris a engendré un remarquable 2009, qui fait suite à un 2008 très réussi. La robe est jaune d'or, le nez, bien frais, surprend par ses senteurs d'agrumes. Les arômes se font exubérants en bouche. L'ananas entre en scène, escorté d'arômes plus mûrs de citron confit, de mangue et de coing. Gras, ample, puissant et long, ce vin est vivifié par une belle acidité et laisse une impression de finesse. Prêt à donner la réplique à un curry d'agneau, il se gardera toute la décennie. (Sucres résiduels : 45 g/l.)

Dom. Vincent Spannagel, 82, rue du Vignoble, 68230 Katzenthal, tél. 03.89.27.52.13, fax 03.89.27.56.48, domainespannagel@orange.fr r.-v.

SPITZ ET FILS Winzenberg Riesling 2010 ★

2 500 | 11 à 15 €

Un grand-père vigneron-restaurateur, un père directeur d'école. Dominique Spitz choisit la viticulture et développe le domaine à partir de 1983. Dix ans plus tard, il construit la cave, complétée ensuite d'un magasin de produits régionaux. En 2009, son fils Marc le rejoint. Né sur le grand cru aux sols granitiques de leur village, ce riesling s'ouvre largement, panier de fleurs blanches et d'agrumes bien frais, avec une pointe minérale déjà perceptible. Ample et fruité au palais, il paraît un peu rond, mais une acidité bien mûre l'équilibre et souligne la persistance de sa finale. « Éclatant », conclut un dégustateur. À servir dès maintenant. (Sucres résiduels : 12 g/l.)

Spitz et Fils, 2-4, rte des Vins, 67650 Blienschwiller, tél. 03.88.92.61.20, vinspitzalsace@orange.fr
t.l.j. 8h30-12h 13h30-19h

ANDRÉ STENTZ Steingrübler Gewurztraminer 2010

1 950 | 15 à 20 €

Arrivé à la tête du domaine familial en 1976, André Stentz s'est lancé dans l'agriculture biologique dès 1984. Sur le Steingrübler, coteau exposé au sud-est au-dessus de Wettolsheim, il exploite une parcelle de gewurztraminer qui lui a déjà valu deux coups de cœur. Sans avoir le corps du 2008, couronné il y a deux ans par le jury, ce 2010 a retenu l'attention par ses jolis arômes de fruits jaunes où ressort la mirabelle, et par sa rondeur exempte de lourdeur grâce à une belle acidité. Il sera à son optimum à partir de 2014. (Sucres résiduels : 50 g/l.)

André Stentz, 2, rue de la Batteuse, 68920 Wettolsheim, tél. 03.89.80.64.91, fax 03.89.79.59.75, andre.stentz@wanadoo.fr r.-v.

DOM. STIRN Sonnenglanz Pinot gris 2010 ★

1 200 | 11 à 15 €

Fabien Stirn appartient à l'une de ces familles vigneronnes de vieille souche où chaque branche lègue quelques ceps avec des foudres centenaires. Dès l'âge de six ans, il se voyait vigneron. Ce qui ne l'a pas empêché d'aller faire ses classes jusque dans l'État de New York. Œnologue, il se plaît à jouer des nombreux terroirs de son exploitation. Sur les pentes ensoleillées du Sonnenglanz, à Beblenheim, le pinot gris a donné un vin au nez encore discret, sur le miel et les fruits confits. Riche et équilibré, doté d'une finale longue et fraîche, ce moelleux sera à son optimum à partir de 2013 et vivra une bonne décennie (sucres résiduels : 55 g/l). À boire dans deux ou trois ans, le **Mambourg Gewurztraminer 2010 (1 200 b.)** est cité pour sa complexité (fleurs, épices, écorce d'orange...), son volume et son équilibre. (Sucres résiduels : 80 g/l.)

Dom. Stirn, 3, rue du Château, 68240 Sigolsheim, tél. et fax 03.89.47.30.58, domainestirn@free.fr
t.l.j. sf dim. 9h-12h 14h-17h30

DOM. VINCENT STOEFFLER Kirchberg de Barr Riesling 2010

4 000 | 11 à 15 €

À la suite du mariage de Vincent Stoeffler en 1989, le domaine familial s'est agrandi, disséminé dans dix communes autour de deux pôles : près de Ribeauvillé, dans le Haut-Rhin, et autour de Barr, dans le Bas-Rhin. Fort de ses 15 ha de vignes conduites en bio depuis onze ans, le vigneron propose nombre de vins de terroir. Au chai, il proscrit le levurage, les enzymes, et même le soufre sur les moûts. D'un doré prononcé, son riesling du Kirchberg de Barr s'annonce par des arômes de pêche et de poire légèrement confits que l'on retrouve au palais. Suffisamment frais, puissant, de bonne persistance, il montre une certaine rondeur de jeunesse. On peut déjà le servir, mais il sera plus harmonieux en 2013-2014. (Sucres résiduels : 9,2 g/l.)

Dom. Vincent Stoeffler, 1, rue des Lièvres, 67140 Barr, tél. 03.88.08.52.50, fax 03.88.08.17.09, info@vins-stoeffler.com
t.l.j. sf dim. 10h-12h 13h30-18h

STRAUB Winzenberg Gewurztraminer 2010 ★

800 | 11 à 15 €

Au sud de Barr, Blienschwiller est un petit village viticole lové au débouché d'un vallon, en contrebas du grand cru Winzenberg. Les sols de ce coteau, légers, granitiques, sont réputés propices au riesling, mais Jean-Marie Straub y cultive avec bonheur d'autres cépages nobles. Ce gewurztraminer a ainsi été jugé satisfaisant sous tous les rapports : robe jaune d'or brillant, nez complexe et fin, mariant le litchi typé du cépage à l'ananas et à des arômes plus confits de surmaturation ; belle matière à la fois riche, ample et fraîche : ce que l'on appelle l'équilibre. (Sucres résiduels : 40 g/l.)

Jean-Marie Straub, 61, rte des Vins, 67650 Blienschwiller, tél. 03.88.92.40.42 r.-v.

ANDRÉ THOMAS Mambourg Pinot gris 2010 ★★

1 200 | 11 à 15 €

Les Thomas père et fils exploitent un domaine à taille humaine qui comprend des parcelles très bien placées aux environs d'Ammerschwihr. Sur les hauteurs du Mambourg, coteau argilo-calcaire exposé plein sud dominant Sigolsheim, le pinot gris a aspiré tout le soleil de l'année pour donner ce vin jaune d'or, qui s'ouvre sur des senteurs élégantes et complexes de fleurs, de vanille, de poivre et de fumé. Après une attaque douce, ce 2010 dévoile une belle structure ample et ronde. Typé et harmonieux, ce vin sera à son optimum dans deux ou trois ans et se gardera plusieurs années (sucres résiduels : 39 g/l). Quant au **Schlossberg Riesling 2010 (1 200 b.)**, noté une étoile, il est né dans la ville voisine de Kientzheim : même exposition sud, mais des sols granitiques. Il est encore jeune : nez discret de fruits blancs, avec une note minérale ; attaque gourmande, un peu douce, bouche fraîche et longue aux arômes d'agrumes. À ouvrir en 2015-2016. (Sucres résiduels : 12 g/l.)

André Thomas et Fils, 3, rue des Seigneurs, 68770 Ammerschwihr, tél. 03.89.47.16.60, fax 03.89.47.37.22, thomasfr4@hotmail.fr r.-v.

DOM. DE LA TOUR Frankstein Gewurztraminer 2010 ★

1 200 | 11 à 15 €

Blienschwiller, où sont établis les Straub, est le premier village que l'on rencontre après Dambach-la-Ville quand on prend la direction de Barr. Aussi n'est-il pas étonnant que cette famille, qui exploite 14 ha au total, détienne une parcelle de ce grand cru. Plantée de gewurztraminer, la vigne a donné naissance à un vin or pâle, au nez discret mais fin mêlant le litchi et les fruits confits. Dans le même registre confit, le palais est riche, puissant, équilibré et bien fondu. Sa longue finale sur les épices douces laisse une impression d'élégance. Déjà prêt, ce 2010 peut aussi attendre. (Sucres résiduels : 36 g/l.)

Joseph Straub Fils, M.-Anne, J.-François et J.-Sébastien Straub, 35, rte des Vins, 67650 Blienschwiller, tél. 03.88.92.48.72, fax 03.88.92.62.90, contact@vins-straub.fr

t.l.j. sf dim. 9h-11h30 14h-18h

DOM. DE LA VIEILLE FORGE Sporen Gewurztraminer 2010

1 200 | 11 à 15 €

Fort de son diplôme et de son expérience d'œnologue, Denis Wurtz a fait revivre en 1998 le domaine de ses grands-parents à Beblenheim. Sur le ban de Riquewihr, célèbre cité limitrophe, le grand cru Sporen est un cirque naturel orienté en pente douce vers le sud-est. Le gewurztraminer se plaît sur ses sols argilo-marneux. Celui-ci, d'un jaune doré brillant, s'ouvre à l'aération sur des parfums de fruits exotiques nuancés de notes de coing que l'on retrouve en bouche. Ce caractère de surmaturation s'affirme dans un palais ample et gras, à la finale chaleureuse. Cette bouteille gagnera en harmonie au cours des deux prochaines années. Elle accompagnera foie gras poêlé et gâteau au chocolat. (Sucres résiduels : 28 g/l.)

Dom. de la Vieille Forge, 5, rue de Hoen, 68980 Beblenheim, tél. 03.89.86.01.58, fax 03.87.47.86.37, virginie.wurtz@wanadoo.fr

t.l.j. sf dim. 10h-12h 14h-18h30

Denis Wurtz

DOM. LAURENT VOGT Altenberg de Wolxheim Riesling 2009 ★

1 500 | 8 à 11 €

Thomas Vogt, fils de Laurent, vient d'engager la conversion au bio de ses 11 ha de vignes implantées dans la Couronne d'or de Strasbourg. Bien connu des lecteurs du Guide pour ses crémants, il propose un riesling issu du grand cru de sa commune, aux sols argilo-calcaires. On pourra découvrir ce vin dans une maison traditionnelle à colombages datant de 1715. Ce 2009 s'exprime sur les agrumes, avec une minéralité sous-jacente. Bien étoffé, équilibré, il est dominé par une agréable fraîcheur jusqu'à la finale marquée par un retour des agrumes (pamplemousse) et de la minéralité. À servir dès aujourd'hui sur un poisson ou de la volaille. (Sucres résiduels : 13,7 g/l.)

EARL Laurent Vogt, 4, rue des Vignerons, 67120 Wolxheim, tél. 03.88.38.81.28, fax 03.88.38.50.41, thomas@domaine-vogt.com

t.l.j. 8h30-12h 13h-18h; dim. sur r.-v.

GUY WACH Kastelberg Riesling 2010 ★

3 600 | 15 à 20 €

Établi à Andlau, Guy Wach a fait construire en 2010 un nouveau vendangeoir et une cave. Son domaine, qui couvre 8 ha, compte des parcelles dans les trois grands crus de sa commune. Le Kastelberg est un terroir schisteux propice au riesling. Avec 6 ha, c'est l'un des plus « petits » grands crus, mais dans le millésime 2010, il aura fait plus d'une apparition dans le Guide. Ce vigneron, qui en exploite 10 %, en a tiré un vin apprécié pour son équilibre et sa finesse. Le nez subtil s'ouvre sur des parfums d'agrumes et de fruits blancs, avec une touche minérale. D'une fraîcheur agréable, le palais développe de beaux arômes de citron confit et de gingembre qui appellent un poisson cuisiné à l'asiatique – mais une viande blanche lui ira très bien aussi. Un vin de garde. (Sucres résiduels : 10,9 g/l.)

Guy Wach, Dom. des Marronniers, 5, rue de la Commanderie, 67140 Andlau, tél. 03.88.08.93.20, fax 03.88.08.45.59, info@guy-wach.fr r.-v.

JEAN WACH Wiebelsberg Riesling 2010

2 000 | 8 à 11 €

Constituée au cours des années 1970 autour d'Andlau, petite bourgade étirée le long d'un vallon, cette exploitation compte aujourd'hui 10 ha, conduits par Jean Wach et son fils Raphaël. La commune est riche de trois grands crus, et les Wach, qui possèdent des vignes sur deux d'entre eux, organisent des promenades découvertes dans ces terroirs tous les lundis soir, en juillet et en août. Né sur des sols gréseux, leur riesling du Wiebelsberg offre encore des caractères de jeunesse. Ses nuances de pêche blanche et d'agrumes s'accordent à sa fraîcheur élégante. La bouche offre une belle structure et une longue finale. Ce vin sera agréable dès l'automne 2012 sur des fruits de mer, mais il gagnera en minéralité après quelques mois en cave. (Sucres résiduels : 5 g/l.)

Jean Wach et Fils, 16 A, rue du Mal-Foch, 67140 Andlau, tél. et fax 03.88.08.09.73, raph.wach@wanadoo.fr
t.l.j. 8h-12h 13h30-18h; dim. 8h-12h

WACKENTHALER Kaefferkopf Gewurztraminer 2010

2 000 | 8 à 11 €

Ces vignerons descendent d'une famille autrichienne qui s'était établie en Alsace après la guerre de Trente Ans. La région était alors à l'abandon. Aujourd'hui, François Wackenthaler participe à la prospérité de son vignoble. Son gewurztraminer du Kaefferkopf libère des parfums discrets mais francs de fruits exotiques et offre une bouche ronde aux accents de miel et de fruits confits. Il devrait gagner en expression au cours des deux prochaines années. (Sucres résiduels : 25 g/l.)

François Wackenthaler, 8, rue du Kaefferkopf, 68770 Ammerschwihr, tél. 03.89.78.23.76, fax 03.89.47.15.48, wackenthal@wanadoo.fr
t.l.j. 10h-12h 13h-19h; dim. sur r.-v.

DOM. ALFRED WANTZ Zotzenberg Riesling 2010 *

2 300 | 11 à 15 €

Depuis Jörg Wantz, venu d'Autriche, jusqu'à Stéphane, petit-fils d'Alfred, qui gère depuis 2008 les 12,5 ha du vignoble familial, quatre siècles se sont écoulés. Dans la cave de 1618, les foudres de chêne permettent de longs élevages. Fleuron du domaine, le grand cru Zotzenberg a admis récemment le sylvaner, mais il laisse une belle place au riesling. Celui-ci s'annonce par un nez tout en finesse, qui passe des fleurs blanches au citron mûr, y ajoutant des touches minérales. La bouche offre une structure équilibrée. Les dégustateurs ont aimé ses nuances de citron confit et sa pointe de fraîcheur. Agréable jeune, ce 2010 peut attendre deux à trois ans. (Sucres résiduels : 8 g/l.)

Dom. Alfred Wantz, 3, rue des Vosges, 67140 Mittelbergheim, tél. 03.88.08.91.43, fax 03.88.08.58.74, stephane.wantz@wanadoo.fr r.-v.

B **DOM. WEINBACH** Schlossberg Riesling 2010 *

7 500 | 20 à 30 €

D'imposants bâtiments au milieu des vignes : le domaine est un ancien monastère. Le cœur du vignoble est mentionné au IXe s. La famille Faller lui a redonné son lustre. Depuis la disparition de Théo, en 1979, il est géré par des femmes – Colette, et aujourd'hui ses deux filles – et n'a rien perdu de son éclat. La production est exportée à 60 %. Laurence fait les vins, Catherine les vend. Les sœurs disposent d'une superbe palette de terroirs sur leurs 29 ha de vignoble conduits en biodynamie. Le Schlossberg, terroir escarpé cultivé en terrasses, donne une place prépondérante au riesling. Celui-ci porte la marque de ce terroir granitique : son nez complexe développe des notes minérales, à côté de fragrances de fleurs blanches et de touches d'abricot sec. Après une attaque souple, le vin se montre droit, net, avec un agréable retour du fruité et de la minéralité en finale. Cette bouteille sera à l'honneur sur un poisson fin ou de nobles crustacés. On pourra l'ouvrir à la fin 2012, mais elle gagnera à attendre trois ou quatre ans. (Sucres résiduels : 7,2 g/l.)

Dom. Weinbach, Colette, Catherine et Laurence Faller, Clos des Capucins, 68240 Kaysersberg, tél. 03.89.47.13.21, fax 03.89.47.38.18, contact@domaineweinbach.com r.-v.

WILLM Kirchberg de Barr Riesling 2010

4 700 | 8 à 11 €

Fondée en 1896 à Barr, cette maison aujourd'hui dans l'orbite du groupe Wolfberger (cave d'Eguisheim) a développé une activité viticole à partir de 1920. Elle se flatte d'avoir été la première à exporter des vins d'Alsace aux États-Unis après la Prohibition, et se situe toujours en bonne place sur les marchés d'Amérique du Nord. Surplombant la ville de Barr, le Kirchberg (« colline de l'Église »), terroir aux sols marno-calcaires, tire son nom de la chapelle Saint-Martin construite à son sommet. C'est le lieu de naissance de ce riesling aux senteurs de fruits blancs et d'épices, suivies d'une minéralité discrète. Sans avoir une étoffe imposante, ce vin plaît par ses arômes d'agrumes exubérants et par sa fraîcheur légère. Il accompagnera poisson et viande blanche pendant les cinq prochaines années. (Sucres résiduels : 8,5 g/l.)

Alsace Willm, 6, Grand-Rue, 68420 Eguisheim, tél. 03.89.41.24.31, fax 03.89.24.20.54, contact@alsace-willm.com

DOM. WITTMANN Zotzenberg Pinot gris 2010 ***

1 300 | 8 à 11 €

Héritiers d'une lignée vigneronne remontant au XVIIIe s., les Wittmann sont installés dans une maison Renaissance typique de Mittelbergheim, ancienne cour dîmière. Le domaine couvre plus de 8 ha, dont plusieurs parcelles dans le Zotzenberg, le grand cru du village. Sur ce terroir marno-calcaire où naissent des vins de haute expression et de longue garde, Nicolas Wittmann cultive avec succès plusieurs variétés. Vendangé le 4 novembre, le pinot gris a donné naissance à un moelleux qui a enchanté les dégustateurs par la finesse épicée de son nez et par sa structure en bouche, portée par une fine acidité. Un vin d'une rare harmonie, de l'attaque à la finale. Il devrait traverser la décennie. On le verrait bien sur des filets de canard aux mirabelles. (Sucres résiduels : 28 g/l.)

Dom. Wittmann, 7, rue Principale, 67140 Mittelbergheim, tél. 03.88.08.95.79, fax 03.88.08.53.81, vins.wittmann@orange.fr r.-v.

WOLFBERGER Rangen Pinot gris 2010 **

5 750 | 20 à 30 €

Fondée il y a cent dix ans, la coopérative d'Eguisheim est devenue Wolfberger, l'un des plus gros metteurs en marché du vignoble. Elle dispose d'une surface importante dans le Rangen. Ce majestueux coteau escarpé, situé à l'extrémité méridionale de la route des Vins, domine la Thur, torrent vosgien qui apporte l'humidité nécessaire au développement de la pourriture noble. Même non liquoreux, les vins de ce lieu-dit offrent très souvent un caractère de surmaturation, comme ce pinot gris, belle expression de ce terroir : de couleur paille dorée, il associe de délicates notes fruitées (pêche blanche), confites et miellées à des notes de sous-bois bien typées. La bouche est ronde, mais le sucre apparaît fondu, et la finale fraîche rend l'ensemble très flatteur.

Un vin remarquablement équilibré, qui sera à son optimum à partir de 2014 et vivra encore plusieurs années. Bel accord en perspective avec une charlotte aux pêches. (Sucres résiduels : 52,4 g/l.)

Wolfberger, 6, Grand-Rue, 68420 Eguisheim, tél. 03.89.22.20.20, fax 03.89.23.47.09, contact@wolfberger.com
t.l.j. 8h (10h sam. dim.)-12h 14h-18h

W. WURTZ Mandelberg Riesling 2010

1 500	5 à 8 €

Déjà cultivé à l'époque gallo-romaine, le grand cru marno-calcaire du Mandelberg (« colline des Amandiers ») est exposé au sud-sud-est. Le microclimat presque méditerranéen marque les vins qui en sont issus. Dès 1925, ce lieu-dit était mentionné sur les étiquettes. Christian Wurtz en a tiré un riesling dominé par les agrumes au nez comme en bouche. La belle matière n'est pas des plus vives mais elle possède suffisamment de fraîcheur pour rester équilibrée. À déguster dès la sortie du Guide sur viandes blanches et poissons cuisinés. (Sucres résiduels : 11 g/l.)

EARL Willy Wurtz et Fils, 6, rue du Bouxhof, 68630 Mittelwihr, tél. 03.89.47.93.16, fax 03.89.47.89.01, famille.wurtz@wanadoo.fr
t.l.j. sf dim. 9h-12h 14h-19h

ZIEGLER-MAULER Mandelberg Gewurztraminer Les Amandiers 2010 ★★

800	11 à 15 €

Philippe Ziegler a repris en 1996 l'exploitation familiale : 5 ha de vignes, qu'il conduit selon une démarche proche du bio, mais sans certification. Les lecteurs du Guide auront certainement repéré cette cuvée. Exposé au sud-sud-est, le Mandelberg, ou « colline des Amandiers », se caractérise par des sols argilo-calcaires et bénéficie d'une situation très abritée. Une belle origine pour ce gewurztraminer jaune d'or, au nez riche et complexe mêlant la rose et le litchi, le poivre puis la surmaturation (fruits confits, coing, pain d'épice). Ample et puissant, bien équilibré par une pointe de fraîcheur aux nuances d'ananas, le palais fait preuve d'une grande persistance et rimer richesse avec finesse. Cette bouteille devrait évoluer dans le bon sens au cours des huit prochaines années. (Sucres résiduels : 37 g/l.)

Dom. J.-J. Ziegler-Mauler Fils, 2, rue des Merles, 68630 Mittelwihr, tél. 03.89.47.90.37, fax 03.89.47.98.27, vins.zieglermauler@orange.fr r.-v.

Philippe Ziegler

Crémant-d'alsace

Superficie : 3 017 ha
Production : 235 705 hl

La reconnaissance de cette appellation, en 1976, a donné un nouvel essor à la production de vins effervescents élaborés selon la méthode traditionnelle, qui existait depuis longtemps à une échelle réduite. Les cépages qui peuvent entrer dans la composition du crémant-d'alsace sont le pinot blanc, l'auxerrois, le pinot gris, le pinot noir, le riesling et le chardonnay.

BARON KIRMANN Blanc de noirs 2009 ★

4 400	8 à 11 €

Avec ses tours-portes monumentales et son église romane, Rosheim s'inscrit dans son vignoble comme un joyau dans son écrin. Philippe Kirmann exploite 11 ha aux environs et a créé la marque Baron Kirmann en mémoire d'un grand ancêtre, qui s'illustra sur les champs de bataille et devint baron sous le Premier Empire. Les vins rouges de la propriété sont souvent retenus, ainsi que des crémants blancs de noirs. D'une belle tenue de mousse, celui-ci offre un nez finement floral, rappelant la rose, tandis que le palais est légèrement framboisé. Assez corsé, ample, il conviendra autant pour l'apéritif que pour le repas.

Philippe Kirmann, 2, rue du Gal-de-Gaulle, 67560 Rosheim, tél. 03.88.50.43.01, fax 03.88.50.22.72, info@baronkirmann.com r.-v.

DOM. CHARLES BAUR Collection 2008 ★

n.c.	8 à 11 €

Eguisheim ne se contente pas d'appartenir à l'association des Plus beaux villages de France. La commune compte nombre de vignerons de talent qui gardent vivant ce superbe cadre. Parmi eux, les Baur : après Charles, qui s'est lancé dans la vente en bouteilles en 1946, Armand, œnologue, rejoint en 2010 par Arnaud, ingénieur agronome. Le domaine signe une cuvée de pur chardonnay. Très séduisant à l'œil par sa robe dorée parcourue de bulles fines, ce crémant associe au nez des notes toastées et briochées. Vif à l'attaque, équilibré et persistant, il pourra être débouché à l'apéritif et terminé sur un poisson en sauce.

Dom. Charles Baur, 29, Grand-Rue, 68420 Eguisheim, tél. 03.89.41.32.49, fax 03.89.41.55.79, cave@vinscharlesbaur.fr t.l.j. sf dim. 8h-12h 14h-19h

JEAN DIETRICH Blanc de blancs 2009

7 960	5 à 8 €

Ville natale du Dr Albert Schweitzer, Kaysersberg est une pittoresque bourgade très courue au moment des marchés de Noël. Jean-Jacques Dietrich exploite un domaine de 14 ha aux environs. Il propose un crémant à base d'auxerrois et de pinot blanc issus d'un terroir granitique. Une belle tenue de mousse, un nez d'agrumes, une matière bien structurée et une finale assez longue sur la pêche jaune composent un ensemble séduisant, à ouvrir à l'apéritif.

Jean Dietrich, 51, rte de Lapoutroie, 68240 Kaysersberg, tél. 03.89.78.25.24, fax 03.89.47.30.72, dietrich.jean-et-fils@wanadoo.fr
t.l.j. 10h-12h 14h-18h30

DOM. DREYER 2009 ★

4 700	5 à 8 €

Ce domaine familial bénéficie des bons terroirs et du cadre pittoresque d'Eguisheim. La petite cité, qui se flatte d'être le berceau du vignoble alsacien, est jumelée avec Hautvillers, « berceau », lui, du champagne. Quant aux bulles de Claude Dreyer, elles sont bien alsaciennes : elles proviennent de pinot blanc cultivé sur un terroir sablonneux. Séduisant par sa mousse fine et persistante, ce crémant est très ouvert au nez, sur des notes grillées et des nuances de fruits mûrs. Il est ample, puissant, équilibré.

Dom. Robert Dreyer et Fils, 17, rue de Hautvillers, 68420 Eguisheim, tél. 03.89.23.12.18, fax 03.89.41.61.45, vignoble.dreyer@wanadoo.fr
t.l.j. sf dim. 9h-12h 14h-19h

PAUL FAHRER 2009 ★★

2 500 ▮ 5 à 8 €

Les caves du domaine sont celles de l'ancienne résidence du bailli du Haut-Kœnigsbourg. Le vignoble ne couvre que 6 ha – « Small is beautiful... » À sa tête, Jean-Yves Fahrer signe un très beau crémant, qui a reposé près de deux ans sur lattes. Assemblage de toutes les variétés de pinots (auxerrois et blanc majoritaires), ce vin reflète son origine granitique par son expression aromatique élégante, sur le citron et les fruits à noyau. Il est frais à l'attaque, vif, équilibré et persistant : de grande classe. « À ne pas mélanger avec de la crème de fruits », note un dégustateur. Cette bouteille pourra en effet accompagner tout un repas.

Paul Fahrer, 3, pl. de la Mairie, 67600 Orschwiller, tél. 03.88.92.86.57, fax 03.88.92.20.41, jyfahrer@free.fr
r.-v.

ANTOINE FONNÉ Blanc de blancs ★

3 000 ▮ 5 à 8 €

Ammerschwihr est l'une des communes viticoles les plus importantes d'Alsace. René Fonné, qui a succédé en 1991 à son père Antoine, exploite 4,6 ha de vignes en bio certifié. Originaire d'un terroir graveleux, son crémant blanc de blancs est un classique. Un assemblage de pinot blanc et d'auxerrois lui confère un nez élégant et typé, aux nuances de coing et de brioche que l'on retrouve en bouche. L'attaque est belle, le dosage un peu marqué pour certains jurés, mais l'ensemble reste agréable et équilibré.

René Fonné, 14, Grand-Rue, 68770 Ammerschwihr, tél. et fax 03.89.47.37.90, fonne.vins@orange.fr
r.-v.

JOSEPH FREUDENREICH Réserve 2009 ★

12 000 ▮ 5 à 8 €

Gérée par Marc Freudenreich depuis 1988, l'exploitation a son siège au cœur de la cité médiévale d'Eguisheim, dans une cour dîmière du XVI[e]s. C'est la maison aux fins pignons jaunes percés de fenêtres aux pimpants volets bleus. On pourra y déguster ce crémant à la bulle fine et à la mousse légère, aux arômes d'agrumes et de pêche. Son attaque assez fraîche, sa bouche structurée et persistante reflètent une belle matière. On pourra penser à cette bouteille pour un apéritif dînatoire.

Joseph Freudenreich et Fils, 3, cour Unterlinden, 68420 Eguisheim, tél. 03.89.41.36.87, info@joseph-freudenreich.fr t.l.j. 8h-12h 13h-19h

GINGLINGER-FIX 2009 ★

12 500 ▮ 5 à 8 €

Forte d'un vignoble de 7,5 ha, cette propriété conjugue une expérience pluriséculaire au service du vin et une approche scientifique moderne : André Ginglinger, le gérant, travaille en effet aux côtés de sa fille, œnologue, et de son fils, ingénieur en viticulture. Sélectionné comme l'an dernier, leur crémant marie les cinq cépages de l'appellation (dont un tiers de chardonnay). La récolte 2009 a produit une cuvée à la robe dorée et à la mousse abondante, partagée au nez entre des nuances briochées et des arômes de fruits mûrs. Assez vineux, ample et persistant, ce vin pourra être servi au repas, sur un poulet à la crème.

Ginglinger-Fix, 38, rue Roger-Frémeaux, 68420 Voegtlinshoffen, tél. 03.89.49.30.75, fax 03.89.49.29.98, info@ginglinger-fix.fr
t.l.j. sf dim. 9h-17h

GOETZ 2009 ★

2 000 5 à 8 €

Village proche de Strasbourg, dominé par le rocher du Horn, Wolxheim offre de belles promenades aux cyclistes grâce à sa piste longeant le vieux canal de la Bruche. Installée dans cette commune dédiée à la viticulture, la famille Goetz exploite 6 ha de vignes. Originaire d'un terroir marno-calcaire, son crémant rosé attire par sa mousse persistante dans une robe lumineuse, œil-de-perdrix. Au nez, des parfums de fruits rouges ; au palais, de l'équilibre et de la vinosité : un heureux caractère.

Mathieu Goetz et Fils, 2, rue Jeanne-d'Arc, 67120 Wolxheim, tél. 03.88.38.10.47, fax 03.88.38.67.61, mathieu.goetz@wanadoo.fr r.-v.

♥ **GRUSS** Prestige 2010 ★★

12 000 8 à 11 €

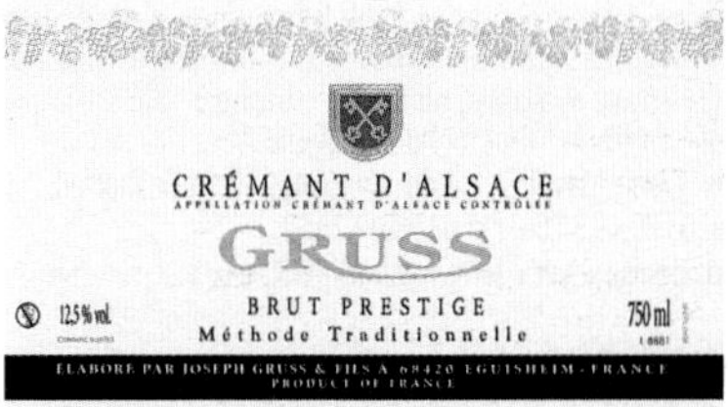

Eguisheim mérite un détour pour ses ruelles circulaires bordées d'étroites maisons et pour ses nombreux metteurs en marché de talent, comme les Gruss. À la tête de 14 ha, ces derniers s'illustrent souvent en crémant. Avec celui-ci, ils obtiennent leur quatrième coup de cœur. Élevé deux ans sur lattes, ce vin est issu d'un savant assemblage de pinot blanc (60 %), de riesling et de pinot noir. Il a tout pour séduire : une robe dorée, une mousse légère, des arômes toastés et briochés, un dosage parfait, de la finesse, un bel équilibre entre onctuosité et fraîcheur, une rare persistance. On le verrait bien à l'apéritif, avec des beignets de crevettes.

Joseph Gruss et Fils, 25, Grand-Rue, 68420 Eguisheim, tél. 03.89.41.28.78, fax 03.89.41.76.66, domainegruss@hotmail.com
t.l.j. sf dim. 8h-12h 13h30-18h30

HANSMANN 2010

600 ▮ 5 à 8 €

Mittelbergheim appartient à l'association des Plus beaux villages de France grâce aux riches maisons vigneronnes héritées du prospère commerce de ses vins au Moyen Âge et à la Renaissance. Frédéric Hansmann exploite 7 ha aux environs. Son crémant rosé revêt une robe séduisante, œil-de-perdrix. Encore très jeune, il offre un nez vineux, aux notes de fruits rouges qui rappellent son cépage d'origine. Frais, sec et léger, c'est un vin plaisir pour un apéritif sous la tonnelle.

Hansmann, 66, rue Principale, 67140 Mittelbergheim, tél. et fax 03.88.08.07.44, bernard.hansmann@orange.fr
t.l.j. sf dim. 8h-12h 14h-18h

CAVE VINICOLE DE HUNAWIHR Calixte ★

	80 000	■	5 à 8 €

Créée en 1955 par une poignée de vignerons, cette coopérative réunit aujourd'hui cent dix adhérents qui exploitent ensemble 200 ha de vignes. Originaire d'un terroir argilo-calcaire, la cuvée Calixte assemble toutes les variétés de pinots (auxerrois 40 %, blanc 20 %) et 20 % de chardonnay. Le résultat est convaincant : des bulles fines et persistantes, un nez fruité, un palais rond à l'attaque, ample et persistant. Pour l'apéritif.

Cave vinicole de Hunawihr, 48, rte de Ribeauvillé, 68150 Hunawihr, tél. 03.89.73.61.67, fax 03.89.73.33.95, info@cave-hunawihr.com
t.l.j. 9h-12h 14h-18h; f. dim. de jan. à mars

DOM. KEHREN – DENIS MEYER Prestige 2009 ★

	10 900	■	5 à 8 €

Depuis 1761, les Meyer se sont succédé de père en fils, mais la dernière génération est représentée par deux filles : Patricia travaille au chai et Valérie à la vigne. Née sur un terroir argilo-calcaire, leur cuvée Prestige assemble l'auxerrois (70 %) au pinot gris, avec une pointe de riesling. Agréable à l'œil par sa bulle fine et ses reflets argentés, elle affiche déjà une certaine évolution au nez, avec des notes empyreumatiques, un côté vineux et brioché. Ce caractère se retrouve au palais, où le vin se montre vif à l'attaque et long en finale. Une belle harmonie.

Denis Meyer, 2, rte du Vin, 68420 Voegtlinshoffen, tél. 03.89.49.38.00, fax 03.89.49.26.52, vins.denis-meyer@terre-net.fr r.-v.

CHARLES KELLNER ★★

	27 500	5 à 8 €

Cité de caractère au cachet médiéval, Dambach-la-Ville est aussi une importante commune viticole. Charles Kellner est une marque de la société Hauller. Cette maison de négoce, qui fournit la grande distribution, a beaucoup investi ces dernières années dans les moyens de production du crémant-d'alsace. Après un rosé, coup de cœur de la dernière édition, voici un autre crémant haut de gamme, de pur chardonnay, vieilli trois ans sur lattes. Une mousse active et persistante, un nez bien ouvert, partagé entre les fleurs blanches et les fruits frais, avec quelques touches beurrées, une attaque vive, une bouche ample et longue composent une bouteille qui sait faire rimer puissance et élégance. Pour l'apéritif ou un poisson fin.

SA Hauller, 3, rue de la Gare, BP 70001, 67650 Dambach-la-Ville, tél. 03.88.92.40.21, fax 03.88.92.45.41, contact@hauller.fr r.-v.

GUSTAVE LORENTZ ★★

	60 000	8 à 11 €

Forte d'un domaine de 32 ha complété par des achats de vendanges, la maison Gustave Lorentz appartient à la plus pure tradition du négoce alsacien. Elle s'est aussi lancée avec succès dans l'élaboration du crémant-d'alsace. Celui-ci, assemblage de chardonnay (60 %) et des pinots blanc et noir à parts égales, a tous les atouts pour séduire : une bulle fine dans une robe or pâle, une bonne tenue de mousse, une palette aromatique complexe mêlant la pêche et la brioche beurrée à un soupçon de fruit rouge, une bouche ample à l'attaque, à la fois soyeuse, gourmande et élégante, tonifiée par une touche citronnée. Parfait pour un cocktail.

Gustave Lorentz, 91, rue des Vignerons, 68750 Bergheim, tél. 03.89.73.22.22, fax 03.89.73.30.49, info@gustavelorentz.com
t.l.j. sf dim. 10h-12h 14h-18h30

HUBERT METZ 2009 ★

	2 500	8 à 11 €

À la tête du domaine familial depuis 1971, Hubert Metz dispose de 10 ha de vignes, d'une maison Renaissance avec un oriel et d'une ancienne cave dîmière voûtée. Son crémant rosé fait belle impression : flatteur à l'œil par sa mousse vivante et sa robe lumineuse, œil-de-perdrix, il mêle au nez des senteurs de fleurs blanches et des nuances framboisées ; le palais est aromatique, franc et équilibré. Un vin croquant à servir lors d'un buffet.

Hubert Metz, 3, rue du Winzenberg, 67650 Blienschwiller, tél. 03.88.92.43.06, fax 03.88.92.62.08, hubertmetz@aol.com r.-v.

♥ **DOM. DU MOULIN DE DUSENBACH** 2009 ★★

	13 000	■	5 à 8 €

À Ribeauvillé, le moulin de Dusenbach a changé de destination au fil des siècles : successivement moulin à farine, à tan, scierie ou battoir à chanvre..., il a trouvé sa vocation viticole au XXᵉs. Depuis 2008, il appartient à la famille Schwebel. Assemblage classique de pinot blanc et d'auxerrois, le crémant 2009 de la propriété a attiré tous les superlatifs. Séduisant à l'œil par sa mousse légère et son cordon persistant, il marie au nez les fleurs blanches, les fruits blancs et les agrumes. C'est en bouche qu'il dévoile toute sa richesse, laissant une impression d'équilibre, d'harmonie et de finesse. L'élégance est le maître mot de la dégustation. Pour un apéritif réussi.

Dom. du Moulin de Dusenbach, 25, rte de Sainte-Marie-aux-Mines, 68150 Ribeauvillé, tél. 03.89.73.72.18, fax 03.89.73.30.34, contact@domaine-dusenbach.com r.-v.
Schwebel

A. REGIN 2009 ★★

	2 700	8 à 11 €

Non loin de Strasbourg, Wolxheim est un village verdoyant bâti le long de l'ancien canal de la Bruche. Le vignoble y est omniprésent et réputé, riche d'un grand cru. Les Regin, qui en exploitent 9 ha, signent un crémant rosé aux multiples qualités : une mousse vivante dans une robe claire et lumineuse, œil-de-perdrix ; des arômes de fleurs et de fruits rouges, et surtout un bon dosage, une structure parfaite, une bouche ample et persistante. Ce caractère lui permettra d'accompagner un repas.

André Regin, 4, rue de la Forge, 67120 Wolxheim,
tél. et fax 03.88.38.17.02, andre.regin@wanadoo.fr
r.-v.

HUBERT REYSER 2009 ★

8 000 | 5 à 8 €

À une vingtaine de kilomètres de Strasbourg, ce domaine fondé dans les années 1970 compte aujourd'hui plus de 11 ha. En 2009, Hubert Reyser a passé le relais à son fils Lionel qui a suivi une formation en environnement. Issu d'un terroir argilo-calcaire et d'un assemblage rare (65 % de chardonnay et 35 % de pinot blanc), ce crémant présente une belle tenue de mousse et une typicité élégante et fruitée. Le nez évoque le fruit blanc. La bouche, plus citronnée, se révèle vive et bien structurée, pourvue d'une effervescence très persistante.

EARL Dom. Hubert Reyser, 26, rue de la Chapelle,
67520 Nordheim, tél. 03.88.87.76.38,
bureau@vins-reyser.com
t.l.j. sf dim. 8h30-12h 14h-18h 3 B

DANIEL RUFF Cuvée Guillaume 2009 ★★

11 000 | 5 à 8 €

Village perché proche de Barr, Heiligenstein jouit d'une situation exceptionnelle. La commune et cette propriété se distinguent par un cépage qui n'est plus cultivé que dans ce secteur, le klevener. Les Ruff, à la tête de 15 ha, montrent ici que leur savoir-faire s'étend au crémant-d'alsace. Originaire d'un terroir calcaire, celui-ci assemble pinot blanc, auxerrois (80 % de l'ensemble) et pinot noir. Flatteur à l'œil avec sa bulle fine et son cordon persistant, il séduit aussi par son nez finement floral. Frais à l'attaque, franc, fruité, équilibré et long, il conjugue élégance et caractère.

Daniel Ruff, 64, rue Principale, 67140 Heiligenstein,
tél. 03.88.08.10.81, fax 03.88.08.43.61,
ruffvigneron@wanadoo.fr
t.l.j. 8h-12h 13h30-18h30 1 B

JEAN-PAUL SCHAFFHAUSER 2010

22 000 | 5 à 8 €

Installé à Wettolsheim, près de Colmar, Jean-Paul Schaffhauser a créé sa propriété en 1984 et s'est lancé d'emblée dans la mise en bouteilles. En 1996, Jean-Marc et Catherine ont rejoint la maison, qui complète sa récolte (plus de 9 ha) d'achats de raisin. Assemblage de pinot blanc et d'auxerrois, leur crémant est un classique. La bulle est fine et élégante, le nez développe des arômes briochés vivifiés par une note citronnée. La bouche se montre fraîche, équilibrée. Pour l'apéritif et les fruits de mer.

SARL Jean-Paul Schaffhauser, 8, rte du Vin,
68920 Wettolsheim, tél. 03.89.79.99.97, fax 03.89.80.58.21,
schaffhauserjpaul@free.fr
t.l.j. sf dim. 8h30-12h 14h-18h30

SCHALLER Extra-brut 2009 ★

17 000 | 8 à 11 €

Forts de leurs 9 ha de vignes situées à Mittelwihr et dans quatre communes du cœur de la route des Vins connues sous le nom de « Perles du vignoble », les Schaller soignent leurs « bulles » : le domaine fait partie des pionniers de l'appellation, puisque sa première cuvée de crémant-d'alsace remonte à 1974. Celle-ci assemble pinot blanc, auxerrois (80 % de l'ensemble) et riesling, tous issus de terroirs argilo-calcaires. Elle a été élevée quinze mois sur lattes et faiblement dosée. Dans le verre, une bulle fine et régulière ; au nez, de la fleur blanche, de la pomme, de la poire et une touche de noix fraîche. Puis une attaque vive, prélude à un palais long et harmonieux.

EARL Edgard Schaller et Fils, 1, rue du Château,
68630 Mittelwihr, tél. 03.89.47.90.28, fax 03.89.49.02.66,
edgard.schaller@wanadoo.fr
t.l.j. 9h-12h30 14h30-18h30

THIERRY SCHERRER Cuvée Thierry 2010 ★

1 200 | 5 à 8 €

Ammerschwihr, cité du grand cru Kaefferkopf, possède l'une des plus grandes étendues de vignoble de la région. Œnologue diplômé, Thierry Scherrer cultive et vinifie plus de 8 ha. Son crémant rosé offre une mousse fine et persistante. Bien coloré, il évoque la griotte à l'œil comme au nez : en bon rosé, il naît du seul pinot noir. Charpenté et typé au palais, il se plaira au repas, sur une grillade par exemple.

Thierry Scherrer, 1, rue de la Gare,
68770 Ammerschwihr, tél. et fax 03.89.47.15.86,
thierry.scherrer@wanadoo.fr r.-v. B

DOM. SCHIRMER 2008 ★

6 000 | 5 à 8 €

Les Schirmer sont établis à Soultzmatt, au cœur de la Vallée Noble, à quelque 25 km au sud de Colmar. Si l'ancêtre Sébastien cultivait déjà la vigne en 1819, l'exploitation ne s'est spécialisée qu'avec Lucien, le père de Thierry. Ce dernier, à la tête de 10 ha, sillonne le pays pour élargir sa clientèle. Son crémant n'aura pas de mal à se placer. Assemblage de pinot blanc et d'auxerrois, il est très élégant à l'œil avec sa mousse légère, son nez de pêche blanche et sa bouche fraîche et persistante. Sa belle matière permettra de le déboucher à l'apéritif et de le finir au repas.

Dom. Lucien Schirmer et Fils, 22, rue de la Vallée,
68570 Soultzmatt, tél. 03.89.47.03.82, fax 03.89.47.02.33,
vins.alsace.schirmer@orange.fr
t.l.j. 9h-12h 13h30-19h; dim. sur r.-v.

MAURICE SCHUELLER 2008 ★★

6 000 | 5 à 8 €

Avec son clocher roman, ses maisons vigneronnes cossues aux larges porches, Gueberschwihr mérite un détour. À la tête de plus de 7 ha de vignes, Marc Schueller dispose d'une cave voûtée du XVe s. recélant les traditionnels foudres en bois. Assemblant par tiers l'auxerrois, le pinot blanc et le chardonnay, son crémant se montre flatteur à l'œil par sa bulle fine et son cordon persistant. Séducteur au nez, il mêle les fruits jaunes et des notes grillées. L'attaque est franche, le palais vif, équilibré et long, avec un joli retour du fruité en finale. Un ensemble frais et croquant, parfait pour l'apéritif.

EARL Maurice Schueller, 17, rue Basse,
68420 Gueberschwihr, tél. 03.89.49.34.80, fax 03.89.49.26.60,
marc@vins-schueller.com r.-v. C

J.-L. SCHWARTZ 2009

2 800	∎	8 à 11 €

Très fleuri l'été, Itterswiller cultive son vignoble et sa qualité d'accueil : le petit village à flanc de coteau compte plusieurs hôtels et restaurants. Jean-Luc Schwartz exploite 8 ha de vignes dans cette commune et dans les villages environnants. Originaire d'un terroir argilo-calcaire, son crémant rosé montre une bulle légère dans une robe rose pâle. Élégant au nez avec ses fragrances de rose, il est structuré au palais, voire légèrement tannique. On l'ouvrira en 2013 et le servira au repas, sur des viandes grillées et du fromage. À noter que le domaine est en conversion au bio.

Dom. J.-L. Schwartz, 70, rte des Vins, 67140 Itterswiller,
tél. 03.88.85.51.59, fax 03.88.85.59.16,
jean-luc@domaine-schwartz.com
t.l.j. 9h30-19h; dim. 9h30-13h

BRUNO SORG ★

19 000		5 à 8 €

S'ils vinifient aujourd'hui hors les murs, les Sorg accueillent toujours les visiteurs dans le centre historique de la petite cité d'Eguisheim, commune qui appartient à l'association des Plus beaux villages de France. François Sorg a élaboré un crémant élégant qui trouvera toute sa place à l'apéritif. Cette cuvée allie la fraîcheur du chardonnay (40 %), la finesse du pinot blanc (50 %) et la richesse du pinot gris : sa bulle est fine, son fruité croquant évoque la pomme d'été et le coing, et sa bouche est fraîche et longue.

Dom. Bruno Sorg, 8, rue Mgr-Stumpf, 68420 Eguisheim,
tél. 03.89.41.80.85, fax 03.89.41.22.64
t.l.j. sf dim. 9h-12h 14h-18h

SPARR TRADITION Cuvée Renaissance

25 000		8 à 11 €

L'histoire de la famille Sparr s'est longtemps confondue avec celle du village de Sigolsheim. Le domaine Charles Sparr a fusionné avec l'ancien domaine Baumann et s'est installé en 2007 à Riquewihr, haut lieu du vignoble et du tourisme alsaciens. Fort de 17 ha, il a diversifié sa production et propose un crémant mariant le pinot blanc (70 %), le pinot gris et un soupçon de chardonnay. Le nez est fin et fruité, sur le fruit blanc, et la bouche équilibrée, de belle tenue.

Dom. Charles Sparr, 8, av. Méquillet, 68340 Riquewihr,
tél. 03.89.47.92.14, fax 03.89.47.99.31,
pierre.sparr@wanadoo.fr
t.l.j. 9h-12h 14h-18h30; f. jan.

WAEGELL 2009 ★

5 327	∎	5 à 8 €

Gérard et Nathalie Waegell sont installés à Nothalten, à mi-chemin de Strasbourg et de Colmar, du mont Sainte-Odile et du Haut-Kœnigsbourg. Leur crémant-d'alsace naît de pur auxerrois issu d'un terroir sablonneux. Animé d'une mousse fine et persistante, il est intense et fruité au nez. Plutôt souple à l'attaque, équilibré et long, il finit sur des notes citronnées et grillées.

Waegell, 77, rte du Vin, 67680 Nothalten,
tél. et fax 03.88.92.63.78, waegell.nathalie@wanadoo.fr
t.l.j. 9h-12h 13h-19h

WILLM Prestige ★

600	∎	8 à 11 €

Fondée en 1896 à Barr, cette maison s'est très tôt intéressée aux marchés d'Amérique du Nord. Ses vins s'écoulent encore aujourd'hui à 70 % à l'export. Son crémant Prestige assemble pinot blanc (60 %), chardonnay, pinot gris et un soupçon de riesling. Sa bulle est très fine et son nez fait preuve d'une rare complexité, mêlant la brioche beurrée, la pêche, le citron et une pointe minérale. Doté d'une belle attaque au palais, ce vin vif et persistant trouvera sa place à l'apéritif.

Alsace Willm, 6, Grand-Rue, 68420 Eguisheim,
tél. 03.89.41.24.31, fax 03.89.24.20.54,
contact@alsace-willm.com r.-v.

WOLFBERGER Cuvée Prestige Les Festives

200 000	∎	8 à 11 €

L'aventure de Wolfberger a débuté en 1902 à Eguisheim avec la fondation de la coopérative. Aujourd'hui, le groupe, qui réunit des adhérents de toute la région, est devenu l'un des premiers opérateurs du vignoble. Issue d'un assemblage dominé par les pinots mais renforcé par le riesling (20 %), cette cuvée Prestige offre une belle tenue de mousse. Fruitée et épicée au nez, elle se montre bien équilibrée en bouche.

Wolfberger, 6, Grand-Rue, 68420 Eguisheim,
tél. 03.89.22.20.20, fax 03.89.23.47.09,
contact@wolfberger.com
t.l.j. 8h (10h sam. dim.)-12h 14h-18h

LA LORRAINE

Les vignobles des Côtes de Toul et de la Moselle restent les deux seuls témoins d'une viticulture lorraine autrefois florissante par son étendue, supérieure à 30 000 ha en 1890. Elle l'était aussi par sa notoriété. Les deux vignobles connurent leur apogée à la fin du XIXᵉs.

Superficie
100 ha
Production
4 200 hl
Types de vins
Blancs secs, rosés (vins gris) et rouges tranquilles
Cépages
Blancs : auxerrois, muller-thurgau, pinot blanc, pinot gris
Rouges et rosés : gamay, pinot noir

Dès cette époque, plusieurs facteurs se conjuguèrent pour entraîner leur déclin : la crise phylloxérique, qui introduisit l'usage de cépages hybrides de moindre qualité ; la crise économique viticole de 1907 ; la proximité des champs de bataille de la Première Guerre mondiale ; l'industrialisation de la région, à l'origine d'un formidable exode rural. Ce n'est qu'en 1951 que les pouvoirs publics reconnurent l'originalité de ces vignobles. En 1998, les vins-de-moselle sont devenus AOC sous le nom de moselle.

Côtes-de-toul

Superficie : 57 ha
Production : 2 544 hl (85 % rouge et rosé)

Situé à l'ouest de Toul et du coude caractéristique de la Moselle, le vignoble a accédé à l'AOC en 1998. Il couvre environ 87 ha et se trouve sur le territoire de huit communes qui s'échelonnent le long d'une côte résultant de l'érosion de couches sédimentaires du Bassin parisien. On y rencontre des sols de période jurassique composés d'argiles oxfordiennes, avec des éboulis calcaires en notable quantité, très bien drainés et exposés au sud ou au sud-est. Le climat semi-continental, qui renforce les températures estivales, est favorable à la vigne. Toutefois, les gelées de printemps sont fréquentes.

Le gamay domine toujours, bien qu'il régresse sensiblement au profit du pinot noir. L'assemblage de ces deux cépages produit des vins gris caractéristiques, obtenus par pressurage direct. En outre, le décret précise l'obligation d'assembler au minimum 10 % de pinot noir au gamay en superficie pour la production de gris, cela conférant au vin une plus grande rondeur. Le pinot noir seul, vinifié en rouge, donne des vins corsés et agréables, l'auxerrois d'origine locale, en progression constante, des vins blancs tendres.

Au départ de Toul, une route du Vin et de la Mirabelle parcourt le vignoble.

DOM. DE L'AMBROISIE Mystic gris 2011 ★

■ 13 000 ▮ 5 à 8 €

Deux anciens ouvriers viticoles ont créé en 2006 leur domaine en reprenant les vignes de leur employeur. Ils se sont installés en pleine ville de Toul, à 100 m des célèbres fortifications, et occupent les chais d'un ancien négociant. Parmi leurs cuvées, les dégustateurs ont retenu ce gris, au teint pâle – comme il convient. Le nez est élégant, discrètement floral. Rond et équilibré, le palais dévoile des arômes de fruits exotiques et une belle minéralité. Cité, l'**auxerrois Étincelle 2011 (2 800 b.)** délivre de subtils effluves de fleurs blanches. L'attaque douce est relayée par des impressions plus vives, sur des notes de pêche.

Dom. de l'Ambroisie, 45, impasse Victor-Hugo, 54200 Toul, tél. 03.83.63.80.53, domaine-de-l-ambroisie@sfr.fr
t.l.j. sf dim. 14h-18h30

FRANCIS DEMANGE Gris 2011 ★★

■ 4 500 5 à 8 €

Lorsque l'on arrive de Toul, la maison de Francis Demange est l'une des premières du village de Bruley. Le vignoble est modeste en superficie (à peine plus de 2 ha), mais il produit de bons vins, tel ce gris que les dégustateurs ont couvert d'éloges. La robe brillante adopte le rose saumon de rigueur. Le nez, frais et intense, mêle les fruits rouges et des notes amyliques. Le palais ne déçoit pas : on y retrouve la vivacité et la puissance de l'olfaction sur des nuances plaisantes de fraise et de groseille. De l'équilibre et de la classe.

Francis Demange, 93, rue des Triboulottes, 54200 Bruley, tél. et fax 03.83.64.33.47, francis.demange@live.fr r.-v.

VINCENT LAROPPE La Chaponière 2009 ★★★

	4 500		8 à 11 €

Une longue rue en pente bordée de maisons resserrées ; au fond, la côte parsemée de vignes et de vergers : voici Bruley, important village viticole du Toulois. En plein centre, la demeure des Laroppe. Vignerons du château au XVIIIe s., ces derniers n'ont jamais abandonné leurs ceps. Aujourd'hui, Vincent, œnologue, complète la production des 22 ha de la propriété par des achats de raisin. Cette année, deux coups de cœur s'ajoutent à une collection imposante. Au sommet, cette Chaponière, un pinot noir élevé un an en fût. D'un rouge grenat aux reflets violacés, ce 2009 offre un nez puissant, partagé entre le boisé et le cassis. Au palais, le fruit rouge relaie le fruit noir au sein d'une matière ample, aux tanins fins et racés. Une bouteille capable de vieillir plusieurs années. Un autre coup de cœur, mais avec deux étoiles, est décerné au **gris 2011 (5 à 8 €; 120 000 b.)**, assemblage de pinot noir (50 %), de gamay et d'auxerrois. Robe saumon pâle, élégants parfums floraux, rondeur et fraîcheur, concentration et finesse, longue finale : un modèle du genre. Quant au **pinot noir 2010 rouge Élevé en fût (5 à 8 €; 10 500 b.)**, il obtient une étoile pour son nez puissant, un rien évolué, et pour sa bouche bien structurée et fruitée, encore sous l'emprise des tanins.

Vincent Laroppe, 253, rue de la République, 54200 Bruley, tél. 03.83.43.11.04, fax 03.83.43.36.92, vignoble-laroppe@wanadoo.fr
t.l.j. sf dim. 8h-12h 13h30-18h 2

LELIÈVRE Auxerrois 2011 ★

	13 956		5 à 8 €

Avant la dernière guerre, la vigne partageait ici l'espace avec le houblon et les vergers... Première mise en bouteilles en 1968. Depuis lors, le domaine viticole s'est fait une place au soleil – qui ne manque pas sur les coteaux bien exposés de Lucey. André et Roland Lelièvre ont été rejoints par Vincent et David, qui associent vigne et culture en organisant en novembre une exposition d'artistes au chai. Pas de coup de cœur cette année, mais les fidèles lecteurs connaissent la dernière version, gaie et facétieuse, de leur étiquette. Le **gris 2011 (22 138 b.)**, couronné dans le millésime précédent, intrigue : au nez, il sauvignonnerait presque... Aromatique et rond au palais, plaisant, il est cité, s'effaçant derrière l'auxerrois 2011. Ce vin or pâle obtient une étoile pour son nez bien ouvert sur les fruits exotiques et l'abricot, et pour son palais équilibré et fruité, qui laisse une impression flatteuse.

EARL Dom. Lelièvre, 1, rue de la Gare, 54200 Lucey, tél. 03.83.63.81.36, fax 03.83.63.84.45, info@vins-lelievre.com
t.l.j. 8h30-12h30 13h30-18h30; dim. 13h30-18h30

DOM. DE LA LINOTTE Auxerrois 2011 ★

	2 700		5 à 8 €

Les Laroppe sont plusieurs à Bruley. Marc, qui a créé en 1993 un petit vignoble à taille humaine (un peu plus de 2 ha), a privilégié l'œnotourisme, gérant avec son épouse des chambres d'hôtes. Les visiteurs empruntant la route du Vin et de la Mirabelle pourront découvrir une production régulièrement mentionnée dans le Guide. Cet auxerrois or pâle, au nez réservé, discrètement minéral, apparaît à la fois puissant et élégant en bouche, développant des arômes d'agrumes soulignés par une belle acidité. Le **pinot noir 2011 rouge (2 000 b.)**, aux parfums intenses et délicats, et aux tanins bien mûrs, obtient la même note. Enfin, le **gris 2011 (8 000 b.)** reçoit une citation pour son équilibre et sa longueur, et pour ses délicates senteurs de fruits exotiques, relayées en bouche par de plaisantes nuances de fraise.

Marc Laroppe, 90, rue Victor-Hugo, 54200 Bruley, tél. 03.83.63.29.02, domainedelalinotte@orange.fr
t.l.j. 9h-12h 14h-19h 1

ALAIN MIGOT Auxerrois 2011 ★★

	950		5 à 8 €

Le village de Lucey s'étire le long de son coteau couronné de bois. La commune abrite plusieurs domaines viticoles recommandables, comme celui d'Alain Migot. De dimensions modestes (moins de 3 ha), la propriété est exploitée avec soin, et la relève est assurée, le fils d'Alain se formant en Champagne. Son auxerrois, coup de cœur dans le millésime précédent, garde une excellente tenue. Or pâle à reflets verts, il s'annonce par un nez frais, floral et exotique, auquel répond un palais bien structuré, citronné et persistant. Le **pinot noir 2011 rouge (900 b.)** obtient une étoile. Ce vin grenat soutenu, qui n'a pas connu le bois, exprime de puissants parfums de fruits noirs et séduit par sa complexité, sa concentration, sa richesse et sa fine trame de tanins mûrs.

Alain Migot, 108, Grand-Rue, 54200 Lucey, tél. 03.83.63.87.31, domaine-migot@orange.fr r.-v.

DOM. RÉGINA Auxerrois Prestige 2011 ★★

	20 000	5 à 8 €

Isabelle et Jean-Michel Mangeot ont repris une vigne de 1,6 ha à Bruley en 1997, un an avant la promotion du côtes-de-toul en AOC. Leur domaine a connu un réel développement, tant en surface (12 ha aujourd'hui) qu'en notoriété : pas moins de cinq coups de cœur et une moisson d'étoiles. Cet auxerrois Prestige, d'un jaune pâle à reflets verts, donne une très belle image du cépage. Aussi expressif au nez qu'en bouche, il délivre de plaisantes senteurs de fleurs blanches et se fait plus minéral au palais. Gras et équilibré, il finit sur de fraîches évocations d'agrumes. Le **pinot noir cuvée Aux chênes 2010 rouge (10 000 b.)**, élevé sous bois, reçoit également deux étoiles grâce à son élégance. On apprécie son nez puissant, épicé et torréfié, ainsi que le superbe équilibre du palais aux tanins très fins. Enfin, le **gris Prestige 2011 (40 000 b.)** est cité pour ses jolis arômes de fraise et pour son équilibre.

Dom. Régina, 350, rue de la République, 54200 Bruley, tél. 03.83.64.49.52, fax 03.83.64.83.84, domaine-regina@wanadoo.fr r.-v.
J.-M. Mangeot

LES VIGNERONS DU TOULOIS Auxerrois 2011 ★★

7 200 | 5 à 8 €

Cette cave se flatte d'être la plus petite coopérative de France, avec huit adhérents en tout et pour tout. N'est-elle pas à l'échelle de l'appellation, qui couvre tout au plus une soixantaine d'hectares ? Une AOC qu'elle défend vaillamment avec des vins tels que celui-ci, fort loué par les dégustateurs. Cet auxerrois or pâle s'annonce par un nez bien ouvert sur l'abricot et les fruits exotiques. En bouche, les seconds se nuancent de notes de fruits blancs au sein d'une matière remarquablement équilibrée. Une bouteille flatteuse.

Les Vignerons du Toulois, 43, pl. de la Mairie, 54113 Mont-le-Vignoble, tél. et fax 03.83.62.59.93, vigneronsdutoulois@orange.fr
t.l.j. sf dim. lun. 14h-18h

DOM. CLAUDE VOSGIEN Pinot noir Grand Terroir 2010 ★

n.c. | 8 à 11 €

La famille Vosgien cultive 8 ha au sud de la côte, aux environs de Blénod-lès-Toul. Ce village lorrain tirerait son nom de Bélénos, dieu gaulois du soleil, et l'astre du jour favorise toujours les ceps étagés sur le coteau. Le pinot noir a donné naissance à une cuvée grenat profond, au nez bien ouvert sur les fruits rouges. Aromatique, le palais conjugue ampleur et fraîcheur : un bel équilibre. Peut-être pourrez-vous découvrir cette bouteille lors d'une soirée dégustation organisée par le domaine ?

Dom. Claude Vosgien, 37-39, rte de Toul, 54113 Blénod-lès-Toul, tél. 03.83.62.50.50, claude@vosgien.com t.l.j. sf dim. 10h-12h 14h-18h

Moselle

Superficie : 42 ha
Production : 1 648 hl (55 % blanc)

Le vignoble, représentant 38 ha, s'étend sur les coteaux qui bordent la vallée de la Moselle ; ceux-ci ont pour origine les couches sédimentaires formant la bordure orientale du Bassin parisien. L'aire délimitée se concentre autour de trois pôles principaux : le premier au sud et à l'ouest de Metz, le deuxième dans la région de Sierck-les-Bains ; le troisième pôle se situe dans la vallée de la Seille autour de Vic-sur-Seille. La viticulture est influencée par celle du Luxembourg tout proche, avec ses vignes hautes et larges, et sa dominante de vins blancs secs et fruités. En volume, cette appellation reste très modeste et son expansion est contrariée par l'extrême morcellement de la région.

DOM. LES BÉLIERS Auxerrois 2011

6 500 | 5 à 8 €

Connue depuis 2008 sous le nom de domaine des Béliers, la propriété est en réalité aussi ancienne que le Guide Hachette des Vins et bien connue de ses fidèles lecteurs. Elle a figuré longtemps sous le nom de Michel Maurice : ce pionnier du renouveau viticole régional a planté un petit vignoble sur les coteaux du Val de Metz, dans son village d'Ancy-sur-Moselle, et su faire partager sa passion à toute sa famille. Aujourd'hui, c'est sa fille Ève, œnologue et agronome, qui officie à la cave. Cette année, les dégustateurs ont aimé cet auxerrois, typé et citronné au nez, léger et plaisamment acidulé. De même niveau, le **rosé 2011 (1 300 b.)**, assemblage de pinot noir (70 %) et de gamay, séduit par sa robe rose saumoné, ses sympathiques arômes de fraise et sa longue finale.

EARL Dom. les Béliers, 3, pl. Foch, 57130 Ancy-sur-Moselle, tél. 03.87.30.90.07, fax 03.87.30.91.48, domaine.beliers@orange.fr r.-v.
Ève Maurice

DOM. LA JOYEUSE 2011 ★

2 000 | 5 à 8 €

Après une carrière dans l'industrie, Daniel Stapurewicz est venu cultiver la vigne comme un jardin. Aujourd'hui 2 ha, en bio certifié, autour d'Ars-sur-Moselle, en amont de Metz. Il fait découvrir ici un pinot noir d'un rouge intense, dont le nez typé évoque la

Lorraine

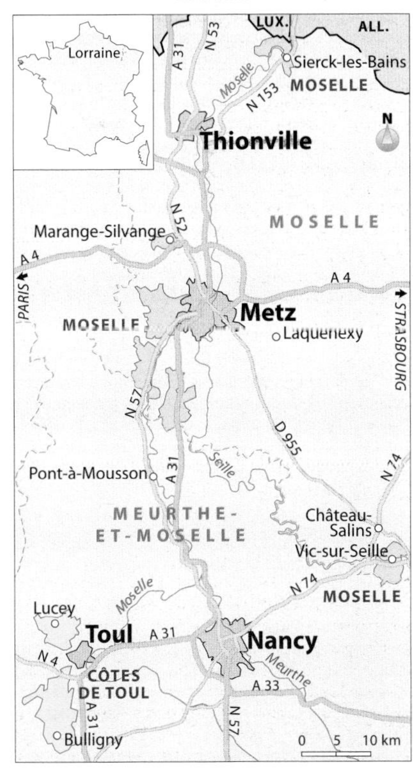

framboise. Le palais, aux accents de réglisse et de torréfaction, montre une certaine fermeté, mais les tanins sont de belle qualité. Un vin prometteur qui mérite d'attendre deux ou trois ans pour s'affiner.

Daniel Stapurewicz, 3, rue Jeanne-d'Arc, 57130 Ars-sur-Moselle, tél. 03.87.60.69.48, daniel.stapurewicz@orange.fr r.-v.

B OURY-SCHREIBER 2011 ★

5 000 | 5 à 8 €

Voilà plus de vingt ans que Pascal Oury, venu de Champagne, a créé au sud de Metz un domaine cultivé aujourd'hui en bio certifié. Cette année, il propose un joli blanc, assemblage d'auxerrois et de gewurztraminer. Si la robe est pâle, avec des reflets verts, le dernier cépage pointe le bout de son nez, trahissant sa présence par des arômes de rose, de fruits exotiques et d'épices d'une grande finesse. Dans le même registre délicat, le palais fait preuve d'une bonne persistance. Le **pinot noir 2011 rosé Élevé en fût de chêne (1 300 b.)** a la couleur de la framboise et les arômes de la cerise. Intense, rond et long, il offre une belle image du cépage et obtient une citation.

Pascal Oury, 29, rue des Côtes, 57420 Marieulles, tél. 03.87.52.09.02, fax 03.87.52.09.17, oury@neuf.fr r.-v.

CLAUDE SONTAG Pinot noir 2011 ★★

2 000 | 5 à 8 €

Claude Sontag est installé à Contz-les-Bains, jolie petite ville perchée sur une colline dominant un des méandres de la Moselle, à quelques kilomètres du Luxembourg et de l'Allemagne. L'année est faste pour le domaine, qui voit trois de ses vins retenus – avec deux étoiles pour ce pinot noir d'un rubis intense. Le cassis et la cerise sautent au nez, annonçant un palais friand où l'on retrouve la cerise. Friand mais pas évanescent, car la longueur est bien là. Un ensemble gourmand à souhait. Le **pinot gris 2011 (8 à 11 € ; 1 500 b.)** obtient une étoile. Des notes fumées au nez comme en bouche, des sensations de gras, sur des notes d'abricot sec : voilà un portrait fidèle et délicat de ce cépage. Cité, le **muller-thurgau 2011 (1 800 b.)** est lui aussi bien typé, frais, végétal et floral.

EARL Dom. Claude Sontag, 5, rue Saint-Jean, 57480 Contz-les-Bains, tél. 06.48.59.35.95 r.-v.

DOM. DU STROMBERG Les Contemplations 2011 ★

5 000 | 5 à 8 €

Ce domaine, apparu dans le Guide il y a huit ans, a déjà obtenu deux coups de cœur. Il tire son nom d'une colline dominant un méandre de la Moselle, du côté de Contz-les-Bains : le pays des Trois Frontières, à deux pas de l'Allemagne et du Luxembourg. D'un jaune doré limpide, sa cuvée Les Contemplations assemble l'auxerrois (50 %), le pinot gris (30 %) et le muller-thurgau. Elle délivre de puissantes notes de fruits mûrs, avec des touches fumées. Ample et longue, elle évolue en bouche sur des arômes de pêche jaune. Une belle harmonie.

J.-M. Leisen, T. Caboz, B. Petit, 19-23, Grand-Rue, 57480 Petite-Hettange, tél. 03.82.50.10.15, fax 03.82.50.33.23, j.marie.leisen@wanadoo.fr t.l.j. 9h-12h 14h-19h; dim. sur r.-v.

♥ CH. DE VAUX Les Gryphées 2011 ★★

22 000 | 5 à 8 €

Depuis sa reprise en 1999 par Norbert et Marie-Geneviève Molozay, tous deux experts en matière de vinification, ce domaine du Pays messin est devenu une valeur sûre de l'appellation. Quatre cépages composent cette cuvée qui obtient son troisième coup de cœur. Est-ce le gewurztraminer qui a légué ses effluves de fruits exotiques et son ampleur ? Le pinot gris, sa petite note grillée et son intensité ? L'auxerrois et le muller-thurgau, leurs arômes d'agrumes et leur vivacité ? En tout cas, l'harmonie est au rendez-vous. Trois autres vins reçoivent une étoile. Le **rosé 2011 Les Boserés (8 000 b.)**, à majorité de pinot noir, a la couleur et les parfums de la groseille alliée à la cerise et, en bouche, au cassis. Il est long, légèrement tannique. Le pinot noir **Les Hautes Bassières 2011 rouge (8 à 11 €; 21 000 b.)** inspire confiance par sa robe profonde, son nez complexe, délicatement boisé et grillé, et par son palais volumineux aux arômes de fruits noirs et de vanille. Il s'affinera au cours des prochaines années. Enfin le pinot noir **Les Clos 2010 rouge (15 à 20 € ; 4 000 b.)**, élevé dix-huit mois en fût neuf, s'annonce par de jolies notes de cassis soulignées d'un boisé vanillé. En bouche ? Du kirsch et des épices, une superbe matière, de la longueur, de la vivacité...

Ch. de Vaux, 4, pl. Saint-Rémi, 57130 Vaux, tél. 03.87.60.20.64, fax 03.87.60.24.67, contact@chateaudevaux.com r.-v.

LE BEAUJOLAIS ET LE LYONNAIS

BROUILLY CÔTE-DE-BROUILLY
CHÉNAS CHIROUBLES JULIÉNAS
MOULIN-À-VENT MORGON
RÉGNIÉ SAINT-AMOUR
COTEAUX-DU-LYONNAIS BEAUJOLAIS
BEAUJOLAIS SUPÉRIEUR
BEAUJOLAIS-VILLAGES GAMAY

LE BEAUJOLAIS ET LE LYONNAIS

Superficie
23 000 ha
Production
1 000 000 hl
Types de vins
Rouges très majoritairement, quelques blancs secs et rosés.
Sous-régions
Aires des dix crus (au nord), des beaujolais-villages (autour des crus) et des beaujolais (au sud de Villefranche-sur-Saône principalement).
Cépages
Rouges : gamay noir à jus blanc principalement.
Blancs : chardonnay principalement.

Officiellement rattaché à la Bourgogne viticole, le Beaujolais n'en a pas moins une personnalité propre. Sa spécificité s'affirme par des paysages vallonnés et par un cépage presque exclusif, le gamay, qui le distingue du vignoble bourguignon. Elle a été renforcée par une promotion dynamique qui a rendu le beaujolais célèbre dans le monde entier. Qui pourrait ignorer, le troisième jeudi de novembre, la joyeuse arrivée du beaujolais nouveau ? La production régionale ne se limite pas à ce vin éphémère. Les dégustations du Guide s'attachent à faire découvrir d'autres expressions du gamay, plus complexes, profondes et durables. Toutes ont en partage le joli fruité du cépage.

L'extrême midi de la Bourgogne Le Beaujolais s'étend sur quatre-vingt-seize communes des départements de Saône-et-Loire et du Rhône, formant une région de 50 km du nord au sud sur une largeur moyenne d'environ 15 km. Au nord, l'Arlois semble être la limite avec le Mâconnais. À l'est, en revanche, la plaine de la Saône, où scintillent les méandres de cette rivière dont Jules César disait qu'« elle coule avec tant de lenteur que l'œil à peine peut juger de quel côté elle va », est une frontière évidente. À l'ouest, les monts du Beaujolais sont les premiers contreforts du Massif central ; leur point culminant, le mont Saint-Rigaux (1 012 m), apparaît comme une borne entre les pays de Saône et de Loire. Au sud enfin, le vignoble lyonnais prend le relais pour conduire jusqu'à la métropole, irriguée, comme chacun sait, par trois « fleuves » : le Rhône, la Saône et le... beaujolais !

Le Beaujolais est déjà la porte du Sud, bien différent de son illustre voisine la Bourgogne ; ici, point de côte linéaire, mais le jeu varié de collines et de vallons, qui multiplient à plaisir les coteaux ensoleillés ; et les maisons elles-mêmes, où les tuiles romaines remplacent les tuiles plates, prennent déjà un petit air du Midi.

Au carrefour des climats Le Beaujolais jouit d'un climat tempéré, résultat de trois régimes climatiques différents : une tendance continentale, une tendance océanique et une tendance méditerranéenne. Chacune peut dominer le temps d'une saison, avec des variations brutales faisant s'affoler baromètre et thermomètre. L'hiver peut être froid ou humide ; le printemps, humide ou sec ; les mois de juillet et d'août, brûlants quand souffle le vent desséchant du midi, ou humides avec des pluies orageuses accompagnées de grêle ; l'automne, humide ou chaud. La pluviométrie moyenne est de 750 mm, la température peut varier de -20 °C à +38 °C. Mais des microclimats modifient sensiblement ces données, favorisant l'extension de la vigne dans des situations a priori moins propices. Dans l'ensemble, le vignoble profite d'un bon ensoleillement et de bonnes conditions pour la maturation.

Le règne du gamay Le Beaujolais s'identifie avec le gamay, qui couvre 99 % des surfaces plantées. Celui-ci est d'ailleurs parfois désigné sous le terme de « gamay beaujolais ». Banni de la Côte-d'Or par un édit de Philippe le Hardi, duc de Bourgogne, qui le traitait en 1395 de « très desloyault plant » (certainement comparé au pinot), il s'adapte pourtant à de nombreux sols et prospère sous des climats très divers ; en France, il couvre près de 33 000 ha. Remarquablement bien adapté aux sols du Beaujolais, ce cépage à port retombant doit, durant les dix premières années de sa culture, être soutenu ; d'où les parcelles avec échalas que l'on peut observer dans le nord de la région.

Le pinot noir demeure autorisé dans la limite de 15 % jusqu'à la récolte 2024 ; l'usage d'incorporer en mélange dans les vignes quelques plants de pinots noir et gris, de chardonnay, de melon et

Le Beaujolais

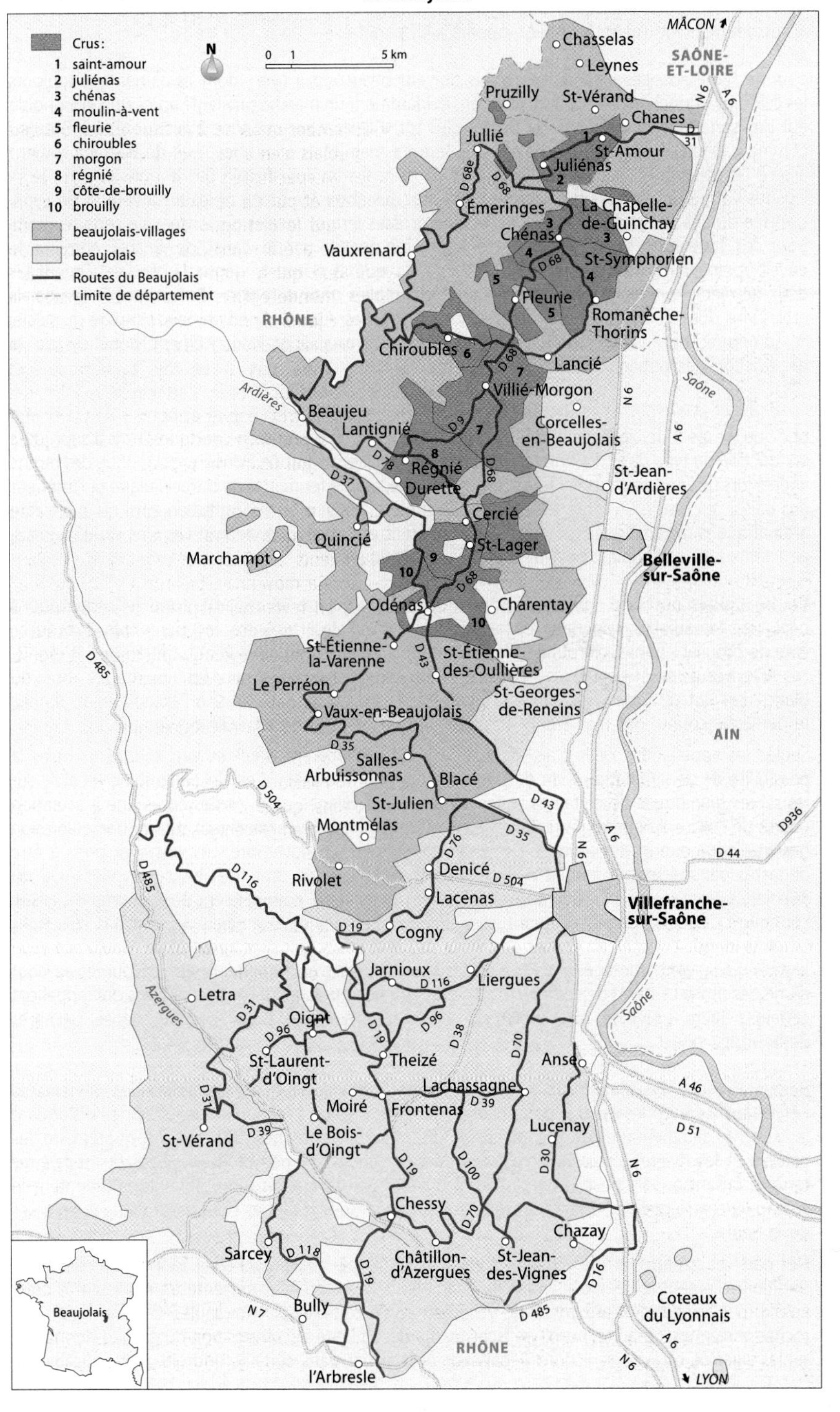

d'aligoté reste aussi admis. Le Beaujolais produit également des blancs, issus du chardonnay et accessoirement de l'aligoté, cépage appelé à disparaître.

L'orbite lyonnaise Les vins du Beaujolais doivent beaucoup à Lyon, dont ils alimentent toujours les célèbres « bouchons » et où ils trouvèrent évidemment un marché privilégié après que le vignoble eut pris son essor au XVIIIᵉs. Deux siècles plus tôt, Villefranche-sur-Saône avait succédé à Beaujeu comme capitale du pays, qui en avait pris le nom. Habiles et sages, les sires de Beaujeu avaient assuré l'expansion et la prospérité de leurs domaines, stimulés en cela par la puissance de leurs illustres voisins, les comtes de Mâcon et du Forez, les abbés de Cluny et les archevêques de Lyon. L'entrée du Beaujolais dans l'étendue des cinq grosses fermes royales dispensées de certains droits pour les transports vers Paris (qui se firent longtemps par le canal de Briare) entraîna le développement rapide du vignoble. C'est au XXᵉs. que sa notoriété gagna la capitale. Durant les deux dernières guerres, des journalistes parisiens repliés dans la région découvrirent le Beaujolais et ses vins dont ils se firent les promoteurs enthousiastes. Au cours de la seconde moitié du siècle, la communication active autour du beaujolais nouveau, dont le lancement bénéficia de la bénédiction des pouvoirs publics, fit le reste.

La vinification beaujolaise Une majorité de vins rouges du Beaujolais sont élaborés selon le même principe : respect de l'intégralité de la grappe associé à une macération courte (de trois à sept jours en fonction du type de vin). Cette technique combine la fermentation alcoolique classique des moûts libérés lors de l'encuvage, pour 10 à 20 % du volume, et une fermentation intracellulaire (à l'intérieur des baies) qui assure un fruité spécifique. Elle confère aux vins une constitution ainsi qu'une trame aromatique caractéristiques, exaltées ou complétées en fonction du terroir. Les vins du Beaujolais, peu tanniques et souples, sont frais et très aromatiques.

Du beaujolais nouveau aux crus La production beaujolaise se répartit entre les appellations beaujolais, beaujolais supérieur et beaujolais-villages, ainsi qu'entre les dix « crus » : brouilly, côte-de-brouilly, chénas, chiroubles, fleurie, morgon, juliénas, moulin-à-vent, saint-amour et régnié. Les AOC beaujolais et beaujolais-villages peuvent être revendiquées pour les vins rouges, rosés ou blancs. Les autres appellations sont réservées aux vins rouges. Les crus, à l'exception du régnié, le dernier reconnu, ont légalement la possibilité d'être déclarés en AOC bourgogne.

Seules les appellations beaujolais et beaujolais-villages ouvrent pour les vins rouges et rosés la possibilité de dénomination « vin de primeur » ou « vin nouveau ». Ces vins, à l'origine récoltés sur les sables granitiques de certaines zones de beaujolais-villages, sont vinifiés après une macération courte de l'ordre de quatre jours, favorisant le caractère tendre et gouleyant du vin, une coloration pas trop soutenue et des arômes. Dès le troisième jeudi de novembre, ces vins sont prêts à être dégustés dans le monde entier. À partir du 15 décembre, ce sont tous les autres vins AOC du Beaujolais, dont les « crus » qui, après analyse et dégustation, commencent à être commercialisés, l'optimum de leurs ventes se situant après Pâques. Les vins du Beaujolais ne sont pas faits pour une très longue conservation ; mais si, dans la majorité des cas, ils sont appréciés au cours des deux années qui suivent leur récolte, de très belles bouteilles peuvent cependant être savourées au bout d'une décennie. L'intérêt de ces vins réside dans la fraîcheur et la finesse des parfums qui rappellent certaines fleurs – pivoine, rose, violette, iris – et aussi quelques fruits – abricot, cerise, pêche et petits fruits rouges.

Beaujolais nord, Beaujolais sud Géologiquement, le Beaujolais a subi les effets des plissements hercyniens à l'ère primaire et alpin à l'ère tertiaire. Ce dernier a façonné le relief actuel, disloquant les couches sédimentaires du secondaire et faisant surgir les roches primaires. Au quaternaire, les glaciers et les rivières s'écoulant d'ouest en est ont creusé de nombreuses vallées et modelé les terroirs, faisant apparaître des îlots de roches dures résistant à l'érosion, qui compartimentent le coteau viticole, lequel, tel un gigantesque escalier, regarde le levant et vient mourir sur les terrasses de la Saône.

De part et d'autre d'une ligne virtuelle passant par Villefranche-sur-Saône, on distingue traditionnellement le Beaujolais nord du Beaujolais sud. Le premier présente un relief plutôt doux aux formes arrondies et aux fonds de vallon en partie comblés par des sables. C'est la région des roches anciennes : granite, porphyre, schiste, diorite. La lente décomposition du granite donne des sables siliceux, ou « gores », dont l'épaisseur peut varier dans certains endroits d'une dizaine de centimètres à plusieurs mètres, sous la forme d'arènes granitiques. Ce sont des sols acides, filtrants et pauvres. Ils retiennent mal les éléments fertilisants en l'absence de matière organique, sont sensibles à la sécheresse mais faciles à travailler. Avec les schistes, ce sont les terrains privilégiés des appellations locales et des beaujolais-villages. Le deuxième secteur, caractérisé par une plus grande proportion de terrains sédimentaires et argilo-calcaires, est marqué par un relief un peu plus accusé. Les sols sont plus riches en calcaire et en grès. C'est le secteur des Pierres dorées, dont la couleur, qui vient des oxydes de fer, donne aux constructions un aspect chaleureux. Les sols sont plus riches et gardent mieux l'humidité. C'est la zone de l'AOC beaujolais. Ces deux entités, où la vigne prospère entre 190 et 550 m d'altitude, ont comme toile de fond le haut Beaujolais constitué de roches métamorphiques plus dures et couvert à plus de 600 m par des forêts de résineux alternant avec des châtaigniers et des fougères. Les meilleurs terroirs, orientés sud-sud-est, sont situés entre 190 et 350 m.

Des exploitations familiales L'une des caractéristiques du vignoble beaujolais, héritée du passé mais toujours vivante, est le métayage : la récolte et certains frais sont partagés par moitié entre l'exploitant et le propriétaire, ce dernier fournissant les terres, le logement, le cuvage avec le gros matériel de vinification, les produits de traitement, les plants. Le métayer, qui possède l'outillage pour la culture, assure la main-d'œuvre, les dépenses dues aux récoltes, le parfait état des vignes. Les contrats de métayage intéressent encore 25 % des surfaces, alors que l'exploitation directe représente 30 %, et le fermage 45 %. Il n'est pas rare de trouver des exploitants à la fois propriétaires de quelques parcelles et métayers. Les exploitations types du Beaujolais s'étendent sur 7 à 10 ha. Elles sont plus petites dans la zone des crus, où le métayage domine, et plus grandes dans le sud, où la polyculture est omniprésente. Dix-huit caves coopératives dans le Rhône et trois en Saône-et-Loire vinifient 30 % de la production. Éleveurs et expéditeurs locaux assurent près de 80 % des ventes. Ce sont les premiers mois de la campagne, avec la libération des vins nouveaux, qui marquent l'économie régionale. Près de 50 % de la production sont exportés, essentiellement vers la Suisse, l'Allemagne, la Belgique, le Luxembourg, la Grande-Bretagne, les États-Unis, les Pays-Bas, le Danemark, le Canada, le Japon, la Suède et l'Italie.

Beaujolais et beaujolais supérieur

Superficie : 7 000 ha
Production : 317 500 hl (97 % rouge et rosé)

L'appellation beaujolais fournit près de la moitié de la production du vignoble et près de 75 % des primeurs ; elle est principalement localisée au sud de Villefranche. A côté des vins rouges et rosés, quelques blancs sont élaborés à partir du chardonnay, notamment dans le canton de La Chapelle-de-Guinchay, zone de transition entre les terrains siliceux des crus et ceux, calcaires, du Mâconnais. Dans le secteur des Pierres dorées, au sud de Villefranche et à l'est du Bois-d'Oingt, les vins rouges ont des arômes plus fruités que floraux, parfois nuancés de pointes végétales ; colorés, charpentés, un peu rustiques, ils se conservent assez bien. Dans la partie haute de la vallée de l'Azergues, vers l'ouest, on retrouve les roches cristallines qui donnent des vins avec de la mâche et des accents minéraux, ce qui les fait apprécier un peu plus tardivement. Enfin, les zones plus en altitude offrent des vins vifs, plus légers en couleur, mais aussi plus frais les années chaudes. Le beaujolais supérieur ne provient pas d'un terroir délimité spécifique ; il est surtout produit dans l'AOC beaujolais. L'appellation peut être revendiquée pour des vins dont les moûts présentent, à la récolte, une richesse en équivalent alcool de 0,5 % vol. supérieure à ceux de l'AOC beaujolais, les raisins provenant de parcelles sélectionnées et contrôlées avant la récolte.

Tous ces vins sont dégustés traditionnellement dans les « pots » beaujolais, flacons de 46 cl à fond épais qui garnissent les « bouchons » lyonnais. Ils s'accordent parfaitement avec les cochonnailles locales, grattons, tripes, boudin, cervelas, saucisson ; les blancs se plairont sur un gratin de quenelles lyonnaises. Quant aux primeurs, ils s'accorderont particulièrement avec des cardons à la moelle ou des pommes de terre gratinées avec des oignons.

Dans cette partie du vignoble, l'habitat est dispersé et l'on admirera l'architecture des maisons vigneronnes : l'escalier extérieur donne accès à un balcon à auvent et à l'habitation, au-dessus de la cave située au niveau du sol. À la fin du XVIIIe s., on construisit de grands cuvages extérieurs à la maison de maître. Celui de Lacenas, dépendance du château de Montauzan, abrite la confrérie des Compagnons du beaujolais, créée en 1947. Une autre confrérie, les Grappilleurs des Pierres dorées, anime depuis 1968 de nombreuses manifestations beaujolaises.

Beaujolais

DOM. D'AMARINE 2011 *

2 200	5 à 8 €

C'est dans le pays des Pierres dorées, sur la route fleurie du Beaujolais, que vous trouverez le petit vignoble de Patrick Rollet, qui voit deux de ses beaujolais sélectionnés. Ce blanc au nez mûr (agrumes, mangue) et à la bouche ronde et friande dévoile une longue finale fruitée. Idéal dès cette année sur un poulet au curry. Pimpant et fruité, le **rouge 2011 (5 000 b.)** est cité pour son nez de bonbon et sa bouche fine et nette.

Dom. d'Amarine, Patrick Rollet, 69620 Saint-Vérand, tél. 04.74.71.64.21, rolletpatrick@wanadoo.fr r.-v.

DOM. DE BOIS DIEU 2011 *

1 200	- de 5 €

Chantal Baratin a déjà plusieurs sélections à son actif depuis qu'elle a repris le domaine familial en 2008. Elle a vendangé à la main les 40 ares de gamay à l'origine de ce rosé friand et aromatique. La robe saumonée annonce un nez délicat de fleurs blanches et de bonbon anglais. La bouche fruitée, souple et légère compose un vin de plaisir à apprécier sur des salades composées.

Chantal Baratin, 389, chem. des Sapins, 69400 Liergues, tél. 06.87.24.92.25, domainedeboisdieu@free.fr
t.l.j. sf lun. 9h-12h 14h30-19h

DOM. DU BOIS DU JOUR Bouquet de vieilles vignes 2010

5 800	5 à 8 €

Ces vieilles vignes représentent une des cuvées phares du domaine. Elles affichent une respectable moyenne d'âge de soixante-cinq ans et ont donné un vin gourmand au nez de fruits rouges confiturés. À la fois vif et rond en bouche, ce 2010 a la nervosité du millésime. On le dégustera dès aujourd'hui.

Gilles Carreau, Lachanal, 69640 Cogny, tél. 04.74.67.41.40, carreau.gilles@orange.fr r.-v.

CH. DE BUFFAVENT Vieilles Vignes 2010 *

2 000	5 à 8 €

Denis Chilliet est décidément à son aise avec le millésime 2010 : après avoir obtenu un coup de cœur pour son beaujolais rouge dans la dernière édition, il revient avec un blanc né de vignes de soixante-dix ans. L'acidité du chardonnay, préservée grâce à la fraîcheur du millésime, a permis à ce vin d'affronter un élevage en fût d'un an. Le nez discret évoque la vanille, tout comme la bouche, fine et ronde. Cette bouteille pourra attendre encore un an ; elle accompagnera alors une sole meunière.

GFA du Ch. de Buffavent, 855, rte de Buffavent, 69640 Denicé, tél. et fax 09.52.78.50.50, chateaudebuffavent@free.fr r.-v. 5
Denis Chilliet

CAROLINE ET JACQUES CHARMETANT Cuvée de Saint-Trys 2011

2 000	5 à 8 €

Saint-Trys, ainsi s'appelait le château autrefois réputé pour ses blancs qui a donné son nom à cette parcelle de chardonnay. Celle-ci représente 1 ha, soit un quart de la superficie du domaine, en conversion au bio. Après un élevage court (trois mois), le vin se montre aromatique : il offre un nez d'agrumes et d'amande, et une bouche citronnée. Souple et léger, il est prêt.

Jacques Charmetant, 19, chem. de la Borne, 69480 Pommiers, tél. 04.74.65.12.34, beaujolais-charmetant@orange.fr r.-v. 2

DOM. DE CHARVERRON Authentique 2010

3 000	5 à 8 €

Didier Roudon a la chance de posséder 1,5 ha de vignes âgées de soixante-dix ans à l'origine de sa cuvée Authentique. Son credo : « ni chaptalisé ni filtré ». Ici, il présente un vin un peu « brut de décoffrage », ce qui fait partie de son charme. Nez de fruits noirs et de cuir, bouche nette, tanins présents, ce beaujolais s'affirme. La matière est ronde, et un dégustateur lui trouve un « côté dodu » bien agréable.

Didier Roudon, Le Guillon, 69620 Létra, tél. 04.74.71.38.98, didier.roudon@numericable.com
r.-v. B

CH. DU CHATELARD Cuvée Secret de chardonnay 2010 *

7 500	5 à 8 €

Sylvain Rosier va-t-il entamer une troisième vie, après une première de directeur général des régies NRJ, puis une deuxième de « gentleman-vigneron » ? Il a vendu sa propriété à Georges Dubœuf durant l'été 2011, et c'est désormais une œnologue, Aurélie de Vermont, qui reprend le flambeau. Ce chardonnay sera donc le dernier sous le nom de Rosier. Nez discret de fleurs et de fruits blancs, bouche franche et élégante, vive et fruitée : idéal pour accompagner un saumon grillé.

SCEA Ch. du Chatelard, 307, rue du Chatelard, 69220 Lancié, tél. 04.74.04.12.99, fax 04.74.69.86.17, ch-chatelard@free.fr
t.l.j. sf sam. dim. 8h-12h 13h30-18h; f. 1er-15 août
Georges Dubœuf

CLOCHEMERLE 2011 *

90 000	5 à 8 €

Christophe Coquard est un fils de vigneron qui a créé son négoce en 2005. Son style : vendanges manuelles, petites cuvées, levures indigènes... Cet artisan-négociant commercialise une cuvée Clochemerle au nez de framboise, ponctué de nuances amyliques. Tendre à l'attaque, la bouche confirme cette expression aromatique sur les fruits rouges et le bonbon anglais. Le **juliénas Maison Coquard 2011 (60 000 b.)** obtient lui aussi une étoile pour son bouquet de violette et de fruits noirs, ainsi que pour sa trame tannique fondue, équilibrée.

Maison Coquard, hameau Le Boitier, 69620 Theizé, tél. 04.74.71.11.59, fax 04.74.71.11.60, contact@maison-coquard.com r.-v.

OLIVIER COQUARD 2010 *

6 655	5 à 8 €

Depuis l'an dernier, l'exploitation d'Olivier Coquard a rejoint un réseau de fermes Écophyto, vitrine de techniques novatrices en matière de limitation des intrants phytosanitaires. Gageons que les productions à venir seront aussi réussies que ce chardonnay 2010. Sa marque de fabrique, c'est un style mûr et opulent, avec des parfums de cire d'abeille et de miel d'acacia. Un court élevage en fût (six mois) apporte du gras et de légères sensations vanillées. Cité, le **rouge 2011 (14 000 b.)** dévoile des arômes de fruits noirs dans un ensemble puissant et charnu.

Olivier Coquard, 285, chem. de la Cheville, 69480 Pommiers, tél. 04.74.67.66.48, ocoquard@orange.fr r.-v.

DOM. DES CRÊTES Cuvée des Varennes Vieilles Vignes 2011 ★★

16 000 - de 5 €

Cette cuvée est en quelque sorte le porte-drapeau du domaine : 1,8 ha de vignes âgées de soixante-dix ans plantées sur un sol argilo-siliceux propice aux vins solides et aromatiques. Pour les vendanges 2011, Jean-François Brondel et son fils Sylvain ont choisi une macération courte (neuf jours). Ils en ont tiré un beaujolais aux reflets violet intense, qui étonne par la complexité de son bouquet où l'on distingue le kirsch, la pivoine et la réglisse. La bouche ample et fruitée se distingue par sa structure et sa rondeur : elle signe un beaujolais de garde, à découvrir dans deux ans sur une fondue bourguignonne.

EARL Brondel, 750, rte des Crêtes, Graves, 69480 Anse, tél. 04.74.67.11.62, fax 04.74.60.24.30, contact@domainedescretes.com t.l.j. sf dim. 17h-19h; sam. 9h-19h

DOM. DE LA CREUZE NOIRE La Perle blanche 2011 ★★

10 000 5 à 8 €

Si cette Perle blanche est née sur un sol argilo-calcaire qui rappelle le Mâconnais tout proche, sa marque de fabrique est aux antipodes du style bourguignon : c'est en effet un chardonnay pétulant qui « sauvignonne » presque au nez, livrant de fraîches notes d'agrumes et de pierre à fusil. La bouche, plus ronde et fruitée, séduit par sa richesse aromatique et sa persistance. Une bouteille à servir au cours des deux ans à venir sur une salade de chèvre chaud, ou même dès l'apéritif, pour elle-même.

Dominique et Christine Martin, La Creuze noire, 71570 Leynes, tél. 03.85.37.46.43, fax 03.85.37.44.17, martin.dcn@orange.fr t.l.j. sf dim. 8h-12h 14h-18h

CH. DE L'ÉCLAIR 2011

15 000 5 à 8 €

La Sicarex, un organisme de recherche qui anime la réflexion sur les techniques au vignoble et en cuverie, exploite un domaine de 19 ha. Le beaujolais rouge représente presque la moitié de sa production, avec 8 ha. Il est vinifié ici dans un style presque primeur. Le nez marie les fruits rouges frais à des nuances florales (pivoine, violette), et la bouche se montre souple et gouleyante. À déguster dès aujourd'hui.

Ch. de l'Éclair, 905, rue du Château-de-l'Éclair, 69400 Liergues, tél. 04.74.02.22.47, fax 04.74.02.22.49, sicarex@beaujolais.com r.-v.

Sicarex Beaujolais

EXPERT CLUB Cuvée Rosette 2011 ★

160 000 - de 5 €

La marque Expert Club rassemble une gamme de vins de toute la France, sélectionnée et vinifiée exclusivement pour les magasins Intermarché. Présenté par la maison de négoce Boissons, ce 2011 grenat au nez de petits fruits rouges est un beaujolais simple et efficace, équilibré, gras, aux saveurs fruitées légèrement confites. Il s'alliera à une assiette de charcuteries dès l'hiver 2012.

SPAL Boissons, 31, allée des Mousquetaires, Parc de Tréville, 91070 Bondoufle, tél. 01.69.64.23.23, fax 01.69.64.22.38

DOM. DE LA FEUILLATA Père Giraud 2011

3 000 - de 5 €

Bruno et Jean-Yves Rollet ont décroché un coup de cœur l'an dernier pour leur beaujolais blanc 2010 ; cette année, c'est ce rouge issu de vénérables vignes de quatre-vingt-quinze ans (ayant appartenu au Père Giraud) qui est retenu. Ce vin couleur cerise, au nez de grenadine et de confiture de fraises, montre un bel équilibre entre rondeur et fraîcheur. Il s'appréciera sans attendre sur une assiette de charcuterie.

Dom. de la Feuillata, Rollet Vignerons, 69620 Saint-Vérand, tél. et fax 04.74.71.74.53, domaine.feuillata@free.fr r.-v.

DOM. DE GRANDE FERRIÈRE 2010

10 000 - de 5 €

Martial Nesme est un passionné de mécanique et de vieux tracteurs, qu'il expose dans son domaine. Il aime aussi les vins à l'ancienne présentant, comme ce beaujolais, un nez discret de fruits rouges et une bouche bien définie, aux tanins assez vifs. Une alternative intéressante aux beaujolais typés « primeur ». À déguster à partir de 2013 sur un lapin en ratatouille niçoise.

Martial Nesme, 831, rte des Rochons, 69220 Saint-Jean-d'Ardières, tél. 04.74.66.18.92, fax 04.74.66.17.23, nesme.martial@wanadoo.fr t.l.j. 9h-12h 13h30-19h

VIGNOBLE GRANGE-NEUVE 2011

22 600 5 à 8 €

Autrefois, le domaine appartenait à un négociant qui vinifiait dans sa cuverie la production de plusieurs viticulteurs locaux. Aujourd'hui, Denis Carron y élabore ses propres vins, dont ce beaujolais 2011 élevé dix mois sous bois. Porté par une trame légère, ce beaujolais livre des arômes de cerise burlat, acidulés au nez et plus kirschés en bouche. Souple et équilibré, dans l'esprit d'un vin de plaisir, il se mariera avec des escalopes de veau Lucullus.

Denis Carron, chem. des Brosses, 69620 Frontenas, tél. 04.74.71.70.31, fax 04.74.71.86.30, carron-sebastien@gmail.com r.-v.

DOM. DE JARENTES 2010 ★★

4 200 - de 5 €

Georges Subrin n'est pas novice dans le métier : voilà plus de trente ans qu'il conduit ce domaine de 12 ha transmis dans sa famille depuis 1895. Or pâle, son beaujolais blanc de la colline des Jarentes présente un nez ouvert aux arômes caractéristiques de fruits exotiques (mangue, ananas) et joue d'un charme rond et aromatique. À la fois soyeux et persistant, il appelle des accords gastronomiques gourmands, tels une poularde ou un foie gras.

Georges Subrin, 1370, rte de Charnay, 69480 Morancé, tél. 04.78.43.67.69, beaujolaisgs@orange.fr t.l.j. 8h-12h 14h-20h

LONGESSAIGNE 2011

6 000 | - de 5 €

Guillaume Durdilly partage son activité de viticulteur entre le domaine de son père Pierre, au Bois-d'Oingt, et ce vignoble de 7 ha où il s'est installé en solo il y a cinq ans. Son 2011 plaît grâce à son nez concentré de fruits rouges et noirs. La bouche est ronde et souple, avec des tanins fondus et une finale sur une note de cerise. Cette bouteille pourra accompagner dès la sortie du Guide un gâteau de foies de volaille à la sauce tomate.

Guillaume Durdilly, Dom. de Longessaigne, Lambert-le-Haut, 69620 Sainte-Paule, tél. 06.74.63.57.82, fax 04.74.71.62.95, guillaumedurdilly@yahoo.fr r.-v.

DOM. DE LA MANTELLIÈRE Parfum d'iris 2011

5 000 | - de 5 €

Christophe Braymand a la modestie de ne pas signaler sur l'étiquette que de vénérables vignes (soixante-dix ans) sont à l'origine de ce joli parfum – même si le jury, en fait d'iris, perçoit plutôt à l'olfaction des fruits rouges et du pruneau, ce qui n'est pas pour lui déplaire. La bouche est souple à l'attaque, fraîche, et appelle juste quelques mois d'attente en cave pour arrondir sa finale.

Marie-Claire Braymand, chem. de Tanay, 69620 Légny, tél. 04.74.71.85.72 t.l.j. sf dim. 9h-19h

DOM. DU MARQUISON Clos de Rapetour 2010

8 000 | 5 à 8 €

Christian Vivier-Merle exploite 1,5 ha de gamay sur un terroir assez particulier de marnes et de calcaires à gryphées plus typiques de la Bourgogne que du Beaujolais. Il pratique une macération longue de vingt jours, peu courante elle aussi à ce niveau d'appellation, puis met le vin un an en fût. Loin du style primeur, voilà donc un rouge au nez chatoyant (pêche au sirop, cassis) et à la bouche longue, structurée par des tanins fins. Il pourra être gardé deux ans.

Christian Vivier-Merle, Dom. du Marquison, Les Verjouttes, 69620 Theizé, tél. 06.15.88.06.16, ncviviermerle@wanadoo.fr r.-v.

DOM. MATRAY Charme 2011 ★

4 000 | 5 à 8 €

Lilian et Sandrine Matray exploitent ensemble un domaine de 12 ha installé à Juliénas. Ils ont vendangé cette parcelle de 60 ares de chardonnay à la main et, comme il s'agit de jeunes vignes (dix ans), ils les ont vinifiées en gardant la main légère : quatre mois de cuve et, bien sûr, pas de fût. Le vin en ressort citronné à l'olfaction, avec des notes d'agrumes en bouche évoquant presque le sauvignon. Frais, souple et léger, il sera parfait à l'apéritif.

EARL Lilian et Sandrine Matray, Les Paquelets, 69840 Juliénas, tél. 04.74.04.45.57, fax 04.74.04.47.63, domaine.matray@wanadoo.fr t.l.j. 8h-20h

CH. DE MONTMELAS 2011

54 000 | 5 à 8 €

Sabine et Amaury d'Harcourt sont les descendants de la famille qui racheta ce domaine aux Bourbon en 1565. Ils exploitent aujourd'hui 10 ha de gamay et ils ont élaboré ce vin à la robe cerise intense et au nez de fruits rouges agrémenté de nuances amyliques. La bouche soyeuse est équilibrée par une fine pointe de vivacité. Un beaujolais gouleyant à apprécier, par exemple, avec du jambon cru.

EARL Les Verchères, Sabine et Amaury d'Harcourt, La Voisinée, 69640 Montmelas-Saint-Sorlin, tél. 04.74.67.41.24

DOM. DU MOULIN BLANC Vieilles Vignes 2010

5 000 | 5 à 8 €

Que ce soit en beaujolais rouge ou blanc, Alain Germain manque rarement le rendez-vous du Guide. La cuvée qu'il présente se targue, sur l'étiquette, de provenir de « vignes centenaires ». Les raisins ont passé douze mois en cuve pour offrir un bouquet expressif aux accents amyliques (cassis, bonbon anglais). La bouche souple, légère et « rieuse », comme la décrit un dégustateur, livre de plaisants arômes de groseille.

Alain Germain, Crière, 69380 Charnay, tél. 04.78.43.98.60, fax 04.78.43.99.62, domaine-du-moulin-blanc@wanadoo.fr r.-v.

DOM. DES PAMPRES D'OR Cuvée Vieilles Vignes 2010

5 000 | 5 à 8 €

C'est dans une cave voûtée du XIXe s. installée dans le sud du Beaujolais que Julien Perras a élevé ce 2010 issu de vignes âgées de cinquante-cinq ans. La macération traditionnelle beaujolaise a duré douze jours, et l'élevage six mois. Il en résulte un vin aux parfums de fruits à noyau, au palais franc et droit enrobé de notes kirschées. Il sera excellent avec un boudin noir, dès la sortie du Guide.

Dom. des Pampres d'or, rte de Châtillon, 69210 Nuelles, tél. 04.74.01.42.85, pampresdor@yahoo.fr r.-v.

Perras

LE PÈRE LA GROLLE 2011 ★★

100 000 | - de 5 €

Comme dans le précédent millésime, le Père la Grolle décroche deux étoiles ; il a même participé à la finale des coups de cœur. Sa riche expression aromatique mariant les fruits rouges à de plaisantes notes amyliques s'harmonise à merveille avec un palais gras et rond, à l'équilibre incontestable. Intense et persistant, ce beaujolais est une réussite pour la maison Pellerin et, indirectement, pour le groupe Jean-Claude Boisset, son propriétaire. À déguster d'ici deux ans sur une palette de porc. Autre marque du négoce, le **côte-de-brouilly Dom. de la Croix Saint-Cyprien 2011 (5 à 8 €; 24 000 b.)** obtient une étoile pour son nez charmeur (pivoine, gingembre, épices douces) et sa bouche ronde et vineuse. À attendre un an ou deux.

Pellerin Domaines et Châteaux, Le Pont-des-Samsons, 69430 Quincié-en-Beaujolais, tél. 04.74.03.46.17

DOM. DES PERELLES Cuvée Vieilles Vignes 2011

■ 3 000 ▮ - de 5 €

Frédéric Bonnepart exploite 2 ha de gamay âgé d'une soixantaine d'années sur un terroir argilo-calcaire propice aux vins souples et tendres. Une macération carbonique de douze jours lui a permis d'obtenir pour ce 2011 des parfums gourmands de petits fruits rouges, et une bouche souple et équilibrée. « Tout dans le fruit et la délicatesse », conclut un juré. À découvrir dès aujourd'hui.

EARL Bonnepart, Le Boitier, 69620 Theizé,
tél. 04.74.71.23.13, domainedesperelles@wanadoo.fr
r.-v.

DOM. DES PIERRES DORÉES 2011 ★

■ 60 000 ▮ - de 5 €

Ce domaine est vinifié et commercialisé par la cave du Bois-d'Oingt. Défini par sa méthode de vinification (macération préfermentaire à chaud pour 40 % de la vendange, le reste passant en macération semi-carbonique), ce 2011 se distingue par sa structure et sa richesse. Annoncé par des senteurs de petits fruits rouges, le palais montre une belle trame tannique, de la souplesse, et une certaine puissance. Autre beaujolais confié à la coopérative, le **Dom. Papillon 2011 rouge (80 000 b.)** est cité pour son gras et ses arômes marqués de cassis.

Dom. des Pierres dorées, Le Bois Virot, 69920 Le Breuil,
tél. 06.17.03.28.18, fax 04.74.71.74.29,
contact@vigneronsdespierresdorees.com
t.l.j. sf dim. 8h-12h

CH. DE PIZAY 2010 ★

25 000 5 à 8 €

Voici un nom bien connu des habitués du Guide, un domaine qui se distingue aussi bien en appellation beaujolais qu'en morgon. Cette année, c'est ici avec 3,5 ha de chardonnay, dont un tiers de la récolte a séjourné en fût de chêne, qu'il séduit le jury. Le vin exhale des parfums d'agrumes et de raisin sec, avant de montrer une bouche puissante, longue et délicatement boisée. Le **morgon 2011 (8 à 11 €; 110 000 b.)** est tout aussi charmeur et décroche également une étoile pour son nez de cassis et pour sa bouche ronde et soyeuse. Il sera à son apogée entre 2013 et 2014.

Ch. de Pizay, Pizay, 69220 Saint-Jean-d'Ardières,
tél. 04.74.66.26.10, fax 04.74.69.60.66,
contact@vins-chateaupizay.com
t.l.j. sf dim. 8h30-12h30 13h30-17h

DOM. DU PRESSOIR FLEURI 2011 ★★

4 000 ▮ 5 à 8 €

Franck Brunel n'est pas passé loin du coup de cœur avec ce beaujolais blanc aux discrètes nuances minérales, issu d'une petite parcelle de chardonnay vendangée assez tôt, le 26 août. Quelques reflets verts animent la robe d'où s'échappe un bouquet délicat de poire et de fleurs blanches. Ample et ronde, la bouche dévoile du gras et une longue finale qui promettent un bel avenir à cette bouteille. À garder deux ans en cave. Le **chiroubles 2010** est cité pour son nez floral, son attaque souple et sa trame légère.

Franck Brunel, Le Bourg, 69115 Chiroubles,
tél. 04.74.04.23.12, dom.pressoir.fleuri@terre-net.fr
t.l.j. 8h-19h

DOM. DE LA REVOL 2011 ★

3 000 ▮ - de 5 €

Voilà maintenant trente ans que Bruno Debourg a repris la propriété familiale installée dans la région des Pierres dorées. Il a vinifié son chardonnay à basse température pour en tirer un maximum de fruité. Objectif atteint avec ce beaujolais blanc au nez complexe de poire et de raisin sec, nuancé de fleurs blanches. Élégamment parfumée elle aussi, la bouche évoque la pêche blanche, avec une finale tout en finesse. Un vin souple et friand, à découvrir sans attendre.

Bruno Debourg, 824, rte du Beaujolais, 69490 Dareizé,
tél. 04.74.05.78.01, fax 04.74.05.66.40,
debourg.bruno@orange.fr r.-v.

DOM. ROMANY 2011 ★

■ 100 000 ▮ - de 5 €

La cave coopérative de Bully-Quincié commercialise des beaujolais rouges venus des deux extrémités du vignoble. Celui-ci plaît par son nez de framboise, de cerise griotte, et par son élégance, son équilibre et son fruité persistant en bouche. Il ravira les papilles dès aujourd'hui, sur des œufs en meurette. La cave propose aussi le **juliénas Les Croix rouges 2011 (5 à 8 €; 60 000 b.)**, distribué par les magasins Franprix. Très cassis, au nez comme en bouche, rond et d'une belle longueur, il décroche également une étoile.

Signé Vignerons, Le Ribouillon,
69430 Quincié-en-Beaujolais, tél. 04.37.55.50.10,
fax 04.37.55.50.39, contact@signe-vignerons.coop
r.-v.

NICOLAS ROMY 2011 ★★

■ 20 000 ▮ - de 5 €

S'il produit aussi du bourgogne blanc, c'est dans le chapitre « Beaujolais » du Guide que l'on trouve assez régulièrement le nom de Nicolas Romy. Aux commandes du domaine depuis 2003, ce dernier présente ici un gamay récolté tôt, dès le 28 août, et vinifié à la bourguignonne (pigeages quotidiens). Le résultat ? Un excellent « vin de terroir », aux dires des jurés unanimes. Son nez, encore discret, s'ouvre sur les fruits rouges et annonce une bouche étoffée, ronde et persistante, aux tanins présents mais enrobés. On l'appréciera dans deux ans, servi sur des côtes de porc grillées.

Nicolas Romy, 1090, rte de Saint-Pierre, 69480 Morancé,
tél. 06.68.09.36.50, nicolasromy@yahoo.fr r.-v.

ROTISSON Cuvée fruitée 2011

5 000 ▮ 5 à 8 €

Les occasions ne manquent pas pour venir découvrir le domaine que Didier Pouget s'efforce de faire connaître en organisant différentes manifestations (week-end consacré aux voitures anciennes, expositions de peinture...). Le fruit de son chardonnay se mêle à des notes vanillées. Ample et animé d'une belle fraîcheur, ce vin promet une évolution positive : on patientera donc un an avant de le servir sur des saint-jacques gratinées.

Dom. de Rotisson, rte de Conzy,
69210 Saint-Germain-sur-l'Arbresle, tél. 04.74.01.23.08,
fax 04.74.01.55.41, didier.pouget@domaine-de-rotisson.com
t.l.j. 9h-12h 14h30-17h30; dim. sur r.-v.
Didier Pouget

SAINT-PRÉ 2011 ★

■ 4 000 - de 5 €

La famille Coquard est installée au domaine des Terrasses de Saint-Pré depuis trois générations. Jean-Michel, le vigneron, a élaboré un 2011 au nez fruité marqué de bonbon anglais, qui rappelle à un dégustateur nostalgique le « beaujolais des années 1990 » qui fit la fortune de la maison Dubœuf. La bouche est tendre, friande, acidulée, avec toujours ce fond de bonbon parfumé. Une harmonie réussie, pour un plaisir immédiat. Le **blanc 2011 (5 à 8 € ; 3 000 b.)** est cité pour sa rondeur alliée à une vivacité citronnée.

Jean-Michel Coquard, 540, chem. du Neyra, 69480 Pommiers, tél. et fax 04.74.62.20.73, coquard.jean-michel@wanadoo.fr r.-v.

TERRA ICONIA 2011

■ 105 000 - de 5 €

La marque principale de la coopérative du Bois-d'Oingt, qui rend hommage aux terres d'Oingt, village classé parmi les plus beaux de France, se décline dans les trois couleurs. Cette année, le rouge et le rosé ont été cités par le jury. Souple et croquant, le premier offre une belle persistance d'arômes fruités et amyliques : cassis, bonbon anglais, fruits rouges acidulés. Le **rosé 2011 (10 600 b.)**, tendre et équilibré, s'appuie sur des notes de fraise.

Vignerons des Pierre dorées, 34, chem. des Coasses, 69620 Le Bois-d'Oingt, tél. 04.74.71.62.81, fax 04.74.71.81.08, contact@vigneronsdespierresdorees.com r.-v.

TERRES ET VINS Cuvée Élégance 2011 ★

■ 300 000 5 à 8 €

Terres et Vins est un négoce un peu particulier. Il associe neuf vignerons du Beaujolais, tous propriétaires de domaines conduits en lutte raisonnée et certifiés Terra Vitis, ainsi regroupés pour présenter, notamment à l'export, une production suffisante. Cette cuvée représente donc 80 ha. Rubis profond aux reflets violacés, elle livre d'intenses parfums de mûre et de myrtille, et dévoile une bouche puissante, étoffée, chaleureuse et complexe, sur les épices et les fruits rouges. À goûter dès cette année avec un pot-au-feu.

SARL Terres et Vins, 1324, rte de Saint-Fonds, 69480 Pommiers, tél. 04.74.67.66.48, contact@terres-et-vins.fr

♥ **DOM. DES TOURNIERS** B. de Lancié 2010 ★★

3 000 8 à 11 €

« Vigneron-caviste » : c'est écrit en gros sur la devanture de la boutique de Régis Bourgine, caviste à Courbevoie et vigneron avec son associé Marc-Henri Kugler à Lancié, dans ce domaine qu'ils ont tous les deux repris en 1999, « parce que quelques week-ends de vendanges chez les copains ne suffisaient plus ». Les deux hommes ont développé un style bourguignon assumé : bâtonnage des blancs et élevages sous bois systématiques. Ce chardonnay récolté en 2010 a ainsi passé dix mois dans des fûts de quatre à six vins. Son fruité généreux, solaire (abricot et raisin sec), se marie à merveille avec un palais rond, charnu et d'une longueur admirable. Il sublimera dès 2013 un sauté de veau au curry ou des quenelles de brochet.

Kugler-Bourgine, Dom. des Tourniers, Les Tourniers, 69220 Lancié, tél. et fax 04.74.04.12.67 r.-v.

CÉDRIC VINCENT Vieilles Vignes 2011

■ 10 000 5 à 8 €

Cédric Vincent a destiné à cette cuvée ses vignes d'une soixantaine d'années qui représentent presque la moitié de son petit domaine de 5 ha. Il a partiellement égrappé la récolte, l'a fait macérer longuement, à la bourguignonne, avant de l'élever trois mois en cuve. Le résultat ? Un vin au nez gourmand de fruits rouges (cerise) et à la structure de qualité, solide, encore un peu sévère en finale. À attendre deux ans.

Cédric Vincent, 272, chem. de Marduy, 69400 Pouilly-le-Monial, tél. 06.75.04.77.42, domainecvincent@gmail.com r.-v.

DOM. DU VISSOUX 2010 ★

15 000 5 à 8 €

Avec ses trois étoiles obtenues pour le précédent millésime et cette nouvelle sélection, le beaujolais blanc de Pierre-Marie Chermette confirme sa place de valeur sûre du domaine. Pourquoi plaît-il au jury ? Parce qu'il s'agit d'un chardonnay qui sent vraiment le chardonnay ; c'est-à-dire le tilleul, l'acacia et la pierre à fusil. D'un style sobre et classique, rond et élégant en bouche, il s'alliera dans quelques mois avec un tartare de saumon. En rouge, le **fleurie 2010 Poncié (8 à 11 € ; 30 000 b.)** obtient la même note pour ses touches épicées et sa finale soyeuse.

Pierre-Marie Chermette, Dom. du Vissoux, Le Vissoux, 69620 Saint-Vérand, tél. 04.74.71.79.42, fax 04.74.71.84.26, domaineduvissoux@chermette.fr r.-v.

Beaujolais-villages

Superficie : 5 185 ha
Production : 225 025 hl (99 % rouge et rosé)

Le beaujolais-villages provient de 38 communes situées au nord du vignoble, dans une zone comprise dans sa quasi-totalité entre la zone des beaujolais et celle des crus. Le mot « villages » a été adopté en 1950 pour remplacer la multiplicité des noms de communes qui pouvaient être ajoutés à l'appellation beaujolais sur l'étiquette aux fins de distinguer des productions considérées comme supérieures. Une écrasante majorité de producteurs a opté pour cette mention qui favorise la commercialisation, même si 30 communes – celles dont le nom ne correspond pas à celui d'un des crus – gardent le droit, pour éviter toute confusion, d'ajouter leur nom à celui de beaujolais.

Les beaujolais-villages se rapprochent des crus et en ont les contraintes culturales (taille en gobelet ou en éventail, cordon simple ou double charmet, degré initial des moûts supérieur de 0,5 % vol. à ceux des beaujolais). Originaires de sables granitiques, ils sont rouge vif, fruités, gouleyants : les têtes de cuvée des vins primeurs. Nés sur les terrains granitiques, plus en altitude, ils présentent une belle vivacité qui permet une consommation dans l'année, voire une petite garde. Entre ces deux extrêmes, toutes les nuances sont possibles, mais les vins allient toujours finesse, arômes et corps.

CH. DES ALOUETTES 2011 ★

■ 38 000 ■ 5 à 8 €

Justine Tête, qui a rejoint la maison Louis Tête en 2009, propose ici un vin de domaine né de 5,6 ha de gamay plantés sur la commune de Lantignié. Paré d'une robe rubis aux nuances fuchsia, ce beaujolais-villages livre de riches parfums de mûre et de confiture de framboises. Intense et long en bouche, il repose sur une matière légère et gouleyante qui appelle à l'apprécier dès aujourd'hui. Il en sera de même pour le **Dom. des Jumelles 2011 rouge (40 000 b.)**, au nez pimpant de groseille, qui obtient une citation.

Ch. des Alouettes, 69430 Lantignié, tél. 06.62.79.13.24
Justine Tête

AUJOUX Belle Grace 2011 ★

■ 100 000 ■ 5 à 8 €

Jean-Marc Aujoux voit deux des vins de son négoce retenus cette année par le Guide. Ce beaujolais-villages aux reflets violacés d'abord, qui séduit tant par son bouquet de groseille et de cassis d'une belle vivacité, que par sa bouche friande, empreinte de fraîcheur : parfait pour un mâchon de dix heures avec un saucisson. Et le **brouilly Dom. des Chevaliers 2011 (45 000 b.)**, une étoile également, un vin net et droit, aux arômes de fruits noirs concentrés, qui demandera deux ans de patience pour arrondir sa finale.

Les Vins Aujoux, La Bâtie,
71570 La Chapelle-de-Guinchay, tél. 03.85.23.83.50,
fax 03.85.23.83.71, ldenhaut@aujoux.fr

DOM. DU BREUIL 2011 ★★

■ 7 000 ■ 5 à 8 €

Les vacanciers auront ici le choix entre le confort d'un gîte rural ou la praticité d'une aire de camping-cars installée sur le domaine. Franck Large leur fera découvrir ce beaujolais-villages issu de vignes de cinquante ans. Les mots d'ordre du vigneron : culture raisonnée et tradition. Il vante notamment les mérites de la taille des vignes en gobelet, traditionnelle en Beaujolais, qui tend à disparaître. Ce vin, lui, a de l'avenir avec son nez de pêche de vigne, de cassis et de fraise, et sa bouche ample et soyeuse, équilibrée sur la fraîcheur. On le servira d'ici deux ans sur un saucisson au gène (cuit dans le marc de raisin).

Franck Large, rue du Breuil, 69460 Salles-Arbuissonnas,
tél. 04.74.60.51.00, fax 04.74.67.59.15,
francklarge@aliceadsl.fr r.-v.

PIERRE CHANAU 2011 ★

■ 108 000 ■ 5 à 8 €

La marque Pierre Chanau, anagramme du groupe Auchan, n'est vendue que dans les supermarchés de cette enseigne. Ce beaujolais-villages, produit spécialement par la maison Thorin, revêt une robe rubis brillant et offre un nez élégant de framboise et de cerise. La bouche, souple et équilibrée, aux tanins bien fondus, se fait gourmande. À apprécier dès aujourd'hui sur un lapin rôti.

Auchan, 200, rue de la Recherche,
59650 Villeneuve-d'Ascq, fax 04.74.69.09.75

NICOLAS CHEMARIN Les Vignes de Jeannot 2010 ★

■ n.c. 5 à 8 €

Nicolas Chemarin a élaboré cette cuvée à partir de vieilles vignes qui ont autrefois appartenu à l'un de ses ancêtres, Jean Chemarin, dit « Jeannot ». Mais il ne les a probablement pas vinifiées comme le faisait Jeannot, puisqu'il a choisi la méthode bourguignonne : éraflage et macération de quinze jours, puis élevage dans des fûts de trois à dix vins. Ce 2010 en ressort avec un nez complexe : pivoine, tabac frais, framboise, groseille et épices douces. La bouche, élégante, ronde et souple, s'alliera à merveille dans un an ou deux avec un bœuf bourguignon.

Nicolas Chemarin, Les Villiers, 69430 Marchampt,
tél. 04.74.69.02.19, nicolas.chemarin969@orange.fr
r.-v.

DOM. DU CHIZEAUX 2011

■ 4 600 ■ 5 à 8 €

Coup de cœur dans le millésime 2009, cette cuvée d'Alain Nesme – issue de vignes de quarante ans vendangées à la main – refait son apparition dans le Guide. Nuancée de reflets pourpres, elle exprime au nez des notes de fraise et surtout de cassis. La bouche attaque en rondeur, sur les petits fruits rouges, et finit avec netteté, portée par des tanins soyeux. Un vin frais et moderne, à boire sur son fruit, en 2013.

Alain Nesme, Cherves, 69430 Quincié-en-Beaujolais,
tél. et fax 04.74.04.35.81, alain.nesme6@orange.fr
r.-v.

DOM. DU COTEAU DES CHARMES 2010

3 000 5 à 8 €

Encore une fois au rendez-vous du Guide, Sylvie et Jean-Luc Dupeuble ont vendangé une petite parcelle (40 ares) de chardonnay, dont ils ont élevé la récolte dans une cuverie modernisée. Le résultat ? Un vin or pâle qui marie au nez les fruits blancs confits à l'aubépine. Le palais, rond, fruité et persistant, conserve une belle fraîcheur. À déguster sans attendre, à l'apéritif.

Sylvie et Jean-Luc Dupeuble, Changy,
69820 Vauxrenard, tél. et fax 04.74.69.90.01,
dupeuble.domaineducoteaudescharmes@wanadoo.fr
r.-v.

DOM. DES COTEAUX DE ROMARAND 2010 ★

■ 4 000 ■ 5 à 8 €

Installée sur le lieu-dit Romarand depuis quatre générations, la famille Verchere s'est convertie à la lutte raisonnée en l'an 2000. Elle consacre 2 ha de gamay à ce beaujolais-villages d'un rouge cerise animé de reflets pourpres. Le nez ouvert sur le cassis, annonce une bouche puissante, ample et ronde, qui évoque elle aussi les fruits noirs. On attendra un an ou deux avant d'ouvrir cette bouteille sur un plateau de fromages. Les Verchere ont aussi vendangé du chardonnay pour élaborer le **2010 blanc (2 200 b.)** qui reçoit une citation. Ce vin se distingue par un bouquet complexe de noisette, de poire et de fleurs blanches.

Verchere, Romarand, 69430 Quincié-en-Beaujolais, tél. et fax 04.74.04.33.22, paverchere@wanadoo.fr
r.-v. 3

GEORGES DESPRÉS ET FILS 2011

3 500	5 à 8 €

Disposant d'un vignoble de 15 ha, le domaine de Georges Després se voit cité cette année dans deux couleurs. En blanc, avec ce chardonnay au nez fin et floral, dont la bouche équilibrée, encore un peu vive en finale, appelle un à deux ans de garde. Et en rouge, avec le **Dom. du Bois de la Bosse 2011 rouge (moins de 5 € ; 10 000 b.)**, aux parfums de framboise et de groseille, d'un style plutôt strict, à carafer et à servir sur du fromage de tête.

EARL Georges Després, Le Vernay, 69460 Saint-Étienne-des-Oullières, tél. 04.74.03.48.98, georges.despres@wanadoo.fr r.-v.

DOM. DE FORÉTAL 2011

11 000	5 à 8 €

Chambres d'hôtes et gîte d'étape, Jean-Yves Perraud a tout prévu pour vous accueillir dans sa verte région où vous pourrez notamment parcourir le sentier viticole tout proche. Il vous fera découvrir son beaujolais-villages vinifié en macération carbonique, avec pigeages et remontages pour extraire le plus de couleur possible. Un vin violacé donc, au nez de cassis et de cerise noire, ample et riche en bouche. À déguster dans deux ans sur un fromage à pâte molle.

Dom. de Forétal, Forétal, 69820 Vauxrenard, tél. et fax 04.74.69.97.48, jyperraud@wanadoo.fr
t.l.j. 9h-12h30 14h-19h 1 A
Perraud

DOM. DES GRANDES BRUYÈRES 2011 *

30 000	5 à 8 €

Jean-Pierre Teissèdre exploite un domaine de 20,5 ha dont la moitié est dévolue à cette cuvée de vieilles vignes (cinquante ans) issue de raisins en conversion vers la culture biologique. Le nez encore timide exprime quelques nuances fumées, mais c'est surtout la bouche qui s'affirme aujourd'hui. On y décèle une charpente solide et une matière puissante, qui appellent un vieillissement de deux ans en cave : ainsi les arômes se révéleront, tandis que les tanins s'assagiront.

les Vins Jean-Pierre Teissèdre, Les Grandes-Bruyères, 69460 Saint-Étienne-des-Oullières, tél. 04.74.03.48.02, fax 04.74.03.46.30, jp-teissedre.earl@wanadoo.fr
t.l.j. 9h-12h 14h-18h; sam. dim. sur r.-v.; f. août

CH. GRAND'GRANGE La Cascade 2010

1 600	5 à 8 €

Pour leur deuxième millésime, les Danois Per-Hakon Schmidt et Marianne Philip n'ont pas changé leur recette gagnante (deux vins « étoilés » l'an passé) : avec l'œnologue Caroline Porcher, ils ont décidé d'érafler une bonne partie de la récolte afin de pousser la cuvaison à vingt-cinq jours et d'extraire une bonne matière. Leur vin livre au nez de plaisantes touches de fruits rouges avant de dévoiler une bouche, équilibrée, ample et ronde, à la longue finale fruitée. Il est prêt.

Ch. Grand'Grange, La Grand'Grange, 69460 Le Perréon, tél. 06.37.24.39.79, chateau.grand.grange@orange.fr
r.-v.
P.-H. Schmidt

DOM. DU GRANIT BLEU 2011 *

12 000	5 à 8 €

Jocelyne et Jean Favre ont récolté tôt (le 26 août) 2,8 ha de gamay qu'ils ont séparé en deux lots : l'un est allé directement dans la cuve en macération carbonique, selon la méthode typique, l'autre a été chauffé pour en extraire ce parfum de cassis qui caractérise les vinifications modernes. Le résultat ? Un vin gourmand au nez encore discret (fruits rouges), à la bouche élégante et soyeuse, d'un beau volume. À servir sur des grillades, dès la sortie du Guide.

Jocelyne et Jean Favre, Dom. du Granit bleu, Le Perrin, 69460 Le Perréon, tél. et fax 04.74.03.20.90, granit-bleu@wanadoo.fr r.-v. B

DOM. DU GUELET 2010 **

10 000	5 à 8 €

C'est dans une cave en pierres dorées typique du Beaujolais que vous pourrez découvrir ce beaujolais-villages que Christine et Didier Puillat ont élaboré avec soin : sélection de vignes d'une cinquantaine d'années plantées en coteau, vendanges manuelles et vinification en macération semi-carbonique classique. Le bouquet se fait séducteur, mariant en harmonie le cassis, la pivoine et les épices douces. La bouche, non moins élégante, affiche du volume, de la fraîcheur et des tanins soyeux qui soutiennent une longue finale fruitée. À déguster dès aujourd'hui ou d'ici deux ans sur une belle côte de bœuf.

Christine et Didier Puillat, Le Fournel, 69640 Rivolet, tél. 04.74.67.34.05, domaine-du-guelet@free.fr r.-v.

DOM. HAMET-SPAY Vers l'Église 2010

7 000	5 à 8 €

« Beaujolais St-Amour blanc », affiche l'étiquette. Il s'agit en fait d'un vin de l'AOC beaujolais-villages, dont les vieilles vignes de chardonnay (soixante-dix ans) entourent l'église de Saint-Amour. Christophe Spay et sa sœur Rachel Hamet ont tiré de ce cépage un 2010 au fruité exubérant et surprenant par ses accents presque muscatés (melon, fruits exotiques). La bouche fruitée et onctueuse, à la finale miellée, confirme cette expression intense et originale.

Dom. Hamet-Spay, Le Platre-Durand, 71570 Saint-Amour-Bellevue, tél. et fax 03.85.37.15.42, info@hamet-spay.fr t.l.j. sf dim. 9h-12h 14h-19h

DOM. DES HAYES 2011

20 000	5 à 8 €

Récoltée dès la fin août sur les coteaux granitiques du Perréon, au sud de Beaujeu, cette cuvée s'affiche dans une robe légère parcourue de reflets roses. Le nez ne se livre pas au premier abord, mais il libère à l'aération quelques notes amyliques et des nuances de cassis. La bouche, soyeuse et gourmande, se dévoilera dès cette année sur un saucisson à cuire.

EARL Pierre Deshayes, Les Grandes-Vignes, 69460 Le Perréon, tél. 04.74.03.25.47, fax 04.74.03.23.90, domainedeshayes@wanadoo.fr r.-v.

DOM. LAGNEAU 2011 ★

19 000 | 5 à 8 €

Le beaujolais-villages du domaine Lagneau n'est pas inconnu des fidèles lecteurs du Guide, puisqu'il a été élu coup de cœur à plusieurs reprises, récemment dans les millésimes 2007 et 2008. Ses vignes en coteaux sont exposées au sud-est, face à la plaine de la Saône. La version 2011 ne démérite pas : elle offre un bouquet complexe de mûre, d'épices douces et de pivoine, suivi d'une bouche fraîche et équilibrée, sur les fruits rouges et le cassis. À déguster l'an prochain avec une poule au pot.

Gérard et Jeannine Lagneau, Huire, 69430 Quincié-en-Beaujolais, tél. 04.74.69.20.70, fax 04.74.04.89.44, jealagneau@wanadoo.fr t.l.j. sf dim. 9h-12h 14h-19h

CHRISTIAN MIOLANE Collection Rosé 2011 ★

2 300 | 5 à 8 €

Voici le seul rosé de l'appellation retenu par les dégustateurs du Guide cette année. Il s'agit d'une micro-cuvée de Christian Miolane, issue de 30 ares de gamay. Sa brillante robe saumonée annonce un nez pétulant de bonbon et de fleurs, et une bouche à la fois ronde et fraîche, aux accents fruités (fraise, poire, grenadine). C'est un vin élégant et aromatique, à apprécier dès l'apéritif.

Christian Miolane, La Folie, 69460 Salles-Arbuissonnas, tél. 04.74.67.52.67, fax 04.74.67.59.95, contact@domainemiolane.com r.-v.

DOM. MONTERNOT Les Jumeaux Fruit et terroir 2011 ★

12 200 | 5 à 8 €

Jacky et Bernard Monternot sont les deux frères jumeaux à la tête de ce domaine. « Fruit et terroir » est leur cuvée phare, qui a d'ailleurs décroché deux étoiles dans le millésime précédent. En 2011, les vendanges ont eu lieu dès le 24 août afin de conserver de la fraîcheur et de la netteté au fruit. Il en résulte un vin au nez floral intense, agrémenté de nuances de fruits confits. Ce caractère aromatique se retrouve dans une bouche longue et harmonieuse. À ouvrir dans un an sur une ratatouille niçoise.

GAEC J. et B. Monternot, Les Places, 69460 Blacé, tél. 04.74.67.56.48, fax 04.74.60.51.13, domainemonternot@orange.fr r.-v.

DOM. PARDON Cuvée de l'Ermitage 2011

8 000 | - de 5 €

Si Éric Pardon est négociant, il conduit aussi le domaine familial d'où est issue cette cuvée née de 4 ha de gamay plantés au lieu-dit L'Ermitage. Il a travaillé ce vin en macération carbonique courte (huit jours), puis six mois en cuve, pour obtenir des arômes pimpants et fruités. Framboise et groseille se bousculent en effet au nez puis en bouche, où elles animent une matière fine et gouleyante.

Pardon et Fils, La Chevalière, 69430 Beaujeu, tél. 04.74.04.86.97, fax 04.74.69.24.08, pardon-fils.vins@wanadoo.fr t.l.j. sf sam. dim. 8h-12h 13h30-18h; f. août

GÉRARD ET MARLYSE PERRIER 2011 ★★

5 000 | 5 à 8 €

Gérard Perrier réussit comme dans le précédent millésime à tirer de son gamay les arômes délicats et floraux (pivoine) qui avaient valu une étoile à ce beaujolais-villages dans sa version 2010. Le bouquet s'enrichit cette année de nuances fruitées : framboise et griotte. La bouche complexe, fraîche et élégante laisse imaginer un accord harmonieux avec un rôti de porc Orloff, dès 2013. Une étoile revient au **2011 blanc Charmes de Steven (1 200 b.)**, qui présente un nez d'agrumes et de groseille blanche. Gras et rond en bouche, ce vin sera à l'aise sur une terrine de volaille.

Marlyse et Gérard Perrier, Les Saules, 69430 Lantignié, tél. et fax 04.74.04.88.93, marlyper@wanadoo.fr t.l.j. 9h-19h

DOM. DES PINS 2011 ★

1 000 | 5 à 8 €

Deux microcuvées qui présentent, à première vue, la même étiquette mais qui sont signées de deux vignerons différents. Portant le nom de David Gobet, celle-ci évoque au nez les fruits rouges (cerise). La bouche fait parler le terroir granitique de Lantignié : elle présente un équilibre très apprécié entre les notes minérales et fruitées. Structuré et gourmand, ce 2011 pourra accompagner dans un an un pigeon aux petits pois. De son côté, Jean-Claude Gobet propose, sous le même nom de domaine, un **rouge 2011 (500 b.)** sur les fruits noirs, peut-être un peu plus sévère en finale. Il obtient la même note.

David Gobet, Les Pins, 69430 Lantignié, tél. et fax 04.74.69.22.10, david.gobet@davidgobet.fr r.-v.

DOM. DE SAINT-ENNEMOND 2011 ★★

12 000 | 5 à 8 €

Comme dans le millésime 2009, le beaujolais-villages de Christian Béréziat a charmé les dégustateurs du Guide. Né de ceps de gamay d'un âge vénérable (soixante-cinq ans en moyenne), il a passé six mois en cuve. Sa séduction opère dès le premier nez, qui se montre puissant, chaleureux, sur les fruits noirs et rouges bien mûrs (myrtille, cassis, cerise). La bouche charnue prend le relais, dévoilant elle aussi un caractère vineux et une remarquable matière. Un « vin de référence », selon le jury, à savourer d'ici trois ans sur un rôti de veau. Le **brouilly 2011 Vieilles Vignes (8 à 11 € ; 15 000 b.)**, net, rond et fruité, obtient une étoile.

Christian Béréziat, Dom. de Saint-Ennemond, 69220 Cercié, tél. 04.74.69.67.17, fax 04.74.69.67.29, saint-ennemond@orange.fr r.-v.

CELLIER DES SAINT-ÉTIENNE 2011 ★

7 000 | 5 à 8 €

Avant leur fusion, les deux coopératives s'appelaient chacune « Saint-Étienne », l'une suivie de « de La Varenne », l'autre « des Oullières », d'où le pluriel de l'entité finale. Emmanuel Gaillard, l'œnologue, a pratiqué une macération préfermentaire à chaud de cinq jours sur la vendange 2011. Il a obtenu un vin au nez de mûre et de myrtille, caractérisé en bouche par son gras et sa puissance. Long et corsé, ce beaujolais-villages s'assagira avec deux ans de garde. Vinifié aussi par la cave, le **Ch. la Tour Goyon 2011 rouge (45 000 b.)** est cité pour son fruité

gouleyant. Il est commercialisé par la maison Collin-Bourisset.
Cellier des Saint-Étienne, rue du Beaujolais, 69460 Saint-Étienne-des-Oullières, tél. 04.74.03.43.69, fax 04.74.03.48.29, vignes-saveurs@wanadoo.fr
t.l.j. 9h30-12h30 15h-19h

CAVE DE SAINT-JULIEN 2011 ★★

	2 000		5 à 8 €

Joli doublé pour cette cave qui cumule un coup de cœur et une citation dans le millésime 2011. Cette petite structure vinifie 260 ha : une coopérative comme on en voit de moins en moins. Elle a vendangé tôt, le 23 août, et eu recours à la macération préfermentaire à chaud pour extraire un maximum de fruit. Ce beaujolais-villages en a effectivement retiré un bouquet exubérant, aux évocations de fraise, de framboise et de cassis. Il séduit en bouche par sa rondeur, sa concentration aromatique et la douceur de ses tanins. Le **beaujolais 2011 rouge (2 000 b.)**, au parfum de cassis, se montre un peu plus tannique en finale. Il est cité. Les deux bouteilles pourront être appréciées dès la sortie du Guide.
Cave de Saint-Julien, Les Fournelles, 69640 Saint-Julien, tél. 04.74.67.57.46, fax 04.74.67.51.93, cave.stjulien@wanadoo.fr r.-v.

CH. DU SOUZY Signé Vignerons 2011 ★

	150 000		5 à 8 €

Signé Vignerons, la nouvelle dénomination de la coopérative de Bully-Quincié, place deux de ses beaujolais-villages de domaine dans la sélection du Guide. Le Château du Souzy, discret au premier nez, s'ouvre à l'aération sur les fruits noirs. Qualifié de « sérieux » par les jurés, il dévoile une structure et une matière solides qui s'apparentent à celles d'un cru du Beaujolais. On le gardera un à deux ans en cave avant de le servir sur un rôti de porc et/ou un camembert. Le **Ch. de Verzier 2011 rouge (80 000 b.)** obtient lui aussi une étoile pour son nez floral et sa bouche longue et fruitée. Il vieillira également un an ou deux.
SCADIF, 73, rue de l'Industrie, 77176 Savigny-le-Temple, tél. 01.64.10.13.13, fax 01.64.41.72.78

LOUIS TÊTE 2011 ★★

	38 000		5 à 8 €

Jean Tête, accompagné de sa fille Justine, perpétue une tradition familiale remontant au début du XIXe s : le négoce de vin. La cuvée de beaujolais-villages qu'il a sélectionnée, issue d'une parcelle de 5,6 ha, a enthousiasmé le jury par sa complexité et son côté terroir. Le nez est un véritable bouquet de fleurs ; la bouche allie fraîcheur et intensité, arômes fruités et floraux, dans ce style tout en vivacité qu'affectionne la maison. Un vin à croquer sur son fruit ou bien à oublier deux ans en cave, au choix.
Les vins Louis Tête, Les Dépôts, 69430 Saint-Didier-sur-Beaujeu, tél. 04.74.04.82.27, fax 04.74.69.28.61, info@tete-beaujolais.com
t.l.j. sf sam. dim. 8h-12h 13h30-17h30

L. TRAMIER ET FILS Collection 2011 ★★

	55 000		- de 5 €

Cette maison de négoce dirigée par Laurent Dufouleur et installée à Mercurey, en Côte chalonnaise, est aujourd'hui le dernier négociant-éleveur de ce gros bourg vigneron. Deux de ses 2011 ont été remarqués. Ce beaujolais-villages à la robe cerise noire dévoile un bouquet complexe aux accents de prunelle. Charpenté, puissant et tannique, il fait preuve d'une grande élégance, appréciée du jury qui conseille de l'ouvrir en 2014. Le **juliénas 2011 Collection (5 à 8 € ; 18 000 b.)** est quant à lui cité pour son attaque riche et soyeuse. Il faudra attendre deux à trois ans pour que sa finale se fonde.
Tramier et Fils, rue de Chamerose, 71640 Mercurey, tél. 03.85.45.10.83, fax 03.85.45.27.76, info@maison-tramier.com
t.l.j. sf dim. 9h-12h 14h-18h; f. 3 sem. en août

DOM. LES VILLIERS Entre deux Châteaux 2011

	2 500	5 à 8 €

Lucien Chemarin a récolté son chardonnay fin septembre (le 25) sur une petite parcelle de 30 ares pour élaborer ce vin à la robe or pâle limpide. Le nez balance entre la poire confite et le gingembre, cadrés par une belle minéralité. La bouche, tout aussi expressive, joue plus sur la rondeur que sur la fraîcheur. Elle appelle à déguster cette bouteille dès la sortie du Guide, avec un poisson au curry, par exemple.
Lucien Chemarin, Les Villiers, 69430 Marchampt, tél. 04.74.04.37.11 r.-v. 2

Brouilly et côte-de-brouilly

Le 8 septembre, une nuée de marcheurs, panier de victuailles au bras, escalade les 484 m de la colline de Brouilly en direction du sommet où s'élève une chapelle construite sous le Second Empire et dédiée à la Vierge pour implorer sa protection des vignes contre l'oïdium. De là, les pèlerins découvrent le Beaujolais, le Mâconnais, la Dombes, le mont d'Or. Deux appellations sœurs se sont disputé la délimitation des terroirs environnants : brouilly et côte-de-brouilly.

Le vignoble de l'AOC côte-de-brouilly, installé sur les pentes du mont, repose sur des granites et des schistes très durs, vert-bleu, dénommés « cornes-vertes » ou diorites. Cette montagne serait un reliquat de l'activité volcanique du primaire, à défaut d'être, selon la légende, le résultat du déchargement de la hotte d'un géant ayant creusé la Saône... La production est répartie sur quatre communes : Odenas, Saint-Lager, Cercié et Quincié. L'appellation brouilly, elle, ceinture la montagne en position de piémont. Elle s'étend sur les communes déjà citées et déborde sur Saint-Étienne-la-Varenne et Charentay ; sur la commune de Cercié se trouve le terroir bien connu de la Pisse-Vieille.

Brouilly

Superficie : 1 325 ha
Production : 66 450 hl

CH. D'ALEYRAC 2011 ★★

■ 59 700 ▮ 5 à 8 €

La maison Aujoux propose, pour chacun des dix crus du Beaujolais, plusieurs noms de domaines « collaborateurs », selon son expression. À Brouilly, ce château au nom si cévenol présente un brouilly à la robe grenat et au nez de fruits rouges (groseille). La bouche croquante, sur les fruits frais, est celle d'un vin tout en finesse, sans excès d'extraction, pour lequel on conseille une garde d'un an avant de le servir sur une côte de bœuf. Du même propriétaire, le **Dom. Demiane 2011 Vieilles Vignes (34 000 b.)**, une étoile, est puissant, concentré et offre des arômes de fruits noirs bien marqués.

Louis de Jolimont, La Batie, 71570 La Chapelle-de-Guinchay, tél. 03.85.23.83.50, fax 03.83.23.83.71, ldenhaut@aujoux.fr

LVA

CH. DE BEL-AIR 2011 ★★

■ 5 500 ▮ 5 à 8 €

Les jeunes vignerons du lycée Bel-Air reçoivent régulièrement de bonnes notes dans nos colonnes. De la taille à la commercialisation, en passant par les vendanges et la vinification, les lycéens et apprentis assurent tout le travail sous la houlette de Sylvain Paturaux, chef d'exploitation du lycée. Cette cuvée est issue de 3,52 ha de jeunes vignes (sept ans). Une récolte dont les élèves ont su doser l'extraction, avec un égrappage à 50 %. Le vin présente une robe rubis vif et un nez fort plaisant de petits fruits rouges mâtiné de nuances florales. La bouche, souple, fraîche et délicate, évoque la framboise, rehaussée par une touche épicée en finale. À boire dans l'année sur un foie de veau poêlé.

Ch. de Bel-Air, 394, rte Henry-Fessy, 69220 Saint-Jean-d'Ardières, tél. 04.74.66.45.97, fax 04.74.66.42.32, expl.lpa.belleville@educagri.fr

r.-v.

Lycée de Bel-Air

DOM. BÉROUJON 2011 ★

■ 3 000 5 à 8 €

Sur les 14 ha du domaine familial, David Béroujon a vendangé 1 ha pour obtenir ce brouilly. Le vin se distingue par son nez de cerise et de cassis, typique de la thermovinification, pratique visant à chauffer la vendange pour en extraire ces fameux arômes de cassis. Dans le prolongement, la bouche se révèle fine et fruitée. À déguster sur une escalope de veau et purée de potiron, dès cet hiver.

David Béroujon, Le Tang, 69460 Salles-Arbuissonnas, tél. et fax 04.74.67.58.43, domaine.beroujon@orange.fr

r.-v.

DANIEL BOUCHACOURD Tradition Vieilles Vignes 2011

■ 4 000 ▮ 5 à 8 €

Daniel Bouchacourd exploite un vignoble de 10 ha, dont une petite parcelle de 68 ares de vignes âgées de soixante-dix ans. C'est là qu'est né ce vin fruité et net, droit et fin, aux arômes de réglisse et de petits fruits noirs. À ouvrir dès cet hiver avec un saucisson chaud en brioche.

Daniel Bouchacourd, lieu-dit Espagne, 69640 Saint-Julien, tél. 06.30.94.07.19, bouchacourd-daniel@neuf.fr r.-v.

CH. DE LA CHAIZE 2010 ★

■ 165 000 8 à 11 €

Le château de la Chaize exploite un vaste domaine (99 ha) d'un seul tenant, le plus grand du Beaujolais. Ces 58 ha en brouilly représentent à eux seuls près de 5 % de la superficie totale du cru ! La famille Roussy de Sales partage les vignes avec sept métayers vivant sur place. Ce 2010 offre un nez complexe de sous-bois, de figue et de datte, et un palais concentré et rond, soutenu par de fins tanins. À garder un an ou deux en cave.

Marquise de Roussy de Sales, Ch. de la Chaize, 69460 Odenas, tél. 04.74.03.41.05, fax 04.74.03.52.73, chateaudelachaize@wanadoo.fr r.-v.

♥ DOM. DU CHAZELAY 2011 ★★

■ 7 000 ▮ 5 à 8 €

Franck Chavy voit deux de ses vins distingués, son **morgon Les Granites roses 2010 (7 000 b.)**, cité, et ce brouilly, qui a conquis le grand jury. Ce jeune vigneron travaille avec son frère et son père, mais chacun possède une étiquette différente. Franck exprime le terroir dans des vins puissants, charnus et concentrés, bichonnés dès la plantation des vignes, avec de hautes densités (10 000 pieds à l'hectare) propices à la qualité et aux faibles rendements, mais entraînant des coûts de culture élevés. Aboutissement de cette démarche, ce brouilly, drapé dans une robe sombre, dévoile un nez intense de cerise, de mûre, de myrtille et d'épices. Chaleureux, riche et ample, charnu et complexe, c'est le vin de garde par excellence. À servir dans deux ans sur des râbles de lapin accompagnés d'un risotto aux olives. Quant au morgon, massif, notamment dans sa finale tannique, il se laissera oublier cinq ans en cave.

EARL Franck Chavy, Lachat, 69430 Régnié-Durette, tél. 06.07.16.18.85, franck.vinchavy@wanadoo.fr

r.-v.

GILBERT CHETAILLE 2010 ★

■ 2 646 ▮ 5 à 8 €

Un nouveau nom dans le Guide. Gilbert Chetaille s'est installé en 2005 sur le domaine familial situé au pied du mont Brouilly qu'il a agrandi en 2010 afin de vinifier en cave particulière : il exploite aujourd'hui 7,53 ha (toutes les décimales comptent quand on est « petit »), dont 1,4 ha est à l'origine de cette cuvée à la robe violacée, au nez de fruits rouges et d'épices douces, à la bouche fruitée, fondue et soyeuse. À boire dans les deux ans sur une volaille.

NOUVEAU PRODUCTEUR

Gilbert Chetaille, Chavanne, 69430 Quincié-en-Beaujolais, tél. 06.73.58.86.17, gilbert.chetaille@orange.fr
t.l.j. 8h-12h 13h-20h

DOM. COMTE DE MONSPEY Vieilles Vignes 2010 ★

■ 25 000 ▮ 5 à 8 €

Stéphane Gibert de Monspey travaille à la bourguignonne : éraflage, cuvaison longue (vingt jours) et élevage de douze mois en fût. Cela donne ici un vin dense et profond dévoilant une extraction inhabituelle pour un vin du Beaujolais, qui convient bien cependant au brouilly, vineux et volontiers corsé. Tannique et ferme, ce 2010 s'appréciera dans deux ou trois ans sur du gibier.

Dom. Comte de Monspey, lieu-dit Vuril, 69220 Charentay, tél. 04.26.47.02.62, domaine.monspey@free.fr r.-v.
Sophie de Monspey

DOM. CRÊT DES GARANCHES 2011

■ 30 000 ▮ 5 à 8 €

Sylvie Dufaitre-Genin est installée au sud de la colline de Brouilly, sur des granites roses. Ce cru représente 90 % de sa production, soit 10 ha sur un total de 11,6 ha. Elle élève ses vins à la beaujolaise, avec une thermorégulation pour extraire des arômes fruités. Elle obtient ici un vin rubis, au nez de cerise, à la bouche souple et délicate embaumant l'iris, la violette, le kirsch et les épices. Ce brouilly tendre et léger est à déguster cette année.

Sylvie Dufaitre-Genin, Crêt des Garanches, 69460 Odenas, tél. 06.80.00.69.18, fax 04.74.03.51.65, sylvie.dufaitre-genin@wanadoo.fr r.-v.

PHILIPPE DESCHAMPS Cuvée Prestige 2011 ★

■ 2 600 ▮ 5 à 8 €

Philippe Deschamps a « levé le pied » sur sa cuvée Prestige 2011, en pratiquant une cuvaison plus courte qu'en 2010 (neuf jours au lieu de douze) ; il a obtenu pourtant une certaine extraction et un joli volume. L'ensemble, fruité tant au nez qu'en bouche (cassis, mûre), reste souple et prêt à boire.

Philippe Deschamps, Morne, 69430 Beaujeu, tél. 04.74.04.82.54, fax 04.74.69.51.04, deschamphilippe@orange.fr r.-v.

DAMIEN DUCROUX 2011

■ 2 000 ▮ 5 à 8 €

Damien Ducroux, neuvième du nom sur le domaine familial, exploite 9 ha de vignes, dont 2 ha dédiés à cette cuvée issue de vieilles vignes de soixante ans. Un vin au nez de fruits rouges, vif et épicé, bien structuré et de bonne longueur. À boire dans les deux ans.

Damien Ducroux, lieu-dit Pierreux, 69460 Odenas, tél. 04.74.03.49.30, evelyne.ducroux@aliceadsl.fr
t.l.j. 8h-20h

DUVERNAY Cuvée Tradition 2011 ★

■ n.c. ▮ 5 à 8 €

Ce domaine, propriété de la congrégation des sœurs Saint-Charles exploitée depuis 1996 par Cyrille Duvernay, s'étend sur 9,4 ha, dont 4 ha à l'origine de cette cuvée. C'est un brouilly gourmand et très plaisant, au nez fin de cassis et de groseille, vivifié par une fraîcheur mentholée ; la bouche suave et ronde présente une pointe de minéralité typique de l'appellation. Un vrai vin de plaisir, élégant et friand, à servir dans l'année.

Cyrille Duvernay, Saburin, 69430 Quincié-en-Beaujolais, tél. 06.80.45.26.65, fax 04.74.69.04.36, contact@domaine-scduvernay.com
t.l.j. sf dim. 10h-12h 14h-19h; f. quinze j. en août
Congrégation des Sœurs Saint-Charles

DOM. DES GARANCHES 2011

■ 4 000 5 à 8 €

Cet ancien domaine (1787) possède encore une parcelle de vignes plantée juste après la crise du phylloxéra, dans les années 1880 ! Il dispose d'un terroir précoce, situé au sud de l'appellation, caractérisé par des pentes douces exposées au sud-sud-est. Ici, on a donc vendangé tôt, dès le 22 août. Il en résulte ce vin au nez fruité et épicé (poivre), souple et léger en bouche. À déguster cette année, sur une assiette de charcuterie.

Dom. de Garanches, Garanches, 69460 Odenas, tél. 04.74.03.44.80, fax 04.74.03.49.55, contact@domainedegaranches.com r.-v.

GRAND CLOS DE BRIANTE 2011 ★

■ 80 000 ▮ 5 à 8 €

Cette cuvée de brouilly de la maison Joseph Pellerin représente 8,3 ha situés sur le plateau de Briante, à l'est de la colline de Brouilly. Drapée dans une robe rouge foncé, elle offre un nez évocateur de cassis, qui annonce une bouche ronde à souhait, ample et vineuse. On pourra la boire dès à présent ou l'attendre un peu.

GFA Beillard Briante, Briante, 69220 Saint-Lager, tél. 04.74.03.18.30, fax 04.74.69.09.75 r.-v.

LA GRANGE BOURBON Saint-Pierre 2011

■ n.c. ▮ 5 à 8 €

Sur ce cru, le plus vaste et le plus varié de tous, Benoît Chastel est l'un des rares vignerons à isoler un lieu-dit sur son étiquette : Saint-Pierre, un *climat* de coteau, sur du granite rose. Il signe ici un vin d'une aimable simplicité, au nez intense de cassis, souple et fruité en bouche, à boire dès aujourd'hui.

GFA La Grange-Bourbon, 69220 Charentay, tél. 04.74.66.86.60, domaine.grange.bourbon@gmail.com
t.l.j. sf dim. 8h-12h 13h30-19h
Benoît Chastel

ROMAIN JAMBON Les Éronnes 2010 ★★

■ 2 400 ▮ 8 à 11 €

Romain Jambon a repris le domaine de son père en janvier 2010. Il propose une cuvée née sur 3 ha portant le nom d'un lieu-dit, les Éronnes, qui représente presque la moitié de la superficie de la propriété (7 ha). Deux étoiles (et une finale des coups de cœur) pour un premier millésime élaboré en solo : un résultat encourageant. Ce jeune vigneron a pris le parti d'allier deux techniques de vinification : l'une beaujolaise (vendanges entières), l'autre bourguignonne (éraflage, macération de seize jours). Il obtient un vin au nez intense de fruits noirs compotés, à la bouche suave, riche, structurée et portée par une longue et belle finale.

Romain Jambon, Les Combes, 69460 Odenas, tél. 06.17.59.34.57, jambon_romain@hotmail.fr r.-v.

Witkowski

DOM. LATHUILIÈRE Pisse-Vieille 2010

10 000 | 5 à 8 €

Avec ses 5 ha, Patrice Lathuilière exploite un petit quart du plus célèbre *climat* de Brouilly, Pisse-Vieille, qui bénéficie d'une exposition plein sud. Il signe un 2010 au nez vif et fruité de groseille, à la bouche légère et fine. À déguster dans l'année.

Dom. Patrice Lathuilière, La Pente, 69220 Cercié, tél. 04.74.66.81.85, patrice-lathuiliere@orange.fr t.l.j. 9h-12h 14h-18h; dim. sur r.-v.

DOM. MATHON 2010

6 900 | 5 à 8 €

Stéphane Mathon voit deux de ses vins cités : ce brouilly 2010 et un **beaujolais-villages 2010 blanc (3 600 b.)**. Le brouilly offre un nez vif, sur la groseille et le cassis, et une bouche légère et souple. Le beaujolais blanc se révèle plus mûr, avec un nez d'abricot, de bergamote et de pamplemousse, onctueux et gras en bouche. Les deux sont à déguster cette année.

Stéphane Mathon, Les Jacquets, 69430 Quincié-en-Beaujolais, tél. 04.74.69.01.50, stephane.mathon@wanadoo.fr r.-v.

DOM. DE LA MOTTE 2011 ★★

2 500 | 5 à 8 €

Laurent Charrion exploite 25 ha de vignes, dont une bonne partie en brouilly : une petite dizaine d'hectares. Ce 2011 livre un bouquet intense et chaleureux de fruits noirs presque caramélisés. En bouche, il se révèle puissant, concentré, généreux et tannique. Il faut dire que le vigneron a privilégié une approche bourguignonne, avec éraflage et fermentation sans contrôle strict des températures, obtenant ainsi du corps et du relief. Une bouteille que l'on pourra garder deux ans en cave.

Laurent Charrion, 129, rte de Corval, La Grand-Raie, 69220 Saint-Lager, tél. 04.74.66.81.69, earlcharrion@wanadoo.fr r.-v.

CH. MOULIN FAVRE Vieilles Vignes 2011 ★

40 000 | 5 à 8 €

Armand Vernus exploite 11 ha en brouilly. Il a vinifié cette cuvée à la beaujolaise, et obtenu un vin rubis intense. Le nez plaît par ses notes de fruits rouges et de fleurs. La bouche est équilibrée, fine et portée par de jolis tanins. Un vin élégant, à découvrir cette année.

Armand et Céline Vernus, Combiaty, 69460 Saint-Étienne-la-Varenne, tél. 04.74.03.40.63, fax 04.74.03.40.76, moulin-favre@wanadoo.fr r.-v. 3 B

DOM. DES NAZINS 2010 ★

15 000 | 5 à 8 €

Loïc Brac de La Perrière voit deux de ses vins sélectionnés : ce brouilly et sa cuvée haut de gamme **Exception 2010 Élevée en fût de chêne (8 à 11 €; 2 000 b.)**, une étoile également. Cette cuvée principale représente 2,25 ha. La récolte a été divisée en deux lots : l'un a fait l'objet d'une macération semi-carbonique traditionnelle, l'autre d'une macération préfermentaire à chaud de façon à extraire du fruit et de la couleur. Les deux lots assemblés donnent ce vin au nez intense de fruits rouges et de fleurs, au palais persistant et bien structuré par de beaux tanins qui se seront arrondis dans un an. La cuvée Exception, issue d'une sélection de vieilles vignes, offre un nez vanillé et des tanins fondus. On la servira dans l'année sur une pintade aux pruneaux.

Loïc Brac de La Perrière, 270, rte des Nazins, 69220 Saint-Lager, tél. 04.74.66.82.82, domaine-des-nazins@orange.fr r.-v.

GFA des Nazins

♥ CH. DE LA PIERRE 2011 ★★★

40 000 | 5 à 8 €

Xavier Barbet, patron de la maison Loron, obtient la plus haute note de tous les brouilly du Guide, avec un coup de cœur à trois étoiles qui s'explique par une multitude de facteurs : un domaine appartenant en propre à la famille – avec 110 ha en propriété, les Barbet sont des poids lourds du vignoble –, ce qui offre la liberté de conduire les vignes (et les rendements) au niveau de qualité souhaité ; de vieilles vignes (cinquante ans) ; un terroir de granite et de sables alluviaux drainant et pauvre ; une macération traditionnelle et longue ; et enfin le coup de patte de l'œnologue Jean-Pierre Rodet... Tout cela donne un vin au nez élégant, tout en fruit, à la bouche délicate, flatteuse et longue, ourlée par une superbe finale poivrée. Un brouilly racé et complet, à garder deux ans avant de le servir sur un faisan en chartreuse (cuit à l'étouffée). **La Chapelle de Venenge 2011 (64 800 b.)**, structurée et épicée, est citée.

Loron et Fils, 1846, RN 6, 71570 Pontanevaux, tél. 03.85.36.81.20, fax 03.85.33.83.19, vinloron@loron.fr r.-v.

CH. DE PIERREUX 2011 ★

100 000 | 5 à 8 €

La maison Mommessin place deux vins du Château de Pierreux dans cette sélection : la cuvée classique et **Les Tours de Pierreux 2011 (140 000 b.)**. Paré d'une belle robe rubis, le premier s'ouvre sur des notes de kirsch et de cerise griotte, et se montre ample, souple et frais en bouche. Il s'appréciera dans l'année sur un pot-au-feu. Le second, plus floral, est cité.

🔑 SCEV Ch. de Pierreux, Pierreux, 69460 Odenas, tél. 04.74.03.18.33, fax 04.74.03.18.39, nesme.l@chateaudepierreux.com

DOM. DE LA POYEBADE 2011

■	4 000	5 à 8 €

À partir de 3,4 ha de vignes, Marc Duvernay signe un brouilly plaisant à l'œil dans sa robe rouge cerise ; plaisant également au nez, avec ses notes de framboise et d'iris ; plaisant enfin en bouche, où le vin se montre souple et gouleyant. Tout indiqué pour une assiette de charcuterie.

🔑 Marc et Fabienne Duvernay, La Poyebade, 69460 Odenas, tél. 04.74.03.51.55, marc.duvernay@orange.fr ☒ 𝚼 ✝ r.-v.

DOM. DE LA ROCHE SAINT-MARTIN 2011

■	10 000	▮	5 à 8 €

Jean-Jacques Béréziat conduit depuis 1979 un domaine de 10 ha, dont près de 7 ha sont consacrés au brouilly. Vinifié à la beaujolaise, son 2011 est un vin équilibré, fin et léger, au nez floral et végétal. À boire sans chichi sur une grillade.

🔑 SCEA Jean-Jacques Béréziat, 1079, rte de Briante, 69220 Saint-Lager, tél. 04.74.66.85.39, fax 04.74.66.70.54 ☒ 𝚼 ✝ r.-v.

JEAN-PIERRE TEISSÈDRE 2010 ★

■	20 000	▮	8 à 11 €

Des vignes de cinquante ans sont à l'origine de ce vin au nez expressif de fruits noirs (cassis) et rouges (groseille). La bouche est à l'avenant, ronde et fruitée, avec une juste fraîcheur pour l'équilibre et le « peps ». À déguster dans l'année sur un saucisson chaud.

🔑 les Vins Jean-Pierre Teissèdre, Les Grandes-Bruyères, 69460 Saint-Étienne-des-Oullières, tél. 04.74.03.48.02, fax 04.74.03.46.30, jp-teissedre.earl@wanadoo.fr ☒ 𝚼 ✝ t.l.j. 9h-12h 14h-18h; sam. dim. sur r.-v.; f. août

CH. DE LA TERRIÈRE 2010

■	20 000	◖◗	8 à 11 €

Le château de la Terrière a été repris par la famille Barbet en 2003, et d'importants travaux de rénovation ont été menés en cuverie. Le vignoble, exposé plein sud sur un sous-sol de porphyre, donne ici un vin puissant et complexe en bouche, mais au nez encore sur la réserve. La finale un peu tannique est la marque de fabrique de Grégory Barbet : à oublier deux ans en cave.

🔑 SCEA des Deux Châteaux, La Terrière, 69220 Cercié, tél. 04.74.66.77.87, fax 04.74.66.77.85, catherine@terroirs-et-talents.fr ☒ 𝚼 ✝ r.-v.

🔑 Barbet

FRÉDÉRIC TRICHARD Sélection 2010 ★

■	15 000	▮◖◗	5 à 8 €

Frédéric Trichard place deux de ses vins dans cette sélection : ce brouilly et le **beaujolais-villages 2010 Vieilles Vignes (8 700 b.)**, une étoile également. Son domaine est constitué d'une solide proportion de vieilles vignes : 8 ha de ceps âgés d'un demi-siècle pour le brouilly et 1,5 ha de vignes de soixante-dix ans pour le beaujolais. Il vinifie en grappes entières : douze jours de cuvaison pour le brouilly, dix pour le beaujolais, avec un mois de fût pour le brouilly, en fin d'élevage. Le résultat est, pour ce dernier, un nez frais de framboise, une bouche fort plaisante, franche, fraîche, fruitée et longue. Le beaujolais, sur les fruits noirs, ample et puissant en bouche, sera idéal dans les deux ans sur du gibier à poil.

🔑 EARL Frédéric Trichard, 253, rte des Nazins, 69220 Saint-Lager, tél. 04.74.66.89.22, fax 04.74.66.73.61, fredtrichard@wanadoo.fr ☒ 𝚼 ✝ r.-v.

CHRISTIAN VERGIER Saint-Lager 2010

■	60 000	▮	5 à 8 €

Première apparition dans le Guide pour Christian Vergier, œnologue, également propriétaire de vignes en Côte-d'Or, qui a lancé en 2008 une activité de négoce. Né sur un terroir sablonneux, son 2010, vinifié en grappes entières, offre un nez fin qui mêle fruits rouges et minéralité. Rond en attaque et en milieu de bouche, il se montre plus ferme en finale mais il saura s'arrondir en deux ans de garde.

NOUVEAU PRODUCTEUR

🔑 Christian Vergier, 6, chem. des Curtils, 21190 Ébaty, tél. 06.80.23.62.82, vintagetradition@orange.fr ☒ 𝚼 ✝ r.-v. 🏠 D

Côte-de-brouilly

Superficie : 320 ha
Production : 15 455 hl

♥ **DOM. DE BERGIRON** 2011 ★★

■	2 000	▮	5 à 8 €

Installé en 1984 sur le domaine familial, Jean-Luc Laplace exploite 12 ha de vignes ; 5,5 ha sont dédiés à cette cuvée dont le millésime 2010 avait obtenu une étoile l'an dernier. Les ceps de cinquante ans à l'origine de ce vin sont plantés sur un sol argilo-calcaire. Ce type de terroir n'est pas considéré comme le plus adapté au gamay, mais le savoir-faire consommé du vigneron fait la différence. Ici, un vin pourpre aux reflets violets, au nez friand de fruits rouges et noirs, souple et frais à souhait en bouche, d'une belle longueur. Bref, un côte-de-brouilly gourmand et harmonieux, à savourer sans attendre.

🔑 Jean-Luc Laplace, 85, rte de Pizay, 69220 Saint-Lager, tél. et fax 04.74.66.88.42, jl.laplace@wanadoo.fr ☒ 𝚼 ✝ r.-v.

DOM. CHEVALIER-MÉTRAT Cuvée Tradition 2010 ★

■	12 000	▮	5 à 8 €

Sylvain et Marie-Noëlle Métrat ont vendangé 4 ha de vieilles vignes (cinquante ans) plantées sur le flanc sud du mont Brouilly, sur un sous-sol de roche bleue et de schiste, pour donner naissance à ce côte-de-brouilly séduisant par son côté très mûr, solaire. Le nez évoque les fruits à l'alcool, accompagnés de notes florales et de quelques nuances épicées. La bouche se révèle tout aussi généreuse, épicée et portée par des tanins veloutés. Plus souple, penchant davantage vers les fruits rouges aussi, le **brouilly 2010 cuvée Tradition (7 000 b.)** reçoit une citation.

Sylvain Métrat, Le Roux, 69460 Odenas, tél. 04.74.03.50.33, domainechevaliermetrat@wanadoo.fr r.-v.

COLLIN-BOURISSET Les Terres bleues 2011 ★★

10 000 | 5 à 8 €

Cette vénérable (1821) maison de négoce locale voit deux de ses vins sélectionnés. Les Terres bleues tirent leur nom d'un terroir de schiste andésite, roche volcanique caractéristique des flancs du mont Brouilly. Le vin offre un nez complexe d'épices (poivre, cannelle), de cerise noire, de chocolat et de réglisse, relayé par une bouche, fraîche, élégante et longue. À boire dans les deux ans sur une blanquette de veau. Le **juliénas Les Vieilles Roches 2011 (8 500 b.)**, plus floral et moins exubérant, se dégustera cette année sur un osso bucco. Il obtient une étoile.

Collin-Bourisset, rue de la Gare, 71680 Crèches-sur-Saône, tél. 03.85.36.57.25, fax 03.85.37.15.38, bienvenue@collinbourisset.com r.-v.

FAUVETTE VINS 2011 ★

20 000 | 5 à 8 €

Vincent Fauvette dirige un petit négoce familial implanté dans le Rhône, spécialiste de la mise en bouteilles à la propriété. Il s'est fourni ici sur 7 ha de vignes de trente-cinq ans. Vinifié en macération semi-carbonique classique, ce 2011 au nez typé de framboise et de myrtille apparaît frais, gourmand et soyeux. Un joli vin, à déguster l'an prochain sur une tête roulée (museau de porc).

D. Fauvette Vins, 5, av. Léon-Foillard, BP 41, 69830 Saint-Georges-de-Reneins, tél. 04.74.67.73.74, fax 04.74.67.70.24, dfauvettevins@orange.fr r.-v.

DOM. DES FOURNELLES 2011 ★

20 000 | 5 à 8 €

Bernadette Bernillon a pris en 2007 la suite de son mari Alain à la tête de ce domaine de 10 ha situé sur le versant sud-est du mont Brouilly. Elle signe un vin au nez intense de fruits rouges mûrs mâtiné de notes de bois de rose. La bouche, tendre et fine, offre un joli grain de tanins et une belle minéralité qui lui donne de l'allonge. Un ensemble bien typé, à boire dès aujourd'hui sur un pavé de bœuf sauce au... côte-de-brouilly.

Bernadette Bernillon, 216, montée de Godefroy, 69220 Saint-Lager, tél. 04.74.66.81.68, alain.bernillon69220@orange.fr r.-v.

DOM. GOUILLON Vieilles Vignes 2010 ★

3 500 | 8 à 11 €

C'est à partir de vénérables vignes de quatre-vingts ans que Dominique Gouillon a élaboré ce 2010, pour lequel il a privilégié un élevage assez long de douze mois en cuve et de trois mois en fût, afin d'affiner le vin. Ce dernier dévoile un joli nez floral et fruité. En bouche, on découvre une matière ronde et discrètement boisée, portée par des tanins soyeux. À servir l'année prochaine sur un gigot d'agneau.

Dominique Gouillon, Les Vayvolets, 69430 Quincié-en-Beaujolais, tél. 04.74.04.38.50, gouillon.dominique@orange.fr r.-v. 3

DOM. DU GRIFFON 2011 ★

20 000 | 5 à 8 €

Jean-Paul Vincent a vendangé 5 ha de vieilles vignes (soixante ans). Il a mené la vinification en dosant subtilement la macération préfermentaire à chaud pour extraire une belle couleur. Il obtient ici un vin au nez de cassis agrémenté de nuances florales, à la bouche soyeuse, souple, fine et bien fruitée. À déguster cette année sur un coq au vin.

Jean-Paul et Guillemette Vincent, 351, rte des Brouilly, 69220 Saint-Lager, tél. 04.74.66.85.06, domainedugriffon@wanadoo.fr t.l.j. 10h-18h A

LAURENT MARTRAY Les Feuillées 2010 ★

7 600 | 8 à 11 €

Année après année, Laurent Martray creuse son sillon ; il privilégie les vins sérieux et de garde, cultivant un discours anti-technologie, anti-thermovinification. Il a élevé dix mois en fût cette cuvée, déjà très réussie dans le millésime 2009. Issu de 1,1 ha de vieilles vignes de soixante ans exposées au sud-est, ce 2010 a été très peu égrappé (contrairement au 2009). Il offre un nez complexe de fruits noirs, d'épices et de fraise, et une bouche structurée, tannique mais sans dureté, une pointe de minéralité rappelant le sous-sol de diorite, de porphyre et de schiste. Un beau vin de terroir, à déguster dans un an ou deux sur un civet de biche.

Laurent Martray, Combiaty, 69460 Odenas, tél. 06.14.42.04.74, fax 04.74.03.50.92, martray.laurent@akeonet.com r.-v.

DOM. DE LA MERLETTE Tradition 2010

5 000 | 5 à 8 €

Ce 2010 est né au pied du mont Brouilly, sur une petite parcelle de 77 ares plantée de vieilles vignes de soixante ans. René Tachon l'a vinifié à la beaujolaise, en macération semi-carbonique, puis élevé neuf mois en fût. Il en ressort une cuvée épicée et boisée au nez, puissante, poivrée et tannique en bouche, à déguster dans trois ans sur un coq au vin.

Marie-Claire et René Tachon, Le Sottizon, 69460 Vaux-en-Beaujolais, tél. 04.74.03.24.80, info@tachon.fr t.l.j. 9h-12h 14h-18h

MICKAËL NESME Sélection de vieilles vignes 2010 ★★

3 000 | 5 à 8 €

Mickaël Nesme voit deux de ses vins sélectionnés : ce côte-de-brouilly et son **morgon Côte de Py 2011 (4 500 b.)**, cité. Tous deux ont été vinifiés de la même façon : dix jours de cuvaison et sept mois de cuve. Si le palais se révèle tannique dans les deux cas, les vins sont cependant assez différents : nez de cassis et épices pour le morgon, parfums de pivoine pour le côte-de-brouilly, qui offre une bouche plus longue, riche et puissante. On dégustera ce dernier dans un an ou deux sur un saucisson cuit au vin.

Mickaël Nesme, Cherves, 69430 Quincié-en-Beaujolais, tél. 06.08.80.55.75, fax 04.74.04.39.67, mickael-nesme@yahoo.fr r.-v. 4 B

JEAN-GUILLAUME PASSOT 2010 ★

■	2 471	▮	5 à 8 €

Jean-Guillaume Passot s'est installé en 2005 avec 80 ares en côte-de-brouilly. Il atteint aujourd'hui les 2,78 ha (à ce stade-là, les décimales comptent !), dont 1,29 ha dans cette appellation. Né de ceps de quarante-cinq ans, ce 2010 vinifié en macération semi-carbonique traditionnelle présente un nez plaisant de sous-bois et de fruits à noyau. La bouche est bien structurée, mais sans se départir d'une certaine douceur et d'une belle finesse ; elle est rehaussée par une jolie finale acidulée. À déguster dans un an ou deux sur un lapin à la moutarde.

Jean-Guillaume Passot, Les Pillets, 69910 Villié-Morgon, tél. 09.53.44.11.81, jgpassot@yahoo.fr r.-v.

ROBERT PERROUD Foudre n°5 2011 ★★

■	8 000	8 à 11 €

Robert Perroud pratique l'élevage en foudres, ces grands tonneaux conçus pour défier le temps, oxygéner les vins et les arrondir sans leur céder d'arômes boisés. Objectif atteint avec cette cuvée qui porte le nom de son foudre d'origine. Issus de vignes de cinquante ans et vendangés en caisses de 30 kg, les raisins, arrivés entiers en cuve, ont fermenté à la beaujolaise et avec des levures indigènes. Le vin présente un nez fin et subtil de cassis et de framboise. La bouche, complexe et serrée, droite et équilibrée, vineuse et gourmande, signale un très beau vin de terroir. À déguster dans un an ou deux sur une pièce de charolais.

Robert Perroud, Les Balloquets, 69460 Odenas, tél. 06.15.12.28.42, robertperroud@wanadoo.fr r.-v.

DOM. DU SANCILLON 2010 ★★

■	2 300	▮	5 à 8 €

Installé en 2005 à la suite de son père, Joachim Champier exploite un petit domaine de 6,5 ha ; 66 ares de vignes de quarante-cinq ans sont dédiés à cette cuvée complexe et intense au nez, alliant le fruit noir à des notes florales. La bouche, dense, généreuse et tannique, appelle clairement une petite garde. Une bouteille que l'on appréciera d'ici trois ans sur un gigot d'agneau.

Joachim et Audry Champier, Le Moulin-Favre, 69460 Odenas, tél. 04.74.03.42.18, domainedusancillon@yahoo.fr t.l.j. sf dim. 9h-20h

♥ **CH. THIVIN** Cuvée Zaccharie 2010 ★★

■	9 000	⏸	11 à 15 €

Claude Geoffray inclut sous ce nom de cuvée ses plus vieilles vignes des parcelles de La Chapelle, au sud, et de Godefroy, à l'est, sur les flancs de la colline de Brouilly. Particularité du domaine, une infime proportion de chardonnay (2 %) cohabite avec le classique gamay sur un terroir argilo-éruptif de pierres bleues. Récolté soigneusement en petites caisses, le raisin à l'origine de ce superbe 2010 a été mis en cuve directement pour une macération carbonique classique. Au bout de quinze jours, il a été pressé et entonné pour neuf mois (mais pas en fût neuf). Le vin tire cependant de cet élevage un nez de menthol et de vanille typique du chêne, agrémenté de notes de fruits confits. La bouche se révèle gourmande, ample et séveuse, le séjour dans le bois se faisant encore sentir à travers des notes vanillées. Voilà un vin cossu et tannique, à oublier quatre ans en cave avant de le servir sur un magret de canard. Deux étoiles également pour le **beaujolais-villages blanc 2010 Marguerite (8 à 11 € ; 2 500 b.)**, issu de jeunes ceps de neuf ans, plantés large (7 000 pieds par hectare, au lieu de 9 000 pour les vieilles vignes) et palissés haut (1,80 m) pour que la surface foliaire, plus importante, permette le mûrissement optimal du raisin. Le vin a aussi passé six mois en fût et présente un joli nez vanillé et floral, assorti à une bouche puissante, intense, grasse et complexe. Un blanc opulent, à servir frais à l'apéritif.

Claude Geoffray, Ch. Thivin, La Côte de Brouilly, 69460 Odenas, tél. 04.74.03.47.53, fax 04.74.03.52.87, geoffray@chateau-thivin.com t.l.j. sf dim. 10h-12h 13h30-19h

DOM. DU CH. DE LA VALETTE 2010 ★

■	5 000	▮	5 à 8 €

Jean-Pierre Crespin signe, à partir de vieilles vignes de soixante ans, un 2010 de belle facture, qui a connu un élevage de dix mois en cuve. Le nez se révèle d'abord discret puis plus vineux à l'aération, sur les fruits noirs. La bouche est dense et chaleureuse, portée par une belle minéralité et des tanins encore austères. Un vin robuste, à garder trois ans. Cité, le **brouilly 2010 (12 000 b.)**, épicé et confituré, plus léger que le précédent, est à déguster cette année.

Jean-Pierre Crespin, 21, rte de Saint-Georges, 69220 Charentay, tél. 04.74.66.81.96, fax 04.74.66.71.72, jp.crespin@wanadoo.fr r.-v.

Chénas

Superficie : 255 ha
Production : 9 355 hl

D'après la légende, ce lieu était autrefois couvert d'une immense forêt de chênes. Un bûcheron, constatant le développement de la vigne plantée naturellement par quelque oiseau, se mit en devoir de défricher pour introduire la noble plante ; celle-là même qui s'appelle aujourd'hui le « gamay noir ».

Située aux confins du Rhône et de la Saône-et-Loire, dans les communes de Chénas et de La Chapelle-de-Guinchay, chénas est l'une des plus petites appellations du Beaujolais. Nés à l'ouest, sur des terrains pentus et granitiques, ses vins sont colorés et puissants, avec des arômes floraux (rose et violette) ; ils rappellent les moulin-à-vent produits sur la plus grande partie des terroirs de la commune. Issus du secteur plus limoneux et moins accidenté de l'est, ils présentent une charpente plus ténue. La cave coopérative du château de Chénas vinifie une part importante de l'appellation et offre une belle perspective de fûts de chêne sous ses voûtes datant du XVIIes.

CH. DE BELLEVERNE 2010 ★

■ 8 000 ▮ 5 à 8 €

Ce domaine, propriété de la famille Bataillard depuis 1969, s'étend sur près de 33 ha et couvre quatre appellations du Beaujolais. Cette année, c'est le chénas qui a eu la préférence. Didier Bataillard, qui dirige le domaine avec son frère Alain et sa sœur Sylvie, est partisan des macérations préfermentaires à froid, suivies d'une assez longue macération. Le résultat est à la hauteur de ses espérances, ce mode de vinification ajoutant au joli nez de fruits rouges et noirs (cassis) de ce 2010 des notes de cannelle. La bouche, à l'unisson, se montre légère, ample et ronde. Un vin droit, à apprécier dans l'année.

Ch. de Belleverne, rue Jules-Chauvet, 71570 La Chapelle-de-Guinchay, tél. 03.85.36.71.06, fax 03.85.33.86.41, cavesdebelleverne@orange.fr ☑ ♈ ⚑ r.-v.
Bataillard

LES BOCCARDS 2010 ★

■ 3 200 ▮ 11 à 15 €

Paul-Henri Thillardon propose cette cuvée vinifiée selon la méthode bourguignonne avec éraflage et longue macération : moins de fruits, mais plus de tanins et de complexité. Dans le même esprit, il a ensuite privilégié un élevage en fût de onze mois. Le résultat est là : un vin de belle tenue, au nez de réglisse, d'épices, de vanille et de cassis, accompagnant une matière puissante, bien extraite, apte à une garde d'un an. À servir sur du gibier.

Paul-Henri Thillardon, Le Bourg, Cidex 1014, 71570 Romanèche-Thorins, tél. 06.07.76.00.91, paul-henri.t@hotmail.fr ☑ ♈ ⚑ r.-v.

TRADITION DU BOIS DE LA SALLE 2011 ★

■ 10 000 ▮ 5 à 8 €

La coopérative de Juliénas, bien connue des fidèles lecteurs du Guide, signe ici un joli cru, au nez séduisant de petits fruits rouges. La bouche élégante et soyeuse évolue sur des notes de réglisse et de framboise. Bien construit et d'une grande finesse, ce vin à déguster d'ici deux ans pourra accompagner un poulet à la crème. Le **saint-amour 2011 Tradition du Bois de la Salle (25 000 b.)** est cité pour son fruité et sa franchise, dans un style court mais bien fait.

Cave coop. de Juliénas, Ch. du Bois de la Salle, 69840 Juliénas, tél. 04.74.04.42.61, fax 04.74.04.47.47, cavejulienas@wanadoo.fr ☑ ♈ ⚑ r.-v.

♥ CH. BONNET Vieilles Vignes 2011 ★★

■ 40 000 ▮ 5 à 8 €

Situé aux confins de la Bourgogne et du Beaujolais, ce domaine, fondé en 1630 par un certain Bonnet, échevin de la ville de Mâcon, s'étend aujourd'hui sur 20 ha, essentiellement sur les coteaux ensoleillés des monts du Beaujolais. Ce chénas vinifié à la beaujolaise – en macération semi-carbonique –, dans un style pimpant, a

conquis le grand jury. Tout y est : robe rubis aux reflets violets ; nez acidulé évoquant la cerise burlat et les petits fruits rouges rehaussés de cassis ; bouche vive, fine et élégante, portée par des tanins souples. Ce très beau vin est un modèle d'équilibre. On le verrait bien accompagner une viande en sauce dès la sortie du Guide. Le **moulin-à-vent 2011 (8 à 11 € ; 10 000 b.)** est cité pour son joli nez de fruits noirs (mûre, cassis), de violette et d'épices, et pour son équilibre.

Pierre-Yves Perrachon, Ch. Bonnet, 71570 La Chapelle-de-Guinchay, tél. 03.85.36.70.41, ch.bonnet@terre-net.fr ☑ ♈ ⚑ t.l.j. 9h-12h 14h-17h

♥ DOM. DE CHANTEGRILLE Clos des Blémonts 2010 ★★

■ 2 000 ▮ 8 à 11 €

Alexandre Blanchard exploite un minuscule domaine de 3,6 ha, dont il a pris la tête en 2006. En juin 2011, cet ancien cadre responsable qualité Hygiène Sécurité Environnement a quitté son emploi pour se lancer comme vigneron à part entière. Dans le même temps, il a commencé à replanter l'intégralité de son vignoble. Il s'apprête donc à vivre quelques inconfortables années avec de jeunes plants qui donneront des vins nécessairement tendres et souples. Mais l'homme a du talent, comme le prouve ce chénas, élu coup de cœur. Puissant, le nez délivre un bouquet expressif de kirsch, de fruits confits et de liqueur, que l'on retrouve au palais. Rond et gourmand, celui-ci se développe avec élégance pour mener vers une belle finale dévoilant des tanins déjà fondus. Harmonieux et racé, ce vin est à déguster cette année – sur un tournedos aux girolles, propose le vigneron.

Dom. de Chantegrille, Cidex 241, 3439, rte de Juliénas, 71570 La Chapelle-de-Guinchay, tél. 06.82.21.98.62, fax 03.85.36.76.98, a.blanchard@domaine-chantegrille.com ☑ ♈ r.-v.

DOM. DE CHÊNEPIERRE Vieilles Vignes 2011 ★★

■ 2 800 🍷 5 à 8 €

Christophe Lapierre a repris en 2008 l'exploitation familiale, même si ses parents sont toujours heureux de lui donner un coup de main à l'occasion. Il a fait macérer les raisins en grappes entières durant neuf jours, menant un travail important d'extraction de la matière : remontages, délestages, grillage, maîtrise des températures, tout a été fait pour obtenir couleur, puissance et arômes. Il a ensuite élevé le vin huit mois en cuve, huit mois en foudre, afin d'affiner et de patiner les tanins. Le résultat, c'est ce chénas au nez très expressif et complexe de mûre, de framboise et de violette, et à la bouche ample, rehaussée de « tanins nobles », selon les termes d'un juré. Le **moulin-à-vent 2011 (15 000 b.)**, qui constitue les deux tiers de la production du domaine, est aujourd'hui encore étayé par des tanins sévères qui gagneront à s'affiner au moins deux à trois ans. Il obtient une étoile.

Christophe Lapierre, Les Deschamps, 69840 Chénas, tél. 03.85.36.70.74, fax 03.85.33.85.73, lapierre-christophe@wanadoo.fr
t.l.j. 8h-12h 13h30-19h

DOM. DE LA CHÈVRE BLEUE Vieilles Vignes 2010 ★★

■ 7 000 5 à 8 €

Michèle et Gérard Kinsella manquent de peu le coup de cœur avec ce chénas qui dévoile des notes minérales « d'une belle ampleur granitique », note un juré. Le vin fondu, rond et généreux tapisse pleinement le palais. Une très belle cuvée de terroir à découvrir dans un an sur une entrecôte marchand de vin. Même capacité de garde pour le **moulin-à-vent Vieilles Vignes Réserve Philibert 2010 (8 à 11 €; 5 000 b.)**, qui reçoit une étoile. Un vin élevé neuf mois en fût, puissant, élégant et long.

Michèle et Gérard Kinsella, Les Deschamps, 69840 Chénas, tél. 09.75.46.74.10, fax 03.85.33.85.70, gerard@chevrebleue.com r.-v.

DOM. DE CÔTES RÉMONT 2011 ★

■ 15 000 5 à 8 €

Les Olry ont procédé à rebours des habitudes : c'est à leur retraite, en janvier 2011, que Catherine et Dominique ont décidé de reprendre le domaine familial ! 60 ha d'un seul tenant autour de la maison : les néo-vignerons ne travaillent pas seuls, ils s'appuient sur l'expérience de la famille et d'un maître de chai, M. Granchamp. Leur premier millésime a séduit par son nez expressif, assez complexe, alliant les petits fruits noirs et la violette. Après une bonne attaque sur les fruits et les épices (poivre), la bouche se montre équilibrée, ronde et ferme, soutenue par des tanins que d'aucuns trouveront encore jeunes. Un ensemble bien construit, qui gagnera à vieillir deux ans en cave avant d'être dégusté sur un coq au vin.

Dom. de Côtes Rémont, Rémont, 69840 Chénas, tél. 04.74.04.40.49, fax 04.86.17.21.49, olryfamily@club.fr
r.-v.
Olry

CH. DE DURETTE 2011

■ 12 000 5 à 8 €

La famille Joly a repris le domaine en 2007. Après le chénas 2009, élu coup de cœur, voici le millésime 2011. Le vin, resté neuf mois en cuve, affiche une robe rubis foncé, presque noire, qui annonce un bouquet intense de cassis, accompagné de notes amyliques. Bien structurée, la bouche affiche une bonne longueur, avec des tanins encore fermes. On attendra deux ans avant de servir ce vin sérieux et solide sur un mets roboratif, une omelette au lard, par exemple.

Ch. de Durette, Chez le Bois, 69430 Régnié-Durette, tél. 06.60.30.55.26, fax 04.74.04.20.13, info@chateaudedurette.eu
t.l.j. sf dim. 10h-12h 14h-18h
Jean Joly

DOM. DES GANDELINS 2010 ★

■ 7 000 8 à 11 €

Le Domaine des Gandelins est une marque de Terres et Vins, structure créée par sept vignerons du Beaujolais dans le but de mutualiser la commercialisation de leurs vins. Cette cuvée est considérée par ce négoce original comme un domaine, donc issue d'un seul propriétaire, en l'occurrence Patrick Thévenet, installé à La Chapelle-de-Guinchay. Le vin présente le nez amylique des chénas friands et une bouche charnue et corsée qui lui donne beaucoup de prestance. À déguster dans un an. Le producteur suggère un accord innovant avec des sushis. On pourra jouer la prudence et choisir une volaille.

SARL Terres et Vins, 1324, rte de Saint-Fonds, 69480 Pommiers, tél. 04.74.67.66.48, contact@terres-et-vins.fr

DOM. DE NERVAT 2011

■ 14 000 8 à 11 €

Première apparition dans le Guide pour Pascal Descombes, qui a confié sa vendange de 2 ha à la cave coopérative de Chénas, où officie l'œnologue Didier Rageot. Il faut dire que ce vigneron est aussi président, depuis dix ans, de ladite coopérative. Le vin est floral, élégant, droit et net, avec une bouche fine et équilibrée. À servir dès aujourd'hui sur une viande blanche.

Dom. de Nervat, 71570 La Chapelle-de-Guinchay, tél. 04.74.04.48.19

DOM. DU P'TIT PARADIS 2011

■ 4 000 5 à 8 €

Ce microdomaine de 3,45 ha, dirigé par Denise Margerand depuis presque trente ans, manque rarement le rendez-vous du Guide. Ce chénas est la valeur sûre de l'exploitation. La vigneronne a vinifié en grappes entières avec une macération semi-carbonique le fruit de ses vignes âgées de soixante-six ans. Elle obtient un vin délicat, fidèle au style de l'appellation. La bouche est souple et fine, mais encore un peu austère. À déguster sur un plateau de fromages dans un an.

Denise Margerand, Les Pinchons, 69840 Chénas, tél. 04.74.04.48.71, fax 04.74.04.46.29 t.l.j. 10h-19h

BERNARD SANTÉ 2011

■ 15 000 5 à 8 €

Ce domaine propose une petite cuvée de 2 ha, issue de vignes âgées de soixante ans et vinifiée en grappes entières. La robe grenat annonce un nez frais de groseille et de framboise. Vif et gras, avec des tanins déjà bien arrondis, le palais est harmonieux, de belle longueur. À servir sur un jarret de veau ou sur un sabodet aux lentilles, conseille le vigneron.

🔑 Bernard Santé, 3521, rte de Juliénas,
71570 La Chapelle-de-Guinchay, tél. 03.85.33.82.81,
fax 03.85.33.84.46, earl.sante-bernard@wanadoo.fr
r.-v.

Chiroubles

Superficie : 350 ha
Production : 16 475 hl

Le plus haut des crus du Beaujolais s'étend sur une seule commune perchée à près de 400 m d'altitude, dans un site en forme de cirque aux sols constitués de sable granitique léger et maigre. Issu de gamay comme les autres crus, le chiroubles est élégant, fin, peu chargé en tanins, charmeur, avec des arômes de violette. Rapidement prêt, il rappelle parfois le fleurie ou le morgon, crus limitrophes. Il accompagne volontiers la charcuterie, et c'est un plaisir que de le goûter avec quelque casse-croûte au Fût d'Avenas, dont le sommet, à 700 m, domine le village. Créée en 1996, la confrérie des Damoiselles de Chiroubles fait connaître ce vin que certains considèrent comme le plus féminin des crus.

Chiroubles est la petite patrie du grand ampélographe Victor Pulliat, né en 1827, dont les travaux consacrés à l'échelle de précocité et au greffage des espèces de vigne ont contribué à mettre un terme à la crise phylloxérique ; pour parfaire ses observations, le savant avait rassemblé dans son domaine de Tempéré plus de 2 000 variétés ! La Fête des crus, organisée en avril, rappelle son souvenir.

ÉRIC ET FABIENNE BULLIAT 2011 ★

3 500 | 5 à 8 €

Éric Bulliat a vendangé une petite parcelle (un demi-hectare) de vignes d'âge respectable (quatre-vingts ans). Il en tire un vin expressif, au nez friand de petits fruits rouges et de réglisse. La bouche, tendre et fruitée, offre une matière élégante. Une bouteille prête à boire sur un saucisson chaud.

🔑 Éric Bulliat, Bellevue, 69910 Villié-Morgon,
tél. 04.74.69.15.92, fax 04.74.69.13.94,
eric.bulliat@wanadoo.fr r.-v.

CADOLE DE GRILLE-MIDI 2010 ★★

6 000 | 5 à 8 €

Patrice Chevrier, aux commandes du domaine depuis 1984, propose cette cuvée, déjà retenue avec une étoile dans le millésime 2009, qui doit son nom à la présence d'une cadole (petite remise à outils en pierre sèche) sur la parcelle vendangée. Ce terroir d'arènes granitiques, le bien nommé Grille-Midi, donne toujours des vins mûrs et fruités. En témoigne cet élégant 2010 à la robe sombre, au nez floral et à la bouche ample et riche, suave et ronde. À oublier deux ans en cave avant de le servir sur une côte de bœuf.

🔑 Patrice Chevrier, Sermezy, 69220 Charentay,
tél. et fax 04.74.66.86.55, pchevrier@free.fr r.-v.

♥ DOM. CHEYSSON 2010 ★★

100 000 | 5 à 8 €

Ce domaine, ancienne dépendance de l'abbaye de Cluny, est conduit depuis plus de vingt ans par Jean-Pierre Large, constant dans le soin apporté à ses vins. Témoin cette superbe cuvée qui se voit décerner la plus haute distinction. Issu de vignes de quarante-cinq ans, vinifié à la beaujolaise en macération semi-carbonique, ce chiroubles, bien dans son appellation, développe un nez complexe après neuf mois passés en cuve. Les arômes floraux (rose, pivoine) et fruités (griotte) annoncent une bouche ronde, aimable et généreuse, agrémentée de notes minérales en finale. À boire dès aujourd'hui sur une assiette de charcuterie ou un plat en sauce.

🔑 Dom. Émile Cheysson, Clos Les Farges,
69115 Chiroubles, tél. 04.74.04.22.02, fax 04.74.69.14.16,
domainecheysson@orange.fr t.l.j. 8h-12h 14h-18h

NICOLAS DEMONT Vieilles Vignes 2011 ★★

n.c. | 5 à 8 €

Nicolas Demont est un jeune vigneron installé depuis trois ans. À vingt-sept ans, il exploite un petit domaine de 5 ha implanté sur un coteau d'exposition sud-sud-est à 380 m d'altitude, au sud de l'appellation. Ses vieilles vignes âgées de soixante-cinq ans reposent, comme partout à Chiroubles, sur un sol maigre, sablonneux et granitique à l'origine de ce vin riche, structuré et tannique. Le nez complexe de framboise, de groseille, de cassis et de cuir annonce une matière parfumée et charnue, d'une belle longueur. Une magnifique cuvée qui devrait se bonifier dans les quatre prochaines années. On la servira dans quatre ans sur une viande grillée.

🔑 Nicolas Demont, Frédières, 69115 Chiroubles,
tél. 06.23.21.71.68, demont.nicolas@gmail.com r.-v.

ANNE-MARIE ET ARMAND DESMURES 2010 ★

15 000 | 5 à 8 €

Anne-Marie et Armand Desmures possèdent, en tout et pour tout, 6,4 ha de chiroubles à l'origine de cette unique cuvée de leur petit domaine. Ce vin vineux et mûr livre au nez des parfums de fruits rouges et d'épices (poivre). Ces arômes se confirment dans une bouche souple, ronde et bien équilibrée. À déguster cette année sur une assiette de charcuterie.

🔑 Anne-Marie et Armand Desmures, Le Bourg,
69115 Chiroubles, tél. 04.74.69.10.61, fax 04.74.69.15.12,
armand.desmures@gmail.com r.-v.

GEORGES DUBŒUF 2011 ★

9 795 | 5 à 8 €

Georges Dubœuf est l'un des grands acteurs viticoles de la région. Sa force ? Ce sont ses vins toujours friands et fruités, comme ce chiroubles d'une « richesse aromatique exemplaire » avec son nez de cassis, de pêche blanche, de fraise et de framboise. La bouche est fraîche, structurée, toujours intensément fruitée. À déguster l'an prochain sur un steak ou sur une volaille.

SA Les Vins Georges Dubœuf, 208, rue de Lancié, 71570 Romanèche-Thorins, tél. 03.85.35.34.20, fax 03.85.35.34.24, gduboeuf@duboeuf.com
t.l.j 10h-18h au Hameau du Vin

DOM. DE FONTRIANTE 2010 ★

3 500 | 5 à 8 €

Jacky Passot est installé à Villié-Morgon dans le hameau de Fontriante, c'est-à-dire au sud-est de Chiroubles, sur les dernières pentes de l'appellation, à une altitude plus basse que le cœur de vignoble. Il propose ce 2010 fort plaisant, vinifié au château de Raousset dont il est métayer depuis trente-cinq ans. Le nez déploie des arômes de petits fruits noirs qui annoncent une bouche élégante et légère, épicée et fraîche. Un « vin de copains », dit un juré. Le **beaujolais-villages 2011 blanc (2 300 b.)** du domaine est cité pour son fruité et sa fraîcheur.

Jacky Passot, Fontriante, 69910 Villié-Morgon, tél. 04.74.69.10.03, jacky.passot@orange.fr
t.l.j. 8h-12h 14h-19h

DOM. DE LA GROSSE PIERRE 2011 ★

40 000 | 5 à 8 €

Alain Passot, retenu l'an dernier pour son chiroubles Claudius 2009, se distingue grâce à cette cuvée du domaine représentant les deux tiers de son vignoble, soit 8 ha. Un 2011 élégant et subtil, au nez de violette, d'iris et de mûre, à la bouche racée, aux tanins souples, et toujours ces beaux arômes délicats de violette. Un vin lumineux, à déguster dans deux ans.

Alain Passot, La Grosse Pierre, 69115 Chiroubles, tél. 04.74.69.12.17, fax 04.74.69.13.52, apassot@orange.fr
r.-v. 3

CH. DE JAVERNAND 2010 ★★

15 000 | 8 à 11 €

Pierre Fourneau est en train de passer la main à son fils Arthur, qui a vinifié en 2010 son deuxième millésime et auquel s'est joint Arthur-Pierre Prost, jeune associé d'une trentaine d'années. Le domaine est d'un seul tenant et ce chiroubles représente donc un bloc de 11 ha vinifié en grappes entières. Le style recherché par Arthur, c'est la finesse des arômes et la fraîcheur du vin : ici s'expriment les fruits, le poivre et les épices douces ; la bouche est riche et fraîche, poivrée en finale. Le coup de cœur n'est pas passé loin ! À déguster dans deux ans.

Ch. de Javernand, 69115 Chiroubles, tél. 09.63.29.82.13, fax 04.74.04.20.33, chateau@javernand.com r.-v.

DOM. MORIN 2011

46 000 | 5 à 8 €

Guy Morin propose une cuvée au nez intéressant de petits fruits noirs (cassis, mûre) et de fleurs (violette, iris). L'attaque fraîche dévoile une bouche charnue et fruitée, rehaussée de tanins francs. Un vin typique de l'appellation que l'on pourra attendre deux ans avant de le savourer sur un fromage de chèvre tendre et moelleux.

Guy Morin, Le Bois, 69115 Chiroubles, tél. 04.74.69.13.29, fax 04.74.69.09.75

DOM. DU PETIT PUITS 2011

20 000 | 5 à 8 €

Issue d'une parcelle de 4,5 ha, cette cuvée représente plus de la moitié de la production de ce petit domaine de 7,5 ha, qui propose aussi les appellations morgon, fleurie et beaujolais-villages. Vinifiée à la beaujolaise, en macération semi-carbonique, elle se pare d'une robe rubis aux reflets violets. Le nez fin et délicat évoque les fleurs et les fruits rouges. À l'unisson, la bouche ronde et bien équilibrée dévoile des tanins encore assez marqués, qui s'arrondiront après deux ans de garde.

Gilles Méziat, Le Verdy, 69115 Chiroubles, tél. 04.74.69.15.90, fax 04.74.04.27.71, gilles.meziat@orange.fr r.-v.

CH. DE RAOUSSET 2011

15 000 | 5 à 8 €

Rémy Passot, vigneron, est le gérant de la société des Héritiers du comte de Raousset, créée en 1989. Il exploite 12 ha de vignes, dont la moitié est dédiée à ce chiroubles. Ce 2011 offre un nez encore discret, qui évoque la cerise, et une bouche charnue, souple et soyeuse. On dégustera cette bouteille sans tarder sur une volaille.

SCEA Héritiers de Raousset, Les Prés, 69115 Chiroubles, tél. 04.74.69.16.19, fax 04.74.04.21.93, remy@scea-de-raousset.fr r.-v.

DOM. LA ROCHE DU POTET L'Aurore des Côtes 2010 ★★

2 000 | 5 à 8 €

Fabien Collonge, qui a pris la suite de son père André, vit en hauteur, sur les contreforts des monts du Beaujolais (Les Truges, son hameau, étant à 450 m d'altitude), mais il est malgré tout assommé par la chaleur lorsqu'il travaille cette parcelle de 80 ares exposée plein sud. Du coup, il n'y va qu'à l'aube, d'où le nom de ce superbe 2010, au nez expressif de fruits noirs, à la bouche ample et persistante. Ce vin mûr et équilibré, doté d'une belle structure tannique, gagnera à attendre deux ans.

Fabien Collonge, Les Truges, 69910 Villié-Morgon, tél. 06.30.02.63.18, f.collonge@orange.fr r.-v. B

♥ DOM. RENÉ SAVOYE 2011 ★★

10 000 | 5 à 8 €

Suzanne et René Savoye, régulièrement mentionnés dans le Guide pour cette appellation, ont vendangé leurs 2 ha de chiroubles dès le 25 août. Une récolte plutôt précoce pour cette appellation d'altitude. Ceci explique sans doute la vivacité de ce vin magnifique, au nez élégant de petits fruits rouges et de cassis. L'attaque souple dévoile une bouche au parfait équilibre, ronde et fruitée, d'une belle persistance. À boire dès cette année sur un plateau de fromages.

Suzanne et René Savoye, Le Bourg, 69115 Chiroubles, tél. 04.74.04.23.47, fax 04.74.04.22.11, savoye.rene@wanadoo.fr

t.l.j. 8h-19h; dim. 8h-12h

DOM. DE TEMPÉRÉ Élevé en fût de chêne 2011

8 300 | 5 à 8 €

Guy Pignard a vendangé une petite parcelle (2,38 ha) de vieilles vignes âgées de soixante-dix ans pour obtenir cette cuvée. Il a ensuite choisi d'élever son vin en fût de chêne durant six mois, le destinant donc à la garde. Cela donne un nez expressif de vanille et de sous-bois, une bouche franche et toujours vanillée, aux tanins soyeux. Ce 2011 gagnera à patienter deux ans avant d'accompagner un navarin d'agneau.

Évelyne et Guy Pignard, dom. de la Grange-Ménard, 69400 Arnas, tél. 04.74.62.87.60, fax 04.74.65.35.28, pignard.guy@orange.fr r.-v.

Fleurie

Superficie : 855 ha
Production : 38 925 hl

Posée au sommet d'un mamelon totalement planté de gamay, une chapelle semble veiller sur le vignoble : c'est la Madone de Fleurie, qui marque l'emplacement du troisième cru du Beaujolais par ordre d'importance, après le brouilly et le morgon. L'aire d'appellation ne s'échappe pas des limites communales, et sa géologie est assez homogène, avec des sols constitués de granites à grands cristaux qui communiquent au vin une impression de finesse et d'élégance. Certains aiment le fleurie frais, d'autres le servent à 14-15 °C. Ce vin entre traditionnellement dans la préparation de l'andouillette à la beaujolaise. Printanier, il charme par ses arômes aux tonalités d'iris et de violette. Certains terroirs aux noms évocateurs figurent sur l'étiquette : la Rochette, la Chapelle-des-Bois, les Roches, Grille-Midi, la Joie-du-Palais...

DOM. DE LA BOURONIÈRE 2011 ★★

30 000 | 8 à 11 €

Fabien de Lescure est un producteur régulier : coup de cœur l'an dernier pour le fleurie 2009 du Château des Labourons (voir plus loin), deux étoiles pour sa cuvée Prestige 2009 et une étoile pour sa cuvée classique 2009 issues de son propre domaine. Cette dernière, dans sa version 2011, est un vin friand et débonnaire, au nez franc et frais de fruits noirs et de bourgeon de cassis. La bouche se révèle soyeuse, fine et gourmande. À déguster dès à présent sur des paupiettes de veau.

Fabien de Lescure, Dom. de la Bouronière, 69820 Fleurie, tél. 04.74.69.82.13, fax 04.74.69.85.40, bouroniere@wanadoo.fr

t.l.j. sf dim. 9h-12h 14h30-19h

DOM. JEAN-PAUL CHAMPAGNON Clos de l'Amandier 2010

5 000 | 8 à 11 €

Jean-Paul Champagnon exploite un domaine de 10 ha, dont 75 ares sur ce clos de vignes abritées de murs et exposées au sud. Il a vinifié son vin à la bourguignonne (éraflage, macération de vingt jours), mais il l'a ensuite élevé dans un foudre de 5 000 l – l'équivalent de vingt-deux pièces bourguignonnes –, alors que les Bourguignons recourent en général au fût. De cette façon, il donne de l'oxygène au vin sans lui léguer de notes boisées et obtient ici un 2010 franc et intense, au nez de fruits noirs, rond et souple en bouche, porté par des tanins finement ciselés.

Jean-Paul Champagnon, La Treille, 69820 Fleurie, tél. 04.74.04.15.62, fax 04.74.69.82.60, sylvie.champagnon@hotmail.fr t.l.j. 8h-20h

CLAIRE ET FABIEN CHASSELAY
La Chapelle des bois 2010

5 000 | 8 à 11 €

Claire et Fabien Chasselay sont parmi les rares vignerons du Beaujolais convertis au bio. La démarche ne va pas de soi quand le coût de revient se calcule au centime près, avec des banques qui exigent de la rentabilité avant toute chose. Or cumuler agriculture biologique et bénéfices immédiats n'est pas chose aisée, surtout dans une région où les prix de vente restent modestes. La réussite de ce jeune domaine créé en 2008, qui propose un fleurie à peu près au prix des autres, n'en est que plus méritoire. Avec son nez de cassis, de vanille et de caramel, ce 2010 élevé douze mois en fût s'annonce d'emblée taillé pour la garde ; le boisé marqué est d'ailleurs la marque de fabrique de Fabien Chasselay, qui avait réussi un beau 2009 dans le même registre. La bouche, charnue, riche et harmonieuse – ne dit pas autre chose et confirme que ce vin est à attendre – un an ou deux.

Claire et Fabien Chasselay, 157, chem. de la Roche, 69380 Châtillon-d'Azergues, tél. 04.78.47.93.73, fabien.chasselay@hotmail.fr

t.l.j. 9h-12h 14h-19h

JULIEN ET RÉMI CLÉMENT Vieilles Vignes 2010

2 000 | 8 à 11 €

Julien Clément a rejoint son père Rémi en 2006 pour tourner la page de la vente en vrac et se lancer dans la vente en bouteilles au domaine : une sacrée aventure en ces temps de crise. Mais le pari devrait réussir quand on voit la qualité de ce 2010 et de la cuvée classique **2010 (5 à 8 € ; 4 000 b.)**. Le domaine exploite de vieilles vignes – soixante-dix ans pour la première, soixante pour la seconde – et vinifie en macération semi-carbonique. Le nez de la cuvée Vieilles Vignes se révèle très mûr, évoquant les fruits noirs confiturés, et la bouche, soyeuse, riche et élégante, s'appuie sur des tanins ronds. À boire dans les deux ans. Plus souple et plus frais, le fleurie classique se dégustera dans l'année.

Julien et Rémi Clément, Les Laverts, 69820 Fleurie, tél. 04.74.69.80.19, clement.julien-remi@wanadoo.fr

t.l.j. 9h-19h

DOM. DU CLOS DES GARANDS Vieilles Vignes 2010 ★★

3 500 | 11 à 15 €

Cette parcelle de 1,6 ha de vignes de quatre-vingts ans est la « star » de ce petit domaine de 6,17 ha. Citée l'an dernier, elle s'impose dans le millésime 2010, par son nez gracieux de violette et d'épices douces, par sa bouche ronde, veloutée et néanmoins solidement charpentée, dotée d'une finale tannique bien travaillée. Patiné par dix mois de foudre, le vin atteint un superbe équilibre entre fruits et tanins. À déguster dans deux ans sur une viande blanche à la crème.

Dom. du Clos des Garands, Les Garands, 69820 Fleurie, tél. 04.74.69.80.01, fax 04.74.69.82.05, contact@closdesgarands.fr t.l.j. 9h-19h

DOM. ANDRÉ COLONGE ET FILS 2011

45 000 | 8 à 11 €

Serge Colonge exploite un domaine de 36 ha, dont 7,3 ha de vignes de trente ans à l'origine de cette cuvée. Il a opté ici pour une longue cuvaison et obtient un vin complexe, au nez floral et mûr (notes de prune), rehaussé de nuances de clou de girofle. La bouche fraîche, souple et nette, dévoile toutefois des tanins encore un peu sévères en finale qui appellent un an de cave pour s'arrondir.

Dom. André Colonge et Fils, Les Terres-Dessus, 69220 Lancié, tél. 04.74.04.11.73, fax 04.74.04.12.68, contact@domaine-andre-colonge-et-fils.com r.-v.

DOM. DES COMBIERS La Cadole 2011 *

6 000 | 8 à 11 €

Laurent Savoye, installé en 2006 sur le domaine familial, revient pour la quatrième édition consécutive avec cette Cadole, du nom des petites cabanes en pierre qui servent d'abris aux vignerons en cas d'intempérie. Né de vieilles vignes de soixante ans plantées sur un terroir drainant exposé à l'est, le 2011 offre un joli nez floral d'iris et de violette. La bouche, gracieuse et tendre, affiche une belle matière soutenue par des tanins prometteurs. À découvrir dans deux ans sur un faisan rôti.

Laurent Savoye, Les Combiers, 69820 Vauxrenard, tél. et fax 04.74.04.11.06, laurent.savoye@aliceadsl.fr r.-v.

DIDIER DESVIGNES Les Garants 2010 *

n.c. | 11 à 15 €

Les Garants, c'est l'un des *climats* les plus connus de l'appellation, déjà mentionné par André Jullien en 1832 dans sa *Topographie de tous les vignobles connus*. Didier Desvignes y exploite une parcelle d'où il tire ce vin au nez intense de fruits confits et de raisin sec, à la bouche fruitée, ronde, pleine et riche. À boire l'an prochain sur un rôti de porc aux pruneaux.

Didier Desvignes, Saint-Joseph, 69910 Villié-Morgon, tél. 04.74.69.92.29, fax 04.74.69.97.54 r.-v.

CAVE DES GRANDS VINS DE FLEURIE 2011

30 000 | 5 à 8 €

La cave coopérative est le premier producteur de Fleurie, puisqu'elle représente un tiers de l'appellation en volume. Jérôme Donzel, son œnologue, signe ici un joli vin. Le nez, discret, évoque la griotte. La bouche, fine et fruitée, présente des tanins encore nerveux que l'on laissera s'assouplir encore un an ou deux.

Cave des producteurs de Fleurie, rue des Vendanges, BP 2, 69820 Fleurie, tél. 04.74.04.11.70, fax 04.74.69.84.73, contact@cavefleurie.com t.l.j. 9h30-12h 14h-19h (14h30-18h en hiver)

CHRISTIAN GAIDON 2010

10 000 | 8 à 11 €

Christian Gaidon exploite un vignoble de 7,5 ha planté de vignes de quarante-cinq ans. Il en a tiré ce vin au nez discrètement fruité, à la bouche fraîche, souple, réglissée et de bonne longueur. À boire cette année sur une assiette de charcuterie.

Christian Gaidon, Champagne, 69820 Fleurie, tél. et fax 04.74.69.84.67, gaidon.christian@live.fr r.-v.

DOM. GAY-COPÉRET Cuvée Joséphine 2011 *

2 000 | 8 à 11 €

Un hectare de vignes de vingt-cinq ans est à l'origine de ce fleurie au nez expressif de rose ancienne et d'épices douces. La bouche, fraîche, gouleyante et friande, se révèle charmante, parcourue de plaisants arômes fruités (myrtille) et portée par d'agréables tanins. Un vin prêt à boire – pourquoi pas sur du porc au curry ?

Catherine et Maurice Gay, Les Vérillats, 69840 Chénas, tél. 04.74.04.48.86, fax 04.74.04.42.74, contact@gay-coperet.fr r.-v.

♥ DOM. DE HAUTE MOLIÈRE 2011 **

13 500 | 5 à 8 €

Jean-François Patissier est installé à Vauxrenard, à la tête de 8 ha de vignes. Il exploite deux crus, morgon et fleurie. S'il a adossé sa notoriété au morgon, c'est ici son fleurie qui emporte les suffrages. Il a vendangé tôt, dès le 23 août, ses 2 ha dédiés au troisième cru du Beaujolais par la taille. Cela ne l'empêche pas d'obtenir un vin au nez complexe où les fruits mûrs (myrtille, cerise bigarreau) côtoient des notes de rose et de sous-bois. Tout aussi expressif, le palais dévoile une matière ronde, tapissée des arômes de myrtille sauvage perçus à l'olfaction et bâtie sur des tanins soyeux qui structurent la finale sans dureté. On verrait bien cette bouteille accompagner dans un an ou deux (et même plus) un salmis de faisan ou une volaille rôtie.

Jean-François Patissier, Le Bourg, 69820 Vauxrenard, tél. 04.26.74.40.33, fax 04.74.69.92.58, j.patissier1@numericable.com r.-v.

CH. DES LABOURONS 2010

35 000 | 8 à 11 €

Coup de cœur l'an dernier pour sa cuvée principale 2009, cette propriété de 17,25 ha a été reprise en 2007 par la famille Lescure. Fabien de Lescure assure les vinifications et Priska de Barry, sa sœur, la gestion de la propriété. Sans atteindre le niveau de sa devancière, cette même cuvée, version 2010, séduit par son nez fruité, floral et épicé, et par son palais à l'unisson, rond et harmonieux. À boire dans l'année sur un foie de veau poêlé.

SCEA Ch. des Labourons, 69820 Fleurie, tél. 04.74.04.13.04, fax 04.74.69.86.01, chateaudeslabourons@orange.fr r.-v.

LUCIEN LARDY Les Roches 2010 ★

	20 000		8 à 11 €

Détenant des parcelles dans trois *climats* renommés depuis André Jullien (1832) – Moriers, Viviers et Roches –, Lucien Lardy possède une intéressante carte de fleurie. Après les Moriers 2009 distingués l'an dernier, c'est au tour des Roches de s'illustrer. Et celles-ci portent bien leur nom : la roche affleure à certains endroits dans ces 6 ha plantés de vignes de cinquante ans. Le sol, maigre et sablonneux, donne ici un vin au nez élégant de cerise, soyeux et fin en bouche, adossé à des tanins souples. À servir dans l'année sur une andouillette.

Lucien Lardy, Le Vivier, 69820 Fleurie, tél. 04.74.69.81.74, fax 04.74.04.12.30, lucien.lardy@club-internet.fr r.-v.

RÉSERVE LOUIS LEYRE-LOUP 2010 ★

	2 000		11 à 15 €

Christophe Lanson a démarré en 1993 sur le cru morgon, et s'est agrandi tout récemment en fleurie, où il possède désormais 2,81 ha dans les *climats* de Poncié et des Combes. Ce 2010 est son premier millésime dans cette appellation, qu'il vend sous la nouvelle marque Réserve Louis Leyre-Loup. Il a égrappé en partie la vendange, et élevé ce 2010 dix-huit mois en fût de chêne (de réemploi). Il obtient un vin au nez boisé, mais un boisé élégant, vanillé et toasté. Structurée, ample et soyeuse, la bouche apparaît elle aussi bien marquée par l'élevage. À déboucher dans deux ans sur un coq au vin.

Christophe Lanson, 20, rue de l'Oratoire, 69300 Caluire, tél. 04.78.29.24.10, fax 04.78.28.00.57, christophe.lanson@domaine-de-leyre-loup.fr r.-v.

DOM. METRAT ET FILS La Roilette Vieilles Vignes 2010

	15 000		8 à 11 €

Les 2,5 ha de vignes à l'origine de ce vin ont été plantés en 1924 par l'arrière-grand-père de Bernard Metrat. Ce dernier a « bichonné » cette cuvée, lui offrant une cuvaison longue (dix-sept jours en macération semi-carbonique traditionnelle) et un élevage partiel en fût de chêne pendant dix mois. Le résultat est un fleurie au nez intense de fruits noirs, à la bouche solidement charpentée, encore dominée par le bois, qui saura toutefois s'arrondir après deux ans de garde.

Bernard Metrat, La Roilette, 69820 Fleurie, tél. 04.74.69.84.26, fax 04.74.69.84.49, contact@domainemetrat.fr r.-v.

MOILLARD 2011

	60 000	5 à 8 €

Ce négociant bourguignon propose ici un vin léger, au nez intense de fruits noirs, à la bouche souple et ronde fleurant bon les fruits rouges. Un fleurie d'une aimable simplicité, à déguster dans un an sur une assiette de charcuterie.

Moillard, RD 974, 21190 Meursault Cedex, tél. 03.80.21.99.51, fax 03.80.21.28.05, fanny.duvernois@bejot.com

Thomas

DOM. DES NUGUES 2010 ★

	38 000		8 à 11 €

Gilles Gelin semble apprécier les vins mûrs, au bouquet compoté. De fait, il a vendangé assez tardivement ces 6 ha de fleurie, le 20 septembre, obtenant ainsi un vin au nez chaleureux de cerise griotte macérée à l'eau-de-vie. La bouche, tout aussi généreuse, sur les fruits à l'alcool, se révèle riche, persistante et charpentée par des tanins enrobés. À ouvrir dans les trois ans à venir sur une viande en sauce.

Gilles Gelin, 40, rue de la Serve, Les Pasquiers, 69220 Lancié, tél. 04.74.04.14.00, fax 04.74.04.16.73, earl-gelin@wanadoo.fr r.-v.

DOM. DE ROBERT Cuvée Tradition 2010

	35 000		8 à 11 €

À l'origine de cette cuvée, 5 ha de vignes de cinquante ans et une vendange vinifiée à la bourguignonne : égrappage total suivi de quinze à dix-huit jours de macération. Mais point de fût, rien que de la cuve. Voilà qui confère à ce vin rouge rubis « un nez fruité, et même un rien citronné », note un dégustateur. Quant à la bouche, ronde et charpentée, elle prendra de l'ampleur après deux ans de garde. À déguster sur une viande blanche.

Patrick Brunet, Champagne, 69820 Fleurie, tél. 06.81.97.25.55, patrick.brunet20@free.fr r.-v.

DOM. DE LA TOUR DES BOURRONS
Cuvée Prestige Vieilles Vignes 2010

	2 000		5 à 8 €

Cette cuvée, issue de 50 ares de vignes de soixante-cinq ans, a été vinifiée avec retenue : douze jours de macération et une macération préfermentaire à chaud pour commencer. Bernard Guignier en extrait un vin au nez intense de petits fruits rouges et noirs. Dans le même registre, la bouche se montre gourmande, friande, ronde et flatteuse. Un vin de plaisir, à déguster dans l'année sur une pièce de bœuf juste grillée.

Monique et Bernard Guignier, Les Bourrons, 69820 Vauxrenard, tél. et fax 04.74.69.92.05, bernard-monique.guignier@orange.fr r.-v.

DOM. DE LA TREILLE 2011

	6 000		8 à 11 €

Jean-Paul et Hervé Gauthier ont vendangé à la main, comme la plupart de leurs collègues, des vignes de cinquante-cinq ans pour donner naissance à cette cuvée, qu'ils ont vinifiée tout en légèreté avec seulement dix jours de macération semi-carbonique en grappes entières (à la beaujolaise). Le résultat ? Un vin au nez discrètement fruité, léger, fin et souple en bouche. À boire dès l'automne sur des charcuteries.

EARL Jean-Paul et Hervé Gauthier, 60, rue Grolée, 69220 Lancié, tél. 04.74.04.11.03, jean-paul.gauthier2@wanadoo.fr r.-v.

Juliénas

Superficie : 585 ha
Production : 21 865 hl

Un cru impérial d'après l'étymologie : Juliénas tiendrait en effet son nom de Jules César, de même que Jullié, l'une des quatre communes qui composent l'aire géographique de l'appellation (avec Émeringes et Pruzilly, cette dernière se trouvant en Saône-et-Loire). Implanté sur des terrains granitiques à l'ouest et sur des terrains sédimentaires avec alluvions anciennes à l'est, le gamay engendre des vins bien charpentés, riches en couleur, appréciés au printemps après quelques mois de conservation. Gaillards et espiègles, ceux-ci sont à l'image des fresques qui ornent le caveau de la vieille église, au centre du bourg. Dans cette chapelle désaffectée est remis, chaque année à la mi-novembre, le prix Victor-Peyret à l'artiste, peintre, écrivain ou journaliste qui a le mieux « tasté » les vins du cru ; celui-ci reçoit alors 104 bouteilles : 2 par week-end... La cave coopérative est installée dans l'enceinte de l'ancien prieuré du château du Bois de la Salle.

DOM. DE L'ANCIEN RELAIS Vieille Vigne 2010 ★

■ 8 000 ■ 5 à 8 €

Jean-Yves Midey est un ancien cuisinier qui s'est reconverti en reprenant avec son épouse le domaine de 4 ha conduit par son beau-père André Poitevin. Il en a doublé la superficie, et exploite maintenant des vignes de cinquante ans en juliénas, d'où il tire cette cuvée, fleuron de la propriété. Rouge cerise, celle-ci dévoile un nez expressif de fruits rouges légèrement kirschés et une bouche ronde et ample, aux tanins bien présents. Vive, aromatique, elle est à attendre un an.

EARL André Poitevin, Les Chamonards, 71570 Saint-Amour-Bellevue, tél. 03.85.37.16.05, fax 03.85.37.40.87, earlandrepoitevin@wanadoo.fr
r.-v.

Marie-Hélène et Jean-Yves Midey

DOM. PASCAL AUFRANC Probus 2010 ★

■ 6 000 ■ 8 à 11 €

Pascal Aufranc voit deux de ses juliénas sélectionnés : ce Probus, du nom de l'empereur qui aurait importé le cépage gamay dans la région, et **Les Cerisiers Vieilles Vignes 2010 (15 000 b.)**, cité. Tous deux ont été vinifiés en grappes entières et ont connu une macération d'une dizaine de jours. Mais le premier a fait ensuite l'objet d'un long élevage de dix-huit mois en fût. Cela ne marque heureusement ni le nez (fruits à noyau et kirsch) ni la bouche (élégante, dense et structurée, de bonne longueur). Le second, élevé en cuve, est assez rond et énergique. Des cuvées à apprécier d'ici deux ans.

Pascal Aufranc, En Rémont, 69840 Chénas, tél. 04.74.04.47.95, pascal.aufranc@orange.fr r.-v.

DOM. DE BEAUVERNAY 2010 ★

■ 7 500 ■ 5 à 8 €

Ce domaine, expert de l'appellation, consacre 12 de ses 13 ha au juliénas (le reste étant dédié à un beaujolais-villages rosé). Il se spécialise dans l'élaboration de petites cuvées, tel ce 2010 élevé neuf mois en cuve et en foudre, qui charme par son nez discret de fruits noirs, son gras et sa rondeur. Un vin complet, aux tanins de qualité, que l'on servira après deux ans de garde. La cuvée **Beauvernay Vieilles Vignes 2010 (8 à 11 € ; 2 300 b.)**, boisée par seize mois de fût, est citée.

Famille Badinand, Le Bourg, 69840 Jullié, tél. 04.78.37.34.80, xavierbadinand@gmail.com r.-v.

DOM. BERGERON Vayolette 2011 ★

■ 8 500 ■ 5 à 8 €

Ce gros domaine de 33 ha, conduit par Jean-François et Pierre Bergeron, voit deux de ses crus 2011 retenus dans le Guide. Les deux frères vinifient en grappes entières, et laissent leur Vayolette en fermentation quatorze jours, pour une bonne extraction. Ce vin dévoile des reflets violacés et des senteurs intenses de fruits rouges et noirs. Rond à l'attaque, structuré et persistant, il s'appréciera sur une terrine de faisan après un à deux ans de garde. Le **saint-amour 2011 Clos du Chapitre (4 700 b.)** présente des arômes confiturés, de la souplesse et un bel équilibre. Cité, il sera dégusté plus tôt.

Dom. Jean-François et Pierre Bergeron, Les Rougelons, 69840 Émeringes, tél. 06.80.13.20.12, fax 04.74.04.40.72, domaine-bergeron@wanadoo.fr
t.l.j. 8h30-12h30 13h30-19h

CH. DE LA BOTTIÈRE Cuvée Vieilles Vignes 2010 ★

■ 5 000 ■ 5 à 8 €

Il ne faut pas confondre la Bottière-Pavillon (famille Depardon) avec la Bottière des Perrachon, qui présente ici une cuvée de vignes centenaires, distinguée pour son élégance. Le nez évoque la cerise fraîche et confite ; le palais est charnu, plein, gras, et se conclut sur des tanins épicés. L'élevage sous bois (douze mois de fût puis trois mois de foudre) ne se fait guère sentir, les tanins restant souples. Un vin complet, à déguster dès 2013.

Laurent Perrachon, Dom. des Mouilles, 69840 Juliénas, tél. et fax 04.74.04.40.44, laurent@vinsperrachon.com
t.l.j. 9h-18h; dim. sur r.-v.

DOM. DE LA BOTTIÈRE-PAVILLON 2011

■ 48 000 ■ 5 à 8 €

La famille Depardon exploite un petit domaine de 8,5 ha dont le juliénas ne manque pas le rendez-vous du Guide depuis trois ans. Vêtu d'une robe légère, rubis, ce 2011 libère avec discrétion quelques notes de fruits mûrs. Tendre, rond et élégant en bouche, il est à boire dans sa jeunesse, d'ici deux ans.

EARL Depardon Père et Fils, La Bottière, 69840 Juliénas, tél. 04.74.04.41.69, fax 04.74.69.09.75

DOM. BOULET 2011

■ 12 000 5 à 8 €

David et Nadège Boulet travaillent en couple et se partagent toutes les tâches, de la vigne à la vinification. Ils ont vendangé les 5 ha de vignes de cinquante-cinq ans à l'origine de ce vin rubis, au nez timide, légèrement minéral. Souple et gracieuse, la bouche montre une certaine persistance. À déguster en 2013 sur des œufs en meurette, par exemple.

Nadège et David Boulet, Le Bourg, 69840 Juliénas, tél. 04.74.04.40.78, domaine.boulet@sfr.fr
r.-v. 3

DOM. DES BRUYÈRES Les Capitans 2011

■ 3 000 ■ 5 à 8 €

Les Capitans sont un lieu-dit de Juliénas réputé, sur lequel Nicolas Durand exploite 92 ares. Il y possède de très vieilles vignes de quatre-vingt-dix ans vinifiées selon la méthode beaujolaise traditionnelle de la macération semi-carbonique en grappes entières. Amateur de tanins soyeux, le vigneron obtient ici un vin souple et ample, vif et fruité. Pour accompagner un coq au vin, après un an de garde.

Nicolas et Sandrine Durand, 502, rte de Saint-Amour, 71570 La Chapelle-de-Guinchay, tél. 03.85.36.55.16, nicolas.durand41@wanadoo.fr r.-v.

DOM. DE LA CAVE LAMARTINE Côte de Bessay 2011 ★

6 000 | 5 à 8 €

Le domaine de Bernadette et Paul Spay est installé sur la colline de l'Église à Saint-Amour, d'où l'on bénéficie d'une vue imprenable sur la plaine de la Saône et le mont Blanc. Leurs 2 ha de juliénas situés sur la Côte de Bessay, orientée au sud, sont plantés de vieilles vignes. N'appréciant pas le boisé, le couple préfère conserver le fruité du gamay « brut de cuve ». Ce vin correspond à leur goût avec son nez pimpant de fruits rouges, sa bouche gourmande et friande égayée de tanins ronds. Accord suggéré : une blanquette de veau, dès 2013.

Dom. de la Cave Lamartine, Le Plâtre-Durand, 71570 Saint-Amour-Bellevue, tél. 03.85.37.12.88, fax 03.85.37.49.19, info@hamet-spay.fr t.l.j. sf dim. 9h-12h 14h-19h

Bernadette Spay

DOM. CHÂTAIGNIER DURAND Tradition 2011 ★★

5 000 | 5 à 8 €

Jean-Marc Monnet réussit un remarquable doublé avec ses juliénas 2011, car il obtient non pas un mais deux coups de cœur ! Les seuls décernés dans l'appellation cette année, d'ailleurs. La cuvée Tradition occupe la première place du podium, suivie de près par la cuvée **Vieilles Vignes 2011 (8 à 11 €; 7 000 b.)**. Toutes deux ont été élevées en cuve, dans ce style friand qui définit le domaine. Derrière une robe profonde aux reflets pourpres, leur bouquet se montre complexe, avec des notes de violette et de fruits noirs (cassis, myrtille) pour la cuvée Tradition ; de pivoine, de framboise et de groseille pour les Vieilles Vignes. La matière, riche, enveloppante et élégante, séduit par sa minéralité pour la première, par sa structure veloutée pour la seconde. Deux grands vins qui vous charmeront après une année de cave, mais qui sauront aussi affronter une garde de quatre ans.

Jean-Marc Monnet, La Ville, 69840 Juliénas, tél. 04.74.04.45.46, fax 04.74.04.44.24, monnet.jm@free.fr r.-v.

DOM. DU CLOS DU FIEF Cuvée Tradition 2011 ★

7 000 | 5 à 8 €

Après un coup de cœur pour un juliénas 2009, Michel Tête obtient cette fois-ci une étoile pour sa cuvée Tradition et une citation pour sa **cuvée Prestige 2010 (8 à 11 €; 7 000 b.)**. La première n'a pas connu le bois ; elle ressort de son élevage de six mois avec un nez de petits fruits rouges (fraise, framboise) et de fleurs. La bouche, ronde à l'attaque, longue et fine, se laissera découvrir l'an prochain sur un rôti de porc. La cuvée Prestige, issue de vieilles vignes et élevée partiellement en fût, offre un bel équilibre entre le fruit et le bois.

Michel Tête, Les Gonnards, 69840 Juliénas, tél. 04.74.04.41.62, fax 04.74.04.47.09, domaine@micheltete.com t.l.j. 8h30-12h30 14h-19h

DOM. LE COTOYON 2011

7 000 | 5 à 8 €

Le vignoble de Frédéric Bénat, 15 ha, est partagé entre les AOC juliénas et saint-amour. L'hectare de gamay à l'origine de cette cuvée rubis profond a été vendangé assez tôt, dès le 29 août. Il en résulte un bouquet de petits fruits rouges et une bouche empreinte de vivacité, soutenue par des tanins souples en attaque, puis plus affirmés. On aurait aimé plus de longueur, mais l'ensemble est plaisant et se découvrira dans un an ou deux.

Frédéric Bénat, Les Ravinets, 71570 Pruzilly, tél. et fax 03.85.35.12.90, frederic.benat@wanadoo.fr r.-v.

PASCAL GRANGER Cuvée spéciale 2010

10 000 | 5 à 8 €

Pascal Granger avait frappé un grand coup en 2009 en transformant cet hectare de vignes de soixante-dix ans d'âge en une cuvée appelée L'Unique, de belle extraction. Pour le millésime 2010, il revient sur des bases plus classiques, avec une vinification de quatorze jours et un élevage en fût de huit mois. Il obtient un vin au nez de petits fruits rouges, à la bouche nette, épaulée de tanins puissants. À déguster dans deux ans sur un rôti de bœuf.

EARL Pascal Granger, Les Poupets, 69840 Juliénas, tél. 04.74.04.44.79, ma.granger@wanadoo.fr t.l.j. 8h-20h; f. 10-25 août

DOM. DES MOUILLES 2011 ★★

7 000 | 5 à 8 €

Homme aux multiples étiquettes, Laurent Perrachon est à la fois l'homme derrière le château de la Bottière (voir plus haut) et celui derrière ce domaine des Mouilles, producteur de plusieurs crus du Beaujolais. Ce juliénas partage la même élégance que celui de la Bottière, mais montre un peu plus d'évolution au nez, avec ses notes d'épices, de fraise et de coing. La bouche, équilibrée, possède du fond, de la matière et des tanins délicats. Le **fleurie 2011 La Cadole (3 000 b.)** est un vin harmonieux et mûr, aux tanins ronds. Il est cité.

GFA du Dom. des Mouilles, La Bottière, 69840 Juliénas, tél. et fax 04.74.04.40.44, laurent@vinsperrachon.com t.l.j. 9h-18h; dim. sur r.-v.

DOM. DU MOULIN BERGER Vayolette 2011 ★★

6 000 | 8 à 11 €

Michel Laplace a vendangé les 3,9 ha de vignes âgées de cinquante ans pour obtenir cette cuvée. L'élevage partiel en fût ne se fait pratiquement pas sentir. En effet, le nez discret évoque les fruits rouges bien mûrs, et la bouche se montre gouleyante et harmonieuse, le tout formant un vin de plaisir, charmeur et sans chichis, à déguster sur son fruit à la sortie du Guide. Suggestion du

jury : une assiette de charcuterie pour la convivialité, ou un dessert chocolaté pour la gourmandise.
Laplace, Le Moulin Berger, 71570 Saint-Amour-Bellevue, tél. 03.85.37.41.57, fax 03.85.37.44.75, michel.laplace0899@orange.fr r.-v.

DOM. PLACE DES VIGNES 2010 ★

■ 2 000 ▮ 5 à 8 €

Thierry Roussot exploite un minuscule domaine de 4,5 ha. Ce juliénas, avec ses 3 ha de gamay de soixante ans, représente donc la majorité de sa production. Floral et griotté au nez, il dévoile une bouche souple à l'attaque, ample et fruitée, aux tanins assez rustiques en finale. Il devrait s'associer à merveille avec un civet de lapin fermier, à partir de 2013.
Thierry Roussot, Les Vignes, 69840 Jullié, tél. 04.74.04.49.58, thierry.roussot@orange.fr r.-v.

LES VIGNERONS DU PRIEURÉ Chevalier Saint-Vincent 2011

■ 40 000 ▮ 5 à 8 €

La cave coopérative de Juliénas avait déjà obtenu une citation l'an dernier pour cette cuvée issue de 6 ha, dans le millésime précédent bien sûr. Fidèle à son style, elle propose ici un vin vif, groseille et cassis au nez, dont les tanins nets et tranchants devraient s'arrondir pendant un séjour de deux ans en cave. Également cité, le **beaujolais-villages 2011 Fleur de cuvée (moins de 5 € ; 40 000 b.)** livre des arômes de fruits rouges plaisants.
Les Vignerons du Prieuré, Ch. du Bois de la Salle, 69840 Juliénas, tél. 04.74.04.41.66, fax 04.74.04.47.05, contact@cave-de-julienas.fr r.-v.

GEORGES ET VINCENT ROLLET Vieilles Vignes 2011

■ 8 500 ▮ 5 à 8 €

Vincent Rollet a succédé en 2004 à Georges, son père, à la tête du domaine. Ils exploitent ensemble un domaine de 8 ha qui voit deux de ses vins cités : ces Vieilles Vignes (cinquante-cinq ans), et un **beaujolais-villages blanc 2011 Les Colombiers (2 500 b.)**. Le juliénas a été égrappé et a subi une cuvaison d'une bonne dizaine de jours, à la bourguignonne : il en ressort floral, fruité (arômes de groseille) et souple. Le beaujolais blanc évoque la pêche. Les deux sont friands et à boire dès aujourd'hui.
EARL Georges et Vincent Rollet, La Pouge, 69840 Jullié, tél. 06.83.68.76.85, fax 04.74.04.49.12, rollet-g@wanadoo.fr t.l.j. 8h-19h

THORIN Terres de galène 2011

■ 74 000 ▮ 8 à 11 €

Trois vins de la maison de négoce Thorin ont été cités cette année, dans trois appellations différentes : ce juliénas, le **moulin-à-vent 2011 Terre de silice (50 000 b.)** et le **beaujolais-villages 2011 Terre de granit (5 à 8 € ; 100 000 b.)**. Les deux crus reflètent bien leur terroir : le juliénas est fruité, rond, avec un grain de tanins élégant. Le moulin-à-vent est séveux, épicé, puissant et tannique. Les deux seront à déguster dans deux ans. Enfin, le beaujolais-villages séduit avec son côté fruité, charnu et gouleyant.
Maison Thorin, Le Pont des Samsons, 69430 Quincié-en-Beaujolais, tél. 04.74.69.09.10

CELLIER DE LA VIEILLE ÉGLISE 2010

■ 8 000 ▮ 5 à 8 €

Il existe une coopérative à Juliénas, association de producteurs qui revendique, sous le nom de Cellier de la Vieille Église, un statut de négociant pour le seul cru de juliénas. Ce vin est donc la réunion de plusieurs cuvées produites par différents vignerons, élevées par chaque producteur, puis assemblées et vendues sous une étiquette fédératrice. Il plaît par son style léger et fruité, simple et direct, à découvrir après une petite année de garde pour des tanins plus arrondis.
Association des producteurs du cru Juliénas, Cellier de la Vieille Église, 69840 Juliénas, tél. et fax 04.74.04.42.98 t.l.j. 10h30-12h30 15h-18h; f. jan.

GUY VOLUET Cuvée Calroc 2010

■ 4 000 ▮ 5 à 8 €

Guy Voluet a vendangé un gros hectare de vieilles vignes (soixante ans), obtenant ce vin fruité et charmeur, avec toujours ces tanins ronds typiques de son travail. Déjà citée l'an dernier pour le millésime 2009, cette cuvée Calroc est une des productions phares du domaine. Gouleyante à souhait, elle s'appréciera dès aujourd'hui sur un mâchon beaujolais.
Guy Voluet, Les Chers, 69840 Juliénas, tél. et fax 04.74.04.45.67, domaine.guyvoluet@free.fr r.-v.

Morgon

Superficie : 1 126 ha
Production : 55 050 hl

Le deuxième cru en importance après le brouilly est localisé sur une seule commune, celle de Villié-Morgon. Le gamay y engendre des vins robustes, généreux, fruités, évoquant la cerise, le kirsch et l'abricot. Ces caractéristiques sont dues aux sols issus de la désagrégation de schistes à prédominance basique, imprégnés d'oxyde de fer et de manganèse, que les vignerons désignent par les termes de « terre pourrie ». Des vins qui présentent ces qualités, on dit qu'ils « morgonnent ». Non loin de l'ancienne voie romaine reliant Lyon à Autun, la colline du Py, croupe aux formes parfaites culminant à 300 m d'altitude, fournit l'archétype des vins de l'appellation. Cette Côte du Py est sans doute le plus connu des cinq *climats* de l'AOC.

Vin de garde (jusqu'à dix ans les meilleures années), le morgon peut prendre des allures de bourgogne. Il accompagne parfaitement un coq au vin. La commune de Villié-Morgon se flatte d'avoir été la première à se préoccuper de l'accueil des amateurs de vin de Beaujolais : ouvert en 1953, son caveau, aménagé dans les caves du château de Fontcrenne, peut recevoir plusieurs centaines de personnes.

VIGNERONS DE BEL AIR Hiver gourmand 2011 ★

■ 40 000 ▮ 5 à 8 €

La coopérative de Bel Air, installée à Saint-Jean-d'Ardières, propose trois gammes de vins : Mode, Saisons et Belairissime. Saisons est un intermédiaire entre le style primeur de Mode et les vins associés à un lieu-dit de Belairissime. Deux cuvées de cette gamme ont été retenues : ce morgon Hiver gourmand et le **chiroubles 2011 Été fleuri**, qui décroche aussi une étoile. Ce morgon présente une robe intense tirant sur le noir d'encre, un nez complexe de petits fruits et d'épices, et une bouche évoquant la mûre et le cassis, portée par des tanins fins. Le chiroubles, d'une jolie rondeur, joue sur des arômes de griotte et de groseille.

Cave de Bel Air, 131, rte Henry-Fessi, 69220 Saint-Jean-d'Ardières, tél. 04.74.06.16.05, fax 04.74.06.16.09, srobin@vignerons-belair.com r.-v.

Merle

CH. DE BELLEVUE Les Charmes 2010 ★★

10 000 | 8 à 11 €

Xavier Barbet, aux commandes des domaines Loron, avoue adorer le millésime 2011, qui a d'ailleurs « cartonné » puisque son brouilly Ch. de la Pierre décroche la plus haute note de tous les crus du Beaujolais (voir cette appellation). Ce morgon se contente, si l'on ose dire, de deux étoiles. Né de 7 ha exposés plein sud, dont les Barbet sont propriétaires, il a été vinifié à la bourguignonne : raisins éraflés, pigés, cuvaison record de trente jours. L'élevage (partiel) en fût ne domine pas le vin, qui affirme au contraire un terroir bien trempé avec des notes minérales, florales (pivoine) et fruitées (cassis et fraise des bois). C'est aussi un vrai morgon par sa charpente et sa longueur en bouche : minéral et mûr à la fois. À savourer d'ici quatre ans sur une pièce de bœuf.

SNC Les Domaines Jean Loron, Ch. de Bellevue, 69910 Villié-Morgon, tél. 03.85.36.81.20, fax 03.85.33.83.19, claire.forestier@loron.fr r.-v.

Barbet

DOM. J. BOULON 2011 ★

25 000 | 5 à 8 €

À la tête d'un domaine familial de 25 ha qui commercialise 60 % de sa récolte en vente directe, Jacques Boulon propose un morgon né de vignes de cinquante-cinq ans. Ce vin au bouquet de cassis et de violette dévoile une bouche fine, élégante, dotée de tanins arrondis mais solides qui, associés à une longueur impressionnante, laissent présager un beau vieillissement. Les impatients pourront néanmoins l'ouvrir dès l'an prochain.

Dom. J. Boulon, Chassagne, 69220 Corcelles-en-Beaujolais, tél. 04.74.66.47.94, fax 04.74.66.16.14, domaine.j.boulon@wanadoo.fr t.l.j. 8h-12h 14h-18h

GÉRARD BRISSON Les Charmes La Louve 2011 ★★

35 000 | 8 à 11 €

Le nom de cette cuvée, associé à la représentation de La Louve capitoline de l'étiquette, a été choisi en l'honneur de la voie romaine qui traverse le domaine. Vinifié à la beaujolaise (en grappes entières), c'est un vin de caractère. Le nez d'abord timide, aux notes de sous-bois, évoque à l'aération le fruit mûr et l'écorce d'orange confite. La bouche se montre minérale, charpentée, avec des tanins puissants et une longue finale bien mûre. Ce superbe morgon restera en cave deux à trois ans avant d'accompagner des paupiettes de veau.

Gérard Brisson, Les Pillets, 69910 Villié-Morgon, tél. 04.74.04.21.60, fax 04.74.69.15.28, vin.brisson@wanadoo.fr t.l.j. sf dim. 8h30-12h 13h30-18h; sam. sur r.-v.; f. 1er-15 août

DOM. LOÏC ET NOËL BULLIAT
Cuvée du Colombier 2010 ★★

15 000 | 5 à 8 €

Loïc Bulliat a rejoint Noël, son père, en 2005. Ils ont décidé ensemble de passer à la culture bio : la conversion sera effective pour le millésime 2013. Le binôme a brillamment conduit ses 3 ha du lieu-dit Le Colombier, terroir de schistes, en décidant d'égrapper à 50 % la vendange et de pousser la macération jusqu'à vingt jours. Le vin en ressort complexe au nez, dévoilant de jolies notes de violette, et très solide en bouche, avec des tanins fermes mais nobles et une grande concentration. À oublier trois à quatre ans en cave, puis à servir sur un marcassin, dans l'idéal.

Dom. Loïc et Noël Bulliat, Le Colombier, 69910 Villié-Morgon, tél. 04.74.69.13.51, fax 04.74.69.14.09, bulliat.noel@orange.fr r.-v.

DOM. DE LA CHAPONNE Côte du Py 2011

15 000 | 5 à 8 €

Laurent Guillet exploite 12,5 ha de vignes âgées de plus de soixante ans sur la Côte du Py. La vendange fermentée quinze jours avec foulage livre un 2011 au nez poivré et au fruité intense. Tannique, ferme, c'est un vin complet et équilibré, destiné à une garde de trois ou quatre ans. La **cuvée Joseph 2010 Élevé en fût de chêne (3 000 b.)** est issue de ce même terroir. Ample, minérale et boisée, elle se laissera apprivoiser en 2013 mais pourra aussi vieillir trois ans. Elle est citée.

Laurent Guillet, 70, montée des Gaudets, 69910 Villié-Morgon, tél. 04.74.69.15.73, domaine-chaponne@wanadoo.fr t.l.j. 8h-20h

DOM. DE COLETTE Le Charme de Colette 2010 ★★

5 000 | 8 à 11 €

Jacky Gauthier n'a pas encore atteint la cinquantaine qu'il a déjà trente-deux ans de métier : il s'est installé à seulement dix-sept ans, en demandant à ses parents de l'émanciper ! Ce vigneron précoce a donc toujours su ce qu'il voulait. En 2010, il a privilégié une approche en finesse, avec un égrappage à 70 % et une cuvaison de quatorze jours, obtenant un vin du « juste milieu ». Le nez mêle cassis, pivoine et réglisse, la bouche apparaît fruitée et savoureuse. Riche, gras et rond, de belle longueur, ce morgon est un bijou d'équilibre à savourer d'ici deux ans sur un rosbif saignant.

EARL Jacky Gauthier, Colette, 69430 Lantignié,
tél. et fax 04.74.69.25.73, domainedecolette@wanadoo.fr
r.-v.

DOM. DE LA COMBE AU LOUP 2010 ★★

	12 000		5 à 8 €

David Méziat, aujourd'hui gérant du domaine familial créé en 1983, a vendangé soigneusement cet hectare quatre-vingt de vignes âgées d'un demi-siècle qu'il a vinifiées à la beaujolaise (en grappes entières). Il en résulte un vin rubis aux intenses parfums de fraise et de cassis mêlés de fleurs. La bouche ample et chaleureuse repose sur des tanins solides, qui donnent de la puissance à la finale, longue et droite. À déguster dans un an ou deux sur un civet de lièvre.

EARL Méziat Père et Fils, Dom. de la Combe au Loup,
69115 Chiroubles, tél. 04.74.04.24.02, fax 04.74.69.14.07,
david.meziat@meziat.com
t.l.j. sf dim. 8h30-12h 13h30-19h

DOM. DU COTEAU DE VALLIÈRES 2011

	4 200		5 à 8 €

Régulièrement mentionné dans le Guide, et même élu coup de cœur dans le millésime 2009, le morgon de Lucien Grandjean évolue toujours sur un registre fruité intense : nez de cassis, de cerise et de framboise pour cette version 2011. La bouche, tout aussi aromatique (arômes de mûre) et plutôt ample, finit sur des tanins encore un peu sévères, qui devraient s'assagir avec une courte garde.

Lucien et Lydie Grandjean, Vallières,
69430 Régnié-Durette, tél. 04.74.69.24.92, fax 04.74.69.23.36,
grandjean.lucien@wanadoo.fr r.-v.

DOM. COTEAUX DES OLIVIERS 2010

	1 500		5 à 8 €

Patrick Dufour a vendangé avec quatre ou cinq jours d'avance sur ses collègues de l'appellation, obtenant de cette petite parcelle d'un demi-hectare de vieilles vignes un vin assez nerveux. Le nez évoque certes les fruits rouges mûrs et la pivoine, mais la bouche, nette, fringante, laisse percer une pointe d'acidité qui réveille la finale. À déguster à partir de 2013.

Patrick Dufour, Les Oliviers,
69430 Quincié-en-Beaujolais, tél. 04.74.04.37.78,
coteauxdesoliviers@free.fr r.-v.

JACQUES DÉPAGNEUX Côte du Py Vieilles Vignes 2011 ★★

	30 000		11 à 15 €

La maison Aujoux a brillamment réussi le millésime 2011, pour lequel elle recueille une pluie de compliments dans le Guide. Sous la marque Jacques Dépagneux, elle propose une cuvée tout en souplesse. Ce Côte du Py à la robe profonde présente un fin bouquet de réglisse et de cerise compotée. La bouche ronde et gouleyante, au fruité chaleureux, enrobe des tanins soyeux, prêts à offrir un plaisir immédiat. À découvrir en début de repas sur une assiette de charcuterie.

Jacques Dépagneux, La Bâtie,
71570 La Chapelle-de-Guinchay, tél. 03.85.23.83.50,
fax 03.85.23.83.71, ldenhaut@aujoux.fr
LVA

OLIVIER DEPARDON Charmes 2010 ★

	5 000		8 à 11 €

À la tête du domaine de la Bêche, transmis de père en fils depuis 1848, Olivier Depardon signe de son nom ce 2010, né de vignes octogénaires dans le *climat* Charmes. Vinification à la beaujolaise, puis élevage d'un an en fût : le morgon obtenu affiche une teinte foncée, presque noire, avant de dévoiler un nez de cerise confite et de vanille. La bouche, puissante, vineuse, finit sur une trame tannique un peu marquée, qui nécessitera trois ans de garde pour s'arrondir et accompagner un coq au vin.

Olivier Depardon, Dom. de la Bêche,
69910 Villié-Morgon, tél. 04.74.69.15.89, fax 04.74.04.21.88,
depardon.olivier.morgon@wanadoo.fr r.-v.

DOM. GAGET Côte du Py 2010 ★

	20 000		5 à 8 €

Mikaël Gaget exploite 4 ha sur la Côte du Py, le *climat* le plus prestigieux de Morgon. Il enherbe ses vignes, âgées ici en moyenne de soixante ans, et vinifie sans thermovinification, privilégiant le respect du terroir à l'extraction du fruit à tout prix. Il a obtenu ce vin subtil, au nez de griotte et de cannelle. Un 2010 frais, charmeur et gourmand, qui se gardera deux ans en cave avant d'être servi sur un gratin d'andouillette. Même note pour le **Grands Cras 2010 (4 000 b.)**, qui offre le même style friand et fruité.

Dom. Gaget, La Côte du Py, 69910 Villié-Morgon,
tél. 04.74.04.20.75, domainegaget@orange.fr
t.l.j. 9h-12h 14h-18h

STÉPHANE GARDETTE 2011 ★

	2 000		5 à 8 €

Après une maîtrise de sciences économiques, Stéphane Gardette a bifurqué vers le vin suite à l'achat de cette propriété par ses parents. Souvent mentionné dans le Guide en appellation régnié, il exploite aussi 34 ares en morgon, dont il a tiré ce vin rubis aux reflets violets. Le nez ouvert sur les fruits noirs et rouges annonce une bouche tout en rondeur, nette et persistante, d'une belle finesse. Un « vin plaisir » à déguster sur son fruit, dès aujourd'hui.

Stéphane Gardette, La Haute-Ronze,
69430 Régnié-Durette, tél. 06.82.43.48.63,
stephane.gardette@orange.fr r.-v.

DOM. DE LA GARODIÈRE 2011 ★

	10 000		8 à 11 €

La maison de négoce Collin-Bourisset propose cette cuvée issue de 6 ha partagés entre trois *climats* de l'appellation : Côte du Py, Les Charmes et Corcelette. Le vin s'annonce par un bouquet chaleureux de cerise à l'eau-de-vie mêlé d'anis. La bouche, tout en souplesse, repose sur des tanins parfaitement fondus. Un vin fruité, soyeux, à déguster dès la sortie du Guide sur un bœuf braisé.

Denis Garod, 268, rte de Chiroubles, 69220 Lancié, tél. 04.74.04.14.13, denis.garod@orange.fr

DOM. LAURENT GAUTHIER Côte du Py Vieilles Vignes 2011 ★

■	15 000		8 à 11 €

Laurent Gauthier, récemment rejoint par son fils Jason, voit deux de ses morgon sélectionnés : ce Côte du Py et le **Grands Cras 2011 Vieilles Vignes (50 000 b.)**, qui reçoivent l'un comme l'autre une étoile bien que le premier semble un petit cran au-dessus. Sa palette aromatique sur la réglisse et la griotte se retrouve dans une bouche riche, ample, longue et tannique. Un petit supplément d'âme qui fait de la Côte du Py le *climat* le plus prestigieux de l'appellation. En bordure, englobant le village de Morgon, les Grands Cras sont à l'origine d'un vin apprécié pour son nez franc de cerise et de cassis, pour son fondu et son équilibre, à découvrir en 2013.

EARL Laurent Gauthier, Morgon-le-Bas, 69910 Villié-Morgon, tél. 04.74.04.26.57, fax 04.74.69.12.08, laurentgauthiervins@orange.fr r.-v.

DOM. GOUILLON Fût de chêne 2010 ★

■	800		8 à 11 €

Plusieurs fois remarqués dans le Guide en appellation brouilly (coup de cœur pour un millésime 2007), Danielle et Dominique Gouillon exploitent un petit domaine de 7 ha, sur lequel ils bichonnent aussi quelques vignes de morgon. Égrappée à 50 %, cette cuvée confidentielle a été élevée en fût durant une année. Elle en retient un nez puissant de vanille et d'épices. La bouche est elle aussi nettement boisée, charpentée et massive. On attendra deux à trois ans, le temps que le vin digère cet élevage, avant de servir cette bouteille sur un petit gibier en sauce.

Danielle Gouillon, Les Grandes Granges, 69430 Quincié-en-Beaujolais, tél. 06.11.16.63.50, contact@domainegouillon.fr
t.l.j. 9h-12h 14h-19h 3

CH. DE GRAND PRÉ Cuvée Vieilles Vignes Élevé en fût de chêne 2010 ★

■	3 000		8 à 11 €

Claude Zordan s'est lancé dans une reconversion en culture bio, même si la prise de risque financière (liée à la chute des rendements) dissuade encore nombre de ses confrères. Il travaille sur un domaine de 8 ha et propose une cuvée issue de vignes de quatre-vingts ans, vinifiées à la beaujolaise et sans soufre. Le vin, qui a passé douze mois en fût, ressort avec un nez complexe de cerise à l'eau-de-vie, de boisé toasté et une bouche puissante, vineuse et ample. À apprécier d'ici deux à trois ans.

Claude Zordan, Grand-Pré, 69820 Fleurie, tél. et fax 04.74.69.82.19, claude.zordan@infonie.fr
r.-v.

DOM. DOMINIQUE JAMBON 2011 ★

■	9 000		5 à 8 €

Ses vignes de cinquante-cinq ans, Dominique Jambon en a prudemment vinifié la récolte en deux lots : deux tiers en macération semi-carbonique classique pendant dix jours, le reste en thermovinification pendant seulement six jours, afin de ne pas « standardiser » les arômes. Le résultat ? Un morgon charpenté, au bouquet flatteur de griotte, à l'attaque vive et aux tanins puissants, à déguster après deux ans de garde sur un bœuf bourguignon.

Dominique Jambon, Arnas, 69430 Lantignié, tél. et fax 04.74.04.80.59, dominique.jambon@wanadoo.fr
r.-v.

DOM. DE JAVERNIÈRE 2011 ★

■	15 000		5 à 8 €

Hervé Lacoque avait obtenu l'an dernier deux étoiles pour ce morgon, dans le millésime 2010. Il reste fidèle à son style avec cette version 2011. La robe montre des reflets violacés. Le nez, expressif, évoque la cerise, le poivre et le cassis. La bouche puissante, pleine et vineuse, développe de beaux arômes de framboise avant de se conclure sur des tanins fermes, gages de longue garde : à déguster dans trois ans sur une entrecôte marchand de vin.

Hervé Lacoque, Javernière, 69910 Villié-Morgon, tél. 04.74.04.26.64, fax 04.74.04.27.10 r.-v.

♥ **LATHUILIÈRE-GRAVALLON** Cuvée Prémium 2011 ★★

■	12 000		5 à 8 €

Ce que Cédric Lathuilière propose avec sa cuvée Prémium : un morgon d'un style frais et fruité. Pour cela, il égrappe la moitié de la vendange, qui fait l'objet d'une macération préfermentaire à chaud. Les dégustateurs ont jugé ce vin très expressif au nez : il évoque la mûre, le cassis et même la pêche de vigne. La bouche plaît par sa rondeur, sa chair ample et son joli grain de tanin, qui se montre encore un peu sévère en finale. L'harmonie sera complète après un à trois ans de garde. Autre vin du domaine, le **fleurie 2011 (7 000 b.)** est cité pour son bouquet complexe (pivoine, violette, prune et cacao) et sa bouche élégante.

Lathuilière-Gravallon, Vermont, 69910 Villié-Morgon, tél. 04.74.04.23.23, fax 04.74.69.10.49, cedric@lathuiliere.fr
t.l.j. sf dim. 8h-12h 14h-18h

DOM. DE LA LEVRATIÈRE La Croix de Chèvre 2010 ★

■	6 000		5 à 8 €

Un hectare de vigne a donné naissance à cette cuvée, baptisée suivant le nom plutôt particulier du lieu-dit. Un vin à la robe rubis intense, aux senteurs complexes de rose, de pivoine, de griotte et d'épices. La bouche, riche et réglissée, repose sur des tanins soyeux. Elle s'accommodera bien d'un bœuf bourguignon, dès 2013.

Marylenn et André Meyran, Dom. de la Levratière, Les Presles, 69910 Villié-Morgon, tél. 04.74.69.11.80, fax 04.74.69.16.51, domlalevratiere@aol.com r.-v.

DOM. DES MONTILLETS Montillets Tête de cuvée 2010 ★

■ 1 500 ▮ 5 à 8 €

Montillets est le nom d'un lieu-dit au terroir typique du morgon, de sable sur granite, exposé plein sud. Si la maison Jadot est propriétaire des vignes, c'est Aurélien Large qui les exploite. Il en tire cette Tête de cuvée emblématique de sa démarche, défendant une vinification simple, traditionnelle, « en marge des standards cosmétiques du moment ». Un bel exemple que ce vin à la robe pourpre, au nez épanoui de myrtille et de fleurs. Solide et puissant, il dévoile des tanins généreux et réglissés qui s'arrondiront après deux à trois ans de garde. Pour un onglet à l'échalote ou des rognons de veau.

Aurélien Large, La Côte du Py, Les Montillets, 69910 Villié-Morgon, tél. 04.74.69.00.37, aurelien-large@orange.fr r.-v.

DOM. DE PONCHON 2011 ★

■ 4 000 ▮ 5 à 8 €

Plus généralement sélectionné en appellations brouilly et régnié, Yves Durand voit cette fois-ci un de ses morgon distingué. Ce vin présente une robe grenat très soutenue, avant de dévoiler au nez de douces notes de fruits noirs. Il s'offre une attaque ronde, une matière généreuse et fruitée, structurée par des tanins qui se fondront entièrement après deux à trois ans de garde. Même note pour le **brouilly 2011 (4 000 b.)**, élégant, soyeux et prêt à boire.

Yves Durand, Les Braves, 69430 Régnié-Durette, tél. 06.86.96.87.26, yves.durand1@club-internet.fr r.-v.

DANIEL RAMPON 2010 ★

■ 12 000 ▮ 5 à 8 €

Cité dans le précédent millésime, le morgon de Daniel Rampon monte d'un cran cette année. À sa robe cerise et à son bouquet d'épices et de fraise répond une bouche fine et fondue, très aromatique, qui persiste sur des impressions de fraise des bois. Un style fruité, riche, tout en longueur, qui fera le plaisir du dégustateur dès la sortie du Guide.

Daniel Rampon, Les Marcellins, 69910 Villié-Morgon, tél. 04.74.69.11.02, fax 04.74.69.15.88, dmrampon@gmail.com t.l.j. sf dim. 8h-12h 13h30-18h30

DOM. DES ROCHES DU PY Côte du Py 2011 ★

■ 12 000 ▮ 5 à 8 €

Guénaël Jambon exploite une belle surface de 7 ha sur ce *climat* emblématique du morgon. Cette cuvée, déjà « étoilée » dans le millésime 2010, semble s'affirmer comme une valeur sûre du jeune domaine (créé en 2002). Elle offre un nez expressif de cerise à l'eau-de-vie et une bouche dans la même ligne aromatique, kirschée, adossée à une matière puissante. On l'attendra deux à trois ans avant de l'apprécier sur un saucisson à la vigneronne.

Guénaël Jambon, Morgon-le-Haut, 69910 Villié-Morgon, tél. et fax 04.74.04.22.37, guenael-jambon@wanadoo.fr t.l.j. 8h-12h 14h-18h

LA TOUR DES BANS 2011

■ 15 000 ▮ 5 à 8 €

Cette marque correspond à un métayage du château de Pizay, vaste propriété de 75 ha dans le Beaujolais. Des vignes âgées de quarante-cinq ans ont donné naissance à ce morgon d'un grenat presque noir, dont le nez plaisant joue une partition très fruitée : cassis et fruits rouges. Fin et harmonieux, dans un style plutôt léger, ce 2011 est prêt à boire.

Raphaël Blanco, Pizay, 69220 Saint-Jean-d'Ardières, tél. 04.74.66.26.10, fax 04.74.69.60.66, contact@vins-chateaupizay.com t.l.j. sf dim. 8h30-12h30 13h30-17h

Ch. de Pizay

Moulin-à-vent

Superficie : 665 ha
Production : 30 145 hl

Le « seigneur » des crus du Beaujolais fut l'un des premiers, dès 1924, à avoir été délimité – par un jugement du tribunal civil de Mâcon qui lui donna aussi le droit d'utiliser le nom de moulin-à-vent. Il campe sur les coteaux de deux communes, Chénas, dans le Rhône, Romanèche-Thorins, en Saône-et-Loire. Le moulin qui symbolise l'appellation se dresse à une altitude de 240 m au sommet d'un mamelon, au lieu-dit Les Thorins. Le gamay noir s'enracine dans des sols peu profonds d'arènes granitiques. Riche en éléments minéraux tels que le manganèse, ce terroir apporte aux vins une couleur rouge profond, un arôme rappelant l'iris, un bouquet et un corps qui, quelquefois, les font comparer à leurs cousins bourguignons de la Côte-d'Or. S'il peut être apprécié dans les premiers mois de sa naissance, le moulin-à-vent supporte une garde de quelques années (jusqu'à dix ans dans les grands millésimes). Il s'accorde avec toutes les viandes rouges et le fromage. Deux caveaux permettent de le déguster, l'un au pied du moulin, l'autre au bord de la route nationale. Selon un rite traditionnel, chaque millésime est porté aux fonts baptismaux, d'abord à Romanèche-Thorins (fin octobre) puis dans tous les villages et, début décembre, dans la « capitale ».

DOM. AUCŒUR Champagné 2011 ★

■ 20 000 8 à 11 €

Arnaud Aucœur voit deux de ses vins obtenir une étoile : son moulin-à-vent 2011 et son **morgon Vieilles Vignes 2011 (5 à 8 € ; 50 000 b.)**. L'un comme l'autre sont issus de vieux ceps (respectivement soixante-dix et soixante ans) et ont été élevés en foudre huit mois durant. Il en reste des notes vanillées dans le moulin-à-vent, à la bouche harmonieuse, structurée, ample et complexe. Puissant et massif, le morgon est moins boisé, plus épicé (poivre, clou de girofle). Ce sont deux vins de terroir à découvrir dans deux ou trois ans.

Dom. Aucœur, Le Colombier, rte de Fleurie, 69910 Villié-Morgon, tél. 04.74.04.16.89, fax 04.74.69.16.82, arnaudaucoeur@yahoo.fr r.-v.

JEAN BARONNAT 2010 ★

■ n.c. 8 à 11 €

Depuis 1985, Jean-Jacques Baronnat dirige cette maison de négoce fondée par son grand-père en 1920. Il propose un moulin-à-vent bien typé, au nez de groseille et d'épices, ample et charnu en bouche, avec la structure que l'on attend de ce cru. À déguster l'an prochain sur une viande rouge.

Jean Baronnat, 491, rte de Lacenas, 69400 Gleizé, tél. 04.74.68.59.20, fax 04.74.62.19.21, info@baronnat.com
r.-v.

LES VINS DES BROYERS 2010 ★

■ 1 100 8 à 11 €

Propriété viticole depuis 1823, le château des Broyers a été entièrement rénové en 2006 pour accueillir des séminaires d'entreprise. Il a fait appel à Pierre Coquard pour s'occuper du vignoble (3 ha) et d'une activité de négoce qui propose des crus sous l'étiquette « Vins des Broyers ». Ce moulin-à-vent provient de 1,5 ha de vignes de soixante ans et a été élevé en fût pendant huit mois. Le vin en garde un nez intensément boisé et épicé, et une bouche à l'avenant, ample et longue. À déguster dans deux ans sur un pavé de chevreuil sauce au chocolat.

Les Vins des Broyers, 1333, rte de Juliénas, 71570 La Chapelle-de-Guinchay, tél. 03.85.36.70.37, pcoquard@chateaudesbroyers.fr r.-v.
Coquard

DOM. DES BURDELINES 2010

■ 7 000 8 à 11 €

Né sur une parcelle de 1,2 ha, granitique et riche en manganèse, ce moulin-à-vent grenat soutenu a connu le fût. Il en retire un bouquet vanillé mâtiné de fruits noirs. En bouche, il se montre rond et soyeux. Un vin équilibré, à déguster cette année.

Terroirs et Talents, La Terrière, 69220 Cercié, tél. 04.74.66.77.80, fax 04.74.66.77.85, christelle@terroirs-et-talents.fr
t.l.j. sf mer. sam. dim. 8h-12h

DOM. DE CHAMP DE COUR 2011

■ 34 000 8 à 11 €

L'anecdote est révélatrice : en 2004, la maison Mommessin, propriétaire de ces 6 ha de vignes depuis 1962, a fait venir de Morey-Saint-Denis la table de tri ultramoderne qu'elle avait achetée pour son fleuron, le Clos de Tart (grand cru bourguignon), preuve de l'intérêt qu'elle porte à ce domaine du Beaujolais. 2011 fut heureusement un millésime plus clément que 2004 et il a donné ce vin au nez fin, floral et fruité, à la bouche ronde, élégante et longue. À déguster dans deux ans sur une pièce de bœuf grillée.

Indivision du domaine de Champ de Cour, Les Thorins, 71570 Romanèche-Thorins, fax 04.74.69.09.75

CAVE DU CH. DE CHÉNAS Salamandre d'or 2011

■ 53 500 8 à 11 €

L'Alliance des Vignerons est une structure commune à quatre coopératives. Cette cuvée Salamandre d'or est l'une de ses valeurs sûres. Dans le millésime 2011, elle plaît par son nez de fruits rouges et de fleurs, et par sa bouche fruitée, souple et légère. Dans le même style léger et vif, le **chénas 2011 (40 000 b.)** de la cave coopérative du château de Chénas, l'un des quatre membres de l'Alliance, obtient une citation.

Alliance des Vignerons du Beaujolais, Les Michauds, 69840 Chénas, tél. 04.74.60.64.56, fax 04.74.66.96.53, alliance-vignerons-beaujolais@orange.fr
t.l.j. 9h-12h 14h-18h

JACQUES DÉPAGNEUX Vieilles Vignes 2011 ★

■ 25 000 11 à 15 €

Jacques Dépagneux est une ancienne maison de négoce local, qui a fusionné au début des années 1990 avec la société Aujoux. Spécialiste des crus du Beaujolais, elle propose ici un vin issu de vignes de trente ans, qui porte encore la trace de son élevage de six mois en fût dans son nez vanillé, les fruits rouges venant en appoint. La bouche « brute de décoffrage », robuste et vineuse, offre une finale stricte qu'il faudra laisser s'arrondir en cave deux ans ou plus.

Jacques Dépagneux, La Bâtie, 71570 La Chapelle-de-Guinchay, tél. 03.85.23.83.50, fax 03.85.23.83.71, ldenhaut@aujoux.fr
LVA

CH. DES GIMARETS L'Esprit de ma terre 2010

■ 3 000 11 à 15 €

Éric et Nathalie Boyer ont repris en 2007 ce château qui produit du vin depuis le XVIe s. Ils exploitent autour du château, exclusivement en moulin-à-vent, 4,5 ha d'un seul tenant plantés en haute densité (10 000 pieds/ha). Cette cuvée, issue de vignes âgées de cinquante ans, est un vin au nez discret de fruits rouges, rond et friand en bouche, net et équilibré. À boire dans l'année sur une assiette de charcuterie.

Ch. des Gimarets, Les Gimarets, 71570 Romanèche-Thorins, tél. 03.85.35.21.60, fax 03.85.35.55.12, contact@chateaudesgimarets.fr
r.-v.
Éric Boyer

DOM. DE GRAND GARANT Les Thorins 2011 ★

■ 14 000 8 à 11 €

Claude Grosjean, viticultrice installée en 2005, exploite 2 ha des Thorins, un *climat* déjà vanté par André Jullien en 1832, dont elle tire ici un vin grenat au nez raffiné de pivoine, de fraise, de cerise et de framboise. La bouche se révèle suave, ronde et charnue, longuement portée par des tanins fins. À boire dans les deux ans sur une viande en sauce. Autre cuvée phare du domaine, notée une étoile également, le **fleurie Les Roches 2011 (14 000 b.)**, plus épicé et plus musclé, demandera deux ans de cave pour s'assouplir.

Claude Grosjean, Dom. de Grand Garant, Le Vivier, 69820 Fleurie, tél. 06.09.94.55.87, fax 04.74.04.12.30
t.l.j. 9h-12h 14h-20h

♥ DOM. LES GRYPHÉES 2010 ★★

■ 6 000 5 à 8 €

Pierre Durdilly a récemment ajouté le cru chénas à sa gamme. Il exploite aussi 1 ha de moulin-à-vent, sur un terroir de grès rose planté de vignes de quarante ans. Noté une étoile dans le millésime 2009, le vin est un cran au-dessus en 2010, plus complexe au nez (violette et petits fruits), fin et élégant en bouche, aromatique et voluptueux. « Un vin de terroir », disent les jurés, qui l'imaginent dans

deux ans sur un magret de canard. Le **beaujolais rouge 2011 cuvée Tradition (6 000 b.)** est cité.
Pierre Durdilly, 2, rte de Saint-Laurent, 69620 Le Bois-d'Oingt, tél. 04.74.72.49.93, fax 04.74.71.62.95, domainelesgryphees@wanadoo.fr r.-v.

A. & A. KUHNEL Reine de nuit 2011

	3 000		8 à 11 €

Ça « roule » pour ces deux anciens cyclistes professionnels : le domaine s'agrandit régulièrement et comprend maintenant du chardonnay pour produire du beaujolais blanc (à la mode en ce moment). Le tandem a produit, sur 50 ares, cette petite cuvée ainsi appelée parce qu'elle a été vendangée entre 3 h et 9 h du matin, avant que le soleil ne chauffe trop les raisins. En 2011, millésime précoce, la précaution n'était pas superflue. C'est donc le 23 août que les Kuhnel ont récolté le raisin pour obtenir ce vin tout en fruit, léger, souple et friand. À déguster dans l'année sur une terrine de lapin.
Anita et André Kuhnel, Les Raisses, 69910 Villié-Morgon, tél. et fax 04.74.04.22.59, aa.kuhnel@wanadoo.fr
r.-v.

DOM. LABRUYÈRE Grande Cuvée 2010 ★★

	13 500		8 à 11 €

Nadine Gublin, œnologue de la maison Prieur à Meursault, a travaillé ce cru à la méthode bourguignonne, comme à son habitude : vendanges égrappées, cuvaison longue de vingt et un jours, élevage de quatorze mois en fût. À noter également, sa volonté de ne pas fouler le raisin pour que ce soient des baies entières et intactes qui fermentent et ajoutent ainsi de la complexité au vin. Ce dernier se révèle riche et intense (vanille, griotte mûre). La bouche, ample, est portée par une structure élégante et une finale pleine de fraîcheur qui lui permettront de vieillir quatre ans en cave.
SCEV Héritiers Labruyère, 310, rue des Thorins, 71570 Romanèche-Thorins, tél. 03.85.20.38.18, fax 03.85.38.89.90, edouard@groupe-labruyere.com r.-v.

MANOIR DU CARRA Les Burdelines 2010 ★

	6 000		11 à 15 €

Damien Sambardier exploite avec son frère Frédéric 1 ha sur le lieu-dit Les Burdelines, un terroir de granite très riche en manganèse, exposé au sud-est en pente douce. Il a attendu septembre pour vendanger (une phrase incroyable il y a encore vingt ans de cela !) ses vieilles vignes de cinquante ans. Il a ensuite égrappé ses raisins à la bourguignonne. Avec tout de même deux nuances au regard du modèle nordiste : une cuvaison plus courte (pas plus de quinze jours) et un élevage partagé entre cuve et foudre. Le vin en tire un beau nez intense et complexe de vanille et de fruits noirs, et une bouche généreuse, fondue et pleine. À garder un an et à servir sur un coq au vin.
Damien Sambardier, Le Carra, 69640 Denicé, tél. 04.74.67.38.24, fax 04.74.67.40.61, jfsambardier@aol.com
r.-v.

CH. DU MOULIN-À-VENT Croix des Vérillats 2010

	8 000		20 à 30 €

Jean-Jacques Parinet a acheté en 2009 ce domaine viticole qui compte 30 ha de vignes, dont 2 ha sur ce *climat* des Vérillats. Il pratique une viticulture de type bio (pas d'herbicides, labour intégral, réduction des doses de soufre en cuverie), sans certification. Un petit tiers du domaine a été replanté mais cette cuvée provient de vénérables vignes de quarante-cinq ans. Le vin a été vinifié à la bourguignonne avec quatorze mois de fût. Il en garde un nez boisé intense et une matière puissante, grillée et torréfiée. À déguster dans deux ans sur une viande rouge grillée.
SCEV Ch. du Moulin-à-vent, 4, rue des Thorins, 71570 Romanèche-Thorins, tél. 03.85.35.50.68, info@chateaudumoulinavent.com
t.l.j. 9h-12h 14h-18h; sam. dim. sur r.-v.; f. 1er-15 août
Parinet

DOM. DU PENLOIS 2011 ★★

	13 000		8 à 11 €

Les Besson voient deux de leurs vins sélectionnés : ce moulin-à-vent et le **beaujolais blanc 2011 chardonnay du Chatelard (20 000 b.)**, cité. Le premier est issu de presque 2 ha de vignes de soixante ans. Vinifié à la bourguignonne (égrappage, mais pas de fût), c'est un vin au nez intense de cerise griotte et de fraise, ample, puissant et gras en bouche, qui s'étire longuement en finale. Il se gardera trois ans en cave. Vendangé une semaine plus tard, le 18 septembre, le beaujolais blanc est du style opulent (nez d'orange confite) et se dégustera volontiers sur une viande blanche à la crème.
Besson Père et Fils, Dom. du Penlois, 69220 Lancié, tél. 04.74.04.13.35, fax 04.74.69.82.07, domaine-du-penlois@wanadoo.fr r.-v.
Maxence et Sébastien Besson

CH. PORTIER Vieilles Vignes 2011 ★★

	10 000		11 à 15 €

Denis Chastel-Sauzet, l'heureux propriétaire du fameux moulin, est à la tête d'un domaine de 25 ha déployé sous deux marques, Château Portier et Domaine du Moulin-à-Vent. Né de 10 ha de vignes âgées de cinquante ans, vinifié à la beaujolaise – vendange entière, macération longue avec cuve grillée, pigeages –, élevé huit mois en fût, ce 2011 se montre fruité (cassis et fruits rouges) et élégant au nez, charnu, ample, puissant et long en bouche. À servir dans quatre ans sur du gibier.
SCV Ch. Portier, 1765, rte de Moulin-à-Vent, 71570 Romanèche-Thorins, tél. 09.79.29.25.56, fax 03.85.35.59.39, moulinavent.com@orange.fr
r.-v.
Denis Chastel-Sauzet

DOM. ROMANESCA 2011

	10 000		8 à 11 €

Né sur 4,5 ha plantés de vignes de cinquante ans, ce 2011 vinifié à la beaujolaise (macération semi-carbonique) offre un nez plaisant de cassis et de sous-bois. La bouche, nette et bien structurée par des tanins solides, appelle une garde de deux ans. Conseillé sur une pintade rôtie ou du petit gibier.

Guy Chastel, Dom. Romanesca, 323, rue des Thorins, 71570 Romanèche-Thorins, tél. 06.75.79.83.34, chastel.guy@wanadoo.fr r.-v.

CH. DE LA TERRIÈRE Cuvée de la Lure 2010

10 000 | 8 à 11 €

Terroirs et Talents est une structure commerciale ombrelle qui regroupe trois entités restées indépendantes en matière de vignoble et de vinification : un domaine, le Château de la Terrière, et deux négoces aussi propriétaires de vignes, Pierre Dupont et Paul Beaudet. L'an dernier, un coup de cœur avait célébré la cuvée de La Lure 2009, égrappée et élevée en fût à la bourguignonne. En 2010, le style de Frédéric Maignet demeure, avec un vin moins abouti mais fort plaisant. Le nez, boisé, est agrémenté de notes de fruits noirs, et la bouche, ronde et vineuse, s'appuie sur des tanins soyeux. À déguster dans les deux ans.

SCEA des Deux Châteaux, La Terrière, 69220 Cercié, tél. 04.74.66.77.87, fax 04.74.66.77.85, catherine@terroirs-et-talents.fr r.-v.

Barbet

Régnié

Superficie : 400 ha
Production : 17 400 hl

Officiellement reconnu en 1988, le plus jeune des crus s'insère entre le morgon au nord et le brouilly au sud, confortant ainsi la continuité des limites entre les dix appellations locales beaujolaises. À l'exception de 5,93 ha sur la commune voisine de Lantignié, il est totalement inclus dans le territoire de la commune de Régnié-Durette, autour de la curieuse église aux clochers jumeaux qui symbolise l'appellation.

Orienté nord-ouest - sud-est, le vignoble s'ouvre largement au soleil levant et à son zénith, ce qui lui a permis de s'implanter entre 300 et 500 m d'altitude. Unique cépage de l'appellation, le gamay s'enracine dans un sous-sol sablonneux et caillouteux – le terroir s'inscrit dans le massif granitique dit de Fleurie. On trouve aussi quelques secteurs à tendance argileuse.

Aromatiques, fruités (groseille, framboise) et floraux, charnus et souples, les régnié sont parfois qualifiés de rieurs et de féminins. On peut les découvrir au Caveau des Deux Clochers, près de l'église.

DOM. DES BRAVES 2011 *

10 000 | 5 à 8 €

Franck Cinquin, fils de Paul, gloire locale de Régnié-Durette, élabore une cuvée qui porte le nom du domaine paternel, également distingué cette année. Avec sa robe rubis et son nez discret de petits fruits noirs et rouges, ce 2011 a séduit les dégustateurs. La bouche, bien structurée, puissante, aux tanins solides, rappelle le terroir de granite rose du vignoble. Un vin harmonieux que l'on conseille d'attendre un an. À servir sur une pintade rôtie.

Franck Cinquin, Les Braves, 69430 Régnié-Durette, tél. 04.74.69.05.32, franck.cinquin@wanadoo.fr r.-v.

DOM. DES BRAVES 2011 *

20 000 | 5 à 8 €

Paul Cinquin, le père de Franck, décore son caveau de maillots de cycliste dédicacés par les champions les ayant portés. Dans les années 1990, cet ancien coureur fut aussi un pionnier de la thermovinification. Cette méthode consiste à chauffer la vendange jusqu'à 70 °C pendant quarante minutes, puis à la refroidir, de façon à en extraire un fruit frais de type bonbon anglais. Ici, ce sont plutôt des notes de confiture qui prédominent. La bouche est ronde, équilibrée, souple et délicate. À servir sur des quenelles lyonnaises dès l'année prochaine.

Paul Cinquin, Les Braves, 69430 Régnié-Durette, tél. 04.74.04.31.11 r.-v.

DOM. DU COLOMBIER Vieilles Vignes 2011 **

3 000 | 5 à 8 €

Cette remarquable cuvée est née d'une microparcelle (50 ares) de vignes de cinquante ans, plantées sur un sol de granite. D'un rouge grenat, elle offre un nez discret de fleurs et de fruits annonçant une bouche fine et délicate. Les tanins, fondus, enrobent une jolie matière qui s'étire longuement en finale. Le jury salue un vin typique de ce terroir pauvre et drainant, et sa texture pulpeuse et friande. À servir dans deux ou trois ans sur un pavé de charolais.

Paul Desplace, Le Colombier, 69430 Régnié-Durette, tél. 06.83.31.07.81, paul.desplace@gmail.com r.-v.

FLORENCE ET DIDIER CONDEMINE 2011

3 000 | 5 à 8 €

Florence et Didier Condemine exploitent depuis plus de vingt ans 12,5 ha du domaine viticole des Hospices de Beaujeu. Ils ont vendangé tôt, le 23 août, les 5 ha à l'origine de cette cuvée élevée six mois en cuve. Ils obtiennent ce vin plaisant au nez discret de fruits rouges et à la bouche légère. Suggestion d'accord : un saucisson lyonnais, dès cet automne.

EARL Florence et Didier Condemine, La Martingale, 69220 Cercié, tél. et fax 04.74.66.72.24, didier.condemine@wanadoo.fr t.l.j. 9h30-12h 14h-19h

DOM. DE LA CÔTE DES CHARMES Vieilles Vignes 2011 *

5 400 | 5 à 8 €

Ce domaine est plus connu pour ses morgon, porte-drapeau de l'exploitation. Si le **morgon Vieilles Vignes 2011 (10 000 b.)** est cité, c'est le régnié qui a retenu cette année plus particulièrement l'attention du jury. Jacques Trichard donne volontiers un style austère à ses vins, tous deux issus de vénérables vignes de soixante-quinze ans, mais ce régnié, naturellement plus débonnaire que le morgon, se laisse mieux apprivoiser avec son nez subtil de fruits rouges et sa bouche légère, de belle longueur. « Un joli vin, à attendre un ou deux ans et à servir sur une viande blanche. »

Thérèse et Jacques Trichard, Les Charmes, 69910 Villié-Morgon, tél. 04.74.04.20.35, fax 04.74.69.13.49, jacquestrichard@orange.fr r.-v.

DOM. DU CRÊT D'ŒILLAT 2011 ★★

4 000 | 5 à 8 €

Jean-François Matray, à la tête de ce domaine qui s'étend sur 10,7 ha, a vinifié en deux lots ce superbe régnié : une partie en vinification beaujolaise classique, en baies entières, l'autre à la bourguignonne, avec une macération préfermentaire à chaud de façon à extraire un maximum de couleur. Bien lui en a pris : il obtient un vin rubis intense, au nez fruité très élégant, à la bouche racée et délicate. Les tanins, présents mais fins, donnent une belle finale. Harmonieuse et équilibrée, cette cuvée est à apprécier dès aujourd'hui sur une queue de bœuf mijotée.

EARL du Crêt d'Œillat, 116, Le Bourg, 69430 Régnié-Durette, tél. et fax 04.74.04.38.75, j.matray@numericable.com r.-v.

Jean-François Matray

DOM. D'HERVELYNE 2010 ★

3 500 | 5 à 8 €

Né de 5 ha sur un sol de granite rose, ce régnié, vendangé tard, le 22 septembre, a été vinifié en grappes entières une dizaine de jours, puis élevé en cuve six mois. Il a séduit le jury par son équilibre et son classicisme : notes de fruits rouges, finale ronde, l'harmonie est là. Un vin fort agréable, à goûter cette année sur des pieds de porc panés.

EARL Michel Rampon et Fils, La Tour Bourdon, 69430 Régnié-Durette, tél. 04.74.04.32.15, fax 04.74.69.00.81, gaec.rampon@wanadoo.fr t.l.j. 8h-19h

JEAN-MARC LAFOREST 2011 ★

30 000 | 5 à 8 €

Jean-Marc Laforest travaille actuellement avec ses deux fils qui se préparent à prendre un jour la relève. Il voit deux de ses vins distingués dans le même millésime : un régnié, qui reçoit une étoile, et un **brouilly 2011 (42 000 b.)**, cité. Il. Ces deux cuvées, issues de ceps de trente-cinq ans et élevées en cuve Inox en macération carbonique, partagent un même style fin et rond. Le régnié est friand, sur les fruits rouges, tandis que le brouilly se montre épicé, réglissé. Les deux vins, de belle longueur, s'apprécieront dès l'an prochain.

Jean-Marc Laforest, Chez le Bois, 69430 Régnié-Durette, tél. 04.74.04.35.03, fax 04.74.69.01.67, jean-marc.laforest@wanadoo.fr t.l.j. sf dim. 8h-20h

DOM. LAGNEAU Vieilles Vignes 2011 ★

24 000 | 5 à 8 €

Gérard Lagneau va pouvoir souffler : son fils Didier l'a rejoint en 2010 au domaine. Le père et le fils sont donc à l'origine de cette cuvée, vinifiée en grappes entières avec une macération carbonique. Après avoir séjourné douze mois en cuve, ce régnié à la robe intense livre un bouquet expressif de fruits (cassis) et de fleurs. Dans la même ligne aromatique, la bouche, ample et friande, tout en rondeur, révèle un bel équilibre. À découvrir d'ici six mois, sur un pont-l'évêque par exemple.

Gérard et Jeannine Lagneau, Huire, 69430 Quincié-en-Beaujolais, tél. 04.74.69.20.70, fax 04.74.04.89.44, jealagneau@wanadoo.fr t.l.j. sf dim. 9h-12h 14h-19h

FRÉDÉRIC LAISSUS 2011 ★

10 000 | 5 à 8 €

Frédéric Laissus, plus connu dans le Guide pour ses morgon, a précisé, lorsqu'il a présenté ce régnié, qu'il utilise un pressoir horizontal traditionnel. Veut-il parler du pressoir à cliquet qui permet un pressurage lent, très qualitatif (notamment pour les blancs), mais qui est odieusement long à charger, à décharger et à manipuler ? Si c'est le cas, voilà qui dénote un rare dévouement au métier ! Il obtient ici un 2011 très typé framboise (sa marque de fabrique), à la bouche expressive et friande. Une finale un peu sévère incite à oublier cette cuvée deux ans en cave avant de la servir sur une andouillette.

Frédéric Laissus, La Grange Charton, 69430 Régnié-Durette, tél. et fax 04.74.69.00.19, laissus.fred@gmail.fr t.l.j. 9h-19h

DOM. ALAIN MERLE Passion terroir 2011 ★★

5 000 | 5 à 8 €

Un hectare de vieilles vignes de soixante ans, à proximité de l'ancienne voie romaine reliant Lyon à Autun, est à l'origine de cette cuvée. Le terroir en question, plutôt argilo-calcaire, donne naturellement des gamays souples et légers. Alain Merle signe un 2011 harmonieux, aux arômes de fruits rouges. Intense et longue, la bouche repose sur une matière équilibrée. Sa jolie finale est portée par des tanins fondus, qui invitent à déguster ce vin dès la sortie du Guide. Un régnié typique que l'on appréciera sur une terrine de volaille.

Alain Merle, Les Bois, 69430 Régnié-Durette, tél. 04.74.66.70.72, al1-merle@orange.fr r.-v.

DOM. DE LA PLAIGNE Vieilles Vignes 2011

20 000 | 5 à 8 €

Gilles et Cécile Roux proposent un régnié né de ceps de soixante ans. Ils ont séparé la vendange en deux lots, l'un destiné à la macération semi-carbonique beaujolaise, l'autre à une vinification technologique jouant sur les températures (du type macération finale à chaud). Le résultat est ce vin grenat, au nez un peu fermé (à carafer une heure avant le service), au palais soyeux et rond.

Gilles et Cécile Roux, La Plaigne, 69430 Régnié-Durette, tél. 04.74.04.80.86, fax 04.74.04.83.72, gilles.cecile.roux@orange.fr t.l.j. sf dim. 9h-12h 14h-19h

DOM. DU P'TIT BELLEVUE 2010 ★

2 500 | 5 à 8 €

André et Renaud Bodillard, père et fils, pratiquent l'agriculture raisonnée. Ils proposent cette cuvée née sur une parcelle de 1 ha, riche en schistes. Vinifié en macération carbonique, sans sulfites, ce 2010 paré d'une robe rubis profond offre un premier nez léger de rose qui évolue, à l'aération, vers des arômes de fruits rouges et noirs bien mûrs (cassis) et d'épices douces. Tout aussi fruitée, riche, la bouche affiche des tanins soyeux. Déjà agréable, ce vin élégant pourra attendre deux ans. Il accompagnera une volaille de Bresse.

André et Michèle Bodillard, Bellevue, 69910 Villié-Morgon, tél. 04.74.69.13.10, fax 09.70.06.29.49, andre.bodillard@wanadoo.fr r.-v.

DOM. DE LA ROCHE ROSE 2010 ★

■ 6 000 ▮ 5 à 8 €

Pour réaliser cette cuvée, qui représente plus de la moitié de son domaine, Georges Demont sélectionne des vignes de soixante ans situées sur un terroir granitique propice au gamay. Sur ses deux vins retenus, c'est le 2010 qui a la préférence. Ce régnié typique de l'appellation, exprime des parfums intenses et frais de fruits rouges. Harmonieux prolongement, la bouche persistante s'adosse à des tanins soyeux : l'équilibre est là. Cité, le régnié **2011 (7 000 b.)**, aux accents amyliques, semble être un cran en dessous. Deux bouteilles que l'on pourra servir dans l'année.

Georges Demont, Les Braves, 69430 Régnié-Durette, tél. 04.74.04.38.98, georges.demont@wanadoo.fr
r.-v.

DOM. DE LA ROCHE THULON 2011 ★

■ 8 000 ▮ 5 à 8 €

Pascal Nigay, installé depuis plus de vingt ans, a vinifié en macération semi-carbonique cette cuvée qui constitue les deux tiers de son domaine. Il en tire ce vin rubis vif, au nez explosif de bonbon anglais, de pomme et de poire. Ce 2011, vif et énergique, est un vin de plaisir, fruité et gouleyant. À servir dès maintenant sur un canard aux olives.

Pascal Nigay, Thulon, 69430 Lantignié, tél. 04.74.69.23.14, nigay.pascal.chantal@wanadoo.fr
r.-v.

DOM. TANO PÉCHARD Tradition 2010 ★★

■ 20 000 ▮ 5 à 8 €

Patrick Péchard aime bien les élevages en fût de chêne, qu'il réserve à ses vieilles vignes. C'est pourtant la toute simple cuvée Tradition qui a une nouvelle fois charmé les dégustateurs – le coup de cœur n'est pas passé loin. Puissant, riche, ce 2010 livre des arômes de petits fruits rouges et noirs. La bouche, harmonieuse, développe des tanins souples et soyeux. Une bien belle bouteille à découvrir l'an prochain sur un pot-au-feu, une blanquette de veau ou un poulet à la crème.

Patrick et Ghislaine Péchard, Aux Bruyères, 69430 Régnié-Durette, tél. 04.74.04.38.89, tanopechard@wanadoo.fr r.-v.

DOM. DE VALLIÈRES 2011 ★★

■ 8 000 ▮ 5 à 8 €

Bernard Trichard, le père, Laurent et Didier, les deux fils, travaillent dans un bel esprit de famille, comme en témoigne ce superbe 2011 : « Un millésime sensationnel associant une structure forte et une dominante de fruits rouges, promettent-ils, marqué par un printemps caniculaire et un été pourri qui ont inversé les pronostics. » Le jury, à l'aveugle, leur donne entièrement raison, décrivant un nez... de fruits rouges, une bouche flatteuse, soyeuse, aux tanins fondus, dotée de cette indispensable fraîcheur qui fait l'équilibre. Rendez-vous dans un an pour apprécier cette cuvée – pourquoi pas sur un couscous ?

GAEC Bernard, Laurent, Didier Trichard, Haute-Plaigne, 69430 Régnié-Durette, tél. 04.74.04.39.52, fax 04.74.69.05.39, gaec.trichard.bld@hotmail.fr
r.-v.

DOM. DES VIEUX CHASTYS 2011 ★

■ 13 000 ▮ 5 à 8 €

Le domaine propose un parcours œno-historique – l'occasion de découvrir ce régnié qui constitue l'intégralité de la production de ce petit vignoble acquis en 1988 par le château de Pizay. Jean-Pierre Joubert, l'actuel métayer du domaine, présente un 2011 rubis, dont le nez intense de fruits rouges annonce une bouche ronde et soyeuse, d'une belle longueur. Un vin flatteur, à boire sans attendre sur un pavé de bœuf charolais.

Jean-Pierre Joubert, Les Chastys, 69430 Régnié-Durette, tél. 04.74.66.26.10, fax 04.74.69.60.66, contact@vins-chateaupizay.com
t.l.j. sf dim. 8h30-12h30 13h30-17h

Saint-amour

Superficie : 310 ha
Production : 14 855 hl

Ce vin au nom séducteur a conquis de nombreux consommateurs étrangers, et une très grande part des volumes produits alimente le marché extérieur. Le visiteur pourra le découvrir dans le caveau créé en 1965 au lieu-dit Le Plâtre-Durand, avant de continuer sa route vers l'église et la mairie qui, au sommet d'un mamelon, dominent la région. À l'angle de l'église, une statuette rappelle la conversion du soldat romain qui donna son nom à la commune ; elle fait oublier les peintures, aujourd'hui disparues, d'une maison du hameau des Thévenins, qui auraient témoigné de la joyeuse vie menée pendant la Révolution dans cet « hôtel des Vierges » et qui expliqueraient, elles aussi, le nom de ce village...

Totalement incluse dans le département de Saône-et-Loire, l'appellation est délimitée sur des sols argilo-siliceux décalcifiés, de grès et de cailloutis granitiques, faisant la transition entre les terrains purement primaires au sud et les terrains calcaires voisins au nord, qui portent les appellations saint-véran et mâcon. Deux « tendances œnologiques » émergent pour épanouir les qualités du gamay noir : l'une favorise une cuvaison longue dans le respect des traditions beaujolaises, qui donne aux vins nés sur les roches granitiques le corps et la couleur nécessaires pour faire des bouteilles de garde ; l'autre préconise un traitement de type primeur donnant des vins consommables plus tôt. Le saint-amour accompagnera des escargots, de la friture, des grenouilles, des champignons ou une poularde à la crème.

B. SÉLECT 2011 ★

■ 12 000 ▮ 5 à 8 €

Bourgogne Sélect est une marque créée en 2006 par trois vignerons soucieux d'atteindre une taille critique suffisante pour commercialiser leurs vins en direct. Des vignes de quarante-cinq ans implantées sur sols granitiques et schisteux sont à l'origine de cette cuvée rouge sombre aux parfums exubérants de fruits rouges (cerise, fraise) et noirs (cassis). Tout aussi fruitée, la bouche, grasse, ronde et fondue, présente de beaux tanins soyeux, qui suggèrent de conserver cette bouteille un an avant de la déguster sur un pont-l'évêque.

SARL Bourgogne Select, chem. de la Motte, 71260 Azé, tél. 09.65.16.98.13, hlongefay.bselect@orange.fr

DOM. DES BILLARDS 2011 ★

■ 8 000 ▮ 8 à 11 €

Xavier Barbet est un homme de tradition, l'un des très rares à sortir encore un petit agenda papier de sa poche, quand tous ses collègues négociants manipulent des écrans tactiles. De même culture, l'œnologue de la maison, Hubert Gayot, privilégie les vinifications à l'ancienne, les macérations longues (quinze à vingt-cinq jours) et l'extraction tannique. De fait, ce 2011 est puissant et chaleureux, taillé pour la garde avec son nez de fruits mûrs et sa bouche serrée, à la finale tendue.

Indivision Barbet-Crouzy, Les Sauniers, 71570 Saint-Vérand, tél. 03.85.36.81.20, vinloron@loron.fr r.-v.

DOM. CHEVEAU Les Champs grillés 2010

■ 6 500 ▮ 8 à 11 €

Installé depuis 1999 à Solutré-Pouilly, Nicolas Cheveau est plus connu des amateurs du Guide pour ses pouilly-fuissé. Il se distingue cette année avec ce saint-amour né de vignes de cinquante ans situées sur le lieu-dit Champs grillés, le bien nommé, un beau plateau sablo-schisteux bien exposé. Les raisins, récoltés en cagette, ont été vinifiés à la bourguignonne, avec une cuvaison longue pour ne pas se contenter du fruit seulement. Pari réussi avec ce vin « de terroir », note le jury, au nez discret et à la bouche tannique et carrée. À déguster dès aujourd'hui sur un tajine d'agneau.

Dom. Cheveau, hameau de Pouilly, rue de la Chapelle, 71960 Solutré-Pouilly, tél. 06.82.03.05.61, fax 03.85.35.87.88, domaine@vins-cheveau.com r.-v.

DOM. DU CLOS DU CHAPITRE 2011 ★★

■ 42 000 ▮ 5 à 8 €

La maison de négoce Aujoux (Bourgogne sud) propose ce saint-amour vinifié comme en Bourgogne, avec force tanins et puissance. Ce superbe gamay a séduit les dégustateurs par sa robe intense, rouge sombre aux reflets violets, et par son nez expressif de fruits rouges et noirs. La bouche est à l'unisson, ample et ronde, avec une finale un peu sévère. Un vin à oublier deux ans en cave avant d'être savouré sur une daube. Le **morgon Dom. de Belleville 2011 (40 000 b.)** reçoit une étoile pour ses arômes d'épices, de fenouil et de menthol qui feront merveille sur un saucisson à l'ail.

Les Vins Aujoux, La Bâtie, 71570 La Chapelle-de-Guinchay, tél. 03.85.23.83.50, fax 03.85.23.83.71, ldenhaut@aujoux.fr

LVA

DOM. DE LA CROIX CARRON 2011

■ 54 000 ▮ 8 à 11 €

Cette cuvée, déjà citée l'an dernier, doit son nom à une ancienne croix de pierre qui marquait l'intersection de deux chemins du domaine. Issu de vignes âgées de quarante ans et situées sur un terroir argilo-granitique propice au gamay, ce vin plaisant, aux arômes de fruits rouges frais complétés par des notes plus suaves en bouche, a séduit les dégustateurs par son style frais et léger.

Daniel et Fabien Adoir, Les Chamonards, 71570 Saint-Amour-Bellevue, tél. 03.85.36.51.34, fax .

DOM. DE LA CROIX MARZELLE 2011

■ 15 000 ▮ 5 à 8 €

Monique et Pierre Perrachon, à la tête du domaine depuis 2006, proposent un saint-amour né sur un sol granitique, élevé dix mois en cuve. Ce 2011 plaît par son nez expressif de fruits rouges et par sa bouche, tendre, ronde et souple, qui invitent à le déguster dans l'année sur un fromage à pâte molle, un camembert par exemple.

Pierre Perrachon, La Croix Marzelle, 71570 La Chapelle-de-Guinchay, tél. 03.85.36.73.08, perrachonmarieluce@orange.fr

DOM. DES DARRÈZES 2011 ★

■ 24 000 ▮ 8 à 11 €

Des vignes âgées en moyenne de quarante ans sont à l'origine de cette cuvée vinifiée à la beaujolaise, en macération semi-carbonique. Avec son nez acidulé de fruits rouges, sa bouche ronde, vive et structurée, et sa longue finale, ce saint-amour est une promesse de plaisir. À l'hiver 2014, il sera prêt à s'associer à un mignon de veau en croûte ou à une poularde.

Madeleine et Jacques Janin, Dom. des Darrèzes, Le Bourg, 71570 Saint-Amour-Bellevue, tél. 03.85.37.12.96, fax 03.85.37.47.88, domainedarrezes@free.fr t.l.j. 9h-20h; dim. sur r.-v.

FRANCK JUILLARD 2011

■ n.c. 8 à 11 €

Une petite parcelle de 90 ares de ce domaine de 8 ha a donné naissance à ce 2011 rubis aux reflets violets, au nez intense de fruits rouges (cerise) et à la bouche puissante, épaulée de tanins robustes, qui devraient se fondre après un séjour d'un an en cave. Une bouteille qui fera honneur à une charcuterie du type fromage de tête.

Franck Juillard, Les Capitans, 69840 Juliénas, tél. 04.74.04.42.56, fjuillard70@gmail.com r.-v.

DOM. LASSAGNE Vieilles Vignes 2011 ★★

■ 32 000 ▮ 5 à 8 €

André Lassagne, ancien importateur et distributeur... de chaussures, invite « à boire du bonheur ». Jolie promesse pour ce 2011 au nez plaisant de fruits noirs et rouges, à la bouche élégante et épicée. Équilibré, structuré sans être durci par d'excessifs tanins, ce vin de terroir à la finale réglissée est très agréable. Un saint-amour à boire dans l'année sur un coquelet aux figues fraîches relevé d'une pointe de gingembre. Dans un autre style, le **juliénas 2011 Vieilles Vignes (3 500 b.)** – deux étoiles l'an dernier pour le millésime 2009 – est cité pour sa bouche suave, tout en rondeur.

Lassagne, Lieu-dit La Ville, 71570 Saint-Amour-Bellevue, tél. 03.85.37.11.93, fax 03.85.36.56.61, andre@domainelassagne.com t.l.j. 8h30-20h

DOM. DU MOULIN BERGER 2011 *

	8 000		8 à 11 €

Michel Laplace est un homme persévérant : il fut en effet successivement salarié, puis métayer de cette exploitation qu'il finit par acheter après une douzaine d'années. Avec son étoile, cette cuvée, qui fit son entrée dans le Guide en 2004, confirme sa place de valeur sûre du domaine. Ce joli vin de terroir a séduit les dégustateurs par son nez plaisant de framboise et par sa bouche gourmande et fondue, tout à fait dans l'esprit de l'appellation. Une cuvée gracieuse et prête à déguster sur un rôti de bœuf ou un gratin de potiron.

Laplace, Le Moulin Berger, 71570 Saint-Amour-Bellevue, tél. 03.85.37.41.57, fax 03.85.37.44.75, michel.laplace0899@orange.fr r.-v.

DOM. DES PINS 2010 **

	27 000		5 à 8 €

Premier millésime pour Joseph de Sonis et Bertrand de Cuyper qui ont repris ce domaine début 2010 et qui voient leur savoir-faire déjà reconnu dans le Guide avec ce saint-amour né de vignes âgées de soixante ans. Le tandem pratique une vinification à la beaujolaise, tout en cherchant à extraire de la matière et des tanins par la technique du grillage, qui fait immerger les parties solides du raisin dans le jus. S'ensuit un élevage en fût de six mois. Le résultat ? Un vin de caractère, complet, minéral, à servir cette année sur un gigot d'agneau ou sur un magret de canard.

EARL Dom. des Pins, La Piat, 71570 Saint-Amour-Bellevue, tél. et fax 03.85.37.19.17, joseph.de.sonis@orange.fr r.-v.

DOM. DES RAVINETS Cuvée Vieilles Vignes 2011 *

	10 000		5 à 8 €

Romain Spay a repris le domaine familial en 2009. Cette cuvée, née de 2 ha de vignes de soixante-douze ans, a été vinifiée selon la technique du grillage, qui vise à remettre en contact les peaux et le jus du raisin, de façon à extraire le plus de matière possible. Objectif atteint avec ce vin expressif, au nez intense de fruits rouges (cerise) et à la bouche équilibrée, ample et puissante. Un saint-amour encore jeune, qui pourra vieillir un an ou deux avant d'accompagner un bœuf miroton.

Romain Spay, Les Ravinets, 71570 Saint-Amour-Bellevue, tél. 06.82.98.28.41, elvire.romain@orange.fr r.-v.

DOM. DE TROIZELLES 2010 *

	3 500		5 à 8 €

Jean-François Perraud propose deux 2010 qui reçoivent chacun une étoile : ce saint-amour très bien fait, sur le fruit, et le **juliénas 2010 (5 000 b.)**. Les deux cuvées ont été vinifiées en macération carbonique : dix jours pour le saint-amour, issu de sols argilo-limoneux et donc plus léger de structure, et treize jours pour le juliénas né d'un terroir granitique permettant une extraction plus ambitieuse. Le résultat : deux profils tanniques et musclés, avec des arômes de petits fruits rouges pour le saint-amour, d'épices pour le juliénas. On aura plaisir à les déguster l'an prochain.

Jean-François Perraud, Les Belins, 69840 Jullié, tél. 06.81.36.30.96, jean-francois-perraud@wanadoo.fr r.-v.

Coteaux-du-lyonnais

Superficie : 310 ha
Production : 12 950 hl (90 % rouge et rosé)

La vigne, qui s'étendait sur plus de 12 000 ha dans les monts du Lyonnais durant la seconde moitié du XIXe s., a fortement décliné avec la crise phylloxérique et l'expansion de l'agglomération lyonnaise, pour ne plus couvrir que quelques îlots répartis sur quarante-neuf communes, dans une région de polyculture et d'arboriculture : aux confins du Beaujolais et au nord-ouest de Lyon, ainsi qu'au sud-ouest de la capitale du Rhône. La production est assurée par la coopérative de Sain-Bel et par plusieurs domaines particuliers. Dans ce paysage vallonné aux sols variés (granites, roches métamorphiques, roches sédimentaires, alluvions), les influences méditerranéennes sont plus prononcées que dans le Beaujolais ; pourtant, le relief, plus ouvert aux aléas climatiques de type océanique et continental, limite l'implantation de la vigne à moins de 500 m d'altitude et l'exclut des expositions nord. Les meilleures situations se trouvent au niveau du plateau.

Les coteaux-du-lyonnais ont été consacrés AOC en 1984. Les vins rouges et rosés, majoritaires, proviennent du gamay vinifié selon la méthode beaujolaise ; les vins blancs, du chardonnay et de l'aligoté. Fruités et gouleyants, les premiers accompagnent toutes les cochonnailles lyonnaises : saucisson, cervelas, queue de cochon, petit salé, pieds de porc, jambonneau ; les seconds s'entendront avec poissons et fromages de chèvre.

B LE BOUC ET LA TREILLE
La Poleymoriote indigène d'antan 2011 *

	1 060		8 à 11 €

Régulièrement présent dans les pages du Guide, ce vignoble a achevé sa conversion vers l'agriculture biologique en 2010. Sa Poleymoriote (du nom du village) est issue d'un gamay entièrement éraflé ayant fermenté avec des levures indigènes, c'est-à-dire sans ensemencement utilisant des levures du commerce. Après un élevage mixte, elle livre des parfums complexes et puissants de vanille et de fruits noirs. La bouche, riche, ample et tannique, se laisse encore un peu dominer par le boisé : à oublier trois ans en cave.

Le Bouc et la Treille, 82, chem. de la Tour-Risler, 69250 Poleymieux-au-Mont-d'Or, tél. 06.60.21.59.22, fax 04.72.26.07.53, leboucetlatreille@sfr.fr jeu. ven. 17h-19h; sam. 10h-12h30

DOM. CONDAMIN Les Anciennes 2011 *

	7 000		5 à 8 €

Voilà dix ans que Nicolas Condamin s'est installé sur le domaine familial, agrandissant dès son arrivée la cave de vinification. Il propose, pour cet anniversaire, une cuvée de vieilles vignes d'une belle finesse. Ces Anciennes, entièrement égrappées puis macérées quinze jours et élevées neuf mois en cuve, offrent au nez une explosion de fruits rouges bien mûrs. Rond à l'attaque, riche en arômes et empreint de vivacité, le palais repose sur des tanins fondus. Un vin de plaisir, prêt à boire.

GAEC du Dom. Condamin, 85, rte du Batard, 69440 Taluyers, tél. et fax 04.78.48.24.41, nicolas.condamin@gmail.com r.-v.

CAVE DES COTEAUX DU LYONNAIS
Village de l'année Fleurieux 2011 **

16 000	5 à 8 €

Connue dans le Guide sous le nom de Cave Sain-Bel, cette coopérative réussit un beau doublé dans le millésime 2011 avec, en prime, le seul coup de cœur de l'appellation, attribué à ce Village de l'année 2011 qui représente seulement 4 ha sur les 260 vinifiés par la cave. Très flatteur au nez, sur la confiture de cassis et la jacinthe, ce vin ravit par sa grande souplesse, son fruité gourmand, ses tanins parfaitement fondus et sa longue finale. Il s'appréciera dès aujourd'hui sur un tartare de bœuf. Le **2011 rouge Réserve du Grand Prieur (70 000 b.)** mariant les fruits rouges et noirs, d'une belle rondeur, décroche une étoile.

Cave des Coteaux du Lyonnais, RD 389, 69210 Sain-Bel, tél. 04.74.01.11.33, fax 04.74.01.10.27, contact@coteauxdulyonnaislacave.com
t.l.j. sf dim. 10h-12h30 14h30-19h

ÉTIENNE DESCOTES ET FILS Vieilles Vignes 2011

8 000	5 à 8 €

Il y a eu du changement au domaine des Grès. Étienne Descotes, le père, avait légué son exploitation à ses deux fils, Philippe et Pierre. Le premier ayant pris sa retraite en 2011, reste Pierre, qui a élaboré en solo cette intéressante cuvée de vieilles vignes. Le nez d'une belle richesse libère des notes de violette, de groseille, de cassis ou encore de pêche de vigne. Souple et friand, le palais repose sur le fruit et la fraîcheur.

Dom. des Grès, Pierre Descotes, 12, rue des Grès, 69390 Millery, tél. 04.78.46.18.38, contact@domainedesgres.com r.-v.

PIERRE ET JEAN-MICHEL JOMARD 2011

9 000	- de 5 €

Après quelques années d'absence, revoici le blanc de la famille Jomard, régulièrement mentionné dans le Guide durant la dernière décennie. Né sur un sol schisteux, ce vin d'or pâle s'anime de reflets verts. Son nez expressif oscille entre la fraîcheur des agrumes, les fleurs blanches et des notes plus mûres d'abricot. De même, l'équilibre en bouche se joue entre vivacité et douceur fruitée. Idéal pour l'apéritif.

Pierre et Jean-Michel Jomard, Le Morillon, 69210 Fleurieux-sur-l'Arbresle, tél. 04.74.01.02.27, fax 04.74.01.24.04, jmjomard@free.fr r.-v.

DOM. MAZILLE-DESCOTES 2010

3 500	- de 5 €

Anciennement domaine Anne Mazille, la propriété a récemment changé de nom, mais cela n'a eu aucune conséquence sur la qualité de la production. Pour preuve, deux cuvées sont citées cette année, dans deux couleurs différentes. Le chardonnay, ici sur un versant acidulé et fruité, offre un nez délicat d'agrumes, de vanille et d'acacia. Suivant le même registre, la bouche fait valoir sa finesse et sa fraîcheur. Le **2010 rouge Vieilles Vignes (5 000 b.)** livre aussi un fruité plaisant, aux accents de cassis et de fraise. Deux vins prêts à boire.

Dom. Mazille-Descotes, 8 bis, rue du 8-Mai, 69390 Millery, tél. 04.26.65.91.17, anne.mazille@numericable.com
t.l.j. sf dim. 17h30-19h30; sam. 10h-19h

DOM. DE LA PETITE GALLÉE Le Clos 2011 *

8 000	5 à 8 €

Installés au bord du Rhône, à une quinzaine de kilomètres au sud de Lyon, Robert et Patrice Thollet travaillent en agriculture biologique depuis cinq ans. Née d'une petite parcelle isolée à l'intérieur d'un clos de 6,5 ha, leur cuvée se pare d'une robe d'or pâle étincelante. Son bouquet, ouvert et frais (amande, fruits blancs), annonce une bouche onctueuse à l'expression intense. Une touche florale et miellée vient agrémenter la finale. À ouvrir dans un an.

Patrice Thollet, Dom. de la Petite Gallée, 69390 Millery, tél. 04.78.46.24.30, contact@domainethollet.com
t.l.j. sf dim. 17h-19h

DOM. DE PRAPIN Les Générations Vieilles Vignes 2010

5 000	5 à 8 €

Sylvie et Henri Jullian ont engagé la conversion de leur vignoble vers l'agriculture biologique. En attendant la certification, on peut découvrir ces vieilles vignes de soixante ans qui représentent presque la moitié de leur production. Le bouquet d'une belle finesse évoque les fruits rouges frais, puis la bouche souple et délicate confirme ces impressions fruitées. À apprécier dès maintenant sur un saucisson brioché.

EARL Jullian, Prapin, 69440 Taluyers, tél. 04.78.48.24.84, jullianh@orange.fr
t.l.j. 10h-12h 14h-19h; dim. sur r.-v.

LE BORDELAIS

SAINT-ÉMILION POMEROL
CABERNET-SAUVIGNON MERLOT
SÉMILLON FRONSAC
CRU CLASSÉ ENTRE-DEUX-MERS
PESSAC-LÉOGNAN MÉDOC
MARGAUX PAUILLAC
SAUTERNES

LE BORDELAIS

Superficie
117 500 ha
Production
5 700 000 hl
Types de vins
Rouges majoritairement, puis blancs secs, moelleux et liquoreux, rosés et quelques effervescents.
Sous-régions
Blayais-Bourgeais, Libournais, Entre-deux-Mers, Graves, Médoc, Côtes.
Cépages
Rouges : merlot (plus de 60 %), suivi du cabernet-sauvignon (25 %), du cabernet franc (11 %) et dans une très faible proportion des malbec, petit verdot, carmenère.
Blancs : sémillon (53 %), suivi du sauvignon (38 %), de la muscadelle (6 %), du colombard, de l'ugni blanc.

Partout dans le monde, Bordeaux représente l'image même du vin. Pourtant, aujourd'hui, il faut des fêtes à grand spectacle, comme « Bordeaux fête le vin », ou des manifestations professionnelles de dimension mondiale, telle Vinexpo, pour le rappeler. Difficile de trouver l'empreinte de Bacchus dans une ville désertée par les alignements de barriques sur le port ou devant les grands chais du négoce, partis vers la périphérie. Toutefois, si le vin s'est effacé du paysage urbain, il demeure un pilier de l'économie aquitaine, et le Bordelais constitue le plus vaste vignoble d'appellation de France. Les crus classés et grands châteaux lui donnent son aura, mais l'amateur y trouvera à tous les prix une riche palette de vins de toutes couleurs et de tous les styles.

Le claret médiéval Paradoxalement, le vin fut connu avant... la vigne : dans la première moitié du Iers. av. J.-C. (avant même l'arrivée des légions romaines en Aquitaine), des négociants campaniens commençaient à vendre du vin aux Bordelais. D'une certaine façon, c'est par le vin que les Aquitains ont fait l'apprentissage de la romanité. Au Iers. de notre ère, la vigne est apparue. Mais il fallut attendre la montée sur le trône d'Angleterre d'Henri Plantagenêt, marié à Aliénor d'Aquitaine, pour assister au développement du marché britannique. Le jour de la Saint-Martin (en novembre), une flotte considérable quittait le port de Bordeaux pour livrer en Angleterre le vin de l'année, le claret.

L'essor des châteaux et des crus Affaiblis sur le marché anglais par le rattachement de la Guyenne à la France, puis par la concurrence des vins d'autres pays et d'autres boissons à la mode (thé, café, chocolat), les vins de Bordeaux retrouvent leur place au début du XVIIIes. par l'intermédiaire des *new french clarets*, des vins aptes au vieillissement grâce à de nouvelles techniques : utilisation du soufre comme antiseptique, clarification par collage, soutirage, mise en bouteilles.

Ces progrès au chai et la constitution des crus par une sélection rigoureuse des terroirs aboutit à l'apogée du XIXes. que symbolise, en 1855, le célèbre classement impérial des vins du Médoc et du Sauternais.

Surmonter les crises Dans la seconde moitié du XIXes. et la première moitié du XXes., les maladies de la vigne (oïdium, mildiou et phylloxéra), puis les crises économiques et les guerres mondiales mettent à mal le monde du vin, le point d'orgue étant apporté par le gel de 1956.

Un nouvel âge d'or D'abord timidement à partir des années 1960, puis de façon plus éclatante dans les années 1980, la prospérité est heureusement revenue, notamment grâce à une remarquable amélioration de la qualité et à l'intérêt porté, dans le monde entier, aux grands vins. Générale dans les années 1980-2000, la prospérité cède la place à une situation plus contrastée avec le changement de millénaire : si l'émergence des vins du Nouveau Monde accroît la concurrence, l'apparition de nouveaux marchés, notamment en Chine, ouvre d'intéressantes perspectives. Mais tous les crus pourront-ils en profiter ?

Un climat océanique tempéré Le vignoble bordelais est organisé autour de la Garonne, la Dordogne et leur estuaire commun, la Gironde. Ces axes fluviaux créent des conditions favorables à la culture de la vigne : le climat de la région bordelaise est relativement tempéré (moyennes annuelles 7,5 °C minimum, 17 °C maximum), et le vignoble protégé de l'Océan par la forêt de pins des Landes. Les gelées d'hiver sont exceptionnelles (1956, 1958, 1985), mais une température inférieure à -2 °C sur les jeunes bourgeons (avril-mai) peut entraîner leur destruction, comme en 1991. Un temps froid et humide au moment de la floraison (juin) peut provoquer la coulure (avortement des grains). Ces deux accidents engendrent des pertes de récolte et expliquent la variation des volumes d'une année sur l'autre. En revanche, la qualité de la récolte suppose un temps chaud et sec de juillet à octobre, tout particulièrement pendant les quatre dernières semaines précédant les vendanges (globalement, 2 000 heures de soleil par an). Le climat bordelais est assez humide (900 mm de précipitations annuelles), particulièrement au printemps. Mais les automnes sont réputés, et de nombreux millésimes ont été sauvés par une arrière-saison exceptionnelle ; les grands vins de Bordeaux n'auraient jamais pu exister sans cette circonstance heureuse.

Une géologie variée La vigne est cultivée en Gironde sur des sols de natures très diverses. La plupart des grands crus de vin rouge sont établis sur des alluvions gravelo-sableuses siliceuses ; des calcaires à astéries, des molasses et même des sédiments argileux. Les vins blancs secs sont produits indifféremment sur des nappes alluviales gravelo-sableuses, des calcaires à astéries et des limons ou molasses. Dans tous les cas, les mécanismes naturels ou artificiels (drainage) de régulation de l'alimentation en eau constituent des facteurs essentiels de qualité. S'il peut exister des crus de même réputation de haut niveau sur des roches-mères différentes, les caractères aromatiques et gustatifs des vins sont influencés par la nature des sols. La distribution des cépages, qui est souvent fonction des caractères du terroir, explique en partie ces variations.

Cépages et assemblages Les vins de Bordeaux ont toujours été produits à partir de plusieurs cépages ayant des caractéristiques complémentaires. En rouge, le merlot et les cabernets sont les principales variétés. Les seconds donnent des vins d'une solide structure tannique, mais qui doivent attendre plusieurs années pour atteindre leur qualité optimale ; en outre, si le cabernet-sauvignon résiste bien à la pourriture, c'est un cépage tardif qui connaît parfois des difficultés de maturation. Le merlot engendre des vins plus souples, d'évolution plus rapide ; plus précoce, il mûrit bien, mais il est sensible à la coulure, à la gelée et à la pourriture. Pour les vins blancs, le cépage essentiel est le sémillon, qui apporte gras et rondeur. Cette variété est surtout complétée par le sauvignon, cépage prisé pour sa fraîcheur et sa puissance aromatique, parfois complété par la délicate muscadelle. On trouve encore parfois dans certaines zones le colombard, et l'ugni blanc, en retrait.

Une vigne bien soignée La vigne est conduite en rangs palissés, avec une densité de ceps à l'hectare très variable. Elle atteint 10 000 pieds dans les grands crus du Médoc et des Graves ; elle se situe à 4 000 pieds dans les plantations classiques de l'Entre-deux-Mers. Les densités élevées entraînent une diminution de la récolte par pied, ce qui est propice à la maturité ; en revanche, elles augmentent les frais de plantation et de culture, et peuvent favoriser la propagation de la pourriture. La vigne est l'objet, tout au long de l'année, de soins attentifs.

L'effet millésime Les grands millésimes ne manquent pas à Bordeaux. Citons pour les rouges les 2005, 1995, 1990, 1982, 1975, 1961 ou 1959, et aussi les 2009, 2000, 1989, 1988, 1985, 1983, 1981, 1979, 1978, 1976, 1970 et 1966, sans oublier, dans les années antérieures, les superbes 1955, 1949, 1947, 1945, 1929 et 1928. La viticulture bordelaise dispose de terroirs exceptionnels, et elle sait les mettre en valeur par la technologie la plus raffinée qui puisse exister, désormais mise en œuvre aussi dans bien des pays du Nouveau Monde. Si la notion de qualité des millésimes est relativement moins marquée dans le cas des vins blancs secs, elle reprend toute son importance avec les vins liquoreux, pour lesquels les conditions du développement de la pourriture noble sont essentielles.

Vins de propriété et vins de négoce La mise en bouteilles à la propriété se fait depuis longtemps dans les grands crus. Depuis trois décennies, elle s'est développée dans tous les vignobles, notamment grâce à l'intervention des centres et laboratoires œnologiques. Actuellement la grande majorité des vins est élevée, vieillie et stockée par la production. La vente directe par la propriété s'est largement répandue, parfois au détriment des caves coopératives qui continuent cependant à tenir un rôle important, notamment grâce à la constitution d'unions. Les quelque quarante-cinq coopératives regroupent 40 % des récoltants girondins et assurent 25 % de la production. Enfin, le négoce conserve toujours un rôle important (70 % de la commercialisation bordelaise) dans la distribution, en particulier à l'exportation, grâce à ses réseaux bien implantés depuis longtemps.

Le Bordelais

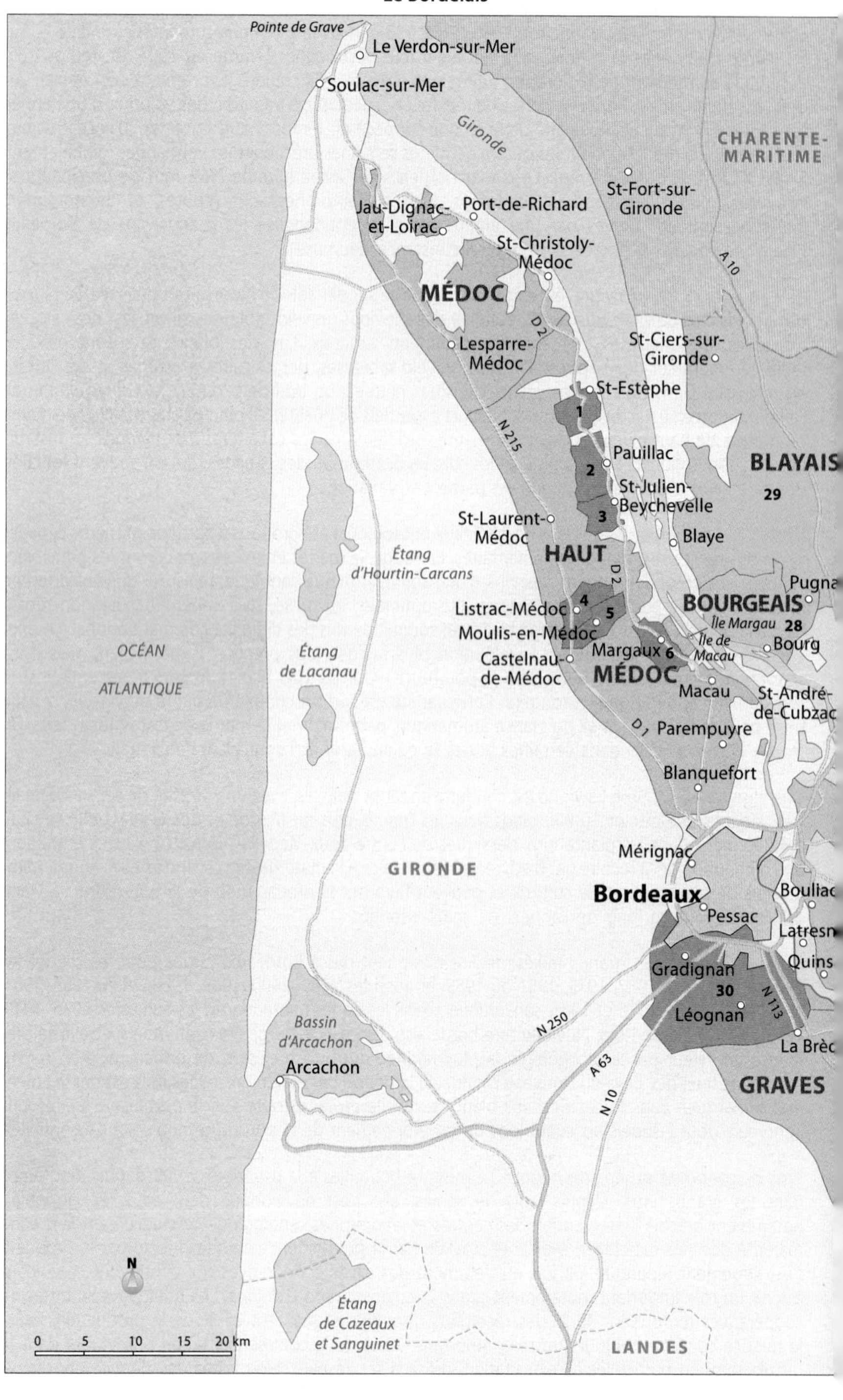

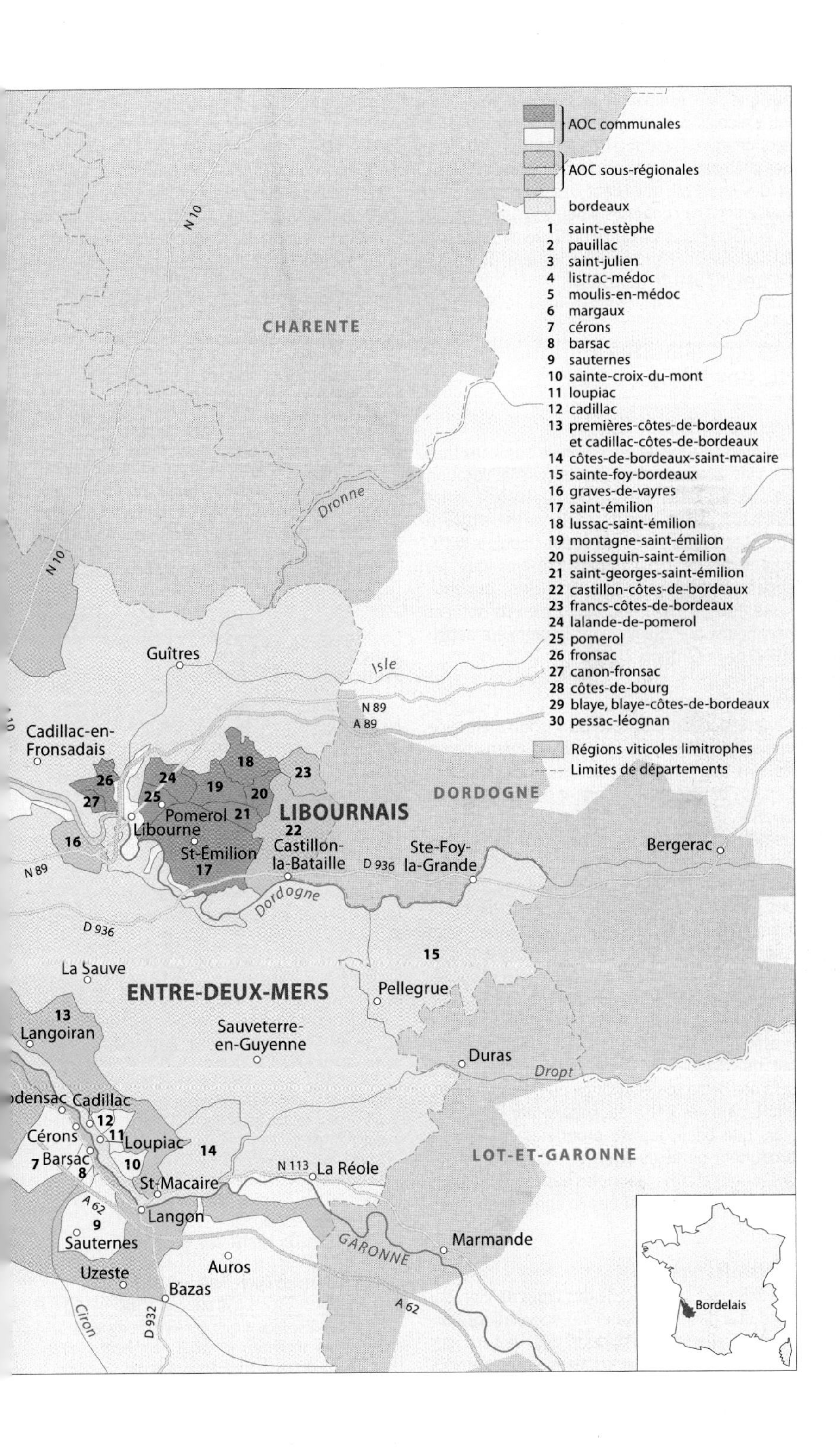
AOC communales
AOC sous-régionales
bordeaux
1 saint-estèphe
2 pauillac
3 saint-julien
4 listrac-médoc
5 moulis-en-médoc
6 margaux
7 cérons
8 barsac
9 sauternes
10 sainte-croix-du-mont
11 loupiac
12 cadillac
13 premières-côtes-de-bordeaux et cadillac-côtes-de-bordeaux
14 côtes-de-bordeaux-saint-macaire
15 sainte-foy-bordeaux
16 graves-de-vayres
17 saint-émilion
18 lussac-saint-émilion
19 montagne-saint-émilion
20 puisseguin-saint-émilion
21 saint-georges-saint-émilion
22 castillon-côtes-de-bordeaux
23 francs-côtes-de-bordeaux
24 lalande-de-pomerol
25 pomerol
26 fronsac
27 canon-fronsac
28 côtes-de-bourg
29 blaye, blaye-côtes-de-bordeaux
30 pessac-léognan
Régions viticoles limitrophes
Limites de départements
CHARENTE
N 10
Dronne
Guîtres
Isle
N 89
A 89
Cadillac-en-Fronsadais
LIBOURNAIS
DORDOGNE
Pomerol
Libourne
St-Émilion
Castillon-la-Bataille
Ste-Foy-la-Grande
Bergerac
D 936
Dordogne
La Sauve
ENTRE-DEUX-MERS
Pellegrue
Langoiran
Sauveterre-en-Guyenne
Duras
Dropt
Cadillac
Cérons
Loupiac
Barsac
St-Macaire
N 113
La Réole
LOT-ET-GARONNE
A 62
Langon
Sauternes
GARONNE
Marmande
Auros
Uzeste
Bazas
Ciron
D 932
Bordelais

Une dimension culturelle L'importance de la viticulture dans la vie régionale est considérable, puisque l'on estime qu'un Girondin sur six dépend directement ou indirectement des activités viti-vinicoles. Mais dans ce pays gascon qu'est le Bordelais, le vin n'est pas seulement une ressource économique. C'est aussi et surtout un fait de culture. Derrière chaque étiquette se cachent tantôt des châteaux à l'architecture de rêve, tantôt de simples maisons paysannes, mais toujours des vignes et des chais où travaillent des hommes apportant, avec leur savoir-faire, leurs traditions et leurs souvenirs. Les confréries vineuses (Jurade de Saint-Émilion, Commanderie du Bontemps du Médoc et des Graves, Connétablie de Guyenne, etc.) organisent régulièrement des manifestations à caractère folklorique pour promouvoir les vins de Bordeaux ; leur action est coordonnée au sein du Grand Conseil du vin de Bordeaux.

Les appellations régionales du Bordelais

Toute la Gironde viticole

Ont droit à l'appellation régionale bordeaux tous les vins produits dans les terroirs à vocation viticole du département de la Gironde (l'aire délimitée exclut la zone sablonneuse située à l'ouest et au sud – la lande, vouée depuis le XIXe s. à la forêt de pins). Moins célèbres que les appellations communales (pauillac, pomerol, sauternes...), tous ces bordeaux n'en constituent pas moins quantitativement la première appellation de la Gironde.

Variété des origines

L'impressionnante surface du vignoble entraîne une certaine diversité de caractères, même si tous les vins utilisent les mêmes cépages bordelais. Certains bordeaux proviennent de secteurs de la Gironde n'ayant droit qu'à la seule appellation bordeaux, comme les régions de palus proches des fleuves, ou quelques zones du Libournais (communes de Saint-André-de-Cubzac, de Guîtres, de Coutras...). D'autres naissent dans des régions ayant droit à une appellation plus spécifique, mais peu connue, et le producteur préfère alors commercialiser ses vins sous l'appellation régionale. D'autres au contraire sont issus de crus situés dans des appellations communales prestigieuses. L'explication réside alors dans le fait que l'appellation spécifique ne s'applique qu'à une seule couleur (rouge pour les médoc ou blanc pour les entre-deux-mers, par exemple), alors que beaucoup de propriétés en Gironde produisent plusieurs types de vins (notamment des rouges et des blancs) ; les autres productions sont donc commercialisées en appellation régionale.

Variété des types

La variété est surtout celle des types de vins, qui conduit à parler au pluriel des appellations bordeaux : celles-ci comportent des vins rouges (bordeaux et bordeaux supérieurs, ces derniers plus puissants), des rosés et des clairets, des vins blancs (bordeaux secs et bordeaux supérieurs, ces derniers moelleux) et des effervescents (crémant-de-bordeaux blancs ou rosés). Les vins de base à l'origine de ces productions élaborées selon la méthode traditionnelle sont obligatoirement issus de l'aire d'appellation bordeaux ; de même, c'est dans la région de Bordeaux que doit être effectuée la deuxième fermentation en bouteille (prise de mousse).

Bordeaux

Superficie : 39 415 ha
Production : 1 699 000 hl

CH. LES ANGUILLÈRES Alliance 2010 ★

■ 6 000 ▮ - de 5 €

L'alliance de deux amis est à l'origine de ce domaine de 40 ha ; celle du merlot et des cabernets est à l'origine de ce 2010 qui respire le fruit mûr, fraise en tête, rehaussé par une touche épicée. Rond, doux et bien structuré, le palais est à l'avenant. Un vin équilibré et cohérent, à boire dans les deux ans.

EARL Ossard, 3, La Lambertie, 33220 Pineuilh, tél. 06.21.04.64.65, fax 05.57.46.31.28, ossardjf.earl@orange.fr
r.-v.

CH. DES ARRAS 2010

■ 22 000 ▮ 5 à 8 €

Un clos en Bordelais : une rareté dans la région que ce vignoble d'un seul tenant entièrement ceint de murs. À sa tête depuis 1993, Claudine Rozier signe une cuvée bien équilibrée, tant au nez, où les notes vanillées de l'élevage s'harmonisent avec le fruité du vin, qu'en bouche, où la richesse est contrebalancée par un fruité frais. La pointe d'austérité que l'on perçoit en finale s'atténuera après deux ans de garde.

Claudine Rozier, Ch. des Arras, 33240 Saint-Gervais, tél. 05.57.43.00.35, fax 05.57.43.58.25, chateaudesarras@gmail.com
t.l.j. 10h-12h 14h-18h

CH. LES ARROMANS Cuvée Prestige 2010 ★

■ 20 000 5 à 8 €

Ce domaine bien connu des lecteurs signe un 2010 de pur merlot très réussi, qui séduit d'emblée par son nez intense et concentré de fruits noirs, d'épices, de réglisse et

de cacao. Après une attaque souple et fruitée, on découvre une bouche ronde, riche et ample, tonifiée par une belle fraîcheur en finale. Un vin déjà plaisant, que l'on pourra aussi attendre deux ou trois ans.
Joël Duffau, 2, Les Arromans, 33420 Moulon, tél. 05.57.74.93.98, fax 05.57.84.66.10, joel.duffau@aliceadsl.fr t.l.j. sf dim. 8h-12h 14h-19h 4

CH. BALLAN-LARQUETTE 2010 ★

	95 000		5 à 8 €

Installé en 1992 à la suite de ses parents, Régis Chaigne a modernisé progressivement le domaine. Il utilise ainsi depuis plusieurs années des modèles mathématiques de prévision météo pour limiter les risques, diminuer les traitements et viser une maturité optimale du raisin. Des efforts récompensés, à en juger par cette cuvée dominée par les cabernets : un vin riche, plein et puissant, longuement tapissé d'arômes de fruits confits et porté par des tanins fondus à souhait. À déguster dans deux ans sur une viande en sauce.
Vignobles Chaigne et Fils, Ch. Ballan-Larquette, 33540 Saint-Laurent-du-Bois, tél. 05.56.76.46.02, fax 05.56.76.40.90, regis@chaigne.fr r.-v.

BARON LA ROSE Vieilles Vignes 2009 ★

	100 000		5 à 8 €

Née de ceps trentenaires de merlot (60 %) et de cabernets, cette cuvée de négoce se présente dans une séduisante robe rouge sombre et laisse percer de discrets arômes de fruits noirs, agrémentés d'un boisé discret. En bouche, le vin, soutenu par une trame tannique fine et veloutée, est rond et charnu, rehaussé en finale par une pointe épicée. À déguster dans les deux ou trois ans à venir sur une entrecôte sauce au poivre.
Sovex-Woltner, 20, rue André-Marie-Ampère, 33560 Carbon-Blanc, tél. 05.56.77.81.00, fax 05.57.77.37.60

CH. BEL AIR PERPONCHER 2009 ★

	12 000		15 à 20 €

Ce domaine incontournable, détenteur de nombreux coups de cœur, est fidèle au rendez-vous. Ce grand vin, drapé dans une robe grenat aux reflets bruns, livre un bouquet généreux de fruits cuits mêlés de notes chocolatées et épicées. Le palais, très 2009, est riche, rond et concentré, laissant le dégustateur sur une agréable impression de douceur. À déguster dans les trois ans, sur une viande en sauce ou, pourquoi pas, un dessert au chocolat.
SCEA Vignobles Despagne, 33420 Naujan-et-Postiac, tél. 05.57.84.55.08, fax 05.57.84.57.31, contact@despagne.fr r.-v.

♥ CH. BELLE-GARDE Cuvée élevée en fûts de chêne 2010 ★★

	80 000		5 à 8 €

Les éditions se suivent et se ressemblent très souvent pour Éric Duffau. Coup de cœur pour le 2009, il fait jeu égal pour la version 2010. Complexe et élégant, le bouquet mêle les fruits rouges mûrs, les épices douces et un boisé délicatement vanillé. Suave, gourmande, concentrée, adossée à des tanins veloutés, la bouche offre le même équilibre entre boisé et fruité. Un bordeaux d'une grande harmonie, à découvrir dans quatre ans et plus, sur un osso bucco.

SC Vignobles Éric Duffau, 2692, rte de Moulon, 33420 Génissac, tél. 05.57.24.49.12, fax 05.57.24.41.28, duffau.eric@wanadoo.fr r.-v.

CH. BONNET Réserve 2009

	500 000		8 à 11 €

Paré d'une robe grenat soutenu, ce vin exhale des parfums de fruits rouges mêlés de notes épicées et réglissées. Après une attaque souple, la bouche séduit par sa rondeur, son fond fruité mâtiné de senteurs torréfiées et ses tanins veloutés mais plus sévères en finale. À attendre deux ans pour plus d'harmonie.
André Lurton, Ch. Bonnet, 33420 Grézillac, tél. 05.57.25.58.58, fax 05.57.74.98.59, andrelurton@andrelurton.com

LA BOUCAUDE 2010

	70 600		- de 5 €

La Boucaude est le nom d'une parcelle située en face de la coopérative de Cazaugitat. Phénomène original, les jonquilles poussent ici en nombre, entre les rangs de vignes. Point de notes florales dans cette cuvée néanmoins, mais du fruit, framboise en tête, et quelques nuances épicées. Du fruit en bouche également, soutenu par de bons tanins, un peu plus sévères en finale toutefois. À garder un an ou deux en cave.
Vignerons de Landerrouat-Duras-Cazaugitat, 4, rte des Vignerons, 33790 Landerrouat, tél. 05.56.61.31.21, fax 05.56.61.40.79, vignerons.landerrouat@wanadoo.fr r.-v.

CH. DE BOUILLEROT Cep d'antan 2010

	3 000		5 à 8 €

Comme l'an dernier, Thierry Bos – régulièrement aux honneurs pour son Palais d'or liquoreux (côtes-de-bordeaux-saint-macaire) – revient avec cette cuvée originale, assemblage de cépages peu utilisés, ou venant souvent en appoint des classiques merlot et cabernets. Ici, malbec (75 %), petit verdot et carmenère composent un vin sympathique, bien servi par un fruité intense de cerise, de mûre et de cassis, et par une bouche ample, fraîche et bien structurée. À boire dans l'année, sur une volaille rôtie.
Thierry Bos, 8, Lacombe, 33190 Gironde-sur-Dropt, tél. 05.56.71.46.04, fax 08.11.38.21.94, info@bouillerot.com r.-v.

CH. BOURDICOTTE 2010 ★★

	146 000		- de 5 €

Plantés sur les contreforts de la butte de Launay, point culminant de la Gironde (140 m), les ceps de merlot, accompagnés ici d'un peu de cabernet-sauvignon et de malbec, donnent naissance à ce vin sombre et profond, orné de reflets violines. Le nez, chaleureux et intense, exhale des parfums de fruits cuits. La bouche se révèle tout aussi généreuse, ronde, ample, onctueuse et douce, adossée à des tanins enrobés qui étirent le vin dans une finale veloutée. À apprécier aujourd'hui, comme dans deux ans, sur un tajine de veau aux pruneaux.

SCEA Rolet Jarbin, Ch. Bourdicotte, Le Bourg, 33790 Cazaugitat, tél. 05.56.61.32.55, fax 05.56.61.38.26, m.pellerin@rcrgroup.fr
RCR Group

CH. BOUTILLOT 2010

33 500 - de 5 €

Mis en bouteilles par la maison de négoce Yvon Mau, ce 2010 est issu d'un domaine de Saint-Michel-de-Lapujade. Il séduit par son bouquet fin de fruits noirs rehaussé d'épices. Un fruité qui se prolonge dans une bouche fraîche, persistante et bien structurée, tonifiée par une touche acidulée en finale. Un vin équilibré et prêt à boire.

SA Yvon Mau, rue Sainte-Pétronille, 33190 Gironde-sur-Dropt, tél. 05.56.61.54.54, fax 05.56.61.54.61, info@ymau.com

CH. LES CABANNES 2010

3 600 5 à 8 €

Également producteurs en saint-émilion et saint-émilion grand cru, Brigitte et Peter Kjellberg, œnologues de formation, exploitent ce vignoble depuis 1997. Ils proposent ici une cuvée rubis aux reflets violines qui séduit par son bouquet plein de fruits (cerise, fraise), nuancé d'épices. En bouche, ce 2010 se montre rond et avenant, porté par des tanins caressants. Un vin équilibré, « féminin » selon un dégustateur, à boire dès aujourd'hui.

EARL Vignobles Kjellberg-Cuzange, Les Cabannes, 33330 Saint-Sulpice-de-Faleyrens, tél. 05.57.24.62.86, kjellberg.cuzange@orange.fr r.-v.

CH. CAJUS Cuvée des Anges 2009 ★★

13 000 8 à 11 €

Conduit en bio depuis son acquisition par Pierre Veyron en 1998, ce domaine de 25 ha propose une cuvée élégante dans sa robe profonde et intense aux reflets violines. Bien que dominée par le merlot (70 %), elle offre un nez puissant, « très typé cabernet », notent les dégustateurs, un cabernet bien mûr, qui évoque le poivron, les fruits rouges et le menthol, agrémenté d'un boisé bien dosé. La bouche est au diapason, corsée, corpulente, solidement charpentée. Un vin à la personnalité affirmée, apte à une garde de deux ou trois ans et plus encore.

SCEA Ch. Cajus, lieu-dit Cajus, 33750 Saint-Germain-du-Puch, tél. 05.57.24.01.15, fax 05.57.24.05.46, contact@chateau-cajus.eu r.-v.

CH. CAMARSAC Cuvée classique 2010 ★

n.c. - de 5 €

Un château édifié au XIVe s., à l'emplacement d'une maison forte du XIe s., une grande cour du XVIIIe s. qui accueille le chai à barriques, et des bâtiments d'exploitation recouverts de panneaux photovoltaïques : ici, le passé côtoie la modernité. Le présent ? Cette cuvée à dominante de merlot, au nez généreusement fruité (cerise à l'eau-de-vie), ample, souple et tout aussi intense en bouche, des tanins fondus composant une aimable charpente. Un vin équilibré, harmonieux et prêt à boire, même il n'est pas exclu de l'attendre quelques années.

Ch. de Camarsac, 30, rte de Bergerac, 33750 Camarsac, tél. 09.63.24.16.29, fax 05.56.30.11.02, administration@camarsac.com
t.l.j. 9h-18h; dim. sur r.-v.
Thierry Lurton

CH. CAMINADE HAUT GUÉRIN 2010 ★

25 000 - de 5 €

Situé sur un plateau de graves et d'argiles dominant Saint-Émilion, ce vignoble familial s'étend sur 30 ha. Christian Caminade propose une cuvée pourpre foncé dont les parfums soutenus de fruits confits laissent deviner un raisin récolté à bonne maturité. La bouche s'ouvre sur un fruité savoureux, portée par des tanins fermes et serrés qui assureront à cette bouteille une bonne tenue à la garde (trois ou quatre ans).

SCEA Vignobles Marc Caminade, 1758, rte de Moulon, 33420 Génissac, tél. 05.57.24.48.37, fax 05.57.24.40.58, marccaminade@wanadoo.fr r.-v.

CH. LA CAUSSADE 2010 ★

25 000 5 à 8 €

Si la famille Armand maîtrise parfaitement les liquoreux – elle est propriétaire du célèbre Ch. la Rame (sainte-croix-du-mont) –, elle montre aussi du talent dans la vinification des rouges. Témoin ce bordeaux mi-merlot mi-cabernet, très expressif avec son bouquet généreux de fruits noirs confits (cassis) et d'épices, ample, plein et charnu en bouche, une trame tannique ferme mais aimable en soutien. Un vin de caractère, à déguster dans deux ans sur une viande en sauce.

GFA Ch. la Rame, La Rame, 33410 Sainte-Croix-du-Mont, tél. 05.56.62.01.50, fax 05.56.62.01.94, dgm@wanadoo.fr
t.l.j. 9h-12h 13h30-17h30; sam. dim. sur r.-v.
Armand

CH. CHARRON 2010

175 400 - de 5 €

Une part non négligeable de cabernet-sauvignon entre dans ce 2010 aux côtés du merlot et d'une touche de cabernet franc. Le résultat est un vin au nez soutenu de fruits rouges mûrs, un rien épicé et floral, ferme et minéral en bouche, « strict mais sans austérité », conclut un dégustateur. À boire dans les deux ans sur une volaille rôtie.

Les Caves de Rauzan, L'Aiguilley, 33420 Rauzan, tél. 05.57.84.13.22, fax 05.57.84.12.67, accueil@cavesderauzan.com r.-v.

CH. LA COMMANDERIE DU BARDELET 2010 ★

150 000 - de 5 €

Drapé dans une élégante robe rubis aux reflets violines, ce 2010 à dominante de merlot se distingue d'emblée par son bouquet soutenu de fruits noirs confiturés (cassis, mûre). Puissant, rond et riche, le palais s'appuie sur des tanins fins et fondus qui portent loin la finale. Un vin unanimement qualifié de gourmand. À déguster dans les deux ans à venir sur des magrets de canard aux cèpes.

SCEA Jean-Dominique Petit, Haut-Rieuflaget, 33790 Saint-Antoine-du-Queyret, tél. 05.56.61.33.78, fax 05.56.61.39.84, haut-rieuflaget@wanadoo.fr
r.-v.

CH. LA COUDRAIE 2010 ★★

500 000 - de 5 €

Épaulés par leurs deux filles, les Jolivet conduisent un vaste domaine de 105 ha au cœur de l'Entre-deux-Mers.

Ils proposent une cuvée, assemblage classique des trois cépages bordelais, intense en tous points. Intensité de la robe, rouge profond à reflets violines. Intensité du nez, sur les fruits rouges cuits (fraise, framboise). Intensité du palais, bâti sur des tanins fermes et puissants, mais gardant une agréable rondeur et du charnu. Un vin d'une belle tenue, apte à une garde de deux ou trois ans et que l'on réservera à une viande rouge rôtie.

SC Vignobles Jolivet, Saint-Florin, 33790 Soussac, tél. 05.56.61.31.61, jeanmarcjolivet@wanadoo.fr r.-v.

CH. COULONGE Élevé en fût de chêne 2010 ★

80 000 | 5 à 8 €

Mi-merlot mi-cabernet, ce 2010 élégant dans sa robe grenat aux éclats violines se révèle encore sous l'influence du bois, mais le vin est bien présent aussi, à travers des parfums soutenus de fruits mûrs. Dans la continuité, la bouche se montre tout aussi expressive, bien balancée entre les notes d'élevage, un fruité généreux et des tanins de qualité. À déguster dans les trois ans, sur un paleron au vinaigre.

Vignobles Daniel et Nicolas Roux, 1, Coulonge, 33410 Mourens, tél. 05.56.61.98.73, fax 05.56.61.98.80, nicolasroux@chateaucoulonge.com
t.l.j. sf dim. 8h-18h

DOURTHE La Grande Cuvée 2010 ★★

400 000 | 5 à 8 €

Marque de l'incontournable maison de négoce Dourthe, la Grande Cuvée rassemble les raisins les plus prometteurs, élevés pendant un an en barrique neuve. Le résultat est un 2010 au nez flatteur de fruits rouges et noirs agrémentés de notes épicées et torréfiées et d'une plus surprenante touche de garrigue. La bouche séduit par son élégance, son volume et sa douceur, adossée à des tanins puissants et soyeux. Un vin de caractère, à découvrir dans les trois ans à venir. Le **Beau Mayne 2010 (moins de 5 €)**, tout en fruit, gourmand et velouté, et la cuvée **Dourthe Nº 1 2010 (8 à 11 €; 260 000 b.)**, concentrée, riche et bien équilibrée entre le bois et le fruit, obtiennent chacun une étoile.

Vins et Vignobles Dourthe, 35, rue de Bordeaux-Parempuyre, CS 80004, 33295 Blanquefort Cedex, tél. 05.56.35.53.00, fax 05.56.35.53.29, contact@dourthe.com

DUC DE SEIGNADE 2009 ★

n.c. | 5 à 8 €

De la personnalité et de la typicité pour cette cuvée rubis intense et profond, au nez concentré de fruits rouges (fraise cuite). La bouche se révèle riche, ronde, vineuse, portée par des tanins mûrs et fondus. À découvrir dans trois ans sur une viande rouge en sauce.

Chais de Francs et Gardegan, Millerie, 33350 Gardegan-et-Tourtirac, tél. 05.57.56.47.20, fax 05.57.56.47.30, commercial.udp@orange.fr
t.l.j. sf dim. lun. 9h-12h 14h-18h

CH. FAYAU 2010 ★★

26 000 | - de 5 €

En grande partie planté sur les coteaux entourant la cité des ducs d'Épernon, Cadillac, le vignoble du château Fayau s'étend sur 41 ha. Amateurs de vins sur le fruit, cette cuvée est faite pour vous. Drapée dans une robe rubis brillant, elle fleure bon les fruits noirs (cassis, mûre) agrémentés de nuances florales. Ronde et charnue, la bouche prolonge ses saveurs fruitées, ravivées en finale par une pointe de vivacité. Un ensemble équilibré et sincère, à boire... sur le fruit.

SCEA Jean Médeville et Fils, Ch. Fayau, 33410 Cadillac, tél. 05.57.98.08.08, fax 05.56.62.18.22, medeville@medeville.com
t.l.j. sf sam. dim. 9h-12h30 14h-17h30

CH. LA FLEUR VILLATTE 2009 ★★

2 400 | - de 5 €

Vinifiée par la coopérative de Puisseguin-Lussac, cette cuvée à dominante de merlot se présente dans une belle robe sombre et profonde. Elle dévoile un nez intense et généreux, sur les fruits rouges et noirs et les épices. Une présence aromatique, signe d'un raisin récolté à maturité, que l'on retrouve dans une bouche corpulente, mais sans lourdeur, adossée à des tanins mûrs et relevée par une fine acidité en finale. Un vin équilibré, promis à une garde de trois à cinq ans. Également proposé par la cave de Lussac, le **Dom. de la Colombine 2009 (20 000 b.)**, propriété de Jean-Louis Rabiller, est cité pour son bouquet fruité et son palais riche et rond. À boire dans les deux ans.

Philippe David, 33570 Lussac, tél. 05.57.55.50.40, fax 05.57.74.57.43, direction@uplse.com
t.l.j. sf dim. 9h-12h30 14h-18h30; ouv. dim. en juil.-août

CH. FONGRAVE Élevé en fût de chêne 2009 ★

12 000 | 5 à 8 €

Commandé par une demeure du XIVe s., ce domaine a été repris en 2001 par François Brouard, directeur export pendant quinze ans dans le négoce bordelais. Il signe une cuvée grenat soutenu, au nez intense et généreux de fruits cuits (mûre, groseille), de cannelle, de vanille et de girofle. La bouche, riche et charnue, offre un bel équilibre entre tanins enrobés, fruité soutenu et notes boisées (cacao). Un ensemble déjà plaisant qui pourra aussi être attendu deux ans.

François Brouard, Ch. Fongrave, 33490 Saint-André-du-Bois, tél. 06.61.42.83.79, fax 05.56.92.10.00, fbrouard@free.fr r.-v.

FONT-DESTIAC 2010 ★

66 000 | 5 à 8 €

Marque de la coopérative des Lèves-et-Thoumeyragues, ce pur merlot offre un agréable bouquet floral et fruité. L'attaque, souple et ample, ouvre sur un palais rond et structuré par d'aimables tanins. Un vin équilibré, à boire ou à attendre deux ans. Le **Ch. Côtes de Martet 2010 (moins de 5 €; 33 000 b.)**, fruité et charnu, et le **Ch. Tauzion 2010 (moins de 5 €; 33 000 b.)**, souple et frais, sont cités.

SCA Univitis, 1, rue du Gal-de-Gaulle, 33220 Les Lèves-et-Thoumeyragues, tél. 05.57.56.02.02, fax 05.57.56.02.22, h.girou@univitis.fr r.-v.

MASCARON PAR GINESTET 2010 ★★

150 000 | - de 5 €

Du nom des figures sculptées sur les façades des demeures bordelaises, cette cuvée du négociant Ginestet s'appuie sur un assemblage équilibré de merlot et de cabernets. Les neuf mois de barrique confèrent au bouquet d'intenses et élégantes senteurs vanillées. La bouche, bien balancée entre boisé et fruits mûrs, se révèle riche, onctueuse, concentrée, structurée par d'aimables tanins. Un vin harmonieux et prometteur, à conserver deux ou trois ans en cave. La cuvée principale, **Ginestet 2010 (1 000 000 b.)**, dans un style proche mais un rien moins longue en bouche, obtient une étoile.

Maison Ginestet, 19, av. de Fontenille, 33360 Carignan-de-Bordeaux, tél. 05.56.68.81.82, fax 05.56.68.81.81, vincent.pensivy@ginestet.fr r.-v.

LA GIRONDAISE 2010 ★

30 000 | - de 5 €

La coopérative de Gironde-sur-Dropt propose une cuvée aimable en tous points. Le nez, très aromatique, évoque les fruits rouges mûrs. Le palais, au diapason, se montre suave et gourmand, étayé par une bonne structure tannique. Un vin équilibré, à boire dans les deux ans.

La Girondaise, 5, Saussier, 33190 Gironde-sur-Dropt, tél. 05.56.71.10.15, france@prodiffu.com r.-v.

CH. GRAND ANTOINE 2010 ★

150 000 | 5 à 8 €

Deux cuvées retenues pour la coopérative de Blasimon dont la création remonte à 1936. En tête, ce 2010 rouge brillant, sur les fruits cuits et les épices (poivre blanc), rond, généreux et concentré en bouche. Déjà appréciable, il pourra aussi patienter deux ou trois ans en cave. Le **Ch. Langel Mauriac 2010 Élevé en fût de chêne (90 000 b.)**, friand, tendre et fruité, est cité.

Cave coop. de Blasimon, 5, rue de la Carbone, 33540 Blasimon, tél. 05.56.71.52.25, fax 05.56.71.84.04, cave.blasimon@wanadoo.fr r.-v.

Mercadier

DOM. DES GRANDS ORMES 2010 ★

40 000 | 5 à 8 €

Ce 100 % merlot, d'une présentation irréprochable dans sa robe rubis aux reflets violines, livre un bouquet net et intense de fruits rouges et noirs agrémentés d'épices douces. Une attaque savoureuse ouvre sur une bouche ronde et douce, aux tanins fins et élégants. Un vin équilibré, à boire dès l'automne ou à attendre deux ans.

SCEA Vignobles Daniel Mouty, Ch. du Barry, 19, rue de Merlande, 33350 Sainte-Terre, tél. 05.57.84.55.88, fax 05.57.74.92.99, contact@vignobles-mouty.com t.l.j. sf sam. dim. 8h30-12h30 14h-18h

CH. HAUT-BICOU 2010 ★

16 000 | - de 5 €

Frédéric Lahaye conduit depuis 2008 le vignoble familial, qu'il a converti en 2011 à l'agriculture biologique. À forte majorité de merlot, son 2010 à la robe sombre s'ouvre doucement à l'aération sur les fruits confits relevés de touches poivrées. La bouche, séveuse et corsée, est bâtie sur des tanins denses et nets, et offre en finale un joli retour fruité. Déjà prêt à boire, ce vin est aussi armé pour une garde de trois ou quatre ans. Conseillé sur une viande rouge en sauce ou du gibier.

Frédéric Lahaye, 1, chem. de l'Eau-Douce, 33240 Salignac, tél. 06.16.67.01.48, fax 05.57.43.12.83, hautbicou@orange.fr t.l.j. 9h-20h

CH. HAUT-CAZEVERT Vieilles Vignes 2010 ★

50 000 | 5 à 8 €

Ce domaine de 30 ha, acheté par un groupe d'amis à la suite d'un... pari (!), propose une cuvée de pur merlot qui arbore une belle robe rubis aux reflets violines. Le nez, intense, évoque le cassis et la cerise. Dans le prolongement, la bouche offre une chair ronde et onctueuse, portée par des tanins souples et une discrète acidité. Un vin déjà plaisant, tout indiqué pour une bonne grillade aux sarments.

SA Ch. Haut-Cazevert, Harandailh, 33540 Blasimon, tél. 05.57.84.18.27, chateau.haut.cazevert@wanadoo.fr r.-v.

CH. HAUT MEYREAU Légende d'automne 2010 ★

33 300 | 8 à 11 €

Assemblage classique de merlot et de cabernets, ce 2010 à la personnalité affirmée dévoile un bouquet harmonieux de fruits rouges, d'épices et de notes vanillées. On retrouve cet équilibre entre un boisé fondu et les fruits dans une bouche ample et charnue. Un vin déjà plaisant, armé aussi pour deux ou trois ans de garde.

SCEA Ch. Haut Meyreau, Goumin, 33420 Dardenac, tél. et fax 05.56.23.71.92, scea.chm@orange.fr r.-v.

Derouet

S HAUT-MOULEYRE Élevé en fût de chêne 2010 ★★★

67 733 | 5 à 8 €

Assemblage classique de merlot (60 %) et de cabernet-sauvignon, ce 2010 se présente dans une seyante robe rubis aux éclats violines. Il dévoile des parfums intenses de fruits rouges, d'épices et de boisé torréfié. L'équilibre bois-fruit est également parfaitement réussi en bouche, où l'on découvre une chair ronde et d'une grande douceur, soutenue par des tanins élégants. Un ensemble d'une rare harmonie, armé pour une garde de quatre ou cinq ans. Élevé en cuve, le **Ch. Bois Pertuis 2010 (388 666 b.)**, riche, puissant, concentré, décroche deux étoiles.

Sté fermière des Grands Crus de France, 33460 Lamarque, tél. 05.57.98.07.20, fax 05.57.69.84.97

♥ CH. HAUT POUGNAN Élevé en fût de chêne 2010 ★★

70 000 | - de 5 €

Cette propriété familiale, créée en 1852, signe à partir du merlot (90 %) une superbe cuvée au rubis éclatant, qui s'ouvre sur de délicates senteurs florales et fruitées (cassis, mûre, cerise). Fraîche en attaque, la bouche se révèle généreuse, ronde et charnue, portée par de solides tanins qui l'étirent dans une longue finale. Un bordeaux d'une grande harmonie, armé pour une garde de trois ou quatre ans. Du même propriétaire, le **Ch. les Moutins 2010 (35 000 b.)**, chaleureux et structuré, obtient une étoile.

SCEA Ch. Haut Pougnan, 6, chem. de Pougnan, 33670 Saint-Genès-de-Lombaud, tél. 05.56.23.06.00, fax 05.57.95.99.84, haut-pougnan@wanadoo.fr
r.-v.
Gueridon

LES HAUTS DE LA GAFFELIÈRE 2010 ★★

80 000 | 5 à 8 €

Un patronyme prestigieux pour ces cuvées « cousines » du célèbre Ch. la Gaffelière, 1er cru classé de Saint-Émilion ; et les vins sont à la hauteur. Les Hauts est un bordeaux rouge sombre, très fruité au nez, mâtiné d'épices douces, rond, généreux, long et fort bien structuré par des tanins présents mais enrobés. Un 2010 plein de charme et d'élégance, à attendre deux ou trois ans pour en profiter pleinement. La cuvée **Léo de la Gaffelière 2010 (200 000 b.)** obtient une étoile pour son côté séveux, ses tanins fermes et son volume.

Maison Malet Roquefort, BP 12, Champs-du-Rivalon, 33330 Saint-Émilion, tél. 05.57.56.40.80, fax 05.57.56.40.89, contact@malet-roquefort.com
G. Ravache

CH. HAUT VIEUX CHÊNE 2010 ★★

55 000 | 5 à 8 €

Proposé par la maison de négoce Robin, ce bordeaux à dominante de merlot a concouru pour le coup de cœur. Ses arguments ? Une élégante robe grenat intense ; un nez soutenu et élégant de fruits noirs mûrs, agrémenté d'une petite touche animale ; un palais rond et concentré, bâti sur des tanins puissants mais enrobés et offrant en finale un superbe retour fruité. « Bien dans son appellation et dans son millésime », conclut un dégustateur, qui conseille d'attendre ce vin encore deux à trois ans.

SARL Robin, 10, Champ-des-Aubiers, 33820 Saint-Aubin-de-Blaye, tél. 05.57.32.62.06, fax 05.57.32.73.73, jfr@grandmoulin.com
J.-F. Réaud

ILIXENS 2010 ★

130 000 | - de 5 €

Nous nous interrogions dans l'édition précédente sur l'origine du nom de cette cuvée. Jean Fleury nous donne la réponse : la fusion des mots « excellence » et « élixir ». Un élixir né du seul merlot, couleur rouge sombre à reflets rubis, fruité (cassis, mûre) et épicé au nez, très charmeur en bouche, plus sur l'élégance et la douceur que sur la puissance, fruité et légèrement cacaoté. Un vin bien travaillé, en finesse et dans le respect du fruit, que l'on pourra attendre un à trois ans.

Fleury Wines, 11, rue des Platanes, 33220 Sainte-Foy-la-Grande, tél. 05.57.46.00.80, fax 05.57.46.47.44, contact@fleury-wines.com

CH. L'INSOUMISE Chai 45 Élevé en fût de chêne 2009 ★

11 000 | 5 à 8 €

Le 45e parallèle qui passe dans les vignes du domaine donne son nom à cette cuvée de merlot (60 %), de malbec et de cabernets. Un vin rubis limpide, au nez intense de fruits rouges frais, d'épices et de toasté. Riche, ample et dense, la bouche affiche un beau caractère, adossée à des tanins bien présents que l'on laissera s'assagir deux ou trois ans.

Cécile Thirouin et Thierry De Taffin, 360, chem. de Peyrot, 33240 Saint-André-de-Cubzac, tél. 05.57.43.17.82, fax 05.57.43.22.74, chateau.linsoumise@wanadoo.fr
t.l.j. 10h-18h; f. 15-30 août

CH. JACQUET 2009 ★

100 000 | - de 5 €

Transmis de père en fils depuis 1789 et sept générations, ce domaine familial est conduit depuis 1991 par... Véronique Barthe, première femme à la tête de cette exploitation de 80 ha. Sa cuvée 2009, à la teinte rouge grenat appuyé, évolue, après aération, sur des arômes fruités généreux (cerise à l'alcool). La bouche ? Une chair savoureuse, un fruité canaille et sympathique, des tanins fins et croquants, une finale tendre et fraîche. Voilà un vin plein de charme, à découvrir dès maintenant.

Véronique Barthe, Peyrefus, 33420 Daignac, tél. 05.57.84.55.90, fax 05.57.74.96.57, veronique@vbarthe.com r.-v.

CH. JOININ 2010 ★

80 000 | 5 à 8 €

Brigitte Mestreguilhem conduit cette propriété familiale depuis 1989 (la famille est aussi propriétaire du Ch. Pipeau en saint-émilion grand cru). Elle signe un 2010 de belle facture, rubis intense aux reflets noirs, imprégné de senteurs fruitées de mûre et de myrtille, généreux, dense, ample et charnu en bouche, soutenu par des tanins puissants et de garde. À découvrir dans trois ou quatre ans sur des brochettes d'agneau.

Brigitte Mestreguilhem, Ch. Joinin, 33420 Jugazan, tél. 05.57.24.72.95, fax 05.57.24.71.25, chateau.pipeau@wanadoo.fr t.l.j. 8h-12h 14h-18h

KRESSMANN Monopole 2010 ★

50 000 | 5 à 8 €

Destinée au réseau des cafés-hôtels-restaurants, la marque phare de cette maison de négoce ancienne est un assemblage classique de merlot (60 %) et de cabernet-sauvignon. Au nez, cette cuvée mêle les fruits noirs aux notes torréfiées et grillées de la barrique. En bouche, elle se montre ample et onctueuse, un boisé soutenu mais bien maîtrisé apportant de la structure. À laisser vieillir deux à quatre ans.

Kressmann, 35, rue de Bordeaux-Parempuyre, CS 80004, 33295 Blanquefort Cedex, tél. 05.56.35.53.00, fax 05.56.35.53.29, contact@kressmann.com

CH. DE LAGORCE 2010 ★

160 000 | - de 5 €

C'est dans une ancienne église aménagée en chai que Benjamin Mazeau élabore ses vins. Ici, un bordeaux qui fait la part belle aux cabernets et aux fruits : au nez, intense, sur les fruits rouges (cerise) et noirs (cassis), comme en bouche, dosage élégant entre des tanins fins et des saveurs fruitées, fraîches et croquantes. Pour un plaisir immédiat.

Benjamin Mazeau, Lagorce, 33760 Targon, tél. 05.56.23.60.73, fax 05.56.23.65.02, cht.de.lagorce@wanadoo.fr r.-v.

CH. LA LAGUNE DE MERCEY 2009 ★

40 000 | 8 à 11 €

Jocelyne Robin a succédé à son père en 2001 et mène seule ce domaine familial de 6 ha, depuis la taille de la vigne jusqu'à la mise en bouteilles. Ce 2009 tirant vers le noir révèle un agréable bouquet aux nuances de cassis, de mûre, d'épices douces et de tabac. Souple et soyeux en bouche, adossé à des tanins assagis, il laisse une agréable impression d'équilibre, de douceur et d'élégance. À découvrir aujourd'hui ou dans deux ans. La **cuvée des Pins 2009 (11 à 15 €; 4 000 b.)** est citée pour son nez harmonieux entre fruité et boisé, et pour son palais rond et velouté.

Jocelyne Robin, 2215, rte de Libourne, 33240 Saint-André-de-Cubzac, tél. 06.77.00.44.17, jocelyne.robin3@wanadoo.fr r.-v.

CH. LAMOTHE-VINCENT Intense 2010 ★★

40 000 | 5 à 8 €

Double coup de cœur dans l'édition précédente pour ses bordeaux et bordeaux supérieur 2009, ce domaine incontournable signe un très beau millésime 2010. Sa cuvée Intense n'usurpe pas son nom. Intense en effet est le nez, sur les fruits noirs mûrs à souhait, agrémentés de notes d'amande et d'épices douces. Ample, ronde, généreuse, concentrée, la bouche est équilibrée par une élégante trame acide et par des tanins fins et fondus. À déguster dans deux ou trois ans sur un rôti de bœuf. La **cuvée principale 2010 (245 000 b.)**, tannique et chaleureuse, sur les fruits confiturés, obtient une étoile.

SCEA Vignobles Vincent, 3, chem. Laurenceau, 33760 Montignac, tél. 05.56.23.96.55, fax 05.56.23.97.72, f.vincent@lamothe-vincent.com r.-v.

CH. LA LANDE 2010 ★★

99 000 | - de 5 €

Édifié à l'emplacement d'un monastère du XIe s. construit par les moines de la Sauve-Majeure, ce château était autrefois nommé « la Galoche », en référence aux chaussures que portaient les moines pour les travaux des champs. Des champs aujourd'hui plantés de vignes, 17 ha de merlot et de cabernet-sauvignon, à l'origine de ce vin grenat soutenu, au nez puissant de fruits noirs et rouges. Un fruité qui s'impose d'emblée en bouche, imprégnant une chair veloutée, portée par des tanins mûrs et fondus. Un très beau classique, que l'on pourra attendre deux ou trois ans avant de lui réserver un onglet grillé.

Jean-René Roumégous, 42, rte de la Lande, 33360 Lignan-de-Bordeaux, tél. 06.20.80.11.67, jrroumegous@free.fr r.-v.

CH. LARY 2010 ★★

269 066 | - de 5 €

Cette exploitation familiale étend ses 32 ha de vignes sur les coteaux de la rive droite de la Dordogne, à 10 km de La Réole et de son superbe prieuré bénédictin inscrit aux Monuments historiques. Superbe également, ce vin couleur rubis profond et concentré, qui évoque les fruits bien mûrs, presque compotés, et le pruneau. Un fruité généreux que l'on retrouve dans une bouche ample, riche, longue, aux tanins fondus. À boire dans les deux ans sur un coquelet rôti.

GAEC Forcato et Fils, Tabot-Fosses-et-Baleyssac, 33190 La Réole, tél. et fax 05.56.61.77.91

♥ CH. LASCAUX Caillebosse 2009 ★★

15 000 | 5 à 8 €

À la tête de deux propriétés, Lascaux en AOC bordeaux, donc, et Tour Bel Air en fronsac, Fabrice et

Sylvie Lascaux entendent privilégier le fruit avec cette cuvée Caillebosse issue de jeunes vignes de quinze ans et élevée en cuve. De fait, derrière une superbe robe noire, ce 2009 livre un bouquet puissant de fruits rouges et noirs très mûrs, signe d'un merlot (90 %) récolté à maturité. Après une attaque franche et fruitée, le palais se montre gras, ample et séveux, porté par une élégante structure tannique. Un vrai vin de plaisir, généreux et gourmand, à savourer aujourd'hui comme dans trois ans.

EARL Vignobles Lascaux, 1, La Caillebosse, 33910 Saint-Martin-du-Bois, tél. 05.57.84.72.16, fax 05.57.84.72.17, chateau.lascaux@wanadoo.fr t.l.j. sf dim. 8h30-12h 14h-18h

CH. MALBAT 2010 ★★

100 000 | - de 5 €

Première apparition dans le Guide pour ce domaine conduit depuis quinze ans par Daniel Rochet : une entrée en fanfare avec ce 2010 dominé par le merlot (70 %). Les fruits mûrs, la réglisse et un boisé élégant composent un bouquet complexe et subtil. La bouche ronde et riche offre un équilibre remarquable entre le fruit et le bois, et s'appuie sur des tanins fermes et racés qui assureront à ce vin deux à quatre ans de garde.

SCEA Rochet, Malbat, 33190 La Réole, tél. 05.56.61.02.42, fax 05.56.71.25.22, scearochet@hotmail.fr r.-v.

MARQUIS DE BERN 2010 ★★

130 000 | 5 à 8 €

Les Chais de Rions, créés en 1998 par Philippe et Éric Gonfrier, regroupent les raisins d'une cinquantaine de viticulteurs pour une surface de 380 ha, soit l'entité viticole la plus importante de l'appellation. Preuve que quantité peut rimer avec qualité, ce Marquis de Bern a séduit les dégustateurs en tous points : robe intense et brillante ; nez soutenu de fruits noirs, d'épices douces et de notes torréfiées ; bouche ample et dense, portée par des tanins vifs et serrés et par une longue finale réglissée. Un vin équilibré, à boire dès l'automne ou à attendre deux ou trois ans. Des mêmes propriétaires, le **Ch. Lagarère 2010 (140 000 b.)** obtient une étoile pour sa persistance aromatique et sa bouche fraîche et fruitée.

SARL Les Chais de Rions, Ch. de Marsan, BP 7, 33550 Lestiac-sur-Garonne, tél. 05.56.72.14.38, fax 05.56.72.10.38, gonfrier@wanadoo.fr t.l.j. 9h-17h30; sam. dim. sur r.-v.

CH. MONDAIN 2010

107 200 | - de 5 €

Une pointe de malbec complète l'assemblage classique (merlot et cabernets) de ce 2010 sombre aux reflets violets. Les fruits rouges s'imposent d'emblée, rehaussés

de nuances épicées. Le palais est souple et soyeux, les tanins sont fins et sans excès. Un vin harmonieux et prêt à boire.
Pierre Ciroci, Guilhem de Mestre, 33350 Sainte-Radegonde, tél. et fax 05.57.40.52.22

CH. DE MONSÉGUR 2010

■ 57 800 - de 5 €

Une pointe de malbec vient compléter le merlot, majoritaire, et le cabernet-sauvignon dans cette cuvée au nez fruité et un rien épicé. La bouche se révèle ample et structurée par des tanins bien présents et encore un peu sévères en finale, que deux ans de garde adouciront.
Ch. Grand Ferrand, lieu-dit Grand Ferrand, 33540 Sauveterre-de-Guyenne, tél. 05.57.40.08.88, fax 05.57.40.19.93, m.pellerin@rcrgroup.fr
RCR Group

CH. MORILLON 2010 ★

■ 15 000 5 à 8 €

Le château Morillon, belle chartreuse du XVIII[e]s., a été construit sur les ruines d'un château féodal du XII[e]s., dans lequel séjourna Saint Louis en 1242. Les Mado y conduisent, en bio, un domaine de 20 ha. Leur 2010 a fière allure dans sa robe grenat intense à reflets violines. Élégance et complexité caractérisent le nez, où la violette côtoie les fruits rouges et les épices. La bouche, tout en fruit, se révèle ronde, riche et soyeuse, soutenue par une solide charpente. Un ensemble long et équilibré, à découvrir dans les trois ans à venir sur un magret de canard.
SCEA Chantal et Jean-Marie Mado, Ch. Morillon, 33390 Campugnan, tél. 06.76.41.14.18, fax 05.57.64.73.17, jmm@chateau-morillon.com r.-v.

CH. MOULIN DE LA SOULOIRE 2010 ★

■ 100 000 - de 5 €

Marie-José Degas et sa petite-fille Diane Casamatta signent un 2010 original qui associe les cinq cépages bordelais : par ordre d'importance, le merlot, le cabernet-sauvignon, le cabernet franc, le malbec et le petit verdot. Le résultat est un vin ample, rond et tout en fruit, un fruité croquant et gourmand adossé à des tanins soyeux. À découvrir dès aujourd'hui, « sur des tapas au jambon Serrano et tomates séchées », propose un dégustateur.
Marie-José Degas, 38, rte de Créon, 33750 Saint-Germain-du-Puch, tél. 05.57.24.02.44, fax 05.57.24.03.72, contact@vignobles-degas.com t.l.j. 8h-12h 14h-18h; sam. dim. sur r.-v.

CH. MYLORD 2010 ★

■ 200 000 8 à 11 €

Régulièrement sélectionnés pour leurs entre-deux-mers et leurs bordeaux (dans les trois couleurs), Michel et Alain Large proposent un 2010 à dominante de merlot joliment fruité (cerise noire, cassis) et discrètement vanillé. Dense et charnue, bâtie sur des tanins présents mais fondus, la bouche s'étire longuement sur le fruit. Un vin suffisamment armé pour accompagner du gibier, dans deux ou trois ans.
SCEA Ch. Mylord, 1, Milord, BP 23, 33420 Grézillac, tél. 06.85.20.68.44, fax 05.57.74.93.95, large.chateau-mylord@wanadoo.fr r.-v.
Michel et Alain Large

CH. NICOT 2010

■ 60 000 5 à 8 €

Ce vaste domaine familial de 83 ha présente une cuvée qui offre une part non négligeable au cabernet-sauvignon (40 %) aux côtés du merlot. « Un bon classique », écrit un dégustateur, au nez agréable de fruits rouges et d'épices, rond et aimable en bouche, soutenu par des tanins fondus et une pointe de fraîcheur. À boire dans les deux ou trois ans.
Vignobles Dubourg, 545, Nicot, 33760 Escoussans, tél. 05.56.23.93.08, fax 05.56.23.65.77, bdubourg@wanadoo.fr t.l.j. sf dim. 8h-12h 14h-18h

CH. PABUS 2009 ★★★

■ 1 500 20 à 30 €

Propriété du négociant belge Huis Vossen, ce domaine exporte la totalité de sa production en... Belgique. Il faudra donc aux amateurs français franchir la frontière pour se procurer cette cuvée exceptionnelle mais confidentielle. Parée d'une superbe robe noire, celle-ci dévoile un bouquet intense de fruits noirs mêlés à un boisé parfaitement dosé. Une attaque tout en rondeur ouvre sur un palais riche, suave, voluptueux, long, très long. Une incontestable réussite, à découvrir dans trois à cinq ans.
SAS Ch. Pabus, rte de Menusey, 33670 Sadirac, tél. et fax 05.56.23.70.40, info@huisvossen.com

CH. PENIN Natur 2010 ★

■ 13 500 5 à 8 €

Bien connu des lecteurs, en particulier pour ses bordeaux supérieurs, plusieurs coups de cœur au palmarès, ce domaine très régulier signe un 2010 issu du seul merlot, plein de fruit, quelques nuances de sous-bois à l'arrière-plan. Tout aussi fruitée, la bouche se révèle ronde et généreuse, portée par des tanins denses et mûrs. Un beau classique, au boisé bien intégré, à déguster aujourd'hui comme dans deux ans sur un canard aux cerises.
Patrick Carteyron, Ch. Penin, 39, impasse Couponne, 33420 Génissac, tél. 05.57.24.46.98, fax 05.57.24.41.99, vignoblescarteyron@wanadoo.fr
t.l.j. sf dim. 8h30-12h 14h-17h; sam. sur r.-v.; f. 15-30 août

CH. DU PIN-FRANC 2010 ★

■ 80 000 - de 5 €

Régulièrement sélectionnés dans ces pages, les vignobles Jean Queyrens confirment leur savoir-faire avec ce bordeaux à l'encépagement classique merlot-cabernets. Rouge intense et brillant, le vin dévoile des parfums soutenus et délicats de fruits rouges. La bouche se révèle douce, tendre et ronde, des tanins soyeux en soutien et un joli retour fruité en finale. À boire dès à présent, sur un rôti de veau.
SC Vignobles Jean Queyrens et Fils, 3, Le Grand-Village, 33410 Donzac, tél. 05.56.62.97.42, fax 05.56.62.10.15, scvjqueyrens@orange.fr r.-v.

PLAISIR 2010

■ 30 000 - de 5 €

Promesse tenue avec cette cuvée de la coopérative de Marcillac, issue du seul merlot. Du plaisir au nez avec des parfums complexes de fruits frais (mûre, cerise), de fleurs

BORDELAIS

et de silex chaud. Du plaisir en bouche avec de la rondeur, du fruit, des tanins fins et une agréable trame minérale en soutien. Pour un plaisir immédiat.
Les Vignerons de Tutiac, La Cafourche, 33860 Marcillac, tél. 05.57.32.48.33, fax 05.57.32.55.20, contact@tutiac.com
r.-v.

CH. DE REGUIGNON Portraits 2010 ★

20 000 | 5 à 8 €

La gamme Portraits de cette maison de négoce vise à mettre en avant des propriétaires-récoltants ; ici, Stéphane Chevreux avec ce bordeaux dominé par le merlot. Un 2010 au nez franc de fruits rouges confits nuancés d'épices, long, ample, dense et bien structuré en bouche. Un vin élégant, que l'on pourra attendre deux ans.
SAS Maison Bouey,
1, rue de la Commanderie-des-Templiers, 33440 Ambarès,
tél. 05.56.77.50.71, fax 05.56.77.58.77,
contact@maisonbouey.fr

CH. ROBERPEROTS Cuvée Olivia Élevé en fût de chêne 2010 ★★

66 000 | 5 à 8 €

Pluie d'étoiles pour la coopérative de Landerrouat avec trois bordeaux retenus, dont un coup de cœur pour cette cuvée Olivia. Drapé dans une robe rubis soutenu, ce 2010 dévoile un bouquet au fruité intense et tonique (groseille, cassis, mûre...), harmonieusement nuancé de notes épicées et vanillées. La bouche n'est pas en reste, dense, riche, gourmande, tapissée de fruits mûrs et de saveurs cacaotées, de beaux tanins puissants mais veloutés l'accompagnant jusque dans sa longue finale. De l'harmonie à revendre pour ce vin à laisser en cave encore trois à cinq ans. Le **Ch. Ponchemin 2010 Emma et Alexia Élevé en fût de chêne (33 600 b.)**, élégant et soyeux, et le **Ch. Pouroutou 2010 cuvée Éliane Élevé en fût de chêne (8 à 11 € ; 16 000 b.)**, bien équilibré entre boisé et fruité frais, aux tanins fondus, décrochent également chacun deux étoiles.
Prodiffu, 17-19, rte des Vignerons, 33790 Landerrouat, tél. 05.56.61.33.73, fax 05.56.61.40.57, france@prodiffu.com
r.-v.

CH. LA ROCHE SAINT-JEAN 2010 ★★

118 666 | - de 5 €

« Roche », en référence aux pierres calcaires qui composent les bâtiments du domaine, « Saint » pour l'église voisine et « Jean » comme le prénom du fondateur du vignoble. Un vignoble de 27 ha d'un seul tenant où prospèrent le merlot et les cabernets, à l'origine de ce « bordeaux bien typé et de garde », selon un dégustateur. Après agitation, les fruits rouges apparaissent, agrémentés de nuances légères de sous-bois. Une structure massive de tanins denses et fermes charpente le palais, ample, chaleureux, corsé. Une bouteille à encaver trois ou quatre ans avant de la servir sur une viande de caractère.
EARL Vignobles Pauquet, 24, Le Bourg, 33190 Camiran, tél. 05.56.71.44.95, fax 05.56.71.49.02,
jerome.pauquet@wanadoo.fr r.-v.

CH. ROQUEFORT 2010 ★

180 000 | 5 à 8 €

Situé dans l'Entre-deux-Mers et dressé sur un promontoire, le château Roquefort attirera les amateurs de vin et d'histoire : allée couverte d'époque néolithique, vestiges d'une maison forte datant de 1291, colombier du XVIᵉs. Côté vin, ce 2010 à dominante de merlot s'inscrit dans la longue lignée de cuvées étoilées du domaine (et plus d'une fois avec un coup de cœur). Au nez, les fruits rouges mûrs se mêlent avec élégance de nuances florales, épicées et toastées. Le palais offre le même équilibre entre notes fruitées et boisées, adossé à des tanins fins. Un ensemble harmonieux, à découvrir dans deux ou trois ans.
Ch. Roquefort, lieu-dit Roquefort, 33760 Lugasson, tél. 05.56.23.97.48, fax 05.56.23.50.60,
mscl@chateau-roquefort.com
t.l.j. sf sam. dim. 9h-12h30 14h-17h30
Bellanger

CH. ROQUES MAURIAC Damnation 2010 ★★

10 000 | 15 à 20 €

Fondé en 1973 par Édouard Leclerc et conduit par son petit-fils Vincent Levieux depuis 2003, ce domaine de l'Entre-deux-Mers est aujourd'hui dirigé par Sylvie, l'épouse de ce dernier. Cépage rarement utilisé dans ces proportions, le cabernet franc est ici à l'honneur (85 %), complété par le merlot. Paré d'une robe framboise intense, ce 2010 s'ouvre sur des parfums de fruits rouges mûrs, accompagnés de notes toastées et d'une pointe minérale. Souple et doux en attaque, il dévoile un palais dense, corpulent et concentré, doté de tanins puissants et soutenu par une belle vivacité. À déguster dans trois à cinq ans. **L'Esprit de Ch. Lagnet 2010 (moins de 5 € ; 125 000 b.)**, frais, ample et bien structuré, obtient une étoile.
Levieux Vignerons, 1, Lagnet, 33350 Doulezon, tél. 05.57.40.51.84, fax 05.57.40.55.48,
contact@levieux-vignerons.com r.-v.

CH. LA ROSE GADIS 2010 ★★

180 000 | - de 5 €

Depuis les années 1980, Bernard Lasnier est à la tête de ce vaste domaine situé sur la rive gauche de la Dordogne, bien exposé au sud. Son 2010, issu à 90 % de merlot, fait belle impression dans sa robe rouge sombre tirant vers le noir. Des parfums de fruits rouges, de sous-bois et d'épices composent un bouquet intense et complexe. La bouche, ample et dense, s'appuie sur des tanins soyeux et laisse une agréable sensation de fraîcheur et de fruité en finale. Un vin très harmonieux, à attendre deux ans avant de le servir sur des côtelettes d'agneau.

Bernard Lasnier, 5, Cast, 33420 Jugazan, tél. et fax 05.57.84.17.19

CH. LA ROSE MONTAURAN 2010 ★★

230 666 | - de 5 €

Situé non loin de Rauzan et de son château du XIIIe s., ce domaine propose un 2010 à majorité de merlot, élégant dans sa robe rouge profond. Expressif, le nez livre de délicates senteurs de fruits confiturés et d'épices mêlées de notes toastées. Une attaque souple et douce précède une bouche ample, longue et très équilibrée, escortée par des tanins fins et soyeux. À découvrir dans deux ou trois ans sur une belle pièce de bœuf aux champignons.

SCEA Vignobles Francis Lasnier, 1, Les Bergey, 33420 Jugazan, tél. et fax 05.57.84.17.46, vignobles.flasnier@aliceadsl.fr

CH. DE ROUQUETTE 2010

42 000 | 8 à 11 €

Second millésime en bordeaux rouge pour ce domaine plus connu pour son loupiac. Un vin à dominante de merlot, paré d'une robe grenat limpide, fruité et boisé sans excès, rond et charnu en bouche, aux tanins souples et soyeux. À boire dans les deux ou trois ans.

Darriet, Ch. Dauphiné-Rondillon, 33410 Loupiac, tél. 05.56.62.61.75, fax 05.56.62.63.73, contact@vignoblesdarriet.fr
t.l.j. 8h30-12h30 14h-18h; sam. dim. sur r.-v.; f. sem. du 15 août

CH. SAINTE-BARBE 2010

120 000 | 5 à 8 €

Créé par Jean-Baptiste Lynch, maire de Bordeaux sous Napoléon 1er, ce domaine est conduit depuis 2000 par Antoine Touton. Sur un terroir peu réputé, ce dernier signe une cuvée 100 % merlot agréablement fruitée, souple, fraîche et de bon volume. À boire dans deux ans sur une entrecôte grillée.

SCEA Ch. Sainte-Barbe, 33810 Ambès, tél. 05.56.77.49.57, fax 05.56.77.17.03, chateausaintebarbe@gmail.com r.-v.

CH. SAINTE-MAROTINE 2009

12 000 | 5 à 8 €

Au cœur du vignoble girondin, entre Garonne et Dordogne, cette propriété familiale a sélectionné une parcelle argileuse de 1,36 ha pour produire cette cuvée d'un pourpre délicat, qui exhale un tendre vanillé et des notes de fruits noirs. Bien présente dès l'attaque, la bouche se révèle structurée, dense et équilibrée, un rien plus austère en finale. Une bouteille sincère et bien faite, à boire dans les deux ans à venir.

EARL Claude et Pascale Belliard, 24, chem. de Julian, 33760 Targon, tél. 06.83.55.01.10, fax 05.56.23.94.93, pascale.belliard@aliceadsl.fr

CH. LA SAUVEGARDE 2010 ★

40 000 | 5 à 8 €

Un domaine familial de 30 ha, au milieu des bois, commandé par une bastide du XIXe s. et conduit par Sébastien Petit, jeune vigneron de trente ans. Ce dernier signe une cuvée sombre et profonde, ornée de reflets violines. Après aération, le nez révèle une belle complexité autour des fruits noirs, des épices et des nuances torréfiées de la barrique. La bouche, bien équilibrée entre notes boisées et fruitées, s'impose par son volume, sa richesse et son charnu, soutenue par une structure tannique puissante mais élégante. Un vin armé pour une garde de trois à cinq ans.

SCF La Sauvegarde, M. Petit, Ch. la Sauvegarde, 33790 Soussac, tél. 05.56.61.33.78, fax 05.56.61.39.84, haut-rieuflaget@wanadoo.fr r.-v.

SAUVETERRE 2010 ★

50 000 | 5 à 8 €

En 1934, cent vingt-six vignerons s'unissent pour créer la coopérative de Sauveterre-de-Guyenne, à quelques hectomètres de la bastide fondée en 1281 par Édouard 1er, roi d'Angleterre. Aujourd'hui, la cave regroupe quelque 2 000 ha de vignes. Elle propose une cuvée mi-merlot mi-cabernets, qui livre d'agréables parfums de fruits frais, cassis en tête, agrémentés d'une légère note de cuir. La bouche offre un bel équilibre entre une matière ronde et charnue imprégnée de senteurs fruitées et épicées, et des tanins enveloppés et élégants. Une bouteille harmonieuse, à ouvrir dans deux ans sur une viande en sauce.

Cave de Sauveterre-de-Guyenne, 15, Bourrassat, 33540 Sauveterre-de-Guyenne, tél. 05.56.61.55.20, fax 05.56.61.59.10 t.l.j. 9h-12h 14h-18h

TERRE BLANCHE 2010

500 000 | - de 5 €

Deux cuvées de cette maison de négoce fondée en 1973 sont sélectionnées cette année. Cette Terre blanche, rouge sombre tirant vers le noir, est un vin très fruité (groseille, cerise, cassis), souple et soyeux en bouche. Un bordeaux d'une aimable simplicité, à réserver pour une assiette de charcuterie. La cuvée **Les Portes de Bordeaux 2010 (500 000 b.)**, dans un style proche, fraîche et fruitée, est également citée.

Savas, 110, rue Achard, 33300 Bordeaux, tél. 05.56.92.62.96, fax 05.56.94.54.98, enikolaeva@savas-sa.fr

CH. THÉBOT Élevé en fût de chêne 2010 ★

48 660 | 5 à 8 €

Le vignoble d'un seul tenant s'étend sur 22 ha, planté sur un terroir de graves dominant la vallée de la Dordogne et Sainte-Foy-la-Grande. Merlot (70 %) et cabernet franc donnent naissance à ce vin très sombre, presque noir, au nez de fruits rouges, souligné de notes toastées. Après une attaque souple et fruitée, le palais se révèle dense, puissant et élégant, porté par des tanins fins enrobés de senteurs vanillées. À boire dans deux ou trois ans, sur un onglet grillé.

SCEA Vignobles Brisson, 5, rue des Platanes, 33220 Pineuilh, tél. 05.57.46.03.48, fax 05.57.46.42.88, contact@brisson-sa.com

CH. THIEULEY 2010 ★★

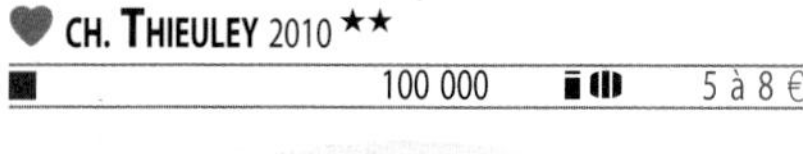

■ 100 000 5 à 8 €

Marie et Sylvie Courselle ont repris en 2005 ce domaine familial, situé non loin de la célèbre abbaye de la Sauve-Majeure. Elles signent un 2010 qui a fait chavirer le cœur des dégustateurs. Drapé dans une élégante robe rouge profond, ce vin s'exprime avec intensité et fraîcheur autour des fruits rouges et noirs, un boisé toasté subtil à l'arrière-plan. Ample, puissante, soutenue par des tanins parfaitement extraits, la bouche offre un fruité remarquable qui s'étire longuement en finale. À déguster dès à présent ou dans trois ans pour de nouvelles sensations gustatives.

Vignobles Courselle, Ch. Thieuley, rte de Grimard, 33670 La Sauve, tél. 05.56.23.00.01, fax 05.56.23.34.37, contact@thieuley.com r.-v.

CH. TOUR CHAPOUX 2010

■ 90 000 5 à 8 €

Sombre et profond, ce bordeaux s'impose par ses parfums de fruits confiturés (cassis, cerise) nuancés de cannelle. Fruitée en attaque, la bouche, généreuse, dévoile des tanins matures et puissants qui permettront à ce vin de bien vieillir encore deux ans.

Claude Comin, Ch. la Commanderie, 33790 Saint-Antoine-du-Queyret, tél. 05.56.61.31.98, fax 05.56.61.34.22, vignoble.comin@wanadoo.fr r.-v.

CH. TOUR DE BIGORRE Élevé en fût de chêne 2010 ★

■ 680 000 - de 5 €

Mi-merlot mi-cabernets, cette cuvée dévoile des parfums épanouis de fruits rouges et noirs mêlés à un boisé toasté et vanillé bien dosé. La bouche, riche et corsée, offre une belle mâche, soutenue par des tanins encore jeunes et fermes que l'on laissera s'affiner encore une paire d'années.

SCEA de Bigorre, Bigorre, 33540 Mauriac, tél. et fax 05.56.71.52.44 r.-v.

CH. TOUR DE SARRAIL 2010

■ n.c. 5 à 8 €

Conduit depuis 2007 par Hubert de Boüard (Angélus) et Bernard Pujol, ce domaine de 14 ha se présente dans une robe rubis frangée de reflets violines. Du verre s'élèvent des parfums frais de bourgeon de cassis et de sureau, agrémentés des nuances vanillées de l'élevage. On retrouve de la fraîcheur en bouche, du volume aussi, du boisé, tendance toasté, et des tanins bien installés. Encore un peu austère en finale, ce vin mérite une garde de deux ou trois ans pour se fondre.

Hubert de Boüard et Bernard Pujol, 2, chem. de Sarrail, 33370 Pompignac, tél. 05.57.35.12.33, fax 05.57.35.12.36, info@buswine.com

DOM. DE VALMENGAUX 2009 ★

■ 23 000 11 à 15 €

Reconversion réussie pour Vincent Rapin, ancien musicien de jazz professionnel, et Béatrice, architecte d'intérieur : trois coups de cœur depuis leur installation en 2000. Une valeur sûre donc, qui propose ici un 2009 à dominante de merlot : un vin fruité, épicé et légèrement toasté au nez, rond, souple et soyeux en bouche, une jolie finale aux accents fruités concluant la dégustation. Prêt à boire, pourquoi pas sur un dessert aux fruits. À noter : le vignoble est en conversion bio depuis 2009.

SARL Le Petit Gontey, 8, Petit-Gontey, 33330 Saint-Émilion, tél. et fax 05.57.74.48.92, domainedevalmengaux@wanadoo.fr r.-v.

Rapin

CH. VERMONT Prestige 2010 ★★

■ 50 000 5 à 8 €

Ce domaine d'ancienne notoriété – le Féret le considère en 1874 comme l'un des tout premiers crus de l'Entre-deux-Mers – signe une cuvée pleine de charme, où le petit verdot vient en appoint des classiques merlot (70 %) et cabernets. Drapé dans une seyante robe rouge profond aux reflets violines, ce 2010 dévoile des notes toastées et réglissées qui apportent de la complexité au bouquet. En bouche, l'équilibre est remarquable entre un boisé élégant qui s'efface derrière le fruit, une matière généreuse et charnue, et des tanins solides mais sans agressivité. Pour une entrecôte de Bazas, dans les trois ans à venir. Le **grand vin 2010 (8 à 11 € ; 20 000 b.)**, puissant, expressif et persistant, obtient une étoile.

EARL Vignobles Dufourg, 7, chem. de Baraillot, 33760 Bellebat, tél. et fax 05.56.23.90.16, vignoblesdufourg@wanadoo.fr r.-v.

Élisabeth Labat

CH. VIEUX LIRON 2010

■ 100 000 8 à 11 €

À dominante de cabernet, ce 2010 dévoile un nez soutenu de fruits rouges et d'épices, agrémenté de nuances de coco. L'attaque sur le fruit laisse place à une bouche ample et douce, structurée par des tanins présents mais conciliants. À découvrir dans les deux ans sur un lapin en gibelotte.

Laurent Mallard, Ch. Naudonnet Plaisance, 33760 Escoussans, tél. 05.56.23.93.04, fax 05.56.23.97.94, contact@laurent-mallard.com r.-v.; f. août

Bordeaux clairet

Superficie : 925 ha
Production : 52 000 hl

L'ÂME DU TERROIR 2011 ★

■ 60 000 - de 5 €

Sous la marque L'Âme du terroir, le négoce GRM signe un rosé discret, à la robe cerise burlat ourlée de reflets rose pâle, au nez de griotte et de cassis. Dans le prolongement, la bouche, ronde et bien équilibrée, s'affirme par sa fraîcheur qui souligne de plaisants arômes de

fruits mûrs. Un vin gourmand à souhait, à tester sur un poisson grillé.
GRM, ZAE de l'Arbalestrier, 33220 Pineuilh, tél. 05.57.41.91.50, fax 05.57.46.42.76, contact@grm-vins.fr

CH. DE BERNADON 2011 ★

20 000 | 5 à 8 €

Installé depuis 1997 à Monségur, l'une des neuf bastides du Bordelais, Jacques Rouvière signe un clairet de belle facture issu du merlot et des cabernets. Dans sa robe rubis clair, ce 2011 s'ouvre au nez sur des arômes persistants de cassis et de fraise des bois. La bouche se révèle longue et croquante, avec juste ce qu'il faut de fraîcheur en soutien. « Pour des magrets aux salsifis », suggère un dégustateur.
Nicole Rouvière, Bernadon, 33580 Monségur, tél. 05.45.81.16.58, fax 05.45.82.27.89, jrouviere@bernadon.com r.-v.

CH. CAJUS 2011 ★★

10 000 | 5 à 8 €

Cité l'an passé, ce clairet obtient deux étoiles pour le millésime 2011. Il a tous les atouts : une superbe robe rose vif et limpide, ourlée de nuances violines ; un bouquet original qui mêle fruits rouges frais (cerise, fraise) et notes confites de cassis ; un palais rond et gras, épaulé par des saveurs de mûre et de groseille ; une grande fraîcheur en finale qui apporte l'équilibre. Une belle bouteille à découvrir sur place à la propriété lors de soirées de dégustation ou durant les journées portes-ouvertes.
SCEA Ch. Cajus, lieu-dit Cajus, 33750 Saint-Germain-du-Puch, tél. 05.57.24.01.15, fax 05.57.24.05.46, contact@chateau-cajus.eu r.-v.

CH. DUFILHOT 2011 ★★

24 000 | - de 5 €

Ce clairet, qui a manqué de peu le coup de cœur, est un assemblage malbec-merlot à parts égales. Sa robe couleur groseille annonce un bouquet gourmand de cassis et de bonbon anglais, qui se prolonge dans une bouche ample, ronde, onctueuse et fraîche à la fois. Un vin remarquable d'équilibre, à découvrir sur un poisson grillé ou des calamars sautés aux poivrons et à la tomate.
SCEA Vignobles Pierre Chevrot, 7, Baure-Est, 33490 Verdelais, tél. 05.56.62.02.56, fax 05.56.76.79.48, contact@chateau-dufilhot.fr r.-v.

PIERRE DUMONTET Lise de Bordeaux 2011 ★

52 000 | - de 5 €

Mis en bouteille par la maison de négoce Cheval-Quancard, ce clairet a fière allure dans sa robe pimpante aux reflets orangés. Le bouquet livre d'intenses parfums de fraise et de cerise, qui révèlent une bonne maturité du raisin. L'attaque vive dévoile une matière ample, dont l'opulence et le fruité généreux sont contrebalancés par une belle fraîcheur. Ce vin « ensoleillé » formera un bel accord avec un pigeon aux olives.
Pierre Dumontet, ZI La Mouline, 4, rue du Carbouney, BP 36, 33565 Carbon-Blanc Cedex, tél. 05.57.77.88.88, fax 05.57.77.88.99
r.-v. (vente au Ch. de Bordes à Saint-Vincent-de-Paul)

CH. FONTBAUDE Clairet du Château Fontbaude 2011 ★

1 500 | 5 à 8 €

« Très bon élève », peut-on lire sur l'étiquette façon cahier d'écolier de ce clairet. Ce que les dégustateurs du Guide ont confirmé, à l'aveugle, en lui décernant une étoile. Dans sa robe séduisante aux reflets violets, ce 2011 affiche un nez gourmand de fraise et de framboise. La bouche chaleureuse et charnue s'étire longuement sur un fruité croquant, égayé en finale par des notes mentholées. À découvrir sur un agneau de lait grillé.
Ch. Fontbaude, 34, rue de l'Église, 33350 Saint-Magne-de-Castillon, tél. 05.57.40.06.58, fax 05.57.40.26.54, chateau.fontbaude@wanadoo.fr
r.-v.

CH. GRAVELINES 2011 ★

3 700 | - de 5 €

Voici un clairet bâti sur un bel éventail de cépages bordelais : merlot, cabernet franc, cabernet-sauvignon et un soupçon de malbec (5 %). La parure vermillon assez soutenu, ourlée de reflets violacés, annonce un bouquet expressif de framboise, de fraise des bois et de poire. En bouche, ce vin chaleureux, gourmand et dense, dévoile des nuances de fruits compotés (brugnon, pêche). Un joli vin d'été à déguster sur un poisson en sauce.
SARL Ch. Gravelines, 1, lieu-dit Gravelines, 33490 Semens, tél. 05.56.62.02.01, fax 05.56.62.02.55, chateaugravelines@wanadoo.fr
t.l.j. sf sam. dim. 8h-12h 14h-18h
Therasse

CH. GRIMONT 2011 ★

40 000 | - de 5 €

Vendanger tôt le matin est la règle d'or au château Grimont. Le but est de préserver la fraîcheur des raisins pour obtenir un clairet fruité. Ce 2011 limpide dévoile à l'aération des parfums frais de fruits noirs (mûre, cassis) agrémentés d'une gourmande touche beurrée. De la bouche, on retient une sensation de volume et des notes de gelée de fraise et de thym. Pour une cuisine méditerranéenne bien relevée.
SCEA P. Yung et Fils, Ch. Grimont, 33360 Quinsac, tél. 05.56.20.86.18, fax 05.56.20.82.50, info@vignobles-yung.fr r.-v.

♥ CH. HAUT-MONGEAT 2011 ★★

7 700 | - de 5 €

Transmission, amélioration et concertation sont les maîtres-mots d'Isabelle Bouchon et de son père Bernard. Cela suffit-il pour décrocher le seul coup de cœur de l'appellation ? Ce merlot, né sur un terroir argilo-limoneux, et le soin apporté à la vinification y sont sûrement aussi pour beaucoup. Rouge fuchsia lumineux, ce clairet marie avec bonheur les fleurs (rose, violette, acacia), les fruits rouges (fraise, cerise) et noirs (mûre).

Après une attaque franche et fraîche, la bouche suave, soyeuse et gourmande, évolue progressivement vers des notes confites (figue, prune) qui persistent longtemps et laissent sur une impression de plénitude délicieuse. Un rosé dans toute sa splendeur à déguster sur une salade de fraises aux épices.

Bouchon, Le Mongeat, 33420 Génissac,
tél. 05.57.24.47.55, fax 05.57.24.41.21, info@mongeat.fr
r.-v.

LESTRILLE CAPMARTIN 2011 ★

10 000 | 5 à 8 €

Sur cette propriété, l'art de recevoir n'est pas un vain mot. Estelle Roumage propose ainsi expositions d'artistes, excursions dans les vignes et autres ateliers de dégustation. Elle soigne aussi le travail à la vigne et au chai et propose un pur merlot brillant dans sa robe rubis clair, qui mêle au nez des parfums de bourgeon de cassis et de fraise des bois. La bouche, harmonieuse, évoque le raisin pulpeux portée par une agréable fraîcheur en finale. Un vin friand, marqué par une légère amertume, trait de sa jeunesse, qui accompagnera idéalement une paella.

EARL Jean-Louis et Estelle Roumage,
Ch. Lestrille, 15, rte de Créon, 33750 Saint-Germain-du-Puch,
tél. 05.57.24.51.02, fax 05.57.24.04.58, contact@lestrille.com
t.l.j. sf dim. 9h-12h30 14h-19h; sam. 9h30-12h30

CH. DE MARSAN 2011

20 000 | 5 à 8 €

Avant de découvrir ce clairet, prenez le temps de vous arrêter à Marsan pour admirer le superbe point de vue sur la vallée de la Garonne. Mi-merlot mi-cabernet-sauvignon, ce 2011 séduit par sa robe lumineuse, son nez intense de fruits noirs (cassis, myrtille), sa bouche douce et généreuse aux saveurs gourmandes de fraise écrasée et de sirop de grenadine, portée par des tanins légers et fondus et par sa finale aux accents de confiserie. À déguster sur une salade de fruits rouges.

SCEA Gonfrier Frères, Ch. de Marsan, BP 7,
33550 Lestiac-sur-Garonne, tél. 05.56.72.14.38,
fax 05.56.72.10.38, gonfrier@wanadoo.fr
t.l.j. 9h-17h30; sam. dim. sur r.-v.

B CH. MOULIN DE PEYRONIN 2011 ★

9 000 | 5 à 8 €

Il n'est pas rare d'apercevoir des moutons dans les vignes de Franck Terral. Ce viticulteur a choisi l'agriculture biologique et utilise ces animaux pour éliminer l'herbe dans les rangs. Ce clairet, vêtu de grenat aux reflets violets, offre un bouquet épanoui de coing et de framboise mêlés à des notes mentholées. Souligné par une belle fraîcheur, le palais déroule des saveurs charnues de cerise écrasée et de prune mûre, jusqu'à la longue finale. Le profil idéal pour déguster des sardines au grill.

Franck Terral, lieu-dit Peyronnin, 33350 Pujols,
tél. 05.57.40.79.34, moulin-depeyronin@yahoo.fr r.-v.

CH. DE LA RIVIÈRE 2011 ★

6 133 | 5 à 8 €

Érigée sur une motte castrale, l'imposant château de la Rivière domine le coteau argilo-calcaire où mûrissent le merlot (majoritaire) et le cabernet-sauvignon à l'origine de cette cuvée. Au nez, on découvre des notes fraîches, légèrement acidulées, de cassis et de myrtille, agrémentées d'une touche toastée amenée par le séjour en fût de 15 % du vin. On retrouve ces arômes dans une bouche ronde et chaleureuse, équilibrée par une vivacité bien maîtrisée. Un vin gourmand, à servir sur un sauté de veau.

SCA Ch. de la Rivière, 33126 La Rivière,
tél. 05.57.55.56.56, fax 05.57.24.94.39,
info@vignobles-gregoire.com r.-v. 5
James Grégoire

DOM. DE SAINT AMAND 2011 ★

3 000 | - de 5 €

Né sur un terroir de graves, ce clairet privilégie le merlot (85 %). Très agréable, le nez marie les fruits noirs et les notes florales (jasmin, fleur d'oranger). Dès l'attaque, la bouche se révèle ronde et suave, tapissée de saveurs de liqueur de cassis et de groseille, équilibrée par une bonne fraîcheur en finale. Conseillé sur des côtes de porc accompagnées d'une purée de céleri.

Démocrate, lieu-dit Saint-Amand, 33880 Cambes,
tél. 06.81.83.55.27, contact@domainedesaintamand.fr
r.-v. D

CH. THIEULEY 2011 ★

36 000 | 5 à 8 €

Au château Thieuley, Marie et Sylvie Courselle assurent avec brio la gestion du domaine depuis que leur père est parti à la retraite. Témoin, ce clairet qui a bénéficié d'un élevage soigné dans un chai bien équipé (pressurage sans azote, maîtrise des températures, cuves à macération) et qui capte le regard avec sa jolie robe rose pâle aux nuances rouge sombre. Aérien et frais, le bouquet évoque les fleurs, les fruits rouges et le bonbon acidulé. La bouche se montre tout aussi expressive, ronde et équilibrée par une touche de fraîcheur. Un ensemble séduisant, à découvrir sur un gaspacho.

Vignobles Courselle, Ch. Thieuley, rte de Grimard,
33670 La Sauve, tél. 05.56.23.00.01, fax 05.56.23.34.37,
contact@thieuley.com r.-v. 3

CH. DES TOURTES 2011 ★★

5 000 | - de 5 €

Ce domaine, tout proche de la Charente-Maritime, signe un clairet remarquable qui embaume le cassis et la cerise. La bouche, ample et harmonieuse, affiche un superbe équilibre entre le gras et la rondeur du merlot et la fraîcheur et la structure du cabernet. Un vin de caractère que l'on verrait bien sur une côte de veau aux pleurotes.

EARL Raguenot-Lallez-Miller, 30, Le Bourg,
33820 Saint-Caprais-de-Blaye, tél. 05.57.32.65.15,
fax 05.57.32.99.38, chateau-des-tourtes@orange.fr
t.l.j. sf dim. 9h-12h 14h-18h30 C

Bordeaux rosé

BARON D'ESPIET 2011 ★

6 000 | - de 5 €

La cave d'Espiet, créée en 1932, est l'une des plus anciennes coopératives de l'Entre-deux-Mers. Elle présente un séduisant rosé 100 % cabernet franc, vinifié avec soin, qui a macéré six heures, puis a été pressé délicatement et élevé sur lies fines pendant deux mois. Il en résulte un vin au nez de cerise et de framboise mêlées à des notes d'agrumes, de fleurs et de bonbon anglais. Après une attaque franche, la bouche, souple et légère, laisse une impression de rondeur inattendue pour ce cépage. Une belle vivacité se marie aux fruits jusqu'à la longue finale. Idéal sur une poêlée de langoustines.

Union de producteurs Baron d'Espiet, lieu-dit Fourcade, 33420 Espiet, tél. 05.57.24.24.08, fax 05.57.24.18.91, baron-espiet@dial.oleane.com
t.l.j. sf dim. lun. 9h-12h 14h-18h (15h-17h sam.)

CH. BEAUREGARD-DUCOURT 2011 ★

73 300 | - de 5 €

Jérémy Ducourt a retenu le tandem merlot-cabernet-sauvignon pour son rosé. Cette cuvée, belle expression de son terroir argilo-calcaire, affiche une robe rose clair. La fraise et les fleurs blanches se mêlent dans un bouquet intense, agrémenté à l'aération de notes d'agrumes. En bouche, la douceur du fruit s'étire longuement, ragaillardie par une légère amertume en finale, qui apporte de la fraîcheur à ce vin. Cité, le **Ch. Briot 2011 (29 867 b.)** est apprécié pour son fruité (cerise) et sa rondeur.

Vignobles Ducourt, 18, rte de Montignac, 33760 Ladaux, tél. 05.57.34.54.00, fax 05.56.23.48.78, ducourt@ducourt.com
r.-v.

CH. BEL AIR PERPONCHER Réserve 2011

70 000 | 8 à 11 €

Ce pur cabernet-sauvignon livre à l'aération un bouquet frais d'eau de rose et de fruits rouges. Les promesses du nez sont tenues par un palais friand, au fruité croquant, séveux et persistant. Tout aussi aimable, le **Ch. Rauzan Despagne 2011 (28 000 b.)** est cité pour ses nuances réglissées, sa souplesse à l'attaque et ses notes de fruits confits.

SCEA Vignobles Despagne, 33420 Naujan-et-Postiac, tél. 05.57.84.55.08, fax 05.57.84.57.31, contact@despagne.fr
r.-v.

CH. DU BERNAT L'Exception 2011 ★

26 000 | - de 5 €

Agréable à l'œil dans sa robe saumonée limpide, ce pur merlot se montre fort séduisant avec ses parfums de groseille et de mûre. À l'unisson, la bouche, ample, ronde et friande, s'étire longuement en finale. Un vin gourmand, sur le fruit et la douceur, à déguster avec un saumon à l'oseille.

SCEA du Bernat, 10, le Bernat, 33420 Jugazan, tél. 05.57.55.58.32, fax 05.57.55.58.49, sceadubernat@gmail.com r.-v.
Renier

ROSÉ DE BIROT 2011 ★★

3 000 | 5 à 8 €

Arthur Fournier-Castéja dirige l'exploitation familiale depuis 2010. Il signe un rosé opulent et complexe qui dévoile des senteurs de fleurs (violette, jasmin), et s'enrichit à l'agitation de notes de fruits rouges macérés (cerise). La bouche, nette et soyeuse, bien équilibrée entre fraîcheur et douceur, s'étire dans une finale longue et persistante. Merlot, malbec et cabernet-sauvignon une fois pressés ont ici donné le meilleur : « un beau travail de vinification et d'élevage », conclut un dégustateur.

Fournier-Castéja, Ch. de Birot, 8, rue de Reynon, 33410 Béguey, tél. et fax 05.56.62.68.16, contact@chateau-birot.com r.-v.

CH. CAZEAU 2011

90 000 | - de 5 €

Depuis 1975, Michel Martin est l'heureux propriétaire du château Cazeau, une maison de maître de style chartreuse datant du XVIIIe s. Dans le chai équipé d'un matériel moderne, le rosé bénéficie de soins attentifs dès la première pressée et durant trois semaines de fermentation à basse températures. De cette vinification naît un vin à la robe saumonée, presque cuivrée, qui associe les fruits rouges et noirs (groseille, fraise, mûre) à d'originales notes anisées avec en appoint une légère minéralité qui apporte de la fraîcheur. « À déguster bien frais sur une brandade de morue », recommande le vigneron.

SCI Domaines Cazeau et Perey, BP 17, 33540 Sauveterre-de-Guyenne, tél. 05.56.71.50.76, fax 05.56.71.87.70, lilymartin@laguyennoise.com
Anne-Marie et Michel Martin

LE CANON DE CÔTE MONTPEZAT 2011 ★

18 000 | 5 à 8 €

Sur ce terroir de coteaux dominant la vallée de la Dordogne, le merlot et le cabernet franc ont bénéficié d'un ensoleillement optimal et donné naissance à ce joli rosé, dernier-né de la gamme des vins Bessineau. Une robe très claire, couleur pétale de rose, annonce un bouquet raffiné de fruits rouges, framboise en tête. Généreux et fruité en bouche, avec quelques notes acidulées qui apportent une fraîcheur bienvenue, ce vin savoureux sera le compagnon idéal d'une escalope de veau Lucullus.

SAS des Vignobles Bessineau, 8, Brousse, BP 42, 33350 Belvès-de-Castillon, tél. 05.57.56.05.55, fax 05.57.56.05.56, bessineau@cote-montpezat.com
r.-v.

CH. DUDON 2011 ★

7 000 | - de 5 €

Plantés sur le sol pentu argilo-calcaire des côtes de Bordeaux, merlot et cabernet ont donné naissance à ce rosé très pâle, aux jolis reflets saumonés. Le nez libère des parfums subtils et variés de fruits exotiques, d'agrumes et de fruits rouges et noirs (fraise, myrtille) qui surprennent par leur vigueur. Un fruité croquant et frais anime le palais, porté par une fine acidité. À servir à l'ombre des glycines, sur un tajine de poulet à la mangue.

SARL Dudon, Ch. Dudon, 33880 Baurech, tél. 05.57.97.77.35, fax 05.57.97.77.39, info@jean-merlaut.com r.-v.
Jean Merlaut

CH. LA GABARRE 2011 ★★

20 000 | - de 5 €

Composé de 75 % de cabernet-sauvignon et d'une pointe de merlot, ce 2011 retient l'attention par sa robe foncée aux beaux reflets rubis et par ses parfums concentrés de fraise et de pêche très fraîche. Doté d'une belle puissance aromatique, le palais, rond et gras, revèle une finale harmonieuse entre vivacité et douceur. Du volume, de l'équilibre, de la longueur : tout est réuni dans ce vin élégant, qui s'accompagnera parfaitement de brochettes d'agneau.

EARL Vignobles Gabard, 25, rte de Cavignac, 33133 Galgon, tél. 05.57.74.30.77, fax 05.57.84.35.73, vignobles.gabard@laposte.net r.-v.

GRANDES VERSANNES 2011 ★

■ 10 800 ▮ - de 5 €

Ce rosé de la coopérative de Lugon plaît d'emblée par son bouquet intense de fruits rouges confiturés (cerise, fraise). Le charme continue d'opérer dans une bouche souple, tendre et friande, associant fraîcheur et douceur, et s'étirant dans une longue et belle finale. Parfait pour l'apéritif.

Union de producteurs de Lugon, 6, rue Louis-Pasteur, 33240 Lugon-et-l'Île-du-Carnay, tél. 05.57.55.00.88, fax 05.57.84.83.16 t.l.j. sf dim. 8h30-12h30 14h-18h

CH. GRAVELINES 2011 ★

■ 19 000 ▮ - de 5 €

La maison noble de Gravelines devait son privilège de produire du vin de Bordeaux à un décret royal du 7 janvier 1602. Aujourd'hui conduite par Sylvain Labardant, elle propose un rosé bien réussi, né de l'association de merlot, cabernet-sauvignon et malbec. Flatteur dans sa robe limpide, rose vif, ce vin offre un bouquet chaleureux de fruits rouges et de bonbon à la fraise. Le palais, ample et plein, évolue sur la même ligne aromatique jusque dans sa longue finale. On verrait bien cette jolie bouteille sur un plat de poisson grillé ou un coucous au curry.

SARL Ch. Gravelines, 1, lieu-dit Gravelines, 33490 Semens, tél. 05.56.62.02.01, fax 05.56.62.02.55, chateaugravelines@wanadoo.fr
t.l.j. sf sam. dim. 8h-12h 14h-18h

CH. HAUT-D'ARZAC 2011

■ 12 000 ▮ 5 à 8 €

Drapé dans une robe cerise ourlée de reflets grenat, ce 2011 dévoile un bouquet léger de fleurs fraîches (violette, rose) et de petits fruits (cassis, framboise). Des saveurs de sirop de grenadine et de kirsch envahissent une bouche ronde, généreuse et friande, avec juste ce qu'il faut de fraîcheur. À savourer après avoir visité le château de Rauzan, tout proche.

Boissonneau, 18, rte de Bordeaux, 33420 Naujan-et-Postiac, tél. 05.57.74.91.12, fax 05.57.74.99.60, chateau.hautdarzac@orange.fr
r.-v.

CH. HAUT MEYREAU 2011 ★★

■ 60 000 ▮ 5 à 8 €

Cette famille, établie depuis six générations sur ce domaine, a sélectionné 10 ha de cabernet franc pour cette cuvée remarquable. Le nez de fraise et d'agrumes, agrémenté de notes de bonbon anglais, est une belle promesse mêlée de douceur et de fraîcheur. Ce que confirme la bouche, bien équilibrée, entre rondeur et vivacité. Persistant, voluptueux et harmonieux, ce vin fera merveille sur un plat exotique.

SCEA Ch. Haut Meyreau, Goumin, 33420 Dardenac, tél. et fax 05.56.23.71.92, scea.chm@orange.fr r.-v.

CH. HAUT-MONDAIN 2011 ★

■ 26 000 ▮ - de 5 €

La famille Yung a retenu les cabernets et une pointe de merlot (5 %) pour élaborer ce rosé de saignée. Habillé d'une belle robe brillante, ce 2011 dévoile de fines notes de fraise, de cerise et de framboise agrémentées de touches épicées. La bouche, douce, soyeuse et fruitée, est soustendue par une plaisante vivacité qui lui confère équilibre et longueur. Parfait pour des grillades de porc marinées.

SCEA Charles Yung et Fils, 8, chem. de Palette, 33410 Béguey, tél. 05.56.62.94.85, fax 05.56.62.18.11, r.yung@wanadoo.fr
t.l.j. sf sam. dim. 9h-12h30 14h-18h30; f. août

CUVÉE HORTENSE 2011

■ 25 000 ▮ - de 5 €

Cette cuvée Hortense assemble au cabernet 30 % de merlot. La teinte plutôt légère brille d'un joli rose. Le bouquet, d'abord discret, évolue sur les fruits frais (groseille) et la bouche, ronde, est soutenue par une plaisante fraîcheur. Un vin gourmand et équilibré, à servir sur une salade composée.

Pierre Dumontet, ZI La Mouline, 4, rue du Carbouney, BP 36, 33565 Carbon-Blanc Cedex, tél. 05.57.77.88.88, fax 05.57.77.88.99
r.-v. (vente au Ch. de Bordes à Saint-Vincent-de-Paul)

CH. LESTRILLE 2011 ★★

■ 15 000 ▮ 5 à 8 €

« Estelle Roumage viticultrice » affiche fièrement l'étiquette. Une excellente viticultrice, témoin cette cuvée qui a manqué de peu le coup de cœur. Le jury a aimé la robe rose carmin ourlée de reflets rubis, le bouquet flamboyant de fruits blancs, de cassis et de groseille, égayé par une touche minérale, et le palais printanier, long et gourmand qui s'achève sur une note acidulée. L'apéritif conviendra parfaitement à ce vin équilibré et racé.

EARL Jean-Louis et Estelle Roumage, Ch. Lestrille, 15, rte de Créon, 33750 Saint-Germain-du-Puch, tél. 05.57.24.51.02, fax 05.57.24.04.58, contact@lestrille.com
t.l.j. sf dim. 9h-12h30 14h-19h; sam. 9h30-12h30

LES CHARMES DE MAGNOL 2011 ★

■ 15 600 ▮ 5 à 8 €

Les œnologues de cette maison de négoce ont sélectionné les meilleurs cabernets pour vinifier ce rosé bien fait, qui laisse monter de discrètes fragrances fruitées. Le palais, doux et gras, ne manque pas de vivacité et dévoile une finale persistante aux accents épicés. Un vin élégant, à apprécier sur un plat relevé, un curry d'agneau au cumin par exemple.

Barton & Guestier, Ch. Magnol, 87, rue du Dehez, 33290 Blanquefort, tél. 05.56.95.48.00, fax 05.56.95.48.01, petra.frebault@barton-guestier.com

♥ CH. MINVIELLE 2011 ★★

■ 54 600 ▮ 5 à 8 €

Premier coup de cœur pour ce domaine régulièrement sélectionné dans le Guide. Cabernet franc (65 %) et merlot ont été vendangés la nuit afin de conserver la

fraîcheur du raisin ; puis le vin a été élevé sur lies pour plus de rondeur. Le résultat ? Un rosé saumon brillant aux reflets orangés, au nez explosif de fraise, de cassis et de brugnon mêlés à des notes fraîches d'agrumes. Le palais, dans le même registre, dévoile une matière tendre et suave qui laisse une agréable impression de délicatesse. Un très beau rosé de gastronomie, à découvrir sur un tajine de poulet aux agrumes et à la coriandre.

SCEA Vignobles Gadras, Dom. de Minvielle, 33420 Naujan-et-Postiac, tél. 05.57.84.55.01, fax 05.57.84.65.70, vignobles.gadras@wanadoo.fr t.l.j. 9h-12h 14h-18h; dim. sur r.-v.

CH. MOUSSEYRON 2011 ★

16 000 - de 5 €

Juchées sur les hauteurs de la commune de Saint-Pierre-d'Aurillac, les vignes du château Mousseyron bénéficient d'un terroir bien exposé. Issue à parts égales de merlot, cueilli tôt dans la saison, et de cabernet-sauvignon, cette cuvée évoque après aération les fruits noirs et les épices (muscade, réglisse). La bouche présente un bon équilibre entre la fraîcheur et la rondeur du fruit. Un vin flatteur et harmonieux, à déguster sur des poivrons farcis.

SCEA Jacques Larriaut, 31, rte de Gaillard, 33490 Saint-Pierre-d'Aurillac, tél. 05.56.76.44.53, fax 05.56.76.44.04, larriautjacques@wanadoo.fr r.-v.

LE ROSÉ DE MOUTON CADET 2011 ★

660 000 8 à 11 €

Issu à 75 % de saignée, cet assemblage très réussi de merlot (65 %), de cabernet franc (20 %) et de cabernet-sauvignon affiche une robe éclatante aux reflets rubis. Le bouquet intense mêle le cassis, la fraise des bois et les fleurs blanches. La bouche, bien construite et animée par une fine acidité en finale, repose sur des petits tanins légers et veloutés. Frais et gourmand, ce rosé sera idéal pour accompagner des brochettes de poulet.

Baron Philippe de Rothschild, rue de Grassi, BP 117, 33250 Pauillac, tél. 05.56.73.20.20, fax 05.56.73.20.44, webmaster@bpdr.com

CH. NINON 2011

9 300 - de 5 €

Frédéric Roubineau, qui a repris le domaine familial en 2010, se distinguait dans la précédente édition avec son entre-deux-mers. Cette année, c'est son rosé à dominante de cabernet-sauvignon qui a retenu l'attention. Le nez, original, dévoile quelques notes minérales. La bouche s'enrichit de notes douces de fruits noirs (mûre, myrtille), qui révèlent la saveur du raisin macéré et fermenté à froid. Des grillades à la plancha sauront mettre en valeur cette cuvée atypique pour l'appellation.

Frédéric Roubineau, 5, Tenot, 33420 Grézillac, tél. 06.03.04.82.74, fax 05.57.84.62.41, frederic.roubineau@aliceadsl.fr r.-v.

CH. DU PIN-FRANC 2011 ★

6 000 - de 5 €

Ce rosé de saignée fait la part belle au merlot. Il dévoile un bouquet séduisant de fleurs, de fruits rouges (cerise, fraise) et d'agrumes. Souple, ample, généreusement fruité, il est tonifié en bouche par une agréable fraîcheur. Un ensemble équilibré, à savourer sur des travers de porc grillés à la citronnelle.

SC Vignobles Jean Queyrens et Fils, 3, Le Grand-Village, 33410 Donzac, tél. 05.56.62.97.42, fax 05.56.62.10.15, scvjqueyrens@orange.fr r.-v.

LE ROSÉ DE QUINSAC 2011

82 800 - de 5 €

Sur l'étiquette de ce joli rosé, une citation de Charles Baudelaire invite à la dégustation. Une belle robe groseille aux nuances grenat habille ce vin qui libère un bouquet intense de fruits rouges et d'agrumes. Ronde, souple et fruitée, la bouche dévoile une matière croquante, avec une pointe perlante vivifiante. Un bordeaux rosé classique, bien vinifié, à servir frais sur une ratatouille.

Cave de Quinsac, 89, le Pranzac, 33360 Quinsac, tél. 05.56.20.86.09, fax 05.56.20.86.82, cave.de.quinsac@wanadoo.fr t.l.j. 9h-12h 14h (15h dim.)-19h

CH. SUAU 2011 ★

6 700 5 à 8 €

Au château Suau, Monique Bonnet propose de découvrir le vignoble en Jeep (sur rendez-vous). Profitez de la visite pour identifier la parcelle de cabernet-sauvignon qui a donné naissance à ce rosé couleur cerise, au nez encore discret. La bouche, plus expressive, dévoile des notes de fruits noirs (cassis, mûre) et se révèle ronde, douce et généreuse, rehaussée par une agréable pointe d'amertume qui apporte de la fraîcheur. Un membre du jury a trouvé ici « un vrai rosé de Bordeaux et non une pâle imitation de rosé de Provence ».

Bonnet-Kenney, Ch. Suau, 600, Suau, 33550 Capian, tél. 05.56.72.19.06, fax 05.56.72.12.43, bonnet.suau@wanadoo.fr t.l.j. 9h-12h 14h-17h; sam. dim. sur r.-v.

LES VIGNERONS DE TUTIAC Plaisir 2011

60 000 - de 5 €

« Être à la pointe de la technologie sans renier l'attachement aux valeurs », telle est la devise des vignerons de la cave de Marcillac. Ce rosé Plaisir dévoile un nez intense d'agrumes (pomelo, clémentine) et de fruits rouges (framboise, cerise). La bouche ample et souple, s'étire sur le fruit, enrobée par une légère pointe d'alcool qui donne du corps à l'ensemble, un léger perlant venant vivifier la finale. À déguster avec une tarte salée.

Les Vignerons de Tutiac, La Cafourche, 33860 Marcillac, tél. 05.57.32.48.33, fax 05.57.32.55.20, contact@tutiac.com r.-v.

CH. LES VERGNES 2011 ★★

33 000 - de 5 €

Tous les vins du château affichent le label « Bee Orchid », le domaine s'étant engagé à préserver la nature. Vinifié par la cave coopérative Univitis, ce 2011, paré d'une robe rose soutenu, charmeuse et brillante, accroche le regard. Le nez, d'une grande finesse, séduit par ses arômes intensément fruités. Tout aussi aromatique, la bouche s'étire longuement en finale, soutenue par une noble amertume. Ce vin, qui a frôlé le coup de cœur, laisse le dégustateur sur une agréable impression d'harmonie.

SCA Univitis, 1, rue du Gal-de-Gaulle, 33220 Les Lèves-et-Thoumeyragues, tél. 05.57.56.02.02, fax 05.57.56.02.22, h.girou@univitis.fr r.-v.

Bordeaux sec

Superficie : 6 740 ha
Production : 418 650 hl

CH. DE L'AUBRADE 2011 ★

20 000 - de 5 €

Castelmoron-d'Albret, minuscule cité médiévale et plus petit village de France avec 3,5 ha de superficie, touche du haut de son promontoire la propriété viticole de la famille Lobre. Des raisins à bonne maturité, une élaboration maîtrisée et une dominante de sauvignon ont donné ce 2011 qui séduit par sa complexité aromatique : fruits blancs mûrs, amande fraîche, bonbon anglais, notes anisées. La bouche se révèle ample et voluptueuse, bien équilibrée entre la vivacité et le fruité. « Un vin attachant », conclut un dégustateur.

GAEC Jean-Pierre et Paulette Lobre, Jamin, 33580 Rimons, tél. 05.56.71.55.10, fax 05.56.71.61.94, vinslobre@free.fr r.-v.

BARON DE LESTAC Vinifié en fût de chêne 2011 ★

n.c. - de 5 €

Cette cuvée de la maison de négoce Castel Frères a été élevée dans la plus pure tradition des grands vins blancs de l'école bordelaise, avec une exigence : apporter au plus grand nombre un vin de qualité à un prix abordable. Ce 2011 très réussi, issu de sauvignon (60 %) et de sémillon, livre de plaisants parfums de fleurs blanches, de buis, de bourgeon de cassis et d'ananas, le tout sur un fond minéral. La bouche ? Du volume, du gras, du fruité et de la vivacité : un vin équilibré, à boire sur un cabillaud en papillote.

Castel Frères, 21-24, rue Georges-Guynemer, 33290 Blanquefort, tél. 05.56.95.54.00, c.martin@castel-freres.com

CH. BELLE-GARDE 2011 ★★

33 000 - de 5 €

Éric Duffau, vigneron depuis trois décennies, signe un vin harmonieux et savoureux, paré d'une robe jaune brillant aux reflets verts, au nez intense de fleurs blanches, de fruits exotiques, de pêche jaune et de notes beurrées. Flatteuse, la bouche est en harmonie. Ronde et bien équilibrée, elle porte jusque dans sa longue finale, fraîche et acidulée, la marque légère des agrumes. Ce vin admirable accompagnera à merveille des crevettes à l'aneth.

SC Vignobles Éric Duffau, 2692, rte de Moulon, 33420 Génissac, tél. 05.57.24.49.12, fax 05.57.24.41.28, duffau.eric@wanadoo.fr r.-v.

BLANC DE BIROT 2011 ★

10 000 5 à 8 €

Installé sur les pentes argilo-calcaires et les graves dominant la Garonne, ce vignoble bénéficie d'une exposition remarquable : sud-sud-ouest. L'encépagement deux tiers de sauvignon, un tiers de sémillon, les vinifications parcellaires, l'élevage sur lies fines ont donné naissance à un vin de couleur jaune, limpide et brillant. Les arômes délicats évoquent la pêche jaune, les agrumes, le buis et le genêt. La fraîcheur de l'attaque laisse place à une bouche bien construite, équilibrée. Un vin plaisant, à ouvrir dès la sortie du Guide sur un saumon.

Fournier-Castéja, Ch. de Birot, 8, rue de Reynon, 33410 Béguey, tél. et fax 05.56.62.68.16, contact@chateau-birot.com r.-v.

CH. BOIS-MALOT Cuvée Marine 2011 ★★

7 700 5 à 8 €

Depuis 1916, cette propriété est entre les mains de la famille Meynard. Présentée dans une bouteille originale de couleur bleue, cette cuvée remarquable constitue un bel exemple de l'expression aromatique du sauvignon et du sémillon. Drapé dans une robe d'or éclatant, ce 2011 offre un festival d'arômes : fleurs blanches, agrumes et fruits exotiques. L'équilibre en bouche est remarquable entre rondeur et vivacité. Un ensemble riche et élégant, à découvrir sur un apéritif maritime.

EARL Meynard, 133, rte des Valentons, 33450 Saint-Loubès, tél. 05.56.38.94.18, fax 05.56.38.92.47, bois.malot@free.fr
t.l.j. sf dim. 8h-12h 13h30-17h30; sam. sur r.-v.

DOM. DU CAMPLAT Cuvée Fût de chêne 2011 ★★

1 000 5 à 8 €

Ce 100 % sauvignon, issu d'une parcelle de 50 ares et élevé trois mois en fût, mêle harmonieusement les fruits exotiques, les agrumes, les fleurs blanches et les notes vanillées, toastées et grillées. Le boisé, bien fondu, tapisse un palais fort agréable, à la fois gras, vif et long. Un vin très équilibré, à savourer sur une volaille à la crème.

Jean-Louis Reculet, 2, Le Camplat, 33620 Saint-Mariens, tél. et fax 05.57.68.51.90, domaineducamplat@orange.fr
r.-v.

CELLIER YVECOURT 2011 ★

250 000 - de 5 €

Les vinifications du Cellier Yvecourt sont menées selon les méthodes œnologiques modernes : macération préfermentaire, fermentation alcoolique à basse température – 16 °C –, élevage sur lies fines avec brassages réguliers. Le résultat ? Un blanc sec or très pâle, aux belles senteurs fruitées et florales (pamplemousse, fleurs blanches, bourgeon de cassis). À l'unisson, la bouche bien structurée, souple et dense, offre beaucoup de volume, avec une pointe de fraîcheur en finale. Un pur sauvignon au fort caractère, à apprécier sans tarder sur un poisson noble.

SA Yvon Mau, rue Sainte-Pétronille, 33190 Gironde-sur-Dropt, tél. 05.56.61.54.54, fax 05.56.61.54.61, info@ymau.com

CHEVAL QUANCARD Réserve 2011 ★★

25 000 5 à 8 €

Créée en 1844 sous le nom de Quancard et Fils, cette société devient, en 1985, Cheval Quancard, la famille souhaitant associer son patronyme familial à l'image du cheval, symbole de loyauté et de fidélité. Ce blanc 2011, très typé sauvignon, élevé six mois en fût, offre un bouquet intense et complexe, dominé par les fruits (agrumes, fruits exotiques, écorce d'orange) et rehaussé par des notes de buis et d'épices. Après une attaque pleine et puissante, le palais, rond et gras, est porté par les fruits et des touches de vanille. La finale reste encore dominée par un tendre et complaisant boisé grillé. Un vin harmonieux, élégant et promis à un bel avenir. La **cuvée Éléonore 2011 Élevé en fût de chêne (moins de 5 € ; 55 000 b.)**, bien équilibrée entre bois, fruit et matière, reçoit une étoile.

Cheval Quancard, ZI La Mouline, 4, rue du Carbouney, BP 36, 33565 Carbon-Blanc Cedex, tél. 05.57.77.88.88, fax 05.57.77.88.99, chevalquancard@chevalquancard.com r.-v.

CLOS DES CAPUCINS 2011 *

26 000 - de 5 €

Le château Fayau est une magnifique chartreuse entourée de vignes au cœur de la cité des ducs d'Épernon. Sur les coteaux ensoleillés qui surplombent la ville, mûrissent les raisins des trois cépages classiques bordelais, soigneusement récoltés pour donner cette cuvée de grande qualité. Derrière une belle robe jaune pâle brillant, on découvre de subtils parfums sauvignonnés (fruits blancs, citron, buis). De bonne facture, équilibré en bouche, à la fois fruité et frais, gras et plein, ce vin bien construit s'achève sur de plaisantes notes acidulées. À déguster sur un plat épicé.

SCEA Jean Médeville et Fils, Ch. Fayau, 33410 Cadillac, tél. 05.57.98.08.08, fax 05.56.62.18.22, medeville@medeville.com t.l.j. sf sam. dim. 9h-12h30 14h-17h30

CH. LES COMBES 2010 *

1 200 8 à 11 €

Ce 100 % sémillon, cultivé sur des terres argileuses et élevé douze mois en fût, ne manque pas d'attrait. Il se distingue au nez par ses parfums d'agrumes, de fleurs et de buis, agrémentés de notes boisées. La bouche dispose de tous les atouts : attaque vive, volume, rondeur, fraîcheur, longueur. Un vin élégant, bien dans son appellation, à apprécier dès aujourd'hui sur une viande blanche.

EARL Vignobles Borderie, 117-119, rue de la République, 33230 Saint-Médard-de-Guizières, tél. 05.57.69.83.01, fax 05.57.69.72.84, jpborderie@wanadoo.fr r.-v.

CÔTÉ BASSIN 2011 *

12 000 - de 5 €

Cette cuvée, vêtue d'une robe jaune doré, offre après aération une belle corbeille de fruits (ananas, litchi, agrumes, écorce d'orange) mêlés de subtiles senteurs de fleurs blanches. Après une attaque vive, la bouche, à l'unisson, s'étire longuement, révélant en finale une pointe d'amertume rafraîchissante. Un vin harmonieux qu'on n'hésitera pas à servir sur des crustacés.

Compagnie médocaine des Grands Crus, 7, rue Descartes, 33294 Blanquefort Cedex, tél. 05.56.95.54.95

CH. CÔTE MONTPEZAT Cuvée Compostelle 2010 *

6 670 11 à 15 €

Autrefois, cet ancien relais de poste situé sur un des chemins de Saint-Jacques-de-Compostelle, produisait de grandes quantités de vins blancs secs ; de nos jours, les vinifications en blanc sont très rares. Jean-François Lalle a relevé le défi et a planté en proportions égales sauvignons blanc et gris et sémillon, et ceci avec succès, comme en témoigne ce 2010 qui se révèle par sa complexité aromatique, autour des fleurs blanches, du pamplemousse, de l'abricot et de fines notes boisées et vanillées, par sa souplesse et sa rondeur, le tout vivifié par une pointe de minéralité (pierre à fusil) et une fraîcheur acidulée. Un ensemble harmonieux, complexe et original.

SAS des Vignobles Bessineau, 8, Brousse, BP 42, 33350 Belvès-de-Castillon, tél. 05.57.56.05.55, fax 05.57.56.05.56, bessineau@cote-montpezat.com r.-v.

CH. LA CROIX DE QUEYNAC 2011 *

7 000 - de 5 €

Paola et Stéphane Gabard, à la tête de la propriété depuis 1999, ont sélectionné 1,5 ha de leur domaine et assemblé dans cette cuvée 90 % de sauvignon au sémillon. Le résultat ? Un nez aromatique aux multiples nuances de fleurs blanches (acacia), d'agrumes et de miel légèrement anisé ; une bouche franche, souple, équilibrée et une longue finale aux accents acidulés. Une harmonie réussie, à découvrir sur un poisson grillé.

EARL Vignobles Gabard, 25, rte de Cavignac, 33133 Galgon, tél. 05.57.74.30.77, fax 05.57.84.35.73, vignobles.gabard@laposte.net r.-v.

CH. DESON 2011 *

65 000 - de 5 €

Les vignerons de Landerrouat-Duras élaborent régulièrement des vins blancs secs d'une grande qualité. En témoigne cette cuvée jaune doré aux reflets verts, qui livre des senteurs caractéristiques du sauvignon (pamplemousse, citron vert, fleurs blanches). Après une attaque vive, la bouche se structure autour d'une matière souple et dense, bien fruitée, soutenue par une belle finale fraîche et acidulée.

Vignerons de Landerrouat-Duras-Cazaugitat, 4, rte des Vignerons, 33790 Landerrouat, tél. 05.56.61.31.21, fax 05.56.61.40.79, vignerons.landerrouat@wanadoo.fr r.-v.

CH. DOISY-DAËNE 2010 **

25 000 15 à 20 €

2010

CHÂTEAU

DOISY-DAËNE

GRAND VIN SEC

BORDEAUX

MIS EN BOUTEILLE AU CHÂTEAU

DENIS DUBOURDIEU

Trois générations se sont succédé sur ce domaine bien connu des amateurs de sauternes. Ce vin, élaboré à partir du sauvignon récolté sur ce terroir exceptionnel de sables rouges et d'argile du Barsacais, est un modèle d'équilibre et d'élégance. Paré d'une robe claire, jaune à reflets verts, il affiche un nez très expressif de fleurs blanches, d'agrumes et de buis, le tout relevé de notes poivrées. La bouche se révèle ample et riche, égayée par un brin de vivacité et une légère pointe de minéralité. Un grand bordeaux blanc, équilibré et respectueux du fruit, à apprécier maintenant ou à attendre deux ans avant de le servir sur un poisson à la plancha.

EARL Pierre et Denis Dubourdieu, Ch. Doisy-Daëne, 10, Gravas, 33720 Barsac, tél. 05.56.62.96.51, fax 05.56.62.14.89, reynon@wanadoo.fr r.-v.

DOURTHE La Grande Cuvée 2011 ★★

200 000 5 à 8 €

Une sélection de terroirs à l'est et au nord de l'appellation, un suivi parcellaire des vendanges, des vinifications soignées et bien menées, un élevage sur lies fines durant six mois, l'objectif est atteint : mettre en valeur la large palette aromatique du sauvignon. La maison Dourthe prouve encore son talent avec ce millésime. La robe est d'un beau jaune pâle et le nez, une explosion d'arômes : agrumes, pêche jaune, fruit de la Passion, ananas et fleurs blanches. La bouche confirme le caractère fruité et floral de ce vin, et marie avec équilibre la rondeur, le gras, le volume et une fraîcheur acidulée de bon aloi qui apporte de la tonicité à l'ensemble jusqu'en finale. Un bordeaux remarquable à savourer sur de la cuisine asiatique.

Vins et Vignobles Dourthe,
35, rue de Bordeaux-Parempuyre, CS 80004,
33295 Blanquefort Cedex, tél. 05.56.35.53.00,
fax 05.56.35.53.29, contact@dourthe.com

FAMILLE EXCELLOR 2011 ★

68 000 - de 5 €

Les vignerons de la Famille Excellor œuvrent depuis 1967 à valoriser chaque année le meilleur du terroir de l'Entre-deux-Mers. Ils signent ici une cuvée appréciable en tout point : une robe à l'élégante teinte jaune vert, des arômes intenses d'agrumes, de zeste d'orange, de pêche et de fruit de la Passion, une attaque vive et un équilibre en bouche très réussi entre fraîcheur et fruité. Un vin complet, bien dans l'appellation, pour se faire plaisir dès aujourd'hui.

Prodiffu, 17-19, rte des Vignerons, 33790 Landerrouat,
tél. 05.56.61.33.73, fax 05.56.61.40.57, france@prodiffu.com
r.-v.

CH. LA FRANCE 2011

35 690 5 à 8 €

La famille Mottet, originaire de Bordeaux, achète cette vaste propriété en 2009 et, aux vendanges 2010, implante au cœur même du vignoble une sculpture monumentale, *Le Coq*, réalisée par Georges Saulterre. Après avoir admiré cette œuvre, prenez le temps de la dégustation. Au nez, ce 2011 délivre de discrets et délicats arômes de fleurs blanches, d'agrumes et de fruits jaunes mûrs. La bouche ample, équilibrée, associe harmonieusement fraîcheur et fruité. Un ensemble de bonne tenue, à partager sur des fruits de mer.

SCA Ch. la France, 33750 Beychac-et-Caillau,
tél. 05.57.55.24.10, fax 05.57.55.24.19,
contact@chateaulafrance.com
t.l.j. sf dim. 10h-12h 14h-17h30;
f. sam. d'oct. à mars
Bruno Mottet

CH. LA FREYNELLE 2011 ★

45 000 - de 5 €

Véronique Barthe, à la tête de ce domaine depuis 1991, reçoit une étoile pour ce bel assemblage de sauvignon (60 %) complété à parts égales de sémillon et de muscadelle. Particulièrement harmonieux et aromatique, le nez livre des senteurs de fleurs, d'agrumes, de fruits exotiques et de buis. La bouche pleine, ronde, riche, se révèle bien équilibrée, soutenue par une finale longue et fraîche. À marier avec des crustacés.

Véronique Barthe, Peyrefus, 33420 Daignac,
tél. 05.57.84.55.90, fax 05.57.74.96.57,
veronique@vbarthe.com r.-v.

♥ **CH. GANTONNET** 2011 ★★

80 000 5 à 8 €

Le château Gantonnet, régulièrement distingué dans le Guide, confirme sa renommée avec ce superbe 2011 jaune pâle. Du verre s'élèvent des arômes intenses de pêche blanche, d'agrumes et de fruits exotiques. Dans la continuité, le palais rond, gras, doux et frais à la fois, s'étire longuement sur des saveurs d'agrumes, de raisin croquant agrémentées de notes muscatées. Un vin friand et très harmonieux, à déguster dès aujourd'hui sur des noix de Saint-Jacques.

SC Ch. Gantonnet, Moulin de Labordes,
33350 Sainte-Radegonde, tél. 05.57.40.53.83,
fax 05.57.40.58.95, chateau-gantonnet@orange.fr
r.-v.

CH. GAYON 2011 ★★

22 000 5 à 8 €

Une gentilhommière du XVIIIe s. et un pavillon de repos de la même époque aménagé en gîte rural dominent ce vaste domaine viticole acheté en 1969 par la famille Crampes. Côté cave, voici un remarquable 2011 où sauvignon et sémillon à parts égales ont été élevés six mois en fût. Un bouquet exubérant de pamplemousse, de zeste de citron, de fleurs blanches et de buis, rehaussé de nuances briochées et toastées s'élève du verre. Cet ensemble aromatique se fond délicatement dans une matière ronde, dense, d'un beau volume. La finale vive, fraîche et fruitée achève de convaincre. Pour un turbot au caviar.

Jean Crampes, 6, Ch. Gayon, 33490 Caudrot,
tél. 05.56.62.81.19, fax 05.56.62.71.24,
contact@chateau-gayon.com
t.l.j. 9h-12h 14h-18h; sam. dim. sur r.-v.

CH. LA GRANDE CLOTTE 2010 ★

n.c. 15 à 20 €

Le petit vignoble se situe au cœur de l'appellation de Lussac, plus connue pour ses vins rouges. À peine 1 ha de vignes, trois cépages bordelais, des raisins sélectionnés par double-tri, récoltés en cagettes, ont donné ce vin riche, ample et généreux. Le nez exubérant se partage entre les agrumes, la menthe, l'oseille, les fleurs blanches et le toasté du fût. L'attaque sur la pomme verte ouvre sur une matière puissante, structurée, aromatique. La finale légèrement acidulée apporte l'équilibre. Un « vin de plaisir » à servir sur des sushis.

SCEA Malaterre-Rolland, Ch. la Grande Clotte,
33570 Lussac, tél. 05.57.51.52.43, fax 05.57.51.52.93,
contact@rollandcollection.com r.-v.
Rolland

CH. DU GRAND PLANTIER 2011 ★

25 000 | ▮ | - de 5 €

Le GAEC des Vignobles Albucher rassemble plusieurs propriétés viticoles bordelaises, en loupiac et bordeaux sec notamment, souvent sélectionnées dans le Guide. Le nez floral (tilleul, fleurs blanches) de ce 2011 évolue à l'agitation vers des notes de fruits (agrumes, litchi). L'attaque vive et citronnée laisse place à une bouche aromatique, ronde, équilibrée et de belle longueur. À déguster dès à présent sur des crustacés.

GAEC des Vignobles Albucher, Ch. du Grand Plantier, 33410 Monprimblanc, tél. 05.56.62.99.03, fax 05.56.76.91.35, chateaudugrandplantier@orange.fr ☑ ⵖ ⛹ r.-v. ⌂ Ⓔ

CH. GRAVELINES 2011 ★

21 800 | ▮ | - de 5 €

La maison de Gravelines, connue depuis le XVII[e]s., appartenait aux seigneurs de la Benauge. Le sauvignon majoritaire, le sémillon et une pointe de muscadelle se trouvent à leur aise sur ce terroir argilo-calcaire. En témoigne cette cuvée jaune pâle presque blanc, aux reflets dorés, discrètement marquée par les fruits et les fleurs. Ronde et fraîche à la fois, la bouche se structure autour d'une trame fruitée et acidulée sur un fond délicat de miel d'acacia. Pour un plaisir immédiat, à l'heure de l'apéritif.

SARL Ch. Gravelines, 1, lieu-dit Gravelines, 33490 Semens, tél. 05.56.62.02.01, fax 05.56.62.02.55, chateaugravelines@wanadoo.fr
☑ ⵖ ⛹ t.l.j. sf sam. dim. 8h-12h 14h-18h
Therasse

♥ DOM. DES GRAVES D'ARDONNEAU 2011 ★★

38 000 | ▮⏀ | 5 à 8 €

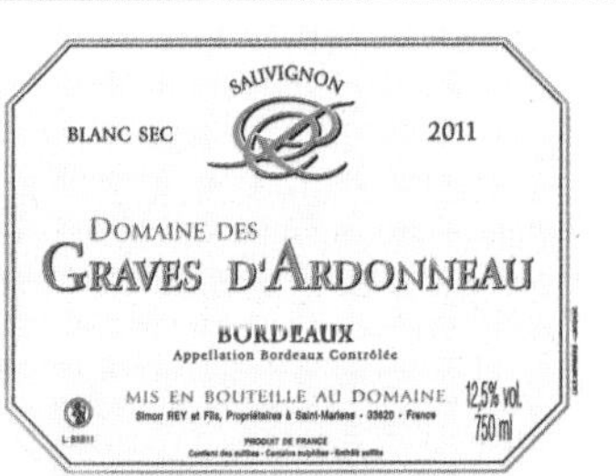

Cette exploitation familiale cultive la vigne depuis 1763 et met tout en œuvre pour élaborer des vins de haut niveau en maîtrisant les pratiques traditionnelles et les techniques modernes au chai. Le résultat est là : une robe étincelante, jaune d'or à reflets verts, un bouquet complexe de fleurs blanches, de fruits exotiques, agrémenté de notes boisées discrètes mais agréables, souvenir d'un séjour en fût de huit mois. La bouche n'est pas en reste, ample, riche, bien structurée, avec un équilibre remarquable entre le fruit et le bois. Une superbe fraîcheur acidulée aiguise les papilles en finale. Ce bordeaux long et harmonieux est prêt à boire sur un gratin de langoustines.

EARL Simon Rey et Fils, Ardonneau, 33620 Saint-Mariens, tél. 05.57.68.66.98, fax 05.57.68.19.30, gravesdardonneau@wanadoo.fr
☑ ⵖ ⛹ t.l.j. sf dim. 8h-12h30 14h30-19h

CH. HAUT MAURIN 2011

40 000 | ▮ | - de 5 €

Jean-Louis Sanfourche a sélectionné 7 ha de plusieurs parcelles de son vaste domaine (30 ha) pour ce 2011 qui dévoile à l'aération des notes intenses et d'une grande finesse d'agrumes, de fruit de la Passion, de pêche et de fleurs blanches typiques du sauvignon. L'attaque nerveuse fait place à une bouche franche, pleine de fraîcheur, sur un fond de fruits (pêche). Un vin très plaisant, à découvrir dès la sortie du Guide sur des fruits de mer.

EARL Vignobles Sanfourche, lieu-dit Grand-Village, 33410 Donzac, tél. 05.56.62.97.43, fax 05.56.62.16.87, jean-louis.sanfourche@wanadoo.fr
☑ ⵖ ⛹ t.l.j. 8h30-12h 14h-18h; sam. dim. sur r.-v.; f. août

CH. HAUT-MOULEYRE 2011 ★

10 000 | ▮ | - de 5 €

Un classique de l'appellation à petit prix. Paré d'une robe d'un joli jaune paille, il affiche une belle intensité aromatique de fruits blancs et d'agrumes, associée à de plaisantes notes muscatées et fumées. L'attaque, franche et vive, fait place à une bouche bien équilibrée, la rondeur apportant de la matière, l'acidité de la fraîcheur. Un « vin de plaisir » à boire sur une parillade de poissons à la plancha.

Sté fermière des Grands Crus de France, 33460 Lamarque, tél. 05.57.98.07.20, fax 05.57.69.84.97

CH. HAUT RIAN 2011 ★

95 000 | ▮ | - de 5 €

Installés depuis 1988 dans la commune de Rions, petite cité fortifiée du XIV[e]s., Isabelle et Michel Dietrich ont assis la réputation de ce vignoble en mettant en valeur le potentiel de ce terroir à travers leurs vins : entre-deux-mers, bordeaux blanc sec, côtes-de-bordeaux. Voici un 2011 fin et élégant : robe jaune d'or intense à reflets brillants, bouquet plaisant d'agrumes et de fleurs blanches qui se retrouvent dans une bouche souple en attaque, puis grasse, ample et équilibrée. La finale, vive et persistante, est animée par un léger perlant fort plaisant. Parfait pour l'apéritif.

EARL Michel Dietrich, 10, La Bastide, 33410 Rions, tél. 05.56.76.95.01, fax 05.56.76.93.51, chateauhautrian@wanadoo.fr
☑ ⵖ ⛹ t.l.j. sf sam. dim. 9h-12h 14h-17h30; f. 6-27 août

KRESSMANN MONOPOLE 2011

40 000 | ▮ | 5 à 8 €

Kressmann Monopole propose une gamme de vins fruités exclusivement distribuée auprès des cafés, des hôtels et des restaurants de France. Composée du seul sauvignon, cette cuvée s'ouvre sur les fruits (pêche, poire, ananas), puis les fleurs (genêt, bourgeon de cassis, aubépine). L'attaque, souple et ample, annonce une bouche équilibrée, soutenue par une trame fruitée élégante (pêche blanche, pêche de vigne). La finale acidulée dévoile une pointe d'amertume. « À apprécier sur une salade de fruits », conseille un dégustateur.

Kressmann, 35, rue de Bordeaux-Parempuyre, CS 80004, 33295 Blanquefort Cedex, tél. 05.56.35.53.00, fax 05.56.35.53.29, contact@kressmann.com

LABOTTIÈRE RÉSERVE Cuvée Prestige 2011 ★★

69 330 | ▮⏀ | - de 5 €

L'établissement Cordier-Mestrezat Grand Crus est né de la fusion en l'an 2000 de deux maisons de négoce bordelaises bicentenaires : la maison Cordier, fondée en 1866, et la maison Mestrezat. Régulièrement mentionné dans le Guide, il propose cette cuvée Prestige à la robe jaune paille soutenu et parfaitement limpide, qui s'ouvre sans retenue, libérant de riches senteurs d'agrumes, de fruits exotiques, de coco frais et de fleurs subtilement mariées à une touche de vanille. L'attaque vive et perlante ouvre sur une bouche souple et ample, au léger boisé, qui affiche un bel équilibre entre fruité et douceur. Un vin bien fait, à découvrir dès maintenant sur une tarte Tatin.

Grands Crus Cordier-Mestrezat, 109, rue Achard, BP 154, 33042 Bordeaux Cedex, tél. 05.56.11.29.00, fax 05.56.11.29.01, contact@cordier-wines.com

CH. LAMOTHE DE HAUX Valentine par Valentine Réserve 2010 ★

1 300 | 8 à 11 €

Ce château du XVI^e^s., détruit à la Révolution et reconstruit au début du XIX^e^s., abrite d'impressionnantes caves creusées dans d'anciennes carrières de pierre où vous pourrez découvrir la cuvée Valentine élevée en fût. Ce 2010 bien typé sauvignon délivre un bouquet élégant de fleurs blanches, d'agrumes et de buis, où se mêlent des notes épicées et beurrées. La bouche ample et fruitée est rehaussée par de plaisantes notes acidulées qui apportent l'équilibre. Un bel ensemble, qui traduit une grande maîtrise de l'élevage, à déguster sans attendre. Citée, la **cuvée principale 2011 (5 à 8 €; 280 000 b.)** a été appréciée pour son fruité, son ampleur et sa vivacité.

Ch. Lamothe de Haux, 33550 Haux, tél. 05.57.34.53.00, fax 05.56.23.24.49, info@chateau-lamothe.com
r.-v. 5
Neel Chombart

CH. LAMOTHE-VINCENT 2011 ★

115 000 | - de 5 €

Le château Lamothe-Vincent fait référence dans l'Entre-deux-Mers. Témoin ce 2011 aux senteurs exotiques, ananas confit et litchi, mêlées de notes d'abricot et de pamplemousse. La bouche ronde et charnue, nette et gourmande, laisse une sensation de plénitude et d'élégance. L'acidité présente mais aimable met en valeur le fruité sauvignonné, confirmant la typicité de ce vin très réussi. Pour se faire plaisir maintenant. La cuvée **Héritage 2011 (5 à 8 €; 12 000 b.)**, belle association du fruit et du bois, est citée.

SCEA Vignobles Vincent, 3, chem. Laurenceau, 33760 Montignac, tél. 05.56.23.96.55, fax 05.56.23.97.72, f.vincent@lamothe-vincent.com r.-v.

CH. LARROQUE 2011

141 460 | - de 5 €

Le domaine et son château néogothique, construit au XV^e^s., puis remanié par Viollet-le-Duc, est conduit en agriculture raisonnée. Plus connu des amateurs du Guide pour ses bordeaux rouges et rosés, il se distingue cette année avec cette cuvée sauvignon-sémillon au bouquet complexe de fleurs blanches, de fruits exotiques, d'agrumes et de buis, agrémenté d'une pointe de minéralité. La bouche aromatique, d'un beau volume, dévoile une plaisante fraîcheur, portée par des saveurs persistantes de fruits acidulés.

Vignobles Ducourt, 18, rte de Montignac, 33760 Ladaux, tél. 05.57.34.54.00, fax 05.56.23.48.78, ducourt@ducourt.com
r.-v.

CH. LASCAUX 2011 ★

2 100 | 5 à 8 €

Sylvie et Fabrice Lascaux gèrent deux propriétés : château Lascaux en appellation bordeaux et château Bel Air en Fronsadais. Ils proposent des vins rouges, blancs secs et rosés, maintes fois distingués dans le Guide. Ce 2011 séduit par son expression aromatique, complexe et originale, d'abord un peu florale, puis fruitée, évoluant ensuite sur des notes beurrées, minérales (pierre à fusil) et miellées. La bouche ronde, souple, riche et fruitée s'exprime sans retenue, campée sur le raisin mûr et la pêche confite. La finale tendre, légèrement acidulée, laisse une sensation de douceur. Un beau vin friand, à apprécier à l'apéritif.

EARL Vignobles Lascaux, 1, La Caillebosse, 33910 Saint-Martin-du-Bois, tél. 05.57.84.72.16, fax 05.57.84.72.17, chateau.lascaux@wanadoo.fr
t.l.j. sf dim. 8h30-12h 14h-18h

CH. LESTRILLE CAPMARTIN 2010

15 000 | 5 à 8 €

Respectant le fruit et son potentiel tout au long des vinifications et de l'élevage, Estelle Roumage propose un 2010 très attrayant dans sa robe jaune paille, qui s'ouvre sur de plaisantes senteurs de raisin blanc, de fruits exotiques et de pêche jaune, accompagnées de notes grillées et beurrées (six mois en fût). La bouche, franche en attaque, conserve ces qualités aromatiques, soutenue par une matière riche, charnue et une fraîcheur acidulée. Un ensemble savoureux, à apprécier maintenant ou à attendre.

EARL Jean-Louis et Estelle Roumage, Ch. Lestrille, 15, rte de Créon, 33750 Saint-Germain-du-Puch, tél. 05.57.24.51.02, fax 05.57.24.04.58, contact@lestrille.com
t.l.j. sf dim. 9h-12h30 14h-19h; sam. 9h30-12h30

EOS DU CH. DE LUGAGNAC 2010 ★

10 000 | 8 à 11 €

Ce château des XIe et XIII^e^s., partiellement remanié au XVII^e^s., a longtemps assuré la défense de la commune de Pellegrue. Repris en 1969 et rénové par la famille Bon, ce domaine propose un 2010 élevé en barrique avec bâtonnage hebdomadaire. Ce pur sauvignon, à la teinte jaune paille foncé, livre un bouquet intense de raisin mûr, très mûr, de fleurs blanches, d'agrumes et d'une pointe de boisé, vanillé et grillé. La bouche se révèle séduisante, puissante et pleine, fruitée et rehaussée de notes beurrées. Un ensemble très réussi, à découvrir sur un poisson au four.

SCEA du Ch. de Lugagnac, Ch. de Lugagnac, 33790 Pellegrue, tél. 05.56.61.30.60, fax 05.56.61.38.48, contact@lugagnac.com
t.l.j. sf sam. dim. 9h-12h 14h-18h; f. 15-30 août
Famille Bon

LES CHARMES DE MAGNOL 2011 ★

12 000 | 5 à 8 €

Barton et Guestier, la plus vieille maison de négoce bordelaise, présente à ce jour dans cent trente pays, a été créée en 1725 par Thomas Barton, jeune Irlandais passionné de vins. Ce 100 % sauvignon se révèle fin et élégant. Son nez complexe dévoile de jolis arômes de fleurs séchées, d'abricot sûrmuri, de bourgeon de cassis et de buis. La bouche d'une belle tenue, dense et complexe, dévoile en finale des notes fraîches d'agrumes et de fruits blancs. Un vin doté d'une forte personnalité, bien typé, « à découvrir sur des pâtisseries orientales », recommande un dégustateur.

Barton & Guestier, Ch. Magnol, 87, rue du Dehez, 33290 Blanquefort, tél. 05.56.95.48.00, fax 05.56.95.48.01, petra.frebault@barton-guestier.com

CH. DE MALROMÉ

Cuvée Adèle de Toulouse-Lautrec 2010 ★

16 591 | 5 à 8 €

Avec ce 100 % sémillon, élevé six mois en fût, le château de Malromé rend hommage à Adèle Tapie de Gleyran, mère d'Henri de Toulouse-Lautrec, qui géra le domaine entre 1883 et 1930. Du fruit (agrumes, fruits exotiques), des fleurs (acacia), un fond minéral et un léger boisé ; du gras, de la rondeur, une fraîcheur acidulée en soutien : cette cuvée plaît par son équilibre. Un ensemble élégant, qui accompagnera dès la sortie du Guide une viande blanche à la crème. À noter : le domaine est en cours de conversion bio.

SCEA Malromé, 33490 Saint-André-du-Bois, tél. 05.56.76.44.92, fax 05.56.76.46.18, malrome@malrome.com r.-v.

Euromurs

PAVILLON BLANC DU CH. MARGAUX 2010 ★★

n.c. | + de 100 €

Né sur un beau terroir de graves, ce vin, dont le rendement n'atteint pas 30 hl à l'hectare, a tout pour séduire les palais les plus exigeants. D'une teinte pâle aux reflets jaune-vert, la robe impressionne par sa limpidité. Une sensation de grande finesse et d'harmonie se dégage du bouquet, où se croisent des arômes de vanille, de pêche blanche, d'agrumes et de fruits exotiques. Le palais, à l'unisson, ravit par son volume, son élégance et surtout par son équilibre remarquable, offrant juste ce qu'il faut de gras et de vivacité. Une superbe bouteille, bien dans son millésime, qui mérite un séjour en cave de trois ou quatre ans, avant de s'épanouir sur un poisson fin en sauce.

SCA du Ch. Margaux, BP 31, 33460 Margaux, tél. 05.57.88.83.83, fax 05.57.88.31.32, chateau-margaux@chateau-margaux.com

CH. MARJOSSE 2011 ★★

20 000 | 8 à 11 €

Le château Marjosse, propriété depuis 1991 de Pierre Lurton, est bien connu des lecteurs du Guide. Issue d'une sélection parcellaire rigoureuse, cette cuvée dévoile de délicieuses notes de pamplemousse, de fruits exotiques et de bonbon anglais sur fond anisé. Ces arômes intenses se confirment dans un palais ample, rond et gras, porté par une remarquable fraîcheur qui étire longuement la finale. Un très bel ensemble, à apprécier sur un poisson grillé.

EARL Pierre Lurton, Ch. Marjosse, 33420 Tizac-de-Curton, tél. 05.57.55.57.80, fax 05.57.55.57.84, pierre.lurton@orange.fr r.-v.

MAYNE D'OLIVET 2010 ★

12 000 | 11 à 15 €

Appartenant à Jean-Noël Boidron, propriétaire des châteaux Corbin Michotte (saint-émilion grand cru) et Calon (montagne-saint-émilion), ce cru propose un vin blanc sec peu commun en Saint-Émilionnais, issu d'un assemblage original de sauvignon gris (45 %) complété de sauvignon blanc, de sémillon et d'une touche de muscadelle. Du verre, jaune clair aux reflets dorés, s'élèvent de beaux parfums de fleurs blanches, de pêche, de confiture de melon, le tout agrémenté d'un grillé toasté hérité de l'élevage en fût. Gourmande, ronde, riche et veloutée, la bouche est portée par des saveurs boisées bien fondues et une finale tout en fruit. À partager dès maintenant sur une volaille à la crème.

Jean-Noël Boidron, Ch. Calon, 33570 Montagne, tél. 05.57.51.64.88, fax 05.57.51.56.30, vignoblesjnboidron@wanadoo.fr r.-v.

CH. MONT-PÉRAT 2010 ★

48 000 | 11 à 15 €

Premier vignoble des Côtes de Bordeaux acheté en 1998 par les Despagne, la propriété a retenu l'attention de la famille par ses coteaux ensoleillés en plein cœur de l'appellation et la qualité du terroir composé de graves, de calcaire et d'argile. Élevé en fût de chêne, ce vin au nez floral (fleurs blanches, buis) et fruité (agrumes, noisette) révèle une belle matière, riche, pleine et dense, portée par des senteurs de fruits exotiques et de boisé grillé, qui lui confèrent un côté très friand.Parfait pour l'apéritif.

SCEA de Mont-Pérat, 33550 Capian, tél. 05.57.84.55.08, fax 05.57.84.57.31, contact@despagne.fr r.-v.

CH. MOULIN DE VIGNOLLE 2011 ★

30 000 | - de 5 €

Un terroir graveleux, un seul cépage, le sauvignon blanc, une vinification maîtrisée et un élevage bien suivi ont donné ce vin harmonieux et prêt à boire. Le nez s'ouvre progressivement sur les fruits exotiques, les fleurs blanches, le fenouil et des notes épicées. La bouche dévoile une chair ample et dense, aux arômes frais et fruités. La finale vive, légère, citronnée, conclut plaisamment la dégustation. On recommande ce joli bordeaux sec sur un homard grillé.

SARL Robin, 10, Champ-des-Aubiers, 33820 Saint-Aubin-de-Blaye, tél. 05.57.32.62.06, fax 05.57.32.73.73, jfr@grandmoulin.com

J-F. Réaud

CH. PENIN 2010 ★★

14 000 | 5 à 8 €

Ce château, régulièrement distingué pour ses vins rouges et rosés, présente cette année un remarquable blanc issu d'une sélection de sauvignons blanc (65 %) et gris (20 %), complétée de sémillon. Cette cuvée jaune doré offre un nez riche et aromatique de fleurs blanches, de fruits exotiques et d'abricot compoté sur un fond boisé gourmand et épicé. Ces arômes puissants mais élégants se prolongent dans un palais souple, gras et bien équilibré par une pointe de fraîcheur. Un vin agréable, de l'apéritif au dessert.

Patrick Carteyron, Ch. Penin, 39, impasse Couponne, 33420 Génissac, tél. 05.57.24.46.98, fax 05.57.24.41.99, vignoblescarteyron@wanadoo.fr

t.l.j. sf dim. 8h30-12h 14h-17h; sam. sur r.-v.; f. 15-30 août

CH. DE PERRE 2011

5 000 | - de 5 €

Située sur les coteaux ensoleillés dominant la Garonne, cette propriété, en plein cœur du canton de Saint-Macaire, petit village fortifié, produit des vins moelleux et liquoreux, mais aussi d'excellents vins blancs secs. Tel ce 100 % sauvignon gris qui révèle après agitation des arômes complexes d'agrumes, de buis et de bourgeon de cassis. La bouche, vive en attaque, dévoile une matière pleine, accompagnée jusqu'en finale par des notes de sureau et de fleur d'acacia. Un ensemble agréable, tout en fraîcheur, prêt à être dégusté.

Denise Mayle, 15, rue de Gaussen, 33490 Caudrot, tél. 05.56.62.83.31, fax 05.56.62.75.30, chateaudeperre@yahoo.fr r.-v.

CH. LA PERRIÈRE 2010 ★★

2 000 | 11 à 15 €

En 2005, Jean-Luc Sylvain, tonnelier de renom, décida de planter du sauvignon blanc sur une parcelle confidentielle (25 ares). Première récolte quatre ans plus tard, qui donna naissance à un 2009 remarquable (deux étoiles dans l'édition précédente). C'est au tour du millésime 2010 de se distinguer. Dans sa robe jaune pâle aux reflets verts, ce vin enchante par sa palette exubérante de fleurs blanches et de bourgeon de cassis, agrémentée de subtiles notes vanillées, parfaitement fondues. Souple, ample, fraîche et moelleuse à la fois, la bouche révèle une belle expression du sauvignon « dans ses notes les plus sauvages », conclut un dégustateur. Un compagnon idéal pour des crustacés, des poissons à la plancha ou de la cuisine épicée.

Vignobles Jean-Luc Sylvain, Ch. la Perrière, 33570 Lussac, tél. 05.57.74.51.33, fax 05.57.74.52.14, mail@vignobles-jlsylvain.com t.l.j. sf sam. dim. 9h-12h 14h-16h30

CH. PEYRUCHET 2011 ★★

60 000 | 5 à 8 €

Ce domaine conduit en viticulture raisonnée propose un 2011 issu d'un assemblage classique de sauvignon (70 %), de sémillon (20 %) et d'une pointe de muscadelle. Dans sa robe jaune paille aux reflets verts, ce dernier séduit par la richesse de ses arômes typiques du sauvignon : fleur de sureau, pamplemousse, citron, buis. Nerveuse à l'attaque, la bouche se montre ronde, grasse, bien équilibrée entre le fruit et une fraîcheur acidulée. Amateurs de sauvignon, cette superbe cuvée est pour vous.

Vignobles Gillet Queyrens, 1, Les Plainiers, Ch. Peyruchet, 33410 Loupiac, tél. 05.56.62.62.71, fax 05.56.76.92.09, chateaupeyruchet@wanadoo.fr t.l.j. 9h-19h

CH. PILET 2011 ★

15 000 | - de 5 €

Cette cuvée très réussie, à la robe jaune pâle aux reflets verts, possède tous les atouts du sémillon. Les parfums de pêche, d'abricot, de fleurs printanières et d'agrumes accompagnent un palais ample, dense et bien structuré, une légère amertume venant ponctuer la finale. À déguster sur des gambas.

SC Vignobles Jean Queyrens et Fils, 3, Le Grand-Village, 33410 Donzac, tél. 05.56.62.97.42, fax 05.56.62.10.15, scvjqueyrens@orange.fr r.-v.

♥ CH. RAUZAN DESPAGNE 2010 ★★

12 000 | 11 à 15 €

Les vignobles Despagne présentent année après année des vins de haute expression, à l'image de cette cuvée remarquable. Issu d'une sélection parcellaire rigou-

reuse, ce 2010 reflète à merveille la typicité du sauvignon et du sémillon nés sur un terroir argilo-calcaire. La superbe robe jaune paille, les arômes intenses d'agrumes et de bourgeon de cassis révèlent la bonne maturité du raisin. Les notes muscatées en attaque laissent place aux fruits exotiques dans une bouche ronde et savoureuse, étayée par une juste fraîcheur, qui apporte équilibre et tonicité à l'ensemble. Le **Ch. Bel Air Perponcher 2010 blanc Grande cuvée (12 000 b.)** reçoit une étoile pour ses arômes plaisants de fruits et de fleurs, et pour son harmonie.

SCEA Vignobles Despagne, 33420 Naujan-et-Postiac, tél. 05.57.84.55.08, fax 05.57.84.57.31, contact@despagne.fr r.-v.

LE SEC DE RAYNE VIGNEAU 2010 ★

30 000 | 8 à 11 €

Propriété du groupe Crédit Agricole depuis 2004, ce cru propose un pur sauvignon né sur un terroir graveleux-sablonneux et élevé huit mois en fût. Le nez s'ouvre sur les agrumes, avant de dévoiler des arômes de fleurs blanches, de citron vert et de buis. La bouche, souple et ronde, centrée sur les fruits, montre un bel équilibre, soutenue par une finale longue et fraîche.

Ch. de Rayne-Vigneau, 4, quai Antoine-Ferchaud, 33250 Pauillac, tél. 05.56.59.00.40, fax 05.56.59.36.47, contact@cagrandscrus.fr

CA Grands Crus

CH. DE RICAUD 2011 ★

11 200 | 5 à 8 €

Ce splendide château du XVᵉs., restauré au XIXᵉs. par Viollet-le-Duc, propose des blancs secs, des rouges et des liquoreux régulièrement distingués dans le Guide. Le domaine se montre à la hauteur de sa réputation avec ce 2011 issu principalement de sémillon, élevé sur lies pendant six mois, très agréable à l'œil mais discret au nez. Une belle matière, ronde et dense, se révèle en bouche, offrant un équilibre entre une acidité sans excès et des notes ennivrantes de fleurs et de fruits. Un vin de caractère, que l'on appréciera sur une escalope de veau accompagnée d'un flan de courgettes.

Ch. de Ricaud, rte de Sauveterre, 33410 Loupiac, tél. 05.56.35.53.00, fax 05.56.35.53.29, contact@dourthe.com r.-v.

Alain Thiénot

CH. ROQUEFORT 2011

40 000 | 5 à 8 €

Cette entreprise familiale compte aujourd'hui une centaine d'hectares de vignes au cœur de l'Entre-deux-Mers. Frédéric Bellanger signe un 2011 plaisant, aux arômes fins et complexes de fruits frais nuancés de notes beurrées, qui persistent dans une bouche élégante et bien équilibrée entre rondeur et vivacité. Un vin friand et généreux, à déguster dès à présent.

Ch. Roquefort, lieu-dit Roquefort, 33760 Lugasson, tél. 05.56.23.97.48, fax 05.56.23.50.60, mscl@chateau-roquefort.com
t.l.j. sf sam. dim. 9h-12h30 14h-17h30
Bellanger

CH. SAINT-GERMAIN 2011 ★

25 000 | - de 5 €

Sur ce vignoble de 130 ha, dix sont dédiés à cette cuvée assemblant sauvignon (70 %) et sémillon. Le bouquet expressif, mêlant fruits mûrs (coing, nectarine, abricot), agrumes, notes florales et touches muscatées, prélude à une bouche ronde, riche et généreuse. À déguster dans l'année sur une volaille à la crème.

SCEA Famille d'Amécourt, Ch. Bellevue, 33540 Sauveterre-de-Guyenne, tél. 05.56.71.54.56, fax 05.56.71.83.95, vignesdamecourt@aol.com r.-v.

CH. SISSAN 2011 ★

6 500 | - de 5 €

Souvent remarqué dans le Guide pour d'autres appellations bordelaises, ce domaine propose un très joli 2011 jaune pâle à reflets verts, aux arômes flatteurs de fruits (agrumes, pêche blanche) et de fleurs (fleurs blanches, citronnelle). En bouche, c'est la vivacité qui domine, apportant équilibre et longueur. Un vin à la finale citronnée du meilleur effet, que l'on appréciera sans attendre sur un plateau de coquillages.

SCEA P. Yung et Fils, Ch. Grimont, 33360 Quinsac, tél. 05.56.20.86.18, fax 05.56.20.82.50, info@vignobles-yung.fr r.-v.

CH. THIEULEY 2011 ★

150 000 | 5 à 8 €

La renommée du château Thieuley, bien connu des lecteurs du Guide, se perpétue sous la houlette de Marie et Sylvie Courselle, qui ont pris les rênes de cette propriété en 2000. Issu de sémillon (50 %) complété de sauvignon blanc (35 %) et d'une pointe de sauvignon gris, ce joli 2011, d'abord discret, s'ouvre après agitation sur les fleurs printanières et les fruits blancs bien mûrs. Cette agréable palette aromatique persiste longuement dans une bouche ronde et dense, sous-tendue par une agréable fraîcheur. Un vin élégant, que l'on pourra attendre un an ou deux.

Vignobles Courselle, Ch. Thieuley, rte de Grimard, 33670 La Sauve, tél. 05.56.23.00.01, fax 05.56.23.34.37, contact@thieuley.com r.-v. 3

CH. TOUR D'AURON 2011 ★★

12 000 | - de 5 €

Une parcelle de 2 ha exposée sur un plateau argileux du Fronsadais a donné naissance à ce 2011 bien typé sauvignon : robe or pâle brillant, nez complexe de pamplemousse, de nectarine, de fruits exotiques (ananas, fruit de la Passion), de fleurs (tilleul, aubépine) et de buis, le tout teinté d'une élégante minéralité. En bouche, de la fraîcheur, du fruit, du volume, le plaisir est là. À découvrir sur des noix de Saint-Jacques marinées.

Éts Milhade, 11, rue Jean-Milhade, 33133 Galgon, tél. 05.57.55.48.90, fax 05.57.84.31.27, scea.lyonnat@orange.fr r.-v.

CH. TOUR DE MIRAMBEAU Cuvée Passion 2010 ★

42 000 | 11 à 15 €

Ce vignoble, situé sur un plateau calcaire qui domine la vallée de la Dordogne, se voit décerner une étoile pour ce 2010 issu de vieilles vignes de sauvignon blanc principalement. Le bouquet séduit d'emblée par ses notes d'agrumes, de fleurs blanches et de menthe fraîche, mêlées à un boisé grillé. Après une attaque souple, on découvre une bouche vive et ronde à la fois, équilibrée dans la continuité du nez. Un ensemble élégant, à apprécier dès aujourd'hui sur un poulet grillé. Le **Ch. Lion Beaulieu 2010 (3 000 b.)**, est cité pour son fruité et sa souplesse.

SCEA de la Rive Droite, 33420 Naujan-et-Postiac, tél. 05.57.84.55.08, fax 05.57.84.57.31, contact@despagne.fr r.-v.
Despagne

CH. LA VERRIÈRE 2011 ★

54 000 | - de 5 €

Les vins de ce domaine familial de 60 ha, créé en 1900, fréquentent assidûment les pages du Guide, souvent en très bonne place. Ce 100 % sauvignon affiche une robe brillante, d'un jaune-vert intense, au nez discret et complexe de fleurs d'acacia, d'agrumes et de litchi. La bouche, souple en attaque, se montre ronde, équilibrée et richement fruitée, portée par une longue finale acidulée. Un beau représentant de l'appellation.

EARL André Bessette, 8, La Verrière, 33790 Landerrouat, tél. 05.56.61.39.56, fax 05.56.61.44.25, alainbessette@orange.fr r.-v.

CH. DE LA VIEILLE TOUR 2011 ★

30 000 | - de 5 €

Cette belle cuvée prouve une fois encore le savoir-faire de Pascal Boissonneau, qui a engagé la conversion de son domaine vers l'agriculture biologique. Jolie robe jaune pâle ; riches expressions aromatiques d'agrumes, de noisette, de citron vert, de miel et de fleurs blanches ; bouche ronde, riche et longue : ce vigneron signe ici un ensemble bien construit et représentatif de l'appellation. La cuvée **Héritage de Château de la Vieille Tour 2010 (5 à 8 € ; 4 000 b.)** reçoit une étoile pour son fruité exubérant et son palais généreux.

EARL Vignobles Boissonneau, lieu-dit Cathélicq, 33190 Saint-Michel-de-Lapujade, tél. 05.56.61.72.14, fax 05.56.61.71.01, vignobles@boissonneau.fr r.-v.

CH. VIRCOULON 2011 ★

44 400 | - de 5 €

Assemblage classique de sémillon (60 %) et de sauvignon, ce 2011 séduit par ses arômes intenses et expressifs de pamplemousse, de citron vert, de fruit de la Passion, agrémentés de notes florales. La bouche offre un bel équilibre entre une chair pleine de douceur, un fruité tonique et une acidité présente mais sans excès. Un ensemble friand, à déguster dès aujourd'hui sur des aiguillettes de poulet au citron.

Patrick Hospital, 5, Vircoulon, 33220 Saint-Avit-de-Soulège, tél. et fax 05.57.41.05.99, chateauvircoulon@orange.fr

Y 2010 ★★

n.c. | + de 100 €

L'été ayant été relativement sec, des vendanges précoces en 2010 (début septembre) ont permis de récolter des raisins mûrs (dont un tiers de sémillon) avec un potentiel d'alcool impressionnant (14 °) et une belle acidité. Dans le verre, le résultat ravit l'œil par sa teinte très pâle, or blanc. Puis on est frappé par l'élégance du bouquet, aux fragrances multiples et distinguées : vanille, agrumes, citronnelle, poire, pêche blanche... Très enrobé, le palais dévoile d'agréables saveurs fruitées, qui font écho à l'olfaction, rehaussées de quelques nuances d'épices. Délicat et rond, sans exubérance outrancière, une juste nervosité à l'arrière-plan, ce vin long et harmonieux offre des accords gourmands de choix : saint-jacques sauce aux agrumes, turbot sauce mousseline, gratin de langoustines... un mets raffiné dans tous les cas.

SA du Ch. d'Yquem, 33210 Sauternes,
tél. 05.57.98.07.07, fax 05.57.98.07.08, info@yquem.fr
r.-v.

Bordeaux supérieur

CH. DE L'AUBRADE 2009 ★★

10 000 | 5 à 8 €

« Un vin bien typé cabernet », résume un dégustateur. De fait, le cabernet-sauvignon compose 60 % de l'assemblage (10 % pour le cabernet franc) de cette cuvée remarquée pour sa fraîcheur et son élégance. Au nez, la vivacité du bourgeon de cassis accompagne des parfums soutenus de fruits rouges. La même fraîcheur et le même fruité intense caractérisent un palais ample, long et délicat, porté par des tanins fins et mesurés. Une bouteille que l'on pourra attendre quatre ou cinq ans.

GAEC Jean-Pierre et Paulette Lobre, Jamin,
33580 Rimons, tél. 05.56.71.55.10, fax 05.56.71.61.94,
vinslobre@free.fr r.-v.

BARON DE LAUDENAC 2010 ★

600 000 | - de 5 €

Une cuvée au fruité éclatant signée par la maison de négoce Malet Roquefort. Au nez, des parfums frais et intenses de cerise se mêlent à une nuance fumée. Une solide structure tannique soutient, sans nuire à sa souplesse, un palais long, frais et fin. Un vin équilibré, à découvrir dans les trois ou quatre ans à venir.

Maison Malet Roquefort, BP 12, Champs-du-Rivalon,
33330 Saint-Émilion, tél. 05.57.56.40.80, fax 05.57.56.40.89,
contact@malet-roquefort.com

CH. BEAU RIVAGE Raphaël 2009 ★★

7 000 | 8 à 11 €

Ce château construit à la fin du XIXes. appartient depuis 1995 à la famille Nadalié, tonneliers de métier : c'est dans des barriques... Nadalié que ce 2009 issu de cabernet-sauvignon (60 %) et de merlot a séjourné pendant seize mois. Au nez, le boisé est présent mais avec mesure, des notes vanillées, toastées et réglissées se mêlant harmonieusement à la groseille confiturée et aux fruits secs (datte). L'attaque est charmeuse et charnue, presque briochée, le milieu de bouche ample et puissant, porté par de beaux tanins mûrs, la finale longue et fruitée. « De la puissance dans la retenue », conclut un dégustateur. Idéal pour un coq au vin ou un civet de lièvre, dans deux ou trois ans.

Christine Nadalié, 7, chem. du Bord-de-l'Eau,
33460 Macau, tél. 05.57.10.03.70, fax 05.57.10.02.00,
chateau-beau-rivage@nadalie.fr r.-v.

CH. BELLE-GARDE L'Excellence 2010 ★★

13 500 | 8 à 11 €

Habitué de la rubrique « appellations régionales » avec son Ch. Belle-Garde, Éric Duffau est fidèle à son rang avec cette Excellence 2010, assemblage mi-merlot mi-cabernet-sauvignon. Au nez, beaucoup de fraîcheur et de fruit, et un élégant boisé toasté-vanillé. Tout en allonge, la bouche se montre puissante, ample, concentrée, sans jamais se départir de son fruité. Un vin de caractère et d'avenir, à découvrir dans cinq ou six ans sur une côte de bœuf et une poêlée de cèpes.

SC Vignobles Éric Duffau, 2692, rte de Moulon,
33420 Génissac, tél. 05.57.24.49.12, fax 05.57.24.41.28,
duffau.eric@wanadoo.fr r.-v.

CH. BENAGE FONTAINE Cuvée Prestige 2010 ★

73 333 | - de 5 €

Cette cuvée harmonieuse dévoile un nez joliment fruité (myrtille, framboise) et finement épicé. On retrouve le fruit dans une bouche énergique, tonifiée par une belle acidité et structurée par des tanins de qualité. À boire (et à décanter) ou à garder deux à quatre ans.

Prodiffu, 17-19, rte des Vignerons, 33790 Landerrouat,
tél. 05.56.61.33.73, fax 05.56.61.40.57, france@prodiffu.com
r.-v.

CH. DE BLASSAN Cuvée Fûts de chêne 2009 ★

50 000 | 5 à 8 €

Issu de l'industrie automobile, Guy Cenni s'est converti à la vigne en 1980, en épousant Maïté, fille de vigneron. Il propose ici une cuvée à dominante de merlot, bien construite. Le nez, ouvert, mêle les fruits rouges à peine confiturés à de subtiles notes grillées de cacao. La bouche ample, généreuse (griotte à l'alcool) et ronde, est portée par une agréable vivacité qui lui donne de l'allonge, de l'équilibre et de la tenue. À boire dans deux ou trois ans sur une viande rouge ou du gibier.

SCE du Ch. de Blassan, 3, Blassan, 33240 Lugon,
tél. 06.80.65.43.44, fax 05.57.84.82.93,
chateaudeblassan@wanadoo.fr r.-v.
Maïté et Guy Cenni

CH. BOIS NOIR Élevé en fût de chêne 2009

53 333 | 8 à 11 €

Ce 100 % merlot se présente dans une robe sombre ornée de quelques reflets tuilés, signe de maturité. Le nez, chaleureux, évoque les fruits à l'alcool, les fruits secs, les épices et la vanille. La bouche, ronde et douce, offre le même équilibre entre le fruit et le boisé. Un vin harmonieux et prêt à boire.

SARL Ch. Bois noir, Le Bois-Noir, 33230 Maransin,
tél. 05.57.49.41.09, fax 05.57.49.49.43,
chateauboisnoir@wanadoo.fr r.-v.
Grégoire

CH. DE BONHOSTE Cuvée Prestige 2009 ★

18 000 | 8 à 11 €

Ce cru établi face au coteau de Saint-Émilion est propriété de la famille Fournier depuis 1977. Les deux vins du domaine sont retenus. En tête, cette cuvée Prestige qui n'a connu que le fût. De fait, le nez affiche clairement le passage en barrique avec des notes grillées et épicées. Mais le fruit n'est pas masqué et il s'épanouit dans une bouche de bonne vivacité, longue et structurée. Un ensemble bien maîtrisé, à découvrir dans un à trois ans. Citée, la **cuvée principale 2009 (5 à 8 €; 23 000 b.)**, élevée en cuve et en fût, est un vin plaisant et prêt à boire, bien construit autour du fruit et d'un boisé discret.

Famille Fournier, Ch. de Bonhoste, 33420 Saint-Jean-de-Blaignac, tél. 05.57.84.12.18, fax 05.57.84.15.36, contact@chateaudebonhoste.com r.-v.

CH. BOURDICOTTE 2010 ★★

147 000	- de 5 €

Si les vignes du domaine, plantées en grande partie sur les contreforts de la Butte de Launey, point culminant de la Gironde, sont propices à l'épanouissement des cépages blancs, le merlot y trouve aussi un beau terroir d'élection. Témoin cette cuvée où pointent 5 % de cabernet-sauvignon, remarquable pour son bouquet frais et puissant de fruits mûrs. La bouche se montre chaleureuse, ronde, dense et veloutée, portée par des tanins encore un peu serrés en finale, gage d'un bon vieillissement de quatre ou cinq ans, et plus encore.

SCEA Rolet Jarbin, Ch. Bourdicotte, Le Bourg, 33790 Cazaugitat, tél. 05.56.61.32.55, fax 05.56.61.38.26, m.pellerin@rcrgroup.fr

RCR Group

CH. DE BRAGUE 2010 ★

116 600	5 à 8 €

Il faudra laisser un peu de temps à ce vin pour s'épanouir ; les plus impatients le caraferont avant de le servir. Le nez, sur la réserve, laisse poindre après agitation des notes de fruits noirs et de toasté. La bouche, arrimée à des tanins bien présents mais affables, est adoucie par la présence chaleureuse de fruits confiturés. À ouvrir dans trois ou quatre ans. Prête à boire, la cuvée **Plantier de la reine 2010 (8 à 11 €; 15 000 b.)** est citée pour sa rondeur et sa générosité, tonifiée par une bonne fraîcheur en finale.

SCEA Ch. de Brague, 8, Brague, 33240 Vérac, tél. 05.57.84.41.01, fax 05.57.84.83.03, chateaudebrague@club-internet.fr r.-v.

CH. LA CADERIE Authentique 2009 ★

48 000	5 à 8 €

Conduit en agriculture biologique depuis 2001 (certifié en 2005), ce domaine de 20 ha situé au nord de Libourne propose une cuvée à dominante de merlot (60 %), complété des cabernets et d'une pointe de petit verdot. Le nez, assez timide, laisse poindre des notes élégantes de fruits rouges mûrs et un léger vanillé. La bouche se révèle fort plaisante, offrant du volume, un fruité qui s'amplifie en finale et des tanins de qualité à laisser s'assagir deux ou trois ans.

François Landais, Ch. la Caderie, 33910 Saint-Martin-du-Bois, tél. 05.57.49.41.32, fax 05.57.49.43.02, chateau-la-caderie@wanadoo.fr r.-v.

DOM. DE CANTEMERLE Grains du terroir 2010 ★

20 000	8 à 11 €

Les cinq cépages du Bordelais (merlot pour moitié) ont été récoltés à maturité début octobre pour un maximum de fruits mûrs ; puis fermentation malolactique et élevage sur lie en barrique pour obtenir du volume, du soyeux et un boisé fin. Résultat ici : des arômes de fruits à l'alcool (framboise, cassis) agrémentés d'épices ; un boisé maîtrisé et fondu (toasté léger) ; un palais ample et charnu, aux tanins serrés mais aimables. Un beau classique, à boire ou à attendre deux ou trois ans.

Vignobles Mabille, 9, Cantemerle, 33240 Saint-Gervais, tél. 05.57.43.11.39, fax 05.57.43.42.28, cantemerle@9business.fr r.-v.

CH. LA CAPELLE Cuvée spéciale 2009 ★

12 000	8 à 11 €

Merlot (60 %) et cabernet franc donnent naissance à ce vin rubis intense, qui s'ouvre sur des notes toastées d'élevage avant de révéler un fruité frais à l'agitation. Tendre et soyeux en attaque, le palais s'appuie sur des tanins fondus et déroule une partition sans fausse note jusqu'à son harmonieuse et savoureuse finale. À servir dans deux ans sur une viande blanche en sauce ou une grillade.

SCEA Vignobles Feyzeau, 1, La Capelle, 33500 Arveyres, tél. et fax 05.57.51.09.35, vignoblesfeyzeau@orange.fr t.l.j. 9h-12h 14h-17h

CHAPELLE DE BARBE 2010 ★

80 000	5 à 8 €

Une élégante robe grenat à reflets violines habille ce vin à dominante de merlot (80 %). D'abord un peu fermé, le nez dévoile après aération ses parfums de petits fruits rouges finement épicés. La bouche affiche un bel équilibre entre rondeur et tanins serrés, avec une pointe de vivacité comme détonateur. À attendre deux ou trois ans.

SC Villeneuvoise, Ch. de Barbe, 33710 Villeneuve, tél. 05.57.42.64.00, fax 05.57.64.94.10, chateaudebarbe@wanadoo.fr r.-v.

CLOS MONICORD 2009 ★★

7 200	15 à 20 €

Une étiquette qui dénote, moderne, stylisée, épurée et... ludique : sept erreurs se cachent sur le dessin. Une étiquette d'artiste, celle d'Audrey, fille du domaine et plasticienne. Dans le flacon, une cuvée remarquable par sa finesse aromatique autour des fruits rouges mûrs, du pain d'épice, de la vanille, du clou de girofle, puis par sa puissance en bouche, son caractère corsé et généreux mais toujours équilibré, bâti sur des tanins fondus à souhait. Un « vin authentique et gourmand » à réserver pour une cuisine traditionnelle, un bœuf mode par exemple, aujourd'hui comme dans quatre ou cinq ans.

Josephus Bakx, SCEA Monicord, 15, Le Bourg, 33240 Vérac, tél. 05.57.84.36.99, fax 09.72.25.54.92, info@closmonicord.com r.-v.

DOM. DES COLLINES 2009 ★

17 000	8 à 11 €

Philippe Mazières, architecte, et son épouse Véronique se sont installés en 2006 à la tête de ce domaine de 3 ha, un peu plus de 6 ha aujourd'hui. Ils signent un 2009 au bouquet toasté et vanillé, fruité (cerise écrasée) et épicé. Porté par une bonne structure tannique, le palais monte en puissance, offrant du volume et une finale encore un peu sévère. On attendra deux ou trois ans pour une totale harmonie.

SCEA Les Collines de la Hage, 2, La Hage, 33420 Saint-Aubin-de-Branne, tél. 06.76.81.53.36, fax 05.57.74.82.34, collinesdelahage@gmail.com r.-v.

Véronique et Philippe Mazières

BORDELAIS

CH. LA COMMANDERIE DE QUEYRET 2010 ★★

■ 40 000 ▮ 8 à 11 €

Cette ancienne commanderie des Templiers au XIIIe s., propriété depuis 1967 de Claude Comin, propose un vin bien dans son millésime, un millésime de grand équilibre. Au nez, les fruits noirs mûrs sont finement rehaussés par les épices et des nuances fraîches d'eucalyptus. Dans le prolongement, la bouche offre une mâche délicate, de la rondeur et de tendres tanins, portée par une juste vivacité. « Le mariage parfait de la puissance et de la finesse », conclut un dégustateur. À ouvrir dans trois à cinq ans sur un rôti de veau en cocotte.

Claude Comin, Ch. la Commanderie, 33790 Saint-Antoine-du-Queyret, tél. 05.56.61.31.98, fax 05.56.61.34.22, vignoble.comin@wanadoo.fr r.-v.

CH. DE CORNEMPS 2010 ★

■ 150 000 ▮ - de 5 €

C'est au sommet d'une colline, adossée à une paroi rocheuse, que sont installés les chais du domaine. Un terroir de coteau qui apporte une belle fraîcheur à ce vin au fruité bien présent, tant au nez qu'en bouche. Il y a de la rondeur, de la sève et du volume également, soutenus par des tanins encore un rien rugueux en finale, mais qui s'assoupliront après trois ou quatre ans de garde.

Vignobles Fagard, Cornemps, 33570 Petit-Palais, tél. 05.57.69.73.19, fax 05.57.69.73.75, vignobles.fagard@wanadoo.fr r.-v.

CH. COURONNEAU 2010 ★

■ 80 000 5 à 8 €

Issu du seul merlot cultivé selon les principes de l'agriculture biologique, ce 2010 livre un bouquet complexe de fruits rouges et noirs mûrs, mâtinés de notes de truffe et de poivre. La bouche se montre ample, puissante, structurée et laisse en finale une agréable impression de douceur chocolatée. Un vin de caractère, à encaver trois à cinq ans avant de le servir sur du gibier.

Ch. Couronneau, 33220 Ligueux, tél. 05.57.41.26.55, fax 05.57.41.27.58, chateau-couronneau@wanadoo.fr r.-v.

Piat

♥ DOM. DE COURTEILLAC 2009 ★★

■ 127 000 8 à 11 €

Des airs de saint-émilion pour ce superbe bordeaux supérieur. Ce domaine situé dans l'Entre-deux-Mers bénéficie en effet d'un terroir argilo-calcaire proche de celui du plateau de Saint-Émilion, propice à l'épanouissement du merlot, qui compose 70 % de l'assemblage de ce 2009. Dans le verre, un beau grenat profond et des parfums subtils de fruits rouges agrémentés de nuances fumées, poivrées et florales (genêt). En bouche, de la puissance autour d'une belle charpente et d'arômes intenses de fruits mûrs, mais aussi beaucoup de suavité, de moelleux et de souplesse qui rendent ce vin déjà fort aimable. Accord gourmand dès aujourd'hui ou dans deux ans sur une viande blanche en sauce. Du même propriétaire, le **Ch. de Brondeau 2009 (5 à 8 € ; 48 000 b.)** est un pur merlot cité pour son nez de fruits mûrs et son palais riche et rond, dynamisé par une finale acidulée.

SCEA Dom. de Courteillac, 2, Courteillac, 33350 Ruch, tél. 05.57.83.18.18, fax 05.57.83.18.20, info-dma@wanadoo.fr r.-v. 3

Dominique Meneret

CH. LA CROIX DE ROCHE 2010 ★★

■ 56 000 5 à 8 €

Merlot (60 %), carménère, petit verdot et malbec composent l'assemblage original de ce 2010 né sur le plateau dominant la rive droite de l'Isle. Les dégustateurs ne s'y sont pas trompés en notant la complexité du bouquet : fruits noirs mûrs, réglisse et nuances fumées. La bouche se montre riche, puissante et concentrée autour d'une solide trame tannique. Un vin énergique, complexe et de garde assurément (quatre à dix ans), que l'on réservera pour une viande rouge de caractère.

EARL la Croix de Roche, 27, rte de Marze, 33133 Galgon, tél. 05.57.84.38.52, chateau-la-croix-de-roche@wanadoo.fr t.l.j. 9h-12h 14h-19h 3

Isabelle et François Maurin

CH. DARZAC Réserve 2010 ★

■ 200 000 ▮ 5 à 8 €

Après avoir vinifié en Afrique, Stéphane Barthe reprend ce domaine de l'Entre-deux-Mers en 1996. Il propose un assemblage classique merlot-cabernets pour ce 2010 élégant dans sa robe noire et brillante. Le nez, intense et franc, exhale des parfums de fruits noirs confiturés (mûre, cassis) et d'épices douces. Après une attaque dynamique, la bouche se révèle ample et ronde à souhait, offrant en finale un retour savoureux sur les fruits noirs bien mûrs. À boire dans les quatre ans à venir, sur une viande en sauce.

SCA Vignobles Claude Barthe, 22, rte de Bordeaux, 33420 Naujan-et-Postiac, tél. 05.57.84.55.04, fax 05.57.84.60.23, steph@vignoblesclaudebarthe.com r.-v.

CH. DEGAS 2009 ★

■ 13 000 5 à 8 €

« Une bouteille sympathique et sincère », écrit un dégustateur à propos de ce vin né de vieilles vignes de merlot centenaires. Son élaboratrice, Diane Casamatta, est la petite-fille de Marie-José Degas, aux commandes de ce vaste domaine de 85 ha depuis 1985. Au nez, des notes fraîches de fruits noirs et rouges se mêlent à des nuances florales. Soutenue par des tanins bien présents mais enrobés, la bouche séduit par sa fraîcheur, son volume et sa longueur. On appréciera l'équilibre de ce 2009 sur du gibier, aujourd'hui ou dans trois ans.

Marie-José Degas, 38, rte de Créon, 33750 Saint-Germain-du-Puch, tél. 05.57.24.02.44, fax 05.57.24.03.72, contact@vignobles-degas.com t.l.j. 8h-12h 14h-18h; sam. dim. sur r.-v.

CH. DESCLAU Élevé en fût de chêne 2009 ★

■ 133 333 🍷 5 à 8 €

Ancienne ferme du château de Sénailhac, le château Desclau étend son vignoble sur les flancs d'une colline, côté rive droite de la Garonne. Une pointe de malbec et de petit verdot complète le trio classique merlot, cabernet franc et cabernet-sauvignon. Après aération, le vin dévoile un bouquet élégant de fruits rouges et d'épices. La bouche se montre d'emblée équilibrée, ample et soyeuse, soutenue par des tanins souples et une belle fraîcheur en finale. Un 2009 fin et harmonieux, à servir dans les trois ans à venir sur une entrecôte sauce bordelaise.

Grands Vins de Gironde, Dom. du Ribet, BP 59, 33450 Saint-Loubès, tél. 05.57.97.07.20, fax 05.57.97.07.27

SC Ch. Senailhac

CH. DOMI-COURS 2010

■ 80 000 🍷 5 à 8 €

Propriété de Frédéric Bellanger depuis 2002, le domaine est situé à l'extrême limite de la Gironde, tout près du Lot-et-Garonne, sur la commune de Cours-les-Bains. Merlot (75 %) et cabernet franc composent ce vin au nez discret mais fin de fruits rouges (fraise, cerise) légèrement épicés. Le palais est dans la continuité, fruité, souple et frais. À boire dès à présent sur un onglet grillé.

Ch. Domi-Cours, lieu-dit Roquefort, 33760 Lugasson, tél. 05.56.23.97.48, fax 05.56.25.50.60, mscl@chateau-roquefort.com

t.l.j. sf sam. dim. 9h-12h30 14h-17h30

Frédéric Bellanger

CH. DOMS 2010 ★

■ 13 000 🍷 5 à 8 €

Régulièrement sélectionnées dans le Guide pour leurs graves rouges et blancs, les femmes du château Doms, Hélène Durand et sa fille Amélie, œnologue et ingénieur agronome, se distinguent ici par ce bordeaux supérieur de pur merlot. Un vin très aromatique (fruits mûrs, grillé, épices), soyeux, généreux et extrait en douceur. À découvrir dans deux ou quatre ans sur une viande en sauce, un osso bucco par exemple.

Hélène et Amélie Durand, Ch. Doms, 10, chemin de Lagaceye, 33640 Portets, tél. 05.56.67.20.12, fax 05.56.67.31.89, chateau.doms@wanadoo.fr r.-v.

CH. DUCLA 2010 ★

■ 89 500 5 à 8 €

Homme « discret mais non timide », comme il se définit, Jean-Pierre Mau, petit-fils d'Yvon, conduit depuis vingt ans ce vignoble de 80 ha « à la bourguignonne », composé de cent vingt parcelles, dont certaines très petites. Épaulé par la jeune œnologue Florence Forgas, il signe un 2010 au nez franc de cassis mûr agrémenté de notes florales, épicées et mentholées, et de nuances d'amande à l'agitation. En bouche, le vin se révèle nerveux en attaque, porté par une belle vivacité, élégant et bien structuré. On l'attendra trois ou quatre ans. Hommage à Jimi Hendrix, la cuvée **Expérience 2010 (8 à 11 €; 10 000 b.)** obtient également une étoile pour son bouquet frais, fruité et boisé, et pour son palais ample, long et équilibré. À garder deux ou trois ans.

SA Yvon Mau, rue Sainte-Pétronille, 33190 Gironde-sur-Dropt, tél. 05.56.61.54.54, fax 05.56.61.54.61, info@ymau.com

CH. ÉLIXIR DE GRAVAILLAC Prestige Élevé en fût de chêne 2009

■ 9 600 🍷 5 à 8 €

Mi-merlot, mi-cabernet franc, ce 2009 offre un nez intense de fruits rouges (groseille) mâtiné de notes de caramel. Le palais se révèle fruité, ample, généreux, bâti sur des tanins encore jeunes qui demandent deux ou trois ans pour s'affiner. Pour un plat épicé ou du gibier.

EARL Guironnet Frères, 2, Aux Graves, 33350 Civrac-sur-Dordogne, tél. et fax 05.57.40.34.84, contact@elixirdegravaillac.com r.-v.

LES EYMERITS 2009 ★★

■ 8 000 🍷 5 à 8 €

Vincent Lagrave, installé en 2002 sur cette propriété familiale, propose un 2009 né du merlot, du cabernet-sauvignon et d'une pointe de petit verdot. Au nez, les fruits rouges et noirs confits se mêlent aux épices et aux notes fumées et vanillées apportées par l'élevage. La même harmonie entre le bois et le vin caractérise le palais puissant, long et gras, porté par des tanins bien fondus et offrant en finale une très plaisante impression de suavité. Une cuvée tout en douceur, à déguster dans les deux ans à venir.

Vincent Lagrave, 6, Gautreau, 33910 Savignac-de-L'Isle, tél. 06.14.88.44.04, chateau.larosevimiere@wanadoo.fr

t.l.j. sf dim. 8h-19h; f. août

CH. JEAN FAUX 2009 ★

■ 48 000 🍷 15 à 20 €

L'une des plus anciennes propriétés du canton de Pujol (une ferme fortifiée du XVIes., une chartreuse du XVIIes. et un parc paysager du XVIIIes.), et un vignoble en conversion bio. Ce 2009 dominé par le merlot livre des arômes de cerise noire et de boisé torréfié élégant et fondu. Ce même bouquet imprègne une matière dense et charnue, portée par des tanins de qualité qui assureront à ce vin deux à quatre ans de garde.

SCE du Ch. Jean Faux, 33350 Sainte-Radegonde, tél. 05.57.40.03.85, fax 05.57.40.07.57, jf@chateaujeanfaux.com r.-v.

Collotte

CH. FILLON L'Apogée 2010 ★

■ 70 000 🍷 8 à 11 €

Trois vins proposés par la coopérative alsacienne Bestheim et Châteaux, et issus du même vignoble de l'Entre-deux-Mers, sont retenus dans cette édition. La cuvée Apogée, née à parts égales du merlot et du cabernet-sauvignon, dévoile un nez fruité à souhait, nuancé par quelques senteurs empyreumatiques de grillé et de torréfié. La bouche offre de la souplesse, de la rondeur et de la longueur. Un vin de plaisir, à déguster dans deux ou trois ans. Une étoile également pour le **Ch. de Sarlandie 2010 La Tourelle (5 à 8 €;166 500 b.)**, élevé en cuve, droit, frais et fruité, ainsi que pour le **Ch. Triau 2010 (5 à 8 €;160 000 b.)**, encore dominé par des notes toastées mais bien structuré.

Bestheim & Châteaux, 3, rue du Gal-de-Gaulle, 68630 Bennwihr, tél. 03.89.49.09.29, fax 03.89.49.09.20, vignobles@bestheim.com

BORDELAIS

CH. FLEUR HAUT GAUSSENS 2010 ★

■ 170 000 | 5 à 8 €

Ce vignoble familial de 30 ha propose une cuvée dominée par le merlot (80 %), les deux cabernets en appoint. Le nez séduit par ses fragrances douces et flatteuses de fruits mûrs, de réglisse et de pain d'épice. La bouche se montre longue, suave et ronde, les tanins sont veloutés et les arômes de fruits à l'alcool et de pruneau généreux. Un ensemble harmonieux, à attendre un an ou deux et que l'on pourra servir sur un brebis des Pyrénées.

Vignobles Pierre et Hervé Lhuillier, Les Gaussens, 33240 Vérac, tél. et fax 05.57.84.48.01, fleur.haut.gaussens@wanadoo.fr r.-v.

CH. LA FLEUR HAUT MOULIN 2009 ★

■ 6 500 | 5 à 8 €

Symbole de la propriété familiale, un moulin à vent figure sur l'étiquette. Une étiquette que les dégustateurs n'avaient pas sous les yeux pour déguster, à l'aveugle, ce 2009 issu du seul merlot. Fruits rouges mûrs et épices composent un bouquet élégant et expressif. La bouche se révèle ample, riche, concentrée, plus tannique en finale et animée par un beau fruité mâtiné de notes boisées bien fondues. « De la prestance et du dynamisme », concluent les jurés, qui conseillent d'attendre ce vin un à trois ans ; les plus impatients penseront à le décanter avant le service.

Laurent Français, 1, Les Grandes-Terres, 33240 Périssac, tél. 06.85.52.26.88, fax 05.57.84.37.25, laurent.francais@sfr.fr r.-v.

CH. FONCHEREAU Le Grand 2010 ★★★

■ 25 000 | 8 à 11 €

Depuis 2006, une nouvelle administration dirige ce domaine, ancienne maison noble du château Lamothe. Hausse du palissage pour augmenter la surface foliaire, replantation des pieds de vignes manquants, renouvellement du matériel à la vigne et au chai... des investissements qui portent leurs fruits à en juger par ce 2010 de grande expression. Les fruits frais mêlés de nuances florales et épicées composent un bouquet complexe et intense où le boisé reste discret, signe d'un élevage totalement maîtrisé. En bouche, l'attaque est franche et tonique. On y retrouve dans un équilibre parfait la fraîcheur du fruité et un boisé sans excès émoustillés par des notes poivrées et portés par une charpente solide et très élégante. L'étiquette ne ment pas, ce vin a tout d'un Grand. Accords (très) gourmands en perspective, dans quatre à six ans, avec un risotto aux cèpes.

SCA Ch. Fonchereau, allée de Fonchereau, 33450 Montussan, tél. 05.56.72.96.12, fax 05.56.72.44.91, direction@fonchereau.com r.-v.

CH. FOURREAU Élevé en fût de chêne 2010 ★

■ 1 333 | 11 à 15 €

Le château, perché sur un coteau argilo-calcaire, fait face à la commune de Pujols. Marie-Hélène Barse-Bozza et Frédérick Bozza, ses propriétaires depuis 1998, proposent un 2010 au nez intense de fruits, d'épices et de notes boisées mariés avec finesse. Bâtie sur une fondation sans excès, la bouche offre un beau fruité (cassis, cerise écrasée) nuancé de saveurs de sureau et un côté soyeux charmeur, malgré une finale plus sévère et boisée qui s'adoucira après trois ou quatre ans de garde.

SARL des Vignobles Barse, Ch. Fourreau, 33350 Pujols, tél. 05.57.40.50.08, fax 05.57.40.77.24, contact@chateau-fourreau.com r.-v.

Mme Barse-Bozza

CH. LA FRANCE Cuvée Gallus 2010 ★

■ 60 000 | 8 à 11 €

Acquis en 2009 par la famille Mottet, ce vignoble de 90 ha d'un seul tenant est commandé par un château de style Restauration du XIXᵉs. Pour cette cuvée Gallus – du nom d'une immense sculpture érigée au milieu des vignes et nommée « Le Coq » –, le merlot et une part non négligeable de malbec (40 %) sont associés aux côtés des cabernets. De belles senteurs de fruits mûrs (fraise, cerise noire, myrtille) s'élèvent du verre à l'agitation. Elles se prolongent dans une bouche ample, aux tanins denses et soyeux, portée par une acidité mesurée qui donne de l'allonge et une belle perspective de garde à ce vin (trois à cinq ans).

SCA Ch. la France, 33750 Beychac-et-Caillau, tél. 05.57.55.24.10, fax 05.57.55.24.19, contact@chateaulafrance.com

t.l.j. sf dim. 10h-12h 14h-17h30; f. sam. d'oct. à mars

Bruno Mottet

♥ CH. GAYON Cuvée Prestige 2010 ★★

■ 65 000 | 5 à 8 €

La famille Crampes a acquis en 1969 ce domaine de 30 ha, dont les aïeux furent les métayers. Les meilleures parcelles de vieilles vignes de merlot et de cabernets ont donné naissance à cette remarquable cuvée élevée un an en barrique neuve. De fait, ce 2010 ne cache pas son élevage : il livre d'intenses notes grillées et vanillées qui respectent toutefois le fruit (cassis, confiture de groseilles), avec des nuances d'eucalyptus et d'épices douces. Un équilibre que l'on retrouve dans une bouche ample, dense, très ronde et soyeuse, adossée à des tanins déjà bien enrobés. « Un vin au charme féminin », résume un dégustateur. On pourra en profiter dès aujourd'hui, après un petit passage en carafe, comme dans trois ou quatre ans, sur un carré d'agneau aux champignons.

Jean Crampes, 6, Ch. Gayon, 33490 Caudrot, tél. 05.56.62.81.19, fax 05.56.62.71.24, contact@chateau-gayon.com

t.l.j. 9h-12h 14h-18h; sam. dim. sur r.-v.

CH. LE GEAI 2010

■ 25 000 | - de 5 €

« Je suis à la recherche d'un vin plaisant, surtout pas prétentieux », explique Henri Duporge, propriétaire du domaine depuis 2000. C'est en effet cette simplicité qui a séduit les dégustateurs : un nez tout en fruits confits relevé par quelques touches épicées, un palais au diapason, souple et rond, tonifié par une pointe d'amertume. À découvrir dans les deux ans à venir.

Duporge et Fils, 1, Touzet, 33230 Bayas, tél. 06.07.55.73.58, hduporge@hotmail.com r.-v.

GRANDES VERSANNES 2010 ★

12 000 - de 5 €

Proposé par la coopérative de Lugon, ce vin à forte dominante de merlot a séduit par sa présence et son élégance. Le nez évoque les fruits cuits et les épices. Après une attaque en douceur, le palais monte en puissance, porté par des tanins bien présents mais fins, et s'offre une longue finale fruitée et épicée qui fait écho à l'olfaction. Une force tranquille, à découvrir aujourd'hui ou dans trois ans sur un rôti de bœuf.

Union de producteurs de Lugon, 6, rue Louis-Pasteur, 33240 Lugon-et-l'Île-du-Carnay, tél. 05.57.55.00.88, fax 05.57.84.83.16 t.l.j. sf dim. 8h30-12h30 14h-18h

CH. GRAND FERRAND 2010 ★

59 000 - de 5 €

Les œnotouristes de passage en Gironde trouveront le château Grand Ferrand à 3 km de la bastide du XIVᵉs. fraîchement restaurée de Sauveterre-de-Guyenne. Ce 2010 à dominante de merlot, assemblé au cabernet-sauvignon et au malbec y a vu le jour. Un vin au nez jeune, franc et fruité (cerise, mûre), concentré, ample et structuré en bouche, une belle vivacité en soutien. De quoi voir venir trois ou quatre ans avant de le servir sur une viande de caractère.

Ch. Grand Ferrand, lieu-dit Grand Ferrand, 33540 Sauveterre-de-Guyenne, tél. 05.57.40.08.88, fax 05.57.40.19.93, m.pellerin@rcrgroup.fr

CH. GRAND-PORTAIL 2010 ★

40 000 5 à 8 €

Assemblage classique de merlot et de cabernet-sauvignon, ce 2010 livre un bouquet plaisant de fruits noirs mûrs, de cerise confiturée et d'épices. Le palais se révèle franc et direct, ample, souple et équilibré, et déroule une longue finale fruitée et épicée. À apprécier dans un à trois ans.

EARL D.C.O.C., La Pereyre, 33760 Escoussans, tél. 05.56.23.63.23, fax 05.56.23.64.21 r.-v.

CH. LE GRAND VERDUS 2010 ★★

500 000 5 à 8 €

Quatre générations œuvrent sur cette exploitation, propriété des Grix de la Salle depuis plus de deux cents ans et ayant appartenu à Claude Deschamps, bâtisseur du célèbre pont de Pierre à Bordeaux. Un domaine habitué de ces pages, qui s'invite à nouveau avec ce beau 2010 souple et fruité. Au nez, les fruits rouges mûrs se mêlent à un boisé discret. L'attaque est vive et franche, le fruité persistant, les tanins présents mais souples, la finale longue et fine. Un ensemble très équilibré, cohérent, que l'on appréciera dans les deux ans à venir.

Le Grix de La Salle, Ch. le Grand Verdus, 33670 Sadirac, tél. 05.56.30.50.90, fax 05.56.30.50.98, chateau@legrandverdus.com r.-v.

CH. AU GRILLON Élevé en fût de chêne 2010 ★

50 000 5 à 8 €

Coup de cœur l'an dernier pour son 2008, ce domaine, ancien relais de poste conduit par Pierre Barbé depuis 2010, signe une cuvée de belle facture. Le vin se montre joliment fruité et toasté au nez. En bouche, il affiche de la souplesse, un fruité persistant et un grain de tanin fin. À boire dès aujourd'hui pour profiter de sa fraîcheur.

Pierre Barbé, 69, rte d'Yvrac, 33450 Montussan, tél. 06.87.10.25.91, fax 05.56.40.07.25, pierre.barbe33@wanadoo.fr r.-v.

CH. LE GRILLON 2009 ★

20 000 - de 5 €

85 % de merlot pour ce 2009, le cabernet-sauvignon en appoint. Le nez est dominé par les fruits rouges (cerise). Du charnu en attaque, du volume, une structure tannique dense et élégante en font un vin équilibré et de bonne garde (trois à cinq ans), tout indiqué pour une viande rouge en sauce ou du gibier.

SCE Ch. Taureau, Coussilon, 33570 Puisseguin, tél. 05.57.55.50.40, fax 05.57.74.57.43, direction@vplse.com t.l.j. sf dim. 9h-12h30 14h-18h30; ouv. dim. en juil.-août

A. Laborie

CH. GROSSOMBRE DE SAINT-JOSEPH 2010 ★

25 000 5 à 8 €

Béatrice Lurton, à la tête de ce vignoble de l'Entre-deux-Mers depuis 1989, signe un 2010 mi-merlot mi-cabernet-sauvignon, au bouquet chaleureux de raisin mûr, d'épices et de notes boisées. Dès l'attaque, la bouche se montre douce, ronde, riche et ample, mais encore un peu dominée en finale par les notes vanillées du passage en barrique. Un séjour en cave de deux ou trois ans s'impose pour plus de fondu.

André Lurton, Ch. Bonnet, 33420 Grézillac, tél. 05.57.25.58.58, fax 05.57.74.98.59, andrelurton@andrelurton.com

CH. GUICHOT 2010 ★

20 000 5 à 8 €

Sébastien Petit propose une cuvée merlot et cabernet-sauvignon qui a séduit les dégustateurs par sa puissance tant au nez qu'en bouche. Le bouquet mêle intensément les fruits noirs mûrs, les épices, les notes fumées et torréfiées de l'élevage. Le palais, opulent, offre beaucoup de volume et de gras, soutenu par des tanins solides et frais. À boire dans trois ou quatre ans sur un gigot d'agneau.

Sébastien Petit, Ch. Guichot, 33790 Saint-Antoine-du-Queyret, tél. 06.19.92.33.34, fax 05.56.61.39.84, petitsebastienlasauvegarde@wanadoo.fr r.-v.

CH. GUILLAUME BLANC Élevé en fût de chêne 2010 ★

200 000 - de 5 €

Ce domaine, habitué du Guide, propose un 2010 intense dès le premier nez où des parfums soutenus de fruits rouges et noirs mûrs se mêlent avec harmonie aux notes toastées et fumées de la barrique. La bouche offre de la mâche, de la richesse et de la rondeur dès l'attaque, adossée à des tanins puissants mais enrobés et à un boisé encore dominateur en finale. À déguster dans trois à cinq ans sur une entrecôte sauce marchand de vin.

SCEA Ch. Guillaume, Guillaume Blanc, 33220 Saint-Philippe-du-Seignal, tél. 05.57.46.48.16, sceaguillaume@yahoo.fr r.-v.

AGAPE DU CH. HAUT DAMBERT 2010 ★★

3 500 — 15 à 20 €

Le domaine de Jean-Luc Buffeteau étend ses 22 ha de vignes sur les coteaux vallonnés de l'Entre-deux-Mers, au cœur du Sauveterrois, sous la protection de l'église de Castelviel (XIIe s.). Cette Agape, née du seul merlot, se distingue par son bouquet soutenu et subtil de fruits frais. Le palais se montre charnu, puissant, charpenté par des tanins massifs mais sans jamais se départir d'une réelle élégance, et s'achève sur une longue et belle finale épicée. À attendre deux à quatre ans et servir sur une côte de bœuf. Issue de vieilles vignes de cabernet-sauvignon (le merlot en appoint), la cuvée principale **2010 Élevée en fût de chêne (5 à 8 € ; 16 000 b.)** fait jeu égal et, dans un esprit assez proche, s'impose par son nez complexe de fruits, d'épices et de café, et par sa bouche ample et corsée, aux tanins serrés et mûrs. Une garde de trois ou quatre ans lui permettra de s'affiner.

SCEA Vignobles Buffeteau, lieu-dit Dambert, 33540 Gornac, tél. 05.56.61.97.59, fax 05.56.71.03.35, jean.buffeteau@gmail.com r.-v.

CH. HAUT NADEAU Réserve du propriétaire 2010 ★★

13 000 — 5 à 8 €

Patrick Audouit, œnologue à la faculté d'œnologie de Bordeaux, a repris en 1992 le domaine familial, une vingtaine d'hectares dans le Haut-Benauge. Il présente un vin qui fait la part belle au merlot. Les fruits noirs (cassis, mûre) s'imposent après aération dans un bouquet intense. Ils s'épanouissent dans une bouche à la fois puissante, corpulente et charnue, soutenue par des tanins soyeux. Un 2010 expressif et racé, fruit d'une extraction très maîtrisée, armé pour une garde de cinq ans et plus.

SCEA Ch. Haut Nadeau, 3, chem. d'Estévenadeau, 33760 Targon, tél. 06.73.67.48.84, fax 09.55.32.35.09, hautnadeau@hotmail.fr r.-v.

Patrick Audouit

CH. HAUT POUGNAN 2010 ★

40 000 — - de 5 €

Vêtu d'une élégante robe pourpre sombre, ce 2010 dévoile un nez intense et généreux de fruits noirs mûrs, d'épices douces, de vanille et de notes fumées. Beaucoup de sucrosité et de rondeur caractérisent la bouche, longue et bien structurée. Un vin déjà très flatteur, que l'on pourra aussi conserver trois ou quatre ans en cave, voire plus.

SCEA Ch. Haut Pougnan, 6, chem. de Pougnan, 33670 Saint-Genès-de-Lombaud, tél. 05.56.23.06.00, fax 05.57.95.99.84, haut-pougnan@wanadoo.fr r.-v.

GRAND JUAN DU CH. HAUT-RIEUFLAGET 2010 ★

40 000 — 5 à 8 €

Le 2009 avait obtenu deux étoiles, le 2010 fait belle impression avec le même assemblage aux trois quarts merlot, le cabernet en complément. Il séduit par la complexité de sa palette : on y trouve des fruits rouges compotés mais aussi la fraîcheur du clou de girofle et le vanillé de l'élevage en barrique. Il s'impose par son palais ample, rond, généreux, bâti sur des tanins enrobés. On serait tenté de le boire dès à présent, mais on pourra aussi l'attendre trois à cinq ans.

SCEA Jean-Dominique Petit, Haut-Rieuflaget, 33790 Saint-Antoine-du-Queyret, tél. 05.56.61.33.78, fax 05.56.61.39.84, haut-rieuflaget@wanadoo.fr r.-v.

CH. L'INSOUMISE Prestige Élevé en fût de chêne 2009

12 000 — 8 à 11 €

En 2007, Thierry de Taffin et Cécile Thirouin, jeune couple d'œnologues, acquièrent cette ancienne propriété, connue sous le nom de domaine de Beychevelle jusque dans les années 2000. Leur cuvée Prestige, déjà remarquée dans le Guide précédent, dévoile un nez gourmand de fruits noirs (myrtille), de pruneau, de réglisse, un léger toasté à l'arrière-plan, et se révèle douce et fondue en bouche. Un vin plaisant dès aujourd'hui.

Cécile Thirouin et Thierry De Taffin, 360, chem. de Peyrot, 33240 Saint-André-de-Cubzac, tél. 05.57.43.17.82, fax 05.57.43.22.74, chateau.linsoumise@wanadoo.fr t.l.j. 10h-18h; f. 15-30 août

CH. L'ISLE FORT 2009 ★

33 000 — 11 à 15 €

Sylvie Douce et François Jeantet ont « réveillé » en 2001 ce domaine oublié, un peu plus de 8 ha aux portes de Bordeaux. Leur 2009 offre un joli bouquet alliant fruits rouges et noirs mûrs, vanille et fraîcheur mentholée. Il se déploie avec ampleur et richesse en bouche. Les arômes de fruits sont toujours présents, les tanins aussi, encore jeunes mais sans agressivité. Un vin qui a déjà de la tenue, mais que l'on laissera mûrir encore deux à quatre ans.

Douce-Jeantet, 36, rte de l'Entre-deux-Mers, 33360 Lignan-de-Bordeaux, tél. 06.82.00.68.95, fax 05.56.68.30.64, lislefort@lislefort.com r.-v.

CH. LA JALGUE Cuvée Vitis Élevé en fût de chêne 2010

6 000 — 8 à 11 €

Ancien orphelinat de la congrégation des frères Marianistes au XIXe s., cette propriété a été reprise en 1980 par Michel Géromin, œnologue de formation et ancien de l'INAO. Merlot et cabernets y mûrissent dans un calme religieux et donnent naissance à ce 2010 au fruité mûr et expressif, rond et d'un bon volume. Un vin équilibré, typé et prêt à boire.

Michel Géromin, EARL La Jalgue, 2, La Jalgue, 33890 Coubeyrac, tél. 05.57.47.45.86, fax 05.57.47.43.50, chateaulajalgue@orange.fr r.-v.

CH. JULIAN Élevé en fût de chêne 2010

200 000 — 8 à 11 €

Un joli vin, simple et sincère que ce 2010 attrayant dans sa robe à reflets pourpres, qui exhale des parfums frais de fruits rouges et noirs (cerise, fraise, cassis). Le fruit est encore bien présent dans une bouche portée par une juste acidité en finale et par des tanins souples. À boire sur le fruit.

Dulon, 133, Grand-Jean, 33760 Soulignac, tél. 05.56.23.69.16, fax 05.57.34.41.29, f.dulon@vignobles-dulon.com r.-v.

CH. LAFORÊT 2010

120 000 — 5 à 8 €

Au retour d'une cueillette de cèpes dans les bois environnants, si le cœur vous en dit, un verre de « bourru » (vin en fermentation) vous attend au domaine pendant les vendanges. Celles de 2010 ont donné ce vin au nez discret mais agréable, fruité et épicé. La bouche est à l'unisson, sur le fruit, portée par des tanins fermes mais aimables. Un vin harmonieux, sincère, à boire dès l'automne ou à attendre une paire d'années.

SCEA Vignobles Roux, 1, Beaucés, 33540 Gornac, tél. 05.56.61.98.93, fax 05.56.61.94.17, vignoblesroux@orange.fr
t.l.j. sf sam. dim. 8h-12h 14h-18h; f. 15-31 août

LES HAUTS DE LAGARDE 2010 ★

200 000 | 5 à 8 €

Deux cuvées sont retenues pour ce grand domaine de 170 ha, en bio depuis 2000. Les Hauts de Lagarde, équilibrés entre cabernet-sauvignon et merlot, offrent un nez fin qui mêle harmonieusement les notes fruitées à celles de la barrique. On retrouve cet équilibre dans un palais frais, long, élégant. « Un travail précis de vinification et d'élevage », conclut un juré, pour ce vin que l'on pourra conserver trois à cinq ans en cave. Un peu plus de cabernet-sauvignon (60 %) pour le **Ch. Lagarde Grand Millésime 2010 Élevé en fût de chêne (8 à 11 €; 15 000 b.)**, et une finesse, un fruité et un équilibre d'ensemble qui en font une cuvée également très réussie.

SARL Raymond VFI, Le Bourg, 33540 Saint-Laurent-du-Bois, tél. 05.56.76.43.63, fax 05.56.76.46.26, scea-raymond@wanadoo.fr r.-v.

CH. LAJARRE Révélation 2009 ★★

25 000 | 5 à 8 €

Ce domaine familial, ancienne propriété du duc de Loge au XVIIIᵉs., puis de Jean Gautier, maire de Bordeaux et ministre des Finances de Louis-Philippe, a été repris en 2005 par Grégory Lovato. Jusqu'alors, le vin était entièrement vendu en vrac ; le vigneron et... médecin de campagne exporte aujourd'hui 90 % de sa production aux quatre coins du monde. Il signe ici un vin au nez élégant et complexe : gelée de groseille, pruneau, pain grillé, chocolat, truffe... La bouche séduit par son côté charnu, soyeux et fondu à souhait, par la douceur de son fruité confituré et par ses tanins feutrés. Idéal dès à présent et dans les trois ans à venir sur une viande en sauce.

Grégory Lovato, Ch. Lajarre, 24, av. des Châteaux, 33350 Mouliets-et-Villemartin, tél. et fax 05.57.41.08.69, gregory.lovato@hotmail.fr r.-v.

CH. LAMOTHE-VINCENT Héritage 2010 ★★

60 000 | 5 à 8 €

Ce domaine familial est une valeur sûre des appellations régionales. Double coup de cœur dans l'édition précédente dans les AOC bordeaux et bordeaux supérieur, il s'invite ici avec ce remarquable 2010 à dominante de merlot. Les notes de café torréfié de l'élevage en fût s'unissent sans fausse note aux fruits noirs et rouges. Élegant, long et structuré, le palais dévoile une belle matière qui enveloppe des tanins serrés. Le boisé est encore bien présent, mais le vin reste équilibré et s'appréciera volontiers dans trois ou quatre ans, sur un civet de lièvre par exemple.

SCEA Vignobles Vincent, 3, chem. Laurenceau, 33760 Montignac, tél. 05.56.23.96.55, fax 05.56.23.97.72, f.vincent@lamothe-vincent.com r.-v.

CH. LARROQUE-VERSAINES 2009 ★

10 000 | 8 à 11 €

Également propriétaire sur Saint-Émilion, Alain Laubie a acquis ce petit domaine en 1976. Il y élabore un bordeaux supérieur de qualité, à l'image de ce 2009 qui ne cache pas son élevage en fût, d'intenses notes de toasté et de noisette grillée accompagnant les fruits noirs et la fraise. Après une attaque vive et nerveuse, la bouche se montre plus généreuse et concentrée, portée par des tanins aimables. À découvrir dans deux ans, sur une viande en sauce, un coq au vin par exemple.

A. et A.-M. Laubie, 163, rue Larroque, 33910 Saint-Ciers-d'Abzac, tél. 05.57.69.02.78, fax 05.57.49.42.47, alainlaubie@orange.fr r.-v.

CH. LARTEAU 2009

72 000 | 8 à 11 €

Issu d'une famille de négociants bordelais, Jean-Pierre Angliviel de la Beaumelle s'est installé en 2007 sur cet ancien domaine dont les premiers actes d'identification datent du XVIIᵉs. Il propose un vin né du seul merlot, au nez ouvert sur les fruits rouges et noirs et sur les notes boisées de l'élevage. La bouche se montre souple, fruitée, plus chaleureuse en finale. Un 2009 équilibré, à boire ou à attendre deux ou trois ans.

SCEV du Ch. Larteau, 1, Larteau, 33500 Arveyres, tél. 06.34.06.83.09, fax 05.57.24.86.98, contact@chateaularteau.com r.-v.
Jean-Pierre Angliviel de La Beaumelle

ANCÊTRE DE LASCAUX 2009 ★★

3 000 | 15 à 20 €

Sylvie et Fabrice Lascaux ont repris ce domaine familial en 1998, complété en 2006 par celui de la famille de Sylvie, le Ch. Tour Bel Air en appellation fronsac. C'est dans leur toute nouvelle salle de dégustation qu'ils vous accueilleront pour découvrir leur cuvée prestige, née de vieux ceps de merlot. Le nez se révèle complexe et flatteur autour de parfums soutenus de fruits rouges confiturés mâtinés de notes fumées. Après une attaque pleine de fraîcheur, le palais séduit par sa densité, sa richesse et son volume, et s'étire longuement en finale sur les fruits à l'alcool. Un vin de caractère, à conserver trois ou quatre ans en cave avant de le servir sur un tournedos Rossini. La cuvée principale **2009 Fût de chêne (8 à 11 €; 22 000 b.)** obtient une étoile pour son bouquet fruité, épicé et réglissé, et pour sa bouche bien structurée. À attendre deux ou trois ans.

EARL Vignobles Lascaux, 1, La Caillebosse, 33910 Saint-Martin-du-Bois, tél. 05.57.84.72.16, fax 05.57.84.72.17, chateau.lascaux@wanadoo.fr
t.l.j. sf dim. 8h30-12h 14h-18h

CH. LAUDUC Prestige 2010 ★

30 000 | 5 à 8 €

Deux vins retenus pour le château Lauduc. En tête, cette cuvée Prestige à dominante de merlot, un vin au nez gourmand de fruits mûrs et d'épices douces (vanille, cannelle), puissant, ample, structuré et long en bouche, encore un rien austère en finale. À servir dans quatre ou cinq ans sur un rôti de porc aux pruneaux. Dans un style proche, en plus souple, la cuvée **Tradition 2010 (60 000 b.)** est citée.

Vignobles Grandeau, 5, av. de Lauduc, 33370 Tresses, tél. 05.57.34.43.56, fax 05.57.34.46.58, m.grandeau@lauduc.fr r.-v.

CH. LESTRILLE CAPMARTIN 2009 ★★

61 000 — 5 à 8 €

Estelle Roumage, à la tête du domaine familial depuis 2001, cherche à élaborer des « vins féminins qui mettent en avant le fruit ». De fait, ce 2009 livre un bouquet complexe et subtil de cassis et de framboise, de légères notes fumées à l'arrière-plan. Le palais est au diapason, tout en fruits, puissant et long, soutenu par de nobles tanins qui lui assureront une garde de quatre ou cinq ans. De la finesse et de l'équilibre.

EARL Jean-Louis et Estelle Roumage, Ch. Lestrille, 15, rte de Créon, 33750 Saint-Germain-du-Puch, tél. 05.57.24.51.02, fax 05.57.24.04.58, contact@lestrille.com t.l.j. sf dim. 9h-12h30 14h-19h; sam. 9h30-12h30

CH. DE LISENNES Cuvée Prestige Élevé en fût de chêne 2009

36 000 — 8 à 11 €

Jean-Luc Soubie conduit un vignoble familial de 53 ha d'un seul tenant qui entoure une chartreuse classique du XVIIIes. et une « coucoutte » (large grange à toit faiblement incliné) du XVes. Il propose une cuvée encore dominée au nez par les notes d'élevage (grillé, vanille). Après une attaque fraîche, le palais se montre doux et souple, un rien austère en finale. À boire dans les deux ans.

Ch. de Lisennes, chem. de Petrus, 33370 Tresses, tél. 05.57.34.13.03, fax 05.57.34.05.36, contact@lisennes.fr r.-v.

Soubie

♥ EOS DU CH. DE LUGAGNAC 2010 ★★

30 000 — 11 à 15 €

Cet Eos de Lugagnac avait déjà ravi le cœur des dégustateurs dans l'édition précédente ; l'histoire se répète avec le 2010. Toujours légèrement dominée par le cabernet-sauvignon, cette cuvée se présente dans une robe noir d'encre ourlée de reflets violets. Au nez, les senteurs vanillées et grillées des seize mois d'élevage en barrique se mêlent harmonieusement au cassis bien mûr. On retrouve l'intensité du bouquet dans une bouche particulièrement dense, riche et puissante, bâtie sur des tanins fermes. « Digne d'un grand cru », conclut un juré, qui conseille d'attendre cette bouteille deux ou trois ans avant de la servir sur un gigot d'agneau ou une mimolette vieille. La cuvée principale, **Ch. Lugagnac 2010 (5 à 8 €; 120 000 b.)**, obtient une étoile pour son fruité expressif et croquant, mâtiné de notes de sous-bois, et pour son palais gras et solidement bâti.

SCEA du Ch. de Lugagnac, Ch. de Lugagnac, 33790 Pellegrue, tél. 05.56.61.30.60, fax 05.56.61.38.48, contact@lugagnac.com t.l.j. sf sam. dim. 9h-12h 14h-18h; f. 15-30 août

Famille Bon

CH. MACHORRE 2009 ★

53 000 — 5 à 8 €

À la tête du domaine depuis 1992, Marie Thiery propose un beau 2009 à dominante de merlot (60 %). Le nez, sur la réserve, s'ouvre à l'aération sur les fruits noirs et les épices. La bouche, plus expressive, se révèle intense, puissante, ample et toujours équilibrée. À découvrir aujourd'hui ou dans trois ou quatre ans sur un canard rôti.

SCEA Thiery, Ch. Machorre, 33490 Saint-Martin-de-Sescas, tél. 05.56.62.81.17, fax 05.56.62.74.25, contact@chateau-machorre.com r.-v.

CH. MALFARD Élevé en fût de chêne 2009 ★

15 000 — 8 à 11 €

Parcours original pour Philippe Rivière qui, après avoir créé en 1984 une école de dessin animé (qu'il dirige toujours), s'est tourné vers la viticulture en 2000 avec l'acquisition de cette ancienne propriété du duc de Caze. Ce 2009 est le dernier millésime du domaine non certifié en agriculture biologique. Il séduit dès le premier nez avec ses arômes de petits fruits rouges confits agrémentés de nuances vanillées. Il offre du fruit et un boisé subtil en bouche, de la rondeur et une belle finesse, soutenu par des tanins de qualité qui lui assureront un bon vieillissement de deux ou trois ans ; mais on peut déjà en profiter.

SCA de Malfard, Ch. de Malfard, 33910 Saint-Martin-de-Laye, tél. 05.57.84.74.88, malfard@wanadoo.fr r.-v.

Philippe Rivière

CH. DE MALROMÉ Cuvée Adèle de Toulouse-Lautrec 2010

12 000 — 8 à 11 €

Dernière résidence de Toulouse-Lautrec – il y mourut en 1901 –, le château de Malromé propose ici une cuvée qui rend hommage à la mère du peintre. C'est un vin à dominante de merlot, encore sous l'emprise de l'élevage en fût (notes grillées), même si l'on sent poindre les fruits mûrs à l'arrière-plan. En bouche, il se montre structuré, mais sans excès, et bien équilibré entre le fruité et le boisé. « Un vin sérieux », résume un dégustateur, à boire dès à présent ou dans deux ans.

SCEA Malromé, 33490 Saint-André-du-Bois, tél. 05.56.76.44.92, fax 05.56.76.46.18, malrome@malrome.com r.-v.

L'HÉRITAGE DU MARQUIS DE GREYSSAC Réserve Élevé en fût de chêne 2010

16 500 — 5 à 8 €

La coopérative des Lèves-et-Thoumeyragues propose une cuvée de belle facture, dominée par les cabernets, qui a séduit les dégustateurs par son caractère fruité. Au nez, les fruits rouges (groseille, cerise) se mêlent aux épices. On retrouve le fruit en bouche, enrobant des tanins ronds et harmonieux, une pointe d'amertume marquant la finale. Prêt à boire sur une viande rouge grillée.

SCA Univitis, 1, rue du Gal-de-Gaulle, 33220 Les Lèves-et-Thoumeyragues, tél. 05.57.56.02.02, fax 05.57.56.02.22, h.girou@univitis.fr r.-v.

CH. DE MARSAN 2010 *

■ 120 000 🍷 5 à 8 €

Le château de Marsan, édifié par Pierre de Marsan en 1630, commande un très vaste vignoble de 400 ha, considéré comme l'un des plus grands de l'appellation. Cette cuvée, merlot à 60 %, cabernet-sauvignon pour le reste, livre un bouquet de fruits à l'eau-de-vie mêlé de pain d'épice et de notes de tabac. Dans le prolongement, la bouche se fait ronde, riche et onctueuse. Un bordeaux supérieur gourmand, que l'on dégustera dès l'automne sur un rôti de bœuf.

SCEA Gonfrier Frères, Ch. de Marsan, BP 7, 33550 Lestiac-sur-Garonne, tél. 05.56.72.14.38, fax 05.56.72.10.38, gonfrier@wanadoo.fr t.l.j. 9h-17h30; sam. dim. sur r.-v.

CH. DU MASS 2010 *

■ 30 000 5 à 8 €

Planté sur un sol calcaire, le merlot, accompagné d'une pointe de cabernet-sauvignon, a donné naissance à cette cuvée au bouquet floral, fruité (cassis) et boisé. La bouche, généreuse, ronde et grasse, s'appuie sur une charpente solide et un boisé consistant mais de qualité. Un vin bien élevé, que l'on attendra deux ou trois ans pour une harmonie totale entre le raisin et le fût.

SCEA Domaines Roland Dumas, Ch. du Mass, 33240 Saint-Gervais, tél. 05.57.43.27.13, fax 05.57.43.64.67, domainesrolanddumas@orange.fr

CH. JEAN MATHIEU 2010 **

■ 9 600 8 à 11 €

Deux vins des vignobles Brasseur sont retenus. En tête, ce 2010 rouge soutenu, au nez intense et frais qui évoque les fruits mûrs et le pain toasté. La bouche offre beaucoup de longueur, de volume, de gras et de densité, adossée à des tanins bien présents et très élégants. À découvrir dans trois à cinq ans sur un rôti de bœuf braisé. Prêt à boire, le **Ch. la Paillette 2010 (5 à 8 €; 18 000 b.)**, frais, fruité à souhait et gourmand, obtient une étoile.

EARL Vignobles Brasseur, Ch. La Paillette, 8, chem. du Roy, 33500 Libourne, tél. et fax 05.57.51.17.31, dbrasseur@aol.com t.l.j. sf sam. dim. 9h-12h 14h-18h

CH. MAZETIER 2010 *

■ 16 000 5 à 8 €

Pascal Pallaruelo, aux commandes du domaine familial depuis 1996, signe une cuvée pleine de fruit, élégante et équilibrée. Point de fût ici, mais un an de cuve pour aller chercher la fraîcheur des fruits. La framboise et le cassis s'imposent ainsi à l'olfaction, quelques nuances florales et épicées en appoint. La bouche est à l'unisson, toujours aussi fruitée, avec une belle structure en soutien. Un vin harmonieux et « festif », à boire dès l'automne.

Pascal Pallaruelo, Ch. Mazetier, 33490 Saint-André-du-Bois, tél. et fax 05.56.76.49.84, chateau_mazetier@yahoo.fr r.-v.

CH. LE MENAUDAT 2010 *

■ 16 500 - de 5 €

Ce vin se révèle fruité à souhait. Au nez, les fruits dominent, cassis et cerise notamment, accompagnés de nuances épicées. La bouche, à l'unisson, séduit par sa douceur et sa concentration, en conservant jusqu'en finale une agréable souplesse. Les plus impatients pourront ouvrir cette bouteille dès aujourd'hui, mais sa solide structure lui permettra aussi d'attendre trois ou quatre ans.

SCEA Ch. le Menaudat, 33390 Saint-Androny, tél. 05.47.74.78.03, fax 05.56.32.85.83, chateaulemenaudat@gmail.com r.-v.

Taillan

CH. MOUTTE BLANC Cuvée Moisin 2009 *

■ 2 700 11 à 15 €

Les lecteurs fidèles ne seront pas surpris de retrouver cette cuvée Moisin de Patrice de Bortoli, un vin 100 % petit verdot – une rareté – qui fréquente assidûment ces pages (il fut même coup de cœur pour le millésime 2004). Derrière une robe sombre, presque noire, on découvre un nez complexe de fruits noirs, de chocolat, de vanille et de réglisse. On retrouve ce boisé encore un peu dominant dans une bouche longue, ample et ronde, portée par des tanins fins. Recommandé dans les trois années à venir sur une poule farcie.

Patrice de Bortoli, Ch. Moutte blanc, 6, imp. de la Libération, 33460 Macau, tél. et fax 05.57.88.40.39, moutteblanc@wanadoo.fr r.-v.

CH. DE PARENCHÈRE Cuvée Raphaël 2009 **

■ 89 000 8 à 11 €

Ce château, édifié en 1570 par le gouverneur de la région de Sainte-Foy-la-Grande, Pierre de Parenchère, commande un vignoble de 160 ha situé à l'extrême est du Bordelais. Régulièrement sélectionnés dans ces pages, ses vins sont au rendez-vous avec deux cuvées remarquables. Riche, concentré, plein, ouvert sur les fruits à l'alcool, les épices et la vanille, l'**Esprit de Parenchère 2009 (15 à 20 €; 6 900 b.)**, à dominante de cabernet-sauvignon, décroche deux étoiles. Quant à la cuvée Raphaël, dominée par le merlot, elle dévoile un nez intense, encore empreint des quatorze mois de barrique (notes grillées et vanillées) mais qui n'écrasent pas le fruit. La bouche se révèle ample, généreuse, corsée, séveuse, mêlant harmonieusement nuances chocolatées de l'élevage et fruits mûrs du raisin. Un vin bien dans son appellation et son millésime, à déguster dans quatre ou cinq ans.

Ch. de Parenchère, BP 57, 33220 Ligueux, tél. 05.57.46.04.17, fax 05.57.46.42.80, info@parenchere.com t.l.j. sf sam. dim. 9h-12h 14h-17h30; f. août

CH. PASSE CRABY 2010 **

■ 800 000 5 à 8 €

Difficile de départager les deux cuvées présentées par le château Passe Craby, un nom qui évoque le passage du chevreuil, pas toujours apprécié du viticulteur car l'animal aime se régaler des jeunes pousses et des raisins... C'est la cuvée principale qui l'emporte : le jury en apprécie sa couleur pourpre et son nez au fruité intense, signe de baies récoltées à pleine maturité. Une plaisante note florale annonce la bouche complexe et gourmande, tout en fruit et soutenue par des tanins mûrs. Une bouteille à garder trois à quatre ans en cave. La **cuvée Prestige 2010**, qui, elle, a connu un élevage sous bois, offre une touche plus épicée et vanillée. Elle obtient une étoile et devra patienter cinq ans.

🔑 Vincent Boyé, 81, rte de Verac, 33133 Galgon, tél. 05.57.55.05.38, fax 05.57.55.49.81, v.boye@wanadoo.fr
r.-v.

♥ CH. PENIN Grande Sélection 2010 ★★

■ 60 000 8 à 11 €

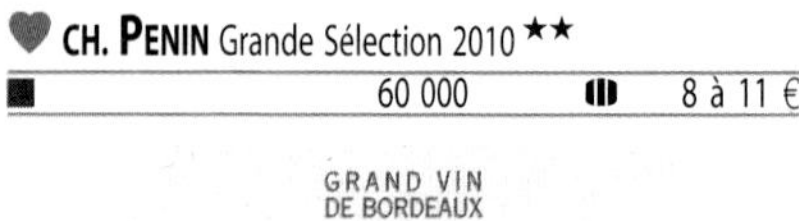

Un château qui a pris ses habitudes dans le Guide, et qui présente son incontournable cuvée de pur merlot, coup de cœur pour la troisième fois en quatre ans. Derrière cette Grande Sélection – vignes âgées de plus de trente ans – se cache un homme, Patrick Carteyron, qui hisse son domaine année après année au rang des plus grands. Son 2010 se présente avec majesté dans une robe sombre et dévoile un nez d'une grande richesse (mûre écrasée, réglisse), aux accents toastés. L'harmonie est déjà là en bouche : une association idéale de concentration, de rondeur, de boisé et de fruité (notes de noyau), portée par des tanins puissants. Ce vin sera autant apprécié aujourd'hui qu'après deux ans de garde. Par ailleurs, la cuvée **Tradition 2010 (5 à 8 €; 80 000 b.)** obtient deux étoiles pour sa souplesse et son fruité de griotte.

🔑 Patrick Carteyron, Ch. Penin, 39, impasse Couponne, 33420 Génissac, tél. 05.57.24.46.98, fax 05.57.24.41.99, vignoblescarteyron@wanadoo.fr
t.l.j. sf dim. 8h30-12h 14h-17h; sam. sur r.-v.; f. 15-30 août

CH. PEYFAURES Dame de cœur 2009 ★

■ 9 000 15 à 20 €

Rien d'étonnant à retrouver cette Dame de cœur dans la sélection du Guide. Souvent remarqué, ce pur merlot dont le nom évoque la transmission du domaine par des femmes depuis sept générations, a été apprécié dans sa version 2009. C'est un vin de garde (quatre à cinq ans) dont le boisé plutôt charmeur s'exprime au nez comme en bouche. Il se marie à un bouquet de fruits noirs complexe et à une matière ample aux tanins de qualité. Pour une lamproie à la bordelaise, par exemple.

🔑 SCEA Vignobles Bouey, Ch. Peyfaures, 33420 Génissac, tél. 05.57.55.06.77, fax 05.57.25.16.63, chateau.peyfaures@wanadoo.fr r.-v.
🔑 Nicole Godeau

CH. PEY LA TOUR Réserve du château 2010 ★

■ 360 000 8 à 11 €

Jolie réussite pour cette vaste propriété de l'Entre-deux-Mers. Pour apprécier son nez frais et gourmand, il faut accorder à ce 2010 un peu de temps et d'aération, pour que les senteurs vanillées et grillées de l'élevage laisse alors la place aux fruits. La bouche propose également un crescendo de sensations : à la fois fruitée et épicée, elle se fait soyeuse, puis gagne en volume et en charpente. Un bel équilibre se dessine, qui se révélera totalement après trois ans de garde.

🔑 Vignobles Dourthe, Ch. Pey la Tour, 32, av. de la Tour, 33370 Sallebœuf, tél. 05.56.35.53.00, fax 05.56.35.53.29, contact@dourthe.com r.-v. 3

CH. LA PEYRÈRE DU TERTRE
Cuvée Jean Élevé en fût de chêne neuf 2010 ★

■ 19 700 8 à 11 €

Cette chartreuse du XVIII[e]s. est bâtie sur une colline dominant la Garonne. Si vous pouvez y apprécier une balade en calèche, n'oubliez pas de vous arrêter pour découvrir cet assemblage de cabernet-sauvignon et de merlot. Sa large palette aromatique s'étend des fruits noirs au tabac, en passant par le pain grillé. Son attaque suave est renforcée par un beau volume, des notes mentholées et un boisé bien maîtrisé. Un ensemble soyeux, sur la fraîcheur, à garder deux à trois ans en cave.

🔑 SCEA la Peyrère-Lucas, Ch. la Peyrère, 33124 Savignac, tél. 05.56.65.41.86, fax 05.56.65.41.82, lapeyreredutertre@wanadoo.fr r.-v. 5
🔑 Jacques Lucas

♥ CH. PIERRAIL 2010 ★★

■ 160 000 8 à 11 €

Un coup de cœur ? Presque une habitude désormais pour ce cru, commandé par un château du XVII[e]s., qui propose dans son parc arboré la découverte d'un jardin à la française et d'un parcours botanique. Après cette agréable promenade, il est fortement conseillé de déguster le millésime 2010 qui, dans sa robe noire et intense, a séduit notre jury. Le bouquet explosif marie un fruité presque confit à des notes de torréfaction, témoins d'un élevage de douze mois en barrique. La bouche offre avec générosité du volume, de la chair et de la douceur. Pour un « ravissement du palais », comme l'exprime un dégustateur, trois ans après la sortie du Guide.

🔑 EARL Ch. Pierrail, 33220 Margueron, tél. 05.57.41.21.75, fax 05.57.41.23.77, alice.pierrail@orange.fr r.-v.
🔑 Jacques, Alice, Aurélien Demonchaux

CH. LE PIN BEAUSOLEIL 2009 ★

■ 16 000 15 à 20 €

Voici un assemblage de merlot (80 %) et de cabernet franc qui a profité d'un beau terroir argilo-calcaire situé en face de Saint-Émilion et a vieilli quatorze mois en fût de chêne. Paré d'un habit grenat profond, il révèle au nez un fruité élégant de groseille et de cassis, agrémenté d'un fin boisé. Le palais se montre à la fois velouté et puissant, dévoilant une longue finale aromatique (fruits cuits, épices). À apprécier d'ici un an ou deux. **Le Petit Soleil 2009 (8 à 11 € ; 12 000 b.)** sera, lui, prêt à être dégusté à la sortie du Guide pour son expression fruitée, sa fraîcheur et sa souplesse. Une étoile également.

SCEA Mivida, Ch. le Pin Beausoleil, 1, le Pin, 33420 Saint-Vincent-de-Pertignas, tél. et fax 05.57.84.02.56, lepin.beausoleil@wanadoo.fr r.-v.

Michaël Hallek

CH. PRINCE LARQUEY Cuvée Premium 2010 ★

116 000 | 5 à 8 €

Nouveau venu dans la viticulture, monsieur Champenois, à la tête du domaine de Larquey depuis 2009, propose ici son premier millésime en bordeaux supérieur : une jolie entrée en matière, si l'on en croit les commentaires des dégustateurs. Une robe profonde à nuances rubis, une belle intensité aromatique aux accents de fruits rouges et d'épices, une attaque franche, du volume et une trame tannique de qualité qui demande encore à se fondre en finale. Il faudra se montrer patient si l'on veut apprécier cette cuvée Premium à son apogée, vers 2015-2016.

SCEA Dom. de Larquey, chem de Dagen, 33750 Saint-Germain-du-Puch, tél. 06.07.49.66.25, fax 05.57.24.51.20, contact@domaine-larquey.fr r.-v.

Champenois

LE PRIOLAT 2009

n.c. | 5 à 8 €

Proposé par la coopérative de Gardegan-et-Tourtirac, juste au nord de Castillon, ce 2009 offre une expression aromatique complexe et intense, presque déroutante selon un dégustateur. Elle est caractérisée entre autres par les fruits noirs très mûrs et par des touches épicées. On retrouve en bouche cette maturité ainsi qu'un côté confit, du volume et de la puissance. L'ensemble reste souple, et pourra être dégusté sans trop attendre (deux ans de garde) sur un aloyau grillé.

Chais de Francs et Gardegan, Millerie, 33350 Gardegan-et-Tourtirac, tél. 05.57.56.47.20, fax 05.57.56.47.30, commercial.udp@orange.fr t.l.j. sf dim. lun. 9h-12h 14h-18h

CH. PUY FAVEREAU Cuvée Tradition 2010 ★

40 000 | 5 à 8 €

Restructuré à la fin des années 1980, ce vignoble de l'est girondin est exposé au Midi, sur un terrain argilo-siliceux. Assemblage de merlot et de cabernet-sauvignon, ce 2010 à la robe cerise noire offre de riches parfums de mûre et de myrtille, tout en gardant de la fraîcheur. La bouche confirme cette concentration de saveurs, agrémentée d'une note poivrée. Suave et goûteuse, elle repose sur des tanins qui ne s'affirment pas dans la puissance mais respectent l'équilibre. À garder trois ans.

SCEA Les Ducs d'Aquitaine, 6, Favereau, 33660 Saint-Sauveur-de-Puynormand, tél. 05.57.69.69.69, fax 05.57.69.62.84, vignobles@lepottier.com r.-v.

Le Pottier

QUEYNAC 2009 ★

10 000 | 5 à 8 €

Un an après son installation en tant que jeune agriculteur, en 1998, Stéphane Gabard a repris la propriété familiale située dans le canton de Fronsac. Il présente ici un 2009 aux reflets violines éclatants, dont le bouquet se montre généreux : mûre, cassis, vanille et cacao. Portée par des tanins délicats, la bouche fait d'abord preuve de douceur pour se terminer sur une pointe de vivacité. Les notes d'élevage sous bois doivent encore se fondre, on attendra donc deux à trois ans. Même garde à prévoir pour le **Ch. la Croix de Queynac 2009 (20 000 b.)**, plus chaleureux et charnu, qui décroche une étoile.

EARL Vignobles Gabard, 25, rte de Cavignac, 33133 Galgon, tél. 05.57.74.30.77, fax 05.57.84.35.73, vignobles.gabard@laposte.net r.-v.

BORDELAIS

CH. LES RAMBAUDS Cuvée Petit Martinot Élevé en fût de chêne 2010 ★

60 000 | 5 à 8 €

La maison de négoce Yvon Mau propose avec ce 2010 un vin d'une belle intensité colorante, rouge profond frangé de violine. Au nez, un boisé soutenu se mêle aux fruits rouges. On retrouve ces notes d'élevage encore bien présentes dans une bouche ample et grasse. On attendra deux ou trois ans pour que l'équilibre bois-fruits se fasse complètement.

SA Yvon Mau, rue Sainte-Pétronille, 33190 Gironde-sur-Dropt, tél. 05.56.61.54.54, fax 05.56.61.54.61, info@ymau.com

♥ CH. DE REIGNAC 2010 ★★

150 000 | 8 à 11 €

Si Yves et Stéphanie Vatelot ont choisi de s'installer au château de Reignac en 1990, c'est parce que ce domaine proche de l'estuaire de la Gironde réunit au sein d'une même propriété de très beaux terroirs des rives droite et gauche. Une décision payante, semble-t-il, car ils n'en sont pas à leur premier coup de cœur. Derrière une robe intense, leur 2010 offre un fruité radieux (myrtille) associé à des notes de pain toasté et d'amande grillée. Le palais présente juste ce qu'il faut d'onctuosité et de puissance, sublimé par une longue finale sur les fruits rouges confiturés. Les tanins, serrés mais maîtrisés, participent à cette trame gourmande et permettront une garde de quatre à cinq ans minimum. À savourer sur un gibier en daube ou sur une belle entrecôte.

Ch. de Reignac, 38, chem. de Reignac, 33450 Saint-Loubès, tél. 05.56.20.41.05, fax 05.56.68.63.31, info@reignac.com r.-v.

Vatelot

CH. LA ROBERTERIE 2009 ★

6 800 | 5 à 8 €

Commandé par une maison fortifiée du XVIe s., ce domaine de l'Entre-deux-Mers a entamé sa conversion à l'agriculture biologique. En attendant le premier millésime certifié (2012), il se distingue avec un assemblage séducteur, à dominante de merlot : une robe grenat brillante ; un nez discret mais plaisant, sur les petits fruits rouges et les épices ; du volume, de la souplesse, de la douceur et un équilibre savoureux entre le fruit et la vanille. Pour un accord avec un canard aux olives, d'ici un an ou deux.

Alfred Pantarotto, 1, Robert, 33890 Juillac, tél. 05.57.40.53.50, fax 05.57.40.53.71, roberterie@wanadoo.fr t.l.j. 9h-12h 14h-18h

CH. LA ROMARINE 2010 ★

■ 33 333 5 à 8 €

Avant que Corinne Sicard ne prenne les rênes de la propriété familiale, en 1998, cette dernière livrait ses raisins à la coopérative. Désormais, le nom du domaine est connu pour ses sainte-foix-bordeaux (Ch. Coutelor la Romarine) et il fait valoir, avec ce millésime 2010, la qualité de son bordeaux supérieur. Caractérisé par son fruité (fruits rouges) et sa fraîcheur aromatique, ce vin à large dominante de merlot offre une attaque franche et souple, de l'ampleur et une belle persistance. Les tanins un peu sévères en finale se fondront après un séjour en cave de deux à trois ans.

EARL Vignoble René Sicard et Filles, Le Gachignard, 33220 Eynesse, tél. et fax 05.57.41.01.51, info@coutelor.com r.-v.

CH. ROQUES MAURIAC Cuvée Hélène 2010 ★★

■ 80 000 8 à 11 €

Depuis la fondation de ce vaste vignoble par Edouard Leclerc en 1973, les passages de témoin se sont effectués avec succès : d'abord à Hélène Levieux, la fille d'Édouard, puis à son fils Vincent, et aujourd'hui à Sylvie, l'épouse de ce dernier. La réussite est encore au rendez-vous, avec ici un bordeaux supérieur qui privilégie le cabernet franc au merlot. Au nez, c'est un cocktail éclatant de fruits rouges associés à un fin boisé. En bouche, c'est un équilibre réussi entre une belle structure et une chair ample, souple, d'une « présence magnifique », selon le jury. Issue du même vignoble, la **Réserve du Ch. Lagnet 2010 (moins de 5 € ; 100 000 b.)** décroche une étoile pour son côté croquant (fruits rouges frais). Deux cuvées qui pourront s'apprécier jeunes.

Levieux Vignerons, 1, Lagnet, 33350 Doulezon, tél. 05.57.40.51.84, fax 05.57.40.55.48, contact@levieux-vignerons.com r.-v.

CH. DE ROUGERIE Les Charmes 2009 ★★

■ 2 500 11 à 15 €

Il n'y en aura malheureusement pas pour tout le monde... Ce petit domaine de 3 ha, qui vendait jusqu'à présent la majorité de sa petite production en Amérique du Sud, a en effet conquis notre jury grâce à une « série très limitée » issue de pur merlot. Cette cuvée s'affiche dans une robe grenat profond et s'impose avec des parfums intenses et racés de fruits noirs et rouges au boisé discret (vanille). L'attaque opulente, sur les fruits compotés, dévoile une suite charnue à souhait, riche, portée par des tanins enveloppés. Ce vin puissant, au boisé encore affirmé, devrait atteindre son apogée en 2015-2016.

Patrick Valette, Ch. de Rougerie, 33420 Camiac-et-Saint-Denis, tél. 05.57.24.24.17, fax 05.57.24.00.53 t.l.j. sf dim. 10h-19h; f. août

CH. DE LA SABLIÈRE FONGRAVE Cuvée Prestige 2010 ★

■ n.c. 5 à 8 €

Situé dans le canton de Sauveterre-de-Guyenne, le vaste domaine du château de l'Orangerie se transmet dans la famille Icard depuis le XVIIIe s. Jean-Christophe, l'actuel propriétaire, met le cabernet-sauvignon à l'honneur dans cette cuvée pourpre aux arômes de fruits noirs et d'épices. Le palais généreux, fruité et gourmand, repose sur une trame tannique solide et équilibrée qui permettra une garde de trois à quatre ans.

Icard, Ch. de l'Orangerie, 33540 Saint-Félix-de-Foncaude, tél. 05.56.71.53.67, fax 05.56.71.59.11, orangerie@chateau-orangerie.com r.-v.

CH. SAINTE-BARBE 2010 ★★

■ 30 000 8 à 11 €

Depuis l'an 2000 qui l'a vu prendre les rênes du domaine, Antoine Touton s'efforce de montrer que même sur des terroirs modestes du Bordelais, on peut produire des vins de qualité. Il le prouve avec ce 2010 qui mêle au nez les fruits noirs et de fines notes empyreumatiques (l'élevage a été partagé équitablement entre la cuve et le fût). Franche à l'attaque, la bouche fait preuve d'une certaine douceur. Charnue et épaulée par des tanins fermes, elle dévoile une longue finale aux nuances toastées. Un noble vin à découvrir en 2015.

SCEA Ch. Sainte-Barbe, 33810 Ambès, tél. 05.56.77.49.57, fax 05.56.77.17.03, chateausaintebarbe@gmail.com r.-v.

CH. SARAIL LA GUILLAUMIÈRE La Cuvée 2009 ★★

■ 2 600 8 à 11 €

Il fallait un bel emplacement pour que mûrisse aussi bien le cabernet-sauvignon qui compose l'essentiel de cette cuvée (80 %). Cette terrasse graveleuse culminant à 57 m au-dessus de l'estuaire de la Gironde était toute désignée. Elle a donné naissance à un 2009 grenat profond au bouquet intense de fruits mûrs, de vanille et de pain grillé (élevage en barrique neuve). La bouche impressionne par sa rondeur, sa matière et sa persistance aromatique. Agréable dès aujourd'hui, ce vin réserve plein de promesses, à découvrir après trois ans de garde.

SCE Michel Deguillaume, 1, pl. de Sarail, 33450 Saint-Loubès, tél. 05.56.20.40.14, fax 05.56.78.93.18, faucheuxjyves@free.fr r.-v.

CH. DE SEGUIN Cuvée Carl 2010 ★★

■ 20 000 11 à 15 €

Ce vaste domaine de l'Entre-deux-Mers (140 ha de vignes) est tourné vers la vente à l'international : si un quart de sa production reste en France, il exporte le reste aussi bien en Asie qu'aux États-Unis, en Russie ou en Scandinavie. Sa cuvée Carl, encore marquée au nez par son élevage sous bois (notes toastées), dévoile quelques senteurs de myrtille en confiture, signe d'une belle maturité. Puissance, concentration et douceur s'affirment dans une bouche à la carrure solide, nuancée de fruits rouges et noirs agrémentés d'un fin boisé. Un vin charpenté qu'il faudra savoir attendre : au minimum quatre à cinq ans.

SC du Ch. de Seguin, 33360 Lignan-de-Bordeaux, tél. 05.57.97.19.75, fax 05.57.97.19.82, nathalie-lagrue@carlwine.com r.-v.

SEIGNEURS DES ORMES Cuvée en fût de chêne 2010

■ 14 000 5 à 8 €

C'est dans l'une des plus anciennes caves coopératives de la Gironde, créée en 1932, que ce pur merlot a vu le jour. Ses élégants parfums de violette surprennent le dégustateur qui découvre aussi des notes de moka et de

vanille dues à seize mois d'élevage en barrique. Si le fruit tarde à s'exprimer, le palais reste gourmand et joue sur une trame de tanins veloutés, pleins et fondus. Un vin équilibré, prêt à accompagner une assiette de charcuterie et, pourquoi pas, un grenier médocain pour les connaisseurs.
Union de producteurs Baron d'Espiet, lieu-dit Fourcade, 33420 Espiet, tél. 05.57.24.24.08, fax 05.57.24.18.91, baron-espiet@dial.oleane.com
t.l.j. sf dim. lun. 9h-12h 14h-18h (15h-17h sam.)

CH. SÉNAILHAC Excellence de Sénailhac 2009 ★★

	17 000		8 à 11 €

Campé sur une colline de l'Entre-deux-Mers, à proximité de Bordeaux, le château Sénailhac a été restauré afin d'accueillir des chambres d'hôtes, ouvertes aux visiteurs depuis 2009. On peut y déguster des bordeaux supérieurs de qualité, à commencer par cette cuvée Excellence à la robe d'encre. Après aération, elle s'ouvre sur une palette de senteurs variées : myrtille, réglisse, menthol et vanille. Charnue dès l'attaque, la bouche présente une trame tannique dense et une grande concentration, à apprécier dans trois ans sur un bœuf bourguignon. D'un style approchant, la **cuvée principale 2009 (5 à 8 €; 80 000 b.)** décroche une étoile.
SCA du Ch. Sénailhac, 33370 Tresses, tél. 05.57.34.13.14, fax 05.57.34.05.60, senailhac@sfr.fr r.-v. 5

CH. STRÉVIC-GODINEAU Élevé en fût de chêne 2009

	n.c.		5 à 8 €

Une robe profonde, grenat aux reflets violines, annonce cette cuvée à l'assemblage classique (80 % merlot, 20 % cabernet), issue de vignes de cinquante ans. Le bouquet naissant évoque la mûre et le cassis ainsi que des notes fumées et boisées. L'attaque ronde, sur le fruit, dévoile une bouche puissante et charpentée. Les tanins riches et affirmés en finale annoncent un vin de garde (trois à cinq ans), même s'il pourra être apprécié dès 2013.
Ricardo et Évelyne Roberts, 1, La Longa, 33240 Vérac, tél. 05.57.84.81.57, earl.roberts@orange.fr r.-v.

CH. TARREYROTS 2010

	40 000		5 à 8 €

La maison de négoce Schröder & Schyler, dont les origines remontent au XVIIIes., a sélectionné une cuvée dominée par le cabernet-sauvignon. Des fragrances de fruits noirs bien mûrs s'échappent du verre, mêlées à des notes toastées : l'élevage a été partagé entre la cuve et le fût. Les mêmes arômes se retrouvent dans une bouche puissante et concentrée, dont le boisé et les tanins doivent encore se fondre. On gardera cette bouteille quatre ans avant de l'ouvrir sur un gibier rôti.
Maison Schröder & Schyler, 35 bis, cours du Médoc, BP 113, 33027 Bordeaux, tél. 05.57.87.64.55, fax 05.57.87.57.20, office@schroder-schyler.com
Yann Schyler

CH. TIMBERLAY 2010 ★★

	n.c.		5 à 8 €

Le vignoble de Robert Giraud s'étend sur plus de 120 ha ; une vaste propriété donc, qui commercialise la majorité de sa production à l'export. Ce 2010 s'ouvre sur des parfums de torréfaction et de chocolat, puis dévoile à l'aération des notes de fruits noirs bien mûrs. L'évolution au palais est sans faille : une attaque souple, une matière ample, des tanins ronds, un fruité persistant (myrtille et mûre à l'eau-de-vie). Un vin déjà prêt à boire, alors que l'on devra patienter (deux à trois ans au moins) pour la **cuvée Prestige Marie-Paule 2010 Élevé en fût de chêne neuf (8 à 11 €; 40 000 b.)**. Avec son volume et sa charpente affirmés, ses arômes confiturés, elle décroche une étoile.
EARL Vignobles Robert Giraud, Dom. de Loiseau, 33240 Saint-André-de-Cubzac, tél. 05.57.43.01.44, fax 05.57.43.08.75, direction@robertgiraud.com

CH. LA TUILERIE DU PUY Cuvée Grand Chêne 2009 ★

	35 000		5 à 8 €

Acquise par la famille Regaud en 1616, cette propriété offre une vue remarquable sur la vallée du Dropt et la Bastide de Monségur. On peut aussi y apprécier cette cuvée Grand Chêne qui marie le merlot et les deux cabernets, avec un léger avantage au cabernet-sauvignon. Les notes de cerise et de myrtille apportent au nez de la fraîcheur et se prolongent dans une bouche souple et tendre, aux tanins arrondis. Pour un rôti de porc aux pruneaux, dès la sortie du Guide.
SCEA Regaud, La Tuilerie, 33580 Le Puy, tél. 05.56.61.61.92, fax 05.56.61.86.90, vignobles.regaud@wanadoo.fr
t.l.j. 8h30-18h; sam. dim. sur r.-v.

CH. TURCAUD Cuvée Majeure 2010 ★★

	20 500		8 à 11 €

La famille Robert est bien connue dans l'Entre-deux-Mers, où ses vins sont régulièrement remarqués par le Guide, particulièrement en blanc sec. C'est ici une autre couleur qui se démarque, un assemblage de merlot et de cabernet-sauvignon dont le nom rappelle la commune d'origine : la Sauve-Majeure. La robe noire presque bleutée évoque un raisin très mûr de même que le bouquet intense, dominé par les fruits noirs. La bouche est savoureuse, poivrée et charnue. Sa présence tannique n'enlève rien à son élégance, mais il faudra patienter afin que l'ensemble s'affine : on oubliera en cave cette bouteille quatre à cinq ans.
EARL Vignobles Robert, 1033, rte de Bonneau, 33670 La Sauve-Majeure, tél. 05.56.23.04.41, fax 05.56.23.35.85, chateau-turcaud@wanadoo.fr
r.-v.

CH. DES VALENTONS CANTELOUP 2009 ★★

	60 000		5 à 8 €

Jacques Meynard est un viticulteur engagé dans bien des actions en Bordelais et qui essaie d'apporter à ce domaine tout le savoir-faire transmis dans sa famille depuis le début du XXes. Son Ch. Valentons Canteloup a d'abord séduit les jurés par son bouquet de cassis, de myrtille et de cerise confite. Puis il a emporté l'adhésion avec son palais ample et puissant, sa structure solide et son fruité persistant. Les tanins devront s'assagir après trois à quatre ans de garde. Autre production du vignoble, le **Ch. Bois-Malot 2009 (85 000 b.)**, sur le fruit, la fraîcheur et la souplesse, obtient une étoile.
EARL Meynard, 133, rte des Valentons, 33450 Saint-Loubès, tél. 05.56.38.94.18, fax 05.56.38.92.47, bois.malot@free.fr
t.l.j. sf dim. 8h-12h 13h30-17h30 ; sam. sur r.-v.

CH. DE VIAUT Cuvée Prestige 2009 ★

■ 79 000 ⊕ 8 à 11 €

Issus du milieu médical, les actuels propriétaires ont repris le domaine familial en 1993 pour perpétuer une tradition transmise depuis cinq générations. Ce 2009 révèle, derrière quelques senteurs toastées, un fruité complexe de groseille et de cerise à l'eau-de-vie. La bouche, un peu plus marquée par le bois, offre de la fraîcheur et de la rondeur. Ses tanins bien maîtrisés permettront une garde de trois à quatre ans. On peut néanmoins apprécier cette bouteille dès aujourd'hui sur un lapin aux pruneaux.

Vignobles F. Boudat Cigana, Ch. de Viaut, 33410 Mourens, tél. 05.56.61.31.31, fax 05.56.61.99.46, fboudat@orange.fr r.-v.

CH. VIRCOULON 2010

■ 26 666 - de 5 €

Fait qui n'est pas si courant dans l'appellation, les cabernets règnent en maître dans ce vin, ne laissant au merlot qu'une fine portion de l'assemblage. Ils expriment leur maturité à travers un bouquet de cassis et de fruits rouges aux accents épicés. Le cabernet-sauvignon, dominant, apporte au palais densité et structure, tandis que la gamme aromatique reste assez complexe. Encore un peu sévères en finale, les tanins méritent un à deux ans de garde.

Patrick Hospital, 5, Vircoulon, 33220 Saint-Avit-de-Soulège, tél. et fax 05.57.41.05.99, chateauvircoulon@orange.fr

Crémant-de-bordeaux

Production : 19 560 hl (85 % blanc)

AOC depuis 1990, le crémant-de-bordeaux est élaboré selon les règles très strictes de la méthode traditionnelle – communes à toutes les appellations de crémant – à partir de cépages classiques du Bordelais, blancs comme noirs. Les crémants sont généralement blancs mais ils peuvent aussi être rosés.

JEAN-LOUIS BALLARIN Black Pearl

n.c. 8 à 11 €

Une légende de Polynésie française raconte que le dieu de la fertilité et de la paix aurait offert une perle noire (*black pearl*) aux humains par amour pour la princesse de Bora. Issu du cabernet, ce crémant, jaune doré aux légers reflets verts, a séjourné un an dans les caves calcaires du domaine. Fin et délicat, il laisse s'échapper des notes de pêche et de pain grillé, que l'on retrouve dans une bouche ample et équilibrée. La longue finale, réveillée par une légère pointe d'amertume qui apporte de la fraîcheur, achève de convaincre. Un brut bien fait, idéal pour accompagner un dessert.

Jean-Louis Ballarin, Haux, BP 31, 33550 Langoiran, tél. 05.56.67.11.30, fax 05.56.67.54.60, jeanlouis@cremants-ballarin.com r.-v.

RÉMY BRÈQUE Cuvée Prestige ★★

5 000 5 à 8 €

Ce magnifique rosé issu de merlot a pris naissance au nord de Bordeaux, à Saint-Gervais, dont l'église romane domine la plaine de la Dordogne. La mousse est fine et persistante. Les arômes élégants jouent sur la violette, la fraise des bois, les agrumes et la pêche blanche. L'attaque raffinée, sur les petits fruits (groseille, cassis), prélude à une bouche ample et souple qui s'étire dans une finale longue et vive. Appréciation unanime des dégustateurs : « très festif ». Pour un apéritif d'exception assurément.

Rémy Brèque, 8, rue du Commandant-Cousteau, 33240 Saint-Gervais, tél. 05.57.43.10.42, fax 05.57.43.91.61, remy.breque@orange.fr r.-v.

CRÉMANT DE MELIN 2010 ★

6 600 5 à 8 €

À Baurech, non loin du hameau Saint-James, dont le nom rappelle l'occupation anglaise de 1154 à 1450 suite au mariage d'Aliénor d'Aquitaine avec Henri Plantagenêt d'Angleterre, le domaine de la famille Modet est un habitué du Guide. Il se fait remarquer cette année avec ce 100 % sémillon jaune pâle parcouru de fines bulles, au nez franc et net de fruits mûrs (melon, poire) et de pain grillé, élégant préambule à un palais, gras, long et fin. Ce brut bien réussi, sur la vivacité, tiendra sa place à l'apéritif ou sur une tarte aux fruits.

Vignobles Claude Modet et Fils, 595, Constantin, 33880 Baurech, tél. 05.56.21.34.71, fax 05.56.21.37.72, vmodet@wanadoo.fr

t.l.j. sf dim. 8h-12h 14h-18h; sam. sur r.-v.

JAILLANCE Cuvée de l'Abbaye ★★

n.c. 5 à 8 €

La société Brouette, bien connue des habitués du Guide, voit trois de ses crémants récompensés. La cuvée de l'Abbaye est jugée remarquable : belle robe or pâle traversée d'un cordon de fines bulles, senteurs fraîches de fruits blancs et de fleurs, matière équilibrée et harmonieuse. Le coup de cœur n'est pas passé loin. Le **brut rosé** et le **brut blanc** reçoivent chacun une étoile. Le premier, 100 % merlot, séduit pour ses arômes fruités et sa fraîcheur. Du second, on retient les parfums délicats d'abricot et de fleurs blanches mêlés à de douces notes de pain de mie.

Brouette-Jaillance, Caves du Pain de Sucre, 33710 Bourg-sur-Gironde, tél. 05.57.68.42.09, fax 05.57.68.26.48, info@jaillance.com

t.l.j. sf sam. dim. 9h-12h 14h-17h

♥ **LATEYRON** Paulian ★★

20 000 8 à 11 €

Ce domaine, régulièrement sélectionné dans le Guide pour ses crémants, est une référence. Cette année, il se voit décerner une nouvelle fois un coup de cœur, avec ce superbe blanc. Animée d'un chapelet persistant de bulles fines et abondantes, la robe jaune pâle s'illumine de tendres reflets verts. Le nez développe des notes fraîches de citron et de pamplemousse, qui invitent à la dégustation. La bouche se fait tendre et savoureuse, et s'étire dans une finale fraîche, longue, très longue... Un crémant de haute volée à déguster bien frais sur une tarte au citron vert.

Lateyron, Ch. Tour Calon, 33570 Montagne,
tél. 05.57.74.62.05, fax 05.57.74.58.58, lateyron.@orange.fr
r.-v.

CH. MAJOUREAU 2010 ★★

5 300 — 5 à 8 €

Situé sur les coteaux de la commune de Caudrot, le vignoble de la famille Delong bénéficie d'une exposition exceptionnelle. Les vignes vouées au crémant ont un petit rendement afin d'optimiser la qualité des baies. Les jus, sélectionnés à la sortie du pressoir, sont la base d'un brut remarquable. Ce 2010, couronné d'une mousse abondante, dévoile des notes délicates de fleurs (la rose) et de fruits blancs (la pêche). La bouche, fraîche et persistante sur les fruits, laisse une impression de volume. Un très bel ensemble, à découvrir sur un crumble aux pêches.

SCEA Vignobles Delong, 1, Majoureau, 33490 Caudrot,
tél. 05.56.62.81.94, fax 05.56.62.75.87,
familledelong@hotmail.com r.-v.

CH. DE PIOTE 2009 ★

4 000 — 5 à 8 €

Virginie Aubrion est à la tête d'une propriété de 14 ha dont une dizaine consacrée à la vigne. Sur ces terres argileuses, les raisins fruités donnent un crémant séducteur et tendre. Élégant dans son habit jaune paille, ce 2009 est animé par un joli cordon fin et persistant. Le bouquet révèle des parfums de coing, de melon et de thym. L'attaque souple, fraîche, annonce un palais gourmand aux notes de pêche blanche et de menthe fraîche. Un ensemble harmonieux à déguster sur un foie gras au pain d'épices.

Aubrion, 26, rue de Piote, 33240 Aubie-Espessas,
tél. et fax 05.57.43.96.10, chateau.piote-aubrion@wanadoo.fr
t.l.j. 8h-12h 14h-19h

J. QUEYRENS ET FILS Cuvée de Chapput

14 500 — 5 à 8 €

Au village de Donzac, n'oubliez pas d'admirer le puits à deux étages, véritable curiosité de la région. Tout près, les vignobles Queyrens ont élaboré ce 100 % sémillon qui mérite lui aussi une halte. Les parfums élégants de fruits et de fleurs, et la bouche, équilibrée, souple et longue, dessinent un crémant d'apéritif.

SC Vignobles Jean Queyrens et Fils, 3, Le Grand-Village,
33410 Donzac, tél. 05.56.62.97.42, fax 05.56.62.10.15,
scvjqueyrens@orange.fr r.-v.

Le Blayais et le Bourgeais

Blayais et Bourgeais, deux pays (plus de 9 000 ha) aux confins charentais de la Gironde que l'on découvre toujours avec plaisir. Peut-être en raison de leurs sites historiques, de la grotte de Pair-Non-Pair (avec ses fresques préhistoriques, presque dignes de celles de Lascaux), de la citadelle de Blaye (inscrite, avec d'autres fortifications, au patrimoine mondial par l'Unesco en 2008) ou de celle de Bourg, ou des châteaux et autres anciens pavillons de chasse. Mais plus encore parce que de cette région très vallonnée se dégage une atmosphère intimiste apportée par de nombreuses vallées, qui contraste avec l'horizon presque marin des bords de l'estuaire. Pays de l'esturgeon et du caviar, c'est aussi celui d'un vignoble qui, depuis les temps gallo-romains, contribue à son charme particulier. Pendant longtemps, la production de vins blancs a été importante ; jusqu'au début du XXe s., ils étaient utilisés pour la distillation du cognac. Mais aujourd'hui, ils sont réservés à une production d'AOC bordelaises.

On distingue deux grands groupes : celui de Blaye, aux sols assez diversifiés (calcaires, sables, argilo-calcaires), et celui de Bourg, géologiquement plus homogène (argilo-calcaires et graves).

Blaye

Superficie : 49 ha
Production : 2 100 hl

L'appellation, qui tire son nom de la fière citadelle construite par Vauban et qui s'étend dans trois cantons autour de la cité, connaît un regain d'intérêt depuis qu'en 2000 une nouvelle charte qualitative encourage la production de vins rouges charpentés et de garde, élevés dix-huit mois minimum.

CH. BEL-AIR LA ROYÈRE 2010 ★

9 000 — 20 à 30 €

Premier millésime en solo pour Corinne Chevrier-Loriaud, depuis que son mari est occupé par des fonctions politiques. Elle signe un 2010 associant une forte proportion de malbec (40 %) au merlot. Le résultat est un vin rouge profond aux reflets violets, qui mêle au nez les fruits cuits, les épices douces, les notes de sous-bois et quelques volutes de tabac. La bouche se révèle chaleureuse, ample et ronde, soutenue par des tanins fondus et soyeux. À apprécier dans trois ans, pourquoi pas sur un osso-bucco.

Corinne Chevrier-Loriaud, 1, les Ricards, 33390 Cars,
tél. 06.89.90.20.04, fax 05.57.42.32.87,
chateau.belair.la.royere@wanadoo.fr r.-v.

CH. HAUT-VIGNEAU 2009 ★

15 453 — 11 à 15 €

Vincent Lemaître a acquis en 1999 le château Rousselle, ancienne propriété de Messire Jean de Zortaty, conseiller du roi et trésorier général de France en

Guyenne au XVIIe s. C'est ici avec son château Haut-Vigneau qu'il se distingue. Son vin issu de merlot (85 %) et de cabernets dévoile un bouquet de fruits rouges et de boisé vanillé et chocolaté. On retrouve ces arômes dans une bouche ample et bien charpentée, encore un peu sévère en finale. Deux ou trois ans de garde devrait assouplir l'ensemble.

Vincent Lemaitre, Ch. Rousselle, 33710 Saint-Ciers-de-Canesse, tél. 05.57.42.16.62, fax 05.57.42.19.51, chateau@chateaurousselle.com
r.-v. 4

CH. MARQUIS DE VAUBAN La Cuvée du Roy
Élevé en fût de chêne 2009 ★

72 000	5 à 8 €

Louis XIV, qui séjourna plusieurs fois à Blaye durant son règne, prenait plaisir dit-on, à naviguer sur la Gironde, face à ce vignoble situé en face de la citadelle et alors propriété du duc de Saint-Simon. Cette cuvée, née du merlot (75 %), des cabernets et du petit verdot (5 %), se pare d'une robe pourpre au liseré violine et livre un bouquet encore dominé par les notes vanillées et épicées de l'élevage, les fruits rouges restant en retrait. En bouche, elle offre de la rondeur et du volume, soutenue par des tanins présents sans agressivité, et renoue en finale avec les nuances épicées et boisées de l'olfaction. Un ensemble bien construit, à attendre deux ou trois ans avant de le servir sur un coq au vin.

SCEA Lepage-Macé, rte des Cones, 33390 Blaye, tél. 05.57.42.80.37, fax 05.57.42.83.58, vincent.cancave@orange.fr t.l.j. 9h-19h

CH. LES PIERRÈRES Élevé en fût de chêne 2010 ★

6 000	8 à 11 €

Valeur sûre de l'appellation, le domaine des Bordenave est fidèle au rendez-vous avec ce 2010 à forte dominante de merlot (90 %). Paré d'une robe rouge soutenu aux reflets grenat, le vin dévoile de délicates senteurs de fruits noirs mûrs rehaussées de notes vanillées et épicées. En bouche, les tanins, souples et soyeux, se fondent dans une matière généreuse, riche, ample et bien équilibrée entre fruité et boisé. À découvrir dans deux ans, sur un jarret de veau braisé.

EARL Bordenave et Fils, 8, chem. de la Palanque, 33390 Fours, tél. 05.57.42.87.12, fax 05.57.42.36.69, chateau-hautcanteloup@wanadoo.fr
t.l.j. sf dim. 8h-12h 14h-18h

Blaye-côtes-de-bordeaux

Superficie : 6 490 ha
Production : 335 000 hl (95 % rouge)

L'appellation produit des vins rouges assemblant merlot, cabernet-sauvignon, cabernet franc et malbec ainsi que quelques blancs, qui associent sauvignon, sémillon et muscadelle. Les seconds sont en général secs, et on les sert en début de repas, alors que les rouges, puissants et fruités, de moyenne garde, accompagnent les viandes et les fromages.

CH. L'ABBAYE Cuvée Marie-Madeleine
Vieilli en fût de chêne 2010

13 300	5 à 8 €

Ce vignoble de 21 ha entoure les vestiges d'une abbaye du XIIe s., étape-relais pour les pèlerins en route vers Saint-Jacques-de-Compostelle. Cette cuvée d'un beau rouge profond évoque les fruits rouges cuits, avec un soupçon de grillé et de réglisse à l'arrière-plan. Ronde à l'attaque, la bouche est tapissée d'arômes goûteux de pruneau, de toasté et d'épices, épaulée par une structure tannique robuste qui demande à se fondre et par une finale aux nuances chocolatées. Un vin bien construit, à découvrir dans deux ans.

SCEA Vignobles Rossignol-Boinard, 2, l'Abbaye, 33820 Pleine-Selve, tél. 05.57.32.64.63, fax 05.57.32.74.35, contact@chateau-abbaye.com r.-v. B

CH. ANGLADE-BELLEVUE Cuvée Prestige
Élevé en fût de chêne 2010 ★

26 600	5 à 8 €

Alain et Bruno Mège reprennent en 1988 l'exploitation familiale, ils restructurent le vignoble et décident, en 1993, de quitter la cave coopérative. Depuis lors, les vins du domaine fréquentent les pages du Guide avec assiduité, souvent en bonne place, avec plusieurs coups de cœur à la clé. Leur cuvée Prestige 2010 se présente dans une profonde robe pourpre et livre un bouquet élégant de fruits noirs mûrs, agrémenté d'un vanillé discret. Le palais, ample et rond, dévoile une belle structure tannique et une longue finale boisée et épicée. À attendre trois à cinq ans.

SCEA Mège Frères, Aux Lamberts, 33920 Générac, tél. 05.57.64.73.28, fax 05.57.64.53.90, scea-mege@mege-freres.fr r.-v.

♥ **CH. BERTHENON** Cuvée Chloé 2010 ★★

15 000	11 à 15 €

En 1996, Thérèse Ponz-Szymanski et son mari Thierry quittent respectivement le monde de la pétrochimie et de l'agroalimentaire pour reprendre le vignoble familial, acquis par le grand-père de Thérèse en 1947. Leur fille Chloé inspire cette superbe cuvée, assemblage classique de merlot (80 %) et de cabernet-sauvignon. Tout est en place. Robe dense, profonde, sombre, animée de reflets violets. Nez fin et intense, ouvert sur les fruits noirs et un juste boisé, vanillé et grillé. Palais ample, corpulent et puissant mais sans lourdeur, longuement fruité et structuré par un boisé élégant. Une bouteille armée pour une garde de cinq à dix ans et pour affronter un mets de caractère.

GFA Henri Ponz, Ch. Berthenon, 3, Le Barrail, 33390 Saint-Paul, tél. et fax 05.57.42.52.24, info@chateauberthenon.com r.-v.

CH. BERTINERIE 2010 ★

■ 100 000 ⦀ 8 à 11 €

Maintes fois distinguée dans le Guide, cette propriété familiale a pour particularité de conduire ses vignes en lyre afin de favoriser au maximum la concentration et la maturité du raisin. En 2010, merlot et cabernets ont donné ce vin expressif livrant un bouquet de... raisin mûr à souhait, avec un boisé fondu à l'arrière-plan, et dévoilant un palais riche, généreux et plein, bâti sur des tanins enrobés. Un ensemble harmonieux, à découvrir dans les trois à cinq ans à venir. Le **blanc 2011 (30 000 b.)** obtient une étoile pour son fruité frais et citronné, sa longueur et son équilibre.

SCEA Bantegnies et Fils, Ch. Bertinerie, 33620 Cubnezais, tél. 05.57.68.70.74, fax 05.57.68.01.03, contact@chateaubertinerie.com r.-v.

NECTAR DES BERTRANDS 2010 ★★

■ 40 000 ⦀ 15 à 20 €

Dans ce vaste domaine de 100 ha, valeur sûre de l'appellation, on travaille en famille : Jean-Pierre, le père, Nicole, la mère, Sophie, la fille, Laurent, le fils, et Isabelle, la belle-fille. Chacun y tient un rôle précis et c'est Laurent qui officie à la vinification. Ce 2010 à forte proportion de merlot (95 %) a tout pour plaire. La robe est d'un rouge brillant et intense. Le nez, d'abord discret, s'ouvre à

Le Blayais et le Bourgeais

l'agitation sur les fruits mûrs, les épices, la vanille et le toasté. La bouche se montre ronde, ample, concentrée, les tanins fondus à souhait, et le boisé bien intégré. La finale, longue et charnue, laisse une agréable sensation de plénitude. À déguster dans deux ou trois ans sur un gigot d'agneau. Le **Ch. le Chêne de Margot 2010 rouge (moins de 5 €)**, fruité et plus léger, obtient une étoile.
Vignobles Dubois et Fils, 7, Les Bertrands, 33860 Reignac, tél. 05.57.32.40.27, fax 05.57.32.41.36, chateau.les.bertrands@wanadoo.fr
t.l.j. sf sam. dim. 8h30-12h30 14h-18h

JEAN-VINCENT BIDEAU Plaisir impérial 2010 ★

■ 250 000 8 à 11 €

Ce négociant de Cars propose une cuvée à dominante de merlot (85 %), avec le cabernet-sauvignon en appoint. Drapé dans une robe grenat aux éclats cerise, ce 2010 marie de fins arômes de fruits rouges à un boisé vanillé discret. Les notes d'élevage sont plus présentes en bouche, s'associant à une charpente de tanins serrés pour donner à l'ensemble un caractère solide et un bon potentiel de garde (trois à cinq ans).
Jean-Vincent Bideau, 5, Les Bonnets, 33390 Cars, tél. 05.57.42.19.40, fax 05.57.42.33.49, bideau.jv@wanadoo.fr

CH. LES BILLAUDS Élevé en fût de chêne 2010

■ 10 000 5 à 8 €

Issue du merlot (85 %) associé au cabernet-sauvignon, cette cuvée a connu douze mois de barrique. Elle en retire un nez vanillé et grillé avec mesure, fruité avec finesse (cerise, fraise), avec une touche typée cabernet en appoint (poivron). La bouche, légère et tonique, s'appuie sur des tanins souples et une finale vive. À boire dans les deux prochaines années.
SCEA Vignobles Plisson, 5, Les Billauds, 33860 Marcillac, tél. 05.57.32.77.57, fax 05.57.32.95.27, vignobles.plisson@orange.fr r.-v.

CH. BOIS-VERT Cuvée Prestige 2010 ★★

■ 14 300 8 à 11 €

Trois étoiles pour le 2008, trois étoiles et un coup de cœur pour le 2009, deux étoiles pour la version 2010, cette cuvée Prestige du Ch. Bois-Vert est une valeur sûre. Patrick Penaud lui consacre 3 des 28,5 ha du vignoble familial ; il assemble classiquement merlot (80 %) et cabernet-sauvignon, et pratique un élevage de douze mois en barrique. La robe dense et profonde tire sur le noir. Le nez, bien ouvert, évoque les petits fruits rouges agrémentés de notes fumées et vanillées. Dans la continuité, la bouche se révèle ample et suave, sous-tendue par des tanins fins et soyeux, un peu plus stricts en finale. Ce qui nous fait dire qu'il faudra attendre cette bouteille deux ou trois ans, même si les plus impatients peuvent déjà l'apprécier. Le **blanc 2011 (5 à 8 € ; 11 000 b.)** est cité pour ses arômes de fruits blancs mûrs accompagnés d'un léger brioché et pour son palais rond et gras.
Patrick Penaud, 12, Bois-Vert, 33820 Saint-Caprais-de-Blaye, tél. et fax 05.57.32.98.10, p.penaud.boisvert@orange.fr r.-v.

CH. BONNANGE Les Fruits rouges 2009 ★★

■ 16 000 15 à 20 €

Claude Bonnange, publicitaire français de l'agence TBWA, et son vinificateur Paul-Emmanuel Boulmé (ancien propriétaire du château Terre-Blanque) forment depuis 2003 un duo complémentaire et efficace. Pour preuve les deux cuvées retenues ici, doublement étoilées et accessoirement admises au grand jury des coups de cœur. Ces Fruits rouges d'abord : un vin à la robe dense et brillante, au bouquet expressif et élégant de fruits... rouges mûrs (cerise en tête) agrémentés d'un léger vanillé, au palais généreux, charnu et ferme à la fois, long et équilibré. À déguster dans trois à cinq ans. Dans un esprit proche, la **cuvée Julia 2009 rouge (20 à 30 €)**, un peu plus boisée (dix-huit mois d'élevage contre quatorze), ample et bien structurée, fait jeu égal.
Ch. Bonnange, 10, chem. des Roberts, 33390 Saint-Martin-Lacaussade, tél. 06.85.52.48.08, peboulme@orange.fr r.-v.

CH. BOURDIEU Élevé en fût de chêne 2010 ★

■ 250 000 5 à 8 €

Ce domaine tire son nom des « bourdieux », exploitations viticoles qui se développèrent après la guerre de Cent Ans. Le château date ici de 1464 et il est conduit depuis 1994 par Luc Schweitzer. Ce dernier signe un 2010 joliment bouqueté par des nuances de fruits rouges, de café et de grillé. Le palais, dans le prolongement du bouquet, se montre ample, long et solidement charpenté par des tanins stricts et serrés. À ouvrir dans trois à cinq ans sur une pièce de gibier. Du même propriétaire, le **Ch. Grand Mazerolles 2010 rouge (131 000 b.)**, charnu et bien équilibré, obtient une étoile.
SCEA Vignobles Luc Schweitzer, Ch. Bourdieu, 33390 Berson, tél. 05.57.42.68.71, fax 05.57.42.69.40, chateau.bourdieu@wanadoo.fr r.-v.

CH. CAILLETEAU BERGERON Vinifié en fût de chêne 2011 ★

4 000 5 à 8 €

Lorsque les grands-parents de Marie-Pierre Dartier et de son frère Pierre-Charles s'installent en 1930 sur le domaine, celui-ci compte 4 ha de vigne ; il s'étend aujourd'hui sur 48 ha... Née de sauvignons blanc (80 %) et gris, cette cuvée a été jugée bien représentative de l'appellation. Ses arguments : une élégante robe jaune à reflets dorés, un bouquet franc de fleurs blanches, d'agrumes et de litchi, une bouche à l'unisson, fraîche, dynamique et de bonne longueur. À boire dès l'automne, sur un poisson grillé ou des crustacés. Le **2010 rouge Élevé en fût de chêne (80 000 b.)**, à l'empreinte boisée, devra attendre trois ou quatre ans en cave afin que l'ensemble s'affine. Il obtient également une étoile.
Marie-Pierre et Pierre-Charles Dartier, 24, Bergeron, 33390 Mazion, tél. 05.57.42.11.10, fax 05.57.42.37.72, info@cailleteau-bergeron.com
t.l.j. 9h-12h30 14h-19h; sam. dim. sur r.-v.

CH. CANTELOUP 2010 ★

■ 60 000 5 à 8 €

Éric Vezain signe un vin presque exclusivement issu du merlot, de très belle tenue à tous les stades de la dégustation. La robe, élégante, est d'un rubis intense et brillant. Le nez s'annonce complexe : fruits frais, fruits cuits, moka et petite pointe animale. La bouche ronde, chaleureuse et charnue est épaulée par des tanins élégants et un boisé mesuré. Un ensemble équilibré que l'on commencera à déguster dans deux ou trois ans, sur un magret de canard.

EARL Ch. de Canteloup, 33390 Fours, tél. 05.57.42.13.16, fax 05.57.42.26.28, eric.vezain@wanadoo.fr r.-v.
Éric Vezain

CH. CHANTE-ALOUETTE Élevé en fût de chêne 2010

■ 12 000 5 à 8 €

Situé sur le point culminant des coteaux de Plassac, avec vue sur l'estuaire de la Gironde, ce domaine s'étend sur 25 ha. Pour ce 2010, le malbec (18 %) s'associe aux classiques merlot et cabernet. Le résultat ? Un vin encore un peu dominé au nez par son élevage en barrique, les fruits noirs restant pour l'heure à l'arrière-plan. En bouche, il se montre rond et bien structuré par des tanins de bonne facture. À boire au cours des deux prochaines années.

SCEA Lorteaud et Filles,
Ch. Chante-Alouette, 1, allée de Chante-Alouette,
33390 Plassac, tél. 05.57.42.16.38,
mpdeboisseson@chante-alouette.fr r.-v.
M. de Boisséson

CH. CHARRON Les Gruppes Vieilles Vignes Élevé en fût de chêne 2010 ★

■ 25 000 11 à 15 €

De vieux ceps de merlot (80 %) et de cabernet-sauvignon ont donné naissance à cette cuvée élevée en fûts de 400 l pendant douze mois. Paré d'une robe rubis intense et brillant, le vin dévoile un bouquet discret de framboise, de cassis et de moka, relayé par un palais corsé et généreux aux tanins très concentrés, enrobés en finale par un joli retour fruité. À réserver pour une viande en ragoût d'ici deux à trois ans.

SCEA Ch. Charron, 11, rue Émile-Frouard,
33390 Saint-Martin-Lacaussade, tél. 05.57.42.31.02,
fax 05.57.32.89.54, chateau-charron@orange.fr r.-v.
Valérie Germain

CH. LE CHAY Élevé en fût de chêne 2009 ★

■ 12 000 5 à 8 €

Merlot (80 %) et malbec composent ce 2009 rouge brillant, à dominante boisée au nez, les fruits restant pour l'heure un peu en retrait. Les jurés ont apprécié son gras, son volume, ses tanins soyeux et sa longue finale. À boire dans deux ans sur une viande rouge grillée.

Didier Raboutet, Ch. le Chay, 33390 Berson,
tél. 05.57.64.39.50, fax 05.57.64.25.08, lechay@wanadoo.fr
t.l.j. sf dim. 8h-12h 14h-19h

CH. CHEVALIERS DES BRARDS Cuvée Prestige 2010 ★★

■ 67 000 5 à 8 €

Ce vin de négoce associe au merlot (75 %) et au cabernet-sauvignon une pointe (5 %) de cot. Il se présente dans une robe pourpre aux reflets violets, le nez empreint de senteurs de fruits frais et d'un léger toasté. En bouche, il se révèle charnu, souple et friand, étayé par des tanins soyeux. Une bouteille pleine de charme, à découvrir dans les cinq ou six ans à venir. Le **Ch. les Graves de Champ des Chails 2010 rouge (170 000 b.)**, dense, chaleureux et très extrait, est cité.

SARL Robin, 10, Champ-des-Aubiers,
33820 Saint-Aubin-de-Blaye, tél. 05.57.32.62.06,
fax 05.57.32.73.73, jfr@grandmoulin.com
J.-F. Réaud

CH. LA CROIX SAINT-PIERRE 2010 ★★

■ 130 000 - de 5 €

Contigu à l'église romane de Cars (XIIIe s.) au clocher multicolore, ce domaine étend ses 60 ha de vigne sur un coteau exposé plein sud. À sa tête, les cousins Sébastien et Nicolas Carreau, formés à l'étranger et adeptes des nouvelles techniques de vinification (thermo-régulation, micro-oxygénation...). Ils signent un 2010 couleur rubis, au nez riche et concentré de raisin mûr et de boisé grillé, prélude à un palais de la même veine, chaleureux, charnu, enveloppant et velouté, adossé à des tanins puissants. Déjà flatteur, ce vin pourra aussi attendre en cave quatre à six ans. À réserver pour un mets de caractère, un plat en sauce, du gibier ou, pourquoi pas, un dessert chocolaté. Le **Ch. Clairac 2010 rouge (5 à 8 € ; 100 000 b.)**, charmeur, fruité, au boisé fondu, obtient une étoile.

SCEV G. Carreau et Fils, Ch. les Petits Arnauds,
33390 Cars, tél. 05.57.42.36.56, fax 05.57.42.14.02,
info@vignobles-carreau.com
t.l.j. sf sam. dim. 8h-12h 14h-17h30

CH. GARREAU 2010 ★

■ 30 000 8 à 11 €

François Guez, installé en 2007 à la tête de ce domaine de 10 ha, propose un vin associant le merlot à une proportion non négligeable de cabernet-sauvignon (40 %). De fait, le nez évoque le poivron rouge, agrémenté de fruits rouges et d'un léger boisé. Le cabernet donne aussi de la structure au palais, bâti sur des tanins fermes, le merlot apportant, lui, une agréable rondeur. Au final, un 2010 équilibré que l'on conservera en cave quatre ou cinq ans, voire plus.

SCEA Ch. Garreau, 33710 Pugnac, tél. 05.57.68.90.75,
fax 05.57.68.81.90, contact@chateaugarreau.com
r.-v.
Guez

CH. CAMILLE GAUCHERAUD Tradition 2009

■ 20 000 5 à 8 €

Benoît Latouche, depuis 1999 à la tête de ce domaine de 30 ha, propose une cuvée de pur merlot parée d'une robe profonde, au nez de fruits à l'alcool rehaussé de nuances poivrées. En bouche, le vin se montre rond, gras et un peu plus austère en finale. Une petite garde d'un an ou deux devrait l'assouplir.

GFA des Barrières, 1, Les Barrières, 33620 Laruscade,
tél. 05.57.68.64.54, fax 05.57.68.64.53,
camille.gaucheraud@free.fr r.-v.
Latouche

CH. LE GRAND MOULIN 2010 ★

■ 185 000 5 à 8 €

Jean-François Réaud a repris en 1983 le vignoble du grand-père, alors « Domaine du Grand Moulin » ; il l'a largement restructuré et lui a donné le nom plus flatteur de « château ». Et son 2010 est à la hauteur de cette distinction : jolie robe au rouge intense et brillant ; nez harmonieux de fruits confits et de boisé léger ; palais plein, rond et suave, tapissé de tanins soyeux et longue finale encore un rien boisée qui appelle une petite garde d'un an ou deux.

GAEC du Grand Moulin, 7, La Champagne,
33820 Saint-Aubin-de-Blaye, tél. 05.57.32.62.06,
fax 05.57.32.73.73, jfr@grandmoulin.com
t.l.j. sf ven. sam. dim. 9h-12h 14h-17h 2
Jean-François Réaud

CH. LES GRAVES Réserve 2010 ★

■	20 000	⏸	5 à 8 €

Issu de merlot et de cabernet-sauvignon (40 %), ce 2010 rubis aux reflets violines dévoile un nez élégant et tout en fruit : cassis, cerise, mûre. Le palais, concentré, ample et rond, tient la note, porté par une bonne trame tannique et une vivacité de bon aloi. Un vin équilibré qui respecte le fruit, à boire dans les deux ou trois ans à venir.

SCEA Pauvif, 15, rue Favereau,
33920 Saint-Vivien-de-Blaye, tél. 05.57.42.47.37,
fax 05.57.42.55.89, info@cht-les-graves.com r.-v.

♥ **DOM. DES GRAVES D'ARDONNEAU**
Cuvée Prestige Élevée en fût de chêne 2011 ★★

▯	13 000	⏸	5 à 8 €

La famille Rey écrit son histoire viticole depuis 1763 sur les terres du petit village d'Ardonneau. La vente en bouteille date, elle, de 1981, année de l'installation de Christian, rejoint par son fils Laurent en 2005 et par sa fille Fanny en 2008. Une histoire qui s'écrit aussi dans les pages du Guide, à coup d'étoiles et de quelques coups de cœur, dont le dernier en date pour cette même cuvée, version 2009. Le 2011, sauvignon à 90 % et colombard, jaune pâle à reflets dorés, offre un bouquet complexe et délicat de fleurs blanches, d'écorce d'orange, de coing et de vanille. Le palais se révèle rond, gras, ample et long, avec une juste vivacité en soutien. Un vin généreux et gourmand, que l'on verrait bien sur des ris de veau à la crème ou sur une cassolette de poisson.

EARL Simon Rey et Fils, Ardonneau,
33620 Saint-Mariens, tél. 05.57.68.66.98, fax 05.57.68.19.30,
gravesdardonneau@wanadoo.fr
t.l.j. sf dim. 8h-12h30 14h30-19h

CH. GRESSINA 2009 ★

■	7 000	⏸	5 à 8 €

En 1991, les frères Marchand, Lionel et Stéphane, ont pris la suite de leur père. Ils proposent une cuvée à forte proportion de merlot (95 %), joliment vêtue de rouge profond. Au nez, les fruits rouges mûrs se mêlent aux épices. À l'unisson, le palais se montre gras, rond et fondu. Un vin harmonieux, à déguster dans les deux ou trois ans à venir sur une viande en sauce.

GAEC Marchand et Fils,
11, rte de Saint-Malo, Dom. de la Trépigne,
33390 Saint-Seurin-de-Cursac, tél. et fax 05.57.42.13.11,
ent.gressina@orange.fr t.l.j. 8h-12h 14h-19h

♥ **CH. HAUT-CANTELOUP** Cuvée Prestige 2010 ★★

■	35 000	⏸	5 à 8 €

La notoriété de ce domaine familial – les deux frères Bordenave et leurs parents – n'est plus à faire.

De nombreuses distinctions dans ces colonnes et plusieurs coups de cœur l'attestent, pour Haut-Canteloup et aussi pour le Ch. les Perrières en AOC blaye. Le palmarès s'étofffe avec ce 2010 en tout point remarquable. Un grenat intense aux éclats noirs tapisse le verre. Au nez, les douze mois de barrique se manifestent à travers d'élégantes senteurs toastées et torréfiées qui dominent sans les écraser les notes de fruits noirs et mûrs. Franche et puissante dès l'attaque, la bouche affiche une solide structure tannique, de la mâche et du volume. La longue finale, finement grillée, achève de convaincre. À laisser mûrir en cave cinq à dix ans. Le **blanc 2011 (moins de 5 € ; 43 000 b.)**, bien équilibré entre gras et vivacité, obtient une étoile.

EARL Bordenave et Fils, 8, chem. de la Palanque,
33390 Fours, tél. 05.57.42.87.12, fax 05.57.42.36.69,
chateau-hautcanteloup@wanadoo.fr
t.l.j. sf dim. 8h-12h 14h-18h

CH. HAUT-COLOMBIER 2011

▯	7 500	⏸	5 à 8 €

Ce domaine, en conversion bio depuis 2011, signe un 2011 issu à parts égales de sauvignon blanc et de sauvignon gris, aux parfums élégants et typés de fleurs blanches et d'agrumes. La bouche, dans la continuité du nez, offre un bon équilibre entre gras et vivacité.

EARL Vignobles Jean Chéty et Fils, 1, Les Blancs,
33390 Cars, tél. 05.57.42.10.28, fax 05.57.42.17.65,
chateau.hautcolombier@wanadoo.fr
t.l.j. 8h-12h 14h-18h; sam. dim. sur r.-v.

CH. HAUT-GRELOT Coteau de Méthez 2010 ★★

■	30 000	⏸	5 à 8 €

Installé depuis 1979 sur ce domaine de 58 ha, Joël Bonneau a été rejoint en 2011 par ses enfants Céline et Julien. Cette cuvée est un pur merlot né sur un coteau aux sols de sables, d'argiles et de graves. Rouge profond et intense, elle livre un bouquet non moins intense de fruits rouges frais agrémenté d'un subtil boisé vanillé. Ses arguments en bouche ? Une attaque ronde et fruitée, du volume, du gras, des tanins veloutés et une longue finale sur le moka. Un vin équilibré et gourmand, à déguster dans les trois ou quatre ans à venir sur un jarret de veau aux champignons. Citée, la **cuvée Tradition blanc 2011 (moins de 5 € ; 150 000 b.)**, issue de sauvignon (90 %), de sémillon et de muscadelle, révèle un palais souple à la finale fraîche et de bonne longueur.

EARL Joël Bonneau, Ch. Haut-Grelot, 28, Les Grelauds,
33820 Saint-Ciers-sur-Gironde, tél. 05.57.32.65.98,
fax 05.57.32.71.81, jbonneau@wanadoo.fr
r.-v.

CH. DU HAUT GUÉRIN 2010 ★

■ 50 000 8 à 11 €

Vinifiée dans le chai ultramoderne de leur domaine, cette cuvée de Jérôme et Stéphane Coureau, par ailleurs négociants sur la place de Bordeaux, a fort belle allure dans sa robe rubis brillant. Elle dévoile de fins parfums fruités (framboise, cassis) relevés d'épices douces. Après une attaque puissante et tonique, le palais s'arrondit autour d'une matière ample et charnue, étayée par des tanins soyeux. À découvrir d'ici trois ou quatre ans.

SARL Ch. du Haut Guérin, 33920 Saint-Savin, tél. 05.57.58.40.47, fax 05.57.58.93.09, j.coureau@cgmvins.com t.l.j. 9h-12h 14h-18h

Coureau

CH. HAUT LA VALETTE Distinction Élevé en fût de chêne 2010 ★

■ 4 100 5 à 8 €

Jean-Michel Bergeron, qui s'est installé en 1978 sur ce domaine de 20 ha, est épaulé par son fils Cédric depuis 2008. Il signe une cuvée mi-malbec mi-merlot qui a séduit les jurés par sa robe rubis, son bouquet élégant de fruits rouges mûrs, de toasté et de réglisse, et son palais ample et franc, aux tanins serrés, épicé et chocolaté en finale. Cette bouteille de bonne constitution mérite une garde de deux ou trois ans.

Jean-Michel Bergeron, 3, Les Martins, 33390 Cars, tél. 05.57.42.31.67, fax 05.57.420.31.67, jean-michel-bergeron@wanadoo.fr r.-v.

CH. HAUT-TERRIER 2011 ★

15 000 5 à 8 €

Comme souvent, c'est le blanc du domaine qui a d'abord retenu l'attention des dégustateurs. Ce pur sauvignon, pâle et brillant, offre un nez frais, floral et fruité (citron, pêche blanche). À l'unisson, le palais se révèle bien équilibré, long et tonique. Tout indiqué pour un poisson grillé dès à présent. Le **rouge 2010 Élevé en barrique neuve (8 à 11 €; 100 000 b.)**, rond, fruité et boisé sans excès, est cité.

Bernard Denéchaud, 46, Le Bourg, 33620 Saint-Mariens, tél. 05.57.68.53.54, chateau-haut-terrier@wanadoo.fr r.-v.

CH. LE JONCIEUX 2010

■ 80 000 5 à 8 €

Issu d'un assemblage classique de merlot (85 %) et de cabernet-sauvignon, ce 2010 élevé en cuve a justement gardé tout son fruit, tant au nez qu'en bouche. La groseille et les épices douces se mêlent en toute harmonie, tapissant un palais souple, léger et élégant. À servir dès l'automne, sur une grillade.

Jullion, Beauséjour, 33390 Berson, tél. 05.57.64.39.98, fax 05.57.64.23.00, franck.jullion@wanadoo.fr r.-v.

CH. LACAUSSADE SAINT-MARTIN Cuvée Trois Moulins 2010 ★★

24 000 8 à 11 €

L'un des plus anciens domaines du Blayais, 45 ha adossés aux premiers coteaux ensoleillés bordant l'estuaire de la Gironde. Issu du sémillon (90 %) et du sauvignon, ce 2010 se présente dans une robe jaune doré aux éclats verts et livre des arômes charmeurs et subtils d'agrumes, de fleurs blanches, de cire d'abeille et de vanille. Cette même palette aromatique accompagne un palais gras, ample et rond, une juste vivacité apportant équilibre et longueur. À déguster dès aujourd'hui sur des noix de saint-jacques.

SCEA Ch. Labrousse-Jacques Chardat, 8, rte de Labrousse, 33390 Saint-Martin-Lacaussade, tél. 05.57.32.51.61, fax 05.57.32.51.38, j.chardat@corlianges.com r.-v.

CH. LARRAT 2010 ★

■ 4 000 5 à 8 €

Ce domaine de 18 ha, implanté dans le Bourgeais, non loin de l'église romane de Lafosse (XIIe s.) et du moulin de Lansac, possède aussi quelques arpents de vigne dans le Blayais. Deux cuvées ont retenu l'attention des dégustateurs. En tête, ce 2010 né sur 66 ares de merlot et de cabernet ; un vin élevé en cuve, dévoilant un nez concentré d'épices et de bourgeon de cassis, et une bouche puissante, généreuse, portée par des tanins serrés à laisser s'affiner durant trois ou quatre ans. Le **2010 rouge Élevé en fût de chêne (2 800 b.)**, chaleureux, rond et boisé, est cité.

EARL Dom. de Grillet, 5, Grillet, 33710 Pugnac, tél. 05.57.68.80.64, fax 05.57.68.82.65, dom.grillet@wanadoo.fr t.l.j. sf dim. 8h-13h 14h-20h

CH. LA LEVRETTE CIL 2009 ★

■ 20 000 11 à 15 €

Arrière-petite-nièce de François Mauriac, Laetitia Mauriac, après des études de philosophie et quelques années dans la communication financière, a repris en 2006 la conduite de la propriété avec son frère Arthur. Paré d'une robe carminée à reflets violacés, ce 2009 dévoile un bouquet intense de fruits rouges et noirs enrobé de notes de vanille et de pain grillé. Après une attaque franche et douce, la bouche ample, riche et pleine révèle un fruité croquant à souhait, soutenu par des tanins tendres et friands, gage d'un bon vieillissement de deux ou trois ans.

Les Vins Mauriac-Hourtinat, Hourtinat, 33113 Saint-Symphorien, tél. 06.63.80.04.41, fax 05.56.24.99.87, lmauriac@chateau-la-levrette.com r.-v.

CH. MAGDELEINE BOUHOU 2010

■ 50 000 11 à 15 €

Planté sur un terroir mêlant argiles alluviales et calcaire, le merlot côtoie ici le malbec, présent depuis toujours sur ce domaine. Paré d'une robe grenat soutenu, ce 2010 livre un bouquet de fruits rouges croquants, à peine épicé et boisé. Tendre et douce à l'attaque, la bouche se montre ronde et soyeuse, structurée avec justesse, un peu plus sévère en finale toutefois. Deux ans de garde devraient assouplir l'ensemble.

EARL Chaumet-Rousseau, 4, Bouhou, 33390 Cars, tél. 05.57.42.19.13, muriel.revaire@magdeleine-bouhou.com r.-v.

Muriel Revaire

CH. DES MATARDS Cuvée Nathan 2010 ★

■ 33 000 5 à 8 €

Également producteur de pineau-des-charentes, ce domaine de 70 ha s'illustre régulièrement par son blaye-côtes-de-bordeaux. Cette cuvée, du nom du deuxième fils des Terrigeol, séduit d'emblée dans sa robe au grenat vif et brillant, offrant un bouquet de fruits frais (cassis, cerise)

aux nuances mentholées. Souple et gracieuse, la bouche est à l'unisson, fraîche, fruitée, tonique, agrémentée de quelques senteurs fumées. À boire sur son fruit, et sur une bonne grillade.

SCEA Terrigeol et Fils,
27, av. du Pont-de-la-Grâce, Le Pas-d'Ozelle,
33820 Saint-Ciers-sur-Gironde, tél. 05.57.32.61.96,
fax 05.57.32.79.21, info@chateau-des-matards.com
t.l.j. sf dim. 8h-12h 14h-18h; f. jan.

CH. MONCONSEIL GAZIN 2010 ★

■ 90 000 — 5 à 8 €

Selon la légende, Charlemagne aurait « tenu conseil » en ce lieu après une bataille victorieuse contre les Sarrazins en l'an 804. Jean-Michel Baudet, lui, « tient conseil » tous les jours depuis 1989 sur ce domaine de 38 ha. Il signe un 2010 très réussi, paré d'une robe rubis soutenu, au nez intense de fruits frais, à la bouche dense, ronde, fine et bien structurée. À découvrir dans un an ou deux sur une viande blanche ou une volaille. Le **Ch. Ricaud 2009 rouge (90 000 b.)**, souple et boisé avec justesse, est cité.

Vignobles Michel Baudet,
Ch. Monconseil Gazin, 15, rte de Compostelle, 33390 Plassac,
tél. 05.57.42.16.63, fax 05.57.42.31.22,
chateau@monconseilgazin.com r.-v.

CH. MONSEIGNEUR 2010 ★★

■ 85 500 — 5 à 8 €

Vendanges à l'aube, voire de nuit, pour limiter l'oxydation des moûts, macération préfermentaire à froid pendant cinq à six jours pour fixer couleur et arômes, fermentation à basse température, macération de dix jours à 23 °C, puis élevage court de six mois en barrique : c'est ainsi que le Varois d'origine Roland de Onffroy a conçu ce 2010 de haut vol. La robe est dense et sombre, tirant sur le noir. Après agitation, le nez s'ouvre sur les fruits noirs, les épices et la torréfaction. La bouche s'impose par sa puissance, son volume et sa richesse, encadrée par des tanins qui promettent une bonne garde. Après cinq à huit ans de cave, cette bouteille de caractère fera honneur à un agneau au romarin ou à une daube de bœuf.

Baron Roland de Onffroy,
Ch. Laroche, 2, chem. des Augers, 33710 Tauriac,
tél. 05.57.68.20.72, fax 05.57.58.38.23,
rolanddeonffroy@wanadoo.fr t.l.j. 9h-12h 14h-17h

CH. MONTFOLLET Le Valentin 2010 ★★

■ 80 000 — 8 à 11 €

L'histoire se répète pour la coopérative des Châteaux Solidaires ; trois vins sélectionnés, dont ce Valentin,

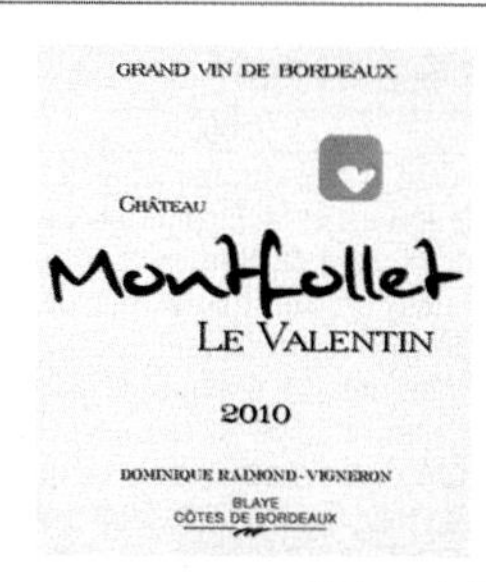

coup de cœur comme son « grand frère » de 2009. Merlot (70 %) et malbec – un cépage qui revient en force dans le Blayais et le Bourgeais – composent un vin d'une grande puissance que l'on perçoit d'emblée à travers une robe dense et profonde, et un bouquet de fruits très mûrs (fraise, framboise) mâtiné d'épices et de nuances grillées et réglissées. Le palais se révèle très concentré, massif, ample, étayé par des tanins serrés. Cinq à huit ans de garde s'imposent. La même cuvée en **blanc 2011 (5 à 8 € ; 20 000 b.)**, soyeuse, suave, boisée avec justesse et portée par une belle fraîcheur finale, obtient aussi deux étoiles, tout comme le **Ch. les Tours de Peyrat 2010 rouge Vieilles Vignes (5 à 8 € ; 82 000 b.)**, équilibré, ample et bien structuré.

Châteaux Solidaires, 9, Le Piquet, 33390 Cars,
tél. 05.57.42.13.15, fax 05.57.42.84.92,
d.raimond@chateaux-solidaires.com
t.l.j. sf dim. 9h-12h 14h-18h

CH. MORILLON 2009 ★

■ 8 000 — 8 à 11 €

Ancienne demeure des Brun de Gadeau, seigneurs de Campugnan et chevaliers de Saint-Louis, le château Morillon est conduit depuis 2004 par Chantal et Jean-Marie Mado. Issu de merlot (80 %), de cabernet-sauvignon et d'une pointe de malbec, ce 2009 dévoile un joli nez fruité, épicé et légèrement grillé. Le palais ample, rond et doux s'appuie sur un bon boisé et des tanins de qualité. À découvrir dans deux ou trois ans.

SCEA Chantal et Jean-Marie Mado, Ch. Morillon,
33390 Campugnan, tél. 06.76.41.14.18, fax 05.57.64.73.17,
jmm@chateau-morillon.com r.-v.

CH. MOULIN DE CHASSERAT 2010 ★★

■ n.c. — 11 à 15 €

Mariage heureux de la finesse et de la puissance, ce 2010 signé Franck Fourcade frôle les trois étoiles. Derrière une robe au grenat étincelant, le nez s'ouvre sur de délicats parfums de fruits rouges mûrs, cerise en tête, puis sur les épices douces et un grillé discret. Cette complexité se retrouve dans une bouche ample, riche et dense, portée par des tanins élégants et une longue finale fruitée à souhait. Une bouteille armée pour une garde de quatre ou cinq ans.

Ch. Chasserat, EARL Boyer Fourcade, 33390 Cartelègue,
tél. 05.57.64.63.14, fax 05.57.64.50.14 r.-v.

CH. MOULIN DE GRILLET Les Ailes du moulin 2009 ★★

■ 3 000 — 8 à 11 €

Arborant une belle robe rouge aux reflets grenat, ce 2009 assortit avec harmonie des notes florales et fruitées aux nuances torréfiées et toastées de la barrique. La bouche séduit par sa densité et son onctuosité, sous-tendue par des tanins fermes mais fins, enrobés de senteurs de fruits à l'eau-de-vie et de grillé. Une belle expression de l'appellation, à apprécier dans les cinq ans à venir.

EARL Patrice Glemet, 3, Moulin de Grillet, 33390 Berson, tél. 05.57.64.34.47, fax 05.57.64.26.26, patriceglemet@orange.fr

t.l.j. sf sam. dim. 9h-12h30 14h-17h30

CH. LES PÂQUES Cuvée Prestige Élevé en fût de chêne 2010 ★★

12 000 | 5 à 8 €

Comme l'an dernier, cette propriété de 32 ha est doublement étoilée pour cette cuvée de pur merlot issue des meilleures parcelles du domaine, conduites à faible rendement. Au nez, le vin libère des parfums intenses de fruits mûrs agrémentés de notes torréfiées. En bouche, il montre tout son caractère : puissant, dense, riche et généreux, le boisé, les épices et les fruits mûrs composant une belle palette aromatique en accord avec l'olfaction. Trois à cinq ans de garde sont à envisager si l'on veut l'apprécier à son optimum. On le verrait bien alors accompagner une oie farcie.

Bruno Martin, 29, Les Pâques, 33820 Braud-et-Saint-Louis, tél. et fax 05.57.32.76.10, bruno.martin121@wanadoo.fr

t.l.j. sf dim. 8h-12h 14h-19h

CH. PATY CLAUNE Élevé en fût de chêne 2009 ★

12 000 | 5 à 8 €

Ce domaine familial étend l'essentiel de ses 16 ha de vigne en Gironde, mais une petite surface de 3 ha située en Charente-Maritime est destinée à l'élaboration de pineau-des-charentes blanc. Ici, merlot (70 %) et cabernet-sauvignon sont à l'origine de ce 2009 rouge sombre, le nez empreint de fruits rouges, de notes de sous-bois et de chocolat. Bâtie sur des tanins fins, la bouche, ample et ronde, offre le même équilibre entre fruité et boisé fondu. À boire dans les deux ou trois ans à venir.

EARL Jean-Michel Bertrand, 3, Les Renauds, 33820 Saint-Ciers-sur-Gironde, tél. et fax 05.57.32.65.45, bertrand-jm2@wanadoo.fr

t.l.j. sf dim. 9h-12h30 14h-19h

CH. PEYREYRE 2009 ★

50 000 | 5 à 8 €

L'assemblage des quatre cépages bordelais donne naissance à ce vin rubis frangé de reflets orangés, qui livre un bouquet complexe de pruneau, de cerise confite et de noisette grillée. Après une attaque souple et fruitée, on découvre une bouche ronde et charnue, dont les tanins tendres évoluent en finale vers plus de fermeté. À attendre deux ou trois ans.

SARL Vignobles Trinque, 14, voie Romaine, 33390 Saint-Martin-Lacaussade, tél. 05.57.42.18.57, fax 05.57.42.94.17, peyreyre@orange.fr

t.l.j. 8h-12h 14h-18h

CH. PINET LA ROQUETTE 2011

2 000 | - de 5 €

Ce domaine de 8,67 ha d'un seul tenant étend son vignoble au pied d'une colline calcaire jadis habitée par les hommes préhistoriques, comme l'attestent quelques outils trouvés sur le site. Depuis 2001, il est conduit par Stéphane et Valérie Nativel, issus du secteur de l'armement. Leur blanc 2011 (sauvignon et sémillon), or pâle et brillant, dévoile des parfums intenses de fruits à chair blanche et d'agrumes. Moins exubérant, le palais séduit par sa fraîcheur et son dynamisme. Tout indiqué pour un plateau de fruits de mer.

EARL Nativel, Pinet La Roquette, 4, Pinet, 33390 Berson, tél. et fax 05.57.42.64.05, sv.nativel@orange.fr

t.l.j. 9h-18h; sam. dim. sur r.-v.; f. 15-30 août et 22-31 déc.

GFA La Roquette

CH. PUYNARD Tradition 2010 ★

70 000 | 5 à 8 €

Ce domaine, établi sur les hauteurs du bourg de Berson, est conduit depuis 2002 par Nicolas Grégoire. Bien avant lui, quelques propriétaires illustres ont vécu au château, comme le duc Louis de Saint-Simon, gouverneur de Blaye au XVIIe s., ou Chrétien Laumonier des Murgès, capitaine du régiment de Navarre. Côté vin, ce 2010 affirme sa personnalité à travers une seyante robe rubis aux éclats vifs, un nez séducteur de fruits rouges frais, plus confits à l'aération, et un équilibre très réussi entre une matière puissante et charnue et des tanins ronds et flatteurs. Un ensemble généreux, à déguster dans les trois ans, sur un parmentier de canard par exemple. La cuvée **Le Chêne 2009 rouge (8 à 11 € ; 13 500 b.)** est citée pour son bouquet fruité et réglissé et pour ses tanins veloutés.

Nicolas Grégoire, Ch. Puynard, 6, av. de la Libération, 33390 Berson, tél. 05.57.64.33.21, fax 05.57.64.23.14, chateau.puynard@wanadoo.fr r.-v.

CH. LA RAZ CAMAN 2009 ★

65 000 | 8 à 11 €

C'est en 1857 qu'un aïeul de Jean-François Pommeraud acquit cet ancien domaine du chevalier seigneur de la Raz Caman, tombé en ruine. Installé depuis 1972, l'actuel propriétaire signe un assemblage très réussi de merlot, de cabernets et de malbec. Drapé dans une robe couleur framboise, le vin livre un bouquet élégant de cerise noire, de grenade, d'épices et de vanille. La bouche, souple à l'attaque, se révèle douce, veloutée, fruitée et boisée avec justesse. Déjà aimable, cette bouteille s'appréciera dans les deux ou trois ans à venir. Le **blanc 2011 (moins de 5 € ; 10 000 b.)**, un pur sauvignon frais et fruité, fait jeu égal.

Jean-François Pommeraud, 4, lieu-dit Caman, 33390 Anglade, tél. 05.57.64.41.82, fax 05.57.64.41.77, jean-francois.pommeraud@wanadoo.fr

t.l.j. sf sam. dim. 9h-12h 14h-18h

CH. LES RICARDS 2010 ★

40 000 | 8 à 11 €

Depuis que son mari s'occupe du bien public (conseiller général), Corinne Chevrier-Loriaud conduit seule le domaine, avec talent si l'on en juge par ce 2010 issu d'une sélection de terroirs du plateau de Cars. Merlot, cabernet-sauvignon et malbec donnent naissance à un vin au bouquet agréable de fruits confits mâtiné de notes grillées. Le palais se montre ample et chaleureux, bâti sur des tanins fermes et un rien austères en finale, qui demandent trois ou quatre ans de patience. Tout indiqué pour du gibier, un civet de sanglier par exemple. **L'Esprit de Bel-Air la Royère 2010 rouge (11 à 15 € ; 20 000 b.)**,

dans un esprit proche, généreux et bien structuré, obtient également une étoile.
Corinne Chevrier-Loriaud, 1, les Ricards, 33390 Cars, tél. 06.89.90.20.04, fax 05.57.42.32.87, chateau.belair.la.royere@wanadoo.fr r.-v.

CH. LA RIVALERIE Réserve depuis 1868 2009 ★★

4 800 | 20 à 30 €

Si l'on trouve trace de ce domaine déjà sous François Ier et s'il fut classé 1er cru bourgeois dans l'édition de 1868 du Cock et Féret, la Rivalerie disparut entre 1956 et 1972, date de son remembrement. Depuis 2005, Jérôme Bonaccorsi veille à sa destinée. Il signe une cuvée née d'un assemblage original, mi-malbec mi-cabernet-sauvignon, élevée vingt-quatre mois en fût. Un vin remarquable en tout point : robe grenat élégante animée de reflets carmin ; nez complexe et intense de fruits noirs et rouges mûrs, d'épices douces, de pain grillé et d'eucalyptus ; bouche soyeuse, ronde et séveuse, tapissée d'un fruité croquant et de nuances vanillées, épaulée par des tanins doux et une belle fraîcheur. Un modèle d'équilibre, à découvrir dans trois ou quatre ans sur du bœuf en daube. Le **blanc 2010 (8 à 11 € ; 2 400 b.)**, issu des sauvignons blanc et gris et du sémillon, est cité pour son bouquet floral, exotique et minéral, et pour sa bouche tonique.
Ch. la Rivalerie, 1, La Rivalerie, 33390 Saint-Paul, tél. 05.57.42.18.84, fax 05.57.42.14.27, jerome@larivalerie.com t.l.j. sf sam. dim. 8h30-12h30
Jérôme Bonaccorsi

CH. LA ROSE BELLEVUE Prestige Fût de chêne 2011 ★

10 000 | 5 à 8 €

Jérôme Eymas a pris la direction de cette propriété en 1997, après avoir vinifié en Australie et en Champagne. Sur les 47 ha que compte le vignoble, 2 ha ont été réservés à cette cuvée née des sauvignons blanc (60 %) et gris et de la muscadelle. Un vin au bouquet intensément floral (genêt) et boisé (vanille, grillé). Dans le prolongement du nez, la bouche se révèle ample et ronde, une noble amertume amenant du tonus en finale. À découvrir dès à présent, sur une viande blanche en sauce.
EARL Vignobles Eymas et Fils, 5, Les Mouriers, 33820 Saint-Palais, tél. 05.57.32.66.54, fax 05.57.32.78.78, service.commercial@chateau-rosebellevue.com
t.l.j. sf dim. 9h-12h 14h-18h

CH. SEGUIN Élevé en fût de chêne 2010 ★

81 600 | 5 à 8 €

Proposé par Alliance Bourg, groupement des coopératives de Pugnac, de Tauriac et de Lansac, ce 2010 rouge sombre développe de plaisants parfums de fruits noirs escortés par un léger boisé toasté et épicé. La bouche se montre généreuse et ronde, soutenue par des tanins souples et fondus, les fruits mûrs et un grillé sans excès animant la finale. À boire dans deux ou trois ans. Le **Ch. Gauthier 2010 rouge (47 200 b.)**, équilibré et bien structuré, est cité.
Alliance Bourg, 3, av. des Côtes-de-Bourg, 33710 Tauriac, tél. 05.57.68.81.01, fax 05.57.68.83.17, alliancebourg@orange.fr r.-v.

TERRE-BLANQUE Noémie 2009 ★★

7 000 | 11 à 15 €

Noémie était la grand-mère de Paul-Emmanuel Boulmé, ancien propriétaire des lieux, auquel Odile et Thierry Bazin ont succédé en 2011. Sélection parcellaire, vinification en petites cuves et élevage en barrique : cette cuvée fait valoir de beaux arguments du début à la fin de la dégustation. La robe est rouge brillant. Le nez, intense et complexe, mêle des senteurs de confiture de fraises, de fruits noirs, d'épices douces, de cèdre et de pain grillé. Le palais se révèle gras, doux et plein, soutenu par des tanins croquants et une agréable fraîcheur qui porte loin la finale. À déguster dans deux ou trois ans.
SCEA Terre-Blanque, 1, Sesque, 33390 Saint-Gènes-de-Blaye, tél. 05.57.58.26.57, fax 05.57.58.39.41, thierry.bazin@terreblanque.com
r.-v.
Thierry Bazin

CH. TOUR SAINT-GERMAIN Cuvée Élégance Élevé en fût de chêne 2010 ★

50 000 | 8 à 11 €

Denis Noël et son fils Cyril conduisent un beau vignoble de 65 ha. Merlot (70 %) et malbec y donnent naissance à cette cuvée d'un rouge vif et brillant. Si le nez est encore sous l'emprise du merrain (grillé, vanille), le palais intense, bien structuré et long, offre un bon mariage du bois et du fruit (cassis, cerise), et laisse en finale une agréable impression d'élégance et d'équilibre. À servir dans trois ou quatre ans sur une viande rouge grillée.
EARL Noël Tour Saint-Germain, Saint-Germain, 33390 Berson, tél. 05.57.64.39.13, fax 05.57.64.24.47, scea.noel@yahoo.fr
t.l.j. 8h-12h 14h-19h; sam. dim. sur r.-v.

CH. DES TOURTES Cuvée Prestige 2010 ★

35 000 | 5 à 8 €

Ce domaine, régulièrement présent dans le Guide, propose un 2010 qui, sans atteindre les sommets de son « aîné » (trois étoiles dans l'édition précédente), fait fort belle figure. Au nez, les fruits rouges frais rivalisent avec les notes chocolatées et vanillées de l'élevage. En bouche, le vin se montre rond, fruité, bien construit autour de tanins solides mais sans agressivité. À ouvrir dans les trois ans à venir.
EARL Raguenot-Lallez-Miller, 30, Le Bourg, 33820 Saint-Caprais-de-Blaye, tél. 05.57.32.65.15, fax 05.57.32.99.38, chateau-des-tourtes@orange.fr
t.l.j. sf dim. 9h-12h 14h-18h30
Lallez

LES VIGNERONS DE TUTIAC Excellence Élevé en fût de chêne 2009

50 000 | 8 à 11 €

La coopérative de Marcillac propose un pur merlot, rouge profond aux reflets noirs, au nez discrètement toasté. La bouche se révèle ronde, ample, bien structurée, légèrement épicée et boisée avec discernement. À boire dans les deux prochaines années.
Les Vignerons de Tutiac, La Cafourche, 33860 Marcillac, tél. 05.57.32.48.33, fax 05.57.32.55.20, contact@tutiac.com
r.-v.

CH. LES VIEUX MOULINS Les Hélices 2010 ★

6 000 | 11 à 15 €

Les anciens moulins à vent présents sur le vignoble sont à l'origine du nom de ce domaine de 14 ha, en cours de conversion bio. Ils illustrent aussi d'une manière graphique, moderne et très réussie l'étiquette de cette cuvée mi-merlot mi-cabernet-sauvignon. Mais c'est bien sûr à l'aveugle que nos dégustateurs ont sélectionné ce vin sombre, presque noir, au bouquet gourmand et généreux de fruits mûrs et de pruneau. Ample, chaleureux et concentré, le palais s'appuie sur des tanins puissants mais soyeux et offre une jolie finale aux senteurs de moka et de boîte à cigares. À ouvrir dans deux ou trois ans sur une viande en sauce. La cuvée **Pirouette 2010 rouge (5 à 8 € ; 10 000 b.)**, une étoile également, donne une plus grande part au merlot : c'est un vin dense, rond, intense, soutenu par une belle fraîcheur.

Francis Lorteaud, 15, Les Martinettes, 33860 Reignac, tél. et fax 05.57.64.72.29, contact@chateaulesvieuxmoulins.com r.-v.

CH. VIEUX PLANTY Fût de chêne 2009 ★★

15 000 5 à 8 €

Ce domaine de 31 ha, conduit en lutte raisonnée, tend progressivement vers le bio. Après quinze mois de fût, ce 2009 affiche une robe rouge foncé ornée de reflets violets et dévoile un bouquet à la fois floral et vanillé. L'attaque douce et riche ouvre sur un palais long et charnu, porté par des tanins solides qui assureront à ce vin une bonne garde de quatre ou cinq ans.

EARL Ovide et Fils, 10, Le Bourg, 33820 Saint-Aubin-de-Blaye, tél. et fax 05.57.32.67.35, chateauvieuxplanty@cario.fr r.-v.

Côtes-de-bourg

Superficie : 3 920 ha
Production : 210 600 hl

L'AOC est située au sud du Blayais, sur la rive droite de la Gironde puis de la Dordogne. Avec le merlot comme cépage dominant, les rouges se distinguent souvent par leur couleur et leurs arômes typés de fruits rouges. Plutôt tanniques mais agréables dans leur jeunesse, ils peuvent vieillir de trois à huit ans. Peu nombreux, les blancs sont en général secs.

CH. BÉGOT 2009 ★

10 000 5 à 8 €

Martine et Alain Gracia exploitent depuis 1976 le domaine familial établi sur les argilo-calcaires de Lansac. Avec ce 2009 élevé dix-huit mois en cuve, ils proposent un vin franc et sérieux. Le nez, intense et complexe, un peu confituré, décline toute une farandole de fruits rouges et noirs (mûre, framboise...) nuancés de notes de pêche de vigne. Assez vif à l'attaque, le palais évolue ensuite avec ampleur sur des tanins soyeux. Bien structuré, ce vin trouvera son plein épanouissement après deux ans de garde. Le **2009 Élevé en fût de chêne (5 à 8 € ; 6 000 b.)**, harmonieux et bien construit, obtient la même note. Ses notes d'élevage appuyées, vanillées et toastées, suggèrent une attente de même durée, sauf si l'on aime les vins boisés.

Alain et Martine Gracia, 5, Bégot, 33710 Lansac, tél. 05.57.68.42.14, chateau.begot@wanadoo.fr t.l.j. 9h-12h 14h-18h; sam. dim. sur r.-v., f. 15-31 août

CH. BEL AIR-L'ESCUDIER 2010

60 000 5 à 8 €

Plus connus des lecteurs pour leur château Martinat, ces producteurs ont soumis à nos dégustateurs un 2010 issu essentiellement de merlot (80 %, le solde en cabernet-sauvignon) planté sur un terrain argilo-graveleux. Les caractères et les atouts du cépage principal se retrouvent dans ce côte-de-bourg : une robe grenat profond ; de jolis arômes de fruits rouges et noirs que l'on retrouve en bouche, soulignés d'un léger boisé vanillé et épicé ; une chair ronde et pleine, soutenue par des tanins fins et soyeux et réveillée par une pointe de vivacité en finale. Un classique de l'appellation, que l'on peut servir dès maintenant ou attendre deux ans.

SCEV Marsaux-Donze, Ch. Martinat, 33710 Lansac, tél. 05.57.68.34.98, fax 05.57.68.35.39, s.donze@chateau-martinat.com r.-v.

CH. DU BOIS DE TAU 2010 ★

100 000 5 à 8 €

Ce producteur exploite avec ses deux filles plusieurs châteaux en Blayais-Bourgeais, ce qui lui permet de proposer des cuvées importantes en volume et de qualité, comme ce Bois de Tau, dont le millésime 2004 avait décroché un coup de cœur. Né sur les pentes douces des coteaux ensoleillés qui dominent l'estuaire de la Gironde et son île Verte, ce 2010 comporte une part non négligeable de cabernet-sauvignon (40 %) aux côtés du merlot. Il s'ouvre à l'aération sur des senteurs très fraîches de fruits rouges. L'attaque souple est relayée par une chair ronde et soyeuse, structurée par des tanins arrondis et déjà aimables. La finale est marquée par des notes de griotte et un discret boisé (six mois de fût). Déjà harmonieux, ce vin pourra attendre un peu pour polir encore ses tanins.

SCEA Vignobles A. Faure, 33710 Saint-Ciers-de-Canesse, tél. 05.57.42.68.80, fax 05.57.42.68.81, belair-coubet@wanadoo.fr r.-v.

CH. BRÛLESÉCAILLE 2010 ★

80 000 8 à 11 €

Cette propriété très ancienne était déjà répertoriée dans l'édition de 1868 de *Bordeaux et ses vins* de Cocks et Féret. Dirigée depuis 1974 par Jacques Rodet, ingénieur agronome, c'est une valeur sûre du Guide. Quatre cépages sont à l'origine de ce vin rouge : le merlot (55 %), les deux cabernets (40 %) et un soupçon de malbec. La robe profonde aux reflets violets annonce un nez intense, où les notes boisées (café, caramel, pain grillé, vanille) se marient avec élégance à des senteurs de fruits rouges et noirs très mûrs, voire compotés (cassis, mûre, cerise noire). La bouche suit la même ligne aromatique. Ample et ronde, concentrée et puissante, elle est portée par des tanins serrés qui promettent une bonne garde. Déjà appréciable, cette bouteille gagnera une seconde étoile à l'ancienneté. Le **Blanc de Brûlesécaille 2011 (5 à 8 € ; 10 000 b.)**, mariage de sauvignons blanc et gris, légèrement boisé, est cité pour sa finesse aromatique et sa matière généreuse.

GFA Rodet-Récapet, 29, rte des Châteaux, 33710 Tauriac, tél. 05.57.68.40.31, fax 05.57.68.21.27, cht.brulesecaille@wanadoo.fr t.l.j. sf dim. 9h-12h 14h30-19h

CH. BUJAN 2010 ★

100 000 8 à 11 €

Séduit par cette propriété implantée au début de l'estuaire, en face de Margaux, Pascal Méli, conseiller agricole, quitte le nord de la France et s'installe en 1987 à Bujan. Ses côtes-de-bourg ont pris leurs habitudes dans le Guide. Ce 2010 d'un rouge sombre et profond prolonge ainsi une belle série de millésimes. Puissance, richesse et équilibre sont les traits principaux de ce vin qui libère d'entrée de jolies senteurs boisées, grillées et torréfiées, avant de dévoiler à l'agitation de discrets parfums de fruits rouges et noirs. Les tanins du bois donnent au palais une certaine fermeté dès l'attaque, puis laissent se révéler une matière ronde et charnue, gorgée de saveurs fruitées qui persistent agréablement en finale. Une paire d'années suffira à cette bouteille pour s'affiner.

Pascal Méli, Ch. Bujan, 5, Bujan, 33710 Gauriac, tél. 05.57.64.86.56, fax 05.57.64.93.96, pmeli@alienor.fr
r.-v.

CH. DE CANESSE Cuvée boisée 2009 ★

2 000 | 5 à 8 €

Dominique Boyer exploite depuis 1993 un vignoble constitué par son père : 9 ha de vignes implantés sur un plateau dominant la Gironde, bénéficiant d'une exposition plein sud et d'un excellent terroir d'argiles, de graves et de limons. Merlot (60 %), cabernet-sauvignon (25 %) et malbec sont à l'origine des deux cuvées proposées, qui ont l'une comme l'autre séjourné en barrique. Intense et jeune dans le verre, celle-ci offre une belle expression aromatique : des fruits rouges mûrs sur un fond boisé aux nuances de café grillé et de toasté (sept mois de fût). Agréablement fruité à l'attaque, charnu, ample, étoffé, le palais repose sur des tanins sages, soulignés d'un boisé bien dosé. Un ensemble homogène et de belle tenue, qui mérite d'attendre au moins un an ou deux. La cuvée **Nectar de Canesse 2009 (8 à 10 € ; 2 200 b.)**, vieillie un an en barrique, est fruitée et consistante, peut-être un peu plus austère que la précédente : une citation.

Dominique Boyer, 2, Thioudat, 33710 Saint-Ciers-de-Canesse, tél. 06.62.15.95.26, chateau.decanesse@club-internet.fr r.-v.

CH. CASTAING Élevé en fût de chêne 2010 ★

80 000 | 5 à 8 €

À la tête de 40 ha de vignes implantées sur un coteau argilo-calcaire dominant l'estuaire, Christophe Bonnet perpétue une tradition viticole remontant à 1876. Ses vins sont régulièrement en bonne place dans le Guide. Ce 2010, qui privilégie le merlot, montre quelques reflets brique dans sa robe carmin. Des notes de vanille en gousse et des parfums toastés montent du verre, assortis de senteurs de fruits mûrs confiturés, de cerise noire bien mûre, de guignolet. Après une attaque souple, le palais gras et bien équilibré évolue sur des tanins suaves, très mûrs. La finale offre un joli retour sur le fruité et le boisé du bouquet. Un ensemble bien construit, élégant et typé, au potentiel intéressant.

EARL Bonnet et Fils, Ch. Haut-Guiraud, 33710 Saint-Ciers-de-Canesse, tél. 05.57.64.91.39, fax 05.57.64.88.05, bonnetchristophe@wanadoo.fr
r.-v.

CH. LE CLOS DU NOTAIRE Notaris Grande Réserve 2010 ★★

30 000 | 11 à 15 €

La propriété a appartenu à des notaires pendant plus d'un siècle. Depuis 1974, Roland Charbonnier préside à ses destinées. Avec ce 2010 à dominante de merlot issu de sélections parcellaires et d'un élevage de dix-huit mois mi-cuve mi-fût, il propose un vin d'une remarquable harmonie et promis à un bel avenir. À une robe pourpre profond aux reflets violacés répond un bouquet complexe alliant la violette, les fruits rouges et noirs à un boisé très fin. La bouche séduit par sa richesse, son équilibre et son élégance. Ronde à l'attaque, ample et charnue, elle développe un beau fruité, sur le cassis et la cerise, souligné par un boisé bien dosé aux accents de grillé, de café et de réglisse. Les tanins sont aimables et frais, la finale assez vive. Friande et déjà agréable, cette bouteille peut attendre cinq ans. La **cuvée principale 2010 (8 à 11 € ; 70 000 b.)**, très fruitée tout au long de la dégustation, montre elle aussi de belles qualités d'élégance : une étoile.

SCEA du Ch. le Clos du Notaire, Camillac, 33710 Bourg-sur-Gironde, tél. 05.57.68.44.36, fax 05.57.68.32.87, infos@clos-du-notaire.fr r.-v.
Charbonnier

CH. COLBERT Cuvée Prestige Élevé en fût de chêne 2010 ★

15 000 | 5 à 8 €

Un événement spectaculaire est à l'origine du nom de ce château. Un bateau, le *Colbert*, ensablé dans la Gironde, fut remis à flot grâce à l'ingéniosité du propriétaire du vignoble voisin, qui eut l'idée d'utiliser des barriques comme flotteurs. La prime de l'armateur permit de construire le château actuel. Les barriques jouent aujourd'hui un rôle plus traditionnel : elles se bornent à loger, pendant un an, cette cuvée Prestige. D'un rouge sombre aux reflets violacés, sa version 2010 associe au bouquet les notes grillées et vanillées de l'élevage à des senteurs fruitées et florales. Une belle complexité que l'on retrouve dans une bouche souple à l'attaque, franche, équilibrée, fruitée et épicée. Avec ses tanins fondus, ce vin est déjà si plaisant que les dégustateurs suggèrent de le boire dès maintenant.

SCA Ch. Colbert, Ch. Colbert, 33710 Comps, tél. 05.57.64.95.04, fax 05.57.64.88.41, chateau-colbert@wanadoo.fr r.-v.

CH. CONILH HAUTE-LIBARDE 2010 ★

20 000 | 5 à 8 €

Ce château campe sur le haut coteau de la Libarde qui domine la cité de Bourg, le bec d'Ambès et la Dordogne sur le point de se fondre dans la Gironde. Christian Bernier en a pris la tête en 2009. Grâce à un travail méticuleux à la vigne comme au chai, il signe un très beau côtes-de-bourg habillé d'un grenat profond et brillant. Le nez, bien ouvert, joue sur les notes typiques des deux cépages qui entrent dans sa composition, le merlot (65 %) et le malbec. On y trouve des fruits rouges mûrs et des fruits noirs confiturés. Bien constituée, la bouche se montre souple à l'attaque, dense, fraîche et charnue ; ses tanins apparaissent bien enrobés et la finale est marquée par un joli retour fruité. Plaisant dès maintenant, ce 2010 peut aussi attendre deux ans.

Christian Bernier, Conilh, 33710 Bourg-sur-Gironde, tél. 05.57.68.45.76, fax 05.57.68.30.32, info@vins-scb.com
r.-v.

CH. FALFAS Le Chevalier Élevé en fût de chêne 2009 ★★

6 000 | 20 à 30 €

Ancienne terre noble, ce vignoble est commandé par un château du début du XVIIe s. À la fin du Grand Siècle,

Gaillard de Falfas, président à mortier du parlement de Guyenne, lui légua son nom. Depuis plus de vingt ans, John et Véronique Cochran l'exploitent en biodynamie. Cette cuvée naît de vénérables ceps de soixante-quinze ans ; les cabernets sont majoritaires dans son assemblage. Après un élevage de près de deux ans, ce Chevalier a gardé son armure de chêne. D'un grenat intense et jeune, il s'environne de notes boisées et toastées et de senteurs d'amande grillée, une touche de pruneau perçant à l'arrière-plan. Ample, charnue, bien équilibrée, la bouche est de belle tenue, malgré des tanins sévères et un merrain dominateur. Un ensemble solide à oublier trois à cinq ans en cave pour obtenir un meilleur fondu. La cuvée principale **Ch. Falfas 2009 (11 à 15 €; 50 000 b.)**, bien construite, équilibrée et fruitée, obtient une étoile. On l'attendra un an ou deux.

Ch. Falfas, 2, Beychade, 33710 Bayon-sur-Gironde, tél. 05.57.64.80.41, fax 05.57.64.93.24, jvcochran@online.fr
r.-v.
V. Cochran

CH. FOUGAS Prestige 2010 ★

30 000	8 à 11 €

Depuis près de vingt ans, Jean-Yves Béchet loue des pieds de vignes de son domaine aux particuliers, qui reçoivent ainsi « leur » vin. Mais la nouveauté de l'année 2010, c'est la certification bio du domaine, conduit en biodynamie. Avec un terroir de choix – des argiles bleues et rouges, des calcaires et des graves –, des raisins à bonne maturité récoltés à la main et des vinifications bien menées, toutes les conditions sont réunies pour obtenir des vins de qualité. Celui-ci, d'un rouge intense tirant sur le noir, libère de plaisantes senteurs de fruits rouges puis, à l'agitation, des nuances de bon boisé torréfié. La bouche, elle aussi, fort agréable, ronde, ample, équilibrée, évolue sur des tanins soyeux, sans la moindre aspérité, et finit sur un boisé épicé fondu à souhait. Un vin très bien construit, qui gagnera à attendre deux ans.

Jean-Yves Béchet, Ch. Fougas, 33710 Lansac, tél. 05.57.68.42.15, fax 05.57.68.28.59, jybechet@fougas.com
t.l.j. sf sam. dim. 9h-12h 14h-18h

AMÉTHYSTE DE GENIBON 2010 ★★

6 000	8 à 11 €

GRAND VIN DE BORDEAUX
AMETHYSTE
de GENIBON
2010
CÔTES DE BOURG
Appellation Côtes de Bourg contrôlée
Cette cuvée, soigneusement sélectionnée, a été élevée pendant 12 mois en barriques de chêne.
MIS EN BOUTEILLE AU CHATEAU
E.A.R.L. EYNARD-SUDRE
Château Genibon-Blanchereau
14% vol. 750 ml

Les 26 ha du vignoble sont installés sur les hauteurs de Bourg. Ici, on a introduit la machine à vendanger en 1985 et l'on maîtrise son utilisation, à en juger par ce vin, cuvée prestige élevée douze mois en fûts, neufs à 50 %. Son assemblage peut varier selon le millésime : ici, merlot et malbec sont presque à parité. L'améthyste avait la réputation chez les anciens Grecs de préserver de l'ivresse. Cela sera aussi le cas avec cette bouteille : on commencera par la mettre de côté quelque temps ; on la partagera ensuite avec une belle pièce de bœuf rôtie. Les convives apprécieront alors sa robe presque noire, ses jolies notes de fruits mûrs qui n'ont aucun mal à s'exprimer sous un léger boisage, sa bouche à la fois ample et dense, complexe et élégante, aux tanins déjà fondus et légèrement épicés. Déjà plaisant, ce 2010 remarquement équilibré devrait se bonifier au cours des cinq prochaines années. Le **Ch. Genibon-Blanchereau 2010 (moins de 5 €; 90 000 b.)**, élevé en cuve, est un vin bien construit, rond, généreux et fruité : une étoile.

EARL Eynard-Sudre, Genibon, 33710 Bourg-sur-Gironde, tél. 05.57.68.25.34, fax 05.57.68.27.58, genibon@orange.fr
r.-v.

CH. GRAND JOUR 2010 ★

200 000	5 à 8 €

Le merlot, qui compose presque exclusivement cette cuvée, couvre les douces pentes de la commune de Prignac-et-Marcamps, célèbre par ses grottes préhistoriques du Paléolithique aux parois montrant des animaux gravés il y a trente mille ans. Quant à ce vin, il a bénéficié de toutes les techniques du XXIes. D'un rouge profond aux reflets violacés, il embaume les fruits rouges. L'attaque ronde et ample dévoile une chair suave, friande et gourmande, structurée par des tanins qui demandent à se fondre. Bien travaillé dans le respect du fruit, ce côtes-de-bourg peut s'apprécier jeune sur des grillades de bœuf, mais il mérite d'attendre deux à quatre ans.

SCEA Ch. Grand Jour, 87, av. des Côtes-de-Bourg, 33710 Prignac-et-Marcamps, tél. 05.57.68.44.06, fax 05.57.68.37.59, m.robert@rcrgroup.fr
RCR Group

CH. GRAND LAUNAY Réserve lion noir 2010 ★

18 000	8 à 11 €

Pierre-Henri Cosyns a été à bonne école : son père était œnologue. D'abord ingénieur dans l'industrie, il a suivi la même voie, passé son diplôme et rejoint la propriété acquise par ses parents. En 2009, il a engagé la conversion au bio des 26 ha du domaine. Sa Réserve lion noir est tout aussi réussie que dans le millésime précédent. Le 2010 apparaît lui aussi comme un vin de garde : la robe profonde et jeune, d'un rouge bigarreau sombre, annonce un nez encore retenu, qui laisse percevoir à l'aération une palette complexe mêlant la fraise, les fruits noirs, la violette, le cuir, la noix de coco et des notes grillées. Ample, ronde et suave, la bouche déroule des tanins d'une grande finesse ; on y retrouve des notes toastées et épicées alliées à un fruité frais et tonique. À ne pas ouvrir avant un an ou deux.

SCEA Cosyns, Ch. Grand Launay, 33710 Teuillac, tél. 05.57.64.39.03, fax 05.57.64.22.32, grand-launay@wanadoo.fr r.-v. 2

CH. GRAND-MAISON Cuvée spéciale 2010 ★

20 000	5 à 8 €

Cette propriété de 6,5 ha d'un seul tenant implantée sur les hauteurs de Bourg a été acquise en 2004 par Jean Mallet, viticulteur, et par Hervé Romat, œnologue, qui l'exploitent en commun. Issue de sols argilo-sableux, leur Cuvée spéciale, qui privilégie classiquement le merlot, incorpore un soupçon de cabernet franc et un appoint (11 %) de malbec. Mi-cuve, mi-barrique, ce 2010 offre un bouquet frais et fruité (cerise) qui se prolonge dans une bouche ample et souple. Les tanins sont bien présents et même serrés, mais ils ne montrent aucune aspérité. Bien structuré, déjà enrobé, ce millésime pourra être dégusté assez jeune, tout en affichant un potentiel de plusieurs années.

Ch. Grand-Maison, Valades, 33710 Bourg-sur-Gironde, tél. et fax 05.57.64.24.04, cht.grandmaison-bourg@wanadoo.fr r.-v.
Hervé Romat et Jean Mallet

CH. DE LA GRAVE Caractère 2010

	100 000		8 à 11 €

Sur les hauteurs de Bourg, un joli petit château avec fenêtre à meneau et tours en poivrière coiffées d'ardoise. Le vignoble couvre 45 ha, ce qui permet à la famille Bassereau de proposer des vins qui n'ont rien de confidentiel. Une fois de plus, voici la cuvée Caractère, majoritairement issue de merlot, qui rappelle à un membre du jury « les côtes-de-bourg d'antan ». La robe est colorée, presque noire ; le bouquet élégant marie en toute harmonie un boisé flatteur, beurré, vanillé et grillé, des fruits noirs légèrement confiturés et des herbes aromatiques. L'attaque suave introduit un palais ample et solide, charpenté par des tanins serrés, jeunes et encore un peu sévères. Une attente de deux ou trois ans est conseillée.

Bassereau, 1, lieu-dit La Grave, 33710 Bourg-sur-Gironde, tél. 05.57.68.41.49, fax 05.57.68.49.26, info@chateaudelagrave.com
r.-v. 4

CH. LES GRAVES DE VIAUD Cuvée Prestige Élevé en fût de chêne 2010 ★

	65 000		5 à 8 €

Ce domaine de 15 ha a changé de mains en 2010 : il a été acquis par Philippe Betschart, qui a quitté le monde de l'informatique pour devenir vigneron. D'emblée, il s'est engagé dans l'agriculture biologique et l'année suivante, dans la démarche biodynamique. Sa cuvée Prestige, issue d'une majorité de merlot (80 %) avec les deux cabernets en appoint, a été élevée en barrique de réemploi. D'un rouge sombre et intense, elle offre un bouquet élégant et très fruité, fait de fruits noirs, de cerise mûre et de réglisse, relevé par des touches finement épicées. Ce fruité épicé se retrouve en bouche et met en valeur une matière mûre, savoureuse, à la fois ample et fraîche. Des tanins discrets se fondent dans cet ensemble bien structuré, qui demande deux ans de patience.

Ch. les Graves de Viaud, Dom. de Viaud, 1, lieu-dit Viaud, 33710 Pugnac, tél. 06.73.18.28.12, fax 05.57.68.94.49, domaine-de-viaud@hotmail.fr r.-v. 2

CH. GRAVETTES-SAMONAC Cuvée Prestige Élevé en fût de chêne 2010 ★

	20 000		8 à 11 €

Dans cette propriété familiale, Sylvie Giresse officie au chai. Sa cuvée Prestige semble avoir pris un abonnement au Guide. Des vignes de cinquante ans, les plus âgées de la propriété (du merlot à 70 % et des cabernets), des vinifications soignées, un élevage mené durant un an en barriques, neuves pour moitié, autant d'atouts pour obtenir un vin de qualité. Derrière une robe grenat brillant, ce 2010 révèle au bouquet un boisé appuyé, vanillé, grillé et réglissé que l'on retrouve en bouche, fondu dans une matière ample et ronde, bien structurée par des tanins déjà enrobés. Un potentiel intéressant pour cette bouteille que l'on aura intérêt à garder un an ou deux pour une meilleure expression du fruit.

Sylvie Giresse, Le Bourg, 33710 Samonac, tél. 05.57.68.21.16, fax 05.57.68.36.43, gravettes.samonac@orange.fr r.-v.

CH. DE GRISSAC 2010 ★

	56 000		5 à 8 €

Aux lointaines origines de ce cru, un château fort du XIVe s., qui a fait place en 1652 au château actuel. Le vignoble est conduit aujourd'hui par Bernadette Cottavoz, qui signe un 2010 issu d'un assemblage où le merlot (37 %) laisse une place importante au cabernet-sauvignon et au malbec. Ce vin coloré aux reflets violines libère de frais arômes de fruits rouges. Souple, ronde, suave, évoluant sur des tanins veloutés, la bouche est tout en fruit, gourmande à souhait. La propriétaire écrit que son objectif est d'« obtenir des vins souples, fruités, aux tanins fondus ». Les dégustateurs, par leurs commentaires, confirment que le but est atteint. À découvrir dès aujourd'hui.

Bernadette Cottavoz, 2, chem. du Port-d'Espeau, 33710 Prignac-et-Marcamps, tél. 05.57.68.31.65, chateaudegrissac@aol.com r.-v.

B CH. LA GROLET 2010 ★

	n.c.		8 à 11 €

Ce domaine comporte non seulement 36 ha de vignes, mais aussi des prés et des bois, zone de refuge pour la faune sauvage. Propriétaire depuis 1997, Jean-Luc Hubert a obtenu la certification biologique et biodynamique. Cette démarche est certainement un atout pour l'exportation (80 % de sa production), d'autant plus que la qualité est au rendez-vous, à en juger par ce 2010. Un vin élevé un an en barrique, où le merlot joue le premier rôle. La robe profonde montre des reflets violines de jeunesse. Au nez, le fruité ressort, sur la cerise et le noyau, avec des nuances de sous-bois et un boisé vanillé et toasté. Ronde, ample, franche et généreuse, la bouche est marquée pour l'heure par des tanins de raisin et de merrain serrés et austères qui appellent un an ou deux de garde.

Jean-Luc Hubert, Ch. La Grolet, 33710 Saint-Ciers-de-Canesse, tél. 05.57.42.11.95, fax 05.57.42.38.15, contact@vignobles-hubert.com
r.-v.

CH. HAUT-BAJAC Élevé en fût de chêne 2009 ★

	7 000		8 à 11 €

Les vignes de merlot, de malbec et de cabernets à l'origine de ce vin épousent les douces ondulations des premiers coteaux dominant la Dordogne, à 1 km de la cité qui a donné son nom à l'appellation. Les dégustateurs ont goûté et approuvé – une fois de plus – la cuvée prestige du cru. D'un grenat profond, ce 2009 s'annonce par un nez bien ouvert et complexe, où le fruit noir très mûr se marie à la réglisse et à des notes toastées et épicées. Ample, ronde et suave, la bouche est elle aussi intensément fruitée, soutenue par des tanins soyeux. La longue finale est marquée par un plaisant retour des fruits et des épices qui donnent beaucoup de personnalité à cette bouteille. À attendre deux ans.

Jacques Pautrizel, Ch. Haut-Bajac, 33710 Bourg-sur-Gironde, tél. 05.57.68.35.99, fax 05.57.68.32.15, e.jpautrizel@orange.fr
t.l.j. sf dim. 9h-12h 14h-18h

CH. L'HOSPITAL 2010 ★

1 600 | 20 à 30 €

Sur ce domaine (une ancienne léproserie au Moyen Âge) d'un peu moins de 8 ha, Christine et Bruno Duhamel cherchent à réaliser des microvinifications originales, dont ce vin blanc – couleur rare dans l'appellation – donne un bon exemple. Alors que le sauvignon est majoritaire en côtes-de-bourg, ils ont assemblé ici à parité le sémillon et le colombard. Il en résulte une robe jaune doré, un nez bien ouvert sur le fruit blanc, le citron et l'orange amère, l'élevage de dix-huit mois dans le bois apportant des notes de vanille et de cèdre. On retrouve ces évocations dans un palais rond et gras, vivifié par ce qu'il faut d'acidité. Équilibre des arômes et des saveurs : un travail bien maîtrisé. Le **Ch. l'Hospital 2010 rouge Élevé en fût de chêne (15 à 20 € ; 10 000 b.)** est cité pour sa richesse, son fruité et son boisé bien dosé.

EARL Alvitis, L'Hospital, 33710 Saint-Trojan, tél. 05.57.64.33.60, fax 05.57.32.65.83, alvitis@wanadoo.fr t.l.j. 9h-19h

CH. HOURTOU 2010 ★

60 000 | 5 à 8 €

Propriété acquise par la famille Castel en 1960. Une belle unité de 27 ha de vignes d'un seul tenant, déjà connue au XVIIe s. et mentionnée en 1868 par Féret dans la deuxième édition de *Bordeaux et ses vins*. Ce 2010 affirme sa personnalité à travers un nez franc, typé et complexe, qui décline de belles notes de petits fruits rouges. En bouche, ce fruité se fond dans une matière généreuse, soutenue par une trame tannique solide mais avenante, qui permet d'ouvrir cette bouteille dès maintenant tout en assurant une bonne garde. « Un joli travail à la vigne et au chai », conclut un dégustateur.

Ch. Hourtou, 31, rue du Stade, 33710 Tauriac, tél. 05.57.68.40.53, fax 05.56.35.72.75, contact@chateaux-castel.com

CH. KALON NODOZ Carpe Diem 2009

n.c. | 8 à 11 €

Une cuvée découverte dans la dernière édition. Le vignoble, situé au cœur du vignoble de Bourg, est implanté sur un terroir réputé de graves argileuses. Merlot et malbec collaborent à parité à ce vin grenat à reflets rubis. Le nez s'ouvre sur un boisé grillé plein d'élégance reflétant un séjour d'un an en barrique, avant de laisser s'exprimer à l'aération de discrètes et subtiles notes de fruits mûrs. L'attaque ronde introduit une matière savoureuse, équilibrée, bien structurée. Les tanins, discrets, autorisent une consommation immédiate. On pourra aussi laisser à cette bouteille deux ans pour polir sa finale.

Raoult, 14 bis, chem. de Nodoz, 33710 Tauriac, tél. 06.83.32.74.93, kalonnodoz@orange.fr r.-v.

CH. LACOUTURE Carpe diem 2010 ★★

7 000 | 5 à 8 €

Romain Sou s'est installé il y a dix ans sur la propriété familiale, et exploite près de 12 ha. Passionné de bande dessinée, il organise sur son domaine, au printemps, une manifestation « BD et vin ». Ce fan d'Astérix cite Horace – « Cueille le jour présent » – sur l'étiquette de son vin élevé en cuve. Beaucoup de merlot et un appoint de malbec pour ce 2010 rouge sombre aux reflets violets, qui s'oriente résolument sur le fruit noir bien mûr. Sa matière ample et riche est soutenue par des tanins au grain fin, bien fondus, qui laissent une impression de souplesse, de rondeur et de tendre plénitude. Une légère fraîcheur réveille gentiment la finale. « Un travail d'architecte », conclut un juré ; « belle maîtrise de la vinification », écrit un autre. Quant à la **cuvée Adrien 2009 Élevée en fût de chêne (11 à 15 € ; 2 300 b.)**, qui comporte plus de cabernets et de malbec, elle obtient une étoile pour sa rondeur gourmande et son boisé bien intégré.

Romain Sou, Ch. Lacouture, 33710 Gauriac, tél. 06.62.10.82.31, chateaulacouture@orange.fr r.-v.

CH. LAMOTHE 2010 ★

13 000 | 5 à 8 €

Dans la famille d'Anne Pousse depuis plus d'un siècle, cette propriété constituée au XIXe s. a présenté dans sa version 2010 la cuvée classique du domaine, déjà appréciée l'an dernier. La dégustation confirme la qualité de ce vin issu d'un assemblage de merlot (70 %), de cabernets et de malbec, élevé dix-huit mois en cuve. À l'intensité de la robe aux reflets violines répond celle des senteurs de fruits rouges du bouquet. La bouche bien équilibrée, à la fois ample, ronde et fraîche, repose sur des tanins veloutés. Un bel ensemble à attendre deux ans.

SCEA Vignobles Ch. Lamothe, 1, Ch. Lamothe, 33710 Lansac, tél. 05.57.68.41.07, fax 05.57.68.46.62, chateaulamothe@yahoo.fr t.l.j. 10h-18h

Anne Pousse

CH. LAROCHE Prestige 2010 ★★

6 500 | 20 à 30 €

Le château fort de la guerre de Cent Ans et la maison noble d'Ancien Régime ont disparu successivement pour faire place à une belle unité viticole de 30 ha. Les dégustateurs ont une fois de plus fort loué la cuvée Prestige, élevée dix-huit mois en barrique neuve, qui semble tirer son épingle du jeu quel que soit le millésime : ce 2010 a reçu deux étoiles, comme le 2009 et le 2008. Sa robe bordeaux foncé montre encore quelques reflets violets ; son bouquet, très harmonieux, séduit par son équilibre entre le raisin mûr et le merrain fin. Chaleureuse, ample, charnue et longue, la bouche s'appuie sur des tanins serrés, mais déjà enrobés, qui permettront de servir cette bouteille prochainement tout en permettant une garde de dix ans.

Baron Roland de Onffroy, Ch. Laroche, 2, chem. des Augers, 33710 Tauriac, tél. 05.57.68.20.72, fax 05.57.58.38.23, rolanddeonffroy@wanadoo.fr t.l.j. 9h-12h 14h-17h

CH. LAROCHE-JOUBERT 2010 ★★

110 000 | 5 à 8 €

Damien Dupuy est venu rejoindre en 2010 l'exploitation familiale, belle unité de 66 ha et valeur sûre du Guide, avec deux crus souvent très remarqués. Ce vin fut ainsi élu coup de cœur pour ses millésimes 2008 et 2003, et le 2010 est de la même veine. Cet assemblage largement dominé par le merlot a bénéficié d'un élevage maîtrisé (douze mois en cuve et six mois en fût) qui met en valeur sa puissance, sa richesse et sa complexité. Le boisé, mesuré et délicat, vanillé, grillé et chocolaté, laisse s'exprimer au nez comme en bouche un fruité suave évoquant la mûre et le cassis très mûrs, voire confiturés. Ample et gras, le palais s'appuie sur une trame de tanins fins et soyeux et persiste longuement sur le fruité du bouquet. Un ensemble à la fois flatteur et racé, qui gagnera à vieillir deux à trois ans.

SCEA Vignobles Joël Dupuy, 1, Cagna, 33710 Mombrier, tél. 05.57.64.23.84, fax 05.57.64.23.85, vignoblesjdupuy@aol.com r.-v.

CH. DE LIDONNE Sublimis 2010

26 700 | 8 à 11 €

Ce cru très ancien, propriété au XVes. de l'archevêché de Bordeaux, a changé de mains en 2009. Les nouveaux propriétaires ont fait sensation l'an dernier avec une cuvée de pur malbec. Un cépage encore assez présent dans celle-ci (30 %) qui comprend aussi du cabernet-sauvignon et du merlot. D'un pourpre dense à reflets violacés, ce 2010 attire surtout par son bouquet de fruits noirs bien mûrs. Assez vive dès l'attaque, mais équilibrée et bien structurée, la bouche montre en finale des tanins un peu nerveux qui appellent un à deux ans de patience.

SCEA Vignobles Kiert, Ch. de Lidonne, 33710 Bourg-sur-Gironde, tél. 05.57.68.47.52, chateaudelidonne@orange.fr t.l.j. 9h-19h

CH. MERCIER Cuvée Prestige 2010 ★★

40 000 | 8 à 11 €

Héritier de treize générations de vignerons, Christophe Chéty s'est installé en 1999 sur l'exploitation familiale qui, outre son vignoble de 23 ha, vante son jardin aux 300 rosiers. Valeur sûre du domaine, cette cuvée s'est particulièrement distinguée dans ce millésime. La robe profonde, tirant sur le noir, donne le ton. Tout aussi profond, le bouquet marie harmonieusement un joli fruit mûr et un boisé épicé. Franche et intense à l'attaque, la bouche savoureuse suit la même ligne aromatique. Sa matière consistante est étayée par des tanins déjà enrobés. La finale plus ferme appelle deux ans de garde pour se polir. On attendra aussi longtemps le **Clos du Piat 2010 Cuvée Jade (5 000 b.)**, un vin charnu, solide et pourtant élégant, qui montre aussi une belle alliance entre le fruit et le bois : une étoile.

SCEA Famille Chéty, Ch. Mercier, 33710 Saint-Trojan, tél. 05.57.42.66.99, fax 05.57.42.66.96, vin@chateau-mercier.fr t.l.j. sf sam. dim. 8h-12h30 13h30-18h

♥ CH. MONTFOLLET Altus 2010 ★★

24 700 | 8 à 11 €

La coopérative de Cars, rebaptisée « Châteaux solidaires », vinifie séparément les vendanges des châteaux adhérents. Parmi eux, le Ch. Montfollet, obtenant le même palmarès que l'an dernier, décroche son troisième coup de cœur avec cet Altus, le bien nommé, au sommet de l'appellation. Le nom de la cuvée indique aussi que ce 2010 provient du point culminant de l'appellation (90 m). Le merlot (accompagné d'un rien de malbec) y a bénéficié d'un excellent terroir de graves rouges. Élevé un an en barrique, il a donné naissance à un vin dont la robe brillante, noir d'encre, annonce la profondeur. Les jurés ont été conquis par son expression aromatique, mêlant les fruits noirs (mûre, cassis) à un beau boisé aux accents de grillé et de café. Dans le même registre, la bouche s'impose par son volume, sa concentration, le caractère soyeux de ses tanins et par sa finale tout en fraîcheur. Une superbe bouteille que l'on pourra servir dès maintenant, en la carafant, ou attendre au moins cinq ans.

Châteaux Solidaires, 9, Le Piquet, 33390 Cars, tél. 05.57.42.13.15, fax 05.57.42.84.92, d.raimond@chateaux-solidaires.com t.l.j. sf dim. 9h-12h 14h-18h

CH. MOULIN DE GUIET Élevé en fût de chêne 2010 ★

42 000 | 5 à 8 €

Alliance Bourg, qui résulte de la fusion de plusieurs coopératives du Bourgeais, voit à nouveau plusieurs de ses vins retenus, qui tous privilégient le merlot, avec les cabernets en appoint. Celui-ci séduit par son expression aromatique : pruneau, cerise cuite, vanille, noisette grillée, réglisse, clou de girofle. On aime aussi sa chair à la fois suave et croquante, qui tapisse le palais de ses tanins veloutés avant de laisser en finale un sillage de fruits rouges. Ce beau vin mérite d'attendre deux ou trois ans. Le **Ch. Haut-Pradier 2010 Élevé en fût de chêne (27 000 b.)** obtient lui aussi une étoile pour son nez complexe, boisé et fruité, et pour son palais bien construit ; même note pour la **Closerie du bailli Grande Réserve 2010 (8 à 11 € ; 20 000 b.)**, qui allie les fruits rouges à un boisé épicé et chocolaté dans une chair dense et soyeuse.

Alliance Bourg, 3, av. des Côtes-de-Bourg, 33710 Tauriac, tél. 05.57.68.81.01, fax 05.57.68.83.17, alliancebourg@orange.fr r.-v.

CH. MOULIN DES BLAIS 2010 ★

8 000 | 8 à 11 €

Installée depuis le XVIIes. dans le Blayais, la famille Guérin exploite aussi des vignes dans l'appellation voisine des côtes-de-bourg. D'un grenat profond à frange vive, ce 2010 intéresse par ses jolis arômes de fruits mûrs (fruits noirs et fraise des bois) qui traduisent des raisins vendangés à bonne maturité. Ample, charnue, fruitée et vanillée, tout en rondeurs suaves, la bouche monte en puissance, dévoilant une trame tannique déjà fondue. Cette bouteille gagnera cependant à attendre trois ans.

Benoît et Nicole Guérin, 2, moulin de Rioucreux, 33920 Saint-Christoly-de-Blaye, tél. 05.57.42.46.36 r.-v.

CH. NODOZ Cuvée Barriques neuves 2010 ★

30 000 | 8 à 11 €

Le « cru de Nodoz » était déjà connu avant la Révolution. Il couvre aujourd'hui 40 ha répartis sur trois communes et a obtenu plusieurs coups de cœur. D'une couleur profonde tirant sur le noir, sa cuvée Barriques neuves, qui assemble deux tiers de merlot et un tiers de cabernet-sauvignon, a séjourné seize mois dans le chêne. Et pourtant, ce sont de prime abord d'intenses et chaleureuses senteurs fruitées qui s'échappent du verre : cerise au kirsch, pruneau macéré et fruits noirs, accompagnés à l'agitation de délicates notes grillées. Souple à l'attaque, puissante et chaleureuse, la bouche retrouve ces arômes qui mettent en valeur sa chair mûre et concentrée. Une charpente tannique bien fondue apporte du relief et de la persistance à l'ensemble. Elle assurera une bonne tenue dans le temps. À garder deux ou trois ans en cave.

Jean-François Cénac, 18, chem. de Nodoz,
33710 Tauriac, tél. 05.57.68.41.03, fax 05.57.68.37.34,
chateau.nodoz@wanadoo.fr r.-v.

CH. DE PASSEDIEU 2010

■ 60 668 - de 5 €

Installé à Bayon-sur-Gironde en aval de Bourg, Stéphane Février fait son entrée dans le Guide avec ce 2010 grenat profond, issu d'un bon terroir d'argile et de sables ferrugineux. Le nez apparaît discret, laissant percer quelques notes de fruits noirs (airelle), qui s'expriment davantage au palais. La bouche séduit par sa chair mûre et souple, ses tanins polis et sa longue finale où l'on retrouve le fruité du bouquet. Sans excès de complexité mais bien équilibré, ce vin fera plaisir durant les quatre prochaines années.

Stéphane Février, Ch. de Passedieu,
33710 Bayon-sur-Gironde, tél. 06.60.73.00.39,
fax 05.56.42.13.54, s.fevrier2@aliceadslfr

CH. PEY-CHAUD BOURDIEU Cuvée Malbec Élevé en fût de chêne 2010 ★

■ 1 200 8 à 11 €

Un nouveau nom dans le Guide, mais il ne s'agit pas de néovignerons : la famille Roy, établie à Villeneuve aux confins du Blayais, est au service du vin depuis huit générations. Comme la plupart de leurs collègues du Bordelais, ces producteurs aiment l'assemblage : dans cette cuvée Malbec, entre 1 % de merlot – quelques cagettes... Élaboré à partir d'un cépage qui progresse dans l'appellation, ce côtes-de-bourg a séduit par sa robe profonde et par la générosité de son bouquet : on y respire le cassis et la cerise à l'eau-de-vie nuancés d'épices et de boisé aux accents de café grillé. La bouche suit la même ligne. Après une attaque souple, elle se montre ample et ronde, soutenue par des tanins fondus. La longue finale aromatique confirme la qualité de cette bouteille, déjà agréable et apte à la garde. Proportions inversées pour la **cuvée Séduction 2009 (4 000 b.)**, qui assemble 1 % de malbec au merlot. Son terroir est moins sableux, plus argilo-calcaire. Elle obtient la même note pour le mariage réussi du vin et du boisé.

Vignobles Roy, 1, Le Bourdieu, 33710 Villeneuve,
tél. 05.57.42.01.50, vignoblesroy@orange.fr r.-v.

CH. PLAISANCE 2010

■ 100 000 5 à 8 €

Plusieurs châteaux du vin, situés dans diverses régions, ont été baptisés « Plaisance » en raison de la beauté de leur cadre. Achetée en 2004 par la famille Faure, cette propriété est implantée non loin de la pittoresque « route verte » en corniche. Son 2010, assemblage de merlot (60 %), de cabernet-sauvignon et de malbec, affiche une robe rubis sombre aux intenses reflets violacés. Perceptible au nez comme en bouche, un boisé bien dosé, vanillé et toasté, laisse s'exprimer les fruits noirs mûrs et le pruneau. Élégant, charnu et bien structuré, ce vin de bonne facture, encore un peu sévère en finale, sera à son optimum dans un an ou deux.

SC Vignobles Plaisance, 33710 Villeneuve,
tél. 05.57.42.68.84, chateau-plaisance-bourg@orange.fr
r.-v.

CH. PRIEURÉ LALANDE 2010

■ 95 000 - de 5 €

Cette cuvée met classiquement en vedette le merlot, complété par le cabernet-sauvignon. D'un grenat soutenu, sa robe montre une frange légèrement évoluée. Le nez, sur les fruits macérés à l'eau-de-vie, présente aussi un petit côté animal (cuir). Ronde, riche et chaleureuse, d'une belle finesse aromatique, la bouche repose sur des tanins déjà patinés et offre une finale fraîche sur le fruit noir épicé. « Sans être un monstre de puissance, il est bien dans la ligne des 2010 », conclut un dégustateur. À boire dans les trois ans.

GFA Ch. Prieuré Lalande, 33710 Saint-Trojan,
tél. 05.57.94.00.20, fax 05.57.43.45.72,
info@bertranddetavernay.com

Philippe Dumas

CH. PUYBARBE Cuvée Tradition 2009 ★

■ 3 000 5 à 8 €

La famille Orlandi a acquis ce domaine il y a juste soixante ans. Au départ, 7 ha de vignes ; aujourd'hui 35 ha et, depuis quelques années, un chai-cuvier qui permet au domaine d'élaborer ses vins. Nos lecteurs connaissent surtout sa cuvée Prestige. Voici la « cuvée de base », bâtie sur le merlot. Peu de bouteilles, car l'essentiel de la production, 80 hl, est commercialisé en Bib (fontaines à vin). Ce vin a connu le bois, mais il s'agit de barriques de réemploi. Le résultat ? On ne cherchera pas dans ce 2009 la charpente d'un vin de garde, mais on sera séduit par son fruité intense évoquant la framboise confiturée, souligné d'un très fin boisé, et par sa bouche ample, charnue et longue, aux tanins soyeux. Un « vin plaisir » pour les deux ans à venir.

SCEA Orlandi Frères, lieu-dit Puybarbe, 33710 Mombrier,
tél. et fax 05.57.64.37.41, chateaupuybarbe@orange.fr
t.l.j. 9h-12h 14h-18h; sam.dim. sur r.-v.

CH. RELAIS DE LA POSTE Grande Cuvée 2010 ★

■ 135 000 5 à 8 €

Ancien relais de poste, ce domaine a brillé l'an dernier avec sa cuvée malbec, qui rappelle que ce cépage a une importance non négligeable dans l'appellation. Il se distingue cette année avec sa Grande Cuvée, assemblage plus classique de 80 % de merlot complété par les deux cabernets. Ce côtes-de-bourg élevé dix-huit mois en cuve montre ici sa qualité, déjà visible dans le millésime précédent. La robe aux reflets violines est aussi profonde que le nez, sur les petits fruits noirs. Ce fruité se fond harmonieusement dans une matière riche, dense et suave évoluant sur une trame tannique sans aspérité, qui assurera une bonne garde à cette bouteille à attendre deux ou trois ans.

Vignobles Drode, Relais de la Poste, 33710 Teuillac,
tél. 05.57.64.37.95, brunodrode@hotmail.fr r.-v.

CH. DE REYNAUD 2010 ★★

■ 13 000 5 à 8 €

Les Capdevielle se sont établis à Bourg en 1999 sur une surface à taille humaine (5,5 ha) afin de tout maîtriser. Ils signent un superbe 2010 issu de merlot (70 %), de cabernet-sauvignon et de malbec. Ce vin à la teinte profonde et jeune, presque noire, n'a connu que très partiellement le bois (trois mois pour une partie de l'assemblage). Aussi, le premier nez s'oriente-t-il vers les fruits mûrs, le pruneau, avant d'esquisser quelques notes d'élevage. Les fruits noirs s'enrobent de notes cacaotées dans un palais ample à l'attaque, tapissé de tanins soyeux, et à la longue finale poivrée. Un ensemble concentré et harmonieux qu'il vaut mieux attendre deux ans. Notée une étoile, la cuvée **La Volière 2010 (8 à 11 €; 4 100 b.)**, ronde et charnue, développe, elle, de multiples nuances boisées : vanille, grillé, épices, réglisse. On la remisera encore pour une paire d'années également.

Bernard et Sandrine Capdevielle, Ch. de Reynaud, 33710 Bourg-sur-Gironde, tél. 05.57.68.44.13, chateau.reynaud@wanadoo.fr r.-v.

CH. ROC PLANTIER Cuvée Prestige Élevé en fût de chêne 2010 ★★

9 000 | 5 à 8 €

Éric Eymas a repris en 1996 ce domaine qu'il a rebaptisé Roc Plantier pour suggérer que les vignes croissent sur des sols calcaires. Sa cuvée Prestige est bien connue des lecteurs. Dans ce millésime, un tiers de cabernets s'ajoute au merlot. Malgré un élevage d'un an en barrique, c'est le fruit mûr qui se dévoile au premier nez, nuancé de touches de fleurs et de sous-bois. La bouche poursuit sur cette ligne. Souple à l'attaque, élégante, séveuse, franche et corsée, elle dévoile une belle charpente de tanins jeunes et frais mais dénués d'agressivité, qui autorisent une consommation prochaine tout en ouvrant quelques perspectives de garde (deux ou trois ans).

Éric Eymas, 104, av. des Côtes-de-Bourg, 33710 Prignac-et-Marcamps, tél. 06.12.63.68.90, fax 05.57.43.82.85, talarisplantier@aol.com r.-v.

♥ CH. ROUSSELLE Prestige 2009 ★★

15 000 | 15 à 20 €

Une sobre maison noble de style classique commande ce vignoble de 23 ha situé en petite partie dans l'appellation voisine blaye-côtes-de-bordeaux. Vincent Lemaitre, installé en 1999, montre ici tout son savoir-faire avec deux 2009 fort remarqués. Cette cuvée Prestige surtout, élevée dix-huit mois en barrique. Parée d'une robe profonde, presque noire, elle déploie des parfums frais de fruits noirs mûrs, de sous-bois et de menthol qui traduisent la présence dominante du merlot. Le boisé reste discret, sur des notes de fruits secs et d'épices. C'est encore le fruit qui marque l'attaque de ses impressions fraîches, avant de s'épanouir dans une bouche ronde, puissante et longue, soutenue par de solides tanins qui commencent à se fondre et par une finale douce et soyeuse. Un superbe vin, à découvrir dans trois ans. Quant à la **cuvée principale 2009 (11 à 15 €; 115 000 b.)**, c'est un vin rond, ample et fruité, au boisé bien dosé : une étoile.

Vincent Lemaitre, Ch. Rousselle, 33710 Saint-Ciers-de-Canesse, tél. 05.57.42.16.62, fax 05.57.42.19.51, chateau@chateaurousselle.com r.-v. 4

CH. LE SABLARD Prestige 2010 ★

10 000 | 5 à 8 €

Établis dans le Blayais, Catherine et Thomas Buratti-Berlinger soignent leurs merlots et cabernets des côtes-de-bourg qui leur valent des mentions régulières, notamment pour cette cuvée Prestige. Des récoltes manuelles, des vinifications minutieuses par terroir et un élevage en barrique de douze mois sont à l'origine de ce 2010 rubis au liseré tuilé, qui décline en finesse des parfums de raisin surmûri, de fruits cuits, de cuir, de grillé et de vanille. Charnu, fruité, gourmand, structuré par des tanins soyeux à la saveur cacaotée et réglissée, voilà un vin bien fait et typé, à découvrir dans un à deux ans.

Catherine et Thomas Buratti-Berlinger, 7, Le Rioucreux, 33920 Saint-Christoly-de-Blaye, tél. 05.57.42.57.67, fax 05.57.42.43.06, chateau.le.sablard@orange.fr t.l.j. 9h-12h30 14h30-18h; sam. dim. sur r.-v.

Catherine et Thomas Berlinger

CH. SAUMAN Émotion 2010 ★

10 000 | 5 à 8 €

Les premiers de la lignée, marins, ont débarqué vers 1900 sur le rivage de la Gironde, un peu en amont de Blaye, et se sont faits vignerons ; une histoire que Véronique Braud continue d'écrire depuis 1989. Elle officie au chai et recherche dans ses vins un côté gourmand et fruité. Ce caractère correspond bien au profil que font les dégustateurs de ses deux cuvées. L'Émotion 2010 met principalement à contribution le malbec, complété par le merlot. La robe est profonde, presque noire. Le nez s'oriente vers les fruits noirs et la cerise macérée, puis prend à l'aération des tons mentholés. L'attaque franche introduit une bouche chaleureuse, tout en rondeurs suaves, soutenue par une trame tannique encore jeune, ferme en finale. Un ensemble flatteur, que les plus impatients pourront déboucher dès aujourd'hui, mais qui mérite de s'affiner pendant deux ans. La **cuvée Tradition 2010 (30 000 b.)** privilégie le merlot. Fruitée, plutôt ronde et bien construite, elle est citée.

Vignobles Braud, Le Sauman, 33710 Villeneuve, tél. 05.57.42.16.64, fax 05.57.42.93.00, chateau.sauman@wanadoo.fr t.l.j. 10h-12h 14h-19h; sam. dim. sur r.-v.

CH. DE TASTE Réserve 2010 ★

24 000 | 8 à 11 €

Cette belle propriété est dans la famille depuis cent cinquante ans. En 2010, le père de François Martin a pris officiellement sa retraite après soixante ans de viticulture. Ici, le cépage malbec est particulièrement choyé : il est très majoritaire dans les deux cuvées retenues, les trois autres cépages rouges bordelais faisant l'appoint. La Réserve, une fois de plus, a séduit. Très sombre et jeune, elle a encore le nez dans la barrique : les notes empyreumatiques, fumées et grillées, laissent s'exprimer à l'arrière-plan des nuances de fruits cuits. Ample et rond, riche et dense, le palais est marqué en finale un agréable soupçon d'amertume. On attendra trois ans cette bouteille pour permettre au merrain de se fondre. La **Grande Réserve 2010 (11 à 15 €; 3 000 b.)**, dans un style proche mais avec davantage de fruit, fait jeu égal.

SCEA des Vignobles de Taste et Barrié, La Sablière, 33710 Lansac, tél. et fax 05.57.68.40.34, chateaudetaste@gmail.com r.-v.

Jean-Paul Martin

CH. TERREFORT BELLEGRAVE Cuvée Prestige 2010 ★★

■ 12 000 11 à 15 €

Forte d'un vignoble de 33 ha répartis sur les deux rives de la Gironde, en AOC médoc et côtes-de-bourg, Dominique Briolais manque rarement une édition du Guide. Les jurés ont particulièrement apprécié cette cuvée Prestige, un pur merlot né sur graves et élevé dix-huit mois en barrique neuve. D'une couleur profonde, ce 2010 déploie de puissants parfums de fruits rouges, de raisins mûrs et les complexes nuances d'un élevage bien mené : café, chocolat, notes toastées et mentholées. Dans le prolongement du bouquet, la bouche se révèle corsée, concentrée, fraîche et souple à la fois, solidement construite sur des tanins qui respectent l'équilibre d'ensemble. Un vin de caractère et de longue garde (plus de dix ans). Bien construit, équilibré, le **Ch. Haut-Mousseau 2010 (8 à 11 € ; 50 000 b.)** affiche lui aussi une belle maîtrise de l'élevage sous bois et d'intéressantes perspectives de garde : une étoile.

Dominique Briolais et Fille, Ch. Haut Mousseau, 33710 Teuillac, tél. 05.57.64.34.38, fax 05.57.64.31.73, aurorebriolais@vignobles-briolais.com
r.-v. 2 A

CH. TOUR BIROL Élevé en fût de chêne 2010 ★

■ 8 000 8 à 11 €

Un nouveau nom dans le Guide : Damien et Anaïs Labiche ont repris en 2010 l'exploitation de leur oncle, fondée en 1850. Leur premier millésime, assemblage de merlot (80 %) et de malbec nés sur graves, est fort encourageant. D'un pourpre dense à reflets violines, il présente un bouquet intense alliant les fruits noirs à des nuances de vanille et de café grillé. Dans le même registre, la bouche fait preuve d'un très bel équilibre : à la fois souple et fraîche à l'attaque, elle dévoile une matière riche, ample et consistante, étayée par des tanins affables, et finit sur des impressions gourmandes. Ce vin, qui plaira dès aujourd'hui, servi en carafe, offre aussi de bonnes perspectives de garde : trois ans, voire davantage.

NOUVEAU PRODUCTEUR

Damien et Anaïs Labiche, 331, Birol, 33710 Samonac, tél. 05.57.32.69.72, earllabichecourjaud@orange.fr
t.l.j. 8h-12h 14h-18h

CH. TOUR DE GUIET Excellence 2009 ★

■ 20 000 8 à 11 €

Producteur de blaye-côtes-de-bordeaux, de côtes-de-bourg et de clairet, Stéphane Heurlier est régulièrement mentionné dans le Guide. Cette cuvée s'annonce par une robe rubis intense, légèrement évoluée. Des parfums de grillé, de café et de vanille s'échappent du verre, laissant à l'arrière-plan un discret fruité. Agréable, généreuse et ronde, la bouche dévoile un harmonieux mariage du vin et du bois. Sa charpente solide, encore un peu « brute de décoffrage » en finale, demande trois ans de patience pour se fondre.

Stéphane Heurlier, 1, la Bretonnière, D 137, 33390 Mazion, tél. 05.57.64.59.23, fax 05.57.64.67.41, sheurlier@cegetel.net r.-v.

CH. TOUR DES GRAVES Élevé en fûts de chêne 2010 ★★

■ 15 000 5 à 8 €

David Arnaud a pris les rênes de l'exploitation familiale en 2009. Il signe ici un excellent vin rouge dominé par le merlot, né sur des graves argileuses, qui affiche sa jeunesse dans une robe grenat profond aux reflets violets. D'abord réservé, il libère à l'aération d'intenses notes de fruits rouges et noirs très mûrs et de pruneau, bien mariées avec des nuances de réglisse, de pain grillé, et de vanille. En bouche, il déploie une matière suave et savoureuse, étayée par des tanins soyeux au grain fin. La finale sur le fruit se révèle fraîche, croquante et délicatement boisée. Un ensemble puissant et élégant à la fois, armé pour la garde.

Vignobles Arnaud, Le Poteau, 33710 Teuillac, tél. 09.63.62.00.47, fax 09.70.62.19.50, vignoblesarnaud@orange.fr
t.l.j. 9h-12h 14h-19h; dim. sur r.-v.

♥ **CH. LES TOURS SEGUY** Mirandole 2010 ★★

■ 7 000 8 à 11 €

CHATEAU LES TOURS SEGUY 2010 CÔTES DE BOURG Mirandole

Ce domaine bourquais de 12 ha appartient à la famille de Jean-François Breton depuis un siècle et demi. Ce dernier élabore une cuvée Mirandole qui a pris ses habitudes dans le Guide – un assemblage de merlot (70 %) et de cabernets élevé dix-huit mois, dont douze en barrique. La robe est engageante, bordeaux sombre aux reflets brillants. Le nez, complexe, associe les fruits noirs très mûrs, les fleurs et un boisé grillé légèrement mentholé. Ce côté torréfié s'allie au fruit noir (cassis) au sein d'une bouche ample, souple et élégante. Ce 2010 mérite d'attendre deux ans pour permettre au merrain de se fondre.

Jean-François Breton, Le Seguy, 33710 Saint-Ciers-de-Canesse, tél. 05.57.64.99.57, chateau-les-tours-seguy@wanadoo.fr r.-v. 2

CH. LA TUILIÈRE 2010

■ 60 000 5 à 8 €

Ingénieur, Philippe Estournet a repris en 1991 ce domaine situé au cœur de la « petite Suisse girondine » et l'a remis en état. Millésime après millésime, ses côtes-de-bourg figurent dans le Guide. Sans avoir l'envergure et le potentiel du superbe 2009, coup de cœur de l'édition précédente, ce 2010 offre tout ce que l'on attend de l'appellation : une robe colorée et profonde à la frange violine ; un bouquet complexe, mêlant les fruits rouges et noirs à un boisé torréfié et mentholé ; une bouche franche, dont les tanins mûrs mettent en valeur la matière ronde et élégante. La finale, plus ferme, est marquée par un plaisant retour de fruit. Un vin équilibré et prometteur qui s'épanouira au cours des deux prochaines années.

Les Vignobles Philippe Estournet, Ch. la Tuilière, 33710 Saint-Ciers-de-Canesse, tél. 05.57.64.80.90, fax 05.57.64.89.97, info@chateaulatuiliere.com
r.-v. 2

CH. VIEUX LANSAC 2010 ★

■ 60 000 5 à 8 €

Un côtes-de-bourg élaboré par des producteurs de Lansac et diffusé par la maison de négoce Cheval-Quancard. D'un grenat intense aux légers reflets bruns, ce 2010 associe les fruits noirs à des notes fumées, vanillées et cacaotées. L'attaque fraîche introduit une bouche ample et riche, assez longue, aux tanins serrés mais soyeux, où s'épanouissent les arômes du bouquet. À apprécier dès aujourd'hui et pendant les trois prochaines années.

Cheval Quancard, ZI La Mouline, 4, rue du Carbouney, BP 36, 33565 Carbon-Blanc Cedex, tél. 05.57.77.88.88, fax 05.57.77.88.99, chevalquancard@chevalquancard.com r.-v.

Le Libournais

Même s'il n'existe aucune appellation « Libourne », le Libournais est bien une réalité. Avec la ville filleule de Bordeaux comme centre et la Dordogne comme axe, il s'individualise fortement par rapport au reste de la Gironde en dépendant moins directement de la métropole régionale. Il n'est pas rare, d'ailleurs, que l'on oppose le Libournais au Bordelais proprement dit, en invoquant par exemple l'architecture moins ostentatoire des châteaux du vin ou la place des Corréziens dans le négoce de Libourne. Mais ce qui distingue le plus le Libournais, c'est sans doute la concentration du vignoble qui apparaît dès la sortie de la ville et recouvre presque intégralement plusieurs communes aux appellations renommées comme fronsac, pomerol ou saint-émilion, avec un morcellement en une multitude de petites ou moyennes propriétés ; les grands domaines, du type médocain, ou les grands espaces caractéristiques de l'Aquitaine étant presque d'un autre monde.

Le vignoble se différencie également par son encépagement dans lequel domine le merlot, qui donne finesse et fruité aux vins et qui leur permet de bien vieillir, même s'ils sont de moins longue garde que ceux d'appellations à dominante de cabernet-sauvignon. En revanche, ils peuvent être bus un peu plus tôt et s'accommodent de beaucoup de mets (viandes rouges ou blanches, fromages, et aussi certains poissons, comme la lamproie).

Canon-fronsac et fronsac

Bordé par la Dordogne et l'Isle, le Fronsadais offre des paysages tourmentés, avec deux tertres atteignant 60 et 75 m, d'où la vue est magnifique. Point stratégique, cette région joua un rôle important, notamment au Moyen Âge – une puissante forteresse, aujourd'hui disparue, y fut construite à l'époque de Charlemagne – puis lors de la Fronde de Bordeaux. Le Fronsadais a gardé de belles églises et de nombreux châteaux. Très ancien, le vignoble produit sur six communes des vins de caractère, à la fois corsés, fins et distingués. Toutes ces localités peuvent revendiquer l'appellation fronsac, mais Fronsac et Saint-Michel-de-Fronsac sont les seules à avoir droit, pour les vins produits sur leurs coteaux (sols argilo-calcaires sur banc de calcaire à astéries), à l'appellation canon-fronsac.

Canon-fronsac

Superficie : 300 ha
Production : 16 200 hl

CH. BARRABAQUE Prestige 2009 ★★

■ 16 000 15 à 20 €

90 91 92 94 (95) (96) **98 99 00** 01 |03| |04| |05| **06 07 08 09**

Ce domaine de référence est fidèle au rendez-vous, comme toujours. La cuvée Prestige, qui a frôlé la distinction suprême, a été vinifiée comme un grand cru et élevée dix-huit mois en barrique. Elle livre des senteurs expressives de fruits noirs et d'épices avant de développer un palais rond, gras et long. Ses tanins puissants laissent présager un grand avenir, de cinq à dix ans. Un remarquable 2009 tout indiqué pour un accord classique avec une entrecôte à la bordelaise. La **cuvée Hugo 2009 (8 à 11 € ; 18 000 b.)**, est citée pour sa souplesse.

Ch. Barrabaque-SCEV Noël, Barrabaque, 33126 Fronsac, tél. 05.57.55.09.09, fax 05.57.55.09.00, chateaubarrabaque@yahoo.fr sur r.-v.

Famille Nöel

CH. BELLOY Cuvée Prestige 2009 ★★

■ n.c. 15 à 20 €

Cette cuvée composée principalement de merlot (60 %), avec le cabernet-franc en appoint, est une sélection des meilleurs terroirs et des plus vieilles vignes de ce domaine, habitué du Guide. Derrière sa robe presque noire très intense, elle délivre un riche bouquet de fruits très mûrs, de cuir et d'épices. La bouche ample, généreuse (cerise à l'alcool), ronde et de belle longueur s'appuie sur une structure de tanins bien maîtrisés, extraits avec douceur. Un vin déjà fort plaisant, qui sera à son apogée dans quatre à cinq ans.

SAS Travers, BP 1, 33126 Saint-Michel-de-Fronsac, tél. 05.57.24.98.05, fax 05.57.24.97.79, htexier@vignobles-travers.com r.-v.

GAF Bardibel

CH. CANON 2009 ★★

■ 33 000 8 à 11 €

Ce domaine idéalement situé sur les deux versants opposés du tertre de Fronsac propose une cuvée de pur merlot qui s'ouvre, après aération, sur des arômes de fruits mûrs. En bouche, les tanins, en harmonie avec le fruit, se montrent sous leur meilleur jour, ronds, soyeux, déjà très enrobés. Un ensemble d'un bel équilibre, à découvrir d'ici deux à cinq ans sur un rôti de bœuf. Du même propriétaire, le **Ch. Junayme 2009 (5 à 8 € ; 54 000 b.)** reçoit une étoile. On aime son bouquet fruité et boisé, rehaussé de délicates notes florales. L'ensemble soutenu par des tanins de qualité s'appréciera dans les deux à trois prochaines années.

SCEA Ch. Junayme, 1, Junayme, 33126 Fronsac,
tél. 05.57.51.29.17, fax 05.57.51.95.51,
fdeconinck@wanadoo.fr r.-v.
F. De Coninck

CH. CANON PÉCRESSE 2009 ★

14 000 | 11 à 15 €

Cette propriété reprise en 1947 par la famille Pécresse propose la totalité de sa production avec ce 2009 très réussi, né sur un terroir silico-calcaire qui bénéficie d'un bel ensoleillement. Pourpre brillant, ce vin dévoile au nez des notes de fruits noirs mûrs. Riche et concentrée, la bouche déroule une matière fruitée et persistante, marquée par une très légère amertume en finale. Une garde de cinq à six ans, voire plus, est conseillée.

SC des Grands Crus du Libournais, Ch. Canon Pécresse,
33126 Saint-Michel-de-Fronsac, tél. et fax 05.57.24.98.67,
canon@pecresse.fr sur r.-v.
Pécresse

CH. CANON SAINT-MICHEL 2009 ★★

25 000 | 11 à 15 €

2009 est le premier millésime certifié bio de cette cuvée issue de merlot (70 %), complétée à parts égales de cabernet-franc, de cabernet-sauvignon et de malbec, élevée six mois en cuve et douze mois en fût. Le résultat est remarquable : une belle robe rubis sombre, des arômes gourmands de fruits noirs, de cacao, d'épices et de pain grillé. L'attaque est ample et fraîche, le milieu de bouche souple, équilibré et porté par des tanins puissants, la finale longue et fruitée. Une bouteille de garde, à déboucher dans deux à cinq ans. La cuvée confidentielle **L'Enclos de Canon Saint-Michel 2009 (15 à 20 € ; 3 000 b.)** est citée.

Jean-Yves Millaire, Lamarche, 33126 Fronsac,
tél. 06.08.33.81.11, fax 05.57.24.94.99,
vignoblemillaire@aol.com t.l.j. 8h-13h 14h-20h

CLOS SAINT-MICHEL 2009

2 200 | 11 à 15 €

Cette ancienne borderie du XVIIe s. propose ici une microcuvée à forte majorité de merlot (90 %), qui s'ouvre sur des notes complexes de fruits des bois, de fruits secs (amande) et d'épices. La bouche aromatique, ample et fraîche dévoile des tanins fermes qui demandent encore deux ou trois ans de garde pour se fondre. À noter : le domaine est en cours de conversion bio.

Marie-Christine Aguerre, 1, Lariveau,
33126 Saint-Michel-de-Fronsac, tél. 05.57.24.95.81,
contact@lacloseriedefronsac.com
t.l.j. 10h-12h 14h-19h

CH. COUSTOLLE 2009 ★

100 000 | 8 à 11 €

Joli doublé pour ce château régulièrement distingué dans le Guide. Ce 2009 issu de merlot (80 %) et de cabernet (18 %) complétés d'une touche de malbec affiche une robe carmin soutenu. Au nez, on découvre une palette épicée. Charnu dès l'attaque, le palais suave et équilibré séduit par sa longueur. Le **Ch. Capet Bégaud 2009 (20 000 b.)**, de production plus modeste, reçoit également une étoile. Fruits noirs et boisé torréfié annoncent un vin gourmand aux tanins serrés. Ces deux bouteilles seront parfaites dans deux à cinq ans.

SCEV Vignobles Alain Roux et Fils, Ch. Coustolle,
33126 Fronsac, tél. 05.57.51.31.25, fax 05.57.74.00.32,
coustolle.fronsac@wanadoo.fr
t.l.j. 8h30-12h 14h-18h

BORDELAIS

CH. LA FLEUR CAILLEAU 2009 ★

4 000 | 15 à 20 €

88 93 **95 96** |**98**| |99| 01 |02| |**03**| 04 |05| |06| 08 09

Dès 1990, Paul Barre a choisi l'agriculture biodynamique. Bien connu des habitués du Guide, il présente une aimable cuvée issue d'un assemblage de merlot (80 %) et de cabernet-franc (17 %) complété d'une pointe de malbec. Le nez séduit d'emblée par ses jolis parfums de fruits rouges. À l'unisson, le palais gras et bien construit est porté par des tanins soyeux. Un vin racé, à apprécier dans sa jeunesse ou à laisser vieillir cinq ou six ans.

Paul Barre, La Grave, BP 30, 33126 Fronsac,
tél. 05.57.51.31.11, fax 05.57.25.08.61,
domaine@paulbarre.com
t.l.j. 9h-12h 14h-18h; sam. dim. sur r.-v.

CH. GABY 2009 ★★

44 000 | 15 à 20 €

Cette belle propriété dominant la Dordogne, rachetée par David Curl en 2006, s'illustre avec cette remarquable cuvée à majorité de merlot (85 %). On apprécie la robe pourpre somptueuse et les arômes complexes et puissants de fumée, de fruits noirs et rouges, de réglisse et de vanille. La bouche, à l'unisson, allie puissance et fraîcheur. Ample, bâti sur des tanins soyeux, extraits avec soin, ce vin à la très belle personnalité gagnera à vieillir encore cinq à huit ans. Le producteur le recommande sur des pintadeaux aux pêches de vigne. À noter : le domaine est en cours de conversion bio.

SCEA Vignobles famille Curl, Ch. Gaby, lieu-dit Gaby,
33126 Fronsac, tél. 05.57.51.24.97, fax 05.57.25.18.99,
contact@chateau-dugaby.com
t.l.j. sf sam. dim. 9h30-12h 14h-17h

SÉBASTIEN GAUCHER Cuvée Jade 2009 ★★

7 000 | 8 à 11 €

Un coup de maître pour Sébastien Gaucher qui voit deux de ses cuvées de pur merlot recevoir un coup de cœur. La cuvée Jade (du nom de sa fille née en 2001) se pare d'une robe sombre, presque noire. Son bouquet intense et élégant dévoile un léger toasté, témoin d'un élevage sous bois, qui s'associe sans les écraser aux fruits noirs. La bouche ronde et concentrée est portée par des tanins de velours prometteurs : l'équilibre est parfait. Un grand vin de garde assurément, à laisser reposer en cave au moins cinq à sept ans. Même distinction donc pour le **Ch. Saint-Bernard 2009 (11 à 15 € ; 1 800 b.)** au nez de fruits noirs agrémenté de notes boisées bien fondues, rond, gras et ample en bouche ; un vin racé promis à un bel avenir (trois à cinq ans).

Sébastien Gaucher, 1, Nardon,
33126 Saint-Michel-de-Fronsac, tél. 06.13.80.33.62,
fax 09.72.21.72.10, s.gaucher@free.fr
t.l.j. 8h-12h30 14h-19h

CH. DU GAZIN 2009 ★★

■ 145 000 5 à 8 €

Depuis 1532, le château du Gazin s'accroche aux coteaux de Fronsac. Quand Henri Robert reprend en 2004 ce domaine que sa famille bourguignonne avait acquis en 1935, la propriété était sur le point d'être vendue. Il s'engage alors à réveiller la belle endormie aux vignes exsangues. À force de travail et de patience, il a su redonner tout son lustre à cette vaste unité de plus de 30 ha. Témoin cette magnifique cuvée à la jolie robe grenat sombre. Le nez complexe, qui évoque les fruits rouges et noirs et le bois, précède une bouche ample et généreuse, empreinte d'une juste fraîcheur. Un vin racé, séduisant et prometteur : à savourer entre 2015 et 2023.

Ch. du Gazin, Gazin, 33126 Saint-Michel-de-Fronsac,
tél. 05.57.24.95.45, fax 05.57.24.92.09,
chateaudugazin@hotmail.com r.-v.
Robert

CH. HAUT PANET 2009

■ 12 000 8 à 11 €

Première apparition dans les pages du Guide pour ce domaine avec un 2009 issu d'un assemblage de cabernet-sauvignon (50 %) et de merlot (40 %) complété d'une touche de cabernet franc. Ce vin aromatique se révèle rond et soyeux, bien équilibré entre le fruit et les tanins. Déjà harmonieux, il pourra être bu dès l'automne, sur un pont-l'évêque par exemple.

NOUVEAU PRODUCTEUR

SARL Frappier-Bouyge, 6, La Croix, 33126 Fronsac,
tél. 05.57.51.30.38, fax 05.57.51.81.18
r.-v.

CH. LAMARCHE CANON Candelaire 2009 ★

■ 20 000 11 à 15 €

À la tête de ce cru, un ancien directeur de grande surface qui réunit tous les atouts pour cette cuvée : un terroir argilo-calcaire dominant la Dordogne, des vignes âgées de cinquante ans, une pointe de cabernet pour accompagner le merlot, un élevage partagé entre la cuve (deux mois) et le fût (dix-huit mois). Ce vin tirant sur le noir dévoile un bouquet expressif de cerise à l'eau-de-vie, de cacao et de cannelle. La bouche affiche une belle concentration, du gras et des tanins bien intégrés. Un vin élégant, riche et bien travaillé, que l'on attendra trois à six ans.

Ch. Lamarche Canon, Ch. Lamarche, 33126 Fronsac,
tél. et fax 05.57.51.28.13,
chateau.lamarche.canon@wanadoo.fr r.-v.
Julien

CH. LARIVEAU 2009 ★

■ 15 000 11 à 15 €

Ce domaine est conduit depuis 2009 par Nicolas Dabudyk, jeune œnologue bourguignon. Sa première cuvée, un pur merlot issu de vignes de cinquante ans, est fort réussie. Le nez, très ouvert, riche de pruneau et d'épices, annonce une bouche gourmande sur le cassis et la mûre. Un vin équilibré, bâti sur des tanins fondus, à boire dès aujourd'hui sur des saltimboccas de veau. Le **Ptit Canon de Lariveau 2009 (8 à 11 € 10 000 b.)** obtient également une étoile pour sa bouche fruitée, légèrement acidulée.

Nicolas Dabudyk, 4, Perron, 33126 Fronsac,
tél. 06.70.79.09.79, fax 05.57.74.11.53,
sarl.dabudyk@cegetel.net r.-v.

CH. MAZERIS 2009 ★

■ 70 000 8 à 11 €

Neuf générations se sont succédé sur ce domaine idéalement situé sur les hauteurs de la commune de Saint-Michel-de-Fronsac. Bien connu des lecteurs, il se distingue avec sa cuvée principale comme avec son second vin. Le premier, né de vieux ceps de quarante ans, élevé douze mois en cuve, séduit d'emblée par son nez intense de cerise noire, de cassis et d'amande douce, mâtiné de notes fraîches de menthol. Vive et fruitée, la bouche dévoile un bel équilibre. Un vin charmeur, à apprécier dès aujourd'hui sur une viande rouge. Le **Ch. Lafond 2009 (5 à 8 € 30 000 b.)** est cité pour ses saveurs gourmandes de fruits.

de Cournuaud, 5, Ch. Mazeris,
33126 Saint-Michel-de-Fronsac, tél. 05.57.24.96.93,
mazeris@wanadoo.fr t.l.j. 9h-12h 14h-18h

CH. MOULIN PEY-LABRIE 2009 ★

■ 20 000 20 à 30 €

Ce château, à ne pas confondre avec le château Pey Labrie (voir plus loin), est situé sur les vestiges d'un manoir attenant à l'hôpital de La Riveau fondé au XII^e^s. par les hospitaliers de Saint-Jean de Jérusalem, devenus chevaliers de Malte. Le merlot (95 %) et le malbec (5 %) donnent naissance à ce vin bien représentatif du terroir de Fronsac. Des senteurs plaisantes de framboise, de confiture de cerises et d'épices montent du verre et se prolongent dans une bouche ample, puissante, chaleureuse et de belle longueur. Un vin friand, à boire dans les deux ans. Le **Ch. Haut Lariveau 2009 (15 à 20 € ; 30 000 b.)**, plus léger, moins complexe et prêt à boire, est cité

B. & G. Hubau, Moulin Pey-Labrie, 33126 Fronsac,
tél. 05.57.51.14.37, moulinpeylabrie@wanadoo.fr r.-v.

CH. DU PAVILLON Haut-Gros-Bonnet 2009

■ n.c. 11 à 15 €

La famille Ponty, également propriétaire depuis 1934 du château Renouil, bien connu des lecteurs du Guide, a acquis en 1986 ce petit domaine de 4 ha. Elle en tire cette cuvée de pur merlot, au nez intense de fruits et d'épices. Des arômes de torréfaction accompagnent une bouche ronde et concentrée, soutenue par des tanins encore bien présents et un boisé qui a besoin de se fondre. À attendre au moins deux ans.

⊶ Ponty, Ch. du Pavillon, Les Chais du Port, BP 3, 33126 Fronsac, tél. 05.57.51.29.57, fax 05.57.74.08.47, ponty.dezeix@wanadoo.fr ☑ Ɪ ⛹ r.-v.

CH. PEY LABRIE Cœur Canon 2009 ★

■ 16 500 ⦀ 8 à 11 €

En 1806, dans ses *Essais historiques et notices sur la ville de Libourne et ses environs*, Jean-Baptiste-Alexandre Souffrain citait déjà ce vignoble comme étant l'un des plus renommés de la région. Fidèle à sa réputation, ce domaine propose un 2009 fort plaisant. Aromatique, le nez évoque les fruits rouges (groseille) et les épices (cannelle, poivre) sur un fond délicatement boisé. La bouche se montre souple, fruitée, bien équilibrée et soutenue par des tanins déjà très aimables. Un vin gourmand, à apprécier dès aujourd'hui sur un civet de biche aux airelles.

⊶ Éric Vareille, Ch. Pey Labrie, 10-12, lieu-dit Pey-Labrie, 33126 Fronsac, tél. et fax 05.57.25.35.87, vareille@pey-labrie.fr ☑ Ɪ ⛹ t.l.j. sf dim. 10h-12h 15h-19h

CH. TASTA T de Tasta 2009 ★

■ 3 000 ▮⦀ 11 à 15 €

Ce château appartient à la famille Chevalier depuis quatre générations. Née sur 0,5 ha de vigne, cette micro-cuvée élevée en cuve (neuf mois) puis en fût (douze mois) dévoile un nez au boisé vanillé en harmonie avec des notes de fruits à l'alcool. La bouche, ronde et suave, est portée par des tanins puissants, qui appellent une garde de deux à trois ans.

⊶ Patrice Chevalier, Ch. Tasta, Lieu-dit Le Tasta, 33126 Saint-Aignan, tél. et fax 05.57.24.97.62, chateau.tasta@wanadoo.fr ☑ Ɪ ⛹ r.-v.

VINEA DE CANON FRONSAC Nascentia 2009 ★★

■ 5 500 ⦀ 11 à 15 €

Cette minuscule parcelle de moins de 1 ha de vigne, exposée plein sud, dans le village de Lariveau, a donné naissance à ce pur merlot bien typé, très dense, aux arômes puissants de fruits rouges et noirs mêlés à un plaisant boisé grillé. L'attaque, superbe, dévoile une matière riche, très concentrée, au fruité intense et mûr et aux tanins soyeux taillés pour la garde. Ce canon-fronsac bien typé pourra rester en cave de deux à sept ans.

⊶ Éric Ravat, 2, Peychez, 33126 Fronsac, tél. 06.77.74.22.20, fax 05.57.74.30.72, eric.ravat@wanadoo.fr ☑ Ɪ ⛹ t.l.j. 9h-12h 14h-18h

CH. VRAI CANON BOUCHÉ Le Tertre de Canon 2009 ★

■ n.c. ⦀ 20 à 30 €

Seulement 2 % de malbec en complément du merlot dans cette cuvée de très belle facture. Une robe rubis intense aux reflets carmin, un nez très frais de griotte accompagné de quelques notes toastées, une bouche souple et fruitée aux tanins soyeux : voici un « vin de plaisir » très réussi, à apprécier dès aujourd'hui sur une grillade de bœuf.

⊶ EARL Vrai Canon Bouché, 1, le Tertre-de-Canon, 33126 Fronsac, tél. et fax 05.53.23.46.71, contact@chateauvraicanonbouche.com
⊶ de Haseth-Möller

Fronsac

Superficie : 830 ha
Production : 44 400 hl

CH. BARRABAQUE 2009 ★

■ 15 000 ⦀ 8 à 11 €

Situé sur un terrain argilo-calcaire exposé plein sud, ce domaine, plus connu pour ses canon-fronsac, présente un 2009 très réussi, issu de merlot complété de cabernets (30 %) et élevé quinze mois en fût. Le bouquet libère des arômes complexes de réglisse, de fruits noirs et de fumée. La bouche se révèle concentrée, bâtie sur des tanins soyeux, gage d'un bon vieillissement – au moins quatre ou cinq ans.

⊶ Ch. Barrabaque-SCEV Noël, Barrabaque, 33126 Fronsac, tél. 05.57.55.09.09, fax 05.57.55.09.00, chateaubarrabaque@yahoo.fr ☑ Ɪ ⛹ sur r.-v.
⊶ Famille Noël

CH. BARRAIL CHEVROL 2009

■ 26 200 ▮ - de 5 €

Proposé par le négociant bordelais Yvon Mau, ce 2009 porte beau dans sa robe grenat. Le bouquet encore fermé mais élégant (quelques fruits rouges à l'aération) prélude à une bouche gourmande et plus expressive, rehaussée par des nuances de fruits à l'alcool. Les tanins sont encore un peu sévères, mais d'ici deux ou trois ans, l'harmonie sera au rendez-vous.

⊶ SA Yvon Mau, rue Sainte-Pétronille, 33190 Gironde-sur-Dropt, tél. 05.56.61.54.54, fax 05.56.61.54.61, info@ymau.com

CH. DE CARLES 2009 ★★

■ 35 000 ▮⦀ 11 à 15 €

Dans la même famille depuis plus d'un siècle, ce château du XVes. remanié au XVIes., érigé sur le troisième tertre de Fronsac, se distingue une nouvelle fois dans le Guide. Ce remarquable 2009 a séduit d'emblée les dégustateurs par sa robe sombre aux délicats reflets cerise. Très expressif, le bouquet dévoile de riches nuances d'épices, de cacao et de kirsch. Ample et puissant, le palais développe une trame serrée de tanins soyeux, qui suggère d'attendre ce vin trois à huit ans avant de le déguster sur une lamproie à la bordelaise. Deux étoiles également pour le **Haut-Carles 2009 (30 à 50 €; 25 000 b.)**, qui séduira les amateurs de vins boisés et que l'on appréciera dans deux à quatre ans sur une daube de bœuf.

⊶ SCEV Ch. de Carles, 1, Carles, 33141 Saillans, tél. 05.57.84.32.03, fax 05.57.84.31.91, chateaudecarles@free.fr ☑ Ɪ ⛹ r.-v.
⊶ Droulers

CH. CARLMAGNUS 2009

■ 29 000 ⦀ 15 à 20 €

Ce pur merlot 2009 a séjourné en fût pendant dix-huit mois. Il en résulte un joli vin à la robe foncée, au nez de fruits compotés et d'épices, à la bouche ronde et marquée par le boisé, rehaussée par une pointe de fraîcheur en finale. Ce vin simple mais agréable s'appréciera dans deux à cinq ans sur un lapin aux pruneaux.

⊶ Arnaud Roux-Oulié, Ch. Lagüe, 33126 Fronsac, tél. 05.57.51.24.68, fax 05.31.60.53.02, arnaud.roux-oulie@orange.fr ☑ Ɪ ⛹ r.-v. 🏠 E

CH. CHADENNE 2009 *

■ 8 000 15 à 20 €

Ce cru régulièrement sélectionné, qui a autrefois appartenu à la famille de Max Linder, célèbre acteur du cinéma burlesque, n'est plus à présenter. Son 2009 est une belle réussite. Il séduit par sa robe rubis intense, son bouquet complexe et bien équilibré entre les fruits rouges et noirs et le bois, et par sa bouche ample en harmonie avec le nez, aux tanins serrés mais déjà soyeux. À déguster dès la sortie du Guide.

SCEA Philippe et Véronique Jean, Ch. Chadenne, 33126 Saint-Aignan, tél. 05.57.24.93.10, fax 05.57.24.95.98, chateau.chadenne@wanadoo.fr r.-v. 5

CLOS DU ROY Cuvée Arthur 2009 *

■ 6 000 11 à 15 €

Repris en 1987 par Philippe Hermouet, ce domaine propose un 2009 très réussi, qui fait la part belle au merlot (95 %). Cette cuvée, au bouquet complexe de fruits noirs, de vanille et de fumée, a connu la barrique pendant un an. L'attaque ample ouvre sur un palais puissant, bien structuré par des tanins veloutés et persistants qui assureront à ce vin une garde de trois à six ans. La cuvée principale du domaine, le **Clos du Roy 2009 (40 000 b.)**, citée pour son nez de fruits rouges et d'épices, se débouchera plus tôt.

Philippe Hermouet, Clos du Roy, 33141 Saillans, tél. 05.57.55.07.41, fax 05.57.55.07.45, contact@vignobleshermouet.com t.l.j. sf sam. dim. 9h-12h 13h30-17h

CH. LA CROIX 2009

■ 10 000 8 à 11 €

Ce domaine familial créé en 1870 propose ici un assemblage classique de merlot (90 %) complété des deux cabernets à parts égales. Son bouquet agréable associe des notes de confiture de fraises et de framboises à des arômes de vanille. Une attaque franche, une matière ronde et équilibrée et des tanins soyeux invitent à découvrir ce « vin de plaisir » dès aujourd'hui, sur un osso bucco.

Vignobles Dorneau, Ch. la Croix, 33126 Fronsac, tél. 05.57.51.31.28, fax 05.57.74.08.88, scea-dorneau@wanadoo.fr r.-v.

CH. DALEM 2009 ***

■ 50 000 20 à 30 €

88 89 90 **93** 95 |96| |98| |**99**| |00| |01| **02** 03 04 **05 06** 07 08 **09**

Valeur sûre de l'appellation, le château Dalem, créé en 1610, domine la vallée de l'Isle. Il se distingue particulièrement cette année avec ce 2009 qui représente la totalité de son vignoble. Robe profonde aux reflets sombres ; nez complexe et intense de mûre, de cassis, de pivoine et d'épices douces ; bouche très harmonieuse, ronde et veloutée, qui s'étire longuement sur des tanins fondus : cette cuvée est exceptionnelle. Un très beau vin, puissant, taillé pour une garde de huit à douze ans au moins. Un dégustateur le verrait bien sur du chevreuil aux airelles.

SARL Vignobles Brigitte Rullier, 1, Dalem, 33141 Saillans, tél. 05.57.84.34.18, fax 05.57.79.39.85, chateau-dalem@wanadoo.fr r.-v.

DELPHIS DE LA DAUPHINE 2009

■ 60 000 8 à 11 €

Le château de la Dauphine, bien connu des habitués du Guide, voit son second vin sélectionné. Du verre, rubis animé de reflets sombres, s'élèvent des arômes intenses de cerise et de café relevés d'un soupçon d'épices (curry). Le palais, encore marqué par le bois et chaleureux en finale, est porté par des tanins prometteurs, qui devraient s'affiner d'ici deux ou trois ans.

SCEA Ch. de la Dauphine, rue Poitevine, 33126 Fronsac, tél. 05.57.74.06.61, fax 05.57.51.80.57, contact@chateau-dauphine.com r.-v.

Guillaume Halley

CH. FONTAINE-SAINT-CRIC 2009 *

■ 10 000 11 à 15 €

Acquis en 2002 par sept associés de différentes nationalités, ce domaine est à nouveau au rendez-vous du Guide avec cette cuvée qui représente la totalité du vignoble, soit 1,49 ha. Ce pur merlot offre un bouquet intense de fruits encore dominé par l'élevage. La bouche, fruitée, fraîche et persistante, s'appuie sur des tanins élégants, plus sévères en finale. Un vin armé pour un séjour en cave de deux à cinq ans. À noter : le domaine est en cours de conversion à l'agriculture biologique.

SA Ch. Fontaine-Saint-Cric, 13, Saint-Cric, 33126 Saint-Aignan, tél. 06.75.01.29.74 r.-v.

CH. FONTENIL 2009 *

■ 44 300 20 à 30 €

88 |**89**| |(90)| 93 94 |**95**| |96| 97 |98| **99** |00| (01) 02 **03** |04| 05 **06 08** 09

Ce domaine de référence, bien connu des lecteurs du Guide, est fidèle à sa réputation avec ce 2009 qui fait la part belle au merlot (90 %). Le vin se présente dans une robe profonde et brillante, offrant un nez concentré de petits fruits noirs et de notes boisées. On retrouve ces arômes dans une bouche mûre portée par des tanins soyeux. Une bouteille bien faite, sans artifice, à apprécier sur une viande rouge grillée dans deux ou trois ans.

Michel et Dany Rolland, Cardeneau-Nord, 33141 Saillans, tél. 05.57.51.52.43, fax 05.57.51.52.93, contact@rollandcollection.com r.-v.

CH. HAUCHAT La Rose 2009

■ 13 000 11 à 15 €

Vignerons depuis 1796, les Saby possèdent plusieurs crus dans le Libournais (lalande-de-pomerol, saint-émilion grand cru, lussac-saint-émilion...). Ils ont repris en 1970 ce domaine qui présente un séduisant fronsac, à la belle robe rubis et au nez gourmand de cerise noire et de vanille accompagnés d'une touche torréfiée. Dans le même registre aromatique, le palais s'appuie sur des tanins encore jeunes qui assureront une bonne évolution durant les trois à cinq années à venir.

Vignobles Jean-Bernard Saby et Fils, Ch. Rozier, 33330 Saint-Laurent-des-Combes, tél. 05.57.24.73.03, fax 05.57.24.67.77, info@vignobles-saby.com r.-v.

CH. HAUT BALLET 2009

■ 25 000 11 à 15 €

Olivier Decelle a vu l'an dernier son 2008 récompensé par un coup de cœur. Ce 2009 est plus modeste mais fort plaisant. Des parfums intenses de fruits très mûrs ponctués de notes boisées composent le bouquet. La bouche mise sur la rondeur et le fruit ; attrayante, elle affiche du volume et de la persistance. Un joli vin à découvrir dans deux ans ou trois ans : la finale est encore un peu sévère.

SCEA Olivier Decelle, Ch. Haut Ballet, 33126 Saint-Michel-de-Fronsac, tél. 05.57.51.34.86, fax 05.57.51.94.59, contact@lvod.fr r.-v.

CH. HAUT-PEYCHEZ 2009 ★

	13 000		8 à 11 €

Ce domaine de 3,3 ha dans la même famille depuis 1853 voit l'intégralité de son vignoble distingué avec ces deux cuvées. Cet excellent 2009, qui a séjourné douze mois en fût, possède tous les atouts : robe grenat brillant ; nez friand de petits fruits rouges et de vanille ; bouche ronde, souple, fruitée, longuement portée par des tanins de qualité. À découvrir dès 2015-2016 sur une grillade. Même note pour la **Sélection du Ch. Haut Peychez 2009 (3 500 b.)**, un pur merlot concentré aux arômes de fruits mûrs, à apprécier dès aujourd'hui.

SCEA Ravat et Fils, 1, Peychez, 33126 Fronsac, tél. 06.77.74.22.20, fax 05.57.74.30.72, eric.ravat@wanadoo.fr t.l.j. 9h-12h 14h-18h

CH. JEANDEMAN 2009 ★★

	60 000	8 à 11 €

Ce domaine très régulier en qualité, situé sur un plateau argilo-calcaire, se voit décerner la plus haute distinction pour sa cuvée principale, à dominante de merlot (90 %). Drapé dans une somptueuse robe sombre, ce 2009 dévoile un nez original de cerise et de bergamote. L'attaque discrète ouvre sur une bouche souple et ronde, centrée autour des fruits rouges (framboise, cerise) et de la vanille. Ce vin d'une remarquable élégance, intense et frais à la fois, soutenu par d'agréables tanins, mérite une

garde d'au moins cinq ans avant d'être servi sur un tournedos Rossini. Deux étoiles également pour la cuvée **La Chêneraie 2009 (11 à 15 € ; 13 000 b.)** qui respire les fruits.

SCEV Roy-Trocard, Jeandeman, 33126 Fronsac, tél. 05.57.74.30.52, fax 05.57.74.39.96, roy.trocard@terre-net.fr
t.l.j. 9h-17h; f. août
Trocard

CH. DE MAGONDEAU Cuvée Passion 2009 ★

	7 000		15 à 20 €

Né de pur merlot sur sol argilo-calcaire, la cuvée Passion du domaine a passé dix-sept mois en fût, séjour confirmé par les notes grillées qui accompagnent les fruits rouges tout au long de la dégustation. Harmonieuse, ample et ronde, la bouche s'adosse à des tanins déjà fondus. Un vin très bien construit, à boire jeune ou d'ici cinq à huit ans sur une entrecôte grillée.

Olivier Goujon, SCEV Vignobles Goujon et Fils, 1, le port de Saillans, 33141 Saillans, tél. 05.57.84.32.02, fax 05.57.84.39.51, contact@chateaumagondeau.com
t.l.j. 9h-12h 14h-18h

Le Libournais

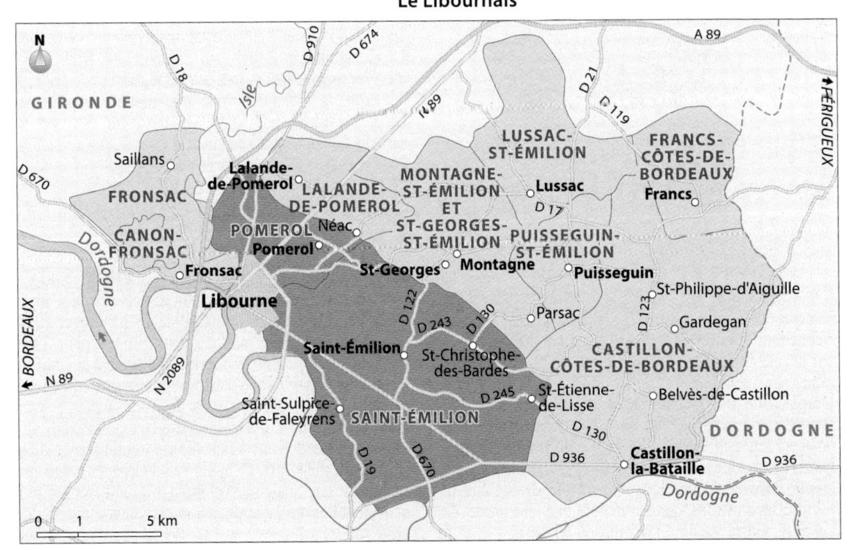

CH. MAYNE-VIEIL Cuvée Aliénor 2009 ★

■ 19 000 🍷 8 à 11 €

Cette cuvée de pur merlot est un hommage à la grand-mère anglaise de l'actuel propriétaire. Très réussie, elle s'habille d'une jolie robe rubis profond. Le cassis, la mûre, les épices et la vanille composent un bouquet complexe. Le palais, charnu et chaleureux, dévoile des tanins soyeux et persistants. Un vin de plaisir immédiat qui pourra aussi patienter cinq à huit ans. La cuvée classique, le **2009 (5 à 8 € ; 120 000 b.)**, obtient également une étoile pour sa fraîcheur et son fruité intense.

SCEA du Mayne-Vieil, 4-6, rte de Saillans, 33133 Galgon, tél. 05.57.74.30.06, fax 05.57.84.39.33, maynevieil@aol.com
t.l.j. sf sam. dim. 9h-12h30 14h-18h
Famille Sèze

CH. MOULIN HAUT-LAROQUE 2009

■ 45 000 🍷 20 à 30 €

86 88 |(89)| **90** 95 **96** 97 |98| |**99**| |00| |01| 02 **03** |**04**| **05** 06 08 09

Détenu depuis 1890 par la même famille, ce domaine, régulièrement mentionné dans le Guide, est une référence de Fronsac. Son 2009, issu d'un assemblage traditionnel en Libournais, merlot (65 %) complété des deux cabernets et d'une pointe de malbec, a été élevé quinze mois en fût. Il dévoile un bouquet naissant de griottes mêlées à un boisé discret et à des notes plus évoluées de cuir. Sans avoir l'étoffe de certains millésimes précédents, cette cuvée riche et puissante n'en reste pas moins appréciable. On aurait aimé une finale plus fraîche. À garder cinq ans en cave.

Jean-Noël Hervé, Ch. Moulin Haut-Laroque, 33141 Saillans, tél. 05.57.84.32.07, fax 05.57.84.31.84, hervejnoel@wanadoo.fr r.-v.

♥ CH. DE LA RIVIÈRE Aria 2009 ★★

■ 11 000 🍷 30 à 50 €

La famille Grégoire a acquis le domaine en 2003 : un château du XVIe s. construit à l'emplacement d'une ancienne tour de guet de Charlemagne et remanié au XIXe s. par le célèbre architecte Viollet-le-Duc. Ses caves souterraines sont meublées d'étranges tables et bancs de pierre. Drapé d'une robe grenat intense, presque noire, ce 2009 attire l'attention par la richesse de son nez de fruits mûrs, noirs et rouges, rehaussé de notes de pain grillé et d'épices. Dans le prolongement du bouquet, le palais, souple, ample, charnu, s'étire longuement sur des tanins de velours, bien extraits, qui promettent une jolie garde. Ce vin racé pourra vieillir en cave jusqu'en 2018.

SCA Ch. de la Rivière, 33126 La Rivière, tél. 05.57.55.56.56, fax 05.57.24.94.39, info@vignobles-gregoire.com r.-v. 5
James Grégoire

CH. LES ROCHES DE FERRAND 2009 ★

■ 21 000 🍷 8 à 11 €

La constance de Rémy Rousselot vaut à ses vins d'être très régulièrement sélectionnés dans le Guide. Ce 2009 s'affiche dans une robe grenat limpide et profond ; le nez est empreint de petits fruits rouges et noirs et de boisé fondu. Le palais, qui respire le fruit, se révèle gras, volumineux et bien équilibré. Les tanins de qualité, encore un peu sévères, permettront d'apprécier ce vin dans deux à cinq ans. Même distinction pour le second vin, le **Ch. Vray Houchat 2009 (5 à 8 € ; 41 000 b.)**, dominé par les fruits rouges bien mûrs, à boire dès aujourd'hui.

Rémy Rousselot, 6, Signat, 33126 Saint-Aignan, tél. 05.57.24.95.16, fax 05.57.24.91.44, vignobles.remy.rousselot@wanadoo.fr r.-v.

CH. LA ROUSSELLE 2009

■ 14 500 🍷 15 à 20 €

Après avoir joui du splendide panorama sur la vallée de la Dordogne, prenez le temps de découvrir ce fronsac né d'un assemblage classique de merlot (60 %) et de cabernet franc et élevé sur lies fines. Son bouquet discret joue sur les petits fruits noirs (mûre, cassis) et les épices. Après une attaque souple, le palais dévoile une belle matière, dominée par le boisé. Encore jeune, cet ensemble structuré devra être attendu deux ou trois ans avant d'être apprécié sur une grillade ou une assiette de charcuterie.

Viviane Davau, Ch. la Rousselle, 1, Rousselle, 33126 La Rivière, tél. 05.57.24.96.73, fax 05.57.24.91.05
r.-v.

CH. SAINT-VINCENT Cuvée Excellence 2009 ★

■ 2 200 🍷 11 à 15 €

Depuis quatre générations, la famille Chevalier conduit cette propriété de 8 ha située sur le plus haut plateau de Fronsac. Nicolas, qui a repris l'exploitation en 2001, propose cette cuvée confidentielle issue de merlot. Le nez complexe s'ouvre sur des notes de fruits noirs, d'épices (poivre blanc, vanille), de réglisse et de grillé. À l'unisson, la bouche dévoile une matière opulente et encore marquée par son élevage en fût. Un vin de caractère qui gagnera à séjourner en cave deux à cinq ans.

Nicolas Chevalier, 10 bis, lieu-dit Vincent, 33126 Saint-Aignan, tél. et fax 05.57.24.02.21, chateausaintvincent@wanadoo.fr t.l.j. 9h-20h

CH. TASTA 2009 ★★

■ 6 000 🍷 8 à 11 €

Pour sa première apparition dans le Guide, Patrice Chevalier, qui gère ce domaine de 18 ha depuis 2001, réussit un coup de maître : deux étoiles pour cette magnifique cuvée de pur merlot, qui a frôlé le coup de cœur. Une élégante robe pourpre sombre annonce un nez capiteux dominé par les fleurs, les fruits rouges, le pain grillé et les épices. Le palais, rond et gourmand, aux arômes de petits fruits à l'eau-de-vie, réminiscence de la chaleur du millésime, s'appuie sur d'élégants tanins qui soulignent une finale persistante. Un grand fronsac solidement taillé pour la garde, qui se plaira avec une côte de bœuf rôtie.

Patrice Chevalier, Ch. Tasta, Lieu-dit Le Tasta, 33126 Saint-Aignan, tél. et fax 05.57.24.97.62, chateau.tasta@wanadoo.fr r.-v.

CH. DU TERTRE 2009

10 000 — 8 à 11 €

Issue d'un assemblage classique dominé par le merlot (80 %) complété par les deux cabernets, cette cuvée née sur un sol argilo-calcaire a été vinifiée en macération courte. Le résultat : une robe rubis profonde, un nez délicat de pruneau, une bouche suave, longuement fruitée. Un vin de plaisir immédiat, à découvrir sur un poulet chasseur aux truffes, suggère le vigneron.

Lagadec-Janoueix, rte de Saillans, 33126 Fronsac, tél. 05.57.25.54.44, fax 05.57.25.26.07, phbb@janoueixfrancois.com r.-v.

CH. TOUR BEL-AIR 2009 ★

20 000 — 15 à 20 €

En dépit d'une taille modeste (13 ha), ce vignoble ne compte pas moins de vingt-neuf parcelles réparties sur différents terroirs, gage d'une grande diversité. Ce 2009 s'affirme par son bouquet de fruits noirs (mûre, cassis) et de pain grillé. En bouche, la matière est souple et ronde, les tanins sont mûrs et intenses, et l'harmonie finale déjà fort intéressante. Un vin racé à boire dès aujourd'hui ou à attendre un à quatre ans.

EARL Vignobles Lascaux, 1, La Caillebosse, 33910 Saint-Martin-du-Bois, tél. 05.57.84.72.16, fax 05.57.84.72.17, chateau.lascaux@wanadoo.fr t.l.j. sf dim. 8h30-12h 14h-18h

CH. TOUR DU MOULIN Cuvée particulière 2009 ★

15 000 — 15 à 20 €

Cette cuvée particulière se présente sous les meilleures auspices : robe grenat profond, nez de fruits rouges, de sous-bois et de vanille (douze mois en fût), bouche souple, persistante sur les fruits mûrs, équilibrée. Bien que déjà harmonieuse, cette bouteille s'appréciera d'autant mieux après trois ans de garde. La cuvée principale **Ch. Tour du Moulin 2009 (11 à 15 € ; 25 000 b.)** obtient une étoile également ; assez vive, elle ne manque pas de personnalité et pourra être appréciée dès aujourd'hui.

SCEA Ch. Tour du Moulin, Le Moulin, 33141 Saillans, tél. et fax 05.57.74.34.26, chateau-tour-du-moulin@orange.fr r.-v.

CH. LES TROIS CROIX 2009

60 000 — 15 à 20 €

Géré par la famille de Patrick Léon, ex-vinificateur du château Mouton-Rothschild, ce domaine fait partie des fleurons de l'appellation. Ce 2009 est marqué par les arômes de fruits rouges bien mûrs et les épices (vanille). Le palais repose sur une matière équilibrée et suave. Les tanins encore sévères invitent à découvrir ce vin de belle longueur dans deux à cinq ans.

EARL Les Trois Croix, Ch. Les Trois Croix, 33126 Fronsac, tél. 05.57.84.32.09, fax 05.57.84.34.03, lestroiscroix@aol.com r.-v.

CH. LA VIEILLE CURE 2009

69 000 — 20 à 30 €

88 89 90 93 **94** |**95**| 96 **97 98** 99 |00| **01** |**02**| 03 **04 05** 06 **07** |08| 09

Situé sur un coteau ensoleillé dominant la vallée de l'Isle, le château de la Vieille Cure, bien connu des habitués du Guide, voit deux de ses vins cités. Son 2009 offre un bouquet complexe d'épices et de fumée. En bouche, il révèle une matière ample et généreuse, marquée par une pointe d'acidité et un boisé de qualité. Les tanins encore austères en finale appellent deux à trois ans de garde. La **Sacristie de la Vieille Cure 2009 (8 à 11 € ; 40 000 b.)**, également réussie, est un vin onctueux, fruité et prêt à boire.

SNC Ch. la Vieille Cure, Coutreau, 33141 Saillans, tél. 05.57.84.32.05, fax 05.57.74.39.83, vieillecure@wanadoo.fr r.-v.

CH. VIEUX MOULEYRE Sagesses 2009 ★

2 000 — 11 à 15 €

Une production confidentielle issue de 30 ares pour la cuvée Sagesses de ce domaine qui s'illustre chaque année dans le Guide depuis sa création en 2000. La constance d'Anna et Jacques Favier se retrouve dans ce 2009 très réussi, drapé dans une robe grenat limpide, au nez élégant de fruits rouges et de notes boisées, souvenir des quinze mois passés en fût. À l'unisson, la bouche, longuement soutenue par des tanins fondus, mise sur la souplesse et la rondeur. Une bouteille racée à apprécier dès maintenant sur un civet de chevreuil.

SCEA Anna et Jacques Favier, Ch. Vieux-Mouleyre, 33126 Fronsac, tél. 06.80.58.42.10, jacques-favier@vieux-mouleyre.com r.-v.

CH. VILLARS 2009

101 000 — 15 à 20 €

93 **94** |**95**| 96 |98| |99| **00** |01| **02** 03 04 05 06 |08| |09|

Cette belle propriété de Fronsac, fondée il y a deux siècles, confirme une nouvelle fois son talent avec cette cuvée, née d'un assemblage de merlot (77 %) complété de cabernet franc (17 %) et d'une pointe de cabernet-sauvignon. Le rubis profond de la robe annonce un nez fin de fruits rouges bien mûrs et d'épices. Agréable dès l'attaque, la bouche se révèle ample et bien équilibrée entre la douceur et la fraîcheur. Un vin déjà très plaisant, mais qui pourra aussi se conserver trois à dix ans. Pour un coq au vin, recommande Thierry Gaudrie, son concepteur.

SCEV Gaudrie et Fils, Villars, 33141 Saillans, tél. 05.57.84.32.17, fax 05.57.84.31.25, chateau.villars@wanadoo.fr r.-v.

Pomerol

Superficie : 785 ha
Production : 40 500 hl

Pomerol est l'une des plus petites appellations girondines et l'une des plus discrètes sur le plan architectural. Au XIX^e^s., la mode des châteaux du vin, d'architecture éclectique, ne semble pas avoir séduit les Pomerolais, qui sont restés fidèles à leurs habitations rurales ou bourgeoises. Néanmoins, l'aire d'appellation possède quelques demeures élégantes comme le château de Sales (XVII^e^s.), sans doute l'ancêtre de toutes les chartreuses girondines, ou le château Beauregard, l'une des plus charmantes constructions du XVIII^e^s., reproduite par les Guggenheim dans leur propriété new-yorkaise de Long Island.

Cette modestie du bâti sied à une AOC dont l'une des originalités est de constituer une sorte de petite république villageoise où chaque habitant cherche à conserver l'harmonie et la cohésion de la communauté ; un souci qui explique pourquoi les producteurs sont toujours restés réservés quant au bien-fondé d'un classement des crus.

La qualité et la spécificité des terroirs auraient pourtant justifié une reconnaissance officielle du mérite des vins de l'appellation. Comme tous les grands terroirs, celui de Pomerol est issu du travail d'une rivière, l'Isle, née dans le Massif central. Le cours d'eau a commencé par démanteler la table calcaire pour y déposer des nappes de cailloux, travaillées ensuite par l'érosion. Il en résulte un enchevêtrement de graves ou de cailloux roulés. La complexité des terrains semble inextricable : toutefois, il est possible de distinguer quatre grands ensembles : au sud, vers Libourne, une zone sablonneuse ; près de Saint-Émilion, des graves sur sables ou argiles (terroir proche de celui du plateau de Figeac) ; au centre de l'AOC, des graves sur ou parfois sous des argiles (Petrus) ; enfin, au nord-est et au nord-ouest, des graves plus fines et plus sablonneuses.

Cette diversité n'empêche pas les pomerol de présenter une analogie de structure. Très bouquetés, ils allient la rondeur et la souplesse à une réelle puissance, ce qui leur permet d'être de longue garde tout en pouvant être bus assez jeunes. Ce caractère leur ouvre une large palette d'accords gourmands, aussi bien avec des mets sophistiqués qu'avec des plats très simples.

CH. BEAUREGARD 2009

■ 65 000 ⅡⅠ 30 à 50 €

75 78 81 (82) **83** 84 **85** 86 88 89 90 92 **93 94 95 96 97 98** 99 |(00)| |**01**| |02| |**03**| |04| 05 06 07 08 09

Commandé par une superbe chartreuse du XVIIe s., Beauregard étend ses 17,5 ha de vignes en bordure sud-est du plateau de Catusseau, sur un terroir de graves argileuses où le cabernet franc se voit offrir une place non négligeable (25 %) aux côtés du merlot. Vincent Priou, son vinificateur, signe un 2009 de belle facture. Paré d'une seyante robe rubis profond, le vin affiche sans complexes ses vingt-et-un mois d'élevage à travers des notes toastées et vanillées, les fruits mûrs et la réglisse perçant à l'arrière-plan. En bouche, il attaque avec franchise et fraîcheur, puis poursuit sa montée en puissance, porté par un boisé certes dominateur mais de qualité et par des tanins fermes mais élégants, qui le destinent à une garde de cinq à huit ans.

SCEA Ch. Beauregard, 33500 Pomerol,
tél. 05.57.51.13.36, fax 05.57.25.09.55,
pomerol@chateau-beauregard.com r.-v.

CH. BELLEGRAVE 2009 ★

■ 45 000 ⅡⅠ 30 à 50 €

Vigneron-tonnelier au sud de Libourne, le père de Jean-Marie Bouldy a traversé la Dordogne en 1951 pour s'établir sur les graves du secteur René, au nord de la même ville. Le fils a repris l'exploitation en 1980 et l'a convertie à l'agriculture biologique (conversion engagée en 2009). Il propose un 2009 très réussi, au nez harmonieux de fruits bien mûrs mariés à un boisé fin et discret et à une petite touche de cuir. Après une attaque souple et fruitée, le palais développe un beau volume et une structure tannique élégante qui porte loin la finale. À découvrir dans quatre ou cinq ans.

Jean-Marie Bouldy, lieu-dit René, 33500 Pomerol,
tél. 05.57.51.20.47, fax 05.57.51.23.14,
chateaubellegrave@orange.fr
t.l.j. 8h-12h30 14h-19h; sam. dim. sur r.-v.

CH. LE BON PASTEUR 2009 ★

■ 30 000 ⅡⅠ 50 à 75 €

78 79 81 (82) **83 85 86 88** 89 |90| **92 93 94** |(95)| |96| **97** |(98)| |**99**| |**00**| **01** 02 03 04 **05** 06 08 09

Outre ses activités d'œnologue-conseil, Michel Rolland exploite plusieurs crus du Libournais, dont ce Bon Pasteur, 7 ha de vignes dans le secteur de Maillet, au nord-est de Pomerol. Valeur sûre de l'appellation, ce domaine est fidèle au rendez-vous avec un vin « très 2009 et très pomerol ». La robe est sombre et profonde. Le nez intense et chaleureux évoque les fruits cuits, le pruneau, la torréfaction et la vanille, avec une petite note truffée. Le palais, dans le même registre, se montre généreux, charnu, puissant, soutenu par des tanins denses et un boisé bien présent mais de qualité. Une bouteille à apprécier aussi bien dans sa jeunesse (deux à trois ans) que plus âgée.

SCEA des Dom. Rolland, Maillet, 33500 Pomerol,
tél. 05.57.51.52.43, fax 05.57.51.52.93,
contact@rollandcollection.com r.-v.

CH. CERTAN DE MAY DE CERTAN 2009 ★

■ 27 000 ⅡⅠ + de 100 €

85 86 88 89 (90) 94 95 96 97 98 |99| |00| |01| |**02**| |03| **04 05 06 07** 09

Au XVIe s., un Écossais du nom de De May reçut des terres du secteur de Certan pour services rendus à la France. Odette Barreau-Badar, elle, rend service à Pomerol en produisant avec régularité des vins de grande qualité, à l'image de ce 2009 qui associe 65 % de merlot aux cabernets. Drapé dans une robe très foncée traversée de reflets améthyste, le vin dévoile un nez fin et complexe de fruits mûrs, agrémenté d'un boisé élégant et d'une touche de cuir. Le palais se révèle généreux, dense, ample et intense, porté par des tanins soyeux, un boisé sans excès et une longue finale fraîche. Un ensemble équilibré et complet, à découvrir dans cinq à sept ans.

Mme Barreau-Badar, Ch. Certan, 33500 Pomerol,
tél. 05.57.51.41.53, fax 05.57.51.88.51,
chateau.certan-de-may@wanadoo.fr r.-v.

CH. LE CHEMIN 2009 ★

■ 4 000 ⅡⅠ 30 à 50 €

Premier millésime pour ce domaine de poche de 93 ares conduit en bio par François Despagne, bien connu à Saint-Émilion (Ch. Grand Corbin-Despagne, grand cru classé). Et c'est une franche réussite que ce pur merlot drapé dans une robe profonde aux reflets grenat et améthyste. Le premier nez s'ouvre sur un fin boisé vanillé puis apparaissent les fruits noirs mûrs. Souple et fruitée en attaque, la bouche monte en puissance, offrant un beau volume, un boisé fondu et des tanins serrés qui accompagnent une longue finale poivrée. Encore deux ou trois ans de patience et l'on pourra commencer à apprécier ce vin bien construit.

Murielle et François Despagne, 3, Barraillot, 33330 Saint-Émilion, tél. 06.09.08.77.08, fax 05.57.51.29.18, f-despagne@grand-corbin-despagne.com r.-v.

CH. CLINET 2009 ★★

■ 45 000 | 50 à 75 €

2009

CHÂTEAU

CLINET

Pomerol

Ce cru fort ancien, valeur sûre de l'appellation, est aujourd'hui peut-être plus connu hors de nos frontières qu'en France puisqu'il exporte 85 % de sa production. Si le terroir, argilo-graveleux, est classique, l'encépagement l'est un peu moins, 12 % de cabernet-sauvignon venant compléter les traditionnels merlot (85 %) et cabernet franc, ce qui confère au vin une petite touche médocaine. Et dans une année de grande maturité comme 2009, favorable à ce cépage, cela donne un vin de caractère. Caractère qui s'affiche d'emblée à travers sa robe sombre et profonde, puis dans son bouquet, intense, concentré et complexe : on y perçoit des notes de cassis, de noyau de cerise, de violette, de cèdre, de café torréfié ou encore de tabac. Le palais se révèle ample, charnu et séveux, charpenté par des tanins fondus et élégants. Déjà fort aimable, cette bouteille est armée pour une garde de cinq ans et plus. On la verrait bien sur un rôti de bœuf en croûte.

Ch. Clinet, chem. de Feytit, 33500 Pomerol, tél. 05.57.25.50.00, fax 05.57.25.70.00, contact@chateauclinet.com r.-v.

Ronan Laborde

CLOS DE LA VIEILLE ÉGLISE 2009 ★

■ 8 000 | 50 à 75 €

92 93 94 95 96 99 **00** 01 02 03 **04** 05 **06** 07 08 09

Établis depuis longtemps dans le Libournais, les Trocard ont acquis cette petite vigne de 1,5 ha en 1976. Plantés sur un sol de graves argileuses, les ceps de merlot (70 %) et de cabernet franc ont donné naissance à un pomerol rubis vif et intense, au nez encore sous l'emprise du bois (café, cacao), mais avec du fruit à l'arrière-plan. Au palais, fruité et boisé trouvent un bel équilibre, soutenus par des tanins mûrs qui devraient se fondre assez vite. Un ensemble harmonieux.

Jean-Louis Trocard, 1175, rue Jean-Trocard, 33570 Les Artigues-de-Lussac, tél. 05.57.55.57.90, fax 05.57.55.57.98, trocard@wanadoo.fr t.l.j. sf sam. dim. 8h30-17h30

CH. CLOS DE SALLES 2009 ★

■ 4 900 | 20 à 30 €

Ce petit vignoble, ancienne parcelle du Château de Salles, appartient aux De Coninck, Flamands d'origine, depuis 1998. Le cabernet franc a une importance non négligeable ici, puisqu'il entre à 40 % dans l'assemblage du vin. Paré d'une robe rubis aux reflets violines, ce 2009 offre un nez intense, à dominante boisée, les fruits rouges et noirs et des nuances de violette perçant à l'arrière-plan. Au palais, il affiche un caractère certain, adossé à des

Le nord-ouest du Libournais

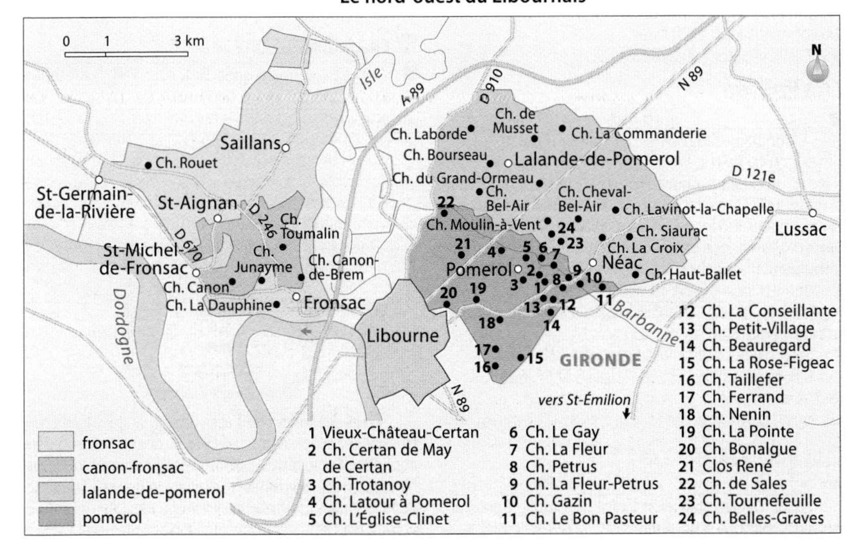

tanins serrés et à un boisé bien présent mais de qualité. Une bouteille armée pour une garde de cinq à dix ans.
EARL du Ch. Clos de Salles, Ch. du Pintey, 33500 Libourne, tél. 05.57.51.03.04, fax 05.57.51.03.99
r.-v.
Famille De Coninck

CLOS DU CLOCHER 2009 ★★

■	20 000		50 à 75 €

Établie sur l'emblématique quai du Priourat à Libourne, la maison Bourotte-Audy est bien implantée à Pomerol, et trois de ses domaines sont ici retenus. Le Clos du Clocher est né en 1931 de la réunion de plusieurs parcelles au cœur du plateau de Pomerol, dont la plus importante donne son nom au domaine. Son 2009 se présente dans une élégante robe profonde, couleur d'encre. Le nez, complexe et délicat, mêle le pain grillé et les fruits rouges frais. Riche, dense et ample, la bouche tient la note, avec toujours cette fraîcheur fruitée et ce boisé bien dosé, le tout assis sur des tanins persistants et fins, gage d'une garde de cinq à dix ans. Autre vin de caractère, corpulent et bien charpenté, le **Ch. Bonalgue 2009 (30 à 50 €)** obtient une étoile. Le **Ch. Monregard la Croix 2009 (20 à 30 €)**, cité, est un pur merlot encore sous l'emprise du merrain mais suffisamment armé pour l'assimiler. Deux vins à garder quatre ou cinq ans.
SC Clos du Clocher, 35, quai du Priourat, BP 79, 33502 Libourne Cedex, tél. 05.57.51.62.17, fax 05.57.51.28.28, jbourotte@jbaudy.fr r.-v.
Famille Bourotte-Audy

CLOS RENÉ 2009

■	65 000		20 à 30 €

Ce domaine familial figurait déjà en 1764 sur la carte du géographe du roi, Pierre de Belleyme, sous le nom de « Reney ». Conduit aujourd'hui par Jean-Marie Garde, il propose un 2009 qui incorpore un peu de malbec aux côtés des classiques merlot et cabernet franc. Rubis éclatant, le vin dévoile un nez encore sur la réserve, où pointent quelques notes fraîches de bourgeon de cassis et d'épices. Il se montre plus ouvert en bouche, souple, fruité, boisé avec finesse, bien structuré et long. On attendra deux ou trois ans pour l'ouvrir.
SCEA Garde-Lasserre, Clos René, Grand Moulinet, 33500 Pomerol, tél. 05.57.51.10.41, fax 05.57.51.16.28
r.-v.
Jean-Marie Garde

CLOS VIEUX TAILLEFER 2009 ★★

■	14 000		20 à 30 €

Cette famille établie en Côtes de Castillon possède aussi des vignes à Saint-Émilion (Ch. Rol-Valentin) et à Pomerol. La propriété pomerolaise est conduite depuis 2008, à la suite du grand-père, par Alexandra et Nicolas Robin. Ici, le seul merlot, planté sur un sol sableux sur crasse de fer, a donné naissance à ce 2009 paré d'une belle robe foncée aux reflets améthyste de jeunesse. Le bouquet, naissant mais déjà plaisant, livre des parfums de baies noires mûres accompagnées d'un boisé finement toasté. À la fois douce et chaleureuse en attaque, la bouche affiche un volume certain, étayé par des tanins puissants, prometteurs d'une bonne garde (jusqu'en 2020).
SAS Vignobles Robin, lieu-dit Laussac, 33350 Saint-Magne-de-Castillon, tél. 05.57.40.13.76, fax 05.57.40.43.50, contact@vignoblesrobin.com r.-v.

CH. LA CONNIVENCE 2009 ★★

■	2 400		+ de 100 €

Ce cru a vu le jour en 2008, autour de trois amis réunis par la même passion du vin : Alexandre de Malet, propriétaire entre autres du château La Gaffelière, 1er grand cru classé B de Saint-Émilion, Matthieu Chalmé, arrière-droit des Girondins de Bordeaux, et Johan Micoud, ancien international qui a lui aussi porté, brillamment, le maillot au scapulaire. Cette petite parcelle de 1,45 ha de merlot a donné naissance à un 2009 – année du dernier titre de champion des Bordelais – remarquable en tout point. La robe est noire, moirée de nuances carminées. Le nez, intense, mêle les fruits noirs à l'alcool, les épices douces, la réglisse et le toasté de la barrique. Souple et concentré sur le fruit en attaque, le palais monte en puissance, dévoilant un superbe volume, des tanins denses et soyeux et une longue finale fraîche et alerte. Le mariage réussi de la force et de l'élégance. À conserver en cave cinq à dix ans. Le second vin du domaine, la **Belle Connivence 2009 (30 à 50 € ; 2 400 b.)**, obtient une étoile. Lui aussi fruité à souhait, discrètement boisé, apparaît plus souple que le grand vin ; animé par une pointe minérale, il évolue sur des tanins affinés. On l'appréciera aussi plus jeune.
SARL Vin'4, Champ du Rivalon, BP 12, 33330 Saint-Émilion, tél. 05.57.56.40.81, fax 05.57.56.40.89, contact@chateaulaconnivence.com
Alexandre de Malet, Johan Micoud, Matthieu Chalmé

CH. LA CONSEILLANTE 2009 ★★

■	45 000		+ de 100 €

82 85 88 89 90 93 95 96 |98| |99| |00| |01| |02| 03 04 (05) 06 08 09

L'un des piliers de l'appellation, auquel Catherine Conseillan, propriétaire au XVIIe s. donna son nom ; un nom que fit connaître à partir de 1871 la famille de Louis Nicolas, dont les initiales ornent toujours l'étiquette. Plantés sur un terroir de graves argileuses, merlot (80 %) et cabernet franc ont donné naissance à un grand 2009, à la fois puissant et élégant. La robe, rouge profond, annonce un vin concentré. De fait, le nez se révèle intense et riche, sur les fruits mûrs, le toasté, le chocolat et l'amande grillée. La bouche offre une superbe mâche et un volume imposant renforcés par de solides tanins et un boisé bien dosé. Un pomerol de haut lignage, que l'on attendra cinq ans, et plutôt dix, et que l'on servira sur un gibier ou une viande rouge de belle origine, un filet de bœuf de Coutancie sauce aux champignons par exemple. On boira plus tôt (dans trois ou quatre ans) le second vin, créé en 2007, le **Duo de Conseillante 2009 (20 à 30 € ; 5 000 b.)**, bien équilibré entre bois et vin, ample et riche, qui obtient une étoile.

SC des Héritiers Nicolas,
Ch. la Conseillante, 130, rue de Catusseau, 33500 Pomerol,
tél. 05.57.51.15.32, fax 05.57.51.42.39,
contact@la-conseillante.com r.-v.

CH. LA CROIX DE GAY 2009

■ n.c. 20 à 30 €

Dans la même famille depuis le XVes., ce domaine bénéficie d'un terroir varié d'argile, de sable et de graves. Le merlot, présent à 95 %, donne un vin plaisant, au nez fin, bien qu'encore sous l'emprise du merrain. Les fruits mûrs apparaissent après aération, accompagnés d'une classique touche de violette. Dans le prolongement du bouquet, la bouche se révèle tendre et ronde, soutenue par des tanins mesurés et un boisé qui devrait se fondre d'ici deux ou trois ans.

SCEV Ch. La Croix de Gay,
8, ch. de Saint-Jacques-de-Compostelle, lieu-dit Pignon,
33500 Pomerol, tél. 05.57.51.19.05, fax 05.57.51.81.81,
contact@chateau-lacroixdegay.com r.-v.

Chantal Lebreton

CH. DU DOM. DE L'ÉGLISE 2009 ★

■ 25 000 30 à 50 €

Philippe Castéja, qui dirige la maison Borie-Manoux, est très présent dans le Libournais. Deux de ses vins sont retenus ici, avec en tête ce Domaine de l'Église, l'un des plus anciens vignobles de l'appellation : un pomerol pourpre intense et profond, au nez intense et complexe (cassis, truffe, cannelle, toasté léger), rond, suave et velouté en bouche, une belle fraîcheur lui apportant tonus et équilibre. À déguster dans quatre ou cinq ans sur une canette aux pruneaux. Le second vin, les **Chemins de la Croix du Casse 2009 (15 à 20 € ; 3 000 b.)**, rond et généreux, est cité.

Indivision Castéja-Preben-Hansen, 33500 Pomerol,
tél. 05.56.00.00.70, fax 05.57.87.48.61,
domaines@borie-manoux.fr r.-v.

CH. ENCLOS HAUT-MAZEYRES 2009

■ 12 000 30 à 50 €

Séparé du domaine de Mazeyres en 1850 par la ligne de chemin de fer Bordeaux-Paris, ce cru, qui s'étend sur un peu plus de 9 ha, est la propriété des de Pedro depuis 1832. Son 2009, pourpre intense, livre un bouquet bien équilibré entre les fruits mûrs, le boisé et les épices. Dans le même registre, le palais se révèle rond et soyeux. Un vin déjà aimable, à découvrir dans deux ou trois ans.

Roland de Pedro, 51, chem. de Béquille,
33500 Libourne, tél. 05.57.51.16.69, fax 05.57.48.72.80,
hautmazeyres@wanadoo.fr r.-v.

CH. L'ÉVANGILE 2009 ★★

■ 40 000 + de 100 €

93 95 96 00 **01 02 04 05** 06 **07** 08 **09**

Ce domaine connu depuis fort longtemps – il apparaît sur les cadastres en 1741 sous le nom de « Fazilleau » et a été rebaptisé l'Évangile à la fin du XVIIIes. – est établi au sud-est du plateau de Pomerol, sur une longue bande de graves sur argile bleue propice à l'épanouissement du merlot. Le cépage roi du Libournais compose l'essentiel (95 %) du grand vin. Ce pomerol très sombre et profond dévoile un nez généreux de fruits gorgés de soleil, de fleurs d'été et d'épices douces. Le palais se révèle chaleureux, doux, chocolaté, presque onctueux et pourtant toujours tonique, porté par une juste fraîcheur et des tanins au grain fin. Un ensemble fort harmonieux, armé pour une longue garde : de cinq à dix ans. Le second vin, le **Blason de l'Evangile 2009 (20 à 30 € ; 12 000 b.)**, souple, rond et soyeux, est cité.

Ch. l'Évangile, 33500 Pomerol, tél. 05.57.55.45.55,
fax 05.57.55.45.56, levangile@lafite.com r.-v.

Dom. Barons de Rothschild (Lafite)

CH. FAYAT 2009

■ 50 000 30 à 50 €

Ce domaine de 15 ha est né en 2009 de la fusion des châteaux Commanderie de Mazeyres, Vieux Bourgneuf et Prieurs de la Commanderie. On a donc goûté le premier millésime de ce nouveau cru, né de vieilles vignes de soixante ans d'âge moyen, assemblage classique de merlot (80 %) et de cabernet franc. Un vin rouge foncé, au nez fruité, épicé et boisé avec mesure, au palais équilibré, rond, bien structuré et de bonne longueur. À boire dans trois ou quatre ans.

Vignobles Clément Fayat,
Ch. Fayat, 18, av. Georges-Pompidou, 33500 Libourne,
tél. 05.57.52.31.36, fax 05.57.52.63.04,
contact@vignobles.fayat.com r.-v.

CH. LA FLEUR DE PLINCE 2009 ★

■ 2 300 50 à 75 €

Philippe Vignon, traiteur et caviste spécialisé dans les vins du Libournais à Paris, a acquis en 2010 ce vignoble de poche (0,85 ha). Ce 2009 paré d'une robe bordeaux intense livre un nez expressif de baies noires mûres et de boisé réglissé. La bouche, encore jeune et ferme, joue dans le même registre, bâtie sur des tanins bien présents, gage d'une garde de quatre ou cinq ans et plus encore.

SCEA Ch. la Fleur de Plince, 5, rue de la Patache,
33500 Pomerol, tél. 06.80.66.36.19, fax 01.40.70.95.75,
vignonchampselysees@wanadoo.fr r.-v.

Philippe Vignon

CH. LA FLEUR-GAZIN 2009 ★

■ n.c. 30 à 50 €

Dominant la Barbanne et situé entre les châteaux Lafleur et Gazin, le vignoble (80 % de merlot) s'étend en pente douce sur 8,5 ha. Les établissements Moueix en assurent le métayage depuis 1976. Ce 2009 est un vin à la robe franche, rouge vif et scintillant, au nez plaisant de fruits rouges mûrs, de vanille, de cannelle et de pain juste sorti du four. Le palais séduit par sa rondeur, sa chair, sa générosité et ses tanins fondus. Un pomerol gourmand et persistant, à découvrir dans quatre ou cinq ans sur une viande en sauce.

Éts Jean-Pierre Moueix, 54, quai du Priourat, BP 129, 33502 Libourne Cedex, tél. 05.57.51.78.96, fax 05.57.51.79.79, info@jpmoueix.com
Mme Delfour-Borderie

FLEUR PETRUS 2009 ★★

■	n.c.	+ de 100 €

82 83 85 86 88 (89) 90 95 96 98 99 |01| |02| 03 |04| 05 06 07 08 09

Situé à l'ouest du château Lafleur et au sud du château Petrus, ce cru déploie ses 14,5 ha de merlot et de cabernet franc (20 %) sur un superbe mamelon graveleux. Le 2009 ne faillit pas à sa réputation de pomerol élégant et subtil. Drapé dans un habit rouge brun foncé, il dévoile un bouquet charmeur et complexe de fruits frais et de fruits plus mûrs, d'épices douces et de boisé fondu. Rond, doux et soyeux dès l'attaque, le palais offre une belle étoffe de tanins extraits avec délicatesse, une agréable fraîcheur venant en soutien. Une bouteille pleine de charme, à réserver pour un mets fin, un filet de bœuf en croûte par exemple.
Éts Jean-Pierre Moueix, 54, quai du Priourat, BP 129, 33502 Libourne Cedex, tél. 05.57.51.78.96, fax 05.57.51.79.79, info@jpmoueix.com

♥ CH. FRANC-MAILLET 2009 ★★

■	16 330	20 à 30 €

98 99 00 01 02 |03| |04| |05| 06 |07| 08 09

C'est en 1919, au retour de la Grande Guerre, que Jean-Baptiste Arpin acquiert son premier hectare de vignes, dans le secteur de Maillet. Depuis, le vignoble s'est considérablement étendu (37 ha), à pomerol et dans d'autres appellations libournaises, mais son fleuron reste Franc-Maillet, qui décroche ici un coup de cœur après celui obtenu pour le 2004. Drapé dans une somptueuse robe bordeaux à reflets noirs, le 2009 dévoile un bouquet intense, floral, épicé, fruité et boisé avec discernement. Opulente et puissante, la bouche reste toujours élégante et suave, soutenue par des tanins fondus et un élevage de qualité, sans excès, avant de s'étirer dans une longue finale poivrée. Un pomerol d'une rare subtilité, armé pour une garde de cinq à dix ans.
EARL Vignobles G. Arpin, Chantecaille, 33330 Saint-Émilion, tél. 09.71.58.23.49, vignobles.g.arpin@wanadoo.fr
lun. mar. jeu. ven. 9h-12h 13h30-17h30

CH. LE GAY 2009

■	n.c.	+ de 100 €

00 01 02 |03| |04| 05 06 07 08 09

Ce cru a toujours préféré les femmes : les demoiselles Robin pendant soixante ans, Catherine Péré-Vergé depuis 2003. Celle-ci signe un 2009 à la robe bordeaux soutenu, ornée de reflets noirs. Le nez garde le souvenir des seize mois de fût neuf, à travers des senteurs boisées intenses qui se mêlent aux fruits noirs mûrs perceptibles après agitation. Il en va de même en bouche, où le merrain ne passe pas inaperçu, imprégnant une chair ample et corpulente. Cinq à six ans de garde sont un minimum pour que l'ensemble se fonde.
SCEA Vignobles Péré-Vergé, Ch. le Gay, 33500 Pomerol, tél. 03.20.64.20.56, fax 03.20.64.18.99, communication@montviel.com r.-v.

CH. GAZIN 2009 ★

■	66 500	75 à 100 €

(90) 91 92 93 94 (95) (96) 97 98 99 00 |01| |02| |(03)| |04| (05) (06) |07| 08 09

L'un des domaines les plus anciens et les plus réputés de Pomerol, ancienne propriété des Hospitaliers de Saint-Jean-de-Jérusalem. C'est également l'une des valeurs sûres du Guide qui, dans ce millésime de grande maturité, signe un vin sombre, presque noir, orné de beaux reflets violines. Le nez, d'abord fermé, s'ouvre à l'aération sur les fruits noirs mûrs et un boisé discret. Le palais se montre très généreux, riche, ample et dense, adossé à des tanins bien enrobés et offre une longue finale onctueuse. Un pomerol à l'image du millésime, solaire, que l'on pourra commencer à déguster dans quatre ou cinq ans. Comportant plus de cabernets (15 % contre 10 % au grand vin), l'**Hospitalet de Gazin 2009 (20 à 30 € ; 36 124 b.)**, noté une étoile également, est dans le même esprit, un rien plus tannique, mais aussi chaleureux et vineux, sur les fruits confits.
GFA Ch. Gazin, 33500 Pomerol, tél. 05.57.51.07.05, fax 05.57.51.69.96, contact@gazin.com r.-v.

CH. GOMBAUDE-GUILLOT 2009 ★★

■	19 800	30 à 50 €

Ce domaine est entré dans la famille Laval grâce à la dot de l'arrière-grand-mère de l'actuelle propriétaire. La maison est située à l'emplacement de l'ancien bistrot face à l'église de Pomerol. Pas de vin de comptoir ici, mais un superbe 2009 né sur un terroir typique de graves sur argiles et d'un encépagement non moins classique de merlot à 80 % et de cabernet franc. Le nez mêle des parfums charmeurs de violette, de fruits noirs mûrs et de vanille. La même harmonie caractérise le palais, dense et tendre à la fois, riche et élégant, soutenu par des tanins polis. Cette bouteille devrait être à son apogée entre 2015 et 2020 ; on la verrait bien accompagner un rôti de veau aux cèpes.
SCEA Famille Laval-Pomerol, 4, chem. Les Grand'Vignes, 33500 Pomerol, tél. 05.57.51.17.40, fax 05.57.51.16.89, gombaude@free.fr r.-v.

CH. GOUPRIE 2009 ★

■	15 700	20 à 30 €

Cette propriété est dans la même famille depuis six générations. Épaulé par son épouse et son fils, Patrick Moze-Berthon signe un 2009 très agréable, au nez joliment fruité (cerise en tête) et discrètement boisé, qui offre en bouche une belle consistance, du volume, de la longueur et un fruité croquant. Un pomerol friand et bien équilibré, à découvrir dans trois ou quatre ans. L'**Excellence du Ch. Gouprie 2009 (30 à 50 € ; 4 330 b.)**, un peu plus marqué par l'élevage, ample et corsé, obtient également une étoile.

SCEA Moze-Berthon, Bertin, 33570 Montagne, tél. 05.57.74.66.84, fax 05.57.74.58.70, chateau.rocher-gardat@wanadoo.fr r.-v.

CH. LES GRANDS SILLONS 2009 ★

10 000 | 20 à 30 €

Cette famille est établie sur l'appellation voisine de montagne-saint-émilion, mais depuis 1920 elle possède ce petit vignoble de 3 ha à Pomerol. Elle y produit un 2009 qui a séduit les jurés par son classicisme : robe intense rouge foncé, bouquet harmonieux où fruité et boisé se mêlent sans heurt, palais puissant et tonique, encadré par des tanins jeunes mais élégants, gage d'une garde de trois ou quatre ans. Recommandé par le propriétaire sur une fricassée de pintade aux pommes.

Dignac, 19, chem. Jean-Lande, 33500 Pomerol, tél. 05.57.74.64.52, fax 05.57.74.55.88, philippe.dignac@cegetel.net t.l.j. 9h-12h 14h-18h

CH. GRANGE-NEUVE 2009 ★★

20 500 | 15 à 20 €

Cette petite propriété familiale est située entre le bourg et la route de Lyon. Son vignoble est implanté sur un terroir argilo-siliceux favorisé par les années de grande maturité comme 2009. Le talent du vigneron fait le reste. Le merlot, associé à un soupçon de cabernet franc, donne naissance à ce pomerol « à l'ancienne », comme l'ont qualifié les dégustateurs. Entendez par là un vin très sombre, au bouquet puissant et chaleureux de raisin mûr à souhait, avec cette touche de violette caractéristique des merlots pomerolais, et aussi une petite note de musc qui sait rester discrète. L'attaque, fondue et souple, ouvre sur un palais généreux, charnu, puissant mais sans surextraction, porté par des tanins à la fois denses et soyeux. Un vin authentique, sans fard et bien typé, à garder en cave cinq à dix ans.

Gros et Fils, chem. des Ormeaux, 33500 Pomerol, tél. 05.57.51.23.03, chateau.grange.neuve@wanadoo.fr r.-v.

CH. GUILLOT CLAUZEL 2009 ★★

4 200 | 30 à 50 €

Épaulé par l'œnologue François Despagne (voir Ch. le Chemin), les enfants de Paul et Jacqueline Clauzel ont repris en 1999 ce vignoble situé en pied de côte, établi sur un terroir « très pomerol » de graves, de sables et d'argile à crasse de fer. Ce 2009 aux éclats rubis livre un bouquet complexe et intense de fruits frais, d'épices et de vanille accompagnés de notes de tabac et de sous-bois. On retrouve ces arômes dans un palais ample, suave et gras, porté par d'élégants tanins jusqu'à une longue finale poivrée et chocolatée. Un pomerol harmonieux, à déguster dans quatre ou cinq ans sur une épaule d'agneau grillée.

SCEA Consorts Clauzel, 72, rue Clément-Thomas, 33500 Libourne, tél. 06.15.45.34.99, etienne@consortsclauzel.com r.-v.

CH. HOSANNA 2009 ★★

n.c. | + de 100 €

05 06 **07 08** |09|

Acquis en 1999 par la famille Moueix, ce cru, issu du partage de Certan-Giraud et proche de la Providence, s'étend sur 4,5 ha et offre une part importante au cabernet franc (30 %) aux côtés du merlot. Le 2009 est un vin « noir », dense, au nez à la fois vineux et minéral, floral (rose) et épicé à l'aération. On est frappé d'emblée par la richesse de la bouche ; ample, généreuse, « solaire » (pruneau, figue sèche), celle-ci s'impose avec force mais sans brutalité, monte en puissance pour offrir une finale longue et concentrée, une note florale apportant de la complexité et de la délicatesse. De grande garde assurément.

Éts Jean-Pierre Moueix, 54, quai du Priourat, BP 129, 33502 Libourne Cedex, tél. 05.57.51.78.96, fax 05.57.51.79.79, info@jpmoueix.com

CH. LAGRANGE 2009

n.c. | 30 à 50 €

Ce domaine de 4,7 ha est situé en bordure de la Barbanne, aux confins nord du plateau de Pomerol. Le merlot (95 % de l'encépagement) s'enracine ici dans un terroir lourd d'argile graveleuse au sous-sol de crasse de fer. Il a donné ce 2009 d'une jolie teinte rubis à reflets violets, au nez de fruits mûrs mâtiné d'un élégant boisé. Rond, chaleureux, concentré sans excès, le palais s'appuie sur des tanins jeunes mais sans agressivité et sur un élevage en fût bien intégré. Un bon représentant du millésime et de l'appellation.

Éts Jean-Pierre Moueix, 54, quai du Priourat, BP 129, 33502 Libourne Cedex, tél. 05.57.51.78.96, fax 05.57.51.79.79, info@jpmoueix.com

CH. LATOUR À POMEROL 2009 ★

n.c. | 75 à 100 €

97 98 99 |00| |**01**| |03| 05 06 07 08 09

Ce domaine, donné par Madame Lacoste, sa propriétaire pendant quarante ans, à la Fondation des Foyers de Charité de Châteauneuf de Galaure, est conduit en fermage depuis 1962 par les établissements Moueix. D'un beau rubis profond, le 2009 propose au nez un mariage très réussi entre les touches grillées du merrain et des notes de fruits rouges mûrs, avec une délicate nuance de rose ancienne à l'arrière-plan. Après une attaque nette et fraîche, le palais affiche un volume certain, de la puissance et des tanins solidement arrimés, mais sans jamais se départir d'une réelle élégance ; il déroule une longue finale épicée, fruitée et tonique. Du pomerol dans le texte.

Éts Jean-Pierre Moueix, 54, quai du Priourat, BP 129, 33502 Libourne Cedex, tél. 05.57.51.78.96, fax 05.57.51.79.79, info@jpmoueix.com

CH. LÉCUYER 2009 ★

■ n.c. 30 à 50 €

Propriétaire en lalande-de-pomerol (château Tournefeuille) et en saint-émilion grand cru (château la Révérence), Émeric Petit s'est étendu en 2004 en pomerol en reprenant ce vignoble de 3 ha, anciennement château de Bourgueneuf, rebaptisé du nom de jeune fille de sa mère. Ses vins sont régulièrement présents dans ces pages et le 2009 ne fait pas exception, avec de bons arguments à faire valoir. La robe est sombre et jeune. Le nez, complexe et subtil, marie les fruits mûrs à des notes de vanille et de café crémeux (cappucino, note un dégustateur). Dans la continuité du bouquet, la bouche, douce en attaque, se révèle puissante mais sans lourdeur, offrant un beau grain de tanins, fin et serré, qui donne à ce vin très typé pomerol un charme certain. À découvrir dans trois à cinq ans sur une noble volaille rôtie.

SCEA Petit-Lécuyer, 24, rue de l'Église, 33500 Néac, tél. 05.57.51.18.61, fax 05.57.51.00.04, chateautournefeuille@wanadoo.fr r.-v.
É. Petit

CH. MAZEYRES 2009 ★

■ 61 330 20 à 30 €

92 93 **94 95** 96 97 00 |01| 02 03 |**04**| 05 |06| 07 08 09

Commandé par un petit manoir bâti sur des vestiges gallo-romains, ce domaine de près de 26 ha vient d'ajouter à sa superficie 4 ha de vignes plantés sur l'ancien hippodrome de Libourne. C'est un pari à long terme que l'on fera sur ce 2009 au nez fin et frais de fruits noirs accompagnés par un boisé fondu. La bouche offre le même équilibre entre les notes d'élevage et un fruité qui imprègne une chair élégante et sans aspérités. Un vin harmonieux et « rassurant » selon un dégustateur, que l'on a déjà envie d'ouvrir mais qui pourra aussi s'apprécier dans quatre ou cinq ans sur une daube de bœuf.

SC Ch. Mazeyres, 56, av. Georges-Pompidou, 33500 Libourne, tél. 05.57.51.00.48, fax 05.57.25.22.56, mazeyres@wanadoo.fr r.-v.

CH. MONBRUN 2009 ★

■ 10 000 20 à 30 €

Depuis quatre générations, cette famille vigneronne est établie au sud de Libourne, mais elle traverse la Dordogne pour exploiter des vignes en pomerol et en lalande. Ici, le seul merlot a donné naissance à un 2009 « très pomerol », pourpre intense, au nez fruité et discrètement boisé, au palais rond et suave, étayé de tanins denses et fins. Un vin équilibré, qui devrait s'apprécier rapidement, dans une paire d'années.

SCEA Dubois JCM, ch. Bozelle, 33500 Arveyres, tél. 06.63.64.58.18, fax 05.57.84.94.45, vignoblesdubois@orange.fr r.-v.

CH. LE MOULIN 2009

■ n.c. 30 à 50 €

Une famille saint-émilionnaise a acquis en 1997 le petit vignoble (2,40 ha) du château Vieux Cloquet, qu'elle a rebaptisé du nom de moulin de Lavaud, situé non loin. Assemblage traditionnel de merlot (80 %) et de cabernet franc, ce 2009 dévoile un bouquet agréable de petits fruits rouges frais et de boisé torréfié, rehaussé d'une touche poivrée. L'attaque ronde et généreuse donne le tempo d'une bouche suave et charnue, sur le pruneau et les fruits confits, accompagnée de tanins fondus. Un pomerol aimable et équilibré, à boire dans deux ou trois ans.

SCEA ch. le Moulin, Moulin de Lavaud, 33500 Pomerol, tél. 05.57.55.19.60, fax 05.57.51.12.53, contact@vignobles-querre.com r.-v.
Famille Querre

CH. MOULINET 2009 ★★

■ 60 000 30 à 50 €

Ce domaine de 18 ha d'un seul tenant, acheté par Armand Moueix en 1971, est aujourd'hui dirigé par l'épouse et la fille de ce dernier. Le vignoble offre ici un terroir varié, et chaque type de sol est vinifié séparément afin de conférer de la complexité au vin. Complexité que l'on retrouve dans ce 2009 à la robe noire nuancée de violine, au nez intense de fruits noirs (cassis) et rouges, d'épices douces et de pain toasté, avec une touche de cuir. Puissant et doux à la fois, généreux (fruits à l'eau-de-vie, réglisse) et dense, le palais s'appuie sur des tanins soyeux et veloutés qui portent loin la finale. Les dégustateurs voient l'apogée de cette bouteille entre 2018 et 2025 et un accord gourmand avec une souris d'agneau confite.

SCEA des Vignobles Armand Moueix, Ch. Moulinet, chem. de la Combe, 33500 Pomerol, tél. 05.57.51.23.68, fax 05.57.51.27.78, chateaumoulinet@wanadoo.fr

CH. PETIT-VILLAGE 2009 ★

■ 2 400 50 à 75 €

Le vignoble de ce cru est établi sur un terroir qui rassemble toutes les composantes de Pomerol (argiles, graves, sables, crasse de fer), dans lequel s'enracinent le merlot et les deux cabernets. On ne s'étonnera pas dès lors de trouver dans ce 2009 un vin bien représentatif de son appellation, et aussi du millésime : belle robe rouge foncé, nez puissant de fruits confiturés, de pruneau et de violette, palais corpulent, généreux et solidement charpenté. À attendre trois à cinq ans, avant de l'ouvrir sur une pièce de gibier.

Ch. Petit-Village, Catusseau, 33500 Pomerol, tél. 05.57.51.21.08, fax 05.57.51.87.31, contact@petit-village.com r.-v.
Axa Millesimes

♥ PETRUS 2009 ★★★

■ n.c. + de 100 €

85 86 87 (88) **89 90 92 93 94** (95)(96)**97** |(98)| **99** (00)|**01**| **02 03 04 05** (06)(07)(08)(09)

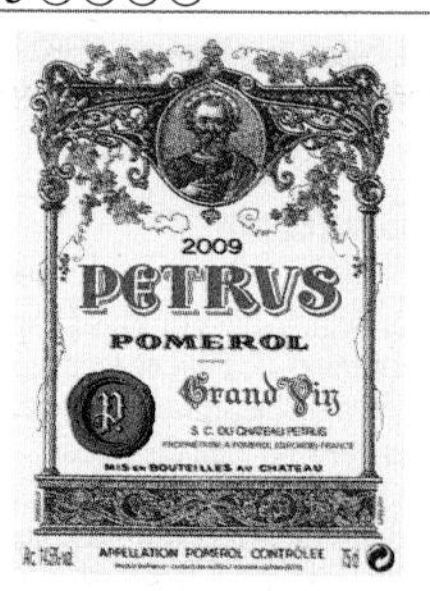

Second millésime pour Olivier Berrouet, fils de Jean-Claude, l'homme aux quarante-quatre vinifications de Petrus. Si 2008, le premier, fut une exceptionnelle réussite, que dire du 2009, année solaire déjà élevée au rang de mythe... Le risque était ici, après un été chaud, de récolter en surmaturité et de trop pousser l'extraction. Mais les nuits fraîches ont été un utile soutien, de même que la situation si particulière de Petrus, sur sa loupe d'argile pure riche en minéraux de fer qui permet de tempérer les ardeurs du soleil grâce à une alimentation hydrique très régulière. Au final, ce grand vin est certes puissant et généreux, mais sans jamais céder à la lourdeur ou à l'exubérance outrée de certains 2009. La robe d'un pourpre profond est animée de reflets rubis scintillants. Le bouquet se révèle à la fois intense et subtil, toasté et torréfié en première approche, avant d'évoluer sur de fines notes de cerise mûre, de cassis et d'épices douces, rehaussées par une nuance de mine de crayon et de fumée. L'attaque est suave et soyeuse, prélude délicat à un palais riche, ample et dense, tapissé de tanins veloutés extraits avec une douceur rare. En finale, la menthe poivrée se mêle longuement à la réglisse et à une noble amertume qui apporte du tonus et de la complexité. Un pomerol caressant et élégant, hors catégorie.

SC du Ch. Petrus, 33500 Pomerol

CH. PIERHEM 2009 ★

■ n.c. 30 à 50 €

Contraction du prénom de Pierre-Emmanuel Janoueix, descendant d'une de ces nombreuses familles corréziennes établies dans le Libournais, ce domaine propose un 2009 de belle facture. Le nez mêle en toute harmonie les fruits noirs et rouges mûrs, les épices douces et le grillé de la barrique, mâtinés de nuances florales. La bouche se révèle riche, ronde et douce, épaulée par des tanins fins, un rien plus fermes en finale, que trois à cinq ans de garde devraient affiner.

Vignobles Pierre-Emmanuel Janoueix, La Bastienne, 33570 Montagne, tél. 05.57.74.53.18, fax 05.57.74.53.91, pejx@pejanoueix.com r.-v.

CH. PLINCE 2009 ★

■ 49 000 20 à 30 €

Ce cru est situé à la sortie est de Libourne, tourné vers Saint-Emilion. Mais il s'agit bien d'un pomerol ici, avec une proportion non négligeable de cabernet franc (30 %), qui pourrait faire penser à un vin du secteur de Figeac. Dans le verre, la couleur est vive, d'un violet intense. Au nez, la première impression est boisée (vanille, toasté), mais l'aération laisse place aux fruits frais (cassis, myrtille). Au palais, on retrouve ces arômes de fruits croquants malgré des notes de merrain encore bien présentes, avec en soutien des tanins élégants et une matière riche et ample. À attendre trois à cinq ans.

SCEV Moreau, Ch. Plince, 33500 Libourne, tél. 05.57.51.68.77, fax 05.57.51.43.39, plince@aliceadsl.fr r.-v.

GFA château Plince

CH. PLINCETTE 2009 ★

■ 3 560 30 à 50 €

La famille Estager exploite plusieurs vignobles dans le Libournais, notamment à Pomerol, où un incendie des chais en 2010 a détruit la récolte 2008 et une partie de celle de 2009. Mais de ce qui a pu être sauvé de ce dernier millésime, Jean-Paul Estager a su tirer un vin qui répond à tous les canons de l'appellation : une robe intense mêlant des reflets rubis et grenat ; un bouquet de merlot bien mûr, quelques nuances florales et un boisé épicé discret ; un palais suave et rond, étoffé par des tanins soyeux. Un ensemble élégant, à découvrir dans deux ou trois ans. Cité, le **Ch. la Cabanne 2009 (50 à 75 €; 27 900 b.)**, à plus forte proportion de merlot et né sur un sol plus argileux, est aussi plus marqué par le merrain, mais avec suffisamment de corps pour l'assimiler.

SCEA Vignobles J.-P. Estager, 35, rue de Montaudon, 33500 Libourne, tél. 05.57.51.04.09, fax 05.57.25.13.38, estager@estager.com r.-v.

CH. LA POINTE 2009 ★

■ 90 000 30 à 50 €

95 96 (98) 00 **01** **02** 03 04 05 **06** **07** 08 09

C'est la position du domaine, inséré dans une patte d'oie, à la sortie de Libourne, qui a donné son nom à ce cru repris en 2007 par la compagnie Générali. Éric Monneret, originaire du Jura et passé par Sauternes, en assure l'exploitation. Il signe un 2009 de couleur grenat, joliment bouqueté par un boisé élégant et par des notes intenses de fruits mûrs et d'épices douces. Le palais séduit par son volume, sa suavité, sa générosité, sa chair dense et soyeuse adossée à des tanins bien présents mais policés. Un vin affable et harmonieux, que l'on pourra commencer à apprécier dans quatre ou cinq ans.

Ch. la Pointe, 33500 Pomerol, tél. 05.57.51.02.11, fax 05.57.51.42.33, contact@chateaulapointe.com r.-v.

CH. PONT-CLOQUET 2009 ★

■ n.c. 30 à 50 €

Laurent et Stéphanie Rousseau exploitent plusieurs vignes au nord de Libourne, dont ce cru depuis 1996. Ils signent un 2009 couleur bigarreau, au nez ouvert, floral (violette), fruité, vanillé et mentholé. Ample, concentrée, séveuse et puissante, la bouche s'appuie sur des tanins denses et un boisé frais de qualité qui permettront à ce vin de bien vieillir pendant les trois ou quatre ans à venir.

Vignobles Rousseau, 1, Petit-Sorillon, 33230 Abzac, tél. 05.57.49.06.10, fax 05.57.49.38.96, chateau@vignoblesrousseau.com r.-v.

Laurent et Stéphanie Rousseau

CH. PROVIDENCE 2009 ★★

■ n.c. + de 100 €

Autrefois nommé château Tropchaud et rebaptisé Providence en 1928 par la famille Dupuy, ce cru de 4 ha d'un seul tenant est propriété des Établissements Jean-Pierre Moueix depuis 2005. Le merlot y domine (90 %). Associé au cabernet franc et planté sur un sol de graves et d'argile, il a donné naissance à un 2009 sombre et dense, orné de reflets violets de jeunesse. Le nez, généreux, mêle les fruits mûrs aux épices douces (cannelle) d'un boisé délicat. Bien assis sur des tanins doux et soyeux, le palais se montre gras, ample et suave et s'étire longuement en finale sur la pivoine, le chocolat amer et les épices. L'alliance de la puissance et de la délicatesse. À attendre, bien sûr, au moins cinq à six ans.

Éts Jean-Pierre Moueix, 54, quai du Priourat, BP 129, 33502 Libourne Cedex, tél. 05.57.51.78.96, fax 05.57.51.79.79, info@jpmoueix.com

CH. ROCHER-BONREGARD 2009 ★

■ 15 000 11 à 15 €

Cette famille est établie depuis les années 1880 à Libourne, dans le secteur de Tailhas. Jean-Pierre Tournier œuvre à la vigne et au chai depuis ses seize ans ; il en a soixante-trois aujourd'hui et forme ses deux fils pour prendre la relève. Son 2009 a belle allure dans sa robe noire. Il dévoile des parfums intenses de cassis, de mûre, de sureau et de réglisse. En bouche, il affiche un boisé plus présent, porté par une structure dense et bien enrobée. Un pomerol équilibré, à garder quatre à cinq ans en cave.

SCEA Vignobles J.-P. Tournier, Tailhas, 194, rte de Saint-Émilion, 33500 Libourne, tél. 05.57.51.36.49, fax 05.57.51.98.70, jp.tournier2@wanadoo.fr r.-v.

CH. ROUGET 2009 ★

■ 40 000 30 à 50 €

99 00 01 |**02**| **03** |04| 05 06 **07 08** 09

Ce cru très régulier en qualité, détenteur de plusieurs coups de cœur, dont le dernier en date pour le 2008, est conduit par une famille originaire du Beaujolais, les Labruyère. Leur 2009, drapé dans une robe sombre et profonde, livre un bouquet sur la réserve, qui s'ouvre à l'aération sur des notes fruitées, torréfiées et réglissées. La bouche est à l'unisson, généreuse, concentrée et encore très boisée. On attendra trois ou quatre ans que l'ensemble se fonde, mais le potentiel est là.

SGVP Rouget, 4-6, rte de Saint-Jacques-de-Compostelle, 33500 Pomerol, tél. 05.57.51.05.85, fax 05.57.55.22.45, chateau.rouget@orange.fr r.-v.

Labruyère

CH. DE SALES 2009

■ 130 000 20 à 30 €

L'un des plus vastes (47,50 ha) et des plus anciens (dans la même famille depuis 1464 !) domaine de l'appellation, situé aux portes de Libourne. Son 2009 dévoile un bouquet d'abord dominé par le merrain et ses senteurs toastées, mais les fruits (cassis, cerise) sont là, à l'arrière-plan. La bouche est à l'unisson, sous l'emprise du bois, avec le fruit en retrait, mais avec une structure solide et une matière suffisamment dense pour accepter l'apport de l'élevage. Il faudra toutefois laisser l'ensemble s'affiner trois ou quatre ans. Le **Ch. Chantalouette 2009 (15 à 20 € ; 57 000 b.)**, également cité, évoque davantage le fruit.

Bruno de Lambert, 11, Ch. de Sales, Pomerol, 33500 Libourne, tél. 05.57.51.04.92, fax 05.57.25.23.91, chdesales@chateaudesales.fr r.-v.

GFA château de Sales

CH. TAILLEFER 2009 ★

■ 55 000 20 à 30 €

93 94 95 96 97 **00** 01 02 |03| 05 **06** |07| 08 09

Premier cru acquis par la famille Moueix en 1923, Taillefer – qui tire son nom de la richesse en crasse de fer de son sol – figurait déjà sur la carte de Belleyme en 1764. Depuis 1996, Catherine Moueix et ses enfants Antoine et Claire en assurent la gérance. Ils signent un 2009 joliment vêtu d'une robe bordeaux encore jeune, le nez empreint de parfums de cerise confiturée, de pruneau et de boisé fin (vanille, toasté) agrémentés d'une touche minérale. La bouche joue plus dans le registre de la douceur et de la finesse que dans celui de la puissance, s'appuyant sur des tanins délicats et soyeux. Une bouteille à découvrir dans trois à cinq ans, pourquoi pas sur une poularde truffée.

SC Bernard Moueix, Ch. Taillefer, BP 9, 33501 Libourne Cedex, tél. et fax 05.57.25.50.45, bernard.moueix@orange.fr r.-v.

CH. TOUR MAILLET 2009 ★

■ 13 000 20 à 30 €

99 (01) 02 |03| 04 |05| 06 |**07**| **08** 09

Si la plupart des vignes de la famille sont situées en montagne-saint-émilion (17 ha), la première en pomerol, a été acquise en 1920 par le grand-père de Jean-Claude Lagardère, l'actuel propriétaire. L'hectare d'origine s'est transformé en 2,20 ha dédiés au seul merlot, à l'origine de vins régulièrement salués dans ces pages, élus coups de cœur dans les deux dernières éditions notamment. Le 2009 est un vin puissant, au nez intense de fruits confits, d'épices douces et de boisé toasté, rehaussé par une touche mentholée et truffée, concentré, dense, chaleureux et solidement charpenté en bouche. « Une bombe à retardement, conclut un dégustateur, à ne pas toucher avant quatre ou cinq ans. »

SCEV Lagardère, Négrit, 33570 Montagne, tél. 05.57.74.61.63, fax 05.57.74.59.62, vignobleslagardere@wanadoo.fr r.-v.

♥ CH. TROTANOY 2009 ★★★

■ n.c. + de 100 €

88 89 (90) **92 94** (95) (96) 97 **98 99** |**00**| |(01)| |**02**| |03| |**04**| 05 (06) **07** (08) (09)

APPELLATION POMEROL CONTRÔLÉE
CHÂTEAU TROTANOY
POMEROL
2009
SOCIÉTÉ CIVILE DU CHÂTEAU TROTANOY
PROPRIÉTAIRE A POMEROL (GIRONDE)

Le sol riche en argile (graves argileuses et argiles noires profondes), difficile à cultiver, donne son nom à ce cru : « trop anoi » (« trop ennuie » en vieux français). Les Établissements Jean-Pierre Moueix en tirent le meilleur depuis 1953, et 2009 restera comme l'un des grands millésimes de ces soixante dernières années. La robe, bigarreau foncé, laisse deviner une belle maturité des raisins. De fait, le bouquet, gracieux et d'une réelle complexité, évoque d'emblée les fruits mûrs (cerise, prune). À l'aération, la violette et la rose apportent une délicate note florale rehaussée d'une touche poivrée. Le palais s'ouvre sur une attaque ample et élégante, avec un léger passage grillé et goudronné à l'arrière-plan. Il offre ensuite une superbe mâche à la texture soyeuse, adossée à des tanins au grain fin, avant de révéler dans une très longue finale une fermeté qui assurera à ce grand vin une garde d'une décennie et plus encore.

Éts Jean-Pierre Moueix, 54, quai du Priourat, BP 129, 33502 Libourne Cedex, tél. 05.57.51.78.96, fax 05.57.51.79.79, info@jpmoueix.com

CH. DE VALOIS 2009 ★

■ 28 000 20 à 30 €

Ce domaine, dans la famille Leydet depuis 1862, a engagé la conversion bio de son vignoble, planté sur un terroir de sables et de graves fines. Merlot (78 %) et cabernet franc ont donné naissance à ce pomerol pourpre intense, au nez encore dominé par un boisé torréfié qui n'écrase pas le fruit bien mûr. La bouche, chaleureuse, sur la cerise confiturée, dévoile des tanins carrés et serrés, un peu sévères en finale. Au moins trois à cinq ans de garde s'imposent.

EARL Vignobles Leydet, Rouilledimat, 33500 Libourne, tél. 05.57.51.19.77, fax 05.57.51.00.62, frederic.leydet@wanadoo.fr r.-v.

CH. VIEUX MAILLET 2009

29 000 30 à 50 €

Surtout connus pour leur château Franc Mayne (saint-émilion grand cru classé) et son investissement dans l'œnotourisme, Griet Van Malderen et Hervé Laviale ont entièrement rénové leur cru pomerolais en 2006 et aménagé une nouvelle cuverie inox et une salle de dégustation confortable donnant sur le vignoble. Côté vin, ce 2009 pourpre intense dévoile un bouquet de fruits frais finement boisé. Encore sous l'emprise de l'élevage, le palais n'en reste pas moins élégant, le fruit pointant à l'arrière-plan, avec de bons tanins corsés en soutien. À découvrir dans trois ou quatre ans, sur un magret de canard.

SCEA Ch. Vieux Maillet, 16, chem. de Maillet, 33500 Pomerol, tél. 05.57.74.56.80, fax 05.57.74.56.59, info@chateauvieuxmaillet.com r.-v.

Griet Laviale-Van Malderen et Hervé Laviale

CH. VRAY CROIX DE GAY 2009 ★

12 221 50 à 75 €

98 99 00 01 02 |03| |04| **05 06** |07| 08 09

La baronne Guichard, épouse d'Olivier Guichard, compagnon de la Libération et ministre de Charles de Gaulle, a acquis ce domaine en 1949. Il est conduit depuis 2001 par Aline Guichard et son mari Paul Goldschmidt. Depuis cette date, le grand vin est issu essentiellement de deux parcelles de vieilles vignes, l'une derrière Petrus, l'autre face à Trotanoy. Il se présente ici dans une seyante robe bigarreau. Le nez, expressif, évoque le merlot bien mûr, la réglisse, le toasté et la noisette grillée. La bouche se révèle ample et séveuse, toujours élégante, avec des tanins policés et soyeux en soutien. Une bouteille harmonieuse que l'on pourra commencer à ouvrir vers 2015-2016, sur une poularde truffée par exemple. Le second vin, **L'Enchanteur de Vray Croix de Gay 2009 (20 à 30 € ; 5 139 b.)**, plus souple, friand et charnu, est cité.

Baronne Guichard, Ch. Siaurac, 33500 Néac, tél. 05.57.51.64.58, fax 05.57.51.41.56, info@baronneguichard.com

Aline Guichard et Paul Goldschmidt

Lalande-de-pomerol

Superficie : 1 130 ha
Production : 61 400 hl

Créé, comme celui de Pomerol qu'il jouxte au nord, par les Hospitaliers de Saint-Jean-de-Jérusalem (à qui l'on doit aussi l'église de Lalande qui date du XIIes.), ce vignoble produit, à partir des cépages classiques du Bordelais, des vins rouges colorés, puissants et bouquetés qui jouissent d'une bonne réputation, les meilleurs pouvant rivaliser avec les pomerol et les saint-émilion.

CH. DES ARNAUDS 2009 ★

4 000 5 à 8 €

En 2011, la jeune génération, avec les cousins Sébastien et Jérôme Godineau, a pris les rênes des 14,5 ha de vignes. Ces derniers font leur entrée dans le Guide avec deux vins qui obtiennent l'un comme l'autre une étoile. Ce château des Arnauds s'annonce par une robe foncée, un rien évoluée, et par un bouquet ouvert et plaisant de violette, de baies noires bien mûres et de boisé beurré. La bouche friande, à la fois souple et fraîche, reste dans le même registre, construite sur d'agréables tanins. Un vin complet, à apprécier pendant une dizaine d'années sur de la volaille. Le **Ch. des Capucins 2009 (16 000 b.)**, né d'un terroir un peu plus graveleux, apparaît un brin plus austère, tout en restant élégant avec ses arômes de noyau (cerise, pruneau) discrètement boisés et ses tanins très serrés qui lui assureront une garde de cinq à dix ans.

SCEA Ch. des Arnauds, Le Bourg, 33500 Lalande-de-Pomerol, tél. 09.77.06.49.52, chateau.arnauds@orange.fr r.-v.

Godineau

CH. AU PONT DE GUÎTRES 2009

n.c. 11 à 15 €

Établie dans le Fronsadais depuis plusieurs générations, la famille Rousselot exploite 20 ha de vignes, dont deux crus en lalande-de-pomerol près du pont de Guîtres, à la sortie de Libourne. Son Château Au Pont de Guîtres a beaucoup plu par son côté « nature », sa couleur intense et son bouquet aux nuances de cerise, tout aussi intense. Ce fruité se prolonge dans une bouche chaleureuse, encadrée par des tanins de raisins bien mûrs. Le **Dom. Pont de Guestres 2009 Élevé en fût de chêne (15 à 20 €)** est un pur merlot cité pour son nez de baies noires très mûres et de sous-bois, et pour son palais généreux soutenu par de bons tanins boisés.

Rémy Rousselot, 6, Signat, 33126 Saint-Aignan, tél. 05.57.24.95.16, fax 05.57.24.91.44, vignobles.remy.rousselot@wanadoo.fr r.-v.

CH. BÉCHEREAU Cuvée spéciale Élevé en fût de chêne 2009

18 000 11 à 15 €

Installé aux Artigues-de-Lussac, J.-M. Bertrand possède aussi un petit vignoble en lalande-de-pomerol, essentiellement planté de merlot. Sa Cuvée spéciale revêt une robe bien colorée montrant quelques reflets grenat d'évolution. Son bouquet chaleureux mêle le toasté, les fruits confiturés et les épices (clou de girofle). La bouche suit la même ligne, ronde et suave ; on y retrouve les épices et un boisé vanillé. Encore austères, les tanins appellent un à deux ans de patience.

SCEA Bertrand, 96, rue des Vignerons, lieu-dit Béchereau, 33570 Les Artigues-de-Lussac, tél. 05.57.24.34.29, fax 05.57.24.34.69, contact@chateaubechereau.com r.-v.

CH. BERTINEAU SAINT-VINCENT 2009

20 000 11 à 15 €

L'œnologue bordelais Michel Rolland est surtout connu pour son activité de consultant international, mais il possède aussi plusieurs crus dans le Libournais, dont celui-ci en lalande-de-pomerol. Son 2009 apparaît encore jeune, rubis franc. Son bouquet naissant demande un peu

d'aération pour libérer des senteurs de fruits confits accompagnées d'un discret boisé. La bouche est bien équilibrée, chaleureuse mais charnue, étayée par des tanins très épicés qui devraient s'affiner assez vite (deux à trois ans) et assureront une bonne garde pendant une décennie.
SCEA des Dom. Rolland, Maillet, 33500 Pomerol, tél. 05.57.51.52.43, fax 05.57.51.52.93, contact@rollandcollection.com r.-v.

CH. BOURSEAU 2009 ★★

■ 21 000 11 à 15 €

Si Véronique Gaboriaud-Bernard présente toujours de bons vins, ce 2009 a été plébiscité. Assemblage de merlot et de cabernet franc (40 %), il a tout pour plaire : une robe dense, presque noire ; une palette aromatique très riche, où l'on respire d'abord le fruit noir frais (myrtille), puis confit, accompagné d'un fumet épicé et boisé. Dès la mise en bouche, le vin dévoile sa chair ronde et ample, sans la moindre lourdeur, avec des arômes de bon raisin bien mûr. Des tanins élégants complètent le portrait d'une bouteille remarquablement équilibrée, que l'on pourra servir jeune, en la carafant, ou apprécier durant une quinzaine d'années. On l'imagine avec une faisane rôtie.
Vignobles Véronique Gaboriaud-Bernard, Ch. Bourseau, 33500 Lalande-de-Pomerol, tél. 05.57.51.52.39, fax 05.57.51.70.19, chateau.bourseau@wanadoo.fr
r.-v.
GFA Bourseau

CH. CANON CHAIGNEAU 2009

■ 20 000 15 à 20 €

Important vignoble (près de 21 ha) entourant une longère girondine. L'encépagement, outre les variétés habituelles du Libournais, comporte 5 % de pressac (nom local du malbec). Depuis sa reprise en main par Suzanne Marin-Audra en 1988, le cru a beaucoup gagné en notoriété. Ce 2009 n'a-t-il pas été primé au festival de Wuhan en Chine ? Nos dégustateurs confirment ses qualités. Du verre montent des senteurs intenses de fruits à l'eau-de-vie, de boisé délicat et d'épices douces, que l'on retrouve dans un palais souple et velouté à l'attaque, persistant et structuré par des tanins boisés déjà arrondis qui permettront de servir cette bouteille dès aujourd'hui.
SCEA Marin-Audra, Ch. Canon Chaigneau, Néac, BP 2, 33500 Pomerol, tél. 05.57.24.69.13, fax 05.57.24.69.11
r.-v.

CH. CHATAIN PINEAU 2009 ★

■ 20 000 11 à 15 €

Ce vignoble appartient à la famille Micheau-Maillou depuis 1920. Il est implanté sur un dôme argileux au-dessus du hameau de Chatain à Néac. De l'autre côté du ruisseau de la Barbanne, on aperçoit Pomerol et ses châteaux, Petrus, l'Évangile, Gazin... si près, si loin. Ici aussi, le vin est bon, témoin ce 2009 rubis franc, au nez encore jeune, sur les fruits rouges frais, avec une touche épicée léguée par les cabernets, et un discret boisé. Souple à l'attaque, il montre peu à peu ses muscles, pour finir sur des tanins virils qui lui assureront une garde de dix à douze ans.
René Micheau-Maillou, La Vieille-Église, 33330 Saint-Hippolyte, tél. 05.57.24.61.99, fax 05.57.74.45.37
r.-v.

CLOS DU ROY 2009

■ 20 000 11 à 15 €

Ce petit cru (3 ha) est exploité par un vigneron établi à Arveyres, sur l'autre rive de la Dordogne. Issu presque exclusivement de merlot planté sur graves, son 2009 est déjà fort agréable. Très coloré, il offre un bouquet bien ouvert sur des notes de baies noires et de sous-bois. Après une attaque aimable, la matière se développe harmonieusement, restant dans le même registre. La finale aux tanins fondus permettra d'apprécier ce millésime dès maintenant. On pourra aussi le laisser en cave au moins cinq ans.
SCEA Dubois JCM, ch. Bozelle, 33500 Arveyres, tél. 06.63.64.58.18, fax 05.57.84.94.45, vignoblesdubois@orange.fr r.-v.

CH. LA CROIX DES MOINES 2009 ★

■ 70 000 11 à 15 €

Aux Artigues-de-Lussac, la famille Trocard est connue depuis le début du XVIIe s. Elle exploite aujourd'hui une centaine d'hectares dans de nombreuses appellations du Libournais. En 1976, Jean-Louis Trocard a acquis un vignoble de 12 ha sur le plateau graveleux de Lalande-de-Pomerol, ce qui nous vaut ce 2009 rubis éclatant dominé par le merlot. Charmeur, le nez exprime les fruits rouges (fraise) et noirs, avec une touche de boisé vanillé. Souple, charnu et chaleureux en bouche, le palais ne manque pas de tanins épicés, qui permettront une garde d'une dizaine d'années. Mieux vaut l'attendre deux à trois ans, de même que le **Ch. la Croix Bellevue 2009 (18 000 b.)**, cité, qui se distingue du précédent par une proportion plus importante de cabernets (50 %). Il en résulte une bouteille encore jeune, bien charpentée, qui gagnera en finesse avec le temps.
Jean-Louis Trocard, 1175, rue Jean-Trocard, 33570 Les Artigues-de-Lussac, tél. 05.57.55.57.90, fax 05.57.55.57.98, trocard@wanadoo.fr
t.l.j. sf sam. dim. 8h30-17h30

CH. LA CROIX SAINT-ANDRÉ 2009 ★★

■ 30 000 11 à 15 €

Ce vignoble de plus de 12 ha s'étend sur la terrasse de Néac qui fait face à Pomerol et à Saint-Émilion. Francis Carayon en a tiré un vin très coloré, au bouquet fruité, fin et concentré qui ne demande qu'à s'épanouir ; il est remarquable aussi par sa bouche généreuse et harmonieuse soutenue par des tanins mûrs et denses. Un lalande de garde, armé pour un séjour de dix, voire de quinze ans en cave. Second vin, le **Ch. la Croix Saint-Louis 2009 (8 à 11 € ; 25 000 b.)**, encore dominé par le merrain, souple et chaleureux en attaque, porté par de bons tanins boisés, sera prêt d'ici un an ou deux. Une étoile.

GFA Ch. la Croix Saint-André, 1, av. de la Mairie, 33500 Néac, tél. 05.57.84.36.67, fax 05.57.74.32.58, fcarayon@wanadoo.fr ☑ ⌶ r.-v.
Carayon

CH. LA CROIX SAINT-JEAN 2009 ★

■ 3 000 15 à 20 €

Enracinée en Libournais depuis des siècles, la famille Tapon a constitué son domaine il y a plus de cent ans. Nicole Tapon et son compagnon Jean-Christophe Renaut y exploitent 32 ha en bio (certification prévue pour le millésime 2012), dont cette parcelle de vieilles vignes sur graves (du merlot à 95 %), où naît ce vin sombre, presque noir. Le nez allie des notes de baies très mûres et un boisé finement toasté et épicé. L'attaque dévoile un palais chaleureux, puissant et ample, encadré par de solides tanins qui permettront une garde de dix à quinze ans.

Raymond Tapon, 23, rue Guadet, BP 38, 33330 Saint-Émilion, tél. 05.57.74.61.20, fax 05.57.74.61.19, information@tapon.net ☑ ⌶ ⭑ r.-v.

CH. L'ÉTOILE DE SALLES Prestige 2009 ★

■ 4 000 15 à 20 €

David Dubois exploite près de 10 ha en lalande-de-pomerol. Sa cuvée Prestige est élaborée à partir de merlot planté sur graves, avec un soupçon de cabernet-sauvignon en appoint. C'est une bouteille de garde, comme l'annonce sa robe très colorée, presque noire, à reflets violines. Le nez, encore un peu « dans la barrique », demande de l'aération pour libérer des senteurs de violette et de fruits compotés, alliées à des notes toastées. À l'attaque, la bouche apparaît elle aussi dominée par le bois, mais elle dévoile ensuite une matière charnue étayée par une bonne charpente tannique. Après un an ou deux de patience, on pourra servir cette bouteille pendant une quinzaine d'années. La **cuvée principale 2009 (8 à 11 € ; 25 000 b.)**, plus souple, est citée et pourra paraître plus vite à table.

L'Étoile de Salles, Cidex 6 BP 2, pont de Guitres, 33500 Lalande-de-Pomerol, tél. 06.25.94.08.55, fax 05.57.25.91.81, etoile-de-salles@wanadoo.fr ☑ ⌶ ⭑ r.-v.
David Dubois

AMBROISIE DE LA FLEUR CHAIGNEAU 2009 ★

■ 4 500 15 à 20 €

Ce vignoble de 11,5 ha implanté sur le plateau de Chaigneau appartient depuis dix ans à un notaire libournais. Pour élaborer sa cuvée Ambroisie, il sélectionne 1,2 ha de vieux merlot (cinquante ans) et obtient un très bon vin de garde. La robe d'un pourpre intense est traversée de reflets de jeunesse couleur améthyste. Le bouquet naissant, qui laisse percer des notes de fruits noirs alliées à un boisé grillé et fumé, ne demande qu'à s'épanouir. À l'unisson, la bouche dévoile une texture bien équilibrée, des tanins fins et frais. D'ici un an ou deux, ce 2009 aura atteint sa pleine harmonie, laquelle devrait se prolonger une dizaine d'années.

SCEA Ch. la Fleur Chaigneau, 13, Chaigneau, 33500 Néac, tél. 06.84.80.19.26, fax 05.57.51.32.58, gso10@notaires.fr ☑ ⌶ ⭑ r.-v.
Sanchez-Ortiz

LA FLEUR DE BOÜARD 2009 ★

■ 90 000 20 à 30 €

Hubert de Boüard est surtout connu à Saint-Émilion où il veille sur le Ch. Angelus, 1er cru classé. Mais depuis 1998, il possède à Néac un vignoble d'environ 20 ha qui est devenu une valeur sûre de l'appellation. Il vient d'y aménager un cuvier de petites cuves tronconiques inversées et suspendues, appelées « ovnis », qui étonnent beaucoup les visiteurs. La réussite de ce vin, en revanche, ne constitue nullement une surprise, celui-ci ne manquant jamais une édition du Guide. La robe intense mêle le rubis et le grenat. Le nez exprime d'abord des notes torréfiées, mais le fruit très mûr est bien présent à l'arrière-plan. L'attaque ample et chaleureuse est vite relayée par des tanins boisés qui demanderont un an ou deux pour s'assouplir. On aura ensuite, pour dix à quinze ans, une belle bouteille de garde.

SC Ch. la Fleur Saint-Georges, lieu-dit Bertineau, BP 7, 33500 Pomerol, tél. 05.57.25.25.13, fax 05.57.51.65.14, contact@lafleurdebouard.com ☑ ⌶ ⭑ r.-v.
Hubert de Boüard

CH. FOUGEAILLES 2009 ★

■ 16 700 11 à 15 €

La vigne du château Fougeailles est implantée sur la première terrasse au nord de la Barbanne. Cet affluent de l'Isle a une importance que son apparence discrète ne laisse pas soupçonner : il sépare l'appellation saint-émilion de ses satellites, pomerol et lalande, et autrefois il marquait la frontière entre langue d'oïl et langue d'oc. Quant au vin, il s'annonce par une robe sombre aux reflets améthyste de jeunesse et livre des senteurs de fruits noirs confiturés dans une ambiance boisée et épicée. Très gourmand dès la mise en bouche, il dévoile peu à peu ses charmes fruités et sa texture tannique. On pourra le servir dans un an et pendant une douzaine d'années.

Charles Estager, Ch. Fougeailles, 1, lieu-dit Foujailles, 33500 Néac, tél. 05.57.51.35.09, fax 05.57.25.95.20, contact@estager-vin.com ☑ ⌶ ⭑ r.-v.

DOM. DE GACHET 2009 ★

■ 6 100 20 à 30 €

Ce petit vignoble, implanté sur les graves argileuses de Néac, se distingue par la présence assez importante, à côté de l'habituel merlot, du cabernet franc (50 %) – ce dernier, planté en 1939, étant l'un des rares rescapés du gel de 1956. Cela donne un vin au caractère affirmé. À une robe très colorée répond un nez intensément fruité, aux nuances de mûre, de cassis et de cerise accompagnées d'un fin boisé. Ce 2009 chaleureux et gourmand fait aussi preuve d'une belle présence au palais. On retrouve en bouche les arômes du nez, soutenus par des tanins soyeux qui soulignent la finale persistante. Il faudra tout au plus trois ans de garde pour que sa charpente s'assouplisse.

SCEA Vignobles J.-P. Estager, 35, rue de Montaudon, 33500 Libourne, tél. 05.57.51.04.09, fax 05.57.25.13.38, estager@estager.com ☑ ⌶ ⭑ r.-v.

CH. GARRAUD 2009

■ 126 276 15 à 20 €

Pas de microcuvée ici, mais un vin produit sur près de 33 ha de vignes, en provenance du terroir de Néac proche de celui de Pomerol. Ce 2009 s'annonce par une robe profonde aux reflets violets de jeunesse. Au premier nez, il évoque le raisin bien mûr ; les cabernets (30 %) pointent un peu, sur des notes de cassis et de fruits rouges, alors que la barrique reste discrète. Après une attaque souple, ample et chaleureuse, le vin évolue vers un joli fruit frais et des tanins réglissés qui laissent une bonne bouche.

Encore un an ou deux de patience et l'on tiendra une belle bouteille qui pourra vieillir encore cinq à huit ans.
Vignobles Léon Nony, Ch. Garraud, 33500 Néac, tél. 05.57.55.58.58, fax 05.57.25.13.43, info@vln.fr
t.l.j. sf sam. dim. 9h-12h 14h-17h

DOM. DU GRAND ORMEAU 2009

24 000 | 11 à 15 €

Avant d'être décimés par la graphiose, les ormes (ou ormeaux) figuraient parmi les plus beaux arbres de la région. Certains, particulièrement imposants, ont laissé leur nom à des lieux-dits. Le domaine du Grand Ormeau (22 ha) est exploité de longue date par la famille Garde, qui signe un 2009 encore jeune mais déjà agréable. Le bouquet, très fruité au premier nez, dévoile ensuite des notes minérales évoquant les graves et un fumet boisé. Dans le même registre, la bouche évolue avec ampleur et générosité, soutenue par des tanins mûrs qui permettront de déboucher cette bouteille prochainement.
Jean-Paul Garde, Dom. du Grand Ormeau, 33500 Néac, tél. 05.57.51.40.43, fax 05.57.51.33.93, garde@domaine-grand-ormeau.com r.-v.

CH. GRAND ORMEAU Cuvée Madeleine 2009 ★

6 000 | 30 à 50 €

Après l'avoir acheté en 1987, Jean-Claude Beton, fondateur du groupe Orangina, a beaucoup investi dans ce beau vignoble de 13 ha sur graves, géré à présent par sa fille Françoise. Cette année encore, les deux cuvées du domaine sont retenues avec une étoile. Sélection de 3 ha de vieilles vignes élevée seize mois en barrique, cette cuvée Madeleine affiche un nez puissant de baies noires, d'épices douces et de toasté. Souple et ample à l'attaque, elle dévoile en bouche un caractère chaleureux, équilibré par des tanins boisés encore jeunes et frais. Un vin de garde par excellence qui affrontera les dix prochaines années. La **cuvée principale 2009 (20 à 30 €; 40 000 b.)**, dans un style proche, plaît par son fruité mûr, sa générosité en bouche et ses solides tanins. À attendre au moins deux ou trois ans.
Jean-Claude Beton, Ch. Grand Ormeau, 2, Grandes-Nauves, 33500 Lalande-de-Pomerol, tél. 05.57.25.30.20, fax 05.57.25.22.80, grand.ormeau@wanadoo.fr
t.l.j. sf sam. dim. 9h-12h 14h-17h; f. août

CH. LA GRAVIÈRE 2009 ★

n.c. | 20 à 30 €

Ce cru planté exclusivement en merlot appartient à Catherine Péré-Vergé, également propriétaire en pomerol. Comme son nom l'indique, il bénéficie d'un terroir graveleux – dans le prolongement de celui de Pomerol. Exposé au sud, il permet au raisin d'atteindre une grande maturité, perceptible dans ce 2009 au nez de fruits mûrs, mêlé à un boisé bien intégré et à une touche de cuir. Après une attaque ronde et douce, le palais se montre puissant et ample, soutenu par de bons tanins qui se seront complètement affinés dans un an ou deux. D'ores et déjà, il révèle beaucoup de fond, ce qui laisse prévoir un long apogée : une dizaine d'années.
SCEA Vignobles Péré-Vergé, Grand-Moulinet, 33500 Pomerol, tél. 03.20.64.20.56, fax 03.20.64.18.99, communication@montviel.com r.-v.

CH. LE GRAVILLOT 2009

6 670 | 11 à 15 €

Proposant essentiellement du saint-émilion, Vincent Brunot a acquis en 1998 cette parcelle de lalande. Il en a tiré un 2009 de pur merlot fort sympathique. Paré d'une robe encore jeune, dans des tons violines, ce vin offre un bouquet très fruité, qui dévoile à l'aération des notes minérales, animales et des touches de truffe. La mise en bouche, très plaisante, révèle une matière gourmande, elle aussi bien fruitée, étayée par des tanins jeunes, boisés et croquants. Cette bouteille s'appréciera aussi bien jeune que patinée.
SCEA J.-B. Brunot et Fils, 1, Jean-Melin, 33330 Saint-Émilion, tél. 05.57.55.09.99, fax 05.57.55.09.95, vignobles.brunot@wanadoo.fr r.-v.

CH. HAUT-CHAIGNEAU 2009

85 000 | 15 à 20 €

À partir d'une petite propriété acquise en 1967, André Chatonnet et son fils Pascal, œnologue, ont constitué un domaine d'une trentaine d'hectares entourant un chai moderne, de plain-pied. Le 2009, entre rubis et grenat, se présente bien. Le nez délicat, déjà expressif, livre des parfums fruités évoquant la griotte aux côtés d'un discret boisé épicé. Après une attaque souple et chaleureuse, le palais évolue vers des notes de cerise à l'eau-de-vie et des tanins fondus, qui permettront d'apprécier cette bouteille prochainement.
SCEV Vignobles Chatonnet, Ch. Haut-Chaigneau, 33500 Néac, tél. 05.57.51.31.31, fax 05.57.25.08.93, contact@vignobleschatonnet.com r.-v. 4

CH. HAUT CHATAIN Réserve Marguerite Arnaud 2009 ★

2 400 | 20 à 30 €

Martine Rivière – rejointe par son fils – gère le domaine constitué il y a juste un siècle par son arrière-grand-père. Cette Réserve Marguerite Arnaud, issue de vieilles vignes, honore la mémoire de son aïeule. Expressif et élégant, son bouquet dévoile un boisé vanillé très fin qui n'écrase pas le fruit. Après une attaque franche et puissante, la bouche révèle rapidement des tanins toastés, avec un bon retour aromatique. Un beau vin de garde qui tiendra une décennie. On pourra apprécier plus tôt la **cuvée principale 2009 (11 à 15 €; 40 000 b.)** et le **Ch. Altimar 2009 (15 à 20 €; 20 000 b.)**, plus marqué par le cabernet franc, deux vins cités pour leur souplesse et leur boisé bien intégré.
Martine Rivière, Ch. Haut Chatain, 33500 Néac, tél. 05.57.25.98.48, fax 05.57.25.95.45, chateau.haut.chatain@wanadoo.fr
t.l.j. 9h-12h30 14h-17h30; sam. dim. sur r.-v.

CH. HAUT-SURGET 2009 ★

100 000 | 11 à 15 €

En cinq générations, la famille Ollet-Fourreau a constitué plusieurs vignobles en Libournais, dont deux crus importants en lalande-de-pomerol. De quoi permettre aux amateurs de découvrir deux vins de qualité. L'un comme l'autre associent 30 % des deux cabernets au merlot. Rubis intense, le Haut-Surget mêle des senteurs de fruits frais, de sous-bois et de cuir. Vif et d'une belle présence au palais, il est soutenu par une trame tannique solide qui annonce un bon potentiel de garde. On pourra cependant le découvrir prochainement, comme le **Ch. Lafleur Vauzelle 2009 (8 à 11 €; 120 000 b.)**, cité pour sa finesse.

GFA Haut-Surget, 18, av. de Chevrol, 33500 Néac, tél. 05.57.51.28.68, fax 05.57.51.91.79, chateauhautsurget@wanadoo.fr r.-v.
Fourreau

CH. JEAN DE GUÉ 2009 ★

n.c. 20 à 30 €

Jean-Claude Aubert, également propriétaire sur Saint-Émilion du Château la Couspaude, grand cru classé, exploite près de 10 ha en lalande-de-pomerol et propose deux étiquettes bien connues de nos lecteurs. Le Jean de Gué tire sur le noir avec des reflets violets de jeunesse. Original, le premier nez mêle les épices et la noix de coco, relayés par le fruit noir (mûre). La bouche, souple et onctueuse, s'appuie sur une trame tannique au grain serré. Selon son goût, on pourra servir cette bouteille jeune dans deux ans, ou la garder une décennie. Cité, le **domaine de Musset 2009** mise sur ses jolis arômes de cassis et sur ses tanins policés, qui autorisent une consommation prochaine.

Vignobles Aubert, Ch. la Couspaude, 33330 Saint-Émilion, tél. 05.57.40.15.76, fax 05.57.40.10.14, vignobles.aubert@wanadoo.fr r.-v.

CH. LABORDERIE MONDÉSIR 2009 ★

1 500 11 à 15 €

Établie depuis plusieurs générations à Abzac, près de Coutras, la famille Rousseau a acquis des vignes dans trois appellations du Libournais, dont ce cru. Le merlot, présent à 90 % dans cette cuvée, s'exprime au nez comme en bouche par des arômes de fruits rouges et par une structure souple et ronde rendant l'ensemble flatteur : le portrait du « vin de plaisir », bon à boire prochainement, qui devrait aussi tenir une décennie.

SCE Vignobles Rousseau, 1, Petit-Sorillon, 33230 Abzac, tél. 05.57.49.06.10, fax 05.57.49.38.96, chateau@vignoblesrousseau.com r.-v.

LUCANIACUS 2009 ★★

1 500 15 à 20 €

Enracinée dans le Libournais, la famille Saby propose des vins dans six appellations de la rive droite. C'est en lalande-de-pomerol qu'elle détient la plus petite vigne : 30 ares, à l'origine de cette microcuvée dont le nom fait référence à Lucania, épouse du rhéteur d'Ausone, administrateur et chantre du vin, qui aurait peut-être vécu ici. L'époque n'étant plus aux odes, c'est en prose que l'on vantera ce 2009 sombre, au bouquet naissant qui s'ouvre à l'aération sur un fruit très mûr et un bon boisé. D'une grande ampleur, le palais offre une saveur agréablement fruitée (cerise noire, pruneau) qui enrobe des tanins boisés très élégants. Une bouteille que l'on pourra apprécier aussi bien l'an prochain que dans quinze ans.

Vignobles Jean-Bernard Saby et Fils, Ch. Rozier, 33330 Saint-Laurent-des-Combes, tél. 05.57.24.73.03, fax 05.57.24.67.77, info@vignobles-saby.com r.-v.

CH. DES MOINES Cuvée Prestige 2009 ★

6 000 11 à 15 €

Sur leurs 18 ha de vignes, ces producteurs sélectionnent 3 ha de vieux ceps âgés de cinquante ans pour élaborer cette cuvée élevée dix-huit mois en fût. Comme dans le millésime précédent, elle est jugée très réussie. La robe montre des reflets grenat et tuilés légèrement évolués. Le nez s'ouvre sur des notes de boisé toasté et d'épices douces ; le fruit, encore un peu caché, demande de l'agitation pour s'exprimer. La bouche charnue dévoile des arômes de fruits confits. Ses tanins, déjà affinés, permettront de servir ce 2009 dans deux à trois ans.

SCEA du Ch. des Moines, 23, Musset, 33500 Lalande-de-Pomerol, tél. 05.57.51.40.41, fax 05.57.25.04.21, chateaudesmoines@orange.fr
t.l.j. 8h-18h; sam. dim. sur r.-v.
Darnajou-Merle

CH. PERRON 2009

80 000 15 à 20 €

D'origine corrézienne, à l'instar de nombreux propriétaires du Libournais, la famille Massonie a acquis à la fin des années 1950 cet important domaine, mentionné dès 1647. Comme presque tous les ans, deux cuvées, qui constituent l'essentiel de sa production, ont été bien accueillies. La cuvée principale, la préférée, s'ouvre sur le fruit noir confit, les épices douces et un boisé discret respectant bien le raisin. La bouche, à l'unisson, se montre fruitée et tapisse joliment le palais. De bons tanins réglissés, déjà assez veloutés, marquent la finale. Selon son goût, on pourra déboucher ce millésime dans un an ou deux, ou le garder jusqu'à dix ans au moins. Autre vin de garde, le **Ch. Perron la Fleur (20 à 30 € ; 40 000 b.)** est cité pour sa concentration, son fruité, son boisé épicé et ses tanins élégants.

SCEA Vignobles Michel-Pierre Massonie, Ch. Perron, BP 88, 33503 Libourne Cedex, tél. 05.57.51.40.29, fax 05.57.51.13.37, vignoblesmpmassonie@wanadoo.fr
r.-v.

PETIT CLOS DES CHAMPS 2009 ★

2 000 11 à 15 €

Issu d'une vieille famille saint-émilionnaise, Vincent Duffau-Lagarrosse dirige d'importants domaines viticoles dans le Libournais. Comme beaucoup, il tient aussi à élaborer son propre vin. Dans ce but, il a acquis en 2001 une petite vigne à l'origine de ce 2009 au bouquet déjà expressif, associant fruits rouges et boisé toasté et vanillé. Après une attaque souple et ronde, on retrouve ces arômes flatteurs en bouche, soutenus par des tanins policés qui ne rompent pas l'harmonie. Ce millésime sera aussi appréciable jeune que vieux.

Duffau-Lagarrosse, Musset, 33500 Lalande-de-Pomerol, tél. 06.76.56.78.58, vdl9@orange.fr r.-v.

CH. RÉAL-CAILLOU 2009 ★

29 000 11 à 15 €

Le lalande-de-pomerol du lycée viticole de Libourne-Montagne. L'établissement dispose d'un important vignoble (près de 40 ha) qui sert de support pédagogique aux futurs professionnels de la vigne et du vin. D'implantation assez récente pour un lalande (neuf ans), la vigne donne néanmoins un vin de plus en plus intéressant. Le 2009 affiche une robe pourpre profond presque noir, à laquelle fait écho un bouquet naissant et concentré mêlant raisin mûr et toasté. Élégant et harmonieux, le palais prolonge bien le nez avec des arômes de fruits noirs. Ses tanins boisés mais fondus autorisent une consommation prochaine tout en permettant d'envisager une garde d'une décennie.

Lycée viticole Libourne-Montagne, 7, Grand-Barrail, 33570 Montagne, tél. 05.57.55.21.22, fax 05.57.55.13.53, expl.legta.libourne@educagri.fr
t.l.j. sf sam. dim. 8h30-12h 14h-17h; f. 15 j. en août

DOM. DES SABINES 2009 ★

■ 18 000 🍷 20 à 30 €

Jean-Luc Thunevin est connu pour avoir lancé les « vins de garage » à Saint-Émilion. Depuis, il a beaucoup évolué et acquis plusieurs vignes, notamment ces quelque 4 ha en plusieurs parcelles, sur graves légères à Lalande et sur argiles à Néac. Il en a tiré un 2009 très agréable, d'un beau rubis profond, s'ouvrant sur un boisé torréfié et cacaoté qui s'estompe peu à peu, relayé par un fruité très mûr aux accents de sabayon de framboises. Le palais se montre d'abord rond et chaleureux, avec des arômes qui prolongent bien le nez, puis les tanins boisés font sentir leur présence, appelant une petite garde pour s'affiner (un an ou deux). On pourra alors déguster ce vin pendant une décennie.

🔑 SCEA Clos du Beau-Père, BP 88, 33330 Saint-Émilion, tél. 05.57.55.09.13, fax 05.57.67.03.07, thunevin@thunevin.com

CH. SAINT-JEAN DE LAVAUD 2009 ★

■ 5 700 🍷 15 à 20 €

La famille Laviale-Van Malderen, surtout connue pour son grand cru classé de saint-émilion, le Château Franc-Mayne, possède aussi des vignes en pomerol, lussac et lalande. De cette dernière appellation nous vient cette petite cuvée qui sera agréable prochainement et qui présente également un bon potentiel de garde (une décennie). La robe sombre montre des reflets améthyste. Le nez, lui aussi très jeune, exprime les fruits confits, le bois frais, avec une touche animale. Ample et souple dès l'attaque, la bouche dévoile une texture onctueuse et fondue. Ses tanins boisés, à la fois puissants et élégants, soulignent la finale sans masquer le fruit.

🔑 SCEA Ch. Vieux Maillet, 16, chem. de Maillet, 33500 Pomerol, tél. 05.57.74.56.80, fax 05.57.74.56.59, info@chateauvieuxmaillet.com ☑ 🍷 🚶 r.-v.

🔑 Griet Laviale-Van Malderen et Hervé Laviale

CH. TOURNEFEUILLE La Cure 2009 ★

■ 2 445 🍷 30 à 50 €

Agriculteur en Eure-et-Loire, François Petit réalisa en 1998 son rêve d'acquérir une propriété viticole. Son fils Émeric gère aujourd'hui un domaine de plus de 20 ha dans trois appellations du Libournais. Ce cru de 17 ha en est la pièce maîtresse. Son nom vient du fait qu'en période chaude et sèche, les feuilles de vigne ont tendance à « tourner » (se flétrir). Le rendement s'en trouve réduit, et le vin très concentré. C'est le cas de cette cuvée, élaborée seulement dans les grands millésimes. Très colorée, presque noire, elle présente un nez encore dominé par la barrique, mais le fruité aux accents de noyau pointe à l'arrière-plan. Celui-ci se révèle davantage en bouche, où l'on découvre de belles rondeurs et des tanins de qualité aux saveurs de cacao, de vanille et d'amande grillée. Un bon vin de garde pour les dix prochaines années. Contenant plus de cabernet franc (30 %), la **cuvée principale 2009 (15 à 20 € ; 80 000 b.)** fait jeu égal. Encore très boisée, elle gagnera elle aussi à vieillir.

🔑 SCEA Ch. Tournefeuille, 24, rue de l'Église, 33500 Néac, tél. 05.57.51.18.61, fax 05.57.51.00.04, chateautournefeuille@wanadoo.fr

☑ 🍷 🚶 r.-v. 🏠 4 🏠 E

🔑 É. Petit

CH. TRÉSOR DU GRAND MOINE 2009

■ 25 000 🍷 15 à 20 €

Après avoir géré deux grands crus classés de Saint-Émilion, Pascal Delbeck est maintenant producteur à Saint-Georges-Saint-Émilion. De là, il exploite plusieurs crus, dont deux en lalande-de-pomerol. À côté du merlot, 40 % de cabernets entrent dans l'assemblage de ce vin rubis franc qui joue davantage dans le registre de la finesse que dans celui de la puissance. Discret au premier nez, ce 2009 s'ouvre sur des arômes de fruits rouges. Suave et chaleureux à l'attaque, il développe une saveur délicate sur des tanins soyeux, déjà fondus, qui permettent de le servir dès maintenant.

🔑 Vignobles et Développements Delbeck, Ch. Tour du Pas Saint-Georges, 1, lieu-dit Pas Saint-Georges, 33570 Montagne, tél. 05.57.24.70.94, fax 05.57.24.67.11, contact@delbeckvignobles.com ☑ 🍷 🚶 r.-v.

CH. LA VALLIÈRE 2009 ★

■ 5 000 🍷 11 à 15 €

La famille Dubost est surtout connue à Pomerol : producteur et pépiniériste, Yvon Dubost fut maire de la commune. Elle possède aussi une vigne sur graves en lalande. Le 2009 arbore une couleur très foncée, aux reflets violets de jeunesse. Le bouquet naissant exprime la violette et le cassis, dans un sillage discrètement boisé. On retrouve les baies noires dans une bouche ample et ronde à l'attaque, structurée par des tanins encore vifs qui appellent une garde d'un an ou deux. On pourra alors servir cette belle bouteille pendant plusieurs années.

🔑 SARL L. Dubost, Catusseau, 33500 Pomerol, tél. 05.57.51.74.57, fax 05.57.25.99.95, sarl.dubost.l@wanadoo.fr ☑ 🍷 🚶 r.-v.

CH. DE VIAUD 2009 ★

■ 68 469 🍷 11 à 15 €

Ce beau vignoble d'une vingtaine d'hectares, implanté sur des graves argileuses qui prolongent celles de Pomerol, a intéressé les Chinois : il a été acquis en février 2011 par Cofco Wines & Spirits, leader viticole de l'empire du Milieu. Ce 2009 a été élaboré par l'ancien propriétaire, Philippe Raoux. La robe bordeaux foncé montre quelques reflets améthyste de jeunesse. Le bouquet naissant associe harmonieusement les baies noires, le bois vanillé et une touche de tabac blond. Le palais se montre chaleureux, corsé, savoureux, charpenté par des tanins déjà mûrs et élégants, qui devraient s'affiner complètement d'ici un an ou deux et autoriser une garde d'une dizaine d'années.

🔑 SAS du Ch. de Viaud, 3, Viaud-Sud, 33500 Lalande-de-Pomerol, tél. 05.57.51.17.86, fax 05.57.51.79.77, chateaudeviaud@wanadoo.fr

☑ t.l.j. sf sam. dim. 8h-12h 13h-16h

🔑 Cofco

VIEUX CHÂTEAU GACHET 2009 ★

■ 17 630 🍷 11 à 15 €

À son retour de la Première Guerre mondiale, Jean-Baptiste Arpin achète 1 ha à Pomerol. Aujourd'hui, la famille, installée au hameau de Maillet aux confins de quatre appellations (pomerol, saint-émilion, montagne et lalande), exploite 37 ha et propose régulièrement de très bons vins, comme ce 2009. La robe foncée montre des reflets violets de jeunesse. Le nez, très fruité, exprime la mûre, le cassis et la cerise sur un fond délicatement boisé. Après une attaque très chaleureuse, on découvre un palais droit et élégant, où la saveur fruitée et les tanins boisés s'équilibrent harmonieusement. Encore un an ou deux de patience et l'on tiendra une bien belle bouteille pour la décennie.

EARL Vignobles G. Arpin, Chantecaille, 33330 Saint-Émilion, tél. 09.71.58.23.49, vignobles.g.arpin@wanadoo.fr
lun. mar. jeu. ven. 9h-12h 13h30-17h30

VIEUX CLOS CHAMBRUN 2009 ★★

■ 2 478 30 à 50 €

Jean-Jacques Chollet, ancien commercial à Libourne, vit aujourd'hui en Basse-Normandie, mais il ne perd pas de vue son petit vignoble acquis à Néac en 1986, à en juger par la qualité des deux vins qui y naissent. Le Vieux Clos Chambrun, à dominante de merlot, encore dominé par un boisé de qualité aux nuances de moka, laisse poindre à l'agitation des notes de baies noires bien mûres. Au palais, il se montre d'une rare puissance, à la fois chaleureux et frais. Ses tanins boisés, très serrés, permettent d'envisager une garde de dix à quinze ans. De bonne garde également, le **Ch. Bouquet de violettes 2009 (20 à 30 €; 8 904 b.)**, épicé et mentholé au nez, minéral et solidement charpenté en bouche, fait jeu égal.

Jean-Jacques Chollet, 15, La Chapelle, 50210 Camprond, tél. 02.33.45.19.61, fax 02.33.45.35.54, cholletvin@hotmail.com r.-v.

Saint-émilion et saint-émilion grand cru

Établi sur les pentes d'une colline dominant la vallée de la Dordogne, Saint-Émilion (3 300 habitants) est une petite ville viticole charmante et paisible. C'est aussi une cité chargée d'histoire. Étape sur le chemin de Saint-Jacques-de-Compostelle, ville forte pendant la guerre de Cent Ans et refuge des députés girondins proscrits sous la Convention, elle possède de nombreux vestiges évoquant son passé. La légende fait remonter le vignoble à l'époque romaine et attribue sa plantation à des légionnaires. Mais il semble que sa véritable origine se situe au XIIIes. Quoi qu'il en soit, Saint-Émilion est aujourd'hui le centre de l'un des plus célèbres vignobles du monde qui, en 1999, a été incrit au patrimoine mondial par l'Unesco. L'aire d'appellation, répartie sur 9 communes, comporte une riche gamme de sols. Tout autour de la ville, le plateau calcaire et la côte argilo-calcaire (d'où proviennent de nombreux crus classés) donnent des vins d'une belle couleur, corsés et charpentés. Aux confins de Pomerol, les graves produisent des vins d'une très grande finesse (cette région possédant aussi de nombreux grands crus). Mais l'essentiel de l'appellation est représenté par les terrains d'alluvions sableuses descendant vers la Dordogne, qui produisent de bons vins. Pour les cépages, on note une nette domination du merlot, complété par le cabernet franc, appelé bouchet dans cette région, et, dans une moindre mesure, par le cabernet-sauvignon.

L'appellation saint-émilion peut être revendiquée par tous les vins produits dans la commune et dans 8 autres villages environnants. La seconde appellation, saint-émilion grand cru, ne correspond pas à un terroir défini, mais à des critères d'élaboration plus exigeants: rendements plus faibles, élevage de dix-sept mois minimum, mise en bouteilles à la propriété obligatoire. C'est parmi les saint-émilion grand cru que sont choisis les châteaux qui font l'objet d'un classement. Ce dernier constitue l'une des originalités de la région de Saint-Émilion. Assez récent (il ne date que de 1955), il est régulièrement et systématiquement revu. La première révision a eu lieu en 1958; la dernière, en 2006, a été contestée devant les tribunaux pour être, à l'issue d'une longue procédure, annulée par le tribunal administratif de Bordeaux. Pour mettre fin au vide juridique, le Parlement a voté en mai 2009 un article de loi rétablissant l'ancien classement de 1996 auquel s'ajoutent les promus de 2006, classement valable jusqu'à la récolte 2011 incluse.

Pour les saint-émilion grand cru, la dégustation Hachette s'est faite en distinguant les classés (y compris les premiers) des non-classés. Les étoiles et commentaires correspondent donc à ces deux critères.

BORDELAIS

Saint-émilion

Superficie : 5 400 ha (grands crus inclus)
Production : 51 000 hl

L'ARCHANGE 2009 ★

■ 6 796 30 à 50 €

Après quatorze mois d'élevage en fût dans un chai enterré, cet Archange de pur merlot se présente dans une robe noir très profond. Au nez, les fruits noirs mûrs se mêlent à des nuances de café et de pain grillé bien fondues. L'attaque, ample et fruitée, ouvre sur une bouche ronde, puissante, bien en chair, mise en valeur par une trame tannique solide et affinée, et par une finale longue sur le fruit et les épices. Un vin bien dans son millésime, à attendre trois ans.

SCEV Vignobles Chatonnet, Ch. Haut-Chaigneau, 33500 Néac, tél. 05.57.51.31.31, fax 05.57.25.08.93, contact@vignobleschatonnet.com r.-v.

CH. BARBEROUSSE 2009

■ 30 000 8 à 11 €

Ce domaine habitué du Guide (coup de cœur pour son 2006) propose une cuvée d'un beau pourpre brillant, qui offre un fruité frais de cerise noire et de cassis en harmonie avec un boisé soutenu mais élégant (vanille, biscotte). Après une attaque ronde et savoureuse, s'affirme une bouche ample et charnue, sur les fruits rouges confiturés, soutenue par de solides tanins, encore un peu sévères en finale. Un vin « sérieux » et bien représentatif de l'appellation, à attendre trois ans. Le **Ch. Montremblant 2009 (5 000 b.)** est également cité pour son boisé bien dosé et son palais gourmand.

SCEA des Vignobles Stéphane Puyol, Ch. Barberousse, 33330 Saint-Émilion, tél. 05.57.24.74.24, fax 05.57.24.62.77, chateau-barberousse@wanadoo.fr r.-v.

CH. BEYNAT Terre amoureuse 2009 ★

■ 34 000 11 à 15 €

Sur cette Terre amoureuse, à dominante argileuse et en conversion bio, cabernets franc et sauvignon sont privilégiés. Résultat ici : un vin complexe au boisé « peu autoritaire », qui laisse s'exprimer les fruits noirs et rouges sur un fond chocolaté. L'attaque franche et fraîche stimule une bouche ronde, onctueuse et charnue, au fruité explosif. « Un vin festif, à déboucher sur un rosbif juteux d'ici deux à trois ans », conclut un dégustateur.

SCEA Ch. Beynat, 23 bis, Ch. Beynat, 33350 Saint-Magne-de-Castillon, tél. 05.57.40.01.14, fax 05.57.40.18.51, mail@chateaubeynat.com t.l.j. 8h-19h

Tourenne et Boyer

DOURTHE La Grande Cuvée 2009 ★

■ 40 000 8 à 11 €

Qualité du vin, à travers un élevage de douze mois en barrique des meilleurs lots, et accessibilité, tels sont les objectifs de cette Grande Cuvée des Vignobles Dourthe : objectifs régulièrement atteints, et à nouveau avec le 2009. Un saint-émilion élégant dans sa robe rubis intense, qui offre de beaux arômes de fruits rouges et noirs mûrs mêlés de notes grillées et épicées. La bouche se montre ample, riche et équilibrée, portée par des tanins bien présents mais sans agressivité, qui apportent volume, puissance, persistance et laissent augurer un beau potentiel de garde (trois ans). La cuvée **Croix des Menuts 2009 (11 à 15 € ; 45 000 b.)** est citée.

Vins et Vignobles Dourthe, 35, rue de Bordeaux-Parempuyre, CS 80004, 33295 Blanquefort Cedex, tél. 05.56.35.53.00, fax 05.56.35.53.29, contact@dourthe.com

CH. FLEUR DE LISSE 2009

■ n.c. 8 à 11 €

Le merlot, planté ici en pied de côte, plein sud, à 5 km au sud-est de Saint-Émilion, confère toute sa personnalité à ce vin : une belle couleur rubis, un joli nez de fraise, de framboise, de cassis et d'épices douces, une bouche généreuse, ample et persistante, bâtie sur des tanins aimables et fondus. À découvrir dans deux ou trois ans sur un pigeon rôti.

Xavier Minvielle, 1, Giraud, 33330 Saint-Étienne-de-Lisse, tél. 05.57.40.18.46, fax 05.57.40.35.74 r.-v.

CH. LA FLEUR GARDEROSE 2009 ★

■ 3 000 11 à 15 €

Née du seul merlot, planté sur graves, cette cuvée confidentielle, bien ouvragée, se présente dans une robe rouge sombre et profond. Elle dévoile un bouquet intense et complexe de fruits noirs rehaussés de notes animales et de sous-bois. La bouche se révèle franche, ample et bien structurée par des tanins jeunes et encore fermes qui ne nuisent pas à l'équilibre de l'ensemble. Une légère vivacité vient dynamiser la finale. Une garde de deux ans est conseillée. À noter : le vignoble est en conversion bio depuis 2010.

EARL Vignobles Pueyo, 15, av. de Gourinat, 33500 Libourne, tél. 05.57.51.71.12, fax 09.70.06.40.56, contact@vignobles-pueyo.fr r.-v.

CH. FLEUR LESCURE 2009 ★★

■ 31 600 8 à 11 €

Vinifié par la coopérative de Saint-Émilion à partir des raisins de Jeanne et Jean-Pierre Bergadieu, ce 2009 fut proposé au grand jury des coups de cœur. Ses atouts : une belle robe noire, intense et profonde ; un nez soutenu et complexe mêlant les fruits confits (cerise, fraise, cassis) à des notes de cèdre ; un palais ample, charnu, long et fruité, porté par de beaux tanins et une agréable fraîcheur en finale. À découvrir dans trois ans sur un rôti de bœuf.

Union de producteurs de Saint-Émilion, Haut-Gravet, BP 27, 33330 Saint-Émilion, tél. 05.57.24.70.71, fax 05.57.24.65.18, contact@udpse.com r.-v.

CH. LA FLEUR PEREY Cuvée Perey-Grouley 2009

■ 24 000 8 à 11 €

Florence Xans et son frère Alain proposent un 2009 qui séduira les amateurs de vins boisés. Au nez, les notes toastées et vanillées l'emportent sur le fruit. Mais il y a du vin derrière l'élevage et l'on découvre en bouche une cuvée ronde, opulente même, charnue et persistante. À réserver pour une viande rouge grillée, dès à présent ou dans deux ans.

EARL Vignobles Florence et Alain Xans, Ch. la Fleur Perey, 337, Bois-Grouley, 33330 Saint-Sulpice-de-Faleyrens, tél. 06.80.72.84.87, fax 05.57.24.63.61, alainxans@wanadoo.fr r.-v.

CH. FRANCS-BORIES 2009 ★

■ 30 000 8 à 11 €

Proposé par l'Union de Producteurs de Saint-Émilion, ce vin d'un beau pourpre sombre et profond offre de délicats arômes de fruits noirs et rouges mûrs, mâtinés de notes grillées. Il séduit également par sa richesse en bouche, sa générosité, son volume et ses tanins puissants et ronds, la présence continue jusqu'en finale de notes fruitées et toastées laissant une impression très agréable. Un 2009 bien construit, à garder deux ou trois ans.

Union de producteurs de Saint-Émilion, Haut-Gravet, BP 27, 33330 Saint-Émilion, tél. 05.57.24.70.71, fax 05.57.24.65.18, contact@udpse.com r.-v.

LÉO DE LA GAFFELIÈRE 2009 ★★

■ 120 000 5 à 8 €

Un prénom – celui du comte Léo Malet de Roquefort, propriétaire du château la Gaffelière – accolé au nom d'un 1er grand cru classé de Saint-Émilion : ce vin de marque est placé sous une bonne étoile. Deux étoiles même, avec ce 2009 aux belles nuances florales et fruitées (mûre, pruneau), agrémentées de notes d'amande. En bouche, on apprécie sa rondeur, son volume, son fruité généreux et suave, ses tanins sages et soyeux, le tout rehaussé par une pointe de salinité. Un vin délicat et harmonieux, à découvrir dans deux ans sur un filet de bœuf.

Maison Malet Roquefort, BP 12, Champs-du-Rivalon, 33330 Saint-Émilion, tél. 05.57.56.40.80, fax 05.57.56.40.89, contact@malet-roquefort.com

Ravache

CH. HAUT-LAVERGNE 2009 ★

13 330	8 à 11 €

Proposée par l'Union de Producteurs de Saint-Émilion, cette cuvée séduit d'emblée dans sa robe rouge sombre et profond aux reflets violacés. Le nez se révèle puissant, généreux (fruits à l'alcool) et un rien épicé. Une très jolie matière, ronde et charnue, portée par des tanins bien mûrs, tapisse le palais, tandis que le fruit marque longuement la finale. Un vin bien équilibré et déjà plaisant, mais que l'on pourra aussi conserver un à deux ans en cave.

Union de producteurs de Saint-Émilion, Haut-Gravet, BP 27, 33330 Saint-Émilion, tél. 05.57.24.70.71, fax 05.57.24.65.18, contact@udpse.com r.-v.

CH. JUPILLE CARILLON 2009

6 000	8 à 11 €

Ce 2009 offre une belle ouverture sur les fruits rouges (griotte) accompagnés de notes de pain grillé et de moka. Le palais est à l'unisson, fruité et boisé, soutenu par une bonne trame tannique qui assurera à ce vin une garde de deux ou trois ans.

SCEA des Vignobles Visage, Jupile, 33330 Saint-Sulpice-de-Faleyrens, tél. 05.57.24.62.92, fax 05.57.24.69.40, chateau.jupille.jucalis@orange.fr r.-v.

CH. LE MAINE 2009

6 600	11 à 15 €

Après douze ans de maraîchage à Sarlat, Chantal Sclafer s'installe en 1990 à la tête de ce vignoble de 7 ha. Épaulée par son jeune fils Kevin, elle signe une cuvée qui séduit par ses arômes intenses de cassis mûr, et par sa bouche séveuse, ronde et généreuse. À boire dès à présent (et à carafer) ou à attendre deux ans, et à servir sur un plat épicé.

Chantal Sclafer, Maine-Reynaud, 33330 Saint-Pey-d'Armens, tél. et fax 05.57.24.74.09, chantal.sclafer@wanadoo.fr r.-v. E

Indivision Veyry et Sclafer

MOULIN DE LABORDE 2009 ★

n.c.	8 à 11 €

Cet élégant 2009, rouge sombre et profond, dévoile une palette aromatique complexe : fruits mûrs (pruneau, cerise), tabac froid et cuir. Après une attaque souple, on découvre une chair ample, dense et ronde qui enrobe des tanins soyeux, une longue note fruitée concluant la dégustation. Un vin harmonieux et bien construit, à apprécier aujourd'hui comme dans trois ans.

Alain Rospars, Maisonneuve, 33570 Montagne, tél. 05.57.74.45.49, fax 05.53.54.98.73, thomas.rospars@laposte.net r.-v. D

CH. MOULIN DES GRAVES 2009 ★★

10 666	8 à 11 €

Né de la fusion de deux propriétés familiales dans les années 1950, ce domaine, conduit par Jean-Frédéric Musset depuis 1987, propose un superbe saint-émilion : « beaucoup de personnalité et l'expression d'un joli terroir », résume un dégustateur. Paré d'une robe noir intense, ce 2009 livre un nez expressif de fruits noirs et rouges à l'alcool. Après une attaque douce, le vin monte en puissance, porté par des tanins fermes, pour finir sur de belles notes grillées et épicées. Une bouteille complexe et intense, à découvrir dans deux ou trois ans sur une viande en sauce.

EARL des Vignobles J.-F. Musset, 20, d'Arthus, 33330 Vignonet, tél. et fax 05.57.84.53.15, jf.musset.darthus@wanadoo.fr r.-v.

CH. MOULIN DU JURA 2009 ★

17 500	5 à 8 €

Les chais de cette propriété, dans la même famille depuis six générations, sont établis dans un ancien moulin à eau du XIXᵉs., sur les bords de la Barbanne. Ce vin bien représentatif de l'appellation livre d'éclatants parfums de fruits rouges mûrs accompagnés de nuances épicées et chocolatées. À l'unisson, la bouche se montre franche, fine et de bonne ampleur, bâtie sur des tanins fondus et élégants. Un 2009 équilibré, que l'on pourra garder deux ou trois ans. Accord gourmand et original sur un turbot aux girolles. La **cuvée Prestige 2009 Élevé en fût de chêne (8 à 11 € ; 9 900 b.)**, dans un style proche, un rien plus boisée, est citée.

SCEA Moulin du Jura, 1, Le Moulin-du-Jura, 33570 Montagne, tél. 05.57.51.27.98, fax 05.57.74.18.96, moulindujura@orange.fr r.-v.

Alain Berlureau

La région de Saint-Émilion

L'OR DU TEMPS 2009 ★

■ 2 000 15 à 20 €

Dans une appellation où domine le merlot, Nathalie et Gérard Opérie privilégient le cabernet franc : 55 % pour leur **Ch. Beaulieu Cardinal 2009 (11 à 15 € ; 9 000 b.)**, qui obtient une étoile pour son intensité aromatique et son équilibre ; 60 % pour cette cuvée L'Or du Temps. Cette dernière, rouge sombre, se distingue par son nez intense de fruits rouges, d'épices, de vanille et de sous-bois. La bouche nette, franche, ample et consistante, s'adosse à des tanins bien présents et à un boisé savamment dosé. Un ensemble cohérent et prometteur (deux ou trois ans de garde).

Nathalie et Gérard Opérie, Ch. Haut-Fayan, 33570 Puisseguin, tél. 05.57.74.59.97, fax 05.57.74.54.82 r.-v.

CH. PEYROUQUET 2009 ★

■ 12 000 8 à 11 €

Maurice Cheminade, propriétaire à Saint-Pey-d'Armens, apporte ses raisins à la coopérative de Saint-Émilion. Celle-ci a élaboré un vin tout en fruits gorgés de soleil : griotte confite, framboise et mûre. Portée par des tanins fermes mais sans agressivité, la bouche se révèle ronde, ample, charnue, généreuse. Bref, une cuvée « très 2009 », à attendre trois à cinq ans.

Union de producteurs de Saint-Émilion, Haut-Gravet, BP 27, 33330 Saint-Émilion, tél. 05.57.24.70.71, fax 05.57.24.65.18, contact@udpse.com r.-v.

CH. QUEYRON PATARABET 2009 ★

■ 42 666 8 à 11 €

Ce pur merlot a séduit les dégustateurs par son bouquet de fruits mûrs et par son palais rond, gras et charnu, aux tanins fondus. Un ensemble harmonieux, bien dans son appellation et dans son millésime, à découvrir dans un à trois ans sur une viande en sauce.

Union de producteurs de Saint-Émilion, Haut-Gravet, BP 27, 33330 Saint-Émilion, tél. 05.57.24.70.71, fax 05.57.24.65.18, contact@udpse.com r.-v.

♥ CH. RASTOUILLET LESCURE 2009 ★★

■ 26 266 8 à 11 €

B. Bourdil, l'œnologue de la coopérative de Saint-Émilion, pourra se retourner avec satisfaction sur 2009 en considérant le nombre de vins sélectionnés dans cette édition, et dans ce millésime solaire. L'occasion de résumer la cave en quelques chiffres : 81 ans d'existence, la vinification de quelque 60 châteaux et d'une dizaine de marques, un chai de 5 000 barriques et de 140 cuves Inox. Ou quand volume rime avec qualité, à l'image de ce saint-émilion, mariage remarquable de la puissance et de l'élégance. Le nez évoque les fruits gorgés du soleil de 2009, presque confits : framboise, groseille, cassis et une pointe originale d'abricot. Le palais se montre riche, intense, rond et concentré, étayé par des tanins mûrs mais encore pleins d'avenir. Dans trois à cinq ans, cette bouteille fera merveille sur des tendrons de veau braisés.

Union de producteurs de Saint-Émilion, Haut-Gravet, BP 27, 33330 Saint-Émilion, tél. 05.57.24.70.71, fax 05.57.24.65.18, contact@udpse.com r.-v.

CH. REDON 2009 ★

■ 42 666 8 à 11 €

Paré d'un beau rubis, ce 2009 dévoile des arômes plaisants et frais de griotte et de framboise. L'équilibre en bouche est très réussi : un fruité « cajoleur », de la chair, des tanins encore jeunes mais conciliants, de la longueur. Conseillé sur une poule au pot, aujourd'hui ou dans deux ans.

Union de producteurs de Saint-Émilion, Haut-Gravet, BP 27, 33330 Saint-Émilion, tél. 05.57.24.70.71, fax 05.57.24.65.18, contact@udpse.com r.-v.

UNION DE PRODUCTEURS DE SAINT-ÉMILION 2009

■ 160 000 8 à 11 €

Ce 2009 pourpre soutenu offre un nez complexe qui mêle aux classiques fruits rouges des notes d'amande, de poivre et de sous-bois. De bonne constitution, il s'appuie sur une structure tannique bien présente et sur une intéressante trame acide qui lui assureront deux années de garde.

Union de producteurs de Saint-Émilion, Haut-Gravet, BP 27, 33330 Saint-Émilion, tél. 05.57.24.70.71, fax 05.57.24.65.18, contact@udpse.com r.-v.

CH. VIEUX-GARROUILH 2009 ★

■ 48 533 8 à 11 €

Cette cuvée, parée d'une robe rouge sombre et intense, se distingue par de subtils parfums de fruits noirs à maturité (mûre, cassis). Soutenue par une belle charpente, elle offre en bouche une matière ronde et charnue, où se mêlent harmonieusement les fruits à l'eau-de-vie, les épices et des nuances de tabac. Un vin généreux et équilibré, que l'on appréciera dans deux ou trois ans sur un plat épicé, un tajine d'agneau par exemple.

Union de producteurs de Saint-Émilion, Haut-Gravet, BP 27, 33330 Saint-Émilion, tél. 05.57.24.70.71, fax 05.57.24.65.18, contact@udpse.com r.-v.

CH. VIEUX LONGA 2009 ★★

■ 8 000 8 à 11 €

Éric Veyssière signe un 2009 riche et complexe issu de merlot (80 %) et de cabernet franc. Les deux cépages se complètent ici à merveille : rondeur, charnu, douceur pour le premier, structure ferme et puissance pour le second ; le tout parcouru d'arômes intenses et subtils de fruits rouges très mûrs (cerise, framboise), d'épices et de truffe. Un très bel ensemble.

SCEA Ch. Vieux Longa, 192, Le Longa, 33330 Saint-Sulpice-de-Faleyrens, tél. et fax 05.57.24.74.31, chateau-vieux-longa@voila.fr t.l.j. 9h-12h 14h-19h

Veyssière

CH. LES VIEUX MAURINS Cuvée Prestige Élevé en fût de chêne 2009 ★★

■ 7 500 8 à 11 €

Deux très beaux vins sont proposés par Jocelyne et Michel Goudal, à la tête de ce domaine de 8 ha depuis 1984. Le plus apprécié est ce saint-émilion de pur merlot, sombre et profond, au nez intense et complexe : fruits rouges confiturés, réglisse, épices douces. La bouche est tout aussi expressive, suave, concentrée, puissante, et le boisé parfaitement intégré. Le mariage réussi du fût et du vin, de la force et de la douceur. À réserver pour un rôti de veau aux morilles, après quatre à cinq ans de garde. La **cuvée principale 2009 (45 000 b.)**, ample et fruitée, élevée en cuve, obtient une étoile. On l'attendra deux ou trois ans.

Jocelyne et Michel Goudal, 187, Les Maurins, 33330 Saint-Sulpice-de-Faleyrens, tél. 05.57.24.62.96, fax 05.57.24.65.03, les-vieux-maurins@wanadoo.fr r.-v.

Saint-émilion grand cru

Superficie : 5 400 ha
Production : 72 000 hl

CH. ABELYCE 2009 ★

■ 13 000 8 à 11 €

Ce petit cru de 2,3 ha dont le nom est la contraction des prénoms des enfants d'Amélie Vignes-Aubert (Alice et Jean-Abel), fait une entrée très réussie dans le Guide. Couleur d'encre, son 2009 de pur merlot offre un bouquet complexe qui mêle les fruits, la violette, le grillé, la réglisse et une nuance truffée. Tendre et suave en attaque, le palais monte ensuite en puissance, corsé par des tanins bien présents qui devront s'affiner encore trois à cinq ans.

NOUVEAU PRODUCTEUR

Vignes Amélie, 57 bis, av. de l'Europe, 33350 Saint-Magne-de-Castillon, tél. 06.85.21.59.60, fax 05.57.56.07.10, amelie.vignes@orange.fr

CH. ADAUGUSTA 2009 ★

■ 3 600 15 à 20 €

Un nouveau nom dans le Guide. Ce petit vignoble, dont le nom provient de la devise latine *Ad augusta per augusta*, « on n'atteint les sommets qu'au prix de grands efforts », a été créé en 2006 par un couple de « vignerons-artisans », comme ils se définissent. Les efforts ont porté leurs fruits, témoin ce vin au bouquet naissant de baies noires mûres, presque confiturées, et de toasté. Chaleureux, charnu et bien charpenté, il sera à boire dans quatre ou cinq ans sur une viande grillée.

NOUVEAU PRODUCTEUR

Gérard et Catherine Canuel, 1, lieu-dit Grand-Sable, 33330 Saint-Hippolyte, tél. 06.84.20.25.20, contact@chateauadaugusta.fr r.-v.

CH. ANGELUS 2009 ★★

■ 1er gd cru clas. B 100 000 + de 100 €

|98| **00** |**01**| |03| 04 **05 06 07** 08 **09**

Si Hubert de Boüard suit plusieurs grands crus du Libournais, son fleuron est bien sûr Angelus, dans sa famille depuis huit générations. Situé au cœur d'un amphithéâtre, sur un pied de côte argilo-calcaire exposé plein sud, le vignoble de 34 ha est complanté de merlot (60 %) et de cabernet franc. Des ceps de trente-huit ans ont donné naissance à un 2009 mariant la puissance et l'élégance. De beaux reflets noirs ornent sa robe pourpre foncé. Les fruits confits, la réglisse, le pain d'épice et le toasté se mêlent en toute harmonie pour composer un bouquet intense et complexe vivifié par de subtiles nuances mentholées. Une attaque souple et croquante précède un palais d'un équilibre remarquable entre douceur, fraîcheur et fermeté des tanins. On pourra commencer à apprécier ce millésime dans quatre ou cinq ans, ou l'attendre bien plus longtemps. On le verrait bien avec un foie gras aux magrets fumés.

Ch. Angelus, Mazerat, 33330 Saint-Émilion, tél. 05.57.24.71.39, fax 05.57.24.68.56, chateau-angelus@chateau-angelus.com r.-v.

Héritiers de Boüard de Laforest

CH. L'APOLLINE 2009

■ 14 600 15 à 20 €

La famille Genevey a acquis en 1996 cette petite propriété située sur les graves de Saint-Sulpice-de-Faleyrens, au sud de l'appellation. Le merlot domine dans ce vin représentant près de 90 % de l'assemblage. Cela se retrouve dans le verre, avec une robe jeune et foncée, et des parfums de baies très mûres, discrètement boisés. Chaleureux, le palais monte en puissance, porté par des tanins jeunes, encore un peu austères en finale. À attendre deux ou trois ans.

EARL Ch. l'Apolline, Le Brégnet, 33330 Saint-Sulpice-de-Faleyrens, tél. 05.57.51.26.80, l-apolline@wanadoo.fr r.-v.

Genevey

AURELIUS 2009 ★★

■ 20 730 15 à 20 €

Cette importante cave coopérative vinifie des raisins issus de toute l'aire d'appellation. Elle les commercialise soit sous ses propres marques, soit sous le nom de château des viticulteurs. Côté marque, trois vins ont été retenus. En tête, cet Aurelius 2009, le haut de gamme de la cave, né sur les meilleurs terroirs et élevé dans les meilleures barriques : un vin complet et complexe (fruits rouges mûrs, pruneau, toasté délicat, noisette), riche, concentré mais toujours dynamique en bouche, armé pour une garde d'au moins six ou sept ans. Le **Galius 2009 (15 à 20 € ; 33 330 b.)**, plus marqué par les cabernets (40 %), puissant, tannique et boisé, obtient une étoile, comme **Les Hauts de Granget 2009 (15 à 20 € ; 30 000 b.)**, généreux, rond et bien équilibré.

Union de producteurs de Saint-Émilion, Haut-Gravet, BP 27, 33330 Saint-Émilion, tél. 05.57.24.70.71, fax 05.57.24.65.18, contact@udpse.com r.-v.

CH. DU BASQUE 2009

■ 40 000 11 à 15 €

Ce vignoble, propriété des familles Lafaye et Julien, est implanté sur les sables et les argiles de Saint-Pey-d'Armens, au sud-est de l'appellation. Le merlot noir y domine à 90 %. La vinification et la commercialisation sont assurées par la coopérative de Saint-Émilion. Ce 2009 se présente dans une robe sombre aux reflets jeunes et brillants, le nez empreint de senteurs de baies sauvages sur fond de notes de sous-bois. Après une attaque chaleureuse, le palais se révèle puissant et structuré, encore un peu anguleux en finale. On attendra cinq ou six ans que l'ensemble se fonde.

Union de producteurs de Saint-Émilion, Haut-Gravet, BP 27, 33330 Saint-Émilion, tél. 05.57.24.70.71, fax 05.57.24.65.18, contact@udpse.com r.-v.

CH. BÉARD LA CHAPELLE 2009

■ 80 000 15 à 20 €

En 2006, Franck Moureau abandonne sa carrière de journaliste pour reprendre ce domaine de 18 ha, dans la famille depuis neuf générations. En 2009, sa sœur Laurence le rejoint pour prendre en charge la commercialisation. Le tandem propose ici un vin de bon aloi, rubis franc, au bouquet aimable et ouvert, floral, fruité et épicé, vivifié par une touche minérale. Rond et bien structuré en bouche, c'est un ensemble harmonieux, à servir dans deux ou trois ans sur un gigot d'agneau.

M. Moureau, SCEA Béard La Chapelle, 4, Peyrelongue, 33330 Saint-Laurent-des-Combes, tél. 06.21.89.18.28, fm@beardlachapelle.com r.-v.

CH. BEAU-SÉJOUR BÉCOT 2009 ★

■ 1er gd cru clas. B n.c. 50 à 75 €

82 83 85 (86) **87 88 89** 90 93 **94 95 96** 97 |98| |**99**| 00 |**01**| |02| |**03**| |**04**| **05** (06) 07 08 09

Ce 1er grand cru classé situé au sommet du plateau calcaire de Saint-Émilion conserve ses vins dans d'anciennes carrières creusées au Moyen Âge, aujourd'hui aménagées en caves. Il signe un très beau 2009, qui associe 30 % de cabernets au merlot. Drapé dans une robe profonde, ce millésime dévoile un bouquet intense, torréfié, vanillé et fruité. Ample et ronde, charnue et longue, la bouche s'adosse à des tanins déjà fort aimables et à un boisé de qualité. On pourra commencer à ouvrir cette bouteille dans quatre ou cinq ans, sur des grenadins de veau par exemple, ou l'attendre plus longtemps encore. Les frères Bécot proposent aussi un autre très joli vin avec leur **Ch. la Gomerie 2009**, né du seul merlot, élégamment bouqueté (fruits noirs mûrs, noisette, toasté) ; bien en chair, rond et plein, étayé par des tanins denses et soyeux. À déguster aussi bien jeune (deux ou trois ans) que vieux (huit à dix ans).

Gérard et Dominique Bécot, Ch. Beau-Séjour Bécot, 33330 Saint-Émilion, tél. 05.57.74.46.87, fax 05.57.24.66.88, contact@beausejour-becot.com r.-v.

CH. BELLEFONT-BELCIER 2009 ★

■ Gd cru clas. 45 000 30 à 50 €

95 96 97 98 99 00 01 02 |04| 05 06 (07) **08** 09

Après deux coups de cœur consécutifs pour leurs 2007 et 2008, le trio de propriétaires – J. Berrebi, D. Hébrard, A. Laguillaumie – signe un 2009 qui n'atteint pas les mêmes sommets, mais de très belle facture. Il faut dire que la barre était haut placée. Le nez mêle les fruits rouges aux épices et aux notes grillées de l'élevage. Fort plaisante, la bouche se montre ronde et souple, fruitée, vanillée et un rien animale. Plus austère en finale, cette bouteille patientera deux à quatre ans en cave. Des mêmes propriétaires, le **Ch. Trianon 2009 (20 à 30 € ; 55 000 b.)** fait jeu égal. Le merlot y est un peu plus présent, accompagné des classiques cabernets et d'une touche originale (3 %) de carménère, cépage d'appoint plutôt médocain. Il en résulte un vin puissant, corsé, généreux et bien équilibré entre boisé et fruité. Ce beau classique obtiendra sa deuxième étoile dans cinq ou six ans.

Ch. Bellefont-Belcier, 33330 Saint-Laurent-des-Combes, tél. 05.57.24.72.16, fax 05.57.74.45.06, chateau.bellefont-belcier@wanadoo.fr r.-v.

BHL

CH. BELLEVUE 2009 ★

■ Gd cru clas. 20 000 50 à 75 €

Acquis en 2007 par les familles Boüard de Laforest (Angelus) et Pradel de Lavaux, ce domaine de près de 7 ha confirme son redressement avec un 2009 très réussi qui succède à un 2008 coup de cœur du Guide. Issu à 98 % de merlot, son vin offre un nez intense de fruits cuits et de boisé vanillé agrémentés de nuances réglissées, florales et fumées. Rond, gras et généreux, le palais trouve son équilibre grâce à une belle fraîcheur fruitée, le tout étayé par des tanins fondus qui portent loin la finale, savoureuse et croquante. À découvrir dans trois ou quatre ans sur un tournedos Rossini.

Ch. Bellevue, BP 90042, 33330 Saint-Émilion, tél. 05.57.24.71.39, fax 05.57.24.68.56, chateau-angelus@chateau-angelus.com r.-v.

Pradel de Lavaux et de Boüard de Laforest

CH. BERGAT 2009 ★

■ Gd cru clas. 5 000 30 à 50 €

88 89 93 94 95 97 **98** |99| |00| |01| |02| 04 05 06 09

Propriété d'une famille de négociants bordelais, ce grand cru classé présente un encépagement assez équilibré entre merlot (55 %) et cabernets. Il en résulte un 2009 au nez subtil et bien équilibré entre notes de fruits mûrs, de boisé vanillé élégant, de réglisse et de noisette. Puissante mais sans lourdeur, pleine d'entrain, ample et charnue, la bouche s'appuie sur des tanins sérieux et une finale fraîche et tendue. Un ensemble harmonieux, que l'on pourra découvrir dans cinq ans même s'il est armé pour une plus longue garde.

Indivision Castéja-Preben-Hansen, 33500 Pomerol, tél. 05.56.00.00.70, fax 05.57.87.48.61, domaines@borie-manoux.fr r.-v.

CH. LA BIENFAISANCE 2009

■ 19 000 20 à 30 €

Né de la fusion de deux propriétés voisines, le Château la Bienfaisance appartient aujourd'hui aux familles Duval-Fleury et Corneau. On y découvre un 2009 rubis aux reflets grenat, qui libère des arômes de fruits noirs très mûrs, accompagnés d'un boisé intense. On retrouve la chaleur des fruits cuits dans une bouche ronde aux tanins soyeux. Tout cela reste classique et élégant, et peut commencer à s'apprécier dès à présent.

SA Ch. la Bienfaisance, 39, Le Bourg, 33330 Saint-Christophe-des-Bardes, tél. 05.57.24.65.83, fax 05.57.24.78.26, info@labienfaisance.com r.-v.

CH. BOUTISSE 2009

■ 65 000 15 à 20 €

La maison Milhade possède ici un important vignoble de 25 ha d'un seul tenant commandé par une belle demeure au toit insolite de tuiles vertes. Nous sommes sur les argilo-calcaires de Saint-Christophe-des-Bardes, au nord-est de l'appellation, mais les vignes sont exposées au sud-est. À la dégustation, on apprécie le rubis encore jeune de la robe, le bouquet agréablement fruité et

CLASSEMENT DES GRANDS CRUS DE SAINT-ÉMILION
(à jour au 13 mai 2009)

SAINT-ÉMILION PREMIERS GRANDS CRUS CLASSÉS

A Château Ausone
Château Cheval Blanc

B Château Angelus
Château Beau-Séjour Bécot
Château Beauséjour (Duffau-Lagarrosse)
Château Belair-Monange
Château Canon
Clos Fourtet
Château Figeac
Château La Gaffelière
Château Magdelaine
Château Pavie
Château Pavie-Macquin
Château Troplong Mondot
Château Trotte Vieille

SAINT-ÉMILION GRANDS CRUS CLASSÉS

Château L'Arrosée
Château Balestard La Tonnelle
Château Bellefont-Belcier
Château Bellevue
Château Bergat
Château Berliquet
Château Cadet-Bon
Château Cadet-Piola
Château Canon-La Gaffelière
Château Cap de Mourlin
Château Chauvin
Clos de L'Oratoire
Clos des Jacobins
Clos Saint-Martin
Château La Clotte
Château Corbin
Château Corbin-Michotte
Château La Couspaude
Couvent des Jacobins
Château Dassault
Château Destieux
Château La Dominique
Château Faurie de Souchard
Château Fleur Cardinale
Château Fonplégade
Château Fonroque
Château Franc-Mayne
Château Grand Corbin
Château Grand Corbin-Despagne
Château Les Grandes Murailles
Château Grand Mayne
Château Grand Pontet
Château Guadet
Château Haut-Corbin
Château Haut-Sarpe
Château Laniote
Château Larcis Ducasse
Château Larmande
Château Laroque
Château Laroze
Château La Marzelle
Château Matras
Château Monbousquet
Château Moulin du Cadet
Château Pavie-Decesse
Château Petit-Faurie-de-Soutard
Château Le Prieuré
Château Ripeau
Château Saint-Georges Côte Pavie
Château La Serre
Château Soutard
Château Tertre Daugay
Château La Tour du Pin
Château La Tour du Pin-Figeac (Giraud-Belivier)
Château La Tour Figeac
Château Villemaurine
Château Yon-Figeac

cacaoté. Expression d'un merlot bien mûr, la bouche se révèle suave, ronde et chaleureuse, le cabernet lui apportant une pointe de fraîcheur et une bonne structure. À découvrir dans les trois ans à venir.

🔑 SARL Boutisse, Ch. Boutisse,
33330 Saint-Christophe-des-Bardes, tél. 05.57.50.33.33,
fax 05.57.50.33.44, contact@chateau-boutisse.fr ☒ Y ⚲ r.-v.
🔑 Vignobles Xavier Milhade

♥ CH. CADET-BON 2009 ★★★

■ Gd cru clas. 12 000 🛢 30 à 50 €

90 93 **94** 95 |96| 97 **98** 99 00 |02| |03| |05| |06| 08 (09)

CHATEAU
CADET-BON
2009
SAINT-EMILION GRAND CRU
Grand Cru Classé

Ce cru implanté sur la butte du Cadet, bordant au nord-est la cité médiévale, appartient depuis 2001 à Michèle et Guy Richard. L'étiquette, inspirée par un chant d'Homère, n'a pas changé : elle représente une fontaine sur laquelle Dionysos, enlevé par des pirates, joue de la flûte ; aussitôt, dit la légende, le bateau se remplit de vin, les rames sont bloquées par les pampres et les pirates tombent à l'eau, transformés en dauphins. Mais c'est à un autre chant homérique que l'on pense ici, celui des sirènes aux voix envoûtantes, tant ce 2009 a séduit les dégustateurs. Dense et profonde, frangée de reflets violines, la robe annonce un bouquet intense et flatteur de fruits rouges mûrs, finement relevés d'épices et de boisé vanillé. Le charme continue d'opérer en bouche, à travers une chair au fruité croquant, généreuse, ample et savoureuse, étayée par des tanins puissants et élégants. À déguster dans cinq à huit ans sur un carré d'agneau aux cèpes.

🔑 SCEV Ch. Cadet-Bon, 1, Le Cadet, 33330 Saint-Émilion,
tél. 05.57.74.43.20, fax 05.57.24.66.41,
chateau.cadet.bon@orange.fr ☒ Y ⚲ r.-v.

♥ CH. CANON 2009 ★★

■ 1er gd cru clas. B 53 451 🛢 + de 100 €

89 90 96 97 **98** |99| |**00**| |01| 02 **03** |04| **05 06** 07 08 **09**

La maison Chanel ne s'intéresse qu'aux produits haut de gamme ; c'est ce qui l'a amenée à acquérir en 1996 ce 1er grand cru classé, idéalement situé sur le plateau calcaire adossé, côté sud, à la cité médiévale. Et avec ce 2009, nous sommes bien dans le domaine de la haute couture et de l'élégance. Paré d'une magnifique robe bordeaux sombre, le vin dévoile un bouquet puissant mais fin, qui marie harmonieusement les fruits confits, le merrain bien dosé et les épices. La bouche est de la même veine, généreuse et corsée, séveuse et racée, soutenue par des tanins réglissés et une trame crayeuse, caractéristique du terroir. Une bouteille admirable armée pour une longue garde (cinq à dix ans et plus). Le second vin du

château, le **Clos Canon 2009 (30 à 50 € ; 26 170 b.)**, floral et fruité, discrètement boisé, dense et équilibré, obtient une étoile.

🔑 Ch. Canon, lieu-dit Saint-Martin, 33330 Saint-Émilion,
tél. 05.57.55.23.45, fax 05.57.24.68.00,
contact@chateau-canon.com ☒ Y ⚲ r.-v.
🔑 Groupe Chanel

CH. CANTENAC 2009 ★

■ 45 000 🛢 20 à 30 €

Ce domaine familial borde la route de Bergerac, à la sortie de Libourne, juste après le giratoire marquant l'entrée dans la juridiction de Saint-Émilion. La demeure est en partie cachée par un magnolia de trois cents ans. On y trouve un 2009 très réussi, à la couleur profonde et jeune. Le bouquet naissant s'ouvre à l'aération sur un concentré de fruits noirs et un boisé vanillé bien intégré. La bouche se montre tendre et tapissée de charmantes saveurs fruitées, adossées à des tanins présents mais sans agressivité. Le style de vin que l'on peut apprécier, selon ses goûts, aussi bien jeune que vieux.

🔑 SCEA Ch. Cantenac, 2, lieu-dit Cantenac,
33330 Saint-Émilion, tél. 05.57.51.35.22, fax 05.57.25.19.15,
contact@chateau-cantenac.fr ☒ Y ⚲ r.-v.
🔑 Nicole Roskam-Brunot

CH. CANTIN 2009 ★★

■ 68 666 🛢 8 à 11 €

Ancienne ferme monastique occupée par les bénédictins au XVIIe s., cette propriété étend son vaste vignoble au nord-est de l'appellation. Elle propose un 2009 remarquable par sa qualité, et aussi par son prix. Un vin plein de promesses, au nez puissant et complexe de fruits mûrs et d'épices nuancés de touches mentholées, au palais ample, riche mais sans lourdeur aucune, solidement charpenté et très long. Une bouteille de garde assurément, à attendre au moins cinq ou six ans. Autre joli vin à conserver, le second vin, le **Vieux Ch. des Combes 2009 (5 à 8 € ; 48 533 b.)** obtient une étoile pour sa fraîcheur et ses tanins serrés.

🔑 Sté fermière des Grands Crus de France,
33460 Lamarque, tél. 05.57.98.07.20, fax 05.57.69.84.97

CH. CAP DE MOURLIN 2009 ★★

■ Gd cru clas. 53 000 🛢 30 à 50 €

98 99 00 01 02 |04| |05| |07| **09**

On trouve déjà trace de la famille Capdemourlin à Saint-Émilion au XVIIe s., un acte de vente de 1647 témoignant de sa très ancienne activité viticole. Longtemps divisé, le vignoble (14 ha) n'a été unifié qu'en 1983, par Jacques Capdemourlin. Merlot (65 %) et cabernets y ont donné naissance à un 2009 à la forte personnalité, d'une couleur sombre, presque noire, au nez « percutant » de baies très mûres et de boisé. Au palais, il apparaît fin, généreux, riche et séveux, avec de beaux tanins veloutés en soutien, une pointe crayeuse apportant équilibre et longueur. On pourra le sortir de cave dans cinq ou six ans comme dans dix ans, voire plus.

Jacques Capdemourlin,
SCEA Capdemourlin, Ch. Roudier, 33570 Montagne,
tél. 05.57.74.62.06, fax 05.57.74.59.34,
info@vignoblescapdemourlin.com r.-v.

CH. CARTEAU Côtes Daugay 2009 ★

50 000 | 15 à 20 €

Une famille saint-émilionnaise exploite ce cru depuis cinq générations. Sur un terroir d'argilo-calcaires, de sables et de graves, les ceps de merlot (70 %) et de cabernets ont donné naissance à ce 2009 rouge foncé, doté d'un nez puissant de fruits confits (mûre, cassis) et de boisé vanillé. La bouche, au diapason, se montre ample, riche et intense, portée par des tanins bien extraits et croquants. Un beau classique, équilibré et apte à une garde de quatre ou cinq ans, et plus encore.

Ch. Carteau Côtes Daugay, 33330 Saint-Émilion,
tél. 05.57.24.73.94, fax 05.57.24.69.07,
vignobles.jbertrand@wanadoo.fr r.-v.
Famille Bertrand

LE CHÂTELET 2009 ★★

3 000 | 50 à 75 €

À 200 m du clocher de Saint-Émilion se trouve la petite propriété (3,3 ha) de Julien Berjal, « cernée » de crus classés. Un environnement propice à l'élaboration de jolis vins, à l'image de ce 2009 plutôt confidentiel. La robe pourpre intense présente de beaux reflets violines de jeunesse. Le nez s'ouvre sur des notes toastées avant de laisser le fruit s'exprimer à l'aération. Très goûteux dès l'attaque, le palais séduit par son volume, sa chair, son fruité généreux et ses tanins mûrs qui l'emportent dans une finale longue et savoureuse. Dans cinq ou six ans, cette bouteille ravira sur du gibier en sauce.

Julien Berjal, Ch. le Châtelet, 33330 Saint-Émilion,
tél. 06.72.91.09.29, fax 05.57.74.41.48,
chateaulechatelet@gmail.com
t.l.j. 11h-19h; f. 15 déc.-15 avr.

CH. CHAUVIN 2009

Gd cru clas. | 50 000 | 20 à 30 €

85 86 **88 89** 90 93 94 96 98 99 |00| **01** 02 03 04 05 06 07 08 09

Ce cru familial, acquis en 1891 par Victor Ondet et aujourd'hui géré par ses descendantes Marie-France Février et Béatrice Ondet, a intégré le classement de Saint-Émilion dès sa création en 1955. Régulièrement sélectionné dans le Guide, il propose un 2009 au nez plaisant de violette, de baies noires mûres et d'épices (poivre). La bouche est à l'unisson, généreuse, ronde et bien structurée, une agréable note mentholée et chocolatée accompagnant la finale. On commencera à apprécier cette bouteille dans deux ou trois ans.

SCEA Ch. Chauvin, 1, Les Cabanes-Nord,
33330 Saint-Émilion, tél. 05.57.24.76.25, fax 05.57.74.41.34,
chateauchauvingcc@wanadoo.fr r.-v.
Ondet-Février

CH. CHÉRUBIN 2009

8 000 | 30 à 50 €

Bertrand Bourdil est un œnologue bien connu en Bordelais, qui a d'abord exercé chez Mouton-Rothschild, puis à l'Union de producteurs de Saint-Émilion. À force de s'occuper des vins des autres, il a eu envie d'élaborer le sien. En 2005, il saisit l'occasion et achète un petit vignoble sur un terroir argilo-siliceux, bien situé entre Angelus et Fonrazade. Ce 2009 rubis intense, d'abord sur la réserve, un peu animal, libère, après aération, un fruit très mûr, presque cuit. En bouche, après une bonne entrée en matière, il se montre ample et généreux, là aussi sur les baies mûres, les tanins enrobés envahissant la finale. À attendre deux ou trois ans.

GFA Domaines Bourdil, 5, Fonrazade,
33330 Saint-Émilion, tél. 06.08.97.52.07, fax 05.56.44.68.42,
bbourdil@hotmail.com r.-v.

CH. CHEVAL BLANC 2009 ★★

1er gd cru clas. A | n.c. | + de 100 €

61 64 66 69 **70 71 75 76 78 79** 80 **81 82 83 85 86 88 89** (90) **92 93 94** |95| |(96)| |97| |98| |99| |00| **01** |02| **03 04 05 06** 07 08 **09**

Quoi de neuf sous le soleil de Cheval Blanc, l'une des icônes du vin français ? Le nouveau chai, bien sûr, édifié par Christian de Portzamparc, architecte de renommée mondiale : un « chai sous la colline », promontoire prolongeant le château, partant du sol vers le ciel, pour aboutir à un belvédère duquel le regard embrasse le vignoble, complanté de cabernet franc (58 %) et de merlot. Un encépagement original qui donne au grand vin tout son caractère. Le 2009, millésime de grande maturité, se présente dans une robe rouge éclatant tirant vers le pourpre. Le nez, tout en finesse, mêle fruits rouges et noirs à un boisé subtil et mesuré, tonifié par une belle fraîcheur mentholée. Le palais se montre charnu, généreux, puissant et concentré, tendu en finale par une note minérale qui lui donne de la longueur et de l'équilibre. Cinq ans de patience sont un minimum. Le second vin, le **Petit Cheval 2009**, onctueux, ample et fin, fait honneur à son « aîné » et obtient une étoile.

SC du Cheval Blanc, Ch. Cheval Blanc,
33330 Saint-Émilion, tél. 05.57.55.55.55, fax 05.57.55.55.50,
contact@chateau-chevalblanc.com
LVMH et Albert Frère

♥ CLOS BADON THUNEVIN 2009 ★★★

10 000 | 30 à 50 €

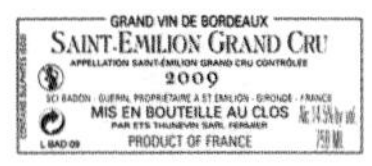

Depuis son QG de la rue Guadet, dans l'enceinte de la cité médiévale, Jean-Luc Thunevin pilote l'élaboration et la commercialisation de grands vins qui font référence dans l'appellation. Son Clos Badon 2009, mi-merlot mi-cabernets, a fait forte impression. Ce véritable athlète, parti pour un long marathon, affiche sa puissance d'emblée à travers une robe dense et sombre, et un bouquet intense de fruits mûrs et de merrain savamment dosé. On retrouve cette même force en bouche, mais le vin conserve toujours son élégance ; du volume, du gras, de solides tanins, et aussi une belle fraîcheur qui apporte équilibre et longueur. Un vin d'exception à attendre cinq à dix ans au moins. Deux étoiles sont attribuées au **Ch. Valandraud 2009 (plus de 100 € ; 13 000 b.)**, un très beau vin, plein, complexe, concentré et chaleureux, ainsi qu'à la cuvée **Virginie de Valandraud 2009 (30 à 50 € ; 10 700 b.)**, complète, équilibrée, charpentée et longue. Deux bouteilles à attendre quatre ou cinq ans.

SARL Thunevin, 6, rue Guadet, BP 88, 33330 Saint-Émilion, tél. 05.57.55.09.13, fax 05.67.67.03.07, thunevin@thunevin.com r.-v.

CLOS DES BAIES 2009 ★

■ 1 800 20 à 30 €

Maître de chai dans différents grands crus classés de Saint-Émilion, Philippe Baillarguet prend en 2006 ce petit vignoble de 30 ares en fermage. Il y élabore un joli vin, forcément confidentiel, au nez frais et aérien de fruits rouges rehaussé d'épices douces. Chaleureux et vineux à l'attaque, le palais trouve rapidement son équilibre, porté par une belle fraîcheur et des tanins élégants. À déguster dans deux ou trois ans. Notez l'étiquette très graphique et moderne de cette bouteille, plutôt éloignée du classicisme de rigueur dans l'appellation.

Philippe Baillarguet, 1, Montremblant, 33330 Saint-Émilion, tél. 06.88.67.16.68, philippe.baillarguet.1@cegetel.net

CLOS DES JACOBINS 2009 ★

■ Gd cru clas. 38 000 50 à 75 €

01 02 03 04 05 07 08 09

Implanté sur un terroir argilo-calcaire, non loin de Saint-Émilion, ce cru classé offre un encépagement classique à dominante de merlot (75 %). L'année 2009 a engendré un vin bien représentatif de ce millésime de grande maturité : robe sombre et dense ; nez généreux de fruits compotés accompagné d'un boisé élégant et mesuré ; bouche elle aussi « solaire », ronde à souhait, charnue et structurée par des tanins veloutés. À découvrir dans cinq ou six ans sur une viande en sauce. Le **Ch. la Commanderie 2009 (20 à 30 € ; 30 000 b.)**, plus frais, obtient lui aussi une étoile. On l'appréciera un peu plus tôt.

Clos des Jacobins, 4, Gomerie, 33330 Saint-Émilion, tél. 05.57.24.70.14, fax 05.57.24.68.08, contact@closdesjacobins.com r.-v.

T. Decoster

CLOS DES MENUTS L'Excellence 2009

■ n.c. 20 à 30 €

Le Clos des Menuts possède d'immenses galeries souterraines, visitées chaque année par de très nombreux œnophiles. Elle exploite un vaste vignoble de 34 ha, dont trois ont été réservés à cette cuvée très sombre, aux arômes intenses de baies noires, de cuir et de sous-bois, chaleureuse, tannique et très concentrée en bouche. Un vin de caractère et de garde, à attendre au moins cinq ou six ans avant de lui réserver une pièce de gibier.

SCE Vignobles Pierre Rivière, Clos des Menuts, 33330 Saint-Émilion, tél. 05.57.55.59.59, fax 05.57.55.59.51, priviere@riviere-stemilion.com t.l.j. 10h-12h30 14h-18h30

CLOS DES ROMAINS 2009 ★

■ 6 000 15 à 20 €

Le nom de cette cuvée, sélectionnée par Bruno Bouquey parmi les vignes du château Peyrelongue, fait référence aux vestiges gallo-romains présents sur le vignoble. C'est un vin de pur merlot né sur un terroir argilo-siliceux, à la teinte très sombre, caractéristique d'un raisin récolté à maturité. Le nez est encore un peu « dans la barrique » mais c'est un bois de qualité qui laisse s'exprimer le fruit à l'aération. Après une attaque souple, la bouche monte en intensité et déploie toutes ses nuances, longuement soutenue par des tanins enrobés et fondus. Bien représentatif de l'appellation et du millésime, ce 2009 devrait s'épanouir d'ici trois à cinq ans et accompagnera alors volontiers une pièce de bœuf rôtie.

EARL Bouquey et Fils, Ch. Peyrelongue, 1, Marquey-Sud, 33330 Saint-Émilion, tél. 09.81.33.71.17, fax 09.81.40.38.02, chateau-peyrelongue@wanadoo.fr r.-v.

♥ CLOS DUBREUIL 2009 ★★★

■ 6 000 + de 100 €

Coup de cœur pour ses 2002, 2003 et 2008, Benoît Trocard persiste et signe avec le 2009, jugé exceptionnel. Le merlot (90 %), complété par du cabernet franc, compose ce vin d'un rouge griotte aux élégants reflets violines, au nez complexe et subtil : cerise, cassis, figue, poivre, réglisse, et boisé fondu à souhait s'y mêlent harmonieusement. Suave, gras, plein et tannique, le palais offre un mariage heureux entre la douceur et la force, la finesse et la puissance. Et pour ne rien gâcher, une longue, très longue finale vient conclure la dégustation. Cinq à sept ans de cave sont un minimum pour apprécier ce grand vin à son optimum. La cuvée **Anna 2009 (30 à 50 € ; 4 000 b.)**, un pur merlot gourmand et corpulent, obtient une étoile.

Benoît Trocard, 11, Jean-Guillot, 33330 Saint-Christophe-des-Bardes, tél. 06.12.80.04.39, bt@trocard.com r.-v.

CLOS FOURTET 2009 ★

■ 1er gd cru clas. B 45 000 75 à 100 €

85 86 87 88 89 **90 91** 92 93 **94** 95 **96 97 98** 99 **00** 01 **02 03** 04 05 **06** 07 08 09

Ce 1er grand cru classé, installé à l'emplacement d'un petit fort gallo-romain (« un fourtet »), a été la propriété d'illustres noms du Bordelais : les Ginestet et les Lurton. Depuis 2001, il appartient à Philippe Cuvelier, qui signe un 2009 vêtu d'une robe sombre et dense, annonçant une richesse que l'on perçoit dans un nez intense, sur les fruits mûrs et un boisé franc mais élégant. Dans la continuité du bouquet, le palais se révèle ample, puissant et montre les muscles en finale, une touche crayeuse rappelant le terroir et apportant de la fraîcheur. Un vin de longue garde assurément. Le second vin, la **Closerie de Fourtet 2009 (20 à 30 € ; 20 000 b.)**, plus aimable à ce jour, plus souple, obtient une étoile également et s'appréciera plus tôt.

SCEA Clos Fourtet, 1, Châtelet-Sud, 33330 Saint-Émilion, tél. 05.57.24.70.90, fax 05.57.74.46.52, closfourtet@closfourtet.com r.-v.

Philippe Cuvelier

Clos Junet 2009

9 000 | 15 à 20 €

C'est un petit vignoble familial que Patrick Junet a repris en 1992, après avoir présidé à la bonne marche de l'important office de tourisme de Saint-Émilion. Des ceps implantés sur les sables et argiles du secteur de Berthonneau apparaissent déjà sur la carte de Belleyme au XVIIIe s. La couleur bordeaux de ce 2009 est intense et éclatante. Le nez évoque les fruits des bois, accompagnés de notes d'épices douces. La bouche, sur le fruit confit, se révèle souple, ronde et ample, soutenue par d'élégants tanins et un boisé finement toasté. Un vin harmonieux, à boire dans les trois ans à venir.

Patrick Junet, 13, Berthonneau, 33330 Saint-Émilion, tél. et fax 05.57.51.16.39, patrick.junet@closjunet-saintemilion.com r.-v.

Clos La Madeleine 2009 ★

9 000 | 30 à 50 €

La vigne à l'origine de ce vin se trouve au pied de la côte de la Madeleine, côté sud. Elle est complantée pour 60 % en merlot, le solde en cabernet franc. En 2009, elle a donné un vin de caractère, vêtu d'une robe sombre, encore jeune, libérant un bouquet ouvert sur les fruits frais bien mûrs, et nuancé de notes de vanille, de cacao et de cèdre. Le palais affiche une belle présence par sa vinosité, sa saveur bien accordée aux arômes du nez et par ses tanins encore jeunes mais élégants. L'ensemble devrait atteindre son harmonie très prochainement et la conserver une bonne dizaine d'années.

Clos La Madeleine, La Gaffelière-Ouest, 33330 Saint-Émilion, tél. 05.57.55.38.03, fax 05.57.55.38.01, clos.la.madeleine@wanadoo.fr r.-v.

Clos Les Grandes Versannes 2009 ★★

5 300 | 15 à 20 €

Cette petite vigne (0,99 ha) a été reprise en 2004 par Jean-Luc Sylvain, tonnelier bien connu en Gironde. Sa taille réduite permet à ce dernier de faire du « cousu main », à l'image de ce 2009 remarquable, fort élégant dans sa robe bordeaux soutenu. Le bouquet, très expressif, d'abord dominé par un boisé subtil – mais comment le reprocher à un tonnelier ? – évolue ensuite vers un fruité mûr, rehaussé par une touche de graphite. Après une attaque pleine de sève, le palais offre un volume certain, des arômes fruités et boisés harmonieux et une structure tannique imposante. Taillé pour durer, ce vin est à attendre au moins cinq ou six ans.

Vignobles Jean-Luc Sylvain, Ch. la Perrière, 33570 Lussac, tél. 05.57.74.51.33, fax 05.57.74.52.14, mail@vignobles-jlsylvain.com t.l.j. sf sam. dim. 9h-12h 14h-16h30

Clos Romanile 2009 ★

1 200 | 30 à 50 €

Première sélection pour ce « vin de jardin » né d'un vignoble de 50 ares. En 2008, Rémi Dalmasso, maître de chai au château Valandraud depuis dix ans, plante en vigne le jardin situé devant sa maison à Saint-Émilion. Il en tire cette cuvée confidentielle : un vin complet, très coloré, aux arômes intenses et encore boisés, mais accompagnés par un fruité mûr. La bouche se révèle ample, puissante et structurée par des tanins pour le moment un peu austères, mais de qualité, et par une touche minérale bienvenue. Un vin bien dans l'appellation et le millésime.

Nouveau producteur

Sonia et Rémi Dalmasso, 9, La Rose, 33330 Saint-Émilion, tél. 09.61.51.18.81, fax 05.57.74.45.20, clos.dalmasso@orange.fr r.-v.

♥ Clos Saint-Julien 2009 ★★★

3 000 | 30 à 50 €

Après un coup de cœur dans l'édition précédente pour son Petit Gravet Aîné 2008, Catherine Papon-Nouvel place cette année son Clos Saint-Julien sur la plus haute marche. Mi-merlot mi-cabernet franc, ce 2009 équilibré à la perfection se présente dans une seyante robe moirée de noir et de bordeaux. Le bouquet, complexe et élégant, mêle la violette, le cèdre, la réglisse, les fruits noirs et les épices douces. La bouche confirme le nez, à la fois ronde et puissante, dense et très longue, solidement arrimée à des tanins garants d'une bonne garde. À attendre au moins quatre ou cinq ans et à servir sur du gibier en sauce, un lièvre à la royale par exemple. Le **Ch. Petit Gravet Aîné 2009 (20 à 30 € ; 8 000 b.)**, à forte dominante de cabernet franc (80 %), boisé et bien structuré, est cité.

SCEA Vignobles Nouvel, Ch. Gaillard, BP 84, 33330 Saint-Hippolyte, tél. 05.57.24.72.44, fax 05.57.24.74.84, chateau.gaillard@wanadoo.fr r.-v.

Clos Saint-Martin 2009 ★

Gd cru clas. | 5 000 | 50 à 75 €

98 99 00 |01| |02| 03 |04| 05 07 09

Petit vignoble enclavé entre les grands crus classés Angelus, Canon, Beauséjour Duffau et Beau-Séjour Bécot, le Clos Saint-Martin, ancienne « vigne du curé » de la paroisse, appartient à la famille Reiffers depuis 1850. Sa directrice, Sophie Fourcade, signe un 2009 de très belle facture, d'un rouge profond orné de reflets violines. Le nez, chaleureux et intense, mêle un boisé toasté soutenu aux fruits mûrs, avec une touche minérale à l'arrière-plan. Dans la continuité du bouquet, le palais, franc en attaque, se révèle généreux, riche et long, avec toujours cette pointe crayeuse en soutien. Un vin harmonieux et prometteur, à ouvrir dans cinq à dix ans. Des mêmes propriétaires, le **Ch. Côte de Baleau 2009 (15 à 20 € ; 65 000 b.)**, au nez fruité et épicé, structuré sans excès, est cité.

SA Les Grandes Murailles, Ch. Côte de Baleau, 33330 Saint-Émilion, tél. 05.57.24.71.09, fax 05.57.24.69.72, lesgrandesmurailles@wanadoo.fr r.-v.

Famille Reiffers

CLOS VILLEMAURINE 2009 ★

■ 10 000 20 à 30 €

Jean-François Carrille est l'une des « chevilles ouvrières » qui ont permis le classement de Saint-Émilion au patrimoine mondial par l'Unesco. Il est aussi l'heureux propriétaire de deux crus contigus aux remparts de la cité médiévale et de vastes caves souterraines où vieillissent ses bouteilles. Son Clos Villemaurine 2009 répond présent à tous les stades de la dégustation : robe rubis éclatant, nez frais de cerise aux nuances mentholées, palais à l'unisson, franc, tonique, fruité, au boisé maîtrisé et aux tanins veloutés. Pour une belle entrecôte dans deux à quatre ans. Le **Ch. Cardinal-Villemaurine 2009 (15 à 20 € ; 25 000 b.)**, plus épicé et plus ferme en bouche (les cabernets sont davantage présents), obtient également une étoile.

Jean-François Carrille, lieu-dit Villemaurine, pl. du Marcadieu, 33330 Saint-Émilion, tél. et fax 05.57.24.64.40, jeanfrancois-carrille@orange.fr r.-v.

CH. LA CLOTTE 2009 ★

■ Gd cru clas. 16 000 50 à 75 €

99 00 |01| |03| |04| 05 06 **07** 08 09

Une petite habitation troglodytique, appelée « clotte », donne son nom à ce domaine de 4 ha, ancienne possession de la famille de Grailly, aquise en 1912 par Georges Chailleau, grand vinetier de la jurade, et exploitée aujourd'hui par ses descendants. On y trouve un très bon 2009 de couleur profonde, aux arômes de petits fruits cuits (framboise, cerise) mêlés à un boisé épicé et réglissé. La bouche est encore dominée par les tanins du bois, mais le raisin est là, mûr et concentré, apportant une touche de douceur. Une bouteille à laisser vieillir trois à cinq ans, que l'on verrait bien sur un parmentier de canard aux truffes.

SCEA du Ch. la Clotte, 1, Bergat, 33330 Saint-Émilion, tél. 05.57.24.66.85, fax 05.57.24.79.67, chateau-la-clotte@wanadoo.fr r.-v.

Héritiers Chailleau

CH. LA CONFESSION 2009 ★

■ 42 000 30 à 50 €

Descendant d'une de ces familles corréziennes qui ont beaucoup apporté au vignoble du Libournais, Jean-Philippe Janoueix est allé passer un MBA de macroéconomie à l'université du Connecticut avant de s'installer comme jeune viticulteur, d'abord à Lalande-de-Pomerol puis, à partir de 2001, à la tête de La Confession, ancien château Haut-Pontet (ce dernier donnant désormais son nom au second vin). Avec une part non négligeable de cabernet franc (un tiers), ce 2009 livre un bouquet épanoui de fruits rouges (griotte) et noirs (cassis) sur un fond délicatement boisé. Ample, gras et rond, le palais s'adosse à des tanins soyeux et élégants. Un ensemble harmonieux, à ouvrir dans trois ou quatre ans sur des cailles au raisin.

Ch. la Confession, Haut-Pontet, 33330 Saint-Émilion, tél. 05.57.48.13.13, fax 05.57.48.00.04, jpj@jpjdomaines.com r.-v.

Jean-Philippe Janoueix

CH. CORBIN 2009

■ Gd cru clas. 56 000 30 à 50 €

85 86 88 89 90 93 94 95 96 |98| |99| |00| |02| |03| |05| 06 09

Selon la légende, le cru doit son nom au Prince Noir (couleur corbeau, ou « corbin ») qui aurait établi ici l'un de ses fiefs. Transmis par les femmes depuis quatre générations, il est conduit depuis 1999 par Anabelle Cruse-Bardinet et son mari Sébastien. Ce 2009, paré d'une robe bordeaux classique, dévoile un bouquet de fruits compotés, d'épices et de boisé fondu. En bouche, il apparaît chaleureux, rond et structuré par des tanins denses. Il gagnera son étoile dans quatre ou cinq ans, sur un canard rôti.

SC Ch. Corbin, 33330 Saint-Émilion, tél. 05.57.25.20.30, fax 05.57.25.22.00, contact@chateau-corbin.com r.-v.

Sébastien et Anabelle Bardinet

CH. COUDERT 2009 ★

■ 20 000 11 à 15 €

La maison Carles réalise un beau triplé. En tête, ce château Coudert 2009, couleur rubis vif, au bouquet naissant de fruits rouges, d'amande et de nuances mentholées, ample, tonique et bien charpenté en bouche. À attendre trois à cinq ans. Le **Clos Jacquemeau 2009 (15 à 20 € ; 4 700 b.)**, noté lui aussi une étoile, est un vin généreux, dense, bien structuré. On pourra le servir plus tôt, comme le **Clos la Rose 2009 (24 000 b.)**, cité pour son joli bouquet fruité et pour son équilibre.

Maison Carles, Panet, 33330 Saint-Christophe-des-Bardes, tél. 05.57.24.78.92, fax 05.57.24.79.19, contact@carles-diffusion.fr t.l.j. sf sam. dim. 9h-12h 14h-17h

CH. DE LA COUR Le Joyau 2009 ★

■ 3 000 20 à 30 €

Venue du nord de la France, la famille Delacour a acquis en 1994 ce vignoble, que Bruno Delacour conduit depuis deux ans. Ce dernier signe une microcuvée née de merlots âgés de cinquante ans, qui ne laisse pas indifférent avec sa robe éclatante et son nez intense et bien équilibré entre fruité (cerise) et boisé (coco, vanille). Franc, ample et frais en attaque, le palais offre la même harmonie, portée par des tanins serrés et élégants. Ce Joyau est armé pour une garde de quatre ou cinq ans. Le premier vin, **Ch. de la Cour 2009 (15 à 20 € ; 30 000 b.)** est cité pour son fruité et son bon boisé.

Delacour, 4, La Rouchonne, 33330 Vignonet, tél. 05.57.84.64.95, fax 09.70.06.19.86, contact@chateaudelacour.com r.-v.

CH. LA COUSPAUDE 2009 ★★

■ Gd cru clas. 38 000 30 à 50 €

85 **86** 88 (89) 90 91 92 **93** 94 **95** 96 97 **98** 01 02 03 |04| 05 06 07 **09**

Dans la famille Aubert depuis 1908, ce cru est situé tout près du cœur de Saint-Émilion et accueille réguliérement des expositions. On y trouve aussi de très belles « œuvres vinicoles », comme ce 2009, un peu particulier, puisqu'il s'agit du dernier millésime élaboré par Vincent Rebillout, maître de chai du domaine, disparu en 2011. Deux étoiles saluent un vin remarquable en tout point : robe pourpre étincelant ; nez vineux et frais à la fois, sur les fruits mûrs et un boisé réglissé ; bouche ample et complexe, tapissée de fruits croquants et de tanins soyeux, avec une pointe crayeuse caractéristique du terroir en soutien. Un grand vin de garde, à laisser vieillir huit à dix ans. Le **Ch. Saint-Hubert 2009 (20 à 30 € ; 15 000 b.)**, plus simple mais plaisant par sa souplesse et son fruité frais, est cité.

Vignobles Aubert, Ch. la Couspaude,
33330 Saint-Émilion, tél. 05.57.40.15.76, fax 05.57.40.10.14,
vignobles.aubert@wanadoo.fr r.-v.

CH. CROIX DE LABRIE 2009 ★

■ 6 000 50 à 75 €

91 **92 93** 95 **96** 97 01 02 03 **04** |**05**| |06| **07** 08 09

La vigne, établie sur les graves de la plaine, est uniquement plantée de merlot. Elle a donné naissance à un 2009 très coloré, au bouquet intense de fruits mûrs mâtiné d'un boisé fin. La bouche, puissante et chaleureuse, dévoile des tanins élégants, qui respectent l'harmonie du vin. À garder en cave cinq ans et plus.

SCEA Ch. Croix de Labrie, 5, rue de la Grande-Fontaine,
33330 Saint-Émilion, tél. et fax 05.57.24.64.60,
chateaucroixdelabrie@laposte.net r.-v.
Puzio-Lesage

CH. LA CROIX DU MERLE 2009 ★★

■ 6 000 15 à 20 €

Après avoir œuvré dans plusieurs chais du Saint-Émilionnais, Marien Nègre a repris en 2005 ce domaine situé au pied de la côte de Saint-Hippolyte, à l'est de l'appellation. Le seul merlot donne naissance à ce vin au nez envoûtant de fruits mûrs relayés par un très bon boisé, qui affiche en bouche une belle présence, de la puissance, du volume, de la rondeur et beaucoup de fruit. On pourra l'apprécier dans trois ou quatre ans, mais il est armé pour une plus longue garde.

Marien Nègre, Ch. la Croix du Merle,
33330 Saint-Hippolyte, tél. et fax 05.57.24.09.83,
chateaulacroixdumerle@orange.fr r.-v.

CH. CROIX FIGEAC 2009 ★

■ 55 000 15 à 20 €

Ce cru, dans la famille Dutruilh depuis 1984, est conduit depuis 2001 par Jean Dutruilh, ancien champion d'Europe et vice-champion du monde de ski à bosses. Les pentes du secteur de Figeac doivent lui paraître bien douces... Elles sont ici plantées de merlot (80 %) et de cabernet franc, cépages à l'origine d'un vin bien équilibré entre boisé et fruité, souple en attaque, plus intense et séveux en milieu de bouche, tannique et corsé en finale. À attendre cinq à six ans.

Dutruilh, 14, rue d'Aviau, 33000 Bordeaux,
tél. 06.73.89.18.13, fax 05.56.81.19.69,
jdgammes@wanadoo.fr r.-v.

CH. CRUZEAU 2009 ★

■ 27 000 11 à 15 €

À Libourne, lorsque l'on prend l'avenue de l'Épinette qui mène à la route du haut de Saint-Émilion, on passe devant ce joli château du XVIe s. en pensant être encore en ville, mais on est déjà dans le vignoble, qui compte 4,85 ha pour ce cru. Planté à 80 % de merlot, celui-ci a donné naissance à un vin coloré et éclatant qui évoque au nez la griotte à l'eau-de-vie, le boisé restant en retrait. La bouche, encore jeune, est déjà gourmande, riche et longue, corsée par des tanins poivrés ; elle montre un caractère plus boisé qu'à l'olfaction. Encore deux ou trois ans de patience et l'on pourra apprécier cette bouteille pendant une bonne dizaine d'années.

GFA Vignobles Luquot, 152, av. de l'Épinette,
33500 Libourne, tél. 05.57.51.18.95, fax 05.57.25.10.59,
vignoblesluquot@orange.fr r.-v.

CH. DASSAULT 2009 ★

■ Gd cru clas. n.c. 50 à 75 €

98 |99| |00| 01 02 03 |04| |**07**| 09

Ce cru classé appartient depuis plus de cinquante ans à la famille du célèbre avionneur, très présent en Gironde. Il est situé sur un glacis de sables anciens au nord-est de Saint-Émilion. Les années chaudes comme 2009 lui conviennent bien et il donne des vins équilibrés et aptes à la garde, à l'image de celui-ci. Sombre et intense, ce millésime dévoile un nez encore un peu « dans la barrique » (pain grillé) mais avec de belles notes de raisin mûr à l'arrière-plan, et une bouche serrée et corsée, bâtie sur des tanins encore jeunes mais prometteurs. On pourra commencer à apprécier cette bouteille dans trois ou quatre ans.

SAS Ch. Dassault, 1, Couperie, 33330 Saint-Émilion,
tél. 05.57.55.10.00, fax 05.57.55.10.01,
lbv@chateaudassault.com r.-v.

CH. LE DESTRIER Premium 2009 ★

■ 9 600 15 à 20 €

Née de vieux merlots plantés sur un sol argilo-siliceux, cette cuvée arbore une robe foncée, presque opaque. Le nez, très franc, se révèle bien équilibré entre les baies mûres et le boisé vanillé. Au palais, on retrouve les fruits mûrs à point, soutenus par des tanins fins et élégants. Un vin harmonieux, à découvrir dans deux ou trois ans.

Vignobles Cheminade, Peyrouquet,
33330 Saint-Pey-d'Armens, tél. 05.57.47.15.39,
fax 05.57.47.13.82, contact@vignobles-cheminade.com
t.l.j. sf dim. 9h-12h30 14h-19h

CH. LA DOMINIQUE 2009 ★★

■ Gd cru clas. 100 000 30 à 50 €

(82) **86** 88 **89** 90 **93** 94 95 **96** 97 98 99 |00| 01 |02| **03** 05 |06| 08 **09**

Clément Fayat, entrepreneur de stature internationale dans les travaux publics, possède plusieurs vignobles dans le Bordelais, dont ce cru classé, situé sur les graves argileuses proches de Pomerol. D'ailleurs, le style du vin s'approche de son voisin. D'une couleur intense, presque noire, ce 2009 livre un bouquet naissant et profond de baies très mûres agrémenté d'un boisé jeune et d'une touche de cuir frais. Le palais offre beaucoup de puissance et de chair, porté par des tanins au grain fin et croquant qui portent loin la finale longue et savoureuse. On pourra commencer à apprécier ce vin dans cinq ou six ans et aussi l'attendre une décennie.

Vignobles Clément Fayat, Ch. la Dominique,
33330 Saint-Émilion, tél. 05.56.35.23.79, fax 05.57.51.63.04,
contact@vignobles.fayat.com r.-v.

CH. EDMUS 2009 ★★

■ 8 000 🍷 15 à 20 €

Ce cru récent – 5,8 ha achetés en 2007 au château Lescours – confirme sa qualité avec cette troisième vendange (et sa troisième sélection dans le Guide). Philippe Edmundson et Éric Rémus signent un 2009 plein de charme, concentré sur le fruit (prunelle, cassis), boisé avec finesse, ample, rond et long, avec de beaux tanins en soutien. À apprécier tant jeune (deux ou trois ans) que vieux (huit ans et plus), aussi bien sur une volaille que sur du gibier.

SCEA Edmundson Remus Wines,
23, rue de Saint-Germain, 78230 Le Pecq, tél. 06.07.26.98.83,
eremus@chateauedmus.com

L'ARCHANGE DU CH. L'ÉPINE 2009

■ 2 000 🍷 20 à 30 €

C'est « Gabriel Ardouin I » qui a créé ce cru en 1945. Après des études de management aux États-Unis, son petit-fils, « Gabriel II », reprend le flambeau en 2008. Il présente avec cette sélection du château l'Épine un vin dans lequel les cabernets sont à parité avec le merlot. Au regard, le rubis est traversé de quelques reflets acajou. Le bouquet, harmonieux, mêle des notes de mûre, de boisé et d'épices. La bouche, souple et tendre, offre une jolie saveur de noisette et de vanille, et des tanins déjà soyeux. À servir dans deux ou trois ans sur un rôti à la braise.

Famille Ardouin, 4, quai du Priourat, 33500 Libourne,
tél. et fax 05.57.51.07.75, contact@chateaulepine.com
r.-v.

CH. L'ÉTOILE DE CLOTTE 2009 ★

■ 15 000 🍷 11 à 15 €

Si les lecteurs connaissent le château Roque le Mayne, en castillon-côtes-de-bordeaux, ils découvriront ici la nouvelle propriété de Jean-François Meynard, acquise en 2009 : 2,5 ha sur la commune de Saint-Étienne-de-Lisse. Cette Étoile brille d'un rubis intense. Le nez, expressif et généreux, mêle les fruits noirs mûrs à des nuances toastées et réglissées. Généreuse aussi, la bouche est séveuse et puissante, adossée à de solides tanins, gages d'une garde de six ou sept ans. Tout indiqué pour du gibier en sauce.

SCEA Vignobles Meynard, 10, av. de la Bourrée,
33350 Saint-Magne-de-Castillon, tél. 05.57.40.17.32,
fax 05.57.40.38.93, vignobles-meynard@wanadoo.fr
r.-v.

CH. FAUGÈRES 2009 ★

■ 60 000 🍷 30 à 50 €

Telle une tour de guet, le château Faugères est situé aux limites de l'appellation, où il s'est fait un nom dans le monde du vin. Un nom qui existe certes depuis 1823, mais qui s'est imposé dans les années 1980 sous l'impulsion de Pierre-Bernard Guisez. En 2005, l'homme d'affaires helvétique Silvio Denz en est devenu le propriétaire. Réalisé par son compatriote architecte Mario Botta, le nouveau chai spectaculaire a accueilli sa première vendange en 2009. Ce millésime donne ici un vin rubis soutenu, au bouquet généreux de fruits rouges à l'eau-de-vie accompagnés d'un boisé maîtrisé. Riche et puissante, la bouche est à l'unisson, structurée par des tanins denses et jeunes. Une bouteille à laisser vieillir cinq à six ans, avant de la servir sur une viande en sauce.

SARL Ch. Faugères, 33330 Saint-Étienne-de-Lisse,
tél. 05.57.40.34.99, fax 05.57.40.36.14,
info@chateau-faugeres.com r.-v.
Silvio Denz

CH. JEAN FAURE 2009

■ 60 000 🍷 20 à 30 €

Ancien grand cru classé de Saint-Émilion, ce domaine perdit son titre lors de la révision de 1986. En 2004, Olivier Decelle (propriétaire entre autres du Mas Amiel) a repris et restructuré la propriété et travaille depuis à lui redonner son lustre d'antan. Issu d'un encépagement original dominé par le cabernet franc (54 %), avec le merlot et une pointe de malbec en complément, son 2009 offre un bouquet encore sur la réserve, qui s'ouvre à l'aération sur les fruits mûrs (fraise écrasée). Frais et fruité en attaque, le palais s'appuie sur des tanins jeunes et un boisé de qualité qui assureront une garde de trois à cinq ans.

SCEA Olivier Decelle, Ch. Jean Faure,
33330 Saint-Émilion, tél. 05.57.51.34.86, fax 05.57.51.94.59,
contact@jeanfaure.com r.-v.

CH. FAURIE DE SOUCHARD 2009

■ Gd cru clas. 5 870 🍷 20 à 30 €

Dans cette propriété familiale du secteur de Faurie, au nord de Saint-Émilion, on trouve trace de transactions de vins en 1808. La famille Jabiol s'y est établie, elle, en 1933 et y est toujours présente. En 2009, elle a élaboré un vin à forte proportion de cabernets (40 %), au nez aujourd'hui fermé, qui demande de l'aération pour libérer des notes toastées, puis de fruits frais (cassis). La bouche, à la fois corsée et nerveuse, s'appuie sur des tanins encore jeunes qui appellent deux ou trois ans de patience.

SAS Françoise Sciard-Jabiol, Ch. Faurie de Souchard,
33330 Saint-Émilion, tél. 05.57.74.43.80, fax 05.57.74.43.96,
fauriedesouchard@wanadoo.fr r.-v.

CH. DE FERRAND 2009 ★

■ 89 000 🍷 20 à 30 €

Il s'agit ici d'un vrai grand cru. Grand par sa surface (42 ha), chose plutôt rare à Saint-Émilion ; grand par son histoire : son château fut construit par le marquis de Mons à la fin du XVII^{e}s. dans un style Louis XIV, sur des grottes qui devaient abriter les derniers députés girondins recherchés durant la Terreur. Grand enfin par ses vins, régulièrement sélectionnés dans ces pages. Ici, un 2009 qui évoque au nez les baies noires confiturées, accompagnées par un boisé très discret. Chaleureux, doux et rond en bouche, soutenu par d'élégants tanins il est apte à la garde (cinq à six ans) et il pourra aussi se boire assez jeune (deux ans).

Héritiers du Baron Bich, Ch. de Ferrand,
33330 Saint-Hippolyte, tél. 05.57.74.47.11, fax 05.57.24.69.08,
info@chateaudeferrand.com r.-v.

CH. FERRAND-LARTIGUE 2009 ★

■ 16 100 🍷 20 à 30 €

Nouvelle acquisition (2008) de Maxime Bontoux, également propriétaire du Château Grand Lartigue situé juste en face, ce domaine propose un vin grenat soutenu, au nez bien équilibré entre le raisin et la barrique, avec en appoint une intéressante touche minérale, crayeuse. Le palais, à la fois généreux et frais, « vivant » et intense, s'appuie sur des tanins fins. Un beau classique, à servir dans trois ou quatre ans sur une épaule d'agneau.

🔑 SAS Partitor, Ets Ch. Grand Lartigue, lieu-dit Lartigue, 33330 Saint-Émilion, tél. 05.56.67.47.78, fax 05.56.67.40.09, contact@vitisvintage.com
🔑 Maxime Bontoux

CH. FIGEAC 2009 ★

■ 1er gd cru clas. B | 120 000 | + de 100 €

62 **64 66** ⑦0 **71** 74 **75 76** 77 **78** 79 80 **81 82 83 85 86** 87 |**88**| |**89**| |90| |**93**| |94| |⑨5| |96| 97 |**98**| |99| |00| 01 |02| 04 05 06 07 09

Cet important vignoble de 40 ha, situé à l'ouest de Saint-Émilion et en bordure de Pomerol, est planté sur trois croupes de graves günziennes. Son encépagement presque médocain – 35 % de cabernet franc et 35 % de cabernet-sauvignon – confère aux vins un caractère certain. Ce 2009 ne fait pas exception à la règle. Drapé dans une robe profonde, tirant sur le noir, il dévoile un bouquet intense de fruits noirs mûrs accompagnés d'un boisé toasté et fumé. Au palais, c'est un monstre de concentration, de puissance et de vinosité, bâti sur des tanins massifs. Difficile d'accès dans sa jeunesse, il est construit pour une longue garde, de dix ans et plus.

🔑 Ch. Figeac, Ch. de Figeac, 33330 Saint-Émilion, tél. 05.57.24.72.26, fax 05.57.74.45.74, chateau-figeac@chateau-figeac.com r.-v.
🔑 SCEA Famille Manoncourt

CH. LA FLEUR 2009 ★

■ | 18 000 | 50 à 75 €

Ce cru, l'un des rares cas de métayage encore existant dans le vignoble bordelais, est conduit, pour la famille Dassault, par Romain Depons. À partir de 90 % de merlot, ce dernier signe un vin puissant, au nez profond et intense de fruits mûrs, agrémenté de nuances florales. Chaleureux, gras, et pourvu de tanins serrés en bouche, il est à boire dans trois ou quatre ans sur une viande en sauce.

🔑 Romain Depons, lieu-dit Merissac, 33330 Saint-Émilion, tél. 05.57.55.10.00, fax 05.57.55.10.01, lbr@chateaudassault.com

CH. FLEUR BALESTRE 2009 ★

■ | 6 500 | 15 à 20 €

Caroline Fleur est œnologue, Grégory Balestre est technicien viticole. 2009 est l'année de leur mariage et de leur première récolte. Dans ce grand millésime, ils signent un vin bordeaux très sombre, dont le bouquet, intense, s'ouvre sur le toasté avant « d'exploser » sur les fruits noirs. Dans le prolongement du nez, la bouche se révèle ronde, charnue, généreuse et soutenue par d'élégants tanins ; elle s'achève sur une agréable sensation moelleuse et tendre. À déguster dans trois ou quatre ans, ou plus tard pour des sensations gustatives nouvelles.

NOUVEAU PRODUCTEUR

🔑 Balestre, 9, Laglaye-Sud, 33330 Saint-Pey-d'Armens, tél. 06.99.23.18.27, fleurbalestre@gmail.com r.-v.

CH. FLEUR CARDINALE 2009 ★

■ Gd cru clas. | 78 000 | 30 à 50 €

98 99 01 02 03 04 **05** |**06**| |07| 08 09

Fleur Cardinale tient bien son rang de nouveau cru classé. Il est vrai que le temps très chaud de 2009 a favorisé les sites plutôt frais comme celui-ci, au nord-est de l'appellation. Cela a permis au raisin d'atteindre une grande maturité tout en conservant une certaine fraîcheur qui assure l'équilibre. La dégustation de ce vin pourpre intense, au bouquet profond de baies mûres associées à un bon merrain vanillé, épicé et toasté, le confirme. Le palais puissant, riche, plein et fruité s'appuie sur des tanins denses et élégants. À garder en cave cinq à dix ans.

🔑 SCEA Ch. Fleur Cardinale, 7, Le Thibaud, 33330 Saint-Étienne-de-Lisse, tél. 05.57.40.14.05, fax 05.57.40.28.62, fleurcardinale@wanadoo.fr r.-v.
🔑 Dominique Decoster

LA FLEUR D'ARTHUS 2009 ★

■ | 20 000 | 20 à 30 €

Pour élaborer son grand vin, Jean-Denis Salvert, installé en 1999, a sélectionné de vieux ceps de merlot de cinquante ans plantés sur les graves de Vignonet, au sud de l'appellation. Dans le verre, le vin se pare d'une robe foncée, signe d'un raisin récolté à bonne maturité. Au nez, les notes toastées de l'élevage sont encore marquées ; l'agitation libère les fruits bien mûrs. En bouche, le volume est là, les tanins se manifestent, jeunes et prometteurs, le fruité et le boisé apparaissent harmonieusement répartis et une pointe de vivacité soutient la finale. De quoi voir venir pour les cinq ou six prochaines années.

🔑 Salvert, 24, La Grave, 33330 Vignonet, tél. 06.08.49.18.11, fax 05.57.84.61.76, fleurdarthus@orange.fr t.l.j. 9h-12h 14h-18h

CH. FLEUR DE LISSE Élevé en fût de chêne 2009 ★

■ | 10 800 | 11 à 15 €

Ce vignoble familial, situé à 5 km à l'est de la cité médiévale, propose une cuvée née d'un l'assemblage original pour l'appellation, 25 % de malbec venant compléter le merlot (70 %) et le cabernet franc. Le résultat ? Un vin au nez subtil et délicat, où le boisé, discret, s'efface pour laisser s'exprimer les fruits, agrémentés de nuances épicées. Bien équilibré, à la fois rond et tonique, le palais s'appuie sur de beaux tanins qui lui donnent de l'allonge et qui laisse augurer un potentiel de garde de quatre ou cinq ans.

🔑 Xavier Minvielle, 1, Giraud, 33330 Saint-Étienne-de-Lisse, tél. 05.57.40.18.46, fax 05.57.40.35.74 r.-v.

CH. FLEUR LARTIGUE 2009

■ | 15 280 | 11 à 15 €

Un petit vignoble, planté sur sables au sud de Saint-Émilion, appartenant à Annie Chantureau et à Jean-Louis Frainau. La vinification et la commercialisation sont assurées par la cave coopérative. Ce 2009, paré d'une robe limpide et brillante, évoque les fruits rouges mûrs. Portée par des tanins serrés, la bouche se révèle elle aussi bien fruitée, élégante et tonique. À boire dans quatre ou cinq ans.

🔑 Union de producteurs de Saint-Émilion, Haut-Gravet, BP 27, 33330 Saint-Émilion, tél. 05.57.24.70.71, fax 05.57.24.65.18, contact@udpse.com r.-v.

CH. LA FLEUR PEREY Cuvée Prestige Élevé en fût de chêne 2009 ★★

■ | 48 000 | 15 à 20 €

Viticulteurs de père en fils depuis 1880, les Xans, frère et sœur, conduisent un vignoble de 15 ha planté sur le terroir sablo-graveleux de Saint-Sulpice-de-Faleyrens, au sud de Saint-Émilion. Ils signent une cuvée pleine et entière : robe profonde et dense, nez puissant de baies noires associées au toasté de l'élevage et à une touche de minéralité ; palais ample, riche, homogène, soutenu par des tanins fins et serrés, et joliment réglissé en finale. Un beau potentiel de garde : cinq à dix ans.

EARL Vignobles Florence et Alain Xans, Ch. la Fleur Perey, 337, Bois-Grouley, 33330 Saint-Sulpice-de-Faleyrens, tél. 06.80.72.84.87, fax 05.57.24.63.61, alainxans@wanadoo.fr r.-v.

CH. FONPLÉGADE 2009 ★★★

Gd cru clas. | 33 200 | 50 à 75 €

00 01 04 05 **06** 07 08 09

SAINT-ÉMILION
GRAND CRU CLASSÉ
CHATEAU FONPLÉGADE
SAINT-EMILION GRAND CRU
2009

En occitan, « fonplégade » indique une fontaine toujours pleine. C'est ici qu'en 1852, Jean-Pierre Beylot construisit une belle demeure à mi-pente du coteau sud, tournée vers la vallée de la Dordogne. En 1863, le duc de Morny, demi-frère de Napoléon III, et sa sœur la comtesse de Gabard, en firent l'acquisition. Armand Moueix, négociant libournais bien connu, reprit le domaine en 1953, jusqu'à l'arrivée des Adams, Américains ayant eu un coup de cœur pour la France et ses vins. Nos dégustateurs en ont eu un également, pour ce superbe 2009, parfait en tout point. La robe, intense et brillante, tire sur le noir. Le bouquet, riche et concentré, mêle avec élégance les fruits frais et les épices à une touche crayeuse. Le palais est, comme attendu d'un grand vin, remarquablement équilibré ; frais et généreux à la fois, puissant et délicat, ample, soyeux et persistant, fruité et boisé avec justesse : du grand art. De longue garde, cela va sans dire. À noter : le vignoble est en conversion bio depuis 2007.

SAS Ch. Fonplégade, 1, Fonplégade, 33330 Saint-Émilion, tél. 05.57.74.43.11, fax 05.57.74.44.67, estelletehan@fonplegade.fr r.-v.

M. et Mme Adams

CH. FONROQUE 2009 ★

Gd cru clas. | 50 000 | 30 à 50 €

Ce cru classé, 22 ha de vignes sur un terroir argilo-calcaire, est conduit en agriculture biologique et biodynamique. Le merlot (85 %) et le cabernet franc y ont donné naissance à un 2009 très... 2009. Le nez, intense et chaleureux, mêle les fruits noirs mûrs à un délicat boisé vanillé et à des nuances épicées. La bouche, en écho, se montre tout aussi généreuse, riche et ronde, soutenue par des tanins encore un peu fermes, qui gagneront à se fondre pendant quatre ou cinq ans.

SAS Alain Moueix, Ch. Fonroque, 33330 Saint-Émilion, tél. 05.57.24.60.02, fax 05.57.24.74.59, info@chateaufonroque.com r.-v.

CH. FRANC GRÂCE-DIEU 2009

60 000 | 15 à 20 €

Premier millésime pour la famille Truant, plus connue dans la région pour son négoce de matériaux. Mais une longue histoire la précède sur ce domaine qui appartint à un prieuré cistercien « franc » de taxes, « par la grâce de Dieu », puis à la famille Guadet, dont le membre le plus célèbre fut député girondin durant la Révolution, et à M. Siboret, l'un des fondateurs de la Jurade de Saint-Émilion. Sylvie Truant signe un 2009 qui joue plus la carte du fruité et de la souplesse que celle de la puissance : nez plaisant de fruits rouges et noirs (cassis), palais friand, souple et frais. Un ensemble harmonieux, à boire dans deux ans.

SAS Franc-Guadet, Ch. Franc Grâce-Dieu, 33330 Saint-Émilion, tél. 05.57.24.66.18, sasfranc-guadet@orange.fr t.l.j. 9h-12h 13h-17h

Truant

CH. FRANC LA ROSE 2009 ★

n.c. | 20 à 30 €

Père de Benoît Trocard (Clos Dubreuil), Jean-Louis Trocard signe un 2009 né de 75 % de merlot avec le cabernet franc en complément, qui se distingue d'emblée par sa robe brillante. Le nez, encore un peu sur la réserve, s'ouvre à l'agitation sur les fruits rouges et un boisé mesuré. Il se montre plus prolixe en bouche, sur les mêmes notes mais avec plus d'intensité, offrant une matière dense et suave adossée à des tanins élégants, un rien austères en finale. À attendre trois ou quatre ans.

Jean-Louis Trocard, 1175, rue Jean-Trocard, 33570 Les Artigues-de-Lussac, tél. 05.57.55.57.90, fax 05.57.55.57.98, trocard@wanadoo.fr t.l.j. sf sam. dim. 8h30-17h30

EMBELLIE DE FRANC LARTIGUE 2009

2 000 | 20 à 30 €

Une embellie dans un monde tourmenté... Telle est, selon ses auteurs, l'ambition salutaire de cette microcuvée. De fait, le 2009 sait se rendre plaisant tant par son bouquet expressif, sur les fruits noirs mûrs (myrtille), le pruneau et le café torréfié, que par son palais souple, soyeux et généreux adossé à des tanins bien présents. Un vin gourmand et structuré, à attendre deux ou trois ans.

SCEA Vignobles Marcel Petit, 6, chem. de Pillebois, 33350 Saint-Magne-de-Castillon, tél. 05.57.40.33.03, fax 05.57.40.06.05, contact@vignobles-petit.com r.-v.

CH. FRANC-MAYNE 2009 ★★

Gd cru clas. | 23 000 | 30 à 50 €

85 86 88 89 90 95 96 **97** 98 99 00 01 02 03 04 05 06 08 **09**

Griet Van Malderen-Laviale et Hervé Laviale, installés en 2005, ont fait de ce cru, classé depuis l'origine (1959), un haut-lieu de l'œnotourisme en Libournais : hôtel de charme de douze chambres et visites-dégustations commentées dans les langues du monde entier. Dans les 2 km de galeries souterraines aménagées en cave, on trouve ce qui fait l'attrait principal des lieux : les vins et, notamment, ce superbe 2009 à la robe brillante, au nez fin ouvert sur le fruit (fraise écrasée, cerise à l'eau-de-vie), et doté d'un boisé délicat. Ronde sans lourdeur, ample et très fruitée, la bouche est portée par des tanins veloutés et une fraîcheur apaisante. Un vin authentique et subtil, loin de certaines caricatures boisées, à découvrir dans quatre ou cinq ans sur un magret de canard.

SCEA Ch. Franc-Mayne, 14, la Gomerie, D 243, 33330 Saint-Émilion, tél. 05.57.24.62.61, fax 05.57.24.68.25, info@chateaufrancmayne.com r.-v.
Griet Laviale-Van Malderen et Hervé Laviale

CH. FRANC PATARABET Cuvée Les Menuts Vieilles Vignes 2009 ★

3 500 | 15 à 20 €

Élevé dans une cave monolithe au cœur de la cité médiévale de Saint-Émilion, ce 2009, né au lieu-dit des Menuts, se pare d'une robe grenat ornée de reflets orangés. Le nez mêle les fruits frais, le cuir et la torréfaction. La bouche, souple, ronde et soyeuse, s'appuie sur des tanins fondus et veloutés. À boire dans deux ou troix ans sur une côte de veau.

GFA Faure-Barraud, 42, rue Guadet, BP 72, 33330 Saint-Émilion, tél. 05.57.24.65.93, fax 05.57.24.69.05 r.-v.

CH. LA GAFFELIÈRE 2009 ★

1er gd cru clas. B | 53 000 | 75 à 100 €

82 **83 85 86 88 89 90** 91 92 93 **94 95** 97 99 **02 03** |04| **05** 06 07 08 09

Montant la garde à l'entrée sud de la cité médiévale et situé sur le site d'une ancienne villa gallo-romaine ayant peut-être appartenu au poète Ausone, ce cru est conduit par la famille Malet-Roquefort depuis quatre siècles. Issu de merlot à 80 %, ce 2009 bien dans son millésime livre un bouquet mûr et généreux de pruneau, de violette et de cacao, mâtiné d'une touche giboyeuse. En bouche, le vin se montre chaleureux, rond, charnu et dense, tapissé de tanins veloutés. Un ensemble harmonieux et séducteur, à déguster aussi bien jeune (trois ou quatre ans) que vieux (dix ans).

Ch. la Gaffelière, BP 65, 33330 Saint-Émilion, tél. 05.57.24.72.15, fax 05.57.24.69.06, contact@chateau-la.gaffeliere.com r.-v.
Léo de Malet-Roquefort

CH. GODEAU 2009 ★

24 000 | 20 à 30 €

Ce petit domaine (5,65 ha), situé sur les combes de Saint-Laurent, à quelques kilomètres de Saint-Émilion, cote sud-est, a été racheté en 2007 par deux industriels du nord de la France, Steve Filipov et Jean-Luc Pareyt. Leur 2009 livre un bouquet de fruits surmûris agrémenté d'un boisé toasté, vanillé et épicé. Ronde, ample, chaleureuse et douce, la bouche est portée par des tanins soyeux et par une longue finale où l'on retrouve les épices. À ouvrir dans trois ans sur une épaule d'agneau.

SAS Dom. de l'Amandière, Ch. Godeau, 33330 Saint-Laurent-des-Combes, tél. et fax 05.57.24.72.64, chateau.godeau@orange.fr r.-v.
Filipov

CH. LA GRÂCE DIEU Cuvée Passion 2 femmes 2009 ★

3 600 | 20 à 30 €

Cette petite cuvée (par le volume) élaborée par les sœurs Pauty est exclusivement issue de merlot. Elle se présente dans une robe bordeaux, et offre un nez expressif de mûre, de myrtille et de vanille mâtiné de nuances cendrées. Dans la continuité du bouquet, la bouche se révèle douce et ronde, bien équilibrée entre le fruit et le bois, et de bonne longueur. À découvrir dans trois ou quatre ans, sur un grenadin de veau. Le **Ch. la Grâce Dieu 2009 (15 à 20 € ; 55 000 b.)**, fruité et épicé au nez, chaleureux, corsé et tannique, est cité. On l'attendra plus longtemps.

Pauty, Ch. la Grâce Dieu, 33330 Saint-Émilion, tél. 05.57.24.71.10, fax 05.57.24.67.24, contact@chateaulagracedieu.fr
t.l.j. sf sam. dim. 9h-12h 13h30-17h30

CH. LA GRÂCE DIEU LES MENUTS 2009 ★

100 000 | 20 à 30 €

En 1992, Odile Audier a pris la succession de son père à la tête du domaine familial, qui étend ses 13 ha de vignes des croupes graveleuses à l'ouest, près de Pomerol, aux argilos-calcaires à l'est de la cité médiévale. Ce 2009 très coloré dévoile un nez puissant de baies très mûres sur un fond boisé agréable et frais. La mise en bouche, ample et chaleureuse, annonce une chair ronde, charpentée par des tanins élégants et persistants qui permettront à ce vin de patienter trois à cinq ans en cave. La cuvée **Passion du Ch. Haut Trocard la Grâce Dieu 2009 (4 500 b.)**, plus boisée et plus concentrée, est citée.

Vignobles Pilotte-Audier, Ch. la Grâce Dieu les Menuts, 33330 Saint-Émilion, tél. 05.57.24.73.10, fax 05.57.74.40.44, chateau@lagracedieulesmenuts.com
t.l.j. 8h-12h 14h-18h

CH. GRAND BARRAIL LAMARZELLE FIGEAC 2009

87 300 | 20 à 30 €

La maison Dourthe est bien connue dans le Bordelais et plus particulièrement dans le Médoc. Or, elle possède aussi depuis 2005 ce joli domaine saint-émilionnais qui s'est créé à partir de plusieurs métairies du secteur de Figeac. Le terroir se rapproche de Pomerol, et l'on y trouve 35 % de cabernet franc. Cela donne un 2009 qui mise plus sur la finesse que la puissance. Le rubis intense de la robe est traversé de reflets grenat. Le nez fruité évolue vers des notes épicées (poivre). La bouche, souple et intense, s'appuie sur des tanins un peu austères en finale, qui devraient néanmoins s'arrondir d'ici un à trois ans.

Ch. Grand Barrail Lamarzelle Figeac, Vignobles Dourthe, 33330 Saint-Émilion, tél. 05.56.35.53.00, fax 05.56.35.53.29, contact@dourthe.com r.-v.

CH. GRAND BERT 2009

32 000 | 11 à 15 €

Philippe Lavigne, très estimé en Libournais, nous a quittés en 2011. Sa fille Sophie et son gendre Laurent Lavigne-Poitevin ont pris le relais. Plantés sur les sables et les graves de Saint-Sulpice-de-Faleyrens, au sud de l'appellation, merlot (85 %) et cabernet franc ont donné naissance à un 2009 de bon aloi, d'un rubis franc. Le premier nez, boisé, demande un peu d'aération pour s'ouvrir sur les baies noires bien mûres. On retrouve ces arômes en bouche, après une attaque souple et ample. Les tanins boisés sont encore très présents, mais ils devraient se fondre d'ici un an ou deux.

SCEA Lavigne, Ch. Grand Tuillac, 33350 Saint-Philippe-d'Aiguilhe, tél. 05.57.40.60.09, fax 05.57.40.66.67, scea.lavigne@wanadoo.fr
t.l.j. sf dim. 8h-18h; f. août
Poitevin

♥ CH. GRAND CORBIN-DESPAGNE 2009 ★★

■ Gd cru clas. 84 000 30 à 50 €

97 98 99 |00| |01| |**04**| 05 06 |07| 08 **09**

François Despagne fête en 2012 le bicentenaire de l'installation de sa famille sur les terres plutôt fraîches du secteur de Corbin, ce qui est un avantage en cas d'année chaude comme 2009. Excellent vinificateur, il signe ici un vin de haut vol, issu de 80 % de merlot. « Du beau monde à tous les stades de la dégustation », note un juré sous le charme : robe soutenue et lumineuse, rouge bordeaux aux éclats vifs ; nez non moins intense, plein de fruit, fin et frais, un rien épicé et boisé avec élégance ; palais à l'unisson, fruité, boisé sans excès, très charnu, onctueux et soyeux. À garder en cave au moins cinq à huit ans. Le second vin, le **Petit Corbin-Despagne 2009 (11 à 15 € ; 36 000 b.)**, intéressant par sa minéralité qui lui apporte de la finesse, est cité. Le **Ch. Reine blanche 2009 (15 à 20 € ; 22 000 b.)**, porté par une belle fraîcheur et bien structuré, obtient une étoile.

Murielle et François Despagne, 3, Barraillot, 33330 Saint-Émilion, tél. 06.09.08.77.08, fax 05.57.51.29.18, f-despagne@grand-corbin-despagne.com r.-v.

CH. GRAND CORBIN MANUEL 2009 ★

■ 40 000 15 à 20 €

Propriétaire dans la région, la famille de Gaye a acquis ce domaine en 2005, sur le secteur de Corbin, au nord-ouest de Saint-Émilion. Il est dirigé par Yseult, la fille de la famille. Un millésime de grande maturité comme 2009 convient bien à ce terroir, plutôt frais. Cela donne ici un vin équilibré, sans lourdeur. La robe, foncée, présente quelques reflets de jeunesse, couleur améthyste. Encore un peu fermé, le nez demande une légère agitation pour libérer ses parfums de fruits frais (fraise des bois), les notes d'élevage restant discrètes. Franc et plein dès l'attaque, le palais offre un beau volume et un profil aromatique en accord avec l'olfaction, étayé par des tanins élégants. De quoi tenir quatre ou cinq ans à l'ombre de la cave.

Ch. Grand Corbin Manuel, 33330 Saint-Émilion, tél. 05.57.25.09.68, fax 05.56.50.37.61, info@grandcorbinmanuel.fr r.-v.

Yseult de Gaye

CH. GRAND FAURIE LA ROSE 2009

■ 28 000 11 à 15 €

Ce cru, entré dans le giron du groupe AG2R-La Mondiale en 2005, et établi sur les sols argilo-sableux des secteurs de Faurie et de La Rose, propose un 2009 déjà plaisant par son bouquet expressif de fruits frais, de boisé vanillé et cacaoté, avec une petite touche giboyeuse. Dans la continuité du nez, la bouche se montre souple et charnue, portée par des tanins fins et fondus.

SCEA Ch. Soutard, 1, Soutard, BP 4, 33330 Saint-Émilion, tél. 05.57.24.71.41, fax 05.57.74.42.80, contact@soutard.com t.l.j. 10h-19h

La Mondiale

CH. GRAND-PONTET 2009 ★

■ Gd cru clas. n.c. 30 à 50 €

89 **90** 93 94 |**95**| 96 97 98 (00) |01| |**02**| |**03**| |04| 05 06 08 09

Depuis douze ans, Sylvie Pourquet gère ce domaine familial de 14 ha non loin de Beau-Séjour Bécot, conduit par ses frères. Elle signe un 2009 d'une belle intensité à tous les stades de la dégustation : robe profonde, couleur bigarreau ; nez intense de fruits cuits, de vanille et d'épices (cannelle, réglisse) ; bouche ample, ronde, douce et persistante, aux tanins, un rien sévères en finale. À attendre trois à cinq ans pour une harmonie complète. Recommandé sur un gigot d'agneau en croûte d'herbes.

Ch. Grand Pontet, 33330 Saint-Émilion, tél. 05.57.74.46.88, fax 05.57.74.45.31 r.-v.

Mme Pourquet

LES GRANDS ORMES 2009 ★★

■ 3 000 15 à 20 €

Les vignobles Brun sont établis sur les sables et les graves de Saint-Sulpice-de-Faleyrens, au sud de l'appellation. En 2009, ils ont donné naissance à deux cuvées de grande qualité. En tête, ces Grands Ormes, drapés dans une robe bordeaux. Si le nez est encore dominé par un boisé de qualité, l'aération libère un très beau fruit, mâtiné de notes florales. Le palais se révèle puissant, charnu, persistant, corsé par des tanins élégants qui permettront à cette bouteille de bien évoluer dans les cinq ou six ans à venir. Le **Ch. Orme Brun 2009 (11 à 15 € ; 15 000 b.)** obtient une étoile pour son bouquet de fruits confits et pour son palais onctueux, aux tanins mûrs.

Brun, 271, Belle-Assise, 33330 Saint-Sulpice-de-Faleyrens, tél. 05.57.24.61.62, fax 05.57.24.68.82 t.l.j. 9h-17h30

CH. LA GRANGÈRE 2009 ★

■ 13 400 20 à 30 €

Ce domaine, commandé par les bâtiments d'un ancien couvent datant de 1670, étend ses vignes sur des coteaux et des pieds de côte bien exposés au sud. Il propose un premier et un second vins très réussis. Le premier est un 2009 complet, « confortable » selon un dégustateur : robe sombre et profonde ; bouquet intense de fruits noirs mûrs agrémenté d'un boisé jeune et d'une touche de cuir ; palais charnu, rond et savoureux, aux tanins denses. Une bouteille à encaver cinq à six ans. Le second vin, **Ch. Moulin de la Grangère 2009 (11 à 15 € ; 12 780 b.)**, plus souple et fondu, s'appréciera un peu plus tôt.

SCEA Le Bousquet, 3, Tauzinat-Est, 33330 Saint-Christophe-des-Bardes, tél. 05.57.74.43.07, fax 05.57.24.60.94, accueil@scealebousquet.com r.-v.

CH. LES GRAVIÈRES 2009 ★

■ 24 000 15 à 20 €

En année normale, ce cru, bien connu des lecteurs, se distingue souvent par une maturité supérieure. Dans ce millésime solaire, où le risque était la surmaturité, Denis Barraud maîtrise son sujet et signe un vin de pur merlot bien équilibré. Derrière une robe foncée aux reflets mauves de jeunesse, on découvre un bouquet plaisant de fruits rouges, d'épices et de vanille. En bouche, on croque les fruits qui tapissent une chair onctueuse et ronde, avant que les tanins du boisé ne montrent les muscles en finale. Trois à cinq ans de garde les assoupliront.

SCEA des Vignobles Denis Barraud, Ch. les Gravières, 355, port de Branne, 33330 Saint-Sulpice-de-Faleyrens, tél. 05.57.84.54.73, fax 05.57.84.52.07, denis.barraud@wanadoo.fr r.-v.

CH. GUADET 2009 ★

Gd cru clas. 21 000 30 à 50 €

Les chais et les caves souterraines de ce cru sont situés dans la rue principale de Saint-Émilion qui porte le nom de ce député girondin guillotiné sous la Terreur, en 1794. On y trouve un 2009 aux reflets noirs, le nez ouvert sur les fruits confits, les fruits secs et un toasté bien présent. La bouche est puissante, dense et concentrée, adossée à des tanins encore sévères et à un boisé dominant que l'on laissera s'affiner cinq ou six ans. À noter : le vignoble est en cours de conversion bio.

Guy-Petrus Lignac, Ch. Guadet, 4, rue Guadet, 33330 Saint-Émilion, tél. 05.57.74.40.04, fax 05.57.24.63.50, chateauguadet@orange.fr r.-v.

CH. GUILLEMIN LA GAFFELIÈRE 2009

61 600 11 à 15 €

Aux côtés des classiques merlot (60 %) et cabernets, une pointe de malbec vient compléter l'assemblage de ce 2009. Dans le verre, le vin livre des parfums de fruits rouges mûrs accompagnés d'un vanillé subtil et d'une touche minérale. En bouche, il se montre encore jeune et fougueux, le boisé l'emportant pour l'heure sur le fruit, et les tanins, prometteurs, devant s'assagir. À oublier quatre ou cinq ans en cave ; le potentiel est là.

Vignobles Fompérier, La Gaffelière, 33330 Saint-Émilion, tél. 05.57.74.46.92, fax 05.57.74.49.16, lecellierdesgourmets@wanadoo.fr t.l.j. sf dim. 8h30-12h15 14h-17h45

CH. HAUT-BRISSON 2009

38 000 20 à 30 €

En 1997, Peter Kwok a acquis, en partenariat avec sa fille Elaine, ce domaine de 12,73 ha implanté sur les sables et graves de Vignonet, au sud de l'appellation. Paré d'une robe rubis éclatant, ce 2009, qui se goûte déjà fort bien, livre un bouquet délicat de fruits rouges frais et de toasté léger. Souple et séveux dès l'attaque, le palais est à l'unisson, bien équilibré entre boisé et fruité, et soutenu par de fins tanins. À boire dans les trois ans, sur une viande rouge grillée. À noter : la conversion bio est engagée depuis 2007, et la certification prévue pour la récolte 2010.

Elaine Kwok, 5, Brisson, 33330 Vignonet, tél. 05.57.84.69.57, fax 05.57.74.93.11, haut.brisson@orange.fr r.-v.

CH. HAUT-CORBIN 2009

Gd cru clas. 36 000 20 à 30 €

Propriété de la SMABTP (un assureur) depuis 1986 et conseillé par Hubert de Boüard depuis 2007, Haut-Corbin est situé au nord-ouest de l'appellation et tire son nom de l'armure couleur corbeau (ou « corbin ») du Prince Noir, qui gouverna l'Aquitaine au XIVe s. La robe de ce 2009 tire, elle, plutôt vers le rouge grenat. Le nez, chaleureux et boisé, évoque la cerise à l'eau-de-vie et le pain grillé. La bouche se révèle tout aussi généreuse et empreinte de notes d'élevage, charpentée par des tanins jeunes et encore sévères. À attendre quatre ou cinq ans. Le **Ch. le Jurat 2009 (72 000 b.)**, dense et charnu, lui aussi un peu austère en finale, est également cité.

Ch. Haut-Corbin, 33330 Saint-Émilion, tél. 05.57.51.95.54, fax 05.57.51.90.93, contact@hautcorbin.fr

SMABTP

CH. HAUTE-NAUVE 2009 ★

18 460 11 à 15 €

Ce domaine viticole, vinifié par la coopérative de Saint-Émilion, est établi sur les sables et les argiles de Saint-Laurent-des-Combes, à quelques kilomètres à l'est de la cité médiévale. Issu pour les deux tiers de merlot, ce 2009 à la robe soutenue ornée de reflets mauves de jeunesse livre un bouquet intense de fruits mûrs et de vanille. La bouche se révèle puissante et charnue, charpentée par de solides tanins mais sans agressivité et tonifiée par une pointe de vivacité en finale. À boire dans cinq ou six ans sur du gibier.

Union de producteurs de Saint-Émilion, Haut-Gravet, BP 27, 33330 Saint-Émilion, tél. 05.57.24.70.71, fax 05.57.24.65.18, contact@udpse.com r.-v.

CH. HAUT-GRAVET 2009 ★

n.c. 15 à 20 €

Alain Aubert exploite plusieurs vignobles en Libournais. Ici, nous sommes sur les graves de Saint-Sulpice-de-Faleyrens, au sud de l'appellation, plantées à parts égales de merlot et de cabernets. Cela donne un vin très coloré, au bouquet expressif et fin de petits fruits rouges (cerise) et de vanille. La bouche, tout aussi fruitée et boisée, tient bien la note, portée par des tanins denses et mûrs. « Une bouteille sincère », conclut un juré. À ouvrir dans trois à cinq ans.

Alain Aubert, 57 bis, av. de l'Europe, 33350 Saint-Magne-de-Castillon, tél. 05.57.40.04.30, fax 05.57.56.07.10, domaines.a.aubert@wanadoo.fr

CH. HAUT LA GRÂCE DIEU 2009 ★

5 600 15 à 20 €

Le Château Haut la Grâce Dieu est une cuvée confidentielle vinifiée au château Rozier, important vignoble de 25 ha, dans la famille Saby depuis neuf générations. Un vin issu de vieux merlots plantés sur argilo-calcaires, au pied des combes de Saint-Laurent, à l'est de l'appellation. Ses arguments : une robe très sombre, des arômes de baies mûres – encore un peu masqués par un boisé envahissant mais de qualité –, un palais chaleureux, rond, charnu, tapissé de fruits confits et soutenu par des tanins denses. On patientera deux ou trois ans pour que l'ensemble se fonde.

Vignobles Jean-Bernard Saby et Fils, Ch. Rozier, 33330 Saint-Laurent-des-Combes, tél. 05.57.24.73.03, fax 05.57.24.67.77, info@vignobles-saby.com r.-v.

CH. HAUT-LAVIGNÈRE 2009

75 000 8 à 11 €

Jean-Jacques Vallier exploite le domaine que son grand-père avait acheté en 1930, dans la plaine de Saint-Pey-d'Armens. Les vignes, à dominante de merlot (85 %), entourent la ferme en pierre de Gironde. Dans le verre, la couleur est intense. Le nez, sous l'emprise du

boisé, vanillé et grillé, demande une bonne aération pour libérer des senteurs de fruits mûrs. En bouche, on trouve un vin aimable, sans aspérités, souple, équilibré par des tanins boisés qui devraient s'assouplir assez vite. On pourra commencer à le boire d'ici un an ou deux.
SCEA du Ch. Lavignère, 1, lieu-dit Rivière, 33330 Saint-Pey-d'Armens, tél. et fax 05.57.47.10.96, chateaulavignere@orange.fr r.-v.

CH. HAUT-POURRET 2009

■ 11 200 15 à 20 €

Ce petit vignoble de 3 ha, bordant la route entre Libourne et Saint-Émilion, appartient à la même famille depuis cinq générations. Serge Lepoutre – « autodidacte et artisan », comme il se définit – signe un 2009 rubis, au nez fin et bien équilibré entre fruité mûr et boisé, tendance moka. La bouche, à l'unisson, est structurée, ample et harmonieuse, malgré une pointe d'austérité en finale. À attendre trois ou quatre ans.
Serge Lepoutre, Ch. Haut-Pourret, 33330 Saint-Émilion, tél. 05.57.74.45.17, serge.lepoutre@orange.fr
t.l.j. 9h-12h 14h-19h; sam. dim. sur r.-v.; f. août

CH. HAUT-SARPE 2009 ★★★

■ Gd cru clas. 20 522 30 à 50 €

Symboles de la réussite des familles corréziennes établies en Libournais, les Janoueix exploitent de nombreux crus, comme producteurs et négociants-éleveurs. Haut-Sarpe est leur fleuron, 21,3 ha de vignes sur le point culminant du coteau de Saint-Émilion. Merlot (70 %) et cabernet franc y ont donné naissance à un 2009 de grande expression : la robe profonde est ornée de reflets rubis ; le nez, empreint de fruits rouges et noirs mûrs rehaussés d'une belle fraîcheur réglissée et d'un boisé fin. La bouche se révèle charnue, généreuse et intense, longuement portée par des tanins solides et une élégante trame minérale. Armé pour une longue garde (dix ans et plus). Des mêmes propriétaires, le **Ch. le Castelot 2009 (20 à 30 € ; 42 400 b.)**, rond et mûr, aux tanins enrobés, et le **Ch. Vieux Sarpe 2009 (20 à 30 € ; 10 200 b.)**, floral, vanillé et bien charpenté, obtiennent une étoile.
SA SE du Ch. Haut-Sarpe, Ch. Haut-Sarpe, BP 192, 33506 Libourne Cedex, tél. 05.57.51.41.86, fax 05.57.51.53.16, info@j-janoueix-bordeaux.com r.-v.
Jean-François Janoueix

CH. HAUT-SEGOTTES 2009

■ 38 000 15 à 20 €

Ici, aux côtés du merlot, les cabernets représentent 40 % de l'encépagement. Cela donne un 2009 intéressant, rubis intense, bien fruité au nez, respecté par un boisé discret ; le palais friand et souple est soutenu par des tanins soyeux et fondus. Un vin équilibré, à boire dans trois ou quatre ans.
SCEA Danielle Meunier, Ch. Haut-Segottes, 33330 Saint-Émilion, tél. 05.57.24.60.98, fax 05.57.74.47.29, hautsegottes@wanadoo.fr r.-v.

CH. HAUT VEYRAC 2009

■ 23 000 15 à 20 €

Depuis six générations, les familles Claverie et Castaing exploitent un vignoble à taille humaine de 8 ha sur l'un des coteaux de Saint-Étienne-de-Lisse, à l'est de l'appellation. Le terroir argilo-calcaire y est complanté pour les trois quarts de merlot et pour un quart de cabernet franc. Il a engendré un 2009 rubis soutenu, au nez de fruits rouges agrémenté de nuances boisées, réglissées et mentholées. Le palais, franc en attaque, dévoile une belle matière, dense et riche, tonifiée par une pointe de fraîcheur et soutenue par des tanins un peu austères en finale. À attendre deux à trois ans pour obtenir un meilleur fondu.
Claverie, Ch. Haut Veyrac, 33330 Saint-Étienne-de-Lisse, tél. 05.57.40.02.26, chateau-haut-veyrac@orange.fr
r.-v.

CH. LAMARZELLE CORMEY 2009 ★

■ 50 000 15 à 20 €

Le 1er janvier 2012, la quatrième génération (frère et sœur) a pris la direction de ce domaine fondé en 1940. C'est donc à la génération précédente que l'on doit ce 2009 paré d'une éclatante robe rubis, qui laisse poindre des notes fruitées, boisées et un rien giboyeuses, suave, rond et élégant, bâti sur de solides tanins qui jouent des coudes en finale. On lui laissera deux ou trois ans pour s'affiner.
Moreaud, Ch. Cormeil-Figeac, 33330 Saint-Émilion, tél. 05.57.24.70.53, fax 05.57.24.68.20, moreaud@cormeil-figeac.com r.-v.

CH. LANIOTE 2009 ★★

■ Gd cru clas. 29 000 20 à 30 €

89 93 94 95 96 98 99 00 01 02 |03| |05| 06 07 08 **09**

Nous sommes ici chez l'une des familles les plus saint-émilionnaises qui soit ; non seulement elle exploite hors les murs un cru classé, mais, *intra muros*, elle possède trois monuments de la célèbre cité, inscrite au patrimoine mondial de l'Unesco : l'ermitage de Saint-Émilion, la chapelle de la Trinité (XIIIe s.) et les Catacombes. Côté vin, elle propose un 2009 à la hauteur des lieux. Dans le verre, le cœur est jeune, améthyste, la frange plus ambrée. Le bouquet, distingué, mêle harmonieusement des notes fruitées et boisées, rehaussées par des nuances mentholées. La bouche, élégante et racée, exprime bien le terroir par sa touche minérale et le millésime par ses saveurs de fruits très mûrs, de beaux tanins venant compléter l'ensemble. Un bon vin de garde, à attendre cinq à dix ans.
Arnaud de La Filolie, Ch. Laniote, 33330 Saint-Émilion, tél. 05.57.24.70.80, fax 05.57.24.60.11, contact@laniote.com
r.-v. 5

CH. LAROQUE 2009

■ Gd cru clas. 125 000 30 à 50 €

Situé sur le plateau et les pentes argilo-calcaires de Saint-Christophe-des-Bardes, ce vaste vignoble de 60 ha en consacre 27 à son cru classé. Issu à 90 % de merlot, ce

2009 livre un bouquet intense de fruits mûrs (framboise) et d'épices douces. Souple et ronde en attaque, la bouche se révèle bien fruitée, soutenue par des tanins enrobés. À servir dans deux ou trois ans.

SCA Famille Beaumartin, Laroque, 33330 Saint-Christophe-des-Bardes, tél. 05.57.24.77.28, fax 05.57.24.63.65, contact@chateau-laroque.com r.-v.

CH. LAROZE 2009 ★★

■ Gd cru clas. 83 000 30 à 50 €

98 99 00 |01| |02| 06 07 **09**

Cet important cru classé (30 ha) est exploité depuis 1990 par la famille Meslin. Celle-ci propose un 2009 à la robe profonde, ornée de beaux éclats rouge vif. Au nez, les fruits confits se marient à un boisé finement épicé et toasté. Une chair plantureuse emplit le palais dès l'attaque, puis le vin monte en puissance, longuement porté par des tanins sérieux mais élégants, jusqu'à une finale soyeuse et savoureuse. Une bouteille pleine de promesses, pour les cinq à dix ans à venir.

SCE Ch. Laroze, 1, Gourdichau, 33330 Saint-Émilion, tél. 05.57.24.79.79, fax 05.57.24.79.80, info@laroze.com r.-v.

Meslin

LASSÈGUE 2009 ★

■ 50 139 75 à 100 €

Pas de mot « Château » sur l'étiquette, et pourtant une élégante chartreuse des XVIIe et XVIII[e]s. commande cet important vignoble situé au flanc du coteau de Saint-Hippolyte, et repris en 2003 par les familles Jackson et Seillan. Dans le verre, on découvre un vin très équilibré, bordeaux foncé, au nez empreint de senteurs de baies noires et de toasté, qui gagne en finesse à l'aération. Structuré par des tanins nobles et par un boisé bien dosé, le palais affiche une belle envergure, celle d'un vin armé pour une bonne garde : cinq ans et plus.

SAS Cricket, Ch. Lassègue, 33330 Saint-Hippolyte, tél. 05.57.24.19.49, fax 05.57.24.00.38 r.-v.

CH. LAVALLADE 2009 ★★

■ 6 649 15 à 20 €

Établie depuis cinq générations sur le terroir argilo-calcaire de Saint-Christophe-des-Bardes, au nord-est de l'appellation, la famille Gaury signe un 2009 remarquable, reflet de ce grand millésime. C'est un vin sombre, presque noir, au nez concentré de raisins mûrs, de café, de réglisse et de cacao. Généreuse, puissante, riche et longue, la bouche s'inscrit dans la continuité du bouquet, soutenue par de fins tanins. On trouvera plaisir à ouvrir cette bouteille prochainement mais celle-ci saura attendre sept ou huit ans. La **cuvée Roxana 2009 (20 à 30 € ; 4 042 b.)**, dense et charpentée par des tanins encore un peu austères mais prometteurs, obtient une étoile.

SCEA Gaury et Fils, Ch. Lavallade, 33330 Saint-Christophe-des-Bardes, tél. 05.57.24.77.49, fax 05.57.24.64.83, chateau.lavallade@orange.fr r.-v.

CH. LEYDET-VALENTIN 2009

■ 32 000 15 à 20 €

Né sur un terroir de sables et de graves sur crasse de fer, ce 2009 dévoile un bouquet complexe qui mêle fruits confits, épices douces (cannelle) et notes boisées. La bouche, ronde et chaleureuse, joue dans le même registre de raisins très mûrs et de boisé épicé, portée par des tanins déjà fondus. À boire dans deux ou trois ans sur un civet de lièvre.

EARL Vignobles Leydet, Rouilledimat, 33500 Libourne, tél. 05.57.51.19.77, fax 05.57.51.00.62, frederic.leydet@wanadoo.fr r.-v.

CH. LOUIS 2009

■ 7 200 50 à 75 €

Première apparition dans le Guide de ce domaine créé en 2006 sur les argilo-calcaires de Saint-Christophe-des-Bardes. Jean-Paul Gassian a élaboré un 2009 rubis soutenu, au nez intense de baies noires et rouges, au palais rond, fruité et boisé sans excès. Un vin harmonieux, à apprécier dans deux ans sur une bavette à l'échalote.

SCE Ch. Louis, 3, Rol, 33330 Saint-Christophe-des-Bardes, tél. et fax 05.57.24.67.52 r.-v.

CH. MAINE RABYON Cuvée Prestige 2009 ★

■ 2 560 20 à 30 €

Après le décès de son mari, Chantal Sclafer, infirmière de formation, reprend le vignoble : 7,40 ha sur les argiles et sables de Saint-Pey-d'Armens, au sud-est de l'AOC. Cette microcuvée née de ceps quasi centenaires est un vin de caractère. Drapée d'une robe sombre et profonde, elle a encore le nez « dans la barrique », mais derrière les notes toastées, épicées et vanillées de l'élevage, les fruits mûrs ont voix au chapitre. En bouche, si le boisé se montre là aussi très présent, la matière se révèle suffisamment riche et dense pour l'assimiler. À ouvrir dans cinq ou six ans sur un gibier ou une côte de bœuf. Le **Ch. Maine Reynaud 2009 (15 000 b.)**, dans un esprit proche, boisé et bien structuré, est cité.

Chantal Sclafer, Maine-Reynaud, 33330 Saint-Pey-d'Armens, tél. et fax 05.57.24.74.09, chantal.sclafer@wanadoo.fr r.-v.

Indivision Veyry et Sclafer

CH. MANGOT Cuvée Quintessence 2009 ★★

■ 12 000 20 à 30 €

Ce domaine est fidèle au rendez-vous avec trois vins sélectionnés. Le préféré est cette cuvée Quintessence, la plus riche en merlot (95 %), un vin qui ne fait pas dans la demi-mesure. Derrière une robe sombre, couleur aile de corbeau, on découvre un nez généreux et intense, solaire et épicé, vivifié par une note minérale et relayé par un palais puissant, vineux et tannique. Bref, un grand cru massif et de longue garde, à réserver à un mets de caractère. Le **Todeschini 2009 (30 à 50 € ; 4 800 b.)**, dominée par les cabernets (60 %), très structuré et boisé, devra patienter quatre à cinq ans en cave. Il obtient une étoile, comme la cuvée principale **Ch. Mangot 2009 (15 à 20 € ; 95 000 b.)**, plus florale et fine, plus souple et friande.

Vignobles Jean Petit, Ch. Mangot, 33330 Saint-Étienne-de-Lisse, tél. 05.57.40.18.23, fax 05.57.56.43.97, chateau-labrande@wanadoo.fr t.l.j. sf sam. dim. 8h30-12h 13h30-18h

GFA du Ch. Mangot

CH. MARO DE SAINT-AMANT Cuvée Léo 2009 ★★

■ 8 000 ⊕ 15 à 20 €

Installé sur les sables et les graves de Saint-Sulpice-de-Faleyrens, Stéphane Bedenc signe un 100 % merlot remarquable. Au bouquet naissant de baies noires et de boisé toasté répond un palais généreux, dense et intense, structuré par des tanins puissants mais élégants. On patientera cinq ou six ans avant d'ouvrir cette belle bouteille sur du gibier. Le **Ch. Villhardy 2009 (30 à 50 €)**, suave et chaleureux, obtient une étoile.

Stéphane Bedenc, 225, Destieu,
33330 Saint-Sulpice-de-Faleyrens, tél. 05.57.25.26.67,
fax 05.57.25.50.85, vignobles-bedenc@wanadoo.fr
r.-v.

CH. MATRAS 2009 ★★★

■ Gd cru clas. n.c. ⊕ 30 à 50 €

Certains hommes font de grandes choses dans l'adversité. C'est le cas ici. Le vignoble de Matras a été très durement touché par l'orage de grêle du 23 mai 2009. La récolte s'en est trouvée fortement diminuée et l'on pouvait légitimement être inquiet pour sa qualité. À force de soins et de travail, le vinificateur a non seulement sauvé sa petite récolte, mais il en a fait aussi un vin exceptionnel. La robe bordeaux est intense à souhait. Le nez fait preuve d'une élégance et d'une harmonie rares ; les notes fruitées (cassis, framboise) et boisées s'y marient parfaitement. La bouche est de la même veine, puissante mais équilibrée, savoureuse et longue, corsée par des tanins racés et soyeux. Une bouteille à déguster aussi bien jeune (deux ou trois ans) que patinée (dix ans et plus).

Vignobles Véronique Gaboriaud-Bernard, Ch. Bourseau,
33500 Lalande-de-Pomerol, tél. 05.57.51.52.39,
fax 05.57.51.70.19, chateau.bourseau@wanadoo.fr
r.-v.

CH. MONBOUSQUET 2009 ★★

■ Gd cru clas. 8 000 ⊕ 30 à 50 €

95 96 **97** 98 99 |00| |**01**| |02| |03| 04 05 07 08 **09**

Cet important vignoble de 32 ha est l'un des rares de la plaine à être classé (depuis 2006). Il faut dire qu'il est établi sur de belles graves sablonneuses et que la famille Perse a fait ce qu'il fallait pour atteindre cet objectif. Les cabernets, qui aiment bien ce type de sol, y sont présents à 40 %. Le 2009, pourpre sombre, dévoile un bouquet puissant et complexe de baies noires mûres (myrtille, cassis), de noyau de cerise, d'épices douces et de boisé toasté. La bouche, ample et suave, tient bien la note, étayée par une belle fraîcheur et par des tanins élégants et bien extraits, qui lui apportent puissance et longueur. Une bouteille armée pour une garde de cinq à six ans.

SAS Ch. Monbousquet, 42, rte de Saint-Émilion,
33330 Saint-Sulpice-de-Faleyrens, tél. 05.57.55.43.43,
fax 05.57.24.63.99, contact@vignoblesperse.com
par correspondance
Gérard Perse

CH. MONTLISSE 2009

■ 15 000 ⊕ 15 à 20 €

Ce domaine étend ses 7 ha de vignes sur les terres de Lisse, à l'est de l'appellation. Son 2009 est un vin pourpre aux reflets violines, au nez ouvert sur les baies rouges mûres, la réglisse, le tabac, le menthol et quelques notes de cuir. La bouche se montre chaleureuse, vineuse et suave, un rien plus austère en finale. À déguster dans deux ans sur une viande en sauce.

Christian Dauriac, Ch. Destieux, 33330 Saint-Hippolyte,
tél. 05.57.24.77.44, fax 05.57.24.18.79,
contact@vignoblesdauriac.com r.-v.

CH. PAS DE L'ÂNE 2009 ★

■ 12 000 ⊕ 20 à 30 €

Trois vins retenus pour ce domaine, avec en tête ce 2009 qui laisse une part non négligeable au cabernet franc (40 %). Pourpre foncé, il offre un bouquet intense de fruits noirs (mûre, cassis), d'épices et de boisé toasté. Dans la continuité du nez, le palais se révèle riche, ample et charnu, adossé à des tanins de qualité. On verrait bien ce grand cru dans deux ou trois ans sur un magret de canard. Le second vin, le **Ch. Haut Saint-Brice 2009 (15 à 20 € ; 23 000 b.)** obtient également une étoile pour son nez fruité et sa bouche tendre et souple. Une étoile enfin pour le **Ch. le Cros 2009 (15 000 b.)**, largement dominé par le merlot, au bouquet ouvert, floral et fruité, et au palais généreux et doux.

SARL Pas de l'Âne, lieu-dit Le Cros, 33330 Saint-Émilion,
tél. 09.62.18.10.87, chateaupasdelane@orange.fr r.-v.

CH. PAVIE 2009 ★★★

■ 1er gd cru clas. B 75 000 ⊕ + de 100 €

85 86 88 89 (90) **91 92** 93 94 **95** |**96**| |98| |99| |**00**| **01** 02 **04 06** 07 **08** (09)

Fleuron des vignobles de Gérard Perse, Château Pavie bénéficie d'une exposition remarquable, plein sud, sur la première ligne de coteaux. Le terroir de calcaires, d'argiles et de graves accueille une part non négligeable de cabernets aux côtés du merlot – 30 % pour ce 2009 d'une puissance exceptionnelle, mais toujours élégant, qui a bénéficié d'un élevage particulièrement long de trente mois en barrique. Paré d'une robe sombre et dense, ce grand vin offre un premier nez intense et gourmand de framboise écrasée, de violette, d'épices et de graphite, une note cacaotée apparaissant à l'agitation. Suave en attaque, le palais se montre généreux, puissant, séveux et complexe (fruits noirs, amande, café), étayé par des tanins solides mais soyeux, et par cette même trame minérale perçue à l'olfaction. De grande garde, évidemment (dix ans et plus).

SCA Ch. Pavie, 33330 Saint-Émilion, tél. 05.57.55.43.43,
fax 05.57.24.63.99, contact@vignoblesperse.com
Gérard Perse

CH. PAVIE DECESSE 2009 ★★

■ Gd cru clas. 8 000 ⊕ + de 100 €

88 (89) **90** 92 **93** 94 96 **97** 98 |99| |02| 04 06 07 **08 09**

Situé en haut de la côte Pavie, sur le plateau argilo-calcaire, Pavie Decesse est dix fois plus petit que son « grand frère » Pavie et donne plus de poids au merlot (90 %). Son 2009 est un vin élégant avec sa robe rouge profond à reflets mauves et son nez à la fois chaleureux et fin de fruits noirs mûrs agrémenté de nuances florales et d'une touche de mine de crayon. Après une attaque plutôt vive, le palais, montant et dense, offre une belle mâche et des tanins au grain épais mais sans rudesse, avant d'achever sa course sur une finale généreuse, au boisé délicat. Ce millésime devrait bien évoluer dans les sept ou huit ans à venir.

SCA Ch. Pavie, 33330 Saint-Émilion, tél. 05.57.55.43.43,
fax 05.57.24.63.99, contact@vignoblesperse.com
Gérard Perse

CH. PETIT FOMBRAUGE 2009 ★

■ 6 000 20 à 30 €

Pierre Lavau, vigneron en castillon-côtes-de-bordeaux, a acquis ce vignoble aux enchères en 1996. Comme son nom l'indique, le domaine est situé près de Fombrauge, à l'est de l'appellation. Ici, le merlot domine à 90 % et donne un vin au bouquet encore discret qui s'ouvre à l'aération sur les fruits mûrs. Une texture riche, concentrée, fruitée et épicée tapisse le palais, soutenue par des tanins solides et une finale chocolatée. À ouvrir dans trois ou quatre ans.

Pierre Lavau, Ch. Petit Fombrauge, BP 20107, 33330 Saint-Christophe-des-Bardes, tél. 05.57.24.77.30, fax 05.57.24.66.24, petitfombrauge@terre-net.fr r.-v.

CH. PIGANEAU 2009

■ n.c. 11 à 15 €

Ce cru se trouve sur la pointe de Saint-Émilion qui s'avance jusqu'à la Dordogne, entre Libourne et Saint-Sulpice-de-Faleyrens ; à 150 m, on trouve le menhir de Pierrefitte (monument classé). Le terroir y mêle les graves et les sables. Merlot (90 %) et cabernet franc ont donné naissance à ce 2009 déjà agréable, rubis franc, au nez bien équilibré entre le fruit et le bois. La bouche est gourmande, fruitée, bien équilibrée elle aussi, accompagnée de tanins encore un peu sévères en finale mais qui devraient s'affiner assez vite.

SCEA J.-B. Brunot et Fils, 1, Jean-Melin, 33330 Saint-Émilion, tél. 05.57.55.09.99, fax 05.57.55.09.95, vignobles.brunot@wanadoo.fr r.-v.

♥ CH. PINDEFLEURS 2009 ★★

■ 50 000 15 à 20 €

Installée en 2006 sur ce domaine, la famille Lauret-Mestreguilhem décrocha d'emblée un coup de cœur pour son 2007. Mais ne pensez surtout pas avoir affaire à de nouveaux venus ; les racines familiales sont bien ancrées à Saint-Émilion. 2009 est toutefois le premier millésime vinifié au château, Richard Mestreguilhem, frère de Dominique Lauret, étant auparavant chargé de l'élaboration des vins au château Pipeau. Et il s'agit de la première vinification pour Audrey, fille de Dominique, qui du haut de ses vingt-trois ans, signe un grand cru somptueux. Robe bordeaux éclatante ; nez puissant et riche de fruits rouges croquants, d'épices, de boisé vanillé (crème de marron, selon un dégustateur) ; palais savoureux et intense, concentré et tannique. Tout est là, à sa place, et pour longtemps. On dit des grands vins qu'ils peuvent s'apprécier aussi bien jeunes que vieux : c'est le cas ici.

Dominique Lauret, 1, Pin-de-Fleur, 33330 Saint-Émilion, tél. 05.57.24.72.95, fax 05.57.24.71.25, chateau@pindefleurs.fr t.l.j. sf sam. dim. 9h-12h 14h-17h30

CH. PIPEAU 2009 ★★

■ 150 000 20 à 30 €

86 88 89 95 98 99 00 01 |**02**| |03| |04| 06 **08 09**

À Bordeaux, on dit que 1929 a été le plus grand millésime du siècle dernier. C'est aussi l'année où la famille Mestreguilhem s'est établie à Pipeau, au pied des combes de Saint-Laurent. Au fil des ans, elle a développé le vignoble et pratique la mise en bouteilles depuis très longtemps. Aujourd'hui, Richard Mestreguilhem se trouve à la tête d'une trentaine d'hectares, ce qui n'est pas rien à Saint-Émilion. Il présente ici sa cuvée principale, loin d'être confidentielle, qui fait rimer quantité avec qualité. En effet, ce vin a tout pour plaire : une somptueuse robe sombre ; un bouquet riche de merlot vendangé à point, marié à un boisé savamment dosé ; une bouche puissante mais équilibrée, ronde mais sans lourdeur, bâtie sur des tanins serrés mais sans aspérités. Un vin racé et harmonieux, à attendre cinq à dix ans.

Richard Mestreguilhem, Ch. Pipeau, 12, Barbeyron, 33330 Saint-Laurent-des-Combes, tél. 05.57.24.72.95, fax 05.57.24.71.25, chateau.pipeau@wanadoo.fr r.-v.

CH. LE PRIEURÉ 2009 ★★

■ Gd cru clas. 6 400 30 à 50 €

Depuis 1897, la famille de la baronne Guichard est établie à Néac ; elle possède plusieurs crus à Pomerol, Lalande et Saint-Émilion. Conduit depuis 2005 par Aline Guichard et Paul Goldschmidt, le Prieuré étend ses 6,25 ha de vignes sur un terroir argilo-calcaire planté à 80 % de merlot. Si 2009 est un grand millésime, encore a-t-il fallu savoir en tirer le meilleur ; c'est le cas, à en juger par ce vin très « saint-émilion » au bouquet expressif, floral, fruité, épicé et boisé avec mesure. Charnu, ample et suave, il est bâti avec élégance sur des tanins fins et tapissés d'une succession d'arômes confits (pruneau, raisins secs). Dans trois ou quatre ans, cette bouteille accompagnera avec bonheur une belle pièce de bœuf grillée ; elle pourra aussi patienter une dizaine d'années en cave. Le second vin, le **Délice du Prieuré 2009 (15 à 20 €; 3 100 b.)**, 100 % merlot, rond, doux et soyeux, obtient une étoile.

Baronne Guichard, Ch. Siaurac, 33500 Néac, tél. 05.57.51.64.58, fax 05.57.51.41.56, info@baronneguichard.com

Aline Guichard et Paul Goldschmidt

CH. QUERCY 2009

■ 8 650 30 à 50 €

Le vignoble, établi au sud de l'appellation, sur les sables et graves de Vignonet, est en cours de conversion bio. Pour l'heure, il donne ici un vin joliment vêtu d'une robe pourpre, au bouquet fumé, toasté et fruité, souple et charnu en attaque, plus puissant, boisé et tannique en milieu et en fin de bouche. Deux ou trois ans seront nécessaires pour fondre l'ensemble.

GFA Ch. Quercy, 3, Grave, 33330 Vignonet, tél. 05.57.84.56.07, fax 05.57.84.54.82, chateauquercy@wanadoo.fr r.-v.

C. Apelbaum

RÉSERVE DES JACOBINS 2009 ★

■ 5 000 20 à 30 €

On a à faire ici à un vin très charmeur. Le regard est flatté par un rubis profond, traversé de quelques éclats grenat. Le bouquet intense et complexe évoque les baies noires bien mûres, les fruits à l'eau-de-vie, les épices et le cacao. La bouche, à la fois puissante et équilibrée, prolonge les arômes de l'olfaction, et offre une onctuosité et une rondeur soutenues par des tanins veloutés. Un style très saint-émilionnais, qui pourra s'apprécier aussi bien en vin jeune qu'en vin vieux.

Grands Crus Cordier-Mestrezat, 109, rue Achard, BP 154, 33042 Bordeaux Cedex, tél. 05.56.11.29.00, fax 05.56.11.29.01, contact@cordier-wines.com

CH. LA RÉVÉRENCE 2009 ★★

11 700 — 20 à 30 €

Établie dans l'appellation voisine lalande-de-pomerol, cette famille a repris ce petit vignoble en 2003. Merlot et cabernet franc à parité donnent naissance à ce superbe 2009, drapé d'une robe bordeaux sombre traversée d'éclats rubis. Le bouquet naissant est gorgé de baies noires confiturées, accompagnées de senteurs boisées et épicées. Puissante et chaleureuse dès l'attaque, la bouche évoque elle aussi les fruits à maturité, agrémentée de notes d'amande grillée et de poivre, le tout porté par des tanins denses et par une pointe de fraîcheur bienvenue. Un côté presque méridional pour ce vin riche et intense, que l'on encavera quatre ou cinq ans et que l'on réservera à une viande rouge en ragoût.

SCEA Petit-Lécuyer, 24, rue de l'Église, 33500 Néac, tél. 05.57.51.18.61, fax 05.57.51.00.04, chateautournefeuille@wanadoo.fr r.-v.

CH. ROCHEBELLE 2009 ★★

12 000 — 30 à 50 €

Rochebelle est un petit domaine familial de 3 ha situé au-dessus du Château Pavie, face à la cité médiévale. Petit train, caves monolithes, jeux de lumière, musée : ici, le concept d'œnotourisme est bien rodé et les visiteurs sont légion. Et, pour ne rien gâcher, le vin y est bon. Témoin ce 2009 très représentatif de son millésime, de son appellation et de son terroir argilo-calcaire. Derrière une robe sombre, on découvre un nez généreux, complexe et intense de mûre, de griotte et, plus original, de fruits exotiques, un boisé fin et discret complétant la palette. La bouche se révèle très riche et concentrée, puissante et vineuse, étayée par des tanins denses garants d'une bonne garde. À attendre six à huit ans et à servir sur une viande en sauce.

SCEA Faniest, BP 73, 33330 Saint-Émilion, tél. 06.07.32.37.94, fax 05.57.51.01.99, faniest@wanadoo.fr t.l.j. sf sam. dim. 9h-18h30

CH. ROL VALENTIN 2009 ★★

25 500 — 30 à 50 €

Le propriétaire a changé (M. Robin depuis 2008), la qualité demeure. Valeur sûre de l'appellation, Rol Valentin est fidèle au rendez-vous avec ce 2009 de caractère, sombre, puissant, généreux (fruits à l'alcool), boisé avec élégance (vanille), dense et charpenté. Un vin de garde assurément, à encaver au moins cinq ou six ans. On le réservera à une viande rouge en ragoût ou à du gibier, voire à un dessert au chocolat.

SAS Vignobles Rol Valentin, 5, Les Cabannes-Sud, 33330 Saint-Émilion, tél. 05.57.40.13.76, fax 05.57.40.43.54, contact@vignoblesrobin.com r.-v.

Robin

CH. LA ROSE BRISSON 2009 ★

32 000 — 11 à 15 €

Martine Galhaud signe un vin original par son assemblage : aux côtés du classique merlot, 20 % de cabernet-sauvignon, et non le plus traditionnel cabernet franc. Cela donne un vin très coloré, animé de reflets améthyste, au bouquet complexe et intense de fruits, d'épices (girofle) et de vanille, avec quelques nuances animales à l'arrière-plan. La bouche, ample, suave et généreuse, s'appuie sur des tanins serrés qui assureront à cette bouteille un bon vieillissement de trois ou quatre ans. Le **Moulin Galhaud 2009 (15 à 20 € ; 6 000 b.)**, rond et boisé sans excès, est cité.

SCEA Martine Galhaud, Le Manoir, 33330 Saint-Émilion, tél. 06.63.77.39.75, fax 05.57.55.80.74, mgalhaud@galhaud.com r.-v.

CH. LA ROSE TRIMOULET 2009 ★

30 000 — 11 à 15 €

Jean-Claude Brisson, installé en 1967 à la suite de ses parents, aimerait passer le relais à son fils, propriétaire d'un petit vignoble à Puisseguin, mais la lourdeur des droits de succession le fait reculer, explique-t-il, fataliste... Il continue donc à œuvrer avec talent sur ses 5 ha de vignes et signe ici un beau 2009 couleur bigarreau, au nez fruité (fraise, cerise), épicé et grillé ; le palais est à l'unisson, rond, soyeux et de bonne longueur. Une bouteille à découvrir dans deux ou trois ans.

Jean-Claude Brisson, Ch. la Rose Trimoulet, 33330 Saint-Émilion, tél. 05.57.24.73.24, fax 05.57.24.67.08, brisson.jeanclaude@wanadoo.fr r.-v.

CH. ROYLLAND 2009 ★

24 000 — 20 à 30 €

Ce cru, situé dans l'anse de Mazerat, à l'ouest de la cité médiévale, a plusieurs fois changé de propriétaires ces derniers temps : Oddo-Vuiton de 1989 à 2007, puis Stephen Adams (Château Fonplégade), qui a vinifié ce 2009, et depuis juillet 2010, les Chambard, jusqu'alors investis dans des établissements de santé. Merlot (75 %) et cabernet franc ont donné naissance à ce vin au nez complexe de fruits noirs mûrs, agrémenté de nuances florales (pivoine) et fumées. Ample, puissant, généreux, le palais, fruit d'une extraction bien menée, s'appuie sur de solides tanins qui permettront la garde (cinq à sept ans).

SAS Sans Souci, Ch. Roylland, 1, Roylland, 33330 Saint-Émilion, tél. 05.57.24.68.27 r.-v.

Jean-Bernard Chambard

CH. SAINT-ANGE 2009

9 000 — 15 à 20 €

Premier millésime à Saint-Émilion pour les frères Alexandre et Jean-Thomas Doublet, issus d'une famillle de vignerons de l'Entre-deux-Mers. En 2009, ils ont acquis un petit vignoble sur les graves de Saint-Sulpice-de-Faleyrens au sud de l'appellation ; un type de terroir qu'ils connaissent bien puisqu'ils possèdent aussi un vignoble en appellation graves. Leur vin rubis affiche des reflets violines de jeunesse. Ses arômes de fruits frais, de fleurs et de vanille annoncent une évolution en finesse. De fait, la bouche se montre friande, fraîche et élégante, misant plus sur l'amabilité que sur la puissance. Une bouteille déjà prête mais qui pourra aussi patienter trois ou quatre ans en cave.

EARL Vignobles Doublet,
Ch. Saint-Ange, 232, Les Cabanes,
33330 Saint-Sulpice-de-Faleyrens, tél. 05.57.24.12.93,
ch.saint.ange@free.fr r.-v.

CH. SAINT-CHRISTOPHE 2009 ★

18 000 | 11 à 15 €

Né du seul merlot, ce 2009 est bien représentatif de son millésime et de son appellation. D'une belle intensité colorante, il offre un nez de fruits très mûrs, presque compotés, sur un fond vanillé discret. La bouche, à l'unisson, se révèle chaleureuse, ronde, charnue et fruitée (figue, mûre), soutenue par des tanins enrobés. Un vin « solaire », à boire ou à attendre deux ou trois ans, que l'on réservera à une viande en sauce.

Famille Richard, 35, le Bourg,
33330 Saint-Christophe-des-Bardes, tél. 06.09.79.67.17,
fax 05.57.74.64.43, courriel@chateau-saint-christophe.fr
r.-v.

CH. SAINT-ESPRIT 2009

5 400 | 15 à 20 €

Ce petit vignoble est situé à peu de distance au nord de la cité médiévale, sur le terroir argilo-siliceux du secteur de la Rose. Jérôme Dohet en a tiré un vin très agréable, rubis intense, au nez empreint de fruits rouges, agrémenté de nuances de sous-bois et de cuir, et doté d'un boisé discret que l'on retrouve dans un palais rond et bien structuré. À boire dans deux ou trois ans.

Jérôme Dohet, 8, La Rose, 33330 Saint-Émilion,
tél. 05.57.74.41.53, chateausaintesprit@gmail.com
t.l.j. 10h-18h

CH. SAINT-GEORGES CÔTE PAVIE 2009 ★

Gd cru clas. | 24 000 | 20 à 30 €

Sur ce cru classé accroché aux pentes de Pavie, la vigne existe depuis l'époque gallo-romaine. Ancienne dépendance de l'abbaye de la Sauve-Majeure, puis propriété de la famille de Grailly, il entre dans la famille Masson en 1873. La cinquième génération est aujourd'hui aux commandes. Elle signe un 2009 élégant dans sa robe bigarreau traversée de reflets carmin. Le premier nez se révèle floral (rose, sureau), puis on perçoit à l'aération des notes fruitées et un boisé épicé. La bouche, bien équilibrée, se montre ample et structurée par des tanins denses. À découvrir dans quatre ou cinq ans. Pourquoi pas sur un canard aux pêches ?

Jacques et Marie-Gabrielle Masson,
Ch. Saint-Georges Côte Pavie, 33330 Saint-Émilion,
tél. 05.57.74.44.23 r.-v.

CH. SANSONNET 2009 ★★

9 000 | 20 à 30 €

Le cru a un passé ancien – il fut la propriété du duc Decazes, ministre de Louis XVIII ; la famille Lefévère l'a acquis récemment, en 2009. Une étoile pour le 2007, deux pour le 2008, le 2009 confirme le potentiel de ce vignoble, frôlant le coup de cœur. Voici une première vendange plus que réussie pour les nouveaux propriétaires, dans un millésime où la concurrence est rude. Le vin, paré d'un pourpre intense, livre un bouquet charmeur de fruits rouges à maturité, de vanille et de toasté, agrémenté de nuances florales. La bouche, où le merlot mûr à souhait le dispute à d'élégants tanins boisés, se révèle puissante, dense, veloutée et longue. À boire aussi bien jeune (deux ou trois ans) que vieux (six à huit ans).

SCEA Ch. Sansonnet, 1, Sansonnet, 33330 Saint-Émilion,
tél. 09.60.12.95.17, fax 05.57.25.01.56,
marie.lefevere@chateau-sansonnet.com r.-v.
M-B Lefévère

CH. TERTRE DAUGAY 2009 ★

Gd cru clas. | 56 000 | 20 à 30 €

90 96 98 |99| |00| |02| |03| **04 05 07** 08 09

Ce cru classé, idéalement situé au sommet du tertre Daugay (du guet), dominant la vallée de la Dordogne, a changé de mains en juin 2011 pour intégrer les Domaines Clarence Dillon (Château Haut-Brion). Ce sont les anciens maîtres des lieux, les Malet Roquefort qui signent ce 2009 de belle facture. Le nez est fruité (cassis, framboise), épicé et torréfié, des nuances de cuir et de sous-bois à l'arrière-plan. Le palais se révèle chaleureux, ample et rond, bâti sur des tanins denses mais soyeux, garants d'une garde d'au moins cinq ou six ans. Recommandé sur un civet de sanglier.

SARL Ch. Tertre Daugay, 33330 Saint-Emilion,
tél. 05.56.00.84.08, fax 05.56.98.75.14,
contact@chateau-tertre-daugay.com
Dom. Clarence Dillon

CH. TOURANS 2009 ★★

25 000 | 11 à 15 €

Le groupe RCR possède deux vignobles à Saint-Étienne-de-Lisse, à l'est de l'AOC. Le premier (12 ha) a donné naissance à ce Château Tourans 2009, un vin sombre et profond, au nez aérien, très floral, épicé et légèrement toasté, tendre et long en bouche, porté par des tanins souples et fondus et par une belle fraîcheur finale. « Un vin qui sort des sentiers battus », conclut un dégustateur. À boire dans trois ou quatre ans. Son « petit frère », le **Ch. Croix de Tourans 2009 (40 000 b.)**, plus classique, plus « merlot », sur les fruits mûrs, obtient une étoile. Né sur un autre vignoble de 20 ha, le **Ch. Jacques Blanc 2009 (85 000 b.)** est un vin bien structuré, serré et élégant ; il fait jeu égal.

SCEA Blanc Tourans, Ch. Tourans,
33330 Saint-Étienne-de-Lisse, tél. 05.57.40.08.88
RCR Group

CH. TOUR DES COMBES 2009 ★★

21 200 | 11 à 15 €

Dans la même famille depuis 1849, ce domaine étend la plus grande partie de ses vignes sur le coteau et au pied des combes de Saint-Laurent. Il présente un 2009 charmeur en diable. Le nez, intense, mêle les fruits à l'eau-de-vie et un boisé élégant respectueux du vin, assortis d'une fraîcheur minérale. La bouche offre de la chair et du fruit, du volume et de la persistance, soutenue par de beaux tanins garants d'une bonne garde. À attendre cinq ou six ans avant de lui réserver une côte de bœuf. Des mêmes propriétaires, le **Ch. Cadet Soutard 2009 (5 200 b.)**, encore dominé par le bois mais avec ce qu'il faut de matière et de fruit, obtient une étoile.

SCE des Vignobles Darribéhaude, 1, Au Sable,
33330 Saint-Laurent-des-Combes, tél. 05.57.24.70.04,
fax 05.57.74.46.14, bd-nd@orange.fr r.-v.

CH. TOUR DE YON 2009 ★

■ 23 730 🍷 15 à 20 €

Cette propriété, située sur les contreforts ouest du plateau de Saint-Émilion, confie la vinification et la commercialisation de ses vins à la cave coopérative. Ce 2009, qui exprime bien son terroir et son millésime, dévoile un bouquet profond de raisin très mûr avec un bon boisé réglissé et vanillé. La bouche offre un beau volume, du gras et du fruit, soutenue par des tanins de qualité et par une agréable fraîcheur. Un vin équilibré, à découvrir dans quatre ou cinq ans sur une pièce de gibier.

Union de producteurs de Saint-Émilion, Haut-Gravet, BP 27, 33330 Saint-Émilion, tél. 05.57.24.70.71, fax 05.57.24.65.18, contact@udpse.com r.-v.

TOUR DU SÈME 2009

■ 11 000 20 à 30 €

Valérie et Ludovic Martin ont repris ce domaine en 2006, à la suite d'Albert Bogé. Né sur un terroir de sables profonds à fond d'argile et d'alios, ce 2009 rouge sombre aux reflets grenat dévoile un bouquet plaisant de fruits noirs et rouges agrémenté de notes boisées. Soutenu par des tanins déjà affinés, le palais se montre charnu, rond et bien équilibré, une touche chocolatée en finale rappelant les seize mois de barrique. À déguster dans les trois ou quatre ans à venir. Le **Ch. Milens (50 à 75 € ; 16 000 b.)**, plus marqué par le fût, est également cité ; on l'attendra plus longtemps.

SARL Ch. Milens, lieu-dit Le Sème, 33330 Saint-Hippolyte, tél. 05.57.55.24.45, fax 05.57.55.24.44, chateau.milens@wanadoo.fr r.-v.

CH. LA TOUR FIGEAC 2009 ★★

■ Gd cru clas. 60 000 50 à 75 €

82 83 85 86 89 **90** 93 94 95 **96** 97 |98| |01| 02 |03| 04 05 **06** 07 **08 09**

Ce domaine familial de 14,5 ha établi sur une croupe de graves et de sables sur argiles, à la limite de Pomerol, a été séparé du Château Figeac en 1879 et acquis par Otto Rettenmaier en 1973. Le vignoble est conduit selon les principes de la biodynamie depuis une quinzaine d'années, mais sans certification. En 2009, le grand vin a fait forte impression. Il se présente dans une superbe robe sombre aux reflets améthyste de jeunesse. Le nez, très puissant et « solaire », mêle les fruits confits et la cerise, macérée à l'eau-de-vie, à un beau boisé épicé. Franc et frais à l'attaque, le palais monte rapidement en puissance, offrant beaucoup de volume et de gras, étayé par des tanins élégants et une longue finale poivrée. « Un vin opulent et explosif », conclut un dégustateur ; il tiendra tête à une pièce de gibier dans cinq à dix ans.

SC la Tour Figeac, BP 007, 3, Tour Figeac, 33330 Saint-Émilion, tél. 05.57.51.77.62, fax 05.57.25.36.92, latourfigeac@wanadoo.fr r.-v. 5

Otto Rettenmaier

CH. TRIMOULET 2009 ★★

■ 29 800 20 à 30 €

Cécile Jean représente la neuvième génération sur le domaine familial ; c'est la première femme à en avoir pris les commandes. Nous sommes ici au nord de Saint-Émilion, sur un terroir assez frais, qui convient bien aux années de grande maturité comme 2009. De fait, ce vin offre au nez une belle fraîcheur fruitée, accompagnée de subtiles notes empyreumatiques. La bouche se montre puissante, chaleureuse sans être brûlante – comme ce fut le cas parfois dans ce millésime –, ronde sans être lourde, tannique sans être brutale. Bref, un vin harmonieux, racé et armé pour une longue garde.

Cécile Jean et David Dumont, Ch. Trimoulet, BP 60, 33330 Saint-Émilion, tél. 05.57.24.70.56, trimoulet.jean@wanadoo.fr r.-v.

♥ CH. TROPLONG MONDOT 2009 ★★

■ 1er gd cru clas. B 75 200 + de 100 €

82 83 85 86 88 |**89**| |(90)| **92** 95 96 **97** |98| |**01**| 02 |**05**| 06 07 **08 09**

Ce cru est idéalement situé au-dessus de la côte Pavie, face à la cité médiévale. C'est ici qu'en 1745 l'abbé de Sèze fit édifier l'actuel château, dans les vignes de Mondot. En 1850, Raymond Troplong, juriste et pair de France, y ajoute son nom. Enfin, en 2006, le domaine accède au rang de 1er grand cru classé B, sous la houlette de Christine Valette et de Xavier Pariente. Le 2009 se montre à la hauteur de ce statut et séduit de bout en bout. Drapé dans une robe bordeaux animée de reflets grenat, il offre un bouquet intense, d'abord dominé par les notes empyreumatiques des quinze mois de fût, qui s'ouvre à l'aération sur les fruits rouges mûrs et les épices. L'attaque fraîche et souple est le prélude à une bouche ronde, opulente et généreuse, adossée à des tanins soyeux et à un boisé fondu à souhait. Dans quatre ou cinq ans, ce vin accompagnera avec bonheur un rôti de veau aux cèpes. On pourra aussi l'apprécier dans dix ans, patiné par le temps.

Xavier et Christine Pariente, Ch. Troplong Mondot, 33330 Saint-Émilion, tél. 05.57.55.32.05, fax 05.57.55.32.07, contact@chateau-troplong-mondot.com r.-v. 5

CH. VALADE 2009

■ 8 000 20 à 30 €

Cette famille a d'abord pris racine dans le vignoble voisin des castillon-côtes-de-bordeaux avant de poser un pied à Saint-Émilion en 2007. Ses deux premiers millésimes dans cette appellation s'étaient fait remarquer, notamment le 2008, coup de cœur dans l'édition précédente. Le 2009, moins abouti mais fort plaisant, se pare d'une robe jeune très foncée. Le nez s'ouvre sur d'intenses arômes de fruits confits et de vanille. L'attaque se révèle ample et chaleureuse, relayée par une bouche agréablement fruitée, soutenue par des tanins encore un peu stricts qui demanderont deux ou trois ans pour s'assouplir.

EARL P.-L. Valade, 1, Le Plantey, 33350 Belvès-de-Castillon, tél. 05.57.47.93.92, fax 05.57.47.93.37, paul.valade@wanadoo.fr r.-v.

DOM. DE LA VIEILLE ÉGLISE 2009

■ 30 000 11 à 15 €

Ce vignoble de 17 ha s'étale autour de l'église de Saint-Hippolyte, sur le plateau, à 2 km à l'est de Saint-Émilion. Comme d'autres, il a été touché par la grêle du 13 mai 2009. La récolte a été très faible mais la qualité exceptionnelle du millésime a permis d'élaborer un vin de bon niveau, rubis éclatant, au nez fin, floral et fruité, accompagné d'une nuance de réglisse et de girofle. La bouche, puissante et chaleureuse, joue dans le même registre, portée par des tanins encore jeunes mais garants d'une garde de trois à cinq ans.

Dom. de la Vieille Église, Micheau-Maillou et Palatin, 33330 Saint-Hippolyte, tél. 05.57.24.61.99, fax 05.57.74.45.37 r.-v.

VIEUX CHÂTEAU MAZERAT 2009 ★

■ 18 000 75 à 100 €

Depuis 1994, Jonathan Maltus a beaucoup investi dans le vignoble de Saint-Émilion. Deux de ses crus sont ici sélectionnés. En tête, ce Vieux Château Mazerat 2009, un vin rubis brillant, au nez intense de fruits noirs (cassis, mûre) et de vanille, et au palais ample, généreux, dense et bien équilibré. Bien dans son millésime et dans son appellation, cette bouteille s'appréciera dans trois à cinq ans. Le **Ch. Teyssier 2009 (20 à 30 €; 180 000 b.)**, vaisseau amiral des vignobles Maltus, davantage sur le fruit mais bien structuré néanmoins, est cité.

SCEA du Ch. Teyssier, Vignonet, 33330 Saint-Émilion, tél. 05.57.84.64.22, fax 05.57.84.63.54, jeanpierre@maltus.com

JCP Maltus

CH. DU VIEUX GUINOT Osage 2009 ★★

■ 3 900 30 à 50 €

Le nom de cette cuvée se réfère à l'oranger des Osages, réputé pour les qualités de puissance et de souplesse de son fruit. C'est dans cet esprit que Jean-Pierre Rollet a élaboré ce 2009 issu à 95 % de merlot. Le bouquet, riche et complexe, mêle les fruits confits (cassis, myrtille), le boisé torréfié et une touche de cuir. La bouche se révèle chaleureuse sans être brûlante, grasse sans être lourde, portée par des tanins puissants et racés. À boire aussi bien dans sa jeunesse (deux ou trois ans) que plus âgé (sept ou huit ans). Le **Ch. Fourney 2009 (11 à 15 €; 24 900 b.)**, souple et équilibré, soutenu par des tanins civilisés, est cité.

SA Vignobles Rollet, Ch. Fourney, 33330 Saint-Pey-d'Armens, tél. 05.57.56.10.20, fax 05.57.47.10.50, contact@vignoblesrollet.com r.-v.

CH. VIEUX LARMANDE 2009 ★★

■ 12 000 15 à 20 €

La famille Magnaudeix possède un petit domaine viticole de 4,25 ha à quelque distance au nord de la cité médiévale. Elle pratique la vente directe en bouteilles depuis très longtemps. Son 2009 se présente en habit de gala, très sombre. Le bouquet profond et intense exprime le merlot très mûr et le bon bois, auxquels s'ajoute une note minérale qui lui apporte une belle complexité. Ample et charnu, le palais s'appuie sur des tanins frais et élégants. Cette puissance sans lourdeur, équilibrée par une trame vive bienvenue, en fait un excellent vin de garde, à attendre au moins cinq ou six ans.

Famille Magnaudeix, SCEA Vignobles Magnaudeix, Ch. Vieux Larmande, 33330 Saint-Émilion, tél. 05.57.24.60.49, fax 05.57.24.61.91, vignobles-magnaudeix@wanadoo.fr t.l.j. sf dim. 9h-12h 14h-17h

CH. VIEUX POURRET Cuvée Dixit 2009

■ 13 483 30 à 50 €

Sur ce vignoble du secteur de Pourret, cultivé en biodynamie, la famille Richert sélectionne cette cuvée à partir de ses meilleures parcelles. Sa couleur intense présente pour le moment des reflets pivoine de jeunesse. Le nez, un peu fermé, demande à être aéré pour libérer des notes de fruits rouges, de cèdre et de vanille. La mise en bouche, ample et puissante, est vite relayée par des tanins jeunes qui restent fermes. Un bon vin de garde à attendre encore un peu.

SNC Ch. Vieux Pourret, lieu-dit Miaille, 33330 Saint-Émilion, tél. 05.57.24.68.17, fax 05.57.24.63.27, chateau.vieux.pourret@orange.fr r.-v.

Richert

SÉBASTIEN XANS Cuvée Entre amis 2009 ★

■ 1 200 15 à 20 €

Sébastien Xans a acquis en 2007 cette petite parcelle plantée en 1927 et 1928 par son arrière-grand-père. Il en tire un vin que l'on devine dense et concentré à la vue de sa robe très sombre, presque noire. De fait, le nez, intense, évoque les fruits à l'alcool, tout en étant mâtiné par un boisé soutenu. La bouche est à l'avenant, chaleureuse, puissante, portée par des tanins serrés, très extraits et même un peu stricts en finale. On attendra au moins cinq ou six ans pour ouvrir cette bouteille sur un mets de caractère.

Sébastien Xans, 335, Bois-Grouley, 33330 Saint-Sulpice-de-Faleyrens, tél. 06.87.93.92.29, fax 05.57.24.73.78, sebastien.xans@orange.fr r.-v.

CH. YON-FIGEAC 2009

■ Gd cru clas. 100 000 20 à 30 €

99 **00** 03 **05** **07** 09

Cet important vignoble étend ses 24 ha sur le terroir argilo-siliceux du secteur de Figeac. Le merlot y domine à 80 % et donne ici un 2009 encore jeune, à la robe très vive et au bouquet naissant, fort boisé avec des fruits frais à l'arrière-plan. La bouche se révèle fraîche, montante et corsée par des tanins encore à parfaire mais de qualité. À attendre quatre à cinq ans.

SA Ch. Yon-Figeac, 3, lieu-dit Yon, 33330 Saint-Émilion, tél. 02.41.78.33.66, fax 02.41.78.68.47, info@vignobles-alainchateau.com r.-v.

Les autres appellations de la région de Saint-Émilion

Plusieurs communes, limitrophes de Saint-Émilion et placées jadis sous l'autorité de sa jurade, sont autorisées à faire suivre leur nom de celui de leur célèbre voisine. Toutes sont situées au nord-est de la petite ville, dans une région pleine de charme, rythmée par des collines dominées par de prestigieuses demeures historiques et des églises romanes. Les sols sont très variés et l'encépagement est le même qu'à Saint-Émilion ; aussi la qualité des vins est-elle proche de celle des saint-émilion.

Lussac-saint-émilion

Superficie : 1 440 ha
Production : 85 000 hl

Lussac-saint-émilion est l'une des aires du Libournais les plus riches en vestiges gallo-romains. Au centre et au nord de l'AOC, le plateau est composé de sables du Périgord alors qu'au sud le coteau argilo-calcaire forme un arc de cercle bien exposé.

♥ 1938 2009 ★★

■ 2 800 11 à 15 €

Quel succès ! Trois cuvées retenues pour les vignerons de la cave de Puisseguin et Lussac, qui, pour la deuxième fois en trois ans, hissent leur cuvée 1938 au rang de coup de cœur. Ce vin qui rappelle la date de création de la coopérative possède toutes les qualités d'un grand. Vêtu de rubis profond, il déploie à l'olfaction de sensuelles fragrances de fruits rouges assaisonnées d'une touche de vanille. La bouche n'est pas en reste. La rondeur et la mâche perçues à l'attaque semblent s'éterniser jusqu'à une finale aux douces saveurs fruitées et épicées, épaulée de fins tanins. Une bouteille à savourer avec un civet de chevreuil, dès 2014. Élégant et fruité, le **Prémya 2009 (15 à 20 € ; 2 800 b.)** décroche une étoile. Enfin, **Les Grands Champs 2009 (5 à 8 € ; 6 000 b.)** sont cités pour leur fraîcheur. Ces deux dernières cuvées seront attendues au moins deux ans.

Vignerons de Puisseguin – Lussac-Saint-Émilion, 1, lieu-dit Durand, 33570 Puisseguin, tél. 05.57.55.50.40, fax 05.57.74.57.43, direction@uplse.com
t.l.j. sf dim. 9h-12h30 14h-18h30

CH. BONNIN 2009 ★

■ 5 000 8 à 11 €

C'est presque devenu une habitude pour Philippe Bonnin de décrocher une étoile, parfois deux, avec ce cru issu de pur merlot. Le millésime 2009 ? Il livre des senteurs de fruits mûrs et de violette nuancées d'un fin boisé, et se montre charnu, rond et gourmand en bouche. On l'imagine accompagner dès la sortie du Guide un rôti de veau farci. Une toute nouvelle cuvée a aussi séduit les jurés, **Le Prestige 2009 (11 à 15 € ; 3 500 b.)**, élaborée par Patricia Bonnin. Suave et onctueuse, sur les fruits rouges et la vanille, elle est citée pour sa modernité.

Philippe Bonnin, Pichon, 33570 Lussac, tél. 06.81.10.35.15, fax 05.57.74.58.26 r.-v.

L'ÉGÉRIE DU CH. CHÉREAU 2009

■ 15 000 8 à 11 €

La famille Silvestrini propose aux amoureux de découvertes des randonnées dans le vignoble ainsi que des déjeuners vignerons au domaine. Une occasion pour faire connaissance avec cette Égérie, dont l'élevage en barriques de un et deux vins a permis une rencontre discrète avec le bois. La robe dense, profonde, annonce une olfaction complexe : cerise, myrtille, fin boisé. La bouche, ronde et équilibrée, reste vive et offre une finale légère. Pour un plaisir immédiat.

SCEA Vignobles Silvestrini, 8, Chéreau, 33570 Lussac, tél. 05.57.74.50.76, fax 05.57.74.53.22, vignobles.silvestrini@wanadoo.fr
t.l.j. sf sam. dim. 9h-12h 14h-17h30

CH. LES COMBES Louis Gabriel 2009 ★

■ 3 000 15 à 20 €

Sera-t-il un jour vigneron, Louis-Gabriel, né en 2008 dans la famille Borderie ? Il continuerait ainsi une saga débutée voilà cinq générations. L'élevage de ce vin a été partagé entre la cuve et le fût, ce qui se retrouve dès l'olfaction : les fruits rouges se mêlent à des notes épicées et toastées. Puissant et tannique, marqué par sa longue rencontre avec le chêne (quatorze mois), ce 2009 demande trois à cinq ans de garde avant de s'allier avec une entrecôte à la bordelaise.

EARL Vignobles Borderie, 117-119, rue de la République, 33230 Saint-Médard-de-Guizières, tél. 05.57.69.83.01, fax 05.57.69.72.84, jpborderie@wanadoo.fr r.-v.

CH. DU COURLAT Cuvée Jean-Baptiste 2009 ★★

■ n.c. 11 à 15 €

Ce château, situé sur une des meilleures parties de l'appellation lussac, appartient au groupe des vignobles Pierre Bourotte, détenteur d'autres crus à Pomerol et Lalande. Sa cuvée Jean-Baptiste, 100 % merlot, n'est pas passée loin du coup de cœur. Pourpre intense, elle délivre au nez de superbes notes fruitées (mûre, cassis, myrtille) relevées d'épices douces. La bouche, à la fois concentrée et fondue, douce et ronde, est encore un peu dépendante d'un boisé qui devrait rapidement se fondre : prévoir une garde de un à cinq ans. La **cuvée principale 2009** décroche, elle, une étoile.

SAS Vignobles Bourotte, 62, quai du Priourat, BP 79, 33502 Libourne Cedex, tél. 05.57.51.62.17, fax 05.57.51.28.28, jbbourotte@jbaudy.fr r.-v.

CH. CROIX DE RAMBEAU 2009

■ 40 000 11 à 15 €

Régulièrement présente dans le Guide, cette cuvée affiche, dans son millésime 2009, quelques reflets brique qui pourrait laisser supposer un début d'évolution. Pourtant, elle se révèle, au nez comme en bouche, d'une étonnante jeunesse. Doux et délicat, le bouquet évoque les fruits noirs et la vanille. La bouche ronde et souple, au fin boisé, s'accordera avec un magret de canard, dès aujourd'hui ou d'ici deux ans.

Jean-Louis Trocard, 1175, rue Jean-Trocard, 33570 Les Artigues-de-Lussac, tél. 05.57.55.57.90, fax 05.57.55.57.98, trocard@wanadoo.fr
t.l.j. sf sam. dim. 8h30-17h30

CH. DUMON BOURSEAU MILON Émilia 2009 ★

6 000 | 8 à 11 €

Hommage d'Alain Dumon à son aïeule, cette cuvée Émilia, issue du seul cépage merlot enraciné sur un beau terroir argilo-calcaire, se montre charmeuse : robe rubis soutenu, nez puissant évoquant les fruits rouges confits, bouche ample et gourmande pourvue de tanins soyeux. Autant de faveurs dispensées à l'envi qui laissent augurer un bel avenir (trois à cinq ans de garde). La **cuvée principale 2009 (5 à 8 €; 16 000 b.)** du château, discrètement aromatique, a été appréciée pour sa fraîcheur. Elle est citée.

Alain Dumon, 20, Malydure, 33570 Lussac, tél. et fax 05.57.74.63.95, info@vignobles-dumon.com
t.l.j. 8h-19h; dim. 8h-12h

CH. LA GARENNE 2009 ★

15 000 | 5 à 8 €

Résultat d'un assemblage bien calculé de merlot (66 %), de cabernet-sauvignon (32 %) et d'un zeste (2 %) de cabernet franc, ce 2009 à la robe profonde aura sa place à table à côté d'un faux-filet grillé. D'abord discret, le nez livre avec fraîcheur des notes fruitées mêlées d'un boisé léger. La même harmonie s'affirme dans une bouche souple, équilibrée, un peu dominée par les tanins en finale. Ceux-ci seront assagis après deux ans de garde.

Marc Chasselinat, 33570 Lussac, tél. 05.57.55.50.40, fax 05.57.74.57.43, direction@uplse.com
t.l.j. sf dim. 9h-12h30 14h-18h30; ouv. dim. en juil.-août

CH. DE LA GRENIÈRE Cuvée de la Chartreuse 2009 ★

15 000 | 11 à 15 €

Cette cuvée, fidèle chaque année au rendez-vous du Guide, est issue de vignes de quarante ans, plantées sur un terroir formé d'alluvions venues du Massif central. Elle est appréciée dans le millésime 2009 pour sa matière dense et structurée, à laquelle s'ajoutent de doux arômes fruités – presque exotiques – et vanillés. L'équilibre, le gras et la finesse des tanins doivent beaucoup à un élevage sous bois bien maîtrisé. À découvrir dès aujourd'hui.

EARL Vignobles Dubreuil, Ch. de la Grenière, 14, lieu-dit La Grenière, 33570 Lussac, tél. 05.57.24.16.87, fax 05.57.74.56.28, earl.dubreuil@wanadoo.fr
t.l.j. 9h-12h 14h-17h; sam. dim. sur r.-v.

CH. JAMARD BELCOUR 2009 ★

20 000 | 5 à 8 €

Présente également à Montagne-Saint-Émilion, la maison Despagne et Fils signe avec ce 2009 un vin très marqué par le merlot (90 % de l'assemblage). Annoncé par un bouquet plaisant de fruits noirs, le palais montre du volume, de la tenue et de la rondeur. Après deux ou trois ans de garde, on ouvrira cette bouteille d'une belle longueur sur une entrecôte accompagnée d'une poêlée de cèpes.

SCEV Despagne et Fils, 3, Bonneau, 33570 Montagne, tél. 05.57.74.60.72, fax 05.57.74.58.22 r.-v.

CH. DES LANDES Cuvée Tradition 2009 ★★

170 000 | 5 à 8 €

Daniel, le père, et Nicolas, le fils, exploitent ensemble le domaine de 30 ha créé en 1952 par Paul, le grand-père. Ils présentent un vin non filtré, longuement macéré, qui s'annonce dans une belle robe cerise aux discrets reflets tuilés. Le nez de fruits mûrs est relevé par de fines notes épicées, et la bouche riche, structurée, dévoile une finale chaleureuse et d'une rare longueur. Un « magnifique équilibre entre concentration et douceur », s'enthousiasme un juré qui conseille de garder cette bouteille encore deux à trois ans en cave. La **cuvée Prestige 2009 (11 à 15 €; 12 000 b.)** est par ailleurs citée ; marquée par de solides tanins boisés, elle a encore besoin de se fondre.

EARL des Vignobles du Ch. des Landes, 5, Lagrenière, 33570 Lussac, tél. et fax 05.57.74.68.05, contact@chateaudeslandes.net
t.l.j. 8h-12h 13h30-19h30
Daniel et Nicolas Lassagne

CH. LION PERRUCHON Tradition 2009

22 194 | 11 à 15 €

Depuis sa reprise par la famille Munck en 2001, ce château figure dans le Guide, gage d'une belle régularité. Ses deux cuvées de lussac sont citées dans le millésime 2009. La Tradition, ample et charnue, portée par des tanins puissants mais fondus, plaît par ses arômes de fleurs et de fruits rouges compotés. **La Griffe 2009 (15 à 20 €; 7 922 b.)** se montre veloutée en attaque, dense, chaleureuse, et réglissée en finale.

SARL Munck-Lussac, Ch. Lion Perruchon, 33570 Lussac, tél. 05.57.74.58.21, fax 05.57.74.58.39, lionperruchon@sfr.fr
r.-v.

CH. LUCAS 2009 ★

80 000 | 8 à 11 €

À égalité dans l'assemblage, merlot et cabernet franc, élevés pour partie sous bois (six mois), sont à l'origine d'un vin au fruité friand que l'on s'autorisera à déguster en 2014. De jolis reflets pourpres animent la robe, préfigurant une élégance qui ne tarde pas à se manifester au nez, sur les fruits noirs frais, puis en bouche autour d'une trame tannique ample et souple, au fruité avenant. Suggestion d'accord : des magrets de canard grillés.

Frédéric Vauthier, Ch. Lucas, 4, Vignes de Normand, 33570 Lussac, tél. 05.57.74.60.21, fax 05.57.74.62.46, chateau.lucas.fred.vauthier@wanadoo.fr r.-v.

CH. DE LUSSAC 2009 ★

100 000 | 15 à 20 €

Quitter la vie parisienne pour s'investir dans un vignoble, c'est le pari engagé – et tenu depuis l'an 2000 – par Griet Van Malderen-Laviale et son époux Hervé qui s'installèrent à Lussac afin de rendre au château éponyme son lustre passé. Le millésime 2009 leur a souri. Leur vin séduit à l'œil par sa robe violine, et au nez par une belle complexité faite de fruits noirs soulignés de notes empyreumatiques. La bouche, veloutée, mise tout sur l'impression fruitée. Les tanins presque fondus s'affineront deux à trois ans en cave.

SCEA Ch. de Lussac, 15, rue de Lincent, 33570 Lussac, tél. 05.57.74.56.58, fax 05.57.74.56.59, info@chateaudelussac.com r.-v. 5
Griet Laviale-Van Malderen et Hervé Laviale

CH. LYONNAT 2009

■ 230 000 ▮◖◗ 11 à 15 €

Guidée depuis 2008 par Hubert de Boüard (Château Angelus), Brigitte Milhade signe ici un vin charnu que le contact partiel avec le chêne n'a pas dénaturé. On se plaît à admirer sa robe d'encre avant de se laisser emporter par une olfaction riche en fruits confiturés et au boisé expressif. Ronde et ample en attaque, la bouche laisse poindre en finale un début d'évolution. Il conviendra donc d'apprécier ce vin dès la sortie du Guide.

SCEA Lyonnat, Ch. Lyonnat, 6, lieu-dit, 33570 Lussac, tél. 05.57.55.48.90, fax 05.57.84.31.27, scea.lyonnat@orange.fr r.-v.

Brigitte et Gérard Milhade

L'ESSENTIEL DE MAYNE-BLANC 2009 ★★

■ 2 400 ◖◗ 20 à 30 €

Très souvent remarqué pour sa cuvée Saint-Vincent, le château Mayne-Blanc se distingue ici avec une autre bouteille, un 100 % merlot issu de la plus vieille parcelle du domaine, qui a fait l'objet de soins méticuleux : enherbement, vendanges vertes, récolte manuelle, vinification intégrale en foudre rotatif. Le résultat est à la hauteur des efforts. Ce 2009 a impressionné par sa tenue sombre, par son fruité enveloppant rehaussé de notes toastées et par sa bouche ample et équilibrée aux tanins veloutés. On lui réservera une goûteuse pièce de gibier, dès la sortie du Guide ou même cinq ans plus tard.

EARL Boncheau, Ch. Mayne-Blanc, 33570 Lussac, tél. 05.57.74.60.56, fax 05.57.74.51.77, info@chateaumayneblanc.fr r.-v.

L'ART DES MUNCH 2009 ★

■ 1 600 ◖◗ 20 à 30 €

Coup de cœur dans le précédent millésime, l'Art des Munch est encore une fois remarqué. Issu d'une vieille parcelle, il doit sans doute son brin de sévérité à sa rencontre prolongée avec le merrain (dix-huit mois). Il n'est en revanche pas dépourvu d'élégance. Vêtu de pourpre sombre, il déploie un bouquet expressif, sur les fruits rouges cuits, le pruneau et le pain grillé. La bouche se montre structurée, généreuse et persistante. Pour une pièce de gibier en sauce, dans deux à trois ans.

EARL Vignobles Munch, lieu-dit Bertineau, 33570 Montagne, tél. et fax 05.57.25.09.54, patrickmunch@hotmail.com r.-v.

CH. LA PERRIÈRE 2009

■ 20 000 ▮◖◗ 8 à 11 €

C'est sur des espaces pierreux favorables aux fruits de Bacchus que des moines défricheurs installèrent au Moyen Âge leur couvent, sur les lieux de l'actuel vignoble du château la Perrière. Jean-Luc Sylvain y a élaboré un 2009 au fruité plaisant, même si les nuances torréfiées de l'élevage ont tendance à dominer encore le champ des arômes. Il faudra attendre quatre ans ce vin ample et racé, chaleureux, pour mieux en apprécier la complexité et l'équilibre déjà perceptibles.

Vignobles Jean-Luc Sylvain, Ch. la Perrière, 33570 Lussac, tél. 05.57.74.51.33, fax 05.57.74.52.14, mail@vignobles-jlsylvain.com t.l.j. sf sam. dim. 9h-12h 14h-16h30

CH. SOLEIL Croix du Rival 2009 ★★

■ 60 000 ◖◗ 11 à 15 €

Un vignoble en pleine renaissance qui n'a pas fini d'étonner, et qui confirme l'énorme potentiel de la zone sur laquelle le propriétaire romain Lucciacus avait déjà installé sa villa. Cette Croix du Rival, qui a passé quinze mois « en bonne intelligence » avec le chêne, en retire une belle expression : robe sombre, nez complexe, floral (rose) et fruité avec des nuances de torréfaction. Le soyeux de l'attaque a de quoi séduire. Souple, fondu, étayé par de fins tanins, le palais prolonge le plaisir. À savourer dans deux ans ou plus sur un lièvre à la royale. Plus concentré encore, **Le Rival 2009 (20 à 30 €; 19 000 b.)** a séduit par sa modernité : il décroche une étoile.

SCEA Winevest Saint-Émilion, 32, rte de Saint-Émilion, 33570 Puisseguin, tél. et fax 05.57.74.60.18, info@chateausoleil.fr

CH. TAUREAU 2009

■ 11 000 ▮ 5 à 8 €

Cette propriété confie ses vinifications à la coopérative de Puisseguin-Lussac. Les cabernets représentent presque la moitié de l'assemblage de ce 2009, aux côtés du merlot. Les dégustateurs ont apprécié son fruité puissant (cassis, mûre) et sa matière généreuse et concentrée. Les tanins encore marqués se fondront après quatre années de garde.

SCE Ch. Taureau, Coussilon, 33570 Puisseguin, tél. 05.57.55.50.40, fax 05.57.74.57.43, direction@vplse.com t.l.j. sf dim. 9h-12h30 14h-18h30; ouv. dim. en juil.-août

Alain Laborie

Montagne-saint-émilion

Superficie : 1 600 ha
Production : 91 600 hl

Montagne dispose d'un riche patrimoine architectural et d'une église romane (Saint-Martin) qui constitue l'un des joyaux de la région. Ses terroirs sont variés : argilo-calcaires ou graves. Le visiteur pourra apprécier la vocation viticole du village dans l'écomusée du Libournais.

CH. BEL AIR Cuvée spéciale Élevé en fût de chêne 2009 ★★

■ 12 000 ▮◖◗ 15 à 20 €

François Duverneuil ne cache pas son intention de viser l'excellence depuis son installation sur le domaine familial en 2005. Il y parvient avec cette Cuvée spéciale qui avait déjà décroché une étoile dans le précédent millésime. De ce vin élevé douze mois entre la cuve et le fût, on retiendra la complexité olfactive : confiture de myrtilles, crème de cassis, épices douces, notes empyreumatiques... La bouche, volumineuse, équilibrée, offre l'union parfaite d'un fruité expressif et d'un boisé fondu. Une bouteille si charmeuse qu'on pourra l'ouvrir dès l'apéritif, à partir de 2014.

SCEA Ch. Bel Air, lieu-dit Marchand, 33570 Montagne, tél. 06.13.72.34.21, scea@chateaubelair33.com r.-v.

Duverneuil

CH. BERLIÈRE 2009

■ 12 000 ▮ 5 à 8 €

Michel Guillon, épaulé de son fils Matthieu depuis 2004, cette fois retenu pour un montagne qui associe merlot (70 %) et cabernets. Ce vin couleur cerise nuancé de reflets pourpres déploie au nez d'intenses arômes de fruits rouges. En bouche, de la souplesse, du volume, de la fraîcheur : un équilibre réussi. Un 2009 déjà prêt à accompagner un rôti de veau aux champignons.

Michel Guillon, Berlière, 33570 Montagne, tél. et fax 05.57.74.46.24, wine33@hotmail.fr r.-v.

CLOS CROIX DE MIRANDE 2009

■ 7 200 11 à 15 €

Ce petit clos d'1,4 ha, où merlot et cabernet franc se côtoient sur un terroir argilo-calcaire, a été planté par le couple Bosc il y a une trentaine d'années. Son 2009 conserve les accents du terroir : un « vin tellurique », note l'un des jurés. Profond et fruité, le bouquet annonce un palais dense et ferme, qui affiche un équilibre serein. Sa longue finale sur les fruits acidulés promet à ce millésime un bel avenir : on pourra le servir après trois ans de garde.

Michel Bosc, 2, Mirande, 33570 Montagne, tél. 05.57.74.59.78, ml.bosc@orange.fr t.l.j. 9h-19h; f. 20 déc.-10 jan.

CLOS LA CROIX D'ARRIAILH 2009

■ n.c. 11 à 15 €

Né d'une sélection de vieilles vignes (quatre-vingt ans) du château Croix-Beauséjour, ce vin se caractérise par un bouquet puissant mêlant les fruits rouges et noirs bien mûrs, la réglisse et les épices. Une concentration confirmée dans une bouche ample et chaleureuse, dont les tanins enrobés apparaissent un peu plus sévères en finale. Une garde d'au moins trois ou quatre ans s'impose avant l'ouverture de cette bouteille, que l'on servira sur une daube de gibier.

EARL Ch. Croix-Beauséjour, Arriailh, 33570 Montagne, tél. 05.57.74.69.62, fax 05.57.74.59.21, vigne@chateau-croix-beausejour.com r.-v.

CLOS LES AMANDIERS 2009

■ 7 000 5 à 8 €

Dans cette propriété familiale, les amandiers fleurissent en rouge. La faute aux cépages cabernets et merlot, ce dernier très largement dominant (95 %) dans l'assemblage du 2009... S'il a été élevé sous bois, ce vin transmet surtout au nez des plaisirs gourmands de framboise bien mûre. Très ronde à l'attaque, la bouche est le fruit d'une vendange cueillie à maturité : de la fraîcheur, des arômes intenses et des tanins bien présents, garants d'une belle évolution. Déjà prêt à boire.

SCEA des Amandiers, Musset, 33570 Montagne, tél. 05.57.24.74.99, fax 05.57.24.61.84 r.-v.

CH. CORBIN 2009 ★

■ 110 000 5 à 8 €

Une des plus anciennes propriétés du Saint-Émilionnais, gérée aujourd'hui par Jacques Rambeaud qui, fort d'une expérience australienne et d'une activité de maître de chai en côtes-de-bourg, s'investit à fond dans ce vaste domaine. Son 2009, justement dosé, résulte d'un « travail d'artiste » selon l'avis d'un dégustateur conquis. De séduisantes notes de myrtille et de mûre s'expriment au nez, accompagnées d'un discret vanillé. Ces arômes se retrouvent en une bouche chaleureuse, douce et charnue. À réserver pour un gigot, dans deux ans.

SCEA François Rambeaud, Ch. Corbin, 33570 Montagne, tél. 05.57.74.62.41, fax 05.57.74.55.91, info@chateaucorbin.fr r.-v.

BORDELAIS

CH. CÔTES DE BONDE Élégance 2009 ★

■ 6 000 11 à 15 €

Le travail entrepris depuis 1970 par la famille Dignac pour développer une propriété alors déclinante porte ses fruits. Ayant pris la suite de ses parents en 1987, Philippe a planté de nouvelles parcelles puis, avec l'aide de son fils Stéphane, a renforcé la partie commerciale. Surprenante de fraîcheur, leur cuvée Élégance dispense des harmonies exquises, entre un fruité délicat, des nuances confites et des notes de moka. L'ensemble repose sur une matière concentrée, équilibrée, d'une grande longueur. L'élevage en barrique apporte à ce vin une élégance discrète qui sera à découvrir en 2015.

Dignac, 19, chem. Jean-Lande, 33500 Pomerol, tél. 05.57.74.64.52, fax 05.57.74.55.88, philippe.dignac@cegetel.net t.l.j. 9h-12h 14h-18h

CH. CÔTES DE CHAMBEAU 2009

■ 73 333 ▮ 5 à 8 €

Né d'une propriété située aux limites de l'appellation, non loin de Lussac, ce vin des frères Baudet présente les qualités que l'on attend d'un « satellite » de Saint-Émilion. Une robe foncée, un nez engageant, orienté vers les fruits rouges, prélude à une bouche ronde et charnue où l'on décèle la présence active du merlot (85 % de l'assemblage). Épaulé par des tanins soyeux, ce 2009 sera prêt à accompagner une côte de bœuf grillée dans deux ou trois ans.

Alain et Christophe Baudet, Cornuaud, 33570 Montagne, tél. 05.57.74.51.10, fax 05.57.74.50.01

CH. LA CROIX BONNEAU 2009

■ 16 300 ▮ 8 à 11 €

Installé à Montagne en 2005 dans le cadre d'une reconversion professionnelle, Éric Salmon se réjouit de son choix, d'autant que la réputation de son domaine est aujourd'hui bien établie. Son cru principal, majoritairement issu de merlot, se montre déjà prêt à boire. Il livre de fraîches senteurs de fruits rouges et une bouche soyeuse, franche, toujours sur le fruit. Quant au **2009 Renaissance (15 à 20 € ; 4 700 b.)**, élevé dix-huit mois en fût, il est cité pour sa matière dense et opulente. On l'attendra trois à quatre ans.

EURL Salmon et Fils, 1, lieu-dit Bonneau, 33570 Montagne, tél. 06.07.55.27.47, salmon.e@free.fr r.-v.

CH. LA CROIX DE MOUCHET Cuvée sélectionnée Élevé en fût de chêne 2009

■ 18 000 5 à 8 €

Conduite en agriculture raisonnée certifiée depuis 2006, cette propriété de 18 ha produit à la fois à Puisseguin et à Montagne. Son montagne 2009, élevé douze mois en fût de chêne et majoritairement issu de merlot (90 % de l'assemblage), se distingue par un fruité chaleureux (fruits noirs et rouges cuits), perceptible au nez comme en bouche et accompagné d'un boisé épicé. Structuré et puissant, ce vin sera apprécié sans trop attendre, pourquoi pas avec une côte de veau grillée ?

SCEA Ch. la Croix de Mouchet, Mouchet, 33570 Montagne, tél. 05.57.74.62.83, fax 05.57.74.59.61, croixdemouchet@wanadoo.fr r.-v.

CH. LA CROIX-JURA 2009 ★

21 500 5 à 8 €

Sur ce domaine familial, les chais ont remplacé un ancien moulin qui fit partie du décor jusqu'à la fin du XIXe s. Digne représentant de l'appellation, ce 2009 affirme encore des tanins un peu sévères, mais qui n'entament pas pour autant le plaisir que procure un fruité intense et chaleureux (fruits noirs principalement), au nez comme en bouche. Un vin puissant et structuré qu'une garde de trois à cinq ans assagira. Il sera alors temps de le déboucher sur un rôti de veau aux cèpes.

SCEA Moulin du Jura, 1, Le Moulin-du-Jura, 33570 Montagne, tél. 05.57.51.27.98, fax 05.57.74.18.96, moulindujura@orange.fr r.-v.

Berlureau

L'ENVIE 2009

10 000 11 à 15 €

L'Envie, l'un des sept péchés capitaux. Mais comment ne pas céder à la tentation de goûter à ce 2009 qui a bénéficié du talent de Franck Despagne ? Difficile, si l'on en croit les dégustateurs, séduits par sa robe cerise aux reflets brillants et par son nez délicat de fruits rouges un brin réglissé. La bouche, concentrée et corpulente, inspire également confiance. Déjà appréciable, elle repose sur des tanins vifs qui permettront une garde de trois à quatre ans.

SCEV Despagne et Fils, 3, Bonneau, 33570 Montagne, tél. 05.57.74.60.72, fax 05.57.74.58.22 r.-v.

CH. LA FAUCONNERIE Cuvée Prestige Vieilli en fût de chêne 2009

4 000 11 à 15 €

Un vin d'un classicisme plaisant, techniquement au point, très typé merlot (90 % de l'assemblage), qui a bénéficié de soins précis : pigeages, micro-oxygénation, thermorégulation, élevage d'un an en barrique. Les tanins, encore un peu jeunes en finale, demandent trois ans de garde pour s'affiner afin que l'on apprécie au mieux les rondeurs et la douceur d'un fruité compoté et légèrement toasté. Pour un aloyau grillé sur un feu de sarments.

SCEA Vignoble Paret, 3, Champ de Tricot, 33570 Montagne, tél. et fax 05.57.74.65.47, vignobleparet@orange.fr r.-v.

CH. FLAUNYS 2009

15 000 8 à 11 €

Le site abritait une garnison écossaise pendant la guerre de Cent Ans. Aujourd'hui, c'est un domaine viticole qui ne cesse de surprendre agréablement et qui voit ses vignes de merlot prospérer sur des terroirs de sables ferrugineux. À peine marqué par l'élevage en barrique, ce 2009 affirme au nez comme en bouche un fruité délicat, que les tanins soutiennent en finale avec efficacité. Ce vin rond et charnu s'invitera facilement à table pour donner la réplique à une pintade et/ou à des fromages à pâte fleurie.

François Linard, SCEA Claymore, Maison-Neuve, 33570 Lussac, tél. 05.57.74.67.48, fax 05.57.74.52.05, claymore@anavim.com

t.l.j. sf sam. dim. 8h30-12h 13h30-15h30

CH. LA FLEUR GRANDS-LANDES Cuvée Isabelle 2009

6 258 5 à 8 €

Isabelle, c'est le prénom de la gérante du domaine, à la fois chef de culture et maître de chai. C'est aussi une cuvée qui reflète les qualités d'un millésime 2009 très solaire. On se plaît à la contemplation de sa tenue pourpre et à la découverte de son bouquet intense aux nuances de pain grillé. Puissant en attaque, vineux et structuré, le palais s'appuie sur des « tanins pleins de vie et de promesses », selon un dégustateur.

EARL Vignobles Carrère, 9, rte de Lyon, Lamarche, 33910 Saint-Denis-de-Pile, tél. 05.57.24.31.75, fax 05.57.24.30.17, vignoble-carrere@wanadoo.fr

r.-v.

Isabelle Fort

L'AUDACIEUX DE FRANC-BAUDRON Élevé en fût de chêne 2009 ★

1 800 15 à 20 €

À ses indéniables qualités vigneronnes, Michel Guimberteau ajoute celles de l'honnête homme, au sens où on l'entendait au XVIIe s. : l'homme « cultivé ». C'est ce qui le conduit à faire œuvre pédagogique en proposant aux visiteurs des expositions de peintures, de vieilles bouteilles soufflées, d'outils de tonneliers... Son Audacieux, vêtu d'une lumineuse robe pourpre, présente à l'olfaction une fraîcheur complexe, faite de fruité et de boisé fondu. Volume, gras et générosité caractérisent la bouche au fruité croquant, dont les tanins s'assagiront avec deux à trois ans de garde.

Michel Guimberteau, lieu-dit Baudron, Ch. Franc-Baudron, 33570 Montagne, tél. 05.57.74.62.65, fax 09.71.21.83.41, vinsfanc.baudron@wanadoo.fr

t.l.j. sf dim. 9h-12h 14h-18h

CH. GACHON 2009

31 000 5 à 8 €

Que de chemin parcouru depuis le temps où les ancêtres de la famille devinrent propriétaires (fin du XIXe s.) de quelques arpents de vigne à Montagne ! Le patrimoine s'est étoffé et la qualité des vins s'est affirmée. En témoignent cette année deux vins cités par le jury. Cette cuvée principale mêle des senteurs de cassis et d'épices avant de développer un palais rond et gourmand équilibré par une belle fraîcheur. Ses tanins fondus aux accents cacaotés permettent de l'apprécier dès aujourd'hui. Le **2009 cuvée les Petits Rangas (26 000 b.)**, très « merloté », présente une finale un peu plus austère. Prévoir deux ou trois ans de cave.

EARL Vignobles G. Arpin, Chantecaille, 33330 Saint-Émilion, tél. 09.71.58.23.49, vignobles.g.arpin@wanadoo.fr

lun. mar. jeu. ven. 9h-12h 13h30-17h30

CH. GRAND BARIL Élevé en fût de chêne 2009 ★

13 000 8 à 11 €

Un beau résultat pour les étudiants et enseignants du lycée viticole de Montagne, lequel, outre sa mission pédagogique, a fait le choix d'une viticulture propre, respectueuse de l'environnement, avec même quelques essais en agriculture biologique. Loué pour son élégance et sa finesse, qui s'affichent tant au regard (robe pourpre intense) qu'à l'olfaction (fruité délicat et touche de café), ce 2009 exprime toute sa complexité en bouche : chair goûteuse, structure ample, tanins ajustés, nuances confites, finale chaleureuse. Il sera reçu avec mention, mais pas avant trois ou quatre ans.

Lycée viticole de Libourne, 7, Grand-Barrail, 33570 Montagne, tél. 05.57.55.21.22, fax 05.57.55.13.59, expl.legta.libourne@educagri.fr
t.l.j. 9h-12h 14h-17h; sam. dim. sur r.-v.

CH. GUADET PLAISANCE 2009

25 000 | 8 à 11 €

Pierre Taïx a acquis ce domaine en 2008 avec la ferme intention de perpétuer la tradition inaugurée par les Guadet, qui portèrent très haut le renom des vins de Saint-Émilion. Si ce 2009 remplit les promesses de son bouquet intense et complexe, on attendra trois ans pour le découvrir à son apogée. Pour l'heure, on apprécie la concentration du fruité que des tanins encore fermes ont tendance à dominer. Un dégustateur rêve d'une canette aux pêches pour donner la réplique à cette bouteille.

SA Yvon Mau, rue Sainte-Pétronille, 33190 Gironde-sur-Dropt, tél. 05.56.61.54.54, fax 05.56.61.54.61, info@ymau.com
Pierre Taïx

CH. GUILLOU 2009

20 000 | 8 à 11 €

Il conviendra d'aérer ce 2009 avant le service afin de le déguster dans les meilleures conditions. Nul doute alors que les convives en apprécieront la souplesse, la rondeur et les saveurs gourmandes orientées autour de la cerise noire et des épices douces. Séduisante, la finale où pointent quelques notes toastées (élevage de quatorze mois en barrique) ajoute un brin d'élégance à ce vin de bonne facture.

Vignobles Jean-Bernard Saby et Fils, Ch. Rozier, 33330 Saint-Laurent-des-Combes, tél. 05.57.24.73.03, fax 05.57.24.67.77, info@vignobles-saby.com r.-v.

CH. HAUT BONNEAU L'Éloïna David 2009 ★

3 000 | 15 à 20 €

L'originalité de la cuvée Eloïna David, c'est de n'être produite que dans les beaux millésimes et d'être issue du seul cabernet franc, ce cépage dont on dit qu'il donne des « vins de taffetas ». Annoncé par une robe rubis profond, son bouquet caressant de fruits rouges et noirs bien mûrs s'accompagne de nuances fumées. L'attaque suave et gourmande dévoile un palais rond aux tanins expressifs mais disciplinés, couronné d'une longue finale chocolatée. À ouvrir dès fin 2013. Fruit d'un assemblage classique et plus marquée par le bois, la cuvée **Vieilles Vignes 2009 (8 à 11 €; 20 000 b.)** est citée.

SCEA Ch. Haut Bonneau, 4, Bonneau, 33570 Montagne, tél. 05.57.74.69.23, bm@chateau-haut-bonneau.com
r.-v.
Bruno Marchand

CH. JURA-PLAISANCE 2009 ★

15 000 | 5 à 8 €

Après une étoile obtenue dans le millésime précédent, ce cru proposé par Bernard Delol propose un vin d'aussi bonne facture dans le solaire millésime 2009. Vendangé à bonne maturité (le 6 octobre), celui-ci a été élevé douze mois en barrique de deux et trois vins pour l'obtention d'un boisé délicat. Vêtu de rubis intense, il déploie au nez des notes de griotte et de cassis agrémentées de vanille. Le carafer avant le service permettra d'en apprécier tous les attraits : fraîcheur, fruit, équilibre, finesse tannique. De quoi se régaler avec de belles grillades.

SCEV B. Delol, Ch. Jura-Plaisance, 33570 Montagne, tél. 05.57.51.91.44, fax 05.57.51.88.92, bdelol@gmail.com
t.l.j. 10h-18h; f. nov. à avr.

CH. LESTAGE 2009

43 000 | 8 à 11 €

C'est à proximité de l'église romane de Parsac que se trouve le château, sur la partie la plus haute de l'appellation. L'assemblage de ce vin est marqué du sceau du classicisme bordelais : merlot (82 %) accompagné des deux cabernets. Le grenat soutenu de la robe et le bouquet, riche d'arômes de fruits mûrs, sont séduisants. La bouche, encore dominée par un boisé un peu sévère, se révèle ample et fort chaleureuse. Il conviendra d'attendre deux à trois ans pour un meilleur fondu.

SCA Domaines Philippe Raoux, Ch. Lestage, 33570 Montagne, tél. et fax 05.57.74.66.41, cedric.gonthier@wanadoo.fr r.-v.

CH. DE MALENGIN 2009 ★

70 000 | 11 à 15 €

Le cabernet-sauvignon (10 %), le cabernet franc (20 %) et une majorité de merlot, voilà les cépages à l'origine de ce montagne qui n'a connu que la cuve et qui séduit donc par son intense expression fruitée. Dans sa livrée rubis, il exhale des senteurs gourmandes de salade de fruits rouges, de cerise fraîche et de cassis. Une pointe réglissée vient s'ajouter à cette palette au sein d'une bouche ronde et fraîche, qui appelle dès aujourd'hui des plats conviviaux : charcuterie, ragoût d'agneau, fromage... Construit sur le même modèle, le **Ch. de Parsac 2009 (50 000 b.)** est cité pour sa richesse et son fruité séducteur.

CV Baron Edmond de Rothschild, Ch. Clarke, 33480 Listrac-Médoc, tél. 05.56.58.38.00, fax 05.56.58.26.46, contact@cver.fr

CH. MOULIN DU CAILLOU Prestige Élevé en fût de chêne 2009 ★

11 800 | 8 à 11 €

Depuis qu'elle est à la retraite, Maryse Guimberteau se consacre de plus près à l'élaboration des vins du domaine, aidée en cela par un œnologue. Son 2009 a conservé une belle vivacité malgré le côté solaire du millésime. Encore dominé par le bois, il dispose d'une matière dense et d'une charpente solide qui lui permettront de patienter trois ans en cave pour un meilleur fondu. Le nez est intense, avec une émergence de notes truffées. La bouche, généreuse, évoque quant à elle une corbeille de fruits rouges.

Maryse Guimberteau, 5, Moulin d'Arriailh, 33570 Montagne, tél. 05.57.74.65.73, moulinducaillou@orange.fr r.-v.

CH. DU MOULIN NOIR 2009

35 000 | 11 à 15 €

Si le merlot prend souvent le dessus dans les assemblages de l'appellation, il fait ici jeu égal avec le cabernet franc. Une parité appréciée par le jury, qui aime la robe rubis brillant de ce 2009 (aux légers reflets tuilés, signe

d'un début d'évolution) et son bouquet expressif, sur les fruits rouges et noirs agrémentés d'épices. On ouvrira cette bouteille dès 2013 pour en apprécier l'agréable rondeur et la longue finale aux nuances toastées.
SC Ch. du Moulin noir, Lescalle, 33460 Macau,
tél. 05.57.88.07.64, fax 05.57.88.07.00,
vitigestion@vitigestion.com r.-v.
A. Tessandier

HÉRITAGE DE NÉGRIT 2009

	5 000		8 à 11 €

Quiconque « vient à Lagardère » ne manque pas d'être conquis par le talent vigneron de toute une famille dont l'ascension « œno-sociale » a débuté après la Première Guerre mondiale. Cet Héritage, 100 % merlot, dorloté au chai (longues cuvaisons, micro-oxygénation), dévoile des parfums précis et intenses de fruits noirs et de chocolat, puis une bouche ample, équilibrée et veloutée. Il s'appréciera dès la sortie du Guide, ainsi que le **Ch. Négrit 2009 (5 à 8 €; 90 000 b.)**, cité également.
SCEV Lagardère, Négrit, 33570 Montagne,
tél. 05.57.74.61.63, fax 05.57.74.59.62,
vignobleslagardere@wanadoo.fr r.-v.

CH. PUYNORMOND 2009

	30 000		8 à 11 €

Philippe Lamarque, fort d'une solide expérience acquise à l'étranger et désireux de valoriser les terres de son enfance, présente deux vins au profil bien différent. Sa cuvée principale, qui n'a pas connu le bois, est à la fois vive et souple. Friande à l'attaque, elle donne la parole au merlot (90 % de l'assemblage) porteur de délicates saveurs fruitées, pour terminer sur une sensation plus chaleureuse. Le **2009 Les Vieilles Vignes (15 à 20 €; 8 000 b.)**, également cité, séduit par la complexité de son bouquet où s'accordent fruits noirs surmûris, vanille et torréfaction. La bouche, ronde et charnue, subit encore l'influence du merrain.
Vignobles Lamarque, Puynormond, 33570 Puisseguin,
tél. 05.57.74.66.69, fax 05.57.74.52.62,
contact@chateau-puynormond.com
t.l.j. sf dim. 9h30-12h30 13h30-19h

CH. ROCHER CORBIN 2009

	50 000		11 à 15 €

Titulaire de nombreuses étoiles du Guide, ce cru de 9,3 ha conduit par Philippe Durand a une fois encore été retenu, même s'il demande une petite garde pour gagner en harmonie. En dépit d'une légère sévérité perçue en fin de bouche, il exprime les qualités attendues d'une vendange mûre, avec une bonne fraîcheur. Au palais, une chair assez ample prolonge le plaisir de l'olfaction marquée par les fruits rouges et la vanille. À essayer sur un canard aux figues.
SCEA Ch. Rocher Corbin, Le Roquet, 33570 Montagne,
tél. 05.57.74.55.92, fax 05.57.74.53.15,
chateau-rocher-corbin@orange.fr r.-v.
Philippe Durand

CH. SAINT-JACQUES CALON 2009 ★

	14 000		5 à 8 €

La butte de Calon est réputée pour son exposition favorable et ses terroirs argilo-calcaires. Un terroir qui s'exprime avec noblesse ici dans un bouquet d'une grande finesse, mêlant les fruits, les fleurs, les épices et quelques notes de truffe. L'élégance caractérise également la robe limpide et profonde ainsi que la bouche charnue, que vient parfaire une finale gourmande et longue sur la cerise confite. Un vin à oublier en cave trois à cinq ans.
Frédéric Maule, 1, Lamaçonne, BP 9, 33570 Montagne,
tél. 05.57.74.62.43, fax 05.57.74.53.13,
contact@saint-jacques-calon.com r.-v.

CH. SAMION 2009 ★

	76 500		5 à 8 €

Le groupe RCR Vignobles, c'est plus d'une vingtaine de châteaux répartis dans le Bordelais et le Bergeracois, onze sites de vinification et 550 ha de vignes. Ce sont aussi des hommes, ici le maître de chai Denis Trocard qui a élaboré un 2009 pourpre intense, au nez de fruits surmûris dominés par la griotte. Le palais se met à l'unisson dès l'attaque, puissante et riche, laissant toujours une large place aux arômes fruités. À ce vin déjà prêt à boire, on accordera un plat d'une rusticité conviviale : des cèpes farcis par exemple.
SCEA Blanc Tourans, rue de l'Église,
33350 Saint-Magne-de-Castillon, tél. 05.57.40.08.88,
fax 05.57.40.19.93, m.pellerin@rcrgroup.fr
RCR Group

CH. TOUR BAYARD 2009 ★

	150 000		8 à 11 €

Pour cette vigneronne installée en 1999, le respect de la nature n'est pas une formule en l'air : elle proscrit tout engrais chimique et privilégie des pratiques culturales visant à la pleine expression du terroir. Son dixième millésime, où prédomine le merlot, s'affiche dans un habit pourpre profond. Le bouquet, relevé d'épices (cannelle), repose sur un large fruité. Nantie de tanins serrés, la bouche déploie une matière ample, mûre, rehaussée d'une finale réglissée. À apprécier dès la sortie du Guide.
Fanny Richard, Bayard, 33570 Montagne,
tél. 05.57.74.51.05, fax 05.57.74.53.10, richard@alienor.fr
r.-v.

CH. TREYTINS 2009

	41 300		11 à 15 €

Cette propriété a été acquise en 1997 par les vignobles Léon Nony, bien connus en lalande-de-pomerol pour leur cru Château Garraud. Des travaux de rénovation ont été entrepris au chai, où les cuves Inox ont remplacé les cuves métal, avec thermorégulation en prime. Ce 2009 à la robe grenat lumineux offre un bouquet de fruits noirs discrètement épicé. En bouche, des tanins fermes mais élégants soutiennent une rondeur avenante aux saveurs fruitées. Pour une pintade rôtie, dès aujourd'hui.
Vignobles Léon Nony, Ch. Garraud, 33500 Néac,
tél. 05.57.55.58.58, fax 05.57.25.13.43, info@vln.fr
t.l.j. sf sam. dim. 9h-12h 14h-17h

VIEUX CHÂTEAU DES ROCHERS Cuvée Prestige 2009

	5 000		8 à 11 €

Une cuvée Prestige bien construite sur 80 % de merlot et 20 % de cabernet, qui a dû assimiler un élevage d'un an en barrique. Elle s'affiche dans une livrée sombre et déploie au nez un fruité légèrement confit agrémenté de notes de grillé et de tabac blond. Suave et volumineuse, la bouche exprime de riches harmonies malgré un boisé un peu insistant. Il paraît judicieux d'attendre quatre à cinq ans avant d'ouvrir cette bouteille sur une pièce de gibier. Également cité, le **2009 (5 à 8 €; 16 000 b.)** pourra s'apprécier un peu plus tôt : à partir de 2015.

Jean-Claude Rocher, 16, Mirande, 33570 Montagne, tél. 06.80.64.49.75, vieuxchateaudesrochers@orange.fr
r.-v.

VIEUX CHÂTEAU PALON 2009 *

28 000 15 à 20 €

Cette étoile vient s'ajouter à la collection du domaine, dont la qualité est régulièrement soulignée dans le Guide. Le résultat d'un travail perfectionniste, à la vigne comme au chai : vendange manuelle avec tri, élevage en cuve puis en barrique pour la fermentation malolactique (quinze mois sous bois). L'harmonie est présente à tous les stades de la dégustation : une robe grenat limpide, un nez de fruits noirs mâtiné de notes empyreumatiques, une bouche équilibrée et longue, portée par des tanins croquants. Élégance sans tapage d'un « cousu main » à déguster dans trois ans.

Vignobles Naulet, Mondou, 33330 Saint-Sulpice-de-Faleyrens, tél. 06.89.10.90.01, fax 05.57.51.23.79, vignobles.naulet@wanadoo.fr
r.-v.

Puisseguin-saint-émilion

Superficie : 745 ha
Production : 43 000 hl

La plus orientale des appellations voisines de Saint-Émilion est implantée sur des sols à dominante argilo-calcaire, avec quelques secteurs d'alluvions graveleux. Le vignoble est exposé au sud-sud-est.

CH. LE BERNAT 2009 *

22 000 11 à 15 €

Acquis en 1999 par la famille Le Roy, ce domaine, dont les bâtiments furent construits à la fin du XIXe s. par des Canadiens, signe un 2009 très réussi, qui parade dans une robe incarnat aux reflets rubis. Des notes de moka, de pruneau et de cassis composent un bouquet harmonieux. En bouche : une texture soyeuse et douce, de la rondeur, des tanins fondus, un fruité persistant. Tout indiqué pour une côte de bœuf, dans trois ou quatre ans.

SARL Ch. le Bernat, 1, Champs-des-Boys, 33570 Puisseguin, tél. 05.57.74.58.54, fax 05.57.74.59.02
t.l.j. 10h-12h 14h-18h
Le Roy

CH. CHÊNE-VIEUX Cuvée première 2009 *

31 000 5 à 8 €

Cette propriété, gérée par la famille Foucard depuis 1937, propose une cuvée née sur des terres argilo-calcaires propices à l'épanouissement du merlot, très majoritaire, et des cabernets. Le beau bouquet fruité s'agrémente de notes empyreumatiques. La bouche, puissante et tannique, est celle d'un vin de garde, à attendre six ou sept ans, et même plus.

SCE Y. Foucard et Fils, Ch. Chêne-Vieux, 34, rte de Saint-Émilion, 33570 Puisseguin, tél. 05.57.51.11.40, fax 05.57.25.36.45, foucardetfils@orange.fr
r.-v.

CLOS DU PAVILLON 2009 *

6 000 11 à 15 €

En conversion vers l'agriculture biologique depuis 2010, ce domaine a été créé en 2006 à partir de parcelles de vieilles vignes. Issu du seul merlot, ce puisseguin a été vinifié à basse température et élevé pour partie en fût. À l'olfaction se déploient d'intenses parfums floraux et un fruité délicat. Ample, douce, portée par des tanins fins, la bouche est à l'unisson. « Un vin nature », conclut un dégustateur : entendez un vin sans artifice, franc et harmonieux, à servir dans deux ou trois ans sur un rôti de veau aux champignons.

Gonzague Maurice, lieu-dit Larue, secteur Parsac, 33570 Montagne, tél. 06.61.77.77.33, gonzague-maurice@hotmail.com
r.-v.

CH. CÔTES DE SAINT-CLAIR 2009

25 000 5 à 8 €

Vinifié par la coopérative de Puisseguin pour la famille Dupeyrat, ce 2009 offre un nez plaisant de fruits rouges mûrs et d'épices. Le palais séduit par sa rondeur, sa douceur et ses tanins soyeux. Un vin harmonieux, à déguster dans deux ou trois ans sur une bavette aux échalotes.

SCEA Vignobles Dupeyrat et Fils, Saint-Clair, 33570 Puisseguin, tél. 05.57.55.50.40, fax 05.57.74.57.43, direction@uplse.com
t.l.j. sf dim. 9h-12h30 14h-18h30; ouv. dim. en juil.-août

CH. L'ERMITAGE DE LA GARENNE Cuvée Prestige Vieilles Vignes 2009

24 000 8 à 11 €

Patrice Dupuy est installé depuis 1998 sur cette propriété que son grand-père, métayer au service du négoce, conduisait déjà avant d'en faire l'acquisition en 1957. Pratiquant des sélections parcellaires, il propose une cuvée issue de vignes de quarante ans et plus, plantées sur argilo-calcaire. Le vin se révèle fruité, souple, doté d'un bon équilibre. Il plaira à ceux que charment les vins bien typés.

EARL Ch. l'Ermitage de la Garenne, 2, Terre-du-Bin, 33570 Puisseguin, tél. 05.57.74.64.02, fax 05.57.74.58.19, ermitage.garenne@wanadoo.fr
r.-v.
Patrick Dupuy

CH. GABRIEL 2009

5 000 5 à 8 €

Ce puisseguin de pur merlot se présente dans une robe rubis brillant. Il offre un boisé soutenu aux notes de torréfaction et de fève de cacao. Dans le prolongement du bouquet, la bouche se révèle ronde, grasse, soutenue par une juste fraîcheur. Un vin équilibré, à boire dans les deux ans à venir.

Robert Seize, Ch. les Couzins, 33570 Lussac, tél. 05.57.74.60.67, fax 05.57.74.55.60, les.couzins@wanadoo.fr
t.l.j. 9h-12h 14h-19h

GINESTET Mascaron 2009

30 000 5 à 8 €

Cette importante maison de négoce propose un 2009 au rubis rutilant, né de merlot (80 %) et de cabernet franc. On oublie assez vite un boisé impérieux qui aurait tendance à masquer les arômes fruités que l'olfaction délivre après aération. Ample, puissante, structurée, la bouche s'appuie sur de bons tanins, encore un peu fermes en finale. On attendra deux à quatre ans qu'ils s'adoucissent.

Maison Ginestet, 19, av. de Fontenille, 33360 Carignan-de-Bordeaux, tél. 05.56.68.81.82, fax 05.56.68.81.81, vincent.pensivy@ginestet.fr r.-v.

CH. GRAND BOISSAC 2009

9 000 | 5 à 8 €

Dominique Goujou a confié à la cave de Puisseguin et Lussac le soin de la vinification de son Grand Boissac 2009. Dominé par le merlot, présent pour deux tiers dans l'assemblage, ce vin rubis éclatant dévoile un nez agréable de fruits rouges mûrs mêlés d'épices. Souple en bouche, « sans tapage », écrit un dégustateur, il accompagnera dès à présent une bonne grillade.

Dominique Goujou, 33570 Puisseguin, tél. 05.57.55.50.40, fax 05.57.74.57.43, direction@uplse.com t.l.j. sf dim. 9h-12h30 14h-18h30; ouv. dim en juil.-août

CH. GUIBOT La Fourvieille 2009

20 000 | 15 à 20 €

Un domaine en conversion au bio. Bien connu des lecteurs du Guide, il a obtenu quatre coups de cœur, notamment pour son 2008 et se voit cité pour celui-ci pour un vin rubis sombre mêlant au nez les fruits rouges confiturés et la torréfaction. Souple à l'attaque, puissant, suave et déjà fondu, un peu plus tannique en finale, ce 2009 devrait bientôt être prêt à accompagner entrecôtes et magrets.

SCEA Bourlon-Destouet, Ch. Guibeau, 33570 Puisseguin, tél. 05.57.55.22.75, fax 05.57.74.58.52, vignobles.henri.bourlon@wanadoo.fr t.l.j. sf sam. dim. 9h-12h 14h-18h; f. août

CH. HAUT-BERNAT 2009

30 000 | 11 à 15 €

Cette petite propriété de 5 ha d'un seul tenant, souvent remarquée par les dégustateurs du Guide, est fidèle au rendez-vous. Son 2009, assemblage de merlot (90 %) et de cabernet-sauvignon, a été élevé pour partie en barrique neuve ; et cela se ressent dès l'olfaction, des notes toastées marquées couvrant quelque peu les fruits (cassis). Ces derniers s'expriment avec moins de réserve dans un palais doux et rond, aux tanins fondus. On attendra deux ou trois ans pour apprécier cette bouteille sur des viandes rouges ou des fromages forts.

SAS des Vignobles Bessineau, 8, Brousse, BP 42, 33350 Belvès-de-Castillon, tél. 05.57.56.05.55, fax 05.57.56.05.56, bessineau@cote-montpezat.com r.-v.

LES LAURETS 2009 ★

7 500 | 30 à 50 €

Cette maison de négoce respectée, propriétaire de Château Clarke en listrac-médoc, prouve une fois encore le sérieux qui entoure les vinifications avec cette cuvée « de niche » (7 500 bouteilles), née du seul merlot, qui a plus d'un coup de cœur à son actif. Après dix-huit mois d'élevage en fût, ce 2009 dévoile un bouquet au boisé fin, vanillé, les fruits mûrs s'exprimant à l'aération. Puissante et longue, portée par des tanins bien présents mais fondus, la bouche confirme l'impression de plénitude ressentie à l'olfaction. Un vin élégant, à déguster dans trois à cinq ans sur du gibier. Également très réussie, la cuvée principale, le **Ch. des Laurets 2009 (11 à 15 €; 195 000 b.)** est un beau vin de caractère, bien structuré, boisé sans excès, fruité et épicé, à attendre le même temps.

CV Baron Edmond de Rothschild, Ch. Clarke, 33480 Listrac-Médoc, tél. 05.56.58.38.00, fax 05.56.58.26.46, contact@cver.fr

LES MARGELLES 2009 ★

16 000 | 5 à 8 €

La coopérative de Puisseguin et Lussac propose un joli vin gourmand avec ces Margelles 2009, qui invite à de joyeuses ripailles à base de grillades et de cochonnailles. Le vin offre les qualités attendues pour ce type de rencontre : un fruité mûr et persistant, une matière douce et équilibrée. À ouvrir dans les deux ans à venir. Une citation pour l'ample et puissante cuvée **Prémya 2009 (15 à 20 €; 3 000 b.)**, encore dominée par un boisé vigoureux et que l'on attendra plus longtemps. La cuvée **1938 2009 (11 à 15 €; 2 100 b.)**, suave et généreuse, est également citée.

Vignerons de Puisseguin - Lussac-Saint-Émilion, 1, lieu-dit Durand, 33570 Puisseguin, tél. 05.57.55.50.40, fax 05.57.74.57.43, direction@uplse.com t.l.j. sf dim. 9h-12h30 14h-18h30

CH. DE MÔLE 2009 ★★

10 000 | 11 à 15 €

Cette cuvée, présentée au grand jury des coups de cœur, offre un bouquet fin et expressif centré sur un fruité croquant, accompagné d'épices et d'un boisé mesuré. La bouche se révèle très équilibrée, suave, ample et riche, armée de bons tanins propices à la garde (quatre ou cinq ans). Gibier ou viande rouge accueilleront ce 2009 avec allégresse. Le second vin, le **Ch. Roc Saint-Jacques 2009 (8 à 11 €; 50 000 b.)**, également très expressif, élégant et fin, obtient une étoile.

SAS Famille Auger, Ch. de Môle, 33570 Puisseguin, tél. 05.57.74.60.86, fax 05.57.24.09.27, chateaudemole@orange.fr r.-v.
Éric Auger

CH. MOULINS-LISTRAC Réserve du château 2009 ★

72 000 | 8 à 11 €

Le maître des lieux, Francis Rudloff, installé en Chine depuis plusieurs années, a repris ce domaine en 2010, dont il a confié la marche au tandem Guillaume du Pouget, maître de chai, et Stéphane Derenoncourt, œnologue que l'on ne présente plus. Cette Réserve du château, née sur deux terroirs (le calcaire du plateau de Puisseguin et les argiles du lieu-dit Listrac) et dominée par le merlot (75 %), est un vin ample, suave et long, aux tanins soyeux. Au nez comme en bouche, elle dévoile un fruité généreux mâtiné d'épices. On pourra l'attendre quatre ou cinq ans avant de l'ouvrir sur une épaule d'agneau farcie.

NOUVEAU PRODUCTEUR

François Rudloff, 8, rte de Saint-Émilion, 33570 Puisseguin, tél. 05.57.74.61.90, fax 05.57.74.59.04, moulinslis@orange.fr r.-v.

CH. DE PUISSEGUIN CURAT Cuvée Prestige 2009 ★★

30 000 | 8 à 11 €

« Qualité passe quantité », telle est la devise des Robin, famille installée dans le Libournais depuis le XVIIe s. Une devise parfaitement respectée avec ce 2009 né de merlot (70 %), de cabernet franc (25 %) et de cabernet-sauvignon. Le nez séduit par sa complexité : notes toastées, petits fruits rouges, nuances mentholées.

Le palais évolue avec ampleur, soutenu par une structure puissante et un boisé élégant. À conserver trois à cinq ans en cave pour l'apprécier à son optimum, sur une épaule d'agneau aux cèpes, par exemple.
EARL Ch. de Puisseguin Curat, Curat, 33570 Puisseguin, tél. 05.57.74.51.06, fax 05.57.74.54.29
t.l.j. 9h-12h 14h-18h; f. 15-30 août
Vignobles Robin

CH. RIGAUD 2009

45 000 | 8 à 11 €

Un domaine de 10 ha d'un seul tenant en cours de conversion à l'agriculture bio. S'il n'a pas l'ambition de certains millésimes précédents comme 2006, coup de cœur du Guide, ce 2009 intéresse par sa robe profonde et par son bouquet, subtile alliance de fruits mûrs et de boisé. Puissant et concentré, le palais appelle une garde de trois ou quatre ans. On ouvrira ensuite cette bouteille sur du gibier en sauce, un salmis de palombe par exemple.
Ch. Rigaud, Rigaud, 33570 Puisseguin, tél. 05.57.74.54.07, fax 05.57.74.50.34, rigaud@vignobles-taix.com r.-v.
Pierre Taix

CH. DE ROQUES 2009

160 000 | 11 à 15 €

Le château de Roques possède des caves souterraines, creusées dans le... roc, où vieillissent sagement les vins, entonnés dans le merrain. Mais ici, on propose aussi des vins élevés en cuve, comme ce 2009 intensément coloré, issu de merlot (70 %) et des deux cabernets. Plutôt discret au nez, c'est en bouche que ce millésime se révèle. L'attaque souple, caressée de tanins aimables et ronds, donne le tempo, et la finale épicée ajoute un brin de vigueur. Un vin jovial, à boire dans les deux ans.
SCEA Vignobles Ch. de Roques, 2, Roques, 33570 Puisseguin, tél. 05.57.74.69.56, fax 05.57.74.69.65, chateauderoques@orange.fr
t.l.j. 9h15-17h30; f. jan.
Didier Sublett

SAINT-PIERRE L'ÉGLISE Cuvée Prestige 2009 ★

1 500 | 11 à 15 €

Détient-elle les clés d'un paradis gustatif, cette cuvée Prestige de Saint-Pierre l'Église ? Oui, si l'on en croit les commentaires des dégustateurs, qui ont aimé le fruité discrètement toasté de son bouquet, comme sa bouche souple, ample et fringante. Pour une entrecôte grillée à point, sur un feu de sarments.
SCEA Clos des Religieuses, 9, rue Alcide-Masseron, 33570 Puisseguin, tél. 05.57.74.67.52, fax 05.57.74.64.12, clos.des.religieuses@wanadoo.fr
t.l.j. 8h-12h30 13h30-19h30; sam. dim. sur r.-v.

CH. SOLEIL 2009 ★★

100 000 | 15 à 20 €

Un château à suivre, repris en 2005 et entièrement rénové, équipé d'un matériel dernier cri. Stephan Von Neipperg (Ch. Canon La Gaffelière à Saint-Émilion) signe un 2009 d'allure moderne, rubis limpide et brillant, qui offre un nez élégant et subtil où les fruits rouges, mariés à de douces nuances florales et de tendres épices, jouent une partition distinguée. Veloutée, équilibrée, portée par des tanins fins, la bouche révèle un vin de haute expression que l'on pourra attendre deux ou trois ans.
SCEA Winevest Saint-Émilion, 32, rte de Saint-Émilion, 33570 Puisseguin, tél. et fax 05.57.74.60.18, info@chateausoleil.fr

BORDELAIS

CH. LA VAISINERIE Quercus 2009 ★★

10 000 | 8 à 11 €

Cette cuvée, hommage au chêne tricentenaire qui veille sur le domaine, fait la part belle au merlot (90 % de l'assemblage). Après douze mois de fût, elle se présente dans une robe sombre, offrant au nez un boisé noble et un fruité généreux de cerise et de mûre nuancé d'épices. L'attaque ample ouvre sur un palais rond, riche et puissant, au fruité opulent porté par des tanins soyeux. À garder cinq ans et plus, et à servir sur une viande en sauce. Dans le même esprit, la **cuvée principale 2009 (8 à 11 € ; 60 000 b.)** obtient une étoile.
SCEA la Vaisinerie, lieu-dit La Vaisinerie, 33570 Puisseguin, tél. 05.57.24.93.05, fax 05.57.24.61.43, bernard.bessede@chateauenbordeaux.com
r.-v. 5
Bernard Bessède

Saint-georges-saint-émilion

Superficie : 200 ha
Production : 11 500 hl

Séparé du plateau de Saint-Émilion par la rivière Barbanne, le terroir de l'appellation saint-georges présente une grande homogénéité avec des sols presque exclusivement argilo-calcaires.

CLOS L'EXQUISE 2009 ★★

1 500 | 11 à 15 €

Dans l'espace bachique de Saint-Georges, le petit Clos l'Exquise (cité l'an passé pour son 2008) a enchanté les dégustateurs qui l'ont proposé au grand jury des coups de cœur. De ce 2009 confidentiel, on retiendra l'élégance et la précision : olfaction nette, ouverte sur un large fruité (cassis, raisin mûr) rehaussé de noisette grillée, structure harmonieuse et boisé joliment fondu. On peut envisager des « heures exquises » avec du gibier ou de goûteuses viandes rouges, d'ici deux à quatre ans.
SCEA BCD, 3, Bel-Air, 33910 Sablons, tél. 06.19.59.18.09, david.bonhue@cegetel.net r.-v.

CH. CROIX DE THOMAS 2009 ★

■ 60 000 ▮◖◗ 5 à 8 €

Joli vin drapé de rubis intense que le Groupe RCR dédie aux grands magasins. Les jurés ont aimé son fruité, mâtiné d'un léger goût de fumé signant un élevage de douze mois en fût. On n'oubliera pas de le carafer afin de stimuler sa vitalité aromatique – aujourd'hui ou dans deux ans. Le **Ch. Cap d'or 2009 (8 à 11 €; 33 000 b.)**, de la même maison, est cité. On l'attendra quelques années, le temps que ses tanins s'assagissent.

SCEA Blanc Tourans, rue de l'Église, 33350 Saint-Magne-de-Castillon, tél. 05.57.40.08.88, fax 05.57.40.19.93, m.pellerin@rcrgroup.fr

RCR Group

CH. HAUT-SAINT-GEORGES 2009 ★

■ 36 000 ◖◗ 15 à 20 €

Abonnée aux coups de cœur, l'équipe de La Grande Barde signe ici une belle réussite. Les dégustateurs soulignent le côté fringant et harmonieux de ce vin qui s'épanouit en bouche sur une fraîcheur fruitée faisant écho au bouquet. Un beau classique, à boire dans les trois ou quatre ans.

SCEA de la Grande Barde, 1, La Clotte, 33570 Montagne, tél. 05.57.74.64.98, fax 05.57.74.65.42, chateaulagrandebarde@wanadoo.fr r.-v.

CH. MOULIN LA BERGÈRE 2009

■ 20 000 ▮◖◗ 8 à 11 €

Souvent distingué dans le Guide – il décrocha un coup de cœur l'an passé pour son 2008 – ce cru est fidèle au rendez-vous. La brillante robe pourpre qui habille le 2009 est charmeuse. Le nez, un peu fermé, s'anime à l'agitation, déployant alors un fruité confit (pruneau). Porté par de bons tanins, ce vin sait se montrer généreux en bouche. Une garde de deux à trois ans peut être envisagée.

SCEV Benoist, Ch. la Bergère, lieu-dit Tourteau, 33570 Montagne, tél. 05.57.74.61.61, ablaunay@wanadoo.fr r.-v.

GFA La Bergère

CH. SAINT-ANDRÉ CORBIN 2009 ★

■ 50 000 ◖◗ 11 à 15 €

Jean-Christophe et Jean-Philippe Saby bichonnent cette propriété avec d'autant plus d'amour qu'ils en connaissent l'antériorité historique. On y mit à jour une Vénus et une Diane que les amateurs d'archéologie peuvent admirer au Louvre et au musée d'Aquitaine à Bordeaux. Harmonieux, bien équilibré, ce vin offre de jolies rondeurs et un fruité mûr accompagné d'un boisé délicat. Conseillé sur de la charcuterie fine ou sur une viande rouge, il est déjà fort agréable, et saura attendre quelques années (trois à cinq ans).

Vignobles Jean-Bernard Saby et Fils, Ch. Rozier, 33330 Saint-Laurent-des-Combes, tél. 05.57.24.73.03, fax 05.57.24.67.77, info@vignobles-saby.com r.-v.

CH. TOUR DU PAS SAINT-GEORGES 2009 ★

■ 50 000 ◖◗ 11 à 15 €

Pascal Delbeck, qui a longtemps œuvré aux châteaux Ausone et Belair (1ers grands crus classés de Saint-Émilion), a repris cette ancienne propriété en 1977. Il signe un 2009 très réussi, issu de vinifications parcellaires et élevé quinze mois en barrique, assemblage heureux de merlot (65 %) et de cabernet franc : robe pourpre brillante et limpide, joli nez fruité (myrtille, cassis) et boisé discret, bouche ample, soyeuse et fraîche, tanins veloutés. Un beau chevalier qui fait honneur à son protecteur : saint Georges.

Vignobles et Développements Delbeck, Ch. Tour du Pas Saint-Georges, 1, lieu-dit Pas Saint-Georges, 33570 Montagne, tél. 05.57.24.70.94, fax 05.57.24.67.11, contact@delbeckvignobles.com r.-v.

CH. TROQUART 2009 ★

■ 30 000 ◖◗ 8 à 11 €

Régulièrement sélectionnés, les vins d'Étienne Grégoire se hissent encore sur le pavois. La cuvée traditionnelle, née sur les argilo-calcaires de Saint-Georges, réunit les quatre cépages emblématiques du Bordelais : les deux cabernets, le malbec et le merlot qui s'impose dans l'assemblage (70 %). On appréciera la finesse d'une olfaction centrée sur les fruits mûrs titillés par de fines notes boisées, ainsi que l'ampleur d'une bouche généreuse soutenue par de beaux tanins. Accompagnements conseillés, aujourd'hui ou dans trois ans : viande rouge ou blanche ainsi que desserts chocolatés. Une petite garde assagira les tanins de la **cuvée Auguste 2009 (11 à 15 €; 3 000 b.)**, citée.

Ch. Troquart, Troquart, 33570 Montagne, tél. 05.57.74.62.45, fax 05.57.74.56.20, chateautroquart@gmail.com r.-v.

Grégoire

Castillon-côtes-de-bordeaux

Superficie : 3 000 ha
Production : 160 000 hl

Située à l'est du vignoble de Saint-Émilion et de ses satellites, l'appellation (anciennement bordeaux-côtes-de-castillon puis côtes-de-castillon) jouxte à l'ouest les vignobles périgourdins. Elle s'étend sur les neuf communes de Belvès-de-Castillon, Castillon-la-Bataille, Saint-Magne-de-Castillon, Gardegan-et-Tourtirac, Sainte-Colombe, Saint-Genès-de-Castillon, Saint-Philippe-d'Aiguilhe, Les Salles-de-Castillon et Monbadon. Les vins ont bénéficié en 1989 d'une appellation à part entière, les viticulteurs s'engageant à respecter des normes de production plus sévères, notamment en ce qui concerne les densités de plantation, fixées à 5 000 pieds par hectare.

CH. D'AIGUILHE 2009 ★

■ 106 000 ◖◗ 20 à 30 €

Le château, qui juxtapose des éléments d'époques différentes, fut une maison forte au XIIes. Ses propriétaires actuels, les comtes von Neipperg, font remonter leur arbre généalogique aussi loin dans le temps. Ils sont bien connus à Saint-Emilion où ils possèdent notamment le cru classé Canon La Gaffelière. Ici, ils mettent en valeur un vignoble de 50 ha exposé au sud, planté sur les parties hautes des coteaux. Le grand vin du château a été élevé quinze mois en barriques, neuves pour la moitié. D'un pourpre brillant, il mêle au bouquet la griotte, le cuir et un boisé élégant. On retrouve en bouche un beau fruit croquant dans une matière riche, étayée par des tanins de merrain qui demandent à se fondre. On oubliera cette bouteille en cave de deux à cinq ans. En attendant, on pourra servir le second vin, **Seigneurs d'Aiguilhe 2009 (8 à 11 €; 31 500 b.)**, qui obtient lui aussi une étoile pour son bouquet fruité et floral, souligné d'un fin boisé, pour son charme immédiat qui permettront de le boire prochainement, même s'il ne manque pas de potentiel.

SCEA du Ch. d'Aiguilhe, Ch. d'Aiguilhe, 33350 Saint-Philippe-d'Aiguilhe, tél. 05.57.40.60.10, fax 05.57.40.63.56, aiguilhe@neipperg.com r.-v.

S. von Neipperg

CH. D'AIGUILHE QUERRE 2009 ★

n.c. | 11 à 15 €

Situé au point culminant de l'appellation, sur un plateau calcaire, ce petit cru (2,4 ha) a été acquis en 2000 par Emmanuel et Gaëtane Querre. S'il ne fait pas beaucoup de bruit, il est d'une grande régularité. Ce 2009 élevé un an en barrique (avec 60 % de chêne neuf) donne une bonne image de sa production. La robe est soutenue, couleur cerise noire ; le bouquet bien ouvert mêle agréablement la framboise cuite et un boisé cacaoté ; la bouche charnue et fruitée montre en finale une fraîcheur qui lui donne du tonus et de l'harmonie. Un vin typé et racé, à attendre de deux à cinq ans pour laisser à ses tanins le temps de se polir.

SCEA Ch. d'Aiguilhe Querre, Moulin-de-Lavaud, 33500 Pomerol, tél. 05.57.55.19.60, fax 05.57.51.12.53, contact@aiguilhe-querre.com r.-v.

CH. ALBÀ 2009 ★

n.c. | 11 à 15 €

P. Meyrignac, œnologue, a longtemps dirigé le Ch. d'Aiguilhe avant de constituer à partir de 2003 son propre domaine, jetant son dévolu sur des parcelles de vieilles vignes bien exposées au sud-sud-ouest et implantées sur des argiles rouges riches en fer, sur substrat calcaire. Il exploite aujourd'hui quelque 7 ha en conversion au bio. Le joli nom du château est le patronyme de son épouse, œnologue elle aussi, d'origine catalane. Son 2009 est de la même veine que son devancier, déjà très réussi. La robe profonde, engageante, invite à découvrir le bouquet élégant et fruité. La mise en bouche dévoile un vin puissant, solidement charpenté et persistant. Un castillon typique et taillé pour la garde, qui se tiendra au moins trois à quatre ans.

SCEA Albà, 4, Grimon, 33350 Saint-Philippe-d'Aiguilhe, tél. et fax 05.57.40.69.34, chateau.alba@free.fr r.-v.

P. Meyrignac

CH. AMPÉLIA 2009 ★★

25 000 | 11 à 15 €

Les Despagne ont acquis leurs premières parcelles à Saint-Emilion en 1812. Deux siècles plus tard, François et Murielle Despagne exploitent un cru classé, Grand Corbin Despagne, autour de la cité médiévale. Attirés par Castillon, dont les terrains prolongent ceux de son illustre voisine, ils ont créé Ampélia, propriété nommée en hommage à la vigne. Ici du merlot (95 %), complété d'un rien de cabernet franc, à l'origine d'un 2009 brillant et coloré, au bouquet expressif et riche qui se partage entre les fruits mûrs et les épices. Les fruits rouges s'épanouissent dans une bouche chaleureuse et persistante, aux tanins déjà mûrs et polis. La finale harmonieuse signe un grand vin, qui devrait gagner en complexité au cours des cinq années à venir.

Murielle et François Despagne, 3, Barraillot, 33330 Saint-Émilion, tél. 06.09.08.77.08, fax 05.57.51.29.18, f-despagne@grand-corbin-despagne.com r.-v.

LE PIN DE BELCIER 2009 ★

3 100 | 20 à 30 €

Valeur sûre de l'appellation, le Pin de Belcier propose d'année en année des vins aussi bien bâtis que son château aux frontons classiques de la fin du XVIIIes. « Bien construit » est d'ailleurs l'un des termes proposé par un dégustateur à propos de ce millésime. La robe intense et sombre annonce un nez profond, aux élégants parfums de fruits mûrs (cerise, framboise) et de fumé. On retrouve ces jolies notes de fruits rouges dans une bouche souple et suave à l'attaque, plus ferme et tannique en finale. Il ne faudra que deux ou trois ans à cette bouteille pour qu'elle atteigne sa pleine harmonie. Quant à la cuvée principale, le **Ch. de Belcier 2009 Élevé en barrique de chêne (11 à 15 €; 94 000 b.)**, dominée par les fruits rouges, elle est déjà prête.

SCA Ch. de Belcier, 1, Belcier, 33350 Les Salles-de-Castillon, tél. et fax 05.57.40.67.58, gironde-gascogne@wanadoo.fr r.-v.

CH. BLANZAC 2009

20 000 | 8 à 11 €

Une chartreuse du XVIIIes. commande le vignoble d'une trentaine d'hectares de Bernard Depons. En bas du coteau se trouve un centre équestre bien connu dans la région. Le domaine signe un 2009 à la robe soutenue, discrètement bouqueté mais élégant, à la bouche ample et puissante, encore corsetée par des tanins marqués qui rendent la finale sévère. Un vin équilibré à oublier un à trois ans en cave avant de le servir sur le rôti du dimanche.

EARL Ch. Blanzac, 22, rte de Coutras, 33350 Saint-Magne-de-Castillon, tél. 06.75.52.52.60, chateaublanzac@cegetel.net t.l.j. 10h-12h 14h-18h; sam. dim. sur r.-v.; f. 20 août-10 sept.

Bernard Depons

CH. LA BOURRÉE 2009 ★★

45 000 | 5 à 8 €

Présenté par la dynamique maison de négoce bordelaise Cordier-Mestrezat, ce 2009 est le fruit d'un assemblage de 75 % de merlot et de 25 % de cabernets et d'un élevage mi-cuve mi-fût. Il a fait grande impression. La profondeur de la robe, grenat aux reflets rubis, est de bon augure ; le bouquet complexe mêle les fruits rouges et les épices douces. Au palais, ce vin s'impose par son gras, sa puissance, son fruité gourmand et ses tanins suaves, qui permettront aux amateurs de vins jeunes de l'apprécier prochainement. Sa finale fraîche souligne sa longueur et laisse augurer une belle garde, de cinq à huit ans, voire au-delà. Un ensemble harmonieux et typé.

Grands Crus Cordier-Mestrezat, 109, rue Achard, BP 154, 33042 Bordeaux Cedex, tél. 05.56.11.29.00, fax 05.56.11.29.01, contact@cordier-wines.com

CH. LA BRANDE Cuvée réservée 2009

45 000 | 8 à 11 €

Propriétaire à Saint-Etienne-de-Lisse, dans la partie la plus orientale de l'appellation saint-émilion, cette famille exploite aussi un cru d'un seul tenant dans l'appellation castillon toute proche. Avec ce 2009, auquel collaborent le merlot et en proportion non négligeable (30 %), les cabernets, elle propose un vin agréable par son bouquet délicat de framboise, de mûre et de fumé et par sa bouche gourmande, puissante et expressive. Le boisé, encore très marqué, ne nécessitera qu'une petite garde (deux ou trois ans) pour se fondre.

Vignobles Jean Petit, Ch. Mangot, 33330 Saint-Étienne-de-Lisse, tél. 05.57.40.18.23, fax 05.57.56.43.97, chateau-labrande@wanadoo.fr t.l.j. sf sam. dim. 8h30-12h 13h30-18h

GFA du Ch. Mangot

CH. CAFOL 2010

50 000 | 5 à 8 €

Pour ce château de 55 ha, la conversion à l'agriculture biologique touche bientôt à sa fin : le millésime 2011 sera certifié. Le 2010 est un joli vin, assemblage classique des trois principaux cépages bordelais dominé par le merlot (70 %). Paré d'une robe dense et jeune, il s'ouvre à l'aération sur de plaisants parfums de fruits noirs, de pruneau macéré et d'épices. Ample et rond à l'attaque, il finit sur les notes fruitées et épicées du bouquet. De petits tanins assez vifs ne font pas obstacle à une consommation prochaine, même si l'on peut préférer attendre cette bouteille trois ou quatre ans.

SARL Ch. Cafol, 116, av. du Stade, 33350 Saint-Magne-de-Castillon, tél. 05.57.40.20.54, fax 05.57.40.21.29, chateau.cafol@wanadoo.fr t.l.j. 9h-12h 14h-18h

J.-M. Pulido

CH. CANTEGRIVE Rare 2009 ★

2 000 | 15 à 20 €

Le Champenois Pascal Doyard (André Jacquart), de la Côte des Blancs, a-t-il eu envie de cultiver l'art de l'assemblage sous des cieux plus cléments ? De vinifier en rouge ? Toujours est-il qu'il a acquis en 1990 ce château (24 ha, essentiellement en castillon). Ce sont aujourd'hui ses enfants Marie et Benoît qui gèrent ce cru bien connu de nos lecteurs. À la différence de la Champagne, ils peuvent pratiquer ici une vendange mécanique, suivie d'un tri soigneux. À l'arrivée, deux cuvées déjà appréciées dans le millésime précédent. Cette cuvée Rare présente un bouquet original rappelant le pin, le sous-bois, avec une touche minérale. La bouche ronde à l'attaque, équilibrée, finit sur une fraîcheur bienvenue. Citée, la cuvée **Rubis (11 à 15 € ; 6 000 b.)**, plus souple et plus épicée, se boira dès aujourd'hui, alors que la précédente s'appréciera mieux dans deux ans.

Ch. Cantegrive, lieu-dit Terrasson, 33570 Monbadon, tél. et fax 05.57.40.60.48, contact@chateau-cantegrive.com r.-v.

Couleurs Doyard

CH. CAP DE FAUGÈRES 2009 ★

90 000 | 15 à 20 €

Silvio Denz a des intérêts dans la parfumerie et la cristallerie de luxe. Voilà qui n'est pas sans rapport avec l'univers du vin. L'homme d'affaires suisse détient plusieurs crus en Bordelais, notamment ceux, voisins, de saint-émilion (Faugères) et de castillon (ce Cap de Faugères, 30 ha à Sainte-Colombe). Ce dernier bénéficie (lui aussi) d'un chai ultramoderne, tant par son architecture que par ses équipements, et de tous les soins possibles au vignoble. D'un pourpre intense, son 2009 dévoile des parfums de fruits rouges légèrement surmûris et une bouche riche et assez longue, à la structure tannique à la fois dense et soyeuse. Un vin marqué par le merlot (85 %), qui sera agréable jeune tout en sachant attendre quelques années.

Ch. Cap de Faugères, Faugères, 33350 Sainte-Colombe, tél. 05.57.40.34.99, fax 05.57.40.36.14, info@chateau-cap-de-faugeres.com r.-v.

Silvio Denz

CH. LA CLARIÈRE LAITHWAITE 2009

29 500 | 15 à 20 €

Aujourd'hui à la tête d'une des plus importantes sociétés de vente de vins par correspondance au Royaume-Uni, Tony Laithwaite a acquis ce cru en 1980. Son activité de négoce ne l'a pas conduit à négliger son cru de Sainte-Colombe. Est-ce pour saluer ses efforts en faveur de la promotion du claret outre-Manche qu'il a reçu le Mérite agricole ? Félicitations pour le « poireau », et passons à ce merlot, escorté des deux cabernets (30 %). Un castillon plein de bonnes dispositions. La robe grenat est aussi intense que le bouquet fruité et boisé. La bouche est équilibrée et longue, marquée pour l'heure par des tanins de merrain encore fermes et par une certaine vivacité qui appellent (et permettront) la garde. À attendre deux à cinq ans.

SARL Direct Wines (Castillon), Ch. la Clarière Laithwaite, Les Confrères de la Clarière, 33350 Sainte-Colombe, tél. 05.57.47.95.14, fax 05.57.47.94.47, helene.dupin@directwines.com r.-v.

CLOS PUY ARNAUD 2009 ★★

22 000 | 20 à 30 €

La famille Valette est très connue à Saint-Emilion : l'arrière-grand-père de Patrick Valette avait acquis les châteaux Pavie et Troplong-Mondot. Ce dernier s'est installé en 1999 en castillon sur ce vignoble de 11 ha. Sa quête ? « Capter l'énergie d'un lieu afin de la restituer en goûts et en arômes. » Sa démarche ? La vinification parcellaire et la biodynamie (certification bio). Son 2009, élu coup de cœur (après deux autres), montre que cette approche est pratiquée avec un grand-savoir faire. Assemblage de merlot (70 %) et de cabernet (franc surtout), ce millésime a séjourné un an en barrique. Dès la présentation, il annonce son caractère et son potentiel de garde. La robe presque noire ne manque pas d'attraits ; le bouquet intense mêle les fruits rouges, la vanille et les épices. Les tanins sont suaves et généreux, extraits avec délicatesse dans le respect du terroir. La finale délicate et très longue laisse augurer au moins cinq à dix ans de garde.

🗝 Thierry Valette, 7, Puy-Arnaud,
33350 Belvès-de-Castillon, tél. 05.57.47.90.33,
fax 05.57.47.90.53, contactclospuyarnaud@wanadoo.fr
r.-v.

CLOS VÉDÉLAGO Élevé en fût de chêne 2009 ★

	1 440		11 à 15 €

Avec ce microdomaine, Jean-Paul Védélago, ancien artisan charpentier-couvreur, a réalisé en 2005 son rêve : faire son vin. Bien bichonnés, vendangés à la main, ces quelques pieds de vieux merlots (40 ares et sept centiares) bénéficient de soins méticuleux, comme dans un grand cru. Pas moins de seize mois d'élevage en barrique. Le résultat ? Une robe violine presque noire, un bouquet intense mêlant le boisé aux fruits confits, une matière charnue, puissante et structurée, qui pourra assimiler un merrain très présent. Un vin à la fois racé et moderne, qui mérite d'attendre deux à cinq ans.

🗝 Jean-Paul Védélago, 10, rue du Mayne,
33570 Puisseguin, tél. 06.77.22.11.05,
contact@clos-vedelago.fr r.-v.

CH. CÔTE MONTPEZAT Cuvée Compostelle 2009

	60 000		11 à 15 €

Cuvée Compostelle ? Les Bessineau rappellent ainsi que leur propriété est située sur un des chemins de Saint-Jacques. Elle assemble 70 % de merlot aux deux cabernets et 70 % de vins élevés en cuve à 30 % de vins élevés en barrique. Fidèle au rendez-vous du Guide, le 2009 mêle au bouquet les fruits rouges à un léger boisé vanillé. Il suit cette même ligne dans une bouche ronde, souple et fruitée. À servir dans les trois ou quatre ans à venir.

🗝 SAS des Vignobles Bessineau, 8, Brousse, BP 42,
33350 Belvès-de-Castillon, tél. 05.57.56.05.55,
fax 05.57.56.05.56, bessineau@cote-montpezat.com
r.-v.

CH. LA CROIX LARTIGUE 2009 ★

	20 000		15 à 20 €

Gérée par Stéphane Derenoncourt et deux amis consultants, cette propriété bénéficie des soins les plus modernes. Ce 2009, assemblage de 70 % de merlot et de cabernet franc, offre tous les caractères que l'on apprécie dans l'appellation : une robe à la fois profonde et éclatante ; un bouquet riche et plaisant, sur les fruits rouges ; un palais expressif, charpenté et persistant. Ses tanins sont suffisamment enrobés pour permettre une consommation prochaine, tout en permettant quelques années de garde. On le verrait bien avec une palombe rôtie.

🗝 SARL les Trois Origines, lieu-dit Fillol,
33350 Sainte-Colombe, tél. 05.57.24.60.29, fax 05.57.24.75.95,
contact@derenoncourtconsultants.com r.-v.

CH. DES DEMOISELLES 2009

	150 000		5 à 8 €

Les Demoiselles ? Des religieuses, installées ici au Moyen Âge. Les sœurs de cette congrégation cultivaient la vigne et apprenaient à lire aux enfants. Aujourd'hui, cette unité de 31 ha appartient au vaste ensemble des Vignobles Ducourt, établis en Entre-deux-Mers. Elle a produit un 2009 de bonne tenue, au bouquet discrètement fruité et boisé (un an de barrique), plaisant par ses arômes de fruits mûrs, par son ampleur et ses tanins soyeux : une bouteille pour maintenant.

🗝 SCEA Les Demoiselles, 18, rte de Montignac,
33760 Ladaux, tél. 05.57.34.54.00, fax 05.56.23.48.78,
ducourt@ducourt.com r.-v.

FARET DESGRANGES Cuvée Prestige 2009

	40 000		8 à 11 €

Ce 2009 est proposé par une coopérative qui réunit depuis 1997 les caves de Francs (francs-côtes-de-bordeaux) et de Gardegan (castillon-côtes-de-bordeaux). Il se pare d'une robe pourpre dense et dévoile un bouquet très vineux et fruité. Rond à l'attaque, équilibré et concentré, il tirera parti d'une petite garde pour amabiliser sa finale. Deux autres cuvées font jeu égal, mais elles seront à servir dès maintenant : **Roc de Grimon 2009 (5 à 8 € ; 40 000 b.)**, élevé en cuve, aux arômes plaisants de framboise, souple en bouche ; et le **Prieur Saint-Florent (40 000 b.)** qui, bien qu'élevé en barrique, exprime surtout les notes de fruits rouges caractéristiques du merlot.

🗝 Chais de Francs et Gardegan, Millerie,
33350 Gardegan-et-Tourtirac, tél. 05.57.56.47.20,
fax 05.57.56.47.30, commercial.udp@orange.fr
t.l.j. sf dim. lun. 9h-12h 14h-18h

CH. FONGABAN 2009 ★

	120 000		5 à 8 €

Faisant face au château médiéval de Monbadon, ce domaine est idéalement situé sur le plateau argilo-calcaire, à cheval sur les deux appellations castillon-côtes-de-bordeaux et puisseguin-saint-émilion. C'est l'une des propriétés de Pierre Taïx, toutes conduites avec le même savoir-faire – en agriculture biologique (conversion en cours). Fongaban a ainsi trois coups de cœur à son actif dans les deux AOC. Dominé par le merlot (90 %), ce 2009 ne manque pas d'atouts : une robe sombre et brillante, d'un pourpre tirant sur le noir ; un bouquet naissant de fruits mûrs et de cuir ; un palais ample, déjà séducteur avec ses arômes de fruits rouges macérés et ses tanins à la fois denses et soyeux, finissant sur une agréable pointe de fraîcheur. Il procurera beaucoup de plaisir dans les cinq prochaines années, servi avec un rôti de bœuf aux cèpes.

🗝 Ch. Fongaban, Monbadon, 33570 Puisseguin,
tél. 05.57.74.54.07, fax 05.57.74.50.97,
fongaban@vignobles-taix.com
t.l.j. sf sam. dim. 9h-12h 14h-17h
🗝 Pierre Taïx

CH. FONTBAUDE Sélection Vieilles Vignes 2009 ★

	20 000		8 à 11 €

Christian Sabaté est à la vigne, Yannick au chai. Les deux frères exploitent un domaine de 21 ha en conversion à l'agriculture biologique. Ce 2009 issu de ceps âgés de quarante-cinq ans, comprend une assez forte proportion de cabernet franc (45 %) à côté du merlot. Élevé un an en barrique, il n'est pas pour autant dominé par le bois : ce sont surtout des arômes de fruits rouges mûrs qui ressortent au nez et s'épanouissent en bouche. Les tanins sont présents, mais ce vin équilibré et persistant laisse déjà une impression d'harmonie. On pourra commencer à le boire en 2013, ou l'attendre deux ou trois ans.

🗝 Ch. Fontbaude, 34, rue de l'Église,
33350 Saint-Magne-de-Castillon, tél. 05.57.40.06.58,
fax 05.57.40.26.54, chateau.fontbaude@wanadoo.fr
r.-v.

CH. FRANC LA FLEUR
Cuvée élevée en fût de chêne 2009
■ 6 600 8 à 11 €

Cultivé comme un jardin, ce petit vignoble (1,5 ha) a été planté il y a dix ans par Christian Jacquement, professeur de mathématiques dans une vie antérieure. De jeunes vignes donc, conduites en bio dès l'origine. Le jury a goûté et approuvé les deux (micro)cuvées du cru, élevées quinze mois en barrique. Celle-ci comprend 25 % de cabernets à côté du merlot. Discrètement fruitée au nez, sur le fruit noir en bouche, elle offre une matière structurée par des tanins mûrs, extraits avec délicatesse. Le boisé, assez marqué, devrait s'estomper au cours des trois prochaines années. Également citée, la cuvée **Mouna (15 à 20 €; 4 400 b.)**, un pur merlot, est déjà très savoureuse.

Christian Jacquement, 17, av. du Stade, 33350 Saint-Magne-de-Castillon, tél. 05.57.40.63.14, fax 06.71.26.83.92, franclafleur@orange.fr r.-v.
M. Garandeau

CH. LA GASPARDE Cuvée Prestige Fût de chêne 2009 ★
■ 28 000 15 à 20 €

La Gasparde aurait été le surnom donné à une jeune et jolie veuve, propriétaire de ce domaine que fréquenta assidûment toute sa vie, le Baron Gaspard de T... son voisin. L'origine du château remonte à 1776. Situé sur une hauteur, le vignoble s'étend sur 18 ha d'un seul tenant. D'un rubis intense, son vin s'ouvre sur un fin boisé qui laisse la place à de délicats arômes de fruits rouges et noirs. Souple et rond à l'attaque, assez chaleureux, il dévoile au palais les mêmes arômes qu'au bouquet et une bonne structure tannique. On l'attendra deux à quatre ans.

Ch. la Gasparde, 33350 Gardegan-et-Tourtirac, tél. 05.57.51.41.86, fax 05.57.51.53.16, info@j-janoueix-bordeaux.com
J.-P. Janoueix

CH. GOUBAU 2009 ★
■ 7 912 15 à 20 €

Voilà sept ans que Béatrice et Stéphane Goubau, originaires de Belgique, ont jeté leur dévolu sur ce domaine situé à 100 m d'altitude au sommet du plateau argilo-calcaire de Saint-Philippe-d'Aiguilhe. L'année 2009 a été pour le cru celle de la construction d'un nouveau chai de vinification et celle du début de la conversion à l'agriculture biologique. En 2011, le millésime 2008 de ce même vin, composé de merlot (et d'un soupçon de cabernet franc) a décroché un coup de cœur. Le 2009 affiche une robe d'un pourpre sombre tirant sur le noir, et offre un bouquet franc de fruits rouges très mûrs et de cuir. Le fruité se prolonge dans un palais puissant et charpenté, encore tannique et austère en finale. L'harmonie sera parfaite dans deux ou trois ans.

SCEA des Vignobles Goubau, 78, Gerbaÿ, 33350 Gardegan-et-Tourtirac, tél. 05.57.40.27.16, fax 05.57.40.66.39, bea.goubau@telenet.be r.-v.

CH. GRAND PEYROU Cuvée l'Aîné 2009 ★
■ 5 500 11 à 15 €

Depuis sa création en 1985, ce cru s'est agrandi pour atteindre aujourd'hui 20 ha. Il signe deux cuvées très appréciées – en particulier celle-ci, qui n'a pas connu le bois. Un soupçon (5 %) de cabernet franc vient compléter le merlot dans ce vin pourpre vif, au bouquet élégant de fruits noirs (cassis) et de sous-bois. La mise en bouche dévoile une matière charnue, puissante et gourmande. La finale nerveuse appelle une petite garde (deux à trois ans). La **cuvée D'lisse 2009 (15 à 20 €; 3 000 b.)**, 100 % merlot et élevée en barrique, est encore dominée par un boisé vanillé intense qui masque le fruit. On attendra au moins trois ans pour permettre au merrain de se fondre.

EARL Vignobles Laguillon et Fils, 2, rte de Liamet, 33330 Saint-Étienne-de-Lisse, tél. 05.57.40.16.08, fax 05.57.40.43.79, vignobles.laguillon@wanadoo.fr
r.-v.

CH. GRAND TERTRE 2009 ★
■ 14 500 8 à 11 €

Principalement propriétaire en saint-émilion où elle exploite plusieurs crus, la famille Rollet est établie dans le Libournais depuis le début du XVIIIe s. Elle détient deux vignobles en castillon. Assemblant le merlot à un rien de cabernet franc (5 %), son Ch. Grand Tertre 2009 s'annonce par une robe profonde et par un bouquet élégant de fruits rouges. La bouche ample, généreuse et expressive, évolue sur des tanins affables et finit sur une note de fraîcheur très agréable. Un vin harmonieux qu'il est inutile d'attendre, même s'il devrait pouvoir tenir quelques années.

SA Vignobles Rollet, Ch. Fourney, 33330 Saint-Pey-d'Armens, tél. 05.57.56.10.20, fax 05.57.47.10.50, contact@vignoblesrollet.com r.-v.

CH. GRAND TUILLAC Élégance 2009 ★
■ 45 000 8 à 11 €

Installée au sommet du plateau de Saint-Philippe d'Aiguilhe, au lieu-dit Tuillac, la famille Poitevin a soumis au jury deux cuvées fort honorables. Elles naissent d'assemblages dominés par le merlot (avec 15 % de cabernet franc) : rien de plus classique en Libournais. La cuvée Élégance est la préférée. Son nez exprime le fruit rouge, le noyau. Les épices s'ajoutent à cette palette dans une bouche équilibrée, aux tanins présents mais déjà arrondis. La longue finale laisse augurer au moins deux à cinq ans de garde. Citée, la **cuvée principale 2009 (5 à 8 €; 110 000 b.)**, élevée deux ans en cuve, a pour atouts, sa souplesse, son charnu et ses tanins enrobés qui incitent à une consommation immédiate.

SCEA Lavigne, Ch. Grand Tuillac, 33350 Saint-Philippe-d'Aiguilhe, tél. 05.57.40.60.09, fax 05.57.40.66.67, scea.lavigne@wanadoo.fr
t.l.j. sf dim. 8h-18h; f. août
Poitevin

CH. LAGRAVE-AUBERT Élevé en fût de chêne 2009 ★
■ 60 000 5 à 8 €

Plus connue à Saint-Emilion où elle exploite le Ch. la Couspaude, grand cru classé, la famille Aubert détient de longue date des vignes en castillon. Ce domaine, qui tire son nom de son terroir graveleux, est complanté de 75 % de merlot et de 25 % de cabernets (franc surtout) : un encépagement classique. Classique aussi, ce 2009 à la robe étincelante de jolis reflets grenat et au nez de fruits rouges à noyau. Puissant et harmonieux, il porte tout de même la marque du millésime dans un côté chaleureux en finale. On l'attendra deux à trois ans.

Vignobles Aubert, Ch. La Couspaude, rte du Stade, 33330 Saint-Émilion, tél. 05.57.40.15.76, fax 05.57.40.10.14, vignobles.aubert@wanadoo.fr r.-v.

CH. DE LAUSSAC Cuvée Sacha 2009 ★★

	3 000		20 à 30 €

Les coteaux viticoles de Saint-Magne-de-Castillon prolongent à l'est la côte de Saint-Emilion. Après un demi-siècle d'agrandissements et d'aménagements, ce terroir révèle tout son potentiel. Aujourd'hui, Laussac est un domaine de plus de 28 ha. Il a changé de main en 2004, et la nouvelle équipe n'a pas ménagé ses efforts au vignoble comme au chai. Le cru se distingue avec cette cuvée Sacha. Après une fermentation et un élevage de seize mois en barrique, le vin affiche une robe somptueuse, pourpre intense. Le nez libère un bon boisé, vanillé et grillé, qui laisse percer de jolies notes de griotte. L'attaque ronde introduit une bouche riche, savoureuse, aromatique et gourmande, remarquablement équilibrée, étayée par des tanins bien extraits. Un très beau mariage du vin et du bois dans ce 2009 qui révélera tout son potentiel dans deux à six ans. La **cuvée principale 2009 (11 à 15 € ; 70 000 b.)**, plus simple, est déjà agréable à boire. Elle est citée.

SARL la Comtesse de Laussac, lieu-dit Laussac, 33350 Saint-Magne-de-Castillon, tél. 05.57.40.13.76, fax 05.57.40.43.54, laussac@vignoblesrobin.com r.-v.

A. Robin, J. Guyon, Y. Vatelot

CH. LIDEYRE 2009

	30 000		5 à 8 €

La famille Bardet exploite de nombreux crus en saint-émilion grand cru et en castillon-côtes-de-bordeaux. Dans cette dernière appellation, les jurés ont cité deux vins. Celui-ci revêt une robe cerise noire et développe un bouquet intense de prune, de fruits rouges confits et de cacao. Suave et souple à l'attaque, charnu et bien équilibré, un peu tannique en finale, il sera prêt d'ici un à trois ans. Le **Ch. Lardit 2009 (8 à 11 € ; 80 000 b.)** offre un nez délicat sur les fruits rouges et le cuir et une bouche fraîche, fruitée et acidulée. Encore austère et tannique, il s'épanouira au cours des trois prochaines années.

SCEA des Vignobles Bardet, 17, La Cale, 33330 Vignonet, tél. 05.57.84.53.16, fax 05.57.74.18.47, vignobles@vignobles-bardet.fr r.-v.

♥ CH. DE MONBADON 2009 ★★

	40 000		5 à 8 €

Il a tout pour lui : une histoire (construite sous le règne d'Edouard III au début du XIVe s., la forteresse fut le poste avancé des Anglo-Aquitains pendant la guerre de Cent Ans) ; un vrai château, juché sur un promontoire et détenu par la même famille, les Montfort, depuis le règne d'Henri IV ; un beau vignoble (20 ha) en conversion à l'agriculture biologique... et, désormais, un coup de cœur. D'un pourpre profond et brillant, ce 2009 a « une bonne couleur de castillon », écrit un juré. Un court séjour en barrique (six mois) laisse libre cours à l'expression fruitée, à travers d'élégantes évocations de fruits rouges. Structuré, chaleureux, construit sur des tanins déjà enrobés, le palais fait preuve d'une persistance aromatique remarquable. Un modèle de son appellation, déjà agréable et apte à la garde (cinq à huit ans au moins). On le verrait bien sur un filet de bœuf aux cèpes de Bordeaux.

SCEA baron de Montfort, Ch. du Rocher, 33330 Saint-Étienne-de-Lisse, tél. 05.57.40.18.20, fax 05.57.40.37.26, contact@baron-de-montfort.com r.-v.

CH. MOULIN DE CLOTTE Cuvée Dominique Élevé en fût de chêne 2009 ★★

	n.c.		8 à 11 €

Ici, les moulins ont fait place aux chais, les céréales aux vignes de merlot et de cabernet franc. Du passé ne reste plus qu'une meule. Le cru a été acheté il y a dix ans par Françoise et Philippe Lannoye, anciens agriculteurs du Nord de la France. Ils ont soumis aux jurés un excellent 2009 à la robe soutenue, au nez complexe associant les fruits noirs très mûrs à des notes de toasté et de moka. La vanille vient compléter cette palette dans une bouche ronde à l'attaque, ample, bien construite, aux tanins enrobés jusqu'en finale. Cette remarquable bouteille sera à son optimum dans deux à cinq ans. La **cuvée principale 2009 (5 à 8 €)**, une étoile, est un merlot fruité et frais, qui procurera un plaisir plus immédiat.

SCEV Lannoye, Le Chais, 33570 Puisseguin, tél. 05.57.55.23.28, fax 05.57.55.23.29, contact@vignobles-lannoye.com r.-v.

CH. MOYA 2009 ★★

	25 000		11 à 15 €

Premier millésime remarqué de ce château installé sur les hauteurs de Sainte-Colombe. Les anciens propriétaires portaient leurs vendanges à la coopérative, les nouveaux ont engagé d'emblée leur conversion à l'agriculture biologique. David Curl n'est pas un inconnu de nos lecteurs : il a acquis auparavant le Ch. Gaby en Fronsadais, et les mêmes équipes vinifient les deux vins. Une goutte de cabernet-sauvignon dans un océan de merlot (93 %) : nous sommes bien en Libournais. Derrière une robe chatoyante, on découvre un bouquet d'une grande finesse ; l'élevage ne masque nullement le raisin, qui s'exprime par des parfums de fruits rouges mûrs. La bouche est ample, puissante, persistante ; le boisé y est plus marqué qu'au nez, en harmonie avec des tanins, fondus, enrobés d'arômes fruités et épicés. On retrouve cette impression de finesse dans la longue finale, signature d'une grande bouteille qui s'épanouira au cours des huit prochaines années.

SCEA Vignobles Famille Curl, Ch. Moya, lieu-dit Peyrere, 33350 Sainte-Colombe, tél. 05.57.51.24.97, fax 05.57.25.18.99, contact@chateau-dugaby.com

CH. LA NAUZE Identité 2009 ★★

	3 800		11 à 15 €

Après un coup de cœur l'an dernier pour son premier millésime, ce cru confirme tout le bien que l'on pensait de lui. Sur le plateau de Monbadon, le terroir rappelle celui de Saint-Emilion : on trouve en sous-sol des dizaines de carrières. Et sur la parcelle d'où provient cette cuvée née de vieux ceps, le calcaire affleure par places. La vigne a souffert pour donner ce vin d'un pourpre intense aux reflets violacés, au nez expressif mariant harmonieusement les fruits frais, les fleurs et un fin boisé. La bouche évolue avec élégance sur des tanins soyeux et persiste sur les arômes du bouquet. Déjà très plaisante, cette bouteille gagnera encore en complexité au cours des prochaines années.

SCEA Viticoeur, Terre-Basse, 33570 Puisseguin,
tél. et fax 05.57.40.49.81, chateau-lanauze@orange.fr
r.-v.
Verfaillie

ORYADE 2009 ★

12 000 - de 5 €

La coopérative de Puisseguin-Lussac propose des appellations satellites de Saint-Emilion et des castillons qui sont régulièrement décrits dans le Guide. De bonnes bouteilles à prix doux, à l'image de ce 2009, qui avait décroché un coup de cœur dans le millésime précédent. La robe est profonde, pourpre intense, le bouquet complexe, sur les fruits noirs et les épices. Le boisé apparaît plus présent en bouche, en harmonie avec des tanins serrés mais déjà enrobés. Cette bouteille sera parfaite d'ici un à trois ans. Une étoile aussi pour **Le Chemin de Brignau 2009 (3 000 b.)**, un vin friand, frais et tout en fruit, aux arômes de pruneau, de griotte et de fruits noirs, à apprécier dans sa jeunesse.

Vignerons de Puisseguin – Lussac-Saint-Émilion,
1, lieu-dit Durand, 33570 Puisseguin, tél. 05.57.55.50.40,
fax 05.57.74.57.43, direction@uplse.com
t.l.j. sf dim. 9h-12h30 14h-18h30

CH. LE PEYRAT 2009 ★

40 000 5 à 8 €

Ce 2009 présenté par la famille Valade montre la même tenue que les deux millésimes précédents. Assemblage classique de merlot (85 %), complété par le cabernet franc, il affiche une robe intense et profonde, presque noire, gage d'une belle concentration. Ses parfums de fruits rouges et noirs confiturés sont rehaussés d'une jolie touche boisée et épicée. La bouche suit la même ligne aromatique. Charnue, ample et persistante, elle repose sur une bonne charpente : les tanins sont bien extraits et déjà soyeux. Un castillon bien typé et au réel potentiel : cinq à huit ans au moins.

EARL P.-L. Valade, 1, Le Plantey,
33350 Belvès-de-Castillon, tél. 05.57.47.93.92,
fax 05.57.47.93.37, paul.valade@wanadoo.fr r.-v.

♥ CH. PEYROU 2009 ★★

26 000 11 à 15 €

Œnologue bien connue à Saint-Emilion où elle gère trois châteaux, Catherine Papon-Nouvel a acquis ce cru en 1989 – l'année même où castillon est devenue une appellation à part entière (sous le nom de « côtes-de-castillon »). Elle a engagé sa conversion à l'agriculture biologique. Elle a fait du cru une valeur sûre et obtient avec ce 2009 son quatrième coup de cœur (après les 1990, 1998 et 2002). La robe grenat est profonde ; le bouquet franc mêle les fruits noirs légèrement confits et un boisé épicé délicat, que l'on retrouve au palais en soutien de tanins

enrobés. Un vin de classe, ample, charpenté, élégant et long qui s'épanouira pleinement au cours des huit prochaines années. Mieux vaut l'attendre au moins deux ans. Le second vin, **Colombe de Peyrou 2009 (5 à 8 €; 30 000 b.)**, cité, est lui aussi fruité, épicé et harmonieux. Plus souple, il pourra s'apprécier dans sa prime jeunesse.

Catherine Papon-Nouvel, Peyrou,
33350 Saint-Magne-de-Castillon, tél. 05.57.40.06.49,
catherine.peyrou@wanadoo.fr r.-v.

CH. PILLEBOIS Tradition 2009

33 000 - de 5 €

Mi-merlot mi-cabernet, ce castillon provient d'un terroir sablo-graveleux. Un vin élégant, tant dans sa robe rubis que dans son bouquet de petits fruits frais. Souple et rond en attaque, franc en bouche, il monte en puissance et finit sur des tanins marqués mais arrondis. Il trouvera sa place à table dès la sortie du Guide.

SCEA Vignobles Marcel Petit, 6, chem. de Pillebois,
33350 Saint-Magne-de-Castillon, tél. 05.57.40.33.03,
fax 05.57.40.06.05, contact@vignobles-petit.com
r.-v.
Jean-Pierre Toxé

CH. DE PITRAY Madame 2009

30 000 15 à 20 €

Le château a fière allure avec ses créneaux et ses mâchicoulis. En réalité, il a été rebâti au second Empire, dans un style gothico-renaissant cher à l'époque. Mais ses origines remontent bel et bien au XIVe s. et le domaine appartient depuis sa création à la même famille ! Le vignoble en coteau, d'un seul tenant, couvre 36 ha. Son vin figure régulièrement dans le Guide. Fruité et corsé, déjà agréable, le 2009 ne vivra pas des siècles, mais il n'aura aucun mal à se placer à table, dès maintenant. Viandes rouges ou viandes blanches, tout lui ira.

SC de la Frérie, Ch. de Pitray,
33350 Gardegan-et-Tourtirac, tél. 05.57.40.63.35,
fax 05.57.40.66.84, contact@chateau-pitray.com
r.-v. 5
Jean de Boigne

CH. PUY GARANCE 2010

20 000 - de 5 €

Ce château a changé de main : il a été racheté en 2011 par les Bockmeulen. Il propose un castillon presque exclusivement constitué de merlot. Le bouquet mêle les fruits rouges, le chocolat, les épices et la vanille. Souple, ample et gras, le palais finit sur un joli retour fruité. Une bouteille à servir dans les cinq ans à venir, avec une entrecôte marchand de vin par exemple.

SCEA Vignobles Bockmeulen,
Ch. Claud Bellevue, 31, Le Bourg, 33350 Belvès-de-Castillon,
tél. 05.57.49.48.23, vignoblesbockmeulen@orange.fr

CH. ROBIN 2009 ★

■ 43 500 11 à 15 €

La famille Caillé met en valeur depuis vingt ans ce domaine de 12,5 ha planté sur un coteau argilo-calcaire, où le merlot (60 %) côtoie les deux cabernets. Son vin semble avoir pris un abonnement au Guide, et a décroché plus d'un coup de cœur. Ses auteurs disent rechercher la finesse. C'est bien le cas de ce 2009, qui ne s'impose pas par sa puissance, mais mise sur son bouquet très aromatique, aux nuances de fruits mûrs, et sur sa bouche souple et ronde, élégante et parfumée, où l'on reconnaît la mûre, le cassis et la framboise. Le type même du « vin plaisir », qui peut se déguster jeune sur toutes sortes de mets. Cependant, sa matière est suffisante pour assurer une garde de quelques années.

SCEA Ch. Robin, 1, Robin, 33350 Belvès-de-Castillon,
tél. 05.57.47.92.47, fax 05.57.47.94.45,
info@chateau-robin.com t.l.j. 9h-12h 14h-18h
Sté Lurkroft

CH. LA ROCHE BEAULIEU Aster de Beaulieu 2009

■ 16 000 15 à 20 €

Ce cru de 8 ha a été repris en 2009 par Michel Querre, propriétaire à Pomerol (Ch. le Moulin) et par Jean-Claude Aubert, qui détient le Ch. La Couspaude, grand cru classé de Saint-Emilion. Leur premier millésime, dans cette cuvée de pur merlot sur sols argilo-sableux, est une réussite. La robe est intense, presque noire ; le bouquet mêle les fruits cuits et le cuir ; la bouche puissante, bien fruitée malgré un élevage de quinze mois en barrique, dévoile une trame tannique serrée mais soyeuse et une finale chaleureuse : un vin bien fait, que l'on peut commencer à boire, et qui se gardera quelques années.

SCEA Ch. la Roche Beaulieu,
C/o Vignobles Querre, chem. du Moulin-de-Lavaud,
33500 Pomerol, tél. 05.57.55.19.60, fax 05.57.51.12.53,
contac@vignobles-querre.com r.-v.

CH. ROQUE LE MAYNE Élevé en fût de chêne 2010 ★

■ 80 000 8 à 11 €

La famille Meynard a deux crus dans l'appellation. L'un comme l'autre, qui privilégient le merlot, manquent rarement le rendez-vous du Guide. Roque le Mayne a décroché un coup de cœur dans le millésime 2008 (pour s'en tenir au plus récent). Le 2010 reste de très belle tenue. Il s'annonce par une robe soutenue, animée de reflets violacés et par un bouquet intense, très marqué par la vanille de la barrique, avec un peu de fruit noir à l'arrière-plan. Après une attaque souple et fruitée, le vin évolue avec puissance, encore sous la domination d'un boisé appuyé. Complexe, structuré et prometteur, ce vin gagnera en harmonie dans les deux à cinq ans à venir. Le **Ch. la Bourrée 2010 (5 à 8 € ; 60 000 b.)** fait jeu égal grâce à son élégance. Il a lui aussi connu le bois, mais il apparaît plus suave, plus souple et plus fruité (framboise, fraise) : on pourra le boire prochainement.

SCEA Vignobles Meynard, 10, av. de la Bourrée,
33350 Saint-Magne-de-Castillon, tél. 05.57.40.17.32,
fax 05.57.40.38.93, vignobles-meynard@wanadoo.fr
r.-v.

CH. ROQUEVIEILLE Cuvée Excellence Élevé en fût de chêne 2009 ★

■ 8 000 11 à 15 €

Ce domaine a soumis avec succès à nos jurés deux cuvées boisées. Celle-ci, la préférée, a fait l'objet d'une vinification intégrale en fût de chêne afin d'obtenir une bonne intégration du boisé. L'objectif est atteint, avec un bouquet intense de vanille, de griotte et de fruits noirs, fruits noirs que l'on retrouve en bouche. Le palais assez gras et intensément boisé, dévoile des tanins serrés mais enrobés. La finale assez vive incite à garder cette bouteille deux à cinq ans. Cité, le **Ch. Roquevieille 2009 Élevé en fût de chêne (8 à 11 € ; 45 000 b.)** a séjourné dans le bois à l'issue d'une vinification en cuve. Il comprend moins de merlot (70 %). Fruité et boisé, un peu nerveux lui aussi, il devrait être à son optimum dans deux à trois ans.

Palatin, Ch. Roquevieille,
33350 Saint-Philippe-d'Aiguilhe, tél. 05.57.74.47.11,
fax 05.57.24.69.08

CH. LA ROSE PONCET Mon Ange 2009 ★★

■ 1 500 20 à 30 €

Le père d'Elisabeth Rousseau-Rodriguez quitta la région et mit en fermage le domaine familial. Sa fille décida en 1999 de reprendre l'exploitation avec son mari. Le chai de l'exploitation avait été transformé en salon... D'où une décennie de restructurations et d'investissements, à la vigne comme à la cave. La propriété fait son entrée dans le Guide avec cette microcuvée de pur merlot, au bouquet expressif de fruits noirs et rouges, de vanille et de moka. Rond et suave à l'attaque, le palais monte en puissance et offre une finale persistante et fine, marquée par un joli retour des fruits noirs et du boisé épicé. On boira ce castillon dans les quatre ans sur une grillade.

Élisabeth Rousseau-Rodriguez, Peyoriolle,
33350 Gardegan, tél. 05.57.40.25.99, peyoriol@orange.fr

GFA Peyoriol

CH. TERRASSON 2009

■ 80 000 5 à 8 €

Exploité depuis bientôt trente ans par Christophe et Marie-Jo Lavau, ce cru de 30 ha propose un castillon élevé en cuve, paré d'une avenante robe pourpre, qui développe un bouquet élégant de fruits rouges et de sous-bois. Après une attaque souple, on découvre un vin gourmand, qui monte en puissance pour finir sur des tanins un peu vifs. Il ne faudra qu'une courte garde (de un à trois ans) pour que cette cuvée parvienne à son optimum.

EARL Lavau, 3, Terrasson, 33570 Puisseguin,
tél. 05.57.40.59.13, fax 05.57.56.06.76,
contact@chateau-terrasson.com r.-v.

CH. TERTRE DE BELVÈS 2009 ★

■ 12 000 11 à 15 €

Ce domaine récent, constitué par Diane et Olivier Sulzer, également producteurs en saint-émilion grand cru, a rapidement fait parler de lui (coup de cœur pour un millésime 2006). On le retrouve ici avec une étoile de moins mais pour une cuvée nettement moins confidentielle, puisqu'elle provient de 5 ha de merlot (sur les 6 que compte le cru). Grenat intense, ce 2009 délivre un bouquet très marqué par la vanille. D'une belle richesse, la bouche apparaît elle aussi dominée par les notes grillées et épicées du fût : une bouteille à attendre deux à cinq ans.

Vignobles Sulzer, La Bonnelle,
33330 Saint-Pey-d'Armens, tél. 05.57.47.15.12,
fax 05.57.47.16.83, vignobles.sulzer@wanadoo.fr r.-v.

VALMY DUBOURDIEU LANGE 2009 ★★

■ 13 000 11 à 15 €

Grand vin du château de Chainchon, cette cuvée, qui porte le nom de l'arrière-grand-père de Patrick Érésué, manque très rarement le rendez-vous du Guide. Elle provient des plus vieilles vignes de la propriété (du merlot de cinquante ans). Le 2009 est un remarquable vin de garde, comme l'annonce sa robe profonde et brillante. Si le bouquet fruité reste encore un peu sur sa réserve, la bouche s'impose par sa puissance, son fruit, sa solide charpente et sa longueur. La structure annonce un réel potentiel (plus d'une décennie), mais ses tanins déjà soyeux permettront aux impatients d'ouvrir cette bouteille dans deux à cinq ans sur une côte de bœuf grillée. Le **Ch. Chainchon Le Prestige 2009 (5 à 8 € ; 13 000 b.)**, pur merlot lui aussi, obtient une étoile pour l'intensité de ses arômes de fruits rouges et pour son harmonie générale. À servir dès maintenant.

Patrick Érésué, Ch. de Chainchon,
33350 Castillon-la-Bataille, tél. 05.57.40.14.78,
fax 05.57.40.25.45, chainchon@wanadoo.fr r.-v.

Francs-côtes-de-bordeaux

Superficie : 535 ha
Production : 28 125 hl (99 % rouge)

S'étendant à 12 km à l'est de Saint-Émilion, sur les communes de Francs, Saint-Cibard et Tayac, le vignoble de l'appellation (anciennement bordeaux-côtes-de-francs) bénéficie d'une situation privilégiée sur des coteaux argilo-calcaires et marneux parmi les plus élevés de la Gironde.

CH. LES CHARMES-GODARD 2010 ★

6 000 15 à 20 €

Ce domaine, acquis en 1988 par Nicolas Thienpont, propose un blanc à dominante de sémillon (70 %), complété par le sauvignon gris et la muscadelle. Au nez, les notes caramélisées du merrain se mêlent aux fruits exotiques et au chèvrefeuille. Le palais, bien typé du cépage principal, se révèle gras, riche, ample, accompagné par un boisé bien fondu. Pour un poisson en sauce ou une viande blanche. Le **Ch. la Prade 2009 rouge (11 à 15 € ; 15 000 b.)**, rond, mûr et gourmand, est cité.

Ch. les Charmes-Godard, 33570 Saint-Cibard,
tél. 05.57.56.07.47, fax 05.57.56.07.48,
charmes-godard@nicolas-thienpont.com r.-v.
Nicolas Thienpont

CH. CRU GODARD 2009

■ 53 000 5 à 8 €

Ce cru en cours de conversion bio propose un 2009 bien sous tous rapports. La robe est d'un beau rubis soutenu. Le bouquet naissant évoque les fruits noirs à l'eau-de-vie et le pruneau, quelques touches épicées à l'arrière-plan. La bouche se montre veloutée, bien fruitée et déjà harmonieuse malgré une finale un rien austère. À boire dans les deux ans.

Richard, Godard, 33570 Francs, tél. 05.57.40.65.94,
fax 09.70.61.01.37, cru.godard@wanadoo.fr
t.l.j. 8h-12h 14h-18h30

CH. GALLAND 2009 ★★

■ 1 000 5 à 8 €

« Small is beautiful »... ce cru de poche (0,43 ha) créé en 2002 propose une cuvée remarquable à tous égards. Ce 2009 se présente dans une robe sombre et dense, tirant vers le noir. Complexe et intense, le nez mêle les fruits rouges mûrs, les épices, le toasté et une touche de cuir. Le palais s'impose par sa puissance et sa richesse, adossé à des tanins solides et à un boisé savamment dosé. La petite pointe d'austérité finale s'estompera dans quatre ou cinq ans. Parfait pour un repas de retour de chasse.

Jean-Claude Bidon, Ch. Galland Saint-Cibard,
33570 Lussac, tél. 06.10.01.94.64, fax 05.53.58.86.36,
anthonybidon@neuf.fr r.-v.

♥ CH. GODARD BELLEVUE
Élevé en fût de chêne 2009 ★★

■ 79 000 8 à 11 €

Le meilleur francs-côtes-de-bordeaux de cette édition est signé Bernadette et Joseph Arbo, installés depuis près de vingt-cinq ans sur les terres de Francs. Ce 2009, d'un beau rubis intense et limpide, livre un bouquet complexe et soutenu de fruits à l'eau-de-vie, d'épices douces et de pruneau. Souple en attaque, le palais monte en puissance, soutenu par des tanins fermes mais toujours fins, qui portent loin la finale, ample et boisée avec mesure. Un vin d'un grand équilibre, qui sera à son optimum dans deux à cinq ans. Des mêmes propriétaires, le **Ch. Puyanché 2010 blanc (5 à 8 € ; 5 500 b.)**, gras, velouté et floral (aubépine, acacia), est cité.

EARL Arbo, 7, Godard, 33570 Francs,
tél. et fax 05.57.40.65.77, earl.arbo@wanadoo.fr r.-v.

CH. GUILLON-NARDOU Élevé en fût de chêne 2009 ★

■ 3 000 8 à 11 €

Cette cuvée assez confidentielle, assemblage classique de merlot (70 %) et de cabernet-sauvignon, séduit d'emblée dans sa robe pourpre étincelant. Le nez complexe, ouvert sur les épices (poivre), les fruits noirs, le toasté et le sous-bois, invite à poursuivre la dégustation. Et l'on n'est pas déçu : le palais se montre ample, frais, fruité, boisé avec discernement et bien soutenu par des tanins veloutés. À ouvrir dans les trois ou quatre ans sur un magret de canard.

Michel Guillon, Berlière, 33570 Montagne,
tél. et fax 05.57.74.46.24, wine33@hotmail.fr r.-v.

CH. HAUT-ROZIER Cuvée Saint-Vincent 2009

7 460 - de 5 €

C'est au bord de ce vignoble de 9 ha qu'a été découvert le trésor de Tayac, pièces et bijoux du Ierˢ. aujourd'hui exposés au musée d'Aquitaine. Côté cave, du rubis dans le verre avec ce 2009 agréablement bouqueté (cerise, épices), d'une aimable rondeur en bouche, marqué en finale par une pointe de fraîcheur. Prêt à boire, sur une grillade.

Annick Pujol, 1, Rozier, 33570 Tayac,
tél. et fax 05.57.40.63.05, haut-rozier.pujol@wanadoo.fr
r.-v.

CH. MARSAU 2009

53 000 11 à 15 €

Acheté en 1994 par les Chadronnier, négociants bien connus du Bordelais, ce cru est situé sur un terroir argileux où le merlot est roi. Après douze mois de fût, son 2009 grenat intense dévoile des parfums toastés, enrobés par les fruits noirs cuits. Le palais, chaleureux et gras, suit la même ligne aromatique, entre fruits très mûrs et nuances torréfiées. À boire dans les deux ans sur une viande en sauce.

SC Ch. Marsau, Bernarderie, 33570 Francs,
tél. 06.09.71.22.35, fax 05.56.44.30.49,
jm.chadronnier@gmail.com r.-v.
Famille Chadronnier

CH. MOULIN DE LA ROQUILLE Cuvée spéciale L'Espérance Élevé en fût de chêne 2010 ★

14 000 5 à 8 €

Deux frères, une sœur et le père toujours présent : un esprit familial règne sur ce domaine créé en 1964 par le grand-père. Habituée aux honneurs du Guide, cette cuvée Espérance est fidèle au rendez-vous. Elle se pare ici d'une robe grenat brillant orné de reflets pourpres. Les fruits noirs mûrs à souhait se mêlent aux épices et au toasté du merrain, puis accompagnent une bouche charnue, ample et généreuse, mais non dénuée de nervosité et bâtie sur des tanins fondus. Le boisé encore dominateur en finale appelle une garde de deux ou trois ans. Citée, la **Cuvée spéciale Soleil d'or 2011 blanc Elevé en fût de chêne (2 500 b.)** fait apprécier de plaisants arômes de coing et de miel mâtinés d'un boisé fin. Un pur sauvignon gris élégant et expressif.

GAEC Audouin, Lapourcaud, 33570 Tayac,
tél. et fax 05.57.69.89.79, vignobles.audouin@orange.fr
t.l.j. 10h-12h30 15h-18h30

Entre Garonne et Dordogne

La région géographique de l'Entre-deux-Mers forme un vaste triangle délimité par la Garonne, la Dordogne et la frontière sud-est du département de la Gironde ; c'est sûrement l'une des plus riantes et des plus agréables de tout le Bordelais, avec ses vignes qui couvrent 23 000 ha, soit le quart de tout le vignoble. Très accidentée, elle permet de découvrir de vastes horizons comme de petits coins tranquilles qu'agrémentent de splendides monuments, souvent très caractéristiques (maisons fortes, petits châteaux nichés dans la verdure et, surtout, moulins fortifiés). C'est aussi un haut lieu de la Gironde de l'imaginaire, avec ses croyances et traditions venues de la nuit des temps.

BORDELAIS

Entre-deux-mers

Superficie : 1 480 ha
Production : 59 050 hl

L'appellation entre-deux-mers ne correspond pas exactement à l'Entre-deux-Mers géographique, puisque, regroupant les communes situées entre Dordogne et Garonne, elle en exclut celles qui disposent d'une appellation spécifique. Il s'agit d'une appellation de vins blancs secs dont la réglementation n'est guère plus contraignante que pour l'appellation bordeaux. Mais dans la pratique les viticulteurs cherchent à réserver pour cette appellation leurs meilleurs vins blancs. Aussi la production est-elle volontairement limitée. Le cépage le plus important est le sauvignon qui communique aux entre-deux-mers un arôme particulier très apprécié, surtout lorsque le vin est jeune. Sémillon et muscadelle complètent l'encépagement.

CH. BELLEVUE 2011

80 000 - de 5 €

Cette vaste propriété de 130 ha, dont 84 ha de vignes, propose une large gamme de vins en appellations régionales et en entre-deux-mers. Né sur un terrefort (terroir argilo-calcaire d'argile blanche) caractéristique de la région, ce 2011 mi-sauvignon mi-sémillon, limpide et brillant, dévoile un bouquet plaisant de fleurs blanches et de poire légèrement miellé. La bouche, franche et aromatique, offre de la rondeur, bien équilibrée par une fraîcheur mentholée. Accord gourmand en perspective avec un carpaccio de dorade.

SCEA Famille d'Amécourt, Ch. Bellevue,
33540 Sauveterre-de-Guyenne, tél. 05.56.71.54.56,
fax 05.56.71.83.95, vignesdamecourt@aol.com r.-v.

CH. DE CASTELNEAU 2011

48 000 5 à 8 €

Ce domaine est commandé par une maison-forte du XVeˢ. caractéristique de l'Entre-deux-Mers. On y trouve un 2011 de belle facture, issu de sémillon (50 %), de sauvignon et d'une pointe de muscadelle (10 %). Le nez évoque le buis, le citron et les fleurs blanches. La bouche se révèle bien équilibrée entre vivacité et rondeur. Un vin d'une aimable simplicité, à servir sur une assiette de belons.

Loïc de Roquefeuil, Ch. de Castelneau, rte du Breuil,
33670 Saint-Léon, tél. 05.56.23.47.01, fax 05.56.23.46.31,
castelneau-roquefeuil@wanadoo.fr
r.-v.

CH. CHANTELOUVE 2011

34 000 - de 5 €

Ce 2011 se présente dans une jolie robe jaune pâle aux éclats verts, le nez empreint de senteurs sauvignonnées de fleurs blanches et d'agrumes. En bouche, le sémillon complète la vivacité citronnée du sauvignon par un aimable côté rond et onctueux. Pour une assiette de fruits de mer, dès à présent.

EARL Lescoutras et Fils, Le Bourg, 33760 Faleyras, tél. 05.56.23.90.87 r.-v.

CHEVAL QUANCARD Cuvée Clémence Élevé en fût de chêne 2011

280 000 - de 5 €

Cette cuvée de négoce, issue de raisins provenant de plusieurs propriétés de l'Entre-deux-Mers, arbore une robe pâle et dévoile un bouquet plaisant de fleurs blanches, associé aux notes toastées et vanillées de l'élevage. Ces arômes se prolongent dans un palais rond et gras, porté en finale par une pointe plus acidulée. Dans un style proche, rond et boisé, la cuvée **Les Vendanges de Lise 2011 Élevé en fût de chêne (60 000 b.)** est également citée.

Cheval Quancard, ZI La Mouline, 4, rue du Carbouney, BP 36, 33565 Carbon-Blanc Cedex, tél. 05.57.77.88.88, fax 05.57.77.88.99, chevalquancard@chevalquancard.com r.-v.

LA GIRONDAISE 2011

29 000 - de 5 €

La coopérative de Dropt propose une cuvée or pâle joliment bouquetée par des senteurs de fleurs blanches et d'agrumes. La bouche se montre tonique d'entrée, fraîche, saline et de bonne longueur. Tout indiqué pour un poisson grillé, dès l'automne.

La Girondaise, 5, Saussier, 33190 Gironde-sur-Dropt, tél. 05.56.71.10.15, france@prodiffu.com r.-v.

CH. HAUT-CAZEVERT Vieilles Vignes 2011 ★

12 000 5 à 8 €

Ce domaine, situé sur l'un des points culminants de l'Entre-deux-Mers (137 m), propose une cuvée issue d'un tiers de sémillon, d'un tiers de sauvignon blanc et d'un tiers de sauvignon gris. Derrière une robe pâle aux reflets dorés, on découvre un nez intense de fleurs blanches et d'agrumes. Après une attaque franche, le palais se révèle long et bien équilibré entre rondeur et fraîcheur acidulée. Un vin harmonieux.

SA Ch. Haut-Cazevert, Harandailh, 33540 Blasimon, tél. 05.57.84.18.27, chateau.haut.cazevert@wanadoo.fr r.-v.

CH. HAUT MALLET 2010 ★

6 000 5 à 8 €

En bio depuis... 1963, ce domaine a le respect du terroir chevillé aux ceps depuis trois générations. Patrick Boudon signe un 2010 élevé sept mois en barrique qui livre un bouquet complexe, à la fois beurré, toasté et floral. Doux en attaque, le palais se révèle ample, rond et bien enrobé, offrant un bel équilibre entre boisé et fruité. À ouvrir dans les deux ans à venir sur une viande blanche ou un poisson en sauce.

Vignoble Boudon, Le Bourdieu, 33760 Soulignac, tél. 05.56.23.65.60, fax 05.56.23.45.58, contact@vignoble-boudon.fr r.-v.

CH. HAUT RIAN 2011 ★

80 000 - de 5 €

Isabelle et Michel Dietrich, installés depuis 1988 sur ce vignoble de 81 ha, privilégient le sémillon (60 %) dans ce vin élégant, pâle et brillant, au nez intense de fruits exotiques rehaussé par une belle minéralité. Les mêmes arômes imprègnent une bouche franche et ample, vive et équilibrée. Parfait pour des asperges sauce mousseline.

EARL Michel Dietrich, 10, La Bastide, 33410 Rions, tél. 05.56.76.95.01, fax 05.56.76.93.51, chateauhautrian@wanadoo.fr t.l.j. sf sam. dim. 9h-12h 14h-17h30; f. 6-27 août

CH. LAGRANGE 2011 ★

n.c. 5 à 8 €

En conversion bio depuis 2011, ce domaine propose une cuvée à dominante de sauvignon, parée d'une élégante robe jaune soutenu aux reflets nacrés. Les fleurs blanches, les agrumes (pamplemousse) et le raisin mûr composent un bouquet intense et harmonieux. La bouche se révèle charnue à souhait, soutenue par une juste acidité et un fruité croquant qui se prolonge dans une belle finale. À servir sur un poisson au four.

SCEA Vignobles Lacoste, Ch. Lagrange, 33550 Capian, tél. 05.56.72.15.96, chateaulagrange@terre-net.fr t.l.j. 9h-12h 13h30-18h

CH. LALANDE-LABATUT 2011 ★

20 000 5 à 8 €

Isabelle Falxa signe un 2011 qui fait une large place aux sauvignons blanc et gris (45 % chacun), complétés d'une touche de muscadelle et de sémillon. Le résultat est un vin jaune doré, au bouquet net et expressif de pêche, d'abricot et de buis, une nuance minérale en appoint. Le palais se révèle doux, rond et charnu, longuement porté en finale par un fruité acidulé et tonique. Un ensemble bien construit, à servir sur un poisson à la plancha.

SCEA Vignobles Falxa, 38, chem. de Labatut, 33370 Salleboeuf, tél. 05.56.21.23.18, fax 05.56.21.20.98, info@lalande-labatut.fr t.l.j. 9h-12h30 15h-19h30

CH. LA LANDE DE TALEYRAN 2011 ★

n.c. 5 à 8 €

Installé en 1984 sur ce domaine, Jacques Burliga est accompagné depuis 2007 par son fils Arnaud, revenu sur l'exploitation familiale après avoir vinifié aux États-Unis. Les deux hommes signent un 2011 né de sauvignon (50 %), sémillon et muscadelle, qui affiche une belle intensité aromatique (pamplemousse, fleur d'acacia, mangue) et un équilibre très réussi entre fraîcheur acidulée et rondeur. Un ensemble harmonieux, à déguster sur une sole meunière.

GAEC La Lande de Taleyran, 6, rte de l'Église, 33750 Beychac-et-Caillau, tél. 05.56.72.98.93, fax 05.56.72.81.94, vignoblesburliga@orange.fr r.-v.

Burliga

CH. LANDEREAU 2011 ★

130 000 5 à 8 €

Acquise en 1959, cette propriété, de 27 ha à l'origine, étend aujourd'hui son vignoble sur plus de 80 ha. Bruno

Baylet y a élaboré un 2011 de belle facture, drapé dans une robe or pâle, qui s'ouvre sur les fleurs blanches et le miel d'acacia, relayés à l'aération par un bon fruité. En bouche, le vin se montre élégant, souple et aromatique, porté jusqu'en finale par une fraîcheur acidulée. Un ensemble bien construit, comme le **Ch. de l'Hoste Blanc Vieilles Vignes 2010 (4 000 b.)**, cité pour son équilibre entre fruité frais et boisé fondu.

Vignobles Baylet, Ch. Landereau, 33670 Sadirac, tél. 05.56.30.64.28, fax 05.56.30.63.90, vignoblesbaylet@free.fr
t.l.j. sf sam. dim. 8h-12h 13h30-17h30

CH. LESTRILLE 2011 ★★

62 000 | 5 à 8 €

Aider la nature sans la forcer, telle est la ligne de conduite développée par Estelle Roumage, à la tête du domaine familial depuis 2001. Cela se traduit par des passages limités dans les vignes pour les traitements, par la plantation d'arbustes autochtones entre les parcelles et, au chai, par une attention particulière à l'expression du fruit, parcelle par parcelle. Coup de cœur pour son 2010, la vigneronne revient avec un 2011 remarquable en tous points. La robe jaune pâle aux reflets dorés est limpide et scintillante. Le nez mêle les fleurs blanches (acacia), les fruits exotiques, les fruits jaunes et les agrumes. À cette complexité répond un palais charmeur en diable, voluptueux, suave et très fruité, longuement soutenu par une vivacité bien dosée. Un beau représentant de l'appellation, que l'on verrait bien accompagner une tarte saumon et noix de Saint-Jacques.

EARL Jean-Louis et Estelle Roumage, Ch. Lestrille, 15, rte de Créon, 33750 Saint-Germain-du-Puch, tél. 05.57.24.51.02, fax 05.57.24.04.58, contact@lestrille.com
t.l.j. sf dim. 9h-12h30 14h-19h; sam. 9h30-12h30

CH. MARJOSSE 2011 ★

90 000 | 8 à 11 €

Pierre Lurton, directeur des célèbres Cheval Blanc et Yquem, a repris ce domaine en 1991, séduit par ce terroir apparenté à celui de Saint-Émilion. Il a entièrement restructuré le vignoble (50 ha) et créé un nouveau chai dont sont sorties les premières cuvées en 2000. Pour ce 2011, le sauvignon blanc (50 %) côtoie le sémillon, le sauvignon gris et la muscadelle. Le nez, franc et intense, évoque les fleurs blanches, l'abricot mûr et les fruits exotiques. Dans le prolongement, la bouche se révèle ample et tendre, tendue par une belle vivacité. Un vin équilibré, que l'on verrait bien accompagner un tartare de saumon.

EARL Pierre Lurton, Ch. Marjosse, 33420 Tizac-de-Curton, tél. 05.57.55.57.80, fax 05.57.55.57.84, pierre.lurton@orange.fr r.-v.

CH. MAYNE CABANOT 2011 ★

43 000 | - de 5 €

Ce 100 % sauvignon de la cave de Rauzan, pâle et brillant, dévoile un bouquet bien typé de bourgeon de cassis et de fleurs blanches rehaussé par une agréable tension minérale. L'attaque vive et franche annonce un palais frais, tonique et long, marqué par un beau retour aromatique en finale. À déguster sur son fruit, en compagnie d'un poisson grillé.

Entre Garonne et Dordogne

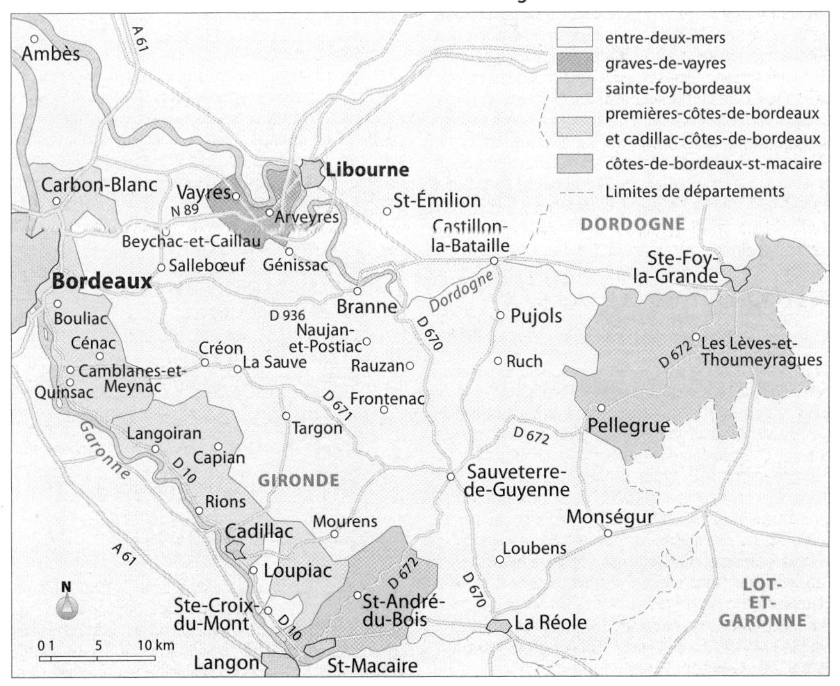

Les Caves de Rauzan, L'Aiguilley, 33420 Rauzan,
tél. 05.57.84.13.22, fax 05.57.84.12.67,
accueil@cavesderauzan.com r.-v.

CH. MILLE HOMMES 2011 ★

1 300 | - de 5 €

Cette cuvée à forte dominante de sauvignon (90 %)... « sauvignonne » à souhait. Au nez, le bourgeon de cassis se mêle aux agrumes. En bouche, le cépage apporte toute sa fraîcheur et son fruité citronné, intense et tonique, qui poussent loin la finale. Un ensemble dynamique, tout indiqué pour un plateau de fruits de mer.

Carpentey, Jean Redon, 33490 Saint-Pierre-d'Aurillac,
tél. 05.56.23.45.52, michel.carpentey@wanadoo.fr
r.-v.

♥ CH. MONTLAU 2011 ★★

n.c. | - de 5 €

Contrairement à la plupart des entre-deux-mers, ce 2011 fait la part belle à la muscadelle et au sémillon plutôt qu'au sauvignon (10 %). Le résultat est remarquable et a fait chavirer le Grand Jury. La robe est jaune clair, ornée de beaux reflets brillants. Le nez, suave et intense, mêle notes muscatées et fraîcheur acidulée du citron. À la fois tonique et soyeuse, ample et délicate, la bouche s'étire longuement sur le fruit, en écho à l'olfaction. Un entre-deux-mers élégant, à déguster dès l'automne sur un poisson sauce aux agrumes ou sur un poulet au citron.

Armand Schuster de Ballwil, Ch. Montlau,
33420 Moulon, tél. 05.57.84.50.71, fax 05.57.84.64.65,
contact@chateau-montlau.com r.-v.; f. jan.

CH. LA MOTHE DU BARRY Cuvée French Kiss 2011 ★★

30 000 | - de 5 €

Les vins de Joël Duffau sont très régulièrement sélectionnés dans ces pages, souvent aux meilleures places. Son French Kiss - dont la version 2009 obtint le coup de cœur - perpétue la tradition. Il fait la part belle aux sauvignons (blanc et gris), le sémillon et la muscadelle en appoint, et se présente dans une seyante robe d'or pâle. De délicieux parfums de fruits exotiques, d'agrumes et de fleurs blanches s'échappent du verre, une touche minérale en soutien. Dans la continuité, le palais séduit par sa franchise, son dynamisme, sa longueur et son volume. Un entre-deux-mers remarquablement maîtrisé, à déguster à l'apéritif ou sur une salade de crevettes, avocat et pamplemousse.

Joël Duffau, 2, Les Arromans, 33420 Moulon,
tél. 05.57.74.93.98, fax 05.57.84.66.10, joel.duffau@aliceadsl.fr
t.l.j. sf dim. 8h-12h 14h-19h 4

CH. NAUDONNET PLAISANCE 2011 ★

14 000 | 5 à 8 €

Ce 100 % sauvignon a fermenté en barrique neuve, puis a été élevé six mois dans le merrain. Cette méthode, peu fréquente dans l'appellation, a donné un vin au nez intense de fleurs blanches, d'agrumes et de fruits jaunes enrobés d'un élégant vanillé. Ce même boisé amène une belle complexité et de la structure en bouche, qui s'harmonisent avec l'onctuosité de la chair et la vivacité du sauvignon. Recommandé sur un saumon sauce hollandaise.

Laurent Mallard, Ch. Naudonnet Plaisance,
33760 Escoussans, tél. 05.56.23.93.04, fax 05.56.23.97.94,
contact@laurent-mallard.com r.-v.; f. août

CH. JEAN DE PEY 2011 ★

12 000 | - de 5 €

Dirigée depuis 1986 par Annie Merlet-Brunet, cette propriété étend son vignoble sur les coteaux argilo-calcaires qui entourent Sauveterre-de-Guyenne, célèbre pour sa bastide fondée en 1281 par Edouard Ier, roi d'Angleterre. Ce vin à dominante de sauvignon (80 %) s'affirme à travers des parfums caractéristiques de fleurs blanches, de fruits exotiques et d'agrumes. En bouche, le sémillon apporte sa rondeur et un côté velouté qui s'équilibre avec la vivacité du sauvignon, plus présente en finale. Un ensemble harmonieux.

Annie Merlet-Brunet, Jean de Pey, Le Puch,
33540 Sauveterre-de-Guyenne, tél. 05.56.71.55.58,
fax 05.56.71.64.67, amerletbrunet@orange.fr
r.-v.

CH. TOUR DE BONNET 2011 ★★

100 000 | - de 5 €

Sauvignon, sémillon et muscadelle composent ce 2011 drapé dans une élégante robe pâle à reflets verts. Au nez, des parfums bien typés de fleurs blanches, d'agrumes et de fruits exotiques se développent avec intensité. On les retrouve dans un palais tendre et onctueux, vivifié par une belle fraîcheur finale qui apporte de l'équilibre et de l'allonge. À servir dès aujourd'hui sur des quenelles de brochet. Issu du même assemblage, le **Ch. Bonnet 2011 (5 à 8 €; 1 000 000 b.)** obtient une étoile pour sa finesse, son côté soyeux et son expressivité aromatique.

André Lurton, Ch. Bonnet, 33420 Grézillac,
tél. 05.57.25.58.58, fax 05.57.74.98.59,
andrelurton@andrelurton.com

♥ CH. TOUR DE MIRAMBEAU Réserve 2011 ★★

88 000 | 5 à 8 €

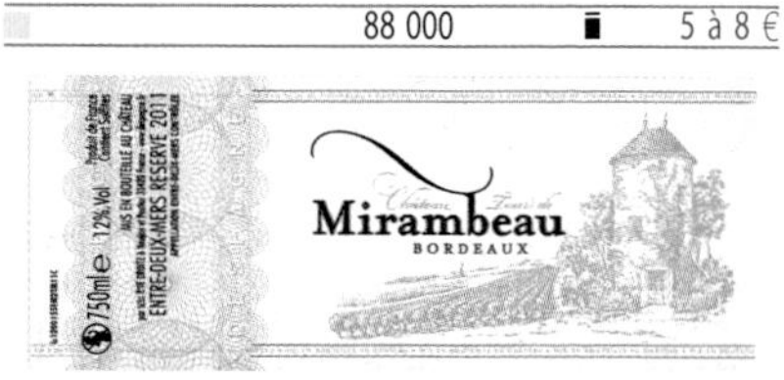

Il s'agit du domaine historique de la famille Despagne. Il abrite les plus vieilles vignes, qui entourent l'ancienne tour de Mirambeau établie sur le haut d'un plateau calcaire en contrepoint de Saint-Émilion. Ici, ce sont de jeunes plants de quinze ans, équitablement répartis entre

sauvignon, sémillon et muscadelle, qui ont donné naissance à cette cuvée lumineuse dans sa robe jaune pâle et brillant. Au nez, les agrumes, pamplemousse en tête, se mêlent aux fleurs et fruits blancs. Corpulent, gras et suave, le palais n'en demeure pas moins d'une grande tonicité, tendue par une fraîcheur acidulée qui lui confère une belle allonge. Un vin remarquable d'équilibre, à déguster dans l'année sur un poisson noble sauce au citron. La cuvée **Réserve du Ch. Rauzan Despagne 2011 (36 000 b.)**, très fruitée, soyeuse et fraîche à la fois, obtient une étoile.
SCEA de la Rive Droite, 33420 Naujan-et-Postiac, tél. 05.57.84.55.08, fax 05.57.84.57.31, contact@despagne.fr
r.-v.
Despagne

CH. TUILERIE PAGÈS 2011 ★

186 000 | - de 5 €

Ce vin proposé par la coopérative du Puy associe le sauvignon (65 %), le sémillon et la muscadelle. Une élégante teinte pâle et cristalline orne le verre. Au nez, les fleurs blanches se mêlent à d'intenses sensations fruitées de pamplemousse, de pêche et de litchi, égayées par une nuance minérale et épicée. La bouche, au diapason, se révèle fraîche et délicate, tonifiée par une note de citron vert. Un vin « de bord de mer », conclut un dégustateur, qui l'envisage en compagnie d'un plateau de coquillages et crustacés.
SCA Les Vignerons réunis de Monségur, 1, Grand-Champ, 33580 Le Puy, tél. 05.56.61.61.85, fax 05.56.61.89.05, commercial@cave-de-monsegur.com
r.-v.
Jousseaume

CH. TURCAUD 2011

141 000 | 5 à 8 €

Créé en 1973 par Simone et Maurice Robert, aujourd'hui dirigé par leur fille Isabelle et son mari Stéphane Le May, ce domaine est l'une des valeurs sûres de l'appellation. Plantés sur un sol de limons et de graves, les ceps de sauvignon (55 %), de sémillon et de muscadelle (3 %) ont donné naissance à ce 2011 jaune clair aux reflets nacrés, au nez floral (acacia) et fruité (abricot mûr, pamplemousse), souple et rond en bouche, des nuances plus vives d'agrumes venant égayer la finale. Parfait pour un plateau de fruits de mer ou à l'apéritif.
EARL Vignobles Robert, 1033, rte de Bonneau, 33670 La Sauve-Majeure, tél. 05.56.23.04.41, fax 05.56.23.35.85, chateau-turcaud@wanadoo.fr
r.-v.

CH. VIGNOL 2011 ★

120 000 | 5 à 8 €

Ancienne propriété de Montesquieu, ce domaine appartient à la famille Doublet depuis trois générations. Issu des sauvignons blanc et gris, de sémillon et de muscadelle, ce 2011 affiche une présentation impeccable, jaune paille à reflets verts. Il dévoile un nez intense et généreux de fruits mûrs et de fleurs blanches. Dense, riche et charnue, la bouche est accompagnée d'une tendre vivacité qui apporte de la légèreté et de la longueur. À boire dès aujourd'hui sur un bar au four.
SCEA Bernard et Dominique Doublet, Ch. Vignol, 33750 Saint-Quentin-de-Baron, tél. 05.57.24.12.93, fax 05.57.24.12.83, chateauvignol@orange.fr r.-v.

Graves-de-vayres

Superficie : 660 ha
Production : 35 300 hl (85 % rouge)

Malgré l'analogie du nom, cette région viticole, située sur la rive gauche de la Dordogne, non loin de Libourne, est sans rapport avec la zone viticole des Graves. Les graves-de-vayres correspondent à une enclave relativement restreinte de terrains graveleux, différents de ceux de l'Entre-deux-Mers. Cette appellation a été utilisée depuis le XIXes., avant d'être officialisée en 1931. Initialement, elle correspondait à des vins blancs secs ou moelleux, mais la production des vins rouges, qui peuvent bénéficier de la même appellation, est devenue majoritaire. Une part importante des vins rouges est cependant commercialisée sous l'appellation régionale bordeaux.

CH. LES ARTIGAUX Cuvée des 3 B 2009

n.c. | 5 à 8 €

Dominée par le merlot (75 % pour 25 % de cabernet-sauvignon), cette cuvée élevée douze mois sous bois présente quelques signes d'évolution. Il ne sera donc pas nécessaire de l'attendre si l'on souhaite profiter des qualités repérées par les dégustateurs : notes de fruits rouges confits, matière légère et finale chaleureuse. La cuvée principale du château, millésime **2010 rouge**, offre un nez vineux sur les fruits mûrs et un palais souple, équilibré. Elle est citée.
Bruno Baudet, Ch. les Artigaux, 12, rue du Sudre, 33870 Vayres, tél. 06.08.16.55.45, baudet.bruno@wanadoo.fr
r.-v.

CH. BUSSAC Cuvée Peyrère Élevé en fût de chêne 2009 ★

40 000 | 5 à 8 €

La famille Cassignard dirige cette exploitation depuis cinq générations. Avec une bonne maîtrise, que confirment les distinctions déjà recueillies dans le Guide. Cette cuvée Peyrère, élevée un an sous bois, affiche de belles ambitions. Au nez tout d'abord, avec des arômes intenses de fruits confiturés stimulés par des notes poivrées. En bouche également, où se confirment les impressions épicées, enrobant une matière souple et gourmande aux tanins maîtrisés.
SCE Vignobles Cassignard, Bussac, 33870 Vayres, tél. 05.57.24.52.14, fax 05.57.24.06.00, vignobles-cassignard@wanadoo.fr r.-v.

CH. CANTELAUDETTE Cuvée Prestige 2011 ★★

30 000 | 5 à 8 €

Jean-Michel Chatelier s'illustre dans le Guide avec une régularité remarquable : décrochant l'an dernier un coup de cœur pour son rouge Prestige 2009, il se distingue cette fois avec un blanc admirable, à large dominante de sémillon (90 % de l'assemblage). Élevé cinq mois en barrique, sur lies avec bâtonnage, ce 2011 a été mis en bouteilles au début du printemps. Expressif à souhait, il offre un bouquet délicat où se côtoient les fruits, les fleurs blanches et de légères notes boisées. Juteuse et croquante, la bouche confirme cette finesse aromatique, accompagnée de fraîches notes d'agrumes. Pour une rencontre avec un brochet au beurre blanc. La **Cuvée Prestige 2010 rouge (85 000 b.)** dévoile un fruité mûr qui conte aimablement fleurette à un boisé maîtrisé : une étoile. Quant au **2010 rouge (8 à 11 €; 33 000 b.)**, encore marqué par une vigoureuse présence tannique, il est cité et devra être attendu deux ans.

Jean-Michel Chatelier, 1, Cantelaudette, 33500 Arveyres, tél. 05.57.24.84.71, fax 05.57.24.83.41, jm.chatelier@wanadoo.fr r.-v.

CH. LA CHAPELLE BELLEVUE Prestige Élevé en barrique 2009 ★

7 500 | 11 à 15 €

Cette cuvée Prestige est un 100 % merlot élevé sous bois pendant un an. Si elle ne réitère pas l'exploit du millésime 2003 pour lequel elle décrocha un coup de cœur, elle sait encore se faire remarquer. Les dégustateurs ont apprécié sa robe sombre et son fruité opulent, confituré, aux nuances de cuir. Rond et charnu en attaque, porté par des tanins affirmés, c'est un vin à la force tranquille qui saura patienter en cave.

Lisette Labeille, Ch. la Chapelle Bellevue, chem. du Pin, 33870 Vayres, tél. 05.57.84.90.39, fax 05.57.74.82.40, lachapellebellevue@wanadoo.fr r.-v. 4

CH. JEAN DUGAY Sauvignon 2011

28 000 | - de 5 €

Si l'étiquette annonce déjà l'origine ampélographique de cette bouteille, le « sauvignon », le cortège classique de buis et d'agrumes qui s'exaltent à l'olfaction la confirme sans doute possible. La bouche, fraîche et équilibrée, aux arômes intenses, appelle des accords avec des moules marinières ou quelque terrine de poisson. Un vin bien construit.

GFA Vignoble Ballet, 1, chem. de Caussade, 33870 Vayres, tél. 05.57.74.83.17, fax 05.57.84.94.53, vignoble.ballet@orange.fr r.-v. B

CH. FAGE First de Fage 2009 ★★

6 000 | 11 à 15 €

Un duo qui semble fonctionner à merveille : Max Cazottes, viticulteur languedocien, et Joël Quancard, négociant bordelais, ont acheté le château Fage en 1999. Ils se distinguent ici avec une cuvée de pur merlot, parée de pourpre et vinifiée selon un rite vigneron exemplaire. Les dégustateurs sont séduits. À l'olfaction intense, exaltant le fruit mûr et des notes torréfiées, succède une bouche charnue aux tanins fondus, animée d'une touche de vivacité. On n'hésitera pas à carafer ce vin avant de le servir sur une blanquette de veau ou un lapin en gibelotte.

SAS Ch. Fage, 2, Fage, 33500 Arveyres, tél. 05.57.24.39.93, joel@chateaufage.com r.-v.

Joël Quancard et Max Cazottes

CH. LA FLEUR DES GRAVES 2009 ★★

8 500 | 8 à 11 €

Yves Glotin, qui s'est rendu acquéreur de cette propriété en 2002, a compris quel potentiel recélaient les coteaux graveleux sur lesquels s'enracinent merlot et cabernet-sauvignon. Assemblés à parts égales, ces deux cépages ont donné naissance à un 2009 élégant, à l'habit rouge vif et brillant. D'une bonne intensité aromatique (framboise, cassis, sous-bois, fumée), ce vin s'épanouit en une bouche joliment équilibrée et dotée de fins tanins. Pour un plaisir immédiat ou une garde de deux ans.

EARL Ch. Goudichaud, 17, chem. de Goudichaud, 33750 Saint-Germain-du-Puch, tél. 05.57.24.57.34, fax 05.57.24.59.90, contact@chateaugoudichaud.fr r.-v.

Yves Glotin

CH. GENTILLOT Cuvée Prestige 2010

35 000 | 5 à 8 €

Le merlot est à l'honneur au domaine d'Yvette Cazenave-Mahé. Vinifié seul, il permet de décrocher ici deux citations. La première pour cette cuvée Prestige qui s'affiche dans une belle robe grenat. Le nez, intense, s'ouvre sur des arômes de fruits rouges que l'on retrouve ensuite dans un palais souple et rond, au caractère chaleureux. La seconde revient au **Ch. Barre Gentillot 2010 rouge (75 000 b.)**, charnu et pourvu de tanins affirmés. Les deux bouteilles seront appréciées d'ici deux ans.

SCEA Y. Cazenave-Mahé, Barre, 33500 Arveyres, tél. 05.57.24.80.26, fax 05.57.24.84.54, chateau.de.barre@online.fr t.l.j. sf dim. 8h-13h 14h-18h

CH. HAUT GAYAT 2009 ★

50 000 | 5 à 8 €

Conduit avec maestria par Marie-José Degas depuis plus de vingt-cinq ans, le domaine est passé d'une superficie de 20 ha à 85 aujourd'hui. Il propose ainsi une large gamme de vins, dont les graves-de-vayres sont les pièces maîtresses. Ce 2009 déploie au nez et en bouche de vifs arômes de fruits rouges que l'élevage d'un an en barrique n'a nullement affectés. C'est une bouteille équilibrée et charmeuse, facile à appréhender dès aujourd'hui. Le **2009 rouge Quintessence (8 à 11 €; 2 700 b.)**, qui a très bien géré sa rencontre de deux ans avec le bois, décroche aussi une étoile.

Marie-José Degas, 38, rte de Créon, 33750 Saint-Germain-du-Puch, tél. 05.57.24.02.44, fax 05.57.24.03.72, contact@vignobles-degas.com t.l.j. 8h-12h 14h-18h; sam. dim. sur r.-v.

CH. JUNCARRET 2011

4 100 | - de 5 €

Le sauvignon qui pousse sur les graves sablonneuses de Vayres affirme sans ambages sa présence dans ce 2011 à la robe jaune pâle limpide. Il s'exprime via un bouquet de fleurs blanches que viennent agrémenter quelques nuances fruitées (poire). La bouche souple et légère suggère un accord dès la sortie du Guide avec une salade de fruits de mer.

SCEA Ch. Juncarret, av. Juncarret, 33870 Vayres, tél. 05.57.74.85.23, fax 05.57.74.81.08 r.-v.

Rouquette

CH. LESPARRE Vinifié en fût de chêne 2010 ★

100 000 | 5 à 8 €

La famille Gonnet a choisi la voie de l'agriculture biologique. Pour l'heure en conversion, elle réussit un joli doublé sur son vaste domaine de 123 ha. Son Château Lesparre présente une belle vinosité. Encore un peu assailli par le boisé de la barrique, ce vin puissant et complexe n'en présente pas moins de plaisants arômes de fruits noirs et d'épices, et une belle persistance. Plus simple en structure mais aussi plus fruité, le **Ch. Lathibaude 2010 rouge (66 000 b.)** est cité.

SCEV Michel Gonet et Fils, Ch. Lesparre, 33750 Beychac-et-Caillau, tél. 05.57.24.51.23, fax 05.57.24.03.99, info@gonet.fr r.-v.

CH. MONGEAT 2009

■ 13 590 5 à 8 €

Dès son plus jeune âge, Bernard Bouchon se plaisait à travailler la vigne avec son grand-père. Aujourd'hui, c'est à sa fille Isabelle qu'il transmet sa passion. Ensemble, ils ont décidé de se lancer dans l'aventure de l'agriculture biologique (conversion en cours). Ils proposent ici un vin d'abord discret, qui s'épanouit à l'aération sur des parfums de fruits cuits et de torréfaction. On retrouve un fruité charnu en bouche, porté par des tanins robustes qui se disciplineront avec le temps.

Bouchon, Le Mongeat, 33420 Génissac, tél. 05.57.24.47.55, fax 05.57.24.41.21, info@mongeat.fr r.-v.

CH. DU PETIT PUCH 2009 ★

■ 44 700 11 à 15 €

Depuis son acquisition par la famille La Rivière, ce domaine ne cesse de se distinguer dans le Guide. Les importants travaux réalisés au chai en sont une des causes, tout comme l'application mise à l'entretien du vignoble. Issu de petits rendements (35 hl/ha), ce 2009 livre un élégant bouquet de fruits noirs, de pain grillé et de réglisse, et révèle en bouche équilibre et rondeur. Pour lui tenir compagnie, un dégustateur suggère un pot-au-feu de canard.

GFA du Petit Puch, 3, chem. du Petit-Puch, 33750 Saint-Germain-du-Puch, tél. 05.57.24.52.36, fax 05.57.24.01.82, chateaupetitpuch@yahoo.fr r.-v. 3

CH. TILLÈDE 2009

■ 56 000 5 à 8 €

En conversion vers l'agriculture biologique, ce vignoble est commandé par un château du XIXe s. qui domine le Libournais. Né sur un terroir graveleux et limoneux, son 2009 au caractère très chaleureux, surtout en finale, présente des caractéristiques intéressantes : une bonne charpente tannique, un fruité intense mêlé de kirsch, une belle longueur. Il est prêt à affronter une entrecôte à la bordelaise.

SARL Dom. de Ch. Tillède, rte de Tillède, 33500 Arveyres, tél. 05.57.74.43.07, fax 05.57.24.60.94, accueil@scealebousquet.com r.-v.

Sainte-foy-bordeaux

Superficie : 370 ha
Production : 17 250 hl (90 % rouge)

À l'extrémité orientale de l'Entre-deux-Mers et aux portes du Périgord, sur les rives de la Dordogne, la bastide médiévale de Sainte-Foy-la-Grande a donné son nom à un vignoble qui propose des rouges marqués par le merlot ainsi que quelques blancs, surtout secs.

CH. CARBONNEAU La Verrière 2010

■ 2 200 11 à 15 €

Le nom de cette cuvée fait référence à la verrière de style Napoléon III située à l'entrée du château et élégamment reproduite sur l'étiquette. Dans le flacon, on découvre un vin encore dominé tant au nez qu'en bouche par les onze mois d'élevage en barrique. Son corps et sa structure tannique permettront néanmoins d'assimiler son élevage. On laissera deux ou trois ans à cette bouteille pour gagner en harmonie. La **cuvée Margot 2011 blanc (5 à 8 € ; 12 000 b.)** est un pur sauvignon ample et minéral, parfait pour l'apéritif ou des fruits de mer.

Wilfrid Franc de Ferrière, Ch. de Carbonneau, 33890 Pessac-sur-Dordogne, tél. 05.57.47.46.46, fax 05.57.47.42.26, carbonneau@orange.fr t.l.j. 11h-18h; f. déc.-fév. 5

CH. DES CHAPELAINS Les Temps modernes 2010 ★

■ 12 000 8 à 11 €

Life is too short to drink bad wine... La devise de Pierre Charlot orne l'étiquette de cette cuvée, clin d'œil à Charlie Chaplin (Chapelain, Charlot...), mais aussi « au playdoyer contre l'industrie et le productivisme », précise le vigneron. Un vin d'artisan ? Un très bon vin sans aucun doute. Jolie robe aux reflets violines ; bouquet élégant de fruits mûrs et d'épices ; bouche longue, finement boisée et fruitée, étayée par des tanins souples et avenants : tout est en place pour une dégustation dès cet hiver. La cuvée **Aphrodite 2010 blanc moelleux (5 à 8 € ; 7 000 b.)**, portée sur les agrumes, bien équilibrée, est citée, de même que le **Prélude 2011 blanc sec (5 à 8 € ; 80 000 b.)**, ample et fruité (citron, fruits exotiques), et la **cuvée La Découverte 2011 blanc sec (5 000 b.)**, élevée en fût, plus riche et ronde.

Pierre Charlot, Les Chapelains, 33220 Saint-André-et-Appelles, tél. 05.57.41.21.74, fax 05.57.41.27.42, chateaudeschapelains@wanadoo.fr t.l.j. sf sam. dim. 8h-12h 14h-18h

CH. HOSTENS-PICANT 2010 ★★

■ 76 000 15 à 20 €

56% - 44% : non pas le résultat d'une élection présidentielle mais les proportions respectives de merlot et de cabernet franc proposées par cette cuvée que les dégustateurs ont plébiscitée. Ses arguments pour convaincre : une tenue pourpre sombre aux reflets violets, un fruité généreux de cassis et de myrtille associé à un boisé délicat, une bouche ample et longue, aux tanins fondus et soyeux. Une force tranquille, armée pour un quinquennat. La **cuvée d'Exception Lucullus 2010 rouge (30 à 50 € ; 8 600 b.)**, plus boisée, dotée de tanins plus serrés et robustes, obtient une étoile. La **cuvée des Demoiselles 2010 blanc sec (20 à 30 € ; 26 490 b.)**, également élevée en fût, riche et généreuse, est citée.

SCEA Ch. Hostens-Picant, Grangeneuve-Nord, 33220 Les Lèves-et-Thoumeyragues, tél. 05.57.46.38.11, fax 05.57.46.26.23, chateauhp@aol.com r.-v.

Yves Picant

CH. MARTET Réserve de la famille 2009 ★

■ 66 912 🍷 30 à 50 €

Bien connue des lecteurs, cette cuvée de pur merlot fut créée en 1996 à partir de seulement quatre barriques à l'origine et réservée à la famille de Coninck. La « famille » s'est largement agrandie depuis et le vin n'a plus rien de confidentiel. Dans sa version 2009, il se pare d'une robe noire et profonde, et livre un bouquet complexe de fruits mûrs, d'épices, de réglisse et de café torréfié. Adossé à des tanins fondus, le palais se révèle ample et gras, et déroule une longue finale réglissée. Pour un magret grillé, d'ici deux à cinq ans. Les **Hauts de Martet 2009 rouge (11 à 15 €; 36 000 b.)**, dans un style proche, un peu plus sous l'emprise du bois, obtiennent également une étoile.

SCEA Ch. Martet, 1, Martet, 33220 Eynesse, tél. 05.57.41.00.49, fax 05.57.41.09.36, info@chateaumartet.com r.-v.

Patrick de Coninck

CH. TERTRE DES GOULARDS 2010

■ n.c. - de 5 €

Ce vin de négoce fait la part belle au merlot (90 %). Il se pare d'une robe pourpre animée de nuances violines. Le bouquet, vineux, évoque les fruits noirs mûrs, une petite touche végétale apportant un regain de fraîcheur. La bouche se révèle bien structurée, fruitée et pourvue d'une bonne longueur, les tanins se montrant plus vifs en finale. À boire dans les deux prochaines années.

Alliance Aquitaine, Le Vignoble, 24130 Le Fleix, tél. 05.53.24.65.46 t.l.j. sf dim. lun. 9h-12h 14h-18h30

Cadillac-côtes-de-bordeaux

Superficie : 2 975 ha
Production : 112 425 hl

L'appellation (anciennement premières-côtes-de-bordeaux rouges) s'étend sur une soixantaine de kilomètres le long de la rive droite de la Garonne, des portes de Bordeaux jusqu'à Verdelais. Les vignobles sont implantés sur des coteaux qui dominent le fleuve et offrent de magnifiques points de vue. Les sols y sont très variés : en bordure de la Garonne, ils sont constitués d'alluvions récentes ; sur les coteaux, on trouve des sols graveleux ou calcaires ; l'argile devient de plus en plus abondante au fur et à mesure que l'on s'éloigne du fleuve. Les vins ont acquis depuis longtemps une réelle notoriété. Ils sont colorés, corsés, puissants ; produits sur les coteaux, ils ont en outre une certaine finesse. Les vins blancs de cette zone, moelleux ou liquoreux, continuent d'être revendiqués en appellation premières-côtes-de-bordeaux.

AGAPE 2010 ★

■ 13 000 🍷 5 à 8 €

À la tête de ce petit vignoble depuis 2006, Damien Briard fait une jolie entrée dans le Guide avec cette cuvée dont l'intensité de la robe, à reflets violets, annonce la bonne composition. Souple, ample et fruité, le palais s'appuie sur des tanins élégants qui le destinent à une garde de trois ou quatre ans.

NOUVEAU PRODUCTEUR

Damien Briard, 42, chem. de la Dame-Verte, 33360 Quinsac, tél. 06.84.95.52.26, damien@vins-briard.com r.-v.

CH. BENEYT Grande Réserve 2009 ★★

■ 1 200 🍷 11 à 15 €

Issue de merlot d'un âge respectable (60 ans), cette cuvée séduit par son nez au fruité charmeur habillé par des notes toastées. Dans le prolongement, le palais affiche une structure solide, du volume et une fraîcheur bienvenue en soutien. Un séjour en cave de trois à cinq ans est conseillé pour permettre au boisé, encore bien présent, de se fondre. Pour patienter, on pourra servir la cuvée **Tradition 2010 (moins de 5 €; 6 600 b.)**, qui a obtenu une étoile pour sa rondeur et son soyeux.

Joël Vrignaud, 2, Les Graves-Ouest, 33410 Rions, tél. 06.09.28.59.54, vrignaudjoel@orange.fr r.-v.

CH. CABREDON Tradition 2009 ★

■ 2 800 🍷 5 à 8 €

Sélection parmi les meilleures cuvées du cru, ce 2009 affiche fièrement ses ambitions par une robe d'un rubis foncé et brillant. Ambitions confirmées par un bouquet soutenu de fruits noirs agrémenté d'un boisé bien dosé et par un palais ample, souple, aux tanins mûrs et enrobés. Voilà qui promet une jolie bouteille d'ici quatre ou cinq ans.

EARL Flora et Jean-Paul Charritte, 10, Les Guyonnets, 33490 Verdelais, tél. 05.56.62.05.25, fax 05.56.76.75.46, charritte@free.fr r.-v.

CH. CAMPET 2010 ★

■ 20 000 🍷 8 à 11 €

Planté sur des coteaux argilo-graveleux, le vignoble de ce cru, conduit par le jeune Paul Parlange depuis 2006, associe une majorité de merlot (70 %) aux cabernets franc et sauvignon. Fruité au nez, équilibré, souple et vanillé en bouche, ce 2010 s'appuie sur des tanins ronds et mûrs. Un ensemble harmonieux, à découvrir dans deux ou trois ans.

Famille Parlange, Ch. Campet, 33880 Saint-Caprais-de-Bordeaux, tél. 05.56.35.66.05, fax 05.56.35.72.75, infos@groupe-castel.com

CH. CARIGNAN 2009 ★★

■ 143 540 🍷 8 à 11 €

Coup de cœur l'an dernier pour sa cuvée Prima 2008, ce cru se distingue ici avec sa cuvée principale 2009. Très fin dans son expression aromatique, sur les fruits confits, les épices, la vanille et le toasté, ce vin révèle au palais un caractère ample, généreux et persistant. On lui réservera, dans deux ou trois ans, une côte de bœuf. Autre belle réussite, la cuvée **Prima 2010 (15 à 20 €; 37 000 b.)** obtient une étoile pour sa mâche, son charnu et son fruité intense.

Ch. Carignan, Terroir et Tradition, 60, allée des Châteaux, 33360 Carignan-de-Bordeaux, tél. 05.56.21.21.30, fax 05.56.78.36.65, tt@chateau-carignan.com r.-v.

Andy Lench

DOM. LES CARMELS 2010 ★

■ 3 000 11 à 15 €

Née en janvier 2010, cette petite propriété de 5,12 ha est située sur un mamelon graveleux caractéristique des premières côtes et de sa « terre amoureuse » comme l'on dit ici, une terre qui « colle aux bottes ». Sophie Lavaud et son mari n'ont pas attendu longtemps pour trouver leur voie. Témoin ce 2010 à dominante de merlot, au nez riche et puissant, au boisé soutenu mais élégant (cannelle, toast grillé), plein et solidement charpenté un bouche. Prévoir un séjour en cave de trois ou quatre ans.

NOUVEAU PRODUCTEUR

Sophie Lavaud, lieu-dit Martindoit, 33550 Langoiran, tél. 06.32.24.35.79, info@lescarmels.com r.-v.

CH. CARSIN Cuvée noire 2009 ★★

■ 23 500 11 à 15 €

Ce domaine, propriété depuis 1990 d'une famille finlandaise, propose une superbe cuvée rubis foncé et brillant qui dévoile un bouquet intense et complexe de fruits mûrs, presque confiturés, mêlés de fines notes toastées et épicées. Ample, généreux, persistant, adossé à des tanins soyeux, le palais offre une très belle expression des « vins de côtes ». Un séjour en cave de quatre ou cinq ans le portera à son apogée. Dans un style proche, le **Terroir de Carsin 2009 (8 à 11 € ; 6 500 b.)** décroche lui aussi deux étoiles pour son volume, son charnu et sa structure solide.

GFA Ch. Carsin, 33410 Rions, tél. 05.56.76.93.06, fax 05.56.62.64.80, chateau@carsin.com r.-v.

CH. CAYLA Élevé en fût de chêne 2010 ★★

■ 68 000 8 à 11 €

Jadis propriété des barons de Cayla, ce château a conservé son cachet d'antan. Les Gonfrier en ont fait le cœur d'un vaste ensemble, mais sans sacrifier la qualité, comme le prouve ce vin des plus réussis. Fruits rouges et noirs, violette, café, le bouquet séduit par sa complexité dans laquelle une note de cuir rappelle la place du merlot (75 %). Ample et bien structurée, tout en gardant beaucoup de souplesse, la bouche invite à une garde de trois ou quatre ans. À boire plus jeune (dans un an ou deux), le souple et fruité **Ch. Baracan 2010 (66 000 b.)** est cité.

SCEA Gonfrier Frères, Ch. de Marsan, BP 7, 33550 Lestiac-sur-Garonne, tél. 05.56.72.14.38, fax 05.56.72.10.38, gonfrier@wanadoo.fr t.l.j. 9h-17h30; sam. dim. sur r.-v.

CH. LA CHÈZE 2010

■ 20 000 5 à 8 €

Maison noble et relais de chasse du duc d'Épernon, ce château est l'héritier d'une longue histoire, écrite depuis 1997 par Jean-François Rontein, œnologue-conseil. Ce dernier signe une cuvée plaisante par ses arômes de cerise, de pain grillé et de vanille, et par sa structure solide. À boire dans deux ou trois ans.

Rontein, La Chèze, 33550 Capian, tél. 06.09.79.18.03, fax 05.56.23.01.51, jfrontein@wanadoo.fr r.-v.

CH. CLOS CHAUMONT 2009

■ 6 000 15 à 20 €

Sa présence régulière dans le Guide l'atteste : ce cru, conduit par le Hollandais Pieter Verbeek et conseillé par Hubert de Boüard de Laforest, propriétaire du Château Angelus, constitue l'une des valeurs sûres de l'appellation. Bien qu'encore dominé par le bois, son 2009 est à la hauteur de la réputation du domaine : une expression aromatique complexe et persistante, un palais riche, bien structuré et équilibré. À boire dans trois ans.

Ch. Clos Chaumont, 8, lieu-dit Chomon, 33550 Haux, tél. 05.56.23.37.23, fax 05.56.23.30.54, chateau-clos-chaumont@wanadoo.fr r.-v.

Pieter Verbeek

CLOS DU CH. DE CADILLAC 2010 ★

■ 20 000 8 à 11 €

Chose plutôt rare dans la région, ce vin est né dans un clos de 2,50 ha, situé à l'intérieur de la bastide de Cadillac. Ample, corpulent et bien charpenté, il révèle une belle matière qui s'associe aux notes fruitées, vanillées et réglissées du bouquet. Une garde de quatre ou cinq ans est conseillée. Le **Ch. les Tourelles 2009 (25 000 b.)** est cité.

Darriet, Ch. Dauphiné-Rondillon, 33410 Loupiac, tél. 05.56.62.61.75, fax 05.56.62.63.73, contact@vignoblesdarriet.fr t.l.j. 8h30-12h30 14h-18h; sam. dim. sur r.-v.; f. sem. du 15 août

CLOS SAINTE ANNE 2009

■ 30 000 8 à 11 €

Jouxtant un ancien prieuré, ce domaine était tout indiqué pour accueillir des chambres d'hôtes. Y séjourner sera l'occasion de découvrir ce vin harmonieux et déjà très plaisant par sa complexité aromatique (fruits noirs, toasté, épices) et ses tanins fondus.

Vignobles Courselle, Ch. Thieuley, rte de Grimard, 33670 La Sauve, tél. 05.56.23.00.01, fax 05.56.23.34.37, contact@thieuley.com r.-v. 3

♥ **CH. COURRÈGES** Cap de fer 2009 ★★

■ n.c. 11 à 15 €

Couronnant une belle montée en puissance depuis son entrée dans le Guide il y a six ans, ce vin tient pleinement les promesses d'une robe profonde. Le merlot à maturité (95 % de l'encépagement) apporte une note de cuir au bouquet, où les arômes de fruits, de tabac, d'épices et de vanille composent une palette dont la complexité annonce celle du palais. Puissant, riche, chaleureux et charnu, celui-ci s'appuie sur des tanins de grande qualité. Tout s'accorde pour promettre une grande bouteille d'ici cinq ou six ans.

Vignobles Landeau, 40, av. Stephen-Couperie, 33440 Saint-Vincent-de-Paul, tél. 05.56.77.03.64, fax 05.56.77.11.17, landeau.xavier@orange.fr r.-v.

CH. LE DOYENNÉ 2009 ★★

■ 24 000 11 à 15 €

Conçu en 1805, le parc conserve des arbres bicentenaires. Bien que nettement plus jeunes, les vignes commencent à être suffisamment âgées (27 ans) pour donner naissance à de jolis vins comme ce 2009 au bouquet intense et complexe : on y perçoit pêle-mêle des notes de cuir, de gibier, de vanille, de café et de raisin bien mûr. Puissant, charnu, généreux, le palais s'adosse à des tanins concentrés et serrés, garants d'un solide potentiel de garde (cinq ans et plus).

SCEA du Doyenné, 27, chem. de Loupes, 33880 Saint-Caprais-de-Bordeaux, tél. 05.56.78.75.75, fax 05.56.21.30.09, dwatrin@chateauledoyenne.fr r.-v.

D. Watrin

CH. DUPLESSY 2009 ★★

■ 28 250 8 à 11 €

Belle chartreuse, cette demeure aristocratique a su conserver une réelle harmonie en dépit d'une construction échelonnée dans le temps. C'est aussi une impression d'équilibre qui se dégage du vin, dont la richesse, la générosité et la complexité (café torréfié, cacao, fruits mûrs) s'accompagnent de beaucoup d'élégance et de persistance. Une jolie bouteille à ouvrir dans trois ou quatre ans sur une viande en sauce.

Sté civile Ch. Duplessy, 1, av. de Bordeaux, 33360 Cénac, tél. 05.56.20.73.28, fax 05.56.20.77.03, contact@chateau-duplessy.fr t.l.j. 8h-12h 14h-18h

CH. GRAND JOUR 2010 ★★

■ n.c. 5 à 8 €

Issu d'un cru appartenant à l'ensemble beaucoup plus vaste des domaines Guillot, ce vin grenat profond retient l'attention par son bel équilibre. Soutenu par des tanins soyeux, il dévoile une matière souple et élégante ainsi qu'une expression aromatique harmonieuse, tout en fruits, rehaussée de nuances épicées. Il s'exprimera pleinement dans trois ou quatre ans.

SCE des Dom. Jean Guillot, Ch. Bouteilley, 18, chem. de Bouteilley, 33370 Yvrac, tél. 06.07.31.79.22, fax 05.56.38.43.36, domaines-jean-guillot@orange.fr r.-v.

CH. DE HAUT COULON 2010 ★

■ 25 000 8 à 11 €

Propriété du groupe Castel, ce cru fait une belle entrée dans le Guide avec ce 2010 plein et élégant, sans boisé excessif. Ses tanins fins qui se manifestent dès l'attaque invitent à attendre trois ou quatre ans pour profiter pleinement de ses qualités.

Ch. de Haut Coulon, 33560 Sainte-Eulalie, tél. 05.56.35.66.05, fax 05.56.95.54.19, infos@groupe-castel.com

CH. HAUT RIAN Élevé en fût de chêne 2010 ★

■ 180 000 5 à 8 €

Viticulteur d'origine alsacienne, Michel Dietrich est régulièrement sélectionné dans le Guide pour ses blancs (bordeaux sec et entre-deux-mers) ; mais il s'y entend aussi en rouge, comme l'indique ce 2010 de belle facture. Fin, souple, harmonieux et d'une bonne longueur, le palais s'accorde avec un bouquet aux notes puissantes de fruits rouges. À attendre deux ou trois ans.

EARL Michel Dietrich, 10, La Bastide, 33410 Rions, tél. 05.56.76.95.01, fax 05.56.76.93.51, chateauhautrian@wanadoo.fr

t.l.j. sf sam. dim. 9h-12h 14h-17h30; f. 6-27 août

CH. LES HAUTS DE PALETTE Élevé en fût de chêne 2010 ★★

■ 30 000 8 à 11 €

En 2011, cette vaste unité commandée par une chartreuse du XVIIIe s. a achevé la rénovation de ses chais. Ce chantier n'a pas distrait les Yung du travail de vinification, comme en témoigne ce très joli 2010. La robe, sombre et brillante, le bouquet, fin et bien équilibré entre fruité et boisé, le palais, charpenté mais toujours élégant, la longue finale, tout témoigne d'un travail bien fait et annonce une bouteille des plus intéressantes, dès que les tanins se seront arrondis, dans trois ou quatre ans. Rond et souple, à boire plus jeune, le **Ch. Moulin de Tassin 2010 Élevé en fût de chêne (5 à 8 € ; 60 000 b.)** obtient une étoile.

SCEA Charles Yung et Fils, 8, chem. de Palette, 33410 Béguey, tél. 05.56.62.94.85, fax 05.56.62.18.11, r.yung@wanadoo.fr

t.l.j. sf sam. dim. 9h-12h30 14h-18h30; f. août

HENRI Élevé en fût de chêne 2010 ★★

■ 650 11 à 15 €

Bien qu'appartenant à une micropropriété de 1 ha, ce vignoble possède un encépagement diversifié, avec 40 % de merlot, autant de cabernet-sauvignon et le solde en cabernet franc. Grâce à quoi le bouquet de cette cuvée nécessairement confidentielle se révèle d'une bonne complexité, les arômes de fruits rouges et de raisin mûr étant renforcés par un boisé bien dosé (vanille et épices). Ample, gras, corsé mais encore un peu austère, le palais révèle un solide potentiel de trois ou quatre ans de garde.

Stroobandt, 37, rte de la Lande, 33360 Camblanes-et-Meynac, tél. 05.56.20.62.97, alexandre.beaumont@voila.fr

t.l.j. sf dim. 9h-12h 14h-19h

CH. LAGRANGE 2009 ★

■ 24 000 5 à 8 €

Cette propriété familiale, à taille humaine (à peine 10 ha), propose un vin classique dans sa présentation, paré d'une robe rubis. Des arômes frais de fraise et de framboise exhalent du verre, que l'on retrouve dans un palais bien charpenté et équilibré, soutenu par des tanins fins. À découvrir dans les deux ou trois ans à venir.

SCEA Vignobles Lacoste, Ch. Lagrange, 33550 Capian, tél. 05.56.72.15.96, chateaulagrange@terre-net.fr

t.l.j. 9h-12h 13h30-18h

CH. LANGOIRAN Cuvée Prestige 2009 ★

■ 30 000 8 à 11 €

Issue des plus belles parcelles des coteaux entourant la forteresse médiévale qui commande le domaine, cette cuvée se présente dans une élégante robe rubis foncé. Elle offre un bouquet naissant fruité et délicatement réglissé, que prolonge une bouche ample et tannique. Encore un peu austère en finale, elle demandera deux ou trois ans pour se fondre. Bien équilibrée, la **Cuvée La Gravière 2010 (11 à 15 € ; 5 000 b.)** est citée.

SC Ch. Langoiran, 16, rte du Château, 33550 Langoiran, tél. 05.56.67.08.55, fax 05.56.67.32.87, infos@chateaulangoiran.com t.l.j. 9h-12h 14h-17h
Nicolas Filou

CH. LAROCHE BEL AIR 2009

n.c. 5 à 8 €

En 2009, ce cru est entré dans le vaste ensemble des domaines de la famille Merlaut, qui a marqué son arrivée par l'élaboration d'un vin fort agréable. Un cadillac-côtes-de-bordeaux délicat dans son expression aromatique, sur de plaisantes notes de fruits rouges mûrs, rond et équilibré en bouche. Des qualités qui se retrouvent dans le **Ch. Laroche 2009 (53 000 b.)**, également cité.

SARL Dudon, Ch. Dudon, 33880 Baurech, tél. 05.57.97.77.35, fax 05.57.97.77.39, info@jean-merlaut.com r.-v.
Jean Merlaut

CH. MELIN Cuvée Louis Élevé en fût de chêne 2009 ★

3 000 11 à 15 €

Assemblage de merlot, de cabernet-sauvignon et de malbec, plantés sur les meilleurs terroirs du cru, ce vin offre un joli bouquet de fruits rouges mûrs, d'épices et d'amande, et un palais long, bien charpenté et élégant. On l'appréciera dans les trois ans à venir. Plus simple mais bien faite, la **cuvée principale Élevé en fût de chêne 2009 (8 à 11 €; 18 000 b.)** est citée.

Vignobles Claude Modet et Fils, 595, Constantin, 33880 Baurech, tél. 05.56.21.34.71, fax 05.56.21.37.72, vmodet@wanadoo.fr t.l.j. sf dim. 8h-12h 14h-18h; sam. sur r.-v.

♥ CH. MONT-PÉRAT 2010 ★★★

180 000 15 à 20 €

Célèbre en Asie depuis qu'il a figuré dans le manga *Les Gouttes de Dieu* (mais connu depuis longtemps par les lecteurs du Guide), ce cru bénéficie d'un vaste terroir argilo-calcaire et graveleux, ainsi que du savoir-faire incontestable des Despagne. Écho aux coups de cœur obtenus dans les millésimes 1998, 1999 et 2000, le 2010 a fait forte impression. D'abord par sa robe grenat profond, tirant vers le noir. Puis par son intense et complexe palette aromatique où les notes toastées de l'élevage viennent appuyer les fruits mûrs, le tout rehaussé d'épices. Enfin par son volume impressionnant, sa richesse, ses tanins doux et élégants, et sa longue, très longue finale. Un vin armé pour la garde assurément, que l'on accordera dans cinq ou six ans avec un canard rôti ou un vacherin.

SCEA de Mont-Pérat, 33550 Capian, tél. 05.57.84.55.08, fax 05.57.84.57.31, contact@despagne.fr r.-v.
Despagne

CH. DU PAYRE Cuvée réservée 2009 ★

6 000 5 à 8 €

Ayant connu la barrique pendant treize mois, cette cuvée est encore marquée par le bois, des notes toastées soutenues se mêlant aux fruits noirs. Souple en attaque, ample, charnu et doté d'une bonne structure, le palais appelle une garde de trois ou quatre ans. Également à attendre, **La Perle du Payre Élevé en fût de chêne 2009 (8 à 11 €; 6 000 b.)** a reçu une citation.

Vignobles Arnaud et Marcuzzi, 13, Le Vic, 33410 Cardan, tél. 05.56.62.60.91, fax 05.56.62.67.05, contact@chateau-du-payre.fr t.l.j. 10h-12h 14h-18h; f. 12 août-1er sep.

CH. PILET Cuvée Prestige Élevé en fût de chêne 2010

8 500 8 à 11 €

Associant une part non négligeable de cabernet (60 %) au merlot, ce vin séduit par son bouquet plaisant de fruits rouges confits mêlés d'épices, et par son palais souple et rond, adossé à une bonne structure qui lui permettra d'être attendu deux ou trois ans.

SC Vignobles Jean Queyrens et Fils, 3, Le Grand-Village, 33410 Donzac, tél. 05.56.62.97.42, fax 05.56.62.10.15, scvjqueyrens@orange.fr r.-v.

CH. DE POTIRON Cuvée exceptionnelle 2009 ★★

5 757 11 à 15 €

Originale par son conditionnement, en partie en flacons de 150 cl (1 630 bouteilles), cette cuvée a frôlé... l'exceptionnel en dégustation. Au nez, une palette riche et complexe qui mêle le cassis, la cerise, la mûre, la réglisse, le pain grillé et une touche de cuir. En bouche, un volume remarquable, du gras, des tanins serrés et une belle finale pleine de tonus et de vivacité. Voilà qui promet une très belle bouteille, qui obtiendra sa troisième étoile à l'horizon 2015-2016. Un peu moins expressive sur le plan aromatique, mais tout aussi ample et riche en bouche, la **Cuvée Privilège 2009 (5 à 8 €; 107 540 b.)** obtient elle aussi deux étoiles.

SCEA Ch. de Potiron, D 140, 33550 Capian, tél. 05.56.72.19.76, fax 05.56.72.33.57, chateau-de-potiron@dzwine.com r.-v.
Schmidt

CH. LA RAME La Charmille 2010 ★

20 000 8 à 11 €

La charmille qui a servi à baptiser cette cuvée a bel et bien existé ; au début du XXe s., elle a même abrité les déjeuners de la famille Armand quand celle-ci travaillait sur une parcelle éloignée de la propriété. C'est aujourd'hui un fort joli vin, rubis soutenu, au nez élégant de fruits rouges et noirs mûrs, ample, charnu, sans agressivité aucune en bouche, porté par des tanins aimables et une agréable vivacité finale. Il pourra être apprécié d'ici deux à trois ans.

GFA Ch. la Rame, La Rame, 33410 Sainte-Croix-du-Mont, tél. 05.56.62.01.50, fax 05.56.62.01.94, dgm@wanadoo.fr t.l.j. 9h-12h 13h30-17h30; sam. dim. sur r.-v.

CH. REYNON 2009 ★

63 000 11 à 15 €

La présence du petit verdot apporte une note d'originalité à l'encépagement de ce cru très régulier. La robe, grenat à frange vive, annonce un vin jeune et prometteur.

De fait, le nez évoque les fruits noirs et rouges, des nuances épicées apportant de la complexité. La bouche se révèle fruitée et veloutée, portée par des tanins soyeux. Un vin harmonieux, à découvrir dans deux ou trois ans.

EARL Denis et Florence Dubourdieu,
Ch. Reynon, 21, rte de Cardan, 33410 Béguey,
tél. 05.56.62.96.51, fax 05.56.62.14.89, reynon@wanadoo.fr
r.-v.

CH. DE RICAUD Grand Vin 2010 ★★

■ 13 300 — 15 à 20 €

Fait rare dans l'appellation, ce vin est issu à 70 % de cabernet-sauvignon. Un choix que ne démentent ni la présentation, avec une robe d'une grande intensité, ni le bouquet, complexe, sur les fruits rouges (cerise) et noirs (myrtille), ni le palais, puissant, généreux et solidement charpenté. Ce 2010 sera à ouvrir dans trois ou quatre ans sur une côte de mouton ou un gigot à la ficelle. Un peu plus austère et de belle garde également, la **Réserve des Coteaux 2009 (8 à 11 €; 90 000 b.)** obtient une étoile.

Ch. de Ricaud,
35, rue de Bordeaux-Parempuyre, CS 80004,
33295 Blanquefort Cedex, tél. 05.56.35.53.00,
fax 05.56.35.53.29, contact@cubg.com r.-v.
Alain Thiénot

CH. ROLLAND 2009 ★

■ 7 000 — 8 à 11 €

Philippe Gautier signe ici un vin « authentique et de caractère, bien dans l'esprit des vins de côtes », selon les dégustateurs. Derrière une robe sombre, se dévoile un bouquet concentré de fruits cuits mâtiné de notes de cuir et de gibier. La bouche, dense et charnue, présente une solide charpente tannique qui lui assurera une bonne tenue à la garde (trois à cinq ans, et même plus).

Philippe Gautier, 4, lieu-dit Rolland,
33490 Saint-Maixant, tél. 05.56.62.02.41, fax 05.56.76.70.22,
cht.rolland@sfr.fr r.-v.

CH. SUAU 2010

■ 70 000 — 11 à 15 €

Depuis vingt-cinq ans et sa reprise par la famille Bonnet, ce bel ensemble de 65 ha connaît des investissements réguliers, tant au chai qu'à la vigne ; dernier en date, une conversion en cours à l'agriculture biologique. Côté vin, ce 2010, dense et profond à l'œil, livre un bouquet encore dominé par les notes toastées de l'élevage. À l'aération pointent les fruits et quelques nuances de violette. On retrouve le boisé dans un palais rond, gras, structuré qui demande à s'arrondir encore deux à trois ans.

Bonnet-Kenney, Ch. Suau, 600, Suau, 33550 Capian,
tél. 05.56.72.19.06, fax 05.56.72.12.43,
bonnet.suau@wanadoo.fr
t.l.j. 9h-12h 14h-17h; sam. dim. sur r.-v.

CH. DU TASTA Grande Réserve 2010 ★

■ 25 000 — 5 à 8 €

Issue d'une sélection parcellaire, cette cuvée a bénéficié d'un élevage en fût bien dosé, qui respecte le vin. Tant en ce qui concerne son expression aromatique, délicate et fine, sur le toasté et les fruits mûrs, que sa structure, souple et soyeuse, soutenue par des tanins mûrs et veloutés. À découvrir dans les trois ans à venir. Bien équilibré également, le **Ch. Grimont Cuvée Prestige 2010 (50 000 b.)** est cité.

SCEA P. Yung et Fils, Ch. Grimont, 33360 Quinsac,
tél. 05.56.20.86.18, fax 05.56.20.82.50,
info@vignobles-yung.fr r.-v.
Perret

CH. LE THYS 2010 ★

■ 32 000 — 5 à 8 €

La reprise en main dont a bénéficié cette propriété depuis 2003 et l'arrivée d'Éric et Hélène Fournier-Castéja semblent porter leurs fruits. Témoin ce 2010 d'une bonne complexité aromatique, fruité et épicé, ample et structuré, porté par une jolie fraîcheur qui lui donne de l'allonge. À déguster dans les trois ans à venir.

Fournier-Castéja, Ch. de Birot, 8, rue de Reynon,
33410 Béguey, tél. et fax 05.56.62.68.16,
contact@chateau-birot.com r.-v.

Côtes-de-bordeaux-saint-macaire

Superficie : 53 ha
Production : 1 010 hl

Cette appellation qui prolonge, vers le sud-est, celle des premières-côtes-de-bordeaux, produit des vins blancs secs et liquoreux.

♥ CH. DE BOUILLEROT Le Palais d'or 2010 ★★

■ 3 000 — 8 à 11 €

Dans la famille depuis trois générations, ce château bien connu des lecteurs du Guide a obtenu en dix ans six coups de cœur. Thierry Bos renouvelle la performance avec le millésime 2010. Parée d'une robe jaune paille brillant, sa cuvée Le Palais d'or, 100 % sémillon, présente un nez expressif de fruits exotiques et de miel accompagnés d'un léger boisé. Agréable et ronde, la matière se prolonge dans une longue finale harmonieuse. Ce vin remarquablement équilibré fera plaisir dès à présent, tout en pouvant atteindre cinq ans. Il s'accordera avec une viande blanche ou du roquefort. (Bouteilles de 50 cl.)

Thierry Bos, 8, Lacombe, 33190 Gironde-sur-Dropt,
tél. 05.56.71.46.04, fax 08.11.38.21.94, info@bouillerot.com
r.-v.

CH. DE CAPPES Cuvée mordorée 2010 ★★

3 600 | 11 à 15 €

Cédric Boulin a rejoint en 2010 son père Patrick sur l'exploitation. À peine installé, il décroche deux étoiles avec cette Cuvée mordorée, issue du seul sémillon. Une jolie robe limpide et brillante habille ce 2010 au nez d'agrumes et de fruits exotiques ; fruits que l'on retrouve dans une bouche ronde, accompagnés d'une touche boisée. Ce vin harmonieux sera parfait sur une viande blanche, une bécasse à la ficelle ou sur des fromages persillés, dès aujourd'hui comme dans quatre ans. (Bouteilles de 50 cl.)

EARL Boulin, 4, Bidalet, 33490 Saint-André-du-Bois,
tél. 06.08.91.48.58, fax 05.56.76.40.88,
chateaudecappes@laposte.net r.-v.

CH. HAUT JEAN REDON Cuvée Iban 2010 ★

2 500 | 5 à 8 €

Six générations se sont succédé sur le domaine conduit aujourd'hui par Jean Redon, qui propose ici sa cuvée Iban – baptisée ainsi en l'honneur de son enfant né en 2010. Ce vin, issu d'un assemblage de sémillon et de sauvignon à parts égales, se présente dans une robe jaune doré à reflets blancs. Des arômes de fruits confits se dégagent à l'olfaction, accompagnés d'une touche de fleurs blanches. Le palais se montre doux, rond, sur les fruits exotiques, tonifié par une pointe d'agrumes. À boire dès à présent, à l'apéritif ou sur une viande blanche.

Carpentey, Jean Redon, 33490 Saint-Pierre-d'Aurillac,
tél. 05.56.23.45.52, michel.carpentey@wanadoo.fr
r.-v.

CH. DE JAYLE Cuvée Acacia Sec 2011

1 200 | 5 à 8 €

Situé à 5 mn de la cité médiévale de Saint-Macaire, le château de Jayle, dirigé par Denis Pellé depuis 1991, se transmet depuis plus de cinq générations. Il a développé des structures d'accueil et vous pourrez y déguster ce saint-macaire d'un jaune soutenu, au bouquet de fruits exotiques et de bourgeon de cassis. Arômes que l'on retrouve dans une bouche ample, marquée par une note boisée héritée de son élevage en fût d'acacia. Bien structuré, c'est un vin de repas qui accompagnera un poisson ou une viande blanche.

EARL Vignobles Pellé, 1-2, Jayle,
33490 Saint-Martin-de-Sescas, tél. 05.56.63.60.90,
fax 05.56.62.71.60, contact@vignobles-pelle.com
r.-v. 4

CH. MAJOUREAU Sauvignon Sec 2011 ★★

6 500 | - de 5 €

Dans la même famille depuis plusieurs générations, le château Majoureau, un habitué du Guide, a vu l'arrivée d'Émeline, œnologue, sœur de Mathieu Delong. Cette dernière a vinifié un sauvignon élevé sur lies pendant deux mois. D'une couleur très pâle, brillante, ce 2011 libère des arômes intenses mais subtils de fruits exotiques, accompagnés par une note de bourgeon de cassis. La bouche est équilibrée, d'une belle fraîcheur fruitée, sur le kiwi. Ce vin élégant, à déguster dès à présent, sera parfait à l'apéritif, sur du poisson ou des tapas. Sont également sélectionnés **La Petite Dorée Moelleux 2010 (8 à 11 €; 2 500 b.; bouteilles de 50 cl.)**, un vin harmonieux, tout en finesse, au bouquet de fruits exotiques, qui obtient une étoile, et le **liquoreux 2011 Hyppos Cuvée fût de chêne (5 à 8 €; 3 000 b.)**, cité pour son équilibre et pour ses arômes de fleurs et de fruits blancs.

SCEA Vignobles Delong, 1, Majoureau, 33490 Caudrot,
tél. 05.56.62.81.94, fax 05.56.62.75.87,
familledelong@hotmail.com r.-v.

CH. DE MALROMÉ Moulin blanc 2011 ★

25 000 | 5 à 8 €

Le château de Malromé, ancienne demeure familiale du peintre Henri de Toulouse-Lautrec, plus connu dans nos pages pour son bordeaux supérieur, présente un saint-macaire sec de belle facture, au nez délicat de fleurs blanches souligné d'une légère note boisée. Note que l'on retrouve dans un palais équilibré, ample et rond. Un bon représentant de l'appellation, à boire au cours des deux ou trois prochaines années.

SCEA Malromé, 33490 Saint-André-du-Bois,
tél. 05.56.76.44.92, fax 05.56.76.46.18,
malrome@malrome.com r.-v.
Euromurs

CH. PERAYNE Apollon Sec 2011

16 700 | 15 à 20 €

Situé sur les coteaux sud de la Garonne, ce vignoble profite d'un climat ensoleillé. Sa cuvée Apollon se pare d'une robe jaune paille limpide. Fin et élégant, le palais dévoile des saveurs de fruits blancs accompagnés d'une discrète nuance boisée. D'une belle longueur, ce 2011 se dégustera à l'apéritif, sur du poisson ou des tapas. On pourra le garder deux ans en cave.

SARL Henri Luddecke, Ch. Perayne,
33490 Saint-André-du-Bois, tél. 05.57.98.16.20,
info@chateau-perayne.com
t.l.j. 8h30-12h30 14h-19h 2 C

SEMMACARI DE PONTET BEL AIR
Sec Vinifié en fût de chêne 2011

6 000 | 5 à 8 €

Transmise de père en fils depuis cinq générations, cette exploitation propose une cuvée élevée en barrique avec bâtonnage. Ce 2011, limpide, se montre franc et net à l'olfaction, développant des arômes de beurre frais et de toasté. La bouche est dans la même lignée et présente un bon volume. À déguster dès aujourd'hui sur un poisson en sauce ou une viande blanche.

Didier Cousiney, 6, chem. de l'Église,
33490 Le Pian-sur-Garonne, tél. 05.56.76.44.51,
fax 05.56.76.47.08, didiercousiney@wanadoo.fr r.-v.

CH. TOUR DU MOULIN DU BRIC L'Or du Bric 2009 ★

2 400 | 5 à 8 €

Sur cette propriété de 26 ha, Sylvie Thomasson produit, outre des bordeaux rouges, un joli saint-macaire moelleux à la teinte jaune paille, limpide et brillant. Ce 2009, au nez expressif de fruits exotiques et de miel, dévoile en bouche un bel équilibre sucre-acidité. Une note d'agrumes vient vivifier l'ensemble. Cette bouteille gagnera en harmonie dans les deux ans qui viennent.

SCEA Vignobles Faure, Moulin du Bric,
33490 Saint-André-du-Bois, tél. 05.56.76.40.20,
fax 05.56.76.45.29, vignoblesfaure@wanadoo.fr r.-v.
S. Thomasson

La région des Graves

Vignoble bordelais par excellence, les graves n'ont plus à prouver leur antériorité : dès l'époque romaine, leurs rangs de vignes ont commencé à encercler la capitale de l'Aquitaine et à produire, selon l'agronome Columelle, « un vin se gardant longtemps et se bonifiant au bout de quelques années ». C'est au Moyen Âge qu'apparaît le nom de Graves. Il désigne alors tous les pays situés en amont de Bordeaux, entre la rive gauche de la Garonne et le plateau landais. Par la suite, le Sauternais s'individualise pour constituer une enclave, vouée aux liquoreux, dans la région des Graves.

Graves et graves supérieures

S'allongeant sur une cinquantaine de kilomètres, la région des Graves doit son nom à la nature de son terroir : celui-ci est constitué principalement par des terrasses construites par la Garonne et ses ancêtres qui ont déposé une grande variété de débris caillouteux (galets et graviers originaires des Pyrénées et du Massif central).

Depuis 1987, les vins qui y sont produits ne sont pas tous commercialisés comme graves, le secteur de Pessac-Léognan bénéficiant d'une appellation spécifique, tout en conservant la possibilité de préciser sur les étiquettes les mentions « vin de graves », « grand vin de graves » ou « cru classé de graves ». Concrètement, ce sont les crus du sud de la région qui revendiquent l'appellation graves.

L'une des particularités de l'AOC réside dans l'équilibre qui s'est établi entre les superficies consacrées aux vignobles rouges et blancs secs. Les graves rouges possèdent une structure corsée et élégante qui permet un bon vieillissement. Leur bouquet, finement fumé, est particulièrement typé. Les blancs secs, élégants et charnus, sont parmi les meilleurs de la Gironde. Les plus grands, fréquemment élevés en barrique, gagnent en richesse et en complexité après quelques années de garde. On trouve aussi des vins moelleux qui ont toujours leurs amateurs et qui sont vendus sous l'appellation graves supérieures.

Graves

Superficie : 3 420 ha
Production : 138 835 hl (75 % rouge)

CH. D'ARRICAUD 2010 ★★

n.c. 8 à 11 €

Sa situation, sur les hauteurs de Landiras, offre à ce cru un terroir de qualité qui lui permet de présenter un joli vin où chaque cépage (sémillon, sauvignon et muscadelle) apporte sa spécificité pour composer un bouquet intense et complexe : pamplemousse, bourgeon de cassis, fleurs blanches. Vif et net en attaque, le palais monte en puissance pour laisser le dégustateur sur le souvenir d'un ensemble doux et frais à la fois, épanoui et élégant.

EARL Bouyx, Ch. d'Arricaud, 33720 Landiras,
tél. 05.56.62.51.29, fax 05.56.62.41.47,
chateaudarricaud@wanadoo.fr r.-v.

CH. BEAUREGARD DUCASSE Albertine Peyri 2010 ★

12 000 8 à 11 €

Jacques Perromat s'est installé en 1981 sur ce terroir de Mazères, reprenant la propriété familiale qu'il a considérablement étendue en trente ans : de 2 ha à 49 ha. Il signe ici une cuvée d'un beau jaune pâle, très bouquetée, avec de puissantes notes de fleurs blanches et de vanille. Un vin gras, charnu et rond en bouche, bien équilibré entre le fruit et le bois. Bien charpenté mais encore marqué par le merrain, le **2009 rouge Albert Duran (11 à 15 € ; 30 000 b.)** est cité. On l'attendra deux ou trois ans.

EARL Vignobles Jacques Perromat, Ducasse,
33210 Mazères, tél. 05.56.76.18.97, fax 05.56.76.17.73,
jperromat@mjperromat.com
t.l.j. 9h-12h 14h-18h; sam. dim. sur r.-v.

CH. BICHON CASSIGNOLS 2010 ★

5 000 8 à 11 €

Ce cru a amorcé sa conversion bio en 2008, achevée en 2011. Né dans la période de transition, ce vin séduit par son équilibre, sa rondeur et sa souplesse en bouche comme par la finesse et l'élégance de son expression aromatique, d'une belle complexité : agrumes, fleurs blanches et rose. À déguster dans les deux ans sur un gratin d'écrevisses.

Lespinasse, 50, av. Capdeville, 33650 La Brède,
tél. 05.56.20.28.20, fax 05.56.20.20.08,
bichon.cassignols@wanadoo.fr r.-v.

CH. LE BONNAT 2009 ★★

50 000 8 à 11 €

Ancien fermage du château Fieuzal, cette propriété a été reprise en 1997 par Jean-Jacques Lesgourgues. Ce 2009 bien typé dévoile un bouquet d'abord sur la réserve, qui s'ouvre à l'agitation sur les fruits rouges mûrs et un boisé bien dosé. Son développement au palais fait apparaître un très beau volume soutenu par des tanins fins et élégants. Une finale originale aux notes de kirsch clôt heureusement la dégustation. À ouvrir dans deux ou trois ans sur un rôti de veau en cocotte. Du même propriétaire, le **Ch. Haut Selve 2010 blanc (18 000 b.)** obtient une étoile pour son bouquet fruité (agrumes, fruits exotiques) et minéral, et pour son équilibre en bouche.

Vignobles Lesgourgues,
Ch. Branda, 37, rue du 8-Mai-1945,
33240 Cadillac-en-Fronsadais, tél. 05.57.94.09.20,
fax 05.57.94.09.30, contact@leda-sa.com r.-v.

CAPRICE DE BOURGELAT 2010 ★

4 050 | 8 à 11 €

Fidèle à l'esprit des graves, ce cru élabore son blanc à partir de 85 % de sémillon. Rien d'étonnant de trouver dans le vin beaucoup de finesse et d'élégance, tant dans son bouquet naissant d'agrumes et de vanille, que dans son palais, long, équilibré et fruité. D'une aimable simplicité, le **Clos Bourgelat 2009 rouge (27 600 b.)** est cité.

EARL Dominique Lafosse, Clos Bourgelat, 4, Caulet-sud, 33720 Cérons, tél. 05.56.27.01.73, domilafosse@wanadoo.fr
t.l.j. sf dim. 9h-12h 14h-19h; f. août

CH. BRONDELLE 2010 ★★★

13 000 | 11 à 15 €

Situé dans les Graves méridionales, aux portes du Sauternais, ce cru bénéficie d'un beau terroir argilo-graveleux, notamment pour les blancs. Mi-sémillon mi-sauvignon, ce 2010 se présente dans une superbe robe jaune soutenu, en parfaite harmonie avec la puissance du bouquet qui mêle les fruits mûrs, la noix de coco, le pain grillé et la cire d'abeille. Souple dès l'attaque, le palais se révèle gras, suave, ample et très long. Un vin à la fois gourmand et raffiné, à déguster dès à présent sur une queue de lotte. Autre jolie réussite, le **2009 rouge (12 000 b.)** obtient une étoile pour son équilibre et son boisé bien fondu. On l'appréciera jeune (avant 2015) sur une grillade.

Jean-Noël Belloc, Ch. Brondelle, 33210 Langon, tél. 05.56.62.38.14, fax 05.56.62.23.14, chateau.brondelle@wanadoo.fr
t.l.j. 9h-12h30 14h-17h30; sam. dim. sur r.-v.

CH. DE CASTRES 2010 ★

100 000 | 11 à 15 €

Avant la Révolution, cette propriété était l'un des plus vastes domaines de la région. Il en est resté une belle chartreuse, un parc aux arbres tricentenaires et un vignoble de qualité, comme le prouvent, après beaucoup d'autres, les trois vins retenus. D'une belle couleur grenat, le rouge 2010 développe un bouquet intense de fruits rouges et d'épices, que soutient un merrain bien dosé. Frais, ample et charnu en bouche, porté par des tanins veloutés, il pourra être apprécié aussi bien jeune que dans quatre ou cinq ans. Le **2011 blanc (7 000 b.)** obtient également une étoile pour son élégante expression aromatique (noisette, amande, fruits blancs), et le **Ch. Tour de Castres 2011 blanc (8 à 11 € ; 7 000 b.)** est cité pour sa souplesse et son bouquet floral.

EARL Vignobles Rodrigues-Lalande, Ch. de Castres, 33640 Castres-Gironde, tél. 05.56.67.51.51, fax 05.56.67.52.22, contact@chateaudecastres.fr r.-v.

♥ **CH. DE CHANTEGRIVE** 2009 ★★

180 000 | 11 à 15 €

Jamais deux sans trois : ce cru décroche un coup de cœur pour la troisième fois consécutive. Issu d'un assemblage où le merlot fait jeu égal avec le cabernet-sauvignon, ce vin d'un très haut niveau revêt une robe d'un beau pourpre violacé. Il dévoile un bouquet intense et complexe où le fruit (à dominante de cassis) l'emporte sur le torréfié du bois. Le palais, puissant, dense, concentré, sollicite les papilles par des tanins riches et soyeux qui portent loin la finale. S'il séduit déjà, ce 2009 saura se bonifier pendant cinq ou six ans, et plus encore. Pas de jaloux : le **2010**

blanc Caroline (50 000 b.) obtient lui aussi deux étoiles. Sa fraîcheur, sa complexité aromatique (mandarine, écorce d'orange confite, vanille) et son volume promettent une grande bouteille d'ici deux ans.

SAS Vignobles Lévêque, Ch. de Chantegrive, 33720 Podensac, tél. 05.56.27.17.38, fax 05.56.27.29.42, courrier@chateau-chantegrive.com
t.l.j. sf dim. 9h-12h30 13h30-17h

CH. LE CHEC Cuvée Cana 2010

3 000 | 8 à 11 €

« Se laisser commander par le vin et employer un tour de main artisanal », telle est la démarche que revendique Christian Auney. Les œnophiles se laisseront guider sans crainte par cette cuvée plaisante tout au long de la dégustation. Le bouquet intense évoque le buis, les fruits jaunes et le boisé torréfié. Le palais se révèle rond, gras, fruité et d'une bonne puissance. À boire dès à présent sur des coquilles Saint-Jacques.

Christian Auney, chem. de la Girotte, 33650 La Brède, tél. 05.56.20.31.94, vignobles.auney@wanadoo.fr r.-v.

CH. CHERCHY-DESQUEYROUX 2010 ★

7 000 | 5 à 8 €

Né sur les rives du Ciron, face aux grands crus classés du Sauternais, ce vin retient d'emblée l'attention par sa robe chatoyante aux reflets argentés. Souple et frais, le palais s'accorde avec le bouquet, aux arômes de réglisse, de toast, de fleurs blanches et de fruits exotiques, pour composer un ensemble équilibré et flatteur.

SCEA Vignobles Francis Desqueyroux et Fils, 1, rue Pourière, 33720 Budos, tél. 05.56.76.62.67, fax 05.56.76.66.92, vign.fdesqueyroux@orange.fr r.-v.

CH. LES CLAUZOTS Cuvée Maxime 2009 ★

20 000 | 8 à 11 €

Régulier en qualité, ce cru propose une cuvée issue d'une majorité de cabernet-sauvignon. L'élevage en fût est encore très présent mais la matière que l'on découvre au palais, puissante, tannique et riche, annonce un solide potentiel de garde, qui permettra d'attendre trois ans pour permettre à l'ensemble de se fondre. Le **2011 blanc (5 à 8 €)**, également très réussi, séduit par sa finesse et son caractère floral (tilleul), fruité et minéral. La cuvée principale **rouge 2009 (5 à 8 € ; 73 000 b.)**, souple et fraîche, est citée.

Frédéric Tach, Camboutch, 33210 Saint-Pierre-de-Mons, tél. 05.56.63.15.32, fax 05.56.63.18.25, chateaulesclauzots@wanadoo.fr r.-v.

CLOS DU HEZ 2010 ★

4 000 | 5 à 8 €

Principalement producteurs en Sauternais (château Lamothe Guignard), les Guignard proposent aussi des graves, dont ce joli blanc 2010 drapé dans une robe brillante et cristalline. Le bouquet, d'une grande fraîcheur, mêle de fines notes d'agrumes et de fleurs blanches. Vive, élégante et bien équilibrée, la bouche est celle d'un vrai « vin plaisir », à découvrir dès à présent sur un poisson sauce aux agrumes. Souple et rond, le **2009 rouge (7 000 b.)** est cité.

GAEC Philippe et Jacques Guignard,
Ch. Lamothe Guignard, 33210 Sauternes, tél. 05.56.76.60.28,
fax 05.56.76.69.05, chateau.lamothe.guignard@orange.fr
t.l.j. 8h-12h 14h-18h; sam. dim. sur r.-v.

CLOS FLORIDÈNE 2010 ★★

100 000 | 15 à 20 €

CLOS FLORIDENE
GRAND VIN DE GRAVES
2010
DENIS & FLORENCE DUBOURDIEU

Denis Dubourdieu fait fermenter ses moûts clarifiés par sédimentation en barriques renouvelées par tiers pendant onze mois. La méthode est efficace, comme le montre ce nouveau coup de cœur. Le bouquet généreux, élégant et complexe fait apparaître un boisé de qualité reposant sur un fond floral. Franc et frais en attaque, le palais offre un superbe équilibre : à la fois ample, gras, plein et tendu par une vivacité citronnée qui porte loin la finale. Idéal pour un poisson noble à la crème. Bâti sur de solides tanins et bien armé pour la garde, le **2009 rouge (11 à 15 € ; 60 000 b.)** obtient une étoile, ainsi que le **Ch. Haura 2009 rouge (11 à 15 €)**, lui aussi de garde, vineux, tannique et concentré mais toujours frais.

EARL Denis et Florence Dubourdieu,
Ch. Reynon, 21, rte de Cardan, 33410 Béguey,
tél. 05.56.62.96.51, fax 05.56.62.14.89, reynon@wanadoo.fr
r.-v.

CH. LA CROIX Vinifié en fût de chêne 2010 ★

5 000 | 5 à 8 €

Issu d'un vignoble à l'encépagement diversifié (sémillon, sauvignon et muscadelle), ce vin se présente dans une jolie robe jaune pâle animée de reflets verts. Au nez, les fruits mûrs se marient à un boisé élégant. Le palais se révèle ample, soyeux et gras, avec une bonne vivacité en soutien. Tout indiqué pour des ris de veau.

Vignobles Espagnet, Ch. La Croix, rte d'Auros,
33210 Langon, tél. 06.72.18.55.30, fax 05.56.63.19.18,
chateaulacroix@free.fr r.-v.

DOURTHE Terroirs d'exception Croix des Bouquets 2011 ★★★

40 000 | 8 à 11 €

La gamme Terroirs d'exception à laquelle appartient cette cuvée vise l'excellence. Et elle y parvient avec ce 2011 trois étoiles, qui a fière allure dans sa robe d'un or vert très pâle. À la fois fin et puissant, son bouquet joue sur des arômes de miel, de tilleul et d'amande grillée. On retrouve cette intensité et cette élégance dans un palais, ample, gras, long, très long, porté par une superbe fraîcheur et un boisé savamment fondu. Difficile de résister à ce vin, même si deux ou trois ans de garde ne l'effrayeront pas, au contraire. Dans la même gamme, le **2010 rouge Hautes Gravières (80 000 b.)**, frais, fin et épicé, est cité.

Vins et Vignobles Dourthe,
35, rue de Bordeaux-Parempuyre, CS 80004,
33295 Blanquefort Cedex, tél. 05.56.35.53.00,
fax 05.56.35.53.29, contact@dourthe.com

CH. FERRANDE 2010 ★★

450 000 | 11 à 15 €

Coup de cœur il y a deux ans pour son 2008, ce cru du groupe Castel est une fois encore à la hauteur de sa réputation avec ce très joli 2010. D'une réelle complexité, le bouquet associe des nuances de vanille et de réglisse à des notes de fruits rouges. Suit un palais élégant qui révèle un beau volume et marie avec bonheur saveurs fruitées et boisées. Une finale persistante conclut harmonieusement la dégustation de ce vin équilibré et prometteur, à découvrir dans quatre ou cinq ans sur une volaille rôtie.

SC Ch. Ferrande, 33640 Castres-Gironde,
tél. et fax 05.56.35.66.05, contact@chateaux-castel.com
Castel

CH. DES FOUGÈRES Clos Montesquieu La Folie 2009 ★

9 559 | 15 à 20 €

Dernier millésime pour la famille de Montesquieu, le château ayant été vendu à Dominique Coutière en 2010, ce vin de pur merlot développe un bouquet d'une réelle richesse, avec des notes fruitées, épicées, animales et torréfiées. Equilibré, long et porté par une solide structure, il pourra patienter un à trois ans en cave. Également bien équilibré et plaisant, le **2009 rouge La raison (11 à 15 € ; 17 600 b.)** est cité.

SC Ch. des Fougères, Clos Montesquieu, BP 90009,
33651 La Brède Cedex, tél. 05.58.51.08.68, fax 01.46.52.54.70,
contact@chateaudesfougeres.fr r.-v.
Coutière

GRAVEUM DE GAUBERT 2009 ★★

12 000 | 20 à 30 €

Une macération de vingt à vingt-cinq jours avec remontage et pigeage, des fermentations malolactiques en barrique et un élevage de seize mois, tout a été mis en œuvre pour donner cette magnifique cuvée à l'étiquette originale, sur laquelle sont apposés de véritables graviers. Une ode au terroir donc (ici, des graves sèches très caillouteuses) que ce vin rubis profond, au bouquet complexe, mariage heureux de boisé toasté et de fruits rouges, au palais concentré, corsé, puissant et savoureux. Un séjour en cave de quatre ou cinq ans s'impose pour apprécier pleinement ses qualités. Et le domaine ne s'arrête pas là, puisque trois autres vins sont sélectionnés, preuve, s'il le fallait, que ce cru est une valeur sûre. Le **Vieux Château Gaubert 2009 rouge (11 à 15 € ; 60 000 b.)**, bien bouqueté, ample, aux tanins serrés, et le **Benjamin de Vieux Château Gaubert 2010 rouge (8 à 11 € ; 100 000 b.)**, élégant et solidement structuré, décrochent une étoile. Le **Benjamin 2011 blanc (5 à 8 € ; 25 000 b.)**, dense et généreux, est cité.

Dominique Haverlan, Vieux Ch. Gaubert, 33640 Portets,
tél. 05.56.67.18.63, fax 05.56.67.52.76,
dominique.haverlan@libertysurf.fr r.-v.

CH. GRAND ABORD 2010 ★

■	55 000	▮	8 à 11 €

Issu d'une belle unité de 25 ha, ce vin se montre intéressant par son bouquet aux arômes de petits fruits rouges et de raisin très mûr. Dans le prolongement du nez, le palais, savoureux, s'adosse à des tanins encore jeunes mais déjà ronds. À boire dans les trois ans sur une viande rouge grillée. Bien équilibré, frais et fin, le **2011 blanc (5 à 8 € ; 17 000 b.)** est cité.

Vignobles Dugoua,
Ch. Grand Abord, 56, rte des Graves, BP 7, 33640 Portets,
tél. 05.56.67.50.75, dugoua.ph@wanadoo.fr r.-v.

CH. DU GRAND BOS 2010 ★

	4 995		11 à 15 €

Typique du Bordelais par son architecture, avec une chartreuse à pavillon central, ce cru l'est aussi par son terroir caillouteux et par son encépagement (sémillon, sauvignon et muscadelle). Paré d'une robe pâle, ce 2010 dévoile un bouquet frais, mentholé et minéral, agrémenté d'un léger toasté et de nuances florales. Le bois est aussi présent en bouche, mais sans masquer les fruits. Un vin équilibré, à boire dans les deux ans sur un poisson grillé. Le **2009 rouge (15 à 20 € ; 30 067 b.)**, souple et soyeux, est cité.

SCEA du Ch. du Grand Bos, chem. de l'Hermitage,
33640 Castres-Gironde, tél. 05.56.67.39.20, fax 05.56.67.16.77,
chateau.du.grand.bos@free.fr r.-v.
Famille Vincent

SENSATION DE CH. GRAND BOURDIEU 2009 ★★

■	30 000		8 à 11 €

Issu d'une belle unité de 22 ha, dont 13,5 ha en rouge, ce 2009 s'annonce par une belle robe profonde et charme par son bouquet aux doux parfums de vanille et de cannelle qui s'unissent à des notes de tabac, d'épices et de moka. Rond, gras, avec ce qu'il faut de bois et de tanins serrés pour lui conférer une solide structure, le palais laisse sur l'impression d'un vin puissant qui pourra être attendu pendant quatre ou cinq ans.

GFA Domaines Haverlan, 35, rue du 8 Mai-1945,
33640 Portets, tél. 05.56.67.18.63, fax 05.56.67.52.76,
dominique.haverlan@libertysurf.fr r.-v.

GRAND ENCLOS DU CHÂTEAU DE CÉRONS 2010 ★

	25 000		11 à 15 €

Vendanges manuelles en petites cagettes, table de tri au chai, éraflage total, débourbage à froid... tout est mis en œuvre ici pour élaborer un joli vin. Résultat, ce 2010 séduisant dans sa robe pâle à reflets verts. Le nez, élégant,

La région des Graves

évoque les agrumes, les fruits mûrs et la fleur d'acacia. Le palais offre un beau volume, du gras, un fruité généreux et une finale puissante. Une gourmandise à découvrir dès l'automne sur une viande blanche.
SCEA du Grand Enclos de Cérons,
12, pl. du Gal-de-Gaulle, 33720 Cérons, tél. 05.56.27.01.53, fax 05.56.27.08.86, grand.enclos.cerons@wanadoo.fr
r.-v.
Giorgio Cavanna

CH. DE LA GRAVELIÈRE 2011 ★

7 000 | 8 à 11 €

Régulier en qualité, ce cru propose un vin à majorité de sauvignon (80 %) qui se montre agréable par son bouquet floral (genêt, acacia), rehaussé par une note de pierre à fusil. Rond, gras, de bonne longueur, le palais est à l'unisson. À boire dès à présent sur une poule au pot.
Guillaume et Caroline Réglat, Ch. de la Mazerolle,
33410 Monprimblanc, tél. 05.56.62.98.63, fax 05.56.62.17.98, bernard.reglat@orange.fr r.-v.

CH. HAUT GRAMONS 2009

153 000 | 11 à 15 €

Quand quantité rime avec qualité... Ce flacon est en effet intéressant par son important volume de production, mais aussi (surtout) par son contenu. Ce vin de bel aspact dans sa robe pourpre sombre, dévoile un bouquet complexe et expressif de fruits confits, de vanille et de toasté. Il s'appuie en bouche sur une structure ample et puissante, qui révèle des tanins savoureux et persistants. À boire dans deux ou trois ans sur un fromage de caractère, un maroilles par exemple.
Vignobles F. Boudat Cigana, Ch. de Viaut,
33410 Mourens, tél. 05.56.61.31.31, fax 05.56.61.99.46, fboudat@orange.fr r.-v.

CH. HAUT-POMMARÈDE 2010 ★

25 000 | 8 à 11 €

Du même producteur que le Graveum de Gaubert, mais issu d'un cru situé à Castres, ce vin fort aimable propose un bel équilibre entre le fruit et le bois, mêlant des notes de petits fruits rouges et de vanille agrémentées d'une pointe de cuir. Il en va de même en bouche, où il se montre souple et rond, porté par d'agréables tanins. À boire dans les deux ans.
Ch. Haut-Pommarède,
Vignobles Dominique Haverlan, 35, rue du 8-Mai-1945, 33640 Portets, tél. 05.56.67.18.63, fax 05.56.67.52.76, dominique.haverlan@libertysurf.fr r.-v.
Dominique Haverlan

CH. HAUT-REYS Cuvée Paumarel 2009 ★★

5 200 | 15 à 20 €

Originale par sa composition 100 % merlot, cette cuvée séduit par sa complexité aromatique : fruits noirs mûrs, cannelle, pain d'épice, réglisse. Le palais est tout aussi remarquable par sa puissance tannique, son volume, sa chair et sa longueur. Dans trois ou quatre ans, ce 2009 s'épanouira sur une entrecôte ou un pigeon aux raisins.
Isabelle et Grégoire Gabin, 18, allée Perrucade,
33650 La Brède, tél. et fax 05.56.20.38.29,
gabin.earl@orange.fr
t.l.j. sf dim. 10h-12h 14h30-19h; f. 1re sem. de jan.

CH. JOUVENTE Élevé en fût de chêne 2010 ★

4 500 | 5 à 8 €

Fait rare dans les Graves, ce cru possède une cave souterraine. C'est là qu'a été élevé ce vin, plaisant tout au long de la dégustation. S'annonçant par une robe jaune clair à reflets verts, il déploie un bouquet aux fines notes d'agrumes et de merrain, puis un palais charnu soutenu par une jolie trame acidulée qui lui confère tonus et fraîcheur.
SEV Zyla-Mercadier, Ch. Jouvente, Le Bourg, 33720 Illats, tél. 05.56.62.49.69, fax 05.56.62.69.24,
chateaujouvente@wanadoo.fr
t.l.j. sf sam. dim. 9h-12h30 13h30-18h

CH. DE LANDIRAS 2010 ★

108 000 | 8 à 11 €

Coup de cœur l'an dernier avec son très beau 2009, ce cru ne démérite pas cette année avec un 2010 fort réussi. La robe est grenat brillant. Le nez puissant et frais associe le cassis et des parfums plus chauds de pain grillé. Les tanins sont enrobés par un boisé de qualité. Tout est en place pour donner une très agréable bouteille d'ici quatre ou cinq ans.
SCA Dom. la Grave, Ch. de Landiras, 33720 Landiras, tél. 05.56.62.43.78, fax 05.56.71.86.12,
chateau.landiras@wanadoo.fr r.-v.

CH. LASSALLE Élevé en fût de chêne 2010

3 000 | 8 à 11 €

Ce vin à majorité de sauvignon présente un bouquet discret, citronné et floral. En bouche, il se montre frais et fin. Un ensemble équilibré et d'une aimable simplicité, à réserver pour un poisson grillé. Sont également cités **L'Esprit de Lassalle 2011 blanc (5 à 8 €; 3 000 b.)** et **L'Esprit de Lassalle 2010 rouge (5 à 8 €; 8 000 b.)**.
Fabien Lalanne, 2, allée Lassalle, 33650 La Brède,
tél. 05.56.78.49.65, fax 05.56.78.42.75,
flalanne1@club-internet.fr
t.l.j. 9h10-12h30 14h-18h30; sam. dim. sur r.-v.

♥ CH. LÉHOUL Plénitude 2009 ★★

11 300 | 15 à 20 €

Déjà coup de cœur pour son 2006 et son 2005, cette cuvée sort à nouveau du lot dans sa version 2009. Issu de vignes d'un âge respectable (trente-cinq ans), ce superbe vin retient d'emblée l'attention par la profondeur de sa robe grenat. Le nez séduit par son élégance et par son boisé parfaitement fondu qui laisse s'exprimer les fruits (cassis et baies rouges) sans réserve. Riche, dense, concentré, ample et remarquablement équilibré, le palais s'appuie sur des tanins fins et soyeux qui assureront à cette bouteille une garde de deux ou trois ans. Large palette d'accords gourmands en perspective : viandes blanche ou rouge, gibier, fromage ou encore dessert au chocolat. Valeur sûre de l'appellation, ce domaine signe aussi deux autres très beaux vins : le **2011 blanc (8 à 11 € ; 6 500 b.)**, frais et fruité, et le **2011 blanc Fermentation et élevage en fût de chêne (11 à 15 € ; 3 000 b.)**, ample et généreux, qui obtiennent chacun une étoile.

Éric Fonta, rte d'Auros, Ch. Léhoul, 33210 Langon, tél. 05.56.63.54.74, fax 05.56.63.06.06, chateaulehoul@orange.fr r.-v.

CH. DE LIONNE 2010 ★

26 000 | - de 5 €

Distribué par la maison J.-J. Mortier, négociant à Bordeaux, ce vin né à Illats fait une sympathique entrée dans le Guide. Il annonce sa jeunesse par une robe d'un beau rouge violacé. Frais, fruité et un rien minéral, le bouquet est en harmonie avec un palais souple, soutenu par des tanins soyeux. À boire dans les deux ans avec un lapin chasseur.

GFA de Lionne, Lionne, 33720 Illats, tél. 06.07.73.83.37, christel@mortier.com r.-v.

Smati

CH. LUDEMAN LES CÈDRES 2011 ★

12 000 | 5 à 8 €

Ce cru s'inscrit bien dans le style de l'appellation avec ce vin au bouquet complexe d'agrumes et de fruits exotiques. Doux à l'attaque, il dévoile un palais équilibré, concentré et de bonne longueur qui lui permettra d'accompagner des viandes blanches comme d'être servi à l'apéritif. Ample, gras et joliment bouqueté (fruits exotiques, pêche et gingembre confit), le **Ch. Pont de Brion 2011 blanc (8 à 11 € ; 18 000 b.)**, du même producteur, obtient aussi une étoile.

SCEA Molinari et Fils, Ludeman, 33210 Langon, tél. 05.56.63.09.52, fax 05.56.63.13.47 r.-v.

CH. MAGNEAU 2010 ★★

8 000 | 11 à 15 €

Un domaine très régulier en qualité, habitué aux étoiles, généralement par paires, avec quelques coups de cœur à son actif, dont le dernier en date pour la cuvée Julien 2009 en blanc. Une couleur dans laquelle il brille le plus souvent ; mais c'est avec un rouge qu'il s'illustre cette année. Ce 2010 très prometteur laisse deviner d'emblée un fort potentiel avec sa robe d'un superbe pourpre sombre et dense. Le bouquet dévoile d'élégantes notes de petits fruits rouges, d'épices et de moka. Mais c'est en bouche que ce vin affirme tout son caractère : ample, généreux, puissant, corpulent, mais sans dureté aucune et déjà très harmonieux. Encore ferme, la finale invite toutefois à faire preuve de quatre ou cinq ans de patience avant de profiter des attraits de cette admirable bouteille. Plus simples mais bien réussis, la cuvée **Classic 2010 rouge (8 à 11 € ; 40 000 b.)** et le **Ch. Coustaut 2011 blanc (5 à 8 € ; 12 000 b.)** sont cités.

Jean-Louis et Bruno Ardurats, 12, chem. Maxime-Ardurats, 33650 La Brède, tél. 05.56.20.20.57, fax 05.56.20.39.95, ardurats@chateau-magneau.com t.l.j. sf sam. dim. 8h30-12h 14h-18h

FLEUR MAMIN 2010 ★

n.c. | 11 à 15 €

Cette cuvée prestige du château Mamin est produite uniquement dans les grands millésimes, et 2010 en est un, assurément. Le vin se montre à la hauteur des ambitions de son producteur par sa séduisante palette aromatique, qui va des fruits rouges et noirs très mûrs au moka et au poivre, comme par son palais, ample, rond, bien structuré et très équilibré jusque dans sa finale fruitée et torréfiée. À sortir de cave dans trois à cinq ans.

Vignobles Vincent Lataste, Ch. de Lardiley, 33410 Cadillac, tél. 05.57.98.19.81, fax 05.57.98.19.89, vlataste@lataste.fr

CH. MILLET Vieilli en fût de chêne 2009 ★★

130 000 | 5 à 8 €

Issu d'une vaste unité située à Portets, ce vin n'a rien de confidentiel. Ni par son volume de production, ni par son développement au cours de la dégustation. Très charmeur par ses arômes gourmands de fruits noirs, il monte en puissance au palais, se révélant dense et concentré tout en conservant de la souplesse. On pourra l'ouvrir dans deux ou trois ans sur une large gamme de plats. Issus d'ube autre propriété des domaines de la Mette, le **Ch. Prieuré-les-Tours 2011 blanc cuvée Clara Vieilli en fût de chêne (5 à 8 € ; 20 000 b.)**, vif et floral, et le **Ch. Prieuré-les-Tours 2009 rouge Vieilli en fût de chêne (5 à 8 € ; 130 000 b.)**, concentré, aux tanins charnus, obtiennent chacun une étoile.

EARL Les Domaines de la Mette, 17, rte de Mathas, BP 1, 33640 Portets, tél. 05.56.67.18.18, fax 05.56.67.53.66, domainesdelamette@wanadoo.fr r.-v.

J.-B. Solorzano

M DE MOLÉON Vieilli en fût de chêne 2010 ★

2 000 | 11 à 15 €

De son élevage en fût, ce vin a tiré de délicates notes vanillées et grillées qui viennent enrichir, sans les masquer, de fins parfums de fleurs et de fruits mûrs. Souple, soyeux, d'une bonne longueur et soutenu par une pointe minérale, cet ensemble bien construit accompagnera volontiers poisson grillé et fruits de mer.

EARL Vignobles Laurent Réglat, Ch. de Teste, 33410 Monprimblanc, tél. 05.56.62.92.76, fax 05.56.62.98.80, vignobles.l.reglat@wanadoo.fr r.-v.

CH. DU MONASTÈRE 2009 ★★★

10 000 | 5 à 8 €

La tradition du cru, transmis de mère en fille depuis cinq générations, comme l'encépagement, à 70 % merlot, pourraient laisser imaginer un vin « féminin ». Pourtant, ce 2009 est plutôt « masculin » et il s'inscrit bien dans le type graves. Très expressif, son bouquet joue en finesse sur des notes de fruits rouges mûrs, de pruneau et de violette. Après une attaque douce, le palais monte en puissance, bâti sur de solides tanins et un boisé encore bien présent mais de qualité, tout en conservant jusqu'en finale une réelle élégance. Un vin racé, assuré d'une longue garde. Bien réussi, le **Ch. Doms 2010 rouge (8 à 11 € ; 100 000 b.)** reçoit une étoile pour son bouquet intense (épices, fruits mûrs, cuir), sa générosité et ses tanins serrés, de même que le **Ch. Doms 2010 blanc (5 à 8 € ; 10 000 b.)**, net, ample et frais.

Hélène et Amélie Durand,
Ch. Doms, 10, chemin de Lagaceye, 33640 Portets,
tél. 05.56.67.20.12, fax 05.56.67.31.89,
chateau.doms@wanadoo.fr r.-v.

CH. DU MONT Cuvée Gabriel 2010 ★

15 000 | 11 à 15 €

Cette cuvée, d'une jolie couleur rouge foncé, développe un bouquet fort plaisant de fruits rouges, de fumé et de grillé. Ces mêmes arômes confèrent au palais un charme certain, enrobant une solide charpente. Un vin d'une bonne longueur, bien construit et équilibré, à découvrir dans deux ou trois ans.

Hervé Chouvac, Ch. du Mont, lieu-dit Pascaud,
33410 Sainte-Croix-du-Mont, tél. 06.89.96.54.73,
fax 05.56.62.07.58, chateau-du-mont@wanadoo.fr
r.-v.

CH. MOURAS 2009

33 000 | 8 à 11 €

La dominante de merlot dans l'encépagement et le millésime solaire que fut 2009 se traduit ici par un bouquet chaleureux de pruneau agrémenté de notes chocolatées. Le palais, généreux et concentré, révèle une belle trame tannique, encore un peu sévère en finale. Une garde de trois ou quatre ans s'impose.

Ch. Laville, 33210 Preignac, tél. 05.56.63.59.45,
fax 05.56.63.16.28, chateaulaville@hotmail.com r.-v.
J.-C. Barbe

CH. MOUTIN 2009 ★

15 000 | 11 à 15 €

Principalement implantés à Loupiac, les vignobles Darriet exploitent une petite unité dans les Graves, dont la production principale est ce vin rouge au bouquet bien typé de violette et d'épices. Le bois est encore très présent, mais une solide trame tannique et une belle matière charnue se chargent de garantir un potentiel de garde suffisant pour permettre au merrain de se fondre. Le **2010 blanc (8 à 11 €; 5 500 b.)**, frais et sauvignonné, est cité.

Darriet, Ch. Dauphiné-Rondillon, 33410 Loupiac,
tél. 05.56.62.61.75, fax 05.56.62.63.73,
contact@vignoblesdarriet.fr
t.l.j. 8h30-12h30 14h-18h; sam. dim. sur r.-v.;
f. sem. du 15 août

CH. DE L'OMERTA Élevé en fût de chêne 2009

30 000 | 5 à 8 €

Petit à petit, depuis 2000, ce cru prend corps sur la belle terrasse de graves et de galets roulés de Saint-Pardon-de-Conques, et s'étend aujourd'hui sur 6,3 ha. Né d'un encépagement classique, avec une touche plus originale de petit verdot, ce 2009 est un vin rond, suave et concentré, parcouru au nez comme en bouche d'arômes de fruits rouges et d'épices. Une pointe d'austérité en finale appelle une garde de deux ans. Ample et riche, le **2010 blanc (7 000 b.)** est également cité.

Denis Roumégous, 5, rue de la Résistance,
33210 Preignac, tél. 06.12.33.51.36, fax 05.56.76.20.34,
denis.roumegous@libertysurf.fr r.-v.

CH. PEYREBLANQUE 2010 ★★

10 000 | 8 à 11 €

Même s'il ne représente qu'une petite partie de leurs vignobles, principalement situés à Cadillac, ce cru n'est pas négligé par les Médeville. Témoin, ce vin aussi intense qu'équilibré, tant dans son expression aromatique, où le bois neuf d'abord très présent finit par trouver un bon point d'accord avec le côté fruité, que dans sa structure, aux tanins jeunes mais bien intégrés. Il pourra être attendu trois ou quatre ans.

SCEA Jean Médeville et Fils, Ch. Fayau, 33410 Cadillac,
tél. 05.57.98.08.08, fax 05.56.62.18.22,
medeville@medeville.com
t.l.j. sf sam. dim. 9h-12h30 14h-17h30

CH. PIRON Terre d'Aurore 2010 ★

10 000 | 8 à 11 €

Un joli nom pour cette cuvée qui sait aussi charmer par sa robe jaune pâle brillant aux reflets argentés comme par ses subtils parfums d'acacia, d'agrumes et de merrain. Ample dès l'attaque, dense, aromatique et long, le palais poursuit l'entreprise de séduction sur les mêmes tonalités aromatiques. À boire dès à présent sur un bar grillé. Très tannique, le **2009 rouge (5 à 8 €; 18 000 b.)** est cité.

EARL Famille Boyreau, Piron, 33650 Saint-Morillon,
tél. et fax 05.56.20.22.94,
muriel.boyreau@chateau-piron.com
t.l.j. 9h-12h 13h-19h; dim. sur r.-v.

CH. DES PLACES 2010 ★★

120 000 | 8 à 11 €

Avec ce millésime, les Reynaud font incontestablement un bon en avant. Toutes les promesses d'une robe noire, qui accroche le regard, sont tenues. Par le bouquet tout d'abord, dont la complexité et le raffinement apparaissent peu à peu à travers des notes de rose, de fumée et d'épices ; puis par le palais, suave, riche, dense, porté par des tanins serrés et par une élégante fraîcheur. Une garde de cinq ans et plus peut être envisagée. Frais et bien typé graves, le **2010 blanc (5 à 8 €; 24 000 b.)** est cité. Long, tannique, avec un boisé bien fondu, le **Ch. Pontet Reynaud 2010 rouge (5 à 8 €; 50 000 b.)** obtient une étoile.

Vignobles Reynaud, 46, av. Maurice-La-Châtre,
33640 Arbanats, tél. 05.56.67.20.13, fax 05.56.67.17.05,
contact@vignobles-reynaud.fr r.-v.

CH. POUYANNE Prestige Élevé en fût de chêne 2009 ★

n.c. | 5 à 8 €

Cette cuvée mi-merlot mi-cabernet-sauvignon se présente dans une belle robe rouge soutenu. Discrète au nez, laissant poindre des notes de fruits rouges et de sous-bois, elle séduit par sa structure souple, sa rondeur et son fruité persistant. À boire dans les deux ans à venir.

EARL des Vignobles Zausa, 1, la Fontasse, 33720 Budos,
tél. 05.56.62.51.73, fax 05.56.62.59.18,
contact@chateau-pouyanne.com r.-v.

CH. RAHOUL 2010 ★★

12 000 | 15 à 20 €

Belle unité d'une quarantaine d'hectares, cette propriété bénéficie de l'expertise du CVBG (regroupant les marques Dourthe, Kressmann et Delor) depuis l'entrée du groupe Thiénot dans ce dernier en 2007. Un atout bien exploité, comme en témoigne ce vin remarquable en tout point. La robe est limpide et brillante, jaune d'or aux reflets argentés. Le bouquet, puissant et complexe, marie les notes toastées de l'élevage à des parfums d'agrumes (pamplemousse), d'ananas et de bergamote. Après une attaque souple et fraîche, le palais se révèle ample, dense et riche, et fait ressortir un boisé parfaitement maîtrisé, en harmonie avec des notes de fruits mûrs à souhait. Opulent et élégant à la fois, ce 2010 accompagnera aussi bien des crustacés qu'un poulet rôti, aujourd'hui ou dans trois ans. Souple et corsé, le **2009 rouge (54 900 b.)** est cité.

Alain Thiénot, 4, rte du Courneau, 33640 Portets, tél. 05.56.35.53.00, fax 05.56.35.53.29, contact@cvbg.com r.-v.

CH. RESPIDE Callipyge Élevé en fût de chêne 2009 ★

	36 000		11 à 15 €

Cuvée prestige de l'un des plus anciens domaines viticoles des Graves, ce vin sait parler à l'œnophile par sa robe, d'un beau pourpre foncé, et par son bouquet généreux, dont la complexité (fruits rouges bien mûrs, vanille et grillé) se retrouve au palais. Ce dernier offre un beau volume et une matière soyeuse portée par des tanins fondus. Florale et fruitée, fraîche et de bonne longueur, la cuvée **Classic 2011 blanc (5 à 8 € ; 60 000 b.)** a également reçu une étoile. Vive et tonique, la cuvée **Callipyge 2010 blanc (8 à 11 € ; 24 000 b.)** est citée.

SCEA Vignobles Bonnet, Le Pavillon de Boyrein, 33210 Roaillan, tél. 05.56.63.24.24, fax 05.56.63.24.34, vignobles-bonnet@wanadoo.fr t.l.j. sf dim. 8h-12h 14h-17h; sam. sur r.-v.

CH. ROQUETAILLADE LA GRANGE 2009 ★★

	85 000		11 à 15 €

Né sur un vignoble entourant l'un des plus beaux châteaux forts du Sud-Ouest, ce vin se montre à la hauteur de son origine. Paré d'une robe profonde à reflets noirs, il dévoile un bouquet intense de fruits très mûrs (myrtille, griotte), de violette et de réglisse, agrémenté de notes cacaotées. Corsé, puissant et vineux, le palais révèle une belle structure adossée à des tanins fondus. Tout appelle une bonne garde de trois ans et plus. Le **2011 blanc (8 à 11 € ; 50 000 b.)**, frais et équilibré, obtient une étoile, de même que le **Ch. d'Uza 2009 rouge (150 000 b.)**, puissant et bien structuré, né sur ancienne propriété de la famille Lur Saluces acquise en 2008 par les trois frères Guignard.

GAEC Guignard Frères, 33210 Mazères, tél. 05.56.76.14.23, fax 05.56.62.30.62, contact@vignobles-guignard.com t.l.j. 9h-12h 13h30-17h30

CH. ROUGEMONT 2010 ★★

	n.c.		- de 5 €

Toujours classiquement dominé par le sémillon, l'encépagement du cru marque une petite évolution pour ce millésime avec un peu plus de sauvignon (40 %) qu'à son habitude. C'est suffisant pour typer le bouquet : une note caractéristique de buis vient s'ajouter aux agréables parfums de fleurs blanches, de fruits exotiques et de vanille. Au palais, la palette aromatique s'enrichit de notes de pêche blanche et de groseille à maquereau pour composer une élégante corbeille de fruits. Ce vin, fin et très aromatique, sera un beau compagnon pour un poisson en sauce ou une viande blanche.

Dominique Turtaut, 48, rue de Jean-Cabos, 33210 Toulenne, tél. 05.56.63.19.06, fax 05.56.76.22.74 r.-v.

♥ **CH. SAINT-ROBERT** Poncet-Deville 2010 ★★

	20 000		11 à 15 €

Michel Garat et son maître de chai Philippe Aubertin continuent de porter haut les couleurs de ce « *serial*

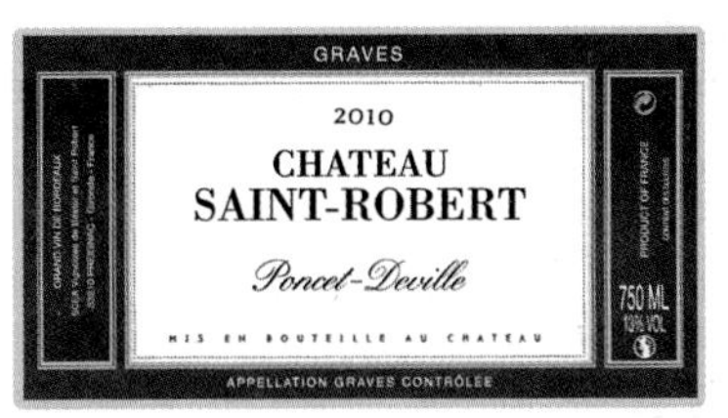

coup de cœur » qu'est Saint-Robert et sa cuvée Poncet-Deville. Pour le 2010, une fermentation et un élevage de dix mois en barriques ont apporté leur marque au bouquet mais sans jamais masquer l'apport du fruit. Le résultat ? Un superbe ensemble, intense et complexe : citron, gingembre, fleurs blanches et épices douces agrémentés de notes toastées. Fin, délicat, parfaitement équilibré entre rondeur et vivacité, le palais développe les mêmes arguments aromatiques et offre une longue finale rehaussée par une pointe de salinité. De beaux accords gourmands en perspective avec une volaille en sauce, des ris de veau à la crème ou un bar en croûte de sel. Très expressif, long, élégant, soyeux et concentré, le **Poncet-Deville 2009 rouge (15 à 20 € ; 26 000 b.)** décroche deux étoiles. Il pourra être bu jeune ou attendu de nombreuses années. Bien équilibré, le **2010 blanc (8 à 11 € ; 13 600 b.)** obtient une étoile.

SCEA de Bastor et Saint-Robert, Dom. de Lamontagne, 33210 Preignac, tél. 05.56.63.27.66, fax 05.56.76.87.03, bastor@bastor-lamontagne.com r.-v.

Gie Cellarmony

CH. DE SAUVAGE 2010 ★

	3 500		5 à 8 €

Coup de cœur l'an dernier avec sa cuvée Manine 2008 rouge, Vincent Dubourg montre qu'il possède aussi un réel savoir-faire en matière de blanc avec ce vin au bouquet bien sauvignonné et complexe de fleurs blanches, de buis, de genêt et de menthe fraîche. Le palais, à l'unisson, fait preuve d'une belle vivacité qui lui apporte longueur et tonus. Une bouteille tout indiquée pour un poisson grillé ou des fromages à pâte dure.

Dubourg, Manine, 33720 Landiras, tél. 06.23.32.59.52, info@chateaudesauvage.com r.-v.

CH. TOUMILON 2010 ★

	20 000		8 à 11 €

Très ancienne propriété familiale (1783), ce cru propose un vin jaune clair brillant, au nez franc d'agrumes (pamplemousse), qui se montre vigoureux en bouche tout autant que charmeur et généreux. Un bel exercice d'équilibre. Ample, gourmande et fine, la cuvée **Charles Brannens 2009 rouge (15 à 20 € ; 5 000 b.)** est citée.

Vignobles Sevenet, Ch. Toumilon, 33210 Saint-Pierre-de-Mons, tél. 05.56.63.07.24, fax 05.56.63.59.24, contact@chateau-toumilon.com r.-v.

Marie-France Sevenet-Lateyron

CH. TOUR DE CALENS Élevé en fût de chêne 2009 ★★

	13 000		8 à 11 €

Issu d'une propriété appartenant à une famille de viticulteurs également présents dans l'Entre-deux-Mers, ce vin à dominante de cabernet-sauvignon (70 %) se présente dans une robe sombre, le nez encore dominé par les notes toastées et fumées du fût. Dans la continuité du bouquet, le palais se montre gras, séveux et soyeux. On attendra deux ans pour que le merrain se fonde. Dense, fruité et boisé, le **2010 blanc** est cité.

SCEA Bernard et Dominique Doublet, Ch. Vignol, 33750 Saint-Quentin-de-Baron, tél. 05.57.24.12.93, fax 05.57.24.12.83, chateauvignol@orange.fr
r.-v.

CH. DU TOURTE 2009 ★

35 000 | 15 à 20 €

Une élégante chartreuse du XVII[e]s. commande ce vignoble qui domine la vallée de la Garonne. Préférant l'élégance à l'extraction, la vinification a donné ici un vin au nez fin et floral (violette), rehaussé de notes cacaotées et épicées, rond, plaisant et long en bouche. Un graves bien représentatif du millésime, à boire dans les trois ans. C'est aussi une belle expression aromatique qui a valu au **2010 blanc (11 à 15 €; 15 000 b.)** d'être cité.

Ch. du Tourte, 33210 Toulenne, tél. 06.60.68.40.08, fax 05.56.62.28.26, hubert.arnaud@c2a.fr
t.l.j. sf dim. 9h-18h; f. août

CH. VENUS 2010 ★

n.c. | 8 à 11 €

Cette jeune propriété a été créée en 2005 par Emmanuelle et Bertrand Amart, qui convertissent leur vignoble à l'agriculture biologique depuis 2010. À partir de jeunes vignes, ils signent ici un joli vin au bouquet fruité (cassis et bigarreau) sur fond de vanille, d'épices et de rose. La bouche se révèle solidement charpentée par des tanins encore un peu sévères qu'il faudra laisser s'arrondir deux ou trois ans.

Bertrand Amart, 1, voie communale 14-de-Veyres, 33210 Preignac, tél. et fax 05.56.62.76.09, contact@chateauvenus.com r.-v.

♥ CH. VILLA BEL-AIR 2011 ★★

70 000 | 11 à 15 €

Coup de cœur il y a deux ans avec son 2009 rouge, ce cru s'illustre à nouveau avec ce graves blanc à dominante de sauvignon (60 %), aussi agréable à regarder, dans sa belle robe paille à reflets verts, qu'à humer, avec son bouquet soutenu et complexe de fleurs d'acacia, de buis et de pamplemousse, mâtiné de notes vanillées. Suave à l'attaque, le palais montre un superbe volume, du gras et de la fraîcheur en soutien, pour aboutir à une très élégante finale mariant la vanille à l'abricot. Aromatique, porté par des tanins serrés et enrobés par un boisé fondu, le **2010 rouge (130 000 b.)** obtient une étoile.

Jean-Michel Cazes, Ch. Villa Bel-Air, 33650 Saint-Morillon, tél. 05.56.20.29.35, fax 05.56.78.44.80, infochato@villabelair.com

CH. DE VIMONT 2009 ★

n.c. | 5 à 8 €

Ce cru récemment créé (2009) est un ESAT (centre d'aide des handicapés par le travail), propriété de l'association Les Ateliers de Saint-Joseph. Il propose ici son premier millésime, et c'est une belle réussite que ce vin à dominante de merlot (80 %). Drapé dans une robe rubis intense, ce 2009 offre un bouquet complexe et original où l'on perçoit des notes d'écorce d'orange et de santal, et un palais charnu, aux tanins ronds. Une petite pointe d'austérité en finale incite à attendre ce vin trois ans pour lui permettre de s'affiner.

ESAT Magdeleine de Vimont, 1, rue des Lilas, 33640 Castres-Gironde, tél. 05.56.67.39.60, fax 05.56.67.35.98, chateaudevimont@orange.fr r.-v.

Graves supérieures

CH. CHERCHY-DESQUEYROUX 2009

12 000 | 8 à 11 €

S'il favorise le blanc sec, le terroir de ce cru (une mince couche de sable sur un fond calcaire) sourit aussi aux vins doux, comme le montre ce 2009 rond, gras, net et agréablement bouqueté, avec des notes d'amande grillée et de fleurs blanches.

SCEA Vignobles Francis Desqueyroux et Fils, 1, rue Pourière, 33720 Budos, tél. 05.56.76.62.67, fax 05.56.76.66.92, vign.fdesqueyroux@orange.fr r.-v.

CH. LÉHOUL Élevage en fût de chêne 2009

1 600 | 15 à 20 €

Du même producteur que le graves homonyme, valeur sûre de l'appellation, ce pur sémillon évolue agréablement tout au long de la dégustation. Le bouquet évoque la pâte de fruits, la pêche et le coing, que suit un palais élégant, ample et riche (170 g/l de sucres), dynamisé par une finale d'une belle fraîcheur.

Éric Fonta, rte d'Auros, Ch. Léhoul, 33210 Langon, tél. 05.56.63.54.74, fax 05.56.63.06.06, chateaulehoul@orange.fr r.-v.

CH. MOURAS 2010 ★

25 000 | 5 à 8 €

Des vignes d'âge respectable (trente ans) et un travail soigné à la vigne et au chai ont donné ce vin qui séduit par sa teinte paille à reflets bouton d'or, et par son bouquet, d'une bonne intensité, miellé, vanillé et floral. Ample, rond, savoureux, riche mais sans lourdeur grâce à une agréable vivacité en soutien, le palais fait lui aussi bonne figure.

Ch. Laville, 33210 Preignac, tél. 05.56.63.59.45, fax 05.56.63.16.28, chateaulaville@hotmail.com
r.-v.
J.-C. Barbe

Pessac-léognan

Superficie : 1 610 ha
Production : 71 145 hl (80 % rouge)

Correspondant à la partie nord des Graves (appelée autrefois Hautes-Graves), la région de Pessac et de Léognan constitue depuis 1987 une appellation communale, inspirée de celles du Médoc. Sa création, qui aurait pu se justifier par son rôle historique (c'est l'ancien vignoble périurbain qui produisait les clarets médiévaux), s'explique par l'originalité de son sol. Les terrasses que l'on trouve plus au sud cèdent la place à une topographie plus accidentée. Le secteur compris entre Martillac et Mérignac est constitué d'un archipel de croupes graveleuses qui présentent d'excellentes aptitudes vitivinicoles par leurs sols, composés de galets très mélangés, et par leurs fortes pentes garantissant un excellent drainage. L'originalité des pessac-léognan a été remarquée par les spécialistes bien avant la création de l'appellation. Ainsi, lors du classement impérial de 1855, Haut-Brion fut le seul château non médocain à être classé (1er cru). Puis, lorsque en 1959 seize crus de graves furent classés, tous se trouvaient dans l'aire de l'actuelle appellation communale.

Les vins rouges possèdent les caractéristiques générales des graves, tout en se distinguant par leur bouquet, leur velouté et leur charpente. Quant aux blancs secs, ils se prêtent à l'élevage en fût et au vieillissement qui leur permet d'acquérir une très grande richesse aromatique, avec de fines notes de genêt et de tilleul.

CH. BAULOS-CHARMES 2009

■ 25 000 ◖◗ 11 à 15 €

Prospère à la fin du XVIIIe s., ce petit cru (6 ha environ) refait parler de lui. Il été repris en 2007 par Sean Matthys-Meynard, un pharmacien qui a préféré les bouteilles aux fioles et aux ampoules. Fidèle à son habitude, le domaine offre un vin solide, bien que le merlot compose les deux tiers de l'assemblage. Au nez, des fruits compotés et du boisé ; au palais, une forte présence tannique, qui donne à ce pessac un petit côté austère. Mais cette sévérité disparaîtra avec le temps pour faire place à un ensemble harmonieux.

Sean Matthys-Meynard, 655, rue Laroche, 33140 Cadaujac, tél. 06.85.12.78.13, fax 05.56.30.98.44, contact@baulos-charmes.com V Y r.-v.

CH. BOUSCAUT 2009 ★

■ Cru clas. 74 000 ◖◗ 20 à 30 €

Belle unité de 50 ha rachetée par Lucien Lurton en 1979 et gérée depuis 1997 par sa fille et son gendre, Sophie et Laurent Cogombles. Un imposant château néoclassique commande le vignoble. Le vin a, lui aussi, fière allure dans sa robe soutenue et brillante. Son assemblage place merlot et cabernet sensiblement à parité et incorpore 10 % de malbec. Le bouquet, discret, montre une complexité naissante, mêlant les fruits cuits, la vanille et les épices (cannelle, réglisse). Assez structuré, le palais apparaît encore sévère et suggère une garde de cinq à sept ans. Cité, le second vin **Les Chênes de Bouscaut 2009 (15 à 20 € ; 49 000 b.)** offre la même tonalité aromatique mais plus de souplesse : il se goûte déjà très bien.

Ch. Bouscaut, 1477, av. de Toulouse, 33140 Cadaujac, tél. 05.57.83.12.20, fax 05.57.83.12.21, cb@chateau-bouscaut.com V Y r.-v.

CH. BROWN 2010 ★★

22 300 ◖◗ 20 à 30 €

Ancienne propriété d'un négociant écossais, qui lui a légué son nom, aujourd'hui entre les mains des Mau, associés à la famille hollandaise des Dirkzwager, ce vaste cru de 63 ha est devenu depuis quelques années une référence en matière de blanc, témoin le 2005, élu coup de cœur. Il se distingue une fois encore avec ce millésime mariant un tiers de sémillon au sauvignon. D'une teinte jaune paille à reflets verts, ce 2010 offre un bouquet fruité puissant, vif et frais, agrémenté des notes toastées, beurrées et grillées de l'élevage. Frais, fin et racé, le palais aux accents de pamplemousse et de citron vert suggère un accord avec un merlu à la luzienne. Chaleureux au nez, riche, charnu et tannique, le **rouge 2009 (15 à 20 € ; 83 000 b.)** obtient une étoile. Il attendra quatre ou cinq ans.

SCEA Ch. Brown, allée John-Lewis-Brown, 33850 Léognan, tél. 05.56.87.08.10, fax 05.56.87.87.34, chateau.brown@wanadoo.fr V Y r.-v.

Familles Mau et Dirkzwager

CH. CANTELYS 2010 ★

4 000 ◖◗ 11 à 15 €

Des mêmes propriétaires que le Château Smith Haut Lafitte, ce cru manque rarement le rendez-vous du Guide. Sauvignons blanc (50 %) et gris (5 %), mariés au sémillon (45 %) entrent dans la composition de ce vin d'un jaune pâle à reflets dorés. Dominé par le sauvignon très mûr, le bouquet joue sur les agrumes, le litchi et le fruit de la Passion. Riche et complexe, le palais séduit par son équilibre, son élégance, sa fraîcheur et sa longueur. Une belle étoile pour cette bouteille qui pourrait bien s'entendre avec un carpaccio d'espadon mariné aux agrumes.

SAS D. Cathiard, Ch. Cantelys, Ch. Smith Haut Lafitte, 33650 Martillac, tél. 05.57.83.11.22, fax 05.57.83.11.21, f.cathiard@smith-haut-lafitte.com V Y r.-v.

CH. CARBONNIEUX 2009 ★

■ Cru clas. n.c. ◖◗ 20 à 30 €

90 91 92 93 **94** 95 **96** 97 98 99 |**00**| **01** |02| |**03**| |04| **05** (06) 07 08 09

Si le château arbore un air périgourdin des plus charmants avec ses tours carrées à toiture à quatre pans couvertes de tuiles brunes, le terroir de graves garonnaises, lui, est bien bordelais, comme le vin, qui sait se présenter, dans une robe flamboyante. Encore un peu timide, le bouquet s'ouvre sur les fruits (mûre, myrtille, cassis et cerise) et des notes de fumée typiques des graves. Subtile et ronde, d'une remarquable longueur, la bouche appelle quatre ou cinq ans de garde. En attendant, on pourra déboucher dans deux ou trois ans une bouteille de **Ch. Tour Léognan 2009 rouge (11 à 15 € ; 75 000 b.)**, second vin harmonieux, noté une étoile. La **Croix de**

Carbonnieux 2009 rouge (11 à 15 €) obtient la même note pour sa jolie matière.
SCEA A. Perrin et Fils, Ch. Carbonnieux, 33850 Léognan, tél. 05.57.96.56.20, fax 05.57.96.59.19, info@chateau-carbonnieux.fr
t.l.j. sf sam. dim. 8h30-12h 14h-17h

CH. CARBONNIEUX 2010 ★

Cru clas.	125 000		20 à 30 €

(00) 01 **02 03** 04 |05| |06| 07 **08** 09 10

L'« eau minérale de Carbonnieux », nom sous lequel le vin blanc du cru était vendu à un sultan ottoman au XVIIIes., avait la cote à cette époque. Aujourd'hui, ce domaine est toujours d'une grande régularité, et son 2010 a laissé les jurés sous le charme tout au long de la dégustation. D'une belle complexité avec ses notes de pêche blanche, de mangue et de merrain, le bouquet annonce une bouche ample, bien structurée et longue, où s'allient les arômes du sauvignon (deux tiers de l'assemblage) et le gras du sémillon. Déjà très agréable, cette bouteille atteindra son apogée – et sa deuxième étoile – dans quelques années. Assez complexe, délicat et frais, le second vin, le **Ch. Tour Léognan 2010 blanc (8 à 11 €)**, est cité, tout comme **La Croix Carbonnieux 2010 blanc (11 à 15 €)**, vin essentiellement destiné à la restauration.
SCEA A. Perrin et Fils, Ch. Carbonnieux, 33850 Léognan, tél. 05.57.96.56.20, fax 05.57.96.59.19, info@chateau-carbonnieux.fr
t.l.j. sf sam. dim. 8h30-12h 14h-17h

CH. LES CARMES HAUT-BRION 2009 ★

	25 000		50 à 75 €

Premier millésime commercialisé sous le pavillon du groupe Patrimonial Pichet, promoteur immobilier acquéreur du cru en 2010, ce vin, qui donne une courte majorité au merlot assemblé aux deux cabernets, défend bien les couleurs de cet ancien domaine monastique, comme celles de l'appellation : par sa robe, pourpre à reflets sombres ; par son bouquet aux notes intenses de fruits mûrs (cassis, mûre, prune) de vanille, de cannelle et de chocolat noir ; et par sa bouche ronde, ample et charpentée, bâtie sur des tanins soyeux enrobés de notes torréfiées et chocolatées. Tout dans cette bouteille appelle quatre ou cinq années de garde et une alliance avec du gibier ou un autre mets de caractère.
Ch. les Carmes Haut-Brion, 20, rue des Carmes, 33000 Bordeaux, tél. 05.56.93.23.40, fax 05.56.93.10.71, chateau@les-carmes-haut-brion.com r.-v.
Patrimoniale du Groupe Pichet

♥ DOM. DE CHEVALIER 2009 ★★★

Cru clas.	n.c.		50 à 75 €

90 91 92 93 94 96 97 98 99 |**00**| |**01**| |**02**| |**03**| |**04**| **05** 06 07 **08** (09)

Si le domaine de Chevalier a pu se hisser au rang de cru mythique, c'est grâce à des vins comme ce 2009 qui vaut à ce cru situé entre forêt et agglomération bordelaise son huitième coup de cœur. Assemblage de deux tiers de cabernet-sauvignon et de presque un tiers de merlot, ce millésime incorpore 6 % de petit verdot. Après un élevage de dix-huit mois, il révèle une forte personnalité ; d'abord par la jeunesse de sa robe presque noire ; ensuite, par la puissance de son bouquet qui s'appuie sur des notes très grillées (toast) pour faire ressortir les fruits noirs, la réglisse et les épices ; enfin, par sa structure concentrée, à la fois puissante et élégante, suave et fraîche, montrant une réelle harmonie entre les tanins du vin et ceux du bois. Parfaitement équilibré, fort distingué, d'une rare longueur, ce vin de grande garde mérite d'être oublié en cave pendant une demi-douzaine d'années, voire une dizaine. En attendant, on ouvrira le second vin, **L'Esprit de Chevalier 2009 rouge (15 à 20 €)**, qui est cité.
SC Dom. de Chevalier, 102, chem. de Mignoy, 33850 Léognan, tél. 05.56.64.16.16, fax 05.56.64.18.18, olivierbernard@domainedechevalier.com r.-v.
Olivier Bernard

DOM. DE CHEVALIER 2010 ★

Cru clas.	n.c.		75 à 100 €

(90) **91 92 93 94 95** 96 97 **98** (99) **00** 01 02 |**04**| **05** (07) **08** 09 10

Dominant l'assemblage, le sauvignon (85 %) marque profondément le bouquet du pessac blanc de Chevalier. Complexe et d'une grande fraîcheur, ce vin jaune paille à reflets verts mêle le pamplemousse et les fruits blancs à la vanille de l'élevage. L'attaque dévoile une belle matière ample, charnue et bien mûre où l'on retrouve les fruits et un boisé aux accents d'amande. La chaleureuse finale épicée laisse le souvenir d'un ensemble racé. Complexe et élégant, **L'Esprit de Chevalier 2010 blanc (15 à 20 €)** obtient également une étoile.
SC Dom. de Chevalier, 102, chem. de Mignoy, 33850 Léognan, tél. 05.56.64.16.16, fax 05.56.64.18.18, olivierbernard@domainedechevalier.com r.-v.
Olivier Bernard

CH. COUCHEROY 2010 ★

	50 000		8 à 11 €

Un des vignobles pessacais d'André Lurton, comme la Louvière et Couhins Lurton. Moins connu, il n'en propose pas moins des blancs estimables, dont l'originalité réside dans un encépagement 100 % sauvignon. Aussi réussi que le millésime précédent, ce 2010 séduit par son bouquet aux délicates notes de fruits blancs, souligné d'un subtil vanillé, empreinte de son séjour partiel en barrique. Sa structure est fraîche, soyeuse et bien équilibrée. Pour des poissons grillés, dans les trois prochaines années.
André Lurton, Ch. Bonnet, 33420 Grézillac, tél. 05.57.25.58.58, fax 05.57.74.98.59, andrelurton@andrelurton.com

CH. COUHINS 2010 ★

Cru clas.	13 500		20 à 30 €

Classé en blanc, ce cru situé aux portes de Bordeaux appartint à la famille Gasqueton, longtemps propriétaire de Calon Ségur (saint-estèphe), avant d'être acquis par l'INRA en 1968. Ses vins blancs sont de purs sauvignons. Grand vin et second vin, qui font jeu égal, montrent que les chercheurs sont aussi d'excellents praticiens. Issu partiellement d'une macération pelliculaire et élevé dix mois en barrique, le premier associe le fruit blanc au grillé du merrain. Franc à l'attaque, il développe de frais arômes d'agrumes et montre un bel équilibre. Quant au **Couhins la Gravette 2010 (11 à 15 € ; 12 500 b.)**, qui n'a pas connu le bois, il charme par son bouquet intense et subtil et par son palais ample, onctueux et gras, soutenu par une plaisante fraîcheur citronnée. Deux vins de poisson, prêts à passer à table.

Ch. Couhins, chem. de la Gravette, BP 81,
33883 Villenave-d'Ornon Cedex, tél. 05.56.30.77.61,
fax 05.56.30.70.49, couhins@bordeaux.inra.fr r.-v.
INRA

CH. COUHINS-LURTON 2009 ★★

■ 20 000 20 à 30 €

Situé à Villenave d'Ornon aux portes de Bordeaux, l'ancien « bourdieu de la Gravette » du XVIIes., alors propriété d'un notaire, était assez réputé en 1959, année du classement. Aujourd'hui, il constitue avec La Louvière le navire amiral des propriétés d'André Lurton. Classé en blanc, il s'illustre en rouge et frôle le coup de cœur. Le merlot (70 %) domine dans ce vin dont la matière exprime la finesse de son terroir et un élevage maîtrisé. Somptueuse, sa robe est ourlée de violine, tandis que le bouquet puissant donne une impression de richesse et de complexité que l'on retrouve au palais. Très marqué, le boisé, évocateur de pain grillé, laisse une place au fruit, du fruit noir presque confit ; la structure, imposante et concentrée, n'en montre pas moins un côté soyeux. La longue finale, encore ferme, confirme le potentiel de cette belle bouteille, que l'on commencera à ouvrir dans quatre ou cinq ans.

André Lurton, Ch. Bonnet, 33420 Grézillac,
tél. 05.57.25.58.58, fax 05.57.74.98.59,
andrelurton@andrelurton.com

CH. COUHINS-LURTON 2010 ★

Cru clas. 18 000 20 à 30 €

Ce cru a obtenu trois coups de cœur en blanc (le dernier pour le 2008). Une fois encore, il justifie son classement dans cette couleur avec ce vin de pur sauvignon qui crée une ambiance printanière par ses parfums d'aubépine, de seringa et de pêche blanche, accompagnés d'une jolie note citronnée. Riche et long, ce 2010 fait aussi preuve d'une belle fraîcheur qui lui permettra de trouver place à l'apéritif ou sur des produits fins de la mer comme des coquilles Saint-Jacques et des filets de sole.

André Lurton, Ch. Bonnet, 33420 Grézillac,
tél. 05.57.25.58.58, fax 05.57.74.98.59,
andrelurton@andrelurton.com

CH. DE CRUZEAU 2010 ★★

60 000 11 à 15 €

Voué au sauvignon depuis des générations, ce vaste cru (97 ha) situé au sud de l'appellation est l'un des nombreux domaines d'André Lurton. Son 2010 offre une très belle expression du cépage et du terroir (sablo-graveleux sur calcaires). Paille brillant, il associe un léger grillé et des notes de pêche mûre. Élégant à l'attaque, complexe, il monte en puissance, alliant gras et fraîcheur dans un bel équilibre avant une longue finale un rien mentholée. Il appelle un mets de classe : pourquoi pas une salade raffinée au flétan ? Prometteur, doté d'une solide présence tannique, concentré, complexe et élégant, le **2009 rouge (11 à 15 € ; 130 000 b.)** au boisé suave obtient une étoile. On l'attendra trois à cinq ans. Même note pour le **Ch. de Quantin 2010 blanc (8 à 11 € ; 20 000 b.)**, un joli sauvignon frais et long aux arômes de pêche et d'agrumes.

André Lurton, Ch. Bonnet, 33420 Grézillac,
tél. 05.57.25.58.58, fax 05.57.74.98.59,
andrelurton@andrelurton.com

CH. D'EYRAN 2009

■ 60 000 11 à 15 €

Un cru témoin de l'Histoire, car l'un de ses propriétaires, Romain de Sèze, se rendit célèbre en acceptant de défendre Louis XVI à son procès. Il est toujours géré par les lointains descendants de cet avocat. Ce 2009, lui, plaide seul sa cause en faisant montre de souplesse et en déroulant de chaleureux arguments : fruits rouges mûrs, cassis et myrtille presque confiturés, épices – une palette aromatique généreuse. Des agréments à apprécier dans les trois ans.

LES CRUS CLASSÉS DES GRAVES

NOM DU CRU CLASSÉ	VIN CLASSÉ	NOM DU CRU CLASSÉ	VIN CLASSÉ
Château Bouscaut	en rouge et en blanc	Château Latour-Martillac	en rouge et en blanc
Château Carbonnieux	en rouge et en blanc	Château Malartic-Lagravière	en rouge et en blanc
Domaine de Chevalier	en rouge et en blanc	Château La Mission Haut-Brion	en rouge et en blanc
Château Couhins	en blanc	Château Olivier	en rouge et en blanc
Château Couhins-Lurton	en blanc		
Château Fieuzal	en rouge	Château Pape Clément	en rouge
Château Haut-Bailly	en rouge	Château Smith Haut Lafitte	en rouge
Château Haut-Brion	en rouge	Château La Tour-Haut-Brion	en rouge

SCEA Ch. d'Eyran, 8, chem. du Château,
33650 Saint-Médard-d'Eyrans, tél. 05.56.65.51.59,
fax 05.56.65.43.78, stephane@savigneux.com r.-v.
Savigneux

CH. FERRAN 2009

	52 000		11 à 15 €

Le vignoble a été créé par Montesquieu. Assemblage dominé par le merlot, ce vin se montre digne de ses origines par sa solide structure tannique et par ses arômes bien typés : une note de fumée se mêle en effet aux fruits noirs, au sous-bois et au cuir. Encore marqué par le bois et quelque peu austère, il devrait s'affiner et gagner en harmonie au cours des deux ou trois prochaines années. Il accompagnera alors des mets un peu riches, telle une fricassée de canard.

SCEA Ch. Ferran, 33650 Martillac, tél. 09.77.64.23.11,
fax 05.56.72.62.73, ferran@chateauferran.com r.-v.
Béraud-Sudreau

ABEILLE DE FIEUZAL 2010 ★

	2 000		15 à 20 €

Ce cru est classé uniquement pour ses rouges, ce qui n'empêche pas ses blancs d'être très réputés. Assez confidentielle, cette Abeille (le second vin) butine les fleurs blanches et tourne autour de la vanille et des agrumes : un bouquet élégant, prélude à une bouche d'une belle vivacité, qui appelle poissons fins et crustacés.

SC Ch. de Fieuzal, 124, av. de Mont-de-Marsan,
33850 Léognan, tél. 05.56.64.77.86, fax 05.56.64.18.88,
infochato@fieuzal.com r.-v.
Brenda et Lochlann Quinn

CH. DE FRANCE 2010 ★

	10 000		20 à 30 €

L'année 2011 restera marquée d'une pierre noire pour ce cru dont les chais ont été détruits en grande partie par un sinistre. Heureusement, on peut encore apprécier le savoir-faire des Thomassin dans une année chaude avec ce pessac blanc. Fermenté et élevé douze mois en barrique, ce 2010 discrètement typé sauvignon par ses arômes de fruits blancs frais montre une chair vive, apaisée par un boisé très marqué mais fondu, élégant et beurré, qui met en valeur le corps et la finale élégante. Pour des saint-jacques à la crème. Délicatement fruité et soutenu par des tanins fins, le **rouge 2009 (70 000 b.)** est cité. À carafer ou à attendre un peu.

SAS Thomassin, 98, rte Mont-de-Marsan,
33850 Léognan, tél. 05.56.64.75.39, fax 05.56.64.72.13,
contact@chateau-de-france.com r.-v.

CH. LA GARDE 2010

	13 300		20 à 30 €

Le « bourdieu de Lagarde » figurait déjà sur les cartes au milieu du XVIII^e^s. Propriété de Dourthe, le cru est régulièrement sélectionné dans le Guide. Assemblage à parité de sauvignon blanc et de sauvignon gris, fermenté et élevé en barrique, ce blanc est un vin très équilibré au bouquet mariant la torréfaction et les fleurs blanches, et à la structure ronde et fine soutenue par un boisé discret. Pour une sole meunière, dès aujourd'hui.

Ch. la Garde,
35, rue de Bordeaux-Parempuyre, CS 80001,
33295 Blanquefort Cedex, tél. 05.56.35.53.00,
fax 05.56.35.53.29, contact@dourthe.com r.-v.
Vignobles Dourthe

CH. GAZIN ROCQUENCOURT 2009 ★

	48 000		20 à 30 €

L'équipe de Malartic a pris en charge en 2006 ce cru historique installé depuis le XVII^e^s. sur une croupe de graves argileuses. Elle a largement restructuré le vignoble et renouvelé les équipements, si bien qu'avec ce 2009, elle inaugure réellement sa production. Ce vin, qui donne une courte majorité au cabernet-sauvignon, annonce de beaux lendemains pour ce cru à en juger par le bouquet de fruits rouges, de réglisse et de fumée et par la bouche, riche, élégante et longue, bâtie sur des tanins denses. Tout dans cette bouteille appelle un séjour en cave de quatre ou cinq ans, avant une alliance harmonieuse avec de l'agneau rôti.

SC Ch. Malartic-Lagravière, 43, av. de Mont-de-Marsan,
33850 Léognan, tél. 05.56.64.75.08, fax 05.56.64.99.66,
malartic-lagraviere@malartic-lagraviere.com r.-v.
A. A. Bonnie

DOM. DE GRANDMAISON 2010 ★

	15 000		11 à 15 €

Dans cette authentique propriété familiale, le respect des traditions rejoint les préoccupations du développement durable. Pour le plus grand bien du vin, à en juger par ce pessac or pâle. Son bouquet exprime avec délicatesse le sauvignon, cépage dominant, dans des notes de fleurs blanches, de citron et d'orange, un léger boisé au parfum d'amande apportant une touche de complexité. Dans le même registre fruité et boisé, le palais se montre à la fois souple, ample et frais, élégant et persistant. Une belle harmonie, qui appelle poissons et fruits de mer.

François Bouquier, 182, av. de la Duragne,
33850 Léognan, tél. 05.56.64.75.37, fax 05.56.64.55.24,
courrier@domaine-de-grandmaison.fr
t.l.j. sf dim. 8h30-12h 14h-18h30

CH. HAUT-BACALAN 2009 ★★

	27 000		75 à 100 €

Bien connue en Champagne, la famille Gonet a constitué dans le Bordelais un important patrimoine dont fait partie ce château acquis en 1998. Avec 80 % de merlot, ce vignoble est sans doute un peu atypique, mais cela n'empêche pas son vin de se montrer particulièrement harmonieux. Son bouquet est d'une grande complexité : des fruits noirs et de la réglisse, puis du graphite, de la vanille, du tabac et du cèdre. Ample et élégant, le palais porté par des tanins soyeux marie avec bonheur des saveurs fruitées et boisées. La longue finale confirme le potentiel de ce 2009 à laisser deux à cinq ans en cave, puis à servir sur des viandes rouges, du canard et du gibier.

SCEV Michel Gonet et Fils, Ch. Lesparre,
33750 Beychac-et-Caillau, tél. 05.57.24.51.23,
fax 05.57.24.03.99, info@gonet.fr r.-v.

CH. HAUT-BAILLY 2009 ★★

Cru clas.	85 000		+ de 100 €

90 92 93 94 (95) 96 97 **98** **99** 00 **01** **02** **03** **04** **05** **06** 07 08 **09**

Entièrement voué aux cépages rouges, ce vignoble jouit d'une renommée aussi solide qu'ancienne : il existe depuis la première moitié du XVII^e^s. Le cabernet-sauvignon domine l'assemblage de ses vins, lesquels collectionnent les étoiles dans le Guide. Bien dans l'esprit du cru et de l'appellation par ses tanins équilibrés et par un boisé torréfié qui sait se faire assez discret pour

respecter le fruit, le 2009 étonne par son expression aromatique, marquée par des notes de fruits très mûrs et de kirsch évoquant certains vins méridionaux. Certains y verront un signe annonciateur des effets du réchauffement climatique – ou l'apanage du millésime. Mais s'il sort parfois des canons de l'appellation, ce pessac n'en demeure pas moins très bordelais par son potentiel de garde. Il faudra l'attendre, avant de le servir sur une tourte de colvert au foie gras, selon la suggestion des propriétaires.
SAS Ch. Haut-Bailly, 103, av. de Cadaujac, 33850 Léognan, tél. 05.56.64.75.11, fax 05.56.64.53.60, mail@chateau-haut-bailly.com r.-v.
Robert G. Wilmers

CH. HAUT-BERGEY 2009 ★

■ 90 000 30 à 50 €

La vendange manuelle, doublée d'un tri optique impitoyable, n'est pas étrangère à la qualité de ce 2009, dont le bouquet plonge le dégustateur dans une corbeille de fruits mûrs sur un fond torréfié légué par un séjour de seize mois en barrique. Après une attaque souple, on retrouve au palais une légère note boisée cacaotée bien fondue. Encore deux ou trois ans, et cette bouteille connaîtra un bel apogée.
Ch. Haut-Bergey, 69, cours Gambetta, BP 2, 33850 Léognan, tél. 05.56.64.05.22, fax 05.56.64.06.98, info@vignoblesgarcin.com r.-v.
S. Garcin

♥ CH. HAUT-BRION 2009 ★★★

■ 1er cru clas. 126 000 + de 100 €

|(82)| 83 84 |85| |86| 87 |88| |89| |(90)| 91 92 |93| |94| (95) (96) |97| (98) 99 (00) 01 (02) 03 (04) (05) (06) 07 (08) (09)

Le 1er cru classé des Graves tient son rang. Pour ce millésime, l'équipe de Haut-Brion a privilégié relativement le merlot (46 %) au détriment des cabernets (40 % de cabernet-sauvignon, 14 % de cabernet franc). Il est vrai que les conditions climatiques ont été exceptionnelles, expliquant que l'on ait pu enregistrer le plus fort degré alcoolique jamais atteint par un vin de la propriété (14,3 %). Toutefois, s'il révèle d'emblée sa force par la densité de sa robe, ce 2009 n'a perdu ni son équilibre ni son élégance. Celle-ci se fait jour dès le bouquet, encore discret, qui s'ouvre progressivement et sans exubérance pour offrir une riche palette de parfums : petits fruits des bois, épices (cannelle), violette, mûre, cassis et pruneau. C'est au palais que le vin s'exprime pleinement, dévoilant une puissance rare et une remarquable matière, mariage parfait entre le vin et le bois, qui se fait oublier. Il affirme une très solide charpente tannique, tandis que des saveurs épicées ponctuent la dégustation (gingembre, poivres noir et blanc). Une grande bouteille qu'il faudra savoir attendre : huit ans, quinze, vingt-cinq ? Peut-être beaucoup plus. Un de nos dégustateurs n'a pas hésité à aller jusqu'à quatre-vingt-dix ans !
SAS Dom. Clarence Dillon, 135, av. Jean-Jaurès, 33608 Pessac Cedex, tél. 05.56.00.29.30, fax 05.56.98.75.14, info@domaineclarencedillon.com r.-v.

CH. HAUT-BRION 2010 ★★★

6 000 + de 100 €

(82) 83 85 87 88 |89| |90| 94 95 96 97 |98| (99) |(00)| |01| |02| |03| |(04)| |05| (06) (07) (08) (09) (10)

S'il n'a jamais été classé en blanc, le château Haut-Brion bénéficie d'un terroir de graves blanches sur argiles qui permet au cru de figurer dans l'élite des vins blancs de Bordeaux. Un vin d'autant plus rare que la surface plantée en vignes blanches n'atteint pas 3 ha. Grâce à une sélection drastique et à des soins méticuleux à la vigne comme au chai, il réussit à être puissant sans aucune lourdeur. La part du sémillon, variable selon les millésimes (46 % pour ce 2010), est assez importante, donnant au vin du gras et de la consistance – toujours avec élégance. Celle-ci s'annonce par une robe limpide et nette, citron clair. Elle se confirme par un bouquet délicat : fleurs, fruits mûrs, pêche blanche, agrumes et pamplemousse rose, le tout rehaussé d'une fine touche vanillée. Frais et parfaitement équilibré, le palais s'ouvre sur de jolies notes d'écorce d'orange : une réussite complète.
SAS Dom. Clarence Dillon, 135, av. Jean-Jaurès, 33608 Pessac Cedex, tél. 05.56.00.29.30, fax 05.56.98.75.14, info@domaineclarencedillon.com r.-v.

LE CLARENCE DE HAUT-BRION 2009 ★

■ 86 160 + de 100 €

Second vin de Haut-Brion issu d'un encépagement très proche du premier avec, toutefois, 2 % de petit verdot, ce 2009 fait preuve de beaucoup de noblesse : des tanins puissants et denses, de la mâche et une belle acidité qui apporte beaucoup de fraîcheur, le tout mettant en valeur l'expression aromatique aux fines notes florales, épicées et vanillées. Il faudra tout de même s'armer de patience pour pouvoir apprécier toutes ses qualités : il serait dommage de le déboucher avant cinq ans.
SAS Dom. Clarence Dillon, 135, av. Jean-Jaurès, 33608 Pessac Cedex, tél. 05.56.00.29.30, fax 05.56.98.75.14, info@domaineclarencedillon.com r.-v.

LA CLARTÉ DE HAUT-BRION 2010 ★

12 600 + de 100 €

Seconde étiquette commune à Haut-Brion et à la Mission, ce vin met en vedette le sémillon (83 %). Il justifie son nom par une robe d'un jaune pâle limpide et brillant. Encore marqué par la vanille léguée par un séjour de onze mois en barrique (avec près de la moitié de bois neuf), le bouquet laisse aussi s'exprimer le raisin. Au palais, on découvre un ensemble très floral avec quelques nuances végétales sans verdeur. Après une attaque ronde et plaisante, le côté floral se confirme au sein d'une matière soyeuse agrémentée en finale d'une touche miellée.
SAS Dom. Clarence Dillon, 135, av. Jean-Jaurès, 33608 Pessac Cedex, tél. 05.56.00.29.30, fax 05.56.98.75.14, info@domaineclarencedillon.com r.-v.

CH. HAUT-NOUCHET 2010 ★

10 000 20 à 30 €

Tirant son nom du ruisseau qui traverse la propriété de part en part, ce cru a changé de mains en 2008. Il signe deux vins blancs qui reçoivent l'un comme l'autre une étoile. Celui-ci, dominé par le sauvignon (70 %), offre un bouquet très frais mariant harmonieusement les fleurs blanches à la pêche. D'abord minéral, le palais va crescendo, pour finir avec une belle ampleur sur des côtés plus floraux. Son charme et sa pureté perdureront trois ou quatre ans. Comprenant plus de sémillon (45 %), le **Florilège by Haut Nouchet 2010 blanc (15 à 20 €; 10 000 b.)** fait jeu égal.

SCEA Dom. HN, 3, chem. Latour, 33650 Martillac,
tél. et fax 05.56.31.42.26, contact@hautnouchet.com
r.-v.

Briest

CH. HAUT-PLANTADE 2009 ★★

30 000 | 15 à 20 €

Créé de toutes pièces en 1975 par un négociant, lointain descendant d'un vigneron corrézien, ce petit cru a vu peu à peu sa superficie s'accroître (9 ha). Son vin a pris lui aussi de la consistance, comme le montre ce 2009 dont la charpente est encore très présente. Ample, frais et long en bouche, c'est un pessac bien construit, typique et déjà harmonieux. Deux ans de garde permettront à son élégance de s'affirmer tandis que s'épanouira son bouquet expressif aux belles notes de petits fruits rouges (cerise), de cuir, d'épices et de cacao.

SCEA Plantade Père et Fils, Ch. Haut-Plantade,
33850 Léognan, tél. 06.03.01.15.34,
hautplantade@wanadoo.fr r.-v.

CH. LAFARGUE Prestige 2009 ★

9 200 | 20 à 30 €

Cette propriété familiale dédiée il y a quelques décennies aux cultures maraîchères et à l'horticulture a misé avec succès sur la vigne, comme le montre une fois de plus la sélection du Guide. Issue d'un assemblage dominé par le merlot, cette cuvée Prestige dévoile une belle robe sombre à nuances pourpres et un bouquet encore un peu fermé mais déjà concentré mêlant les fruits noirs et la vanille. Bien présente, la matière repose sur de solides tanins qui annoncent une bonne garde (quatre ou cinq ans, voire davantage). Née des seuls sauvignons blanc et gris, la **cuvée Alexandre 2010 blanc (15 à 20 €; 18 000 b.)**, une étoile, est un vin aromatique, ample et puissant.

Jean-Pierre Leymarie, 5, imp. de Domy, 33650 Martillac,
tél. 05.56.72.72.30, fax 05.56.72.64.61,
contact@chateau-lafargue.com
t.l.j. sf sam. dim. 8h-12h 14h-17h

CH. LAFONT-MENAUT 2010 ★

16 000 | 8 à 11 €

Signé par Philibert Perrin, du château Carbonnieux, ce vin mise sur la finesse et la légèreté, avec des parfums de fleurs blanches et une minéralité apportés par le sauvignon (100 %). Bien intégré, le bois est suffisamment discret pour qu'il soit possible d'apprécier sans attendre les qualités aromatiques de cette bouteille abordable à tous égards.

SCEA Philibert Perrin, Ch. Lafont-Menaut,
33850 Léognan, tél. 05.57.96.56.20, fax 05.57.96.59.19,
philibert.perrin@chateau-carbonnieux.fr r.-v.

CH. LARRIVET HAUT-BRION 2009 ★

180 000 | 30 à 50 €

Changements de nom et de propriétaire, l'histoire de ce cru n'a pas été simple. Mais aujourd'hui, cette vaste unité (72,5 ha) connaît une période de tranquillité fort propice à l'élaboration de vins de qualité. S'annonçant par une robe presque opaque mais brillant de mille feux, ce 2009 joue sur des parfums de fruits noirs bien mûrs (cassis, myrtille), d'épices, de réglisse et de grillé, pour composer un bouquet d'une belle complexité. Harmonieux, gras et puissant, le palais aux tanins déjà bien fondus est plein de promesses. On attendra six ou sept ans pour ouvrir cette bouteille.

Ch. Larrivet Haut-Brion, 84, av. de Cadaujac,
33850 Léognan, tél. 05.56.64.75.51, fax 05.56.64.53.47,
secretariat@larrivethautbrion.fr r.-v.

Gervoson

CH. LARRIVET HAUT-BRION 2010 ★

24 000 | 30 à 50 €

Élevage sur lies avec bâtonnage pendant douze mois en barrique neuve : rien n'a été négligé dans l'élaboration de ce vin, issu de sauvignon majoritaire. Il en résulte un ensemble gourmand, suave et riche aux parfums de tilleul, de fleur de vigne, de citron, de pamplemousse et de fruits exotiques soulignés d'un délicat boisé vanillé. À la fois frais et fin, ample, gras et aromatique, le palais confirme le bon mariage du fruit avec un boisé bien dosé. On pourra bientôt servir ce 2010 sur un poisson fin ou sur des crustacés cuisinés. Plus simple mais fort plaisant par son caractère moderne, le second vin, **Les Demoiselles de Larrivet Haut-Brion 2010 blanc (15 à 20 €; 26 000 b.)**, est cité. Rond et fruité, il pourra être débouché dès l'apéritif.

Ch. Larrivet Haut-Brion, 84, av. de Cadaujac,
33850 Léognan, tél. 05.56.64.75.51, fax 05.56.64.53.47,
secretariat@larrivethautbrion.fr r.-v.

Gervoson

CH. LATOUR-MARTILLAC 2009 ★★

Cru clas. | 137 000 | 20 à 30 €

90 91 92 **93 94 95 96 97 98** 99 |**00**| 01 |**02**| 03 |04|
05 **06 07 08 09**

Belle unité située à Martillac, ce cru classé couvrant 50 ha est le fleuron des vignobles Kressmann. La tour pointue se dresse toujours en face du portail, et le château reste fidèle à sa tradition de qualité dans les deux couleurs. Pour le rouge, du cabernet-sauvignon et du merlot à parts presque égales et un soupçon de petit verdot. Le 2009 ne trahit pas les promesses de la robe profonde à reflets violacés, à laquelle répond un bouquet aux élégantes notes de petits fruits rouges et noirs en confiture sur un fond de vanille et de grillé. Souple et ample, l'attaque s'ouvre sur des tanins serrés mais bien enrobés, qui appellent quatre ou cinq ans de patience. En attendant, on ouvrira dès 2013 le second vin, **Lagrave Martillac 2009 rouge (15 à 20 €; 52 000 b.)**. Plus simple mais plaisant par ses arômes fruités et épicés, il est cité.

SCEA Vignobles Jean Kressmann, 8, chem. de la Tour,
33650 Martillac, tél. 05.57.97.71.11, fax 05.57.97.71.17,
latourmartillac@latourmartillac.com r.-v.

CH. LATOUR-MARTILLAC 2010 ★

Cru clas. | 37 000 | 30 à 50 €

90 91 92 93 **94 95 96** 97 **98 99** (00) 01 **02 03 04** (05)
06 07 08 **09** 10

Ce cru se distingue autant par ses blancs que par ses rouges, jugés très souvent remarquables (cinq coups de cœur au total, dont le dernier pour le 2005). Le 2010 semble un peu en retrait, même s'il garde une très belle tenue. Rond, vif et étoffé, il séduit par ses arômes d'agrumes et de fleurs blanches. Il fera une fort jolie bouteille dès que le boisé grillé, présent au nez comme en bouche, se sera atténué. On le verrait bien sur une blanquette de lotte.

SCEA Vignobles Jean Kressmann, 8, chem. de la Tour, 33650 Martillac, tél. 05.57.97.71.11, fax 05.57.97.71.17, latourmartillac@latourmartillac.com r.-v.

CH. LESPAULT-MARTILLAC 2010

n.c. 20 à 30 €

Les propriétaires de ce très ancien cru de Martillac ont confié en 2009 l'exploitation du vignoble à l'équipe de Chevalier. Son pessac-léognan blanc, qui privilégie largement le sauvignon, a été élevé sur lies en barrique. Les jurés ont aimé son bouquet mêlant la poire, la pêche blanche, le buis, le silex et des notes toastées, ainsi que sa bouche franche à l'attaque, ample, fine et de bonne longueur. À servir dès maintenant sur des saint-jacques.

SC Dom. de Chevalier,
Ch. Lespault-Martillac, 1, rte de la Solitude, 33650 Martillac,
tél. 05.56.72.74.74
t.l.j. sf dim. 8h30-12h 14h-16h30; sam. 14h-16h30
Famille J.-C. Bolleau

CH. LA LOUVIÈRE 2009 *

150 000 20 à 30 €

(90) 92 **93 94** 95 96 97 98 **99** (00) **01 02** 03 |04| **05 06** 07 08 09

Cabernet-sauvignon (64 %) merlot (30 %), petit verdot et cabernet franc (3 % chacun) : André Lurton respecte l'esprit de l'appellation dans son encépagement. Le vin en tire une réelle complexité aromatique, son bouquet des plus élégants mariant la vanille aux fruits noirs très mûrs et aux épices, avec quelques senteurs de venaison. Gourmand et confit, marqué par un boisé qui respecte et souligne le fruit, le palais confirme la classe de ce 2009. Une structure solide et harmonieuse de tanins lui donne de l'assise. À attendre entre trois et cinq ans. Très équilibré, le **L de la Louvière 2009 rouge (11 à 15 € ; 80 000 b.)** obtient une étoile. Si son potentiel est comparable, on pourra cependant le boire jeune en le carafant.

André Lurton, Ch. la Louvière, 149, av. de Cadaujac, 33850 Léognan, tél. 05.56.64.75.87, fax 05.56.64.71.76, lalouviere@andrelurton.com r.-v.

L DE LA LOUVIÈRE 2010 **

20 000 11 à 15 €

Le vin est un être vivant qui peut réserver des surprises. C'est bien le cas à la Louvière pour le millésime 2010 : le second vin, L de la Louvière, l'emporte sur le premier en raison de sa finesse et de sa fraîcheur. L'assemblage est le même (85 % de sauvignon), la durée de l'élevage sous bois identique (dix mois), la part de barriques neuves étant supérieure pour le grand vin. On retrouve dans les deux un bel équilibre des saveurs, de la souplesse et un plaisant côté soyeux. Le **Ch. la Louvière 2010 blanc (20 à 30 € ; 40 000 b.)** obtient une étoile.

André Lurton, Ch. la Louvière, 149, av. de Cadaujac, 33850 Léognan, tél. 05.56.64.75.87, fax 05.56.64.71.76, lalouviere@andrelurton.com r.-v.

CH. LUCHEY-HALDE 2009

n.c. 20 à 30 €

Propriété de l'école d'agronomie de Bordeaux, ce cru situé à l'intérieur de l'agglomération bordelaise a été recréé il y a quelque dix ans. Aussi les vignes, plantées sur un terroir sablo-graveleux, sont-elles jeunes. Au cabernet-sauvignon (55 %) et au merlot s'adjoignent 10 % de petit verdot pour donner un vin aimable, dont la structure tannique souple et harmonieuse met en valeur un bouquet de fruits confits et d'épices. **Les Haldes de Luchey 2010 blanc (15 à 20 € ; 7 600 b.)** sont également cités : un vin d'une belle complexité aromatique.

Ch. Luchey-Halde,
Bordeaux Sciences Agro, 17, av. du Mal-Joffre,
33700 Mérignac, tél. 05.56.45.97.19, fax 05.56.45.33.79,
info@luchey-halde.com
t.l.j. sf dim. 9h30-12h30 14h-17h30

CH. MALARTIC-LAGRAVIÈRE 2009 *

Cru clas. 100 000 30 à 50 €

90 **91 92 93 95** 96 97 98 99 00 |01| (02) **03 04** (05) **06** 07 08 09

La famille aristocratique qui acheta la propriété au XVIIIe s. compta parmi ses membres un amiral qui mena des combats sous le règne de Louis XV, d'où le troit mâts figurant sur l'étiquette de ce cru, classé dans les deux couleurs. Constitué d'une haute terrasse formée d'îlots graveleux et profondément entaillée par le ruisseau de l'Eau blanche, le vignoble bénéficie d'un beau terroir parfaitement mis en valeur, témoin ce 2009 à la robe élégante et profonde et au bouquet gourmand associant les raisins secs, les fruits rouges, la vanille, la brioche et une note de cuir. Vif à l'attaque, sur des notes de framboise, soutenu par des tanins serrés, le palais confirme que ce vin est de bonne origine. Une garde de trois à six ans lui permettra de s'arrondir.

SC Ch. Malartic-Lagravière, 43, av. de Mont-de-Marsan, 33850 Léognan, tél. 05.56.64.75.08, fax 05.56.64.99.66, malartic-lagraviere@malartic-lagraviere.com r.-v.
A.-A. Bonnie

CH. MALARTIC-LAGRAVIÈRE 2010 *

Cru clas. 18 000 50 à 75 €

D'un jaune pâle brillant à reflets dorés, le blanc de Malartic séduit par l'élégance de son bouquet, dont la complexité s'affirme à l'aération : on découvre de jolies fragrances de fleurs blanches, de tilleul, d'agrumes, de fruits exotiques et de pêche associées à un boisé toasté. On retrouve ces arômes délicatement sauvignonnés et ces nuances d'élevage dans un corps à la fois frais et gras, intense, fin et persistant. Un vin racé et un moment de plaisir garanti pour l'amateur le plus exigeant. Plus simple mais très plaisant, le second vin, **La Réserve de Malartic 2010 blanc (20 à 30 € ; 6 000 b.)**, est cité.

SC Ch. Malartic-Lagravière, 43, av. de Mont-de-Marsan, 33850 Léognan, tél. 05.56.64.75.08, fax 05.56.64.99.66, malartic-lagraviere@malartic-lagraviere.com r.-v.
A.-A. Bonnie

CH. MIREBEAU 2009

12 000 15 à 20 €

Une petite propriété (4,2 ha) à dominante de merlot (90 %), acquise en 1996 par Cyril Dubrey, ingénieur agricole et œnologue, et conduite selon une approche biodynamique. Le vin sait se présenter : une chatoyante robe carmin et un joli bouquet fait de baies mûres, de cerise et d'épices douces. Une aimable bouteille, ronde et charnue, à ouvrir dès 2014 sur des mets fins, comme une entrecôte aux cèpes. Souple et élégant, la cuvée **Les Héliotropes 2010 blanc (1 000 b.)**, un pur sauvignon, est citée.

Ch. Mirebeau, 35, rte de Mirebeau, 33650 Martillac, tél. 05.56.72.61.76, fax 05.56.62.43.67, contact@chateau-mirebeau.com r.-v.

Cyril Dubrey

CH. LA MISSION HAUT-BRION 2009 ★★

Cru clas. 72 000 + de 100 €

|82| |83| 84 |85| |86| 87 |88| |89| (90) 92 93 94 |95| (96) 97 |98| |99| (00) **01 02 03 04** (05) **06** 07 **08 09**

Juste séparé du château Haut-Brion par la RN 250 et uni à lui depuis 1983 dans le cadre des domaines Clarence Dillon, ce cru a une histoire différente, liée notamment aux pères lazaristes avant la Révolution, et il sait affirmer sa personnalité. Il le fait d'abord par la complexité de son bouquet aux délicates notes de vanille et de fruits rouges (cerise et groseille mûres), puis par les qualités d'un palais ample et dense construit sur des tanins serrés et puissants, lequel laisse deviner une réelle race et une puissance en sommeil. Encore austère, ce grand bordeaux tiendra toutes ses promesses d'ici huit à dix ans. Plus simple mais bien bâti, le second vin, **la Chapelle de la Mission 2009 rouge (69 600 b.)**, est cité.

SAS Dom. Clarence Dillon, 135, av. Jean-Jaurès, 33608 Pessac Cedex, tél. 05.56.00.29.30, fax 05.56.98.75.14, info@domaineclarencedillon.com r.-v.

CH. LA MISSION HAUT-BRION 2010 ★★

Cru clas. 5 400 + de 100 €

90 93 94 95 96 97 (98) |99| |00| (01) |02| |03| 04 (05) **06 07 08 09 10**

Correspondant à l'ancien Laville Haut-Brion (jusqu'au millésime 2008), ce vin est issu d'un terroir reposant sur un sous-sol argileux très favorable aux vignes blanches (du sémillon surtout). Pour s'en convaincre, il suffit de goûter ce superbe 2010. Sa robe cristalline possède un réel pouvoir de séduction ; tout comme son bouquet qui retient l'attention par sa complexité : citron, citronnelle, chèvrefeuille, tilleul, acacia, agrumes et épices douces. Le charme se prolonge dans un palais velouté et gras, d'une grande fraîcheur. Pulpeux et soyeux, ce vin mérite un turbot ou un homard. Sa finale vous restera longtemps en mémoire.

SAS Dom. Clarence Dillon, 135, av. Jean-Jaurès, 33608 Pessac Cedex, tél. 05.56.00.29.30, fax 05.56.98.75.14, info@domaineclarencedillon.com r.-v.

CH. OLIVIER 2009

Cru clas. 100 000 20 à 30 €

Sur le vignoble de 57 ha du château Olivier, les vignes rouges couvrent plus de 46 ha. Équilibré, l'encépagement comprend 45 % de merlot, 10 % de cabernet franc et 45 % de cabernet-sauvignon. Il a donné à ce 2009 un bouquet complexe où l'on retrouve la touche de cuir du merlot, la note de réglisse du cabernet-sauvignon, des nuances de fruits rouges et une touche de cigare liée à l'élevage. Le palais est structuré par une trame tannique serrée, un peu austère mais prometteuse, qui appelle deux ou trois ans de garde.

Ch. Olivier, 175, av. de Bordeaux, 33850 Léognan, tél. 05.56.64.73.31, fax 05.56.64.54.23, mail@chateau-olivier.com r.-v.

de Bethmann

♥ CH. OLIVIER 2010 ★★

Cru clas. 23 000 30 à 50 €

Château Olivier

Grand Cru Classé

Pessac-Léognan

Ancienne seigneurie, relais de chasse du Prince Noir, ce cru classé est célèbre par son manoir médiéval sur fond de forêt. La semaine où nous mettions sous presse, son propriétaire Jean-Jacques de Bethmann s'est éteint, laissant son fils Alexandre poursuivre son œuvre. L'édition même où le pessac blanc du château Olivier s'est vu couronné : pour l'intensité, l'élégance et la finesse de son bouquet mêlant les fleurs blanches, la minéralité, les agrumes et la vanille ; et pour sa matière opulente et pourtant distinguée, à la fois ronde et vive, au boisé bien fondu, où l'on retrouve la fraîche minéralité qui donne de l'allonge à la finale. De quoi anoblir des poissons à la plancha.

Ch. Olivier, 175, av. de Bordeaux, 33850 Léognan, tél. 05.56.64.73.31, fax 05.56.64.54.23, mail@chateau-olivier.com r.-v.

de Bethmann

CH. PAPE CLÉMENT 2009 ★★

Gd cru clas. 114 000 + de 100 €

82 83 **85 86** 87 **88 89 90 91 92 93 94** |95| |96| **97** |98| |99| |00| **01 02 03 04 05 06** 07 **08 09**

La première pièce et l'une des plus illustres de la collection de Bernard Magrez, « l'homme aux quarante châteaux ». L'une des plus anciennes, implantée à la fin du XIIIes. par Bertrand de Got, qui allait devenir le premier pape d'Avignon. Des vendanges en cagettes aux écoulages par gravité, rien n'a été négligé pour élaborer un grand vin dont la distinction retient l'attention dès le premier regard sur sa robe sombre et intense. La même élégance se retrouve dans le bouquet aux fines notes de cerise cuite. Attaquant par une belle envolée, le palais montre une grâce sans faille née d'une extraction parfaite. Plein, charnu et goûteux, il dévoile une structure serrée et une longue finale qui promettent une remarquable bouteille d'ici six ou sept ans. Pareillement intense, dense et élégant, le second vin, **Clémentin de Pape Clément 2009 rouge (30 à 50 € ; 100 000 b.)**, obtient également deux étoiles. Il mérite lui aussi d'attendre cinq ans.

Ch. Pape Clément, 216, av. Dr-Nancel-Penard, 33600 Pessac, tél. 05.57.26.38.38, fax 05.57.26.38.39, chateau@pape-clement.com r.-v.

Bernard Magrez

CH. PAPE CLÉMENT 2010 ★

	n.c.		+ de 100 €

92 (93) 94 96 97 98 99 00 |01| |03| 05 07 08 09 10

Coup de cœur en blanc deux ans de suite, le château Pape Clément est moins ambitieux dans ce millésime, moins puissant. Toutefois, ce 2010 a tout pour séduire : une robe dorée ; un bouquet très profond, qui fait découvrir tour à tour des notes bien fondues de fruits exotiques et de grillé ; un palais gras et vif, charpenté et élégant ; une belle finale épicée. Déjà agréable, cette bouteille mérite cependant un séjour en cave de trois ou quatre ans.

Ch. Pape Clément, 216, av. Dr-Nancel-Penard, 33600 Pessac, tél. 05.57.26.38.38, fax 05.57.26.39, chateau@pape-clement.com r.-v.

Bernard Magrez

CH. PICQUE CAILLOU 2009 ★★

■	n.c.		20 à 30 €

Situé au cœur de l'agglomération bordelaise, ce cru au nom évocateur de son terroir appartient à Paulin Calvet, de la célèbre lignée de négociants. Figurant parmi les derniers vignobles de Mérignac, Picque Caillou prend son envol avec ce millésime qui frôle le coup de cœur. Issu de cabernet-sauvignon et de merlot à parité, ce 2009 se drape dans une majestueuse robe pourpre brillant, s'imposant aussi par son bouquet aux puissants parfums de fruits noirs, de vanille et de torréfaction. Bien présents et mûrs, ses tanins sont enrobés par des notes fruitées (cerise) et épicées et par un boisé parfaitement fondu. La longue finale, encore ferme, invite à laisser vieillir cette bouteille entre deux et six ans. Frais et bien équilibré, plutôt boisé, le **blanc 2010 (15 à 20 € ; 5 800 b.)** a été cité.

GFA Ch. Picque Caillou, 93, av. Pierre-Mendès-France, 33700 Mérignac, tél. 05.56.47.37.98, fax 05.56.97.99.37, contact@picque-caillou.com

t.l.j. sf dim. 8h-12h 14h-18h

Paulin Calvet

DOM. DE LA ROCHE 2009

■	n.c.		20 à 30 €

Ingénieur chimiste et œnologue, José Rodrigues-Lalande a commencé sa carrière dans le monde du bouchon tout en achetant des vignes dans les Graves. Ses crus l'occupent aujourd'hui à plein temps : le château de Castres (graves) et le château de Roche Lalande, acquis en 2004, d'où provient ce vin intéressant par son bouquet d'une bonne complexité, fruité (cerise, cassis) et boisé (épices, vanille et fumée), et par sa bouche chaleureuse et consistante, soutenue par des tanins denses qui autorisent une garde de plusieurs années.

EARL Vignobles Rodrigues-Lalande, Ch. de Castres, 33640 Castres-Gironde, tél. 05.56.67.51.51, fax 05.56.67.52.22, contact@chateaudecastres.fr r.-v.

CH. DE ROCHEMORIN 2009 ★

■	120 000		11 à 15 €

Un vaste cru (plus de 100 ha), propriété au XVIIIe s. de Montesquieu et aujourd'hui d'André Lurton, comme La Louvière et Couhins-Lurton. Son vin se distingue par un bon équilibre. Le bouquet témoigne de la présence dominante du cabernet-sauvignon par des notes épicées marquées. Chaleureux, le palais évolue sur des tanins très mûrs qui lui assurent un solide potentiel de garde. Fruité et équilibré, plutôt souple, le **blanc 2010 (70 000 b.)**, un pur sauvignon, est cité.

André Lurton, Ch. Bonnet, 33420 Grézillac, tél. 05.57.25.58.58, fax 05.57.74.98.59, andrelurton@andrelurton.com

CH. SAINT EUGÈNE L'Hironde 2009 ★

■	75 000		8 à 11 €

Du même producteur que celui du château Haut-Bacalan – le Champenois Michel Gonet – ce vin fait son entrée dans le Guide avec ce millésime. Très élégant dans son expression aromatique, le bouquet évolue du grillé, des épices et de la vanille de l'élevage vers les petits fruits rouges. Le boisé reste aussi à sa place dans une bouche fruitée et souple à l'attaque, fraîche et assez longue, portée par des tanins harmonieux qui invitent à une garde de trois ou quatre ans.

SCEV Michel Gonet et Fils, Ch. Lesparre, 33750 Beychac-et-Caillau, tél. 05.57.24.51.23, fax 05.57.24.03.99, info@gonet.fr r.-v.

CH. LE SARTRE 2010 ★

	25 000		15 à 20 €

Un vignoble restauré au cours des années 1980 par la famille Perrin, propriétaire de Carbonnieux. À la tête du cru depuis 2005, Marie-José Perrin-Leriche et son époux proposent ici un pessac blanc séduisant par son nez intense et frais marqué par le sauvignon, aux nuances de pamplemousse, de fruits exotiques, avec une touche de buis et du boisé fondu à l'arrière-plan. Gras, vif et persistant, le palais garde ces qualités aromatiques. Une bouteille à déboucher prochainement.

SCEA du Ch. le Sartre, 78, chem. du Sartre, 33850 Léognan, tél. 05.56.64.08.78, fax 05.56.64.52.57, chateaulesartre@wanadoo.fr r.-v.

Marie-José Leriche

♥ CH. SEGUIN 2009 ★★

■	64 000		15 à 20 €

Modestes, les Darriet insistent sur la qualité de leur terroir de graves fines, mais celui-ci ne serait rien sans leur savoir-faire et sans celui de leur équipe. En restructuration dès 1987, après une longue éclipse, le cru a investi massivement. Le Guide s'est fait le témoin de son ascension. La consécration vient cette année, avec ce vin issu de merlot et de cabernet-sauvignon à parité. D'un grenat profond, ce 2009 déploie un bouquet intense et complexe évoquant la vanille, le toast, le cuir et les fruits rouges confits. L'attaque fraîche et fruitée fait place à des sensations de gras et de puissance, et la finale truffée ne manque pas de classe. Parfaitement typée, cette bouteille sera à son optimum dans trois ans et tiendra bien huit ans. Elle sera à l'aise avec toutes les viandes, rouges ou blanches, à poil ou à plume.

🔑 SC Dom. de Seguin, chem. de la House, 33610 Canéjan, tél. 05.56.75.02.43, fax 05.56.89.35.41, contact@chateauseguin.com ☑ 🍷 🚶 r.-v.
🔑 M. Darriet

♥ CH. SMITH HAUT LAFITTE 2009 ★★

■ Cru clas. 120 000 🛢 75 à 100 €

90 91 92 **93 94 95** 96 97 **98** 99 |**00**| **01 02** |03| |04| ⑥5 |**06**| 07 **08 09**

On connaît l'investissement œnotouristique de ce cru classé. La démarche environnementale est également poussée, allant jusqu'à la plantation de haies favorisant la biodiversité. Quant au vin, le Guide atteste sa régularité. Avec ce 2009, le château décroche son troisième coup de cœur. Assemblage de quatre cépages dominé par le cabernet-sauvignon et incluant un soupçon de petit verdot, ce pessac rouge se distingue par un fruité hors du commun ; cassis, mûre et myrtille percent sous les épices, la réglisse et le toasté de la barrique ; ils s'épanouissent en saveurs gourmandes dans une bouche généreuse et tapissée de tanins soyeux, qui monte en puissance jusqu'à une longue et élégante finale. Un concert harmonieux entre le fruit et la structure dans cette grande bouteille qui mérite un séjour en cave de cinq ou six ans – pour le moins.

🔑 SAS D. Cathiard, Ch. Cantelys, Ch. Smith Haut Lafitte, 33650 Martillac, tél. 05.57.83.11.22, fax 05.57.83.11.21, f.cathiard@smith-haut-lafitte.com ☑ 🍷 🚶 r.-v.

CH. SMITH HAUT LAFITTE 2010 ★★

□ 32 000 🛢 75 à 100 €

90 91 **92** 93 94 95 **96 97** ⑨8 **99 00 01 02 03** |**04**| |05| 06 **07** 08 **09 10**

Non classé en blanc, Smith Haut Lafitte n'en montre pas moins une belle régularité dans cette couleur. Le 2010 reçoit deux belles étoiles pour sa robe cristalline, jaune citron à reflets verts, et pour son bouquet intense, complexe et élégant mêlant des parfums subtils de sauvignon (95 %) et un boisé bien dosé : la pêche jaune côtoie les agrumes, avec des pointes de noisette et de buis. Franc et doux, le palais présente un équilibre particulièrement intéressant entre la vivacité et le volume. Bel accord en perspective avec un poisson fin, tel un bar de ligne. Moins généreux mais fort sympathique, le second vin, **Les Hauts de Smith 2010 blanc (15 à 20 € ; 12 000 b.)**, est cité.

🔑 SAS D. Cathiard, Ch. Cantelys, Ch. Smith Haut Lafitte, 33650 Martillac, tél. 05.57.83.11.22, fax 05.57.83.11.21, f.cathiard@smith-haut-lafitte.com ☑ 🍷 🚶 r.-v.

CH. TRIGANT 2009

■ 22 000 🛢 11 à 15 €

La chartreuse en impose. Quant au vignoble, replanté en 1990 de vignes rouges, sa taille modeste (3,45 ha) n'empêche pas son vin de faire preuve d'une belle tenue avec une robe intense et chatoyante, un bouquet complexe (amande, noyau et sous-bois) et une bouche séveuse et franche, bien équilibrée entre le raisin et le merrain, et pourvue d'une charpente tannique soyeuse, plus ferme en finale. Un classique à attendre entre un et trois ans.

🔑 GFA du Ch. Trigant, 149, av. des Pyrénées, 33140 Villenave-d'Ornon, tél. 05.56.48.25.52, chateautrigant@orange.fr ☑ 🍷 🚶 r.-v.

Le Médoc

Dans l'ensemble girondin, le Médoc occupe une place à part. À la fois enclavés dans leur presqu'île et largement ouverts sur le monde par un profond estuaire, le Médoc et les Médocains apparaissent comme une parfaite illustration du tempérament aquitain, oscillant entre le repli sur soi et la tendance à l'universel. Et il n'est pas étonnant d'y trouver aussi bien de petites exploitations familiales presque inconnues que de grands domaines prestigieux appartenant à de puissantes sociétés françaises ou étrangères.

S'en étonner serait oublier que le vignoble médocain (qui ne représente qu'une partie du Médoc historique et géographique) s'étend sur plus de 80 km de long et 10 km de large. Le visiteur peut donc admirer non seulement les grands châteaux du vin du siècle dernier, avec leurs splendides chais-monuments, mais aussi partir à la découverte approfondie du pays. Très varié, celui-ci offre aussi bien des horizons plats et uniformes (près de Margaux) que des croupes (vers Pauillac), ou l'univers tout à fait original du Médoc dans sa partie nord, à la fois terrestre et maritime. La superficie des AOC du Médoc représente environ 16 400 ha.

Pour qui sait quitter les sentiers battus, le Médoc réserve plus d'une heureuse surprise. Mais sa grande richesse, ce sont ses sols graveleux, descendant en pente douce vers l'estuaire de la Gironde. Pauvre en éléments fertilisants, ce terroir est particulièrement favorable à la production de vins de qualité, la topographie permettant un drainage parfait des eaux.

On a pris l'habitude de distinguer le Haut-Médoc, de Blanquefort à Saint-Seurin-de-Cadourne, et le nord Médoc, de Saint-Germain-d'Esteuil à Saint Vivien. Au sein de la première zone, six appellations communales produisent les vins les plus réputés. Les soixante crus classés sont essentiellement implantés sur ces appellations communales ; cependant, cinq d'entre eux portent exclusivement l'appellation haut-médoc. Les crus classés représentent approximativement 25 % de la surface totale des vignes du Médoc, 20 % de la production de vins et plus de 40 % du chiffre d'affaires. Plusieurs caves coopératives existent dans les appellations médoc et haut-médoc, mais aussi dans trois appellations communales (listrac, pauillac, saint-estèphe).

Le vignoble du Médoc est réparti entre huit appellations d'origine contrôlées. Il existe deux appellations sous-régionales, médoc et haut-médoc (60 % du vignoble médocain), et six appellations communales : saint-estèphe, pauillac, saint-julien, listrac-médoc, moulis-en-médoc et margaux – l'appellation régionale étant bordeaux comme dans le reste du vignoble du Bordelais.

Cépage traditionnel en Médoc, le cabernet-sauvignon est probablement moins important qu'autrefois, mais il couvre 52 % de la totalité du vignoble. Avec 34 %, le merlot vient en deuxième position ; son vin, souple, est aussi d'excellente qualité et, d'évolution plus rapide, il peut être consommé plus jeune. Le cabernet franc, qui apporte de la finesse, représente 10 %. Enfin, le petit verdot et le malbec jouent le rôle de cépages d'appoint.

Les vins du Médoc jouissent d'une réputation exceptionnelle ; ils sont parmi les plus prestigieux vins rouges de France et du monde. Ils se remarquent à leur couleur grenat, évoluant vers une teinte tuilée, ainsi qu'à leur bouquet fruité dans lequel les notes épicées de cabernet se mêlent souvent à celles, vanillées, qu'apporte le chêne neuf. Leur structure tannique, dense en même temps qu'élégante, et leur parfait équilibre contribuent à une bonne tenue dans le temps : ils s'assouplissent sans maigrir et gagnent en richesse olfactive et gustative.

Médoc

Superficie : 5 700 ha
Production : 300 000 hl

L'ensemble du vignoble médocain a droit à l'appellation médoc, mais en pratique celle-ci n'est utilisée que dans le nord de la presqu'île, à proximité de Lesparre, les communes situées entre Blanquefort et Saint-Seurin-de-Cadourne pouvant revendiquer celle de haut-médoc ou des communales, dans le cadre de leurs zones délimitées spécifiques. Malgré cela, l'appellation médoc est la plus importante en superficie et en volume.

Les médoc se distinguent par une couleur très soutenue. Avec un pourcentage de merlot plus important que dans les vins du haut-médoc et des appellations communales, ils possèdent souvent un bouquet fruité et beaucoup de rondeur en bouche. Certains, provenant de croupes graveleuses isolées, associent aussi une grande finesse et une certaine richesse tannique.

BORDELAIS

CH. L'ARGENTEYRE 2009

■ 135 000 ▮◖◗ 5 à 8 €

Des vignes d'un quart de siècle (cabernets, merlot, petit verdot), plantées sur graves et argilo-calcaires, donnent naissance à ce vin plaisant, qui évoque la confiture de fruits rouges et les épices. La bouche offre de la rondeur et de la matière, avant de se révéler plus austère en finale. À boire dans les cinq ans à venir sur une viande grillée.

GAEC des Vignobles Reich, 43, rte de Courbian, 33340 Bégadan, tél. et fax 05.56.41.52.34, chateau-argenteyre@wanadoo.fr
t.l.j. 8h30-12h 14h-17h30

CH. BOURNAC Élevé en fût de chêne 2009

■ 40 000 ◖◗ 8 à 11 €

Paré d'une robe jeune et intense, ce 2009 séduit par son bouquet joliment floral et fruité, au boisé discret. La bouche s'appuie sur des tanins soyeux et offre une agréable finale aux accents mentholés. À boire dans deux ou trois ans sur une viande rouge. Des mêmes propriétaires, le **Ch. la Chandellière 2009 (5 à 8 €; 130 000 b.)** est également cité pour sa souplesse et pour son nez fruité et épicé.

GAEC de Cazaillan, 16, rte des Petites-Granges, 33340 Civrac-en-Médoc, tél. 05.56.41.53.51, fax 05.56.41.53.38, didier.secret@orange.fr r.-v.
Secret Frères et Fils

CH. LA BRANNE 2009 ★★

■ 129 200 ◖◗ 8 à 11 €

Fabienne et Philippe Videau, adeptes de la culture raisonnée, dirigent ce cru de 25 ha depuis 1986. Ils signent un 2009 intense et franc dans sa livrée pourpre. Le nez, complexe et concentré, évoque les fruits rouges, les épices (poivre) et le laurier, avec un boisé délicat à l'arrière-plan. Ample, corsée, longue, la bouche dévoile des tanins mûrs et bien extraits. Un médoc de caractère et de terroir, à découvrir dans trois à cinq ans sur un porc noir ou des brochettes de grive.

EARL Fabienne et Philippe Videau, 2, rte de Peyrere, 33340 Bégadan, tél. et fax 05.56.41.55.24, labranne@wanadoo.fr t.l.j. 9h-12h 14h-19h

CH. LE BREUIL RENAISSANCE
Élevé en fût de chêne 2009 ★

■ 100 000 🍷 5 à 8 €

Situé au cœur de l'appellation, sur un terroir argilo-calcaire, ce cru signe, à partir du merlot (60 %) et du cabernet-sauvignon, un 2009 soutenu et brillant, au bouquet expressif de confiture de groseilles, de cassis, de fumée et d'épices. Le palais se montre riche, charnu, ample et friand. À découvrir aujourd'hui ou dans trois à cinq ans sur un faisan rôti.

SARL Philippe Bérard, 6, rte du Bana, 33340 Bégadan, tél. 05.56.41.50.67, fax 05.56.41.36.77, secretariat@lebreuil-renaissance.com
t.l.j. 9h-16h; sam. dim. sur r.-v.

CH. CAMPILLOT 2009 ★

■ 35 000 🍷 8 à 11 €

Nouveau venu dans le Guide, ce domaine est conduit depuis 2005 par deux amis, Tristan Roze des Ordons et Jean-Dominique Videau. Leur 2009 offre un bouquet expressif de fruits rouges, de crème de cassis et de myrtille. Rond, gras, chaleureux, le palais montre un bel équilibre et une matière mûre à souhait. Un vin harmonieux, à déguster dans deux ou trois ans.

NOUVEAU PRODUCTEUR

SCEA Videau-Roze des Ordons, 4, rte de Miqueu, 33340 Saint-Germain-d'Esteuil, tél. 06.03.01.13.04, fax 05.56.68.07.12, info@chateaucampillot.fr r.-v.

CH. DE LA CROIX 2009 ★

■ 167 988 🍷 11 à 15 €

Une croix à l'entrée d'Ordonnac, ancien repère pour les pèlerins se dirigeant vers Compostelle, donne son nom à ce domaine familial. Son 2009, pourpre brillant, dévoile une palette aromatique complexe de fruits mûrs, de cacao et de pain grillé. Le palais, ample et gras, s'adosse à des tanins arrondis. Un médoc équilibré, fruit d'une extraction bien menée, à boire dans deux ou trois ans sur une viande en sauce.

SCF Ch. de la Croix, 6, chem. de la Croix, lieu-dit Plautignan, 33340 Ordonnac, tél. 05.56.09.04.14, fax 05.56.09.02.02, cdlc@chateau-de-la-croix.com
t.l.j. sf sam. dim. 9h-12h 14h-18h

DOURTHE La Grande Cuvée 2009 ★

■ 50 000 🍷 8 à 11 €

Issu de différentes propriétés travaillant en partenariat avec la maison Dourthe, ce 2009 se présente dans une robe profonde aux reflets violets. Le bouquet, soutenu et complexe, évoque les fruits à noyau (prune confite), la myrtille et la vanille. Onctueuse, épicée et réglissée, la bouche dévoile des tanins soyeux et prometteurs. À découvrir dans trois à cinq ans sur une bécasse rôtie.

Vins et Vignobles Dourthe, 35, rue de Bordeaux-Parempuyre, CS 80004, 33295 Blanquefort Cedex, tél. 05.56.35.53.00, fax 05.56.35.53.29, contact@dourthe.com

DUVAL-BLANCHET Les Notes parfumées 2009

■ 40 000 5 à 8 €

Fondée en 2007 par Aurélien Blanchet et Olivier Duval, cette jeune maison de négoce fait son entrée dans le Guide. Elle signe un médoc sur les fruits mûrs, agrémentés de notes de coumarine et de réglisse. Le palais ne manque ni de gras ni de volume, porté par des tanins fermes, un rien sévères en finale. À boire dans deux ou trois ans sur un petit gibier.

NOUVEAU PRODUCTEUR

Duval et Blanchet, 160, cours du Médoc, 33300 Bordeaux, tél. 06.66.34.72.14, olivier.duval@duvaletblanchet.com

CH. D'ESCURAC 2009 ★

■ 100 000 🍷 11 à 15 €

Régulièrement sélectionnés dans le Guide, les vins de Jean-Marc Landureau tirent profit d'un beau terroir, une butte de graves argilo-graveleuses plantée de merlot et de cabernet-sauvignon. Ce 2009 d'un grenat intense se présente sous ses plus beaux atours, avant de révéler un bouquet complexe et franc de griotte et de figue. Harmonieux, soyeux et concentré, le palais n'est pas en reste et annonce un indéniable potentiel qui s'exprimera complètement après quatre ou cinq ans de séjour en cave. Également de bonne garde, puissant et généreux, le **Ch. Haut-Mylès 2009 (5 à 8 €; 60 000 b.)** est cité.

SCFED Landureau, Ch. d'Escurac, rte d'Escurac, 33340 Civrac-en-Médoc, tél. 05.56.41.50.81, fax 05.56.41.36.48, contact@chateaudescurac.com
r.-v.

♥ ESPRIT D'ESTUAIRE 2009 ★★★

■ 24 800 🍷 11 à 15 €

Signe des temps, les caves coopératives reviennent au premier plan, notamment dans l'appellation où les vignerons d'Uni-Médoc signent un superbe 2009. Son élégance et sa subtilité apparaissent dès la présentation avec une robe entre rubis et grenat, aussi limpide qu'intense. Le bouquet, à la fois fin et puissant, se révèle à peine toasté, laissant les fruits mûrs s'exprimer. Le palais se montre rond à souhait, riche, corpulent et très long, porté par des tanins fondus. Tout est ici justement dosé. Une bouteille racée, qui peut déjà être appréciée, tout en méritant d'être attendue pour écrire une belle page gourmande dans votre livre de cave. Autres cuvées très réussies, avec une belle matière et un solide potentiel, **le Grand Art 2009 (5 à 8 €; 59 300 b.)**, le **Ch. Clément Saint-Jean 2009 (8 à 11 € ; 101 200 b.)** et le **Laroche-Clauzet 2009 Élevé en fût de chêne (5 à 8 € ; 30 000 b.)** ont obtenu une étoile. Plus souple et croquant, le **Pavillon de Bellevue 2009 Élevé en fût de chêne (5 à 8 € ; 44 700 b.)** est cité.

Les Vignerons d'Uni-Médoc, 14, rte de Soulac, BP 25, 33340 Gaillan en Médoc, tél. 05.56.41.03.12, fax 05.56.41.00.66, cave@uni-medoc.com
t.l.j. sf dim. 8h30-12h30 14h-18h; sam. 9h-12h 14h-17h

CH. GARANCE HAUT GRENAT 2009 ★

■ 17 000 🍷 15 à 20 €

Sa taille réduite (5 ha) n'empêche pas ce cru de présenter un encépagement équilibré entre merlot et cabernets, avec une pointe de petit verdot en appoint, et un vin qui l'est également. Le bouquet complexe mêle fruits rouges et épices. Tannique, gras et charnu, le palais invite à servir cette bouteille à partir de 2013 ou 2014.

Laurent Rebes, Ch. Garance Haut Grenat, 14, rte de la Reille, 33340 Bégadan, tél. et fax 05.56.41.37.61, garance.haut.grenat@orange.fr r.-v.

CH. LA GORCE 2009 ★

■ 180 000 🍷 11 à 15 €

Issu d'une belle unité de 44 ha, ce vin qui n'a rien d'une microcuvée s'annonce par une jolie robe rubis som-

Le Médoc et le Haut-Médoc

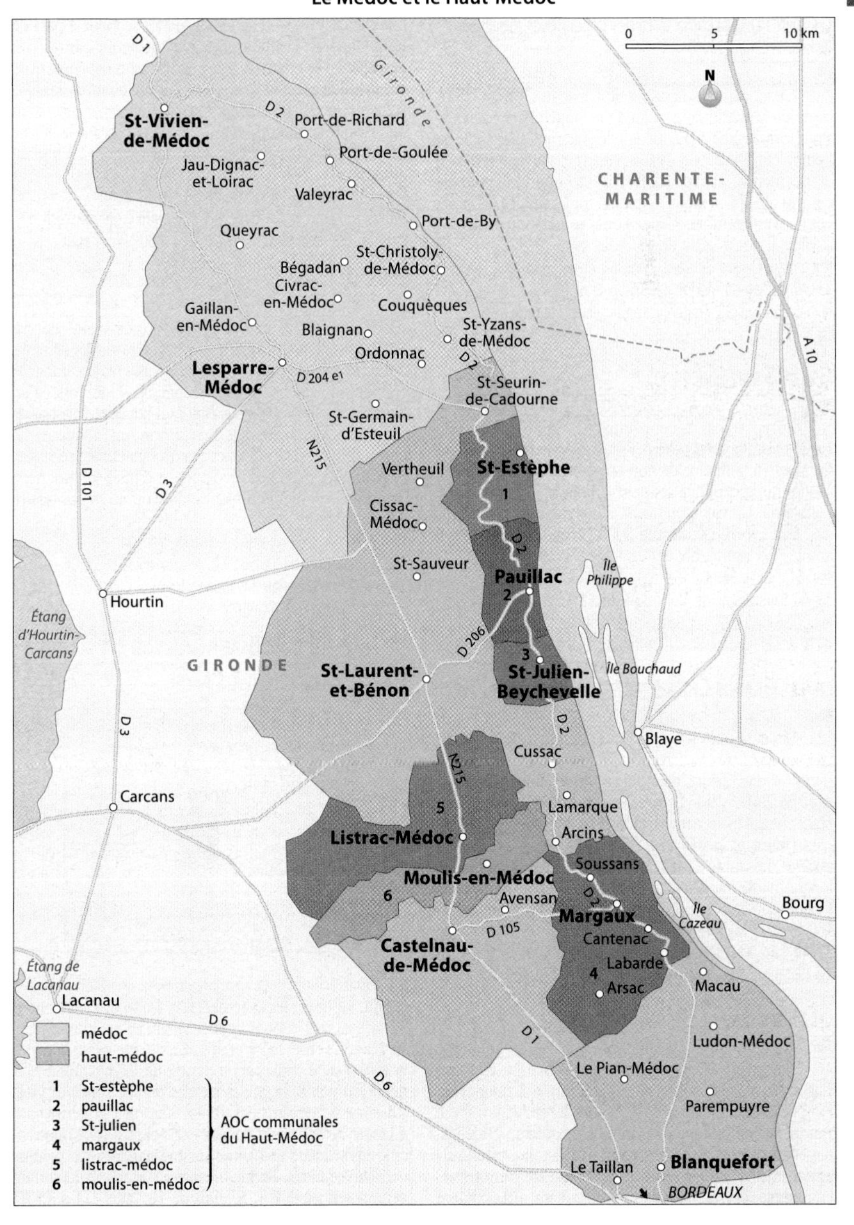

bre. Le nez s'harmonise entre les fruits (cassis, pruneau) et de fins arômes de pain grillé. Après une attaque tonique et franche, le palais dévoile un agréable fruité mûr allié à une trame tannique fine et fondue, rehaussé en finale par des nuances poivrées.

Denis Fabre, Ch. la Gorce, 73, Canteloup Est, 33340 Blaignan, tél. 05.56.09.01.22, fax 05.56.09.03.27, info@chateaulagorce.com
t.l.j. sf dim. 8h-12h 13h30-18h

CH. GRAND GALLIUS Cuvée des Impératrices romaines Galeria Valeria 2009 ★

■ 10 000 8 à 11 €

Chaque année, la cuvée du Château Grand Gallius porte un nouveau nom, celui d'une impératrice romaine. Pour le millésime 2009, il s'agit de Galeria Valeria, fille de l'empereur Dioclétien. Issu de cabernet-sauvignon (65 %) et de merlot, ce vin sombre a été apprécié pour sa complexité aromatique : épices, fruits rouges et noirs confits, vanille, fumé. Riche en bouche, adossé à des tanins soyeux, il pourra être dégusté dès 2013-2014.

Marie-France Bernard, 7, rte du Portail-Rouge, 33340 Gaillan-en-Médoc, tél. 05.56.41.67.99, fax 05.56.41.64.90, chateau-grand-gallius@orange.fr
r.-v.

GRAND SAINT-BRICE 2009 ★

■ 54 900 5 à 8 €

Proposée par la coopérative de Saint-Yzans, cette cuvée mi-merlot, mi-cabernet-sauvignon livre un bouquet floral et fruité mâtiné de notes d'épices et de tabac. Une solide trame tannique soutient la bouche, à l'unisson de l'olfaction. Un vin harmonieux, à boire dans deux ou trois ans. La cuvée **La Colonne 2009 (11 à 15 € ; 3 000 b.)**, ample et élégante, obtient également une étoile.

SCV Cave Saint-Brice, 10, rue de la Colonne, 33340 Saint-Yzans-de-Médoc, tél. 05.56.09.05.05, fax 05.56.09.01.92, saintbrice@wanadoo.fr
t.l.j. sf dim. 8h-12h 14h-18h

CH. LES GRANDS CHÊNES 2009 ★

■ 89 770 11 à 15 €

Situé sur une croupe de graves dominant le fleuve, ce cru qui abrite les vestiges d'une ancienne forteresse fait preuve d'une réelle régularité, confirmée une fois encore avec ce 2009. Vêtu d'une robe grenat foncé, cet assemblage merlot-cabernets développe un bouquet qui allie le fruit (mûre et cassis) et le bois (vanille), et saura bien évoluer. Les tanins, ronds, mûrs et très denses, comme la longue finale suggèrent un séjour en cave de trois ans s'impose.

Bernard Magrez, 13, rte de Lesparre, 33340 Saint-Christoly-Médoc, tél. 05.56.41.53.12, fax 05.56.41.39.06, chateaugrandschenes@orange.fr

CH. LA GRANGE DE BESSAN 2009

■ 40 500 5 à 8 €

Le terroir argilo-calcaire plaît au merlot, et Rémi Lacombe n'a pas hésité pour cette cuvée à donner de l'importance à ce cépage (72 % de l'assemblage). Avec raison, si l'on en juge d'après ce vin équilibré et délicatement bouqueté : parfums de fruits noirs (pruneau) agrémentés de fines notes grillées. Encore un peu austère, l'ensemble devrait se fondre d'ici deux ans, comme l'aimable **Ch. la Gravette Lacombe 2009 (107 400 b.)**, également cité.

SCF Lacombe, 2, Bessan, 33340 Civrac-en-Médoc, tél. 05.56.41.56.91, fax 05.56.41.59.06, contact@vignobles-lacombe.com r.-v.

CH. GREYSAC 2009 ★★

■ 463 000 15 à 20 €

Ce vaste domaine de 90 ha possède un terroir d'une riche diversité, à l'instar de son encépagement où le binôme cabernet-sauvignon et merlot se taille la part du lion. Un choix justifié par ce 2009 de bonne garde. Très agréable à l'œil dans sa livrée rubis aux reflets pourpres, ce vin séduit ensuite tous les sens par son bouquet de fruits rouges et noirs aux accents épicés, comme par son palais intense que supporte une belle trame tannique à la finesse de grain remarquable. Tout est en place pour un brillant apogée entre 2016 et 2022.

SAS Greysac, 18, rte de By, 33340 Bégadan, tél. 05.56.73.26.56, fax 05.56.73.26.58, info@greysac.com
t.l.j. sf sam. dim. 9h-12h30 13h30-18h; f. août

HAUT-BLAIGNAN Élevé en fût de chêne 2009 ★

■ 4 000 5 à 8 €

Sa propriété pourrait prétendre au statut de cru bourgeois, mais Christelle Cahier préfère garder son titre de cru artisan avec un vin sérieux et authentique, dont elle conditionne une partie en magnums. Une robe d'un pourpre intense à reflets grenat ; un bouquet naissant de fruits noirs, de vanille et de torréfaction ; une attaque riche et souple ; des tanins fermes ; une longue finale réglissée. Tout annonce une belle évolution et d'intéressantes perspectives d'accords gourmands : prévoir au moins quatre années de garde.

EARL Brochard-Cahier, 1, rue de Verdun, 33340 Blaignan, tél. 05.56.09.02.57, fax 05.56.09.00.08, chateau.haut-blaignan@wanadoo.fr
t.l.j. 9h-12h 14h-19h

♥ CH. HAUT CONDISSAS Prestige 2009 ★★

■ 60 000 30 à 50 €

Dans cette cuvée spéciale du domaine Rollan de By, le petit verdot et les cabernets (20 % chacun) viennent se joindre au merlot pour donner un vin au bouquet expressif : cassis, cerise, mûre et myrtille, qu'appuie un boisé de grande qualité, légué par un élevage de dix-huit mois en fût neuf. Au palais, la puissance des tanins, ronds et gras, s'harmonise avec les petits fruits rouges et le grillé, invitant à laisser cette grande bouteille se polir en cave quatre à cinq ans avant de la savourer sur une viande noble, comme un pavé de biche. Riche, onctueux et doté lui aussi d'un beau potentiel, le **Ch. Rollan de By 2009 (11 à 15 € ;**

360 000 b.) décroche une étoile. Le **Ch. Tour Seran 2009 (15 à 20 € ; 60 000 b.)** est quant à lui cité pour sa souplesse et son fruité.

Jean Guyon, 3, rte du Haut-Condissas, 33340 Bégadan, tél. 05.56.41.58.59, fax 05.56.41.37.82, info@rollandeby.com r.-v.

CH. HAUT-MAURAC 2009 ★

■	80 000		11 à 15 €

Les vignes médocaines d'Olivier Decelle ont le privilège de s'étendre sur une croupe de graves argileuses située au bord de l'estuaire. Un terroir de qualité, comme le prouve ce 2009 puissamment bâti, au juste équilibre. À ses parfums de cassis, de mûre et de fruits rouges, s'ajoutent des notes d'épices et de sous-bois pour annoncer un palais souple, élégant et aromatique à souhait. Un vin à laisser vieillir trois ou quatre ans avant de le servir sur un rôti de bœuf aux truffes.

SCEA Olivier Decelle, Ch. Haut-Maurac, 3, rte de Mazails, 33340 Saint-Yzans-de-Médoc, tél. 05.56.09.05.37, fax 05.56.09.00.90, contact@lvod.fr r.-v.

LES HAUTS DE TOUSQUIRON Cuvée Lucie 2009

■	7 000		11 à 15 €

Élaborée par Jean-Michel Lapalu pour le compte des propriétaires de ce petit domaine, Catherine et Laurent Beuvin, cette cuvée fait ici son entrée dans le Guide. Composée pour moitié de cabernet-sauvignon et pour moitié de merlot, elle séduit dans une robe cerise d'une belle intensité d'où s'échappent de riches senteurs de fruits noirs et rouges bien mûrs. Son palais, rond et ample, soyeux, en fait un vin gourmand, à apprécier dès 2013.

Dom. Lapalu, 1, rue du 19-Mars, 33340 Bégadan, tél. 05.56.41.50.18, fax 05.56.41.54.65, info@domaines-lapalu.com

Beuvin

♥ CH. LABADIE 2009 ★★★

■	320 000	8 à 11 €

(90) 97 **98** 99 00 01 02 **03** |**04**| |05| |**06**| |07| 08 (09)

Il y a vingt ans, ce cru entrait dans le Guide et décrochait un coup de cœur dès l'année suivante. Depuis, il est devenu un collectionneur d'étoiles – le résultat d'un travail soigné et vigilant. Avec ce 2009, Jérôme Bibey obtient la note maximale, tant son vin représente l'alliance parfaite de la puissance et de l'élégance : une robe violine d'une grande jeunesse ; un bouquet rappelant la griotte, les épices et le genièvre ; un palais à la fois structuré, riche, long et d'une belle fraîcheur. Tout invite à associer cette bouteille à une côte de bœuf sur les sarments, accompagnée de quelques girolles ou cèpes. Une future grande page de votre mémoire gourmande, à écrire de préférence entre 2016 et 2020.

GFA Bibey, 1, rte de Chassereau, 33340 Bégadan, tél. 05.56.41.55.58, fax 05.56.41.39.47, chateau.labadie@wanadoo.fr t.l.j. sf sam. dim. 9h-12h 14h-18h

CH. LES LATTES 2009

■	34 500		5 à 8 €

Racheté en 2009 par la société Vignobles de terroir, ce château propose un 2009 qui assemble à parts égales le merlot et le cabernet-sauvignon. D'une grande fraîcheur aromatique (mûre, cerise), le nez est souligné de nuances grillées. Tout en rondeur, le palais est soutenu par des tanins discrets qui autoriseront l'ouverture de cette bouteille dans deux ou trois ans.

SCF Ch. Carcanieux, 25, chem. de Lescapon, 33340 Queyrac, tél. 06.10.42.46.02, chateau.carcanieux@orange.fr r.-v.

Vignobles de terroir

CH. LAULAN DUCOS Cuvée Prestige 2009

■	127 600		11 à 15 €

Un important groupe de luxe chinois, dont la bijouterie est l'activité principale, a fait l'acquisition de ce domaine en 2011. Il dispose d'une bonne base de départ dans le vignoble médocain, comme en témoigne ce vin au nez légèrement boisé qui dévoile après aération quelques notes de fruits rouges et d'épices. Frais à l'attaque, le palais déroule une trame ample et souple pour finir sur des tanins puissants, encore un peu austères, qui se fondront avec deux ans de garde.

SC Ch. Laulan Ducos, 4, rte de Vertamont, 33590 Jau-Dignac-et-Loirac, tél. 05.56.09.42.37, fax 05.56.09.48.40, chateau@laulanducos.com t.l.j. sf sam. dim. 8h-12h 13h-17h; f. août

Shen

CH. LOIRAC 2009

■	45 000	8 à 11 €

Facilement reconnaissable à son colombier en moellons, cette petite propriété de 12,5 ha propose un assemblage équilibré de merlot et de cabernet-sauvignon. Rouge intense, cette cuvée est servie par son bouquet de cassis aux nuances torréfiées et par son intensité aromatique en bouche : nuances de groseille, de prune ou encore de mûre. Souple à l'attaque, structurée et assez persistante, elle sera appréciée après quatre ans de garde.

SCEA Ch. Loirac, 1, rte de Queyrac, 33590 Jau-Dignac-et-Loirac, tél. 06.08.46.68.21, fax 05.56.73.98.22, chateau-loirac@wanadoo.fr t.l.j. sf sam. dim. 8h-12h 13h-19h

CH. LOUSTEAUNEUF 2009 ★★

■	120 000		11 à 15 €

Né d'un assemblage typiquement médocain (50 % de cabernet-sauvignon, 33 % de merlot et une touche de cabernet franc et de petit verdot), ce vin s'inscrit dans la ligne du millésime par son excellente structure. Celle-ci tient pleinement les promesses de la robe, pourpre à reflets violacés, et du bouquet aux notes de cuir et de fruits noirs. Riche, plein, charnu, élégant et bien constitué, l'ensemble appelle cinq ans de patience qui seront largement récompensés lorsqu'il sera dégusté avec une lamproie à la bordelaise.

Ch. Lousteauneuf, 2, rte de Lousteauneuf, 33340 Valeyrac, tél. 05.56.41.52.11, fax 05.56.41.38.52, chateau.lousteauneuf@wanadoo.fr r.-v.
Bruno Segond

CH. MÉRIC 2009 ★★

■	103 000		11 à 15 €

La légende raconte que le nom de ce château est celui d'un chevalier dont l'armure en or aurait été cachée sous un chêne du domaine. Heureusement, les qualités de ce 2009 ne sont pas imaginaires : elles ont bel et bien été découvertes et « certifiées » par notre jury. Qu'il s'agisse de la brillance de la robe, de la complexité du bouquet (fruits rouges frais teintés d'un boisé vanillé) ou de la concentration et de l'élégance du palais, aux tanins denses et soyeux. Une grande harmonie et une belle persistance, qui promettent un bel avenir.

Ch. Méric, 19, rte de Vensac, 33590 Jau-Dignac-et-Loirac, tél. 05.57.75.01.55, fax 05.57.75.01.57, info@chateaumeric.com r.-v.
Chala

MERRAIN ROUGE Élevé en fût de chêne 2009 ★★

■	250 000		5 à 8 €

Encore un millésime particulièrement réussi pour les coopérateurs d'Uni-Médoc dont nombre de cuvées ont été retenues dans le Guide cette année, et qui décrochent en prime un coup de cœur (voir Esprit d'Estuaire). Ce Merrain rouge séduit dans une robe grenat intense d'où s'élèvent de riches parfums de fruits noirs bien mûrs et de pain toasté. Son palais dense, puissant, long et tout en nuances est soutenu par des tanins fermes d'une grande qualité. Il faudra se montrer patient (cinq ans) pour apprécier cette bouteille à son apogée. D'une belle complexité et doté d'un solide potentiel de garde, l'**Élite Saint-Roch 2009 Élevé en fût de chêne (28 000 b.)** obtient également deux étoiles, et la **Tradition des Colombiers 2009 Élevé en fût de chêne (22 000 b.)** une étoile.

Les Vignerons d'Uni-Médoc, 14, rte de Soulac, BP 25, 33340 Gaillan-en-Médoc, tél. 05.56.41.03.12, fax 05.56.41.00.66, cave@uni-medoc.com
t.l.j. sf dim. 8h30-12h30 14h-18h; sam. 9h-12h 14h-17h

CH. LES MOINES Prestige 2009

■	120 000		8 à 11 €

Viticulteur dans l'âme, Claude Pourreau n'hésite pas à faire découvrir avec fierté et une extrême amabilité son domaine de 60 ha. Vous pourrez y déguster un 2009 qui ne manque pas d'élégance. D'une jolie complexité aromatique (griotte et toasté), celui-ci se montre rond, chaleureux et bien construit. Déjà prêt à boire sur une terrine de gibier.

SCEA Vignobles Pourreau, 9, rue Charles-Plumeau, 33340 Couquèques, tél. 05.56.41.38.06, fax 05.56.41.37.81, lesmoines@wanadoo.fr r.-v.

MONFORT-BELLEVUE Élevé en fût de chêne 2009 ★

■	45 000		5 à 8 €

Marque de prestige de la maison de négoce Cheval Quancard, ce vin a été élevé en fût pendant dix mois. Il en ressort néanmoins avec un bouquet au fruité expressif, frais, qui n'est pas alourdi par le bois : on apprécie notamment ses parfums gourmands de fraise des bois. L'attaque souple et le palais aux tanins ronds et mûrs se chargent de démontrer la maîtrise de la vinification et de l'élevage. À apprécier après deux à trois ans de garde.

Cheval Quancard, ZI La Mouline, 4, rue du Carbouney, BP 36, 33565 Carbon-Blanc Cedex, tél. 05.57.77.88.88, fax 05.57.77.88.99, chevalquancard@chevalquancard.com r.-v.

PIERRE DE MONTIGNAC Cuvée Tradition 2009 ★★

■	6 000		5 à 8 €

Cette cuvée a été créée en 2008 avec l'idée d'en faire un authentique vin de plaisir, à déguster dans sa jeunesse et vendu à prix doux. Objectif atteint, et même dépassé selon le jury, qui classe ce 2009 dans la catégorie des médoc remarquables. Ce qui le distingue, c'est bien sûr son cépage employé seul, le merlot, et aussi son élevage, garanti sans bois : une valorisation du fruit assurée. Le bouquet gourmand, riche, associe les fruits rouges et quelques notes poivrées. Le palais tout aussi généreux, chaleureux, joue sur une magnifique rondeur. Un bonheur ne venant jamais seul, la **cuvée principale 2009 (8 à 11 €; 135 333 b.)** se montre fort séduisante et très bien bâtie. Avec ses deux étoiles également, elle restera en cave deux ans. Pur cabernet-sauvignon, la **cuvée Théa 2009 (11 à 15 €; 3 000 b.)** est par ailleurs citée.

Sallette, 1, rte de Montignac, 33340 Civrac-en-Médoc, tél. et fax 05.56.73.59.08, pierredemontignac@free.fr
t.l.j. 8h-12h 13h30-18h; sam. dim. sur r.-v. 2

CH. MOULIN DE CANHAUT 2009 ★★

■	40 000		8 à 11 €

Ce domaine familial de 40 ha exporte la moitié de sa production, principalement en Chine, au Japon et en Belgique. Son 2009 allie la puissance du cabernet-sauvignon bien mûr, la robustesse du petit verdot – en faible proportion dans l'assemblage – et la somptuosité des arômes du merlot (fruits rouges, cassis), mêlés au vanillé de l'élevage. Les tanins doux et charnus donnent un côté gourmand à ce vin qui montre par sa longueur qu'il pourra être attendu trois à quatre ans avant d'accompagner un gigot d'agneau.

EARL Poitevin, 14, rue du 19-Mars-1962, 33590 Jau-Dignac-et-Loirac, tél. 05.56.09.45.32, fax 05.56.09.03.75, contact@chateau-poitevin.com
t.l.j. 9h-12h 13h30-17h30; sam. dim. sur r.-v.

B CH. MOULIN DE L'ABBAYE Élevé en fût de chêne 2009

■	12 000		8 à 11 €

Voici l'un des rares vins médocains à être issus de l'agriculture biologique. Produit sur une butte argilo-calcaire dominant le marais de la Maréchale, il développe un bouquet discret, léger et fruité, et se pare d'une robe brillante. L'élevage court (six mois) respecte le raisin, ce qui aboutit à un palais élégant tout en souplesse et en longueur. Cette bouteille pourra être servie dès l'été 2013 sur des grillades.

EARL Moulin de l'Abbaye, 6, rte de l'Abbaye, 33340 Ordonnac, tél. et fax 05.56.09.00.55, moulin.abbaye33@wanadoo.fr r.-v.

CH. DES MOULINS 2009

■	13 000		8 à 11 €

La famille de Jean-Charles Prévosteau exploite depuis six générations ce domaine, auparavant conduit par les moines de l'abbaye de Vertheuil. Le vigneron propose ici un 2009 encore un peu sauvage, mais qui possède le potentiel tannique pour affronter une garde de deux à trois ans et ainsi s'assagir. La palette aromatique fait preuve d'une belle richesse : fruits noirs intenses, épices et notes de sous-bois. Pour une belle volaille accompagnée de cèpes.

Jean-Charles Prévosteau, Le Gouat, 33180 Vertheuil, tél. et fax 05.56.41.95.20, chateaudesmoulins@wanadoo.fr t.l.j. 9h-12h30 13h30-19h

CH. LES ORMES SORBET 2009

90 000 | 15 à 20 €

Régulièrement présent dans le Guide depuis la première édition, ce cru peut être considéré comme une valeur sûre. Privilégiant le cabernet-sauvignon, le 2009 a passé dix-huit mois en fût, un élevage qu'il ne renie pas : des notes toastées accompagnent au nez des parfums subtiles de fruits rouges (la fraise cuite notamment). Rond à l'attaque, le palais déroule une trame de tanins serrés et une finale aux accents poivrés qui suggèrent de garder cette bouteille en cave jusqu'en 2014-2015.

Hélène Boivert,
Ch. les Ormes Sorbet, 20, rue du 3-Juillet-1895,
33340 Couquèques, tél. 05.56.73.30.30, fax 05.56.73.30.31,
ormes.sorbet@wanadoo.fr
t.l.j. 9h-12h 14h-18h; sam. dim. sur r.-v.

CH. DE PANIGON 2009 *

120 000 | 8 à 11 €

Ce cru au nom rabelaisien s'inscrit dans la tradition médocaine par son architecture, ses 90 ha étant commandés par une jolie chartreuse. Charmeur, son 2009 annonce son potentiel par une robe grenat intense. Délicat dans son expression aromatique, il marie des notes de mûre et de cassis à de fines nuances toastées. La bouche dévoile du gras, des tanins mûrs et une longue finale fruitée. Déjà agréable, ce vin exprimera tout son potentiel sur une entrecôte grillée.

SA DWL France, Ch. de Panigon, rte d'Escurac,
33340 Civrac-en-Médoc, tél. 06.86.18.63.85,
fax 05.56.41.37.00, dwl.france@orange.fr
Dadda-Leveilley

CH. PATACHE D'AUX 2009 *

260 000 | 15 à 20 €

Un château d'origine ancienne et noble : ses premiers propriétaires, les chevaliers d'Aux, étaient les descendants des comtes d'Armagnac. Propriété de la famille Lapalu depuis 1964, il propose un vin dominé par le cabernet, vêtu d'une robe grenat sombre. Expressif, le bouquet associe un raisin très mûr (fruits noirs) au merrain (toasté). La bouche, sur le cassis, est longue, puissante et charpentée : une bouteille à attendre au moins trois ou quatre ans. Le second vin, **Les Chevaux de Patache d'Aux 2009 (8 à 11 € ; 260 000 b.)** est cité. Autre étiquette proposée par l'équipe de Patache, le **Ch. Leboscq 2009 (120 000 b.)** décroche, lui, une étoile. Aromatique, rond et porté par des tanins mûrs, il pourra être attendu deux à trois ans, de même que le **Ch. Plagnac 2009 (11 à 15 € ; 180 000 b.)**, cité pour son équilibre sur la fraîcheur. Une dernière citation revient à **Les Tours de Plagnac 2009 Cuvée spéciale (11 à 15 € ; 20 000 b.)**.

Ch. Patache d'Aux, 1, rue du 19-Mars, 33340 Bégadan,
tél. 05.56.41.50.18, fax 05.56.41.54.65,
info@domaines-lapalu.com r.-v.
J.-M. Lapalu

CH. DU PERIER 2009 **

30 000 | 11 à 15 €

Que ce soit sous cette étiquette ou sous celle de la cuvée la Gloire du paysan (coup de cœur du précédent Guide), Bruno Saintout est régulièrement remarqué dans l'appellation. Ce 2009 à la fois puissant et gourmand confirme cette belle réputation. Son bouquet allie des nuances complexes de poivron, d'épices, de fleurs et de toasté. Le palais, plus fruité, offre une évolution voluptueuse, portée par des tanins fondus et généreux, garants d'un vieillissement heureux. Une bouteille à remonter de cave à partir de 2014 pour l'ouvrir sur une poularde aux truffes.

Bruno Saintout, 20, Cartujac,
33112 Saint-Laurent-Médoc, tél. 05.56.59.91.70,
fax 05.56.59.46.13, bruno.saintout@wanadoo.fr r.-v.

♥ CH. LE PEY 2009 **

n.c. | 8 à 11 €

Réguliers en qualité, comme l'attestent leurs multiples étoiles dans le Guide, les Compagnet ne pouvaient laisser passer le millésime 2009. D'emblée, la robe, d'un superbe rubis profond, montre qu'il n'en a rien été. C'est un vin complexe, concentré, dont le bouquet évoque les fruits noirs, les épices, le cuir et la torréfaction. Charpenté et parfaitement enrobé, le palais, qui laisse une longue impression aromatique et veloutée, sera un vrai révélateur de saveurs dans trois ans et bien plus encore. Moins ambitieux mais agréable et bien construit, le **Ch. Moulin de Cassy 2009 (64 900 b.)** obtient une étoile, tandis que le **Ch. Grand Bertin de Saint-Clair 2009 (28 000 b.)** est cité.

SCEA Compagnet, 10, rte de Lesparre, 33340 Bégadan,
tél. 05.56.41.57.75, fax 05.56.41.53.22,
contact@compagnetvins.com t.l.j. 9h-12h 14h-19h

CH. LA PIROUETTE 2009 *

23 000 | 8 à 11 €

Si le cheval figurant sur l'étiquette effectue une levade et non une pirouette, c'est que le nom du château vient tout simplement d'une de ses parcelles et non de la passion des propriétaires pour le milieu équestre. Né sur un terroir de graves, d'un encépagement diversifié, ce vin grenat offre un bouquet engageant : notes épicées d'abord, puis fruitées et florales. Souple et équilibré en bouche, tout en finesse et en fruit, il sera prêt d'ici deux à trois ans.

EARL Roux, 37, chem. de Semensan, 33590 Jau-Dignac-et-Loirac, tél. et fax 05.56.09.42.02, lapirouette@wanadoo.fr r.-v.

CH. PONTEY 2009 ★

■ 80 000 8 à 11 €

Jadis appelé Pontet, ce cru a « gasconnisé » son nom. Ce souci d'enracinement et d'authenticité se retrouve dans son 2009. Chaleureux et tannique, c'est un vin sans fard, tant par sa robe sombre et seyante que par son bouquet aux séduisantes notes de fruits rouges mûrs et de violette. Au palais, le bois respecte le fruit, la matière serrée repose sur une trame nette, longue et savoureuse. Un ensemble qui se plaira sur un rôti de sanglier, à partir de 2015.

SARL Bruno de Bayle, Dom. d'Auberive, 37, rte du Bord-de-l'Eau, 33360 Latresne, tél. 06.03.42.45.83, fax 05.56.20.11.30, quancard@neuf.fr r.-v.

CH. POTENSAC 2009 ★

■ 200 000 20 à 30 €

Encépagement, densité de plantation, suivi des vendanges, méthodes de vinification, les Delon privilégient la qualité dans l'esprit du terroir et de la tradition médocaine. Avec succès, comme le prouve, après beaucoup d'autres, cette cuvée typique de l'appellation. À l'élégance de la robe grenat répondent celles du bouquet (mûre et vanille) et du palais, rond, aromatique et persistant. Les tanins soyeux rendent ce 2009 déjà très agréable, tout en lui assurant un beau potentiel.

Ch. Potensac, 33340 Ordonnac, tél. 05.56.73.25.26, fax 05.56.59.18.33, contact@leoville-las-cases.com r.-v.

J.-H. Delon

CH. PREUILLAC 2009 ★

■ 140 000 11 à 15 €

Admirablement restauré dans les années 1980 et mis en valeur par les familles Mau et Dirkzwager, ce cru jouit d'une bonne réputation qui n'a rien à craindre de ce nouveau millésime. D'agréables parfums de fruits rouges et d'épices s'élèvent du verre, mêlés à de fines nuances de café. Ce vin au caractère croquant déroule des tanins soyeux et enrobés, et une finale d'une belle fraîcheur justifiant un séjour en cave de quatre ou cinq ans. À attendre également, l'**Esprit de Preuillac 2009 (8 à 11 € ; 19 300 b.)** est cité.

SCF du Ch. Preuillac, 32, rte d'Ordonnac, 33340 Lesparre-Médoc, tél. 05.56.09.00.29, fax 05.56.09.00.34, chateau.preuillac@wanadoo.fr r.-v.

Familles Mau et Dirkzwager

CH. DES QUATRE SŒURS 2009 ★

■ n.c. 8 à 11 €

Un médoc qui n'a pas été élevé en fût, ce n'est pas si courant. Celui-ci assemble à parts égales le merlot et le cabernet-sauvignon. Il retient l'attention par sa robe brillante au rubis profond comme par son bouquet aux notes de baies rouges. Rond à l'attaque, charnu et équilibré, le palais poursuit dans le même esprit, dévoilant des tanins soyeux et une longue finale. Un ensemble de belle facture à attendre un an ou deux. On patientera avec le **Ch. Grand Lacaze 2009 (30 000 b.)**, cité pour sa souplesse et son mariage réussi du fruit et du bois.

SCEA Dom. des Quatre Sœurs, 8, cours du 30-Juillet, 33000 Bordeaux, tél. 05.57.01.19.70, fax 05.56.44.62.65, administration@quatres-hotels.com r.-v.

J. Schiff

CH. AUX QUATRE VENTS 2009 ★

■ 31 067 5 à 8 €

Né sur des graves argileuses de Valeyrac, ce médoc livre un nez puissant et complexe de fruits noirs (cassis) et d'amande. La bouche se révèle ample et charnue. Un vin équilibré et gourmand, à boire dans trois à cinq ans. Également proposé par la coopérative Uni-Médoc, le **Ch. Fongiras 2009 Élevé en fût de chêne (34 667 b.)** obtient aussi une étoile.

Les Vignerons d'Uni-Médoc, 14, rte de Soulac, BP 25, 33340 Gaillan-en-Médoc, tél. 05.56.41.03.12, fax 05.56.41.00.66, cave@uni-medoc.com t.l.j. sf dim. 8h30-12h30 14h-18h; sam. 9h-12h 14h-17h

SC Ch. Fongiras

CH. LE REYSSE Cuvée Prestige Élevé en fût de chêne 2009 ★

■ 24 000 8 à 11 €

Le cru ayant été vendu à la famille Paeffgen en 2010, Patrick Chaumont nous présente ici son dernier millésime, auquel Stefan Paeffgen a coopéré pour l'élevage et l'assemblage. Un tandem qui fonctionne, si l'on en juge par cette cuvée aux parfums bien dosés de fruits noirs, de poivre, de vanille et de fraise écrasée. Une riche palette, confirmée au palais où viennent en renfort des tanins bien présents mais fondus. Ce vin gourmand et structuré se plaira dans trois ans sur un tendron de veau braisé.

EARL Lassus-Le Reysse, 1, rte de Condissas, 33340 Bégadan, tél. 05.56.41.50.79, vignobles@paeffgen.org r.-v.

Stefan Paeffgen

CH. ROQUEGRAVE 2009 ★

■ 150 000 8 à 11 €

Roque signifiant la pierre en gascon, le nom de ce cru est sans doute un peu pléonastique, mais il indique bien la nature du sol où ont grandi les ceps de cabernet-sauvignon, de merlot et de petit verdot qui composent ce 2009. Un terroir qui a bien sûr son importance dans la qualité de ce vin au nez de réglisse et de fruits mûrs, qu'un fin boisé accompagne tout au long de la dégustation. Ample, rond et concentré, avec des notes confites, il patientera trois à quatre ans en cave.

SA Ch. Roquegrave, 5, rue de Villeneuve, 33340 Valeyrac, tél. 05.56.41.52.02, fax 05.56.41.50.53, chateauroquegrave@orange.fr r.-v.

CH. ROUSSEAU DE SIPIAN 2009 ★

■ 80 000 15 à 20 €

Fidèle à son habitude, ce cru commandé par un château d'inspiration Renaissance présente un vin fort réussi dont la puissante robe à reflets noirs n'a rien de trompeur. Tout aussi intense et élégant, le bouquet évolue sur des senteurs de griotte bien mûre mêlées à des notes de vanille et d'épices. Le palais développe du fruit et du gras qui enrobent une structure souple aux tanins fondants. Déjà agréable, cette bouteille pourra aussi rester trois années en cave.

Ch. Rousseau de Sipian, 26, rte du Port-de-Goulée, 33340 Valeyrac, tél. 05.56.41.54.92, fax 05.56.41.53.26, rousseaudesipian@orange.fr
t.l.j. sf sam. dim. 9h-12h 14h-17h; f. 15-31 déc.
Racey

CH. SAINT-CHRISTOLY Élevé en fût de chêne 2009

	130 000		8 à 11 €

Né dans le cadre charmant du petit port de Saint-Christoly, ce vin a tout pour initier un amateur un peu novice aux subtilités des médoc : tout en finesse et en harmonie, il tire un parti très sage de son élevage en fût de douze mois. Les notes de cassis signent la présence de cabernet-sauvignon dans l'assemblage (45 %), apportant une touche de fraîcheur. Constitué par des tanins bien affirmés mais plutôt arrondis, ce 2009 devrait atteindre son apogée en 2013-2014.

EARL Héraud et Filles, 1 bis, imp. de la Mairie, 33340 Saint-Christoly-Médoc, tél. 05.56.41.82.01, fax 05.56.41.59.34, chateau.st.christoly@wanadoo.fr
r.-v.

CH. SAINT-HILAIRE 2009

	120 000		8 à 11 €

Adrien Uijttewaal, d'origine hollandaise, s'est installé en Médoc en 1983, fournissant dans un premier temps ses raisins à la coopérative. Il vinifie désormais lui-même sa production et propose ici un 2009 à dominante de cabernet-sauvignon (60 %) qui marie à l'olfaction un fruité bien mûr (cerise noire) avec de fines notes grillées. Porté par une solide trame tannique, bien équilibré, ce vin sera apprécié après trois ans de garde. Seconde marque du propriétaire, le **Ch. Gemeillan 2009 Élevé en fût de chêne (80 000 b.)** est également cité.

EARL A. et F. Uijttewaal, 13, rue de la Rivière, 33340 Queyrac, tél. 05.56.59.80.88, fax 05.56.59.87.68, chateau.st.hilaire@wanadoo.fr
t.l.j. sf dim. 10h-12h 14h-19h

CH. SAINT-SATURNIN 2009

	160 000		8 à 11 €

Adrien Tramier prend toujours le risque de commencer ses vendanges lorsque les autres les finissent. Récoltés le 20 octobre, ses raisins de merlot (65 %) et de cabernets offrent ici un vin grenat intense aux légers reflets tuilés, une note d'évolution qui se ressent également au nez, mélange de cassis confituré, de griotte bien mûre, de pruneau et de cuir. Tout aussi expressif, le palais riche et soyeux pourra s'accorder avec un carré d'agneau dans deux ou trois ans.

Adrien Tramier, 17, rte de Saint-Saturnin, 33340 Bégadan, tél. 05.56.41.50.82, fax 05.56.41.36.44, adrien.tramier@wanadoo.fr r.-v.

CH. SÈGUE LONGUE MONNIER 2009

	151 000		8 à 11 €

Élevé dans un chai circulaire résolument moderne, ce 2009 est le produit d'un travail à la vigne et au chai qui suit les règles de la biodynamie (certification en cours). Si le bouquet est un peu dominé par l'élevage en fût (épices, sous-bois), le reste de la dégustation dévoile un vin aux tanins fins et ronds, et dont l'agréable finale est agrémentée d'une touche de fruits secs. À essayer dans un an ou deux sur un civet de lièvre.

Pierre-Christophe et Jean-Pierre Monnier, 15, chem. de Lamale, 33590 Jau-Dignac-Loirac, tél. 05.56.09.57.28, secretariatseguelongue@gmail.com
t.l.j. sf sam. dim. 9h-12h 14h-17h30

CH. LE TEMPLE 2009 ★

	80 000		8 à 11 €

Régulièrement distingué dans le Guide, ce domaine possède un joli terroir de graves argileuses qui plaisent à la vigne. Expressif avec de puissants arômes de fruits rouges, d'épices et de violette, rond et soutenu par des tanins bien mûrs, son 2009 est un vin authentique, qui a trouvé une belle harmonie entre douceur et fraîcheur. Il se plaira sur une entrecôte grillée dans deux à trois ans.

Denis Bergey, 30, rte du Port-de-Goulée, 33340 Valeyrac, tél. 05.56.41.53.62, fax 05.56.41.57.35, chateauletemple@orange.fr
t.l.j. 8h30-12h30 13h30-19h

CH. LA TILLE CAMELON Élevé en fût de chêne 2009

	26 500		5 à 8 €

Ce cru est élaboré pour le compte de Gérard Courrian à la cave Saint-Brice, une coopérative créée à Saint-Yzans dès 1934. Le viticulteur se plaît chaque été à vendre cette production sur les marchés de la côte médocaine. Souple, rond et ample, son 2009 pourra être servi dans sa jeunesse (attendre deux ans) afin de faire profiter de ses arômes chaleureux de fruits noirs confits et d'épices.

SCV Cave Saint-Brice, 10, rue de la Colonne, 33340 Saint-Yzans-de-Médoc, tél. 05.56.09.05.05, fax 05.56.09.01.92, saintbrice@wanadoo.fr
t.l.j. sf dim. 8h-12h 14h-18h

CH. TOUR CASTILLON 2009 ★

	46 800		11 à 15 €

Au temps de la splendeur du duché anglo-gascon d'Aquitaine, s'élevait ici l'une des plus puissantes forteresses du Sud-Ouest. Aujourd'hui, les vignes qui l'ont remplacée donnent un vin aussi intéressant par son bouquet, aux notes intenses d'épices, de réglisse et de cassis, que par son palais riche, ample et harmonieux. Comme le boisé et les tanins doivent encore se fondre, cette bouteille méritera une place de choix dans votre cave pendant trois ans, avant d'accompagner un magret de canard aux myrtilles.

EARL des Vignobles Peyruse, 3, rte du Fort-Castillon, 33340 Saint-Christoly-Médoc, tél. 05.56.41.54.98, fax 05.56.41.39.19, vignoblespeyruse@wanadoo.fr
t.l.j. 9h-12h 13h30-18h; sam. dim. sur r.-v.

CH. LA TOUR DE BY 2009 ★

	400 000		15 à 20 €

Dominée par la célèbre tour à feu qui sert d'emblème au cru, la croupe de graves de la Tour de By convient particulièrement au cabernet-sauvignon, majoritaire cette cuvée (65 %). Ce cépage trouve une belle expression dans un médoc dont les promesses de la robe grenat sont largement tenues par le bouquet, aux notes de fruits rouges frais et de sous-bois. Souple à l'attaque, le palais se montre fin et soyeux, porté par des tanins élégants. Un ensemble harmonieux et long à servir entre 2014 et 2018. Naturel et sans sophistication, le second vin, **Ch. Cailloux de By 2009 (5 à 8 €; 100 000 b.)** est cité.

Frédéric Le Clerc,
Ch. la Tour de By, 5, rte de la Tour-de-By, 33340 Bégadan, tél. 05.56.41.50.03, fax 05.56.41.36.10, info@latourdeby.fr t.l.j. sf sam. dim. 8h-12h 13h30-17h30 (ven. 16h30); juil.-août ouv. sam. dim.
Vignobles Marc Pages

CH. TOUR HAUT-CAUSSAN 2009 ★

78 000	11 à 15 €

Au centre du vignoble de la famille Courrian se dresse un ancien moulin à vent restauré par les compagnons du devoir dans les années 1980. Ce 2009 s'annonce par une robe sombre dont les reflets violacés indiquent la jeunesse. S'y ajoute un bouquet d'une belle fraîcheur alliant les baies noires, les épices et des notes presque minérales. Le palais, plus puissant, porté par une trame ample et charnue, laisse deviner un grand potentiel de garde. Une bouteille à attendre quatre à six ans avant de la découvrir sur une épaule d'agneau.

Courrian, 27 bis, rue de Verdun, 33340 Blaignan, tél. 05.56.09.00.77, fax 05.56.09.06.24, courrian@tourhautcaussan.com r.-v.

TOUR PRIGNAC Grande Réserve 2009 ★

100 000	11 à 15 €

Propriété du groupe Castel, ce domaine est l'un des plus vastes crus de l'appellation. En dépit de son nom, cette cuvée se livre sans réserve au nez, dévoilant un bouquet marqué par un boisé toasté (douze mois d'élevage en fût), aux nuances naissantes de fruits noirs et de réglisse. Rond et puissant, soutenu par des tanins mûrs, le palais a gardé beaucoup de fraîcheur et de finesse. Un médoc à apprécier après au moins trois ans de garde sur une lamproie à la bordelaise.

SC Tour Prignac, 33340 Prignac-en-Médoc, tél. 05.56.95.54.00, fax 05.56.35.72.75, contact@chateaux-castel.com r.-v.
Groupe Castel

LA TOUR RASTIGNAC 2009 ★

130 000	- de 5 €

Commercialisé par la maison de négoce Antoine Moueix, ce vin marie à parts égales le merlot et le cabernet-sauvignon. Il offre au nez de chaleureuses nuances de pruneau mâtinées d'un boisé aux accents de noix de coco. Souple à l'attaque, équilibré et soyeux, le palais affirme sa personnalité par des arômes de fruits noirs confiturés et de vanille. Sa charpente permettra de patienter deux à trois ans si l'on souhaite que le bois soit plus fondu.

Maison Antoine Moueix, rte du Milieu, 33330 Saint-Émilion, tél. 05.57.55.58.00, fax 05.57.74.18.47, contact@amoueix.fr

CH. TOUR SAINT-BONNET 2009

120 000	11 à 15 €

Issu d'un vignoble fièrement campé sur une butte de graves, cet assemblage de merlot et cabernets – agrémenté d'une pincée de petit verdot – s'annonce dans une robe carmin intense et brillante. Son bouquet de petits fruits rouges, de cacao et d'épices confirme cette belle présentation. L'attaque gourmande et fraîche, la rondeur et les nuances réglissées de la longue finale seront appréciées d'ici deux ans, lorsque le boisé sera fondu.

SARL du Ch. Tour Saint-Bonnet, 18, rte de By, 33340 Saint-Christoly-Médoc, tél. et fax 05.56.41.53.03, mplacoste@vitigestion.com r.-v. 2

CH. LES TRAVERSES La Franque 2009

80 000	5 à 8 €

Né d'un vignoble planté au début des années 1980, ce vin proposé par la famille Lapalu (voir Ch. Patache d'Aux) privilégie le cabernet-sauvignon, aux côtés du merlot. Encore sur la réserve, il offre au nez des nuances de fraise bien mûre et de pain toasté, puis dévoile une attaque souple, ronde, et un équilibre tout en finesse. À garder en cave deux ans, comme le **Ch. Lacombe Noaillac 2009 (11 à 15 €; 150 000 b.)**, cité également.

Ch. Lacombe Noaillac, Le Broustéra, 33590 Jau-Dignac-et-Loirac, tél. 05.56.41.50.18, fax 05.56.41.54.65, info@domaines-lapalu.com
J.-M. Lapalu

CH. LES TUILERIES 2009 ★

85 000	11 à 15 €

Belle unité de 26 ha, tenue par une famille au solide ancrage médocain dont les ancêtres étaient tonneliers, ce domaine propose un vin caractéristique de l'appellation : une robe sombre, un bouquet frais et épicé aux accents de fruits rouges, une belle évolution tannique et un mariage réussi du fruit et du bois. Il appelle seulement deux à trois ans de patience pour atteindre son apogée. Issu de vignes plus âgées et élevé longuement en fût (deux ans), le **Prestige des Tuileries 2009 Vieilles Vignes (15 à 20 €; 18 000 b.)** décroche aussi une étoile. Opulent et structuré, il s'accordera dans trois ans avec un grenier médocain.

Jean-Luc Dartiguenave, 6, rue de Lamena, 33340 Saint-Yzans-de-Médoc, tél. 05.56.09.05.31, fax 05.56.09.02.43, contact@chateaulestuileries.com t.l.j. sf sam. dim. 9h-12h 14h-18h

CH. VERNOUS 2009

119 200	8 à 11 €

C'est dans ce domaine que fut abattu le dernier loup du Médoc en 1821. Ce vin du cru apparaît pour le moins sauvage en finale. S'il faut laisser les tanins et le boisé s'assagir trois à quatre ans en cave, ce 2009 laisse entrevoir d'agréables sensations épicées et fruitées au nez, et montre une attaque souple et charmeuse en bouche. Il possède le potentiel pour évoluer favorablement et n'aura pas peur d'affronter un sanglier braisé.

SCA Ch. Vernous, Saint-Trélody, 33340 Lesparre-Médoc, tél. 05.56.41.13.57, fax 05.56.41.21.12 r.-v.

CH. VIEUX GADET Élevé en fût de chêne 2009

12 000	8 à 11 €

Une entrecôte aux cèpes ? Si l'alliance peut paraître un peu convenue, elle sera indéniablement réussie avec ce cru artisan aussi bien assemblé (mi-cabernet, mi-merlot) qu'élevé (douze mois en barrique). Sa robe cerise, son bouquet au joli fondu entre la groseille, la fraise et le boisé torréfié, comme sa bouche ronde, croquante et douce en finale forment un ensemble qui pourra être apprécié jeune.

Thierry Trento, 1, chem. des Chambres, 33340 Gaillan-en-Médoc, tél. et fax 05.56.41.21.98, thierry.trento@orange.fr t.l.j. sf dim. 10h-19h

Haut-médoc

Superficie : 4 600 ha
Production : 255 000 hl

Le territoire spécifique de l'appellation haut-médoc serpente autour des appellations communales. Cette AOC est la seconde en importance de la presqu'île médocaine. Ses vins jouissent d'une grande réputation, due en partie à la présence de cinq crus classés dans l'aire d'appellation, les autres se trouvant dans les appellations communales.

En Médoc, le classement des vins a été réalisé en 1855, soit près d'un siècle avant celui des graves. Cette antériorité s'explique par l'avance prise par la viticulture médocaine à partir du XVIIIes. ; car c'est là que s'est en grande partie produit « l'avènement de la qualité », lié à la découverte des notions de terroir et de cru, c'est-à-dire à la prise de conscience de l'existence d'une relation entre le milieu naturel et la qualité du vin.

Les haut-médoc se caractérisent par leur générosité, mais sans excès de puissance. D'une réelle finesse au nez, ils présentent généralement une bonne aptitude au vieillissement. Ils devront être bus chambrés et iront très bien avec les viandes blanches, les volailles ou le gibier à plume. Bus plus jeunes et servis frais, ils pourront aussi accompagner certains poissons.

CH. D'AGASSAC 2009

■ 175 098 15 à 20 €

95 96 97 98 99 00 01 02 03 |04| (05) 06 07 08 09

Cette maison noble fortifiée, campée sur son îlot entouré de larges douves, plaira sans doute aux romantiques. Très élégant également dans sa robe noire profonde, frais et souple au palais, son 2009 pourra être apprécié assez jeune. On profitera ainsi pleinement de son bouquet aux délicates notes de fruits rouges, de vanille et de grillé.

SCA Ch. d'Agassac, 15, rue du Château-d'Agassac, 33290 Ludon-Médoc, tél. 05.57.88.15.47, fax 05.57.88.17.61, contact@agassac.com r.-v.

Groupama

CH. ARNAULD 2009 ★★

■ 17 000 20 à 30 €

Acheté en 2007 par le groupe Allianz, déjà propriétaire de Larose-Trintaudon, ce cru a néanmoins conservé son autonomie pour la vinification. Il connaît une très belle réussite avec ce haut-médoc, dont la structure tannique tient les promesses de la robe rubis à frange carminée. Harmonieusement bouqueté, avec des notes de fruits rouges, de toast et de café, ce 2009 méritera d'être attendu quatre ou cinq ans avant de donner la réplique à un mets de caractère, comme une bécasse à la ficelle – même si les impatients pourront l'ouvrir plus tôt.

SA Larose-Trintaudon, rte de Pauillac, 33112 Saint-Laurent-Médoc, tél. 05.56.59.41.72, fax 05.56.59.93.22, info@trintaudon.com r.-v.

Allianz Fr

CH. D'AURILHAC 2009 ★

■ 146 000 8 à 11 €

D'année en année, ce cru confirme sa qualité au fur et à mesure que ses vignes prennent de l'âge. Son 2009 possède un vrai potentiel de garde, qu'annonce la jeunesse de la robe aux reflets violines. Le bouquet, qui mêle cassis, réglisse, vanille et tabac, ainsi que le palais soutenu de tanins bien enrobés, se montrent charmeurs tout en confirmant les promesses de la présentation. Un vin gourmand à laisser trois ou quatre ans en cave.

Ch. d'Aurilhac et la Fagotte, Sénilhac sud, 13, rte de Lesparre, 33180 Saint-Seurin-de-Cadourne, tél. et fax 05.56.59.35.32, erik-nieuwaal@wanadoo.fr r.-v.

Erik Nieuwaal

CH. BEAUMONT 2009 ★

■ 557 000 11 à 15 €

L'éclectisme de ce château en termes d'architecture séduira les amateurs : il allie harmonieusement les influences classiques et Renaissance. Lors d'une visite, on ne manquera pas de découvrir ce haut-médoc qui sait lui aussi se rendre fort sympathique tout au long de la dégustation, tant par son bouquet aux notes confites que par sa structure soyeuse. Une jolie bouteille dont l'apogée commencera en 2014-2016.

SCE Ch. Beaumont, 33460 Cussac-Fort-Médoc, tél. 05.56.58.92.29, fax 05.56.58.90.94, beaumont@chateau-beaumont.com r.-v.

Grands Millésimes de France

CH. BELGRAVE 2009 ★

■ 5e cru clas. 218 000 20 à 30 €

83 85 86 89 (90) 94 95 96 97 98 99 00 01 02 |03| |04| 05 06 07 08 09

Sans rivaliser avec certains millésimes du cru particulièrement réussis, ce 2009 sait se faire apprécier dans sa robe d'un grenat profond : il marie au nez des nuances de fruits rouges et de vanille, et dévoile des tanins charnus mais encore très fermes en finale, qui appellent une garde d'au moins trois ans. Assez classique, le second vin du château, **Diane de Belgrave 2009 (11 à 15 € ; 160 000 b.)** est par ailleurs cité ; il sera apprécié plus tôt.

Vignobles Dourthe, Ch. Belgrave, 33112 Saint-Laurent-Médoc, tél. 05.56.35.53.00, fax 05.56.35.53.29, contact@dourthe.com

CH. BELLE-VUE 2009 ★★★

■ 93 733 15 à 20 €

Après les trois étoiles et coup de cœur du millésime 2005, ce cru géré par l'équipe du château Gironville retrouve les sommets : son 2009 est jugé exceptionnel. Né d'un encépagement diversifié (cabernet-sauvignon, merlot, petit verdot), de longues macérations sans remontage et d'un élevage de quinze mois parfaitement maîtrisé, il s'affiche dans une robe grenat intense. Son bouquet puissant et complexe, sur les fruits à l'eau-de-vie et les épices, annonce un palais d'une grande concentration, à la finale « carrée ». Ses tanins, son gras et sa longueur

invitent à attendre deux ou trois ans avant de réaliser un grand accord gourmand avec un gigot d'agneau. Ce vin pourra aussi vieillir patiemment en cave jusqu'en 2025.
SC de la Gironville, 69, rte de Louens, 33460 Macau, tél. 05.57.88.19.79, fax 05.57.88.41.79, contact@chateau-belle-vue.fr
t.l.j. sf sam. dim. 9h-12h 13h-17h
Isabelle Mulliez

CH. BERNADOTTE 2009

173 000 | 15 à 20 €

Un domaine composé d'une multitude de petites parcelles, à dominante argilo-graveleuse. Sans être impressionnante d'intensité, la robe du vin, limpide et brillante, met en confiance. Mariant la vanille aux fruits rouges, le nez confirme cette première impression, comme le palais. Souple et solide, celui-ci révèle une bonne trame tannique, très affirmée en finale. À laisser vieillir un à deux ans.
SC Ch. le Fournas, Le Fournas-Nord, 33250 Saint-Sauveur, tél. 05.56.59.57.04, fax 05.56.59.54.84, bernadotte@chateau-bernadotte.com r.-v.
Champagnes Louis Roederer

CH. BRAUDE FELLONNEAU 2009 ★

12 000 | 15 à 20 €

Deux ans dans des fûts de chêne provenant de dix tonnelleries différentes : ici l'élevage n'est pas pris à la légère. Mais il n'est pas excessif comme le prouve le bouquet de ce 2009 aux notes gourmandes de mûre et de fruits noirs confiturés qu'appuie une touche de cannelle fort à-propos. Riche et soutenu par une solide présence tannique, ce vin possède un beau potentiel qui appelle trois ou quatre ans de garde.
SCEA Mongravey, 8, av. Jean-Luc-Vonderheyden, 33460 Arsac, tél. 05.56.58.84.51, fax 05.56.58.83.39, chateau.mongravey@wanadoo.fr r.-v.
Bernaleau

CH. DU BREUIL 2009 ★

115 000 | 8 à 11 €

Vestige d'un authentique château fort, ce domaine peut s'enorgueillir d'avoir inspiré plusieurs légendes et même d'avoir son propre fantôme. Il peut aussi tirer quelque fierté légitime de ce vin, dont la robe grenat s'anime de reflets violets qui livrent un bouquet mêlant les fruits rouges, la torréfaction et la truffe. Souple et épaulé par des tanins de qualité, l'ensemble demande quatre ou cinq ans de patience avant d'accompagner un mets de caractère.
Vialard, Ch. Cissac, 33250 Cissac-Médoc, tél. 05.56.59.58.13, fax 05.56.59.55.67, marie.vialard@chateau-cissac.com
t.l.j. sf sam. dim. 9h-12h30 14h-17h30; f. sem. du 15 août

CH. CAMBON LA PELOUSE 2009 ★

220 000 | 15 à 20 €

Une fois encore, la qualité de ce terroir, à la lisière de l'appellation margaux, et celle du travail à la vigne comme au chai, ont engendré un joli vin, dont la jeunesse et la typicité s'annoncent dès la présentation. Complexe et équilibré, le bouquet montre que les notes toastées du bois peuvent respecter le fruit. Le palais s'inscrit dans le droit fil : charnu, souple, puissant et long, il s'appréciera sur un rôti de bœuf à partir de 2015. Assez proche, avec une solide constitution, un riche bouquet et une finale très fraîche, le **Ch. Trois moulins 2009 (8 à 11 € ; 135 000 b.)** décroche aussi une étoile.
SCEA Cambon la Pelouse, 5, chem. de Canteloup, 33460 Macau, tél. 05.57.88.40.32, fax 05.57.88.19.12, contact@cambon-la-pelouse.com r.-v.
Jean-Pierre Marie

CH. DE CAMENSAC 2009 ★

5e cru clas. | 280 000 | 15 à 20 €

(95) (96) **97 98 99 00** 01 **02** |03| |**04**| 05 06 07 08 09

Il suffit d'un peu d'imagination – ou, à défaut, de brouillard – pour se croire en Toscane à la vue de la belle allée de pins francs qui conduit au château. Rassurez-vous, le vin, lui, est authentiquement médocain. Tant par sa robe rubis profond que par son développement au palais. Rond et harmonieux, il repose sur des tanins de velours. Cette bouteille, qualifiée de « sensuelle », pourra être appréciée assez jeune, à partir de 2015. Charnu, souple et homogène, le second vin, **La Closerie de Camensac 2009 (11 à 15 €)** obtient la même note.
Ch. de Camensac, rte de Saint-Julien, 33112 Saint-Laurent-Médoc, tél. 05.56.59.41.69, fax 05.56.59.41.73, chateaucamensac@wanadoo.fr
r.-v.
Céline Villars-Foubet et Jean Merlaut

CH. CANTEMERLE 2009 ★

5e cru clas. | 400 000 | 20 à 30 €

83 (85) **86** 87 **88** (89) **90 91 92 93 94** 95 **96 97 98 99** |00| |01| |04| 05 **06** |07| |08| 09

Par l'étendue de son vignoble (90 ha) et de son parc (28 ha), ce domaine n'a rien de timide. Son vin non plus d'ailleurs. Sa présence s'exprime d'abord par son bouquet aux notes de cachou et de santal ; puis au palais, dont la rondeur, le gras et la charpente veloutée laissent le souvenir d'un bel ensemble que couronne une longue finale. Un rôti de veau dans l'épaule et des cèpes lui permettront de s'exprimer en toute liberté.
SC Ch. Cantemerle, 33460 Macau, tél. 05.57.97.02.82, fax 05.57.97.02.84, cantemerle@cantemerle.com r.-v.
SMABTP

CH. CHARMAIL 2009 ★

115 000 | 15 à 20 €

En 2008 la propriété a changé de mains et connu une extension importante avec l'acquisition de 6 ha supplémentaires. La mutation ne s'est pas faite au détriment de la qualité, comme le prouve ce 2009 des plus réussis. D'une grande élégance, il déploie une robe rubis avant de développer un bouquet aux notes gourmandes de fruits très mûrs. Rond, gras, chaleureux et aimable, le palais est soutenu par des tanins bien extraits, qui promettent une jolie garde.
SCA Ch. Charmail, 33180 Saint-Seurin-de-Cadourne, tél. 05.56.59.70.63, fax 05.56.59.39.20, charmail@chateau-charmail.fr r.-v.
D' Halluin

L'HÉRITAGE DE CHASSE-SPLEEN 2009

181 000 | 15 à 20 €

Issu de 70 % de cabernet-sauvignon et de 30 % de merlot, le petit frère du fameux moulis se montre encore un peu ferme en finale. Mais ce caractère « autoritaire » ne doit pas faire oublier le plaisir apporté par le bouquet aux notes typiques de pruneau, de cuir et de fruits rouges. Ses tanins goûteux lui permettront de s'assouplir dans les deux ou trois ans à venir.

Ch. Chasse-Spleen, 32, chem. de la Raze, 33480 Moulis-en-Médoc, tél. 05.56.58.02.37, fax 05.57.88.84.40, info@chasse-spleen.com r.-v.

Céline Villars-Foubet

CH. CISSAC 2009 ★

■ 240 000 15 à 20 €

Cette belle unité possède un terroir de choix, des graves fines sur argilo-calcaire, et un encépagement parfaitement adapté, avec 75 % de cabernet-sauvignon. Sa qualité s'exprime pleinement avec ce millésime : une robe d'un rouge profond et brillant ; un bouquet fin et prometteur ; une attaque soyeuse ; une structure bien équilibrée et apte au vieillissement. Tout invite à deux ou trois ans de garde.

Vialard, Ch. Cissac, 33250 Cissac-Médoc, tél. 05.56.59.58.13, fax 05.56.59.55.67, marie.vialard@chateau-cissac.com

t.l.j. sf sam. dim. 9h-12h30 14h-17h30; f. sem. du 15 août

CH. CITRAN 2009

■ 498 610 15 à 20 €

Si le château date du XIXᵉs., les douves qui l'entourent rappellent l'ancienneté du domaine. Sans rivaliser avec certains millésimes antérieurs du même cru, ce 2009 séduit par sa robe grenat d'où s'élèvent de fines senteurs épicées. La bouche, sur la vivacité et bien structurée, appelle un séjour en cave de deux ans. Charmeur, le second vin, **Moulins de Citran 2009 (8 à 11 €; 300 272 b.)** est également cité.

Ch. Citran, chem. de Citran, 33480 Avensan, tél. 05.56.58.21.01, fax 05.57.88.84.60, info@citran.com

r.-v.

CH. CLÉMENT-PICHON 2009

■ 123 000 15 à 20 €

Situé presque aux portes de Bordeaux, ce château est l'un des plus beaux exemples d'architecture éclectique du XIXᵉs. de toute la Gironde. Le vin plaît, quant à lui, par sa matière, sa bonne structure, sa fraîcheur et sa complexité aromatique qui lui permettront d'être apprécié jeune et d'accompagner à table un grenier médocain.

LE CLASSEMENT DE 1855 REVU EN 1973

PREMIERS CRUS
- Château Haut-Brion (Pessac-Léognan)
- Château Lafite-Rothschild (Pauillac)
- Château Latour (Pauillac)
- Château Margaux (Margaux)
- Château Mouton-Rothschild (Pauillac)

SECONDS CRUS
- Château Brane-Cantenac (Margaux)
- Château Cos-d'Estournel (Saint-Estèphe)
- Château Ducru-Beaucaillou (Saint-Julien)
- Château Durfort-Vivens (Margaux)
- Château Gruaud-Larose (Saint-Julien)
- Château Lascombes (Margaux)
- Château Léoville-Barton (Saint-Julien)
- Château Léoville-Las-Cases (Saint-Julien)
- Château Léoville-Poyferré (Saint-Julien)
- Château Montrose (Saint-Estèphe)
- Château Pichon-Longueville-Baron (Pauillac)
- Château Pichon-Longueville Comtesse-de-Lalande (Pauillac)
- Château Rauzan-Gassies (Margaux)
- Château Rauzan-Ségla (Margaux)

TROISIÈMES CRUS
- Château Boyd-Cantenac (Margaux)
- Château Calon-Ségur (Saint-Estèphe)
- Château Cantenac-Brown (Margaux)
- Château Desmirail (Margaux)
- Château Ferrière (Margaux)
- Château Giscours (Margaux)
- Château d'Issan (Margaux)
- Château Kirwan (Margaux)
- Château Lagrange (Saint-Julien)
- Château La Lagune (Haut-Médoc)
- Château Langoa Barton (Saint-Julien)
- Château Malescot-Saint-Exupéry (Margaux)
- Château Marquis d'Alesme-Becker (Margaux)
- Château Palmer (Margaux)

QUATRIÈMES CRUS
- Château Beychevelle (Saint-Julien)
- Château Branaire-Ducru (Saint-Julien)
- Château Duhart-Milon-Rothschild (Pauillac)
- Château Lafon-Rochet (Saint-Estèphe)
- Château Marquis de Terme (Margaux)
- Château Pouget (Margaux)
- Château Prieuré-Lichine (Margaux)
- Château Saint-Pierre (Saint-Julien)
- Château Talbot (Saint-Julien)
- Château La Tour-Carnet (Haut-Médoc)

CINQUIÈMES CRUS
- Château d'Armailhac (Pauillac)
- Château Batailley (Pauillac)
- Château Belgrave (Haut-Médoc)
- Château Camensac (Haut-Médoc)
- Château Cantemerle (Haut-Médoc)
- Château Clerc-Milon (Pauillac)
- Château Cos-Labory (Saint-Estèphe)
- Château Croizet-Bages (Pauillac)
- Château Dauzac (Margaux)
- Château Grand-Puy-Ducasse (Pauillac)
- Château Grand-Puy-Lacoste (Pauillac)
- Château Haut-Bages-Libéral (Pauillac)
- Château Haut-Batailley (Pauillac)
- Château Lynch-Bages (Pauillac)
- Château Lynch-Moussas (Pauillac)
- Château Pédesclaux (Pauillac)
- Château Pontet-Canet (Pauillac)
- Château du Tertre (Margaux)

Vignobles Clément Fayat, Ch. Clément-Pichon, 33290 Parempuyre, tél. 05.56.35.23.79, fax 05.56.35.85.23, g.gouet@vignobles.fayat.com r.-v.

CLOS DU JAUGUEYRON 2009 ★

■ 25 000 15 à 20 €

Ce millésime marque les débuts du domaine en agriculture biologique, la conversion de son petit vignoble ayant été entamée en 2009. Le vin, fort plaisant, se pare d'une robe rubis à reflets violets. Son bouquet concilie en toute simplicité et en finesse les fruits noirs et le boisé, prélude à une bouche ample et douce, aux tanins souples. Déjà flatteur, ce vin pourra aussi être attendu trois ans.

Michel Théron, 45, rue de Guiton, 33460 Arsac, tél. et fax 05.56.58.89.43, theron.michel@wanadoo.fr r.-v.

LES CLOSERIES DES MOUSSIS 2009 ★

■ 3 000 11 à 15 €

Créé en juin 2009 par deux passionnées du vin et de la vigne, ce cru réussit son entrée dans le Guide avec un vin qui en dit long sur l'amour du travail bien fait. Sa fine structure aux tanins soyeux et son bouquet, frais et complexe (framboise, cassis, mêlés d'un fin boisé), donnent un côté gourmand à cette bouteille qui sera à son optimum dans deux ou trois ans.

NOUVEAU PRODUCTEUR

SCEA des Moussis, 23, allée du Blanchard, 33460 Arsac, tél. 06.70.61.31.39, alias.florence@gmail.com r.-v.

CLOS LA BOHÈME 2009 ★

■ 14 000 15 à 20 €

Comme le rappelle le nom de ce petit cru (3,5 ha), Christine Nadalié a beaucoup voyagé dans le monde. Naturellement, les Nadalié étant tonneliers l'élevage tient une place importante dans la personnalité du vin, qui exprime ici un boisé élégant. Autrement dit, un boisé fondu, qui respecte les autres composants d'un bouquet complexe (liqueur de cassis, réglisse). La richesse tannique promet une belle évolution, et une bouteille à ouvrir dans trois ou quatre ans sur un magret de canard.

Christine Nadalié, 7, chem. du Bord-de-l'Eau, 33460 Macau, tél. 05.57.10.03.70, fax 05.57.10.02.00, chateau-beau-rivage@nadalie.fr r.-v.

CH. COMTESSE DU PARC 2009 ★

■ 50 000 8 à 11 €

Propriété de la famille Anney depuis 1779, ce vignoble bénéficie d'un encépagement (mi-merlot, mi-cabernet-sauvignon) adapté au terroir argilo-calcaire. Il propose un 2009 élevé douze mois en fût qui marie agréablement les arômes de fruits, d'épices et de pain toasté. Puissant et élégant, le palais appelle un bon séjour en cave, de cinq ou six ans.

Vignobles Jean Anney, 2, rue du Pigeonnier, Saint-Corbian, 33180 Saint-Estèphe, tél. 05.56.59.32.89, fax 05.56.59.73.74, contact@chateautourdestermes.com t.l.j. 8h30-12h 14h-16h30

CH. CORNÉLIE 2009 ★

■ 14 000 11 à 15 €

Cultivé intégralemement selon les méthodes de l'agriculture biologique depuis 2007, ce petit vignoble a donné naissance à un haut-médoc qui affirme son classicisme et son sérieux par un bouquet aux notes de fruits bien mûrs et d'épices. Au palais, on retrouve des saveurs équilibrées, qui s'appuient sur une trame souple et riche à la fois. D'une réelle finesse, l'ensemble n'est cependant pas dépourvu de caractère et pourra être attendu trois ou quatre ans avant d'accompagner un gibier à plume.

Ch. Cornélie, chem. de la Sablière, 33250 Cissac-Médoc, tél. 06.45.47.94.05, chateau.cornelie@wanadoo.fr r.-v.

Patrick Grisard

CH. COUFRAN 2009 ★

■ 475 000 15 à 20 €

95 96 98 99 00 01 02 03 |04| |05| 06 07 08 09

Propriété de la famille Miailhe depuis 1924, ce cru se distingue par son encépagement, composé à 85 % de merlot. Cette spécificité n'est pas sans influence ici sur le côté rond de la structure tannique, qui reste puissante en finale. D'une agréable finesse aromatique, enrobé de notes de fruits rouges et d'épices douces, ce 2009 demandera quatre à cinq ans de patience.

SCA Ch. Coufran, 33180 Saint-Seurin-de-Cadourne, tél. 05.56.59.31.02, fax 05.56.81.32.35, emiailhe@coufran-verdignan.com r.-v.

Éric Miailhe et Marie-Cécile Vicaire

CH. CROIX DU TRALE Élevé en fût de chêne 2009 ★

■ 35 000 5 à 8 €

Les vignes de cette exploitation familiale (un peu plus de 12 ha) encerclent le chai créé lors de la sortie de la coopérative du domaine, en 1999. Se présentant dans une robe brillante aux reflets violacés, ce haut-médoc livre un bouquet typé aux nuances animales et végétales, que prolonge un palais riche, gras, soutenu par des tanins imposants, tout en gardant un bel équilibre. À attendre deux ans.

EARL Stéphane Négrier, 3, rte du Trale, 33180 Saint-Seurin-de-Cadourne, tél. 05.56.59.72.73, fax 05.56.59.75.70, chateaucroixdutrale@orange.fr t.l.j. 9h-13h 14h-19h

CH. DEVISE D'ARDILLEY 2009 ★

■ 60 000 11 à 15 €

Régulier en qualité, ce cru créé récemment (en 1991) et racheté par Madeleine et Jacques Philippe en 2000, a choisi pour ce millésime de s'exprimer avec force, notamment en finale. Sa structure, chaleureuse et tannique, comme son bouquet aux agréables notes fruitées, mentholées et grillées demanderont deux ou trois ans pour s'exprimer pleinement – sur un canard sauvage par exemple.

SAS Vignoble Vimes-Philippe, Ch. Devise d'Ardilley, 33112 Saint-Laurent-Médoc, tél. et fax 05.57.75.14.26, devise.dardilley@terre-net.fr t.l.j. 9h-12h 14h-18h

CH. DILLON 2009

■ 255 000 11 à 15 €

90 95 96 97 98 99 00 01 02 03 |04| 05 06 |07| 08 09

Exploité par l'important lycée agricole et viticole de Blanquefort, aux portes de Bordeaux, Château Dillon assemble pas moins de quatre cépages bordelais, le merlot restant dominant. Il propose un vin goûteux, rond, et qui développe, au nez comme en bouche, d'intenses arômes de cassis et de framboise bien mûre. Un aimable 2009, à attendre une paire d'années.

EPLEFPA Bordeaux-Gironde, 84, av. du Gal-de-Gaulle, 33290 Blanquefort, tél. 05.56.95.39.94, fax 05.56.95.36.75, chateau-dillon@chateau-dillon.com r.-v.

CH. DOYAC 2009

■ 140 000 11 à 15 €

Belle unité de Saint-Seurin-de-Cadourne, étendue sur 32 ha de vignes, ce cru se caractérise par sa forte proportion de merlot (70 %). Dans sa livrée grenat, le 2009 développe un bouquet aux riches notes de cuir, de prune et de fruits rouges cuits. Sans être très charnu, le palais est porté par des tanins ronds qui invitent à boire ce vin dès 2013-2014, pour profiter de son expression aromatique.

Max de Pourtalès, Ch. Doyac, 33180 Saint-Seurin-de-Cadourne, tél. 05.56.59.34.49, fax 05.56.59.74.82, chateau.doyac@wanadoo.fr r.-v.

CH. DUTHIL 2009 ★★

■ 15 500 11 à 15 €

Le château Giscours, cru classé de margaux, possède au Pian-Médoc des parcelles bénéficiant d'un joli terroir de graves fines. Leur qualité se lit dans ce haut-médoc 2009, qui ne se contente pas d'une belle robe pourpre pour séduire. Marquée au bouquet, sa richesse aromatique (fruits noirs, épices, boisé) se confirme au palais, pendant que sa structure s'affirme avec élégance. Longue, capiteuse et bien équilibrée, la finale ne laisse planer aucun doute sur le potentiel de ce vin, à attendre quatre ou cinq ans.

SE Ch. Giscours, 10, rte de Giscours, 33460 Labarde, tél. 05.57.97.09.09, fax 05.57.97.09.00, giscours@chateau-giscours.fr r.-v.

CH. FONTESTEAU 2009 ★

■ 174 000 11 à 15 €

Héritier d'une ancienne maison forte bâtie au XIIIe s., ce château abrite aujourd'hui un cru qui fait preuve d'une belle régularité. Il le prouve cette année encore avec un 2009 qui ne manque pas d'arguments : une robe vive et limpide ; un bouquet fin et complexe aux notes toastées et chocolatées ; une belle structure, longue et serrée, qui a tout pour bien évoluer et laisser le boisé se fondre. Prévoir quatre ans de garde.

SARL Ch. Fontesteau, Fontesteau, 33250 Saint-Sauveur, tél. 05.56.59.52.76, fax 05.56.59.57.89, info@fontesteau.com t.l.j. 8h30-12h 13h30-16h30; sam. dim. sur r.-v.

♥ CH. DE GIRONVILLE 2009 ★★

■ 56 400 11 à 15 €

Récolte 2009
CRU BOURGEOIS
CHÂTEAU DE GIRONVILLE
HAUT-MÉDOC
APPELLATION HAUT-MÉDOC CONTRÔLÉE
MIS EN BOUTEILLE AU CHÂTEAU

Valeur sûre du Haut-Médoc, comme en témoigne la régularité de ses bonnes notes dans le Guide, ce cru franchit véritablement un palier avec le m… l'instar de son homologue le Château Belle-Vue (… producteur) quelques années auparavant, il est couronné d'un coup de cœur. Il annonce son caractère par une robe profonde aux reflets noirs, avant de révéler un bouquet d'une grande intensité (groseille, poivre et vanille) et un palais à la fois rond et bien structuré. Ses tanins fondus, que soutient un bois bien dosé, et sa longue finale composent un ensemble des plus gourmands, à découvrir à partir de 2016, sur une entrecôte aux cèpes.

SC de la Gironville, 69, rte de Louens, 33460 Macau, tél. 05.57.88.19.79, fax 05.57.88.41.79, contact@chateau-belle-vue.fr t.l.j. sf sam. dim. 9h-12h 13h-17h

Isabelle Mulliez

LE GRAND PAROISSIEN Élevé en fût de chêne 2009 ★★

■ 40 000 8 à 11 €

L'une des tendances marquantes du monde viticole à l'heure actuelle est la montée en puissance des coopératives, avec des productions de grande qualité, comme l'illustre ce remarquable 2009 signé par la cave de Saint-Seurin-de-Cadourne. Des flaveurs de moka, d'épices et de mûre, une structure séveuse et puissante, des tanins fins et serrés, une concentration sans pareille... Ce grand vin de garde, à attendre au minimum quatre ans, fera des merveilles aux côtés d'un tournedos Rossini. Autre production de la cave, qui pourra être appréciée plus tôt – dans deux ou trois ans –, le **Ch. Quimper 2009 (5 à 8 € ; 2 000 b.)** décroche une étoile.

SCV Saint-Seurin-de-Cadourne, 2, rue Clément-Lemaignan, 33180 Saint-Seurin-de-Cadourne, tél. 05.56.59.31.28, fax 05.56.59.39.01, contact@cave-la-paroisse.fr t.l.j. sf dim. 8h30-12h30 14h-18h; sam. 8h30-12h30 14h-17h; sam. 8h30-12h30

CH. HANTEILLAN 2009

■ 420 000 8 à 11 €

Ce vignoble a bien grandi en l'espace de vingt-cinq ans : sa surface a été multipliée par dix, passant de 8 à 82 ha. Régulier en qualité, il présente un 2009 qui joue la simplicité et l'efficacité. Son attaque souple et sa structure équilibrée mettent en valeur une agréable expression aromatique, aux notes de cerise cuite et de réglisse. On attendra deux ans que l'ensemble se fonde.

SAS Ch. Hanteillan, 12, rte d'Hanteillan, 33250 Cissac-Médoc, tél. 05.56.59.35.31, chateau.hanteillan@wanadoo.fr t.l.j. sf sam. dim. 9h-12h 14h-17h30

Catherine Blasco

CH. HAUT-BEYZAC 2009

■ 35 000 11 à 15 €

Né sur une propriété jouxtant un lieu magique du Médoc, le marais de Reysson, ce 2009 livre un bouquet encore jeune mais fin et prometteur, aux accents fruités. Assez dense et surtout chaleureux en bouche, il fait preuve d'une belle souplesse. On l'ouvrira après deux ans de garde. Dans le même style, la **cuvée O'peyrat (8 à 11 € ; 30 000 b.)** est citée.

EARL Raguenot-Lallez-Miller, Le Parc, 33180 Vertheuil, tél. 05.57.32.65.15, fax 05.57.32.99.38, chateau-des-tourtes@orange.fr r.-v.

Éric Lallez

[illegible]009

	35 000	11 à 15 €

Complément haut-médocain du château listracais Cap Léon Veyrin, ce cru de 15 ha, composé pour moitié de merlot, propose un 2009 au boisé encore très présent, mais qui laisse entrevoir de subtils arômes de griotte confiturée. Sa mâche, sa rondeur et ses tanins affirmés en finale lui permettront d'affronter les trois ans de garde nécessaires pour se fondre et livrer toute sa complexité.

SCEA Vignobles Alain Meyre,
Ch. Cap Léon Veyrin, 54, rte de Donissan,
33480 Listrac-Médoc, tél. 05.56.58.07.28, fax 05.56.58.07.50,
contact@vignobles-meyre.com
t.l.j. sf sam. dim. 9h-12h 14h-17h30 2

CH. LABAT 2009 ★★

	n.c.	15 à 20 €

Situé en bordure de Saint-Julien, ce cru bénéficie d'un beau terroir de graves sur des argiles fines. L'équipe des vignobles Nony-Borie a su en tirer toute la substance avec ce millésime dont la puissance s'annonce fièrement par une robe tirant sur le noir. Un peu en retrait actuellement, le bouquet apparaît cependant prometteur par ses notes fumées, fruitées et cacaotées. Au palais, toute timidité disparaît pour révéler une matière ample et charnue s'appuyant sur des tanins veloutés. Une longue finale clôt la démonstration, évoquant un beau potentiel de garde. Votre patience sera largement récompensée après trois à cinq ans. En attendant, vous pourrez découvrir le **Ch. Caronne Sainte-Gemme 2009 (11 à 15 €; 220 000 b.)**, du même producteur, cité pour son soyeux et son équilibre entre le fruit et le bois.

Vignobles Nony-Borie, Caronne,
33112 Saint-Laurent-Médoc, tél. 05.57.87.56.81,
fax 05.56.51.71.51, jfnony@gmail.com r.-v.

CH. LACOUR JACQUET 2009 ★★

	49 000	11 à 15 €

Éric et Régis Lartigue peuvent être fiers de l'extension de leur propriété, passée de quelque 4 ha en 1989 à 16 vingt ans plus tard. D'autant plus que la progression a été aussi qualitative, comme le montre ce vin qui ne fait pas dans la demi-mesure. Ses tanins recèlent derrière leur puissance une rondeur qui contribue à l'harmonie générale. Le bouquet, sur les fruits noirs et le pain toasté, montre autant de finesse que de complexité. Une bouteille de grande classe à ouvrir sur une volaille de fête, mais de préférence après sept ou huit ans de garde.

GAEC Lartigue,
Ch. Lacour Jacquet, 70, av. du Haut-Médoc,
33460 Cussac-Fort-Médoc, tél. 05.56.58.91.55,
fax 05.56.58.94.82, lartigue.e@wanadoo.fr
t.l.j. 10h-19h (11h-18h en hiver)

CH. LA LAGUNE 2009 ★★

3e cru clas.	160 000	75 à 100 €

81 82 83 85 86 88 (89) **90 91 93 94** |**95**| |**96**| 97 |**98**| 99 |(00)| |**01**| |02| |**04**| **05 06 07 08 09**

Coup de cœur dans sa version 2007, ce cru est l'une des valeurs sûres de l'appellation. S'il était encore sous l'influence du bois lors de la dégustation du Guide et n'avait pas encore trouvé son expression définitive, son 2009 montrait déjà le solide potentiel nécessaire pour évoluer de façon très heureuse. À la fois puissants et souples, ses tanins traduisent une extraction de qualité. L'équilibre du palais met en valeur des arômes chaleureux de fruits mûrs (cerise et mûre) qui se mêlent harmonieusement à l'apport de l'élevage en fût. Cinq ou six ans de patience seront nécessaires pour cette bouteille qui méritera un mets de caractère.

Ch. la Lagune, 81, av. de l'Europe, 33290 Ludon-Médoc,
tél. 05.57.88.82.77, fax 05.57.88.82.70,
contact@chateau-lalagune.com r.-v. 5

Famille Frey

CH. DE LAMARQUE 2009 ★★

	120 000	15 à 20 €

Comme l'indique son architecture, ce château est l'héritier d'une vieille histoire. Ce fut au Moyen Âge l'une des maisons fortes chargées de protéger Bordeaux contre les menaces d'invasion par l'estuaire. Depuis quelques années, c'est aussi un cru qui connaît une belle montée en puissance. Pour preuve, ce vin gourmand à conserver dans sa cave quatre à dix ans. Outre une belle robe pourpre profond, il déploie un bouquet généreux de fruits rouges, de vanille et de cacao, avant de révéler un palais riche et équilibré, aux saveurs gourmandes de prune fraîche.

SC Gromand d'Évry, Ch. de Lamarque, 33460 Lamarque,
tél. 05.56.58.90.03, fax 05.56.58.93.43,
lamarque@chateaudelamarque.fr r.-v.

CH. LAMOTHE-CISSAC 2009 ★★

	120 000	11 à 15 €

Constitué à 60 % d'argilo-calcaires et à 40 % de graves, le terroir de Lamothe-Cissac se prête à un encépagement diversifié qui accorde une jolie place au petit verdot (15 % de l'assemblage). Le résultat est un 2009 qui ne manque pas d'atouts : une couleur soutenue, un bouquet encore discret mais élégant de cerise, d'épices et de nuances toastées, une belle mâche et des tanins à la fois serrés et fondus. L'ensemble, long et aromatique, appelle une garde d'au moins quatre ou cinq ans.

SC Ch. Lamothe, Lamothe, 33250 Cissac-Médoc,
tél. 05.56.59.58.16, fax 05.56.59.57.97,
domaines.fabre@enfrance.com r.-v. D

Fabre

CH. LAROSE-TRINTAUDON 2009 ★

	967 000	8 à 11 €

Cette imposante propriété (plus de 160 ha de vignes) fait preuve d'une sérieuse régularité dans le Guide. Sans égaler le Château Arnauld, du même groupe, son 2009 s'inscrit dans la tradition qualitative du domaine par son fin bouquet aux notes de confiture de fruits rouges et au boisé fondu, comme par sa constitution ample qui permettra de l'attendre deux ou trois ans avant de le servir sur un lapin aux pruneaux. Assez proche par son expression aromatique et porté par des tanins enrobés, le **Ch. Larose Perganson 2009 (11 à 15 €; 113 000 b.)** décroche aussi une étoile.

SA Larose-Trintaudon, rte de Pauillac,
33112 Saint-Laurent-Médoc, tél. 05.56.59.41.72,
fax 05.56.59.93.22, info@trintaudon.com r.-v.

Allianz Fr

CH. LARRIVAUX 2009

	106 000	11 à 15 €

Depuis 1580, ce cru est toujours resté entre les mains de la même famille, et transmis par les femmes. Faut-il y voir l'origine du caractère « féminin » de ce vin ? Autrement dit, son côté fin et délicat ? Le bouquet, qui mêle en harmonie la griotte, le cassis et de délicats effluves de tabac, annonce en effet un développement souple et équilibré au palais. L'explication réside plutôt dans la forte présence du merlot (62 % de l'assemblage).

Famille Carlsberg, Ch. Larrivaux, 23-25 rte de Larrivaux, 33250 Cissac-Médoc, tél. 05.56.59.58.15, fax 05.56.73.93.41, chateau.larrivaux@gmail.com r.-v.

CH. LA LAUZETTE-DECLERCQ Climat 2009 ★

■ n.c. 11 à 15 €

Le couple Roskam a racheté ce cru en 2005 afin de compléter la gamme de vins produits par le domaine familial, le château Cantenac à Saint-Émilion. Issue d'une sélection de raisins « à la mode bourguignonne », cette cuvée est à la fois classique par sa structure tannique ample et soyeuse, et moderne par son bouquet fin et charmeur de fruits rouges confits et d'épices. À attendre deux ans, elle pourra évoluer favorablement en cave pendant une petite dizaine d'années.

Frans Roskam, 5, lieu-dit Couhenne, 33480 Listrac-Médoc, tél. 05.57.88.81.78, fax 05.56.58.02.40, info@roskamwines.com r.-v.

CH. LESTAGE SIMON 2009

■ 70 457 8 à 11 €

Né sur un joli terroir de graves, ce cru à dominante de merlot offre un 2009 très plaisant par la douceur et la finesse de ses tanins et par son équilibre d'ensemble. Tout contribue à mettre en valeur sa complexité aromatique, mariage de petits fruits rouges (groseille) et de torréfaction (café). Autre production du vignoble, le **Ch. Troupian 2009 (5 à 8 € ; 154 516 b.)** obtient aussi une belle citation pour son côté chaleureux et charnu. On oubliera ces deux vins deux à trois ans en cave.

Sté fermière des Grands Crus de France, 33460 Lamarque, tél. 05.57.98.07.20, fax 05.57.69.84.97

CH. DE MALLERET 2009 ★

■ 135 000 15 à 20 €

Gentilhommière aux allures de palais, parc immense où les courbes jouent avec l'eau et les reliefs, Malleret est l'un des plus beaux domaines du Bordelais. Son haut-médoc 2009 ne manque pas non plus d'élégance, ni de complexité. Il séduit par sa robe profonde, son bouquet discret et sa trame serrée mais soyeuse. Puissant, concentré, ce vin recèle un potentiel certain : à découvrir après cinq à six ans de garde.

SCEA Malleret, 33290 Le Pian-Médoc, tél. 05.56.35.05.36, fax 05.56.35.05.38, contact@chateau-malleret.fr r.-v.

Leroy

BENJAMIN DE MARGALAINE 2009 ★

■ 4 700 5 à 8 €

Issu d'un microcru, ce Benjamin est assez confidentiel par son volume de production mais intéressant par sa qualité. Très expressif sur le plan aromatique, offrant une jolie rencontre entre les fruits mûrs et le bois (vanille, épices), il est soutenu par une vigoureuse structure. Ses tanins encore anguleux et la marque de l'élevage appellent un peu de patience (cinq ans) avant de l'apprécier sur un salmis de palombe.

Domaines Philippe Porcheron, SARL des Grands Crus, 2, rue du Gal-de-Gaulle, BP 40033, 33460 Margaux, tél. 05.56.02.00.23, fax 05.56.02.32.34, corinne.constantin@vealis.com r.-v.

CH. MAURAC 2009 ★

■ 60 000 8 à 11 €

Issu de la réunion de deux propriétés et de quelques parcelles avoisinantes, ce vignoble de 18 ha à l'encépagement classique (cabernet-sauvignon et merlot) propose un haut-médoc à la robe typique, grenat soutenu. Le bouquet développe des parfums de baies rouges et noires, avec en prime quelques notes de café ; le palais se montre ample et structuré. On l'attendra deux ou trois ans avant d'apprécier cette bouteille sur un gibier à plume.

SCEA Ch. Maurac, Le Trale, 33180 Saint-Seurin-de-Cadourne, tél. 05.57.88.07.64, fax 05.57.88.07.00, vitigestion@vitigestion.com r.-v.

CH. MILLE ROSES 2009 ★

■ 28 000 15 à 20 €

Située entre les communes de Macau et de Labarde, cette propriété bénéficie d'un terroir de qualité sur lequel David Faure exploite une petite dizaine d'hectares en conversion vers l'agriculture biologique. Ce 2009 s'annonce par une robe rubis aux reflets sombres, et livre à l'olfaction des notes de fruits rouges bien mûrs mêlés de nuances toastées. Souple, charnu et puissant, le palais bien construit devra s'affiner en cave pendant deux ou trois ans.

David Faure, Ch. Mille Roses, 16, chem. de Canteloup, 33460 Macau, tél. et fax 05.57.88.42.16, contact@chateaumilleroses.com r.-v.

CH. DU MOULIN 2009 ★

■ 5 600 11 à 15 €

Tirant son nom de la présence d'un ancien moulin sur la propriété, ce petit cru de 1 ha n'a pas à rougir de sa production. Une belle robe grenat, limpide et brillante, un bouquet intense aux notes de fruits noirs (mûre et myrtille) et de pain toasté, des tanins charnus et soyeux, tout annonce une belle bouteille à servir sur une entrecôte grillée dans deux ou trois ans.

José Sanfins, 16, chem. du Vieux-Chêne, 33460 Lamarque, tél. 06.10.46.34.35, fax 05.57.88.81.90, sanfinsjose@aol.com r.-v.

J. Sanfins

CH. MURET 2009 ★

■ 120 000 8 à 11 €

Situé sur un plateau argilo-calcaire dominant l'important site archéologique de Brion, ce cru jouit d'un terroir argilo-calcaire de qualité qui trouve une belle expression dans ce 2009. Aux fines notes épicées (poivre) et fruitées (cassis) du bouquet s'ajoute une solide structure tannique pour composer un ensemble bien construit, qui s'accordera avec une pièce de bœuf grillée dans trois ou quatre ans, une fois le boisé fondu.

SCA de Muret, 2, rte de Muret, 33180 Saint-Seurin-de-Cadourne, tél. 05.56.59.38.11, fax 05.56.59.37.03, chateau.muret@sfr.fr r.-v.

Boufflerd

♥ CH. PALOUMEY 2009 ★★

■ 135 000 15 à 20 €

Régulièrement distingué dans le Guide, ce cru au nom fleurant bon la Gascogne est une valeur sûre de

l'appellation. Avec ce nouveau millésime, il fait un véritable bond en avant et emporte toutes les voix du jury. Il charme aussi bien par sa robe, d'une belle intensité, que par son bouquet délicat, dont les notes de fruits noirs (cassis) sont enrobées de nuances grillées. Son palais tendre et volumineux réussit l'alliance de la puissance et de la finesse. D'une grande persistance, cette bouteille pourra être attendue avec bonheur pendant huit ou neuf ans, voire plus.

SA Ch. Paloumey, 50, rue du Pouge-de-Beau, 33290 Ludon-Médoc, tél. 05.57.88.00.66, fax 05.57.88.00.67, info@chateaupaloumey.com
t.l.j. 10h-18h; sam. dim. sur r.-v.
Martine Cazeneuve

CH. PEYRABON 2009 ★

■ 234 716 11 à 15 €

Fidèle à son habitude, ce cru d'une cinquantaine d'hectares propose un vin structuré et charpenté qui conserve un réel équilibre, nettement influencé par le cabernet-sauvignon (72 % de l'assemblage). Encore sur la réserve, son nez frais et discrètement fruité annonce un palais puissant soutenu par de solides tanins. Ce 2009 méritera d'être attendu quatre ou cinq ans pour permettre au bouquet de s'ouvrir complètement.

SARL Ch. Peyrabon, Vignes de Peyrabon, 33250 Saint-Sauveur, tél. 05.56.59.57.10, fax 05.56.59.59.45, contact@chateau-peyrabon.com r.-v.
Bernard

CH. PEYRAT-FOURTHON 2009 ★

■ 60 000 11 à 15 €

Coup de cœur dans les millésimes 2003 et 2005, ce cru, régulier en qualité, montre une fois encore le savoir-faire de son auteur, qui a choisi de l'élever dix-huit mois en fût. Très bien dosé, le bois a apporté au bouquet des notes grillées fondues dans des arômes de fruits cuits. Tout en souplesse, l'ensemble est ample et finement structuré ; il promet de belles dégustations après quatre ans de garde. Également soutenu par des tanins soyeux, le second vin, **La Demoiselle d'Haut-Peyrat 2009 (8 à 11 €; 40 000 b.)** obtient aussi une étoile.

Ch. Peyrat-Fourthon, 1, allée Fourthon, 33112 Saint-Laurent-Médoc, tél. 05.56.59.40.87, fax 05.56.59.92.65, pn@peyrat-fourthon.com
r.-v. 5
Pierre Nardoni

CH. PEYRE-LEBADE 2009 ★

■ n.c. 11 à 15 €

La plaine de Peyre-Lebade (la pierre levée en occitan) aurait-elle abrité des mégalithes ? Qui sait ? Ce qui ne fait aucun doute, en revanche, c'est que ce vin à dominante de merlot (70 % de l'assemblage aux côtés du cabernet-sauvignon), mérite une garde de deux à cinq ans. Souple à l'attaque, annoncé par des parfums épicés et fruités, il montre une charpente assez solide et fait preuve d'une belle complexité.

Expl. Vinicole Edmond de Rothschild, 33480 Listrac-Médoc, tél. 05.56.58.38.00, fax 05.56.58.26.46, contact@cver.fr t.l.j. sf sam. dim. 9h-12h 14h-16h30

CH. LA PEYREYRE Cuvée Prestige 2009 ★

■ 6 000 8 à 11 €

Née sur une propriété familiale de 12 ha dont le vignoble borde l'estuaire de la Gironde, cette cuvée Prestige sait se rendre sympathique par son bouquet aux notes de fruits rouges et noirs (cerise, cassis, mûre) qu'accompagnent quelques touches poivrées et vanillées. Rond et charnu, le palais montre par son volume et ses tanins soyeux qu'il n'aura pas peur d'un séjour en cave de trois à cinq ans, pour offrir ainsi un boisé plus fondu.

Vergez, Le Domaine, 1, rte de Mapon, 33180 Saint-Seurin-de-Cadourne, tél. 06.45.26.59.85, fax 05.56.59.37.29, chateau-la-peyreyre@wanadoo.fr
t.l.j. 8h30-12h30 14h-19h

CH. PONTOISE CABARRUS 2009 ★

■ 80 000 11 à 15 €

Jadis propriété de Thérésa Cabarrus, l'épouse de Tallien, ce domaine évoque les heures les plus sombres de la Révolution française pendant la Terreur. Heureusement, ce sont des sensations plus douces que fait naître le caractère souple et frais de ce 2009, aux élégants parfums de fruits rouges, de sous-bois et de pain toasté. Une bouteille à ouvrir dans deux ou trois ans. Également charmeur, le second vin, **Côté Pontoise 2009 (8 à 11 €; 30 000 b.)** décroche une étoile pour ses tanins fondus et son fruité bien mûr.

SAS Ch. Pontoise Cabarrus, 27, rue Georges-Mandel, 33180 Saint-Seurin-de-Cadourne, tél. 05.56.59.34.92, fax 05.56.59.63.34, pontoisecabarrus@orange.fr
t.l.j. sf sam. dim. 9h-12h 14h-18h; f. 15-31 août
Tereygeol

CH. PUY CASTÉRA 2009 ★

■ 60 000 11 à 15 €

Descendant d'Henri Marès qui mit au point avec Pasteur le traitement anti-oïdium par soufrage à sec, Alix Marès signe un haut-médoc qui annonce sa jeunesse par sa robe vive et brillante. Son bouquet, aux délicates notes de poivron et de cassis (cabernet dominant), prépare à la rencontre d'un palais aux tanins élégants, sans agressivité, qu'enrobe un boisé bien maîtrisé et une belle mâche. Plutôt racé, ce 2009 sera apprécié dans trois ou quatre ans sur une bécasse à la ficelle.

SCE Ch. Puy Castéra, 8, rte du Castéra, 33250 Cissac-Médoc, tél. 05.56.59.58.80, fax 05.56.59.54.57, contact@puycastera.fr r.-v.

CH. REYSSON 2009 ★★

■ 123 000 15 à 20 €

Propriété du groupe nippon Mercian Corporation, spécialisé dans les vins et les produits pharmaceutiques, ce cru est en fait géré par la maison Dourthe et fait l'objet de soins attentifs. Après un bouquet fin et complexe alliant les

fruits noirs et rouges bien mûrs à des notes toastées, le palais révèle lui aussi une plaisante dualité, en conciliant rondeur et puissance. Il est encore marqué par l'élevage mais sa structure dense et racée lui laissera le temps de se fondre. On dégustera cette bouteille dans cinq ou six ans sur une côte de veau aux girolles.
Ch. Reysson, 33180 Vertheuil, tél. 05.56.35.53.00, fax 05.56.35.53.29, contact@dourthe.com r.-v.
Mercian Corporation

CH. SAINT-AHON 2009 *

■ 55 300 11 à 15 €

Françoise et Nicolas de Courcel, fille et gendre du comte de Colbert, ont pris la suite de ce dernier à la tête du domaine en 2003. Comme lui, ils cherchent à résister à la pression urbaine, très forte à Blanquefort. Leur meilleure arme sera la qualité de leur production, qu'illustre ce beau 2009 à la livrée sombre. Prometteur par son bouquet naissant de fruits noirs et de grillé, avec une touche de poivron, ce vin développe un palais riche, rond, et doté d'une belle mâche. Ses tanins mûrs et sa longue finale suggèrent une attente de quatre ans.
Nicolas et Françoise de Courcel, Ch. Saint-Ahon, 57, rue de Saint-Ahon, Caychac, 33290 Blanquefort, tél. 05.56.35.06.45, fax 05.56.35.87.16, info@saintahon.com r.-v.

CH. SOCIANDO-MALLET 2009 **

■ 400 000 30 à 50 €

(82) **85 86 88 89 90 91 93** (95) (96) **97** (98) **99** (00) **01 02 03 04 05 06 07 09**

Si le terroir de ce château à la renommée incontestable est excellent, avec des graves regardant l'estuaire, il ne serait rien sans la touche du vinificateur. La part majoritaire des cabernets (surtout du cabernet-sauvignon) permet chaque année d'obtenir un grand vin de garde. Ce 2009 à la robe sombre ne fait pas exception à la règle. Annoncé par un riche bouquet mêlant le cuir, les baies sauvages et des nuances de pain grillé, il dévoile une matière élégante, tout en rondeur et en douceur, qui lui permettra d'être apprécié à partir de 2016-2017. Notée deux étoiles également, la cuvée spéciale **Jean Gautreau 2009 (4 500 b.)** associe richesse, gras et arômes gourmands. Elle sera attendue au moins trois à quatre ans. Enfin, **La Demoiselle de Sociando-Mallet 2009 (15 à 20 € ; 130 000 b.)**, élégante mais moins puissante, est citée.
SCEA Jean Gautreau, Ch. Sociando-Mallet, 33180 Saint-Seurin-de-Cadourne, tél. 05.56.73.38.80, fax 05.56.73.38.88, info@sociandomallet.com r.-v.

CH. SOUDARS 2009 *

■ 140 000 15 à 20 €

Du même producteur que les Châteaux Coufran et Verdignan mais issu d'un vignoble situé du côté stéphanois de la commune de Saint-Seurin-de-Cadourne, ce vin séduit par la densité de sa robe presque noire. Ses arômes de fruits bien mûrs rivalisent avec de légères notes toastées. Le palais, après une attaque en rondeur, développe une structure tannique ample, puissante et presque fondue. Tout promet un beau moment de dégustation dans quatre ou cinq ans.
SAS Vignobles E. F. Miailhe, Ch. Soudars, 33180 Saint-Seurin-de-Cadourne, tél. 05.56.59.36.09, fax 05.56.59.72.39, contact@chateausoudars.com r.-v.

CH. TOUR BEL AIR Prestige 2009 *

■ 10 000 8 à 11 €

Associés en 2006 pour reprendre ce cru artisan (un vignoble d'à peine 8 ha), trois anciens camarades de classe présentent un vin issu d'une sélection de leurs vieilles vignes. Ce Prestige a bénéficié d'une cuvaison longue (quatre semaines à température maîtrisée) qui lui a apporté une mâche caractéristique. L'équilibre entre les arômes de fruits cuits et de bois que révèle le bouquet se retrouve au palais pour donner un vin ample, riche et solidement armé pour la garde.
SCEA BDM, 28, rte de Lucrubey, 33250 Cissac-Médoc, tél. 06.31.83.06.90, c.tourbelair@orange.fr r.-v.

CH. LA TOUR CARNET 2009 **

■ 4e cru clas. 300 000 20 à 30 €

83 85 86 (88) **89 90 93** 94 (96) **97 98 99 00 01 02 03 04 05 06** 07 **08 09**

Un peu atypique par son encépagement (62 % de merlot, 33 % de cabernet-sauvignon, plus une pincée de cabernet franc et de petit verdot), ce cru classé présente ici un 2009 surprenant par la fraîcheur de son palais, par ailleurs fort bien construit. Ses tanins, bien présents et d'une grande finesse, comme son bouquet, mariage réussi du boisé et des fruits rouges, en font un vin harmonieux, élégant, que l'on pourra commencer à déguster dans trois ou quatre ans.
Ch. la Tour Carnet, rte de Beychevelle, 33112 Saint-Laurent-Médoc, tél. 05.56.73.30.90, fax 05.56.59.48.54, latour@latour-carnet.com
Bernard Magrez

CH. VALENTIN 2009 *

■ 12 600 8 à 11 €

Né à Soussans, aux portes de l'appellation margaux, ce vin se montre digne de son origine prestigieuse par son élégante expression aromatique, aux notes de fruits rouges frais, de cuir et de fumé. Souple à l'attaque, long et gourmand, le palais s'appuie sur des tanins serrés qui devront s'arrondir en finale : trois ou quatre années de garde.
SCEA des Vignobles Jean Sorge, 1, rue Valentin-Deyrem, 33460 Soussans, tél. 05.57.88.35.70, fax 05.57.88.36.84, contact@chateau-deyrem-valentin.com r.-v.

CH. VERDIGNAN 2009 *

■ 360 000 15 à 20 €

90 **95** 96 98 99 **00** 01 02 03 05 07 08 09

Conduit par la famille Miailhe, tout comme le Château Coufran, Verdignan se distingue de ce cru par son encépagement médocain plus classique, comprenant une majorité (65 %) de cabernet-sauvignon. Son 2009 se montre équilibré, généreux et bien charpenté, avec un agréable côté charnu. Encore jeune dans son expression aromatique – on distingue des notes de myrtille, soulignées de nuances de boîte à cigare –, il mérite d'être attendu quatre ou cinq ans.
SC Ch. Verdignan, 33180 Saint-Seurin-de-Cadourne, tél. 05.56.59.31.02, fax 05.56.81.32.35, emiailhe@coufran-verdignan.com r.-v.
Éric Miailhe et Marie-Cécile Vicaire

♥ CH. DE VILLEGEORGE 2009 **

■ 58 214 11 à 15 €

90 93 94 95 **96** 97 98 99 00 **02** 03 **04 05 06 07** 08 **09**

Fin connaisseur des terroirs, Lucien Lurton a acquis en 1973 cette propriété située entre Cantenac et Avensan

et l'a dotée d'un encépagement parfaitement adapté au type de sol (des graves pyrénéennes) : 58 % de merlot et 42 % de cabernet-sauvignon. Sa fille Marie-Laure poursuit son œuvre dans cet esprit avec un double souci de respect des traditions et de l'environnement. Régulièrement remarqué dans le Guide, ce cru fait cette année des étincelles. Son 2009 se distingue d'abord par sa finesse aromatique, mariant au nez comme en bouche les fruits noirs bien mûrs (cassis, sirop de mûre) à une légère pointe de truffe, puis par sa matière élégante, onctueuse, portée par des tanins veloutés et d'une belle puissance. Une bouteille très harmonieuse qui débutera son apogée aux environs de 2016.

Vignobles Marie-Laure Lurton, 2036, Chalet,
33480 Moulis-en-Médoc, tél. 05.56.58.22.01,
fax 05.56.58.15.10, contact@marielaurelurton.com
r.-v.

Listrac-médoc

Superficie : 635 ha
Production : 25 205 hl

Correspondant exclusivement à la commune éponyme, listrac-médoc est l'appellation communale la plus éloignée de l'estuaire. Original, son terroir correspond au dôme évidé d'un anticlinal, où l'érosion a créé une inversion de relief. À l'ouest, à la lisière de la forêt, se développent trois croupes de graves pyrénéennes, dont les pentes et le sous-sol souvent calcaire favorisent le drainage naturel des sols. Le centre de l'AOC, le dôme évidé, est occupé par la plaine de Peyrelebade, aux sols argilo-calcaires. Enfin, à l'est, s'étendent des croupes de graves garonnaises.

Le listrac est un vin vigoureux ; toutefois, contrairement au style d'autrefois, sa robustesse n'implique plus aujourd'hui une certaine rudesse. Si certains vins restent un peu durs dans leur jeunesse, la plupart contrebalancent leur force tannique par leur rondeur. Tous offrent un bon potentiel de garde, jusqu'à quinze ans dans les grands millésimes.

CH. CAPDET Élevé en fût de chêne 2009 ★★

39 967 — 11 à 15 €

Anciennement Domaine du Puy de Menjon, ce cru représente un peu l'archétype du listrac traditionnel avec une légère prédominance du merlot (56 %) dans son assemblage. Très jeune dans sa robe profonde à reflets violacés, le 2009 fait preuve d'une belle complexité aromatique, développant des fragrances de réglisse, de chocolat et de pain toasté. Tendre et fruitée en attaque (mûre, cassis), sa bouche nous rappelle par sa structure et sa mâche que le cabernet-sauvignon (42 %) est bien présent et qu'il permettra à cette bouteille de se bonifier avec le temps. Prévoir cinq ans de garde au minimum.

Cave Grand Listrac, 21, av. de Soulac,
33480 Listrac-Médoc, tél. 05.56.58.03.19, fax 05.56.58.07.22,
grandlistrac@wanadoo.fr t.l.j. 9h-12h 14h-18h

CH. CAP LÉON VEYRIN 2009 ★★

60 000 — 15 à 20 €

Au XIXe s., les deux frères Meyre, du domaine de Cap Léon, épousèrent les deux filles du propriétaire du domaine de Veyrin. Ainsi naquit le Château Cap Léon Veyrin et son vignoble – 50 ha aujourd'hui. La tradition familiale est toujours maintenue avec brio, comme le montre ce vin authentique, ample et racé, qui affiche ses qualités dès le premier nez, avec de puissants arômes de fruits rouges et de poivre. Il confirme sa qualité au palais par une structure charnue, équilibrée et corsée qui, associée à une longue finale épicée, appelle un séjour en cave de cinq ou six ans, voire plus.

SCEA Vignobles Alain Meyre,
Ch. Cap Léon Veyrin, 54, rte de Donissan,
33480 Listrac-Médoc, tél. 05.56.58.07.28, fax 05.56.58.07.50,
caplconveyrin@aol.com
t.l.j. sf sam. dim. 9h-12h 14h-17h30 2

CH. CLARKE 2009 ★★

250 000 — 20 à 30 €

(86) 88 89 90 95 96 97 98 99 00 01 02 03 04 05 06 07 08 09

Cet incontournable vignoble, racheté par le baron Edmond de Rothschild en 1979, est planté sur un terroir calcaire et argilo-calcaire, et fait preuve d'originalité par son encépagement à forte proportion de merlot (70 % dans ce millésime). Encore un peu sur la réserve à l'olfaction, son 2009 séduit par son équilibre, sa souplesse, la richesse de sa charpente et par ses arômes naissants de fruits noirs et de vanille. Il demandera deux ou trois ans avant de se livrer pleinement sur du gibier en daube.

Expl. Vinicole Edmond de Rothschild,
33480 Listrac-Médoc, tél. 05.56.58.38.00, fax 05.56.58.26.46,
contact@cver.fr t.l.j. sf sam. dim. 9h-12h 14h-16h30

CH. DACHER DE DELMONTE 2009 ★★

8 000 — 11 à 15 €

Ses dimensions modestes (2 ha seulement) n'empêchent pas ce cru de bénéficier d'un encépagement diversifié, avec 60 % de merlot, 30 % de cabernet-sauvignon et 10 % de petit verdot. Alain Capdevielle et son épouse Francine en tirent un 2009 authentique, qui allie en toute harmonie la puissance et l'élégance. Vêtu d'une robe soutenue à reflets grenat, il s'ouvre sur un bouquet à la fois fruité, toasté et épicé. Tendre et intense dès l'attaque, le palais dévoile une richesse indéniable, du volume et des tanins ronds et soyeux. On oubliera cette bouteille en cave pendant cinq ans.

Alain Capdevielle, 20, rte du Moulin-de-Laborde,
33480 Listrac-Médoc, tél. 06.21.16.31.27, fax 05.56.58.89.28,
chateau.dacherdedelmonte@orange.fr r.-v.

CH. DONISSAN 2009 ★

■ 60 000 8 à 11 €

Trois siècles et demi de présence familiale sur cette propriété ont permis d'établir une vraie complicité entre l'homme et le terroir. Marie-Véronique Laporte, en charge du cru depuis quinze ans, propose un listrac flatteur par ses intenses parfums de fruits rouges confiturés, nuancés d'une discrète pointe de truffe. Rond et bien structuré, ce 2009 laisse en bouche le souvenir d'un accord harmonieux entre le fruit et le bois. On pourra l'apprécier sans avoir à attendre trop longtemps.

Marie-Véronique Laporte,
Ch. Donissan, 4, chem. de Martinon, 33480 Listrac-Médoc,
tél. 05.56.58.04.77, fax 05.56.58.04.45,
chateau.donissan@wanadoo.fr r.-v.

CH. FOURCAS-BORIE 2009 ★

■ n.c. 15 à 20 €

Entré l'an dernier dans le Guide, ce jeune cru de Bruno Borie revient cette année avec un 2009 d'une réelle élégance. Celle-ci se traduit dans son expression aromatique, de fines notes de raisins bien mûrs nuancées d'un léger vanillé, comme dans son développement au palais, soutenu par des tanins amples et soyeux, d'une grande finesse. Un bel exercice de style pour un plaisir immédiat.

SCA Ch. Fourcas-Borie, 12, rue Odilon-Redon,
33480 Listrac-Médoc, tél. 05.56.58.03.84, fax 05.56.58.01.20,
info@chateau-fourcas-dumont.com r.-v.
Borie

GRAND LISTRAC La Caravelle Élevé en fût de chêne 2009 ★

■ n.c. 11 à 15 €

Seules 35 parcelles, sur les 1 200 dont dispose la cave coopérative, entrent dans la composition de cette Caravelle. Grâce à cette sélection impitoyable, elle se montre aussi expressive que structurée, annoncée par un bouquet de fruits rouges, d'épices douces et de pain toasté qu'accompagne un soupçon de violette. Très bien constituée et fruitée, avec une pointe d'acidité relayée en finale par des tanins encore boisés, cette bouteille méritera d'être attendue trois ou quatre ans. On patientera avec le **Grand Listrac 2009 (5 à 8 €; 137 000 b.)**, cité pour son volume et sa richesse aromatique.

Cave Grand Listrac, 21, av. de Soulac,
33480 Listrac-Médoc, tél. 05.56.58.03.19, fax 05.56.58.07.22,
grandlistrac@wanadoo.fr t.l.j. 9h-12h 14h-18h

CH. LALANDE 2009 ★★

■ n.c. 8 à 11 €

Se présentant sous une étiquette rajeunie, plus moderne, ce 2009 né sur 9 ha d'un terroir de graves et d'argilo-calcaires se montre d'une grande finesse. Charnu et très structuré, avec ses tanins riches et arrondis, il s'annonce par de jolies nuances de groseille et de fraise des bois qu'agrémentent quelques notes fumées. Le fruit persiste dans une longue finale aux accents acidulés qui promet une belle garde de trois ou quatre ans.

EARL Darriet-Lescoutra, 15, rte du Mayne-de-Lalande,
33480 Listrac-Médoc, tél. 06.87.06.46.78, fax 05.56.58.15.62,
chlalande.listrac@orange.fr
t.l.j. 9h-12h 14h-18h; sam. dim. sur r.-v.

CH. LESTAGE 2009 ★

■ 185 000 15 à 20 €

Issu d'une vaste unité d'un seul tenant, que commande un château typique du style Napoléon III, ce vin un peu timide au premier abord révèle à l'aération une belle complexité dans son expression aromatique (résine, réglisse, baies rouges et noires). Le palais dévoile une matière ample et riche, soutenue par une structure puissante et un boisé doux qui laisse entrevoir le fruit à l'arrière-plan. Ce 2009 méritera quatre ou cinq ans de patience pour se fondre. Du même propriétaire, le **Ch. Fonréaud 2009 (11 à 15 €; 110 000 b.)**, un peu plus austère en finale, et le **Clos des Demoiselles 2009 (11 à 15 €; 18 000 b.)**, frais et boisé, sont cités.

SC Ch. Lestage, 33480 Listrac-Médoc, tél. 05.56.58.01.05,
fax 05.56.58.04.33,
caroline.philippon@vignobles-chanfreau.com r.-v.
Famille Chanfreau

CH. LIOUNER 2009 ★

■ 50 000 15 à 20 €

Un peu en retrait des grands axes routiers, cette propriété de 27,5 ha située à l'orée de la forêt fait son entrée dans le Guide avec un 2009 d'une jolie complexité aromatique. Dominé par le merlot (64 % de l'assemblage), ce vin s'annonce par un intense bouquet de fruits noirs aux accents poivrés. Bien équilibré et structuré, soutenu par des tanins ronds mais encore marqués par le boisé de l'élevage, il s'étire dans une longue finale aux nuances épicées. On l'ouvrira à partir de 2014-2015.

EARL Bosq et Fils, 10, rte de Benon, Libardac,
33480 Listrac-Médoc, tél. 05.56.58.05.62, fax 05.56.58.01.21,
bosq.fils@orange.fr
t.l.j. 9h-12h 14h-17h30; sam. dim. sur r.-v.

CH. MAYNE LALANDE 2009

■ 50 000 15 à 20 €

Les habitués du cru ne seront pas étonnés par la personnalité de ce 2009, un listrac auquel Bernard Lartigue consacre autant de cabernet-sauvignon que de merlot (45 %), y ajoutant une pincée de petit verdot et de cabernet franc. Encore dominé par le boisé, le bouquet laisse la place à une bouche concentrée, à la structure solide et aux accents mentholés en finale. Un vin bien construit qui appelle trois ou quatre ans de garde pour exprimer toutes ses potentialités.

Moulis et Listrac

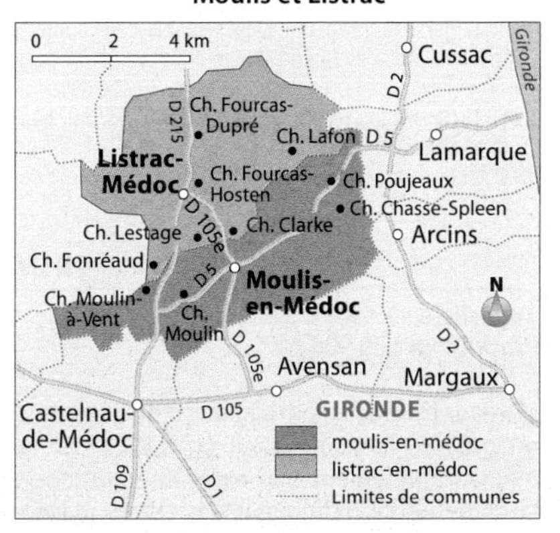

🔑 Bernard Lartigue, 7, rte du Mayne, 33480 Listrac-Médoc, tél. 05.56.58.27.63, blartigue2@wanadoo.fr
t.l.j. sf sam. dim. 9h-12h30 14h-17h30

CH. REVERDI 2009 ★

■	39 470		11 à 15 €

02 |03| |04| |06| 07 08 09

Régulier en qualité, ce cru aujourd'hui conduit par Mathieu et Audrey Thomas, frère et sœur, a pleinement profité des opportunités offertes par le millésime. Se présentant dans une robe digne de la haute couture, son 2009 affirme sa jeunesse par un bouquet tout entier porté sur la réglisse, la fumée, des notes grillées et un soupçon de fruits mûrs. On devine déjà sa future complexité quand le bois se sera fondu. Ample, soyeuse et longue, sa matière lui garantit un solide potentiel qui invite à l'attendre quatre ou cinq ans avant de le servir sur des brochettes d'agneau.
🔑 Vignobles Thomas, 11, rte de Donissan, 33480 Listrac-Médoc, tél. 05.56.58.02.25, fax 05.56.58.06.56, contact@chateaureverdi.fr
t.l.j. sf dim. 9h-12h 14h-18h

CH. SAINT-MARTIN 2009

■	50 814		11 à 15 €

Comme plusieurs autres châteaux de l'appellation, Michel Chevalier et son fils Cédric ont confié la vinification et l'élevage de leur listrac à la coopérative. Leur 2009 livre au nez des arômes de fruits rouges que côtoie un boisé bien fondu. La bouche à la structure souple, étoffée et soyeuse, finit sur des nuances épicées et laisse présager une belle évolution dans un avenir de trois ans.
🔑 Cave Grand Listrac, 21, av. de Soulac, 33480 Listrac-Médoc, tél. 05.56.58.03.19, fax 05.56.58.07.22, grandlistrac@wanadoo.fr t.l.j. 9h-12h 14h-18h

CH. SARANSOT-DUPRÉ 2009 ★

■	70 000		15 à 20 €

86 88 89 90 91 93 95 96 98 99 |00| 01 |02| |03| (05) 06 07 09

L'esprit de la tradition souffle sur ce cru conduit depuis trente ans par Yves Raymond, qui tient à garder une part assez importante de cabernet franc (15 %) pour son listrac, qui tend à augmenter aussi la proportion de petit verdot et introduit même un peu de carménère. Fin et très séduisant, ce 2009 livre à l'agitation des parfums de fruits noirs, de cuir et d'épices. Concentré, structuré, ample et persistant, le palais sait en même temps rester fruité, aimable et gourmand. Déjà agréable, cette bouteille pourra être attendue quatre ou cinq ans.
🔑 Yves Raymond, Ch. Saransot-Dupré, 4, Grande-Rue, 33480 Listrac-Médoc, tél. 05.56.58.03.02, fax 05.56.58.07.64, y@saransot-dupre.com
t.l.j. sf sam. dim. 9h-12h 14h-17h

Margaux

Superficie : 1 490 ha
Production : 60 900 hl

Margaux est le seul nom d'appellation à être aussi un prénom féminin. Est-ce un hasard ? Si les margaux présentent une excellente aptitude à la garde, ils se distinguent des autres grandes appellations communales médocaines par leur délicatesse que soulignent des arômes fruités d'une agréable finesse. Ils constituent l'exemple même des bouteilles tanniques généreuses et suaves.

Leur originalité tient à de nombreux facteurs. Les aspects humains ne sont pas à négliger. À l'écart de Saint-Julien, de Pauillac et de Saint-Estèphe, les viticulteurs margalais ont moins privilégié le cabernet-sauvignon : tout en restant minoritaire, le merlot prend ici une importance accrue. Par ailleurs, l'appellation, la plus vaste des communales du Médoc, s'étend sur le territoire de cinq communes : Margaux et Cantenac, Soussans, Labarde et Arsac. Dans chacune d'elles, seuls les terrains présentant les meilleures aptitudes viti-vinicoles font partie de l'AOC. Le résultat est un terroir homogène composé d'une série de croupes de graves. Celles-ci s'articulent en deux ensembles : à la périphérie se développe un système faisant penser à une sorte d'archipel continental, dont les « îles » sont séparées par des vallons, ruisseaux ou marais tourbeux ; au cœur de l'appellation, dans les communes de Margaux et de Cantenac, s'étend un plateau de graves blanches, d'environ 6 km sur 2, découpé en croupes par l'érosion. C'est dans ce secteur que sont situés nombre des 21 grands crus classés de l'appellation.

Remarquables par leur élégance, les margaux appellent des mets raffinés, comme le chateaubriand, le canard, le perdreau ou l'entrecôte à la bordelaise.

CH. ANGLUDET 2009 ★

■	80 000		30 à 50 €

Demeure de la famille Sichel depuis plus d'un demi-siècle, ce château est aussi un cru au joli terroir de graves sur lequel cabernet-sauvignon (53 %), merlot et petit verdot (12 %) ont donné naissance à un 2009 de belle facture, qui marie harmonieusement au nez arômes fruités et boisés (croûte de pain et vanille). La bouche attaque avec souplesse et rondeur avant de révéler en finale des tanins plus austères et un boisé encore dominant. Deux ou trois ans de vieillissement lui permettront de s'arrondir.
🔑 SCEA Ch. Angludet, 33460 Cantenac, tél. 05.57.88.71.41, fax 05.57.88.72.52, contact@chateau-angludet.fr r.-v.
🔑 Sichel

CH. LA BESSANE 2009 ★

■	12 000		20 à 30 €

Original par son encépagement donnant la majorité au merlot, associé au cabernet-sauvignon et à une proportion non négligeable de petit verdot (20 %), ce vin à la jolie robe rubis sait charmer par son bouquet de petits fruits et d'épices (vanille et girofle), assorti d'une touche de fumée. Soutenue par des tanins fins et policés, la structure de ce 2009 permettra de l'apprécier d'ici deux ou trois ans.

SA Ch. Paloumey, 50, rue du Pouge-de-Beau,
33290 Ludon-Médoc, tél. 05.57.88.00.66, fax 05.57.88.00.67,
info@chateaupaloumey.com
t.l.j. 10h-18h; sam. dim. sur r.-v.
Martine Cazeneuve

CH. BOYD-CANTENAC 2009 ★★★

3e cru clas.	42 000		50 à 75 €

(82) **83 85 86 88** 89 **90 95** 96 97 |**98**| |**99**| **00** |02| 03 |04| **05 06** 07 08 (09)

CHATEAU
BOYD-CANTENAC
GRAND CRU CLASSÉ
MARGAUX
Appellation Margaux Contrôlée
2009
MIS EN BOUTEILLE AU CHATEAU

Situé sur le rebord septentrional du plateau de Cantenac, ce cru bénéficie d'un terroir de choix, dont Lucien Guillemet sait tirer le meilleur parti pour élaborer une admirable expression de l'appellation. D'un rubis à la fois sombre et éclatant, la robe de ce 2009 inspire confiance ; elle invite à découvrir l'élégance et la subtilité d'un bouquet passant des fruits noirs (mûre) à la vanille et aux épices, apports d'un bois finement dosé. Une même élégance et un grand équilibre caractérisent le palais, dont la puissance maîtrisée, les tanins présents mais soyeux, la complexité aromatique (fruits, tabac, épices douces) et la longue finale promettent à cette bouteille une heureuse évolution pendant cinq à dix ans en cave, avant une alliance gourmande avec des mets délicats, un filet de bœuf aux morilles par exemple. Porté par des tanins mûrs et bien appuyés par le bois, le **Ch. Tour Massac 2009 (20 à 30 € ; 3 000 b.)** est cité. On l'appréciera dans trois ou quatre ans.

SCE Ch. Boyd-Cantenac et Pouget,
11, rte de Jean-Faure, 33460 Cantenac, tél. 05.57.88.90.82,
guillemet.lucien@wanadoo.fr r.-v.
Famille Guillemet

CH. BRANE-CANTENAC 2009 ★

2e cru clas.	150 000		50 à 75 €

82 **83** 84 **85** (86) 87 **88** |**89**| |**90**| 93 **94 95** (96) **97 98** |**99**| |**00**| |03| 04 05 06 07 08 09

On pouvait se demander si dans un millésime comme 2009, Henri Lurton réussirait à rester fidèle à l'esprit du cru, qui mise avant tout sur l'élégance. Certes son vin, drapé dans une élégante robe d'encre aux reflets grenat, montre une légère austérité de jeunesse en finale, preuve qu'il a du temps devant lui. Mais après une attaque tout en souplesse, le palais allie une réelle richesse, de la mâche et un gros volume à une rondeur avenante et à une grande finesse des tanins. À cela s'ajoute un bouquet intense et complexe (fruits, épices, touche empyreumatique), et l'on

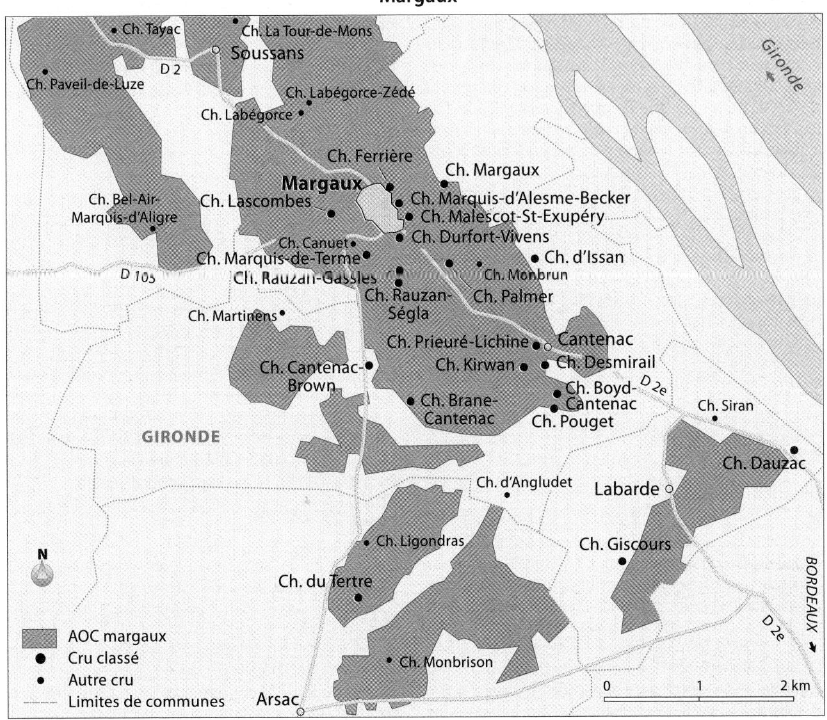

obtient un « vrai Brane », équilibré et charmeur, qui a tout pour agacer les adeptes du body-building. Tout aussi rond, plaisant et bien bâti, le second vin **Baron de Brane 2009 (15 à 20 € ; 150 000 b.)** obtient également une étoile.

Henri Lurton, Ch. Brane Cantenac, 33460 Margaux, tél. 05.57.88.83.33, fax 05.57.88.72.51, contact@brane-cantenac.com r.-v.

L'AURA DE CAMBON LA PELOUSE 2009 ★

■	3 050	20 à 30 €

Acquis en 2001 par Jean-Pierre Marie, ce petit vignoble cantenacais dépendant du château Cambon la Pelouse (haut-médoc) jouxte les vignes de château Margaux et de château Brane-Cantenac. Ce margaux affiche un caractère bien trempé avec sa robe profonde presque noire, ses parfums puissants de pruneau, de toast, d'épices et de vanille, sa matière riche au boisé encore sensible et aux tanins gras et puissants. Une belle alliance en perspective avec une palombe à la goutte de sang dans trois à cinq ans.

SCEA Cambon la Pelouse, 5, chem. de Canteloup, 33460 Macau, tél. 05.57.88.40.32, fax 05.57.88.19.12, contact@cambon-la-pelouse.com r.-v.

Marie

CH. CANTENAC BROWN 2009 ★★

■ 3e cru clas.	107 000	30 à 50 €

82 83 85 86 88 89 (90) 91 92 93 94 95 96 97 98 99 |00| |02| 03 04 05 06 07 08 09

Commandée par un monumental château néo-Tudor dessiné au début du XIXe s. par le peintre animalier d'origine écossaise John Lewis Brown, amateur de bons vins et de grandes fêtes, cette propriété fait preuve d'une belle régularité que couronne ce millésime particulièrement réussi. D'un rouge cerise brillant, la robe engage un travail de séduction que poursuit le bouquet complexe et élégant de fruits rouges mûrs en confiture, de vanille et de torréfaction. Souple, ample et riche en fruit dès l'attaque, le palais évolue avec beaucoup de présence et de persistance, dévoilant des tanins parfaits, d'une rare finesse, et un plaisant côté pruneau en finale. D'une réelle harmonie, cette bouteille commencera à s'apprécier dans trois à cinq ans, et pourra aussi affronter sans crainte la décennie. Issu de parcelles sélectionnées avant les vendanges, le **Brio de Cantenac Brown 2009 (15 à 20 € ; 146 000 b.)** n'hésite pas à rivaliser en qualité avec le grand vin, et décroche lui aussi deux étoiles pour son caractère à la fois puissant et frais, très velouté et soyeux. Deux grandes bouteilles pour des mets délicats.

Ch. Cantenac-Brown, 33460 Cantenac, tél. 05.57.88.81.81, fax 05.57.88.81.90, contact@cantenacbrown.com r.-v.

Famille S. Halabi

CH. CHANTELUNE 2009

■	7 200	20 à 30 €

Chantelune ? M. Soubrane, ancien propriétaire du domaine et charpentier de son état, coupait le bois de charpente à la pleine lune car celui-ci, disait-il, n'est alors jamais attaqué par les insectes et il devient inaltérable. Il planta aussi des vignes sur le point culminant de l'appellation, et confia les rênes du cru en 2005 à José Sanfins. Ce vin s'annonce par des parfums discrètement fruités, avant de laisser s'exprimer l'apport de l'élevage. Souple et soyeux en bouche, il s'appuie sur une bonne trame tannique, qui permettra d'attendre deux ou trois ans pour laisser au merrain le temps de se fondre.

José Sanfins, 16, chem. du Vieux-Chêne, 33460 Lamarque, tél. 06.10.46.34.35, fax 05.57.88.81.90, sanfinsjose@aol.com r.-v.

CLOS DES QUATRE VENTS 2009 ★★

■	7 000	50 à 75 €

Installé en 2005 sur ce cru « ouvert aux quatre vents », Luc Thienpont signe un remarquable 2009 où le merlot (50 %) domine d'une courte tête le cabernet-sauvignon, le petit verdot (5 %) venant en complément. Il en résulte un margaux paré d'une robe soutenue, au bouquet très élégant de fruits noirs (cassis, mûre) sur un fond toasté qui donne envie d'aller plus loin. Ample, rond et puissant, étayé par des tanins soyeux, le palais témoigne d'un beau mariage entre le fruit et le merrain, tout en garantissant un solide potentiel de garde. Simple et sincère, bien équilibré, le **Ch. Tayac-Plaisance 2009 (20 à 30 €)** est cité.

Luc Thienpont, Clos des Quatre Vents, 33460 Margaux, tél. 05.56.58.97.90, fax 05.57.88.19.15, lucthienpont@wanadoo.fr r.-v.

CH. CONFIDENCE DE MARGAUX 2009 ★

■	20 000	15 à 20 €

Ancien directeur technique de Lafite Rothschild et de Duhart-Milon puis de L'Évangile à Pomerol, Dominique Befve a créé ce domaine en 2005. Bien qu'encore assez fermé, son 2009, mi-merlot mi-cabernet-sauvignon, s'ouvre lentement ; si le bois domine au premier nez, on sent percer ensuite les fruits rouges agrémentés de notes de cuir. Le palais se montre à la fois souple et puissant, encore dominé par un boisé intense. À attendre trois à cinq ans pour laisser au merrain le temps de se fondre.

Vinodom, 121, av. du Port-du-Roy, 33290 Blanquefort, tél. 06.62.51.12.79, d.befve@free.fr

Pia et Dominique Befve

CH. LE COTEAU 2009 ★★

■	55 000	15 à 20 €

Il est réconfortant de voir que le développement des grands domaines n'empêche pas certains crus familiaux de se maintenir, témoin cette exploitation reprise en main en 1993 par Éric Léglise. Ce dernier signe un 2009 aussi plaisant par sa robe d'une teinte aubergine très soutenue, que par son bouquet fruité (cassis, mûre) et épicé (girofle et poivre). Le palais se révèle à la fois souple, frais, dense et puissant. Une garde d'au moins quatre ou cinq ans est conseillée avant un heureux mariage avec des viandes grillées. Un peu moins intense mais bien équilibré et porté par des tanins serrés, le second vin, **Ch. Laroque 2009 (11 à 15 € ; 18 000 b.)**, obtient une étoile.

Ch. le Coteau, 39, av. Jean-Luc-Vonderheyden, 33460 Arsac, tél. et fax 05.56.58.82.30, e.leglise@wanadoo.fr r.-v.

Éric Léglise

CH. DAUZAC 2009 ★

■ 5e cru clas.	103 000	30 à 50 €

82 83 85 86 88 89 (90) 92 93 95 96 97 98 99 |00| |01| |02| 03 |04| 05 06 07 08 09

Les fidèles du cru seront heureux de trouver dans cette bouteille la complexité aromatique qui constitue l'une des marques de fabrique du domaine. Mais là ne s'arrêtent pas ses qualités. On apprécie également dans ce vin l'équilibre entre les arômes de raisin bien mûr et de merrain (torréfaction) du bouquet, le côté rond et charnu de la bouche, que soutiennent d'harmonieux tanins fins et soyeux. Très prometteur, ce margaux est armé pour durer ; on commencera à l'apprécier dans quatre ou cinq ans.

SCA Ch. Dauzac, 1, av. Georges-Johnston, 33460 Labarde, tél. 05.57.88.32.10, fax 05.57.88.96.00, chateaudauzac@chateaudauzac.com r.-v.

MAIF

CH. DESMIRAIL 2009 ★

■ 3e cru clas. 67 000 20 à 30 €

Fidèle au style qu'a toujours défendu son père Lucien, Denis Lurton privilégie l'élégance et de la finesse. L'objectif est pleinement atteint avec ce vin au bouquet complexe de baies rouges mûres, d'épices et de boisé subtil, qui fait preuve d'une très belle tenue au palais avec ses tanins souples et soyeux, ses notes d'élevage bien fondues et sa longue finale. À attendre trois à cinq ans. Plus simple mais fort plaisant par son équilibre et par sa matière fine, le second vin **Initial de Desmirail 2009 (15 à 20 € ; 76 000 b.)** est cité.

SCEA Ch. Desmirail, 28, av. de la Ve-République, 33460 Cantenac, tél. 05.57.88.34.33, fax 05.57.88.96.27, contact@desmirail.com r.-v.

Denis Lurton

CH. DEYREM VALENTIN 2009 ★★

■ 77 000 20 à 30 €

Le nom du domaine évoque Valentin Deyrem, premier maire de la commune de Soussans après la Révolution. Jean Sorge y exploite un vignoble de 15 ha et signe des vins empreints de délicatesse et de fraîcheur. Ce millésime lui a permis d'ajouter de l'ampleur, de la rondeur, de la suavité et de la longueur, pour parvenir à un ensemble très harmonieux, séveux, expressif et complexe (fruits cuits, pruneau, épices). Une superbe bouteille à attendre quatre ou cinq ans, et plus encore.

SCEA des Vignobles Jean Sorge, 1, rue Valentin-Deyrem, 33460 Soussans, tél. 05.57.88.35.70, fax 05.57.88.36.84, contact@chateau-deyrem-valentin.com r.-v.

CH. DES EYRINS 2009 ★

■ 15 000 30 à 50 €

Changement de mains au domaine. En 2009, Éric Grangerou, héritier de trois générations de maîtres de chai à Château Margaux, a cédé cette exploitation aux Gonet-Médeville, du château Les Justices à Sauternes. Ces derniers ont eu la chance de commencer par un beau millésime : la robe intense, le bouquet complexe, où les fruits sont assortis de nuances fumées et boisées, et le palais ample et charnu, soutenu par des tanins denses et enrobés, composent une bouteille harmonieuse et apte à une bonne garde.

Julie Gonet-Médeville, 27, cours Pey-Berland, 33460 Margaux, tél. 05.56.76.28.44, fax 05.56.76.28.43, contact@gonet-medeville.com r.-v.

CH. FERRIÈRE 2009

■ 3e cru clas. 55 000 20 à 30 €

83 84 (85) 86 87 88 89 92 93 94 95 96 97 98 99 00 01 02 03 04 05 06 07 08 09

Avec 10 ha, c'est le plus petit vignoble des crus classés en 1855, propriété des Villars depuis 1992. Sans chercher à rivaliser avec certains millésimes antérieurs, ce vin se montre plaisant par l'élégance de son bouquet aux jolies notes vanillées et toastées, et par la souplesse de sa structure, par ses tanins fondus et sa bonne persistance. À boire dans deux ou trois ans.

Claire Villars-Lurton, 33 bis, rue de Trémoille, 33460 Margaux, tél. 05.57.88.76.65, fax 05.57.88.98.33, infos@ferriere.com r.-v.

♥ CH. GISCOURS 2009 ★★

■ 3e cru clas. 265 000 30 à 50 €

82 83 85 (86) 88 89 90 91 93 94 97 98 99 00 01 02 03 04 05 06 07 08 09

Pour ce millésime, Didier Forêt, directeur technique du cru, et Jacques Boissenot, l'œnologue-conseil, ont choisi de privilégier la part du cabernet-sauvignon (53 %) et surtout du petit verdot (7 %) aux côtés du merlot. Une option judicieuse, à en juger par ce vin qui a fait grande impression. Sombre et profonde, la robe est aussi prometteuse que somptueuse, tout comme le bouquet, qui associe dans un subtil équilibre les fruits rouges, la vanille et des notes empyreumatiques. Après une attaque riche et fruitée, le palais tonifié par des sensations de fraîcheur se révèle ample, rond, plein et équilibré. Ses tanins soyeux et sa longue finale réglissée laissent le souvenir d'une profonde harmonie et ouvrent de belles perspectives de garde (dix ans et plus).

SE Ch. Giscours, 10, rte de Giscours, 33460 Labarde, tél. 05.57.97.09.09, fax 05.57.97.09.00, giscours@chateau-giscours.fr r.-v.

CH. D'ISSAN 2009 ★

■ 3e cru clas. 85 000 50 à 75 €

82 83 85 86 88 89 90 93 94 95 96 98 99 00 01 02 03 04 05 06 07 08 09

À l'image du château, qui réunit harmonieusement une place forte médiévale et un élégant manoir Louis XIII, ce vin réussit l'alliance du charme et de la puissance. Mariage subtil de notes torréfiées, fumées et fruitées, le bouquet est aussi intense que la robe, d'un beau grenat foncé. Au palais, cette richesse aromatique s'associe à une structure tannique dense et solide, pour composer un ensemble fait pour durer. À découvrir vers 2020. Ample et fort agréable, le second vin, **Blason d'Issan 2009 (15 à 20 € ; 80 000 b.)**, obtient également une étoile.

Ch. d'Issan, BP 5, 33460 Cantenac, tél. 05.57.88.35.91, fax 05.57.88.74.24, issan@chateau-issan.com r.-v.

SFV Cantenac

CH. KIRWAN 2009 ★★★

■ 3e cru clas. 75 000 75 à 100 €

82 83 **85** ⑧⑥ 88 **89 93** 94 **95 96** 97 98 **99 00** 01 **02** **03** **04** **05 06 07** 08 ⑨

Commandé par une belle chartreuse entourée d'un parc de 2 ha aux arbres centenaires, agrémenté d'une tonnelle de roses anciennes, ce cru ne manque pas d'atouts œnotouristiques, d'ailleurs plusieurs fois primés lors des *Best of wine tourism*. Les amateurs peuvent aussi y découvrir la façon dont on élabore un grand vin et, en la matière, Kirwan sait de quoi il parle... Témoin ce 2009 admirable, qui fait suite à plusieurs millésimes coups de cœur du Guide. Ici, le vin conjugue élégance et puissance. La première est apportée par le bouquet, où les arômes de cerise mûre et de cassis se mêlent à une douce pointe vanillée. La seconde éclate au palais : du volume, des tanins soyeux enrobés d'une chair riche et épicée, une longueur remarquable. Déjà très harmonieuse, cette bouteille d'exception réserve encore de bien belles surprises à qui saura l'attendre quatre ou cinq ans, et bien plus encore. Pour l'heure marqué par son élevage, mais bien structuré, le second vin, **Charmes de Kirwan 2009 (20 à 30 € ; 39 000 b.)**, est cité.

Ch. Kirwan, 33460 Cantenac, tél. 05.57.88.71.00, fax 05.57.88.77.62, mail@chateau-kirwan.com r.-v.

Famille Schÿler

CH. LABÉGORCE 2009 ★

■ 120 000 20 à 30 €

La fusion en 2009 avec le château Labégorce Zédé a permis à cette grande propriété de retrouver son vignoble d'origine d'avant le partage de 1794. Premier millésime donc pour cette « nouvelle étiquette » ; ce 2009 libère de jolis parfums de fruits noirs mûrs, de vanille, de fumée et de café. Le palais se révèle corsé, consistant et charnu, soutenu par des tanins de qualité, dont la fermeté appelle une garde d'au moins quatre ou cinq ans. Le **Zédé de Labégorce 2009 (15 à 20 € ; 50 000 b.)**, bien équilibré entre fruité et boisé, aux tanins mûrs et enveloppés, obtient également une étoile.

SC Ch. Labégorce, 1, rte de Labégorce, 33460 Margaux, tél. 05.57.88.71.32, fax 05.57.88.35.01, mpoupard@chateau-marquis-dalesme.fr

t.l.j. sf sam. dim. 9h-12h 13h30-17h

Famille Perrodo

TRIANON DE LARIGAUDIÈRE 2009 ★

■ 18 000 15 à 20 €

Cuvée spéciale du château Haut Breton Larigaudière, ce vin fait une belle entrée dans le Guide. Drapé dans une seyante robe rubis profond, il livre un bouquet d'abord réservé, qui s'ouvre à l'aération sur les petits fruits mûrs, le boisé sachant « rester à sa place ». En bouche, on apprécie sa structure souple et ronde, sa fraîcheur et sa finale longue et tannique, gage d'un bon potentiel de garde. Un margaux bien construit, résultat d'une réelle maîtrise technique. Autre propriété du château Haut Breton Larigaudière, le **Ch. Castelbruck 2009 (18 500 b.)**, bien dans le style de l'appellation, élégant et équilibré, reçoit également une étoile.

SCEA Ch. Haut Breton Larigaudière, 3, rue des Anciens-Combattants, 33460 Soussans, tél. 05.57.88.39.14, fax 05.57.88.94.17, jean-stephane.millot@de-mour.com r.-v.

De Schepper

CH. LARRIEU TERREFORT 2009 ★

■ 15 000 11 à 15 €

Issu d'un cru à cheval sur les appellations haut-médoc et margaux, ce cru fait son entrée dans le Guide. Tout plaît dans ce 2009 : sa robe intense et limpide ; son bouquet un peu réservé mais fort engageant de fruits mûrs et de boisé ; son palais ample, gras et charnu, aux tanins puissants sans agressivité, qui autorisent une garde de trois à cinq ans.

Thierry Durousseau, 2, av. Georges-Johnston, 33460 Labarde, tél. 06.12.25.03.40, fax 05.57.88.10.16

r.-v.

CH. LASCOMBES 2009 ★★

■ 2e cru clas. 300 000 75 à 100 €

82 83 **85** ⑧⑥ **88 89 90 95 96** 97 98 00 **02** 03 **04** **05 06 07** 08 **09**

Avec 118 ha dont 94 de vignes, ce cru est l'un des plus vastes non seulement de l'appellation mais même du Médoc. Son vin impressionne d'emblée par son nez expressif et complexe, harmonieuse alliance de fruits noirs goûteux et un rien confits (mûre, myrtille, cerise noire) et d'épices, comme par son palais dense et puissant, qui reste délicat et onctueux, soutenu par un boisé marqué et une trame tannique serrée. À ouvrir à partir de 2016-2017. Une étoile est attribuée au **Chevalier de Lascombes 2009 (20 à 30 € ; 120 000 b.)** ample, vif et bien équilibré.

Ch. Lascombes, 1, cours de Verdun, BP 4, 33460 Margaux, tél. 05.57.88.70.66, fax 05.57.88.72.17, visite.lascombes@chateau-lascombes.fr r.-v.

MACSF

♥ CH. MALESCOT SAINT-EXUPÉRY 2009 ★★★

■ 3e cru clas. 114 800 75 à 100 €

82 **83 85 86 88** 89 90 **94** **95** **96** **98** **99** **00** 02 **03** 04 05 06 ⑦ **08** ⑨

Deux étoiles et un coup de cœur pour le 2008, trois étoiles pour le 2007, on se demandait ce qu'allait faire Malescot Saint-Exupéry avec cette grande année. La réponse des jurés est unanime : un coup de cœur et trois étoiles sans hésitation ! D'emblée, la robe très soutenue, couleur aubergine, vous attire. La bouche complexe déploie des senteurs subtiles de fruits noirs, de toasté, de vanille et de réglisse. Le palais attaque avec franchise, puis monte en puissance, porté jusque dans une longue finale par un boisé mesuré et par des tanins mûrs et soyeux. Un vin d'une grande harmonie, reflet d'une belle maîtrise à la vigne et au chai. Cette superbe bouteille pourra séjourner en cave de cinq à... vingt ans. Puissant, ample, élégant, boisé avec discernement et finement fruité, le second vin, **La Dame de Malescot 2009 (20 à 30 € ; 49 700 b.)**, décroche deux étoiles. Il mérite d'être attendu entre trois et dix ans.

SCEA Ch. Malescot Saint-Exupéry, 33460 Margaux, tél. 05.57.88.97.20, fax 05.57.88.97.21, malescotsaintexupery@malescot.com r.-v.

J.-L. Zuger

M DE MALLERET 2009 ★

	6 800	20 à 30 €

Original par sa composition (100 % merlot), ce vin, du même producteur que le Ch. Malleret (haut-médoc), se distingue par son bouquet de fruits noirs confiturés soulignés par d'élégantes touches torréfiées. Soutenu par des tanins bien fondus, le palais offre un bel équilibre, du volume et de la persistance. Une bouteille qui se plaira sur une côte de bœuf juste grillée, dans quatre ou cinq ans.

SCEA Malleret, 33290 Le Pian-Médoc, tél. 05.56.35.05.36, fax 05.56.35.05.38, contact@chateau-malleret.fr r.-v.

CH. MARGAUX 2009 ★★★

1er cru clas.	n.c.	+ de 100 €

61 70 71 75 78 79 80 81 82 83 84 85 86 87 88 89 90 91 92 93 94 95 96 97 98 99 00 01 02 03 04 05 06 07 08 09

La majesté de l'architecture néo-palladienne de son château fait de ce domaine un lieu hors du commun. C'est aussi (surtout) vrai du vin que 2009 ne pouvait que sublimer un peu plus encore. Et nous voici en présence DU margaux : un assemblage de 87 % de cabernet-sauvignon, 10 % de merlot, 1,5 % de cabernet franc et 1,5 % de petit verdot, d'une élégance absolue de bout en bout. De fait, toute la délicatesse des margaux s'exprime dans le bouquet profond, dense, complexe et d'une grande fraîcheur, alliance raffinée d'épices (poivre), de fruits frais (cassis, cerise noire), de nuances florales (violette) et mentholées. Suave, rond, généreux et sensuel à l'attaque, le palais monte progressivement en puissance, sans jamais perdre de son élégance. Tanins caressants, pureté aromatique, longueur exceptionnelle, fraîcheur insoupçonnée : la rencontre d'un grand millésime et d'une vinification parfaitement maîtrisée a donné ici un grand, un très grand bordeaux. Inutile de préciser que l'attendre est un devoir absolu...

SCA du Ch. Margaux, BP 31, 33460 Margaux, tél. 05.57.88.83.83, fax 05.57.88.31.32, chateau-margaux@chateau-margaux.com

PAVILLON ROUGE DU CH. MARGAUX 2009 ★★

	n.c.	+ de 100 €

82 83 84 85 86 88 89 90 93 95 96 97 98 99 00 01 02 03 04 05 06 07 08 09

Donnant une impression de fraîcheur dès le premier contact, tant par sa teinte rouge rubis à reflets violines que par son bouquet, le second du Château Margaux n'est pas sans rappeler le grand vin. Déployant une large palette aromatique – cerise noire, cèdre, vanille, notes fumées –, ce 2009 est lui aussi admirable. Suave, chaleureux, velouté et très fin, c'est un margaux typique par la remarquable rondeur et le soyeux de ses tanins. Un vin en dentelle, épanoui et précis, à attendre cinq à dix ans.

SCA du Ch. Margaux, BP 31, 33460 Margaux, tél. 05.57.88.83.83, fax 05.57.88.31.32, chateau-margaux@chateau-margaux.com

CH. MARQUIS D'ALESME-BECKER 2009 ★★

3e cru clas.	60 000	30 à 50 €

96 97 99 00 01 03 04 05 07 08 09

Confirmant les deux millésimes précédents, le 2009 du Marquis d'Alesme, qui ne fait pas dans la demi-mesure, atteste la volonté des Perrodo de hisser ce cru à un très haut niveau. Encore sous l'emprise d'un merrain laissant pour l'heure les fruits noirs à l'arrière-plan, le bouquet affiche une grande puissance. D'emblée, le palais « montre les muscles » et fait apparaître une structure dense, très solide, où les tanins du raisin sont renforcés par ceux du bois. « Plus pauillac que margaux », conclut un dégustateur, qui conseille une garde de dix ans et plus. Plus souple mais tout de même bien charpenté, le second vin, **Marquise d'Alesme 2009 (20 à 30 €; 10 000 b.)**, obtient une étoile. On l'appréciera plus tôt, dans trois à cinq ans.

SC Ch. Labégorce, 1, rte de Labégorce, 33460 Margaux, tél. 05.57.88.71.32, fax 05.57.88.35.01 t.l.j. sf sam. dim. 9h-12h 13h30-17h

Famille Perrodo

CH. MARQUIS DE TERME 2009 ★★

4e cru clas.	115 000	30 à 50 €

82 83 85 86 89 90 93 94 95 96 97 98 99 00 01 02 03 04 05 06 08 09

« Fruit, équilibre et élégance », les Sénéclauze ont des objectifs clairs. Et ils les atteignent avec ce vin qui s'inscrit parfaitement dans l'esprit du margaux. D'un rouge profond et limpide, ce 2009 livre des parfums complexes et nets de fruits rouges frais et de baies noires accompagnés de fortes nuances torréfiées apportées par les seize mois de fût. En bouche apparaît une solide charpente, aux tanins serrés mais fins, qui portent loin la finale. Alliance de la force et de l'élégance, cette bouteille harmonieuse possède un réel potentiel de garde : à ouvrir à partir de 2017.

Ch. Marquis de Terme, 3, rte de Rauzan, 33460 Margaux, tél. 05.57.88.30.01, fax 05.57.88.32.51, mdt@chateau-marquis-de-terme.com r.-v.

Sénéclauze

CH. MONBRISON 2009 ★

	52 000	30 à 50 €

Valeur sûre de l'appellation, ce cru est une nouvelle fois fidèle au rendez-vous du Guide avec ce vin grenat brillant au bouquet naissant et prometteur, mariant les fruits noirs aux épices et aux notes toastées de la barrique. Tannique, croquante et équilibrée, marquée par une noble amertume en finale, la bouche incite à garder cette bouteille en cave pendant deux ou trois ans au minimum.

Laurent Vonderheyden, 1, allée de Monbrison, 33460 Arsac, tél. 05.56.58.80.04, fax 05.56.58.85.33, lvdh33@wanadoo.fr r.-v.

CH. MONGRAVEY Cuvée spéciale 2009 ★★

■ 3 600 🍷 30 à 50 €

Haut de gamme provenant des meilleures parcelles de la propriété, cette Cuvée spéciale Mongravey n'est produite que dans les grandes années. D'emblée, la robe donne le ton par son intensité et par son élégance. Racé et complexe, le bouquet reste dans le même registre, en développant des arômes de croûte de pain, de torréfaction, de fumée, de fruits noirs et de poivre vert. Rond et charpenté, d'une grande distinction, tonifié par une touche mentholée, le palais invite à attendre cette bouteille, même s'il témoigne déjà d'une remarquable réussite. Moins dense, de bonne ampleur cependant, le lot principal **Ch. Mongravey 2009 (20 à 30 € ; 76 000 b.)** a obtenu une étoile pour ses tanins fins, sa fraîcheur, son fruité, et sa longueur. Un ensemble harmonieux, à déguster dans trois à cinq ans.

SCEA Mongravey, 8, av. Jean-Luc-Vonderheyden, 33460 Arsac, tél. 05.56.58.84.51, fax 05.56.58.83.39, chateau.mongravey@wanadoo.fr
r.-v.
Bernaleau

CH. PALMER 2009 ★★

■ 3e cru clas. 110 000 🍷 + de 100 €

82 83 84 85 (86) 88 89 90 91 92 93 94 |95| 96 97 98 |99| |00| |01| |02| |03| 04 05 06 07 08 09

Palmer jouit certes d'un très beau terroir de graves günziennes, mais cet atout ne doit pas faire oublier les mérites et le talent de son équipe de vinificateurs. Comme d'habitude, le merlot a ici la part belle (52 %) ; comme d'habitude, le résultat est superbe. Parfaitement typé par sa finesse, le grand vin revêt une robe scintillante et dévoile un bouquet qui n'hésite pas à montrer sa puissance à travers d'intenses notes de fruits noirs mûrs, de vanille et de toasté. Au palais, on retrouve la même complexité ainsi qu'une structure tannique de qualité, de la chair, du gras, un volume remarquable et une finale très longue et particulièrement racée. À attendre cinq à dix ans, au moins. Souple, équilibré et harmonieux, l'**Alter ego 2009 (50 à 75 € ; 88 000 b.)** obtient une étoile.

Ch. Palmer, lieu-dit Issan, 33460 Margaux, tél. 05.57.88.72.72, fax 05.57.88.37.16, chateau-palmer@chateau-palmer.com r.-v.

CH. PONTAC-LYNCH 2009 ★

■ 36 000 🍷 20 à 30 €

Chevauchant les deux communes de Margaux et de Cantenac, ce cru est établi sur des graves fines reposant sur un sous-sol argilo-calcaire. La qualité du terroir se retrouve dans le vin qui porte beau dans une robe sombre et dense, noire en profondeur et violine en surface. Rappelant les fruits cuits (pruneau), la violette et la réglisse associés à un beau boisé, le bouquet lui aussi donne envie de poursuivre la dégustation. On découvre alors une bouche corsée, charnue et savoureuse aux tanins veloutés. Une bouteille bien typée, à attendre quatre ou cinq ans.

GFA Ch. Pontac-Lynch, 28, rte du Port-d'Issan, 33460 Cantenac, tél. 05.57.88.30.04, fax 09.70.63.02.04, chateau-pontac-lynch@orange.fr r.-v.
M.-C Bondon

CH. PONTET-CHAPPAZ 2009 ★★

■ 32 924 🍷 15 à 20 €

Depuis 2000, ce petit cru de 7,74 ha d'un seul tenant a entrepris un très important effort qualitatif, à la vigne comme au chai. Il trouve sa juste récompense avec ce millésime remarquable. D'un pourpre intense, le vin se signale par des arômes aussi puissants qu'harmonieux de fruits rouges et de fleurs (violette). Puis, tapissant totalement le palais, il livre une matière riche, ample et vive à la fois, soutenue par une bonne structure tannique offrant un très bel équilibre. Les impatients pourront le déboucher assez prochainement, mais mieux vaut attendre cinq ou six ans pour profiter de son plein épanouissement.

SCEA Chappaz d'Argan, Ch. Pontet-Chappaz, 7, chem. de Bory, 33460 Arsac, tél. 06.80.85.98.77, fax 05.57.40.19.93, jf.corps@rcrgroup.fr

CH. POUGET 2009 ★

■ 4e cru clas. 28 000 🍷 30 à 50 €

85 86 88 89 90 92 94 95 96 97 |98| |99| 00 |01| |02| |03| |04| 05 06 |07| 08 09

Du même propriétaire que le château Boyd-Cantenac, ce vin issu d'une exploitation différente est plus modeste mais fort plaisant par sa complexité aromatique. On perçoit des notes de fruits noirs, de sous-bois et de toasté. Ce 2009 charme également en bouche par son équilibre et par sa structure solide soutenue par des tanins frais et par un boisé de qualité. Une bouteille qui s'inscrit bien dans l'esprit de l'appellation et que l'on conservera en cave trois ou quatre ans.

SCE Ch. Boyd-Cantenac et Pouget, 11, rte de Jean-Faure, 33460 Cantenac, tél. 05.57.88.90.82, guillemet.lucien@wanadoo.fr r.-v.
Famille Guillemet

CH. PRIEURÉ-LICHINE 2009 ★

■ 4e cru clas. 125 000 🍷 30 à 50 €

82 83 86 88 89 90 92 93 96 97 (98) 99 00 01 |02| |03| |04| 05 06 |07| 08 09

Ce cru – à l'origine un « prieuré-cure » dépendant de l'abbaye de Vertheuil vers l'an mil – est une belle unité de 70 ha située au cœur du plateau de Cantenac-Margaux et acquise par Alexis Lichine dans les années 1950. Annonçant sa jeunesse par sa robe rouge sombre nuancé de violine, son 2009 développe de puissants arômes d'amande grillée, accompagnés de légères notes animales. Au palais, les tanins boisés font sentir leur présence dès l'attaque, sans toutefois altérer l'équilibre de l'ensemble. Intense et harmonieuse, cette bouteille pourra être ouverte dans quatre ou cinq ans ou gardée pendant une dizaine d'années. Souple et élégant, le **Confidences de Prieuré-Lichine 2009 (20 à 30 € ; 135 000 b.)**, second vin à majorité de merlot, a également obtenu une étoile.

Ch. Prieuré-Lichine, 34, av. de la Ve-République, 33460 Cantenac, tél. 05.57.88.36.28, fax 05.57.88.78.93, contact@prieure-lichine.fr r.-v.
Ballande

CH. RAUZAN-GASSIES 2009 ★

■ 2e cru clas. 80 000 🍷 30 à 50 €

93 94 96 97 98 99 00 |01| |02| 03 05 06 07 08 09

Sans disposer des moyens des grands groupes, les Quié ont su patiemment apporter des améliorations dans leurs crus. Les résultats sont là, et Rauzan-Gassies retrouve son rang. Paré d'une robe rubis sombre, il fait preuve ici d'une bonne présence aromatique, mêlant à un boisé marqué (vanille et grillé) des senteurs généreuses de fruits rouges mûrs et d'épices. Après une attaque franche et nette, on découvre une solide structure tannique, qui promet une belle bouteille dans quatre ou cinq ans.

Jean-Michel Quié,
Ch. Rauzan-Gassies, 1, rue Alexis-Millardet, 33460 Margaux, tél. 05.57.88.71.88, fax 05.57.88.37.49, rauzangassies@domaines-quie.com r.-v.

CH. RAUZAN-SÉGLA 2009 ★★

2e cru clas. 100 000 + de 100 €

82 83 85 (86) 88 89 90 91 92 93 94 95 |(96)| 97 (98) 99 |(00)| 01 02 |03| 04 05 06 07 08 09

Si l'étiquette créée par Karl Lagerfeld pour les trois cent cinquante ans du domaine ne devrait pas faire l'unanimité, il sera difficile de ne pas tomber sous le charme de ce vin. D'emblée, le 2009 affirme sa forte personnalité à travers sa robe d'un rouge profond, plus que sombre et pourtant limpide. Il la confirme ensuite avec son bouquet intense qui entremêle les fruits très mûrs, les épices, le tabac et le boisé torréfié et grillé. Puis il s'impose en bouche grâce à des tanins puissants mais élégants accompagnés d'un noble boisé, qui soutiennent une finale très riche et longue. Une réelle maîtrise alliée à un terroir tout aussi remarquable, et voilà un margaux racé... Il faudra résister à l'envie d'en ouvrir rapidement une bouteille... car une garde de cinq à dix ans est conseillée. Plus modeste mais associant un fruit bien mûr à une belle mâche, le second vin, **Ségla 2009 (30 à 50 € ; 110 000 b.)**, obtient une étoile.

Ch. Rauzan-Ségla, rue Alexis-Millardet, BP 56, 33460 Margaux, tél. 05.57.88.82.10, fax 05.57.88.34.54, contact@rauzan-segla.com r.-v.

Maison Chanel

CH. SIRAN 2009 ★

44 000 30 à 50 €

Le cru ayant été acheté aux Toulouse-Lautrec par leur ancêtre Léo Barbier le 14 janvier 1859, ce millésime est donc le cent cinquantième produit par la famille Miailhe sur ce domaine. Ample, charnu, bien structuré par des tanins onctueux et offrant de beaux arômes de fruits rouges mûrs épaulés par un bois bien dosé, ce vin raffiné se montre parfaitement à la hauteur de l'événement. On attendra cinq à huit ans qu'il s'assouplisse.

SC Ch. Siran, 13, av. Comte-J.-B.-de-Lynch, 33460 Labarde, tél. 05.57.88.34.04, fax 05.57.88.70.05, info@chateausiran.com r.-v. E

CH. LA TOUR DE MONS 2009 ★

150 000 20 à 30 €

Issu de l'un des plus anciens domaines de l'appellation, ce vin affiche son classicisme par une robe profonde et par un bouquet plaisant de fruits noirs que soutient en douceur un boisé bien maîtrisé. La bouche se révèle bien équilibrée, fraîche et franche, étayée par des tanins homogènes. À déguster dans deux ou trois ans.

SAS Ch. la Tour de Mons, 20, rue de Marsac, 33460 Soussans, tél. 05.57.88.33.03, fax 05.57.88.32.46, contact@chateau-latourdemons.com

Moulis-en-médoc

Superficie : 630 ha
Production : 23 830 hl

Ruban de 12 km de long sur 300 à 400 m de large, moulis est la moins étendue des appellations communales du Médoc. Elle offre pourtant une large palette de terroirs.

Comme à Listrac, ceux-ci forment trois ensembles. À l'ouest, près de la route de Bordeaux à Soulac, le secteur de Bouqueyran présente une topographie variée, avec une crête calcaire et un versant de graves anciennes (pyrénéennes). Au centre, une plaine argilo-calcaire prolonge celle de Peyrelebade (voir listrac-médoc). Enfin, à l'est et au nord-est, près de la voie ferrée, se développent des croupes de graves du Günz (graves garonnaises) qui constituent un terroir de choix. C'est dans ce dernier secteur que se trouvent les buttes réputées de Grand-Poujeaux, Maucaillou et Médrac.

Charnus, les moulis se caractérisent par leur caractère suave et délicat. Tout en étant de garde (sept à huit ans), ils peuvent s'épanouir un peu plus rapidement que les vins des autres appellations communales.

CH. ANTHONIC 2009 ★★

220 000 11 à 15 €

Premier millésime à avoir profité du nouveau chai de Jean-Baptiste Cordonnier, aménagé en 2008, ce vin à dominante de merlot (68 % de l'assemblage) manifeste sa concentration dès la présentation par une teinte d'un pourpre intense. Le bouquet révèle d'agréables notes de fruits rouges, de grillé et de vanille avant de laisser la place à une solide matière tannique que sa finesse réussit à rendre charmeuse. Un vin rond et gras au boisé maîtrisé, à découvrir après trois à quatre ans de garde.

SCEA P. Cordonnier, Ch. Anthonic, rte de Maliney, 33480 Moulis-en-Médoc, tél. 05.56.58.34.60, fax 05.56.58.72.76, contact@chateauanthonic.com t.l.j. 9h-12h 14h-16h; mer. sam. dim. sur r.-v.

CH. BISTON-BRILLETTE 2009 ★

125 000 15 à 20 €

88 89 (90) 93 94 95 96 97 98 99 |00| |01| 02 |03| |04| 05 06 07 08 09

Ce fameux cru de moulis, chaque année distingué dans le Guide, s'est doté d'une nouvelle salle de dégustation où vous pourrez découvrir dans d'excellentes conditions l'équilibre de ce 2009 partagé entre le cabernet-sauvignon et le merlot. Tous les atouts sont réunis pour assurer la garde : l'acidité, la longueur et de fins tanins. Sa bonne constitution met en outre en valeur ses arômes entreprenants de fruits rouges en confiture et ses subtiles notes de torréfaction. À attendre au minimum trois ans.

EARL Ch. Biston-Brillette, 91, rte de Tiqueporte, 33480 Moulis-en-Médoc, tél. 05.56.58.22.86, fax 05.56.58.13.16, contact@chateaubistonbrillette.com t.l.j. sf dim. 10h-12h 14h-18h; sam. 10h-12h
Famille Barbarin

CH. BRANAS GRAND POUJEAUX 2009 ★★★

	48 000		30 à 50 €

02 03 04 (05) 06 07 08 (09)

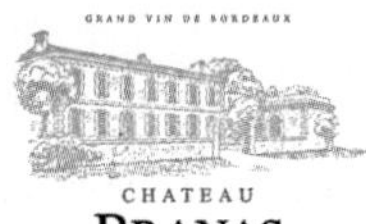

Habitué depuis plusieurs années aux étoiles et aux coups de cœur du Guide, ce cru, acheté par Justin Onclin il y a tout juste dix ans, se retrouve une fois encore au sommet du podium avec un vin pour le moins impressionnant, tant par sa robe, d'une teinte intense et brillante, que par son bouquet, complexe à souhait ; mûre, épices, menthol, torréfaction, la palette est aussi large que fraîche. Rond, gras et élégant, le palais développe une matière parfaite, puissante et volumineuse, que ses tanins de velours rendent irrésistibles. Laissez cette bouteille vous envoûter après cinq ans de garde, accompagnée d'une selle d'agneau rôtie.

Ch. Branas Grand Poujeaux, Grand-Poujeaux, 33480 Moulis-en-Médoc, tél. 05.56.58.93.30, fax 05.56.58.08.62, contact@branasgrandpoujeaux.com r.-v.
Justin Onclin

CH. BRILLETTE 2009 ★

	n.c.		15 à 20 €

94 95 96 98 99 00 01 02 03 04 05 06 07 08 09

Belle unité de 40 ha, ce cru possède des vignes d'un âge respectable, à l'encépagement diversifié. Celles-ci ont donné le meilleur d'elles-mêmes pour ce 2009 qui s'annonce par des parfums de fruits noirs, de cerise, de violette et de réglisse, avant de révéler une bouche puissante et charnue. Équilibré et goûteux, ce vin offre une longue finale au fruité et au velouté appréciables. Il s'accordera dans trois ans avec des joues de bœuf confites. Bien construit, sur les fruits mûrs et les épices, le second vin, **Haut Brillette 2009 (8 à 11 €)**, est cité.

SARL Ch. Brillette, rte de Peyvignau, 33480 Moulis-en-Médoc, tél. 05.56.58.22.09, fax 05.56.58.12.26, contact@chateau-brillette.fr r.-v.
M. Flageul

CH. CHASSE-SPLEEN 2009 ★

	400 000		20 à 30 €

82 (83) 85 86 88 89 90 91 92 93 94 95 96 97 98 99 00 01 02 03 04 05 06 07 08 09

Ici, rien n'est petit, ni la surface de la propriété (plus de 100 ha) ni le volume de production. Quant au caractère du vin, issu d'un beau terroir de graves et d'un assemblage réservant une belle part au cabernet-sauvignon, on devine, en regardant sa robe d'un pourpre intense, qu'il est de bonne origine. En humant ses beaux parfums de fruits rouges, rehaussés et respectés par les notes épicées de l'élevage, on commence à s'en convaincre. Enfin, en découvrant sa puissance tannique, son équilibre, sa chair et sa longueur, on en est persuadé. Une belle bouteille de garde que l'on pourra commencer à ouvrir dans trois ans avec une belle pièce de bœuf grillée sur les sarments.

Ch. Chasse-Spleen, 32, chem. de la Raze, 33480 Moulis-en-Médoc, tél. 05.56.58.02.37, fax 05.57.88.84.40, info@chasse-spleen.com r.-v.

CH. CHEMIN ROYAL 2009 ★★

	35 000		11 à 15 €

Du même producteur que les châteaux listracais Lestage et Fonréaud (vignobles Chanfreau), ce moulis est promis à une voie royale. D'un rouge profond, il retient l'attention par son bouquet aux puissantes notes de toast et d'épices (poivre noir), qu'agrémente avec discrétion un fruité bien mûr. Charnu dès l'attaque, le développement au palais est savoureux : la structure concilie à merveille richesse, fermeté et élégance. Elle demandera quatre années de garde pour intégrer totalement l'élevage. Gracieux également, offrant un beau mariage du bois et du fruit, le **Ch. Caroline 2009 (15 à 20 € ; 38 000 b.)**, que Jean Chanfreau conduit avec sa sœur Caroline, décroche une étoile.

SC Ch. Fonréaud, 33480 Listrac-Médoc, tél. 05.56.58.02.43, contact@vignobles-chanfreau.com t.l.j. 9h-12h 14h-17h30; sam. dim. sur r.-v.

CROIX DE LAGORCE 2009 ★

	26 466		5 à 8 €

Signé par la cave coopérative de Listrac, ce vin à dominante de merlot (60 %) fait honneur à son élaborateur par ses arômes intenses mêlant les épices et les fruits noirs à des notes florales, comme par sa chair dense, ronde et charpentée. Les tanins enrobés, encore un peu marqués par le bois, appellent un vieillissement de trois à quatre ans. Le **Ch. Guitignan 2009 (11 à 15 € ; 42 400 b.)**, élaboré par la cave pour la famille Lestage-Vidaller, est par ailleurs cité pour sa souplesse et ses parfums charmeurs de moka, de fruit et de vanille.

Cave Grand Listrac, 21, av. de Soulac, 33480 Listrac-Médoc, tél. 05.56.58.03.19, fax 05.56.58.07.22, grandlistrac@wanadoo.fr t.l.j. 9h-12h 14h-18h

CH. DUTRUCH GRAND POUJEAUX 2009 ★

	120 000		15 à 20 €

Les fidèles du cru – et ils sont nombreux, aussi bien en Europe qu'en Amérique et en Asie, le domaine exportant la majorité de sa production – ne seront pas surpris par ce 2009 qui les séduira par sa souplesse, son équilibre et son puissant bouquet de fruits rouges. Il ne faudrait pas en conclure pour autant qu'il ne possède pas de réserves ; il mérite même d'être attendu trois ou quatre ans pour s'exprimer pleinement.

EARL François Cordonnier, Ch. Dutruch Grand Poujeaux, 10, rue de la Forge, 33480 Moulis-en-Médoc, tél. 05.56.58.02.55, fax 05.56.58.06.22, contact@chateaudutruch.com r.-v.

CH. LA GARRICQ 2009 ★

■ 13 000 15 à 20 €

Conduit depuis les années 1990 par Martine Cazeneuve, également propriétaire du château Paloumey en haut-médoc, ce domaine propose un moulis comprenant une proportion non négligeable de petit verdot : 13 % de l'assemblage, dominé par le cabernet-sauvignon. Ce 2009 séduit par son bouquet élégant et complexe, alliance de fruits rouges, de cassis, de violette et de réglisse, en parfaite harmonie avec un palais ample aux tanins de qualité, qui auront besoin pour s'affirmer d'un séjour de trois ans au moins en cave.

SA Ch. Paloumey, 50, rue du Pouge-de-Beau, 33290 Ludon-Médoc, tél. 05.57.88.00.66, fax 05.57.88.00.67, info@chateaupaloumey.com
t.l.j. 10h-18h; sam. dim. sur r.-v.
Martine Cazeneuve

CH. LAGORCE BERNADAS Cuvée des Humbles 2009

■ 10 000 15 à 20 €

Un petit îlot de graves (2 ha) isolé sur la route de Brach, conduit par la famille Vallette, déjà repérée en Bergeracois (château Roque-Peyre). Ce moulis fait son entrée dans le Guide grâce à une élégance qui s'affiche dès le bouquet, toasté, fruité et vanillé, avant de se confirmer dans un palais rond et gras, aux tanins poivrés et aux nuances de torréfaction. Pour amateurs de vins boisés, après deux ans de garde.

EARL Vignobles Vallette, lieu-dit Roque, 33220 Fougueyrolles, tél. 05.53.24.77.98, fax 05.53.61.36.87, lagorcebernadas@orange.fr
t.l.j. sf dim. 9h-18h; sam. sur r.-v.

CH. LALAUDEY 2009 ★★

■ 65 800 11 à 15 €

Patrick Meynard, spécialiste du filet décoratif pour les bouteilles, a repris ce cru en 2007 et a su tirer la substantifique moelle de ce beau terroir de graves. Son 2009 en témoigne par sa couleur, sombre et intense, comme par son bouquet. Complexe, avec de puissantes notes vanillées et grillées, et de délicates touches de cassis, celui-ci annonce un palais riche, ample et gras aux arômes de fruits rouges confiturés. Un vin au solide potentiel qui appelle cinq à huit ans de garde pour gagner en fondu.

SCEA Ch. Lalaudey, rte de Pomeys, 33480 Moulis-en-Médoc, tél. 05.57.88.57.57, fax 05.56.58.06.00, lalaudey@chateau-lalaudey.fr
t.l.j. 10h-17h
P. Meynard

CH. MALMAISON 2009 ★

■ 60 000 15 à 20 €

98 99 00 01 02 |03| **|04| |06|** 07 08 09

Pour ce millésime, l'équipe de la Compagnie vinicole Edmond de Rothschild a choisi d'associer 20 % de cabernet-sauvignon au merlot, lequel faisait cavalier seul dans la version 2008. Avec raison, comme le montrent ses parfums, ainsi mis en valeur, de cassis, de fruits rouges et de sous-bois, alliés à de fines nuances vanillées. Rond et gras, le palais est un charmeur qui cache bien son jeu : il saura affronter une garde de cinq ans et plus.

Expl. Vinicole Edmond de Rothschild, 33480 Listrac-Médoc, tél. 05.56.58.38.00, fax 05.56.58.26.46, contact@cver.fr t.l.j. sf sam. dim. 9h-12h 14h-16h30

CH. MYON DE L'ENCLOS 2009

■ 24 000 11 à 15 €

S'il est essentiellement producteur à Listrac, avec son château Mayne Lalande, Bernard Lartigue n'en néglige pas pour autant ce petit vignoble planté sur les sols argilo-calcaires et graveleux de Moulis. Témoin cet assemblage mi-merlot mi-cabernet-sauvignon, qui repose sur une structure simple mais bien équilibrée, mettant en valeur de plaisants arômes de fruits rouges, de cassis et de fumée. À découvrir dans deux ans.

Bernard Lartigue, 7, rte du Mayne, 33480 Listrac-Médoc, tél. 05.56.58.27.63, blartigue2@wanadoo.fr
t.l.j. sf sam. dim. 9h-12h30 14h-17h30 5

CH. PEY BERLAND 2009

■ 4 000 15 à 20 €

Presque une vigne « de curé », ce microcru portant le nom d'un archevêque de Bordeaux au XVe s. Né du seul cépage merlot, le 2009 se montre bien bouqueté et friand dès le premier nez : notes de truffe, d'épices et de tabac blond sur un léger fond de fruits mûrs. Porté par une honnête structure, ronde, au boisé marqué, il plaira aux amateurs après deux années de garde.

Charpentier, 5, rte de la Fontaine, 33480 Moulis-en-Médoc, tél. 05.57.88.57.30, t.lefevre@peyberland.com r.-v.

CH. POUJEAUX 2009 ★★

■ 300 000 30 à 50 €

82 83 85 (86) 87 88 89 90 93 94 **|95|** 96 97 **|98|** 99 **|00| |01| |02|** |03| 04 **05 06** 07 **08 09**

Coup de cœur du Guide dans le millésime précédent, ce cru prestigieux présente cette année un vin dont le bouquet ne s'est pas encore complètement ouvert mais que l'on sent déjà très expressif, avec de belles notes de fruits rouges mûrs, de toasté et d'épices (clou de girofle). Au palais, il conserve son élégance, rehaussée par des tanins gras et bien enrobés. Riche et parfaitement équilibré, l'ensemble est harmonieux et devrait atteindre l'excellence après cinq années de garde.

Philippe Cuvelier, SCEA Ch. Poujeaux, 33480 Moulis-en-Médoc, tél. 05.56.58.02.96, fax 05.56.58.01.25, contact@chateau-poujeaux.com
r.-v.

CH. RUAT PETIT POUJEAUX 2009

■ 30 000 11 à 15 €

La famille Goffre-Viaud a pour ambition d'élaborer des moulis ronds et friands, d'où son choix d'accorder une place non négligeable au cabernet franc (13 % de l'assemblage), censé apporter de la finesse. Le but est atteint : la bouche se montre souple et soyeuse, assez peu tannique, agrémentée par un fruité léger et frais (cerise, framboise) souligné d'un trait de vanille. On laissera néanmoins cette bouteille s'épanouir pendant deux ou trois ans en cave.

SCEA Vignobles Goffre-Viaud, 57, rte de Tiquetorte, 33480 Moulis-en-Médoc, tél. 05.56.58.25.15, fax 05.56.58.15.90, ruat.petit.poujeaux@wanadoo.fr
r.-v.

BORDELAIS

Pauillac

Superficie : 1 215 ha
Production : 53 215 hl

À peine plus peuplé qu'un gros bourg rural, Pauillac est une vraie petite ville, agrémentée d'un port de plaisance sur la route du canal du Midi. C'est un endroit où il fait bon déguster, à la terrasse des cafés sur les quais, les crevettes fraîchement pêchées dans l'estuaire. C'est aussi, et surtout, la capitale du Médoc viticole, tant par sa situation géographique au centre du vignoble, que par la présence de trois 1ers crus classés (Lafite, Latour et Mouton) complétés par une liste assez impressionnante de quinze autres crus classés. La commune compte aussi une coopérative qui assure une production importante.

L'aire d'appellation est coupée en deux en son centre par le chenal du Gahet, petit ruisseau séparant les deux plateaux qui portent le vignoble. Celui du nord, qui doit son nom au hameau de Pouyalet, se distingue par une altitude légèrement plus élevée (une trentaine de mètres) et par des pentes plus marquées.

Détenant le privilège de posséder deux 1ers crus classés (Lafite et Mouton), il se caractérise par une parfaite adéquation entre sol et sous-sol, que l'on retrouve aussi dans le plateau de Saint-Lambert, au sud du Gahet. Ce dernier bénéficie de la proximité du vallon du Juillac, petit ruisseau marquant la limite méridionale de la commune, qui assure un bon drainage, et de ses graves de grosse taille, particulièrement remarquables sur le terroir du 1er cru de ce secteur, Château Latour.

Provenant de croupes graveleuses très pures, les pauillac allient la puissance et la charpente à l'élégance et à la délicatesse de leur bouquet. Comme ils évoluent très heureusement au vieillissement (jusqu'à vingt-cinq ans), il convient de les attendre. De tels vins peuvent affronter des plats forts en goût tels que le gibier, les viandes rouges, les préparations de champignons ou le foie gras.

ARMAILHAC 2009 ★★

■ 5e cru clas. n.c. + de 100 €

82 83 84 85 (86) **87 88 89 90** 92 **93** 94 |**95**| 96 97
98 |99| |00| |01| **02** 03 04 **05** 06 07 08 **09**

Voisin de Mouton Rothschild, ce cru appartient lui aussi à la baronnie, ce qui ne l'empêche pas d'affirmer sa personnalité, pour ne pas dire son originalité dans l'ensemble pauillacais, en privilégiant la finesse. Celle-ci s'exprime ici notamment par le bouquet à dominante fruitée (cerise), le boisé restant très en retrait. Une élégance que le palais se charge de confirmer à travers une chair savoureuse, une mâche soyeuse et des tanins au grain remarquable. Une alliance de force, de douceur et de subtilité. Une grande bouteille, à encaver cinq à dix ans.

Baron Philippe de Rothschild, rue de Grassi, BP 117, 33250 Pauillac, tél. 05.56.73.20.20, fax 05.56.73.20.44, webmaster@bpdr.com

CH. BATAILLEY 2009 ★

■ 5e cru clas. 280 000 50 à 75 €

82 **83 85 86 88** 89 90 **92 93 95** |(96)| **97 98** |99| |00|
|**01**| |02| 03 04 **05** 06 07 08 09

Berceau et navire amiral de la maison Borie Manoux, aujourd'hui basée à Bordeaux dans le quartier des Chartrons, ce cru propose un 2009 bien dans son appellation. Le bouquet, sérieux, est à dominante boisée (grillé, cèdre). Après une attaque séveuse, le palais est à l'unisson, sur le moka, et s'appuie sur des tanins présents mais sans excès. La finale cacaotée confirme que ce pauillac a besoin de temps pour assimiler la chauffe de la barrique : à oublier en cave trois à cinq ans, pour le moins.

Héritiers Castéja, Ch. Batailley, 33250 Pauillac, tél. 05.56.00.00.70, fax 05.57.87.48.61, domaines@borie-manoux.fr r.-v.

CH. BELLEGRAVE 2009

■ 22 500 20 à 30 €

Du même propriétaire que le château Lalande (saint-julien), ce domaine enclavé dans les crus classés de l'appellation joue la carte de la finesse. Si une petite note d'austérité apparaît en finale, son vin développe une agréable expression aromatique, tant au nez qu'en bouche (fines notes de cuir, de fumée et de fruits mûrs), et des tanins denses et soyeux. À garder en cave deux à trois ans.

EARL Ch. Bellegrave, 22, rte des Châteaux, 33250 Pauillac, tél. 05.56.59.05.53, fax 05.56.59.06.51, contact@chateau-bellegrave.com r.-v.
Meffre

CH. CHANTECLER 2009 ★

■ n.c. 15 à 20 €

Avec ses vieilles vignes de quarante-cinq ans plantées sur des graves profondes regardant la Gironde, ce cru possède un atout de taille. Il sait en tirer parti pour obtenir un vin qui a fière allure dans sa robe hésitant entre grenat, pourpre et noir. Mêlant les fruits mûrs un rien confits à un boisé de qualité, le bouquet dégage une impression d'harmonie qui se retrouve dans un palais rond, corsé et long, soutenu par des tanins à la fois fins et serrés. Une bouteille que l'on commencera à ouvrir dans trois ou quatre ans.

Yannick Mirande, 3, rte de Bordeaux, 33250 Pauillac, tél. 06.62.04.97.95, fax 05.56.59.12.47, yannick.mirande@wanadoo.fr r.-v.

CH. CLERC MILON 2009 ★★

■ 5e cru clas. n.c. + de 100 €

82 83 85 86 87 88 89 90 92 93 94 |(95)| |**96**| **97** 98
|**99**| **00** |01| **02** 03 04 05 06 07 **08 09**

Loin de constituer un handicap, l'extrême dispersion du cru (une centaine de parcelles) est un atout dont les vins tirent profit, faisant preuve d'une constance remarquable. Témoin, le 2009 du domaine, un vin dont le fort caractère se lit dans la robe sombre, couleur cassis. Toast, moka, petits fruits rouges, cerise d'Itxassou..., le bouquet met en appétit. Et le palais ne déçoit pas : beaucoup de chair, de la concentration, des tanins serrés, une belle finale poivrée, le tout soutenu par une fine trame acide. « Du pauillac ! », conclut un dégustateur sous le charme, qui conseille une garde de huit à dix ans.

Baron Philippe de Rothschild, rue de Grassi, BP 117, 33250 Pauillac, tél. 05.56.73.20.20, fax 05.56.73.20.44, webmaster@bpdr.com

CH. CORDEILLAN-BAGES 2009 ★

6 000 | 30 à 50 €

S'il est surtout célèbre pour sa table, cet établissement Relais & Châteaux est aussi un cru de taille modeste (2 ha), qui n'a toutefois pas à rougir de sa production. D'une teinte grenat aux reflets cerise, son 2009 retient l'attention par l'ampleur et par la douceur de son bouquet aux nuances de griotte, de fraise écrasée, de mûre, de café et de réglisse. D'une belle tenue au palais, il révèle un corps généreux et séveux aux tanins à la fois doux et serrés, qui appellent trois ou quatre ans de patience.

Jean-Michel Cazes, Ch. Cordeillan-Bages, rte des Châteaux, 33250 Pauillac, tél. 05.56.73.24.00, fax 05.56.59.26.42, infochato@cordeillanbages.com r.-v.

CH. CROIZET-BAGES 2009 ★

5e cru clas. | 80 000 | 20 à 30 €

Situé au cœur du hameau de Bages, ce cru dispose d'un vignoble dans le quartier homonyme ; c'est dire s'il bénéficie d'un beau terroir graveleux, où cabernets (75 %) et merlot s'expriment pleinement. Témoin ce 2009 d'un rouge profond tirant sur le noir, au bouquet très expressif de mûre, de cerise, de pruneau et de café. Ample, puissant, le palais est soutenu par un boisé bien dosé qui n'écrase pas le fruit. On pourra commencer à servir cette bouteille dans trois ou quatre ans sur des magrets, des viandes rouges ou des fromages. Autre vin du même cru diffusé par le négociant Cordier, **La Chartreuse de Croizet-Bages 2009 (10 000 b.)** obtient une citation pour sa souplesse et pour son équilibre.

Jean-Michel Quié, Ch. Croizet-Bages, 9, rue du Port-de-la-Verrerie, 33250 Pauillac, tél. 05.56.59.01.62, fax 05.56.59.23.39, croizetbages@domaines-quie.com

♥ CH. DUHART-MILON 2009 ★★

4e cru clas. | 300 000 | 75 à 100 €

81 82 83 85 86 87 88 89 90 91 92 93 94 **95** **96** 97 98 **99** **00** **01 02 03** 04 **05 06** 07 08 **09**

Au XVIIIe s., le domaine était la propriété du sieur Duhart, un corsaire de Louis XV à la retraite, dont la maison située sur le port de Pauillac inspire l'actuelle étiquette. Après la Seconde Guerre mondiale, le vaste cru fut morcelé, et la famille de Rothschild acquit la propriété en 1962. L'année 2012 marque donc le cinquantième anniversaire de sa présence sur ces terres attenantes au château Lafite. Un anniversaire que le baron Éric pourra célébrer avec ce superbe 2009 né de 63 % de cabernet-sauvignon et de 37 % de merlot. S'annonçant par une belle robe grenat sombre aux reflets violines de jeunesse, le grand vin montre sa prestance dès le bouquet, celui-ci conciliant l'élégance et la puissance à travers de plaisantes notes de pain toasté, de vanille et de baies noires (mûre, myrtille). D'une grande souplesse en attaque, le palais séduit par sa rondeur, son volume, sa richesse, et par la densité et le soyeux de ses tanins. Reflet d'une parfaite maîtrise de la vinification, ce noble pauillac pourra sortir de cave d'ici quatre ou cinq ans ou y rester plus d'une décennie. Le second vin, le **Moulin de Duhart 2009 (15 à 20 € ; 84 000 b.)**, obtient une étoile pour son bouquet floral (rose) et fruité, pour sa fraîcheur et pour ses tanins croquants et charnus. À ouvrir dans deux ou trois ans.

Ch. Duhart-Milon, rue Étienne-Dieuzède, BP 40, 33250 Pauillac, tél. 05.56.73.18.18, fax 05.56.59.66.68, visites@lafite.com r.-v.

Dom. barons de Rothschild (Lafite)

CH. LA FLEUR PEYRABON 2009 ★

41 016 | 20 à 30 €

Bien que situé à Saint-Sauveur (haut-médoc), ce cru détient quelques parcelles dans l'appellation pauillac ; un

Pauillac

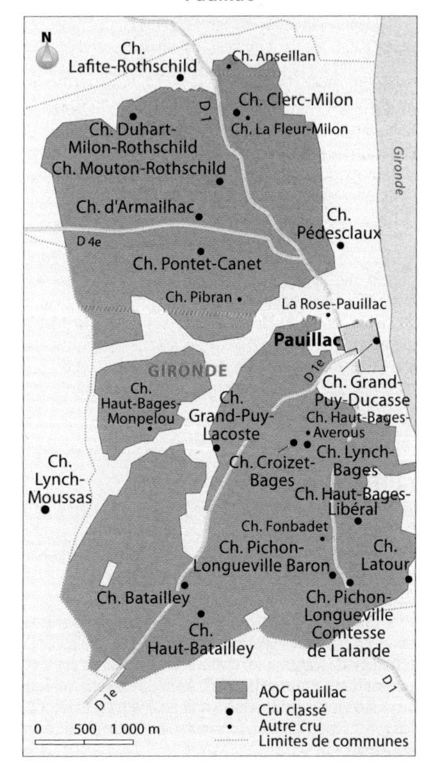

« privilège » qu'il justifie par la qualité de ses vins, à l'image de ce 2009 paré d'une belle couleur rubis, dont le bouquet subtilement médocain est un mariage élégant de fruits rouges et noirs, de grillé et de vanillé. Ample, rond et concentré, porté par de puissants tanins dénués d'agressivité, le palais se montre lui aussi bien typé. Un pauillac équilibré, armé pour une garde de quatre ou cinq ans, et plus encore.

SARL Ch. Peyrabon, Vignes de Peyrabon,
33250 Saint-Sauveur, tél. 05.56.59.57.10, fax 05.56.59.59.45,
contact@chateau-peyrabon.com r.-v.
Bernard

CH. FONBADET 2009 ★

n.c.	30 à 50 €

Régulier en qualité, ce cru affiche une jolie personnalité avec son bouquet de griotte et de cassis bien mûrs, que prolonge un palais ample, franc, de bonne longueur, porté par des tanins souples. À garder en cave au moins deux ou trois ans.

SCEA Dom. Peyronie,
Ch. Fonbadet, 47, rte des Châteaux, 33250 Pauillac,
tél. 05.56.59.02.11, fax 05.56.59.22.61,
pascale@chateaufonbadet.com r.-v.

CH. GRAND-PUY DUCASSE 2009 ★★

5e cru clas.	n.c.	20 à 30 €

82 **83** 84 **85** 86 **88** 89 90 91 92 93 94 95 **96** 97 98 |99| **|00|** |01| |02| **|04|** 05 06 **09**

Depuis 2006, ce cru fait l'objet d'études poussées, notamment sur le potentiel de chaque parcelle. Ces analyses ont commencé à porter leur fruit. Témoin ce beau 2009, assemblage dominé par le cabernet-sauvignon, qui dévoile des parfums intenses et complexes de fruits rouges remarquablement mariés aux notes grillées et vanillées de l'élevage. Le palais évolue avec beaucoup d'ampleur et de charme, porté par des tanins musclés mais dénués d'agressivité, puissants et ronds. Ce vin équilibré et armé pour durer, à laisser en cave quatre ou cinq ans au moins, saura affronter des mets de caractère. Seconde étiquette du cru, le **Prélude à Grand-Puy Ducasse 2009 (15 à 20 €)** obtient une étoile. Comme son aîné, il plaît par son harmonie entre onctuosité de la chair, force tannique, fruité frais et boisé épicé. Il mérite d'être attendu trois ou quatre ans.

Ch. Grand-Puy Ducasse, 4, quai Antoine-Ferchaud,
33250 Pauillac, tél. 05.56.59.00.40, fax 05.56.59.36.47,
contact@cagrandscrus.fr
CA Grands crus

CH. HAUT-BAGES MONPELOU 2009 ★★

40 000	20 à 30 €

Même s'il n'est pas classé, ce cru est cher au cœur des Castéja, car il appartient au patrimoine de leur famille depuis le XVIes. Un attachement visible dans la qualité de ce millésime particulièrement réussi. Par sa profondeur, la robe est aussi prometteuse que le bouquet, où les arômes de raisin frais se mêlent à la douceur de la vanille. Cette sensation de jeunesse se retrouve dans les tanins corsés et puissants qui tapissent le palais. Ample, riche et complexe, ce grand vin de garde (cinq à huit ans), qui est passé à un cheveu du coup de cœur, fera merveille sur un rôti de bœuf aux cèpes.

Héritiers Castéja, Ch. Batailley, 33250 Pauillac,
tél. 05.56.00.00.70, fax 05.57.87.48.61,
domaines@borie-manoux.fr r.-v.

CH. HAUT DE LA BÉCADE Cuvée Agathe 2009 ★★

48 900	20 à 30 €

Pour les Rainaud, propriétaires de ce petit cru, l'année 2009 restera marquée d'une pierre blanche en raison de la naissance, en pleine vendange, de la petite Agathe, à qui cette cuvée est dédiée. Proposé par la coopérative de Pauillac, dont Sylvie Rainaud est la présidente, ce vin d'un élégant grenat soutenu livre un bouquet harmonieux de fruits noirs, d'épices et de vanille. Le palais ? Ample, plein, boisé, étayé par des tanins denses et fermes. Une bouteille racée de grande garde, qu'Agathe pourra ouvrir encore à sa majorité.

Ch. Haut de la Bécade, 44, rue du Mal-Joffre, BP 14,
33250 Pauillac, tél. 05.56.59.26.00, fax 05.56.59.63.58,
larosepauillac@wanadoo.fr r.-v.
Sylvie Rainaud

CH. JULIA 2009

3 454	20 à 30 €

Voilà un cru qui sort du lot à plus d'un titre. En dépit de sa taille (55 ares), ce microvignoble évite le cépage unique. Le merlot, deuxième originalité, y est largement majoritaire (90 %) aux côtés du cabernet-sauvignon. Enfin, Sophie Martin, installée sur le domaine familial depuis 2002, fait son entrée dans le Guide dès son premier millésime hors de la coopérative. « Un vin féminin », écrit un dégustateur au sujet de ce 2009 ; entendez un nez élégant, finement boisé et égayé par une note florale et épicée qui fait chanter le fruit ; un palais souple et frais, d'une structure plutôt légère pour l'appellation, bâtie sur des tanins au grain fin. À déguster dans deux ans.

NOUVEAU PRODUCTEUR

Martin, 5, rte des Machines, Sémignan,
33112 Saint-Laurent-Médoc, tél. 06.18.00.79.22,
fax 05.56.41.42.10, chateau.julia@gmail.com r.-v.

CARRUADES DE LAFITE 2009 ★★

n.c.	+ de 100 €

85 86 88 89 90 92 93 94 **95 96** 97 98 **|99|** |00| |01| |02| 03 04 **05 06 07** 08 **|09|**

Loin d'être un « modèle réduit » de Lafite, Les Carruades prennent leur envol. Ici, le merlot a davantage voix au chapitre (42 %, contre 17 % pour le grand vin) ; le cabernet-sauvignon s'impose avec 51 %, le cabernet franc (5 %) et le petit verdot (2 %) pointant leur bout de nez. Le résultat est remarquable en tout point. La robe sombre s'orne de reflets rubis brillant. Le nez donne la part belle aux fruits (confiture de myrtilles et de mûres), et le boisé reste très sagement en retrait. Après une attaque droite et fraîche, le palais affiche un superbe volume, beaucoup de densité et une rondeur suave, porté par des tanins veloutés et par une pointe de vivacité qui donne un côté fringant à la finale. Très pauillac dans sa puissance et sa droiture, il n'en montre pas moins une douceur presque pomerolaise. Une grande bouteille, à attendre au moins quatre ou cinq ans.

Dom. Barons de Rothschild, Ch. Lafite Rothschild,
33250 Pauillac, tél. 05.56.73.18.18, fax 05.56.59.26.83,
visites@lafite.com r.-v.

♥ CH. LAFITE ROTHSCHILD 2009 ★★★

■ 1er cru clas. n.c. + de 100 €

59 61 64 66 69 70 73 75 76 77 78 79 80 81 82 83 84 85 86 87 88 89 90 92 93 94 95 96 97 98 99 00 01 02 03 04 05 06 07 08 09

S'il a fallu faire preuve d'une grande vigilance dans le début de l'année viticole, en raison d'un printemps délicat, chaud et humide, les conditions climatiques en 2009 auront été assez exceptionnelles : temps stable tout l'été, journées chaudes sans être caniculaires et tempérées par des nuits fraîches, maturation lente du raisin et vendanges sous le soleil à partir du 23 septembre et jusqu'au 8 octobre. Grâce à quoi, le millésime 2009 fera date. Le grand Lafite annonce d'emblée sa très forte personnalité par une robe d'un noir profond. Le premier nez se pare de notes de moka et de grillé. Puis, dans une atmosphère subtile et élégante, apparaissent des senteurs de fruits bien mûrs, de crème de cassis, de cèdre et de tabac. L'attaque est impressionnante de puissance tannique, d'opulence et de chaleur. Dense sans être épais, épaulé par des tanins sapides au grain serré mais soyeux, le palais révèle ensuite un côté savoureux, suave et rond, à travers des notes de fruits mitonnés dans le caquelon, agrémentés d'épices (cannelle, poivre) et de douces saveurs de cappuccino, de cuir et de cacao. Beaucoup de matière et de volume, mais jamais de lourdeur ici, grâce à une fraîcheur intacte du début à la fin qui confère, en outre, une longueur exceptionnelle à ce vin d'une réelle harmonie. Tout est en place pour affronter le temps, longtemps, très longtemps... Bienheureux qui pourra goûter ce Lafite d'exception à son apogée.

Dom. Barons de Rothschild, Ch. Lafite Rothschild, 33250 Pauillac, tél. 05.56.73.18.18, fax 05.56.59.26.83, visites@lafite.com r.-v.

♥ CH. LATOUR 2009 ★★★

■ 1er cru clas. n.c. + de 100 €

61 67 71 73 74 75 76 77 78 79 80 81 82 83 84 85 86 87 88 89 90 91 92 93 94 95 96 97 98 99 00 01 02 03 04 05 06 07 08 09

Latour fut un château fort et une seigneurie avant de devenir l'un des plus célèbres crus médocains. Stratégique au Moyen Âge, son site offfe depuis le XVIIe s. un terroir de choix. Le 2009 s'impose dès le premier regard par sa robe rouge « basque » d'une limpidité parfaite. Ce sont aussi des arômes très purs que livre le bouquet, en s'ouvrant doucement mais sûrement sur une large palette allant du pruneau à la réglisse, en passant par les fruits à l'eau-de-vie, le cuir et le merrain frais. Chaleureux, séveux et imposant dès l'attaque, le palais révèle une belle acidité et des tanins serrés qui lui donnent beaucoup de relief et

portent très loin une finale ample, fraîche et élégante. D'une perfection quasi absolue, d'un charme indéniable en dépit de sa très grande puissance, un vin pur et sérieux, empreint d'une austérité aussi « monacale » que le nouveau chai où il a vu le jour. Son avenir ne fait aucun doute, la génération suivante pourra l'apprécier.

SCV du Ch. Latour, Saint-Lambert, 33250 Pauillac, tél. 05.56.73.19.80, fax 05.56.73.19.81, info@chateau-latour.com

F. Pinault

LES FORTS DE LATOUR 2009 ★

■ n.c. + de 100 €

82 83 85 86 87 88 89 90 92 94 95 96 97 98 99 00 01 02 03 04 05 06 07 08 09

Certes, il n'ambitionne pas de rivaliser avec le grand vin, mais, millésime oblige, ce 2009 n'a rien d'un vin de seconde classe. Il affiche sans timidité sa jeunesse par une robe rubis foncé encore très fraîche et par un bouquet aux insolentes notes de fruits mûrs, de vanille, de cacao, de réglisse et de... wiskhy, qui mettent en exergue un côté « merloté » (cépage cependant minoritaire quoiqu'en proportion supérieure au grand vin). Soyeux dans son attaque, subtil et suave, avec un fort joli grain de tanins et des arômes de cuir de Russie, d'épices douces, de fruits noirs et de violette, le palais sait se montrer dense, « ramassé », tout en gardant une belle fraîcheur et une race indéniable. À garder en cave cinq à huit ans.

SCV du Ch. Latour, Saint-Lambert, 33250 Pauillac, tél. 05.56.73.19.80, fax 05.56.73.19.81, info@chateau-latour.com

F. Pinault

CH. LYNCH-BAGES 2009 ★★

■ 5e cru clas. 30 000 + de 100 €

82 83 84 85 86 87 88 89 90 91 92 93 94 95 96 97 98 99 00 01 02 03 04 05 06 07 08 09

Au fil des ans, le hameau de Bages s'est animé autour de sa place, avec son boulanger, son épicerie fine et son bistrot, retrouvant l'atmosphère des villages d'antan. Mais le cœur de l'ensemble reste le château Lynch-Bages, propriété de Jean-Michel Cazes depuis bientôt quarante ans. Son 2009 s'impose par son bouquet puissant, sur le cassis mûr et le cacao noir, agrémenté de quelques notes animales et grillées, puis par son palais ample, gras et long, aux puissants tanins d'une austérité presque « bénédictine », lesquels lui permettront d'affronter une belle garde. Remplaçant le Haut-Bages Averous, le second vin, **Écho de Lynch Bages 2009 (20 à 30 € ; 180 000 b.)**, obtient une étoile. Bâti sur de solides tanins et sur une bonne fraîcheur, qui lui donne une certaine élégance, il mérite deux ou trois ans de patience.

🗝 Jean-Michel Cazes, Ch. Lynch-Bages, BP 120, 33250 Pauillac, tél. 05.56.73.24.00, fax 05.56.59.26.42, infochato@lynchbages.com ✉ 🍷 🚶 r.-v.

CH. LYNCH-MOUSSAS 2009 ★

■ 5e cru clas. 200 000 30 à 50 €

Comme c'est souvent le cas, ce vin issu d'un cru voisin de Batailley et appartenant aussi aux Castéja est assez proche de son « cousin » – notamment par son bouquet équilibré et puissant aux notes de café, de grillé et de fruits noirs. Savoureux et s'appuyant sur des tanins serrés mais soyeux, le palais associe la puissance à une belle expression d'élégance et de finesse. À attendre quatre ou cinq ans.

🗝 Émile Castéja, Ch. Lynch-Moussas, 33250 Pauillac, tél. 05.56.00.00.70, fax 05.57.87.48.61, domaines@borie-manoux.fr ✉ 🍷 🚶

♥ CH. MOUTON ROTHSCHILD 2009 ★★★

■ 1er cru clas. n.c. + de 100 €

73 74 75 76 77 78 79 80 81 |82| |83| 84 |85| |(86)| 87 |88| |89| |90| 91 92 |93| 94 (95) |96| 97 |(98)| |99| (00) 01 02 03 04 (05) (06) (07) (08) (09)

Signe des temps, c'est une gouache du plasticien britannique d'origine indienne Anish Kapoor qu'a choisie Philippine de Rothschild pour illustrer ce millésime dont la robe est d'un noir presque aussi profond que la toile de l'artiste. Une teinte qui en dit long sur le potentiel du vin. Concentré et complexe, le bouquet va dans le même sens, affichant une large palette où dominent les fruits noirs et des notes de café au lait agrémentés de nuances d'encens. Riche, rond, gras, charnu et plein, le palais confirme la présentation, en jouant sur un registre symphonique, porté par une trame d'une densité exceptionnelle et par une finale inoubliable. Une seule interrogation : quand donc cette très grande bouteille atteindra-t-elle son apogée absolu ? Dans dix, quinze ou vingt-cinq ans ?

🗝 Baron Philippe de Rothschild, rue de Grassi, BP 117, 33250 Pauillac, tél. 05.56.73.20.20, fax 05.56.73.20.44, webmaster@bpdr.com

CH. PÉDESCLAUX 2009 ★

■ 5e cru clas. 120 354 30 à 50 €

Bien représentatif du millésime, ce vin affiche un bouquet dominé par les fruits très mûrs, confiturés, et par la vanille. Après une attaque ronde, le palais dévoile la même impression chaleureuse « très 2009 » (pruneau, fruits cuits) mariée aux notes cacaotées de la barrique. Ce pauillac s'exprimera pleinement d'ici deux ou trois ans. Surprenant (agréablement) pour un pauillac par son côté onctueux et par ses tanins très frais, le second vin, **Fleur de Pédesclaux 2009 (11 à 15 € ; 19 766 b.)**, un peu plus riche en merlot, obtient également une étoile.

🗝 SCEA Ch. Pédesclaux, rte de l'Industrie, 33250 Pauillac, tél. 05.56.59.22.59, fax 05.56.59.63.19, contact@chateau-pedesclaux.com ✉ 🍷 🚶 r.-v.
🗝 J. & F. Lorenzetti

CH. PICHON-LONGUEVILLE BARON 2009 ★★★

■ 2e cru clas. 14 500 + de 100 €

82 83 84 85 86 87 88 89 |(90)| 91 92 93 94 |95| |(96)| 97 |98| |99| 00 01 02 03 04 (05) 06 07 08 (09)

Jacques de Pichon, baron de Longueville, fondateur du cru au XVIIe s., et Raoul de Pichon-Longueville, qui construisit le château en 1851, auraient-ils pu imaginer qu'au XXIe s., leur vignoble serait connu dans le monde entier ? En tout cas, le cru 2009 a de quoi charmer tous les amateurs de vins de garde : une robe pourpre presque noir ; un bouquet concentré, dense et intense, qui affiche insolemment sa jeunesse, en montrant des raisins qui tiennent tête à la barrique ; un palais riche et tout aussi concentré, d'une grande longueur, adossé à des tanins puissants mais goûteux et soyeux. Cette bouteille hors du commun est à laisser vieillir au moins cinq à dix ans, voire davantage, sa longévité devant atteindre des décennies. Également appelé à une bonne garde, le second vin **Les Tourelles de Longueville (30 à 50 € ; 14 000 b.)**, tannique et corsé, obtient une étoile.

🗝 Ch. Pichon-Longueville, 33250 Pauillac, tél. 05.56.73.17.17, fax 05.56.59.64.62, contact@pichonlongueville.com 🍷 🚶 r.-v.
🗝 Axa Millésimes

CH. PICHON-LONGUEVILLE COMTESSE DE LALANDE 2009 ★★

■ 2e cru clas. 190 000 + de 100 €

82 83 84 85 (86) 87 (88) 89 90 91 92 93 94 |95| |96| 97 98 99 |00| |01| 02 03 04 05 06 07 08 09

Débordant légèrement sur la commune de Saint-Julien, ce vignoble fait preuve d'une réelle personnalité, laquelle se retrouve dans son grand vin. Il est difficile de résister longtemps à la séduction d'une robe aussi profonde et limpide comme à l'harmonie du bouquet, fin et complexe, mêlant fruits mûrs, toast, moka et encens. Ample et charnu dès l'attaque, le palais retrouve les fruits mûrs et s'appuie sur de solides tanins qui portent loin la finale savoureuse, aux notes de cuir et de pruneau confit. Cette grande bouteille méritera un peu de patience pour qu'elle puisse dévoiler ses richesses encore cachées.

🗝 Ch. Pichon-Longueville Comtesse de Lalande, 33250 Pauillac, tél. 05.56.59.19.40, fax 05.56.59.26.56, pichon@pichon-lalande.com
🗝 Champagne Louis Roederer

CH. PLANTEY 2009

■ 82 000 11 à 15 €

Acquis en 1958 par Gabriel Meffre, ce vignoble de 27 ha d'un seul tenant est aujourd'hui conduit par son fils Claude. Fidèle à sa tradition, ce cru propose un vin grenat soutenu, au nez empreint de notes de cassis mûr, de fruits rouges confits, de vanille et de pain grillé. La bouche, souple et ronde, dévoile une aimable structure, bâtie sur des tanins soyeux et fondus, un peu plus austères en finale. À associer dans trois ou quatre ans avec des tricandilles sur le gril.

🗝 SCE Plantey, Ch. Plantey, 33250 Pauillac, tél. et fax 05.56.59.32.30
🗝 Claude Meffre

CH. TOUR-PIBRAN 2009 ★

■ n.c. 20 à 30 €

Assis sur une jolie croupe de graves à la sortie de Pauillac, en direction de Cissac, ce cru bénéficie d'un bon terroir. L'équipe de Pichon Baron a bien tiré parti de cet atout pour proposer un 2009 à la robe engageante, entre rubis et noir. Le bouquet, sur les fruits mûrs, griotte en tête, avec une pointe de cuir en appoint, et la bouche, corpulente, bien charpentée par de solides tanins, s'accordent pour former un ensemble élégant et harmonieux. Une bouteille que l'on commencera à ouvrir dans quatre ou cinq ans. Encore jeune, boisé et tannique, le **Ch. Pibran 2009 (30 à 50 €; 5 500 b.)** est cité.

Ch. Pibran, 33250 Pauillac, tél. 05.56.73.17.17, fax 05.56.59.64.62

Axa Millésimes

CH. TOUR SIEUJEAN 2009 ★

■ 24 000 20 à 30 €

Stéphane Chaumont a migré de Bégadan à Saint-Laurent-Médoc en épousant en 2003 Catherine Lopez, qui venait alors de quitter la cave coopérative de Pauillac. Depuis lors, le cru affiche de belles qualités, témoin ce 2009 paré d'une robe sombre et profonde qui, après aération, dévoile un bouquet riche et « artistocratique » de fruits rouges et noirs confits, de sous-bois, de vanille et de réglisse. Ample, dense et puissant, le palais appelle trois ou quatre ans de vieillissement pour que son noble boisé se fonde.

Stéphane Chaumont, Ch. Tour Sieujean, 11 rte de Pauillac, 33112 Saint-Laurent-Médoc, tél. 05.56.59.46.03, fax 05.56.59.41.40, tour-sieujean@orange.fr r.-v.

Saint-estèphe

Superficie : 1 230 ha
Production : 54 200 hl

À quelques encablures de Pauillac et de son port, Saint-Estèphe affirme un caractère terrien avec ses rustiques hameaux pleins de charme. Correspondant (à l'exception de quelques hectares compris dans l'appellation pauillac) à la commune elle-même, l'appellation est la plus septentrionale des six AOC communales médocaines. L'altitude moyenne est d'une quarantaine de mètres et les sols sont formés de graves légèrement plus argileuses que dans les appellations plus méridionales. L'appellation compte cinq crus classés, et les vins qui y sont produits portent la marque du terroir. Celui-ci renforce nettement leur caractère, avec, en général, une acidité des raisins plus élevée, une couleur plus intense et une richesse en tanins plus grande que pour les autres vins du Médoc. Très puissants, ce sont d'excellents vins de garde.

CH. ANDRON BLANQUET 2009 ★

■ 83 000 11 à 15 €

Situé sur la croupe de Cos, ce cru jouit d'un terroir de qualité dont le caractère harmonieux du vin est le reflet. Encore marqué par le bois dans son expression aromatique, ce 2009 se montre gras et rond en bouche, porté par des tanins souples et fondus, bien typés du millésime. Il saura tirer profit d'un séjour en cave de trois ou quatre ans.

SCE des Domaines Audoy, Ch. Andron Blanquet, 33180 Saint-Estèphe, tél. 05.56.59.30.22, fax 05.56.59.73.52, contact@cos-labory.com

CH. BEAU-SITE HAUT-VIGNOBLE 2009

■ 88 630 15 à 20 €

Avec plus de quarante-cinq parcelles, ce cru offre un terroir très représentatif de l'appellation. Sur 13,4 ha de graves argileuses, il produit ce 2009 d'une grande finesse en dépit d'une finale un peu austère. Bien dosé, le bois (toasté) ne masque pas les arômes fruités du bouquet, généreux et intense. Dans la continuité du nez, la bouche se révèle ronde, charnue, épaulée par des tanins élégants. Un séjour en cave de cinq à huit ans permettra à ce vin d'exprimer pleinement sa personnalité.

EARL Braquessac, 10, rte du Vieux-Moulin, Saint-Corbian, 33180 Saint-Estèphe, tél. 05.56.59.30.40, fax 05.56.59.39.13, earl.braquessac@sfr.fr r.-v.

CH. BEL AIR 2009 ★

■ 30 000 15 à 20 €

La taille réduite du vignoble (4,92 ha) n'empêche pas celui-ci de présenter un encépagement diversifié. Cabernet-sauvignon (70 %), merlot (20 %), cabernet franc (5 %) et petit verdot composent ce 2009 doté d'une solide trame tannique étayée par une fine acidité, qui sait aussi se faire aimer pour ses arômes de fruits rouges mûrs et d'épices. Quatre ou cinq ans de garde seront nécessaires pour que les tanins se fondent.

SCEA du Ch. Bel Air, 3, rte de Castelnau, 33480 Avensan, tél. 05.56.58.21.03, fax 05.56.58.17.20, jeanfrancoisbraquessac@wanadoo.fr r.-v.

Braquessac

CH. BEL-AIR ORTET 2009 ★

■ 21 200 8 à 11 €

Issu d'un assemblage à dominante de merlot (52 %) et d'un terroir graveleux de qualité, ce vin a tiré profit de ses douze mois d'élevage en fût, comme le montre son bouquet où les notes vanillées et grillées de l'élevage se marient harmonieusement avec d'intenses arômes de raisin frais, de mûre et de cassis. Ample et séveux, le palais possède une jolie structure qui donnera le meilleur d'elle-même d'ici deux à cinq ans. Également proposé par le négociant Cheval Quancard, le **Ch. Cossieu-Coutelin 2009 (11 à 15 €; 36 266 b.)**, riche et élégant, au fruité charnu, aux tanins fondus et soyeux, obtient lui aussi une étoile, tandis que le **Ch. la Vicomtesse 2009 (5 à 8 €; 26 666 b.)**, bien équilibré entre fruité et boisé, est cité.

Cheval Quancard, ZI La Mouline, 4, rue du Carbouney, BP 36, 33565 Carbon-Blanc Cedex, tél. 05.57.77.88.88, fax 05.57.77.88.99, chevalquancard@chevalquancard.com r.-v.

CH. LE BOSCQ 2009 ★

■	88 600	🍷	20 à 30 €

90 95 96 97 **98 99 00** |01| |02| |**03**| |**04**| **05** 06 07 08 09

Avec une croupe de graves dominant en première ligne l'estuaire, ce cru au terroir d'une remarquable homogénéité a permis à l'équipe des Vignobles Dourthe de donner naissance à un vin de très bonne tenue. Sa qualité apparaît dès le bouquet aux notes intenses et élégantes de fruits noirs et de pivoine. Ample, charnu et corpulent, le palais offre une belle mâche, bâti sur des tanins un peu envahissants mais garants d'une réelle longévité. On pourra commencer à servir cette bouteille dans quatre ou cinq ans sur un civet de lièvre ou sur un sauté d'agneau.

Ch. le Boscq-Vignobles Dourthe, 33180 Saint-Estèphe, tél. 05.56.35.53.00, fax 05.56.35.53.29, contact@dourthe.com r.-v.

Vignobles Dourthe

♥ CH. CALON SÉGUR 2009 ★★

■ 3e cru clas.	140 000	🍷	75 à 100 €

98 |01| **03** |04| 06 07 **09**

Un millésime glorieux pour la famille Capbern Gasqueton qui a dû vendre à une compagnie d'assurances le cru en 2012 après le décès de la propriétaire l'année précédente. Jamais le cœur figurant sur l'étiquette du cru n'aura été aussi justifié qu'avec ce superbe 2009. Provenant de 90 % de cabernet-sauvignon, il a subjugué le jury par la fraîcheur de ses arômes fruités, légèrement épicés et toastés. Après une belle attaque, on découvre des tanins fins et bien extraits, de la rondeur, du gras et de la chair, agrémentés par une touche mentholée. Longue et soyeuse, la finale offre un très beau retour aromatique sur les fruits rouges mûrs à souhait. Un ensemble d'une grande harmonie, à déguster dans cinq à huit ans sur un mets de choix, une lamproie à la bordelaise par exemple. Le second vin, **Marquis de Calon 2009 (11 à 15 €; 105 000 b.)**, rond, onctueux et fruité, obtient une étoile, de même que le **Ch. Capbern Gasqueton 2009 (11 à 15 €; 100 000 b.)** bien structuré, équilibré et frais.

SCEA Calon Ségur, 33180 Saint-Estèphe, tél. 05.56.59.30.08, fax 05.56.59.71.51, calon-segur@calon-segur.fr r.-v.

CH. LA COMMANDERIE 2009

■	66 000	🍷	15 à 20 €

Ancienne commanderie de templiers, ce château fut entièrement reconstruit après la Révolution. Propriété de la famille Bonnie pendant plus d'un siècle, il a été acquis en 1956 par Gabriel Meffre, le célèbre négociant rhodanien, et conduit depuis 1996 par Claude Meffre. Né de 60 % de merlot et de 40 % de cabernet-sauvignon plantés sur graves, ce 2009 grenat intense livre un bouquet bien ouvert sur les fruits mûrs mêlés de notes mentholées et torréfiées. La bouche ronde, ample et charnue, encore sous l'emprise du bois appelle une garde de trois à cinq ans pour plus de fondu.

EARL Ch. la Commanderie, Leyssac, 33180 Saint-Estèphe, tél. et fax 05.56.59.32.30 r.-v.

Claude Meffre

CH. COS LABORY 2009 ★★

■ 5e cru clas.	100 000	🍷	30 à 50 €

82 **83 85 86** 88 89 (90) 91 **92** 93 94 95 **96 97** |**98**| **99** |00| |**01**| |02| |03| |**04**| 05 **06** 07 **08 09**

« Cos », petite butte de cailloux (caux), et « Labory », nom du propriétaire du domaine jusqu'en 1845. Un vrai domaine familial, où Bernard Audoy, à la suite de son père François qui avait hérité de ce cru en 1959, veille à parfaire l'adéquation entre les sols (de graves günziennes) et les cépages. Cet accord aboutit à des vins à la forte personnalité, dont ce 2009 offre une très belle illustration. D'une seyante couleur grenat, il livre un bouquet aux séduisantes notes de fruits rouges un rien confiturés, agrémenté de notes toastées et mentholées. Le palais apparaît souple et rond, étoffé par des tanins fins et serrés. Déjà très harmonieux, ce vin sera à son optimum dans six ou sept ans.

SCE Domaines Audoy, Ch. Cos Labory, 33180 Saint-Estèphe, tél. 05.56.59.30.22, fax 05.56.59.73.52, contact@cos-labory.com r.-v.

CH. COUTELIN-MERVILLE 2009 ★

■	n.c.	🍷	15 à 20 €

Fidèle à son habitude, ce cru propose un 2009 au beau potentiel. La teinte soutenue de la robe annonce un bouquet intense de fruits rouges et de fleurs accompagnés par un élégant boisé. Mais c'est en bouche que le vin se révèle complètement : puissant, solidement structuré, fruité et épicé. À ouvrir dans cinq ans sur une pièce de gibier. Une aération avant le service pourra être utile.

G. Estager et Fils, Blanquet, 33180 Saint-Estèphe, tél. et fax 05.56.59.32.10 r.-v.

CH. LE CROCK 2009 ★

■	130 700	🍷	20 à 30 €

Exposé au sud et dominant un joli parc bucolique, ce cru ne manque pas d'originalité. Son 2009, d'une belle couleur soutenue aux reflets violacés, se montre bien typé par sa matière puissante tendue par une fine acidité et soutenue par des tanins marqués mais élégants. Il méritera d'être attendu quatre ou cinq ans pour que son bouquet naissant et délicat de fruits rouges puisse s'épanouir.

Domaines Cuvelier, Ch. le Crock, Marbuzet, 33180 Saint-Estèphe, tél. 05.56.59.73.05, fax 05.56.59.30.33, chateaulecrock@orange.fr r.-v.

CH. HAUT-BARADIEU 2009 ★★

■	12 004	🍷	15 à 20 €

Produit par les vignobles Jean Anney et distribué par la maison de négoce Cordier, ce vin fait une entrée remarquée dans le Guide. Une robe d'un beau pourpre sombre ; un bouquet frais, flatteur et complexe, fruité, floral et épicé ; un palais ample, puissant et tannique, une longue finale vineuse et intense : tout annonce une superbe bouteille, à ouvrir dans cinq ou six ans. Également élevé et distribué par Cordier, mais produit par Lilian Ladouys, le **Ch. la Rousselière 2009 (48 888 b.)** obtient une étoile pour sa solide structure, qui appelle une garde de trois ou quatre ans.

🔑 Grands Crus Cordier-Mestrezat, 109, rue Achard, BP 154, 33042 Bordeaux Cedex, tél. 05.56.11.29.00, fax 05.56.11.29.01, contact@cordier-wines.com

CH. HAUT-MARBUZET 2009 ★★

■ 400 000 🍷 30 à 50 €

85 86 88 89 90 92 93 94 |**95**| **96** 97 |(98)| |**99**| |**00**| |**01**| **02 03 04** 05 06 **07 08 09**

Coup de cœur l'an dernier, ce cru d'une remarquable régularité propose une nouvelle fois un vin qui a fière allure, et pas seulement par sa robe cerise à reflets bigarreau. Au nez, les petits fruits rouges se mêlent à un boisé bien fondu, avec une légère touche animale à l'arrière-plan. L'attaque, tout en souplesse, prélude à un palais équilibré, gras et élégant, misant sur la finesse plutôt que sur la puissance, porté par des tanins mûrs et veloutés et par une très jolie finale onctueuse et gourmande. Une bouteille racée et typée, à boire dans trois à six ans sur un tournedos de marcassin aux légumes printaniers, par exemple. À la fois soyeux, rond, charnu et bien structuré, le **Ch. Chambert-Marbuzet 2009 (20 à 30 € ; 36 000 b.)** obtient une étoile. On l'attendra trois à cinq ans.

🔑 Henri Duboscq et Fils, Ch. Haut-Marbuzet, 33180 Saint-Estèphe, tél. 05.56.59.30.54, fax 05.56.59.70.87, henri.duboscq@haut-marbuzet.com r.-v.

CH. LA HAYE 2009 ★

■ 54 000 🍷 20 à 30 €

Une porte du château, datée de 1557, rappelle qu'ici, l'histoire de la propriété ne s'écrit pas en décennies mais en siècles. La garde du vin s'écrira, elle, en années (au moins cinq ou six). Paré d'une robe grenat, ce 2009 d'abord sur la réserve s'ouvre à l'agitation sur des notes d'épices et de fruits rouges confits. Le palais se révèle souple et rond à l'attaque, montre une certaine sévérité tannique en finale. « Un vin bien typé Médoc et cabernet-sauvignon », conclut un dégustateur. Le second vin, le **Fief de la Haye 2009 (11 à 15 € ; 13 800 b.)**, dans un style proche, est cité.

🔑 SC Ch. la Haye, 1, rte de Saint-Affrique, Leyssac, 33180 Saint-Estèphe, tél. 05.56.59.32.18, fax 05.56.59.33.22, info@chateaulahaye.com
t.l.j. 11h-18h; avr.-sept. sur r.-v.
🔑 Lamiable

CH. L'INSOUCIANCE 2009 ★

■ 8 970 🍷 20 à 30 €

Un joli nom pour ce petit cru (1,88 ha sur une croupe de graves regardant la Gironde) créé en 2009 par un groupe d'amis. Il aurait pu tout aussi bien s'appeler « l'exigence », tant celle-ci est perceptible dans ce vin à dominante de merlot (70 %). Drapé dans une robe cerise vive et intense, celui-ci dévoile un bouquet fin, où un boisé fondu (réglisse) enveloppe les fruits frais (groseille, mûre). Souple et suave en attaque, le palais apparaît doux et soyeux, sur les fruits rouges compotés, avant de se montrer plus ferme en finale. Une bouteille bien construite, qui demandera trois à cinq ans de vieillissement.

NOUVEAU PRODUCTEUR

🔑 SARL Club 51, 17, rue Lestage, 33180 Saint-Seurin-de-Cadourne, tél. 06.11.02.99.30, chateau-l-insouciance@hotmail.fr r.-v.

CH. LAFON-ROCHET 2009 ★★

■ 4e cru clas. 135 000 🍷 50 à 75 €

85 **86** 88 89 90 **91 92** 93 94 (95) **96 97** |**98**| |**99**| **00 01** |**02**| 03 **04** 05 06 07 **08 09**

Très original par sa couleur jaune emblématique du domaine, ce château construit dans les années 1960 sur les plans d'une chartreuse du XVIIIe s. commande un très beau vignoble, en cours de conversion bio depuis 2009. Troisième millésime pour Basile Tesseron avec ce vin, et de nouveau deux étoiles après celles décrochées l'an dernier. Dans le verre, un grenat foncé intense à reflets pourpres. Le bouquet se fait désirer, et il faut un peu d'aération pour libérer des senteurs élégantes de fruits rouges confiturés. Ample et frais en attaque, puissant et long, le palais s'appuie sur des tanins fermes mais séveux et bien enrobés. « Une force tranquille », conclut un dégustateur. Il faudra s'armer d'un peu de patience (au moins cinq ans) pour découvrir toutes les facettes de cette bouteille.

🔑 Ch. Lafon-Rochet, lieu-dit Blanquet, 33180 Saint-Estèphe, tél. 05.56.59.32.06, fax 05.56.59.72.43, lafon@lafon-rochet.com r.-v.
🔑 Famille Tesseron

CH. LÉO DE PRADES 2009 ★

■ 64 000 🍷 15 à 20 €

Élaboré à la cave coopérative de Saint-Estèphe, ce vin à dominante de merlot (60 %) se montre très agréable

Saint-Estèphe

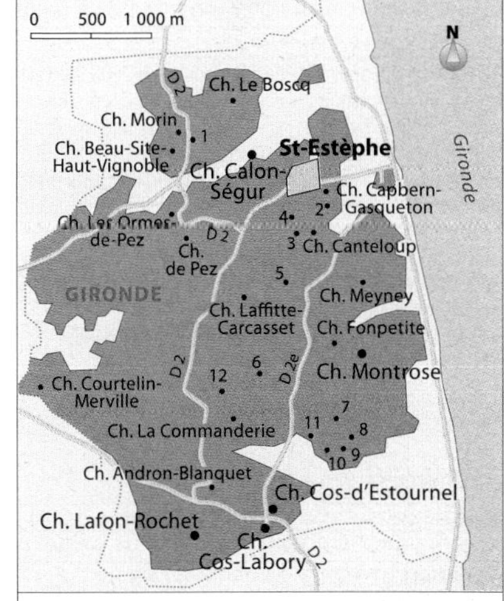

par son bouquet de fruits noirs accompagnés de touches boisées et mentholées. La bouche plaît par sa rondeur, son côté charnu, ses tanins bien fondus et par l'élégance de sa finale, longue et fruitée. Tout cela promet une bouteille fort sympathique d'ici deux à trois ans. Assez proche, souple, ronde et équilibrée, la marque emblématique de la cave, **Tradition du Marquis de Saint-Estèphe 2009 (11 à 15 € ; 11 400 b.)**, est citée.

Marquis de Saint-Estèphe, 2, rue du Médoc, 33180 Saint-Estèphe, tél. 05.56.73.35.30, fax 05.56.59.70.89, marquis.st.estephe@wanadoo.fr
t.l.j. sf sam. dim. 8h30-12h15 14h-18h

CH. LILIAN LADOUYS 2009 ★★

■ 230 000 15 à 20 €

Régulier en qualité, ce cru fait un pas en avant avec ce millésime, dont les mots clés sont richesse et harmonie. Ces deux traits se retrouvent d'abord dans le bouquet, où de puissantes notes de baies sauvages bien mûres sont appuyées par un boisé parfaitement maîtrisé. Bénéficiant également d'un excellent équilibre, le palais ample et gras révèle par sa structure puissante un important potentiel de vieillissement. On commencera à ouvrir cette bouteille dans cinq ou six ans. Dense, bien bâti tout en restant élégant, le second vin, **Devise de Lilian 2009 (11 à 15 € ; 10 000 b.)**, est très réussi. Apte à une bonne garde lui aussi, il pourra commencer à être apprécié à partir de 2015-2016.

SAS Ch. Lilian Ladouys, Blanquet, 33180 Saint-Estèphe, tél. 05.56.59.71.96, fax 05.56.59.63.19, chateau-lilian-ladouys@wanadoo.fr r.-v.
Lorenzetti

CH. MEYNEY 2009 ★

■ n.c. 15 à 20 €

90 92 93 94 **95 96** 97 99 |00| **01** 02 |04| 05 06 **08** 09

Coup de cœur l'an dernier pour son 2008, ce vaste cru d'un seul tenant, ancien prieuré bâti en 1662, a rehaussé son palissage en 2009, pour une meilleure maturation du raisin, et affiné sa sélection parcellaire. Il en résulte un vin discret au nez, mais dont on devine la future personnalité à de plaisantes notes de fruits rouges, de cuir et de sous-bois. Souple en attaque, le palais dévoile ensuite une trame de tanins serrés et une pointe d'acidité qui laissent augurer une bonne évolution au cours des trois ou quatre prochaines années.

SC Prieuré de Meyney, 4, quai Antoine-Ferchaud, 33250 Pauillac, tél. 05.56.59.00.40, fax 05.56.59.36.47, contact@cagrandscrus.fr
Crédit Agricole Grands Crus

CH. MONTROSE 2009 ★★

■ 2e cru clas. 200 000 + de 100 €

(82) **83 85 86** 87 **88 89 90** 91 **92 93 94 95 96 97 98** |99| **00** |01| **02 03 04 05 06 07 08 09**

Planté sur un beau terroir de graves au sous-sol d'argiles, ce vignoble regardant le fleuve privilégie le cabernet-sauvignon (65 %). Pas étonnant d'y trouver un authentique vin de garde, comme l'annonce son bouquet complexe et concentré (fruits rouges, boisé élégant), qui a cependant encore besoin de temps pour se livrer totalement. La bouche ample, riche et puissante, bâtie sur des tanins serrés et enrobés de notes réglissées, et la longue finale chaleureuse et épicée confirment que le temps sera un bon allié. On commencera à ouvrir cette bouteille dans cinq à huit ans, sur un pavé de bœuf sauce aux cèpes. Très élégant, notamment dans son expression aromatique, ses tanins souples et sa finale persistante, le second vin, **La Dame de Montrose 2009 (30 à 50 € ; 80 000 b.)**, obtient une étoile.

SCEA du Ch. Montrose, Ch. Montrose, 33180 Saint-Estèphe, tél. 05.56.59.30.12, fax 05.56.59.71.86, chateau@chateau-montrose.com r.-v.
Bouygues

♥ CH. ORMES DE PEZ 2009 ★★

■ 180 000 20 à 30 €

89 90 95 96 97 |98| 99 **00 01** |**02**| 03 **04** 06 07 08 09

Au charme de la chartreuse du XVIIIe s. s'ajoutent celui d'un beau parc arboré et celui de ce vin dont la robe d'un superbe pourpre profond nuancé de violine annonce la jeunesse. Le bouquet se révèle fin et élégant, riche de fruits rouges et noirs et d'épices sur un merrain délicat. Le palais, montant, séduit par sa sève, sa densité, sa fraîcheur, son boisé parfaitement maîtrisé et par sa structure solide bâtie sur des tanins fort bien extraits. L'ensemble est d'une grande harmonie, et quelques années de garde (sept ou huit, voire davantage) lui permettront d'atteindre sa plénitude.

Jean-Michel Cazes, Ch. Ormes de Pez, 33180 Saint-Estèphe, tél. 05.56.73.24.00, fax 05.56.59.26.42, infochato@ormesdepez.com 4

CH. PETIT BOCQ 2009 ★★

■ 118 000 15 à 20 €

94 95 96 **97** 98 99 |**00**| |01| 02 |03| |**04**| **05** 06 (07) 08 **09**

En dépit du morcellement de la propriété, ce cru jouit d'un terroir homogène de graves qui lui permet de faire preuve d'une régularité exemplaire. Celle-ci est confirmée une fois encore par ce vin d'une grande intensité. Dans sa couleur, pourpre presque noire, comme dans son bouquet intense et superbe, empreint de belles notes de cassis, de pain grillé et de vanille. Tout aussi généreux, le palais réussit l'alliance de la rondeur et d'une solide structure tannique, dense et fondue à la fois. Un saint-estèphe de haute expression, puissant, élégant et très long, qui possède un sérieux potentiel de garde (cinq à dix ans, et plus encore).

SCEA Lagneaux-Blaton, 3, rue de la Croix-de-Pez, 33180 Saint-Estèphe, tél. 05.56.59.35.69, fax 05.56.59.32.11, petitbocq@hotmail.com r.-v.

CH. LA PEYRE 2009 ★

■ 36 000 🍷 15 à 20 €

Jadis rattaché à la cave coopérative, ce cru s'en est « émancipé » en 1993 avec l'arrivée de Dany et René Rabiller à la tête du domaine. Depuis lors, ses vins fréquentent le Guide avec constance. Les fidèles du cru ne seront pas surpris par la solide structure tannique du 2009. Conciliant puissance, mâche, douceur et élégance, ce millésime de bonne garde (à attendre au moins trois à cinq ans) est servi par un élevage qui respecte le fruit (cassis en tête). Un beau représentant de l'appellation.

René et Dany Rabiller, 25, rte de Saint-Affrique, Leyssac, 33180 Saint-Estèphe, tél. 05.56.59.32.51, fax 05.56.59.70.09, vignoblesrabiller@wanadoo.fr r.-v.

CH. DE PEZ 2009 ★

■ 150 000 🍷 30 à 50 €

Ce cru très ancien ayant appartenu aux familles Pontac et Lawton est depuis 1995 la propriété des Champagnes Roederer. Le domaine offre ici un vin qui séduit d'emblée par l'intensité délicate de son expression aromatique (fruits noirs et rouges mûrs, boisé léger) comme par le caractère à la fois fondu et serré de ses tanins, enrobés d'une chair très fine. Encore un peu austère, la finale invite toutefois à la patience (quatre à six ans).

SC La Salle Saint-Estèphe, Ch. de Pez, 33180 Saint-Estèphe, tél. 05.56.59.30.26, fax 05.56.59.39.25 r.-v.

Champagnes Louis Roederer

CH. PHÉLAN SÉGUR 2009 ★★

■ 260 000 🍷 50 à 75 €

88 89 **90 91 93 94 95 96** 97 |**98**| **99** |**00**| |**01**| |**02**| **03** |④| **05** 06 |07| **08 09**

Ce cru, très belle unité bénéficiant d'un beau terroir de graves argileuses dominant l'estuaire, est un exemple de régularité. Remarquable, son 2009 ne se contente pas d'un bouquet épanoui (petits fruits noirs, toast, épices douces). Il offre aussi un palais franc en attaque, ample et riche dans son développement, bâti sur des tanins fermes et bien extraits qui lui assureront une bonne garde. On attendra quatre ou cinq ans ce vin élégant, bien dans son appellation. Souple et rond, le second vin, **Frank Phélan 2009 (20 à 30 €; 140 000 b.)**, est cité.

Ch. Phélan Ségur, 33180 Saint-Estèphe, tél. 05.56.59.74.00, fax 05.56.59.74.10, phelan@phelansegur.com r.-v.

X. Gardinier

CH. LA ROSE BRANA 2009 ★

■ 75 000 🍷 15 à 20 €

Cinq générations ont constitué cette propriété familiale couvrant aujourd'hui 32 ha. Le merlot a ici la part belle (55 %) ; il a engendré, avec le cabernet-sauvignon, un 2009 au bouquet naissant de fruits rouges agrémentés d'une touche de cuir et de figue. Après une attaque souple, la bouche se montre tannique et austère en finale. Deux ou trois ans d'attente devraient arrondir l'ensemble.

SCEA des Vignobles Ollier, 21, rue des Tilleuls, Leyssac, 33180 Saint-Estèphe, tél. 05.56.59.32.70, fax 05.56.59.39.97, contact@rosebrana.com

t.l.j. sf sam. dim. 9h30-12h 14h-17h

CH. SÉGUR DE CABANAC 2009 ★

■ 40 000 🍷 20 à 30 €

|95| |96| **97 98** |99| **00** |**01**| |**02**| **03 04** 05 **06** |07| **08** 09

Le « Prince des Vignes », le comte Joseph-Marie Ségur de Cabanac, fut propriétaire de certaines parcelles du domaine. Les Delon y sont installés depuis 1985. Ils signent ici un 2009 dont l'élevage en fût se ressent pleinement à la dégustation. Au nez, le boisé l'emporte sur les fruits frais, accompagné d'une touche mentholée. En bouche également, le merrain masque quelque peu le fruit, mais le vin est là, de bon volume, bien structuré. On attendra quatre ou cinq ans que l'ensemble se fonde.

SCEA Guy Delon et Fils, Ch. Ségur de Cabanac, 33180 Saint-Estèphe, tél. 05.56.59.70.10, fax 05.56.59.73.94, sceadelon@wanadoo.fr r.-v.

CH. TRONQUOY-LALANDE 2009 ★

■ 89 000 🍷 20 à 30 €

93 94 95 96 98 99 |00| |01| |**02**| |03| 04 **05** |06| |**07**| 08 09

Ce cru, propriété de la famille Bouygues, comme le château Montrose, est situé au cœur de l'appellation. Son 2009, issu d'une majorité de merlot (51 %) complété par le cabernet-sauvignon (42 %) et par le petit verdot, séduit par l'élégance de son boisé et par la richesse de sa matière. Complexe et fin, le bouquet joue sur des notes de vanille, de pain grillé et d'épices agrémentées d'une pointe animale. Ronde, onctueuse et charnue, la bouche s'appuie sur une solide structure et offre en finale un beau retour aromatique aux accents chocolatés accompagnés de nuances de truffe noire et de sous-bois. Ce vin, qui conjugue puissance et finesse, est armé pour une longue garde : cinq à dix ans pour le moins.

Ch. Tronquoy-Lalande, 33180 Saint-Estèphe, tél. 05.56.59.61.05, fax 05.56.59.63.05, chateau@tronquoy-lalande.com

Martin Bouygues

Saint-julien

Superficie : 920 ha
Production : 41 775 hl

Pour l'une saint-julien, pour l'autre Saint-Julien-Beychevelle, saint-julien est la seule appellation communale du Haut-Médoc à ne pas respecter scrupuleusement l'homonymie entre les dénominations viticole et municipale. La seconde, il est vrai, a le défaut d'être un peu longue, mais elle correspond parfaitement à l'identité humaine et au terroir de la commune et de l'aire d'appellation, à cheval sur deux plateaux aux sols caillouteux et graveleux.

Situé exactement au centre du Haut-Médoc, le vignoble de Saint-Julien constitue, sur une superficie assez réduite, une harmonieuse synthèse entre margaux et pauillac. Il n'est donc pas étonnant d'y trouver onze crus classés, dont cinq seconds. À l'image de leur terroir, les vins offrent un bon équilibre entre les qualités des margaux (notamment la finesse) et celles des pauillac (la puissance). D'une manière générale, ils possèdent une belle couleur, un bouquet fin et typé, du corps, une grande richesse et de la sève. Mais, bien entendu, les quelque 6 millions de bouteilles produites en moyenne chaque année en saint-julien sont loin de se ressembler toutes, et les dégustateurs les plus avertis noteront les différences qui existent entre les crus situés au sud – plus proches des margaux – et ceux du nord – plus près des pauillac –, ainsi qu'entre ceux qui sont à proximité de l'estuaire et ceux qui se trouvent plus à l'intérieur des terres, vers Saint-Laurent.

CH. BEYCHEVELLE 2009 ★★

■ 4e cru clas. 266 500 75 à 100 €

82 **83 85 86 88** (89) 90 91 92 93 **94 95** 96 **97 98** 99 **00** 01 02 03 **04** 05 06 **07** 08 **09**

Beychevelle fut le fief des ducs d'Épernon sous Henri III. L'un deux, grand amiral de France, exigeait que les navires passant devant son château abaissent les voiles en signe d'allégeance : « baisse voile » devint « beychevelle »... Si l'année 2009 a vu le cru passer à l'agriculture raisonnée (Terra Vitis), première étape vers une démarche de viticulture biologique, elle a aussi – et surtout – été marquée par un grand vin superbe, dont la robe d'un grenat profond, limpide et brillant, est prometteuse et invite à poursuivre la dégustation. Le bouquet élégant, sur les petits fruits rouges, le poivre, le cuir et la réglisse, comme le palais, encore un peu austère mais de très bonne constitution, puissant et long montrent qu'il ne s'agit pas d'une promesse de Gascon. Une garde de quatre à huit ans s'impose. Le second vin du domaine, l'**Amiral de Beychevelle 2009 (20 à 30 €; 148 000 b.)**, obtient une étoile pour sa structure fondue aux tanins soyeux, pour sa finesse et son équilibre. À attendre quatre ou cinq ans.

SC Ch. Beychevelle, 33250 Saint-Julien-Beychevelle, tél. 05.56.73.20.70, fax 05.56.73.20.71, beychevelle@beychevelle.com r.-v.

CH. BRANAIRE-DUCRU 2009 ★

■ 4e cru clas. 160 000 50 à 75 €

82 **83 85 86 88 89** 90 93 **94 95** 96 97 **98 99 00** 01 02 03 04 05 **06** 07 **08** 09

Cabernet-sauvignon (65 %), merlot (28 %), petit verdot (4 %) et cabernet franc : par son encépagement, Branaire reste fidèle à la tradition médocaine. Avec raison, comme l'atteste ce vin d'un pourpre soutenu, qui déploie une superbe palette aromatique (rose, petits fruits, épices, vanille), prélude à un palais ample, rond et souple, soutenu par des tanins fondus et à la longue finale réglissée. Cette bouteille, qui cache encore un peu son jeu, possède un réel potentiel de garde. À attendre au moins cinq ans. Moins ambitieux mais non dénué d'intérêt, son « petit frère » **Duluc de Branaire-Ducru 2009 (20 à 30 €; 70 000 b.)** est cité pour son bouquet plaisant de rose, de pivoine et d'épices et pour ses tanins fins.

Ch. Branaire-Ducru, 33250 Saint-Julien-Beychevelle, tél. 05.56.59.25.86, fax 05.56.59.16.26, branaire@branaire.com r.-v.

CH. LA BRIDANE 2009 ★

■ 46 600 20 à 30 €

À la fin du XVIII[e]s., la propriété accueillait un moulin appartenant au curé de Saint-Laurent, l'abbé Bridane. Piètre terroir pour les céréales, les graves garonnaises sont propices à l'épanouissement du merlot et du cabernet-sauvignon, ici complétés d'une touche de petit verdot. Cela donne un vin qui attaque avec noblesse avant de développer un palais séveux, généreux et charnu. Une réelle harmonie s'établit entre les tanins du vin et ceux de la barrique. Une bouteille bien structurée, qui s'affinera avec le temps (trois à cinq ans). Souple, équilibré et élégant, le **Ch. Moulin de la Bridane 2009 (15 à 20 €; 40 000 b.)** est cité.

Bruno Saintout, 20, Cartujac, 33112 Saint-Laurent-Médoc, tél. 05.56.59.91.70, fax 05.56.59.46.13, bruno.saintout@wanadoo.fr r.-v.

CLOS DU MARQUIS 2009 ★

■ 180 000 50 à 75 €

Du même propriétaire que le Château Léoville Las Cases (Jean-Hubert Delon), ce vin, issu cependant d'un terroir différent, retient l'attention par son élégance, tant au nez qu'en bouche. Le premier évoque les épices douces et les fruits noirs et rouges, agrémentés d'une plaisante touche mentholée. Le palais, qui offre une jolie rondeur, de la chair et de l'onctuosité, est soutenu par des tanins présents mais fins et par une finale montante et légèrement torréfiée. Ce vin d'une belle finesse ne manque toutefois pas de puissance. À déboucher dans cinq ans et plus.

SC. Ch. Léoville Las Cases, 33250 Saint-Julien-Beychevelle, tél. 05.56.73.25.26, fax 05.56.59.18.33, contact@leoville-las-cases.com r.-v.

CH. GLORIA 2009 ★

■ 200 000 30 à 50 €

82 **83** 84 85 86 87 **88 89** 90 **91** 93 94 **95** 96 97 98 99 00 **01 02** 03 04 (05) 06 07 08 09

Belle unité d'une cinquantaine d'hectares, ce cru propose un vin qui a fière allure dans sa robe grenat. Très expressif, le bouquet joue sur des notes de fruits cuits, de chocolat noir, de vanille et d'épices. Souple et tonique en attaque, le palais offre un bon compromis entre le bois et les fruits, soutenu par une fine vivacité et des tanins de qualité. À ouvrir dans quatre ou cinq ans. Encore dominé par son élevage (toasté, grillé), mais bien structuré, le **Ch. Haut-Beychevelle Gloria 2009 (11 à 15 €; 25 000 b.)** est également cité.

Domaines Martin, Ch. Gloria, 33250 Saint-Julien-Beychevelle, tél. 05.56.59.08.18, fax 05.56.59.16.18, contact@domaines-martin.com r.-v.

CH. GRUAUD LAROSE 2009 ★

■ 2e cru clas. 152 000 30 à 50 €

82 83 84 **85** (86) 87 **88** 89 **90** 91 92 **93 94** (95) **96** 97 98 99 (00) **01** 02 **03 04** 05 06 07 **08** 09

La première étiquette de ce vaste cru d'un seul tenant (82 ha) date de 1781 ; celle du 2008 illustra le coup de cœur obtenu dans l'édition précédente. Le 2009 affiche certes des ambitions plus modestes, mais il a aussi quelques atouts à faire valoir. À la fois discret et élégant, le bouquet laisse percer de fines notes réglissées et fruitées (griotte et myrtille). À l'unisson, la bouche plaît par la souplesse de son attaque, son élégance et sa longueur. Un ensemble déjà fort plaisant, qui atteindra sa plénitude dans quatre ou cinq ans. Souple et aimable, le **Sarget de Gruaud Larose 2009 (152 000 b.)** est cité.

Ch. Gruaud Larose, 33250 Saint-Julien-Beychevelle,
tél. 05.56.73.15.20, fax 05.56.59.64.72, gl@gruaud-larose.com
r.-v.
Jean Merlaut

CH. LAGRANGE 2009 ★

3e cru clas. | 270 000 | 30 à 50 €

82 **83 85 86 88 89** |(90)| **91 92 93 94 95** |**96**| **97** |**98**|
99 |**00**| **01** 02 |**03**| **04 05 06** 07 08 09

Bien que le cru possède de belles parcelles de petit verdot, ce cépage n'est pas entré dans l'assemblage du grand vin en 2009. Un choix que ne conteste pas le vin. Se présentant dans une avenante robe grenat sombre, il charme par son bouquet expressif, frais et distingué. Il conserve son attrait au palais, en déployant des tanins puissants mais soyeux qui portent une finale riche et longue. Encore sensible, le boisé appelle au minimum quatre ou cinq ans de patience. Un peu moins abouti mais bien équilibré, souple et frais, le second vin, **Les Fiefs de Lagrange 2009 (15 à 20 € ; 350 000 b.),** est cité.

Ch. Lagrange, Beychevelle,
33250 Saint-Julien-Beychevelle, tél. 05.56.73.38.38,
fax 05.56.59.26.09, chateau-lagrange@chateau-lagrange.com
r.-v.
Suntory Ltd

CH. LALANDE 2009

58 800 | 15 à 20 €

Fidèle à son habitude, ce cru – détaché du château Lagrange en 1964 – propose un vin jouant plus la carte de l'élégance et de la subtilité que celle de la puissance et de la concentration. Très frais dans son expression aromatique fruitée, épicée et mentholée, il dévoile un palais d'un bon volume, bien équilibré entre la générosité du millésime, des tanins enrobés, un boisé toasté mesuré et un fruité plaisant. À ouvrir dans deux ou trois ans.

SCE Ch. Lalande, Ch. du Glana, 5, Le Glana,
33250 Saint-Julien-Beychevelle, tél. 05.56.59.06.47,
fax 05.56.59.06.51, contact@chateau-du-glana.com r.-v.
Meffre

CH. LALANDE BORIE 2009 ★

n.c. | 20 à 30 €

Né sur une propriété d'une vingtaine d'hectares en une seule parcelle, ce vin associe 65 % de cabernet-sauvignon, 25 % de merlot et 10 % de cabernet franc. Il en résulte un 2009 finement bouqueté, sur les fruits rouges, le cassis et la vanille, et au palais ample, rond et charmeur. Un saint-julien gourmand et élégant, à marier à des mets raffinés.

SA Jean-Eugène Borie, Ch. Ducru Beaucaillou,
33250 Saint-Julien-Beychevelle, tél. 05.56.73.16.73,
fax 05.56.59.27.37, je-borie@je-borie-sa.com

CH. LANGOA BARTON 2009 ★

3e cru clas. | 120 000 | 50 à 75 €

82 83 85 86 88 |(89)| |**90**| 93 94 95 96 97 |**98**| |**99**| **00**
|**01**| |02| 03 04 05 07 08 09

Très régulier en qualité, le « petit frère » de Léoville (mais pas son second vin), propriété des Barton depuis 1821, sait affirmer sa personnalité avec ce vin qui s'annonce par une belle robe d'un rouge profond et par un bouquet élégant et frais de baies rouges. Après une attaque franche et ample, une bouche assez vive, fruitée et puissante se développe, portée par une solide structure de tanins mûrs et bien extraits, et par un boisé encore sensible qui invite à quelques années (quatre ou cinq) de patience.

Famille Barton, Ch. Langoa Barton,
33250 Saint-Julien-Beychevelle, tél. 05.56.59.06.05,
fax 05.56.59.14.29, chateau@leoville-barton.com r.-v.

CH. LÉOVILLE-BARTON 2009 ★★

2e cru clas. | 187 000 | 75 à 100 €

82 83 85 86 88 |**89**| |(90)| **91** 93 **94** |95| |**96**| **97** |**98**| |**99**|
00 |01| |**02**| **03** |**04**| (05) **06** 07 **08 09**

Acquis en 1826 par la famille Barton d'origine irlandaise, ce cru est né du partage de l'ancien grand domaine de Léoville. Ici, comme à Langoa, Anthony Barton et son équipe se méfient du modernisme excessif, préférant rester fidèles à la tradition. Ce vin né de 77 % de cabernet-sauvignon, et d'un soupçon de merlot (le solde en cabernet franc) ne les démentira pas. La robe est somptueuse, sombre et profonde. Le bouquet, élégant et complexe, dévoile des notes de fruits mûrs, de girofle, de terre chaude et des touches toastées. Ample, généreuse, très longue, gorgée de fruits rouges et noirs, la bouche se révèle puissante et séveuse, soutenue par des tanins bien présents mais soyeux. De grandes perspectives de garde pour cette bouteille à attendre au moins cinq ans.

Famille Barton, Ch. Léoville-Barton,
33250 Saint-Julien-Beychevelle, tél. 05.56.59.06.05,
fax 05.56.59.14.29, chateau@leoville-barton.com r.-v.

♥ CH. LÉOVILLE LAS CASES 2009 ★★★

2e cru clas. | 170 000 | + de 100 €

(61) **62 64** 67 69 **70 71 75** 76 **78 79** (82) (83) **85** (86) |**88**|
|**89**| |**90**| **91** 92 93 (00) **01 02** (03) **04** (05) **06 07 08** (09)

Floraison début juin sans coulure, véraison rapide et homogène, maturation sous un temps chaud et sec sans excès, avec des nuits fraîches : Léoville Las Cases ne s'est pas contenté d'enregistrer ces données favorables ; le cru a su les exploiter avec talent pour donner naissance à un 2009 d'exception, issu de 76 % de cabernet-sauvignon, de 15 % de merlot et de 9 % de cabernet franc. Le bouquet, puissant et complexe, offre une alliance subtile et suave de raisin mûr, de mine de crayon et de senteurs grillées. Une attaque droite et ferme prélude à un palais riche, ample et concentré, porté par des tanins sérieux et charnus à la fois. Le fruit est bien présent, le boisé prend des accents cacaotés, et la finale dévoile une noble amertume. Un vin extraordinaire au sens premier du terme, avec du fond et de la forme. De grande garde, évidemment et à attendre cinq à dix ans. En attendant, on pourra apprécier le caractère charmeur, fin et frais du second vin, **Le Petit Lion du Marquis de Las Cases 2009 (30 à 50 € ; 60 000 b.)**, qui obtient une étoile et qui s'appréciera dans quatre ou cinq ans.

SC. Ch. Léoville Las Cases,
33250 Saint-Julien-Beychevelle, tél. 05.56.73.25.26,
fax 05.56.59.18.33, contact@leoville-las-cases.com r.-v.
Jean-Hubert Delon

CH. LÉOVILLE POYFERRÉ 2009 ★★

■ 2e cru clas. 212 000 + de 100 €

79 80 **82** (83) **85 86 88 89** 90 **91** 93 **94** 95 **96 97 98 99** |**00**| 01 |(02)| |**03**| |**04**| **05 06** 07 **08 09**

Le terroir – des graves du Mindel – aurait pu permettre au cabernet-sauvignon de régner en maître absolu sur ce cru. Tout en lui donnant une place essentielle, les Cuvelier ont eu la sagesse de préserver la diversité en incluant dans l'assemblage du merlot, du cabernet franc et du petit verdot. Grâce à quoi le bouquet du 2009 s'annonce riche et complexe : notes empyreumatiques, réglisse, graphite, fruits très mûrs. Une expression aromatique harmonieuse qui s'accorde avec une matière à la fois très ronde, étoffée, puissante et élégante, adossée à une solide structure tannique qui ne manque pas de finesse. La finale gourmande, cacaotée, est égayée par une pointe de vivacité bienvenue. Impatients s'abstenir, ce grand vin est appelé à une longue garde (huit à dix ans). Bien bâti, dense et charnu, pourvu d'une finale généreuse et épicée, le **Ch. Moulin Riche 2009 (20 à 30 € ; 108 000 b.)** obtient une étoile. Plus simple mais plaisant par sa souplesse et sa rondeur, le **Pavillon de Léoville Poyferré 2009 (15 à 20 € ; 90 000 b.)** fait son entrée dans le Guide avec une citation.

SF du Ch. Léoville Poyferré, 38, rue de Saint-Julien,
33250 Saint-Julien-Beychevelle, tél. 05.56.59.08.30,
fax 05.56.59.60.09, lp@leoville-poyferre.fr r.-v.

CH. MOULIN DE LA ROSE 2009

■ 30 000 20 à 30 €

94 95 **96** 97 98 99 |**00**| |01| |02| 03 04 **05** 06 |07| 08 09

Sans rivaliser avec certains millésimes antérieurs, ce vin, résolument classique dans sa robe d'un rouge profond, se montre séduisant par son côté séveux comme par la complexité de son bouquet, où les fruits rouges sont accompagnés de notes réglissées, fumées et épicées. Plus sévère en finale, ce 2009 appelle une garde de trois ou quatre ans.

SCEA Guy Delon et Fils, Ch. Moulin de la Rose,
33250 Saint-Julien-Beychevelle, tél. 05.56.59.08.45,
fax 05.56.59.73.94, sceadelon@wanadoo.fr r.-v.

CH. LES ORMES 2009 ★

■ 12 600 15 à 20 €

Issu d'un joli terroir de graves sur argiles, ce petit cru de 12 ha exploité par la famille Pairault depuis 1995 signe un 2009 qui ne manque pas d'atouts. Derrière une seyante robe rubis soutenu, on découvre un bouquet complexe de fruits mûrs, d'épices et de réglisse agrémenté de nuances florales. Souple en attaque, la bouche offre du volume, du gras, un mariage harmonieux du fruit et du merrain, et des tanins d'une belle finesse. À attendre quatre ou cinq ans. Puissant et élégant, le **Ch. Teynac 2009 (39 000 b.)** obtient également une étoile.

EARL T et C Ch. les Ormes, Grand-rue,
33250 Saint-Julien-Beychevelle, tél. 05.56.59.93.04,
fax 05.56.59.46.12, philetfab3@wanadoo.fr r.-v.
Ph. et F. Pairault

CH. SAINT-PIERRE 2009 ★★

■ 4e cru clas. 65 000 50 à 75 €

82 **83 85** (86) **88 89** |90| **93** 94 (95) (96) 97 **98** 99 |**01**| |**02**| |**03**| |**04**| (05) **06** |**07**| **08 09**

Les fidèles du cru ne seront pas surpris de trouver ici un authentique vin de caractère, avec un côté masculin très affirmé. Sans doute est-ce dû à la part importante (81 %) de cabernet-sauvignon dans l'encépagement, et aussi à l'élevage (quatorze mois en fûts renouvelés par moitié tous les ans), qui contribue à renforcer la puissance des tanins. Au nez, le toasté, le moka et les épices (poivre) dominent. En bouche, le boisé, toujours très présent, épaule une structure dense et serrée, et une matière riche et concentrée. Un vin médocain à souhait, qu'on laissera s'arrondir en cave pendant au moins sept ou huit ans.

Domaines Martin, Ch. Saint-Pierre,
33250 Saint-Julien-Beychevelle, tél. 05.56.59.08.18,
fax 05.56.59.16.18, contact@domaines-martin.com
r.-v.

CH. TALBOT 2009 ★★

■ 4e cru clas. 382 000 50 à 75 €

82 83 (85) **86 88** 89 90 **93** 94 **95** 96 97 98 |99| |**00**| **01** 02 **03** 04 **05** 06 07 08 **09**

Situé au cœur de l'appellation, ce vaste domaine possède un terroir de choix où naissent des vins qui se distinguent par la puissance de leur bouquet. Ce 2009 ne fait pas exception à la règle. Son expression aromatique évoque tour à tour les fruits rouges, les fleurs, les épices et les aromates (cannelle, laurier) ou encore la truffe, pour finir sur une petite note animale. Ample et charnue, la structure s'appuie sur de solides tanins, résultat d'une extraction bien menée. Une garde de cinq ans et plus s'impose. Autre « vrai » saint-julien, combinant charme et puissance, le second vin, **Connétable de Talbot 2009 (20 à 30 € ; 194 000 b.)**, obtient une étoile.

Ch. Talbot, 33250 Saint-Julien-Beychevelle,
tél. 05.56.73.21.50, fax 05.56.73.21.51,
chateau-talbot@chateau-talbot.com r.-v.
Mme Nancy Bignon-Cordier

Saint-Julien

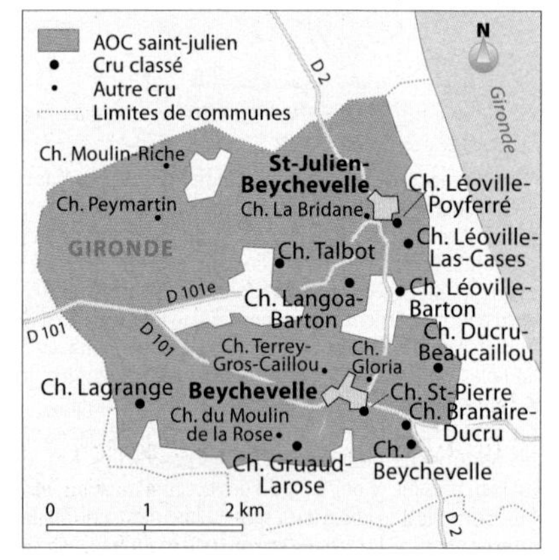

Les vins blancs liquoreux

Quand on regarde une carte vinicole de la Gironde, on remarque aussitôt que toutes les appellations de liquoreux se trouvent dans une petite région située de part et d'autre de la Garonne, autour de son confluent avec le Ciron. Simple hasard ? Assurément non, car c'est l'apport des eaux froides de la petite rivière landaise, au cours entièrement couvert d'une voûte de feuillages, qui donne naissance à un climat très particulier. Celui-ci favorise l'action du *Botrytis cinerea*, champignon de la pourriture noble. En effet, le type de temps que connaît la région en automne (humidité le matin, soleil chaud l'après-midi) permet au champignon de se développer sur un raisin parfaitement mûr sans le faire éclater : le grain se comporte comme une véritable éponge, et le jus se concentre par évaporation d'eau. On obtient ainsi des moûts très riches en sucre.

Mais, pour obtenir ce résultat, il faut accepter de nombreuses contraintes. Le développement de la pourriture noble étant irrégulier sur les différentes baies, il faut vendanger en plusieurs fois, par tries successives, en ne ramassant à chaque fois que les raisins dans l'état optimal. En outre, les rendements à l'hectare sont faibles (avec un maximum autorisé de 25 hl à Sauternes et à Barsac). Enfin, l'évolution de la surmaturation, très aléatoire, dépend des conditions climatiques et fait courir des risques aux viticulteurs.

Cadillac

Superficie : 128 ha
Production : 6 000 hl

Ennoblie par son splendide château du XVIIe s., surnommé le « Fontainebleau girondin », la bastide de Cadillac est souvent considérée comme la capitale des Premières-Côtes. Elle est aussi, depuis 1980, une appellation de vins liquoreux.

CH. FRAPPE-PEYROT 2009

■ 10 000 | 8 à 11 €

Pour ce millésime 2009, Jean-Yves Arnaud a choisi le tout sémillon. Discret au nez dans son expression aromatique aux délicates notes de citron confit et de vanille, ce liquoreux se montre ensuite souple et plutôt ample dans son développement au palais. Riches et persistantes, les nuances de fruits confits (abricot) se marient à des notes empyreumatiques en finale.

SCEA des Vignobles Jean-Yves Arnaud, 16, La Croix, 33410 Gabarnac, tél. et fax 05.56.62.18.92, jy-arnaud@yahoo.fr r.-v.

CH. DE GARBES Cuvée Grains nobles 2009 ★★

■ 4 400 | 8 à 11 €

Une petite production (seulement 2 ha de sémillon) mais de grande qualité pour cette cuvée Grains nobles. Encore réservé à l'olfaction où percent des notes d'abricot confit et de pâte de coings, ce vin prend son essor au palais. Volume, gras, concentration, complexité... rien ne manque, et le jury ne peut qu'admirer la longue finale aux accents confits et vanillés qui conclut la dégustation. Particulièrement fruitée, séveuse et équilibrée, la **cuvée Fût de chêne 2010 (5 à 8 € ; 6 600 b.)** décroche une étoile.

SARL Vignobles David Garbes, 1, Garbes, 33410 Gabarnac, tél. 05.56.62.92.23, fax 05.56.62.91.51, contact@garbes.fr r.-v.

CH. LES GUYONNETS 2009 ★

■ 1 800 | 11 à 15 €

Installés dans cette belle maison bourgeoise de Verdelais depuis plus de dix ans, Sophie et Didier Tordeur se distinguent cette année avec leurs blancs liquoreux. Ne se contentant pas d'une robe brillante, leur cadillac développe un joli bouquet aux notes de genêt, de fruits secs et d'abricot, qui annonce la richesse du palais. Gras, ample et long, celui-ci fait valoir sa puissance dans une finale chaleureuse et poivrée. Un séjour en cave de trois ou quatre ans lui permettra de s'exprimer pleinement.

Sophie et Didier Tordeur, Ch. les Guyonnets, 33490 Verdelais, tél. et fax 05.56.62.09.89, didiertordeur@aol.com r.-v.

CH. HAUT MAURIN 2010 ★

■ 6 600 | 5 à 8 €

Issu d'un beau vignoble de 30 ha conduit depuis quatre générations par la famille Sanfourche, ce pur sémillon n'a pas connu d'élevage sous bois. Il conserve donc un caractère très fruité séducteur dès le bouquet qui joue avec élégance sur des notes de confiture de melons et d'abricot confit. Gras et séveux, d'une grande maturité, le palais livre d'intenses arômes de fruits exotiques, mis en valeur par une pointe de fraîcheur en finale. Il annonce un bon potentiel de garde.

EARL Vignobles Sanfourche, lieu-dit Grand-Village, 33410 Donzac, tél. 05.56.62.97.43, fax 05.56.62.16.87, jean-louis.sanfourche@wanadoo.fr
t.l.j. 8h30-12h 14h-18h; sam. dim. sur r.-v.; f. août

CH. HAUT-MOULEYRE 2010 ★★

■ n.c. | 5 à 8 €

Sur ce cru, le respect des méthodes traditionnelles est rigoureux et efficace, comme le prouve ce liquoreux très apprécié du jury. Paré d'une robe légère, ce vin affiche d'intenses parfums fruités et floraux avant de développer un palais franc en attaque, frais et bien construit, à la longue finale séveuse. Déjà élégant et charmeur, teinté d'un fin boisé, il gagnera à séjourner quatre à cinq ans en cave afin de s'allier dans une harmonie parfaite avec un foie gras aux figues.

Sté fermière des Grands Crus de France, 33460 Lamarque, tél. 05.57.98.07.20, fax 05.57.69.84.97

♥ CH. HAUT-VALENTIN Cuvée Prestige 2009 ★★

■ 6 000 | 15 à 20 €

Si elle a déjà obtenu quelques étoiles dans le Guide, cette cuvée Prestige, née de sémillon élevé en fût de chêne

pendant douze mois, fait incontestablement un bond en avant avec ce nouveau millésime. D'emblée, sa robe, d'un jaune soutenu à reflets d'or, met en confiance. Bien typé avec de jolies notes de fruits confits (coing, abricot), le bouquet impressionne par sa concentration. Ample dès l'attaque, rond, gras et parfaitement équilibré, le palais montre une complexité aromatique accrue pour livrer une longue finale sur la figue, les fruits exotiques et l'orange confite. Une superbe bouteille, qui mérite un séjour en cave de cinq ans.

SCEA Vignobles Méric et Fils, Ch. Bel-Air,
33410 Sainte-Croix-du-Mont, tél. 05.56.62.01.19,
fax 05.56.62.09.33, vignobles.meric@orange.fr
t.l.j. 9h-12h 14h-17h

CH. MOULIN DE CORNEIL 2010 ★

5 000 — 11 à 15 €

Issu de vignes de sémillon d'une quarantaine d'années, « triées trois fois à la vendange », comme le précise Jean-Marie Bonneau, ce cadillac annonce son caractère résolument liquoreux par un bouquet bien botrytisé (fruits cuits, notes miellées). On retrouve cette personnalité au palais, où la liqueur dense et onctueuse est accompagnée de douces notes fruitées mais aussi vanillées. Gras et long, ce 2010 pourra aussi bien être ouvert jeune qu'attendu quelques années.

Ch. Moulin de Corneil, 6, Corneil,
33490 Le Pian-sur-Garonne, tél. 05.56.76.44.26,
fax 05.56.76.43.70, moulin-corneil@wanadoo.fr
t.l.j. sf dim. 8h30-12h 14h-19h
Jean-Marie Bonneau

CH. PELLER-LAROQUE Classic 2009

3 860 — 8 à 11 €

Sa taille réduite (1 ha) n'empêche pas ce cru de posséder un encépagement double, associant le sauvignon au sémillon – majoritaire avec 80 %. Il en résulte un vin doré qui allie au nez la fleur d'acacia, les agrumes confits et l'abricot bien mûr. Souple en attaque, équilibré entre fraîcheur et douceur, le palais offre une évolution ample et miellée en finale.

EARL Rousselon et Fils, Ch. Peller-Laroque,
33410 Laroque, tél. 05.56.62.60.16, fax 05.56.76.92.94,
pellerlaroque@wanadoo.fr r.-v.

CH. LA RAME 2010 ★

2 400 — 15 à 20 €

Du même producteur que le sainte-croix-du-mont homonyme élu coup de cœur dans le millésime précédent, ce cadillac plaît au jury par sa délicatesse. Il attire le regard par ses légers reflets dorés et séduit par son bouquet aux fines nuances de marmelade. Au palais, il donne une impression de légèreté et d'équilibre avant d'offir un retour fruité persistant et charmeur. Un « vin plaisir », à associer avec une tarte aux fruits.

GFA Ch. la Rame, La Rame, 33410 Sainte-Croix-du-Mont,
tél. 05.56.62.01.50, fax 05.56.62.01.94, dgm@wanadoo.fr
t.l.j. 9h-12h 13h30-17h30; sam. dim. sur r.-v.

CH. DE TESTE Sélection de grains nobles 2010

6 000 — 11 à 15 €

Des vignes âgées de sémillon (soixante-quinze ans) sont à l'origine de ce 2010 au bouquet élégant, qui marie avec subtilité des parfums de miel, de poire et de fleur d'acacia. La bouche, ronde en attaque, affiche un bel équilibre et un fruité pur et persistant, souligné par une fine acidité. À découvrir dès la sortie du Guide.

EARL Vignobles Laurent Réglat, Ch. de Teste,
33410 Monprimblanc, tél. 05.56.62.92.76, fax 05.56.62.98.80,
vignobles.l.reglat@wanadoo.fr r.-v.

Loupiac

Superficie : 350 ha
Production : 12 550 hl

Entre Cadillac à l'ouest et Sainte-Croix-du-Mont à l'est, ce vignoble très ancien couvre les côtes de la rive droite de la Garonne, en face de Sauternes. Par son orientation, ses terroirs et son encépagement, il est très proche de celui de Sainte-Croix-du-Mont. Toutefois, comme sur la rive gauche, les vins produits vers le nord ont souvent un caractère plus moelleux que liquoreux.

CH. GRAND PEYRUCHET 2009 ★

20 000 — 11 à 15 €

Né sur un cru respectueux des traditions, qui favorise l'expérience et les travaux manuels plutôt que la mécanisation, ce vin plaira aux amateurs de liquoreux classiques. Riche par sa matière comme par sa palette aromatique, il déploie une jolie gamme de parfums où le pain d'épice et l'abricot sec côtoient des notes miellées et boisées. Élégante et typée, pourvue d'une belle structure et d'une finale quelque peu minérale, cette bouteille s'épanouira sur des toasts au foie gras.

Vignobles Gillet Queyrens,
1, Les Plainiers, Ch. Peyruchet, 33410 Loupiac,
tél. 05.56.62.62.71, fax 05.56.76.92.09,
chateaupeyruchet@wanadoo.fr t.l.j. 9h-19h

CH. DU GRAND PLANTIER 2009

6 000 — 5 à 8 €

Régulier en qualité, avec une belle production de blancs secs (AOC bordeaux) et de liquoreux (loupiac), ce vaste cru de 55 ha reste fidèle à sa réputation avec un 2009 à la robe vive et brillante. Un peu confit au nez, ce vin doux mêle les raisins secs, la pêche jaune et des notes vanillées. Ample, chaleureux et long, il ne manque pas de caractère et demandera deux ans de patience pour exprimer complètement sa personnalité.

GAEC des Vignobles Albucher, Ch. du Grand Plantier,
33410 Monprimblanc, tél. 05.56.62.99.03, fax 05.56.76.91.35,
chateaudugrandplantier@orange.fr r.-v.

CH. LOUPIAC-GAUDIET 2010 ★★

	n.c.	8 à 11 €

Commandé par une belle chartreuse du XVIIIe s., ce vignoble d'une vingtaine d'hectares est exposé plein sud, sur un coteau argilo-graveleux dominant la Garonne. Il a déjà brillé plus d'une fois dans le Guide sous l'étiquette de Château de Loupiac (deux coups de cœur récents) et signe cette année un millésime 2010 d'une grande élégance. Très jeune dans sa robe limpide et brillante, ce vin impressionne par la finesse et la complexité de son bouquet aux fraîches notes de fruits exotiques, de chèvrefeuille, de fruits blancs et de vanille. Rond, gras et enveloppé, il conserve une acidité parfaite, qui lui apporte équilibre et longueur. Déjà charmeur, ce loupiac appelle deux petites années de patience avant d'être savouré avec un dessert glacé.

SCEA Marc Ducau, Ch. Loupiac-Gaudiet, 33410 Loupiac, tél. 05.56.62.99.88, fax 05.56.62.60.13, ml@loupiacgaudiet.com r.-v.

♥ CH. MASSAC 2009 ★★

	10 000		8 à 11 €

Si Jean-Yves Arnaud est un habitué du Guide avec ses autres crus (Frappe-Peyrot en cadillac et Mazarin en loupiac), il fait une remarquable entrée avec son château Massac 2009, né de sémillon (80 %) et de muscadelle (15 %) complétés d'une pointe de sauvignon. Certes, son boisé n'est pas encore complètement fondu, mais on sent déjà poindre au nez les notes de fruits jaunes, de miel et d'abricot sec qui feront de ce vin un délice après deux à trois ans de garde. Plein, charnu et long, sur des nuances de fruits exotiques très mûrs, le palais se montre sensuel. Après un court séjour en cave, ce superbe flacon sera parfait sur un moelleux à la banane. Plus simple, mais équilibré et expressif, le **Ch. Mazarin 2009 (20 000 b.)** est cité.

SCEA des Vignobles Jean-Yves Arnaud, 16, La Croix, 33410 Gabarnac, tél. et fax 05.56.62.18.92, jy-arnaud@yahoo.fr r.-v.

CH. DE ROUQUETTE 2010 ★

	13 000		8 à 11 €

Sans rivaliser avec certains millésimes antérieurs particulièrement réussis, comme les 2006 et 2009, le loupiac de la famille Darriet séduit par son équilibre, sa finesse et sa longueur. Gourmand à souhait, il charme par son expression aromatique aux notes vanillées, confites et épicées. La bouche riche et tendre repose sur un équilibre réussi entre le sucre et l'acidité, pour finir sur de douces notes de figue. On patientera un an ou deux pour qu'elle exprime pleinement sa complexité.

Darriet, Ch. Dauphiné-Rondillon, 33410 Loupiac, tél. 05.56.62.61.75, fax 05.56.62.63.73, contact@vignoblesdarriet.fr t.l.j. 8h30-12h30 14h-18h; sam. dim. sur r.-v.; f. sem. du 15 août

BORDELAIS

Premières-côtes-de-bordeaux

Superficie : 195 ha
Production : 8 865 hl

Depuis le millésime 2008, les rouges de cette zone sont produits sous le nom de cadillac-côtes-de-bordeaux. Cette appellation est donc aujourd'hui réservée aux vins blancs moelleux ou liquoreux.

CH. FAUGAS 2010 ★

	7 700		5 à 8 €

Ancien manoir construit à l'emplacement d'un site gallo-romain, ce cru est riche d'une longue histoire. Porté par une bonne structure, charnue et longue, son vin, un pur sémillon, propose un style traditionnel, tout en faisant preuve d'une certaine complexité aromatique, avec des notes de pain d'épice, de miel, de fruits jaunes et d'agrumes. À boire ou à attendre trois ans.

SCEA du Ch. Faugas, 33410 Gabarnac, tél. 05.56.62.97.62, fax 05.56.62.64.96, chateau-faugas@wanadoo.fr t.l.j. 10h-19h

Les vins blancs liquoreux

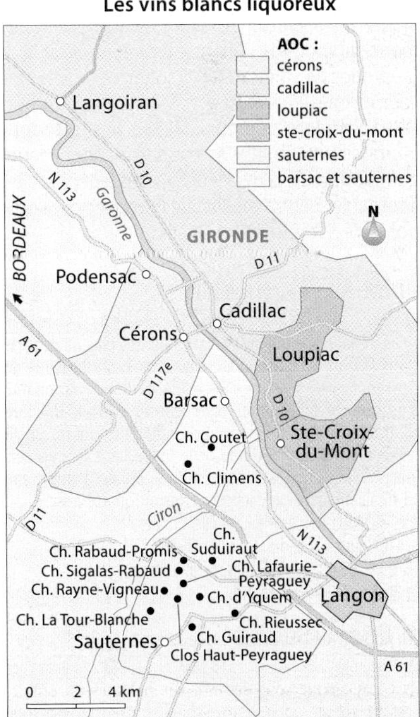

CH. GRAVELINES 2009 ★

24 000 - de 5 €

Situé au sommet d'une colline verdoyante, ce cru, ancienne propriété de la vicomté de Benauge, jouit d'un beau terroir argilo-calcaire dont la qualité se lit dans celle du vin. Encore un peu discret, le bouquet laisse deviner de jolis parfums de fruits confits et de fleur d'acacia. Expressif et bien équilibré entre richesse et fraîcheur, le palais laisse le souvenir d'un ensemble harmonieux. À déguster au cours des quatre ou cinq prochaines années.

SARL Ch. Gravelines, 1, lieu-dit Gravelines, 33490 Semens, tél. 05.56.62.02.01, fax 05.56.62.02.55, chateaugravelines@wanadoo.fr
t.l.j. sf sam. dim. 8h-12h 14h-18h
Therasse

Sainte-croix-du-mont

Superficie : 400 ha
Production : 15 000 hl

Un site de coteaux abrupts dominant la Garonne, trop peu connu en dépit de son charme, et un vin ayant trop longtemps souffert (à l'égal des autres appellations de liquoreux de la rive droite, loupiac et cadillac) d'une réputation de vin de noces ou de banquets.

Pourtant, cette aire d'appellation située en face de Sauternes mérite mieux : à de bons terroirs, en général calcaires, avec des zones graveleuses, elle ajoute un microclimat favorable au développement du botrytis. Quant aux cépages et aux méthodes de vinification, ils sont très proches de ceux du Sauternais. Les vins, autant moelleux que véritablement liquoreux, offrent une plaisante impression de fruité. On les servira comme leurs homologues de la rive gauche, mais leur prix, plus abordable, pourra inciter à les utiliser pour composer de somptueux cocktails.

CH. BEL AIR Vieilles Vignes 2010

45 000 11 à 15 €

Régulier en qualité, ce cru, l'un des plus anciens de l'appellation, est fidèle à lui-même avec cette jolie cuvée de pur sémillon dont les vignes sont âgées d'une quarantaine d'années. Si le bouquet reste encore discret, il libère néanmoins des notes de fruits confits pour annoncer un palais charnu, riche, d'une belle tenue, aux arômes surmûris. L'équilibre est trouvé, mais la pointe d'amertume en finale suggère de patienter trois ou quatre ans.

SCEA Vignobles Méric et Fils, Ch. Bel-Air, 33410 Sainte-Croix-du-Mont, tél. 05.56.62.01.19, fax 05.56.62.09.33, vignobles.meric@orange.fr
t.l.j. 9h-12h 14h-17h

CH. CRABITAN-BELLEVUE Cuvée spéciale 2009 ★★

18 000 8 à 11 €

Les Solane sont devenus des habitués du Guide, présents chaque année dans le chapitre « Bordelais », tour à tour en rosé, en rouge ou encore, comme ici, en liquoreux. Ils ont su tirer parti des atouts du millésime dans cette Cuvée spéciale dont l'élégance aromatique (abricot, miel, mandarine, pain toasté...) est relayée par un développement riche et très harmonieux au palais. Puissant, tendre et expressif, ce 2009 livre en prime une finale d'une longueur impressionnante. Concentrée également, sur les agrumes et les fruits secs, la **cuvée principale 2009 (5 à 8 € ; 45 000 b.)** décroche une étoile.

GFA Bernard Solane et Fils, 1, Crabitan, 33410 Sainte-Croix-du-Mont, tél. 05.56.62.01.53, fax 05.56.76.72.09, crabitan.bellevue@orange.fr
t.l.j. sf dim. 8h-12h 14h-18h

CH. GRAND PEYROT Élevé en fût de chêne 2009 ★★

1 800 11 à 15 €

Avec le millésime 2009, Virginie Tinon a choisi, pour la première fois depuis trente ans que sa famille vinifie Grand Peyrot, un élevage en fût. Essai transformé, puisque le jury a été séduit par les fines notes vanillées du bois qui viennent rehausser de puissants arômes de fleurs et de fruits confits. Parfaitement équilibré et long, cet ensemble soyeux aux arômes élégants d'abricot sec et de caramel pourra être apprécié dès maintenant, comme dans quatre ou cinq ans. Un peu plus frais et léger, le **Ch. la Grave 2009 (8 à 11 € ; 36 000 b.)**, provenant lui aussi du vignoble Tinon, décroche une étoile.

EARL Vignoble Tinon, Ch. la Grave, 33410 Sainte-Croix-du-Mont, tél. 05.56.62.01.65, fax 05.56.76.70.43, tinon@terre-net.fr
t.l.j. 9h-18h

CRU DE GRAVÈRE Cuvée Prestige 2010

6 000 11 à 15 €

Du même producteur que le château de Teste en appellation cadillac, ce liquoreux de pur sémillon se présente dans une robe jaune paille brillante. Simple mais bien fait, élégant, il séduit par son équilibre entre gras et fraîcheur, et par son fin bouquet fruité nuancé d'une touche mentholée. On l'appréciera dès l'apéritif.

EARL Vignobles Laurent Réglat, Ch. de Teste, 33410 Monprimblanc, tél. 05.56.62.92.76, fax 05.56.62.98.80, vignobles.l.reglat@wanadoo.fr r.-v.

CH. LES GUYONNETS 2009 ★

1 200 11 à 15 €

Également producteurs du cadillac-côtes-de-bordeaux homonyme, Sophie et Didier Tourneur, jeunes agriculteurs venus de l'Oise, ont acheté ce domaine à Verdelais il y a douze ans. Pur sémillon, leur sainte-croix affiche ses ambitions dans une robe d'or étincelante d'où s'élèvent des parfums d'agrumes confits, d'abricot sec et de vanille. Franc et équilibré en attaque, le palais fait preuve d'une belle finesse aromatique. Un « vin plaisir », à marier à un canard à l'orange.

Sophie et Didier Tordeur, Ch. les Guyonnets, 33490 Verdelais, tél. et fax 05.56.62.09.89, didiertordeur@aol.com r.-v.

CH. DES MAILLES 2009 ★

15 000 8 à 11 €

Implanté sur un coteau argilo-calcaire orienté au midi, ce vignoble bénéficie d'un beau terroir, propice au sémillon, mais aussi à la muscadelle et au sauvignon qui s'accordent une petite place dans l'assemblage de cette cuvée. Un atout que les Larrieu savent exploiter, comme le montre ce 2009 à l'expression aromatique intense, partagée entre les fruits secs, les fleurs et le boisé. Le palais riche, ample et gras, bien équilibré, offre une longue finale fruitée et épicée qui appelle deux à trois ans de patience.

Larrieu, Ch. des Mailles, Vilate,
33410 Sainte-Croix-du-Mont, tél. 05.56.62.01.20,
chateau.des.mailles@wanadoo.fr
t.l.j. 8h-12h 14h-18h

♥ CH. DU MONT Cuvée Pierre 2010 ★★

15 000 — 11 à 15 €

CHÂTEAU DU MONT
Sainte-Croix-du-Mont
2010 CUVÉE PIERRE
MIS EN BOUTEILLE AU CHÂTEAU
PRODUIT DE FRANCE

Grand collectionneur d'étoiles et de coups de cœur du Guide – le dernier en date distinguant cette même cuvée Pierre dans le millésime 2004 –, le château du Mont propose une fois encore un liquoreux admirable. À la fois puissant et aimable, ce 2010 développe une riche palette aromatique aux notes confites et miellées, évoquant la pomme cuite et même le pruneau. En bouche, la liqueur est bien présente, apportant du volume et un caractère chaleureux, mais sans lourdeur aucune. Quatre ou cinq ans de garde permettront à cette bouteille d'une grande élégance de s'exprimer pleinement. Dans un style très proche, le **Ch. Valentin 2010 (45 000 b.)** décroche lui aussi deux étoiles. Déjà harmonieux, il mérite cependant quelques années de garde pour permettre au bois de se fondre.

Hervé Chouvac, Ch. du Mont, lieu-dit Pascaud,
33410 Sainte-Croix-du-Mont, tél. 06.89.96.54.73,
fax 05.56.62.07.58, chateau-du-mont@wanadoo.fr
r.-v.

CH. LA RAME 2010 ★

30 000 — 11 à 15 €

96 97 98 99 **00** |**01**| |**02**| |03| **04 05** 06 07 **08 09** 10

Il suffit de contempler le panorama sur la vallée de la Garonne qui s'offre depuis cette propriété pour se convaincre que le cru possède un terroir de qualité. Et de déguster son vin pour en avoir la preuve. Coup de cœur dans le millésime précédent, ce sainte-croix né de vignes de cinquante ans se montre riche, intense et long. Il est aussi expressif par son bouquet mêlant figue, miel et pain grillé, que bien équilibré dans son développement au palais. C'est un vin charmeur, ample et complexe qui mérite d'attendre cinq ans avant d'accompagner un far breton. Gourmand et harmonieux, le **Ch. la Caussade 2010 (8 à 11 € ; 36 000 b.)** obtient une étoile.

GFA Ch. la Rame, La Rame, 33410 Sainte-Croix-du-Mont,
tél. 05.56.62.01.50, fax 05.56.62.01.94, dgm@wanadoo.fr
t.l.j. 9h-12h 13h30-17h30; sam. dim. sur r.-v.

Cérons

Superficie : 49 ha
Production : 1 335 hl

Enclavés dans les graves (appellation à laquelle ils peuvent aussi prétendre, à la différence des sauternes et des barsac), les cérons assurent une liaison entre les barsac et les graves supérieures, moelleuses. Là ne s'arrête pas leur originalité, qui réside aussi dans une sève particulière et une grande finesse.

CH. DE CÉRONS 2009

23 000 — 15 à 20 €

Chantres de l'appellation cérons, les Perromat nous offrent ici un vin à la structure légère, souple, mais dont on ne peut qu'apprécier l'équilibre et l'expression aromatique d'une grande fraîcheur : fleurs blanches, pamplemousse, amande, menthol, le tout agrémenté de quelques notes grillées. La finale en bouche laisse, elle, sur des impressions d'épices. À apprécier dès la parution du Guide.

Jean-Xavier Perromat, Ch. de Cérons, 1, Latour,
33720 Cérons, tél. 05.56.27.01.13, fax 05.56.27.22.17,
perromat@chateaudecerons.com
t.l.j. sf sam. dim. 9h-12h30 14h-18h; f. 15 j. en août

CH. HAURA 2009 ★

2 400 — 11 à 15 €

Une fois encore, Denis Dubourdieu (gérant du château Doisy-Daëne, cru classé de Sauternes) nous prouve son savoir-faire pour les vins blancs, tant secs que liquoreux. Développant un bouquet délicat au registre floral, ce cérons exprime aussi de plus discrètes notes d'agrumes, d'abricot et d'épices. Il dévoile au palais une structure puissante, dense mais sans lourdeur, parfaitement équilibrée. Une harmonie à apprécier sur une volaille en sauce.

EARL Pierre et Denis Dubourdieu,
Ch. Doisy-Daëne, 10, Gravas, 33720 Barsac,
tél. 05.56.62.96.51, fax 05.56.62.14.89,
reynon@wanadoo.fr
r.-v.

LE MOULIN DE VALÉRIEN Or de Cérons 2010

n.c. — 15 à 20 €

Cuvée spéciale du Moulin de Valérien, cet assemblage de sémillon (82 %) et de sauvignon, complété d'un soupçon de muscadelle, fait son entrée dans le Guide avec un 2010 souple et ample, soutenu par une touche de vivacité. Son bouquet de fruits blancs et d'amande est rehaussé en bouche d'une note plus mûre d'abricot confit. Le **2010 Cru du Moulin à vent (1 250 b.)**, est également cité pour ses frais arômes d'agrumes et de fleurs.

Vignobles Ducau, Ch. de Porte-Pères, 33720 Podensac,
tél. 05.56.27.16.80, fax 05.56.27.11.29,
vignobles.ducau@wanadoo.fr r.-v.
GFA Moulin-à-Vent

Barsac

Superficie : 480 ha
Production : 6 870 hl

Tous les vins de l'appellation barsac peuvent bénéficier de l'appellation sauternes. Barsac s'individualise cependant par un moindre vallonnement et par les murs de pierre entourant souvent les exploitations. Ses vins ont un caractère plus légèrement liquoreux que les sauternes mais ils appellent les mêmes accords gourmands. Comme les sauternes, ils peuvent être servis de façon classique avec un dessert ou, comme cela se fait de plus en plus, en entrée, sur du foie gras, ou bien en accompagnement de fromages bleus du type roquefort.

CH. COUTET 2009 ★★

1er cru clas. 60 000 50 à 75 €

89 **90** 95 96 97 99 |01| 02 03 |04| **05** |06| 07 **09**

Fidèle à son habitude, ce cru propose un vrai vin de garde qui pourra aussi être apprécié jeune (entre deux et douze ans). D'une jolie couleur or brillant à frange orangée, ce 2009 développe un bouquet aux arômes profonds d'abricot et d'écorce d'orange confite, accompagnés d'une petite note de pain grillé. Rond, charnu et concentré, ce barsac est un vin liquoreux complet et parfaitement équilibré grâce à une élégante fraîcheur, présente du début à la fin de la dégustation. Des nuances de fruits confits, de vanille et de cannelle persistent longuement en finale. Cette bouteille conviendra à une large palette de mets : poulet, veau, foie gras ou encore fromages persillés.

Ch. Coutet, 33720 Barsac, tél. 05.56.27.15.46, fax 05.56.27.02.20, info@chateaucoutet.com r.-v.

CH. DOISY-DAËNE 2009 ★

2e cru clas. n.c. 30 à 50 €

71 75 76 78 79 80 **81 82** (83) 84 85 **86** 88 89 **90 91 94 95** |**96**| |**97**| 98 00 |**01**| |02| |(03)| |04| |05| **06 07** 08 09

Propriété de Denis Dubourdieu, ce cru barsacais est un véritable laboratoire de l'innovation où est né, dans ce millésime 2009, un vin à la belle personnalité, qui s'exprime avec une grande élégance et une réelle subtilité ; tant dans le bouquet, où les fruits exotiques et les agrumes confits se mêlent à un boisé délicatement épicé et à quelques notes florales, qu'au palais, rond, gras et onctueux à souhait, fruité (reine-claude, pêche blanche) et joliment grillé en finale. Un vin séduisant par sa finesse, à ouvrir à l'apéritif ou sur des plats asiatiques épicés.

EARL Pierre et Denis Dubourdieu, Ch. Doisy-Daëne, 10, Gravas, 33720 Barsac, tél. 05.56.62.96.51, fax 05.56.62.14.89, reynon@wanadoo.fr r.-v.

CH. NAIRAC 2008 ★

2e cru clas. 6 300 30 à 50 €

(83) **86 88 89 90** 91 **92** 93 94 |(95)| |**96**| |01| |**02**| |03| 04 (05) **06** 07 08

Touché par le gel de printemps, ce cru n'a rentré en 2008 qu'une microrécolte : 6 300 cols, soit un rendement de 3 hl/ha. Toutefois, la qualité est au rendez-vous, comme le montre la belle expression aromatique de ce barsac aux subtiles notes épicées, vanillées et florales (genêt et acacia en fleur). Très moderne, autrement dit plus léger et frais que les liquoreux traditionnels du Sauternais, le palais pourra surprendre certains amateurs, mais cette bouteille trouvera parfaitement sa place à l'apéritif.

Ch. Nairac, 81, av. Aristide-Briand, 33720 Barsac, tél. 05.56.27.16.16, fax 05.56.27.26.50, chateau.nairac@wanadoo.fr r.-v.

Nicole Tari-Heeter

CH. PIADA 2010 ★

7 690 20 à 30 €

Le 24 septembre 2010, un incendie a malheureusement ravagé les chais du château. Par conséquent, ce 2010 est désormais le plus ancien millésime disponible à la propriété. Il défend bien les couleurs du domaine par son élégant bouquet de poire et de fleurs blanches complété d'une touche de noisette, comme par son palais bien équilibré entre le gras et la fraîcheur. Une délicieuse finale citronnée complète ce tableau empreint de délicatesse. (Bouteilles de 50 cl et de 75 cl.)

EARL Lalande et Fils, Ch. Piada, 33720 Barsac, tél. 05.56.27.16.13, fax 09.70.06.58.65, chateau.piada@wanadoo.fr r.-v.

Sauternes

Superficie : 1 735 ha
Production : 34 260 hl

Si vous visitez un château à Sauternes, vous saurez tout sur ce propriétaire qui eut un jour l'idée géniale d'arriver en retard pour les vendanges et de décider, sans doute par entêtement, de faire ramasser les raisins surmûris malgré leur aspect peu engageant. Mais si vous en visitez cinq, vous n'y comprendrez plus rien, chacun ayant sa propre version, qui se passe évidemment chez lui. En fait, nul ne sait qui « inventa » le sauternes, ni quand ni où.

Si en Sauternais, l'histoire se cache toujours derrière la légende, la géographie, elle, n'a plus de secret. Chaque caillou des cinq communes constituant l'appellation (dont Barsac, qui possède sa propre appellation) est recensé et connu dans toutes ses composantes.

Il est vrai que c'est la diversité des sols (graveleux, argilo-calcaires ou calcaires) et des sous-sols qui donne un caractère à chaque cru, les plus renommés étant implantés sur des croupes graveleuses. Obtenus avec trois cépages – le sémillon (de 70 à 80 %), le sauvignon (de 20 à 30 %) et la muscadelle –, les sauternes sont dorés, à la fois onctueux et délicats. Leur bouquet « rôti » se développe et gagne en complexité avec le temps : miel, noisette et orange confite enrichissent sa palette. Les plus grandes bouteilles vivent des décennies. Il est à noter que les sauternes sont les seuls vins blancs à avoir été classés en 1855.

CH. D'ANNA Cuvée Louis d'or 2010

■ 1 800 15 à 20 €

Marius Roux, batelier sur la Garonne, acheta ce domaine barsacais en 1932. Soixante-dix ans et quelques péripéties plus tard, lesquelles réduisirent la surface du vignoble de 10 à 2 ha, Sandrine, née Roux, et Xavier Dauba font revivre l'exploitation familiale. Ce pur sémillon, dont l'habit jaune d'or ambré attire l'œil, se montre charmeur par son bouquet subtil de miel et de fruits confits aux accents boisés ; il apparaît tout aussi aimable en bouche par son côté rond et charnu accompagné de notes rôties et équilibré par une jolie fraîcheur. Il décrochera son étoile sur une viande blanche sauce au bleu.

Sandrine et Xavier Dauba, Ch. d'Anna, 16, rue Barrau, 33720 Barsac, tél. 05.56.27.20.12, chateaudanna@free.fr
r.-v.

CH. BASTOR-LAMONTAGNE 2009 ★★

■ 48 000 20 à 30 €

82 83 84 **85 86 88 89** (90) 94 95 **96** |**97**| |98| |99| **00** |01| 02 |**03**| 04 05 06 07 08 **09**

Quartier général des vignobles du GIE Cellarmony (groupe Crédit Foncier), ce cru – belle unité de 56 ha d'un seul tenant – a résolument choisi le style moderne pour ses vins. Son 2009 à la belle teinte or pâle en témoigne par son expression d'une réelle complexité et d'une grande finesse : fleurs blanches, citron, coing, figue écrasée, touche iodée. Une finesse et une complexité que l'on retrouve dans un palais élégant, qui atteint le juste équilibre entre l'acidité et les sucres, et qui offre un très joli retour aromatique sur les fruits confits et le miel. La finale, fraîche et longue, laisse le souvenir d'un ensemble harmonieux et délicat, à déguster sur une volaille en sauce ou sur un dessert glacé aux fruits. (Bouteilles de 50 cl.) Ample et agréable, le **Ch. Bordenave 2010 (15 à 20 € ; 12 000 b.)** est cité.

SCEA de Bastor et Saint-Robert, Dom. de Lamontagne, 33210 Preignac, tél. 05.56.63.27.66, fax 05.56.76.87.03, bastor@bastor-lamontagne.com r.-v.
GIE Cellarmony

CH. LA BOUADE Cuvée Château 2009 ★

■ 7 000 15 à 20 €

Premier millésime sous cette étiquette pour les Pauly (Clos Mercier). Original par l'importance du sauvignon (40 %), ce vin cristallin aux reflets dorés, né à Barsac, se distingue par la richesse de son expression aromatique : les agrumes confits se mêlent aux fleurs (fleurs blanches, lilas), agrémentées d'une touche beurrée. On retrouve ces nuances dans un palais équilibré par une acidité bien ajustée. Un sauternes résolument moderne, sans la moindre lourdeur, qui fait une belle entrée dans le Guide. On le dégustera aussi bien à l'apéritif que sur des poissons grillés ou sur des plats au curry (poulet, gambas).

Ch. la Bouade, 4, impasse La Bouade, 33720 Barsac, tél. 05.56.27.30.53, chateaulabouade@orange.fr
t.l.j. 9h-12h 14h-18h; sam. dim. sur r.-v.
Héritiers Pauly

CH. BROUSTET 2010 ★

■ 2e cru clas. 30 000 15 à 20 €

Ce cru barsacais ayant été acheté par la société Vignobles de Terroirs à la veille de la vendange 2010, ce vin est donc le premier millésime du nouveau propriétaire. Cette reprise en main s'annonce sous de bons auspices à en juger par la qualité de ce sauternes. Bien qu'encore marqué par le bois – rien d'étonnant, direz-vous, pour un domaine où aurait été inventé le modèle de la barrique bordelaise de 225 l... –, il développe un bouquet subtil de cire, de miel, de fruits confits et de grillé, sous-tendu par une jolie note minérale. On retrouve cette dernière dans une attaque fraîche, prélude à un palais qui impose rapidement sa puissance, avec toujours cette juste fraîcheur en soutien. Trois ou quatre ans de garde sont conseillés pour permettre au bois de se fondre.

SCEA Ch. Broustet, rte de Broustet, 33720 Barsac, tél. 05.47.74.78.00, fax 05.56.32.85.83, chateaubroustet@gmail.com r.-v.
Vignobles de Terroirs

DOM. DE CARBONNIEU Sélection Prestige 2009

■ 10 800 15 à 20 €

Issu d'une propriété familiale établie sur un terroir de graves et de sables dans la vallée du Ciron, ce vin retient l'attention tant par son bouquet, discret mais d'une bonne complexité, fruité, floral et minéral, que par sa matière très riche et liquoreuse, avec une pointe de fraîcheur bienvenue en soutien. Une bouteille à attendre trois à cinq ans. À l'inverse, le **Ch. Bélier Lagardan 2007 (11 à 15 € ;**

LES CRUS CLASSÉS DU SAUTERNAIS EN 1855

PREMIER CRU SUPÉRIEUR	SECONDS CRUS
Château d'Yquem	Château d'Arche
	Château Broustet
	Château Caillou
PREMIERS CRUS	Château Doisy-Daëne
Château Climens	Château Doisy-Dubroca
Clos Haut-Peyraguey	Château Doisy-Védrines
Château Coutet	Château Filhot
Château Guiraud	Château Lamothe (Despujols)
Château Lafaurie-Peyraguey	Château Lamothe (Guignard)
Château Rabaud-Promis	Château de Malle
Château Rayne-Vigneau	Château Myrat
Château Rieussec	Château Nairac
Château Sigalas-Rabaud	Château Romer
Château Suduiraut	Château Romer du Hayot
Château La Tour-Blanche	Château Suau

6 000 b.), également cité, fait preuve d'originalité par la richesse de son expression aromatique et par la discrétion de sa liqueur.

Alain Charrier, 6, les Chons, 33210 Bommes, tél. et fax 05.56.76.64.48, vignobles.charrier@wanadoo.fr t.l.j. 9h-12h 14h-19h

CH. CLOSIOT 2009

7 000 — 20 à 30 €

Caractéristique de Barsac par sa taille « humaine », ce cru propose un sauternes moderne, frais, floral et fruité, rond et équilibré, qui cherche à séduire par sa finesse plus qu'à passer en force, avec un côté soyeux et une longue finale. À boire dès aujourd'hui, à l'apéritif.

SCEA Ch. Closiot, Bonneau, 33720 Barsac, tél. 05.56.27.05.92, fax 05.56.27.11.06, chateau.closiot@orange.fr t.l.j. sf sam. dim. 10h-12h 14h-18h

F. Sirot-Soizeau

CH. CRU PEYRAGUEY 2009

4 900 — 15 à 20 €

La visite de ce cru vous permettra de découvrir une curiosité (un vieux pressoir à cliquets) et de déguster un vin au bouquet délicat de fleurs blanches, d'abricot confit et de cacao. Après une attaque très ronde apparaît un palais charmeur, aux arômes de coing confit et de résine. La jolie finale tout en douceur s'accompagne d'une plaisante note d'amande fraîche. Un ensemble harmonieux, sur la rondeur plutôt que sur la fraîcheur.

Fabienne Mussotte, 10, lieu-dit Miselle, 33210 Preignac, tél. 06.81.51.58.56, cru.peyraguey@gmail.com r.-v.

MAISON DELOR Héritage 1864 2010

45 000 — 11 à 15 €

Aujourd'hui intégrée dans le groupe CVBG, la maison Delor est née en 1864, comme le rappelle le nom de ce vin frais et fin. Délicat dans son expression aromatique sur des notes de fleurs blanches et de fruits frais soutenues par une petite touche minérale, il fait preuve d'une onctuosité de bon aloi dans son développement au palais et s'achève sur une fine touche crayeuse. Autre marque du même groupe, le **Kressman Grande Réserve 2010 (20 000 b.)** est également cité. Ample et onctueux, il semble armé pour une bonne garde.

Maison Delor, 35, rue de Bordeaux-Parempuyre, CS 80004, 33295 Blanquefort Cedex, tél. 05.56.35.53.00, fax 05.56.35.53.29, delor.gms@cvbg.com

CVBG

CH. DOISY-VÉDRINES 2009 ★

2e cru clas. — 43 000 — 20 à 30 €

(83) 86 88 90 95 97 98 00 02 03 04 05 06 09

Belle gentilhommière du XVIe s., ce château commande un vignoble jouissant d'une solide réputation que n'entachera pas ce beau 2009. S'il a fière allure dans sa robe d'un jaune doré franc, ce vin séduit aussi par ses parfums frais de citron et autres agrumes, avant de charmer le palais par son élégance, sa rondeur, son boisé bien fondu et par sa longue palette aromatique : pâte d'amandes, pêche, abricot ou encore épices (gingembre). Il ne faudra pas reculer devant des accords gourmands simples et audacieux : asperges ou poulet.

SC Doisy-Védrines, 33720 Barsac, tél. 06.80.70.76.98, fax 05.56.27.26.76, doisy-vedrines@orange.fr r.-v.

H. Castéja

DUVAL ET BLANCHET Les Notes dorées 2009 ★

6 000 — 11 à 15 €

Signé par une jeune maison de la place de Bordeaux créée par Olivier Duval en 2008, ce vin d'une belle couleur or un peu ambré séduit d'emblée par ses parfums de fleurs (acacia, tilleul), d'abricot et de figue sèche. Ronde, pleine, concentrée et équilibrée par une finale acidulée, cette agréable bouteille sera parfaite pour une initiation aux charmes du sauternes classique.

NOUVEAU PRODUCTEUR

Duval et Blanchet, 160, cours du Médoc, 33300 Bordeaux, tél. 06.66.34.72.14, olivier.duval@duvaletblanchet.com

CH. DE FARGUES 2008 ★

10 000 — 75 à 100 €

83 84 85 86 87 88 89 90 91 94 95 96 97 98 01 02 03 04 05 06 07 08

Fortement touché par le gel de printemps, Fargues n'a eu en 2008 qu'une récolte très réduite en quantité. Une vinification très soignée a cependant permis d'obtenir un vin léger, « en dentelle », agrémenté de délicats arômes de silex frotté, de genêt, d'abricot et de miel. Ample, rond et soyeux, pourvu d'une juste fraîcheur, le palais plaît par son équilibre et sa finesse.

Alexandre de Lur-Saluces, Ch. de Fargues, 33210 Fargues, tél. 05.57.98.04.20, fax 05.57.98.04.21, fargues@chateau-de-fargues.com r.-v.

CH. FILHOT 2009 ★★

2e cru clas. — 45 000 — 30 à 50 €

81 82 83 85 86 88 89 91 92 95 96 97 98 99 00 01 03 04 05 09

Un château et un parc à faire pâlir d'envie plus d'un lord : une harmonie que l'on retrouve dans ce 2009 de grande expression. Puissant, opulent, concentré sans être lourd grâce à une fraîcheur sous-jacente, le palais met en valeur une superbe expression aromatique, passant de notes grillées et vanillées à des nuances de fruits exotiques et d'agrumes (orange confite). Persistante et déjà très plaisante, cette bouteille mérite d'être attendue au moins quatre ou cinq ans, et bien plus encore.

SCEA du Ch. Filhot, Ch. Filhot, 33210 Sauternes, tél. 05.56.76.61.09, fax 05.56.76.67.91, filhot@filhot.com t.l.j. sf sam. dim. 9h-12h 14h-17h

H. de Vaucelles

CH. HAUT-BERGERON 2010 ★

60 000 — 20 à 30 €

83 86 88 89 90 91 95 96 97 98 99 00 01 02 03 04 05 06 07 08 09 10

Sans rivaliser avec certains millésimes antérieurs, comme le 2005 et le 2007, coups de cœur du Guide, le 2010 séduit néanmoins d'emblée par son bouquet intense et complexe de fruits secs et d'agrumes confits accompagnés de notes florales, épicées (gingembre), vanillées et toastées. Au palais, où les fruits confits (abricot) se taillent la part du lion, il dévoile une structure souple et un bel équilibre entre richesse liquoreuse et fraîcheur. Un ensemble harmonieux. Son cousin barsacais, le **Ch. Farluret 2010 (15 000 b.)** est cité pour ses parfums de pâte à crêpes et de confiture de melons rehaussés de senteurs grillées, et pour sa bouche souple et grasse soutenue par une juste vivacité.

Patrick et Hervé Lamothe, 3, Piquey, 33210 Preignac, tél. 05.56.63.24.76, fax 05.56.63.23.31, haut-bergeron@wanadoo.fr r.-v.

CH. HAUT COUSTET 2009 ★

	24 000		15 à 20 €

L'encépagement de ce cru de Barsac respecte la tradition : du sémillon, complété par un peu de sauvignon et de muscadelle (10 % chacun). Un assemblage qui donne ici un vin au caractère bien affirmé, au bouquet joliment floral, fruité (abricot) et miellé, au palais onctueux, riche et gras, équilibré par une agréable fraîcheur fruitée (fruits exotiques, mirabelle). Un sauternes classique et gourmand. Dans un style plus riche et liquoreux, mais bien fait, le **Ch. de Veyres 2009 (20 à 30 €; 8 000 b.)** est cité.

SCEA du Clos de la Vicairie, Ch. Tuyttens, 33210 Fargues, tél. et fax 05.56.76.85.69, emercadier@vignoblesmercadier.com
t.l.j. sf sam. dim. 9h-12h30 14h-17h
Mercadier

CH. DU HAUT-GRILLON 2009 ★

	7 200		20 à 30 €

Avec 8 hl/ha en 2009, ce cru barsacais n'a pas fait d'excédents. Cela donne un vin qui se distingue par la concentration et la complexité de son bouquet mêlant les fruits confits et les fruits frais, le miel et les fleurs blanches. On retrouve ces arômes, agrémentés d'une pointe de rôti du meilleur effet, au sein d'une bouche installée dans un joli confort moelleux, bien équilibrée et longue.

Odile Roumazeilles-Cameleyre, Ch. Grillon, 33720 Barsac, tél. 05.56.27.16.45, fax 05.56.27.03.77
t.l.j. 8h30-12h30 14h-18h

CH. HAUT-MAYNE 2009 ★

	20 000		15 à 20 €

Les fidèles du cru ne seront pas étonnés de découvrir un vrai « classique » dans ce 2009 résolument liquoreux, à forte dominante de sémillon (95 %). Son caractère s'affirme dès le bouquet par d'intenses arômes confits. Plein, riche et très épicé en bouche, avec en prime des notes d'abricot mûr et de pain d'épice, l'ensemble plaira tout spécialement aux amateurs de sauternes traditionnels.

EARL Roumazeilles, Ch. Haut-Mayne, 33210 Preignac, tél. 05.56.27.12.18, fax 05.56.27.03.77, julien.roumazeilles@wanadoo.fr
t.l.j. 8h30-12h30 14h-18h

CH. LE JUGE 2009 ★★

	15 000		15 à 20 €

Situé au cœur du village de Preignac et propriété de la famille Perromat depuis 1992, ce château du XVIIe s. voisin de celui d'Armajan fut habité après la Révolution par un juge de paix. Ce 2009 met tout le monde d'accord par le bel éclat de sa robe, puis par son bouquet d'abord discret, qui s'ouvre à l'aération sur de délicates notes de mirabelle et d'abricot. Au palais, une note minérale apporte de la vivacité, contribuant à l'harmonie générale de cette agréable bouteille. Tout indiqué pour l'apéritif. Également bien équilibré et servi par une jolie palette aromatique, le **Ch. d'Armajan des Ormes 2009 (20 à 30 €; 10 000 b.)** obtient une étoile.

EARL Jacques et Guillaume Perromat, Ch. d'Armajan, 33210 Preignac, tél. 05.56.63.58.21, fax 05.56.63.21.55, gperromat@mjperromat.fr r.-v.

CH. LES JUSTICES 2009 ★★

	22 000		20 à 30 €

Julie et Xavier Gonet-Médeville, à la tête du domaine depuis 2004, disent rechercher la botrytisation ; ils l'ont trouvée avec ce 2009 au nez miellé, fruité (pêche, abricot) et floral (angélique), sur un fond délicatement boisé aux accents fumés. Le palais ample, liquoreux à souhait, notamment en finale, sans lourdeur aucune, est équilibré par une belle vivacité. Un très grand classique, à découvrir dès à présent ou à attendre quatre ou cinq ans.

Julie Gonet-Médeville, Ch. Gilette, 33210 Preignac, tél. 05.56.76.28.44, fax 05.56.76.28.43, contact@gonet-medeville.com r.-v.

CH. KETTY 2009

	6 000		15 à 20 €

Né en 2007, ce cru propose un 2009 au caractère souriant, tant par son bouquet aux subtiles notes de fruits mûrs, de miel et de cannelle, que par son palais rond et équilibré aux saveurs fruitées et grillées. Un sauternes d'une aimable simplicité, à déguster à l'apéritif.

Pierre Guinabert, Haut-Bommes, 33210 Bommes, tél. 05.56.63.67.14, fax 05.56.76.67.14, p.guinabert@wanadoofr r.-v.

♥ CH. LAMOTHE GUIGNARD 2009 ★★

2e cru clas.	33 400		20 à 30 €

(83) **85** 86 87 **88** 89 **90 94 95** |**96**| 97 98 99 00 |**02**| |03| |04| **05** 06 07 08 **09**

Les Guignard, l'une des plus anciennes familles de viticulteurs du Sauternais, ont acquis en 1981 une partie du château Lamothe, classé en 1855. D'une grande régularité dans la qualité, ils se distinguent tout particulièrement avec ce millésime qui se pare d'une majestueuse robe d'or. Généreux, le bouquet développe des arômes de fruits jaunes (abricot) et d'agrumes qui se mêlent à des fragrances de fleur d'acacia. Très liquoreux, gras, fruité et rôti, le palais séduit par sa richesse. Un superbe exemple de sauternes traditionnel, bien armé pour affronter une solide garde.

GAEC Philippe et Jacques Guignard, Ch. Lamothe Guignard, 33210 Sauternes, tél. 05.56.76.60.28, fax 05.56.76.69.05, chateau.lamothe.guignard@orange.fr
t.l.j. 8h-12h 14h-18h; sam. dim. sur r.-v.

CH. LARIBOTTE 2007 ★★

	12 800		15 à 20 €

Toujours fidèle aux élevages longs, cette authentique exploitation familiale propose ici un 2007 remarquablement réussi. Habillé d'or pâle, ce sauternes dévoile un bouquet tout en finesse de fruits exotiques (kiwi), de fleurs blanches, d'épices douces et de notes rôties (abricot sec). Tout aussi expressif, le palais charme par son côté suave et délicat, tout en montrant une bonne structure et un très bon équilibre entre l'acidité et le sucre. À découvrir sur un poulet au curry, aujourd'hui comme dans cinq ou six ans.

SCEA Jean-Pierre Lahiteau, Ch. Laribotte, 33210 Preignac, tél. 05.56.63.27.88, fax 05.56.62.24.80, lahiteau.jean@orange.fr r.-v.

CH. LAVILLE 2010 ★★

	25 000		20 à 30 €

Grand collectionneur de coups de cœur, ce cru connaît une fois encore une remarquable réussite avec ce superbe 2010. Aussi complexe qu'expressif, le bouquet joue avec virtuosité sur les senteurs de raisin mûr, de fleurs jaunes, de pêche, de pruneau et de miel. Rond, riche et puissant mais jamais lourd, le palais élargit encore cette fine palette aromatique, et offre une grande liberté de garde : cette bouteille pourra être ouverte aussi bien dès la sortie du Guide que dans une décennie. Avec un bouquet des plus intenses et un palais de velours, le second vin, **Ch. Delmond 2010 (11 à 15 € ; 25 000 b.)**, n'a rien à envier à son aîné. Il décroche également deux étoiles.

Ch. Laville, 33210 Preignac, tél. 05.56.63.59.45, fax 05.56.63.16.28, chateaulaville@hotmail.com r.-v.

Famille Barbe

CH. LIOT 2010

	n.c.		15 à 20 €

Située dans le haut de Barsac, cette propriété s'étend sur le plateau argilo-calcaire. Bien qu'encore marqué par l'élevage, son 2010 se montre d'un classicisme de bon aloi, avec un honorable volume et d'agréables arômes de fleurs, de raisin mûr et de confiture de melons complétés par quelques notes citronnées. L'attendre un peu ne sera pas une mauvaise idée.

SCEA J. et E. David, Ch. Liot, 33720 Barsac, tél. 05.56.27.15.31, fax 05.56.27.14.42, chateau.liot@wanadoo.fr

t.l.j. sf sam. dim. 9h-12h 14h-17h

CH. DE MALLE 2009 ★★

2e cru clas.	n.c.		20 à 30 €

83 85 86 87 **88 89 90 91 94 95 96** 97 **98** 99 00 02 03 **04** 05 06 **07** 08 **09**

À l'élégance du château et de ses jardins de style florentin, chefs d'œuvre des XVIIe et XVIIIes. respectivement, répond, comme souvent, celle du vin. D'une belle couleur dorée, le 2009 du château de Malle développe un bouquet de miel enrichi de notes de confit, de fruits secs et d'épices. Rond et gras, le palais présente un remarquable équilibre, avec une juste acidité en soutien. Un exemple abouti de sauternes « moderne ». Tout aussi réussi, le second vin, **Ch. Sainte-Hélène 2009 (15 à 20 €)**, joue également la carte de la modernité avec beaucoup d'élégance et de puissance. Il décroche également deux étoiles.

GFA des Comtes de Bournazel, Ch. de Malle, 33210 Preignac, tél. 05.56.62.36.86, fax 05.56.76.82.40, accueil@chateau-de-malle.fr r.-v.

CH. MAYNE DU HAYOT 2010

	8 000		11 à 15 €

Ce sauternes né à Barsac révèle au nez une belle harmonie entre arômes boisés et fruités, agrémentés d'une fort plaisante note miellée. Souple, rond et gras, le palais égayé par quelques nuances d'agrumes laisse le souvenir d'un ensemble fin et équilibré.

SCE Ch. le Mayne, Andoyse, 33720 Barsac, tél. 05.56.27.15.37, fax 05.56.27.04.24, vignoblesduhayot@aol.com

t.l.j. sf sam. dim. 9h-12h 14h-17h; f. août

♥ CH. DU MONT Cuvée Jeanne 2009 ★★★

	5 000		11 à 15 €

CHÂTEAU DU MONT

Sauternes

2009 CUVÉE JEANNE

MIS EN BOUTEILLE AU CHÂTEAU

PRODUIT DE FRANCE

Cuvée prestige du domaine, ce vin de pur sémillon a été choyé tant à la vigne qu'au chai par Hervé Chouvac. Les dégustateurs ne s'y sont pas trompés et ils lui attribuent un coup de cœur enthousiaste. Drapé dans une robe d'or, ce liquoreux dévoile un bouquet ouvert, complexe, puissant et fin à la fois, fait de notes confites et rôties mariées à de délicates nuances de fleurs blanches et d'agrumes. Tout aussi intense, concentré et très long, le palais s'enrichit de nouvelles fragrances d'abricot sec et d'épices, et laisse le souvenir d'un ensemble savoureux et concentré, armé pour une garde de plusieurs décennies. Ce producteur déploie décidemment un talent égal sur les deux rives de la Garonne (voir Sainte-croix-du-mont).

Hervé Chouvac, Ch. du Mont, lieu-dit Pascaud, 33410 Sainte-Croix-du-Mont, tél. 06.89.96.54.73, fax 05.56.62.07.58, chateau-du-mont@wanadoo.fr

r.-v.

DOM. DE MONTEILS Sélection 2009 ★

	6 600		15 à 20 €

Issue de vignes de sémillon et de muscadelle âgées de trente ans, cette cuvée joue résolument la carte de l'élégance. D'abord par la fraîcheur de son bouquet, sur les fleurs blanches et la gelée d'abricot ; puis par son palais, qui dévoile un joli rôti, bien appuyé par un boisé de qualité, pour finalement donner un ensemble aussi équilibré que gourmand.

SCEA Dom. de Monteils, 3, rte de Fargues, quartier Medudon, 33210 Preignac, tél. 05.56.62.24.05, fax 05.56.62.22.30, contact@domainedemonteils.com r.-v.

CH. DE MYRAT 2009

2e cru clas.	30 000		30 à 50 €

Dans les années 1980 et 1990, Jacques et Xavier de Pontac ont ressuscité ce cru classé, qui s'était assoupi. Ils proposent ici un vin rond et généreux, de bonne longueur, qui séduit par son bouquet bien typé avec ses notes de miel, de cire, de fruits secs, d'épices et d'acacia en fleur. Un ensemble homogène, à déguster dans trois ou quatre ans.

Jacques de Pontac, Ch. de Myrat, 33720 Barsac, tél. 05.56.27.09.06, fax 05.56.27.11.75, myrat@chateaudemyrat.fr r.-v.

CH. DE RAYNE-VIGNEAU 2009 ★

1er cru clas. | n.c. | 30 à 50 €

Dans le giron du Crédit Agricole depuis 2004, ce cru, célèbre pour les cailloux multicolores de son terroir graveleux et sablonneux dominant le Ciron, signe un 2009 au nez encore discret mais plaisant, qui laisse poindre des notes fraîches d'agrumes et de pêche, agrémenté d'un soupçon de vanille et de grillé. Le palais se révèle ample, riche, rond et bien équilibré. On attendra quelques années pour que les arômes gagnent en intensité. Souple, soyeux, gras sans excès, fruité et long, le second vin, **Madame de Rayne 2010 (20 à 30 €)**, obtient également une étoile.

Ch. de Rayne-Vigneau, 4, quai Antoine-Ferchaud, 33250 Pauillac, tél. 05.56.59.00.40, fax 05.56.59.36.47, contact@cagrandscrus.fr
Crédit Agricole Grands Crus

CH. RIEUSSEC 2009 ★★

1er cru clas. | n.c. | 30 à 50 €

83 84 85 86 87 88 89 (90) 92 94 95 (96) (97) 98 99 00 01 02 03 04 05 06 07 09

Il n'y a pas de grand vin sans terroir de choix ; ce cru en offre une nouvelle fois une superbe illustration. Son 2009 en robe d'or livre un bouquet complexe et intense, mariage heureux de miel, de fleurs blanches, d'abricot confit, de vanille et de coco. Le palais ? Ample, gras, imposant, moelleux et remarquablement équilibré. Inutile de préciser que cette bouteille de haute tenue dispose d'un très beau potentiel de garde. La seconde étiquette, les **Carmes de Rieussec 2010 (11 à 15 €)**, qui rappelle que ce cru a appartenu au XVII[e]s. aux moines du couvent des carmes de Langon, reçoit une étoile pour la finesse et l'élégance de sa gamme aromatique (miel, fruits blancs, pointe résinée...) et pour son palais harmonieux soutenu par une légère vivacité.

Ch. Rieussec, 34, rte de Villandraut, 33210 Fargues, tél. 05.57.98.14.14, fax 05.57.98.14.10, rieussec@lafite.com r.-v.
Domaines barons de Rothschild (Lafite)

CH. ROMER DU HAYOT 2009 ★

2e cru clas. | 20 000 | 20 à 30 €

Issu de vignes cultivées à Fargues et à Preignac mais élevé à Barsac dans les caves d'Andoyse – les chais du domaine ayant disparu sous l'autoroute des Deux Mers – ce cru de prestige des Vignobles du Hayot s'annonce par une élégante robe or ambré avant d'offrir un bouquet d'une grande fraîcheur aux accents exotiques et un rien épicés. À la fois riche et frais, le palais se révèle très harmonieux et déroule une finale assez nerveuse qui lui confère de l'allonge et de l'équilibre.

SCE Vignobles du Hayot, Andoyse, 33720 Barsac, tél. 05.56.27.15.37, fax 05.56.27.04.24, vignoblesduhayot@wanadoo.fr r.-v.

CH. ROUMIEU 2009 ★

40 000 | 20 à 30 €

La coquille qui orne l'étiquette est là pour nous rappeler que Roumieu est situé sur la route de Saint-Jacques de Compostelle. Dans le flacon, le cru joue plutôt la carte de la modernité et de l'élégance que celle de la tradition et de la puissance. Ample, fin et bien équilibré, le palais met en valeur une expression aromatique complexe (orange et mandarine confites, fleurs blanches, genêt) qui fait écho à l'olfaction. Déjà plaisant, ce sauternes pourra aussi patienter quatre ou cinq ans dans votre cave.

Craveia-Goyaud, Lapinesse, 33720 Barsac, tél. 05.56.27.21.01, fax 05.56.27.01.55, contact@chateau-roumieu.fr r.-v.

♥ CH. ROÛMIEU-LACOSTE 2010 ★★★

10 000 | 15 à 20 €

2010

Château

Roûmieu-Lacoste

SAUTERNES

Hervé Dubourdieu
Propriétaire Vigneron

Forte de ses solides racines vigneronnes, la famille Dubourdieu est riche en talents. Hervé ne fait pas exception à la règle, et il le prouve avec cet exceptionnel 2010. Belle expression du botrytis, le bouquet ne se fait pas prier pour s'ouvrir sur de puissantes senteurs d'ananas confit, de pêche jaune et d'abricot, accompagnées de notes balsamiques, de caramel au lait et de vanille, signes d'un boisé bien dosé. Une vraie gourmandise qui se prolonge dans un palais rond, gras et frais à la fois, avec ce qu'il faut de liqueur et de minéralité. Aussi avenante que racée, cette superbe bouteille mérite un séjour en cave de trois ou quatre ans avant d'accompagner un tajine d'agneau aux abricots et aux pruneaux. Elle pourra aussi être oubliée une ou plusieurs décennies.

Hervé Dubourdieu, Ch. Roûmieu-Lacoste, 33720 Barsac, tél. 05.56.27.16.29, fax 05.56.27.02.65, hervedubourdieu@aol.com r.-v.

SIGALAS RABAUD 2009 ★

1er cru clas. | 23 300 | 30 à 50 €

83 85 86 87 88 89 90 91 92 94 (95) 96 97 98 99 00 01 02 03 04 05 06 07 08 09

Au cœur de l'appellation, ce cru né au XVII[e]s. fait preuve d'une solide régularité, et celle-ci se vérifie une fois encore avec ce 2009. Cinq tries successives, un mois de fermentation en barrique, vingt mois d'élevage, et voici un sauternes d'un élégant jaune doré à reflets verts, au nez séduisant de cédrat, de citron confit et de miel. Après une attaque douce et moelleuse, on découvre une liqueur « aérienne », vivifiée en finale par une fine acidité qui confère de l'équilibre et de la longueur à l'ensemble. À découvrir au cours des dix prochaines années.

Ch. Sigalas Rabaud, 33880 Bommes, tél. 05.56.21.31.43, fax 05.56.78.71.55 r.-v.
GFA

CH. SIMON Cuvée exceptionnelle 2009 ★

10 000 | 20 à 30 €

La famille Dufour exploite depuis 1814 ce cru, qui tire son nom d'un hameau de Barsac. Trois générations œuvrent aujourd'hui de concert sur les 38 ha du domaine, qui signe une cuvée fort réussie. D'un jaune soutenu, celle-ci se signale par son bouquet de fruits blancs (pêche), de vanille et de fleurs, et par un palais bien équilibré entre la liqueur et la vivacité.

EARL Dufour, Ch. Simon, 33720 Barsac,
tél. 05.56.27.15.35, fax 05.56.27.24.79,
contact@chateausimon.fr
t.l.j. 8h-12h 13h30-17h30; sam. dim. sur r.-v.

CH. SUDUIRAUT 2009 ★

1er cru clas. 92 000 + de 100 €

83 85 86 88 89 (90) |**96**| |(97)| |**99**| |01| |02| **04 05** 06 **07** 08 09

À l'élégance du parc dessiné par Le Nôtre et à celle de la demeure Grand Siècle répond la classe du grand vin. Elle s'exprime ici d'emblée dans un bouquet intense et fin d'agrumes (citron), de vanille et d'épices, relayé par un palais dont la richesse, la concentration et la longueur permettront à ce sauternes de franchir les ans sans crainte. Un classique par excellence. D'une belle élégance également, ample et bien équilibré, le second vin, **Castelnau de Suduiraut 2009 (20 à 30 € ; 66 000 b.)**, obtient lui aussi une étoile.

Ch. Suduiraut, 33210 Preignac, tél. 05.56.63.61.90,
fax 05.56.63.61.93, contact@suduiraut.com r.-v.
Axa Millésimes

CH. LA TOUR BLANCHE 2008 ★

1er cru clas. 4 800 30 à 50 €

83 85 86 88 89 **90** 91 94 |**95**| |**96**| |**97**| **99** |01| |**02**| 03 04 05 06 **07** 08

En 2008, le vignoble de La Tour blanche n'a pas été épargné par le gel de printemps. Il en résulte une très faible récolte (4 800 cols pour 38 ha), de qualité néanmoins. Le nez dévoile une belle subtilité autour de notes florales et miellées relayées par un palais harmonieux, à la fois rond, doux et frais. Un vin aimable et aérien – « un vrai vin plaisir », résume un dégustateur qui le conseille à l'apéritif, accompagné de quelques toasts au roquefort.

Ch. la Tour blanche, 33210 Bommes, tél. 05.57.98.02.73,
fax 05.57.98.02.78, tour-blanche@tour-blanche.com
r.-v.
Ministère de l'Agriculture

CH. VALGUY 2009

10 000 30 à 50 €

Après un coup de cœur l'an dernier pour son 2007, ce domaine apparaît moins ambitieux avec la version 2009. Toutefois, ce sauternes fait preuve d'un bon équilibre entre rondeur et vivacité, et plaît par son expression aromatique, à la fois florale et fruitée (goyave, mandarine, orange citron). D'une aimable simplicité, il fera un bon apéritif, agrémenté de toasts au foie gras.

Grands Vignobles Loubrie, 4, chem. de Couitte,
33210 Preignac, tél. et fax 05.56.63.58.25,
grandsvignoblesloubrie@orange.fr r.-v.

CH. VILLEFRANCHE 2009 ★

18 000 15 à 20 €

S'il appartient à une très ancienne famille du Sauternais, Benoît Guinabert n'a pas hésité pour autant à faire le choix de la modernité, comme le prouve ce vin au bouquet d'une bonne intensité, sur les agrumes, l'ananas, l'abricot et le citron. Bien équilibré, délicatement enrobé et élégant, l'ensemble est fringant et sera plaisant à boire jeune.

Benoît Guinabert, Ch. Villefranche, 33720 Barsac,
tél. 05.56.27.05.77, fax 05.56.27.33.02,
benoit.guinabert@orange.fr r.-v.

CH. VOIGNY 2010 ★

48 000 11 à 15 €

Belle unité s'étendant jusqu'aux rives de la Garonne, ce cru propose un vin plaisant par son bouquet de fruits confits relevés d'une note grillée. Après une attaque moelleuse et douce, le palais se révèle rond et gras, d'un bon volume et d'une honnête longueur. Un ensemble équilibré, à découvrir dès aujourd'hui.

EARL Bon, 70, rue de la République, 33210 Preignac,
tél. 05.56.63.28.29, fax 05.56.63.31.01, a.j.vins@wanadoo.fr
t.l.j. sf dim. 9h-12h 14h-19h

♥ CH. D'YQUEM 2009 ★★★

1er cru clas. sup. n.c. + de 100 €

21 29 37 |**45**| 55 59 (67) |**75**| 76 83 86 88 |**89**| 90 (95) (96) (97) **98 99** (01) |**02**| (03) |**04**| (05) **06** (07) |(08)| (09)

Six mois alliant chaleur et sécheresse modérées, une petite pluie fin août, un développement homogène du botrytis, des vendanges d'une vingtaine de jours : en 2009, toutes les conditions ont été réunies pour élaborer un grand Yquem. Le seul piège aurait pu être d'aller trop loin jusqu'à la surconcentration des sucres. Ce risque ayant été évidemment évité (155 g/l de sucres tout de même...), on est en face d'un vin qui impressionne dès le premier regard avec sa véritable robe de sacre (or à reflets verts) d'une brillance parfaite. Le bouquet s'ouvre sur de puissants arômes d'agrumes confits (mandarine) et d'épices douces, évoluant ensuite vers des notes florales (genêt, rose), pour finir sur des nuances de fruits très mûrs (abricot, pêche jaune). Après une attaque remarquable de rondeur, le palais surprend par son équilibre admirable entre la richesse et la finesse, l'opulence et la fraîcheur. Des saveurs d'écorce d'orange confite et de pâte de fruits se mêlent à la guimauve, à la cire d'abeille ou encore au raisin écrasé. La finale, d'une longueur exceptionnelle, laisse le souvenir d'une grande pureté et d'une harmonie rarement atteinte entre la douceur et la puissance. Un chef d'œuvre.

SA du Ch. d'Yquem, 33210 Sauternes,
tél. 05.57.98.07.07, fax 05.57.98.07.08, info@yquem.fr
r.-v.
LVMH

LA BOURGOGNE

CHABLIS POUILLY-FUISSÉ
GEVREY-CHAMBERTIN IRANCY
MUSIGNY MÂCON-VILLAGES
NUITS-SAINT-GEORGES
SAINT-VÉRAN RULLY BOUZERON
PULIGNY-MONTRACHET
MERCUREY CORTON BEAUNE

LA BOURGOGNE

Superficie
27 500 ha
Production
1 500 000 hl
Types de vins
Blancs secs (60 %), rouges (32 %), rosés (très rares), effervescents (crémant-de-bourgogne).
Sous-régions
Chablisien et Auxerrois, Côte de Nuits, Côte de Beaune, Côte chalonnaise, Mâconnais.
Cépages
Rouges : pinot noir principalement, gamay, césar (rare).
Blancs : chardonnay principalement, aligoté, sauvignon (à Saint-Bris), sacy, melon (très rares).

Elle ne représente que 3 % du vignoble français, et une goutte dans la production mondiale. Et pourtant, de Chablis à Mâcon, la Bourgogne a contribué de longue date à l'image d'excellence de la production viticole nationale. Ses deux cépages principaux, le pinot noir pour les rouges et le chardonnay pour les blancs, sont à l'origine de crus si prestigieux qu'ils ont acquis une renommée mondiale. Le renom de la région bourguignonne ne tient pas qu'à ces deux variétés. À la simplicité de l'encépagement s'oppose l'extrême diversité de microterroirs, explorés depuis le Moyen-Âge, appelés ici *climats*. Connaître la Bourgogne, c'est explorer cette mosaïque de crus hiérarchisés et apprécier les mille nuances que prennent deux cépages suivant les sols, la pente, l'exposition.

Depuis les confins auxerrois jusqu'aux monts du Beaujolais, tout au long d'une province qui relie les deux métropoles que sont Paris et Lyon, la vigne et le vin ont, dès la plus haute Antiquité, fait vivre les hommes, et les ont fait vivre bien. Si l'on en croit Gaston Roupnel, écrivain qui fut aussi vigneron à Gevrey-Chambertin, auteur d'une *Histoire de la campagne française*, la vigne aurait été introduite en Gaule au VIes. av. J.-C. « par la Suisse et les défilés du Jura », pour être bientôt cultivée sur les pentes des vallées de la Saône et du Rhône. Même si, pour d'autres, ce sont les Grecs qui sont à l'origine de la culture de la vigne, venue du Midi, nul ne conteste l'importance qu'elle a prise très tôt sur le sol bourguignon. Certains reliefs du Musée archéologique de Dijon et des fouilles récentes en témoignent. Et lorsque le rhéteur Eumène s'adresse à l'empereur Constantin, à Autun, c'est pour évoquer les vignes cultivées dans la région de Beaune et qualifiées déjà d'« admirables et anciennes ».

À partir du X^es., les moines jouèrent un rôle essentiel dans la mise en valeur du vignoble. Les Bénédictins de Cluny, et les Cisterciens ont créé et exploité jusqu'à la Révolution la plus grande partie des vignobles illustres. Ces fleurons viticoles ont subsisté jusqu'à nos jours malgré leur sécularisation et leur morcellement. L'exemple le plus connu est sans doute le Clos de Vougeot. Ces vignerons exigeants ont grandement contribué à l'étude fine de leurs terroirs, dessinant peu à peu la palette de ses *climats* et de ses crus. C'est sous le règne des quatre puissants ducs de Bourgogne (1342-1477) que furent édictées les règles destinées à garantir un niveau qualitatif élevé. La plus connue est l'ordonnance de Philippe le Hardi qui bannit en 1395 le gamay de ses terres. Le rayonnement des vins de Bourgogne s'étendit alors jusque dans les Flandres. Les notables ont pris le relais. Le négoce-éleveur, apparu dès le XVIIIes., s'est développé au siècle suivant. De nombreux vignerons entreprenants ont acquis des terres à la suite des crises du XXes.

Pinot noir et chardonnay L'unité ampélographique de la Bourgogne – à l'exclusion, donc, du Beaujolais, planté de gamay noir – ne fait pas de doute : le chardonnay pour les vins blancs et le pinot noir pour les vins rouges y règnent aujourd'hui en maîtres. Le premier engendre des vins blancs à la fois gras et vifs, structurés et complexes, aux arômes d'agrumes, de fleurs blanches, de beurre et de noisette, parfois teintés de minéralité ou de sous-bois. Le second donne naissance à des vins rouges de garde, aux notes subtiles de griotte, de fruits rouges, qui se pâtinent et se font complexes avec le temps. Quelques variétés annexes existent encore, vestiges de pratiques culturales anciennes ou adaptations à des terroirs particuliers. En blanc, l'aligoté produit le bourgogne-aligoté, fréquemment employé dans la confection du « kir » (blanc-cassis) ; il atteint son sommet qualitatif dans le petit pays de Bouzeron (Saône-et-Loire) qui bénéficie d'une AOC communale. Le sauvignon est cultivé dans la région de Saint-Bris-le-Vineux, dans l'Yonne, où il donne le saint-bris qui a accédé à l'AOC. Le sacy disparaît au profit du chardonnay. En rouge, le césar, surtout cultivé dans l'Yonne, peut être assemblé au pinot noir dans l'appellation irancy. Le gamay, lui, fournit du bourgogne-grand-ordinaire et, associé au pinot noir, du bourgogne-passetoutgrain.

Les régions de la Bourgogne La Bourgogne des vins ne recouvre pas exactement la région administrative : les vignobles de la Nièvre (région Bourgogne) sont ainsi rattachés au Centre-Loire. Par ailleurs, le Beaujolais, qui empiète sur le département du Rhône (région Rhône-Alpes), appartient, lui, officiellement à la Bourgogne (on parle de Grande Bourgogne), si bien certains de ses crus peuvent être vendus en appellation régionale bourgogne. Cependant, attaché à un cépage spécifique, le gamay, le Beaujolais a acquis son autonomie : le Guide lui réserve un chapitre.

Dans une approche géographique, il est d'usage de distinguer, du nord au sud, quatre grandes zones au sein de la Bourgogne viticole : les vignobles de l'Yonne (ou de basse Bourgogne), de la Côte-d'Or (Côte de Nuits et Côte de Beaune), la Côte chalonnaise et le Mâconnais.

Le vignoble de l'Yonne, qui s'est beaucoup contracté après la crise phylloxérique avant de connaître une prudente renaissance, connaît un climat plus rigoureux. Il a pour fleuron les vignobles de Chablis, où le chardonnay donne naissance à des vins vifs et minéraux. La Côte-d'Or commence au sud de Dijon. On distingue traditionnellement la Côte de Nuits, entre Marsannay-la-Côte et Corgoloin et la Côte de Beaune, entre Ladoix-Serrigny et les Dezize-les-Maranges. La Côte-de-Beaune est relayée au sud par la Côte chalonnaise, en Saône-et-Loire, puis par le Mâconnais, célèbre pour ses vins blancs. Si la Côte de Nuits est réputée pour ses grands crus rouges de garde comme le chambertin, et la Côte de Beaune renommée pour ses « grands cru blancs » comme le montrachet, toutes portent des vignes des deux couleurs qui donnent de grandes bouteilles.

Les Hautes-Côtes On replante peu à peu les secteurs en arrière de la Côte-d'Or : c'est la zone des hautes-côtes, où sont produites les AOC régionales bourgogne-hautes-côtes-de-nuits et bourgogne-hautes-côtes-de-beaune. L'aligoté y trouve son terrain de prédilection, qui met bien en valeur sa fraîcheur. Quelques terroirs y donnent d'excellents vins rouges issus de pinot noir, qui rappellent par leur parfums les petits fruits rouges (framboise, cassis), spécialités de la Bourgogne, cultivés aussi dans ce secteur.

La mosaïque de la Côte-d'Or Le plateau de Langres, karstique et aride, chemin traditionnel de toutes les invasions venues du nord-est, sépare le Chablisien, l'Auxerrois et le Tonnerrois de la Côte-d'Or, dite « Côte de pourpre et d'or » ou, plus simplement, « la Côte ». Au cours de l'ère tertiaire, consécutivement la surrection des Alpes, la mer de Bresse qui couvrait cette région, battant le vieux massif hercynien du Morvan, s'effondra, déposant au fil des millénaires des sédiments calcaires de composition variée. De nombreuses failles parallèles de direction nord-sud, datant de la formation des Alpes, puis des « coulement » des sols du haut vers le bas au moment des grandes glaciations tertiaires, et le creusement de combes par des cours d'eau alors puissants ont créé une mosaïque extraordinaire de terrains différents. Des terrains apparemment semblables en surface, à cause d'une mince couche arable, mais au potentiel viticole différent. Ainsi s'expliquent l'abondance des appellations d'origine – pas moins de cent en Bourgogne – et l'importance des *climats* qui affinent encore cette mosaïque.

Géologiquement plus simples, les autres parties de la Bourgogne sont aussi attachées à la notion de *climat*.

Les *climats* bourguignons En Bourgogne, le terme de climat acquiert un sens particulier, qui inclut la géologie. Au sens habituel du mot, le climat de Bourgogne se caractérise par une relative unité : il est globalement semi-continental. Plus que des données strictement météorologiques, c'est la juxtaposition d'affleurements géologiques variés qui impriment les caractères propres des très nombreux vins produits dans la région. Ce sont des variations pédologiques qui rendent compte de la notion de terroir (ou *climat*) précisant les caractères des vins au sein d'une même appellation.

On appelle *climat* « une entité naturelle s'extériorisant par l'unité du caractère du vin qu'elle produit... » (A. Vedel). Et l'on peut constater en effet qu'il y a parfois moins de différences entre deux vignes séparées de plusieurs centaines de mètres mais à l'intérieur du même *climat* qu'entre deux autres voisines mais dans deux *climats* différents. Chaque appellation communale comporte une multitude de ces surfaces officiellement délimitées, qui ne couvrent pas plus de quelques hectares, voire quelques « ouvrées » (4 ares, 28 centiares). On compte ainsi 27 dénominations différentes pour les seuls 1ers crus de la commune de Nuits-Saint-Georges, pour une centaine d'hectares seulement. Ces *climats*, portent des noms particulièrement évocateurs (la Renarde, Genevrières, Clos de la Maréchale, Montrecul...), consacrés depuis au moins le XVIIIe s. Ils figurent souvent sur l'étiquette, qui précise aussi si le *climat* en question est classé en 1er cru.

Une dégustation consistera souvent, en Bourgogne, à comparer deux vins de même cépage et de même appellation, mais provenant chacun d'un *climat* différent ; ou encore, à juger deux vins de même cépage et de même *climat*, mais d'années différentes. On tiendra compte, bien sûr, de la « touche » personnelle du vinificateur qui les présente. Cette multiplicité des *climats* rend la région difficile à aborder pour le néophyte mais passionne l'amateur...

La hiérarchie bourguignonne On dénombre quatre niveaux d'appellations dans la hiérarchie des vins : à la base, l'appellation régionale bourgogne (56 % de la production), puis les appellations communales, appelées ici *villages*, les 1ers cru (12 % de la production) et les grands crus (33 grands crus répertoriés à Chablis et en Côte d'Or, 3 % de la production). Ce sont des critères morphologiques et physico-chimiques tels que la pente, la pierrosité, les taux d'argile et de calcaire qui permettent le mieux de distinguer l'échelle des appellations.

L'étiquette des AOC régionales précise parfois le nom du cépage (aligoté) ou d'un secteur particulier (commune, comme Vézelay, ou groupe de communes, comme Côte du Couchois). À terme, certains de ces terroirs sont reconnus en AOC communales : c'est ainsi, par exemple que le village d'Irancy (anciennement AOC bourgogne irancy) a été promu.

Un vignoble très morcelé Les hommes attachés à leur terroir le sont souvent ici depuis des siècles. Ainsi, les noms de nombreuses familles ont traversé cinq siècles. De même, la fondation de certaines maisons de négoce remonte parfois au XVIIIe s.

Morcelé, notamment en Côte-d'Or, le vignoble est constitué d'exploitations familiales de faible superficie. Un domaine de 5 à 6 ha suffit, en appellation communale (nuits-saint-georges, par exemple), à faire vivre un ménage. Le célèbre Clos-Vougeot illustre le morcellement de la propriété : couvrant 50 ha, il est partagé entre plus de soixante-dix propriétaires ! La plupart des *climats* sont partagés entre plusieurs domaines, ce qui augmente encore la diversité des vins produits. Du point de vue technique, le vigneron bourguignon est très attaché au maintien des usages et traditions, ce qui ne signifie pas un refus absolu de la modernisation. C'est ainsi que la mécanisation de la viticulture se développe. Il est toutefois des traditions qui ne sauraient être remises en cause : l'un des meilleurs exemples en est l'élevage des vins en fût de chêne. L'agriculture biologique, en progrès dans la région, peut être comprise comme un retour à une tradition bien comprise.

Économie et acteurs On recense environ 2 490 domaines vendant du vin en bouteilles. Vingt-trois coopératives sont répertoriées ; le mouvement est très actif en Chablisien, en Côte chalonnaise et surtout dans le Mâconnais. Elles produisent environ 25 % des volumes de vin. Les négociants-éleveurs jouent un grand rôle depuis le XVIIIe s. Ils commercialisent plus de 60 % de la production et détiennent plus de 35 % de la surface totale des grands crus de la Côte de Beaune. Avec ses domaines, le négoce produit 8 % de la récolte totale bourguignonne.

L'importance de l'élevage (conduite d'un vin depuis sa prime jeunesse jusqu'à son optimal qualitatif avant la mise en bouteilles) met en évidence le rôle du négociant-éleveur : outre sa responsabilité commerciale, il assume une responsabilité technique. On comprend donc qu'une relation professionnelle harmonieuse se soit créée entre la viticulture et le négoce.

Le Bureau interprofessionnel des vins de Bourgogne (BIVB) met en œuvre des actions dans les domaines technique, économique et promotionnel. L'université de Bourgogne a été le premier établissement en France, du moins au niveau universitaire, à dispenser des enseignements d'œnologie et à créer un diplôme de technicien, en 1934. La même année était fondée la confrérie des Chevaliers du Tastevin, qui fait tant pour le rayonnement des vins de Bourgogne. Siégeant au château du Clos-Vougeot, elle contribue avec d'autres confréries locales à maintenir vivaces les traditions. L'une des plus brillantes est sans conteste la vente des hospices de Beaune, instituée en 1851, rendez-vous de l'élite internationale du vin et « Bourse » des cours de référence des grands crus ; avec le chapitre de la confrérie et la « Paulée » de Meursault, la vente est l'une des « Trois Glorieuses ». Mais c'est à travers toute la Bourgogne que l'on sait fêter joyeusement le vin, devant quelque « pièce » (228 litres) ou bouteille. Il n'en faut d'ailleurs pas tant pour aimer la Bourgogne et ses vins : n'est-elle pas tout simplement « un pays que l'on peut emporter dans son verre » ?

La Bourgogne

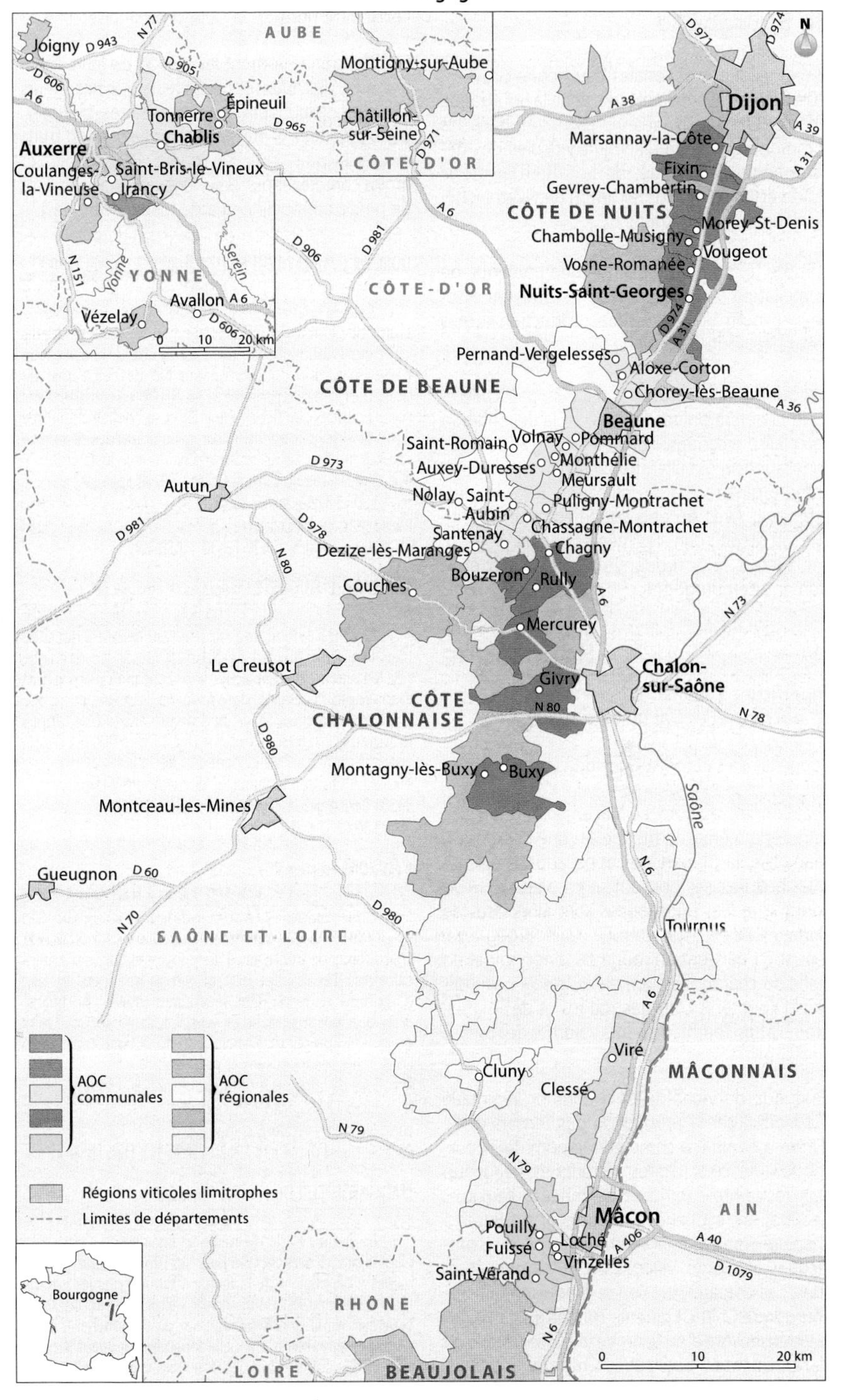

Les appellations régionales de Bourgogne

Les appellations régionales bourgogne couvrent l'aire de production la plus vaste de la Bourgogne viticole. Elles peuvent être produites dans les communes traditionnellement viticoles des départements de l'Yonne, de la Côte-d'Or, de la Saône-et-Loire, et dans le canton de Villefranche-sur-Saône, dans le Rhône.

Compte tenu de la dispersion géographique de l'appellation régionale, celle-ci est souvent associée au nom de la zone de production (Côtes d'Auxerre, Chitry, Côtes du Couchois...).

La codification des usages, et plus particulièrement la définition des terroirs par la délimitation parcellaire, a conduit à une hiérarchie au sein des appellations régionales. L'appellation bourgogne-grand-ordinaire est la plus générale, la plus extensive. Avec un encépagement plus spécifique, on récolte dans les mêmes lieux le bourgogne-aligoté, le bourgogne-passetoutgrain et le crémant-de-bourgogne.

Bourgogne

Superficie : 3 200 ha
Production : 154 500 hl (65 % rouge)

L'appellation s'étend sur presque toute la superficie du vignoble régional : de l'Yonne et du Châtillonnais, au nord, au Mâconnais, au sud. Elle comprend même, en théorie, la zone des crus du Beaujolais, la plupart des appellations communales beaujolaises pouvant se « replier » en AOC bourgogne (ces bourgognes sont alors issus de gamay). Ceux qui sont produits en Bourgogne au sens strict naissent en rouge du pinot noir et en blanc du chardonnay (appelé autrefois beaunois dans l'Yonne). À côté des rouges et des blancs, l'appellation fournit de petits volumes de rosés et de clairets.

L'étendue du vignoble et la tradition régionale d'individualiser la production des terroirs et de *climats* a conduit à compléter le nom de « bourgogne » de ceux d'aires historiques beaucoup plus restreintes, toujours délimitées : lieux-dits (Le Chapitre à Chenôve, Montrecul à Dijon, La Chapelle Notre-Dame à Serrigny, La Côte Saint-Jacques à Joigny), villages ou zones plus étendues. Les coteaux de l'Yonne produisent ainsi le bourgogne Chitry, Épineuil, Tonnerre, Coulange-la-Vineuse, Côte d'Auxerre, Vézelay (ce dernier en blanc). Quant au bourgogne Côtes du Couchois, c'est un vin rouge provenant de six communes à l'extrémité nord de la Côte chalonnaise.

Les bourgognes offrent les arômes de leurs cépages, avec des nuances liées à leurs origines : fleurs blanches, fruits secs, agrumes, notes beurrées, parfois grillées et miellées chez les blancs, fruits rouges et noirs chez les rouges. Plus souples et moins complexes que les *villages* et les crus, ils sont de petite ou moyenne garde (deux à cinq ans).

DOM. DE L'ABBAYE DU PETIT QUINCY Tonnerre 2010 ★

15 000 ■ 5 à 8 €

Ancien cellier à vin de l'abbaye cistercienne Notre-Dame-de-Quincy, le « Petit Quincy » est conduit depuis 1991 par Dominique Gruhier. Le maître des lieux est en passe de terminer la conversion bio de l'ensemble du domaine (25 ha). Il propose ici un 2010 bien construit avec son nez intense de fleurs blanches et sa bouche équilibrée entre acidité et rondeur. À servir au cours des deux prochaines années sur un poisson d'eau douce juste grillé.

Gruhier, rue du Clos-de-Quincy, 89700 Épineuil, tél. 03.86.55.32.51, fax 03.86.55.32.50, vin@bourgognevin.com t.l.j. sf dim. 10h30-12h30 14h30-18h

CHRISTOPHE AUGUSTE Coulanges la Vineuse 2011

■ 100 000 ■ 5 à 8 €

Ce 2011 livre un nez sur le noyau de cerise qui situe bien le terroir du sud de l'Auxerrois. Si les tanins se révèlent encore bien présents, la bouche plaît par son gras et son fruité. À déguster dans un an ou deux sur une viande grillée au barbecue. Dans un style proche, le **Coulanges la Vineuse 2010 Fût de chêne (8 à 11 € ; 5 000 b.)**, fruité, épicé et tannique, est également cité.

SCEA Christophe Auguste, 55, rue André-Vildieu, 89580 Coulanges-la-Vineuse, tél. 03.86.42.35.04, fax 03.86.42.51.81 r.-v.

L'AURORE Prestige 2011

100 000 5 à 8 €

Cette gamme « L'Aurore » de la cave coopérative de Lugny est issue de sélections parcellaires, ici 50 ha de chardonnay de trente ans d'âge moyen plantés sur argilo-calcaires. Le résultat est un vin aromatique au nez d'agrumes et de pomme, légèrement miellé. Le palais, d'un bon volume, riche et gras, enchaîne sur les fruits mûrs. Une pointe de vivacité eût été la bienvenue, mais l'ensemble reste plaisant et prêt à boire.

Cave de Lugny, rue des Charmes, 71260 Lugny, tél. 03.85.33.22.85, fax 03.85.33.26.46, commercial@cave-lugny.com t.l.j. sf dim. 8h30-12h30 13h30-19h (18h l'hiver)

BADER-MIMEUR Dessous les Mues 2009

4 200 8 à 11 €

La famille Bader-Mimeur est installée au château de Chassagne-Montrachet depuis 1919. Les bourgognes blancs y bénéficient de la même attention que les grands vins du domaine. Cette cuvée s'exprime sur un fond beurré et vanillé, aussi bien au nez qu'en bouche. Un vin tendre et agréable, d'une belle longueur, qui peut accompagner dès aujourd'hui des bouchées à la reine.

Bader-Mimeur, 1, chem. du Château, 21190 Chassagne-Montrachet, tél. 03.80.21.30.22, fax 03.80.21.33.29, info@bader-mimeur.com r.-v.

DOM. BART 2010 ★

10 000 | 5 à 8 €

Un vrai « vin plaisir », que l'on ouvrira volontiers sur une viande rouge ou un jambon cru de montagne. Son nez de petits fruits rouges agrémenté de quelques notes de sous-bois se révèle riche et complexe. Bâtie sur des tanins souples, la bouche se montre ronde et généreuse. Elle se nourrit de fruits bien mûrs, tout en gardant une belle fraîcheur. Un bourgogne équilibré et élégant, à boire dans les deux ans à venir.

Dom. Bart, 23, rue Moreau, 21160 Marsannay-la-Côte, tél. 03.80.51.49.76, fax 03.80.51.23.43, domaine.bart@wanadoo.fr r.-v.

DOM. JEAN-LOUIS ET JEAN-CHRISTOPHE BERSAN
Côtes d'Auxerre Cuvée Louis Bersan 2010 ★★

5 700 | 8 à 11 €

Cette cuvée Louis Bersan, élaborée à partir de vieilles vignes de cinquante ans, bénéficie d'une attention particulière avec une vinification en cuve et un élevage en fût pendant quatorze mois. Le résultat est un vin harmonieux au nez de fruits noirs sur un élégant fond boisé. La bouche se révèle très bien structurée, puissante, concentrée, épicée et fruitée, égayée par une longue finale saline. Un vin riche et équilibré, qui attendra deux ou trois ans en cave avant d'être servi sur du petit gibier.

Dom. Jean-Louis et Jean-Christophe Bersan, 20, rue Dr-Tardieux, 89530 Saint-Bris-le-Vineux, tél. 03.86.53.33.73, fax 03.86.53.38.45, jean-louis.bersan@wanadoo.fr
t.l.j. sf dim. 9h-12h 13h30-18h

PIERRE-LOUIS ET JEAN-FRANÇOIS BERSAN
Côtes d'Auxerre 2010 ★

10 000 | 8 à 11 €

Ce jeune domaine, aussi maison de négoce, créé en 2010 par Pierre-Louis Bersan et son père Jean-François, signe un beau doublé et confirme qu'il s'agit d'une affaire à suivre. En tête, issu de la partie négoce, ce 2010 au nez franc de framboise et de cerise, à la bouche bien structurée, persistante sur les petits fruits rouges relevés d'épices et de notes boisées bien fondues. On pourra boire ce vin dès l'automne ou l'attendre deux à trois ans. Une étoile est attribuée au **Côtes d'Auxerre 2009 rouge cuvée Marianne (11 à 15 € ; 4 500 b.)**, un vin de caractère, encore un peu rugueux, qu'on laissera s'assouplir une paire d'années avant de le servir sur du gibier.

Dom. Pierre-Louis et Jean-François Bersan, 5, rue du Dr-Tardieux, 89530 Saint-Bris-le-Vineux, tél. 03.86.53.07.22, fax 03.86.48.97.28, domainejfetplbersan@orange.fr
t.l.j. sf dim. 9h-12h 14h-18h

JEAN BOUCHARD Vieilles Vignes 2010 ★

40 000 | 8 à 11 €

La devise de la vénérable maison de négoce Jean Bouchard (fondée en 1894) : « Si tu perds tout, n'oublie pas de sauver ton honneur ». Avec ce chardonnay 2010 très séduisant, l'honneur est sauf. Le nez complexe voyage entre les fleurs blanches, les agrumes et quelques notes de pain grillé. La minéralité apporte de la vivacité à une bouche plutôt ronde et gourmande. Un vin équilibré, à déguster sur des fromages d'alpage, dans les deux ans.

Maison Jean Bouchard, 6 bis, bd Jacques-Copeau, 21200 Beaune, tél. 03.80.24.37.37, fax 03.80.24.37.38

MICHEL BOUCHARD 2010 ★

n.c. | 8 à 11 €

Les tuiles vernissées qui illustrent l'étiquette indiquent que nous sommes à Beaune ; plus exactement chez Bouchard Père et Fils, l'une des grandes maisons bourguignonnes de négoce-éleveur. Mais point d'étiquette devant les yeux des dégustateurs du Guide, juste une appellation et un numéro d'anonymat. Dans le verre, un vin jaune brillant, qui exhale des parfums de fruits blancs agrémentés de quelques douces notes miellées. En bouche, une matière ronde et soyeuse, imprégnée de fruits mûrs et dynamisée par une pointe vive en finale. Parfait pour accompagner des escargots en persillade.

Bouchard Père et Fils, Ch. de Beaune, 15, rue du Château, 21200 Beaune, tél. 03.80.24.80.24, fax 03.80.22.55.88, contact@bouchard-pereetfils.com
t.l.j. 10h-12h30 14h30-18h30; dim. 10h-12h30

PASCAL BOUCHARD Côtes d'Auxerre 2011 ★★

33 000 | 5 à 8 €

Ce domaine familial chablisien créé en 1979 a développé une activité de négoce sous la signature « Pascal Bouchard », son fondateur, lequel a été rejoint par ses fils Romain et Damien. Un élevage court de sept mois en cuve sur lies fines donne naissance à ce remarquable 2011 issu des coteaux de l'Auxerrois : la valeur n'attend pas le nombre des années et cette cuvée le prouve. C'est un vin gourmand, qui dévoile un joli nez d'agrumes tendu par une trame minérale, puis une bouche fine et bien équilibrée entre rondeur et acidité. À boire dans sa jeunesse, à l'heure du casse-croûte, avec une assiette de charcuteries.

Pascal Bouchard, 5 bis, rue Porte-Noël, 89800 Chablis, tél. 03.86.42.83.96, fax 03.86.42.48.11, contact@pascalbouchard.com
t.l.j. 10h30-13h 14h30-19h

CAMERON Tonnerre Sagara 2010 ★★

2 000 | 5 à 8 €

Deux étoiles l'an dernier pour leur première sélection, deux étoiles cette année, ce domaine « de poche » (90 ares), créé par Marc et Sonia Cameron dans les communes d'Épineuil et de Molosmes, confirme ses bonnes dispositions. Cette cuvée Sagara, dont le nom reprend la première syllabe du prénom des trois enfants (Samuel, Gabriel, Rachel), a séjourné en partie en fût, et le nez en conserve une empreinte sensible agrémentée de nuances florales. Mais c'est un boisé de qualité, parfaitement fondu en bouche, qui renforce la structure généreuse de ce vin, une belle trame acide venant également en renfort. Au final, un bourgogne très harmonieux et très bien élevé, que l'on savourera au cours des deux prochaines années sur une terrine de poisson ou sur une viande blanche en sauce.

Marc Cameron, 16, Grande-Rue, 89800 Beine, tél. 03.86.42.85.14, marc.cameron895@orange.fr r.-v.

BOURGOGNE

DOM. EDMOND CHALMEAU ET FILS
Chitry Vieille Vigne d'Aimé 2010 ★★

4 700	5 à 8 €

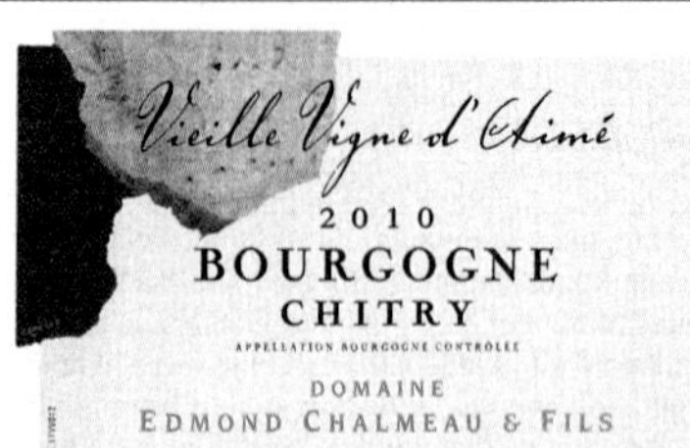

Plantées il y a cinquante ans par le grand-père, aujourd'hui vinifiées par Sébastien Chalmeau, ces vieilles vignes d'Aimé sont un peu les « bijoux » de la famille. Avec deux étoiles l'an dernier, un coup de cœur enthousiaste cette année, elles rendraient assurément l'aïeul fier de sa descendance. Ce vin « est digne d'une appellation plus prestigieuse », souligne un dégustateur sous le charme. Ses atouts : une seyante robe jaune, brillante et dorée ; un nez intense, frais et très élégant d'agrumes et de fleurs blanches ; une bouche ample, ronde et gourmande à souhait, soutenue par une juste acidité et un boisé parfaitement intégré. À savourer dans les deux ou trois ans à venir, sur une poêlée de gambas. Le **Chitry Les Trameures 2010 rouge (7 200 b.)** obtient une étoile. Bien structuré autour de solides tanins et d'un boisé encore bien présent, il devra rester en cave deux ou trois ans pour plus de fondu.

Edmond Chalmeau et Fils, 20, rue du Ruisseau, 89530 Chitry, tél. 03.86.41.42.09, fax 03.86.41.46.84, domaine.chalmeau@wanadoo.fr r.-v.

DOM. CHANZY Clos de la Fortune 2009 ★

n.c.	8 à 11 €

C'est désormais Bertrand Lacour, régisseur du domaine, qui a la responsabilité des vins, épaulé par Guillaume Lebras, œnologue, et Pierre Laurent, maître de chai. Ce Clos de la Fortune est aussi puissant que friand. Le nez, expressif et complexe, passe en revue les fleurs blanches, les fruits confits et l'amande. En bouche, tout est franchise et fraîcheur, avec une belle minéralité soulignant le fruit et une finale légèrement acidulée. Tout indiqué pour une cuisine exotique.

Dom. Chanzy, 1, rue de la Fontaine, 71150 Bouzeron, tél. 03.85.87.23.69, fax 03.85.87.62.12, domaine@chanzy.com t.l.j. 8h-12h 13h30-17h30; sam. dim. sur r.-v.

JEAN CHARTRON Clos de la Combe 2010 ★

15 000	8 à 11 €

La famille Chartron est spécialisée dans les vins blancs. Rien de plus normal, direz-vous, puisque le domaine a son fief à Puligny-Montrachet... Que ce soit pour les grands crus ou pour les appellations régionales, les vinifications sont ici « axées sur la pureté, la finesse et la minéralité du terroir ». Du coup, pas de fût neuf pour ce Clos de la Combe, qui évolue vers plus d'arômes primaires et plus de fraîcheur. De fait, le nez mêle les fruits légèrement confits et les fleurs blanches, et la bouche séduit par sa souplesse, son volume et son équilibre entre rondeur et acidité.

SCI Chartron-Dupard, Grande-Rue, 21190 Puligny-Montrachet, tél. 03.80.21.99.19, fax 03.80.21.99.23, info@jeanchartron.com lun. mar. mer. 10h-12h 14h-18h; f. de fin nov. à Pâques

DOM. CLÉMENT La Garenne 2010

2 000	5 à 8 €

Philippe Clément, installé en 1995 sur le domaine familial, signe un rosé très réussi, plein de fraîcheur. Si le nez se révèle assez timide, le palais à dominante florale se montre lui plus prolixe, bien servi en outre par une vivacité acidulée. Tout indiqué pour une soirée pizzas.

Dom. Philippe Clément, Ferme de la Garenne, rte de Tissey, 89700 Tonnerre, tél. 03.86.55.16.30, fax 09.70.06.85.62, domaineclement.lagarenne@orange.fr r.-v.

DOM. DU CLOS SAINT-JACQUES 2010 ★

13 000	8 à 11 €

Michel Lorain s'est fait un nom comme chef étoilé de la Côte Saint-Jacques à Joigny. Depuis plusieurs années, il satisfait son plaisir de vigneron, sur 9 ha, au domaine du Clos Saint-Jacques. Ce 2010 dévoile un nez discret de fruits rouges. La bouche se révèle fine, vive et légère, un rien plus sévère en finale. À déguster au cours des deux prochaines années avec un canard aux cerises ou un filet mignon en sauce (conseils du vigneron-gastronome). Le domaine propose aussi une réminiscence des vins gris de Joigny, en vogue sous Louis XIV, avec un **rosé 2010 Côte Saint-Jacques cuvée Tradition (5 000 b.)** : cette cuvée aux multiples cépages (pinots gris et noir, tressot, malbec et sauvignon), citée pour sa fraîcheur et son fruité, trouvera facilement sa place autour du barbecue.

Dom. du Clos Saint-Jacques, Michel Lorain, Manuel Janisson, 14, fg de Paris, 89300 Joigny, tél. et fax 03.86.62.06.70, contact@bourgogne-michel-lorain.com r.-v.

DOM. MICHEL COLBOIS Chitry 2010 ★

6 000	5 à 8 €

Quatorze mois d'élevage en cuve pour ce chardonnay très charmeur, un vin de séduction dont le nez très intense est un véritable panier de fruits invitant à poursuivre la dégustation. La bouche se révèle ronde et tout aussi fruitée, sur une dominante d'agrumes rehaussée de quelques notes épicées. Ce vin reste toutefois tendu et équilibré grâce à une fine acidité. Parfait pour un apéritif de la mer. Le **Chitry 2010 rouge Élevé en fût de chêne (11 000 b.)** est cité pour son palais fruité et gourmand.

EARL Dom. Michel Colbois, 69, Grande-Rue, 89530 Chitry, tél. 03.86.41.43.48, fax 03.86.41.46.40, contact@colbois-chitry.com t.l.j. sf dim. 8h30-12h 13h30-18h

LA CAVE DU CONNAISSEUR 2010 ★

30 000	5 à 8 €

Cette maison de négoce créée en 1989 par le Chablisien Laurent Camu a été reprise par le groupe Serge Cheveau en 2008. Son bourgogne blanc 2010 se distingue par son élégance et sa finesse. Le nez s'ouvre sur des notes de fruits parsemées de fleurs blanches. Le charme s'exerce aussi dans une bouche où l'on découvre une matière souple, gourmande et pleine de fraîcheur. À boire dans sa jeunesse et sur sa vivacité autour de quelques rondelles d'andouille, de rillettes et autres rillons.

La Cave du Connaisseur, rue des Moulins, BP 78, 89800 Chablis, tél. 03.86.42.87.15, fax 03.86.42.49.84, connaisseur.france@wanadoo.fr
t.l.j. 10h-17h (18h en été)

CH. DES CORREAUX 2009

10 130 — 5 à 8 €

L'histoire vigneronne de la famille Bernard à Leynes a débuté en 1803 ; Jean Bernard la perpétue depuis 1978. De vignes de trente ans, le vigneron a tiré ce 2009 plaisant par son bouquet de fruits confits légèrement miellé, et par son palais au diapason, gras et riche, vivifié par une pointe minérale. Un bourgogne bien dans son millésime, à découvrir sur une truite aux amandes.

Jean Bernard, Les Correaux, 71570 Leynes, tél. 03.85.35.11.59, fax 03.85.35.13.94, bernardleynes@yahoo.fr
t.l.j. 9h-12h 13h30-17h

DOM. DE LA COUR CÉLESTE
Côtes d'Auxerre Cuvée ancestrale 2009 ★

1 200 — 8 à 11 €

L'ancien domaine Seguin est devenu Cour Céleste en 2008 avec l'installation de Thomas Seguin, à la suite de son père, en association avec Arnaud Nahan et Thomas Seguin. Cette Cuvée ancestrale, élevée en fût pendant quinze mois, ne manque pas de caractère. Elle offre un nez intense de fruits rouges et noirs rehaussés d'épices. La bouche se montre ronde et soyeuse sur un fond boisé bien fondu, avec une pointe de fraîcheur en soutien. Un joli vin pour accompagner un gâteau au chocolat. Une étoile aussi pour le **Côtes d'Auxerre 2010 rouge (5 à 8 € ; 3 600 b.)**, frais et finement fruité au nez, généreux en bouche, bien structuré et souligné par un trait de minéralité.

Dom. de la Cour Céleste, 3 bis, rue Haute, 89530 Saint-Bris-le-Vineux, tél. 03.86.53.37.39, fax 03.86.53.61.12, domainecourceleste@hotmail.fr
t.l.j. sf sam. dim. 9h-12h 13h30-18h

PIERRE DAMOY Les Ravry 2010 ★

2 498 — 11 à 15 €

Coup de cœur l'an dernier pour un bourgogne rouge 2008, Pierre Damoy se distingue cette année avec ce blanc 2010. Un très joli vin dans sa robe jaune clair et brillante. Le nez, d'une belle intensité, se réveille sur des nuances de fleurs blanches et de fruits mûrs. L'attaque en bouche se fait tout en rondeur et en douceur, avant qu'une fine trame acide n'apporte fraîcheur et vivacité. Un vin bien équilibré et déjà bon à boire.

Pierre Damoy, 11, rue du Mal-de-Lattre-de-Tassigny, 21220 Gevrey-Chambertin, tél. 03.80.34.30.47, fax 03.80.58.54.79, info@domaine-pierre-damoy.com r.-v.

DOM. DAMPT Tonnerre 2010 ★★

n.c. — 5 à 8 €

Au sein du vignoble familial de Collan, les trois frères Dampt – Hervé, Emmanuel et Éric – ont aussi leur propre production qui exprime leurs différences. Ce bourgogne blanc de Tonnerre est signé Éric Dampt : un chardonnay au nez très floral accompagné de légères notes muscatées, remarquable d'équilibre en bouche, offrant à la fois du gras et de la fraîcheur, avec toujours ce fond de fleurs blanches comme décor aromatique. Un vin bien typé, à découvrir aujourd'hui ou dans deux ans, sur un plateau de fruits de mer.

EARL Éric Dampt, 16, rue de l'Ancien-Presbytère, 89700 Collan, tél. 03.58.16.90.31, eric@dampt.com
r.-v.

VIGNOBLE DAMPT Épineuil 2010 ★★

n.c. — 5 à 8 €

Un très beau vin, à la fois friand et gourmand, qui viendra facilement accompagner les grillades au barbecue. Cet Épineuil vinifié par Emmanuel Dampt a tout pour plaire. Son nez de fruits rouges et noirs, tendance cerise et cassis, légèrement boisé, laisse une belle impression de fraîcheur. Les fruits mûrs sont bien installés en bouche et enrichis de notes épicées qui stimulent longuement le palais. Le **Tonnerre Chevalier d'Éon 2010 rouge** est cité pour sa rondeur et son équilibre. Un « vin plaisir » pour l'immédiat.

Emmanuel Dampt, 3, rte de Tonnerre, 89700 Collan, tél. 03.86.54.49.52, fax 03.86.54.49.89, emmanuel@dampt.com r.-v.

VIGNOBLE DAMPT Tonnerre 2010 ★

n.c. — 5 à 8 €

Voici donc Hervé, le troisième larron du vignoble Dampt, qui s'illustre, comme Éric, avec un bourgogne blanc de Tonnerre. Un vin élégant, au nez typique du chardonnay, à dominante florale, bien équilibré en bouche entre la souplesse de la matière, la rondeur du fruit et une fraîcheur minérale. À boire sur sa jeunesse.

EARL Hervé Dampt, rue de Fleys, 89700 Collan, tél. 03.86.55.29.55, fax 03.86.55.47.32, vignoble@dampt.com
r.-v.

♥ VIGNOBLE DAMPT Épineuil 2010 ★★

n.c. — 5 à 8 €

PRODUIT DE FRANCE
VIN DE BOURGOGNE — BURGUNDY WINE
BOURGOGNE
ÉPINEUIL
APPELLATION BOURGOGNE ÉPINEUIL CONTRÔLÉE
2010

Un coup de cœur unanime pour le vignoble des frères Dampt. L'heureux élu : un bourgogne Épineuil 2010 très bien fait, qui a bénéficié d'un élevage mixte (cuve et fût) de deux ans. Le nez, élégant et fin, n'est que fruits rouges et noirs : cassis, cerise, framboise. La bouche croque dans cette matière fruitée, ample et généreuse, tenue par une minéralité sans faille. Un vin séduisant qu'il faudra savoir garder en cave une paire d'années pour apprécier ses promesses. Le **Tonnerre Clos du Château 2010 blanc**, rond et chaleureux, est cité.

Vignoble Dampt, rue de Fleys, 89700 Collan, tél. 03.86.55.29.55, fax 03.86.55.47.32, vignoble@dampt.com
r.-v.

PHILLIPPE DEFRANCE Côtes d'Auxerre 2010 ★

	4 200	▮	5 à 8 €

S'il n'atteint pas les sommets du millésime 2009, coup de cœur dans la précédente édition, ce 2010 signé Philippe Defrance se révèle très séduisant. Le nez, intense et fin, mêle les fleurs blanches aux agrumes. En bouche, la minéralité apporte de la vivacité et contribue à l'équilibre de cette belle cuvée qui pourra être servie sur un plat de poisson.

Philippe Defrance, 5, rue du Four, 89530 Saint-Bris-le-Vineux, tél. 03.86.53.39.04, fax 03.86.53.66.46, ph.defrance89@orange.fr r.-v.

MICHEL DELORME Meix Pillé 2010

	3 430	◖◗	5 à 8 €

Le Meix était un petit clos villageois. Christine Delorme, qui a repris les rênes de l'exploitation familiale en 2007 après le décès de son mari, en a fait une cuvée spéciale. Un vin au nez fruité et beurré, teinté d'un fin boisé, au palais souple et rond, égayé par une finale plus vive. À boire dès aujourd'hui, sur un comté ou un mont-d'or.

Dom. Michel Delorme, 21-23, rue de la Charrière, 21590 Santenay, tél. 03.80.20.63.41, fax 03.80.20.65.41, domaine.m.delorme@orange.fr r.-v.

A. & A. DEVILLARD 2010 ★

	15 000	▮	11 à 15 €

C'est un vin de séduction que ce chardonnay proposé par Amaury et Aurore Devillard. Fruits mûrs, plutôt exotiques, voilà pour le nez, très expressif. L'attaque, puissante, ouvre sur un palais riche, gras, soyeux et fruité qui ne manque pas de longueur. Cette bouteille conviendra, sans faute de goût, à un poisson à la crème.

SAS A & A Devillard, BP 5, 71640 Mercurey, tél. 03.85.45.21.61, fax 03.85.98.06.62, contact@domaines-devillard.com r.-v.

DOUDET-NAUDIN Vicomte 2010 ★

	6 000	▮	8 à 11 €

Cette maison de négoce fondée en 1849 propose un bon classique avec ce Vicomte né de ceps de quarante ans. Ce vin distingué, élevé dix mois en cuve, livre un bouquet un peu timide de fruits secs, et se révèle plus complexe et bien équilibré en bouche, à la fois floral, frais et long. Parfait pour un plateau de coquillages.

Doudet-Naudin, 3, rue Henri-Cyrot, BP 1, 21420 Savigny-lès-Beaune, tél. 03.80.21.51.74, fax 03.80.21.50.69, doudet-naudin@wanadoo.fr r.-v.

PHILIPPE DUBREUIL-CORDIER Les Perrières 2010 ★★

	2 640	◖◗	5 à 8 €

Philippe Dubreuil a de qui tenir. Le grand-père Bize a été le premier viticulteur de cette exploitation créée en 1950. Son père Paul lui a transmis l'héritage et son fils Arnaud est aujourd'hui venu le rejoindre pour prendre la succession. La maison familiale a encore un bel avenir si l'on en juge par la qualité de ce 2010 qui frôle le coup de cœur. Assemblage à parts égales de chardonnay et de pinot blanc, élevé pendant douze mois en fût, ce vin très élégant se présente dans une seyante robe jaune brillant aux reflets dorés. Le fruit exotique en est le fil conducteur. Très présent au nez, il s'harmonise à un boisé bien fondu dans un palais riche, ample et « droit dans ses bottes ». Une bouteille qui a tout pour plaire et que l'on appréciera volontiers avec un pâté en croûte.

Philippe et Arnaud Dubreuil, 4, rue Pejot, 21420 Savigny-lès-Beaune, tél. 03.80.21.53.73, fax 03.80.26.11.46, dubreuil.cordier@aliceadsl.fr r.-v.

DOM. DURAND-FÉLIX Épineuil 2010

■	2 590	▮	5 à 8 €

Fabienne et Fabrice Félix conduisent depuis 2002 un petit domaine de 3 ha créé à partir des vignes du grand-père. Ils vous accueilleront dans leur cave voûtée du XVIIIᵉs. au Grand-Virey, dans la commune de Molosmes. L'occasion de déguster cet Épineuil qui dévoile des notes discrètes de cerise et de réglisse, bien structuré en bouche, poivré et rehaussé par une touche acidulée. À servir dans un an ou deux sur un chaource, fromage de vache produit à quelques kilomètres de là.

EARL Durand-Félix, 3, rue de Lignières, Le Grand-Virey, 89700 Molosmes, tél. 03.86.55.09.37, fax 03.86.54.44.70, domaine.durandfelix@orange.fr r.-v.

MAISON FATIEN PÈRE ET FILS 2009 ★

■	1 720	◖◗	15 à 20 €

Vingt-quatre mois d'élevage en fût pour ce bourgogne rouge. Il est vrai que les superbes caves voûtées de la maison Fatien, au cœur de Beaune, sont idéales pour le vieillissement des vins. Celui-ci a du caractère, mêlant une belle concentration et un boisé fondu. Le nez, expressif, hésite entre la fleur et le fruit, une touche vanillée à l'arrière-plan. La question ne se pose pas en bouche : du fruit, encore du fruit, toujours du fruit. Les tanins sont soyeux, et l'acidité apporte juste ce qu'il faut de tension. Parfait avec des cochonnailles.

Maison Fatien Père et Fils, 15, rue Sainte-Marguerite, 21200 Beaune, tél. 03.80.22.82.83, fax 03.80.22.98.71, maisonfatien@wanadoo.fr r.-v. 5

DOM. FOURNILLON Épineuil 2010 ★

■	1 730	▮	5 à 8 €

Fierté de la famille, une vigne d'avant le phylloxéra dite « de l'Empereur », vieille de près de deux cents ans, est toujours présente sur le domaine. Bien plus jeunes sont les raisins de pinot noir vendangés par Pascal Fournillon pour cet Épineuil. Un vin franc et bien équilibré, au nez fin, floral et fruité, vif et droit en bouche, un vin sans détour qui trouve néanmoins dans le gras matière à répondre à l'acidité bien présente. Il pourra être servi dès l'automne, en entrée avec crudités et charcuteries.

Dom. Fournillon et Fils, 34, Grande-Rue, 89360 Bernouil, tél. et fax 03.86.55.50.96, gaec-fournillon-et-fils@wanadoo.fr t.l.j. 8h-20h 1

MARIE-ODILE FRÉROT ET DANIEL DYON 2009 ★

■	6 000	▮	5 à 8 €

Comment faire un vin plaisant et facile à boire ? Demandez à Marie-Odile Frérot et Daniel Dyon. Ils apportent la réponse avec ce 2009 d'une grande simplicité, mais tellement friand que l'on attend après la cuisson des grillades sur le barbecue pour le servir. Le nez s'ouvre lentement sur les fruits rouges. La bouche est au diapason, offrant du fruit et de la fraîcheur. Un modèle de vin gouleyant.

Marie-Odile Frérot et Daniel Dyon, Veneuze, 71240 Étrigny, tél. 03.85.92.24.31, domainejonchey@orange.fr r.-v.

DOM. MARIE-CHRISTINE GADANT Côtes du Couchois 2010

■ 4 500 ▮▮ 5 à 8 €

Ce n'est pas l'appellation la plus connue de Bourgogne, mais les Côtes du Couchois sont mieux qu'une curiosité. Il y a du vin et du plaisir dans ce pinot noir élevé en fût pendant un an. Si le nez est encore sur la réserve, la bouche séduit par ses arômes de petits fruits rouges et par ses tanins bien fondus. La vivacité ne fait pas défaut non plus. Déjà plaisante, cette bouteille mérite d'être toutefois attendue un an ou deux.

Marie-Christine Gadant,
EARL le Clos Voyen, 25, rue de Bouhy,
71490 Saint-Maurice-lès-Couches, tél. 03.85.45.56.95,
fax 03.85.49.60.62, leclosvoyen@wanadoo.fr r.-v.

GIRAUDON Chitry 2010 ★

25 000 5 à 8 €

Si Aurélie Giraudon et son frère Thibaut ont pris le relais à la tête du domaine familial, Marcel garde un œil sur l'exploitation. Si vous voulez faire plaisir aux copains à l'heure de l'apéritif, ne cherchez pas une autre bouteille, ce Chitry blanc, élégant et racé, fera très bien l'affaire. Un vrai « vin plaisir » avec son nez floral et fruité, légèrement acidulé, sa bonne prise en bouche sur la rondeur du fruit, une fine acidité apportant la juste tension. Même s'il est prêt à boire, ce 2010 peut aussi attendre.

EARL Giraudon, 20, chem. de Champagne, 89530 Chitry,
tél. 03.86.41.41.28, fax 03.86.41.46.83,
giraudon.chitry@wanadoo.fr
t.l.j. sf dim. 8h-12h 13h30-19h

DOM. ANDRÉ GOICHOT & FILS Les Dressolles 2010

5 800 8 à 11 €

Ce 2010 se remarque d'emblée par la pâleur de sa robe. Le nez se montre discret, laissant poindre quelques nuances minérales. La bouche se livre davantage et offre un bon volume, de la rondeur, du fruit et une trame vive de bon aloi. À servir sur des fruits de mer.

Maison André Goichot , av. Charles-de-Gaulle,
21200 Beaune, tél. et fax 03.80.25.91.30,
agoichot@goichotsa.com
t.l.j. sf dim. 9h-12h 14h-19h (sam. 18h)

DOM. ANNE ET ARNAUD GOISOT
Côtes d'Auxerre Cuvée du Manoir 2009 ★

■ 6 000 5 à 8 €

Cuvée du Manoir ? Ce 2009 a été élevé en barrique sous la demeure bourgeoise du domaine. C'est aussi l'un des fleurons de ce couple de vignerons installé depuis 1981 sur cette exploitation de 22 ha. Le vin dévoile un joli caractère, renforcé, comme certains irancy, par 5 % de césar. Son nez fruité et légèrement grillé est élégant. Sa bouche se révèle ronde et soyeuse, portée par des tanins fins et dominée par les fruits rouges (fraise), une petite touche boisée en appoint. Un vin friand et agréable, à boire dès aujourd'hui avec un bœuf bourguignon.

Dom. Anne et Arnaud Goisot, 4 bis, rte de Champs,
89530 Saint-Bris-le-Vineux, tél. 03.86.53.32.15,
fax 03.86.53.64.22, aa.goisot@wanadoo.fr
t.l.j. sf dim. 8h30-12h 13h30-18h30

♥ B **GUILHEM ET JEAN-HUGUES GOISOT**
Côtes d'Auxerre Corps de garde 2010 ★★

■ 20 000 8 à 11 €

Dès le début des années 2000, les Goisot se sont positionnés comme ardents défenseurs de l'agriculture biologique et de la biodynamie. Aujourd'hui, Guilhem marche dans les pas de son père et signe une cuvée Corps de garde – bien connue de nos lecteurs – remarquable en tous points, bel exemple du vin exprimant son terroir. Après treize mois de barrique, ce 2010 se présente dans une robe rubis clair et brillant. Il dévoile un nez sans bavure, campé sur les fruits noirs et rouges relevés d'épices. La bouche se révèle à la fois structurée, suave et concentrée. Si on y ajoute un côté très minéral, un peu salin, on obtient une bouteille fort élégante, d'une grande harmonie, qui tutoie les trois étoiles. Laissez ce vin mûrir en cave deux ou trois ans avant de le servir sur un coq au vin.

Guilhem et Jean-Hugues Goisot,
30, rue Bienvenu-Martin, 89530 Saint-Bris-le-Vineux,
tél. 03.86.53.35.15, fax 03.86.53.62.03,
domaine.jhg@goisot.com r.-v.

DOM. JEAN GUITON 2010 ★★

■ 5 000 8 à 11 €

Ce remarquable pinot noir des côtes beaunoises signé Guillaume Guiton a connu un an d'élevage en fût. Cela lui confère un boisé bien fondu qui donne un cadre à ce vin très équilibré. Au nez, les fruits rouges côtoient des notes de pain grillé. En bouche, tout est rondeur et générosité. Le fruit (framboise) s'y nourrit d'arômes de réglisse. Une très jolie bouteille, que l'on laissera vieillir deux à quatre ans avant de la servir sur des viandes rouges.

Dom. Jean Guiton, 4, rte de Pommard,
21200 Bligny-lès-Beaune, tél. 03.80.26.82.88,
fax 03.80.26.85.05, domaine.guiton@wanadoo.fr r.-v.

OLIVIER GUYOT 2010 ★

■ 40 000 11 à 15 €

Ne vous précipitez pas, ce bourgogne produit à Marsannay doit encore reposer en cave deux ou trois ans pour livrer tous ses secrets. Car il est plein de promesses. Vêtu d'une robe très sombre, il dévoile un nez puissant et généreux qui évoque les sous-bois, le toasté et la réglisse. La bouche, ample et ronde, s'exprime sur les fruits rouges et noirs agrémentés de notes de pain grillé, lesquelles résultent, comme la solide structure tannique, d'un passage en fût maîtrisé. Un vin équilibré et bien construit, tout indiqué pour accompagner des viandes rouges.

Olivier Guyot, 39, rue de Mazy,
21160 Marsannay-la-Côte, tél. 03.80.52.39.71,
fax 03.80.51.17.58 r.-v.

DOM. HEIMBOURGER 2010 ★★

4 000 5 à 8 €

Saint-Cyr-les-Colons : un joli petit village dont les premières vignes, voisines de celles du Chablisien, sont situées de l'autre côté de la route. Le chardonnay y trouve le même terroir, au service des bourgognes blancs. Celui d'Olivier Heimbourger est tout à fait remarquable : un nez intense de fleurs blanches et de noisette ; une bouche ample, élégante et minérale, qui s'arrondit autour du fruit et qui s'étire longuement en finale, tendue par une fine acidité. Parfait, aujourd'hui ou dans deux ans, pour l'apéritif comme pour le repas, avec un suprême de volaille à la crème, par exemple.

Dom. Heimbourger, 5, rue de la Porte-de-Cravant, 89800 Saint-Cyr-les-Colons, tél. 03.86.41.40.88, fax 03.86.41.48.83, heimbourger@wanadoo.fr r.-v.

DOM. JEAN-LUC HOUBLIN Coulanges-la-Vineuse 2009

4 000 | 5 à 8 €

Coulanges-la-Vineuse est plus un terroir à vins rouges, et le blanc plus une curiosité sur ces coteaux du sud de l'Auxerrois. Celui de Jean-Luc Houblin est un vin de plaisir immédiat, qui plaît par son nez au fruité intense. On retrouve ce fruit en bouche au contact de l'acidité et de la douceur, pour constituer un ensemble harmonieux. À servir avec des fromages de chèvre secs.

Dom. Houblin, 1, passage des Vignes, 89580 Migé, tél. 03.86.41.69.87, contact@houblin.com
t.l.j. 8h-19h; dim. 9h-12h

SÉVERINE ET LIONEL JACQUET Chitry 2010 ★

1 026 | 5 à 8 €

Pour leur première participation, Séverine et Lionel Jacquet avaient vu leur Chitry rouge 2008 décrocher un coup de cœur. Leur Chitry blanc 2010 obtient une étoile. Un vin franc et frais, à boire sur la vivacité de sa jeunesse. Des notes beurrées dominent un nez ouvert et intense. Côté bouche, des nuances citronnées voire acidulées apportent une jolie tension. Agréable, longue et harmonieuse, cette bouteille est destinée à un plateau de crustacés. Le **Chitry 2010 rouge (2 726 b.)**, léger et fruité, est cité.

Dom. Jacquet, 7, rue de Beugnon, 89530 Chitry, tél. 03.86.41.42.90, fax 01.77.72.59.35, lj@domaine-jacquet.fr
r.-v.

♥ **JANOTSBOS** 2009 ★★

5 800 | 8 à 11 €

L'histoire d'une rencontre, celle de Thierry Janots, un Bourguignon issu du monde du vin, et de Richard Bos, un restaurateur néerlandais. Ils ont créé leur société de négoce en 2005, à Meursault, et pour leur deuxième présentation dans le Guide, ils décrochent un coup de cœur unanime. Des ceps de chardonnay de quarante-cinq ans sont à l'origine de ce vin jaune pâle d'une belle complexité aromatique, avec ce bouquet frais qui balance entre les fleurs blanches, la minéralité et la mie de pain. En bouche, tout est pureté et franchise : après une attaque minérale, la rondeur s'installe, et la finale s'étire en longueur sur de délicates notes de beurre frais. Un ensemble très élégant et racé, déjà bon à boire avec un poisson ou un noble crustacé.

JanotsBos, 2, pl. de l'Europe, 21190 Meursault, tél. 06.72.16.92.04, richard@janotsbos.eu r.-v.

PATRICK JAVILLIER Cuvée Oligocène 2010

n.c. | 11 à 15 €

Cette cuvée est née d'une parcelle au sol brun calcaire sur conglomérats de l'Oligocène. C'est un vin très agréable par sa vivacité, par son nez discret mais plaisant aux accents minéraux et par sa bouche ample et bien équilibrée entre le gras et la fraîcheur.

Dom. Patrick Javillier, 7, imp. des Acacias, 21190 Meursault, tél. 03.80.21.27.87, fax 03.80.21.29.39, contact@patrickjavillier.com
lun. ven. sam. 10h-12h 14h30-19h; dim. 10h-12h; f. de déc. à mars

HERVÉ KERLANN Cuvée H 2009 ★★

n.c. | 8 à 11 €

En 1998, Hervé Kerlann a acheté le château de Laborde aux hospices de Beaune ; un bel endroit pour laisser vieillir les vins de sa maison de négoce. Cette cuvée H (comme Hervé) assemble des raisins provenant de parcelles limitrophes des villages de Gevrey, Morey et Chambolle. Il y a pire voisinage... Le nez, très plaisant, s'ouvre sur des arômes de fruits frais et de grillé. En bouche, le fruit occupe la place principale, soutenu par un boisé bien fondu. C'est rond et frais à la fois : un bourgogne très gourmand et remarquablement équilibré, qui sera servi, sans faute de goût, sur un canard aux cerises.

Hervé Kerlann, Ch. de Laborde, Laborde-au-Château, 21200 Meursanges, tél. 03.80.26.59.68, fax 03.80.26.59.69, kerlann.herve@wanadoo.fr
t.l.j. sf sam. dim. 8h30-12h30 13h30-17h30; f. 1 sem. en déc. et 2 sem. en août

♥ **LEYMARIE-CECI** Cuvée Andrew 2009 ★★

1 945 | 11 à 15 €

2009 2009
BOURGOGNE
APPELLATION BOURGOGNE CONTRÔLÉE
PINOT NOIR
"CUVÉE ANDREW"
LEYMARIE-CECI

Petit domaine de moins de 4 ha situé à Vougeot dans des bâtiments datant de 1626, qui abritaient autrefois une auberge et un relais de diligences appartenant au seigneur de Vougeot. La famille Leymarie y a installé son fief en 1969, et c'est aujourd'hui Jean-Charles qui s'occupe de l'exploitation, ainsi que de la maison de négoce en Belgique. Ce dernier accorde autant de soin à ses grands et 1ers crus qu'à ses « simples » bourgognes. Celui-ci, qui n'a rien de « simple », a bien peu à envier aux grandes appellations voisines. Après un élevage luxueux de dix-huit mois en fût, il dévoile au nez un très joli boisé, bien ajusté, aux accents vanillés en harmonie avec des notes de sous-bois et de fruits rouges et noirs. La bouche se révèle gourmande à souhait, fruitée, boisée avec élégance et bâtie sur des tanins soyeux. Une bouteille racée, qui dévoilera tout son potentiel dans deux ou trois ans, sur des plats « canailles ».

Leymarie-CECI, Clos du Village, 24, rue du Vieux-Château, 21640 Vougeot, tél. 03.80.62.86.06, fax 03.80.62.88.53, leymarie@skynet.be r.-v.

MADELIN-PETIT Côtes d'Auxerre Les Coudriers 2010

	5 000		5 à 8 €

Dany Petit et Claude Madelin conduisent depuis 1994 ce petit vignoble de 4,7 ha cultivé en agriculture biologique. Si la vigne a remplacé ici les cerisiers, la griotte se retrouve aux côtés de la groseille et d'une pointe d'épices dans cette cuvée bien équilibrée, fine, fraîche et friande en bouche. « Un vin aérien », conclut un dégustateur, qui le verrait bien en compagnie d'une grillade.

Claude Madelin et Dany Petit, 113, rue Philipponne, 89550 Héry, tél. 03.86.47.87.13, madelin.petit@wanadoo.fr r.-v.

DOM. JEAN-PIERRE MALDANT
La Chapelle Notre-Dame 2010 ★

	1 492		5 à 8 €

Jean-Pierre Maldant est le dernier d'une lignée de vignerons aux hospices de Beaune. Il a quitté cette fonction en 1998 pour se consacrer entièrement à son domaine de 7,4 ha, où son fils Pierre-François prend peu à peu la relève et apporte de nouvelles orientations. Leur 2010 ne fait pas de mystère : au nez, il s'ouvre sans retenue sur les fruits rouges et noirs. La bouche se révèle souple et tendre, bâtie autour de tanins bien fondus et égayée en finale par une petite touche acidulée. Un vin déjà agréable, à servir sur une terrine de campagne.

Jean-Pierre Maldant, 30, rte de Beaune, Cidex 29 bis, 21550 Ladoix-Serrigny, tél. 03.80.26.44.50, fax 03.80.26.47.29, jeanpierremaldant@voila.fr r.-v.

CATHERINE ET CLAUDE MARÉCHAL Gravel 2010 ★★

	28 120		15 à 20 €

Elle n'est pas passée loin du coup de cœur cette cuvée Gravel, l'un des fers de lance de la famille Maréchal. Une cuvée produite sur le cône de déjection de Pommard, là où le sous-sol est composé de graviers. Cela donne ici un vin harmonieux, sans aspérité, séduisant au nez et généreux en bouche. Le bouquet joue sur des parfums de cerise et de mûre agrémentés d'une petite touche animale. Le palais rond et soyeux dévoile un fruité gourmand et des tanins souples. Un vin précis et harmonieux, à découvrir au cours des deux ou trois prochaines années.

EARL Catherine et Claude Maréchal, 6, rte de Chalon, 21200 Bligny-lès-Beaune, tél. 03.80.21.44.37, fax 03.80.26.85.01, marechalcc@orange.fr r.-v.

DOM. MAROSLAVAC-LÉGER La Combe 2010 ★

	9 500		8 à 11 €

Le chardonnay n'a pas de secret pour ce vigneron de Puligny-Montrachet, qui a parfaitement réussi cette cuvée La Combe. Un vin dont le boisé discret ne vient pas contrarier un nez ouvert sur les fruits blancs. La bouche, ample et ronde, évolue aussi sur un registre fruité, les notes d'élevage restant en retrait et une fine acidité apportant équilibre et longueur. Ce vin harmonieux demande encore un peu de patience, un an ou deux.

Dom. Maroslavac-Léger, 43, Grande-Rue, 21190 Puligny-Montrachet, tél. 03.80.21.31.23, fax 03.80.21.91.39, maroslavac.leger@wanadoo.fr r.-v.

PROSPER MAUFOUX Élégance 2009 ★

	12 500		8 à 11 €

À Santenay, la maison Prosper Maufoux est une institution installée dans l'ancien hôtel particulier érigé en 1838 par Jacques-Marie Duvault, alors unique propriétaire de la Romanée-Conti. Dans les belles caves voûtées, on élève toujours les grands vins de la maison. Mais on ne néglige pas pour autant les « simples » bourgognes, à l'image de cette cuvée bien nommée, qui s'exprime au nez avec finesse sur des notes de noisette et de fruits mûrs, et qui allie en bouche fruité, fraîcheur minérale et rondeur. Un vin équilibré, prêt à boire sur une truite aux amandes. Une étoile également est attribuée à la cuvée **Référence 2010 rouge (17 000 b.)**, un vin riche, charnu et puissant qui demande à vieillir deux ou trois ans.

Prosper Maufoux, Maison des Grands Crus, 1, pl. du Jet-d'Eau, 21590 Santenay, tél. 03.80.20.60.40, fax 03.80.20.63.26, contact@prosper-maufoux.com t.l.j. 10h-13h 14h-18h30; d'oct. à fin mars sur r.-v. 4

DOM. DE MAUPERTHUIS Les Brûlis 2010 ★★

	10 000		5 à 8 €

Laurent Ternynck place ses vins dans le Guide avec une constance remarquable, et souvent en bonne position, à l'image de ces Brûlis 2010 qui frôlent le coup de cœur. Un vin remarquablement vinifié, qui dévoile un bouquet accrocheur, ouvert sur les fruits rouges – la cerise à l'alcool notamment – et teinté de senteurs de sous-bois. Dans le prolongement, la bouche se révèle très fruitée, ample, longue et structurée avec élégance, sans agressivité aucune. Une vraie friandise, à découvrir au cours des deux prochaines années. La cuvée **Grande Réserve 2010 rouge (8 000 b.)**, élevée en fût, obtient une étoile pour sa belle matière soutenue par des notes boisées et épicées. Même distinction pour le **blanc 2010 Les Truffières (10 000 b.)**, vif et droit.

EARL de Mauperthuis, Civry, 89440 Massangis, tél. 03.86.33.86.24, fax 09.55.95.08.41, ternynck@hotmail.com r.-v.

Laurent et Marie-Noëlle Ternynck

LOUIS MAX Beaucharme 2010 ★

	90 000		11 à 15 €

On ne présente plus la maison Louis Max et ses étiquettes reconnaissables, dessinées par Pierre Le Tan. Une maison présidée depuis 2007 par Louis Bardet, qui porte aux « simples » bourgognes la même attention qu'aux grands crus. Ce Beaucharme en est la preuve avec son nez floral très élégant, son boisé fondu bien marié en bouche à la fraîcheur des agrumes. Un vin tout en finesse et en vivacité, bien équilibré, à découvrir avec un plateau de fruits de mer.

Louis Max, 6, rue de Chaux, 21700 Nuits-Saint-Georges, tél. 03.80.62.43.00, fax 03.80.62.43.16, louismax@louis-max.fr r.-v.

ÉVELYNE ET DOMINIQUE MERGEY Le Bouteau 2010 ★

	1 900		5 à 8 €

Évelyne Mergey est depuis 2005 à la tête d'un petit domaine de 2,4 ha qui lui permet d'assouvir, en famille, sa passion du vin. Elle signe ici un 2010 « tiré à quatre épingles » et très équilibré. Le nez évoque les fruits exotiques et les fleurs blanches. Dans la continuité, la bouche se révèle ronde et aromatique, soulignée par une jolie vivacité de jeunesse. À boire dans les deux ans à venir sur un poisson à la vapeur.

Évelyne Mergey, chem. des Préaux, 71570 Chânes, tél. 03.85.23.80.87, d.mergey@gmail.com
r.-v.

MERLIN 2010 ★

12 800		8 à 11 €

À propos d'Olivier Merlin, on a encore le souvenir de son bourgogne rouge Les Cras 2008 distingué d'un coup de cœur. Il signe ici un 2010 de belle facture, un vin bien dans l'esprit de cet « artisan du vin », comme il se définit lui-même, adepte des vinifications longues. Seize mois de fût président à cette cuvée très harmonieuse, joliment bouquetée sur les fruits rouges mûrs (confiture de fraises) mâtinés de senteurs de sous-bois, ronde et suave en bouche. Un vin très plaisant, à boire d'ici une paire d'années sur un bœuf bourguignon.

Merlin, Dom. du Vieux Saint-Sorlin, 71960 La Roche-Vineuse, tél. 03.85.36.62.09, fax 03.85.36.66.45, merlin.vins@wanadoo.fr r.-v.

MOILLARD Tradition 2011 ★

120 000		5 à 8 €

Vendanges précoces (fin août) et mise en bouteilles rapide, ce négociant-éleveur de Meursault ne perd pas de temps. Pourtant, cette cuvée Tradition a atteint sa maturité et offre un nez très aromatique où les fruits noirs mûrs côtoient les senteurs de sous-bois. La bouche s'exprime sur la fraîcheur, la finesse et la souplesse, avec des tanins bien fondus en soutien. Une bouteille très agréable, que l'on verrait bien, aujourd'hui ou dans deux ans, avec une fondue bourguignonne.

Moillard, RD 974, 21190 Meursault Cedex, tél. 03.80.21.99.51, fax 03.80.21.28.05, fanny.duvernois@bejot.com

DOM. DE MONTERRAIN 2009 ★

3 500		8 à 11 €

À Serrières, Monterrain n'est pas seulement un hameau, c'est aussi un domaine, celui de Martine et Patrick Ferret, descendants du créateur de cartes postales Jean-Marie Combier né dans ce même village. Ce 2009 offre une belle image des bourgognes régionaux. Il plaît par son nez de fruits frais, fraise en tête, comme par sa bouche, souple et gouleyante. « Ça croque dans le fruit », souligne un dégustateur, qui recommande ce vin friand sur un rôti de porc boulangère.

Dom. de Monterrain, Les Monterrains, 71960 Serrières, tél. 03.85.35.73.47, fax 03.85.35.75.36, domaine.de.monterrain@wanadoo.fr
r.-v.
Patrick et Martine Ferret

JEAN-MICHEL MOREAU 2010 ★★

6 000		5 à 8 €

Après les trois étoiles décrochées par le 2009, Jean-Michel Moreau, l'un des porte-drapeaux du vignoble tonnerrois, en voit deux décernées à la version 2010. Ses arguments ? Un nez intense et flatteur, à la fois floral et fruité (agrumes, pêche blanche), une bouche à l'unisson, ample, généreuse et équilibrée par une fine acidité. Un bourgogne des plus harmonieux, à déguster dès l'automne sur un poisson grillé. Le bourgogne **Épineuil 2010 rouge (4 400 b.)**, élevé en fût, est cité pour ses tanins ronds et pour son appréciable fruité.

Jean-Michel Moreau, La Grange-Aubert, 89700 Tonnerre, tél. 03.86.55.23.37 t.l.j. 17h-20h

OLIVIER MORIN Chitry Constance 2009 ★

20 000		5 à 8 €

Constance ? Comme la régularité affichée par les vins du domaine, toujours au rendez-vous du Guide. Olivier Morin, ancien musicien revenu à la vigne en 1992, signe une partition sans fausse note avec ce Chitry au nez frais et fruité, bien balancé en bouche entre fraîcheur minérale, gras et générosité. Parfait avec des escargots en persillade.

Olivier Morin, 2, chem. de Vaudu, 89530 Chitry, tél. 03.86.41.47.20, morin.chitry@orange.fr r.-v.

NUITON-BEAUNOY Réserve 2010

20 000		8 à 11 €

Ce Nuiton-Beaunoy est produit par la cave coopérative des Hautes-Côtes. Issu d'une sélection parcellaire, il offre au nez de plaisants parfums de fruits noirs et rouges couverts d'épices (poivre). La bouche se révèle ample, franche et puissante. Un vin de caractère, bien construit, qui décrochera son étoile dans un an ou deux aux côtés d'une pièce de bœuf.

La Cave des Hautes-Côtes, 93, rte de Pommard, 21200 Beaune, tél. 03.80.25.01.00, fax 03.80.22.87.05
t.l.j. sf dim. 9h30-12h 14h-18h

PASCAL PAUGET Terroir de Tournus Annacampis 2010 ★

6 000		8 à 11 €

Installés depuis 1992 sur le terroir de Tournus, Pascal et Sylvie Pauget proposent une cuvée séduisante dans sa robe rubis foncé. Le nez intense à dominante de cassis émoustille les papilles et donne envie de poursuivre. La bouche ne déçoit pas : on y « croque » dans un fruité charnu, qui tapisse une matière ronde et souple. Ce vin charmeur fera bon ménage avec du petit gibier, pour peu que l'on soit patient (un à trois ans).

Pascal et Sylvie Pauget, Les Crets, 71700 Ozenay, tél. 03.85.32.53.15, pauget.pascal@wanadoo.fr r.-v.

L'ŒUVRE DE PERRAUD Les Forêts 2009 ★

n.c.		11 à 15 €

Une étiquette pour attirer l'œil, avec ce petit chat coiffé qui symbolise l'œuvre de Perraud. L'artiste s'appelle Jean-Christophe... Perraud, et il signe une cuvée qui a bénéficié d'un élevage mixte (cuve et fût) de dix-huit mois. On apprécie son nez de fruits bien mûrs comme sa bouche ronde et gourmande, d'une belle longueur. Que diriez-vous d'un rôti de porc et petits légumes de saison en accompagnement ?

EARL Dom. Perraud, Nancelle, 71960 La Roche-Vineuse, tél. 03.85.32.95.12, fax 03.85.32.95.14, domaineperraud@gmail.com r.-v.

DOM. POULLEAU PÈRE ET FILS 2010 ★

3 700		8 à 11 €

Depuis 1996, année du départ à la retraite de Michel Poulleau, son fils Thierry et son épouse Florence gèrent le domaine familial de Volnay, l'un à la technique, l'autre au commercial. Après douze mois de barrique, ce bourgogne se révèle franc et droit. Pas d'ambiguïté entre le nez, sur les fruits rouges agrémentés d'un soupçon d'épices et de boisé torréfié, et la bouche, à l'unisson, riche et puissante aux tanins bien fondus. Une bouteille à laisser vieillir en cave un an ou deux.

Dom. Michel Poulleau, 7, rue du Pied-de-la-Vallée, 21190 Volnay, tél. 03.80.21.26.52, fax 03.80.21.64.03, domaine.poulleau@wanadoo.fr r.-v.

MICHEL REBOURGEON Cuvée Samuel 2009 ★

1 600 | 8 à 11 €

Ce vin est issu d'une parcelle de chardonnay plantée en 2001 par Delphine Whitehead, propriétaire du domaine, l'année de naissance de Samuel, son deuxième fils. Voilà pour l'histoire de cette cuvée. Dans le verre, on découvre un vin fin et élégant, au nez floral et minéral, au palais chaleureux, rond et frais à la fois, imprégné d'arômes de fruits et de noisette. Un bourgogne équilibré, conseillé avec une terrine de poisson.

Dom. Michel Rebourgeon, 7, pl. de l'Europe, 21630 Pommard, tél. et fax 03.80.22.90.64, michel.rebourgeon@wanadoo.fr
t.l.j. 10h-12h 14h-17h
Delphine Whitehead

DOM. DES REMPARTS Côtes d'Auxerre 2009 ★

10 000 | 5 à 8 €

Les Sorin signent un vin très plaisant, un « vin de soif » qui fera merveille autour de grillades au barbecue. « On ne se complique pas la vie avec cette cuvée bien dans l'esprit du millésime 2009 », résume un dégustateur. Nez charmeur, floral et fruité, bouche ronde, légère et gourmande, que demander de plus ?

EARL Dom. des Remparts, 6, rte de Champs, 89530 Saint-Bris-le-Vineux, tél. 03.86.53.33.59, fax 03.86.53.62.12, contact@domaine-des-remparts.com
t.l.j. sf dim. 9h-12h 14h30-19h
Sorin

THIERRY RICHOUX 2010 ★★

8 000 | 5 à 8 €

Le bourgogne rosé reste une production confidentielle à Irancy, et c'est bien dommage. Ce rosé de saignée élaboré par Thierry Richoux apporte en tout cas la preuve qu'il peut se faire une place au soleil. Car il s'agit bien d'un vin « des beaux jours », un vin frais et gouleyant que l'on ouvrira volontiers pour accompagner une paëlla. Ses atouts ? Un nez de fraise des bois sur fond beurré et une bouche ronde et fruitée, tonifiée par une fine acidité.

Thierry Richoux, 73, rue Soufflot, 89290 Irancy, tél. 03.86.42.21.60, irancy.richoux@orange.fr
t.l.j. sf dim. 9h-12h 14h-18h

DOM. ARMELLE ET BERNARD RION
La Croix blanche Vieilles Vignes 2010 ★

6 000 | 8 à 11 €

La Croix blanche est la parcelle qui a donné son nom à cette cuvée élaborée à quatre mains, celles expérimentées de Bernard Rion et celles plus jeunes de sa fille Alice, au domaine depuis 2008. Un vin élégant, élevé en fût pendant douze mois, qui dévoile une bouche certes encore un peu tannique et boisée (vanille), mais le fruit et la rondeur n'en sont pas masqués. Pour l'heure, la finesse s'exprime surtout au nez, à travers des senteurs de fruits rouges légèrement épicés. Une bouteille qui a du caractère et que l'on mettra de côté deux ou trois ans avant de l'ouvrir sur une entrecôte grillée sauce échalottes.

Dom. Armelle et Bernard Rion, 8, rte Nationale, 21700 Vosne-Romanée, tél. 03.80.61.05.31, fax 03.80.61.34.60, rion@domainerion.fr
t.l.j. 9h-18h; dim. et hiver sur r.-v.; f. 23 déc.-3 jan.

DOM. DE ROCHEBIN Clos Saint-Germain
Vieilles Vignes 2010

16 000 | 5 à 8 €

En 2008, Laurent Chardigny a rejoint Mickaël Marillier à la tête de ce domaine de plus de 50 ha. Ce Clos Saint-Germain est né de vieilles vignes de quarante ans. Il dévoile un joli nez de fruits relevés d'une touche poivrée, puis une bouche souple et ronde qui ne manque pas pour autant de fermeté en finale. À attendre un an ou deux.

SCEV Dom. de Rochebin, En Normont, 71260 Azé, tél. 03.85.33.33.37, fax 03.85.33.34.00, domaine-de-rochebin@orange.fr
t.l.j. 9h-12h 17h-19h

DOM. SAINT-PANCRACE Côtes d'Auxerre
La Côte d'or 2010 ★

2 500 | 5 à 8 €

Cette Côte d'or n'a rien à voir avec le département bourguignon : c'est le nom du lieu-dit où sont exploitées les vignes à l'origine de ce vin. Xavier Julien a élaboré un vin très harmonieux avec son nez de fruits rouges acidulés relevé par quelques épices. La bouche se montre ronde et charmeuse, étayée par un boisé bien fondu et une structure présente mais sans excès. Une bouteille que l'on servira volontiers sur un plateau de fromages au cours des deux prochaines années. La même cuvée **2010 blanc Côtes d'Auxerre La Côte d'or (2 500 b.)**, élevée pour partie en barrique, puissante au nez (fruits exotiques, agrumes, grillé) et persistante en bouche, est citée.

Dom. Saint-Pancrace, 17, rue Rantheaume, 89000 Auxerre, tél. et fax 03.86.51.69.71, domaine.saintpancrace@wanadoo.fr r.-v.
Isabelle et Xavier Julien

SEGUIN-MANUEL 2010 ★

8 000 | 8 à 11 €

« Nous recherchons l'expression des terroirs et l'équilibre des vins sans artifices », note Thibaut Marion, à la tête de cette maison de négoce depuis 2004. Ce « laisser-faire-la-nature » a plutôt du bon si l'on en juge par ce bourgogne rouge très réussi. Le nez, élégant, s'exprime sur les fruits rouges rehaussés d'une pointe d'épices. La bouche se distingue par sa franchise : pas de langue de bois en effet pour ce vin élevé en cuve, ample, bien structuré, qui croque le fruit. Idéal avec une belle pièce de bœuf.

Dom. Seguin-Manuel, 2, rue de l'Arquebuse, 21200 Beaune, tél. 03.80.21.50.42, fax 03.80.21.59.38, contact@seguin-manuel.com r.-v.
Marion

DOM. SORIN-COQUARD Côtes d'Auxerre 2010 ★

13 000 | 5 à 8 €

Après quatorze mois d'élevage en cuve, ce bourgogne blanc se présente dans une robe or pâle et limpide. Le nez est clairement dominé par les fleurs blanches (acacia, aubépine). La bouche dévoile quant à elle des arômes exotiques qui tiennent la dragée haute à une belle fraîcheur minérale. Un vin vif et fin, encore un peu tendu mais prometteur. On le servira volontiers à l'apéritif, aujourd'hui ou dans deux ans.

Dom. Sorin-Coquard, 15, rue de Grisy, 89530 Saint-Bris-le-Vineux, tél. et fax 03.86.53.37.76, domaine.sorin.coquard@wanadoo.fr
t.l.j. sf dim. 9h-12h 14h-19h

DOM. SORIN DE FRANCE Côtes d'Auxerre 2010 ★★

52 000 | 5 à 8 €

Avec ce Côtes d'Auxerre, le domaine Sorin De France frôle la perfection. Un coup de cœur enthousiaste pour un vin gourmand et harmonieux, qu'il faudra revoir dans deux ans lorsqu'il exprimera d'autres sensations gustatives. Pour l'heure, il livre un bouquet soutenu de fruits rouges mûrs (framboise) et de kirsch, que prolonge une bouche chaleureuse, dense et poivrée, vivifiée par une longue finale saline. Du corps, du tonus, du fruit, de la persistance, voilà de beaux atouts pour voir venir... puis affronter sans crainte du gibier ou un coq au vin. Pour compléter la gamme, on appréciera aussi le **Côtes d'Auxerre 2010 blanc (moins de 5 €; 22 000 b.)** : une étoile pour sa complexité aromatique (fleurs blanches, fruits exotiques mûrs, amande, pointe miellée), sa souplesse et sa vivacité mesurée.

Dom. Sorin De France, 11 bis, rue de Paris, 89530 Saint-Bris-le-Vineux, tél. 03.86.53.32.99, fax 03.86.53.34.44, domaine-sorin-defrance@wanadoo.fr
t.l.j. 9h-12h 14h-18h30

DOM. ROLAND SOUNIT
Élevé et vieilli en fût de chêne 2011

53 000 | 5 à 8 €

Le nez embaume les fruits rouges avant que des notes torréfiées ne rappellent que ce vin a été élevé en fût pendant douze mois. En bouche, on apprécie l'équilibre entre l'alcool, qui apporte de la rondeur, les tanins, qui lui confèrent une structure souple, et l'acidité, qui donne de la fraîcheur. Cette bouteille gagnera son étoile dans les deux ans à venir avec un grenadin de veau.

Dom. Roland Sounit, 7, rte de Monthelie, 21190 Meursault, tél. 03.80.21.22.45, fax 03.80.21.28.05, severine.maitre@bejot.com

DOM. DES TERRES DE VELLE 2009 ★

5 500 | 8 à 11 €

Animées d'une même passion, trois personnes se sont réunies pour créer en 2009 le domaine des Terres de Velle : Fabrice Laronze, vinificateur pendant dix ans chez Alex Gambal, Sophie, son épouse et Junji Hashimoto, leur bras droit japonais. Ce 2009 est donc leur premier millésime. Un vin étoilé pour sa puissance et son harmonie, son nez fruité, légèrement teinté de bois, son palais franc et ample, à la fois gras et bien structuré. Un bourgogne de caractère, que l'on appréciera d'ici un à trois ans sur un navarin d'agneau.

Dom. des Terres de Velle, chem. Sous-la-Velle, 21190 Auxey-Duresses, tél. 03.80.22.80.31, fax 09.72.12.14.95, info@terresdevelle.fr r.-v.
Laronze

DOM. DE LA TOUR BAJOLE
Côtes du Couchois Vieilles Vignes 2010 ★

5 700 | 5 à 8 €

La famille Dessendre cultive la vigne dans le Couchois depuis quatre cents ans. Un attachement sans faille à ce beau terroir que perpétuent Marie-Anne et Jean-Claude depuis 1985. Un vénérable pinot de soixante ans est à l'origine de cette cuvée qui séduit par son nez intense de fruits mûrs, puis par sa bouche riche et longue aux tanins denses et enrobés, équilibrée par une trame acide bien ajustée. Une bouteille que l'on appréciera au cours des deux prochaines années sur des viandes grillées.

Marie-Anne et Jean-Claude Dessendre, Dom. de la Tour Bajole, 11, rue de la Chapelle, 71490 Saint-Maurice-lès-Couches, tél. et fax 03.85.45.52.90, domaine-de-la-tour-bajole@wanadoo.fr r.-v.

CH. DU VAL DE MERCY 2010 ★

2 800 | 5 à 8 €

Le propriétaire du château du Val de Mercy a créé son domaine pour valoriser les vins du Chablisien et de l'Auxerrois. Ce bourgogne né d'une vigne de quarante ans se distingue d'emblée par le fruité intense qui s'échappe du verre. En bouche, il se montre rond, riche, adossé à des tanins discrets et toujours aussi fruité. Un vin bien construit, friand et prêt pour accompagner vos grillades aux derniers beaux jours de l'automne.

SARL Ch. du Val de Mercy, 8, promenade du Tertre, 89530 Chitry, tél. 03.86.41.48.00, fax 03.86.41.45.80, roy@valdemercy.com r.-v.

CHRISTIAN VERGIER Les Ormes 2009 ★

1 100 | 8 à 11 €

Ancien ouvrier agricole, aujourd'hui consultant international en spiritueux et conférencier, Christian Vergier a créé en 2008 ce petit domaine de 1,2 ha à Ébaty. Il fait son entrée dans le Guide avec ce 2009 élevé dix-huit mois en fût : un vin au nez de fruits mûrs souligné par un boisé élégant et quelques nuances épicées, persistant, bien structuré et charnu en bouche, qui s'accordera aujourd'hui comme dans deux ans avec un coq au vin.

NOUVEAU PRODUCTEUR

Christian Vergier, 6, chem. des Curtils, 21190 Ébaty, tél. 06.80.23.62.82, vintagetradition@orange.fr
r.-v.

DOM. VERRET Côtes d'Auxerre 2010 ★

30 000 | 5 à 8 €

Deux vins retenus avec une étoile pour Bruno Verret. Le préféré, d'une courte tête, est ce blanc 2010 au nez fin de fleurs blanches, de beurre frais et de vanille. Après une attaque minérale et fraîche, la bouche dévoile une jolie matière, encore un peu dominée par le passage en barrique. Les amateurs de vins boisés apprécieront dès aujourd'hui, les autres pourront patienter un an ou deux pour plus de fondu. Quant au **Côtes d'Auxerre 2011 rosé (6 000 b.)**, il plaît par son nez expressif, sur le bourgeon de cassis, et par son palais bien équilibré, rond – vineux même – et frais à la fois. À déguster avec des saltimboccas à la tomate.

SARL Dom. Verret, 13, rte de Champs, 89530 Saint-Bris-le-Vineux, tél. 03.86.53.83.98, dverret@domaineverret.com
t.l.j. sf dim. 8h-12h 14h-18h

ALAIN VIGNOT Côte Saint-Jacques 2011 ★

40 000 | 5 à 8 €

Que du pinot gris pour ce rosé de Joigny, appelé communément « vin gris ». Il s'agit là de l'une des productions importantes d'Alain Vignot et de l'une des curiosités de ce vignoble le plus au nord de la Bourgogne. Le nez, assez discret, consent à libérer quelques senteurs florales. Plus expressive, la bouche se montre à la fois ronde, fine et fraîche, soutenue par une belle acidité. Pourquoi pas sur un poulet rôti ? Le **2009 rouge Côte Saint-Jacques Les Ronces (8 000 b.)** est cité pour sa belle étoffe soulignée par une pointe de minéralité (silex) et par des tanins un rien austères en finale. À attendre un an ou deux pour plus de fondu.

Dom. Alain Vignot, 16, rue des Prés, 89300 Paroy-sur-Tholon, tél. 03.86.91.03.06, fax 03.86.91.09.37, alain-vignot@wanadoo.fr
t.l.j. sf dim. 9h-12h 14h-19h

Bourgogne-grand-ordinaire

Superficie : 120 ha
Production : 5 000 hl (75 % rouge et rosé)

Cette appellation, qui signifiait le « bourgogne du dimanche », tombe en désuétude en raison de son nom devenu peu commercial. À la base de la hiérarchie des AOC bourguignonnes, elle s'étend sur l'ensemble de la Bourgogne viticole et produit des rouges, des clairets, des rosés et des blancs. Elle peut faire appel à tous les cépages de la région, y compris des variétés locales en voie de disparition comme le tressot et le melon (le cépage du muscadet). En blanc, les principaux sont le chardonnay et l'aligoté ; en rouge et en rosé, le pinot noir et surtout le gamay.

DOM. DE ROTISSON Les Dalines 2011 ★

15 700 | 5 à 8 €

Week-end voitures anciennes, expositions, vide-grenier... Didier Pouget ne manque pas d'idées et d'énergie pour faire connaître son domaine, repris en 1998. Le meilleur moyen reste toutefois de faire de bons vins. Et son 2011 en est un assurément : robe légère, couleur rubis à reflets fuchsia ; nez franc et fruité (framboise), agrémenté d'une touche d'iris ; bouche à l'avenant, fruitée à souhait, nette, longue et gourmande.

Dom. de Rotisson, rte de Conzy, 69210 Saint-Germain-sur-l'Arbresle, tél. 04.74.01.23.08, fax 04.74.01.55.41, didier.pouget@domaine-de-rotisson.com
t.l.j. 9h-12h 14h30-17h30; dim. sur r.-v.
Didier Pouget

Bourgogne-passetoutgrain

Superficie : 600 ha
Production : 31 650 hl

Cette appellation réservée aux rouges et rosés est produite dans l'aire du bourgogne-grand-ordinaire. Les vins assemblent obligatoirement pinot noir et gamay, le premier représentant au minimum un tiers de l'ensemble. Les meilleurs contiennent des quantités identiques de chacun des deux cépages, voire davantage de pinot noir. Confidentiels, les rosés sont obtenus par saignée, par opposition aux « gris ». Tous ces vins sont légers et friands et doivent être consommés jeunes.

JABOULET-VERCHERRE 2010

13 000 | 8 à 11 €

Cette maison de négoce installée au cœur de la Côte de Nuits propose, parmi sa large gamme de vins de Bourgogne, un passetoutgrain rouge intense, au nez flatteur de groseille et de cassis. La bouche, après une attaque fraîche et tendue, s'appuie sur une trame tannique encore un peu sévère qui appelle un an de garde pour plus de fondu.

Jaboulet-Vercherre, 6, rue de Chaux, BP 4, 21700 Nuits-Saint-Georges, tél. 03.80.62.43.01, fax 03.80.62.43.16 r.-v.

MOILLARD L'Âme du terroir 2011 ★

210 000 | 5 à 8 €

Cette maison de négoce, installée à Meursault, vinifie et élève des vins depuis 1850. Son 2011 rouge brillant aux reflets violets livre des arômes de fruits rouges frais, que l'on retrouve dans une bouche franche, accompagnés de tanins bien présents mais sans agressivité. Ce vin équilibré devra attendre un an en cave avant d'accompagner une viande rouge grillée.

Moillard, RD 974, 21190 Meursault Cedex, tél. 03.80.21.99.51, fax 03.80.21.28.05, fanny.duvernois@bejot.com

CH. DE PRÉMEAUX 2009 ★★

2 436 | 5 à 8 €

Le château de Prémeaux, bâti au XIXe s. avec les pierres de l'ancien château fort qui brûla en 1789, est conduit par Arnaud Pelletier depuis 1982. Ce dernier signe un passetoutgrain remarquable en tous points. En habit grenat profond, ce 2009 dévoile un nez ouvert de fruits rouges confiturés. Après une attaque agréable, le palais, ample et persistant, fait écho à l'olfaction, porté par des tanins ronds et fondus. Un vrai « vin plaisir », à boire au cours des deux prochaines années sur de l'agneau grillé.

Dom. du Ch. de Prémeaux, 9, rue de la Courtavaux, 21700 Premeaux-Prissey, tél. 03.80.62.30.64, fax 03.80.62.39.28, chateau.de.premeaux@wanadoo.fr
t.l.j. 9h-12h 13h30-18h

Bourgogne-aligoté

Superficie : 1 590 ha
Production : 96 000 hl

Le cépage aligoté donne des vins plus vifs et plus précoces que le chardonnay, mais le terroir influe sur lui autant que sur les autres cépages. Il y a ainsi autant de profils d'aligotés que de zones où on les élabore. Les aligotés de Pernand étaient connus pour leur souplesse et leur nez fruité (avant de céder la place au chardonnay) ; ceux des Hautes-Côtes sont recherchés pour leur fraîcheur et leur vivacité ; ceux de Saint-Bris dans l'Yonne semblent emprunter au sauvignon quelques traces de sureau, sur des saveurs légères.

Le bourgogne-aligoté constitue un excellent vin d'apéritif. Associé à de la liqueur de cassis, il devient alors le célèbre « kir ». L'appellation a trouvé ses lettres de noblesse dans le petit village de Bouzeron près de Chagny (Saône-et-Loire), où elle est devenue en 2001 une appellation *village*.

DOM. BALLORIN ET F. Le Hardi 2010

2 500 | 8 à 11 €

Gilles Ballorin est bourguignon mais sa famille n'était pas du milieu viticole. Après avoir travaillé plusieurs années dans le monde du vin, il a voulu se mettre à son compte et s'est installé en 2005. Les chais sont à Morey, et les parcelles s'éparpillent d'un bout à l'autre de la Côte de Nuits. Le petit domaine, qui s'agrandit peu à peu (6,3 ha), est cultivé en biodynamie. Le Hardi ? Une référence au duc de Bourgogne, car cet aligoté viendrait de ses terres. Si son nez de fleurs blanches prend un petit ton surmûri, le palais attaque avec franchise et se montre vif et ample à la fois, sur des notes citronnées. Bel accord en perspective avec du jambon persillé.

Dom. Ballorin et F., 17, rue Ribordot, 21220 Morey-Saint-Denis, tél. 03.80.41.85.48, fax 03.80.58.53.29, domaineballorin@orange.fr
t.l.j. 8h-12h 14h-18h

CHRISTINE ET PATRICK CHALMEAU 2010 ★

10 000 | - de 5 €

Un domaine de l'Yonne bien connu de nos lecteurs, notamment pour ses vins blancs de chardonnay. Christine et Patrick Chalmeau ont été rejoints en 2009 par leur fille Élodie. Or pâle, leur bourgogne aligoté a plu par son harmonie. On lui trouve une rondeur seyante qui s'équilibre bien avec la fraîcheur et la franchise caractéristiques du cépage. Ce vin fait montre aussi d'une certaine complexité, car on y trouve du fruit jaune et une touche minérale. Il pourra accompagner un filet de poisson.

Patrick et Christine Chalmeau, 76, rue du Ruisseau, 89530 Chitry, tél. 03.86.41.43.71, fax 03.86.41.47.51, chalmeau.patrick@wanadoo.fr r.-v.

DOM. MICHEL COLBOIS 2010

4 000 | - de 5 €

En 2009, Benjamin Colbois s'est associé à son père Michel après plusieurs années de travail ensemble. L'aligoté prospère à Chitry-le-Fort, joli village de l'Auxerrois. Il représente près d'un quart de la superficie de cette exploitation (environ 5 ha sur 20). Il a donné un vin jaune pâle à reflets verts, qui s'ouvre sur des notes florales et minérales accompagnées d'une touche de fruits exotiques. Au palais, il attaque avec vivacité et reste sur les jolis arômes du nez. « Sympa », conclut un dégustateur. Pour l'apéritif.

EARL Dom. Michel Colbois, 69, Grande-Rue, 89530 Chitry, tél. 03.86.41.43.48, fax 03.86.41.46.40, contact@colbois-chitry.com
t.l.j. sf dim. 8h30-12h 13h30-18h

PHILIPPE DEFRANCE 2010 ★

4 180 | 5 à 8 €

Plusieurs raisons de faire un détour à Saint-Bris-le-Vineux : la beauté du village ramassé autour de sa belle église et son vignoble où l'on cultive trois cépages, le chardonnay, le sauvignon et l'aligoté. Parmi ses vignerons, les Defrance disposent de belles caves sur croisées d'ogives. Leur aligoté ne manque pas de caractère, mais c'est un heureux caractère : il vient à votre rencontre avec force fleurs, bouffées d'aubépine par-ci, effluves d'acacia par là, et une touche de minéralité. Plus frais que vif, il est équilibré, assez structuré et très agréable. Pour l'apéritif, avec des gougères.

Philippe Defrance, 5, rue du Four, 89530 Saint-Bris-le-Vineux, tél. 03.86.53.39.04, fax 03.86.53.66.46, ph.defrance89@orange.fr r.-v.

JEAN-CHARLES FAGOT Vieille Vigne 2010 ★

7 500 | 5 à 8 €

Vigneron installé entre Chagny et Puligny-Montrachet, Jean-Charles Fagot s'est fait négociant (pour étoffer sa carte des vins) et restaurateur en ouvrant l'*Auberge du Vieux Vigneron*. Dans son établissement, vous pourrez goûter, entre autres, cet aligoté fort plaisant au nez intense associant les fleurs blanches et les fruits jaunes. En bouche, les agrumes et l'ananas se mêlent à des touches plus mûres et suaves de tilleul. Son bel équilibre associe une certaine rondeur à la vivacité du cépage. Assez étoffé, frais et persistant, ce vin ira bien à table. Escargots ou œufs pochés au comté ?

Jean-Charles Fagot, 5, rue de l'Église, 21190 Corpeau, tél. 03.80.21.30.24, fax 03.80.21.38.81, jeancharlesfagot@free.fr r.-v.

DOM. FARGUES Les Grandes Terres 2010 ★

900 | 5 à 8 €

Anciens salariés de domaines viticoles, Bastien et Bénédicte Fargues ont créé en 2005 le petit domaine de leur rêve. À microdomaine (1,23 ha), microcuvée. Un aligoté franc, consistant et aromatique (fleurs blanches, agrumes et fruits exotiques), pas tranchant pour deux sous. Pour l'apéritif.

Dom. Fargues, 7 bis, rue des Vignes-Rouges, 21200 Bligny-lès-Beaune, tél. 03.80.22.08.44, contact@domaine-fargues.fr r.-v.

DOM. FÉLIX 2010 ★

9 300	▮	5 à 8 €

Ancien fonctionnaire, Hervé Félix, cédant à un vieil atavisme, a repris en 1987 l'exploitation où les siens se succédaient de père en fils depuis le XVIIe s. Établi à Saint-Bris, gros village viticole de l'Yonne, il propose de nombreux types de vins, dont des aligotés souvent de bonne facture, à l'image de ce 2010, bien équilibré et intégralement dans la fraîcheur florale. Plutôt pour une terrine de lapin que pour un kir.

🔑 Dom. Félix, 17, rue de Paris, 89530 Saint-Bris-le-Vineux, tél. 03.86.53.33.87, fax 03.86.53.61.64, domaine.felix@wanadoo.fr
☑ 🍷 ✱ t.l.j. sf dim. 9h-11h45 14h-18h30

DOM. FILLON ET FILS 2010 ★

8 000	5 à 8 €

Si le joli village de Saint-Bris-le-Vineux, où sont établis les Fillon, est connu pour son sauvignon unique en Bourgogne, l'aligoté aussi se plaît sur ses terroirs. Ce domaine de 33 ha, qui s'étend également en Chablisien, en tire de sympathiques cuvées, telle celle-ci, franche et minérale au nez, ample et plutôt ronde en bouche, tout en restant dans la typicité du cépage. Pour l'apéritif, où l'on préférera des feuilletés aux escargots à la traditionnelle crème de cassis.

🔑 Dom. Fillon, 53, rue Bienvenu-Martin, 89530 Saint-Bris-le-Vineux, tél. 03.86.53.30.26, fax 03.86.53.63.88, domaine-fillon@club-internet.fr
☑ 🍷 ✱ t.l.j. 9h-12h30 13h30-19h30

Ⓑ **GUILHEM ET JEAN-HUGUES GOISOT** 2010 ★★

31 000	▮	5 à 8 €

Établis depuis le Moyen-Âge dans le gros village de Saint-Bris, dont le boulevard circulaire rappelle les anciens remparts, les Goisot ont peut-être vu construire l'église qui se dresse au centre de la commune. On les trouve aussi dans la première édition du Guide. Aujourd'hui, Guilhem a rejoint l'exploitation, qui a adopté la biodynamie. Ces deux étoiles ne surprendront pas, elles vont à un aligoté tout en finesse. Une robe claire et limpide ; un nez léger, subtilement minéral et floral ; une attaque franche, puis un palais gras et long à l'acidité maîtrisée, où s'épanouit la fleur blanche, comme un souvenir des anciens vergers de l'Yonne. Quelle pureté, quelle élégance ! La famille consacre une belle surface à son aligoté (6 ha sur 28). On ne s'en plaindra pas.

🔑 Guilhem et Jean-Hugues Goisot, 30, rue Bienvenu-Martin, 89530 Saint-Bris-le-Vineux, tél. 03.86.53.35.15, fax 03.86.53.62.03, domaine.jhg@goisot.com ☑ 🍷 r.-v.

CH. DE LA GREFFIÈRE 2011 ★★

9 000	▮	5 à 8 €

On trouve beaucoup d'aligotés « septentrionaux », nés dans l'Yonne. Celui-ci vient du Mâconnais. Est-ce l'influence d'un climat plus doux ? Il offre une faconde et une rondeur qui rappellent un peu le sud, ajoutant aux délicates fragrances de chèvrefeuille et de poire de l'olfaction des notes plus chaleureuses de fruits jaunes. En bouche, il fait preuve d'une souplesse et d'un gras flatteurs. Des touches d'herbe fraîche, la belle minéralité soulignant la persistance de la finale, et le retour du fruit blanc portent la marque du cépage, tout comme l'impression de légèreté que laisse ce joli blanc. Pour une terrine de saumon.

🔑 Ch. de la Greffière, 71960 La Roche-Vineuse, tél. 03.85.37.79.11, fax 03.85.36.62.88, chateaudelagreffiere@free.fr
☑ 🍷 ✱ t.l.j. sf dim. 9h-12h 14h-18h
🔑 I.V.X. Greuzard

PASCAL HENRY 2010

10 000	▮	5 à 8 €

Créé en 1986 par un couple d'agriculteurs, ce domaine établi entre Auxerre et Chablis illustre le renouveau du vignoble de l'Yonne. À la tête des 15 ha de l'exploitation, Pascal et... Pascale. Leur aligoté est caractéristique du cépage avec son nez entre acacia et minéralité, et son équilibre plutôt vif au palais, sur des notes de fleurs blanches et de citron. On pourra l'adoucir avec de la crème de cassis, ou penser à lui pour faire sortir de leur coquille une douzaine d'escargots.

🔑 Pascal Henry, 30, chem. des Fossés, 89800 Saint-Cyr-les-Colons, tél. 03.86.41.44.87, fax 03.86.41.41.48, henry.pascalearl@orange.fr
☑ 🍷 ✱ t.l.j. sf dim. 10h-12h 14h-18h

DOM. MARTIN-DUFOUR 2010

1 950	▮	5 à 8 €

Sur leur 9 ha, 60 ares et 8 centiares autour de Chorey-lès-Beaune, Jean-Paul et Pascale Martin produisent douze vins différents. Beaucoup de pinot noir dans ce domaine, qui a un pied dans les deux Côtes, mais aussi de l'aligoté. Expressif et frais au nez comme en bouche, celui-ci attaque avec franchise et déroule de jolis arômes de fruits blancs au sein d'un corps charnu et gourmand. On pourra déboucher cette bouteille à l'apéritif, et la finir à table sur une quiche, par exemple.

🔑 Dom. Martin-Dufour, 4a, rue des Moutots, 21200 Chorey-lès-Beaune, tél. 06.15.24.83.27, domaine@martin-dufour.com ☑ 🍷 r.-v.

DOM. DE LA MONETTE Les Potets 2010 ★★

1 866	▮	5 à 8 €

Après avoir consacré de longues années à exercer leur talent dans les technologies de l'information et les systèmes de gestion, Roelof Ligtmans et Marlon Steine ont réalisé leur rêve : devenir vignerons, et dans une démarche écologique (conversion bio engagée en 2010) ; ils se sont installés en 2007 dans la Côte chalonnaise. Ils n'en sont qu'à leur deuxième récolte, et déjà deux étoiles. Pour un aligoté au nez subtil de fleurs blanches et d'amande fraîche, salué pour son élégance. Les dégustateurs plébiscitent en particulier l'équilibre parfait de sa bouche, dont l'ampleur et la rondeur sont sous-tendues par une acidité bien fondue, qui laisse une finale vive. De quoi convertir la Hollande – pays dont ce couple est originaire – aux apéros à l'aligoté !

🔑 Dom. de la Monette, 15, rue du Château, Chamirey, 71640 Mercurey, tél. 03.85.98.07.99, vigneron@domainedelamonette.fr ☑ 🍷 ✱ r.-v.
🔑 Roelof Ligtmans

DOM. SORIN DE FRANCE 2010 ★

42 000	▮	- de 5 €

Vigneron dans l'Yonne depuis quarante-sept ans sur le domaine familial qui se perpétue depuis plus de cinq siècles, Jean-Michel Sorin ne manque pas de pratique. Il livre ici une version typique et agréable de l'aligoté, cépage

BOURGOGNE

qui occupe plus de 11 ha sur les 39 que compte son domaine. Au nez comme en bouche, de la fleur blanche nuancée d'un soupçon d'abricot. Une attaque fraîche, une bouche intense et ample, équilibrée par une longue finale minérale. Un aligoté tout-terrain, que son auteur recommande avec un casse-croûte ou des charcuteries (jambon persillé, rillettes, rôti de porc froid...).
Dom. Sorin De France, 11 bis, rue de Paris, 89530 Saint-Bris-le-Vineux, tél. 03.86.53.32.99, fax 03.86.53.34.44, domaine-sorin-defrance@wanadoo.fr
t.l.j. 9h-12h 14h-18h30

DOM. ROLAND SOUNIT 2011 ★

60 000 | 5 à 8 €

Si l'adresse mentionne Meursault, c'est celle du propriétaire, la maison Bejot. En réalité, cet aligoté vient de la Côte chalonnaise, où l'exploitation est établie. On aime sa robe d'or étincelante de reflets, l'élégance et l'intensité de son nez de fleurs blanches que l'on retrouve dans une bouche penchant vers la rondeur, sans être pour autant dépourvue de la petite nervosité qui est la marque du cépage. À servir dès la sortie du Guide, à l'apéritif et sur des entrées.
Dom. Roland Sounit, 7, rte de Monthelie, 21190 Meursault, tél. 03.80.21.22.45, fax 03.80.21.28.05, severine.maitre@bejot.com

Crémant-de-bourgogne

Superficie : 1 935 ha
Production : 125 850 hl

Comme toutes les régions viticoles françaises ou presque, la Bourgogne avait son appellation pour les vins mousseux élaborés sur l'ensemble de son aire géographique. La qualité n'était pas très homogène et ne correspondait pas, la plupart du temps, à la réputation de la région, sans doute parce que les mousseux se faisaient à partir de vins trop lourds. Reconnue en 1975, l'appellation crémant-de-bourgogne a remplacé l'AOC bourgogne mousseux en 1984. Elle impose des conditions de production aussi strictes que celles de la région champenoise et calquées sur celles-ci. Elle connaît actuellement un bon développement. Un crémant-de-bourgogne peut être un blanc de blancs élaboré généralement par un assemblage de chardonnay et d'aligoté, ou assembler des cépages blancs avec le pinot noir et/ou le gamay vinifiés en blanc. Il existe aussi des rosés.

BAILLY LAPIERRE Vive-la-joie 2007 ★

60 000 | 11 à 15 €

Coup de cœur l'an passé avec un extra-dry Baigoule, la maison Bailly-Lapierre expose une fois encore son remarquable savoir-faire avec un brut 2007 qui porte un nom bigrement jovial : Vive-la-joie ! Les dégustateurs ont été sensibles à l'équilibre parfait d'une olfaction fine (fleurs blanches, fruits exotiques), stimulée par une effervescence dont on se plaît à mesurer les franches ascensions et par une bouche au diapason, vive, d'une grande élégance. Un très beau vin d'apéritif, assurément. À signaler également, la cuvée **Égarade 2009 (8 à 11 €; 20 000 b.)**, née de ceps de chardonnay travaillés selon les préceptes de l'agriculture biologique. Ce crémant droit et net reçoit une citation.
Caves Bailly Lapierre, hameau de Bailly, quai de l'Yonne, 89530 Saint-Bris-le-Vineux, tél. 03.86.53.76.55, fax 03.86.53.80.94, nathaliec@bailly-lapierre.fr
t.l.j. 9h (sam. dim. 10h)-12h 14h-18h30

BLASON DE BOURGOGNE Brut Réserve ★★

960 000 | 5 à 8 €

Cette « marque de vignerons », comme se définit cette coopérative établie à Chablis, revendique des crémants peu marqués par le dosage, qui forgent leur personnalité à partir de longs élevages sur lies (seize mois). Ce Brut Réserve a trouvé un point d'équilibre remarquable dans l'assemblage du pinot noir (50 %) et du chardonnay (24 %), auxquels se sont adjoints gamay et aligoté (13 % chacun). Une mousse aérienne et de fines bulles animent une belle robe d'or. Le bouquet, à dominante florale (chèvrefeuille) est agrémenté de notes de citron vert. La bouche offre, elle aussi, une belle harmonie entre la fraîcheur des agrumes et l'onctuosité de sa chair, et s'étire dans une longue finale. « Un crémant délicieux », conclut un dégustateur sous le charme.
Union Blasons de Bourgogne, rue du Serein, 89800 Chablis, tél. 03.86.42.88.34, fax 03.86.42.83.75, blasons@blasonsdebourgogne.fr

SYLVAIN BOUHÉLIER Cuvée Tradition ★

30 000 | 5 à 8 €

Un charmant petit coin de Bourgogne, tout « festonné » de vignes, un retrait un brin secret, comme on les aime... C'est en ces lieux que Sylvain Bouhélier a replanté les coteaux abandonnés de son village, 6 ha en chardonnay et pinot noir. Il vous accueillera dans son caveau voûté, situé dans une « vinée » du XVIIe s. L'occasion de découvrir, avec des gougères si possible, ce crémant Tradition vieilli deux ans sur lattes. Dans le verre, une valse endiablée de bulles qui vivifie une robe vieil or et un bouquet brioché, campé sur un fruité flatteur de pêche blanche et d'abricot. En bouche, un équilibre très réussi entre rondeur et fraîcheur, et un fruité persistant. « Un crémant jubilatoire », s'enthousiasme un juré.
Sylvain Bouhélier, pl. Saint-Martin, 21400 Chaumont-le-Bois, tél. 03.80.81.95.97, sylvain.bouhelier@orange.fr t.l.j. 15h-18h

LOUIS BOUILLOT Perle d'aurore ★★★

30 000 | 5 à 8 €

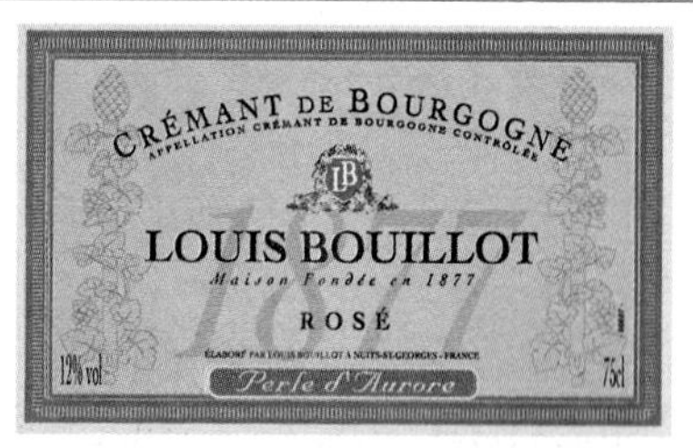

Voilà un coup de cœur que l'expression d'Homère – « Aurore aux doigts de rose » – qualifierait à merveille.

L'expérience de la maison Bouillot, établie depuis le XIXᵉs. à Nuits-Saint-Georges, a parlé de nouveau. Ce crémant rosé, parfait dans sa construction, met les sens en effervescence, même ceux du plus exigeant des dégustateurs. Un concert d'éloges a salué la prestation de cette Perle d'aurore : superbe cordon de fines bulles, élégante parure saumon pâle, expression tout aussi distinguée des arômes de petits fruits rouges, consistance et structure en bouche, juste dosage et vivacité... De la haute couture au tarif du prêt-à-porter ! Jugé fin et droit, le **blanc de noirs Perle de nuit (25 000 b.)**, né de pinot noir et d'un soupçon de gamay, reçoit une étoile.

Maison Louis Bouillot, rue Montgolfier, 21700 Nuits-Saint-Georges, tél. 03.80.62.61.44, fax 03.80.62.61.59, brand.f@boisset.fr
t.l.j. 10h-13h 14h-19h; f. lun. de nov. à mars

JEAN-CLAUDE ET ANNA BRELIÈRE 2010 *

3 000 | 8 à 11 €

C'est après un long périple à l'étranger (États-Unis, Angleterre, Espagne, Allemagne) que Jean-Claude Brelière poursuivit ses études d'œnologie à Beaune, puis à Dijon, pour s'installer en 1983 sur le domaine familial : 7 ha de vignes qu'il convertit au bio pour « coller au plus près du terroir ». Son Brut rosé, à la fois fruité et vineux, issu du seul pinot noir, en est une belle expression. Paré d'un rose saumon limpide, il déploie un fin cordon de bulles qui précède un nez flatteur de petits fruits rouges accompagnés d'une discrète note beurrée. La bouche révèle une matière imposante et persiste longuement sur des saveurs fraîches et fruitées. Un crémant friand à souhait.

Jean-Claude Brelière, 1, pl. de l'Église, 71150 Rully, tél. 03.85.91.22.01, domainebreliere@orange.fr r.-v.

CHEVALIER *

30 000 | 5 à 8 €

Que de chemin parcouru depuis 1920, date à laquelle Eugène Chevalier vint s'installer à Charnay-lès-Mâcon pour créer sa maison de négoce et y relever un défi de taille : mettre le Mâconnais en effervescence... Objectif atteint : les crémants de la maison obtiennent de francs succès. Ce rosé est né du pinot noir (80 %) et du gamay, cépage qui ne mérite décidément pas la mauvaise réputation de « plant déloyault » que Philippe le Hardi lui « colla à la grappe »... Voilà au contraire un vin de haute tenue, drapé dans une élégante robe rose saumon clair, à la mousse fine et légère, prélude à un bouquet fin de petits fruits rouges. L'attaque, franche et ferme, ouvre sur un palais à l'unisson de l'olfaction, fruité à souhait, long et dosé avec précision. Bel accord gourmand en perspective avec une tarte aux fraises. Le **blanc (35 000 b.)**, issu du pinot noir (55 %), du chardonnay (35 %), de l'aligoté et du gamay, obtient également une étoile pour son palais à la fois vineux, robuste, vif et fruité.

Chevalier, 5, quai Dumorey, 21700 Nuits-Saint-Georges, tél. 03.80.62.61.47, brand.f@boisset.fr
t.l.j. 10h-13h 14h-19h; f. lun de nov. à mars

PAUL CHOLLET *

26 640 | 8 à 11 €

La maison Chollet signe un beau doublé avec, en tête, ce crémant issu du seul pinot noir, paré d'une robe rose pâle et brillante, et parcouru par une effervescence fine et persistante. Le nez, plutôt discret, évolue après aération vers des notes charmeuses de fruits blancs. Mais c'est en bouche qu'il révèle ses vraies qualités : finesse et persistance des arômes floraux et fruités, du volume, une délicate trame acide en soutien. Il pourra faire bonne figure sur un dessert au chocolat. Cité, le **blanc Crémant par nature (4 667 b.)**, né de raisins cultivés selon les principes de l'agriculture biologique, est un « vin de plaisir » frais et fruité.

Paul Chollet, 18, rue du Gal-Leclerc, 21420 Savigny-lès-Beaune, tél. 03.80.21.53.89, fax 03.80.21.58.16, contact@paulchollet.fr
t.l.j. 8h-12h 14h-18h; sam. 8h-12h

ANDRÉ DELORME Blanc de blancs Terroirs des fleurs *

96 900 | 8 à 11 €

Spécialisée dans les crémants-de-bourgogne et les vins de la Côte chalonnaise, cette maison créée par André Delorme en 1942 a été rachetée en 2005 par Éric Riffaut, qui l'a installée à Rully dans des chais équipés d'une cuverie des plus modernes. Cette vénérable institution maintient son qualitatif, témoin ce crémant blanc de blancs « d'allure mondaine » qui parade dans une livrée or pâle aux reflets platine animée de fines bulles. Si l'olfaction est discrète, dévoilant quelques notes de beurre frais et de brioche, le palais se montre plus loquace, rond, assez vineux, avec une juste vivacité en soutien. Le **blanc brut Terroirs minéraux (5 000 b.)** est cité pour sa souplesse et son aimable fruité.

André Delorme, Le Meix, 11, rue des Bordes, 71150 Rully, tél. 03.85.87.10.12, fax 03.85.87.04.60, contact@andre-delorme.com
t.l.j. sf dim. 10h-12h30 14h-17h30

DOM. FICHET Millésimé 2009 *

4 000 | 8 à 11 €

Située au cœur du Mâconnais, non loin de Cluny, cette exploitation familiale propose une agréable balade gustative avec ce 2009 né de chardonnays vendangés à la main. Une robe limpide et dorée parcourue de fines bulles habille ce vin qui dévoile au nez de délicates senteurs briochées suivies par une bouche fraîche et harmonieuse. Parfait pour un plateau de fruits de mer.

Dom. Pierre-Yves et Olivier Fichet, Le Martoret, 71960 Igé, tél. 03.85.33.30.46, fax 03.85.33.44.45, contact@domaine-fichet.com
t.l.j. sf dim. 8h-12h 13h-18h30

CLAUDE GHEERAERT Tradition 2008

27 500 | 5 à 8 €

Claude Gheeraert signe un crémant de belle facture issu à 90 % du pinot noir, le chardonnay en complément. Vêtu de jaune nacré et brillant, ce vin offre un bouquet chaleureux et complexe teinté de fruits exotiques (mangue, ananas), d'agrumes et de fleurs blanches. En bouche, il séduit par son équilibre et par sa finale tendue qui lui donne de l'allonge. Fait pour la table, il accompagnera, au choix, escargots de Bourgogne, jambon persillé ou truite meunière.

Gheeraert, EARL des Vignes de Jours, 1, rue Haute, 21400 Mosson, tél. et fax 03.80.93.71.67, claude.gheeraert@nordnet.fr
t.l.j. sf dim. 10h-12h 14h-18h

GRUHIER Brut extra

21 000 | 5 à 8 €

Fondée au XIIᵉs. et baptisée abbaye du Petit Quincy par les moines cisterciens, cette propriété ne se contente pas de produire du vin. Elle donne à la vigne une dimension culturelle, proposant aux visiteurs accueils pédagogiques, visites organisées, concerts... Depuis 2003, la moitié de l'exploitation est travaillée en bio ; la conversion totale étant prévue pour fin 2012. Ce Brut extra se pare d'une robe jaune pâle striée de reflets ambrés et parcourue de fines bulles. Le nez se révèle fruité (baies rouges, note originale de figue). La bouche ronde est « réveillée » par une fine et fraîche salinité. « Un crémant franc et stylisé », note un dégustateur. On l'ouvrira sur des poissons en sauce.

Gruhier, rue du Clos-de-Quincy, 89700 Épineuil, tél. 03.86.55.32.51, fax 03.86.55.32.50, vin@bourgognevin.com
t.l.j. sf dim. 10h30-12h30 14h30-18h

LEBEAULT Blanc de blancs

19 560 | 8 à 11 €

Rully est certes connu des férus d'histoire médiévale pour son château doté d'un donjon du XIIe s., mais plus encore, pour ses vins. C'est ici, en 1934, que la famille Lebeault a planté ses premières règes. Avec ce blanc de blancs issu de presses dites « têtes de cuvée », Pierre et Gérard Lebeault proposent un effervescent bien dans la tradition bourguignonne. Le nez, d'abord sur les fleurs, s'oriente ensuite vers les fruits exotiques (mangue) et laisse émerger quelques notes de pain grillé. Vif en bouche, il « pirouette » en finale sur des saveurs florales et miellées bien typées « chardonnay » et sur un dosage un rien plus sensible. Parfait pour un apéritif accompagné de gougères. Le **rosé (5 à 8 € ; 15 400 b.)**, plutôt tendre, paraît fin prêt pour accompagner une salade de fruits rouges.

Maison Lebeault, 1, rue des Buis, 71150 Rully, tél. 03.85.87.15.20, fax 03.85.87.26.47, contact@cremant-mlebeault.com r.-v.

LEFEVRE REMONDET ★

130 000 | 5 à 8 €

La Maison du Crémant a fait fort avec trois cuvées qui ont recueilli l'assentiment des jurés, avec pour chacune d'elles plus de 100 000 bouteilles. La preuve que quantité ne rime pas forcément avec médiocrité... La préférée est ce Lefevre Remondet issu de chardonnay (60 %) et de pinot noir. Ses arguments : une élégante robe jaune paille ; un nez de raisin frais, de fruits jaunes et de fleurs blanches ; une bouche équilibrée, longue et fraîche. Le **blanc La Maison du crémant (110 000 b.)** fait jeu égal. Issu du pinot noir (60 %), du chardonnay et du gamay (10 %), ce vin est plaisant par son moelleux et par ses arômes floraux et mentholés. Le **blanc Labouré Gontard (100 000 b.)** est cité pour son joli nez floral et pour son palais gourmand et fruité.

Moingeon - La Maison du Crémant, D 974, 21190 Meursault, tél. 03.80.21.66.22, fax 03.80.21.28.05, cremant@moingeon.com

LORON Cuvée impériale ★★

12 000 | 8 à 11 €

Cette Cuvée impériale a été pressentie pour affronter le grand jury des coups de cœur – confirmation que la qualité des crémants de la maison Loron a largement franchi les frontières du Beaujolais. Issu du seul chardonnay, ce crémant développe de fines bulles qui galvanisent l'éclat d'une livrée or clair. L'olfaction, d'abord discrète, s'ouvre à l'aération sur les fleurs blanches. La bouche dévoile beaucoup de matière, tout en gardant une grande fraîcheur, sous-tendue par une fine trame acide. Le **blanc Cuvée royale (5 à 8 € ; 15 000 b.)**, un pur chardonnay lui aussi, penche plutôt vers la rondeur et la douceur, une pointe de fraîcheur apportant l'équilibre. Il est cité.

SAS Louis Loron et Fils, Le Vivier, 69820 Fleurie, tél. 04.74.04.10.22, fax 04.74.69.84.19, fernand.loron@wanadoo.fr
t.l.j. sf dim. 8h30-12h 13h30-18h; sam. 8h30-12h

LES ESSENTIELS DE MANCEY Blanc de noirs 2007 ★★

7 500 | 8 à 11 €

Avec ce blanc de noirs (pinot noir assaisonné d'un soupçon de gamay), la coopérative de Tournus a frappé à la porte du grand jury. Ce crémant, vêtu d'une pimpante robe jaune d'or parcourue d'une myriade de fines bulles, fait étalage d'une belle complexité aromatique : fruits jaunes, amande, viennoiserie. La bouche associe une belle vinosité à une vivacité mesurée et à un dosage bien ajusté. Un ensemble sans défaut, très équilibré et prêt à passer à table avec une volaille à la crème

Cave des Vignerons de Mancey, RN 6, En Velnoux, BP 100, 71700 Tournus, tél. 03.85.51.00.83, fax 03.85.51.71.20, contact@cave-mancey.com t.l.j. 8h-12h 14h-18h

DOM. MOUTARD-DILIGENT ★

15 000 | 8 à 11 €

Très appréciée pour la qualité de ses champagnes, la maison Moutard-Diligent a acheté un domaine de 18 ha proche de Tonnerre. Elle signe un crémant rosé couleur saumon clair aux reflets cuivrés, animé par une fine effervescence. Un bouquet de fruits frais annonce une bouche souple et friande, où griotte et framboise s'attardent longuement, portées par une acidité bien fondue. Pour un dessert aux fruits rouges ou une mousse au chocolat.

Dom. Moutard-Diligent, 81, Grande-Rue, 89700 Molosmes, tél. 03.25.38.50.73, fax 03.25.38.57.72, champagne@champagne-moutard.eu

HENRI MUTIN 2008 ★

5 400 | 5 à 8 €

Installé à Massingy, près de Châtillon-sur-Seine, dans les bâtiments d'une ancienne dépendance des évêques de Langres, le domaine Mutin, auparavant en polyculture, produit depuis 1992 du crémant exclusivement issu de raisins chatillonnais. Depuis 2010, la conversion au bio est entamée. Ce 2008 né de pinot noir (90 %) et de chardonnay est parcouru de fines bulles, et dévoile un nez suave ouvert sur les fleurs blanches, l'abricot sec et la pêche blanche accompagnés d'une pointe beurrée. Après une attaque pleine de vivacité, presque mordante, la bouche se fait plus courtoise, elle s'assouplit et s'épanouit en une jolie finale sur les agrumes. À boire à l'apéritif.

SARL Henri Mutin, La Grange aux Clercs, 21400 Massingy, tél. 06.07.17.55.11, fax 03.80.91.33.97, henri.mutin@wanadoo.fr
t.l.j. sf dim. 8h-12h 14h-19h; f. 15-25 août

A. NOIROT ET FILS Blanc de noirs ★★

3 000 | 5 à 8 €

Ce blanc de noirs a frôlé le coup de cœur. Ses arguments : une élégante robe jaune pâle aux reflets légèrement rosés ; un nez fin, au fruité épanoui (pêche,

pamplemousse, abricot sec) ; une bouche longue et harmonieuse associant gras et minéralité dans un équilibre parfaitement ajusté. « Joli ! », note, à trois reprises, une dégustatrice à l'évidence conquise.
SARL Noirot et Fils,
Les Coteaux du Châtillonnais, Bellevue, 21400 Pothières,
tél. et fax 03.80.81.92.38
t.l.j. 12h-13h30 18h-20h; sam. dim. sur r.-v.

LOUIS PICAMELOT

87 421 | 8 à 11 €

Coup de cœur l'an passé, l'incontournable maison Louis Picamelot s'invite à nouveau dans ce chapitre avec cette cuvée d'assemblage, où les emblématiques pinot noir et chardonnay voisinent avec un peu d'aligoté (12 %). Fleurs blanches, fruits secs, agrumes et notes briochées composent un joli bouquet. La bouche, un tantinet marquée par la liqueur, se révèle ronde, souple et assez vineuse. Tout désigné pour animer un buffet froid garni de charcuteries fines et de crustacés.
Maison Louis Picamelot, 12, pl. de la Croix-Blanche,
71150 Rully, tél. 03.85.87.13.60, fax 03.85.87.63.81,
info@louispicamelot.com
t.l.j. sf sam. dim. 8h-12h 13h30-17h

DOM. PIGNERET FILS ★

18 060 | 5 à 8 €

Si leur domaine n'est pas agréé en bio, Éric et Joseph Pigneret revendiquent une viticulture respectueuse du sol et de la plante (enherbement, compost « maison », traitements limités au maximum). Ils manient aussi la bulle avec talent. Pour preuve ce crémant jaune paille à l'effervescence discrète, au nez brioché et floral, au palais souple, long et fruité, au dosage un rien sensible. Un ensemble gourmand, à déguster de l'apéritif au dessert.
Dom. Pigneret Fils, Vingelles, 71390 Moroges,
tél. et fax 03.85.47.15.10, dpm.pigneret@orange.fr
t.l.j. 9h-12h 14h-18h

DOM. ROYET ★

25 000 | 5 à 8 €

C'est à Couches – célèbre pour son château où Marguerite de Bourgogne (XVe s.), répudiée pour adultère par Louis X le Hutin, dut finir ses jours – que Jean-Claude Royet s'est installé en 2005 sur ce domaine familial créé en 1964. Il a replanté l'intégralité des 12 ha du vignoble et entièrement rénové la cuverie. Des efforts payants, à en juger par ce crémant où le chardonnay occupe une place essentielle (70 %), le pinot noir et l'aligoté le complétant. Dans le verre, de fines bulles s'étalent en un cordon délicat. Le nez, élégant, livre des parfums fruités entremêlés de senteurs briochées. Centrée sur les fruits rouges, la bouche se révèle ample et ronde, dévoilant en finale un dosage assez sensible. Un beau crémant d'apéritif.
Dom. Royet, Combereau, 71490 Couches,
tél. 03.85.49.64.01, fax 03.85.49.61.77,
scev.domaine.royet@wanadoo.fr
t.l.j. sf dim. 9h-12h 14h-19h

SIMONNET-FEBVRE

n.c. | 8 à 11 €

Les nobles chardonnay et pinot noir constituent la trame de ce crémant brut aux origines chablisiennes. Très présent à l'œil dans sa tunique or blanc parcourue de fines bulles, ce vin emprunte aux terroirs de la région cette finesse toute « kimméridgienne » qui plaît tant aux amateurs de vins droits. Le nez, un brin ferme au départ, fait place à l'agitation à un tendre brioché stimulé par des notes d'agrumes. La bouche se révèle franche, fraîche et souple. Parfait pour l'apéritif.
Simonnet-Febvre, 30, rte de Saint-Bris, 89530 Chitry,
tél. 03.86.98.99.00, fax 03.86.98.99.01,
contact@simonnet-febvre.com
t.l.j. sf dim. lun. 10h-12h30 14h-18h30;
sur r.-v. hors saison
Louis Latour

BOURGOGNE

ALBERT SOUNIT Châtaignier ★

10 150 | 8 à 11 €

Baptisée Châtaignier en raison du majestueux représentant de la famille des castanéacées trônant au milieu de la parcelle, cette cuvée est née d'un assemblage original de pinot noir (40 %) porteur de corps et de structure, du polisson gamay (20 %) et du pinot beurot qui arrondit joliment les angles. Le résultat est un rosé à l'olfaction fine et légère, sur les fleurs blanches et la pêche, et à la bouche gourmande, consistante et fruitée. Tout indiqué pour une salade de fruits.
Maison Albert Sounit, 5, pl. du Champ-de-Foire,
71150 Rully, tél. 03.85.87.20.71, fax 03.85.87.09.71,
albert.sounit@wanadoo.fr r.-v.

DOM. DE LA TOUR BAJOLE Blanc de blancs 2010 ★

3 000 | 5 à 8 €

Ce blanc de blancs, né de l'aligoté (60 %) et du chardonnay sur les terres du pittoresque Couchois, affiche une belle personnalité. Derrière sa robe dorée animée de bulles fines et abondantes, on découvre un nez ouvert sur les fleurs blanches et agrémenté de notes beurrées. Le palais séduit par sa finesse, sa fraîcheur, son volume et sa persistance fruitée.
Marie-Anne et Jean-Claude Dessendre,
Dom. de la Tour Bajole, 11, rue de la Chapelle,
71490 Saint-Maurice-lès-Couches, tél. et fax 03.85.45.52.90,
domaine-de-la-tour-bajole@wanadoo.fr r.-v.

VEUVE AMBAL Cuvée or ★★

250 000 | 8 à 11 €

Gros succès pour la Veuve Ambal, maison bourguignonne dont la renommée ne souffre aucune réserve. Trois de ses crémants sont sélectionnés. En tête, cette Cuvée or qui fait la part belle au chardonnay (90 %), l'aligoté en appoint. Un brut délicat, vêtu d'un or brillant strié de reflets émeraude et « droit dans ses bulles », dévoilant un joli bouquet fruité de pamplemousse et de citron vert, la bouche fine, élégante et équilibrée, tapissée de fruits confiturés. Un bon parti pour une dorade parfumée à l'aneth. La cuvée principale **brut blanc (5 à 8 € ; 600 000 b.)**, qui assemble quatre cépages (pinot noir à 55 %, chardonnay, gamay et aligoté), est bien équilibrée entre dosage et acidité, et obtient une étoile. Cité, le **blanc Prestige (150 000 b.)** est un « vin de plaisir », souple, rond et fruité (mirabelle).
Veuve Ambal, Le Pré-Neuf, 21200 Montagny-lès-Beaune,
tél. 03.80.25.01.70, fax 03.80.25.01.79,
contact@veuve-ambal.com t.l.j. 10h-13h 14h-18h;
f. sam. dim. de déc. à mars
Éric Piffaut

L. VITTEAUT-ALBERTI 2009 ★

25 000 ▮ 5 à 8 €

Valeur sûre, la maison Vitteaut-Alberti multiplie les tentations effervescentes sous la houlette, depuis 2010, d'Agnès Vitteaut, juriste convertie aux sciences de la vigne et du vin. Ce crémant assemble à parts égales le pinot noir et le chardonnay, avec 20 % d'aligoté en complément. Joliment paré d'or aux reflets verts, il déploie une effervescence abondante de fines bulles. Le nez, expressif et élégant, associe fleurs blanches, nuances minérales, fraîcheurs fruitées (poire) et douceurs briochées. La bouche, vive et acidulée en attaque, s'arrondit par la suite, offrant en finale un bel équilibre. Parfait pour des coquillages.

Vitteaut-Alberti, 16, rue de la Buisserolle, 71150 Rully, tél. 03.85.87.23.97, fax 03.85.87.16.24, contact@vitteaut-alberti.fr

t.l.j. sf dim. 8h-12h 14h-18h30

Le Chablisien

Malgré une célébrité séculaire qui lui a valu d'être imité de la façon la plus fantaisiste dans le monde entier, le vignoble de Chablis a bien failli disparaître. Deux gelées tardives, catastrophiques, en 1957 et en 1961, ajoutées aux difficultés du travail de la vigne sur des sols rocailleux et terriblement pentus, avaient conduit à l'abandon progressif de la culture de la vigne ; le prix des terrains en grands crus atteignait un niveau dérisoire, et bien avisés furent les acheteurs du moment. L'apparition de nouveaux systèmes de protection contre le gel et le développement de la mécanisation ont rendu ce vignoble à la vie.

L'aire d'appellation couvre les territoires de la commune de Chablis et de dix-neuf communes voisines dans les quatre appellations chablis. Les vignes dévalent les fortes pentes des coteaux qui longent les deux rives du Serein, modeste affluent de l'Yonne. Une exposition sud-sud-est favorise à cette latitude une bonne maturation du raisin, mais on trouvera plantés en vigne des « envers » aussi bien que des « adroits » dans certains secteurs privilégiés. Le sol est constitué de marnes jurassiques (kimméridgien, portlandien). Il convient admirablement à la culture du chardonnay, comme s'en étaient déjà rendu compte au XIIes. les moines cisterciens de la toute proche abbaye de Pontigny, qui y implantèrent sans doute ce cépage, appelé localement beaunois. Celui-ci exprime ici plus qu'ailleurs ses qualités de finesse et d'élégance, qui font merveille sur les fruits de mer, les escargots, la charcuterie. Premiers et grands crus méritent d'être associés aux mets de choix : poissons, charcuterie fine, volailles ou viandes blanches, qui pourront d'ailleurs être accommodés avec le vin lui-même.

Petit-chablis

Superficie : 780 ha
Production : 46 000 hl

Cette appellation constitue la base de la hiérarchie bourguignonne dans le Chablisien et provient des parcelles installées à la périphérie des appellations plus prestigieuses. Moins complexe que le chablis, le petit-chablis possède une acidité un peu plus élevée. Autrefois consommé en carafe, dans l'année, il est maintenant mis en bouteilles. Victime de son nom, il a eu de la peine à se développer, mais il semble qu'aujourd'hui le consommateur ne lui tienne plus rigueur de son adjectif dévalorisant.

BLASON DE BOURGOGNE
Empreintes authentiques 2010 ★

107 300 ▮ 5 à 8 €

Blasons de Bourgogne est la marque de plusieurs caves coopératives, dont la Chablisienne qui a signé ce petit-chablis de caractère. L'élevage en cuve est limité à trois mois afin de préserver au maximum la fraîcheur du vin. Le nez, délicat, mêle les agrumes à la minéralité. Cette dernière, également marquée en bouche, confère ainsi au vin une grande pureté qui souligne la matière. On pourra servir cette bouteille avec des viandes blanches.

Union Blasons de Bourgogne, rue du Serein, 89800 Chablis, tél. 03.86.42.88.34, fax 03.86.42.83.75, blasons@blasonsdebourgogne.fr

DOM. DU CHARDONNAY 2010 ★

35 000 ▮ 5 à 8 €

Étienne Boileau, William Nahan et Christian Simon, installés sur 37 ha, défendent en commun la cause du chardonnay, avec constance : en petit-chablis, une étoile pour ce millésime 2010, comme pour le 2009. Un vin bâti sur l'élégance. La séduction commence au nez, entre fleurs blanches et fruits exotiques. Les agrumes s'imposent au cœur d'une bouche vive, soutenue par la minéralité. À boire à l'apéritif, autour de quelques gougères.

Dom. du Chardonnay, moulin du Pâtis, 89800 Chablis, tél. 03.86.42.48.03, fax 03.86.42.16.49, info@domaine-du-chardonnay.fr

t.l.j. 9h-12h 13h30-17h (sf. sam. dim. jan.-mars)

É. Boileau, W. Nahan et C. Simon

DOM. CHEVALLIER 2010 ★★

1 600 ▮ 5 à 8 €

Un petit-chablis comme on les aime, avec de la fraîcheur, de la vivacité, et aussi de la finesse. Avec ce 2010, Claude et Jean-Louis Chevallier, vignerons installés non loin d'Auxerre, ont frôlé le coup de cœur. Si le nez fait preuve de timidité dans ses subtils arômes de fleurs blanches (chèvrefeuille), la bouche est une ligne droite soutenue par la minéralité. Des agrumes, de la rondeur et juste ce qu'il faut d'acidité pour en faire un vin d'une extrême élégance. Prêt à ajouter au plaisir d'un plateau de fruits de mer.

Dom. Chevallier, 6, rue de l'École, Montallery, 89290 Venoy, tél. 03.86.40.27.04, fax 03.86.40.27.05, domaine.chevallier.chablis@wanadoo.fr r.-v.

CHRISTOPHE ET FILS 2010 ★

11 000 ■ 5 à 8 €

Et une étoile, cette année, pour Sébastien Christophe qui prend de la notoriété au sein du vignoble chablisien. Son petit-chablis aux reflets dorés joue sur la rondeur. Un caractère qui est annoncé par le côté beurré du nez, nuancé de notes de fruits mûrs, et qui se confirme en bouche. On y trouve beaucoup de gras, avec un côté crémeux, la nervosité propre à l'appellation restant à l'arrière-plan. Cela n'enlève rien à l'élégance de ce vin. Pour le lapin plutôt que pour la carpe... Terrines, quiches et tourtes sont également bienvenues.

Dom. Christophe et Fils, ferme des Carrières à Fyé, 89800 Chablis, tél. et fax 03.86.55.23.10, domaine.christophe@wanadoo.fr r.-v.

DOM. JEAN-CLAUDE COURTAULT 2010 ★

24 500 ■ 5 à 8 €

Tourangeau débarqué dans le Chablisien en 1974, Jean-Claude Courtault a vite appris à travailler le chardonnay. En 2008, sa fille Stéphanie et son gendre Vincent Michelet l'ont rejoint. Ici, le petit-chablis, qui représente la moitié des 18 ha du domaine, est choyé. Des vendanges à maturité optimale, un élevage sur lies fines, il n'en faut pas plus pour obtenir une grande expression aromatique. Ce 2010 frôle les deux étoiles. Le nez élégant se partage entre chèvrefeuille, pêche blanche et abricot frais. Dans le même registre, la bouche intense et gourmande est relevée par des notes épicées et soulignée par un trait de minéralité. Parfait avec des fruits de mer.

Dom. Jean-Claude Courtault, 1, rte de Montfort, 89800 Lignorelles, tél. 03.86.47.50.59, fax 03.86.47.50.74, jc.courtault@wanadoo.fr

t.l.j. 9h-12h 14h-18h; sam. dim. sur r.-v.

ÉRIC DAMPT Vieilles Vignes 2010 ★

n.c. ■ 5 à 8 €

Établi à Collan, entre Chablis et Tonnerre, le vignoble Dampt s'est constitué au cours des trente dernières années sur les coteaux du Chablisien. Ici, c'est Éric, l'un des trois frères Dampt, qui signe ce petit-chablis. Cette cuvée peut se résumer par un mot : harmonie. La fraîcheur et la vivacité sont le fil conducteur de la dégustation, aussi bien au nez qu'en bouche, et la petite pointe d'amertume finale n'a rien de désagréable. Bel accord avec un fromage de chèvre frais.

EARL Éric Dampt, 16, rue de l'Ancien-Presbytère, 89700 Collan, tél. 03.58.16.90.31, eric@dampt.com

r.-v.

VIGNOBLE DAMPT Élégance 2010 ★★

n.c. ■ 5 à 8 €

Entre Serein et Armançon, Chablisien et Tonnerrois, le Vignoble Dampt, conduit par trois frères, offre de multiples étiquettes. Portée par la société Dampt-Dupas, la cuvée Élégance est souvent la vitrine du vignoble familial : le 2007 avait reçu un coup de cœur, et le 2010 est de la même veine. Très représentatif de l'appellation, ce millésime a tout ce qui fait du petit-chablis un vin de plaisir immédiat. Fraîcheur et vivacité, rondeur et minéralité, rien ne manque, à toutes les étapes de la dégustation. À partager avec des gougères, à l'heure de l'apéritif.

EARL Dampt-Dupas, 3, rte de Tonnerre, 89700 Collan, tél. 03.86.54.49.52, fax 03.86.54.49.89, emmanuel@dampt.com r.-v.

VIGNOBLE DAMPT 2010 ★

n.c. 5 à 8 €

Avec trois frères vignerons, la famille Dampt a plusieurs étiquettes. C'est Hervé qui signe ce petit-chablis, reflet du savoir-faire familial et du terroir. Pas d'artifice dans ce 2010 d'un or pâle brillant qui entre rapidement dans le vif du sujet. Les fleurs blanches dominent le nez sur un fond de minéralité. Celle-ci conduit la bouche jusqu'à la finale, sans que le vin manque d'étoffe. Un ensemble vif et plaisant pour donner la réplique à une douzaine d'escargots.

EARL Hervé Dampt, rue de Fleys, 89700 Collan, tél. 03.86.55.29.55, fax 03.86.55.47.32, vignoble@dampt.com

r.-v.

VIGNOBLE DAMPT 2010 ★★

n.c. ■ 5 à 8 €

Portant la devise et la signature de la famille Dampt, ce petit-chablis en tout point remarquable constitue un modèle de l'appellation : simple, droit, sans détour, et tellement bien fait. Le nez vous ferait presque de l'œil tant il est séducteur et vif. La finesse et la fraîcheur nerveuse s'expriment aussi en bouche, avec cette part de minéralité qui ajoute de la longueur – et appelle les huîtres. Avec un tel vin, le citron est-il bien nécessaire ?

Vignoble Dampt, rue de Fleys, 89700 Collan, tél. 03.86.55.29.55, fax 03.86.55.47.32, vignoble@dampt.com

r.-v.

AGNÈS ET DIDIER DAUVISSAT 2010

5 000 ■ 5 à 8 €

Sur la rive gauche du Serein, autour de Beine, le petit-chablis est assez présent. Il représente environ un tiers des surfaces exploitées par Agnès et Didier Dauvissat. Celui-ci formera un bel échange gustatif avec des charcuteries – rillettes, andouille ou autre cervelas – grâce à son nez floral et à sa bouche, un peu sévère en finale mais bien équilibrée entre rondeur et acidité.

Agnès et Didier Dauvissat, chem. de Beauroy, 89800 Beine, tél. 03.86.42.46.40, fax 03.86.42.80.82, agnes-didier.dauvissat@wanadoo.fr r.-v.

WILLIAM FÈVRE 2010 ★

n.c. ■ 8 à 11 €

Producteur et négociant, le domaine William Fèvre aujourd'hui propriété de la maison champenoise Henriot détient 15 ha de grands crus, soit 15 % de la superficie totale du haut de la pyramide chablisienne. Ce qui n'empêche pas les petit-chablis d'être aussi bichonnés que les vins de plus haut lignage. Pour Didier Seguier, le maître de chai, c'est le terroir qui doit s'exprimer, quelles que soient les parcelles. Voyez ce 2010, aussi typé qu'élégant. Les parfums sont nets, sur les agrumes rehaussés de notes mentholées. En bouche, la minéralité trace le sillon et apporte vivacité et fraîcheur. Pour des poissons grillés.

Dom. William Fèvre, 21, av. d'Oberwesel, 89800 Chablis, tél. 03.86.98.98.98, fax 03.86.98.98.99, contact@williamfevre.com

t.l.j. 9h30-12h30 13h30-18h; f. déc.-fév.

Famille Henriot

DOM. GARNIER ET FILS 2010 ★

24 000 ■ 5 à 8 €

Priorité au fruit et au terroir. Au domaine Garnier, on a plutôt tendance à laisser faire la nature. Pas de levurage ni de fermentations longues ; pas de filtrations non plus. Dans le verre, un vin complexe et gourmand. La robe dorée donne le ton, annonçant des parfums beurrés et des notes de fruits mûrs. Ce chardonnay tapisse ensuite la bouche de son gras et de sa rondeur, et la vivacité reste en retrait. Atypique mais agréable, ce petit-chablis trouvera facilement sa place auprès d'un sandre au beurre blanc.

Dom. Garnier et Fils, chem. de Méré, 89144 Ligny-le-Châtel, tél. 03.86.47.42.12, fax 03.86.98.09.95, info@chablis-garnier.com r.-v.

DOM. DE GUETTE-SOLEIL 2010 ★★

4 500 | 5 à 8 €

Guette-Soleil, le joli nom ! Et il va à ravir à ce chardonnay d'un jaune paille soutenu. Il était finaliste dans la course aux coups de cœur, ce petit-chablis élaboré par Loïc Vilain. Un élevage de dix mois en cuve sur lies fines, il n'en faut sans doute pas plus pour obtenir un vin d'une grande pureté. Tout y est : la maturité du raisin, qui s'exprime à travers les arômes de pêche, de poire et de vanille ; la minéralité et la rondeur en bouche. Un ensemble gourmand, avec juste ce qu'il faut d'acidité pour ajouter une touche d'élégance. On le servira dès maintenant avec un poisson cuisiné.

Dom. de Guette-Soleil, 20, rue du Pont, 89800 Chemilly-sur-Serein, tél. 03.86.42.16.91, fax 03.86.42.12.79, domaineguettesoleil@wanadoo.fr
t.l.j. sf sam. dim. 8h-12h 13h30-17h30; f. août

LAMBLIN 2010 ★★

50 000 | 5 à 8 €

La famille est enracinée dans le vignoble chablisien depuis 1690, soit douze générations qui savent ce que terroir veut dire. Les Lamblin s'entendent en tout cas à le faire parler et pas seulement dans leurs parcelles classées en grand cru. Ce petit-chablis va le chercher au bout de ses racines. Un nez légèrement calcaire et minéral ; une bouche gourmande dominée par les agrumes et marquée par une minéralité qui équilibre les impressions de rondeur. Un vin très élégant, d'une grande pureté. C'est droit, c'est long et c'est bon. Il n'y aura pas de faute de goût à servir cette bouteille avec un plateau de fruits de mer ou une sole grillée.

Lamblin et Fils, rue Marguerite-de-Bourgogne, 89800 Maligny, tél. 03.86.98.22.00, fax 03.86.47.50.12, infovin@lamblin.com
t.l.j. sf dim. 8h-12h 14h-17h; sam. 8h-11h30

DOM. LAROCHE-PIERRE 2010 ★★★

700 | 5 à 8 €

Un tout jeune domaine, et déjà trois étoiles ! Ce 2010 est le premier millésime mis en bouteilles par Pierrick Laroche qui a passé son diplôme d'œnologie et vinifié en Nouvelle-Zélande avant de reprendre l'exploitation familiale. Dès son retour en juin 2009, ses parents ont quitté la cave coopérative. En cuverie, le jeune vigneron a privilégié les fermentations longues pour apporter de la richesse à ses vins. Le résultat ? La note maximale pour ce petit-chablis qui n'a qu'un seul défaut, sa rareté. Le nez est vif et élégant, prélude à une bouche parfaite en tout point : le fruit, la minéralité, la vivacité, la rondeur, la longue finale aromatique, tout contribue au bonheur gustatif. Ouvrez vite les huîtres, c'est un petit-chablis et il n'est pas fait pour attendre.

NOUVEAU PRODUCTEUR

SCEV Laroche et Fils, 3, chem. des Hâtes, 89800 Maligny, tél. 06.73.67.33.47, fax 03.86.55.35.83, pierrick.laroche@aliceadsl.fr r.-v.

ROLAND LAVANTUREUX 2010 ★★

25 000 | 5 à 8 €

Le village de Lignorelles, aux confins nord du Chablisien, fournit beaucoup de petit-chablis. Roland Lavantureux sait traiter le sujet : au fil des éditions du Guide, il a proposé nombre de millésimes jugés remarquables dans cette appellation – le dernier en date étant le 2009. Son fils Arnaud semble avoir hérité de son savoir-faire. Tout juste installé, il a vinifié entièrement le 2010, un vin dorloté, qui a passé un an en cuve avant d'être mis en bouteilles. Son nez passe des fleurs blanches aux fruits secs sans se départir de sa finesse. La bouche a trouvé son équilibre entre rondeur et minéralité. L'ensemble, vif et droit, semble fait pour les fruits de mer.

Dom. Roland Lavantureux, 4, rue Saint-Martin, 89800 Lignorelles, tél. 03.86.47.53.75, fax 03.86.47.56.43, domaine.lavantureux@gmail.com
t.l.j. 8h-20h; dim. sur r.-v.

DOM. DE LA MOTTE Le Cadet 2010 ★

15 000 | 5 à 8 €

La vivacité, c'est sans doute ce qui caractérise le plus ce petit-chablis de la famille Michaut. Un vin qui ne traîne pas en cuve (quatre mois d'élevage) et qui a envie de marcher avant de tenir debout. Il se fait séducteur avec son nez frais et citronné. En bouche, la minéralité confirme ce caractère. Franchise, finesse, fraîcheur : cela sonne comme un slogan, mais ces trois mots résument bien cette bouteille faite pour les fruits de mer. À noter que ces producteurs de Beine peuvent vous faire visiter le petit lac artificiel de leur village, équipé d'un système de protection par aspersion de la vigne contre le gel.

SCEA Dom. de la Motte, 35, Grande-Rue, 89800 Beine, tél. 03.86.42.43.71, fax 03.86.42.49.63, mottemichaut@wanadoo.fr
t.l.j. 10h30-18h; mer. dim. sur r.-v.
Michaut

ISABELLE ET DENIS POMMIER 2010 ★

16 000 | 5 à 8 €

Encore un domaine qui a engagé récemment sa conversion vers l'agriculture biologique. Pour autant, Isabelle et Denis Pommier ont toujours montré beaucoup d'application dans l'élaboration de leurs vins, témoin ce petit-chablis : douze mois d'élevage en cuve, voilà qui donne une certaine assise. Le fruit est bien présent, notamment au nez. Et si en bouche, on cherche la minéralité caractéristique de l'appellation, l'ensemble n'en demeure pas moins harmonieux.

Isabelle et Denis Pommier, 31, rue de Poinchy, Poinchy, 89800 Chablis, tél. 03.86.42.83.04, fax 03.86.42.17.80, isabelle@denis-pommier.com
t.l.j. 9h-12h 14h-18h; sam. dim. sur r.-v.

DOM. ROY 2010 ★

8 000 | 5 à 8 €

Chez les Roy, on prend son temps afin que le vin se livre complètement : un an d'élevage en cuve pour ce petit-chablis fidèle à l'appellation, imprégné de son terroir.

Rien d'étonnant à ce que la fraîcheur et la vivacité soient alors au rendez-vous. Le nez s'ouvre tout en finesse, tandis que la bouche est tendue comme un arc. Ce vin est une ligne droite. Pour des fruits de mer et du poisson grillé.
SCEA Dom. Roy, 71, Grand-Rue, 89800 Fontenay-près-Chablis, tél. 03.86.42.10.36, fax 03.86.18.92.25, domaine.roy@orange.fr r.-v.

DOM. SAINTE-CLAIRE 2010 ★

200 000 | 5 à 8 €

On ne présente plus le domaine créé par Jean-Marc Brocard en 1974 à partir d'un hectare de vignes. Aujourd'hui, ce sont 200 ha qui sont exploités par sa famille. Avec l'arrivée de Julien, la propriété engage progressivement sa conversion vers la biodynamie. Élevé en cuve, ce petit-chablis est très représentatif de l'appellation et d'un terroir marqué par la minéralité. C'est cette expression que l'on retrouve dans ce vin, aussi bien au nez qu'en bouche. Un ensemble harmonieux, fruité et séducteur. À boire à l'apéritif. Une étoile également pour **La Côte Marjac 2010 (9 000 b.)** provenant d'un domaine racheté en 2004 par Jean-Marc Brocard. Un petit-chablis qui plaît par son côté croquant, son fruité gourmand et sa richesse.
Jean-Marc Brocard, 3, rte de Chablis, 89800 Préhy, tél. 03.86.41.49.00, fax 03.86.41.49.09, info@brocard.fr t.l.j. sf dim. 9h30-13h 14h-18h30

♥ DOM. SÉGUINOT-BORDET 2010 ★★

8 000 | 5 à 8 €

Domaine Séguinot-Bordet

PETIT CHABLIS
APPELLATION PETIT CHABLIS CONTRÔLÉE
Domaine Séguinot-Bordet
Alc. 12,5% by vol. Propriétaire-Récoltant à MALIGNY F 89800 Chablis Mis en bouteille à la propriété 750 ml
PRODUCT OF FRANCE · CONTAINS SULFITES

Une des plus anciennes familles du Chablisien, établie à Maligny sur la rive droite du Serein. Roger Séguinot, le grand-père, peut être fier de son petit-fils Jean-François Bordet, qui a repris le domaine familial en 1998 : le petit-chablis de l'exploitation obtient un coup de cœur pour son nez expressif de fleurs blanches agrémenté de fruits et de nuances briochées, et surtout pour sa bouche, qui dévoile une rondeur, une richesse et un gras peu communs, contrebalancés par une minéralité persistante. Un ensemble friand et gourmand, qu'un dégustateur n'a pas hésité à conseiller pour un turbot en sauce. Un grand « petit » !
EARL Dom. Séguinot-Bordet, 8, chem. des Hâtes, 89800 Maligny, tél. 03.86.47.44.42, fax 03.86.47.54.94, contact@seguinot-bordet.fr t.l.j. 8h-12h 13h30-18h; sam. dim. sur r.-v.; f. 15 août-1er sep.

DOM. DE LA TOUR 2010 ★

4 720 | 5 à 8 €

Le domaine de la Tour est bien à Lignorelles, dans le Chablisien, mais la tour qui figure sur l'étiquette est celle de l'église fortifiée de Chitry, berceau de la famille Chalmeau, apparentée à Renato Fabrici, propriétaire des lieux. Vous suivez ? Non ? Ce n'est pas grave, puisque c'est Vincent Fabrici, le fils de Renato, qui est depuis 2011 à la tête du domaine. Son petit-chablis, lui, ne prend aucun détour, offrant un nez franc d'agrumes, une bouche tout aussi fruitée et portée par l'acidité. Un petit-chablis typique, à servir sur des terrines de poisson.
Dom. de la Tour, 3, rte de Montfort, 89800 Lignorelles, tél. 03.86.47.55.68, fax 03.86.47.55.86, ledomainedelatour@wanadoo.fr r.-v.
Vincent Fabrici

BOURGOGNE

Chablis

Superficie : 3 150 ha
Production : 187 000 hl

Le chablis doit à son sol ses qualités inimitables de fraîcheur et de légèreté. Les années froides ou pluvieuses lui conviennent mal, son acidité devenant alors excessive. En revanche, il conserve lors des années chaudes une fraîcheur et une minéralité que n'ont pas les vins blancs de la Côte-d'Or, également issus du chardonnay. On le boit jeune, mais il peut vieillir jusqu'à dix ans et plus, gagnant ainsi en complexité.

DOM. DE L'ABBAYE DU PETIT QUINCY 2010 ★

6 000 | 8 à 11 €

À l'abbaye du Petit Quincy, domaine du Tonnerrois conduit par Dominique Gruhier, on conjugue culture et viticulture. Le maître des lieux est plus connu pour ses vins d'AOC bourgogne, dans les trois couleurs, que pour ses chablis. Qu'à cela ne tienne, cette cuvée 2010 ne démérite pas, offrant un bel exemple du chardonnay planté sur sol kimméridgien. Le nez floral puise sa fraîcheur dans des nuances minérales. La bouche plaît par sa finesse, sa rondeur et ses arômes gourmands d'agrumes soulignés d'une légère minéralité. Pour un plaisir immédiat.
Gruhier, rue du Clos-de-Quincy, 89700 Épineuil, tél. 03.86.55.32.51, fax 03.86.55.32.50, vin@bourgognevin.com t.l.j. sf dim. 10h30-12h30 14h30-18h

♥ BARDET ET FILS 2010 ★★

4 700 | 5 à 8 €

Chez les Bardet, à la ferme de la Borde, la relève est assurée. Après Alexandre, le fils de Michel, c'est Damien, le fils de Philippe, qui vient de rejoindre l'exploitation familiale. Et son premier millésime se voit distingué d'un coup de cœur du Guide. Faut-il y voir un lien de cause à effet ? L'avenir le dira. Toujours est-il que ce chablis est admirable. La finesse s'exprime au nez sur des notes de pêche et de fruits confits, pour se retrouver plus tard en bouche : « C'est de la dentelle », souligne un dégustateur. C'est surtout un vin très harmonieux et parfaitement équilibré, dont l'acidité apporte une heureuse vivacité au caractère léger et fruité. Un vin de pêcheur, à ouvrir dès aujourd'hui avec un poisson de rivière (truite ou brochet), ou dans deux ans pour découvrir d'autres expressions.

Dom. Bardet et Fils, ferme de La Borde, 89310 Noyers-sur-Serein, tél. et fax 03.86.82.81.69, vins.bardet@free.fr r.-v.

DOM. JEAN-FRANÇOIS ET PIERRE-LOUIS BERSAN 2010 ★★

6 000 ■ 8 à 11 €

« Donner du plaisir, uniquement pour le plaisir ! », telle est la philosophie partagée par Jean-François Bersan et son fils Pierre-Louis. Deux passionnés, de vin bien sûr, mais aussi de rugby. Pas étonnant que leurs essais soient souvent transformés sur les coteaux de l'Auxerrois ou du Chablisien. Avec ce 2010 issu de leur nouvelle structure de négoce, le plaisir sera immédiat. Nul besoin en effet d'attendre pour apprécier ce chablis au nez intense, rond et fruité. La bouche, longue, précise, est un modèle d'harmonie entre les arômes de fruits exotiques et de pamplemousse, et les touches minérales. Un vrai régal pour accompagner un poisson grillé.

Dom. Pierre-Louis et Jean-François Bersan, 5, rue du Dr-Tardieux, 89530 Saint-Bris-le-Vineux, tél. 03.86.53.07.22, fax 03.86.48.97.28, domainejfetplbersan@orange.fr t.l.j. sf dim. 9h-12h 14h-18h

SAMUEL BILLAUD 2010 ★

35 000 ■ 8 à 11 €

Après vingt ans passés au domaine familial, Samuel Billaud vient de créer sa propre maison de négociant-vinificateur. Manifestement, il n'a pas perdu la main. Ce chablis d'une grande pureté en est la preuve. Des parfums de fleurs d'acacia sur fond minéral annoncent une bouche franche et droite, soutenue par une belle acidité enrobée de notes d'épices persistantes. Un vin équilibré qui ne manquera pas de s'épanouir au fil des années. L'andouillette au chablis est toute désignée pour lui donner la réplique, dans deux ou trois ans.

Samuel Billaud, 23, rue de Serein, 89800 La Chapelle-Vaupelteigne, tél. 03.86.51.00.07, samuel.billaud@orange.fr r.-v.

DOM. BILLAUD-SIMON Tête d'Or 2010 ★

25 000 ■ 11 à 15 €

Il ne paye pas de mine ce chablis, dans sa robe très pâle. Pour autant, il dégage une belle expression dès lors qu'on le soumet à l'examen olfactif. Agrumes, pêche, fleurs blanches, toutes ces senteurs se mêlent dans un riche bouquet souligné par la minéralité. C'est en bouche qu'il exprime ensuite sa rondeur, relevée d'une pointe acidulée qui lui assure longueur et fraîcheur. Un vin expressif, typique de l'appellation, que l'on ouvrira sans faute de goût sur un plateau de fruits de mer.

Dom. Billaud-Simon, 1, quai de Reugny, BP 46, 89800 Chablis, tél. 03.86.42.10.33, fax 03.86.42.48.77, bernard.billaud@online.fr r.-v.

BLASON DE BOURGOGNE
Empreintes authentiques 2010 ★

350 000 ■ 8 à 11 €

La marque Blason de Bourgogne regroupe une quinzaine d'appellations emblématiques de la région bourguignonne. Elle est notamment portée par la coopérative La Chablisienne qui a élaboré ce chablis minéral à souhait, soutenu par une bonne acidité. Le nez interpelle par sa finesse et sa vivacité, sur des notes de pierre à fusil. S'ensuit une bouche fraîche et bien structurée, aux nuances citronnées. Un vin en devenir, avec un gros potentiel, qu'il vaut mieux attendre deux ans avant de le servir sur une terrine de poisson ou de volaille.

Union Blasons de Bourgogne, rue du Serein, 89800 Chablis, tél. 03.86.42.88.34, fax 03.86.42.83.75, blasons@blasonsdebourgogne.fr

DANIEL BOCQUET 2010 ★

4 000 ■ 5 à 8 €

Déjà étoilé pour son précédent chablis, Daniel Bocquet récidive avec le millésime 2010. Le vigneron, installé à Béru depuis quarante ans, est une valeur sûre comme en témoigne ce vin très élégant et typique de l'appellation. Un nez frais aux allures exotiques, une bouche très expressive, ferme et tendue, le tout souligné par une délicate minéralité qui assure finesse et persistance en finale. Une bouteille que l'on réservera à une douzaine d'huîtres, maintenant ou dans deux ans.

SCEA Daniel Bocquet, 11, Grande-Rue, 89700 Béru, tél. 03.86.75.92.25, fax 03.86.75.97.27, bocquet.daniel2@wanadoo.fr r.-v.

JEAN-MARC BROCARD
Les Vieilles Vignes de Sainte-Claire 2010 ★★

40 000 ■ 11 à 15 €

Il a participé à la finale du grand jury qui décide de l'attribution des coups de cœur. C'est dire si ce chablis de la famille Brocard a fait son effet. L'influence de Julien, qui a convaincu son père de convertir progressivement ce vaste domaine vers la biodynamie, y est sûrement pour quelque chose. Le terroir kimméridgien s'exprime dans ce vin au parfait équilibre, puissant et gourmand en raison de sa maturité. Si le nez est surtout charmeur avec ses notes de pêche, la bouche est opulente, dominée par le fruit mûr et soulignée d'un trait de minéralité iodée. Une bouteille susceptible de donner la réplique à des poissons en sauce.

Jean-Marc Brocard, 3, rte de Chablis, 89800 Préhy, tél. 03.86.41.49.00, fax 03.86.41.49.09, info@brocard.fr t.l.j. sf dim. 9h30-13h 14h-18h30

LA CHABLISIENNE La Sereine 2009 ★

37 200 ■ 11 à 15 €

La Sereine : un clin d'œil au Serein, la rivière qui traverse Chablis. Une identité aussi pour les vins de la cave coopérative, dont ce 2009 bien équilibré, qui se distingue par sa fraîcheur et sa minéralité. Droit et franc, il transporte de frais arômes d'agrumes et de pierre à fusil jusque dans une finale vive et élégante. Rien de mieux qu'une douzaine d'huîtres pour lui donner la réplique. Provenant d'un autre volet de la cave coopérative en matière de commercialisation, mais élaboré par la même équipe, le chablis de l'**Union des Viticulteurs de Chablis 2009 (5 à 8 € ; 139 868 b.)** décroche aussi une étoile. C'est un vin complexe qui balance au nez entre la fleur et l'écorce d'orange. Nerveux en attaque, gourmand et frais, il marie en bouche les agrumes et la minéralité.

🔑 La Chablisienne, 8, bd Pasteur, 89800 Chablis, tél. 03.86.42.89.89, fax 03.86.42.89.90, chab@chablisienne.fr
☑ 🍷 🚶 r.-v.

DOM. DE CHANTEMERLE 2010 ★★

	55 000	▮	5 à 8 €

Des vignes plantées entre les bois où chantaient les merles. Il n'en fallait pas plus à Adhémar Boudin pour trouver le nom de son exploitation familiale. Son fils, Francis, n'a rien changé, même pas l'étiquette façon parchemin qui la distingue entre toutes. Côté vin, rien à dire. Francis Boudin sait faire et plutôt bien. Ce chablis 2010 fait partie cette année des plus beaux échantillons de l'appellation. Un vin floral et élégant au nez, à la fois rond et vif en bouche, gourmand à souhait. Des notes de fruits jaunes bien mûrs et quelques touches miellées viennent réjouir le palais au cours d'une longue finale.

🔑 Dom. de Chantemerle, 3, pl. des Cotats et, 27, rue du Serein, 89800 La Chapelle-Vaupelteigne, tél. 03.86.42.18.95, fax 03.86.42.81.60, dom.chantemerle@orange.fr ☑ 🍷 🚶 r.-v.
🔑 Francis Boudin

DOM. DES CHENEVIÈRES 2010 ★

	40 000	▮	8 à 11 €

Un vin « de caractère », à l'image de Frédéric Gueguen, le gendre de Jean-Marc Brocard, qui conduit son propre domaine depuis près de dix ans. Mais aussi un vin qui se fait « tout seul », le vigneron limitant ses interventions pendant la période d'élevage. C'est sa philosophie, et le résultat est probant. Un nez tout en finesse avec ses senteurs de fleurs d'acacia et de fruits à chair blanche. Une bouche généreuse et minérale, à la matière riche et d'une grande longueur. Il n'en faut pas plus pour faire le bonheur des papilles en compagnie d'une andouillette... au chablis bien sûr.

🔑 Frédéric Gueguen, 3, rte de Chablis, 89800 Préhy, tél. 03.86.41.49.00, fax 03.86.41.49.09, info@brocard.fr
☑ 🍷 🚶 t.l.j. sf dim. 9h-13h 14h-18h30

DOM. CHEVALLIER 2010 ★

	11 000	▮	8 à 11 €

Cité dans le précédent millésime, ce chablis de Claude et Jean-Louis Chevallier progresse d'une étoile dans sa version 2010. Tout est dans le plaisir gustatif : une

BOURGOGNE

Le Chablisien

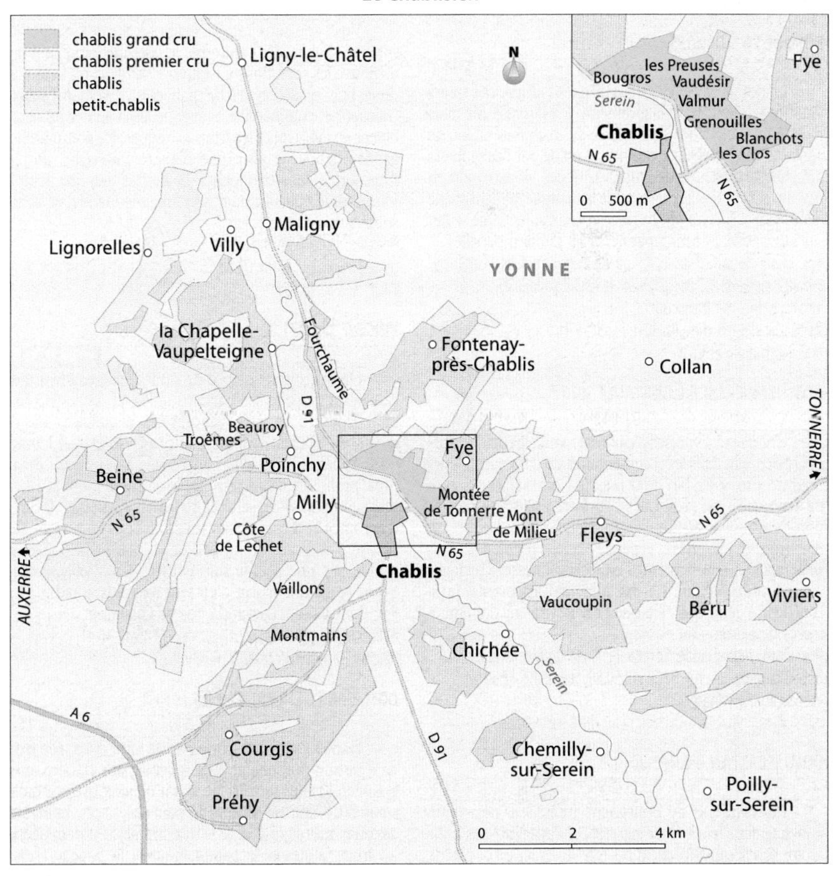

bouche ronde et généreuse, avec du croquant, ce qui lui permettra d'accompagner une andouillette cuisinée avec le même vin. Côté palette aromatique, le nez offre un bouquet d'agrumes bien mûrs, quand les fruits frais (pêche, pamplemousse) tapissent le palais, nuancés de touches iodées et anisées. La minéralité apporte de la vivacité à cet ensemble plutôt gras et gourmand.

Dom. Chevallier, 6, rue de l'École, Montallery, 89290 Venoy, tél. 03.86.40.27.04, fax 03.86.40.27.05, domaine.chevallier.chablis@wanadoo.fr r.-v.

CHRISTOPHE ET FILS Vieilles Vignes 2010 ★

5 000 | 8 à 11 €

Coup de cœur l'an dernier pour son millésime 2009, Sébastien Christophe réussit encore à tenir le rang avec sa cuvée 2010. Élevé pendant douze mois en cuve, avec un court passage en fût, ce vin pur et soyeux ne révèle qu'une infime touche boisée en bouche, s'appuyant avant tout sur la minéralité. Cette dernière confère fraîcheur et finesse à l'olfaction, et une droiture certaine à la dégustation. La finale longue et suave, aux accents de fruits mûrs, conclut un ensemble équilibré et sans détour, à découvrir sans plus attendre.

Dom. Christophe et Fils, ferme des Carrières à Fyé, 89800 Chablis, tél. et fax 03.86.55.23.10, domaine.christophe@wanadoo.fr r.-v.

DOM. DE LA CORNASSE 2010

20 000 | 8 à 11 €

Le domaine de la Cornasse, c'est l'affaire des sœurs Geoffroy et, plus particulièrement, de Nathalie. Six mois d'élevage en cuve ont suffi à faire de ce chablis un vin de plaisir immédiat. Délicat au nez, dominé par des senteurs de fleurs blanches et de fruits exotiques, il s'arrondit en bouche autour des agrumes et de la mangue. Si l'ensemble dénote un caractère plutôt riche et charnu, la finale se fait sur la vivacité. À accompagner d'un jambon persillé.

Dom. de la Cornasse, 4, rue de l'Équerre, Chez Geoffroy, 89800 Beine, tél. 03.86.42.43.76, fax 03.86.42.13.30, info@chablis-geoffroy.com
t.l.j. sf sam. dim. 8h-12h 13h30-17h
Nathalie Geoffroy

DOM. JEAN-CLAUDE COURTAULT 2010 ★

22 000 | 8 à 11 €

Complexe, expressif, équilibré : voilà les qualificatifs qui reviennent dans les commentaires de nos dégustateurs pour décrire ce chablis de la famille Courtault (originaire de Touraine), qui séduit dès l'approche olfactive par ses notes citronnées et florales. La bouche, intense, est au diapason, les agrumes et la pêche blanche prenant le relais pour asseoir une matière d'une belle finesse. Quelques notes anisées et une touche minérale apportent de la fraîcheur à cette bouteille que l'on servira sur des aumônières de saumon au poireau.

Dom. Jean-Claude Courtault, 1, rte de Montfort, 89800 Lignorelles, tél. 03.86.47.50.59, fax 03.86.47.50.74, jc.courtault@wanadoo.fr
t.l.j. 9h-12h 14h-18h; sam. dim. sur r.-v.

DOM. SÉBASTIEN DAMPT 2010 ★

13 500 | 8 à 11 €

Les escargots de Bourgogne frémissent déjà d'impatience dans leur beurre persillé... N'attendez pas pour ouvrir cette bouteille, qui apportera sa vivacité à ce plat de gourmet. Sébastien Dampt, qui a tout appris de son père Daniel et de son grand-père Jean Defaix, sait faire ressortir la fraîcheur et la minéralité de ses chardonnays. Il propose un 2010 net et fruité au nez, vif et intense en bouche, à la longue finale iodée. Un vin sans détour et parfaitement équilibré.

Sébastien Dampt, 23 C, rue du Château, 89800 Milly, tél. 03.86.42.47.23, fax 03.86.42.46.41, sebastien@sebastien-dampt.com r.-v.

VIGNOBLE DAMPT Tradition 2010 ★

n.c. | 5 à 8 €

Il a de la couleur, ce chablis Tradition dans sa robe jaune doré. Et il possède un bouquet d'une grande subtilité, dominé par les agrumes et nuancé de touches minérales. La bouche n'est pas en reste. Franchise, vivacité, matière, finale citronnée, elle offre ce que l'on attend d'un vrai vin de plaisir. Une réussite pour Hervé Dampt, qui livre ici un classique de l'appellation, parfait pour accompagner un plat de poisson, dans un an ou deux.

EARL Hervé Dampt, rue de Fleys, 89700 Collan, tél. 03.86.55.29.55, fax 03.86.55.47.32, vignoble@dampt.com
r.-v.

VIGNOBLE DAMPT 2010 ★★

n.c. | 5 à 8 €

Voici une autre famille Dampt, celle de Collan. Son superbe chablis 2010 renferme le potentiel pour dévoiler de nouvelles sensations gustatives d'ici deux ou trois ans, pour peu que l'on sache patienter. Évoluant sur la fraîcheur et la minéralité, il évoque aussi au nez les fleurs blanches, l'abricot et les fruits exotiques. La gourmandise gagne en bouche avec une matière très riche, ample, transportée dans une longue finale par une fine acidité. Une grande bouteille pour accompagner un filet de bar et son émulsion de crème.

Vignoble Dampt, rue de Fleys, 89700 Collan, tél. 03.86.55.29.55, fax 03.86.55.47.32, vignoble@dampt.com
r.-v.

VINCENT DAMPT 2010 ★★

17 000 | 8 à 11 €

On se croirait au bord de la mer tellement le nez de ce chablis rappelle des parfums iodés, et on devine déjà qu'il trouvera sa place auprès de coquillages ou de crustacés. Vincent Dampt, l'autre fils de Daniel Dampt (avec Sébastien, voir plus haut) a été à bonne école et sait tirer profit de ce terroir argilo-calcaire. Son 2010 se distingue par sa vivacité et passe en revue des arômes d'agrumes et d'anis sur un fond minéral. La bouche fait preuve d'un beau volume et d'une remarquable longueur portée par une acidité qui assurera son vieillissement. Soyez patient, le plaisir n'en sera que plus grand.

Dom. Vincent Dampt, 19, rue de Champlain, 89800 Milly, tél. 03.86.42.47.23, fax 03.86.42.46.41, vincent.dampt@sfr.fr r.-v.

DOM. DANIEL DAMPT ET FILS 2010 ★

80 000 | 8 à 11 €

Daniel Dampt ne parle pas de lutte raisonnée mais de « gestion raisonnable » de ses sols pour extraire toute la minéralité des terroirs. Résultat concret avec ce millésime 2010 qui se distingue par des notes minérales calcaires très aiguisées. Si le nez, intense, est dominé par les fruits jaunes et le pamplemousse, la bouche est un modèle de fraîcheur. Nette et vive, avec juste ce qu'il faut de rondeur, elle sera appréciée d'ici deux ans sur des coquillages.

Daniel Dampt et Fils, 1, rue des Violettes, 89800 Milly, tél. 03.86.42.47.23, fax 03.86.42.46.41, domaine.dampt.defaix@wanadoo.fr r.-v.

DOM. BERNARD DEFAIX 2010 ★

100 000 | 8 à 11 €

Ce domaine de 26 ha, en conversion bio, est désormais géré par Sylvain et Didier, les fils de Bernard Defaix. Vinifié sur lies fines pendant dix mois, leur 2010 d'une grande fraîcheur s'exprime avant tout sur des notes minérales. Une minéralité associée au fruit tant au nez qu'en bouche. Le résultat est un vin vif et gourmand, plaisant aussi par sa matière et sa rondeur. Une jolie harmonie qui trouvera facilement sa place auprès d'un poisson grillé, suite à un ou deux ans de garde.

Dom. Bernard Defaix, 17, rue du Château, 89800 Milly, tél. 03.86.42.40.75, fax 03.86.42.40.28, didier@bernard-defaix.com r.-v.

JEAN-PAUL ET BENOÎT DROIN 2010 ★

73 000 | 8 à 11 €

On a plus l'habitude de lire les noms de Jean-Paul et Benoît Droin dans les pages du Guide dédiées aux premiers et grands crus. Mais, c'est bien connu, qui peut le plus peut le moins. Et ce « simple » chablis élevé dix mois en cuve a été élaboré avec le même soin que les cuvées plus nobles. Il se distingue par la finesse de son bouquet, à la fois floral et fruité (pêche, abricot). La bouche, soyeuse et franche, s'appuie sur une minéralité plaisante qui renforce sa longueur. Beaucoup de matière et de fraîcheur pour ce 2010, prêt à accompagner une sole meunière.

Jean-Paul et Benoît Droin, 14 bis, av. Jean-Jaurès, BP 19, 89800 Chablis, tél. 03.86.42.16.78, fax 03.86.42.42.09, benoit@jeanpaulbenoit-droin.fr
t.l.j. sf sam. dim. 8h30-12h 13h30-17h

GÉRARD DUPLESSIS 2010

8 500 | 8 à 11 €

Voici encore un domaine du Chablisien en conversion vers l'agriculture biologique. Avec à la clé un vin très expressif, dont le nez se promène entre les fleurs blanches, le citron et les fruits exotiques. Quant à la bouche, assez dense et surtout d'une grande longueur, elle dégage une impression de fraîcheur grâce à une acidité bien marquée qui devrait favoriser son vieillissement. On attendra un an ou deux avant d'ouvrir cette bouteille sur des crustacés.

Dom. Gérard Duplessis, 5, quai de Reugny, 89800 Chablis, tél. 03.86.42.10.35, fax 03.86.42.11.11, chablis-duplessis@bbox.fr r.-v.

DURUP 2010 ★★

900 000 | 11 à 15 €

Il n'est pas passé très loin du coup de cœur ce chablis de la famille Durup qui conduit l'un des plus grands domaines de Chablis avec celui de Jean-Marc Brocard. La quantité n'a pas nui à la qualité de ce millésime 2010, à l'harmonie remarquable, qui peut se boire sans attendre. Derrière un nez intense et élégant, sur les agrumes et parcouru de notes minérales, la bouche semble d'une grande pureté. Soyeuse et riche au départ, elle va chercher sa persistance et son équilibre dans une acidité bien présente. Une bouteille que l'on servira volontiers sur un risotto aux champignons.

SA Jean Durup Père et Fils, 4, Grande-Rue, 89800 Maligny, tél. 03.86.47.44.49, fax 03.86.47.55.49, contact@domainesdurup.com
t.l.j. sf sam. dim. 8h-12h 13h30-17h

DOM. DE L'ÉRABLE 2009 ★

4 798 | 8 à 11 €

C'est à Chassignelles, dans le Tonnerrois, que vous pourrez déguster les vins de Joël et Julien Bon, mais c'est bien à Courgis, au cœur du vignoble chablisien, qu'ils sont vinifiés. Après un nez complexe et vineux, au fruité bien mûr, ce 2009 dévoile une bouche riche et dense, enrobée du même fruité chaleureux. Plus gourmand que vif, donc, ce chablis somme toute assez atypique n'en reste pas moins un vin de plaisir immédiat. Pour accompagner un médaillon de lotte, par exemple.

Dom. de l'Érable, 1, rue Émile Proudhon, 89160 Chassignelles, tél. 09.79.17.67.49, fax 03.86.75.05.12, bonj.erable@orange.fr r.-v.

HERVÉ FÉLIX Beau Pinson 2009 ★

4 500 | 8 à 11 €

Ce chablis représente le volet négoce du domaine, Hervé Félix ayant pignon sur rue à Saint-Bris-le-Vineux. Un vin acheté en vrac mais élevé par ses soins pendant dix-huit mois en cuve Inox. Le résultat se fait structuré et gourmand. Annoncée par un bouquet net, à la fois floral et beurré, la bouche se distingue par sa matière, généreuse et intense, teintée de notes épicées. Un chablis riche aux accents poivrés, déjà agréable même s'il développera d'autres atouts dans deux ou trois ans.

Hervé Félix, 17-19, rue de Paris, 89530 Saint-Bris-le-Vineux, tél. 03.86.53.33.87, fax 03.86.53.61.64, domaine.felix@wanadoo.fr
t.l.j. sf dim. 9h-11h45 14h-18h30

DOM. FOURNILLON ET FILS 2009 ★

3 990 | 5 à 8 €

À Bernouil, pays du fromage, il se trouve un viticulteur qui peut s'enorgueillir de posséder une vigne pré-phylloxérique, la « Vigne de l'Empereur », véritable fierté familiale. Mais c'est bien un chardonnay trentenaire du vignoble de Chablis qui a servi à élaborer ce 2009, élevé pendant pas moins de deux ans en cuve. Une patience récompensée avec cette jolie bouteille au nez de fruits confits parsemés d'amandes grillées. Gras et enveloppant, le palais repose sur la rondeur, suggérant un accord gourmand avec une volaille à la crème.

Dom. Fournillon et Fils, 34, Grande-Rue, 89360 Bernouil, tél. et fax 03.86.55.50.96, gaec-fournillon-et-fils@wanadoo.fr
t.l.j. 8h-20h

♥ DOM. GARNIER ET FILS 2010 ★★

90 000 | 8 à 11 €

Netteté, pureté et élégance. Ainsi pourrait-on résumer le moment de dégustation offert par ce chablis de Jérôme Garnier. Ce dernier recherche l'expression simple du fruit et du terroir ; il élève ses vins de la façon la plus naturelle : levures indigènes, pas de filtrations. Le résultat est admirable pour ce millésime. Une robe limpide aux reflets argent, un nez élégant et expressif ; nous assistons à un véritable concours de beauté. En bouche, c'est le bouquet final. L'équilibre est parfait entre les arômes délicats

de pêche, de litchi et la minéralité. Une bouteille faite pour accompagner un poisson noble, à condition d'être un peu patient.
Dom. Garnier et Fils, chem. de Méré, 89144 Ligny-le-Châtel, tél. 03.86.47.42.12, fax 03.86.98.09.95, info@chablis-garnier.com r.-v.

RAOUL GAUTHERIN ET FILS
Cuvée Vieilles Vignes Élevé en fût de chêne 2010 ★

8 900 | 8 à 11 €

Chez les Gautherin, les raisins issus des vignes les plus âgées subissent un traitement spécial avec passage en fût de chêne. Pour autant, le boisé sait rester en retrait tant au nez qu'en bouche dans ce vin bien équilibré aux légers arômes de vanille. Puissant et long, le palais est aussi porté par une belle minéralité qui promet un grand potentiel de garde. Cité, le classique **2010 (30 000 b.)**, aux parfums de fleurs blanches, demande un peu de patience pour s'épanouir.
EARL Raoul Gautherin et Fils, 6, bd Lamarque, 89800 Chablis, tél. 03.86.42.11.86, fax 03.86.42.42.87, domainegautherin@wanadoo.fr
t.l.j. 8h30-12h 13h30-18h; sam. dim. sur r.-v.

ALAIN ET CYRIL GAUTHERON 2010 ★

20 000 | 8 à 11 €

Si le nez se fait discret, révélant à l'aération de fines notes fruitées (pêche) et minérales, la bouche se fait, elle, gourmande. Ce qui apparaît comme un contraste n'enlève rien à l'harmonie de ce chablis rond, tendre et néanmoins équilibré, souligné par un trait de minéralité. Un vin d'une belle intensité fruitée qui trouvera facilement sa place auprès d'une andouillette grillée, dès parution du Guide.
Dom. Alain et Cyril Gautheron, 18, rue des Prégirots, 89800 Fleys, tél. et fax 03.86.42.44.34, vins@chablis-gautheron.com
t.l.j. 9h-12h 13h30-18h; dim. sur r.-v.

DOM. DE LA GRANDE CHAUME Le Grand Bois 2010 ★

4 225 | 11 à 15 €

À Chablis, un Bouchard peut en cacher un autre. Le domaine de la Grande Chaume, c'est l'affaire de Romain qui présente ici son premier millésime certifié AB. Un vin élevé sur lies pendant douze mois, en fût de chêne et en cuve Inox. Le bouquet, complexe, est partagé entre les fleurs blanches, les agrumes et l'ananas, sur fond de pain toasté. La bouche généreuse, tout en rondeur, dévoile un boisé bien maîtrisé pour finir sur une légère touche iodée. À servir sur une terrine de poisson, d'ici deux ans.
Dom. de la Grande Chaume, 1, pl. Émile-Lamotte, 89800 Chablis, tél. 03.86.42.18.64, fax 03.86.42.48.11, romain@romainbouchard.com r.-v.
Bouchard Romain

DOM. GRAND ROCHE 2010 ★★

18 000 | 8 à 11 €

Érick Lavallée, vigneron à Saint-Bris-le-Vineux, maîtrise le chardonnay aussi bien sur les sols du sud Auxerrois que sur le terroir chablisien. Ce chablis 2010, élevé en cuve pendant douze mois, en est la preuve. Au nez, c'est un vin très aromatique, qui évoque à la fois un jardin et un verger. Jardin de fleurs blanches, verger exotique avec ses agrumes (bergamote notamment). Pas étonnant, après une telle approche olfactive, que la bouche soit charmeuse et gourmande. Franche et ronde en attaque, elle dévoile des saveurs fruitées et miellées, toujours mêlées de notes florales qui ajoutent de la finesse. Cette bouteille tout en nuances fera un merveilleux apéritif, et accompagnera avec le même bonheur des viandes blanches crémées.
Lavallée, rte de Chitry, 89530 Saint-Bris-le-Vineux, tél. 03.86.53.84.07, fax 03.86.53.89.81, lavalleeeric@orange.fr
r.-v.

DOM. DE GRILLOT Cuvée Sélection 2010 ★★

7 000 | 8 à 11 €

James Haigre est un récidiviste. Il avait déjà obtenu deux étoiles avec sa cuvée Sélection sur le millésime 2008. Ce 2010, qui bénéficie toujours d'un élevage mixte (fût et cuve), s'avère être un chablis de caractère servi par sa complexité aromatique. Il séduit déjà le regard par sa robe jaune pâle brillant à reflets verts. Le nez, dominé par les fruits exotiques mais aussi la pêche et l'abricot, s'émancipe sur des notes épicées. La bouche d'une grande richesse accueille un soupçon de miel et de notes briochées qui viennent taquiner le fruit. La minéralité ajoute ce qu'il faut de fraîcheur pour faire de cette bouteille un vin complet, déjà dans sa plénitude, que l'on consommera volontiers avec des noix de Saint-Jacques.
James Haigre, Dom. de Grillot, 16, rue de l'Ancien-Presbytère, 89700 Collan, tél. 06.07.62.64.08, fax 03.86.55.47.32 r.-v.

DOM. HAMELIN Vieilles Vignes 2010

16 700 | 8 à 11 €

Le nez respire la minéralité du sous-sol kimméridgien où s'épanouissent les vignes de soixante-dix ans d'âge de Thierry Hamelin, épaulé sur le domaine par son fils Charles. La bouche gourmande se fait à la fois tendre, avec ses doux arômes de fruits jaunes, et droite, avec son acidité franche, minérale, persistante en finale. Un chablis à découvrir dès aujourd'hui sur une tourte au crabe.
Dom. Hamelin, 1, rue des Carillons, 89800 Lignorelles, tél. 03.86.47.54.60, fax 03.86.47.53.34, domaine.hamelin@wanadoo.fr
t.l.j. sf lun. sam. dim. 9h-12h 14h-18h

LAMBLIN ET FILS 2010 ★

60 000	▮	8 à 11 €

Vinification en cuves Inox, élevage sur lies fines pendant huit mois, la maison de négoce Lamblin installée à Maligny depuis 1690 fait dans le classique. Avec succès si l'on en juge par ce vin de plaisir, « facile à boire », comme le note un dégustateur. Le nez citronné et floral fait preuve d'une fraîcheur aiguisée. Au même titre que la bouche fruitée (notes d'agrumes) et tendue par la minéralité. Un vin tout en vivacité, à servir dès maintenant sur une douzaine d'escargots aillés.

Lamblin et Fils, rue Marguerite-de-Bourgogne, 89800 Maligny, tél. 03.86.98.22.00, fax 03.86.47.50.12, infovin@lamblin.com
t.l.j. sf dim. 8h-12h 14h-17h; sam. 8h-11h30

DOM. LAROCHE Saint-Martin 2010 ★

160 000	▮	11 à 15 €

Allez au domaine Laroche, ne serait-ce que pour découvrir l'Obédiencerie, cet ancien monastère du IXes. qui abrite les caves d'élevage des premiers et grands crus de la maison. Les chablis génériques ne sont pas en reste, à l'image de cette cuvée Saint-Martin, d'une belle authenticité. Le bouquet s'exprime tout en finesse sur des arômes de fleurs blanches, avant de dévoiler une bouche droite et vive, portée par une minéralité sans défaut, aux nuances iodées. Un chablis typique, pour honorer une douzaine d'huîtres.

Dom. Laroche, 22, rue Louis-Bro, 89800 Chablis, tél. 03.86.42.89.00, fax 03.86.42.89.29, chrystel.meunier@larochewines.com
t.l.j. 10h-12h 14h-18h

DOM. LAROCHE-PIERRE 2010 ★

1 100	▮	8 à 11 €

C'est le premier millésime proposé à la vente en bouteille par Pierrick Laroche, fils de coopérateurs qui sont sortis de La Chablisienne en 2009. Exercice réussi pour ce jeune vigneron passé par les vignobles de Nouvelle-Zélande. Son chablis, d'une belle intensité, traduit l'expression du terroir. Le nez frais, iodé, sur la pierre à fusil, n'est pas contredit par la bouche. Cristalline, d'une grande pureté, minérale à souhait, celle-ci a ravi les dégustateurs par sa typicité et sa franchise. À servir, sans hésiter, avec des crustacés.

NOUVEAU PRODUCTEUR

SCEV Laroche et Fils, 3, chem. des Hâtes, 89800 Maligny, tél. 06.73.67.33.47, fax 03.86.55.35.83, pierrick.laroche@aliceadsl.fr r.-v.

ROLAND LAVANTUREUX 2010 ★★

60 000	▮	5 à 8 €

Pour un coup d'essai, c'est un coup de maître. Après un stage au fameux Clos des Lambrays, Arnaud Lavantureux a rejoint son père, Roland, au domaine familial. Et c'est lui qui a vinifié ce millésime 2010, son premier, jugé admirable par les dégustateurs. Un vin parfaitement équilibré entre le fruit et la minéralité. Le nez vaut surtout par sa finesse et sa fraîcheur. Quant à la bouche, d'une grande richesse, elle obtient le prix d'excellence. Tout y est : la franchise, la minéralité, la longueur, et juste ce qu'il faut de gras. Après quelques mois de garde, elle fera le bonheur des gourmets en compagnie de poissons grillés.

Dom. Roland Lavantureux, 4, rue Saint-Martin, 89800 Lignorelles, tél. 03.86.47.53.75, fax 03.86.47.56.43, domaine.lavantureux@gmail.com
t.l.j. 8h-20h; dim. sur r.-v.

OLIVIER LEFLAIVE Les Deux Rives 2009 ★

76 000	▮	11 à 15 €

Créé en 1984 pour compléter la gamme des vins produits au domaine familial installé dans la Côte de Beaune, le négoce Olivier Leflaive a vinifié et élevé un chablis issu de terroirs situés de part et d'autre du Serein. Vêtu d'une robe pâle aux reflets verts, ce 2009 s'ouvre sur un bouquet complexe de fruits surmûris, presque confits, et de fleurs blanches. La bouche riche et charnue, comme le veut ce millésime chaleureux, est équilibrée par une discrète acidité. Pour accompagner une poularde de Bresse à la crème, dès aujourd'hui.

Olivier Leflaive Frères, pl. du Monument, 21190 Puligny-Montrachet, tél. 03.80.21.37.65, fax 03.80.21.33.94, contact@olivier-leflaive.com r.-v.

DOM. DE LA MEULIÈRE 2010 ★

121 800	▮	8 à 11 €

Ce sont désormais les frères Laroche, Nicolas et Vincent, qui gèrent le domaine familial dont l'origine remonte à 1777, soit huit générations de vignerons indépendants et fiers de l'être. Leur chablis 2010, élevé en cuve pendant douze mois, est à la fois vif et gourmand. Après un nez floral et subtil, la bouche se montre plus expressive. Fruits confits, notes miellées et un trait de minéralité, il n'en faut pas plus pour que ce vin trouve son équilibre.

La Meulière, 18, rte de Mont-de-Milieu, BP 25, 89800 Fleys, tél. 03.86.42.13.56, fax 03.86.42.19.32, chablis.meuliere@wanadoo.fr t.l.j. 8h-19h
Laroche et Fils

DOM. MILLET 2010

20 000	▮	8 à 11 €

Ils sont basés à Tonnerre, à la ferme de Marcault, mais c'est bien sur le vignoble de Chablis que Baudoin et Paterne Millet exercent leur métier de vignerons. De leur 2010, on oubliera la timidité de l'olfaction pour retenir l'impression de richesse et de puissance en bouche. Les arômes gourmands évoquent la pêche puis des notes miellées en finale, ne laissant pas beaucoup de place à la minéralité. À accorder avec un colin en papillote, dès aujourd'hui.

Dom. Millet, rte de Viviers, Ferme de Marcault, 89700 Tonnerre, tél. 03.86.75.92.56, fax 03.86.75.95.12, intensement@chablis-millet.com r.-v.

OLIVIER MORIN 2010 ★★

2 000	▮	8 à 11 €

Le principe d'Olivier Morin, vigneron à Chitry, c'est de laisser du temps au temps. C'est ce qu'il fait avec sa petite production de chablis élevée pendant trois mois en cuves et douze mois en fûts de 600 l. Avec un résultat remarquable. Le nez n'est que fraîcheur avec ses notes florales et minérales. La bouche, générosité autour d'un fruité volumineux. Ajoutons un boisé bien fondu et une minéralité aiguisée, et nous obtenons tous les ingrédients d'un grand chablis. À savourer sans attendre, avec une araignée de mer dans l'idéal.

Olivier Morin, 2, chem. de Vaudu, 89530 Chitry, tél. 03.86.41.47.20, morin.chitry@orange.fr r.-v.

♥ DOM. DE LA MOTTE Cuvée Vieilles Vignes 2010 ★★★

30 000 ▮ 8 à 11 €

Les huîtres sont ouvertes ? Alors vous pouvez servir ce chablis de la famille Michaut. Les yeux fermés. Car vous venez d'ouvrir l'as des as de l'appellation. La plus belle bouteille de cette édition 2013 selon le grand jury du Guide. Un vin élégant, aérien, subtil, équilibré... Les dégustateurs louent la finesse et la fraîcheur de son bouquet. La bouche est un modèle du genre, avec une minéralité limpide qui donne la réplique à une matière soyeuse et fruitée. Des notes salines en fin de bouche renforcent la complexité aromatique de cette bouteille d'exception. Pour se faire plaisir, dès maintenant.

SCEA Dom. de la Motte, 35, Grande-Rue, 89800 Beine, tél. 03.86.42.43.71, fax 03.86.42.49.63, mottemichaut@wanadoo.fr
t.l.j. 10h30-18h; mer. dim. sur r.-v.
Michaut

DOM. DE PISSE-LOUP 2010 ★

10 000 ▮ 5 à 8 €

Pourquoi « Pisse-Loup » ? Tout simplement parce qu'il s'agit d'un lieu-dit proche du village de Beine où est installé Romuald Hugot. Et le loup a logiquement trouvé sa place sur l'étiquette des vins que celui-ci élabore. Son 2010 est prometteur bien qu'il soit encore discret au nez (il évoque à l'aération quelques notes acidulées de citron vert). La bouche, souple et concentrée, est tendue par une fine minéralité. Elle respire encore la jeunesse et méritera deux ans de garde avant d'exprimer pleinement son potentiel et de former une alliance avec un plateau de fruits de mer.

EARL Romuald Hugot, 30, rte Nationale, 89800 Beine, tél. et fax 03.86.42.85.11, domaine.pisseloup@free.fr
r.-v.

ISABELLE ET DENIS POMMIER 2010 ★

16 000 ▮ 8 à 11 €

Après quinze ans de conduite de leur vignoble en lutte raisonnée, les Pommier viennent d'entamer leur conversion à l'agriculture biologique. Pas encore de certification donc pour ce 2010 élevé douze mois en cuves. C'est un vin très représentatif de l'appellation, aiguisé comme une pierre à fusil au nez, rond et gourmand en bouche. Les arômes de fruits exotiques sont bien présents au palais et semblent s'éterniser en finale. Un équilibre réussi pour une bouteille à associer tout simplement avec un poisson de rivière.

Isabelle et Denis Pommier, 31, rue de Poinchy, Poinchy, 89800 Chablis, tél. 03.86.42.83.04, fax 03.86.42.17.80, isabelle@denis-pommier.com
t.l.j. 9h-12h 14h-18h; sam. dim. sur r.-v.

DOM. DENIS RACE 2010 ★★

11 900 ▮ 5 à 8 €

Il est heureux, Denis Race, avec toutes ses femmes (et filles, bien sûr !), Laurence, Claire, Mélanie, dans le domaine familial, et elles le lui rendent bien. Aujourd'hui, c'est Claire qui est en cuverie et elle aligne les grands millésimes. Deux étoiles pour son chablis 2009, deux étoiles encore avec la version 2010. Peut difficilement mieux faire. Ce superbe vin jaune pâle limpide offre une réelle mise en valeur du terroir avec son nez d'agrumes mûrs et de fleurs blanches. La bouche souple, ample et habilement fruitée est soulignée par un trait de minéralité qui assure sa franchise. Pour aujourd'hui comme dans cinq ans.

Denis Race, 5, rue de Chichée, 89800 Chablis, tél. 03.86.42.45.87, fax 03.86.42.81.23, domaine@chablisrace.com
t.l.j. sf dim. 9h-12h 14h30-17h30

RÉGNARD Saint-Pierre 2009 ★★

90 000 ▮ 11 à 15 €

À la maison Régnard, propriété du baron Patrick de Ladoucette, les millésimes se suivent et se ressemblent. C'est en tout cas vrai pour cette cuvée Saint-Pierre, tout aussi admirable que dans sa version 2008 déjà remarquée dans le Guide. Ce vin trace une véritable ligne droite, sans détour. Pur et franc, il séduit au nez grâce à des notes minérales et à un petit côté beurré, mais il s'exprime surtout en bouche. Une bouche riche et intense, d'une longueur sans fin, qui trouve son équilibre elle aussi dans la minéralité. Une grande bouteille pour accompagner des huîtres grâtinées.

Régnard, 28, bd Tacussel, 89800 Chablis, tél. 03.86.42.10.45, fax 03.86.42.48.67, regnard.chablis@wanadoo.fr
t.l.j. 9h30-12h30 14h-18h

GÉRARD ROBIN 2010 ★

3 600 ▮ 8 à 11 €

Du classique, mais pourquoi s'en priver ? Huit mois d'élevage en cuve Inox ont suffi à Gérard Robin pour élaborer ce digne représentant de l'appellation, très plaisant, d'une grande intensité à l'olfaction : notes de fleurs et de fruits blancs. Le fruité envahit ensuite le palais, rond et gourmand, balancé par une touche de vivacité. Un vin friand, équilibré, qui pourra accompagner une palette de porc fumée.

Gérard Robin, 14, rue des Moulins, 89800 Chablis, tél. 03.86.42.18.19, robin.gege@orange.fr r.-v.

LOUIS ROBIN 2010 ★★

20 000 ▮ 8 à 11 €

Ces Robin-là sont de Chichée, et au domaine familial c'est Didier qui a pris la main en 2004. Si on l'a déjà remarqué en AOC petit-chablis, il fait son entrée dans l'appellation chablis avec un 2010 de toute beauté. Le vin ne manque ni de caractère ni d'élégance. Son nez est ouvert, fruité et discrètement beurré. Une invitation à la mise en bouche, où ces mêmes notes de beurre frais assurent la rondeur, la minéralité ajoutant, elle, la fraîcheur. Un chablis généreux, long et distingué, qui sera encore plus appréciable après deux ans de patience.

Louis Robin, 40, Grande-Rue, 89800 Chichée, tél. 03.86.42.80.49, fax 03.86.42.85.40, didirobin@aol.com
r.-v.

FRANCINE ET OLIVIER SAVARY Vieilles Vignes 2010 ★

16 000 | 8 à 11 €

Olivier Savary a l'habitude de passer ses plus vieilles vignes (d'une quarantaine d'années) en fût, et ce procédé lui réussit plutôt bien. Il faut dire que le boisé est parfaitement fondu dans la matière de ce 2010. À peine perceptible, tant le fruit (agrumes) est bien installé au nez comme en bouche. La minéralité apporte sa pierre à l'édifice dans ce vin puissant, fin et équilibré qui trouvera facilement sa place auprès d'un plateau de fromages, dans un an ou deux.

EARL Dom. Savary, 4, chem. des Hâtes, 89800 Maligny, tél. 03.86.47.42.09, fax 03.86.47.55.80, f.o.savary@wanadoo.fr t.l.j. 9h-12h 14h-18h

D. SÉGUINOT 2010 ★

18 800 | 8 à 11 €

Daniel Séguinot peut voir l'avenir avec confiance depuis que ses deux filles, Émilie puis Laurence, l'ont rejoint sur ce domaine familial d'une vingtaine d'hectares. Ce chablis, puissant et aromatique, est un bel exemple de leur production. Si le nez est discret mais frais, la bouche a de la conversation avec ses saveurs de fruits exotiques bien mûrs et d'agrumes, ses notes de miel et une acidité qui assure la fraîcheur. Une bouteille prête à accompagner une entrée froide, salade d'avocat crevettes par exemple.

Dom. Daniel Séguinot et Filles, rte de Tonnerre, 89800 Maligny, tél. 03.86.47.51.40, fax 03.86.47.43.37, domaine.danielseguinot@wanadoo.fr r.-v.

DOM. DE LA TOUR 2010 ★★

5 582 | 8 à 11 €

S'il est resté au pied du podium à l'heure de l'attribution des coups de cœur, il n'a pas grand-chose à envier aux têtes de série, ce chablis élaboré par Vincent Fabrici qui vient de prendre la suite de son père, Renato. Il s'agit d'un vin élégant et fin qui trouve son juste équilibre entre le fruit et la minéralité. Des raisins vendangés à maturité et un élevage de neuf mois en cuve ont su lui apporter l'essentiel : fraîcheur au nez, franchise et précision en bouche, notes salines en finale et trait de minéralité. Tous les ingrédients sont réunis dans ce superbe chablis à marier avec des fruits de mer, dès aujourd'hui.

Dom. de la Tour, 3, rte de Montfort, 89800 Lignorelles, tél. 03.86.47.55.68, fax 03.86.47.55.86, ledomainedelatour@wanadoo.fr r.-v.

Vincent Fabrici

CH. DU VAL DE MERCY 2010 ★

4 400 | 8 à 11 €

Dix mois d'élevage en cuve Inox pour ce chablis qui complète la gamme des vins de l'Auxerrois de ce domaine basé à Chitry. Sa concentration laisse augurer un grand potentiel de garde. Il sera intéressant de le déguster à nouveau dans trois ans pour mieux apréhender ses qualités gustatives. Pour l'heure, le nez se risque à dévoiler des arômes de fleurs blanches et d'amande fraîche. De la bouche, encore discrète, on retiendra surtout son agréable finesse. Essayez d'être patient...

SARL Ch. du Val de Mercy, 8, promenade du Tertre, 89530 Chitry, tél. 03.86.41.48.00, fax 03.86.41.45.80, roy@valdemercy.com r.-v.

DOM. DE VAUROUX Vieilles Vignes 2010

15 000 | 8 à 11 €

On préférera attendre un ou deux ans pour mieux appréhender ce vin complexe qui a tendance à vouloir garder ses secrets. Le nez discret hésite entre la fleur blanche et le fruit mûr. La bouche se montre plus expressive, le fruit confit étant porté par une acidité bien présente, renforcée par des notes citronnées persistantes. Accord suggéré : une choucroute de la mer.

SCEA Dom. de Vauroux, rte d'Avallon, 89800 Chablis, tél. 03.86.42.10.37, fax 03.86.42.49.13, maison.tricon@gmail.com r.-v.

DOM. LE VERGER 2010 ★

60 000 | 8 à 11 €

Si le nom de ce domaine ne vous dit peut-être rien, celui d'Alain Geoffroy, le vigneron, devrait vous mettre sur la voie. Figure emblématique de Beine et du vignoble, il vous fera visiter son musée de la Vigne et du Tire-bouchon (environ 3 000 pièces). Côté vin, il vous régalera de ce chablis élégant, bien représentatif de l'appellation. Au nez floral et fin succède une bouche équilibrée qui mêle en harmonie les notes d'agrumes et la minéralité. Fraîcheur et finesse s'ajoutent enfin à ce vin de plaisir immédiat, à savourer avec des crustacés.

Dom. Alain Geoffroy, 4, rue de l'Équerre, 89800 Beine, tél. 03.86.42.43.76, fax 03.86.42.13.30, info@chablis-geoffroy.com t.l.j. sf sam. dim. 8h-12h 13h30-17h

DOM. YVON ET LAURENT VOCORET 2010 ★★

13 800 | 8 à 11 €

Trois étoiles l'an dernier avec le millésime 2009, deux cette année pour la cuvée 2010 : Yvon Vocoret et son fils Laurent ne font pas les choses à moitié. En tout cas, ils tirent – avec d'autres confrères – l'appellation vers le haut. Leur chablis délicat et harmonieux commence à séduire dès l'olfaction avec ses fines senteurs florales. La bouche, tout aussi délicate et charmeuse, affiche une minéralité qui s'enrichit au contact des saveurs d'agrumes. Un vin précis, sans fausse note, que l'on goûtera volontiers dans la cave du domaine, à Maligny, « là où il fait bon vivre autour de la table de dégustation ». Puisque c'est Yvon Vocoret qui le dit...

Dom. Yvon et Laurent Vocoret, 9, chem. de Beaune, 89800 Maligny, tél. 03.86.47.51.60, fax 03.86.47.57.47, domaine.yvon.vocoret@wanadoo.fr r.-v.

DOM. VRIGNAUD 2010

40 000 | 8 à 11 €

Ce domaine familial de 20 ha est en cours de certification bio depuis le millésime 2010. En attendant des cuvées certifiées AB, voici un chablis très agréable construit sur la finesse et la fraîcheur. Le nez, complexe et intense, se promène entre le fruit jaune et la fleur blanche. En bouche, la minéralité apporte de la vivacité à une matière gourmande. À servir avec une douzaine d'escargots, d'ici un an ou deux.

Dom. Vrignaud, 10, rue de Beauvoir, 89800 Fontenay-près-Chablis, tél. 03.86.42.15.69, fax 03.86.42.40.06, guillaume@domaine-vrignaud.com r.-v.

Chablis premier cru

Superficie : 770 ha
Production : 43 900 hl

Le chablis 1er cru provient d'une trentaine de lieux-dits sélectionnés pour leur situation et la qualité de leurs produits. Il diffère du précédent moins par une maturité supérieure du raisin que par un bouquet plus complexe et plus persistant, où se mêlent des arômes de miel d'acacia, un soupçon d'iode et des nuances végétales. Le rendement est limité à 50 hl à l'hectare. Tous les vignerons s'accordent à situer l'apogée du chablis 1er cru vers la cinquième année, lorsqu'il « noisette ». Les *climats* les plus complets sont Montée de Tonnerre, Fourchaume, Mont de Milieu, Forêt ou Butteaux, et Côte de Léchet.

GUY ET OLIVIER ALEXANDRE Fourchaume 2010 ★

7 563 ■ 11 à 15 €

Olivier Alexandre fait partie de cette nouvelle génération de vignerons qui soignent l'image de l'appellation. Ce n'est donc pas un hasard si, en 2011, il a reçu le trophée des Jeunes Talents pour la région de Chablis. Au nez, son Fourchaume offre un véritable bouquet de fleurs blanches. La bouche s'exprime sur l'élégance et la pureté, découvrant une finale agréable, d'une longueur respectable. À découvrir dès aujourd'hui sur une poularde à la crème.

Dom. Guy et Olivier Alexandre, 36, rue du Serein, 89800 La Chapelle-Vaupelteigne, tél. 03.86.42.44.57, fax 03.86.18.96.55, info@chablis-alexandre.com
t.l.j. 9h-12h 14h-18h; dim. lun. sur r.-v.

DOM. BARAT Les Fourneaux Vieilles Vignes 2010

6 000 ■ 11 à 15 €

Vivacité et fraîcheur : deux qualités qui caractérisent généralement les vins de la famille Barat. En voici une belle illustration avec ce 1er cru Les Fourneaux dont le nez élégant navigue entre les fleurs blanches et les fruits (litchi, pamplemousse). La bouche est dominée par une fine acidité qui lui confère vivacité et persistance. Sont également cités le **Côte de Léchet 2010 (5 000 b.)**, un peu plus fermé, et **Vaillons 2010 (4 000 b.)**, plus tendu, qui réclame une à deux années de patience avant d'être servi.

Dom. Barat, 6, rue de Léchet, Milly, 89800 Chablis, tél. 03.86.42.40.07, fax 03.86.42.47.88, domaine.barat.angele@orange.fr r.-v.

DOM. BEGUE-MATHIOT Vaucopins 2010 ★

878 ■ 8 à 11 €

Un domaine haut perché avec vue imprenable sur la côte des grands crus. Un domaine de femmes aussi, puisque ce sont Maryse et sa fille Guylhaine Begue qui exploitent les 17 ha de la propriété familiale. Leur 1er cru Vaucopins, produit en petite quantité, n'en demeure pas moins un vin très réussi, tout en finesse. Le nez floral joue les séducteurs et annonce une bouche tout aussi subtile, mariage d'élégance et de fraîcheur avant une finale acidulée teintée d'une noble amertume.

Dom. Begue-Mathiot, Les Épinottes, 89800 Chablis, tél. 03.86.42.16.65, fax 03.86.42.81.54, contact@chablis-begue-mathiot.com r.-v.

DOM. BESSON Vaillons 2010

2 600 ■ 8 à 11 €

Six mois seulement d'élevage en cuve pour ce Vaillons 2010 qui s'exprime plus sur la rondeur que sur la vivacité. Si le nez se fait minéral et discret, la bouche est essentiellement ronde et gourmande. On retrouve à peu près les mêmes caractéristiques dans le **Montmains 2010 (2 500 b.)** aux arômes de fruits plus présents, notamment au palais. Dans les deux cas, le vin est bien équilibré et obtient une citation. Le premier peut se déguster dès aujourd'hui, tandis qu'il sera préférable d'attendre un an ou deux pour le Montmains.

EARL Besson, 15, rue de Valvan, BP 48, 89800 Chablis, tél. 03.86.42.19.53, fax 03.86.42.49.46, domaine-besson@wanadoo.fr
t.l.j. sf dim. 9h-12h 13h30-19h

SAMUEL BILLAUD Les Fourneaux 2010 ★

5 300 ■ 11 à 15 €

Après vingt années passées sur le domaine familial, Samuel Billaud a créé sa propre maison de négociant-vinificateur et une signature, « Les Grands Terroirs », qui en dit long sur ses intentions. Ce 1er cru a tout pour plaire : la fraîcheur, la matière et la minéralité. C'est un vin subtil, franc et harmonieux qui trouvera facilement sa place auprès d'un jambon au chablis. Le **1er cru Mont de Milieu 2010 (15 à 20 € ; 4 000 b.)** décroche également une étoile. Il est porté par les agrumes et souligné par un boisé fondu.

Samuel Billaud, 23, rue de Serein, 89800 La Chapelle-Vaupelteigne, tél. 03.86.51.00.07, samuel.billaud@orange.fr r.-v.

♥ DOM. BILLAUD-SIMON Mont de Milieu 2010 ★★

15 000 ■ 15 à 20 €

« Un très beau vin, avec des notes d'épices fraîches, d'une intensité remarquable mais surtout d'une complexité extraordinaire. La finale fraîche et minérale fait saliver, saliver, saliver... », note un dégustateur qui propose aussitôt de servir cette superbe bouteille avec un homard ou des noix de Saint-Jacques poêlées. Une analyse partagée par l'ensemble du jury, charmé par une richesse qui se dévoile dès l'examen olfactif, des notes confites venant agrémenter les arômes de fleurs blanches. Quant à la bouche, c'est un monument de concentration, d'élégance et de fraîcheur. Doté en prime d'une incroyable longueur, ce 1er cru est à réserver pour une grande occasion, après deux ans de garde.

Dom. Billaud-Simon, 1, quai de Reugny, BP 46, 89800 Chablis, tél. 03.86.42.10.33, fax 03.86.42.48.77, bernard.billaud@online.fr r.-v.

PASCAL BOUCHARD Montmains Les Vieilles Vignes Grande Réserve 2010 ★★

2 600 | 15 à 20 €

Élégance et finesse : ainsi peut-on définir le style bien connu des vins de Pascal Bouchard. Et ce Montmains 2010, élevé en partie en fût de chêne, ne trahit pas cette image. Finesse au nez d'abord, avec des nuances plaisantes d'agrumes et de fleurs blanches. Finesse en bouche aussi, avec des saveurs beurrées qui apportent de la rondeur à un fond vif et frais. Une magnifique bouteille pour accompagner du foie gras. Décrochant une étoile, le **Fourchaume 2010 Les Vieilles Vignes Grande Réserve (4 260 b.)** est plus marqué par la minéralité. Le boisé est bien maîtrisé, tant au nez (notes grillées) qu'en bouche (briochée). Un vin à garder trois à cinq ans. Cité enfin, le **Beauroy 2010 (11 à 15 € ; 13 000 b.)**, est un chablis droit et franc porté par la minéralité.

Dom. Pascal Bouchard, 5 bis, rue Porte-Noël, 89800 Chablis, tél. 03.86.42.83.96, fax 03.86.42.48.11, contact@pascalbouchard.com

t.l.j. 10h30-13h 14h30-19h

JEAN-MARC BROCARD Fourchaume 2010 ★★

15 000 | 15 à 20 €

Il est resté au pied du podium des coups de cœur, ce très beau 1er cru de Jean-Marc Brocard. Un vin d'une grande amplitude avec du fruit, du fruit et encore du fruit. Et ce fruit, très mûr, se positionne déjà au nez sous des accents exotiques (mangue, litchi). Pas étonnant, après une telle approche, que la bouche soit gagnée par la gourmandise. Un trait de minéralité traverse cette rondeur flatteuse pour ajouter de la vivacité à un chablis idéalement placé pour donner la réplique à des suprêmes de volaille crémés. Tendu, minéral et vif, le **Butteaux 2010 (6 000 b.)** obtient une étoile, tandis que le **Mont de Milieu 2010 (19 000 b.)**, plus gourmand et fruité, est cité.

Jean-Marc Brocard, 3, rte de Chablis, 89800 Préhy, tél. 03.86.41.49.00, fax 03.86.41.49.09, info@brocard.fr

t.l.j. sf dim. 9h30-13h 14h-18h30

UNION DES VITICULTEURS DE CHABLIS Fourchaume 2009 ★★

125 758 | 11 à 15 €

La cave coopérative a plusieurs façades : La Chablisienne bien sûr, maison mère mondialement connue, mais aussi l'Union des Viticulteurs de Chablis qui présente des vins sous sa propre marque. Non pas un deuxième vin, loin s'en faut, puisqu'elle a obtenu deux étoiles avec son Fourchaume 2009. Un vin sans détour, avec du caractère et de l'élégance. Notes de fruits mûrs, minéralité, rondeur, tout y est. Un 1er cru promis à un bel avenir, que l'on gardera trois à cinq ans. Cité, le **Côte de Léchet 2010 (35 740 b.)** est un chablis vif et tendu. Sous l'étiquette plus stylisée de La Chablisienne, le **2009 La Chablisienne Vaulorent (15 à 20 € ; 34 760 b.)**, fruité et minéral, obtient une étoile, tout comme le **2009 La Chablisienne Mont de Milieu (15 à 20 € ; 39 100 b.)**, rond et minéral sur un boisé bien fondu.

Union des viticulteurs de Chablis, 8, bd Pasteur, 89800 Chablis, tél. 03.86.42.89.89, fax 03.86.42.89.90

r.-v.

CHANSON PÈRE ET FILS Montmains 2010 ★

n.c. | 11 à 15 €

Cette maison de négoce beaunoise maîtrise très bien l'élevage en fût. Le boisé est toujours bien fondu, comme dans ce 1er cru Montmains qui s'exprime surtout sur le fruit et la fraîcheur. Fraîcheur au nez, apportée par la minéralité. Jolie matière fruitée en bouche, soutenue par des notes épicées et par une belle acidité. Un vin droit et tendu, d'une grande complexité aromatique, qui peut facilement être proposé à l'apéritif avec quelques gougères, après un an ou deux de garde.

Chanson Père et Fils, 10, rue Paul-Chanson, 21200 Beaune, tél. 03.80.25.97.97, fax 03.80.24.17.42

r.-v.

DOM. DU CHARDONNAY Montmains 2010 ★

15 000 | 11 à 15 €

La minéralité est de mise au domaine du Chardonnay. Étienne Boileau, le vinificateur maison, est passé par là. Une minéralité qui apporte de la tension à ce Montmains droit comme un I. Cette trame directe est annoncée par des senteurs de fleurs blanches et nourrie de nuances fruitées (poire) en bouche. Une étoile aussi pour le **Vaillons 2010 (7 200 b.)**, sans doute moins pur mais plus flatteur en bouche. Le fruit mûr lui apporte de la richesse et de la concentration. Deux vins pour un plaisir immédiat.

Dom. du Chardonnay, moulin du Pâtis, 89800 Chablis, tél. 03.86.42.48.03, fax 03.86.42.16.49, info@domaine-du-chardonnay.fr

t.l.j. 9h-12h 13h30-17h (sf. sam. dim. jan.-mars)

GAEC É. Boileau, W. Nahan, C. Simon

DOM. DE CHAUDE ÉCUELLE Montmains 2009

6 800 | 8 à 11 €

Gérald Vilain signe un Montmains plaisant, né de vignes de vingt-cinq ans, vendangées manuellement. Le nez discret laisse poindre des nuances de fleurs et de raisin frais. Le palais plaît pour son attaque saline qui évolue sur le fruit frais, agrémenté d'une touche mentholée. Un ensemble construit sur la finesse, à découvrir dans les deux ans sur des écrevisses.

Dom. de Chaude Écuelle, 35, Grande-Rue, 89800 Chemilly-sur-Serein, tél. 03.86.42.40.44, fax 03.86.42.85.13, chaudeecuelle@wanadoo.fr r.-v.

Gérald Vilain

CHRISTOPHE ET FILS Fourchaume 2010 ★

3 200 | 11 à 15 €

Nez floral, bouche minérale : voilà qui pourrait presque suffire pour décrire le 1er cru Fourchaume élaboré par Sébastien Christophe. Il y a surtout beaucoup de finesse et de subtilité dans ce vin droit et franc, très bien équilibré, qui saura accompagner les poissons les plus fins : un turbot grillé, par exemple. Décrochant aussi une étoile, le **Montée de Tonnerre 2010 (2 500 b.)** offre des arômes complexes de fruits blancs et d'amande, teintés de minéralité. La bouche élégante et légère, encore jeune et nuancée d'un boisé discret devrait finir de s'épanouir avec deux ans de garde.

Dom. Christophe et Fils, ferme des Carrières à Fyé, 89800 Chablis, tél. et fax 03.86.55.23.10, domaine.christophe@wanadoo.fr r.-v.

DOM. JEAN COLLET ET FILS Vaillons Sécher 2009 ★

2 000 | 11 à 15 €

2009, c'est l'année où Romain Collet a rejoint définitivement Gilles, son père, au sein du domaine familial. Un premier millésime parfaitement réussi avec ce

BOURGOGNE

Sécher de la lignée des Vaillons. Un vin au nez floral et à la bouche gourmande. Le gras du fruit mûr (nuances d'agrumes) assouplit la minéralité présente à tous les niveaux. Un 1er cru harmonieux qui demande un peu de patience (un an ou deux) avant d'être servi avec une blanquette de veau ou de volaille. Par ailleurs, le **Montée de Tonnerre 2010 (17 000 b.)**, vif et fruité mais encore marqué par le bois, ainsi que le **Montmains Butteaux 2010 (7 000 b.)**, droit et minéral (élevé en cuve), décrochent chacun une étoile.

Dom. Jean Collet et Fils, 15, av. de la Liberté, 89800 Chablis, tél. 03.86.42.11.93, fax 03.86.42.47.43, collet.chablis@wanadoo.fr
t.l.j. sf sam. dim. 9h-12h 13h30-17h30; f. 21 déc.-4 jan.

DOM. DU COLOMBIER Fourchaume 2010 ★

n.c. 11 à 15 €

Exploité par trois frères, Jean-Louis, Thierry et Vincent Mothe, le domaine présente un chablis plaisant dans sa fraîcheur, qui a néanmoins encore du mal à se libérer. La timidité commence au niveau du nez : il faut en effet s'armer de patience pour déceler les premières notes florales. En revanche, la bouche est sans complexe. Ronde, ample, gourmande, portée par une acidité discrète, elle régale les papilles. Un vin qui réclame deux ans de garde pour exprimer tout son potentiel.

Dom. du Colombier, 42, Grand-Rue, 89800 Fontenay-près-Chablis, tél. 03.86.42.15.04, fax 03.86.42.49.67, domaine@chabliscolombier.com
r.-v.
Guy Mothe et ses Fils

DOM. DE LA CORNASSE Beauroy 2010 ★

5 000 11 à 15 €

Un vin de femmes, direz-vous ? Oui, si l'on tient compte du fait que le domaine de la Cornasse est la propriété des sœurs Geoffroy (Sylvie, Nathalie et Aurélie). Oui encore, si l'on se réfère à son élégance et à sa finesse. Un nez à la fois floral et fruité (agrumes), une bouche souple, axée sur le fruit et soulignée par une acidité sans faille, il n'en faut pas plus pour obtenir un vin facile et agréable à boire, sans attendre, avec des crustacés.

Dom. de la Cornasse, 4, rue de l'Équerre, Chez Geoffroy, 89800 Beine, tél. 03.86.42.43.76, fax 03.86.42.13.30, info@chablis-geoffroy.com
t.l.j. sf sam. dim. 8h-12h 13h30-17h

DOM. DE LA COUR DU ROY Vaillons 2010 ★

11 595 15 à 20 €

Le domaine de la Cour du Roy, c'est la signature chablisienne du négociant beaunois Jean Bouchard. Il propose un 2010 jaune pâle au nez fin qui s'épanouit sur les fleurs blanches. L'attaque plutôt tranchante dévoile en bouche une acidité minérale, droite, conclue par une noble amertume. La matière est bien là, dans sa rondeur et sa générosité ; elle permettra de laisser cette bouteille se bonifier en cave pendant trois ou quatre ans. À déguster, le moment venu, avec une volaille grillée.

Maison Jean Bouchard, 6 bis, bd Jacques-Copeau, 21200 Beaune, tél. 03.80.24.37.37, fax 03.80.24.37.38

VIGNOBLE DAMPT Les Fourneaux 2010 ★

n.c. 11 à 15 €

On ne présente plus le vignoble des trois frères Dampt à Collan. Unis sous l'étiquette familiale, ils ont aussi chacun l'opportunité de montrer leur différence. Ce Fourneaux 2010 est signé Hervé Dampt. C'est un vin d'une grande pureté qui a grandi en partie sous bois et n'en est pas marqué outre mesure. Son nez d'une plaisante fraîcheur allie des notes fruitées, florales et minérales. La bouche est une véritable ligne droite tracée par la minéralité. La vivacité renforce sa franchise, et les saveurs de coing découvertes en fin de bouche arrivent comme la cerise sur le gâteau. Parfait pour du saumon fumé.

Vignoble Dampt, rue de Fleys, 89700 Collan, tél. 03.86.55.29.55, fax 03.86.55.47.32, vignoble@dampt.com
r.-v.

DANIEL DAMPT ET FILS Les Lys 2010 ★

3 800 11 à 15 €

Nous sommes à Milly, sur l'autre rive de la vallée du Serein, face aux grands crus. C'est ici le terroir des Lys, incontournable 1er cru du domaine Daniel Dampt et Fils, dont le millésime 2010 a été élevé en cuve pendant dix mois afin de préserver l'authenticité du terroir. Si le nez se drape dans la discrétion, la bouche montre beaucoup plus d'exubérance, dévoilant une minéralité persistante que porte une matière dense et fruitée. Un vin charnu pour accompagner des langoustines poêlées, après deux ans de garde. De son côté, le **Beauroy 2010 (3 400 b.)** est cité pour sa vivacité.

Daniel Dampt et Fils, 1, rue des Violettes, 89800 Milly, tél. 03.86.42.47.23, fax 03.86.42.46.41, domaine.dampt.defaix@wanadoo.fr r.-v.

CAVES JEAN ET SÉBASTIEN DAUVISSAT Vaillons Vieilles Vignes 2009 ★

4 000 15 à 20 €

Un an de cuve, un an de fût : ils sont bien élevés les chablis de Jean et Sébastien Dauvissat. En outre, le raisin de ce Vaillons ayant été cueilli sur des vignes âgées de soixante-dix ans, il en découle un vin forcément de caractère, plutôt bien structuré. Le nez s'inscrit dans la fraîcheur, mêlant avec subtilité des arômes fruités et floraux. La bouche, très élégante, s'appuie sur trois piliers : le fruit frais, la minéralité et des notes grillées. Au final, un vin vif et presque « salin », qui s'accommodera facilement des produits de la mer, à partir de 2014.

Caves Jean et Sébastien Dauvissat, 3, rue de Chichée, 89800 Chablis, tél. 03.86.42.14.62, fax 03.86.42.45.54, jean.dauvissat@wanadoo.fr r.-v.

VINCENT DAUVISSAT Vaillons 2010

8 500 15 à 20 €

Il va falloir être patient pour découvrir ce Vaillons de Vincent Dauvissat. Si le nez est délicat avec ses arômes de fleurs blanches et de noisette, la bouche, teintée de caramel, reste austère avec son fond toasté qui domine encore le fruit. Heureusement, l'acidité est bien présente, ce qui laisse augurer un bel avenir à ce 1er cru, qui se bonifiera après trois ans de garde.

Vincent Dauvissat, 8, rue Émile-Zola, 89800 Chablis, tél. 03.86.42.11.58, fax 03.86.42.85.32

CLOTILDE DAVENNE Montmains 2010 ★

n.c. 15 à 20 €

Si « Les Temps perdus » est le nom du domaine, c'est celui de Clotilde Davenne, viticultrice et élaboratrice, qui signe l'étiquette de ses vins. Ceux-ci expriment le fruit de leur cépage et la minéralité de leur terroir. Ce Montmains d'une grande richesse aromatique réveille le nez avec un fin bouquet de fleurs blanches. La matière en bouche impressionne, enrobée d'un fruité mûr, confit, qui s'appuie sur les notes minérales. C'est frais, c'est franc, c'est tendu... Une bouteille à mettre de côté pour accompagner quelques escargots, la saison venue.

SARL Clotilde Davenne, 3, rue de Chantemerle, 89800 Préhy, tél. 03.86.41.46.05, info@clotildedavenne.fr
r.-v.

BERNARD DEFAIX Fourchaume 2010 ★★

5 000 | 15 à 20 €

Présenté par la maison de négoce créée en parallèle du domaine Bernard Defaix, ce Fourchaume a été vinifié et élevé dans le même esprit que les vins de la propriété. Il se rapproche de l'excellence, bien que le nez fasse encore preuve de timidité, s'épanouissant quelque peu à l'aération sur des parfums anisés. La bouche vive et d'une grande franchise est tenue par une minéralité saline qui s'accommode d'un léger boisé et transporte le fruit dans une longue finale. À servir avec des langoustines rôties, dans deux ans. Vin du domaine, le **Côte de Léchet 2010 (50 000 b.)**, minéral au nez, à la fois rond et tendu en bouche, obtient une étoile.

Bernard Defaix, 7, rue de Château, Milly, 89800 Chablis, tél. 03.86.42.40.75, fax 03.86.42.40.28, didier@bernard-defaix.com
r.-v.

JEAN-PAUL ET BENOÎT DROIN Fourchaume 2010 ★★

3 000 | 15 à 20 €

Le Fourchaume de Benoît Droin est monté sur la plus haute marche du podium des coups de cœur. Ce n'est pas vraiment une surprise, tellement le vigneron est habitué aux distinctions suprêmes, en 1er ou en grand cru. Ce 2010 n'en est pas moins superbe et riche de promesses. C'est un vin de garde, minéral et parfaitement équilibré. La séduction commence par un bouquet délicat aux senteurs florales. La bouche tendue, arc-boutée sur des notes salines, laisse une place discrète au fruit, préférant mettre en valeur des touches d'amande grillée mariées à une structure riche que contrebalance une légère acidité. Une grande bouteille qui fera le bonheur d'un somptueux plateau de fruits de mer dans cinq ans, voire plus.

Jean-Paul et Benoît Droin, 14 bis, av. Jean-Jaurès, BP 19, 89800 Chablis, tél. 03.86.42.16.78, fax 03.86.42.42.09, benoit@jeanpaulbenoit-droin.fr
t.l.j. sf sam. dim. 8h30-12h 13h30-17h

DROUHIN-VAUDON Vaillons 2010 ★

n.c. | 20 à 30 €

Un air marin, légèrement iodé, titille le nez à la découverte de ce chablis élégant au potentiel de garde certain. La bouche se révèle fraîche et franche, et dévoile beaucoup de rondeur. Si l'acidité a du mal à se défaire de l'amertume de la jeunesse, elle contribue néanmoins à une nervosité appréciable. Ce vin aura du mordant pour accompagner une douzaine d'huîtres. Du même tonneau (ou plutôt de la même cuve), le **Montmains 2010** est cité pour sa fraîcheur, sur un fond citronné et minéral. Il demande aussi un peu de patience : pour les deux cuvées, on attendra trois ans.

Maison Joseph Drouhin, 7, rue d'Enfer, 21200 Beaune, tél. 03.80.24.68.88, fax 03.80.22.43.14, maisondrouhin@drouhin.com
r.-v.

ALEXANDRE ELLEVIN Vaucoupin Cuvée Prestige Élevé en fût de chêne Vieilles Vignes 2010 ★★

2 000 | 11 à 15 €

Cette cuvée Prestige est signée Alexandre Ellevin, fils de Jean-Pierre, lequel conduit le domaine familial depuis plus de trente-cinq ans. Des vendanges en octobre pour obtenir un raisin bien mûr, un élevage en fût pendant un an, c'est peut-être la recette gagnante. Elle a permis en tout cas d'obtenir ce superbe 2010 qui allie rondeur et minéralité. Le nez est un élégant bouquet de fleurs d'acacia et de notes minérales, et la bouche, soutenue par l'acidité, révèle du gras et une grande richesse aromatique. Idéal pour accompagner un saumon à l'oseille. Le classique **Vaucoupin 2010 (8 à 11 €; 8 000 b.)**, élevé en cuve, arrive juste derrière avec une étoile. Là encore, c'est la minéralité qui a pris le pouvoir, ce qui ne lui enlève rien de sa finesse. On trouve plus de rondeur dans le **Vosgros 2010 (8 à 11 €; 4 000 b.)**, cité.

GAEC Ellevin, 7, rue du Pont, 89800 Chichée, tél. et fax 03.86.42.44.24, jean-pierre.ellevin@wanadoo.fr
t.l.j. 8h-13h 14h-20h

DOM. NATHALIE ET GILLES FÈVRE Fourchaume 2010 ★

15 000 | 15 à 20 €

Voici un chablis très typé et doté d'une finale saline dans laquelle s'exprime toute la minéralité du terroir. L'élevage en cuve de quinze mois n'y est pas pour rien. Vivacité, longueur, élégance... ce 2010 a tout pour plaire. Il marie les fleurs blanches et des notes vanillées au nez, les agrumes et une fine acidité en bouche. Il faudra simplement savoir attendre pour le servir en 2015 sur des noix de Saint-Jacques poêlées. Le **Vaulorent 2010 (20 à 30 €; 7 000 b.)**, élevé en fût et en cuve, est cité pour sa minéralité sans faille.

Dom. Nathalie et Gilles Fèvre, rte de Chablis, 89800 Fontenay-près-Chablis, tél. 03.86.18.94.47, fax 03.86.18.96.92, fevregilles@wanadoo.fr
r.-v.

CH. DE FLEYS Mont de Milieu Vieilles Vignes 2010 ★

6 000 | 11 à 15 €

André Philippon a acheté en 1998 le château de Fleys, ancien pavillon de chasse qui demeure la vitrine du domaine viticole qu'il a transmis à ses enfants. Béatrice, Benoît et Olivier ont repris le flambeau avec talent, si l'on en juge par ce Mont de Milieu d'une grande typicité. Son nez finement iodé évoque la noisette et l'amande fraîche, des nuances confirmées en bouche où elles s'allient avec des notes d'agrumes sur fond de minéralité. L'ensemble est vif, léger et sans détour. À savourer dans un an avec des huîtres chaudes au blanc de poireau. Frais, ample et prêt à boire, **Les Fourneaux 2009 (3 900 b.)** est cité.

GAEC Dom. du Ch. de Fleys, 2, rue des Fourneaux, 89800 Fleys, tél. 03.86.42.47.70, fax 03.86.42.81.09, philippon.beatrice@orange.fr r.-v.
Philippon

DOM. FOURREY Mont de Milieu 2010 ★★

3 100 | 11 à 15 €

Gras, minéralité et fraîcheur, tout est réuni pour que ce 1er cru de Jean-Luc Fourrey prétende aux deux étoiles. Le nez floral, fruité, acidulé, a attiré les dégustateurs avant que la bouche ne les enchante. Des saveurs d'agrumes pour commencer, de l'acidité ensuite pour apporter la vivacité, il n'en faut pas plus pour obtenir ce vin racé et harmonieux que vous pourrez servir avec un sandre au beurre blanc, d'ici quatre ans. Le **Côte de Léchet 2010 (3 000 b.)**, tout en finesse, n'a rien à lui envier. Deux étoiles aussi reviennent à ce vin tendu, frais et fruité, d'une grande précision. Le **Vaillons 2010 (3 800 b.)**, charnu et gourmand, décroche une étoile avec sa belle vivacité qui en fait un vin pour un plaisir immédiat.

Dom. Fourrey, 6, rue du Château, 89800 Milly, tél. 03.86.42.14.80, fax 03.86.42.84.78, domaine.fourrey@orange.fr r.-v.

GAUTHERON Vaucoupin 2010 ★

8 000 | 11 à 15 €

Il est encore jeune, ce Vaucoupin, mais déjà plein de promesses. Intense, complexe, avec son nez frais et minéral. La matière arrive en bouche, concentrée autour des agrumes et soulignée par un trait de minéralité. C'est un 1er cru très élégant qui fait preuve, en prime, d'une grande persistance aromatique. Essayez-le après deux années de garde avec des fromages de chèvre secs. Les notes minérales sont aussi très présentes dans **Les Fourneaux 2010 (8 000 b.)**, un vin tendu qui obtient une citation.

Dom. Alain et Cyril Gautheron, 18, rue des Prégirots, 89800 Fleys, tél. et fax 03.86.42.44.34, vins@chablis-gautheron.com
t.l.j. 9h-12h 13h30-18h; dim. sur r.-v.

DOM. DES GENÈVES Mont de Milieu 2010 ★

3 500 | 11 à 15 €

Nous sommes ici sur le fil de l'épée. Un vin minéral, droit, tranchant, qui vous transperce, adouci au nez par des nuances de fleurs blanches. Un chablis assez léger mais bien équilibré qu'il faut savoir garder deux à trois ans en cave avant de l'associer à des gougères. Une étoile également pour le **Vaucoupin 2010 (8 à 11 €; 3 500 b.)** qui ne peut renier le style maison. Là encore, la minéralité est présente pour donner la réplique au fruit mûr. Un 1er cru très plaisant, à conserver également.

Dom. des Genèves, 3, rue des Fourneaux, 89800 Fleys, tél. 03.86.42.10.15, fax 03.86.42.47.34, domainegeneves@wanadoo.fr r.-v.

ALAIN GEOFFROY Beauroy 2010 ★★★

30 000 | 11 à 15 €

Difficile de dissocier le nom d'Alain Geoffroy du 1er cru Beauroy, tant les deux font la paire. Ils ont Beine en commun, un terroir qui les inspire. Après le coup de cœur décroché pour le millésime 2004, la version 2010 est qualifiée d'exceptionnelle par les membres du jury, tout simplement parce qu'elle sort du lot. Ses parfums de sous-bois et de champignon laissent penser que les ceps de vigne ont fait une promenade en forêt, l'élevage en cuve excluant l'idée du bois de fût. Pour autant, ce Beauroy est frais, rond, minéral, et développe un fruité expressif en bouche. Une bouteille à revoir dans quelques années pour mesurer son évolution. Plus classique, le **1er cru Vau-Ligneau 2010** décroche deux étoiles. C'est un vin d'une rare pureté, minéral et cristallin. Il renferme toute la fraîcheur des grands chablis.

Dom. Alain Geoffroy, 4, rue de l'Équerre, 89800 Beine, tél. 03.86.42.43.76, fax 03.86.42.13.30, info@chablis-geoffroy.com
t.l.j. sf sam. dim. 8h-12h 13h30-17h

GEORGE Beauregards 2010

3 900 | 8 à 11 €

Tous les ingrédients d'un beau chablis sont concentrés dans cette bouteille : la fraîcheur, l'acidité et la complexité aromatique. Derrière le nez de fruits blancs mûrs, légèrement acidulés, surgit une bouche vive et gourmande sur fond de fruits secs (amande). L'équilibre repose surtout sur la vivacité, ce qui fera de ce Beauregards un agréable compagnon pour l'apéritif, après une ou deux années de garde.

Dom. George, 10, rue du Four-Banal, 89800 Courgis, tél. 03.86.41.40.06, fax 03.86.41.45.76, george.earl@wanadoo.fr
t.l.j. 9h-12h30 13h30-19h; dim. sur r.-v.

DOM. PHILIPPE GOULLEY Fourchaume 2009 ★★

1 500 | 15 à 20 €

À Chablis, Philippe Goulley est un précurseur. Il a choisi l'agriculture biologique voici plus de vingt ans mais, à l'époque, il faisait figure de marginal. De même, il est partisan des fûts anciens pour l'élevage de ses 1ers crus. Les amateurs de vins boisés ne vont pas s'en plaindre, pour peu qu'ils dégustent ce millésime 2009. Un vin très harmonieux avec son nez fin et racé, sa bouche ample et fraîche, d'une rondeur flatteuse. Laissons néanmoins l'élevage se fondre deux ou trois ans avant d'ouvrir cette grande bouteille sur un jambon au chablis. Le **Montmains 2009 (11 à 15 €; 10 000 b.)** obtient une citation. Ciselé, minéral et fruité, il est un peu moins marqué par le bois.

Dom. Philippe Goulley, 11 bis, vallée des Rosiers, 89800 La Chapelle-Vaupelteigne, tél. 03.86.42.40.85, fax 03.86.42.81.06, phil.goulley@orange.fr r.-v.

DOM. GRAND ROCHE Les Beauregards 2010 ★

1 800 | 11 à 15 €

Petite production, confidentielle mais de qualité. Vigneron à Saint-Bris, Érick Lavallée trouve dans les vins de Chablis l'occasion de valoriser son image. C'est le cas avec ce 1er cru d'une grande pureté. Encore réservé au premier nez, il s'ouvre à l'aération sur les fruits mûrs. Une maturité que l'on retrouve dans un palais rond et ample porté par une fine vivacité en finale. Ce vin riche et soyeux, un peu iodé également, pourra être apprécié très bientôt, mais aussi séjourner en cave trois à cinq ans avant d'accompagner un poisson en sauce.

Lavallée, rte de Chitry, 89530 Saint-Bris-le-Vineux, tél. 03.86.53.84.07, fax 03.86.53.89.81, lavalleeeric@orange.fr
r.-v.

CORINNE ET JEAN-PIERRE GROSSOT Fourchaume 2010 ★

4 500 | 11 à 15 €

Vinification et élevage en cuve pour ce 1er cru des époux Grossot, désormais épaulés de leur fille Ève. Un vin typique de l'appellation, qui se distingue surtout par son élégance. Le nez voyage entre les fleurs et les fruits blancs. Quant à la bouche, plutôt vive, elle s'exprime sur les agrumes, l'acidité permettant à la finale de s'étirer en longueur. À attendre deux ou trois ans. Cité, le **Mont de Milieu 2010 (2 500 b.)** a bénéficié, pour un tiers de la cuvée, d'un passage en fût de chêne. Si son bouquet reste discret, sa bouche est persistante et dominée par la vivacité.

Corinne et Jean-Pierre Grossot, 4, rte de Mont-de-Milieu, 89800 Fleys, tél. 03.86.42.44.64, fax 03.86.42.13.31, info@chablis-grossot.com r.-v.

DOM. DU GUETTE-SOLEIL Vosgros 2010 ★★★

7 000 ■ 8 à 11 €

Il était en lice pour décrocher un coup de cœur ce superbe Vosgros élaboré par Loïc Vilain, qui assure la pérennité du domaine créé avec ses deux frères en 1973. Ce 1er cru est décidément la valeur sûre de l'exploitation, car il figure très souvent en bonne place dans le Guide. Le 2010 est un diamant, pur et parfaitement ciselé. Le nez se partage entre les fleurs blanches et les arômes de fruits exotiques. La bouche n'est que fraîcheur et élégance, dévoilant une rondeur soyeuse qui repose sur un trait de minéralité. Un exemple d'équilibre et d'harmonie, pour le plaisir des palais les plus délicats. À marier avec un poisson, sans hésitation, mais seulement dans une paire d'années.

Dom. de Guette-Soleil, 20, rue du Pont, 89800 Chemilly-sur-Serein, tél. 03.86.42.16.91, fax 03.86.42.12.79, domaineguettesoleil@wanadoo.fr t.l.j. sf sam. dim. 8h-12h 13h30-17h30; f. août

Vilain Frères

LAMBLIN ET FILS Vaillon 2010 ★

20 000 ■ 11 à 15 €

Chez les Lamblin, le 1er cru Vaillons a perdu son « s » mais pas sa qualité gustative. Loin s'en faut. Élevé pendant huit mois en cuve, il se présente dans une belle robe brillante, dévoilant un bouquet léger, floral et fruité, qui annonce une bouche droite et minérale. L'expression caractéristique de tout le terroir de Chablis en somme, avec un supplément d'élégance et de franchise. Le **Fourchaumes 2010 (25 000 b.)** est par ailleurs cité pour son côté iodé, tout comme le **Mont de Milieu 2010**, un peu plus végétal et floral.

Lamblin et Fils, rue Marguerite-de-Bourgogne, 89800 Maligny, tél. 03.86.98.22.00, fax 03.86.47.50.12, infovin@lamblin.com t.l.j. sf dim. 8h-12h 14h-17h; sam. 8h-11h30

DOM. LAROCHE Fourchaumes 2009 ★

57 000 ■ 20 à 30 €

Le domaine Laroche, qui a pignon sur rue dans le vieux Chablis, est en conversion bio depuis 2009. Donc, pas encore de certification sur ces Fourchaumes qui ont bénéficié d'une vinification mixte (cuve et fût) pour obtenir ce vin de caractère. Dynamique et friand, il affiche un nez complexe marqué par le fruit et la minéralité, qui dévoile un petit côté fumé. La bouche acidulée et fraîche est construite autour de ces mêmes impressions minérales. Sa vivacité l'autorise dès aujourd'hui à donner la réplique à une choucroute de la mer. Le **1er cru 2009 (15 à 20 € ; 150 000 b.)**, plus rond et gourmand, affiche un léger boisé et une fine fraîcheur. Il est cité.

Dom. Laroche, 22, rue Louis-Bro, 89800 Chablis, tél. 03.86.42.89.00, fax 03.86.42.89.29, chrystel.meunier@larochewines.com t.l.j. 10h-12h 14h-18h

OLIVIER LEFLAIVE Côte de Léchet 2009 ★★

2 000 20 à 30 €

Une remarquable série pour les chablis 1ers crus 2009 d'Olivier Leflaive, le négociant de Puligny-Montrachet. À commencer par deux étoiles pour ce Côte de Léchet droit et puissant, vif et minéral, qui sera devenu un petit bijou dans quelques années. Les agrumes tapissent le palais sur un fond boisé bien fondu, légèrement vanillé. Une superbe bouteille, tout comme le **Fourchaume 2009 (6 000 b.)**, distingué de deux étoiles également. Là encore, minéralité et agrumes font bon ménage sur un air de fraîcheur, pour aboutir à cette cuvée harmonieuse et déjà agréable à boire. Dans ce contexte très favorable, le **Montée de Tonnerre 2009 (1 900 b.)** doit se « contenter » d'une étoile. C'est un vin très expressif, sur des notes de pain grillé et de fruits blancs, puissant et délicat en bouche.

Olivier Leflaive Frères, pl. du Monument, 21190 Puligny-Montrachet, tél. 03.80.21.37.65, fax 03.80.21.33.94, contact@olivier-leflaive.com r.-v.

DOM. LONG-DEPAQUIT Les Vaillons 2010

27 900 ■ 15 à 20 €

Il est plus végétal que minéral ce Vaillons de la maison Albert Bichot, ce qui n'enlève rien à sa fraîcheur. Le nez est marqué aussi par des notes de fruits exotiques à maturité. Une attaque en bouche vive en raison d'une acidité bien présente, aux accents citronnés, reflète un ensemble plutôt nerveux. Il n'en reste pas moins un vin agréable à boire dès aujourd'hui, à l'heure de l'apéritif.

Dom. Long-Depaquit, 45, rue Auxerroise, 89800 Chablis, tél. 03.86.42.11.13, fax 03.86.42.81.89, chateau-long-depaquit@albert-bichot.com t.l.j. sf dim. 9h-12h30 14h-18h

DOM. DES MALANDES Fourchaume Vieilles Vignes 2010 ★

8 000 ■ 11 à 15 €

C'est ce que l'on appelle un vin généreux : puissant au nez, floral et légèrement boisé, riche et épicé en bouche. L'élevage en fût est encore bien marqué au détriment de la minéralité, mais les années en cave (deux à trois minimum) apporteront à cette bouteille la rondeur qui manque à sa jeunesse. On l'appréciera avec des viandes blanches, sur un lapin à la moutarde par exemple.

Dom. des Malandes, 63, rue Auxerroise, 89800 Chablis, tél. 03.86.42.41.37, fax 03.86.42.41.97, contact@domainedesmalandes.com r.-v.

Lyne Marchive

LA MEULIÈRE Vaucoupin 2010 ★

4 000 ■ 11 à 15 €

Les frères Laroche, Nicolas et Vincent, présentent un 1er cru qui ne peut pas mentir : dès le premier nez, on sait que l'on a affaire à un chablis d'une grande richesse aromatique. Il est intense et fruité, dominé par des arômes exotiques. La bouche, charnue, se distingue par une alliance réussie entre la fraîcheur et la rondeur. Un vin bien structuré malgré un léger déficit en minéralité. Déjà agréable à boire, il peut aussi attendre un peu pour être servi avec un feuilleté de poisson.

La Meulière, 18, rte de Mont-de-Milieu, BP 25, 89800 Fleys, tél. 03.86.42.13.56, fax 03.86.42.19.32, chablis.meuliere@wanadoo.fr t.l.j. 8h-19h

LOUIS MICHEL ET FILS Butteaux Vieilles Vignes 2009 ★★

2 200 | 15 à 20 €

Guillaume Michel a pris le relais à la tête du domaine familial et il peut être fier de ce 1er cru Butteaux élevé exclusivement en cuve. « Un vin très typique, long et raffiné, pour les amateurs de vrais chablis », souligne un dégustateur. Les superlatifs ne manquent pas dans les commentaires, notamment en matière d'harmonie. Le nez est tout à la fois frais, minéral et fruité. Riche en fruits, surtout les agrumes, la bouche trouve de la vivacité et de la longueur dans sa minéralité. Parfait pour accompagner un plateau de fruits de mer.

Louis Michel et Fils, 9, bd de Ferrières, 89800 Chablis, tél. 03.86.42.88.55, contact@louismicheletfils.com r.-v.

J. MOREAU ET FILS Mont de Milieu 2009 ★

8 000 | 11 à 15 €

Voici un vin gourmand qui vous entraîne dans les profondeurs du sous-sol, là où la vigne va chercher sa minéralité. Si le nez se révèle d'abord un peu timide, il s'ouvre petit à petit sur la pomme verte et la pierre à fusil. La bouche se montre beaucoup plus expressive, affichant du fruit, de l'acidité, de la longueur et un petit côté iodé qui incite à retrouver quelques produits de la mer, dans un an ou deux.

J. Moreau et Fils, rte d'Auxerre, 89800 Chablis, tél. 03.86.42.88.05, fax 03.86.42.88.08, depuydt.l@jmoreau-fils.com
t.l.j. sf sam. dim. 8h-12h 13h30-17h30; f. août
FGV

MOREAU-NAUDET Forêts 2009 ★★★

10 000 | 20 à 30 €

Comment ne pas servir un homard, crustacé noble par excellence, avec un tel 1er cru ? L'accord parfait, dans quelques années, si vous avez la volonté de mettre de côté cette bouteille exceptionnelle. Un vin très harmonieux, bâti autour des fruits mûrs et porté par une minéralité sans faille. La délicatesse du nez (agrumes, ananas, menthol) ajoutée à la vivacité et au volume de la bouche, il n'en faut pas plus pour atteindre la perfection. Quel délice ! Avec deux étoiles, le **Vaillons 2009 (8 800 b.)** atteint presque la même envergure. Son boisé bien fondu contribue à l'équilibre d'un palais au sein duquel agrumes et minéralité jouent la même partition de fraîcheur. C'est un vin racé et de garde (quatre à huit ans, voire plus). Cité enfin, le **Montmains 2009 (4 600 b.)** évoque le pamplemousse, que vient dominer le boisé de l'élevage.

Moreau-Naudet, 5, rue des Fosses, 89800 Chablis, tél. 03.86.42.14.83, fax 03.86.42.85.04, moreau.naudet@wanadoo.fr r.-v.

DOM. CHRISTIAN MOREAU PÈRE ET FILS Vaillon 2010 ★

24 000 | 11 à 15 €

Il y a longtemps que Christian Moreau a remisé la machine à vendanger, et c'est très bien ainsi. Surtout que son fils Fabien ne veut entendre parler que de vendanges manuelles. Cuve et fût sont associés dans l'élevage de ce Vaillon 2010 rond et parfaitement équilibré. Certes, le nez est marqué par le bois, mais la bouche est bien structurée autour de la matière. Un vin très agréable, qui demande un peu de patience.

Christian Moreau Père et Fils, 26, av. d'Oberwesel, 89800 Chablis, tél. 03.86.42.86.34, fax 03.86.42.84.62, contact@domainechristianmoreau.com r.-v.

SYLVAIN MOSNIER Beauroy 2010 ★

7 400 | 11 à 15 €

Sylvain Mosnier fait partie de ces nombreux vignerons chablisiens qui ont eu le bonheur de voir leurs filles rejoindre l'exploitation familiale. Depuis 2007, c'est Stéphanie qui est à la manœuvre. On lui doit peut-être la délicatesse, l'élégance, la subtilité de cet harmonieux chablis. Toujours est-il que le nez s'ouvre sur la fraîcheur. Pour trouver les arômes de fleurs et de fruits typiques, il faut attendre la bouche, dotée, en outre, d'une belle finale minérale.

EARL Sylvain Mosnier, 36, RN, 89800 Beine, tél. 03.86.42.43.96, fax 03.86.42.42.88, sylvain.mosnier@libertysurf.fr r.-v.

DOM. DE LA MOTTE Vau-Ligneau 2010 ★

15 000 | 11 à 15 €

Vau-Ligneau a vu le jour en 1976 sur des parcelles de chablis reclassées en 1er cru. Celui du domaine de la Motte dévoile un nez discret, mais frais et fruité. Animée d'une fine acidité et d'une grande longueur, la bouche s'enrobe de fruits mûrs et d'agrumes, ce qui contribue à son équilibre. Agréable à déguster avec une assiette de charcuterie, dans deux ans. Le **Beauroy 2010 (15 000 b.)** est dominé par le boisé aussi bien au nez qu'en bouche, ce qui lui apporte de la complexité mais le laisse encore à la recherche de son équilibre. Cité, il est à attendre deux ou trois ans.

SCEA Dom. de la Motte, 35, Grande-Rue, 89800 Beine, tél. 03.86.42.43.71, fax 03.86.42.49.63, mottemichaut@wanadoo.fr
t.l.j. 10h30-18h; mer. dim. sur r.-v.
Michaut

DOM. CHARLY NICOLLE Mont de Milieu 2010 ★

n.c. | 11 à 15 €

Si vous cherchiez un 1er cru à boire dès maintenant, vous l'avez trouvé. Ce Mont de Milieu est un vrai vin de plaisir immédiat qui s'exprime tout en fraîcheur et en élégance. Floral au nez, minéral, long et gourmand en bouche, il accompagnera facilement quelques gougères à l'heure de l'apéritif. Plus minéral encore, **Les Fourneaux 2010** est cité pour l'équilibre qu'il a trouvé entre le gras et l'acidité. Il devrait s'exprimer davantage d'ici deux ou trois ans.

Dom. Charly Nicolle, 55, rte de Mont-de-Milieu, 89800 Fleys, tél. 03.86.42.19.30, domainecharlynicolle@hotmail.fr r.-v.

DOM. OUDIN Vaucoupins 2010 ★

3 000 | 11 à 15 €

Nathalie et Jean-Claude Oudin sont désormais à la tête du domaine familial à Chichée. Leurs 1ers crus sont élevés pendant un an en cuve, à l'image de ce Vaucoupins frais et minéral. Le nez, encore fermé, s'ouvre sur des notes de fruits blancs et de noisette. La bouche tendue, exprimant des nuances beurrées, est soutenue par une belle acidité. Pour mémoire, cette même cuvée avait obtenu un coup de cœur dans le millésime 2007. Avec une belle citation, le **Vaugiraut 2010 (3 000 b.)** se montre assez rond et gourmand, et très vif en finale.

Dom. Oudin, 5, rue du Pont, 89800 Chichée, tél. 03.86.42.44.29, fax 03.86.42.10.59, domaine.oudin@wanadoo.fr r.-v.

DOM. DE PERDRYCOURT Fourchaume 2010 ★★

5 000 | 15 à 20 €

Depuis 2007, c'est Rémi Courty qui vinifie tous les vins du domaine familial. Et avec succès si l'on en juge par ce 1er cru Fourchaume bien structuré et doté d'un grand potentiel de garde. Le nez est charmeur avec ses arômes de fruits mûrs exprimés sur fond minéral. En bouche, on est servi : matière gourmande, rondeur, puissance et, bien sûr, la minéralité qui apporte ce qu'il faut de fraîcheur. Un vin capable d'affronter le goût prononcé d'un époisses ou celui de fromages de chèvre secs.

Dom. de Perdrycourt, 9, voie Romaine, 89230 Montigny-la-Resle, tél. 03.86.41.82.07, fax 03.86.41.87.89, domainecourty@orange.fr t.l.j. 9h-19h; dim. 9h-12h

Arlette et Rémi Courty

DOM. PINSON Fourchaume 2010 ★

3 780 | 15 à 20 €

Fourchaume, Montmain, Mont de Milieu ; au domaine Pinson, les trois 1ers crus font la paire... Du moins, ils obtiennent chacun une étoile. Commençons par ce Fourchaume, qui avait obtenu un coup de cœur dans le millésime précédent. Cette cuvée, élégante au nez par ses arômes de fleurs blanches, se révèle gourmande en bouche avec ses notes beurrées bien mariées à un côté grillé qui témoigne d'un boisé bien maîtrisé. Le **1er cru Montmain 2010 (6 100 b.)** est aussi riche et rond, mais encore dominé par le fût. Quant au **Mont de Milieu 2010 (17 816 b.)**, floral au nez et rond en bouche, c'est un vin équilibré et plaisant qui devra être servi avant les autres (ceux-ci pouvant patienter deux à trois ans en cave).

SCEA Dom. Pinson, 5, quai Voltaire, 89800 Chablis, tél. 03.86.42.10.26, fax 03.86.42.49.94, contact@domaine-pinson.com t.l.j. sf dim. 8h-12h 13h30-17h30

ISABELLE ET DENIS POMMIER Côte de Léchet 2009 ★

9 000 | 11 à 15 €

Du fruit bien mûr pour une bouche gourmande et ample : un vin fidèle au millésime 2009. Une cuvée de séduction encadrée par un boisé encore très présent, ce qui relègue au second plan la minéralité et les saveurs d'agrumes bien frais. Deux années de garde devraient permettre à ces notes d'élevage de s'atténuer et laisser alors le cépage et le terroir s'exprimer. Citation pour le **Fourchaume 2009 (1 900 b.)**, élevé uniquement en cuve. Un nez floral, une bouche sur la fraîcheur, une finale acidulée. On notera que la famille Pommier entame la première année de conversion de son vignoble vers l'agriculture biologique.

Isabelle et Denis Pommier, 31, rue de Poinchy, Poinchy, 89800 Chablis, tél. 03.86.42.83.04, fax 03.86.42.17.80, isabelle@denis-pommier.com t.l.j. 9h-12h 14h-18h; sam. dim. sur r.-v.

FRANCINE ET OLIVIER SAVARY Fourchaume 2010 ★

5 000 | 11 à 15 €

Si Olivier Savary recherche la maturité, pour autant, le fruit mûr n'écrase pas ses cuvées. Surtout lorsqu'elles sont portées par la minéralité, comme ce 1er cru Fourchaume. Minéral au nez, agrémenté de notes de fleurs blanches ; minéral en bouche, avec ses nuances de pierre à fusil : ce 2010 offre un bel équilibre sur la fraîcheur, associé à une pointe d'amertume en finale. Un chablis à boire dans sa jeunesse, avec un filet de sole.

EARL Dom. Savary, 4, chem. des Hâtes, 89800 Maligny, tél. 03.86.47.42.09, fax 03.86.47.55.80, f.o.savary@wanadoo.fr t.l.j. 9h-12h 14h-18h

DOM. DANIEL SÉGUINOT L'Homme mort 2010 ★★

2 200 | 11 à 15 €

Les filles de Daniel Séguinot, Émilie et Laurence, conduisent avec leur père ce vignoble d'une vingtaine d'hectares. Elles signent un 1er cru remarquable, élevé en cuve pendant un an. Sur des arômes de fleurs blanches, le nez respire la franchise. La bouche d'une bonne tenue se révèle persistante et vive, épaulée par un brin d'acidité. Un vin tout en finesse et d'une grande pureté pour accompagner un crabe farci. Le 1er cru **Fourchaume 2010 (8 800 b.)** est quant à lui cité pour ses accents minéraux et iodés.

Dom. Daniel Séguinot et Filles, rte de Tonnerre, 89800 Maligny, tél. 03.86.47.51.40, fax 03.86.47.43.37, domaine.danielseguinot@wanadoo.fr r.-v.

DOM. SERVIN Vaillons 2010 ★

14 000 | 11 à 15 €

Une robe typique du chablis : dorée à reflets verts. Un nez concentré autour du fruit agrémenté de quelques notes de miel. Une bouche gourmande sur le fruit mûr (coing, mangue) avec beaucoup de matière et une belle longueur. Un vin dense et généreux, même s'il lui manque cette minéralité qui lui apporterait un peu de fraîcheur ; il peut être servi dès à présent avec un filet de bar à la crème de cèpes accompagné de sa polenta.

Dom. Servin, 20, av. d'Oberwesel, 89800 Chablis, tél. 03.86.18.90.00, fax 03.86.18.90.01, contact@servin.fr t.l.j. sf. sam. dim. 8h-12h 13h30-17h30

SIMONNET-FEBVRE Vaillons 2010 ★★

21 550 | 11 à 15 €

Il a tout pour plaire ce premier cru Vaillons : son élégance, sa minéralité, sa finesse comme sa rondeur. C'est un vin droit et pur, dont le nez intense s'ouvre généreusement sur les fruits blancs et les agrumes. Dominée aussi par le fruit et soulignée d'un trait de minéralité, la bouche se distingue par sa fraîcheur et sa vivacité. Superbe équilibre. Une étoile revient au **Fourchaume 2010 (15 à 20 € ; 10 200 b.)**, un vin également sur le fruit, avec une touche minérale qui contribue à son harmonie.

Simonnet-Febvre, 30, rte de Saint-Bris, 89530 Chitry, tél. 03.86.98.99.00, fax 03.86.98.99.01, contact@simonnet-febvre.com t.l.j. sf dim. lun. 10h-12h30 14h-18h30; sur r.-v. hors saison

Louis Latour

♥ **DOM. DE LA TOUR** Monts-Mains 2010 ★★

5 412 | 11 à 15 €

Monts-Mains, en deux mots ! Ce n'est pas la seule originalité de cet admirable 1er cru qui a fait l'unanimité au sein des dégustateurs du Guide. Un vin signé Vincent Fabrici, qui vient de prendre la succession de son père Renato à la tête du domaine. La discrétion du nez, certes d'une jolie fraîcheur, ne laissait pas imaginer une bouche aussi pure et aromatique. La minéralité et les notes de

fruits blancs font bon ménage dans ce palais tendu et complexe, rond et frais, qui devrait s'entendre à merveille avec un filet de turbot, mais de préférence, pour l'apprécier au mieux, après deux ans de garde. Un bonheur n'arrivant jamais seul, le **Côte de Jouan 2010 (1 910 b.)** est crédité d'une étoile pour son équilibre entre le fruit et l'acidité.

Dom. de la Tour, 3, rte de Montfort, 89800 Lignorelles, tél. 03.86.47.55.68, fax 03.86.47.55.86, ledomainedelatour@wanadoo.fr r.-v.

Vincent Fabrici

CH. DE VIVIERS Vaillons 2010

3 855 | 15 à 20 €

Les vins de ce château, dit-on, furent servis au mariage de Louis XV. Ce millésime 2010 aurait-il pu y être apprécié ? Chablis des plus classiques avec son nez frais et fruité, il se distingue par sa vivacité imposante qui domine un peu la matière. Il s'assagira et se montrera plus ouvert dans deux ou trois ans. Il saura alors accompagner une douzaine d'escargots.

SCEV Ch. de Viviers, 89700 Viviers, tél. 03.80.61.25.05, fax 03.80.24.37.38, bourgogne@lupe-cholet.com

Lupé-Cholet

DOM. YVON ET LAURENT VOCORET Fourchaume 2010 ★

8 000 | 11 à 15 €

Le 1er cru Fourchaume est encore à l'honneur au domaine Yvon et Laurent Vocoret. Doublement étoilé dans le précédent millésime, il n'a pas à rougir dans sa version 2010 qui trouve sa pureté dans la minéralité. Celle-ci s'exprime dès l'examen olfactif, autour des fruits secs. La bouche dévoile sa richesse au travers de notes de miel et de noisette auxquelles les nuances minérales apportent de la droiture. Un vin élégant, typique de l'appellation, qui réclame un peu de patience (deux ans) afin d'atteindre son apogée.

Dom. Yvon et Laurent Vocoret, 9, chem. de Beaune, 89800 Maligny, tél. 03.86.47.51.60, fax 03.86.47.57.47, domaine.yvon.vocoret@wanadoo.fr r.-v.

DOM. VOCORET ET FILS Montmains 2010 ★

25 000 | 11 à 15 €

Avec ses 1ers crus Montée de Tonnerre ou Montmains, le domaine Vocoret et Fils est régulièrement étoilé dans le Guide. Dans le millésime 2010, c'est le deuxième qui est à l'honneur pour sa richesse et sa fraîcheur. Son bouquet très complexe marie les notes vanillées du fût à des arômes de sous-bois et de champignon. La bouche aux accents d'agrumes s'accommode elle aussi d'un boisé bien fondu. C'est un chablis gourmand et équilibré qui peut être apprécié avec une assiette de charcuterie, dès aujourd'hui comme dans quelques années.

Dom. Vocoret et Fils, 40, rte d'Auxerre, 89800 Chablis, tél. 03.86.42.12.53, fax 03.86.42.10.39, domaine.vocoret@wanadoo.fr

t.l.j. sf dim. 8h-12h 14h-18h

DOM. VRIGNAUD Fourchaume Les Vaupulans 2010 ★

2 600 | 11 à 15 €

Si le boisé marque encore ce vin élevé en fût pendant quinze mois dans la nouvelle cave du domaine (construite en 2011), l'ensemble ne manque pas d'intérêt sur le plan aromatique. D'une belle fraîcheur, le nez laisse parler les notes grillées et briochées, mais évoque aussi les agrumes à l'arrière-plan. La bouche, minérale autant qu'acidulée, est tendue et serrée, ce qui n'enlève rien à sa finesse. On l'appréciera après au moins trois ans de garde, avec des suprêmes de pintade à la crème.

Dom. Vrignaud, 10, rue de Beauvoir, 89800 Fontenay-près-Chablis, tél. 03.86.42.15.69, fax 03.86.42.40.06, guillaume@domaine-vrignaud.com

r.-v.

Chablis grand cru

Superficie : 103 hl
Production : 5 200 hl

Issu des coteaux les mieux exposés de la rive droite, divisés en sept lieux-dits : Blanchot, Bougros, Les Clos, Grenouille, Les Preuses, Valmur, Vaudésir, le chablis grand cru possède à un degré plus élevé toutes les qualités des précédents, la vigne se nourrissant d'un sol enrichi par des colluvions argilo-pierreuses. Quand la vinification est réussie, un chablis grand cru est un vin complet, à forte persistance aromatique, auquel le terroir confère un tranchant qui le distingue de ses rivaux de la Côte-d'Or. Sa capacité de vieillissement stupéfie, car il exige huit à quinze ans pour s'apaiser, s'harmoniser et acquérir un inoubliable bouquet de pierre à fusil, voire, pour Les Clos, de poudre à canon !

DOM. BESSON Vaudésir 2009 ★

1 500 | 20 à 30 €

Au domaine Besson, les grands crus sont élevés en cuve et sur une courte durée (six mois), avec un résultat plutôt flatteur. Le nez de ce Vaudésir est très élégant avec des notes iodées qui soulignent les arômes de fruits frais. La bouche n'est pas en reste, avec beaucoup de fraîcheur et de finesse. La palette minérale, soulignée d'une touche salée, apporte de la tension à un fond mielleux. L'équilibre est parfait dans ce vin qui trouvera facilement sa place, dans trois à six ans, auprès d'un poisson ou d'une viande blanche à la crème.

EARL Besson, 15, rue de Valvan, BP 48, 89800 Chablis, tél. 03.86.42.19.53, fax 03.86.42.49.46, domaine-besson@wanadoo.fr

t.l.j. sf dim. 9h-12h 13h30-19h

DOM. BILLAUD-SIMON Vaudésir 2009 ★

	4 800	▮	30 à 50 €

« Vous offrir une émotion cristalline et aérienne du chablis » : c'est l'objectif de Bernard Billaud qui pratique l'élevage en cuve. Engagement tenu avec ce grand cru Vaudésir harmonieux, équilibré et gourmand. Son nez intense de fruits mûrs et de fleurs blanches est une invitation à la dégustation. La bouche est soyeuse avec un fond beurré souligné par un trait de minéralité qui apporte la longueur. Ce vin très réussi accompagnera à merveille un poisson en sauce.

Dom. Billaud-Simon, 1, quai de Reugny, BP 46, 89800 Chablis, tél. 03.86.42.10.33, fax 03.86.42.48.77, bernard.billaud@online.fr r.-v.

DOM. PASCAL BOUCHARD Les Clos 2009 ★

	2 900		30 à 50 €

Seize mois d'élevage sur lies en fût de chêne et cuve Inox pour ce grand cru Les Clos. Romain et Damien, désormais aux commandes du domaine Pascal Bouchard, ont renoncé aux traitements chimiques et ont réduit les rendements pour favoriser la concentration de leurs vins. Une belle robe dorée, un nez pur avec des notes de noisettes, une bouche minérale et fraîche, un boisé bien maîtrisé : ce grand cru est appelé à un bel avenir. Alors soyez patient, d'ici quatre à dix ans, il dévoilera tout son potentiel.

Dom. Pascal Bouchard, 5 bis, rue Porte-Noël, 89800 Chablis, tél. 03.86.42.83.96, fax 03.86.42.48.11, contact@pascalbouchard.com
t.l.j. 10h30-13h 14h30-19h

DOM. DU COLOMBIER Bougros 2010 ★

	n.c.	▮	15 à 20 €

Une étoile pour ce Bougros 2010 ; un peu moins bien que le millésime précédent qui en avait décroché deux. On notera en tout cas la constance des trois frères Mothe qui proposent ici un vrai « vin plaisir », au nez complexe de beurre, d'iode, de fruits et de fleurs, prélude à une bouche d'une grande richesse gustative. Le fruit mûr se réfugie dans la rondeur, tandis que l'acidité apporte de la vivacité. À servir avec un plateau de fruits de mer. Très réussie, cette bouteille pourra attendre deux à trois ans.

Dom. du Colombier, 42, Grand-Rue, 89800 Fontenay-près-Chablis, tél. 03.86.42.15.04, fax 03.86.42.49.67, domaine@chabliscolombier.com
r.-v.
Guy Mothe et ses Fils

MAISON DAMPT Bougros 2010 ★

	1 800		20 à 30 €

Un an d'élevage en fût et un joli boisé pour ce vin de Vincent et Sébastien Dampt, qui ont créé leur maison de négoce en 2008. Ces Dampt-là sont à Milly, tout près de Chablis. Il convient de ne pas les confondre avec le Vignoble Dampt basée à Collan. Question vin, ils savent y faire. Ce Bougros est très bien vinifié et parfaitement équilibré. Le nez puissant trouve son équilibre entre fruité et minéralité. La bouche crayeuse s'accommode du boisé fondu. Un vin rond, à la fois généreux et délicat, pour accompagner des noix de Saint-Jacques d'ici trois à cinq ans.

Maison Dampt, 1, rue des Violettes, 89800 Milly, tél. 03.86.42.47.23, fax 03.86.42.46.41, domaine.dampt.defaix@wanadoo.fr r.-v.

VINCENT DAUVISSAT Les Preuses 2010 ★

	3 700		30 à 50 €

On ne présente plus Vincent Dauvissat, vigneron dans l'âme, passionné de son terroir. La typicité chablisienne est au rendez-vous même si la jeunesse de ce vin n'a pas facilité la dégustation. Un nez floral avec des notes iodées, une bouche légèrement toastée avec un trait de minéralité et toujours ce fond iodé propre au terroir de l'appellation. Un vin avec un joli potentiel de garde ; le plateau de fruits de mer devra attendre. Cité, le **grand cru Les Clos 2010 (8 000 b.)**, légèrement épicé au nez, est porté par une acidité plaisante en bouche. Là encore il faudra patienter (quatre à six ans).

Vincent Dauvissat, 8, rue Émile-Zola, 89800 Chablis, tél. 03.86.42.11.58, fax 03.86.42.85.32

JEAN-PAUL ET BENOÎT DROIN Valmur 2010 ★

	7 400		20 à 30 €

Il ne se passe pas un millésime sans que le grand cru Valmur figure en bonne place dans le Guide. Coup de cœur pour le millésime 2007, deux étoiles pour celui de 2009, le Valmur 2010 se distingue avec une étoile, comme le 2008. Une constance dans la qualité qui ne doit rien au hasard. Fruits blancs et épices au nez avec une touche minérale, grande richesse et générosité en bouche, c'est le type de vin qui prend au corps. Différent en tout cas du **grand cru Les Clos 2010 (10 000 b.)**, également étoilé. Le nez citronné est davantage marqué par le bois, ce qui lui donne un caractère plus rustique en bouche malgré sa rondeur. Deux styles, une même réussite, à découvrir dans quatre ou cinq ans.

Jean-Paul et Benoît Droin, 14 bis, av. Jean-Jaurès, BP 19, 89800 Chablis, tél. 03.86.42.16.78, fax 03.86.42.42.09, benoit@jeanpaulbenoit-droin.fr
t.l.j. sf sam. dim. 8h30-12h 13h30-17h

♥ **DROUHIN-VAUDON** Bougros 2010 ★★

	n.c.		30 à 50 €

De la soie ! Un nez délicat comme un bouquet de fleurs. Une bouche d'une rare pureté. Tout est finesse, richesse et droiture avec ce trait de minéralité qui signe le terroir. Pas étonnant que le grand jury ait décerné un coup de cœur à ce Bougros. Une belle récompense pour la maison Joseph Drouhin dont le nom est désormais associé à la dénomination Vaudon pour l'ensemble de ses vins du Chablisien, en référence au moulin éponyme situé au pied de la côte des grands crus. Pour ne pas être en reste, le **grand cru Les Clos 2010** obtient également deux étoiles. Fleurs blanches et fruits mûrs au nez, vivacité et rondeur en bouche, l'équilibre est parfait. Là encore, la finesse est de mise. Ces vins flirtent avec les sommets de l'appellation et sont déjà très agréables à boire.

Maison Joseph Drouhin, 7, rue d'Enfer, 21200 Beaune, tél. 03.80.24.68.88, fax 03.80.22.43.14, maisondrouhin@drouhin.com r.-v.

DOM. NATHALIE ET GILLES FÈVRE Les Preuses 2009 ★

5 000 | 30 à 50 €

« Travailler le plus simplement possible afin de laisser s'exprimer au mieux la minéralité et la complexité de nos terroirs », c'est la devise de Nathalie Fèvre. Exercice réussi avec ce grand cru Les Preuses 2009 qui n'obtient pas de coup de cœur comme la cuvée 2008, mais qui reste bien calé sur la typicité de l'appellation. Un nez fin et légèrement citronné ; une bouche d'une grande pureté avec une belle tension minérale et une rondeur qui se fond dans un léger boisé. Un vin de plaisir pour accompagner des crustacés, qui pourra patienter trois à cinq ans.

Dom. Nathalie et Gilles Fèvre, rte de Chablis, 89800 Fontenay-près-Chablis, tél. 03.86.18.94.47, fax 03.86.18.96.92, fevregilles@wanadoo.fr r.-v.

GARNIER ET FILS Les Clos 2009 ★★

912 | 30 à 50 €

Fermentations longues (vingt-quatre mois) et en fût. C'est la règle chez Jérôme Garnier dès lors qu'il s'agit d'élever ses grands crus. Et la recette est bonne, pour preuve cette cuvée confidentielle qui obtient deux étoiles. Un vin bien équilibré, encore timide mais plein de promesses dans sa robe jaune paille à reflets verts. Le nez puissant s'ouvre sur les agrumes et quelques notes florales. Mais c'est en bouche qu'il joue la carte de la séduction. Une bouche soyeuse qui possède tous les atouts d'un grand chablis : finesse et rondeur, droiture et minéralité. Un vin puissant au bon potentiel de garde (trois à six ans), capable de tenir la dragée haute à un fromage. Époisses ou chèvre sec ?

Dom. Garnier et Fils, chem. de Méré, 89144 Ligny-le-Châtel, tél. 03.86.47.42.12, fax 03.86.98.09.95, info@chablis-garnier.com r.-v.

LAMBLIN ET FILS Les Clos 2009 ★

1 800 | 20 à 30 €

Maison de négoce installée à Maligny, la société Lamblin et Fils est une véritable vitrine du vignoble chablisien. Ce grand cru, élevé douze mois en fût de chêne, est marqué en bouche par un boisé bien fondu, légèrement caramel. Pour autant, ce vin est bien structuré avec un nez fin souligné par la minéralité, qui apporte de la fraîcheur et de la longueur en bouche. Servir avec une poularde à la crème dans quatre à six ans.

Lamblin et Fils, rue Marguerite-de-Bourgogne, 89800 Maligny, tél. 03.86.98.22.00, fax 03.86.47.50.12, infovin@lamblin.com
t.l.j. sf dim. 8h-12h 14h-17h; sam. 8h-11h30

DOM. LONG-DEPAQUIT Les Clos 2009

6 500 | 30 à 50 €

La discrétion est de mise pour ce grand cru qui a bénéficié d'un élevage mixte (cuve et fût). L'œuvre de Matthieu Mangenot, l'œnologue de ce joli domaine appartenant à la maison Albert Bichot. Un vin citronné et légèrement iodé au nez. Pas étonnant que la bouche minérale croise quelques arômes de coquilles d'huîtres. Ne cherchez pas un autre plat pour servir ce vin frais et vif. Il se prêtera à une garde de quatre à sept ans.

Dom. Long-Depaquit, 45, rue Auxerroise, 89800 Chablis, tél. 03.86.42.11.13, fax 03.86.42.81.89, chateau-long-depaquit@albert-bichot.com
t.l.j. sf dim. 9h-12h30 14h-18h
Albert Bichot

DOM. DES MALANDES Les Clos 2010 ★★ (coup de cœur)

3 000 | 20 à 30 €

Charmante vigneronne qui dirige seule le domaine des Malandes depuis 2007, Lyne Marchive collectionne les coups de cœur. Dans la précédente édition, avec son chablis 1er cru Montmains vieilles vignes 2009 ; cette année avec un grand cru Les Clos 2010. La récompense suprême partagée avec son œnologue, Guénolé Breteaudeau. Ce vin d'une grande fraîcheur procure un plaisir immédiat. Mais c'est surtout son potentiel de garde qui est souligné par les dégustateurs. Dans sa robe jaune pâle à reflets verts, il mise sur l'élégance. Le nez est un bouquet de fleurs blanches accompagné de notes citronnées. La bouche est sans détour, pure, droite, composant un très bel équilibre entre rondeur, fruité et minéralité. Réservez cette grande bouteille à un joli plat de poissons ou à des noix de Saint-Jacques. Elle a le potentiel pour séjourner jusqu'à dix ans en cave.

Dom. des Malandes, 63, rue Auxerroise, 89800 Chablis, tél. 03.86.42.41.37, fax 03.86.42.41.97, contact@domainedesmalandes.com r.-v.
Lyne Marchive

LOUIS MICHEL ET FILS Vaudésir 2009 ★

4 000 | 30 à 50 €

Au domaine Louis Michel, c'est désormais Guillaume qui est aux commandes. Un changement dans la continuité avec, toujours, le choix de l'élevage en cuve pour privilégier la fraîcheur et la précision. Une belle fraîcheur portée par la minéralité tant au nez qu'en bouche, avec du fruit (agrumes) et un fond noisette. Un vin complexe et puissant en bouche, contrairement au **grand cru Les Clos 2009 (2 000 b.)**, cité, beaucoup plus onctueux au palais et fin dans son approche olfactive (fleurs blanches). L'un et l'autre peuvent accompagner, avec un égal bonheur, une assiette de charcuterie.

Louis Michel et Fils, 9, bd de Ferrières, 89800 Chablis, tél. 03.86.42.88.55, contact@louismicheletfils.com r.-v.

J. MOREAU ET FILS Valmur 2009

7 600 | 20 à 30 €

Ce grand cru Valmur est déjà très agréable, parce qu'il s'exprime sur la finesse, notamment en bouche. Si le nez hésite entre la fleur et le fruit, la bouche est plus franche avec une rondeur qui s'appuie sur la minéralité. On notera aussi un fond iodé qui en fait un vin tout indiqué pour accompagner un plateau de fruits de mer.

J. Moreau et Fils, rte d'Auxerre, 89800 Chablis,
tél. 03.86.42.88.05, fax 03.86.42.88.08,
depuydt.l@jmoreau-fils.com
t.l.j. sf sam. dim. 8h-12h 13h30-17h30; f. août
FGV

DOM. CHRISTIAN MOREAU PÈRE ET FILS
Clos des Hospices dans les clos 2009 ★

2 900 | 30 à 50 €

Le Clos des Hospices est une parcelle que la famille de Christian Moreau a achetée aux hospices de Chablis en 1904. Depuis plus d'un siècle, cette cuvée est vinifiée séparément et bénéficie d'une étiquette spéciale. Voilà pour l'histoire. Côté vin, c'est très réussi. Dans ce domaine en conversion bio, Fabien Moreau utilise le boisé à bon escient. Le nez est puissant et grillé. Une puissance que l'on retrouve en bouche avec de la générosité et de l'acidité. Ce qui en fait un grand cru élégant pouvant donner la réplique à un foie gras. Il vous faudra attendre cinq à huit ans pour le déguster à son apogée.

Christian Moreau Père et Fils, 26, av. d'Oberwesel, 89800 Chablis, tél. 03.86.42.86.34, fax 03.86.42.84.62, contact@domainechristianmoreau.com r.-v.

DOM. DE OLIVEIRA LECESTRE Les Clos 2010 ★

1 500 | 15 à 20 €

Tout le terroir est dans la bouteille. L'élevage en cuve, pendant douze mois, n'est pas étranger à l'expression du sous-sol chablisien. Comme les raisins ont été récoltés à maturité, la concentration domine tant au nez qu'en bouche. Parfums de fleurs blanches et de fruits exotiques, notes épicées, les papilles sont en éveil. Puissante, complexe, un brin végétale, cette cuvée vaut par sa minéralité et par sa vivacité. Gourmande, elle pourra être servie avec un dessert. Dans deux à cinq ans.

Dom. de Oliveira Lecestre, 11, rue des Chenevières, 89800 Fontenay-près-Chablis, tél. 03.86.42.40.78, fax 03.86.42.83.72, gaecdeoliveira@wanadoo.fr
t.l.j. sf sam. dim. 9h-12h 14h-17h; f. 15-30 août

DENIS RACE Blanchot 2010 ★★

1 266 | 20 à 30 €

Denis Race se plaît à le dire : « le vin du domaine est exclusivement féminin ». Si Mélanie, la fille aînée, a créé sa propre marque de cosmétique à base de raisin, c'est bien Claire, la cadette, qui vinifie les vins du domaine. Et là, pas question de maquillage. Du vin dans toute sa pureté et son élégance. Une sincérité née de l'élevage en cuve. Le nez est un bouquet de fleurs blanches posé sur un plateau de fruits. La bouche n'en finit pas de séduire par sa fraîcheur, sa minéralité. Le fruit n'est pas en retrait et le plaisir est immédiat. Une cuvée à oublier en cave au moins trois ans avant de la servir sur un délicieux plat de poisson.

Denis Race, 5, rue de Chichée, 89800 Chablis, tél. 03.86.42.45.87, fax 03.86.42.81.23, domaine@chablisrace.com
t.l.j. sf dim. 9h-12h 14h30-17h30

RÉGNARD Les Clos 2010

8 000 | 30 à 50 €

La maison Régnard, c'est l'un des pied-à-terre du baron Patrick de Ladoucette dans le vignoble de l'Yonne. Ce grand cru classique de l'appellation a été élevé en cuve. Ce qui n'empêche pas de relever un nez discrètement boisé, du fruit et une pointe de minéralité. La bouche est équilibrée et portée par une belle acidité. Pourquoi ne pas l'essayer sur une andouillette dans cinq ans ?

Régnard, 28, bd Tacussel, 89800 Chablis, tél. 03.86.42.10.45, fax 03.86.42.48.67, regnard.chablis@wanadoo.fr
t.l.j. 9h30-12h30 14h-18h
De Ladoucette

♥ **GUY ROBIN** Vaudésir Vieilles Vignes 2009 ★★

n.c. | 20 à 30 €

Elle apprend vite et bien, Marie-Ange Robin. Revenue, en 2007, au sein de la propriété familiale chère à Denise et à Guy Robin, ses parents, elle cumule les distinctions. Une étoile, l'an dernier, pour son grand cru Valmur Vieilles Vignes 2008. Deux étoiles et un coup de cœur, cette année, avec son grand cru Vaudésir 2009. Un vin en tous points remarquable dans sa robe jaune paille à reflets argentés. Le nez complexe s'épanouit autour des agrumes avec une dominante citronnée. La bouche est à la fois puissante et élégante, accompagnée d'une touche boisée qui ne nuit pas à la fraîcheur. Rondeur et minéralité assurent l'équilibre de cette cuvée bien structurée, à la très belle persistance aromatique. Du grand art ! Un foie gras poêlé se mariera parfaitement avec cette bouteille, à condition d'être patient (quatre à six ans).

Dom. Guy Robin, 13, rue Berthelot, 89800 Chablis, tél. 03.86.42.12.63, fax 03.86.42.49.57, contact@domaineguyrobin.com r.-v.

SÉGUINOT-BORDET Vaudésir 2009 ★★

1 300 | 30 à 50 €

C'est avec sa casquette de négociant que Jean-François Bordet a élaboré ce grand cru Vaudésir. Histoire d'élargir la gamme des vins du domaine. Le résultat est à la hauteur du savoir-faire de ce jeune vigneron qui pratique un élevage mixte : douze mois en fût et six mois en cuve. Un vin précis et droit qui séduit par son nez de tilleul et de fleurs blanches sur des notes légèrement grillées. La minéralité s'impose en bouche et on ne va pas s'en plaindre. Elle apporte de la vivacité à ce vin opulent et très riche. Une très jolie bouteille typique de l'appellation. Idéale pour accompagner un plateau de fruits de mer. À conserver quatre à six ans.

SARL J.-F. Bordet, 8, chem. des Hâtes, 89800 Maligny, tél. 03.86.47.44.42, fax 03.86.47.54.94, contact@seguinot-bordet.fr t.l.j. 8h-12h 13h30-18h; sam. dim. sur r.-v.; f. 15 août-1er sep.

DOM. SERVIN Bougros 2009 ★★

3 300 | 20 à 30 €

Toute l'expression d'un grand chablis dans ce Bougros 2009 : richesse, longueur et minéralité. Un vin gour-

BOURGOGNE

mand, un « vin plaisir », comme François Servin sait les élaborer. Le nez s'ouvre sur le fruit bien mûr avec des notes épicées, lesquelles se prolongent en bouche pour soutenir la générosité de la matière. Sans oublier ce trait de minéralité qui ajoute de la longueur et de la complexité. À servir sur une viande blanche dans deux à quatre ans. Très réussi, le **grand cru Les Preuses 2009 (3 700 b.)** obtient une étoile. Un vin tout aussi gourmand parce qu'il repose sur la même maturité, avec plus de rondeur que d'acidité. Une bouteille équilibrée avec un beau potentiel en devenir.

Dom. Servin, 20, av. d'Oberwesel, 89800 Chablis, tél. 03.86.18.90.00, fax 03.86.18.90.01, contact@servin.fr
t.l.j. sf. sam. dim. 8h-12h 13h30-17h30

SIMONNET-FEBVRE Preuses 2009 ★★

2 230 | 30 à 50 €

Vingt mois de cuve pour ce grand cru particulièrement dorloté dans sa jeunesse. Résultat : un vin puissant et généreux mais aussi très élégant. Un instant timide, le nez libère des arômes d'agrumes après aération. La séduction vient en bouche sous forme de gourmandise. La rondeur absorbe la puissance ; la fraîcheur illumine la matière. Un 2009 très agréable à boire sans trop attendre. Dans un autre style, le **grand cru Les Clos 2009 (8 170 b.)** obtient une étoile. Derrière un nez brioché, la bouche joue la carte de la minéralité, ce qui apporte longueur et vivacité.

Simonnet-Febvre, 30, rte de Saint-Bris, 89530 Chitry, tél. 03.86.98.99.00, fax 03.86.98.99.01, contact@simonnet-febvre.com
t.l.j. sf dim. lun. 10h-12h30 14h-18h30; sur r.-v. hors saison
Louis Latour

Irancy

Superficie : 165 ha
Production : 6 800 hl

Ce petit vignoble situé à une quinzaine de kilomètres au sud d'Auxerre a vu sa notoriété confirmée, devenant AOC communale. Les vins d'Irancy ont acquis une réputation en rouge, grâce au césar (ou romain), cépage local datant peut-être du temps des Gaules. Ce dernier est assez capricieux ; lorsqu'il a une production faible à normale, il imprime un caractère particulier au vin et, surtout, lui apporte un tanin permettant une très longue conservation. Lorsqu'il produit trop, il donne difficilement des vins de qualité ; c'est la raison pour laquelle il n'a pas fait l'objet d'une obligation dans les cuvées.

Le pinot noir, principal cépage de l'appellation, donne sur les coteaux d'Irancy un vin de qualité, très fruité, coloré. Les caractéristiques du terroir sont surtout liées à la situation topographique du vignoble, qui occupe essentiellement les pentes formant une cuvette au creux de laquelle se trouve le village. Le terroir déborde sur les deux communes voisines de Vincelotte et de Cravant, où les vins de la Côte de Palotte sont particulièrement réputés.

BENOÎT CANTIN Palotte Élevé en fût de chêne 2010 ★

4 400 | 11 à 15 €

Ce Palotte est un habitué du Guide : deux étoiles dans le millésime 2009, même distinction et un coup de cœur pour le millésime 2008. La cuvée 2010, elle, doit se contenter d'une étoile. Ayant bénéficié d'un élevage en fût bien maîtrisé, ce vin n'en reste pas moins très réussi. Nez plaisant de fruits rouges avec des notes légèrement boisées, bouche puissante et tannique : cette bouteille est à oublier en cave pendant trois à six ans. À son apogée, on la servira volontiers sur du gibier.

Benoît Cantin, 35, chem. des Fossés, 89290 Irancy, tél. 03.86.42.21.96, fax 03.86.42.35.92, cantin.benoit@orange.fr t.l.j. 8h-12h 14h-18h

ANITA, JEAN-PIERRE & STÉPHANIE COLINOT Vieilles Vignes 2010 ★

12 000 | 8 à 11 €

L'irancy Vieilles Vignes est sûrement la cuvée la plus régulière de la famille Colinot. Vendange égrappée, élevage en cuve pendant un an, et le résultat est ce vin frais et fruité, très agréable au palais. La séduction commence au nez avec les arômes gourmands de griotte. La bouche est généreuse et bien structurée. À servir avec quelques cochonnailles. Le **Palotte 2010 (15 à 20 € ; 1 700 b.)** est cité pour son intensité et sa rondeur, ainsi que le **2010 Les Cailles (11 à 15 € ; 7 400 b.)** pour son élégance. Des vins déjà prêts à boire.

Colinot, 1, rue des Chariats, 89290 Irancy, tél. et fax 03.86.42.33.25, vin@irancy-colinot.fr
t.l.j. sf dim. 9h-12h 14h-18h

CLOTILDE DAVENNE 2010

n.c. | 8 à 11 €

Pas de fût dans les vins de Clotilde Davenne, c'est bien connu, et cela pour préserver le fruit du cépage et la minéralité du terroir. Le résultat ? Un 2010 élégant, au nez fruité et au palais à la fois tendre et tendu. Un vin de plaisir immédiat, qui trouve son équilibre entre le gras et la vivacité.

SARL Clotilde Davenne, 3, rue de Chantemerle, 89800 Préhy, tél. 03.86.41.46.05, info@clotildedavenne.fr
r.-v.

DOM. FÉLIX 2010 ★★

6 100 | 8 à 11 €

Inutile d'attendre ! Cet irancy 2010 est bon à boire dès la sortie du Guide tant il est gourmand. Pas étonnant qu'il ait frôlé le coup de cœur. Un élevage mixte (dix mois de cuve et six mois de fût) a permis de fondre les tanins dans un ensemble riche et fruité. Le nez est tombé dans un panier de fruits rouges et noirs agrémentés de notes réglissées. Quant à la bouche, elle est parfaite, fruitée et généreuse à souhait. Ce vin extrêmement plaisant accompagnera aussi bien un coq au vin d'irancy qu'un confit de canard.

Dom. Félix, 17, rue de Paris, 89530 Saint-Bris-le-Vineux, tél. 03.86.53.33.87, fax 03.86.53.61.64, domaine.felix@wanadoo.fr
t.l.j. sf dim. 9h-11h45 14h-18h30

B **GUILHEM ET JEAN-HUGUES GOISOT** Les Mazelots 2010

4 000 | 11 à 15 €

Cette cuvée Mazelots avait obtenu deux étoiles pour le millésime 2009. Elle est à nouveau distinguée pour la cuvée 2010, encore jeune mais promise, sans aucun doute, à un bel avenir. Un nez de pain grillé et de fruits rouges ; une bouche dominée par le fruit et dotée d'une belle trame tannique avec une pointe d'acidité. À servir sur un rôti de faisan d'ici deux à quatre ans.

🔑 Guilhem et Jean-Hugues Goisot, 30, rue Bienvenu-Martin, 89530 Saint-Bris-le-Vineux, tél. 03.86.53.35.15, fax 03.86.53.62.03, domaine.jhg@goisot.com ☑ 🍷 r.-v.

♥ DOM. DE MAUPERTHUIS 2010 ★★

■ 8 000 | 8 à 11 €

Les millésimes se suivent et se ressemblent pour Laurent Ternynck, céréalier et vigneron, et collectionneur de coups de cœur dans le Guide. Le pinot noir est certainement son cépage de prédilection, comme le confirme cet irancy 2010 en tout point remarquable. Un nez épicé qui éveille le fruit. Un boisé discret en bouche qui n'enlève rien à la rondeur de la matière. « Un bel irancy cultivé au milieu des cerisiers en fleurs », pour reprendre l'expression imagée d'un dégustateur. Un vin gourmand, charmant, que l'on n'hésitera pas à ouvrir dès aujourd'hui, ou d'ici deux à cinq ans. Cité, le **Palotte 2010 (11 à 15 € ; 600 b.)** affiche une belle persistance aromatique ; il exprimera davantage ses qualités dans deux ou trois ans. L'un et l'autre accompagneront à merveille du gibier.

🔑 EARL de Mauperthuis, Civry, 89440 Massangis, tél. 03.86.33.86.24, fax 09.55.95.08.41, ternynck@hotmail.com ☑ 🍷 r.-v.

🔑 Laurent et Marie-Noëlle Ternynck

DOM. SAINT-GERMAIN La Bergère 2009 ★★

■ 4 800 | 11 à 15 €

Remarquable, cette cuvée La Bergère qui confirme son statut de porte-drapeau du domaine de Christophe Ferrari. On retrouve toutes les qualités d'un pinot noir vendangé à maturité : un nez de fruits rouges mâtiné d'épices ; une bouche ronde, charmeuse, gourmande, d'une grande élégance. S'il est prêt à boire avec des fromages de chèvre secs, on pourra aussi attendre ce vin un à deux ans. Le **Paradis 2009 (15 à 20 € ; 3 100 b.)**, autre cuvée phare du domaine, obtient une étoile. C'est un vin équilibré, avec des tanins bien fondus et une jolie fraîcheur. L'irancy **2009 (8 à 11 € ; 45 000 b.)**, plus classique, est cité pour sa finesse au nez et sa fraîcheur en bouche.

🔑 Christophe Ferrari, 7, chem. des Fossés, 89290 Irancy, tél. 03.86.42.33.43, fax 03.86.42.39.30, irancy.ferrari@orange.fr ☑ 🍷 🚶 r.-v. 🏠 G

♥ BRUNO VERRET Palotte Élevé en fût de chêne 2010 ★★

■ 4 000 | 11 à 15 €

Voici un collectionneur de coups de cœur : Bruno Verret, vigneron à Saint-Bris-le-Vineux, est l'un des rares à

ajouter encore un peu de cépage césar dans son pinot noir, signature des irancy. La suprême distinction donc pour ce remarquable Palotte élevé en fût de chêne pendant douze mois, un vin d'une rare élégance avec sa robe rubis foncé, qui attire dès la présentation. La bouche fait le reste, construite sur la fraîcheur et sur la franchise. Le fruit domine et se fond dans un boisé parfaitement maîtrisé, agrémenté de superbes notes épicées. À découvrir dans deux à quatre ans. Deux étoiles également pour la cuvée **Sillage 2009 (5 000 b.)**, assemblage des meilleurs coteaux d'Irancy. Une sélection qui donne un vin complexe, fruité et légèrement toasté au nez, gourmand et soyeux en bouche. Deux grands vins capables de donner la réplique à des mets de gibier.

🔑 SARL Bruno Verret, 13, rte de Champs, 89530 Saint-Bris-le-Vineux, tél. 03.86.53.83.98, dverret@domaineverret.com ☑ 🍷 🚶 t.l.j. sf dim. 8h-12h 14h-18h 🏠 E

Saint-bris

Superficie : 133 hl
Production : 7 950 hl

VDQS (1974) puis AOC (2001), les saint-bris proviennent essentiellement de la commune du même nom. L'appellation est réservée au sauvignon. Ce cépage est surtout planté sur les plateaux calcaires où il atteint toute sa puissance aromatique. Contrairement aux vins de sauvignon de la vallée de la Loire ou du Sancerrois, le saint-bris fait généralement sa fermentation malolactique, ce qui lui confère une certaine souplesse.

DOM. BERSAN Mont Embrasé 2010 ★

5 000 | 8 à 11 €

Sur le *climat* Mont Embrasé, orienté à l'ouest, les raisins bénéficient d'une maturation lente et douce, ce qui donne un vin très élégant avec de la fraîcheur et du fruit. Si le nez de tilleul reste discret, la bouche en revanche est très expressive, gourmande et séduisante. Cette belle bouteille a bien mérité son étoile, tout comme le **sauvignon 2010 (5 à 8 € ; 20 000 b.)** porté par le fruit et la minéralité. Un vin sans détour, droit comme un I et assurément bon à boire, à l'heure de l'apéritif.

🔑 Dom. Jean-Louis et Jean-Christophe Bersan, 20, rue Dr-Tardieux, 89530 Saint-Bris-le-Vineux, tél. 03.86.53.33.73, fax 03.86.53.38.45, jean-louis.bersan@wanadoo.fr ☑ 🍷 🚶 t.l.j. sf dim. 9h-12h 13h30-18h

P.-L. & J.-F. BERSAN Cuvée Marianne 2010 ★

2 500 8 à 11 €

Associé à son père à la tête d'un nouveau domaine, Pierre-Louis Bersan a vite appris le métier ; dans les vignes, ou sur un terrain de rugby, il est la réplique de Jean-François. Bénéficiant d'un élevage mixte pendant un an (60 % de cuve, 40 % de fût), cette cuvée Marianne reflète parfaitement son terroir. Nez de verveine, bouche d'agrumes ; elle est également soutenue par une belle minéralité. Richesse de la matière, vivacité et harmonie, ce sauvignon séducteur peut facilement accompagner quelques noix de Saint-Jacques.

Dom. Pierre-Louis et Jean-François Bersan, 5, rue du Dr-Tardieux, 89530 Saint-Bris-le-Vineux, tél. 03.86.53.07.22, fax 03.86.48.97.28, domainejfetplbersan@orange.fr
t.l.j. sf dim. 9h-12h 14h-18h

DOM. JEAN-MICHEL DAULNE 2010 ★

4 500 5 à 8 €

Jean-Michel Daulne vinifie à l'ancienne avec trois macérations, histoire d'extraire un maximum d'arômes. Le résultat est là dans ce nez franc et typé porté par les fruits mûrs. La bouche n'est pas en reste dévoilant de la rondeur, de la droiture et une belle acidité qui fait durer le plaisir gustatif. Vous ne décevrez pas vos amis en ouvrant cette bouteille à l'heure de l'apéritif. Car c'est un vin de plaisir immédiat, qui peut aussi prendre une place auprès d'un fromage de chèvre, sans faute de goût.

Jean-Michel et Marilyn Daulne, RN 6, Le Bouchet, 89460 Bazarnes, tél. et fax 03.86.42.20.97, jean-michel89@laposte.net
t.l.j. sf dim. 10h-12h 14h-19h

♥ **PHILIPPE DEFRANCE** 2010 ★★

3 800 5 à 8 €

C'est le coup de cœur de l'appellation, un véritable chef d'œuvre signé Philippe Defrance, qui se passionne pour son terroir et pour son village. La maison Defrance est établie à Saint-Bris depuis plusieurs générations et les caves voûtées des XIIe et XIIIes. méritent le détour autant que les vins de la propriété. Quant à ce sauvignon 2010, c'est un modèle d'élégance et d'équilibre. Le nez est déjà significatif avec sa finesse florale. Mais le plaisir se trouve en bouche. La fraîcheur des agrumes se conjugue à la rondeur de la matière, le tout tenu par une surprenante acidité. On ne va pas chercher midi à quatorze heures : ce vin est idéal pour accompagner la cuisine exotique. Mais les Bourguignons peuvent aussi se faire plaisir en l'associant à une douzaine d'escargots. Quelle que soit l'option, c'est le vin qui tiendra la vedette.

Philippe Defrance, 5, rue du Four, 89530 Saint-Bris-le-Vineux, tél. 03.86.53.39.04, fax 03.86.53.66.46, ph.defrance89@orange.fr r.-v.

WILLIAM FÈVRE 2010

n.c. 5 à 8 €

C'est en cuve que Didier Seguier, maître de chai du domaine William Fèvre, élève ses sauvignons. Un vin droit et bien équilibré, avec son nez qui s'ouvre sur des arômes d'abricot. La bouche est franche et puissante, avec une belle acidité qui lui donne de la longueur. Ce vin sans histoire accompagnera une assiette de charcuterie.

Dom. William Fèvre, 21, av. d'Oberwesel, 89800 Chablis, tél. 03.86.98.98.98, fax 03.86.98.98.99, contact@williamfevre.com
t.l.j. 9h30-12h30 13h30-18h; f. déc.-fév.

DOM. FILLON ET FILS 2010 ★

2 000 5 à 8 €

Une étoile en 2010, comme en 2009, le domaine Fillon affiche une belle constance dans l'élaboration de ses sauvignons. Le nez est dominé par les fruits exotiques et les agrumes, arômes intenses qui invitent à porter le verre aux lèvres. Là, on prend les mêmes (ananas, pamplemousse...) et l'on recommence. Le fruit est bien installé, et cela fait un vin gourmand, équilibré, avec un joli corps. N'attendez pas pour servir cette bouteille avec une salade de chèvre chaud.

Dom. Fillon, 53, rue Bienvenu-Martin, 89530 Saint-Bris-le-Vineux, tél. 03.86.53.30.26, fax 03.86.53.63.88, domaine-fillon@club-internet.fr
t.l.j. 9h-12h30 13h30-19h30

DOM. DE MAUPERTHUIS 2009 ★

5 000 5 à 8 €

Laurent Ternynck est habitué aux coups de cœur du Guide. Avec ce saint-bris 2009, il doit se « contenter » d'une étoile, ce qui n'est pas si mal pour ce « touche-à-tout des cépages ». Un vin discret au nez. Les saveurs d'agrumes, on les trouve surtout en bouche, au milieu de notes herbacées. Pour autant, ce sauvignon se distingue par sa fraîcheur et par un bon équilibre. Inutile d'attendre pour le boire à l'apéritif, par exemple, avec quelques gougères.

EARL de Mauperthuis, Civry, 89440 Massangis, tél. 03.86.33.86.24, fax 09.55.95.08.41, ternynck@hotmail.com
r.-v.

La Côte de Nuits

La Côte de Nuits s'allonge jusqu'au Clos des Langres, sur la commune de Corgoloin. C'est une côte étroite (quelques centaines de mètres seulement), coupée de combes de style alpestre avec des bois et des rochers, soumise aux vents froids et secs. Elle compte vingt-neuf appellations réparties selon l'échelle des crus, avec des villages aux noms prestigieux : Gevrey-Chambertin, Chambolle-Musigny, Vosne-Romanée, Nuits-Saint-Georges... Les 1ers crus et les grands crus (chambertin, clos-de-la-roche, musigny, clos-de-vougeot) se situent à une altitude comprise entre

240 et 320 m. C'est dans ce secteur que l'on trouve les plus nombreux affleurements de marnes calcaires, au milieu d'éboulis variés ; les vins rouges les plus structurés de toute la Bourgogne, aptes aux plus longues gardes, en sont issus.

Bourgogne-hautes-côtes-de-nuits

Superficie : 657 ha
Production : 28 750 hl (80 % rouge)

L'appellation s'applique à des vins rouges, rosés et blancs nés dans 16 communes de l'arrière-pays, ainsi que sur les parties de communes situées au-dessus des appellations communales et des crus de la Côte de Nuits. Cette production a augmenté notablement depuis 1970, date avant laquelle ce secteur proposait des vins plus régionaux, bourgogne-aligoté essentiellement. C'est à cette époque que des terrains, plantés avant le phylloxéra, ont été reconquis. La reconstitution du vignoble s'est accompagnée d'un effort touristique, avec en particulier la construction d'une Maison des Hautes-Côtes où l'on peut découvrir les productions locales – dont les liqueurs de cassis et de framboise.

Les coteaux les mieux exposés donnent certaines années des vins qui peuvent rivaliser avec des parcelles de la Côte, notamment en blanc : le chardonnay, d'un millésime à l'autre, donne des vins d'une meilleure régularité que le pinot noir.

DOM. YVES CHALEY ET FILLE
Cuvée de la Tour Saint-Denis Les Cloupetits 2009

■ 16 800 15 à 20 €

Yves Chaley et sa fille travaillent ensemble cette parcelle de 4,2 ha plantée sous la tour Saint-Denis, vestige de l'ancienne collégiale de Vergy. Après un élevage de douze mois en fût neuf, le vin ressort avec des notes de framboise, de cerise, des tanins encore fermes et une belle persistance. À attendre trois ans avant de le servir sur un coq au vin.

SCEA Dom. Yves Chaley et Fille, 16, rue Guillaume-de-Tavanes, 21220 Curtil-Vergy, tél. 03.80.61.43.81, fax 03.80.61.42.79, hotel.manasses@freesurf.fr

t.l.j. 8h-12h 14h-20h; f. 15 nov-15 jan.

JULIEN CRUCHANDEAU Les Valençons 2010

■ 2 500 8 à 11 €

Un batteur, une console de mix et des fans qui dansent sur du son électro-rock : c'était l'univers du Shrink Orchestra, groupe dijonnais dont Julien Cruchandeau, par ailleurs viticulteur, a longtemps fait partie. 2010 : il repose le casque et décroche les applaudissements des dégustateurs pour ce vin au nez de pruneau et de cerise compotée, au palais tannique et charpenté qui s'étire dans une longue finale fruitée et toastée. Une bouteille qui s'appréciera après trois ans de garde.

Julien Cruchandeau, 4, rue Robert, 21700 Chaux, tél. 06.74.85.79.62, domaine.cruchandeau@gmail.com

r.-v.

DOM. DE LA DOUAIX Le Clos des Fervelots 2009 ★★

■ 2 854 11 à 15 €

DOMAINE DE LA DOUAIX
2009
BOURGOGNE
HAUTES-CÔTES DE NUITS
LE CLOS DES FERVELOTS
MOUSTIE

Les propriétaires belges du domaine de la Douaix font décidément du bon travail. Leur Clos des Fervelots, coup de cœur dans sa version 2007 – leur deuxième millésime seulement –, revient sur le devant de la scène grâce à des sensations de fruits mûrs (myrtille, mûre, airelle), à une matière riche et à une finale structurée sans agressivité. Épicé, dense et soyeux, ce vin emballe le jury, qui l'imagine dans trois ans sur une côte de bœuf aux girolles. Cuvée de négoce du domaine, le **2009 blanc Terres Blondes (3 719 b.)** obtient une citation. Il présente la particularité d'assembler au chardonnay 23 % de pinot blanc, ce dernier lui conférant un gras et une richesse séduisants.

Dom. de la Douaix, rue du Moutiers, 21700 Arcenant, tél. 06.85.95.01.79, moustie.gilles@orange.fr

r.-v.

R. DUBOIS ET FILS 2010 ★★

5 000 8 à 11 €

Les Dubois travaillent en famille. Béatrice, la fille, est l'œnologue chargée des vinifications. Elle a baroudé un peu partout dans le monde, notamment en Australie, avant de revenir en 2006 à la maison. Elle en a rapporté le goût des vins fruités, presque exubérants. Raphaël, son frère, se charge du commerce. Tous deux sont des vignerons de cœur, chaleureux, généreux, ce qui se traduit dans ce vin blanc flatteur, au nez expressif de fleurs blanches et d'amande. Ample, long et franc, il a de la sève, une matière précise qui « tutoie les grands puligny », note le jury. Trois à cinq ans de garde et des crustacés lui feront honneur.

Dom. R. Dubois et Fils, 7, rte de Nuits-Saint-Georges, 21700 Premeaux-Prissey, tél. 03.80.62.30.61, fax 03.80.61.24.07, contact@domaine-dubois.com

t.l.j. 8h-11h30 13h30-17h30; sam. dim. sur r.-v.

DOM. A.-F. GROS 2010 ★

■ 10 415 11 à 15 €

Quand une fille de Vosne rencontre un garçon de Pommard, ils s'installent... entre les deux, à Beaune (caves, cuverie et bâtiment d'exploitation). Ce vin rappelle que le père d'Anne-Françoise, Jean Gros, est un fervent adepte des Hautes-Côtes, dans lesquelles il avait installé une réserve de gibier. D'ailleurs une terrine de sanglier ferait bien l'affaire de ce palais fin et fruité, aux tanins ronds et gourmands, accompagné par un bouquet délicat de fruits rouges et de boisé grillé. À apprécier dès 2013.

Dom. A.-F. Gros, 5, Grande-Rue, 21630 Pommard, tél. 03.80.22.61.85, fax 03.80.24.03.16, af-gros@wanadoo.fr r.-v.

DOM. GROS FRÈRE ET SŒUR 2010

■ 28 800 11 à 15 €

Bernard Gros, le frère d'Anne-Françoise (voir Domaine A.-F. Gros), a vendangé à la main ses 9 ha de hautes-côtes dont il a confié la récolte au fût pendant douze mois, pour obtenir un vin au nez de framboise et au boisé gourmand (eucalyptus et clou de girofle), sa marque de fabrique. Rond, souple, acidulé, ce joli 2010 est à déguster dès aujourd'hui, sur une assiette de charcuterie.

Dom. Gros Frère et Sœur, 6, rue des Grands-Crus, 21700 Vosne-Romanée, tél. 03.80.61.12.43, fax 03.80.61.34.05, bernard.gros2@wanadoo.fr r.-v.

DOM. GUY-PIERRE JEAN ET FILS
Les Dames Huguettes 2010

■ 25 000 11 à 15 €

Fabrice Jean exploite une grosse parcelle de 8 ha de ce *climat*, qu'il a vinifiée traditionnellement : égrappage à 100 %, cuvaison de quinze jours en cuves bois ouvertes, élevage d'un an en fût. Le vin en ressort charmeur au nez (fruits rouges surtout, boisé un peu) et souple à l'attaque, même si sa matière est encore un peu raidie par ses habits de bois neuf et des tanins qui s'arrondiront après deux ans de garde.

EARL Dom. Guy-Pierre Jean et Fils, rue des Caillettes, 21420 Aloxe-Corton, tél. 03.80.26.44.72, fax 03.80.26.45.36, domainegpjean@orange.fr r.-v.

DOM. JOANNET 2010 ★

■ 10 000 5 à 8 €

Michel Joannet et son fils Fabien ont attendu le 4 octobre pour vendanger les raisins de leurs 5,5 ha de hautes-côtes, cherchant la maturité pour un vin auquel ils ont ensuite appliqué dix-huit mois d'élevage. Une démarche ambitieuse qui destine clairement ce pinot noir à la garde (deux ans minimum). S'il fait ressortir aujourd'hui une finale un peu austère, ce 2010 a du répondant : un nez de fruits rouges et de vanille, de la chair, de la vivacité, une matière riche. Il est prometteur.

Dom. Michel Joannet, 76, Grande-Rue, 21700 Marey-lès-Fussey, tél. 03.80.62.90.58, domaine-michel.joannet@wanadoo.fr r.-v.

JEAN-PHILIPPE MARCHAND 2010 ★

■ 30 000 8 à 11 €

Jean-Philippe Marchand dit aimer les pinots qui « pinotent », comprenez : qui sentent le pinot. Certes, mais encore ? Alors associez cerise, framboise, cassis et fraise, un peu de musc, et vous en aurez un aperçu. Ici, le vigneron met effectivement en valeur les fruits rouges dans un bouquet frais et un peu sauvage. Le cassis s'y ajoute dans une bouche souple et nette, aux tanins équilibrés. Accessible dès l'an prochain.

Jean-Philippe Marchand, 4, rue Souvert, 21220 Gevrey-Chambertin, tél. 03.80.34.33.60, fax 03.80.34.12.77, contact@marchand-jph.fr r.-v.

BERTRAND DE MONCENY Buissonnières 2010 ★★

■ 30 000 8 à 11 €

Ce négociant beaunois fait ici une incursion remarquée dans la région nuitonne. Son 2010 livre un bouquet expressif, qui charme par ses notes de fraise et de bourgeon de cassis, accompagnées d'une pointe vanillée. La bouche se distingue par sa souplesse, sa fraîcheur et sa rondeur. C'est l'archétype du « vin plaisir », gouleyant à souhait. À déguster au cours des deux ans qui viennent sur une rouelle de porc grillée.

Bertrand de Monceny, BP 172, 21205 Beaune Cedex 5, tél. 03.80.26.33.00

NAUDIN-VARRAULT 2010 ★

8 000 8 à 11 €

Le chardonnay est un cépage qui se prête avec bonhommie à toutes les vinifications : on a privilégié ici un style boisé (élevage court de huit mois qui donne néanmoins des notes de vanille) et un fruité exotique (litchi, mangue) issu probablement d'une vinification technologique bien maîtrisée. S'ajoutent en bouche de fraîches notes d'agrumes et de fruits blancs, et une rondeur séductrice. Un vin de négoce à apprécier dès 2013, sur un carpaccio de saumon.

Naudin-Varrault, 1, pl. du Jet-d'Eau, 21590 Santenay, tél. 03.80.20.60.40, fax 03.80.20.63.26, maisondesgrandscrus@orange.fr

DOM. THÉVENOT-LE BRUN ET FILS Les Renardes 2009

■ 12 000 8 à 11 €

Nicolas Thévenot est un spécialiste des hautes-côtes-de-nuits, et le magnifique millésime 2009 lui a réussi puisqu'il était déjà sélectionné en blanc dans la précédente édition du Guide. Ce pinot noir Les Renardes, au nez de cassis (baie et bourgeon), à la bouche souple et gourmande, s'appréciera dans sa jeunesse sur un chou farci à l'agneau. Signe particulier, le domaine complante son chardonnay de pinot blanc qui entre à 80 % dans le **2010 blanc (6 000 b.)** : un vin tendre et léger, au nez vif d'agrumes, à déguster cet été sur un tartare de saumon. Il est cité lui aussi.

Dom. Thévenot-Le Brun et Fils, 36, Grande-Rue, 21700 Marey-lès-Fussey, tél. 03.80.62.91.64, fax 03.80.62.99.81, thevenot-le-brun@wanadoo.fr t.l.j. sf dim. 9h-12h 14h-18h

JEAN-CLAUDE TRAPET 2010 ★

1 150 8 à 11 €

Jean-Claude Trapet a complanté son vignoble en pinot noir, chardonnay et pinot beurot, fidèle en cela à la tradition des Hautes-Côtes. Il défend les vignes hautes et larges qui permettent un ensoleillement maximal des raisins et des coûts d'exploitation réduits. Son blanc est typique de l'appellation, avec son nez délicatement fruité (pêche blanche, abricot et poire) et floral. La bouche, gourmande et vanillée, se montre tout aussi élégante : à savourer dans deux ans sur une lotte safranée.

La Côte de Nuits

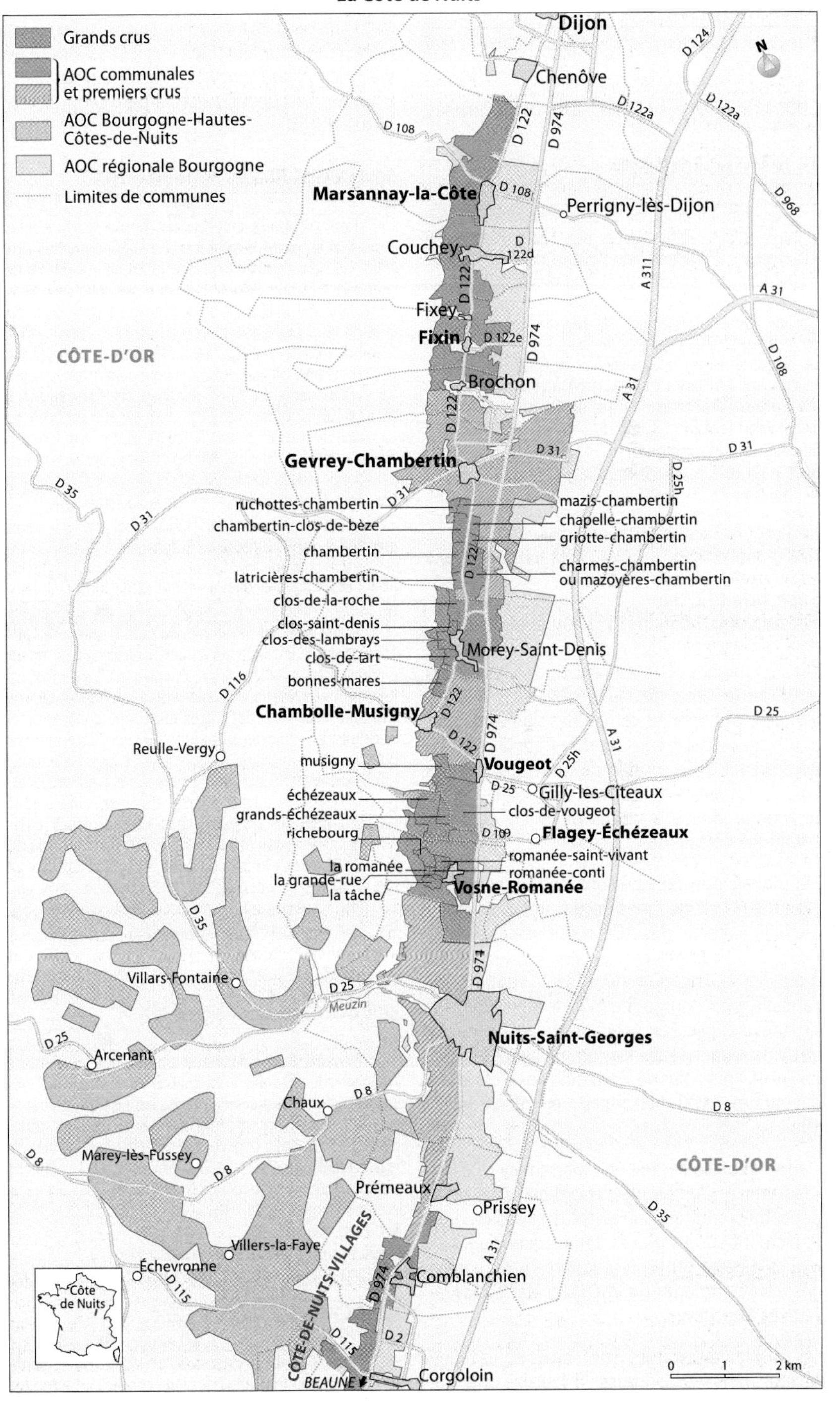

Le producteur aime aussi les rouges qui ont de la mâche, et son **2010 rouge Les Fournaches (2 130 b.)** le prouve. Puissant et boisé, ce vin cité devrait s'arrondir après deux ans de cave.

Jean-Claude Trapet, hameau de Chevrey,
21700 Arcenant, tél. et fax 03.80.61.25.05, jctrapet@orange.fr
r.-v.

CH. DE VILLARS-FONTAINE Les Jiromées 2009

8 000 | 15 à 20 €

Exploité autrefois par les chanoines de Saint-Denis – qui se sont ensuite installés plus bas, à Nuits-Saint-Georges –, le vignoble de Villars-Fontaine accueille aujourd'hui une parcelle de 2,5 ha de chardonnay qui donne un vin au nez brioché et fruité, et au palais mûr et opulent comme il sied aux 2009. Les dix-huit mois de fût ne sont pas étrangers à cette richesse. Destiné à la garde, ce blanc adosse sa belle structure minérale à un boisé marqué qui se fondra en cave (trois à cinq ans).

Ch. de Villars-Fontaine, 10, rue des Beveys,
21700 Villars-Fontaine, tél. 03.80.62.31.94, fax 03.80.61.02.31,
info@chateauvillarsfontaine.fr
t.l.j. 8h-12h 14h-18h
Hudelot

Marsannay

Superficie : 227 ha
Production : 9 650 hl (85 % rouge et rosé)

Les géographes discutent encore sur les limites nord de la Côte de Nuits car, au XIXes., un vignoble couvrant les communes situées de part et d'autre de Dijon constituait la Côte dijonnaise. Aujourd'hui, à l'exception de quelques vestiges comme les Marcs d'Or et les Montreculs, l'urbanisation a chassé les ceps de Dijon et de la commune voisine de Chenôve.

Marsannay, puis Couchey ont longtemps approvisionné la ville de grands ordinaires et manqué en 1935 le coche des AOC communales. Petit à petit, les viticulteurs ont replanté ces terroirs en pinot, et la tradition du rosé – vendu sous l'appellation « bourgogne rosé de Marsannay » – s'est développée. Puis ils ont de nouveau proposé des vins rouges et blancs comme avant le phylloxéra et, après plus de vingt-cinq ans d'efforts et d'enquêtes, l'AOC marsannay a été reconnue en 1987.

L'appellation se décline en « marsannay rosé » et « marsannay » (vins rouges et vins blancs). Le rosé peut être produit sur une aire plus extensive, dans le piémont sur les graves, tandis que rouges et blancs doivent provenir uniquement du coteau des trois communes de Chenôve, Marsannay-la-Côte et Couchey.

Les marsannay rouges sont charnus, un peu sévères dans leur jeunesse ; il faut les attendre quelques années. Peu répandus dans la Côte de Nuits, les vins blancs sont ici particulièrement recherchés pour leur finesse et leur solidité. Il est vrai que le chardonnay, mais aussi le pinot blanc, trouvent dans des niveaux marneux propices leur terroir d'élection.

DOM. CHARLES AUDOIN Les Longeroies 2009 ★

4 000 | 15 à 20 €

Les Longeroies sont l'un des *climats* de Marsannay candidats au passage au statut convoité de premier cru, preuve de leur qualité intrinsèque, bien qu'une différence puisse être établie entre le haut et le bas, plus limoneux. Cyril Audoin y exploite 1 ha de pinot à l'origine de ce vin rubis, dont le nez d'abord boisé s'ouvre à l'aération sur la framboise compotée. La bouche équilibrée, épaulée par des tanins fins, est assez extraite pour supporter deux ans de vieillissement. Le **Clos du Roy 2009 rouge (15 à 20 € ; 4 300 b.)** est aussi étoilé pour sa structure et sa bonne capacité de garde. Enfin, le **2010 blanc Au Champ Salomon (15 à 20 € ; 1 900 b.)** est cité pour sa rondeur et sa large palette aromatique.

Dom. Charles Audoin, 7, rue de la Boulotte,
21160 Marsannay-la-Côte, tél. 03.80.52.34.24,
domaine-audoin@wanadoo.fr r.-v.

RÉGIS BOUVIER Clos du Roy Tête de cuvée 2010 ★★

3 000 | 15 à 20 €

Régis Bouvier n'est jamais tant à son aise qu'à Marsannay, son village, sur lequel il excelle chaque année. Comme dans le millésime précédent, son Clos du Roy est jugé remarquable. Ce *climat* donne, en raison de son exposition au sud, de magnifiques vins concentrés et puissants. Le vigneron en a tiré ici un vin violacé, au riche bouquet de fruits noirs, de violette et de Zan. La bouche, mûre, dense et charpentée, propose un équilibre quasi parfait. Cette bouteille pourra affronter sans crainte quatre à cinq ans de garde. **Les Longeroies Vieilles Vignes 2010 rouge (11 à 15 € ; 10 000 b.)** et le **Clos du Roy 2010 blanc (11 à 15 € ; 3 400 b.)** décrochent chacun une étoile. Le premier, tout en finesse, vieillira trois ans. Le blanc, vif et élégant, est nuancé d'impressions boisées.

Dom. Régis Bouvier, 52, rue de Mazy,
21160 Marsannay-la-Côte, tél. 03.80.51.33.93,
fax 03.80.58.75.07, dom.reg.bouvier@hotmail.fr r.-v.

RENÉ BOUVIER Le Clos Monopole 2009 ★

n.c. | 15 à 20 €

Bernard Bouvier produit surtout des appellations *villages*, et les travaille avec finesse, sachant que ses vins seront bus assez rapidement. Ainsi, sur Le Clos, il a baissé progressivement la proportion de fût neuf, tendant vers les 30 % (dix-huit mois d'élevage). Paré d'or vert, ce blanc a le nez noisette, ananas et litchi. La bouche, à la fois fraîche et ronde, teintée de minéralité, sera idéale dans deux ans sur une blanquette de lotte.

Dom. René Bouvier, chem. de Saule,
21220 Gevrey-Chambertin, tél. 03.80.52.21.37,
fax 03.80.59.95.96, rene-bouvier@wanadoo.fr r.-v.

HERVÉ CHARLOPIN Clos du Roy 2010

5 200 | 8 à 11 €

Hervé Charlopin exploite 91 ares de ce *climat* phare de l'appellation marsannay, sur un terroir de grèze litée bien drainant : un millefeuille de graviers tantôt épais, tantôt mince, créé par les phases de gel et de dégel. Ce 2010 en tire un caractère mûr, avec un nez discret de griotte et de boisé grillé, une bouche ample, soyeuse et solide à la fois, soutenue par des tanins nobles. On attendra trois ans pour que l'influence de l'élevage en fût s'atténue.

Hervé Charlopin, 5, rue des Avoines, 21160 Marsannay-la-Côte, tél. 09.50.64.12.69, fax 03.80.51.44.49, charlopin.herve@free.fr r.-v.

DOM. PHILIPPE CHARLOPIN En Montchenevoy 2009 ★★

	n.c.		20 à 30 €

2009
MARSANNAY
EN MONTCHENEVOY
DOMAINE PHILIPPE CHARLOPIN

Ce même marsannay, déjà coup de cœur sur le millésime 2007, démontre la constance sans faille de Philippe Charlopin et de son fils Yann. On retrouve en 2009 ce nez de vanille et de fruits mûrs typique des vins du domaine. La robe grenat est animée de nuances violacées. Les tanins sont soyeux, présents mais sans agressivité. Cette bouteille harmonieuse et riche, poivrée en finale, fait dire au jury qu'elle pourrait bien « faire de l'ombre à certains de ses voisins plus réputés de la Côte de Nuits ». Les Charlopin étant installés à Gevrey, ils le prendront comme un compliment. Au final, ils offrent ici un vin prometteur, de garde (cinq ans), à savourer sur une gigue de chevreuil ou du bœuf bourguignon.

Dom. Philippe Charlopin, 18, rte de Dijon, 21220 Gevrey-Chambertin, tél. 03.80.58.50.46 t.l.j. sf dim. lun. 10h-19h (au Roupnel, 33, rue des Baraques)

DOM. BRUNO CLAIR Les Grasses Têtes 2009

	7 500		15 à 20 €

Bruno Clair, qui exporte plus de la motié de sa production de par le monde, propose ici un marsannay rubis sombre, aux parfums délicats de fruits noirs mûrs, de framboise et de vanille. La bouche souple et franche est animée par une fraîcheur persistante enrobée de notes de cerise poivrée. À déguster dans un an ou deux sur une rouelle de porc braisée.

Dom. Bruno Clair, 5, rue du Vieux-Collège, 21160 Marsannay-la-Côte, tél. 03.80.52.28.95, fax 03.80.52.18.14, brunoclair@wanadoo.fr r.-v.

DOM. COLLOTTE Le Clos de Jeu 2010

	4 000		11 à 15 €

Souvent retenu dans le Guide, Le Clos de Jeu est une des valeurs sûres de l'autodidacte Philippe Collotte. Ce 2010, plus vif que le 2009 qui était étoilé, se fait aussi plus serré dans sa robe rouge cerise. Son nez encore sur la réserve évoque les fruits rouges, le cassis frais et un léger toasté. Sa bouche souple, fine et élégante en fait un vin gourmand, à déguster dès 2013, même si le boisé se fait encore remarquer.

Dom. Collotte, 44, rue de Mazy, 21160 Marsannay-la-Côte, tél. 03.80.52.24.34, fax 03.80.58.74.40, domaine.collotte@orange.fr r.-v.

PIERRE DAMOY Les Longeroies 2009

	2 637		20 à 30 €

Ce domaine, très connu sur Gevrey-Chambertin, s'est lancé en 2007 dans une affaire de négoce. Pierre Damoy a ainsi vinifié un achat de raisins auquel il a appliqué sa méthode classiquement gibriacoise : macération préfermentaire à froid et dix-huit mois de fût. Le résultat s'affiche dans une robe grenat violacée, livrant un bouquet subtil de mûre et de cassis, et une bouche fondue et épicée. Pour un accord gourmand avec un canard à l'orange, après deux petites années de garde.

Pierre Damoy, 11, rue du Mal-de-Lattre-de-Tassigny, 21220 Gevrey-Chambertin, tél. 03.80.34.30.47, fax 03.80.58.54.79, info@domaine-pierre-damoy.com r.-v.

DOM. JEAN FOURNIER Les Longeroies 2009 ★

	6 000		15 à 20 €

Le travail de fond de Laurent Fournier (taille en cordon de Royat, effeuillage manuel, conversion bio depuis 2008...) fait des merveilles sur les deux derniers millésimes. Ce Longeroies 2009 séduit par son bouquet gourmand de cerise et de framboise nuancées d'épices, avant de dévoiler un palais doux, charnu, structuré, au fruité élégant. On l'appréciera d'autant plus après deux années de garde. La cuvée **Trois Terres Vieilles Vignes 2009 rouge (20 à 30 € ; 1 500 b.)**, assemblage des *climats* Grasses Têtes, Charme aux Prêtres et Grand'Vigne, se montre plus vive et tannique et reçoit une citation. Elle aura gagné en souplesse dans quatre ans. Quant au **2010 blanc Les Longeroies (1 800 b.)**, floral et légèrement toasté au nez, ample et acidulé en bouche, il décroche une étoile.

Dom. Jean Fournier, 29, rue du Château, 21160 Marsannay-la-Côte, tél. 03.80.52.24.38, fax 03.80.52.77.40, domaine.jean.fournier@orange.fr r.-v.

JEAN-MICHEL GUILLON ET FILS Clos des Portes Monopole 2010 ★

	3 500		11 à 15 €

Jean-Michel Guillon et son fils Alexis, sur le domaine depuis sept ans maintenant, ont vendangé à la main cet hectare de vignes dont ils ont le monopole. Ils ont élaboré un vin à la robe grenat foncé et au nez concentré de violette, de groseille et de framboise. La bouche, ample et charpentée, confirme les impressions fruitées, soulignées d'un fin trait de vanille. Un marsannay élégant, à déguster dans deux ans sur une hampe de bœuf grillée.

Guillon, 33, rte de Beaune, 21220 Gevrey-Chambertin, tél. 03.80.51.83.98, fax 03.80.51.85.59, contact@domaineguillon.com r.-v.

ALAIN GUYARD Les Genelières 2009 ★

	3 000		8 à 11 €

Voilà une trentaine d'années qu'Alain Guyard conduit le domaine familial, créé au début du XX^e^s. Il voit ici deux de ses marsannay décrocher une étoile : Les Genelières, ainsi que le **Charme aux Prêtres 2009 rouge (11 à 15 € ; 3 000 b.)**, une valeur sûre du domaine. Il les

BOURGOGNE

a vendangés à la main et pratique des cuvaisons aussi longues que ses élevages en fût. Les vins en sortent assez marqués par le bois, davantage sur Charme aux Prêtres, au nez de pain d'épice et de cannelle, que sur Genelières, fruité et compoté. La bouche, dans les deux cuvées, est élégante et soyeuse, et se laissera découvrir dans un an sur une viande rôtie.

Alain Guyard, 10, rue du Puits-de-Têt, 21160 Marsannay-la-Côte, tél. 03.80.52.14.46, fax 03.80.52.67.36, domaine.guyard@orange.fr r.-v.

DOM. SYLVAIN PATAILLE Longeroies 2010 ★

	3 500		15 à 20 €

Sylvain Pataille conseille plusieurs domaines dans la Côte, et excelle à vinifier les rouges. Trois d'entre eux ont été retenus par le jury. Ce Longeroies, splendide dans sa robe sombre aux reflets d'encre, s'ouvre sur des parfums envoûtants de cerise noire et d'épices. Sa bouche séveuse et tannique, généreuse et réglissée, fera le bonheur d'un coq au vin après deux à trois ans de garde. **L'Ancestrale 2009 rouge (30 à 50 € ; 1 500 b.)**, née de vieilles vignes, se montre puissante et concentrée, avec de beaux arômes de pruneau et de poivre, et une trame serrée qui lui assurera une garde de trois à cinq ans. Elle décroche également une étoile. Le **Clos du Roy 2010 rouge (10 600 b.)** est quant à lui cité pour son nez kirsché et sa charpente massive. Il aura besoin de trois ans pour s'arrondir.

Sylvain Pataille, 14, rue Neuve, 21160 Marsannay-la-Côte, tél. 06.30.94.88.28, fax 03.80.52.49.49, domaine.sylvain.pataille@wanadoo.fr r.-v.

DOM. DU VIEUX COLLÈGE Les Récilles 2010 ★★

	20 000		11 à 15 €

À la tête du domaine familial depuis six ans, Éric Guyard a fait le choix de l'agriculture biologique (conversion en cours). Il a visiblement bien réussi le millésime 2010, et le prouve avec ce Récilles aux parfums subtils de fruits noirs et rouges légèrement kirschés. L'attaque soyeuse dévoile une trame dense et serrée et une finale chaleureuse. Les tanins affirmés mais fins se seront assouplis d'ici un an. Plus massif et « rustique », **Les Clos du Roy 2010 rouge (15 à 20 € ; 2 500 b.)**, une étoile, libère des notes mûres et chocolatées. Il nécessitera une garde de trois ans.

EARL Dom. du Vieux Collège, Éric Guyard, 4, rue du Vieux-Collège, 21160 Marsannay-la-Côte, tél. 03.80.52.12.43, fax 03.80.52.95.85, jp-eric.guyard@wanadoo.fr r.-v.
Éric Guyard

Fixin

Superficie : 95 ha
Production : 3 960 hl (95 % rouge)

Après avoir admiré les pressoirs des ducs de Bourgogne à Chenôve et dégusté le marsannay, on rencontre Fixin, qui donne son nom à une AOC où l'on produit surtout des vins rouges. Les fixin sont solides, charpentés, souvent tanniques et de bonne garde. Ils peuvent également revendiquer, au choix, à la récolte, l'appellation côte-de-nuits-villages.

Les *climats* Hervelets, Arvelets, Clos du Chapitre et Clos Napoléon, tous classés en 1ers crus, sont parmi les plus réputés, mais c'est le Clos de la Perrière qui en est le chef de file puisqu'il a même été qualifié de « cuvée hors classe » par d'éminents écrivains bourguignons et comparé au chambertin ; ce clos déborde un tout petit peu sur la commune de Brochon. Autre lieu-dit : Le Meix-Bas.

DOM. BART Hervelets 2009 ★★

1er cru	7 000		20 à 30 €

Les Hervelets conjugue l'originalité sous toutes ses formes : c'est le plus vaste 1er cru de Fixin, l'un des rares qui ne soient pas en monopole. Il est situé en pente douce, donnant des vins plus délicats, moins carrés que ses voisins. De ces différences, Martin Bart et Pierre, son fils, ont su tirer le meilleur, aidés en cela par un millésime de chaleur qui a arrondi les tanins et apporté de la matière. Juteux et charmeur avec son attaque ronde et ses arômes de fruits rouges et noirs bien mûrs, ce 2009 séduit par sa concentration aromatique et sa longueur incroyable : un dégustateur a compté vingt caudalies. Complet, riche, à déguster dans quatre ans avec un gibier.

Dom. Bart, 23, rue Moreau, 21160 Marsannay-la-Côte, tél. 03.80.51.49.76, fax 03.80.51.23.43, domaine.bart@wanadoo.fr r.-v.

VINCENT ET DENIS BERTHAUT Les Crais 2010

	6 000		15 à 20 €

Comme tous les ans, les frères Berthaut attaquent les Crais par la face nord, celle des tanins, de la rigueur et de la puissance, poussant ainsi dans ses retranchements un *climat* traditionnellement réputé pour sa finesse. Et comme souvent, leur cuvée est retenue dans le Guide : un vin structuré, boisé (élevé dix-huit mois avec 20 % de fût neuf), long et nerveux, qu'il faudra attendre quatre ans.

Denis Berthaut, 9, rue Noisot, 21220 Fixin, tél. 03.80.52.45.48, fax 03.80.51.31.05, denis.berthaut@wanadoo.fr
t.l.j. sf dim. 10h-12h 14h-18h30; f. jan.

DOM. CLÉMANCEY Les Hervelets 2009 ★

1er cru	3 000		15 à 20 €

Marie-Odile et Thierry Barçon sont des spécialistes du rouge, qui représente environ les trois quarts de leur production. Et cette cuvée née d'une parcelle de 1,67 ha constitue, elle, la moitié des bouteilles produites : c'est un peu l'emblème de la maison. Charnue, fruitée, mûre, elle

est représentative de son millésime. Sa rondeur sera appréciée dans trois ans sur un filet de bœuf grillé.
Dom. Clémancey, 33, rue Jean-Jaurès, 21160 Couchey, tél. et fax 03.80.59.87.41, domaine.clemancey@wanadoo.fr
r.-v.

CLOS SAINT-LOUIS 2010 ★★

17 000 | 11 à 15 €

Philippe Bernard élève pareillement en fût, durant quinze mois, sa cuvée principale de fixin *village* et sa cuvée L'Olivier, issue d'un *climat* très bien situé au nord des célèbres Hervelets. La première obtient deux étoiles pour son nez friand et fruité, sa complexité en bouche, sa matière ample et son équilibre. Une finesse et une longueur que l'on retrouve dans le **1er cru Hervelets 2010 rouge (20 à 30 € ; 3 000 b.)**, qui décroche une étoile. Ces deux bouteilles resteront en cave deux à trois ans. **L'Olivier 2010 rouge (6 000 b.)**, un peu plus discret, aux tanins fondus, est pour sa part cité.
Dom. du Clos Saint-Louis, 4, rue des Rosiers, 21220 Fixin, tél. 03.80.52.45.51, fax 03.80.58.88.76, clos.st.louis@wanadoo.fr
t.l.j. sf dim. 9h-12h 13h30-19h; f. 15-31 août
Martine et Philippe Bernard

DOM. COLLOTTE Les Crais de chêne Cuvée Vieilles Vignes 2010

1 700 | 15 à 20 €

Coup de cœur l'an dernier, cette cuvée passe tout près de l'étoile dans le millésime 2010. La manquant peut-être pour ce qui a fait son succès en 2009 : une fidélité irréprochable au millésime, un grand respect des capacités du raisin à donner ce qu'il peut. Et en l'occurrence, 2010 est plus léger et plus acide que 2009, plus bourguignon aussi, comme ces Crais au nez de framboise, à la bouche vive et nette et à la finale poivrée. Le ***village* 2010 rouge (11 à 15 € ; 3 700 b.)** est également cité pour sa matière friande et ses tanins présents sans agressivité. Deux fixins à déguster après deux ans de garde.
Dom. Collotte, 44, rue de Mazy, 21160 Marsannay-la-Côte, tél. 03.80.52.24.34, fax 03.80.58.74.40, domaine.collotte@orange.fr r.-v.

DOM. GUY ET YVAN DUFOULEUR Clos du Chapitre Monopole Vieilles Vignes 2009

1er cru | 6 000 | 30 à 50 €

« Les aînés donnent encore un coup de main », écrit Yvan Dufouleur sur la fiche de son Clos du Chapitre, 2 ha en monopole emblématiques du domaine. Son père Guy et son oncle Xavier, à la retraite, n'ont donc pas complètement raccroché les gants. Ce vin boxe en théorie chez les poids lourds, le *climat* se prêtant aux tanins massifs. En 2009 il se montre moins puissant mais fort plaisant, offrant un nez expressif de fruits noirs, une bouche ronde, charnue, élégante. À déguster dans deux ans.
SCEA Dom. Guy et Yvan Dufouleur, 17, rue Thurot, BP 80138, 21700 Nuits-Saint-Georges, tél. 06.13.27.15.59, fax 03.80.62.31.00, gaelle.dufouleur@21700-nuits.com r.-v.

DANIEL FOURNIER Les Échalais 2009

1 400 | 11 à 15 €

Denis Fournier travaille ses vins dans un style puissant et tannique, volontiers rugueux dans la prime jeunesse, mais destiné à la longue garde. Il n'a pas dévié d'un pouce même pour le solaire millésime 2009, dont il tire un Échalais intense, tannique et dense, avec de beaux arômes de fruits rouges. Pour plus de fondu, on mettra ce vin en cave trois à quatre ans, avant de le servir sur un canard rôti.
Daniel Fournier, 1, rue Raymond-Poincaré, 21160 Couchey, tél. 03.80.52.18.38, earl.daniel.fournier@orange.fr t.l.j. 8h-12h 14h-19h

ALAIN JEANNIARD En Combe Roy 2010

1 600 | 15 à 20 €

Alain Jeanniard a décidé de « pousser » sa cuvée En Combe Roy, déjà traditionnellement tannique, en la vinifiant en vendanges entières ; il a laissé macérer baies et rafles pendant plusieurs semaines. Conséquence, les tanins sont très présents, massifs et rehaussés par l'acidité naturelle du millésime. Le fruit aussi, accompagnant une palette complexe de cuir, de sous-bois, de cannelle et de pivoine. De la couleur, moins, mais c'est normal, les rafles « pompant » toujours un peu cette dernière. Un vin assez atypique destiné à la garde.
Dom. Alain Jeanniard, 4, rue aux Loups, 21220 Morey-Saint-Denis, tél. et fax 03.80.58.53.49, domaine.ajeanniard@wanadoo.fr r.-v.

BOURGOGNE

DOM. JOLIET 2009

1 000 | 15 à 20 €

2009 est un millésime en « solo » pour Bénigne Joliet, qui a conclu l'année précédente sa collaboration avec Philippe Charlopin. Accompagné par Claude Bourguignon, il continue d'individualiser les terroirs et positionne son fixin comme un *village* haut de gamme, composé en fait des jeunes vignes du Clos de la Perrière, la « star » du domaine. La robe assez délicate montre une pointe d'évolution, comme le bouquet aux notes de tabac et de confiture. La bouche est épicée (poivre), mûre et à découvrir dès 2013.
EARL Joliet Père et Fils, Manoir de la Perrière, 21220 Fixin, tél. 03.80.52.47.85, benigne@wanadoo.fr
r.-v.

LOU DUMONT 2009 ★

4 500 | 11 à 15 €

Koji Nakada, ce Japonais venu s'installer comme négociant à Gevrey, achète des moûts et des raisins qu'il élève dans ses caves, pour revendre ensuite les vins sur le marché asiatique. 95 % de sa production partant ainsi à l'export, les bouteilles de ce fixin sont donc une curiosité à saisir au vol. Nez prometteur de cerise et de cassis, bouche souple, concentrée, fruitée et charnue, au boisé maîtrisé : c'est un digne représentant de son millésime, à apprécier d'ici trois à cinq ans.
Maison Lou Dumont, 32, rue du Mal-de-Lattre-de-Tassigny, 21220 Gevrey-Chambertin, tél. 03.80.51.82.82, fax 03.80.51.82.84, support@loudumont.com r.-v.

♥ B **ARMELLE ET JEAN-MICHEL MOLIN** 2010 ★★

900 | 15 à 20 €

Deux coups de cœur pour un seul domaine dans une même appellation, voilà qui est rare. Mais il faut dire que le fixin de Jean-Michel Molin n'est pas inconnu du Guide. Ce doublé vient aussi récompenser le travail de son fils Alexandre, qui l'a rejoint en 2003 et qui depuis lors

poussait à la conversion bio : certification acquise en 2010. En blanc, le vin séduit par son équilibre. Le nez tonique et intense de fruits exotiques et de vanille s'accompagne d'une bouche élégante, harmonieuse et fraîche. Le **2009 rouge Les Chenevières (11 à 15 €; 2 000 b.)** obtient aussi un coup de cœur pour sa fraîcheur et sa finesse. Son lieu-dit correspond en effet à un sol plus graveleux que les autres fixins, donnant un côté raffiné aux tanins, déjà fondus ici. Framboise, poivre, griotte, les arômes se marient à merveille. Deux grands vins et trois ans de garde.

EARL Armelle et Jean-Michel Molin,
54, rte des Grands-Crus, 21220 Fixin, tél. 03.80.52.21.28,
fax 03.80.59.96.99, domaine.molin@wanadoo.fr r.-v.

PHILIPPE ROSSIGNOL En Tabellion Vieilles Vignes 2009

■ n.c. 11 à 15 €

En Tabellion est la cuvée phare des fixin du domaine, sélectionnée presque chaque année dans le Guide. Dans le chaleureux millésime 2009, ces vignes de cinquante-cinq ans ont apporté leur puissance et leur élégance au vin, qui s'annonce par un nez de fruits rouges intense. La bouche tannique et concentrée laisse présager une garde de quatre ans avant une dégustation sur un civet de lièvre.

Dom. Philippe Rossignol, 61, av. de la Gare,
21220 Gevrey-Chambertin, tél. et fax 03.80.51.81.17,
sceaphilipperossignol@hotmail.fr r.-v.

DOM. DU VIEUX COLLÈGE Les Champs des Charmes 2010

■ 8 000 11 à 15 €

Depuis son installation en 2006, Éric Guyard a figuré à plusieurs reprises dans le Guide pour ses marsannay. Malgré des élevages courts de douze mois, il obtient toujours des vins sérieux, tanniques, concentrés, comme ici ce fixin au nez puissant de fruits rouges, et à la bouche dense, ferme et équilibrée. Trois ans de garde minimum sont conseillés pour une structure plus fondue.

EARL Dom. du Vieux Collège,
Éric Guyard, 4, rue du Vieux-Collège,
21160 Marsannay-la-Côte, tél. 03.80.52.12.43,
fax 03.80.52.95.85, jp-eric.guyard@wanadoo.fr r.-v.

Gevrey-chambertin

Superficie : 410 ha
Production : 17 280 hl

Au nord de Gevrey, trois appellations communales sont produites sur la commune de Brochon : fixin sur une petite partie du Clos de la Perrière, côte-de-nuits-villages sur la partie nord (lieux-dits Préau et Queue-de-Hareng) et gevrey-chambertin sur la partie sud. En même temps qu'elle constitue l'appellation communale la plus importante en volume, la commune de Gevrey-Chambertin abrite des 1ers crus tous plus grands les uns que les autres. La combe de Lavaux sépare la commune en deux parties. Au nord, on trouve, entre autres *climats*, les Évocelles (sur Brochon), les Champeaux, la Combe aux Moines (où allaient en promenade les moines de l'abbaye de Cluny qui furent au XIIIe s. les plus importants propriétaires de Gevrey), les Cazetiers, le Clos Saint-Jacques, les Varoilles, etc. Au sud, les crus sont moins nombreux, presque tout le coteau étant en grand cru ; on peut citer les *climats* de Fonteny, Petite-Chapelle, Clos-Prieur, entre autres. Les vins de cette appellation sont solides et puissants dans le coteau, élégants et subtils dans le piémont. À ce propos, il convient de répondre à une rumeur erronée selon laquelle l'appellation gevrey-chambertin s'étendrait jusqu'à la ligne de chemin de fer Dijon-Beaune, dans des terrains qui ne le mériteraient pas. Cette information, qui fait fi de la sagesse des vignerons de Gevrey, nous donne l'occasion d'apporter une explication : la Côte a été le siège de nombreux phénomènes géologiques, et certains de ses sols sont constitués d'apports de couverture, dont une partie a pour origine les phénomènes glaciaires du quaternaire. La combe de Lavaux a servi de « canal », et à son pied s'est constitué un immense cône de déjection dont les matériaux sont semblables à ceux du coteau. Dans certaines situations, ils sont simplement plus épais, donc plus éloignés du substratum. Essentiellement constitués de graviers calcaires plus ou moins décarbonatés, ils donnent ces vins élégants et subtils dont nous parlions précédemment.

DOM. DES BEAUMONT Aux Combottes 2010 ★

■ 1er cru 1 200 30 à 50 €

Aux Combottes est un *climat* enclavé, excusez du peu, entre les grands crus Latricières et Clos-de-la-Roche, et d'aucuns estiment que ses vins valent certains mazis-chambertin. Thierry Beaumont applique au sien une vinification tout en retenue, la moins interventionniste possible, se contentant de douze mois de fût. Cet élevage a tout de même marqué le vin, aujourd'hui axé sur la vanille et la griotte. La bouche, ronde et élégante, porte la nervosité des 2010 et sera prête dans deux à trois ans.

EARL Dom. des Beaumont, 9, rue Ribordot,
21220 Morey-Saint-Denis, tél. et fax 03.80.51.87.89,
contact@domaine-des-beaumont.com r.-v.

JEAN-CLAUDE BOISSET 2010

■ 3 300 20 à 30 €

Grégory Patriat, maître de chai de ce célèbre négociant nuiton, a pour mission depuis dix ans d'appliquer une stratégie haut de gamme : achat de raisins, vinification en microcuvées (ici, 65 ares) et en cuve bois, élevage de quinze mois en fût pour ce gevrey. Le résultat est un vin au nez agréable et frais de cassis. La bouche, franche et riche, aux tanins robustes, gagnera à s'arrondir avec trois ans de garde.

Maison Jean-Claude Boisset, Les Ursulines, 5, quai Dumorey, 21700 Nuits-Saint-Georges, tél. 03.80.62.61.61, fax 03.80.62.61.59, jcb@jcboisset.com

PHILIPPE BOUCHARD 2009 ★

■ 11 900 | 20 à 30 €

Philippe Bouchard est une marque de la maison Corton André, vinifiée par Ludivine Griveau. Ce gevrey provient de 4 ha dont les raisins de pinot noir ont été suivis toute l'année et vendangés sous sa surveillance. Elle en tire un vin rubis, au bouquet de cerise légèrement boisé. Plein et animé d'une plaisante fraîcheur, le palais est structuré par des tanins présents mais sans dureté. Un 2009 bien élevé, à garder quatre ans.

Philippe Bouchard, BP 10, 21420 Aloxe-Corton, tél. 03.80.25.00.00, fax 03.80.26.42.00, contact@philippe-bouchard.com

SAS Corton André

RENÉ BOUVIER Racines du temps Très Vieilles Vignes 2009 ★★

■ n.c. | 30 à 50 €

Bernard Bouvier survole une fois de plus la dégustation avec pas moins de quatre gevrey sélectionnés : le **1er cru Les Fontenys 2009 (50 à 75 €)**, cité, les communales **La Justice 2009** et **Les Jeunes Rois 2009**, une étoile chacun, et cette cuvée issue de vignes de plus de soixante-dix ans, coup de cœur dans le précédent millésime. « Je ne contrôle pas les températures, je les surveille. Si tu contrôles tout, les vins se ressemblent tous. » Des maximes comme ça, Bernard Bouvier en a des dizaines, et cette humilité madrée de Bourguignon lui permet d'élaborer un vin complexe, au nez subtil de fruits noirs, de cerise et de caramel. La bouche dévoile une matière équilibrée, fondue et raffinée. Un grande garde en prévision, même si on pourra commencer à ouvrir cette bouteille dans deux ou trois ans. Poivré et plus ferme, Les Jeunes Rois sera attendu au moins deux ans, ainsi que La Justice, plus en rondeur. On patientera une année de plus pour le 1er cru Les Fontenys, au boisé marqué.

Dom. René Bouvier, chem. de Saule, 21220 Gevrey-Chambertin, tél. 03.80.52.21.37, fax 03.80.59.95.96, rene-bouvier@wanadoo.fr r.-v.

♥ **CHRISTOPHE BRYCZEK** Aux Échezeaux 2010 ★★

■ 5 000 | 15 à 20 €

Avec les deux étoiles proches du coup de cœur qu'il décroche par ailleurs en morey-saint-denis, Christophe Bryczek a visiblement fort bien maîtrisé le millésime 2010 : une consécration pour ce petit domaine de 3 ha qu'il conduit depuis à peine dix ans. Cette parcelle d'1 ha est située à l'extrême sud du village, sous le grand cru Mazoyères, jouxtant Morey. Ses raisins ont bénéficié d'une intéressante exposition est-sud-est avant de passer dix-huit mois en fût. Le nez conjugue avec subtilité fruits noirs, vanille et violette. La bouche se révèle souple, charnue et fraîche, bien typée 2010 dans son acidité. Et la finale semble interminable, annonçant une garde de deux à cinq ans.

Christophe Bryczek, 14, rue Ribordot, 21220 Morey-Saint-Denis, tél. 03.80.34.34.17, fax 03.80.34.32.87, christophe.bryczek@orange.fr r.-v.

DOM. PHILIPPE CHARLOPIN La Justice 2009 ★

■ n.c. | 30 à 50 €

La Justice est un vaste *climat* situé en dessous de la route nationale. Philippe et Yann Charlopin en ont tiré un 2009 grenat foncé qui évoque au nez la cerise burlat, une touche de framboise et un soupçon de torréfaction. La bouche, entre fruits mûrs et nuances boisées, se fait ronde et offre en finale la douceur si typique des 2009. On l'associera après deux ans de garde avec un canard rôti. La **cuvée Vieilles Vignes 2009 (15 000 b.)**, puissante et confiturée, est citée.

Dom. Philippe Charlopin, 18, rte de Dijon, 21220 Gevrey-Chambertin, tél. 03.80.58.50.46 t.l.j. sf dim. lun. 10h-19h (au Roupnel, 33, rue des Baraques)

DOM. CLÉMANCEY Aux Corvées 2010 ★

■ 1 190 | 15 à 20 €

Un cap a été franchi, dans ce petit domaine familial de 7,3 ha, avec la mise en bouteilles ces dernières années d'une part croissante de la production. Marie-Odile et Thierry Clémancey exploitent une petite parcelle de 20 ares de vignes de cinquante-cinq ans à l'origine de ce vin rubis violine, au bouquet expressif de fruits rouges et noirs. « Il a de la mâche ! » affirment les dégustateurs, des tanins fins aussi, et une certaine puissance en finale. On l'ouvrira dès l'an prochain et jusqu'en 2016.

Dom. Clémancey, 33, rue Jean-Jaurès, 21160 Couchey, tél. et fax 03.80.59.87.41, domaine.clemancey@wanadoo.fr r.-v.

DOM. PIERRE DAMOY Clos Tamisot 2009 ★

■ 6 304 | 30 à 50 €

Deux des gevrey *village* de Pierre Damoy décrochent une étoile : ce premier est issu du domaine, alors que le second, **La Justice 2009 (1 429 b.)**, provient du négoce créé en 2007. *Climat* situé dans le cône de déjection de la combe, le Clos Tamisot a donné naissance à un vin au parfum complexe, alliance de moka, d'épices et de fraise écrasée. La bouche, profonde et riche, s'adosse à des tanins puissants mais arrondis, enrobés d'arômes de cerise. À attendre trois ans. La Justice est sur le même moule : dense et concentrée, elle offre aujourd'hui une finale stricte qui se patinera avec le temps.

Pierre Damoy, 11, rue du Mal-de-Lattre-de-Tassigny, 21220 Gevrey-Chambertin, tél. 03.80.34.30.47, fax 03.80.58.54.79, info@domaine-pierre-damoy.com r.-v.

DOM. DROUHIN-LAROZE Au Closeau 2010 ★

■ 1er cru 1 600 30 à 50 €

Philippe Drouhin et sa fille Caroline travaillent ensemble sur le domaine, celle-ci ayant par ailleurs créé un petit négoce afin de fournir un complément de gamme (voir Laroze de Drouhin). Leur 1er cru, au nez gourmand et boisé, joue sur l'alliance des arômes de griotte et de vanille. Il présente une trame serrée dont les tanins sont presque aussi fondus que ceux du ***village* 2010 (20 à 30 €; 11 000 b.)**, qui décroche aussi une étoile. Le premier devra séjourner trois ans en cave, alors que le second sera appréciable dès l'année prochaine.

Dom. Drouhin-Laroze, 20, rue du Gaizot, 21220 Gevrey-Chambertin, tél. 03.80.34.31.49, fax 03.80.51.83.70, drouhin-laroze@wanadoo.fr r.-v.

DOM. FAIVELEY Les Cazetiers 2010 ★

■ 1er cru 6 600 50 à 75 €

Plus de 120 ha, et il grandit encore ! Erwan Faiveley a acheté de nouvelles vignes sur Puligny. En cave, en revanche, il campe sur le même profil de vin gourmand, défini à son arrivée en 2005, et qui se traduit ici par une robe grenat, un nez de petits fruits noirs, de cacao et de clou de girofle, et une bouche ronde, douce et chaleureuse. Le boisé reste discret ainsi que les tanins, assez fermes néanmoins. Un vin charmeur, à déguster dans trois ans.

Dom. Faiveley, 8, rue du Tribourg, 21700 Nuits-Saint-Georges, tél. 03.80.61.04.55, fax 03.80.62.33.37, accueil@bourgognes-faiveley.com

DOM. PIERRE GELIN Clos Prieur 2009

■ 1er cru 1 200 30 à 50 €

Stephen Gelin et son fils Pierre-Emmanuel songent à s'orienter vers le bio, et pour ce faire, ils viennent de se doter d'un nouveau bâtiment. Ils exploitent 23 ares du Clos Prieur, cru que Lavalle et Rodier, les maîtres à penser du terroir bourguignon, aimaient moins que les autres parce qu'il donnait des vins trop souples. Aujourd'hui, on se réjouit au contraire de la robe profonde de ce vin, de son nez de vanille poivrée et de fruits noirs compotés, de sa richesse en bouche. À servir dans deux ans pour une rondeur maximale.

Dom. Pierre Gelin, 22, rue de la Croix-Blanche, 21220 Fixin, tél. 03.80.52.45.24, info@domaine-pierregelin.fr t.l.j. sf dim. 9h30-18h; f. 23 déc.-2 jan.

S.C. GUILLARD Les Corbeaux 2009 ★

■ 1er cru 3 000 20 à 30 €

Les vignes des Corbeaux cultivées par Michel Guillard ont maintenant dépassé les quatre-vingts ans. Un âge vénérable pour une cuvée d'une régularité remarquable, souvent étoilée. Le vigneron a su préserver l'acidité, même dans un millésime chaleureux comme 2009. Près de trente jours de cuvaison et dix-huit mois de fût ont donné ce vin rubis profond, au nez de fruits rouges, de vanille et de sous-bois. La bouche ronde et charnue évoque la framboise. Le boisé, allié à cette discrète vivacité, devrait permettre un vieillissement de cinq ans.

SCEA Guillard, 3, rue des Halles, 21220 Gevrey-Chambertin, tél. 03.80.34.32.44 r.-v.

JEAN-MICHEL GUILLON ET FILS La Petite Chapelle 2010 ★

■ 1er cru 1 280 30 à 50 €

Jean-Michel Guillon et son fils Alexis conduisent un vignoble de 13 ha étendu sur dix-huit appellations. En gevrey, ils voient deux de leurs cuvées sélectionnées : ce premier cru et la **Cuvée Père Galland 2010 (20 à 30 €; 4 000 b.)**, une communale baptisée ainsi en l'honneur du vigneron qui aida Jean-Michel à s'installer en 1980. La Petite Chapelle, boisée au premier nez, dévoile à l'aération des senteurs de fruits noirs. Elle se montre concentrée et charnue, longue et fruitée, et demande à attendre quatre ans pour se fondre. Le Père Galland, plus simple, agréable dès aujourd'hui, est cité.

Guillon, 33, rte de Beaune, 21220 Gevrey-Chambertin, tél. 03.80.51.83.98, fax 03.80.51.85.59, contact@domaineguillon.com r.-v.

DOM. ANTONIN GUYON La Justice 2009

■ 6 000 30 à 50 €

Ce domaine spécialiste des Hautes-Côtes exploite aussi presque 2 ha dans ce vaste *climat* situé en dessous de la nationale quand on arrive à Gevrey depuis Dijon. Il en a tiré un vin grenat, qui mêle au nez des nuances de cerise compotée et une touche de poivre. La bouche, en équilibre sur la finesse, est tendue par une finale aux tanins encore un peu sévères, qui devraient se fondre après deux années de garde.

Dom. Antonin Guyon, 21420 Savigny-lès-Beaune, tél. 03.80.67.13.24, fax 03.80.66.85.87, domaine@guyon-bourgogne.com r.-v.

DOM. GUYON Les Platières 2010 ★

■ 3 000 20 à 30 €

Jean-Pierre et Michel Guyon sont plus souvent mentionnés dans le Guide pour leurs vins de Vosne-Romanée, dont ils sont originaires, mais ils prouvent ici qu'ils « savent aussi y faire » en gevrey, avec ce vin couleur cerise noire, au bouquet de griotte, de cassis et de sous-bois. La bouche, corpulente et puissante, offre une vraie mâche gibriacoise. Les tanins dominent... pas d'erreur, nous ne sommes pas à Vosne ! Une bouteille de garde, à attendre au moins trois ans.

EARL Dom. Guyon, 11-16, RD 974, 21700 Vosne-Romanée, tél. 03.80.61.02.46, fax 03.80.62.36.56, domaine.guyon@wanadoo.fr r.-v.

HARMAND-GEOFFROY 2009 ★

■ 30 000 20 à 30 €

Philippe Harmand aime la fraîcheur et l'élégance du pinot noir, et ce dernier le lui rend bien, avec des vins qui épousent leur millésime avec une fidélité remarquable. Quatre gevrey du domaine ont été retenus cette année. Ce « simple » *village* est un vrai 2009, pourpre, axé sur la cerise et les fruits noirs bien mûrs, riche, long et puissant en bouche. Dans le millésime suivant, se signalent : le **1er cru La Perrière 2010 (30 à 50 €; 1 500 b.)**, un vin de garde aux tanins épicés, aux parfums de moka et de fruits rouges, qui reçoit une étoile ; le **Vieilles Vignes 2010 (3 600 b.)**, cité pour son attaque souple et son élégance ; le **1er cru Lavaux Saint-Jacques 2010 (30 à 50 €; 2 500 b.)**, sur les fruits compotés et le caramel, ample et fondu, également cité.

Harmand-Geoffroy, 1, pl. des Lois, 21220 Gevrey-Chambertin, tél. 03.80.34.10.65, fax 03.80.34.13.72, harmand-geoffroy@wanadoo.fr r.-v.

HUGUENOT Vieilles Vignes 2010 ★

■ 3 000 20 à 30 €

Philippe Huguenot, producteur reconnu en gevrey et marsannay notamment, s'est lancé officiellement dans la conversion bio avec le millésime 2010. Il propose ici un assemblage de trois parcelles d'une moyenne d'âge de quatre-vingts ans. Grenat intense à l'œil, parcouru de reflets noirs, ce vin s'ouvre sur un bouquet de pruneau souligné de boisé grillé. La bouche, équilibrée, aux tanins solides, vise clairement le créneau des vins de garde. On pourra ouvrir la première bouteille en 2015.

Dom. Huguenot, 7, ruelle du Carron, 21160 Marsannay-la-Côte, tél. 03.80.52.11.56, fax 03.80.52.60.47, domaine.huguenot@wanadoo.fr r.-v.

DOM. HUMBERT FRÈRES Poissenot 2010 ★

■ 1er cru | 3 300 | 30 à 50 €

Emmanuel et Frédéric Humbert exploitent 85 ares de ce *climat* qui avait la réputation autrefois d'être parfait pour... les blancs. Ils y travaillent le pinot noir avec finesse, obtenant ici un vin grenat brillant qui évoque au nez le cassis et un boisé discret. La bouche, au fruité intense, montre de l'allant, portée par une belle vivacité et des tanins fermes. Un vin d'une belle complexité, à découvrir dans trois ans sur un rôti de biche.

Dom. Humbert Frères, rue de Planteligone, 21220 Gevrey-Chambertin, tél. et fax 03.80.51.80.14 r.-v.

JAFFELIN 2009 ★

■ | 3 900 | 20 à 30 €

Si Marinette Garnier a remplacé Prune Amiot comme vinificatrice de la maison beaunoise Jaffelin, c'est encore cette dernière qui a signé ce vin rubis, dont la robe commence à se tuiler légèrement. Le nez, fin et enveloppant, sous le signe des fruits noirs, annonce une bouche délicate et élégante, aux tanins de velours. À savourer dans sa jeunesse, sur une daube de bœuf par exemple.

Maison Jaffelin, 2, rue Paradis, 21200 Beaune, tél. 03.80.22.12.49, fax 03.80.25.90.89, jaffelin@maisonjaffelin.com r.-v.

LAROZE DE DROUHIN Les Grandes Rayes 2010

■ | 1 400 | 20 à 30 €

Caroline Drouhin a fondé ce négoce en 2008 pour compléter l'offre du domaine familial, Drouhin-Laroze. Elle propose avec cette structure des appellations régionales ainsi que des crus de la Côte de Nuits. Ici, il s'agit d'un gevrey communal au fruité séduisant : arômes de framboise, de quetsche et de cerise. Rond et assez concentré, le palais gourmand repose sur des tanins en passe de se fondre ; on leur laissera deux ans pour s'assouplir.

Laroze de Drouhin, 2, rue du Chambertin, 21220 Gevrey-Chambertin, tél. 03.80.62.77.23, fax 03.80.51.83.70, laroze-de-drouhin@orange.fr r.-v.

FRÉDÉRIC MAGNIEN Lavaut-Saint-Jacques 2010

■ 1er cru | 850 | 75 à 100 €

Lavaut-Saint-Jacques et **Vieilles Vignes 2010 (30 à 50 €; 6 700 b.)**, c'est le duo gagnant cette année du négociant Frédéric Magnien, qui, comme souvent, retrouve ses cuvées dans la sélection du Guide. Chacune d'elles emporte une citation. Toutes deux présentent un nez de fruits rouges souligné d'une petite note boisée, un peu plus sensible sur Lavaut. La bouche est franche, plus vive et fruitée pour le 1er cru (arômes de griotte), et adossée à des tanins de qualité. Quatre ans de garde à prévoir pour le Lavaut, deux pour le Vieilles Vignes.

Frédéric Magnien, 26, rte Nationale, 21220 Morey-Saint-Denis, tél. 03.80.58.54.20, fax 03.80.51.84.34, frederic@fred-magnien.com r.-v.

JEAN-PHILIPPE MARCHAND Vieilles Vignes 2010

■ | 15 000 | 20 à 30 €

Installé dans une ancienne fabrique de confiture, Jean-Philippe Marchand a élaboré un gevrey *village* construit principalement autour du fruit. Paré d'une robe rubis vif, ce 2010 évoque au nez des notes chaleureuses de liqueur de cassis et de fraise écrasée. La bouche est d'entrée accaparée par une mâche épaisse, la matière se montrant massive, puis plus subtile et longue en finale. C'est un vin à l'onctuosité affirmée, que l'on attendra encore trois ans.

Jean-Philippe Marchand, 4, rue Souvert, 21220 Gevrey-Chambertin, tél. 03.80.34.33.60, fax 03.80.34.12.77, contact@marchand-jph.fr r.-v.

CH. DE MARSANNAY 2009 ★

■ | 10 199 | 20 à 30 €

2009 est un millésime qui a particulièrement réussi au château, à l'aise sur les hautes maturités apportées naturellement par cette année chaude. M. Bourgeois, l'œnologue, en a tiré un gevrey fort plaisant, vêtu d'une brillante robe cerise. Au nez, on découvre d'intenses parfums de fruits noirs confiturés et de pruneau, finement poivrés. Le palais rond, charnu et chaleureux propose un fruité gourmand qui s'étire en longueur. À découvrir dans trois ans sur un beau plateau de fromage.

Ch. de Marsannay, rte des Grands-Crus, BP 78, 21160 Marsannay-la-Côte, tél. 03.80.51.71.11, fax 03.80.51.71.12, domaine@chateau-marsannay.com t.l.j. 10h-12h 14h-18h30; f. 24 déc.-6 jan.

J. Boisseaux

DOM. FABRICE MARTIN 2010 ★

■ | n.c. | 15 à 20 €

Fabrice Martin exploite un tout petit domaine de 2 ha répartis sur trois prestigieuses AOC : gevrey-chambertin, nuits-saint-georges et vosne-romanée. Ce gevrey 2010 se présente dans une robe grenat et livre un bouquet expressif de fruits noirs confiturés mâtiné de boisé (épices, grillé). L'attaque en finesse, sur le poivre doux, dévoile une structure solide et carrée, typique de l'appellation, dont les tanins s'allongent jusqu'en finale. À garder deux à trois ans.

Fabrice Martin, 42, rue de la Grand-Velle, 21700 Vosne-Romanée, tél. et fax 03.80.61.27.84 r.-v.

LOUIS MAX 2010 ★

■ | 5 700 | 30 à 50 €

Dirigée depuis cinq ans par Philippe Bardet, cette ancienne maison de négoce bourguignonne, fondée en 1859, propose un gevrey *village* issu d'une parcelle de 70 ares, déjà étoilé sur le millésime précédent. La version 2010 affiche une robe grenat aux reflets violets, un nez de cerise griotte et de sous-bois, une bouche ample et charpentée, à la finale chaleureuse et aux nuances réglissées. Ce vin de garde sera à oublier trois ans dans une bonne cave.

Louis Max, 6, rue de Chaux, 21700 Nuits-Saint-Georges, tél. 03.80.62.43.00, fax 03.80.62.43.16, louismax@louis-max.fr r.-v.

PIERRE OLIVIER 2010

■ 17 000 | 15 à 20 €

Le nom de Pierre Olivier est en fait celui d'une marque du négociant murisaltien Jean-Baptiste Béjot, qui propose ici un gevrey de vignes trentenaires, vêtu d'une robe pourpre brillant. Le nez de ce 2010 évoque la pulpe de cerise burlat, sur fond de moka et de kirsch. La bouche s'avère massive, croquante et vineuse. C'est un vin généreux, fruité et épicé, que l'on dégustera après deux ou trois ans de garde.

Pierre Olivier, 7, rte de Monthelie, 21190 Meursault, tél. 03.80.21.99.51, fax 03.80.21.28.05, fanny.duvernois@bejot.com

POULET PÈRE ET FILS 2010

■ 5 700 | 30 à 50 €

Le style particulier de l'étiquette – sa typographie et son illustration suggérant un croquis dessiné à la main – rappelle celui du gevrey Louis Max, et c'est compréhensible car Philippe Bardet est propriétaire de ces deux marques. On découvre ici un 2010 encore réservé à l'olfaction, qui, après une approche en souplesse, déroule une bouche nette et fraîche aux arômes de griotte et de framboise. Les tanins un peu sévères en finale devraient s'arrondir avec deux ans de garde.

Poulet Père et Fils, 6, rue de Chaux, 21700 Nuits-Saint-Georges, tél. 03.80.62.43.02, fax 03.80.62.43.16 r.-v.

♥ GÉRARD QUIVY Les Évocelles 2010 ★★

■ 1 200 | 20 à 30 €

Si le vignoble de Gérard Quivy est assez réduit – 7 ha environ –, il propose une gamme étendue de gevrey : deux premiers crus et de nombreux *villages* issus de lieux-dits bien situés, tels Les Jeunes Rois, En Champs, Les Évocelles... Quatre d'entre eux ont été retenus par le jury cette année, preuve d'une vraie maîtrise sur cette appellation que le vigneron connaît bien puisqu'il en est originaire. Fidèle à son style extrait et costaud, il propose avec Les Évocelles, un *climat* en altitude, un vin au boisé sophistiqué (parfums de thym et de muscade) mêlé de notes de pruneau. La bouche opulente, puissante, livre une finale épicée d'une longueur impressionnante. Une bouteille qui comblera les impatients comme les amateurs de vins de garde. **Les Journeaux 2010 (2 200 b.)** est aussi boisé et concentré, avec des tanins affirmés : il décroche une étoile. Le **1er cru Les Corbeaux 2010 (30 à 50 €; 900 b.)** et le ***village* En Champs 2010 (1 800 b.)** sont cités. Leur extraction, à l'origine de tanins encore stricts, les rendra agréables dans quatre ans pour le premier, deux pour le second.

Gérard Quivy, 7, rue Gaston-Roupnel, 21220 Gevrey-Chambertin, tél. 03.80.34.31.02, gerard.quivy@wanadoo.fr t.l.j. 9h-12h30 14h-18h30

DOM. HENRI RICHARD Aux Corvées 2009 ★

■ 4 350 | 20 à 30 €

La récolte 2009 semble avoir souri à Patrick Maroiller, ce vigneron bio qui décrochait l'an dernier un coup de cœur en marsannay dans ce millésime, et obtient aujourd'hui une étoile pour ce gevrey élevé dix-huit mois en fût. D'une robe légère aux nuances violines s'échappent des fragrances de fruits noirs bien mûrs. Le fruit s'exprime tout autant en bouche, porté par une matière souple et fraîche dont les tanins, déjà fondus, tapissent la finale accompagnés de notes vanillées et poivrées. À servir dans un an sur des œufs en meurette.

SCE Dom. Henri Richard, 75, rte de Beaune, 21220 Gevrey-Chambertin, tél. 09.62.08.00.17, fax 03.80.34.35.81, info@domainehenririchard.com r.-v.

PHILIPPE ROSSIGNOL Estournelles Saint-Jacques Vieilles Vignes 2009

■ 1er cru | n.c. | 20 à 30 €

Philippe Rossignol travaille avec son fils Sylvain, qui a rejoint l'exploitation familiale en 2006 après une expérience de trois ans sur un domaine alsacien. Leur petite parcelle (35 ares) de vignes cinquantenaires, située à côté du prestigieux Clos Saint-Jacques, est à l'origine d'un vin au nez de cassis souligné de nuances empyreumatiques. Riche et profond, centré sur des notes compotées, ce 2009 révèle un boisé encore marqué qui se fondra d'ici trois ans.

Dom. Philippe Rossignol, 61, av. de la Gare, 21220 Gevrey-Chambertin, tél. et fax 03.80.51.81.17, sceaphilipperossignol@hotmail.fr r.-v.

DOM. ROSSIGNOL-TRAPET Clos Prieur 2009 ★

■ 1er cru | 1 500 | 30 à 50 €

Nicolas et David Rossignol (en biodynamie) sont épatants de modestie, et leurs vins leur ressemblent. Ne cherchez pas ici de robe violacée et de nez chocolaté, leur 1er cru porte le rouge cerise et livre un nez discret de violette et de petits fruits noirs. Les tanins n'agressent pas, mais enrobent une matière consistante, qui sera à son aise sur un magret de canard dans deux ans. Dans ce même style frais (framboise, cassis, groseille, réglisse), le **Vieilles Vignes 2009 (20 à 30 €; 25 000 b.)**, avec sa bouche fondue et complexe, est cité.

Dom. Rossignol-Trapet, 4, rue de la Petite-Issue, 21220 Gevrey-Chambertin, tél. 03.80.51.87.26, fax 03.80.34.31.63, info@rossignol-trapet.com r.-v.

DOM. MARC ROY Clos Prieur 2009

■ 1 600 | 30 à 50 €

Alexandrine Roy se méfie de ses caves, pas très froides, qui font assez vite évoluer les vins : elle préfère donc des élevages courts pour garder de la fraîcheur aux arômes. Ce 2009 s'est ainsi contenté de douze mois en fût. Cela lui permet d'arborer une belle robe grenat, un nez discret de moka et de cuir, et une bouche élégante, fine, aux notes persistantes de fruits rouges confiturés. À garder deux ou trois ans.

Roy, 8, av. de la Gare, 21220 Gevrey-Chambertin, tél. 03.80.51.81.13, fax 03.80.34.16.74, domainemarcroy@orange.fr r.-v.

GÉRARD SEGUIN Vieilles Vignes 2010 ★★

	9 000		15 à 20 €

C'est à partir des années 1990 que Gérard Seguin, qui assure la continuité du domaine fondé par son arrière-grand-père, a développé le vignoble et la gamme proposée en achetant de nouvelles parcelles : à Gevrey, Chambolle et dernièrement Fixin. Ce magnifique gevrey est issu de très vieilles vignes de sélection massale, qui n'ont pas vu de désherbant depuis vingt-cinq ans. Les parcelles exposées plein sud, sur un sol très caillouteux et filtrant, se situent dans le cône de déjection de la Combe Grisard, en prolongement des Charmes-Chambertin. Gérard Seguin en a tiré un vin grenat dont le nez complexe marie la framboise, le sous-bois et un boisé toasté. L'équilibre est parfait : une mâche élégante, des tanins mûrs, une acidité bien intégrée, une longue finale. Tout est déjà en place et pourra vieillir cinq ou six ans. Par ailleurs, **Les Crais 2010 (3 300 b.)** plaît par son fruité et son harmonie : une étoile.

Dom. Gérard Seguin, 11-15, rue de l'Aumônerie,
21220 Gevrey-Chambertin, tél. 03.80.34.38.72,
fax 03.80.34.17.41, domaine.gerard.seguin@wanadoo.fr
r.-v.

SEGUIN-MANUEL Vieilles Vignes 2010 ★

	1 500		20 à 30 €

Thibaut Marion s'est lancé à l'âge de trente-cinq ans, en 2004, dans une petite affaire alliant 4 ha de vignes à des achats de vendanges. Il vient d'ajouter à sa carte de négociant ces 30 ares de gevrey. Ce 2010 à la robe foncée délivre un nez discret de cassis et de fruits rouges. La bouche, à la finale tendue par quelques tanins bien gibriacois, montre un beau potentiel et vieillira trois ans. Une bouteille à carafer avant de la servir sur un gibier à plume.

Dom. Seguin-Manuel, 2, rue de l'Arquebuse,
21200 Beaune, tél. 03.80.21.50.42, fax 03.80.21.59.38,
contact@seguin-manuel.com r.-v.
Marion

DOM. TAUPENOT-MERME Bel Air 2009 ★★

1er cru	2 584		30 à 50 €

Le domaine familial conduit aujourd'hui par Romain Taupenot a un pied en Côte de Nuits, l'autre en Côte de Beaune, et s'étend sur dix-neuf appellations. En gevrey-chambertin, il voit deux de ses cuvées sélectionnées : ce superbe premier cru et le gevrey ***village* 2009 (20 à 30 € ; 10 602 b.)**, qui obtient une citation pour son fruité et sa fraîcheur. Le cru Bel Air est situé en hauteur, au-dessus du Clos de Bèze, à quelque 300 m d'altitude. Voilà qui lui a réussi en 2009, année solaire, puisqu'il a donné naissance à un vin au bouquet subtil évoquant la violette, la myrtille et le sous-bois. La bouche franche, intense et aromatique repose sur une matière ample aux tanins harmonieux. Une bouteille de belle garde, mais qui pourra aussi être appréciée dans deux ans.

Dom. Taupenot-Merme, 33, rte des Grands-Crus,
21220 Morey-Saint-Denis, tél. 03.80.34.35.24,
fax 03.80.51.83.41, domaine.taupenot-merme@orange.fr
r.-v.

DOM. DES TILLEULS Clos Village 2009

	6 500		20 à 30 €

Philippe Livera et son fils Damien, âgé de vingt-sept ans, exploitent 1,30 ha de ce clos situé tout près des maisons de Gevrey-Chambertin, entre le château et l'église. Ils ont élaboré un 2009 à la robe limpide, rouge cerise, et au nez chaleureux et épicé. Souple en attaque, la bouche montre du volume et une structure solide, enrobée d'arômes de cassis et de framboise. Un vin suave et fruité, à découvrir après un an de garde.

Philippe Livera, 7, rue du Château,
21220 Gevrey-Chambertin, tél. et fax 03.80.34.30.43
r.-v.

DOM. DES VAROILLES Clos des Varoilles Monopole 2009 ★

1er cru	20 000		30 à 50 €

Coup de cœur dans le précédent millésime, ce premier cru de 6 ha que Gilbert Hammel possède en monopole a séduit le jury. Il s'agit d'un *climat* particulier : situé au fond de l'échancrure de la Combe Lavaux, sur un terroir en pente, exposé plein sud, il est aussi refroidi par l'ombre du versant d'en face et les courants d'air qui descendent du plateau. Cela a donné ici un 2009 paré d'une robe rubis profond, qui livre de discrets parfums de fruits rouges et de sous-bois. Le palais dévoile une matière souple et charnue, fruitée et équilibrée par des tanins soyeux. À déguster dans trois ou quatre ans sur un plateau de fromage. Situé juste au-dessus, le **1er cru La Romanée Monopole 2009 (4 500 b.)**, souple mais un peu plus léger, est cité.

Dom. des Varoilles, 11, rue de l'Ancien-Hôpital,
21220 Gevrey-Chambertin, tél. 03.80.34.30.30,
fax 03.80.51.88.99, contact@domaine-varoilles.com
r.-v.

Chambertin

Superficie : 13 ha
Production : 437 hl

Bertin, vigneron à Gevrey, possédant une parcelle voisine du Clos de Bèze et fort de l'expérience qualitative des moines, planta les mêmes ceps et obtint un vin similaire : c'était le « champ de Bertin », d'où Chambertin.

DOM. PIERRE DAMOY 2009 ★

Gd cru	3 246		+ de 100 €

Pierre Damoy est le septième propriétaire, en taille, de ce grand cru mythique, réputé pour ses tanins virils et sa matière robuste. Il tire de ses 47 ares un vin au nez opulent de fruits noirs, de civette et de boisé, suivi par une bouche riche et dense, aux tanins fermes et fins, qui laissent envisager une garde de minimum six ou sept ans. À réserver pour un mets délicat, un filet de bœuf aux truffes par exemple.

Pierre Damoy, 11, rue du Mal-de-Lattre-de-Tassigny, 21220 Gevrey-Chambertin, tél. 03.80.34.30.47, fax 03.80.58.54.79, info@domaine-pierre-damoy.com
r.-v.

CAMILLE GIROUD 2009 ★★

Gd cru	1 639	+ de 100 €

David Croix, directeur et œnologue talentueux de la maison Camille Giroud, signe en général de très beaux grands crus de Gevrey. Ce chambertin obtient ici une reconnaissance appuyée pour sa typicité. Le nez, intense, mêle des parfums de cerise à des notes de cuir. La bouche se révèle à la fois consistante et pourvue d'une grande souplesse, fraîche, rectiligne et remarquablement équilibrée, portée par des tanins fermes et fins. Le mariage de la force et de l'élégance. À servir dans cinq ou dix ans, sur un époisses ou une belle pièce de gibier.
Maison Camille Giroud, 3, rue Pierre-Joigneaux, 21200 Beaune, tél. 03.80.22.12.65, fax 03.80.22.42.84, contact@camillegiroud.com r.-v.

CH. DE MARSANNAY 2009 ★

Gd cru	521	75 à 100 €

Le château de Marsannay a bien maîtrisé le millésime 2009, témoin cette toute petite cuvée issue de 9 ares. Drapée dans une robe foncée, celle-ci livre un nez généreux, « très 2009 », de framboise et de cerise à l'eau-de-vie. La bouche se révèle ample et charnue, adossée à des tanins solides, et offre une finale longue et robuste, bien représentative du chambertin dans sa jeunesse. Cinq à huit ans de garde s'imposent avant de servir ce vin sur un pavé de charolais.
Ch. de Marsannay, rte des Grands-Crus, BP 78, 21160 Marsannay-la-Côte, tél. 03.80.51.71.11, fax 03.80.51.71.12, domaine@chateau-marsannay.com
t.l.j. 10h-12h 14h-18h30; f. 24 déc.-6 jan.
Boisseaux

MAISON ROCHE DE BELLÈNE 2009

Gd cru	1 398	+ de 100 €

Nicolas Potel a développé en parallèle son domaine et son négoce. C'est de ce dernier qu'est issue cette cuvée de chambertin, le plus célèbre des grands crus de Gevrey. Le style Potel, comme il le dit lui-même, ce sont des vins tendus, aériens, élégants. Ici, le fruit s'impose, à travers un nez de fruits rouges et de cassis, agrémenté de notes de pain d'épice. La bouche, ample, dévoile des arômes généreux de kirsch mêlés d'épices (poivre). Les tanins sont nets et saillants, la finale longue et rectiligne. À attendre cinq ans.
Maison Roche de Bellène, 39, rue du Fg-Saint-Nicolas, 21200 Beaune, tél. 03.80.20.67.64, fax 03.80.26.16.27, christelle@maisonrochedebellene.com r.-v.

Chambertin-clos-de-bèze

Superficie : 15 ha
Production : 510 hl

Les religieux de l'abbaye de Bèze plantèrent en 630 une vigne dans une parcelle de terre qui donna un vin particulièrement réputé : ce fut l'origine de l'appellation. Les vins de cette aire AOC peuvent également s'appeler chambertin.

DOM. PIERRE GELIN 2009

Gd cru	1 900	75 à 100 €

Ce domaine de Fixin exploite en clos-de-bèze une parcelle de 60 ares plantés de ceps de trente-cinq ans. Il signe un 2009 qui plaît par son nez de café torréfié, de chocolat et de fruits compotés, et par sa bouche charnue, consistante et structurée, dont la finale retrouve les notes confites de l'olfaction. À servir dans cinq ans, sur un filet de bœuf brioché.
Dom. Pierre Gelin, 22, rue de la Croix-Blanche, 21220 Fixin, tél. 03.80.52.45.24, info@domaine-pierregelin.fr
t.l.j. sf dim. 9h30-18h; f. 23 déc.-2 jan.

FRÉDÉRIC MAGNIEN 2010 ★

Gd cru	1 100	+ de 100 €

Frédéric Magnien propose ici, avec sa casquette de négociant, un 2010 élégant dans sa robe rubis foncé aux reflets violacés. Le nez évoque la confiture de fruits noirs mêlée de notes giboyeuses et boisées. La bouche se révèle charnue, suave, dense et massive, longuement portée par des tanins nets et serrés, qui garantiront à cette bouteille une garde d'au moins cinq ou six ans, et bien plus encore. Pourquoi pas sur une estouffade de perdrix ?
Frédéric Magnien, 26, rte Nationale, 21220 Morey-Saint-Denis, tél. 03.80.58.54.20, fax 03.80.51.84.34, frederic@fred-magnien.com
r.-v.

Autres grands crus de Gevrey-Chambertin

Autour des deux précédents, il y a six autres crus qui présentent des caractères proches. Les conditions de production sont un peu moins exigeantes, mais les vins montrent une solidité, une puissance et une plénitude comparables et offrent des arômes où domine la réglisse. Autant de traits qui permettent généralement de différencier les vins de Gevrey de ceux des appellations voisines : les Latricières, les Charmes, les Mazoyères, qui peuvent également s'appeler Charmes (l'inverse n'est pas possible) ; les Mazis, comprenant les Mazis-Haut et les Mazis-Bas ; les Ruchottes (venant de roichot, lieu où il y a des roches), toutes petites par la surface, comprenant les Ruchottes-du-Dessus (1 ha 91 a 95 ca) et les Ruchottes-du-Bas (1 ha 27 a 15 ca) ; les Griottes, où auraient poussé des cerisiers sauvages ; et enfin, la Chapelle, nom donné par une chapelle bâtie en 1155 par les religieux de l'abbaye de Bèze, rasée lors de la Révolution.

Latricières-chambertin

Superficie : 7 ha
Production : 275 hl

DOM. FAIVELEY 2010 ★

■ Gd cru | 4 300 | + de 100 €

Erwan Faiveley est par la surface, le deuxième propriétaire de ce grand cru dont il exploite un gros bloc rectangulaire de 1,2 ha. Sa parcelle, qui compte aussi la petite « dent » montant dans la forêt, jouxte le grand cru chambertin. Elle donne naissance à ce vin grenat, au bouquet naissant et complexe de framboise, de myrtille et de cassis. Le palais se révèle plein, racé, imposant mais sans lourdeur, tonifié par une juste vivacité. Les tanins, précis et fermes, annoncent un potentiel de garde de dix ans et plus. À servir sur une côte de bœuf à la moelle.

Dom. Faiveley, 8, rue du Tribourg, 21700 Nuits-Saint-Georges, tél. 03.80.61.04.55, fax 03.80.62.33.37, accueil@bourgognes-faiveley.com

CAMILLE GIROUD 2009 ★

■ Gd cru | 909 | 75 à 100 €

Cette maison de négoce possède 20 ares sur les 7,35 ha que compte ce grand cru. David Croix, l'œnologue de la maison, en propose une version très élégante, drapée dans une robe rubis brillant, au nez de fruits noirs et d'épices associés à quelques nuances fumées. Souple et tendre en attaque, la bouche se révèle suave et veloutée jusqu'en finale, portée par des tanins soyeux et mûrs, polis par le soleil de 2009. S'il est déjà fort aimable, ce vin pourra affronter sans crainte une garde de huit à dix ans. Recommandé sur une entrecôte vigneronne.

Maison Camille Giroud, 3, rue Pierre-Joigneaux, 21200 Beaune, tél. 03.80.22.12.65, fax 03.80.22.42.84, contact@camillegiroud.com r.-v.

DOM. CHANTAL REMY 2010 ★

■ Gd cru | 1 200 | 75 à 100 €

Chantal Remy a créé en 2009 son domaine en nom propre, reprenant les vignes de Louis Rémy, propriétaire de 57 ares dans le grand cru. Elle a élevé ce 2010 moins longtemps que d'habitude, lui réservant dix-neuf mois de fût au lieu des vingt-deux habituels, pour préserver arômes et fraîcheur. Objectif atteint avec ce nez expressif de cassis, cette bouche tendre et souple construite sur la finesse. Un vin charmeur, à déguster dans cinq ans sur une volaille de Bresse rôtie.

Dom. Chantal Remy, 1, pl. du Monument, 21220 Morey-Saint-Denis, tél. et fax 03.80.34.32.59, domaine.chantal.remy@orange.fr r.-v. 5

DOM. TRAPET PÈRE ET FILS 2010

■ Gd cru | 2 000 | 75 à 100 €

Avec 80 ares, Jean-Louis Trapet est l'un des plus gros propriétaires du grand cru et l'un des plus anciens aussi, la première parcelle étant entrée dans sa famille en 1904. Il cultive tout en biodynamie, et obtient ici un vin pourpre, au nez discret de crème de cassis et de cuir. La bouche se révèle ferme et serrée, typique d'un latricières, vin connu pour montrer des tanins souvent plus austères que le chambertin, l'autre référence du domaine. Armé pour durer les dix ans à venir.

Dom. Trapet Père et Fils, 53, rte de Beaune, 21220 Gevrey-Chambertin, tél. 03.80.34.30.40, fax 03.80.51.86.34, message@domaine-trapet.com r.-v.

Chapelle-chambertin

Superficie : 5,5 ha
Production : 175 hl

DOM. PIERRE DAMOY 2009 ★

■ Gd cru | 3 746 | 75 à 100 €

Chapelle-chambertin est un « petit grand cru » de 5,49 ha, divisé en dix-huit parcelles et une dizaine de propriétaires. Pierre Damoy en possède 2,22 ha, soit pas loin de la moitié. Il en tire ce vin rubis sombre, au nez étincelant de fruits noirs, de griotte et de boisé fondu. La bouche se montre volumineuse, très mûre, charpentée avec solidité mais élégance. Un chapelle « masculin et très équilibré », conclut un juré, qui lui prédit une longue garde de dix ou douze ans.

Pierre Damoy, 11, rue du Mal-de-Lattre-de-Tassigny, 21220 Gevrey-Chambertin, tél. 03.80.34.30.47, fax 03.80.58.54.79, info@domaine-pierre-damoy.com r.-v.

Charmes-chambertin

Superficie : 29 ha
Production : 1 115 hl

DOM. ARLAUD 2010

■ Gd cru | 5 200 | 50 à 75 €

Les trois enfants Arlaud exploitent une respectable superficie de 1,14 ha qui se divise en fait en un gros bloc de presque 1 ha sur la partie haute de Mazoyères, le reste en partie basse. Les producteurs de Mazoyères ont le droit de vendre leur vin sous le nom plus prestigieux de charmes : dont acte. Dans sa robe rubis intense, ce 2010 dévoile un bouquet gourmand, fruité, fin, relevé d'un joli boisé. La bouche évoque les raisins mûrs, dans un style léger, friand et féminin. Ce joli vin, prometteur, sera à apprécier dans cinq ans.

Dom. Arlaud, 41, rue d'Épernay, 21220 Morey-Saint-Denis, tél. 03.80.34.32.65, fax 03.80.34.10.11, contact@domainearlaud.com r.-v.

DOM. PHILIPPE CHARLOPIN-PARIZOT 2009

■ Gd cru	n.c.		+ de 100 €

Philippe et Yann Charlopin réalisent un sans-faute en 2009 avec plusieurs cuvées sélectionnées dans cette édition, dont ce charmes au nez mûr et boisé, de kirsch et de cassis. L'attaque est gourmande, la structure tannique, puissante et la finale, charnue. À ouvrir dans dix ans.

Dom. Philippe Charlopin, 18, rte de Dijon, 21220 Gevrey-Chambertin, tél. 03.80.58.50.46 t.l.j. sf dim. lun. 10h-19h (au Roupnel, 33, rue des Baraques)

CONFURON-COTETIDOT 2009 ★

■ Gd cru	1 500	(I)	50 à 75 €

Yves Confuron est connu pour pratiquer les macérations de raisins en grappes entières, et ce 2009 en est sans doute issu si l'on en juge par son étonnante palette aromatique : gentiane, pruneau, cassis, le raisin est mûr mais atypique dans ses parfums. Une chose est sûre : Yves Confuron est ensuite allé chercher loin dans son élevage, poussant le vin à vingt mois de fût, obtenant ainsi une bouche structurée, riche, ample et néanmoins soyeuse. Une bouteille harmonieuse, promise à un très bel avenir.

Confuron-Cotetidot, 10, rue de la Fontaine, 21700 Vosne-Romanée, tél. 03.80.61.03.39, fax 03.80.61.17.85 r.-v.

DOM. DUPONT-TISSERANDOT 2010 ★

■ Gd cru	2 400	(I)	50 à 75 €

Coup de cœur l'an passé pour le 2009, ce charmes est une valeur sûre. Le 2010 proposé par Didier et Patricia Chevillon affiche une robe profonde, grenat, un nez mûr de petits fruits noirs agrémentés de notes boisées, une bouche dense, riche et de belle longueur. Le domaine pratique une vinification de plus en plus retenue, avec moins de pigeages et un séjour en fût 100 % neuf durant les dix premiers mois d'élevage, les six suivants se déroulant en fût d'un ou deux vins : la précision du fruit est au rendez-vous dans cette belle cuvée, qui méritera de patienter quatre ans en cave.

Dupont-Tisserandot, 2, pl. des Marronniers, 21220 Gevrey-Chambertin, tél. 03.80.34.10.50, fax 03.80.58.50.71, dupont.tisserandot@orange.fr r.-v.

M.-F. Guillard et P. Chevillon

DOM. MICHEL MAGNIEN 2010 ★

■ Gd cru	1 500		+ de 100 €

Coup de cœur et une rarissime triple étoile l'an passé pour le charmes 2009, Frédéric Magnien signe un 2010 qui séduit par sa robe soutenue, grenat foncé, son nez de fruits noirs alliés à un joli boisé, et sa bouche puissante, élégante et fine. La matière est mûre, généreuse, et l'acidité bien équilibrée. Six ans de garde pour cette cuvée très réussie.

Dom. Michel Magnien, 4, rue Ribordot, 21220 Morey-Saint-Denis, tél. 03.80.51.82.98, fax 03.80.58.51.76, d-magnien@orange.fr r.-v.

MARCHAND FRÈRES 2010 ★

■ Gd cru	600	(I)	30 à 50 €

Denis Marchand exploite une petite parcelle de 19 ares qui a donné naissance à cette cuvée habillée de grenat, au nez expressif de fruits noirs. La bouche est nette, incisive, avec une belle acidité et des tanins fermes et robustes à qui il faudra cinq ans pour se fondre. À servir sur des cailles rôties.

Dom. Marchand Frères, 1, pl. du Monument, 21220 Gevrey-Chambertin, tél. 03.80.62.10.97, dmarc2000@aol.com r.-v.

DOM. QUIVY 2010 ★

■ Gd cru	450		75 à 100 €

Issu d'une petite parcelle de 8 ares, ce 2010 se présente dans une seyante robe rubis sombre et affiche un joli nez de fruits rouges et de vanille. La bouche attaque sur des notes fraîches de cerise croquante et dévoile une matière charnue et riche. Les tanins, sobres et nets, permettront de déguster ce vin d'ici quatre ans sur une noisette de chevreuil ou un époisses.

Gérard Quivy, 7, rue Gaston-Roupnel, 21220 Gevrey-Chambertin, tél. 03.80.34.31.02, gerard.quivy@wanadoo.fr t.l.j. 9h-12h30 14h-18h30

TAUPENOT-MERME 2009 ★

■ Gd cru	n.c.		75 à 100 €

Romain Taupenot a la chance d'exploiter à la fois des charmes et des mazoyères, et de pouvoir comparer les deux. Selon lui, les charmes sont souvent plus ouverts, friands et élégants que les seconds. C'est ce qu'il démontre brillamment ici avec cette cuvée au nez superbe, frais et gourmand, à la bouche structurée, soyeuse et finement acidulée. C'est un vin de caractère, sobre et racé, à laisser vieillir une douzaine d'années.

Dom. Taupenot-Merme, 33, rte des Grands-Crus, 21220 Morey-Saint-Denis, tél. 03.80.34.35.24, fax 03.80.51.83.41, domaine.taupenot-merme@orange.fr r.-v.

DOM. DES VAROILLES 2009 ★

■ Gd cru	1 200	(I)	30 à 50 €

Gilbert Hammel exploite 80 ares de vignes de quarante ans qu'il a élevées ici dix-huit mois en fût. Le résultat est très réussi. À la robe profonde et lumineuse, rubis intense, répond un nez superbe, à la fois floral et fruité. La bouche dense, évoquant les fruits confits typiques de ce millésime solaire, est portée par une belle structure. La finale, soyeuse et généreuse, incitera à servir cette bouteille dans cinq ans sur une fricassée de volaille à la crème.

Dom. des Varoilles, 11, rue de l'Ancien-Hôpital, 21220 Gevrey-Chambertin, tél. 03.80.34.30.30, fax 03.80.51.88.99, contact@domaine-varoilles.com r.-v.

Hammel-Chéron

Griotte-chambertin

Superficie : 2,7 ha
Production : 105 hl

♥ **DOM. MARCHAND FRÈRES** 2010 ★★

■ Gd cru	740	(I)	50 à 75 €

Griotte est le plus petit des grands crus de Gevrey, avec seulement 2,73 ha, dont Denis Marchand exploite 12 ares. Le *climat* est réputé pour la délicatesse et la rondeur de ses vins ; ainsi en témoigne ce 2010 rubis, au nez discret de cerise burlat, d'épices et de myrtille. La

bouche se révèle suave, onctueuse et veloutée, ourlée de tanins mûrs d'une grande finesse, et s'étire dans une finale ample et longue, égayée par une pointe de salinité. De grande garde (dix ans et plus), cette bouteille accompagnera parfaitement un râble de lièvre à la Piron.
Dom. Marchand Frères, 1, pl. du Monument, 21220 Gevrey-Chambertin, tél. 03.80.62.10.97, dmarc2000@aol.com r.-v.

Mazis-chambertin

Superficie : 8,8 ha
Production : 275 hl

DOM. DUPONT-TISSERANDOT 2010

Gd cru 1 200 50 à 75 €

Didier et Patricia Chevillon exploitent 35 ares à l'origine de ce vin rubis foncé, au nez discret de sous-bois, de boisé épicé et de cerise noire. La bouche se montre ample et tannique, pourvue d'une finale serrée, rappelant en cela que les mazis sont parfois les rivaux des chambertins en termes de densité et de structure. Ce 2010 pourra vieillir cinq à huit ans avant d'accompagner une selle d'agneau rôtie.
Dupont-Tisserandot, 2, pl. des Marronniers, 21220 Gevrey-Chambertin, tél. 03.80.34.10.50, fax 03.80.58.50.71, dupont.tisserandot@orange.fr r.-v.
M.-F. Guillard et Patricia Chevillon

JEAN-MICHEL GUILLON ET FILS 2010 ★

Gd cru 838 50 à 75 €

Jean-Michel Guillon garde toujours un tiers de vendange non éraflée dans ce grand cru, une proportion qui ne se sent pas à proprement parler mais qui apporte une profondeur supplémentaire au vin. Le résultat est ici un 2010 au nez de parfums intenses de fruits mûrs, voire confiturés, et à la bouche charnue, ample et concentrée, enrobée de tanins nobles et affirmés. Fruité et déjà arrondi, ce vin se dégustera dans cinq ans sur un civet de lièvre.
Guillon, 33, rte de Beaune, 21220 Gevrey-Chambertin, tél. 03.80.51.83.98, fax 03.80.51.85.59, contact@domaineguillon.com r.-v.

♥ DOM. HARMAND-GEOFFROY 2010 ★★

Gd cru 2 500 50 à 75 €

Gérard et Philippe Harmand, à la tête de 80 ares de ce grand cru, élaborent des vins sélectionnés dans le Guide avec une remarquable régularité. Adeptes de la fraîcheur plutôt que de l'opulence, ils proposent ici un mazis rubis intense, au nez encore sur la réserve, dont on devine néanmoins la complexité à travers des notes de fruits noirs, de vanille, de réglisse ou encore d'épices. La bouche

se révèle ronde, déjà assise, portée par des tanins structurés mais sans rudesse, et offre une finale dense et savoureuse, égayée par une fine vivacité saline. Cette bouteille très équilibrée sera à son aise sur une noble volaille d'ici cinq ans.
Harmand-Geoffroy, 1, pl. des Lois, 21220 Gevrey-Chambertin, tél. 03.80.34.10.65, fax 03.80.34.13.72, harmand-geoffroy@wanadoo.fr r.-v.

DOM. NEWMAN 2010

Gd cru 550 75 à 100 €

Christopher Newman, installé à Beaune depuis 1972, exploite 18 ares en mazis. Il signe un vin au nez charmeur de fruits rouges et de vanille. La bouche présente beaucoup de droiture, de finesse et de dynamisme, soutenue en finale par une jolie minéralité. Encore fermé et compact toutefois, ce 2010 devra être attendu cinq à huit ans.
GFA Dom. Newman, 29, bd Clemenceau, 21200 Beaune, tél. 03.80.22.80.96, fax 03.80.24.29.14, info@domainenewman.com

DOM. TORTOCHOT 2010 ★

Gd cru 1 700 50 à 75 €

Ce grand cru, régulièrement sélectionné dans le Guide, est le bijou du domaine ; on se souvient notamment du coup de cœur décroché l'an dernier par le 2009. Chantal Tortochot, quatrième du nom sur l'exploitation familiale, possède 42 ares dans l'appellation, plantés de vignes de cinquante ans d'âge cultivées en bio (en attente de certification). Elle signe ici un vin profond, au nez frais et flatteur de petits fruits rouges, de vanille et d'épices. La bouche se montre ronde, charnue, consistante, élégante et fruitée, soulignée par d'élégants tanins en finale. Un vin au grain raffiné, armé pour la prochaine décennie, que l'on verrait bien en compagnie d'un canard au sang.
Dom. Tortochot, 12, rue de l'Église, 21220 Gevrey-Chambertin, tél. 03.80.34.30.68, fax 03.80.34.18.80, contact@tortochot.com r.-v.

Mazoyères-chambertin

Superficie : 1,7 ha
Production : 65 hl

DOM. TAUPENOT-MERME 2009 ★★

Gd cru n.c. 75 à 100 €

Romain Taupenot a la chance de posséder des parcelles à la fois dans les Charmes et dans Mazoyères, et de commercialiser ses vins sous les deux étiquettes, même si les mazoyères peuvent être vendus sous le nom de charmes.

D'ailleurs, ce 2009 n'en manque pas... de charme. Le nez, discret mais élégant, évoque la myrtille, la réglisse et les épices douces. Soutenue par des tanins ronds et policés, la bouche se montre suave, veloutée, ample et mûre, comme il sied à un 2009. Un vin harmonieux, à servir dans cinq à huit ans sur une côte de bœuf sauce béarnaise.

Dom. Taupenot-Merme, 33, rte des Grands-Crus, 21220 Morey-Saint-Denis, tél. 03.80.34.35.24, fax 03.80.51.83.41, domaine.taupenot-merme@orange.fr r.-v.

Ruchottes-chambertin

Superficie : 3 ha
Production : 98 hl

CH. DE MARSANNAY 2009 ★★

Gd cru | 569 | 75 à 100 €

Les Ruchottes sont un petit bijou de 3,3 ha, dont le nom vient des rochers de la roche-mère qui affleurent sous terre. Minuscule mais très parcellisé, le grand cru est découpé en vingt-sept parcelles. Le château de Marsannay en exploite 9 ares et en tire ce vin pourpre, au nez d'une délicatesse remarquable (crème de cassis, mûre sauvage, boisé fin, fumée). La bouche se montre tout aussi tendre et raffinée, dotée d'une minéralité exemplaire qui emmène la finale vers des notes subtiles de craie et de confiture. À garder huit ans au moins et à servir sur un filet de charolais grillé.

Ch. de Marsannay, rte des Grands-Crus, BP 78, 21160 Marsannay-la-Côte, tél. 03.80.51.71.11, fax 03.80.51.71.12, domaine@chateau-marsannay.com t.l.j. 10h-12h 14h-18h30; f. 24 déc.-6 jan.
Boisseaux

Morey-saint-denis

Superficie : 96 ha
Production : 3 822 hl (95 % rouge)

Entre Gevrey-Chambertin et Chambolle-Musigny, Morey-Saint-Denis constitue l'une des plus petites appellations communales de la Côte de Nuits. Outre d'excellents 1ers crus (en majorité rouges), la commune possède cinq grands crus ayant une appellation d'origine contrôlée particulière : clos-de-tart, clos-saint-denis, bonnes-mares (en partie), clos-de-la-roche et clos-des-lambrays. Les vins rouges de cette commune apparaissent comme intermédiaires entre les puissants gevrey et les délicats chambolle. Les vignerons présentent au public les morey-saint-denis, et uniquement ceux-ci, le vendredi précédant la vente des Hospices de Nuits (3e semaine de mars) en un Carrefour de Dionysos, à la salle des fêtes communale.

DOM. DES BEAUMONT Les Ruchots 2010 ★

1er cru | 450 | 30 à 50 €

Thierry Beaumont exploite un microscopique vignoble de 8 ares sur l'un des plus beaux 1ers crus de Morey, les Ruchots étant situés juste en dessous du Clos de Tart. Il en tire ce vin pourpre, au nez élégant de fraise, de framboise et de café. La bouche est souple, soyeuse, avec une jolie finale sur la réglisse et le poivre. Plus rustique mais tout aussi fruité, le ***village*** **Les Millandes 2010 (1 500 b.)** obtient également une étoile. Deux vins à attendre cinq ans.

EARL Dom. des Beaumont, 9, rue Ribordot, 21220 Morey-Saint-Denis, tél. et fax 03.80.51.87.89, contact@domaine-des-beaumont.com r.-v.

CHRISTOPHE BRYCZEK Clos Solon 2010 ★★

4 000 | 15 à 20 €

Depuis trois ans, Christophe Bryczek monte en puissance, avec trois vins du millésime 2009 étoilés dans la précédente édition du Guide, et ce Clos Solon, né de vignes de quarante-cinq ans situées juste au-dessus de la route nationale, qui frôle le coup de cœur. C'est un *climat* au sol argileux qui peut facilement donner de gros rendements et des vins rustiques. Mais le domaine a trouvé le coup de patte pour en faire un vin élégant, au nez intense de poivre, de vanille, de cassis et de sous-bois, d'une rare complexité pour un « simple » (mais pas simpliste) *village*. La bouche exprime une remarquable fraîcheur ; les tanins se montrent fermes mais galbés et destinés à s'arrondir. Une bouteille à garder entre cinq et dix ans, puis à déguster sur un chevreuil sauce au chocolat.

Christophe Bryczek, 14, rue Ribordot, 21220 Morey-Saint-Denis, tél. 03.80.34.34.17, fax 03.80.34.32.87, christophe.bryczek@orange.fr r.-v.

DOM. CASTAGNIER 2010

850 | 15 à 20 €

Auteur d'un coup de cœur l'an dernier avec un morey-saint-denis, Jérôme Castagnier hisse à un joli niveau encore une fois un *village*, qui arbore une robe profonde et un nez de fruits noirs et de moka témoin d'un élevage bien maîtrisé de dix-huit mois en fût neuf (40 %). La bouche est structurée, presque sévère en attaque, mais s'ouvre ensuite. À garder quatre ans en cave.

EARL Dom. Castagnier, 20, rue des Jardins, 21220 Morey-Saint-Denis, tél. 03.80.34.31.62, fax 03.80.58.50.04, jeromecastagnier@yahoo.fr r.-v.

LOU DUMONT 2009 ★

1 800 | 15 à 20 €

Koji Nakada a très bien réussi le millésime 2009, comme le prouve cette microcuvée de morey. La robe grenat annonce un nez discret, fin et léger, aux notes de boisé vanillé. La bouche, riche et tannique, est relevée d'une pointe d'acidité bienvenue dans un millésime solaire comme 2009. Un vin à garder cinq ans avant de le servir sur une pintade rôtie.

Lou Dumont, 32, rue du Mal-de-Lattre-de-Tassigny, 21220 Gevrey-Chambertin, tél. 03.80.51.82.82

DOM. FOREY PÈRE ET FILS 2010

4 100 | 20 à 30 €

Régis Forey avait obtenu une étoile pour ce morey dans le millésime 2009. Il a vinifié ce 2010 comme à son habitude, en le faisant cuver longuement (quatre semaines), puis en l'élevant seize mois en fût. Ce vin grenat est réussi avec son nez franc de moka, de bourgeon de cassis et de pivoine. La bouche est encore un peu austère, serrée, mais l'harmonie est déjà présente, et le vin s'arrondira d'ici trois ou quatre ans.

Dom. Forey Père et Fils, 2, rue Derrière-le-Four, 21700 Vosne-Romanée, tél. 03.80.61.09.68, fax 03.80.61.12.63, domaineforey@orange.fr r.-v.

DOM. ROBERT GIBOURG Clos de la Bidaude Monopole 2010 ★

	2 400	20 à 30 €

À plus de 340 m d'altitude, le Clos de la Bidaude est une parcelle de 1 ha pentue, orientée est-nord-est et située juste au-dessus du grand cru clos-des-lambrays. Ce Clos de la Bidaude, exploité en monopole, était en friche jusqu'à ce qu'Anne Bidault le replante en 1993. Déployant une robe grenat, ce vin offre un nez friand de griotte et de cassis. La bouche, bien extraite, puissante et boisée, est portée par des tanins de qualité mais encore un peu sévères, qui s'adouciront après deux ou trois années de garde. À servir alors sur une côte de bœuf.

Robert Gibourg, RN 74, 21220 Morey-Saint-Denis, tél. 03.80.34.38.32, fax 03.80.34.18.94, rgibourg@club-internet.fr t.l.j. sf sam. dim. 9h-18h

JEAN-MICHEL GUILLON ET FILS La Riotte 2010 ★

1er cru	1 200	20 à 30 €

Jean-Michel Guillon avait obtenu un coup de cœur pour ce premier cru dans le millésime 2008 ; il obtient une étoile avec le 2010. Le *climat*, situé en plein centre de l'appellation, juste en dessous du village, est petit (2,45 ha au total) et est exploité par quelques producteurs, le domaine Guillon en revendiquant 18 ares. L'expression aromatique de ce 2010 est délicate, mêlant un fruité discret à des notes poivrées. La bouche se révèle élégante, ample, ronde et soyeuse. Un morey débonnaire, à déguster l'an prochain sur une viande rouge.

Guillon, 33, rte de Beaune, 21220 Gevrey-Chambertin, tél. 03.80.51.83.98, fax 03.80.51.85.59, contact@domaineguillon.com r.-v.

DOM. LEYMARIE-CECI Clos Solon 2009

	720	20 à 30 €

Avec 5,58 ha, le Clos Solon est un grand *climat* pour ce *village* au parcellaire atomisé. Cette communale est située juste au-dessus de la route nationale qui marque la frontière avec les productions régionales. D'une petite parcelle de 39 ares, Jean-Charles Leymarie extrait un vin grenat, au nez boisé assez marqué. Ce morey massif, épais, plein, aux tanins affirmés, mérite d'être attendu cinq ans avant d'être servi sur un bœuf bourguignon longuement mijoté.

Leymarie-CECI, Clos du Village, 24, rue du Vieux-Château, 21640 Vougeot, tél. 03.80.62.86.06, fax 03.80.62.88.53, leymarie@skynet.be r.-v.

FRÉDÉRIC MAGNIEN Clos Sorbè 2010 ★

1er cru	5 200	50 à 75 €

Le Clos Sorbè possède un sol caillouteux plutôt qualitatif ; il est situé juste sous le village. Frédéric Magnien signe une plaisante cuvée au bouquet fruité (cerise griotte, cassis) et floral. L'attaque franche laisse place à une bouche nette, ample et équilibrée, sans les tanins sauvages qui caractérisent parfois les morey. Un joli vin à boire l'hiver prochain, sur un rôti de veau aux olives.

Frédéric Magnien, 26, rte Nationale, 21220 Morey-Saint-Denis, tél. 03.80.58.54.20, fax 03.80.51.84.34, frederic@fred-magnien.com r.-v.

DOM. MICHEL MAGNIEN Chaffots 2010

1er cru	4 000	50 à 75 €

Chaffots est un 1er cru suffisamment intéressant pour que le bas de son parcellaire ait été intégré au grand cru clos-saint-denis. Le haut, là où Michel Magnien exploite sa parcelle de 94 ares, est en pente, à 300 m d'altitude, exposé au plein est. Michel et son fils Frédéric ont extrait de ce joli terroir un vin au nez de moka agrémenté d'une touche végétale. Structuré et net, le palais repose sur des tanins encore fermes, qui s'arrondiront d'ici trois ans. À carafer avant de servir.

Dom. Michel Magnien, 4, rue Ribordot, 21220 Morey-Saint-Denis, tél. 03.80.51.82.98, fax 03.80.58.51.76, d-magnien@orange.fr r.-v.

DOM. STÉPHANE MAGNIEN Les Faconnières 2010 ★

1er cru	2 000	20 à 30 €

Les Faconnières sont décidément le *climat* vedette de Stéphane Magnien, jeune viticulteur installé en 2008, dont cette cuvée est étoilée deux millésimes de suite. Faconnières est d'ailleurs l'un des meilleurs 1ers crus de Morey. Il est très bien situé, juste sous le grand cru clos-de-la-roche, au nord des Millandes. Ce vin grenat libère une fragrance fine et élégante de fruits noirs très mûrs, et dévoile des tanins soyeux enrobés de fruit qui le rendent prêt à boire dans l'année, sur du petit gibier à poil.

Dom. Stéphane Magnien, 5, ruelle de l'Église, 21220 Morey-Saint-Denis, tél. 03.80.51.83.10, fax 03.80.58.53.27, mail@domainemagnien.com r.-v.

DOM. MARCHAND FRÈRES Cuvée Éline 2010

1er cru	2 400	20 à 30 €

Cette cuvée Éline, assemblage de deux 1ers crus réputés, Millandes et Faconnières, est fidèle au style Marchand, vif, avec un nez de bourgeon de cassis, une bouche aux arômes de fruits rouges, framboise en tête, soutenue par des tanins puissants. On la laissera quatre ans en cave. Dans l'intervalle, on débouchera le ***village* Vieilles Vignes 2010 (15 à 20 € ; 1 500 b.)**, gourmand et épicé, fruité et équilibré.

Dom. Marchand Frères, 1, pl. du Monument, 21220 Gevrey-Chambertin, tél. 03.80.62.10.97, dmarc2000@aol.com r.-v.

MANUEL OLIVIER 2009 ★

	2 400	15 à 20 €

Manuel Olivier a acheté ces vignes à Guy Dufouleur en 2007, un coup de chance pour ce jeune vigneron des Hautes-Côtes qui a toujours rêvé de s'exercer sur des terroirs de la Côte. « Pas difficile, explique-t-il, de faire du bon vin quand on a de beaux terroirs, de bons clones ; même un mauvais fût est pardonné. » Modeste mais talentueux, il signe, avec ses vignes de quarante ans, un morey au nez fruité et toasté, charnu, séveux et complexe en bouche, à servir dans quatre ans sur une aiguillette de canard.

SARL Manuel Olivier, hameau de Corboin, 21700 Nuits-Saint-Georges, tél. 03.80.62.39.33, fax 03.80.62.10.47, contact@domaine-olivier.com t.l.j. sf dim. 9h-12h 14h-19h

BOURGOGNE

FRANÇOIS PARENT 2010 ★

■	604	◖◗	30 à 50 €

François Parent a pratiqué pour ce morey issu de son négoce un élevage long de dix-huit mois en fût. Il obtient cette toute petite cuvée (moitié moins qu'en 2009 !) au nez de grillé, de fruits rouges, de cassis, de vanille et d'épices douces. La bouche, ample, est pareillement complexe, avec une belle finale qui se resserre un peu et qui appelle une garde de quatre ans.

François Parent, 14 bis, rue Pierre-Joigneaux,
21200 Beaune, tél. 03.80.22.61.85, fax 03.80.24.03.16,
francois@parent-pommard.com ☑ Y r.-v.

DOM. ANNE ET HERVÉ SIGAUT Les Millandes 2010

■ 1er cru	1 500	◖◗	30 à 50 €

Anne Sigaut, qui exploite un domaine de 7,3 ha à Chambolle, travaille son morey façon... « chambolle », recherchant le fondu et la finesse plutôt que l'extraction. Cette cuvée affiche en 2010 un même nez de fruits rouges et de moka. La bouche se révèle soyeuse, souple et élégante, avec une finale épicée qui ajoute de la complexité. Un vin à déguster dans trois ans sur une omelette aux cèpes.

Dom. Anne et Hervé Sigaut, 12, rue des Champs,
21220 Chambolle-Musigny, tél. 03.80.62.80.28,
fax 03.80.62.84.40, herve.sigaut@wanadoo.fr ☑ Y ♟ r.-v.

Les grands crus de Morey-Saint-Denis

Parmi les grands crus de Morey-Saint-Denis, le clos-de-la-roche et le clos-saint-denis ne sont pas des clos, en dépit de leurs noms. Assez morcelés, ils regroupent plusieurs lieux-dits et sont exploités par de nombreux propriétaires. Le clos-de-tart est, lui, entièrement ceint de murs et exploité en monopole. Également d'un seul tenant, le clos-des-lambrays regroupe plusieurs parcelles et lieux-dits : les Bouchots, les Larrêts ou Clos des Lambrays, le Meix-Rentier.

Clos-de-la-roche

Superficie : 13,4 ha
Production : 450 hl

Ⓑ **DOM. ARLAUD** 2010 ★

■ Gd cru	2 200	▮◖◗	50 à 75 €

Les trois enfants Arlaud (Cyprien, Bertille et Romain) exploitent 43 ares situés juste en dessous du Clos originel, une précision utile quand on sait que le cœur du *climat* (4 ha) ne représente qu'un tiers du Clos « moderne », les ajouts n'étant pas forcément tous de la même qualité. Ce 2010, dans sa belle robe rubis, est déjà charmeur avec son nez frais de fruits rouges. La bouche à l'unisson, élégante et fine, se révèle assez éloignée des tanins souvent massifs des vins de l'appellation. À déguster dans cinq ans.

Dom. Arlaud, 41, rue d'Épernay,
21220 Morey-Saint-Denis, tél. 03.80.34.32.65,
fax 03.80.34.10.11, contact@domainearlaud.com ☑ Y ♟ r.-v.

DOM. CASTAGNIER 2010 ★

■ Gd cru	2 800	◖◗	30 à 50 €

Jérôme Castagnier, avec une régularité de métronome suisse, voit chaque année son clos-de-la-roche distingué, ce qui incite à acheter les yeux fermés ce vin au rapport qualité-prix exceptionnel. Le domaine travaille toujours dans un style fruité et élégant. Le bouquet pimpant évoque ici les fruits rouges croquants mêlés à un plaisant boisé grillé. De belle longueur, la bouche fine et ronde, d'une puissance mesurée pour l'appellation, est portée par des tanins serrés, qui s'affineront pendant les trois ou quatre prochaines années.

EARL Dom. Castagnier, 20, rue des Jardins,
21220 Morey-Saint-Denis, tél. 03.80.34.31.62,
fax 03.80.58.50.04, jeromecastagnier@yahoo.fr ☑ Y ♟ r.-v.

DOM. MICHEL MAGNIEN 2010 ★

■ Gd cru	2 000		+ de 100 €

Ce clos-de-la-roche, cultivé sur 39 ares dans la partie historique de l'appellation, se distingue dans le Guide avec une belle régularité. Le 2010 revêt une robe rubis foncé. Intense, le nez s'ouvre sur la vanille et les fruits noirs (cassis et framboise). La bouche, séveuse et fruitée, dévoile une matière aux jolis tanins fondus, d'une souplesse inattendue pour cette appellation, réputée pour ses vins à la texture forte, plus charpentés que les autres crus de Morey. À déguster dans cinq ans.

Dom. Michel Magnien, 4, rue Ribordot,
21220 Morey-Saint-Denis, tél. 03.80.51.82.98,
fax 03.80.58.51.76, d-magnien@orange.fr ☑ Y ♟ r.-v.

Clos-saint-denis

Superficie : 6 ha
Production : 200 hl

Ⓑ **DOM. ARLAUD** 2010 ★

■ Gd cru	900	▮◖◗	75 à 100 €

Également propriétaires de 43 ares sur le clos-de-la-roche, les enfants Arlaud signent une jolie cuvée, issue d'une parcelle de 17 ares, labourée au cheval, située dans la partie originelle du Clos Saint-Denis, cultivé en bio depuis 2004, et en biodynamie depuis 2009. Ce 2010 se manifeste avec élégance sous sa belle robe profonde grenat, et avec gourmandise avec son nez de fruits rouges et de noisette. Construit sans dureté tannique et long en bouche, ce vin très réussi est armé pour la garde : à découvrir dans quatre ans.

Dom. Arlaud, 41, rue d'Épernay,
21220 Morey-Saint-Denis, tél. 03.80.34.32.65,
fax 03.80.34.10.11, contact@domainearlaud.com ☑ Y ♟ r.-v.

OLIVIER GUYOT 2010

■ Gd cru	600	◖◗	75 à 100 €

Olivier Guyot exploite 25 ares de ce grand cru qu'il conduit en biodynamie, ceci expliquant sans doute le faible rendement (six cents bouteilles). Paré d'une robe pourpre, il dévoile un bouquet intense de fleurs (seringa, rose ancienne). La bouche, franche, nette, carrée, est une belle expression du terroir.

🗝 Olivier Guyot, 39, rue de Mazy,
21160 Marsannay-la-Côte, tél. 03.80.52.39.71,
fax 03.80.51.17.58 r.-v.

DOM. MICHEL MAGNIEN 2010

■ Gd cru	800	+ de 100 €

Frédéric Magnien exploite 14 ares de ce grand cru. Le vin s'affiche pourpre, dense, au nez de cassis et de sureau. La bouche, soyeuse et ronde, évoque la myrtille et les petits fruits rouges. Ses élégants tanins lui permettront de vieillir quatre ans en cave.

🗝 Dom. Michel Magnien, 4, rue Ribordot,
21220 Morey-Saint-Denis, tél. 03.80.51.82.98,
fax 03.80.58.51.76, d-magnien@orange.fr r.-v.

Chambolle-musigny

Superficie : 152 ha
Production : 6 050 hl

Commune de grande renommée malgré sa petite étendue, Chambolle-Musigny doit sa réputation à la qualité de ses vins et à la notoriété de ses 1ers crus, dont le plus connu est le *climat* des Amoureuses. Tout un programme ! Mais Chambolle a aussi ses Charmes, Chabiots, Cras, Fousselottes, Groseilles et autres Lavrottes... Le petit village aux rues étroites et aux arbres séculaires abrite des caves magnifiques (domaine des Musigny).

Toujours rouges, les chambolle sont élégants et subtils. Ils allient la force des bonnes-mares à la finesse des musigny, à l'image d'un pays de transition dans la Côte de Nuits.

CHRISTOPHE BRYCZEK 2010 ★

■	1 800		15 à 20 €

Coup de cœur pour son gevrey-chambertin Aux Échezeaux 2010, Christophe Bryczek obtient une étoile pour ce chambolle, un classique du domaine, qu'il vinifie traditionnellement comme un vin de garde, foncé et robuste. Le nez, chaleureux, évoque le kirsch. La bouche est épicée, serrée et structurée par des tanins sérieux, mais encore un peu bruts aujourd'hui, qui seront arrondis dans trois ou quatre ans.

🗝 Christophe Bryczek, 14, rue Ribordot,
21220 Morey-Saint-Denis, tél. 03.80.34.34.17,
fax 03.80.34.32.87, christophe.bryczek@orange.fr
r.-v.

DOM. A. CHOPIN ET FILS 2009 ★

■	1 000		20 à 30 €

Arnaud Chopin a repris officiellement la succession de ses parents, retraités depuis 2010, et s'apprête à passer son vignoble en bio, avec l'aide de son jeune frère Alban. Cette cuvée est un assemblage de cinq *climats*. Avec sa belle robe carmin, son nez harmonieux de framboise et de mûre sauvage, sa bouche friande, pleine et suave, elle s'accordera dans cinq ans avec un mignon de veau aux cèpes.

🗝 Dom. A. Chopin et Fils, D 974, 21700 Comblanchien,
tél. 03.80.62.92.60, domaine.chopin-fils@orange.fr
r.-v. 2

DOM. COLLOTTE Cuvée Vieilles Vignes 2010 ★

■	2 600		20 à 30 €

Philippe Collotte travaille toujours dans un style vif et frais. Témoin, ce vin au nez flatteur de groseille et de fruits noirs, à la bouche gourmande et d'une acidité parfaitement maîtrisée. Amateurs de vins puissants et robustes, passez votre chemin ; ici, c'est rondeur et velouté. À garder deux ou trois ans.

🗝 Dom. Collotte, 44, rue de Mazy,
21160 Marsannay-la-Côte, tél. 03.80.52.24.34,
fax 03.80.58.74.40, domaine.collotte@orange.fr r.-v.

RAPHAËL DUBOIS 2009 ★

■	850		20 à 30 €

Béatrice et Raphaël Dubois, la sœur et le frère, signent un beau 2009 à la robe intense, rubis bigarreau. Le nez, discret et racé, marie la framboise et un boisé raffiné. La bouche se révèle ample, charnue, gourmande, moins volumineuse que certains 2009, mais qui s'en plaindrait quand l'élégance est au rendez-vous ? À déguster dans quatre ans sur une viande blanche.

🗝 SARL Raphaël Dubois, 24, rue de la Courtavaux,
21700 Premeaux-Prissey, tél. 03.80.62.19.40,
fax 03.80.61.24.07, rdubois@wanadoo.fr
t.l.j. 8h-11h30 13h30-17h30; sam. dim. sur r.-v.

FOURÉ-ROUMIER-DE FOSSEY 2010 ★

■	850		20 à 30 €

Les trois amis négociants renouent avec le succès sur le millésime 2010. Cette cuvée, rubis violacé, dévoile un joli nez de fruits secs, de toast grillé et d'épices douces. Discret en arômes et en tanins, c'est un vin gourmand, enrobé et mûr, fort bien vinifié. À servir dans un an sur un magret de canard aux airelles.

🗝 Maison Fouré-Roumier-de Fossey,
2, pl. de l'Europe, BP 18, 21190 Meursault, tél. 06.12.23.87.42,
foure.gaelodie@wanadoo.fr r.-v.

DOM. A.-F. GROS 2010 ★

■	2 115		30 à 50 €

Le domaine d'Anne-Françoise Gros et François Parent signe un vin très réussi, fidèle au millésime, droit et direct, avec une pointe de nervosité mais sans verdeur. La robe, superbe, s'affiche rubis profond. Le nez pimpant évoque le cassis et la framboise. La bouche, dans la continuité, se montre légère, fine, équilibrée, offrant toute la délicatesse attendue d'un chambolle-musigny. Pour un carré d'agneau aux girolles, d'ici deux à quatre ans.

🗝 Dom. A.-F. Gros, 5, Grande-Rue, 21630 Pommard,
tél. 03.80.22.61.85, fax 03.80.24.03.16, af-gros@wanadoo.fr
r.-v.

MAISON JESSIAUME Aux Échanges 2009 ★

■ 1er cru	1 200		30 à 50 €

Il n'est pas fréquent de voir un domaine de Santenay pointer son nez dans cette partie de la Côte de Nuits, encore moins quand son patron est David Murray, une célébrité sur la planète foot puisqu'il est l'ancien président du club des Glasgow Rangers. Mais Sir David est un amoureux de la Bourgogne et sa fortune personnelle a

BOURGOGNE

permis aux Jessiaume, restés régisseurs du domaine, de développer une activité de négoce dont est issu ce vin au nez élégant de griotte, à la bouche riche, vineuse et racée. À déguster dans trois ans, sur une volaille de Bresse rôtie.

SARL Maison Jessiaume, 10, rue de la Gare, 21590 Santenay, tél. 03.80.20.60.03, fax 03.80.20.62.87, contact@domaine-jessiaume.com r.-v.

Sir David Murray

OLIVIER JOUAN Les Bussières Vieilles Vignes 2009 ★★

	2 500		20 à 30 €

2009

CHAMBOLLE-MUSIGNY
LES BUSSIÈRES
APPELLATION CONTRÔLÉE
VIEILLES VIGNES
OLIVIER JOUAN

Olivier Jouan est installé depuis une douzaine d'années à Arcenant, mais il a ses racines familiales à Morey-Saint-Denis, ce qui explique certainement sa jolie carte des vins, principalement dédiée aux morey et aux chambolle. Les Bussières ne sont pas parmi les *climats* les plus réputés de l'appellation, une petite partie donnant même au nord-nord-est. Mais Olivier Jouan en a tiré un 2009 superbe, à la robe grenat intense et dense. Complexe, le nez mêle les épices, la crème de cassis, la framboise et un boisé fin. La bouche s'avère ample et racée, portée par des tanins fermes mais mûrs, donnant un vin taillé pour la garde : comptez huit ans avant de le servir sur un filet de bœuf sauce vigneronne.

Olivier Jouan, 9, rue de l'Église, 21700 Arcenant, tél. 06.21.24.33.69 r.-v.

DOM. LEYMARIE-CECI Aux Échanges 2009 ★★★

1er cru	712		30 à 50 €

La famille Leymarie possède en monopole ce petit 1er cru de 93 ares, qui est en fait la partie haute d'un *climat* classé, dans sa partie basse et majoritaire, en simple communale. Elle en a tiré l'un des meilleurs chambolle de la sélection, qui a frôlé le coup de cœur. Avec sa robe très dense, grenat pourpre, son nez élégant au boisé délicat, sa bouche ample et suave, qui finit sur des tanins mûrs et gras, ce superbe vin sera à découvrir dans cinq ans, lorsque les notes d'élevage seront totalement fondues. On le verrait bien alors sur une oie farcie.

Leymarie-CECI, Clos du Village, 24, rue du Vieux-Château, 21640 Vougeot, tél. 03.80.62.86.06, fax 03.80.62.88.53, leymarie@skynet.be r.-v.

FRÉDÉRIC MAGNIEN Borniques 2010 ★★

1er cru	2 600	75 à 100 €

Borniques est un *climat* de 1,43 ha idéalement situé, dans le prolongement des musigny quand on va vers le village. Frédéric Magnien en vinifie à peu près la moitié, obtenant une cuvée remarquable, à la robe concentrée et dense, aux reflets violets. Le nez évoque les baies sauvages mais ne s'ouvre guère pour le moment. La bouche confirme que c'est un vin de garde, au très beau potentiel, avec une attaque encore marquée par le boisé et une finale puissante et harmonieuse. Cinq ou six ans de cave seront nécessaires pour porter cette bouteille à sa pleine maturité.

Frédéric Magnien, 26, rte Nationale, 21220 Morey-Saint-Denis, tél. 03.80.58.54.20, fax 03.80.51.84.34, frederic@fred-magnien.com r.-v.

DOM. ANNE ET HERVÉ SIGAUT Les Sentiers Vieilles Vignes 2010 ★★

1er cru	3 800		30 à 50 €

GRAND VIN DE BOURGOGNE
MIS EN BOUTEILLE AU DOMAINE
PROPRIÉTAIRE VITICULTEUR
CÔTE-D'OR
750 ml - 13 % vol.
PRODUCT OF FRANCE
2010
CHAMBOLLE-MUSIGNY
1er Cru Les Sentiers
APPELLATION CHAMBOLLE-MUSIGNY 1er CRU CONTRÔLÉE
VIEILLES VIGNES
DOMAINE ANNE ET HERVÉ SIGAUT

Le 1er cru Les Sentiers jouxte Morey : la pente se tasse, le sol est brun, on est juste en dessous des Bonnes-Mares. Anne Sigaut y exploite 69 ares de vieilles vignes de soixante-trois ans qu'elle a vendangées à la main. D'une constance remarquable, figurant régulièrement dans le Guide, cette cuvée décroche ici un coup de cœur. Animée de reflets violets, elle livre un nez frais de framboise et de cassis, avec une pointe de boisé vanillé. Le palais se révèle gourmand, soyeux, raffiné et fruité. Un chambolle profond et structuré, classique et séduisant, à garder cinq à six ans avant de le servir sur un chapon aux raisins.

Dom. Anne et Hervé Sigaut, 12, rue des Champs, 21220 Chambolle-Musigny, tél. 03.80.62.80.28, fax 03.80.62.84.40, herve.sigaut@wanadoo.fr r.-v.

HENRI DE VILLAMONT Les Baudes 2009 ★

1er cru	1 200		30 à 50 €

Ce négoce installé à Savigny-lès-Beaune réussit particulièrement bien cette cuvée de chambolle, sélectionnée chaque année ou presque dans le Guide, coup de cœur sur le millésime 2007. Né sur une parcelle de 27 ares, le 2009 se présente dans une robe carmin, offrant un nez acidulé de cassis, de groseille et de griotte et une bouche friande, ronde et gracieuse. À garder quatre ans.

Henri de Villamont, 2, rue du Dr-Guyot, BP 3, 21420 Savigny-lès-Beaune, tél. 03.80.21.50.59, fax 03.80.21.36.36, contact@hdv.fr
t.l.j. sf lun. 10h-12h 14h-17h

Schenk

Bonnes-mares

Superficie : 16 ha
Production : 520 hl

Cette appellation déborde sur la commune de Morey, le long du mur du clos-de-tart, mais la plus grande partie est située sur Chambolle. C'est le grand cru par excellence. Les bonnes-mares, pleins, vineux, riches, ont une bonne aptitude à la garde et accompagnent volontiers le civet ou la bécasse après quelques années de vieillissement.

DOM. DE LA VOUGERAIE 2010 *

■ Gd cru 2 139 75 à 100 €

Pierre Vincent, le vinificateur du domaine phare de la maison Boisset, a gardé 50 % de vendanges entières dans cette cuvée. Cette proportion est perceptible au nez, qui libère de discrètes notes de bourgeon de cassis et de fleurs, comme souvent dans les vins vinifiés de cette façon. Cette méthode apporte aussi de la profondeur en bouche, qui se démarque par un fruité frais et pur de cassis, accompagné par de fines et nobles senteurs de pétale de rose. La finale, ample et structurée, permettra à ce 2010 de vieillir une dizaine d'années. Un vin racé, fin et subtil, à servir sur un rôti de bœuf sauce aux cèpes.

Dom. de la Vougeraie, 7 bis, rue de l'Église, 21700 Premeaux-Prissey, tél. 03.80.62.48.25, fax 03.80.61.25.44, vougeraie@domainedelavougeraie.com

r.-v.

Vougeot

Superficie : 16 ha
Production : 525 hl (70 % rouge)

C'est la plus petite commune de la côte viticole. Si l'on ôte de ses 80 ha les 50 ha 59 a 10 ca du Clos, les maisons et les routes, il ne reste que quelques hectares de vignes en vougeot, dont plusieurs 1ers crus, les plus connus étant le Clos Blanc (vins blancs) et le Clos de la Perrière.

DOM. BERTAGNA Clos de la Perrière 2010 **

■ 1er cru 4 000 50 à 75 €

Le Clos de la Perrière est situé juste en face du Clos de Vougeot. La petite falaise au fond des vignes n'est autre que le front de taille de l'ancienne carrière de pierre ayant servi à édifier le château voisin. Le terroir est donc celui d'une carrière comblée : cailloutis et pente douce. Drapé dans sa robe limpide, rubis intense, ce superbe 2010, ample, fruité, long, porté par d'élégants et fins tanins, possède tous les atouts. Mûr et frais à la fois, équilibré, il pourra vieillir trois à cinq ans. Noté une étoile, le **1er cru Les Cras 2010 rouge** est plus souple et chaleureux.

Dom. Bertagna, 16, rue du Vieux-Château, 21640 Vougeot, tél. 03.80.62.86.04, fax 03.80.62.82.58, contact@domainebertagna.com

t.l.j. sf dim. 10h-12h30 13h30-17h30

Eva Reh-Siddle

DOM. DE LA VOUGERAIE
Le Clos Blanc de Vougeot Monopole 2009

1er cru 11 942 50 à 75 €

Le Clos Blanc est une parcelle plantée en chardonnay depuis des temps immémoriaux. D'ailleurs, la terre y est aussi plus blanche qu'à quelques mètres de là, dans le Clos de Vougeot lui-même. Pierre Vincent, le vinificateur du domaine de la Vougeraie, signe un 2009 au nez floral et fruité (pêche jaune) qui n'accuse pas son élevage sous-bois de dix-huit mois (40 % de fût neuf), à la bouche tendre, ronde et plus chaleureuse en finale. À déguster à partir de l'an prochain sur une volaille à la crème.

Dom. de la Vougeraie, 7 bis, rue de l'Église, 21700 Premeaux-Prissey, tél. 03.80.62.48.25, fax 03.80.61.25.44, vougeraie@domainedelavougeraie.com

r.-v.

Clos-de-vougeot

Superficie : 50 ha
Production : 1 630 hl

Tout a été dit sur le Clos ! Comment ignorer que plus de soixante-dix propriétaires se partagent ses quelque 50 ha ? Un tel attrait n'est pas dû au hasard ; c'est bien parce que le célèbre Clos produit du bon vin et que tout le monde en veut ! Il faut faire la différence entre les vins « du dessus », ceux « du milieu » et ceux « du bas », mais les moines de Cîteaux, lorsqu'ils ont élevé le mur d'enceinte, avaient tout de même bien choisi leur lieu... Fondé au début du XIIes., le Clos atteignit très rapidement sa dimension actuelle ; l'enceinte d'aujourd'hui est antérieure au XVes. Quant au château, construit aux XIIe et XVIes., il mérite qu'on s'y attarde un peu. La partie la plus ancienne comprend le cellier, de nos jours utilisé pour les chapitres de la Confrérie des Chevaliers du Tastevin, actuel propriétaire des lieux, et la cuverie, qui abrite à chaque angle quatre magnifiques pressoirs d'époque.

DOM. D'ARDHUY 2009

■ Gd cru 2 500 75 à 100 €

Les 56 ares de clos-de-vougeot, cultivés en biodynamie – et dont la certification est attendue pour le millésime 2012 – sont une valeur sûre du domaine ; il faut dire qu'ils sont situés dans l'un des plus beaux secteurs, le Petit Maupertuis, en légère pente, plein est. Carel Voorhuis signe un vin corsé, au nez de cassis, d'épices et de vanille. La bouche est massive, ample et tannique. Un ensemble solide et équilibré, à garder dix ans.

Dom. d'Ardhuy, Clos des Langres, 21700 Corgoloin, tél. 03.80.67.98.73, fax 03.80.62.95.15, domaine@ardhuy.com

r.-v.

DOM. CASTAGNIER 2010 *

■ Gd cru 2 400 30 à 50 €

Jérôme Castagnier voit cette cuvée, située dans la partie haute du Clos, dans le célèbre Grand Maupertuis, très régulièrement sélectionnée. Cuvaison courte de douze jours, élevage en fût de dix-huit mois (40 % de fût neuf) : la vinification, tout en retenue, vise à préserver le fruit. L'objectif est atteint, pour preuve ce plaisant nez de kirsch, de griotte et d'épices, et cette bouche ample, aux tanins soyeux et élégants. Un joli vin de garde, à découvrir dans cinq ans sur une côte de bœuf.

EARL Dom. Castagnier, 20, rue des Jardins, 21220 Morey-Saint-Denis, tél. 03.80.34.31.62, fax 03.80.58.50.04, jeromecastagnier@yahoo.fr

r.-v.

DOM. PHILIPPE CHARLOPIN-PARIZOT 2009

■ Gd cru n.c. + de 100 €

Philippe Charlopin propose ici 50 ares d'une cuvée à la robe très sombre et au nez chaleureux de fruits noirs à l'eau-de-vie et de boisé. La bouche, bien structurée, dévoile une belle matière, beaucoup d'amplitude et de longueur. À noter : ce domaine est en cours de conversion biologique.

Dom. Philippe Charlopin, 18, rte de Dijon,
21220 Gevrey-Chambertin, tél. 03.80.58.50.46
t.l.j. sf dim. lun. 10h-19h (au Roupnel,
33, rue des Baraques)

DUFOULEUR FRÈRES 2009

■ Gd cru 900 50 à 75 €

Cette propriété est dans la famille depuis douze générations. François-Xavier et Marc Dufouleur signent un 2009 au nez expressif de fruits rouges, d'épices et de fleurs. La bouche, à la fois structurée, fine et élégante, invite à découvrir ce vin plutôt friand sur un coq au vin.

Dufouleur Frères,
Au Château, 1, rue de Dijon, BP 70005,
21700 Nuits-Saint-Georges, tél. 03.80.61.00.26,
fax 03.80.61.36.33, contact@dufouleur-freres.com
r.-v.

DOM. GROS FRÈRE ET SŒUR Musigni 2010 ★

■ Gd cru 2 873 50 à 75 €

Bernard Gros possède une belle parcelle de 75 ares bordant l'allée qui mène au château, sur sa droite, et qui porte le prestigieux nom du Musigny voisin, situé de l'autre côté des murs. On est au cœur de l'un des meilleurs *climats* du grand cru. Ce vin grenat séduit par son nez vibrant de griotte, de poivre et de thym, et par sa bouche ample, « royale », d'une belle texture réglissée en finale. Le boisé, où vanille et café se mêlent, aura besoin d'au moins cinq ans pour s'affiner. « Idéal pour un faisan aux choux », recommande un dégustateur.

Dom. Gros Frère et Sœur, 6, rue des Grands-Crus,
21700 Vosne-Romanée, tél. 03.80.61.12.43, fax 03.80.61.34.05,
bernard.gros2@wanadoo.fr r.-v.

DOM. GUYON 2010 ★★

■ Gd cru 450 75 à 100 €

Jean-Pierre et Michel Guyon, de Vosne-Romanée, vinifient pour la première fois en 2010 leur nouvelle cuvée de clos-de-vougeot : 31 ares de vignes de soixante ans, une macération en raisins entiers, à l'ancienne. Le résultat est ce vin superbe dans sa robe sombre. Le nez discret (normal sur un vin jeune) dévoile une bouche charpentée, riche et profonde. Les tanins marquent la finale mais sans excès, et annoncent un vin apte à une garde de dix ans. À servir sur un pavé de charolais.

EARL Dom. Guyon, 11-16, RD 974,
21700 Vosne-Romanée, tél. 03.80.61.02.46, fax 03.80.62.36.56,
domaine.guyon@wanadoo.fr r.-v.

MAISON JESSIAUME 2009 ★

■ Gd cru 900 75 à 100 €

Marc Jessiaume signe cette cuvée de négoce qui a été sélectionnée dans les deux précédentes éditions du Guide. La robe rouge rubis annonce un nez discret et fin, qui laisse poindre de légères notes de fruits noirs. La bouche se révèle à la fois concentrée, souple et fruitée. Un vin charmeur à garder cinq ans, avant de l'ouvrir sur un rôti de bœuf.

SARL Maison Jessiaume, 10, rue de la Gare,
21590 Santenay, tél. 03.80.20.60.03, fax 03.80.20.62.87,
contact@domaine-jessiaume.com r.-v.
David Murray

CH. DE MARSANNAY 2009 ★

■ Gd cru 1 040 75 à 100 €

Le château de Marsannay, propriété de la famille Boisseaux, a fort bien négocié le millésime 2009 avec plusieurs sélections dans le Guide, dont l'une pour ce vin sombre, au nez discret de tabac blond. La bouche, ample, droite, est encore marquée par le boisé des dix-huit mois d'élevage en 100 % fût neuf. À attendre quatre ou cinq ans.

Ch. de Marsannay, rte des Grands-Crus, BP 78,
21160 Marsannay-la-Côte, tél. 03.80.51.71.11,
fax 03.80.51.71.12, domaine@chateau-marsannay.com
t.l.j. 10h-12h 14h-18h30; f. 24 déc.-6 jan.
Boisseaux

♥ **FRANÇOIS PARENT** 2010 ★★

■ Gd cru 906 + de 100 €

François Parent, installé à Pommard, a un pied en Côte de Nuits grâce à son épouse, Anne-Françoise née Gros, de Vosne-Romanée. Il signe ici, sous sa casquette de négociant, une magnifique cuvée, rubis profond aux reflets violets. Le nez se montre riche et séducteur avec ses notes de kirsch et de vanille. La bouche, franche, fruitée, harmonieuse, est portée par des tanins solides, typiques de l'appellation, qui laissent deviner un beau potentiel de garde. On dégustera ce puissant 2010 dans cinq ou six ans, et bien plus encore, sur une gigue de sanglier aux pommes.

François Parent, 14 bis, rue Pierre-Joigneaux,
21200 Beaune, tél. 03.80.22.61.85, fax 03.80.24.03.16,
francois@parent-pommard.com r.-v.

DOM. HENRI REBOURSEAU 2009

■ Gd cru 6 796 + de 100 €

Le domaine possède une grosse parcelle de 2,21 ha en plein milieu du Clos. Il propose un 2009 rouge intense, presque noir, qui dévoile un bouquet fruité, floral et boisé (caramel). La bouche souple et équilibrée s'adosse à des tanins bien présents en finale, que l'on laissera s'arrondir quatre ou cinq ans.

Dom. Henri Rebourseau, 10, pl. du Monument, BP 39,
21220 Gevrey-Chambertin, tél. 03.80.51.88.94,
fax 03.80.34.12.82, domaine@rebourseau.com r.-v.

ARMELLE ET BERNARD RION Vieille Vigne 2010 ★

■ Gd cru 2 400 50 à 75 €

Les Rion exploitent 80 ares de vieilles vignes de quatre-vingts ans à l'origine de ce millésime très réussi.

Derrière un nez de fruits noirs agrémenté d'un boisé léger, on découvre une bouche vive, nette et friande, presque trop charmeuse pour l'austère clos des Cisterciens ! Ses tanins flatteurs n'accrochent pas le palais, mais promettent une bonne tenue à la garde. À déguster dans sept ou huit ans sur une gigue de chevreuil aux airelles.

Dom. Armelle et Bernard Rion, 8, rte Nationale, 21700 Vosne-Romanée, tél. 03.80.61.05.31, fax 03.80.61.34.60, rion@domainerion.fr
t.l.j. 9h-18h; dim. et hiver sur r.-v.; f. 23 déc.-3 jan.

Échézeaux et grands-échézeaux

Au sud du Clos de Vougeot, la commune de Flagey-Échézeaux, dont le bourg est dans la plaine, tout comme celui de Gilly-lès-Cîteaux, est située en face du Clos de Vougeot. Elle n'en est pas moins viticole, et son vignoble grimpe jusqu'à la montagne. La partie du piémont bénéficie de l'appellation vosne-romanée. Sur le coteau se succèdent deux grands crus : le grands-échézeaux et l'échézeaux. Les vins de ces deux crus, dont les plus prestigieux sont les grands-échézeaux, sont très « bourguignons » : solides, charpentés et pleins de sève. Ils sont essentiellement exploités par les vignerons de Vosne et de Flagey.

Échézeaux

Superficie : 35 ha
Production : 1 235 hl

MAISON AMBROISE 2010 ★

Gd cru | 600 | 75 à 100 €

Les échézeaux sont devenus un classique de ce petit négoce installé dans la Côte de Nuits. Ils ont d'ailleurs décroché un coup de cœur dans le millésime 2008. La version 2010, comme souvent avec le style de la maison, s'avère puissante, tannique et encore bien marquée par le bois (élevage de quatorze mois en fût). Il faudra donc attendre trois à quatre ans pour que les épices, le fruit (cerise, mûre), la rondeur et la matière s'imposent.

Maison Ambroise, 8, rue de l'Église, 21700 Premeaux-Prissey, tél. 03.80.62.30.19, fax 03.80.62.38.69, maison.ambroise@orange.fr r.-v.

DOM. PHILIPPE CHARLOPIN 2009 ★

Gd cru | n.c. | + de 100 €

Philippe Charlopin a été à son aise dans ce millésime solaire que fut 2009, témoin cet échézeaux à la robe pourpre d'un bel éclat. Le nez, très ouvert, rappelle les épices, la cerise, le cassis et la fraise des bois. La bouche, avec son volume et son alliance réussie du fruit et du bois, se fait gourmande, soyeuse et riche. On pourra apprécier son élégance après trois à quatre années de garde.

Dom. Philippe Charlopin, 18, rte de Dijon, 21220 Gevrey-Chambertin, tél. 03.80.58.50.46
t.l.j. sf dim. lun. 10h-19h (au Roupnel, 33, rue des Baraques)

DOM. FRANÇOIS GERBET 2010 ★★

Gd cru | 850 | 50 à 75 €

Voilà près de trente ans que les sœurs Marie-Andrée et Chantal Gerbet ont pris les rênes du domaine créé par leur père François en 1947. Régulièrement présentes dans le Guide, notamment pour leurs clos-de-vougeot et vosne-romanée, elles signent ici un échézeaux expressif, dont le bouquet complexe marie les fruits noirs écrasés (cassis), le noyau de cerise et des notes florales. La bouche, puissante et riche, aux tanins marqués mais sans excès, s'étire longuement dans une finale généreuse au boisé fondu. Un vin concentré, charmeur et fruité, à servir dans quatre ou cinq ans sur un faisan ou un chevreuil.

Dom. François Gerbet, pl. de l'Église, 21700 Vosne-Romanée, tél. 03.80.61.07.85, fax 03.80.61.01.65, vins.gerbet@wanadoo.fr
t.l.j. sf dim. 10h-12h 14h-18h

DOM. A.-F. GROS 2010 ★★

Gd cru | 1 358 | 75 à 100 €

Anne-Françoise Gros et son mari François Parent exploitent 26 ares situés dans les Champs Traversins. Le sol sablonneux et peu profond, avec des cailloutis en surface, est réputé donner des vins aériens et délicats. Sur la réserve au premier nez, ce 2010 s'ouvre à l'aération sur de fines nuances de fruits noirs soulignées d'un boisé vanillé. En bouche, les tanins aujourd'hui marqués laissent deviner cette élégance liée au *climat*. Pour le moment, le vin affirme surtout sa richesse, sa puissance, sa structure et sa capacité à vieillir, portée par une longue finale sur la fraîcheur et aux accents torréfiés. Il s'arrondira à l'issue de six années de garde.

Dom. A.-F. Gros, 5, Grande-Rue, 21630 Pommard, tél. 03.80.22.61.85, fax 03.80.24.03.16, af-gros@wanadoo.fr
r.-v.

DOM. GROS FRÈRE ET SŒUR 2010 ★★

Gd cru | 1 745 | 50 à 75 €

Bernard Gros fait partie de ces anciennes familles vigneronnes qui ont marqué l'histoire de la Côte de Nuits. Celle du domaine commence en 1830, avec l'installation d'Alphonse Gros à Vosne sur un vignoble qui s'agrandira au fil des générations (achat de parcelles en richebourg, clos-de-vougeot, grands-échézeaux...), avant d'être partagé entre les héritiers, dont Gustave et Colette, fondateurs du domaine Gros Frère et Sœur. Bernard, leur neveu, replante et ajoute de nouvelles vignes pour conduire aujourd'hui une vingtaine d'hectares. Sa parcelle d'échézeaux est à l'origine d'un superbe vin rubis, au nez intense de fruits noirs écrasés (cassis et myrtille) relevé d'une discrète touche épicée amenée par le fût. L'attaque, puissante et gourmande à la fois, dévoile une trame généreuse dont les tanins soyeux portent une finale interminable. Un vin chaleureux, sur la douceur, qui trouvera son harmonie sur un gigot d'agneau après trois ans à cinq de garde, et qui pourra vieillir bien plus longtemps.

Dom. Gros Frère et Sœur, 6, rue des Grands-Crus, 21700 Vosne-Romanée, tél. 03.80.61.12.43, fax 03.80.61.34.05, bernard.gros2@wanadoo.fr r.-v.

DOM. GUYON 2010 ★

Gd cru | 900 | 50 à 75 €

Jean-Pierre et Michel Guyon cultivent 20 ares de vignes de quarante-cinq ans d'âge situées contre les grands-échézeaux, dans le cœur historique du *climat*. Ils pratiquent une culture en conversion au bio et ont vinifié cette cuvée en raisins entiers, obtenant un vin grenat au bouquet finement boisé (moka, vanille), qui laisse ensuite s'exprimer le fruit (framboise, griotte, cassis). Riche, plein et puissant, le palais est soutenu par des tanins fermes. Encore sur la réserve, il s'ouvrira avec une longue garde : de cinq à dix ans, estime le jury.

EARL Dom. Guyon, 11-16, RD 974, 21700 Vosne-Romanée, tél. 03.80.61.02.46, fax 03.80.62.36.56, domaine.guyon@wanadoo.fr r.-v.

FRÉDÉRIC MAGNIEN 2010 ★

Gd cru | 1 100 | + de 100 €

Coup de cœur dans le précédent millésime, cette cuvée de l'incontournable Frédéric Magnien se présente en 2010 dans une belle robe cerise animée de reflets violines. Le nez s'exprime avec intensité sur les fruits noirs bien mûrs, le poivre doux et la cannelle. La bouche plaît par sa souplesse et sa rondeur d'abord, puis par la richesse de ses arômes floraux et fruités (cerise). Elle se conclut sur des tanins soyeux et délicats aux accents vanillés. Attendre trois ou quatre ans avant d'envisager un mariage avec un onglet de bœuf sauce groseille.

Frédéric Magnien, 26, rte Nationale, 21220 Morey-Saint-Denis, tél. 03.80.58.54.20, fax 03.80.51.84.34, frederic@fred-magnien.com r.-v.

DOMINIQUE MUGNERET En Orveaux 2010 ★

Gd cru | 1 800 | 50 à 75 €

Dominique Mugneret, grand spécialiste de l'AOC nuits-saint-georges notamment, dans laquelle il a décroché plusieurs coups de cœur, exploite aussi 40 ares d'échézeaux sur le *climat* En Orveaux, réputé donner des vins fins et tendus. Il propose un 2010 grenat au nez prononcé de fruits noirs, souligné d'un léger trait de vanille. La bouche, ronde, fruitée, tout en finesse, conserve une bonne fraîcheur et s'appuie sur des tanins soyeux. On attendra trois ans ou quatre avant de servir cette bouteille sur un salmis de canard sauvage.

Dominique Mugneret, 9, rue de la Fontaine, 21700 Vosne-Romanée, tél. 06.63.32.79.72, dominique.mugneret@wanadoo.fr r.-v.

DOM. MICHEL NOËLLAT ET FILS Du Dessus 2010 ★★

Gd cru | 2 500 | 75 à 100 €

Les échézeaux du Dessus sont le cœur originel du grand cru cité dans le Grand Atlas de Cîteaux en 1718. Ils donnent en général des vins brillants, aromatiques, d'une grande élégance. Comme ici, avec ce 2010 d'Alain et de Jean-Marc Noëllat, qui s'ouvre à l'olfaction sur de chaleureuses nuances de fruits noirs écrasés, d'épices douces, de kirsch et de moka. Le vin, suave et puissant, emplit le palais d'un fruité gourmand, plus épicé en finale. Sa prestance justifie des tanins aujourd'hui marqués, qui sauront assurer une garde de dix ans.

SCEA Dom. Michel Noëllat et Fils, 5, rue de la Fontaine, 21700 Vosne-Romanée, tél. 03.80.61.36.87, fax 03.80.61.18.10, domaine.michel-noellat@wanadoo.fr r.-v.

DOM. NUDANT 2010 ★

Gd cru | 1 300 | 50 à 75 €

Guillaume Nudant exploite depuis sept ans cette parcelle de 66 ares, dont les vignes ont désormais cinquante ans d'âge. Il en tire un vin rubis qui mêle au nez de discrètes notes de fruits rouges aux nuances vanillées dues à douze mois de fût. Si la bouche semble encore austère, elle est caractérisée par une vivacité sensible dès l'attaque, qui annonce un ensemble frais et fruité, d'une bonne tenue, dont les tanins demandent à s'arrondir avec deux à trois années de garde.

Dom. Nudant, 11, rte de Dijon, BP 15, 21550 Ladoix-Serrigny, tél. 03.80.26.40.48, fax 03.80.26.47.13, domaine.nudant@wanadoo.fr
t.l.j. sf dim. 8h-12h 14h-18h; sam. sur r.-v.; f. août

DOM. DES PERDRIX 2009 ★★

Gd cru | 5 500 | + de 100 €

Ce domaine incontournable de la Côte de Nuits a été pris en main par la famille Devillard il y a plus de quinze ans. Particulièrement connu pour son nuits-saint-georges Aux Perdrix, qui lui ont valu plusieurs coups de cœur, il exploite en échézeaux 50 ares à l'origine d'un vin rubis, déjà remarquable dans le millésime 2008. Au nez, ce 2009 exprime des arômes de fraise et de cerise nuancés d'un boisé finement toasté. En bouche, il montre de la matière, un fruité gourmand, une belle fraîcheur et des tanins mûrs et soyeux. Un vin d'une grande élégance, à ouvrir dans quatre ou cinq ans sur une joue de bœuf.

Dom. des Perdrix, rue des Écoles, 21700 Premeaux-Prissey, tél. 03.85.45.21.61, fax 03.85.98.06.62, contact@domainedesperdrix.com
r.-v.
Famille Devillard

DOM. DE LA ROMANÉE-CONTI 2010 ★★

Gd cru | n.c. | + de 100 €

De ce grand cru parmi les plus vastes de Bourgogne (plus de 35 ha), la Romanée-Conti possède une belle parcelle de 4 ha 67 a 37 ca. Moins complexe et racé que les grands-échézeaux – « glorieux aîné dont il brûle d'égaler la fortune », selon Aubert de Vilaine –, il a pourtant de bien beaux arguments à faire valoir. Dans sa version 2010, il offre au nez un fruité d'une grande pureté, sur la cerise mûre et les fruits noirs plus frais, quelques nuances grillées à l'arrière-plan. La bouche, délicatement parfumée d'épices douces et d'encens, séduit par son volume, son charnu et ses tanins soyeux, délivrant en finale une élégante trame minérale qui lui confère un caractère aérien et racé.

SC du Dom. de la Romanée-Conti, 1, rue Derrière-le-Four, 21700 Vosne-Romanée, tél. 03.80.62.48.80, fax 03.80.61.05.72

DOM. FABRICE VIGOT 2010

■ Gd cru | 1 200 | 75 à 100 €

Le petit vignoble de Fabrice Vigot est en cours de conversion vers l'agriculture biologique. Né d'une soixantaine d'ares de vieilles vignes (plus de soixante-dix ans), son échézeaux se montre discret mais tout à fait abouti. Le nez, profond et nuancé, allie les fleurs, les fruits rouges et les épices douces. La bouche ample et vigoureuse est équilibrée par une belle fraîcheur et rehaussée d'un fruité délicat (fraise des bois). Long et structuré, il a l'étoffe d'un « vrai vin de terroir » ; à déguster dans quatre ans sur une souris d'agneau.

Fabrice Vigot, 20, rue de la Fontaine,
21700 Vosne-Romanée, tél. et fax 03.80.61.13.01,
fabrice.vigot@wanadoo.fr r.-v.

Grands-échézeaux

Superficie : 7,5 ha
Production : 240 hl

DOM. GROS FRÈRE ET SŒUR 2010 ★

■ Gd cru | 1 137 | + de 100 €

Bernard Gros, natif de Vosne, est l'un des vignerons les plus à l'aise avec ce grand cru qui passe pour proche du clos-de-vougeot en termes de tanins et de densité de matière. Il élabore cette année un vin rubis profond aux nuances pourpres, qui livre un bouquet subtil et complexe mariant les fruits rouges à des nuances typiques de poivre et de menthol. Le volume en bouche impressionne, de même que l'intensité de la palette aromatique composée de griotte, de fruits noirs et d'épices. Cette bouteille aura besoin de quatre ou cinq ans pour assouplir sa finale, aujourd'hui serrée et retenue.

Dom. Gros Frère et Sœur, 6, rue des Grands-Crus,
21700 Vosne-Romanée, tél. 03.80.61.12.43, fax 03.80.61.34.05,
bernard.gros2@wanadoo.fr r.-v.

DOM. MONGEARD-MUGNERET 2010

■ Gd cru | 5 700 | 75 à 100 €

Vincent Mongeard est l'un des plus gros propriétaires de ce *climat*, puisqu'il en revendique 1,44 ha (sur un total de 9,41 ha), juste derrière le domaine de la Romanée-Conti qui en contrôle la part du lion avec plus de 3 ha. Il propose ici un grands-échézeaux plutôt souple et friand, avec un nez franc et net de fruits rouges (groseille, griotte) et de poivre blanc. La bouche, fraîche et d'une belle complexité aromatique, s'épanouira après une garde de trois à quatre ans.

Dom. Mongeard-Mugneret, 14, rue de la Fontaine,
21700 Vosne-Romanée, tél. 03.80.61.11.95, fax 03.80.62.35.75,
domaine@mongeard.com r.-v.

DOM. DE LA ROMANÉE-CONTI 2010 ★★★

■ Gd cru | n.c. | + de 100 €

3,5263 ha exactement : telle est la part du domaine de la Romanée-Conti sur ce grand cru de 7,53 ha coincé entre le mur du Clos de Vougeot, à l'est, et les bien plus grands (en taille) échézeaux, à l'ouest. Dans ce millésime incertain que fut 2010, la patience a été de mise ; les raisins du grands-échézeaux ont ainsi été vendangés les 29 et 30 septembre, soit une dizaine de jours plus tard que lors du solaire 2009. Un travail de « haute couture » à la vigne pour récolter un pinot parfaitement sain et mûr, puis une sélection drastique sur la table de tri pour aboutir à cette cuvée en robe de soie rouge, au bouquet complexe et expressif : on y hume la violette et la rose, la cerise noire, les épices douces, la menthe et le chocolat. Le palais, d'une rare noblesse, se révèle soyeux et délicat, tout en offrant la densité et la puissance d'un vin de très grande garde, et laisse le souvenir d'un fruité « explosif » rehaussé de nuances poivrées dans une longue et savoureuse finale.

SC du Dom. de la Romanée-Conti,
1, rue Derrière-le-Four, 21700 Vosne-Romanée,
tél. 03.80.62.48.80, fax 03.80.61.05.72

SOCIÉTÉ CIVILE DU DOMAINE DE LA ROMANÉE-CONTI
PROPRIÉTAIRE A VOSNE-ROMANÉE (COTE-D'OR) FRANCE
GRANDS ÉCHÉZEAUX
APPELLATION GRANDS ÉCHÉZEAUX CONTROLÉE
10834 Bouteilles Récoltées
LES ASSOCIÉS-GÉRANTS
BOUTEILLE N°
ANNÉE 2010
Mise en bouteille au domaine

Vosne-romanée

Superficie : 150 ha
Production : 5 955 hl

Là aussi, la coutume bourguignonne est respectée : le nom de Romanée est plus connu que celui de Vosne. Quel beau tandem ! Comme Gevrey-Chambertin, cette commune est le siège d'une multitude de grands crus ; mais il existe à proximité des *climats* réputés, tels les 1ers crus Suchots, les Beaux-Monts, les Malconsorts et bien d'autres.

DOM. DE L'ARLOT Les Suchots 2009

■ 1er cru | 4 445 | 50 à 75 €

L'œnologue Jacques Devauges (qui a d'abord œuvré au domaine de la Vougeraie, puis chez Frédéric Magnien) est arrivé en 2011 pour prendre la succession d'Olivier Leriche, le vinificateur de ce domaine de 15 ha, propriété de l'assureur Axa. C'est donc son prédécesseur qui a vinifié ces Suchots 2009, au nez intense de cassis et de sous-bois, à la bouche ronde, souple et élégante, plus vive en finale. À déguster dans deux ans.

Dom. de l'Arlot, RD 974, 21700 Premeaux-Prissey,
tél. 03.80.61.01.92, fax 03.80.61.04.22, contact@arlot.fr
r.-v.
Axa Millésime

CAPITAIN-GAGNEROT Les Raviolles 2009

■ | 2 200 | 20 à 30 €

Joli baptême pour Pierre-François Capitain, qui a officiellement repris les commandes de ce petit négoce familial basé à Ladoix-Serrigny en 2009, et qui fête donc son arrivée avec une citation dans le Guide pour ce vin rubis vif, au nez de fruits confits et de pivoine, à la bouche légère et fine. C'est un vosne simple et discret, à boire l'an prochain.

Capitain-Gagnerot, 38, rte de Dijon, 21550 Ladoix-Serrigny, tél. 03.80.26.41.36, fax 03.80.26.46.29, contact@capitain-gagnerot.com r.-v.

DOM. PHILIPPE CHARLOPIN 2009 ★

n.c. | 30 à 50 €

Après un petit creux dans l'édition précédente, Philippe Charlopin et son fils Yann reviennent en fanfare dans le Guide. Un coup de cœur pour un marsannay et deux gevrey sélectionnés, en plus de ce vosne qui plaît avec sa robe grenat aux reflets bleutés, au nez intense de fruits mûrs, de chocolat et de vanille, typique du domaine. La bouche, souple, soyeuse, chaleureuse et charnue, possède le tempérament voluptueux des 2009, avec cependant une acidité bienvenue en finale. Deux ans de garde.

Dom. Philippe Charlopin, 18, rte de Dijon, 21220 Gevrey-Chambertin, tél. 03.80.58.50.46
t.l.j. sf dim. lun. 10h-19h (au Roupnel, 33, rue des Baraques)

DOM. DU CHÂTEAU-GRIS Les Rouges du Dessus 2009 ★

1er cru | 1 200 | 50 à 75 €

Les Rouges du Dessus sont l'une des cuvées phare de la maison Lupé-Cholet, petit négoce nuiton. Cette parcelle de 20 ares, située en haut de coteau, juste au-dessus des Échézeaux, a donné naissance à cette cuvée, qui affiche une belle robe rubis intense et un bouquet de fruits confits et de cerise à l'eau-de-vie. La bouche puissante, ample, chaleureuse, réglissée, traduit le millésime solaire que fut 2009. À boire dans deux ans sur un faisan farci.

Dom. du Château-Gris, 17, av. du Gal-de-Gaulle, 21700 Nuits-Saint-Georges, tél. 03.80.61.25.02, fax 03.80.24.37.38, bourgogne@lupe-cholet.com
Lupé-Cholet

FRANÇOIS CONFURON-GINDRE Les Chaumes 2010 ★

1er cru | 1 800 | 30 à 50 €

François Confuron exploite 37 ares de ce *climat* qui jouxte les prestigieux Malconsorts, sur sa partie haute, et qui finit sur des terres profondes sensiblement plus argileuses sur sa partie basse. Comme à son habitude, il privilégie un boisé conséquent, offrant ce vin rubis profond, au nez de violette, de framboise et de grillé toasté. L'élevage de dix-huit mois en fût est également perceptible dans la finale rendue sévère, mais la matière séveuse de cette belle cuvée permet d'envisager une garde de cinq ans, à l'issue de laquelle le boisé se sera fondu. Pour un lièvre à la crème.

François Confuron, 2, rue de la Tâche, 21700 Vosne-Romanée, tél. 03.80.61.20.84, fax 03.80.62.31.29, confuron.gindre@sfr.fr r.-v.

DOM. FOREY PÈRE ET FILS 2010 ★

6 700 | 20 à 30 €

Régis Forey aime bien les longues macérations (quatre semaines) ; il a obtenu un 2010 qui assume sans complexes le millésime et sa belle acidité septentrionale. La robe soutenue est pourpre aux reflets violacés. Le nez évoque le cassis et les baies sauvages bien mûres. La bouche est ample, franche en attaque, vive, fraîche, digeste et friande, avec une jolie mâche en finale. À déguster dans quatre ans.

Dom. Forey Père et Fils, 2, rue Derrière-le-Four, 21700 Vosne-Romanée, tél. 03.80.61.09.68, fax 03.80.61.12.63, domaineforey@orange.fr r.-v.

DOM. FRANÇOIS GERBET Les Petits Monts 2010 ★

1er cru | 2 200 | 30 à 50 €

Les Petits Monts et Les Suchots sont, dans notre sélection, aussi inséparables que « les sœurs Gerbet », Marie-Andrée et Chantal. Ils partagent en 2010 une même note (une étoile), une robe rubis profond, un nez fruité, une bouche harmonieuse et équilibrée. Le **1er cru Les Suchots 2010 (850 b.)**, comme d'habitude, est le plus sévère, avec un nez plus mûr que Les Petits Monts, une attaque franche et solide, du caractère et de la profondeur. On le dégustera dans six ans sur un civet de marcassin, tandis que Les Petits Monts, tout en élégance, attendront quatre ans.

Dom. François Gerbet, pl. de l'Église, 21700 Vosne-Romanée, tél. 03.80.61.07.85, fax 03.80.61.01.65, vins.gerbet@wanadoo.fr
t.l.j. sf dim. 10h-12h 14h-18h

DOM. A.-F. GROS Maizières 2010 ★★

1 607 | 30 à 50 €

Ce coup de cœur vient saluer la régularité du travail de François Parent sur l'une de ses plus belles parcelles en communale, Maizières, située au pied des Grands-Échézeaux. Ce dernier signe un vin remarquable, pourpre, au nez ouvert et complexe (cerise burlat, guimauve), à la bouche charnue et plaisante. On croque le fruit et de petits tanins doux. Corpulent, impressionnant de délicatesse et de persistance, ce 2010 sera parfait dans deux ou trois ans sur un civet de chevreuil. Le **Clos de la Fontaine Monopole 2010 (2 095 b.)** donne un vin plus vif et souple, qui se voit décerner une étoile pour son caractère harmonieux.

Dom. A.-F. Gros, 5, Grande-Rue, 21630 Pommard, tél. 03.80.22.61.85, fax 03.80.24.03.16, af-gros@wanadoo.fr
r.-v.

DOM. GUYON Les Charmes de Mazières 2010

1 800 | 30 à 50 €

Nouvelle sélection pour ce domaine bien connu des habitués du Guide. Ces Charmes de Mazières, deux étoiles pour le millésime 2009, sont une sélection parcellaire du domaine : 60 ares de vignes de cinquante-cinq ans. Le résultat ? Une plaisante cuvée, à la robe pourpre, au nez classique de cassis et de griotte, à la bouche élégante et légère, avec la finale vive et nette des 2010. Le **1er cru En Orveaux 2010 (1 800 b.)**, plus extrait, est également cité.

🔑 EARL Dom. Guyon, 11-16, RD 974, 21700 Vosne-Romanée, tél. 03.80.61.02.46, fax 03.80.62.36.56, domaine.guyon@wanadoo.fr ☑ 𝐈 r.-v.

CH. DE MARSANNAY En Orveaux 2009 ★

■ 1er cru | 1 460 | 🍷 | 30 à 50 €

La famille Boisseaux, figure du négoce beaunois, réussit toujours bien les vins de son finage, notamment les marsannay. Elle soigne aussi son vosne, né de 27 ares de vignes de cinquante ans, drapé dans une élégante robe rubis intense. Le nez évoque la cerise à l'eau-de-vie, arôme typique du millésime 2009. La bouche est puissante, ferme et franche, accompagnée de belles notes compotées et chaleureuses. À déguster dans trois ans.

🔑 Ch. de Marsannay, rte des Grands-Crus, BP 78, 21160 Marsannay-la-Côte, tél. 03.80.51.71.11, fax 03.80.51.71.12, domaine@chateau-marsannay.com ☑ 𝐈 ⛹ t.l.j. 10h-12h 14h-18h30; f. 24 déc.-6 jan.

🔑 J. Boisseaux

DOMINIQUE MUGNERET Alliance des terroirs 2010 ★

■ | 7 000 | 🍷 | 20 à 30 €

Dominique Mugneret propose une cuvée d'assemblage parcellaire représentant 1,4 ha. Fidèle à son style pimpant et fruité, il signe un vin à la robe rubis soutenu, au nez discret mais fin de fruits frais (cerise griotte, cassis, framboise). La bouche, veloutée, s'adosse à des tanins soyeux et fondus, accompagnés de la vivacité plaisante des 2010. On attendra trois ans avant de servir cette bouteille sur un filet de bœuf en croûte.

🔑 Dominique Mugneret, 9, rue de la Fontaine, 21700 Vosne-Romanée, tél. 06.63.32.79.72, dominique.mugneret@wanadoo.fr ☑ r.-v.

♥ **DOM. MICHEL NOËLLAT ET FILS**
Les Beaux Monts 2010 ★★

■ 1er cru | 4 000 | 🍷 | 30 à 50 €

Le domaine d'Alain et Jean-Marc Noëllat, les deux frères, est une des valeurs sûres de Vosne, avec un coup de cœur deux années consécutives pour ce beau 1er cru né de 1,78 ha des Beaux Monts. Ce 2010 a bénéficié de la nouvelle cuverie, construite en 2009. D'un grenat foncé, il s'impose par son nez de vanille et de fleurs d'une belle richesse et par sa bouche puissante et complexe. Un vin armé pour vieillir dix ans. À découvrir sur des médaillons de biche. Deux étoiles également pour le **1er cru 2010 Les Suchots (4 500 b.)**, issu de deux parcelles de vieilles vignes de soixante ans, situées entre la Romanée-Saint-Vivant et les Échézeaux. Suave, souple, charnu et gracieux, il dévoile de beaux arômes kirschés en finale. À boire dans cinq ans. Dans un registre boisé et charpenté, le ***village* 2010 (3 500 b.)** est cité.

🔑 SCEA Dom. Michel Noëllat et Fils, 5, rue de la Fontaine, 21700 Vosne-Romanée, tél. 03.80.61.36.87, fax 03.80.61.18.10, domaine.michel-noellat@wanadoo.fr ☑ 𝐈 ⛹ r.-v.

DOM. NUDANT 2009 ★

■ | 4 000 | 🍷 | 20 à 30 €

Jean-René Nudant exploite 95 ares en vosne *village* depuis 2005. En reprenant ces vignes, il a tenté de généraliser le labourage des sols au détriment du désherbage chimique. Il en résulte ce joli vin rubis, au nez expressif de pruneau et de fruits mûrs, équilibré et net, fin et aromatique. Cette bouteille donnera la réplique d'ici un an à un grenadin de veau braisé.

🔑 Dom. Nudant, 11, rte de Dijon, BP 15, 21550 Ladoix-Serrigny, tél. 03.80.26.40.48, fax 03.80.26.47.13, domaine.nudant@wanadoo.fr ☑ 𝐈 ⛹ t.l.j. sf dim. 8h-12h 14h-18h; sam. sur r.-v.; f. août

VINCENT RAVAUT 2010

■ | 2 100 | 🍷 | 20 à 30 €

Vincent Ravaut s'est fait remarquer dès le premier millésime issu de son petit négoce de vin, qu'il a monté en 2009. Nouvelle distinction en 2010 avec ce vosne rubis aux reflets framboise, au nez ouvert de petits fruits rouges bien mûrs et de sous-bois. La bouche s'avère avenante, souple et ronde, aux tanins fondus, plus chaleureuse en finale. Un vin délicat, à boire dans trois ans.

🔑 SARL Vincent Ravaut, 2, rte de Beaune, Cidex 27, 21550 Ladoix-Serrigny, tél. 03.80.26.62.28, fax 03.80.26.47.63, vincent.ravaut@wanadoo.fr ☑ 𝐈 ⛹ r.-v.

DOM. ARMELLE ET BERNARD RION
Les Chaumes Vieilles Vignes 2010

■ 1er cru | 2 000 | 🍷 | 30 à 50 €

Bernard Rion et sa fille Alice exploitent 45 ares de vieilles vignes de quatre-vingts ans, qu'ils ont vinifiées avec retenue, avec une cuvaison de deux semaines et un élevage en fût de quinze mois. Le vin en ressort pourpre, vanillé au nez, harmonieux et fin en bouche. Un peu plus d'ampleur et de matière lui aurait valu une étoile.

🔑 Dom. Armelle et Bernard Rion, 8, rte Nationale, 21700 Vosne-Romanée, tél. 03.80.61.05.31, fax 03.80.61.34.60, rion@domainerion.fr ☑ 𝐈 ⛹ t.l.j. 9h-18h; dim. et hiver sur r.-v.; f. 23 déc.-3 jan.

DOM. FABRICE VIGOT 2010

■ | 2 000 | 🍷 | 20 à 30 €

Fabrice Vigot voit très régulièrement cette cuvée de vosne sélectionnée. Elle provient de vignes de cinquante ans situées sur le *climat* les Chalandins, en bordure de Vougeot, au bord de la route nationale. La robe est cerise foncée. Le nez encore fermé ne se livre pas. La bouche, plus expressive, nette et dotée d'une bonne mâche, allie l'amande douce et les fruits charnus. Plaisante, cette bouteille se dégustera dans trois ans sur une viande rouge braisée.

🔑 Fabrice Vigot, 20, rue de la Fontaine, 21700 Vosne-Romanée, tél. et fax 03.80.61.13.01, fabrice.vigot@wanadoo.fr ☑ 𝐈 ⛹ r.-v.

Les grands crus de Vosne-Romanée

Tous sont des crus plus prestigieux les uns que les autres, et il serait bien difficile d'indiquer le plus grand... Certes, la romanée-conti jouit de la plus importante renommée, et l'on trouve dans l'histoire de nombreux témoignages de « l'exquise qualité » de ce vin. La célèbre pièce de vigne de la Romanée fut convoitée par les grands de l'Ancien Régime : ainsi Mme de Pompadour ne réussit pas à l'emporter contre le prince de Conti, qui put l'acquérir en 1760. Jusqu'à la Seconde Guerre mondiale, la vigne de la romanée-conti et celle de la tâche restèrent non greffées, traitées au sulfure de carbone contre le phylloxéra. Mais il fallut alors les arracher.

La première récolte des nouveaux plants eut lieu en 1952. Ce romanée-conti, exploité en monopole, reste l'un des vins les plus illustres et les plus chers du monde. Les autres grands crus sont la romanée, richebourg, romanée-saint-vivant, la tâche et la grande-rue – dernière-née des grands crus, reconnue en 1992. Comme dans tous les grands crus, les volumes produits sont de l'ordre de 20 à 30 hl par hectare selon les années.

Richebourg

Superficie : 7,5 ha
Production : 200 hl

DOM. A.-F. GROS 2010 ★

■ Gd cru | 2 717 | + de 100 €

Anne-Françoise Parent, née Gros, est fille de Jeanine et de Jean, sœur de Bernard (domaine Gros Frère et Sœur) et épouse de François Parent. Voilà pour la généalogie. Côté vigne, elle exploite 60 ares de ce grand cru à l'origine d'un 2010 très réussi, au nez ouvert sur les petits fruits rouges mûrs et kirschés. La bouche, fraîche à l'attaque, séduit par son élégance, son soyeux et sa longueur. Un vin équilibré, que l'on verra au meilleur de sa forme d'ici trois à cinq ans en compagnie d'une noisette de chevreuil sauce aux airelles.

Dom. A.-F. Gros, 5, Grande-Rue, 21630 Pommard, tél. 03.80.22.61.85, fax 03.80.24.03.16, af-gros@wanadoo.fr ☑ 🍷 r.-v.

DOM. GROS FRÈRE ET SŒUR 2010 ★

■ Gd cru | 2 325 | + de 100 €

89 90 **91** 92 93 94 ⑯ 97 **98** **99** 00 01 **02** 03 **04** **05 06** ⑧ 09 10

Valeur sûre de l'appellation (trois coups de cœur dans les millésimes 2005, 2006 et 2008, Grappe d'or du Guide 2011), ce domaine est conduit depuis 1980 par Bernard Gros, neveu de Gustave et Colette. Sur les 20 ha que compte l'exploitation, 69 ares sont dédiés à ce grand cru. Le 2010 se présente dans une élégante robe dense et sombre, ornée de beaux reflets vieux rose. Élégant aussi est le nez, ouvert sur les petits fruits rouges, les épices (poivre, cannelle) et la vanille. Dans la même ligne aromatique, la bouche se révèle riche, onctueuse et soyeuse, bâtie sur des tanins veloutés. Beaucoup de matière et une belle longueur pour ce vin déjà fort aimable, que l'on appréciera à son optimum dans quatre ou cinq ans.

Dom. Gros Frère et Sœur, 6, rue des Grands-Crus, 21700 Vosne-Romanée, tél. 03.80.61.12.43, fax 03.80.61.34.05, bernard.gros2@wanadoo.fr ☑ 🍷 r.-v.

Romanée-saint-vivant

Superficie : 9,3 ha
Production : 240 hl

♥ DOM. FOLLIN-ARBELET 2010 ★★

■ Gd cru | 1 500 | + de 100 €

2010 2010
ROMANÉE-SAINT-VIVANT
GRAND CRU
Appellation Romanée-Saint-Vivant Contrôlée
Domaine
FOLLIN-ARBELET
750 ml Alc. 13,5% vol
Mise en bouteille au Domaine à Aloxe-Corton, Côte d'Or
Grand Vin de Bourgogne - Produit de France

Bien qu'issu d'une vieille famille d'Aloxe-Corton, Franck Follin-Arbelet est le premier de la lignée à se faire vigneron, en 1990, avec une parcelle d'aloxe-corton. Il faut dire que pour ce géologue de formation, la richesse des *climats* bourguignons constitue un magnifique terrain de jeu. Ici, 45 ares de sols bruns calcaires fortement argileux, reposant sur un socle de calcaire dur. Il en résulte un 2010 d'une grande élégance dans sa robe rubis intense et brillante, ornée de beaux reflets bleutés. De prime abord sur la réserve, le nez livre à l'agitation de généreuses senteurs de griotte à l'eau-de-vie et de mûre. L'attaque, suave et soyeuse, prélude à un palais concentré, riche et cossu, à la longue finale fruitée et épicée (poivre blanc). Un modèle de finesse et d'équilibre, à découvrir dans cinq à huit ans.

Dom. Follin-Arbelet, Les Vercots, 21420 Aloxe-Corton, tél. 03.80.26.46.73, fax 03.80.26.43.32, franck.follin-arbelet@wanadoo.fr ☑ 🍷 r.-v.

DOM. DE LA ROMANÉE-CONTI 2010 ★★★

■ Gd cru | n.c. | + de 100 €

82 87 89 91 92 **95** **97** **98** **99 00 01** ⓪③ ⓪④ ⓪⑤ ⓪⑥ ⓪⑧ ⓪⑨ ⑩

2010, millésime de défis, aura nécessité « non pas l'héroïsme d'Achille ou d'Hector dans l'*Iliade*, mais la prudence, la ruse et l'obstination d'Ulysse dans l'*Odyssée* », écrit Aubert de Vilaine dans ses formidables cahiers de vendanges. Floraison peu féconde et inégale début juin, mais propice au millerandage et à la solidité des raisins, qui pourront dès lors résister au botrytis en fin de maturation ; alternance de périodes chaudes et humides en juin-juillet, et son corollaire, le développement du mildiou et d'un botrytis précoce ; mois d'août exceptionnellement humide et froid, et maturation au ralenti ; temps incertain en septembre, avec des orages répétés. Bref, un millésime « cyclothymique ». Finalement, la maturité est atteinte le 20 septembre, mais par manque de stress hydrique au cours de l'année, Bernard Noblet et son équipe décident de repousser la vendange, entre le 27 et le 29 septembre pour cette romanée-saint-vivant. Le résultat ? Un vin d'une grande délicatesse, comme attendu de cette « féline qui griffe puis caresse ». Le nez s'ouvre à l'aération sur de délicates notes florales, épicées et mentholées. La bouche se révèle dense et tendre à la fois, bâtie sur des tanins serrés et veloutés, qui poussent très loin une finale ferme et complexe, alliant parfums de rose et nuance saline. La délicatesse faite vin...

SC du Dom. de la Romanée-Conti,
1, rue Derrière-le-Four, 21700 Vosne-Romanée,
tél. 03.80.62.48.80, fax 03.80.61.05.72

Nuits-saint-georges

Superficie : 306 ha
Production : 12 030 hl (97 % rouge)

Cette bourgade de 5 500 habitants est l'une des petites capitales du vin de Bourgogne. Elle accueille le siège de nombreuses maisons de négoce et de liquoristes qui produisent le cassis de Bourgogne, ainsi que d'élaborateurs de vins mousseux qui furent à l'origine du crémant-de-bourgogne. Elle a également son vignoble des Hospices, avec vente aux enchères annuelle de la production le dimanche précédant les Rameaux, et abrite le siège administratif de la confrérie des Chevaliers du Tastevin.

La cité donne son nom à l'appellation communale la plus méridionale de la Côte de Nuits. Cette dernière, qui déborde au sud sur la commune de Premeaux, n'engendre pas de grands crus comme ses voisines du nord, mais elle compte de très nombreux 1ers crus réputés, aux caractères fort divers selon leur situation au nord ou au sud de Nuits. Tous ces vins ont en commun une grande richesse tannique qui leur confère un solide potentiel de garde (de cinq à quinze ans).

Parmi les 1ers crus, les plus connus sont les Saint-Georges, dont on dit qu'ils portaient déjà des vignes en l'an mil, les Vaucrains, les Cailles, les Champs-Perdrix, les Porrets, sur la commune de Nuits, et les Clos de la Maréchale, des Argillières, des Forêts-Saint-Georges, des Corvées, de l'Arlot, sur Premeaux.

DOM. BARBIER ET FILS Belle Croix 2010 ★

■ 760 20 à 30 €

Belle Croix est un *climat* exposé plein est, en bas de pente, sous le 1er cru Les Pruliers (particulièrement apprécié autrefois au motif qu'il incarnait l'archétype nuiton), c'est-à-dire sur le coteau sud de Nuits-Saint-Georges, là où, en théorie, les tanins commencent à prendre de la carrure. Ce 2010 rubis, au joli nez de framboise et de cassis, n'en dévoile cependant pas trop, avec sa finale ronde et fruitée. C'est un nuits frais, équilibré et de belle longueur, à boire dans l'année.

Dom. Barbier et Fils, 4, rue des Frères-Montgolfier,
21700 Nuits-Saint-Georges, tél. 03.80.62.61.00,
fax 03.80.62.61.03, jaillet.b@boisset.fr

PHILIPPE BOUCHARD 2010 ★

■ 6 990 20 à 30 €

Le château de Corton-André, célèbre pour son magnifique toit de tuiles vernissées visible de loin à Aloxe-Corton, est un négoce propriétaire de vignes. Ces 4 ha issus de sa marque Philippe Bouchard sont à l'origine de ce vin rubis, au nez discret de griotte. Le palais a les épaules larges des nuits-saint-georges en termes de tanins, mais sans excès, enrobés d'une jolie suavité en finale. Long, fruité, il sera parfaitement à son aise dans deux ans sur un pavé de charolais grillé.

Philippe Bouchard, BP 10, 21420 Aloxe-Corton,
tél. 03.80.25.00.00, fax 03.80.26.42.00,
contact@philippe-bouchard.com
SAS Corton-André

CHANSON PÈRE ET FILS 2009

■ 12 000 30 à 50 €

Déjà sélectionnée sur le millésime 2007, cette cuvée revient en 2009 avec toutes les caractéristiques de ce millésime hors normes : une robe pourpre, un nez de chocolat et de fruits noirs, une bouche entière, pleine, vineuse, aux tanins soyeux. À déguster dans un an sur un agneau rôti.

Chanson Père et Fils, 10, rue Paul-Chanson,
21200 Beaune, tél. 03.80.25.97.97, fax 03.80.24.17.42
r.-v.

♥ DOM. JEAN CHAUVENET Les Perrières 2010 ★★

■ 1er cru 1 000 30 à 50 €

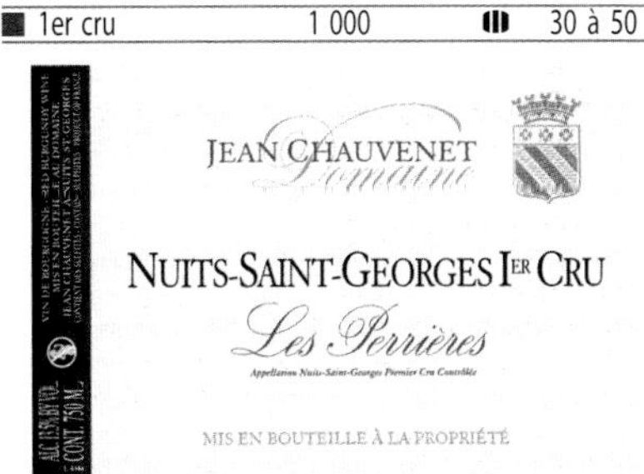

L'année 2009 avait marqué la montée en puissance de Christophe Drag. 2010 est celle de la consécration avec un coup de cœur sans surprise tant les vins sont constants depuis quelques millésimes. Christine et Christophe Drag ont repris le domaine en 1994, à la suite du départ à la retraite de Jean Chauvenet, le père de Christine. En 2009, quatre 1ers crus, Les Damodes, Les Vaucrains, Les Bousselots et Les Perrières, étaient sélectionnés. Cette année, c'est ce dernier qui est couronné. Ce *climat* est perché sur les hauteurs de Nuits-Saint-Georges, exposé est-sud-est, juste en dessous de la route desservant la carrière. En pente raide, sur un sol calcaire, il donne en général des vins fins plutôt que massifs. Le style maison tend cependant à extraire des tanins puissants. Comme ici avec une robe grenat profond, un nez de fruits noirs écrasés et une bouche solide, dotée d'une chair suave et d'une finale ample et bien épaulée. On attendra cinq ans avant de servir cette bouteille sur un lièvre à la royale. Dans ce même style racé et intense, le **1er cru Les Vaucrains 2010 (1 800 b.)** est étoilé, tandis que le ***village* 2010 (20 à 30 €; 12 000 b.)**, encore tannique et austère, est cité.

Dom. Jean Chauvenet, 6, rue de Gilly, 21700 Nuits-Saint-Georges, tél. 03.80.61.00.72, fax 03.80.61.12.87, domaine-jean.chauvenet@orange.fr
r.-v.
Christophe Drag

LOUIS CHAVY 2010 ★

■	7 000	15 à 20 €

Cette marque de négoce, qui est commercialisée par la Compagnie des Vins d'Autrefois, propose un vin grenat, qui libère de plaisants arômes de cerise et de framboise. La bouche se révèle souple, fraîche et délicate. Une cuvée élégante à savourer dès cet hiver sur un magret de canard.

Compagnie des Vins d'Autrefois, 3, pl. Notre-Dame, 21200 Beaune, tél. 03.80.26.33.00, fax 03.80.24.14.84, cva@cva-beaune.fr

YVES CHEVALLIER Aux Boudots 2010

■ 1er cru	900	30 à 50 €

Ce viticulteur de Vosne-Romanée possède 24 ares des Boudots, 1er cru jouxtant sa commune, et à ce titre célébré pour son élégance toute nordiste. Cette bouteille ne dément pas cette réputation avec sa robe bordeaux, son nez de vanille et de fruits noirs, sa bouche chaleureuse, ronde, épicée, charpentée sans dureté. À déguster dans un an ou deux sur un filet de bœuf aux olives.

Yves Chevallier, 10, rue de la Croix-Rameau, 21700 Vosne-Romanée, tél. 03.80.61.32.35, fax 03.80.62.10.46, dom.chevallier.yves@orange.fr t.l.j. 9h30-18h30

DOM. CHEVILLON-CHEZEAUX Les Bousselots 2009 ★

■ 1er cru	2 000	30 à 50 €

Philippe Chezeaux exploite 34 ares sur ce 1er cru dont la particularité est d'être situé sur l'ancien lit de la rivière Le Meuzin, donc sur un sol assez argileux d'alluvions. Il en a tiré ce vin couleur bordeaux, au nez grillé et mûr. La bouche est fruitée, la matière structurée, nette, soutenue par des tanins fins et fruités. Voici un nuits-saint-georges simple et efficace, à boire dans sa jeunesse, sur une épaule d'agneau.

Dom. Chevillon-Chezeaux, 41, rue Henri-de-Bahèzre, 21700 Nuits-Saint-Georges, tél. 03.80.61.23.95, fax 03.80.61.13.57, chevillon.chezeaux@orange.fr
r.-v.
Philippe Chezeaux

DOM. A. CHOPIN ET FILS Les Murgers 2009 ★

■ 1er cru	1 500	30 à 50 €

Le Dr Lavalle, en 1855, faisait grand cas des Murgers, les jugeant supérieurs à leurs voisins. Arnaud Chopin les vinifie avec talent et constance. Il signe un 2009 fruité (framboise et fraise), fin, élégant et harmonieux, très typique de ce terroir proche de Vosne-Romanée. Le ***village* Les Bas de Combe 2009 (20 à 30 €; 1 300 b.)**, un autre classique du domaine, obtient une étoile pour son côté frais, souple et charnu. Deux beaux vins à ouvrir dans deux ans.

Dom. A. Chopin et Fils, D 974, 21700 Comblanchien, tél. 03.80.62.92.60, domaine.chopin-fils@orange.fr
r.-v. 2

CLAVELIER ET FILS 2009

■	1 900	30 à 50 €

Cette maison de négoce locale, sise à Comblanchien (à ne pas confondre avec le vigneron Bruno Clavelier), propose un vin rubis, au nez discret de fruits rouges un peu cuits, à la bouche dense bâtie sur des tanins fermes mais prometteurs. À attendre deux ans. À noter : le domaine est en cours de conversion biologique.

Clavelier et Fils, 49, rte de Beaune, 21700 Comblanchien, tél. 03.80.62.94.11, fax 03.80.62.95.20, vins.clavelier@wanadoo.fr t.l.j. sf sam. dim. 9h-18h
H.-N. Thomas

♥ DOM. DES CLOS Les Crots 2009 ★★

■ 1er cru	1 500	20 à 30 €

DOMAINE DES CLOS
GRÉGOIRE BICHOT
2009
Nuits-Saint-Georges 1er Cru
LES CROTS
APPELLATION NUITS-SAINT-GEORGES 1er CRU CONTRÔLÉE
PROPRIÉTAIRE-RÉCOLTANT - 21700 NUITS-SAINT-GEORGES - FRANCE
750 ml
Ancienne propriété du Couvent des Bernardines
PRODUIT DE FRANCE

Grégoire Bichot est apparenté au négociant beaunois mais ne travaille plus pour lui. Il s'est en effet constitué depuis 1995 un petit domaine personnel de 5,5 ha et a racheté, en 2011, les vastes caves de l'ancien couvent des Bernardines de Nuits-Saint-Georges, qu'il a rénovées et louées en partie à la maison Villa-Decelle. Le voilà donc volant de ses propres ailes, se lançant dans le bio (il est en conversion depuis plusieurs années déjà), et obtenant, ici, un coup de cœur pour ses 60 ares de Crots. Le vin est rubis sombre. Le nez, fin et délicat, hésite entre fruits noirs et épices. La bouche, ample, charnue, dotée d'un joli grain de tanin, offre le côté riche et généreux des 2009. Un vin remarquable d'élégance, à déguster dans deux ans sur un magret, et d'ici cinq ans, sur un gibier.

Dom. des Clos, 3, rue des Seuillets, 21700 Nuits-Saint-Georges, tél. 03.80.21.42.66, fax 03.80.21.42.91, contact@domainedesclos.com
Grégoire Bichot

CLOSERIE DES ALISIERS La Cour des Miracles 2010

■	6 000	15 à 20 €

Stéphane Brocard a quitté en 2007 la maison familiale bien connue à Chablis, pour s'installer en solo à Chenôve, dans les environs de Dijon, comme négociant. Il distribue les vins d'une trentaine de viticulteurs et propose une dizaine d'appellations, dont ce nuits-saint-georges à la robe rubis intense. Le nez est expressif, fruité et légèrement torréfié (à l'issue d'un élevage de dix-huit mois en fût), et la bouche, chaleureuse et souple. À déguster l'an prochain sur un coq au vin.

Closerie des Alisiers, Parc des Grands Crus, 60 K, av. du 14-Juillet, 21300 Chenôve, tél. 03.80.52.07.71, fax 03.80.52.12.89, s.brocard@orange.fr r.-v.

CORON PÈRE ET FILS 2010

4 500	20 à 30 €

La maison Coron est un négoce basé à Nuits-Saint-Georges. Elle vinifie vingt-six appellations grâce à des contrats d'achats de raisins chez des viticulteurs. Elle a produit ce nuits à la robe violacée, au nez fin et discret. Concentré, sérieux, réglissé en finale, c'est un vin au tempérament strict, à attendre trois ans.

Coron Père et Fils, 6, rue de Chaux, 21700 Nuits-Saint-Georges, tél. 03.80.62.43.01, fax 03.80.62.43.16 r.-v.

JULIEN CRUCHANDEAU Aux Saints Jacques 2010

1 000	15 à 20 €

Julien Cruchandeau, à peine installé, se retrouve deux fois cité dans le Guide, pour son hautes-côtes-de-nuits et, ici, pour un nuits : un bon début pour ce vigneron de 35 ans. Ce 2010 a encore le tanin impétueux et le boisé marqué, mais le fond et la matière sont là ; on attendra donc ce vin trois ans afin de laisser le temps à sa gourmandise de prendre le dessus.

Julien Cruchandeau, 4, rue Robert, 21700 Chaux, tél. 06.74.85.79.62, domaine.cruchandeau@gmail.com r.-v.

DECELLE-VILLA Les Crots 2009 ★

1er cru	1 200	50 à 75 €

Olivier Decelle et Pierre-Jean Villa ont plusieurs cordes à leur arc. Le premier, ancien dirigeant des surgelés Picard, conduit également le Mas Amiel dans le Languedoc et le château Jean Faure à Saint-Émilion. Le second est vigneron dans la vallée du Rhône. Les deux hommes ont créé en avril 2011 un négoce et se sont installés dans une partie de la cuverie de Grégoire Bichot, à Nuits-Saint-Georges. Ils proposent ici un vin fort réussi, au nez délicat de vanille et de petits fruits rouges (dix-huit mois de fût dont 30 % neuf), au palais chaleureux, riche et élégant. Une jolie découverte qui gagnera à attendre trois à quatre ans.

Decelle-Villa, 3, rue des Seuillets, 21700 Nuits-Saint-Georges, tél. et fax 03.80.53.74.35, contact@decelle villa.com

DOM. DE LA DOUAIX Vieilles Vignes 2009 ★

1 496	15 à 20 €

Un coup de cœur pour un bourgogne-hautes-côtes-de-nuit 2007, trois vins et chacun une étoile sur le millésime 2008, et cette année de nouveau la suprême distinction en hautes-côtes : Laurent Anginot, qui n'est pourtant pas vinificateur de formation, se révèle dans le Guide en l'espace de deux millésimes. Un parcours étonnant à mettre aussi au crédit des Moustie, cette famille belge venue s'installer à Arcenant en 1997, et qui l'a recruté. Ce Vieilles Vignes est issu d'un achat de raisins complétés de deux pièces de vin. La robe est noire, le nez très axé cassis, la bouche compacte, dense, riche, boisée et corsetée de beaux tanins. Un vin de caractère, à attendre cinq à huit ans.

Dom. de la Douaix, rue du Moutiers, 21700 Arcenant, tél. 06.85.95.01.79, moustie.gilles@orange.fr r.-v.
Moustie

DUFOULEUR FRÈRES 2009

4 471	20 à 30 €

Les deux jeunes cousins, Marc et François-Xavier Dufouleur, proposent ici un 2009 rubis, au nez de poivre gris, de chocolat et de fruits rouges. La bouche, d'abord légère, gagne en densité sur la finale. Ce vin, tout en élégance, sera à son aise dans un an ou deux.

Dufouleur Frères, Au Château, 1, rue de Dijon, BP 70005, 21700 Nuits-Saint-Georges, tél. 03.80.61.00.26, fax 03.80.61.36.33, contact@dufouleur-freres.com r.-v.

LOU DUMONT 2009

1 200	20 à 30 €

Koji Nakada voit deux de ses vins sélectionnés sur le millésime 2009 : un morey-saint-denis et ce nuits-saint-georges. Les deux vins partagent beaucoup de points communs : une robe grenat violacée, un nez discret de cacao et de fruits noirs. Quand à la bouche, elle se révèle souple, relevée en finale d'une pointe d'acidité. Un vin fort plaisant à découvrir dans les deux ans.

Lou Dumont, 32, rue du Mal-de-Lattre-de-Tassigny, 21220 Gevrey-Chambertin, tél. 03.80.51.82.82

♥ PHILIPPE GAVIGNET Les Chabœufs 2010 ★★

1er cru	4 500	20 à 30 €

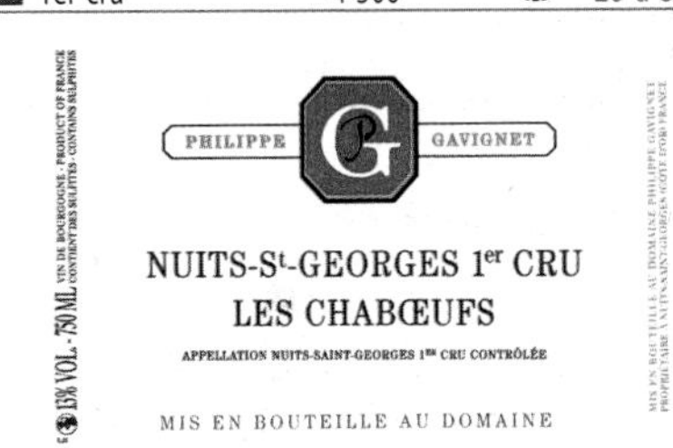

Avec un double coup de cœur pour ses nuits-saint-georges 1ers crus 2010, Les Chabœufs et Les Bousselots, auquel s'ajoute l'étoile pour son *village* Vieilles Vignes 2010, Philippe Gavignet s'affirme comme un excellent vinificateur. Comme toujours, ses vins sont concentrés, boisés, intensément aromatiques grâce à de longues macérations à froid (neuf jours en 2009, huit jours en 2010). « Il a tout pour plaire », note un dégustateur, et en effet, le plaisir est immédiat avec ces Chabœufs au nez de vanille et de crème de cassis. La bouche se révèle suave, veloutée, soyeuse. Le **1er cru 2010 Les Bousselots (3 000 b.)**, l'autre coup de cœur, s'affirme sur le poivre et la cerise griotte, avec toujours un boisé sensible mais élégant, et des tanins ronds. Le ***village* Vieilles Vignes 2010 (15 à 20 € ; 4 000 b.)**, une étoile, garde le même style avec un nez de framboise et d'épices, une bouche ample, ronde et soyeuse. On gardera trois ans les 1ers crus, qu'on servira sur une bécasse ou un magret de canard farci au foie gras et accompagné de girolles. Le **1er cru Les Pruliers 2010 (30 à 40 € ; 2 100 b.)**, cité, est un vin friand, au caractère encore très boisé, qui s'arrondira après trois ans de garde.

Dom. Philippe Gavignet, 36, rue du Dr-Louis-Legrand, 21700 Nuits-Saint-Georges, tél. 03.80.61.09.41, fax 03.80.61.03.56, contact@domaine-gavignet.fr t.l.j. 9h-12h 14h-18h; sam. dim. sur r.-v.

DOM. GILLE Les Cailles 2009 ★

■ 1er cru 2 500 ⅡⅠ 20 à 30 €

Les Gille estiment que l'on peut encore faire du bon vin à l'ancienne, sans régulation thermique pour abaisser ou remonter, en appuyant sur un bouton, la température de leurs cuves en fermentation. Année après année, leurs vins portent haut les couleurs de leur millésime, preuve de la légitimité de leur entêtement. Le 1er cru Les Cailles, de noble terroir (il fait partie de l'élite nuitonne avec Les Saint-Georges, Les Vaucrains et Les Poirets), se montre encore sur la réserve, avec des notes de cacao, de poivre et de kirsch, une bouche élégante et des tanins équilibrés. On le servira dans cinq ans sur un canard à l'orange.

Dom. Gille, 34, RD 974, 21700 Comblanchien, tél. 03.80.62.94.13, fax 03.80.62.99.88, domainegille@orange.fr ☑ Y ⛹ r.-v.

DOM. MICHEL GROS 2010 ★

■ 5 000 ⅡⅠ 20 à 30 €

Cette cuvée provient de l'assemblage de quatre parcelles situées côté Vosne-Romanée. Deux *climats* sont situés sur la partie centrale du coteau, dans le prolongement des 1ers crus de Vosne (Les Lavières et Les Bas de Combe) ; ce sont les meilleurs. Un autre est situé tout en bas du même coteau (Aux Athées, juste au bord de la nationale), sur un sol plus profond d'alluvions, tandis que le dernier vient du haut du coteau (En la Perrière Noblot), sur un sol pentu et calcaire d'oolithes. En 2010, ce bel assemblage a donné un vin rubis, souple, vif, franc et gourmand, à boire sur son fruit. Le **1er cru 2010 (30 à 50 € ; 1 200 b.)** sans nom de *climat* est cité pour ses arômes kirschés et sa rondeur en bouche.

Dom. Michel Gros, 7, rue des Communes, 21700 Vosne-Romanée, tél. 03.80.61.04.69, fax 03.80.61.22.29, contact@domaine-michel-gros.com ☑ Y r.-v.

DENIS MARCHAND Vieilles Vignes 2010

■ 600 ⅡⅠ 15 à 20 €

Denis Marchand est le frère de Jean-Philippe, négociant à Gevrey. Vigneron, il s'est aussi lancé dans une activité de négoce, dont est issue cette cuvée confidentielle à la robe foncée. Le nez évolue sur des notes de mûre et de cassis. La bouche se montre souple et gourmande, fruitée et séduisante. À boire dans les deux ans.

Denis Marchand, 1, pl. du Monument, 21220 Gevrey-Chambertin, tél. et fax 03.45.83.48.31, Dmarc2000@aol.com ☑ Y ⛹ r.-v.
Francis Sabrand

DOM. ALAIN MICHELOT Aux Chaignots 2009 ★★

■ 1er cru 1 750 ⅡⅠ 30 à 50 €

Alain Michelot et sa fille Elodie exploitent une large palette de 1ers crus nuitons, dont l'emblématique Chaignots. Une superbe robe grenat, un nez fruité gourmand, une matière fraîche et massive à la fois mais qui va s'affiner : c'est un vin de garde qui a passé vingt mois en fût et supportera quatre ans en cave. Le **1er cru Les Porêts-Saint-Georges 2009 (1 750 b.)**, complexe, mûr et puissant, obtient une étoile et sera à boire dans trois ans. Même distinction pour le ***village* Aux Champs-Perdrix 2009 (1 780 b.)** qui séduit pour sa puissance, sa rondeur et sa belle longueur. Tout aussi fidèle à son terroir nuiton, le ***village* 2009 Vieilles Vignes (20 à 30 € ; 5 480 b.)**, aux tanins chocolatés et encore un peu rugueux, est cité.

Dom. Alain Michelot, 6, rue Camille-Rodier, 21700 Nuits-Saint-Georges, tél. 03.80.61.14.46, fax 03.80.61.35.08, domalainmichelot@aol.com ☑ r.-v.

DOM. MOILLARD 2010 ★

■ 12 000 ⅡⅠ 15 à 20 €

Le millésime 2010 sourit à la maison Moillard en Côte de Nuits, plusieurs de ses vins étant sélectionnés dans le Guide. Cette cuvée, issue des vignes du domaine (1,77 ha), est sérieuse. Les tanins, encore un peu sévères, soutiennent une bouche riche et élégante, qui saura s'assouplir après trois ans de garde.

Dom. Moillard, 7, rte de Monthelie, 21190 Meursault, tél. 03.80.21.99.51, fax 03.80.21.28.05, fanny.duvernois@bejot.com
Thomas

DOMINIQUE MUGNERET Les Fleurières 2010 ★★

■ 1 800 ⅡⅠ 20 à 30 €

Coup de cœur l'an passé pour son 2009 Les Boudots (et aussi dans les millésimes 2008, 2007 et 2005 !), Dominique Mugneret obtient deux étoiles pour ce nuits-saint-georges Les Fleurières. Situé sur le coteau sud de Nuits, exposé plein est, en bas de pente, juste en bordure de nationale, ce *climat* livre un vin rubis brillant, au nez intense de fruits noirs. La bouche est dense, « un peu pointue mais joyeuse », dit un juré qui en apprécie les tanins nets, bien typiques de ce coteau. À servir dans deux ou trois ans.

Dominique Mugneret, 9, rue de la Fontaine, 21700 Vosne-Romanée, tél. 06.63.32.79.72, dominique.mugneret@wanadoo.fr ☑ r.-v.

PATRIARCHE PÈRE ET FILS Les Cailles 2009

■ 1er cru 1 200 ▮ 30 à 50 €

Ce négoce beaunois, aux célèbres caves qui courent sous les rues de la cité, moins souvent mentionné en Côte de Nuits, propose ici sur l'un des plus beaux premiers crus de l'appellation, Les Cailles, voisines du potentiel futur grand cru Les Saint-Georges. Le nez offre des notes de cassis et une pointe animale. La bouche est imposante, bâtie sur des tanins affirmés. Ce vin aura besoin de trois ou quatre ans de garde pour s'assouplir.

Patriarche Père et Fils, 5-7, rue du Collège, 21200 Beaune, tél. 03.80.24.53.10, fax 03.80.24.53.06, idebrot@patriarche.com
☑ Y ⛹ t.l.j. 9h30-11h30 14h30-17h30

DOM. DES PERDRIX 2009 ★

■ 8 000 ⅡⅠ 30 à 50 €

Le 1er cru Aux Perdrix était coup de cœur sur le millésime 2008, archétype du pinot bourguignon. En 2009, année solaire propice à la surmaturité, sur un sol assez profond, mélange de sable et d'argile, reposant sur un sous-sol de calcaire dur, est né le **1er cru 2009 Aux Perdrix (50 à 75 € ; 15 000 b.)** léger, complexe et frais. Il obtient une citation. C'est le *village* du domaine, gourmand, charnu, au nez de griotte et de cuir, aux tanins solides mais sans dureté, qui retient l'attention. On le dégustera dans deux ans sur un gigot d'agneau.

Dom. des Perdrix, rue des Écoles, 21700 Premeaux-Prissey, tél. 03.85.45.21.61, fax 03.85.98.06.62, contact@domainedesperdrix.com
☑ Y ⛹ r.-v.
Famille Devillard

DOM. PETITOT Les Poisets 2010 ★★

■ 4 100 15 à 20 €

Les Poisets sont la valeur sûre du domaine. Le *climat* est en effet bien situé, juste sous le 1er cru Les Cailles, à l'endroit où le banc de comblanchien, qui commence à affleurer, longe la route nationale et resserre le vignoble en une étroite bande de 500 m de large. Hervé et Nathalie Petitot en exploitent presque 1 ha de vignes de cinquante-cinq ans, qu'ils vinifient prudemment : quatre jours de préfermentaire à froid, seize jours de cuvaison, un an de fût. Les durées sont courtes, le vin n'en est que plus charmeur, avec un nez séduisant de pinot (cerise, cassis), une bouche gourmande, fruitée, ronde et équilibrée. Les tanins, ni exagérément soyeux ni durs, offrent la belle mâche des nuits-saint-georges du sud. À déguster dans cinq ou six ans sur un onglet à l'échalote.

Dom. Petitot, 26, pl. de la Mairie, 21700 Corgoloin, tél. 03.80.62.98.21, fax 03.80.62.71.64, domaine.petitot@wanadoo.fr r.-v.

DOM. DE LA POULETTE Les Vaucrains 2009

■ 1er cru 6 000 20 à 30 €

François Michaut, viticulteur à Corgoloin, exploite 1,31 ha de l'un des plus beaux *climats* de Nuits-Saint-Georges : Les Vaucrains. Situé au-dessus des Saint-Georges et des Cailles, ce vignoble repose sur un sol de gros cailloux, en pente plutôt raide. Il a donné un vin rubis profond, au nez boisé et épicé, à la bouche fraîche et nette. À déguster dans trois ans sur un cuissot de chevreuil.

Dom. de la Poulette, 103, Grande-Rue, 21700 Corgoloin, tél. 03.80.62.98.02, fax 01.45.25.43.23, infos@poulette.fr r.-v.

DOM. MICHÈLE ET PATRICE RION
Clos des Argillières 2009 ★

■ 1er cru 8 000 30 à 50 €

Patrice Rion et son fils Maxime exploitent 1,8 ha de ce 1er cru au sous-sol de roche rose (calcaire de Premeaux) affleurant à 50 cm sous terre. Ils sont parmi les plus gros propriétaires, le *climat* affichant 4,22 ha au total. Ils en ont tiré ce vin rubis intense, au nez boisé, grillé et épicé. La bouche se montre ample, suave et dotée d'une finale minérale complexe. Ce beau vin de terroir sera à déguster dans trois ans. L'hectare de chardonnay situé tout en haut de pente sur une parcelle gagnée sur la forêt a donné naissance au **1er cru 2009 blanc Les Terres Blanches (20 à 30 € ; 6 000 b.)**, un vin doré aux reflets verts, au nez noisette, au palais net, plein et gras. Une étoile également, il est à servir dans un an.

Dom. Michèle et Patrice Rion, 1, rue de la Maladière, 21700 Premeaux-Prissey, tél. 03.80.62.32.63, fax 03.80.62.49.63, contact@patricerion.fr r.-v.

L. TRAMIER ET FILS 2009

■ 10 000 15 à 20 €

La maison Tramier est surtout connue pour ses vins de la Côte chalonnaise, et sa présence est rare dans la sélection nuitonne du Guide. Ce 2009 présente une robe rubis foncé, un nez de fruits noirs et de boisé, une bouche encore austère, sur le moka et le cacao. À déguster dans trois ans sur un civet.

Tramier et Fils, rue de Chamerose, 71640 Mercurey, tél. 03.85.45.10.83, fax 03.85.45.27.76, info@maison-tramier.com t.l.j. sf dim. 9h-12h 14h-18h; f. 3 sem. en août

Côte-de-nuits-villages

Superficie : 148 ha
Production : 6 345 hl (95 % rouge)

Cette appellation associe cinq communes situées aux deux extrémités de la Côte de Nuits : au nord, Fixin (qui a aussi sa propre appellation) et Brochon (dont une partie du vignoble est classée en gevrey-chambertin) ; au sud, aux portes de la Côte de Beaune, Premeaux, Prissey (commune fusionnée avec la précédente), Comblanchien, réputée pour son « marbre », une pierre calcaire extraite de son coteau, et enfin Corgoloin, qui marque la limite sud de l'appellation tout comme celle de la Côte de Nuits, au niveau du Clos des Langres. Dans ce dernier village, la « montagne » diminue d'altitude et le vignoble s'amenuise ; sa largeur ne dépasse guère 200 m. Rouges le plus souvent, les côtes-de-nuits-villages sont d'un bon niveau qualitatif et assez abordables.

DOM. DE BELLÈNE Les Monts de Boncourt 2009

1 419 20 à 30 €

Nicolas Potel s'est installé en 2006 au cœur de Beaune dans une splendide maison ancienne, rénovée selon des critères écologiques qui témoignent de l'authenticité de sa démarche bio. Il propose ici un blanc élevé à 50 % en fût neuf, dont le nez fin et élégant d'anis et de vanille annonce une bouche équilibrée et nette. Souple et léger, ce chardonnay accompagnera d'ici 2015 une cassolette d'écrevisses.

Dom. de Bellene, 39, rue du Faubourg-Saint-Nicolas, 21200 Beaune, tél. 03.80.20.67.64, fax 03.80.26.16.27, contact@domainedebellene.com r.-v.

DOM. JEAN-PIERRE BONY Les Chaillots 2010 ★

■ 2 500 11 à 15 €

Quand Fabienne Bony a repris les vignes de son père en 2000, elle a fait l'inverse des autres jeunes vignerons : elle a diminué les superficies. Elle est ainsi passée de 45 à 7 ha, conservant au passage cette parcelle de 90 ares qui lui vient de son mari. 2010 est son premier millésime dans l'appellation : une belle réussite. La robe est violacée, le nez intense et fruité, la matière souple et fondue. Pour un gibier à plume, d'ici trois à quatre ans.

Dom. Jean-Pierre Bony, 5, rue de Vosne, 21700 Nuits-Saint-Georges, tél. 03.80.61.16.02, fabiennebony@gmail.com r.-v.

MICHEL BOUCHARD 2009

■ n.c. 15 à 20 €

Cette cuvée est issue d'un achat de raisins vendangés à la main. Élevée dans un tiers de fûts neufs, elle présente une charpente tannique marquée, encore un peu austère en finale. Sa bouche puissante, charnue et épicée est enrobée d'arômes de fruits noirs (cassis, myrtille, cerise noire). Elle saura affronter l'accord avec un gigot d'agneau après une garde de trois ans.

🔑 Bouchard Père et Fils,
Ch. de Beaune, 15, rue du Château, 21200 Beaune,
tél. 03.80.24.80.24, fax 03.80.22.55.88,
contact@bouchard-pereetfils.com
t.l.j. 10h-12h30 14h30-18h30; dim. 10h-12h30
🔑 Famille Henriot

RENÉ BOUVIER 2009 ★

	n.c.		11 à 15 €

Bernard Bouvier exploite 50 ares de vignes âgées de soixante-dix ans, qui ont ici bénéficié d'un long élevage de dix-huit mois sous bois. Ajoutant à cela les effets d'un millésime de maturité exceptionnelle, le vin ne laisse pas indifférent : un bouquet complexe et raffiné de cerise noire aux nuances florales, une bouche intensément fruitée, souple, aux tanins soyeux et à la finale longue et chaleureuse. Il sera prêt dans deux ans.

🔑 Dom. René Bouvier, chem. de Saule,
21220 Gevrey-Chambertin, tél. 03.80.52.21.37,
fax 03.80.59.95.96, rene-bouvier@wanadoo.fr r.-v.

DOM. CHAUDAT 2009 ★

	900		11 à 15 €

Odile Chaudat exploite un microdomaine d'à peine 1,8 ha. Cette parcelle de côte-de-nuits semble donc, avec ses 98 ares, constituer le gros de sa production. Mais les vignes y sont ancestrales (quatre-vingt-dix ans) et les rendements faibles : seulement 900 bouteilles produites ici. Ce 2009, ample et structuré, au nez vineux et puissant, légèrement confituré, est en effet concentré. L'extraction a été poussée, et les tanins sont aujourd'hui plutôt musclés : il faudra attendre trois ans avant de déguster ce vin sur une pièce de gibier.

🔑 Odile Chaudat, 41, voie Romaine, 21700 Corgoloin,
tél. et fax 03.80.62.92.31, chaudat.odile@akeonet.com
t.l.j. 10h-18h

CHAUVENET-CHOPIN 2010

	9 000		11 à 15 €

Hubert Chauvenet, installé à Nuits-Saint-Georges, est un spécialiste de l'appellation : cette cuvée était en effet coup de cœur l'an dernier dans le millésime 2009. Année plus froide et plus difficile, 2010 s'accommode bien d'un élevage en fût de quatorze mois et donne ici un vin fin, assez léger, aux arômes persistants de fruits confiturés. Pas de garde à prévoir, il sera prêt dès la sortie du Guide.

🔑 Chauvenet-Chopin, 97, rue Félix-Tisserand,
21700 Nuits-Saint-Georges, tél. 03.80.61.28.11,
chauvenet-chopin@wanadoo.fr r.-v.

DOM. CHEVALIER PÈRE ET FILS 2009 ★

	7 000		15 à 20 €

Si depuis sa création, en 1850, ce vignoble a été conduit par les hommes de la famille, c'est aujourd'hui assisté de deux de ses filles que Claude Chevalier gère le domaine. Leur 2009, avec son nez de fruits noirs (cassis, mûre) au boisé léger, est du côté de l'opulence. La bouche dévoile une matière charnue et une finale solide. Les dégustateurs sont divisés sur un point : à boire ou à garder ? Ceux qui aiment les vins fruités et généreux le dégusteront dès maintenant, ceux qui préfèrent un vin plus souple attendront trois ans que les tanins se fondent.

🔑 Chevalier Père et Fils, hameau de Buisson, Cidex 18,
21550 Ladoix-Serrigny, tél. 03.80.26.46.30, fax 03.80.26.41.47,
contact@domaine-chevalier.fr r.-v.

DOM. A. CHOPIN ET FILS Les Monts de Boncourt 2009

	5 000		11 à 15 €

Arnaud Chopin a réussi à préserver une bonne acidité sur cette cuvée phare de son domaine, née de 60 ares de chardonnay, un îlot de blanc dans une mer de pinot noir – l'appellation compte environ 160 ha de pinot pour 7 ha de chardonnay. Son vin aux nuances épicées et florales se fait gras en bouche, riche, égayé par une longue finale d'une belle vivacité. Le **2009 rouge Vieilles Vignes (3 000 b.)** est également cité pour sa puissance et ses arômes complexes de sous-bois, de cuir et de pruneau : à attendre deux ans.

🔑 Dom. A. Chopin et Fils, D 974, 21700 Comblanchien,
tél. 03.80.62.92.60, domaine.chopin-fils@orange.fr
r.-v.

CLOS SAINT-LOUIS 2009

	7 000		11 à 15 €

Si Philippe Bernard et son épouse Martine, installés sur le domaine familial depuis plus de vingt ans, ont particulièrement bien réussi leur millésime 2010 en fixin (voir cette appellation), ils signent aussi un bon côtes-de-nuits sur le millésime 2009. Ce vin mûr aux accents de sous-bois, de cuir et de fruits noirs, à la bouche franche et ronde, plutôt vigoureuse, laisse imaginer un accord avec un bœuf aux carottes dès la sortie du Guide.

🔑 Dom. du Clos Saint-Louis, 4, rue des Rosiers,
21220 Fixin, tél. 03.80.52.45.51, fax 03.80.58.88.76,
clos.st.louis@wanadoo.fr
t.l.j. sf dim. 9h-12h 13h30-19h; f. 15-31 août
🔑 Philippe et Martine Bernard

DÉSERTAUX-FERRAND Les Perrières 2009 ★★

	n.c.		11 à 15 €

Les Perrières sont l'emblème de Vincent Désertaux qui fut parmi les premiers à identifier dès 1985 sur l'étiquette les *climats* intéressants de l'appellation, dont celui-ci, réputé pour sa régularité. Son pinot noir se distingue par sa puissance, sa franchise et son énergie. Expressif, le nez dévoile des impressions fruitées (cassis) et sauvages (humus) qui annoncent une bouche riche aux tanins racés. La finale, chaleureuse, rappelle que l'on est dans un millésime solaire. Une étoile revient au **2010 blanc (7 200 b.)**, qui plaît par son côté poire et fruits jaunes, sa rondeur et son équilibre.

🔑 Dom. Désertaux-Ferrand, 135, Grande-Rue,
21700 Corgoloin, tél. 03.80.62.98.40, fax 03.80.62.70.32,
contact@desertaux-ferrand.com r.-v.

DOM. DE LA DOUAIX Vieilles Vignes 2009 ★

	2 135		15 à 20 €

Cette parcelle de 50 ares a été achetée en 2008 par les frères Moustie qui ont raflé un bon nombre d'étoiles dans le Guide depuis leur arrivée en Bourgogne en 2006. Née d'une vigne de quarante-cinq ans, cette cuvée livre des parfums de moka alliés à du fruit noir confit. Franc à l'attaque, le palais fruité s'appuie sur des tanins maîtrisés. Dégustation conseillée à partir de fin 2013. Le **2009 rouge Terres nobles (11 à 15 € ; 2 046 b.)**, plus marqué par le bois, est cité.

Dom. de la Douaix, rue du Moutiers, 21700 Arcenant, tél. 06.85.95.01.79, moustie.gilles@orange.fr
r.-v.
Moustie

DOM. JEAN FOURNIER Croix Violettes Vieilles Vignes 2009

2 200 — 20 à 30 €

Laurent Fournier, dont le vignoble est en cours de conversion bio, a poussé cette cuvée à 66 % de vendanges entières et vingt-deux jours de cuvaison... L'ambition, sensible, divise le jury. Les tanins puissants en effraient certains, mais une majorité aime le nez puissant et chocolaté, la bouche dense et épicée, destinée à la longue garde : attendre trois ans minimum. Suggestion d'accord du producteur : caneton rôti déglacé à la mirabelle et rösti au parmesan.

Dom. Jean Fournier, 29, rue du Château, 21160 Marsannay-la-Côte, tél. 03.80.52.24.38, fax 03.80.52.77.40, domaine.jean.fournier@orange.fr
r.-v.

ALAIN JEANNIARD Vieilles Vignes 2010

600 — 20 à 30 €

La mention Vieilles Vignes se justifie pleinement ici : les ceps de cette microparcelle sont en effet centenaires. Alain Jeanniard les propose dans le cadre de son négoce d'achat de raisins. Elles donnent naissance à ce vin voluptueux, aux senteurs de cerise à l'eau-de-vie et d'épices. La bouche s'affirme par son volume, sa puissance et son caractère poivré. Chaleureuse, elle repose sur des tanins encore austères en finale, qui devront s'arrondir trois ou quatre ans en cave.

GVB Alain Jeanniard, 4, rue aux Loups, 21220 Morey-Saint-Denis, tél. 03.80.58.53.49, domaine.ajeanniard@wanadoo.fr r.-v.

GILLES JOURDAN La Robignotte Monopole 2009 ★★

3 000 — 15 à 20 €

Pour cette cuvée née de vieilles vignes de soixante ans, Gilles Jourdan a consacré un élevage sous bois de seize mois plus poussé que pour ses autres vins. Le résultat est un 2009 concentré, à la robe grenat intense et dont le bouquet charmeur marie les fruits rouges et la vanille avec une grande finesse. Tendre à l'attaque, flatteuse, fruitée, la bouche est un modèle d'équilibre, confortée par des tanins presque arrondis qui demanderont encore deux ans de garde pour se fondre. Cité, le **2009 rouge (11 à 15 €; 6 000 b.)** plaît aussi par son alliance du fruit et du bois.

Gilles Jourdan, 114, Grande-Rue, 21700 Corgoloin, tél. 03.80.62.76.31, fax 03.80.62.97.48, domaine.jourdan@wanadoo.fr r.-v.

DOM. MOILLARD 2010

16 000 — 8 à 11 €

Une robe rouge vif et brillant, un nez délicat et chaleureux sur la cerise à l'eau-de-vie et les fruits noirs mêlés de discrets parfums boisés : voilà une entrée en matière engageante. Suivent une attaque en bouche tonique, une matière gourmande et structurée. Les tanins, pas tout à fait fondus, sont soutenus par l'acidité naturelle des 2010, et le tout s'harmonisera sur un rôti de bœuf dans deux à trois ans.

Dom. Moillard, 7, rte de Monthelie, 21190 Meursault, tél. 03.80.21.99.51, fax 03.80.21.28.05, fanny.duvernois@bejot.com
Thomas

DOM. HENRI NAUDIN-FERRAND 2009

14 494 — 15 à 20 €

Adepte des longs élevages en fût pour sa cuvée Vieilles vignes souvent retenue dans le Guide, Claire Naudin a « raccourci » pour ce 2009 le passage sous bois à dix-sept mois. Un choix appréciable, car le boisé bien présent manquerait sinon de masquer le fruit. On décèle ainsi au nez des nuances de fruits rouges mûrs, auxquelles s'ajoutent le cassis et la réglisse en bouche. La matière nette repose en finale sur des tanins marqués, qui s'assagiront avec trois ans de cave.

Dom. Henri Naudin-Ferrand, 12, rue du Meix-Grenot, 21700 Magny-lès-Villers, tél. 03.80.62.91.50, fax 03.80.62.91.77, info@naudin-ferrand.com r.-v.

BOURGOGNE

DOM. PETITOT Terres burgondes 2010 ★

7 850 — 8 à 11 €

« Terres burgondes », Nathalie Petitot a baptisé ainsi un assemblage de trois parcelles situées sur le coteau de Corgoloin. Des vignes trentenaires bien exposées, vinifiées en légèreté : macération préfermentaire à froid pour obtenir un fruité pétulant, macération pas trop longue pour éviter des tanins agressifs, élevage court de douze mois en fût. Le vin en ressort friand (cerise, framboise, vanille), souple, acidulé, et sa finale fondue est légèrement poivrée. À apprécier dès 2013.

Dom. Petitot, 26, pl. de la Mairie, 21700 Corgoloin, tél. 03.80.62.98.21, fax 03.80.62.71.64, domaine.petitot@wanadoo.fr r.-v.

♥ **CH. DE PRÉMEAUX** 2009 ★★

10 348 — 11 à 15 €

Ce coup de cœur vient couronner une impressionnante suite de sélections obtenues par les cuvées d'Arnaud Pelletier au cours de ces dix dernières années. Son côte-de-nuits-villages, repéré dans ses deux précédents millésimes, fait un bond en avant avec la vendange 2009. La vinification est moderne (macération préfermentaire à froid, cuvaison de quinze jours à moins de 30 °C) dans le but d'offrir un maximum d'arômes : ici un fruité franc et direct, qui privilégie le cassis. L'élevage de seize mois confère une structure solide, étoffée, à une bouche ample et vineuse enveloppée de fruit. Une touche de vivacité vient parfaire l'équilibre. Les impatients pourront savourer cette bouteille fin 2014, mais elle sera toujours remarquable après cinq années de garde.

Dom. du Ch. de Prémeaux, 9, rue de la Courtavaux, 21700 Premeaux-Prissey, tél. 03.80.62.30.64, fax 03.80.62.39.28, chateau.de.premeaux@wanadoo.fr
t.l.j. 9h-12h 13h30-18h
Pelletier

La Côte de Beaune

Plus large (un à deux kilomètres) que la Côte de Nuits, la Côte de Beaune est plus tempérée et soumise à des vents plus humides, ce qui entraîne une plus grande précocité dans la maturation. La vigne monte à une altitude plus élevée que dans la Côte de Nuits, à 400 m et parfois plus. Le coteau est coupé de larges combes, dont celle de Pernand-Vergelesses qui sépare la « montagne » de Corton du reste de la Côte. Géologiquement, la Côte de Beaune apparaît plus homogène que la Côte de Nuits : au bas, un plateau presque horizontal, formé par les couches du bathonien supérieur recouvertes de terres fortement colorées. C'est de ces sols assez profonds que proviennent les grands vins rouges (beaune Grèves, pommard Épenots...). Au sud de la Côte de Beaune, les bancs de calcaires oolithiques avec, sous les marnes du bathonien moyen recouvertes d'éboulis, des calcaires sus-jacents donnent des sols à vigne caillouteux, graveleux, sur lesquels sont récoltés les vins blancs parmi les plus prestigieux : premiers et grands crus des communes de Meursault, Puligny-Montrachet, Chassagne-Montrachet. Si l'on parle de « côte des rouges » et de « côte des blancs », il faut citer entre les deux le vignoble de Volnay, implanté sur des terrains pierreux argilo-calcaires et donnant des vins rouges d'une grande finesse.

Bourgogne-hautes-côtes-de-beaune

Superficie : 815 ha
Production : 39 500 hl (85 % rouge)

Cette appellation est située sur une aire géographique comprenant une vingtaine de communes et débordant sur le nord de la Saône-et-Loire. Comme celui des hautes-côtes-de-nuits, ce vignoble s'est développé depuis les années 1970-1975.

Le paysage est pittoresque et de nombreux sites méritent une visite, comme Orches, La Rochepot et son château, Nolay et ses halles. Enfin, les Hautes-Côtes, qui étaient autrefois une région de polyculture, sont restées productrices de petits fruits destinés à alimenter les liquoristes de Nuits-Saint-Georges et de Dijon. Cassis et framboise servent à élaborer des liqueurs et des eaux-de-vie d'excellente qualité. L'eau-de-vie de poire des Monts de Côte-d'Or trouve également ici son origine.

FRANÇOIS D'ALLAINES Cuvée «18 mois» 2009 ★★

■ 300 15 à 20 €

François d'Allaines, négociant depuis 1990, a créé son domaine en 2009. Cette cuvée de poche (300 cols !), numérotée pour l'occasion, fait mouche et frôle le coup de cœur. Drapée dans une robe grenat soutenu, elle dévoile un bouquet puissant de cassis frais et de vanille. À l'unisson, la bouche se révèle ample, solidement charpentée par des tanins massifs mais sans agressivité. Une belle maîtrise de l'extraction et de l'élevage. À découvrir d'ici deux à quatre ans sur une pintade rôtie.

François d'Allaines, 2, imp. du Meix-du-Cray, 71150 Demigny, tél. 03.85.49.90.16, francois@dallaines.com r.-v.

FRANÇOIS BERGERET Rondo Vieilles Vignes 2009

■ 1 500 8 à 11 €

Hommage à son père décédé en 2007, cette cuvée signée François Bergeret prend le nom de la parcelle qui l'a vue naître. De prime abord discret, le nez s'ouvre à l'aération sur des arômes de fraise et de framboises mâtinés d'une pointe de cannelle. La bouche se révèle souple et fraîche, adossée à des tanins soyeux et à un bon fruité, qui fait écho à l'olfaction. À boire dès aujourd'hui sur une pièce de bœuf grillée.

François Bergeret, 15, rue Franche, 21340 Nolay, tél. 06.87.58.23.45, bergeret.francois@orange.net r.-v.

DOM. BILLARD PÈRE ET FILS 2010

■ 25 000 8 à 11 €

Cette exploitation de 20 ha, à proximité du château médiéval de La Rochepot, propose une cuvée couleur rubis brillant, au nez discret mais agréable de fruits rouges tonifié par une pointe de silex. La bouche est à l'avenant, fraîche, fruitée et équilibrée, d'une longueur honorable. À boire dès à présent sur une tourte bourguignonne ou une terrine de gibier.

Billard, 1, rte de Chambéry, 21340 La Rochepot, tél. 03.80.21.87.94, fax 03.80.21.72.17, domainebillard.21@orange.fr r.-v.

DOM. BOISSON 2010

□ 3 000 5 à 8 €

Quand vous arrivez à Cormot-le-Grand, vous n'êtes pas loin... du Bout du Monde, nom donné à une large falaise qui forme un site remarquable sur la commune. Jacques Boisson est installé à la tête du domaine familial depuis 1993 et n'élabore que des vins des appellations régionales. Ce hautes-côtes blanc dévoile des senteurs délicates de fleurs blanches et de fruits jaunes associées à un fin grillé et à une touche minérale qui rappelle le terroir calcaire qui l'a vu naître. On retrouve cette touche « terroitée » en soutien d'une bouche ronde et charnue, adoucie par une note de beurre frais. Vous pourrez attendre une à deux années avant de servir ce vin sur un poisson en sauce.

EARL Boisson, 14, rte du Bout-du-Monde, 21340 Cormot-le-Grand, tél. 03.80.21.71.92, domaine.boisson@wanadoo.fr r.-v. 2 6

DOM. BONNARDOT En Cheignot 2010 ★

□ 4 000 8 à 11 €

Quatre nouvelles appellations, dont les hautes-côtes-de-beaune, sont venues rejoindre en 2009 la gamme de santenay et de maranges du domaine passé ainsi de 40 ares à 3,6 ha. Ludovic Bonnardot signe un 2010 étoilé pour ses parfums intenses de fruits exotiques et de fruits jaunes soutenus par une belle minéralité. La bouche tient bien la note et séduit par sa longueur et son tonus, laissant en finale une très agréable sensation de salinité. À servir dans les deux prochaines années sur un plateau de fruits de mer.

Ludovic Bonnardot, 27, Grande-Rue,
21250 Bonnencontre, tél. 03.80.36.31.60, fax 03.80.36.37.29,
ludovic-bonnardot@orange.fr r.-v.

MICHEL BOUCHARD 2010 ★

n.c.		8 à 11 €

L'une des plus anciennes maisons de Beaune, fondée en 1731, et aussi l'un des plus grands propriétaires de vignes en Bourgogne avec 130 ha, dont 12 ha classés en grands crus et 74 ha en 1ers crus. Mais elle ne néglige pas pour autant ses vins des appellations régionales, à l'image de ce hautes-côtes expressif, au nez à la fois floral, fruité et vanillé, riche, onctueux et bien charpenté en bouche, une longue finale sur le tabac blond venant conclure la dégustation. « Un hautes-côtes 1er cru », conclut un dégustateur. On pourra encaver cette bouteille deux à quatre ans avant de lui réserver un filet mignon aux champignons des bois.

Bouchard Père et Fils,
Ch. de Beaune, 15, rue du Château, 21200 Beaune,
tél. 03.80.24.80.24, fax 03.80.22.55.88,
contact@bouchard-pereetfils.com
t.l.j. 10h-12h30 14h30-18h30; dim. 10h-12h30
Famille Henriot

DOM. LE BOUT DU MONDE Le Cul de Fussey Élevé en fût de chêne 2010

8 695		20 à 30 €

Le Bout du Monde est donc ici, dans un vaste cul-de-sac entouré de falaises... Deux amis y exploitent depuis 1998 un domaine de près de 7 ha. Leur cuvée Cul de Fussey se présente dans une robe jaune clair teintée de reflets verts, le nez empreint de notes d'amande, de fruits jaunes et de fleurs blanches. La bouche est bien équilibrée, ronde en attaque, puis plus vive et minérale jusqu'en finale. Un vin harmonieux, à déguster dès aujourd'hui sur des coquillages conseillent les dégustateurs, sur des ris de veau conseillent les producteurs.

Dom. le Bout du Monde, rte de Bourguignon,
21200 Combertault, tél. et fax 03.80.26.67.05,
directioncom@lionel-dufour.fr
Frevet-Guillo

DOM. VINCENT CHARACHE Les Bignons 2010 ★

4 500		8 à 11 €

Quatorze appellations sur 19 ha : voici résumés ici toute la complexité et le mystère de la Bourgogne, région capable de proposer des vins aux goûts différents en partant d'un seul cépage. Vincent Charache, à la tête du domaine familial depuis 2006, présente ici une version très réussie du pinot noir. Du nez, on retient les parfums élégants des fruits rouges et noirs agrémentés d'une touche boisée apportée par douze mois d'élevage. Après une attaque vive et souple, le palais dévoile des tanins et soyeux, enrobés par un fruité mûr et par des notes poivrées en finale. À découvrir dans deux ans sur des nouilles sautées au bœuf et aux oignons.

EARL Dom. Vincent Charache, chem. de Bierre,
21200 Bouze-lès-Beaune, tél. 06.03.95.65.91,
fax 03.80.26.00.86, domainevincentcharache@orange.fr
r.-v.

DOM. DE LA CONFRÉRIE 2010 ★

3 500		5 à 8 €

Christophe Pauchard propose un 2010 élégant dans sa robe jaune pâle et limpide. Le nez mêle les agrumes, les fleurs blanches et un vanillé discret. La bouche affiche un bon équilibre entre gras et vivacité minérale et citronnée. Un vin fin et harmonieux, à déguster à l'apéritif, dès cet automne ou dans deux ans.

Christophe Pauchard,
Dom. de la Confrérie, Cirey, 37, rue Perraudin, 21340 Nolay,
tél. 03.80.21.89.23, fax 03.80.21.70.27,
info@domaine-pauchard.fr r.-v.

DEVEVEY Champs Perdrix 2009 ★

9 000		11 à 15 €

Installé depuis vingt ans cette année sur la commune de Demigny, dans la plaine de la vallée de la Saône, Jean-Yves Devevey va dans les Hautes-Côtes exploiter les cuvées qui ont fait sa renommée. Il signe ici deux blancs de belle facture. En tête, ce Champs Perdrix au bouquet flatteur de fleurs blanches et de fruits acidulés, ample, dense, frais et fruité en bouche. Déjà bien en place, il ne sera que meilleur après deux ans de garde. La cuvée **Les Chagnots 2009 blanc (2 100 b.)** est citée pour ses parfums plaisants de viennoiserie et de noisette, et pour l'élégante rondeur de son palais.

Jean-Yves Devevey, 31, rue de Breuil, 71150 Demigny,
tél. 03.85.49.91.11, jydevevey@wanadoo.fr r.-v.

DOM. DOUDET La Grande Corvée de Bully 2010

6 000		11 à 15 €

Ce *climat* se situe dans les hauteurs du village de Pernand-Vergelesses et bénéficie d'une belle exposition sud-sud-est favorable à la maturité des raisins. Isabelle Doudet en exploite 1,8 ha et signe ici un 2010 apprécié pour sa finesse. Le nez, discret mais élégant, évoque les petits fruits rouges et la violette, un boisé doux et léger à l'arrière-plan. La bouche, fruitée à souhait (groseille, cassis), est posée sur des tanins fins et délicats. Un vin équilibré et déjà prêt à boire. Pourquoi pas sur un porc laqué au caramel ou sur un poulet rôti aux girolles...

Dom. Doudet, 5, rue Henri-Cyrot,
21420 Savigny-lès-Beaune, tél. 03.80.21.51.74,
fax 03.80.21.50.69, doudet-naudin@wanadoo.fr r.-v.

LOÏC DURAND 2010

4 000		5 à 8 €

Cet exploitant, installé sur le domaine familial depuis 2005, fait partie de cette nouvelle génération de producteurs qui affiche son numéro de portable sur l'étiquette afin de rester joignable par sa clientèle. Il propose un 2010 d'une belle complexité, où l'on perçoit pêle-mêle la pâte de fruits exotiques, le miel ou encore les fruits secs. Le palais, gras et souple, s'étire en longueur sur les fruits jaunes confits et les agrumes, soutenu par une trame acide qui laisse espérer une bonne tenue à la garde. À découvrir dans deux ans, sur un poisson sauce aux agrumes.

Dom. Loïc Durand, rue de l'Église,
21200 Bouze-lès-Beaune, tél. et fax 03.80.26.02.57,
domainedurandloic@orange.fr r.-v.

BOURGOGNE

DOM. LUCIEN JACOB Les Larrets blancs 2010 ★

6 000 | 8 à 11 €

Si ce domaine d'Échevronne (au-dessus de Pernand-Vergelesses) propose à la vente des crèmes de petits fruits de Bourgogne, c'est son vin qui nous intéresse ici, car c'est un très bon vin que nos dégustateurs ont jugé. Planté sur une parcelle d'altitude composée de marnes blanches, le chardonnay donne naissance à une cuvée jaune pâle ourlée de reflets verts, au nez discret mais élégant de fruits jaunes mûrs. Bâtie sur la minéralité et la fraîcheur, la bouche est toutefois « arrondie » par les mêmes arômes de fruits perçus à l'olfaction. À déguster au cours des trois prochaines années.

Dom. Lucien Jacob, 21420 Échevronne, tél. 03.80.21.52.15, fax 03.80.21.55.65, lucien-jacob@wanadoo.fr r.-v.

GILLES LABRY 2010

2 200 | 5 à 8 €

Depuis quatre générations, les Labry exploitent la vigne dans la commune de la Rochepot, en appellations régionales, et sur le *village* de Saint-Aubin. Un hectare de chardonnay est consacré à ce hautes-côtes jaune pâle brillant. Le nez fin et harmonieux marie la poire, l'ananas et les agrumes. Fraîche dès l'attaque, la bouche s'appuie sur une délicate trame minérale et citronnée. À déguster dès aujourd'hui, sur une friture d'ablettes par exemple.

Gilles Labry, 71360 Saisy, tél. 03.85.82.94.02, fax 03.85.92.94.02, labrygilles@orange.fr r.-v.

HENRI LATOUR ET FILS 2010 ★

4 800 | 5 à 8 €

Viticulteurs depuis sept générations à Auxey-Duresses, les Latour exploitent un vignoble de 15,25 ha, dont 75 % sur leur commune, le reste à Saint-Romain et à Meursault. Un tiers de cette surface est dédié à ce hautes-côtes complet, qui s'ouvre sur des parfums intenses et complexes de fruits à l'eau-de-vie, de pivoine et de tabac brun. Après une attaque nette et vive suit une bouche de bonne concentration, solidement charpentée mais sans excès, boisée avec discernement qui offre une belle finale fruitée (fraise des bois). Un vin bien construit et apte à une garde de quatre ou cinq ans.

Henri Latour et Fils, rte de Beaune, 21190 Auxey-Duresses, tél. 03.80.21.65.49, fax 03.80.21.63.08, h.latour.fils@wanadoo.fr r.-v.

DOM. SÉBASTIEN MAGNIEN Clos de la Perrière 2010

n.c. | 8 à 11 €

Originaire des Hautes-Côtes, Sébastien Magnien est installé depuis 2004 à Meursault. Le retour aux sources familiales a lieu à chaque fois qu'il va travailler ce clos placé sur les hauteurs de Meloisey dont il tire ici un 2010 de bonne facture. Au nez, les fruits noirs et la cerise se mêlent à l'amande douce et à un boisé discret. En bouche, les tanins ne se cachent pas, mais ils sont bien enrobés par une matière fraîche et fruitée. Parfait pour des œufs en meurette dans l'année qui vient.

Dom. Sébastien Magnien, 6, rue Pierre-Joigneaux, 21190 Meursault, tél. 03.80.21.28.57, fax 03.80.21.62.80, seb.magnien@yahoo.fr r.-v.

MANOIR DE MERCEY Clos des Dames 2010 ★

8 000 | 5 à 8 €

Le Clos des Dames est, selon son propriétaire et vinificateur Xavier Berger, la référence du domaine en appellation hautes-côtes-de-beaune. Les dégustateurs l'ont jugé très réussi dans sa version 2010. Ils ont apprécié son bouquet aux senteurs douces de mangue et de vanille, agrémenté de notes de pain grillé. Douce aussi est la bouche, imprégnée des arômes perçus à l'olfaction, une belle vivacité lui apportant de l'équilibre et lui faisant jouer les prolongations en finale. À déboucher dès maintenant sur une verrine aux deux saumons.

Dom. Berger-Rive, Manoir de Mercey, 2, rue Saint-Louis, 71150 Cheilly-lès-Maranges, tél. 03.85.91.13.81, fax 03.85.91.17.06, contact@berger-rive.fr r.-v.

Xavier Berger

MAISON AYMERIC MAZILLY 2010 ★

2 900 | 8 à 11 €

Dix-huit hectares, ce n'est pas rien quand on exploite en Bourgogne ; cela vous classe parmi les plus grands domaines en production. Et l'on peut y ajouter depuis 2003 une activité de négoce conduite par le fils, Aymeric. Côté négoce justement, ce blanc a séduit les dégustateurs par son élégante robe d'or, brillante et limpide, par son bouquet intense, fruité et légèrement anisé, et par son palais rond et charnu, soutenu par une délicate minéralité qui lui donne de la longueur, du tonus et de l'élégance. On pourra attendre ce vin deux ou trois ans avant de lui servir un plateau de fruits de mer. Toujours proposé par le négoce, le **2010 rouge (11 à 15 € ; 8 000 b.)** est cité pour sa structure bien construite et son fruité fin. À boire dans les deux prochaines années. Côté domaine Mazilly Père et Fils, deux vins sont également retenus : le **2010 rouge (2 820 b.)**, une étoile pour son palais rond, fin et puissant à la fois, et le **2010 blanc La Perrière (2 500 b.)**, cité pour ses parfums plaisants de fleurs blanches et d'épices douces, et pour son équilibre en bouche entre fraîcheur et rondeur.

Maison Aymeric Mazilly, 3, pl. de l'Europe, 21190 Meursault, tél. 03.80.26.02.00, fax 03.80.26.03.67, claudinemazilly@orange.fr r.-v.

DOM. DU CH. DE MELIN 2010 ★★

30 000 | 5 à 8 €

Arnaud Derats a déplacé ses caves de Sampigny-lès-Maranges, dont il est originaire, vers une cuverie nouvelle attenante à son château de Melin, dans la commune d'Auxey-Duresses. Sous son impulsion, le domaine familial est passé de 15 à 22 ha, lesquels seront certifiés en agriculture biologique en 2012. Fer de lance du domaine, cette cuvée, qui n'a rien de confidentiel, séduit d'emblée par son bouquet fin et expressif, où le pinot s'exprime à travers des notes de fruits rouges mûrs. La bouche se révèle ample, généreuse, puissante et riche, étayée par une belle fraîcheur sans jamais se départir toutefois d'une réelle élégance. Une longue finale, intense et tonique, achève de convaincre. Déjà harmonieuse, cette bouteille est armée pour une garde de trois ou quatre ans, et plus encore.

Ch. de Melin, hameau de Melin, 21190 Auxey-Duresses, tél. 03.80.21.21.19, fax 03.80.21.21.72, derats@chateaudemelin.com t.l.j. 10h-19h

Derats

CHRISTIAN ET PASCAL MENAUT La Jolivode 2009 ★

12 800 | 8 à 11 €

Cette Jolivode bien connue des lecteurs (on se souvient notamment d'un coup de cœur pour le millésime 2007) revient drapée dans une élégante robe grenat aux reflets violets, le nez ouvert sur les fruits rouges et les

La Côte de Beaune

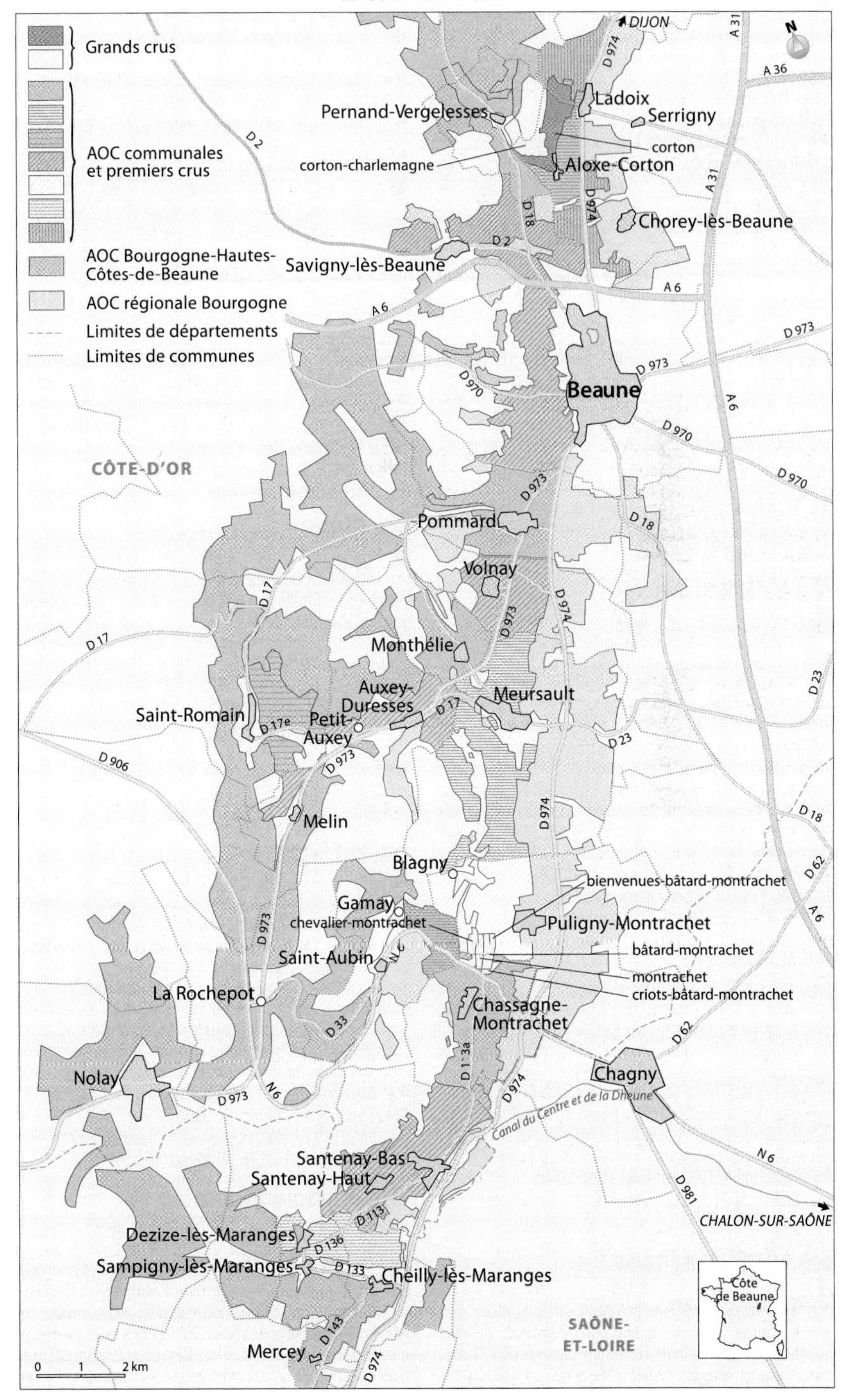

senteurs florales associés à une touche de vanille. Après une attaque fraîche, elle dévoile des tanins au grain fin et soyeux, et une longue finale sur le noyau de cerise. Un vin très harmonieux, qui joue sur la finesse plutôt que sur la puissance. On peut le boire dès maintenant ou l'attendre deux à quatre ans, et l'accompagner d'un soumaintrain fermier ou d'un pot-au-feu de canard.

EARL Christian et Pascal Menaut, 4, rue Chaude, 21190 Nantoux, tél. 03.80.26.07.72, fax 03.80.26.01.53 r.-v.

ALAIN ET GILLES MONTCHOVET Vieilles Vignes 2010 ★

1 500 | 5 à 8 €

Depuis 2007, le fils a rejoint son père sur les presque 12 ha que compte l'exploitation familiale. 1,5 ha de ceps de pinot noir âgés de soixante ans sont dédiés à ce 2010 de caractère. Le nez évoque la cerise et le cassis sur un fond boisé intense (fumé, grillé), des notes d'humus en complément. La bouche apparaît généreuse et ronde, structurée par des tanins et un boisé bien présents, dont la puissance est cependant maîtrisée et relevée par une finale aux nuances poivrées. À attendre deux ou trois ans, cette bouteille accompagnera volontiers du gibier en sauce.

Alain et Gilles Montchovet, rue Rocault, 21190 Nantoux, tél. et fax 03.80.26.03.26, gilles.montchovet@orange.fr r.-v. 2

DOM. ÉRIC MONTCHOVET 2009

6 500 | 5 à 8 €

Les Montchovet font partie des familles vigneronnes installées de longue date dans le village de Meloisey. Éric s'est émancipé en 1987 et a fondé son exploitation il y a vingt-cinq ans. Les ceps de pinot à l'origine de ce vin ont eux cinquante ans. Ils s'expriment à travers un joli bouquet de fruits rouges (cerise, framboise), qui se prolonge, accompagné de notes boisées, dans une bouche aux tanins fins, un rien plus sévères en finale toutefois. Mais l'ensemble est harmonieux et l'on pourra l'apprécier dès l'automne sur un pavé de bœuf. Deux ou trois ans d'attente ne sont pas non plus préjudiciables.

Éric Montchovet, au Château, 21190 Nantoux, tél. 03.80.26.00.68, eric.montchovet@free.fr t.l.j. sf dim. 8h-12h 13h30-18h30

PASCAL MURE 2009

n.c. | 8 à 11 €

Basé à Volnay depuis 1987, sur la route des Vins, Pascal Mure exploite un vignoble de 9 ha. Il propose ici un 2009 qui a connu douze mois de cuve, afin de conserver de la fraîcheur dans un millésime plutôt solaire. Au nez, la douceur des fleurs blanches s'associe à la vivacité des agrumes. La bouche se révèle légère et équilibrée « c'est à la fois discret et savoureux », selon un juré. À boire au cours des deux prochaines années, sur un poisson grillé.

Pascal Mure, 2, Grande-Rue, 21190 Volnay, tél. et fax 03.80.21.61.15, contact@domaine-mure.com r.-v.

DOM. HENRI NAUDIN-FERRAND 2010

8 300 | 8 à 11 €

Le village de Magny-lès-Villers est la frontière géographique qui sépare les hautes-côtes-de-beaune de leurs voisines nuitonnes. Claire Naudin résume sa philosophie par un axiome simple : « Aller à l'essentiel. » Et cette cuvée ne fait pas de détour pour dévoiler ses parfums intenses de fraise des bois, de cerise et de cassis mûrs, qui se prolongent dans une bouche ronde, de bonne longueur, étayée par des tanins fins. À ouvrir au cours des deux ans à venir.

Dom. Henri Naudin-Ferrand, 12, rue du Meix-Grenot, 21700 Magny-lès-Villers, tél. 03.80.62.91.50, fax 03.80.62.91.77, info@naudin-ferrand.com r.-v.

NAUDIN-VARRAULT 2010 ★

3 800 | 11 à 15 €

Cette ancienne maison de négoce a été reprise en 1985 par la maison Prosper Maufoux et regroupée en 1994 au sein des activités de la Maison des Grands Crus de Santenay. Elle propose un 2010 de caractère, qui exhale d'intenses parfums de cerise noire et de cassis sur fond boisé. La bouche est puissante, charnue, adossée à de solides tanins et à un bon boisé, qui laisse les fruits s'exprimer. On laissera cette bouteille sagement mûrir en cave encore trois ou quatre ans, avant de lui réserver un bœuf bourguignon ou un baeckeoffe.

Naudin-Varrault, 1, pl. du Jet-d'Eau, 21590 Santenay, tél. 03.80.20.60.40, fax 03.80.20.63.26, maisondesgrandscrus@orange.fr 4

Maison des Grands Crus

DOM. PARIGOT Clos de la Perrière 2010

30 000 | 11 à 15 €

Après trois coups de cœur consécutifs, la cuvée phare de la famille Parigot, version 2010, n'atteint certes pas les sommets de ses « grandes sœurs », mais elle a quelques beaux arguments à faire valoir : une jolie robe pourpre aux reflets violets de jeunesse ; un nez harmonieux de fruits sauvages, la prunelle notamment, sur fond toasté ; du volume en bouche soutenu par des tanins frais et intenses, bien dans le style du millésime. Cette bouteille obtiendra son étoile vers 2015-2016 sur un rosbif aux cèpes.

Dom. Parigot, rte de Pommard, 21190 Meloisey, tél. 03.80.26.01.70, fax 03.80.26.04.32, domaine.parigot@orange.fr r.-v.

DOM. DU PRIEURÉ 2010 ★

10 300 | 5 à 8 €

Né de ceps âgés de trente ans, ce 2010 signé Jean-Michel Maurice se présente dans une robe rubis, le nez empreint de fines senteurs de rose et de framboise nuancées par une touche de grillé. Le palais, ample et élégant, dévoile une structure tannique carrée mais sans brutalité, enrobée par une chair onctueuse et délicate. La dégustation s'achève sur une longue finale épicée, soutenue par une agréable fraîcheur. On peut envisager une garde de deux ou trois ans avant de réserver cette bouteille à un coq au vin.

Dom. du Prieuré, 23, rte de Beaune, 21420 Savigny-lès-Beaune, tél. 03.80.21.54.27, fax 03.80.21.59.77, maurice.jean-michel@wanadoo.fr t.l.j. 8h-12h 13h30-18h30 2

♥ DOM. CHRISTIAN REGNARD 2010 ★★

1 000 | 5 à 8 €

Deuxième apparition dans le Guide en deux ans, et deuxième coup de cœur pour Christian Regnard et son fils Florian, à ses côtés depuis 2010 sur l'exploitation familiale de Sampigny, l'un des trois *villages* de l'appellation maranges. Après un bourgogne blanc 2009 l'an dernier, place à ce hautes-côtes jaune doré, au nez expressif et élégant de fruits frais et de vanille, à la bouche ample, persistante et parfai-

tement équilibrée entre richesse et vivacité, avec toujours ce boisé délicat et mesuré à l'arrière-plan. Déjà très harmonieux, ce vin peut d'ores et déjà accompagner une poêlée de cuisses de grenouilles à la persillade, mais aussi attendre sagement en cave pendant deux ou trois ans. La cuvée **2010 rouge La Servotte (2 800 b.)** est quant à elle citée pour son fruité fin et sa souplesse.

Christian Regnard, 9, rue Saint-Antoine, 71150 Sampigny-lès-Maranges, tél. 03.85.91.10.43, regnardc@wanadoo.fr r.-v.

DOM. JOËL REMY Le Roncin 2010

n.c. | 8 à 11 €

Les hautes-côtes peuvent indiquer sur l'étiquette le nom de la parcelle d'où est issu le vin. Ici, Le Roncin et son terrain argilo-calcaire, sec et pentu, planté de ceps de trente ans d'âge. Ce 2010 jaune pâle et brillant livre un bouquet délicat et complexe de fleurs blanches, de noisette et d'épices (girofle, safran). Vif en attaque, le palais se montre ensuite plus riche et rond, escorté par des notes d'agrumes bien mûres. À boire dans l'année sur un tajine de poisson.

Dom. Joël Remy, 4, rue du Paradis, 21200 Sainte-Marie-la-Blanche, tél. 03.80.26.60.80, fax 03.80.26.53.03, domaine.remy@wanadoo.fr t.l.j. sf dim. 8h-12h 14h-18h

LUCIEN ET FANNY ROCAULT 2009

3 200 | 8 à 11 €

Un nouveau nom dans le Guide. Les Rocault cultivent la vigne à l'ombre imposante des falaises d'Orches depuis 1470 et dix-huit générations. Lucien s'est installé en 2009 sur une partie du vignoble familial, cédé par ses parents, qu'il convertit à l'agriculture biologique et exploite dans « l'esprit biodynamique ». Il signe son premier millésime, qui est une réussite. Vêtu d'une robe couleur citron, ce 2009 dévoile des parfums subtils de fleurs blanches et de peau d'orange. La bouche, imprégnée par un joli fruité, penche vers la vivacité et la légèreté. À boire dans les deux ou trois ans à venir, sur un poisson de rivière au beurre blanc.

NOUVEAU PRODUCTEUR

Lucien et Fanny Rocault, Orches, 21340 Baubigny, tél. 06.19.60.70.96, fax 03.80.21.85.95, lucienrocault@gmail.com r.-v.

DOM. DE LA ROCHE AIGUË Les Poinsottes 2010 ★

2 064 | 8 à 11 €

Florence et Éric Guillemard, à la tête d'un vignoble de 15,5 ha en auxey-duresses, saint-romain, meursault et pommard, consacrent 43 ares de ces Poinsottes à l'élaboration d'un blanc à la robe jaune brillante et limpide. Les fleurs blanches, les fruits à noyau et quelques notes acidulées composent un bouquet fin et frais. On retrouve cette fraîcheur dans une bouche expressive, sur les agrumes, une touche minérale en soutien, franche, longue et bien équilibrée. Deux années de cave suffiront à arrondir l'ensemble que l'on accordera à un poisson au beurre blanc. La cuvée **2010 rouge La Dalignère (4 430 b.)** est citée pour ses « parfums de fraise fraîchement cueillie », comme le voit un dégustateur, et pour son palais ferme et boisé avec mesure. À déboucher au cours des deux ou trois ans à venir sur gigot d'agneau façon boulangère.

EARL La Roche Aiguë, Melin, 21190 Auxey-Duresses, tél. 03.80.21.28.33, fax 03.80.21.63.55, guillemarderic@wanadoo.fr r.-v.

Guillemard

BOURGOGNE

Ladoix

Superficie : 94 ha
Production : 4 065 hl (75 % rouge)

Porte de la Côte de Beaune, cette appellation mériterait d'être mieux connue. Elle porte le nom d'un des trois hameaux de la commune de Ladoix-Serrigny, situé sur la RN 74, les deux autres étant Serrigny, près de la ligne de chemin de fer, et Buisson. Ce dernier est situé exactement à la frontière géographique des Côtes de Nuits et de Beaune, marquée par la combe de Magny. Au-delà commence la montagne de Corton, aux grandes pentes à intercalations marneuses, constituant avec toutes ses expositions, est, sud et ouest, l'une des plus belles unités viticoles de la Côte.

Ces différentes situations contribuent à la variété des ladoix rouges, auxquels s'ajoute une production de vins blancs mieux adaptés aux sols marneux de l'argovien ; c'est le cas des Gréchons, par exemple, *climat* situé sur les mêmes niveaux géologiques que les corton-charlemagne, plus au sud, et qui donnent des vins très typés.

Autre particularité : bien que jouissant d'une classification favorable donnée par le Comité de viticulture de Beaune en 1860, Ladoix ne possédait pas de 1ers crus, omission qui a été réparée par l'INAO en 1978 : La Micaude, La Corvée et Le Clou d'Orge, aux vins de même caractère que ceux de la Côte de Nuits, Les Mourottes (basses et hautes), de tempérament sauvage, Le Bois-Roussot, Sur la Lave, sont les principaux de ces 1ers crus.

MAISON AMBROISE Les Gréchons 2010 ★

1er cru | 2 074 | 20 à 30 €

François Ambroise, en charge des travaux de la vigne et des vinifications, et sa sœur Ludivine, qui s'occupe des clients et de la partie administrative, ont repris l'exploitation familiale en 2009 ainsi que la partie négoce, dont est issu ce 1er cru. Du verre exhalent des parfums soutenus d'agrumes, de litchi et de fleurs blanches. À ce bel accueil succède un palais charnu gorgé de fruits, agrémenté d'un côté beurré et vivifié par une petite acidité de jeunesse. Une bouteille à marier dans l'année avec une poêlée de gambas saisies au wok.

Maison Ambroise, 8, rue de l'Église, 21700 Premeaux-Prissey, tél. 03.80.62.30.19, fax 03.80.62.38.69, maison.ambroise@orange.fr r.-v.

DOM. D'ARDHUY Le Rognet 2009

1er cru 5 500 20 à 30 €

Carel Voorhuis, le plus bourguignon des vinificateurs bataves, aux commandes du chai depuis 2003, signe un 2009 qui aurait sans nul doute ravi le fondateur du domaine, Gabriel d'Ardhuy, disparu en 2009. Dans le verre, l'or jaune est de rigueur. Au nez, la noisette et l'amande jouent des coudes pour mettre en lumière leurs parfums. Le palais, ample et riche, dévoile un boisé de qualité mais qui demande encore à se fondre (deux à trois ans). On pourra alors servir ce 1er cru sur un wok de nouilles asiatiques aux crevettes et au gingembre.

Dom. d'Ardhuy, Clos des Langres, 21700 Corgoloin, tél. 03.80.67.98.73, fax 03.80.62.95.15, domaine@ardhuy.com r.-v.

DOM. BONNARDOT Les Ranches 2009 ★

1 700 11 à 15 €

2009 est la première année en solo pour Danièle Bonnardot qui, après vingt ans de carrière dans l'informatique financière, a repris les rênes du domaine familial. De ce *climat* qui doit son nom à un ancien terrain couvert de ronces, elle tire un vin au nez complexe de mûre et de petits fruits rouges agrémenté d'une pointe d'épices. Si la bouche se révèle dense, adossée à des tanins compacts, elle ne se départit jamais d'une réelle élégance et d'un plaisant côté aérien. Un ladoix à attendre au moins trois ans et recommandé par la vigneronne sur des cailles farcies en cocotte.

Dom. Bonnardot, 1, rue de l'Ancienne-Cure, 21700 Villers-la-Faye, tél. 03.80.62.91.27, fax 03.80.62.72.89, domaine.bonnardot@wanadoo.fr
t.l.j. 9h-12h 14h-18h30; dim. sur r.-v.

DIDIER BURELLE 2009

2 800 8 à 11 €

Trois hectares tout rond suffisent au bonheur de Didier Burelle pour récolter des raisins sur pas moins de sept appellations, de Pommard à Ladoix. Ce 2009 rouge profond aux reflets violacés s'ouvre sur un bouquet plaisant de groseille et de framboise bien mûres. En bouche, il dévoile une trame tannique bien présente mais sans agressivité et se voit rehaussé en finale par une touche poivrée. Pour un rôti de biche d'ici 2015-2016.

Didier Burelle, 25, rue d'Aloxe-Corton, 21200 Chorey-lès-Beaune, tél. et fax 03.80.22.76.65, dne.burelle.dc@orange.fr r.-v.

DOM. CACHAT-OCQUIDANT Les Madonnes Vieilles Vignes 2010

2 800 11 à 15 €

Comme à son habitude, Jean-Marc Cachat et son fils David n'oublient pas de réussir leur ladoix et, comme souvent, c'est la cuvée de vieilles vignes, née sur ce climat proche de la Côte de Nuits, qui s'illustre. De couleur pourpre soutenu, elle affiche au nez une belle présence fruitée, framboise en tête, associée à un boisé fondu. Après une attaque gourmande et fraîche, elle dévoile une matière ronde et concentrée, portée par une trame acide bien ajustée. Deux ans de garde la mettront à portée de brochettes de volailles marinées.

Dom. Cachat-Ocquidant, 3, pl. du Souvenir, Cidex 1, 21550 Ladoix-Serrigny, tél. 03.80.26.45.30, fax 03.80.26.48.16, domaine.cachat@wanadoo.fr r.-v.

CAPITAIN-GAGNEROT Les Gréchons et Foutrières 2010 ★

1er cru 6 000 20 à 30 €

Ce *climat*, le deuxième de l'appellation par sa superficie, situé à plus de 300 m d'altitude sur la colline de Ladoix, doit son nom à monsieur Gréchon, qui fut propriétaire du bois voisin. Cette vénérable exploitation familiale signe un 1er cru élégant dans sa robe jaune clair et brillante. Fleurs blanches et fruits frais agrémentés d'une touche de cannelle composent un aimable bouquet. Le palais se révèle gras, concentré et long, avec une juste vivacité en soutien. Bref, un vin équilibré que l'on pourra mettre à l'abri de la lumière au moins deux années. Né en bas de la colline de Corgoloin, le **1er cru 2009 rouge La Micaude Monopole (8 500 b.)** est cité pour ses senteurs buissonnières de fraise des bois, pour sa matière ronde, gourmande et fine. Premiers millésimes pour Pierre-François Capitain et une belle réussite.

Capitain-Gagnerot, 38, rte de Dijon, 21550 Ladoix-Serrigny, tél. 03.80.26.41.36, fax 03.80.26.46.29, contact@capitain-gagnerot.com r.-v.

CLAUDE CHEVALIER Les Gréchons 2009 ★

1er cru n.c. 20 à 30 €

Claude Chevalier ne peut que se féliciter d'avoir monté il y a vingt ans une activité de négoce en achats de raisin complétant ainsi sa gamme déjà large au domaine. En bon « régional de l'étape », il voit ses ladoix (mais pas seulement) régulièrement retenus dans le Guide. Ici, deux vins sélectionnés. En tête, ce 2009 né sur le climat d'altitude des Gréchons ; un vin brillant et limpide, au nez d'amande fraîche et de pain grillé, ample, dense et long en bouche. Encore dominé par le bois, on l'attendra deux à quatre ans. Le **1er cru 2009 rouge Les Corvées (7 000 b.)** est cité pour son bouquet généreux de fruits noirs et de boisé et pour son palais puissant aux tanins consistants. À garder cinq ans en cave.

SARL Claude Chevalier, hameau de Buisson, Cidex 18, 21550 Ladoix-Serrigny, tél. 03.80.26.46.30, fax 03.80.26.41.47, contact@domaine-chevalier.fr r.-v.

DOM. GAGEY 2009

n.c. 20 à 30 €

Né de vignes appartenant à la famille de Pierre-Henri Gagey, PDG de la Maison Jadot, ce ladoix se présente dans une robe brillante d'or blanc. Parfums de chèvrefeuille et de camomille composent un nez des plus floraux agrémenté d'un boisé discret apporté par six mois de fût. On retrouve les arômes d'élevage aux côtés de l'amande et de la noisette grillées dans une bouche fine et fraîche. À boire dans l'année sur une volaille.

Louis Jadot, 21, rue Eugène-Spuller, 21200 Beaune, tél. 03.80.22.10.57, fax 03.80.22.56.03, maisonlouisjadot@louisjadot.com r.-v.

Famille Kopf

DOM. DE LA GALOPIÈRE 2009

3 000 11 à 15 €

Claire et Gabriel Fournier fêtent en 2012 les trente ans de leur domaine de Bligny-lès-Beaune. Les ceps à l'origine de ce ladoix ont le même âge. Ils donnent naissance à un vin rouge profond, au nez minéral et réglissé, offrant beaucoup de matière en bouche et des tanins bien présents et encore un peu austères. On laissera donc se bonifier ce vin deux ou trois ans à l'ombre d'une bonne cave avant de l'accompagner d'un lapin aux airelles.

Claire et Gabriel Fournier,
Dom. de la Galopière, 6, rue de l'Église,
21200 Bligny-lès-Beaune, tél. 06.75.52.23.82,
fax 03.80.21.49.93, cgfournier@wanadoo.fr
r.-v.

FRANÇOIS GAY ET FILS 2009

	3 090		11 à 15 €

Ce domaine de Chorey exploite 49 ares sur la commune voisine de Ladoix. Il en tire ce 2009 couleur cerise noire aux reflets violacés, au nez de groseille et de framboise agrémenté d'une touche de bergamote. Fruitée et ronde, la bouche est adossée à des tanins serrés. Ce vin met en valeur le côté puissant de l'appellation et son aptitude à la garde : à ouvrir entre 2015 et 2018 avec une terrine de lapin aux herbes.

EARL François Gay et Fils, 9, rue des Fiètres,
21200 Chorey-lès-Beaune, tél. 03.80.22.69.58,
fax 03.80.24.71.42, dom.gay.francois.fils@orange.fr
r.-v.

DOM. JACOB 2010 ★

	18 000		11 à 15 €

La famille Jacob, originaire de Ladoix, s'illustre régulièrement pour sa production de ladoix blanc ; elle est à nouveau au rendez-vous avec ce 2010 loin d'être confidentiel. Vêtu d'une robe claire lumineuse, ce dernier dévoile des parfums délicats de fleurs jaunes, de citron et de fruits exotiques, que l'on retrouve dans une bouche vive et longue. Un vin équilibré et tonique, à boire ou à conserver un an. Cité, le **ladoix 2010 rouge (15 000 b.)** séduit par son bouquet « très pinot » (cerise griotte) un rien torréfié et par son palais frais aux tanins serrés. À attendre trois ans.

Dom. Jacob, hameau de Buisson, Cidex 20 bis,
21550 Ladoix-Serrigny, tél. 03.80.26.40.42, fax 03.80.26.49.34,
domainejacob@orange.fr r.-v.

DOM. MICHEL MALLARD ET FILS La Corvée 2009 ★★

1er cru	4 500		20 à 30 €

Ce domaine de 13 ha, situé sur la route des Vins au cœur de Ladoix, retrouve la plus haute marche déjà obtenue avec son Clos Royer 2006. Ici, un 1er cru La Corvée drapé dans une robe sombre, couleur cerise noire, qui respire le fruit (cassis, mûre, framboise), mâtiné de notes de café torréfié. Corsetée par des tanins souples et élégants, la bouche, ample et charnue, offre un fruité tout aussi généreux et légèrement vanillé. De l'élégance à revendre et beaucoup de gourmandise dans ce vin déjà fort aimable mais apte aussi à une garde de trois ou quatre ans. Le **2009 rouge Clos Royer (15 à 20 € ; 3 000 b.)** obtient une étoile. Ses arguments ? Fruits noirs et violette au nez, trame tannique serrée, belle fraîcheur en soutien et boisé vanillé qui doit encore se fondre.

Michel Mallard et Fils, 43, rte de Dijon, Cidex 14,
21550 Ladoix-Serrigny, tél. 03.80.26.40.64, fax 03.80.26.47.49,
domainemallard@hotmail.fr r.-v.

BOURGOGNE

DOM. CHRISTIAN PERRIN Sur les Vris 2010

	1 500		11 à 15 €

Ce domaine familial de Ladoix, en bio depuis 2005, est situé sur un ancien cimetière mérovingien. Et les découvertes faites lors du creusement des caves sont exposées au caveau. Les visiteurs œnophiles y feront d'autres trouvailles plus gourmandes, comme ce 2010 or clair, aux parfums de fleurs jaunes et d'agrumes, dont l'attaque fruitée réveille les papilles, relayée ensuite par une douce saveur de pain d'épice. Un flacon déjà prêt à être associé à un carpaccio de truite saumonée fumée.

Dom. Christian Perrin, 14, av. de Corton, Cidex 5 bis,
21550 Ladoix-Serrigny, tél. 03.80.26.40.93, fax 03.80.26.48.40,
domaine-perrin@orange.fr r.-v.

CH. DE POMMARD 2009 ★★

	1 500		20 à 30 €

Premier coup de cœur pour Emmanuel Sala, successeur depuis 2007 de Philippe Charlopin aux vinifications du château de Pommard. C'est ici la partie négoce du domaine qui est mise en avant. Un bel or pâle, brillant et limpide, illumine le verre. Au nez, les fleurs blanches se mêlent aux agrumes et à l'amande grillée sur fond de pierre mouillée. Une attaque franche et sincère ouvre sur un palais gras et tout en finesse, un élégant boisé vanillé et toasté accompagnant la longue finale. Une petite année d'attente est conseillée avant de savourer ce ladoix sur un dos de sandre au beurre blanc.

Ch. de Pommard,
SARL Caves de la Propriété, 15, rue Marey-Monge,
21630 Pommard, tél. 03.80.22.12.59, fax 03.80.24.65.88,
contact@chateaudepommard.com
t.l.j. 9h30-18h30
M. Giraud

DOM. PRIN 2010

■	2 400	🍷	11 à 15 €

Coup de cœur de notre édition précédente pour son 2009, ce domaine conduit par Jean-Luc Boudrot signe à partir de vignes quinquagénaires un 2010 prometteur mais encore sur la réserve. Le nez laisse poindre quelques notes de cerise noire. La bouche offre du volume et de la persistance, portée par une bonne vivacité, mais elle doit encore s'ouvrir. À attendre trois ans avant de lui réserver des suprêmes de dinde marinés relevés d'une touche de curry.

Dom. Prin - Jean-Luc Boudrot,
2, rue Saint-Marcel, Cidex 44, 21550 Ladoix-Serrigny,
tél. 03.80.26.45.83, fax 03.80.26.46.16, domaineprin@yahoo.fr
r.-v.

Aloxe-corton

Superficie : 118 ha
Production : 4 380 hl (98 % rouge)

Encerclé par les vignes, Aloxe-Corton est l'un des trois villages établis au pied de la Montagne de Corton, à l'extrémité nord de la Côte de Beaune. Les terroirs les plus réputés sont situés sur la pente, en grand cru (corton et corton-charlemagne) et en 1er cru, sur des terrains marneux et calcaires. Parmi ces derniers, Les Maréchaudes, Les Valozières, Les Lolières (Grandes et Petites) sont les plus connus. Plusieurs châteaux aux tuiles vernissées méritent le coup d'œil.

DOM. ARNOUX PÈRE ET FILS Les Fournières 2009

■ 1er cru	1 100	🍷	20 à 30 €

Ce lieu-dit, qui tire son nom d'anciens fours à charbon utilisés autrefois pour le travail du fer, est situé sous le grand cru corton Les Perrières ; on a connu pire voisinage. Il donne ici naissance à un vin grenat brillant, au nez complexe, mêlant les petits fruits noirs (cassis, mûre), la figue, le pruneau et le toasté de la barrique, bien structuré en bouche, frais, minéral et droit. À déguster dans les deux ans à venir, sur un canard aux cerises.

Arnoux Père et Fils, 5, rue de Ley,
21200 Chorey-lès-Beaune, tél. 03.80.22.57.98,
fax 03.80.22.16.85, arnoux.pereetfils@wanadoo.fr r.-v.

MARC BROCOT 2009

■	1 100	🍷	15 à 20 €

Basé à Marsannay, Marc Brocot doit traverser toute la Côte de Nuits pour mettre un pied dans sa vigne d'Aloxe. Il en revient avec une citation pour ce 2009 et le plaisir de faire goûter à ses clients un tanin différent de sa Côte natale. Au carmin soutenu de la robe répond l'intensité fruitée du cassis et des épices accompagnée d'une touche grillée venue du tonneau. Après une attaque souple et fraîche, des tanins fins mais solides dévoilent une constitution de garde. Vers 2015, ils seront patinés à souhait et prompts à être associés à un rôti de bœuf à l'oignon caramélisé.

Marc Brocot, 34, rue du Carré, 21160 Marsannay-la-Côte,
tél. 03.80.52.19.99, fax 03.80.59.84.39,
brocot.viticulteur@orange.fr r.-v.

DOM. CHEVALIER PÈRE ET FILS 2009 ★★

■	4 000	🍷	20 à 30 €

Une valeur sûre de l'appellation, dont le *village* est régulièrement sélectionné dans le Guide. Sur les 82,8 ha que compte aloxe-corton au niveau communal, Claude Chevalier et deux de ses cinq filles, Julie et Chloé, en récoltent près de 2 ha, soit plus de 10 % de son exploitation. Le résultat est remarquable. Paré d'une robe grenat soutenu, ce 2009 livre un bouquet puissant « très pinot », où la griotte mène la danse au milieu des fruits mûrs. On retrouve ces derniers autour d'une structure tannique ferme qui tient longuement la bouche en haleine. À garder en cave entre trois et cinq ans.

Chevalier Père et Fils, hameau de Buisson, Cidex 18,
21550 Ladoix-Serrigny, tél. 03.80.26.46.30, fax 03.80.26.41.47,
contact@domaine-chevalier.fr r.-v.

DOM. DOUSSOT-ROLLET 2009 ★

■	2 000	🍷	15 à 20 €

Ce domaine, créé en 1996, revendique un mode de vinification traditionnelle avec un passage de douze mois en fût et de huit en cuve pour ce 2009 né de ceps âgés de soixante-cinq ans. La robe sombre et profonde annonce un bouquet puissant de fruits noirs (mûre, myrtille) accompagnés de quelques notes musquées. La bouche se révèle tout aussi intense, solidement charpentée, riche, dense et pourvue d'une longue finale réglissée. À attendre trois ans avant de lui réserver une belle pièce de gibier, un civet de marcassin par exemple.

Dom. Doussot-Rollet, 7, rte de Serrigny,
21200 Chorey-lès-Beaune, tél. et fax 03.80.22.41.98,
doussot-rollet@orange.fr r.-v.

CAPITAIN GAGNEROT Les Moutottes 2009 ★

■ 1er cru	6 000	🍷	20 à 30 €

Situé dans la commune de Ladoix, ce *climat* est classé pour moitié en grand cru corton, pour moitié en 1er cru, dont ce domaine familial exploite 1,45 ha. Jean-François Capitain en a pris les rênes en 2009 après des stages à Châteauneuf-du-Pape, au Québec et en Nouvelle-Zélande. Son vin, lui, est revenu de la dégustation du Guide auréolé d'une étoile pour ses parfums de fruits noirs mûrs (cassis en tête) complexifiés par des notes plus « sauvages » et musquées associées à un boisé bien fondu, ainsi que pour sa bouche ample, suave et charnue, soutenue par des tanins ronds. « Très 2009 », il pourra accompagner dès l'automne un rôti de porc aux airelles ou être attendu jusqu'en 2018.

Capitain-Gagnerot, 38, rte de Dijon,
21550 Ladoix-Serrigny, tél. 03.80.26.41.36, fax 03.80.26.46.29,
contact@capitain-gagnerot.com r.-v.

FRANÇOIS GAY ET FILS 2009

■	4 550	🍷	15 à 20 €

La parcelle de 73 ares d'aloxe-corton cultivée par cette exploitation familiale de Chorey représente tout juste 10 % de la surface totale du domaine. Après dix-huit mois de fût (dont 25 % de fûts neufs), ce 2009 présente la couleur carminée caractéristique du millésime et un bouquet harmonieux de fruits rouges et de notes boisées. Souple et franc en attaque, le palais dévoile des tanins

agréables et fins, un peu plus stricts en finale, qu'une garde de un an ou deux devrait adoucir. Une belle rencontre gustative en perspective avec une quiche à l'époisses.
EARL François Gay et Fils, 9, rue des Fiètres, 21200 Chorey-lès-Beaune, tél. 03.80.22.69.58, fax 03.80.24.71.42, dom.gay.francois.fils@orange.fr
r.-v.

MICHEL GAY ET FILS 2009 ★

	7 000		15 à 20 €

Ce domaine familial propose un aloxe de caractère, né de vignes plus que cinquantenaires, élevé dix-huit mois en fût, qui offre un bouquet de fruits mûrs, tendance cerise à l'eau-de-vie, évoluant à l'agitation vers des notes de café. Dans le prolongement, la bouche dévoile des tanins puissants et fermes qui assureront à ce vin intense une garde de trois à cinq ans.
Dom. Michel Gay et Fils, 1, rue des Brenots, 21200 Chorey-lès-Beaune, tél. 03.80.22.22.73, fax 03.80.22.95.78, michelgayetfils@orange.fr r.-v.

CHRISTIAN GROS 2010

	n.c.		15 à 20 €

Ce producteur installé en Côte de Nuits, régulièrement sélectionné pour son 1er cru Les Petites Lolières, s'illustre ici avec un *village* issu de vignes de cinquante ans. Paré d'une robe carmin, ce 2010 dévoile un nez élégant, d'abord floral, puis fruité et discrètement boisé à l'aération. Franc et vif en attaque, le palais affiche une structure tannique solide, d'une « austérité cistercienne », indique un juré. On attendra deux ou trois ans que cette bouteille quitte sa robe de bure.
Christian Gros, 5, rue de la Chaume, 21700 Premeaux-Prissey, tél. 03.80.61.29.74, fax 03.80.61.39.77, christian.gros10@wanadoo.fr r.-v.

DOM. JACOB Les Valozières 2010 ★

1er cru	3 300		20 à 30 €

La famille Jacob possède 54 ares de ce *climat* qui voisine avec le noble grand cru Bressandes en corton et qui tient son nom d'un petit val humide et argileux situé en limite de Ladoix-Serrigny, le val des Oziers, où poussaient autrefois des saules dont les rameaux servaient à tresser l'osier. La cerise semble tombée dans le verre, donnant sa couleur rouge soutenu à la robe et ses senteurs fraîches au bouquet, agrémenté de notes de sous-bois et d'un léger boisé. Bien équilibré entre fruité frais et tanins solidement arrimés, le palais laisse augurer une garde de trois ans et plus.
Dom. Jacob, hameau de Buisson, Cidex 20 bis, 21550 Ladoix-Serrigny, tél. 03.80.26.40.42, fax 03.80.26.49.34, domainejacob@orange.fr r.-v.

DANIEL LARGEOT 2010 ★

	2 000		15 à 20 €

Marie-France Largeot et son mari Rémy, jeunes producteurs de Chorey-lès-Beaune établis sur le domaine familial depuis 2000, signent dans l'appellation voisine un 2010 très réussi à tous les stades de la dégustation. La robe est d'un beau rubis soutenu aux reflets violacés. Le nez évoque les fruits rouges légèrement compotés, tonifiés par des notes plus fraîches de feuille de cassis. La bouche s'appuie sur des tanins fondus et soyeux et sur une fine acidité qui lui donne de l'allonge et de l'équilibre. Déjà harmonieux, ce vin peut être bu dès maintenant, mais il se conservera aussi sans crainte deux ou trois ans.
Dom. Daniel Largeot, 5, rue des Brenots, 21200 Chorey-lès-Beaune, tél. 03.80.22.15.10, fax 03.80.22.60.62, domainedaniellargeot@orange.fr
r.-v.

MICHEL MALLARD ET FILS La Toppe au vert 2009

1er cru	2 450		30 à 50 €

Ce *climat* au nom particulier mérite une explication. Première originalité, il est situé sur la commune de Ladoix-Serrigny mais classé en appellation aloxe-corton. Les terres autrefois mises en jachère étaient appelées « toppes » ou « topes ». « Au vert » vient de la couleur du sol de ce lieu humide situé en bas de coteau. Associant vendange entière et vendange égrappée à parts égales, ce 2009 à la robe cerise noire dévoile un nez élégant de cassis et de mûre, soutenu par une touche de fût de chêne. En bouche, il est dominé par une agréable impression de douceur et de maturité, qui donne envie de le boire dans sa jeunesse, mais il pourra aussi attendre deux ou trois ans. On le verrait bien sur une viande en sauce, un paleron au vinaigre par exemple.
Michel Mallard et Fils, 43, rte de Dijon, Cidex 14, 21550 Ladoix-Serrigny, tél. 03.80.26.40.64, fax 03.80.26.47.49, domainemallard@hotmail.fr r.-v.

DOM. MAREY Les Bruyères 2009 ★

	2 100		15 à 20 €

Ce domaine niché dans les Hautes-Côtes-de-Nuits a débuté son histoire viticole il y a vingt ans avec quatre rangs de vigne cultivés par les grands-parents de Frédéric Marey ; aujourd'hui, ce dernier conduit un vignoble de 18 ha. Il signe un beau classique avec ce 2009 qui exhale des parfums de cassis et de fruits rouges appuyés sur un boisé discret. Souple et frais en attaque, le palais dévoile des tanins fins qui poussent loin la finale. Laissez-le deux ou trois ans en cave et ce vin s'acoquinera à merveille avec une entrecôte sauce marchand de vin.
EARL Dom. Marey, 12-14, rue Gabriel-Bachot, 21700 Meuilley, tél. 03.80.61.12.44, fax 03.80.61.11.31, dommarey@aol.com r.-v.

DOM. NUDANT Clos de la Boulotte Monopole 2009 ★

	7 700		20 à 30 €

Ce *climat*, exploité en monopole par ce domaine très régulier en qualité, s'étend sur 1,12 ha. Il tire son nom d'un lieu jadis planté de bouleaux. Jean-René Nudant signe un 2009 rubis limpide et brillant qui se distingue de bout en bout par son élégance. Au nez, les fruits rouges frais mènent la danse. La bouche, longue et équilibrée, s'adosse à des tanins fins et soyeux, un boisé discret à l'arrière-plan. Déjà prête, cette bouteille accompagnera dès cet hiver un bœuf en daube ou des ris de veau.
Dom. Nudant, 11, rte de Dijon, BP 15, 21550 Ladoix-Serrigny, tél. 03.80.26.40.48, fax 03.80.26.47.13, domaine.nudant@wanadoo.fr
t.l.j. sf dim. 8h-12h 14h-18h; sam. sur r.-v.; f. août

PIERRE OLIVIER 2010

	17 000		15 à 20 €

Dans le giron de la maison de négoce murisaltienne Béjot, cette marque nuitonne est une habituée du Guide. Un pinot noir âgé de trente ans donne naissance à un vin d'une couleur carminée, joliment bouqueté sur les fruits rouges et le cassis, franc et souple en bouche, une pointe boisée en appoint. À découvrir dès aujourd'hui, sur une tourte bourguignonne au bœuf.

Pierre Olivier, 7, rte de Monthelie, 21190 Meursault, tél. 03.80.21.99.51, fax 03.80.21.28.05, fanny.duvernois@bejot.com

LA MAISON PAULANDS Les Paulands 2010 ★

n.c. | 20 à 30 €

Ce *climat* possède l'originalité d'être classé en 1er cru et en *village*. Il donne aussi son nom à cette maison de négoce fondée en 1898, également propriétaire d'un hôtel trois étoiles et d'un restaurant gastronomique. Après un Clos du Chapitre (1er cru) qui avait frôlé le coup de cœur dans l'édition précédente, ce 2010 obtient une belle étoile pour son bouquet expressif de fruits rouges, de sous-bois et de pruneau, et pour son palais à la fois fin et généreux, longuement soutenu par des tanins élégants qui lui assureront une garde de deux ou trois ans. Une bouteille que l'on verrait bien en compagnie d'un paleron de bœuf braisé aux endives.

Caves Paulands, D 974, 21420 Aloxe-Corton, tél. 03.80.26.41.05, fax 03.80.26.47.56, contact@lespaulands.fr
t.l.j. 8h-12h 14h-18h; f. 20 déc.-10 jan.
Christophe Fasquel

DOM. PAVELOT 2009 ★

1 200 | 15 à 20 €

L'acquisition en 2008 d'une nouvelle parcelle de vignes avait permis l'an passé à Jean-Marc et à Hugues Pavelot d'intégrer la sélection aloxe-corton. Le 2009 fait aussi bien et s'impose par son bouquet puissant de cerise et de sous-bois, et par son palais équilibré, gras et bien extrait, adossé à des tanins soyeux. On attendra trois ou quatre ans avant de venir déranger le sommeil de cette bouteille.

EARL Dom. Jean-Marc et Hugues Pavelot, 1, chem. des Guettottes, 21420 Savigny-lès-Beaune, tél. 06.61.11.47.64, fax 03.80.21.59.73, hugues.pavelot@wanadoo.fr r.-v.

DOM. CHRISTIAN PERRIN Les Boutières 2010

3 000 | 15 à 20 €

On trouve aussi ce *climat* (de « boudière » ou lieu marécageux) dans la commune voisine de Pernand-Vergelesses et à Cheilly-lès-Maranges. Christian Perrin y exploite une parcelle de 92 ares de vieilles vignes, cultivée en bio. En 2010, cela donne un vin au nez discret mais fin et frais de fruits rouges (cerise), rendu souple en bouche par des tanins fondus et s'achevant sur une jolie finale réglissée et cacaotée, souvenir d'un élevage de seize mois en pièces bourguignonnes. Voilà un bon compagnon de route pour un tajine de veau, histoire de changer d'horizons gustatifs.

Dom. Christian Perrin, 14, av. de Corton, Cidex 5 bis, 21550 Ladoix-Serrigny, tél. 03.80.26.40.93, fax 03.80.26.48.40, domaine-perrin@orange.fr r.-v.

DOM. PETITOT La Coutière 2010

1er cru | 876 | 20 à 30 €

Installés à Corgoloin depuis 2002 dans un corps de ferme du XIVe s., les époux Petitot, Nathalie et Hervé, exploitent 21 ares de ce *climat* du nord de l'appellation, côté Ladoix, calé sous le grand cru corton, dans la partie des Grandes Lolières. Ils produisent cette microcuvée rouge grenat aux reflets violets, au nez de petits fruits rouges croquants qui se prolonge dans une bouche fraîche et souple. À attendre deux ou trois ans.

Dom. Petitot, 26, pl. de la Mairie, 21700 Corgoloin, tél. 03.80.62.98.21, fax 03.80.62.71.64, domaine.petitot@wanadoo.fr r.-v.

DOM. PRIN 2010 ★

1 800 | 15 à 20 €

Quelque 5,5 ha, allant du simple bourgogne au grand cru, suffisent au bonheur de Jean-Luc Boudrot, producteur installé à Ladoix depuis 1994. Son *village* né de ceps de cinquante ans se présente dans une robe grenat brillant et livre des senteurs intenses de fruits rouges et noirs frais. Il se révèle équilibré, souple et long dès la mise en bouche, offrant une finale un rien plus austère. Bon à marier dans les deux ans avec un pavé de rumsteck sauce aux trois poivres.

Dom. Prin – Jean-Luc Boudrot, 2, rue Saint-Marcel, Cidex 44, 21550 Ladoix-Serrigny, tél. 03.80.26.45.83, fax 03.80.26.46.16, domaineprin@yahoo.fr
r.-v.

RAPET PÈRE ET FILS 2010 ★

15 000 | 20 à 30 €

Avec le millésime 2010, l'étiquette de ce domaine incontournable de Pernand-Vergelesses a évolué ; à présent, elle met en relief une statue de saint Vincent. Assemblage de plusieurs lieux-dits de la commune, cette cuvée est un beau représentant de l'appellation. Derrière une robe au rubis profond, on découvre un bouquet intense de fruits rouges croquants et de sous-bois, agrémenté de notes plus mûres de pruneau. Au palais, les tanins sont bien présents mais soyeux, et poussent loin la finale aux saveurs réglissées. À découvrir au cours des deux prochaines années sur une belle pièce de bœuf poêlée aux champignons des bois.

Rapet Père et Fils, 2, pl. de la Mairie, 21420 Pernand-Vergelesses, tél. 03.80.21.59.94, fax 03.80.21.54.01, vincent@domaine-rapet.com r.-v.

DOM. GEORGES ROY ET FILS Les Cras 2010

2 800 | 11 à 15 €

À l'instar de nombre de leurs confrères de Chorey-lès-Beaune, les Roy exploitent également en aloxe-corton, appellation qui déborde largement sur la commune de Ladoix-Serrigny. Cette parcelle des Cras forme un grand triangle de 8,35 ha, ce qui en fait le deuxième lieu-dit en surface de l'AOC. Vincent Roy y cultive 50 ares. Il signe un 2010 couleur rubis brillant, qui déploie d'intenses senteurs de fruits rouges et de sous-bois agrémentées de nuances florales. Souple en attaque, la bouche évolue ensuite vers plus de présence tannique et offre une plaisante finale réglissée d'une longueur appréciable. À déguster vers 2014-2015. Pourquoi pas sur un tournedos Rossini aux cèpes ?

Dom. Georges Roy et Fils, 20, rue des Moutots, 21200 Chorey-lès-Beaune, tél. 03.80.22.16.28, fax 03.80.24.76.38, domaine.roy-fils@wanadoo.fr
r.-v.

Pernand-vergelesses

Superficie : 135 ha
Production : 5 640 hl (52 % rouge)

Situé à la jonction de deux vallées, exposé plein sud, le village de Pernand est sans doute le plus « vigneron » de la Côte. Rues étroites, caves profondes, vignes de coteaux, hommes de grand cœur et vins subtils lui ont fait une solide réputation, à laquelle de vieilles familles bourguignonnes ont largement contribué. Il possède le bois de Corton, ainsi qu'une partie des terroirs en grand cru de la célèbre « montagne ». Parmi les 1ers crus, le plus réputé est l'Île des Vergelesses, qui donne des vins tout en finesse.

DOM. FRANÇOISE ANDRÉ Sous Frétille 2009

1er cru 3 000 20 à 30 €

Administré par Lauriane André, la belle-fille de Françoise, la propriétaire, ce domaine de 7,09 ha est l'un des derniers à abriter sa cave et sa cuverie (datées de 1899) dans les remparts de Beaune. Elles proposent un 1er cru couleur jaune citron intense, aux senteurs de grillé et d'agrumes, rond, boisé et de bonne longueur en bouche, une finale saline concluant la dégustation. À boire dès cet automne sur un risotto aux fruits de mer.

Dom. des Terregelesses – Françoise André, 7, rempart Saint-Jean, 21200 Beaune, tél. 06.24.66.38.86, fax 03.80.24.21.44, andre.lauriane@yahoo.com r.-v.

DOM. CHAMPY En Caradeux 2010

1er cru 4 800 20 à 30 €

Les 5,23 ha du lieu-dit En Caradeux placés sur les hauteurs de la colline, côté Savigny, sont classés en appellation *village*, tandis que les 14,38 ha situés juste en-dessous revendiquent le niveau de 1er cru. C'est d'ailleurs le seul *climat* qui prétend aux deux niveaux d'appellation. La maison beaunoise Champy cultive 94 ares de la partie 1er cru et signe ici un vin jaune doré aux senteurs de pêche, d'abricot, de miel et de vanille, frais et fruité (citron, pamplemousse), minéral et persistant en bouche. À boire dans un an ou deux sur une truite sauce aux agrumes.

Dom. Champy, 5, rue du Grenier-à-Sel, 21200 Beaune, tél. 03.80.25.09.99, fax 03.80.25.09.95, contact@champy.com t.l.j. 10h-12h 14h-18h

P. Meurgey

DOM. CHANSON Les Vergelesses 2009 ★

1er cru 20 000 20 à 30 €

Si l'illustre Monsieur Voltaire n'est plus client de cette maison de négoce beaunoise, vous le deviendrez peut-être après avoir dégusté ce 2009 au rubis profond et limpide. Ce vin offre un bouquet subtil de fruits rouges, agrémenté d'un léger boisé amené par dix-huit mois de fût et d'une touche de poivre blanc. Après une attaque franche sur le fruit, le palais dévoile une matière dense et une structure tannique sérieuse, gage d'un beau potentiel de garde. À découvrir dans trois ans et plus, sur un veau braisé en sauce.

Chanson Père et Fils, 10, rue Paul-Chanson, 21200 Beaune, tél. 03.80.25.97.97, fax 03.80.24.17.42 r.-v.

DOM. VINCENT CHARACHE Les Combottes 2010

2 600 11 à 15 €

Depuis Bouze-lès-Beaune, il faut à Vincent Charache – arrivé en 2006 sur le domaine familial – franchir la montagne de Beaune puis celle de Savigny pour arriver à Pernand et cultiver ce *climat*, dont il exploite 2 ha. Le vigneron signe son quatrième millésime avec ce 2010 jaune vif et brillant, au nez plaisant de fruits à chair blanche (pêche, poire) et de fruits secs (amande grillée), joliment texturé en bouche, avec une agréable fraîcheur minérale en appoint. S'il est déjà en place, ce vin se bonifiera encore dans les deux prochaines années.

EARL Dom. Vincent Charache, chem. de Bierre, 21200 Bouze-lès-Beaune, tél. 06.03.95.65.91, fax 03.80.26.00.86, domainevincentcharache@orange.fr r.-v.

DOM. DENIS PÈRE ET FILS 2010

6 500 11 à 15 €

Le domaine Denis, d'une régularité sans faille dans le Guide, étend l'essentiel de ses 13 ha sur le « village-appellation » qu'est Pernand. 2,5 ha sont consacrés à ce *village* pourpre, aux senteurs chaleureuses de cerise à l'alcool agrémentées de notes florales (rose, violette). Souple en attaque, la bouche se révèle ensuite plus puissante et structurée, avec une finale tannique qui appelle une garde de trois ans. Le **2010 blanc (2 000 b.)**, frais et expressif (fleurs, amande, menthol, anis...), est également cité.

Dom. Denis Père et Fils, 4, chem. des Vignes-Blanches, 21420 Pernand-Vergelesses, tél. 03.80.21.50.91, fax 03.80.26.10.32, denis.pere-et-fils@wanadoo.fr r.-v.

DUPASQUIER ET FILS 2009 ★

1 500 11 à 15 €

Cette exploitation nuitonne se voit sélectionnée pour deux vins en appellation communale. Le premier est un blanc élégant dans sa robe pâle et limpide, ouvert sur les fruits blancs, les agrumes et la vanille, rond et fort aimable en bouche, soutenu par une longue finale légèrement saline. À boire dès aujourd'hui sur un filet mignon de porc au curry. Le **2009 rouge (1 700 b.)** est cité pour son fruité frais, tant au nez qu'en bouche. À ouvrir dès cet automne avec un navarin d'agneau.

Dom. Dupasquier et Fils, 47 B, rue Henri-Challand, 21700 Nuits-Saint-Georges, tél. 03.80.61.13.78, fax 03.80.61.05.08, dupasquier.domaine@wanadoo.fr r.-v.

JEAN-CHARLES FAGOT En Caradeux 2010

900 11 à 15 €

Si Jean-Charles Fagot propose une lotte à l'émulsion de pain d'épice sur son pernand En Caradeux, c'est un conseil à suivre : en plus d'être négociant-éleveur, il tient un restaurant au sud de la Côte de Beaune. Son vin se présente dans une robe brillante, or à reflets vert amande. Des parfums de chèvrefeuille, de pomme granny et de fruits exotiques composent un bouquet complexe et frais. Franche et vive en attaque, la bouche se montre plus suave en milieu de bouche avant de dérouler une finale citronnée. À ouvrir dans les deux ans à venir.

Jean-Charles Fagot, 5, rue de l'Église, 21190 Corpeau, tél. 03.80.21.30.24, fax 03.80.21.38.81, jeancharlesfagot@free.fr r.-v.

DOM. DOMINIQUE GUYON Les Vergelesses 2009

1er cru 3 800 20 à 30 €

Cet important domaine de Savigny (23,5 ha) exploite 58 ares au cœur de ce *climat* de 27,4 ha. Adepte des élevages longs, Dominique Guyon a laissé mûrir ce 2009 dix-huit mois en fût. Il en résulte un vin rubis limpide, au nez frais et plaisant, fruité et floral, sans boisé massif, ample et rond en bouche, porté par des tanins souples et une bonne acidité. Un filet mignon de porc juste rôti dans son jus l'accompagnera avec bonheur l'hiver prochain.

Dom. Dominique Guyon, 21420 Savigny-lès-Beaune, tél. 03.80.67.13.24, fax 03.80.66.85.87, domaine@guyon-bourgogne.com r.-v.

JACOB-FRÈREBEAU 2010

1 200 8 à 11 €

Basé dans le pittoresque village des Hautes-Côtes qu'est Changey-Échevronne, ce producteur n'a qu'à descendre de sa colline au-dessus de Pernand-Vergelesses pour travailler ses vignes. Il récolte ici une citation pour ce 2010 jaune vert, au nez fruité (poire williams) et floral de belle intensité. Quant à la bouche, elle se montre vive par sa fraîcheur citronnée et sa pointe minérale en finale. À ouvrir dès cet automne ou dans deux ans sur un sandre au beurre noisette.

Frédéric Jacob-Frèrebeau, 50, Grande-Rue, 21420 Changey-Échevronne, tél. 06.36.90.63.66, jacob-frerebeau@numeo.fr r.-v.

LOUIS JADOT Clos de la Croix de pierre 2009

n.c. 20 à 30 €

Ce nom de *climat* est une dénomination créée dans une partie du village où une croix de pierre signale la présence d'un clos. Coup de cœur l'an dernier pour le 2008, cette cuvée offre dans sa version 2009 un bouquet harmonieux de fruits frais et de notes de boisé fondues, agrémenté d'une nuance beurrée. Dans le prolongement, le palais se montre frais et équilibré, tonifié par un côté acidulé surmonté d'une pointe de vanille. À ouvrir dès aujourd'hui.

Louis Jadot, 21, rue Eugène-Spuller, 21200 Beaune, tél. 03.80.22.10.57, fax 03.80.22.56.03, maisonlouisjadot@louisjadot.com r.-v.

Famille Kopf

JAFFELIN En Caradeux 2010

1er cru 2 300 15 à 20 €

Si la jeune œnologue Marinette Garnier a pris la suite de Prune Amiot aux commandes de la vinification de cette maison beaunoise (intégrée au groupe Boisset), cette citation revient à cette dernière. Cette cuvée, qui a connu onze mois d'élevage en barrique avec 30 % de fûts neufs, présente un bouquet torréfié, agrémenté de notes de fruits rouges et noirs. On retrouve ce côté boisé soutenu dans une bouche aux petits tanins serrés. Il faudra attendre deux ou trois ans que l'ensemble se fonde pour servir cette bouteille sur un gibier à plume.

Maison Jaffelin, 2, rue Paradis, 21200 Beaune, tél. 03.80.22.12.49, fax 03.80.25.90.89, jaffelin@maisonjaffelin.com r.-v.

DOM. JOANNET 2010

6 000 11 à 15 €

Installé à Marey-lès-Fussey dans les Hautes-Côtes, ce domaine familial exploite 14 ha sur treize appellations. 1,5 ha de vignes quarantenaires est à l'origine de ce vin rouge violacé, qui dévoile des senteurs intenses de cassis, d'épices, de réglisse et de vanille, tandis que les dix-huit mois passés en fût imprègnent encore fortement un palais ferme et tannique ; « mais il y a du vin », précise un juré. Trois ans d'attente seront nécessaires pour que l'ensemble se fonde harmonieusement.

Dom. Michel Joannet, 76, Grande-Rue, 21700 Marey-lès-Fussey, tél. 03.80.62.90.58, domaine-michel.joannet@wanadoo.fr r.-v.

DENIS MARCHAND Sous Frétille 2010 ★★

1er cru 600 20 à 30 €

Le confidentiel 1er cru de cette petite maison de négoce, installée en 2006 au cœur de Gevrey-Chambertin et liée au domaine Marchand Frères, a disputé la finale des coups de cœur. Ses arguments : une seyante robe dorée ; un élégant bouquet de fleurs blanches, de pêche et de vanille ; une bouche remarquablement équilibrée entre rondeur, fraîcheur et boisé noble, et qui ne manque pas d'allonge. À déboucher d'ici un à trois ans sur un saumon aux amandes grillées cuit à l'unilatéral.

Denis Marchand, 1, pl. du Monument, 21220 Gevrey-Chambertin, tél. et fax 03.45.83.48.31, Dmarc2000@aol.com r.-v.

Francis Sabrand

PIERRE MAREY ET FILS Sous Frétille 2010

1er cru 5 700 20 à 30 €

Ce Sous Frétille est l'un des huit 1ers crus de l'appellation et porte le nom de la colline qui surplombe le village. Les Marey en exploitent une parcelle de 1,2 ha exposée au sud et plantée de ceps de vingt ans, à l'origine d'un vin jaune pâle au nez généreux de pain grillé, de brioche et de fleurs blanches, souple et frais en bouche. À boire dans les deux ans sur un chèvre chaud au lard.

EARL Pierre Marey et Fils, 5 et 6, rue Jacques-Copeau, 21420 Pernand-Vergelesses, tél. 03.80.21.51.71, fax 03.80.26.10.48, domaine.pierremareyfils@orange.fr r.-v.

DOM. PAVELOT 2010 ★

5 700 11 à 15 €

La famille Pavelot est présente sur les registres d'état civil de Pernand-Vergelesses depuis le XVIIes. Depuis 2002, ce sont Luc et sa sœur Lise qui conduisent les presque 9 ha du domaine. Ramenés de la vendange dans des paniers traditionnels en osier, les raisins de pinot noir ont donné naissance à ce 2010 violet intense, au nez joliment bouqueté, sur les fruits rouges, les épices, la vanille et le caramel, franc, frais, ample et fin en bouche. À ouvrir dans deux ans. Sont cités le **1er cru 2010 rouge Île des Vergelesses (15 à 20 € ; 3 900 b.)**, sérieux, bien structuré mais encore sur la retenue et à attendre deux ou trois ans, et le **1er cru 2010 blanc Sous Frétille (15 à 20 € ; 4 800 b.)**, floral, fruité et boisé au nez, souple et minéral en bouche, à boire dans les deux ans.

EARL Dom. Pavelot,
Luc et Lise Pavelot, 6, rue du Paulant,
21420 Pernand-Vergelesses, tél. 03.80.26.13.65,
fax 03.80.26.10.36, earl.pavelot@cerb.cernet.fr r.-v.

VIRGINIE PILLET 2010 ★

1er cru	5 000		20 à 30 €

Sous la marque Virginie Pillet, Christine Dubreuil, œnologue du domaine familial depuis 1991, signe un 1er cru d'assemblage paré d'une jolie robe dorée, au nez plaisant d'aubépine, de beurre frais et de pain grillé. En bouche, la fraîcheur du pamplemousse s'associe à une longue finale saline pour composer un ensemble tonique et équilibré.

Dom. P. Dubreuil-Fontaine, rue Rameau-Lamarosse,
21420 Pernand-Vergelesses, tél. 03.80.21.55.43,
fax 03.80.21.51.69, domaine@dubreuil-fontaine.com
r.-v.

DOM. RAPET PÈRE ET FILS Île des Vergelesses 2010 ★

1er cru	3 300		20 à 30 €

Dans ce secteur de marnes calcaires et ferrugineuses, ce n'est pas une « île » isolée que Vincent Rapet exploite, mais le cœur de l'appellation pernand-vergelesses. Il signe un 1er cru rouge très foncé, presque noir, au nez puissant et chaleureux de pruneau, de réglisse et de vanille. Frais en attaque, le palais dévoile une matière dense et des tanins puissants, encore un peu austères, qu'il faudra laisser mûrir quatre ou cinq ans. À réserver pour une viande mijotée, un agneau de sept heures par exemple.

Rapet Père et Fils, 2, pl. de la Mairie,
21420 Pernand-Vergelesses, tél. 03.80.21.59.94,
fax 03.80.21.54.01, vincent@domaine-rapet.com r.-v.

♥ **DOM. ROLLIN PÈRE ET FILS** Sous Frétille 2010 ★★

1er cru	2 700		20 à 30 €

Déjà coup de cœur dans l'édition précédente pour son 1er cru Île des Vergelesses 2008 en rouge, ce domaine – qui célèbre en 2012 ses quatre-vingts ans – excelle à nouveau, cette fois-ci en blanc, avec ce Sous Frétille, une kyrielle d'étoiles pour quatre autres vins venant compléter le palmarès. Né sur 50 ares argilo-calcaires, ce 2010 se pare d'une seyante et dense robe dorée à reflets verts et dévoile un nez envoûtant et complexe d'acacia, d'aubépine, de noisette fraîche et de pêche blanche. En bouche, il se montre charnu, ample, aromatique, soutenu par une superbe fraîcheur minérale et saline qui lui confère du tonus et de la longueur. Un vin équilibré, complet et élégant, armé pour une garde de trois ou quatre ans. Le ***village* 2010 blanc Les Cloux (15 à 20 €; 4 000 b.)**, cristallin, subtil mariage de notes minérales et torréfiées, ample et frais en bouche, obtient une étoile. Même note pour le ***village* 2010 blanc (11 à 15 €; 11 000 b.)**, sur les fruits frais (pêche, abricot, mirabelle) et le chèvrefeuille, équilibré et gourmand, et pour le **1er cru 2009 rouge Île des Vergelesses (3 800 b.)**, fruité, finement boisé, rond et bien structuré. Le ***village* 2009 rouge (11 à 15 €; 12 300 b.)** est cité pour son fruité mûr et gourmand et pour ses tanins souples.

Rollin Père et Fils, 49, rte des Vergelesses,
21420 Pernand-Vergelesses, tél. 03.80.21.57.31,
fax 03.80.26.10.38, contact@domaine-rollin.com r.-v.

BOURGOGNE

Corton

Superficie : 95 ha
Production : 2 985 (95 % rouge)

Au nord de la Côte de Beaune, la « montagne de Corton » est constituée, du point de vue géologique, de différents niveaux auxquels correspondent plusieurs types de vins. Couronnées par le bois qui pousse sur les calcaires durs du rauracien (oxfordien supérieur), les marnes argoviennes laissent apparaître sur plusieurs dizaines de mètres des terres blanches propices aux vins blancs. Elles recouvrent la « dalle nacrée », calcaire en plaquettes qui recèle de nombreuses coquilles d'huîtres de grande dimension ; sur cette formation ont évolué des sols bruns propices au pinot noir.

L'appellation corton peut produire du vin blanc, mais elle est surtout connue en rouge. Les Bressandes naissent sur des terres rouges et allient la puissance à la finesse. En revanche, dans la partie haute des Renardes, des Languettes et du Clos du Roy, les terres blanches donnent en rouge des vins charpentés qui, en vieillissant, prennent des notes animales sauvages que l'on retrouve dans Les Mourottes de Ladoix. Le corton est le grand cru le plus important en volume.

DOM. D'ARDHUY Clos du Roi 2009

Gd cru	3 000		30 à 50 €

Gabriel d'Ardhuy a créé le domaine en 1947. Alors qu'il disparaît le premier jour des vendanges 2009, ses sept filles prennent la relève, épaulées par le maître de chai, Carel Voorhuis. Des 40 ha que possèdent le domaine, 89 ares sont consacrés au « roi de corton », le Clos du Roi, planté de vignes d'un âge christique (trente-trois ans). Celles-ci donnent naissance à un 2009 rubis soutenu, au nez discret mais fin de fruits rouges agrémentés de notes boisées sans excès. La bouche est bien dans le style corton : de la puissance, voire de l'austérité, de la générosité, une matière soyeuse, le tout imprégné de nuances fruitées, réglissées et vanillées. Trois à cinq ans de garde s'imposent. À noter : la certification en biodynamie est attendue pour le millésime 2012.

Dom. d'Ardhuy, Clos des Langres, 21700 Corgoloin,
tél. 03.80.67.98.73, fax 03.80.62.95.15, domaine@ardhuy.com
r.-v.

DOM. ARNOUX PÈRE ET FILS Le Rognet 2010 ★

Gd cru 1 400 30 à 50 €

La famille Arnoux exploite une parcelle de 33 ares sur le *climat* Rognet, dont elle tire un grand cru régulièrement sélectionné dans ce chapitre. Le 2010 est au rendez-vous, vêtu d'une élégante robe cerise noire aux reflets violines. Au nez, les notes d'élevage (cacao, café torréfié) se mêlent aux accents de cerise du pinot et à quelques nuances animales. La bouche affiche un bel équilibre entre la force, la finesse et la fraîcheur, avec toujours le boisé de la barrique à l'arrière-plan. On attendra trois à cinq avant d'ouvrir cette bouteille sur une belle pièce de gibier.

Arnoux Père et Fils, 5, rue de Ley,
21200 Chorey-lès-Beaune, tél. 03.80.22.57.98,
fax 03.80.22.16.85, arnoux.pereetfils@wanadoo.fr r.-v.

DOM. VINCENT BOUZEREAU Clos des Fiètres 2010 ★★

Gd cru 900 30 à 50 €

Les Bouzereau sont une ancienne famille de vignerons de Meursault. Vincent s'est installé en 1990 sur 10 ha et a continué d'acquérir des parcelles de vignes, dont 15 ares du Clos des Fiètres en 2003. Le nom de *fiètres* vient de « fierte », qui veut dire « cercueil », sûrement l'évocation d'un ancien cimetière à Aloxe-Corton. Ces lettres inversées sont restées dans l'usage, et Vincent Bouzereau y produit quelques fûts en corton, en blanc et en rouge. C'est la version chardonnay qui est ici à l'honneur. Paré de jaune d'or aux reflets verts, ce 2010 livre un bouquet frais et complexe où l'on perçoit des senteurs de silex, d'agrumes (citron, pamplemousse), de fruits blancs (poire) et des notes mentholées. En bouche, il possède le gras et la puissance attendus d'un corton, soutenu par une fraîcheur bien présente qui lui confère de la finesse et de la longueur. Un équilibre remarquable pour ce grand cru que l'on gardera sagement en cave pendant les cinq ou dix prochaines années.

Vincent Bouzereau, 25, rue de Mazeray,
21190 Meursault, tél. 03.80.21.61.08, fax 03.80.21.65.97,
vincent.bouzereau@wanadoo.fr r.-v.

DOM. CACHAT-OCQUIDANT
Clos des Vergennes Monopole 2010 ★★

Gd cru 2 900 30 à 50 €

Ce Clos des Vergennes s'étend sur 1,42 ha, que les Cachat exploitent en monopole. Le 2010 a postulé pour le coup de cœur et il ne manquait pas d'arguments. À l'œil, il séduit par sa robe rouge foncé, profonde et brillante, ornée de beaux reflets violets de jeunesse. Au nez, il mêle en toute harmonie les fruits rouges mûrs, le cassis, une pointe mentholée et des notes d'élevage bien fondues. À cet équilibre olfactif répond un palais ample, puissant, généreux, corpulent – « très typé corton, résume un juré, et encore plein de fougue ». Il faudra laisser à cette bouteille le temps de s'affiner. On pourra commencer à l'ouvrir dans quatre ou cinq ans ou la conserver une décennie et plus encore.

Dom. Cachat-Ocquidant, 3, pl. du Souvenir, Cidex 1,
21550 Ladoix-Serrigny, tél. 03.80.26.45.30, fax 03.80.26.48.16,
domaine.cachat@wanadoo.fr r.-v.

CHANSON PÈRE ET FILS Vergennes 2010

Gd cru n.c. 75 à 100 €

Cette vigne appartient aux héritiers de Paul Chanson, fondateur en 1750 à Beaune de la maison qui porte son nom. Ce *climat*, situé sur la commune de Ladoix, bien que plus réputé pour ses rouges, se fait une place dans le Guide avec ce corton blanc vêtu d'une robe dorée intense aux reflets verts. Le nez libère des parfums frais de pomme, de poire et d'agrumes, d'une bonne intensité. Après une attaque franche, la bouche marie harmonieusement gras, vigueur et fruité frais. S'il peut déjà s'apprécier, sur un millefeuille de pomme verte au crabe par exemple, ce grand cru peut aussi patienter cinq ans dans la pénombre de votre cave.

Chanson Père et Fils, 10, rue Paul-Chanson,
21200 Beaune, tél. 03.80.25.97.97, fax 03.80.24.17.42
r.-v.

DOM. CHEVALIER PÈRE ET FILS Rognet 2009

Gd cru 2 500 30 à 50 €

Le domaine fut fondé par Émile Dubois en 1887. Cent ans plus tard, Claude Chevalier en prend la direction, troisième du nom après Émile, gendre du fondateur, et Georges. Aujourd'hui accompagné de deux de ses cinq filles, Julie et Chloé, il signe un corton de belle facture né sur 43 ares de Rognet. Au nez, la discrétion prime, quelques notes de fruits noirs se mêlant à un léger grillé. La bouche marie souplesse, fraîcheur et puissance, et affiche en finale une pointe d'austérité qui appelle une garde de trois à cinq ans.

Chevalier Père et Fils, hameau de Buisson, Cidex 18,
21550 Ladoix-Serrigny, tél. 03.80.26.46.30, fax 03.80.26.41.47,
contact@domaine-chevalier.fr r.-v.

COMTE SENARD Clos du Roi 2010 ★★

Gd cru 2 000 50 à 75 €

64 ares de Clos du Roi sont à l'origine de ce grand cru rouge grenat orné de reflets violines de jeunesse. Si le nez est plutôt sur la réserve, la bouche s'exprime avec moins de retenue. Elle attaque avec franchise, dévoilant une matière riche et corpulente, fruitée (framboise, cerise) et réglissée, adossée à des tanins bien présents mais souples et soyeux, et une belle finale sur les épices. À attendre cinq ans minimum, car cette bouteille est armée pour la décennie.

Dom. Comte Senard, 1, rue des Chaumes,
21420 Aloxe-Corton, tél. 03.80.26.40.73, fax 03.80.26.45.99,
office@domainesenard.com
t.l.j. sf dim. lun. 10h-18h; f. jan.

DOM. CORNU 2010 ★

Gd cru 3 000 30 à 50 €

Des vignes de soixante-dix ans plantées sur 61 ares de ce grand cru sont à l'origine de ce 2010 rubis limpide et brillant. Discret mais complexe, le bouquet mêle des notes de cacao et de grillé aux fruits rouges et à une pointe de cuir. Après une attaque fraîche et fruitée, le palais, ample et long, joue dans le registre de la finesse plutôt que de la puissance. Un vin harmonieux et élégant, à découvrir d'ici deux à quatre ans, sur une volaille noble.

SCEA Dom. Cornu, 6, rue du Meix-Grenot, 21700 Magny-lès-Villers, tél. 03.80.62.92.05, fax 03.80.62.72.22, domaine.cornu@wanadoo.fr r.-v.

DOM. DUPONT-TISSERANDOT Rognet 2010 ★

Gd cru | 1 200 | 30 à 50 €

Sur les 19,7 ha que compte le domaine, 32 ares sont consacrés à ce grand cru Rognet. Le vin se présente dans une livrée rubis clair et brillant, le nez emprunt de notes grillées et de fruits rouges agrémentées de discrètes senteurs de feuilles fraîches. Une attaque franche ouvre sur une bouche à la texture veloutée portée par des tanins fins et une agréable pointe saline. « C'est long, c'est élégant, c'est corton », conclut un dégustateur sous le charme. À déguster dans quatre ou cinq ans sur des cailles aux raisins.

Dupont-Tisserandot, 2, pl. des Marronniers, 21220 Gevrey-Chambertin, tél. 03.80.34.10.50, fax 03.80.58.50.71, dupont.tisserandot@orange.fr r.-v.
M.-F. Guillard et P. Chevillon

DOM. ESCOFFIER Clos du Roi 2009

Gd cru | 2 100 | 30 à 50 €

Ce domaine créé en 1996 est en cours de conversion à la biodynamie. Il exploite 55 ares du plus représentatif des *climats* de corton. Ce Clos du Roi se livre avec parcimonie, dévoilant à l'aération des notes de fruits rouges et noirs, de réglisse et un léger boisé vanillé. La bouche, franche en attaque, dans la lignée aromatique de l'olfaction, se révèle tannique : on accordera à ce vin cinq ou six ans de garde pour plus de fondu.

Franck Escoffier, 16, rue du Parc, 71350 Saint-Loup-Géanges, tél. 06.11.55.80.67, fax 09.58.96.80.67, domaine.escoffier@gmail.com r.-v.

DOM. FAIVELEY Clos des Cortons 2010 ★

Gd cru | 12 000 | + de 100 €

Créée en 1825, la maison Faiveley étend ses parcelles de vignes sur plus de 120 ha. À sa tête depuis 2005, Erwan Faiveley, septième du nom, succède à son père François. Des vignes de quarante ans donnent naissance à ce corton rouge cerise, au nez franc et fin de fruits rouges (framboise), un rien poivré et légèrement grillé. La bouche séduit par sa finesse, par son fruité intense qui laisse le boisé à l'arrière-plan, et par ses tanins souples et fondus. Un vin harmonieux et élégant à découvrir dans deux ou trois ans ; il pourra aussi patienter en cave jusqu'en 2020.

Dom. Faiveley, 8, rue du Tribourg, 21700 Nuits-Saint-Georges, tél. 03.80.61.04.55, fax 03.80.62.33.37, accueil@bourgognes-faiveley.com

DOM. FOLLIN-ARBELET 2010

Gd cru | 1 100 | 30 à 50 €

Ce corton né de vignes de quarante ans se présente dans une robe rouge cerise aux reflets violets. Le nez marie les fruits rouges et les notes de caramel et de torréfaction de la barrique. En bouche, ce 2010 se montre à la fois souple et bien structuré, gras et frais, pourvu d'une bonne longueur et d'un fruité agréable. Trois ou quatre ans de garde lui apporteront l'harmonie.

Dom. Follin-Arbelet, Les Vercots, 21420 Aloxe-Corton, tél. 03.80.26.46.73, fax 03.80.26.43.32, franck.follin-arbelet@wanadoo.fr r.-v.

CAMILLE GIROUD Le Rognet 2009

Gd cru | 963 | 50 à 75 €

Cette vénérable maison de négoce beaunoise, fondée en 1865 et reprise par un trio d'associés américains, signe deux cortons de belle facture. Le préféré est ce Rognet au bouquet plaisant de fruits rouges, cerise en tête, relevé d'une touche poivrée, au palais souple et gras, de bonne concentration, un rien plus sévère en finale. On laissera mûrir cette bouteille encore quatre ou cinq ans en cave, en compagnie du **2009 Clos du Roi (1 074 b.)**, cité pour sa rondeur, ses tanins soyeux et son fruité mûr.

Maison Camille Giroud, 3, rue Pierre-Joigneaux, 21200 Beaune, tél. 03.80.22.12.65, fax 03.80.22.42.84, contact@camillegiroud.com r.-v.

DOM. JACOB Les Carrières 2010

Gd cru | 1 300 | 30 à 50 €

Un domaine de 12 ha dans onze appellations situé au pied de la montagne de Corton et conduit depuis 2006 par Damien Jacob. 25 ares du vignoble sont dédiés à ce corton dans sa jeunesse, comme en témoignent les reflets violines qui ornent sa robe. Au nez, le boisé de l'élevage domine encore sous des accents torréfiés et vanillés, les fruits rouges restant en retrait, complétés par une pointe d'épices. La bouche attaque avec franchise et netteté, et affiche un bon volume et une trame tannique solide, laquelle permettra à ce vin de bien vieillir pendant les quatre ou cinq prochaines années.

Dom. Jacob, hameau de Buisson, Cidex 20 bis, 21550 Ladoix-Serrigny, tél. 03.80.26.40.42, fax 03.80.26.49.34, domainejacob@orange.fr r.-v.

MAISON JESSIAUME Perrières 2009

Gd cru | 1 200 | 30 à 50 €

La maison Jessiaume, propriété depuis 2006 de l'Écossais Sir David Murray, est toujours conduite par les frères Jessiaume. Né sur une parcelle de 20 ares, ce corton dévoile un bouquet discret mais plaisant et harmonieux de fruits rouges mûrs et de vanille, relayé par une bouche souple, ronde, douce et structurée avec mesure. À déguster d'ici trois à cinq ans.

SARL Maison Jessiaume, 10, rue de la Gare, 21590 Santenay, tél. 03.80.20.60.03, fax 03.80.20.62.87, contact@domaine-jessiaume.com r.-v.

DOM. MAILLARD Renardes 2010 ★★

Gd cru | n.c. | 30 à 50 €

Les fidèles lecteurs se souviendront du coup de cœur attribué au corton Renardes du domaine dans le millésime 2000 ; les très fidèles se remémoreront ceux obtenus par les 1990 et 1993. Le 2010 a frôlé la plus haute distinction du Guide. Ses atouts : une belle robe sombre aux reflets violines qui donne envie de poursuivre ; un bouquet discret mais élégant de framboise et de cerise mâtiné d'un boisé léger ; une bouche d'une grande finesse, longuement fruitée et épicée, portée par des tanins soyeux et fondus. Dans deux ou trois ans, cette bouteille fera merveille sur un filet de bœuf sauce aux morilles. On pourra aussi l'attendre durant la décennie pour de nouvelles sensations gustatives.

BOURGOGNE

Dom. Maillard, 2, rue Joseph-Bard,
21200 Chorey-lès-Beaune, tél. 03.80.22.10.67,
fax 03.80.24.00.42 r.-v.

ÉRIC MAREY 2010

Gd cru	2 700		30 à 50 €

Éric Marey, vigneron et négociant, propose un corton sans nom de *climat*, au nez élégant de fruits rouges (cerise) et noirs (myrtille, cassis) agrémenté de senteurs fraîches de sous-bois. La bouche plaît par la finesse de ses tanins, par son boisé bien maîtrisé et par sa longueur finale. Il obtiendra son étoile dans trois à cinq ans sur un tournedos Rossini.

SARL Éric Marey, 5 et 6, rue Jacques-Copeau,
21420 Pernand-Vergelesses, tél. 03.80.21.51.71,
fax 03.80.26.10.48, domaine.pierremareyfils@orange.fr
r.-v.

DOM. DIDIER MEUNEVEAUX Perrières 2010

Gd cru	1 400		30 à 50 €

Didier Meuneveaux cultive une parcelle de 85 ares de corton rouge sur ce *climat* voisin du Clos du Roi. Il en tire ce vin au nez fermé et boisé, qui nécessite un tour de verre pour dévoiler son fruit. La bouche évolue dans un registre fin plutôt que puissant et concentré, et elle est portée par des tanins bien présents sans agressivité et par une pointe de fraîcheur. À boire dans trois ou quatre ans sur des grenadins de veau à l'orange, selon le conseil gourmand du vigneron.

Meuneveaux, jardin des Brunettes, 21420 Aloxe-Corton,
tél. 03.80.26.42.33, fax 03.80.26.48.60,
tmeuneveau@club-internet.fr r.-v.

DOM. NUDANT Bressandes 2010

Gd cru	2 600		30 à 50 €

Le corton Bressandes du domaine Nudant figure régulièrement dans ces pages. On le retrouve ici dans sa version 2010, vêtu d'une seyante robe grenat, le nez au boisé encore dominant et les fruits noirs (mûre, cassis) en retrait. Le palais s'avère assez puissant, offrant une bonne mâche, des tanins présents mais civilisés et ce même boisé toujours sensible. Un vin de garde assurément. À attendre cinq à huit ans avant de lui réserver une pièce de gibier, un lièvre à la royale, par exemple.

Dom. Nudant, 11, rte de Dijon, BP 15,
21550 Ladoix-Serrigny, tél. 03.80.26.40.48, fax 03.80.26.47.13,
domaine.nudant@wanadoo.fr
t.l.j. sf dim. 8h-12h 14h-18h; sam. sur r.-v.; f. août

VIRGINIE PILLET 2010 ★

Gd cru	3 700		30 à 50 €

Nom de marque du corton du domaine Dubreuil-Fontaine, cette Virginie Pillet est née sur une parcelle de 75 ares. Elle revêt une robe rubis lumineux et intense mais se montre plutôt réservée au nez, dévoilant à l'aération de discrètes notes boisées et fruitées (cerise, cassis). Elle affiche moins de retenue en bouche attaquant avec franchise, puis se montrant plus ronde avant une finale tannique, soutenue par une belle trame acide. Un grand cru de garde, armé pour patienter sept à dix ans en cave et pour affronter sans rougir un mets de caractère, un sauté de sanglier aux aubergines, par exemple.

Dom. P. Dubreuil-Fontaine, rue Rameau-Lamarosse,
21420 Pernand-Vergelesses, tél. 03.80.21.55.43,
fax 03.80.21.51.69, domaine@dubreuil-fontaine.com
r.-v.

LA POUSSE D'OR Clos du Roi 2010 ★

Gd cru	4 650		30 à 50 €

Patrick Landanger conduit La Pousse d'or depuis 1997, domaine fondé en 1954, dont le nom apparaît cependant dès le XII^{e}s. dans des chapitres capitulaires. Sur les 17,5 ha du vignoble, une belle parcelle de 1,5 ha est consacrée à ce Clos du Roi. Le vin s'annonce avec élégance dans une seyante robe rouge profond. Au nez, il dévoile des notes intenses et franches de fruits rouges (framboise), accompagnées d'une pointe plus « sauvage ». Il révèle en bouche une belle présence autour d'une matière charnue, des tanins bien arrimés mais soyeux et une longue finale fruitée et épicée. On pourra déboucher ce vin dans deux ou trois ans, ou l'attendre sans crainte cinq à huit ans. Le corton **2010 rouge Bressandes (1 450 b.)** au nez intense de fruits noirs, de réglisse et d'épices, solidement charpenté, de bonne longueur, est cité.

Dom. de la Pousse d'or, rue de la Chapelle,
21190 Volnay, tél. 03.80.21.61.33, patrick@lapoussedor.fr
r.-v.
Landanger

DOM. DE LA ROMANÉE-CONTI 2010 ★★

Gd cru	n.c.		+ de 100 €

En 2008, le domaine de la Romanée-Conti a étendu sa gamme prestigieuse du côté d'Aloxe-Corton en prenant en fermage les vignes en corton du domaine Prince Florent de Mérode : 2,26 ha répartis sur trois *climats* de renom, le Clos du Roi (0,57 ha), les Bressandes (1,19 ha) et les Renardes (0,5 ha). Voici donc son second millésime dans le grand cru. Un vin admirable de délicatesse, dont le bouquet marie les fruits rouges mûrs à des senteurs de sous-bois, de mousse fraîche et de pétale de rose. Séveux à souhait, soutenu par des tanins veloutés et déjà harmonieux, le palais s'équilibre à merveille entre tension et souplesse, entre fraîcheur saline, fruité élégant et touche poivrée. Un corton d'une rare profondeur, à mettre en cave pour un long séjour.

SC du Dom. de la Romanée-Conti,
1, rue Derrière-le-Four, 21700 Vosne-Romanée,
tél. 03.80.62.48.80, fax 03.80.61.05.72

HENRI DE VILLAMONT Renardes 2009

Gd cru	1 200		30 à 50 €

Dans le giron du groupe familial suisse Schenk depuis 1964, ce domaine exploite une parcelle de 23 ares sur le grand cru. Le nez mêle les fruits rouges légèrement compotés à des notes fumées et toastées. Dans la même ligne aromatique, la bouche se révèle solidement structurée et même un peu sévère en finale, bien dans le style Renardes réputé rugueux et impétueux. À attendre au moins trois à cinq ans.

Henri de Villamont, 2, rue du Dr-Guyot, BP 3,
21420 Savigny-lès-Beaune, tél. 03.80.21.50.59,
fax 03.80.21.36.36, contact@hdv.fr
t.l.j. sf lun. 10h-12h 14h-17h
Schenk

DOM. DE LA VOUGERAIE Le Clos du Roi 2010 ★★

Gd cru	1 463	50 à 75 €

2010
Corton
Appellation d'Origine Contrôlée
LE CLOS DU ROI
GRAND CRU
Tirage limité à 1 463 bouteilles

C'est avec le plus corton des corton – situé au cœur de l'appellation – que la Vougeraie accède à la plus haute marche du podium. Sur les 34 ha qu'exploite le domaine, 49 ares sont consacrés au Clos du Roi. Le 2010 se présente dans une tenue rubis intense et brillant, livrant des parfums soutenus de framboise, de fruits noirs, d'épices et de café torréfié. La bouche se révèle à la fois riche et fine, ronde et vive. Elle offre beaucoup de volume, soutenue par des tanins bien présents mais soyeux et fondus, une belle vivacité en appoint. Le mariage réussi de la puissance et de l'élégance, comme attendu d'un grand cru. Garde assurée pour la décennie à venir, et plus encore.

Dom. de la Vougeraie, 7 bis, rue de l'Église, 21700 Premeaux-Prissey, tél. 03.80.62.48.25, fax 03.80.61.25.44, vougeraie@domainedelavougeraie.com r.-v.

Corton-charlemagne

Superficie : 52 ha
Production : 2 240 hl

Le grand cru corton-charlemagne provient de la partie haute de la « montagne de Corton », propice au chardonnay – cépage qui a aujourd'hui totalement remplacé l'aligoté, autorisé jusqu'en 1948. Il tire son nom de l'empereur carolingien qui, dit-on, aurait fait planter ici des vignes blanches pour ne pas tacher sa barbe. La plus grande partie de la production vient des communes de Pernand-Vergelesses et d'Aloxe-Corton. Vins de garde, les corton-charlemagne atteignent leur plénitude après cinq à dix ans.

PIERRE ANDRÉ 2009

Gd cru	5 619	75 à 100 €

Il y a dix ans, le château de Corton-André entrait dans le giron de la maison Ballande. Dès lors, son directeur Benoît Goujon et son œnologue, Ludivine Griveau, insufflèrent un nouveau style à cette vénérable maison. Élevé dix-sept mois en fût, ce 2009 éclatant, jaune d'or, charme par son bouquet de fleurs blanches (tilleul, acacia) mâtiné de miel, et par son attaque nette et vive suivie d'un beau développement sur des notes minérales (pierre à fusil). Déjà agréable, cette bouteille pourra toutefois être conservée jusqu'en 2015.

Pierre André, Ch. de Corton-André, BP 10, 21420 Aloxe-Corton, tél. 03.80.26.44.25, fax 03.80.26.42.00, info@corton-andre.com r.-v.

DOM. D'ARDHUY 2009 ★

Gd cru	3 493	50 à 75 €

Dirigée depuis 2003 par Carel Voorhuis d'origine hollandaise, cette propriété possède la particularité de constituer la limite physique et administrative entre la Côte de Beaune et la Côte de Nuits. Ses 40 ha de vignes se répartissent entre les deux côtes viticoles avec six grands crus pour tête d'affiche. À Aloxe-Corton, 30 ares sur le lieu-dit Le Rognet et Corton qui bénéficie d'une exposition sud-est idéale et d'un beau terroir, appelé « dalle nacrée », de calcaires et de marnes du callovien, et voici le résultat : un 2009 doré, aux parfums gourmands d'amande, de noisette, de beurre et de fleurs jaunes, à la bouche, souple et équilibrée, soutenue par une matière opulente et des notes poivrées en finale. Cette bouteille sera prête fin 2015 pour une rencontre au sommet avec une mousseline de brochet sauce Nantua.

Dom. d'Ardhuy, Clos des Langres, 21700 Corgoloin, tél. 03.80.67.98.73, fax 03.80.62.95.15, domaine@ardhuy.com r.-v.

DOM. HENRI ET GILLES BUISSON 2009 ★

Gd cru	n.c.	50 à 75 €

Issu de vignes âgées de cinquante ans, ce corton-charlemagne est né sur un terroir de marnes et d'argiles. Il offre au regard un or soutenu aux nuances vertes. Les agrumes prennent possession du nez avant d'exprimer l'amande et la noisette du boisé. L'attaque est ronde, sur le gras de la noisette et de la vanille, avec une bonne ampleur. Trois ans de cave achèveront de donner encore plus de brillance à cette cuvée étoilée. Ce sera alors le moment de l'ouvrir sur un feuilleté de homard aux asperges.

Dom. Henri et Gilles Buisson, imp. du Clou, 21190 Saint-Romain, tél. 03.80.21.22.22, fax 03.80.21.64.87, contact@domaine-buisson.com t.l.j. sf dim. 9h-12h 14h-17h

CAPITAIN-GAGNEROT 2010 ★

Gd cru	2 400	50 à 75 €

À Ladoix, la famille Capitain-Gagnerot célèbre cette année les deux cent dix ans du domaine, et présente le deuxième millésime de Pierre-François qui assure les vinifications depuis 2009. Ananas, vétiver, fruits jaunes et fleurs blanches : cette cuvée livre un joli bouquet intense et complexe. Après une attaque ronde et acidulée, elle se montre riche et prend du volume : « C'est un vin gorgé de soleil », constate un dégustateur. La finale se révèle d'une grande finesse. Voici un corton-charlemagne harmonieux qui complétera avec bonheur un tartare de saumon et de crabe avec son gaspacho d'agrumes.

Capitain-Gagnerot, 38, rte de Dijon, 21550 Ladoix-Serrigny, tél. 03.80.26.41.36, fax 03.80.26.46.29, contact@capitain-gagnerot.com r.-v.

JEAN CHARTRON 2010 ★

Gd cru	500	75 à 100 €

Jean-Michel Chartron, dont la priorité est de « révéler la complexité du terroir », est une nouvelle fois mis en valeur dans les pages du Guide avec plusieurs grands crus blancs de la Côte-d'Or sélectionnés, dont deux

BOURGOGNE

récoltent un coup de cœur. Ce corton-charlemagne reçoit une étoile pour sa belle robe dorée, limpide, et pour son son bouquet boisé, qui révèle à l'aération des parfums de fruits blancs et jaunes. La matière harmonieuse, riche d'un gras qui lui donne de l'ampleur, est soutenue par une minéralité persistante apportant l'équilibre. Mis en carafe lors des prochaines fêtes de fin d'année, ce 2010 se révélera sur un sandre rôti aux girolles. Il pourra également être conservé trois à cinq ans.

SARL Jean Chartron, 8 bis, Grande-Rue, 21190 Puligny-Montrachet, tél. 03.80.21.99.19, fax 03.80.21.99.23, info@jeanchartron.com
lun. mar. mer. 10h-12h 14h-18h; f. fin nov. à Pâques

DOM. CHEVALIER PÈRE ET FILS 2010

Gd cru | 1 800 | 50 à 75 €

« Domaine Chevalier Père et Fils », peut-on lire sur l'étiquette de ce domaine. Ce sont pourtant deux des quatre filles de Claude Chevalier, Julie et Chloé, qui ont pris la suite de leur père, incarnant ainsi la cinquième génération. Elles signent un corton-charlemagne couleur or au joli nez de fleurs, d'agrumes et de fruits blancs. Selon nos dégustateurs, l'équilibre est ce qui caractérise le mieux ce 2010, avec du gras, de la rondeur et une pointe de vivacité. Dans deux ans, quand ce vin sera prêt à boire, l'étiquette du nouveau millésime des Chevalier portera peut-être la mention « Père et Filles » !

Chevalier Père et Fils, hameau de Buisson, Cidex 18, 21550 Ladoix-Serrigny, tél. 03.80.26.46.30, fax 03.80.26.41.47, contact@domaine-chevalier.fr r.-v.

DOM. DENIS PÈRE ET FILS 2010 ★

Gd cru | 1 400 | 30 à 50 €

En 1992, à Pernand-Vergelesses, Christophe succède à son père Raoul, secondé par sa femme Valérie, son frère aîné Roland et son cousin Jean-Baptiste. Une parcelle de 50 ares a été consacrée à ce séduisant corton-charlemagne drapé dans sa robe cristalline. Le nez livre des senteurs florales intenses, avec des notes boisées. L'attaque franche annonce un palais gras, vif et fruité (agrumes) à la finale longue et persistante. Il faudra patienter entre deux et trois ans avant que cette jolie bouteille ne libère toute la puissance de ses arômes sur une langouste grillée.

Dom. Denis Père et Fils, 4, chem. des Vignes-Blanches, 21420 Pernand-Vergelesses, tél. 03.80.21.50.91, fax 03.80.26.10.32, denis.pere-et-fils@wanadoo.fr
r.-v.

P. DUBREUIL-FONTAINE PÈRE ET FIS 2010

Gd cru | 3 000 | 30 à 50 €

La famille Dubreuil, installée à Pernand-Vergelesses depuis 1879, a confié à Christine Gruère-Dubreuil (la cinquième génération) l'exploitation et la vinification de ses 20 ha. Sur le *climat* « locomotive » de l'appellation corton-charlemagne, 75 ares de chardonnay ont été consacrés à ce 2010 jaune très pâle, qui offre un nez vif d'agrumes, citron en tête. La bouche, franche et vive, dévoile une belle matière florale équilibrée. Un vin que l'on attendra au moins trois ans avant de l'ouvrir sur une truite aux amandes nappée d'un beurre citronné.

Dom. P. Dubreuil-Fontaine, rue Rameau-Lamarosse, 21420 Pernand-Vergelesses, tél. 03.80.21.55.43, fax 03.80.21.51.69, domaine@dubreuil-fontaine.com
r.-v.

DOM. FAIVELEY 2010

Gd cru | 3 400 | + de 100 €

La septième génération de Faiveley, incarnée par Erwan, pérennise depuis sept ans maintenant le métier de propriétaire et d'éleveur à Nuits-Saint-Georges. Sur les 120 ha de vignes bourguignonnes du domaine familial sont exploités dix grands crus, dont cette petite parcelle de 60 ares en corton-charlemagne. Sous une robe limpide or pâle, ce 2010 dévoile un nez discret au boisé léger. L'attaque franche annonce une bouche vive à la finale suave et persistante. Déjà harmonieuse, cette bouteille sera à son apogée vers 2017.

Dom. Faiveley, 8, rue du Tribourg, 21700 Nuits-Saint-Georges, tél. 03.80.61.04.55, fax 03.80.62.33.37, accueil@bourgognes-faiveley.com

CH. GÉNOT-BOULANGER 2010 ★

Gd cru | 1 000 | 75 à 100 €

Depuis quelques millésimes, on voit revenir cette vaste propriété de Meursault sur le devant de la scène lors des dégustations du Guide ; cela coïncide avec l'arrivée de Guillaume et d'Aude Lavollée aux commandes du château. Leur corton-charlemagne a fait très belle impression. Fruits jaunes frais, fleurs et minéralité composent une belle entrée en matière « pure et bien définie », selon l'un de nos experts. Puissant et long, ce vin, porté par les fruits secs (amande) et le boisé de l'élevage (douze mois en fût), possède un beau potentiel (cinq ans). Il fera un bel accord avec un homard à la nage.

Ch. Génot-Boulanger, 25, rue de Cîteaux, 21190 Meursault, tél. 03.80.21.49.20, fax 03.80.21.49.21, contact@genot-boulanger.com r.-v.
Delaby

CAMILLE GIROUD 2010

Gd cru | n.c. | 75 à 100 €

Depuis 1865, non loin de la gare de Beaune, la maison Giroud s'est spécialisée dans la vente de vins « traditionnels » de longue garde destinés à l'export (70 % des bouteilles). Pour ce grand cru, l'œnologue du domaine David Croix a acheté les raisins de 14 ares de chardonnay. Une belle robe jaune dorée annonce d'intenses parfums de fruits jaunes (mirabelle, abricot). À l'unisson, la bouche, ample et ronde, est adossée à un boisé encore sensible, apporté par quatorze mois d'élevage, auquel il faudra laisser le temps de se fondre : quatre ou cinq ans.

Maison Camille Giroud, 3, rue Pierre-Joigneaux, 21200 Beaune, tél. 03.80.22.12.65, fax 03.80.22.42.84, contact@camillegiroud.com r.-v.

DOM. ANTONIN GUYON 2009

Gd cru | 2 800 | 75 à 100 €

L'an passé, ce corton-charlemagne fut l'unique coup de cœur de l'appellation. Il est issu de 55 ares essentiellement situés sur les marnes blanches de la commune d'Aloxe-Corton, avec une exposition plein sud idéale. Élevé pendant quinze mois dans 50 % de fûts neufs, le 2009, sous un habit jaune pâle brillant, livre un bouquet généreux de fleurs, de pomme verte, de citron et de vanille. D'abord rond et gras, il s'équilibre sur de belles notes acidulées et persistantes d'agrumes. Dans deux ans, ce vin de belle tenue accompagnera à merveille un soufflé au crabe.

Dom. Antonin Guyon, 21420 Savigny-lès-Beaune, tél. 03.80.67.13.24, fax 03.80.66.85.87, domaine@guyon-bourgogne.com r.-v.

DOM. JACOB 2010

Gd cru	6 000		30 à 50 €

Le hameau de Buisson à Ladoix-Serrigny est situé sur un petit mont sous la colline de Corton. Les Jacob, qui vivent là depuis 1946, peuvent voir leurs grappes mûrir au soleil sur le *climat* des Basses Mourottes, situé entre 300 et 330 m d'altitude. Si « L'Empereur à la barbe blanche » (le surnom de Charlemagne) a le visage pâle, son regard est doré. Son bouquet affiche des notes de vanille mais aussi de fleurs jaunes. On retrouve, dans une bouche suave, le boisé de l'élevage, assorti de notes minérales qui invitent à découvrir ce vin dès cet hiver. Pourquoi ne pas le servir avec un mets « royal », comme un soufflé de langouste sauce aux écrevisses ?

Dom. Jacob, hameau de Buisson, Cidex 20 bis,
21550 Ladoix-Serrigny, tél. 03.80.26.40.42, fax 03.80.26.49.34,
domainejacob@orange.fr r.-v.

OLIVIER LEFLAIVE 2009

Gd cru	3 800		75 à 100 €

Ce négociant de Puligny-Montrachet s'appuie sur un duo d'œnologues, Frank Grux et Philippe Grillet, pour vinifier les presque 800 000 bouteilles produites chaque année par ce domaine, essentiellement en blanc. Une robe jaune doré habille ce 2009 qui marie au nez fruits exotiques, fleurs et minéralité. Le palais aromatique, fin et rond, est soutenu par une plaisante acidité qui porte loin la finale. Dans cinq ans, ce vin harmonieux sera à son meilleur.

Olivier Leflaive Frères, pl. du Monument,
21190 Puligny-Montrachet, tél. 03.80.21.37.65,
fax 03.80.21.33.94, contact@olivier-leflaive.com r.-v.

LOUIS LEQUIN 2009

Gd cru	n.c.		30 à 50 €

Avec des ancêtres vignerons aux hospices d'Autun, Louis Lequin ne pouvait que reprendre le domaine. Depuis 1969, il œuvre pour améliorer la culture de ses vignes, en partenariat avec l'INRA. D'une couleur bouton d'or, ce 2009 intense livre un bouquet d'agrumes mêlés à des notes de fruits mûrs (pomme, abricot, pêche), de miel et de fleurs. La fraîcheur de l'attaque cède la place à une finale plus chaleureuse. Ce corton-charlemagne sera à point dès cet hiver.

Louis Lequin et Fils, 1, rue du Pasquier-de-Pont,
21590 Santenay, tél. 03.80.20.63.82, fax 03.80.20.67.14,
louis.lequin@wanadoo.fr r.-v.

PIERRE MAREY ET FILS 2010

Gd cru	3 600		30 à 50 €

Cette famille de producteurs de Pernand exploite précisément 1,01 ha de corton-charlemagne situé en altitude (entre 280 et 330 m). Ce 2010 se présente dans une robe jaune tirant sur le vert. Le bouquet de fruits secs (noisette, amande) et de fruits frais annonce une bouche gourmande et généreuse, dotée d'une longue finale. Ce vin pourra être servi dans sa jeunesse avec un mets onctueux, comme une poularde de Bresse à la crème. On pourra aussi préférer l'attendre encore trois hivers pour le servir sur des langoustines.

EARL Pierre Marey et Fils, 5 et 6, rue Jacques-Copeau,
21420 Pernand-Vergelesses, tél. 03.80.21.51.71,
fax 03.80.26.10.48, domaine.pierremareyfils@orange.fr
r.-v.

DOM. RAPET PÈRE ET FILS 2010 ★★

Gd cru	6 000		50 à 75 €

« Boire du vin, c'est boire du génie », écrivait Charles Baudelaire. Pour ce domaine, à la fois historique et incontournable de l'appellation corton-charlemagne (avec 3 ha), le génie du lieu a inspiré ce 2010 très élégant dans son habit jaune clair aux reflets verts. Au nez, de fines senteurs de fleurs blanches, d'abricot et d'ananas rehaussées par une pointe mentholée préludent à une bouche splendide, fraîche et ronde à la fois, mise en valeur par une minéralité qui porte loin la finale. Un grand vin, riche et complexe, qui mérite de patienter au moins trois à cinq ans en cave. On l'accorderait bien avec un risotto aux saint-jacques et aux truffes.

Rapet Père et Fils, 2, pl. de la Mairie,
21420 Pernand-Vergelesses, tél. 03.80.21.59.94,
fax 03.80.21.54.01, vincent@domaine-rapet.com r.-v.

Savigny-lès-beaune

Superficie : 350 ha
Production : 13 350 hl (85 % rouge)

Au nord de Beaune, Savigny est un village vigneron par excellence. L'esprit du terroir y est entretenu, et la confrérie de la Cousinerie de Bourgogne est le symbole de l'hospitalité bourguignonne. Les Cousins jurent d'accueillir leurs convives « bouteilles sur table et cœur sur la main ».

« Nourrissants, théologiques et morbifuges » selon la tradition, les savigny sont souples, tout en finesse, fruités, agréables jeunes tout en vieillissant bien. Parmi les 1ers crus, on citera Aux Clous, Aux Serpentières, Les Hauts Jarrons, Les Marconnets, Les Narbantons.

DOM. D'ARDHUY Les Narbantons 2009

1er cru	600		20 à 30 €

Ce domaine constitué en 1947 regroupe 40 ha de vignes répartis tout le long de la « Côte », de Gevrey-Chambertin à Puligny-Montrachet. Les vendanges 2012 bénéficieront de la certification en biodynamie. Quant à cette parcelle de vénérables vignes âgées de soixante-dix ans, elle a donné naissance à un vin pourpre intense au nez flatteur de rose, de pivoine et de confiture de fruits noirs, rehaussé par le boisé des dix-huit mois d'élevage. Puissant et chaleureux, ce millésime a su garder ce qu'il faut de fraîcheur dans la chaude année 2009. Encore deux ans, et vous le servirez sur du bœuf en croûte.

Dom. d'Ardhuy, Clos des Langres, 21700 Corgoloin, tél. 03.80.67.98.73, fax 03.80.62.95.15, domaine@ardhuy.com r.-v.

DOM. ARNOUX PÈRE ET FILS Les Vergelesses 2009 ★

1er cru | 1 400 | 15 à 20 €

Cela fait trois ans de suite que cette propriété de Chorey-lès-Beaune obtient une étoile – à chaque fois pour un *climat* de savigny différent. Cette année, c'est le 1er cru Les Vergelesses, à cheval sur le village voisin de Pernand, qui se distingue. Un *climat* réputé, bien exposé, mentionné dans une charte de 830 sous le nom de « Vergelosse ». La couleur est intense, cerise noire ; le nez concentré marie harmonieusement les fruits mûrs et un beau boisé. Après une attaque franche, la bouche affiche une matière chaleureuse, structurée par des tanins fermes qui demandent à se fondre. Dans trois ans, ce savigny accompagnera agréablement une pièce de bœuf ou du petit gibier.

Arnoux Père et Fils, 5, rue de Ley, 21200 Chorey-lès-Beaune, tél. 03.80.22.57.98, fax 03.80.22.16.85, arnoux.pereetfils@wanadoo.fr r.-v.

DOM. BARBIER Les Fourches 2010 ★

1 761 | 15 à 20 €

Cette marque appartient à la galaxie des vins du groupe Boisset. Elle se distingue dans un *climat* situé au bout du village, en direction de Pernand, où des fourches patibulaires avaient été élevées pour rendre une rude justice. Nos jurés préfèrent, eux, lui décerner une bonne étoile, séduits par ce vin rubis foncé dont les parfums intenses et complexes se libèrent peu à peu à l'aération : le nez explore d'abord la cerise macérée, le kirsch, puis se tourne vers le cassis et se nuance d'épices et de musc. En bouche, le fruité se prolonge agréablement, souligné de vanille, les tanins souples et enrobés laissant une impression d'élégante rondeur. Les impatients pourront bientôt ouvrir cette bouteille ; les autres attendront trois ans pour la goûter à son meilleur avec une côte de veau aux cèpes.

Dom. Barbier et Fils, 4, rue des Frères-Montgolfier, 21700 Nuits-Saint-Georges, tél. 03.80.62.61.00, fax 03.80.62.61.03, jaillet.b@boisset.fr

DOM. DE BELLENE Les Peuillets 2009 ★

1er cru | 858 | 30 à 50 €

Créé en 2006, le domaine couvrant 20 ha s'est constitué une belle collection de vieilles vignes. Nicolas Potel et Sylvain Debort, son maître de chai, ont adopté la démarche biodynamique (en conversion) pour cette parcelle et vinifient dans l'esprit « bio », ne s'autorisant que l'usage du soufre. Ce vin d'un rouge sombre, issu d'un 1er cru proche de Beaune, frôle les deux étoiles. Il les obtiendra sans doute à l'ancienneté, car les jurés saluent son potentiel. Pour l'heure, ses parfums de cassis et de fruits rouges demandent de l'aération pour se libérer et apparaissent dominés par un boisé fumé. En bouche, on découvre des arômes de myrtille mâtinés d'épices douces dans une matière charnue, corsée, dense et longue, structurée par des tanins qui garantissent une belle évolution. Il vous faudra deux ans de patience avant de servir ce savigny sur du petit gibier.

Dom. de Bellene, 39, rue du Faubourg-Saint-Nicolas, 21200 Beaune, tél. 03.80.20.67.64, fax 03.80.26.16.27, contact@domainedebellene.com r.-v.

DOM. DU BOIS NOËL Les Serpentières 2010 ★

1er cru | 25 000 | 11 à 15 €

Ce domaine repris par la maison de négoce murisaltienne Béjot a conservé l'intégralité des vignes qui appartenaient à Maurice Écard. Une étoile va aux Serpentières pour ce 2010 à la robe grenat profond. La fraise, la griotte et le cassis composent un nez légèrement compoté. Associés à un grain de tanin fin, ces arômes contribuent à l'aménité de ce savigny ample et équilibré, à la belle finale. Parfait avec un brie de Meaux dans deux ans. Cité, le ***village* 2010 rouge (8 à 11 € ; 50 000 b.)** joue de ses arômes de fruits rouges et noirs avec une touche de toasté vanillé. Son acidité bien fondue accompagne la finale puissante et lui donne un caractère charmeur. Il sera à son apogée vers 2014 et s'accordera avec un magret de canard aux griottes.

Dom. du Bois Noël, 7, rte de Monthelie, 21190 Meursault, tél. 03.80.21.22.45, fax 03.80.21.28.05, severine.maitre@bejot.com

PHILIPPE BOUCHARD 2010 ★★

9 570 | 11 à 15 €

Marque reprise voici juste dix ans par le groupe Corton André, administré par Benoît Goujon. Ludivine Griveau, l'œnologue maison, voit sa cuvée de *village* propulsée vers les étoiles. La robe pourpre de ce 2010 s'anime de reflets violacés, alors qu'une fine odeur de boisé et de fruits rouges enveloppe le nez. Sa matière s'équilibre entre le fruit et des tanins fins qui soulignent la persistance de la finale. Ce savigny harmonieux vieillira sans soucis jusqu'en 2014. Bel accord en perspective avec des cailles farcies aux raisins.

Philippe Bouchard, BP 10, 21420 Aloxe-Corton, tél. 03.80.25.00.00, fax 03.80.26.42.00, contact@philippe-bouchard.com

Corton André SAS

BOUCHARD PÈRE ET FILS 2010 ★

n.c. | 15 à 20 €

L'appellation savigny représente, en *village*, 179 ha plantés de pinot noir. Volumes disponibles, qualité reconnue, on ne s'étonnera pas de l'intérêt des négociants traditionnels pour les raisins de cette commune. La célèbre maison beaunoise ne s'y est pas trompée et elle obtient une étoile pour ce 2010 rubis limpide. Un petit parfum de cerise griotte se prolonge en bouche où il enrobe des tanins fins et soyeux jusqu'à la finale. Cette bouteille, après une année de cave, sera à son sommet, et vous la retrouverez alors prête à être partagée avec une dinde aux marrons.

Bouchard Père et Fils, Ch. de Beaune, 15, rue du Château, 21200 Beaune, tél. 03.80.24.80.24, fax 03.80.22.55.88, contact@bouchard-pereetfils.com

t.l.j. 10h-12h30 14h30-18h30; dim. 10h-12h30

Famille Henriot

DOM. CACHAT-OCQUIDANT Vieilles Vignes 2010 ★

2 400 | 11 à 15 €

Avec son vignoble réparti sur sept appellations du côté de la montagne de Corton, la famille Cachat figure souvent dans le Guide, parfois aux meilleures places. David Cachat, qui travaille avec son père Jean-Marc, préside également une association de jeunes vignerons de

Bourgogne. En savigny, la cuvée Vieilles Vignes est aussi réussie que dans le millésime précédent. La robe est d'un pourpre intense et profond. Fruits rouges et noirs se livrent bataille pour s'emparer du nez. On les retrouve dans une bouche soyeuse, tonifiée par une juste acidité qui donne de l'allonge à la finale. Une cuvée déjà prête, qui pourra aussi attendre deux ans.

Dom. Cachat-Ocquidant, 3, pl. du Souvenir, Cidex 1, 21550 Ladoix-Serrigny, tél. 03.80.26.45.30, fax 03.80.26.48.16, domaine.cachat@wanadoo.fr r.-v.

CAMUS-BRUCHON ET FILS Gravains 2010 ★

1er cru | 2 000 | 15 à 20 €

À la tête de 9 ha, Guillaume Camus est installé à Savigny et exploite plusieurs crus dans la commune. Ce Gravains (dérivatif de « Grèves ») tire évidemment son nom du sol : le cône de déjection de la combe d'Orange, au nord-est du village, a apporté d'abord des cailloux puis du sable. La robe cerise noire offre des reflets bleutés de jeunesse, tandis qu'un parfum de cassis et de framboise intègre un joli boisé. L'attaque puissante et charnue dévoile une matière fraîche, harmonieuse et longue, aux tanins marqués mais de bonne qualité. « Très beau vin dans le millésime », ajoute un juré. À découvrir après deux hivers pendant la saison du mont-d'or. Le ***village*** **Les Pimentiers Vieilles Vignes 2010 rouge (11 à 15 €; 2 800 b.)** est assez complexe pour un vin né sur un *climat* non classé. Il est cité pour son nez de réglisse et de sous-bois et pour sa charpente tannique, encore ferme, qui appelle deux années de patience.

Camus-Bruchon et Fils, Les Cruottes, 16, rue de Chorey, 21420 Savigny-lès-Beaune, tél. 06.22.63.65.89, fax 03.80.26.10.21, camus-bruchon@wanadoo.fr r.-v.

DOM. VINCENT CHARACHE Les Godeaux 2010

1 400 | 11 à 15 €

Avec quatorze parcelles réparties sur 19 ha, Vincent Charache installé dans les Hautes-Côtes sait, quand il se lève, qu'il y a toujours quelque chose à faire. D'une parcelle située à 300 m à la sortie de la combe d'Orange, ce jeune vigneron a tiré un vin d'un rouge profond, mêlant au nez le poivre et le boisé du tonneau. D'abord vif, le palais se montre ensuite gras, ample et harmonieux grâce à ses tanins fondus. Une petite garde (un à deux ans) suffira pour porter ce pinot noir à son meilleur.

EARL Dom. Vincent Charache, chem. de Bierre, 21200 Bouze-lès-Beaune, tél. 06.03.95.65.91, fax 03.80.26.00.86, domainevincentcharache@orange.fr r.-v.

DOM. BRUNO CLAIR La Dominode 2009

1er cru | 8 000 | 30 à 50 €

Cette vaste propriété familiale (21,85 ha) a son siège en Côte de Nuits. Philippe Brun est aux commandes des vinifications depuis 1986. Cette vigne La Dominode, incluse dans le 1er cru Les Jarrons, est une valeur sûre du domaine. Derrière une robe rubis soutenu tirant sur le violine, on découvre des parfums de fraise et de fleurs assortis d'un joli boisé vanillé. Nos jurés aiment son attaque souple et fruitée, sa matière concentrée et sa présence en fin de bouche. Proche de l'étoile, ce 2009 atteindra certainement ce niveau lorsque ses tanins auront achevé de se polir. Un jarret de bœuf braisé au thym pourra accompagner cette bouteille après son séjour de deux ans en cave.

Dom. Bruno Clair, 5, rue du Vieux-Collège, 21160 Marsannay-la-Côte, tél. 03.80.52.28.95, fax 03.80.52.18.14, brunoclair@wanadoo.fr r.-v.

RODOLPHE DEMOUGEOT Les Bourgeots 2010

2 400 | 15 à 20 €

Ce producteur de Meursault fête en 2012 ses vingt ans de métier. Il exploite plusieurs vignes à Savigny, notamment cette parcelle voisine des premières maisons de Beaune. Le nom du *climat* signifie « genêts », plante qui poussait à proximité du Rhoin, le ruisseau qui borde Savigny. Cette vigne donne des vins souvent appréciés des jurés (le 2005 fut même élu coup de cœur). Intense et profond, le 2010 exprime les fruits rouges et les épices. La bouche, riche et aromatique, évolue sur des tanins fins qui laissent une impression de souplesse. La finale toastée par onze mois de fût s'accordera à merveille avec un rumsteck au poivre dès l'été prochain.

Rodolphe Demougeot, 2, rue du Clos-de-Mazeray, 21190 Meursault, tél. 03.80.21.28.99, fax 03.69.63.83.93, rodolphe.demougeot@orange.fr r.-v.

DOM. DOUDET Les Guettes 2010 ★

1er cru | 3 500 | 15 à 20 €

Savigny est le berceau de cette exploitation fondée en 1849. La maison y a toujours son siège, et parmi les 13 ha de vignes de son domaine figurent plusieurs parcelles dans cette appellation. Ce *climat* tient son nom de sa position élevée sur un coteau bien exposé qui servait autrefois de poste d'observation. Isabelle Doudet et son maître de chai, Charles Deschamps, récoltent avec ce 2010 une belle étoile. De couleur cerise noire, leur vin évoque également ce fruit au nez ; on y trouve aussi du cassis et un boisé vanillé délicat et harmonieux. Au palais, la souplesse de l'attaque est relayée par une trame de tanins fins et serrés. Un ensemble puissant et élégant à la fois, attestant des « vinification et élevage exemplaires », selon un juré. On attendra 2016 avant de le marier avec un magret de canard aux cerises.

Dom. Doudet, 5, rue Henri-Cyrot, 21420 Savigny-lès-Beaune, tél. 03.80.21.51.74, fax 03.80.21.50.69, doudet-naudin@wanadoo.fr r.-v.

DOM. DUBOIS D'ORGEVAL Les Narbantons 2009

1er cru | 1 550 | 15 à 20 €

Installée sur la commune de Chorey-lès-Beaune, voisine de Savigny, la famille Dubois d'Orgeval met en valeur 13 ha de vignes. Elle exploite 1 ha sur les 9,48 que compte le *climat* Narbantons, un 1er cru des secteurs froids exposés au nord, côté Beaune. Le vin, grenat soutenu, libère des parfums évoquant les fruits rouges fraîchement écrasés. Le fût, également présent, marque très fortement la bouche charnue et équilibrée, structurée par de beaux tanins. Il donne à la finale un caractère épicé. Trois ans à l'abri des regards devraient permettre à cette bouteille d'affiner sa matière boisée.

Dom. Dubois d'Orgeval, 3, rue Joseph-Bard, 21200 Chorey-lès-Beaune, tél. 03.80.24.70.89, fax 03.80.22.45.02, duboisdorgeval@aol.com r.-v.

R. DUBOIS ET FILS 2009

9 124 | 11 à 15 €

L'arrière-grand-père a acquis la première parcelle en 1898 au sud de la Côte de Nuits. Aujourd'hui, Raphaël Dubois et sa sœur Béatrice exploitent un coquet domaine de 23 ha. La seconde, œnologue, a pris la main sur la cave. À Savigny, le tandem cultive 1,65 ha de vignes âgées de cinquante ans. Ces vieux pinots noirs ont engendré une cuvée rubis intense aux frais parfums de cassis et de cerise soulignés de délicates notes d'élevage. L'attaque sur un fruité mûr et savoureux est relayée par des impressions chaleureuses et par des tanins boisés qui donnent à cette bouteille une bonne structure et confèrent à la finale des accents épicés. Encore deux ans, et ce vin aura gagné en rondeur. On le verrait bien sur un cari de bœuf.

Dom. R. Dubois et Fils, 7, rte de Nuits-Saint-Georges, 21700 Premeaux-Prissey, tél. 03.80.62.30.61, fax 03.80.61.24.07, contact@domaine-dubois.com t.l.j. 8h-11h30 13h30-17h30; sam. dim. sur r.-v.

PHILIPPE ET ARNAUD DUBREUIL 2010 ★

	4 750		11 à 15 €

À la tête du domaine familial depuis 1988, Philippe Dubreuil passe doucement la main à son fils Arnaud. Le tandem exploite 10 ha, dont 1,6 ha de chardonnay, ce qui n'est pas négligeable quand on sait que le savigny blanc, en *village*, représente à peine 30 ha sur les 208 que compte l'appellation communale. Ces vignes blanches ont engendré un vin or vert brillant aux parfums délicats et mûrs de pêche, d'abricot et de mirabelle assortis d'un léger boisé. La bouche dévoile une texture charnue où la maturité du fruit est empreinte d'une agréable fraîcheur. Dès aujourd'hui, ce 2010 régalera avec un vol-au-vent aux fruits de mer ou une côte de veau à la crème.

Philippe et Arnaud Dubreuil, 4, rue Pejot, 21420 Savigny-lès-Beaune, tél. 03.80.21.53.73, fax 03.80.26.11.46, dubreuil.cordier@aliceadsl.fr r.-v.

DOM. LIONEL DUFOUR Les Goudelettes 2010 ★

	3 500		50 à 75 €

Dans cette appellation, où le pinot noir représente 90 %, le *climat* des Goudelettes est voué au chardonnay, comme Les Gouttes d'Or de Meursault. La maison de Lionel Dufour, propriétaire de vignes, y exploite une parcelle de 46 ares. Son 2010, dans un habit vert pâle, exprime des senteurs d'aubépine, de pêche et d'abricot. L'attaque franche introduit une matière ronde, sous-tendue par une belle vivacité que soulignent des notes d'agrumes. Les fleurs blanches font leur retour en finale. Déjà harmonieux, ce savigny peut être bu sur un risotto aux moules, et l'on peut aussi le garder deux ans. Quant au ***village* Les Pointes 2010 rouge (50 à 75 € ; 8 000 b.)**, il est cité, tant pour son nez associant les fruits rouges et un boisé vanillé que pour sa bouche ronde et réglissée, dont la vivacité et la fermeté tannique promettent deux à trois ans de garde.

Lionel Dufour, 6, allée des Amandiers, 21190 Meursault, tél. 08.26.55.55.20, fax 03.87.69.71.13, directioncom@lionel-dufour.fr

DOM. MICHEL ET JOANNA ÉCARD
Les Serpentières Vieilles Vignes 2009 ★★

1er cru	8 000		15 à 20 €

Saluons le palmarès de ce couple de vignerons du village, dont le vin provient uniquement de l'appellation. Trois cuvées retenues, soit une bonne moitié de la production de ses 4 ha de vignes. En tête, le 1er cru Les Serpentières, élu coup de cœur pour la profondeur de sa robe et pour celle de son nez, où les notes toastées de l'élevage (onze mois) se mêlent aux petits fruits noirs bien mûrs, pour son attaque fruitée et pour sa bouche ronde, fine, savoureuse, structurée par des tanins frais et épicés. Après les deux prochains hivers, il accompagnera une oie rôtie. Ce *climat* exposé au sud confirme ici sa réputation. Le **1er cru Les Gravains 2009 rouge (2 300 b.)** provient d'un lieu-dit jouxtant le précédent. Ses arômes élégants de truffe et de violette, son attaque franche, sa matière structurée et fondue aux arômes de fruits noirs et d'épices lui valent une étoile. Même note pour un vin né côté Beaune, sur un coteau qui passe pour donner des vins ronds et fruités. C'est bien le cas de ce **1er cru Les Peuillets 2009 rouge (1 800 b.)**, un vin souple au nez de cerise, qui laisse une fin de bouche agréable.

Dom. Michel et Joanna Écard, 3, rue Boulanger-et-Vallée, 21420 Savigny-lès-Beaune, tél. 06.30.18.28.13, fax 03.80.26.10.55, ecard.michel.joanna@orange.fr r.-v.

MICHEL GAY ET FILS Vergelesses 2009

1er cru	2 400		15 à 20 €

L'un des vingt-deux *climats* classés en 1er cru et parmi les plus connus, car il se partage entre Savigny et la commune voisine de Pernand-Vergelesses qui a poussé l'amour pour ce cru jusqu'à lui accoler son nom. Ce producteur de Chorey obtient une belle citation pour ce savigny à la robe cerise noire et au bouquet alliant les fleurs, les fruits rouges et le cassis à des notes chocolatées héritées du fût. Passé les lèvres, ce vin se montre gourmand, charnu, élégant, tout en fruit et en tanins affables. Le bois sait rester à sa place. À partir de 2014, on tiendra une bouteille idéale pour découvrir l'un des plus célèbres 1ers crus de la Côte de Beaune.

Dom. Michel Gay et Fils, 1, rue des Brenots, 21200 Chorey-lès-Beaune, tél. 03.80.22.22.73, fax 03.80.22.95.78, michelgayetfils@orange.fr r.-v.

JEAN-MICHEL GIBOULOT Les Peuillets 2010 ★

1er cru	1 750		15 à 20 €

Celui qui se définit simplement comme un « vigneron à Savigny-lès-Beaune » exploite 12,5 ha de vignes en conversion vers l'agriculture biologique. Ce secteur des Peuillets réussit décidément aux vins jeunes. D'un rouge intense brillant et limpide, ce 2010 offre un bouquet complexe et frais de cassis, de mûre et de sous-bois. L'attaque franche et fruitée, sur le fruit noir, introduit un palais plutôt chaleureux mais équilibré, aux tanins fins et racés, réglissés en finale. Une fois patinée, dans trois ou quatre ans, cette bouteille pourra donner la réplique à un foie gras poêlé.

Jean-Michel Giboulot, 27, rue du Gal-Leclerc, 21420 Savigny-lès-Beaune, tél. 03.80.21.52.30, jean-michel.giboulot@wanadoo.fr r.-v.

JEAN-JACQUES GIRARD 2010

	5 400		11 à 15 €

Jean-Jacques Girard et son fils Vincent cultivent la vigne à Savigny, comme le faisaient leurs ancêtres au XVIe s. Quant à la propriété, elle n'a pas moins de deux cents ans. Elle s'éparpille entre Aloxe-Corton et Volnay. Les blancs du domaine sont très présents dans le Guide, même en savigny, appellation où le chardonnay est rare. Ici, un hectare et cinq centiares de ce cépage ont engendré un vin d'un or pâle limpide et brillant, au nez de fleurs blanches et d'agrumes. Sa texture souple est sous-tendue jusqu'à la finale par une certaine vivacité que soulignent des notes de citron. À déboucher dans l'année avec un poisson fin cuisiné en papillote.

Dom. Jean-Jacques Girard, 16, rue de Cîteaux, 21420 Savigny-lès-Beaune, tél. 03.80.21.56.15, fax 03.80.26.10.08, contact@domaine-girard.com r.-v.

DOM. PHILIPPE GIRARD Vieilles Vignes 2010

	20 000		11 à 15 €

Avec un arbre généalogique remontant au XVIᵉs., cette famille de vignerons savigniens a plusieurs branches. Ici, nous sommes chez Philippe, qui vient d'ajouter à son domaine de 10 ha une parcelle en pommard. En attendant de la voir peut-être apparaître dans une prochaine édition, intéressons-nous à ce savigny né de 4 ha d'un pinot noir âgé de quarante ans. Un rubis net lui fait une jolie robe. Cerise et framboise forment un nez franc, nuancé d'une touche de bois bien intégrée. Au palais, de l'onctuosité, une certaine ampleur, de la fraîcheur, toujours du fruit et des petits tanins fins. À servir avec un quasi de veau au jus, vers la fin 2014.

Philippe Girard, 37, rue du Gal-Leclerc, 21420 Savigny-lès-Beaune, tél. 03.80.21.57.97, fax 03.80.26.14.84, contact@domaine-philippe-girard.com t.l.j. 8h-12h 14h-19h

DOM. PIERRE GUILLEMOT Dessus les Golardes 2010 ★

	2 300		11 à 15 €

Dès la première édition, ce producteur de Savigny a trouvé sa place dans le Guide ; il a décroché plusieurs coups de cœur (dernièrement, pour Les Jarrons 2008 rouge). On connaît surtout ses pinots noirs, or voici un blanc très singulier, non seulement en raison de sa commune d'origine (les blancs sont minoritaires dans ce village) ou de l'âge des vignes (cinquante-cinq ans), mais encore et surtout parce qu'il s'agit d'un assemblage dominé par le pinot blanc (70 %), cépage qui se fait rare mais est autorisé. Quant à l'élevage, il s'est déroulé en demi-muids de 600 l. Il en résulte une robe or pâle brillante, des fragrances de fleur d'oranger et de fruits blancs, une bouche bien construite sur une vivacité citronnée qui se maintient de l'attaque à la finale. Un excellent vin d'apéritif, à servir dans les trois ans à venir.

SCE du Dom. Pierre Guillemot, 11, pl. Fournier, BP 18, 21420 Savigny-lès-Beaune, tél. 03.80.21.50.40, fax 03.80.21.59.98, domaine.pierre.guillemot@orange.fr r.-v.

DOM. JEAN GUITON 2010 ★

	4 800		11 à 15 €

Si Jean Guiton et son fils Guillaume sont installés à Bligny, dans la plaine au sud de Beaune, leurs vignes sont bien sûr implantées sur la Côte, notamment à Savigny. Avec ses 2,48 ha, la parcelle à l'origine de ce vin représente à elle seule plus de 20 % des 11,5 ha de l'exploitation. Pour le délicat millésime 2010, deux vins rouges font jeu égal. Ce *village* affiche une robe jeune et intense aux reflets violacés, un nez généreux, sur les fruits à l'alcool et le caramel ; en bouche, il dévoile une rondeur élégante puis des tanins marqués qui n'empêchent en rien les saveurs de griotte de s'exprimer. Dans le **1er cru Les Peuillets 2010 (15 à 20 € ; 2 700 b.)**, les dégustateurs louent la palette mêlant les fruits rouges et un boisé de qualité, la matière ample et étoffée, les tanins serrés. Deux bouteilles à attendre deux ans. Accord suggéré : des rognons au gril sauce à l'époisses.

Dom. Jean Guiton, 4, rte de Pommard, 21200 Bligny-lès-Beaune, tél. 03.80.26.82.88, fax 03.80.26.85.05, domaine.guiton@wanadoo.fr r.-v.

DOM. LUCIEN JACOB Les Vergelesses 2010

1er cru	1 900		15 à 20 €

Cette famille des Hautes-Côtes produit, outre du vin, des crèmes de cassis, de framboise et de mûre. L'exploitation, qui couvre 17 ha, a un pied dans chaque Côte. À sa tête, Chantal Forey-Jacob, Jean-Michel et Christine Jacob, enfants et belle-fille de Lucien. Ce Vergelesses, or blanc cristallin, doit être sollicité pour qu'il consente à livrer des notes grillées d'élevage, les fleurs blanches restant à l'arrière-plan. Si l'attaque se montre souple et gourmande, une petite pointe acidulée appelle une garde de deux ans afin que la rondeur du chardonnay apparaisse. Bel accord en perspective avec un plat sucré-salé, comme du porc au gingembre.

Dom. Lucien Jacob, 21420 Échevronne, tél. 03.80.21.52.15, fax 03.80.21.55.65, lucien-jacob@wanadoo.fr r.-v.

DOM. LEBREUIL Aux Peuillets 2010

1er cru	1 200		15 à 20 €

Ce domaine familial de Savigny, connu aussi sous le nom des Guettottes, a été fondé en 1935 avec 2 ha. Aujourd'hui, Pierre et son fils Jean-Baptiste mettent en valeur 11,5 ha dans plusieurs appellations. En savigny, le *climat* des Peuillets, qui représente un peu plus de 16 ha, est le deuxième des 1ᵉʳˢ crus par sa superficie ; c'est aussi l'un des plus connus. Il a donné naissance à ce pinot noir rubis brillant dont les parfums de fruits des bois montent en puissance, relevés d'épices. Franc à l'attaque, à la fois moelleux et vif, évoluant sur des tanins souples et fondus, ce vin est friand et bien construit. Dans deux ans, il sera à son optimum.

Pierre et Jean-Baptiste Lebreuil, 17, rue Chanson-Maldant, 21420 Savigny-lès-Beaune, tél. 03.80.21.52.95, fax 03.80.26.10.82, domaine.lebreuil@wanadoo.fr r.-v.

DOM. MAILLARD PÈRE ET FILS 2010 ★

	n.c.		11 à 15 €

Les Maillard se sont installés à Chorey-lès-Beaune il y a juste soixante ans. Aujourd'hui, ils disposent de 18 ha dans sept communes du nord de la Côte de Beaune. D'une parcelle de pinot noir âgé de quarante ans ils ont tiré un vin grenat profond au nez fruité à souhait : des fragrances de cassis et de fruits rouges montent du verre, prenant à l'aération des accents mûrs et même confits. La bouche attaque tout en fraîcheur, et le fruité du nez se prolonge sur un fond acidulé, rehaussé en finale par des tanins légers. Une bouteille agréable, à servir dans deux ans avec un lapin rôti aux morilles.

Dom. Maillard, 2, rue Joseph-Bard, 21200 Chorey-lès-Beaune, tél. 03.80.22.10.67, fax 03.80.24.00.42 r.-v.

DOM. MARATRAY-DUBREUIL Les Vergelesses 2010

1er cru n.c. 15 à 20 €

Le terroir des Vergelesses, qui associe des sols calcaires caillouteux riches en oolithe ferrugineuse à une exposition sud-sud-est idéale, donne naissance à de beaux enfants quel que soit le cépage. Ce producteur de Ladoix-Serrigny y exploite des vignes dans les deux couleurs. Il signe ici un chardonnay or pâle, au nez partagé entre fleurs blanches, agrumes et léger boisé, arômes que l'on retrouve au palais. La bouche évolue sur une fraîcheur mentholée avant de terminer sa course par une note anisée. À marier dans l'année avec une aumônière au fromage de Cîteaux.

Dom. Maratray-Dubreuil, 5, pl. du Souvenir, 21550 Ladoix-Serrigny, tél. 03.80.26.41.09, fax 03.80.26.49.07, contact@domaine-maratray-dubreuil.com

t.l.j. sf sam. dim. 8h30-12h 14h-17h30

JEAN-PHILIPPE MARCHAND Vieilles Vignes 2009

4 500 11 à 15 €

Héritier de six générations de vignerons, Jean-Philippe Marchand gère une affaire de négoce. Il s'est installé en 1984 à Gevrey-Chambertin dans une ancienne fabrique de confitures. Si, sur sa carte, les vins de la Côte de Nuits sont les plus nombreux, on trouve aussi quelques appellations de la Côte de Beaune, comme ce savigny. Sa robe aux reflets bleutés est encore jeune, son nez reste réservé, partagé entre de fines senteurs de fruits rouges et un boisé léger. Frais et élégant à l'attaque, charnu et tonique, simple mais agréable, ce vin sait se faire aimer en pinotant joliment sur des arômes de cerise. Sa finale acidulée appelle une petite année de garde. Accord parfait avec une entrecôte grillée, juteuse à souhait.

Jean-Philippe Marchand, 4, rue Souvert, 21220 Gevrey-Chambertin, tél. 03.80.34.33.60, fax 03.80.34.12.77, contact@marchand-jph.fr r.-v.

CATHERINE ET CLAUDE MARÉCHAL Vieilles Vignes 2010 ★

8 116 20 à 30 €

Installés à Bligny-lès-Beaune, dans la plaine, Catherine et Claude Maréchal mettent en valeur 13 ha de vignes dans six communes – avec un grand savoir-faire, à en juger par les trois coups de cœur obtenus en trois ans. Le millésime précédent de ce savigny fut ainsi couronné. Le potentiel de garde du 2010 est sans doute moindre (trois ou quatre ans), mais cette bouteille rubis intense montre une réelle élégance. Du verre montent d'engageants parfums de pain grillé et de vanille qui laissent poindre des notes de framboise. En bouche, les petits fruits rouges s'épanouissent dans une matière étoffée aux jolies rondeurs et se teintent en finale d'une touche réglissée. À servir dans deux ans. Pourquoi pas avec une tourte à la viande ?

EARL Catherine et Claude Maréchal, 6, rte de Chalon, 21200 Bligny-lès-Beaune, tél. 03.80.21.44.37, fax 03.80.26.85.01, marechalcc@orange.fr r.-v.

PIERRE MAREY ET FILS Les Rouvrettes 2010 ★

1er cru 1 200 15 à 20 €

La famille Marey a une double activité : elle diffuse des vins de propriété tout en mettant en valeur son propre vignoble (11 ha). Éric Marey vient d'agrandir celui-ci en prenant en fermage 24 ares en savigny, ce qui nous permet de découvrir le domaine aussi dans cette appellation. Terroir frais, exposé au nord-est, ce *climat* des Rouvrettes passe pour donner des vins structurés, parfois austères. De fait, les tanins font sentir leur présence, notamment en finale, et incitent à garder cette bouteille deux à trois ans en cave. Le nez bien ouvert sur les fruits rouges un peu confiturés et le bois grillé, l'attaque élégante et la finesse des tanins parlent en faveur de cette bouteille. « C'est franc et très bon », conclut un dégustateur.

EARL Pierre Marey et Fils, 5 et 6, rue Jacques-Copeau, 21420 Pernand-Vergelesses, tél. 03.80.21.51.71, fax 03.80.26.10.48, domaine.pierremareyfils@orange.fr

r.-v.

DOM. CHANTAL ET MICHEL MARTIN Les Pimentiers 2009

3 000 11 à 15 €

Ce couple de vignerons s'est installé il y a quelques années sur un vignoble familial – un « domaine de poche » (4,6 ha) – qu'il a d'abord conduit en lutte raisonnée avant d'engager la conversion vers l'agriculture biologique (certification en 2012). Les Pimentiers ont déjà donné une bonne bouteille l'an dernier. Le calcaire caillouteux de ce *climat* offre du fer au pinot noir sur un terroir de plaine. Un rouge sombre colore le verre d'où s'envolent les parfums boisés et fumés légués par l'élevage (dix-huit mois). Après une attaque soyeuse, des tanins vifs tiennent le haut du pavé et le fruit reste en retrait. Plein de mâche, bien structuré et long, ce 2009 pourrait bien mériter une étoile après deux ans de garde.

Michel Martin, 4, rue d'Aloxe-Corton, 21200 Chorey-lès-Beaune, tél. 03.80.24.26.57, fax 03.80.24.99.12, info@domainemartin.fr

r.-v.

DOM. MOILLARD 2010 ★

35 000 11 à 15 €

Repris en 2008 par la puissante société de négoce Béjot, dirigée par Vincent Sauvestre, le domaine Moillard signe une cuvée issue de 5,32 ha, qui n'a donc rien de confidentiel. Ce qui n'ajoute que du mérite à ce *village* qui accède à l'étoile. Dans le verre, un rubis profond et brillant ; les fruits rouges et la mûre définissent le nez. Un fruit concentré, des tanins serrés et une finale agréable et longue composent une bouteille de bonne compagnie, déjà prête à donner la réplique à quelque viande en sauce.

Dom. Moillard, 7, rte de Monthelie, 21190 Meursault, tél. 03.80.21.99.51, fax 03.80.21.28.05, fanny.duvernois@bejot.com

Thomas

DOM. PARIGOT Les Peuillets 2010 ★

4 600 15 à 20 €

Un virtuose du pinot noir : quatre coups de cœur ces trois dernières années, pour les plus récents. Le 2007 de ces Peuillets fut d'ailleurs l'un des vins couronnés. Il s'agit pourtant de la partie non classée de ce *climat* majoritairement en 1er cru. Si l'on prend l'autoroute en direction du nord, on aperçoit ce terroir à droite, passé les dernières constructions de Beaune. Un grenat profond et brillant habille le 2010. Des fruits rouges et noirs frais alliés à un boisé entre vanille et épices composent son profil aromatique. Ce fruité parfume une matière ample et concentrée, au boisé puissant mais non dominateur. Des tanins marqués invitent à garder ce vin trois hivers, avant de l'assortir avec les fibres généreuses d'un canard au sang.

Dom. Parigot, rte de Pommard, 21190 Meloisey, tél. 03.80.26.01.70, fax 03.80.26.04.32, domaine.parigot@orange.fr r.-v.

DOM. PAVELOT Les Serpentières 2009 ★★

■ 1er cru | 900 | 15 à 20 €

S'il se distingue aussi dans d'autres appellations voisines, ce domaine établi à Savigny, qui détient des parcelles dans une bonne demi-douzaine de 1ers crus de la commune, ne manque pratiquement jamais le rendez-vous du Guide dans cette AOC. Il s'offre même le luxe d'être le premier du grand jury des coups de cœur. Ce 2009 né d'un 1er cru exposé plein sud, au-dessus du village, a pour seul défaut sa rareté. À la robe pourpre profond répondent des fragrances épanouies et complexes de violette, de cassis, de mûre, de noyau et de kirsch, fondues dans un élégant boisé torréfié. L'attaque soyeuse et gourmande fait place à des tanins charnus mais fermes qui renforcent la persistance de ce vin. Quatre ans de cave patineront cette cuvée qui pourra accompagner du petit gibier. Deux citations complètent ce palmarès. Le **1er cru La Dominode 2009 rouge (20 à 30 €; 12 000 b.)** profond à l'œil, intense au nez, révèle des trésors de fruits rouges avec des tanins consistants; le **1er cru Aux Guettes 2009 rouge (15 à 20 €; 7 500 b.)** livre sous ses reflets bleutés des arômes de cerise, de fraise et de framboise. Attaquant avec souplesse, il monte en puissance et laisse une impression de générosité. Ces deux derniers vins gagneront à attendre jusqu'à fin 2014. Filet de bœuf ou magret aux cèpes ?

EARL Dom. Jean-Marc et Hugues Pavelot,
1, chem. des Guettottes, 21420 Savigny-lès-Beaune,
tél. 06.61.11.47.64, fax 03.80.21.59.73,
hugues.pavelot@wanadoo.fr r.-v.

DOM. DU PRIEURÉ Les Hauts-Jarrons 2010

■ 1er cru | n.c. | 15 à 20 €

À la tête de ce domaine de 12,5 ha établi au cœur de Savigny, Jean-Michel Maurice a été rejoint par son fils Stéphen. Le 1er cru Les Hauts-Jarrons, qui regarde le levant, est surplombé par l'autoroute A6. Ses sols calcaires légèrement sablonneux accueillent le chardonnay comme le pinot noir, lequel a donné naissance à un vin équilibré, complexe et bien construit. Cerise à l'œil et cerise au nez, ce 2010 ajoute à sa palette des notes de violette et une touche de vanille. Le palais attaque avec fraîcheur avant de dévoiler une charpente de tanins serrés qui ne demandent que trois ans pour se fondre. Cité lui aussi, le ***village* Les Grands-Picotins 2010 rouge (11 à 15 €)** est un vin de garde vif, aux tanins bien fondus, mais peu disert. À mettre de côté durant cinq ans au moins.

Dom. du Prieuré, 23, rte de Beaune,
21420 Savigny-lès-Beaune, tél. 03.80.21.54.27,
fax 03.80.21.59.77, maurice.jean-michel@wanadoo.fr
t.l.j. 8h-12h 13h30-18h30

DOM. PRIN 2010 ★

■ | 2 400 | 11 à 15 €

Installé à Ladoix-Serrigny depuis 1994, Jean-Luc Boudrot exploite 5,5 ha de vignes implantées au sud de son village. Si ce vigneron est très présent en AOC ladoix et aloxe-corton, son savigny 2010, rubis clair, n'en obtient pas moins une étoile enviable par la grâce de son joli nez de fruits rouges écrasés. Ce fruité, assorti d'un léger boisé, parfume une bouche souple et fine, mais assez puissante pour retenir l'attention et permettre une courte garde. Vous pourrez apprécier cette bouteille dès cet hiver sur un bœuf mode.

Dom. Prin - Jean-Luc Boudrot,
2, rue Saint-Marcel, Cidex 44, 21550 Ladoix-Serrigny,
tél. 03.80.26.45.83, fax 03.80.26.46.16, domaineprin@yahoo.fr
r.-v.

PAUL REITZ 2010

■ | 1 520 | 11 à 15 €

Cette maison de négoce implantée sur le village marquant la limite entre Côte de Beaune et Côte de Nuits célèbre cette année les cent trente ans de sa fondation. C'est en effet en 1882 que Paul Reitz, vigneron descendant d'un foudrier rhénan établi en Bourgogne, a créé son affaire tout en gardant son domaine. Aujourd'hui, la cinquième génération est aux commandes. Issu du vignoble maison, ce savigny frôle l'étoile. Fleurs et fruits rouges (groseille, framboise) se mêlent pour former un nez frais et expressif. Des tanins fondus apportent une texture souple, avec une petite acidité qui dynamise la finale. À déguster dans deux ans.

Maison Paul Reitz, 120-124, Grande-Rue,
21700 Corgoloin, tél. 03.80.62.98.24, fax 03.80.62.96.83,
contact@paulreitz.com r.-v.

DOM. ROSSIGNOL-TRAPET Les Bas Liards 2009 ★

■ | 1 500 | 15 à 20 €

Un domaine bien connu de nos lecteurs, en biodynamie depuis 1997 et certifié depuis le millésime 2008. Bien que majoritairement producteurs en Côte de Nuits, les frères Rossignol exploitent cette parcelle en Côte de Beaune. Le « liard », une variété de peuplier noir, semble avoir donné son nom à trois *climats*, dont ces Bas Liards longeant le Rhoin, la rivière qui donne à Savigny ses deux versants. Si ce 2009 arbore une robe grenat d'une belle profondeur, il lui faut un peu d'aération pour qu'il consente à livrer des parfums frais et complexes de fruit rouges, dominés par la cerise. L'équilibre définit le mieux sa matière qui possède cette mâche propre au pinot. On retrouve en bouche ces arômes gourmands et persistants de cerise cœur-de-pigeon. À boire cet automne ou à mettre en cave deux ans.

Dom. Rossignol-Trapet, 4, rue de la Petite-Issue,
21220 Gevrey-Chambertin, tél. 03.80.51.87.26,
fax 03.80.34.31.63, info@rossignol-trapet.com r.-v.

DOM. VINCENT SAUVESTRE Les Peuillets 2010

■ 1er cru | 8 000 | 11 à 15 €

À la tête de la maison Béjot, Vincent Sauvestre exploite de vastes domaines en propre (200 ha environ en Bourgogne ainsi que des vignobles dans le sud de la France), dont celui-ci, qui porte son nom et qui comporte des parcelles disséminées dans toute la Côte de Beaune. Avec ce 1er cru, la propriété signe un vin de caractère, bien

BOURGOGNE

construit, ample et consistant, aux tanins déjà enrobés. La palette aromatique se partage entre la cerise, les fruits rouges légèrement confiturés et un boisé épicé. Trois ans de garde avant de servir cette bouteille sur du petit gibier.

Dom. Vincent Sauvestre, 7, rte de Monthelie,
21190 Meursault, tél. 03.80.21.22.45, fax 03.80.21.28.05,
severine.maitre@bejot.com

DOM. FRANCINE ET MARIE-LAURE SERRIGNY 2009

■ 5 400 11 à 15 €

Les deux sœurs Marie-Laure et Francine Serrigny exploitent en duo le domaine familial depuis 1995. Elles signent un *village* 2009 issu de vignes de soixante ans. La vendange, entièrement égrappée, a fait l'objet d'une cuvaison de vingt jours et d'un élevage de dix-huit mois en fût. Rubis sombre, ce vin monte en puissance après aération, livrant des notes de cassis, de griotte et de raisin soulignées d'un léger boisé. Finesse, rondeur et élégance caractérisent la matière au toucher velouté. Une cuvée à boire dès la sortie du Guide sur un ragoût d'agneau.

Francine et Marie-Laure Serrigny, 4, rue du Bouteiller,
21420 Savigny-lès-Beaune, tél. 03.80.26.11.75,
fax 03.80.26.14.15, domaine.serrigny@orange.fr r.-v.

HENRI DE VILLAMONT 2010 *

3 000 15 à 20 €

Cette maison, entrée en 1964 dans le giron du groupe Schenk, possède depuis les années 1880 une imposante cuverie à Savigny. Elle signe un *village* blanc au très joli nez, aromatique et complexe : on y respire les fleurs blanches, les agrumes, l'ananas et des notes plus suaves de pêche et de miel, sans oublier une touche minérale. Sa matière très ronde et suave est tendue par une fraîcheur légèrement iodée. Le boisé s'exprime à travers des notes de noisette grillée. Déjà harmonieux, ce chardonnay peut se déguster dès cet hiver, mais il pourra aussi être conservé une paire d'années. Bel accord avec une aumônière au fromage de Cîteaux.

Henri de Villamont, 2, rue du Dr-Guyot, BP 3,
21420 Savigny-lès-Beaune, tél. 03.80.21.50.59,
fax 03.80.21.36.36, contact@hdv.fr
t.l.j. sf lun. 10h-12h 14h-17h
Schenk

DOM. DE LA VOUGERAIE Les Marconnets 2010 *

■ 1er cru 8 036 20 à 30 €

Pierre Vincent, l'œnologue du domaine, est un Bourguignon du Sud qui pratique son art sur 34 ha et vinifie des terroirs comptant parmi les plus beaux de la Côte-d'Or et exploités en biodynamie. Ces Marconnets sont partagés par le ruban autoroutier entre Beaune et Savigny. Ils ont donné naissance à un vin rouge cerise intense aux reflets violines, mariant la violette et les fruits rouges au moka apporté par dix mois de fût. Frais à l'attaque, fruité et vanillé, le palais est charpenté par des tanins déjà élégants. On pourra ouvrir cette bouteille dès les prochaines fêtes de fin d'année, pour savourer son fruité, ou bien la laisser s'affiner deux ou trois ans.

Dom. de la Vougeraie, 7 bis, rue de l'Église,
21700 Premeaux-Prissey, tél. 03.80.62.48.25,
fax 03.80.61.25.44, vougeraie@domainedelavougeraie.com
r.-v.

Chorey-lès-beaune

Superficie : 134 ha
Production : 5 240 hl (95 % rouge)

Situé dans la plaine, près de Savigny-lès-Beaune et d'Aloxe-Corton, en face du cône de déjection de la combe de Bouilland, le village produit une majorité de vins rouges friands et faciles d'accès.

DOM. FRANÇOISE ANDRÉ 2009 **

■ 12 000 11 à 15 €

GRAND VIN DE BOURGOGNE
MISE EN BOUTEILLE AU DOMAINE
2009
CHOREY-LES-BEAUNE
CÔTE DE BEAUNE
Appellation d'Origine Contrôlée
DOMAINE FRANÇOISE ANDRÉ

« Les vrais gourmands lisent en remuant les lèvres pour déguster les mots », selon Yvan Audouard ; les dégustateurs du Guide n'ont pas cherché leurs mots pour décrire ce vin. Un vin de femmes : Françoise André et sa belle-fille Lauriane, qui gère les 7,9 ha du domaine dont cette imposante parcelle de 2,28 ha sur Chorey. Épaulées en cave par Jérôme Després, elles signent un 2009 lumineux dans sa robe rouge cerise, intense dans ses parfums de myrtille, de mûre et de cassis nuancés de notes florales et d'un boisé léger. Le palais offre beaucoup de mâche, de gras et de rondeur, soutenu par des tanins fondus. Une gourmandise à découvrir dès l'automne ou à revoir dans quatre ou cinq ans sur un lapin en gibelotte.

Dom. des Terregelesses – Françoise André,
7, rempart Saint-Jean, 21200 Beaune, tél. 06.24.66.38.86,
fax 03.80.24.21.44, andre.lauriane@yahoo.com r.-v.

DOM. CACHAT-OCQUIDANT 2010 **

■ 2 900 11 à 15 €

Coup de cœur dans l'édition précédente pour le 2009, le chorey des Cachat, Jean-Marc, le père, et David, le fils, est parvenu sur la table du grand jury cette année. Derrière un rubis soutenu et brillant, le 2010 livre des arômes de fruits rouges frais, framboise en tête. Ample, généreuse et riche, la bouche s'ouvre sur un fruité explosif, puis s'étire longuement vers une finale épicée et réglissée. Déjà fort appréciable, ce vin de caractère pourra aussi patienter deux ou trois ans en cave. Recommandé sur un lapin aux pruneaux.

Dom. Cachat-Ocquidant, 3, pl. du Souvenir, Cidex 1,
21550 Ladoix-Serrigny, tél. 03.80.26.45.30, fax 03.80.26.48.16,
domaine.cachat@wanadoo.fr r.-v.

CHAPUIS ET CHAPUIS Les Petits Champs longs 2010

600 11 à 15 €

Petits-fils de vigneron à Aloxe-Corton, les frères Chapuis ont créé leur négoce en 2009, installant leur cuverie dans l'ancien château de Pommard. Ils proposent une microcuvée à la robe brillante et dorée, qui fleure bon les fruits jaunes et les agrumes. Après une attaque acidulée, le palais évoque les fruits mûrs mâtinés de notes boisées. Un vin bien fait, à boire dans les deux ans, qui rappellera aux amateurs que le chardonnay, bien que minoritaire, produit ici de belles cuvées.

Chapuis et Chapuis, 9, rue des Charmots, 21630 Pommard, tél. 06.89.56.05.13 r.-v.

DOM. JEAN-LUC DUBOIS Clos Margot 2010

3 400 | 8 à 11 €

Ce *climat* de 2,87 ha est le seul clos des vingt lieux-dits que fédère l'appellation. Jean-Luc Dubois en exploite 64 ares. Cette bouteille rubis brillant dévoile des arômes de fruits rouges frais que l'on retrouve dans une bouche souple, vive et finement boisée. À ouvrir dès aujourd'hui sur un agneau braisé au thym.

EARL Dom. Jean-Luc Dubois, 9, rue des Brenots, 21200 Chorey-lès-Beaune, tél. 03.80.22.28.36, fax 03.80.22.83.08, dom-jldubois@orange.fr r.-v.

DOM. LOÏC DURAND Les Beaumonts 2010

3 000 | 11 à 15 €

Non loin de la colline de Beaune, Loïc Durand a repris en 2005 le domaine familial, qu'il a étendu avec 2 ha de vignes en savigny et chorey. Et une parcelle de Beaumonts, nombre de vignerons vous diraient que c'est une valeur sûre... Ce 2010 se présente dans un bel habit rubis et exhale de fines fragrances de cerise. La bouche séduit par sa souplesse, son équilibre et un trait de fraîcheur bienvenu. Un vin sans chichis, à boire dès aujourd'hui sur une viande rouge grillée.

Dom. Loïc Durand, rue de l'Église, 21200 Bouze-lès-Beaune, tél. et fax 03.80.26.02.57, domainedurandloic@orange.fr r.-v.

FRANÇOIS GAY ET FILS 2009

18 200 | 8 à 11 €

La famille Gay exploite la vigne depuis 1880, au nord de la Côte de Beaune, du *village* au grand cru (corton). Leur chorey 2009, couleur grenat, dévoile des accents plaisants de fruits rouges et de sous-bois. Souple à l'attaque, fruité et vanillé, le palais s'appuie sur des tanins fins mais fermes, qui permettront à ce vin de bien vieillir deux à trois ans. Conseillé sur un jarret de porc aux clous de girofle.

EARL François Gay et Fils, 9, rue des Fiètres, 21200 Chorey-lès-Beaune, tél. 03.80.22.69.58, fax 03.80.24.71.42, dom.gay.francois.fils@orange.fr r.-v.

MICHEL GAY ET FILS 2009

17 000 | 8 à 11 €

Ce 2009 né de vignes cinquantenaires et d'un élevage long en fût (dix-huit mois) se présente dans une robe couleur cerise noire. Au nez, il dévoile des senteurs douces de violette et de cassis. La bouche est dense, structurée, encore un peu austère en finale. À oublier deux ou trois ans en cave avant de le servir sur un osso bucco.

Dom. Michel Gay et Fils, 1, rue des Brenots, 21200 Chorey-lès-Beaune, tél. 03.80.22.22.73, fax 03.80.22.95.78, michelgayetfils@orange.fr r.-v.

DANIEL LARGEOT Les Beaumonts 2010 ★

8 000 | 11 à 15 €

Les Beaumonts est l'un des tout meilleurs terroirs de Chorey. Marie-France et Rémy Largeot, jeune couple de vignerons du pays, y exploitent 5 ha. Paré d'une robe rubis qualifiée d'« impériale », par un dégustateur, ce 2010 livre des parfums subtils de cassis et de fruits rouges. Ample et fruitée, la bouche s'adosse à une solide charpente tannique qui sera à son meilleur entre 2016 et 2018. Une étoile également pour le **2009 rouge (8 à 11 € ; 5 000 b.)**, sans nom de *climat*, pour son nez complexe mêlant fruits rouges, poivre et cacao, et ses tanins fins et soyeux. À partager sur une côte de bœuf dans deux ou trois ans.

Dom. Daniel Largeot, 5, rue des Brenots, 21200 Chorey-lès-Beaune, tél. 03.80.22.15.10, fax 03.80.22.60.62, domainedaniellargeot@orange.fr r.-v.

SYLVAIN LOICHET 2009 ★★

3 000 | 11 à 15 €

Sylvain Loichet a déménagé sa cave de Comblanchien à Chorey, où il a eu un coup de cœur pour une imposante maison de maître aux caves voûtées séculaires. Adepte des élevages longs, le vigneron a passé son vin deux ans en fût. Et pourtant, pas de boisé écrasant au nez, mais un fruité éclatant de pêche de vigne et de griotte, mâtiné de nuances fumées et vanillées bien intégrées. En bouche, de la souplesse en attaque, du gras, de la densité et un grain de tanin fin et soyeux, une belle finale réglissée venant conclure la dégustation. Une bouteille à encaver au moins deux ou trois ans, qui surprendra vos convives avec un tajine de porc aux pruneaux.

Sylvain Loichet Vins, 2, rue d'Aloxe-Corton, 21200 Chorey-lès-Beaune, tél. 03.80.22.38.60, fax 09.70.32.30.73, contact@sylvainloichet.com r.-v.

DOM. MAILLARD PÈRE ET FILS 2010 ★

n.c. | 11 à 15 €

En bon local de l'étape, ce vigneron est un habitué du Guide. Il signe un 2010 issu de vignes trentenaires entièrement éraflées, un vin riche en couleur, au nez sur la réserve, discrètement vanillé. Plus prolixe en bouche, sur le fruit, ce chorey se montre souple, ample et fin, offrant un joli grain de tanin « bien lissé ». À attendre deux ou trois ans.

Dom. Maillard, 2, rue Joseph-Bard, 21200 Chorey-lès-Beaune, tél. 03.80.22.10.67, fax 03.80.24.00.42 r.-v.

DOM. CHANTAL ET MICHEL MARTIN 2009

5 000 | 11 à 15 €

Ce domaine familial, dont la conversion bio s'achève cette année, propose à ses clients la découverte de ses vignes et, plus original, une visite de tonnellerie. Après seize mois de fût, ce 2009 se présente dans une robe grenat limpide et offre un nez élégant où la griotte flirte avec le sous-bois. Franche et fruitée en attaque, la bouche se montre équilibrée, adossée à des tanins fins qui lui donnent de l'allonge. À servir dans les trois ans à venir sur des échines de porc grillées.

Michel Martin, 4, rue d'Aloxe-Corton, 21200 Chorey-lès-Beaune, tél. 03.80.24.26.57, fax 03.80.24.99.12, info@domainemartin.fr r.-v.

DOM. MARTIN-DUFOUR Cuvée Théophile 2010 ★★

1 190 | 11 à 15 €

Avec cette cuvée, hommage au grand-père Théophile, Jean-Paul et Pascale Martin-Dufour ont concouru pour le coup de cœur. Né de jeunes vignes de cinq ans, ce 2010 a

agréablement surpris les dégustateurs par ses senteurs de fruits exotiques (ananas) légèrement confits et par une affriolante petite touche sauvignonnée. On retrouve celle-ci dans une bouche longue, dense et ronde, tonifiée par une pointe de vivacité. S'il s'éloigne quelque peu des canons bourguignons, ce vin n'en reste pas moins une vraie gourmandise, à apprécier dès à présent sur un dessert à l'ananas. Dans un registre très fruité, souple et fin, le **2010 rouge Les Beaumonts (8 à 11 € ; 5 500 b.)** obtient une étoile.
Dom. Martin-Dufour, 4a, rue des Moutots, 21200 Chorey-lès-Beaune, tél. 06.15.24.83.27, domaine@martin-dufour.com r.-v.

ROMAIN PERTUZOT Les Beaumonts 2010 ★

	1 350		11 à 15 €

Troisième millésime vinifié par le jeune Romain Pertuzot, fils d'une famille de viticulteurs du village. L'année 2010 voit s'agrandir son petit domaine avec une parcelle de savigny blanc. Côté chorey, un grenat tirant sur le violet habille ce vin qui séduit d'emblée par ses fragrances complexes de cerise noire, de framboise et de grillé. Puissant dès l'attaque par son fruité, et ce jusqu'en finale, le palais se révèle plein, corsé, tannique. À son apogée dans un an ou deux, cette bouteille accompagnera volontiers une belle pièce de bœuf.
Romain Pertuzot, 9, rue de Ley, 21200 Chorey-lès-Beaune, tél. 06.45.48.21.80, rpertuzot@wanadoo.fr r.-v.

DOM. GEORGES ROY ET FILS 2010

	2 200		8 à 11 €

C'est au chorey blanc de Vincent Roy, le fils de la famille, qu'est allée la préférence des dégustateurs. Pâle et limpide, il exhale des senteurs de fleurs blanches nuancées de notes boisées. Portée par une agréable fraîcheur, la bouche dévoile une matière fine et élégante. À ouvrir d'ici 2015. Le **2010 rouge (5 800 b.)** est également cité pour sa souplesse et ses tanins serrés en finale. À servir à l'automne 2013 sur un risotto de bœuf aux champignons.
Dom. Georges Roy et Fils, 20, rue des Moutots, 21200 Chorey-lès-Beaune, tél. 03.80.22.16.28, fax 03.80.24.76.38, domaine.roy-fils@wanadoo.fr r.-v.

Beaune

Superficie : 410 ha
Production : 15 650 hl (85 % rouge)

En termes de superficie, l'appellation beaune est l'une des plus importantes de la Côte. Beaune, ville d'environ 23 000 habitants, est aussi et surtout la capitale vitivinicole de la Bourgogne. Siège d'un important négoce, centre d'un nœud autoroutier, la cité possède un patrimoine architectural qui attire de nombreux touristes. La vente des vins des Hospices est devenue un événement mondial et représente l'une des ventes de charité les plus illustres. Les vins, essentiellement rouges, sont pleins de force et de distinction. La situation géographique a permis le classement en 1er cru d'une grande partie du vignoble : Les Bressandes, Le Clos du Roy, Les Grèves, Les Teurons et Les Champimonts figurent parmi les plus prestigieux.

DOM. FRANÇOISE ANDRÉ 2009 ★

	n.c.		15 à 20 €

Originaire de Saint-Étienne, Lauriane André, qui gère le domaine de sa belle-mère Françoise, a fait de Beaune sa capitale. Installée depuis 1983 derrière les remparts de cette ville, elle a repris en 2009 l'exploitation, auparavant confiée au comte Sénard. Ce beaune couleur cerise noire conquiert l'étoile grâce à son bouquet ourlé de fruits noirs mûrs, cassis en tête, et à son palais d'une élégante rondeur, dense et doux. Un vin gourmand, à découvrir dès aujourd'hui ou dans deux ans sur une volaille de Bresse.
Dom. des Terregelesses - Françoise André, 7, rempart Saint-Jean, 21200 Beaune, tél. 06.24.66.38.86, fax 03.80.24.21.44, andre.lauriane@yahoo.com r.-v.

DOM. ARNOUX PÈRE ET FILS En Genêt 2009 ★

1er cru	5 400		20 à 30 €

Pascal Arnoux, troisième du nom à la tête du domaine, exploite 87 ares de ce *climat* situé côté Savigny. Paré d'une robe rubis sombre et brillant, ce 2009 mêle au nez le fruité de la framboise aux parfums de pain grillé et de café de l'élevage. En bouche, on découvre des tanins fins en soutien d'un fruité franc et d'un boisé discret qui rendent l'ensemble élégant. On verrait bien ce vin accompagner, dans trois à cinq ans, un civet de lièvre aux pruneaux.
Arnoux Père et Fils, 5, rue de Ley, 21200 Chorey-lès-Beaune, tél. 03.80.22.57.98, fax 03.80.22.16.85, arnoux.pereetfils@wanadoo.fr r.-v.

DOM. DU LYCÉE VITICOLE DE BEAUNE Les Bressandes 2009 ★

1er cru	4 716		15 à 20 €

La « Viti », comme la surnomment affectueusement les vignerons qui ont usé les bancs de cette école, est aussi une exploitation viticole. Depuis 1884, elle forme des générations de producteurs aux techniques de la vigne et du vin. Ce Bressandes 2009, d'un grenat intense, dévoile un nez discrètement floral et fruité. Douce en attaque, la bouche se révèle friande et charnue. Un vin charmeur et équilibré, à mettre en cave une ou deux années, idéal pour découvrir l'appellation et apprendre les bases du pinot noir aux jeunes palais. Cité, le **1er cru Les Perrières 2009 rouge (5 126 b.)** livre un bouquet plaisant de mûre et de cassis agrémenté d'une touche vanillée, puis un palais souple et épicé.
Dom. du lycée viticole de Beaune, 16, av. Charles-Jaffelin, 21200 Beaune, tél. 03.80.26.35.81, fax 03.80.22.76.69, francois.domin@educagri.fr
t.l.j. sf dim. 8h-12h 14h-17h30; sam. sur r.-v.; f. août

DOM. BERTHELEMOT Grèves 2010 ★

1er cru	3 300		20 à 30 €

Un tandem efficace conduit ce domaine de création récente (2006) : Brigitte Berthelemot et son chef d'exploitation Marc Cugney. Leur Clos des Mouches blanc 2009 avait fait... mouche l'an dernier (deux étoiles) ; ils décrochent ici une étoile avec leur beaune Grèves, le plus grand des 1ers crus beaunois, qui a souvent la préférence du pinot noir. Au nez, les fruits noirs bien mûrs se marient aux

senteurs chocolatées du fût. La bouche offre le gras, la concentration, la puissance et la longueur attendus d'un 1er cru. Dans deux ou trois ans, cette bouteille sera à point pour accompagner une terrine de queue de bœuf.
Dom. Brigitte Berthelemot, 24, rue des Forges, 21190 Meursault, tél. 03.80.21.68.61, fax 03.80.21.94.07, contact@domaineberthelemot.com r.-v.

DOM. BESSON Les Champs Pimont 2009 ★★

1er cru	4 000	20 à 30 €

Ce 1er cru remarquable signé Guillemette et Xavier Besson, producteurs réputés de la Côte chalonnaise, a été vinifié dans leur splendide cave hors-sol et en forme d'ogive du XVIIes. Drapé de rubis, il dévoile un bouquet complexe où les douze mois de fût ont laissé leur empreinte vanillée et grillée. Souple en attaque, le palais monte vite en puissance, se révélant solidement structuré, ample et dense, et jouant les prolongations en finale. Un vin de garde assurément, à déguster dans quatre ou cinq ans avec un magret de canard farci au foie gras et accompagné de cèpes.
Dom. G. et X. Besson, 9, rue des Bois-Chevaux, 71640 Givry, tél. 03.85.44.42.44, xavierbesson3@wanadoo.fr r.-v. 2

DOM. LES BLANCHES FLEURS 2010

	2 200	15 à 20 €

Ce n'est peut-être pas un hasard si Christian Roux, déjà propriétaire d'un domaine à Saint-Aubin, a choisi de baptiser son domaine de ce nom évocateur. De fait, ce 2010 à la robe pâle livre des parfums de fleurs blanches et de fruits frais nappés d'une touche de caramel amenée par douze mois de fût. La bouche se montre ronde, douce et généreuse, un léger perlant lui apportant le « punch » nécessaire. Un beaune à partager entre amis pour un apéritif sous la tonnelle.
Dom. les Blanches Fleurs, rue du Ban, 21190 Saint-Aubin, tél. 03.80.21.32.92, fax 03.80.21.35.00, christian.roux@orange.fr r.-v.
Christian Roux

BOUCHARD AÎNÉ ET FILS
Les Marconnets Cuvée Signature 2009

1er cru	2 500	20 à 30 €

La gamme Signature de cette respectable maison de négoce beaunoise est à nouveau à l'honneur avec un 1er cru qui partage son nom avec l'appellation savigny-lès-beaune. Si ce 2009 se montre discret au nez, il offre moins de réserve en bouche, déroulant des arômes bien mariés de fruits rouges kirschés et de boisé, portés par des tanins ronds et une bonne fraîcheur. Déjà aimable, il pourra aussi patienter deux ou trois ans en cave avant d'accompagner un salmis de faisan à l'ancienne.
Bouchard Aîné et Fils, Hôtel du Conseiller-du-Roy, 4, bd du Mal-Foch, 21200 Beaune, tél. 03.80.24.24.00, fax 03.80.24.64.12, bouchard@bouchard-aine.fr
t.l.j. 9h30-12h30 14h-18h30 (dim. 17h30); f. lun. jan.-fév.
FGV Boisset

DOM. LAURENT BOUSSEY Prévoles 2010

	1 000	11 à 15 €

Laurent Boussey s'est installé en 2003 sur le domaine familial, 2 ha à l'origine, 7 ha aujourd'hui, sur cinq appellations de la Côte de Beaune. Son *village*, né sur les débuts de coteau à l'entrée de Pommard, dévoile des parfums de baies sauvages nuancés par une touche de menthol. L'attaque révèle la bonne acidité du millésime ; les tanins sont concentrés et puissants ; l'ensemble mérite d'être attendu trois ou quatre ans.
Laurent Boussey, rue du Château-Gaillard, 21190 Monthélie, tél. 03.80.21.28.42, domaine.boussey@orange.fr r.-v.

BUTTERFIELD Les Boucherottes 2009

1er cru	1 150	20 à 30 €

David Butterfield s'est lancé dans le négoce en 2005. Un grand « B » (comme Bourgogne) forme la base de son étiquette noire, reconnaissable. Mais c'est bien sûr à l'aveugle que les dégustateurs du Guide ont sélectionné ce 1er cru au nez encore sur la réserve, qui laisse poindre après aération quelques notes fruitées et cacaotées, et à la bouche ample et tannique. Un vin prometteur, mais qui doit encore s'affiner trois ou quatre ans ; on lui réservera alors un gigot d'agneau avec une poêlée de rattes de Noirmoutier.
David Butterfield, 24, av. du 8-Septembre, 21200 Beaune, tél. 03.80.24.69.36, david@butterfieldwine.com r.-v.

DOM. DENIS CARRÉ Les Tuvilains 2010 ★★

1er cru	n.c.	15 à 20 €

À Meloisey, dans les Hautes-Côtes, Martial et Gaëtane Carré ont pris la suite de leur père Denis, que cette parcelle de beaune 1er cru a souvent porté vers les étoiles et les coups de cœur ; une constante à laquelle n'échappe pas cette cuvée. À quarante ans, le pinot noir donne une belle matière et un juste rendement à ceux qui savent le maîtriser. Ici, le vin se présente dans une seyante couleur grenat à reflets bleutés et dévoile des parfums de pâte de fruits rouges et de grillé fondu. Une matière tendre et charnue tapisse longuement le palais, soutenue par une solide structure tannique qui augure d'une garde d'au moins deux ou trois ans. Un beaune complet et précis, que l'on verrait bien servi avec un bœuf mode.
Dom. Denis Carré, 1, rue du Puits-Bouret, 21190 Meloisey, tél. 03.80.26.02.21, fax 03.80.26.04.64, domainedeniscarre@wanadoo.fr r.-v.

DOM. CHANSON Clos des Mouches 2009

1er cru	10 000	50 à 75 €

Chanson est l'une des plus anciennes maisons de vins de Bourgogne (1750) et, comme toutes celles qui ont un passé séculaire, elle possède des vignes sur Beaune. Ici, 2 ha du Clos des Mouches, *climat* réputé qui doit son nom aux abeilles (mouches à miel) logeant dans des ruches autrefois installées sur les hauteurs du coteau, côté Pommard. Jean-Pierre Confuron, le vinificateur maison, en extrait un vin doré limpide et brillant, au bouquet expressif de fruits blancs, équilibré, rond et consistant en bouche, imprégné d'arômes généreux de pêche bien mûre. À boire dès aujourd'hui, sur un poisson en sauce, ou à conserver deux ou trois ans.

Chanson Père et Fils, 10, rue Paul-Chanson, 21200 Beaune, tél. 03.80.25.97.97, fax 03.80.24.17.42 r.-v.

CH. DE CÎTEAUX Les Teurons 2010

1er cru	1 800		15 à 20 €

Philippe Bouzereau, bien que natif de Meursault, pousse l'enjambeur jusqu'à Aloxe-Corton, au nord, et Santenay, au sud de la Côte de Beaune. Il signe un 2010 ouvert sur les fruits mûrs (cerise bigarreau), des nuances vanillées en appoint. S'il possède la vivacité marquée du 2010, le palais n'en demeure pas moins riche et ample, bâti sur une trame tannique serrée. Autant d'arguments pour une bonne tenue en cave de trois ou quatre ans.

Ch. de Cîteaux, 7, pl. de la République, 21190 Meursault, tél. 03.80.21.20.32, fax 03.80.21.64.34, contact@chateau-de-citeaux.com t.l.j. sf dim. lun. 10h-13h 14h-18h
Philippe Bouzereau

DOM. DES CLOS Les Grèves 2009 ★

1er cru	1 700		20 à 30 €

Grégoire Bichot, installé en 1995, exploite 5,5 ha de vignes sur Beaune, sur Nuits-Saint-Georges et, fait plus rare, sur Chablis. À Beaune, il possède 31 ares sur le *climat* Grèves, dont le sol et l'exposition favorisent des vins réputés souvent plus accessibles dans leur jeunesse. Ce 2009 dévoile un bouquet intense de fruits mûrs rehaussés de nuances poivrées. Souple en attaque, il s'appuie sur une structure tannique solide mais soyeuse, avant de montrer plus de fermeté en finale. Dans deux ans, il fera le bonheur d'une pièce de bœuf juste saisie au gril.

Dom. des Clos, 3, rue des Seuillets, 21700 Nuits-Saint-Georges, tél. 03.80.21.42.66, fax 03.80.21.42.91, contact@domainedesclos.com
Grégoire Bichot

DEVEVEY Pertuisot 2009

1er cru	3 000		20 à 30 €

Jean-Yves Devevey célèbre en 2012 les vingt ans de son installation à Demigny, village frontière entre la Saône-et-Loire et la Côte-d'Or, où il a débuté avec 2,5 ha pour porter son domaine à 8,11 ha aujourd'hui. Le nom de ce *climat*, situé au milieu de la montagne de Beaune, vient d'une déformation du mot « pertuis » qui signifie « détroit, défilé ». Ce 2009 offre un nez fruité (prunelle, cassis) et épicé. Après une attaque franche, le palais, de bonne longueur, affiche un boisé fondu et des tanins bien présents mais fins. À déguster dans trois ou quatre ans.

Jean-Yves Devevey, 31, rue de Breuil, 71150 Demigny, tél. 03.85.49.91.11, jydevevey@wanadoo.fr r.-v.

FRANÇOIS GAY ET FILS Clos des Perrières 2009 ★

1er cru	1 080		15 à 20 €

Ce *climat* est implanté sur des marnes argoviennes et des sols lourds, jaunes, gris et parfois nuancés de rouge par le fer de l'Oxfordien. Le plus bourguignon des œnologues grecs, M. Kyriaros, signe à partir de ceps de quarante ans un vin au bouquet expressif de fruits rouges et noirs bien mûrs. Un fruité dynamisé par une belle fraîcheur dans un palais souple, plein et rond, aux tanins fins et soyeux. Un 1er cru harmonieux et déjà fort plaisant, mais qui pourra aussi patienter deux à quatre ans en cave.

EARL François Gay et Fils, 9, rue des Fiètres, 21200 Chorey-lès-Beaune, tél. 03.80.22.69.58, fax 03.80.24.71.42, dom.gay.francois.fils@orange.fr r.-v.

JEAN-MICHEL GIBOULOT Clos du Roi 2010

1er cru	2 600		20 à 30 €

Jean-Michel Giboulot conduit depuis 1999 cette exploitation de 12,5 ha, pour laquelle il a entamé une conversion à l'agriculture biologique, rejoignant ainsi bientôt les 7 % du vignoble déjà converti, un chiffre en progression constante depuis une décennie. Il propose ici un vin au nez ouvert sur les petits fruits rouges, frais, fin et soyeux en bouche, qui, comme l'indique un juré, « correspond parfaitement à son appellation » et que l'on peut d'ores et déjà apprécier, sur un rôti de veau aux petits légumes par exemple.

Jean-Michel Giboulot, 27, rue du Gal-Leclerc, 21420 Savigny-lès-Beaune, tél. 03.80.21.52.30, jean-michel.giboulot@wanadoo.fr r.-v.

♥ **DOM. A.-F. GROS** Les Boucherottes 2010 ★★

1er cru	1 811		30 à 50 €

François Parent, le vinificateur, et son épouse Anne-Françoise Gros signent un magnifique Boucherottes, 1er cru situé sous le Clos des Mouches, qui partage son nom (issu du mot « buisson ») avec le voisin pommard. Le vin se présente dans une élégante robe grenat foncé. Sa finesse aromatique s'exprime à travers de subtiles notes de torréfaction, de pain grillé et de cerise à l'alcool. Une attaque fraîche et souple ouvre sur un palais rond, plein, ample et concentré, soutenu par des tanins très fins et par une juste vivacité qui apporte équilibre et allonge. On retrouve aussi le boisé de l'olfaction, parfaitement intégré. Un grand beaune harmonieux et précis, qui, s'il se montre d'ores et déjà appréciable, ne sera que meilleur après cinq ans de garde.

Dom. A.-F. Gros, 5, Grande-Rue, 21630 Pommard, tél. 03.80.22.61.85, fax 03.80.24.03.16, af-gros@wanadoo.fr r.-v.

DOM. JESSIAUME Cent Vignes 2009

1er cru	4 500		20 à 30 €

Acheté en 2006 par Sir David Murray, ancien propriétaire du club écossais de football des Glasgow Rangers, ce domaine fait figure de valeur sûre en Côte-d'Or, conduit depuis cinq générations par les Jessiaume, toujours aux commandes des vinifications. Nouveauté : Jean-Baptiste Jessiaume rejoint aux vendanges 2012 son père Marc et son frère Pascal. Ce 2009 rubis intense offre un nez élégant de fraise, agrémenté de nuances de cuir frais. Un fruité plaisant que l'on retrouve dès l'attaque en bouche, portée par une fine acidité et des tanins souples. Un vin harmonieux, à découvrir dans trois ans sur une viande blanche en sauce.

Dom. Jessiaume, 10, rue de la Gare, 21590 Santenay, tél. 03.80.20.60.03, fax 03.80.20.62.87, contact@domaine-jessiaume.com r.-v.

David Murray

LOUIS LATOUR Aux Cras 2009 ★

1er cru | 3 200 | 20 à 30 €

Ce *climat* est l'un des petits de Beaune avec ses tout juste 5 ha. Son nom, que l'on retrouve dans maints villages bourguignons, signifie « hauteur pierreuse » en gallo-romain, et sur son sol de pierres calcaires, le chardonnay trouve un beau terrain d'expression. Témoin, ce 2009 de la vénérable maison Latour (1797), qui s'ouvre lentement sur des parfums de poire mûre relayés par les agrumes dans un palais riche, rond, généreux et persistant. Tout indiqué pour un tajine de poisson aux citrons confits, aujourd'hui ou dans trois ou quatre ans pour d'autres sensations. L'occasion aussi de découvrir les rares beaune blancs, quelque 33 ha seulement étant exploités dans cette couleur sur les 400 ha de l'AOC.

Maison Louis Latour, 18, rue des Tonneliers, 21204 Beaune, tél. 03.80.24.81.00, fax 03.80.22.36.21, louislatour@louislatour.com

DOM. VINCENT LEGOU 2009 ★

3 000 | 15 à 20 €

S'il n'est pas en conversion vers l'agriculture biologique, Vincent Legou, jeune producteur des Hautes-Côtes de Nuits installé en 2008 et déjà remarqué l'an dernier pour son premier millésime, travaille en lutte raisonnée ses 11,5 ha et utilise des produits phytosanitaires biologiques. Une étoile récompense ce vin sombre aux fragrances de cassis, de mûre et de vanille. Suave et ronde en attaque, la bouche se révèle puissante, ample et dense, rehaussée par une jolie finale épicée. Un beaune compact qui aura besoin d'au moins trois ans pour donner toute sa mesure.

Dom. Vincent Legou, hameau de Concœur, 21700 Nuits-Saint-Georges, tél. 03.80.62.53.73, fax 03.80.62.10.47, domaine.vincent.legou@gmail.com r.-v.

DOM. SÉBASTIEN MAGNIEN Les Aigrots 2010 ★

1er cru | 3 800 | 15 à 20 €

Natif des Hautes-Côtes, Sébastien Magnien a créé en 2004 son domaine à partir des vignes maternelles, épaulé par sa mère et sa sœur. Étagé entre le haut et le milieu du coteau, ce *climat* donne ici naissance à un vin rubis limpide, au nez frais et charmeur de griotte. La bouche se révèle tendre et suave, portée par des tanins fins et équilibrée par une juste fraîcheur. Un beaune élégant et bien construit, qui gagnera sa deuxième étoile après trois ans de garde.

Dom. Sébastien Magnien, 6, rue Pierre-Joigneaux, 21190 Meursault, tél. 03.80.21.28.57, fax 03.80.21.62.80, seb.magnien@yahoo.fr r.-v.

DOM. MAILLARD PÈRE ET FILS 2010 ★

n.c. | 15 à 20 €

Ce domaine de Chorey, qui fête en 2012 ses soixante ans d'existence, exploite sur Beaune une parcelle plantée de ceps quarantenaires à l'origine de ce vin rubis au nez de cassis nuancé de notes florales et grillées. Rondeur et profondeur caractérisent une bouche veloutée qui ne manque pas de puissance. Dans deux hivers, cette bouteille bien représentative de la deuxième appellation rouge de Bourgogne accompagnera volontiers une pièce de bœuf rôtie.

Dom. Maillard, 2, rue Joseph-Bard, 21200 Chorey-lès-Beaune, tél. 03.80.22.10.67, fax 03.80.24.00.42 r.-v.

DOM. CHANTAL ET MICHEL MARTIN Les Teurons 2009

1er cru | 1 200 | 20 à 30 €

Enracinés sur les terres rouges de ce *climat* en forme de tertre placé au milieu de la colline de Beaune, les ceps de pinot noir donnent des 1ers crus réputés pour leur capacité de conservation. Les Martin en proposent une version friande et charnue, fruitée et empyreumatique, aux tanins présents mais sans dureté, que deux années de garde porteront à son meilleur niveau pour accompagner un canard au sang.

Michel Martin, 4, rue d'Aloxe-Corton, 21200 Chorey-lès-Beaune, tél. 03.80.24.26.57, fax 03.80.24.99.12, info@domainemartin.fr r.-v.

CHRISTIAN ET PASCAL MENAUT 2009

8 000 | 11 à 15 €

Dans le pittoresque village de Nantoux, dans les Hautes-Côtes de Beaune, Christian Menaut fait du vin depuis 1968. Adepte des longues macérations afin d'extraire les meilleurs tanins, il signe une cuvée rubis limpide qui délivre des parfums de griotte et de réglisse. La bouche s'annonce vive et fruitée, épaulée par des tanins mesurés, et finit sur des notes réglissées et épicées. À déguster dans les trois ans à venir, sur un filet mignon de veau.

EARL Christian et Pascal Menaut, 4, rue Chaude, 21190 Nantoux, tél. 03.80.26.07.72, fax 03.80.26.01.53 r.-v.

DOM. RENÉ MONNIER Les Toussaints 2010 ★★

1er cru | 4 000 | 20 à 30 €

Ce domaine, régulièrement distingué dans le Guide, exploite 81 ares de ce 1er cru situé entre les réputés Cent Vignes et Les Grèves. Le 2010 a fait belle impression et a concouru au grand jury des coups de cœur. Sous une robe au grenat soutenu, il livre des parfums expressifs de confiture de fruits rouges accompagnés de notes toastées. Une matière dense et épicée s'impose au palais, longuement portée par de beaux tanins fondus. On attendra 2016 pour le déguster sur des noisettes de chevreuil aux poires.

Dom. René Monnier, 6, rue du Dr-Rolland, 21190 Meursault, tél. 03.80.21.29.32, fax 03.80.21.61.79, domaine-rene-monnier@wanadoo.fr r.-v.

Xavier Monnot

ALBERT MOROT Cent-Vignes 2009 ★★

1er cru | 6 000 | 20 à 30 €

Si le château de la Creusotte possède un parc magnifique, non loin de celui de la Bouzaise, il a d'autres atouts dans sa cave également. Trois 1ers crus sont retenus ici, dont ce Cent-Vignes qui a disputé la finale des coups de cœur. Ses arguments : une belle robe rubis soutenu ; un nez intense de fruits rouges compotés, de réglisse et de cacao ; un palais élégant et racé, rond et persistant. Un vin bien représentatif de ce millésime solaire, déjà séducteur en diable mais qui s'épanouira pleinement dans quatre ou cinq ans. Cité, le **1er cru Toussaints 2009 rouge (4 000 b.)**, né sur ce *climat* en forme de triangle enclavé sous les Bressandes et entre les murets des Grèves et des Cent Vignes, est un beaune plein et finement charpenté qu'il faudra carafer si vous voulez l'apprécier maintenant. Le **1er cru Aigrots 2009 rouge (4 000 b.)**, équilibré, aux tanins fondus, est également cité et s'appréciera dans deux ans sur du gibier.

🔑 Dom. Albert Morot,
Ch. de la Creusotte, 20, av. Charles-Jaffelin, 21200 Beaune,
tél. 03.80.22.35.39, fax 03.80.22.47.50, albertmorot@aol.com
🆅 Ῑ 🚶 r.-v.

DOM. NEWMAN Clos des Avaux 2009 ★

■ 1er cru	1 400	🛢	20 à 30 €

Le rouge est la couleur qui sied le mieux à ce domaine beaunois fondé par Bob Newman, l'un des premiers Américains à avoir investi dans la vigne en Bourgogne, il y a quarante ans. Aujourd'hui, son fils Christopher dirige le domaine, 5,5 ha en Côte de Beaune et en Côte de Nuits. Dans la gamme beaunoise, deux vins sont retenus. Le 1er cru Clos des Avaux, régulièrement sélectionné dans ces pages, a encore « le nez dans la barrique », le fruit étant pour l'heure caché derrière le boisé. Un boisé vanillé que l'on retrouve dans une bouche ronde aux tanins affirmés, et qui laisse place en finale aux fruits rouges. Une bouteille de caractère, à déguster dans trois ans sur un cuissot de sanglier. Le ***village* 2009 rouge (15 à 20 €)** est cité pour ses arômes complexes de cerise noire et d'épices (cannelle) et pour ses tanins fins qui le destinent dès cet hiver à une pièce de charolais en croûte.

🔑 GFA Dom. Newman, 29, bd Clemenceau, 21200 Beaune,
tél. 03.80.22.80.96, fax 03.80.24.29.14,
info@domainenewman.com

POULET PÈRE ET FILS Les Cent Vignes 2010

■ 1er cru	1 500	🛢	50 à 75 €

Cette ancienne maison beaunoise, fondée en 1747 (aujourd'hui installée à Nuits-Saint-Georges), a été reprise par le négociant Louis Max. L'œnologue Douby Perrin, partisane des macérations à froid prolongées, a élaboré un vin rubis brillant, au nez franc de noyau de cerise. La bouche, persistante et délicate, dévoile un boisé bien fondu et des tanins fins, un rien plus fermes en finale. À servir dans trois ou quatre ans sur du petit gibier.

🔑 Poulet Père et Fils, 6, rue de Chaux,
21700 Nuits-Saint-Georges, tél. 03.80.62.43.02,
fax 03.80.62.43.16 Ῑ 🚶 r.-v.

DOM. JACQUES PRIEUR Champs-Pimont 2009 ★

■ 1er cru	14 500	🛢	30 à 50 €

Sélectionné dans deux éditions de suite en rouge, ce Champs-Pimont nous ferait presque oublier que ce *climat* est aussi exploité par le domaine Prieur en version chardonnay. Sa vinificatrice, Nadine Gublin, a fêté en 2011 son vingtième millésime à la propriété. Après une cuvaison de dix-huit jours, ce 2009 a connu vingt mois de fût qui lui confèrent un parfum grillé dominant encore les fruits noirs. Doux en attaque, le palais se montre dense et bien structuré, le boisé, tendance vanillé, revenant en finale. À son meilleur vers 2017, cette bouteille s'accordera alors volontiers avec un canard rôti.

🔑 Dom. Jacques Prieur, 6, rue des Santenots,
21190 Meursault, tél. 03.80.21.23.85, fax 03.80.21.29.19,
info@prieur.com
🔑 Famille Labruyère

G. PRIEUR Clos du Roy 2009 ★

■ 1er cru	2 000	🛢	20 à 30 €

Bien qu'il occupe plus de 13 ha, ce 1er cru (côté Savigny) n'est pas souvent revendiqué par les producteurs. Pourtant, avec son argile mêlé de calcaire, il a tout pour plaire. Ici, une étoile met en lumière le travail de la famille Uny-Prieur de Santenay. La robe de ce 2009 a emprisonné la couleur de la cerise noire mais aussi ses arômes, expressifs et mûrs. Le palais suit le nez, avec une matière souple aux tanins fins, le tout emballé dans un boisé bien fondu. Une bouteille à servir dans deux ans sur un rôti de veau.

🔑 Maison G. Prieur, 21590 Santenay, tél. 03.80.20.60.56,
fax 03.80.20.64.31, uny-prieur@prieur-santenay.com
🆅 Ῑ 🚶 r.-v.

RAPET PÈRE ET FILS Les Bressandes 2009 ★

■ 1er cru	1 540	🛢	20 à 30 €

Ce *climat* réputé étend ses vignes du mi-coteau au sommet de la colline, à 300 m d'altitude : c'est le plus haut et aussi le plus vaste (30 ha) des 1ers crus de Beaune. Vincent Rapet en exploite 33 ares dont il tire ici un vin rubis sombre, au nez fruité (cerise) et torréfié (quinze mois de fût), frais, long et soyeux en bouche. Un beaune tout en finesse, à découvrir dans trois ans sur un plateau de fromages de caractère. Cité, le **1er cru Grèves 2010 rouge (1 700 b.)** décline des parfums de fruits rouges et une bouche concentrée aux tanins serrés. À déguster dans trois ans sur un agneau grillé.

🔑 Rapet Père et Fils, 2, pl. de la Mairie,
21420 Pernand-Vergelesses, tél. 03.80.21.59.94,
fax 03.80.21.54.01, vincent@domaine-rapet.com 🆅 Ῑ r.-v.

PAUL REITZ 2009

■ 1er cru	600		30 à 50 €

Cette vénérable maison de négoce de Corgoloin fête cette année ses cent trente ans d'existence. Fondée en 1882 par Paul Reitz, elle est conduite depuis 1989 par Michel Reitz, aujourd'hui épaulé par ses deux fils. Ils proposent un 1er cru qui se dévoile moins au nez, sur la réserve, qu'en bouche, à travers une matière élégante et des tanins encore bien présents que deux ou trois ans de garde aideront à polir.

🔑 Maison Paul Reitz, 120-124, Grande-Rue,
21700 Corgoloin, tél. 03.80.62.98.24, fax 03.80.62.96.83,
contact@paulreitz.com 🆅 Ῑ r.-v.

DOM. RÉGIS ROSSIGNOL-CHANGARNIER
Les Theurons 2009 ★

■ 1er cru	2 000	🛢	15 à 20 €

Régis Rossignol, installé sur Volnay depuis 1996, sort régulièrement de son village pour donner quelques coups de sécateur sur la belle colline de Beaune. Il propose ici un 1er cru couleur « jus de cerise », au nez intense de mûre et de cassis tonifié par une petite touche épicée. La bouche se révèle riche et fruitée, agrémentée de notes de vanille, de réglisse et de laurier, le tout porté par des tanins bien extraits et garants d'une belle évolution (quatre ou cinq ans, et plus encore).

Régis Rossignol, 3, rue d'Amour, 21190 Volnay, tél. et fax 03.80.21.61.59, regisrossignol@free.fr r.-v.

DOM. GEORGES ROY ET FILS Les Champs Pimont 2010 ★

1er cru	1 400		15 à 20 €

À Chorey, Vincent Roy (fils de Georges) poursuit son petit bonhomme de chemin sur les 9 ha de l'exploitation familiale. Son Champs Pimont 2010 fait jeu égal avec le 2009, une étoile dans l'édition précédente. Paré de rubis profond, il exhale des parfums généreux de fruits rouges confiturés. Longue, puissante et charnue, la bouche dévoile des tanins ronds et fins, et un boisé léger qui n'écrase pas le fruit. Un vin complet à ouvrir à partir de 2015 sur des pigeons en cocotte.

Dom. Georges Roy et Fils, 20, rue des Moutots, 21200 Chorey-lès-Beaune, tél. 03.80.22.16.28, fax 03.80.24.76.38, domaine.roy-fils@wanadoo.fr r.-v.

CH. DE SANTENAY Clos du Roi 2009 ★

1er cru	4 200		20 à 30 €

Aujourd'hui propriété du Crédit Agricole, ce vaste domaine de 98 ha fut l'ancienne demeure seigneuriale de Philippe le Hardi, duc de Bourgogne (1342-1404), à l'époque où les Bourbons régnaient sur la France. Gérard Fagnoni, l'œnologue maison, signe un vin rubis brillant imprégné de fruits noirs, aux tanins fermes et puissants comme des murs d'enceinte. Il vous faudra attendre trois ou quatre ans pour en percer le secret. Mais la patience fait les rois...

SAS Ch. de Santenay, 1, rue du Château, 21590 Santenay, tél. 03.80.20.61.87, fax 03.80.20.63.66, contact@chateau-de-santenay.com r.-v.

DOM. SEGUIN-MANUEL Champimonts 2009 ★

1er cru	1 500		30 à 50 €

Repris en 2004 par Thibaut Marion, ce domaine de Savigny (en conversion bio) a acquis en 2012 des nouvelles parcelles sur Pommard et Meursault, complétant ainsi sa gamme 100 % Côte de Beaune. Né de vignes de quarante ans, ce 1er cru grenat intense mêle au nez les fruits mûrs, les épices et les notes empyreumatiques de l'élevage. Puissant, riche, dense et charpenté par des tanins fins, il est « très typé beaune », conclut un dégustateur. À ouvrir dans une paire d'années, « sur une brouillade d'œufs aux truffes de Bourgogne », propose le propriétaire.

Dom. Seguin-Manuel, 2, rue de l'Arquebuse, 21200 Beaune, tél. 03.80.21.50.42, fax 03.80.21.59.38, contact@seguin-manuel.com r.-v.

Thibaut Marion

CH. DE LA VELLE Cents Vignes 2009 ★★

1er cru	700		20 à 30 €

« Si le vin manque, il manque tout », dit un proverbe latin. Dans la famille Darviot, jamais vin ne manque et encore moins celui de Beaune. Pas moins de quatre sont retenus dans cette édition, dont ce remarquable mais confidentiel Cents Vignes, *climat* qui existe depuis 1251, autrefois orthographié « Sanvignes ». Une robe rouge foncé et un nez intense et vineux de fruits noirs composent une accroche des plus séduisante. En bouche, des tanins solidement arrimés soutiennent une matière dense, ronde et riche, fruit d'une vendange bien mûre. Armé pour une longue garde, ce 1er cru pourra patienter en cave cinq à dix ans, et même plus. Deux autres 1ers crus sont sélectionnés : le **1er cru Marconnets 2009 rouge (11 à 15 € ; 2 000 b.)**, une étoile pour son nez profond, fruité et boisé, et son palais ample, consistant et généreux, adossé à de beaux tanins ; et le **1er cru Marconnets 2009 blanc (1 450 b.)**, cité, auquel dix mois de gros fût de 400 l ont apporté un boisé léger, équilibré par une agréable trame minérale. Une étoile est attribuée au ***village*** **Vieilles Vignes de Saint-Désiré 2009 rouge (15 à 20 €)** pour ses arômes fins de petits fruits rouges et noirs agrémentés d'une touche chocolatée, et pour sa bouche fraîche, fine et soyeuse.

Bertrand Darviot, 17, rue de la Velle, 21190 Meursault, tél. 03.80.21.22.83, fax 03.80.21.65.60, chateaudelavelle@darviot.fr r.-v.

BOURGOGNE

DOM. DE LA VOUGERAIE Les Grèves 2009 ★

1er cru	1 877		30 à 50 €

Pierre Vincent, le vinificateur de la Vougeraie, signe deux cuvées très réussies. Une petite préférence va à ce beaune Les Grèves, un *climat* qui, avec près de 34 ha, représente à lui seul plus de 10 % de tous les 1ers crus de l'AOC. Rouge sombre, ce 2009 dévoile un bouquet élégant, entre notes florales et boisé léger. La bouche se montre délicate, fine et fraîche, adossée à des tanins souples et soyeux. « Un vin "féminin", fruit d'une vinification subtile », conclut un juré, qui le voit grandir encore trois ans. Une étoile également pour le ***village*** **2009 blanc (20 à 30 € ; 3 745 b.)**, au bouquet charmeur de fleurs blanches, fruité (poire, mirabelle), tendre et fin en bouche.

Dom. de la Vougeraie, 7 bis, rue de l'Église, 21700 Premeaux-Prissey, tél. 03.80.62.48.25, fax 03.80.61.25.44, vougeraie@domainedelavougeraie.com r.-v.

Côte-de-beaune

Superficie : 35 ha
Production : 990 hl (70 % rouge)

À ne pas confondre avec le côte-de-beaune-villages, l'appellation côte-de-beaune ne peut être produite que sur quelques lieux-dits de la montagne de Beaune.

DOM. POULLEAU PÈRE ET FILS Les Mondes rondes 2010

	7 900		8 à 11 €

Thierry et Florence Poulleau exploitent 3,1 ha de ce *climat* situé à 359 m d'altitude, au sommet de la montagne de Beaune. Ils signent un 2010 couleur grenat qui a séduit par son côté très fruité (cerise et fraise), tant au au nez, expressif et ouvert, qu'en bouche, fraîche et plaisante. C'est tellement fruité qu'un dégustateur verrait bien ce vin accompagner dès aujourd'hui un dessert aux fruits rouges.

Dom. Michel Poulleau, 7, rue du Pied-de-la-Vallée, 21190 Volnay, tél. 03.80.21.26.52, fax 03.80.21.64.03, domaine.poulleau@wanadoo.fr r.-v.

Pommard

Superficie : 320 ha
Production : 12 900 hl

C'est l'appellation bourguignonne la plus connue à l'étranger, sans doute en raison de sa facilité de prononciation... Les formations de calcaires tendres sont particulièrement favorables au pinot noir qui produit des vins colorés, solides, tanniques et de garde (jusqu'à dix ans). Les meilleurs *climats* sont classés en 1ers crus, dont les plus connus sont Les Rugiens et Les Épenots.

DOM. BARBIER Les Vaumuriens Hauts 2010 *

■ 1 670 20 à 30 €

Comme les poupées russes, les maisons bourguignonnes sont parfois imbriquées les unes dans les autres. Barbier et Fils est ainsi dans l'orbite de Dufouleur Père et fils depuis 1995, entreprise elle-même dans le giron d'Antonin Rodet, société acquise en 2009 par Jean-Claude Boisset. Bernard Jaillet, œnologue de ce groupe, est derrière ce vin né sur un *climat* qui regarde le couchant. La robe intense, cerise, affiche une belle brillance. Le nez profond décline les fruits rouges, la réglisse et des notes boisées. Ample et intense, la bouche suit la même ligne aromatique, mêlant la griotte, le cassis et, de nouveau, la réglisse, l'ensemble étant étayé par un tanin bien travaillé. Le boisé est fondu, la finale persistante. Puissant et élégant, un pommard bien typé, à déboucher dans trois ans sur un civet de lièvre.

Dom. Barbier et Fils, 4, rue des Frères-Montgolfier, 21700 Nuits-Saint-Georges, tél. 03.80.62.61.00, fax 03.80.62.61.03, jaillet.b@boisset.fr

DOM. BERTHELEMOT Noizons 2009 *

■ 9 000 20 à 30 €

Ce jeune domaine créé en 2006 a brillé l'an dernier en monthélie rouge. Cette année, le maître de chai Marc Cugney signe un pommard du même millésime, qui obtient une étoile. Le *climat* de naissance de ce *village* suggère un lieu planté de noyers. Les sols sont constitués ici de calcaires bruns caillouteux, une terre ferrugineuse à l'origine d'un vin bien coloré, cerise intense. Encore fermé au nez, ce 2009 laisse cependant deviner une belle finesse. Une attaque tout en fraîcheur accroche une matière tannique qui laisse une fin de bouche agréable. « Une belle expression du pinot », écrit un dégustateur. Compter deux ans de garde.

Dom. Brigitte Berthelemot, 24, rue des Forges, 21190 Meursault, tél. 03.80.21.68.61, fax 03.80.21.94.07, contact@domaineberthelemot.com r.-v.

DOM. BILLARD-GONNET 2009

■ 2 000 15 à 20 €

Établie à Pommard même, cette propriété familiale annonce huit 1ers crus dans sa carte des vins, mais c'est de nouveau son *village* qui l'emporte d'un petit cran. Il représente 1,8 ha de vieilles vignes. La robe est profonde, cerise noire. Le nez associe la framboise et des notes épicées léguées par un séjour de dix-huit mois en fût. Souple à l'attaque, charnu, ce 2009 montre en fin de bouche une certaine présence tannique qui l'inscrit bien dans le type de l'appellation. Trois ans de garde, et il donnera la réplique à un plateau de fromages affinés. Cité lui aussi, le **1er cru Pézerolles 2009 (20 à 30 € ; 2 500 b.)**, qui naît de vignes encore plus âgées, devra patienter le même temps. Il affiche déjà un parfum riche et une belle fraîcheur en bouche, mais il n'a pas dit son dernier mot.

Dom. Billard-Gonnet, rte d'Ivry, 21630 Pommard, tél. 03.80.22.17.33, fax 03.80.22.68.92, billard.gonnet@wanadoo.fr r.-v.

DOM. BOHRMANN Vieilles Vignes 2009 *

■ 1 500 20 à 30 €

Voilà juste dix ans que Sofie Bohrmann, d'origine belge, s'est installée en Côte de Beaune sur un domaine qu'elle travaille avec son régisseur, Dimitri Blanc. L'exploitation, qui a son siège à Meursault, fournit surtout des blancs, mais elle compte à Pommard un demi-hectare de ceps centenaires particulièrement choyés, à l'origine de ce 2009 au nez flatteur, frais et complexe : on y respire du fruit rouge très mûr (framboise, groseille) nuancé d'épices. À l'unisson de l'olfaction, la bouche, bien fruitée, montre des qualités de fraîcheur ; ses tanins polis laissent une impression de finesse et de souplesse qui rend cette bouteille déjà agréable, même si elle a assez de consistance pour attendre trois ans. On aime le long retour sur la griotte.

Dom. Bohrmann, 9, rue de la Barre, 21190 Meursault, tél. 03.80.21.60.06, fax 03.80.21.66.27, domaine.bohrmann@wanadoo.fr r.-v.

DOM. PHILIPPE BOIRE Les Poutures 2010 *

■ 1er cru 800 20 à 30 €

Philippe Boire n'est pas issu du milieu viticole. Ce licencié en géologie s'est intéressé aux *climats* bourguignons et s'est installé en 2007, à vingt-six ans. Aujourd'hui, il travaille en bio ses 3,2 ha (conversion engagée en 2011) et propose neuf appellations, dont ce 1er cru qui frôle les deux étoiles. La robe de velours noir est aussi profonde que le nez. Ce dernier, encore fermé et marqué par le grillé du fût, laisse percer des notes de cassis et annonce une charpente solide. Après une attaque fraîche, on découvre un vin étoffé, volumineux, alliant la sucrosité du fruit et une trame tannique qui assurera une belle garde. La promesse d'une bouteille à son meilleur d'ici trois à cinq ans.

Philippe Boire, hameau de Melin, 21190 Auxey-Duresses, tél. 06.62.31.84.63, philippe-boire@orange.fr t.l.j. 9h-19h

DOM. BONNARDOT 2010 *

■ 2 300 15 à 20 €

Travail du sol, vinification en cuve et macération longue, absence de filtration et de collage à la mise en bouteilles, voici quelques principes anciens repris par ce producteur qui s'est mis progressivement à son compte : 40 ares au début, 3,6 ha aujourd'hui. Né de ceps âgés d'un demi-siècle, son pommard arbore une robe très foncée, grenat aux reflets violets. Au nez comme en bouche, c'est un vin vanillé et très épicé, qui laisse poindre les fruits rouges. Bien charpenté et bâti sur des tanins serrés, il est solide dans une certaine élégance. Deux ans de plus, et il accompagnera un coq au pommard.

Ludovic Bonnardot, 27, Grande-Rue, 21250 Bonnencontre, tél. 03.80.36.31.60, fax 03.80.36.37.29, ludovic-bonnardot@orange.fr r.-v.

JEAN BOUCHARD 2010

■ 25 000 ▮◖◗ 20 à 30 €

Cette maison de vins beaunoise fondée au début du XXe s. est aujourd'hui dans l'orbite de la maison Bichot. Elle signe ici une importante cuvée issue de 5 ha. Encore sous l'emprise de l'élevage, ce 2010 exprime des notes boisées qui laissent actuellement les parfums de fruits noirs à l'arrière-plan. L'attaque dévoile une matière harmonieuse, avec du gras, des tanins fins et une finale assez longue. Un pommard typique, que l'on pourra commencer à servir cet automne sur une terrine de perdreau. On peut aussi l'attendre cinq ans.

🔑 Maison Jean Bouchard, 6 bis, bd Jacques-Copeau, 21200 Beaune, tél. 03.80.24.37.37, fax 03.80.24.37.38

DOM. MICHEL CAILLOT 2009 ★

■ 3 380 ▮◖◗ 15 à 20 €

La partie non classée de l'appellation représente 206 ha (environ 64 % de la surface totale). Établie à Meursault, la famille Caillot y exploite 77 ares d'où elle a tiré ce *village* grenat soutenu aux parfums de fruits bien mûrs, encore discrets mais d'une belle finesse. On retrouve cette finesse en bouche, alors que ce vin ne manque pas de puissance. Quant au **1er cru 2009 (20 à 30 € ; 2 349 b.)**, il a frôlé l'étoile, sans doute parce qu'il est fermé à double tour. Sa couleur très sombre, sa fraîcheur et sa longue finale, qui s'étire sur des tanins bien marqués, signent un vin de garde. Les deux cuvées seront à attendre trois ans, la seconde devant pouvoir tenir jusqu'en 2020 dans une bonne cave.

🔑 Dom. Michel Caillot, 14, rue du Cromin, 21190 Meursault, tél. 06.87.44.81.44, fax 03.80.21.69.58, domaine.michel.caillot@orange.fr ☑ 🍷 r.-v.

CAMUS-BRUCHON ET FILS Arvelets 2010 ★

■ 1er cru 800 ◖◗ 20 à 30 €

Établis à Savigny-lès-Beaune, ces vignerons installés sur 9 ha viennent récolter à Pommard ce 1er cru des hauteurs, planté de vénérables vignes (cinquante ans) dont les raisins accrochent le soleil couchant. Dans le verre, un grenat aux reflets framboise. Au nez, un boisé légué par un séjour de quatorze mois en fût vient épicer la cerise à l'eau-de-vie. La bouche dispose d'une jolie structure apportée par un élégant fond tannique. Déjà harmonieux, ce 2010 saura se bonifier. Dans cinq ans, quand tout sera bien lié, on pourra le servir avec une belle pièce de bœuf.

🔑 Camus-Bruchon et Fils, Les Cruottes, 16, rue de Chorey, 21420 Savigny-lès-Beaune, tél. 06.22.63.65.89, fax 03.80.26.10.21, camus-bruchon@wanadoo.fr ☑ 🍷 🚶 r.-v.

DENIS CARRÉ Les Noizons 2010

■ n.c. ◖◗ 15 à 20 €

Martial et Gaëtane, les enfants de Denis Carré, ont rejoint leur père sur l'exploitation, dont le vignoble se partage entre les Hautes-Côtes et plusieurs appellations, au nord et au sud de Beaune. À Pommard, ils détiennent cette parcelle non classée mais dotée d'une bonne réputation grâce à son exposition au midi. C'est le lieu de naissance de ce vin pourpre aux parfums de fruits rouges et noirs légèrement poivrés. Franc à l'attaque, souple et long en bouche, ce 2010 dévoile en finale des tanins vifs qui appellent une petite garde de deux ans.

🔑 Dom. Denis Carré, 1, rue du Puits-Bouret, 21190 Meloisey, tél. 03.80.26.02.21, fax 03.80.26.04.64, domainedeniscarre@wanadoo.fr ☑ 🍷 🚶 r.-v.

DOM. COSTE-CAUMARTIN
Le Clos des Boucherottes Monopole 2009

■ 1er cru 9 800 ◖◗ 30 à 50 €

À la pointe de la modernité, ce domaine de Pommard a imprimé sur sa contre-étiquette un Flashcode® qui permet d'avoir des informations sur les origines anciennes de la famille. Celle-ci détient depuis 1908 un clos de 1,83 ha en monopole situé au sein du *climat* des Boucherottes, voisin de Beaune. À l'opposé du profil que l'on prête à l'appellation, son vin ne mise pas sur la puissance mais sur la finesse. On aime ses senteurs gourmandes de cerise au kirsch, teintées d'un soupçon de pierre à fusil, son attaque fraîche et sa longue finale où l'on retrouve la minéralité. À servir dès cet hiver avec du gibier à plume.

🔑 Dom. Coste-Caumartin, 2, rue du Parc, 21630 Pommard, tél. 03.80.22.45.04, fax 03.80.22.65.22, coste.caumartin@wanadoo.fr ☑ 🍷 🚶 t.l.j. 10h-12h 14h-19h; dim. sur r.-v.
🔑 Jérôme Sordet

DOM. DE COURCEL Les Vaumuriens 2009 ★

■ n.c. ◖◗ 30 à 50 €

À Pommard, la petite route des Vaumuriens ne fait de place qu'à une voiture. D'un grenat soutenu, le vin né dans les parages marie au nez le fruité du pinot et un boisé bien fondu. Équilibré, il concilie la puissance et la finesse. On l'attendra deux ans. Le **1er cru Grand Clos des Épenots 2009 (50 à 75 €)** séduit par ses parfums flatteurs de cassis assortis d'un léger côté toasté. La bouche charnue évolue sur de suaves évocations, entre prune et pruneau. La finale chaleureuse et tannique appelle trois ans de garde.

🔑 Dom. de Courcel, pl. de l'Église, 21630 Pommard, tél. 03.80.22.10.64, fax 03.80.24.98.73 ☑ 🍷 🚶 r.-v.

ALETH GIRARDIN Les Charmots 2009 ★★

■ 1er cru 2 100 ◖◗ 30 à 50 €

Le domaine familial, géré par Aleth Girardin depuis 1995, couvre 7 ha et compte de nombreuses parcelles bien placées à Pommard. De vieilles vignes, soixante-dix ans ou plus, pour les deux vins sélectionnés. Ici, un demi-hectare sur ce 1er cru, dont le nom désigne en Bourgogne des champs retournés à la friche. La vigneronne en a tiré un vin d'un rubis sombre et brillant aux fragrances intenses, complexes et gourmandes de fruits rouges bien mûrs et d'épices fines. Ample et souple à l'attaque, toujours fruitée et légèrement boisée, la bouche est portée par des tanins frais, fermes mais élégants, qui permettent aussi bien un plaisir prochain qu'une garde de cinq ans. Une jurée propose un accord innovant avec un homard entier rôti au vin et sa purée de patates douces. Noté une étoile, le **1er cru Épenots 2009 (2 100 b.)** offre des arômes de fruits noirs mûrs (cassis), une matière équilibrée et longue, à la fois présente et fine. Il atteindra son apogée entre 2014 et 2015.

🔑 Aleth Girardin, 21, rte d'Autun, BP 9, 21630 Pommard, tél. 03.80.22.59.69, fax 03.80.24.96.57, alethgirardin@orange.fr ☑ 🍷 r.-v.

A.-F. GROS Les Pézerolles 2010

■ 1er cru 1 990 30 à 50 €

Anne-Françoise Gros et son mari François Parent, qui officie au chai, sont propriétaires-récoltants dans les deux Côtes. Ils mettent en valeur 10 ha, avec des fleurons dans plusieurs communales – des appellations où le pinot est roi, comme à Pommard. Ce *climat* Les Pézerolles est un 1er cru de bon renom, côté Beaune. Il a valu trois coups de cœur au domaine. Le 2010 mise beaucoup sur son nez complexe de fruits rouges mêlés à la vanille, à la réglisse, au café et au pain grillé de l'élevage. On retrouve en bouche tous ces arômes posés sur des tanins élégants qui tiennent la distance. Rond et suave, ce pommard mérite d'attendre, cela permettra au boisé de se fondre.

Dom. A.-F. Gros, 5, Grande-Rue, 21630 Pommard, tél. 03.80.22.61.85, fax 03.80.24.03.16, af-gros@wanadoo.fr r.-v.

♥ **DOM. JEAN GUITON** 2010 ★★

■ 3 000 20 à 30 €

POMMARD

Appellation Contrôlée

2010

Mis en bouteille à la propriété par Guillaume et Jean Guiton - 21200 Bligny-les-Beaune - Côte-d'Or

13% Vol. PRODUIT DE FRANCE 750 ml

On se rappelle la pensée de Nicolas de Chamfort : « La célébrité, c'est l'avantage d'être connu de ceux qui ne vous connaissent pas. » Grâce à ce vin, cette famille discrète de producteurs à Bligny-lès-Beaune, dans la plaine de Pommard, va connaître à coup sûr cette sorte de notoriété. Guillaume Guiton, fils de la maison, qui travaille en famille, est devenu aujourd'hui un orfèvre du vin. Il s'offre le luxe d'avoir élaboré un vin arrivé premier d'une finale des coups de cœur qui mettait en compétition dix cuvées. Dans le verre, un pourpre profond et brillant évoquant la cerise noire, avec des reflets violines. Au nez, des fruits rouges confits nuancés de fleurs. L'attaque franche découvre un vin racé, ample, aux tanins soyeux et réglissés. Les petits fruits s'allient à un boisé épicé qui sait rester à sa place. Un ensemble bien construit et déjà agréable, qui se bonifiera au cours des cinq prochaines années, voire davantage.

Dom. Jean Guiton, 4, rte de Pommard, 21200 Bligny-lès-Beaune, tél. 03.80.26.82.88, fax 03.80.26.85.05, domaine.guiton@wanadoo.fr r.-v.

DOM. HUBER-VERDEREAU Les Bertins 2010

■ 1er cru 900 30 à 50 €

Après avoir étudié la sommellerie, Thiébault Huber a repris en 1994 un vignoble familial qu'il a agrandi : il exploite aujourd'hui 9,5 ha en biodynamie certifiée. Il détient 20 ares des Bertins, un 1er cru proche de Volnay à l'origine de ce vin d'un rubis intense et brillant aux nuances framboise. Au nez, les fruits rouges se lient à un boisé épicé. Le palais attaque avec souplesse et délicatesse sur une touche de violette. La charpente fine est encore jeune, mais elle apporte déjà du plaisir. À déboucher dans les trois ans qui viennent avec une terrine de lièvre.

Dom. Huber-Verdereau, 3, rue de la Cave, 21190 Volnay, tél. 03.80.22.51.50, fax 03.80.22.48.32, contact@huber-verdereau.com r.-v.

MAISON JESSIAUME Les Fremiers 2009 ★★

■ 1er cru 1 500 20 à 30 €

Une bonne illustration de l'esprit bourguignon : en limite de Volnay, ce *climat* s'écrit avec un « r » à la fin ; à Volnay même, Les Fremiets prennent un « t ». Différence dans les sols et variation orthographique... Toujours est-il que ces Fremiers ont disputé la finale des coups de cœur. De leur activité de négoce, les frères Jessiaume ont tiré un 1er cru dominé par l'expression aromatique du fruit : myrtille, baies rouges et cassis mûrs. On retrouve en bouche des évocations fraîches et fruitées. Le tanin est là, mais il apparaît rond et fondu. Une note fumée prend en finale un côté animal. Voilà un compagnon parfait pour des choux farcis au faisan. Les impatients pourront ouvrir cette bouteille prochainement, mais ce vin mérite d'attendre trois ou quatre ans.

SARL Maison Jessiaume, 10, rue de la Gare, 21590 Santenay, tél. 03.80.20.60.03, fax 03.80.20.62.87, contact@domaine-jessiaume.com r.-v.

David Murray

JEAN-LUC JOILLOT Les Petits Épenots 2009 ★★

■ 1er cru 2 700 30 à 50 €

Ce producteur du village fête en 2009 sa trentième vinification et son cinquantième anniversaire. Footballeur amateur, il sera heureux d'avoir atteint la finale, celle des coups de cœur – une distinction qu'il a déjà obtenue quatre fois en pommard. Ce 1er cru arbore une robe profonde et un nez ouvert sur les fruits noirs mûrs (cassis) mâtinés d'épices. Quant au palais, il s'impose par sa puissance, son gras, sa fraîcheur et son ampleur ; sa longueur, « impressionnante », est « celle d'un vin de garde ». Ces Petits Épenots deviendront grands autour de 2015.

Dom. Jean-Luc Joillot, 6, rue Marey-Monge, 21630 Pommard, tél. 03.80.24.20.26, fax 03.80.24.67.54, joillot@vin-pommard.com r.-v.

DOM. MICHEL LAHAYE Les Arvelets 2009 ★

■ 1er cru 1 200 20 à 30 €

Installé depuis plus de quarante ans, Michel Lahaye cultive environ 5 ha. Il voit retenus les deux pommard de sa carte des vins. L'étoile va aux Arvelets, un 1er cru dont le nom dérive du latin *arva*, terme signifiant « champs labourés » ou « plaine cultivée ». Ce nom s'explique, si l'on considère la situation de ce *climat* le long de la combe de Pommard. Un grenat brillant et d'intenses notes de fruits mûrs constituent une approche avenante. Au palais, la fraîcheur des fruits rouges, des tanins dénués d'agressivité et une belle longueur achèvent de convaincre. Cette bouteille devrait être à son optimum dans trois ou quatre ans. Cité, le ***village* Les Trois Follots 2009 (15 à 20 €; 1 500 b.)**, frais et fruité au nez, apparaît en bouche marqué par l'élevage et par des tanins qui lui donnent un côté rustique. On le laissera s'ouvrir et s'affiner deux ans.

Michel Lahaye, 5, pl. de l'Église, 21630 Pommard, tél. 03.80.22.52.22, michel.lahay2@sfr.fr r.-v.

VINCENT LAHAYE Les Vignots 2010

■ 4 000 15 à 20 €

Ce vigneron de Pommard exploite 10 ha, dont une parcelle de vignes dans le *climat* Les Vignots représentant 10 % de la surface de son domaine. Elle donne un vin qui se place dans le Guide avec une grande régularité. À une robe cerise intense, limpide et brillante, répond un nez bien ouvert sur les fruits rouges et noirs ainsi que sur les épices. En bouche, ce 2010 joue moins sur sa puissance que sur son équilibre et son élégance. Ses tanins fins, de qualité, permettront d'ouvrir cette bouteille sans trop attendre : dans deux ans, elle pourra accompagner la volaille d'un repas de fête.

Vincent Lahaye, 7, pl. de l'Église, 21630 Pommard, tél. 03.80.22.86.49, fax 03.80.20.02.97, vincent_lahaye@orange.fr r.-v.

DOM. LEJEUNE Les Rugiens 2010 ★★

■ 1er cru 1 200 30 à 50 €

« À la hauteur d'un grand cru », conclut un dégustateur. Il se trouve que les producteurs de l'appellation ont demandé le classement de ce 1er cru en grand cru. Les Rugiens doivent leur nom à leur sol - des terres rouges où l'on a trouvé des nodules de fer, à l'origine de vins colorés et puissants. Aubert Lefas a tiré de ce *climat* un 2010 qui a été finaliste pour un coup de cœur (distinction qu'avait reçue le 2003). Selon la pratique de la maison, ce vin a été vinifié en vendanges entières (macération semi-carbonique). La robe rubis intense annonce un nez profond qui dévoile après aération des arômes épicés, un rien sauvages, musqués ; les fruits des bois percent dans une bouche harmonieuse à la finale très longue soulignée par des tanins fins et « nobles ». Une bouteille à attendre cinq ans avant de la servir avec un lièvre à la royale. On attendra le même temps le ***village*** **Les Trois Follots 2010 (20 à 30 € ; 4 500 b.)**, lui aussi concentré et tannique.

Dom. Lejeune, 1, pl. de l'Église, 21630 Pommard, tél. 03.80.22.90.88, fax 09.72.29.22.73, domaine-lejeune@wanadoo.fr
t.l.j. sf dim. 9h-12h 14h-18h; f. sam. jan.-mars
Famille Jullien de Pommerol

DOM. MAILLARD PÈRE ET FILS La Chanière 2010 ★★

■ n.c. 20 à 30 €

Cette Chanière - chênaie en vieux français - est située au bout de la combe de Pommard. Elle a frôlé le coup de cœur. De quoi fêter pour ces vignerons les soixante ans de l'installation à Chorey-lès-Beaune. Une robe grenat sombre et dense aux reflets violacés ; un nez entre fruits rouges, épices et grillé du boisé : voilà une belle entrée en matière. Franche et fruitée à l'attaque, la bouche est étoffée, harmonieuse, tapissée de tanins fins qui prennent en finale des accents de café torréfié. Remarquable image de l'appellation, ce 2010, déjà agréable, gagnera à attendre un à deux ans.

Dom. Maillard, 2, rue Joseph-Bard, 21200 Chorey-lès-Beaune, tél. 03.80.22.10.67, fax 03.80.24.00.42 r.-v.

CATHERINE ET CLAUDE MARÉCHAL La Chanière 2010 ★

■ 2 550 30 à 50 €

Ouvert au soleil du midi, le *climat* La Chanière situé au fond de la combe de Pommard possède la particularité d'être classé soit en 1er cru soit en *village*. Catherine et Claude Maréchal en valorisent 87 ares dans le secteur non classé, ce qui ne les empêche pas d'en tirer de très beaux vins. Le millésime 2008 fut élu coup de cœur. Le 2010, moins immédiatement séducteur, est bien constitué et prometteur. Grenat foncé, il se partage au nez entre les fruits noirs et un discret boisé vanillé apporté par un séjour de douze mois en fût. En bouche, il montre une belle présence, de la chair et du volume, le tout étayé par des tanins déjà fondus. Cet ensemble solide demande au moins deux ans pour s'épanouir complètement.

EARL Catherine et Claude Maréchal, 6, rte de Chalon, 21200 Bligny-lès-Beaune, tél. 03.80.21.44.37, fax 03.80.26.85.01, marechalcc@orange.fr r.-v.

DOM. MAZILLY PÈRE ET FILS Poutures 2010 ★★

■ 1er cru 2 100 20 à 30 €

Cité l'an dernier, ce 1er cru a été cette année finaliste pour un coup de cœur. Son nom, qui signifie « marécages », s'explique si l'on considère sa situation en pied de coteau et ses sols argileux. Une illustration du rôle de l'homme dans la transformation des terroirs... Vinifié dans les Hautes-Côtes, où est établie la famille Mazilly, ce pommard est resté seize mois en fût ; pourtant, le bois n'écrase pas le vin. Dans le verre, un grenat brillant. Au-dessus du verre, des parfums de fruits noirs nappés d'épices et nuancés de cacao. Suave et équilibrée, la matière s'adosse à un tanin soyeux. La longue finale laisse un sillage de petits fruits rouges. Un grand plaisir dès aujourd'hui, mais aussi dans deux ou trois ans.

Dom. Mazilly Père et Fils, 1, rte de Pommard, 21190 Meloisey, tél. 03.80.26.02.00, fax 03.80.26.03.67, bourgogne-domaine-mazilly@wanadoo.fr r.-v.

JEAN-LOUIS MOISSENET-BONNARD Les Cras 2010 ★

■ 1 600 20 à 30 €

D'abord vigneron du dimanche dans les vignes familiales, Jean-Louis Moissenet a ensuite repris les terres de sa grand-mère, en 1988. Depuis lors, il a obtenu quatre coups de cœur en pommard, dont un l'an dernier. Cette année, il a proposé avec succès un *village* issu d'un *climat* situé en plaine, à la limite des 1ers crus côté Volnay. Au rubis violet de la robe répond un nez complexe de fruits noirs et de noyau, nuancé de touches épicées, torréfiées et balsamiques apportées par un séjour de douze mois en fût. Après une attaque souple, le vin dévoile une trame tannique encore serrée. Deux ans achèveront de fondre l'ensemble, qui s'accordera avec un tournedos Rossini.

Jean-Louis Moissenet-Bonnard, rue des Jardins, 21630 Pommard, tél. 03.80.24.62.34, fax 03.80.22.30.04, jean-louis.domaine-moissenet-bonnard@wanadoo.fr r.-v.

DOM. ÉRIC MONTCHOVET 2009 ★

■ 3 000 15 à 20 €

À l'instar de nombreux producteurs de Nantoux, village situé en retrait de la montagne de Beaune dans les Hautes-Côtes, Éric Montchovet exploite des parcelles en pommard : pas moins d'un hectare entier sur les sept que compte son domaine. Son 2009 s'annonce par une robe grenat d'une bonne intensité et par des parfums gourmands et frais de fruits rouges et noirs (cassis, airelle), mariés à un léger boisé épicé légué par un séjour de douze mois en fût. Comme l'écrit un dégustateur, « tout est en place. » Souplesse de l'attaque, équilibre, tanins de belle

BOURGOGNE

qualité et finale à la vivacité un peu mordante qui appelle (et permet) une garde. Après trois hivers, ce 2009 ne déparera pas un tournedos aux cèpes.
Éric Montchovet, au Château, 21190 Nantoux, tél. 03.80.26.00.68, eric.montchovet@free.fr
t.l.j. sf dim. 8h-12h 13h30-18h30

LUCIEN MUZARD ET FILS Les Cras Vieilles Vignes 2010 ★

	n.c.		20 à 30 €

Claude et Hervé Muzard, fils de Lucien, travaillent leur domaine en bio certifié depuis 2008. Implantée sur les Cras, *climat* situé en bas de coteau à la limite des 1ers crus côté Volnay, une vigne de quatre-vingt-douze ans est à l'origine d'un très beau pommard. D'un grenat soutenu, celui-ci présente un nez intense et fin aux arômes de fruits noirs mûrs. Sa matière fine et équilibrée lui apporte une grande élégance. Trois ans en cave ne feront que bonifier cette bouteille... si vous avez toutefois la patience de l'attendre.
Dom. Lucien Muzard et Fils, 11 bis, rue de la Cour-Verreuil, 21590 Santenay, tél. 03.80.20.61.85, fax 03.80.20.66.02, lucienmuzard@orange.fr r.-v.

MANUEL OLIVIER 2009

1er cru	1 000		30 à 50 €

Installé en 1990, Manuel Olivier a commencé par cultiver les vignes et petits fruits dans les Hautes-Côtes de Nuits. À présent, il ne cultive plus que de la vigne, et sa structure de négoce créée en 2007 lui a permis de mettre aussi un pied en Côte de Beaune. Vinifié partiellement en vendange entière et élevé dix-huit mois en fût, son pommard arbore une robe grenat. Son nez de cassis s'agrémente de notes chaleureuses de cerise au kirsch qui portent la signature du millésime. On retrouve les arômes gourmands de fruits noirs dans une bouche souple, ample et ronde, au boisé bien intégré. À servir dans trois ans avec du canard laqué, conseille un dégustateur. Cela tombe bien, la maison exporte des vins en Chine.
SARL Manuel Olivier, hameau de Corboin, 21700 Nuits-Saint-Georges, tél. 03.80.62.39.33, fax 03.80.62.10.47, contact@domaine-olivier.com
t.l.j. sf dim. 9h-12h 14h-19h

AGNÈS PAQUET Les Combes 2010

	3 000		20 à 30 €

Installée dans les Hautes-Côtes de Beaune, Agnès Paquet a créé son domaine de toutes pièces il y a une douzaine d'années. Son unique cuvée de pommard, qui représente en surface 10 % de son exploitation, lui a valu un coup de cœur dans le millésime 2009. Moins ambitieux, le 2010 pourra être servi avant son devancier ; dès les prochains frimas, il vous réchauffera accompagné d'une viande en sauce. Vous aimerez son parfum chaleureux de fruits rouges bien mûrs et d'épices, ainsi que sa bouche équilibrée, soyeuse et croquante, au fruité bien marié à un boisé suave et fondu.
Agnès Paquet, 10, rue du Puits-Bouret, 21190 Meloisey, tél. 03.80.26.07.41, fax 03.80.26.06.41, contact@vinpaquet.com r.-v.

DOM. PARENT Croix blanche 2010

	n.c.		20 à 30 €

Cette cuvée de la Croix blanche fait partie des bouteilles incontournables du domaine d'Anne et Catherine Parent (10 ha en conversion bio). Ce *climat* sis dans le bas du village n'est pas classé, mais il voisine avec les Grands Épenots et jouit d'une bonne réputation. Il a déjà valu deux coups de cœur à l'exploitation. Le 2010 offre un nez expressif évoquant la cerise, la gelée de framboise, le cassis, le cacao et le café torréfié. Souple à l'attaque, la bouche évolue sur des tanins soyeux. Les notes d'élevage vanillées et grillées sont assez appuyées. Les amateurs de vins boisés pourront ouvrir cette bouteille dès maintenant ; les autres l'attendront un an ou deux. Également cité, le **1er cru Les Épenots 2009 (3 010 b.)** séduit par son fruité (cerise, groseille) et par sa matière fraîche où les tanins reviennent taquiner le fruit en finale. Il pourra, lui aussi, être débouché dès la fin de l'année sur une tourte au bœuf.
SAS Dom. Parent, 19, pl. de l'Église, 21630 Pommard, tél. 03.80.22.15.08, fax 03.80.24.19.33, contact@domaine-parent-bourgogne.com

FRANÇOIS PARENT Les Épenots 2010

1er cru	604		50 à 75 €

François Parent vinifie les vins du domaine d'A.-F. Gros son épouse et ceux de son vignoble de la Côte de Beaune, et il gère une structure de négoce d'où proviennent les deux pommard cités. Un petit cran au-dessus, ces Épenots ont frôlé l'étoile. Franc et fruité, bien construit sur des tanins suaves, ample et chaleureux en finale, ce 2010 confidentiel offre une puissance mesurée et une réelle élégance. Le **1er cru Les Arvelets 2010 (30 à 50 € ; 1 823 b.)** se partage au nez entre un fruit rouge discret et des notes de vanille et de torréfaction (café, cacao) léguées par un séjour de dix-huit mois en fût. Au palais, le bois revient, harmonieusement marié au fruité, et la fraîcheur de la réglisse marque la finale. Ces deux vins pourront être découverts jeunes, dans un an, ou attendre trois à cinq ans, suivant votre goût.
François Parent, 14 bis, rue Pierre-Joigneaux, 21200 Beaune, tél. 03.80.22.61.85, fax 03.80.24.03.16, francois@parent-pommard.com r.-v.

♥ **DOM. PARIGOT** Les Charmots 2010 ★★

1er cru	2 700		20 à 30 €

Le père, c'est Régis ; le fils, c'est Alexandre. L'œnologue, c'est Kyriakos Kynigopoulos, spécialiste renommé né en Grèce. Sur son domaine de 18 ha, la famille continue à remarquablement valoriser les terroirs bourguignons. Sauf erreur, ce coup de cœur est son douzième et le quatrième en pommard, pour un 2010 à la robe brillante et profonde, presque noire, au nez de grillé et d'épices, avec un fruit noir sous-jacent. Ce vin offre un toucher velouté dès l'attaque, et affiche un palais gras, charnu et structuré, fondu et savoureux, aux nuances de mûre. La finale est escortée par les tanins d'un vin de garde qui verra la prochaine décennie. À laisser mûrir au moins trois ans. Cité, le *village* **Les Vignots 2010 (2 400 b.)** s'annonce par des parfums de fruits noirs, de pivoine, de bois de rose et d'épices. Son attaque franche dévoile un boisé marqué mais agréable. Les tanins soyeux, sévères en finale, appellent une garde de deux ans.

Dom. Parigot, rte de Pommard, 21190 Meloisey, tél. 03.80.26.01.70, fax 03.80.26.04.32, domaine.parigot@orange.fr r.-v.

MICHEL PICARD 2010 ★★

1 800 | 20 à 30 €

Ce remarquable *village* est allé jusqu'en finale des coups de cœur. Voilà qui fera plaisir à Fabrice Lesne, l'œnologue de cette maison de négoce forte d'un vaste vignoble. D'un pourpre sombre, ce 2010 intéresse par son nez alliant les fruits rouges et noirs, les fleurs, le boisé et un léger sous-bois. La bouche souple et équilibrée offre une belle harmonie entre des tanins fins et une saveur de cerise noire relevée de l'épice du fût. Un peu sévère en finale, elle atteindra son optimum après deux ans de garde. Noté une étoile, le **1er cru Le Clos Micot 2010 (30 à 50 € ; 1 200 b.)** s'annonce dans une robe profonde, avec un nez dominé par les fruits rouges et agrémenté d'un boisé élégant. Son corps vigoureux s'appuie sur des tanins fermes mais nobles. Selon un juré : « C'est un grand 1er cru. » On l'attendra cinq ans pour le servir à son apogée sur un coq au vin.

Maison Michel Picard, 5, rue du Château, 21190 Chassagne-Montrachet, tél. 03.80.21.98.57, fax 03.80.21.98.56, contact@michelpicard.com r.-v.

GRAND VIN DU CH. DE POMMARD 2009

70 000 | 75 à 100 €

L'unique château du cru, dont les origines remontent à 1727, a été racheté en 2003 par Maurice Giraud. Ses propriétaires misent sur l'œnotourisme, sans négliger le vin. Troisième millésime pour Emmanuel Sala, le maître de chai. Des 22 ha qui composent le clos du Château de Pommard naît, dans un esprit de sélection à la bordelaise, ce « grand vin », issu du meilleur des sept parcelles du clos. Il offre un nez généreux où les épices tutoient les fruits à l'alcool. Après une attaque souple, la bouche évolue sur des tanins soyeux. La finale chaleureuse incite à ne pas laisser ce millésime dormir trop longtemps en cave. Les impatients l'ouvriront dès la fin de l'année sur une viande rouge en sauce, les autres pourront le garder deux ou trois ans.

SARL Caves de la Propriété Ch. de Pommard, 15, rue Marey-Monge, 21630 Pommard, tél. 03.80.22.12.59, fax 03.80.24.65.88, contact@chateaudepommard.com t.l.j. 9h30-18h30

M. Giraud

LA POUSSE D'OR Les Jarollières 2010 ★★

1er cru | 3 350 | 30 à 50 €

Ce domaine historique remonte au Moyen-Âge. Aujourd'hui, il couvre 17,5 ha répartis entre de nombreux 1ers crus et grands crus. À Volnay, il possède 1,5 ha de ce 1er cru, soit presque la moitié de sa surface. Le nom Jarollières serait dérivé du mot ancien « varol », à rapprocher de loup « garou », car des loups garous erraient, dit-on, dans les parages aux âges obscurs. De nos jours, on préfère considérer que ce *climat* est voisin des célèbres Rugiens. Ce 1er cru a engendré un vin remarquable qui a participé à la finale des coups de cœur. D'un grenat intense, ce 2010 libère des fragrances de fruits rouges et noirs épicés par un séjour de quinze mois en fût. Sa matière franche, étoffée, équilibrée, suit la ligne tracée par des tanins fins jusqu'à la finale fruitée. Très belle image de l'appellation, ce pommard pourra être débouché dans un an, mais il se gardera cinq ans, voire davantage, dans une bonne cave.

Dom. de la Pousse d'or, rue de la Chapelle, 21190 Volnay, tél. 03.80.21.61.33, patrick@lapoussedor.fr r.-v.

Landanger

G. PRIEUR 2009 ★

1er cru | 2 000 | 30 à 50 €

La famille Prieur est propriétaire de vignes et gère une maison de négoce implantée à Santenay et conduite aujourd'hui par Guillaume Prieur. Ce 1er cru grenat brillant décroche une belle étoile. Fruits mûrs (cassis et airelle), rose et épices s'allient pour composer un nez expressif et complexe. Souple à l'attaque, le palais séduit par son gras, par son acidité bien fondue et par ses arômes de fruits très mûrs. Ses tanins encore fermes lui donnent de la consistance mais ils demandent à s'enrober. D'ici trois à quatre ans, ce 2009 sera à maturité. Un dégustateur le servirait bien avec une côte de veau aux cèpes, mais une viande rouge ou du petit gibier devraient aussi faire l'affaire.

Maison G. Prieur, 21590 Santenay, tél. 03.80.20.60.56, fax 03.80.20.64.31, uny-prieur@prieur-santenay.com r.-v.

DOM. REBOURGEON-MURE Clos des Charmots 2009

1er cru | 2 400 | 20 à 30 €

L'installation de cette famille à Pommard remonte à 1552. Le vigneron d'alors avait pris à bail des terres dépendantes de l'abbaye Sainte-Marguerite de Bouilland contre un loyer annuel de « trois feuillettes de vins vermeille, bon, pur, loyal et marchand, envasé en bons vaisseaux neufs, tenants jauge en mesure de Beaune... ». Ce vin-ci est lui aussi « vermeil » et il offre un nez élégant de fruits rouges frais. On retrouve le fruit au sein d'une matière acidulée, d'une puissance mesurée mais bien équilibrée. Une belle expression du pinot. Fin 2014, cette bouteille s'accordera à merveille avec une noisette de chevreuil.

Dom. Rebourgeon-Mure, 6, Grande-Rue, 21630 Pommard, tél. 03.80.22.75.39, fax 03.80.22.71.00, rebourgeon.mure@orange.fr r.-v.

DOM. RÉGIS ROSSIGNOL-CHANGARNIER 2009

1 800 | 20 à 30 €

Une adresse facile à retenir : rue d'Amour à Volnay. C'est là que Régis Rossignol pratique son métier depuis 1966 : une longue expérience... Son vin ? « Une vendange entière », écrit un dégustateur. C'est bien le cas, les raisins ne sont pas éraflés. En dépit d'une robe plutôt claire, ce pommard libère des parfums puissants de fruits à l'alcool et de poivre. Au palais, fruits cuits et épices rappellent également la chaleur du millésime 2009. La matière très tannique laisse envisager une garde de trois à cinq ans. On verrait bien cette bouteille accompagner des cailles farcies aux raisins sur un millefeuille de pain d'épice.

Régis Rossignol, 3, rue d'Amour, 21190 Volnay, tél. et fax 03.80.21.61.59, regisrossignol@free.fr r.-v.

DOM. ROSSIGNOL-FÉVRIER 2010 ★

■ 1 060 20 à 30 €

Comme de nombreux producteurs dont le patronyme est Rossignol, cette famille fait du vin à Volnay depuis 1510. Cette ancienneté ne l'empêche pas de s'adapter à son époque, puisque Frédéric Rossignol a engagé en 2009 la conversion à la biodynamie de ses 7 ha de vignes. Une étoile luit sur ce pommard au nez expressif se partageant entre les épices, la vanille et les fruits noirs à l'eau-de-vie. La juste extraction de sa matière apporte à ce vin un bel équilibre entre la charpente tannique et le fruit. Sa structure lui confère un certain potentiel de garde, et il faudra patienter jusqu'en 2015 pour l'apprécier pleinement.

Dom. Rossignol-Février, 7, rue du Mont, 21190 Volnay, tél. 03.80.21.62.69, fax 03.80.21.67.74, rossignol-fevrier@wanadoo.fr r.-v.

CHRISTOPHE VAUDOISEY Les Chanlins 2010

■ 1er cru n.c. 20 à 30 €

Pour un producteur de Volnay, obtenir des jurés du Guide une citation dans l'appellation voisine est toujours un plaisir. Ce pommard de Christophe Vaudoisey provient d'un *climat* dominant les 1ers crus, côté Volnay. D'un rubis soutenu aux reflets violets, il mêle au nez les fruits rouges et noirs à une touche de caramel. Les fruits rouges se retrouvent en bouche, enrobant des tanins soyeux. Complexe et dotée d'une bonne longueur, cette bouteille mérite d'attendre au moins trois ans avant d'accompagner un rôti de chevreuil aux airelles.

Christophe Vaudoisey, 1, rue de la Barre, 21190 Volnay, tél. 03.80.21.20.14, fax 03.80.21.27.80, christophe.vaudoisey@wanadoo.fr r.-v.

VAUDOISEY-CREUSEFOND Croix blanche 2010 ★

■ 2 700 15 à 20 €

Cette famille du cru habite en plein cœur du village de Pommard. Elle exploite 9 ha, principalement au sud de Beaune, à Volnay, Auxey-Duresses et Meursault. Néanmoins, les fidèles lecteurs se rappellent peut-être que le 2001 de ce *climat* Croix blanche, situé au bas des Grands Épenots, avait décroché un coup de cœur. Le 2010 distille des parfums flatteurs allant des fruits sauvages au boisé hérité d'un élevage en fût de quatorze mois. Au palais, il mise sur la finesse plutôt que sur la puissance. Ses tanins soyeux permettent de l'ouvrir dès la fin de l'année sur du bœuf en daube. On peut aussi le garder deux ou trois ans.

Vaudoisey-Creusefond, 16, rte d'Autun, 21630 Pommard, tél. 03.80.22.48.63, fax 03.80.24.16.81, vaudoisey-creusefond@wanadoo.fr r.-v.

THIERRY VIOLOT-GUILLEMARD La Platière 2009 ★

■ 1er cru 4 200 30 à 50 €

Aux commandes de l'exploitation familiale depuis 1981, Thierry Violot a expérimenté avec succès l'agriculture biologique, si bien qu'il vient d'engager la conversion du domaine en vue d'une certification. Dans le même temps, il continuera d'agrandir son vignoble, qui compte aujourd'hui 6 ha. Originaire d'un *climat* situé à 300 m d'altitude sur un plateau en faux plat du côté de Beaune, son 1er cru La Platière libère de discrètes senteurs de cassis frais et de mûre. Après une attaque fraîche, la bouche fondue, d'une puissance mesurée, dévoile des arômes de fruits à l'alcool jusqu'en finale. Pour un coq au vin, dès la sortie du Guide et dans les cinq ans à venir.

Thierry Violot-Guillemard, 7, rue Sainte-Marguerite, 21630 Pommard, tél. 03.80.22.49.98, fax 03.80.22.94.40, contacts@violot-guillemard.fr r.-v. 3

Volnay

Superficie : 207 ha
Production : 7 735 hl

Blotti au creux du coteau, le village de Volnay évoque une jolie carte postale bourguignonne. Moins connu que Pommard son voisin, le vignoble n'a rien à lui envier. Ses vins sont tout en finesse ; ils vont de la légèreté des Santenots, situés sur la commune voisine de Meursault, à la solidité et à la vigueur du Clos des Chênes ou des Champans. Nous ne citerons pas tous ses trente 1ers crus, de peur d'en oublier... Le Clos des Soixante Ouvrées y est également très connu et donne l'occasion de définir cette mesure : 4 ares et 28 centiares, unité de base des terres viticoles, correspondant à la surface travaillée à la pioche par un ouvrier au Moyen Âge dans sa journée.

♥ **CHRISTIAN BELLANG ET FILS** 2009 ★★

■ 900 15 à 20 €

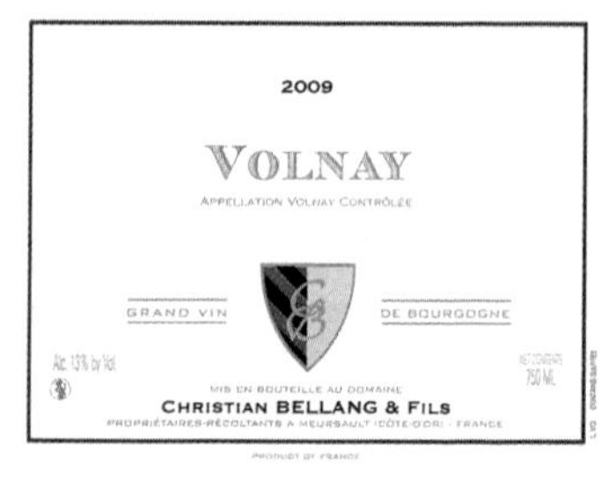

Avec trois coups de cœur pour deux millésimes (2009 et 2010), le volnay est à l'honneur de cette nouvelle édition. Ce *village* rivalise avec bien des 1ers crus. Christian Bellang a su tirer le meilleur du millésime et de ses 1,4 ha de pinot noir en appellation volnay (sur les 11 ha exploités depuis sa cave murisaltienne). Une élégante robe pourpre aux reflets violets habille ce vin. Au nez, la vanille et quelques notes chocolatées se marient harmonieusement avec les fruits rouges, framboise en tête. On retrouve tout cela dans un palais d'une grande finesse, harmonieux et boisé avec discernement. La finale joue les prolongations sur des notes bien typées de cerise. Dans trois ans, cette bouteille sera à son sommet, avec des cailles au foie gras.

Dom. Christian Bellang et Fils, 2 bis, rue de Mazeray, 21190 Meursault, tél. 03.80.21.22.61, fax 03.80.21.68.50, domaine.bellang@orange.fr r.-v.

♥ **BITOUZET-PRIEUR** Taillepieds 2009 ★★

■ 1er cru 1 800 20 à 30 €

Des *villages* aux 1ers crus, les vins de la famille Bitouzet – François, le fils, et Vincent, le père – ont un pied

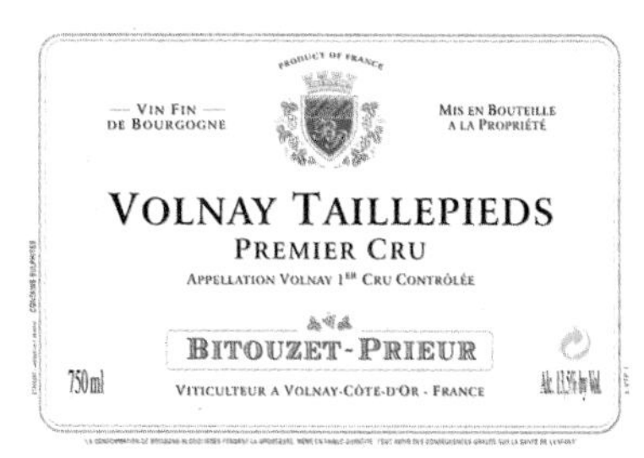

dans la commune de Volnay et l'autre dans celle de Meursault. Soixante-et-onze ares du *climat* Taillepieds, dont le nom évoque avec un humour tout bourguignon la forte pente calcaire, sont exploités. Ce 2009 d'un rouge cerise livre un bouquet expressif de petits fruits rouges en harmonie avec les notes boisées de la barrique. On retrouve en bouche la finesse caractéristique du volnay, ses tanins gracieux, sa matière souple et veloutée, le tout étayé par une juste fraîcheur qui apporte dynamisme et longueur à la finale. Si sa nature affable permet de l'apprécier dès maintenant, ce vin peut aussi être attendu deux ou trois ans pour des sensations gustatives nouvelles. On le verrait bien sur un faisan en chartreuse. Cité, le ***village* 2010 (15 à 20 € ; 3 900 b.)** dévoile des senteurs de fruits noirs confits, d'épices et de cuir, et une structure tout en finesse qui en fera dans deux ans le compagnon idéal d'une dinde laquée.

Bitouzet-Prieur, 19, rue de la Combe, 21190 Volnay, tél. 03.80.21.62.13, fax 03.80.21.63.39, francois@bitouzet-prieur.com r.-v.

DOM. JEAN-MARC BOULEY Vieilles Vignes 2009 ★

3 600	20 à 30 €

Vignerons de père en fils depuis quatre générations, les Bouley – Jean-Marc, à partir de 1974, rejoint par son fils Thomas en 2002 – fréquentent les pages du Guide avec assiduité, souvent en bonne place. Ils se distinguent cette année avec cette cuvée Vieilles Vignes qui, pour l'heure, n'a pas complètement digéré ses dix-huit mois de fût, témoin un bouquet à dominante de café torréfié et de vanille. Les fruits bien mûrs se fraient un chemin dans une bouche charnue marquée par une agréable rondeur et soutenue par des tanins fins et fondus. Dans trois ans, ce volnay accompagnera volontiers un lapin en civet.

Dom. Jean-Marc Bouley, 12, chem. de la Cave, 21190 Volnay, tél. 03.80.21.62.33, fax 03.80.21.64.79, jeanmarc.bouley@wanadoo.fr r.-v.

DOM. RÉYANE ET PASCAL BOULEY Clos des Chênes 2009

1er cru	2 000	20 à 30 €

Pascal et Réyane Bouley, aidés par leur fils Pierrick arrivé en 2005, exploitent un vignoble de 9 ha répartis sur une cinquantaine de parcelles : le parfait exemple d'une exploitation familiale bourguignonne. Trente-six ares sont consacrés à ce Clos des Chênes qui, dans sa version 2009, dévoile un nez intense de fruits cuits et de sous-bois, et une bouche encore en devenir, fraîche et franche en attaque, tannique et boisée dans son évolution. À attendre au moins deux ou trois ans.

Réyane et Pascal Bouley, 5, pl. de l'Église, 21190 Volnay, tél. 03.80.21.61.69, fax 03.80.21.66.44, bouleypascal@wanadoo.fr r.-v.

DOM. DENIS BOUSSEY 2010

2 400	15 à 20 €

Installé depuis 1971 à Monthelie, Denis Boussey fait partie de cette génération qui n'a pas pris sa retraite mais qui y réfléchit à chaque vendange. Il a commencé par transmettre quelques vignes à son fils Laurent, qui possède son propre domaine depuis 2005. Né d'une parcelle de vignes âgées de cinquante ans, ce 2010 d'un rouge profond et brillant exhale des parfums généreux de framboise et de griotte mûres, prélude à un palais soyeux et fin, tapissé d'arômes de fruits confiturés qui s'harmonisent avec l'olfaction. Un vin « solaire », que l'on appréciera à son meilleur dans deux ou trois ans, sur un bœuf bourguignon.

Dom. Denis Boussey, 1, rue du Pied-de-la-Vallée, 21190 Monthélie, tél. 03.80.21.21.23, fax 03.80.21.62.46, domaine.denisboussey@wanadoo.fr
t.l.j. sf dim. 8h-12h 13h30-18h; f. 5-20 août

DOM. CHAMPY Taillepieds 2009

1er cru	2 700	30 à 50 €

Ce *climat* donne naissance à l'une des cuvées « stars » du domaine de la famille Meurgey, également propriétaire du négoce beaunois Champy. Si les œnologues des maisons de vins sont souvent mis à l'honneur, n'oublions pas non plus le travail essentiel réalisé par leurs propriétaires, à l'image de Pierre Meurgey et de ceux qui portent la notoriété des vins de Bourgogne sur les cinq continents. Ce 1er cru est conforme à son rang, avec son nez finement toasté et chocolaté (dix-huit mois de fût), qui se prolonge dans une bouche bien charpentée, agrémentée de notes de pruneau et de truffe. Encore jeune, ce 2009 attendra trois ou quatre ans en cave avant d'accompagner à table un civet de lièvre.

Dom. Champy, 5, rue du Grenier-à-Sel, 21200 Beaune, tél. 03.80.25.09.99, fax 03.80.25.09.95, contact@champy.com
t.l.j. 10h-12h 14h-18h
P. Meurgey

JEAN-FRANÇOIS CHAPELLE 2009

1 500	20 à 30 €

Jean-François Chapelle, secondé par son maître de chai Yannick Jacrot, a adjoint depuis dix ans une activité de négoce à son domaine santenois, pour laquelle il n'achète que des raisins issus d'un « suivi à la parcelle et sur la base de contrats de longues durées ». Ici, un pinot noir âgé de cinquante ans est à l'origine de ce volnay au nez plaisant de fruits mûrs, teinté d'une touche de caramel. Riche et doux en attaque, plus strict en milieu de bouche, ce 2009 est soutenu par des tanins bien présents qui s'affineront d'ici 2013-2014. Pour un lapin chasseur.

SARL Chapelle, 2, rue des Petits-Sentiers, 21590 Santenay, tél. 03.80.20.60.09, fax 03.80.20.61.01, contact@domainechapelle.com
t.l.j. sf dim. 9h-12h 14h-17h

DOM. CLOS DE LA CHAPELLE
Carelle sous la Chapelle 2010 ★

1er cru	1 950	30 à 50 €

Ce domaine de poche (1,25 ha) créé en 2010 a confié la vinification à Dimitri Bazas, l'œnologue de la maison de négoce beaunoise Champy. Premier millésime et première sélection dans le Guide avec ce 1er cru calé en contrebas de la chapelle et du cimetière de Volnay. De beaux reflets violets animent la robe de ce vin, qui livre de fines senteurs de violette et de fruits rouges mûrs. La bouche séduit par sa souplesse et son élégance, par ses tanins fondus et ses arômes de griotte et de mûre. Un volnay gourmand, à associer aujourd'hui ou dans deux ans à une dinde rôtie au jus et sa couronne de marrons.

NOUVEAU PRODUCTEUR

Dom. Clos de la Chapelle-Champy, 3, rue du Grenier-à-Sel, 21200 Beaune, tél. 03.80.25.09.99, fax 03.80.25.09.95, contact@champy.com r.-v.

DOM. DE LA CONFRÉRIE Santenots 2009

■ 1er cru | 2 000 | 20 à 30 €

Christophe Pauchard est installé dans les Hautes-Côtes, à Cirey, au-dessus du village de Nolay, depuis 1991. Son vignoble s'étend sur 9 ha, dont 38 ares sont consacrés à ce *climat* réputé. Les petits fruits noirs (cassis, myrtille) rehaussés de nuances poivrées composent un bouquet élégant. La bouche se révèle franche, fraîche et de bonne constitution. L'ensemble est harmonieux et apte à une garde de deux ans.

Christophe Pauchard, Dom. de la Confrérie, Cirey, 37, rue Perraudin, 21340 Nolay, tél. 03.80.21.89.23, fax 03.80.21.70.27, info@domaine-pauchard.fr r.-v.

DOM. DECELLE-VILLA 2009

■ | 1 500 | 20 à 30 €

Alors que la Bourgogne est une région où les terres se transmettent avant tout par héritage, deux producteurs venus d'autres horizons se sont unis pour créer ce domaine en 2009 : Olivier Decelle, propriétaire du célèbre mas Amiel (maury) et du château Jean Faure (saint-émilion grand cru, entre autres), et Pierre-Jean Villa, propriétaire dans la vallée du Rhône. Non pas des néo-vignerons donc, mais un nouveau domaine, qui couvre 3,5 ha, complété par une activité de négoce en Côte de Nuits. Une belle entrée dans ce chapitre avec ce volnay finement bouqueté (fruits noirs confiturés, menthol), construit en bouche autour d'un boisé encore sensible, de tanins solides voire sévères, et d'une agréable fraîcheur. À attendre deux ou trois ans.

Decelle-Villa, 3, rue des Seuillets, 21700 Nuits-Saint-Georges, tél. et fax 03.80.53.74.35, contact@decelle-villa.com

DOM. HENRI DELAGRANGE ET FILS Champans 2010 ★★

■ 1er cru | 1 500 | 20 à 30 €

Après un coup de cœur décerné l'an passé à son premier millésime sur ce *climat*, Didier Delagrange voit son 2010 décrocher deux étoiles. Les arguments de cette bouteille ? Un nez charmeur, empreint de notes douces de fruits mûrs, d'un boisé subtil et d'une touche furtive de violette ; un palais souple, velouté, concentré et boisé avec mesure. Mais ce 1er cru n'a pas encore dévoilé toute sa complexité. On attendra 2016 pour le sortir de cave. Le **1er cru Santenots 2010 (30 à 50 € ; 600 b.)** est cité pour ses parfums de fruits mûrs légèrement confits, pour sa souplesse et ses tanins fondus. À garder trois ans.

Dom. Henri Delagrange, 7, cours François-Blondeau, 21190 Volnay, tél. 03.80.21.64.12, didier@domaine-henri-delagrange.com r.-v.

DESAUGE 2010 ★

■ | 1 920 | 20 à 30 €

Il est de coutume ici de dire qu'il existe plus de vignerons à Volnay qui font du pommard que le contraire. C'est pourtant bien un Pommardois qui signe ce 2010 né sur une parcelle de 55 ares, soit la moitié de ce domaine de poche. Vêtu de rouge sombre tirant vers le noir, le vin offre un bouquet généreux de fruits rouges mûrs. C'est surtout en bouche que sa séduction opère, à travers une matière soyeuse et délicate au fruité élégant, soutenue par des tanins fins et fondus. Un volnay comme il se doit, à servir au cours des trois prochaines années sur des ris de veau aux girolles.

GFA Desauge, 2, rue Mareau, 21630 Pommard, tél. 03.80.24.12.47, fax 03.80.20.47.88 r.-v.

♥ CH. GÉNOT-BOULANGER Le Ronceret 2010 ★★

■ 1er cru | 2 000 | 30 à 50 €

Depuis 2008, Aude et Guillaume Lavollée – fille et gendre de François Delaby – président aux destinées de ce vaste domaine de 27 ha répartis sur une trentaine d'appellations. Ils exploitent 40 ares de ce 1er cru, l'un des plus petits de Volnay, qui tire son nom de buissons de ronces recouvrant autrefois les terres agricoles. Le pinot noir y trouve un superbe terrain d'expression, témoin ce 2010 drapé dans une robe sombre, au nez intense de fruits rouges mêlés d'épices. La bouche ample, puissante et riche s'étire dans une longue finale portée par une élégante fraîcheur, des tanins racés et un boisé fondu. Déjà harmonieux, ce vin sera à son zénith dans trois ou quatre ans. Soyez patient et réservez-lui un mets de choix, un filet de bœuf sauce aux truffes noires par exemple.

Ch. Génot-Boulanger, 25, rue de Cîteaux, 21190 Meursault, tél. 03.80.21.49.20, fax 03.80.21.49.21, contact@genot-boulanger.com r.-v.

Delaby

DOM. BERNARD ET THIERRY GLANTENAY Les Santenots 2009 ★

■ 1er cru | 1 180 | 20 à 30 €

Thierry Glantenay a pris la suite de Bernard en 2005, sur les 7,45 ha de l'exploitation familiale. Chargé de tout ce qui touche à la vigne, il est aussi particulièrement impliqué dans la vinification. Deux 1ers crus placés aux deux extrémités de l'appellation reçoivent chacun une étoile. Ce Santenots, côté Meursault, séduit de bout en bout par sa finesse : celle de ses parfums épicés (poivre) et celle de son palais, soyeux et long, adossé à des tanins denses et élégants, qui lui assureront une garde de deux ou trois ans au moins. Le **1er cru Les Brouillards 2009 (15 à 20 € ; 2 100 b.)**, né côté Pommard, dévoile un nez puissant de confiture de cassis et une bouche ample et bien structurée. Il est « bien dans son rang », conclut un juré, qui le voit taillé pour une

garde de quatre ou cinq ans. Les volnay ne sont pas seulement élégants, ils sont aussi nés pour traverser les âges...
EARL Bernard et Thierry Glantenay, 3, rue de Vaut, 21190 Volnay, tél. 03.80.21.62.20, fax 03.80.21.67.78, glantenay@free.fr r.-v.

OLIVIER LEFLAIVE Clos des Angles 2009 ★

1er cru 3 850 30 à 50 €

Ce 1er cru, au sol de calcaire bathonien, caillouteux et rougeâtre du fait de la présence d'oxyde de fer, forme un triangle de 4,57 ha coincé entre deux routes, une particularité géographique qui lui donne son nom cadastral. Le lieu de naissance de ce 2009 violet soutenu mêlant au nez les fruits noirs, les épices, le grillé et la vanille. Franc et vif en attaque, le palais affiche de la puissance et du volume, porté par des tanins de qualité et un boisé qui doit encore se fondre. Deux ou trois années de cave devraient dompter son fort caractère.
Olivier Leflaive Frères, pl. du Monument, 21190 Puligny-Montrachet, tél. 03.80.21.37.65, fax 03.80.21.33.94, contact@olivier-leflaive.com r.-v.

CATHERINE ET CLAUDE MARÉCHAL 2010 ★

3 016 30 à 50 €

L'an passé, l'étiquette de ce volnay était à l'honneur dans le Guide. Dans cette nouvelle édition, le 2010 n'atteint peut-être pas les mêmes sommets, mais il a de beaux arguments à faire valoir. Derrière une robe sombre pointe un bouquet généreux de fruits mûrs agrémentés de notes plus fraîches d'eucalyptus. On retrouve les fruits à maturité dans une bouche ronde et suave, adossée à de fins tanins et à une finale chaleureuse. À ouvrir au cours des deux ou trois années à venir – pourquoi pas, avec des sot-l'y-laisse de canard caramélisés ?
EARL Catherine et Claude Maréchal, 6, rte de Chalon, 21200 Bligny-lès-Beaune, tél. 03.80.21.44.37, fax 03.80.26.85.01, marechalcc@orange.fr r.-v.

ALAIN ET GILLES MONTCHOVET 2010 ★

1 500 11 à 15 €

Les Montchovet viennent travailler cette parcelle de 28 ares, plantée de pinot noir âgé de trente-cinq ans, de leur pittoresque village de Nantoux situé dans les Hautes-Côtes, au fond d'un vallon qui débouche à Pommard. Ils signent un 2010 d'abord sur la réserve, qui s'ouvre doucement sur les fruits rouges mêlés de notes boisées. Vif en attaque, le palais s'appuie sur un fruité qualifié de « pur et noble » et sur des tanins encore bien présents, qu'il faudra laisser se patiner encore un an ou deux. Un veau marengo fera alors un bel accord gourmand.
Alain et Gilles Montchovet, rue Rocault, 21190 Nantoux, tél. et fax 03.80.26.03.26, gilles.montchovet@orange.fr r.-v. 2

DOM. PASCAL MURE 2010 ★★

1 624 11 à 15 €

Pascal Mure fait partie de ces vignerons discrets et travailleurs qui, dans l'ombre des « locomotives » du cru, s'appliquent à valoriser leur appellation. C'est vingt-cinq années au service de la vigne et du vin ; « vin de vie, vin d'envie », lit-on d'ailleurs sur l'étiquette. Et de l'envie, ce volnay né de ceps de quarante-cinq ans en donne à revendre. Du verre s'échappent de fines senteurs de fruits rouges frais nuancées de touches boisées. La bouche attaque avec franchise et fraîcheur, avant de dévoiler une solide mais élégante trame tannique, qui étire la finale en longueur. « Un vrai volnay ! », s'enthousiasme un juré. Dans deux ou trois ans, il sera parfait sur des cailles aux raisins.
Pascal Mure, 2, Grande-Rue, 21190 Volnay, tél. et fax 03.80.21.61.15, contact@domaine-mure.com r.-v.

LA POUSSE D'OR Clos de la Bousse d'or Monopole 2010

1er cru 6 700 30 à 50 €

Cela fait quinze ans cette année que Patrick Landanger, propriétaire en monopole des 2,13 ha du Clos de la Bousse d'or, préside aux destinées d'un des domaines de référence de Volnay. Le 2010 se présente dans une robe soutenue, couleur cerise noire, qui annonce un bouquet concentré de fruits noirs macérés et d'épices, suivi d'une bouche corpulente, presque « virile » en regard de la « légèreté » habituelle des vins de l'appellation. Une bouteille de garde assurément, à attendre trois à cinq ans.
Dom. de la Pousse d'or, rue de la Chapelle, 21190 Volnay, tél. 03.80.21.61.33, patrick@lapoussedor.fr r.-v.
Landanger

VINCENT PRUNIER Les Mitans 2009

1er cru 1 989 15 à 20 €

Si Vincent Prunier exploite déjà 12,5 ha autour de sa commune d'Auxey-Duresses, il a complété sa gamme de vins en 2007 par le biais d'une petite activité de négoce, d'où est issu ce volnay. Drapé dans une robe grenat limpide, ce 1er cru mêle au nez des parfums de réglisse et de pain grillé. Après une attaque franche et vive, la bouche se fait ronde et souple. La finale plus austère appelle une garde de deux ou trois ans.
SARL Vincent Prunier, rte de Beaune, 21190 Auxey-Duresses, tél. 03.80.21.27.77, fax 03.80.21.68.87, sarl.prunier.vincent@orange.fr r.-v.

DOM. RÉGIS ROSSIGNOL-CHANGARNIER
Les Brouillards 2009 ★

1er cru 2 000 20 à 30 €

Les 7,2 ha de son vignoble entraînent ce vigneron aux soixante-seize printemps de Savigny-lès-Beaune à Meursault, en passant par Beaune, Pommard et Volnay, son fief. Des 39 ares qu'il exploite sur ce 1er cru en pente douce, situé à la limite de Pommard, il tire un vin rubis foncé, aux senteurs de pruneau et de kirsch qui rappellent la chaleur de l'été 2009. Après une attaque à la fois souple et vive, le palais dévoile des tanins serrés qui laissent augurer un bon vieillissement jusqu'en 2015-2016.
Régis Rossignol, 3, rue d'Amour, 21190 Volnay, tél. et fax 03.80.21.61.59, regisrossignol@free.fr r.-v.

DOM. ROSSIGNOL-FÉVRIER Vieilles Vignes 2010 ★

2 400 15 à 20 €

Frédéric Rossignol, depuis 2000 à la tête de ce vénérable domaine familial (1510), a engagé en 2009 la conversion à la biodynamie de ses 7 ha de vignes. Ces Vieilles Vignes, qui affichent quarante vendanges, ont engendré un vin rubis intense aux plaisants parfums fruités et boisés. La bouche dévoile une matière ronde, fine, sans aspérités. Certains dégustateurs conseillent de garder cette bouteille encore trois ou quatre années en cave, d'autres de l'ouvrir dès à présent, sur un filet de bœuf en croûte. Une étoile est également attribuée au **Clos de**

BOURGOGNE

la Cave 2010 (900 b.) pour son élégant boisé toasté, sa finesse et son équilibre. À boire d'ici deux ans, après un léger passage en carafe.

Dom. Rossignol-Février, 7, rue du Mont, 21190 Volnay, tél. 03.80.21.62.69, fax 03.80.21.67.74, rossignol-fevrier@wanadoo.fr r.-v.

DOM. VINCENT SAUVESTRE Les Santenots 2010 ★★

1er cru | 2 500 | 20 à 30 €

La particularité du *climat* des Santenots est d'être situé dans la commune de Meursault. S'il est planté en chardonnay, il devient alors un... meursault. Ici, aucun doute, il s'agit bien d'un volnay, et d'un volnay remarquable. Drapé dans une robe rubis étincelant, ce 2010 mêle harmonieusement les fruits et le caramel. Au palais, il allie délicatesse du boisé et puissance fruitée, puis prend de la hauteur en finale, porté par des tanins élégants et une belle fraîcheur. À attendre au moins quatre ans pour l'apprécier à son optimum.

Dom. Vincent Sauvestre, 7, rte de Monthélie, 21190 Meursault, tél. 03.80.21.22.45, fax 03.80.21.28.05, severine.maitre@bejot.com

DOM. DES TERRES DE VELLE 2009

2 250 | 20 à 30 €

Vincent Laronze, responsable de la vinification au sein de la maison Alex Gambal durant une décennie, et son épouse Sophie, créent leur domaine en 2009, épaulés par leur bras droit japonais, Junji Hashimoto : 5,89 ha de vignes pour onze cuvées différentes, un condensé de la viticulture bourguignonne et de sa mosaïque de terroirs. Après une première sélection dans le Guide l'an dernier pour un monthélie 2009 et un puligny du même millésime, ils confirment leur savoir-faire avec ce volnay aux fines nuances de musc et de poivre, souple en bouche et finement épicé ; « un vin tout en dentelle », comme le voit un dégustateur. N'est-ce pas la définition d'un volnay ? À découvrir vers 2015, sur une blanquette de veau, par exemple.

Dom. des Terres de Velle, chem. Sous-la-Velle, 21190 Auxey-Duresses, tél. 03.80.22.80.31, fax 09.72.12.14.95, info@terresdevelle.fr r.-v.

CH. DU VAL DE MERCY 2009

2 500 | 15 à 20 €

Ce domaine créé en 2007 est géré par un jeune œnologue, Kevin Roy, dont les parents sont agriculteurs. Par une facétie typiquement bourguignonne, le château du Val de Mercy, situé dans l'Yonne, produit du vin depuis 1680, dont un fameux blanc sur un *climat* local appelé Pommard... Ses nouveaux propriétaires ont développé le vignoble dans la Côte de Beaune. Ici, c'est un volnay rouge clair qui se voit cité pour ses parfums expressifs et intenses de fruits frais (fraise) et de réglisse, et pour son palais de bonne tenue, franc, fruité, aux tanins serrés mais sans dureté. À boire dans les deux ou trois prochaines années.

Ch. du Val de Mercy, 4, rue des Écoles, 21630 Pommard, tél. 03.80.22.77.34, fax 03.86.41.45.80, roy@valdemercy.com t.l.j. sf sam. dim. 9h-12h 14h-17h

CHRISTOPHE VAUDOISEY Les Mitans 2010 ★

1er cru | n.c. | 20 à 30 €

Ce *climat* en pente douce, qui jouxte la partie *village* située au milieu de l'appellation, a valu deux coups de cœur à Christophe Vaudoisey pour les millésimes 2005 et 2008. Son 2010 décroche une étoile pour son bouquet élégant de fruits rouges et noirs agrémenté d'une touche de sous-bois, et pour son palais équilibré, soutenu par des tanins bien présents. Encore jeune, ce vin attendra trois ans en cave pour révéler tout son potentiel. Une étoile revient également au **1er cru Clos des Chênes 2010**, ample, riche et rond, au boisé fondu à souhait, de bonne longueur. On l'attendra entre deux et cinq ans. Le ***village* rouge 2010 (15 à 20 €)** est cité pour ses parfums plaisants de noyau de cerise et de mûre, pour sa bouche charnue et ses tanins fins. À boire jeune.

Christophe Vaudoisey, 1, rue de la Barre, 21190 Volnay, tél. 03.80.21.20.14, fax 03.80.21.27.80, christophe.vaudoisey@wanadoo.fr r.-v.

Monthélie

Superficie : 120 ha
Production : 4 745 hl (85 % en rouge)

Moins connu que ses voisins, Volnay au nord et Meursault au sud, le village de Monthélie est installé à l'entrée de la combe de Saint-Romain qui sépare les terroirs à rouges des terroirs à blancs ; ses coteaux exposés au sud donnent des vins d'excellente qualité.

DOM. BERTHELEMOT 2010 ★

4 500 | 11 à 15 €

Quatrième millésime pour Brigitte Berthelemot et son chef d'exploitation Marc Cugney. Et déjà un domaine qui compte dans l'appellation, coup de cœur dans l'édition précédente pour son monthélie rouge 2009. Le 2010 a fait, lui aussi, belle impression : un vin d'un rouge cardinal aux reflets violets, au nez intense de fruits rouges mûrs agrémentés de notes chocolatées, un palais concentré et charnu au fruité généreux de cerise confite, des tanins soyeux et fondus, une longue finale épicée et réglissée. Déjà fort appréciable, cette bouteille pourra aussi patienter deux ou trois ans en cave pour décrocher sa deuxième étoile.

Dom. Brigitte Berthelemot, 24, rue des Forges, 21190 Meursault, tél. 03.80.21.68.61, fax 03.80.21.94.07, contact@domaineberthelemot.com r.-v.

ÉRIC BOIGELOT Sur la Velle 2009

1er cru | 1 800 | 11 à 15 €

Installé dans le bas de Meursault, ce domaine exploite 30 ares de vignes sur ce *climat* situé au-dessus du village. Éric Boigelot signe un 1er cru à la teinte claire, dont le nez flatteur évoque les fruits rouges et les épices douces. La bouche offre une agréable fraîcheur et un fruité expressif, avant de révéler en finale des tanins encore un peu sévères. À boire dans un an sur un magret de canard.

Éric Boigelot, 21, rue des Forges, 21190 Meursault, tél. 03.80.21.65.85, fax 03.80.21.66.01 r.-v.

DOM. RÉYANE ET PASCAL BOULEY Les Clous 2009

1er cru | 3 000 | 15 à 20 €

Les Clous constituent l'un des derniers *climats* de l'appellation classés en 1ers crus. Les Bouley y cultivent

60 ares. Adeptes des élevages longs en fût, ils ont laissé leur 2009 dix-huit mois en barrique. Un élevage bien « digéré » par le vin, qui dévoile un nez discret de fruits rouges et noirs, avec un léger boisé à l'arrière-plan. Il en va de même en bouche, où dominent les fruits compotés, soutenus par des tanins fins. Un ensemble agréable, à déguster dans deux ou trois ans sur du petit gibier.

Réyane et Pascal Bouley, 5, pl. de l'Église, 21190 Volnay, tél. 03.80.21.61.69, fax 03.80.21.66.44, bouleypascal@wanadoo.fr r.-v.

DOM. DENIS BOUSSEY Les Hauts Brins 2010 ★

2 700 | 11 à 15 €

Plantées sur ce *climat* qui regarde la voisine Volnay du haut de sa colline, des vignes de cinquante ans ont donné ce vin couleur burlat, au nez de fruits rouges frais mâtinés d'un boisé doux. On retrouve des notes d'élevage (toasté), mariées aux fruits confits, dans une bouche dense, charnue et équilibrée. Une bouteille déjà agréable que l'on verrait bien accompagner une gibelotte de lapin, mais qui pourra encore patienter trois ans en cave.

Dom. Denis Boussey, 1, rue du Pied-de-la-Vallée, 21190 Monthélie, tél. 03.80.21.21.23, fax 03.80.21.62.46, domaine.denisboussey@wanadoo.fr
t.l.j. sf dim. 8h-12h 13h30-18h; f. 5-20 août

DOM. ÉRIC BOUSSEY La Combe d'Anay 2010

2 800 | 11 à 15 €

Éric Boussey, installé depuis 1981, propose un monthélie or brillant, au nez floral, exotique et boisé. L'attaque est fraîche, le milieu de bouche au diapason, porté par la vivacité des agrumes, avec un léger boisé en filigrane. À boire dès cet automne. Le ***village* Les Toisières 2010 rouge (8 à 11 €; 3 200 b.)** est également cité pour son bouquet de cassis frais et d'épices, pour son fruité généreux et ses tanins bien présents en bouche. À attendre trois ans.

EARL du Dom. Éric Boussey, 21, Grande-Rue, 21190 Monthélie, tél. 03.80.21.60.70, fax 03.80.21.26.12, ericboussey@orange.fr r.-v.

DOM. LAURENT BOUSSEY 2010

1 300 | 11 à 15 €

À Monthélie, plusieurs générations de Boussey cultivent la vigne. Laurent donc, mais aussi son père et son oncle. Ce *village* aux reflets verts s'ouvre lentement sur un boisé léger, puis sur les agrumes. Après une attaque acidulée, le palais dévoile des arômes frais de citron et de pierre à fusil agrémentés de notes boisées. Un vin équilibré et de bonne longueur, à découvrir dans un an ou deux sur un poisson grillé. Le ***village* Les Hauts Brins 2010 rouge (1 500 b.)** est également cité pour son nez de fruits noirs, et pour sa bouche ample et structurée par des tanins fermes. À servir sur un cuissot de chevreuil, dans quatre ou cinq ans.

Laurent Boussey, rue du Château-Gaillard, 21190 Monthélie, tél. 03.80.21.28.42, domaine.boussey@orange.fr r.-v.

DOM. VINCENT BOUZEREAU 2009 ★

2 000 | 15 à 20 €

Ancien prieuré du château de Meursault, ce domaine familial de 10 ha est conduit depuis 1990 par Vincent Bouzereau. Son monthélie couleur rubis exhale des fragrances à la fois intenses et fines de fruits mûrs et de fleurs. Une attaque ronde ouvre sur « une bouche sans faille », ample et équilibrée. À réserver pour un filet de bœuf aux champignons, dans trois ou quatre ans.

Vincent Bouzereau, 25, rue de Mazeray, 21190 Meursault, tél. 03.80.21.61.08, fax 03.80.21.65.97, vincent.bouzereau@wanadoo.fr r.-v.

MAXIME CHAMPAUD La Combe Danay 2010

1 800 | 11 à 15 €

Ce jeune négociant signe ici sa quatrième vendange. Ce 2010 rouge vif et limpide offre un nez épicé et fruité. On retrouve les épices, poivre en tête, dans une bouche de bonne longueur, souple et équilibrée. À boire dans deux ans sur des aiguillettes de canard sauce au poivre.

Maxime Champaud, 2, ruelle Saint-Roch, 21190 Nantoux, tél. 06.17.97.07.33, fax 03.80.26.05.12, maximewines@hotmail.fr t.l.j. 9h-19h

BOURGOGNE

DOM. CHANGARNIER Champs Fulliot 2010 ★

1er cru | 1 200 | 15 à 20 €

Reçu cinq sur cinq : tous les vins du domaine proposés à la dégustation sont retenus, rouges et blancs, *villages* et 1ers crus ; un bel aperçu des vins de l'appellation. En tête, ce Champs Fulliot qui séduit par son équilibre d'ensemble : des parfums bien mariés de fruits rouges (framboise) et de grillé léger ; un palais ample et onctueux offrant la même harmonie entre le fruit et le bois. À conserver deux ou trois ans. Une étoile également pour le ***village* Pierrefitte 2010 rouge (11 à 15 €; 1 700 b.)**, au nez de griotte et de framboise un rien épicé et vanillé, franc et bien structuré en bouche, apte à une garde de deux ans. À boire dans les trois ans à venir, le **1er cru Meix Bataille 2010 rouge (900 b.)**, vin équilibré, fruité, frais et fin, obtient lui aussi une étoile. À boire dans l'année, le ***village* Le Clos 2010 blanc (1 200 b.)** est cité pour ses parfums de fleurs blanches et d'agrumes, pour son palais gras, finement beurré et vanillé. Également cité, le ***village* blanc 2010 (11 à 15 €; 3 000 b.)** est un vin floral, discrètement boisé, porté en bouche par une agréable vivacité. À boire dans les deux ans à venir.

SCEA Dom. Changarnier, pl. du Puits, 21190 Monthélie, tél. 03.80.21.22.18, fax 03.80.21.68.21, contact@domainechangarnier.com r.-v.

DOM. DEBRAY La Combe Danay 2010 ★

1 500 | 20 à 30 €

Établi dans les faubourgs de la capitale des vins de Bourgogne, Yvonnick Debray a créé son négoce en 2006 et exploite aussi un petit domaine. Il signe un *village* revêtu d'or brillant, qui exhale de fines senteurs boisées accompagnées d'arômes floraux, miellés et fruités. La bouche ronde et suave, imprégnée de notes de poire et de caramel, met en valeur une belle maturité et un élevage d'un an en fût. Une cuvée à boire entre aujourd'hui et 2015, sur une volaille en sauce.

Dom. Debray, 1, pl. Saint-Jacques, 21200 Beaune, tél. 03.80.22.62.58, fax 03.80.24.65.72, contact@domaine-debray.fr
t.l.j. 8h-12h 13h30-17h30; sam. dim. sur r.-v.

DOM. DOREAU Champs Fulliot 2010

1er cru | 2 000 | 11 à 15 €

Ce domaine de 5 ha présente à sa carte des vins six appellations, dont ce 1er cru porte-étendard de l'AOC. Drapé dans une robe cerise noire, ce dernier livre des senteurs mûres de cerise et de fraise. Après une attaque souple et fraîche, le palais dévoile des tanins serrés mais soyeux, qui assureront à ce monthélie une garde de deux ans. On le servira sur un canard aux airelles.

Gérard Doreau, 6, rue du Dessous, 21190 Monthélie, tél. 03.80.21.27.89, fax 03.80.21.62.19, gerard-doreau@wanadoo.fr r.-v.

GUY DUBUET-MONTHÉLIE ET FILS
Les Champs-Fulliot 2010 ★

1er cru | 1 700 | 15 à 20 €

L'essentiel du patrimoine viticole de ce domaine familial de 8 ha est réparti sur le village. Les Dubuet exploitent 30 ares sur les Champs Fulliot, 1er cru le plus important de l'appellation, avec plus du quart de la surface plantée. Paré d'une robe pourpre sombre, ce 2010 livre après aération un bouquet à dominante boisée (café), avec des parfums de cerise à l'arrière-plan. Après une attaque douce, il offre de la rondeur, un boisé bien intégré et des tanins soyeux. On envisagera trois ans de garde avant de le servir sur une viande en sauce. Le *village* **Les Combes Danay 2010 blanc (11 à 15 € ; 2 000 b.)** est cité pour son nez minéral et citronné, pour sa souplesse, sa finesse et son boisé fondu en bouche. Un vin bien représentatif du millésime, à découvrir dès aujourd'hui sur des noix de Saint-Jacques aux poireaux.

Dubuet-Monthélie et Fils, 1, rue Bonne-Femme, 21190 Monthélie, tél. 03.80.21.26.22, fax 03.80.21.29.79, david.dubuet@orange.fr r.-v.

DOM. DUJARDIN 2010 ★

3 000 | 11 à 15 €

À leur départ à la retraite, les Bouzerand ont confié les clés du domaine et de ses caves cisterciennes des XIIe et XVes. à Ulrich Dujardin. Ce dernier, installé ici depuis 1990, propose un vin or pâle qui mêle au nez les agrumes, les fleurs blanches et un grillé discret. La bouche se révèle riche, suave, onctueuse, soutenue par une juste vivacité. À découvrir dans les trois ans à venir – pourquoi pas sur une blanquette de poisson ? Élevé dix-huit mois en fût, le **2009 rouge (8 000 b.)** est cité pour son fruité gourmand nuancé de notes boisées, pour sa rondeur et ses tanins souples. À ouvrir dans les deux ou trois ans à venir.

Dom. Dujardin, 1, Grande-Rue, 21190 Monthélie, tél. 03.80.21.20.08, fax 03.80.21.28.16, domaine.dujardin@orange.fr r.-v.

DOM. DUPONT-FAHN 2010

800 | 11 à 15 €

Coup de cœur avec le millésime 2008, cette exploitation de Monthélie signe un 2010 or jaune au bouquet complexe de pêche jaune et d'orange, rehaussé par une subtile minéralité. Le palais se révèle particulièrement suave, gras, riche et mûr, « surprenant pour un 2010 », précise un dégustateur. À boire dès aujourd'hui sur une volaille à la crème.

Michel Dupont-Fahn, Les Toisières, 21190 Monthélie, tél. 06.08.51.15.13, dupont.fahn@gmail.com r.-v.

DOM. FLORENT GARAUDET 2009

3 000 | 11 à 15 €

Après des expériences au pic Saint-Loup (Languedoc) et à Pomerol, Florent Garaudet est revenu dans son village natal en 2008. Il signe un *village* 2009 brillant et profond, au nez discret mais plaisant de petits fruits rouges. Souple en attaque, la bouche se montre fruitée, fine et longue, portée par des tanins de qualité et par une bonne vivacité. À attendre deux ans avant de servir sur un poulet aux champignons. Citée elle aussi, la très confidentielle cuvée **Le Mons Hélios 2009 rouge (30 à 50 € ; 300 b.)** livre de francs arômes de fruits rouges qui tapissent un palais doux et légèrement épicé. Bel accord en perspective avec une andouillette grillée et pommes de terre persillées.

Florent Garaudet, 3, rue du Château-Gaillard, 21190 Monthélie, tél. 06.87.77.01.28, florentgaraudet@orange.fr t.l.j. 8h-12h 14h-18h

GILBERT ET PHILIPPE GERMAIN 2010 ★

10 000 | 8 à 11 €

Ce domaine familial de 13 ha, installé dans un pittoresque village des Hautes-Côtes, propose un 2010 rouge cerise, au nez flatteur de fraise, de framboise et de groseille. En bouche, on découvre une matière souple et ample, fruitée et longue. Un vin harmonieux et fin, que l'on pourra attendre deux à cinq ans et servir sur un rôti de veau.

Gilbert et Philippe Germain, rue du Vignoble, 21190 Nantoux, tél. 03.80.26.05.63, fax 03.80.26.05.12, germain.vins@wanadoo.fr r.-v.

DOM. ÉRIC MONTCHOVET Meix Bataille 2009 ★

1er cru | 3 000 | 11 à 15 €

Ce *climat*, l'un des quinze 1ers crus de l'appellation, doit son nom à la famille Bataille qui siégeait au parlement de Bourgogne au XVIes. et dont l'un des membres fut le capitaine du château de La Rochepot, à quelques lieues de Monthélie. Sous une robe rouge intense, ce 2009 livre un bouquet frais de fruits rouges et noirs, « très pinot », précise un juré. La bouche se montre tendre et riche, tapissée de notes généreuses de fruits à l'alcool qui évoquent la chaleur du millésime et portée par des tanins bien présents mais sans excès. À découvrir dans deux ou trois ans sur une pintade aux choux.

Éric Montchovet, au Château, 21190 Nantoux, tél. 03.80.26.00.68, eric.montchovet@free.fr t.l.j. sf dim. 8h-12h 13h30-18h30

PIERRE MOREY 2009 ★

5 700 | 15 à 20 €

Ce vigneron réputé de Meursault exploite 1,32 ha à Monthélie, soit 10 % de son domaine, cultivé en biodynamie. Après treize mois de fût, complétés par six mois de cuve, son *village* 2009 livre un bouquet élégant de fruits rouges mâtiné d'une légère touche boisée. La bouche riche, ronde et longue s'adosse à des tanins aimables. Dans deux à cinq ans, ce vin accompagnera volontiers une tourte bourguignonne.

Dom. Pierre Morey, 13, rue Pierre-Mouchoux, 21190 Meursault, tél. 03.80.21.21.03, fax 03.80.21.66.38, morey-blanc@wanadoo.fr r.-v.

PASCAL MURE 2010 ★

1 200 | 8 à 11 €

Installé en 1987 à Volnay, Pascal Mure poursuit l'histoire familiale sur ce domaine de près de 9 ha. Ce 2010 rouge cerise livre un nez frais tout en fruits : cerise, cassis, fraise, comme à la parade. Souple en attaque, la bouche se révèle intense, dense et très fruitée. Un vin équilibré, à découvrir vers 2013 sur un foie de veau poêlé.

Pascal Mure, 2, Grande-Rue, 21190 Volnay, tél. et fax 03.80.21.61.15, contact@domaine-mure.com r.-v.

♥ **DOM. NEWMAN 2009 ★★**

■	n.c.		15 à 20 €

Christopher Newman, un Américain installé dans le centre de Beaune, à la tête de 5,5 ha de vignes en Côte de Beaune et en Côte de Nuits, célèbre cette année ses quarante ans au service de la Bourgogne. Il met Monthélie à l'honneur avec ce *village* rouge profond, qui exhale des parfums intenses de fruits noirs et de fleurs, agrémentés d'un boisé fin. Le palais franc et long, très expressif, dévoile une élégance rare, porté par des tanins à la fois serrés et délicats. Un vin de grande garde, à conserver en cave cinq à dix ans.

GFA Dom. Newman, 29, bd Clemenceau, 21200 Beaune, tél. 03.80.22.80.96, fax 03.80.24.29.14, info@domainenewman.com

DOM. THIERRY PINQUIER 2009

■	7 200		11 à 15 €

Si Thierry Pinquier a pris la relève en 1994, ses parents, un père de quatre-vingt-trois ans et une mère de soixante-seize printemps, vont toujours aux vignes. Ce 2009 est donc aussi un peu le leur : un vin au nez agréablement fruité (cassis, cerise), frais, souple et équilibré. Tout indiqué pour un bœuf bourguignon, dès cet automne.

Thierry Pinquier, imp. des Belges, 5, rue Pierre-Mouchoux, 21190 Meursault, tél. et fax 03.80.21.24.87, domainepinquier@orange.fr t.l.j. 9h-12h 14h-19h; dim. 9h-12h

CH. DE POMMARD Les Riottes 2010 ★

■ 1er cru	2 550		20 à 30 €

Le nom de ce lieu dit provient de l'ancien français « petite rue », un chemin qui part en direction de Pommard. Emmanuel Sala, vinificateur du château, a élaboré un 1er cru qui ne cache pas ses quatorze mois de fût : au nez, les parfums de torréfaction se mêlent aux notes de fruits rouges du pinot. Au diapason, la bouche, ample et joliment texturée, dévoile des tanins fins et s'étire longuement en finale sur une note réglissée. À ouvrir dans deux automnes sur des cailles farcies aux trompettes de la mort ou sur un pigeon aux petits pois.

Ch. de Pommard, SARL Caves de la Propriété, 15, rue Marey-Monge, 21630 Pommard, tél. 03.80.22.12.59, fax 03.80.24.65.88, contact@chateaudepommard.com t.l.j. 9h30-18h30

Maurice Giraud

DOM. JEAN-PIERRE ET LAURENT PRUNIER Les Vignes rondes 2009

■ 1er cru	3 000		11 à 15 €

Ce *climat*, qui suit la courbe de la colline voisine de Volnay, est situé au cœur des 1ers crus, d'où peut-être son nom de « vignes rondes », comme à Nuits-Saint-Georges. Laurent Prunier, qui fête en 2012 les vingt ans de son installation sur le domaine familial, présente un vin rubis intense au nez « très pinot », entendez « très cerise ». Tapissée de fruits rouges mûrs, la bouche se révèle douce, suave et bien équilibrée. Déjà agréable, ce 2009 s'appréciera aussi dans deux ans. Bel accord avec une volaille rôtie.

Dom. Jean-Pierre et Laurent Prunier, rue Traversière, 21190 Auxey-Duresses, tél. et fax 03.80.21.27.51, domaine-prunier@wanadoo.fr r.-v.

PASCAL PRUNIER-BONHEUR 2010 ★

	1 200		15 à 20 €

Avec son épouse Christine, qui lui a apporté le « Bonheur » de son nom, Pascal Prunier-Bonheur, négociant murisaltien, signe un élégant monthélie blanc – des vins qui ont particulièrement brillé cette année dans une AOC largement dominée par les rouges. Au nez, les fleurs blanches se mêlent à des notes grillées et à quelques nuances miellées. Le palais séduit par son gras, son volume, son intensité aromatique (fleurs, fruits mûrs, vanille) et par sa fraîcheur minérale qui lui apporte longueur et équilibre. À ouvrir entre 2012 et 2015 sur un sandre au beurre blanc. Le **1er cru Les Vignes rondes 2010 rouge (3 000 b.)** décroche lui aussi une étoile, tant pour son bouquet intense de fraise et de framboise que pour sa bouche ronde, ample et soyeuse, portée par des tanins tendres et une jolie vivacité. À attendre deux ou trois ans.

Maison Pascal Prunier-Bonheur, 23, rue des Plantes, 21190 Meursault, tél. 03.80.21.66.56, fax 03.80.21.67.33, pascal.prunier-bonheur@wanadoo.fr t.l.j. sf dim. 8h-12h 13h30-18h

HENRI DE VILLAMONT 2010

	1 800		15 à 20 €

Ce négociant, installé depuis 1984 à Savigny-lès-Beaune dans une cuverie de 1880 (mais à l'intérieur modernisé), propose une cuvée or pâle et limpide qui dévoile d'agréables senteurs de fruits frais et de fleurs des haies. La bouche offre une matière consistante, un fruité expressif souligné par un boisé fin et par une nervosité de bon aloi. À découvrir dès l'automne sur un tajine de poisson.

Henri de Villamont, 2, rue du Dr-Guyot, BP 3, 21420 Savigny-lès-Beaune, tél. 03.80.21.50.59, fax 03.80.21.36.36, contact@hdv.fr t.l.j. sf lun. 10h-12h 14h-17h

Schenk

Auxey-duresses

Superficie : 135 ha
Production : 5 840 hl (65 % rouge)

Le village d'Auxey-Duresses se niche dans un vallon qui conduit vers les Hautes-Côtes. Son vignoble couvre les deux versants de la combe et se répartit en trois îlots : sur la pente nord, il prolonge le terroir de Monthélie et porte des 1ers crus rouges exposés au midi, comme les Duresses ou le Val, fort réputés ; au fond de la combe, il jouxte des parcelles de Saint-Romain ; sur le versant de Meursault, au sud, il produit d'excellents vins blancs.

PHILIPPE BOUZEREAU Les Duresses 2010 ★

1er cru | 3 600 | 15 à 20 €

En parallèle de son activité au château de Cîteaux, Philippe Bouzereau a développé en 2006 un négoce sous son nom propre. Sous cette étiquette, il propose un 1er cru qui ne cache pas son élevage en fût. Au nez, les fruits mûrs (cerise noire) se mêlent aux notes chocolatées et toastées de la barrique. Charnue, corpulente, structurée, la bouche ne dit pas autre chose : le boisé est bien présent mais toujours élégant. À découvrir dans quatre ou cinq ans, et même plus, sur un cuissot de chevreuil aux airelles.

Philippe Bouzereau, 7, place de la République, 21190 Meursault, tél. 03.80.21.20.32, fax 03.80.21.64.34, contact@chateau-de-citeaux.com
t.l.j. sf dim. lun. 10h-13h 14h-18h

CHRISTOPHE BUISSON 2009 ★

n.c. | 15 à 20 €

Installé sur les hauteurs de Saint-Romain depuis 1996, Christophe Buisson est un fidèle du Guide. Les lecteurs se rappelleront notamment son coup de cœur en auxey-duresses rouge pour le millésime 2005. Ici, un 2009 de très belle facture, drapé dans une robe carminée, dont le nez discret s'ouvre à l'aération sur les fruits rouges stimulés par des nuances poivrées. Souple et frais en attaque, le palais se révèle fin et friand, soutenu par des tanins élégants et par une finale tendue. À déguster dans deux ou trois ans sur une pintade aux girolles.

Christophe Buisson, rue de la Tartebouille, 21190 Saint-Romain, tél. 03.80.21.63.92, fax 03.80.21.67.03, domainechristophebuisson@wanadoo.fr r.-v.

CHRISTIAN CHOLET-PELLETIER Côte de Beaune 2009

1 000 | 8 à 11 €

Christian Cholet est installé depuis 1976 dans un village de la plaine de Meursault, où la culture de la vigne côtoie celle du cassis. Cassis, justement, dont ce 2009 laisse poindre quelques senteurs, aux côtés des fruits rouges, de la réglisse et de nuances de sous-bois. Posée sur des tanins fondus, la bouche est avenante, fraîche, fruitée, un rien poivrée. À boire dans les deux ou trois ans à venir, sur un bourguignon.

Christian Cholet, 40, rue de la Citadelle, 21190 Corcelles-les-Arts, tél. 03.80.21.47.76 r.-v.

GUY DUBUET-MONTHÉLIE ET FILS
Les Grands-Champs 2010

1er cru | 2 000 | 11 à 15 €

Régulièrement sélectionnés pour leurs... monthélie, Guy Dubuet - Monthelie était le nom de sa mère - et David, son fils, installé en 2004, se distinguent aussi avec leur auxey. En robe rouge légère, ce 1er cru dévoile un bouquet fruité mâtiné de notes mentholées et réglissées, relayé par un palais aux tanins solidement arrimés qu'il faudra laisser s'assouplir quatre ou cinq ans. À réserver pour une viande de caractère, un sauté d'agneau par exemple.

Dubuet-Monthélie et Fils, 1, rue Bonne-Femme, 21190 Monthélie, tél. 03.80.21.26.22, fax 03.80.21.29.79, david.dubuet@orange.fr r.-v.

ALAIN GRAS Très Vieilles Vignes 2010

7 438 | 15 à 20 €

Si parfois les vignes n'ont de vieux que le nom (sur l'étiquette), les très vieilles vignes d'Alain Gras, figure du vignoble de Saint-Romain, sont de vénérables ceps centenaires. Après onze mois en barrique, le vin se pare d'une seyante robe carminée et brillante, et offre un nez empreint de senteurs de cassis et de pierre mouillée. Franc et frais en attaque, il dévoile une belle matière soutenue par de fins tanins et un boisé bien dosé. La finale, plus sévère, appelle une garde de deux ou trois ans.

Alain Gras, rue Sous-la-Velle, 21190 Saint-Romain, tél. 03.80.21.27.83, fax 03.80.21.65.56, gras.alain1@wanadoo.fr r.-v.

DOM. LABRY 2009

20 000 | 11 à 15 €

Des vignes de quarante ans conduites en lyre ont donné naissance à ce 2009 en robe légère, rouge clair, au nez élégant de griotte et de feuille de cassis rehaussé par une touche poivrée et réglissée. On retrouve les fruits rouges et les épices dans une bouche fraîche, adossée à des tanins bien présents. À découvrir dans les deux ans à venir sur un coq au vin.

Dom. André et Bernard Labry, hameau de Melin, 21190 Auxey-Duresses, tél. 03.80.21.21.60, contact@domainelabry.fr
t.l.j. sf dim. 10h-12h 14h-18h

HENRI LATOUR ET FILS 2010

1 280 | 11 à 15 €

Les Latour cultivent la vigne depuis sept générations. Leur domaine s'étend aujourd'hui sur une quinzaine d'hectares, dont 75 % à Auxey-Duresses. Né de vieux ceps âgés de soixante ans, ce 2010 se présente dans une robe pâle et limpide, le nez empreint de notes de fleurs blanches et de pêche de vigne, la bouche portée par une élégante fraîcheur minérale. Conseillé sur un feuilleté de volaille.

Henri Latour et Fils, rte de Beaune, 21190 Auxey-Duresses, tél. 03.80.21.65.49, fax 03.80.21.63.08, h.latour.fils@wanadoo.fr r.-v.

CATHERINE ET CLAUDE MARÉCHAL 2010 ★

2 672 | 20 à 30 €

Claude Maréchal et son épouse Catherine sont installés depuis une trentaine d'années dans la plaine, à Bligny, trente ans et un nombre incalculable d'étoiles décernées par les dégustateurs du Guide, qui atteint, lui, sa vingt-huitième année. En voici une de plus pour ce 2010 rouge brillant, au nez fruité, cassis en tête, légèrement poivré et boisé. Fraîche et friande en attaque, la bouche dévoile une « matière parlante », selon les mots d'un dégustateur, entendez expressive - « elle pinote à souhait », précise un autre juré -, consistante et fine à la fois, soutenue par des tanins bien présents et par une juste vivacité. Une bouteille à laisser mûrir encore deux ou trois ans, avant de la servir sur un lapin à la moutarde.

EARL Catherine et Claude Maréchal, 6, rte de Chalon, 21200 Bligny-lès-Beaune, tél. 03.80.21.44.37, fax 03.80.26.85.01, marechalcc@orange.fr r.-v.

MAISON FRANÇOIS MARTENOT Les Amandiers 2010 ★

1 400 | 11 à 15 €

Cette maison, propriété du groupe Tresch, propose une belle cuvée or pâle aux reflets verts, qui livre un bouquet fin, floral et fruité. Le palais, élégant, franc et souple, s'étire longuement sur les agrumes. Un vin harmonieux, à boire dans les deux ans sur des cuisses de grenouilles.

Maison François Martenot,
2, rue du Dr-Barolet, BP 334, ZI Beaune-Vignoles,
21209 Beaune Cedex, tél. 03.80.24.70.07, fax 03.80.24.94.08,
contact@fmartenot.fr
Groupe Tresch

AGNÈS PAQUET 2010 ★

12 000 | 15 à 20 €

Agnès Paquet a créé son domaine en 2001 ; depuis, ses vins fréquentent régulièrement les pages du Guide. En auxey-duresses, deux cuvées sont sélectionnées cette année. En tête, ce 2010 issu de vieilles vignes de quatre-vingts ans, d'un or pâle limpide, au nez franc et frais d'agrumes. Une sensation de fraîcheur que l'on retrouve dans un palais long, tonique, consistant et élégant. Tout indiqué pour un poisson en sauce, dans les deux prochaines années. Le ***village*** **rouge 2010 (7 000 b. ; 11 à 15 €)** est cité pour ses nuances aromatiques (réglisse, épices, fraise) et pour son équilibre en bouche. À attendre un à deux ans.

Agnès Paquet, 10, rue du Puits-Bouret, 21190 Meloisey,
tél. 03.80.26.07.41, fax 03.80.26.06.41,
contact@vinpaquet.com r.-v.

MAX ET ANNE-MARYE PIGUET-CHOUET
Les Boutonniers Cuvée Charly 2010

2 500 | 11 à 15 €

Charly est le troisième fils des Piguet-Chouet ; Les Boutonniers (« buissons » en ancien français) est un *climat* de 5 ha, voisin de Meursault, patrie du chardonnay. Un chardonnay qui s'exprime ici dans une cuvée or pâle au nez gourmand de bergamote, d'ananas et de pêche mûre, équilibré en bouche par une belle vivacité. À boire dès à présent ou dans deux ans sur une salade de chèvre frais.

Max et Anne-Marye Piguet-Chouet, rte de Beaune,
21190 Auxey-Duresses, tél. 03.80.21.25.78, fax 03.80.21.68.31,
piguet.chouet@wanadoo.fr r.-v.

DOM. JEAN-PIERRE ET LAURENT PRUNIER
Les Duresses 2010

1er cru | 2 700 | 11 à 15 €

Mieux vaut connaître le prénom du Prunier que vous cherchez à Auxey-Duresses, car vous en trouverez plus d'un dans l'annuaire, comme dans ces pages d'ailleurs. Ici, nous sommes chez Laurent, fils de Jean-Pierre et frère de Pascal, installé à Meursault. Au programme, un 1er cru au joli nez de cassis, de mûre et de réglisse, souple et fruité en attaque, puis plus austère dans son déroulé. Un vin à attendre quatre ou cinq ans pour lui permettre de gagner en fondu.

Dom. Jean-Pierre et Laurent Prunier, rue Traversière,
21190 Auxey-Duresses, tél. et fax 03.80.21.27.51,
domaine-prunier@wanadoo.fr r.-v.

VINCENT PRUNIER Les Duresses 2009

1er cru | 1 747 | 11 à 15 €

Vincent Prunier a créé une petite activité de négoce en 2007 en complément de son domaine de 12,5 ha. C'est de cette structure que provient ce 2009 au nez intense de fruits rouges et noirs agrémentés d'une touche réglissée et épicée, très présent en bouche, à travers des tanins fermes et même un peu austères en finale. Un vin structuré, de garde assurément, à oublier trois à cinq ans en cave, voire plus, avant de lui réserver un sauté de sanglier aux champignons.

SARL Vincent Prunier, rte de Beaune,
21190 Auxey-Duresses, tél. 03.80.21.27.77, fax 03.80.21.68.87,
sarl.prunier.vincent@orange.fr r.-v.

PASCAL PRUNIER-BONHEUR Vieilles Vignes 2009 ★

2 400 | 15 à 20 €

Pascal Prunier et son épouse Christine cultivent les étoiles du Guide ; ils ont obtenu aussi quelques coups de cœur, le dernier en date pour leur auxey rouge Les Duresses 2007. En auxey-duresses, trois cuvées sont retenues cette année. En tête, ce blanc 2009 à la brillante robe dorée, qui livre de délicats parfums d'acacia rehaussés par une pointe minérale. L'attaque souple et tout en finesse ouvre sur un palais bien constitué, plein, aromatique, à l'acidité et au boisé bien maîtrisés. À déguster dans les trois ans à venir sur une cassolette d'écrevisses et polenta. Le ***village*** **2010 rouge (2 700 b.)** est cité pour sa bonne charpente et son équilibre entre boisé vanillé et fruité frais. À garder trois ans en cave. Une citation enfin également pour le **1er cru 2010 rouge Les Duresses (2 700 b.)**, au nez fruité, torréfié et épicé, solidement charpenté et apte à deux ou trois ans de garde.

Maison Pascal Prunier-Bonheur, 23, rue des Plantes,
21190 Meursault, tél. 03.80.21.66.56, fax 03.80.21.67.33,
pascal.prunier-bonheur@wanadoo.fr
t.l.j. sf dim. 8h-12h 13h30-18h

DOM. PRUNIER-DAMY Largillas 2010 ★

4 000 | 11 à 15 €

Philippe Prunier-Damy conduit ce domaine de 15 ha depuis 1980. Il signe un beau triplé avec le millésime 2010. Ce Largillas couleur cerise noire aux reflets violets séduit par son bouquet fruité (cassis, cerise, fraise), un rien floral et légèrement toasté. En bouche, il se montre charnu, corpulent et solidement charpenté. Autant d'atouts pour affronter une garde de deux ou trois ans. Une étoile est également attribuée au **1er cru Clos du Val 2010 rouge (1 500 b. ; 15 à 20 €)**, boisé, concentré et structuré, à attendre quatre ou cinq ans. Le ***village*** **Les Boutonniers 2010 blanc (2 600 b.)**, floral et frais, est cité.

Philippe Prunier-Damy, rue du Pont-Boillot,
21190 Auxey-Duresses, tél. 03.80.21.60.38,
prunier.damy@wanadoo.fr r.-v.

DOM. MICHEL PRUNIER ET FILLE Vieilles Vignes 2010 ★

860 | 15 à 20 €

Le « et Fille » de l'étiquette date de 2004 et de l'arrivée au domaine d'Estelle Prunier. La jeune mais déjà expérimentée viticultrice a travaillé à partir de (vraies) vieilles vignes de soixante-seize ans. Le résultat ? Un vin « bien typé chardonnay », soulignent les jurés, sur les fleurs blanches et les fruits blancs. En bouche, un fin boisé apporte de la complexité, la vivacité de la longueur et du tonus ; les arômes de fruits secs et les notes florales confèrent une touche de douceur. Un vin à déguster dans les trois ans à venir, et recommandé par Estelle sur un duo de lotte et de saint-jacques aux langoustines.

Dom. Michel Prunier et Fille, rte de Beaune,
21190 Auxey-Duresses, tél. 03.80.21.21.05, fax 03.80.21.64.73,
domainemichelprunier-fille@wanadoo.fr r.-v.

DOM. RAPET Les Hautes 2010 ★★

1 700 | 8 à 11 €

L'un des plus beaux auxey de la sélection ; un blanc 2010 né de ceps de quarante ans plantés sur le plus vaste *climat* de l'appellation. La robe est d'une élégante teinte or pâle. Le nez franc et frais évoque les fleurs blanches et les fruits. Le palais s'ouvre sur une attaque tout aussi franche et tonique, sur les agrumes, avant de se faire plus tendre et rond, avec toujours cette vivacité fruitée à l'arrière-plan, qui lui offre longueur et équilibre. À découvrir dès l'automne sur une truite aux amandes.

Dom. François Rapet et Fils, rue Sous-le-Château, 21190 Saint-Romain, tél. 03.80.21.22.08, fax 03.80.21.60.19, domainerapetfrancois@orange.fr r.-v.

HENRI DE VILLAMONT Les Hautes 2009

4 500 | 15 à 20 €

Cette maison, propriété du groupe helvétique Schenk depuis 1964, propose un blanc 2009 limpide et brillant dans sa robe dorée aux reflets verts. Le nez intense, évoque les agrumes, citron en tête. À l'unisson, la bouche se révèle vive, ferme et tonique. Une bouteille à déguster dans les deux ans sur un poisson grillé.

Henri de Villamont, 2, rue du Dr-Guyot, BP 3, 21420 Savigny-lès-Beaune, tél. 03.80.21.50.59, fax 03.80.21.36.36, contact@hdv.fr
t.l.j. sf lun. 10h-12h 14h-17h
Schenk

Saint-romain

Superficie : 96 ha
Production : 3 900 hl (55 % blanc)

À l'ouest de Meursault, le site mérite une excursion : le village de Saint-Romain se blottit au fond d'une combe, adossé à de superbes falaises. Son vignoble est situé dans une position intermédiaire entre la Côte et les Hautes-Côtes. Les vins rouges sont fruités et gouleyants ; les terrains argileux, avec des bancs marno-calcaires, conviennent bien au chardonnay.

♥ **MAISON AMBROISE** 2010 ★★

1 000 | 11 à 15 €

Ludivine Ambroise et son frère François décrochent un coup de cœur grâce à leur activité de négoce « haute couture » d'où provient ce saint-romain né de jeunes vignes de dix ans. Une robe jaune clair aux reflets blancs habille le vin. Au nez, les agrumes se mêlent en toute harmonie à de délicates notes toastées et beurrées. Après une attaque fraîche et tonique, la bouche se fait ample et ronde, avant de s'étirer longuement en finale sur une note briochée très gourmande. Un grand vin de plaisir pour un apéritif royal à l'heure des derniers barbecues de l'arrière-saison.

Maison Ambroise, 8, rue de l'Église, 21700 Premeaux-Prissey, tél. 03.80.62.30.19, fax 03.80.62.38.69, maison.ambroise@orange.fr r.-v.

♥ **CHRISTOPHE BUISSON** Sous le Château 2009 ★★

n.c. | 15 à 20 €

Récolte 2009
CB
Saint-Romain
« Sous Le Château »
Appellation Saint-Romain Contrôlée
Mis en Bouteille par
Christophe Buisson
Propriétaire-Récoltant à Saint-Romain, Côte-d'Or, France
ALC. 13.0 % BY VOL. Grand Vin de Bourgogne - Product of France 750 ml

Christophe Buisson, en bon « régional de l'étape », signe le plus beau saint-romain rouge de cette sélection, un coup de cœur qui fait écho à celui obtenu pour le millésime 2000. Drapé dans une seyante robe rubis sombre, ce 2009 dévoile des parfums floraux et fruités frais et explosifs, « comme un joli nœud complète le cadeau », précise un dégustateur inspiré. Et à l'ouverture du paquet : du fruit, encore du fruit, rouge et mûr, de la fraîcheur et des tanins fins et soyeux. Bref, un saint-romain remarquablement équilibré, bien dans son appellation et dans son millésime. Il sera parfait dans trois à cinq ans sur une côte de veau grillée et quelques légumes croquants.

Christophe Buisson, rue de la Tartebouille, 21190 Saint-Romain, tél. 03.80.21.63.92, fax 03.80.21.67.03, domainechristophebuisson@wanadoo.fr r.-v.

DOM. HENRI ET GILLES BUISSON Sous Roche 2009 ★

15 000 | 15 à 20 €

Un domaine précurseur à plus d'un titre : vente en bouteilles dès 1947, année de l'accession du saint-romain à l'AOC, et pratique du bio dès les années 1970. Un mode de culture progressivement abandonné car alors peu au point, puis remis à l'ordre du jour à partir de 2007 par Gilles Buisson et ses enfants Franck et Frédérick : le vignoble sera certifié pour la récolte 2012. Deux vins retiennent ici l'attention. Le Sous Roche est expressif et fin, sur les fruits rouges frais (fraise, framboise), puissant et gras en bouche, une belle fraîcheur lui apportant équilibre et longueur. Une bouteille à partager dès à présent ou à conserver trois ou quatre ans. Le **2010 blanc Sous la Velle (10 000 b.)**, noté une étoile également, se distingue par son nez floral et par son palais bien équilibré entre rondeur et minéralité.

Dom. Henri et Gilles Buisson, imp. du Clou, 21190 Saint-Romain, tél. 03.80.21.22.22, fax 03.80.21.64.87, contact@domaine-buisson.com
t.l.j. sf dim. 9h-12h 14h-17h

DOM. DENIS CARRÉ Le Jarron 2010

n.c. | 11 à 15 €

Gaëtane et Martial Carré ont pris la suite de leur père Denis, qui reste cependant présent sur l'exploitation. La transmission viticole est comme une course de relais : le passage de témoin est le plus important. Avec ce Jarron 2010, la transition se fait sans accroc. De beaux reflets violines ornent le verre, d'où s'échappent d'agréables senteurs de fruits rouges qui se prolongent dans une bouche franche, vive et consistante. Un digne représentant du cru, à découvrir dans les deux ans.

Dom. Denis Carré, 1, rue du Puits-Bouret, 21190 Meloisey, tél. 03.80.26.02.21, fax 03.80.26.04.64, domainedeniscarre@wanadoo.fr r.-v.

DOM. COSTE-CAUMARTIN Sous le Château 2010 ★

6 560 | 11 à 15 €

Emblème du domaine, un puits, dont la margelle indique la date « 1641 », est reproduit sur l'étiquette. Une étiquette que les dégustateurs n'avaient bien sûr pas sous les yeux pour juger ce 2010 très réussi. Ces derniers ont apprécié sa robe or limpide, ses parfums délicats de fruits exotiques (mangue) et sa bouche nette, droite, pure et longue. À découvrir dans un an ou deux sur un chèvre sec.

Dom. Coste-Caumartin, 2, rue du Parc, 21630 Pommard, tél. 03.80.22.45.04, fax 03.80.22.65.22, coste.caumartin@wanadoo.fr t.l.j. 10h-12h 14h-19h; dim. sur r.-v.
Jérôme Sordet

DOM. DE LA CRÉA Sous Roche 2010

1 800 | 15 à 20 €

Propriétaire exclusif du Clos la Perrière, ce domaine, vinifié par la maison Louis Max, signe un saint-romain équilibré et plaisant. Au nez, les petits fruits rouges se mêlent à un doux boisé. Il y a de la matière en bouche et les fruits frais sont toujours là, portés par des tanins soyeux. À découvrir dans deux ou trois ans sur une volaille en sauce. À noter : le domaine a engagé sa conversion vers le bio.

Dom. de la Créa, 6, rue de Chaux, 21700 Nuits-Saint-Georges, tél. 03.80.62.43.00, fax 03.80.62.43.16 r.-v.

DOM. GERMAIN PÈRE ET FILS Sous le Château 2010 ★

4 000 | 11 à 15 €

Sous le regard satisfait de son grand-père Bernard, Arnaud Germain signe ici son troisième millésime, et comme lors des deux dernières éditions, les deux couleurs sont distinguées. La version pinot noir est un vin élégant, au nez fin et précis de fruits rouges presque acidulés, très frais, équilibré, soyeux et long en bouche. « Un saint-romain aérien et très pinot », conclut un juré. À découvrir dans les trois ans sur une côte de veau. Quant au **blanc 2010 (9 500 b.)**, il est cité pour son bouquet de tilleul et d'amande et pour sa minéralité en bouche. Deux bouteilles que l'on pourra goûter lors des portes ouvertes organisées au domaine le troisième week-end de novembre.

Dom. Germain Père et Fils, rue de la Pierre-Ronde, 21190 Saint-Romain, tél. 03.80.21.60.15, fax 03.80.21.67.87, contact@domaine-germain.com t.l.j. sf dim. 8h30-12h 13h30-19h

ALAIN GRAS 2010 ★

18 384 | 15 à 20 €

Avec le millésime 2010, Alain Gras voit, comme avec le 2009, ses deux saint-romain sélectionnés. Paré d'une robe jaune pâle, ce blanc offre un nez captivant d'agrumes et de fleurs blanches. Après une attaque ronde, le palais est vivifié par une jolie acidité qui excite les papilles. À boire ou à attendre deux ans. Quant au **rouge 2010 (13 730 b.)**, il est cité pour son équilibre, sa longueur et ses nuances aromatiques boisées et fruitées.

Alain Gras, rue Sous-la-Velle, 21190 Saint-Romain, tél. 03.80.21.27.83, fax 03.80.21.65.56, gras.alain1@wanadoo.fr r.-v.

JAFFELIN 2009 ★

2 700 | 11 à 15 €

Cette maison de négoce, propriété du groupe Boisset, vient de changer de vinificatrice, Marinette Garnier succédant à Prune Amiot. Mais c'est cette dernière qui était à l'œuvre pour ce 2009 or clair aux reflets verts. Le nez, intense et suave, évoque les fleurs blanches et les agrumes. La bouche évolue entre notes acidulées et nuances florales pour former un ensemble frais et très équilibré. À servir dès l'automne, sur une dorade royale à la vapeur et à la coriandre fraîche par exemple.

Maison Jaffelin, 2, rue Paradis, 21200 Beaune, tél. 03.80.22.12.49, fax 03.80.25.90.89, jaffelin@maisonjaffelin.com r.-v.

DOM. SÉBASTIEN MAGNIEN Sous le Château 2009

1 800 | 15 à 20 €

Ce producteur trentenaire n'exploite pas moins de sept appellations de la Côte de Beaune sur les 10 ha que compte le domaine, dont 40 ares de ce *climat* de Saint-Romain. Derrière une élégante robe pâle à reflets verts, ce 2009 dévoile des parfums de fleurs blanches et d'agrumes agrémentés d'une touche boisée apportée par dix-huit mois de fût. Le palais séduit par sa fraîcheur, le côté acidulé du pamplemousse et du citron vert se mêlant à des senteurs délicates de chèvrefeuille et de fougère. À boire dans les deux ans, sur un filet de saint-pierre grillé par exemple.

Dom. Sébastien Magnien, 6, rue Pierre-Joigneaux, 21190 Meursault, tél. 03.80.21.28.57, fax 03.80.21.62.80, seb.magnien@yahoo.fr r.-v.

DOM. DU CH. DE MELIN Sous le Château 2010

6 000 | 11 à 15 €

Arnaud Derats, ancien ingénieur des travaux publics, est revenu au domaine familial en 2003 ; un domaine qu'il agrandit (de 15 à 22 ha) et installe au château de Melin, avec de nouveaux chais. En attendant la certification bio pour le millésime 2012, il signe un joli 2010 aux reflets d'or, qui exhale des senteurs de beurre frais tonifiées par une touche de minéralité typique de l'AOC, et dévoile en bouche une matière ronde et harmonieuse. Il devrait bien évoluer au cours des deux prochaines années et accompagnera des joues de loup poêlées.

Ch. de Melin, hameau de Melin, 21190 Auxey-Duresses, tél. 03.80.21.21.19, fax 03.80.21.21.72, derats@chateaudemelin.com t.l.j. 10h-19h
Derats

PRUNIER-BONHEUR La Combe Bazin 2010 ★

5 500 | 11 à 15 €

Des 13,55 ha de ce lieu-dit exposé au soleil de midi et essentiellement planté de chardonnay, ce producteur bien connu des lecteurs du Guide exploite une parcelle qui surplombe la route menant à Saint-Romain. Son 2010, franc et aromatique, évolue au nez entre minéralité, fleurs blanches et fruits exotiques. Le palais, à l'unisson, est porté par une belle fraîcheur qui lui donne beaucoup d'allonge et du tonus. Un vin bien construit, à découvrir dès à présent sur une truite aux amandes.

Dom. Prunier-Bonheur, 23, rue des Plantes, 21190 Meursault, tél. 03.80.21.66.56, fax 03.80.21.67.33, pascal.prunier-bonheur@wanadoo.fr
t.l.j. sf dim. 8h-12h 13h30-18h

DOM. PRUNIER-DAMY Sous le Château 2010

3 000 | 11 à 15 €

Faisant face à la falaise, le château du village, aujourd'hui en ruine, rappelle les luttes des ducs de Bourgogne. En dessous s'étage le plus vaste des *climats* de l'appellation avec ses 23,85 ha. Philippe Prunier-Damy y exploite 45 ares, à l'origine de ce 2010 or pâle tirant sur le vert, au nez floral (acacia) et miellé, vif, minéral (silex) et fruité en bouche. À boire dans les deux ou trois ans à venir sur un poisson grillé ou sur des escargots de Bourgogne.

Philippe Prunier-Damy, rue du Pont-Boillot, 21190 Auxey-Duresses, tél. 03.80.21.60.38, prunier.damy@wanadoo.fr r.-v. 3 E

DOM. DE LA ROCHE AIGUË Le Bas de Poillanges 2010

2 948 | 11 à 15 €

Les Guillemard possèdent maison et cave dans le hameau de Melin, à la sortie d'Auxey-Duresses et à deux pas de ce *climat* qui annonce les coteaux de Saint-Romain. Leur 2010 libère des parfums flatteurs de fleurs blanches et de pamplemousse. Bien équilibré entre la vivacité des agrumes et la douceur de l'amande, le palais découvre une jolie finale minérale propre au cru, qu'un tajine de veau au citron mettra en valeur d'ici 2013.

EARL La Roche Aiguë, Melin, 21190 Auxey-Duresses, tél. 03.80.21.28.33, fax 03.80.21.63.55, guillemarderic@wanadoo.fr r.-v.
Éric et Florence Guillemard

PIERRE TAUPENOT 2010

3 221 | 11 à 15 €

Pierre Taupenot conduit un domaine de 6 ha, dont 1,23 ha a été dédié à ce 2010 rubis aux reflets violets, au nez riche de fruits rouges confiturés. La bouche, chaleureuse, est à l'unisson, bâtie sur des tanins bien présents qui demandent une paire d'années pour se fondre.

Pierre Taupenot, rue du Chevrotin, 21190 Saint-Romain, tél. 03.80.21.24.37, fax 03.80.21.68.42 r.-v.

Meursault

Superficie : 395 ha
Production : 18 540 hl (98 % blanc)

La commune chevauche une vallée qui prolonge celle d'Auxey-Duresses et marque une sorte de frontière : avec Meursault commence la véritable production de grands vins blancs. Certains de ses 1ers crus sont mondialement réputés : Les Perrières, Les Charmes, Les Poruzots, Les Genevrières, Les Gouttes d'Or... Ils allient la subtilité à la force, la fougère à l'amande grillée, l'aptitude à être consommés jeunes au potentiel de garde. Si Meursault est bien la « capitale des vins blancs de Bourgogne », elle n'en fournit pas moins quelques vins rouges, issus des terroirs voisins de Volnay, au nord. Ses « petits châteaux » attestent une opulence ancienne. La Paulée, qui a pour origine le nom du repas pris en commun à la fin des vendanges, est devenue une manifestation qui clôt en novembre les « Trois Glorieuses », journées au cours desquelles se déroule la vente des Hospices de Beaune.

PIERRE ANDRÉ Les Charmes 2009

1er cru | 1 870 | 50 à 75 €

Le *climat* Les Charmes représente 31 ha, soit 20 % de la surface en 1er cru de l'appellation. Ludivine Griveau, œnologue de la maison de négoce Corton-André, en a tiré un vin doré dont le bouquet allie avec délicatesse des impressions florales, boisées, et une touche de fruits exotiques. D'abord souple et vif, puis ample, le palais évolue sur la minéralité et un léger grillé. Oubliez cette bouteille deux années en cave. Autre marque de la société, le meursault **Reine Pédauque 2010 (20 à 30 €; 10 400 b.)**, marqué par le boisé est cité pour sa fraîcheur et sa structure étoffée.

Pierre André, Ch. de Corton-André, BP 10, 21420 Aloxe-Corton, tél. 03.80.26.44.25, fax 03.80.26.42.00, info@corton-andre.com r.-v.
SAS Corton-André

BACHEY-LEGROS ET FILS Les Grands Charrons 2010 ★

1 200 | 20 à 30 €

Ce lieu-dit tirerait son nom du chemin qu'empruntaient les chars et charrettes pour livrer pierre et matériel. Les deux frères Bachey-Legros ont, eux, pris la route qui les mène de leur cave de Santenay-le-Haut à Meursault pour se procurer quelques fûts de chardonnay destinés à leur activité de négoce. Ce 2010 allie au nez des nuances minérales et toastées, ces dernières témoignant d'un passage sous bois d'un an. Le trajet se poursuit en rondeur dans une bouche élégante, florale, minérale, d'une belle vivacité. À boire ou à attendre jusqu'en 2016.

Dom. Bachey-Legros, 12, rue de la Charrière, 21590 Santenay, tél. et fax 03.80.20.64.14, christiane.bachey-legros@wanadoo.fr r.-v.

JEAN-CLAUDE BOISSET Le Limozin 2010

2 000 | 20 à 30 €

C'est dans un ancien couvent, datant en partie du XVIIe s., qu'ont été aménagées la cuverie et les caves d'élevage de cette importante maison de négoce nuitonne. Grégory Patriat, le maître de chai, y a élaboré ce meursault à la robe brillante et au nez floral. La bouche, ronde et presque moelleuse à l'attaque, est équilibrée par une fine acidité qui tend la finale. À boire ou à garder deux ans. Un bel accord : des beignets de langoustines.

Maison Jean-Claude Boisset, Les Ursulines, 5, quai Dumorey, 21700 Nuits-Saint-Georges, tél. 03.80.62.61.61, fax 03.80.62.61.59, jcb@jcboisset.com

DOM. DENIS BOUSSEY Vieilles Vignes 2010

3 000 | 15 à 20 €

Denis Boussey passe en douceur le témoin à son fils Laurent, qui gère sa propre exploitation. Ce *village* est né de 1 ha de vigne dont les ceps ont déjà connu quarante-cinq vendanges. Son nez est dominé par les fleurs blanches, accompagnées du doux vanillé de l'élevage. Les premières sensations en bouche sont la rondeur et la souplesse, suivies d'une fraîcheur minérale. L'ensemble s'accordera dans un an ou deux avec un chaud-froid de volaille.

Dom. Denis Boussey, 1, rue du Pied-de-la-Vallée, 21190 Monthélie, tél. 03.80.21.21.23, fax 03.80.21.62.46, domaine.denisboussey@wanadoo.fr
t.l.j. sf dim. 8h-12h 13h30-18h; f. 5-20 août

DOM. ÉRIC BOUSSEY Limozin 2010

3 900 | 15 à 20 €

Les Boussey sont une grande famille de vignerons de Monthélie qui exploitent plusieurs appellations en Côte de Beaune. Éric a complété son activité en 2007 par une structure de négoce, mais c'est un *village* de sa propriété qui est ici remarqué. Ce Limozin or aux reflets verts offre un profil aromatique beurré, marqué par un boisé bien intégré. Gras comme se doit d'être un meursault, il ne manque pas de fraîcheur néanmoins. Un vin équilibré à découvrir dès aujourd'hui sur un sandre au beurre blanc.

EARL du Dom. Éric Boussey, 21, Grande-Rue, 21190 Monthélie, tél. 03.80.21.60.70, fax 03.80.21.26.12, ericboussey@orange.fr r.-v.

♥ DOM. JEAN-MARIE BOUZEREAU 2009 ★★

10 000 | 15 à 20 €

Jean-Marie Bouzereau, exploitant depuis 1994 dans le village berceau de sa famille, signe ici un *village* d'un or brillant, aux fragrances complexes de miel et de fleurs blanches. Parfaitement équilibré, ample et persistant au palais, ce 2009 d'une grande profondeur pourra être gardé deux à trois ans avant d'accompagner une langouste grillée. Deux autres vins, cités, le rejoignent comme preuve de qualité du domaine. Le **1er cru Poruzot 2009 (30 à 50 €; 900 b.)**, frais et long, au bouquet puissant et minéral, sera attendu deux ou trois ans. On patientera moins pour le **1er cru Charmes 2009 (30 à 50 €; 2 000 b.)**, souple et fin, au nez de fleurs blanches et de tilleul.

Jean-Marie Bouzereau, 5, rue de la Planche-Meunière, 21190 Meursault, tél. 03.80.21.62.41, fax 03.80.21.24.39, jm.bouzereau@club-internet.fr r.-v.

♥ DOM. VINCENT BOUZEREAU Les Charmes 2009 ★★

1er cru | 2 000 | 30 à 50 €

C'est dans l'ancien prieuré du château de Meursault que Vincent Bouzereau s'est installé voilà plus de vingt ans. Issu d'une ancienne famille du cru, ce vigneron a souvent été mentionné dans le Guide ; il renoue avec les coups de cœur grâce à ce 2009 limpide animé de reflets verts. L'âge vénérable des vignes s'exprime dans la

puissance du bouquet bien ouvert sur les fleurs, la noisette et le pain brioché. Après une attaque ronde, la bouche s'impose par sa concentration, ses arômes subtils et sa longueur. Une bouteille si séduisante qu'il sera difficile d'attendre, mais essayez de patienter un an ou deux pour une harmonie complète.

Vincent Bouzereau, 25, rue de Mazeray, 21190 Meursault, tél. 03.80.21.61.08, fax 03.80.21.65.97, vincent.bouzereau@wanadoo.fr r.-v.

DOM. BUISSON-BATTAULT Goutte d'or 2009 ★

1er cru | 3 000 | 20 à 30 €

Le nom poétique de ce lieu-dit évoque un terroir où les vins ont tendance à prendre une couleur dorée, que l'on retrouve dans les Goudelettes à Savigny. François Buisson élabore ce meursault à partir de vignes de cinquante ans. De couleur paille dorée, le vin livre un bouquet bien ouvert, aux fines nuances épicées. Aromatique, d'une grande longueur, le palais évoque l'amande grillée au sein d'une matière équilibrée, puissante mais sans lourdeur. Pour une noix de veau, en 2013-2014.

Buisson-Battault, 5, rue du 11-Novembre, 21190 Meursault, tél. 03.80.21.29.26, fax 03.80.21.63.23, buisson-battault@club-internet.fr r.-v.

BUTTERFIELD Les Charmes 2009

1er cru | 580 | 30 à 50 €

Installé depuis 2005 à Beaune en tant que négociant après plusieurs expériences dans différents domaines bourguignons et en Nouvelle-Zélande, David Butterfield déclare être à la « recherche de l'expression juste de l'appellation ». Après dix-huit mois d'élevage en fût, son 1er cru exprime des senteurs de fleurs et de fruits frais que vient compléter une touche de vanille. Gras et rond en bouche, il dévoile une longue finale boisée. À servir dans deux ans sur des gambas grillées.

David Butterfield, 24, av. du 8-Septembre, 21200 Beaune, tél. 03.80.24.69.36, david@butterfieldwine.com r.-v.

DOM. MICHEL CAILLOT Le Limozin 2009

3 160 | 20 à 30 €

Michel Caillot est un adepte des élevages longs : son chardonnay récolté dans le *climat* Limozin, au bas du coteau des 1ers crus, a ainsi passé vingt-deux mois en fût. D'un jaune paille clair, il livre un nez franc et droit aux arômes boisés. Après une attaque souple, la bouche se montre riche et équilibrée, offrant une finale tendre. Laissez vieillir cette bouteille deux ans et vous pourrez la marier à une queue de lotte à la crème.

Dom. Michel Caillot, 14, rue du Cromin, 21190 Meursault, tél. 06.87.44.81.44, fax 03.80.21.69.58, domaine.michel.caillot@orange.fr r.-v.

DOM. DU CERBERON Les Vireuils 2009

	1 000		20 à 30 €

Situés entre 300 et 350 m d'altitude, Les Vireuils suivent une courbe sous la colline, que l'on retrouve d'ailleurs dans le vignoble voisin d'Auxey-Duresses, au lieu-dit Les Vireux. Ce domaine murisaltien a tiré de ce *climat* un vin pâle et brillant, aux arômes complexes de fleurs blanches, d'abricot et de pain grillé. Souple et équilibrée, la bouche aux saveurs vanillées finit sur une fraîcheur saline. À servir dès aujourd'hui sur une escalope de veau.

Dom. du Cerberon, 18, rue de Lattre-de-Tassigny, 21190 Meursault, tél. et fax 03.80.21.65.00, domaine.cerberon@wanadoo.fr r.-v.

CHRISTIAN CHOLET-PELLETIER 2010

	900		11 à 15 €

Installé depuis 1976 à Corcelles-les-Arts dans la plaine, en contrebas du village de Meursault, Christian Cholet présente une microcuvée née de 14 ares de chardonnay. Les senteurs florales se mêlent au citron et aux épices, et préludent à une bouche qui balance entre gras et fraîcheur. Un vin équilibré, à réserver pour l'apéritif.

Christian Cholet, 40, rue de la Citadelle, 21190 Corcelles-les-Arts, tél. 03.80.21.47.76 r.-v.

VIEUX CLOS DU CH. DE CÎTEAUX Monopole 2010

	4 000		20 à 30 €

Philippe Bouzereau a acheté le château de Cîteaux pour y installer famille et exploitation en 1995. Jadis, le vin des moines s'écoulait directement dans la cave par un trou du plancher... Les techniques de vinification se sont perfectionnées... Né d'un vieux clos mais de jeunes vignes, ce meursault aux parfums intenses de fruits exotiques montre un bel équilibre entre rondeur et fraîcheur. La complexité est déjà présente : on le dégustera à partir de 2013. Cité également, le **2010 Les Grands Charrons (15 à 20 € ; 4 000 b.)** est à apprécier sans attendre. Rond et généreux, il joue sur des notes fruitées, florales et boisées.

Ch. de Cîteaux, 7, pl. de la République, 21190 Meursault, tél. 03.80.21.20.32, fax 03.80.21.64.34, contact@chateau-de-citeaux.com
t.l.j. sf dim. lun. 10h-13h 14h-18h
Philippe Bouzereau

CLAVELIER ET FILS 2010 ★

	1 280		20 à 30 €

Fondée en 1935, cette maison de négoce est reconnaissable entre toutes avec son toit en tuiles plates multicolores au bord de la route nationale. Son meursault se distingue quant à lui par son habit jaune d'or et son bouquet bien ouvert sur les fleurs blanches (chèvrefeuille) et les épices (léguées par un élevage de quinze mois en fût). Ronde et vanillée, la matière est soutenue par une belle fraîcheur aux accents de minéralité. Un vin élégant et prometteur, à découvrir d'ici 2015 sur des gougères ou sur une sole meunière.

Clavelier et Fils, 49, rte de Beaune, 21700 Comblanchien, tél. 03.80.62.94.11, fax 03.80.62.95.20, vins.clavelier@wanadoo.fr t.l.j. sf sam. dim. 9h-18h
H.N. Thomas

DOM. DE LA CONFRÉRIE 2009 ★

	2 000		15 à 20 €

Ce *village* a séjourné dans la toute nouvelle cave de vieillissement conçue avec une isolation maximale et un toit-terrasse végétalisé pour éviter le recours à la climatisation. Du verre rempli d'or blanc aux reflets amande s'élèvent des senteurs minérales et vanillées, avec une touche florale. Après une attaque sur des notes de beurre frais, la bouche se montre équilibrée, souple et empreinte de vivacité, avant une finale boisée. Une garde d'un à deux ans suffira à cette bouteille pour s'épanouir. Bel accord avec un filet de bar poché.

Christophe Pauchard, Dom. de la Confrérie, Cirey, 37, rue Perraudin, 21340 Nolay, tél. 03.80.21.89.23, fax 03.80.21.70.27, info@domaine-pauchard.fr r.-v.

HENRI DARNAT Goutte d'or 2010

1er cru	600		50 à 75 €

On ne présente plus le *climat* des Gouttes d'or, qui a failli voir ses 5,32 ha classés en grand cru. Reste la renommée, bien justifiée, d'un lieu-dit qui offre souvent à la robe du vin des reflets dorés, comme c'est le cas pour ce 2010. Des notes de fleurs et de fruits jaunes associées à une touche toastée composent son bouquet, prélude à un palais vif et équilibré, à la finale fraîche. À boire dès aujourd'hui.

Darnat, Les Champs-Lins, 21190 Meursault, tél. 03.80.21.43.72, fax 09.70.32.31.42, domaine.darnat@wanadoo.fr r.-v.

DOM. DICONNE Clos des Luchets 2009

	2 200		15 à 20 €

Ce « micromonopole » est le « phare blanc » du domaine, dont Christophe Diconne incarne la troisième génération. Un élevage de cinq mois en cuve et de douze mois en fût confère des notes épicées au nez où se répondent fleurs blanches et fruits mûrs. Fin et délicat, toujours floral, le palais est peu marqué par le bois. « Un meursault à l'ancienne », conclut un juré. Oui, mais à boire jeune, sur une escalope de veau crémée.

Christophe Diconne, rue de la Velle, 21190 Auxey-Duresses, tél. 03.80.21.25.60, fax 03.80.21.26.80, contact@domaine-diconne.fr r.-v.

DOM. DUPONT-FAHN Les Vireuils 2010

	3 000		15 à 20 €

Régulièrement mentionnée dans le Guide, cette exploitation a décroché un coup de cœur dans la précédente édition grâce à un superbe monthélie blanc. Son meursault Les Vireuils, issu de ce secteur proche d'Auxey-Duresses, se voit cité, tant pour son bouquet intense de pêche et de poire, que pour son palais gras, presque moelleux, et tout aussi fruité. Un blanc charmeur à servir dès aujourd'hui avec un poisson à la chair ferme.

Michel Dupont-Fahn, Les Toisières, 21190 Monthélie, tél. 06.08.51.15.13, dupont.fahn@gmail.com r.-v.

DOM. RAYMOND DUPONT-FAHN Les Tillets 2010

	3 000		15 à 20 €

Ce *climat* perché sur les hauteurs de la montagne Saint-Christophe domine Meursault. Vinifiés et élevés quinze mois dans le petit village de Tailly, ces Tillets brillants et limpides attirent l'attention par leur nez généreux de litchi et de mangue, nuancés de notes subtiles de fougère et de camomille. Un caractère vineux dès l'attaque annonce une matière ample et soyeuse au boisé maîtrisé. Idéal pour un carpaccio de saumon aux agrumes dès cette année.

Raymond Dupont-Fahn, 70, rue des Eaux, 21190 Tailly, tél. 06.14.38.53.21 r.-v.

MAISON FATIEN PÈRE ET FILS Cromin 2010 ★

1 120		20 à 30 €

L'étiquette de ce 2010 indique le nombre de bouteilles produites, 1 120 – une façon d'insister sur le fait que la maison est adepte des microvinifications, à l'instar de plusieurs jeunes négoces « haute couture » de Bourgogne. Ce Cromin au regard brillant se distingue par son nez fin de citron frais et de tilleul. Un gras généreux à l'attaque, une jolie rondeur et une finale longue et fraîche composent une bouteille très réussie qui trouvera sa place lors d'un apéritif dînatoire, après un an de garde.

Maison Fatien Père et Fils, 15, rue Sainte-Marguerite, 21200 Beaune, tél. 03.80.22.82.83, fax 03.80.22.98.71, maisonfatien@wanadoo.fr r.-v.

FOURÉ-ROUMIER-DE FOSSEY 2010

880		15 à 20 €

Cette petite maison de négoce a été fondée en 2006 par trois amis passionnés de vins de bourgogne. Leur but ? « La recherche de vins représentatifs de leurs terroirs, de leur cépage, en respectant le millésime. » Une profession de foi respectée avec ce *village* à la fraîcheur typique des 2010. Les fleurs blanches s'associent au nez à un boisé élégant avant qu'en bouche une attaque souple ne libère un fruité tendre et opulent. À attendre un an.

Maison Fouré-Roumier-de Fossey, 2, pl. de l'Europe, BP 18, 21190 Meursault, tél. 06.12.23.87.42, foure.gaelodie@wanadoo.fr r.-v.

PAUL GARAUDET Le Limozin 2009 ★

n.c.	15 à 20 €

Souvent mentionné dans le Guide en appellation monthélie, Paul Garaudet exploite 9,25 ha. Ces derniers 25 ares sont situés sur le *climat* Limozin : ils ont donné naissance à un 2009 or vert aux reflets métalliques, qui dévoile des parfums de fleurs blanches et d'amande caractéristiques. Frais et gourmand, nuancé d'un fin boisé, le palais fait preuve d'un bon équilibre entre gras et acidité. Déjà prêt, ce millésime peut aussi se garder trois à quatre ans.

Paul Garaudet, imp. de l'Église, 21190 Monthélie, tél. 03.80.21.28.78 t.l.j. 8h-12h 14h-18h

CH. GÉNOT-BOULANGER Clos du Cromin 2010 ★★

7 000		30 à 50 €

Guillaume Lavollée, directeur du domaine, et ses équipes ont commencé en 2010 des essais en biodynamie après avoir engagé la conversion de l'exploitation à l'agriculture biologique. En attendant la certification, la propriété se distingue avec ce remarquable 2010. Au nez, des effluves mentholés se lient, selon un juré, aux « genêts de la colline Saint-Christophe » qui domine Meursault. Après une attaque fraîche, le palais volumineux s'équilibre entre gras et acidité pour finir sur des accents minéraux, « dans les ocres de la terre », écrit le même dégustateur enthousiaste. Idéal dès aujourd'hui pour une truite aux amandes.

Ch. Génot-Boulanger, 25, rue de Cîteaux, 21190 Meursault, tél. 03.80.21.49.20, fax 03.80.21.49.21, contact@genot-boulanger.com r.-v.

F. Delaby

ARNAUD GERMAIN 2010 ★

1 300		20 à 30 €

Perché sur les hauteurs de Saint-Romain, Arnaud Germain contemple la Côte de Beaune qui s'ouvre devant lui. Il a créé sa société de négoce en 2009, pris les rênes du domaine familial, et signe ici son deuxième millésime en tant que vinificateur. Fleurs et citron accompagnés d'un boisé frais mais fondu composent le nez de ce *village* au palais puissant et équilibré, qui finit sur une note minérale. Si ce 2010 semble pouvoir se boire dès maintenant, ce n'est qu'après deux ans qu'il se livrera pleinement. Bel accord avec des saint-jacques à la crème.

SARL Arnaud Germain, rue de la Pierre-Ronde, 21190 Saint-Romain, tél. 03.80.21.60.15, fax 03.80.21.67.87, contact@maison-arnaudgermain.com

t.l.j. sf dim. 8h30-12h 13h30-19h

ALBERT GRIVAULT 2010

7 400		20 à 30 €

Michel Bardet est l'héritier d'Albert Grivault, un ancien distillateur devenu vigneron, connu pour avoir donné en 1904 une vigne de meursault 1er cru Charmes aux hospices de Beaune. Il exporte 80 % de ses vins et exploite la totalité de ses vignes sur la commune de Meursault. Derrière son or vert, signe de jeunesse, ce chardonnay offre un bouquet dont noisette et amande fraîche se disputent la suprématie. Une attaque franche sur les agrumes apporte une fraîcheur dynamique dans un palais où le bois joue des coudes. On servira cette bouteille dès l'hiver prochain sur un bar de ligne cuit à l'unilatéral.

SCE du Dom. Albert Grivault, 7, pl. du Murger, 21190 Meursault, tél. 03.80.21.23.12, fax 03.80.21.24.70, albert.grivault@wanadoo.fr r.-v.

PATRICK JAVILLIER Cuvée Tête de Murger 2010

n.c.	30 à 50 €

Né sur les Murgers, une parcelle située à la jonction des communes de Monthélie et d'Auxey-Duresses, ce 2010 revêt le costume or clair des meursault. C'est par son bouquet complexe mêlant fruits mûrs (poire et abricot), fleurs blanches et notes beurrées qu'il attire l'attention. Le palais offre une attaque moelleuse et une matière riche, équilibrée par une finale fraîche et minérale. À ouvrir dès 2013 sur un brochet aux herbes.

Dom. Patrick Javillier, 7, imp. des Acacias, 21190 Meursault, tél. 03.80.21.27.87, fax 03.80.21.29.39, contact@patrickjavillier.com

lun. ven. sam. 10h-12h 14h30-19h; dim. 10h-12h; f. de déc. à mars

VINCENT LATOUR Perrières 2009

1er cru	900		30 à 50 €

Vincent Latour obtient trois citations, pour ses vins du domaine familial (anciennement Latour-Labille) comme pour celui-ci issu de son négoce. Ces Perrières or intense livrent une palette florale aux nuances vanillées et légèrement beurrées. Si l'attaque est ronde et souple, empreinte de douceur, la finale se montre plus vive. À déguster sur un saint-pierre à l'aneth à partir de 2013. Les

BOURGOGNE

vins de la propriété désormais étiquetés « Domaine Vincent Latour », sont représentés par le **2010 Clos des Meix Chavaux (20 à 30 € ; 15 000 b.)**, caractérisé par sa jeunesse et sa fraîcheur (on l'attendra deux ans), et par le **1er cru 2010 rouge Les Cras (20 à 30 € ; 900 b.)**. Ce pinot noir mêle les fruits et les épices dans une bouche charnue et gourmande. On l'attendra un à deux ans.

Dom. Vincent Latour, 6, rue du 8-Mai, 21190 Meursault, tél. 03.80.21.22.49, fax 03.80.21.67.86, latourlabillefils@wanadoo.fr r.-v.

HENRI LATOUR ET FILS Les Vireuils 2010

1 400 | 15 à 20 €

François Latour incarne la septième génération de vignerons sur ce domaine d'Auxey-Duresses et célèbre cette année les vingt ans de son installation. Bien qu'il exploite 75 % de ses 15 ha sur sa commune, le meursault fait aussi partie de sa carte des vins. Celui qui a retenu l'attention est un *village* au nez de fleurs des champs et de poire Guyot. Sa matière ample et fraîche montre une belle harmonie entre le fruité des agrumes et la minéralité du terroir. Prévoir un à deux ans de garde.

Henri Latour et Fils, rte de Beaune, 21190 Auxey-Duresses, tél. 03.80.21.65.49, fax 03.80.21.63.08, h.latour.fils@wanadoo.fr r.-v.

DOM. LATOUR-GIRAUD Charmes 2009 ★

1er cru | 2 400 | 30 à 50 €

Dans ce domaine qui pratique la viticulture depuis le XVIIe s., le vin se décline principalement en version chardonnay. Les élevages longs de dix-huit mois en fût sont la règle, comme pour ce Charmes qui avait déjà ravi deux étoiles lors du précédent millésime. Or pâle limpide, le 2009 dévoile un bouquet floral agrémenté de notes torréfiées. Une attaque franche, un moelleux généreux, en font un « digne représentant de l'appellation », selon un juré. Comptez un hiver avant de le servir sur un turbot meunière.

Dom. Latour-Giraud, 6, RD 974, 21190 Meursault, tél. 03.80.21.21.43, fax 03.80.21.64.26, domaine-latour-giraud@wanadoo.fr r.-v.

OLIVIER LEFLAIVE Poruzots 2009 ★

1er cru | 4 600 | 30 à 50 €

Comme les principaux 1ers crus de Meursault, Poruzots est divisé en deux entités : « dessous » et « dessus ». Ici, il s'agit d'un assemblage des deux parties, né du travail de cave de Philippe Grillet et de Frank Grux. Une robe d'or pâle et des senteurs minérales agrémentées de notes de fruits secs composent une approche engageante. L'attaque nette introduit une matière ample et équilibrée. Ce 2009 mérite d'être gardé trois petites années et sera marié à un noble crustacé.

Olivier Leflaive Frères, pl. du Monument, 21190 Puligny-Montrachet, tél. 03.80.21.37.65, fax 03.80.21.33.94, contact@olivier-leflaive.com r.-v.

DENIS MARCHAND Vieilles Vignes 2010

600 | 15 à 20 €

Cette structure de négoce est liée au domaine Marchand Frères de Gevrey-Chambertin. Elle propose un meursault issu de vignes de cinquante-cinq ans, élevé quinze mois sous bois (50 % de fûts neufs). Or pâle, ce 2010 séduit au nez par ses nuances de chèvrefeuille et d'amande, agrémentées d'une pointe de poire au caramel. La bouche joue sur la vivacité et la finesse, dans un registre minéral complété de notes d'agrumes. Une bouteille à servir dès l'année prochaine sur des quenelles de brochet sauce Nantua.

Denis Marchand, 1, pl. du Monument, 21220 Gevrey-Chambertin, tél. et fax 03.45.83.48.31, Dmarc2000@aol.com r.-v.

Francis Sabrand

PASCAL MARCHAND 2009

1 330 | 20 à 30 €

Pascal Marchand ramène ses deux activités, propriétaire et négociant, à une seule car il est avant tout vinificateur. Il a acquis son expérience au sein de deux grands domaines de la Côte avant de se mettre à son compte en 2006. Après dix-huit mois d'élevage en fût, son *village* livre un bouquet de fruits jaunes bien mûrs, agrémenté d'un boisé délicatement mentholé. Fin, minéral mais aussi rond en bouche, il se mariera dès 2013 avec un bar de ligne aux herbes.

Pascal Marchand, 9, rue Julie-Godemet, 21700 Nuits-Saint-Georges, tél. et fax 03.80.20.37.32, pascal@marchand-tawse.com r.-v.

MAISON FRANÇOIS MARTENOT Les Hauts Bois 2010

8 400 | 15 à 20 €

À l'instar des poupées russes, cette maison fait partie d'une autre plus grande, le groupe Tresch, qui commercialise des vins français à travers le monde. Sous un habit or pâle aux éclats blancs, ce *village* affiche un bouquet intense d'amande, de noisette et de cannelle hérité d'un élevage d'un an en fût de chêne. Vif et citronné, assez étoffé, il sera à son optimum dans deux ans et s'accordera à un vol-au-vent aux fruits de mer.

Maison François Martenot, 2, rue du Dr-Barolet, BP 334, ZI Beaune-Vignoles, 21209 Beaune Cedex, tél. 03.80.24.70.07, fax 03.80.24.94.08, contact@fmartenot.fr

LOUIS MAX 2010

4 000 | 30 à 50 €

Appuyé par un œnologue et un maître de chai expérimentés, Philippe Bardet, aux commandes de cette maison de négoce fondée en 1859, propose un meursault issu d'achat de moûts qui s'annonce par un nez beurré et finement grillé. Le palais se montre à la fois minéral, souple et légèrement boisé. À ouvrir dès 2013 sur des crevettes saisies au wok. Autre marque de la maison, le meursault **Jaboulet-Vercherre 2010 (20 à 30 € ; 4 000 b.)** est cité pour ses notes florales, sa générosité en bouche et pour sa finale fraîche.

Louis Max, 6, rue de Chaux, 21700 Nuits-Saint-Georges, tél. 03.80.62.43.00, fax 03.80.62.43.16, louismax@louis-max.fr r.-v.

DOM. MAZILLY PÈRE ET FILS Les Meurgers 2010 ★

4 200 | 15 à 20 €

Installés dans un village des Hautes-Côtes de Beaune, Frédéric Mazilly, le père, et Aymeric, le fils, exploitent 18 ha dont 80 ares de ce *climat* situé en bordure de Monthélie. Le nom de Meurgers vient du bas latin *murgarium* qui désigne un champ de pierres artificiel, créé par l'homme lors de défrichements. Ce meursault à la robe d'or limpide livre un bouquet complexe mêlant bergamote, fleurs blanches et amande. D'abord souple et rond, le palais se fait vif et tendu, rehaussé par une touche de pierre à fusil. Déjà prêt, ce 2010 accompagnera un loup grillé.

Dom. Mazilly Père et Fils, 1, rte de Pommard, 21190 Meloisey, tél. 03.80.26.02.00, fax 03.80.26.03.67, bourgogne-domaine-mazilly@wanadoo.fr r.-v.

DOM. DU CH. DE MEURSAULT
Meursault du château 2009 ★

	30 900		30 à 50 €

Trois 2009 de l'emblématique château de Meursault, qui accueille en ses caves la traditionnelle Paulée le lundi suivant la vente des vins des Hospices de Beaune, se voient sélectionnés cette année. Le premier, un *village* issu de vignes bordant le château, livre des senteurs de fruits exotiques et de vanille. Une bouche ronde et généreuse confirme sa nature gourmande. À essayer dans deux ou trois ans sur un ris de veau au gingembre. Le **1er cru Charmes 2009 (50 à 75 €; 18 520 b.)** obtient la même note pour son bouquet de miel, d'amande fraîche et d'acacia. Charnu et puissant, il s'appréciera dans un an avec une poularde à la crème. Cité, le **1er cru Perrières 2009 (50 à 75 €; 5 860 b.)**, aux arômes miellés, permettra de fêter en 2013 les quarante ans de la reprise du château par les actuels propriétaires.

Dom. du Ch. de Meursault, rue du Moulin-Foulot, 21190 Meursault, tél. 03.80.26.22.75, fax 03.80.26.22.76, domaine@chateau-meursault.com

t.l.j. 9h30-12h 14h30-18h; f. 23 déc.-3 jan.

Boisseaux

DOM. JEAN MONNIER ET FILS Les Chevalières 2009

	2 900		20 à 30 €

Après un meursault rouge « étoilé » l'an passé, les Monnier sont de retour avec un blanc né aux Chevalières, lieu-dit où étaient autrefois gardés des chevaux – chevaux évoqués aussi par le *climat* voisin Les Meix Chavaux. Ce 2009 clair et limpide exhale des parfums typiques du chardonnay (agrumes, acacia) aux côtés d'un fin boisé. Sa bouche ronde à l'attaque repose sur une jolie fraîcheur. À partager dans les trois années qui viennent.

SCEA Dom. Jean Monnier et Fils, 20, rue du 11-Novembre, 21190 Meursault, tél. 03.80.21.22.56, fax 03.80.21.29.65, contact@domaine-jeanmonnier.com

t.l.j. 10h30-18h au caveau pl. de l'Hôtel-de-Ville; f. de nov. à mi-mars

DAVID MORET Gouttes d'or 2010 ★

1er cru	600		30 à 50 €

David Moret, en bon négociant « haute couture », affine ses cuvées dans ses caves beaunoises. Il s'est fait une spécialité de l'élevage des blancs de la Côte de Beaune, et tout particulièrement de Meursault. Ses Gouttes d'or, dans leur habit brillant, mêlent au nez nuances toastées et minéralité. La bouche séduit par son volume, son ampleur, son boisé fin et sa belle longueur. À attendre deux hivers. Noté lui aussi une étoile, le *village* **2010 Les Narvaux (2 000 b.)** livre un bouquet frais de tilleul citronné, suivi d'une matière fondue aux accents d'agrumes. On l'attendra un an.

SARL David Moret, 1-3, rue Émile-Goussery, 21200 Beaune, tél. 03.80.24.00.70, fax 03.80.24.79.65, moret.nomine@wanadoo.fr r.-v.

PIERRE MOREY 2009

	5 250		30 à 50 €

Ce domaine murisaltien célèbre ses trente ans d'existence, dont quatorze ans de biodynamie. Avec ce 2009 vêtu d'or blanc, Pierre Morey, son propriétaire et vinificateur, reçoit une belle citation. Un élevage de dix-neuf mois en fût rehausse les parfums de miel et de poire confite d'une touche de vanille. Après une attaque sur le beurre frais, la bouche joue sur la finesse, la souplesse et offre une finale boisée. À garder en cave deux ans, et à servir sur une lotte à la vanille.

Dom. Pierre Morey, 13, rue Pierre-Mouchoux, 21190 Meursault, tél. 03.80.21.21.03, fax 03.80.21.66.38, morey-blanc@wanadoo.fr r.-v.

LUCIEN MUZARD ET FILS Les Crotots 2010 ★

	1 200		20 à 30 €

Cette parcelle acquise par Claude et Hervé Muzard, les fils de Lucien, forme un triangle isocèle sous le réputé 1er cru Poruzot. Le nom de ce *climat* désigne un terrain en creux. Des fragrances florales et minérales finement boisées s'élèvent sous le regard or vert de ce 2010 d'une belle brillance. La bouche souple est soutenue par une fraîcheur plaisante, qui laisse s'exprimer en finale des notes beurrées persistantes. Un ensemble équilibré et élégant, typique de l'appellation, qui sera prêt à la sortie du Guide.

Dom. Lucien Muzard et Fils, 11 bis, rue de la Cour-Verreuil, 21590 Santenay, tél. 03.80.20.61.85, fax 03.80.20.66.02, lucienmuzard@orange.fr r.-v.

MANUEL OLIVIER 2009 ★

1er cru	n.c.		30 à 50 €

Ce meursault est né des mains d'un vigneron des Hautes-Côtes de Nuits qui complète sa carte des vins grâce à son activité de négoce lancée en 2007. Issu d'un assemblage de deux 1ers crus (dont Les Charmes), il n'affiche pas de nom de *climat* sur l'étiquette. Sa robe cristalline et ses fraîches senteurs de fleurs blanches sont engageantes. Sa matière ronde et riche s'étire en longueur. Autant d'atouts pour voir cette bouteille s'épanouir dans les quatre années à venir. Cité, le ***village* 2009 (20 à 30 €; 1 600 b.)**, tout en vivacité, attendra deux ans avant d'accompagner une dorade au four.

SARL Manuel Olivier, hameau de Corboin, 21700 Nuits-Saint-Georges, tél. 03.80.62.39.33, fax 03.80.62.10.47, contact@domaine-olivier.com

t.l.j. sf dim. 9h-12h 14h-19h

PIERRE OLIVIER 2010 ★

	17 000		20 à 30 €

Derrière ce nom se cache le négociant Jean-Baptiste Béjot, qui a sélectionné l'équivalent de 2,36 ha de chardonnay trentenaire au sein de l'appellation communale qui en compte 290. Au nez, un boisé finement grillé accompagne des notes de fleurs et de fruits blancs. Ronde et ample, la bouche aux délicates impressions boisées est équilibrée par une jolie fraîcheur. Du fond et de la minéralité pour cette bouteille à découvrir après deux années de cave.

Pierre Olivier, 7, rte de Monthélie, 21190 Meursault, tél. 03.80.21.99.51, fax 03.80.21.28.05, fanny.duvernois@bejot.com

BOURGOGNE

DOM. ALAIN PATRIARCHE Genévrières 2010

1er cru	900		50 à 75 €

Maud Patriarche se prépare à reprendre le flambeau de ce domaine qui étend ses 10 ha jusqu'au hameau de Blagny. Avec son père Alain, elle propose un 1er cru d'un jaune doré profond, dont le nez laisse percer des arômes complexes de fruits et de bois mêlés. Au palais, le vin se montre gras, ample et long. Saurez-vous patienter deux ans avant de l'ouvrir sur des écrevisses à la nage ?

Alain Patriarche, 12, rue des Forges, 21190 Meursault, tél. 03.80.21.24.48, fax 03.80.21.63.37, alainpatriarche@wanadoo.fr r.-v.

CH. PERRUCHOT Les Forges Dessus 2009 ★

	n.c.		20 à 30 €

Les anciennes forges de Meursault autrefois étaient installées à proximité de la rivière ; revendiquant la partie haute de ce *climat*, le domaine créé par Georges Prieur propose un beau 2009 à la robe pâle et brillante. Au nez, on découvre de riches nuances de noisette et de fleurs blanches, soulignées d'une note miellée. Le palais affirme sa fraîcheur, sa minéralité et sa longueur – autant de qualités qui lui permettront de vieillir deux ans en cave afin d'exprimer toute sa typicité.

G. Prieur, Ch. Perruchot, Santenay-le-Haut, 21590 Santenay, tél. 03.80.21.23.92, fax 03.80.20.64.31

MAX ET ANNE-MARYE PIGUET-CHOUET
Le Pré de Manche Cuvée Anne-Marye 2010

	1 500		15 à 20 €

Ce couple de producteurs d'Auxey-Duresses exploite avec ses deux garçons une parcelle de meursault en coteau qui regarde la commune de Monthélie. Cette assez jeune vigne (vingt-quatre ans) a donné naissance à un 2010 or pâle aux reflets verts, dont le bouquet allie épices et amande. La matière fruitée apparaît grasse et onctueuse, vivifiée par une pointe de fraîcheur. Une bouteille à apprécier dès maintenant sur un chaud-froid de saumon.

Max et Anne-Marye Piguet-Chouet, rte de Beaune, 21190 Auxey-Duresses, tél. 03.80.21.25.78, fax 03.80.21.68.31, piguet.chouet@wanadoo.fr r.-v.

CH. DE POMMARD 2009 ★

	4 800		30 à 50 €

Depuis le millésime 2007 sous la responsabilité technique d'Emmanuel Sala et la direction de Cécile Lepers, le « château du vin » le plus connu de Bourgogne entonne d'autres appellations dans ses fûts. Frôlant les deux étoiles, ce *village* se présente dans une robe aux reflets verts et livre des senteurs complexes d'amande fraîche, de fleurs blanches et de miel. Souple à l'attaque, il s'équilibre entre fraîcheur minérale et puissance. Un rôti de lotte aux amandes formera un accord parfait dès cette année.

SARL Caves de la propriété, Ch. de Pommard, 15, rue Marey-Monge, 21630 Pommard, tél. 03.80.22.12.59, fax 03.80.24.65.88, contact@chateaudepommard.com t.l.j. 9h30-18h30

M. Giraud

DOM. PRIEUR-BRUNET Charmes 2009 ★

1er cru	n.c.		30 à 50 €

Conduit par Dominique Prieur et son fils Guillaume, ce domaine de 18 ha – dans la famille depuis huit générations – présente un 1er cru élevé un an en fût de chêne, dont un tiers de fûts neufs. Or pâle limpide, ce vin séduit par son caractère floral, empreint de délicatesse et de fraîcheur. Équilibré, souple et persistant, c'est un digne représentant des dix-sept 1ers crus que compte Meursault. On l'appéciera après un à deux ans de garde.

Dom. Prieur-Brunet, rue de Narosse, 21590 Santenay, tél. 03.80.20.60.56, fax 03.80.20.64.31, uny-prieur@prieur-santenay.com r.-v.

Dominique Prieur

PASCAL PRUNIER-BONHEUR Les Grands Charrons 2010 ★

	2 400		20 à 30 €

S'il élabore des vins nés de sa propriété de Meursault, c'est avec deux cuvées issues de son négoce (créé il y a dix ans) que Pascal Prunier-Bonheur a retenu l'attention. Ces Grands Charrons offrent, sous une parure d'or soutenu aux reflets verts, un bouquet complexe de chèvrefeuille et de fruits blancs. La bouche, solide et concentrée, s'exprime sur un fruité gourmand aux nuances de noisette grillée. Une année sera nécessaire à sa maturité complète. **Les Narvaux 2009 (1 200 b.)**, notés également une étoile, évoluent entre la fraîcheur du pamplemousse, le boisé du fût et une vivacité minérale. À attendre deux ans.

Maison Pascal Prunier-Bonheur, 23, rue des Plantes, 21190 Meursault, tél. 03.80.21.66.56, fax 03.80.21.67.33, pascal.prunier-bonheur@wanadoo.fr t.l.j. sf dim. 8h-12h 13h30-18h

DOM. RAPET 2010

	1 440		15 à 20 €

Saint-romain et meursault font cause commune pour le chardonnay, qui est majoritaire dans les deux appellations. Natifs de Saint-Romain où ils habitent l'ancien moulin, les Rapet exploitent 48 ares de meursault. Ils en ont tiré ce 2010 pâle et brillant aux senteurs de vanille, de fruits blancs et d'agrumes. Une matière souple et ronde enrobe le palais avant d'être réveillée par une fine acidité. À servir sur une truite aux amandes, à partir de 2013.

Dom. François Rapet et Fils, rue Sous-le-Château, 21190 Saint-Romain, tél. 03.80.21.22.08, fax 03.80.21.60.19, domainerapetfrancois@orange.fr r.-v.

ROPITEAU 2010 ★

	9 000		20 à 30 €

Coup de cœur dans le précédent millésime, ce *village* a connu un élevage sous bois de quatorze mois dans des caves historiques du XVes. Nicolas Burnez, vinificateur de la maison (dans l'orbite du groupe Boisset), présente un 2010 jaune pâle au nez chaleureux de fruits jaunes vanillés, nuancés de notes florales. La vivacité perçue dès l'attaque équilibre une matière pleine et suave d'une grande persistance. Les dégustateurs prédisent un avenir radieux à cette bouteille et conseillent de l'attendre au moins un an ou deux. Le **Limozin 2010 (2 400 b.)** obtient une citation pour ses parfums de fruits secs et sa fraîcheur acidulée.

Ropiteau Frères, cour des Hospices, 21190 Meursault, tél. et fax 03.80.21.24.73, info@caves-ropiteau.com t.l.j. 9h30-18h30

ROUX PÈRE ET FILS Vieilles Vignes 2010

	7 000		20 à 30 €

Cette vaste exploitation de 64 ha fréquente assidûment les pages du Guide, aussi bien pour ses meursault que pour ses chassagne, ses saint-aubin ou encore ses puligny. Issue de son activité de négoce, cette cuvée de vieilles vignes évoque au premier nez les fleurs blanches, puis exprime quelques notes minérales et mentholées. Un peu plus fruitée, la bouche est fine et élégante, soyeuse à souhait. Après un an de garde, et une fois passé en carafe, ce 2010 sera servi sur des fruits de mer cuisinés.

Roux Père et Fils, 42, rue des Lavières, 21190 Saint-Aubin, tél. 03.80.21.32.92, fax 03.80.21.35.00, roux.pere.et.fils@wanadoo.fr r.-v.

DOM. TESSIER Les Charmes Dessus 2010

1er cru 900 20 à 30 €

Ce jeune producteur de Meursault place trois de ses blancs 2010 dans la sélection, avec une citation pour chacun. On ne présente plus Les Charmes, le plus vaste des 1ers crus de l'appellation. Il a donné naissance à ce vin or pâle, dont les senteurs de fruits secs et de noisette grillée précèdent une bouche ample et généreuse qui finit sur une touche minérale. À laisser grandir deux hivers. **Les Casse-Têtes 2010 (15 à 20 € ; 1 100 b.)** offrent une palette aromatique complexe (fruits exotiques, tilleul) et une attaque moelleuse, soutenue par une juste acidité. Le **1er cru Les Genevrières 2010 (30 à 50 € ; 900 b.)**, tendu et floral au palais, pourra s'épanouir quelques années en cave.

Tessier, 2, allée des Amandiers, 21190 Meursault, tél. et fax 03.80.21.25.36, domainetessier@hotmail.fr r.-v.

CH. DE LA VELLE Clos de la Velle 2009

2 000 15 à 20 €

Ce domaine murisaltien de 9 ha est installé dans une demeure seigneuriale du XVes. classée Monument historique, qui accueille un gîte d'étape d'une capacité de dix-huit personnes. Bertrand Darviot y vinifie 50 ares d'un clos jouxtant la maison, qui a donné naissance à un vin or intense aux légers arômes fruités (fruits frais et confits). Plein et riche, le palais est rehaussé d'une fine fraîcheur qui suggère une attente de deux ans.

Bertrand Darviot, 17, rue de la Velle, 21190 Meursault, tél. 03.80.21.22.83, fax 03.80.21.65.60, chateaudelavelle@darviot.fr r.-v.

JEAN-MARC VINCENT Vieilles Vignes 2010

2 000 20 à 30 €

Voilà déjà quinze ans que les époux Vincent ont créé une activité de négoce qui complète leur carte des vins orientée au sud de la Côte de Beaune. Ils signent un meursault à la robe bien dorée, à laquelle répondent les senteurs de pêche du nez, vivifiées par une note citronnée. Dans une belle continuité, l'attaque ronde et charnue annonce la générosité du palais. Donnez une année à cette bouteille pour se mettre en place et ravir les papilles sur une côte de veau.

Anne-Marie et Jean-Marc Vincent, 3, rue Sainte-Agathe, 21590 Santenay, tél. et fax 03.80.20.67.37, vincent.j-m@wanadoo.fr r.-v.

Puligny-montrachet

Superficie : 208 ha
Production : 10 850 hl (99 % blanc)

Centre de gravité des vins blancs de Côte-d'Or, serrée entre ses deux voisines Meursault et Chassagne, cette petite commune tranquille ne représente en surface de vignes que la moitié de Meursault, ou les deux tiers de Chassagne, mais se console en possédant les plus grands crus blancs de Bourgogne, dont le montrachet (en partage avec Chassagne). La position géographique de ces grands crus, selon les géologues de l'université de Dijon, correspond à une émergence de l'horizon bathonien, qui leur confère plus de finesse, plus d'harmonie et plus de subtilité aromatique qu'aux vins récoltés sur les marnes avoisinantes. Les autres *climats* et 1ers crus de la commune exhalent fréquemment des senteurs végétales à nuances résineuses ou terpéniques qui leur donnent beaucoup de distinction.

JEAN-CLAUDE BACHELET ET FILS Sous le puits 2009 ★

1er cru n.c. 30 à 50 €

Les deux frères Bachelet exploitent sous le nom de leur père 10 ha entre Saint-Aubin, Chassagne et Puligny. Sous leur impulsion, le domaine s'est agrandi et les élevages ont été allongés pour passer à dix-huit mois et parfois plus selon les millésimes. Un nouveau chai, qui permet de travailler par gravité et ainsi d'éviter le remuage dû à la pompe, a accueilli le millésime 2010. Ce 2009 n'a pas bénéficié de ces aménagements mais n'apparaît pas moins fort réussi. Une belle couleur dorée et un nez complexe, mêlant des notes minérales et grillées à l'acacia en fleur, ouvrent la dégustation. D'une bonne consistance, la bouche évolue entre une rondeur modérée et un boisé fin. Ce vin dévoile un réel potentiel ; patientez jusqu'en 2015 pour en découvrir toute la complexité.

Dom. Jean-Claude Bachelet et Fils, hameau de Gamay, 1, rue de la Fontaine, 21190 Saint-Aubin, tél. 03.80.21.31.01, fax 03.80.21.91.71, info@domainebachelet.fr r.-v.

ROGER BELLAND Les Champs-Gains 2010 ★

1er cru 2 500 30 à 50 €

Si c'est le prénom de Roger qui est indiqué sur l'étiquette, c'est sa fille Julie qui, depuis 2003, assume la vinification, l'élevage et la commercialisation des vins de ce vignoble de 24 ha. Une nouvelle étoile pour ce domaine d'une régularité de métronome. Sous sa robe pâle aux reflets verts, ce 1er cru s'exprime au nez sur la verveine et le tilleul en fleur. Après un début de bouche vif, il se révèle gras, autour de notes de beurre agrémentées d'un boisé fin. À attendre deux ans.

Roger Belland, 3, rue de la Chapelle, 21590 Santenay, tél. 03.80.20.60.95, belland.roger@wanadoo.fr r.-v.

DOM. BORGEOT Les Charmes 2010

2 000 20 à 30 €

Le *climat* Les Charmes illustre toute la subtilité de la vineuse Bourgogne. À Puligny, le lieu-dit est classé en appellation *village* mais de l'autre côté, à Meursault et sur le même terroir, il revendique la mention de 1er cru. Quoi qu'il en soit, Pascal et Laurent Borgeot signent une jolie cuvée, avec leurs 30 ares de chardonnay. Si la robe est légère et claire, le nez n'en est pas moins vif avec ses arômes d'agrumes. L'équilibre est là, une pointe de fruit acidulé et des notes minérales apportant la fraîcheur. Si ce

BOURGOGNE

vin peut être apprécié dès cette année, il saura aussi vieillir trois ans en cave.

SARL Borgeot, place du Monument, 71150 Remigny, tél. 03.85.87.19.92, fax 03.85.87.19.95 r.-v.

HUBERT BOUZEREAU-GRUÈRE ET FILLES 2010

2 500 — 20 à 30 €

Ce producteur de Meursault peut être fier de ses filles et les associer à son nom, car Marie-Laure et Marie-Anne travaillent de conserve sur les 10 ha du domaine. La famille signe un *village* de belle tenue. Une robe d'un or vert limpide annonce un nez vif et fin. Équilibré entre l'acidité (de la jeunesse), le fruit et la minéralité (qui renvoie au terroir), le palais se développe avec souplesse sur des touches vanillées (souvenir du séjour en fût). À partager sur des ris de veau poêlés, d'ici 2016.

Hubert Bouzereau-Gruère et Filles, 22 A, rue de la Velle, 21190 Meursault, tél. 03.80.21.20.05, fax 03.80.21.68.16, bouzereau.gruere@aliceadsl.fr r.-v. 3

JEAN CHARTRON Folatières 2010

1er cru — 2 600 — 50 à 75 €

Dans la palette de 1ers crus de Puligny que vinifie Jean-Michel Chartron, on se souvient du Clos du Cailleret et du Clos de la Pucelle, qui ont obtenu chacun un coup de cœur dans les deux dernières éditions du Guide. Aujourd'hui, c'est à ce 1er cru des hauteurs d'être cité. Ce 2010 or brillant dévoile des arômes alliant la pierre à fusil, les fruits secs et le miel. Sa matière fruitée conjugue des sensations d'ampleur et de rondeur avec une légère pointe d'amertume. Une plaisante bouteille, à partager dans les deux années à venir avec un sandre au beurre blanc.

SARL Jean Chartron, 8 bis, Grande-Rue, 21190 Puligny-Montrachet, tél. 03.80.21.99.19, fax 03.80.21.99.23, info@jeanchartron.com lun. mar. mer. 10h-12h 14h-18h; f. fin nov. à Pâques

JEAN-LOUIS CHAVY Les Folatières 2010 ★

1er cru — 8 500 — 20 à 30 €

Après un doublé dans le millésime 2009, ce domaine de Puligny réalise cette année un triplé. Avec toujours une étoile pour son 1er cru Les Folatières, une cuvée au discret bouquet d'aubépine, qui évolue progressivement vers de généreuses notes fruitées et acidulées (agrumes, ananas). Un puligny qualifié de « vin de plaisir », à déguster dès la sortie du Guide. Cité, le **1er cru Les Perrières 2009 (2 200 b.)** plaît par son nez de fleurs blanches et de fruits jaunes d'été (pêche et abricot) et sa bouche à la fois souple, vive et persistante. À conserver en cave au moins deux hivers. Également cité, le ***village* 2010 (15 à 20 €; 15 000 b.)**, à la trame fruitée et agréable, libère en finale une minéralité qui laisse présager une garde de deux ans. Voilà un bon aperçu de ce que vous pourrez découvrir ici de l'appellation puligny-montrachet.

Jean-Louis Chavy, 27, rue de Bois, 21190 Puligny-Montrachet, tél. 03.80.21.38.85, fax 03.80.21.39.89, jeanlouis.chavy@wanadoo.fr r.-v.

CHRISTIAN CHOLET-PELLETIER 2010 ★★

2 000 — 11 à 15 €

L'unique cuvée de puligny de ce producteur fait partie des habituées du Guide. Dans un millésime 2010 qui fut délicat à vinifier, elle obtient une étoile de plus que l'an passé et le droit de disputer la finale des coups de cœur. Vêtu d'une belle parure brillante or clair, ce remarquable puligny révèle un bouquet intense d'agrumes et de poire. Très frais en attaque, le fruit « explose » en bouche. Un ensemble gras, ample et équilibré par une touche acidulée, à servir dès cet automne avec une sole grillée aux amandes.

Christian Cholet, 40, rue de la Citadelle, 21190 Corcelles-les-Arts, tél. 03.80.21.47.76 r.-v.

FRANÇOISE ET DENIS CLAIR La Garenne 2010

1er cru — 1 800 — 20 à 30 €

Parmi les dix-sept 1ers crus de Puligny, le *climat* La Garenne est bien connu des amateurs de l'appellation. Il bénéficie d'un nom facile à prononcer dans un contexte international et évoque les plaisirs de la chasse. En outre, comme il est étendu, nombreux sont les propriétaires à l'exploiter. Ce domaine implanté à Santenay en a produit six fûts en 2010. Ce Garenne plonge son nez dans l'aubépine et le miel. Des vignes de cinquante ans lui confèrent ce gras et cette énergie qui se développent en bouche. Une finale légèrement acidulée invite à laisser cette plaisante cuvée séjourner une année en cave, le temps que sa jeunesse se transforme en sagesse.

EARL Françoise et Denis Clair, 14, rue de la Chapelle, 21590 Santenay, tél. 03.80.20.61.96, fax 03.80.20.65.19, fdclair@orange.fr r.-v.

♥ BRUNO COLIN La Truffière 2009 ★★

1er cru — 3 700 — 50 à 75 €

BRUNO COLIN
PREMIER CRU - LA TRUFFIÈRE
PULIGNY-MONTRACHET
2009

Bruno Colin a fait forte impression avec sa cuvée phare de puligny. La fraîcheur minérale du terroir s'exprime dans un bouquet intense où des notes boisées donnent la réplique à la jacinthe et au lys. Comme le résume un juré : « Tout est là. » Équilibre, moelleux, vivacité et longueur. Un superbe ensemble, plein de fraîcheur, né de bonnes mains, d'une bonne terre et d'un grand millésime, qui ne sera que meilleur après trois ans passés en cave.

Dom. Bruno Colin, 3, imp. des Crêts, 21190 Chassagne-Montrachet, tél. 03.80.24.75.61, fax 03.80.21.93.79, contact@domainebrunocolin.com r.-v.

FLORENT GARAUDET 2009

2 000 — 20 à 30 €

Florent Garaudet descend de sa jolie colline de Monthélie pour aller récolter sur 28 ares sa cuvée de puligny. Pour sa deuxième année de vinification, il obtient une citation proche de l'étoile. Des reflets or vert teintent le verre tandis que s'élèvent de fines senteurs d'agrumes et de fleurs. Vivacité et rondeur s'équilibrent en bouche pour former un ensemble harmonieux. Une bouteille idéale pour découvrir l'appellation.

Florent Garaudet, 3, rue du Château-Gaillard, 21190 Monthélie, tél. 06.87.77.01.28, florentgaraudet@orange.fr t.l.j. 8h-12h 14h-18h

DOM. MARC GAUFFROY Les Referts 2009

1er cru 600 20 à 30 €

Ce domaine fondé il y a cinquante ans cette année a été repris par Marc Gauffroy voici tout juste dix ans. Avec son épouse et son fils Nicolas, ils travaillent sur 7 ha, dont 26 ares de ce 1er cru qui jouxte Meursault. Flirtant avec l'étoile, ce 2009 éveille les sens avec son nez d'aubépine et son habit brillant. Équilibré et gras, il a de la tenue, porté par la fraîcheur des agrumes. Un juré gourmet le verrait bien accompagner tout un repas. Pourquoi pas des noix de Saint-Jacques poêlées et un sorbet au pamplemousse pour un accord sucré-salé et chaud-froid ?

Dom. Marc Gauffroy, 4, rue du Pied-de-la-Forêt, 21190 Meursault, tél. 03.80.21.21.09 r.-v.

CH. GÉNOT-BOULANGER La Garenne 2010 ★

1er cru 2 000 30 à 50 €

Aude et Guillaume Lavollé conduisent en duo depuis 2008 leur domaine de 27 ha répartis sur 32 appellations. Leur défi est celui de la nouvelle génération de vignerons qui convertissent progressivement leurs terres à une agriculture exempte de chimie, en passant à l'agriculture biologique voire biodynamique. Pour la seconde année consécutive, leur 1ercru La Garenne décroche une étoile. Ce 2010 lumineux, jaune pâle aux reflets verts, livre des parfums délicats de chèvrefeuille et d'acacia, avec une touche vanillée apportée par l'élevage en fût (un an). Vive et minérale, la bouche offre une belle persistance. Ce vin possède la « typicité puligny », conclut un juré. On pourra le partager dès maintenant, sur un bar grillé aux herbes, ou l'attendre deux ans.

Ch. Génot-Boulanger, 25, rue de Cîteaux, 21190 Meursault, tél. 03.80.21.49.20, fax 03.80.21.49.21, contact@genot-boulanger.com r.-v.

Delaby

GUILLEMARD-CLERC Les Enseignères 2010 ★

600 20 à 30 €

Placé sous les deux grands crus blancs que sont le bâtard-montrachet et le bienvenue-bâtard-montrachet, ce *climat* est, avec 9,12 ha, le plus vaste des lieux-dits en appellation *village*. Jadis plantée de chênes, cette parcelle de 22 ares a donné naissance à ce 2010 drapé dans une robe dorée. Le nez aromatique mêle des notes d'amande, de chèvrefeuille et de menthe à un léger boisé. La bouche est tendue, élégante et longue. Dans trois ans, une aumônière au reblochon lui ira à ravir.

Dom. Guillemard-Clerc, 19, rue Drouhin, 21190 Puligny-Montrachet, tél. 03.80.21.34.22, fax 03.80.21.91.84, guillemard-clerc.domaine@wanadoo.fr r.-v. 3

DOM. HUBER-VERDEREAU Les Levrons 2010 ★

n.c. 30 à 50 €

C'est la première fois que ce producteur de Volnay se voit distingué d'une étoile avec ce *climat* qui tire son nom du mot *levrons*, diminutif de « lièvre » au XIVes. Il exploite ici 18 ares, blottis sous les 1ers crus. De beaux éclats d'or jaune attirent le regard tandis que le nez s'épanouit sur des notes minérales et des arômes de fruits secs. La matière fait montre d'une plaisante saveur briochée, agrémentée d'une touche de vanille et relevée par une pointe d'acidité fort plaisante en finale. Une cuvée que l'on pourra partager dès maintenant sur un bar grillé aux herbes mais que deux ans de cave arrondiront.

Dom. Huber-Verdereau, 3, rue de la Cave, 21190 Volnay, tél. 03.80.22.51.50, fax 03.80.22.48.32, contact@huber-verdereau.com r.-v.

HUBERT LAMY Les Tremblots Vieilles Vignes 2010 ★

6 300 30 à 50 €

Ce *climat* de 5,65 ha possède la particularité d'être blotti entre deux lieux-dits nommés Les Houillères, l'un à Puligny, l'autre à Chassagne. De ces terres humides, on dit qu'elles sont « amoureuses » car elles collent aux bottes des vignerons. Olivier Lamy, qui a pris la suite de son père Hubert, en exploite près de 1 ha. Cette cuvée paille clair d'une grande limpidité dévoile un parfum à la fois prégnant et subtil de chèvrefeuille, d'amande et de vanille. La bouche gourmande s'exprime sur un fruité fort agréable, souligné par un trait de fraîcheur mentholée en finale. Une bouteille qui ravira bien des palais sur un foie gras poêlé déglacé avec un verre de ce même vin. À déboucher dès les prochaines fêtes de fin d'année.

Dom. Hubert Lamy, 20, rue des Lavières, 21190 Saint-Aubin, tél. 03.80.21.32.55, fax 03.80.21.38.32, domainehubertlamy@wanadoo.fr r.-v.

GAËLLE ET JÉRÔME MEUNIER Les Champs Gain 2010 ★★

1er cru 1 200 20 à 30 €

Troisième millésime seulement, premier en puligny et déjà un coup de cœur pour ce couple installé dans le petit bourg de Barizey. Madame travaillait dans un laboratoire d'œnologie et monsieur était régisseur d'un domaine en Côte de Beaune avant qu'ils ne franchissent le pas et s'installent sur ce vignoble de 8,5 ha. Ils font tout à deux et sont les premiers vignerons de la Côte chalonnaise à obtenir la plus haute récompense pour un puligny. Le verre, teinté d'or, brille de mille feux, laissant monter des parfums délicats de poire, de fruits exotiques et de miel. Un de nos experts perçoit dans ce 2010 « un formidable équilibre entre gras et nervosité ». Mûre à point, cette superbe bouteille pourra paraître dès cet hiver lors d'un repas de fête avec un noble crustacé.

Gaëlle et Jérôme Meunier, rue du Bois, 71640 Barizey, tél. 03.85.44.45.78, domainemeunier@orange.fr r.-v.

DOM. ANDRÉ MOINGEON ET FILS La Garenne 2010 ★

1er cru 2 400 15 à 20 €

Florent incarne la troisième génération des Moingeon, vignerons à Saint-Aubin. Arrivé en 2009 après un BTS en viticulture et en œnologie, il va apporter sa pierre à l'édifice sous l'œil avisé de son père, toujours en activité. Honoré d'une étoile (qui a manqué de peu d'être doublée), ce 1er cru offre un bouquet intense mariant acacia, pamplemousse et grillé du fût. Après une attaque franche sur la vivacité du citron, la bouche bien équilibrée, tendue par des notes minérales, dévoile une longue finale. Il conviendra d'attendre trois ans que cette cuvée, dans la fleur de sa jeunesse, atteigne sa plénitude.

André Moingeon et Fils, Gamay, 2, rue de la Fontaine, 21190 Saint-Aubin, tél. 03.80.21.93.67, fax 03.80.21.93.11, scemoingeon@gmail.com r.-v.

DAVID MORET Les Folatières 2010

1er cru	2 400	30 à 50 €

À Beaune, à l'abri de ses caves voûtées, David Moret dédie entièrement sa production de négoce « haute couture » aux vins blancs de Bourgogne. Deux des plus belles pièces de sa collection 2010 reçoivent aujourd'hui une citation : les mêmes crus que lors de notre précédente édition. Ces Folatières ne manquent pas d'attraits. Dans une robe cousue d'or blanc, ce vin affiche un bouquet d'agrumes et de poire. L'attaque fraîche dévoile une bouche ronde, portée par une belle matière jusqu'à la plaisante finale acidulée. Même s'il a de l'avenir, ce 2010 formera dès aujourd'hui un bon accord avec une soupe de poissons de roche. Le ***village* 2010 blanc (20 à 30 € ; 3 000 b.)**, doux et rond au palais, révèle une bonne minéralité propre à son terroir. Dans deux ans, il s'accordera parfaitement avec un saumon en croûte de sel.

SARL David Moret, 1-3, rue Émile-Goussery, 21200 Beaune, tél. 03.80.24.00.70, fax 03.80.24.79.65, moret.nomine@wanadoo.fr r.-v.

PAUL PERNOT ET SES FILS 2010

	3 000	20 à 30 €

Ce producteur possède maison et cave au cœur du village de Puligny ; ses 22 ha de vignes sont répartis sur la ceinture dorée des grands blancs de la Côte-d'Or. Ce vin provient d'un hectare et a connu onze mois de fût. D'un jaune clair à la belle brillance, il libère un bouquet à la fois floral et minéral avec une nuance de pamplemousse. La bouche, encore jeune, est nette, bien équilibrée, rehaussée d'une fine acidité. Cette bouteille gagnera à attendre deux ans en cave.

Paul Pernot et ses Fils, 7, pl. du Monument, 21190 Puligny-Montrachet, tél. 03.80.21.32.35, fax 03.80.21.94.51, earlpernot.pauletfils@orange.f t.l.j. 8h-12h 14h-19h; f. juil.

MAISON ROCHE DE BELLÈNE La Garenne 2009 ★

1er cru	600	30 à 50 €

La nouvelle activité de négoce de Nicolas Potel (2008) met pour la troisième année consécutive les puligny à l'honneur. Après les citations du *village* et du 1er cru Les Referts, c'est au tour de La Garenne de se voir distinguée. Par sa surface, ce *climat* est le deuxième des 1ers crus de l'appellation (avec 9,86 ha). Derrière une robe or vert, fleurs blanches, miel et noisette grillée composent un bouquet aromatique des plus charmeurs. L'attaque franche et vive introduit une bouche ronde aux notes de bois et de noisette. Dans deux ans, ce 2009 sera prêt à escorter un crustacé au beurre blanc citronné.

Maison Roche de Bellène, 39, rue du Fg-Saint-Nicolas, 21200 Beaune, tél. 03.80.20.67.64, fax 03.80.26.16.27, christelle@maisonrochedebellene.com r.-v.

Nicolas Potel

ANTONIN RODET Les Perrières Cave privée 2009

1er cru	736	30 à 50 €

Nouveau propriétaire de la maison Rodet depuis août 2010, le groupe Boisset a confié à l'œnologue Arnaud Boué la responsabilité des cuvées de cette maison séculaire. Ce 1er cru est né sur un terroir riche en pierres, lesquelles étaient autrefois amassées lors du défrichage des terres à vigne. Paré d'un or soutenu mais limpide, il délivre des arômes discrets de fruits blancs et des notes minérales avec une pointe de vanille. L'ensemble est gras et équilibré, mais il sera préférable d'attendre deux années pour que le boisé se fonde.

Antonin Rodet, 55, Grande-Rue, 71640 Mercurey, tél. 03.85.98.18.06, fax 03.85.45.25.49, duthey.m@rodet.com r.-v.

Montrachet, chevalier, bâtard, bienvenues-bâtard, criots-bâtard

Montrachet et ses grands crus (chevalier-montrachet, bâtard-montrachet, criots-bâtard-montrachet, bienvenues-bâtard-montrachet) fournissent des vins blancs secs de notoriété mondiale. Pourtant, ils s'inscrivent avec discrétion dans le paysage. Implantées sur le versant d'une colline exposé au sud-sud-est, les vignes se répartissent sur les communes de Puligny-Montrachet et de Chassagne-Montrachet. La particularité la plus étonnante de ces grands crus contigus, et dont la superficie globale n'atteint pas 32 ha, est de se faire attendre plus ou moins longtemps avant de d'atteindre leur plénitude : dix ans pour le « grand » montrachet, cinq ans pour le bâtard et les autres crus ; seul le chevalier-montrachet semble s'ouvrir plus rapidement. Tous ces vins structurés et d'une captivante complexité peuvent vivre une décennie, et jusqu'à trente ans dans les grands millésimes.

Montrachet

Superficie : 8 ha
Production : 350 hl

JEAN CHARTRON 2010 ★★

Gd cru	300	+ de 100 €

Jean-Michel Chartron exploite, en agriculture biologique non certifiée, un vignoble de 13 ha autour de Puligny-Montrachet, dont 10 ares dédiés à ce grand cru blanc que le monde nous envie. « Ce qui est créé par l'esprit est plus vivant que la matière », disait Charles Baudelaire. Si vous ajoutez au génie des hommes celui du lieu, vous obtenez un grand vin. Ici un montrachet or pâle aux reflets argentés, d'une remarquable complexité : mie de pain, torréfaction, vanille, menthol. La bouche ? De la puissance, de la densité, du volume, de la richesse, un boisé élégant en soutien et un fruité intense d'agrumes « long

Grand Vin de Bourgogne

2010

MONTRACHET

Grand Cru

Jean Chartron

21190 PULIGNY MONTRACHET - FRANCE

comme un beau jour sans fin »... Une grande bouteille, à laisser sagement en cave cinq à dix ans.

SARL Jean Chartron, 8 bis, Grande-Rue, 21190 Puligny-Montrachet, tél. 03.80.21.99.19, fax 03.80.21.99.23, info@jeanchartron.com
lun. mar. mer. 10h-12h 14h-18h; f. fin nov. à Pâques

MARC COLIN ET FILS 2010 ★

Gd cru 600 + de 100 €

La mythique colline du Montrachet abrite en son sein cinq des six grands crus blancs de la Côte de Beaune. L'appellation montrachet y tient la troisième place en surface avec 7,99 ha. Caroline, Joseph et Damien Colin y exploitent 10 ares, à l'origine de ce 2010 or pâle aux reflets verts et argentés, qui livre des parfums complexes de noisette, de camomille, d'abricot et de pêche, avec une touche de silex en renfort minéral. Après une attaque ciselée et acidulée, le palais se révèle bien équilibré, à la fois riche et frais, finement boisé et citronné, et livre une belle finale minérale. À découvrir dans trois ou quatre ans.

Dom. Marc Colin et Fils, 1, rue de la Chatenière, 21190 Saint-Aubin, tél. 03.80.21.30.43, fax 03.80.21.90.04, marccolin@ymail.com r.-v.

Chevalier-montrachet

Superficie : 7,5 ha
Production : 310 hl

JEAN CHARTRON Clos des Chevaliers Monopole 2010 ★★

Gd cru 1 500 + de 100 €

Grand Vin de Bourgogne

2010

CHEVALIER-MONTRACHET

Grand Cru

" CLOS DES CHEVALIERS "

MONOPOLE

Jean Chartron

21190 PULIGNY MONTRACHET - FRANCE

Coup double, et en grand cru s'il vous plaît, pour le domaine de Jean-Michel Chartron ! Un coup de cœur en montrachet et un autre en chevalier, le vigneron a soigné ses 2010. Issu d'un monopole de 60 ares, ce vin se présente dans une superbe livrée jaune pâle aux reflets verts et lumineux. Épices, beurre frais et fleurs blanches composent un bouquet élégant, complexe et intense. Porté par une fine acidité, le palais s'impose par sa fraîcheur et sa droiture. On y perçoit les arômes de l'olfaction, et la finale s'étire en longueur sur des notes minérales. Il vous faudra de la patience pour savourer ce grand vin à son optimum : six à huit ans, conseillent les dégustateurs du Guide. On lui réservera alors un turbot en croûte de fleur de sel.

SARL Jean Chartron, 8 bis, Grande-Rue, 21190 Puligny-Montrachet, tél. 03.80.21.99.19, fax 03.80.21.99.23, info@jeanchartron.com
lun. mar. mer. 10h-12h 14h-18h; f. fin nov. à Pâques

MAISON ROCHE DE BELLÈNE 2009 ★

Gd cru 120 + de 100 €

Attention denrée rare. Nicolas Potel, à travers sa maison de négoce fondée avec son épouse Anna en 2008, propose une microcuvée de 120 bouteilles, issue de vignes de cinquante-trois ans. De la haute-couture assurément. Drapé dans une robe pleine de jeunesse, jaune pâle aux reflets verts, ce 2009 propose un bouquet gourmand et complexe de fleurs blanches, de fruits frais (pêche, abricot), de beurre, de vanille, de miel... Une ronde aromatique que reprend en chœur un palais gras, ample et doux, soutenu par une fine minéralité aux accents de pierre à silex. Ce chevalier révélera tout ce qu'il cache sous son armure dans trois à cinq ans.

Maison Roche de Bellène, 39, rue du Fg-Saint-Nicolas, 21200 Beaune, tél. 03.80.20.67.64, fax 03.80.26.16.27, christelle@maisonrochedebellene.com r.-v.

Bâtard-montrachet

Superficie : 11,2 ha
Production : 475 hl

DOM. MICHEL CAILLOT 2009 ★

Gd cru 2 150 + de 100 €

Ce producteur établi à Meursault glane une étoile en allant rendre visite à ses 67 ares de grand cru plantés de ceps de quarante-six ans. Lui qui prône « le moins d'intervention possible dans la vinification » laisse donc parler les fruits du chardonnay et le terroir argilo-calcaire du bâtard-montrachet. Et si la qualité de ce 2009 impose plutôt un silence respectueux, les dégustateurs ne sont pas « secs » plume en main. D'abord l'œil : un jaune pâle animé de beaux reflets verts. Vient le nez : le menthol accompagne le silex, le citron confit, l'amande et une touche de torréfaction léguée par les onze mois de fût. Suit la bouche : un premier contact ample, rond et gras, une fine ligne acide en soutien et une finale opulente et longue. La patience sera de mise pour les quatre ou cinq ans à venir, et un foie gras poêlé le bienvenu à table.

Dom. Michel Caillot, 14, rue du Cromin, 21190 Meursault, tél. 06.87.44.81.44, fax 03.80.21.69.58, domaine.michel.caillot@orange.fr r.-v.

JEAN CHARTRON 2010 ★

Gd cru 1 000 + de 100 €

20 ares, 1 000 bouteilles... et une étoile de plus au palmarès de Jean-Michel Chartron avec ce bâtard-montrachet né de vignes âgées de quarante ans. Le grand cru se présente dans une robe or pâle aux reflets verts et argent. Notes de beurre frais, de fruits et de fleurs blanches, d'amande et de grillé composent un bouquet, intense et complexe. La bouche persistante se révèle ciselée et tendue par une belle fraîcheur citronnée, avant

d'être rejointe par la mangue en finale. Un ensemble harmonieux et précis, à découvrir dans trois ou quatre ans sur un noble crustacé, un homard à la nage par exemple.
SARL Jean Chartron, 8 bis, Grande-Rue, 21190 Puligny-Montrachet, tél. 03.80.21.99.19, fax 03.80.21.99.23, info@jeanchartron.com
lun. mar. mer. 10h-12h 14h-18h; f. fin nov. à Pâques

DOM. COFFINET-DUVERNAY 2010 ★

Gd cru	n.c.	75 à 100 €

Installé dans un ancien relais de chasse du XIXᵉs., au cœur de Chassagne, Philippe Duvernay fréquente régulièrement ces pages avec ses chassagne et ses bâtard-montrachet. Des 13 ares qu'il possède dans le grand cru, il a tiré un 2010 élégamment vêtu d'une robe brillante et lumineuse. Le nez se révèle discret mais frais et délicat, sur l'amande, la noisette et les fleurs blanches. Le palais, dense et bien étoffé, s'équilibre entre gras et vivacité minérale. On laissera ce vin s'affiner quatre ou cinq ans avant de le servir sur une lotte à la bisque de homard.
Dom. Coffinet-Duvernay, 7, pl. Saint-Martin, 21190 Chassagne-Montrachet, tél. 03.80.21.32.12, fax 03.80.21.91.69, coffinet.duvernay@orange.fr r.-v.

MARC COLIN ET SES FILS 2010 ★

Gd cru	500	+ de 100 €

Après le corton-charlemagne, le bâtard-montrachet est le plus étendu des six grands crus blancs de la Côte d'Or avec ses 11,86 ha. Établie à Saint-Aubin, sur l'autre versant de la colline du Montrachet, la famille Colin en propose 500 bouteilles nées de 14 ares de vignes âgées de trente ans. Une belle teinte or pâle aux reflets argentés orne le verre. Au nez, les fruits mûrs se mêlent à la vanille et aux fleurs blanches, agrémentés d'une touche crayeuse. En bouche, le vin se montre gras, riche mais sans lourdeur, vivifié par une juste acidité. La finale, vanillée, rappelle le séjour de quinze mois dans la barrique. L'ensemble est harmonieux, équilibré mais encore en devenir. À ouvrir dans quatre ou cinq ans, sur une cassolette de langouste flambée au marc... de Bourgogne.
Dom. Marc Colin et Fils, 1, rue de la Chatenière, 21190 Saint-Aubin, tél. 03.80.21.30.43, fax 03.80.21.90.04, marccolin@ymail.com r.-v.

LOUIS JADOT 2009 ★★

Gd cru	n.c.	+ de 100 €

Située au cœur de Beaune, la « ville-capitale » de la Bourgogne viticole, la maison Jadot rayonne sur de nombreux grands crus, répartis entre sa propriété (150 ha) et, comme ici, son négoce. Exposé au levant et au midi, entre 240 et 250 m d'altitude, le chardonnay planté sur les sols bruns calcaires épais et argileux du bâtard-montrachet a donné naissance à ce 2009 remarquable, qui a concouru pour le coup de cœur. La robe engageante est d'un jaune pâle brillant aux reflets argentés. Le nez libère d'intenses parfums d'agrumes, de fruits blancs, de fleurs, de menthol, de fruits secs et de grillé. Après une attaque tonique, le palais se révèle riche, ample et onctueux, souligné par une boisé élégant et bien maîtrisé et par une fraîcheur minérale qui lui donne de l'allonge. Il vous faudra patienter au moins trois ans avant de sortir cette bouteille de cave, et vous pourrez l'y laisser la décennie.
Louis Jadot, 21, rue Eugène-Spuller, 21200 Beaune, tél. 03.80.22.10.57, fax 03.80.22.56.03, maisonlouisjadot@louisjadot.com r.-v.
Famille Kopf

OLIVIER LEFLAIVE 2009 ★★

Gd cru	2 800	+ de 100 €

Présenté sous la bannière d'Olivier Leflaive, négociant établi à Puligny depuis 1984, ce bâtard-montrachet possède la particularité d'être né de l'assemblage de plusieurs parcelles situées à Chassagne et à Puligny, seules communes à pouvoir revendiquer l'appellation. Derrière une robe d'or pâle brillant et limpide se dévoile un bouquet d'une rare complexité : poudre à canon, noisette, amande grillée, vanille, fruits blancs mûrs. Le palais s'impose dès l'attaque par sa matière puissante, dense et riche, vivifiée par une fine acidité. S'il se présente déjà bien, ce grand cru ne sera que meilleur après trois à cinq ans de garde. On pourra aussi l'attendre toute la décennie pour de nouvelles sensations gustatives.
Olivier Leflaive Frères, pl. du Monument, 21190 Puligny-Montrachet, tél. 03.80.21.37.65, fax 03.80.21.33.94, contact@olivier-leflaive.com r.-v.

DOM. PRIEUR-BRUNET 2009 ★

Gd cru	n.c.	+ de 100 €

La septième et, depuis 2003, la huitième générations conduisent ce domaine de 18 ha dont le siège est établi à Santenay-le-Haut. Dominique Prieur et son fils Guillaume dirigent également une activité de négoce. Ils signent ici un bâtard-montrachet doré aux reflets jaune pâle, qui développe des senteurs de fruits exotiques (mangue, litchi), de fleurs blanches, d'amande et de pain grillé. La bouche trouve son équilibre entre une matière riche, suave et généreuse et une fraîcheur minérale et citronnée « qui va bien ». Déjà fort aimable, ce vin pourra aussi patienter deux ou trois ans en cave avant de rejoindre à table un feuilleté de langouste aux asperges.
Dom. Prieur-Brunet, rue de Narosse, 21590 Santenay, tél. 03.80.20.60.56, fax 03.80.20.64.31, uny-prieur@prieur-santenay.com r.-v.

Criots-bâtard-montrachet

Superficie : 1,6 ha
Production : 75 hl

ROGER BELLAND 2010 ★★

Gd cru	3 000	+ de 100 €

89 94 95 96 (98) **99** 00 |01| |02| |03| 04 05 **|06|** **07** 08 09 **10**

« Le Criot », comme disent les Bourguignons, est le seul des enfants du Montrachet à se situer uniquement sur le territoire de la commune de Chassagne. Cette appellation « de poche », l'une des plus petites de France, s'étend sur

1,57 ha ; avec 60 ares, le domaine de Roger Belland et de sa fille Julie s'affirme comme son principal producteur. Il signe un 2010 d'or pâle, cristallin et lumineux, d'une grande complexité aromatique : beurre frais, vanille, fleurs blanches, fougère, citron... Une complexité que reprend à son compte un palais gras, ample, plein et généreux, avec cette juste vivacité qui apporte l'équilibre et la longueur caractéristiques des grands vins. Cinq années de conservation lui permettront d'enrichir à table votre conversation.

🔑 Roger Belland, 3, rue de la Chapelle, 21590 Santenay, tél. 03.80.20.60.95, belland.roger@wanadoo.fr ☒ 𝐈 ☦ r.-v.

Chassagne-montrachet

Superficie : 300 ha
Production : 15 660 hl (65 % blanc)

Le village de Chassagne est situé au sud de la Côte de Beaune, entre Puligny, Montrachet et Santenay. Exposé est-sud-est, le vignoble se partage entre pinot noir et chardonnay. La combe de Saint-Aubin, parcourue par la RN 6, forme à peu près la limite méridionale de la zone des vins blancs. Les Clos Saint-Jean et Morgeot, qui donnent des vins solides et vigoureux, sont les 1ers crus les plus réputés de la commune.

♥ DOM. DE L'ABBAYE DE BRULLY La Goujonne 2010 ★★

	4 500	◖◗	20 à 30 €

GRAND VIN DE BOURGOGNE
CHASSAGNE-MONTRACHET
Appellation Chassagne-Montrachet Contrôlée
"La Goujonne"
2010
DOMAINE DE L'ABBAYE DE BRULLY
Mis en bouteille par R.P F à F 21190
13.5% vol. PRODUIT DE FRANCE 750 ml

Cette marque de la famille Roux décroche un coup de cœur unanime pour ce *village* né sur un *climat* de la plaine de Chassagne, facilement reconnaissable par la cabotte de pierres sèches montée en 2010 à l'occasion de la Saint-Vincent tournante de Bourgogne. Les jurés ont aimé sa parure dorée, brillante et intense. Ils ont loué la finesse de son bouquet ouvert sur les fruits exotiques frais et l'amande grillée. Ils ont succombé à la rondeur, à la richesse et à la douceur d'une bouche qui ne cède jamais à la lourdeur, étayée par un boisé parfaitement fondu et par une fine minéralité qui lui donne beaucoup de tonus et une grande longueur. À déguster dès aujourd'hui sur des saint-jacques à la crème safranée. Deux étoiles sont également attribuées au **Dom. Roux Père et Fils Les Chaumes 2010 blanc (4 200 b.)**, un vin remarquable par son bouquet franc et fin de fleurs blanches et de vanille, assorti d'une touche minérale, et par son palais gras, charnu et persistant sur les fruits mûrs, équilibré par une belle vivacité en finale. On l'appréciera lui aussi dès cette année, sur une poularde aux morilles par exemple.

🔑 Dom. de l'Abbaye de Brully, rue du Ban, 21190 Saint-Aubin, tél. 03.80.21.32.92, fax 03.80.21.35.00, christian.roux@orange.fr ☒ 𝐈 r.-v.

🔑 Christian Roux

DOM. GUY AMIOT ET FILS Les Champgains 2009 ★

1er cru	3 000	▮◖◗	20 à 30 €

Fabrice Amiot a rejoint en 2011 son frère aîné Thierry, à la tête du domaine familial depuis 1995. Le nom de ce lieu-dit indique un champ où l'herbe repoussait après la coupe, ce que l'on appelle le « regain » en agriculture. Les frères Amiot y cultivent 40 ares de chardonnay à l'origine de ce vin couleur or paille, au nez complexe et élégant de fleurs jaunes et d'agrumes confits, rehaussé par une nuance minérale. La bouche séduit par son fruité franc (écorce d'orange), sa vivacité tonique et sa longue finale. Un ensemble harmonieux et racé, armé pour une garde de trois à cinq ans. On lui réservera un crustacé noble, un homard par exemple.

🔑 Dom. Guy Amiot et Fils, 13, rue du Grand-Puits, 21190 Chassagne-Montrachet, tél. 03.80.21.38.62, fax 03.80.21.90.80, domaine.amiotguyetfils@wanadoo.fr ☒ 𝐈 ☦ r.-v.

JEAN-FRANÇOIS BACHELET 2009 ★

■	2 000	▮◖◗	15 à 20 €

Marc et Alexandre Bachelet ont rejoint leur père Jean-François il y a cinq ans sur le domaine familial, tout en possédant leur propre exploitation. Né de ceps de trente ans, ce 2009 se distingue par un bouquet de fruits rouges mûrs agrémenté d'un élégant boisé toasté. Ces arômes se prolongent dans une bouche ronde et charnue, aux tanins fins et fondus, joliment réglissée en finale. À déguster au cours des deux ou trois prochaines années, sur un rosbif aux champignons par exemple.

🔑 Jean-François Bachelet, Grande-Rue, 71150 Dezize-lès-Maranges, tél. 03.85.91.18.50, fax 03.85.91.17.83, jean-francois.bachelet@wanadoo.fr ☒ 𝐈 ☦ r.-v.

DOM. JEAN-LOUIS BACHELET 2009

■	8 200	▮◖◗	11 à 15 €

Jean-Louis Bachelet, l'aîné des trois fils de Bernard Bachelet, fête cette année sa quarantième vendange. Il propose ici un 2009 de belle facture, au nez discret mais plaisant de fruits rouges frais et de boisé cacaoté. Le palais, riche et intense, tient la note fruitée, porté par des tanins de qualité et par un boisé qui doit encore se fondre. Pour un cîteaux ou un époisses, dans deux ans.

Jean-Louis Bachelet, pl. Saveron, 71150 Dezize-lès-Maranges, tél. 03.85.47.73.81, fax 03.85.49.57.62, jean-louis_bachelet@orange.fr r.-v.

VINCENT BACHELET 2010

3 900 — 20 à 30 €

Vincent Bachelet peut aller cultiver sa vigne à pied car, depuis son installation en 2008 à Chassagne sur la route de Santenay, il n'est qu'à quelques minutes de ce *climat* des Benoîtes. Il en tire ce blanc plaisant, au nez floral et légèrement torréfié, au palais plein, gras et équilibré par une jolie vivacité minérale. À boire ou à attendre un an ou deux.

Vincent Bachelet, 27, rte de Santenay, 21190 Chassagne-Montrachet, tél. 03.80.21.37.27, fax 03.85.91.16.93, bacheletvincent1@wanadoo.fr r.-v.

JEAN-CLAUDE BACHELET ET FILS Vieilles Vignes 2009 ★

n.c. — 11 à 15 €

Dans leur nouveau chai du hameau de Gamay, les frères Bachelet travaillent sans pompes depuis les vendanges 2010, uniquement par gravité. Ce 2009 aura bénéficié de cette nouvelle installation pour sa mise en bouteilles. Il présente une robe rubis intense et livre d'agréables parfums de framboise et de cerise accompagnés par un boisé élégant et par une touche poivrée. La bouche séduit par sa matière dense, fruitée et finement boisée, soutenue par de beaux tanins fondus. Un vin équilibré et fin, à déguster sur un filet de bœuf en croûte d'ici deux à quatre ans.

Dom. Jean-Claude Bachelet et Fils, hameau de Gamay, 1, rue de la Fontaine, 21190 Saint-Aubin, tél. 03.80.21.31.01, fax 03.80.21.91.71, info@domainebachelet.fr r.-v.

DOM. BACHEY-LEGROS Morgeot Vieilles Vignes Les Petits Clos 2010 ★★

1er cru — 5 000 — 30 à 50 €

Domaine Bachey-Legros
Grand Vin de Bourgogne
CHASSAGNE-MONTRACHET
1ER CRU MORGEOT
VIEILLES VIGNES
2010

Régulièrement sélectionnés dans le chapitre Chassagne, les Bachey-Legros – Christiane et ses fils Samuel et Lénaïc, soit les cinquième et sixième générations à œuvrer sur le domaine – signent un 1er cru remarquable à tous points de vue, né de ceps de soixante ans plantés sur la parcelle argilo-calcaire des Petits Clos. Paré d'or aux reflets verts, ce 2010 marie fleurs blanches (tilleul), nuances fruitées et notes grillées de l'élevage. La bouche, ample et dense, affiche un superbe équilibre entre gras et fraîcheur, entre fruité (agrumes confits) et boisé, et offre une longue et belle finale. On peut attendre ce vin deux ou trois ans ou l'apprécier dès à présent, sur une blanquette de veau à l'ancienne. Cité, le ***village* 2009 rouge Les Plantes Momières Vieilles Vignes (15 à 20 € ; 3 900 b.)** dévoile à l'aération des parfums de framboise et de cerise, et se révèle puissant et tannique en bouche. Il ne dira pas non à quelques années de plus en cave.

Dom. Bachey-Legros, 12, rue de la Charrière, 21590 Santenay, tél. et fax 03.80.20.64.14, christiane.bachey-legros@wanadoo.fr r.-v.

ROGER BELLAND Morgeot-Clos Pitois Monopole 2010 ★

1er cru — 8 000 — 30 à 50 €

Les 2,97 ha de ce clos, fondé par les moines en 1422, appartiennent en monopole à la famille Belland, à Roger et sa fille Julie, active au domaine depuis 2003. Cette terre de marnes argoviennes se partage entre pinot et chardonnay. C'est le blanc, né de ceps de soixante ans qui est à l'honneur ici. De beaux reflets verts de jeunesse animent sa robe d'or. Le nez évoque le caramel au lait et la vanille, réminiscences de douze mois de barrique, mais aussi le fruit, avec quelques nuances épicées. La bouche s'impose par son volume, son gras, sa générosité et par son boisé fondu, une belle trame acide lui apportant fraîcheur et équilibre. Vers 2015, cette bouteille devrait être à son apogée. On la verrait bien en compagnie de quenelles aux morilles.

Roger Belland, 3, rue de la Chapelle, 21590 Santenay, tél. 03.80.20.60.95, belland.roger@wanadoo.fr r.-v.

DOM. BOUARD-BONNEFOY Morgeot Les Petits Clos 2010 ★★

1er cru — 900 — 20 à 30 €

Troisième millésime et troisième sélection dans le Guide pour ce jeune domaine repris en 2006 par Fabrice et Carine Bouard. En outre, ces vignerons passent un cap en décrochant deux étoiles pour ce 1er cru drapé dans une lumineuse robe dorée. Le nez, complexe et délicat, mêle l'acacia, les fruits jaunes et les agrumes à un boisé discret et à de douces nuances beurrées. La bouche se révèle tendre, riche et charnue, égayée par une pointe épicée et tonifiée par une fine trame acide. Un vin très harmonieux, à découvrir dès aujourd'hui sur une poularde de Bresse aux morilles.

Dom. Bouard-Bonnefoy, 12, rte de Santenay, 21190 Chassagne-Montrachet, tél. 03.80.21.28.46, domaine-bouard-bonnefoy@orange.fr r.-v.

BOUCHARD PÈRE ET FILS 2010

n.c. — 20 à 30 €

Ce négoce beaunois renommé reçoit une citation pour ce *village* rubis intense aux senteurs de noyau de cerise et de sous-bois. La bouche, de bonne consistance, fruitée et boisée avec mesure, dévoile des tanins serrés et encore un peu stricts, qu'il faudra laisser s'affiner deux ou trois ans. Un bœuf braisé en sauce formera un bon accord gourmand.

Bouchard Père et Fils, Ch. de Beaune, 15, rue du Château, 21200 Beaune, tél. 03.80.24.80.24, fax 03.80.22.55.88, contact@bouchard-pereetfils.com t.l.j. 10h-12h30 14h30-18h30; dim. 10h-12h30

Famille Henriot

PHILIPPE BOUZEREAU 2010 ★

2 400 — 11 à 15 €

Propriétaire depuis 1987 du château de Cîteaux, Philippe Bouzereau a développé en 2006 une activité de négoce qui lui permet d'élargir sa gamme et de proposer notamment à la dégustation ce *village* né de vignes de trente-huit ans. La cerise au sirop, les épices douces et la réglisse composent un bouquet avenant et flatteur. On retrouve ces arômes dans une bouche souple et vive en attaque, tendre et consistante à la fois, structurée par des tanins fermes et pourtant élégants. À découvrir dans les deux ou trois prochaines années, sur une pièce de bœuf goûteuse, un morceau de merlan sauce au poivre par exemple.

Philippe Bouzereau, 7, place de la République,
21190 Meursault, tél. 03.80.21.20.32, fax 03.80.21.64.34,
contact@chateau-de-citeaux.com
t.l.j. sf dim. lun. 10h-13h 14h-18h

CAPUANO-FERRERI Vieilles Vignes 2010 ★

n.c. — 15 à 20 €

John Capuano a succédé en 2009 à son père Gino à la tête de ce domaine installé au cœur de Santenay et conduit en association avec l'ancien footballeur Jean-Marc Ferreri. Ce 2010 couleur rubis, limpide et brillant, livre doucement ses parfums de fruits rouges et d'épices. Il apparaît plus expressif en bouche, rond et joliment fruité, porté par des tanins fermes mais déjà aimables, et par une agréable fraîcheur. À partager dans les deux ans à venir sur des suprêmes de dinde au curry.

EARL Dom. Capuano-Ferreri, 14, rue Chauchien,
21590 Santenay, tél. 03.80.20.68.04, fax 03.80.20.65.75,
john.capuano@wanadoo.fr
r.-v.

DOM. CHANSON PÈRE ET FILS Les Chenevottes 2009 ★

1er cru — 10 000 — 50 à 75 €

Les Chanson exploitent une parcelle de 1,9 ha dans ce *climat*, autrefois planté de chanvre. Une étoile distingue ce 1er cru au bouquet généreux d'abricot sec, de fleurs blanches et d'agrumes, avec une pointe vanillée et grillée à l'arrière-plan. Onctueux en attaque, le palais se révèle ample et rond, une agréable douceur miellée se mêlant aux fruits jaunes, aux agrumes et à la vanille et au pain grillé apportés par le fût. L'équilibre est assuré par une belle vivacité en finale. Un ensemble harmonieux, à boire dès à présent sur un gratin de langoustines. Cité, le ***village*** **2010 blanc (30 à 50 €; 6 000 b.)** dévoile de subtiles arômes de beurre, de fleurs et d'épices, et une texture tendre et gourmande. Laissez-lui deux ans pour l'apprécier à son optimum sur un saumon à l'unilatéral.

Chanson Père et Fils, 10, rue Paul-Chanson,
21200 Beaune, tél. 03.80.25.97.97, fax 03.80.24.17.42
r.-v.

JEAN CHARTRON Les Benoites 2010 ★

3 000 — 30 à 50 €

Ce 2010 est issu du plus vaste *climat* classé en *village* (9,07 ha), terre qui appartenait autrefois aux moines bénédictins de l'abbaye voisine de Morgeot, d'où le nom du lieu-dit. Paré d'une robe lumineuse aux reflets verts, il dévoile d'intenses parfums fruités et vanillés. Frais au premier contact, le palais ne tarde pas à révéler une matière riche et ronde, sans jamais se départir toutefois d'une pointe de vivacité en soutien. Un vin équilibré, à déguster dès à présent sur des moules à la crème ou simplement pour lui-même, à l'apéritif.

SCI Chartron-Dupard, Grande-Rue,
21190 Puligny-Montrachet, tél. 03.80.21.99.19,
fax 03.80.21.99.23, info@jeanchartron.com
lun. mar. mer. 10h-12h 14h-18h; f. de fin nov. à Pâques

CH. DE CHASSAGNE-MONTRACHET 2009

15 000 — 20 à 30 €

Alain Fossier veille sur les 7,42 ha du domaine, dont 98 % sont des vignes plantées dans l'enceinte du château de Chassagne, réparties à parts quasi égales entre pinot noir et chardonnay. Ce dernier a donné naissance à un 2009 au nez voluptueux et fin de fleurs blanches, d'épices et d'agrumes confits, accompagnés d'un léger grillé. La bouche se montre ample, ronde et riche, marquée par un boisé bien intégré et équilibrée par une finale minérale. À boire d'ici deux ans, avec une dorade en croûte de sel.

Bader-Mimeur, 1, chem. du Château,
21190 Chassagne-Montrachet, tél. 03.80.21.30.22,
fax 03.80.21.33.29, info@bader-mimeur.com r.-v.

DOM. COFFINET-DUVERNAY
Les Blanchots Dessous 2010 ★★

3 000 — 15 à 20 €

Le « viticulteur-entraîneur » (du club de football de Chassagne) réalise le doublé. Après avoir remporté l'an dernier l'unique coup de cœur de l'appellation avec son 1er cru Les Caillerets 2009, il hisse sur le podium ce Blanchots Dessous, *climat* attenant au criots-bâtard-montrachet. Ce prestigieux voisinage déteint-il sur ce 2010 ? Il s'en dégage en tout cas l'élégance d'un grand cru. Au nez apparaissent de subtiles et complexes notes de beurre, de vanille, d'acacia et de fougère, « réveillées » par des nuances mentholées. L'attaque franche et vive prélude à une bouche ample et consistante, soutenue par une fine minéralité et par un boisé bien fondu. Ce vin a du punch et de la tenue. On l'attendra deux ou trois ans pour l'apprécier à son meilleur niveau, sur une sole meunière ou sur un noble crustacé. Le **1er cru Dent de Chien 2010 blanc (20 à 30 €; 900 b.)** obtient une étoile pour son élégante expression aromatique, florale et minérale, pour son boisé maîtrisé et pour son équilibre entre la rondeur et la fraîcheur. On lui laissera deux ans pour exprimer tout son potentiel. Le **1er cru Les Caillerets 2010 blanc (30 à 50 €; 1 500 b.)**, frais et ferme, est cité.

Dom. Coffinet-Duvernay, 7, pl. Saint-Martin,
21190 Chassagne-Montrachet, tél. 03.80.21.32.12,
fax 03.80.21.91.69, coffinet.duvernay@orange.fr r.-v.

MAISON COLIN-SEGUIN 2009

	700		20 à 30 €

Cette petite cuvée est proposée par une maison de négoce nuitonne qui a commencé à faire de l'élevage et à mettre en bouteilles ses propres vins avec le millésime 2010. Ce *village* 2009 offre un bouquet plaisant de fleurs blanches (tilleul et acacia), agrémenté d'une touche de beurre, de vanille et de citron. Il se révèle souple et frais en bouche, une pointe d'amertume marquant la finale. Une sole meunière aux amandes lui donnera volontiers la réplique après une garde d'un an ou deux.

Maison Colin-Seguin, 4, rte de Dijon, 21700 Nuits-Saint-Georges, tél. 03.80.30.20.20, fax 03.80.50.15.72, olivier.seguin@domaines-villages.com r.-v.

HENRI DARNAT Les Chaumées 2010

1er cru	600		50 à 75 €

Cette vigne a été achetée en 2010 par l'importateur belge de ce producteur – qui en a conservé la vinification. Elle a donné naissance à un vin au bouquet expressif de fleurs blanches, d'agrumes et de fruits secs (amande grillée, noisette) ; la bouche, de bonne concentration, souple et élégante, trouve son équilibre grâce à une pointe de vivacité. La finale, sur la pomme et le coing, est harmonieuse. On pourra conserver cette bouteille deux ou trois ans en cave.

Darnat, Les Champs-Lins, 21190 Meursault, tél. 03.80.21.43.72, fax 09.70.32.31.42, domaine.darnat@wanadoo.fr r.-v.

JOSEPH DROUHIN Morgeot Marquis de Laguiche 2010 ★

1er cru	n.c.		50 à 75 €

Le marquis de Laguiche a confié à la maison beaunoise Drouhin la gestion de ses 2,26 ha du plus célèbre et du plus vaste 1er cru de la commune, situés autour des vestiges de l'abbaye de Morgeot. Ce 2010 or pâle livre des senteurs complexes de miel, de vanille, de châtaigne et de fleurs blanches. La bouche se distingue d'emblée par une belle fraîcheur minérale, contrebalancée par les rondeurs d'un fruité mûr et épicé (clou de girofle, gingembre). Un ensemble équilibré et persistant, à découvrir au cours des trois ou quatre prochaines années sur un turbot au beurre blanc.

Maison Joseph Drouhin, 7, rue d'Enfer, 21200 Beaune, tél. 03.80.24.68.88, fax 03.80.22.43.14, maisondrouhin@drouhin.com r.-v.

ALEX GAMBAL Clos Saint-Jean 2010 ★★

1er cru	1 016		30 à 50 €

Après un coup de cœur l'an dernier pour son clos-de-vougeot 2009, le plus bourguignon des Américains, installé à Beaune depuis quinze ans, fait l'unanimité avec ce chassagne de haut vol. Ce négociant, également propriétaire de vignes depuis 2005, et sa jeune œnologue Géraldine Godot signent un 1er cru or pâle et brillant, dont le bouquet fin de fleurs blanches, fruité et légèrement toasté invite à poursuivre la dégustation. En bouche, le vin se révèle remarquablement équilibré entre la fraîcheur des agrumes, le gras de la chair et un boisé dosé avec justesse. Harmonieux et tout en finesse, il est à déguster au cours des trois à cinq prochaines années, sur un mets délicat, un homard thermidor par exemple.

Maison Alex Gambal, 14, bd Jules-Ferry, 21200 Beaune, tél. 03.80.22.75.81, fax 03.80.22.21.66, info@alexgambal.com r.-v.

DOM. GABRIEL ET PAUL JOUARD Vieilles Vignes 2009

	3 000		11 à 15 €

Paul Jouard célèbre cette année sa vingtième année aux commandes de l'exploitation. Assemblage de ses trois plus anciennes parcelles à Chassagne, ce 2009 a connu un long élevage en barrique, à 50 % en fût neuf. Il en retire un nez boisé, avec des nuances de cassis et de sous-bois à l'arrière-plan. En bouche, après une attaque fraîche, il dévoile une charpente massive, elle aussi marquée par un boisé bien présent que deux ou trois ans de garde permettront de fondre.

Dom. Gabriel et Paul Jouard, 3, rue du Petit-Puits, 21190 Chassagne-Montrachet, tél. et fax 03.80.21.30.30, paul.jouard@orange.fr r.-v.

DOM. VINCENT ET FRANÇOIS JOUARD
Les Chaumées Clos de la Truffière Vieilles Vignes 2010 ★

1er cru	1 800		20 à 30 €

Si les frères Jouard, installés en 1990 dans leur village natal de Chassagne, exportent 80 % de leur production en bouteille, ils en gardent néanmoins suffisamment pour satisfaire leur clientèle particulière, qui appréciera cette belle sélection. Trois vins sont retenus, avec en tête ce 1er cru né de vignes âgées de soixante ans. Le nez fin et complexe est fait de fleurs blanches, d'abricot mûr, de miel et de noisette grillée. D'une grande fraîcheur, la bouche est tendue par une élégante minéralité. À servir dans deux ans sur un turbot grillé au curry. Le **1er cru La Maltroie Vieilles Vignes 2010 blanc (1 200 b.)** est cité pour son nez fin et empyreumatique et pour sa nervosité mesurée. À ouvrir dans l'année, comme le **1er cru Morgeot Les Fairendes Vieilles Vignes 2010 blanc (1 800 b.)**, également cité pour ses parfums plaisants d'amande et d'agrumes, et pour sa bouche vive, d'une honorable longueur.

EARL Vincent et François Jouard, 2, pl. de l'Église, 21190 Chassagne-Montrachet, tél. 03.80.21.30.25, fax 03.80.21.95.26, domaine.jouardvf@orange.fr r.-v.

HUBERT LAMY La Goujonne Vieilles Vignes 2010

	4 500		20 à 30 €

Olivier Lamy cultive 1 ha de ce *climat* dont le nom viendrait d'un monsieur Goujon. Il en a tiré un vin qui livre doucement des senteurs de fruits rouges (framboise, cerise) rehaussées par une note poivrée. La bouche, généreuse mais sans lourdeur, tonifiée par une fraîcheur de bon aloi, s'appuie sur des tanins au joli grain mais encore austères, auxquels deux ans de garde apporteront le fondu nécessaire.

Dom. Hubert Lamy, 20, rue des Lavières, 21190 Saint-Aubin, tél. 03.80.21.32.55, fax 03.80.21.38.32, domainehubertlamy@wanadoo.fr r.-v.

DOM. LAMY-PILLOT Morgeot 2010 ★★

1er cru	n.c.		20 à 30 €

Cela fait quinze ans que Sébastien Caillat, l'œnologue maison, son beau-frère Daniel Cadot, et leurs épouses, filles de René Lamy, ont pris la relève sur ce domaine de 17,42 ha. Leur Morgeot, 1er cru le plus connu de l'appellation, se présente dans une robe limpide et brillante. Le nez évoque à un juré une « symphonie florale », accompagnée d'élégantes notes de brioche, d'amande, de pêche et d'abricot. Une complexité à laquelle fait écho un palais plein, généreux et vif à la fois, soutenu par un zeste de minéralité qui donne de la longueur et du peps à la finale. À découvrir dans les deux ans à venir, sur des ris de veau à la crème. Le **1er cru Clos Saint-Jean 2010 rouge (15 à 20 €)**, né sur un *climat* réputé en pinot noir, est cité pour son nez discrètement boisé et pour son palais tannique aux arômes de fruits compotés et de réglisse. À attendre jusqu'en 2016, avant de le marier à un colvert au sang.

Dom. Lamy-Pillot, 31, rte de Santenay, 21190 Chassagne-Montrachet, tél. 03.80.21.30.52, fax 03.80.21.30.02, contact@lamypillot.fr r.-v.

René Lamy

LOUIS LATOUR La Grande Montagne 2009 ★

1er cru	2 200		30 à 50 €

Depuis sa fondation en 1797, cette célèbre et vénérable maison n'a cessé d'agrandir son parcellaire du nord au sud de la Côte-d'Or. Celui-ci couvre aujourd'hui 48 ha, dont 28 en grands crus. Né sur une vigne de 43 ares, ce 2009 dévoile un profil aromatique complexe : coing, mirabelle, abricot, fruits confits... Souple en attaque, la bouche se révèle ample et riche, rehaussée par une note minérale et une touche de zeste d'agrumes en finale. Bel accord gourmand en perspective avec des côtes de veau à la crème, dans les trois ans à venir.

Maison Louis Latour, 18, rue des Tonneliers, 21204 Beaune, tél. 03.80.24.81.00, fax 03.80.22.36.21, louislatour@louislatour.com

OLIVIER LEFLAIVE Clos Saint-Marc 2009 ★

1er cru	4 500		30 à 50 €

Avant d'être négociant, Olivier Leflaive est propriétaire de vignes sur la Côte de Beaune. Avec son duo d'œnologues, Franck Grux et Philippe Grillet, il fait partie des producteurs incontournables de Puligny. Les 90 ares de Clos Saint-Marc à l'origine de ce 2009 proviennent de son domaine. Le vin revêt un habit clair, et libère des senteurs florales (tilleul), fruitées (pomme, citron) et minérales agrémentées d'un boisé élégant. Le palais s'annonce par une attaque pleine de vivacité qui surprend, eu égard à la générosité du millésime : « sans doute de jeunes vignes », avance un dégustateur ; bien vu : le chardonnay est âgé de quinze ans. La suite est à l'unisson, portée par une belle fraîcheur acidulée soulignée de notes d'agrumes et de fruits exotiques qui porte loin la finale saline et tonique. Il vous faudra patienter encore trois ans au moins pour déguster ce vin avec une truite fario aux amandes ou des brochettes de gambas façon tandoori.

Olivier Leflaive Frères, pl. du Monument, 21190 Puligny-Montrachet, tél. 03.80.21.37.65, fax 03.80.21.33.94, contact@olivier-leflaive.com r.-v.

CH. DE LA MALTROYE Morgeot Vigne blanche 2009 ★

1er cru	7 160		30 à 50 €

Jean-Pierre Cournut fêtera bientôt ses vingt ans à la tête de la propriété, fondée en 1939. Trois vins entrent dans cette édition. En tête, ce Morgeot, dont le sol calcaire accueille une « Vigne blanche » âgée de près de soixante ans à l'origine de ce vin limpide, couleur or paille, au nez discret mais subtil d'amande, d'agrumes, de fruits blancs et de vanille, fin, frais et harmonieux en bouche. À attendre deux ou trois ans, ou à boire dès l'automne sur un brochet au beurre blanc. Le **1er cru Clos du Château de la Maltroye Monopole 2010 blanc (5 230 b.)**, finement bouqueté (fleurs blanches, citron confit, pain grillé), ample, rond et concentré en bouche, équilibré par une belle trame minérale, obtient lui aussi une étoile. Une attente de trois ans est recommandée. Cité, le **1er cru Grandes Ruchottes 2009 blanc (2 110 b.)**, encore dominé par les notes d'élevage, mais avec suffisamment de coffre pour les intégrer, devra patienter trois ou quatre ans pour donner le meilleur de lui-même.

Ch. de la Maltroye, 16, rue de la Murée, 21190 Chassagne-Montrachet, tél. 03.80.21.32.45, fax 03.80.21.34.54, chateau.maltroye@wanadoo.fr r.-v.

Jean-Pierre Cournut

DOM. PATRICK MIOLANE La Canière 2009

	8 000		15 à 20 €

Les Miolane, père et fille, possèdent une parcelle de ce *climat* jadis marécageux, planté en pinot et en chardonnay. Soixante-quatre ares sont dédiés à ce dernier cépage, qui a donné naissance à un 2009 au nez boisé, épicé, miellé et fruité, avec une touche mentholée à l'arrière-plan, et au palais gras et de bonne longueur, où l'on retrouve un boisé beurré. À boire dans deux ans sur un saumon à la plancha.

Patrick Miolane, 2, rue des Perrières, 21190 Saint-Aubin, tél. 03.80.21.31.94, domainepatrick.miolane@wanadoo.fr r.-v.

LUCIEN MUZARD ET FILS Morgeot 2010 ★

1er cru	900		30 à 50 €

Morgeot est le plus vaste *climat* classé en 1er cru de l'appellation chassagne, et aussi le plus connu. Il se subdivise en plusieurs lieux-dits, qui peuvent être revendiqués sur les étiquettes sous leur nom propre, ou accolés à Morgeot, ou encore figurer sous la seule dénomination Morgeot si le vin procède de l'assemblage de plusieurs lieux-dits différents. Ici, un Morgeot tout court donc, issu des vignes entourant l'ancienne abbaye et du négoce des frères Muzard. Derrière une robe dorée, on découvre un nez d'aubépine et d'agrumes bien typé chassagne, avec une touche boisée. L'attaque franche, sur la pomme verte et les fleurs blanches, prélude à une bouche fraîche et dynamique, portée par une fine acidité et un boisé bien fondu. Armé pour vieillir encore trois ou quatre ans, ce 2010 fera merveille sur un cari de langouste.

SARL Lucien Muzard et Fils, 1, rue de la Chapelle, 21590 Santenay, tél. 03.80.20.61.85, fax 03.80.20.66.02, lucienmuzard@orange.fr r.-v.

AGNÈS PAQUET Les Battaudes 2010 ★

	1 000		20 à 30 €

Agnès Paquet n'est pas issue du milieu viticole ; elle s'y est engagée par passion et a créé son propre vignoble ex nihilo en 2001. On se souvient notamment d'un coup de cœur décroché l'an passé pour un pommard. Pour sa dixième vendange, elle signe un chassagne très réussi, né sur une terre argilo-marneuse située dans le bas de la commune, en limite de Remigny. Le nez, bien typé et expressif, évoque les fleurs blanches (tilleul), la pâte d'amandes et l'abricot sec. Souple en attaque, le palais se révèle bien équilibré entre gras et fraîcheur minérale. Un vin harmonieux et droit, que l'on verrait bien, fin 2013, sur une aile de raie aux câpres.

Agnès Paquet, 10, rue du Puits-Bouret, 21190 Meloisey, tél. 03.80.26.07.41, fax 03.80.26.06.41, contact@vinpaquet.com r.-v.

MICHEL PICARD En Pimont 2010

	13 200		20 à 30 €

Francine Picard, propriétaire-négociante du château de Chassagne, a pris la suite de son père Michel en 2006. Elle exploite aujourd'hui 35 ha de vignes, à Chassagne, Saint-Aubin et Puligny. Ce 2010, né sur un *climat* au sol très calcaire situé au-dessus de la carrière marbrière de Chassagne, charme par son bouquet de fleurs blanches, de fruits mûrs soulignés et de notes boisées discrètes, et par sa bouche vive, tendue par une fine minéralité qui s'équilibre avec une légère sucrosité. Un vin déjà harmonieux, à boire dès cet automne sur un saumon cuit au wok. Le **Concis des Champs 2010 rouge (2 400 b.)** est également cité pour ses parfums plaisants de cassis et de cerise mûrs, pour sa matière ronde et souple, encore un peu sévère en finale. Attendre deux ans avant de le servir sur une entrecôte sauce à l'époisses.

SCEV Ch. de Chassagne-Montrachet, 5, rue du Château, 21190 Chassagne-Montrachet, tél. 03.80.21.98.57, fabrice.lesne@m-p.fr t.l.j. 10h-18h

PIGUET-GIRARDIN Morgeot 2009

1er cru	3 000		15 à 20 €

Ce domaine installé à Auxey-Duresses vient d'acquérir un demi-hectare de plus à Chassagne dans ce 1er cru réputé pour la qualité de ses rouges comme de ses blancs. Il obtient une citation pour ce pinot d'un rouge cerise orné de reflets clairs, au nez fin de fruits rouges et de cassis agrémenté d'un boisé mesuré, équilibré en bouche entre des tanins bien maîtrisés, un élevage fondu et un fruité persistant. À attendre deux ou trois ans.

Dom. Piguet-Girardin, rue du Meix, 21190 Auxey-Duresses, tél. et fax 03.80.21.60.26, piguet.girardin@orange.fr r.-v.

FERNAND ET LAURENT PILLOT Grandes Ruchottes 2010 ★

1er cru	2 100		30 à 50 €

Le nom de ce *climat* provient du patois *roiches*, qui désignait des rochers. Laurent Pillot y exploite une parcelle de 37 ares. Son 2010, vêtu d'une robe dorée aux reflets verts, libère des parfums de fleurs blanches (acacia) mêlés de notes de caramel et de grillé apportées par onze mois de fût. Après une attaque souple, le palais se révèle ample et équilibré par une belle vivacité. Comptez entre trois et cinq ans de garde avant de servir cette bouteille sur un risotto de saint-jacques. À noter : depuis le millésime 2010, tous les vins blancs du domaine sont fermés avec des bouchons DIAM. Le ***village* blanc 2010 (20 à 30 €; 7 500 b.)** est cité pour son bouquet floral et pour sa bouche fine, fraîche et un rien épicée. À boire dans deux ans sur une langouste grillée.

Fernand et Laurent Pillot, 2, pl. des Noyers, 21190 Chassagne-Montrachet, tél. 03.80.21.99.83, fax 03.80.21.92.60, contact@vinpillot.com r.-v.

VINCENT PRUNIER 2009

	1 183		15 à 20 €

En complément de son domaine, Vincent Prunier a créé en 2007 une petite activité de négoce, d'où est issu ce 2009. Derrière une robe dorée, on découvre un nez plaisant qui marie le citron vert, les fruits blancs et l'amande grillée. Après une attaque franche et tonique, la bouche s'exprime sur des tonalités minérales et fruitées, et offre une jolie finale acidulée laissant entrevoir deux années de garde. Le **rouge 2010 (11 à 15 €; 1 450 b.)**, provient pour sa part du domaine. Il est également cité pour son bouquet intense de fruits rouges et de sous-bois, et pour sa structure solide. Encore un peu dominé par le bois, il sera attendu deux ou trois ans.

SARL Vincent Prunier, rte de Beaune, 21190 Auxey-Duresses, tél. 03.80.21.27.77, fax 03.80.21.68.87, sarl.prunier.vincent@orange.fr r.-v.

SEGUIN-MANUEL Vieilles Vignes 2010

	1 500		30 à 50 €

Depuis 2004, Thibaud Marion préside aux destinées de cette maison fondée en 1824. Si celle-ci exporte 70 % de sa production, elle n'en est pas moins présente sur le marché français. Elle propose une nouvelle cuvée avec ce *village* jaune pâle aux reflets verts, au nez expressif de fruits jaunes et de fleurs blanches (aubépine, acacia). Sans être d'une grande longueur, ce chardonnay plaît par son équilibre entre rondeur et vivacité, et par son boisé fondu. À boire au cours des deux prochaines années.

Dom. Seguin-Manuel, 2, rue de l'Arquebuse, 21200 Beaune, tél. 03.80.21.50.42, fax 03.80.21.59.38, contact@seguin-manuel.com r.-v.

Marion

SORINE ET FILS Vieilles Vignes 2010

	2 100		11 à 15 €

Christian Sorine, installé en 1990 à la suite de son père, présente une cuvée née de vignes de cinquante ans, à la robe limpide, au nez frais de cassis, de framboise et de cerise noire, avec un léger boisé à l'arrière-plan. On retrouve ce fruité intense accompagné d'épices et de vanille dans une bouche de bonne consistance, soutenue par une trame vive et par des tanins bien marqués, qui appellent deux ou trois ans de cave, le temps de s'affiner.

Christian Sorine, 1, pl. de la Poste, 71150 Cheilly-lès-Maranges, tél. 03.85.87.18.07, christian.sorine@orange.fr r.-v.

Saint-aubin

Superficie : 162 ha
Production : 8 265 hl (75 % blanc)

Saint-Aubin est dans une position topographique voisine des Hautes-Côtes; mais une partie de la commune joint Chassagne au sud et Puligny et Blagny à l'est. Le 1er cru Les Murgers des Dents de Chien se trouve même à faible distance des Chevalier-Montrachet et des Caillerets. Le vignoble s'est un peu développé en rouge, mais c'est en blanc qu'il atteint le meilleur.

FRANÇOISE ET DENIS CLAIR
Les Murgers des Dents de chien 2010 ★

1er cru	6 000		15 à 20 €

Sur ce *climat* emblématique de la Bourgogne – on retrouve également ce nom dans différents lieux-dits à Nuits-Saint-Georges ou à Meursault –, les hommes, avant de planter la vigne, ont dû dépierrer les terrains et ont accumulé les pierres sur des tas appelés « murgers » ou « meurgers ». Ces petites pierres sèches étaient ensuite mises debout sur des murets afin de les caler. Cet ensemble pouvait faire penser à des dents de chien. Et les vins nés sur ce terroir d'offrir généralement un côté aiguisé et minéral caractéristique. Ce 2010 n'échappe pas à la règle : nez intense et frais, bouche serrée et équilibrée, portée par une trame minérale qui lui donne de l'allonge. À attendre deux ans avant de le servir sur un poisson au beurre blanc. Le **1er cru 2010 blanc Sur Gamay (2 500 b.)** est cité pour son nez distingué, floral et fruité, et pour son palais frais et aérien.

EARL Françoise et Denis Clair, 14, rue de la Chapelle, 21590 Santenay, tél. 03.80.20.61.96, fax 03.80.20.65.19, fdclair@orange.fr r.-v.

MARC COLIN ET FILS En Remilly 2010 ★

1er cru | 13 000 | 15 à 20 €

Les Colin frères et sœur (Caroline, Damien et Joseph) exploitent sept 1ers crus en saint-aubin, dont 2 ha de ce *climat* qui coiffe le hameau de Gamay. Ce 1er cru a engendré un blanc au nez fruité (agrumes, fruits blancs) mâtiné d'un boisé finement vanillé. Après une attaque acidulée, le palais se montre plus rond, presque moelleux, soutenu par le même boisé délicat perçu à l'olfaction. Un vin harmonieux, à découvrir dès aujourd'hui sur une salade de chèvre chaud.

Dom. Marc Colin et Fils, 1, rue de la Chatenière, 21190 Saint-Aubin, tél. 03.80.21.30.43, fax 03.80.21.90.04, marccolin@ymail.com r.-v.

JANOTSBOS En Créot 2009

1er cru | 1 880 | 11 à 15 €

Cette maison de négoce, conduite par le Bourguignon Thierry Janots et le Hollandais Richard Bos, s'est installée à Meursault en 2005 et exporte 80 % de sa production. Né sur un lieu-dit dont le nom signifie « hauteur pierreuse », – ce qui est bien le cas quand on voit l'inclinaison de la vigne –, ce 2009 offre un bouquet complexe d'agrumes et de beurre, agrémenté d'une touche de pain grillé apporté par 20 % de fût neuf ; des notes boisées que l'on retrouve dans un palais riche, rond et gras, tonifié par une finale plus vive. À boire dans deux ans sur une volaille.

JanotsBos, 2, pl. de l'Europe, 21190 Meursault, tél. 06.72.16.92.04, richard@janotsbos.eu r.-v.

HUBERT LAMY Les Frionnes 2010 ★

1er cru | 12 000 | 30 à 50 €

Ce 1er cru Les Frionnes est un vin emblématique du domaine Lamy, géré depuis une décennie par Olivier, fils d'Hubert. L'une de ses particularités est d'être élevé en tonneau de 350 l et en demi-muid (600 l) afin que le boisé n'apparaisse qu'en filigrane. De fait, aucune extravagance d'élevage dans ce 2010 pâle et limpide, qui dévoile au nez de fines fragrances d'acacia, de fleurs des haies et d'épices douces. Après une attaque souple, les fruits blancs imposent leur fraîcheur, relayés en finale par une touche réglissée et minérale. Patientez encore quatre ou cinq ans avant de servir cette bouteille sur un homard breton au court-bouillon.

Dom. Hubert Lamy, 20, rue des Lavières, 21190 Saint-Aubin, tél. 03.80.21.32.55, fax 03.80.21.38.32, domainehubertlamy@wanadoo.fr r.-v.

DOM. LAMY-PILLOT En Créot 2010 ★★

1er cru | n.c. | 15 à 20 €

Depuis 1997, les deux filles des Lamy et leurs maris travaillent de concert sur le domaine familial de Chassagne-Montrachet, qui couvre plus de 17 ha. La parcelle d'En Créot fut apportée dans la corbeille de mariage par madame Lamy mère. Elle a donné naissance à cette remarquable cuvée, d'un jaune soutenu, aux fragrances subtiles d'acacia et de miel. Après une attaque fraîche et tonique, le palais se montre rond et délicat, mêlant des notes d'écorces et d'agrumes à un boisé discret et élégant. Un vin digne de son appellation, déjà fort aimable mais que l'on pourra aussi laisser vieillir trois ou quatre ans en cave.

Dom. Lamy-Pillot, 31, rte de Santenay, 21190 Chassagne-Montrachet, tél. 03.80.21.30.52, fax 03.80.21.30.02, contact@lamypillot.fr r.-v.

♥ DOM. SYLVAIN LANGOUREAU Les Frionnes 2010 ★★

1er cru | 1 800 | 11 à 15 €

« Le bonheur humain est composé de tant de pièces qu'il en manque toujours », écrivait Bossuet. Six pièces de vin seulement suffiront pour l'heure à celui de Sylvain Langoureau et aux heureux œnophiles qui découvriront ce 1er cru de haut vol. Ce chardonnay livre, derrière une élégante robe doré éclatant, des parfums puissants de café torréfié et de noisette. En bouche, il se révèle dense, rond, très fin et d'une longueur remarquable. S'il est déjà prêt, il saura aussi se bonifier encore trois ou quatre ans. Le **1er cru 2010 blanc En Remilly (9 000 b.)** obtient une étoile pour ses fragrances riches de fruits jaunes et de toast, pour sa persistance et sa texture élégante. Le **1er cru 2010 blanc Bas de Vermarain à l'est (1 900 b.)**, souple et équilibré, est cité.

Dom. Sylvain Langoureau, 20, rue de la Fontenotte, 21190 Saint-Aubin, tél. et fax 03.80.21.39.99, domaine.sylvain.langoureau@cegetel.net r.-v.

DOM. LARUE Murgers des Dents de chien 2010

1er cru | 7 500 | 15 à 20 €

Didier, Bruno et Denis Larue sont à la tête de 17 ha de vignes plantées sur la Côte des Blancs de Bourgogne et répartis sur trois appellations, Chassagne, Puligny et Saint-Aubin, leur village. Cette cuvée représente près de 10 % de la surface totale de leur domaine mais aussi de ce *climat*. Ses arguments ? Un nez fin et fruité, un palais à l'unisson, tout en fruit, ouvert, équilibré et long. À boire dans les quatre ans à venir sur un brochet à la nage.

Dom. Larue, 32, rue de la Chatenière, 21190 Saint-Aubin, tél. 03.80.21.30.74, fax 03.80.21.91.36, dom.larue@wanadoo.fr r.-v.

JEAN LATOUR-LABILLE ET FILS Cuvée Thomas 2010

	1 500		11 à 15 €

Vincent Latour-Labille veille de son village de Meursault sur une douzaine d'hectares qui s'égrènent tout au long de la ceinture blanche de la Côte de Beaune. Dans un millésime qualifié de « délicat » par les producteurs bourguignons, il signe une cuvée au nez fin de fruits blancs et d'agrumes, discrètement vanillé, à la bouche ample, ronde et de bonne longueur, un rien plus vive en finale. À ouvrir dès l'automne sur une sole meunière.

Dom. Vincent Latour, 6, rue du 8-Mai, 21190 Meursault, tél. 03.80.21.22.49, fax 03.80.21.67.86, latourlabillefils@wanadoo.fr r.-v.

MAISON AYMERIC MAZILLY Les Castets 2010

1er cru	1 600		15 à 20 €

Ce jeune producteur, qui travaille avec ses parents sur leur exploitation des Hautes-Côtes de Beaune, a créé en 2003 sa maison de négoce afin de compléter leur gamme de vins de la Côte de Beaune. Deux de ses 1ers crus blancs se voient l'un comme l'autre cités. Celui-ci est un vin or pâle au nez plaisant de fruits mûrs, légèrement minéral, au palais souple, rond et généreux dévoilant une pointe réglissée en finale. Pour une poêlée de saint-jacques et mousseline de navet, conseille Aymeric Mazilly. Fin gourmet, il recommande de servir le confidentiel **1er cru 2010 blanc En Remilly (600 b.)**, un vin fin, minéral et floral (camomille, acacia), avec un millefeuille de saumon au pamplemousse.

Maison Aymeric Mazilly, 3, pl. de l'Europe, 21190 Meursault, tél. 03.80.26.02.00, fax 03.80.26.03.67, claudinemazilly@orange.fr r.-v.

DOM. DES MEIX Monopole Les Murgers des Dents de chien 2009 ★

1er cru	6 600		11 à 15 €

Christophe Guillo, qui possède maison et cuverie à Combertault, dans la plaine de Beaune, exploite en monopole la seule parcelle de pinot noir de ce *climat* calcaire célèbre pour ses vins de chardonnay. Celle-ci a été plantée par son grand-père, et il l'a agrandie pour la porter à 1,9 ha d'un seul tenant. Il signe un 2009 couleur cerise, au joli nez de fruits frais et d'épices (poivre), au palais fin et fruité (cerise, framboise, mûre sauvage), porté par une belle vivacité et des tanins fondus. Accord gourmand en perspective avec un canard aux cerises, d'ici trois ans.

Christophe Guillo, Dom. des Meix, rte de Bourguignon, 21200 Combertault, tél. et fax 03.80.26.67.05, guillo-c@wanadoo.fr r.-v.

DOM. PATRICK MIOLANE Les Champlots 2010

1er cru	430		11 à 15 €

Regardant l'ouest et les collines du Morvan, ce *climat* est situé sur un autre 1er cru plus large appelé En Montceau. Les Miolane, Patrick et sa fille Barbara, y cultivent une petite parcelle de 9 ares à l'origine de cette cuvée logiquement confidentielle, or pâle nuancé de reflets verts, florale et vanillée au nez, fraîche et souple au palais, plus généreuse en finale. À découvrir dans deux ou trois ans sur une volaille à la crème.

Patrick Miolane, 2, rue des Perrières, 21190 Saint-Aubin, tél. 03.80.21.31.94, domainepatrick.miolane@wanadoo.fr r.-v.

MOREY-BLANC 2009 ★★

1er cru	2 400		15 à 20 €

Pierre Morey célèbre en 2012 les vingt ans de sa maison de négoce. À l'époque, peu nombreux étaient les producteurs à se lancer dans l'aventure d'un négoce que l'on qualifiera plus tard de « haute couture », destiné à compléter l'offre du domaine. C'est comme négociant-éleveur qu'il propose cette cuvée qui fut finaliste du grand jury des coups de cœur. À la clarté de la robe répond un nez complexe et élégant de fruits secs, de fleurs blanches, de pêche, de coing et de pain grillé. La minéralité du palais convainc les dégustateurs, qui en apprécient la tension, la finesse et l'équilibre et la persistance. On attendra deux ou trois ans, et même plus, avant de servir ce 2009 sur un saumon à la plancha.

Morey-Blanc, 13, rue Pierre-Mouchoux, 21190 Meursault, tél. 03.80.21.21.03, fax 03.80.21.66.38, morey-blanc@wanadoo.fr r.-v.

MICHEL PICARD Le Charmois 2010

1er cru	10 300		15 à 20 €

L'un des trois châteaux de Chassagne-Montrachet, celui qui borde la nationale « montant » à Paris, abrite le siège de l'un des plus importants négoces de Bourgogne. Des fenêtres de celui-ci, on peut apercevoir cette parcelle à l'exposition solaire, au sommet de Chassagne, là où débute l'appellation saint-aubin. Drapé dans une robe or jaune, ce 2010 au nez discrètement floral, fruité et un rien miellé séduit par son équilibre, sa souplesse et sa persistance en bouche. À servir dès à présent sur des quenelles de volaille.

SCEV Ch. de Chassagne-Montrachet, 5, rue du Château, 21190 Chassagne-Montrachet, tél. 03.80.21.98.57, fabrice.lesne@m-p.fr t.l.j. 10h-18h

ROUX PÈRE ET FILS La Pucelle 2010 ★

	3 200		15 à 20 €

Cette maison incontournable, associant propriété et négoce, exploite une surface totale de 65 ha, ce qui, en Bourgogne, est loin d'être négligeable. Pas moins de quatre vins sont sélectionnés cette année. En tête, cette Pucelle drapée dans une élégante robe d'un jaune clair et limpide, au délicat bouquet frais et complexe d'agrumes et de fruits blancs mâtinés de notes de confiserie. Souple et légèrement acidulée en attaque, la bouche fait preuve de la même finesse, longuement soutenue par la fraîcheur des agrumes et par un boisé élégant. À boire ou à conserver trois ans. Le **1er cru 2010 blanc Les Murgers des Dents de chien (20 à 30 € ; 900 b.)** glane lui aussi une étoile grâce à un nez expressif de fleurs et de fruits blancs et à un palais plein et charnu. Sont cités le **1er cru blanc 2010 La Châtenière (20 à 30 € ; 3 600 b.)**, rond, vanillé et fruité (pamplemousse), et le **1er cru 2009 rouge Les Frionnes (1 200 b.)**, fruité à souhait (framboise et fraise mûres), aux tanins fins et aimables.

Roux Père et Fils, 42, rue des Lavières, 21190 Saint-Aubin, tél. 03.80.21.32.92, fax 03.80.21.35.00, roux.pere.et.fils@wanadoo.fr r.-v.

CH. DE SANTENAY En Vesvau 2010

	16 146		15 à 20 €

Ce château, qui fut la propriété de Philippe le Hardi, aujourd'hui dans le giron du groupe Crédit Agricole, illumine de ses tuiles vernissées typiques de la Bourgogne le ciel de Santenay. Né sur un *climat* en coteau incliné comme celui d'un 1er cru mais d'une exposition plutôt « froide », ce 2010 développe au nez d'élégantes senteurs florales, mentholées et fruitées (agrumes, fruits blancs), agrémentées de notes finement boisées. Fraîche en attaque, la bouche se fait ensuite plus ronde, presque moelleuse, tonifiée par une finale vive. Un vin à ouvrir dès cette année, sur des cuisses de grenouilles à la crème.

SAS Ch. de Santenay, 1, rue du Château, 21590 Santenay, tél. 03.80.20.61.87, fax 03.80.20.63.66, contact@chateau-de-santenay.com r.-v.

DOM. GÉRARD THOMAS ET FILLES Champ Tirant 2010 ★

6 900 | 8 à 11 €

Gérard Thomas a fondé le domaine, il y a vingt ans cette année. Ses deux filles Isabelle et Anne-Sophie sont aujourd'hui aux commandes. Né sur le *climat* de Champ Tirant, un terroir froid, ce 2010 doré limpide offre un nez ciselé par les épices et la noisette. C'est en bouche qu'il dévoile toute sa complexité, mariant longuement fleurs blanches, fruits acidulés et boisé vanillé et fondu. À déguster dès cette année sur des gambas grillées. Le **1er cru 2010 blanc Murgers des Dents de chien (15 à 20 € ; 12 600 b.)** est cité pour sa fraîcheur au nez comme en bouche.

Dom. Gérard Thomas, 6, rue des Perrières, 21190 Saint-Aubin, tél. 03.80.21.32.57, domaine.gerard.thomas@orange.fr r.-v.

Santenay

Superficie : 330 ha
Production : 14 040 hl (85 % rouge)

Dominé par la montagne des Trois-Croix, le village de Santenay est devenu, grâce à sa « fontaine salée » aux eaux les plus lithinées d'Europe, une ville d'eau réputée... C'est donc un village polyvalent, puisque son terroir produit également d'excellents vins. Les Gravières, la Comme, Beauregard en sont les crus les plus connus. Comme à Chassagne, le vignoble présente la particularité d'être souvent conduit en cordon de Royat, élément qualitatif non négligeable.

FRANÇOIS D'ALLAINES 2010 ★

1 800 | 11 à 15 €

Ce négociant, installé depuis 1990 à la frontière entre Saône-et-Loire et Côte-d'Or, a commencé en 2009 a acquérir des vignes pour constituer son propre domaine. C'est d'ailleurs de cette vigne en propre, plantée à 400 m d'altitude sur un *climat* peu revendiqué et qui jouxte le vignoble des Maranges, qu'est né le confidentiel **2009 blanc Les Bras (20 à 30 € ; 600 b.)**, cité pour son bouquet floral et pour son palais citronné et équilibré. À servir dans l'année sur un wok de crevettes. L'étoile va au santenay rouge, à son nez délicat et complexe de cannelle, de fleurs et de tabac blond, et à sa bouche ample, généreuse et charpentée par des tanins enrobés. À ouvrir vers 2016 sur un faisan rôti.

François d'Allaines, 2, imp. du Meix-du-Cray, 71150 Demigny, tél. 03.85.49.90.16, francois@dallaines.com r.-v.

JEAN-FRANÇOIS BACHELET 2009

6 500 | 15 à 20 €

Ce producteur originaire des Maranges exploite avec son épouse Geneviève 15 ha dans des appellations sudistes de la Côte de Beaune, de Maranges à Chassagne-Montrachet. Le couple travaille de concert avec ses deux fils, qui ont aussi leur propre domaine. Dans le riche millésime 2009, ce *village* se présente dans une robe violet intense, le nez empreint d'arômes de fruits sauvages. Le palais se révèle ample, tannique et long, avec une bonne acidité en soutien. À ouvrir dans trois ou quatre ans sur un tajine de bœuf.

Jean-François Bachelet, Grande-Rue, 71150 Dezize-lès-Maranges, tél. 03.85.91.18.50, fax 03.85.91.17.83, jean-francois.bachelet@wanadoo.fr r.-v.

DOM. JEAN-LOUIS BACHELET En Charron 2009 ★

1 800 | 11 à 15 €

L'aîné des trois frères Bachelet fête en 2012 ses trente années consacrées au vin. Si ses enfants sont revenus sur le domaine, c'est encore son prénom qui est apposé sur l'étiquette. En Charron est un *climat* d'altitude (350 m), un lieu autrefois réservé au passage des charrettes. Dans le verre, un vin rubis au bouquet intense de griotte, de mûre et de cassis relevé par une touche poivrée, gourmand, vineux et enrobé en bouche. À découvrir dans trois ans sur un bœuf bourguignon.

Jean-Louis Bachelet, pl. Saveron, 71150 Dezize-lès-Maranges, tél. 03.85.47.73.81, fax 03.85.49.57.62, jean-louis_bachelet@orange.fr r.-v.

DOM. BACHEY-LEGROS
Clos Rousseau Les Fourneaux Vieilles Vignes 2009 ★

1er cru | 1 500 | 20 à 30 €

Les 18 ha de ce domaine sont exploités par deux frères, Lénaïc et Samuel Bachey-Legros, qui ont pris en 2008 la suite de leur mère Christiane. Trois vins, côté domaine et non négoce, sont ici retenus. En tête, ce 1er cru grenat lumineux, né de vignes quasi centenaires, au nez généreux mêlant cassis et notes boisées, ample et richement fruité en bouche. À boire dans les trois ans à venir. Sont cités en *villages* le **2009 rouge Clos des Hâtes Vieilles Vignes (15 à 20 € ; 4 500 b.)**, bien structuré, et le **2010 blanc Sous la Roche (15 à 20 € ; 3 900 b.)**, frais, citronné et boisé.

Dom. Bachey-Legros, 12, rue de la Charrière, 21590 Santenay, tél. et fax 03.80.20.64.14, christiane.bachey-legros@wanadoo.fr r.-v.

ROGER BELLAND Beauregard 2010 ★

1er cru | 18 000 | 20 à 30 €

La cinquième et la sixième générations travaillent sur le domaine. Aux côtés de son père Roger depuis 2003, Julie Belland assure les vinifications, l'élevage et la commercialisation ; à la vigne prévaut une optique raisonnée, avec enherbement total et suppression des désherbants chimiques. Sur ce *climat*, dont ils possèdent 3,04 ha, les Belland ont vendangé des ceps âgés de quarante ans ; ils ont en partie égrappé la récolte (deux tiers), qui a longuement fermenté à basse température pendant quatre semaines. Après douze mois de fût, le vin présente une robe grenat soutenu, nez finement fruité (cassis) et généreux, sans boisé excessif. Le palais se révèle très aromatique, soyeux et rond, porté par de fins tanins. Un santenay harmonieux, à servir dans deux ans sur un magret de canard.

Roger Belland, 3, rue de la Chapelle, 21590 Santenay, tél. 03.80.20.60.95, belland.roger@wanadoo.fr r.-v.

DOM. BELLEVILLE Les Hâtes 2010 ★★

	1 520		15 à 20 €

Installé dans le Mâconnais (château de Messey) il y a vingt-cinq ans, Marc Dumont a racheté en 1992 le Manoir murisaltien (rebaptisé Demessey), puis les 28 ha du domaine Belleville en 2005, produisant des vins de la Côte chalonnaise, rully en tête, et de la Côte-d'Or. Ces deux étoiles mettent en lumière le *climat* communal des Hâtes, qui fait la liaison entre deux 1ers crus renommés. Derrière une robe rouge foncé, on découvre un nez intense et délicat qui mêle la pivoine, la myrtille et les épices. En bouche, le vin se montre à la fois souple et généreux, charpenté et fin, adossé à des tanins fondus. Un beau représentant de l'appellation, « un vin de terroir », selon un dégustateur ; à déguster dans trois ans sur un rôti de veau. Côté négoce, le **Demessey 2010 rouge (1 520 b.)**, aux arômes intenses de cassis et de vanille, encore sous l'emprise du merrain en bouche, est cité, de même que le confidentiel **Demessey 2010 blanc Sous la Roche (900 b.)**, délicatement floral et minéral.

Dom. Belleville, 5, rue des Bordes, 71150 Rully, tél. 03.85.91.06.00, fax 03.85.91.06.01, vin@demessey.com r.-v.

Marc Dumont

DOM. CAPUANO-FERRERI Gravières 2010

1er cru	n.c.		15 à 20 €

John Capuano a succédé en 2009 à son père Gino à la tête de ce domaine de 12 ha répartis sur plusieurs appellations. En santenay, deux vins sont retenus cette année : le **1er cru 2010 rouge La Comme**, tout en fruits, et ce Gravières rubis soutenu, au nez de cassis et de fruits rouges, au palais rond, fin et long, porté par une trame minérale rappelant le terroir caillouteux qui l'a vu naître. À boire dans les trois ans.

EARL Dom. Capuano-Ferreri, 14, rue Chauchien, 21590 Santenay, tél. 03.80.20.68.04, fax 03.80.20.65.75, john.capuano@wanadoo.fr r.-v.

MAXIME CHAMPAUD Beauregard 2010 ★★

1er cru	1 200		11 à 15 €

Ce jeune négociant, installé en 2008 dans son village natal des Hautes-Côtes, atteint la finale des coups de cœur dès son troisième millésime. S'il n'accède pas à la plus haute marche ce 1er cru est remarquable avec sa robe grenat nuancée de reflets violines, ses subtiles fragrances de fruits noirs (mûre), et ses tanins souples et fins venant en soutien d'une bouche ronde et avenante, à laquelle une finale minérale donne de l'allonge. Pour un civet de lièvre, dans trois ou quatre ans. Le **1er cru 2010 blanc Beaurepaire (15 à 20 € ; 1 800 b.)**, ample, floral et fruité, est cité.

Maxime Champaud, 2, ruelle Saint-Roch, 21190 Nantoux, tél. 06.17.97.07.33, fax 03.80.26.05.12, maximewines@hotmail.fr t.l.j. 9h-19h

DOM. CHAPELLE ET FILS Beaurepaire 2009

1er cru	5 320		15 à 20 €

Pour l'anecdote, cette vigne exploitée par Jean-François Chapelle est surnommée « Vigne de la chanteuse » : l'oncle du vigneron est le mari de la chanteuse Nana Mouskouri... Une vigne âgée de près de quarante ans certifiée en agriculture biologique depuis ce millésime 2009 et à l'origine de ce vin rubis, délicatement floral et fruité au nez, souple et fin en bouche, sans excès de tanins ni de boisé. À boire dans les trois ou quatre ans.

Dom. Chapelle, SCEA Philippe Chapelle et Fils, Le Haut-Village, 21590 Santenay, tél. 03.80.20.60.09, fax 03.80.20.61.01, contact@domainechapelle.com t.l.j. sf dim. 9h-12h 14h-17h

CH. DE LA CHARRIÈRE Passe-Temps 2010

1er cru	2 500		11 à 15 €

Au vu des coteaux longs et pentus de ce *climat*, on imagine aisément que les vignerons « passaient du temps » à travailler cette vigne, plus qu'une autre. Yves Girardin, vigneron expérimenté installé depuis 1975 sur ce domaine de 20 ha, en a tiré un vin pourpre brillant, au nez de cassis rehaussé par une touche épicée. Le palais rond et charnu évolue sur des tanins bien fondus. À boire dans deux ans – pourquoi pas sur un époisses affiné ?

Yves Girardin, 1, rte de Dezize-lès-Maranges, 21590 Santenay, tél. 03.80.20.64.36, fax 03.80.20.66.32, yves.girardin-domaine@orange.fr r.-v.

DOM. CHEVROT Clos Rousseau 2009

1er cru	7 000		15 à 20 €

Le millésime 2009 marque une évolution dans le travail des frères Chevrot (Vincent et Pablo). Ils ont supprimé les pompes à vendanges et remplissent leurs cuves uniquement par gravité après un égrappage en douceur. Le résultat ? Un vin pourpre intense aux parfums de fruits rouges agrémentés d'un boisé élégant. En bouche, il se révèle souple et équilibré grâce à des tanins fins et soyeux. On le verrait bien à l'automne 2013, ou un peu plus tard, avec une matelote d'anguilles au vin rouge.

Dom. Chevrot et Fils, 19, rte de Couches, 71150 Cheilly-lès-Maranges, tél. 03.85.91.10.55, fax 03.85.91.13.24, contact@chevrot.fr r.-v. 2

DOM. DE LA CHOUPETTE Comme Dessus 2010 ★

	1 100		11 à 15 €

Cela fait vingt ans cette année que les jumeaux Gutrin ont créé leur domaine : 14 ha balayant les appellations santenay, chassagne et puligny. Ce *climat*, comme son nom l'indique, est situé au-dessus des 1ers crus La Comme et Beauregard. Il a donné un vin rouge intense, au nez de griotte et de fruits noirs, porté par une agréable vivacité et un boisé élégant en bouche. À garder deux ans en cave.

EARL Dom. de la Choupette, 2, pl. de la Mairie, 21590 Santenay, tél. 06.81.46.71.13, fax 03.80.20.65.70, gutrinfils@orange.fr r.-v.

Ph. et J.-C. Gutrin

FRANÇOISE ET DENIS CLAIR Clos Genêt 2010 ★

	4 000		11 à 15 €

Les Clair possèdent 1,2 ha de ce clos de 8,23 ha ; leur fils Jean-Baptiste, chargé de l'exploitation depuis 2011, n'a qu'à descendre de la maison pour aller le vendanger. Il récolte ici une belle étoile pour le millésime 2010, un vin grenat intense, fruité au nez comme en bouche, aux tanins fondus. Bref, un santenay cohérent et harmonieux, à servir sur un pont-l'évêque dans deux ans. Cité, le **1er cru 2010 rouge Clos de Tavannes (15 à 20 €; 3 000 b.)**, plus tannique, est à attendre au moins trois ans.

EARL Françoise et Denis Clair, 14, rue de la Chapelle, 21590 Santenay, tél. 03.80.20.61.96, fax 03.80.20.65.19, fdclair@orange.fr r.-v.

BRUNO COLIN Les Gravières 2009

1er cru | 2 600 | 15 à 20 €

Producteur bien connu des lecteurs du Guide, le natif de Chassagne Bruno Colin vendange aussi dans la commune voisine Santenay. Il signe ici un 1er cru grenat intense aux reflets carmin, au nez flatteur de fruits rouges légèrement confits, agrémenté d'une touche boisée. Si les tanins sont encore jeunes, ils apportent de la profondeur à un palais fruité et boisé qui fait écho à l'olfaction. Une bouteille qui montre bien les qualités de garde du 2009 et qui sera bien en place dans quatre ans.

Dom. Bruno Colin, 3, imp. des Crêts, 21190 Chassagne-Montrachet, tél. 03.80.24.75.61, fax 03.80.21.93.79, contact@domainebrunocolin.com r.-v.

CH. DE LA CRÉE Beaurepaire 2010

1er cru | 3 000 | 15 à 20 €

Nicolas Ryhiner, épaulé par Aline Beauné à la cave et par Nicolas Perrault à la vigne, a repris ce domaine en 2004 et fait passer la superficie du vignoble de 3,5 ha à 10 ha, tout en bannissant les intrants chimiques. Il propose deux 1ers crus de belle facture : ce Beaurepaire, né sur un *climat* d'altitude qui sied bien au chardonnay, intensément bouqueté sur les fleurs blanches, frais et persistant en bouche, et le **1er cru 2009 rouge Gravières (20 à 30 €; 3 790 b.)**, au nez puissant de fruits rouges et au palais généreux.

SARL Ch. de la Crée, 11, rue Gaudin, 21590 Santenay, tél. 03.80.20.63.36, fax 03.80.20.65.27, la.cree@orange.fr t.l.j. 9h-12h 14h-17h30

M. Ryhiner

DOM. CYROT-BUTHIAU Clos Rousseau 2010 ★

1er cru | 2 000 | 15 à 20 €

Ce domaine installé à Pommard rayonne jusqu'au sud de la Côte de Beaune : outre cette parcelle de santenay de 45 ares, il travaille aussi des vignes en maranges. De ces terres marneuses oolithiques avec des rognons de calcaire, Olivier Cyrot a tiré un vin rubis aux reflets bleutés, au bouquet intensément fruité. Le palais charpenté par des tanins solides est tout aussi aromatique, le vanillé soutenu du fût accompagnant les fruits rouges. À attendre trois ans.

Dom. Cyrot-Buthiau, 2, ruelle Richebourg, 21630 Pommard, tél. 03.80.22.06.56, fax 03.80.24.00.86, olivier@cyrot.fr r.-v.

DOM. DEMANGEOT 2010 ★★

2 064 | 15 à 20 €

Pour l'anecdote, le père de Jean-Luc Demangeot, Gabriel, fut baptisé en 1926 par le célèbre chanoine Kir, alors curé de Nolay... Mais pas de sacrilège, on se gardera de mêler ce superbe santenay blanc à la liqueur de cassis ! C'est évidemment pur, accompagné par exemple d'un onctueux risotto aux champignons ou d'un poisson crémé, que l'on dégustera ce 2010 né de jeunes ceps âgés de quinze printemps. Le nez mêle en toute harmonie fragrances florales, citronnées, minérales et boisées. Souple et tonique dès l'attaque, le palais poursuit sans mollesse mais avec force intensité, tenu jusqu'à la longue finale par une superbe fraîcheur et par un boisé ciselé. « On a du vin ! », conclut un juré enthousiaste.

Dom. Demangeot, 6, rue de Santenay, 21340 Change, tél. 03.85.91.11.10, fax 03.85.91.16.83, contact@demangeot.fr r.-v.

DOM. GUY ET YVAN DUFOULEUR Clos Genêts 2009

8 000 | 15 à 20 €

Née en 2007 de la fusion des domaines Guy Dufouleur et Yvan Dufouleur, cette propriété de 25 ha est conduite par Yvan, fils de Guy, même si les aînés sont toujours là pour donner un coup de main. Ce 2009 se distingue par son bouquet intense de cassis mûr et par son palais rond, gras et équilibré, qui finit sur une jolie note poivrée. À boire dans les trois ans à venir.

SCEA Dom. Guy et Yvan Dufouleur, 17, rue Thurot, BP 80138, 21700 Nuits-Saint-Georges, tél. 06.13.27.15.59, fax 03.80.62.31.00, gaelle.dufouleur@21700-nuits.com r.-v.

EN BELLES LIES Folles Lies 2009

1 880 | 11 à 15 €

À cinquante-deux ans, Pierre Fenals est reparti se former sur les bancs de l'école pour enfin faire ce dont il rêvait : du vin. S'appuyant sur des vignes en propre et sur des achats de raisins, il conduit son exploitation (fondée en 2009) en agriculture biodynamique. Née sur le coteau ensoleillé de Saint-Jean-de-Narosse, dans le hameau de Santenay-le-Haut, cette cuvée limpide se parfume de notes de coing frais et de fruits jaunes. Après une attaque vive et saline, le palais dévoile un joli gras équilibré par une finale citronnée. Un ensemble bien construit, à découvrir dans les deux ans sur un couscous de poisson.

NOUVEAU PRODUCTEUR

Maison En Belles Lies, 38, rue des Lavières, 21190 Saint-Aubin, tél. 06.72.13.53.63, fax 03.80.21.93.10, enbelleslies.vinsdebourgogne@gmail.com r.-v.

Pierre Fenals

DOM. JÉRÔME FORNEROT Sous la Roche 2009 ★★

1 500 | 8 à 11 €

Avec plus de 18 ha, ce *climat* calé au sommet de la colline et au-dessus de deux 1ers crus est le troisième lieu-dit de l'appellation par sa superficie. Jérôme Fornerot en exploite 1,38 ha planté de vignes de plus de cinquante ans, à l'origine de ce vin admis à la finale des coups de cœur. Un parfum accueillant de fraise et de framboise agrémenté de vanille est le prélude à un palais tout aussi fruité, charnu – « pulpeux », selon un dégustateur –, soutenu par des tanins fins. Un santenay gourmand et bien construit, qui s'invitera à table dès à présent comme dans deux ou trois ans, avec une belle côte de bœuf.

Dom. Jérôme Fornerot, 8, rue des Lavières, 21190 Saint-Aubin, tél. 06.81.32.64.32, fax 03.80.21.63.40, jeromefornerot@aol.com t.l.j. 9h-12h 14h-18h

MAURICE GAVIGNET Les Charmes 2010 ★

1 248 | 8 à 11 €

Pour ce domaine historique de Nuits-Saint-Georges, la Côte viticole est grande, d'où l'acquisition de parcelles

à Savigny, Pommard, Santenay et Beaune. Issu de vignes âgées de quarante ans, ce 2010 rouge intense dévoile un bouquet puissant et complexe de cerise noire, de vanille (dix-huit mois de fût), d'épices et de sous-bois. Le palais se montre charnu, consistant et persistant, soutenu par des tanins élégants qui assureront à cette bouteille une bonne tenue dans le temps (de deux à quatre ans).
Maurice Gavignet, 71-73, rue Félix-Tisserand, 21700 Nuits-Saint-Georges, tél. 03.80.61.03.87, fax 03.80.62.14.69, contact@maurice-gavignet.com
t.l.j. sf dim. 9h-12h 14h-18h

DOM. VINCENT GIRARDIN La Maladière 2009 ★★

1er cru	4 500		20 à 30 €

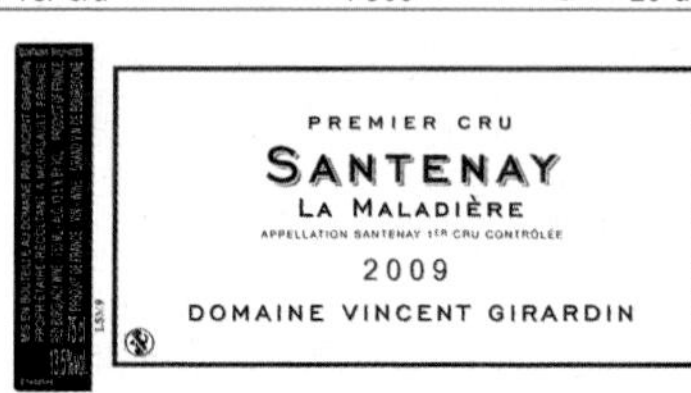

Propriétaire-négociant installé à Meursault, Vincent Girardin a fait ses premiers pas avec son père sur le domaine familial de Santenay. Voici un superbe hommage à ses origines santenoises que ce 1er cru né de 88 ares de vignes âgées d'un demi-siècle. Un rouge intense illumine le verre. Au nez, un boisé discret et subtil, tendance café, accompagne les fruits noirs et rouges. Souple en attaque, le palais tient la note et dévoile beaucoup de matière, soutenu par des tanins fins et par une trame acide d'une belle finesse qui apporte équilibre et tonicité. Un ensemble harmonieux et prometteur, à attendre trois ans pour une maturité idéale. Le **1er cru 2009 blanc Le Beauregard (4 100 b.)**, onctueux, gras et aromatique (fougère, mousse des bois, fruits jaunes mûrs), obtient une étoile.
Vincent Girardin, ZA Les Champs-Lins, 21190 Meursault, tél. 03.80.20.81.00, fax 03.80.20.81.10, vincent.girardin@vincentgirardin.com
par correspondance

ANDRÉ GOICHOT La Maladière 2010

1er cru	5 400		15 à 20 €

Situé au-dessus du centre thermal, ce *climat* exposé au sud tire son nom de « maladrerie ». Le pinot y trouve un beau terrain d'expression et donne ici un vin rubis, aux arômes gourmands de fruits rouges confits, aux tanins jeunes et fermes et affichant la vivacité caractéristique du millésime. Un ensemble équilibré, à découvrir dans trois ans.
Maison André Goichot, av. Charles-de-Gaulle, 21200 Beaune, tél. et fax 03.80.25.91.30, agoichot@goichotsa.com
t.l.j. sf dim. 9h-12h 14h-19h (sam. 18h)

DOM. JESSIAUME Gravières 2009 ★★

1er cru	4 500		20 à 30 €

Selon Goethe, « L'art et le vin servent au rapprochement des peuples » ; le vin a aussi rapproché de la Bourgogne l'Écossais Sir David Murray qui a acquis cette propriété en 2006. En homme averti, ce dernier a laissé les frères Marc et Pascal Jessiaume aux commandes des vinifications. Et le domaine de décrocher les étoiles avec

assiduité, quelques coups de cœur aussi : voici le second en trois millésimes pour ce 1er cru. D'un jaune d'or limpide et brillant, ce 2009 dévoile des parfums subtils d'amande, de noisette et de tilleul. Alors qu'une attaque riche évoque la maturité du raisin, un dégustateur devine (à l'aveugle) le terroir pierreux des Gravières, un autre parle de la minéralité du sol et de la persistance qu'elle procure. Tous conviennent de l'équilibre remarquable de ce vin déjà prêt à passer à table, sur un saumon gravelax par exemple. Mais ce 1er cru pourra aussi vieillir trois ou quatre ans pour offrir de nouvelles sensations gustatives. Le pinot noir trouve aussi une belle expression sur ce *climat* ; témoin le **1er cru 2009 rouge Gravières (12 500 b.)**, noté lui aussi deux étoiles et finaliste des coups de cœur : un vin au nez envoûtant de fruits compotés et d'épices, riche et fondu en bouche, au boisé élégant. À découvrir dans trois ou quatre ans sur une poularde demi-deuil. Le ***village* 2009 rouge Clos du Clos Genêt (15 à 20 € ; 2 700 b.)** est un monopole de 53 ares situé au sein du... Clos Genêt. Il obtient une étoile pour sa structure vineuse et pour ses tanins fondus en harmonie avec un joli boisé vanillé. À ouvrir au prochain hiver ou dans deux ans sur un petit salé aux lentilles.
Dom. Jessiaume, 10, rue de la Gare, 21590 Santenay, tél. 03.80.20.60.03, fax 03.80.20.62.87, contact@domaine-jessiaume.com r.-v.
David Murray

DOM. GABRIEL ET PAUL JOUARD
Les Champs-Claudes 2009 ★

	3 600		8 à 11 €

Des ceps de pinot noir âgés de cinquante ans plantés sur les sols argilo-calcaires des Champs-Claudes apportent à Paul Jouard (qui fête cette année ses vingt ans au domaine familial) tout ce qu'il faut pour faire de ce *village* un vin très réussi. Drapé dans une robe rubis limpide, ce 2009 livre un bouquet flatteur et généreux, fruité et toasté. Ses arguments en bouche ? Du volume, du gras, de la rondeur et une juste acidité pour l'équilibre. À découvrir dans les cinq ans à venir sur un rôti de veau Orloff.
Dom. Gabriel et Paul Jouard, 3, rue du Petit-Puits, 21190 Chassagne-Montrachet, tél. et fax 03.80.21.30.30, paul.jouard@orange.fr r.-v.

CH. DE LA MALTROYE La Comme 2009

1er cru	2 360		15 à 20 €

De son château aux tuiles vernissées, Jean-Pierre Cournut devine ce *climat* limitrophe de Chassagne dont il exploite quelques arpents (34 ares), en rouge comme en blanc. Si le chardonnay, dans sa version 2008, avait obtenu une étoile dans l'édition précédente, c'est le rouge qui se distingue cette année. Les quatorze mois de barrique lui confèrent un nez aux accents toastés qui dominent encore

un peu le fruit. On retrouve le boisé à nuances vanillées dans un palais d'un bon volume et d'un style plutôt léger. Lui laisser deux ans pour s'harmoniser totalement.
Ch. de la Maltroye, 16, rue de la Murée,
21190 Chassagne-Montrachet, tél. 03.80.21.32.45,
fax 03.80.21.34.54, chateau.maltroye@wanadoo.fr r.-v.
Jean-Pierre Cournut

PROSPER MAUFOUX Les Gravières 2010

1er cru	4 500		15 à 20 €

Cette maison fondée au XIX[e]s. est l'unique maison de la commune reposant exclusivement sur le négoce. Elle propose un 2010 pourpre aux reflets violacés, qui dévoile un nez discret de fruits rouges. Dans le prolongement de l'olfaction, la bouche se montre charnue, portée par des tanins encore austères en finale, que l'on laissera s'arrondir encore trois ans.
Prosper Maufoux,
Maison des Grands Crus, 1, pl. du Jet-d'Eau, 21590 Santenay,
tél. 03.80.20.60.40, fax 03.80.20.63.26,
contact@prosper-maufoux.com
t.l.j. 10h-13h 14h-18h30; d'oct. à fin mars sur r.-v.
Maison des Grands Crus

DAVID MOREAU Cuvée S 2009 ★

	3 600		15 à 20 €

Troisième millésime en solo pour David Moreau, qui a repris en août 2009 les 5 ha de ses grands-parents paternels. Une belle étoile veille sur cette cuvée issue de la première vigne du grand-père, née il y a quarante ans. Rouge franc et limpide, ce 2009 livre un bouquet élégant d'épices douces et de rose, tandis qu'un fruité caressant et des tanins soyeux composent un palais délicat et séducteur. À découvrir dès cet hiver avec un tajine d'agneau. Le **1er cru 2010 blanc Beaurepaire (20 à 30 €; 2 000 b.)**, ample et équilibré par une bonne acidité, est cité. Également vinifié par David Moreau, le **Dom. de la Bussière 1er cru 2009 rouge Beauregard (1 800 b.)** obtient lui aussi une citation pour ses parfums fruités et son palais soyeux.
David Moreau, 4, rue de la Buissière, 21590 Santenay,
tél. 06.85.96.30.28, contact@bourgogne-david-moreau.com
r.-v.

LUCIEN MUZARD ET FILS Clos des Mouches 2010 ★★

1er cru	3 000		15 à 20 €

« Il y a des moments où tout réussit, il ne faut pas s'en effrayer, ça passe », écrivait avec philosophie Jules Renard. Souhaitons aux frères Claude et Hervé Muzard que la réussite dure le plus longtemps possible. Une réussite pour le moins éclatante dans le millésime 2010, que ce soit par le biais de leur activité de négoce ou sous l'étiquette de leur domaine : quatre vins sélectionnés, un coup de cœur et une pluie d'étoiles ! Côté négoce, ce 1er cru Clos des Mouches, paré d'une robe grenat sombre, dévoile un bouquet complexe et puissant de fruits confiturés, mâtiné d'un élégant boisé vanillé. Plein, riche, intense, le palais est à l'unisson, arrimé à des tanins élégants et fondus. Un vin à garder trois à six ans en cave pour l'apprécier pleinement. Le **1er cru 2010 rouge Clos de Tavannes (1 950 b.)**, charnu, concentré sur les fruits, bien structuré, et le ***village* 2010 rouge Vieilles Vignes (20 000 b.)**, ample, soyeux, fruité, vanillé et réglissé, obtiennent chacun une étoile. Côté propriété, le **1er cru 2010 rouge Maladière (14 000 b.)**, *climat* le plus représentatif du domaine (5 ha), décroche deux étoiles pour son nez profond de fruits mûrs, de pruneau et de réglisse, et pour son palais gras et puissant, tendu par une belle fraîcheur finale.
SARL Lucien Muzard et Fils, 1, rue de la Chapelle,
21590 Santenay, tél. 03.80.20.61.85, fax 03.80.20.66.02,
lucienmuzard@orange.fr r.-v.

BOURGOGNE

DOM. PONSARD-CHEVALIER Les Charmes 2010 ★

	6 000		11 à 15 €

Ce *climat* partage avec celui de Meursault portant le mêm nom la particularité d'être réparti entre Charmes du Dessous et du Dessus. Version santenoise 2010 et Ponsard-Chevalier, il offre ici un vin au nez généreux de fruits à l'alcool et de caramel, au palais gras et « viril », solidement arrimé à des tanins fermes. « Un vrai santenay qui terroite », résume un dégustateur. Ce rouge sera à son zénith vers 2018, sur un civet de lièvre. La cuvée **Les Daumelles 2010 blanc (2 000 b.)** séduit par ses parfums (agrumes, fleurs blanches et pointe minérale) et par son palais long et équilibré par une jolie trame acidulée. À boire dans les deux ans sur un vol-au-vent de poisson.
Dom. Ponsard-Chevalier, 2, Les Tilles, 21590 Santenay,
tél. 03.80.20.60.87, fax 03.80.20.61.10,
michelponsard@aol.com r.-v.

DOM. PRIEUR-BRUNET
Clos Faubard Hommage à Guy Prieur 2009 ★

1er cru	n.c.		20 à 30 €

Ce domaine ancien (1804) de 18 ha, installé dans Santenay-le-Haut, est conduit par la septième et la huitième générations. Idéalement situé sur les hauteurs avec une exposition solaire parfaite, le Clos Faubard a vu naître un 1er cru à la robe éclatante, subtilement parfumé de notes de fleurs blanches et de noisette grillée. Le palais séduit par son équilibre entre fraîcheur minérale et rondeur, et par sa finale saline. À savourer dès cette année avec un risotto aux champignons. Une étoile également pour le **1er cru 2009 rouge Maladière (15 à 20 €)**, solidement charpenté par des tanins fermes et encore dominé par le bois. On le laissera s'assouplir trois ou quatre ans en cave.
Dom. Prieur-Brunet, rue de Narosse, 21590 Santenay,
tél. 03.80.20.60.56, fax 03.80.20.64.31,
uny-prieur@prieur-santenay.com r.-v.
Dominique Prieur

BERNARD REGNAUDOT 2010

	2 000		8 à 11 €

Que ce soit dans l'appellation santenay ou dans celle voisine de maranges, ce domaine est un habitué du Guide. Il propose ici un 2010 couleur grenat, au nez discret de petits fruits rouges, accompagné d'une pointe de zeste d'orange, souple, frais et agréable en bouche. À marier d'ici 2014 avec une poule au pot.

Bernard Regnaudot, rte de Nolay, 71150 Dezize-lès-Maranges, tél. 03.85.91.14.90, bernard.regnaudot@orange.fr r.-v.

JEAN-CLAUDE REGNAUDOT ET FILS Clos Rousseau 2010 ★

■ 1er cru	600	11 à 15 €

Les Regnaudot père et fils, fidèles représentants des appellations maranges (coup de cœur l'an dernier pour leur 1er cru Clos des Loyères 2009) et santenay, signent ici un 2010 confidentiel, de couleur rubis foncé, au nez croquant de cerise noire et de framboise, au palais long, franc et vif – « turbulent », selon un dégustateur –, porté par des tanins fins et un boisé respectueux du fruit. À boire ou à attendre deux ans, c'est selon, mais marié à un lapin à la crapaudine, il fera à coup sûr des heureux.

Jean-Claude Regnaudot et Fils, Grande-Rue, 71150 Dezize-lès-Maranges, tél. 03.85.91.15.95, fax 03.85.91.16.45, regnaudot.jc-et-fils@orange.fr r.-v.

DOM. DES ROUGES-QUEUES 2010

■	1 200	11 à 15 €

Isabelle et Jean-Luc Vantey ont commencé l'aventure en 1998, avec juste 1 ha en maranges ; aujourd'hui, ils exploitent en biodynamie 4,85 ha, dont 36 ares de santenay depuis 2006. Ils proposent ici une cuvée rouge carmin, très fruitée, au nez comme en bouche, adossée à de beaux tanins fondus et d'une bonne persistance. Bel accord gourmand en perspective, dans deux ou trois ans, sur un wok de canard aux pousses de bambou.

Dom. des Rouges-Queues, 10, rue Saint-Antoine, 71150 Sampigny-lès-Maranges, tél. et fax 03.85.91.18.69, rougesqueues@gmail.com r.-v.

DOM. SAINT-ABEL Les Prarons 2010

■	9 000	11 à 15 €

Longeant la Dheune, une rivière tranquille en contrebas de la colline du village de Santenay, le lieu-dit des Prarons tire son nom de « prés longs » ; prés qui, comme le *climat* Les Charmes, ont été plantés de vignes. Ce domaine y exploite 1,96 ha de pinot noir, à l'origine de cette cuvée rouge mat, dominée par les senteurs de moka de l'élevage, consistante en bouche, portée par des tanins veloutés et par une jolie finale saline. À attendre deux ans.

Dom. Saint-Abel, 4, rue du Ban, 21190 Saint-Aubin, tél. 03.80.21.32.92, fax 03.80.21.35.00, saint-abel@wanadoo.fr r.-v.

Christian Roux

DOM. VINCENT SAUVESTRE 2010 ★

■	19 000	11 à 15 €

Vincent Sauvestre propose sous son nom une large gamme de vins de Bourgogne, complétée par ceux de sa maison Jean-Baptiste Béjot qui allonge ses bâtiments en face de Meursault et de la colline de Volnay. Il obtient une étoile avec ce *village* rouge sombre, partagé au nez entre fruits rouges et cassis, ample et souple en bouche, soutenu par des tanins frais qui montent en puissance jusqu'à la longue finale. À servir avec des brochettes de bœuf dans deux ou trois ans. Le **Jean-Baptiste Béjot 2010 blanc (8 à 11 €; 35 000 b.)** est cité pour ses senteurs de chèvrefeuille, de beurre frais et de bois, et pour sa texture riche et onctueuse relevée par une finale acidulée.

Dom. Vincent Sauvestre, 7, rte de Monthélie, 21190 Meursault, tél. 03.80.21.22.45, fax 03.80.21.28.05, severine.maitre@bejot.com

SORINE ET FILS Beaurepaire 2010 ★

■ 1er cru	3 000	11 à 15 €

Originaire de Santenay, Christian Sorine est parti en 2009 s'installer dans une belle propriété au centre de Cheilly-lès-Maranges, qu'il a rénovée et dans laquelle il a aménagé un caveau de vente. Une étoile est attribuée à ce 1er cru des hauteurs, l'un des douze que comporte Santenay. Derrière une brillante robe cerise, on découvre un nez élégant de framboise et de sureau. On retrouve ce caractère fruité et frais dans une bouche équilibrée et persistante, offrant une belle mâche et des tanins prometteurs. À découvrir aux alentours de 2016 sur une pintade. Le ***village* 2010 blanc En Charron (8 à 11 €; 3 300 b.)**, souple et frais, est cité.

Christian Sorine, 1, pl. de la Poste, 71150 Cheilly-lès-Maranges, tél. 03.85.87.18.07, christian.sorine@orange.fr r.-v.

JEAN-MARC VINCENT Le Beaurepaire 2010 ★★

■ 1er cru	2 100	15 à 20 €

De leur village de Santenay jusqu'à Auxey-Duresses, les époux Vincent exploitent 6,5 ha de vignes en cours de conversion à l'agriculture biologique. Depuis leur installation en 1997, ils ont obtenu trois coups de cœur (dernier en date, le Beaurepaire 2008) ; ils frôlent le quatrième avec ce 2010 remarquable. Né sur le plus haut des 1ers crus du village, ce santenay rouge se pare d'une élégante robe grenat aussi intense que son bouquet de fruits frais (cassis, mûre). Souple et soyeux en attaque, bâti sur des tanins fondus, il offre beaucoup de volume en bouche, de la persistance et un bel équilibre entre boisé et fruité. Débouchez ce millésime après trois années de cave, il n'en sera que meilleur, et servez-le sur un gibier par exemple. Le **1er cru 2010 rouge Les Gravières (4 000 b.)**, charnu, épicé et soutenu par une belle minéralité, obtient une étoile. À partager vers 2015 sur un quasi de bœuf braisé au thym.

Anne-Marie et Jean-Marc Vincent, 3, rue Sainte-Agathe, 21590 Santenay, tél. et fax 03.80.20.67.37, vincent.j-m@wanadoo.fr r.-v.

Maranges

Superficie : 170 ha
Production : 7 450 hl (95 % rouge)

Situé en Saône-et-Loire, à l'extrémité sud de la Côte de Beaune, le vignoble des Maranges regroupe les trois communes de Chailly, Dezize et Sampigny-lès-Maranges qui avaient leur propre appellation jusqu'en 1989. Il comporte six 1ers crus. Les vins rouges ont droit également à l'AOC côte-de-beaune-villages. Fruités, corpulents et charpentés, ils peuvent vieillir de cinq à dix ans.

DOM. ALEXANDRE 2010

	1 500	8 à 11 €

Ce domaine exploitant 12 ha de vignes réunit caves et exploitation au centre du village de Remigny, dans la plaine qui fait face aux collines de Santenay. Sa cuvée de chardonnay, vêtue d'or pâle limpide, livre un bouquet intense d'ananas. Légère en bouche, elle développe un peu de gras et une rondeur plaisante que saura mettre en valeur un poisson de rivière à l'arrivée de l'automne.

Dom. Alexandre Père et Fils, 1, pl. de la Mairie, 71150 Remigny, tél. 03.85.87.22.61, fax 03.85.87.29.63, domalexandre@orange.fr r.-v.

JEAN-FRANÇOIS BACHELET La Fussière 2009

1er cru 12 000 11 à 15 €

Après avoir été conduit en Gaec pendant près de trente ans, le domaine familial a désormais pris le nom de son exploitant, Jean-François Bachelet, dont les deux fils se sont installés chacun de son côté tout en partageant matériel et cuverie. Ce Fussière livre des parfums de fruits noirs mêlés au grillé du fût. Après une attaque souple s'affirment des tanins un peu rustiques qui caractérisent souvent les rouges de Maranges. Un minimum de trois ans de garde est conseillé.

Jean-François Bachelet, Grande-Rue, 71150 Dezize-lès-Maranges, tél. 03.85.91.18.50, fax 03.85.91.17.83, jean-francois.bachelet@wanadoo.fr r.-v.

DOM. JEAN-LOUIS BACHELET 2009 *

3 000 8 à 11 €

« Le pied de la mer », voilà la définition étymologique de l'appellation maranges. Du haut de la montagne des Trois Croix, près du domaine, on imagine bien la mer qui venait lécher de ses vagues ce qui était autrefois une côte. D'un rouge profond, ce 2009 ne se livre vraiment qu'après aération pour dévoiler des arômes complexes de fruits noirs et de cacao (une année passée en fût). Ses tanins marqués, qui demandent à s'assouplir, n'empêchent pas l'expression de sa matière ample et gourmande. À garder trois ans en cave.

Jean-Louis Bachelet, pl. Saveron, 71150 Dezize-lès-Maranges, tél. 03.85.47.73.81, fax 03.85.49.57.62, jean-louis_bachelet@orange.fr r.-v.

VINCENT BACHELET La Fussière 2010 *

1er cru 2 400 11 à 15 €

Depuis son installation à Chassagne il y a trois ans, Vincent Bachelet accroche à chaque édition une étoile à son 1er cru La Fussière. Cependant, il ne s'agit pas cette fois du pinot mais d'une cuvée de chardonnay issue de ceps de vingt ans. Elle développe un bouquet agréable de fruits blancs et d'amande sous une robe jaune clair limpide. La souplesse de l'attaque est relayée par une sensation veloutée, accompagnée d'une fraîcheur persistante. À servir avec une truite aux amandes.

Vincent Bachelet, 27, rte de Santenay, 21190 Chassagne-Montrachet, tél. 03.80.21.37.27, fax 03.85.91.16.93, bacheletvincent1@wanadoo.fr r.-v.

DANIEL BILLARD Les Clos des Loyères 2009

1er cru 2 180 8 à 11 €

Ce *climat* de 12 ha situé sur la partie haute du village de Sampigny expose ses raisins au soleil de l'après-midi. Son producteur habite au-dessus, à Dezize, le fameux « village sur la colline » où a été tourné un feuilleton dans les années 1980. Nos jurés ont apprécié ce 2009 qui séduit par ses effluves de fruits rouges et noirs, à l'abri derrière une robe cerise. La bouche plaît par son fruité franc, son volume, son équilibre et ses tanins souples. Apogée prévu vers fin 2014.

Daniel Billard, rue de Borgy, 71150 Dezize-lès-Maranges, tél. 03.85.91.15.60, cd.billard@orange.fr r.-v.

MARC BOUTHENET 2009

5 000 8 à 11 €

Le millésime 2009 est celui qui marque l'arrivée au domaine d'Antoine, le fils de Marc. Le jeune homme a planté des vignes et, signe du progrès des vignes blanches dans le vignoble bourguignon, il proposera bientôt une cuvée de maranges blanc. En attendant, c'est un pinot noir qui est retenu, grâce notamment à des senteurs gourmandes de fruits rouges. Ses tanins enrobés et sa matière fruitée appellent à servir ce vin dans les trois ans.

Dom. Marc Bouthenet, 11, rue Saint-Louis, Mercey, 71150 Cheilly-lès-Maranges, tél. 03.85.91.16.51, fax 03.85.91.13.52, earlmarcbouthenet@orange.fr r.-v.

DOM. MAURICE CHARLEUX ET FILS La Fussière 2010 *

1er cru 7 100 11 à 15 €

La nouvelle étiquette qui habille les vins du domaine ne change rien aux résultats : avec ses 2010, Vincent Charleux réalise encore un coup double. Cette année, c'est La Fussière – le plus important des 1ers crus dominant la colline des Maranges – qui se voit « étoilé ». Un rouge foncé intense pare le verre tandis qu'y virevoltent des senteurs de fruits rouges. La bouche gourmande s'appuie sur une structure équilibrée qui met en valeur le mariage réussi du fruit et du bois. Issu d'un *climat* voisin, le **1er cru Les Clos Roussots 2010 rouge (4 400 b.)** est cité pour ses arômes de cassis et ses tanins affirmés. Deux vins à partager dans deux ou trois ans et à goûter au caveau de dégustation qui domine la vallée de la Cozanne.

Maurice Charleux et Fils, Petite-Rue, 71150 Dezize-lès-Maranges, tél. 03.85.91.15.15, fax 03.85.91.11.81, domaine.charleux@wanadoo.fr r.-v.

DOM. CHEVROT La Fussière 2009

1er cru 3 000 11 à 15 €

Le millésime 2010 des Chevrot sera le premier à être certifié en agriculture biologique. On n'en délaissera pas pour autant ce 2009 dont les vignes ont grandi sur un coteau au sol argilo-calcaire baigné par le soleil dès le matin. Le nez exprime la groseille et le cassis mariés à un boisé issu d'un élevage de seize mois. Si la prise en bouche est souple, la structure s'affirme par des tanins encore fermes. Au moins trois ans seront nécessaires afin de polir l'ensemble. Bel accord gourmand avec un magret de canard.

Dom. Chevrot et Fils, 19, rte de Couches, 71150 Cheilly-lès-Maranges, tél. 03.85.91.10.55, fax 03.85.91.13.24, contact@chevrot.fr r.-v.

DOM. DEMANGEOT La Fussière 2010

1er cru 4 791 15 à 20 €

Distingué par deux coups de cœur en cinq ans, ce producteur des Hautes-Côtes n'a jamais quitté le Guide. Celui qui a pour règle trois R – « respect, rigueur et régularité » – présente un 1er cru né de vignes de cinquante ans. Le nez affiche un fruité plaisant (fruits rouges), avec une touche de boisé. La bouche soyeuse et équilibrée, à la belle charpente, signe un « vin de plaisir », à apprécier sans attendre – sur des perdreaux rôtis par exemple.

Dom. Demangeot, 6, rue de Santenay, 21340 Change, tél. 03.85.91.11.10, fax 03.85.91.16.83, contact@demangeot.fr r.-v.

DOUDET-NAUDIN Clos Roussot 2010 ★

1er cru | 3 600 | 11 à 15 €

Par le biais d'achat de moûts, cette maison de négoce de Savigny-lès-Beaune fondée en 1849 propose une cuvée fort séduisante. Si elle exporte 70 % de sa production, elle n'en oublie pas pour autant sa clientèle française. Rubis nuancé de grenat, ce 2010 allie les fruits rouges et noirs dans un nez charmeur. Plein et souple au palais, il ne livrera tous les secrets de sa palette aromatique (chocolat, fruits, épices) qu'à ceux qui sauront attendre. Ses tanins de qualité et sa finale fraîche lui permettront d'affronter une garde de trois ans, même si on peut l'apprécier dès 2013.

Doudet-Naudin, 3, rue Henri-Cyrot, BP 1, 21420 Savigny-lès-Beaune, tél. 03.80.21.51.74, fax 03.80.21.50.69, doudet-naudin@wanadoo.fr r.-v.

Isabelle Doudet

MARINOT-VERDUN La Fussière 2010

1er cru | n.c. | 5 à 8 €

Il annonce « éleveur » sur l'étiquette, mais Jacques Marinot est avant tout un homme du cru qui a su développer une activité de négoce importante dans une petite commune du Couchois. Les Maranges, vignoble où il possède des attaches familiales, y sont bien représentés. De ce *climat* de référence, il a tiré un vin à la robe satinée et au bouquet discret de fruits rouges. Le fruit s'affirme dès l'attaque en bouche, où les tanins se montrent équilibrés et fondus. À garder deux années en cave.

Marinot-Verdun, Mazenay, 71510 Saint-Sernin-du-Plain, tél. 03.85.49.67.19, fax 03.85.45.57.21, marinot-verdun@wanadoo.fr t.l.j. sf dim. 8h-12h 14h-18h

DOM. DU CH. DE MELIN Clos des Rois 2010

1er cru | 6 000 | 11 à 15 €

Durant ses sept années passées à présider l'appellation qui l'a vu grandir, Arnaud Derats a aussi développé sa vision du vin. Élevé et mis en bouteilles dans de nouveaux chais, ce 1er cru rubis foncé évoque au nez le cassis, un fruit que l'on retrouve associé à la cerise dans une bouche souple et fraîche. À marier dès aujourd'hui avec un coq au vin. À noter que le domaine est en deuxième année de conversion à l'agriculture biologique.

Ch. de Melin, hameau de Melin, 21190 Auxey-Duresses, tél. 03.80.21.21.19, fax 03.80.21.21.72, derats@chateaudemelin.com t.l.j. 10h-19h

Derats

MOILLARD Les Clos Roussots 2010 ★

1er cru | 25 000 | 8 à 11 €

Reprise par le négociant murisaltien Jean-Baptiste Béjot, la maison Moillard a sélectionné une cuvée de 1er cru née de vignes trentenaires. Une robe violine évoque sa jeunesse ; le nez est encore discret, les fruits rouges restant à couvert. Équilibrée par des tanins fins et agrémentée d'un soupçon de vanille dû à une année d'élevage en fût, la bouche finit avec force et vivacité. Les dégustateurs s'accordent à prédire à cette bouteille un fort bel avenir. Trois à quatre ans de garde.

Moillard, RD 974, 21190 Meursault Cedex, tél. 03.80.21.99.51, fax 03.80.21.28.05, fanny.duvernois@bejot.com

LUCIEN MUZARD ET FILS 2010

| 2 700 | 11 à 15 €

À les voir collectionner les récompenses dans leur appellation natale de Santenay, on en oublierait presque que les frères Muzard produisent d'autres vins. Ce maranges en est pourtant un bel exemple : vêtu d'une robe d'encre violine, il laisse s'exprimer à l'olfaction les fruits noirs et rouges, ainsi qu'un fin boisé né de dix-huit mois d'élevage. Les fruits rouges dominent une bouche souple et ronde. À découvrir dans les deux ans sur une côte de veau forestière.

Dom. Lucien Muzard et Fils, 11 bis, rue de la Cour-Verreuil, 21590 Santenay, tél. 03.80.20.61.85, fax 03.80.20.66.02, lucienmuzard@orange.fr r.-v.

DOM. PERRAULT ET FILS Le Clos des Rois 2009

1er cru | 3 500 | 8 à 11 €

Si ce domaine conduit par Nicolas Perrault n'exploite que 4 ha de vignes, c'est parce que son propriétaire est déjà chef de culture dans une propriété de Santenay. Et cette surface-là permet un travail de qualité. Né de vignes de soixante ans, ce pinot rouge cardinal offre un beau nez de fruits rouges et noirs confits. Une maturité qui n'empêche pas le palais de montrer de la fraîcheur et de la minéralité, portées par des tanins sérieux. À déboucher dans trois ans sur un magret de canard au cassis.

Christian Perrault, rue du Four, 71150 Dezize-lès-Maranges, tél. 03.85.91.14.67, fax 03.85.91.13.58, perraultn@wanadoo.fr r.-v.

DOM. PONSARD-CHEVALIER Clos des Rois 2010 ★

1er cru | 2 000 | 11 à 15 €

Deux étoiles brillaient l'an passé sur le Clos des Rois 2009 de Michel Ponsard : il en conserve une avec le millésime 2010. Ce 1er cru de sang royal est né sur un coteau de l'une des trois communes qui forment l'appellation, celle de Sampigny. Son bel habit sombre aux reflets violacés annonce des parfums de fruits frais. Au palais, il développe une matière ronde, à la structure solide, équilibrée, et à la finale persistante. On attendra 2016 pour déguster cette bouteille sur un poulet tandoori, histoire d'épicer le repas.

Dom. Ponsard-Chevalier, 2, Les Tilles, 21590 Santenay, tél. 03.80.20.60.87, fax 03.80.20.61.10, michelponsard@aol.com r.-v.

SERGE PROST ET FILS Côte de Beaune 2009 ★

| 2 700 | 5 à 8 €

La famille Prost exploite une parcelle de maranges au sous-sol granitique comme dans le Couchois voisin. Depuis l'arrivée de la nouvelle génération, le pinot noir remplace progressivement le gamay. On le retrouve dans ce *village* au rubis brillant, au bouquet discret de fruits rouges et de réglisse. La bouche séduit nos jurés : « du gras, de l'intensité », « des tanins fondus » et « une belle longueur sur le fruit ». Une étoile qui brillera deux à trois années dans votre cave.

EARL Serge Prost et Fils, Les Foisons, 71490 Couches, tél. 06.24.98.55.86, fax 03.85.49.50.27 r.-v.

DOM. CHRISTIAN REGNARD Le Bas des Loyères 2010 ★

	2 500		8 à 11 €

En 2010, Florian Regnard a rejoint son père sur le domaine familial : il décroche donc sa première étoile dès son premier millésime. Et cela, avec un maranges issu d'un *climat* calé dans le bas des 1ers crus, mais déjà sur le coteau. Vêtu d'un habit rubis intense, ce vin offre un parfum profond de fruits noirs et d'épices. Sa saveur fruitée et sa matière charnue reposent sur des tanins fermes qui font durer le plaisir. À apprécier dans deux ans sur un canard aux olives.

Christian Regnard, 9, rue Saint-Antoine, 71150 Sampigny-lès-Maranges, tél. 03.85.91.10.43, regnardc@wanadoo.fr r.-v.

BERNARD REGNAUDOT Clos des Rois 2010

1er cru	2 500		8 à 11 €

Ce *climat* est l'un des sept 1ers crus que compte l'AOC sur 82 ha. D'un rouge profond aux reflets violacés, cette cuvée livre un bouquet chaleureux et intense, alliance de fruits noirs bien mûrs et de notes toastées. Après une attaque franche, le fruit reste présent dans une matière suave et longue. À la fois séducteur et profond, ce vin saura grandir encore un à deux ans en cave.

Bernard Regnaudot, rte de Nolay, 71150 Dezize-lès-Maranges, tél. 03.85.91.14.90, bernard.regnaudot@orange.fr r.-v.

JEAN-CLAUDE REGNAUDOT ET FILS La Fussière 2010 ★★

1er cru	2 300		8 à 11 €

Si les Regnaudot sont discrets de nature, c'est parce que leurs vins parlent pour eux. On peut même dire qu'ils font du bruit ! Un coup de cœur dans les millésimes 2008 et 2009, et cette année, un doublé : deux coups de cœur dans la même appellation. Le « simple » **maranges 2010 rouge (900 b.)** qui décroche cette distinction n'a rien de simple : il allie avec brio les fruits rouges et noirs dans une bouche longue et noble taillée pour une garde quinquennale. Quant à ce 1er cru La Fussière, il offre sous une robe de velours sombre des parfums charmeurs de cassis et de vanille. Le fruit se livre avec générosité dans une bouche ample aux tanins précis, maîtrisés. S'il est déjà prêt à boire, ce 2010 saura être attendu trois ans. Le **1er cru Clos des Loyères 2010 rouge (900 b.)** récolte une étoile pour son nez de fruits noirs et sa matière serrée, bâtie pour la garde. Enfin, le **1er cru Les Clos Roussots 2010 rouge (1 800 b.)** est cité pour son fruité et ses tanins rustiques, un rien épicés.

Jean-Claude Regnaudot et Fils, Grande-Rue, 71150 Dezize-lès-Maranges, tél. 03.85.91.15.95, fax 03.85.91.16.45, regnaudot.jc-et-fils@orange.fr r.-v.

MICHEL SARRAZIN ET FILS 2010 ★★

	2 000		11 à 15 €

Les frères Sarrazin, réputés pour leurs givry, sont aussi présents grâce à cette cuvée de maranges *village*. Les fleurs blanches aux parfums intenses se lient au léger grillé du fût pour former un nez flatteur. Le palais ample, au gras séducteur, affiche une minéralité et une fraîcheur qui renforcent la longueur aromatique. Une harmonie à apprécier dans les trois ans sur des gambas flambées à l'anis.

SARL Michel Sarrazin et Fils, 26, rue de Charnailles, 71640 Jambles, tél. 03.85.44.30.57, fax 03.85.44.31.22, sarrazin2@wanadoo.fr r.-v.

DOM. DU VIEUX PRESSOIR La Fussière 2010 ★

1er cru	1 600		8 à 11 €

Si l'imposant pressoir du XVIIes. (avec roue à perroquet) n'est plus utilisé depuis le millésime 1939, son propriétaire, Éric Duchemin, obtient toujours de beaux résultats. Son Fussière, comme l'an passé, a séduit les dégustateurs. Il faut d'abord le « bousculer » pour réveiller la framboise et le boisé de son bouquet. Son attaque fraîche sur des tanins présents confirme sa qualité de 1er cru, que son fruité permettra d'apprécier dès sa prime jeunesse sur un rôti de porc aux patates douces.

Éric Duchemin, Dom. du Vieux Pressoir, 16, Grande-Rue, 71150 Sampigny-lès-Maranges, tél. 03.85.91.12.71, domaine.vieux.pressoir@wanadoo.fr r.-v.

Côte-de-beaune-villages

Superficie : 3 ha
Production : 195 hl

À ne pas confondre avec l'appellation côte-de-nuits-villages qui possède une aire de production particulière, l'appellation côte-de-beaune-villages n'est en elle-même pas délimitée. C'est une appellation de substitution pour tous les vins rouges des AOC communales de la Côte de Beaune, à l'exception des beaune, aloxe-corton, pommard et volnay.

NAUDIN-VARRAULT 2010

	1 500		11 à 15 €

Maison de négoce qui exploitait autrefois les caves des Moines à Beaune, reprise en 1985 par un autre négociant, la maison Prosper Maufoux, puis regroupée en 1994 au sein des activités de la Maison des Grands Crus basée à Santenay. Cette cuvée, qui a bénéficié d'un élevage d'un an en fût, dévoile un nez intense de fruits mûrs agrémenté d'un boisé délicat, et une bouche virile, tannique et massive. À attendre deux à quatre ans, avant de servir sur une daube de bœuf.

Naudin-Varrault, 1, pl. du Jet-d'Eau, 21590 Santenay, tél. 03.80.20.60.40, fax 03.80.20.63.26, maisondesgrandscrus@orange.fr
Maison des Grands Crus

La Côte chalonnaise

Le paysage s'épanouit quelque peu dans la Côte chalonnaise (4 500 ha) ; la structure linéaire du relief s'y élargit en collines de faible altitude s'étendant plus à l'ouest de la vallée de la Saône. La structure géologique est beaucoup moins homogène que celle du vignoble de la Côte-d'Or ; les sols reposent sur les calcaires du jurassique, mais aussi sur des marnes de même origine ou d'origine plus ancienne, lias ou trias. Des vins rouges d'AOC *village* et premier cru sont produits à partir du pinot noir à Mercurey, Givry et Rully, mais ces mêmes communes proposent aussi des blancs de chardonnay, cépage qui devient unique pour l'appellation montagny située un peu plus au sud ; c'est aussi là que se trouve Bouzeron, à l'aligoté réputé. Il faut enfin signaler un bon vignoble aux abords de Couches, que domine le château médiéval. D'églises romanes en demeures anciennes, chaque itinéraire touristique peut d'ailleurs se confondre ici avec une route des Vins.

Bourgogne-côte-chalonnaise

Superficie : 460 ha
Production : 24 150 hl (75 % rouge et rosé)

Située entre Chagny et Saint-Gengoux-le-National (Saône-et-Loire), la Côte chalonnaise possède une identité qui lui a permis d'être reconnue en AOC en 1990. L'appellation produit une majorité de rouges assez fermes dans leur jeunesse, quelques rosés et des blancs de style léger. Selon la méthode appliquée déjà dans les Hautes-Côtes, un agrément résultant d'une seconde dégustation complète la dégustation obligatoire qui a lieu partout.

DOM. BERNOLLIN Sous la roche 2010 ★★

2 958 | 8 à 11 €

Ce domaine de 12 ha situé au cœur de la Côte chalonnaise est exploité depuis 2005 par un négociant de Rully. Issu de vendanges manuelles, ce vin a été élevé sur lies pendant douze mois en fût de chêne dans une magnifique cave voûtée de 200 m de long. Il en ressort doré à l'or fin, le nez intense rappelant les petites fleurs blanches du printemps (acacia et chèvrefeuille), mais aussi la vanille et le beurre frais. Tout aussi complexe, la bouche se révèle ample, longue, et sa finale minérale lui confère une réelle noblesse. Une bouteille qui allie puissance et élégance et que l'on réservera à une nage d'écrevisses.

Maison Albert Sounit, 5, pl. du Champ-de-Foire, 71150 Rully, tél. 03.85.87.20.71, fax 03.85.87.09.71, albert.sounit@wanadoo.fr r.-v.

K. Kjellerup

DOM. DAVANTURE 2009

2 300 | 5 à 8 €

Les trois frères Davanture, natifs de Moroges et issus d'une longue dynastie de vignerons (huit générations), sont imprégnés des traditions du terroir qu'ils mettent en pratique sur leurs 22 ha (labours, vendanges manuelles...). Paré d'une robe rouge sombre, ce 2009 développe une palette aromatique qui mêle le sous-bois et les fruits rouges. Des tanins souples soutiennent une bouche ronde et équilibrée, accompagnée en finale de notes fraîches et acidulées de groseille. Un vin gourmand, à déguster avec une grillade de bœuf.

Dom. Davanture, rue de la Messe, Cidex 1516, 71390 Saint-Désert, tél. et fax 03.85.47.95.57, domaine.davanture@orange.fr r.-v.

DOM. DE L'ÉVÊCHÉ 2010 ★

6 500 | 5 à 8 €

Très investis dans leur métier de vigneron, Sylvie et Vincent Joussier, installés depuis 1985 sur ce domaine de 13 ha, passent beaucoup de temps dans leur vignoble, car c'est « à la vigne qu'on fait le vin ». Et la relève semble assurée, leurs enfants de seize et treize ans participant aussi à l'aventure. Ils proposent ici à nouveau une cuvée de belle harmonie, que l'on aura plaisir à déguster avec une cassolette d'escargots. La robe, limpide et claire, s'orne d'élégants reflets pistache. Le nez, puissant, « chardonne » à souhait autour de notes d'agrumes et de fleurs blanches. L'attaque souple introduit une bouche ample et minérale qui s'étire longuement dans une finale « explosive » de vivacité. « Il respire la santé », conclut un dégustateur enthousiaste.

EARL Vincent et Sylvie Joussier, Dom. de l'Évêché, 71640 Saint-Denis-de-Vaux, tél. 03.85.44.30.43, vincentjoussier@cegetel.net

t.l.j. 8h-19h; dim. sur r.-v.; f. 15-23 août

DOM. MICHEL GOUBARD ET FILS Mont-Avril 2010

80 000 | 5 à 8 €

Le mont Avril culmine à 421 m et domine fièrement les villages de Saint-Désert et de Moroges. Véritable belvédère paysager, il accueille une faune et une flore aujourd'hui protégées. Les Goubard, viticulteurs de père en fils depuis quatre siècles, cultivent ici un vignoble de 35 ha. Ce 2010 aux nuances acajou offre un nez intense de fruits mûrs et de cassis. Après une attaque souple et franche, la bouche dévoile une trame tannique assez subtile et une finale épicée persistante. Une bouteille tout indiquée pour accompagner un pique-nique gourmand, pourquoi pas... sur le mont Avril ?

EARL Michel Goubard et Fils, 6, rue de Bassevelle, 71390 Saint-Désert, tél. et fax 03.85.47.91.06, earl.goubard@wanadoo.fr

t.l.j. 9h-12h 14h-19h; dim. sur r.-v.

♥ DOM. LA MARCHE 2010 ★★

2 500 | 11 à 15 €

Ce domaine est officiellement converti en agriculture biologique depuis le millésime 2011, et l'ensemble du vignoble (24 ha) est maintenant cultivé par labours mécanique et animal, afin de laisser s'exprimer au mieux le terroir. Les rendements sont maîtrisés, les vendanges sont manuelles, et l'élevage se fait en fût de chêne pendant dix-huit mois. Derrière sa robe d'un beau rouge cardinal soutenu, ce 2010 dévoile un bouquet prometteur de cerise

et de framboise nuancé de kirsch. Ces sensations se retrouvent dans une bouche ronde, charnue et parfaitement structurée, épaulée par des tanins fins et élégants. Un vin racé que l'on peut attendre cinq ans et plus, ou boire dès aujourd'hui sur du bœuf bourguignon.

Dom. la Marche, 78, Grande-Rue, 71640 Mercurey, tél. et fax 03.85.45.08.35 r.-v.

DOM. VENOT 2010 ★★

■ 8 000 5 à 8 €

Au pied du mont Avril, ces pinots noirs de cinquante ans poussent dans un écrin argilo-calcaire, encore labouré et pioché. Une vendange manuelle fin septembre, une cuvaison d'une dizaine de jours et un élevage en fût d'une année ont donné naissance à ce « vin de plaisir », friand et gourmand. Vêtu de rouge à reflets rubis, ce 2010 offre un nez flatteur de fruits rouges frais et de cassis. Le palais se fait rond, charnu, presque moelleux, et persiste longuement sur le fruité croquant de la cerise. Un vin savoureux, à servir dès cet automne sur des œufs en meurette ou à conserver encore une paire d'années. À noter l'excellent rapport qualité-prix.

GAEC Venot, 11, rue de la Croix-de-Bois, 71390 Moroges, tél. 06.13.30.95.89, fax 03.85.47.99.96, maxime.venot@neuf.fr t.l.j. sf dim. 8h-12h 14h-18h

DOM. A. ET P. DE VILLAINE Les Clous 2010

14 200 11 à 15 €

Ce domaine, situé à Bouzeron, exploite aujourd'hui 23 ha de vignes en culture biologique, répartis sur les diverses appellations de la Côte chalonnaise. C'est aujourd'hui Pierre de Benoist, le neveu d'Aubert et de Pamela de Villaine, qui préside à sa destinée. Auréolée d'un disque vert, la robe de ce 2010 prend la couleur jaune du blé. Le nez, puissant, décline de jolies notes fruitées de pomme et de poire harmonieusement mariées à des senteurs de pain grillé et de beurre frais. La bouche allie suavité et vivacité, et sa longueur citronnée aiguise les papilles. Une bouteille à boire dès aujourd'hui, sur un poisson noble sauce au beurre blanc.

Dom. A. et P. de Villaine, 2, rue de la Fontaine, 71150 Bouzeron, tél. 03.85.91.20.50, fax 03.85.87.04.10, contact@de-villaine.com r.-v.

Bouzeron

Superficie : 47 ha
Production : 2 450 hl

Petit village situé entre Chagny et Rully, Bouzeron est de longue date réputé pour ses vins d'aligoté. Cette variété occupe la plus grande partie du vignoble communal. Planté sur des coteaux orientés est-sud-est, dans des sols à forte proportion calcaire, ce cépage à l'origine de vins blancs vifs s'exprime particulièrement bien, donnant naissance à des vins complexes et d'une « rondeur pointue ». Les vignerons du lieu, après avoir obtenu l'appellation bourgogne aligoté bouzeron en 1979, ont réussi à hisser l'aire de production au rang d'AOC communale.

BOURGOGNE

JULIEN CRUCHANDEAU Vieilles Vignes 2010

1 600 8 à 11 €

« Artiste de la vigne », Julien Cruchandeau est également un artiste de la musique électronique. Il ne manie pas seulement le sécateur mais il pratique aussi, et depuis son plus jeune âge, la batterie et le piano, et il a enchaîné quelque deux cents concerts à travers l'Europe avec le groupe Shrink Orchestra... Une carrière musicale qu'il a choisi d'interrompre en 2010 pour se consacrer entièrement à son nouveau métier de vigneron. Son intéressant bouzeron associe à un bouquet complexe d'agrumes, de pêche et de notes boisées une matière ronde et enveloppante, bien équilibrée par une acidité sans agressivité. Un « vin de plaisir », à associer à des gambas à l'aigre-douce.

Julien Cruchandeau, 4, rue Robert, 21700 Chaux, tél. 06.74.85.79.62, domaine.cruchandeau@gmail.com r.-v.

FÉLIX ET ANNE-SOPHIE DEBAVELAERE 2010 ★

5 000 8 à 11 €

Anne-Sophie Debavelaere crée son domaine en 1984. Elle est rejointe plus tard par son fils Félix, alors jeune œnologue fraîchement diplômé. Conscients de la richesse de leurs terroirs, ils appliquent une viticulture raisonnée et vendangent toujours manuellement. Cet aligoté élevé en cuve a donné un vin jaune paille à la belle brillance. Le nez, soutenu, dévoile d'intenses arômes d'aubépine et d'acacia. Au palais, l'attaque se fait tout en douceur, puis il se dégage une impression de vivacité fort agréable, en partie grâce aux saveurs finales de pomme verte et d'agrumes. Une jolie bouteille fraîche et plaisante, à boire dès maintenant sur des huîtres.

Félix Debavelaere, 21, rue des Buis, 71150 Rully, tél. 03.85.48.65.64, as.debavelaere@gmail.com r.-v.

DOM. FRANCE LÉCHENAULT Vieilles Vignes 2010

1 700 8 à 11 €

Un 2010 jaune clair, né de vieilles vignes de soixante-cinq ans, au nez caractéristique du cépage aligoté : on y perçoit des notes de citron et de bergamote, ponctuées par une touche minérale. Il se révèle agréable en bouche par son équilibre entre fraîcheur et rondeur, et surtout par sa persistance aromatique. Un bel ensemble, à savourer à l'apéritif.

Reine Léchenault, 11, rue des Dames, 71150 Bouzeron, tél. 06.83.09.27.60, contact@france-lechenault.fr r.-v.

DOM. DE LA VIEILLE FONTAINE 2010

3 500 5 à 8 €

David Déprés, installé sur ce domaine de 8 ha depuis 1996, pratique une viticulture raisonnée avec un travail mécanique des sols et/ou un enherbement selon la nature du sol. Respectueux de son terroir, il l'est également de ses raisins. Son 2010 jaune doré s'exprime ouvertement : des senteurs de citron, de pamplemousse et de pêche jaune caractérisent le nez. Le palais se montre rond et vif à la fois, imprégné de saveurs de pamplemousse rose qui rappellent l'olfaction. À déguster dès maintenant, sur des huîtres ou des bulots.

Dom. de la Vieille Fontaine, 3, rue du Clos-L'Évêque, 71640 Mercurey, tél. 03.85.87.02.29, fax 03.85.45.22.76, contact@domainedelavieillefontaine.fr r.-v.

DOM. A. ET P. DE VILLAINE 2010

51 000 | 8 à 11 €

Bouzeron est le seul village en Bourgogne à proposer un vin en AOC communale issu du cépage aligoté. Planté uniquement en coteau, sur sols à dominante calcaire, maigres et peu profonds, ce dernier donne des vins vifs et frais que l'on a plaisir à associer à des fruits de mer ou à des fromages de chèvre assez secs. Élaboré par Pierre de Benoist, maître de chai du domaine d'Aubert de Villaine (cogérant de la Romanée-Conti), ce 2010 ne dément pas cette réputation. Paré d'une robe claire et brillante, il dévoile un nez empreint de petites fleurs blanches et nuancé d'un soupçon d'amande fraîche. Vif et acidulé en bouche, il présente aussi une certaine rondeur et même une persistance agréable.

Dom. A. et P. de Villaine, 2, rue de la Fontaine, 71150 Bouzeron, tél. 03.85.91.20.50, fax 03.85.87.04.10, contact@de-villaine.com r.-v.

Rully

Superficie : 357 ha
Production : 16 050 hl (65 % blanc)

La Côte chalonnaise assure la transition entre le vignoble de Côte-d'Or et celui du Mâconnais. L'appellation rully déborde de sa commune d'origine sur celle de Chagny, petite capitale gastronomique. Nés sur le jurassique supérieur, les rully sont aimables et généralement de bonne garde. Certains lieux-dits classés en 1er cru ont déjà accédé à la notoriété.

DOM. BELLEVILLE La Crée 2010 ★

6 000 | 11 à 15 €

Le domaine Belleville, repris en 2005 par Marc Dumont, dispose de 28 ha de vignes en Côte chalonnaise (rully et mercurey), en Côte de Beaune (santenay et puligny-montrachet) et en Côte de Nuits (chambolle-musigny et gevrey-chambertin). Une belle gamme de crus bourguignons, dont ce rully 2010, paré d'une élégante robe dorée, aux arômes intenses de chèvrefeuille, d'abricot, de coing et de miel, à la bouche tendre et équilibrée, relevée en finale par une agréable note saline. Accord gourmand en perspective avec un dos de cabillaud au chorizo.

Dom. Belleville, 5, rue des Bordes, 71150 Rully, tél. 03.85.91.06.00, fax 03.85.91.06.01, vin@demessey.com r.-v.

Marc Dumont

JEAN-CLAUDE ET ANNA BRELIÈRE Les Margotés 2010

1er cru | 10 000 | 11 à 15 €

Jean-Claude Brelière, installé à la suite de ses parents en 1983, a converti l'ensemble de son domaine à l'agriculture biologique en 2009. Ce 1er cru, né de vignes de soixante ans plantées sur un sol argilo-calcaire et vendangées à la main, a été vinifié sans levures exogènes et élevé onze mois en fût de chêne. Or vert limpide, il dégage d'intenses arômes boisés puis quelques notes de fleurs blanches et de fruits mûrs. Si son attaque se montre franche, le développement en bouche dévoile une certaine rondeur. Au final, un vin bien fait, équilibré, à boire sur une sole meunière.

Jean-Claude Brelière, 1, pl. de l'Église, 71150 Rully, tél. 03.85.91.22.01, domainebreliere@orange.fr r.-v.

DOM. MICHEL BRIDAY Clos de Remenot 2010 ★★

3 600 | 15 à 20 €

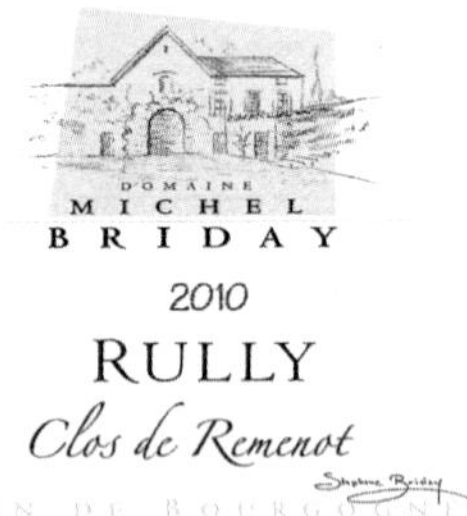

Stéphane Briday est installé depuis 1989 à la tête du domaine familial, 16 ha de vignes implantés au cœur du village de Rully. L'élevage de ses vins se fait en fûts de 400 l, dont 15 % de bois neuf pour cette magnifique cuvée. Né de chardonnays bien mûrs, ce rully fait preuve d'un équilibre parfait, d'une grâce et d'une élégance peu communes. Son olfaction intense rappelle la poire et le coing nuancés de miel et de brioche au beurre. Tout aussi complexe, la bouche se révèle ample et onctueuse, et s'achève sur des notes gourmandes d'abricot sec. Pour un accord raffiné avec un sandre au beurre blanc. À noter également : une belle citation va au rully **blanc 2010 (11 à 15 € ; 20 000 b.)** pour ses airs printaniers de fruits frais et de fleurs blanches, et pour son palais souple et bien équilibré.

Dom. Michel Briday, 31, Grande-Rue, 71150 Rully, tél. 03.85.87.07.90, fax 03.85.91.25.68, domainemichelbriday@orange.fr
t.l.j. sf dim. 9h-12h 14h-18h

MAXIME CHAMPAUD 2010 ★

1 200 | 8 à 11 €

Maxime Champaud, diplômé d'une grande école de commerce parisienne, choisit de se rapprocher de sa terre natale, de sa famille et notamment de son oncle Philippe Germain, vigneron à Nantoux. Il crée alors en 2008 une maison de négoce « haut de gamme » et sélectionne ses vins avec soin et rigueur. Témoin, ce rully de couleur or clair, qui dévoile au nez des notes fruitées et florales nuancées d'amande grillée. Après une attaque coulante, le palais poursuit sur des impressions de rondeur et de souplesse, avant de finir sur des notes fraîches d'agrumes. Jouant d'un registre classique, il s'accordera à une volaille à la crème.

Maxime Champaud, 2, ruelle Saint-Roch, 21190 Nantoux, tél. 06.17.97.07.33, fax 03.80.26.05.12, maximewines@hotmail.fr t.l.j. 9h-19h

DOM. CHANZY L'Hermitage 2009

	25 000		11 à 15 €

Des reflets bouton d'or habillent ce vin doré et limpide. Au nez, les fruits jaunes, comme la prune et la mirabelle, sont associés aux senteurs amandées de la coumarine. Franc à l'attaque, le palais se révèle souple et équilibré, gourmand et croquant. Une noble amertume en finale lui apporte un surcroît d'élégance.

Dom. Chanzy, 1, rue de la Fontaine, 71150 Bouzeron, tél. 03.85.87.23.69, fax 03.85.87.62.12, domaine@chanzy.com t.l.j. 8h-12h 13h30-17h30; sam. dim. sur r.-v.
Bruno Molinas

DOM. JEAN CHARTRON Montmorin 2010

	14 000		11 à 15 €

Spécialisée dans la production de vins blancs, la famille Chartron exploite près de 13 ha autour de Puligny-Montrachet, répartis sur une vingtaine de terroirs différents. Elle axe ses vinifications sur la pureté, la finesse et la minéralité : usage modéré du fût neuf, bâtonnage, collage et filtration légers. Le résultat est ici un rully d'or blanc aux reflets vert tendre, au nez de fruits frais nuancés de notes boisées, qui exprime en bouche une minéralité tout en finesse accompagnée de touches acidulées. Il est prêt à accompagner une blanquette de veau.

Dom. Jean Chartron, 8 bis, Grande-Rue, 21190 Puligny-Montrachet, tél. 03.80.21.99.19, fax 03.80.21.99.23, info@jeanchartron.com t.l.j. sf lun. mar. mer. 10h-12h 14h-18h; f. fin nov.-Pâques

ANNE-SOPHIE DEBAVELAERE Les Pierres 2009 ★★

1er cru	2 000		11 à 15 €

Les belles dimensions de la cave voûtée d'Anne-Sophie et Félix Debavelaere, construite à flanc de coteau, tout en pierre, permettaient autrefois à un négoce chalonnais de faire du crémant sur lattes. Ce sont des vins tranquilles qui s'y épanouissent désormais, et dans les meilleures conditions à en juger par ce rully remarquable en tout point. Dans le verre, une belle robe aux reflets violines et d'intenses senteurs de sous-bois mêlées à des notes plus fines de petits fruits rouges et de mûre sauvage. Dans un écrin de tanins veloutés, la bouche, corpulente sans lourdeur, ronde et équilibrée, tient toutes les promesses aromatiques du nez. Un vin d'une élégance racée armé pour une longue garde (cinq à huit ans), qui s'accordera aux viandes de belle origine : bœuf de Charolles, agneau du Quercy... Quant au ***village* blanc Les Cailloux 2009 (5 000 b.)** d'une plaisante vivacité, il est cité.

Félix Debavelaere, 21, rue des Buis, 71150 Rully, tél. 03.85.48.65.64, as.debavelaere@gmail.com r.-v.

DOM. MARGUERITE DUPASQUIER La Bergerie 2010 ★

	12 000		8 à 11 €

La maison Moillard signe un joli rully rouge de garde, paré d'une robe profonde, couleur grenat ourlée de rubis. Il faut tourner le vin dans le verre pour que s'en dégagent des notes plaisantes de tabac, de cassis et de fraise. Après une attaque franche et nette, le palais dévoile une matière dense aux senteurs de bourgeon de cassis et montrant une certaine austérité. Rectiligne tout au long de sa dégustation, cette bouteille saura se dévoiler après deux ou trois ans de garde. Un magret de canard au cassis sera alors le bienvenu.

Moillard, RD 974, 21190 Meursault Cedex, tél. 03.80.21.99.51, fax 03.80.21.28.05, fanny.duvernois@bejot.com

JEAN-CHARLES FAGOT 2010 ★

	1 500		8 à 11 €

À Corpeau, au cœur de la Côte de Beaune, entre Puligny-Montrachet et Chassagne-Montrachet, Jean-Charles Fagot a transformé la maison familiale en une auberge chaleureuse où il propose une cuisine de terroir. Pour accompagner ce rully couleur or pâle, au bouquet discret mais agréable de pêche jaune, de pomme et de fougère, il conseille des escargots de Bourgogne en caquelon et poudre de noisette. La minéralité s'exprime dans une bouche bien constituée, soutenue jusqu'en finale par une acidité ciselée. Une « horloge de précision », témoigne un dégustateur.

Jean-Charles Fagot, 5, rue de l'Église, 21190 Corpeau, tél. 03.80.21.30.24, fax 03.80.21.38.81, jeancharlesfagot@free.fr r.-v.

MAISON FATIEN PÈRE ET FILS 2010 ★★

	830		15 à 20 €

La maison Fatien Père et Fils est une affaire de famille créée en 2000. Elle possède, outre un négoce de vins, une maison d'hôtes de luxe. Situées au cœur de Beaune et établies dans un ancien hôtel particulier, les superbes caves voûtées soutenues par des piliers cisterciens sont un lieu propice au vieillissement et à l'épanouissement des vins. Des vendanges manuelles, une vinification totalement naturelle, sans adjonction de produits œnologiques, ont donné naissance à ce rully couleur or, aux larmes généreuses et à la brillance remarquable. Le nez délicat associe les fruits et les fleurs blanches à l'amande fraîche. Dans le même registre, la bouche tout en finesse allie fraîcheur et rondeur. Complexe et longue, elle fait preuve d'un parfait équilibre. Cuvée d'orfèvre, elle est produite à seulement 830 exemplaires. Avis aux amateurs...

Maison Fatien Père et Fils, 15, rue Sainte-Marguerite, 21200 Beaune, tél. 03.80.22.82.83, fax 03.80.22.98.71, maisonfatien@wanadoo.fr r.-v. 5

DOM. JAEGER-DEFAIX Clos du Chapitre 2010 ★

1er cru	6 000		15 à 20 €

La conversion à l'agriculture biologique du vignoble a commencé en 2005, dès la reprise par Hélène Jaeger de la propriété familiale Niepce. Ce 2010 présente une robe cerise limpide qui attire le regard. Son bouquet interpelle également par sa complexité aromatique : tabac frais, baies de cassis, musc et fraise des bois. La bouche ne déçoit pas : équilibrée, charnue et bâtie sur des tanins souples et gourmands. À servir dans un an ou deux sur un pigeon aux trompettes de la mort. À noter également, une citation pour le **1er cru Rabourcé 2010 blanc (2 000 b.)** d'une agréable souplesse, prêt à boire.

Dom. Jaeger-Defaix, 17, rue du Château, 89800 Milly, tél. 03.86.42.40.75, fax 03.86.42.40.28, helene.jaeger@wanadoo.fr r.-v.

CLAUDIE JOBARD La Chaume 2010 ★

	9 000		8 à 11 €

Claudie Jobard a vinifié en 2002 son premier millésime sur l'exploitation familiale, avant de prendre les rênes de celle-ci en 2006. En parallèle, elle vinifie les vins de la maison Remoissenet à Beaune. Elle présente ici deux rully de belle facture. Ce 2010, d'un rouge profond, délivre d'agréables senteurs de fruits rouges soulignées d'un rien de pruneau à l'eau-de-vie. Ces arômes, associés à une bouche riche et tannique, donnent un vin harmonieux, à savourer dès à présent avec un sauté de veau. Encore sous l'emprise de son élevage sous bois, le **1er cru Les Cloux 2010 blanc (11 à 15 € ; 2 000 b.)**, cité, plaît par son attaque franche, son volume et son intéressante finale minérale. Évolution à suivre au cours des deux ou trois prochaines années.

Dom. Claudie Jobard, 5, rte de Beaune, 71150 Demigny, tél. 03.85.49.46.81, fax 03.85.49.48.63, contact@domaineclaudiejobard.fr r.-v.

DOM. LABORBE-JUILLOT Les Saint-Jacques 2010

	26 000		8 à 11 €

Ce rully est issu de vignes reprises en 2007 par la Cave des Vignerons de Buxy. Habillé d'or pâle, il dégage d'intenses parfums minéraux et floraux, agrémentés de touches fruitées. Bien équilibré entre la rondeur et la fraîcheur, ce vin saura vous séduire dès aujourd'hui avec des quenelles de brochet, par exemple.

SCEA Laborbe-Juillot, 2, rte de Chalon, 71390 Buxy, tél. 03.85.92.03.03, fax 03.85.92.08.06, accueil@vigneronsdebuxy.fr t.l.j. 9h-12h 14h-18h30

Gérard Maitre

MANOIR DE MERCEY En Rosey 2008

	7 000		8 à 11 €

C'est dans une robe intense et brillante, couleur violine, que se présente ce vin aux senteurs bien typées de cerise burlat. L'attaque franche annonce une bouche encore jeune aux tanins bien présents, de qualité cependant. Ce rully prometteur atteindra son apogée dans deux ans. Servez-le alors sur du bœuf bourguignon. La **cuvée Louise 2008 blanc (3 200 b.)** au nez de chèvrefeuille et d'aubépine, fraîche et gourmande en bouche, est également citée. On la servira dès la sortie du Guide, à l'apéritif avec des gougères.

Dom. Berger-Rive, Manoir de Mercey, 2, rue Saint-Louis, 71150 Cheilly-lès-Maranges, tél. 03.85.91.13.81, fax 03.85.91.17.06, contact@berger-rive.fr r.-v.

Xavier Berger

PIGNERET FILS 2010

	1 200		8 à 11 €

Pour compléter la gamme du domaine, les frères Éric et Joseph Pigneret ont créé une petite structure de négoce avec laquelle ils achètent raisins et moûts, qu'ils vinifient et élèvent dans leurs chais. Ils présentent ici un joli rully 2010, aux accents floraux et minéraux. Nette dès l'attaque, la bouche confirme le nez avec des saveurs de pêche de vigne et de citron. Finement ciselé, ce vin s'accordera parfaitement avec du jambon persillé.

Dom. Pigneret Fils, Vingelles, 71390 Moroges, tél. et fax 03.85.47.15.10, dpm.pigneret@orange.fr t.l.j. 9h-12h 14h-18h

JEAN-BAPTISTE PONSOT Montpalais 2009 ★

1er cru	8 000		11 à 15 €

Auteur d'un coup de cœur dans l'édition précédente, Jean-Baptiste Ponsot réussit à « placer » trois de ses vins dans cette sélection. Le **1er cru Molesme 2010 rouge (5 500 b.)**, encore sur la réserve mais bien structuré, est cité. Le ***village* 2010 rouge (3 700 b.)** au nez délicatement boisé et fruité, au palais soyeux et équilibré, obtient une étoile. On prendra soin de l'attendre deux ou trois ans avant de le servir avec un gigot d'agneau de sept heures. Quant à ce 1er cru Montpalais, habillé d'or pâle, il se révèle puissant au nez, sur des nuances de brioche beurrée, d'amande fraîche, de fleurs blanches et de miel, qui se prolongent dans une bouche ample, douce et équilibrée. Un vin bien construit, à boire dès aujourd'hui sur des saint-jacques rôties.

Jean-Baptiste Ponsot, 26, Grande-Rue, 71150 Rully, tél. et fax 03.85.87.17.90, domaine.ponsot@orange.fr r.-v.

FRANÇOIS RAQUILLET Grésigny 2010 ★

1er cru	3 000		15 à 20 €

Habitué du Guide, surtout pour ses mercurey, ce vigneron a bien su tirer parti du magnifique 1er cru Grésigny à Rully. Vinifié et élevé en fûts de 500 l pendant une année, ce 2010 arbore une robe or paille brillante. Il développe au nez des arômes complexes de fruits blancs et de fumée nuancés de subtiles notes végétales. Le mariage du chêne et du vin est réussi, et le palais riche et frais à la fois persiste longuement sur des notes de fleurs blanches. Conseillé sur des crustacés, des gambas grillées par exemple, ou sur un poisson en sauce.

François Raquillet, 19, rue de Jamproyes, 71640 Mercurey, tél. 03.85.45.14.61, fax 03.85.45.28.05, francoisraquillet@club-internet.fr t.l.j. sf dim. 9h-12h 14h-18h30

CH. DE RULLY Saint Jacques 2010

	9 000		11 à 15 €

Propriété du négociant Antonin Rodet, ce domaine viticole est associé au château de Rully, dont l'origine remonte au XIIIes. Encore sous l'emprise de son élevage sous bois, ce vin à la robe dorée intense fleure bon le caramel au lait, la brioche et le chèvrefeuille. En bouche, il affiche un beau volume, du gras et un boisé encore présent, que deux ou trois ans en cave permettront de « digérer ». Pour une viande blanche en sauce crémée.

Dom. de la Bressande, Grande-Rue, 71640 Mercurey, tél. 03.85.98.18.06, fax 03.85.45.25.49, duthey.m@rodet.com t.l.j. sf sam. dim. 9h-12h 14h-18h; f. début sep.

DOM. DE RULLY SAINT-MICHEL Champs Cloux 2009 ★

1er cru	6 800		11 à 15 €

Ce domaine de 13 ha, dont 12 en 1er cru, a été créé par le grand argentier de Napoléon III, le comte Yvert de Saint-Aubin, et ses descendants, Solange Danguy des Déserts et Emmanuel de Bodard de la Jacopière, sont toujours aux commandes. D'une grande intensité colorante, ce 2009 offre un nez riche, qui mêle notes de sous-bois et fruits compotés. Harmonieuse et ronde, la bouche est équilibrée, construite sur des tanins fins laissant espérer une bonne aptitude à la garde, ce que confirme une jolie finale acidulée.

GFA Dom. Rully Saint-Michel, 4, rue du Château, 71150 Rully, tél. 03.85.91.28.63, fax 03.85.87.12.12, domainerullysaintmichel@hotmail.fr t.l.j. 10h-12h 14h-17h

Emmanuel de Bodard

Le Chalonnais et le Mâconnais

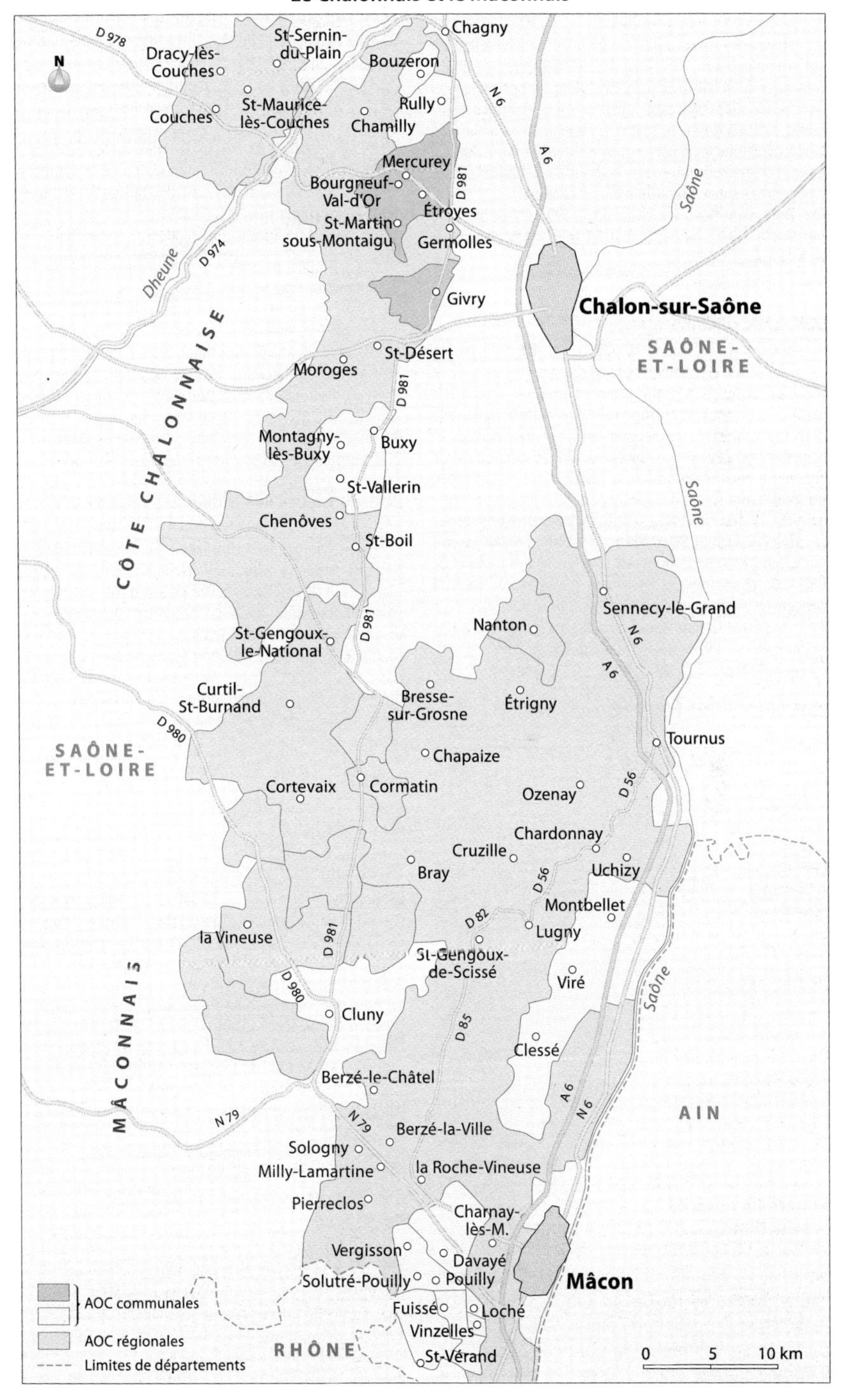

DOM. SAINT-ABEL Clos des Mollepierres 2010 ★

26 000 | 11 à 15 €

Planté de chardonnays vendangés manuellement sur sol argilo-calcaire, ce Clos des Mollepierres a donné naissance à un vin très pâle, cristallin, au nez intense et particulièrement expressif : abricot, coing, pamplemousse confit, raisin sec, citron, acacia. La bouche est à la hauteur, très aromatique, parfaitement équilibrée entre fraîcheur et gras, et d'une belle longueur. À servir dès cet automne sur des gambas sauce aigre-douce, par exemple.

Dom. Saint-Abel, 4, rue du Ban, 21190 Saint-Aubin, tél. 03.80.21.32.92, fax 03.80.21.35.00, saint-abel@wanadoo.fr r.-v.

Christian Roux

DOM. SAINT-JACQUES Marissou 2010 ★★

1er cru | 10 000 | 11 à 15 €

Parvenue en finale des coups de cœur, cette cuvée se présente vêtue d'une robe légère et brillante aux reflets verts. Son nez ouvert et fruité reflète le chardonnay cueilli à pleine maturité, tandis que les nuances beurrées et briochées rappellent son élevage de douze mois en fût de chêne. La bouche séduit par sa rondeur, un beau soutien minéral lui conférant de l'élégance et de la longueur. Prête à passer à table en compagnie d'une langouste grillée, par exemple. Le ***village* 2010 blanc (8 à 11 € ; 1 800 b.)** reçoit une étoile pour son bouquet de fruits à chair blanche et de fleurs de printemps, et pour son palais riche, doux et concentré. À servir sur un poisson à la crème.

Christophe Grandmougin, 11, rue Saint-Jacques, 71150 Rully, tél. 09.65.04.01.54, fax 03.85.87.17.34, stjacques.71@orange.fr r.-v.

DOM. DE LA VIEILLE FONTAINE Les Cloux 2010 ★

1er cru | 1 500 | 11 à 15 €

David Dépres s'installe en 1996, d'abord à Bouzeron, puis il a en 2004 l'opportunité de reprendre le domaine Meulien à Mercurey. Il exploite aussi des vignes en rully, dont 48 ares sur Les Cloux. Une vendange manuelle, triée sévèrement et égrappée, une macération préfermentaire de six jours, un pigeage léger et enfin un élevage d'un an en fût ont donné naissance à ce vin rouge rubis aux subtiles touches tuilées. Le nez dévoile de jolies notes fruitées de cerise, de griotte, de framboise et de fraise écrasée, signe d'une belle maturité. L'attaque est souple et dynamique, et les tanins, présents mais fins, laissent se développer une matière légère et fruitée, tout en dentelle. Un vin déjà plaisant, à découvrir sur des cailles aux raisins.

Dom. de la Vieille Fontaine, 3, rue du Clos-L'Évêque, 71640 Mercurey, tél. 03.85.87.02.29, fax 03.85.45.22.76, contact@domainedelavieillefontaine.fr r.-v.

Mercurey

Superficie : 645 ha
Production : 27 700 hl (80 % rouge)

Situé à 12 km au nord-ouest de Chalon-sur-Saône, Mercurey jouxte au sud le vignoble de Rully. C'est l'appellation communale la plus importante en volume de la Côte chalonnaise. Le vignoble s'étage entre 250 et 300 m d'altitude autour de Mercurey (fusionnée avec Bourgneuf-Val-d'Or) et de Saint-Martin-sous-Montaigu. Plus charpentés sur marnes, plus fins sur sols caillouteux, les vins sont en général solides et aptes à la garde (jusqu'à six ans, voire davantage). Parmi trente-deux *climats* classés en 1ers crus, on citera Les Champs Martin, Clos des Barrault ou encore Clos l'Évêque.

JEAN BOUCHARD 2010 ★

25 000 | 11 à 15 €

Cette maison de négoce de Beaune, fondée par Jean Bouchard au début du XXe s., est bien connue des amateurs du Guide. Ce mercurey rubis intense, au nez bien ouvert et puissant, développe une élégante palette aromatique alliant petites baies rouges mûres et vanille. Soyeuse dès l'attaque, la bouche est ample et bien construite. Un vin équilibré, à boire dès cet automne sur du bœuf braisé ou même sur un couscous.

Maison Jean Bouchard, 6 bis, bd Jacques-Copeau, 21200 Beaune, tél. 03.80.24.37.37, fax 03.80.24.37.38

DOM. DU CELLIER AUX MOINES Les Margotons 2009

3 000 | 15 à 20 €

Les Margotons sont issus d'une petite vigne de 61 ares située à Mercurey sur un terroir de marnes blanches et de calcaire. Élevée un an en fût, cette cuvée a gardé l'empreinte du bois. Sous une teinte soleil, on distingue de nombreuses senteurs de la gamme empyreumatique : fumé, grillé. La bouche, dominée pour l'heure par la présence boisée, ne manque pas de corps ni d'équilibre et finit sur une certaine minéralité, reflet de son sol d'origine. Une bouteille au réel potentiel, à boire dans les cinq ans sur une volaille de Bresse à la crème.

Dom. du Cellier aux Moines, Clos du Cellier aux Moines, 71640 Givry, tél. et fax 03.85.44.53.75, contact@cellierauxmoines.fr r.-v.

Famille Pascal

CH. DE CHAMIREY Les Ruelles 2009

1er cru | 10 000 | 20 à 30 €

Ce château situé aux portes de Mercurey s'étend sur 39 ha, dont 7 consacrés aux 1ers crus. D'une couleur dense tirant sur l'encre, ce 2009 affiche quelques reflets tuilés. Aux parfums mêlés de fruits cuits, de vanille et d'épices répond une bouche bien équilibrée, pleine de chair et pourvue d'une belle tension. Puissante et fraîche à la fois, la finale s'étire longuement sur les fruits croquants. Le ***village* 2009 blanc (de 15 à 20 € ; 40 000 b.)** est cité pour son agréable parfum de fruits (pomme et citron) et pour son palais souple et persistant. À servir sur un fromage de chèvre frais.

Ch. de Chamirey, Chamirey, 71640 Mercurey, tél. 03.85.45.21.61, fax 03.85.98.06.62, contact@chateaudechamirey.com r.-v.

Devillard

VINCENT ET JEAN-PIERRE CHARTON La Chassière 2010 ★

1er cru | 2 000 | 11 à 15 €

Ces vignerons de père en fils ont créé le domaine en 1960, et c'est aujourd'hui Vincent le petit-fils qui a repris les rênes de l'exploitation (en janvier 2011). Né sur 30 ares d'un sol marno-calcaire, ce 2010 grenat soutenu dévoile des senteurs d'épices, de violette et de framboise. Après une attaque franche, la bouche développe une chair dense sur fond de fruits rouges et noirs. Très typé mercurey, ce joli vin est flatteur, riche et long, et on le réservera aux grandes occasions.

Dom. Charton, 29, Grande-Rue, 71640 Mercurey, tél. et fax 03.85.45.22.39, jean-pierre-charton@wanadoo.fr
r.-v.

DANJEAN-BERTHOUX Les Chavances 2009 ★

	3 000		8 à 11 €

Blotti au pied du célèbre mont Avril, le petit village bourguignon de Jambles développe sa vocation viticole et aussi l'élevage de la célèbre race charolaise. Pascal Danjean y élabore ses vins depuis 1993, date de son installation. C'est pour un très joli mercurey 2009 qu'il est aujourd'hui présent dans le Guide. Prêt à boire, ce vin rubis affiche un nez concentré de fruits rouges, quelques notes animales et une pointe de fougère. Le palais solidement construit se révèle riche et puissant. Le parfait compagnon du gibier.

Danjean-Berthoux, Le Moulin-Neuf, 45, rte de Saint-Désert, 71640 Jambles, tél. 03.85.44.54.74, fax 03.85.44.33.46, danjean.berthoux@wanadoo.fr
t.l.j. 8h-12h 14h-19h; f. 15-30 août

ANDRÉ DELORME La Renarde Élevé en fût de chêne 2010

	10 400		8 à 11 €

Vendue en 2005 à Éric Piffaut, cette maison de négoce de Rully bénéficie maintenant de nouveaux chais et d'une magnifique cave voûtée pour l'élevage et le vieillissement de ses vins. Ce mercurey à la robe limpide, d'un rouge translucide caractéristique du pinot jeune, mêle des notes de réglisse sur fond de cerise à des parfums plus chaleureux qui évoquent le café, le caramel et le kirsch. On retrouve au palais toute la complexité aromatique du nez, dans une structure puissante, portée par des tanins encore très présents qui bâtissent une charpente prometteuse. Un vin consistant, à déguster sur un plat fort en goût tel du gibier à poil ou un fromage affiné.

André Delorme, Le Meix, 11, rue des Bordes, 71150 Rully, tél. 03.85.87.10.12, fax 03.85.87.04.60, contact@andre-delorme.com
t.l.j. sf dim. 10h-12h30 14h-17h30

DOUDET-NAUDIN 2010 ★

	3 000		11 à 15 €

La maison Doudet-Naudin est une des dernières maisons de négoce familiales indépendantes sur la place de Beaune. En effet, la mondialisation du marché du vin a entraîné une forte concentration du négoce de Bourgogne et donc du savoir-faire. De la robe rouge soutenu aux reflets rubis s'échappent des senteurs de sous-bois et de fruits à noyau. En bouche, la matière élégante, de bonne structure, s'appuie sur des tanins concentrés mais bien mûrs, qui témoignent d'un élevage en fût parfaitement maîtrisé. Des filets de marcassin accompagnés d'airelles feront un accord parfait.

Doudet-Naudin, 3, rue Henri-Cyrot, BP 1, 21420 Savigny-lès-Beaune, tél. 03.80.21.51.74, fax 03.80.21.50.69, doudet-naudin@wanadoo.fr
r.-v.

♥ **DOM. DE L'EUROPE** Les Closeaux 2010 ★★

	3 000		11 à 15 €

« Observer et écouter la nature, s'imprégner de la terre et de l'air, et devenir leurs humbles serviteurs en essayant de transcrire en "langage humain" ce que le terroir veut bien nous donner. » Telle est la philosophie de Chantal et Guy Cinquin. Élu coup de cœur, leur Closeaux se présente vêtu d'une élégante robe grenat clair aux légers reflets tuilés. Explosif, le bouquet mêle la griotte, la framboise, la fraise des bois et aussi le poivre noir et la rose. L'attaque en bouche, ample et franche, laisse la place à un velours noble qui tapisse le palais. « Un vin typique de son terroir, qui a des choses à dire et que l'on servira en 2014 sur un canard au poivre », conclut un juré enthousiaste. Le **2010 blanc Clos du Château (11 à 15 € ; 1 600 b.)** au nez complexe de miel, de beurre et de fleurs blanches, à la bouche ample et ronde, est aussi jugé remarquable par le jury qui qualifie ce vin de « pur plaisir ». Le **2010 rouge Les Chazeaux (11 à 15 € ; 4 000 b.)**, intense et élégant, et le **2010 rouge Les Chazeaux Vieilles Vignes (11 à 15 € ; 6 000 b.)**, puissant et harmonieux, obtiennent chacun une étoile.

Guy et Chantal Cinquin, Dom. de l'Europe, 7, rue du Clos-Rond, 71640 Mercurey, tél. 06.08.04.28.12, fax 03.85.45.23.82, cote.cinquin@wanadoo.fr r.-v.

DOM. DE L'ÉVÊCHÉ Les Ormeaux 2010 ★

	4 000		8 à 11 €

Voici un vin très réussi à apprécier dans sa jeunesse. Rubis éclatant à l'œil, il est finement fruité, alliant groseille, framboise et cerise. Ces arômes gourmands mettent en valeur la matière souple et élégante de la bouche, qui est soutenue par une structure fraîche et équilibrée entraînant loin la finale vive et enjouée. Une visite chez Sylvie et Vincent Joussier s'impose.

EARL Vincent et Sylvie Joussier, Dom. de l'Évêché, 71640 Saint-Denis-de-Vaux, tél. 03.85.44.30.43, vincentjoussier@cegetel.net
t.l.j. 8h-19h; dim. sur r.-v.; f. 15-23 août

DOM. DE LA FRAMBOISIÈRE
Clos Rochette Monopole 2010 ★

	26 000		11 à 15 €

Situé à Nuits-Saint-Georges, le domaine de la famille Faiveley possède plus de 120 ha de vignes sur des terroirs d'exception et il est notamment connu pour ses dix grands crus et ses vingt 1ers crus. Mais c'est un « simple » mercurey *village*, en monopole, qui a reçu les éloges du jury. Brillant de mille feux, la robe jaune d'or s'ourle de légers reflets verts. Le nez ouvert développe un bouquet aux dominantes minérale et florale, agrémenté de plaisantes touches de miel d'acacia. Ronde et pleine de matière, la bouche s'étire longuement en finale. « Un joli vin de plaisir immédiat et gourmand, à servir sur un poisson grillé », conclut un juré.

Dom. Faiveley, 8, rue du Tribourg, 21700 Nuits-Saint-Georges, tél. 03.80.61.04.55, fax 03.80.62.33.37, accueil@bourgognes-faiveley.com

PHILIPPE GARREY Vieilles Vignes 2009

■	2 100		11 à 15 €

Certifié Demeter (biodynamie) depuis 2011, Philippe Garrey a le privilège de cultiver une vieille vigne de pinot noir plantée en 1938 ! Bien ancrée dans son sol argilo-calcaire, elle est à l'origine de cette cuvée à l'allure sombre ourlée de grenat, qui dévoile des parfums fruités rappelant le cassis et la mûre, dans un environnement boisé. La bouche développe une chair ample et nerveuse aux tanins souples et réglissés, qui augurent un bel accord avec du gibier cet hiver.

Philippe Garrey, 15, rue de la Croix, 71640 Saint-Martin-sous-Montaigu, tél. 03.85.45.23.20, phil.garrey@orange.fr r.-v.

DOM. GOUFFIER Champs Martin 2009 ★

■ 1er cru	1 500		11 à 15 €

Dernière vinification réalisée par Jérôme Gouffier, qui sera resté à la tête du domaine familial durant dix-sept ans. Ce Champs Martin rouge grenat auréolé de reflets rubis invite au plaisir par son nez épicé et fruité souligné de subtiles notes mentholées. Puissant et bien équilibré, il s'accordera à merveille, dans deux ou trois ans, avec un cuissot de chevreuil mariné. Cité, le **2010 blanc Les Bussières (1 000 b.)** d'un jaune clair très brillant, aux notes d'agrumes et de fruits blancs, se révèle gourmand et plaisant. À boire dès cet automne pour profiter de cette belle fraîcheur aromatique.

Dom. Gouffier, 11, Grande-Rue, 71150 Fontaines, tél. 03.85.91.49.66, domaine@domainegouffier.fr r.-v.

DOM. DE LA GRANGERIE Clos Paradis 2009 ★★

■ 1er cru	14 260		11 à 15 €

Propriété du négociant bourguignon Émile Chandesais, ce domaine de la Grangerie possède des caves anciennes dans lesquelles ce vin a grandi. Ce Clos Paradis a séduit le jury par sa puissance et son élégance. La robe, grenat profond aux reflets violets, comme le bouquet intense aux notes de caramel, de chocolat et de fruits frais, mettent dans de bonnes dispositions. Au palais, on découvre un vin bien équilibré, soutenu par une présence tannique soyeuse. Le croquant des fruits rouges laisse une impression de finesse et s'étire longuement en finale. On servira cette bouteille, harmonieuse dès aujourd'hui, sur du gibier ou sur une viande rouge.

Maison Chandesais, rt de Saint-Loup-de-la-Salle, 71150 Chagny, tél. 03.85.87.51.17, fax 03.85.87.51.12, laurent-lechat@m-p.fr

Compagnie vinicole de Bourgogne

DOM. PATRICK GUILLOT Clos des Montaigu 2009

■ 1er cru	3 500		11 à 15 €

D'un rubis grenat homogène et brillant, la couleur de ce vin s'avère bien extraite. Sans exubérance au nez, cette cuvée est à la fois florale et fruitée, le tout avec délicatesse. La bouche s'enrichit de nuances savoureuses (fruits rouges confits), agrémentées d'une pointe de fraîcheur en finale. Un « vin de plaisir » pour le temps présent et pour les cinq années à venir.

Dom. Patrick Guillot, 9 A, rue de Vaugeailles, Chamirey, 71640 Mercurey, tél. 03.85.45.27.40, fax 03.85.45.28.57, domaine.pguillot@orange.fr r.-v.

DOM. MICHEL JUILLOT Les Vignes de Maillonge 2010 ★

■	28 000	15 à 20 €

Ce domaine emblématique de la Côte chalonnaise est retenu dans cette nouvelle édition du Guide pour deux vins jugés très réussis. La robe translucide, d'un rouge pinot, de ce mercurey annonce un nez explosif de fruits rouges (cerise, framboise). Après aération, on décèle également des notes plus chaudes et langoureuses d'épices et de fruits noirs. La bouche affiche un bel équilibre, avec de la fraîcheur, de la rondeur et un certain potentiel tannique. « Une valeur sûre ! », s'exclame un juré enthousiaste. Issu du granite, le **1er cru 2010 blanc En Sazenay (20 à 30 € ; 3 000 b.)** se pare d'or pâle et de reflets verts. Le bouquet mêle harmonieusement les fleurs blanches aux nuances plus puissantes des épices. Friand et élégant, le palais persiste longuement.

Dom. Michel Juillot, Grande-Rue, BP 10, 71640 Mercurey, tél. 03.85.98.99.89, fax 03.85.98.99.88, infos@domaine-michel-juillot.fr t.l.j. 9h30-12h 14h-18h30; dim. 9h30-12h

DOM. DU MEIX-FOULOT Les Veleys 2009

■ 1er cru	9 000		15 à 20 €

En 1996, Agnès Dewe de Launay, après quatre années passées aux États-Unis, reprend le domaine de 20 ha à la suite de son père Paul. Tout en conservant les traditions familiales ancestrales, elle apporte aux vins qu'elle produit une touche féminine. Une robe chatoyante rouge rubis habille ce 2009 au bouquet délicat de petits fruits rouges et de vanille. Fraîche à l'attaque, la bouche dévoile progressivement une matière dentelée, légère mais bien équilibrée, qui finit sur des notes de cerise croquante. On l'accordera, dès la sortie du Guide, avec un fromage bien affiné.

Dom. du Meix-Foulot, Touches, 71640 Mercurey, tél. 03.85.45.13.92, fax 03.85.45.28.10, meixfoulo@club.fr r.-v.

Agnès Dewe

DOM. MENAND Les Croichots 2010 ★

■ 1er cru	3 000		15 à 20 €

Vignerons depuis sept générations, les Menand perpétuent une tradition viticole, à savoir le provinage (ou provignage), consistant à multiplier un pied de vigne, en l'occurrence un pinot noir, en enterrant sans le détacher de la souche un sarment qui développera des racines. Le résultat ? Des raisins racés portant la marque du terroir, récoltés manuellement, puis égrappés et cuvés pendant trois semaines, sans adjonction de levures exogènes. Ni collé ni filtré, le vin a été mis en bouteilles une année plus tard. Ce 2010, vêtu de grenat aux reflets bleutés, sent bon les fruits rouges, la myrtille, mais aussi la vanille bourbon. Solide, plein, structuré par des tanins mûrs, le palais possède une bonne mâche qui invite à découvrir ce joli vin dès aujourd'hui sur une côte de bœuf. Le **1er cru 2010 rouge Clos des Combins (8 000 b.)** se révèle, lui aussi, très réussi, mais à attendre (trois à quatre ans).

Dom. Menand, 4, rue des Combins, 71640 Mercurey, tél. 03.85.45.19.19, fax 03.85.45.10.23 r.-v.

CH. DE MERCEY En Sazenay 2009 ★

■ 1er cru | 3 000 | 15 à 20 €

Situé au sud de la Côte de Beaune, le château de Mercey commande un vignoble de 51 ha qui s'étend également en Côte chalonnaise dans les appellations santenay, maranges et mercurey. Le 1er cru En Sazenay se révèle bien coloré, grenat animé de paillettes rubis. Le nez à dominante fruitée mêle des notes de liqueur, de fruits confits à des notes plus originales d'humus frais. Quant à la bouche, ronde et souple, elle offre une certaine douceur, typique du millésime, ainsi qu'une structure tannique bien enrobée dans la matière. À servir fin 2012 sur un rôti de porc et une poêlée de champignons des bois.

Ch. de Mercey, 71150 Cheilly-lès-Maranges, tél. 03.85.91.13.19, fax 03.85.91.16.28, duthey.m@rodet.com t.l.j. sf sam. dim. 9h-12h 14h-18h chez Antonin Rodet à Mercurey

DOM. GAËLLE ET JÉRÔME MEUNIER 2010

1er cru | 800 | 11 à 15 €

Ce couple de passionnés est entré dans le monde du vin « discrètement », en commençant par quelques ares dans l'appellation bouzeron, qu'ils cultivaient pendant leur temps libre (Gaëlle travaillait pour un laboratoire d'œnologie, et Jérôme régissait un domaine en Côte de Beaune). En 2006, ils sautent le pas et s'installent avec 8,5 ha de vignes en Côte chalonnaise et en Côte de Beaune. Ils proposent un vin blanc aux nuances vert anis, brillant et limpide. Légèrement boisé à l'olfaction, ce 2010 se révèle franc et équilibré en bouche. La finale sur l'amande grillée le prédestine à une sole au beurre noisette.

Gaëlle et Jérôme Meunier, rue du Bois, 71640 Barizey, tél. 03.85.44.45.78, domainemeunier@orange.fr r.-v.

P. MISSEREY 2010 ★

■ | 37 000 | 15 à 20 €

Avec ce 2010, ce négociant nuiton signe un vin de pur plaisir prêt à être bu dès la sortie du Guide. Habillée d'une robe grenat aux reflets violets, cette cuvée présente un nez intense de fruits frais soulignés d'un léger vanillé. L'attaque franche et équilibrée précède une bouche aromatique, poivrée et florale, qui mène loin la finale. « Donne envie d'en reprendre une gorgée ! », telle est la conclusion du jury. Pour mettre en valeur ce mercurey, invitez une bande d'amis par un dimanche ensoleillé et servez-le avec du jambon persillé. Vous verrez, il fera fureur.

Misserey, 6, rue de Chaux, 21700 Nuits-Saint-Georges, tél. 03.80.62.43.01, fax 03.80.62.43.16 r.-v.

DOM. DE LA MONETTE 2010 ★★

■ | 3 666 | 11 à 15 €

Ce domaine, propriété d'une famille lyonnaise pendant plusieurs générations, fut délaissé en 1993 lorsque la production de vin a été arrêtée. Roelof et Marlon Ligtmans-Steine d'origine néerlandaise l'ont acheté en 2007, tout en poursuivant leur formation au lycée viticole de Beaune. Citée dans l'édition précédente pour le millésime 2009, cette cuvée reçoit cette année deux étoiles et frôle le coup de cœur, se plaçant à la quatrième place du grand jury. Pimpante dans sa robe rubis aux reflets carminés, elle laisse une impression de pureté et de délicatesse. Des arômes francs de fruits mûrs (cassis, cerise), nuancés de notes délicatement boisées, introduisent une bouche bien dessinée, fruitée et persistante. Une belle structure dévoile des tanins fins de qualité et un volume intéressant. Un vin d'une grande élégance que l'on réservera dans trois ou quatre ans à une épaisse côte de bœuf et sa fondue d'échalotes.

Roelof Ligtmans, Dom. de la Monette, 15, rue du Château, Chamirey, 71640 Mercurey, tél. 03.85.98.07.99, vigneron@domainedelamonette.fr r.-v.

DOM. JEAN ET GENO MUSSO 2010 ★

■ | 4 200 | 11 à 15 €

Avant la crise phylloxérique, l'exploitation viticole du château de Sassangy couvrait plus de 100 ha. Au lendemain de la Seconde Guerre mondiale, il ne restait que quelques prés, bois et friches. Ingénieur des mines, Jean Musso et son épouse Geno, d'origine allemande, ont relancé l'activité viticole en 1979 avec 20 ares, pour atteindre trente ans plus tard 43 ha de vignes conduites en agriculture biologique. Sous une teinte pourpre à peine nuancée de rubis, les parfums de cassis, de cerise et de fraise des bois s'entendent à merveille. L'attaque est douce ; la bouche, à l'unisson, se révèle parfaitement équilibrée entre la rondeur du fruit et le gras de la chair. Voici un vin de densité moyenne, qui distille néanmoins un fin plaisir. À servir dès l'automne sur un onglet à l'échalote et à la groseille.

Ch. de Sassangy, Le Château, 71390 Sassangy, tél. 03.85.96.18.61, fax 03.85.96.18.62, musso.jean@wanadoo.fr r.-v.

CH. PHILIPPE-LE-HARDI Les Puillets 2009 ★★

■ 1er cru | 21 000 | 15 à 20 €

Autrefois propriété de Philippe le Hardi (1342-1404), fils du roi de France Jean le Bon et premier duc de Bourgogne, cette majestueuse demeure seigneuriale du IXes. a été remaniée au fil des siècles (XIIe et XVIes. notamment). Cette bouteille est royale : parée d'un bel habit rubis étincelant, elle a hérité d'un tempérament fruité (fraise, framboise), épicé (poivre, vanille) et mentholé. Dès l'attaque, la magie opère ; le palais, soutenu par les tanins enrobés d'un élevage réussi de dix mois en fût, arbore fièrement une chair fruitée conférant richesse et gourmandise à ce vin harmonieux, frais et élégant. À apprécier sans attendre sur un civet d'oie ou sur un canard à l'orange.

SAS Ch. de Santenay, 1, rue du Château, 21590 Santenay, tél. 03.80.20.61.87, fax 03.80.20.63.66, contact@chateau-de-santenay.com r.-v.

FRANÇOIS RAQUILLET Vieilles Vignes 2010 ★

■ | 7 000 | 11 à 15 €

Née de vignes de cinquante ans sur un sol argilo-calcaire, cette cuvée vêtue d'une belle robe sombre aux tonalités de grenat et de pourpre est discrète, même si l'on décèle à l'aération quelques notes d'épices et de fruits mûrs. La bouche se révèle, en revanche, plus expressive et offre de la puissance, de la rondeur avec des tanins charnus mais tendus. Une très belle bouteille en devenir, à servir dans trois ans sur une bavette à l'échalote. Le **1er cru 2010 rouge Les Veleys (15 à 20 € ; 6 000 b.)** sent bon le raisin frais et les petits fruits rouges. Il obtient la même note.

François Raquillet, 19, rue de Jamproyes, 71640 Mercurey, tél. 03.85.45.14.61, fax 03.85.45.28.05, francoisraquillet@club-internet.fr
t.l.j. sf dim. 9h-12h 14h-18h30

MICHEL SARRAZIN ET FILS La Perrière 2010 ★

■	6 500	11 à 15 €

Velouté, ce vin de couleur grenat sombre est éclairé de reflets carmin. Le nez complexe est un mariage réussi des fruits noirs et des épices. Dans une bouche à la belle densité, les tanins se révèlent fondus et puissants sur un fond aromatique de coulis de fruits rouges (fraise et framboise). Cette bouteille très élégante peut être servie dès maintenant sur son fruit ou d'ici deux ans pour encore plus d'harmonie. Une belle réalisation de la famille Sarrazin, toujours attachée à produire des vins de qualité.

SARL Michel Sarrazin et Fils, 26, rue de Charnailles, 71640 Jambles, tél. 03.85.44.30.57, fax 03.85.44.31.22, sarrazin2@wanadoo.fr r.-v.

DOM. DE SUREMAIN Les Crêts 2009 ★

■ 1er cru	5 480	15 à 20 €

L'ancien cadastre de Mercurey mentionne ce lieu-dit, alors orthographié « La Crée. » Aujourd'hui, ce haut de coteau à forte dominante calcaire, orienté au sud, se nomme « Les Crêts ». Cette cuvée à la robe dense, couleur grenat à reflets noirs, dévoile des fragrances épicées (poivre noir), fruitées (myrtille) et mentholées. Riche et boisé, le palais s'étire longuement sur des notes de vanille et de fruits cuits, tandis que les tanins s'avèrent élégants et frais. On pourra apprécier ce 2009 dès maintenant sur un magret de canard.

Dom. de Suremain, Ch. du Bourgneuf, 71, Grande-Rue, 71640 Mercurey, tél. 03.85.98.04.92, fax 03.85.45.17.88, contact@domaine-de-suremain.com r.-v.

DOM. THEULOT JUILLOT
Lieu-dit Château Mipont 2010 ★★

■	3 400	11 à 15 €

Ces vignerons signent un remarquable mercurey *village* 2010 issu de ceps de trente-cinq ans. Ce vin brillant, grenat vif, libère des parfums de raisin frais et de confiture de myrtilles nuancés d'épices orientales, agréables préludes au fruité de la bouche, qui séduit dès l'attaque. Équilibrée, soyeuse et dotée d'une structure tannique enrobée, celle-ci s'achève sur des notes réglissées rafraîchissantes. Un vin charnu, futur complice d'un agneau de sept heures.

Nathalie et Jean-Claude Theulot, Dom. Theulot Juillot, 4, rue de Mercurey, 71640 Mercurey, tél. 03.85.45.13.87, fax 03.85.45.28.07, e.juillot.theulot@wanadoo.fr
t.l.j. 8h-12h 13h30-18h; sam. dim. sur r.-v.

TUPINIER-BAUTISTA Les Vieilles Vignes 2010

■	4 500	11 à 15 €

La production de ce domaine est exportée à 50 %, notamment vers les pays anglo-saxons, friands de ce type de vin boisé. Cette cuvée arbore une belle robe rubis, un nez marqué par l'élevage (un an en fût de chêne) et une bouche ample et fruitée qui finit sur des notes grillées. Vous l'aurez compris, un peu de temps permettra aux tanins, un peu trop présents pour l'instant, de se fondre. Le **1er cru 2010 rouge En Sazenay (65 000 b.)** se révèle agréable et accessible dès aujourd'hui. Il est également cité.

Dom. Tupinier-Bautista, 21, rue de la Cure, Touches, 71640 Mercurey, tél. 06.87.16.02.14, fax 03.85.45.27.99, tupinier.bautista@wanadoo.fr t.l.j. 10h-18h30

DOM. A. ET P. DE VILLAINE Les Montots 2010

■	5 400	15 à 20 €

Aubert de Villaine, par ailleurs cogérant du célèbre domaine de la Romanée-Conti, milite ardemment pour l'inscription des *climats* de Bourgogne au Patrimoine mondial par l'Unesco. La voie est bien engagée puisque la candidature a été retenue par l'État, qui se charge de la déposer auprès de cet organisme. Ce mercurey grenat limpide et brillant développe de jolis arômes de petits fruits rouges et d'épices. Souple et frais, le palais, soutenu par des tanins soyeux et élégants, se révèle bien équilibré. Ce vin agréable, sans fioritures, devrait se savourer d'ici un an ou deux sur des ris de veau aux girolles.

Dom. A. et P. de Villaine, 2, rue de la Fontaine, 71150 Bouzeron, tél. 03.85.91.20.50, fax 03.85.87.04.10, contact@de-villaine.com r.-v.

Givry

Superficie : 270 hl
Production : 12 580 hl (80 % rouge)

À 6 km au sud de Mercurey, cette petite bourgade typiquement bourguignonne est riche en monuments historiques. Le givry rouge, la production principale, aurait été le vin préféré d'Henri IV. Mais le blanc intéresse aussi. L'appellation s'étend principalement sur la commune de Givry, mais « déborde » aussi légèrement sur Jambles et Dracy-le-Fort.

FRANÇOIS D'ALLAINES Les Grognots 2010 ★

□	850	15 à 20 €

Cuvée confidentielle, ce givry blanc produit à 850 exemplaires est bien représentatif de son appellation et de son millésime. Or clair brillant, il dévoile au nez des notes de fruits blancs et surtout une belle minéralité à travers de petites touches agréables de pierre à fusil. Frais dès l'attaque, il développe ensuite un joli gras parsemé de notes de noisette et une finale acidulée et tranchante typique de 2010. Bel accord en perspective avec des fruits de mer ou des asperges.

François d'Allaines, 2, imp. du Meix-du-Cray, 71150 Demigny, tél. 03.85.49.90.16, francois@dallaines.com
r.-v.

DOM. BESSON Le Haut Colombier 2010

■	15 000	11 à 15 €

Ce domaine possède une cave magnifique du XVIIe s., classée monument historique, qui, outre l'élevage du vin, accueille des concerts lors du festival « Les Musicaves » en juin de chaque année. Une visite s'impose... Demandez alors à goûter, pour vous mettre en appétit, le **Clos de la Brûlée 2010 blanc (3 000 b.)**, cité pour son agréable bouquet fruité et vanillé. Et n'oubliez pas ce Haut Colombier, habillé de pourpre aux reflets rubis, dont le nez rappelle le fruit avec discrétion mais élégance (cerise, griotte et prune), tandis que la bouche se révèle bien équilibrée et charpentée. Une petite garde de deux ans favorisera son harmonie.

Dom. G. et X. Besson, 9, rue des Bois-Chevaux, 71640 Givry, tél. 03.85.44.42.44, xavierbesson3@wanadoo.fr
r.-v.

RENÉ BOURGEON Clos de la Brûlée 2010 *

n.c. | 8 à 11 €

Ce 2010 a séduit le jury par son élégance et sa finesse. La classe de la robe n'a d'égale que celle du nez, où l'on retrouve le minéral du terroir et les notes de petites fleurs et de fruits blancs apportées par le cépage. Moelleux et riche tout en affichant une belle acidité, le palais offre un équilibre très réussi et une longue finale aromatique et tonique. Un vrai « vin plaisir », à boire dès maintenant. Le nez fruité, fumé et épicé du givry **1er cru En Choué 2010 rouge (11 à 15 €)**, une étoile également, met en appétit. La suite ne déçoit pas : attaque fraîche, structure épanouie reposant sur des tanins mûrs et longue finale savoureuse aux accents vanillés. S'il charme déjà les papilles, une garde de quatre à cinq ans ne pourra pas lui nuire. Belle alliance en perspective avec du gibier.

EARL René Bourgeon, 2, rue du Chapitre, 71640 Jambles, tél. 03.85.44.35.85, fax 03.85.44.57.80, gaec.renebourgeon@wanadoo.fr
t.l.j. 8h-20h; dim. sur r.-v.

DOM. DU CELLIER AUX MOINES
Clos du Cellier aux Moines 2009

1er cru | 17 000 | 20 à 30 €

Ce domaine a fait la une de l'actualité dernièrement, car il a offert aux mémorial et musée nationaux du 11-Septembre de New York une réplique du magnifique tapis *Manhattan* qui ornait le célèbre restaurant *Windows on the World* au sommet du World Trade Center. L'original avait été réalisé par la Manufacture de Moroges en 1996, et c'est en parcourant en 2009 les archives de cette petite entreprise que Catherine et Philippe Pascal, propriétaires de ce domaine et généreux donateurs, découvrirent le dessin et décidèrent de faire réaliser une réplique de cette œuvre. Une générosité que l'on retrouve dans ce vin orné de rubis, aux notes subtiles de fruits noirs et à la bouche gourmande et soyeuse. Un beau produit, à garder quelques années en cave avant de le servir sur un lièvre à la royale.

Dom. du Cellier aux Moines, Clos du Cellier aux Moines, 71640 Givry, tél. et fax 03.85.44.53.75, contact@cellierauxmoines.fr r.-v.
Famille Pascal

DOM. CHOFFLET-VALDENAIRE Clos Jus 2010 **

1er cru | 5 000 | 11 à 15 €

Ce vieux vignoble, créé en 1710, est exploité depuis 1987 par Denis Valdenaire, Savoyard d'origine. Cette année, deux 1ers crus du domaine sont sélectionnés. Le **Clos de Choué 2010 rouge (10 000 b.)** est cité pour sa souplesse et sa fraîcheur. Ce Clos Jus, habillé de grenat limpide et brillant, présente quant à lui un nez très complexe de fruits et d'épices agrémentés de senteurs de sous-bois. La bouche, moelleuse, dense et riche, est tendue par une belle acidité, qui lui donne de l'allonge et de l'équilibre, et soutenue par des tanins fermes mais de qualité. Une bouteille de très belle facture, à boire dès la sortie du Guide sur une côte de bœuf, ou à attendre quatre ou cinq ans.

Dom. Chofflet-Valdenaire, Russilly, 71640 Givry, tél. 03.85.44.34.78, chofflet.valdenaire@wanadoo.fr
r.-v.

CLOS SALOMON 2010 **

1er cru | 25 000 | 15 à 20 €

Cette propriété possède ce Clos Salomon en monopole depuis le XIVe s. et elle appartient à la famille du Gardin depuis 1632. Souvent en bonne place dans le Guide, elle frôle cette année le coup de cœur. Paré d'une robe du soir rubis, le 2010 dévoile un nez discret de fruits noirs mûrs et d'épices douces. Le palais, ample, dense et chaleureux, reste toujours raffiné, construit autour de tanins racés traduisant une réelle maîtrise de l'élevage. Un givry doté d'un relief certain, que l'on pourra déguster autour d'un faux-filet sauce marchand de vin dans deux ou trois ans.

Dom. du Clos Salomon, 16, rue du Clos-Salomon, 71640 Givry, tél. 03.85.44.32.24, fax 03.85.44.49.79, clos.salomon@wanadoo.fr t.l.j. sf dim. 9h-12h 14h-18h

DOM. DAVANTURE 2009 **

5 300 | 8 à 11 €

Issu de vendanges manuelles, ce 2009 s'affiche dans une robe intense, couleur bigarreau, annonciatrice de plaisir. Il est élevé six mois en cuve puis douze mois en fût de chêne, dont il ne garde que d'infimes notes vanillées dans un environnement fruité (griotte et mûre). Le mariage réussi du bois et du vin se poursuit tout au long de la dégustation, pour donner naissance à une bouche longue et équilibrée, à laquelle une très belle structure tannique apporte de la profondeur. Le charme opère jusqu'à la finale, élégante, raffinée et subtilement poivrée. À boire dans deux ou trois ans sur un plat oriental, un tajine d'agneau aux épices par exemple.

Dom. Davanture, rue de la Messe, Cidex 1516, 71390 Saint-Désert, tél. et fax 03.85.47.95.57, domaine.davanture@orange.fr r.-v.
GAEC des Murgers

DOM. DESVIGNES Clos Charlé 2010

1er cru | 2 600 | 11 à 15 €

La robe de ce vin oscille entre grenat et rubis, et sa palette aromatique s'ouvre doucement sur le fruit noir. Ample et moelleux en attaque, le palais s'appuie sur une belle vivacité et sur une solide structure tannique qui laisse augurer un bon vieillissement de deux ou trois ans. Ce givry sera alors « à point » pour une entrecôte charolaise.

Dom. Desvignes, 36, rue de Jambles, 71640 Givry, tél. 03.85.44.51.23, fax 03.85.44.43.53, domainedesvignes@orange.fr

DOM. DE LA FERTÉ Servoisine 2010 **

1er cru | 3 000 | 20 à 30 €

Ce domaine doit son nom à l'abbaye de la Ferté bâtie au début du VIIe s. sous l'égide de l'abbaye de Cîteaux et gérée par les moines jusqu'à la Révolution. Bertrand

Devillard reprend les 2,5 ha de ce vignoble en 1995. Vinifié en fût de chêne durant une année, ce 2010 couleur pourpre se révèle discret au premier nez. Après aération, il développe de jolies senteurs de cerise et de framboise nuancées de vanille. Racé et puissant, le palais dévoile une matière charpentée, soutenue par une trame tannique encore austère. Une garde de deux à trois ans l'harmonisera. Le givry **2010 rouge (15 à 20 € ; 6 000 b.)** est quant à lui cité pour ses arômes de petits fruits et de grillé, et pour son palais à la bonne concentration. À attendre également.

Dom. de la Ferté, BP 5, 71640 Mercurey, tél. 03.85.45.21.61, fax 03.85.98.06.62, contact@domainedelaferte.com r.-v.

Famille Devillard

DOM. MICHEL GOUBARD ET FILS La Grande Berge 2010

1er cru | 15 600 | 11 à 15 €

Les pinots noirs âgés de presque cinquante ans s'associent aux argiles et aux calcaires du terroir de La Grande Berge pour donner naissance à cette cuvée à la robe limpide ornée de reflets grenat. Le nez rappelle les fruits rouges et le cassis. Fraîcheur et souplesse caractérisent la bouche de ce givry d'une aimable simplicité ; prêt à boire avec une assiette de charcuterie.

EARL Michel Goubard et Fils, 6, rue de Bassevelle, 71390 Saint-Désert, tél. et fax 03.85.47.91.06, earl.goubard@wanadoo.fr

t.l.j. 9h-12h 14h-19h; dim. sur r.-v.

DOM. LABORBE-JUILLOT
Clos Marceaux Monopole 2010 ★★

1er cru | 10 000 | 11 à 15 €

Ce domaine, situé sur le hameau de Poncey à Givry est entré à la cave des vignerons de Buxy il y a une dizaine d'années, et il en est devenu une filiale fin 2007. Ce vin issu d'un terroir argilo-calcaire de 2,94 ha, vendangé manuellement, se présente dans une seyante robe rubis et dévoile des parfums de bois, d'épices et de fruits rouges. La bouche, tout en rondeur, évolue sur des tanins fins, et le boisé se révèle parfaitement intégré, même si la finale « sèche » encore un peu les papilles. Ce givry, prometteur et ambitieux, s'accordera volontiers à un civet de lièvre dans quatre ou cinq ans.

SCEA Laborbe-Juillot, 2, rte de Chalon, 71390 Buxy, tél. 03.85.92.03.03, fax 03.85.92.08.06, accueil@vigneronsdebuxy.fr t.l.j. 9h-12h 14h-18h30

Gérard Maitre

MARINOT-VERDUN 2010 ★

 | 3 900 | 5 à 8 €

D'un rapport qualité-prix défiant toute concurrence, ce 2010 de la maison Marinot-Verdun a séduit le jury à plus d'un titre. Sa robe, tout d'abord, d'un grenat profond, se pare de reflets bleutés intenses. Son nez oscille entre les fruits noirs et les fruits secs, tandis que la bouche laisse le cassis s'exprimer. Pleine, charnue et persistante, cette dernière se montre tannique sans être astringente, et affiche une longueur qui laisse présager un bel épanouissement durant trois à cinq ans.

Marinot-Verdun, Mazenay, 71510 Saint-Sernin-du-Plain, tél. 03.85.49.67.19, fax 03.85.45.57.21, marinot-verdun@wanadoo.fr

t.l.j. sf dim. 8h-12h 14h-18h

DOM. MOUTON Les Grands Prétans 2010 ★

1er cru | 3 800 | 15 à 20 €

Ce domaine d'une dizaine d'hectares cultive le pinot noir et le chardonnay sur les sols argilo-calcaires de Givry depuis quatre générations. Arrivé aux commandes en 2002, Laurent Mouton signe un 1er cru drapé dans une robe profonde encore jeune. Le nez dévoile des parfums de fruits noirs synonymes de raisins ramassés à maturité. La bouche se révèle ample et bien structurée par des tanins fermes, et s'étire longuement en finale sur des notes de fruits mûrs qui font écho à l'olfaction. Un joli vin de garde, à accorder avec une côte de bœuf à la moelle au cours des quatre ou cinq prochaines années. Une étoile également pour la **cuvée Excellence 2010 blanc (11 à 15 € ; 2 250 b.)** aux plaisantes saveurs de noisette, de pain grillé et de fleurs blanches, et bien équilibrée en bouche.

SCEA Dom. Mouton, 6, rue de l'Orcène, Poncey, 71640 Givry, tél. 03.85.44.37.99, fax 03.85.44.48.19, domaine-mouton@vin-givry.com

t.l.j. sf dim. 8h-18h30

PARIZE PÈRE ET FILS Clos Les Grandes Vignes 2010 ★

1er cru | 10 000 | 11 à 15 €

Ce pinot noir planté il y a une vingtaine d'années par les Parize s'étale langoureusement au soleil levant sur les terres argilo-calcaires du 1er cru Clos Les Grandes Vignes. Récolté manuellement puis élevé quinze mois en fût de chêne, il a donné naissance à ce vin très plaisant, couleur rubis. Le nez, tout en discrétion, révèle après aération des notes de fruits très mûrs, prélude à beaucoup de matière dans une bouche adossée à des tanins fondus. La longue finale, sur la « confiture de vieux garçon », achève de convaincre. Un excellent compagnon pour une pintade braisée au chou.

EARL Parize Père et Fils, 18, rue des Faussillons, 71640 Givry, tél. 03.85.44.38.60, fax 03.85.44.43.54, laurent.parize@wanadoo.fr t.l.j. 9h-19h

DOM. PELLETIER-HIBON Le Vigron 2010 ★

1er cru | 4 000 | 11 à 15 €

Issu d'une famille d'industriels, Luc Hibon a travaillé quelque temps dans la peinture, « sans grand enthousiasme », précise-t-il. Il trouve sa voie à l'âge de 25 ans : ce sera la viticulture. Il fréquente alors « La Viti » de Beaune – comprenez, le lycée viticole –, puis la faculté d'œnologie de Dijon. Après avoir fait ses armes pendant huit ans à Montagny, il s'associe en 2001 à son beau-père, Henri Pelletier. Il propose ici un 2010 élégant aux reflets rubis et au nez persistant de framboise, de mûre et de vanille. Après une attaque légèrement perlante, la bouche tout en délicatesse, sur les fruits rouges, dévoile des tanins fins et soyeux mariés à un boisé bien maîtrisé et fondu. À déguster au cours des trois ou quatre prochaines années.

Dom. Pelletier-Hibon, rue de la Planchette, Poncey, 71640 Givry, tél. 03.85.94.87.42, pelletier.hibon@club-internet.fr r.-v.

DOM. RAGOT Crausot 2010 ★

1er cru | 1 400 | 15 à 20 €

Nicolas, fils de Jean-Paul Ragot, arrive en 2008 sur le domaine et, dès la saison 2009, il expérimente la lutte biologique dans un tiers du vignoble. En 2011, il réduit encore l'emploi des produits chimiques, tout en perpétuant l'entretien des sols pratiqué depuis une dizaine d'années, lequel favorise la biodiversité du milieu. Ne reste plus que la certification biologique, se dit-on... Son Crausot blanc couleur or vert séduit par son approche fraîche et épanouie de fruits blancs. Gras et plein en bouche, il monte en puissance et affirme sans complexe une belle personnalité. Un vin flatteur, que l'on imagine très bien en compagnie d'une fricassée de grenouilles de la Saône.

Dom. Ragot, 4, rue de l'École, 71640 Givry,
tél. 03.85.44.35.67, fax 03.85.44.38.84,
vin@domaine-ragot.com t.l.j. sf dim. 8h-20h

MICHEL SARRAZIN ET FILS Champs Lalot 2010 ★★

21 000 | 11 à 15 €

Du jamais vu dans le chapitre Bourgogne du Guide, la famille Sarrazin décroche les trois premières places du grand jury des coups de cœur de l'appellation givry ! Le Champs Lalot 2010 finit sur la plus haute marche du podium. Sous une robe grenat légèrement ocré, des senteurs de fruits rouges et noirs mêlées de notes kirschées flattent délicatement le nez. Une remarquable concentration et des tanins ronds à souhait composent une bouche riche et structurée. En seconde place arrive le givry **1er cru La Grande Berge 2010 rouge (3 000 b.)** paré de rubis étincelant, au nez riche et puissant de fruits rouges agrémentés de nuances vanillées. La bouche veloutée et concentrée dévoile une matière parfaitement respectée par l'élevage en fût et soutenue par de beaux tanins serrés. Enfin, le givry **1er cru Les pièces d'Henry 2010 blanc (4 000 b.)**, cousu d'or, offre un superbe fruité autour du citron confit et de la pêche blanche. Son palais, plein dès l'attaque, révèle une texture grasse et s'équilibre avec élégance en finale grâce à la présence minérale du terroir. Des mets de haute gastronomie feront d'excellents compagnons pour ces trois seigneurs de l'appellation.

SARL Michel Sarrazin et Fils, 26, rue de Charnailles,
71640 Jambles, tél. 03.85.44.30.57, fax 03.85.44.31.22,
sarrazin2@wanadoo.fr r.-v.

DOM. SILVESTRE-DU CLOSEL 2009

2 300 | 8 à 11 €

L'église romane de Cortiambles, qui se trouve à proximité de ce domaine, possède un clocher carré surélevé d'une flèche de pierre culminant à 22 m au-dessus du chœur. Ce 2009 à la robe rouge cerise animée de reflets violet profond offre un nez épicé agréable même s'il semble encore sur la réserve. Le palais est plein et généreux ; on y retrouve du fruit rouge et de la réglisse. Un *village* qui tient son rang.

SCEV Dom. Silvestre-Du Closel,
10, rue de la Baraude, Cortiambles, 71640 Givry,
tél. 03.85.44.31.04, fax 03.85.44.42.82
t.l.j. 9h-12h 13h30-18h; sam. dim. sur r.-v.
du Closel

Montagny

Superficie : 310 ha
Production : 17 000 hl

Entièrement vouée aux blancs, Montagny est l'appellation la plus méridionale de la Côte chalonnaise et annonce déjà le Mâconnais. Ses vins peuvent être produits sur quatre communes : Montagny, Buxy, Saint-Vallerin et Jully-lès-Buxy. Plusieurs 1ers crus (les Coères, les Burnins, les Platières...) sont délimités sur la commune de Montagny. Assez subtils, avec des arômes d'agrumes et une touche de minéralité, de bonne garde, les montagny mériteraient d'être mieux connus.

STÉPHANE ALADAME Sélection Vieilles Vignes 2010 ★

1er cru | 9 500 | 11 à 15 €

Issu de l'assemblage des plus vieux chardonnays du domaine, quatre parcelles de quarante à quatre-vingts ans, ce vin se révèle limpide et brillant dès l'approche. Il évoque au nez les fruits exotiques, la mandarine et le cédrat mâtinés de notes anisées et mentholées. Complexe (pamplemousse, sucre d'orge, vanille et amande fraîche), dense et plus marqué par la fraîcheur du millésime, le palais est soutenu par une vivacité importante, gage d'une belle tenue dans le temps. Encore sur la réserve, il demande deux ou trois ans pour s'épanouir. Une citation pour le **1er cru 2010 Les Vignes Derrière (4 800 b.)**, lui aussi encore en devenir, dominé par l'acidité mais offrant une belle matière. Deux ans d'attente à prévoir.

Stéphane Aladame, rue du Lavoir,
71390 Montagny-lès-Buxy, tél. 03.85.92.06.01,
aladame@wanadoo.fr r.-v.

DOM. BERNOLLIN Les Chaniots 2009 ★

1er cru | 12 184 | 15 à 20 €

Fondée en 1851 par Flavien Jeunet, la maison est reprise dans les années 1930 par la famille Sounit, qui la cédera à son importateur danois en 1993. Depuis, outre l'activité de négoce, elle exploite 12 ha de vignes à Jully-lès-Buxy en appellation montagny. Issu de chardonnays de quatre-vingts ans, ce vin vendangé à la main a grandi dans le bois pendant une année. Or pâle, il plaît par la complexité de ses arômes : poire, pêche, miel, chèvrefeuille et des touches de pain grillé. La bouche ne déçoit pas : l'attaque est grasse, puis le vin se tend, soutenu par une belle fraîcheur, pour aboutir à l'équilibre. Des fruits jaunes et du pamplemousse sur un fond modérément boisé servent de conclusion à cette bouteille, que l'on servira dès aujourd'hui sur une volaille à la crème.

Maison Albert Sounit, 5, pl. du Champ-de-Foire,
71150 Rully, tél. 03.85.87.20.71, fax 03.85.87.09.71,
albert.sounit@wanadoo.fr r.-v.
K. Kjellerup

JEAN-PIERRE BERTHENET Symphonie 2010

1er cru	3 600		15 à 20 €

Habitué du Guide depuis sa sortie de la cave coopérative de Buxy en 2002, plusieurs coups de cœur à la clé, Jean-Pierre Berthenet propose une harmonieuse Symphonie, en devenir. La robe de ce 2010 affiche de jolies nuances dorées. Du verre s'élèvent de sympathiques notes d'abricot, de miel et de pamplemousse. Même si la bouche possède tous les atouts nécessaires (amplitude, vivacité et longueur), il faudra un peu de temps pour que ceux-ci s'harmonisent. Apogée prévue dans un an ou deux. Une citation revient au **1er cru 2010 Vieilles Vignes (11 à 15 €; 10 000 b.)** pour son nez fruité agrémenté de notes vanillées et pour son palais tendre et harmonieux.

Dom. Berthenet, rue du Lavoir, 71390 Montagny-lès-Buxy, tél. 03.85.92.17.06, fax 09.70.06.91.70, domaine.berthenet@free.fr
t.l.j. 9h-12h 13h30-19h; sam. dim. sur r.-v.

CAVE DE BISSEY Les Pidances 2010

1er cru	12 800		8 à 11 €

Pas extrêmement concentré mais bien fait, avec un élevage qui préserve la vivacité des arômes, ce 2010 donne du plaisir. Limpide et claire, la robe jaune paille précède un nez puissant, citronné, vanillé et floral (aubépine). La bouche, à la fois bien tendue, ample et grasse, est équilibrée, soulignée par un joli fruité et un boisé discret. À servir dans un an avec une blanquette de veau.

Cave de Bissey, Les Millerands, 71390 Bissey-sous-Cruchaud, tél. 03.85.92.12.16, fax 03.85.92.08.71, cave.bissey@wanadoo.fr
t.l.j. 9h-12h 14h-18h30; dim. 14h-18h

VIGNERONS DE BUXY Les Coères 2009

1er cru	26 000		8 à 11 €

Par souci d'améliorer le « travail amont », cette coopérative, fondée en 1931, a instauré une différenciation du paiement selon la qualité de la vendange apportée. Celle à l'origine de ce 2009 remplit son objectif et donne un joli montagny jaune tendre aux reflets lumineux, au nez très floral (aubépine et chèvrefeuille), mâtiné de notes poivrées et, à l'aération, de pomme verte, de pain de mie frais, de fruits confits et de zeste d'orange. Rond, voluptueux, sur les fruits confits, le palais se révèle fort plaisant, bien qu'un peu chaleureux en finale. À boire sur une viande blanche en sauce. Le **1er cru 2009 Les Chaniots (40 000 b.)**, plus sur la fraîcheur, est également cité.

Vignerons de Buxy, Les Vignes de la Croix, 2, rte de la Croix, 71390 Buxy, tél. 03.85.92.03.03, fax 03.85.92.08.06, accueil@vigneronsdebuxy.fr
t.l.j. sf dim. 9h-12h 14h-18h30

DOM. DU CLOS SALOMON Le Clou 2010

	10 000		8 à 11 €

Ludovic du Gardin et Fabrice Perrotto, à la tête du domaine du Clos Salomon, givrotins d'adoption et experts en pinot noir, ont planté 2,2 ha de chardonnay en terres montagnardes (rien à voir avec l'altitude). Limpide et brillant, ce vin à la couleur jaune d'or présente après aération une complexité aromatique mariant subtilement l'ananas et la noisette. Des saveurs que l'on retrouve dans une bouche riche et enveloppante, qui persiste longuement en finale. Prévoir un passage en carafe avant de le servir sur un poisson sauce hollandaise.

Dom. du Clos Salomon, 16, rue du Clos-Salomon, 71640 Givry, tél. 03.85.44.32.24, fax 03.85.44.49.79, clos.salomon@wanadoo.fr t.l.j. sf dim. 9h-12h 14h-18h

♥ **DEMESSEY** 2010 ★★

1er cru	1 400		11 à 15 €

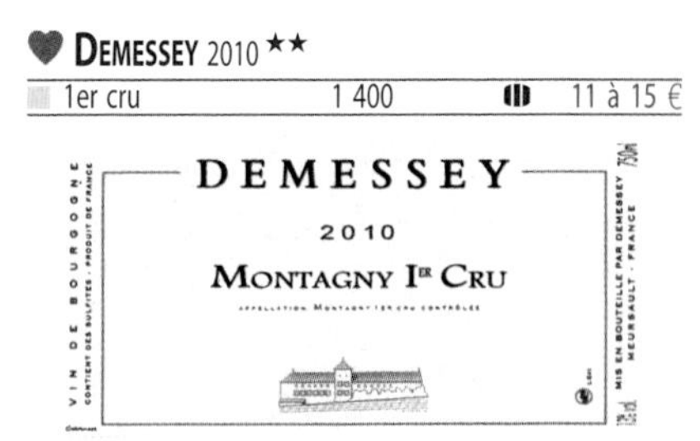

Pour élargir sa gamme de vins déjà très fournie par ses différentes propriétés viticoles (Mâconnais et Côte de Beaune), Marc Dumont commence à travailler avec le domaine Belleville à Rully et met ainsi le pied en Côte chalonnaise. Il réussit une jolie performance en obtenant un coup de cœur avec cette cuvée confidentielle de montagny 1er cru. Ce 2010 flatte le regard dans sa robe pâle constellée de paillettes dorées. D'intenses arômes de poire, de beurre, de vanille et de noisette légèrement grillée sur un fond de fleurs blanches composent une belle palette aromatique. Fraîche et souple à l'attaque, la bouche se fait longue et enveloppante, sans aspérité aucune. Sa persistance aromatique et sa minéralité bien typique lui confèrent de la noblesse et de la longueur. « Un seigneur de l'appellation », à servir sur un homard ou un turbot grillé.

Manoir Murisaltien Demessey , 4, rue du Clos-de-Mazeray, 21190 Meursault, tél. 03.80.21.21.83, fax 03.80.21.66.48, vin@demessey.com
r.-v.
Marc Dumont

DOM. FEUILLAT-JUILLOT Les Jardins 2010 ★

1er cru	5 000		11 à 15 €

Françoise Feuillat-Juillot, fille d'une illustre famille vigneronne de Mercurey, a posé ses valises en 1989 sur les terres de Montagny. Elle exploite aujourd'hui 14 ha de vignes avec treize 1ers crus différents, dont deux ont retenu l'attention des jurés. Celui-ci, paré d'une robe jaune citron, offre un nez précis et fin mêlant les fleurs et les fruits blancs aux épices douces. Son attaque minérale ouvre sur une bouche bien équilibrée entre rondeur et vivacité. Une finale fraîche de pamplemousse le désigne pour accompagner dans un à deux ans une belle sole meunière. Le 1er cru 2010 **Les Grappes d'Or (20 000 b.)**, ample, rond, généreux, obtient également une étoile. Le *village* **Les Crêts 2010 (8 à 11 €; 6 000 b.)**, plus porté sur la fraîcheur, est cité.

Dom. Feuillat-Juillot, rte de Montorge, BP 13, 71390 Montagny-lès-Buxy, tél. 03.85.92.03.71, fax 03.85.92.19.21, domaine@feuillat-juillot.com
t.l.j. sf dim. 8h-18h

CAVE DE GENOUILLY Les Vignes du soleil 2010 ★

1er cru	n.c.		8 à 11 €

La cave de Genouilly est la plus petite cave coopérative de Bourgogne avec ses soixante-dix adhérents pour

100 ha de vignes. Elle propose ici un blanc élevé en cuve pendant seize mois. Ses atouts ? Un bouquet à dominante de fruits mûrs voire compotés, une bouche de bonne tenue, à la fois moelleuse et soutenue par une vivacité tranchante et minérale. Il ira parfaitement avec une lotte à l'américaine.
Cave des vignerons de Genouilly, allée du 19-Mars-1962, 71460 Genouilly, tél. 03.85.49.23.72, fax 03.85.49.23.58 r.-v.

DOM. LE GRÉGOIRE Cuvée de l'Élégante Vinifié et élevé en fût de chêne 2010

1er cru	2 100		8 à 11 €

Situé à Culles-les-Roches, village typique de la Côte chalonnaise qui tire son nom des falaises dominant le village, ce domaine a été repris en 2009 par Pascal Degueurce. Baigné dès son plus jeune âge dans le monde agricole et viticole, celui-ci a fait un tour par le monde industriel, avant un retour aux sources réussi. Limpide aux reflets verts et dorés, ce vin offre une palette aromatique complexe : caramel, fruits confits et cire d'abeille. Une belle maturité de raisin que l'on retrouve dans une bouche douce, riche et concentrée, une pointe d'acidité en soutien. Un vin qui fait débat : certains le trouvent élégant et ambitieux ; pour d'autres, il ne rentre pas dans la typicité de l'appellation. À vous de choisir...
Dom. Le Grégoire, quartier de la Gare, 71460 Culles-les-Roches, tél. 06.13.65.41.39, domainelegregoire@orange.fr r.-v.
Degueurce

CH. DE LA GUICHE 2010

	5 400		11 à 15 €

La production de ce domaine est distribuée par la maison familiale de négoce André Goichot, située à Beaune. Ce 2010 doré à l'or fin dévoile un nez délicat qui se partage entre l'ananas, les fruits mûrs et les arômes empyreumatiques de la barrique. La bouche, délicatement boisée, ne manque pas de charme ni d'élégance. Pour un poisson au beurre blanc.
Rolande Goichot, Ch. de la Guiche, 71390 Jully-les-Buxy, tél. 03.85.92.17.56 r.-v.

CH. DE LA SAULE 2010

1er cru	50 000		11 à 15 €

Situé à une vingtaine de kilomètres au sud-ouest de Chalon-sur-Saône, Montagny-lès-Buxy rassemble de façon circulaire, au cœur du village, d'anciennes maisons vigneronnes. Le château de la Saule est situé en contrebas du village. Alain Roy propose un 1er cru or blanc à reflets verts intenses. Fruité et floral, avec une pointe minérale, c'est un vin franc et net. Un « vin plaisir » à boire sur sa jeunesse.
Alain Roy, Ch. de la Saule, 71390 Montagny-lès-Buxy, tél. 03.85.92.11.83, fax 03.85.92.08.12 r.-v.

Le Mâconnais

Jeu de collines découvrant souvent de vastes horizons, où les bœufs charolais ponctuent de blanc le vert des prairies, le Mâconnais (5 700 ha en production) cher à Lamartine – Milly, son village, est vinicole, et lui-même possédait des vignes – est géologiquement plus simple que le Chalonnais. Les terrains sédimentaires du triasique au jurassique y sont coupés de failles ouest-est. 20 % des appellations sont communales, 80 % régionales (mâcon blanc et mâcon rouge). Sur des sols bruns calcaires, les blancs les plus réputés, issus de chardonnay, naissent sur les versants particulièrement bien exposés et très ensoleillés de Pouilly, Solutré et Vergisson avec les AOC pouilly-fuissé, pouilly-vinzelles, pouilly-loché, saint-véran. Ils sont remarquables par leur aptitude à une longue garde. Les rouges et rosés proviennent du pinot noir pour les vins d'appellation bourgogne, et de gamay noir à jus blanc pour les mâcons issus de terrains à plus basse altitude et moins bien exposés, aux sols souvent limoneux où des rognons siliceux facilitent le drainage.

Mâcon et mâcon-villages

Production : 29 400 hl (85 % en rouge)

L'aire de production est assez vaste : du nord au sud, de la région de Tournus jusqu'aux environs de Mâcon, une cinquantaine de kilomètres sur une quinzaine de kilomètres d'est en ouest. À la diversité des situations répond celle des vins. Les appellations mâcon ou mâcon suivi de la commune d'origine sont utilisées pour les rouges, rosés et blancs. Les deux premiers sont le plus souvent issus de gamay, les troisièmes de chardonnay. Les vins blancs peuvent s'appeler aussi mâcon-villages.

L'AURORE PRESTIGE Lugny Lieu-dit La Carte 2011 ★★

	69 000		5 à 8 €

La cave de Lugny regroupe aujourd'hui quelque 250 exploitations et 1 450 ha de vignes, ce qui en fait le plus gros producteur de Bourgogne, 80 % de la production étant dédiés au chardonnay. Trois cuvées ont retenu l'attention du jury. Le **mâcon Lugny 2011 blanc Les Charmes (95 000 b.)**, cuvée emblématique de la cave, obtient une étoile pour son fruité gourmand et sa rondeur, de même que le **mâcon-villages 2011 blanc (150 000 b.)** qui plaît par son joli nez floral et sa bouche ample et fraîche. Encore un peu jeune toutefois, il sera parfait dans un an à l'apéritif. Quant au mâcon Lugny La Carte à la robe éclatante couleur or vert, il met tout le monde d'accord. Séduisant par son nez élégant de pêche, d'abricot et de rose fanée, il offre une bouche ronde et bien équilibrée, dans laquelle on devine un chardonnay d'une belle maturité. Sa finale vive et persistante laisse présager beaucoup de plaisir dès cet automne sur un filet de poisson meunière, par exemple.
Cave de Lugny, rue des Charmes, 71260 Lugny, tél. 03.85.33.22.85, fax 03.85.33.26.46, commercial@cave-lugny.com
t.l.j. sf dim. 8h30-12h30 13h30-19h (18h l'hiver)

DOM. BOURDON Villages 2010 ★★

5 500 | 5 à 8 €

Des vignes à peine majeures et un élevage de neuf mois sur lies fines ont contribué aux remarquables atouts de ce mâcon-villages. Tout en volupté, la robe aguiche par son éclat d'or. Le nez propose un mariage intense entre le fruit (pêche blanche, citron) et la fleur (genêt). Une belle attaque, tout en fraîcheur, puis une bouche explosive, d'une grande vivacité, qui retrouve longuement en finale les saveurs de l'agrume : tout est là. Un vin dynamique, idéal pour l'apéritif.

EARL François et Sylvie Bourdon, rue de la Chapelle, 71960 Solutré-Pouilly, tél. 03.85.35.81.44, fax 03.85.35.85.42, francoisbourdon2@wanadoo.fr r.-v.

CH. DE CHAINTRÉ Chaintré 2010 ★★

30 000 | 5 à 8 €

Jean-Paul Paquet, vigneron à Fuissé, a installé son fils Yannick en 2006 sur le domaine, ancienne propriété du château de Chaintré. Une récolte manuelle, une vinification avec levures indigènes et un élevage de cinq mois en cuve ont donné ce vin or pâle au potentiel certain d'évolution (deux à trois ans, conseillent les dégustateurs). Si le premier nez se fait discret, l'aération révèle de fraîches senteurs minérales et citronnées accompagnées de fleurs blanches. La bouche est à la hauteur du bouquet : une attaque souple et fraîche, une chair fine et délicate, et une vivacité relevée en finale. Un vin idéal pour un poisson grillé sauce aux agrumes.

Dom. Paquet et Fils, Les Granges, 71570 Chaintré, tél. 03.85.27.01.06, fax 03.85.27.01.07, fussiacus@wanadoo.fr r.-v.

CH. DE CHASSELAS Les Theus 2010 ★

1 500 | 8 à 11 €

Ce domaine viticole, sis à Chasselas depuis plus de cinq siècles, tient siège au sein d'un magnifique château des XIVe et XVIII[e]s. flanqué de trois tours en poivrière, auquel on accède par une vaste cour d'honneur. Une belle visite en perspective, et l'occasion, en passant par le *wine shop* contemporain, de découvrir ce mâcon pourpre intense, qui libère à l'aération des notes de fruits cuits accompagnées de nuances grillées. Son séjour de douze mois dans des fûts de chêne français lui a légué en bouche des tanins fermes et des arômes torréfiés que trois ou quatre ans de garde permettront d'affiner.

Ch. de Chasselas, En Château, Cidex 604, 71570 Chasselas, tél. 03.85.35.12.01, fax 03.85.35.14.38, chateauchasselas@aol.com t.l.j. 10h-12h 14h-18h

♥ **DOM. CHÊNE** La Roche Vineuse Cuvée Prestige 2010 ★★

9 000 | 5 à 8 €

Vigneronne depuis 1973, la famille Chêne quitte la cave coopérative de Prissé en 1999 pour vinifier et commercialiser sa propre production. Grand bien lui en a pris : après un coup de cœur pour le millésime 2006, elle est à nouveau distinguée pour la version 2010 de cette même cuvée Prestige. Paré d'une teinte dorée animée de reflets verts, ce vin libère des parfums fruités (pêche blanche, raisin frais) nuancés de notes florales (chèvrefeuille, aubépine) et finement beurrées. Révélant une bouche gourmande et ronde dès l'attaque, il séduit par son équilibre entre gras et vivacité, et sa finale pleine de

fraîcheur appelle le deuxième verre. « Délicieux, j'achète ! », conclut un juré enthousiaste.

Dom. Chêne, Ch. Chardon, 71960 La Roche-Vineuse, tél. 03.85.37.65.90, fax 03.85.37.75.39, domainechene@orange.fr t.l.j. 9h30-12h 14h30-19h

DOM. DU CLOS DE FOURCHIS Azé 2010 ★

10 000 | 5 à 8 €

Deux vins proposés par la cave coopérative d'Azé ont retenu l'attention du jury. Le **mâcon Azé 2011 rouge (moins de 5 € ; 25 000 b.)** est cité pour ses notes plaisantes de framboise et de poivre noir, et pour sa jolie structure. Encore jeune, il devrait s'épanouir d'ici la fin de l'année 2013. Quant à ce blanc 2010, il séduit d'emblée par son élégante robe dorée qui annonce la délicatesse du nez aux nuances d'abricot sec et de fruits exotiques. Franche en attaque, la bouche évolue en rondeur et en puissance, rehaussée en finale par une touche acidulée. On peut attendre encore cette bouteille durant un à trois ans, ou la déguster dès aujourd'hui, sur une viande blanche en sauce crémée.

Cave d'Azé, En Tarroux, 71260 Azé, tél. 03.85.33.30.92, fax 03.85.33.37.21, contact@caveaze.com t.l.j. 9h-12h 14h-18h

JULIEN COLLOVRAY Davayé Les Vignes de Joanny 2010

10 000 | 11 à 15 €

Bon vivant et jovial, Joanny était à l'image de ce vignoble du Mâconnais. Coiffé de son chapeau et s'aidant de sa canne sur ses vieux jours, il était connu de tous au village. Cette silhouette est ancrée dans les mémoires et, plus particulièrement, dans celle de son arrière-petit-fils Julien Collovray, qui a pris la relève en 2009 et a engagé le domaine dès son installation dans une conversion en agrobiologie. Ce 2010 d'une intense couleur jaune d'or dévoile un bouquet concentré d'amande fraîche et de notes minérales qui se prolonge dans une bouche vive en attaque, plus ronde et généreuse dans son développement, jusqu'à sa jolie finale fruitée.

Julien Collovray, 71960 Davayé, tél. 03.85.35.86.51, fax 03.85.35.86.12, jcollovray@collovrayterrier.com r.-v.

COLLOVRAY ET TERRIER Chardonnay Tradition 2010 ★

60 000 | 8 à 11 €

Propriétaires du domaine des Deux Roches, les familles Collovray et Terrier ont développé une petite activité de négoce pour élargir leur gamme. Issu de parcelles et de raisins sélectionnés avec rigueur, ce 2010 jaune pâle offre un nez discret de fruits mûrs, d'agrumes et de brioche. En bouche, il dévoile une matière généreuse, subtilement équilibrée par la fraîcheur des agrumes. Un vin harmonieux, qui pourra donner la réplique à un jambon persillé dès l'automne.

Collovray et Terrier, La Cuette, 71960 Davayé, tél. 03.85.35.86.51, fax 03.85.35.86.12, info@collovrayterrier.com r.-v.

CHRISTOPHE CORDIER Vieilles Vignes 2011 ★★

n.c. 8 à 11 €

Christophe Cordier est une marque de négoce de référence dans la région mâconnaise, comme en témoignent ses nombreuses sélections dans le Guide. Il s'invite à nouveau dans ces pages et à la meilleure place, celle du coup de cœur. Ce 2011 se distingue d'emblée par sa robe d'or éclatante aux reflets verts. Le nez associe en toute harmonie un joli grillé, la vanille et le citron. La bouche longue, de très belle tenue, marie avec équilibre le boisé et le vin, de délicates senteurs minérales et des parfums d'agrumes se mêlant sur un fond de chêne bien fondu. Un vin expressif et frais, à savourer sur des fruits de mer. Du même vinificateur mais avec la casquette « producteur », le **mâcon Dom. Cordier Père et Fils 2011 blanc Aux Bois d'Allier** obtient deux étoiles pour son boisé bien travaillé, pour sa rondeur et sa vivacité bien associées.

Christophe Cordier, 71960 Fuissé, tél. 03.85.35.62.89, fax 03.85.35.64.01, domaine.cordier@wanadoo.fr r.-v.

DOMINIQUE CORNIN
Chânes Les Serreudières 2010 ★★

8 600 8 à 11 €

À l'origine, les raisins du domaine étaient récoltés mécaniquement et amenés à la cave coopérative de Chaintré. En 1995, Dominique Cornin décide de les retirer de la cave et opte dans la foulée pour la vendange manuelle. En 1998, les désherbants sont proscrits ; en 2000, c'est au tour des traitements de synthèse ; enfin, la certification biologique est officielle depuis le millésime 2009. Que de chemin parcouru et de remises en question... Mais les résultats sont là, et les vins du domaine fréquentent avec assiduité les pages du Guide, souvent aux meilleures places. Deux d'entre eux sont retenus dans cette édition. Le **mâcon Chaintré 2010 blanc (13 800 b.)** reçoit une étoile pour son joli bouquet citronné et iodé et pour sa texture élégante et racée. Quant à ce mâcon Chânes, jaune serin éclatant, il séduit par une palette aromatique complexe : craie, citron, fleur blanche, crème pâtissière... Son attaque franche et ciselée prélude à une bouche minérale et fruitée qui offre une véritable « ronde d'agrumes ». Un vin de terroir pur et long, de haute expression, qu'un mets noble, poisson ou volaille, accompagnera dans l'année.

Dominique Cornin, 339, Savy-le-Haut, 71570 Chaintré, tél. 03.85.37.43.58, dominique@cornin.net r.-v.

DOM. COTEAUX DES MARGOTS Villages 2010 ★

4 000 5 à 8 €

Ce domaine familial de 14 ha exploité depuis trois générations par les Duroussay est situé au cœur des collines du Mâconnais. Bien exposés à flanc de coteau au sud-sud-est, et plantés sur un sol argilo-calcaire, des ceps de chardonnay de quarante ans vendangés à la main sont à l'origine de ce 2010 en robe dorée, qui dévoile sans complexe ses parfums de fruits et de fleurs blanches. L'attaque ronde annonce une matière enveloppante tapissée de fruits mûrs, tandis que la finale offre une agréable sensation de fraîcheur. Un vin équilibré, à boire dès aujourd'hui, qui pourra toutefois se bonifier encore avec deux ans de garde.

Dom. Coteaux des Margots, 219, rte des Margots, 71960 Pierreclos, tél. 03.85.35.73.91, domainecoteauxdesmargots@wanadoo.fr t.l.j. 9h-12h30 14h-19h

MARCEL COUTURIER Loché Les Longues Terres 2010

4 000 5 à 8 €

Au pied des coteaux de Pouilly, Loché, magnifique petit village de pierres jaunes, apparaît comme un petit coin de paradis. Marcel Couturier y exploite 50 ares de chardonnay, qu'il a récolté manuellement et élevé en fût de chêne durant une année pour donner naissance à ce 2010 éclatant dans sa robe d'or à reflets verts. Le nez, expressif, évoque les épices douces, le beurre frais et les fleurs blanches. À l'attaque, le palais s'avère gras et puissant, riche de saveurs lactées et de fruits confits, mais encore largement dominé par le bois. C'est donc plutôt son potentiel qu'ont récompensé les jurés, estimant que deux ans de garde devraient affiner l'ensemble. Les amateurs de vins boisés pourront, quant à eux, s'en satisfaire dès à présent.

Dom. Marcel Couturier, Les Pelées, 71960 Fuissé, tél. 06.23.97.23.21, fax 03.85.35.63.27, domainemarcelcouturier@orange.fr r.-v.

DOM. DE LA CREUZE NOIRE Villages 2010 ★

6 000 5 à 8 €

Ce domaine familial est situé à Leynes, village frontière entre Beaujolais et Mâconnais. À sa tête depuis 1985, Christine et Dominique Martin le conduisent en lutte raisonnée, pratiquent des vendanges manuelles et recherchent une maturité optimale des raisins. Récoltés le 26 septembre, ces chardonnays ont donné naissance à un 2010 à la robe jaune d'or limpide et brillante, qui développe après aération des notes franches de fleurs blanches et de minéralité. Une attaque souple et des saveurs citronnées animent une bouche ronde et équilibrée dominée en finale par de plaisants arômes de craie. À apprécier au cours des deux prochaines années, à l'apéritif ou sur un poisson grillé.

Dominique et Christine Martin, La Creuze-Noire, 71570 Leynes, tél. 03.85.37.46.43, fax 03.85.37.44.17, martin.dcn@orange.fr t.l.j. sf dim. 8h-12h 14h-18h

DOM. DE LA CROIX SENAILLET Davayé 2010 ★★

20 000 8 à 11 €

Ce domaine créé par Maurice Martin a peu à peu abandonné la polyculture, jadis courante en Mâconnais, pour se consacrer pleinement à la vigne à partir de 1969. En 1990, le fils Richard reprend les commandes, rejoint

BOURGOGNE

par son frère Stéphane en 1992. La propriété de 6,5 ha s'agrandit progressivement pour atteindre aujourd'hui 25 ha répartis sur cinquante-deux parcelles cultivées en bio depuis 2006 et certifiées en 2010. Ce vin jaune clair aux reflets laiton livre un bouquet élégant et intense, dominé par les fruits, la pêche et le citron notamment, une touche de noisette à l'arrière-plan. On retrouve en bouche les senteurs fraîches du pamplemousse en compagnie de l'ananas, cette fraîcheur étant renforcée par des nuances minérales qui poussent loin la finale fine et veloutée. Un vin précis et très équilibré, à boire dès maintenant... « sur tout ! », conclut un juré.

Dom. de la Croix Senaillet, En Coland, 71960 Davayé, tél. 03.85.35.82.83, fax 03.85.35.87.22, accueil@domainecroixsenaillet.com
t.l.j. sf sam. dim. 8h-12h 13h30-17h30
GAEC Martin

DOM. DENUZILLER Solutré 2010 ★

6 000 | 5 à 8 €

Blotti au pied de la célèbre roche, ce domaine offre un vaste panorama allant de la vallée de la Saône jusqu'à la chaîne des Alpes ; par temps clair, il est possible de distinguer l'altier sommet du mont Blanc. Altier aussi est ce 2010 doré à l'or fin, qui offre un nez de fleurs blanches (acacia, aubépine) et de fruits frais (abricot, pêche). L'attaque, tout en douceur, ouvre sur un palais plein et charnu, qui persiste longuement sur des arômes de clémentine et d'orange. Un mâcon subtil et plaisant, idéal pour l'apéritif.

Dom. Denuziller, imp. de l'Église, 71960 Solutré-Pouilly, tél. 03.85.35.80.77, fax 03.85.35.83.38, domaine.denuziller@orange.fr
t.l.j. 9h-12h 13h30-18h30

DOM. PIERRE DESROCHES Solutré 2010 ★★

3 500 | 5 à 8 €

Pierre Desroches, installé en 2005, représente la cinquième génération à la tête de ce domaine de 7 ha situé au pied de la roche de Solutré. Il propose un mâcon couleur or vert, vinifié et élevé en cuve Inox sur lies fines. Les arômes fruités (raisin et pamplemousse) et floraux (chèvrefeuille) confèrent au nez une typicité bien marquée. Le palais se révèle très harmonieux, gras et long, et superbement équilibré par une fine trame acide. Cette bouteille pourra être servie aujourd'hui ou dans deux ou trois ans, sur un boudin blanc truffé ou sur des quenelles de brochet.

Pierre Desroches, Les Berthelots, 71960 Solutré-Pouilly, tél. 06.80.71.68.18, pierredesroches@hotmail.fr r.-v.

DOM. LOUIS DORRY Milly-Lamartine Les Collonges 2010

1 800 | 11 à 15 €

Ce domaine a son siège dans un ancien prieuré des moines de Cluny, à proximité de l'église romane de Bussières. Fils de vigneron, Louis Dorry reprend l'exploitation en 2006 à la retraite de son père. Il plante alors cette petite parcelle de chardonnay (20 ares), qu'il choisit de travailler sans désherbant chimique, en cultivant son sol par labours. Après une récolte manuelle et un pressurage pneumatique, le moût est mis en fût pour une longue fermentation alcoolique de quatre mois et un élevage de seize mois. Le résultat est un vin à l'élégante robe dorée, au nez vanillé et floral, à la bouche plutôt fruitée et assez riche, d'une honorable longueur. L'empreinte boisée encore dominante appelle toutefois une garde de deux ans pour plus de fondu.

Louis Dorry, Le Prieuré, 71960 Bussières, tél. 06.11.65.11.56, louispdorry@hotmail.com r.-v.

DOM. DE L'ÉCHELETTE Cruzille 2010

21 000 | 5 à 8 €

Ce domaine viticole créé à la fin du XIXe s. a connu une longue parenthèse sans vigne suite aux ravages du phylloxéra. Ce n'est qu'en 1982 que Michel Champliaud, alors enseignant en région parisienne, décida de faire revivre une partie du vignoble initial. Aujourd'hui, son fils Guillaume, installé en 2001, gère les 13 ha de l'exploitation. Ce dernier propose une cuvée jaune-vert pâle et brillante au nez assez discret, qui libère peu à peu des notes de fruits exotiques et de fleurs blanches. Après une attaque franche, apparaissent en bouche d'agréables saveurs muscatées, fraîches et persistantes. Un vin plaisant, à servir à l'apéritif avec un bouquet de crevettes et quelques bulots.

Guillaume Champliaud, L'Échelette, 71700 La Chapelle-sous-Brancion, tél. 03.85.51.10.34, domaine.echelette@orange.fr t.l.j. 9h-12h 13h-19h

LES ESCUDETTES Villages 2011 ★

50 000 | 5 à 8 €

Le chardonnay s'est bien épanoui sur ce sol d'argiles et de calcaires. Au nez, le chèvrefeuille et l'acacia se mêlent à des notes lactées. En bouche, les arômes font écho à ceux du bouquet et un bel équilibre entre souplesse et fraîcheur se dévoile. Un vin plaisant, bien dans l'esprit de l'appellation. Une belle réalisation de la maison Loron, négociant-éleveur en Beaujolais.

Loron et Fils, 1846, RN 6, 71570 Pontanevaux, tél. 03.85.36.81.20, fax 03.85.33.83.19, vinloron@loron.fr
t.l.j. sf sam. dim. 9h-12h 14h-17h (16h30 ven.); f. 1er-18 août
Xavier Barbet

NADINE FERRAND Solutré Pouilly 2010 ★

2 500 | 5 à 8 €

La famille Ferrand s'est liée à la culture de la vigne il y a trois générations. Aujourd'hui, c'est Nadine – peut-être bientôt ses deux filles – qui est à la tête du domaine qu'elle a agrandi et qui atteint à présent plus de 10 ha. Le domaine est établi à Charnay-lès-Mâcon, à la sortie ouest de Mâcon, en direction des célèbres roches de Solutré et de Vergisson. Ce 2010 couleur jaune serin orné de reflets brillants est bien typé : nez de fleurs blanches, de poire bien mûre et d'agrumes agrémentés d'une pointe de pierre à fusil ; attaque élégante, bouche ronde et généreuse, équilibrée par une finale à la fois minérale et chaleureuse. « Un vin facile à aimer », conclut un dégustateur, qui conseille de le boire avec un fromage affiné.

Nadine Ferrand, 51, chem. du Voisinet, 71850 Charnay-lès-Mâcon, tél. 06.09.05.19.74, fax 03.85.35.88.01, ferrand.nadine@wanadoo.fr r.-v.

DOM. OLIVIER FICHET Burgy Les Verchères 2010 ★

3 600 | 11 à 15 €

Ce domaine acquis en 2005 par Olivier Fichet était auparavant exploité par Dominique Charnay et spécialisé dans la production de crémant-de-bourgogne. Si l'ancien propriétaire continue de travailler les vignes, c'est son successeur qui vinifie et élève les vins, exclusivement tranquilles. De vieux chardonnays de plus de soixante ans

plantés sur argilo-calcaire ont donné naissance à ce mâcon drapé dans une robe or pâle et limpide, au nez d'acacia et d'agrumes relevé par une agréable note minérale. La bouche, à la fois douce et tendue, séduit de bout en bout jusqu'à sa finale très fraîche, mentholée et florale. À savourer dès cet automne sur un poisson ou sur une viande blanche.
Dom. Olivier Fichet, Vignoble de Burgy, 71960 Igé, tél. 06.85.60.11.13, fax 03.85.33.44.45, olivier.fichet@wanadoo.fr
t.l.j. sf dim. 8h-12h 13h-18h30

DOM. DES GANDINES Péronne 2010

6 000 | 5 à 8 €

La famille Dananchet exploite ce domaine depuis quatre générations et cultive ses vignes selon les principes de l'agriculture biologique. Elle propose ici un vin doré qui s'ouvre sur des notes de pamplemousse, de fougère et de citron. La bouche se révèle souple et fruitée, sous-tendue par une agréable trame acidulée. À apprécier à l'apéritif.
EARL Robert et Benjamin Dananchet, rte de la Vigne-Blanche, 71260 Clessé, tél. 03.85.36.95.16, fax 03.85.36.99.48, domainedesgandines@wanadoo.fr
t.l.j. 10h-12h30 13h30-19h

ÉRIC ET CATHERINE GIROUD
Uchizy Sélection Vieilles Vignes 2010 ★

8 300 | 11 à 15 €

Catherine et Éric Giroud ont créé en 1998 ce domaine de 15 ha implanté à Uchizy, petit village au nord de l'appellation. Ils ont tiré d'un terroir argilo-calcaire un 2010 jaune clair, aux parfums enivrants de fleurs blanches, d'agrumes et d'abricot. La bouche se révèle tendre et équilibrée, et tapissée de savoureux arômes de poire. Cette bouteille tiendra bien sa place à table, au moment du poisson et du fromage.
Dom. Éric et Catherine Giroud, Le Quart, 71700 Uchizy, tél. 03.85.40.52.24, fax 09.56.75.77.11, domainegiroud@free.fr r.-v.

NADINE ET MAURICE GUERRIN
Vergisson Les Rochers 2010 ★★

13 000 | 5 à 8 €

En 1984, Maurice Guerrin a créé avec seulement 2,5 ha ce domaine qui compte aujourd'hui près de 14 ha de chardonnay. Son fils le rejoint fin 2011, afin de développer la commercialisation de la production en bouteille. Or vert étincelant, ces Rochers (argilo-calcaires) s'expriment avec subtilité autour de parfums fruités (citron, poire) et floraux (acacia et églantine). La chair ronde et structurée s'épanouit sur des notes de pêche blanche et de tilleul d'une rare persistance. « Un vin d'une grande classe, à boire pour lui-même », telle est la conclusion unanime du jury.
Nadine et Maurice Guerrin, 572, rte des Bruyères, 71960 Vergisson, tél. 03.85.35.80.25, fax 03.85.35.82.75, guerrin.maurice@wanadoo.fr r.-v.

DOM. GUEUGNON REMOND Charnay 2010

5 000 | 5 à 8 €

Une large partie du parcellaire de ce domaine est composée d'anciennes terres à vigne. Celles-ci ont permis, dit-on, à Claude Brosse, négociant charnaysien de la fin du XVIIes., de produire un vin qui fut présenté avec succès à la cour du roi Louis XIV... Les chardonnays à l'origine de cette cuvée sont eux beaucoup plus récents, puisque plantés il y a quinze ans. Sans être « royale », elle a quelques atouts à faire valoir, qu'une tête couronnée ne dédaignerait sûrement pas. Elle porte beau dans sa robe d'or pâle, dévoile un joli bouquet de pamplemousse, d'acacia, de chèvrefeuille et de pêche blanche, et offre au palais un agréable fruité et un bon équilibre. Un vin de coquillages.
Dom. Gueugnon Remond, 117, chem. de la Cave, 71850 Charnay-lès-Mâcon, tél. 03.85.29.23.88, fax 03.85.20.20.72, vinsgueugnonremond@free.fr
r.-v.
J.-C. Remond

DOM. MARC JAMBON ET FILS
Pierreclos Cuvée Fût de chêne 2010 ★

5 800 | 8 à 11 €

Présente à Pierreclos depuis 1750, la famille Jambon conduit un domaine de 11,50 ha et signe de très belles cuvées avec une constance remarquable. Coup de cœur et Grappe de bronze de l'édition précédente, cette même cuvée décroche une étoile dans sa version 2010. Issue de chardonnays bien mûrs récoltés fin septembre, elle a été vinifiée et élevée en fût de chêne durant un an. Parée de jaune d'or, elle laisse échapper du verre des notes de caramel et d'amande grillée agrémentées de fines nuances florales. L'attaque d'une agréable vivacité fait place à une rondeur vanillée qui tapisse longuement le palais. Un à deux ans de garde lui offriront un épanouissement complet.
Dom. Marc Jambon et Fils, La Roche, 71960 Pierreclos, tél. 03.85.35.73.15, marcjambon@laposte.net r.-v.

MANOIR DU CAPUCIN Solutré-Pouilly Délice 2010 ★

5 000 | 8 à 11 €

Ayant grandi à Nice, Chloé Bayon a toujours eu dans un coin de sa tête ce domaine familial, créé par son arrière-grand-père Antoine Forest, que son père quitta très jeune. Après un bac scientifique, elle débute des études de viticulture et d'œnologie et rencontre Guillaume Pichon avec qui elle s'associe en 2002 pour reprendre ce vignoble de 12,5 ha et faire revivre le manoir aux colonnes d'inspiration toscane. Issu d'une sélection de parcelles situées sur le mont de Pouilly, ce Délice arbore une seyante robe or blanc ourlée de vert. Il offre un nez expressif, à la fois doux et frais, aux senteurs de fruit de la Passion et de mangue. La bouche, riche et souple, marie avec élégance les arômes de fruits exotiques et de citron. Un joli vin à partager dès cet automne, pourquoi pas sur des nouilles chinoises aux crevettes ?
Chloé Bayon, Le Plan, 71960 Fuissé, tél. et fax 03.85.35.87.74, manoirducapucin@yahoo.fr
r.-v.

ÉVELYNE ET DOMINIQUE MERGEY
Fuissé Les Grandes Bruyères 2010 ★★★

2 300 | 8 à 11 €

Évelyne et Dominique ont acquis en 2005 ces vignes situées à Fuissé. Ils les travaillent en famille, avec les conseils de leur gendre Nicolas Cheveau, vigneron déjà récompensé de deux coups de cœur pour ses pouilly-fuissé. De bons conseils assurément à en juger par ce 2010 drapé dans une robe or éclatant aux reflets laiton. Sa palette aromatique, intense et complexe, associe les fruits blancs, le miel et le pain de mie aux nuances minérales du sol. Son corps ample et gras est souligné de notes de fruits confits qui persistent longuement. Sa finale sur l'agrume lui confère de la puissance et de l'équilibre. « Un concentré de bonheur », s'enthousiasme un dégustateur, qui conseille de boire cette bouteille sur des ris de veau.

Évelyne Mergey, chem. des Préaux, 71570 Chânes,
tél. 03.85.23.80.87, d.mergey@gmail.com
r.-v. 2 C

MERLIN La Roche-Vineuse 2010 ★

40 000 | 8 à 11 €

Ce domaine établi sur les argilo-calcaires de La Roche-Vineuse propose un 2010 élégant dans sa robe dorée ornée de reflets verts. Le nez exprime une belle maturité du raisin à travers des parfums de fleurs blanches, de pamplemousse et d'écorce d'orange. Franc et frais, le palais est typique de son terroir par sa finesse et sa minéralité finale. À boire dès maintenant, avec du jambon persillé ou des fromages de chèvre bien affinés.

Merlin, Dom. du Vieux Saint-Sorlin,
71960 La Roche-Vineuse, tél. 03.85.36.62.09,
fax 03.85.36.66.45, merlin.vins@wanadoo.fr
r.-v.

CH. DE MESSEY Chardonnay Les Crêts 2010 ★

1 200 | 8 à 11 €

Arrivé en Bourgogne il y a vingt-cinq ans, Marc Dumont a commencé par défricher les bois qui recouvraient d'anciennes parcelles de vigne de l'abbaye de Cluny, puis il a modernisé les caves du château de Messey pour y vinifier et y élever ses mâcon. Ces 30 ares de chardonnay issu du village de... Chardonnay cueillis à la main ont donné un vin élevé durant dix mois en foudre de chêne sur lies fines. Ce 2010 paré d'or clair dévoile des parfums doux de fruits cuits et de noisette mêlés à des notes plus fraîches d'agrumes. Après une attaque franche, le palais s'imprègne d'intenses senteurs minérales en harmonie avec des nuances citronnées. L'apogée de ce vin est prévu pour dans deux ou trois ans. On servira alors cette bouteille sur une dorade grillée.

GFA Ch. de Messey, Ch. de Messey, 71700 Ozenay,
tél. 03.85.51.33.83, fax 03.85.51.33.82, vin@demessey.com
r.-v. 5 E
Marc Dumont

DOM. MONTBARBON Villages 2010 ★★

3 000 | 5 à 8 €

Livrés à la cave coopérative du village jusqu'en 2008, ces chardonnays plantés il y a quarante-cinq ans ont donné naissance à cette remarquable cuvée, proche du coup de cœur. Séduit d'emblée par sa robe d'or pâle à reflets brillants, le jury s'enthousiasme ensuite pour son nez d'une belle fraîcheur printanière, qui évoque les petites fleurs blanches et la minéralité du terroir. La bouche apparaît ample, souple, fraîche et longue. Une légère touche minérale s'associe harmonieusement aux saveurs d'agrumes de la finale. Déjà agréable, cette bouteille gagnera néanmoins à attendre deux ou trois ans avant d'être servie avec des noix de Saint-Jacques au beurre de *yuzu*.

Jacky Montbarbon, chem. des Vignes, 71260 Viré,
tél. et fax 03.85.33.16.98, jacky.montbarbon@orange.fr
t.l.j. 13h30-19h; dim. sur r.-v.

DOM. DE MONTERRAIN 2011 ★★

20 000 | 5 à 8 €

Dans ce hameau des Monterrains est né en 1891 Jean-Marie Combier, photographe et créateur de l'entreprise CIM. Cette imprimerie fondée avant la Première Guerre mondiale éditera pendant près d'un siècle plus de deux millions de cartes postales qui feront le tour du monde. Martine et Patrick Ferret, leurs descendants, exploitent 12 ha de gamay, de pinot noir et de chardonnay sur les collines environnantes. Leur mâcon 2011 paré d'or pâle à reflets verts associe au nez les fruits exotiques (mangue et ananas), les fruits blancs (raisin, pêche) et les agrumes. La bouche se révèle fraîche, équilibrée et gourmande, et persiste longuement en finale sur d'intenses notes citronnées. Un vrai « vin plaisir », à réserver pour un apéritif aux accents marins.

Dom. de Monterrain, Les Monterrains, 71960 Serrières,
tél. 03.85.35.73.47, fax 03.85.35.75.36,
domaine.de.monterrain@wanadoo.fr
r.-v. 1 E
Patrick et Martine Ferret

ANDRÉ MOREY Villages 2009 ★★

n.c. | 5 à 8 €

Établie à Beaune depuis 1868, la maison de négoce André Morey a sélectionné cette cuvée de mâcon-villages 2009 « nue sur pile » auprès d'un propriétaire de Vergisson. La robe éclatante inspire confiance, tout comme le bouquet intense associant les fruits bien mûrs, la noisette et les notes beurrées. La suite ne déçoit pas : belle attaque tout en fanfare, palais gras et puissant qui conserve sa finesse et s'étire en longueur vers une finale ronde et fruitée. Une bouteille de caractère, bien dans son millésime, que l'on associera à des mets riches, un poulet de Bresse à la crème par exemple.

Ets André Morey, 3, rue Richard, 21200 Beaune,
tél. 03.80.24.24.07, fax 03.80.22.12.95,
morey.andre@orange.fr r.-v.
Famille Perrot

SYLVAINE ET ALAIN NORMAND La Roche-Vineuse 2011 ★

20 000 ▮ 5 à 8 €

Alain Normand s'est installé en 1993 à La Roche-Vineuse, pour conduire 13 ha de vignes. En 2009, le domaine agrandit considérablement sa surface d'exploitation en reprenant le vignoble du père de Sylvaine, et passe ainsi à 32 ha. Ce vin or aux reflets bronze est né à La Roche-Vineuse, de chardonnays de trente ans vendangés à la main. Il offre un nez voluptueux de pêche et de pomme égayé par un brin d'exotisme. L'attaque, très franche, révèle un palais net et droit en bouche, plein de fraîcheur et persistant. Bien représentatif de son appellation, ce 2011 trouvera sa place à l'apéritif avec des « boutons de culotte » bien secs.

Sylvaine et Alain Normand,
chem. de la Grange-du-Dîme, 71960 La Roche-Vineuse,
tél. 03.85.36.61.69, fax 03.85.51.60.97,
vins@domaine-normand.com r.-v.

♥ **DOM. DES PÉRELLES** Chaintré 2010 ★★★

5 000 ▮ 5 à 8 €

MÂCON-CHAINTRE
APPELLATION MÂCON-CHAINTRE CONTROLÉE
Grand Vin de Bourgogne
2010
JEAN-YVES LAROCHETTE
VIGNERON 71570 CHÂNES
FRANCE
PRODUIT DE FRANCE
DOMAINE DES PERELLES
13% vol. 750 ml
MIS EN BOUTEILLE A LA PROPRIÉTÉ

Ce 2010 signé Jean-Yves Larochette a fait sensation. Des chardonnays de cinquante ans d'âge, une récolte mécanique et un simple élevage de huit mois en cuve ont en effet donné un vin exceptionnel. Que de parfums dans ce Chaintré vêtu d'une robe dorée ! L'écorce d'orange et les fruits confits s'expriment délicatement entre tonalités minérales et nuances miellées. Pleine et entière, la bouche se dévoile avec intensité et dans un équilibre parfait. Le fruité, notamment la mandarine confite, monte en puissance dans un environnement riche et suave, tandis qu'une pointe acidulée s'attarde en finale. « Puissance et harmonie » sont les deux qualificatifs émis par le jury, qui conseille fortement de servir ce grand vin avec un mets délicat, une poularde de Bresse à la crème et aux morilles par exemple.

EARL Jean-Yves Larochette, Les Pérelles, 71570 Chânes,
tél. 06.82.04.21.57, fax 03.85.37.15.25,
jy.larochette@wanadoo.fr r.-v.

CAVE DU PÈRE TIENNE Milly-Lamartine 2010 ★

7 000 ▮ 5 à 8 €

À l'époque du véritable Père Tienne, la production ne dépassait guère les frontières de Sologny, et les copains, dévoués mais ravis, prêtaient alors leur gosier à la dégustation. L'aïeul d'Éric Panay serait sans nul doute surpris de voir les étiquettes à son effigie voyager bien plus loin que les terres slonirones, et même à l'étranger... Il goûterait aussi sûrement ce 2010 avec plaisir. Derrière une robe pourpre profond et brillant se dévoile un bouquet intense et élégant qui associe notes florales et fruitées et nuances poivrées. La bouche se révèle longue, fraîche et gourmande, adossée à des tanins soyeux. À boire dès aujourd'hui, avec un petit salé aux lentilles ou tout autre plat « canaille ».

Cave du Père Tienne, Le Clos, 71960 Sologny,
tél. 03.85.37.78.05, fax 03.85.37.75.95,
caveduperetienne@wanadoo.fr t.l.j. 8h-19h

DOM. PERRAUD La Roche-Vineuse
L'Œuvre de Perraud 2009 ★★

n.c. 11 à 15 €

Après ses études au lycée viticole de Mâcon-Davayé, Jean-Christophe Perraud prend les rênes du domaine familial en 2008. Sur les 25 ha de vignes que compte l'exploitation, 20 ares de chardonnay élevé en barrique durant neuf mois ont donné naissance à ce 2009 à la robe claire et plaisante. En première approche apparaît le fruit mûr, suivi de notes joliment boisées. L'attaque se montre élégante et discrète, puis une matière dense et riche arrive en fanfare, équilibrée par une vivacité rafraîchissante et tonique. La ligne aromatique plaisante et la structure de cette bouteille lui permettront d'accompagner, sans rougir, un homard ou tout autre crustacé.

EARL Dom. Perraud, Nancelle, 71960 La Roche-Vineuse,
tél. 03.85.32.95.12, fax 03.85.32.95.14,
domaineperraud@gmail.com r.-v.

DOM. DE LA PIERRE DES DAMES Villages 2010 ★

5 900 ▮ 5 à 8 €

Investi de nombreuses missions syndicales, Jean-Michel Aubinel peut heureusement compter sur sa compagne, Marie-Thérèse Canard et sur son associé Vincent Nectout pour tenir les rênes de ce domaine de 22 ha. Ces derniers proposent un mâcon-villages bien typé. Paré d'une robe or pâle, il exhale d'intenses parfums de fruits mûrs et d'agrumes. La bouche dévoile un long fruité et une matière bien équilibrée entre l'acidité et le gras. Parfait pour une cassolette d'escargots... de Bourgogne, bien sûr.

Dom. de la Pierre des Dames, Mouhy, 71960 Prissé,
tél. et fax 03.85.20.21.43, jm.aubinel@wanadoo.fr
r.-v.

CH. PRETY Chânes 2009 ★

12 000 8 à 11 €

Ce domaine affiche un long passé viticole, les vignes les plus anciennes ayant été plantées au XVIIes. Il entre dans la famille Curial en 1850 et se transmet dès lors de génération en génération. Depuis 1992, il est conduit par Philippe Curial. Ce dernier signe ici un beau 2009, à partir de ceps de gamay qui ont grandi sur des grès et de l'argile puis ont été vinifiés pour partie en macération carbonique. La robe est d'un élégant rouge profond. Le nez, expressif et « sauvage », mêle des senteurs animales à des parfums plus chaleureux de fruits mûrs et de boisé. Après une attaque ronde, la bouche, charnue et bien équilibrée entre le fruit et les notes de l'élevage, révèle des tanins fermes qui assureront à ce vin bien caractéristique du millésime une garde de deux ans. Mais on peut d'ores et déjà en profiter sur une pièce de gibier.

Jean Curial et Fils, La Roche, 71570 Saint-Vérand,
tél. 03.85.37.11.68, fax 03.85.36.55.80,
jean.curial@wanadoo.fr t.l.j. 8h-19h

DOM. DU PUITS Villages 2011 ★★

15 000 ▮ 5 à 8 €

Établie à Crèches-sur-Saône à l'extrémité sud du vignoble mâconnais, la maison de négoce Collin-Bourisset travaille en collaboration avec le domaine du Puits situé à Hurigny, à l'ouest de Mâcon. Elle propose ce 2011 or clair et brillant au nez fin de fleurs blanches et de fruits à noyau. L'attaque franche, sur des notes de citron frais, précède une bouche gourmande et remarquablement équilibrée entre alcool et acidité. Un vin harmonieux, que l'on associera aux fromages de chèvre de l'AOC Mâconnais. Une belle étoile est attribuée au **Ch. de Berzé 2011 rouge (11 000 b.)**, un vin bien typé et fort agréable par son fruité et ses tanins soyeux.

Collin-Bourisset, rue de la Gare,
71680 Crèches-sur-Saône, tél. 03.85.36.57.25,
fax 03.85.37.15.38, bienvenue@collinbourisset.com
t.l.j. sf sam. dim. 8h-12h 14h-17h

DOM. ROMANIN Solutré-Pouilly 2011 ★

7 000 | 5 à 8 €

Enracinée dans la région depuis cinq générations, la famille Vervier exploite aujourd'hui un peu plus de 10 ha : du chardonnay principalement, et aussi une petite parcelle de gamay. Elle obtient une étoile pour ce blanc à l'allure dorée et brillante. Discret à l'approche, il s'ouvre quelque peu à l'aération sur des notes de fruits exotiques. La bouche offre de la persistance, du volume et de la richesse, et procure d'agréables sensations rétro-olfactives en finale. Apéritif, poisson, viande blanche, voilà une bouteille facile à marier.

Dom. Romanin, Le Bourg, 71960 Fuissé,
tél. 06.85.42.09.62, fax 03.85.32.90.22,
domaine.romanin@orange.fr r.-v.
Vervier

DOM. DE RUÈRE Villages 2011 ★

3 000 | 5 à 8 €

Situé sur les hauteurs de Pierreclos et dominant le château, ce domaine familial étend son vignoble sur 16 ha. Didier Eloy en consacre quatre à ce mâcon-villages de belle facture, vendangé à la main début septembre et élevé six mois en cuve. Vêtue d'une robe claire, cette cuvée dégage d'intenses senteurs de fleurs blanches, fraîches et printanières. On retrouve au palais cette même impression de fraîcheur, qui apporte du tonus à une matière ronde et équilibrée. Encore jeune, cette bouteille possède néanmoins un potentiel d'évolution intéressant. On la servira dans deux ou trois ans sur un fromage de chèvre sec du Mâconnais.

Didier Eloy, Ruère, 71960 Pierreclos, tél. 03.85.35.76.65,
domaine-de-ruere@wanadoo.fr r.-v.

DOM. DE LA SARAZINIÈRE Bussières
Cuvée Claude Seigneuret Vieilles Vignes 2010 ★

7 000 | 8 à 11 €

Bussières est situé à l'entrée du « Triangle d'or » formé par Bussières, Pierreclos et Serrières, et réputé pour la qualité de ses mâcons rouges. Toutefois, certains coteaux calcaires accueillent favorablement le chardonnay. Le domaine de la Sarazinière, valeur sûre de l'appellation, en propose une belle illustration avec cette cuvée issue de ceps âgés de quatre-vingts ans, éclatante dans sa parure jaune d'or aux reflets ambrés. Sa palette aromatique complexe rappelle la mie de pain, le miel et les fruits blancs auxquels s'ajoutent des notes minérales. Le palais, ample et gras, bénéficie d'un bon support acide, qui l'allège et l'allonge tout en soulignant ses arômes puissants de miel et d'agrumes presque confits. On pourra ouvrir cette bouteille prochainement, avec un homard ou une poularde de Bresse.

Philippe Trébignaud, Dom. de la Sarazinière,
71960 Bussières, tél. 06.11.96.85.27,
philippe.trebignaud@wanadoo.fr r.-v.

JACQUES ET NATHALIE SAUMAIZE
Bussières Montbrison 2010 ★

4 300 | 8 à 11 €

La parcelle d'un demi-hectare de chardonnay qui a donné naissance à cette cuvée est constituée pour une moitié de ceps plantés dans les années 1980, et pour l'autre, d'une très vieille vigne âgée de plus de soixante ans. Vinifié en partie en fût de chêne (les vieilles vignes), ce 2010 arbore fièrement une couleur or pâle aux reflets argentés. Expressif au nez, il respire les fleurs blanches, la pomme et le pamplemousse. La minéralité apparaît dans une bouche vive et équilibrée, de bonne longueur. Un beau classique, que l'on associera volontiers avec des fruits de mer ou des sushis.

Jacques et Nathalie Saumaize, 746, rte des Bruyères,
71960 Vergisson, tél. 03.85.35.82.14,
nathalie.saumaize@wanadoo.fr r.-v.

LA SOUFRANDISE Fuissé Le Ronté 2010

8 000 | 8 à 11 €

Françoise et Nicolas Melin conduisent depuis 1986 ce domaine dont la cave et la maison de maître furent construites en 1831 par un lieutenant-colonel de la garde de Napoléon 1er, à l'emplacement de l'ancien hospice du village. Elles offrent une superbe vue sur le mont Pouilly et les vignes de Fuissé. On y découvre aussi de jolies cuvées, comme ce 2010 agréable et facile à boire. Or vert pâle, il présente un nez bien ouvert et dominé par les fruits exotiques (mangue, papaye...). De belle tenue, la bouche se révèle ronde et imprégnée de fruits mûrs. Parfait pour un chèvre ou un camembert.

Dom. la Soufrandise,
Françoise et Nicolas Melin, Rouette-du-Clos, 71960 Fuissé,
tél. 03.85.35.64.04, fax 03.85.35.65.57,
la-soufrandise@wanadoo.fr r.-v.
Melin

GÉRALD ET PHILIBERT TALMARD
Cuvée Joseph Talmard 2010 ★★

103 000 | 5 à 8 €

À Uchizy, un pèlerinage avait jadis lieu tous les ans à la chapelle Saint-Humi (nom local de saint Hymetière, moine du Jura au VIe s.). À cette occasion, on priait pour être protégé de la foudre et pour la guérison des enfants chétifs et sourds. C'est un « pèlerinage gourmand » que propose ce domaine avec cette cuvée, hommage au grand-père fondateur, qui a été jugée remarquable. Dans le verre, un vin or vert pâle dévoile d'intenses notes de fruits mûrs et de pamplemousse. La bouche, dominée par les agrumes, se fait ronde et très fraîche à la fois. Un vin équilibré en somme, que l'on dégustera volontiers sur un bouquet de langoustines.

EARL Gérald Talmard, rue des Fosses, 71700 Uchizy,
tél. 03.85.40.53.18, fax 03.85.40.53.52,
gerald.talmard@wanadoo.fr
t.l.j. 8h-18h30; dim. 8h30-12h

VIGNERONS DES TERRES SECRÈTES
Verzé Croix-Jarrier 2010 ★

42 000 | 5 à 8 €

Derrière ce nom énigmatique se cache la cave coopérative de Prissé-Sologny-Verzé, groupement de producteurs du sud du Mâconnais, à la tête de 950 ha de vignes. Deux vins ont retenu l'attention des jurés. Le **mâcon Pierreclos 2011 rouge (15 000 b.)** est cité pour sa souplesse et son fruité agréables. Paré d'une éclatante robe serin, ce mâcon Verzé charme par l'élégance de son nez, qui marie le citron et la pêche blanche à une belle minéralité. Après une attaque franche et tranchante, la fraîcheur du citron et une fine acidité dominent le palais sans jamais l'agresser. Un vin vif et primesautier, à associer dès aujourd'hui à une bourriche d'huîtres.

Vignerons des Terres secrètes, Les Grandes Vignes, 71960 Prissé, tél. 03.85.37.88.06, fax 03.85.37.61.76, contact@terres-secretes.fr
t.l.j. 9h-12h30 13h30-19h

DOM. DE THALIE Bray Locus Breia 2010

1 600 | 8 à 11 €

Un nouveau domaine dans le Guide et dans le Clunysois, partie occidentale de l'appellation, conduit par Peter Gierszewski, arrivé en 2009. Après dix ans dans le commerce des vins, ce néo-vigneron acquiert 4,5 ha de vignes de quarante ans à Bray, perchées sur les jolis coteaux dominant Cluny, qu'il convertit actuellement à l'agriculture biologique. Il signe un 2010 qui ne manque pas de charme, tant par sa robe profonde et dorée que par son bouquet mêlant les notes boisées de l'élevage à d'intenses senteurs de brioche et de fruits confits. Le palais, encore sous l'emprise du fût et ses arômes grillés, affiche une belle puissance, du gras et du volume. Ce vin de caractère invite à patienter une paire d'années avant de l'ouvrir.

NOUVEAU PRODUCTEUR

Peter Gierszewski, La Moutonnerie, 71250 Bray, tél. 06.15.07.65.65, domainedethalie@gmail.com r.-v.

CH. DE LA TOUR DE L'ANGE Villages 2011 ★

54 000 | 5 à 8 €

La maison de négoce murisaltienne Béjot a sélectionné une cuvée travaillée par le Château de la Tour de L'Ange à Charnay-lès-Mâcon. Un 2011 éclatant dans sa robe or pâle, qui séduit par son nez expressif et frais de fleurs blanches et de citron, puis par son palais net et franc, dynamisé par d'élégantes saveurs de pamplemousse. Un vin frais et tonique, à réserver pour l'apéritif.

Jean-Baptiste Béjot, D 974, 21190 Meursault, tél. 03.80.21.22.45, fax 03.80.21.28.05, severine.maitre@bejot.com

DOM. VAUPRÉ Solutré Cuvée Prestige 2010 ★

3 400 | 5 à 8 €

Dominique Vaupré signe une cuvée Prestige très réussie. Ses vignes de Solutré ont donné naissance, après un élevage en foudre thermorégulé, à un vin or clair qui marie au nez des notes de pierre à fusil et de fruits exotiques. La même palette aromatique minérale et fruitée, enrichie de notes fumées, séduit au palais. C'est un vin équilibré, persistant et assez vif, de bonne tenue, qui trouvera sa place à table dès cet automne, avec une viande blanche.

Dom. Vaupré, impasse du Clos, 71960 Solutré-Pouilly, tél. 03.85.35.85.67, fax 03.85.35.86.63, dominique.vaupre@club-internet.fr r.-v.

VERGÉCOSSE Villages 2010 ★

2 000 | 8 à 11 €

En 2006, John King achète un corps de bâtiment en pierre et développe, au cœur de Vergisson, une activité touristique avec gîte rural. Il acquiert aussi 2,7 ha de chardonnay dans les appellations pouilly-fuissé et mâcon-villages. Christine et Roger Saumaize, vignerons à Vergisson, travaillent ces vignes et élaborent ce 2010 or pâle, qui évoque au nez de fines notes de fleurs blanches associées à des nuances de pain grillé. Portée par une belle structure, la bouche, bien qu'encore empreinte de boisé, reste équilibrée. Une bouteille à servir dans une paire d'années sur une volaille à la crème et aux girolles.

SCEA Vergécosse, 207, rte des Bruyères, 71960 Vergisson, tél. 03.85.35.84.05, saumaize-michelin@wanadoo.fr r.-v.

BOURGOGNE

Viré-clessé

Superficie : 390 ha
Production : 22 000 hl

Appellation communale récente née en 1998, viré-clessé a de solides ambitions en matière de vins blancs. Elle a fait disparaître les dénominations mâcon-viré et mâcon-clessé avec le millésime 2002.

DOM. ANDRÉ BONHOMME
Les Prêtres de Quintaine 2009 ★★

2 000 | 15 à 20 €

Domaine créé en 1956 par André Bonhomme et son épouse Gisèle qui, en 2004, ont transmis leur savoir-faire à leur gendre Éric Palthey, ancien architecte, et à leur fille Jacqueline, tous deux rejoints entre-temps par leurs fils Aurélien et Johan. Le travail de la vigne est biologique (conversion en cours) par labours des sols, les vendanges sont manuelles et la vinification est traditionnelle avec de longs élevages. Cette cuvée née de vieilles vignes de quatre-vingt-dix ans plantées sur le *climat* Les Prêtres, face à la chapelle de Quintaine, a été élevée vingt-quatre mois en fût. Drapé d'un or pur éclatant, ce vin élégant associe des senteurs minérales à un boisé noble (vanille et épices). On retrouve ces arômes dans une bouche ample, riche et longue, qui ne perd jamais sa finesse ni sa fraîcheur. Un vin racé déjà très harmonieux, mais armé aussi pour une belle garde de quatre ou cinq ans. Une étoile est attribuée à la **Cuvée spéciale 2009 (8 à 11 € ; 35 000 b.)** qui fait virevolter les fruits jaunes et les fleurs blanches dans une bouche mûre et équilibrée.

Dom. André Bonhomme, rue Jean-Large, 71260 Viré, tél. 03.85.27.93.93, fax 03.85.27.93.94, earl.bonhomme.andre@terre-net.fr
t.l.j. 8h30-12h 13h30-18h30
Palthey

DOM. PASCAL BONHOMME Vieilles Vignes 2010 ★

9 500 | 5 à 8 €

Ici, pas de certification bio, mais l'esprit y est. Partisan de la lutte raisonnée, Pascal Bonhomme utilise de plus en plus fréquemment des produits de traitement biologiques. Les vendanges sont manuelles, les vinifications traditionnelles, et les élevages longs ; dix-huit mois, notamment, pour ce 2010 or vert vif né de vieilles vignes de plus de soixante ans. Le nez évoque les sous-bois, les fruits frais et les fleurs blanches. La bouche, longue et fondue, s'appuie sur une structure souple et ronde, étayée par une bonne fraîcheur. Un viré-clessé gourmand, que l'on pourra servir dès maintenant sur une volaille aux girolles.

Pascal Bonhomme, rue du 19-Mars-1962, Vérizet, 71260 Viré, tél. et fax 03.85.33.10.27, bonhommepascal@aliceadsl.fr
t.l.j. 9h-17h; dim. sur r.-v.

JOSEPH BURRIER Quintaine 2010 ★★

4 000 | 11 à 15 €

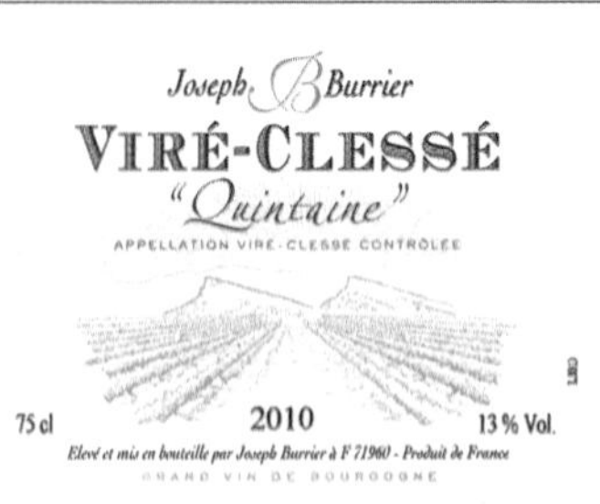

Cette cuvée est issue d'un achat de raisins de vieilles vignes (soixante-cinq ans) enracinées sur le *climat* réputé de Quintaine, qui ont été vinifiés par l'équipe de la maison Joseph Burrier de Fuissé. Comme coulé d'un lingot d'or, ce 2010 jaune brillant libère des nuances de petites fleurs blanches et de fruits jaunes mûrs mêlées à un boisé qui « menthole » avec élégance. Le palais suit le nez avec une finesse minérale et saline « très chic », et une souplesse fruitée délicate. L'archétype d'un élevage réussi dans un beau millésime. À déguster au cours des trois prochaines années avec des langoustines ou tout autre mets océanique.

Joseph Burrier, Ch. de Beauregard, 71960 Fuissé, tél. 03.85.35.60.76, fax 03.85.35.66.04, joseph.burrier@wanadoo.fr
t.l.j. sf dim. 8h-12h 13h30-18h; f. 1er-15 août

COLLOVRAY & TERRIER Tradition 2010

5 500 | 8 à 11 €

Vignerons et négociants bien connus du sud du Mâconnais, Jean-Luc Collovray et Christian Terrier découvrent sur les calcaires de Viré et de Clessé une autre expression du chardonnay. Couleur vieil or, ce vin possède un nez fin et dynamique de fruits mûrs, de brioche et de notes boisées. Ces dernières, pour le moment à peine fondues, se retrouvent dans un palais rond et souple. Deux ou trois ans de garde seront nécessaires à cette jolie bouteille pour marier le vin au merrain.

Collovray et Terrier, La Cuette, 71960 Davayé, tél. 03.85.35.86.51, fax 03.85.35.86.12, info@collovrayterrier.com r.-v.

DOM. PIERRE GONDARD Terrasses de la Perrière 2010 ★

13 000 | 8 à 11 €

Implanté au cœur de Viré, ce domaine s'illustre depuis peu dans le Guide, car Pierre Gondard livrait auparavant la totalité de sa récolte à la cave coopérative du village. Installé en cave particulière depuis 2008, il vinifie 9 ha de vignes dans son nouveau chai. D'un or soutenu et éclatant, ces Terrasses de la Perrière nées sur les argiles et les calcaires ne renient rien de leurs origines. Porté par des senteurs minérales et fraîches, ce vin séduit par son amplitude aromatique, tant au nez qu'en bouche, et par sa finale très « caillou » qui lui confère une réelle finesse. Une bouteille à goûter dès maintenant avec des fruits de mer ou à conserver trois ans, avant de l'accorder à un poisson au beurre blanc. Ample, corpulent, rehaussé par une noble amertume, le **Dom. Gondard Perrin 2009 Le Clos de Chapotin (11 à 15 € ; 1 400 b.)** obtient également une étoile.

Pierre Gondard, Les Cochets, 71260 Viré, tél. 03.85.33.12.47, mylene.gondard@dbmail.com
t.l.j. 9h-19h30

DOM. LES GRANDS CRAYS Les Vignes de Crays 2010 ★

2 800 | 8 à 11 €

Ce producteur exploite 30 ha de vignes, dont 34 ares de ce *climat* Les Vignes de Crays planté de chardonnays de quarante ans enracinés dans un sol à dominante calcaire (d'où son nom). Un pressurage pneumatique et un élevage en cuve Inox thermorégulée ont donné naissance à ce vin d'un bel éclat, couleur or vert pâle. Le nez « explosif » rappelle les fruits jaunes et le miel d'acacia. La bouche ronde et fraîche à la fois – bien équilibrée en somme – révèle quelques notes légèrement surmaturées. À boire pendant les fêtes de fin d'année, avec un foie gras poêlé par exemple.

Dominique Terrier, rue du Champ-Cholet, Cray, 71260 Clessé, tél. 06.12.15.49.12, fax 03.85.36.96.31, terrier@lesgrandscrays.fr r.-v.

HUET L.B. 2010 ★

25 000 | 5 à 8 €

Point de départ de nombreux sentiers pédestres, Clessé peut s'enorgueillir d'avoir sur son site le mégalithe de Belange, polissoir de haches attribué au Néolithique (4 000 ans av. J.-C.), longtemps appelé « Pierre des Druides ». Après votre petite balade, faites une halte chez Laurent Huet, qui saura vous réserver son meilleur accueil (sur rendez-vous). Affable et jamais avare d'anecdotes, il vous parlera de son métier avec passion. Demandez à goûter ce viré-clessé à la jolie robe d'or et au nez fin d'aubépine, d'épices et de notes abricotées élégamment mariés au doux vanillé de la barrique. Après une attaque nerveuse se profile un milieu de bouche suave et moelleux relayé par une finale plus chaleureuse. Une bouteille qui plaira à l'apéritif, sur des crevettes juste poêlées.

Huet L.B., rte de Germolles, 71260 Clessé, tél. 03.85.36.96.99, fax 03.85.36.98.87, laurent.huet16@wanadoo.fr r.-v.

DENIS JEANDEAU 2010

6 500 | 15 à 20 €

Issu de vignes cultivées en agriculture biologique, ce viré-clessé se pare d'une robe d'or blanc à reflets verts, et livre un nez empreint de senteurs de pierre blanche, de fruits mûrs et de beurre frais agrémentées d'un boisé élégant. Une texture ferme enrobe un grain serré, le tout porté par une touche minérale de silex, le fruit restant pour l'heure en retrait. Une bouteille à attendre deux ou trois ans pour permettre aux notes de l'élevage de se fondre totalement. À servir alors sur un poulet de Bresse à la crème.

Denis Jeandeau, Le Bourg, 71960 Fuissé,
tél. et fax 03.85.40.97.55, denisjeandeau@yahoo.fr
r.-v.

DOM. ROBERT MARIN Cuvée Chartine Vieilles Vignes 2010 ★

2 500 | 5 à 8 €

Cela fait quatorze ans que Marinette et Robert Marin sont à la tête du domaine de Gilbert Mornand, le maire de Clessé depuis 1971. Ils ont planté des vignes durant toutes ces années et ils proposent aujourd'hui leurs propres cuvées. Ces vieilles vignes de Chartine, élevées dix mois en fût, ont donné un 2010 orné de jolis reflets verts et bronze aux parfums charmeurs de fleurs blanches et d'agrumes. Croquante et suave, la bouche se révèle fraîche et équilibrée. Cette bouteille, déjà agréable, peut être servie dès à présent sur un poisson grillé ou un fromage de chèvre mâconnais.

EARL Dom. Robert Marin,
rte de la Vigne-Blanche, Cidex 0541, 71260 Clessé,
tél. 03.85.36.95.92, fax 03.85.36.93.07,
marin.robert71@orange.fr r.-v.

JEAN-PIERRE MICHEL Terroirs de Quintaine 2010 ★

20 000 | 11 à 15 €

Les 3 ha vignes de chardonnay à l'origine de ce viré-clessé se situent dans la partie supérieure du coteau de Quintaine sur un sol argilo-calcaire. Une vendange manuelle à maturité optimale, un pressurage en grappes entières et triées, pas de chaptalisation ni levurage, une fermentation naturelle sur lies fines pendant une année : tel est le procédé utilisé par Jean-Pierre Michel. Cette cuvée, drapée dans une robe jaune pâle et brillante à l'extrême, dévoile à l'aération des parfums variés tels que le litchi, la rose et le lilas mêlés aux notes minérales du terroir. Une attaque gourmande sur les fruits jaunes onctueux (abricot bergeron) et une finale saline caractérisent la bouche. Un beau vin représentatif et savoureux qui appelle la table et des noix de Saint-Jacques safranées.

Jean-Pierre Michel, pl. de Quintaine, 71260 Clessé,
tél. et fax 03.85.23.04.82, vinsjpmichel@orange.fr
r.-v.

DOM. MONTBARBON 2010 ★

7 000 | 5 à 8 €

Martine et Jacky Montbarbon, vignerons adhérents à la cave coopérative de Viré depuis 1981, s'installent en 2008 en cave particulière et commencent à vinifier leurs 13 ha de vignes. Cueilli à parfaite maturité, ce chardonnay a été élevé en cuve Inox sur lies fines durant dix mois. Il en résulte un joli vin à la robe brillante et dorée à point. La minéralité du terroir s'associe harmonieusement à des notes fruitées (abricot) et épicées (cannelle). Gras et riche dès l'attaque, c'est un vrai « enfant du village », avec une persistance saline qui lui confère de la longueur et de la noblesse. Dans un style rond et opulent, il charme les papilles.

Jacky Montbarbon, chem. des Vignes, 71260 Viré,
tél. et fax 03.85.33.16.98, jacky.montbarbon@orange.fr
t.l.j. 13h30-19h; dim. sur r.-v.

RONGIER ET FILS 2010

15 000 | 5 à 8 €

Paré d'une robe jaune vif ornée de reflets dorés, ce 2010 dévoile un bouquet frais composé de notes d'aubépine et d'acacia. En bouche, il se montre frais et tendu, et s'étire dans une plaisante finale aux saveurs d'agrumes. Un vin bien fait, à boire sur son fruit, en compagnie d'un jambon persillé ou d'un fromage de chèvre sec.

EARL Rongier et Fils, pl. du Marché, 71260 Clessé,
tél. 03.85.36.98.02 r.-v.

DOM. SAINTE-BARBE L'Épinet 2010 ★★

4 500 | 11 à 15 €

Un vignoble de 8,5 ha conduit en bio, des vendanges manuelles et des élevages longs : une méthode qui a fait ses preuves, témoin les nombreuses sélections des vins de Jean-Marie Chaland dans ces pages. Et ce 2010 de frôler le coup de cœur : une cuvée à la robe dorée, lumineuse et limpide, au nez frais, intense et floral, mâtiné de vanille, au palais bien structuré, rond et délicat à la fois, porté en finale par une grande fraîcheur. Un ensemble équilibré, à découvrir dès maintenant ou dans deux à trois ans sur un turbot ou un saint-pierre grillé. Le **Thurissey 2010 (15 à 20 €; 3 500 b.)**, dans un style assez proche mais moins abouti, est cité.

Jean-Marie Chaland,
En Jean Large Cidex 2109, rue de la Grappe-d'Or, 71260 Viré,
tél. 09.64.48.09.44, fax 03.85.33.94.08,
jean-marie.chaland@orange.fr r.-v. 2

DOM. DES TERRES DE CHATENAY Terroir de Chazelle 2010

3 000 | 5 à 8 €

En 2006, Jean-Claude Janin quitte sa place de chef-caviste à la cave coopérative de Viré pour reprendre avec son épouse Marie-Odile ce vignoble de 8 ha. Il propose ici pour la première fois cette cuvée Terroir de Chazelle qui a trouvé un bon écho auprès du jury. Paré de vieil or, ce vin offre des senteurs délicates de fleur de buisson (églantine, aubépine...) et d'épices (cannelle) agrémentées d'une touche de fougère. Une attaque fluide laisse entrevoir une saveur minérale et saline persistante. Attendre deux ans avant de servir cette bouteille avec une lotte à l'unilatéral.

Dom. des Terres de Chatenay,
EARL J.-C. et M.-G. Janin, Les Picards, 71260 Péronne,
tél. et fax 03.85.36.94.01, janinmojc@wanadoo.fr r.-v.
Jean-Claude et Marie-Odile Janin

LES VIGNES D'ADÉLIE Breillonde 2010

1 400 | 11 à 15 €

Situé dans la commune de Clessé, ce domaine étend son vignoble sur 11 ha plantés essentiellement de chardonnay. Vingt ares de vieilles vignes de soixante ans ont donné naissance à cette cuvée confidentielle parée d'une robe or vert intense. Vinifiée et élevée un an en barrique, elle développe un nez aérien de fleurs blanches et de raisins mûrs. Riche mais souple, le palais porte une empreinte boisée mêlée de notes chaleureuses de fruits surmûris. Un vin harmonieux, à boire dans les deux ans sur un foie gras poêlé aux figues.

🔑 Les Vignes d'Adélie, La Troupe, 71260 Clessé,
tél. et fax 03.85.36.95.78, lesvignesdadelie@gmail.com
r.-v.

CAVE DE VIRÉ Quintaine Nos terroirs 2010 ★

12 000 | 8 à 11 €

Née en 1928, la cave de Viré a su faire évoluer son outil de production. Elle a notamment encouragé ses adhérents à passer à une viticulture plus raisonnée en sectorisant les terroirs et en mettant en place une traçabilité totale au chai. Issu de chardonnay de Quintaine, ce vin attire l'œil par sa couleur or vif et éclatant. Discret à l'approche, il offre ensuite de délicates senteurs de fruits mûrs et de menthe fraîche. Souple et rond, le palais dévoile une structure ample soulignée d'un trait d'acidité. Sa finale fraîche le destine à un produit de la mer, à des filets de rouget au fenouil par exemple.

🔑 Cave de Viré, En Vercheron, 71260 Viré,
tél. 03.85.32.25.50, fax 03.85.32.25.55, contact@cavedevire.fr
t.l.j. 9h-12h 14h-18h

Pouilly-fuissé

Superficie : 760 ha
Production : 39 150 hl

Le profil des roches de Solutré et de Vergisson s'avance dans le ciel comme la proue de deux navires ; à leur pied, le vignoble le plus prestigieux du Mâconnais, celui du pouilly-fuissé, se développe sur les communes de Fuissé, de Solutré-Pouilly, de Vergisson et de Chaintré.

Les pouilly-fuissé ont acquis une très grande notoriété, notamment à l'exportation, et leurs prix ont toujours été en compétition avec ceux des chablis. Ils sont vifs, pleins de sève et complexes. Élevés en fût de chêne, ils acquièrent avec l'âge des arômes d'amande grillée ou de noisette.

AUVIGUE Cuvée Hors Classe 2010 ★

3 000 | 15 à 20 €

Cette cuvée proposée par les frères Auvigue est originaire des meilleures vignes de chardonnay qu'ils exploitent à Solutré. Cette récolte d'octobre a été vendangée à pleine maturité lorsque le degré alcoolique des raisins se situe entre 14 et 15 % vol. Puis elle a connu une vinification lente en fût de chêne neuf, durant neuf mois, afin d'extraire toute la générosité du cépage. Sous la teinte vieil or de ce vin se profilent des arômes intenses de fruits jaunes mûrs, d'amande et de noisette grillée, sur fond de confiture de vieux garçon. Le volume, la générosité et la richesse perçus dès l'attaque se confirment jusqu'en finale, des notes épicées et minérales apportant un regain de tonicité et d'équilibre. Un vin qualifié de « surprenant », au fort potentiel de garde, trois à cinq ans estiment les dégustateurs.

🔑 Vins Auvigue, 3131, rte de Davayé,
71850 Charnay-lès-Mâcon, tél. 03.85.34.17.36,
fax 03.85.34.75.88, vins.auvigue@wanadoo.fr r.-v.

PHILIPPE CHARMOND La Roche 2010

2 400 | 11 à 15 €

Né de ceps cinquantenaires, ce 2010 drapé dans une robe or vert tendre et brillant livre au nez de discrètes notes de fleurs blanches, d'abricot, de pêche blanche et de bourgeon de cassis. Les sensations en bouche sont plaisantes et fraîches, même si une certaine sévérité perdure en finale. Un vin de belle origine, qui demande un an ou deux pour s'harmoniser.

🔑 Philippe Charmond, 263, rue du Château de France,
71960 Vergisson, tél. et fax 03.85.35.87.98,
philippe.charmond@aol.com
t.l.j. sf dim. 10h-12h 14h30-19h; f. août

DOM. CHATAIGNERAIE-LABORIER
Aux Vignes dessus 2010 ★

5 000 | 15 à 20 €

Second millésime de Gilles Morat pour cette cuvée provenant d'un terroir d'argiles pures du trias, très difficile à travailler. Et c'est une belle réussite. Couleur or vert, ce 2010 sent le fruit mûr, les fleurs blanches et même un peu le raisin muscaté... Rond et gras, il est équilibré et plaisant en bouche. Un vin à boire sur un fromage affiné comme l'époisses ou le langres. La cuvée **Sur la Roche 2010 (5 000 b.)**, qualifiée de « beau travail technologique » pour son boisé fondu et sa douceur en bouche, obtient la même note.

🔑 Gilles Morat, 595, rte des Bruyères, 71960 Vergisson,
tél. 03.85.35.85.51, fax 03.85.35.82.42, gil.morat@wanadoo.fr
r.-v.

DOM. CHEVEAU Aux Bouthières 2010 ★★

2 300 | 15 à 20 €

Auteur d'un coup de cœur dans l'édition précédente, Nicolas Cheveau ne réitère pas l'exploit mais finit tout de même au pied du podium, avec deux cuvées remarquables. **Les Vieilles Vignes 2010 (11 à 15 € ; 9 000 b.)** sont issues de huit parcelles de vieux chardonnay, chacune représentant un terroir différent du hameau de Pouilly. La robe jaune d'or est traversée de reflets verts, tandis que le nez mêle les fruits jaunes mûrs aux fleurs blanches. La bouche minérale et ample se révèle subtile et racée. Quant à ce 2010 Aux Bouthières, habillé de jaune serin, son nez intense développe des senteurs de pêche et de mirabelle nuancées de citron. Le palais évolue dans un registre boisé, mâtiné de senteurs minérales et de notes de noisette. Ce vin suave laisse le souvenir d'un pouilly-fuissé harmonieux, que l'on pourra servir sur un foie gras à Noël. Une étoile est par ailleurs attribuée au **2010 Les Trois Terroirs (11 à 15 € ; 13 000 b.)**, au joli nez floral, fruité (agrumes) et miellé, frais, un rien salin et long en bouche.

🔑 Dom. Cheveau, hameau de Pouilly,
71960 Solutré-Pouilly, tél. 06.82.03.05.61, fax 03.85.35.87.88,
domaine@vins-cheveau.com r.-v.

CH. DU CLOS Pouilly 2010 ★

5 000 | 11 à 15 €

Le château du Clos, situé dans le hameau de Pouilly, est une petite propriété de 3 ha entourée de murs, conduite depuis sept ans par Jean-François Combier et son épouse Geneviève, héritiers d'une longue lignée familiale débutée sur le domaine en 1782. Depuis 2010, l'ensemble du vignoble est en conversion à l'agriculture biologique : certification prévue pour le millésime 2013. Une étoile brille au-dessus de cette cuvée jaune aux reflets bouton d'or, qui livre d'agréables senteurs de fruits mûrs et de vanille. Un fruité doux imprègne aussi le palais, qualifié par un dégustateur « d'affectueux et d'équilibré ». À boire au cours des deux prochaines années.

Jean-François Combier, Ch. du Clos, 71960 Solutré-Pouilly, tél. 03.85.35.87.40, fax 03.85.35.83.42, combier.pouilly@free.fr r.-v.

COLLOVRAY & TERRIER Vieilles Vignes 2010

15 000 15 à 20 €

Issu de la partie négoce développée par les familles Collovray et Terrier, par ailleurs propriétaires du domaine des Deux Roches, ce 2010 or jaune à reflets verts livre un bouquet plaisant aux accents grillés, agrémenté de petites fleurs blanches. Souple et équilibré, le palais donne une impression de fraîcheur, tout en gardant la trame aromatique découverte au nez. Un bon moment de dégustation en perspective, à l'apéritif ou sur une tourte poireaux-saumon.

Collovray et Terrier, La Cuette, 71960 Davayé, tél. 03.85.35.86.51, fax 03.85.35.86.12, info@collovrayterrier.com r.-v.

DOMINIQUE CORNIN Clos Reyssie 2010 ★★

4 200 20 à 30 €

À l'extrémité sud du vignoble de Pouilly-Fuissé, Chaintré, ravissant petit village juché sur une colline, a la chance d'accueillir l'un des meilleurs restaurants de la région : *La Table de Chaintré*, une étoile au Guide Michelin. Cette cuvée obtient, elle, deux étoiles. Jugée remarquable, notamment par sa finesse et son élégance, elle développe un nez principalement floral (fleur d'acacia et tilleul), quelques notes fruitées et beurrées en appoint. La bouche, elle aussi tout en finesse, s'impose par sa richesse et son gras, équilibrés par une juste fraîcheur. Ses saveurs de pêche blanche affichent une rare persistance. On l'accordera dès aujourd'hui à des sashimis. Le pouilly-fuissé **2010 (11 à 15 € ; 8 500 b.)** est cité pour son agréable fraîcheur.

Dominique Cornin, 339, Savy-le-Haut, 71570 Chaintré, tél. 03.85.37.43.58, dominique@cornin.net r.-v.

DOM. CORSIN Aux Chailloux 2010 ★

3 300 15 à 20 €

Issu d'un terroir argilo-calcaire exposé plein sud au cœur du hameau de Pouilly, ce vin a été élevé pour exprimer au mieux les caractéristiques si particulières de ce *climat* qui postule à la mention 1er cru. Issue pour moitié d'un élevage de neuf mois en fût de chêne, cette cuvée au teint clair garde l'empreinte de son berceau à travers de fines senteurs de vanille et de boisé frais. L'attaque souple laisse place à une matière dense et compacte, puis à une finale légèrement austère. Un vin strict, qui a encore besoin de temps pour s'épanouir : trois à sept ans de garde, conseillent les jurés.

Dom. Corsin, Les Plantés, 71960 Davayé, tél. 03.85.35.83.69, fax 03.85.35.86.64, jjcorsin@domaine-corsin.com r.-v.

DOM. DE LA CROIX SENAILLET 2010 ★★

1 000 15 à 20 €

Le plus beau vin de la dégustation, cousu main par les frères Martin, est un produit rare ; seuls 1 000 flacons de ce divin breuvage sont disponibles. Jaune d'or éclatant nuancé de reflets verts, il fleure bon la poire, la brioche et

la vanille. Élevé dix mois en fût de chêne neuf, il laisse le boisé s'exprimer avec subtilité, sans effacer la minéralité du terroir. L'attaque, d'une grande fraîcheur, prélude à une bouche volumineuse, pleine de saveurs et très équilibrée. Sa finale vive et ferme confère à ce vin beaucoup de puissance et une persistance rare. Il n'attend plus qu'un chapon de Bresse à la crème ou un homard.

Dom. de la Croix Senaillet, En Coland, 71960 Davayé, tél. 03.85.35.82.83, fax 03.85.35.87.22, accueil@domainecroixsenaillet.com t.l.j. sf sam. dim. 8h-12h 13h30-17h30

Gaec Martin

DOM. DE LA CROUZE Tradition 2010

2 000 8 à 11 €

Que de progrès réalisés depuis la reprise du domaine familial par Pierre Desroches en 1986 : arrivée de Nathalie Valette, sa conjointe, en 1990, puis « le grand saut » en 2003, avec la sortie de la cave coopérative de Prissé et enfin, en 2010, début de la conversion du vignoble à l'agriculture biologique. Ce pouilly-fuissé, à l'allure claire et brillante, offre un nez fin de fruits mûrs presque compotés, de beurre et de fleurs blanches. Après une attaque fraîche, le palais dévoile une matière gourmande, bien équilibrée par une finale acidulée et saline. Une bouteille aimable, à servir dans les deux ans à venir avec des cuisses de grenouilles en persillade.

Dom. de la Crouze, 1298, chem. de Tillier-la-Crouze, 71960 Vergisson, tél. et fax 03.85.37.80.09, pierre.desroches@cegetel.net r.-v.

Desroches

FRÉDÉRIC CURIS 2010 ★

800 15 à 20 €

Né sur un sol où se mêlent argile, calcaire et grès, récolté à la main puis élevé douze mois en fût de chêne, ce 2010 a séduit le jury. Tout est aimable dans ce pouilly-fuissé : sa couleur d'un bel or pâle aux reflets citron ; son nez discrètement boisé, qui s'exprime sur les agrumes ; sa bouche fraîche, citronnée et un rien végétale, qui traduit à travers sa finale minérale une belle origine. Un vin encore jeune et d'une vivacité fringante, qui gagnera à attendre deux ou trois ans avant d'être servi sur un médaillon de veau.

Frédéric Curis, Au Clos d'Amélie, Les Chailloux, 71960 Davayé, tél. 06.03.11.65.79, vignoblecuris@sfr.fr r.-v. 4

DOM. DENUZILLER Le Clos 2009 ★

2 000 11 à 15 €

Ce domaine est constitué de soixante-trois parcelles de chardonnay que Gilles et Joël Denuziller vinifient en

BOURGOGNE

petit contenant, afin de respecter au mieux la typicité de chaque terroir. Ce 2009, issu du *climat* Le Clos, se présente vêtu d'une robe nette et claire, couleur jaune d'or aux reflets bronze. Son nez complexe et aromatique déploie une jolie palette de citron, de pamplemousse, de vanille et de fleurs blanches. Sa bouche, puissante et douce à la fois, s'étire longuement sur des saveurs d'orange sanguine. À déguster dès maintenant, sur un sabayon aux agrumes.

Dom. Denuziller, imp. de l'Église, 71960 Solutré-Pouilly, tél. 03.85.35.80.77, fax 03.85.35.83.38, domaine.denuziller@orange.fr
t.l.j. 9h-12h 13h30-18h30

DOM. PIERRE DESROCHES En Servy 2010 ★★

1 000 | 11 à 15 €

Un succès qui se confirme pour ce domaine repris en 2005 par Pierre Desroches. Premier millésime pour cette cuvée En Servy, qui séduit d'emblée le jury par sa robe limpide, d'un or profond orné de reflets pistache. Le nez fin et racé mêle en toute harmonie les fleurs blanches à un boisé élégant (pain grillé). Droite et vigoureuse dès l'attaque, la bouche s'appuie sur une belle trame minérale qui lui confère une structure verticale, tendue jusqu'à la finale. Superbe représentant de l'AOC, typé et complexe, à découvrir dès à présent sur des crustacés.

Pierre Desroches, Les Berthelots, 71960 Solutré-Pouilly, tél. 06.80.71.68.18, pierredesroches@hotmail.fr r.-v.

DOM. THIERRY DROUIN Métertière 2010 ★

4 000 | 11 à 15 €

Deux hectares de chardonnay sur sols argilo-calcaires mêlés de marnes, exposés à l'est, ont donné naissance à ce vin or à reflets bronze, qui séduit par son nez intense de fruits mûrs, de noisette, d'amande et de toast grillé. La bouche, bien proportionnée, oscille entre gourmandise et vivacité, pour s'achever sur une finale longue et fraîche. Un beau mariage fût-vin, que l'on servira dans un an ou deux sur des escargots de Bourgogne.

Thierry Drouin, Le Grand Pré, 71960 Vergisson, tél. 03.85.35.84.36, commercial@domaine-drouin.com
r.-v.

FERRET-LORTON Autour de Fuissé 2010 ★★

37 000 | 15 à 20 €

Le domaine Ferret, fondé en 1840, a acquis sa notoriété au fil des années sous la férule de Jeanne Ferret, avant-gardiste et opiniâtre ; un esprit de droiture que la maison Louis Jadot, actuel propriétaire, revendique aujourd'hui encore. Cette cuvée Autour de Fuissé s'éclaire d'une teinte doré soutenu et laisse échapper de nombreux parfums, tout d'abord boisés puis minéraux et fruités. Après une attaque vive, elle dévoile une matière riche et puissante aux fines notes vanillées, tandis que la finale s'épanouit longuement sur des saveurs minérales. Un beau classique.

SCEA Ferret-Lorton, rue du Plan, 71960 Fuissé, tél. 03.85.35.61.56, fax 03.85.35.62.74, ferretlorton@orange.fr
r.-v.

Famille Kopf

ÉRIC FOREST Les Crays 2009 ★

8 000 | 15 à 20 €

Installé depuis treize ans, Éric Forest a fait le choix de miser sur l'export. Ainsi, 80 % du volume produit et mis en bouteille s'envole pour des contrées lointaines : États-Unis, Canada mais aussi Finlande, Norvège, Danemark... Alors si vous voulez goûter ce 2009, très réussi, tentez votre chance directement au domaine, en prenant soin de prendre rendez-vous au préalable. Ce vin habillé d'or offre un nez puissant, direct, nettement sur le fruit mûr, exotique même. La bouche gourmande et agréable joue dans le registre du millésime : opulence et richesse. Un vin à boire sans attendre sur un mets riche, un poulet de Bresse à la crème et aux morilles par exemple. La cuvée **Âme Forest 2010 (11 à 15 € ; 6 500 b.)**, équilibrée, au boisé marqué mais élégant, longue et dense, reçoit la même note. On l'attendra une paire d'années.

Éric Forest, 56, rue du Martelet, 71960 Vergisson, tél. 06.22.41.42.55, forest.eric@free.fr r.-v.

DOM. DES GERBEAUX Terroirs de Pouilly et Fuissé Vieilles Vignes 2010 ★★

12 000 | 11 à 15 €

Des vignes cinquantenaires, situées sur les coteaux pentus argilo-calcaires de Fuissé et de Pouilly, ont donné naissance à ce 2010 or pâle à reflets verts, ouvert au nez sur des notes de café grillé, de fruits mûrs et d'épices, tonifiées par des nuances minérales. La bouche séduit dès l'attaque par sa fraîcheur, qui se poursuit jusqu'à la finale, soutenant une matière dense et riche. Une salinité de bon aloi renforce encore ce côté frais et destine ce vin à des charcuteries fines. Même note pour la cuvée **Les Champs Roux 2010 (15 à 20 € ; 2 000 b.)**, qui plaît pour son opulence, son charnu et ses senteurs florales, mentholées et minérales.

Dom. des Gerbeaux, Les Gerbeaux, 71960 Solutré-Pouilly, tél. 03.85.35.80.17, fax 03.85.35.87.12, j-michel.drouin.gerbeaux@wanadoo.fr r.-v.

Drouin

DOM. GIRARD Prestige 2010 ★

5 500 | 15 à 20 €

Cette cuvée Prestige est issue d'une sélection des meilleurs terroirs exploités par Noël Girard et son fils Vincent, revenu au bercail en 2009. Un élevage en fûts et demi-muids de douze mois, puis un mois en cuve d'assemblage avant la mise en bouteille ont engendré ce vin de caractère, qui aura besoin de temps pour trouver l'harmonie. Ses atouts aujourd'hui : des arômes agréables qui oscillent entre floral et fruité, avec une pointe de noisette fraîche ; une bouche fine avec beaucoup d'élégance et de matière, mais qui présente un boisé pour l'heure encore trop marqué. Un futur « grand », à associer dans trois à cinq ans à un homard ou à un chapon de Bresse.

Dom. Girard et Fils, Les Gerbeaux, 71960 Solutré-Pouilly, tél. 03.85.35.83.28, domaine-girard@club-internet.fr
r.-v.

DOM. DU GRAND PRÉ Cuvée Prestige 2010 ★★

2 000 | 11 à 15 €

Carton plein pour Philippe Desroches, qui place trois de ses pouilly-fuissé dans cette édition. **Les Charmonts 2010 (8 à 11 € ; 2 000 b.)** décroche une étoile pour sa subtilité minérale et sa légèreté presque aérienne. La **cuvée principale 2010 (8 à 11 € ; 1 000 b.)**, au caractère bien trempé et à l'harmonie fruitée, est jugée remarquable. La Cuvée Prestige quant à elle, éclatante dans sa livrée d'or, offre un nez d'une grande minéralité, ponctué de touches mentholées et boisées. La chair explose en bouche, où s'affirment un volume ample, une fraîche vivacité et un équilibre parfait.

Philippe Desroches, lot. Le Grand-Pré, 71960 Solutré-Pouilly, tél. 03.85.35.86.94, fax 03.85.35.86.62, ph.desroches@orange.fr r.-v.

BERNARD LAPIERRE 2010 ★

1 500 | 8 à 11 €

Installé en 1979, Bernard Lapierre exploite 10 ha de vignes, principalement en pouilly-fuissé. Il essaie de s'orienter vers une viticulture plus « raisonnable » : labour, enherbement, vinification sans intrant. Son 2010 s'habille d'une robe or pâle aux reflets vert soutenu. Discret mais fin au nez, il distille de délicats parfums de vanille, de cannelle et de pêche blanche. En bouche, on découvre un vin droit mais gourmand, un joli « vin plaisir » que l'on servira à l'apéritif avec des petits fromages de chèvre secs.

Bernard Lapierre, chem. de Pierre, 71960 Solutré-Pouilly, tél. 03.85.35.81.12, lapierre.bernard@hotmail.fr
t.l.j. 8h-12h 14h-19h

FABRICE LAROCHETTE Le Clos de monsieur Noly 2010 ★

3 600 | 11 à 15 €

Le Clos de monsieur Noly, fameux *climat* de Chaintré, qui ambitionne un classement en premier cru, se compose de 7 ha répartis entre six vignerons. Fabrice Larochette en exploite 1,45 ha, sur la partie la plus au sud. Il en tire ce vin doré à l'or fin, qui livre un bouquet net et franc de fleurs blanches et de citron. La bouche, complexe, développe une chair ferme, avec juste ce qu'il faut d'acidité citronnée. Un vin dynamique, qui fait honneur à son appellation. À noter que, chose peu fréquente dans l'AOC, il n'a pas connu le bois. La cuvée **Les Robées 2010 (3 600 b.)**, d'inspiration florale, gourmande et équilibrée, est citée. Elle pourra enchanter les palais dans deux ou trois ans sur une andouillette à la mâconnaise.

Fabrice Larochette, Les Robées, 71570 Chaintré, tél. 06.11.95.68.35, fabrice.larochette@wanadoo.fr
r.-v.

ROGER LASSARAT Terroir de Vergisson 2010 ★

15 000 | 11 à 15 €

Roger Lassarat s'est installé en 1969 entre les deux roches de Vergisson et Solutré, au cœur du village de Vergisson, avec quelques ares de vignes. Le domaine étend aujourd'hui son vignoble sur 18 ha, dont 2 ha dans le Beaujolais, en AOC moulin-à-vent, acquis avec son ami Laurent Gerra. Côté pouilly-fuissé, ce 2010 à l'or pâle dévoile un nez complexe de fruits blancs et de citron souligné de notes boisées. Un bel équilibre se dessine en bouche où la vivacité est tempérée par le vanillé apporté par le fût. Un vin très équilibré, que l'on servira vers 2014 sur un noble crustacé, un homard à la crème par exemple.

Roger Lassarat, 121, rue du Martelet, 71960 Vergisson, tél. 03.85.35.84.28, fax 03.85.35.86.73, info@roger-lassarat.com
t.l.j. 8h-12h 13h30-19h; sam. sur r.-v. G

B CH. DE LAVERNETTE Maison du Villard 2010

3 400 | 11 à 15 €

Un domaine familial depuis quatorze générations (1596), sur lequel Xavier de Boissieu pratique la culture biodynamique depuis 2005 – les vins sont certifiés depuis cette année. Il signe un vin jaune d'or intense, aux parfums expressifs et séducteurs de mirabelle, de mandarine et de cédrat. La bouche se révèle fine, précise, d'une belle rondeur, anoblie par une légère amertume finale. Une bonne matière première et un élevage soigné et bien maîtrisé ont par ailleurs donné naissance à la cuvée **Jean-Jacques de Boissieu 2010 (15 à 20 € ; 2 000 b.)**, également citée.

Ch. de Lavernette, La Vernette, 71570 Leynes, tél. 03.85.35.63.21, fax 03.85.35.67.32, chateau@lavernette.com
t.l.j. sf dim. 9h-12h 13h30-18h
de Boissieu

MERLIN Terroir de Vergisson 2010 ★

3 900 | 20 à 30 €

Olivier Merlin, vigneron-négociant, opte pour un travail des vignes souvent manuel, respecte le sol et la plante, en bannissant engrais de synthèse et désherbants. Quant aux achats de raisins, il essaie, dans la mesure du possible, d'exiger la même qualité auprès de ses fournisseurs. Le résultat est ici un 2010 de belle intensité colorante, dont le nez évoque les fruits mûrs et le citron. Tout en douceur et en légèreté, le palais se montre riche et harmonieux, élégant et fin. Une bouteille qui s'accordera parfaitement, dans une année, à des sashimis de dorade au vinaigre de riz. La **cuvée principale 2010 (15 à 20 € ; 9 500 b.)**, bien ajustée entre gras et vivacité, est citée et prête à boire.

Merlin, Dom. du Vieux Saint-Sorlin, 71960 La Roche-Vineuse, tél. 03.85.36.62.09, fax 03.85.36.66.45, merlin.vins@wanadoo.fr r.-v.

DOM. DANIEL POLLIER Vieilles Vignes 2010 ★

7 260 | 11 à 15 €

Une viticulture raisonnée, une récolte mécanique sur de vieux ceps de cinquante-cinq ans, un élevage à 90 % en cuve Inox et 10 % en fût de chêne ont donné naissance à ce vin à boire dès aujourd'hui. La robe est d'un jaune d'or intense. Tout aussi intense est l'olfaction, presque exubérante : on y perçoit des parfums de poire, d'abricot, de fleurs blanches et de menthol. Riche dès l'attaque, la bouche se révèle puissante et longue, même si l'on déplore un certain manque d'acidité pour atteindre un équilibre parfait. Au final, un vin très réussi, que l'on appréciera sur une viande blanche en sauce crémée.

EARL Dom. Daniel Pollier, Le Bourg, 71960 Fuissé, tél. et fax 03.85.35.66.85, domaine.daniel.pollier@club-internet.fr r.-v. B

DOM. DES PONCETYS En Champ roux 2010 ★

2 600 | 11 à 15 €

Depuis 2005, ce domaine appartenant au lycée viticole de Mâcon-Davayé a mis en place une démarche plus respectueuse de l'environnement. À la vigne, il est en conversion biologique depuis 2009, et en cave, le maître de chai Frédéric Servais, n'utilise aucun intrant, hormis le SO_2, afin de produire « les vins les plus naturels possible, qui expriment très fidèlement leur terroir d'origine ». Ce 2010 or jaune brillant délivre d'intenses parfums de fruits exotiques (litchi, mangue, ananas), ainsi que des notes florales élégantes. Derrière sa rondeur en bouche, on devine de fines notes boisées et une vivacité bienvenue. Puissant et long, ce vin sera à son apogée dans deux à cinq ans ; on le servira alors sur des noix de Saint-Jacques.

Dom. des Poncetys, Les Poncetys, 71960 Davayé, tél. 03.85.33.56.22, fax 03.85.35.86.34, domaineponcetys@free.fr t.l.j. sf sam. dim. 8h30-12h 14h-18h

PASCAL RENAUD Aux Chailloux 2010 ★

3 300		11 à 15 €

À la tête de l'ancienne propriété de la famille Balladur depuis 1987, Pascal Renaud est aujourd'hui secondé par son fils Guillaume. Des chardonnays quinquagénaires, récoltés manuellement, fermentés avec des levures indigènes puis élevés un an en fût, ont donné ce joli vin à la robe paille. De fines notes de fruits blancs, la poire notamment, mêlées de touches minérales forment un bouquet intense. L'équilibre entre le fruit et la minéralité se retrouve dans un palais charnu et persistant. On servira cette cuvée harmonieuse dès cet automne, après un léger carafage, sur un poisson grillé ou une viande blanche.

Pascal Renaud, impasse des Tonneliers, Pouilly, 71960 Solutré-Pouilly, tél. 03.85.35.84.62, fax 03.85.35.87.42, domainerenaudpascal@wanadoo.fr t.l.j. 8h-20h

ÈVE ET MICHEL REY Les Crays 2010 ★★

2 200		15 à 20 €

Le coteau crayeux des Crays constitue un excellent terroir pour le chardonnay. Issu exclusivement de ce *climat* (futur 1er cru ?), ce 2010 récolté manuellement, vinifié et élevé en fût revêt une robe dorée aux reflets bronze. Au premier nez déjà complexe de vanille et de brioche, succèdent d'élégants parfums de fruits exotiques et de chèvrefeuille. La bouche d'une grande richesse aromatique se montre solide, puissante et structurée. On devine un énorme potentiel dans cette bouteille, qui ne demande qu'à se révéler dans deux ou trois ans sur un homard grillé. Pour les amateurs de grands bourgognes blancs. Une citation pour le **Terroir de Vergisson 2010 (11 à 15 € ; 3 600 b.)**, encore sous l'emprise du bois, mais prometteur.

Ève et Michel Rey, 220, rue du Château-de-France, 71960 Vergisson, tél. 03.85.35.85.78, michel.rey19@wanadoo.fr r.-v.

DOM. ROMANIN Terroir de Fuissé 2010 ★★

20 000		11 à 15 €

Ce domaine de plus de 10 ha porte le nom de la source romaine Le Romanin qui jaillit à proximité de la cave. Récoltés mécaniquement, ces chardonnays ont donné naissance à un vin lumineux, couleur or. D'intenses notes de torréfaction, de toast grillé et de café composent le nez. Tout aussi concentré, le palais dévoile une matière dense et puissante, équilibrée par une acidité bien présente. Un vin « coup de poing » pour amateurs de sensations fortes. La cuvée **Lamure 2010 (4 000 b.)**, au joli nez fruité, fraîche et élégante, obtient une étoile.

Dom. Romanin, Le Bourg, 71960 Fuissé, tél. 06.85.42.09.62, fax 03.85.32.90.22, domaine.romanin@orange.fr r.-v.

DOM. SANGOUARD-GUYOT Authentique 2010

2 800		11 à 15 €

Cette propriété familiale créée au XVIIIe s. est établie sur les coteaux argilo-calcaires de la Roche de Vergisson. Elle propose un 2010 aux nuances dorées, au nez minéral et fruité, vif dès l'attaque, citronné et d'une structure serrée en bouche. Un vin à boire dans un an ou deux, sur un plateau de fruits de mer.

Dom. Sangouard-Guyot, 83, rue du Repostère, 71960 Vergisson, tél. 03.85.35.89.45, domaine@sangouard-guyot.fr r.-v.

DOM. DES SANSONNETS 2010 ★

3 000		11 à 15 €

Cette cuvée proposée par un négociant du Beaujolais est née de vignes de cinquante ans. Parée d'une robe or clair à reflets vert de gris, elle développe d'intenses notes de fougère et de pêche blanche mêlées de pain grillé et de nuances minérales. Rondeur et souplesse s'imposent dès l'attaque, tandis qu'un trait boisé souligne la finale. Un vin agréable à boire dès maintenant sur des escargots en persillade, ou à garder une ou deux années supplémentaires.

Jacques Charlet, RN 6, 71570 La Chapelle-de-Guinchay, tél. 03.85.36.82.41, fax 03.85.33.83.19, vinloron@loron.fr t.l.j. sf sam. dim. 9h-12h 14h-17h (ven. 16h30 août)

Xavier Barbet

DOM. SAUMAIZE-MICHELIN Le Haut des Crays 2010

1 400		15 à 20 €

Cette cuvée ne fait pas dans la dentelle, plutôt dans l'opulence et la générosité. Or à reflets bronze, elle exhale d'intenses arômes floraux rappelant le buis et le genêt. La bouche s'affirme d'entrée de jeu par une richesse et un gras peu communs sur ce millésime. À boire dès la sortie du Guide, sur un plat épicé comme un tajine d'agneau aux abricots secs.

Dom. Roger et Christine Saumaize-Michelin, Le Martelet, 71960 Vergisson, tél. 03.85.35.84.05, saumaize-michelin@wanadoo.fr r.-v.

DOM. SIMONIN Les Ammonites 2010 ★

1 000		15 à 20 €

Jacques Simonin, à la tête de ce domaine depuis 1981, signe une cuvée de garde, très bien construite, mais encore sur la réserve. Sous une teinte or pâle, on distingue un premier nez discret, légèrement grillé, puis après aération s'épanouissent des senteurs exotiques et des notes d'amande fraîche. Le palais, structuré et charpenté, se révèle vif et salin. Un bon classique de l'appellation, à attendre, pour le servir dans deux ans sur une sole meunière.

Jacques Simonin, 94, rue Froide, 71960 Vergisson, tél. 03.85.35.84.72, fax 03.85.35.85.34, domsimonin.ja@wanadoo.fr r.-v.

LA SOUFRANDISE Vieilles Vignes 2010

n.c.		15 à 20 €

Issue d'un assemblage de plusieurs *climats* situés sur la commune de Fuissé, cette cuvée est le résultat d'une vinification avec levures indigènes et fermentations en cuves thermorégulées pour deux tiers des raisins, le tiers restant en pièces sur lies fines. Parée d'or jaune, limpide et brillante, elle développe un nez délicat de brioche et de citron, et un palais bien fruité, gourmand et frais. Un vin réjouissant, qui pourra être servi sans attendre à l'apéritif, avec des gougères.

Dom. la Soufrandise, Françoise et Nicolas Melin, Rouette-du-Clos, 71960 Fuissé, tél. 03.85.35.64.04, fax 03.85.35.65.57, la-soufrandise@wanadoo.fr r.-v.

Melin

DOM. LA SOURCE DES FÉES Cep éternel 2010

5 300 ■ 15 à 20 €

C'est la paisible nature environnante qui donne son nom à ce domaine : une « source » coule au milieu du jardin paysager, et un petit bois, nommé « de Fay », surplombe la bâtisse. Philippe Greffet et Thierry Nouvel y ont créé des chambres d'hôtes, installées dans une bâtisse rénovée dans la plus pure tradition bourguignonne. On viendra y découvrir ce Cep éternel, né de vignes de soixante ans : un vin à la robe vieil or, au nez d'amande et de noisette fraîches, au palais fruité et minéral. Un « vin d'amitié », tout indiqué pour l'apéritif.

Philippe Greffet et Thierry Nouvel, Le Bourg, rte du May, 71960 Fuissé, tél. 03.85.35.67.02, fax 03.85.35.62.22, t.nouvel@wanadoo.fr
t.l.j. 9h-12h 14h-19h

DOM. CATHERINE ET DIDIER TRIPOZ Vieilles Vignes 2010 ★

3 000 11 à 15 €

En 1988, la famille Tripoz succède à la famille Chevalier à la tête de ce domaine. Vendangés manuellement, ces ceps de chardonnay quarantenaires ont donné un vin drapé d'or et souligné de reflets gris-vert. Le nez, discrètement boisé, dévoile des nuances de citron et de pamplemousse teintées de silex. En bouche ? De la minéralité, de la matière, des arômes d'agrumes et de caillou : c'est un vin typique de l'AOC, agréable dès maintenant, mais aussi prometteur. Un vin droit et pur, que l'on servira sur une langouste ou sur des quenelles de brochet.

Catherine et Didier Tripoz, 450, chem. des Tournons, 71850 Charnay-lès-Mâcon, tél. 03.85.34.14.52, fax 03.85.20.24.99, didier.tripoz@wanadoo.fr r.-v.

FRÉDÉRIC TROUILLET Aux Chailloux 2010 ★

2 500 11 à 15 €

Au décès brutal de son père Frédéric en 2007, William Trouillet, alors étudiant au lycée viticole de Davayé, revient sur l'exploitation familiale pour seconder sa mère Marie-Agnès, non sans avoir effectué plusieurs stages en France et à l'étranger. Il propose ici une cuvée très réussie, parée d'une robe dorée jalonnée de reflets vert tendre. Le nez, d'abord en retrait, s'ouvre à l'aération sur des arômes de miel et de brioche, des nuances minérales faisant ensuite leur apparition. Au palais, on découvre une matière ample, ronde et bien équilibrée. Un joli vin à servir sur un fromage de chèvre mâconnais ou charollais.

Dom. Trouillet, rte des Concizes, 71960 Solutré-Pouilly, tél. 03.85.35.80.04, fax 03.85.35.86.03, domaine.trouillet@wanadoo.fr
t.l.j. sf. dim 10h-12h 14h-19h

DOM. VAUPRÉ Vieilles Vignes 2010 ★

4 200 8 à 11 €

Dominique Vaupré, accompagné de son fils depuis cette année, fait perdurer une ancienne tradition viticole : le labourage des vignes, nécessaire pour favoriser un enracinement de la plante, qui offre également l'avantage d'éviter le désherbage chimique, fléau des terroirs et de l'environnement en général. Ce 2010, élevé onze mois en fût, brille d'un or éclatant. Son olfaction faite de raisins frais, de sous-bois, d'agrumes et de minéralité aiguise les sens. Souple et tendre en attaque, le palais s'arrondit ensuite pour donner un vin long et riche, qui présente un beau charnu pour le millésime, sans doute dû à un bon choix dans la date des vendanges. Un sandre au beurre blanc ou des gambas grillées sauront le mettre en valeur.

Dom. Vaupré, impasse du Clos, 71960 Solutré-Pouilly, tél. 03.85.35.85.67, fax 03.85.35.86.63, dominique.vaupre@club-internet.fr r.-v.

CH. VITALIS Vieilles Vignes 2010 ★

9 670 15 à 20 €

Au château Vitalis, on utilise les techniques les plus modernes en matière de culture de la vigne et de vinification : récolte mécanique, pressoir pneumatique, cuves thermorégulées, caves et stockage des vins climatisés. La seule technique « à l'ancienne » réside dans l'élevage de cette cuvée : en fût de chêne avec bâtonnage. Vêtu d'or pâle, ce 2010 propose un nez encore sur la réserve, mais qui laisse deviner de plaisantes notes de fleurs blanches et de citron. Son attaque vive annonce une bouche fraîche et gourmande, élégante et fine. Parfait pour l'apéritif.

Denis Dutron, Le Bourg, 71960 Fuissé, tél. 03.85.35.64.42, fax 03.85.35.66.47, denis.dutron@wanadoo.fr
t.l.j. 8h30-19h; sam. dim. sur r.-v.; f. 4-20 août

Pouilly-loché et pouilly-vinzelles

Moins connues que leur voisine, ces petites appellations situées sur le territoire des communes de Loché et de Vinzelles produisent des vins blancs secs de même nature que le pouilly-fuissé, avec peut-être un peu moins de corps.

Pouilly-loché

Superficie : 32 ha
Production : 1 500 hl

CLOS DES ROCS Le Domaine En Chantone 2010

3 500 11 à 15 €

Olivier Giroux, installé depuis maintenant dix ans sur les terres du clos de 3 ha attenant à la propriété en pierres dorées, engage une conversion vers l'agriculture biologique de l'ensemble de son vignoble. Vendangés manuellement, ces chardonnays de soixante ans ont donné un vin à la robe jaune soutenu ourlée de reflets ambrés. Discret en approche, le vin laisse toutefois poindre des notes minérales et quelque peu végétales. Équilibrée et intense, la bouche et sa finale dévoilent aussi des saveurs rappelant le terroir qui a vu naître ce pouilly. À attendre deux ou trois ans pour obtenir une plénitude aromatique.

SCEA Vignoble du Clos des Rocs, 64, chem. de la Colonge, 71000 Loché, tél. 03.85.32.97.53, fax 03.85.35.69.83, vin@closdesrocs.fr r.-v.
Olivier Giroux

MARCEL COUTURIER Vieilles Vignes 2010

2 000 | 11 à 15 €

Ces 30 ares de chardonnay plantés en 1927 s'enracinent profondément dans le terroir argilo-calcaire de Loché et Marcel Couturier les bichonne. Après une vendange manuelle, il vinifie et élève le vin en fût de chêne durant onze mois. Une robe vieil or, un nez encore discret, tout en finesse, d'aubépine et d'agrumes ainsi qu'une bouche équilibrée en font un pouilly-loché typique et agréable. À accorder dans un an ou deux à un poisson grillé ou à des crustacés.

Dom. Marcel Couturier, Les Pelées, 71960 Fuissé,
tél. 06.23.97.23.21, fax 03.85.35.63.27,
domainemarcelcouturier@orange.fr r.-v.

CAVE DES GRANDS CRUS BLANCS Les Mûres 2010 ★

18 000 | 8 à 11 €

Ce pouilly-loché est issu d'une sélection parcellaire au sein du *climat* Les Mûres qui est considéré comme le meilleur terroir de Loché. Le sol est surtout argileux en surface et très calcaire en profondeur, avec de nombreux débris de calcaire à entroques (fossiles marins). Le 2010 se présente dans une robe jaune pâle limpide et offre un bouquet complexe de fruits blancs, d'amande et de brioche. Dans le même registre, la bouche ronde et chaleureuse s'étire longuement sur des notes compotées. Cité, le **Vieilles Vignes 2010 (15 000 b.)**, un vin riche qui mériterait un peu plus de vivacité, séduit néanmoins par ses arômes fruités et floraux. Les deux cuvées pourront accompagner un fromage affiné ou tout autre mets fort en goût.

Cave des Grands Crus blancs, 71680 Vinzelles,
tél. 03.85.27.05.70, fax 03.85.27.05.71,
contact@lesgrandscrusblancs.com
t.l.j. 9h-12h30 13h30-19h

CH. DE LOCHÉ 2011 ★

18 000 | 8 à 11 €

Ancienne dépendance de la seigneurie de Vinzelles construite au XIIIes., le château surplombe le charmant village de Loché. Son domaine s'étend sur 11 ha en coteaux exposés plein est sur des sols argilo-calcaires. Vinifié par l'équipe des œnologues de la maison de négoce Loron dans la plus pure tradition bourguignonne, ce 2011 se pare d'une couleur or vert intense. Frais et floral, son nez est souligné d'une belle trame minérale. Sa bouche ronde et souple fait bonne impression, tandis que la finale se montre un peu austère. Il est nécessaire de garder ce vin une année en cave pour qu'il trouve l'harmonie.

Loron et Fils, 1846, RN 6, 71570 Pontanevaux,
tél. 03.85.36.81.20, fax 03.85.33.83.19, vinloron@loron.fr
t.l.j. sf sam. dim. 9h-12h 14h-17h (16h30 ven.);
f. 1er-18 août
Xavier Barbet

Pouilly-vinzelles

Superficie : 52 ha
Production : 1 700 hl

DOM. DES CLOSAILLES 2010 ★

5 200 | 5 à 8 €

Jaune d'or aux légers reflets ambrés, ce 2010 exhale des parfums de fruits mûrs presque confits comme la poire et le citron, le tout enrobé de miel d'acacia. Riche et gras au palais, il est déjà prêt. Une belle réalisation du domaine des Closailles, situé à Vinzelles, au cœur même de l'appellation.

Jacqueline Fouillet, Aux Closailles, 71680 Vinzelles,
tél. 06.62.69.16.66, fax 03.85.35.67.40,
domainedesclosailles@voila.fr t.l.j. 9h-19h

CAVE DES GRANDS CRUS BLANCS 2010 ★

60 000 | 5 à 8 €

Élevé sur lies fines durant neuf mois au sein de la cave coopérative de Vinzelles, ce 2010 aux reflets vert pâle joue sur un registre plutôt minéral. Son nez à la fois intense et fin évoque le calcaire, le raisin et la pêche blanche. Sa jolie bouche, bien équilibrée, s'achève sur une finale citronnée fraîche et distinguée. Dans un registre plus exotique, mais lui aussi acidulé en bouche, **Les Quarts 2010 (8 à 11 €; 20 000 b.)** est cité.

Cave des Grands Crus blancs, 71680 Vinzelles,
tél. 03.85.27.05.70, fax 03.85.27.05.71,
contact@lesgrandscrusblancs.com
t.l.j. 9h-12h30 13h30-19h

DOM. MARC JAMBON ET FILS
Château de Vinzelles 2009 ★★

1 866 | 8 à 11 €

Valeur sûre du Guide, mais plus souvent dans les appellations mâcon et mâcon-villages, ce domaine ajoute une ligne à son palmarès en proposant cette année le meilleur vin de l'AOC pouilly-vinzelles. Si Marc Jambon et son fils Pierre-Antoine ne sont pas originaires de ces terroirs, ils se forgent néanmoins une belle légitimité en nous gratifiant ici d'un vin or pâle animé de nombreux reflets verts. Encore très frais, le nez offre d'intenses senteurs minérales, des notes de fruits mûrs et de guimauve, le tout mâtiné de miel d'acacia. L'attaque se montre ample, le développement est riche et gourmand, bien équilibré par la finale élégante et fraîche. « Vin de terroir, millésime solaire, mais vinification assurée ! », conclut un juré enthousiaste, qui conseille d'ouvrir cette bouteille dès maintenant pour accompagner un poulet de Bresse à la crème.

Dom. Marc Jambon et Fils, La Roche, 71960 Pierreclos,
tél. 03.85.35.73.15, marcjambon@laposte.net r.-v.

FABRICE LAROCHETTE 2010

1 000 | 8 à 11 €

La simplicité pourrait caractériser ce pouilly-vinzelles que les jurés conseillent de boire à l'apéritif, bien frais, sous la tonnelle. Éclatant dans sa robe dorée aux reflets verts, il procure une sensation fruitée tant au nez qu'en bouche (fruits exotiques). Celle-ci, souple et élégante, ne « joue pas les gros bras » et repose sur la fraîcheur.

Fabrice Larochette, Les Robées, 71570 Chaintré,
tél. 06.11.95.68.35, fabrice.larochette@wanadoo.fr
r.-v.

DOM. THIBERT PÈRE ET FILS Les Longeays 2010

13 500 | 15 à 20 €

Produit sur l'un des meilleurs secteurs de l'appellation, ce 2010 est avant tout boisé. Pain grillé au premier nez, il laisse après aération poindre des senteurs de vanille agrémentées de notes citronnées. Sa bouche, très tendue dès l'approche, s'adoucit avec la présence d'une matière dense rehaussée par l'élevage en fût. La finale laisse

présager un grand plaisir dans quatre à cinq ans, le temps nécessaire à ce vin pour « digérer » le bois.
Dom. Thibert Père et Fils, rue Adrien-Arcelin, 71960 Fuissé, tél. 03.85.27.02.66, fax 03.85.35.66.21, info@domaine-thibert.com
t.l.j. 8h30-12h30 13h30-18h30; sam. dim. sur r.-v.

CH. DE VINZELLES Cuvée Vauban 2010 ★

4 000 | 11 à 15 €

Vinifiée et élevée au château de Vinzelles, cette cuvée est dédiée à Sébastien Le Preste de Vauban, maréchal de France (1633-1707), illustre acteur du Grand Siècle et aïeul de la famille de Lostende. De la robe or pâle à reflets argentés s'élèvent des parfums tout en finesse de fleurs blanches et de fruits secs. La bouche attaque sur la fraîcheur, puis développe de la rondeur et du gras avant une finale sur le fruit blanc. Après carafage, ce vin accompagnera une viande blanche.
Ch. de Vinzelles, 71680 Vinzelles, contact@chateau-de-vinzelles.com r.-v.
Mme de Lostende

Saint-véran

Superficie : 680 ha
Production : 37 500 hl

Implantée surtout sur des terroirs calcaires, l'appellation, reconnue en 1971, constitue la limite sud du Mâconnais, entre les AOC pouilly-fuissé, pouilly-vinzelles et beaujolais. Elle est réservée aux vins blancs produits dans huit communes de Saône-et-Loire. Légers, élégants, fruités, les saint-véran accompagnent bien les débuts de repas. Ils sont intermédiaires entre les pouilly-fuissé et les mâcon suivis d'un nom de village.

DOM. BOURDON 2010 ★★

5 200 | 5 à 8 €

Régulièrement sélectionnée dans le Guide, cette exploitation familiale de 13 ha fait encore mouche en proposant un saint-véran jugé remarquable. Ces fringants chardonnays (dix-neuf ans) donnent naissance à un vin jaune clair, au nez minéral et floral mêlé de fruits à chair blanche. La bouche conjugue dans un parfait équilibre une matière dense et riche, et la vivacité caractéristique du millésime. Un vin racé, élégant, « de la dentelle », conclut un juré. Servez-le dans un an ou deux en compagnie d'un poisson grillé et d'une compotée de fenouil.
EARL François et Sylvie Bourdon, rue de la Chapelle, 71960 Solutré-Pouilly, tél. 03.85.35.81.44, fax 03.85.35.85.42, francoisbourdon2@wanadoo.fr r.-v.

CAVE DE CHAINTRÉ 2010

32 533 | 5 à 8 €

Cette cave coopérative présidée par une femme, Joëlle Berger, est sous la responsabilité technique d'une autre femme, Carole Martin. Si la viticulture tend certes à se féminiser, la chose reste suffisamment peu répandue pour être soulignée... Côté vin, un 2010 or pâle à reflets verts, aux senteurs peu communes pour l'appellation de bonbon anglais et de fruit de la Passion, un palais gras et concentré, anobli par une jolie finale épicée. À boire dès aujourd'hui, sur un poisson grillé.
Cave de Chaintré, Le Clos Reyssier, 180, rte de Juliénas, 71570 Chaintré, tél. 03.85.35.61.61, fax 03.85.35.61.48, cavedechaintre@wanadoo.fr t.l.j. 9h-12h 14h-18h

DOM. DE LA CHARMERAIE Le Poisard Vieilles Vignes 2010 ★★

1 800 | 8 à 11 €

En 1928, le grand-père d'Anny Dumoux acquiert des terrains sur Chânes et plante de la vigne sur les coteaux les mieux exposés, tout en continuant son métier de carrier. Son père fait de même, et vend la totalité de la production aux négociants locaux. En 1995, Anny reprend l'exploitation et décide de commercialiser la récolte en bouteille à une clientèle de particuliers. Elle réalise ici un beau triplé de saint-véran issus de vendanges manuelles. La cuvée principale **2010 (5 à 8 € ; 2 000 b.)**, « bien dans son jus », ronde et équilibrée, est citée. **Le Clos cuvée Prestige 2010 Élevé en fût de chêne (850 b.)**, complet, riche, « avec de la réserve », obtient une étoile. Quant à ce Poisard, il est jugé remarquable pour sa robe jaune soutenu, pour son nez de raisin mûr et de vanille bourbon, et pour sa bouche très équilibrée, à l'attaque franche, ronde, longue, sur les fruits à maturité, le tout souligné par un boisé délicat.
Dom. de la Charmeraie, 71570 Chânes, tél. 03.85.37.48.96, fax 03.85.37.48.93, dumoux.maurice@orange.fr r.-v.
Anny Dumoux

CH. DE CHASSELAS Vieilles Vignes 2010 ★★

4 000 | 8 à 11 €

Le château de Chasselas, situé dans la partie méridionale de l'appellation, s'inscrit dans une démarche respectueuse de l'environnement (désherbage mécanique, griffage, utilisation d'amendement naturel, gestion optimisée des effluents de cave...), mais sans certification biologique. Cette cuvée en robe jaune d'or tapisse le verre de larmes généreuses et dévoile une palette aromatique complexe associant les agrumes et les fruits mûrs. Égayée par une vivacité mordante en attaque, la bouche dévoile une concentration de saveurs qui font écho à l'olfaction et imprègnent une matière ample, riche et bien structurée. Un juré qualifie ce 2010 de « beau et bon vin, typique d'une vinification à l'ancienne ». On le servira dès cet hiver sur des ris de veau ou des cuisses de grenouilles.
Ch. de Chasselas, En Château, Cidex 604, 71570 Chasselas, tél. 03.85.35.12.01, fax 03.85.35.14.38, chateauchasselas@aol.com
t.l.j. 10h-12h 14h-18h

DOM. CORDIER PÈRE ET FILS En Faux 2010 ★★★

4 000 | 15 à 20 €

Christophe Cordier est un perfectionniste, toujours soucieux d'apprendre et de comprendre les terroirs du Mâconnais. Afin de favoriser cette recherche constante d'amélioration, il se dote d'un nouveau chai, au cœur de Fuissé, qui devrait être opérationnel pour la prochaine récolte. Ce vin séduit par sa couleur profonde d'un jaune presque ambré et par ses puissants arômes de fruits très mûrs, de miel d'acacia et de cire d'abeille. Au palais, les saveurs fruitées dominent, longuement portées par une matière dense qui s'amplifie au fur et à mesure de la dégustation et par une élégante finale saline. Deux étoiles brillent au-dessus de la cuvée **Vieilles Vignes 2010 (20 000 b.)** – proposée par l'activité de négoce du même Christophe Cordier –, encore marquée par l'élevage en

BOURGOGNE

fût, mais qui possède de nombreux atouts, en particulier sa richesse fruitée, sa rondeur et sa persistance.

Dom. Cordier, 71960 Fuissé, tél. 03.85.35.62.89, fax 03.85.35.64.01, domaine.cordier@wanadoo.fr r.-v.

CH. DES CORREAUX Vieilles Vignes 2010 *

	3 600		8 à 11 €

La famille Bernard cultive la vigne à Leynes depuis plus de deux siècles. Dans le parc, un Gingko originaire de Chine, plus que centenaire, trône fièrement sur le domaine. Ce saint-véran s'est paré d'une belle robe d'or pâle pour prendre la place d'honneur sur votre table, aux côtés de cuisses de grenouilles par exemple. Le nez, tout en finesse, décline des notes de beurre frais, d'amande et de fleurs blanches. La bouche, d'une belle ampleur, apparaît ronde, équilibrée et boisée avec discernement, sans excès. Cette bouteille déjà harmonieuse gagnera toutefois à attendre une petite année pour un fondu optimal. Le **2010 Les Spires (11 à 15 €; 1 730 b.)**, aux notes boisées intenses (caramel, vanille, café), demandera plus de temps pour trouver l'harmonie : trois à quatre ans lui seront bénéfiques. Il est cité.

Jean Bernard, Les Correaux, 71570 Leynes, tél. 03.85.35.11.59, fax 03.85.35.13.94, bernardleynes@yahoo.fr t.l.j. 9h-12h 13h30-17h 2 B

DOM. CORSIN Vieilles Vignes 2010 *

	33 200		8 à 11 €

Habitué du Guide, ce domaine a tiré bon parti du terroir calcaire de Davayé et de chardonnays âgés... de trente-cinq ans ; n'est-ce pas un peu précoce pour les qualifier de « vieilles vignes » ? Quoi qu'il en soit, ce vin a séduit à plus d'un titre, à commencer par son élégante robe or pâle ourlée de reflets argentés. Le nez expressif et fruité, dominé par la pêche jaune, n'est pas en reste, et s'agrémente de fines notes fumées et boisées. On retrouve ces notes empyreumatiques aux côtés des fruits jaunes dans une bouche dense et gourmande, prolongée par une jolie finale acidulée. À boire dans un an ou deux sur des escargots de Bourgogne persillés.

Dom. Corsin, Les Plantés, 71960 Davayé, tél. 03.85.35.83.69, fax 03.85.35.86.64, jjcorsin@domaine-corsin.com r.-v.

B **DOM. DE LA CROIX SENAILLET** Les Buis 2010 *

	4 500		11 à 15 €

La propriété, créée par Maurice Martin en 1969, s'est agrandie au fil des années pour atteindre aujourd'hui 25 ha répartis sur cinquante-deux parcelles, pratiquement toutes situées sur la commune de Davayé. Une diversité parcellaire dont Richard et Stéphane Martin font un atout : le chardonnay traduit ainsi toutes les nuances de sols, de terroirs et d'expositions. Doré et brillant, ce 2010 propose une gamme aromatique intéressante de fleurs blanches et de violette agrémentées de touches minérales. En bouche, rondeur et fraîcheur s'équilibrent, les fruits sont bien présents (poire, pêche) et la finesse est au rendez-vous. Le **2010 En Pommards (4 500 b.)**, encore réservé à ce jour mais offrant un bon potentiel de garde (deux à trois ans) grâce à son support acide, est cité.

Dom. de la Croix Senaillet, En Coland, 71960 Davayé, tél. 03.85.35.82.83, fax 03.85.35.87.22, accueil@domainecroixsenaillet.com t.l.j. sf sam. dim. 8h-12h 13h30-17h30

GAEC Martin

JEAN CURIAL ET FILS 2010

	10 000		5 à 8 €

Philippe Curial est installé à la tête de ce domaine depuis 1992, après avoir « bourlingué » dans différentes régions viticoles en France (Bordelais), mais aussi à l'étranger (Napa Valley, Sonoma Valley). Il propose ici une cuvée animée de reflets d'or, au nez léger de fruits mûrs, ronde dès l'attaque, souple, fruitée et bien soutenue par une pointe acidulée. Un « vin plaisir », à servir dès maintenant sur un fromage de chèvre bien affiné.

Jean Curial et Fils, La Roche, 71570 Saint-Vérand, tél. 03.85.37.11.68, fax 03.85.36.55.80, jean.curial@wanadoo.fr t.l.j. 8h-19h

DOM. CURIS L'Or des Chailloux 2010 **

	11 600		8 à 11 €

Sur les terres argilo-calcaires mêlées de grès situées au nord de l'appellation, Frédéric Curis a élaboré deux beaux saint-véran. La cuvée **Terres noires 2010 (11 à 15 €; 8 500 b.)** obtient une étoile pour son nez délicatement boisé et sa bouche équilibrée et fraîche, dans laquelle on retrouve les arômes apportés par le fût (noisette et beurre frais) et le terroir (minéral), et une finale mentholée qui lui confère un côté aérien. Quant à cet Or des Chailloux, étincelant dans sa parure dorée, il dévoile un nez expressif de fleurs blanches, de miel et de fruits mûrs, prélude à une bouche ample et ronde, parfaitement équilibrée par la minéralité. Tout indiqué pour un poisson grillé.

Frédéric Curis, Au Clos d'Amélie, Les Chailloux, 71960 Davayé, tél. 06.03.11.65.79, vignoblecuris@sfr.fr r.-v. 4

JOSEPH DESHAIRES Réserve 2010 *

	15 000		8 à 11 €

La famille de Joseph Deshaires, vigneron à Fuissé au début du XXe s., et ses descendants, la famille Burrier, sont présents depuis plus de cinq siècles dans le Mâconnais, où ils possèdent un important domaine de 42 ha. En complément, la maison Joseph Deshaires a développé une partie négoce dont est issue cette cuvée, née dans les nouveaux chais de Loché. Doré à l'or fin, ce 2010 exhale des parfums intenses et complexes d'ananas, de mangue et de citron. Franc dès l'attaque, le palais est à l'unisson, tout en fruit, soutenu par une belle minéralité qui lui confère longueur et fraîcheur.

Joseph Deshaires, Dom. de Beauregard, 71960 Fuissé, tél. 03.85.35.60.76, fax 03.85.35.66.04, joseph.burrier@wanadoo.fr t.l.j. sf dim. 8h-12h 13h30-18h

Famille Burrier

DOM. PIERRE DESROCHES 2010 **

	3 500		5 à 8 €

Si le siège de l'exploitation se situe à Solutré, à proximité de la partie septentrionale de l'appellation, c'est au sud, et plus précisément à Leynes, que Pierre Desroches a planté voici cinq ans sa parcelle de 67 ares à l'origine de ce saint-véran. Parée d'une avenante robe jaune soutenu, cette cuvée livre un bouquet intense et précis à dominante minérale. La bouche, puissante mais sans lourdeur, dévoile une matière riche, parfaitement équilibrée par une fine trame acidulée. La finale sur le poivre blanc lui confère de la longueur et de l'élégance. Un dégustateur facétieux propose comme accord gourmand « tout ce qui va avec, voire plus ! »

Pierre Desroches, Les Berthelots, 71960 Solutré-Pouilly, tél. 06.80.71.68.18, pierredesroches@hotmail.fr
r.-v.

♥ DOM. DES DEUX ROCHES
Vignes derrière la maison 2010 ★★★

6 000 15 à 20 €

Coup double pour ce domaine phare de l'appellation : les deux cuvées présentées ont charmé les dégustateurs du grand jury, qui les font monter sur les deux premières marches du podium. Ce 2010 affiche une robe dorée à souhait. Le nez, mûr et flatteur, déploie de riches senteurs de pêche blanche, de citron confit et d'acacia dans un écrin minéral. En bouche se mêlent harmonieusement le gras et la vivacité, sur un fond boisé qui vient soutenir la structure monumentale de ce vin. La même ligne aromatique que le bouquet perdure longuement dans une finale époustouflante. Un modèle du genre ! Un coup de cœur et deux étoiles également pour **Les Terres Noires 2010 (11 à 15 €; 20 000 b.)**. Dans le verre, un vin délicatement doré, qui offre un festival d'arômes : poire, pêche, pomme verte, silex et autres notes beurrées et briochées. Derrière une attaque fraîche et tonique, se développe une matière riche et puissante, délicatement fruitée et minérale. Un beau vin équilibré, que l'on imagine facilement à table avec des cuisses de grenouilles ou des ris de veau. La cuvée **Les Cras 2010 (8 000 b.)**, intense, riche, boisée et minérale, obtient une étoile.

Dom. des Deux Roches, La Cuette, 71960 Davayé, tél. 03.85.35.86.51, fax 03.85.35.86.12, info@collovrayterrier.com r.-v.
Collovray et Terrier

DOM. DE LA FEUILLARDE Cuvée Tradition 2010 ★

12 000 5 à 8 €

Les 20 ha du vignoble entourent la propriété située à Prissé, sur l'axe Mâcon-Cluny. Doré à l'or fin, ce saint-véran libère des notes fruitées et minérales, prolongées par une bouche concentrée, riche mais non dénuée de nervosité, équilibrée par une belle vivacité. Ce vin a de la réserve (trois ou quatre ans), mais il peut déjà accompagner un brochet ou un sandre en sauce crémée.

Lucien Thomas, Dom. de la Feuillarde, 71960 Prissé, tél. 03.85.34.54.45, fax 03.85.34.31.50, contact@domaine-feuillarde.com
t.l.j. 8h-12h30 13h30-19h; dim. sur r.-v.

DOM. GONON 2010 ★★

2 686 5 à 8 €

Pouilly-fuissé, saint-véran, mâcon dans les deux couleurs, bourgogne rouge, ce domaine propose un bel éventail des vins du Mâconnais. Ce 2010 obtient les éloges des dégustateurs, qui ont d'emblée apprécié sa robe jaune d'or à reflets verts, l'annonce d'une belle concentration. De fait, le nez se compose d'un méli-mélo de parfums envoûtants : chèvrefeuille, citron, fruit de la Passion et pêche de vigne. En bouche, on est conquis par l'alliance de la puissance et de la vivacité, et par la finale, citronnée à souhait. Un vin de plaisir immédiat, à marier à un poisson grillé.

Dom. Gonon, 1, chem. de la Renardière, 71960 Vergisson, tél. 03.85.37.78.42, domgonon@aol.com
r.-v.

NADINE ET MAURICE GUERRIN 2010 ★★★

12 000 8 à 11 €

Nadine et Maurice Guerrin, installés depuis 1984 et rejoints par leur fils en 2011, nous gratifient ici d'un exceptionnel saint-véran. Récolté mûr, il a été élevé en cuve thermorégulée pendant huit mois dans l'objectif de garder la pureté du chardonnay. De nombreux reflets verts ourlent la robe d'un jaune d'or intense. Il n'est pas avare au nez et propose une large palette aromatique : la pêche de vigne côtoie l'acacia, qui va à la rencontre du pamplemousse rose. La bouche, reflet de l'olfaction, possède une attaque franche et fraîche et une belle consistance. Sa longue finale minérale lui confère une noblesse de caractère qui devrait s'accorder à merveille avec une volaille de Bresse à la crème.

Nadine et Maurice Guerrin, 572, rte des Bruyères, 71960 Vergisson, tél. 03.85.35.80.25, fax 03.85.35.82.75, guerrin.maurice@wanadoo.fr r.-v.

B DENIS JEANDEAU 2010 ★★

3 000 15 à 20 €

Depuis cinq générations, les Jeandeau élaborent des vins. Denis, installé en 2006, exploite un petit hectare de vignes, auquel s'ajoutent 3,5 ha de raisins ramassés chez d'autres vignerons, avec qui il établit un cahier des charges respectueux des terroirs et de l'environnement. D'ailleurs, ce saint-véran est issu de l'agriculture biologique. Brillant de mille feux, il s'épanouit dans un bouquet de fruits exotiques, de miel et de notes boisées discrètes et fondues. Franc dès l'attaque, le palais, gras et consistant, est soutenu par une bonne acidité et une finale surprenante de longueur. « Une bonne typicité à l'ancienne », conclut le jury qui l'accorderait volontiers à des noix de Saint-Jacques, de la baie d'Erquy de préférence.

Denis Jeandeau, Le Bourg, 71960 Fuissé, tél. et fax 03.85.40.97.55, denisjeandeau@yahoo.fr
r.-v.

BERNARD LAPIERRE 2010 ★

2 000 5 à 8 €

Après trente-cinq ans de métier, Bernard Lapierre essaie de s'approcher d'une viticulture raisonnée alliant labour, enherbement et vinification sans intrant. Il signe ici un 2010 à la robe or blanc, au nez fin, plutôt minéral et floral, agrémenté de discrètes notes fruitées. Le palais, équilibré, souple et fin, joue dans un registre de légèreté et de fraîcheur, mais sans manquer d'une certaine rondeur. Tout indiqué pour l'apéritif.

Bernard Lapierre, chem. de Pierre, 71960 Solutré-Pouilly, tél. 03.85.35.81.12, lapierre.bernard@hotmail.fr
t.l.j. 8h-12h 14h-19h

ROGER LASSARAT Les Mûres 2010

3 000 | 15 à 20 €

Ce vin issu d'une sélection parcellaire sur le lieu-dit Les Mûres, à Davayé, séduit d'emblée par sa robe claire et son nez discret de fruits blancs agrémenté de notes de tilleul et de verveine. La bouche se révèle élégante et ronde, soutenue par une acidité un rien mordante. En finale, les arômes de fruit et la minéralité apportent longueur et fraîcheur. À mettre sur table dès maintenant, en compagnie d'une andouillette mâconnaise.

Roger Lassarat, 121, rue du Martelet, 71960 Vergisson, tél. 03.85.35.84.28, fax 03.85.35.86.73, info@roger-lassarat.com t.l.j. 8h-12h 13h30-19h; sam. sur r.-v.

DOM. DES MAILLETTES En Pommard 2010 ★

7 000 | 5 à 8 €

Imprégné du métier de vigneron depuis son plus jeune âge, Guy Saumaize a toujours cultivé la vigne comme son père lui a appris, dans le respect de la nature et des traditions, que lui-même transmet à son fils, qui doit prochainement reprendre l'exploitation. Ce 2010 issu du superbe coteau de Davayé revêt une robe légère or pâle. Floral dès l'approche, il s'ouvre ensuite sur des senteurs très fraîches d'agrumes. La bouche, finement dentelée, se montre à l'image du terroir qui l'a vue naître : minérale. Cette cuvée dynamique honorera volontiers un turbot rôti. Une étoile également pour la **Grande Réserve 2010 (de 8 à 11 €; 5 000 b.)**, puissamment boisée, mais avec suffisamment de volume et de matière pour « digérer » l'élevage. À attendre deux ans au moins.

Guy Saumaize, Dom. des Maillettes, 71960 Davayé, tél. 03.85.35.82.65, fax 03.85.35.86.69, guy.saumaize.maillette@wanadoo.fr t.l.j. sf dim. 9h-12h 13h30-19h; f. août

JEAN-JACQUES ET SYLVAINE MARTIN Le Poisard 2011 ★★

2 000 | 8 à 11 €

Ce domaine de 6 ha est situé aux confins du Mâconnais et du Beaujolais. Sylvaine et Jean-Jacques Martin y produisent plusieurs appellations des deux régions (saint-amour, juliénas, beaujolais-villages, pouilly-fuissé, pouilly-vinzelles, saint-véran). Ce 2011 se présente dans une robe jaune pâle ornée de reflets dorés. Le nez dévoile une palette aromatique simple mais fort plaisante, sur l'abricot. La bouche, ample, concentrée et plus complexe, y ajoute des notes de pêche jaune et de goyave. « Très bon équilibre et beaucoup de gourmandise ! », conclut un juré enthousiaste, qui propose de servir ce vin en accompagnement d'une volaille au curry vert.

Jean-Jacques Martin, Les Verchères, 71570 Chânes, tél. 03.85.37.42.27, fax 03.85.37.47.43 r.-v.

DOM. DES PÉRELLES Cuvée Prestige 2010

1 000 | 8 à 11 €

Une séduisante robe jaune pâle aux reflets d'or flatte le regard. Des senteurs de pêche mûre, de verveine et d'acacia s'élèvent discrètement du verre. Dès la mise en bouche, le vin se révèle gourmand et plaisant, servi par des notes fruitées et mentholées qui lui apportent de la fraîcheur. Un bon classique, à boire dès aujourd'hui sur un poisson de Saône sauce aux agrumes.

EARL Jean-Yves Larochette, Les Pérelles, 71570 Chânes, tél. 06.82.04.21.57, fax 03.85.37.15.25, jy.larochette@wanadoo.fr r.-v.

ROMUALD PETIT Champs ronds 2010

4 000 | 8 à 11 €

L'association Terra Vitis, dont fait partie Romuald Petit, est un groupement de vignerons français qui partagent la même philosophie de viticulture durable, ont un cahier des charges commun, et assurent la traçabilité de leurs interventions à la vigne comme à la cave. Une antichambre à la culture biologique ? Pour l'heure, pas de logo AB sur les étiquettes du domaine, qui signe ici un 2010 jaune paille à reflets dorés, au nez complexe d'agrumes, de fleurs blanches, de fruits mûrs et de foin coupé, une large palette aromatique que l'on retrouve dans un palais équilibré et bien construit.

Romuald Petit, Les Dîmes, 71570 Saint-Vérand, tél. 06.61.14.94.99, romualdpetit@voila.fr t.l.j. 8h-20h

DOM. DE LA PIERRE DES DAMES Mathilde 2010 ★

1 200 | 8 à 11 €

Issue de jeunes chardonnays de quinze ans, cette cuvée séduit d'emblée par sa parure dorée, brillante et éclatante. Son nez, encore dominé par l'élevage (café, pain grillé beurré...), offre toutefois de jolies senteurs fruitées. La bouche, tout aussi boisée, laisse une impression d'opulence et de gras grâce à une matière dense et puissante. Un vin d'avenir, à oublier deux ou trois ans en cave avant de le marier à un fromage de chèvre bien affiné ou un époisses de Bourgogne.

Dom. de la Pierre des Dames, Mouhy, 71960 Prissé, tél. et fax 03.85.20.21.43, jm.aubinel@wanadoo.fr r.-v.

Aubinel

DOM. DES PIERRES ROUGES Vieilles Vignes 2010

2 000 | 11 à 15 €

Ce domaine de 17 ha est situé face au magnifique château de Chasselas ; l'aïeul et créateur de ce vignoble, Jean-Marie Robert, en fut d'ailleurs le vigneron jusqu'en 1923. Jean-Pierre Jullin et son fils Jérôme signent un 2010 de belle allure, or brillant à l'œil, qui dévoile un nez gourmand parcouru de notes anisées rappelant le berlingot. Le jury a également apprécié sa bouche élégante, bien équilibrée, qui s'achève sur une touche fraîche et plaisante de bois de cèdre.

Dom. des Pierres rouges, La Place, 71570 Chasselas, tél. 03.85.35.12.25, fax 03.85.35.10.96, dom.pierres.rouges@terre-net.fr r.-v.

DOM. DES PONCETYS Le Clos des Poncetys 2010 ★

4 000 | 8 à 11 €

Établi au sud de l'appellation dans une bâtisse du XVIIe s., à deux pas du cœur historique de Davayé, ce domaine a été créé par une famille de la noblesse mâconnaise, puis légué à l'État au début du XX[e]s. Conversion à l'agriculture biologique en 2009, pas d'intrant à la vinification hormis le SO_2, levures indigènes, fermentation alcoolique de trois à neuf mois... depuis 2005, une démarche plus respectueuse de l'environnement a été mise en place aussi bien à la vigne qu'à la cave. Le résultat est ici un vin bien doré, qui développe d'intenses notes de fruits secs mêlées à une pointe de fraîcheur végétale. Après une attaque franche et pure, le palais s'arrondit quelque peu, en conservant une agréable fraîcheur minérale qui pousse loin la finale. La cuvée **Les Cras 2010 (2 500 b.)**, joliment bouquetée (écorce d'orange), intense, tonique, nerveuse même, obtient aussi une étoile.

Dom. des Poncetys, Les Poncetys, 71960 Davayé, tél. 03.85.33.56.22, fax 03.85.35.86.34, domaineponcetys@free.fr
t.l.j. sf sam. dim. 8h30-12h 14h-18h

JACQUES ET NATHALIE SAUMAIZE
La Vieille vigne des crèches 2010 ★★

3 500 | 11 à 15 €

Bien connu des lecteurs du Guide, ce domaine, d'où la vue panoramique donne sur la vallée de la Saône et la chaîne des Alpes, propose un excellent saint-véran vêtu d'une robe fraîche aux reflets verts, qui dévoile un nez riche et varié (agrumes, ananas, notes vanillées fondues dans le fruit). Minéralité et onctuosité caractérisent la bouche, qui offre dans une longue finale une superbe rétro-olfaction citronnée. Ce vin gourmand pourra être servi dès maintenant sur des grenouilles de la Dombes.

Jacques et Nathalie Saumaize, 746, rte des Bruyères, 71960 Vergisson, tél. 03.85.35.82.14, nathalie.saumaize@wanadoo.fr r.-v.

VIGNERONS DES TERRES SECRÈTES
Croix de Montceau 2010 ★★★

30 000 | 8 à 11 €

Ce lieu-dit situé à Prissé accueille également le château de Monceau, ancienne demeure d'Alphonse de Lamartine qui aimait recevoir ici de nombreuses personnalités des arts, des lettres et de la politique. Blond comme les blés, ce vin offre un nez délicat de beurre frais, finement boisé, dans lequel on distingue également des notes minérales tirées du sol calcaire. Harmonieux, puissant et gorgé de fruits blancs (pêche et poire), il impressionne par sa noblesse, son élégance et sa persistance. Une grande bouteille à servir aux prochaines fêtes de fin d'année, sur un homard ou un chapon de Bresse.

Vignerons des Terres secrètes, Les Grandes Vignes, 71960 Prissé, tél. 03.85.37.88.06, fax 03.85.37.61.76, contact@terres-secretes.fr
t.l.j. 9h-12h30 13h30-19h

DOM. THIBERT ET FILS Bois de Fée 2009 ★★

2 160 | 15 à 20 €

Issu de la partie méridionale de l'appellation, de Leynes plus exactement, ce saint-véran doré à l'or fin se révèle délicat. Le nez s'ouvre sur de fines notes minérales, témoins de son origine calcaire, relayées par des touches boisées bien ciselées. Nerveux en attaque, le palais donne ensuite une impression de rondeur et de chaleur, bien équilibrée par une finale citronnée. Un vin qui a su conserver l'authenticité de son terroir calcaire du Mâconnais, et qui s'accordera à un sandre au beurre blanc.

Dom. Thibert Père et Fils, rue Adrien-Arcelin, 71960 Fuissé, tél. 03.85.27.02.66, fax 03.85.35.66.21, info@domaine-thibert.com
t.l.j. 8h30-12h30 13h30-18h30; sam. dim. sur r.-v.

DOM. DES VALANGES Les Cras 2010 ★

9 000 | 11 à 15 €

Michel Paquet exploite un domaine de 12 ha planté de chardonnay depuis maintenant plus de trente ans. Une belle expérience qui lui permet de proposer deux saint-véran très réussis. **Les Valanges 2010 (6 000 b.)** est un vin boisé avec discernement, sur les fruits secs, un rien miellé et mentholé, ample et soutenu par une belle tension minérale. Quant à ce 2010 Les Cras, il allie avec élégance notes de fruits jaunes et nuances vanillées. Ample et puissant, porté par une belle acidité, le palais évoque la pêche blanche dans un environnement boisé encore sensible. À boire dans un an ou deux, sur un poulet à la crème.

Michel Paquet, Dom. des Valanges, 71960 Davayé, tél. 03.85.35.85.03, fax 03.85.35.86.67, domaine-des-valanges@wanadoo.fr r.-v.

LES VIGNES DE JOANNY 2010 ★★

10 000 | 11 à 15 €

Julien Collovray, installé en 2009, exploite 7 ha en mâcon-villages et en saint-véran sur Davayé, village où le vignoble est implanté depuis l'époque gallo-romaine et qui a connu un vif essor grâce aux puissantes abbayes de Cluny et Tournus. En phase de conversion, le domaine bénéficiera de la mention bio pour la récolte 2012. Ce 2010 est issu de parcelles situées sur les *climats* Les Châtaigniers (sur le dos de la Roche de Vergisson), Les Pragnes et Les Personnets (dans le prolongement du mont de Pouilly). Or vert, limpide et brillant, il livre une palette aromatique principalement fruitée : pêche jaune, citron et raisin blanc. La bouche tient les promesses de l'olfaction, offrant cette même richesse d'expression portée par une matière à la fois ample et vive. Un vin déjà harmonieux, et qui s'épanouira dans les deux ou trois ans à venir.

Julien Collovray, 71960 Davayé, tél. 03.85.35.86.51, fax 03.85.35.86.12, jcollovray@collovrayterrier.com
r.-v.

CH. VITALLIS 2010 ★

7 163 | 5 à 8 €

Tout le vignoble de Denis Dutron (14 ha) est enherbé afin de limiter les rendements et prévenir l'érosion, véritable fléau à Fuissé. Le chardonnay y a donné naissance à ce vin paré d'or blanc aux reflets verts. Fruité et floral, le nez prélude à une bouche franche en attaque, à la matière légère et fine, et à la finale impeccable. « Un vin agréable, net, fruité, sans chichi », conclut un dégustateur. On le servira dès maintenant à l'apéritif avec des petits fromages de chèvre secs.

Denis Dutron, Le Bourg, 71960 Fuissé, tél. 03.85.35.64.42, fax 03.85.35.66.47, denis.dutron@wanadoo.fr
t.l.j. 8h30-19h; sam. dim. sur r.-v.; f. 4-20 août

D'YS Les Condemines 2009 ★★

2 000 | 11 à 15 €

Ce domaine est géré par un jeune couple depuis 2004 et conduit en bio depuis 2008 (certification officielle pour le millésime 2011). Stella, la jument percheronne de Yann Desgouille, laboure 20 % des vignes dont ce *climat* Les Condemines, exposé sud-sud-ouest, en coteau. Orné de reflets de bronze et d'or, ce 2009 dévoile d'intenses parfums boisés mêlés à des notes de noisette et de citron confit. Le long élevage (dix-huit mois) permet le déploiement en bouche d'une matière riche et enveloppante, imprégnée des arômes perçus à l'olfaction, sans boisé excessif, à laquelle une longue finale fraîche et minérale apporte un élan remarquable. Un vin d'une grande élégance, à déguster sur un poulet de Bresse aux girolles. Une autre cuvée est citée pour son nez mûr de coing et son équilibre en bouche : **Les Jully 2010 (15 à 20 € ; 2 100 b)**.

Yann et Stéphanie Desgouille, Les Pasquiers, 71570 Leynes, tél. 09.77.96.52.44, fax 03.85.35.78.06, yanndesgouille@free.fr r.-v.

LA CHAMPAGNE

ROSÉ-DES-RICEYS BSA
COTEAUX-CHAMPENOIS MILLÉSIMÉ
EXTRA-BRUT DEMI-SEC BLANC DE
BLANCS BLANC DE NOIRS CÔTE DES
BLANCS CÔTE DES BAR MONTAGNE
DE REIMS VALLÉE DE LA MARNE
CHARDONNAY PINOT NOIR

LA CHAMPAGNE

C'est dans le vignoble le plus septentrional du pays qu'a été mise au point la méthode champenoise, à l'origine d'un des vins les plus prestigieux du monde, le vin des rois devenu celui de toutes les fêtes. Un vin unique, nulle autre production ne pouvant usurper ce nom ; mais pluriel, en raison de l'étendue de l'aire d'appellation et de la diversité des assemblages qui lui donnent naissance. Vins tranquilles produits en petite quantité, les coteaux-champenois et le rosé-des-riceys viennent rappeler que jusqu'à la fin du XVIIes., le vin de Champagne ne moussait pas, sinon par accident...

Superficie
33 350 ha
Production
320 000 000 bouteilles
ou 2 400 000 hl
Types de vins
Blancs ou rosés effervescents pour l'essentiel. Quelques vins tranquilles rouges, blancs et rosés (AOC coteaux-champenois et rosé-des-riceys)
Principales régions
Montagne de Reims, Côte des Blancs, vallée de la Marne, Aube.
Cépages
Blancs : chardonnay pour l'essentiel (pinot blanc, pinot gris, arbanne, petit-meslier très rarement).
Rouges : pinot noir, pinot meunier.

Naissance du champagne On fait du vin en Champagne au moins depuis l'époque gallo-romaine. Ce vin fut blanc, puis rouge et enfin gris, issu de pressurage de raisins noirs. Il avait la fâcheuse habitude de mousser dans les tonneaux. Ce fut sans doute en Angleterre que l'on commença à mettre systématiquement en bouteilles ces vins instables qui, jusque vers 1700, étaient livrés en fût ; ce conditionnement permit au gaz carbonique de se dissoudre dans le vin pour se libérer au débouchage : le vin effervescent était né. Et dom Pérignon, à qui la tradition attribue la paternité du champagne ? Ce moine bénédictin, contemporain de Louis XIV et procureur de l'abbaye de Hautvillers, fut avant tout un technicien avant la lettre : il perfectionna l'art du pressurage et de l'assemblage et produisait les meilleurs vins de la région, vendus le plus cher.

En 1728, le conseil du roi autorise le transport du vin en bouteilles ; un an plus tard, la première maison de vin de négoce est fondée : Ruinart. D'autres suivent (Moët en 1743), mais c'est au XIXes. que la plupart des grandes maisons se créent ou se développent. Au cours du même siècle, l'élaboration du champagne se perfectionne et différents styles de champagnes s'affirment. En 1804, Mme Clicquot lance ainsi le premier champagne rosé, et, dès 1830, apparaissent les premières étiquettes. À partir de 1860, Mme Pommery élabore des « bruts », à l'encontre du goût majoritaire de l'époque, tandis que, vers 1870, sont proposés les premiers champagnes millésimés. Raymond Abelé invente, en 1884, le banc de dégorgement à la glace, avant que le phylloxéra puis les deux guerres ne ravagent les vignobles. Depuis 1945, les fûts de bois ont souvent cédé la place aux cuves en acier inoxydable. Remuage, dégorgement et finition sont automatisés.

Si le vignoble s'identifie au champagne, il compte deux autres AOC : les coteaux-champenois et le rosé-des-riceys ; ces dernières ne produisent qu'une centaine de milliers de bouteilles.

De part et d'autre de la Marne, Reims et Épernay sont le siège de nombreuses maisons ; les visiteurs peuvent y découvrir l'univers surprenant de caves parfois fort anciennes. En outre, Reims, qui fut la ville des Sacres, compte de nombreux monuments et musées.

Un vignoble septentrional Située à moins de 200 km au nord-est de Paris, la Champagne est la plus septentrionale des régions viticoles de France. Elle s'étend dans les départements de la Marne, de l'Aisne et de l'Aube, avec de modestes extensions en Seine-et-Marne et en Haute-Marne. Le vignoble est soumis à une double influence climatique, océanique et continentale. La première apporte de l'eau en quantité régulière ; la seconde, si elle favorise l'ensoleillement l'été, entraîne des risques de gel – à une telle latitude, les gelées de printemps sont fréquentes. Ces vagues de froid sont un obstacle à la régularité de la production. Les écarts climatiques sont cependant atténués par la présence d'importants massifs forestiers ; ceux-ci équilibrent la douceur atlantique et la rigueur continentale, en entretenant une relative humidité. L'absence d'excès de chaleur est également un élément déterminant de la finesse des vins.

Les régions du vignoble Un même paysage de coteaux se révèle dans tout le vignoble, où l'on distingue cependant plusieurs régions : la Montagne de Reims (6 814 ha) où certaines vignes implantées sur des sols sablonneux et orientées au nord ; la Côte des Blancs (3 150 ha) bénéficiant, au sud d'Épernay, d'une relative régularité climatique ; la Grande Vallée de la Marne (1 876 ha) et les deux rives de la vallée de la Marne (5 152 ha), prolongées par le vignoble de l'Aisne et de la vallée du Surmelin (2 989 ha), dont les pentes sont couvertes de vignes, la qualité de la production ne variant guère selon l'orientation au nord ou au sud ; enfin, à l'extrême sud-est et séparé des autres secteurs par une zone de 75 km où la vigne n'est pas cultivé, le vignoble de l'Aube (7 099 ha). Plus élevé et davantage exposé aux gelées de printemps, ce dernier n'en produit pas moins des vins de qualité ; c'est là que se trouve la seule appellation communale : celle du rosé-des-riceys. On citera encore : la région d'Épernay, les vallées de la Vesle et de l'Ardre, les régions de Congy, de Sézanne et de Vitry-le-François.

De la craie, du calcaire et des marnes La mer, en se retirant il y a quelque 70 millions d'années, a laissé un socle crayeux dont la perméabilité et la richesse en principes minéraux apportent leur finesse aux vins de la Champagne ; ce substrat crayeux a également facilité le percement des galeries où mûrissent longuement des millions de bouteilles. Une couche argilo-calcaire recouvre le socle crayeux sur près de 60 % des terroirs actuellement plantés. Dans l'Aube, les sols marneux sont proches de ceux de la Bourgogne voisine.

Géologiquement, le vignoble correspond aux lignes de côtes concentriques de l'est du Bassin parisien : la côte d'Ile-de-France regroupe la Montagne de Reims, la vallée de la Marne, la Côte des Blancs et celle du Sézannais. La côte de Champagne porte quelques vignes, autour de Vitry-le-François (Marne) et de Montgueux (Aube). Enfin, la côte des Bar est occupée par la plus grande partie des vignobles de l'Aube (autour de Bar-sur-Seine et de Bar-sur-Aube). Les fronts de côte sont constitués de couches dures de calcaire ou de craie, les pentes des coteaux, où est installée la vigne, de formations plus tendres, crayeuses, marneuses ou sableuses.

Le choix des cépages, bien sûr, s'adapte aux variations pédologiques et climatiques. Pinot noir (13 111 ha), pinot meunier (11 000 ha), chardonnay (9 950 ha) ainsi que d'autres rares variétés – pinot blanc, pinot gris, petit meslier, arbane (95 ha) – se partagent les surfaces plantées. Le pinot noir est surtout cultivé sur les coteaux de la Montagne de Reims et de l'Aube ; le meunier, sur ceux de la Marne, tandis que le chardonnay a donné son nom à la Côte des Blancs.

Une économie florissante Vin de prestige, le champagne contribue pour près du tiers des exportations de vins en valeur. Son élaboration particulière sur plusieurs années (en moyenne trois ans) oblige à un stockage supérieur à 1 milliard de bouteilles. La viticulture et l'élaboration des vins occupent environ 30 000 personnes, dont 15 600 vignerons exploitants, parmi lesquels 4 750 récoltants-manipulants. La région compte aussi 340 négociants et 136 coopératives (dont 42 vendent au public). Le négoce assure plus de 80 % des exportations.

Pour les deux tiers, les vignerons champenois sont des apporteurs de raisins, des « vendeurs au kilo » : ils cèdent tout ou partie de leur production aux grandes maisons qui élaborent et commercialisent le champagne. Cette pratique a conduit l'Interprofession à proposer – les lois de la concurrence interdisant de fixer un prix obligé – un prix recommandé des raisins et à attribuer à chaque commune une cotation en fonction de la qualité de sa production : c'est l'échelle des crus, apparue dès la fin du XIXe s. Les vins issus des communes cotées 100 % ont droit au titre de « grand cru », ceux cotés de 99 à 90 % bénéficient de la mention « premier cru », la cotation des autres s'échelonnant de 89 à 80 %. Le rendement maximum à l'hectare est modulé chaque année, alors que 160 kg de raisins ne permettent pas d'obtenir plus d'un hectolitre de moût apte à être vinifié en champagne.

Champagne

Production : 2 640 000 hl

Un pressurage rigoureux

La singularité du champagne apparaît dès les vendanges. La machine à vendanger est interdite ; toute la cueillette est manuelle car il est essentiel que les grains de raisin parviennent en parfait état au lieu de pressurage. On remplace les hottes par de petits paniers, afin que le raisin ne soit pas écrasé. Il a fallu aussi créer des centres de pressurage disséminés au cœur du vignoble afin de raccourcir le temps de transport du raisin. Pourquoi tous ces soins ? Parce que le champagne étant un vin blanc issu en majeure partie de raisins noirs – pinot noir et pinot meunier –, il convient que le jus incolore ne soit pas taché au contact de l'extérieur de la peau. Le pressurage, lui, doit se faire sans délai et permettre de recueillir successivement et séparément le jus issu des zones concentriques du grain ; d'où la forme particulière des pressoirs traditionnels champenois : on y entasse le raisin sur une vaste surface mais à une faible hauteur, pour ne pas abîmer les baies et pour faciliter la circulation du jus ; la vendange n'est jamais éraflée. Le pressurage est sévèrement réglementé. On compte 1 929 centres de pressurage, et chacun doit recevoir un agrément pour avoir le droit de fonctionner. De 4 000 kg de raisins, on ne peut extraire que 25,5 hl de moût. Cette unité s'appelle un marc. Le pressurage est fractionné entre la cuvée (20,5 hl) et la taille (5 hl). On peut presser encore, mais on obtient alors un jus sans intérêt qui ne bénéficie d'aucune appellation, la « rebêche » (on a « bêché » à nouveau le marc), et qui est destiné à la distillerie. Plus on pressure, plus la qualité s'affaiblit. Les moûts, acheminés par camion au cuvier, sont vinifiés très classiquement comme tous les vins blancs, avec beaucoup de soin.

À la fin de l'hiver, le chef de cave procède à l'assemblage de la cuvée. Pour cela, il goûte les vins disponibles et les mêle dans des proportions telles que l'ensemble soit harmonieux et corresponde au goût suivi de la marque. S'il élabore un champagne non millésimé, il fait appel aux vins de réserve, produits des années précédentes. Légalement, il est possible, en Champagne, d'ajouter un peu de vin rouge au vin blanc pour obtenir un ton rosé (ce qui est interdit partout ailleurs). Cependant, quelques rosés champenois sont obtenus par saignée.

Deux fermentations

Ensuite, l'élaboration proprement dite commence. Il s'agit de transformer un vin tranquille en vin effervescent. Une liqueur de tirage, composée de levures, de vieux vins et de sucre est ajoutée au vin, et l'on procède à la mise en bouteilles : c'est le tirage. Les levures vont transformer le sucre en alcool et il se dégage du gaz carbonique qui se dissout dans le vin. Cette deuxième fermentation en bouteilles s'effectue lentement, à basse température (11 °C), dans les vastes caves champenoises. Après un long vieillissement sur lies, qui est indispensable à la finesse des bulles et à la qualité aromatique, les bouteilles sont dégorgées, c'est-à-dire purgées des dépôts dus à la seconde fermentation.

Chaque bouteille est placée sur les célèbres pupitres (ou sur des gyropalettes, lorsque le remuage est automatique), afin que la manipulation fasse glisser le dépôt dans le col, contre le bouchon. Durant deux ou trois mois, les bouteilles vont être remuées et de plus en plus inclinées, la tête en bas, jusqu'à ce que la limpidité soit parfaite. Pour chasser le dépôt, on gèle alors le col dans un bain réfrigérant et on ôte le bouchon ; le dépôt expulsé, il est remplacé par un vin plus ou moins édulcoré : c'est le dosage. Si l'on ajoute du vin pur, non édulcoré, on obtient un brut 100 % (brut sauvage de Piper-Heidsieck, ultra-brut de Laurent-Perrier, et les champagnes dits non dosés, aujourd'hui appelés bruts nature ou extra-bruts). Si l'on ajoute très peu de liqueur (1 %), le champagne est brut ; 2 à 5 % donnent les secs, 5 à 8 % les demi-secs, 8 à 15 % les doux. Les bouteilles sont ensuite poignettées pour homogénéiser le mélange et se reposent encore un peu pour laisser disparaître le goût de levure. Puis elles sont habillées et livrées à la consommation. Dès lors, le champagne est prêt à être apprécié au mieux de sa forme. Le laisser vieillir trop longtemps ne peut que lui nuire : les maisons sérieuses se flattent de ne commercialiser le vin que lorsqu'il a atteint son apogée.

D'excellents vins de belle origine issus du début de pressurage, de nombreux vins de réserve (pour les non-millésimés), le talent du créateur de la cuvée et le dosage, qui doit être minimal pour rester indécelable, s'allient donc à un long mûrissement du champagne sur ses lies pour donner naissance à des cuvées de meilleure qualité. Mais il est peu fréquent que l'acheteur soit informé, du moins avec précision, de l'ensemble de ces critères.

Politique de marque

Que peut-on lire en effet sur une étiquette champenoise ? La marque et le nom de l'élaborateur ; le dosage (brut, sec, etc.) ; le millésime – ou son absence ; la mention « blanc de blancs » lorsque seuls des raisins blancs participent à la cuvée ; quand cela est possible – cas rare –, la commune d'origine des raisins ; parfois enfin, mais cela est peu fréquent, la cotation qualitative des raisins : « grand cru » pour les 17 communes qui ont droit à ce titre, ou « premier cru » pour les 41 autres. Le statut professionnel du producteur, lui, est une mention obligatoire, portée en petits caractères sous forme codée : NM, négociant-manipulant ; RM, récoltant-manipulant ; CM, coopérative de manipulation ; MA, marque d'acheteur ; RC, récoltant-coopérateur ; SR, société de récoltants ; ND, négociant-distributeur.

Que déduire de tout cela ? Que les Champenois ont délibérément choisi une politique de

La Champagne

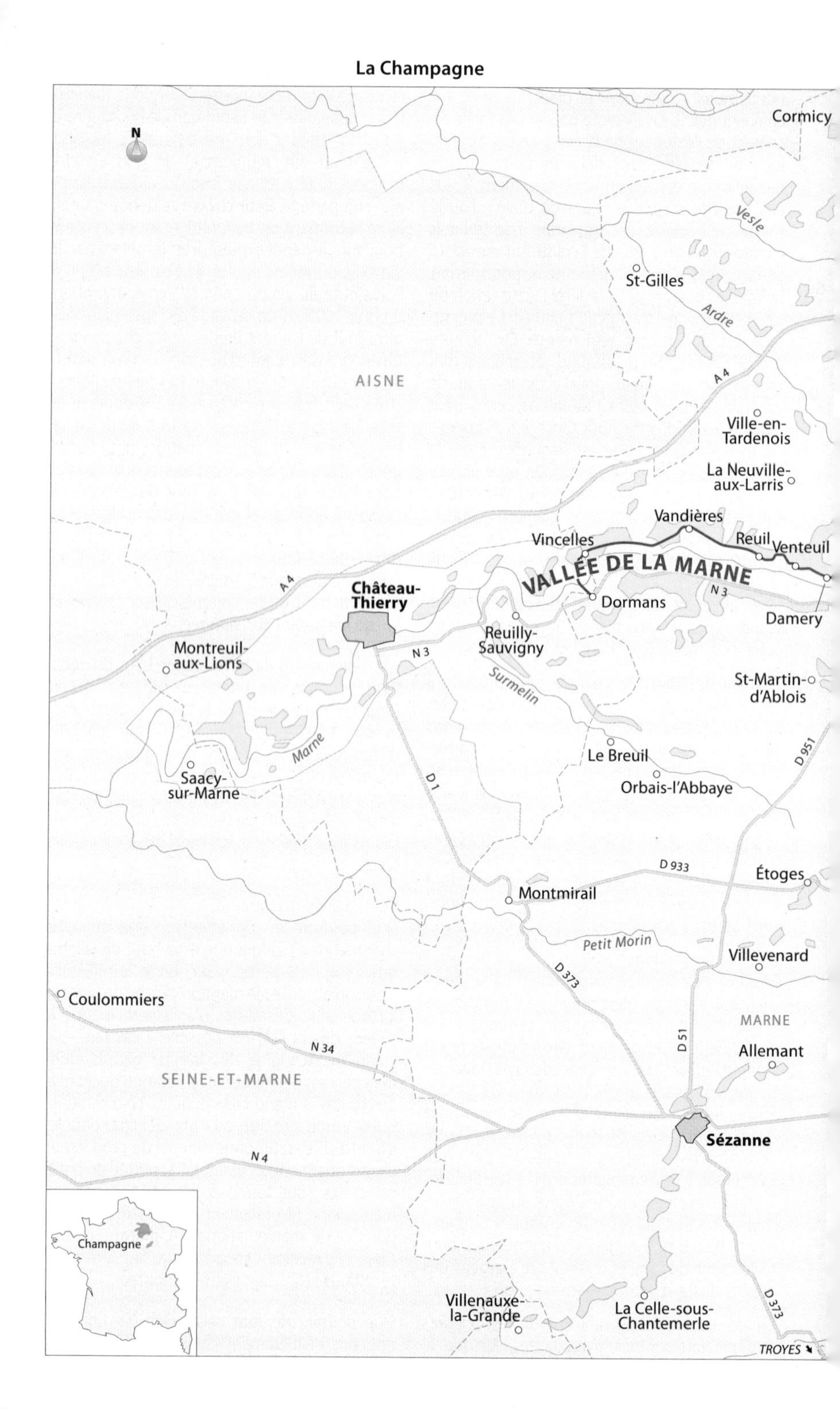

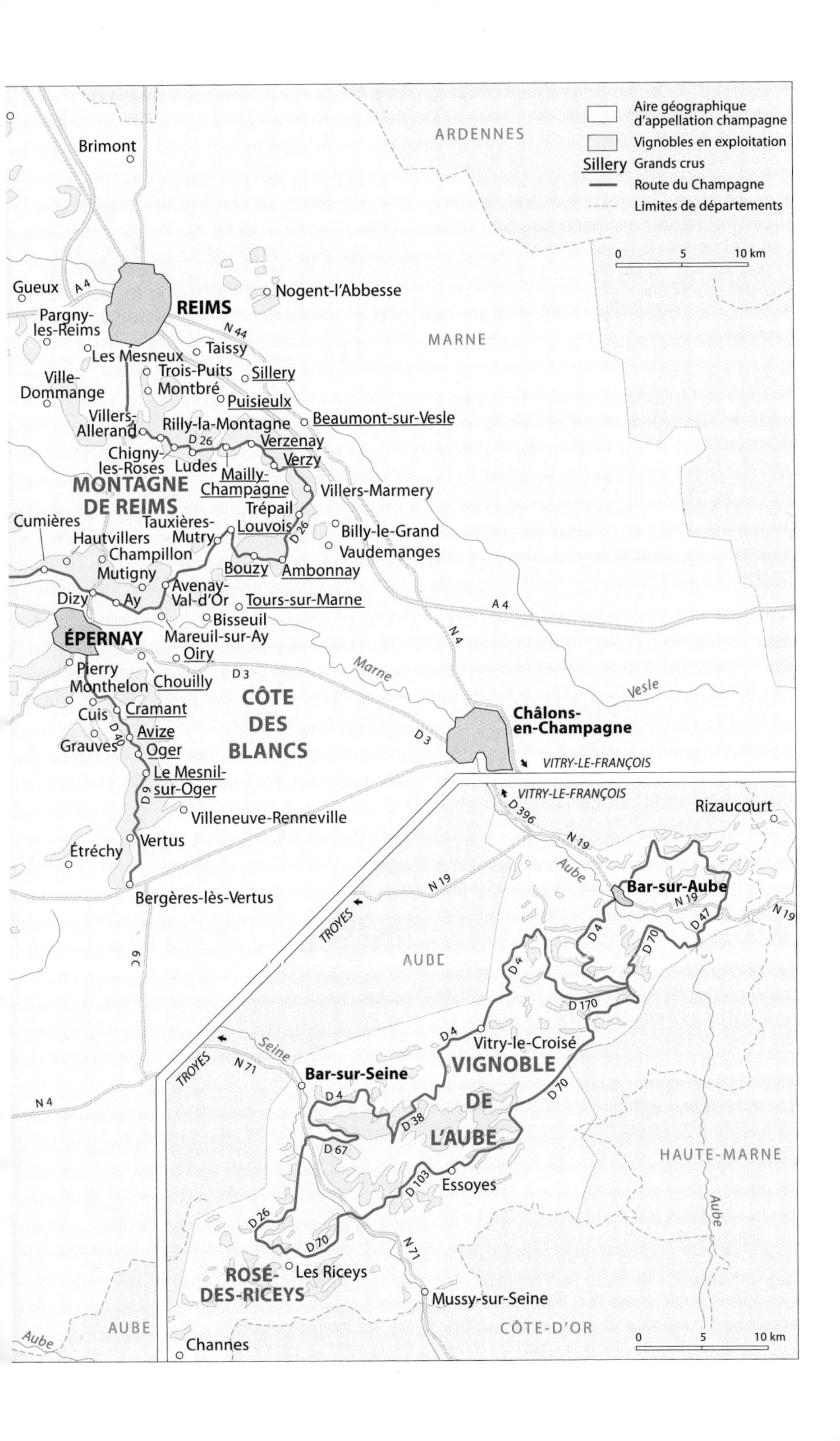

Aire géographique d'appellation champagne
Vignobles en exploitation
Sillery Grands crus
Route du Champagne
Limites de départements
0 5 10 km
ARDENNES
MARNE
AUBE
HAUTE-MARNE
CÔTE-D'OR
Brimont
Gueux
A 4
REIMS
Nogent-l'Abbesse
Pargny-les-Reims
N 44
Les Mesneux
Taissy
Trois-Puits
Sillery
Ville-Dommange
Montbré
Puisieulx
Villers-Allerand
Rilly-la-Montagne
Beaumont-sur-Vesle
D 26
Verzenay
Chigny-les-Roses
Ludes
Verzy
Mailly-Champagne
MONTAGNE DE REIMS
Villers-Marmery
Trépail
Cumières
Tauxières-Mutry
Louvois
Billy-le-Grand
Hautvillers
Vaudemanges
Champillon
Mutigny
Bouzy
Ambonnay
Avenay-Val-d'Or
Dizy
Ay
Tours-sur-Marne
Bisseuil
ÉPERNAY
Mareuil-sur-Ay
Oiry
N 4
Pierry
D 3
Marne
Monthelon
Chouilly
CÔTE DES BLANCS
Vesle
Cuis
Cramant
Châlons-en-Champagne
D 40
Avize
Grauves
Oger
VITRY-LE-FRANÇOIS
Le Mesnil-sur-Oger
D 9
Villeneuve-Renneville
Vertus
Étréchy
Bergères-lès-Vertus
N 19
D 396
Rizaucourt
Aube
Bar-sur-Aube
TROYES
D 47
D 4
D 70
D 170
Vitry-le-Croisé
Seine
N 71
Bar-sur-Seine
VIGNOBLE DE L'AUBE
D 38
D 67
Essoyes
D 103
D 26
Les Riceys
ROSÉ-DES-RICEYS
Mussy-sur-Seine
Channes

marque ; que l'acheteur commande du Moët et Chandon, du Bollinger, du Taittinger, parce qu'il préfère le goût suivi de telle ou telle marque. Cette conclusion est valable pour tous les champagnes de négociants-manipulants, de coopératives et des marques auxiliaires, mais ne concerne pas les récoltants-manipulants qui, par obligation, n'élaborent de champagne qu'à partir des raisins de leurs vignes, souvent groupées dans une seule commune. Ces champagnes sont dits monocrus, et le nom de ce cru figure en général sur l'étiquette.

Variété des styles

En dépit de l'appellation unique champagne, il existe un très grand nombre de champagnes différents, dont les caractères organoleptiques variables sont susceptibles de satisfaire tous les usages et tous les goûts. Ainsi, le champagne peut-il être blanc de blancs ; blanc de noirs (de pinot meunier, de pinot noir ou des deux) ; issu du mélange de blancs et de noirs, dans toutes les proportions imaginables ; d'un seul cru ou de plusieurs ; originaire d'un grand cru, d'un premier cru ou de communes de moindre prestige ; millésimé ou non (les non-millésimés peuvent être composés de vins jeunes, ou faire appel à plus ou moins de vins de réserve ; parfois ils sont le produit de l'assemblage d'années millésimées) ; non dosé ou dosé très variablement ; mûri brièvement ou longuement sur ses lies ; dégorgé depuis un temps plus ou moins long ; blanc ou rosé (rosé obtenu par mélange ou par saignée)... La plupart de ces éléments pouvant se combiner entre eux, il existe donc une infinité de champagnes. Quel que soit son type, on s'accorde à penser que le meilleur est celui qui a mûri le plus longtemps sur ses lies (cinq à dix ans), consommé dans les six mois suivant son dégorgement.

En fonction de ce qui précède, on s'explique mieux que le prix des bouteilles puisse varier de un à huit, et qu'il existe des hauts de gamme ou des cuvées spéciales. Dans les grandes marques, les champagnes les moins chers sont les moins intéressants. En revanche, la grande différence de prix qui sépare la gamme intermédiaire (millésimés) de la plus élevée ne traduit pas toujours rigoureusement un saut qualitatif.

Le service

Le champagne se boit entre 7 et 9 °C, frais pour les blancs de blancs et les champagnes jeunes, moins rafraîchi pour les millésimés et les champagnes vineux. La bouteille sera refroidie progressivement par immersion dans un seau à champagne contenant de l'eau et de la glace. Pour la déboucher, on enlèvera ensemble muselet et habillage. Si le bouchon tend à être expulsé par la pression, on le laissera venir avec habillage et muselet. Lorsque le bouchon résiste, on le maintient d'une main alors que l'on fait tourner la bouteille de l'autre. Le champagne ne doit pas être servi dans des coupes, mais dans des verres, étroits et élancés, secs, non refroidis par des glaçons, exempts de toute trace de détergent qui tuerait les bulles et la mousse. Il se boit aussi bien en apéritif qu'avec les entrées et les poissons maigres. Les vins vineux, à majorité issus de noirs, et les grands millésimés sont souvent servis avec les viandes en sauce. Au dessert et avec les mets sucrés, on boira un demi-sec plutôt qu'un brut, le sucre renforçant trop la sensibilité du palais à l'acidité.

Les derniers millésimes : 1982, grand millésime complet ; 1983, droit, sans artifices ; 1984 n'est pas un millésime, n'en parlons pas ; 1985, grandes bouteilles ; 1986, qualité moyenne, rarement millésimé ; 1987, un mauvais souvenir ; 1988, 1989, 1990, trois belles années ; 1991 : faible, généralement non millésimé ; 1992, 1993, 1994 : années moyennes ; 1995 : la meilleure année depuis 1990 ; 1996 : grande année millésimée ; 1997 : rarement millésimé ; 1998 : bon millésime ; 1999 : parfois millésimé ; 2000 : honorable, surtout connu comme le millésime du millénaire ; 2001 : à oublier ; 2002 : superbe, souvent millésimé ; 2003 : qualité moyenne ; 2004 : abondant et de qualité, nombreuses cuvées millésimées ; 2005 : belle année pour les chardonnays ; 2006 : honorable, meilleur pour les pinots noirs ; 2007 : généreux en volume, moyen en qualité, peu de millésimés.

HENRI ABELÉ Le Sourire de Reims 2002 ★

● n.c. ▮ 75 à 100 €

Créée en 1757, l'une des trois plus anciennes maisons de champagne. Le fondateur, Théodore Vander Veken, était belge. Depuis 1985, la société est dans le giron du groupe catalan Freixenet, producteur de cava. Avec son nom, allusion à l'emblématique ange ornant le portail nord de la cathédrale de Reims, et son assemblage de pur pinot noir récolté aux Riceys (Côte des Bar), ce rosé de prestige est bien champenois. D'un rose saumon aux reflets orangés, il offre une belle expression : on y respire les fruits rouges, les fruits à l'alcool et les fleurs séchées. Ample et puissante, la bouche laisse la même impression de complexité. Un champagne à son apogée, à boire dès maintenant avec une volaille. Cité, le **Brut traditionnel (20 à 30 € ; 400 000 b.)** assemble 40 % de chardonnay, 35 % de pinot noir et 25 % de meunier. Harmonieux, élégant et vif, il trouvera sa place à l'apéritif. (NM)

Henri Abelé, 50, rue de Sillery, 51100 Reims,
tél. 03.26.87.79.80, fax 03.26.87.79.81,
abele@champagne-abele.com ☑ r.-v.

Freixenet

ACHILLE PRINCIER Grande Tradition

	5 000		15 à 20 €

Originaire de la vallée de la Marne où il exploite 24 ha de vignes, Gilles Mansard est le propriétaire de la marque Achille Princier. Installé à Épernay, il dispose de caves anciennes et de celliers qui peuvent être loués pour des événements festifs. Composé aux trois quarts de raisins noirs (dont 60 % de pinot noir), son rosé Grande Tradition présente une séduisante robe vieux rose à laquelle fait écho un nez évolué de miel et de cire. Plaisant et assez long, il est à déguster dès maintenant. (RM)

SCEV Gilles Mansard, 4, rue de Tirvet, Cerseuil, 51700 Mareuil-le-Port, tél. 03.26.52.74.59, fax 03.26.57.85.20, mansard.gilles-corinne@wanadoo.fr r.-v.

YANN ALEXANDRE Extra-Brut 2004 ★

1er cru	2 000		20 à 30 €

Établis à Courmas, au sud-ouest de Reims, les Alexandre cultivaient déjà la vigne au début du XVIIIe s., à l'époque des premières maisons de champagne. C'est depuis 1933 qu'ils élaborent et commercialisent leurs cuvées. Yann, qui a repris l'exploitation en 2001, conduit un peu plus de 6 ha répartis sur neuf communes, dont trois en 1er cru. Mi-blancs mi-noirs (dont 40 % de pinot noir), son extra-brut 2004 a fermenté en fût, sans pour autant faire sa fermentation malolactique. Le nez élégant et fin associe la brioche, le beurre et l'amande. Après une attaque franche, la bouche équilibrée évolue sur des arômes de poire fraîche. La finale vive et longue laisse le souvenir d'un ensemble flatteur. Pour l'apéritif. (RM)

Yann Alexandre, 3, rue Saint-Vincent, 51390 Courmas, tél. 03.26.04.66.50, yann.alexandre@wanadoo.fr r.-v.

ANTHIME Fût de chêne ★★

	653		20 à 30 €

Florent, Thomas et Vincent Collet, les fils de René, se sont installés en 2011 et conduisent en commun un domaine de 5 ha dans le Sézannais. Ce rosé est une nouvelle marque de la maison Collet : Anthime – des champagnes vinifiés en fût de chêne sans fermentation malolactique. Né d'une saignée de 45 % de pinot noir marié à 55 % de chardonnay, il n'a qu'un seul défaut : son caractère confidentiel. Les jurés ont couvert d'éloges ce champagne en robe soutenue, au nez puissant, sur les petits fruits rouges et la châtaigne, riche, souple, finement boisé. Un rosé de repas. Assemblage à parts égales des trois cépages champenois, le brut **René Collet 2005 Vieilles Vignes (15 à 20 € ; 2000 b.)** reçoit une étoile pour son nez expressif et complexe mêlant réglisse, épices, caramel au lait et fruits jaunes confits et pour sa bouche onctueuse, fine et longue. (RM)

EARL René Collet, 6, ruelle de Louche, 51120 Fontaine-Denis, tél. 03.26.80.22.48, fax 03.26.80.29.34 r.-v.

JEAN-ANTOINE ARISTON Carte blanche ★★

	20 000		11 à 15 €

Bruno Ariston est établi à Brouillet, tout petit village voisin de la vallée de l'Ardre, à l'ouest de Reims. Aux commandes de l'exploitation depuis cinquante ans, il a été rejoint par son fils Charles-Antoine qui a étudié à Beaune. Le tandem conduit 7,5 ha de vignes. Remarquée l'an dernier, la cuvée Carte blanche plaît aussi cette année. Elle a pour base la récolte 2008 et fait la part belle au chardonnay (60 %), complété par le pinot noir. Un mariage réussi : le nez est aussi élégant que complexe ; on y trouve une touche iodée, des agrumes, de la poire, du miel... Tout aussi riche, raffinée, ample, fondue, fraîche, la bouche offre une longue finale empreinte de minéralité et de touches épicées. Un très bel apéritif en perspective... (RM)

Bruno Ariston, 4, rue Haute, BP 58, 51170 Brouillet, tél. 03.26.97.47.02, fax 03.26.97.49.75, champagne.ariston@wanadoo.fr r.-v.

MICHEL ARNOULD ET FILS
La Grande Cuvée de Michel Arnould ★

Gd cru	5 800		15 à 20 €

Michel Arnould a créé sa marque lors de son installation dans les années 1960 mais la famille a commencé à commercialiser des bouteilles après la crise de 1929, en réaction à la chute des prix consentis aux apporteurs de raisins. Aujourd'hui, le domaine, conduit par le fils et le gendre de Michel Arnould, ne manque pas d'atouts, notamment sa situation à Verzenay et sa surface de 12 ha. Cette cuvée spéciale, née de la récolte 2007, assemble 70 % de pinot noir de Verzenay et 30 % de chardonnay du Mesnil-sur-Oger, deux grands crus réputés. Chaque cépage jouant sa partition, il en résulte une palette complexe. Au nez, d'élégantes notes florales ; en bouche, de jolis arômes de pomme, de pêche et d'agrumes. Frais et bien dosé, ce champagne tiendra aussi bien sa place à l'apéritif que sur un poisson en sauce. (RM)

Michel Arnould et Fils, 28, rue de Mailly, 51360 Verzenay, tél. 03.26.49.40.06, fax 03.26.49.44.61, info@champagne-michel-arnould.com r.-v.

ASSAILLY 2005

Gd cru	n.c.		20 à 30 €

Fondée en 1899, cette exploitation couvre aujourd'hui 10 ha. Elle a son siège à Avize, grand cru de la Côte des Blancs. Aussi, Pascal et Vincent Assailly proposent-ils toute une gamme de blanc de blancs, comme ce millésimé. Encore frais, ce 2005 mêle les agrumes et la pêche aux fruits confits, dans un bel équilibre. On le verrait bien avec une entrée. (RM)

SARL Champagne Assailly-Leclaire, 4-6, rue de Lombardie, 51190 Avize, tél. 03.26.57.51.20, fax 03.26.57.14.51, champagne.assailly@wanadoo.fr r.-v.

PAUL AUGUSTIN Grand Chardonnay ★★

	6 809		20 à 30 €

Isabelle et Éric Ammeux sont récoltants-manipulants à Jonquery, petit village de 89 habitants niché entre l'Ardre au nord et la Marne au sud. En 1998, Isabelle a acquis un vignoble et lancé en 2005 la marque Paul Augustin. Très réussi dans les deux éditions précédentes, ce Grand Chardonnay « gagne » une étoile cette année. Les dégustateurs louent avec chaleur ce blanc de blancs or pâle aux jolis reflets verts. Ils saluent son nez intense de brioche, de beurre frais et d'agrumes confits, sa bouche souple à l'attaque, ample, onctueuse et persistante. Un ensemble généreux et élégant. Le **brut sans année (11 à 15 € ; 14 700 b.)**, qui marie à parts égales pinot meunier et chardonnay, séduit par sa rondeur et son équilibre. Ces deux cuvées iront aussi bien à l'apéritif que sur une poêlée de saint-jacques. (RM)

Paul Augustin, 1, rue de la Barbe-aux-Cannes, 51700 Jonquery, tél. 03.26.58.10.55, fax 03.26.58.15.52, eric.ammeux@wanadoo.fr
t.l.j. sf dim. 9h-12h 14h-18h; sam. sur r.-v.
Isabelle Ammeux

AUTRÉAU DE CHAMPILLON
Les Perles de la Dhuy Cuvée Prestige 2005 ★★

Gd cru | 7 000 | 20 à 30 €

Fondée au début du XXᵉs., cette maison est implantée à Champillon, sur le haut d'un coteau dominant la Marne, non loin d'Épernay. Elle dispose d'un vignoble de 32 ha répartis dans plusieurs secteurs de la région. Cuvée Prestige dominée par le chardonnay (80 %) marié au pinot noir, ce 2005 a enchanté les dégustateurs. Bien ouvert et complexe au nez, il s'ouvre sur une farandole de senteurs dominées par la pâtisserie et les agrumes mûrs. En bouche, il est gourmand, charnu et généreux, avec une très belle rétro-olfaction sur le biscuit et le fruit jaune. Le **1er cru (15 à 20 €; 100 000 b.)**, une étoile, privilégie au contraire les noirs (80 %, les deux pinots à parts égales). Issu des années 2009 et 2008, il est frais, fruité et mentholé au nez, complexe, floral et fruité au palais, dans un bel équilibre. (NM)

Autréau de Champillon, 15, rue René-Baudez, 51160 Champillon, tél. 03.26.59.46.00, fax 03.26.59.44.85, champagne.autreau@wanadoo.fr
t.l.j. 8h-12h 14h-18h; sam. dim. sur r.-v.

AUTRÉAU-LASNOT Carte d'or

25 000 | 11 à 15 €

Fondée il y a tout juste quatre-vingts ans, cette exploitation est située aux environs de Venteuil, dans la vallée de la Marne. Aujourd'hui, Fabrice et Véronique, Florent et Virginie exploitent en famille un coquet vignoble de 15 ha. Leur cuvée Carte d'or privilégie les raisins noirs (60 %, dont 40 % de pinot noir). C'est un champagne expressif, souple à l'attaque, qui laisse en finale une impression d'onctuosité. (RM)

Autréau-Lasnot, 6, rue du Château, 51480 Venteuil, tél. 03.26.58.49.35, fax 03.26.58.65.44, info@champagne-autreau-lasnot.com
t.l.j. 9h-12h 14h-17h30; dim. 10h-12h

A. BAGNOST Cuvée Blanc de blancs 2006 ★

Gd cru | 5 000 | 15 à 20 €

Descendant d'une lignée de vignerons établis à Pierry, aux portes d'Épernay, Arnaud Bagnost a créé une structure de négoce en 2000. Son blanc de blancs grand cru, issu de la récolte 2006, avait été fort apprécié l'an dernier. Voici son successeur, toujours né du prestigieux terroir de Chouilly, dans la Côte des Blancs. Il offre un nez de belle maturité partagé entre les fruits blancs et les fruits confits, arômes qui se confirment dans un palais frais, équilibré, d'une grande longueur. Pour un apéritif et des entrées marines. (NM)

SARL Arnaud Bagnost, 30, rue du Gal-de-Gaulle, 51530 Pierry, tél. 03.26.54.04.22, fax 09.70.61.07.43, champagnebagnost@aol.com r.-v.

ALAIN BAILLY Prestige ★★

8 580 | 15 à 20 €

La marque fête en 2012 son cinquantième anniversaire. Aujourd'hui, la famille Bailly exploite 12 ha répartis sur quatre communes de la Montagne de Reims et de la vallée de l'Ardre. Sa cuvée Prestige affiche une constance remarquable au fil des éditions du Guide. Une écrasante majorité de chardonnay (90 %, les deux autres cépages ne faisant que de la figuration), le savant assemblage des années 2007 à 2005 et le talent de l'élaborateur concourent à l'excellence de cette cuvée qui a connu le bois. Le nez offre un cocktail charmeur d'abricot sec, d'épices et de vanille. Séduisante et d'un rare équilibre, la bouche persiste longuement sur des arômes briochés, toastés et des nuances de fruits secs. Un champagne expressif et racé pour accompagner un poisson en sauce. (RM)

Alain Bailly, 3, rue du Tambour, 51170 Serzy-et-Prin, tél. 03.26.97.41.58, fax 03.26.97.44.53, champagne.bailly@wanadoo.fr r.-v.

PAUL BARA Bouzy Comtesse Marie de France 2000 ★★

Gd cru | 6 745 | 30 à 50 €

Fondé en 1833 et conduit aujourd'hui par Chantale Bara, ce domaine réputé exporte 70 % de sa production. Il est situé à Bouzy, l'un des grands crus de noirs de la Montagne de Reims, et ses 11 ha sont exclusivement complantés de pinot noir et de chardonnay classés en grand cru. Au chai, les vins ne font pas leur fermentation malolactique. Cette cuvée de prestige est un pur pinot noir récolté sur le terroir de Bouzy. De couleur vieil or, il mêle d'intenses senteurs beurrées, anisées, et des nuances de pain d'épice. Cette complexité se confirme dans une bouche ample, gourmande, harmonieuse, encore fraîche. Une belle évolution pour ce 2000, champagne de repas à déboucher dès maintenant. Le pinot noir domine (87 %, avec un appoint de chardonnay) dans le **Grand Rosé (20 à 30 €; 25 000 b.)** qui décroche une étoile. Ce champagne charme par ses senteurs à la fois riches et subtiles de confiture de fraises et de gelée de framboise. Équilibré, structuré et frais, il pourra accompagner une tarte aux fraises. (RM)

Paul Bara, 4, rue Yvonnet, 51150 Bouzy, tél. 03.26.57.00.50, fax 03.26.57.81.24, champagne.paul.bara@wanadoo.fr r.-v.

BARBIER-LOUVET Tradition

1er cru | 18 000 | 11 à 15 €

Fondée en 1835 et conduite depuis vingt ans par David Barbier, cette exploitation familiale est implantée à Tauxières, sur le versant sud de la Montagne de Reims. Son brut Tradition assemble 90 % de noirs (pinot noir) et 10 % de blancs, associant la récolte 2010 à 40 % de vins de réserve. Le nez, aux nuances de fruits rouges confits, apparaît assez évolué, tandis que la bouche est vive, équilibrée et longue. (RM)

EARL Barbier-Louvet, 8, rue de Louvois, 51150 Tauxières-Mutry, tél. 03.26.57.04.79, fax 03.26.52.60.18, barbierserge@wanadoo.fr r.-v.

DE BARFONTARC Tradition

295 000 | 11 à 15 €

Marque de la coopérative de Baroville et environs. Fondée il y a juste cinquante ans, la cave vinifie les récoltes de 112 ha, très majoritairement du pinot noir, cépage largement dominant dans ce secteur de Bar-sur-Aube. Cette variété entre à hauteur de 80 % dans l'assemblage de cette cuvée, complétée par le chardonnay. Une présentation discrète pour ce brut : robe or pâle aux fines bulles, nez léger mais de bonne maturité aux senteurs de fleurs blanches, de fruits blancs bien mûrs. Puis une attaque franche, une matière ronde et équilibrée : un champagne destiné à l'apéritif. (CM)

De Barfontarc, 18, rte de Bar-sur-Aube, 10200 Baroville, tél. 03.25.27.07.09, fax 03.25.27.23.00, champagne@barfontarc.com r.-v.

BARNAUT Rosé authentique

Gd cru | n.c. | 20 à 30 €

Ce champagne porte le nom du fondateur de l'exploitation, créée en 1874. Son descendant, Philippe Secondé, a pris en 1986 les rênes du domaine, implanté à Bouzy, sur le flanc sud de la Montagne de Reims. Le pinot noir règne presque exclusivement sur ce prestigieux grand cru, comme sur ce rosé, issu à 90 % d'une macération de ce cépage, le chardonnay faisant l'appoint. La robe, d'un rose soutenu, annonce un nez élégant de fruits rouges et une bouche franche, à la finale persistante, acidulée et fraîche. (RM)

Barnaut, 2, rue Gambetta, 51150 Bouzy,
tél. 03.26.57.01.54, fax 03.26.57.09.97
t.l.j. sf dim. 9h30-12h30 13h30-17h30
P. & E. Secondé

CLAUDE BARON Cuvée Topaze 2007 ★★

5 000 | 15 à 20 €

Les Baron sont installés de longue date dans la vallée de la Marne. En 2006, Claude Baron a créé avec ses trois filles une structure de négoce qui s'appuie sur un vignoble de 10 ha implanté autour de Charly-sur-Marne, à l'ouest de Château-Thierry. Lise est l'œnologue de la maison et Claire, la responsable commerciale. La société exporte 70 % de sa production, et ce 2007 ne ternira pas sa réputation. Assemblant 60 % de chardonnay et 40 % de pinot noir, il mêle harmonieusement des senteurs de vanille, de brioche et de pêche de vigne. Quant au palais, complexe, fondu, judicieusement dosé et long, il montre un rare équilibre. À servir à l'apéritif ou sur une viande blanche. Quant à la **cuvée Perle rose (5 000 b.)**, elle obtient elle aussi deux étoiles. Dominé par les noirs (70 %, dont 60 % de meunier), ce rosé saumon clair offre un nez élégant sur les petits fruits rouges surmûris et se montre franc, ample et gourmand. On l'appréciera à l'apéritif ou au dessert, sur un sabayon de fruits rouges par exemple. (NM)

Claude Baron, La Pierre des Fées, 1, rue des Chaillots,
02310 Charly-sur-Marne, tél. 03.23.69.22.91,
fax 03.23.82.17.48, lapierredesfees@orange.fr r.-v.

BARON ALBERT Cuvée particulière ★★

60 000 | 11 à 15 €

Albert Baron a créé en 1947 cette maison de négoce qui dispose d'un important vignoble : pas moins de 45 ha implantés aux environs de Château-Thierry. Les vins ne font pas leur fermentation malolactique. Déjà remarquable dans l'édition précédente, la Cuvée particulière, issue cette année des récoltes 2008 et 2007, retrouve ses deux étoiles avec des qualités proches. Elle naît d'une écrasante majorité de pinot meunier (90 %), les deux autres cépages entrant à parts égales. Le bouquet, subtil et frais, évoque les fleurs blanches, le citron, le pamplemousse, la pomme mûre. L'attaque franche révèle une matière fine et équilibrée, judicieusement dosée. La cuvée **La Préférence 2005 (15 à 20 €; 15 000 b.)**, notée une étoile, réunit 70 % de blancs et 30 % de noirs. Aérienne, fruitée et vive au nez, elle joue sur des notes d'agrumes et allie fraîcheur et minéralité : une belle expression du cépage dominant. (NM)

Baron Albert, 1, rue des Chaillots, Grand-Porteron,
02310 Charly-sur-Marne, tél. 03.23.82.02.65,
fax 03.23.82.02.44, champagnebaronalbert@wanadoo.fr
r.-v.

BARON-FUENTÉ Blanc de blancs Esprit ★

20 000 | 20 à 30 €

Gabriel Baron et Dolores Fuente commercialisent leurs premières bouteilles en 1967. Depuis vingt ans, ce sont leurs enfants Sophie et Ignace qui conduisent le domaine : 30 ha de vignes implantées dans la région de Charly-sur-Marne, à l'ouest de Château-Thierry. Après un superbe millésimé, élu coup de cœur l'an dernier, ils ont soumis à notre jury un blanc de blancs. Oiseau rare dans un secteur où le pinot meunier domine, ce champagne n'en est pas moins réussi : on apprécie ses fines senteurs d'agrumes, de beurre frais et de fleurs blanches, sa belle fraîcheur empreinte de minéralité et sa finale citronnée. Le jury a distingué une autre cuvée commercialisée sous l'autre marque de la maison : le **Monthuys Père et Fils brut Réserve (15 à 20 €; 100 000 b.)** obtient une étoile pour son nez délicat de brioche et d'amande fraîche et pour sa bouche vive, fruitée et persistante. (NM)

Baron-Fuenté, 21, av. Fernand-Drouet,
02310 Charly-sur-Marne, tél. 03.23.82.01.97,
fax 03.23.82.12.00, accueil.baronfuente@wanadoo.fr
t.l.j. sf dim. 8h-18h

LOUIS BARTHÉLÉMY Améthyste ★★

25 000 | 20 à 30 €

De création récente, cette maison a été acquise par la famille Chancel, propriétaire du Château Val Joanis dans le Luberon. Elle fait son entrée dans le Guide avec un champagne fort complimenté, issu des récoltes 2008 et 2007. Cette cuvée Améthyste met en œuvre 80 % des deux pinots (dont 50 % de pinot noir) et 20 % de chardonnay. La marque des cépages noirs dans l'assemblage n'a pas échappé à nos dégustateurs qui la trouvent vineuse et charpentée. Le nez intense de beurre et d'amande, le palais souple à l'attaque, ample et charnu composent une bouteille puissante et harmonieuse, qui conviendra aussi bien à l'apéritif qu'au repas. (NM)

Louis Barthélémy, 6, rue Jules-Lobet, 51160 Aÿ,
tél. 03.10.15.15.49, info@louis-barthelemy.com
Jean Chancel

BAUCHET PÈRE ET FILS Sélection ★

250 000 | 15 à 20 €

Félicien Bauchet, né en 1902, cultivait 1 ha de vignes dans l'immédiat après-guerre. Ses deux fils ont considérablement agrandi le domaine, si bien que les représentants de la troisième génération, Bruno et Florence, disposent d'une surface de 34 ha. Bruno Charlemagne, le gendre et l'œnologue, officie au chai. La cuvée Sélection est destinée « aux amoureux du pinot noir », selon l'un des jurés. De fait, ce cépage compose 70 % de l'assemblage, complété par le chardonnay. La robe d'un jaune intense annonce un nez de fruits mûrs, voire confits (prune, fruits rouges). L'attaque franche est relayée par une bouche ronde qui persiste sur des notes de fruits à noyau. Bel accord en perspective avec une volaille. (RM)

Bauchet, 4, rue de la Crayère, 51150 Bisseuil,
tél. 03.26.58.92.12, fax 03.26.58.94.74,
bauchet.champagne@wanadoo.fr r.-v.

BAUGET-JOUETTE ★

n.c. | 30 à 50 €

Les Jouette cultivaient déjà la vigne il y a près de deux siècles. Aujourd'hui, ils exploitent 13,5 ha sur les coteaux sud d'Épernay, sur la Côte des Blancs et dans la vallée de la Marne. Leur rosé assemble par moitié le chardonnay et les pinots (30 % de meunier, 20 % de pinot noir). Rose saumoné à reflets orangés, il attire par ses parfums frais et délicats de groseille. Après une attaque franche, il dévoile en bouche des arômes de fruits mûrs, voire compotés. Riche, fruité et équilibré, il accompagnera une charlotte aux fraises dès la sortie du Guide. L'**extra-brut**, qui marie deux tiers de blancs et un tiers de noirs (les deux pinots), est cité pour sa texture soyeuse et sa longueur. (NM)

Bauget-Jouette, 1, rue Champfleury, 51200 Épernay, tél. 03.26.54.44.05, fax 03.26.55.37.99, info@bauget-jouette.fr
r.-v.

HERBERT BEAUFORT Carte or Tradition ★★

Gd cru | 55 000 | 20 à 30 €

Les Beaufort cultivent la vigne depuis des siècles. Le domaine a été fondé au début du XXᵉs. et élabore ses champagnes depuis 1929. Aujourd'hui, il couvre 12,5 ha et s'étend principalement à Bouzy, grand cru réputé de longue date pour son pinot noir. Un cépage qui entre à hauteur de 90 %, avec le chardonnay en appoint, dans cette Carte or Tradition vinifiée sans fermentation malolactique. Une fois de plus, cette cuvée a été fort appréciée. Le nez intense et frais mêle les fleurs blanches avec des notes briochées et mentholées. L'attaque vive introduit un palais généreux, complexe et harmonieux. Une bouteille à déboucher dès l'apéritif. (RM)

Herbert Beaufort, 32, rue de Tours-sur-Marne, BP 7, 51150 Bouzy, tél. 03.26.57.01.34, fax 03.26.57.09.08, beaufort-herbert@wanadoo.fr
t.l.j. 9h-12h 14h-17h30; f. dim. a.-m du 7 avr. au 30 oct.

BEAUMONT DES CRAYÈRES Fleur de prestige 2002 ★

20 000 | 20 à 30 €

Marque de la coopérative de Mardeuil, fondée en 1955. La cave vinifie aujourd'hui 87 ha de vignes implantées principalement sur les coteaux proches d'Épernay. Elle signe un 2002 mi-blancs mi-noirs (40 % de pinot noir) apprécié tant pour son nez suave, brioché et gourmand que pour son palais délicat, encore frais et de bonne longueur, aux nuances de fruits cuits et de grillé. À servir dès la sortie du Guide, avec des cailles aux raisins par exemple. Une étoile encore pour le **Grand Rosé (40 000 b.)**, qui assemble trois quarts de raisins noirs (dont 40 % de meunier et 10 % de vin rouge) et un quart de chardonnay. Discrètement fruité au nez, ce champagne dévoile en bouche des arômes de cerise et de petits fruits ; il séduit par son équilibre. (CM)

Beaumont des Crayères, 64, rue de la Liberté, 51530 Mardeuil, tél. 03.26.55.29.40, fax 03.26.54.26.30, contact@champagne-beaumont.com
t.l.j. sf sam. dim. 8h30-12h 13h30-17h

FRANÇOISE BEDEL Entre ciel et terre

16 000 | 30 à 50 €

L'exploitation couvre plus de 8 ha dans la vallée de la Marne, en aval de Château-Thierry. Entre ciel et terre ? Le nom de la cuvée fait allusion à la viticulture biodynamique pratiquée par Françoise Bedel. Cette démarche appréhende en effet la vigne dans son rapport avec le cosmos, une de ses pratiques les plus connues consistant à fixer le calendrier des travaux à la vigne et au chai en fonction des cycles lunaires. Blanc de noirs, ce champagne comprend 80 % de meunier et a séjourné partiellement en fût de chêne pendant douze mois. Le nez mûr évoque la torréfaction, le pain grillé. La bouche persistante fait preuve d'une vivacité qui invite à ouvrir cette bouteille dès l'apéritif. (RM)

SARL Françoise Bedel, 71, Grande-Rue, 02310 Crouttes-sur-Marne, tél. 03.23.82.15.80, fax 03.23.82.11.49, contact@champagne-bedel.fr
t.l.j. sf dim. 9h-12h30 13h30-18h; sam. sur r.-v.; f. août

L. BÉNARD-PITOIS Réserve ★★

1er cru | 27 510 | 15 à 20 €

À la tête du domaine familial depuis 1991, Laurent Bénard exploite 11 ha et détient des parcelles dans deux grands crus de la Côte des Blancs et dans quatre 1ᵉʳˢ crus. Couvert d'éloges, son brut Réserve est composé de 60 % de pinot noir et de 40 % de chardonnay. Issu d'une vinification parcellaire, il a été élevé en fût et en cuve de faible capacité. De couleur or rose, il s'impose par ses parfums flatteurs d'agrumes confits et de fruits rouges. Sa matière ronde, ample sans excès de puissance, sa belle persistance incitent à convier cette bouteille au repas. (RM)

L. Bénard-Pitois, 23, rue Duval, 51160 Mareuil-sur-Aÿ, tél. 03.26.52.60.28, fax 03.26.52.60.12, benard-pitois@wanadoo.fr
t.l.j. sf dim. 9h30-12h 13h30-17h; sam. sur r.-v.

LE BERCEAU DU CHAMPAGNE Blanc de blancs ★

15 512 | 11 à 15 €

Cette cave fondée en 1930 est implantée à Hautvillers, village où vécut dom Pérignon, le « père du champagne ». Le nom de la marque était tout trouvé. La coopérative a été un temps dirigée par Henri Martin, maire de la commune et député de la Marne, mort en déportation. Aujourd'hui, elle dispose des 74 ha de ses adhérents et de caves creusées par les moines aux XVIᵉ et XVIIᵉs. Son blanc de blancs séduit par un bouquet intense, aux nuances d'agrumes et de fleurs blanches, et par un palais équilibré et tout en finesse, légèrement minéral. Une belle expression du chardonnay, conclut un dégustateur qui suggère de servir ce vin avec un carpaccio de saint-jacques. (CM)

Coop. des Vignerons d'Hautvillers, chem. des Garennes, 51160 Hautvillers, tél. 03.26.59.40.06, fax 03.26.59.44.13, contact@berceau-du-champagne.com
t.l.j. sf dim. 8h-12h 13h30-17h30

F. BERGERONNEAU-MARION 2006

1er cru | 6 500 | 20 à 30 €

Voilà trente ans que Florent Bergeronneau s'est installé sur un domaine situé à Villedommange, village de caractère accroché sur les pentes de la Montagne de Reims, non loin de la cité des Sacres. Il signe un 2006 assemblant par tiers les trois cépages champenois. Équilibré et frais, ce champagne séduit par ses arômes d'agrumes et de noisette. Il accompagnera une volaille. (RM)

Florent Bergeronneau, 22, rue de la Prévôté, 51390 Villedommange, tél. 03.26.49.75.26, fax 03.26.49.20.85, contact@florent-bergeronneau-marion.fr r.-v.

PAUL BERTHELOT Blason d'or ★

10 000 | 15 à 20 €

Fils de vignerons, Paul Berthelot a développé la maison de champagne conduite aujourd'hui par son petit-fils Arnaud. La société, qui a son siège à Dizy, tout près d'Épernay, s'appuie sur un vignoble de 16 ha. Mi-blancs mi-noirs (pinot noir), la cuvée Blason d'or a pour base la récolte 2006. De couleur or pâle, elle offre un nez subtil de fruits blancs, d'agrumes et de mie de pain. Charnue à l'attaque, fraîche, expressive et longue, elle finit sur des touches d'épices douces. Un joli champagne d'apéritif. (RM)

Paul Berthelot, 889, av. du Gal-Leclerc, 51530 Dizy, tél. 03.26.55.23.83, fax 03.26.54.36.31, champagneberthelotpaul@orange.fr
t.l.j. 8h30-17h; sam. dim. sur r.-v.; f. 2e quinzaine d'août

CHRISTOPHE BERTIN 2006

2 300 | 20 à 30 €

Christophe Bertin s'est installé en 2001, à l'âge de vingt-trois ans, sur une exploitation située sur la rive gauche de la Marne, aux portes de la Brie champenoise. Il a planté son vignoble et lancé son étiquette six ans plus tard. Ses cuvées, élaborées par la coopérative de Chouilly, sont souvent millésimées. Après un 2004, voici un 2006 qui assemble, lui aussi, les trois cépages champenois par tiers. Encore très fermé, il dévoile en bouche des arômes d'agrumes et de fruits jaunes, avec toute la vivacité de la jeunesse. Il pourrait gagner à attendre deux ans. (RC)

Christophe Bertin, Le Clos Milon, 51700 Igny-Comblizy, tél. 06.71.84.17.88, bertin.christophe@hotmail.fr r.-v.

BESSERAT DE BELLEFON Blanc de blancs Cuvée des Moines *

n.c. | 30 à 50 €

Fondée par Edmond Besserat en 1843, cette société a changé plusieurs fois de sièges et de propriétaires. Elle appartient aujourd'hui à la maison Burtin d'Épernay, elle-même dans l'orbite de Lanson-BCC. En 1930, Victor Besserat conçoit toute une gamme de champagnes qui portent le nom de cuvée des Moines. Tous ont pour particularité de ne pas faire leur fermentation malolactique, afin de préserver un maximum de fraîcheur. C'est le blanc de blancs qui a retenu l'attention cette année. Le nez exprime de séduisants caractères d'évolution, sur des notes de chocolat et de café grillé. La bouche est complexe, ample, vineuse, structurée et bien dosée. Destinée à l'apéritif ou à un poisson en sauce, cette bouteille peut attendre deux à trois ans. (NM)

Besserat de Bellefon, 22, rue Maurice-Cerveaux, 51200 Épernay, tél. 03.26.78.52.16, fax 03.26.78.50.99, info@besseratdebellefon.com r.-v.
Lanson-BCC

BIARD-LOYAUX Blanc de blancs *

3 000 | 11 à 15 €

Le village de Passy-sur-Marne est installé dans un méandre de la Marne, sur la rive droite, à une vingtaine de kilomètres en amont de Château-Thierry. C'est là qu'est établie cette exploitation familiale de 11 ha, reprise en 2005 par Laurent Biard. Si le pinot meunier est ici majoritaire, les deux autres cépages sont également cultivés. Ce blanc de blancs, né des récoltes 2008 et 2007, a intéressé les dégustateurs par sa palette aromatique, qui mêle la brioche chaude au miel et aux fruits à chair blanche. Le palais ne déçoit pas. Gras, structuré, il conjugue puissance et élégance : une belle personnalité. Un blanc de blancs qui pourra donner la réplique à un foie gras poêlé ou à un poisson grillé. (RM)

Biard-Loyaux, 1-2, rue du Château, 02850 Passy-sur-Marne, tél. 03.23..70.35.66, fax 03.23.70.31.72, jbiard@wanadoo.fr
t.l.j. 8h-17h; sam. dim. sur r.-v.

BILLARD PÈRE ET FILS *

5 000 | 15 à 20 €

Conduit depuis 1992 par Arnaud Billard et son épouse, ce domaine de 7,5 ha, implanté au cœur de la vallée de la Marne, a développé les structures d'accueil : outre une table et des chambres d'hôtes, il propose à la visite une vaste maquette représentant un village champenois d'autrefois, qui a demandé près de 10 000 h de travail. Quant à ce rosé d'assemblage, de couleur orangée, il provient uniquement de raisins noirs : 63 % de meunier, 25 % de pinot noir et 12 % de vin rouge. Bien ouvert sur des nuances de cerise et de fruits au sirop, intense, harmonieux et long, ce champagne bien fruité trouvera sa place à l'apéritif ou sur un dessert, une charlotte rose aux cerises par exemple. (RM)

Arnaud Billard, 4, rue Bacchus, hameau de l'Échelle, 51480 Reuil, tél. 03.26.58.66.60, fax 03.26.57.65.30, info@domaine-bacchus.com r.-v. 5

HUBERT BILLIARD Cuvée Privilège *

1er cru | 15 171 | 11 à 15 €

Un nouveau nom dans le Guide, mais le domaine n'a rien de récent, puisque trois générations se sont succédé sur l'exploitation, qui a son siège dans la Grande Vallée de la Marne. La cuvée Privilège assemble 80 % de pinot noir et 20 % de chardonnay des récoltes 2008 et 2007. À l'intensité de sa robe, d'un or soutenu, répond celle du nez, qui évolue sur de complexes notes briochées et empyreumatiques. Ample, équilibré et long, le palais affiche une belle continuité avec l'olfaction. À déboucher à l'apéritif et à finir sur un poisson en sauce. (RM)

Hubert Billiard, rte de Fontaine, 51160 Avenay-Val-d'Or, tél. 03.26.52.36.72, fax 09.70.06.56.15, champagne.hubert.billiard@orange.fr r.-v.

BLAISE-LOURDEZ ET FILS Cuvée Louis François

15 000 | 15 à 20 €

Située au cœur de la vallée de la Marne et conduite depuis dix ans par Bruno Blaise, cette exploitation familiale dispose d'un vignoble de 8 ha. En 2012, elle fête son deux centième anniversaire : elle a été constituée en 1812 par Louis François Lourdez, auquel ses descendants dédient cette cuvée. L'assemblage met en avant le chardonnay (70 %), le complément se partageant équitablement entre pinot noir et meunier. Afin de préserver toute sa vivacité, les vignerons ont évité la fermentation malolactique. Le champagne s'ouvre à l'aération sur des notes d'amande fraîche et de fruits à chair blanche. Franc à l'attaque, il est fringant, agréable et persistant. (RM)

Bruno Blaise, 2, rue des Longues-Raies, 51480 Damery, tél. 03.26.59.48.23, fax 03.26.52.82.21, bruno@champagneblaise.fr r.-v. 4

CH. DE BLIGNY Clos du château de Bligny Cuvée 6 cépages *

3 500 | 30 à 50 €

Construit à la fin du XVIIIe s. pour le marquis de Dampierre sur les fondations d'une ancienne forteresse, le château de Bligny, proche de Bar-sur-Aube, domine le village et la petite vallée du Landion. Aujourd'hui propriété de la famille Rapeneau, son vignoble comporte un clos, ce qui est rare en Champagne. Autre rareté, cet assemblage de six cépages à parts égales. Aux trois variétés bien connues s'ajoutent le pinot blanc, l'arbanne et le petit meslier, qui ont presque disparu dans la région. Le résultat est intéressant : le nez mûr exprime le coing, la cire et la pâte de fruits. Le palais se montre charnu, puissant et bien dosé. Une belle évolution pour ce champagne de repas à marier à une poularde. (RM)

Ch. de Bligny, 10200 Bligny, tél. 03.25.27.40.11, fax 03.25.27.04.52, chateau@chateaudebligny.com r.-v.

Rapeneau

H. BLIN 2005 ★★

	35 000		20 à 30 €

Établie à Vincelles dans la vallée de la Marne, cette coopérative créée en 1947 porte le nom de son fondateur. Elle regroupe aujourd'hui une centaine d'adhérents qui cultivent 110 ha. Chardonnay et pinot meunier sont assemblés à parts égales dans ce 2005 étonnant de jeunesse. Au nez comme en bouche, sa palette aromatique décline l'aubépine, l'églantine, les agrumes et la pêche blanche. Délicat, d'une grande fraîcheur, ce millésime « ne fait pas son âge », conclut un dégustateur. On pourra le servir à l'apéritif, avec un plateau de fruits de mer ou l'attendre encore un an ou deux. Noté une étoile, le **brut (15 à 20 € ; 500 000 b.)** marie 80 % de meunier à 20 % de chardonnay. Avec son nez floral, sa bouche élégante et bien dosée, il est tout indiqué pour l'apéritif. (CM)

H. Blin, 5, rue de Verdun, 51700 Vincelles, tél. 03.26.58.20.04, fax 03.26.58.29.67, contact@champagne-blin.com t.l.j. sf sam. dim. 9h-12h 14h-18h

MAXIME BLIN Carte blanche ★

	9 000	15 à 20 €

Fils de Gilles qui commercialise la marque R. Blin et Fils, Maxime Blin a lancé sa propre étiquette en 2000. Il s'appuie sur un vignoble de 12 ha implanté à Trigny, au cœur du massif de Saint-Thierry, au nord-ouest de Reims. Son brut Carte blanche doit tout aux raisins noirs – au pinot meunier surtout (80 %). D'un or pâle scintillant, il mêle au nez de délicates notes de brioche, de fruits secs et de fleurs blanches. Équilibré, fondu et long, le palais dévoile d'agréables arômes de fruits exotiques. À servir dans les deux ans avec un poisson en sauce. (RM)

Maxime Blin, 11, rue du Point-du-Jour, 51140 Trigny, tél. 03.26.03.10.97, fax 03.26.03.19.63, maxime.blin@champagne-blin-et-fils.fr r.-v.

R. BLIN ET FILS Sélection ★★

	30 000	15 à 20 €

Située au nord-ouest de Reims dans le massif de Saint-Thierry, cette exploitation fondée par Robert Blin est aujourd'hui conduite par Gilles Blin et son fils Maxime. Plus d'une fois retenu, ce brut Sélection marie 90 % de pinot noir à 10 % de chardonnay. Il séduit d'emblée par ses senteurs de fruits jaunes et de fruits blancs, palette qui s'enrichit en bouche d'arômes de pain grillé, de fruits secs et de caramel. Un champagne harmonieux, idéal pour la table, tout comme le brut **2005 (5 000 b.)** qui doit tout au pinot noir. Son nez racé allie les fruits confiturés, le beurre et la vanille. Son équilibre et sa puissance feront merveille sur une viande blanche. Il obtient une étoile, de même le brut **Grande Tradition (29 000 b.)**, dont l'assemblage est inverse de celui du brut Tradition. Un vin léger au bouquet élégant, floral et minéral, pour l'apéritif. (RM)

R. Blin et Fils, 11, rue du Point-du-Jour, 51140 Trigny, tél. 03.26.03.10.97, fax 03.26.03.19.63, contact@champagne-blin-et-fils.fr r.-v.

BLONDEL Cuvée Prestige ★

1er cru	10 000		20 à 30 €

C'est l'arrière-grand père de l'exploitant actuel, notaire, qui a fondé au début du XXe s. cette maison qui dispose d'un domaine d'un seul tenant situé au cœur de la Montagne de Reims. Née de pinot noir et de chardonnay à parts égales, cette cuvée Prestige incorpore 50 % de vins de réserve. Les dégustateurs ne s'y sont pas trompés, qui décrivent un champagne marqué par de jolis caractères d'évolution dans ses arômes de noix, de griotte macérée et de pain d'épice. Un ensemble gourmand, bien dosé, à la fois puissant et fin, qui devrait s'entendre avec une volaille, un magret de canard aux châtaignes par exemple. Le **Vieux Millésime 1er cru 2005 (15 à 20 € ; 5 000 b.)** marie deux tiers de pinot noir au chardonnay. Légèrement évolué avec son nez de fruits secs, de fleurs séchées, de gâteau, il n'en demeure pas moins frais, rond et bien équilibré. À réserver aux amateurs de vins mûrs. (NM)

Blondel, Dom. des Monts-Fournois, BP 12, 51500 Ludes, tél. 03.26.03.43.92, fax 03.26.03.44.10, contact@champagneblondel.com r.-v.

PIERRE BOEVER ET FILS 2006 ★

Gd cru	3 000		15 à 20 €

Un nouveau nom dans le Guide : celui des Boever, qui ont commencé à vendre leur champagne dans les années 1950. Œnologue, Sébastien a repris en 2004 l'exploitation située sur le flanc sud de la Montagne de Reims. Sa femme, Anne, l'a rejoint pour s'occuper de la commercialisation. Le domaine signe un 2006 qui assemble chardonnay et pinot noir à parts égales. Le nez plaisant mêle les fruits confits, les fruits secs et le caramel. Franc à l'attaque, vif et expressif, le palais suit la même ligne et finit sur une pointe vanillée. (RM)

SCEV Boever-Denancy, rue du Champ Neuville, 51150 Tauxières, tél. et fax 03.26.57.04.20, boever@cegetel.net r.-v.

BOIZEL Chardonnay ★

	40 000	30 à 50 €

Fondée en 1834, cette maison de négoce restée familiale a son siège sur la célèbre avenue de Champagne à Épernay. Elle est dirigée depuis 1973 par Évelyne Roques-Boizel qui a formé avec d'autres partenaires le groupe BCC. Son blanc de blancs a intéressé les dégustateurs par son intensité et son harmonie. Au nez, il mêle la noisette, la mie de pain et la brioche. Gourmand et chaleureux au palais, il finit sur des évocations d'agrumes confits. Malgré un dosage un peu généreux, il laisse une très bonne impression. On le verrait bien à l'apéritif, avec des canapés de pain brioché au crabe. Assemblage de chardonnay (60 %) et de pinot noir (40 %), la **cuvée Joyau de France 1996 (50 à 75 € ; 50 000 b.)** eut son heure de gloire en 2009 (coup de cœur de l'édition 2010). Ce grand millésime se maintient à un très bon niveau. Sa richesse et sa palette complexe, confite, torréfiée et minérale lui valent une étoile. On peut la servir aussi bien à l'apéritif qu'au cours du repas. (NM)

Boizel, 46, av. de Champagne, 51200 Épernay, tél. 03.26.55.21.51, fax 03.26.54.31.83, boizelinfo@boizel.fr

Lanson-BCC

BOLLINGER Special cuvée ★★

	n.c.		30 à 50 €

Née en 1829, cette maison est attachée à son indépendance et à ses traditions. Établie à Aÿ depuis sa fondation, elle reste fidèle au style qui a fait sa réputation et qui impose une extrême minutie à chaque étape de l'élaboration. Ce style s'incarne dans le Special cuvée, le champagne sans année de Bollinger. Trois quarts des deux pinots (dont 60 % de pinot noir) et un quart de chardonnay, très majoritairement issus de 1ers et de grands crus, collaborent à ce champagne, qui met en œuvre des vins des années 2007 et 2006, fermentés en petites cuves ou en tonneaux de chêne anciens, ainsi que des vins de réserve conservés en magnums. Ce champagne fait l'unanimité. La maturité lui a légué une robe dorée et une palette intense, complexe et fine, qui dévoile de nouveaux arômes au cours de la dégustation. À côté des nuances de fruit à noyau se déploient des notes briochées, fumées et miellées que l'on retrouve dans une bouche ronde et vineuse, étonnante de longueur. À l'apéritif ? Pourquoi pas avec des copeaux de parmesan ou des verrines de langouste ? Mais cette bouteille pourra aussi accompagner tout le repas. Le **rosé (50 à 75 €)** provient d'un assemblage presque identique au précédent ; la différence tient à l'incorporation de 5 % de vin rouge de grands crus, qui lui donne sa couleur saumonée. Sa bouche, fraîche, délicate et longue dévoile des arômes de pêche de vigne et d'abricot confit : une étoile. (NM)

🔑 Bollinger, 16, rue Jules-Lobet, 51160 Aÿ,
tél. 03.26.53.33.66, fax 03.26.54.85.59,
contact@champagne-bollinger.fr

BONNAIRE Blanc de blancs Variance ★★★

Gd cru | 15 000 | 20 à 30 €

Ce domaine a vinifié et commercialisé sa première bouteille il y a juste quatre-vingts ans. Aujourd'hui, Jean-Louis Bonnaire exploite un coquet domaine de 22 ha. Son vignoble étant principalement situé dans la Côte des Blancs, le chardonnay tient le premier rôle dans ses cuvées. Vinifiée et élevée en fût, celle-ci obtient la note maximale. Sa palette complexe marie le miel, le beurre, les fruits confits ou à l'alcool. Tout aussi captivante, la bouche fait preuve d'un rare équilibre entre fraîcheur et vinosité. Un superbe champagne de repas, qui pourrait aussi s'entendre avec un vieux comté. Le **blanc de blancs 2005 grand cru (16 000 b.)** décroche pour sa part deux étoiles. Il séduit d'emblée par ses senteurs de fruits confits assorties de notes minérales et beurrées. Le palais dévoile richesse, puissance, complexité et persistance – des qualités propres à ce millésime. Pour des coquilles Saint-Jacques ou un risotto aux fruits de mer. (RM)

🔑 Bonnaire, 120, rue d'Épernay, 51530 Cramant,
tél. 03.26.57.50.85, fax 03.26.57.59.17,
info@champagne-bonnaire.com r.-v.

ALEXANDRE BONNET Blanc de noirs ★

100 000 | 15 à 20 €

Cette société de négoce fondée en 1932 est depuis 1998 dans le giron du groupe Lanson-BCC. Elle dispose d'un vaste domaine (plus de 40 ha) essentiellement situé aux Riceys, dans la Côte des Bar. Cette commune auboise possède le vignoble le plus étendu de la Champagne. Le pinot noir y est roi ; de même, il règne sur ce blanc de noirs. Le nez engageant s'ouvre sur de jolies notes de fruits jaunes légèrement cuits, avec des nuances de pâtisserie et de fruits noirs. La mise en bouche dévoile une matière ronde et souple, où le fruité reste bien présent. Malgré un dosage perceptible, cette bouteille est très harmonieuse. Elle trouvera sa place en toute occasion et devrait se bonifier dans les deux prochaines années. (NM)

🔑 SAS Maison Alexandre Bonnet,
138, rue du Gal-de-Gaulle, 10340 Les Riceys,
tél. 03.25.29.30.93, fax 03.25.29.38.65,
info@alexandrebonnet.com r.-v.
🔑 Lanson-BCC

BONNET-PONSON ★

1er cru | 70 000 | 15 à 20 €

Depuis cent cinquante ans, les Bonnet sont vignerons à Chamery, non loin de la cité des Sacres. La sixième génération conduit un domaine de 10,5 ha implanté sur le flanc nord de la Montagne de Reims. Composé de 60 % de raisins noirs (les deux pinots à parts égales) et de 40 % de raisins blancs, son brut 1er cru séduit par son nez puissant de fruits jaunes (pêche, abricot) légèrement compotés et par son palais lui aussi fruité, franc, tonique et gourmand. Cité, le **rosé 1er cru (8 000 b.)** privilégie les noirs (90 %, dont 60 % de pinot noir) et comprend du vin rouge. Puissant au nez comme en bouche, équilibré et bien dosé, il pourra accompagner une charlotte aux fraises. (RM)

🔑 Bonnet-Ponson, 20, rue du Sourd, 51500 Chamery,
tél. 03.26.97.65.40, fax 03.26.97.67.11,
champagne.bonnet.ponson@wanadoo.fr
t.l.j. sf dim. lun. 9h-12h 13h30-17h

CAMILLE BONVILLE Blanc de blancs Sélection ★

30 000 | 15 à 20 €

Dirigée aujourd'hui par Olivier Bonville, le petit-fils de Franck, la maison dispose d'un domaine de 18 ha comprenant des parcelles dans trois grands crus de la Côte des Blancs : Avize, Cramant et Oger. Elle a créé une structure de négoce (NM) qui commercialise ce blanc de blancs à la palette complexe de fleurs blanches, de citron confit et de pêche, vif et équilibré en bouche. Deux autres cuvées, citées, portent le nom de la propriété (RM). Le **brut Franck Bonville blanc de blancs Prestige grand cru (40 000 b.)**, floral et vif, peut se garder au moins deux ans ; le **brut Franck Bonville blanc de blancs Les belles Voyes grand cru (30 à 50 € ; 4 000 b.)**, marqué par l'empreinte du bois laissée par un séjour de douze mois en fût, apparaît minéral, franc et long. Ces trois champagnes trouveront leur place à l'apéritif. (NM)

🔑 SARL Olivier Bonville, 9, rue Pasteur, 51190 Avize,
tél. 03.26.57.52.30, fax 03.26.57.59.90,
olivier.bonville@champagne-franck-bonville.com
r.-v.

BOREL-LUCAS Cuvée de réserve ★★

108 700 | 11 à 15 €

Fondée en 1929, cette exploitation familiale est installée à Étoges, entre Côte des Blancs et Sézannais. Ses 13 ha de vignes sont situés non seulement dans ce village, mais aussi dans la vallée de la Marne et à Cramant (Côte des Blancs). Sa Cuvée de réserve décroche deux étoiles pour la troisième année consécutive. Elle assemble 80 % de noirs (dont 70 % de meunier) et 20 % de blancs des récoltes 2008 et 2007. Les dégustateurs saluent sa robe d'un or soutenu, son nez d'amande fraîche et de noisette suivi d'un palais vif, équilibré et long, dominé par les agrumes. Sa belle fraîcheur destine cette bouteille à l'apéritif. Cette qualité se retrouve dans le **blanc de blancs grand cru cuvée Sélection (15 à 20 € ; 19 000 b.)**, cité par le jury. Mêlant au nez la torréfaction et le fruit sec, bien équilibré, ce champagne trouvera aussi sa place avant le repas. (RM)

Borel-Lucas, 3, rue Richebourg, 51270 Étoges,
tél. 03.26.59.30.46, fax 03.26.59.69.65,
champagneborellucas@orange.fr
t.l.j. 9h-12h 14h-19h; dim. 9h-12h; f. 15-30 août

BOUCHÉ PÈRE ET FILS Cuvée Saphir ★

20 000 — 20 à 30 €

Maison installée à Pierry, près d'Épernay. C'est Pierre Bouché qui a commercialisé les premières bouteilles en 1945, n'hésitant pas à se rendre à Paris en mobylette pour démarcher les restaurateurs. À présent, son petit-fils Nicolas, œnologue, élabore les cuvées, en s'appuyant sur un domaine de 30 ha. Souvent sélectionnée, celle-ci est le champagne de prestige de la propriété. Issue de vieilles vignes, elle marie trois quarts de blancs à un quart de noirs (pinot noir surtout). L'assemblage de vieux millésimes (récoltes 2004 et 2002), le long vieillissement sur lies des bouteilles, restées sept ans en cave, constituent l'une des clés du succès de ce champagne. Le nez élégant mêle le pain frais, les fleurs blanches et les fruits blancs, arômes que l'on retrouve dans une bouche ronde et délicate. À servir à l'apéritif ou avec un fin poisson blanc. (NM)

Bouché Père et Fils, 10, rue du Gal-de-Gaulle,
51530 Pierry, tél. 03.26.54.12.44, fax 03.26.55.07.02,
info@champagne-bouche.fr
t.l.j. sf dim. 8h-12h 14h-17h; f. août

BOULACHIN-CHAPUT Sélection 2005 ★★

1 000 — 11 à 15 €

Cette maison de négoce de création assez récente (1984) exploite 8,3 ha dans la région de Bar-sur-Aube. Après de remarquables 1998 et 1999, elle signe un 2005 lui aussi fort loué. Les dégustateurs relèvent en particulier l'admirable équilibre entre évolution et vivacité de ce millésime mariant 60 % des deux pinots (dont 40 % de pinot noir) et 40 % de chardonnay. Le nez, puissant, se partage entre des nuances briochées et miellées. La bouche, étonnamment fraîche, évolue sur des arômes de pomme mûre, de fruits confits et de viennoiserie. Bel accord en perspective avec une volaille de Bresse. (NM)

Boulachin-Chaput, 21, rue Michelot, 10200 Arrentières,
tél. 03.25.27.27.13, fax 03.25.27.55.26,
boulachin.chaput@wanadoo.fr r.-v.

DOMINIQUE BOULARD Réserve ★

7 000 — 15 à 20 €

Fils de Raymond Boulard et héritier d'une lignée de vignerons remontant à la Révolution, Dominique Boulard a créé sa maison de négoce qu'il gère avec ses filles et son gendre. Il dispose d'un vignoble de 3 ha principalement situé dans la vallée de la Marne. Son brut Réserve met surtout à contribution le meunier (70 %), le pinot noir (20 %) et le chardonnay faisant l'appoint. Doré, intensément fruité, vineux et souple, c'est un champagne légèrement évolué qui s'accordera avec un poisson en sauce. (NM)

Dominique Boulard et Filles, 13, pl. du Gal-de-Gaulle,
51480 La Neuville-aux-Larris, tél. 03.26.51.46.31,
fax 09.65.38.40.68, dominboulard@orange.fr
t.l.j. 9h-12h 13h-18h

JEAN-PAUL BOULONNAIS Blanc de blancs ★

1er cru — 15 000 — 15 à 20 €

Cette petite structure familiale s'appuie sur un vignoble de 5 ha entièrement situé sur le territoire de Vertus, 1er cru localisé à l'extrémité sud de la Côte des Blancs. Les blancs de blancs occupent une part prépondérante de l'offre de la maison. Celui-ci a retenu l'attention par son nez délicat, partagé entre le citron frais et la pêche blanche. Ces arômes se confirment dans une bouche franche, incisive, marquée par un soupçon de minéralité. La vivacité de ce champagne indique un potentiel intéressant : on pourra le laisser en cave un an ou deux. (NM)

Jean-Paul Boulonnais, 14, rue de l'Abbaye,
51130 Vertus, tél. 03.26.52.23.41, fax 03.26.52.27.55,
jean-paul.boulonnais@wanadoo.fr r.-v.

EDMOND BOURDELAT Prestige ★

5 000 — 15 à 20 €

Implantée sur les coteaux sud d'Épernay, cette exploitation de 5 ha est conduite par Bruno et Sandrine Bourdelat. Leur cuvée Prestige fait la part belle au chardonnay (60 %), complété par les deux pinots (pinot noir surtout). C'est un champagne épanoui. Ses arômes de fruits jaunes, de poire au sirop et de pêche de vigne s'imposent au nez et se prolongent dans une bouche fine, ronde et riche. Un vin de repas, à marier par exemple à des saint-jacques sauce au beurre. (RM)

EARL Albert Bourdelat, 3, rue des Limons,
51530 Brugny-Vaudancourt, tél. 03.26.59.95.25,
contact@champagne-edmond-bourdelat.fr
t.l.j. 10h-12h 15h-18h30; dim. mat. sur r.-v

R. BOURDELOIS Cuvée Prestige ★★

3 600 — 15 à 20 €

Ce domaine a été fondé en 1901 par Adonis Bourdelois. Il est aujourd'hui exploité par les cinquième et sixième générations : Françoise et Claude Renoir, rejoints par leur fille Audrey. Leur vignoble de près de 6 ha se répartit sur deux 1ers crus (Dizy et Hautvillers) et un grand cru (Aÿ), tous situés dans la Grande Vallée de la Marne. Après une remarquable Cuvée de réserve, voici une cuvée Prestige d'aussi belle tenue. Le chardonnay y tient la vedette (60 %), complété par les deux pinots à parité. Ce brut sans année offre au nez comme en bouche une expression riche et complexe, sur les fruits secs, les fruits mûrs, avec des touches d'épices douces, de caramel et d'agrumes confits. Gourmand, frais, intense, fruité et long, c'est un champagne de caractère destiné au repas. (RM)

SCEV Renoir-Bourdelois, 737, av. du Gal-Leclerc,
51530 Dizy, tél. 03.26.55.23.34, fax 03.26.55.29.81,
champagnebourdelois@hotmail.fr r.-v.

BOURGEOIS-BOULONNAIS Tradition

1er cru — n.c. — 11 à 15 €

Cette propriété dispose d'un vignoble de 5,6 ha implanté à Vertus, 1er cru situé au sud de la Côte des Blancs. Le chardonnay occupe une part prépondérante dans ses cuvées, comme dans ce brut sans année ou dans le **rosé 1er cru (15 à 20 €)**, également cité, où il représente respectivement 80 et 85 %. Le pinot noir – en déclin dans ce village – fait dans les deux cas l'appoint. Ce brut Tradition est agréablement toasté et beurré au nez, tandis que le palais assez long révèle des arômes de citron, de miel et d'amande. Quant au rosé, il est mûr, rond et persistant. (RM)

Bourgeois-Boulonnais, 8, rue de l'Abbaye, 51130 Vertus,
tél. 03.26.52.26.73, fax 03.26.52.06.55, bourgeoi@hexanet.fr
r.-v.

CH. DE BOURSAULT Tradition ★★

74 000 — 15 à 20 €

Émergeant d'un grand parc arboré, l'imposant château de Boursault, de style néo-Renaissance, domine la vallée de la Marne, sur la rive gauche. Il a été construit en 1843 pour Mme Veuve Clicquot, la « grande dame du champagne ». Situation rare, voire unique en Champagne, le domaine, clos de murs, inclut les bâtiments d'exploitation et le vignoble. Acquis par la famille Fringhian en 1927, il couvre aujourd'hui 11,6 ha. Souvent sélectionné, le brut Tradition assemble par tiers les trois cépages champenois. Il s'ouvre sur des parfums flatteurs de beurre frais, de biscotte et de fruits à chair blanche. Il est franc à l'attaque, structuré et long. (NM)

Ch. de Boursault, 2, rue Maurice-Gilbert, 51480 Boursault, tél. 03.26.58.42.21, fax 03.26.58.66.12, direction@champagnechateau.com r.-v.

BOUTILLEZ-GUER Blanc de blancs

1er cru | 4 500 | 11 à 15 €

Une famille Boutillez enracinée à Villers-Marmery depuis le XVI[e]s. Aujourd'hui, Marc Boutillez cultive un peu plus de 5 ha dans ce 1er cru, l'une des rares communes de la Montagne de Reims acquise à la cause du chardonnay. Voici donc un blanc de blancs bien typé : discret au nez, il est équilibré et plaisant en bouche, dévoilant des arômes d'agrumes qui soulignent sa fraîcheur. À servir à l'apéritif, accompagné de ravioles de légumes ou de feuilletés au maroilles. (RM)

Boutillez-Guer, 38, rue Pasteur, 51380 Villers-Marmery, tél. 03.26.97.91.38, fax 03.26.97.94.95, boutillez.guer@wanadoo.fr r.-v.

OLIVIER ET BERTRAND BOUVRET Tradition ★★

20 000 | 11 à 15 €

Exploité par deux frères, ce petit domaine (3,2 ha) proche de Bar-sur-Seine n'a pas trente ans et ne vinifie que depuis dix ans. Il a pourtant fait souvent parler de lui. C'est encore le cas cette année avec cette cuvée assemblant deux tiers de pinot noir à un tiers de chardonnay des vendanges 2009 et 2008. Au nez comme en bouche, ce brut sans année laisse une sensation d'élégance et de légèreté, soulignée par des arômes de fruits à chair blanche et des touches anisées et mentholées. L'attaque, vive sans agressivité, introduit une bouche fruitée et harmonieuse. Un dosage bien maîtrisé renforce l'impression de longueur. Une bouteille remarquable que l'on pourra déboucher à l'apéritif et finir avec du poisson. (RM)

GAEC des Blés d'or, 39, rue de l'Église, 10110 Merrey-sur-Arce, tél. 03.25.29.90.43, bertrand.bouvret@wanadoo.fr r.-v.

BRATEAU-MOREAUX Tradition ★

26 700 | 11 à 15 €

Dominique Brateau a repris en 1982 l'exploitation familiale : 7,5 ha dans la vallée de la Marne. Cette partie du vignoble est propice au meunier, cépage qui règne en maître dans son brut Tradition. Une cuvée vinifiée sans fermentation malolactique. Est-ce pour cette raison qu'elle fait preuve au nez comme en bouche d'un équilibre parfait ? Ce champagne à la robe dorée se montre certes puissant, mais sans lourdeur. Ses arômes de fruits mûrs se nuancent de délicates notes de pain d'épice. (RM)

Dominique Brateau, 12, rue Douchy, 51700 Leuvrigny, tél. 03.26.58.00.99, fax 03.26.52.83.61, champagnebrateau-moreaux@orange.fr r.-v.

CHRISTIAN BRIARD Cuvée Ambre 2005 ★★

n.c. | 20 à 30 €

Ce récoltant installé aux confins de l'Aisne et de la Marne dispose d'une structure de négoce. C'est à la coopérative de la Vallée de la Marne, implantée à Château-Thierry, qu'il confie ses vinifications. Le résultat est ici remarquable. Ce 2005, qui met à contribution les trois cépages champenois, privilégie largement les raisins noirs (80 %, dont 66 % de meunier). La robe d'un or soutenu, le nez intense, compoté, fumé et épicé annoncent une matière riche, sur l'amande, le beurre et le raisin sec, équilibrée par une attaque fraîche. Si le dosage apparaît généreux, cette bouteille laisse une impression de complexité et d'harmonie. « Un vrai millésime », concluent plusieurs dégustateurs. Accord suggéré : des samoussas de ris de veau. (ND)

Christian Briard, 21, rue du Plessier, 02850 Jaulgonne, tél. 03.60.90.07.02, fax 03.23.70.62.03, christian.briard@champagnechristianbriard.fr r.-v.
Be Smart! - NCD

CHAMPAGNE

BRICE Aÿ ★★

Gd cru | 100 000 | 20 à 30 €

Descendant d'une lignée de vignerons installés à Bouzy depuis le XVII[e]s., Jean-Paul Brice, rejoint par son fils Jean-René, exploite dans ce grand cru les vignes familiales (8 ha). En 1994, il a fondé une maison de négoce spécialisée dans les champagnes de grands crus, l'étiquette affichant le nom de leur village. Les vins de la maison sont élaborés sans fermentation malolactique. Cette année, deux crus de la Montagne de Reims sont en vedette, en particulier cette cuvée d'Aÿ. Mariant 90 % de pinot noir et 10 % de chardonnay, elle charme par ses senteurs de fruits mûrs, de café et de pain grillé qui se retrouvent en bouche. L'attaque puissante révèle une matière complexe, gourmande et longue, au dosage judicieux. Le **Verzenay grand cru (10 000 b.)**, une étoile, privilégie sans surprise le pinot noir, mais comprend 25 % de chardonnay. On aime son nez ouvert et franc, sur les fruits mûrs et la crème, et son palais frais et élégant. Deux champagnes d'apéritif. (NM)

Brice, 22, rue Gambetta, 51150 Bouzy, tél. 03.26.52.06.60, fax 03.26.57.05.07, contact@champagne-brice.com
t.l.j. 8h-17h; sam. dim. sur r.-v.

BRISSON-JONCHÈRE Cuvée Vieilles Vignes ★

3 094 | 15 à 20 €

Établis à Bar-sur-Aube, ces vignerons, qui disposent de 2,7 ha, sont sortis de la coopérative en 2004 pour lancer leur étiquette l'année suivante. Bénédicte Jonchère est à la cave. Sa cuvée Vieilles Vignes est issue de ceps de quarante-cinq ans. Du pinot noir exclusivement, un cépage qui prospère dans la Côte des Bar. Un tiers du vin de base a séjourné en fût pendant quatre mois. Expressif et floral au nez, ce champagne se montre bien charpenté en bouche où il dévoile des arômes de fruits blancs. Une bouteille puissante et harmonieuse, qui trouvera sa place dès l'apéritif. (RM)

Brisson-Jonchère, rte d'Argentières, 6, chem. de l'Argillier, 10200 Bar-sur-Aube, tél. et fax 03.25.27.94.60, champagnebrissonjonchere@orange.fr r.-v.
Jonchère

MICHEL BROCARD Origine Élevé en fût ★★

2 000 | 20 à 30 €

Caroline Brocard a pris en 2006 les rênes de l'exploitation familiale, qui se flatte d'avoir été la première de Celles-sur-Ource à vinifier ses champagnes. Son vignoble, qui couvre 8 ha, compte quelques parcelles plantées de pinot blanc. Confidentiel en Champagne, ce cépage se rencontre parfois dans l'Aube. Il entre à hauteur de 35 % dans ce blanc de blancs, aux côtés du classique chardonnay. Les vins de base, de la récolte 2008, ont été vinifiés et élevés six mois en fût. Les dégustateurs saluent la finesse florale, l'équilibre et la fraîcheur de ce champagne, sans doute servi par un dosage bien maîtrisé. Il pourra attendre deux ans et pourra être débouché à l'apéritif ou avec du poisson. Le producteur le verrait bien sur de la cuisine japonaise. (RM)

Michel Brocard, 14, Grande-Rue, 10110 Celles-sur-Ource, tél. 03.25.38.51.43, fax 03.25.38.79.91, contact@champagnebrocard.com r.-v.

PIERRE BROCARD Cuvée Tradition ★

60 000 | 11 à 15 €

Créé en 1932, ce domaine aubois de 8 ha est conduit depuis 1978 par Pierre Brocard et son fils Thibaud. Il a son siège à Celles-sur-Ource, commune proche de Bar-sur-Seine. Très remarquée l'an dernier, sa cuvée Tradition ne démérite pas. L'assemblage ne varie pas (80 % de pinot noir et 20 % de chardonnay) ; seules diffèrent les années de récoltes (ici, 2010 à 2008). La couleur jaune doré de la robe et le nez de coing, de beurre et de brioche traduisent une belle évolution. L'attaque souple précède une bouche ample, généreuse et mûre : un champagne de repas, à déboucher dès maintenant. (NM)

Pierre Brocard, 10, chem. du Bruyant, 10110 Celles-sur-Ource, tél. 03.25.38.55.05, fax 03.25.38.55.23, pierrebrocard@champagnebrocardpierre.fr t.l.j. sf dim. 9h-12h 14h-18h; f. août

VINCENT BROCHET 2004 ★

1er cru | 4 000 | 15 à 20 €

Frère d'Alain, Vincent Brochet a longtemps participé à l'aventure du champagne Brochet-Hervieux. Cette dernière marque étant appelée à disparaître, il a lancé récemment sa propre étiquette. Il signe un 2004 mariant trois quarts de pinot noir et un quart de chardonnay – des raisins récoltés aux environs d'Écueil, tout près de la cité des Sacres. Le nez attirant mêle les fruits confits, les épices et des notes toastées. Après une attaque à la fois souple et fraîche, la bouche dévoile des arômes évolués de fruits compotés. Un bel apogée pour ce champagne à déboucher dès la sortie du Guide. (RM)

Vincent Brochet, 28, rue de Villers-aux-Nœuds, 51500 Écueil, tél. 03.26.49.24.06, fax 03.26.49.77.94, contact@champagne-vincent-brochet.com r.-v.

BROCHET-HERVIEUX HBH 1997 ★★

1er cru | 5 000 | 20 à 30 €

Établi à Écueil, 1er cru proche de Reims, Henri Brochet, marié à Yvonne Hervieux, se lance dans la manipulation à la fin de la dernière guerre et crée la marque Brochet-Hervieux. Alain et Brigitte Brochet prennent le relais en 1980, rejoints par Hélène et Louis. Mi-blancs mi-noirs (pinot noir), leur cuvée HBH 1997 affiche au nez comme en bouche une palette remarquablement complexe mêlant les fruits blancs mûrs au pain grillé et à des notes de fleurs séchées. La bouche est tendre, délicate, encore fraîche malgré les ans. Élégante, tout en finesse, cette bouteille s'accordera avec un homard au beurre blanc. Les dégustateurs ont par ailleurs cité deux cuvées portant la nouvelle étiquette de la propriété et qui mettent en vedette les raisins noirs. Le brut **1er cru Louis Brochet (15 à 20 €)**, issu des trois cépages champenois, est fruité, puissant et persistant. Le **2005 (15 à 20 € ; 8 000 b.)**, qui assemble 70 % de pinot noir au chardonnay, se montre rond, équilibré et long. (RM)

Alain Brochet, EARL Brochet-Hervieux, 12, rue de Villers-aux-Nœuds, 51500 Écueil, tél. 03.26.49.77.44, fax 03.26.49.77.17, contact@champagne-brochet.com r.-v.

ANDRÉ BROCHOT Grande Réserve Prestige

2 600 | 15 à 20 €

Installé en 1980, Francis Brochot est établi à Vinay, village dont le nom indique l'ancienne vocation viticole. Ce vallon entre vallée de la Marne et Côte des Blancs appartient au secteur des coteaux sud d'Épernay. Le meunier occupe une place importante dans l'encépagement de cette région comme dans les cuvées de ce récoltant. Ce cépage est assemblé à parité avec le chardonnay dans la Grande Réserve Prestige, un jeune champagne d'apéritif apprécié pour la vivacité de ses arômes d'agrumes. (RM)

Francis Brochot, 21, rue de Champagne, 51530 Vinay, tél. et fax 03.26.59.91.39, champagne.andre.brochot@orange.fr r.-v.

ÉRIC BUNEL Demi-sec Tradition ★

2 000 | 11 à 15 €

Installé à Louvois sur le versant sud de la Montagne de Reims, Éric Bunel a constitué son exploitation et lancé sa marque au début des années 1970. Il propose un des rares demi-secs bien réussis de la sélection. Le pinot noir s'impose dans l'assemblage (70 %), complété par le chardonnay. Le nez raffiné mêle des nuances de caramel au lait et de fruits très mûrs qui se prolongent dans un palais équilibré, chaleureux et judicieusement dosé. À servir avec du foie gras ou un gâteau, par exemple un tiramisu au biscuit rose de Reims. Cité, le brut **Tradition (31 000 b.)** est la version moins dosée du même assemblage. D'une bonne fraîcheur, il dévoile au nez comme en bouche des arômes de fruits à chair blanche. (RM)

SARL Éric Bunel, 32, rue Michel-Le-Tellier, 51150 Louvois, tél. 03.26.57.03.06, fax 03.26.52.31.66, champagne.bunel@wanadoo.fr r.-v.

JACQUES BUSIN Tradition ★

Gd cru | 37 000 | 11 à 15 €

Implanté à Verzenay, ce domaine de 10 ha est conduit par Emmanuel Busin depuis 2006. Le vignoble s'étend sur la Montagne de Reims dans quatre grands crus renommés : outre Verzenay, Verzy, Sillery et Ambonnay. Deux tiers de pinot noir et un tiers de chardonnay composent le brut Tradition grand cru qui a été fort apprécié, tant pour ses senteurs de brioche, de fruits frais et de vanille que pour son ampleur et sa persistance. Le **grand cru 2006 (15 à 20 € ; 9 004 b.)** met à contribution le pinot noir et le chardonnay à parts égales. Cité pour ses arômes de miel et de fruits secs et pour sa belle évolution, il accompagnera dès maintenant une viande blanche ou un poisson cuisiné. (RM)

EARL Jacques Busin, 17, rue Thiers, 51360 Verzenay,
tél. 03.26.49.40.36, fax 03.26.49.81.11,
jacques-busin@wanadoo.fr r.-v.

GUY CADEL Carte blanche ★

	47 000		11 à 15 €

Ce récoltant-manipulant installé près d'Épernay dispose de 10 ha de vignes réparties dans la vallée de la Marne et la Côte des Blancs ; le chardonnay et le meunier sont à la base de ses assemblages. Le second cépage est en vedette (80 %) dans son brut Carte blanche né des récoltes 2008 et 2007. Ce champagne obtient une belle étoile pour son harmonie d'ensemble : franc à l'attaque, ample et long, discrètement dosé, il conjugue richesse et élégance. Notée elle aussi une étoile, la **Grande Réserve (7 000 b.)** privilégie le chardonnay (60 %) et assemble des années plus anciennes (2006 et 2005). Élégante à l'attaque, souple, riche, généreuse et persistante, elle pourra accompagner un repas. (RM)

Guy Cadel, 13, rue Jean-Jaurès, 51530 Mardeuil,
tél. 03.26.55.24.59, fax 03.26.55.25.83,
philippe-thiebault@wanadoo.fr r.-v.
Thiebault

PIERRE CALLOT Blanc de blancs ★

Gd cru	n.c.		15 à 20 €

Œnologue, Thierry Callot a repris l'exploitation familiale et la marque lancée par son père dans les années 1950. Son domaine compte 5 ha de vignes implantées principalement dans la Côte des Blancs, sur les terroirs de Cramant et d'Avize en grand cru, de Cuis et de Grauves en 1er cru. Aussi la propriété offre-t-elle une gamme complète de blancs de blancs. Celui-ci, un grand cru, a séduit par son nez frais et bien ouvert sur les agrumes (citron et pamplemousse), les fleurs blanches et des touches biscuitées. Dans une belle continuité, la mise en bouche est franche et vive, la finale légèrement acidulée et mentholée. Destiné à l'apéritif ou aux fruits de mer, ce champagne pourra rester en cave deux ou trois ans. (RM)

Pierre Callot et Fils, 100, av. Jean-Jaurès, 51190 Avize,
tél. 03.26.57.51.57, fax 03.26.57.99.15,
thierry.callot@wanadoo.fr r.-v.

CANARD-DUCHÊNE Authentic rosé ★★

	15 000		20 à 30 €

Fondée en 1868 par Victor Canard, tonnelier, et Léonie Duchêne, vigneronne, cette maison est restée implantée à Ludes, dans la Montagne de Reims. L'affaire de négoce a été reprise en 2003 par le groupe Thiénot. Rosé d'assemblage, ce champagne associe 45 % de pinot noir, 25 % de meunier et 30 % de chardonnay. Il tire sa teinte saumon léger de 10 % de vin rouge. Sa palette aromatique, faite de petits fruits rouges (fraise, groseille, framboise), se distingue par sa subtilité et son élégance. Après une attaque nette, le palais se montre riche, à la fois onctueux et fringant, et d'une grande persistance. Une bouteille remarquable à déguster à l'apéritif ou avec des desserts peu sucrés. (NM)

Canard-Duchêne, 1, rue Edmond-Canard, 51500 Ludes,
tél. 03.26.61.11.60, fax 03.26.61.13.90,
visites@canard-duchene.fr t.l.j. sf dim. 10h30-18h
SA Thiénot

JEAN-YVES DE CARLINI Extra-brut ★

1er cru	8 000		11 à 15 €

Créée en 1955 par Roger de Carlini et reprise au début des années 1970 par Jean-Yves, cette propriété s'étend sur près de 7 ha autour de Verzenay, grand cru de la Montagne de Reims. Une fois de plus distingué, l'extra-brut est un champagne peu dosé (entre 4 et 6 g/l) qui marie trois quarts de pinot noir et un quart de chardonnay. Sa séduisante palette aromatique mêle l'abricot, la poire et la pêche blanche. Un ensemble de belle tenue, équilibré, fruité et persistant, qui pourra être servi à table. Autre champagne souvent retenu, le **blanc de noirs grand cru (15 à 20 € ; 12 000 b.)** fait jeu égal. La robe or paille, le nez puissant et confituré, le palais fondu aux nuances de fruit à noyau livrent une belle expression du pinot noir, cépage qui joue la partition en solo dans cette cuvée. Par sa richesse et son ampleur, cette bouteille pourrait s'accorder avec un dessert aux fruits. (RM)

EARL Jean-Yves de Carlini, 13, rue de Mailly,
51360 Verzenay, tél. 03.26.49.43.91, fax 03.26.49.46.46,
champagne.decarlini@orange.fr r.-v.

DE CASTELLANE ★

	n.c.		15 à 20 €

Tous les Sparnaciens connaissent la silhouette de la tour Castellane située au bout et un peu en retrait de la prestigieuse avenue de Champagne. Fondée par le vicomte Florens de Castellane en 1895, la maison évolue aujourd'hui dans le groupe Laurent-Perrier. Sur les étiquettes de ses cuvées figurent la croix rouge de Saint-André, emblème de la marque. Issu des trois cépages champenois, ce brut or pâle privilégie les raisins noirs (60 %, les deux pinots à parité), le chardonnay venant en complément. Ses parfums intenses de torréfaction (café grillé) se prolongent dans un palais rond, épanoui et harmonieux. Un champagne de repas qui devrait s'accorder avec un poisson blanc en sauce, des paupiettes de sole aux écrevisses par exemple. (NM)

de Castellane, 63, av. de Champagne, 51200 Épernay,
tél. 03.26.51.19.19, fax 03.26.54.24.81,
olivier.kanengieser@castellane.com
t.l.j. 10h-12h 14h-18h; f. 1er jan.-15 mars
Laurent-Perrier

DE CASTELNAU Blanc de blancs 1999 ★★

	25 000		20 à 30 €

La Coopérative régionale des vins de Champagne, à l'origine de ces cuvées, n'a cessé de s'agrandir depuis sa fondation il y a juste cinquante ans. Aujourd'hui, ses caves stockent sur trois niveaux 29 millions de bouteilles en cours de maturation, et sa surface d'approvisionnement dépasse les 900 ha. En 2003, elle a repris la marque de Castelnau, qui s'illustre d'année en année. Ce blanc de blancs 1999 a charmé les dégustateurs. Le chardonnay lui confère un joli nez mêlant fruits secs, notes biscuitées, café grillé et moka. Le palais impressionne par son équilibre, son ampleur et sa longueur. Le brut **Réserve (300 000 b.)** obtient la même note. Meunier (37 %) et pinot noir (19 %) représentent un peu plus de la moitié de l'assemblage de ce champagne dont la riche palette déploie des senteurs de fleurs, de fruits frais et de noisette, avec quelques touches grillées. Une bouteille élégante, qui conviendra à l'apéritif. (CM)

CRVC de Castelnau, 5, rue Gosset, BP 467, 51066 Reims
Cedex, tél. 03.26.77.89.00, fax 03.26.77.89.01, ac.allart@crvc.fr
t.l.j. sf sam. dim. 8h30-12h 14h-17h30

CATTIER 2003 ★

1er cru	50 000		30 à 50 €

Installés à Chigny-les-Roses au cœur de la Montagne de Reims, les Cattier ont vendu leurs premières bouteilles

CHAMPAGNE

au lendemain de la Grande Guerre. Ils ont soumis à nos dégustateurs un millésime de l'« année de la canicule ». Assemblage des trois cépages champenois à parts égales, ce champagne affiche une belle évolution. Le nez charmeur mêle des nuances gourmandes de fruits jaunes (pêche) et de miel. L'attaque franche introduit une bouche assez ronde, sur la pomme cuite et la quetsche. Un champagne flatteur, facile d'accès, que l'on pourra marier à une tarte amandine. Les deux pinots (dont 70 % de pinot noir) composent le **blanc de noirs (15 000 b.)**, noté lui aussi une étoile. Des parfums de cerise, de raisin frais et de prune, un palais puissant, vineux et long : un champagne destiné au repas. (NM)

Cattier, 6 et 11, rue Dom-Pérignon, 51500 Chigny-les-Roses, tél. 03.26.03.42.11, fax 03.26.03.43.13, champagne@cattier.com r.-v.

♥ CHARLES DE CAZANOVE Grand Apparat ★★

29 500 — 30 à 50 €

Aujourd'hui établie à Reims, cette maison de négoce, fondée sous le Premier Empire par le fils d'un maître verrier, est dirigée depuis 2004 par la famille Rapeneau. Régulièrement distingué, son brut Grand Apparat accède au sommet cette année. Cette cuvée spéciale accorde une courte majorité au pinot noir (55 %), complété par le meunier (15 %) et le chardonnay (30 %). Les dégustateurs saluent son bouquet où la fleur des champs se marie à la pêche de vigne, aux agrumes frais et à la noisette. Ces impressions se prolongent dans une bouche délicate, élégante et fraîche. Pour un apéritif dînatoire raffiné. Autre cuvée de prestige, le **2004 Vieille France (20 000 b.)**, composé de pinot noir (60 %) et de chardonnay, obtient une étoile. Le nez frais se partage entre notes beurrées et nuances grillées. Un peu généreusement dosé, le palais affiche une belle maturité sur les fruits bien mûrs. Enfin, le brut **1er cru Tradition Père et Fils (20 à 30 € ; 9 500 b.)**, souple et vineux, est cité. (NM)

Charles de Cazanove, 8, pl. de la République, 51100 Reims, tél. 03.26.88.53.86, fax 03.26.05.00.96, ibn@champagnemartel.com t.l.j. 10h-19h

CHANOINE 2004 ★

n.c. — 20 à 30 €

Aujourd'hui intégrée dans le groupe Lanson-BCC, cette maison de champagne fondée en 1730 est la plus ancienne après Ruinart. Elle signe un 2004 mariant 57 % de chardonnay et 43 % de pinot noir. Au nez, de la noisette, de l'acacia et des agrumes confits. Au palais, une attaque vive, du fondu, de la fraîcheur, alliés à des impressions chaleureuses, ainsi qu'une belle complexité. Un champagne harmonieux, à associer à du poisson ou à des crustacés en sauce. Le **grand cru blanc de blancs Tsarine 2006 (30 à 50 € ; 20 057 b.)** offre des senteurs beurrées et une bouche charnue, ronde et persistante. Il se plaira à l'apéritif avec des gougères : une étoile également. (NM)

Chanoine Frères, allée du Vignoble, 51100 Reims, tél. 03.26.78.50.08, fax 03.26.78.50.99, contact@champagnechanoine.com r.-v.

Lanson-BCC

JACQUES CHAPUT Blanc de blancs ★

12 000 — 15 à 20 €

Cette affaire de négoce, qui a son siège dans un village proche de Bar-sur-Aube, a été créée au début des années 1950 par Jacques Chaput, auquel ont succédé ses fils Jean-Paul et Jacky. Le domaine couvre 14 ha. À côté du pinot noir, cépage très présent dans l'Aube, le chardonnay joue un rôle non négligeable sur l'exploitation, jouant seul la partition de cette cuvée. Récolté en 2007, il a donné naissance à ce champagne au nez partagé entre brioche et fruits confits, au palais onctueux, ample et soyeux, sur les fruits mûrs. Très réussi malgré un dosage généreux, ce blanc de blancs formera un bel accord avec un poisson en sauce. (NM)

Jacques Chaput, 1, rue Blanche, 10200 Arrentières, tél. 03.25.27.00.14, fax 03.25.27.01.75, contact@jacques-chaput.com r.-v.

CHAPUY Blanc de blancs Réserve 2004 ★

Gd cru — 2 000 — 20 à 30 €

Vignerons depuis la Révolution, les Chapuy élaborent leur champagne depuis soixante ans. En 1981, Arnold Chapuy a pris les rênes de la maison, rejoint par ses filles, Élodie, qui développe les ventes à l'export (60 % de la production), et Aurore, qui a la charge du vignoble et des vinifications. La propriété couvre 8 ha situés dans la Côte des Blancs, avec des parcelles sur les coteaux sud d'Épernay. Le chardonnay est en vedette chez les Chapuy, régnant sans partage sur ce grand cru 2004. Le nez intense s'ouvre sur les agrumes confits, le miel et des notes grillées, tandis que la bouche vive et onctueuse dévoile un très bel équilibre entre fraîcheur et maturité. Un beau millésime que l'on pourra apprécier dès l'apéritif. (NM)

Chapuy, 10, rue de Champagne, 51190 Oger, tél. 03.26.57.51.30, fax 03.26.57.59.25, contact@champagne-chapuy.com r.-v.

GUY CHARBAUT Memory 1998 ★

1er cru — 2 000 — 30 à 50 €

André Charbaut livre les premières bouteilles entre les deux guerres. Son fils Guy développe le domaine et crée sa marque, exploitée aujourd'hui par Xavier. Le vignoble se répartit sur plusieurs communes, majoritairement situées en 1er cru. La cuvée Memory 1998 est un pur chardonnay – ce que l'étiquette n'indique pas. Elle a surpris les dégustateurs par sa fraîcheur empreinte de minéralité. Son étoffe est élégante, fine, harmonieuse : un millésime encore en forme qui accompagnera dès la sortie du Guide un poisson fin, un bar de ligne par exemple. Le **blanc de blancs 1er cru (15 à 20 €)** est cité pour son nez d'agrumes et pour son palais nerveux, équilibré et long. (NM)

SARL Guy Charbaut, 12, rue du Pont, 51160 Mareuil-sur-Aÿ, tél. 03.26.52.60.59, fax 03.26.51.91.49, champagne.guy.charbaut@wanadoo.fr t.l.j. sf dim. 9h-12h 14h-17h; f. 20-31déc. 3

CHARBAUX FRÈRES Blanc de blancs 2005

15 000 — 11 à 15 €

Le village de Congy est situé au nord des marais de Saint-Gond, entre la Côte des Blancs au nord et le

Sézannais au sud. C'est là que les frères Charbaux perpétuent un domaine créé après la Seconde Guerre mondiale, qui compte aujourd'hui un peu plus de 10 ha. Issu de l'année 2005, leur blanc de blancs livre au nez des parfums de fleurs blanches et de citron frais. Les agrumes se retrouvent dans une bouche franche, vive et minérale. Un champagne d'apéritif. (SR)

Charbaux Frères, 6, rue du Bordet, 51270 Congy, tél. 03.26.59.31.01, fax 03.26.59.30.31, info@champagne-charbaux-freres.com t.l.j. sf dim. 9h-12h 14h-19h

ÉRIC CHARBONNIER Blanc de noirs Cuvée Émotion ★

3 942 | 11 à 15 €

Située dans la vallée de l'Ardre, entre Épernay et Fismes, cette petite exploitation familiale couvre moins de 2 ha. Déjà appréciée l'an dernier, sa cuvée Émotion est composée des deux pinots à parts égales, récoltés en 2009 et 2008. Le nez intense de fruits confits, de pain grillé et de fruits secs traduit une belle évolution. L'attaque souple introduit un palais ample, généreux et harmonieux. Microcuvée, le **2005 (15 à 20 €; 512 b.)**, composé de chardonnay et de pinot noir à parité, obtient la même note pour son fruité généreux, aux accents compotés, et sa finale persistante et élégante. (RM)

Éric Charbonnier, 29, rue de la Barbe-aux-Cannes, 51170 Bligny, tél. 03.26.49.77.28, eric.charbonnier0124@orange.fr r.-v.

ROLAND CHARDIN Blanc de blancs

2 660 | 15 à 20 €

Les Chardin exploitent un domaine de 7,5 ha dans la Côte des Bar, non loin des Riceys. Les blancs de blancs originaires de ce vignoble aubois acquis au pinot noir ne sont pas légion. Celui-ci a intéressé nos dégustateurs par son côté bien typé. De couleur or pâle, il présente un nez puissant d'agrumes et de fruits secs (noisette), une bouche équilibrée, fraîche et longue. (RC)

SCEA Chardin Père et Fils, 25, rue de l'Église, 10340 Avirey-Lingey, tél. 03.25.29.33.90, fax 03.25.29.14.01, champagnechardin@terre-net.fr t.l.j. 8h-12h 14h-18h

CHARDONNET ET FILS Cuvée Tradition

15 000 | 11 à 15 €

Lionel Chardonnet : le nom de ce récoltant évoque le cépage cultivé dans la Côte des Blancs... qui est à la base de ses cuvées, puisque l'exploitation familiale (5,5 ha) est essentiellement implantée dans les grands crus d'Avize, de Chouilly et de Cramant (seules quelques parcelles de noirs sont situées dans la vallée de la Marne). La cuvée Tradition privilégie le chardonnay, associé à 30 % de pinot noir. Elle est appréciée pour son nez fin et élégant d'agrumes confits et pour son palais équilibré et franc. (RM)

EARL Lionel Chardonnet, 7, rue de l'Abattoir, 51190 Avize, tél. 03.26.57.78.30, fax 03.26.57.84.46, champagne.chardonnet.et.fils@wanadoo.fr r.-v.

GUY CHARLEMAGNE Blanc de blancs Mesnillésime 2004 ★

Gd cru | 25 000 | 30 à 50 €

Les Charlemagne sont vignerons de père en fils depuis 1892. Aujourd'hui, Philippe est à la tête d'un domaine de 15 ha, dont le cœur se trouve dans la Côte des Blancs. L'exploitation comporte aussi des parcelles dans des secteurs périphériques, comme le Sézannais ou la région de Vitry-le-François, mais presque partout, le chardonnay domine, si bien que ce cépage est à la base de ses cuvées. Le Mesnillésime naît d'un grand cru réputé : Le Mesnil-sur-Oger. Vinifié sans fermentation malolactique, il a connu le bois. Déjà goûté en 2009, le 2004 montre une heureuse évolution, avec son nez de brioche, de beurre et de noisette et sa bouche encore fraîche. Ce millésime, qui semble avoir encore des réserves (deux à trois ans), s'accordera à un poisson cuisiné au champagne. (SR)

Guy Charlemagne, 4, rue de La Brèche-d'Oger, 51190 Le Mesnil-sur-Oger, tél. 03.26.57.52.98, fax 03.26.57.97.81, champagneguycharlemagne@orange.fr r.-v.

♥ ROBERT CHARLEMAGNE Blanc de blancs 2004 ★★

Gd cru | 4 500 | 20 à 30 €

Robert Charlemagne a débuté la vente de son champagne dans les années 1940. Aujourd'hui, ce sont ses petits-enfants, Sophie et Didier Delavier-Chaillot, qui conduisent le domaine : 4 ha bien situés au cœur de la Côte des Blancs. Les blancs de blancs grands crus sont donc la spécialité de la propriété. Celui-ci, vinifié sans fermentation malolactique, a été plébiscité. Les dégustateurs louent la complexité de son nez, harmonieuse alliance de notes empyreumatiques (fumé, torréfaction), beurrées, florales et de senteurs de fruits bien mûrs et d'épices douces. Ils soulignent tout autant les qualités du palais, à la fois rond, suave, dense et d'une rare persistance. Ce superbe champagne se dégustera aussi bien à l'apéritif qu'au cours du repas. Le **blanc de blancs grand cru Privilège (15 à 20 €; 3 000 b.)** évolue avec souplesse et équilibre sur des notes de frangipane : une citation. (RM)

Robert Charlemagne, av. Eugène-Guillaume, 51190 Le Mesnil-sur-Oger, tél. 03.26.57.51.02, fax 03.26.57.58.05 r.-v.

CHARLOT-TANNEUX Cuvée Honoré Charlot 2006 ★

Gd cru | 580 | 20 à 30 €

Installé en 2001 à Mardeuil près d'Épernay, Vincent Charlot a engagé la conversion du domaine familial (4 ha) à la biodynamie. Sa cuvée Honoré Charlot, qui rend hommage à son grand-père, est composée de 70 % de pinot noir et de 30 % de chardonnay. La vinification a été menée en barrique, sans fermentation malolactique et avec bâtonnage. La robe jaune d'or et le nez épanoui sur le pain grillé et les fruits secs annoncent un palais franc aux nuances de noisette, d'agrumes et de miel. Un champagne d'une belle vivacité à servir à l'apéritif ou avec du poisson. (RM)

Vincent Charlot, 23, rue des Semons, 51530 Mardeuil, tél. 03.26.51.93.92, fax 03.26.51.93.94, champcharlottanneux@free.fr t.l.j. 8h-19h

CHARPENTIER Terre d'émotion

4 000 | 30 à 50 €

Au milieu du XIXe s., les ancêtres de Jean-Marc Charpentier abreuvaient les cochers qui halaient les péniches sur la Marne et fournissaient les cabaretiers de la capitale. Le vin était alors tranquille. Aujourd'hui, le domaine, qui couvre 20 ha aux environs de Château-Thierry, écoule à l'export 30 % de ses champagnes – jusqu'aux États-Unis et au Japon. Son rosé met en vedette le chardonnay (86 %), n'incorporant qu'un peu de meunier vinifié en rouge pour obtenir une robe saumonée. Frais et agréablement fruité au nez, rond et plaisant au palais, il trouvera sa place à l'apéritif. (RM)

Charpentier, 11, rte de Paris, 02310 Charly-sur-Marne, tél. 03.23.82.10.72, fax 03.23.82.31.80, info@champagne-charpentier.com r.-v.

J. CHARPENTIER Prestige ★★

20 000 | 15 à 20 €

En 1969, cette exploitation ne comptait que 40 ares. Aujourd'hui, Jacky Charpentier, rejoint par son fils Jean-Marc, œnologue, dispose de 13 ha répartis dans dix crus de la vallée de la Marne. Son rosé Prestige met en vedette les deux pinots (80 %, dont 60 % de pinot noir), dont une petite partie a été vinifiée en rouge pour obtenir un rose saumoné lumineux. Autre caractéristique, un élevage partiel en foudre et fût de chêne. Les deux cépages noirs s'expriment pleinement dans ce champagne aux jolies notes de fruits rouges (fraise, cerise, framboise) et de fruits confits (fraise) assorties de touches grillées et chocolatées. Franc à l'attaque, le palais dévoile une matière ronde et soyeuse. La finale est longue et expressive. Accord possible et intéressant avec volaille et poisson en sauce. (RM)

J. Charpentier, 88, rue de Reuil, 51700 Villers-sous-Châtillon, tél. 03.26.58.05.78, fax 03.26.58.36.59, info@jcharpentier.fr t.l.j. 9h-12h 14h-17h; dim. sur r.-v.

GUY DE CHASSEY ★★

1er cru | 4 000 | 15 à 20 €

Ce domaine familial écoule 50 % de sa production à l'export. Implanté sur le flanc sud de la Montagne de Reims, il dispose de terroirs de choix : ses 9,5 ha se répartissent sur les prestigieuses communes de Bouzy et de Louvois, classées en grand cru, et sur le village de Tauxières-Mutry (1er cru). Les vins de la propriété ne font pas leur fermentation malolactique. Ce rosé met largement à contribution (70 %) le pinot noir – majoritaire dans le secteur –, le chardonnay faisant l'appoint. Sa couleur ? « Pétale de rose », écrit poétiquement un dégustateur. Le nez discret mais agréable prélude à une bouche aux arômes flatteurs et persistants de fruits rouges et de fruits jaunes. La finesse et la rondeur de cette cuvée feront merveille avec une charlotte aux fraises. (RM)

Guy de Chassey, 1, pl. de la Demi-Lune, 51150 Louvois, tél. 03.26.57.04.45, fax 03.26.57.82.08, info@champagne.guy.de.chassey.com t.l.j. 10h-12h 14h-17h30; dim. sur r.-v.

CHAUDRON La Belle Hélène 2005 ★★★

5 000 | 20 à 30 €

Établi à Verzenay, grand cru de la Montagne de Reims, Luc Chaudron est à la tête d'une affaire de négoce qui exporte 40 % de sa production – jusqu'en Chine et au Japon. Dédié à son aïeule paternelle, ce 2005 devrait être un excellent ambassadeur de la région. Il assemble à parts égales les blancs et noirs (avec les deux pinots à parité). Les dégustateurs ne tarissent pas d'éloges sur son bouquet de fleurs séchées, légèrement miellé et fumé, et surtout sur sa bouche vive à l'attaque, délicate, crémeuse, offrant une longue finale fraîche. Cette bouteille d'une rare harmonie pourra se déboucher dès maintenant. Un accord parfait ? Des gambas grillées. (NM)

Chaudron, 2, rue de Beaumont, 51360 Verzenay, tél. 03.26.50.08.68, fax 03.26.50.08.71, commercial.chaudron@orange.fr r.-v.

A. CHAUVET Cachet rouge 2005 ★

Gd cru | 6 000 | 20 à 30 €

La maison, installée à Tours-sur-Marne, à l'est d'Épernay, a été fondée au milieu du XIXe s. à partir d'un noyau de vignes implantées dans les villages réputés de Bouzy et d'Aÿ. Aujourd'hui gérée par la famille Paillard-Chauvet, elle dispose de 10 ha situés dans sept crus. Ce Cachet rouge est vinifié sans fermentation malolactique et issu de quatre grands crus prestigieux de la Montagne de Reims : Ambonnay, Bouzy, Verzenay et Verzy. De couleur jaune d'or, il livre des senteurs de fruits à l'alcool, de beurre et de caramel. Souple et fruité en bouche, il offre une agréable finale sur les agrumes. Il est prêt à passer à table. Le **Grand Rosé (15 à 20 € ; 10 000 b.)** fait jeu égal. Il assemble 60 % de chardonnay et 23 % de pinot noir vinifiés en blanc à 17 % de vin rouge de Bouzy. Frais, charnu et harmonieux, il exprime des arômes intenses et délicats de fruits rouges et d'amande grillée. (NM)

A. Chauvet, 41, av. de Champagne, 51150 Tours-sur-Marne, tél. 03.26.58.92.37, fax 03.26.58.96.31, contact@champagnechauvet.fr r.-v.

Famille Paillard-Chauvet

HENRI CHAUVET ★★

7 000 | 15 à 20 €

Gérée par Damien Chauvet, l'arrière-petit-fils du fondateur, et par Mathilde, l'exploitation couvre 8 ha de vignes autour de Rilly-la-Montagne, à une dizaine de kilomètres au sud de Reims. Une macération partielle de pur pinot noir a donné à leur rosé une robe profonde, rose foncé, et une palette aromatique très fruitée, sur la griotte, les agrumes et les fruits à chair blanche. Ces nuances se prolongent dans un palais agréable, bien équilibré. Sa vinosité destine ce champagne à la table. (RM)

Damien Chauvet, 6, rue de la Liberté, 51500 Rilly-la-Montagne, tél. 03.26.03.42.69, contact@champagne-chauvet.com r.-v.

MARC CHAUVET Tradition ★

40 000 | 11 à 15 €

Sise à Rilly-la-Montagne (Montagne de Reims), cette exploitation bien connue des lecteurs du Guide est aujourd'hui conduite par les enfants de Marc Chauvet : Nicolas se charge du vignoble, et Clotilde, œnologue, assure les vinifications. Ce brut sans année assemble par tiers les trois cépages champenois. Les dégustateurs soulignent l'intensité de son nez beurré et brioché ainsi que l'agréable vinosité de son palais. Le brut **Sélection (15 à 20 € ; 20 000 b.)** marie le pinot noir et le chardonnay à parité. Rond, minéral et persistant, il est cité. Une autre citation va au **2005 (15 à 20 € ; 5 500 b.)**, pratiquement

mi-blancs mi-noirs (55 % de pinot noir). Un champagne frais, droit et équilibré que l'on peut déboucher dès maintenant. Ces trois cuvées conviendront pour l'apéritif. (RM)
SCEV Marc Chauvet, 3, rue de la Liberté, 51500 Rilly-la-Montagne, tél. 03.26.03.42.71, fax 03.26.03.42.38, champagnemarcchauvet@gmail.com t.l.j. 8h30-12h 13h30-17h30; sam. dim. sur r.-v.

ÉTIENNE CHÉRÉ Tradition ★

10 000 | 11 à 15 €

Établi sur les coteaux du Petit Morin, entre Côte des Blancs et Sézannais, ce récoltant-manipulant exploite 6 ha de vignes. Sa cuvée Tradition fait une fois de plus parler d'elle. Assemblage de 40 % de blancs et de 60 % de noirs (les deux pinots à parité), elle met en œuvre la récolte 2009. Cette année solaire, très favorable à la maturation des raisins, a légué au vin un bouquet complexe de fruits mûrs évoquant la pêche, la prune et le miel. L'attaque souple prélude à une bouche ample, équilibrée et bien fondue. Un champagne plaisant et d'une belle finesse, assez structuré pour accompagner une viande blanche. (RM)
Étienne Chéré, 2, rue des Vignes-Basses, 51270 Courjeonnet, tél. 06.14.15.24.84, fax 03.26.59.36.32, champagnechere@yahoo.fr r.-v.

CHEURLIN-DANGIN Cuvée Christiane

50 000 | 15 à 20 €

Cette propriété résulte du mariage de deux familles, les Cheurlin et les Dangin. Installé en 1996, Thomas Cheurlin exploite un coquet domaine de 20 ha non loin de Bar-sur-Seine. Il signe une cuvée spéciale qui met en vedette le pinot noir, cépage majoritaire de la Côte des Bar. Ce champagne s'annonce par un nez franc sur les fleurs et les fruits mûrs. Vif et net à l'attaque, il se montre frais, équilibré et de bonne longueur. Il accompagnera dès maintenant un foie gras poêlé. (RM)
Cheurlin-Dangin, 17, Grande-Rue, 10110 Celles-sur-Ource, tél. 03.25.38.50.26, fax 03.25.38.58.51, contact@cheurlin-dangin.fr t.l.j. sf dim. 9h-12h 14h-18h

♥ GASTON CHIQUET Spécial Club 2004 ★★

12 000 | 30 à 50 €

En 1746, Nicolas Chiquet plante son premier cep. Dès les lendemains de la Grande Guerre, Gaston et Fernand vinifient leur champagne. Aujourd'hui, Nicolas et Antoine président aux destinées de l'exploitation, qui dispose d'un vignoble de 23 ha sur les terroirs prestigieux d'Aÿ (grand cru), de Dizy, de Hautvillers et de Mareuil-sur-Aÿ (1ers crus). Les Spécial Club sont des cuvées exigeantes proposées par des vignerons regroupés en association. Ce 2004, né des trois cépages champenois, met en vedette les noirs (deux tiers des deux pinots, complétés par le chardonnay). Il charme par sa palette aromatique complexe déclinant le citron, la vanille et l'amande. Son élégance, sa finesse et sa fraîcheur maintenue font l'unanimité. À savourer dès maintenant. Le brut **Tradition 1er cru (20 à 30 € ; 100 000 b.)** assemble les trois cépages dans les mêmes proportions que le précédent. Expressif, fruité, équilibré et long, il reçoit une étoile. (RM)
Gaston Chiquet, 912, av. du Gal-Leclerc, 51530 Dizy, tél. 03.26.55.22.02, fax 03.26.51.83.81, info@gastonchiquet.com r.-v.

JULIEN CHOPIN Blanc de blancs Les Originelles 2006 ★

1er cru | 5 000 | 15 à 20 €

Les aïeux des Chopin, originaires de Monthelon, cultivaient déjà la vigne au XVIIIe s. La famille commercialise son champagne depuis 1947. Aujourd'hui, Emmanuel Chopin conduit 6 ha sur les coteaux sud d'Épernay et dans la Côte des Blancs. Son blanc de blancs 2006 a séduit les dégustateurs, tant par son nez minéral, épicé et grillé que par son palais droit et acidulé. Il peut attendre un an ou deux. (RC)
EARL Julien Chopin, 3, rue Gaston-Poitevin, 51530 Monthelon, tél. 03.51.40.92.35, info@champagnejulienchopin.com t.l.j. 9h-11h30 13h30-18h

CHARLES CLÉMENT Tradition ★

n.c. | 11 à 15 €

Créée en 1956, cette coopérative regroupe une soixantaine d'adhérents et vinifie 150 ha répartis sur sept communes de la région de Bar-sur-Aube. Une fois de plus, on la retrouve dans le Guide avec deux cuvées qui recueillent l'une comme l'autre une étoile. Le brut Tradition, issu des trois cépages champenois, privilégie les noirs (70 %, dont 40 % de pinot noir). Sa robe jaune d'or annonce un nez flatteur, sur les fruits jaunes (mirabelle) et les fruits blancs, un rien miellé, prélude à une bouche riche et puissante : un champagne gourmand, qui s'accordera avec une viande blanche. La cuvée **Gustave Belon (15 à 20 €)** obtient la même note. Bien que la mention ne figure pas sur l'étiquette, il s'agit d'un blanc de blancs. Ses senteurs de pain blanc et de fruits mûrs se confirment dans un palais franc à l'attaque, frais, agréable et bien dosé. Pour l'apéritif ou un poisson cuisiné. (CM)
Sté coopérative vinicole de Colombé-le-Sec et Environs, 33, rue Saint-Antoine, 10200 Colombé-le-Sec, tél. 03.25.92.50.71, fax 03.25.92.50.79, champagne-charles-clement@fr.oleane.com t.l.j. sf dim. et lun. 8h-12h 13h30-18h

J. CLÉMENT Vieilles Vignes 2005

3 000 | 15 à 20 €

Domaine familial implanté à Reuil, dans la vallée de la Marne, et aujourd'hui conduit par Fabien Clément. Sa cuvée Vieilles Vignes, un blanc de noirs millésimé dominé par le meunier (70 %), trouve un bon accueil auprès des jurés. Après les 2000, 2002, 2003, 2004, voici le 2005. Expressif au nez, il livre de délicats arômes de beurre, de pâtisserie, de fruits mûrs, et offre un palais équilibré, fin et persistant. Un champagne de table qui donnera la réplique à un poisson en sauce. (RM)
Clément, 16, rue des Vignes, 51480 Reuil, tél. 03.26.51.05.62, fax 03.26.51.34.92, champj.clement@wanadoo.fr r.-v.

CLÉRAMBAULT ★★

15 000 | 15 à 20 €

Marque de la coopérative de Neuville-sur-Seine (Aube), fondée en 1951. Aujourd'hui, la cave vinifie

162 ha de vignes réparties sur sept communes. Dans son rosé, le pinot noir tient la vedette, avec 84 % de l'assemblage, aux côtés du chardonnay (15 %), un soupçon de meunier venant en complément. La robe rose cuivré est engageante, tout comme les parfums de petits fruits rouges et noirs (framboise, cassis, mûre, myrtille) que l'on retrouve en bouche, légèrement compotés. De la rondeur, de la longueur, de la vinosité avec ce qu'il faut de fraîcheur, un juste dosage : une excellente bouteille que l'on appréciera avec des amuse-bouches ou une entrée chaude. (CM)
Clérambault, 122, Grande-Rue, 10250 Neuville-sur-Seine, tél. 03.25.38.38.60, fax 03.25.38.39.20 r.-v.

PAUL CLOUET Sélection ★

8 500 | 15 à 20 €

Marie-Thérèse Bonnaire qui conduit le domaine familial depuis une vingtaine d'années a lancé la marque Paul Clouet en hommage à son grand-père. Si la propriété (6 ha) a son siège à Bouzy, les vins sont élaborés à Cramant par Jean-Louis Bonnaire, qui a sa propre marque. Composée des trois cépages champenois à parts sensiblement égales, la cuvée Sélection exprime au nez des notes de gelée de coing, de miel et de cire, accompagnées de touches de fruits exotiques. Ce vin équilibré, complexe et pourvu d'une belle fraîcheur trouvera sa place aussi bien à l'apéritif qu'au repas. (RM)
Paul Clouet, 10, rue Jeanne-d'Arc, 51150 Bouzy, tél. 03.26.57.07.31, fax 03.26.58.26.36, contact@champagne-paul-clouet.com r.-v. 4

COESSENS Extra-brut Lieu-dit Largillier 2006 ★★

2 000 | 30 à 50 €

Fort de l'expérience acquise comme chef de culture dans une grande maison, Jérôme Coessens a souhaité élaborer son champagne et il a repris en 2000 le vignoble familial : 6,5 ha autour de Ville-sur-Arce, village aubois niché dans une petite vallée tributaire de la Seine. Majoritaire dans la région comme dans ses cuvées, le pinot noir est l'unique cépage de ce 2006. Il est issu du lieu-dit Largillier qui tire son nom de la richesse en argile du sous-sol. Complexe et intense, le nez associe les fruits bien mûrs, l'amande et la noisette à des touches toastées. Dans le même registre, la bouche est souple, gourmande, longue et harmonieuse. Cette bouteille pourra être débouchée à l'apéritif, puis accompagner tout un repas, de l'apéritif au fromage. Bel accord avec un filet mignon et un fromage de Langres. (RM)
Jérôme Coessens, chem. les Farces, 10110 Ville-sur-Arce, tél. 03.25.40.77.74, fax 03.25.73.56.59, jerome-coessens@wanadoo.fr r.-v.

COLIN Blanc de blancs 2005 ★

Gd cru | 5 000 | 20 à 30 €

Propriété de 11 ha située à Vertus, à l'extrémité sud de la Côte des Blancs. Le vignoble (11 ha) s'étend pour l'essentiel dans ce secteur, avec quelques parcelles dans le Sézannais et la vallée de la Marne. Le chardonnay compose pour l'essentiel les cuvées du domaine. Ce grand cru millésimé, originaire de Cramant et d'Oiry, et vinifié sans fermentation malolactique, continue une belle série, ses devanciers des années 2006, 2004 et 2002 figurant également en bonne place dans le Guide. Le nez de fruits confits, de beurre et de brioche annonce une matière fine, fraîche et élégante. Même note pour la cuvée **Alliance (15 à 20 € ; 35 000 b.)** issue de chardonnay (70 %) et du meunier, au nez frais de fleurs blanches, de pomme et de toasté, ample et équilibrée en bouche. (RM)
Colin, 101, av. du Gal-de-Gaulle, 51130 Vertus, tél. 03.26.58.86.32, fax 03.26.51.69.79, info@champagne-colin.com r.-v.

COLLARD-CHARDELLE Cuvée Prestige ★

31 477 | 15 à 20 €

Situé dans la vallée de la Marne, ce domaine est conduit par Daniel Collard. Les vins de la propriété sont en majorité élevés en foudre de chêne sans fermentation malolactique. Fleuron de la gamme, la cuvée Prestige apparaît régulièrement dans le Guide et elle a figuré plus d'une fois au sommet (éditions 2011 et 2009). Elle assemble trois années et les trois cépages champenois (les deux pinots à 60 % et le chardonnay à 40 %). Volume, finesse, complexité, équilibre, longueur et dosage maîtrisé : elle ne déçoit pas. (RM)
Collard-Chardelle, 68, rue de Reuil, 51700 Villers-sous-Châtillon, tél. 03.26.58.00.50, fax 03.26.58.34.76, champagne.collard.chardelle@wanadoo.fr r.-v.
Daniel Collard

COLLARD-PICARD Cuvée Prestige ★

30 000 | 15 à 20 €

En 1996, Caroline et Olivier unissent leurs noms et constituent un coquet domaine à partir des vignes familiales. La première descend des Picard-Gonet, le second des Collard-Chardelle. Aujourd'hui, le couple exploite 15 ha dans la vallée de la Marne et la Côte des Blancs. Les parcelles en 1er cru et en grand cru sont en conversion bio. Remarquée une fois de plus, la cuvée Prestige associe à parts égales les blancs et les noirs (les deux pinots à parité). Elle incorpore 60 % de vins de réserve élevés quinze mois en foudre de chêne. Le nez intense mêle les fleurs blanches, l'abricot et la vanille, prélude à un palais gourmand, réglissé et bien dosé. Le **rosé de saignée 1er cru cuvée des Merveilles (20 à 30 € ; 6 000 b.)**, né de la seule année 2007 du pinot noir (80 %) et du chardonnay, est cité pour son nez complexe de fraise des bois et pour son palais ample et puissant. (RM)
Collard-Picard, 1, rue de Chenizot, 51700 Villers-sous-Châtillon, tél. 03.26.52.36.93, fax 03.26.59.90.82, collard-picard@wanadoo.fr r.-v.
Olivier Collard

COLLET Grand Art ★

n.c. | 20 à 30 €

Située au cœur du prestigieux village d'Aÿ, la Coopérative générale des vignerons, fondée en 1921, est la plus ancienne société de producteurs de Champagne, née dans le sillage des révoltes vigneronnes de 1911 contre une fraction du négoce. Sous la marque Collet, hommage à son fondateur, elle propose un brut composé de trois quarts de raisins noirs (dont 45 % de pinot noir) et d'un quart de raisins blancs. D'un doré brillant aux reflets verts, ce champagne libère de puissants parfums de pomme et d'agrumes. Toute aussi harmonieuse, la bouche se montre franche, équilibrée et longue. Une bouteille que l'on peut garder un an ou deux avant de la servir à l'apéritif ou au repas. (CM)
Collet Cogevi, 14, bd Pasteur, 51160 Aÿ, tél. 03.26.55.15.88, fax 03.26.54.02.40, info@champagne-collet.com r.-v.

CHARLES COLLIN Cuvée Charles

20 160 | 20 à 30 €

Cette coopérative auboise pourra fêter en 2012 son soixantième anniversaire. Elle comptait à l'origine une poignée de viticulteurs, dont Charles Collin, le principal fondateur, qui a légué son nom à la marque. Aujourd'hui, elle vinifie le produit de 300 ha de vignes. Assemblage de 80 % de chardonnay et de 20 % de pinot noir, son rosé a intéressé le jury. Un champagne saumon pâle, fruité et minéral au nez, à la fois généreux et frais au palais, qui trouvera sa place à l'apéritif. (CM)

Charles Collin, 27, rue des Pressoirs, 10360 Fontette, tél. 03.25.38.31.00, fax 03.25.38.31.07, champagne-charles-collin@fr.oleane.com t.l.j. sf dim. 9h-12h 14h-18h

COLLON Cuvée de réserve

7 000 | 11 à 15 €

Issu d'une lignée de viticulteurs remontant au XVIIe s., André Collon fut l'un des premiers vignerons aubois à se lancer dans la manipulation, en 1932. Depuis 1970, son fils Michel est aux commandes du domaine situé dans la vallée de l'Ource, tout au sud du vignoble. Déjà remarquée l'an dernier, sa Cuvée de réserve associe les récoltes 2009 et 2008. L'écrasante majorité de pinot noir dans l'assemblage (80 %, le solde en chardonnay) donne une structure dense à ce champagne aux arômes d'agrumes frais. On pourra le laisser en cave un an ou deux. (RM)

Collon, 27, Grande-Rue, 10110 Landreville, tél. et fax 03.25.38.53.04, champ.collon@wanadoo.fr r.-v.

JEAN COMYN Chardonnay Harmonie ★

3 500 | 15 à 20 €

À la fin des années 1960, Jean Comyn a remis en valeur des coteaux dominant la Marne en amont de Château-Thierry. Depuis 1997, son fils Emmanuel conduit le vignoble et confie sa vendange à la Coopérative régionale des vins de Champagne. Son blanc de blancs, issu de la récolte 2006, n'a pas laissé les dégustateurs indifférents. Complexe au nez, il mêle les agrumes (pamplemousse) aux fruits secs et à la vanille. Le palais est souple, gourmand. Légèrement citronné, il reste frais malgré un dosage perceptible. Un beau champagne d'apéritif. La cuvée **Symphonie 2006 (10 000 b.)** privilégie également le chardonnay (60 %), complété par les deux pinots. Elle obtient, elle aussi, une étoile pour son élégance et sa droiture. Pour des entrées marines ou un poisson blanc. (RC)

Jean Comyn, 7 bis, rue Fontaine-Sainte-Foy, 02400 Mont-Saint-Père, tél. 03.23.70.28.79, fax 03.23.70.36.44, infos@champagne-jean-comyn.fr r.-v.

JACQUES COPINET Blanc de blancs Sélection ★

18 000 | 15 à 20 €

Fondateur de cette propriété en 1975, Jacques Copinet a été rejoint au début des années 2000 par sa fille Marie-Laure et son gendre Alexandre Kowal. Ces récoltants cultivent du chardonnay dans le sud du Sézannais, autour de Montgenost, du pinot noir dans l'Aube et du meunier dans la vallée de la Marne. Les blancs de blancs viennent en bonne place dans leur gamme. En voici deux, qui obtiennent l'un comme l'autre une étoile. Le brut Sélection se partage au nez entre l'abricot et la brioche avant de dévoiler en bouche des notes plus acidulées d'agrumes (citron, mandarine) et d'ananas. Il est équilibré, frais et doté d'une bonne longueur. Le brut **blanc de blancs (30 000 b.)** est un beau classique aux arômes de fleurs blanches et d'agrumes légèrement confits. Il est arrivé à maturité sans évolution excessive. Deux champagnes d'apéritif. (RM)

EARL Copinet, 11, rue de l'Ormeau, 51260 Montgenost, tél. 03.26.80.49.14, fax 03.26.80.44.61, info@champagne-copinet.com r.-v.

Kowal

STÉPHANE COQUILLETTE Blanc de noirs Les Clés

6 210 | 15 à 20 €

Si le siège de cette exploitation est situé à Chouilly, en pleine Côte des Blancs, Stéphane Coquillette dispose certainement ailleurs de bonnes terres à pinot noir, variété exclusivement à l'origine de ce blanc de noirs de la récolte 2009, aux senteurs intenses de fraise des bois et de fruits jaunes. Ce champagne équilibré et jeune pourra être débouché à l'apéritif. (RM)

Stéphane Coquillette, 15, rue des Écoles, 51530 Chouilly, tél. 03.26.51.74.12, fax 03.26.54.90.97, champagne.coquillette@orange.fr r.-v.

ROGER COULON Blanc de noirs 2004 ★★

7 000 | 20 à 30 €

Cette famille cultivait déjà la vigne à l'aube du XIXe s. Aujourd'hui, Éric et Isabelle Coulon exploitent à l'ouest de Reims un vignoble de 10 ha disséminé en quatre-vingts parcelles. L'une, plantée de meunier franc de pied (non greffé) contribue pour moitié à ce blanc de noirs, le pinot noir fournissant l'autre moitié. Les dégustateurs louent la robe d'un vieil or lumineux et le nez intense et complexe de ce 2004, où se mêlent la pêche, la poire, la pomme et des notes empyreumatiques évoquant le café et le moka. Le palais est tout aussi séduisant par son attaque fraîche, son ampleur et sa persistance. Un grand champagne, à déboucher à l'apéritif et à finir au repas sur des crustacés cuisinés, par exemple. (RM)

Éric Coulon, 12, rue de la Vigne-du-Roy, 51390 Vrigny, tél. 03.26.03.61.65, fax 03.26.03.43.68, contact@champagne-coulon.com r.-v.

COURTILLIER MARLOT Tradition

17 456 | 11 à 15 €

Une nouvelle étiquette dans le Guide. Entre 1988 et 1996, ce récoltant aubois, à la tête de quelque 5 ha de vignes, a porté sa récolte à la coopérative ; ensuite, il a pris son indépendance. Le pinot noir, majoritaire dans l'Aube, compose 50 % de ce brut marié à 30 % de chardonnay et à 20 % de meunier. Les fruits mûrs (poire, agrumes) et des notes grillées se partagent le nez. L'attaque, franche, dévoile un palais charnu, ample et harmonieux. Un bon classique. (RM)

EARL Courtillier Marlot, 7, Grande-Rue, 10200 Colombé-la-Fosse, tél. et fax 03.25.27.28.15 t.l.j. 8h-12h 13h-19h

DAMIEN COUTELAS Cuvée Osiris Élevé en fût de chêne ★

5 000 | 30 à 50 €

Installé depuis 2005 sur le vignoble familial, Damien Coutelas exploite 7 ha de vignes dans la vallée de la Marne. Cuvée spéciale issue d'une seule année (ici 2004), Osiris prend ses habitudes dans le Guide. Elle assemble 70 % de chardonnay et 30 % de pinot noir vinifiés sans fermentation malolactique, les vins séjournant dans le bois pendant neuf mois. Le champagne est salué pour sa robe or soutenu, pour son nez puissant, empyreumatique, grillé, et pour sa matière étoffée et fraîche qui évolue sur des nuances de fruits secs et de coing traduisant une belle évolution. Un vin de caractère, ample, riche et long, qui se plaira avec des coquilles Saint-Jacques. (RM)

Damien Coutelas, 71, rue de Reuil,
51700 Villers-sous-Châtillon, tél. 06.89.42.23.76,
champagne.damien.coutelas@gmail.com r.-v.

DAVID COUTELAS Cuvée César
Élaboré en fût de chêne 2002 ★

	1 000		20 à 30 €

David Coutelas a pris les rênes de l'exploitation familiale en 1997. Son vignoble de 7 ha prospère sur les coteaux bordant la rive droite de la Marne. La propriété est attachée à l'élaboration en fût de chêne sans fermentation malolactique. La cuvée César 2002 succède aux 2000 et 2003 fort appréciées. Elle met à contribution deux tiers de chardonnay et un tiers de pinot noir. Un séjour de six mois dans le bois lui a légué un nez vanillé, compoté et un palais riche, gras et long. À déguster avec une poularde aux champignons et à la crème. (RM)

David Coutelas, 13, rue des Vignes,
51700 Villers-sous-Châtillon, tél. 03.26.59.07.57,
david.coutelas@wanadoo.fr r.-v.

COUVENT FILS Cuvée Tradition ★

	6 000		11 à 15 €

Fondée en 1947, cette exploitation familiale de 3,5 ha a son siège à Trélou-sur-Marne, un village situé dans la vallée de la Marne à mi-chemin entre Épernay et Château-Thierry. Depuis 1986, Sylvie et Gérard Monnin sont à sa tête. Le meunier est très présent dans leurs cuvées. Il compose 90 % de celle-ci, un blanc de noirs. Le nez flatteur découvre des senteurs de pomme, de poire, d'abricot et de miel. Le palais bien fruité se montre vif, équilibré et doté d'une bonne longueur. Un champagne tonique, pour l'apéritif et pour la table. (SR)

SARL Couvent Fils, 4 et 5, rue Corneille,
02850 Trélou-sur-Marne, tél. 03.23.70.33.36,
champagne-couventfils@orange.fr r.-v.

ALAIN COUVREUR Blanc de blancs ★

	10 589		11 à 15 €

Implanté dans le massif de Saint-Thierry, à l'ouest de Reims, ce domaine est dirigé depuis 2008 par David et Rémi Couvreur, les fils d'Alain Couvreur. Leur blanc de blancs s'annonce par une robe pâle, jaune vert, et par un nez frais mêlant l'acacia, le citron, l'amande verte et le noyau de pêche. Bien équilibré, il montre une nervosité de jeunesse : il peut attendre un an ou deux et accompagner du poisson cru. (RM)

EARL Alain Couvreur, 18, Grande-Rue, 51140 Prouilly,
tél. 03.26.48.58.95, fax 03.26.48.26.29,
earl-alain.couvreur@laposte.net r.-v.

DOMINIQUE CRÉTÉ ET FILS Sélection ★★

	20 000		11 à 15 €

Moussy est un des villages des coteaux sud d'Épernay. C'est là qu'est installé Dominique Crété qui exploite 7,5 ha. Sa cuvée Sélection assemble 85 % de chardonnay à du meunier, des raisins de la récolte 2008 complétés par des vins de 2006. Complexe et subtil, le nez mêle des touches florales, minérales, anisées et épicées. Cette finesse se confirme dans un palais d'une rare harmonie. Cette remarquable bouteille pourra être servie à l'apéritif, puis avec des coquilles Saint-Jacques ou un suprême de bar. (RM)

Dominique Crété et Fils, 99, rue des Prieurés,
51530 Moussy, tél. 03.26.54.52.10, fax 03.26.52.79.93
r.-v.

CRUCIFIX PÈRE ET FILS Signature ★

1er cru	900		20 à 30 €

Une nouvelle étiquette dans le Guide. Celle du domaine de Jean-Jacques Crucifix et de son fils Sébastien, qui exploitent un vignoble de 5 ha sur la Montagne de Reims. Signature ? Celle du second, qui travaille pour l'exploitation familiale tout en exerçant les fonctions de chef de cave en coopérative. Ce champagne assemble 80 % de chardonnay à du pinot noir. Il a séjourné six mois dans le bois, mais l'élevage ne l'a pas marqué. Le nez mêle des senteurs de fruits blancs et jaunes bien mûrs. L'attaque franche dévoile un joli fond de vin, ample et généreux. Un ensemble expressif et bien construit qui accompagnera volontiers un poisson blanc. (RC)

Crucifix Père et Fils, 3, allée de la Livre,
51160 Avenay-Val-d'Or, tél. 03.26.52.34.93, fax 03.26.59.78.54,
champagne.crucifix@wanadoo.fr r.-v.

CUILLIER PÈRE ET FILS Grande Réserve ★

	18 000		15 à 20 €

Ce domaine aujourd'hui exploité par Patrick Cuillier a été constitué il y a environ un siècle dans le massif de Saint-Thierry, au nord-ouest de Reims. À ce jour, il compte 6,5 ha. Aussi réussie que l'an dernier, cette Grande Réserve marie les trois cépages champenois par tiers. Son nez floral évoque l'aubépine, tandis que le palais déploie des nuances de beurre, de pâte à pain et de brioche chaude. Un champagne gourmand. Le brut **Sélection (11 à 15 € ; 13 000 b.)** privilégie les deux pinots (60 % de pinot noir, 10 % de vins de réserve). Il obtient également une étoile pour ses arômes flatteurs de pêche et d'abricot que l'on retrouve dans un palais bien vif. (RC)

Cuillier Père et Fils, 14, pl. d'Armes, 51220 Pouillon,
tél. 03.26.03.18.74, fax 03.26.03.14.62,
contact@champagne-cuiller.fr r.-v.

CUPERLY Cuvée Prestige ★★

Gd cru	10 000		15 à 20 €

Si cette maison de négoce a été fondée en 1845, elle ne s'est intéressée au champagne qu'à l'aube du XXe s. Dirigée aujourd'hui par Gérard Cuperly, elle s'appuie sur un vignoble situé essentiellement autour de Verzy (Montagne de Reims). Sa cuvée Prestige assemble 70 % de pinot noir et 30 % de chardonnay. Les vins ne font pas leur fermentation malolactique ; certains sont élevés en fût de chêne. Il en résulte un champagne or soutenu au nez généreux partagé entre la mie de pain, le beurre, des notes toastées et des nuances de sous-bois et d'agrumes confits. La bouche épicée fait preuve d'une belle fraîcheur et d'une rare élégance. Ce champagne pourra être débouché à l'apéritif et terminé au repas. (NM)

Cuperly, ZI Les Mont de Sillery, rte de Saint-Ménéhould,
51360 Prunay, tél. 03.26.05.44.60, fax 03.26.49.98.74,
champagne.cuperly@wanadoo.fr
t.l.j. sf sam. dim. 8h-12h30 13h30-17h30

COMTE A. DE DAMPIERRE Blanc de blancs Family Reserve 2005 ★★

Gd cru | 10 000 | 50 à 75 €

La structure actuelle a été créée en 1986, mais les liens de cette vieille famille avec le champagne remontent à l'arrière-grand-père d'Audoin de Dampierre. La maison a son siège dans le massif de Saint-Thierry, au nord-ouest de Reims. Family Reserve ? Une bouteille « ficelée à l'ancienne », comme l'exigeait une ordonnance royale de 1735. C'est donc au verre, comme toutes les cuvées spéciales reconnaissables par leur bouteille, qu'elle a été servie aux jurés, sans sa particule. Les dégustateurs ont trouvé ce blanc de blancs remarquable. Comme son devancier, le 2004, il offre un bouquet puissant de chardonnay bien épanoui, avec ses fragrances de miel d'acacia assorties de nuances de fruits jaunes et d'épices. L'attaque, délicieusement fraîche, introduit une bouche fondue et très longue, aux arômes d'abricot confit et de pêche blanche. Pour un apéritif dînatoire, des saint-jacques ou de la langouste. Quant au **Grand Vintage 1er cru 2005 (30 à 50 € ; 12 000 b.)**, qui marie le pinot noir (65 %) et le chardonnay, c'est un champagne de repas qui obtient une étoile pour son nez grillé et brioché, pour son attaque vive et son palais droit et fin. « Un bel équilibre entre pinot noir et chardonnay », écrit un juré. (NM)

SAS Comte Audoin de Dampierre, 3, pl. Boisseau, 51140 Chenay, tél. 03.26.03.11.13, fax 03.26.03.18.05, champagne@dampierre.com r.-v.

HENRI DECHELLE Cuvée Blanc de blancs ★

5 768 | 15 à 20 €

Installée à Brasles, village voisin de Château-Thierry dans la vallée de la Marne, cette ancienne famille vigneronne a reconstitué son domaine à la fin des années 1960. Elle exploite aujourd'hui 8 ha. Minoritaire dans le secteur, le chardonnay n'en a pas moins produit une cuvée intéressante, issue essentiellement de la récolte 2009. Un champagne or pâle à reflets verts, qui mêle au nez les fleurs blanches, le tilleul et le miel. L'attaque vive dévoile une matière gourmande, équilibrée et bien dosée. Un ensemble jeune et prometteur qui pourrait se bonifier pendant les deux prochaines années. Même note pour le **2007 (57 282 b.)**, qui assemble par tiers les trois cépages champenois, et séduit par ses arômes de brioche beurrée et d'écorce d'orange. À la fois onctueux et frais, il pourra accompagner du foie gras. (RM)

Henri Dechelle, 1 bis, rue Aristide-Briand, 02400 Brasles, tél. 03.23.70.87.05, fax 03.23.69.24.37, henri.dechelle@wanadoo.fr r.-v.

PHILIPPE DECHELLE Blanc de noirs 2007 ★★

5 750 | 11 à 15 €

Le grand-père de ce vigneron travailla à la reconstitution du vignoble après la crise phylloxérique. Philippe Dechelle s'est installé en 1982 avant de se lancer dans la manipulation, et conduit 7 ha autour de Brasles, en amont de Château-Thierry. Il signe un 2007 composé exclusivement de pinot noir. Le nez intense évoque les fruits confits, la brioche et le caramel. On retrouve ces beaux arômes d'évolution au sein d'un palais cossu, équilibré, harmonieux et long. Une bouteille de caractère à apprécier sans trop attendre avec des entrées chaudes, des viandes blanches ou du foie gras. (RM)

Philippe Dechelle, 20, rue Paul-Doumer, 02400 Brasles, tél. 03.23.69.95.95, fax 03.23.85.21.64, ph.dechelle@wanadoo.fr t.l.j. 9h30-12h30 14h-19h

JACQUES DEFRANCE Tradition ★

n.c. | 11 à 15 €

Louis, Roger, Jacques et aujourd'hui Christophe : quatre générations de viticulteurs aubois. C'est le père de ce dernier qui a fondé, en 1953, la propriété actuelle, qui compte aujourd'hui 10 ha autour des Riceys. Cet important village viticole est célèbre pour son rosé tranquille à base de pinot noir, le cépage le plus cultivé dans le département. Cette variété compose 80 % de la cuvée Tradition, associée à 20 % de chardonnay. Le nez expressif marie la quetsche, la confiture de mirabelles et les agrumes. La bouche se montre fraîche, équilibrée et épicée. Ce vin devrait pouvoir vieillir quelques années mais il fait d'ores et déjà un joli champagne d'apéritif. (RM)

Jacques Defrance, 28, rue de la Plante, 10340 Les Riceys, tél. 03.25.29.32.20, fax 03.25.29.77.83, champagne-jacques-defrance@wanadoo.fr r.-v.

MARCEL DEHEURLES ET FILS Opale et Sens

1 560 | 15 à 20 €

Créé dans les années 1970, ce domaine s'est lancé dans la manipulation au début de la décennie suivante. À la tête de plus de 9 ha de vignes aux environs de Celles-sur-Ource, dans le Barséquanais (Aube), Benoît Deheurles cultive trois cépages, le pinot noir, le pinot blanc et le chardonnay, ce qui lui permet de proposer six cuvées. Celle-ci est un blanc de blancs qui a connu partiellement le bois. Arrivé à maturité, ce champagne a été apprécié pour son nez de pâte de fruits et pour son palais souple, rond et fruité. (RM)

Marcel Deheurles, 3, rue de l'École, 10110 Celles-sur-Ource, tél. 03.25.38.55.06, fax 03.25.29.13.00, champagnedeheurles@free.fr r.-v.

DOM. DEHOURS Grande Réserve ★

40 000 | 15 à 20 €

Située sur la rive gauche de la Marne, cette maison de négoce, gérée depuis 1996 par Jérôme Dehours, fait un retour remarqué dans le Guide. La Grande Réserve assemble 85 % de noirs (dont 80 % de meunier) et 15 % de blancs. Elle incorpore à la récolte 2009 des vins de réserve de dix années assemblées selon le système de la solera. Au nez, son expression riche et complexe mêle des notes fruitées, pâtissières et beurrées rappelant à un juré le crumble. L'attaque franche introduit une bouche onctueuse, bien dosée, persistante, aux arômes de fruits compotés. La finale est agréablement acidulée. Beau mariage en perspective avec une viande blanche en sauce. Une autre étoile revient au brut **Confidentielle (20 à 30 € ; 5 000 b.)**, mi-chardonnay mi-meunier, né de vendanges plus anciennes. Un champagne riche, puissant et gourmand, avec des notes de miel et de pâtisserie. Son auteur suggère un accord inédit avec un couscous. (NM)

🔑 Dehours, 2, rue de la Chapelle, 51700 Cerseuil, tél. 03.26.52.71.75, fax 03.26.52.73.83, contact@champagne-dehours.fr ☑ 🍸 ⛹ r.-v.

DÉHU PÈRE ET FILS Prestige ★★

	10 000	▮	20 à 30 €

Installé à Fossoy, village situé en amont de Château-Thierry dans la vallée de la Marne, Benoît Déhu perpétue une tradition vigneronne remontant à la fin du XVIII[e]s. Son rosé a été très remarqué. Donnant la vedette au meunier (82 % pour 18 % de chardonnay), il incorpore 17 % de vin rouge qui lui donne une belle teinte saumonée aux reflets cuivrés. Le nez est élégant, sur les fruits rouges et les agrumes ; la bouche se montre ample, équilibrée et longue. On pourra servir cette bouteille à table aussi bien qu'au dessert, sur un sabayon de fruits rouges par exemple. Le brut **Tradition (15 à 20 € ; 90 000 b.)** est lui aussi marqué par les raisins noirs (85 % dont 75 % de meunier). Il obtient une étoile pour ses arômes de pomme et de poire, pour son équilibre et son intensité. (SR)

🔑 Déhu Père et Fils, 3, rue Saint-Georges, 02650 Fossoy, tél. 03.23.71.90.47, fax 03.23.71.88.91, contact@champagne-dehu.com ☑ 🍸 ⛹ r.-v.

MAURICE DELABAYE ET FILS Prestige ★★

	13 000	▮ 🛢	15 à 20 €

Germain Delabaye, le fils de Maurice, exploite 10 ha de vignes dans la vallée de la Marne, non loin d'Épernay. Sa cuvée Prestige assemble 65 % de chardonnay et 35 % de pinot noir des récoltes 2008 et 2007, des raisins issus des meilleures parcelles de la propriété. Un champagne remarquable de finesse et de légèreté, tout au long de la dégustation. Au nez, de délicats parfums de fleurs blanches et d'agrumes frais que l'on retrouve au palais, soulignés par une belle fraîcheur et une finale d'une rare persistance. Idéal pour un apéritif dînatoire. Quant au **rosé (11 000 b.)**, né exclusivement de cépages noirs (pinot noir 60 %), il obtient une étoile. Un nez légèrement évolué, aux nuances de fraise, annonce un palais charnu et puissant, où l'on retrouve la fraise, confite ou au sirop. (RM)

🔑 SCE Maurice Delabaye et Fils, 16, rue Anatole-France, BP 152, 51480 Damery, tél. 03.26.51.94.91, fax 03.26.52.04.73, scev-delabaye@wanadoo.fr ☑ 🍸 ⛹ r.-v.

V. DELAGARDE Blanc de noirs ★

	4 000	▮	15 à 20 €

Jeune couple de vignerons, Valérie Delozanne et Vincent Delagarde ont repris en 2000 les vignes de leurs parents respectifs, situées dans les monts de Reims et dans la vallée de l'Ardre, où se trouve le siège de leur exploitation. Ils chérissent le meunier, très cultivé dans leur secteur, et cépage exclusif de ce blanc de noirs issu de la récolte 2008. Les dégustateurs ont bien reconnu dans cette cuvée la marque des raisins noirs, soulignant la puissance du nez aux nuances de fruits mûrs et de brioche chaude. Quant à la bouche, franche à l'attaque, elle se distingue par sa matière ample et souple. Un champagne harmonieux et assez jeune, que l'on peut déboucher dès l'apéritif. (RM)

🔑 Vincent Delagarde et Filles, 67, rue de Savigny, 51170 Serzy-et-Prin, tél. 03.26.97.40.18, fax 03.26.97.49.14, contact@champagne-delagarde-delozanne.fr ☑ 🍸 ⛹ r.-v.

♥ DELAMOTTE Blanc de blancs 2002 ★★

	n.c.	▮	50 à 75 €

L'une des plus anciennes maisons de champagne, née en 1760. Elle a gardé le nom de son fondateur, conseiller-échevin de Reims marié à une riche propriétaire de vignes à Aÿ. En 1988, la société a vu associer ses destinées au Champagne Salon au sein du groupe Laurent-Perrier. Son siège est au Mesnil-sur-Oger, et le chardonnay est assez présent dans ses cuvées. Son blanc de blancs 2002 provient de quatre grands crus de la Côte des Blancs : Cramant, Avize, Oger et Le Mesnil. Une fine effervescence parcourt sa robe or jaune. Au nez se déploient des nuances d'une rare élégance : le beurre frais côtoie les fruits blancs, la mirabelle... Une complexité que l'on retrouve dans une bouche fraîche à l'attaque, riche, ample et longue. « À la fois facile et profond », « équilibré et gourmand », ce champagne offre un profil typique et accompli du millésime et laisse un sentiment de plénitude. Une bouteille de gastronomie, à marier par exemple à une blanquette de lotte. (NM)

🔑 Delamotte, 7, rue de la Brèche-d'Oger, 51190 Le Mesnil-sur-Oger, tél. 03.26.57.51.65, fax 03.26.57.79.29, champagne@salondelamotte.com ☑ r.-v.

🔑 Laurent-Perrier

DELAVENNE PÈRE ET FILS Réserve ★

Gd cru	40 000	▮	15 à 20 €

Installés en 2008, Noëlle et Jean-Christophe Delavenne représentent la quatrième génération sur la propriété familiale. Leurs 9 ha de vignes sont répartis sur des terroirs classés en grand cru : Bouzy et Ambonnay (Montagne de Reims) et Cramant (Côte des Blancs). Les vins sélectionnés n'ont pas fait leur fermentation malolactique. Remarquable l'an dernier, le brut Réserve fait encore très bonne figure. À la réserve des années d'assemblage, sa composition n'a pas varié : 60 % de pinot noir et 40 % de chardonnay. Les dégustateurs trouvent l'empreinte du cépage majoritaire dans ce champagne rond et harmonieux, aux parfums intenses de poire mûre, de coing et de noisette qui se prolongent en bouche. Cette bouteille trouvera sa place au repas, sur un poisson ou une viande en sauce. Le brut **Tradition grand cru (11 à 15 € ; 30 000 b.)**, assemblage identique mais issu d'années plus récentes, apparaît complexe et fin au nez, puissant et long au palais : même note. (RM)

🔑 Delavenne Père et Fils, 6, rue de Tours, 51150 Bouzy, tél. 03.26.57.02.04, fax 03.26.58.82.93, info@champagne-delavenne.com ☑ 🍸 ⛹ r.-v.

DELOUVIN-NOWACK Carte d'or ★

	40 000		11 à 15 €

Si la marque Delouvin-Nowack est née en 1949, la famille est au service du vin depuis le XVI[e]s. Elle élabore son champagne depuis 1930. Installé en 1976, Bertrand Delouvin conduit 7 ha de vignes dans la vallée de la Marne. Il recherche l'expression du meunier, cépage majoritaire dans sa région : son brut Carte d'or, très souvent au rendez-vous du Guide, doit tout à cette variété. Issu de la vendange 2008, il s'habille d'une robe paille dorée. Il séduit par sa texture ronde et ample, et par son joli fruité compoté. Pur meunier également, le **rosé (15 à 20 €; 4 000 b.)** obtient la même note pour sa matière expressive (fruits rouges, quetsche) et pour son équilibre. Une étoile enfin pour l'**Extra-Sélection 2005 (15 à 20 €; 15 588 b.)**, qui privilégie largement les raisins blancs (80 %, le solde en meunier). Ses parfums de fleurs blanches, de miel, de beurre, de brioche et de noisette prennent en bouche une tonalité plus évoluée d'agrumes confits. Un champagne mûr pour une viande blanche en sauce. (RM)

Delouvin-Nowack, 29, rue Principale, 51700 Vandières, tél. 03.26.58.02.70, fax 03.26.57.10.11, info@champagne-delouvin-nowack.com r.-v.

DEMILLY DE BAERE Cuvée Carte d'or ★

60 000 | 11 à 15 €

Descendant d'une famille établie à Bligny, dans la Côte des Bar, Gérard Demilly cultive avec son épouse un vignoble de 8 ha qu'ils ont acquis en 1978. Leur maison, installée dans une ancienne verrerie, écoule 40 % de sa production à l'export. La cuvée Carte d'or a une particularité : elle naît de quatre cépages. Elle associe 75 % de pinot noir à 15 % de chardonnay et à un soupçon de meunier et de pinot blanc, cépage confidentiel qui subsiste dans l'Aube. La robe or soutenu annonce son évolution, qui se confirme au nez comme en bouche. Des arômes de fruits confiturés et de pain d'épice, nuancés de quelques notes de grillé, soulignent le caractère puissant, vineux et long de ce champagne, à servir dès la sortie du Guide à l'apéritif, avec des feuilletés chauds, ou avec de la volaille. (NM)

Gérard Demilly, Demilly de Baere, Dom. de la Verrerie, 10200 Bligny, tél. 03.25.27.44.81, fax 03.25.27.45.02, champagne-demilly@wanadoo.fr r.-v.

GASTON DERICBOURG Chardonnay ★

1er cru | 20 000 | 20 à 30 €

Marque lancée au début du XXe s. par Gaston Dericbourg et reprise en 1955 par la famille Mandois, avec la maison et le vignoble. La société a son siège à Pierry, commune voisine d'Épernay. Elle signe un blanc de blancs distingué par les dégustateurs pour son bouquet de fleurs blanches, de pain frais, d'écorce d'orange et de pamplemousse. Ce champagne présente un dosage un peu appuyé tout en restant vif, équilibré, agréable et long. (NM)

Dericbourg, 66, rue du Gal-de-Gaulle, BP 9, 51530 Pierry, tél. 03.26.54.03.18, fax 03.26.51.53.66, info@champagne-dericbourg.fr

Mandois

DÉROUILLAT Blanc de blancs L'Esprit ★

1er cru | 8 000 | 15 à 20 €

Cette exploitation compte 5,5 ha de vignes implantées sur la Côte des Blancs et sur les coteaux sud d'Épernay. Plus d'une fois distingué dans les éditions précédentes, son blanc de blancs L'Esprit s'est encore montré à son avantage. Son nez épanoui marie les fruits blancs, les agrumes et les fruits exotiques, avec une touche de minéralité. L'attaque fraîche introduit une bouche fine et élégante, à la finale légèrement mentholée. Sa vivacité permettra de servir cette bouteille à l'apéritif ou avec des produits de la mer, un risotto de saint-jacques par exemple. (RM)

Luc Dérouillat, 23, rue des Chapelles, 51530 Monthelon, tél. 03.26.59.76.54, fax 03.26.59.77.27, champagne.derouillat@wanadoo.fr t.l.j. sf dim. 10h-12h 14h-18h

E. DESAUTEZ ET FILS Grande Cuvée Saint-Nicolas ★

3 000 | 15 à 20 €

L'étiquette porte le nom du fondateur du domaine, créé en 1905 dans la Montagne de Reims, autour de Verzenay, village classé en grand cru. La propriété a été reprise par Patrick Deibener en 1975. Issue de vieilles vignes (entre trente et cinquante ans), la Grande Cuvée Saint-Nicolas assemble 60 % de pinot noir au chardonnay. Elle s'annonce par des senteurs briochées et grillées. Au palais, des arômes assez persistants de fruits blancs légèrement compotés s'épanouissent dans une matière ample et équilibrée. Un champagne d'apéritif. Quant au brut **Tradition grand cru (11 à 15 €; 23 000 b.)**, issu des mêmes cépages avec plus de pinot noir (75 %), plutôt discret au nez, est cité pour son attaque vive et sa bouche ronde, équilibrée et plaisante. (RM)

EARL Desautez et Fils, 22, rue de Mailly, 51360 Verzenay, tél. 03.26.49.40.59, fax 03.26.49.46.88, desautezetfils@free.fr r.-v.

Patrick Deibener

DESBORDES-AMIAUD Tradition ★★

1er cru | 15 000 | 15 à 20 €

Après Marie-Christine Desbordes, c'est Élodie Pouillon, sa fille, qui conduit l'exploitation familiale, assistée par son mari Fabrice. Le domaine s'étend sur 9 ha autour d'Écueil, 1er cru situé au pied de la Montagne de Reims, tout près de la cité des Sacres. Le brut Tradition met surtout à contribution le pinot noir. Ce cépage très présent à Écueil représente 85 % de la cuvée, le chardonnay venant en complément. La robe or soutenu séduit d'emblée. La palette aromatique associe les fleurs jaunes et les fruits confits. C'est surtout l'élégance de la structure qui retient l'attention : ce champagne montre un très bel équilibre, conciliant la fraîcheur et la rondeur. La longueur est aussi au rendez-vous. Belle harmonie en perspective avec un poisson en sauce. (RM)

Desbordes-Amiaud, 2, rue de Villers-aux-Nœuds, 51500 Écueil, tél. 03.26.49.77.58, fax 03.26.49.27.34 r.-v.

A. DESMOULINS ET CIE Grande Cuvée du centenaire ★

5 000 | 20 à 30 €

Fondée par Albert Desmoulins en 1908, cette maison sparnacienne est restée familiale. Elle garde secrète la composition de ses cuvées dont on sait seulement qu'elles mobilisent les trois cépages du vignoble. La Grande Cuvée du centenaire, d'un jaune doré, s'ouvre sur un fruité franc aux nuances de pêche. Des notes épicées et réglissées s'ajoutent à cette palette dans une bouche souple à l'attaque, fraîche, bien équilibrée et justement dosée. (NM)

A. Desmoulins, 44, av. Foch, 51200 Épernay, tél. 03.26.54.24.24, fax 03.26.54.26.15, champagne.desmoulins@orange.fr r.-v.

PAUL DÉTHUNE Cuvée Prestige Princesse des Thunes

Gd cru | 2 500 | 20 à 30 €

Cette propriété, fondée en 1840, dispose de caves du XVIIe s. et élève une partie de ses vins en foudre de chêne.

CHAMPAGNE

Son ancienneté ne l'empêche pas d'avoir recours aux techniques modernes d'économie d'énergie : elle récupère ainsi l'eau de pluie et produit une partie de son électricité grâce à des panneaux photovoltaïques. Autre atout : un vignoble de 7 ha autour d'Ambonnay, grand cru de la Montagne de Reims. La Princesse des Thunes est une cuvée spéciale composée de chardonnay et de pinot noir à parts égales. Elle naît de 30 % de vieux vins de réserve et séjourne longuement en cave. La robe est or foncé ; le nez, bien ouvert, dévoile des nuances briochées et des notes de fruits secs, entre amande et noisette. Très élégante, la bouche conjugue ampleur et fraîcheur. (RM)

EARL Paul Déthune, 2, rue du Moulin, 51150 Ambonnay, tél. 03.26.57.01.88, fax 03.26.57.09.31, info@champagne-dethune.com r.-v.

DEUTZ Classic ★★★

1 670 000 | 30 à 50 €

Fondée en 1838 par deux négociants en vin originaires d'Aix-la-Chapelle, William Deutz et Pierre-Hubert Geldermann, cette maison a son siège à Aÿ – une commune classée en grand cru, favorisée par son ample coteau exposé plein sud et par la réputation de son cépage, le pinot noir. Aujourd'hui, l'affaire s'appuie sur un approvisionnement de 200 ha au cœur du vignoble, dans un rayon de 30 km autour d'Aÿ. Longtemps demeurée familiale, elle est maintenant dans le giron du groupe Roederer. Issu de trente à quarante crus différents, son brut Classic recueille tous les suffrages et la note maximale, ce qui est rare et constitue une réelle performance pour un brut sans année. Les trois cépages du vignoble, assemblés par tiers, sont à l'origine de ce champagne délicat. Les dégustateurs louent sa palette complexe, dominée par les fruits blancs et les agrumes frais (citron vert, pamplemousse) assortis de touches d'amande. Une bouteille harmonieuse, d'une finesse incomparable, que l'on pourra déboucher à l'apéritif et finir avec des crustacés. (NM)

Deutz, 16, rue Jeanson, 51160 Aÿ, tél. 03.26.56.94.00, fax 03.26.56.94.10, france@champagne-deutz.com r.-v.

PASCAL DEVILLIERS RB 2004 ★

1er cru | n.c. | 20 à 30 €

Un nouveau nom dans le Guide. L'exploitation, reprise en 1993 par Pascal Devilliers, est implantée à Villedommange, village de la Montagne de Reims proche de la cité des Sacres. Son millésime 2004, assemblage à parts égales de pinot noir et de chardonnay, exprime des senteurs de fruits confits d'une belle complexité. Sa fraîcheur, soulignée par des arômes d'agrumes, suggère de le déboucher dès l'apéritif, mais son étoffe et sa persistance lui permettront d'accompagner aussi une entrée. Le **1er cru Carte d'or (11 à 15 €)** associe 70 % de raisins noirs (les deux pinots à parité) et 30 % de raisins blancs récoltés en 2007. Son nez léger et fruité, son palais bien équilibré et franc lui valent une citation. (RM)

Pascal Devilliers, 8, rue de Saint-Lié, 51390 Villedommange, tél. 03.26.49.26.08, fax 03.26.49.77.38, contact@champagne-devilliers.com r.-v.

FRANÇOIS DILIGENT Trois Pinots ★★

11 000 | 15 à 20 €

Buxeuil, village aubois de la vallée de la Seine, est situé à l'extrémité sud de l'aire d'appellation, aux confins de la Bourgogne. C'est là que François Diligent, héritier d'une lignée remontant au XVIIe s., conduit sa maison de négoce, fondée en 1927 et forte d'un vignoble de 22,5 ha aux environs de Bar-sur-Seine. Trois Pinots ? Cette cuvée a l'originalité d'assembler par tiers du pinot noir, du pinot meunier et du... pinot blanc, cépage confidentiel en Champagne. Justement, la maison chérit les cépages rares et anciens. D'un or clair animé d'une bulle fine, ce brut exprime avec fraîcheur et finesse des nuances de fleurs blanches, de pomme, de poire et de fruits rouges. Une attaque fraîche, sans excès de nervosité, une matière suave, équilibrée et une longue finale légèrement citronnée composent une bouteille plaisante, pour l'apéritif ou le début du repas. (NM)

Moutard-Diligent, 6, rue des Ponts, 10110 Buxeuil, tél. 03.25.38.50.73, fax 03.25.38.57.72, champagne@champagne-moutard.eu t.l.j. sf sam. dim. 8h-12h 14h-18h

DOM BASLE Cuvée première

Gd cru | 1 500 | 15 à 20 €

Saint Basle était ermite à Verzy à l'époque mérovingienne. Damien Lallement, qui cultive 3,5 ha dans la Montagne de Reims, lui rend hommage à travers cette cuvée assemblant à parts égales chardonnay et pinot noir de la récolte 2006. Bien ouvert, puissant, le bouquet est fait de fruits mûrs (pomme, mirabelle, pêche de vigne...) et de fleurs, arômes que l'on retrouve au palais. Souple à l'attaque, ample, vigoureuse, la bouche est équilibrée et bien dosée. Un joli champagne d'apéritif. (RM)

Dom Basle, 28, rue Irénée-Gass, BP 29, 51380 Verzy, tél. 03.26.97.95.90, dombasle@wanadoo.fr r.-v.

Damien Lallement

DOM CAUDRON 2005 ★

5 000 | 20 à 30 €

Une nouvelle étiquette dans le Guide, qui perpétue le souvenir de dom Caudron. Moins célèbre que dom Pérignon, ce curé de Passy-Grigny (vallée de la Marne) est resté dans la mémoire locale pour avoir contribué, par un don de 1 000 F, à la fondation de la coopérative du village en 1929. Deux cuvées de la cave ont été appréciées. La préférée est ce 2005 mi-meunier mi-chardonnay. Ce dernier a séjourné six mois en fût. À la robe jaune d'or répond un nez bien ouvert, qui distille d'agréables notes d'évolution évoquant le pain d'épice, le miel, les fruits mûrs, voire compotés. Dans le même registre, le palais vineux et gourmand signale un vin à son apogée, à déboucher dès la fin 2012. On servira aussi prochainement la **cuvée Cornalyne (7 400 b.)**, citée, un pur meunier puissant et long, brioché, confit, abricoté et miellé. Deux champagnes de repas. (CM)

Dom Caudron, 22, rue Jean-York, 51700 Passy-Grigny, tél. 03.26.52.45.17, fax 03.26.51.75.85, champagnedomcaudron@hexanet.fr t.l.j. sf mar. 10h-12h 14h-17h

♥ DOM PÉRIGNON Œnothèque 1996 ★★★

n.c. | + de 100 €

Cette illustre cuvée spéciale millésimée porte le nom du « procureur et cellerier » qui eut la charge du vignoble et de la cave de l'abbaye d'Hautvillers entre 1668 et 1715 – de longues décennies qui correspondirent pratiquement au règne personnel du Roi-Soleil. Âgé de trente ans à peine à son arrivée, le moine pratiqua avec génie l'art de l'assemblage qui est à la base des grands champagnes. Déjà, ses vins comptaient parmi les plus chers du pays... La compo-

sition des cuvées Dom Pérignon n'est jamais révélée ; d'ailleurs, chaque millésime est une création. Il appartient au seul chef de cave de millésimer ou non une année. Les bouteilles tirées de l'Œnothèque correspondent à une fraction des cuvées restées de longues années sur leurs lies. Salué l'an dernier, ce 1996, millésime de haute réputation, confirme à la dégustation tout le bien que l'on pensait de lui. Sa couleur est encore pâle ; son nez attire, complexe et aérien, évoluant sur de subtiles notes empyreumatiques, grillées, avec des touches minérales et iodées. Cette complexité se confirme dans une bouche très longue et d'une rare élégance, magnifiée en finale par une pointe vive. Plébiscité il y a deux ans, le **Vintage rosé 2000** affirme avec éclat sa longévité, gardant ses deux étoiles. Ce champagne vieux rose aux reflets cuivrés montre sa belle évolution dans une palette où les fleurs, les fruits rouges, le kirsch se mêlent au caramel au lait. Cité, le **Vintage 2003** offre un bouquet empyreumatique, fait de torréfaction, de café et de tabac, suivi d'une attaque souple, d'une bouche ample, riche et gourmande. On le verrait bien sur du petit gibier. (NM)

Dom Pérignon - MHCS, 9, av. de Champagne, 51200 Épernay, tél. 03.26.51.20.00, fax 03.26.54.84.23

LVMH

PIERRE DOMI Cœur de rose ★

1er cru | 7 200 | 15 à 20 €

Cette exploitation couvre 8 ha entre Épernay et la Côte des Blancs. Elle est conduite depuis 1990 par Stéphane et Thierry Lutz, petits-fils de Pierre Domi. Plus d'une fois apprécié, leur Cœur de rose met en vedette le chardonnay (90 %). Il tire sa teinte de 10 % de vin rouge issu de pinot noir. Sa robe est pâle, saumon clair aux reflets orangés. Ses arômes francs de fruits à noyau se confirment dans un palais flatteur, bien fruité et justement dosé. Un champagne à apprécier en soirée, à l'apéritif, avec des amuse-bouches ou des fruits. (RM)

Pierre Domi, 10, rue Bruyère, 51190 Grauves, tél. 03.26.59.71.03, fax 03.26.52.86.91, contact@champagne-domi.com r.-v.

DOQUET-JEANMAIRE Blanc de blancs Tradition ★

14 048 | 11 à 15 €

Installé en 1995 sur l'exploitation créée par ses parents au sud de la Côte des Blancs, Pascal Doquet est l'un des rares vignerons champenois à avoir engagé la conversion au bio de leurs vignes (8,6 ha ici). Son domaine est certifié depuis 2010, mais cette cuvée, assemblages des années 2006 à 2004, ne porte pas encore la mention. Issu des terroirs de Vertus, de Bergères et de Villeneuve, ce blanc de blancs a été bien apprécié des dégustateurs. Au nez, il s'ouvre discrètement sur des notes d'aubépine, d'acacia et d'amande fraîche. Dans le même registre aromatique, la bouche allie fraîcheur et délicatesse. Sa finesse en fait un champagne idéal pour l'apéritif. (RM)

Pascal Doquet, 44, chem. du Moulin-de-la-Cense, Biset, 51130 Vertus, tél. 03.26.52.16.50, fax 03.26.59.36.71, info@champagne-doquet-jeanmaire.com r.-v.

DOSNON & LEPAGE Récolte blanche ★

12 000 | 30 à 50 €

Davy Dosnon et Simon-Charles Lepage se sont associés pour créer en 2007 une affaire de négoce qui trouve ses marques dans le Guide. Installés dans l'Aube, non loin de la Bourgogne, ils privilégient l'élevage des vins de base en fût (de réemploi) et les cuvées monocépages. Cette Récolte blanche est ainsi un blanc de blancs. Le chardonnay s'y exprime pleinement, offrant un bouquet complexe et délicat où la fleur blanche se mêle avec de subtiles nuances d'agrumes frais (pamplemousse, citron vert) et d'ananas. Vive à l'attaque, la bouche conjugue fraîcheur et rondeur. Sa palette savoureuse combine des notes citronnées et un boisé épicé qui marque la finale. Même note pour la **Récolte noire (20 à 30 € ; 20 000 b.)**, un blanc de noirs né du seul pinot noir, au nez chaleureux de fruits compotés et de vanille, charnu, équilibré et expressif en bouche. Son ampleur conviendra à un poisson en sauce, tandis que la vivacité du blanc de blancs permettra de le déboucher à l'apéritif. Deux registres différents pour deux champagnes bien réussis. (NM)

Dosnon & Lepage, 4 bis, rue du Bas-de-Lingey, 10340 Avirey-Lingey, tél. 03.25.29.19.24, fax 03.25.29.14.68, n.laugenotte@champagne-dosnon-lepage.com

DIDIER DOUÉ Prestige ★★

4 500 | 15 à 20 €

Installé en 1975, Didier Doué a engagé en 2009 sa conversion au bio. L'aboutissement de pratiques respectueuses de l'environnement : enherbement naturel, interventions effectuées en fonction des cycles lunaires, production d'électricité par panneaux solaires... Son exploitation est implantée à Montgueux, à environ 10 km de Troyes. Ce village aubois possède un long coteau au sol crayeux, surtout planté de chardonnay. Assemblé au pinot noir, ce cépage compose 60 % de cette cuvée Prestige, une fois de plus fort louée, issue des années 2005, 2004 et 2002. Le nez charmeur et tout en finesse mêle les fleurs et les fruits blancs, la crème et la vanille. D'une rare élégance, le palais conjugue fraîcheur et puissance, ce qui permettra de servir cette bouteille aussi bien à l'apéritif qu'au repas. On la verrait bien avec une poule au blanc. (RM)

Didier Doué, 3, voie des Vignes, 10300 Montgueux, tél. 03.25.79.44.33, fax 03.25.79.40.04, doue.didier@wanadoo.fr r.-v.

ÉTIENNE DOUÉ Sélection

25 000 | 11 à 15 €

Ancien salarié viticole, Étienne Doué a planté ses premières vignes il y a quarante ans à Montgueux, îlot viticole à l'ouest de Troyes. Son domaine compte aujourd'hui plus de 6 ha. Ce coteau aubois au sous-sol crayeux est fort propice au chardonnay, majoritaire (60 %) dans cette cuvée, le pinot noir faisant l'appoint. Une robe or pâle, un nez agréable, légèrement beurré, un palais au dosage un peu marqué mais plaisant par sa souplesse et son fruité composent un champagne charmeur et gourmand. (RM)

Étienne Doué, 11, rte de Troyes, 10300 Montgueux, tél. 03.25.74.84.41, fax 03.25.79.00.47, contact@champagneetiennedoue.com r.-v.

DOURDON-VIEILLARD Blanc de blancs 2007 ★

	4 500		20 à 30 €

Fabienne Dourdon a rejoint en 2006 ses parents sur l'exploitation familiale, perpétuant ainsi une tradition vigneronne remontant à 1812. Le domaine s'étend sur près de 10 ha autour de Reuil, sur la rive droite de la Marne. Souvent distingué pour un blanc de noirs, il a soumis cette année aux jurés un blanc de blancs très réussi et typé, issu d'une sélection parcellaire au cœur du terroir de la commune. Le bouquet élégant associe les fleurs blanches, le beurre, la brioche et les agrumes. D'une belle fraîcheur à l'attaque, le palais est délicat, précis et long. Cette bouteille procurera déjà un grand plaisir à l'apéritif ou avec des sushis, des fruits de mer. Elle peut aussi attendre un an ou deux. (RM)

Dourdon-Vieillard, 8, rue des Vignes, 51480 Reuil, tél. 03.26.58.06.38, dourdonvieillard@aol.com r.-v.

DOYARD Blanc de blancs Cuvée Vendémiaire ★

1er cru	30 000		20 à 30 €

C'est Maurice Doyard qui débuta la commercialisation du champagne en 1927. Secrétaire général du Syndicat des vignerons, il participa activement à la naissance de l'organisation interprofessionnelle de la Champagne. Son petit-fils Yannick Doyard est depuis trente ans à la tête de l'exploitation familiale qui couvre 10 ha, essentiellement dans la Côte des Blancs. Il est attaché aux vinifications parcellaires et élève sous bois une partie des vins de base. La cuvée Vendémiaire est un blanc de blancs né des récoltes 2006 et 2004 ; elle n'a effectué que partiellement sa fermentation malolactique. Elle affiche un nez intense aux nuances de beurre et de noisette, avec une touche d'amande et de grillé. Les fruits blancs entrent en scène dans une bouche équilibrée, intense et assez longue, qui finit sur une pointe acidulée. Un champagne au dosage bien maîtrisé, à servir en entrée, sur des crustacés ou même sur une terrine de gibier. (RM)

Doyard, 39, av. Gal-Leclerc, 51130 Vertus, tél. 03.26.52.14.74, fax 03.26.52.24.02, contact@champagnedoyard.fr r.-v. 4

DOYARD-MAHÉ ★

1er cru	n.c.		15 à 20 €

Ce domaine est géré par Philippe Doyard, l'un des petits-fils de Maurice Doyard, cofondateur du Comité interprofessionnel du vin de Champagne, rejoint par sa fille Carole. Il est situé dans la Côte des Blancs et le chardonnay est à la base de ses cuvées – même de ce rosé, qui mobilise 88 % de blanc, le pinot noir, vinifié en rouge, faisant l'appoint. D'un rose profond aux reflets violines, ce champagne au nez puissant de fraise écrasée se montre équilibré, généreux, gourmand et persistant. Le producteur suggère de le servir avec une nage de fraises Mara des bois et de rhubarbe à la vanille. (RC)

Philippe Doyard, Moulin d'Argensole, 28, chem. des Sept-Moulins, 51130 Vertus, tél. 03.26.52.23.85, fax 03.26.59.36.69, champagne.doyard-mahe@wanadoo.fr r.-v.

DRAPPIER Grande Sendrée 2004 ★★

	n.c.		50 à 75 €

Dès le XIIe s., les cisterciens de la toute proche abbaye de Clairvaux avaient ici grange, vigne et caves, ces dernières abritant encore aujourd'hui les cuvées spéciales de la maison et notamment les grands flacons. Fondée il y a deux siècles, la propriété est dirigée depuis une trentaine d'années par Michel Drappier. Elle dispose d'un important vignoble (50 ha environ) et complète ses approvisionnements par des achats de moûts et de raisin. Après un coup de cœur l'an dernier, voici deux cuvées qui obtiennent chacune deux étoiles. Cuvée spéciale, la Grande Sendrée associe pinot noir (55 %) et chardonnay. Élevée partiellement en fût pendant six mois, elle dévoile une robe or jaune et déploie avec subtilité des arômes de fruits secs avec quelques touches de grillé et de cire. C'est un champagne remarquable par son élégance, à la fois souple, vineux et frais. Autre découverte, le brut **Carte d'or 1976 (75 à 100 € ; 18 000 b.)**, composé principalement de pinot noir (90 %), avec un soupçon de chardonnay et de meunier. Trente-six ans après cette année exceptionnellement sèche, le champagne arbore une robe or foncé, avec des reflets orangés. Le nez complexe évoque les fruits confits ou macérés dans l'alcool, le caramel, tandis que le palais, étonnamment frais, est intense, rond et persistant. À réserver aux amateurs de vieux champagnes. (NM)

Drappier, rue des Vignes, 10200 Urville, tél. 03.25.27.40.15, fax 03.25.27.41.19, info@champagne-drappier.com t.l.j. sf dim. 8h-12h 14h-18h

♥ **DRIANT-VALENTIN** ★★★

1er cru	22 000		15 à 20 €

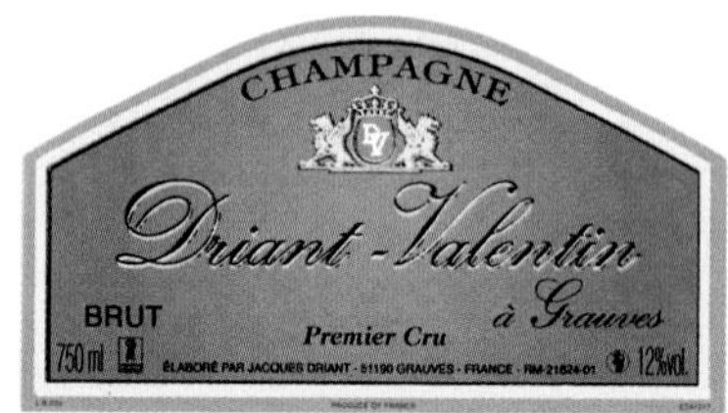

Établis à Grauves, village situé à l'ouest de la Côte des Blancs, Jacques et son fils David exploitent 6,5 ha de vignes. Au fil des éditions, leur propriété fait preuve d'une remarquable régularité. Fait rare, elle décroche un coup de cœur deux années de suite. Et n'oublions pas que ce 1er cru, composé de 60 % de chardonnay et de 40 % de pinot noir, avait manqué de peu cette distinction il y a cinq ans (édition 2008) ; il déployait les mêmes qualités : puissance sans lourdeur, belle maturité. Le brut non millésimé goûté cette année associe les récoltes 2006 et 2005. De couleur dorée, il offre un nez expressif et complexe mêlant des notes empyreumatiques (café grillé), beurrées, briochées et des parfums d'agrumes confits. En bouche, il est à la fois crémeux et précis, grâce à sa fraîcheur et à un dosage bien maîtrisé. La finale longue et élégante complète ce portrait d'un champagne accompli. À déboucher au repas, avec une sole ou un turbot par exemple. Le **1er cru 2000 (20 à 30 € ; 5 500 b.)**, assemblage privilégiant le chardonnay (80 %, le solde en pinot noir), obtient une étoile. Un champagne à son apogée, aux arômes complexes de pain grillé, de fruits secs et de miel. (RM)

Jacques Driant, 4, imp. de la Ferme, 51190 Grauves, tél. 03.26.59.72.26, fax 03.26.59.76.55, contact@champagne-driant-valentin.com r.-v. C

GÉRARD DUBOIS Blanc de blancs Réserve ★

Gd cru	4 000	▮	15 à 20 €

Installé depuis 1970 à Avize dans la Côte des Blancs, Gérard Dubois exploite 5 ha de vignes. Il signe un blanc de blancs issu principalement de la récolte 2005 et vinifié sans fermentation malolactique. Une cuvée opulente qui s'impose au nez comme en bouche par des arômes de fruits jaunes compotés, avec des touches de miel et d'épices. Privilégiant la puissance, c'est un champagne de table, qui devrait s'entendre avec une viande blanche. Arrivé à son apogée, il sera débouché sans attendre. (RM)
Gérard Dubois, 67, rue Ernest-Vallé, 51190 Avize, tél. 03.26.57.58.60, fax 03.26.57.41.94 r.-v.

HERVÉ DUBOIS Cuvée Brut

	6 000	▮	11 à 15 €

Installé dans la Côte des Blancs, Hervé Dubois a repris en 1980 le vignoble familial qui couvre aujourd'hui 7 ha. Il vinifie ses vins blancs sans fermentation malolactique, à l'inverse de ses pinots. Son brut tradition assemble 60 % des deux pinots (à parité) et 40 % de chardonnay. Au nez, il déploie des notes d'agrumes d'une belle fraîcheur. Fraîcheur que l'on retrouve dans un palais à la finale citronnée. Une bouteille vive et légère, pour l'apéritif. (RM)
Hervé Dubois, 67, rue Ernest-Vallé, 51190 Avize, tél. 03.26.57.52.45, fax 03.26.57.99.26, champagne.dubois@gmail.com r.-v.

J. DUMANGIN FILS Blanc de pinot meunier Cuvée Achille Trio des ancêtres Vieilli sous bois ★

1er cru	1 300	▮	50 à 75 €

Gilles Dumangin a repris en 2001 l'exploitation familiale qui s'étend aux alentours de Chigny-les-Roses, sur le flanc nord de la Montagne de Reims. En 2001, il a lancé le « Trio des ancêtres », une gamme de champagnes brut nature (non dosés) monocépages, élevés en fût de chêne et vieillis neuf ans sur leurs lies. Pur meunier récolté en 2000, cette cuvée Achille apparaît discrètement fruitée, ample, élégante, de bonne longueur. Elle devrait pouvoir attendre un an ou deux. Le **blanc de pinot noir brut nature vieilli sous bois cuvée Hippolyte Trio des ancêtres (1 300 b.)** est un champagne bien dosé, aux nuances complexes de fruits confits et de pâte de fruits. Puissant et équilibré en bouche, il affiche une belle continuité avec le nez. Même note. (NM)
J. Dumangin Fils, 3, rue de Rilly, 51500 Chigny-les-Roses, tél. 03.26.03.46.34, fax 03.26.03.45.61, info@champagne-dumangin.fr t.l.j. sf dim. lun. mer. 10h-17h30

DUMÉNIL Blanc de blancs ★

1er cru	10 000		15 à 20 €

L'ancêtre fondateur, Élie Duménil, était vigneron et cafetier à Chigny-les-Roses. Aujourd'hui, son arrière-arrière-petite-fille, Frédérique Poret, exploite avec son mari Hugues 8 ha dans ce village et les communes voisines de Ludes et de Rilly, au cœur de la Montagne de Reims. Si ce secteur est réputé pour son pinot noir, la propriété se distingue souvent grâce au chardonnay, et son blanc de blancs est de nouveau apprécié. Au nez, d'agréables notes florales et minérales. En bouche, souplesse, équilibre et délicatesse. La finale d'une belle fraîcheur aux nuances de fruits exotiques laisse le souvenir d'un ensemble harmonieux. À déboucher à l'apéritif et à finir sur un poisson blanc. (RM)
Duménil, rue des Vignes, 51500 Chigny-les-Roses, tél. 03.26.03.44.48, fax 03.26.03.45.25, info@champagne-dumenil.com r.-v.
Mme Poret

ARNAUD DUMONT ★

	2 137		15 à 20 €

Un nouveau nom dans le Guide et une jeune propriété qui a son siège au sud du vignoble, dans le Barséquanais (Aube). Petit-fils du fondateur d'une coopérative auboise, fort d'un vignoble de 13 ha, Arnaud Dumont décide d'élaborer ses propres champagnes. Il reprend en 2010 la propriété familiale, à l'âge de trente et un ans, et soumet au jury du Guide ses premières cuvées. Son brut rosé, de la récolte 2009, assemble deux tiers de chardonnay et un tiers de pinot noir macéré. Il affiche une robe soutenue, rose bonbon, et livre d'intenses notes de fruits rouges, de noyau, que l'on retrouve en bouche. Ample, vif, équilibré et persistant, il est destiné au repas ou au dessert. Cité, le brut **Privilège (11 à 15 € ; 8 117 b.)** met en vedette le pinot noir (70 %, le solde en chardonnay). On aime ses arômes de fruits à chair jaune et sa matière ronde et fine. (NM)
NOUVEAU PRODUCTEUR
SARL Dumont et Fils, 14, rue de la Vereille, 10250 Gyé-sur-Seine, tél. 03.25.38.23.27, arnaudumont@gmail.com r.-v.

R. DUMONT ET FILS Solera Réserve ★

	6 000	▮	15 à 20 €

Établis depuis plus de deux siècles dans la région de Bar-sur-Aube, les Dumont sont aujourd'hui à la tête d'un domaine de 23 ha. Si le pinot noir domine dans la Côte des Bar, c'est le chardonnay qui règne sans partage dans cette cuvée spéciale. Solera ? Un terme emprunté à l'univers du xérès d'Andalousie. Le principe est ici le même : un assemblage dynamique. Ici, le récoltant prélève tous les ans 25 % de vins de réserve sur la même cuve pour la remplacer par le même volume de vins de la dernière récolte. Typé du cépage, ce champagne déploie une palette de fleurs blanches et jaunes, d'agrumes confits et d'amande verte. Son palais frais, citronné, fin et harmonieux suggère un accord avec une croustade de fruits de mer. Le **2005 (22 000 b.)** comprend 60 % de pinot noir et 40 % de chardonnay. Il obtient la même note pour son nez expressif de fruits mûrs et pour sa bouche tonique, ample et longue. (RM)
SCEV R. Dumont et Fils, rue de Champagne, 10200 Champignol-lez-Mondeville, tél. 03.25.27.45.95, fax 03.25.27.45.97, rdumontetfils@wanadoo.fr r.-v.

DUVAL-LEROY ★

	n.c.		20 à 30 €

Née en 1859, cette société implantée à Vertus, restée familiale, est dirigée par Carol Duval-Leroy depuis 1991. Elle a développé un vignoble considérable – pas moins de 200 ha –, ce qui en fait la maison la plus importante de la Côte des Blancs. Si le chardonnay est à la base de la plupart de ses cuvées, il s'efface devant le pinot noir (90 %) dans ce brut sans année – des raisins noirs issus de la Montagne de Reims. Le nez intense, fait de brioche, de pain grillé et de fruits confits, prélude à un palais joliment équilibré entre vivacité et rondeur. Un champagne polyvalent, que l'on pourra déboucher à l'apéritif et servir jusqu'au dessert si celui-ci n'est pas trop sucré. Le **rosé Prestige (30 à 50 €)** obtient la même note pour son nez de fruits rouges bien mûrs, de fruits secs et de pain grillé, son équilibre et sa finesse. (NM)

Duval-Leroy, 69, av. de Bammental, 51130 Vertus, tél. 03.26.52.10.75, fax 03.26.52.37.10, champagne@duval-leroy.com r.-v.

EDWIGE FRANÇOIS Cuvée des Aïeux ★

n.c. 20 à 30 €

Par exception, cette étiquette, lancée au cours des années 1980, n'associe pas les patronymes d'un couple de vignerons, mais leurs prénoms. Fils de coopérateurs devenu récoltant-manipulant, François Remiot exploite 8 ha à l'ouest de Château-Thierry, autour de Charly-sur-Marne. Si ce gros village a pu être qualifié de « Capitale du meunier », les Remiot mettent aussi à l'honneur les autres cépages. Cette cuvée, issue des récoltes 2005 à 2003, privilégie ainsi le chardonnay (80 %), avec les deux pinots en appoint. Le passage sous bois des vins de base se traduit par un nez intense mêlant des nuances vanillées et fumées à des senteurs de fruits mûrs. Dans le même registre mûr et boisé, le palais se montre rond et persistant. Un champagne de repas, qu'un juré suggère de marier à une pintade sauce ratafia. Quant à la cuvée **Finesse (20 à 30 € ; 1 800 b.)**, c'est un pur chardonnay au nez de brioche et d'amande fraîche, à la finale harmonieuse et longue : une citation. (RM)

EARL Val des Haïs, 68, av. Fernand-Drouet, 02310 Charly-sur-Marne, tél. et fax 03.23.82.11.26, contact@champagne-edwige-francois.fr r.-v. 2

CHARLES ELLNER Réserve ★

220 000 15 à 20 €

Fondée en 1890, cette maison de négoce familiale a son siège à Épernay. Les générations successives ont constitué un vignoble qui couvre aujourd'hui une cinquantaine d'hectares répartis dans toute la région. Cette Réserve assemble 60 % de chardonnay et 40 % de pinot noir des années 2006 et 2005. Elle offre au nez des nuances de fruits mûrs, de pomme et de quetsche. Souple, structurée et vineuse, elle ne manque pas de fraîcheur : on pourra la déboucher dès l'apéritif, ou la marier à un poisson en sauce. Le brut **Qualité extra (80 000 b.)**, quant à lui, privilégie les noirs : 70 %, dont 50 % de pinot noir. Son nez de pâtisserie et d'agrumes, sa bouche équilibrée, à la fois ample et tonique, lui vaut une belle citation. Un vin élégant pour un apéritif dînatoire. (NM)

SAS Ellner, 6, rue Côte-Legris, 51200 Épernay, tél. 03.26.55.60.25, fax 03.26.51.54.00, info@champagne-ellner.com r.-v.

ESTERLIN Blanc de blancs ★★★

120 000 20 à 30 €

Située dans le secteur des coteaux sud d'Épernay, la coopérative de Mancy, fondée en 1948, vinifie 120 ha pour le compte de ses 165 adhérents et commercialise ses champagnes sous la marque Esterlin. Ceux-ci ne font pas leur fermentation malolactique. La cave obtient cette année un beau palmarès en « plaçant » deux de ses cuvées, en particulier cet excellent blanc de blancs qui a frôlé le coup de cœur. Ses atouts ? Une palette expressive mêlant les fleurs blanches, la poire et la mirabelle, avec une touche beurrée et miellée en bouche ; un palais frais, onctueux et long, et enfin un potentiel intéressant : cette bouteille peut attendre un an ou deux. Autre blanc de blancs (la mention ne figure pas sur l'étiquette), la cuvée **Cléo (30 à 50 € ; 30 000 b.)**, issue des années 2005 et 2004, développe des senteurs de café grillé, de moka que l'on retrouve dans une bouche vive à l'attaque, gourmande et longue. Elle obtient une étoile. (CM)

Esterlin, 25, av. de Champagne, 51200 Épernay, tél. 03.26.59.71.52, fax 03.26.59.77.72, contact@champagne-esterlin.fr
t.l.j. sf sam. dim. 9h-12h30 13h30-17h30

CHRISTIAN ÉTIENNE Cuvée Tradition ★

65 000 11 à 15 €

Un domaine bien connu de nos lecteurs couvrant une dizaine d'hectares aux environs de Meurville, près de Bar-sur-Aube. Installés en 1978 sur le domaine familial, Christian et Anne Étienne ont adapté une devise des moines cisterciens, qui cultivaient jadis la vigne à Clairvaux, dans le voisinage : *Ama, ora et labora*. Fruit de leur labeur, la cuvée Tradition assemble 70 % de pinot noir et 30 % de chardonnay. Une partie des vins a été élevée un an dans des fûts de réemploi. Ce séjour ne marque pas ce champagne qui a séduit par son nez floral et minéral, par sa bouche fraîche et délicate, aux nuances citronnées. Parfait pour l'apéritif ou des fruits de mer. (RM)

Christian Étienne, 12, rue de la Fontaine, 10200 Meurville, tél. 03.25.27.46.66, fax 03.25.27.45.84, champagneesperance@orange.fr r.-v.
EARL Dom. de l'Espérance

DANIEL ÉTIENNE Cuvée spéciale

1er cru 5 500 11 à 15 €

La famille Étienne est connue à Cumières, dans la Grande Vallée de la Marne. Depuis la retraite de Jean-Marie en 2010, ses fils vendent leurs champagnes chacun sous son nom. Daniel mise aussi sur l'accueil en proposant des chambres d'hôtes avec vue sur la rivière. Sa Cuvée spéciale assemble à parité les raisins blancs et les raisins noirs. Parmi ces derniers, le pinot noir, réputé à Cumières, l'emporte largement. Le champagne tient bien des noirs et des blancs : le nez est frais, sur le pamplemousse, puis il se partage à l'aération entre les agrumes et les fruits jaunes ; la bouche est ample et d'une belle vivacité. Pour l'apéritif ou des coquilles Saint-Jacques. (RM)

Étienne, 166, rue de Dizy, 51480 Cumières, tél. 03.26.55.14.33, champagne.etiennedaniel@wanadoo.fr r.-v. 4

PASCAL ÉTIENNE Grande Cuvée ★

5 000 11 à 15 €

L'étiquette est nouvelle, mais le récoltant est un vieil habitué du Guide, longtemps caché derrière le nom de son père Jean-Marie, retiré depuis 2010. Entre 2004 et 2010, il a commercialisé des champagnes sous la marque Étienne-Bénard. Il les vend désormais sous son seul nom. Son vignoble de 5 ha est réparti principalement sur les communes de Cumières, Damery et Hautvillers, dans la vallée de la Marne. Le chardonnay est majoritaire (80 %) dans sa Grande Cuvée, complété par le pinot noir. Un champagne racé et beurré au nez, dynamique et plaisant en bouche. À servir dès maintenant à l'apéritif, sur un poisson grillé, ou à oublier un à deux ans en cave. (RM)

Pascal Étienne, 39, rte Nationale, 51530 Mardeuil, tél. et fax 03.26.54.49.60, champagne-pascal-etienne@orange.fr r.-v.

FRANÇOIS FAGOT Cuvée Virginie

3 000 15 à 20 €

Le domaine des Fagot couvre 6 ha sur la Montagne de Reims, au sud de la cité des Sacres. Leur cuvée Virginie a été baptisée en hommage à une aïeule, qui produisait du vin blanc. Elle assemble 70 % de chardonnay et 30 % de pinot noir, ce dernier correspondant aux vins de réserve. D'une belle vivacité au nez, ce champagne séduit par ses arômes de fruits blancs et semble avoir un potentiel intéressant. Il pourrait gagner à attendre un an ou deux. (NM)

SARL François Fagot et Fils, 26, rue Gambetta, 51500 Rilly-la-Montagne, tél. 03.26.03.42.56, fax 03.26.03.41.19, info@champagne-francois-fagot.com
r.-v.

MICHEL FALMET ★

1 873 | 11 à 15 €

Une nouvelle étiquette dans le Guide. Reprise par Corinne Falmet en 2004, cette exploitation familiale couvre un peu plus de 3 ha tout près de Bar-sur-Aube et aux confins de la Haute-Marne. Son rosé provient d'une écrasante majorité de raisins noirs (90 % de pinot noir), le chardonnay faisant l'appoint. Un peu de vin rouge lui donne une teinte rose pâle. Avec ses délicates senteurs de fruits rouges (fraise, framboise) et de bonbon associées à une pointe de minéralité, ce champagne porte la marque du cépage principal. Vif et souple à la fois, il est bien équilibré. Un rosé d'apéritif. (RM)

NOUVEAU PRODUCTEUR

Michel Falmet, 3, rue Louis-Desprez, 10200 Rouvres-les-Vignes, tél. et fax 03.25.27.20.11, champagne.michel-falmet@wanadoo.fr
t.l.j. 8h-19h; f. 1er -15 jan.

SERGE FAŸE Tradition ★

1er cru | 25 000 | 11 à 15 €

Cette exploitation a son siège rue Michel-Le Tellier – figure historique plus connue sous le nom de Louvois. Le célèbre ministre de la Guerre de Louis XIV avait fait construire un château dans le village. Le village de Louvois et son vignoble sont situés sur le flanc sud de la Montagne de Reims. Serge Faÿe, qui a repris la succession de son père en 1984, y exploite 4,5 ha de vignes. Le pinot noir (80 %) et le chardonnay se marient dans ce brut sans année au nez floral et au palais marqué par de délicats arômes de fruits blancs (pomme, poire). Équilibré, encore sur sa réserve, ce champagne dévoile une vivacité et une touche de minéralité qui feront merveille à l'apéritif ou avec un poisson. (RM)

SCEV Serge Faÿe, 40, rue Michel-Le Tellier, 51150 Louvois, tél. 03.26.57.81.66, fax 03.26.59.45.12, sergefaye@orange.fr
r.-v.

NICOLAS FEUILLATTE Chardonnay 2004 ★

n.c. | 30 à 50 €

Aux origines du Centre vinicole Nicolas Feuillatte, une unité installée en 1972 à Chouilly pour stocker et vinifier les récoltes surabondantes de 1970. En 1986, le négociant Nicolas Feuillatte, qui avait lancé sa marque dix ans plus tôt, la cède au centre vinicole. Aujourd'hui, ce dernier regroupe quatre-vingt trois coopératives et s'approvisionne sur 2 200 ha, auprès de plus de 5 000 viticulteurs, environ le tiers des exploitants de la région ! Ses caves permettent de stocker, sur plusieurs niveaux, des dizaines de millions de bouteilles. En 2011, plus de neuf millions de cols de la marque ont été écoulés. La gamme comprend des millésimés, comme ce chardonnay qui offre un bouquet complexe, sur des notes de fruits exotiques et des nuances beurrées que l'on retrouve en bouche. De la finesse, de l'équilibre, de la fraîcheur : une bouteille à la personnalité fort plaisante, pleine de douceur, qui sera l'agréable prélude d'un repas de fête. (CM)

Nicolas Feuillatte, Centre vinicole Champagne, CD 40A Chouilly, 51206 Épernay Cedex, tél. 03.26.59.55.50, fax 03.26.59.55.82
r.-v.

DANY FÈVRE Cuvée Isabelle ★

5 100 | 15 à 20 €

Fondée en 1880, cette propriété auboise compte 8 ha de vignes. Sa cuvée Isabelle, une fois de plus remarquée, privilégie le chardonnay (78 %), complété par le pinot noir. Elle séduit par la finesse de son bouquet floral et par son équilibre rare entre rondeur et fraîcheur. À souligner, sa finale persistante et son dosage parfaitement maîtrisé. Le **Rosé gourmand demi-sec (11 à 15 € ; 6 500 b.)** a obtenu la même note. Pur pinot noir, il offre un nez intense aux nuances de prune mûre et dévoile une bouche bien construite, judicieusement dosée et délicieusement acidulée. Le rosé de dessert par excellence, qui devrait s'entendre avec une charlotte aux biscuits roses ou un moelleux au chocolat et aux framboises. (RM)

Dany Fèvre et Évelyne Penot, 8, rue Benoit, 10110 Ville-sur-Arce, tél. 03.25.38.76.63, fax 03.25.38.78.52, champagne.fevre@wanadoo.fr
r.-v.

BERNARD FIGUET Cuvée rosé ★

8 000 | 11 à 15 €

Cette famille de récoltants, qui élabore son champagne depuis 1946, dispose de 12 ha de vignes dans la vallée de la Marne. Son rosé assemble à parts égales les blancs et les noirs (50 % de chardonnay, 35 % de meunier, 15 % de pinot noir). Si la robe est pâle, le nez apparaît très expressif, sur le cassis et la groseille. La bouche, un peu fugace, n'en est pas moins équilibrée et harmonieuse. Citée, la **Cuvée de réserve (25 000 b.)**, qui associe les trois cépages dans les mêmes proportions que le rosé, est franche, fruitée, onctueuse. (RM)

Bernard Figuet, 144, rte Nationale, 02310 Saulchery, tél. 03.23.70.16.32, fax 03.23.70.17.22, champagne.bfiguet@wanadoo.fr
t.l.j. 9h-12h 14h-18h

ALEXANDRE FILAINE Cuvée Confidence ★

2 000 | 15 à 20 €

Installé à Damery, sur la rive droite de la Marne, Fabrice Gass vinifie ses vins en fût. Sa cuvée Confidence avait été à l'honneur dans l'édition 2006 du Guide. Elle marie 70 % des deux pinots (dont 45 % de pinot noir) à 30 % de chardonnay. Dévoilant des senteurs de biscotte, de pain grillé, de vanille léguées par son séjour dans le bois, marquée par l'évolution, elle se montre vive et puissante et plaira aux amateurs de champagnes boisés. Accord intéressant avec un vol-au-vent aux ris de veau et champignons. (RM)

Fabrice Gass, 17, rue Raymond-Poincaré, 51480 Damery, tél. 03.26.58.88.39, alexandrefilaine@orange.fr
r.-v.

FLEURY PÈRE ET FILS Robert Fleury 2002 ★★

8 000 | 30 à 50 €

Installé dans la Côte des Bar (Aube), Jean-Pierre Fleury a été pionnier de la biodynamie en Champagne : il a converti son domaine (15 ha) entre 1989 et 1992. Ses trois enfants ont pris leurs marques : Morgane tient une cave à Paris, Jean-Sébastien se consacre aux vinifications et Benoît au travail de la vigne. Cette cuvée rend hommage au fondateur de la marque, qui commercialisa ses premières bouteilles en 1929. Le millésime 2000 avait obtenu la note maximale. Ce 2002 est remarquable. Assemblage savant, il marie 46 % de pinot noir et 54 % de raisins blancs, dont 36 % de pinot blanc, cépage autorisé et choyé par plusieurs récoltants aubois. Le chardonnay n'a pas fait sa fermentation malolactique et 80 % des vins ont été élevés seize mois en fût. Il en résulte un nez puissant et complexe de fleurs, de griotte confiturée et de boisé. Cette palette complexe se prolonge dans une bouche harmonieuse, de l'attaque à la longue finale. À déboucher à l'apéritif avec des gougères et à finir avec des crustacés ou une viande blanche. Le **rosé de saignée (20 à 30 € ; 25 000 b.)**, pur pinot noir récolté en 2008, est cité pour ses arômes de fraise et de framboise mûres et pour son équilibre. (NM)

Fleury, 43, Grande-Rue, 10250 Courteron,
tél. 03.25.38.20.28, fax 03.25.38.24.65,
champagne@champagne-fleury.fr r.-v.

FLUTEAU Blanc de noirs ★

20 000 | 11 à 15 €

Thierry Fluteau conduit depuis 1996 l'exploitation familiale : 9 ha de vignes implantées sur les coteaux de la Seine, à l'extrémité sud de la Côte des Bar – la Bourgogne est à moins de 12 km, en amont du fleuve. Le pinot noir, omniprésent dans ce secteur, est à l'origine de ce blanc de noirs. Le nez bien fruité allie le raisin frais, la prune, la cerise et le pamplemousse. D'une très belle tenue, le palais se montre frais, charnu et rond. Même note pour la **Cuvée réservée (10 000 b.)**, elle aussi construite sur le pinot noir, assemblé à 15 % de chardonnay, fruitée et équilibrée entre souplesse et fraîcheur. (RM)

EARL Thierry Fluteau, 5, rue de la Nation,
10250 Gyé-sur-Seine, tél. 03.25.38.20.02, fax 03.25.38.24.84,
champagne.fluteau@wanadoo.fr t.l.j. 9h-12h 14h-18h

FOISSY-JOLY Grande Cuvée ★

8 000 | 11 à 15 €

Une marque récente, puisque Frédéric Joly l'a lancée en 2008 après avoir repris en 2000 la propriété familiale, située dans le petit village de Noé-les-Mallets, entre Bar-sur-Seine et Bar-sur-Aube. Sa Grande Cuvée réunit 70 % de pinot noir à 30 % de chardonnay. Le jury a apprécié son nez complexe, sa bouche bien dosée, élégante, persistant longuement sur des arômes de fruits frais. À déboucher dès maintenant à l'apéritif. (RM)

Foissy-Joly, 4, rue de Chatet, 10360 Noé-les-Mallets,
tél. 03.25.29.65.24, fax 03.25.38.67.28,
contact@champagne-foissy-joly.com r.-v.

FOREST-MARIÉ Cuvée Saint-Crespin ★★

1er cru | 6 000 | 15 à 20 €

Le domaine de Thierry Forest se partage entre deux secteurs proches de Reims : le vignoble d'Écueil (Montagne de Reims) et celui de Trigny (massif de Saint-Thierry). Sur son exploitation, le pinot noir, cépage réputé à Écueil, est majoritaire. Il est l'unique représentant de cette cuvée qui a enchanté nos jurés. Le nez marie harmonieusement des senteurs beurrées, compotées, à des notes de caramel au lait, prélude à un palais empreint de suavité. Sa belle évolution et sa richesse destinent cette bouteille à la table, où elle pourra accompagner un poisson en sauce. Le pinot noir domine (60 %) l'assemblage du **1er cru 2004 (5 000 b.)**, complété de chardonnay, noté une étoile. Un champagne vieil or aux arômes de fruits secs et de fruits confits, onctueux, fin et frais en bouche, qui trouvera sa place à l'apéritif, avec des cubes de comté par exemple. (RM)

SCEV Forest-Marié, 20, rue de la Chapelle, 51140 Trigny,
tél. 03.26.03.13.23, fax 03.26.03.19.72,
champagne-forest-marie@orange.fr r.-v.

JEAN FORGET Réserve ★

1er cru | 1 000 | 15 à 20 €

Christian Forget est établi à Ludes, commune classée en 1er cru sur le versant nord de la Montagne de Reims. Son brut Réserve assemble à parts égales chardonnay et pinot noir. Le nez est fait de fruits mûrs, presque compotés. Cette expression aromatique se confirme dans une bouche charnue et fruitée. Cité, le brut **Tradition 1er cru (11 à 15 € ; 4 000 b.)** associe à parts égales les trois cépages champenois. Arrivé à son apogée, il n'en demeure pas moins franc, souple et harmonieux. Deux bouteilles pour maintenant. (RM)

Christian Forget, 2, rue Nationale, 51500 Ludes,
tél. et fax 03.26.61.81.96 r.-v.

FORGET-CHEMIN Carte blanche ★

60 000 | 11 à 15 €

Thierry Forget représente la quatrième génération sur l'exploitation, qui s'étend sur 12 ha répartis sur dix crus de la Montagne de Reims, de la vallée de la Marne et de l'Ardre. Sa cuvée Carte blanche, issue des trois cépages champenois à parts égales, est encore au rendez-vous du Guide. Sa robe or pâle annonce un nez d'une belle fraîcheur, mêlant des notes minérales et beurrées à des nuances de mie de pain. Le palais vif et structuré est le gage d'un bon potentiel : on pourra attendre cette bouteille un an ou deux. La série des millésimés commercialisés sous la bannière du Club Trésors de Champagne continue avec le **Spécial Club 2006 (20 à 30 €)**, cité, un mi-blancs mi-noirs né des trois cépages, un peu évolué, intense, assez long et bien dosé. (RM)

Forget-Chemin, 15, rue Victor-Hugo, 51500 Ludes,
tél. 03.26.61.12.17, fax 03.26.61.14.51,
champagne.forget.chemin@gmail.com
t.l.j. 9h-12h 14h-16h; sam. dim. sur r.-v.

THIERRY FOURNIER Blanc de blancs Prestige ★

10 000 | 15 à 20 €

Thierry Fournier s'est installé en 1983 avec Murielle sur l'exploitation familiale, qu'il a agrandie au fil des ans, portant sa surface de 4 à 12 ha. Le couple a développé dans le même temps la commercialisation de toute une gamme de champagnes, dont cette cuvée Prestige, un blanc de blancs de la récolte 2008. Le nez intense déploie des notes beurrées, des nuances de fruits confits et de fruits secs comme la noisette, arômes qui se confirment au palais. Franc et bien dosé, ce champagne a suffisamment d'étoffe et de longueur pour accompagner un poisson en sauce ou un poulet aux morilles. (RM)

Thierry Fournier, 8, rue du Moulin, hameau de Neuville,
51700 Festigny, tél. 03.26.58.04.23, fax 03.26.58.09.91,
thierry.fournier7@wanadoo.fr r.-v.

PHILIPPE FOURRIER Cuvée Prestige ★

32 500 | 15 à 20 €

Créée au début des années 1980, cette maison a son siège dans la région de Bar-sur-Aube. Sa cuvée Prestige est un pur chardonnay. Finesse des senteurs d'agrumes et de fruits blancs (pêche blanche, pomme et poire), vivacité et persistance : une belle expression du cépage dans ce joli champagne d'apéritif. (NM)

Philippe Fourrier, 39, rue de Bar-sur-Aube, 10200 Baroville, tél. 03.25.27.13.44, fax 03.25.27.12.49, contact@champagne-fourrier.fr
t.l.j. sf dim. 9h-12h 14h-18h

FRANÇOIS-BROSSOLETTE Réserve

7 000 | 11 à 15 €

Constituée en 1991 à la suite de l'union de François Brossolette et de Sylvie François, cette propriété proche de Bar-sur-Seine s'étend sur 14 ha. Le pinot noir, cépage dominant du Barséquanais, compose les trois quarts de cette cuvée, complété par le chardonnay et un soupçon de meunier. Le nez dévoile de discrètes senteurs briochées et biscuitées, suivi d'une bouche aux arômes de fruits bien mûrs. Frais et gourmand, ce champagne trouvera sa place à l'apéritif. (RM)

François-Brossolette, 42, Grande-Rue, 10110 Polisy, tél. 03.25.38.57.17, fax 03.25.38.51.56, francois-brossolette@wanadoo.fr r.-v.

GABRIEL FRESNE Tradition

15 000 | 11 à 15 €

Les parents de Corinne Fresne se sont établis en 1967 à Brugny-Vaudancourt, dans le secteur des coteaux sud d'Épernay. Cette dernière s'est installée en 2000 sur la propriété, qui couvre un peu plus de 4 ha. Les deux pinots (80 %, dont 50 % de meunier) sont à leur avantage dans ce brut Tradition au nez plaisant et franc mêlant griotte, fruits jaunes et touches épicées. Après une attaque souple, la bouche dévoile des arômes assez évolués. À déboucher dès la sortie du Guide sur une volaille en sauce ou un médaillon de lotte. (RM)

Gabriel Fresne, 7, rte Nationale, RD 951, 51530 Brugny-Vaudancourt, tél. 03.26.59.98.09, fax 03.26.58.49.02, gafresne@club-internet.fr r.-v.

FRESNE DUCRET Fresnésie 2004

4 000 | 20 à 30 €

Longtemps apporteurs de raisins, les Fresne se sont lancés dans l'élaboration du champagne en 1948. Depuis 2006, Pierre Fresne conduit l'exploitation, qui couvre 6 ha autour de Villedommange, joli village de la Montagne de Reims, proche de la cité des Sacres. Il signe un 2004 vinifié sans fermentation malolactique, qui assemble par tiers les trois cépages champenois. Le nez exprime des notes briochées et miellées, arômes d'évolution qui se prolongent dans une bouche un peu courte mais fraîche et bien équilibrée. (RM)

SCEV JA Milaur, 10, rue Saint-Vincent, 51390 Villedommange, tél. 03.26.49.24.60, fax 03.26.49.23.67
r.-v.
Pierre Fresne

FRESNET-BAUDOT Élégance 2000 ★

Gd cru | 1 000 | 15 à 20 €

Installés à l'origine à Sillery, les Fresnet ont transféré le siège de leur exploitation à Mailly-Champagne, sur les pentes de la Montagne de Reims. Ils exploitent 3 ha dans trois grands crus du secteur : Sillery, Verzy et Mailly-Champagne. Champagne de prestige millésimé, la cuvée Élégance fait appel à 60 % de chardonnay et à 40 % de pinot noir vinifiés sous bois. La robe est d'un doré soutenu ; le nez complexe, aux nuances confites, prélude à une bouche fraîche et de bonne tenue, aux arômes de pain d'épice et de brioche. Un champagne de repas à servir sans trop tarder sur une viande blanche. Chardonnay et pinot noir sont assemblés dans des proportions inverses dans le brut **grand cru (10 000 b.)**, issu des récoltes 2004 et 2003, qui obtient lui aussi une étoile pour ses nuances complexes de fruits confiturés, de figue, de miel et de café, que l'on retrouve dans un palais encore frais. Pour les amateurs de vieux champagnes, qui devraient l'apprécier avec du foie gras poêlé. (RM)

Fresnet-Baudot, 5, rue du 8-Mai, 51500 Mailly-Champagne, tél. 03.26.49.11.74, fax 03.26.49.10.72, champagne.fresnet-baudot@wanadoo.fr
r.-v.

FROMENT-GRIFFON Grande Réserve ★

1er cru | 7 000 | 11 à 15 €

Mathias Griffon a repris en 2002 les 6,2 ha du vignoble familial situé à Sermiers, petit village de la Montagne de Reims, proche de la cité des Sacres. Sa femme Marie l'a rejoint en 2007. Tous deux œnologues, ils suivent la production et la commercialisation de leurs champagnes. Mi-blancs mi-noirs (35 % de meunier), la Grande Réserve séduit une fois de plus. Son nez d'une belle fraîcheur mêle les raisins frais et la pomme verte. Franche à l'attaque, justement dosée, la bouche marie d'agréables notes citronnées et briochées. Encore jeune, cette cuvée devrait gagner sa deuxième étoile à l'ancienneté, en patientant un an ou deux en cave. Cité, le brut **Tradition 1er cru (17 000 b.)** fait entrer 90 % de noirs dans son assemblage (meunier 70 %). C'est un vin charmeur, aux arômes de noyau et de petits fruits. Même note pour la cuvée **Privilège 1er cru 2006 (15 à 20 € ; 4 000 b.)**, dont l'assemblage privilégie le chardonnay (70 %, le solde en pinot noir) : un champagne brioché, beurré et long. (RC)

Froment-Griffon, 9, rue du Franc-Mousset, 51500 Sermiers, tél. 03.26.97.61.62, fax 03.26.97.60.35, champagne.froment-griffon@wanadoo.fr r.-v.

FROMENTIN-LECLAPART Tradition ★

Gd cru | 31 286 | 11 à 15 €

C'est aujourd'hui Jean-Baptiste Fromentin qui conduit depuis quelques années l'exploitation qui dispose de 5,5 ha fort bien situés sur les terroirs de Bouzy et d'Ambonnay, deux grands crus réputés pour leur pinot noir. Ce brut Tradition en contient 75 %, le chardonnay faisant l'appoint. Le nez se partage entre les fruits confits, la brioche et le beurre frais. Tout aussi séduisant, le palais se montre ample, rond et long. (RC)

Fromentin-Leclapart, 1, rue Paul-Doumer, 51150 Bouzy, tél. 03.26.57.06.84, fax 03.26.57.83.68, contact@champagne-fromentin-leclapart.fr r.-v.
Fromentin

MICHEL FURDYNA Blanc de noirs Réserve ★

21 000 | 15 à 20 €

Michel Furdyna élabore et commercialise son champagne depuis le début des années 1970. Il dispose de 10 ha de vignes dans plusieurs communes de la Côte des Bar. Le pinot noir, majoritaire dans l'Aube, est très présent dans ses cuvées. Il compose exclusivement ce blanc de noirs qui obtient une belle étoile. Les dégustateurs soulignent la délicatesse de son nez, où l'on trouve des agrumes, des fruits blancs et de l'aubépine. Ils apprécient la franchise de son attaque, son bel équilibre entre fraîcheur et vinosité, son dosage bien maîtrisé. On pourra servir cette bouteille sur un poisson en sauce. Le **rosé (5 025 b.)**, obtenu par une macération de pinot noir durant trois jours, est cité pour son fruité intense aux nuances de fraise des bois et de framboise, et pour son étoffe puissante et expressive. (RM)

EARL Furdyna, 13, rue du Trot, 10110 Celles-sur-Ource, tél. 03.25.38.54.20, fax 03.25.38.25.63, champagne.furdyna@wanadoo.fr r.-v.

GALLIMARD PÈRE ET FILS Cuvée Prestige 2006 ★

7 500 | 15 à 20 €

Les Gallimard élaborent du champagne depuis 1930. Depuis 1983, c'est Didier Gallimard qui préside aux destinées de la maison. Il dispose d'un vignoble de 10 ha autour du village aubois des Riceys, réputé pour son pinot noir. Ce cépage représente 65 % de l'assemblage de cette cuvée, complété par le chardonnay. Un champagne attirant par ses parfums d'agrumes et de fruits jaunes (pêche, abricot), qui se prolongent en bouche, teintés en finale par une touche de minéralité. On apprécie aussi son équilibre, fait de puissance, de rondeur et de fraîcheur. Une étoile encore pour la **cuvée Quintessence vieillie en fût de chêne (20 à 30 €; 3 000 b.)**. Un pur chardonnay de la récolte 2008, fin et élégant au nez, tonique, acidulé et à peine boisé en bouche, aux arômes persistants de rhubarbe et de fruits blancs (poire). (NM)

EARL Gallimard Père et Fils, 18-20, rue Gaston-Cheq-le-Magny, BP 23, 10340 Les Riceys, tél. 03.25.29.32.44, fax 03.25.38.55.20, champ.gallimard@wanadoo.fr
t.l.j. 9h-12h 14h-17h30; sam. sur r.-v.; f. 15-31 août

GAUDINAT-BOIVIN Cuvée Origine ★

800 | 20 à 30 €

Cette famille cultive la vigne depuis cinq générations et s'est lancée dans la manipulation dans les années 1950. Dirigée aujourd'hui par Hervé et David Gaudinat, l'exploitation s'étend sur 6 ha dans la vallée de la Marne. Le meunier, dominant dans ce secteur, est le cépage exclusif de cette cuvée issue de vieilles vignes et vinifiée sous bois pendant sept mois. Un nez bien ouvert, sur le beurre frais, le pain chaud et la cire d'abeille annonce une bouche franche à l'attaque, ample et fruitée, qui tire son originalité du mariage harmonieux de belles notes d'évolution et d'une réelle fraîcheur. (RM)

EARL Gaudinat-Boivin, 6, rue des Vignes, Le Mesnil - Le Huttier, 51700 Festigny, tél. 03.26.58.01.52, fax 03.26.58.97.46, ch.gaudinat.boivin@wanadoo.fr r.-v.

MICHEL GENET Blanc de blancs Esprit ★★

Gd cru | 37 000 | 20 à 30 €

Vincent et Antoine Genet ont succédé en 1997 à leur père Michel, créateur de la marque. Leur atout : un vignoble de 9 ha majoritairement implanté à Chouilly et à Cramant, deux grands crus de la Côte des Blancs. Les dégustateurs ne tarissent pas d'éloges sur ce blanc de blancs, « esprit » de la maison. Complexe et fin, le nez mêle les fleurs de printemps, le beurre frais, de légères touches miellées... L'annonce d'un palais séducteur, vif à l'attaque, aromatique, rond et gourmand. La longue finale fraîche laisse le souvenir d'un ensemble très harmonieux, à la fois gourmand et élégant. Pour un apéritif chic, avec des toasts au foie gras. (RM)

Michel Genet, 27-29, rue Partelaines, 51530 Chouilly, tél. 03.26.55.40.51, fax 03.26.59.16.92, champagne.genet.michel@wanadoo.fr r.-v.

RENÉ GEOFFROY Rosé de saignée ★

1er cru | 20 870 | 20 à 30 €

Les premiers de la lignée cultivaient déjà la vigne dans la vallée de la Marne à l'époque de dom Pérignon. Aujourd'hui, Jean-Baptiste Geoffroy, fils de René, dispose d'un vignoble de 13,5 ha du côté de Cumières. Il a transféré en 2006 ses locaux à Aÿ – une adresse prestigieuse. Son rosé de saignée n'est pas inconnu de nos lecteurs. Il naît de la macération de pur pinot noir dans une cuve de bois ouverte, pendant 65 à 72 h. Ce champagne affiche une belle personnalité. D'un rose soutenu, presque grenadine, il dévoile des arômes de griotte et de fruits à l'alcool dans une matière vineuse, équilibrée par une longue finale fraîche. Bel accord en perspective avec une tarte aux fruits rouges, mais aussi avec une viande blanche ou même du canard laqué. (RM)

René Geoffroy, 4, rue Jeanson, 51160 Aÿ, tél. 03.26.55.32.31, fax 03.26.54.66.50, info@champagne-geoffroy.com r.-v.

GEORGETON-RAFFLIN Réserve

1er cru | 10 000 | 11 à 15 €

Installé à Ludes, village classé en 1er cru, Bruno Georgeton cultive 3,3 ha dans la Montagne de Reims. Son brut Réserve, né de la récolte 2007, privilégie les pinots (80 % de pinot noir et de meunier sensiblement à parité). Il a séduit par la finesse de son nez alliant les agrumes confits et la poire, puis par sa bouche vive aux arômes de fruits à pépins, légèrement épicée en finale. (RC)

Georgeton-Rafflin, 25, rue Victor-Hugo, 51500 Ludes, tél. 03.26.61.13.14, champagne.georgeton.rafflin@wanadoo.fr t.l.j. 8h-19h

PIERRE GERBAIS ★

12 000 | 11 à 15 €

Fondée en 1930, cette maison implantée dans le Barséquanais (Aube) dispose en propre d'un vignoble de 17 ha. Si elle chérit le pinot blanc, ce n'est pas ce cépage qui est en vedette cette année, mais le chardonnay et le pinot noir. Le premier compose 75 % de ce rosé d'assemblage, qui n'en arbore pas moins une couleur soutenue, entre rose foncé et rouge léger, grâce à l'incorporation de vin rouge. Au nez, un fruité complexe, alliant les fruits rouges mûrs et des notes confites, qui se prolonge dans un palais frais, puissant, de bonne tenue. Un rosé à marier non seulement à des desserts, mais aussi à des viandes grillées. La **Cuvée de réserve (80 000 b.)**, qui associe également trois quarts de chardonnay au pinot noir, est citée pour son fruité persistant et pour son équilibre. (NM)

Pierre Gerbais, 13, rue du Pont, BP 17, 10110 Celles-sur-Ource, tél. 03.25.38.51.29, fax 03.25.38.55.17, champ.gerbais@orange.fr r.-v.

GERMAR BRETON ★★

5 000 | 11 à 15 €

Une nouvelle étiquette dans le Guide : celle de la marque de Laurent Breton, vigneron établi dans la région de Bar-sur-Aube. Son rosé assemble le chardonnay (70 %) et le pinot noir. Une part de vin rouge lui donne sa couleur rose aux reflets orangés. Les dégustateurs ont été conquis par son nez intense aux nuances de fruits exotiques, de pêche et d'abricot, et par sa bouche remarquablement équilibrée, fraîche et persistante. Bel accord gourmand en perspective avec une charlotte aux fraises. (RM)

Laurent Breton, 19, Grande-Rue, 10200 Colombé-la-Fosse, tél. et fax 03.25.27.73.03, germar.breton@orange.fr r.-v.

JEAN GIMONNET Réserve ★★

1er cru | n.c. | 11 à 15 €

Les Gimonnet ont leurs racines à Cuis, 1er cru de la Côte des Blancs. Le chardonnay y règne pratiquement sans partage et constitue la base des cuvées de l'exploitation. Il représente ainsi 95 % de ce brut Réserve, auquel un soupçon (5 %) de meunier donne de la complexité. Au nez, les fruits mûrs côtoient la brioche et la croûte de pain, tandis que le palais, souple à l'attaque, riche, généreux et long, dévoile des arômes d'une belle évolution. Le **blanc de blancs 1er cru Sélection (15 à 20 €)** reçoit une étoile. Il offre tout ce que l'on attend dans ce style de champagne : des senteurs de fleurs et de fruits blancs, une bouche bien équilibrée, à la fois vive et ronde. Il trouvera sa place aussi bien à l'apéritif que sur une sole grillée. (RM)

EARL G-O Jean-Luc Gimonnet, 7, rue Jean-Mermoz, 51530 Cuis, tél. 03.26.59.86.50, fax 03.26.59.86.53, chg.o@free.fr r.-v.

PIERRE GIMONNET ET FILS Blanc de blancs Fleuron 2006 ★★

1er cru | 38 722 | 20 à 30 €

Les Gimonnet comptent plusieurs branches dans la Côte des Blancs. Didier et Olivier, petits-fils de Pierre, sont à la tête d'un confortable domaine, qui couvre aujourd'hui 28 ha répartis dans des communes classées en grand cru et en 1er cru. Dans leur gamme, uniquement des blancs de blancs. Les vins de réserve sont élevés en bouteilles, sur leurs lies, et les dosages restent mesurés. Après un Spécial Club 2004 fort loué, ce Fleuron 2006, assemblage de crus, charme par sa finesse : la robe or jaune à reflets verts est traversée de bulles fines ; le nez élégant mêle le beurre et la noisette, auxquels viennent s'ajouter des nuances d'agrumes, de pain frais et de café grillé. Vif, structuré, équilibré et long, justement dosé, ce millésimé sera parfait lors d'un apéritif avec des canapés de foie gras ; il pourra attendre quelques années, tout comme le **blanc de blancs 1er cru (133 747 b.)**, originaire de Cuis. Cité, ce dernier est un vin jeune et nerveux, aux arômes de citron vert et de pamplemousse, teintés de fougère et de minéralité. Même note pour le **chardonnay 1er cru Spécial Club 2005 (30 à 50 € ; 25 407 b.)**, remarqué pour ses nuances complexes de fruits exotiques (ananas), sa longueur et son dosage judicieux. (RM)

Pierre Gimonnet et Fils, 1, rue de la République, 51530 Cuis, tél. 03.26.59.78.70, fax 03.26.59.79.84, info@champagne-gimonnet.com t.l.j. sf dim. 9h-12h 14h-18h; sam. sur r.-v.

PIERRE GOBILLARD Brut authentique ★

| 90 000 | 11 à 15 €

Située à l'entrée du village d'Hautvillers où vécut dom Pérignon, la maison bénéficie d'un point de vue intéressant sur la vallée de la Marne. Depuis 1990, elle est gérée par Florence et Hervé Gobillard. Leur Brut authentique assemble 70 % de noirs (les deux pinots à parité) et 30 % de blancs. D'une belle finesse, le nez s'ouvre sur des senteurs d'aubépine et de fruits blancs ; la bouche bien équilibrée découvre une matière ample, structurée et fraîche. À déboucher à l'apéritif. (NM)

Pierre Gobillard, 341, rue des Côtes-de-l'Héry, 51160 Hautvillers, tél. 03.26.59.45.66, fax 09.70.63.18.31, info@champagne-gobillard-pierre.com t.l.j. 9h-18h

J.-M. GOBILLARD ET FILS Tradition ★★

| 500 000 | 11 à 15 €

Fondée en 1955 par Jean-Marie Gobillard, cette maison est installée à Hautvillers, village de la vallée de la Marne où officia dom Pérignon, « père du champagne ». Elle est gérée depuis 1982 par la deuxième génération. Les dégustateurs ont trouvé particulièrement flatteur ce brut Tradition, assemblage par tiers des trois cépages champenois (70 % des deux pinots à parité). Une bulle fine et généreuse parcourt la robe or pâle. Le bouquet s'épanouit en notes de fruits, de fleurs blanches, de brioche et de pain d'épice. La bouche est charnue, ample, fraîche et longue. Le **blanc de blancs (15 à 20 € ; 60 000 b.)** obtient une étoile. Floral et brioché au nez, il séduit par sa bouche équilibrée et par sa longue finale aux nuances d'amande grillée. Un blanc de blancs de caractère, pour la table. Une étoile encore pour la **Grande Réserve 1er cru (15 à 20 € ; 200 000 b.)**, cuvée mi-blancs mi-noirs (les deux pinots à parité). Un champagne d'apéritif aussi frais au nez qu'en bouche, franc et élégant au palais, aux jolis arômes de beurre et de noisette. (NM)

J.-M. Gobillard et Fils, 38, rue de l'Église, 51160 Hautvillers, tél. 03.26.51.00.24, fax 03.26.51.00.18, champagne-gobillard@wanadoo.fr r.-v.

PAUL GOERG Blanc de blancs 2002 ★

1er cru | 45 000 | 30 à 50 €

La coopérative de Vertus, créée en 1950, a choisi pour marque le nom d'un ancien maire de la commune. Elle vinifie aujourd'hui les 120 ha de ses adhérents, installés pour la plupart dans ce village situé à la pointe sud de la Côte des Blancs. Aussi le chardonnay constitue-t-il la base de ses assemblages. Or intense, ce blanc de blancs 2002 a séduit tant par son nez d'agrumes confits que par son palais complexe et équilibré, à la finale agrémentée de notes de torréfaction. Il trouvera sa place aussi bien à l'apéritif qu'au repas, sur un risotto aux cèpes ou une poularde en sauce, par exemple. (CM)

Paul Goerg, 30, rue du Gal-Leclerc, 51130 Vertus, tél. 03.26.52.15.31, fax 03.26.52.23.96, info@champagne-goerg.com t.l.j. sf sam. dim. 9h-12h 14h-18h

MICHEL GONET Réserve ★

| 43 500 | 15 à 20 €

Aux origines des domaines Gonet, Charles, qui vécut sous le Premier Empire. Au XXe s., la propriété se développe. À partir de 1986, la famille a pris pied dans le Bordelais, où elle exploite aujourd'hui plusieurs châteaux. Le vignoble champenois, qui ne compte pas moins de 40 ha de vignes, est géré par Sophie Signolle, fille de Michel Gonet. Paradoxe de cette année, le domaine implanté au cœur de la Côte des Blancs voit un rosé de pur pinot noir préféré par le jury. La robe est saumon pâle. La palette aromatique associe la pomme et la poire au coing et à la figue. Le palais, équilibré, long et bien dosé permettra de servir cette bouteille de l'apéritif au dessert. (RM)

SCEV Michel Gonet et Fils, 196, av. Jean-Jaurès, 51190 Avize, tél. 03.26.57.50.56, fax 03.26.57.91.98, info@champagnegonet.com t.l.j. 9h-12h 14h-17h, sam. dim. sur r.-v.

CHAMPAGNE

PHILIPPE GONET Blanc de blancs Roy Soleil ★

Gd cru 19 000 20 à 30 €

En 2001, Pierre Gonet et sa sœur Chantal ont pris la succession de leur père Philippe. Bien connue au Mesnil-sur-Oger, cette maison, dont les origines remontent au début du XIXᵉs., dispose d'un vignoble de 19 ha répartis dans plusieurs secteurs de la région, le cœur étant situé dans la Côte des Blancs. Comme la cuvée Belemnita 2004 distinguée l'an dernier, ce champagne est un blanc de blancs monocru issu du Mesnil-sur-Oger, célèbre grand cru. L'élevage sous bois d'un tiers des vins de base a légué au vin puissance et structure. Le nez, intense et riche, déploie des notes fraîches, citronnées et abricotées, alliées à des nuances beurrées et toastées. Ces arômes se prolongent dans un palais agréablement fruité, sur les agrumes, à la finale minérale et vanillée. Une bouteille d'une belle vivacité, encore jeune, qui sera appréciée à l'apéritif ou sur du saumon à l'aneth, tout en pouvant vieillir un à deux ans. (NM)

Philippe Gonet, 1, rue de la Brèche-d'Oger, 51190 Le Mesnil-sur-Oger, tél. 03.26.57.53.47, fax 03.26.57.51.03, office@champagne-philippe-gonet.com
t.l.j. 8h-12h 14h-18h; sam. dim. sur r.-v.; f. août

GONET SULCOVA 2005

Gd cru 20 000 15 à 20 €

Vincent Gonet, l'un des héritiers de la famille Gonet du Mesnil-sur-Oger dans la Côte des Blancs, s'installe à Épernay en 1982 et crée sa marque avec son épouse Davy Sulcova. Depuis 2004, ce sont ses enfants Karla et Yan-Alexandre qui ont pris le relais. Ils disposent de 16 ha dans la Côte des Blancs et dans l'Aube. Le grand cru 2005 est un blanc de blancs, ce que l'étiquette n'indique pas. Issu du Mesnil-sur-Oger et d'Oger, c'est un champagne équilibré, aux arômes beurrés, briochés et grillés, qui conviendra pour le repas. (RM)

SCEV Beauregard, 13, rue Henri-Martin, 51200 Épernay, tél. 03.26.54.37.63, fax 03.26.54.87.73, jagonet@wanadoo.fr
r.-v.
Gonet

GOSSET Grand Blanc de blancs ★★

40 000 50 à 75 €

« La plus ancienne maison de la Champagne » a été fondée en 1584, un siècle avant que le vin de la région ne prît mousse, par Pierre Gosset, vigneron et échevin d'Aÿ. L'affaire est aujourd'hui dans le giron du groupe Renaud-Cointreau (Cognac Frapin). Si elle a toujours son siège à Aÿ, elle s'est trouvé en 2009 un deuxième pôle à Épernay. Les champagnes Gosset sont élaborés sans fermentation malolactique. Cette année, le Grand Blanc de blancs est à l'honneur. Il est né des récoltes 2005, 2004 et 2003 ; les chardonnays proviennent de six crus célèbres de la Côte des Blancs et de trois villages de la Montagne de Reims réputés pour leurs blancs. La robe or pâle, le nez intense de fruits exotiques, de brioche et de vanille expriment une belle maturité. Le palais est complexe, vineux et long. Un régal à l'apéritif avec des gougères. Deux autres champagnes obtiennent chacun une étoile. La **Grande Réserve (30 à 50 €; 350 000 b.)** donne une courte majorité aux noirs (57 %, dont 42 % de pinot noir). Équilibrée et ronde, avec ce qu'il faut de fraîcheur, elle trouvera sa place à table, sur un tajine de poulet par exemple. Le **Grand Rosé (100 000 b.)** assemble 58 % de chardonnay et 42 % de pinot noir, dont 7 % vinifiés en rouge. D'un rose très tendre, ce champagne harmonieux et long évoque les fruits mûrs avec élégance. (NM)

Gosset, 12, rue Godart-Roger, 51200 Épernay, tél. 03.26.56.99.56, fax 03.26.51.55.88, info@champagne-gosset.com
t.l.j. sf sam. dim. 8h30-11h45 14h-17h
Renaud-Cointreau

J.M. GOULARD La Charme ★

3 000 15 à 20 €

Une trajectoire familiale classique : apporteurs de raisins, les Goulard, installés dans le massif de Saint-Thierry, ont débuté dans les années 1960 la vente directe, développée dans les années 1970 par Jean-Marie Goulard, d'abord comme coopérateur, puis comme récoltant-manipulant. Ses trois enfants se préparent à prendre le relais. L'aîné, Sébastien, est œnologue et élabore les cuvées de la propriété. Celle-ci est un pur meunier qui a séjourné dans le bois. Le nez, d'une belle finesse, allie le tilleul, la pâtisserie, la pâte d'amandes. Le palais structuré, encore jeune, dévoile des arômes plaisants de vanille, de réglisse et de fumée. Un champagne de table. Une étoile également pour le brut **Prestige (17 000 b.)**, qui assemble par tiers les trois cépages champenois. Discret au nez, il déploie en bouche de flatteuses notes de brioche, de miel et de sève de pin. (RM)

EARL Goulard, 13, Grande-Rue, 51140 Prouilly, tél. 03.26.48.21.60, fax 03.26.48.23.67, contact@champagne-goulard.com r.-v. 2

DIDIER GOUSSARD Terroir Tentation ★

7 800 11 à 15 €

Une nouvelle propriété dans le Guide, mais le nom de Goussard est bien connu de nos lecteurs : Didier Goussard, œnologue diplômé en 1987, a d'abord travaillé exclusivement sur la structure familiale (voir Goussard et Dauphin), en association avec sa sœur et son beau-frère. En 2007, il a constitué son propre domaine avec son épouse Marie-Hélène. Le couple exploite 3 ha autour des Riceys, village aubois qui possède le plus vaste vignoble de Champagne. Sa cuvée Terroir Tentation doit tout au pinot noir, cépage choyé dans le département. La robe jaune d'or annonce un nez intense sur les fleurs, les fruits mûrs et les fruits secs. Gourmand, onctueux, fondu et persistant, c'est un champagne de repas, qui s'accordera bien avec une viande blanche. (RM)

Didier Goussard, 69, rue du Général-de-Gaulle, 10340 Les Riceys, tél. 03.25.38.65.25, champagne.didier.goussard@orange.fr r.-v.

GOUSSARD ET DAUPHIN Cuvée Grand Millésime 2002

1 600 20 à 30 €

Héritier de plusieurs générations de vignerons, Didier Goussard, après ses études d'œnologie, s'est lancé en 1989 dans l'élaboration des champagnes de la société familiale, implantée à l'extrême sud du vignoble, aux environs des Riceys (Aube). Bien que l'étiquette ne le mentionne pas, son Grand Millésime 2002 est un blanc de blancs. Cette cuvée a divisé le jury. Les uns l'auraient souhaitée plus complexe, alors que les autres soulignent l'intensité de ses arômes de fleurs blanches, de crème et d'abricot. Tous s'accordent sur son étonnante jeunesse. Ce champagne frais et fruité trouvera sa place à l'apéritif. (NM)

Goussard et Dauphin, SARL du Val de Sarce, 2, chem. Saint-Vincent, 10340 Avirey-Lingey, tél. 03.25.29.30.03, fax 03.25.29.85.96, goussard.dauphin@wanadoo.fr r.-v.

H. GOUTORBE Cuvée Prestige

1er cru	n.c.	▮	15 à 20 €

Pépiniéristes viticoles au début du XX[e]s., les Goutorbe ont créé un domaine qui s'est beaucoup développé depuis une trentaine d'années. Aujourd'hui, René Goutorbe et ses enfants Élisabeth et Étienne disposent de 20 ha de vignes aux environs d'Aÿ ; ils ont misé récemment sur le tourisme en créant un hôtel trois étoiles. Le pinot noir, très réputé à Aÿ et dans la Grande Vallée de la Marne, entre à hauteur de 70 % dans ce brut Prestige, complété par 25 % de chardonnay et par un soupçon de meunier. Un nez de miel et de brioche, une bouche vineuse et équilibrée, aux arômes de cerise à l'eau-de-vie, une finale acidulée composent un bon champagne de repas. Bel accord en perspective avec de la volaille. (RM)

H. Goutorbe, 9 bis, rue Jeanson, 51160 Aÿ, tél. 03.26.55.21.70, fax 03.26.54.85.11, info@champagne-henri-goutorbe.com r.-v.

GRANZAMY PÈRE ET FILS Cuvée spéciale ★

	28 000	▮	11 à 15 €

Cette propriété située sur la rive droite de la Marne a commercialisé ses premiers champagnes avant la Première Guerre mondiale. Le pinot meunier est très présent dans ses assemblages. Cette cuvée spéciale, issue de la récolte 2009, en contient 70 %, le chardonnay venant en complément. Pêche blanche, fruits exotiques et mie de pain se partagent le nez. La mise en bouche dévoile une expression vive, droite et minérale. On y retrouve les fruits exotiques, alliés aux agrumes. À déboucher à l'apéritif ou sur des produits de la mer. (NM)

Granzamy, 15, rue de Champagne, 51480 Venteuil, tél. 03.26.58.60.62, fax 03.26.51.10.21, champ.granzamy@orange.fr r.-v.

M. Lamiraux

ALFRED GRATIEN Blanc de blancs ★

Gd cru	n.c.	▮▮	30 à 50 €

Cette société sparnacienne fondée en 1864 est depuis 2000 le fleuron du groupe allemand Henkell & Co, qui a rassemblé dans son escarcelle de nombreuses marques d'effervescents, du Saumurois à l'Ukraine en passant par l'Italie. La maison n'a pas pour autant perdu son chef de cave, Nicolas Jaeger, qui représente la quatrième génération à travailler pour Alfred Gratien, ni ses traditions, comme l'élevage des vins de base en pièces champenoises de réemploi, d'une contenance de 205 l. Ce blanc de blancs de l'année 2007 a séjourné six mois dans le bois. Au nez, des fleurs blanches (acacia), que l'on retrouve en bouche associées à des agrumes et des fruits blancs. Un ensemble plaisant, expressif, un peu boisé pour certains dégustateurs. Ce champagne appréciera un poisson cuisiné. (NM)

Alfred Gratien, 30, rue Maurice-Cerveaux, 51200 Épernay, tél. 03.26.54.38.20, fax 03.26.54.53.44, contact@alfredgratien.com r.-v.

GÉRARD GRATIOT Désiré 2004

	3 220	▮	20 à 30 €

Cinq générations se sont succédé sur cette propriété implantée à Charly-sur-Marne, gros village viticole situé en aval de Château-Thierry. À la tête de 17 ha de vignes, Sandrine et Rémy Gratiot élaborent leurs champagnes depuis 2002. La cuvée Désiré est un hommage à l'aïeul qui obtint une médaille à Paris en 1899 grâce à son vin blanc. Cépage roi de Charly, le meunier ne représente que 45 % de l'assemblage, complété par autant de chardonnay et par le pinot noir. Ce 2004 or pâle a intéressé par son nez complexe, sur les fleurs, les agrumes mûrs, la brioche et des notes minérales. Les fruits à l'alcool s'ajoutent à cette palette dans une bouche vive à l'attaque, ample, équilibrée et assez longue. (RM)

Gérard Gratiot, 27, av. Fernand-Drouet, 02310 Charly-sur-Marne, tél. 03.23.82.06.89, contact@champagne-gratiot.fr

t.l.j. sf dim. 9h-12h 14h-18h; f. sam. ap.-midi jan.-août

GREMILLET Sélection ★

	100 000	▮	11 à 15 €

La Laignes est une petite rivière qui se jette dans la Seine en amont de Bar-sur-Seine. C'est dans ce secteur proche des Riceys, au sud du vignoble champenois, que sont installés les Gremillet, vignerons et négociants à la tête d'un important domaine (33 ha). Très présent dans ce département aubois, le pinot noir entre à hauteur de 70 % dans ce brut Sélection, complété par le chardonnay. Des arômes de fruits frais, de fleurs séchées et de biscuit, une bouche d'une souplesse agréable, à la finale persistante confèrent à cette bouteille une réelle harmonie. Un dégustateur suggère de la servir avec une truite meunière. (NM)

Gremillet, Envers de Valeine, 10110 Balnot-sur-Laignes, tél. 03.25.29.37.91, fax 03.25.29.30.69, info@champagnegremillet.fr r.-v.

GRUET 2008 ★

	201 067	▮	11 à 15 €

Les Gruet cultivaient déjà la vigne dans la Côte des Bar du vivant de dom Pérignon, mais ils ne se sont lancés dans l'élaboration du champagne qu'avec Claude Gruet, en 1975. Ce dernier est toujours aux commandes de la maison qu'il a fondée, et qui compte 18 ha de vignes en propre. Il a proposé un des premiers 2008 du Guide Hachette. Le pinot noir, très prisé dans l'Aube, est majoritaire (70 %), complété par le chardonnay. Un champagne gourmand, qui s'ouvre sur des notes de pâtisserie, de fleurs et de pêche blanche. Franc à l'attaque, frais, charnu et équilibré, il fera dès maintenant un bel apéritif. On peut aussi l'oublier en cave quelques années. Le **rosé (53 298 b.)** met à contribution 50 % de pinot noir, 30 % de chardonnay et 20 % de vin rouge. Sa finesse, son fruité intense aux nuances de fraise et de cerise, sa finale longue et fraîche lui valent la même note. (NM)

SARL Gruet, 48, Grande-Rue, 10110 Buxeuil, tél. 03.25.38.54.94, fax 03.25.38.51.84, contact@champagne-gruet.com

t.l.j. sf sam. dim. 8h-12h 13h30-17h30; f. 13-19 août

G. GRUET ET FILS Blanc de blancs ★★

	45 000	▮	11 à 15 €

Marque de l'Union vinicole des Coteaux de Bethon, une coopérative implantée dans le Sézannais, à l'extrémité méridionale de l'aire d'appellation. Les environs sont propices au chardonnay, cépage à l'origine de cette cuvée. Aussi intense au nez qu'au palais, ce blanc de blancs libère d'agréables fragrances d'acacia et de fruits blancs. En bouche, ses arômes de pamplemousse et sa longue finale fraîche laissent le souvenir d'un ensemble harmonieux, qui offre quelques perspectives de garde. Complété par le pinot noir, le chardonnay représente 70 % de la **Grande Réserve (50 000 b.)**, qui obtient une étoile pour son nez intense de

noisette, sa bouche ample et onctueuse, et sa finale persistante. Deux bouteilles à déboucher à l'apéritif. (CM)
Coop. U.V.C.B., 5, rue des Pressoirs, 51260 Bethon,
tél. 03.26.80.48.19, fax 03.26.80.44.57,
champagne.g.gruetetfils@wanadoo.fr
t.l.j. sf dim. 9h-12h 13h30-17h30

MAURICE GRUMIER Amand Cuvée du fondateur

3 000 | 20 à 30 €

Le joli village de Venteuil domine la vallée de la Marne. C'est là qu'Amand Grumier, descendant d'une longue lignée de viticulteurs, a commercialisé les premières bouteilles en 1928. Son fils Maurice a lancé la marque, exploitée depuis 1999 par Fabien, à la tête d'un peu plus de 8 ha de vignes. Hommage au fondateur, cette cuvée spéciale met à forte contribution le chardonnay (75 %), complété par le pinot noir. Les vins de base ont été vinifiés et élevés en fût. Après cinq ans de repos sur lies, le champagne dévoile un boisé bien fondu, aux nuances de vanille et de cannelle. En bouche, il se montre rond, onctueux, puissant et persistant. (RM)
Fabien Grumier, 13, rte d'Arty, 51480 Venteuil,
tél. 03.26.58.48.10, fax 03.26.58.66.08,
champagnegrumier@wanadoo.fr r.-v.

GUYOT-GUILLAUME ★

n.c. | 11 à 15 €

Dominique Guyot s'est marié à Catherine Guillaume, si bien que le champagne Guyot est devenu Guyot-Guillaume. Ces récoltants exploitent près de 5 ha dans la vallée de l'Ardre. Ils livrent leurs vendanges à la coopérative, mais assurent la manipulation à partir de la prise de mousse. Le meunier, cépage prépondérant sur le domaine, domine largement (75 %) l'assemblage de leur rosé, complété par le pinot noir. Un peu de vin rouge donne à la robe une teinte rose orangé. Le nez est un panier de fruits rouges (fraise, framboise, groseille). Ronde à l'attaque, fine, nette et fraîche, la bouche est flatteuse. Un dégustateur verrait bien ce rosé accompagner un poisson sauce armoricaine. (RC)
Dominique Guyot, 9, rue des Sablons,
51390 Méry-Prémecy, tél. 03.26.03.65.25, fax 03.26.03.65.06,
dom.guyo@wanadoo.fr r.-v.

HAMM Réserve ★

1er cru | n.c. | 15 à 20 €

Élaborateurs de champagne depuis un siècle, les Hamm sont négociants depuis quatre-vingts ans. Installée à Aÿ, la troisième génération s'approvisionne en chardonnay et en pinot noir dans quinze crus différents. Les vins de la maison ne font pas leur fermentation malolactique. Le brut Réserve, marqué par le chardonnay, offre le portrait d'un champagne à son apogée : doré soutenu, il délivre de francs parfums de caramel, de fruits secs, de pâte d'amandes, avec des nuances de fleurs séchées, auxquels répond une matière riche et équilibrée, dans le même registre aromatique. (NM)
Hamm, 16, rue Nicolas-Philipponnat, 51160 Aÿ,
tél. 03.26.55.44.19, fax 03.26.51.98.68,
champagne.hamm@wanadoo.fr
t.l.j. 9h-12h 14h-18h; sam. dim. sur r.-v.

JEAN-NOËL HATON Héritage

55 000 | 20 à 30 €

Installé à Damery, en aval d'Épernay, Jean-Noël Haton et son fils Sébastien poursuivent l'œuvre engagée en 1928 par Octave. Ils disposent d'un vignoble d'une vingtaine d'hectares, d'une structure de négoce et d'un outil de production moderne. Leur cuvée Héritage, assemblage de chardonnay et de pinot noir à parts égales, a intéressé les dégustateurs par sa jolie bulle, son nez léger et par sa matière présente et équilibrée, aux arômes d'agrumes et de fruits blancs. On la destinera plutôt à l'apéritif. (NM)
Jean-Noël Haton, 5, rue Jean-Mermoz, 51480 Damery,
tél. 03.26.58.40.45, fax 03.26.58.63.55,
contact@champagne-haton.com r.-v.

HÉBRART Extra-brut Rive gauche/Rive droite 2005 ★

Gd cru | 5 000 | 30 à 50 €

Marc Hébrart et son fils Jean-Paul sont installés à Mareuil-sur-Aÿ, au bord du canal de la Marne. Cuvée Rive gauche/Rive droite ? Un mariage – à parité du chardonnay grand cru de la Côte des Blancs, sur la rive gauche de la Marne, et du pinot noir grand cru d'Aÿ, sur la rive droite. Les vins ont fermenté en fût. Des notes vanillées se bousculent au nez, alliées à des fragrances de fleurs blanches et d'agrumes confits. Un boisé léger et bien fondu confère au palais de la complexité et une texture soyeuse. Un millésime harmonieux que l'on peut apprécier dès maintenant, avec des saint-jacques par exemple. Quant au **1er cru Spécial Club 2006 (20 à 30 €; 10 000 b.)**, il est cité pour ses parfums de fruits cuits, de brioche et pour sa surprenante fraîcheur au palais. On pourra l'attendre un à deux ans. (RM)
Marc Hébrart, 18, rue du Pont, 51160 Mareuil-sur-Aÿ,
tél. 03.26.52.60.75, fax 03.26.52.92.64,
champagne.hebrart@wanadoo.fr r.-v.

CHARLES HEIDSIECK Blanc des millénaires 1995 ★

200 000 | + de 100 €

L'épopée Heidsieck commence en 1777 avec l'arrivée en Champagne de Florens-Louis Heidsieck, originaire d'Allemagne. Son petit-neveu, Charles-Camille Heidsieck, fonde sa propre maison en 1851 avec l'aide de son beau-père Ernest Henriot. Personnage entreprenant et ambitieux, il développe la vente de ses vins aux États-Unis, où il vit de rocambolesques aventures durant la guerre de Sécession. L'affaire, ainsi que la marque sœur Piper-Heidsieck, appartient depuis 2011 au groupe français EPI. Cuvée prestige millésimée, le Blanc des millénaires est un pur chardonnay. Le 1995 présente toujours une belle tenue. Il offre une robe dorée, des notes de vanille et de torréfaction qui se prolongent dans un palais ample, miellé et généreux. Une forte personnalité, tout comme le **Vintage 2000 (50 à 75 €; 103 146 b.)**, qui obtient la même note. Cet assemblage de pinot noir (60 %) et de chardonnay fait preuve d'une belle maturité aromatique, dévoilant des arômes de fruits blancs compotés. Ces notes d'évolution sont équilibrées par l'agréable fraîcheur de son corps ample et complexe. Le 1995 s'accordera avec des saint-jacques rôties aux copeaux de parmesan, le 2000 avec du foie gras poêlé. (NM)
PH-CH, 12, allée du Vignoble, 51100 Reims,
tél. 03.26.84.43.00, fax 03.26.84.43.49
EPI

HEIDSIECK ET C° MONOPOLE Impératrice ★★

n.c. | 30 à 50 €

Chacune des trois maisons rémoises portant le nom d'Heidsieck fut fondée par un neveu de Florens-Louis Heidsieck, établi en Champagne à la fin du XVIIIe s.

Celle-ci, créée en 1834 par Henri-Louis Walbaum, appartient au groupe Vranken depuis 1996. Cuvée de prestige née des trois cépages champenois, l'Impératrice est commercialisée dans la célèbre bouteille cannelée dite à « pointe de diamant ». Servie au verre, elle est arrivée incognito sur la table de nos dégustateurs, qui ont beaucoup apprécié sa robe dorée animée d'un collier de bulles fines, son nez intense et mûr mêlant la viennoiserie, les fruits secs et les épices. Le palais n'a pas déçu, tout aussi intense et gourmand, sur des notes de fruits secs et de fruits confits. Un beau vin de repas, tout comme l'harmonieux et complexe **Gold top 2005 (30 à 50 €)**, que l'on suggère de servir avec des crevettes au curry. Associant 60 % de pinot noir et 40 % de chardonnay, il offre un nez raffiné fait de fruits rouges, de notes beurrées et biscuitées, et un corps ample et structuré, tonifié par une agréable amertume qui anoblit sa finale : une étoile. (NM)

🔑 Heidsieck & C° Monopole,
5, pl. du Gal-Gouraud, BP 1049, 51689 Reims Cedex 2,
tél. 03.26.61.62.63, fax 03.26.61.63.98
🔑 Vranken Pommery Monopole

HÉLÈNE DE CHOISEUL ★★

1er cru | 94 158 | ▮ 15 à 20 €

Les coteaux de Pierry et de Moussy, villages qui prolongent Épernay au sud, ont connu bien des générations de Vollereaux, vignerons depuis deux siècles. Le premier à avoir produit du champagne est Victor, en 1923. Depuis lors, la maison, dirigée par Pierre Vollereaux, s'est régulièrement agrandie et elle dispose aujourd'hui d'un vignoble de 40 ha réparti sur de nombreux crus. C'est sous l'autre marque de la maison, Hélène de Choiseul, que l'on trouvera cette cuvée construite sur la récolte 2009, assemblage par tiers des trois cépages champenois. Le nez léger est dominé par les fruits blancs et les agrumes frais, avec des nuances pâtissières et florales. La discrétion des parfums contraste avec la richesse de la bouche. Un champagne abouti, expressif, vif et long, pour la table. (NM)

🔑 Vollereaux, 48, rue Léon-Bourgeois, 51530 Pierry,
tél. 03.26.54.03.05, fax 03.26.54.88.36,
contact@champagne-vollereaux.fr ✉ 🍷 🚶 r.-v.

PASCAL HÉNIN ★

1er cru | 4 500 | ▮ 15 à 20 €

Issus tous deux de familles vigneronnes, Pascal et Delphine Hénin exploitent 7,5 ha répartis sur la Côte des Blancs, la Montagne de Reims et la vallée de la Marne. Leur rosé est né d'une macération de pinot noir (80 %) assemblée à 20 % de chardonnay. Un champagne saumon soutenu où l'on respire les petits fruits rouges, assortis de touches épicées et fumées. Structuré, vineux, équilibré et long, il laisse une impression de puissance et d'harmonie. Il accompagnera aussi bien un fin poisson grillé qu'un dessert aux fruits. (RM)

🔑 Pascal Hénin, 22, rue Jules-Lobet, 51160 Aÿ,
tél. 03.26.54.61.50, fax 03.26.51.69.25,
champagne.henin.pascal@hexanet.fr ✉ 🍷 🚶 r.-v.

HÉNIN-DELOUVIN Sélection ★

Gd cru | 1 625 | ▮ 15 à 20 €

Christine Delouvin et Jacky Hénin se sont mariés, ont réuni leurs noms sur l'étiquette et regroupé leurs vignobles respectifs. Installés à Aÿ en 1990, ils exploitent un domaine de 7 ha répartis sur sept communes. Une telle diversité de terroirs est un avantage pour les assemblages. C'est pourtant un monocru qui a le plus séduit. Pur chardonnay de Chouilly, cette cuvée débute son apogée. De sa robe encore pâle, couronnée d'une mousse délicate, montent des senteurs fraîches de fleurs blanches et des notes plus évoluées de miel et de noix. Ample, vineuse et structurée, la bouche fait également preuve d'une belle fraîcheur, équilibrée par un juste dosage. La cuvée **Tradition (11 à 15 €; 24 566 b.)** obtient la même note. Elle assemble 60 % des deux pinots au chardonnay. Claire au regard, expressive au nez et fraîche au palais, elle est destinée à l'apéritif. (RM)

🔑 Hénin-Delouvin, 22, quai du Port, 51160 Aÿ,
tél. 03.26.54.01.81, fax 03.26.52.80.54,
champagne-henin-delouvin@hexanet.fr ✉ 🍷 🚶 r.-v.

D. HENRIET-BAZIN 2006

Gd cru | 6 750 | 20 à 30 €

La famille Henriet est installée depuis cinq générations à Villers-Marmery, dans la Montagne de Reims. Marie-Noëlle Rainon-Henriet, qui développe l'œnotourisme, se fera un plaisir de vous faire découvrir les sols et sous-sols de son vignoble, qui couvrent 7,5 ha, en 1er cru et en grand cru. Parmi ses cuvées, le 2006 privilégie le pinot noir (70 %), associé au chardonnay. Le nez évolué associe la pomme et la mirabelle très mûres et la noix. Souple à l'attaque, ronde et riche, la bouche présente une vinosité soulignée par une certaine sucrosité. Une bouteille à déboucher dès la sortie du Guide, « avec des plats en sauce légèrement sucrés », écrit un juré. Conseil qui semble faire écho à la suggestion de la vigneronne, qui conseille un filet de sandre à l'estragon, aux carottes et aux topinambours. (RM)

🔑 Henriet-Bazin, 9, rue des Mises, 51380 Villers-Marmery,
tél. 03.26.84.07.79,
marie-noelle@champagne-henrietbazin.com ✉ 🍷 🚶 r.-v.
🔑 Rainon-Henriet

HENRIOT 2005 ★

n.c. | ▮ 30 à 50 €

Maison rémoise fondée en 1808 par Apolline Henriot, née Godinot, dont les produits ont débuté leur carrière commerciale sous la marque Veuve Henriot Aîné. Sept générations se sont succédé à la tête de l'affaire qui est restée familiale tout en s'étendant en Bourgogne et dans le Beaujolais (voir Bouchard Père et Fils, William Fèvre...). Mi-chardonnay, mi-pinot noir, ce 2005 d'un bel or parcouru d'une bulle fine demande de l'aération pour libérer ses senteurs toastées et légèrement fumées. L'attaque vive dévoile un vin structuré auquel une fine acidité donne de l'allonge. Un champagne de repas pour poisson en sauce ou viande blanche, un médaillon de veau ou une poularde de Bresse par exemple. Il devrait gagner à attendre. (NM)

🔑 Henriot, 81, rue Coquebert, 51100 Reims,
tél. 03.26.89.53.00, fax 03.26.89.53.10,
contact@champagne-henriot.com

STÉPHANE HERBERT Réserve Véronèse ★★

1er cru | 4 000 | ▮ 15 à 20 €

Installé à Rilly-la-Montagne, 1er cru situé sur le versant nord de la Montagne de Reims, Stéphane Herbert exploite son vignoble de 4,5 ha depuis 1996 et commercialise ses champagnes depuis l'an 2000. Cette cuvée n'est pas un hommage au grand peintre italien mais à Virginie, l'épouse du vigneron, née Véronèse. Un bel hommage, puisque cet assemblage à parts égales de pinot noir et de chardonnay des vendanges 2006 et 2005 a séduit d'emblée par la finesse de ses parfums de fleurs, de fruits blancs et d'amande grillée. La bouche est tout aussi agréable par son équilibre, sa longueur et sa fraîcheur. Une bouteille à marier à des produits de la mer. (RC)

Stéphane Herbert, 11, rue Roger-Salengro, 51500 Rilly-la-Montagne, tél. 03.26.03.49.93, fax 03.26.02.01.39, champagneherbert@wanadoo.fr
r.-v.

HERVIEUX-DUMEZ Spécial Club 2006 ★

1er cru | 5 800 | 20 à 30 €

Installés à Sacy, 1er cru situé au sud-ouest de la cité des Sacres, les frères Hervieux dirigent un domaine de 9,5 ha. Adhérents au club Trésor de Champagne, qui fédère une vingtaine de récoltants-manipulants, ils proposent sous le label de l'association cette cuvée mi-blancs mi-noirs née des trois cépages champenois. Or pâle, ce 2006 se montre aérien, tant dans ses parfums grillés et minéraux que par sa texture délicate et fraîche. Une noble légèreté. La cathédrale de Reims, visible depuis les coteaux de Sacy, orne l'étiquette de la **cuvée des Rois de France 1er cru (15 à 20 €)**, qui met en vedette les pinots (70 %, dont 45 % de pinot noir). Au nez, des agrumes, de la brioche, du grillé, des fruits secs ; au palais, de la franchise et de la fraîcheur : une citation. (RM)

Hervieux-Dumez, 6, rue de Chatillon, 51500 Sacy, tél. 03.26.49.23.86, fax 03.26.49.27.16, hervieux-dumez@wanadoo.fr r.-v.

HEUCQ PÈRE ET FILS Cuvée antique 2004 ★★

4 000 | 20 à 30 €

Installé sur la rive droite de la Marne, André Heucq est vigneron depuis 1973. Une trentaine d'années de carrière mise à profit pour concilier modernité (cuves thermorégulées, gyropalettes, panneaux photovoltaïques, enherbement de vignes) et tradition (vinification en barrique). Champagne millésimé du domaine, logé dans une bouteille teintée à l'ancienne, ce brut a connu l'Inox des cuves et le bois des fûts. Mi-blancs, mi-noirs (30 % de pinot noir, 20 % de meunier), il naît du généreux millésime 2004. La robe or brillant est parcourue d'une bulle persistante. Ouvert, mûr et élégant, le nez mêle la noisette, l'acacia, la vanille et les fruits jaunes, le miel, le fruit blanc et l'amande faisant leur entrée en scène au palais. Harmonieux prolongement de l'olfaction, celui-ci charme par son attaque suave, son ampleur, son équilibre et sa soyeuse effervescence. Pour mettre en valeur un fin poisson. Le **rosé (15 à 20 € ; 5 500 b.)**, cité, provient de la macération de 80 % de meunier assemblé au deux autres cépages. Coloré mais d'un naturel plutôt discret, il est destiné à l'apéritif. (RM)

André Heucq, 6, rue Eugène-Moussé, 51700 Cuisles, tél. 03.26.58.10.08, andre.heucq@wanadoo.fr
t.l.j. 9h-12h 14h-19h

AUGUSTE HUIBAN Cuvée des Dames blanches ★

1 500 | 11 à 15 €

Repris par Éric Ammeux il y a vingt ans, ce modeste vignoble familial (moins de 4 ha), proche de la vallée de la Marne, commercialise ses champagnes depuis les années 1950. Ses cuvées sont régulièrement remarquées par les dégustateurs. Celle-ci naît du seul meunier et des récoltes 2006 et 2007. Bien dorée, intensément présente à l'olfaction, équilibrée et longue, elle devrait s'entendre avec un plat sucré-salé, comme un tajine, et même avec une tarte aux mirabelles. (RM)

Auguste Huiban, 1, rue de la Barbe-aux-Cannes, 51700 Jonquery, tél. 03.26.58.10.55, fax 03.26.58.15.52, eric.ammeux@wanadoo.fr
t.l.j. sf dim. 9h-12h 14h-18h; sam. sur r.-v.

L. HUOT FILS Brut Zéro Cuvée Initiale ★

3 500 | 15 à 20 €

Né sur le plateau forestier briard, le Cubry, ruisseau tributaire de la Marne, creuse un vallon sur les flancs duquel est implanté le vignoble de Saint-Marin-d'Arbois. C'est là que sont installés Virginie et Olivier Huot, qui exploitent depuis 2000 les 7 ha du domaine familial. Vinifié à basse température (16 °C), leur brut Zéro, non dosé, assemble les trois cépages (60 % pour les deux pinots à parts égales) et les récoltes 2006 et 2005. Il brille par sa finesse et ses arômes floraux. Un joli champagne pour les fruits de mer et l'apéritif, que l'on suggère de goûter avec des copeaux de parmesan. Assemblage dominé par les pinots (82 % dont 60 % de meunier), le brut **Carte noire (11 à 15 € ; 50 000 b.)** est un vin doré et rond, aux plaisants arômes de fleurs blanches et de fruits jaunes. Une citation. (RM)

L. Huot Fils, 27 rue Julien-Ducos, 51530 Saint-Martin-d'Ablois, tél. 03.26.59.92.81, fax 03.26.59.45.05, champagne.huot@wanadoo.fr
r.-v.

HURÉ FRÈRES Blanc de blancs L'Inattendue 2005 ★★

4 000 | 20 à 30 €

Installés à Ludes, sur le flanc nord de la Montagne de Reims, les frères Huré ont créé leur vignoble dans les années 1960. La dernière génération est à la tête de 10 ha de vignes et d'une activité de négoce. Cette Inattendue est une belle surprise, un blanc de blancs à la robe dorée, d'abord discret, qui s'ouvre et s'exprime tout en finesse sur des notes d'agrumes, d'épices douces, de vanille. Le palais, où l'on retrouve l'agrume mûr, offre une matière puissante, gourmande, remarquablement équilibrée entre la rondeur et la fraîcheur. Il laisse entrevoir un potentiel intéressant tout en procurant du plaisir dès maintenant. (NM)

Huré Frères, 2, imp. Carnot, 51500 Ludes, tél. 03.26.61.11.20, fax 03.26.61.13.29, hure-freres@wanadoo.fr r.-v.

ROBERT HUSSON ET FILS ★

1er cru | 3 000 | 15 à 20 €

Xavier Husson exploite un petit domaine autour de Mutigny, charmant village perché au-dessus du vignoble d'Aÿ et de la vallée de la Marne, sur le flanc sud de la Montagne de Reims. Issu d'assemblage et vinifié sans fermentation malolactique, ce rosé associe trois quarts de pinot noir au chardonnay. La robe est flatteuse, rose orangé. Des parfums de petits fruits rouges, de pâte de fruits et de légères notes beurrées préludent à une bouche élégante, tout en finesse, qui a préservé des caractères de jeunesse. Un champagne qui s'appréciera davantage dans un an ou deux. (RM)

Xavier Husson, 7, Grande-Rue, 51160 Mutigny, tél. 03.26.52.30.54, fax 03.26.52.03.17, xaukris@orange.fr
t.l.j. 10h-18h

ÉRIC ISSELÉE Chardonnay Cuvée Clément Fût de chêne 2004 ★

Gd cru | 2 500 | 20 à 30 €

Le tourisme est une activité importante pour un vignoble. Éric Isselée, établi à Cramant, au cœur de la

Côte des Blancs, a aménagé deux gîtes ruraux et des chambres d'hôtes qui contribuent à faire connaître et à écouler ses cuvées. Portant le prénom de son fils, celle-ci est un blanc de blancs millésimé vinifié en fût. Elle arrive à maturité, comme l'annoncent sa robe d'un jaune doré et ses parfums évocateurs de fruits mûrs, de brioche, de noisette et d'orange confite. À ces impressions fait écho un palais rond, miellé, gras et persistant. Un champagne prêt à passer à table, même s'il semble avoir quelques réserves. Il devrait s'accorder à des plats sucrés-salés, des saint-jacques aux oranges par exemple. (RM)

Éric Isselée, 350, rue des Grappes-d'Or, 51530 Cramant, tél. 03.26.57.54.96, fax 03.26.53.91.76, champagneisselee.e@wanadoo.fr
r.-v.

JACQUART Mosaïque ★

1 500 000 | 20 à 30 €

1962 : année mouvementée, en France comme sur le reste de la planète. Tandis que le monde entier regardait Cuba en retenant son souffle, une poignée de viticulteurs s'unirent pour fonder leur coopérative. Un demi-siècle plus tard, Jacquart est un groupement qui compte 1 800 adhérents, vinifie 7 % du vignoble champenois et exporte plus de la moitié de sa production. Cuvée emblématique de la maison, Mosaïque est un brut sans année qui n'a rien de confidentiel. Il résulte d'une règle de trois : assemblage des trois cépages champenois (chardonnay 40 % ; pinot noir 35 % ; meunier 25 %) ; de trois années (ici : 2006, 2005 et 2004) ; vieillissement de trois ans sur lattes. Habillé d'or pâle et doté d'un nez gourmand évoquant brioche et compote, ce champagne dévoile une matière ample et mûre rafraîchie par une belle acidité. À déguster dès aujourd'hui avec des toasts au foie gras. (CM)

Jacquart, 34, bd Lundy, 51100 Reims, tél. 03.26.07.88.40, fax 03.26.07.88.70

Alliance Champagne

ANDRÉ JACQUART Blanc de blancs Mesnil Expérience ★

Gd cru | 20 000 | 20 à 30 €

Implantée à l'origine au Mesnil-sur-Oger, cette propriété a aujourd'hui son siège à Vertus : elle reste dans la Côte des Blancs, d'où Benoît et Marie Doyard, frère et sœur et petits-enfants d'André Jacquart, tirent de belles cuvées. Après un début de carrière dans la banque (pour lui) et dans la communication (pour elle), le duo a repris l'exploitation familiale en 2004. Il évite la fermentation malolactique et privilégie l'élevage en fût. Bien connue des fidèles lecteurs, la cuvée Expérience est un blanc de blancs du Mesnil-sur-Oger, célèbre grand cru. Les versions millésimées 2004 et 2005 avaient obtenu un coup de cœur. Cet assemblage des récoltes 2006 à 2004, pour les trois quarts vinifié sous bois, libère après aération des senteurs de fruits secs, de vanille et de brioche. La bouche équilibrée, aux notes fraîches d'agrumes, finit sur des nuances de praline et de mandarine. Un blanc de blancs polyvalent (apéritif ou repas) que l'on peut attendre encore deux à quatre ans. (RM)

André Jacquart, 63, av. de Bammental, 51130 Vertus, tél. 03.26.57.52.29, fax 03.26.57.78.14, contact@a-jacquart-fils.com r.-v.

Couleurs Doyard

PIERRE JAMAIN ★

2 800 | 15 à 20 €

Mince bande de vignes coincée entre la belle forêt domaniale de la Traconne et la plaine céréalière champenoise, le coteau du Sézannais s'étire du nord au sud sur 15 km. Créée par René Jamain dans les années 1960, et repris par sa fille Élisabeth Jamain-Dona en 1985, cette propriété, comme la plupart dans le secteur, fait la part belle au chardonnay. Toutefois, quelques arpents de cépages noirs ont permis d'obtenir ce rosé qui incorpore 10 % de pinot noir et autant de meunier. La couleur est légère, le nez floral et épicé, le corps élancé : un rosé d'apéritif. (RM)

EARL Pierre Jamain, 1, rue des Tuileries, 51260 La Celle-sous-Chantemerle, tél. 03.26.80.21.64, fax 03.26.80.29.32, caroline@champagnejamain.com
r.-v.

PH. JANISSON Prestige

Gd cru | 2 720 | 15 à 20 €

Après une expérience en Californie et en Afrique du Sud, Franck Janisson est revenu en 2001 à Chigny-les-Roses, dans la Montagne de Reims, pour reprendre progressivement l'affaire familiale. Il s'appuie sur un vignoble assez modeste par sa superficie (4 ha), mais implanté dans cinq grands crus et trois 1ers crus. Deux tiers de chardonnay et un tiers de pinot noir récoltés en 2008 et 2009 composent son rosé grand cru à la robe saumon clair. Subtile au nez, ample sans lourdeur, cette cuvée laisse une impression harmonieuse au palais. (NM)

Franck Janisson, 15, rue Octave-Gougelet, 51500 Chigny-les-Roses, tél. 03.26.03.46.93, fax 03.26.03.49.00, champagne@janisson.fr r.-v.

JANISSON ET FILS 2006 ★

Gd cru | n.c. | 20 à 30 €

Fantaisie construite en 1909 au milieu des ceps, le phare de Verzenay fut pour toute la région synonyme de fête et de divertissement jusqu'à la Grande Guerre. Laissé à l'abandon, il fut racheté en 1987 par la commune et transformé en musée de la Vigne. Non loin de là, Manuel Janisson a marié pinot noir et chardonnay à parts égales pour obtenir ce 2006 vinifié sans fermentation malolactique. Habillé d'or pâle, ce champagne offre un nez complexe, laissant pointer de fines notes empyreumatiques (fruits secs, moka). Il s'épanouit en bouche avec élégance, sur de jolies notes de fruits confits, d'abricot, de café grillé. Misant sur la finesse plutôt que sur la puissance, il accompagnera dès maintenant une sole grillée ou un carpaccio de flétan. (NM)

Janisson et Fils, 6 bis, rue de la Procession, 51360 Verzenay, tél. 03.26.49.40.19, fax 03.26.49.43.58, manuel@janisson.com r.-v.

JANISSON-BARADON ET FILS Toulette 2005 ★

3 685 | 30 à 50 €

Un domaine créé en 1922 par Georges Baradon, remueur, et son gendre Maurice Janisson, tonnelier, et aujourd'hui dirigé par Maxence et Cyril Janisson. Leur vignoble de 9 ha, autour d'Épernay, compte une parcelle de 30 ares, Toulette, plantée de chardonnay, qui est à l'origine de cette cuvée. Vinifiés et élevés dix mois en fût, les vins de base ne font pas leur fermentation malolactique. Le champagne s'habille d'une robe dorée, traversée de fines bulles ; le nez généreux mêle les fruits cuits, confits, à des notes empyreumatiques et briochées. Ce côté complexe et gourmand se prolonge dans un palais à la fois ample, rond et frais. À apprécier dès maintenant. Bel accord en perspective avec un risotto aux champignons. Mi-chardonnay, mi-pinot noir, le **brut Sélection**

(15 à 20 € ; 51 400 b.) a lui aussi connu le bois. Subtilement floral et épicé, il capte l'attention par sa belle structure conjuguant ampleur et vivacité. Cité, il pourrait gagner une étoile à l'ancienneté, car il peut attendre. (RM)

SCEV Janisson-Baradon, 2, rue des Vignerons, 51200 Épernay, tél. 03.26.54.45.85, fax 03.26.54.25.54, info@champagne-janisson.com r.-v.

Janisson

JEAUNAUX-ROBIN ★

5 000	20 à 30 €

Les moines de l'abbaye de N.-D. du Reclus, fondée au XIIᵉs. à Talus-Saint-Prix, cultivaient certainement quelques arpents de vignes sur le coteau qui domine le Petit Morin, et que travaille aujourd'hui Cyril Jeaunaux. Constitué par ses parents, le domaine compte aujourd'hui 5,7 ha. Trois de ses cuvées ont reçu une étoile. Ce rosé assemble 60 % de meunier, 30 % de pinot et 10 % de chardonnay des années 2008 et 2007. Un peu de vin rouge de meunier (12 %) lui donne une teinte orange pâle. On aime sa vive effervescence, son nez ouvert, complexe, légèrement grillé, et son corps charpenté et droit. Faiblement dosé, l'**extra-brut Sélection (15 à 20 €)** résulte d'un assemblage identique au précédent, à la réserve du vin rouge. Une vinification partielle en fût de réemploi (10 %) a suffi pour donner un côté boisé – des notes d'amande grillée – à ce champagne ferme et long. Pâle, fraîche, voire nerveuse, la cuvée **Prestige (10 000 b.)**, à majorité de chardonnay (80 %, le solde en pinot noir), saura vieillir quelques années. (RM)

Cyril Jeaunaux, 1, rue de Bannay, 51270 Talus-Saint-Prix, tél. 03.26.52.80.73, fax 03.26.51.63.78, cyril@champagne-jr.fr r.-v.

ABEL JOBART Doux 2005 ★★★

500	15 à 20 €

Situé dans la vallée de l'Ardre, un vignoble de 13 ha constitué par Abel Jobart et repris en 2002 par ses fils Thierry, Laurent et Vincent. Ces récoltants ont fait un pari un peu fou : élaborer un champagne millésimé doux, un style très à la mode au XIXᵉs., prisé notamment par les Russes, qui n'est plus cultivé que par une poignée de maisons. Audacieux mais non téméraires, ils ont proposé une microcuvée. Dommage, car celle-ci a frôlé le coup de cœur. Avec un dosage d'environ 50 g/l, ce blanc de noirs (meunier 70 %, pinot noir 30 %) est à la limite du demi-sec. De sa robe dorée aux reflets argentés, traversée d'une bulle fine, montent d'élégantes senteurs de fruits blancs bien mûrs, de poire fraîche. La douceur en bouche est contrebalancée par une fraîcheur bienvenue ; des accents miellés traduisent une courtoise maturité et la longueur en bouche impressionne. Une bouteille d'une rare harmonie, qui pourrait donner la réplique à des fromages. Le **blanc de blancs (20 à 30 € ; 1 700 b.)**, noté une étoile, ne suscite qu'une réserve, son dosage généreux. C'est un champagne de caractère, puissant et structuré, qui porte la marque d'un séjour de huit mois en fût dans ses arômes vanillés, épicés et briochés. (RM)

Abel Jobart, 4, rue de la Sous-Préfecture, 51170 Sarcy, tél. 03.26.61.89.89, fax 03.26.61.89.90, contact@champagne-abeljobart.com r.-v.

RENÉ JOLLY Editio ★

2 600	50 à 75 €

Descendant d'une longue lignée de vignerons, Pierre-Éric Jolly cultive les 13 ha du vignoble familial à Landreville, dans l'Aube. Attaché aux traditions, il recherche aussi les innovations et a mis au point un muselet Y (à trois branches) qui permet d'économiser matière première et énergie. Sa cuvée Editio – pour édition limitée – a séjourné quatre mois en fût. Le champagne a vieilli sous liège et a été dégorgé à la volée, à l'ancienne. Non millésimé, il provient de pinot noir et de chardonnay de la seule récolte 2005. Généreux, bâti pour la table, il développe des arômes de sous-bois. Sa vinosité est soulignée de l'attaque à la finale par une tonique vivacité. La **Cuvée spéciale RJ (20 à 30 € ; 7 000 b.)** obtient la même note. Donnant une courte majorité au chardonnay, complété par du pinot noir, elle assemble deux belles années, le 2005 et le 2002. Puissante et complexe, elle pourra être débouchée à l'apéritif et terminée au repas. (RM)

René Jolly, 10, rue de la Gare, 10110 Landreville, tél. 03.25.38.50.91, fax 03.25.38.30.51, contact@jollychamp.com r.-v.

BERTRAND JOREZ Sélection ★

n.c.	11 à 15 €

À une quinzaine de kilomètres au sud de la cité des Sacres, le village de Ludes est installé sur le versant nord de la Montagne de Reims. C'est dans cette commune qu'est établi Bertrand Jorez, qui exploite 5 ha de vignes. Son brut Sélection met à contribution les trois cépages champenois de la récolte 2007. C'est un champagne riche et onctueux, aux arômes de fruits compotés, de tabac et de pain d'épice. Un ensemble harmonieux qui devrait s'accorder avec un lapin aux pruneaux. (RC)

Bertrand Jorez, 13, rue de Reims, 51500 Ludes, tél. 03.26.61.14.05, bertrand.jorez@wanadoo.fr r.-v.

JOSEPH PERRIER Cuvée Royale 2002 ★

80 000	30 à 50 €

Joseph Perrier, fils de négociant, crée son affaire en 1825, année du sacre de Charles X à Reims. Nul n'étant prophète en son pays, c'est à la cour d'Angleterre que ses cuvées recevront le titre de « royales ». La maison est la seule à subsister à Châlons-en-Champagne. Claude Dervin, comme avant lui son père et son grand-père, pilote la production dont 20 % des besoins sont couverts par le vignoble maison (21 ha). La récolte 2002 s'est déroulée sous un franc soleil et des nuits fraîches, conditions favorables à une bonne maturation. Cette cuvée mi-blancs, mi-noirs (pinot noir) en retire un élégant nez de fleurs, d'épices et de fruits mûrs. Si elle n'est pas des plus longues, elle séduit par sa bouche à la fois douce et fraîche. La finale acidulée suggère des accords gourmands avec de fins poissons cuisinés ou des viandes blanches aux groseilles. L'ensemble devrait encore gagner en harmonie au cours des deux à trois prochaines années. Plus discret dans ses arômes d'agrumes et de caramel au beurre salé, le **blanc de blancs 2004 (50 à 75 €)**, cité, bénéficie d'une fin de bouche élégante et longue. On le servira dès la sortie du Guide à l'apéritif ou sur des produits de la mer délicats. (NM)

Joseph Perrier, 69, av. de Paris, BP 80031, 51016 Châlons-en-Champagne Cedex, tél. 03.26.68.29.51, fax 03.26.70.57.16, contact@josephperrier.fr r.-v.

JEAN JOSSELIN Tradition ★

9 900	11 à 15 €

Le vignoble champenois est aussi irrigué par la Seine, dans sa partie auboise. Autrefois point stratégique entre comté de Champagne et duché de Bourgogne, le village de

Gyé-sur-Seine est aujourd'hui bien ancré dans le vignoble champenois, plus de 200 ha de vignes couvrant ses coteaux. Jean-Pierre Josselin y cultive en famille 11 ha. Assemblage de pinot noir (majoritaire) et de chardonnay, son brut Tradition présente une robe d'un jaune très pâle aux reflets verts animée d'une bulle fine. Bien ouvert, son nez se partage entre fleurs blanches et des notes citronnées. C'est un vin droit, franc et long, dont la vivacité est accentuée par la minéralité iodée de sa finale. On l'appréciera à l'apéritif, avec des huîtres. (RM)

Jean-Pierre Josselin, 14, rue des Vannes, 10250 Gyé-sur-Seine, tél. 03.25.38.21.48, fax 03.25.38.25.00, champagne-josselin@wanadoo.fr
t.l.j. 8h-12h 13h30-17h30; sam. dim. sur r.-v.

KRUG 2000 ★★★

n.c. + de 100 €

Joseph Krug, fondateur en 1843 de cette célèbre maison rémoise, fut un assembleur hors pair, qui réussit à magnifier terroirs, cépages et années pour produire un champagne de prestige à son goût. Il codifia sa méthode, transmise de génération en génération. Si l'affaire appartient depuis 1999 au groupe LVMH, le style et le savoir-faire de la famille sont garantis par Olivier Krug, le gardien du temple. Ce millésime 2000 est à la hauteur de ses glorieux devanciers. Comme eux, il porte une robe dorée et brillante, et parfume le verre des habituelles et agréables notes de torréfaction (café et fruits secs) et de fumée. La bouche, à la fois vineuse et fraîche, s'enrichit de touches boisées aux nuances de noisette et de pain grillé. Une remarquable pointe saline marque la longue finale. Nos jurés rêveraient d'accompagner ce millésime de simples et nobles produits du terroir, eux aussi patiemment affinés : copeaux de *pata negra*, de parmesan ou dés de vieux comté. Cette bouteille de garde, bien sûr, peut attendre plusieurs années. Pour n'être pas millésimée, la **Grande Cuvée** répond à une élaboration longue et minutieuse : elle assemble plus de cent vins, plus de dix millésimes et reste six ans en cave. Avec son fruité bien plus jeune, et sa structure vive, elle possède elle aussi un réel potentiel de garde et obtient une étoile. (NM)

Krug Vins fins de Champagne, 5, rue Coquebert, 51100 Reims, tél. 03.26.84.44.20, fax 03.26.84.44.49, krug@krug.com r.-v.
LVMH

LABBE ET FILS Prestige ★★

1er cru 3 200 15 à 20 €

Établi sur le versant nord de la Montagne de Reims, le village de Chamery mérite le détour pour son aspect fleuri et pour son église, dont la flèche à la hauteur spectaculaire vient d'être restaurée. Didier Labbe y exploite un vignoble familial de 10 ha. Mi-chardonnay mi-pinot noir, sa cuvée Prestige naît de la vendange 2008. Sa robe or pâle aux reflets cuivrés est animée d'un train de bulles fines. Subtil et aérien, le nez mêle les zestes d'orange et de mandarine à des nuances de cassis, le tout rehaussé de notes torréfiées. La bouche est droite et longue, avec un dosage qui équilibre son acidité. Un champagne pour toutes les occasions, à déguster de l'apéritif au dessert. (RM)

Labbe et Fils, 5, chem. du Hasat, 51500 Chamery, tél. 03.26.97.65.45, fax 03.26.97.67.42, champagne.labbe@wanadoo.fr
t.l.j. sf dim. 9h-12h 14h-18h30; f. 5-31 août

LACOURTE-GODBILLON 2004 ★★

1er cru 6 000 20 à 30 €

Installée en 2006 sur l'exploitation familiale datant de 1883, Géraldine Lacourte cultive avec Richard Desvignes 8 ha à Écueil, village de la Montagne, tout proche de Reims. Si elle confie le pressurage de sa vendange à la coopérative, elle assure ensuite les assemblages et toutes les opérations jusqu'au dégorgement. Son 2004 assemble à parts égales le pinot noir et le chardonnay – ce dernier étant vinifié sans fermentation malolactique. Habillé d'une livrée dorée à reflets verts, il libère des senteurs d'agrumes soulignées de notes minérales (craie et silex), auxquelles fait écho une bouche tendue et fraîche. La finale est marquée par une agréable amertume aux nuances de pamplemousse. Sa longueur permet d'envisager quelques années de garde. (RC)

Lacourte-Godbillon, 16, rue des Aillys, 51500 Écueil, tél. 03.26.49.74.75, fax 03.26.49.23.51, contact@champagne-lacourte-godbillon.com r.-v.

LACULLE Cuvée Prestige ★★

10 000 20 à 30 €

L'Arce a creusé un plateau calcaire pour rejoindre le grand fleuve aux environs de Bar-sur-Seine. Village de la rive gauche, Chervey a vu des générations de Laculle mettre en valeur ses coteaux et ce, depuis la Révolution. Mais la famille n'a lancé son champagne qu'en 2000. Le chardonnay et le pinot s'allient à parité et pour le meilleur dans ce brut au nez intense de fruits (abricot et agrumes) et d'épices douces (réglisse). Tout aussi expressive, la bouche est charnue, ample et longue, avec suffisamment de vivacité pour rafraîchir l'ensemble. On pourra servir ce champagne tout au long du repas. (RM)

Laculle, 1, rue du Vieux-Château, 10110 Chervey, tél. 03.25.38.78.17, fax 03.25.38.59.82

CHARLES LAFITTE Grande Cuvée ★

n.c. 20 à 30 €

Créée au milieu du XIXes., cette marque est aujourd'hui dans l'orbite du groupe Vranken qui l'a remise sur le devant de la scène dans les années 1980. Née des trois cépages champenois, sa Grande Cuvée séduit par son nez expressif de brioche beurrée et de fruits jaunes mûrs, et par sa bouche à la fois ample, ronde et longue. Un champagne harmonieux pour un cocktail dînatoire. (NM)

Charles Lafitte, 5, pl. du Général-Gouraud, BP 1049, 51689 Reims Cedex 2, tél. 03.26.61.62.63, fax 03.26.61.63.89
Vranken Pommery Monopole

LAGILLE ET FILS Reflets d'une passion 2006 ★★★

3 388 15 à 20 €

Treslon n'est pas le village champenois le plus connu. Si l'autoroute et le TGV passent tout près, la localité se cache dans un vallon proche de l'Ardre, à l'ouest de Reims. Tout autour, le bois des Corbeaux, le Fond de l'Enfer, le mont Roncin, les Épinettes... L'endroit est pourtant bucolique, et les ceps réservent à l'occasion de belles surprises. La grand-mère avait cultivé ici les premiers plants, Bernard Lagille lancé sa marque. Ses filles Claire et Maud, installées en 2005, ont bénéficié d'un pressoir flambant neuf pour leur premier millésime. L'année suivante, elles ont tiré du chardonnay ce champagne or pâle aux reflets verts. Exaltées par un train de bulles très fines, des senteurs miellées et torréfiées s'échappent du verre, rafraîchies par des nuances d'agrumes. Le palais est souple, ample, long, tonifié par une belle acidité. « Quel dommage de recracher ! » regrette un dégustateur. Un très léger surdosage vole à cette cuvée le coup de cœur. Aromatique, ronde, un peu évoluée, la **Grande Réserve (4 500 b.)**, qui naît des trois cépages, obtient une citation. (RM)

Lagille et Fils, 49, rue de la Planchette, 51140 Treslon, tél. 03.26.97.43.99, fax 03.26.97.48.58, contact@champagne-lagille.com t.l.j. 8h-12h 13h30-18h; dim. sur r.-v.

ALAIN LALLEMENT Cuvée Prestige

Gd cru 6 500 15 à 20 €

On peut séjourner chez les Lallement à Verzy, sur la Montagne de Reims, profiter de leur gîte rural ou de l'accueil en chambre d'hôtes, se promener dans la vaste forêt du plateau pour contempler ces hêtres tortillards, les célèbres « faux », une curiosité de la nature. Bien sûr, on découvrira aussi les champagnes de la propriété. Plus d'une fois retenue, cette cuvée Prestige mi-blancs mi-noirs (pinot noir) provient d'une seule année. Elle affirme son âge (récolte 2007) par ses senteurs de fruits secs (noisette, noix de cajou) et par sa vinosité. Un brut sans année bien équilibré, à la finale assez longue, douce et délicate. Il est à son apogée. (RM)

Alain Lallement, 19, rue Carnot, 51380 Verzy, tél. et fax 03.26.97.92.32, champagne.alain.lallement@club-internet.fr r.-v.

PHILIPPE LAMARLIÈRE Grande Réserve ★

100 000 15 à 20 €

Une marque de la maison Tribaut-Schloesser, de Romery, dans la vallée de la Marne. Jean Tribaut l'a créée en hommage à son salarié, Philippe Lamarlière, qui travailla plus de trente ans en cuverie et qui était un fin dégustateur. Élaborée à 80 % à partir de cépages noirs (pinot noir et meunier à égalité), cette cuvée, discrète au premier abord, s'ouvre à l'aération et s'épanouit sur des notes fraîches de fruits blancs et d'agrumes. On retrouve cette fraîcheur dans une bouche harmonieuse aux nuances de poire et de pomme. Un dégustateur suggère de servir cette bouteille sur une tarte aux poires. (NM)

SARL SVR – Philippe Lamarlière, 8, rue des Gais-Hordons, 51480 Romery, tél. 03.26.58.64.21, fax 03.26.58.44.08, contact@svromery.fr

Tribaut

LAMBLOT Tradition ★★

9 500 11 à 15 €

Janvry est un petit village au milieu des vignes situé dans la vallée de l'Ardre. Sous Louis XIV, Droüin Lamblot fut le premier de la lignée à y cultiver de la vigne. Aujourd'hui, Patrick Lamblot et son fils Alexandre sont à la tête de l'exploitation. Né des vendanges 2008, 2007 et 2006, leur brut Tradition est un blanc de noirs mettant en vedette le meunier (80 %). Son bouquet libère d'abord des notes fraîches d'agrumes et de fleurs, puis s'ouvre sur des nuances de fruits compotés. La bouche, dans le même registre, séduit par son attaque fraîche, sa générosité et sa longueur. Un champagne riche, qui peut s'apprécier dès aujourd'hui mais qui gagnera encore en complexité après quelques années en cave. (RC)

Lamblot, 9, rue Saint-Vincent, 51390 Janvry, tél. 03.26.03.80.00, fax 03.26.03.62.12, contact@champagne-lamblot.fr r.-v.

GUY LAMOUREUX Cuvée spéciale ★

11 050 11 à 15 €

Les Lamoureux travaillent la vigne depuis plusieurs générations aux Riceys, tout au sud de la Champagne. Créée en 1970, leur marque est aujourd'hui exploitée par Stéphane et Alexandre Lamoureux, qui s'appuient sur un vignoble de 8 ha majoritairement dédié au pinot noir (85 %). Leur Cuvée spéciale en comprend 70 % assemblés à 30 % de chardonnay. Sa bulle vive et généreuse anime une robe couleur paille. Du verre montent des notes délicates de fleurs blanches, puis de fruits frais (mangue, fruits jaunes) et de noisette. Dans une belle harmonie, la bouche à la fois chaleureuse et vive fait preuve d'une bonne longueur. Un champagne à déboucher à l'apéritif, puis à servir sur des saint-jacques – « au coulis de fruit de la Passion », suggère un dégustateur. (RM)

Guy Lamoureux, 10, rue de Frolle, 10340 Les Riceys, tél. 03.25.29.34.39, fax 03.25.29.93.62, champagneguylamoureux@wanadoo.fr r.-v.

CLAUDE LANCELOT Cuvée Brio 2004

4 000 20 à 30 €

Vigneron depuis 1980, Claude Lancelot exploite un domaine de 5 ha. Il est installé à Avize. Étonnamment, il ne semble pas cultiver un seul pied de vigne dans cette commune. Ses chardonnays, majoritaires, ne sont cependant pas bien loin, implantés à Cramant, Chouilly, Oiry (grands crus de la Côte des Blancs) et à Épernay ; ses noirs, à Mardeuil, Hautvillers et Celles-sur-Ource. Assemblée dès la vendange, cette cuvée Brio marie 60 % de chardonnay au pinot noir. D'un bel or clair, intensément parfumée, elle développe des senteurs complexes de fruits mûrs (prune jaune, poire), d'agrumes et de fleurs, qui rebondissent dans une bouche ample et longue. La fraîcheur est également au rendez-vous. (RM)

Lancelot, 30, rue Ernest-Vallé, 51190 Avize, tél. 03.26.57.94.68, fax 03.26.57.79.02, champagne-lancelot-goussard@wanadoo.fr r.-v.

LANCELOT-PIENNE Blanc de blancs ★

Gd cru 15 000 15 à 20 €

Descendant de trois générations de vignerons, Gilles Lancelot, œnologue, dirige le domaine créé par ses parents en 1967 à Cramant dans la Côte des Blancs. Ses vins ont la particularité d'être très peu dosés. Les dégustateurs en ont retenu deux, qui font jeu égal avec une étoile. Ce pur chardonnay, qui assemble cinq années différentes, développe un nez intense partagé entre les fleurs blanches et une minéralité crayeuse. Sa bouche est riche, onctueuse, longue et fraîche. On le destinera à l'apéritif ou à des produits de la mer. Le brut **Sélection (15 000 b.)** marie 60 % de meunier, 10 % de pinot noir et 30 % de chardonnay. Il s'ouvre d'emblée sur des senteurs de fruits rouges (griotte) et des notes fumées et miellées, arômes que l'on retrouve dans son corps charpenté. Un champagne à son apogée, destiné à la table. (RM)

Lancelot-Pienne, 1, pl. Pierre-Rivière, 51530 Cramant, tél. 03.26.59.99.86, fax 03.26.57.53.02, contact@champagne-lancelot-pienne.fr r.-v.

P. LANCELOT-ROYER Blanc de blancs
Cuvée de réserve R.R.

15 017 11 à 15 €

Pierre Lancelot et Françoise Royer s'établissent à Cramant et créent l'exploitation en 1960. Leur fille, Sylvie, reprend l'affaire en 1996. L'ensemble des chais, du vendangeoir aux caves souterraines, a été construit avec une utilisation fonctionnelle de la topographie du site : la maison s'adosse à une butte ; des pressoirs, situés au sommet, les jus s'écoulent par gravité dans les cuves installées à l'étage inférieur ; quant aux bouteilles, elles reposent en dessous, dans les caves creusées dans la craie. Si les vins de réserve de l'assemblage ont été élevés en foudre, ce blanc de blancs ne porte pas la marque du bois. Discret, fruité et frais, il conviendra pour un apéritif sous la tonnelle. (RM)

EARL P. Lancelot-Royer, 540, rue du Gal-de-Gaulle, 51530 Cramant, tél. 03.26.57.51.41, fax 03.26.57.12.25, champagne.lancelot.royer@cder.fr
t.l.j. 10h-12h 14h-17h; dim. sur r.-v.; f. 15-31 août

Y. LANCELOT-WANNER Réserve chardonnay ★

Gd cru 20 000 15 à 20 €

Jeune vigneron, Philippe Lancelot a pris il y a quelques années la succession de ses parents et exploite 4,6 ha dans la Côte des Blancs. Il s'est récemment entouré de conseillers, afin d'améliorer ses cuvées pour les destiner à la garde. Sa Réserve chardonnay intéresse par sa complexité : fruits exotiques, viennoiserie, nougat, pistache, beurre se mêlent au nez. Le pain grillé entre en scène dans un palais bien équilibré entre ampleur et vivacité. Un blanc de blancs classique, très cohérent, à son apogée. La **Carte d'or Chardonnay (10 000 b.)** est citée. Si son séjour en fût ne passe pas inaperçu au nez, la bouche se révèle plus fondue, bien équilibrée et assez longue. (RM)

Y. Lancelot-Wanner, 155, rue de la Garenne, 51530 Cramant, tél. 03.26.57.58.95, fax 03.26.57.00.30, philippe@champagnelancelot.com r.-v.

LANSON Extra Âge ★★

n.c. 50 à 75 €

Cette marque internationale trouve son origine en 1760. Fondée par François Delamotte, échevin de Reims, elle ne prit le nom de Lanson qu'en 1837. Elle appartient depuis 2006 au groupe BCC. Une constante : les cuvées sont produites sans fermentation malolactique, pour qu'elles conservent leur fraîcheur. Deux champagnes de la gamme ont obtenu l'un comme l'autre deux étoiles. Ce rosé, d'abord, qui assemble deux tiers de pinot noir et un tiers de chardonnay issus de grands crus et qui marie trois années différentes (bonnes mais non divulguées). Habillé d'une robe saumonée très pâle, il est doté d'un nez captivant par sa richesse et sa complexité : des senteurs de fruits frais (fraise, framboise, griotte, pêche, fruits exotiques...), des notes torréfiées (cacao), florales, beurrées s'élèvent du verre et parfument un corps à la fois généreux et frais. Pour un dessert aux fruits rouges, mais aussi des viandes telles que l'agneau. Presque mi-blancs mi-noirs (53 % de pinot noir), le **Gold Label 2002 (30 à 50 € ; 150 000 b.)** évolue dans un agréable registre pâtissier et brille par sa matière équilibrée et vive. À servir avec du poisson ou une viande à la crème et, pourquoi pas, un brie fermier. (NM)

Lanson, 66, rue de Courlancy, 51100 Reims, tél. 03.26.78.50.50, fax 03.26.78.50.99, info@lanson.fr
r.-v.
Lanson-BCC

GUY LARMANDIER Cramant Blanc de blancs 2006 ★

Gd cru 9 000 20 à 30 €

L'église Saint-Martin (XIe s.) de Vertus vaut à elle seule le détour. À quelques mètres de là, le visiteur trouvera le domaine, valeur sûre de cet important bourg viticole du sud de la Côte des Blancs. Il sera reçu par Colette Larmandier (la mère), voire par l'un de ses enfants, Marie-Hélène ou François. Ces derniers exploitent 9 ha de vignes. Leur blanc de blancs millésimé de Cramant (grand cru), assez régulièrement élaboré, est tout aussi régulièrement bien noté par nos jurés. Le 2005 fut d'ailleurs élu coup de cœur l'an dernier. Son successeur offre un nez léger mais joli, sur les agrumes et la brioche. Équilibrée entre rondeur et tension, chaleur et acidité, sa bouche est de bonne longueur. Un peu discret mais frais et équilibré, le brut **1er cru (15 à 20 € ; 25 000 b.)** reçoit une citation. (RM)

Guy Larmandier, 30, rue du Gal-Kœnig, 51130 Vertus, tél. 03.26.52.12.41, fax 03.26.52.19.38, guy.larmandier@wanadoo.fr r.-v.

GÉRARD LASSAIGNE Chardonnay ★

24 449 11 à 15 €

Gérard Lassaigne fait son entrée dans le Guide, mais son domaine n'est pas si nouveau : il l'a créé en 1990. Son terroir, la colline de Montgueux, ne manque pas d'atouts : cette butte située à l'ouest de Troyes domine la plaine auboise d'une centaine de mètres. Ses sols crayeux sont favorables au chardonnay – contrairement à ceux de la côte des Bar, au sud-est de Troyes, où les argilo-calcaires sont propices au pinot noir. Gérard Lassaigne en a tiré un blanc de blancs à la robe claire, au nez d'agrumes, à la bouche plutôt ronde et suave, mais équilibrée et de bonne longueur. (RM)

EARL Gérard Lassaigne, 6, rue Valange, 10300 Montgueux, tél. 03.25.74.84.88, fax 03.25.79.18.60, cedlas@free.fr r.-v.

PIERRE LAUNAY ★

40 000 11 à 15 €

Situé au sud-ouest du vignoble, le Sézannais s'est étendu assez récemment. Pierre Launay a ainsi débuté ses plantations en 1967 et vendu ses premières bouteilles en 1973. Ses trois fils se sont associés et commercialisent leurs vins sous des prénoms différents. Le chardonnay, majoritaire dans cette cuvée (60 %) et complété par le pinot noir, a donné à ce champagne un bouquet très frais de fleurs blanches un rien miellées et de citronnelle. La bouche apparaît légère, élégante et longue. (RM)

GAEC Champavigne, 11, rue Saint-Antoine, 51120 Barbonne-Fayel, tél. 03.26.80.20.03, fax 03.26.42.73.01, contact@champagne-launay.fr
r.-v.

LAUNOIS PÈRE ET FILS 2005 ★

Gd cru 40 000 15 à 20 €

Ce domaine trouve son origine au XIXᵉs. Dirigé depuis quarante ans par Bernard Launois et fort de 20 ha, il a son siège au Mesnil-sur-Oger, grand cru de la Côte des Blancs, où la famille a créé son musée du Vin. Alors que les domaines sont parfois fermés au moment de la récolte, la propriété organise à l'intention des visiteurs des « journées vendanges » – au cours desquelles on donne sans doute autant de coups de fourchette que de coups de sécateur. L'occasion, peut-être, de découvrir ce 2005, floral au premier nez avant d'évoluer sur des notes briochées et toastées. Franc à l'attaque, plein, c'est un vin équilibré et frais. Deux autres blancs de blancs sont retenus, l'un comme l'autre de la récolte 2008 : avec également une étoile, la cuvée **Dorine (12 000 b.)**, élevée sous bois, vive et fraîche, sur les agrumes, qui n'est pas encore à son apogée ; avec une citation, la cuvée **Veuve Clémence grand cru (25 000 b.)**, plus ouverte, briochée au nez, minérale et vive en bouche, un peu fugace. (RM)

Launois Père et Fils, 2, av. Eugène-Guillaume, BP 7, 51190 Le Mesnil-sur-Oger, tél. 03.26.57.50.15 r.-v.

LAURENT-GABRIEL Spécial Brut ★★

1er cru 2 500 15 à 20 €

Vivant à l'origine de la vente au kilo, cette petite exploitation de la Grande Vallée de la Marne s'est lancée dans la manipulation en 1982, avec Daniel Laurent. Marie-Marjorie, sa fille, a pris le relais en 2007. Au domaine, on vinifie sans fermentation malolactique et une partie des vins passe par le bois. C'est le cas de ce rosé, un pur pinot né d'un assemblage de vin blanc et de vin rouge. Des bulles fines montent dans une robe d'une couleur presque tuilée, orangée. D'une grande vivacité, le nez est un panier de fruits rouges. Les agrumes s'ajoutent à cette palette pour parfumer une bouche équilibrée, ronde et fraîche, de belle longueur. La **cuvée Prestige 1er cru 2000 (20 à 30 € ; 2 900 b.)**, notée une étoile, allie 80 % de pinot noir au chardonnay. Raisin sec, miel et notes grillées témoignent de son évolution. Ample et harmonieuse, la bouche a du caractère et séduira les amateurs de champagnes mûrs. (RM)

EARL Laurent-Gabriel, 2, rue des Remparts, 51160 Avenay-Val-d'Or, tél. 03.26.52.32.69, champagne.laurent-gabriel@wanadoo.fr t.l.j. 9h30-12h 13h30-16h30; sam. dim. sur r.-v.; f. août

LAURENT-PERRIER ★

n.c. 30 à 50 €

Alphonse Pierlot, tonnelier de son état, s'installe à Tours-sur-Marne en 1812 pour champagniser des vins. Il lègue l'affaire à son chef de cave, Eugène Laurent, qui la gère avec son épouse, Mathilde Perrier.Tombée en léthargie dans l'entre-deux-guerres, la société est rachetée par la famille de Nonancourt qui en a toujours le contrôle. Sous l'impulsion de Bernard de Nonancourt (1920-2010), la maison est devenue un des grands groupes de la région, à la tête de plusieurs marques de prestige (Salon, Delamotte...) ; des cuvées spéciales célèbres ont été créées. Quant à ce brut sans année, pratiquement disparu en 1938, il est désormais une référence mondiale, commercialisée à plusieurs millions de bouteilles. Une bonne cinquantaine de crus sont mobilisés pour l'élaborer. Le chardonnay entre pour moitié dans sa composition, les deux noirs se partageant le reste : 35 % pour le pinot, 15 % pour le meunier. La vinification est traditionnelle, et les flacons dorment un minimum de trois ans en cave. Il en ressort un champagne à la bulle fine et à la très belle robe dorée. Son nez fin, mûr et complexe précède une bouche vineuse et équilibrée. L'ensemble sera aussi agréable à l'apéritif qu'à table. (NM)

Laurent-Perrier, 51150 Tours-sur-Marne, tél. 03.26.58.91.22, fax 03.26.58.77.29

Famille de Nonancourt

NOËL LEBLOND-LENOIR Cuvée Prestige ★

7 004 15 à 20 €

Noël Leblond-Lenoir a créé sa marque en 1969. Aidé de ses filles Mélaine et Élise, il exploite un vignoble de 13 ha dans la région auboise du Barséquanais. Alors que le pinot noir est majoritaire dans le secteur, ce cépage ne représente que 20 % de cette cuvée qui tire son style du chardonnay. Couleur cristalline, arômes variés d'agrumes, de fleurs et de fruits blancs, attaque franche et corps frais caractérisent ce champagne équilibré, qui pourra aussi bien être servi à l'apéritif que sur une viande blanche. (RM)

Noël Leblond-Lenoir, 3, rue de la Fontaine-Saint-Loup, 10110 Buxeuil, tél. 03.25.38.53.33, fax 03.25.38.59.31, noel.leblond@wanadoo.fr r.-v.

PASCAL LEBLOND-LENOIR Cuvée Prestige

2 530 11 à 15 €

Les Leblond-Lenoir sont deux à Buxeuil, dans la vallée de la Seine. Installé en 1974, Pascal a lancé sa marque en 1980. Ses enfants Claire et Julien lui succèdent aujourd'hui. Deux tiers de chardonnay et un tiers de pinot noir collaborent à leur cuvée Prestige, un champagne à la robe claire et lumineuse, et au nez expressif, sur les fleurs et les fruits blancs (poire). La bouche n'est pas très longue, mais elle se révèle plaisante par son fruité et son caractère soyeux, droit et frais. Pour l'apéritif. (RM)

Pascal Leblond-Lenoir, 49, Grande-Rue, 10110 Buxeuil, tél. 03.25.38.54.04, fax 03.25.38.57.50 r.-v.

ALAIN LEBOEUF Prestige Pinot noir Chardonnay ★

10 000 11 à 15 €

Marcel Leboeuf cultivait des vignes à Colombé-la-Fosse, René Corrard, à Baroville (Aube). Le mariage de leurs enfants permit la création d'une exploitation de 7 ha que dirige aujourd'hui Alain Leboeuf, leur petit-fils. Mêlant 30 % de pinot au chardonnay, cette cuvée, de couleur pâle, offre un nez gourmand sur les fleurs et les fruits blancs, avec une touche miellée. Sa bouche vive, citronnée et légère, la destine à l'apéritif. Le **rosé (7 000 b.)**, qui doit tout aux raisins noirs (95 % de pinot noir et un soupçon de meunier), fait jeu égal. Ce champagne aux nuances orangées se partage de prime abord entre les fruits rouges et le pain frais, et prend des nuances épicées à l'aération. Les fruits rouges s'épanouissent en bouche, parfumant une matière charnue, harmonieuse, fraîche et longue. Cité, le brut **Tradition (39 300 b.)** né du seul pinot noir, souple, équilibré mais encore fermé, devrait s'ouvrir dans quelques mois. (RM)

SCEV Alain Leboeuf, 1, rue du Moulin, 10200 Colombé-la-Fosse, tél. 03.25.27.11.26, fax 03.25.27.17.23, scevleboeuf@wanadoo.fr r.-v.

LE BRUN DE NEUVILLE Cuvée Chardonnay ★

65 500 20 à 30 €

Créée il y a cinquante ans environ par une vingtaine de viticulteurs, la coopérative de Bethon regroupe aujourd'hui cent cinquante adhérents et vinifie autant d'hectares de vignes dans le Sézannais. Le chardonnay, majoritaire dans ce secteur, est privilégié dans la plupart des cuvées de la cave. Celle-ci est un blanc de blancs séducteur. La présentation est belle, une fine effervescence dans un or brillant et lumineux. Le charme continue d'opérer au nez, qui évoque à une dégustatrice un début d'été radieux, avec ses fragrances de tilleul en fleur, de miel, d'amande fraîche, de pêche blanche ; la bouche se révèle harmonieuse, fondue et dotée d'une belle vivacité : une belle étoile. (CM)

Le Brun de Neuville, rte de Chantemerle, 51260 Bethon, tél. 03.26.80.48.43, fax 03.26.80.43.28, contact@lebrundeneuville.fr
t.l.j. sf dim. 9h-12h 14h-18h

LE BRUN SERVENAY
Exhilarante Vieilles Vignes 2004 ★★

n.c. | 20 à 30 €

Représentant la cinquième génération de vignerons, Patrick Le Brun conduit le domaine familial depuis 1996. Il cultive la majeure partie de son vignoble sur la Côte des Blancs. Ses cuvées, qui ne font pas leur fermentation malolactique, font donc la part belle au chardonnay. Exhilarante ? Son auteur espère qu'elle saura égayer les convives même avec une consommation modérée. En tout cas, elle devrait les ravir, comme elle a charmé les jurés. Les blancs jouent le rôle principal dans ce champagne jaune paille qui ne contient que 20 % de noirs (les deux pinots à parité). Le nez s'ouvre avec finesse sur des senteurs d'abricot et de noisette, puis la pêche de vigne s'impose au palais. Riche, ample et harmonieux, ce remarquable champagne se dégustera à l'apéritif ou sur un poisson en sauce. (RM)

SCEV Le Brun Servenay, 14, pl. Léon-Bourgeois, 51190 Avize, tél. 03.26.57.52.75, fax 03.26.57.02.71, contact@champagnelebrun.com r.-v.

HERVÉ LECLÈRE Esprit de tradition ★

1er cru | 20 000 | 11 à 15 €

Viticulteur depuis 1980 à Écueil, 1er cru au sud-ouest de Reims, Hervé Leclère a créé sa marque en 1982. Son vignoble de 4 ha est implanté essentiellement sur des villages du versant nord de la Montagne de Reims, proches de la cité des Sacres. Il fait son entrée dans le Guide avec deux cuvées qui ont obtenu une étoile chacune. Cette cuvée Esprit de tradition, qui doit tout au pinot noir, exprime son cépage à travers des arômes de petits fruits et se montre bien équilibrée. Le pinot noir, complété par le chardonnay, représente les trois quarts du **1er cru Reflet de sélection (15 à 20 € ; 7 000 b.)**. Son nez est plaisamment évolué, discrètement confit, et sa bouche apparaît légère et fruitée. Deux champagnes d'apéritif. (RC)

Hervé Leclère, 2, rue Saint-Vincent, 51500 Écueil, tél. 03.26.49.76.64, herve.leclere@wanadoo.fr r.-v.

XAVIER LECONTE Cuvée Les Vents d'anges 2003 ★★

1 435 | 30 à 50 €

Xavier Leconte exploite un vignoble de 10 ha sur la rive gauche de la vallée de la Marne. Adhérent à une coopérative au moment de son installation en 1978, il est devenu indépendant en 1985. Il vinifie en cuve Inox thermorégulée, en foudre et en fût de chêne. Le pinot noir à l'origine de ce millésime 2003 – année de la canicule – a été élevé exclusivement en fût, avec bâtonnages réguliers, et le vin s'est affiné quarante mois sur lattes. Le résultat ? Un champagne au caractère original, qui a séduit les professionnels mais qui pourra surprendre certains amateurs par son boisé beurré nuancé de notes animales (cuir). Le palais s'impose par sa richesse. Cette bouteille, plutôt destinée au repas, pourra donner la réplique à une cuisine un peu relevée. (RM)

Xavier Leconte, 7, rue des Berceaux, hameau Bouquigny, 51700 Troissy, tél. 03.26.52.73.59, fax 03.26.52.71.81, contact@champagne-xavier-leconte.com r.-v.

DIDIER LEFÈVRE Blanc de blancs ★

Gd cru | 9 500 | 15 à 20 €

Vigneron depuis 1980, Didier Lefèvre cultive un domaine implanté à Oger (grand cru de la Côte des Blancs), sur le coteau ouest d'Épernay, et dans le Sézannais. Il confie sa récolte à l'Union Champagne (coopérative d'Avize) qui en assure la vinification. Son blanc de blancs grand cru assemble 27 % de vins de réserve à la récolte 2008. Ouvert sur d'intenses notes fruitées et pâtissières, il montre une grande fraîcheur au palais, gage d'un réel potentiel d'évolution. Le brut **Tradition (11 à 15 € ; 12 000 b.)** marie presque à parts égales le pinot noir (44 %) et le chardonnay ; il reçoit lui aussi une étoile pour son équilibre et son côté gourmand. (RC)

Didier Lefèvre, 13, quai de la Villa, BP 1055, 51319 Épernay Cedex, tél. 03.26.54.57.16, fax 03.26.59.99.67, champagne.d.lefevre@orange.fr r.-v.

LE GALLAIS Cuvée du manoir ★

16 000 | 15 à 20 €

Implanté à proximité du célèbre château de Boursault construit pour Madame Clicquot-Ponsardin, le vignoble domine la Marne sur la rive gauche. Il est conduit par Hervé Le Gallais depuis 1998. Les deux pinots sont assemblés à parts égales (45 % chacun) dans ce brut sans année, le chardonnay faisant l'appoint. La récolte 2009 est associée aux années 2005 et 2004. Le nez allie des notes fraîches de pamplemousse et des nuances plus mûres de torréfaction. La bouche se montre équilibrée, longue et vive. Pour la **cuvée du Manoir extra-brut (8 000 b.)**, l'assemblage est le même, mais le champagne n'est dosé qu'à 2 g/l contre 5,5 g/l pour le précédent. Le vieillissement en cave passe à cinq ans. Beurré, brioché, sans agressivité en bouche, équilibré et long, ce champagne obtient lui aussi une étoile. (RM)

Le Gallais, 2, rue Maurice-Gilbert, 51480 Boursault, tél. 03.26.58.94.55, hlg51@orange.fr r.-v.

LEGOUGE-COPIN Rosé de saignée ★★★

500	▮	20 à 30 €

Serge Copin vend ses premières bouteilles en 1962. Sa fille Jocelyne et son époux Jean-Marc Legouge reprennent le domaine en 1989 et créent leur étiquette trois ans plus tard. Leur vignoble, de près de 5 ha, est implanté principalement à Vandières, dans la vallée de la Marne, avec une parcelle dans l'Aube. Ce rosé de saignée est un modèle du genre. Il débute sa vinification par une macération de raisins noirs (ici, les deux pinots à égalité), comme un vin rouge, puis le jus est décuvé lorsque la teinte souhaitée est obtenue. Orangé, tuilé avec des reflets roses traversés d'un très léger cordon de bulles, il offre un nez intense dominé par des notes de fruits noirs, arômes que l'on retrouve dans une bouche vineuse, structurée et chaleureuse. Il pourra accompagner une charlotte aux fraises. (RM)

Legouge-Copin, 6, rue de l'Abbé-Bernard, 51700 Verneuil, tél. 03.26.52.96.89, champagnelegougecopin@orange.fr r.-v.

ÉRIC LEGRAND Réserve

50 000	▮	11 à 15 €

Au départ de Celles-sur-Ource (Aube), un chemin vigneron fait découvrir au marcheur les superbes paysages viticoles des vallées de l'Ource et de la Seine. C'est dans ce village qu'Éric Legrand cultive, depuis trente ans, un vignoble de plus de 15 ha. Assemblés dans son brut Réserve, 80 % de pinot noir et 20 % de chardonnay ont donné naissance à une cuvée fraîche et élégante, à la robe pâle animée de reflets verts et au nez discret de chèvrefeuille. On peut l'attendre encore un peu. (RM)

Éric Legrand, 39, Grande-Rue, 10110 Celles-sur-Ource, tél. 03.25.38.55.07, fax 03.25.38.56.84, champagne.legrand@wanadoo.fr t.l.j. sf sam. dim. 9h-12h 13h30-17h30; f. août

PIERRE LEGRAS 2002 ★★

3 000	▮	30 à 50 €

Cette maison est dirigée depuis 2002 par Vincent Legras, descendant d'une longue lignée de vignerons de Chouilly, dont le plus anciennement connu est Pierre Legras, né sous le Roi-Soleil en 1662. Ce 2002 en partie élevé sous bois (15 %) est presque un blanc de blancs, puisque moins de 5 % de pinot noir s'y lient au chardonnay. S'il reste frais, ses années de maturation lui ont apporté une teinte or jaune, un corps charpenté, gras et long et des notes complexes de fruits secs, de beurre, de grillé, de cacao et d'épices. Il saura accompagner tout un repas. Noté une étoile, le **blanc de blancs grand cru (15 à 20 € ; 10 000 b.)** ; plus jeune, il est bien sûr plus clair, plus léger et possède une palette aromatique faite d'agrumes et de fleurs blanches. On le destinera à l'apéritif. (NM)

Pierre Legras, 28, rue de Saint-Chamand, 51530 Chouilly, tél. 03.26.56.30.97, contact@champagne-pierre-legras.com r.-v.

LEGRAS & HAAS Tradition ★

30 000	▮	15 à 20 €

Les Legras sont plusieurs à Chouilly, grand cru de la Côte des Blancs. Cette maison est dirigée depuis 1991 par François Legras qui élabore ses produits à partir d'un coquet vignoble de 35 ha. Le chardonnay compose la moitié de son brut Tradition, accompagné de meunier (35 %) et de pinot noir (15 %). À la robe pâle répond un nez discret d'agrumes (citron et pamplemousse) qui se développe dans un corps svelte, assez long, marqué par une légère amertume en finale. Un champagne d'apéritif. (NM)

Legras et Haas, 9, Grande-Rue, 51530 Chouilly, tél. 03.26.54.92.90, fax 03.26.55.16.78, direction@legras-et-haas.com r.-v.

♥ JEAN-PIERRE LEGRET ★★

8 000	▮	15 à 20 €

À l'endroit où le Petit Morin quitte les marais de Saint-Gond pour creuser sa vallée à travers la Brie se trouve le hameau de Saint-Prix, point de passage entre les deux rives depuis l'époque romaine. Installé à quelques centaines de mètres de là, Alain Legret cultive la majeure partie de son vignoble sur le coteau qui domine le village de Talus-Saint-Prix, le reste étant dans le Sézannais. Avec ce rosé, il obtient son deuxième coup de cœur. Ce champagne associe 30 % de chardonnay, 40 % de meunier et 30 % de pinot noir. Ses trois ans de vieillissement sur lattes lui ont permis d'acquérir une robe d'un rose soutenu aux reflets cuivrés. Ouvert, frais et pourvu d'une belle finesse, son nez pimpant mêle les fleurs blanches et la groseille, arômes que l'on retrouve dans une matière charnue, longue et vive. Pour un bel apéritif. Mariant 40 % de pinot au chardonnay, la **Grande Réserve (8 000 b.)** a été citée pour sa complexité, sa fraîcheur et son ampleur. (RM)

Alain Legret, 6, rue de Bannay, 51270 Talus-Saint-Prix, tél. 03.26.52.81.41, fax 03.26.52.99.50, alain-legret@wanadoo.fr r.-v.

LÉGUILLETTE-ROMELOT Extra-brut Tradition ★★

16 000	▮	11 à 15 €

Représentant la troisième génération depuis Jean-Baptiste Léguillette, le fondateur, Laurent Léguillette cultive un vignoble de 8 ha dans la vallée de la Marne, à l'ouest de Château-Thierry. Il a construit récemment une cave pour vinifier une partie de sa récolte. Élaboré en coopérative avec la COVAMA de Château-Thierry (RC), cet extra-brut assemble 75 % de meunier, 10 % de pinot noir et 15 % de chardonnay ; il comprend 35 % de vins de réserve sur une base 2009. Doré brillant, doté d'une matière légère et vive, il séduit par son expression aromatique riche et complexe. Agrumes, fruits blancs, fruits confits, coing, fleurs, sucre chaud forment une farandole bien agréable. À servir plutôt à l'apéritif. Élaborée par Laurent Léguillette seul (RM), la cuvée **B2N (15 à 20 € ; 1 500 b.)**, un blanc de noirs dominé par le meunier (75 %), est citée pour sa puissance et son équilibre.

Léguillette-Romelot, Le Mont-Dorin, 15, rte de Villiers, 02310 Charly-sur-Marne, tél. 03.23.82.03.79, fax 03.23.82.35.34, info@champagne-leguillette-romelot.com r.-v.

LELARGE-PUGEOT Quintessence 2004 ★

1er cru	2 000		20 à 30 €

Le premier Lelarge vigneron à Vrigny, à l'ouest de Reims, acquit ses parcelles en 1799. Installé depuis 1990, Dominique Lelarge a engagé en 2010 la conversion de son exploitation à la culture biologique. Il signe un 2004 mariant une majorité de chardonnay (70 %) aux deux cépages noirs à parité. La moitié des vins de base a été élevée en fût. Dense, puissant, complexe, ce champagne affiche un intéressant potentiel de garde. Même note pour la **Réserve 1er cru (15 à 20 € ; 5 000 b.)**, qui assemble en proportions inverses les blancs et les noirs (50 % de meunier, 20 % de pinot noir). Son caractère onctueux et chaleureux, souligné par un dosage généreux, et ses arômes confits et miellés invitent à la marier à une pâtisserie, un cake par exemple. (RM)

Dominique Lelarge, 30, rue Saint-Vincent, 51390 Vrigny, tél. 03.26.03.69.43, contact@champagnelelarge-pugeot.com r.-v.

FERNAND LEMAIRE 2005 ★★

1er cru	7 700		15 à 20 €

Frédéric Lemaire, le fondateur, petit-fils de Fernand, est établi à Hautvillers, village que les habitants appellent fièrement le « berceau du champagne », en référence à dom Pérignon qui fut cellérier de son abbaye. Après un blanc de blancs 2002 noté deux étoiles, voici un autre chardonnay millésimé de la même veine. D'un jaune doré engageant, ce 2005 offre un nez d'une intensité remarquable livrant des nuances de fruits confits, de pain grillé, de brioche et de beurre. Franc à l'attaque, riche et élégant, parfaitement dosé, c'est un champagne très séduisant, digne de son origine. Il fera une belle escorte à une viande blanche. (RM)

Fernand Lemaire, 88, rue des Buttes, 51160 Hautvillers, tél. 03.26.59.40.44, fax 03.26.51.88.97, champagne-lemaire@wanadoo.fr r.-v.

HENRI LEMAIRE Esprit pinots

	13 000		11 à 15 €

En aval d'Épernay, la tour carrée romane (XIIe s.) de l'église de Damery veille sur la Marne et les coteaux alentour où Nathalie et Pascal Guillemont exploitent un vignoble de 6 ha. Nos jurés ont cité deux de leurs cuvées. Celle-ci, un pur meunier, s'annonce par une robe or pâle et par un nez discret mais élégant, floral et frais. Elle laisse au palais une impression chaleureuse, ronde et fruitée, « pinotant » gentiment. La **Réserve d'Henri (15 à 20 € ; 7 000 b.)**, dans laquelle le meunier est soutenu par 20 % de chardonnay, se montre fruitée, briochée et fraîche : un ensemble gourmand. (RM)

SAS Henri Lemaire, 13, rue Raymond-Poincaré, 51480 Damery, tél. 03.26.53.83.12, fax 03.26.59.01.14, champagne-lemairefourny@wanadoo.fr
t.l.j. 8h30-12h30 14h-18h30; dim. matin sur r.-v.

PATRICE LEMAIRE 2003 ★

	2 500	15 à 20 €

Ce récoltant-manipulant est établi sur la rive gauche de la Marne, à Boursault – un village célèbre pour son château, à propos duquel on dit que l'on pourrait faire du feu chaque jour de l'année, dans une cheminée différente tant elles sont nombreuses... Après un remarquable 2002, il a présenté ce 2003, qui obtient une belle étoile. Il s'agit d'un pur chardonnay, vinifié sans fermentation malolactique pour préserver la fraîcheur du vin en cette année de canicule. Les arômes d'amande, de fruits secs, de cire et d'agrumes confits traduisent une belle évolution. Bien entendu la bouche, onctueuse, ne brille pas par sa vivacité mais elle garde une bonne tenue pour le millésime. Ce champagne s'épanouira mieux à table. Sous l'autre marque de la propriété, le **rosé Claude Lemaire (11 à 15 €)** est cité pour son nez puissant de fruits rouges et sa bouche fraîche. (RM)

Patrice Lemaire, 9, rue Croix-Saint-Jean, 51480 Boursault, tél. 03.26.58.40.58, champagne.lemaire@wanadoo.fr r.-v.

MICHEL LENIQUE Sélection ★★

	35 000		11 à 15 €

Les origines de cette maison remontent au début du XVIIIe s. Établie à Pierry, premier village viticole au sud d'Épernay, elle est présidée par Michel Lenique, aidé de son fils Alexandre et de son gendre Bertrand Robinet. Le vignoble s'étend sur 9 ha autour d'Épernay, sur la Côte des Blancs et dans la vallée de la Marne. Mi-blancs mi-noirs (40 % meunier), le brut Sélection revêt une robe pâle parcourue d'une bulle fine. Tout en discrétion, son nez évoque les fleurs blanches. Harmonieuse, parfaitement équilibrée entre ampleur et fraîcheur, sa bouche libère de fins arômes fruités. L'ensemble mérite d'attendre quelques années. (NM)

SA Lenique et Fils, 20, rue du Gal-de-Gaulle, 51530 Pierry, tél. 03.26.54.03.65, fax 03.26.51.57.14, salenique@wanadoo.fr r.-v.

LENOBLE Blanc de blancs ★

Gd cru	80 000		20 à 30 €

Armand-Raphaël Graser, marchand de vin, quitte sa région natale d'Alsace en 1915, s'installe en Champagne et crée sa maison. Les premières bouteilles de A.R. Lenoble sont commercialisées en 1920. Anne et Antoine Malassagne, arrière-petits-enfants du fondateur, dirigent aujourd'hui l'entreprise. Leur grand cru blanc de blancs provient de la commune de Chouilly. En partie vinifié en fût, il revêt une robe or aux reflets verts que traverse une fine effervescence. Les fruits blancs s'invitent les premiers au nez, suivis de belles notes grillées et toastées. Vif à l'attaque, droit et ample, de belle longueur, ce champagne tout en fraîcheur trouvera sa place à l'apéritif. (NM)

A.R. Lenoble, 35-37, rue Paul-Douce, 51480 Damery, tél. 03.26.58.42.60, fax 03.26.58.65.57, anne.malassagne@champagne-lenoble.com r.-v.

CHARLES LEPRINCE Grande Réserve ★

	100 000	15 à 20 €

Une des marques de la coopérative de Mardeuil, implantée près d'Épernay. « Un beau champagne où les noirs l'emportent ». Exact : ils composent 75 % de cette cuvée, le meunier étant majoritaire (55 %). Les dégustateurs l'ont trouvée expressive et fine, aussi bien au nez qu'en bouche. Les parfums évoquent le noyau, tandis que les fruits frais dominent au palais. Équilibrée et persistante, une bouteille à ouvrir à l'apéritif. (CM)

Charles Leprince, 64, rue de la Liberté, 51530 Mardeuil, tél. 03.26.55.29.40, fax 03.26.54.26.30

LAURENT LEQUART Cuvée de réserve

	35 000		11 à 15 €

Deux ruisseaux, la Semoigne et la Brandouille, se rejoignent à Passy-Grigny avant de se jeter dans la Marne quelques kilomètres plus loin. Ils ont façonné un coteau en V qui bénéficie de toutes les orientations possibles. Viticulteurs, les Lequart exploitent aux environs un vignoble de 10 ha dont ils livrent les fruits à la coopérative locale. Leur Cuvée de réserve, un blanc de noirs, fait la part belle au meunier (95 %). Aromatiquement discrète mais agréable et fraîche, elle présente une matière équilibrée. « Un champagne de bonne compagnie », pour reprendre les termes d'un juré parlant aussi d'« un vin diplomate qui ne fâche personne ». (RC)

Laurent Lequart, 17, rue Bruslard, 51700 Passy-Grigny, tél. 03.26.58.97.48, fax 03.26.57.06.34, laurent.lequart@wanadoo.fr r.-v.

LEQUEUX-MERCIER Tradition ★

26 195 | 11 à 15 €

Le coteau de Passy-sur-Marne domine les premiers méandres de la rivière à son entrée dans le département de l'Aisne. Depuis près de quatre décennies, Michel Lequeux cultive aux environs les 6 ha du vignoble familial. Il fait son entrée dans le Guide grâce à deux cuvées. Son brut Tradition fait la part belle aux raisins noirs (45 % meunier, 45 % pinot noir). Doré et bien ouvert, il libère des effluves de fleurs séchées, de fruits mûrs, de pruneau et de tabac. Équilibré au palais, c'est un champagne expressif qu'un juré goûterait bien sur un fromage à pâte molle comme le brie. Mi-meunier mi-chardonnay, le **2002 (15 à 20 € ; 3 970 b.)** est évolué, complexe (fruits secs, abricot confit, pain d'épice) et gourmand, et garde une certaine vivacité. Cité, il accompagnera sans tarder une viande blanche. (RM)

Lequeux-Mercier, 13, rue de Champagne, 02850 Passy-sur-Marne, tél. 03.23.70.35.32, fax 03.23.70.16.39, champagnelequeuxmercier@voila.fr
t.l.j. 9h-12h 14h-18h

GILBERT LESEURRE Prestige ★

4 000 | 15 à 20 €

Au Moyen Âge, Bar-sur-Aube accueillait les foires de Champagne où affluaient les marchands de l'Europe entière. À quelques kilomètres, Gilbert Leseurre cultive 7 ha et élabore des champagnes depuis plus de trente ans. C'est la première année qu'il les soumet à nos jurés. Heureuse initiative : le jury a retenu deux de ses cuvées. Ce brut Prestige assemble deux tiers de pinot noir et un tiers de chardonnay de la récolte 2009. Équilibré, fruité et long, il saura accompagner une viande blanche. Le brut **Tradition (11 à 15 € ; 30 000 b.)** est un blanc de noirs (85 % de pinot noir) de la même année. Sa palette aromatique évoluée, sur la prune et le fruit sec, contraste avec la vivacité et la droiture de sa bouche. Il est cité. (RM)

Gilbert Leseurre, 3, rue Blanche, 10200 Arrentières, tél. 03.25.27.17.56, fax 03.25.27.77.49, contact@champagne-leseurre.com r.-v.

LÉTÉ-VAUTRAIN Traditionnel ★

50 000 | 15 à 20 €

Lors de la seconde bataille de la Marne, en 1918, des coteaux comme celui de Charly-sur-Marne furent âprement disputés et dévastés. Avec la paix, les vignes ont fini par reconquérir la place. Créée dans les années 1960 par ses parents, l'exploitation de Frédéric Lété couvre 8 ha. Son brut Traditionnel marie 60 % de meunier, 30 % de pinot noir et 10 % de chardonnay. Comme tous les champagnes du domaine, il a fermenté grâce aux levures indigènes et n'a fait que partiellement sa fermentation malolactique. Or pâle aux reflets argentés, il dévoile de jolies senteurs fruitées et confites que l'on retrouve en bouche. Le qualificatif qui lui va le mieux : gourmand. Le **2006 (20 à 30 € ; 3 000 b.)**, qui associe les trois cépages dans les mêmes proportions, obtient la même note pour sa présence aromatique et sa longueur. Il est prêt. (NM)

Lété-Vautrain, 21, av. Fernand-Drouet, 02310 Charly-sur-Marne, tél. 03.23.82.01.97, fax 03.23.82.12.00, contact@lete-vautrain.com
t.l.j. 8h-18h

L'HOSTE PÈRE ET FILS Tradition

65 000 | 11 à 15 €

À l'écart des capitales du Champagne que sont Reims, Épernay et Troyes, le vignoble de Vitry-le-François ne s'est développé que récemment, à l'instar de ce domaine de 14 ha, pionnier local de l'élaboration du champagne dans les années 1970. Cépage majoritaire du secteur et de l'exploitation, le chardonnay est présent aux deux tiers dans ce brut, allié au pinot noir. Une cuvée au nez fin, floral et miellé, à la bouche pointue à l'attaque, vineuse et ronde en finale. Sa richesse et son acidité lui permettront d'être entamée à l'apéritif et terminée au cours du repas. (NM)

L'Hoste Père et Fils, rue de Vavray, 51300 Bassuet, tél. 03.26.73.94.43, fax 03.26.73.97.21, champagnelhoste@wanadoo.fr
t.l.j. 8h30-12h 14h-19h; dim. sur r.-v.

LIÉBART-RÉGNIER Chardonnay ★

3 000 | 15 à 20 €

Laurent et Valérie Liébart exploitent un vignoble de 9 ha depuis 1987. Ils sont installés à Baslieux-sous-Châtillon, village tout proche de la vallée de la Marne. Dans ce secteur, le meunier domine mais quelques parcelles de chardonnay prouvent les capacités d'adaptation du cépage. Un exemple ? Ce brut aux caractéristiques typiques. Sa robe est d'un or clair aux reflets verts. Son nez délicat mêle agrumes, fleurs blanches et amande fraîche. Sa bouche aux saveurs de fruits blancs et d'herbe sèche se montre vive, élégante et longue. Un beau champagne d'apéritif. (RM)

Liébart-Régnier, 6, rue Saint-Vincent, 51700 Baslieux-sous-Châtillon, tél. 03.26.58.11.60, fax 03.26.52.34.60, liebart-regnier@orange.fr
r.-v.

GÉRARD LITTIÈRE Prestige ★

4 070 | 15 à 20 €

Geoffray Littière est installé à Œuilly, village de la rive gauche de la Marne dont l'écomusée, qui témoigne de la vie rurale en Champagne au siècle dernier, mérite une visite. Petit-fils de Raymond, qui créa le vignoble en 1955, et fils de Gérard, il dirige depuis 2006 le domaine familial couvrant 5 ha. Son rosé Prestige assemble 60 % de pinot noir, 10 % de meunier et 30 % de chardonnay. Il incorpore 12 % de vin rouge, ce qui lui donne une couleur intense. Bien campé sur la griotte, le nez libère aussi des nuances épicées (cannelle) que l'on retrouve au palais. Fin, équilibré et long, il peut être servi dès aujourd'hui, ou attendu deux ans. (RM)

Gérard Littière, 1, rue du Palais, 51480 Œuilly, tél. 03.26.58.31.76, fax 03.26.59.49.31, littiere.gerard@wanadoo.fr r.-v.

LOMBARD & CIE Tanagra ★

Gd cru | n.c. | 50 à 75 €

Maison de négoce familiale d'Épernay, fondée en 1825 et dirigée par Thierry Lombard depuis 1980. À l'image de ces statuettes grecques antiques en terre cuite célèbres par leur finesse, les Tanagra symbolisent la recherche de la perfection. Beaucoup d'ambition donc pour cette cuvée élaborée avec sept parts de chardonnay pour trois de pinot noir. La vendange de base (2008) et les vins de réserve (2007 et 2006) ont vieilli en partie sous bois (en pièces de 205 l ou en demi-muids). Traversée par un fin cordon de bulles, la robe est d'un jaune pâle veiné de reflets verts. Il s'en élève un délicat bouquet de fleurs blanches (aubépine) et d'agrumes qui persiste dans une bouche fraîche. Un champagne aérien et harmonieux qui débute son apogée. (NM)

Lombard & Cie, 1, rue des Cotelles, 51200 Épernay, tél. 03.26.59.57.40, fax 03.26.54.16.38, info@champagne-lombard.com r.-v.

BERNARD LONCLAS Extra-brut Blanc de blancs ★★

3 660 | 15 à 20 €

Excentré au milieu des grandes cultures, le vignoble de la région de Vitry-le-François a colonisé une série de coteaux parallèles, à l'est du département. Comme beaucoup de récoltants du secteur, Bernard Lonclas a créé son domaine de toutes pièces. Il a planté ses premiers ceps en 1976, et installé pressoir, cuverie et cave. Aujourd'hui, il cultive 8 ha avec sa fille Aurélie, essentiellement du chardonnay. Né des années 2008, 2007 et 2005, son extra-brut est un champagne mûr au nez de sous-bois, de fleurs blanches et d'épices, équilibré et long. Noté une étoile, le brut **blanc de blancs (11 à 15 €; 56 000 b.)** a un profil plus juvénile avec ses reflets verts, son nez d'agrumes et de fleurs blanches nuancé de notes grillées et briochées, et avec sa matière droite, vive et minérale. (NM)

Bernard Lonclas, chem. de Travent, 51300 Bassuet, tél. 03.26.73.98.20, fax 03.26.73.16.17, contact@champagne-lonclas.com t.l.j. sf mar. dim. 10h-12h30 14h-19h

JACQUES LORENT Cuvée Tradition ★

100 000 | 15 à 20 €

Marque de la coopérative de Mardeuil, fondée en 1955. Implantée sur les coteaux proches d'Épernay, la cave vinifie 87 ha. Le meunier occupe une place importante dans ses assemblages. Il compose ainsi 60 % de cette cuvée, complété par le pinot noir (15 %) et le chardonnay. La robe d'un jaune doré annonce un nez épanoui et complexe, qui mêle la torréfaction aux agrumes confits, aux fruits rouges et au noyau. En bouche, ce vin montre dès l'attaque un volume impressionnant. Ample et généreux sans lourdeur, il finit sur des notes de fruits secs et de pain d'épice. Une belle maturité à apprécier maintenant. On suggère de servir cette bouteille lors d'un apéritif dînatoire, avec des canapés de foie gras. (CM)

Jacques Lorent, 64, rue de la Liberté, 51530 Mardeuil, tél. 03.26.55.29.40, fax 03.26.54.26.30

GÉRARD LORIOT Tradition ★

34 200 | 11 à 15 €

Viticulteurs depuis la fin du XIXe s., les Loriot ont commencé à manipuler entre les deux guerres. Gérard Loriot, installé en 1981 et rejoint par son fils Florent en 2009, exploite sur la rive gauche de la Marne un vignoble de 7,5 ha où le meunier tient une place importante. Les deux cuvées sélectionnées naissent exclusivement de ce cépage. Le brut Tradition, des années 2008 et 2007, se montre doré, ouvert et puissant. Il trouvera sa place au repas. Plus jeune d'un an, le **rosé (6 500 b.)** ne provient pas de macération mais de l'assemblage de vin blanc et de vin rouge (15 %). Sa robe rose tendre, ses arômes de petits fruits rouges écrasés et sa bouche fine lui valent une citation. (RM)

Gérard Loriot, 10, rue Saint-Vincent, Le Mesnil-le-Huttier, 51700 Festigny, tél. 03.26.58.35.32, fax 03.26.51.93.71, champagne-gerard.loriot@wanadoo.fr r.-v.

MICHEL LORIOT

8 000 | 15 à 20 €

Les Loriot à Festigny descendent tous de Léopold Loriot qui fut l'un des premiers en Champagne à pratiquer le greffage après les ravages du phylloxéra. En 2008, Marie Petit-Loriot, œnologue, et son mari Alban sont venus appuyer Michel et Martine. La famille cultive presque 7 ha. Elle a présenté ce rosé qui naît pour moitié de chardonnay et pour moitié de cépages noirs (meunier majoritaire). Du pinot noir vinifié en rouge lui donne sa teinte saumonée. Le nez doit être un peu sollicité pour livrer, à l'aération, ses arômes de fruits rouges. Plein et structuré, le palais est rafraîchi par une fine acidité. Parfait à l'apéritif. (RM)

Michel Loriot, 13, rue de Bel-Air, 51700 Festigny, tél. 03.26.58.34.01, fax 03.26.58.03.98, info@champagne-loriot.com r.-v.

YVES LOUVET Cuvée de réserve ★

5 000 | 11 à 15 €

Une lignée de vignerons qui remonte au XIXe s. Aux commandes depuis 2004, Frédéric Louvet, fils d'Yves, conduit le domaine de 9 ha situé sur le versant sud de la Montagne de Reims. Nos jurés ont retenu avec une étoile deux de ses cuvées. L'une comme l'autre assemblent trois quarts de pinot noir et un quart de chardonnay. Très souvent remarquée, cette Cuvée de réserve offre un nez expressif, floral et minéral, et une bouche beurrée et briochée dont l'onctuosité confortable est vivifiée par une fine acidité. Elle conviendra aussi bien à l'apéritif qu'au repas. Le **2004 (15 à 20 €; 3 500 b.)** libère de légères senteurs de fruits très mûrs, voire compotés, qui se développent sur un corps équilibré et encore frais, à la finale mentholée. (RM)

Frédéric Louvet, 21, rue du Poncet, 51150 Tauxières-Mutry, tél. 03.26.57.03.27, fax 03.26.57.67.77, yves.louvet@wanadoo.fr r.-v.

DE LOZEY Extra-brut ★

10 000 | 15 à 20 €

Lancée en 1990 par Philippe Cheurlin pour se distinguer des autres Cheurlin de la Côte des Bar, cette marque a brillé l'an dernier : un de Lozey 1999 fut élu coup de cœur. On retrouve cette année son extra-brut, issu de pinot noir. Un champagne tout en finesse, à la robe claire, jaune paille à reflets verts, et au nez d'agrumes. La bouche présente des notes plus confites, une texture soyeuse et une belle longueur. Pour l'apéritif ou des mets légers, un carpaccio de bar, par exemple. Le **2002 (20 à 30 €; 6 000 b.)** reçoit une citation. Discret à l'olfaction, il dispense ses arômes gourmands d'agrumes et de fruits dans une bouche tendue, fraîche et pourvue d'une belle longueur qui laisse augurer quelques années de garde. (NM)

De Lozey, 72, Grande-Rue, 10110 Celles-sur-Ource, tél. 03.25.38.51.34, fax 03.25.38.54.80, de.lozey@wanadoo.fr r.-v.

MICHEL MAILLIARD Grégory

1er cru | n.c. | 20 à 30 €

Maintes fois distingué par nos dégustateurs, ce récoltant-manipulant a trois coups de cœur récents à son actif. Il cultive un vignoble de 14 ha aux environs de Vertus, premier cru situé à la pointe sud de la Côte des Blancs. On retrouve sa cuvée Grégory, où règne le chardonnay, qui ne tolère que 5 % de pinot noir. La version présentée cette année naît de la vendange 1999. Après plus d'une décennie de cave, sa belle robe jaune brillant est animée d'une mousse très fine. Sans surprise, son nez montre un caractère évolué : on y trouve des notes miellées, torréfiées et des nuances de beurre fondu. Des touches de noisette viennent compléter cette palette dans une bouche ample, complexe, soulignée par une fine acidité. L'ensemble devrait mettre en valeur un foie gras poêlé. (RM)

Michel Mailliard, 52, av. de Bammental, 51130 Vertus, tél. 03.26.52.15.18, fax 03.26.52.24.05, info@champagne-michel-mailliard.com r.-v. 4

MAILLY GRAND CRU Réserve ★

Gd cru | 300 000 | 20 à 30 €

Ce groupement de producteurs a vu le jour en 1929. Pour en être adhérent, on doit obéir à une exigence de taille : n'apporter que des raisins de Mailly. Cette exclusivité permet à la cave de produire un monocru et, qui plus est, un grand cru. Dans ce secteur du versant nord de la Montagne de Reims, le pinot noir domine et se réserve une place de choix (75 %) dans ce brut où le chardonnay fait l'appoint. Assemblage complexe de plus d'une dizaine de vins de réserve (le plus ancien datant de 1996), ce champagne à la robe dorée se montre fin et complexe. Miellé, beurré, brioché, ample et long en bouche, il saura accompagner l'apéritif comme le repas. (CM)

Mailly Grand Cru, 28, rue de la Libération, 51500 Mailly-Champagne, tél. 03.26.49.41.10, fax 03.26.49.42.27, contact@champagne-mailly.com t.l.j. 8h30-12h 14h-17h; sam. dim. sur r.-v.; f. 1re sem. de jan.

ÉRIC MAÎTRE Tradition ★

45 000 | 11 à 15 €

Éric Maître et son épouse perpétuent une exploitation familiale créée dans les années 1960, époque où l'aire délimitée a vu une belle expansion dans l'Aube. Majoritaire dans le département, le pinot noir, récolté en 2009, compose exclusivement cette cuvée qui arbore une robe jaune pâle à l'effervescence généreuse et développe des arômes de fruits jaunes frais. La mousse reste assez exubérante en bouche, où l'impression dominante est celle d'une belle fraîcheur. (RM)

Éric Maître, 32, Grande-Rue, 10110 Celles-sur-Ource, tél. 03.25.38.58.69, fax 09.70.06.29.09, champagne.ericmaitre@wanadoo.fr r.-v.

FRÉDÉRIC MALETREZ ★

1er cru | 6 024 | 15 à 20 €

Installé en 1982 dans la Montagne de Reims, à Chamery, village classé en 1er cru au sud-ouest de la cité des Sacres, Frédéric Maletrez vinifie sa récolte depuis 1984. Son rosé assemble une majorité de cépages noirs (85 %, dont 60 % de pinot noir) au chardonnay. Les reflets tuilés de sa robe saumonée au joli cordon persistant attestent l'année de la récolte : 2007. Des senteurs de pomme, de poire et de fruits cuits s'échappent du verre. La bouche intense et longue reste dans le même registre et finit sur une note vanillée. À servir à l'apéritif, avec des desserts fruités ou des mets sans sauce. (RM)

SAS Frédéric Maletrez, 11, rue de la Bertrix, 51500 Chamery, tél. 03.26.97.63.92, fax 03.26.97.66.40, champagne.maletrez.f@orange.fr r.-v.

MALLOL-GANTOIS Blanc de blancs ★

Gd cru | 30 000 | 11 à 15 €

Cette exploitation dispose d'un vignoble de 7 ha implanté à Cramant et à Chouilly, deux villages de la Côte des Blancs classés au plus haut de l'échelle des crus. Bernard Mallol, qui la dirige depuis 1981, a présenté son blanc de blancs sans année, coup de cœur de la précédente édition. La dernière version de ce brut, née des récoltes 2007 et 2006, est moins ambitieuse mais elle reste digne d'éloges. Sa robe d'or clair s'anime d'une effervescence discrète ; son nez beurré et toasté ne manque pas de finesse ; sa bouche est harmonieuse et longue. Cité, le **blanc de blancs grand cru Grande Réserve (3 500 b.)**, qui assemble des années antérieures (2005 et 2004), apparaît vif, toasté et brioché ; il se montre plus évolué que le précédent, dans un style légèrement oxydatif mais sans lourdeur. Un champagne de table. (RM)

Bernard Mallol, 290, rue du Gal-de-Gaulle, 51530 Cramant, tél. 03.26.57.96.14, fax 03.26.59.22.57, champagne.mallol@wanadoo.fr r.-v.

ROGER MANCEAUX

13 164 | 15 à 20 €

Ouvrier vigneron, Roger Manceaux a créé son domaine en 1947 et lancé ses champagnes cinq ans plus tard. Aujourd'hui, ses enfants, Agnès et Patrick, disposent d'un coquet vignoble de 12,6 ha implanté sur la Montagne de Reims. Ils ont soumis au jury un rosé de noirs qui marie 40 % de meunier et 60 % de pinot noir (dont une partie vinifiée en rouge). Un champagne à la robe plutôt légère, d'un rose brillant parcouru de bulles fines. Équilibré et assez long, c'est un panier de fruits rouges où domine la fraise. (RM)

Roger Manceaux, 5-7, rue de la Liberté, 51500 Rilly-la-Montagne, tél. 03.26.03.42.57, fax 03.26.03.45.63, info@champagne-rogermanceaux.fr t.l.j. 9h-12h 14h-17h30; dim. sur r.-v.; f. août 5

MANSARD ★★

n.c. | 15 à 20 €

Cette maison sparnacienne appartient au groupe Rapeneau. Les cépages noirs (80 %) dominent son rosé qui assemble les trois variétés de la région et qui tire sa couleur rose cuivré de l'ajout de 15 % de vin rouge. Le nez mêle de plaisantes et fraîches nuances de petits fruits rouges et noirs (groseille et cassis). Tout aussi fruité, sur la fraise, la framboise et la grenadine, le palais affiche un côté gourmand grâce à sa matière et à sa souplesse. On verrait bien ce champagne accompagner une tarte aux framboises. (NM)

Mansard-Baillet, 14, rue Chaude-Ruelle, BP 1011, 51318 Épernay Cedex, tél. 03.26.54.18.55, fax 03.26.51.99.50, contact@champagnemansard.com t.l.j. sf sam. dim. 8h-11h30 13h30-17h

Rapeneau

JEAN MARNIQUET Carte blanche ★★

1er cru | 15 000 | 11 à 15 €

Jean Marniquet fait partie du cercle glorieux des pionniers de l'aviation. Propriétaire de vignes, il crée sa marque en 1920 pour ses amis. Son insigne aux ailes dorées orne toujours les étiquettes de la propriété. Installé en 1995, son petit-fils Brice Marniquet cultive un vignoble de 6 ha implanté sur le versant sud de la Montagne de Reims et dans la Côte des Blancs. Paradoxalement baptisé Carte blanche, ce brut contient 80 % de raisins noirs (pinot noir à 70 %). Sa palette aromatique faite de pamplemousse, de fleurs et d'amande se montre plus expressive en bouche qu'à l'olfaction. Délicate, fraîche et longue, sa matière laisse une impression de suavité au palais. Complété par le chardonnay, le pinot noir domine également (80 %) l'assemblage de la **Grande Réserve 1er cru (35 000 b.)**, construite sur 60 % de vins de réserve qui lui donnent un caractère mûr et gourmand. Son ampleur et sa longueur lui valent une étoile. Tout en légèreté et en vivacité, le **blanc de blancs 1er cru (15 à 20 € ; 4 000 b.)** est cité. (RM)

EARL Brice Marniquet, 12, rue Pasteur,
51160 Avenay-Val-d'Or, tél. 03.26.52.32.36, fax 03.26.52.65.89,
contact@marniquet.fr r.-v.

JEAN-PIERRE MARNIQUET Tradition

50 000 | 15 à 20 €

En 1974, Jean-Pierre Marniquet reprend l'exploitation familiale située à Venteuil, sur la rive droite de la Marne. Il dispose aujourd'hui de 7 ha de vignes. Mariage des trois cépages champenois avec une dominante de raisins noirs (65 %, dont 50 % de meunier), ce brut Tradition, d'abord légèrement végétal, s'épanouit à l'aération sur des notes de fruits blancs. La bouche plus plaisante évoque les fruits jaunes d'été puis les fruits secs. Un champagne à son apogée. (RM)

Jean-Pierre Marniquet, 8, rue des Crayères,
51480 Venteuil, tél. 03.26.58.48.99, fax 03.26.58.45.21,
jp.marniquet@cder.fr r.-v.

OLIVIER ET LAETITIA MARTEAUX Terre d'origine

2 000 | 15 à 20 €

Petit-fils d'un pépiniériste viticole et fils de vigneron, Olivier Marteaux s'installe en 1998 en aval de Château-Thierry (Aisne), sur la rive droite de la Marne. En 2009, il crée sa marque épaulé par son épouse et débute la commercialisation. La cuvée Terre d'origine, issue de la récolte 1999, assemble les trois cépages champenois à parts égales. Des arômes tertiaires d'orange et de citron confit se révèlent à l'olfaction, puis le palais affiche sa vinosité et sa puissance. Un champagne à la personnalité marquée, à réserver aux amateurs de vins mûrs et évolués. (RM)

Olivier Marteaux , 6, rte de Bonneil,
02400 Azy-sur-Marne, tél. 03.23.82.92.47,
contact@champagnemarteaux.com r.-v.

G.H. MARTEL & Cº Cuvée Victoire ★

28 000 | 30 à 50 €

À la veille de la défaite de 1870, Georges Martel crée son affaire. Un peu plus d'un siècle plus tard (1979), la marque est rachetée par la famille Rapeneau. Le rosé cuvée Victoire assemble 55 % de chardonnay, 30 % de pinot noir et 15 % de vin rouge. Orangé pâle, il libère des effluves de confiserie, de cacao, de torréfaction et dévoile un palais gouleyant sur la pâte de fruits et l'abricot. Un champagne évolué à servir dès la sortie du Guide. La **cuvée Victoire 2007 Vieillie en fût de chêne (30 à 50 € ; 5 000 b.)**, une étoile également, privilégie le chardonnay (70 %), complété par le pinot noir. Après un séjour de douze mois dans le bois, elle présente des arômes tertiaires, toastés, fumés, légèrement mentholés. Elle devrait s'accorder avec du vieux comté. Une étoile enfin pour la **cuvée Victoire 1er cru (170 000 b.)** issue d'un assemblage identique à la précédente, mais non millésimée. Elle marie les fruits à des notes grillées d'évolution. Harmonieuse et équilibrée, elle pourra accompagner un poisson grillé. (NM)

G.H. Martel et Cº, 69, av. de Champagne, BP 1011,
51318 Épernay, tél. 03.26.51.06.33, fax 03.26.54.41.52,
lbn@champagnemartel.com t.l.j. 10h-19h

ALBIN MARTINOT Cuvée Rollon ★

2 000 | 20 à 30 €

Albin Martinot est installé depuis douze ans sur les bords de l'Arce, près de Bar-sur-Seine. Il cultive un vignoble de 3 ha dont les premiers arpents furent achetés par son arrière-grand-père, qui était tonnelier. Un autre de ses aïeux, batelier, avait baptisé sa péniche Rollon. Cette cuvée vinifiée en fût de chêne rend en quelque sorte hommage à ces deux ancêtres. Donnant une courte majorité au chardonnay (55 %) complété par le pinot noir, elle s'annonce par une robe dorée, à l'effervescence discrète, et par des arômes expressifs, évolués, grillés et boisés. Ample, gras et onctueux, le palais présente une acidité bien fondue. (RM)

Martinot, Ferme de Chanceron, 10260 Jully-sur-Sarce,
tél. et fax 03.25.29.83.49, albin.martinot@wanadoo.fr
r.-v.

DENIS MARX Tradition ★★

85 000 | 11 à 15 €

En 1974, Denis Marx reprend l'exploitation familiale et la développe. Il cultive avec ses enfants, qui l'ont récemment rejoint, un vignoble de 11 ha dans la vallée de la Marne. La cuvée Tradition est presque un blanc de noirs (10 % seulement de chardonnay), avec le meunier comme chef d'orchestre (70 %). Elle a frôlé le coup de cœur. Parée d'une robe dorée traversée d'un train de bulles fines, elle offre un nez tout en finesse sur les fleurs, l'herbe coupée et l'amande. Les fruits frais entrent en scène en bouche, où l'on découvre une matière structurée et riche, équilibrée par une belle acidité, qui donne de l'allonge à la finale. Mi-blancs mi-noirs, avec le meunier et le pinot noir à parts égales, le **rosé (7 000 b.)**, très coloré, est fruité (agrumes et liqueur de cerise), ample et frais. Une certaine élégance lui vaut une étoile. (RM)

SCEV Denis Marx et Fils, 31, rue de la Chapelle, Cerseuil,
51700 Mareuil-le-Port, tél. et fax 03.26.52.71.96,
denis-marx@wanadoo.fr r.-v.

THIERRY MASSIN Prestige ★

12 000 | 15 à 20 €

Thierry et Dominique Massin, frère et sœur, cultivent en famille un vignoble de 11 ha dans le Barséquanais. Dans cette cuvée, ils mettent à bonne contribution le chardonnay, qui y entre pour un tiers, alors que le pinot noir, cépage roi du vignoble aubois, représente 90 % de l'encépagement de l'exploitation. Il en résulte un champagne or pâle, au nez fin de fleurs blanches, de fruits secs et de brioche, à la bouche équilibrée et longue. Une cuvée

CHAMPAGNE

harmonieuse, qui saura vieillir et que l'on pourra déguster sur un poisson cuisiné – pourquoi pas un brochet ?
🔑 Thierry Massin, 6, rte des Deux-Bars,
10110 Ville-sur-Arce, tél. 03.25.38.74.01, fax 03.25.38.78.10,
champagne.thierry.massin@wanadoo.fr ✉ 🍷 🚶 r.-v.

RÉMY MASSIN ET FILS 2004 ★

9 380 | 15 à 20 €

À l'origine de l'exploitation, Louis-Aristide Massin a planté les premiers ceps en 1865 sur les coteaux aubois. Son petit-fils Rémy a créé la marque en 1974. Les deux générations suivantes sont aujourd'hui aux commandes du domaine qui couvre 20 ha sur les versants des vallées de l'Arce et de l'Ource. Dominé par le chardonnay (60 %, pour 40 % de pinot noir), leur millésimé a gardé une robe pâle ; il est resté frais à l'olfaction comme en bouche. Seules la complexité et l'intensité du nez, brioché, beurré et crayeux, témoignent de son évolution. Un champagne harmonieux et long, à servir dès maintenant. (RM)
🔑 Rémy Massin et Fils, 34, Grande-Rue,
10110 Ville-sur-Arce, tél. 03.25.38.74.09, fax 03.25.38.77.67,
carole@champagne-massin.com
✉ 🍷 🚶 t.l.j. 9h-12h 13h30-18h; sam. dim. sur r.-v.

MATHELIN Rosé de saignée

n.c. | 15 à 20 €

Dans cette exploitation de 15 ha située sur la rive gauche de la Marne, Cédric Mathelin élabore les cuvées. Il a présenté ce rosé, produit de la récolte 2009 et d'une saignée de meunier (70 %) et de pinot noir (20 %) assemblés à 10 % de chardonnay. La robe est d'un rose saumoné assez pâle. Le nez mêle la pêche jaune, la groseille et les fleurs, arômes auxquels s'ajoute la mangue dans une bouche acidulée. (RM)
🔑 Mathelin, 4, rue des Gibarts, Cerseuil,
51700 Mareuil-le-Port, tél. 03.26.52.73.58, fax 03.26.52.70.98,
mathelin.champagne@orange.fr ✉ 🍷 🚶 r.-v.

♥ HERVÉ MATHELIN Cuvée Réserve ★★

30 000 | 11 à 15 €

À Troissy, sur la rive gauche de la Marne, les Mathelin élaborent leurs champagnes depuis trois générations. Nicolas Mathelin s'est installé en 1999 ; cette année, la quatrième génération, avec Florian, débute sa carrière sur l'exploitation – sous de bons auspices, à en juger par ce brillant palmarès, puisque la cuvée Réserve décroche un coup de cœur. Issue des trois cépages pratiquement à parts égales, récoltés en 2009, elle s'annonce par un nez fin, frais et complexe, mêlant fruits confits et menthol. Le charme continue à opérer au palais, marqué par des notes de coing et une fraîcheur qui contrebalance les caractères évolués. Deux étoiles encore pour la **cuvée Privilège (15 à 20 € ; 10 000 b.)**, qui est presque un blanc de blancs (à 5 % de pinot noir près). Sa riche palette aromatique (agrumes, poire cuite, aubépine, brioche, minéralité, fumé) et sa finesse en font un remarquable champagne d'apéritif. Enfin, le **rosé (8 000 b.)**, assemblage des trois cépages champenois, obtient une étoile. La robe saumonée est lumineuse. Torréfaction et fruits rouges se partagent le nez. Force et puissance résument le palais. Un rosé de repas. (RM)
🔑 Hervé Mathelin, 2, rte de Paris, 51700 Troissy,
tél. 03.26.52.74.42, fax 03.26.57.16.54,
herve.mathelin@wanadoo.fr ✉ 🍷 r.-v.

SERGE MATHIEU Cuvée Prestige ★★

20 000 | 15 à 20 €

Serge Mathieu s'est installé en 1970, deux siècles après l'achat des premières vignes par son aïeul. Aidé de sa fille et de son gendre, il exploite un domaine de près de 11 ha dans le secteur le plus méridional de la Champagne, non loin des Riceys. Issue du pinot noir (70 %) et du chardonnay, la cuvée Prestige de la propriété a su convaincre. Son nez libère de frais arômes d'agrumes, de vanille et de beurre qui se prolongent au palais dans une matière vive et harmonieuse. Deux autres cuvées ont été citées : la **cuvée Tradition pur pinot blanc de noirs (40 000 b.)**, structurée et fraîche, et le **brut Select Tête de cuvée (6 000 b.)**, dominé par le chardonnay (80 %, le solde en pinot noir), issu des récoltes 2005 et 2004, un champagne évolué et généreux, qui bénéficie d'une belle fraîcheur en finale. (RM)
🔑 Serge Mathieu, 6, rue des Vignes, 10340 Avirey-Lingey,
tél. et fax 03.25.29.32.58,
information@champagne-serge-mathieu.fr ✉ 🍷 🚶 r.-v.

MATHIEU-PRINCET Blanc de chardonnay

1er cru | 8 000 | 15 à 20 €

Entre Côte des Blancs et Épernay, Michel Mathieu et Françoise Princet exploitent un coquet vignoble de 9 ha, acquis intégralement au long de leurs cinquante ans de labeur. Une trajectoire qui laissera sans doute rêveurs bon nombre de jeunes vignerons, tant le foncier champenois est devenu inaccessible... Le brut blanc de blancs de la propriété provient des récoltes 2008 et 2007. Expression mûre et puissante du chardonnay, il développe des arômes intenses de beurre, de grillé et de fruits blancs. Vineux et long en bouche, c'est un champagne typé, au dosage généreux. (RM)
🔑 SARL Mathieu-Princet, 16, rue Bruyère, 51190 Grauves,
tél. 03.26.59.73.72, fax 03.26.59.77.75,
contact@champagne-mathieu-princet.fr ✉ 🍷 🚶 r.-v.
🔑 Michel Mathieu

PASCAL MAZET Tradition ★

1er cru | n.c. | 15 à 20 €

En se mariant avec une vigneronne en 1978, Pascal Mazet a embrassé le métier de vigneron. L'exploitation familiale est située au sud de Reims, sur la Montagne. Son brut Tradition allie la récolte 2007 à des vins de réserve de 2006 et 2005 qui se sont associés en fût par la méthode espagnole de la solera (assemblage continu). Une forte proportion de meunier (50 %) a donné à ce champagne blanc une couleur œil-de-perdrix (reflets roses) et un nez intensément fruité. Le pinot noir (20 %) et le chardonnay ont contribué à la palette florale et miellée du nez, et équilibré sa charpente par une belle fraîcheur. (RM)
🔑 SCEV Mazet, 8, rue des Carrières,
51500 Chigny-les-Roses, tél. 03.26.03.41.13,
fax 03.26.03.41.74, contact@champagne-mazet.com
✉ 🍷 r.-v.

GUY MÉA ★

1er cru	n.c.	11 à 15 €

La fille de Guy Méa – bientôt rejointe par la petite-fille – dirige ce domaine familial établi sur la façade sud de la Montagne de Reims. Deux tiers de pinot noir et un tiers de chardonnay des vendanges 2009 à 2007 sont assemblés dans ce brut au nez intense, à la fois grillé et frais. Ce champagne montre beaucoup d'équilibre et de longueur en bouche, tout comme le **rosé 1er cru (15 à 20 €)**, à forte dominante de pinot noir (80 %, le solde en chardonnay), cité par les dégustateurs. (RM)

SCE la Voie des Loups, 2, rue de l'Église, 51150 Louvois, tél. 03.26.57.03.42, fax 03.26.57.66.44, champagne.guy.mea@wanadoo.fr r.-v.

MÉDOT Confidence 2006 ★

1er cru	25 000	30 à 50 €

Cette maison, fondée à la toute fin du XIXe s. par Jules Médot, appartient depuis 2003 au groupe Lombart. Elle signe une cuvée millésimée mi-blancs mi-noirs (30 % de pinot noir). Fermé au premier nez, ce 2006 libère à l'aération de jolies notes de fruits blancs, d'amande, des nuances grillées et épicées. La noisette et les raisins secs complètent cette palette dans une bouche un peu fugace, mais souple et équilibrée. (NM)

Médot, 41, rue Chaude-Ruelle, 51200 Épernay, contact@champagne-medot.fr

MERCIER ★★

	n.c.	20 à 30 €

Cette célèbre marque, unie à Moët et Chandon en 1970, fait partie du groupe LVMH. Son histoire débute en 1858 lorsque Eugène Mercier, de modeste origine, regroupa plusieurs maisons de Champagne pour disposer de volumes suffisants et rationnaliser la production. Afin d'atteindre cet objectif, il fit aussi creuser à Épernay un immense réseau de caves monumentales (18 km) que le président Sadi-Carnot visita en 1891 dans une calèche tirée par quatre chevaux blancs. Le touriste d'aujourd'hui parcourt ces galeries dans un véhicule moins ostentatoire mais plus fonctionnel : un petit train. Très remarquée, cette cuvée est un rosé de noirs mariant 60 % de pinot noir et 40 % de meunier. Une mousse fine et persistante coiffe la brillante robe saumonée. Le prélude à la découverte d'un champagne équilibré, fin et frais, de bonne longueur. Autre atout, sa palette complexe où des touches de pierre à fusil mettent en valeur des arômes de fruits rouges et de caramel. (NM)

Mercier, 9, av. de Champagne, 51200 Épernay, tél. 03.26.51.20.00, fax 03.26.54.84.23 r.-v.

LVMH

DE MÉRIC Chardonnay Vieilli en fût de chêne ★★★

1er cru	15 000	30 à 50 €

Fondée par la famille Besserat, cette maison appartint entre 1997 et 2005 à un amateur américain de champagne, l'homme d'affaires Daniel E. Ginsburg. Elle a été acquise en 2005 par Reynald Leclaire, courtier en vins et vigneron à Avize, qui présente sa première cuvée sous cette étiquette. Ce pur chardonnay récolté en 2006 a été vinifié en fût de réemploi et il s'est affiné cinq ans sur lattes. Une effervescence légère traverse sa robe or paille. Intense et complexe, le nez libère des notes beurrées, briochées, grillées et citronnées, avec des nuances de sous-bois et d'épices douces. La bouche, vineuse, soyeuse, ample sans aucune lourdeur, a su rester fraîche et elle

persiste longuement. « Un passage en vieux fût ? » s'interroge un juré perspicace qui loue aussi la belle évolution de ce blanc de blancs. Un champagne de gastronomie, à marier avec des saint-jacques ou du foie gras poêlé. (RM)

Reynald Leclaire, 26-28, rue Sadi-Carnot, 51160 Mareuil-sur-Aÿ, tél. 03.26.52.88.65, champagne.leclaire.thiefaine@wanadoo.fr r.-v.

BRUNO MICHEL Cuvée blanche ★

	50 000	20 à 30 €

Ici, on a délaissé les désherbants chimiques afin de redonner vie au sol. Le domaine, l'un des rares en Champagne à avoir la certification AB, écoule 70 % de sa production sur trois continents. Mi-meunier mi-chardonnay, sa cuvée blanche a séjourné six mois en fût. Fin et doté d'une belle maturité, le nez se partage entre des notes pâtissières et vanillées. L'attaque franche introduit une bouche équilibrée, bien dosée, aux notes gourmandes d'agrumes et de pâte de fruits. Un champagne structuré et harmonieux. (RM)

Bruno Michel, 4, allée de la Vieille-Ferme, 51530 Pierry, tél. 03.26.55.10.54, fax 03.26.54.75.77, champagnebrunomichel@orange.fr r.-v.

E. MICHEL Réserve extra-qualité ★

	n.c.	15 à 20 €

De vieille souche vigneronne, ce négociant établi à Vertus dans la Côte des Blancs griffe ses champagnes du nom d'un de ses ancêtres. Cette cuvée assemble 90 % de pinot noir de Verzy (Montagne de Reims) à 10 % de chardonnay. Ce brut harmonieux, équilibré et long, séduit par sa fraîcheur, et celle-ci invite à l'apprécier sur une sole grillée. (NM)

E. Michel, 69, av. de Bammental, 51130 Vertus, tél. 03.26.52.14.91, fax 03.26.52.12.93 r.-v.

JEAN MICHEL Cuvée spéciale 2005 ★

	6 000	15 à 20 €

Les Michel cultivent la vigne depuis le milieu du XIXe s. Olivier dispose d'un domaine de 12 ha répartis dans neuf crus différents, dont il vinifie la récolte à Moussy, sur le coteau sud d'Épernay. Sa Cuvée spéciale, millésimée, marie chardonnay et meunier à parts égales. Complexe et expressive, elle mêle des senteurs beurrées et grillées, des notes de fleurs, de fruits (abricot), de pain d'épice, qui montent en puissance à l'aération. Ample et fraîche en bouche, elle séduit jusqu'en finale. Elle s'appréciera de l'apéritif au dessert. (RM)

EARL Jean Michel, 15, rue Jean-Jaurès, 51530 Moussy, tél. 03.26.54.03.33, fax 03.26.51.62.66, champagnejeanmichel@yahoo.fr r.-v.

PAUL MICHEL Pur chardonnay Carte blanche ★

1er cru	100 000	▮	15 à 20 €

Lorsque l'on vient d'Épernay, on aperçoit vite Cuis, village classé en premier cru qui marque l'entrée de la Côte des Blancs. Les Michel y perpétuent une exploitation de 20 ha fondée il y soixante ans. Constituant la majeure partie de la production (70 %), ce pur chardonnay présente un nez franc et agréable, dominé par les agrumes. Sa matière en bouche apparaît ample et vive. Une expression classique du cépage et du terroir. (RM)

Paul Michel, 20, Grande-Rue, 51530 Cuis,
tél. 03.26.59.79.77, fax 03.26.59.72.12,
champagne-p.michel@orange.fr
t.l.j. sf sam. dim. 9h-12h 14h-17h; f. août

CHARLES MIGNON Cuvée Comte de Marne ★

Gd cru	30 000	▮	20 à 30 €

Fondée en 1995, cette maison de négoce d'Épernay n'a pas vingt ans. La cuvée Comte de Marne, issue de grands crus, représente son haut de gamme. Elle naît d'un peu plus de pinot noir (55 %) que de chardonnay. D'une approche discrète dans sa robe d'or pâle aux reflets verts, elle reste aussi sur la réserve au nez, libérant des effluves légers de fleurs et de fruits blancs. Plus expressive, la bouche est marquée par les fruits rouges. L'ensemble devrait encore s'ouvrir dans les mois qui viennent. Le brut **Grande Tradition (15 à 20 €; 300 000 b.)**, qui assemble 80 % de noirs (dont 60 % de pinot noir) au chardonnay, est cité pour ses arômes beurrés et briochés ainsi que pour son bon équilibre. La **Grande Réserve 1er cru (15 à 20 €; 300 000 b.)** obtient la même note. Associant trois quarts de pinot noir au chardonnay, elle retient l'attention par ses jolis arômes d'évolution et par sa finesse. (NM)

Charles Mignon, 7, rue Irène-Joliot-Curie,
51200 Épernay, tél. 03.26.58.33.33, fax 03.26.51.54.10,
bmignon@champagne-mignon.fr r.-v.

PIERRE MIGNON Cuvée de Madame 2005 ★

	25 000	▮▮	15 à 20 €

Pierre et Yveline Mignon dirigent depuis 1970 le domaine familial implanté dans la vallée du Surmelin, affluent de la Marne. Leur vignoble, qui couvre 16 ha dans la vallée de la Marne, sur la Côte des Blancs et les coteaux d'Épernay, ne suffit pas à leur dynamisme commercial. À l'arrivée des enfants Jean-Charles et Céline, la propriété a pris le statut de négociant. Si la maison se flatte de proposer des étiquettes et conditionnements personnalisés, ses champagnes franchissent, sans strass ni paillettes, les sélections à l'aveugle du Guide. Ce 2005 marie 60 % de chardonnay à 30 % de meunier et à 10 % de pinot noir. Il présente un nez frais et fruité auquel répond une bouche riche, élégante et longue. Il saura attendre un an ou deux. (NM)

Pierre Mignon, 5, rue des Grappes-d'Or, 51210 Le Breuil,
tél. 03.26.59.22.03, fax 03.26.59.26.74,
info@pierre-mignon.com
t.l.j. sf dim. 8h-12h 14h-17h; sam. sur r.-v.

JEAN MILAN Blanc de blancs Terres de Noël Vieilles Vignes 2007 ★

Gd cru	3 000	▮	30 à 50 €

Caroline et Jean-Charles Milan représentent la cinquième génération à la tête de cette maison fondée en 1864 et établie à Oger, au cœur de la Côte des Blancs. L'affaire dispose d'un vignoble de 6 ha, où le chardonnay domine. Des ceps de soixante-dix ans plantés sur la parcelle Terres de Noël sont à l'origine de cette cuvée issue de la vendange 2007. De couleur or pâle aux reflets verts, ce blanc de blancs possède un nez fin et distingué, qui libère des effluves de fleurs blanches et de pain frais avant de s'orienter vers les agrumes et des notes biscuitées. Dans le même registre, la bouche apparaît vive à l'attaque, fraîche, équilibrée et pourvue d'une bonne longueur. À servir à l'apéritif ou sur un poisson grillé. (NM)

Jean Milan, 6, rue d'Avize, 51190 Oger,
tél. 03.26.57.50.09, fax 03.26.57.78.47,
info@champagne-milan.com r.-v. 2

ALBERT DE MILLY Sélection

	n.c.	▮	11 à 15 €

Alain Demilly est à la tête de cette affaire qui débuta par du service en vinification, ce qui permit d'agrandir le petit vignoble familial. Il est établi depuis 1994 à Bisseuil, village situé en amont d'Épernay, à la croisée de la Montagne de Reims, de la vallée de la Marne et de la Côte des Blancs. Née des trois cépages champenois, sa cuvée Sélection, un peu discrète au nez, offre une matière étoffée et équilibrée. Un grand classique du brut sans année. (NM)

Albert de Milly, lieu-dit La Maladrie, RD n°1,
51150 Bisseuil, tél. 03.26.52.33.44, fax 03.26.58.94.00,
demilly@wanadoo.fr r.-v.

MOËT ET CHANDON Rosé impérial ★★

●	n.c.		30 à 50 €

Propriétaire de vignobles dans la vallée de la Marne, Claude Moët fonda son négoce en 1743. Le patronyme Chandon s'ajouta avec l'arrivée en 1832 du gendre de Jean-Rémy Moët, Pierre-Gabriel Chandon de Briailles. La maison fait aujourd'hui partie du groupe LVMH dont elle est le fer de lance. Il se débouche des dizaines de millions de bouteilles de Moët et Chandon à travers le monde tous les ans. Les trois cépages champenois, avec domination des noirs, sont présents dans les cuvées soumises au jury. À l'instar de son étiquette, ce brut rosé est d'un rose tendre saumoné hérité de l'adjonction de 10 % d'un vin rouge de pinot noir. Comme souvent dans la maison, le nez demande à être aéré pour livrer son subtil bouquet alliant la framboise et autres fruits rouges à des notes florales, ces arômes s'épanouissant dans une bouche structurée et fraîche. Bien plus évoluée, la cuvée **Grand Vintage 1992 (plus de 100 €)** offre une bulle légère et un nez sur la fumée et le sous-bois. Très empyreumatique, charnue, complexe et encore équilibrée, elle ravira les amateurs de vieux millésimes. Elle reçoit une étoile. Poids lourd de la maison, le **Brut impérial** est, comme toujours, ample, fruité et bien dosé. Il est cité. (NM)

Moët et Chandon - MHCS, 9, av. de Champagne,
51200 Épernay, tél. 03.26.51.20.00, fax 03.26.54.84.23,
contact@moet.fr r.-v.
LVMH

PIERRE MONCUIT Non dosé blanc de blancs 2005

Gd cru	7 500		30 à 50 €

Descendants d'une lignée de vignerons remontant au XIXe s., Nicole Moncuit (à la vigne et au chai) et son frère Yves (au commerce) dirigent cet important domaine (20 ha). Implantée au cœur de la Côte des Blancs au Mesnil-sur-Oger, la propriété fait la part belle au chardonnay. Ce 2005, non dosé, est ouvert sur les fruits blancs et le miel. À la fois onctueux et frais en bouche, il fait preuve d'une bonne longueur. (RM)

Pierre Moncuit, 11, rue Persault-Maheu, 51190 Le Mesnil-sur-Oger, tél. 03.26.57.52.65, fax 03.26.57.97.89, contact@pierre-moncuit.fr r.-v.

ROBERT MONCUIT Extra-brut blanc de blancs

Gd cru | 10 000 | 15 à 20 €

On trouve plus d'un Moncuit au Mesnil-sur-Oger, grand cru de la Côte des Blancs. Ce domaine trouve son origine au XIXes., et la marque naît entre les deux guerres. Pierre Amillet, petit-fils de Robert Moncuit, qui en est le dépositaire depuis 2000, a engagé la conversion au bio de ses 8 ha de vignes. Ses cuvées naissent de chardonnay grand cru. Cet extra-brut, à peine dosé, revêt une robe légère aux reflets verts et offre un nez discret, frais et élégant, prélude à une bouche vive. (RM)

Pierre Amillet, 2, pl. de la Gare, 51190 Le Mesnil-sur-Oger, tél. 03.26.57.52.71, fax 03.26.57.74.14, contact@champagnerobertmoncuit.com r.-v.

MONDET Tradition ★

13 000 | 15 à 20 €

Par vent de sud-est, les habitants de Cormoyeux entendaient sonner les cloches de l'abbaye de Hautvillers. À la fois vigneron et négociant, Francis Mondet, rejoint par ses filles et ses gendres, s'appuie sur un vignoble de 11 ha implanté sur les coteaux de Cormoyeux et de Romery, villages proches de la vallée de la Marne. Sa cuvée Tradition assemble 20 % de chardonnay au pinot noir. D'une teinte jaune pâle, elle dévoile un nez élégant de fleurs blanches et de pamplemousse. On retrouve ces arômes au sein d'une matière vive et légère qui destine ce champagne à l'apéritif. (NM)

SARL Mondet, 2, rue Dom-Pérignon, 51480 Cormoyeux, tél. 03.26.58.64.15, fax 03.26.58.44.00, champagne.mondet@wanadoo.fr t.l.j. 8h-12h 14h-18h; sam. dim. sur r.-v.; f. 10-31 août

MONIAL Sylves

n.c. | 20 à 30 €

Il est rare que des bouteilles de champagne soient élevées dans un monument historique. Bâtie au XIIes. par des moines cisterciens pour abriter un pressoir, une ancienne dépendance de l'abbaye de Clairvaux dans l'Aube est utilisée depuis 2007 par Emmanuel Calon pour le vieillissement de ses cuvées. Née de la récolte 2009, sa cuvée Sylves marie du chardonnay et du pinot noir vinifié en fût. Pour charmer nos dégustateurs, elle s'est coiffée d'une jolie mousse et a revêtu une robe dorée. Son parfum expressif et agréable se poursuit dans une bouche équilibrée et longue. À déguster à l'apéritif, sur une entrée ou du poisson. (NM)

Emmanuel Calon, Le-Cellier-aux-Moines, 10200 Colombé-le-Sec, tél. et fax 03.25.27.02.04 r.-v.

MONMARTHE Privilège ★

1er cru | 20 000 | 15 à 20 €

En 1737, les Monmarthe cultivaient la vigne à l'époque où Lancret et de Troy peignaient chacun pour le château de Versailles un Déjeuner... mettant en vedette le nouveau vin « saute bouchon ». On retrouve cette année le brut Privilège de la propriété, élu coup de cœur dans le Guide 2012. La dernière version de cette cuvée présente un assemblage identique, du chardonnay et du pinot noir à parts égales nés du terroir de Ludes, sur le versant nord de la Montagne de Reims ; seules les années diffèrent, ici 2008 à 2006. Le nez reste expressif et complexe : des notes miellées, épicées, du fruit rouge et du caramel ; la bouche équilibrée et persistante, vineuse sans lourdeur, offre un fruité affirmé. Un champagne à son apogée que l'on pourra servir sur un poisson gras ou une viande blanche. (RM)

Jean-Guy Monmarthe, 38, rue Victor-Hugo, 51500 Ludes, tél. 03.26.61.10.99, fax 03.26.61.12.67, champagne-monmarthe@wanadoo.fr r.-v.

MONTAUDON Classe M ★

100 000 | 30 à 50 €

Fondée en 1891, cette maison, dont Joséphine Baker appréciait particulièrement les champagnes, est restée familiale pendant plus d'un siècle. Depuis 2009, la marque appartient au groupe coopératif Alliance Champagne qui exploite aussi le champagne Jacquart. Cette cuvée Classe M naît de pinot noir et de chardonnay à parts égales. Un vieillissement sur lattes de plus de quatre ans la met en valeur. La robe d'or paille est parcourue d'un collier de perles fines et légères. Les parfums intenses d'abricot, de pêche Melba se nuancent de notes torréfiées. La matière est équilibrée, structurée et fraîche. Une pointe de sucrosité en finale est la seule réserve suscitée par ce champagne, qui obtient une belle étoile. La cuvée **Réserve première (20 à 30 € ; 1 000 000 b.)** privilégie les cépages noirs (85 %, dont 65 % de pinot noir). Gourmande, fruitée, équilibrée et fraîche en finale, elle reçoit également une étoile. (CM)

Montaudon, 1, rue Kellermann, BP 2742, 51061 Reims Cedex, tél. 03.26.79.01.01, fax 03.26.47.88.82, floriane.eznack@jad.fr

Alliance Champagne

MONT-HAUBAN Réserve

n.c. | 15 à 20 €

Marque commerciale de la coopérative de Monthelon-Morangis, villages du coteau sud d'Épernay parallèle à la Côte des Blancs. Créée en 1947, la cave s'appuie sur les 86 ha de vignes de ses adhérents. Son brut Réserve, faiblement dosé à 2 g/l, marie 85 % de meunier au chardonnay. Sa robe dorée annonce des arômes de maturité, fruits secs et confits, fleur séchée et brioche, que l'on retrouve dans une bouche un peu fugace, qui laisse néanmoins une impression d'harmonie. (CM)

Coopérative vinicole Monthelon-Morangis, 3, rte de Mancy, 51530 Monthelon, tél. 03.26.59.70.27, fax 03.26.59.77.26, champagne-du.mont.hauban@wanadoo.fr t.l.j. sf sam. dim. 9h-12h 14h-17h; f. août

MOREL PÈRE ET FILS Rosé de cuvaison

8 000 | 15 à 20 €

Avec plus de 860 ha de vignes, le village aubois des Riceys est le plus vaste terroir de Champagne. Pascal Morel en cultive 7,5 ha. Spécialiste du rosé tranquille local, il n'en est pas moins bon lorsqu'il s'agit de faire prendre mousse au pinot noir. Son rosé de cuvaison (autrement dit, de saignée) est fréquemment retenu dans le Guide. Celui-ci provient des récoltes 2008 et 2007. Des raisins de pinot noir sont mis à macérer une trentaine d'heures en cuve, puis sont « saignés » lorsque la couleur est obtenue : un rose orangé soutenu. Léger mais complexe, fruité et floral, le nez offre des nuances de fleurs blanches et d'agrumes. La bouche se montre vineuse et structurée, assez fraîche mais marquée par un dosage sensible. (RM)

Morel Père et Fils, 93, rue du Gal-de-Gaulle, 10340 Les Riceys, tél. 03.25.29.10.88, fax 03.25.29.66.72, morel.pereetfils@wanadoo.fr r.-v.

MOST Brut nature Cuvée découverte ★

1er cru	20 000	20 à 30 €

Une nouvelle étiquette dans le Guide. La marque et la maison ont été lancées en décembre 2011. Peut-être avons-nous été les premiers à les découvrir, la dégustation de sélection pour le Guide ayant eu lieu en janvier 2012. Le jeune Gaëtan Gillet, vingt-deux ans, qui a suivi des études au lycée viticole d'Avize et acquis une courte expérience au Mesnil-sur-Oger, en est le créateur. Sa cuvée Découverte, non dosée, naît des trois cépages à parité. Discrètement citronné, ferme et franc à l'attaque, équilibré et long, ce champagne devrait bien évoluer au cours des deux prochaines années. (MA)

NOUVEAU PRODUCTEUR

SARL Gillet MOST, 4, imp. de l'Ancienne-Mairie, 51190 Avize, tél. 06.23.21.35.29, champagnemost@gmail.com r.-v.

MOUSSÉ-GALOTEAU ET FILS Réserve ★

	4 500	11 à 15 €

Créée en 1810, la propriété est actuellement aux mains des deux frères Jérémy et Geoffroy Moussé. Installés à Binson-et-Orquigny sur la rive droite de la Marne, ces récoltants élaborent un brut Réserve, déjà remarqué dans des éditions antérieures, qui assemble trois quarts de meunier au chardonnay. La dernière version retient l'attention par ses arômes légèrement évolués, briochés, fumés et par son équilibre réussi. Un champagne harmonieux, à son apogée. (RM)

EARL Moussé-Galoteau et Fils, 19, rue Blanche, 51700 Binson-et-Orquigny, tél. 03.26.58.08.91, fax 03.26.57.02.21, champagnemousse@gmail.com r.-v.

MOUTARD PÈRE ET FILS Grande Cuvée ★

	100 000	15 à 20 €

Sous Louis XIII, les Moutard cultivaient déjà la vigne à Buxeuil, près de Bar-sur-Seine, mais la famille n'a expédié ses premiers champagnes qu'en 1927. Aujourd'hui, François, Véronique et Agnès disposent d'un domaine de 22,5 ha et complètent leur approvisionnement auprès de viticulteurs du même secteur. Ils ont élaboré leur Grande Cuvée à partir du seul pinot noir. Encore sur la réserve, celle-ci pinote avec discrétion mais élégance sur la griotte, avec des nuances de pain. C'est par sa tenue en bouche qu'elle séduit le plus. L'attaque est belle, l'équilibre serein, la matière présente, et la finale longue et intense. Une belle étoile pour ce champagne que quelques années de garde rendront encore plus volubile. (NM)

Moutard-Diligent, 6, rue des Ponts, 10110 Buxeuil, tél. 03.25.38.50.73, fax 03.25.38.57.72, champagne@champagne-moutard.eu t.l.j. sf sam. dim. 8h-12h 14h-18h

MOUTARDIER Brut nature Pur Meunier

	6 000	15 à 20 €

Camille est le premier des Moutardier à avoir élaboré son champagne en 1920. Son fils, Jean, qui prit le statut de négociant, sa petite-fille Élisabeth et, depuis 2010, son arrière-petit-fils William Saxby ont développé cette maison au Breuil, village de la vallée du Surmelin, affluent de la Marne. La société met en avant le meunier, qui constitue la base de presque toutes ses cuvées. Celle-ci, non dosée, est issue de ce seul cépage. Ses arômes discrètement fruités évoquent aussi la noisette. Sa matière équilibrée est à la fois souple et fraîche, et affiche une belle jeunesse qui laisse augurer une évolution favorable au cours des mois à venir. (NM)

Moutardier, chem. des Ruelles, 51210 Épernay, tél. 03.26.59.21.09, fax 03.26.59.21.25, contact@champagne-jean-moutardier.fr t.l.j. sf dim. 8h30-12h30 13h30-17h30

William Saxby

PH. MOUZON-LEROUX Blanc de blancs 2005 ★

Gd cru	1 300	15 à 20 €

Les faux, ces rares hêtres tortillards étranges, coiffent le village de Verzy, à 200 m de la propriété des Mouzon, qui cultivent la vigne depuis le XVIIIe s. sur le versant nord de la Montagne de Reims et qui élaborent du champagne depuis 1938. Philippe Mouzon a présenté ce blanc de blancs millésimé paré d'une robe claire, au nez discret et léger de pêche et d'agrumes, nuancé de notes miellées. Sans surprise, la bouche se montre légère et vive. Plus expressive, évoluée et ample, la **Grande Réserve grand cru (11 à 15 € ; 80 000 b.)**, citée, associe 15 % de pinot noir au chardonnay. (NM)

SARL Mouzon-Leroux, 16, rue Basse-des-Carrières, 51380 Verzy, tél. 03.26.97.96.68, fax 03.26.97.97.67, champagne-mouzon-leroux@wanadoo.fr r.-v.

G.-H. MUMM Cordon rouge ★

	n.c.	20 à 30 €

Lancée en 1827 par des négociants en vins originaires de Cologne, cette célèbre maison rémoise est restée familiale jusqu'en 1914, date de sa mise sous séquestre en raison de la nationalité allemande de ses propriétaires. La marque appartient depuis 2005 au groupe Pernod Ricard. Deux de ses cuvées ont reçu chacune une étoile. Celle-ci est le célèbre brut sans année de la maison, dont le cordon symbolise la légion d'honneur. Elle naît de 45 % de pinot noir, de 25 % de meunier et de 30 % de chardonnay. Soyeuse et élégante, elle n'en présente pas moins un caractère affirmé : franche à l'attaque, très vive en bouche, elle offre une longue finale minérale et fumée, aux accents de silex. On pourra la servir à table pendant plusieurs années. La **cuvée R. Lalou 1999 (plus de 100 €)**, qui rend hommage à l'un des plus dynamiques présidents de la maison, est l'exemple réussi de l'assemblage paritaire du pinot noir et du chardonnay. Elle est à son apogée. (NM)

G.-H. Mumm, 29, rue du Champs-de-Mars, 51100 Reims, tél. 03.26.49.59.69, fax 03.26.40.46.13, mumm@mumm.com r.-v.

Pernod Ricard

NAPOLÉON Réserve ★

	50 000	20 à 30 €

Pour plus d'efficacité commerciale, les coopératives achètent parfois des marques prestigieuses. Les adhérents de la cave de la Goutte d'or n'ont eu qu'à traverser la rue pour trouver leur bonheur : la maison vertusienne Prieur, fondée en 1825, qui exploitait la marque Napoléon depuis 1907. Son brut Réserve assemble 45 % de blancs et 55 % de noirs (30 % de pinot noir et 25 % de meunier). Ample et complexe, il exprime au nez comme en bouche des arômes de fruits mûrs, de brioche, d'amande grillée et de beurre. On le servira dans les deux ans sur un poisson en sauce (à la crème ou au beurre blanc). Le **blanc de blancs (30 à 49 €; 30 000 b.)** est cité pour sa fraîcheur et ses arômes de confiserie. (NM)

SAS Ch. et A. Prieur, 30, rue du Gal-Leclerc, 51130 Vertus, tél. 03.26.52.11.74, fax 03.26.52.29.10, info@champagne-napoleon.fr
t.l.j. sf sam. dim. 9h-12h 14h-18h

BERNARD NAUDÉ Prestige ★

12 219 | 11 à 15 €

Une tour surmontée d'une statue de Napoléon, érigée au XIXᵉs. par un officier de la Grande Armée, signale cette exploitation de Charly-sur-Marne, commune située en aval de Château-Thierry, aux confins de l'Aisne et de la Seine-et-Marne. Bernard Naudé, récoltant depuis les années 1970, s'est lancé dans la manipulation en 1983. La famille cultive un vignoble de 8 ha ; elle a soumis aux dégustateurs cette cuvée issue de pinot noir et de meunier à parts égales. Celle-ci offre la charpente et le fruité caractéristiques d'un blanc de noirs. Une acidité bien fondue lui apporte équilibre et longueur. (RM)

Bernard Naudé, 12, av. Fernand-Drouet, BP 61, 02310 Charly-sur-Marne, tél. 03.23.82.09.26, fax 03.23.82.85.62, info@champagne-bernard-naude.com
t.l.j. sf dim. 9h30-12h 13h30-18h30; sam. 9h30-18h30

ALAIN NAVARRE Prestige ★

3 000 | 15 à 20 €

Installée sur la rive droite de la Marne, en amont de Château-Thierry, la famille Navarre produit du vin depuis quatre générations et du champagne depuis trois. En 1980, Alain Navarre a pris la direction du domaine (6,7 ha aujourd'hui) et signé ses premières cuvées. Celle-ci assemble à parts égales pinot noir et chardonnay. Habillée d'or pâle, elle offre un bouquet élégant de fleurs blanches et de fruits rouges et à chair blanche. En bouche, elle se montre harmonieuse, fine mais sans maigreur. Un champagne d'apéritif. Le **rosé de saignée (3 000 b.)** obtient la même note. Issu d'une courte macération de raisins noirs (meunier à 90 %), ce champagne saumoné aux reflets orangés séduit par son fruité varié et subtil, par son équilibre et par son bon dosage. (RM)

Alain Navarre, 14, rue de la Marne, 02850 Passy-sur-Marne, tél. 03.23.70.35.12, fax 03.23.70.64.97, contact@champagne-navarre.fr r.-v.

CAROLE NOIZET Sélection ★★★

2 400 | 11 à 15 €

En l'an 500, saint Thierry fonda une abbaye à quelques kilomètres à l'ouest de Reims : le noyau du village et l'un des berceaux du vignoble champenois. Mille cinq cents ans plus tard, Carole Noizet s'installe sur 5 ha et crée son étiquette. Elle fait son entrée dans le Guide avec de bien séduisantes cuvées. Cette Sélection associe les blancs et les noirs presque à parité (47 % de chardonnay, 33 % de meunier et 20 % de pinot noir des récoltes 2009 et 2008). Évoluée dans le bon sens, ouverte et complexe, sa palette aromatique évoque les fruits confits, le coing, le miel, la brioche chaude et les épices. Un caractère gourmand que l'on retrouve dans une bouche puissante, ample, ronde mais sans lourdeur, qui persiste sur une note miellée. Cette bouteille mérite d'être dégustée pour elle-même, à l'apéritif. La **Sélection Fleur de vigne (6 000 b.)**, des mêmes années, reçoit deux étoiles. Mi-blancs, mi-noirs elle aussi, elle naît d'un assemblage proche de la précédente. Les dégustateurs saluent la finesse aérienne de son nez et son parfait équilibre. On la servira à table. (RC)

NOUVEAU PRODUCTEUR

Carole Noizet, 1, rte de Thil, 51220 Saint-Thierry, tél. 03.26.97.77.45, fax 03.26.08.05.78, carole.noizet@orange.fr t.l.j. 8h-19h; dim. 8h-13h

NOMINÉ-RENARD Cuvée spéciale

10 000 | 15 à 20 €

À quelques kilomètres au sud de la Côte des Blancs, les marais de Saint-Gond donnent naissance au Petit Morin. Juste au nord, au pied d'un coteau, s'étend le village de Villevenard, où vit la famille Nominé. Claude, œnologue, dirige le domaine créé par son père en 1960. Aidé de son fils Simon, il exploite un vignoble de 20 ha implanté sur les coteaux du Petit Morin, du Sézannais et de la vallée de la Marne. Sa Cuvée spéciale marie les trois cépages champenois (60 % des deux pinots à parts égales pour 40 % de chardonnay). Elle demande un peu d'aération pour livrer ses notes d'agrumes, de fruits jaunes (pêche et mirabelle) et de brioche. Fraîche et droite, la bouche affiche un dosage sensible (10 g/l) qui ne suffit pas à troubler son équilibre. (RM)

Nominé-Renard, 32, rue Vigne-l'Abbesse, 51270 Villevenard, tél. 03.26.52.82.60, fax 03.26.52.84.05, contact@champagne-nomine-renard.com
t.l.j. sf sam. dim. 8h-12h 13h-16h30

NOWACK Grande Cuvée Laurine Carte d'or ★

2 000 | 15 à 20 €

Un Nowack originaire de Prague épouse une fille de Vandières dans la vallée de la Marne. Baptiste naît de ce mariage, premier des Nowack vignerons. En 1915, les temps sont particulièrement rudes dans la région et Ferdinand Nowack et son fils Fernand décident de vendre eux-mêmes leur production : les champagnes Nowack sont nés. Aujourd'hui, Frédéric présente cette cuvée où le chardonnay de la récolte 2008 joue seul sa partition. Il en résulte une bulle fine, une robe à peine teintée, un nez frais d'agrumes et de fleurs blanches (chèvrefeuille et aubépine). Tout aussi fraîche, la bouche se distingue aussi par sa délicatesse. Une bouteille faite pour l'apéritif ou les huîtres. (RM)

Frédéric Nowack, 10, rue Bailly, 51700 Vandières, tél. 03.26.58.02.69, fax 03.26.58.39.62, champagne.nowack@wanadoo.fr r.-v.

OLIVIER PÈRE ET FILS Grande Réserve

25 000 | 11 à 15 €

Sur la rive droite de la Marne, le village de Trélou est dominé par son coteau qui épouse la courbe d'un méandre. Ancien et bucolique, avec son église du XIIᵉs. et ses lavoirs, le cadre invite à faire halte. On pourra s'arrêter chez Bertrand Olivier, à la tête de 11 ha de vignes depuis douze ans. Sa Grande Réserve, issue des années 2008 et 2007, assemble 60 % de noirs (dont 40 % de meunier) et 40 % de blancs. Nos dégustateurs ont aimé son fruité complexe (fruits exotiques confits, fruits secs) et son équilibre entre la souplesse et la fraîcheur. (RM)

EARL Olivier Père et Fils, 2, rue Kennedy, 02850 Trélou-sur-Marne, tél. 03.23.70.25.96, fax 03.23.70.02.56, contact@champagne-olivier-pereetfils.com r.-v.

CHARLES ORBAN Blanc de blancs ★

	7 000	■	15 à 20 €

Charles Orban, descendant d'une longue lignée de vignerons, se lance dans la manipulation après la Seconde Guerre et développe considérablement l'exploitation, située dans la vallée de la Marne. Depuis une dizaine d'années, la propriété fait partie du groupe Martel (famille Rapeneau). Sur les coteaux de Troissy, le meunier domine (86 %) mais les quelques parcelles de chardonnay peuvent donner d'excellents résultats comme le prouve ce blanc de blancs, qui avait d'ailleurs obtenu un coup de cœur récemment (édition 2011). Fleurs blanches, agrumes, amande grillée et touches minérales composent un nez d'une grande délicatesse. En bouche, ce sont surtout les agrumes (orange, pamplemousse) qui donnent le ton dans une matière vive et longue. (RM)

Charles Orban, 44, rte de Paris, 51700 Troissy,
tél. 03.26.52.70.05, fax 03.26.52.74.66,
lbn@champagnemartel.com
t.l.j. sf dim. lun. 10h30-18h30

BRUNO PAILLARD Première Cuvée ★

	n.c.	■	30 à 50 €

Descendant de vignerons et de courtiers, le jeune Bruno Paillard revend sa vieille Jaguar pour fonder sa maison en 1981. Sa stratégie ? Produire des cuvées Premium pour l'exportation. Objectif atteint : la maison dispose d'un vignoble de 30 ha qui ne couvre que le tiers de ses besoins et elle exporte environ 75 % de ses champagnes. Les dégustateurs ont retenu avec une étoile les trois cuvées qui leur ont été présentées. Toutes ont connu une vinification partielle en fût (20 %), et pour chacune d'elles, la date de dégorgement est inscrite sur la contre-étiquette. Ce rosé, à dominante de pinot noir, revêt une robe très pâle, rose orangé. Il libère des senteurs de fruits blancs, de poire, de coing, assorties d'une touche fumée que l'on retrouve dans une bouche légère et fraîche, d'une grande finesse. Le brut **Première Cuvée (blanc)** assemble deux tiers de noirs (les deux pinots) au chardonnay. Plus mûr, sur les fruits secs et compotés, il est vif à l'attaque, onctueux et long. Quant au **blanc de blancs 1999 (50 à 74 €)**, il allie une belle fraîcheur à des arômes beurrés, miellés et grillés traduisant une heureuse évolution. (NM)

Bruno Paillard, av. de Champagne, 51100 Reims,
tél. 03.26.36.20.22, fax 03.26.36.57.72,
info@brunopaillard.com

PAILLETTE

	2 760	■	11 à 15 €

Richard Paillette exploite 7 ha de vignes en aval de Château-Thierry, sur le coteau d'Essômes-sur-Marne exposé au soleil levant. Son rosé, qui assemble pinot noir et chardonnay à parité, est une fois de plus bien accueilli. D'une couleur intense, rose saumon tirant vers l'orange, offrant des arômes de fruits secs, il est puissant, expressif et long. En se rendant dans ce village, on admirera au passage l'imposante abbatiale gothique Saint-Ferréol. (RM)

SARL Paillette, 4, Aulnois, 02400 Essômes-sur-Marne,
tél. 03.23.70.82.63, fax 03.23.83.78.01,
champagne.paillette@orange.fr
t.l.j. sf dim. 9h-12h 13h30-19h

PALMER & C° Réserve

	200 000	■	20 à 30 €

Créée en 1948, la marque Palmer & C° appartient à un groupement de producteurs fondé un an plus tôt. D'abord basée à Avize, dans la Côte des Blancs, la jeune coopérative s'est installée à Reims en 1959. Elle regroupe aujourd'hui plus de trois cents adhérents qui cultivent en moyenne un peu plus de 1 ha chacun. Si elle a étendu son approvisionnement à la plupart des régions du vignoble, elle se fournit majoritairement dans la Montagne de Reims. Après avoir élu coup de cœur l'an dernier un blanc de blancs 2004, les jurés ont apprécié ce brut Réserve. Mi-blancs, mi-noirs (avec une nette dominante de pinot noir), ce champagne assez discret au nez dévoile une palette de fruits mûrs, voire confits, dans une bouche riche et longue, au dosage plutôt généreux (10,5 g/l). (CM)

Palmer et C°, 67, rue Jacquart, 51100 Reims,
tél. 03.26.07.35.07, fax 03.26.07.45.24,
contact@champagne-palmer.fr r.-v.

PAQUES ET FILS Carte or ★

1er cru	60 000	■	11 à 15 €

Les Paques font du vin depuis quatre générations. D'abord établis à Chigny-les-Roses, ils se sont installés ensuite à Rilly-la-Montagne, à un saut de puce, dans la Montagne de Reims. À la tête du domaine (10,5 ha), Philippe Paques a proposé deux cuvées fort appréciées, qui font jeu égal. Cette Carte or, qui fait la part belle aux noirs (80 %, dont 50 % de meunier), dévoile au nez des arômes élégants de fleur de tilleul, de poire et de pêche que l'on retrouve avec plaisir en bouche, au sein d'une matière légère et fraîche. La **Grande Réserve 1er cru (15 à 20 € ; 5 000 b.)** privilégie le chardonnay (70 %), complété par le pinot noir. Issue d'un assemblage plus ancien (récoltes 2005 et 2004), elle est bien sûr plus évoluée. Miel, fruits jaunes et fruits secs se partagent la vedette dans cette cuvée harmonieuse et longue. (RM)

Paques et Fils, 1, rue Valmy, 51500 Rilly-la-Montagne,
tél. 03.26.03.42.53, fax 03.26.03.40.29,
phil.paques@wanadoo.fr r.-v.

FRANCK PASCAL Extra-brut Quinte Essence 2004 ★★

	8 471	■	30 à 50 €

Installé sur la rive droite de la Marne, Franck Pascal a banni les produits chimiques sur ses 4 ha de vignes pour les remplacer par des préparations biodynamiques et de « l'huile de coude ». L'exploitation a obtenu la certification biodynamique à la fin 2006. Sa cuvée Quinte Essence 2004 a été citée l'an dernier dans sa version « brut ». Voici l'extra-brut. L'assemblage est le même (pinot noir 60 %, meunier 25 %, le solde en chardonnay), le dosage deux fois moindre (4,5 g/l). Ce champagne a séduit par ses arômes beurrés au nez, fruités en bouche (fruits jaunes et coing), qui donnent un côté gourmand à la matière équilibrée, vineuse et persistante. Sa fraîcheur et sa puissance permettront à cette bouteille de briller aussi bien à l'apéritif qu'au repas. (RM)

Franck Pascal, 1 bis, rue Valentine-Regnier,
51700 Baslieux-sous-Châtillon, tél. 03.26.51.89.80,
franck.pascal@wanadoo.fr r.-v.

ÉRIC PATOUR Cuvée de Réserve ★

	n.c.	■	11 à 15 €

Celles-sur-Ource, dans l'Aube, a la réputation d'avoir la plus forte proportion de récoltants-manipulants de Champagne : un vigneron pour dix habitants, sur un village de quatre cents âmes. Parmi eux, Éric Patour signe une cuvée mi-pinot noir mi-chardonnay, née de l'excellente année 2008 (millésime non revendiqué). C'est un vin en

devenir, habillé d'or pâle, au parfum floral, élégant et fin. Sa structure ample et fraîche est pleine de promesses. (RM)
🔑 Éric Patour, 11, rue du Vivier, 10110 Celles-sur-Ource, tél. 03.25.38.25.33, fax 03.25.38.22.65, eric.patour@orange.fr ☑ 𝐈 ⛹ r.-v.

HUBERT PAULET 2005 ★

● 1er cru	5 900	▮	20 à 30 €

Saint Nicolas, patron de la paroisse, et saint Vincent, patron des vignerons, veillent sur le petit bourg viticole de Rilly-la-Montagne, sur le versant nord de la Montagne de Reims. Olivier Paulet exploite dans ce village l'ensemble de ses 8 ha de vignes. Son rosé 2005 est dominé par le chardonnay (80 %), 20 % de meunier lui donnant sa couleur rose pâle aux reflets cuivrés. Élégant, fin et fruité au nez, il se partage entre les fleurs, la groseille et la prune, avant d'explorer en bouche les fruits mûrs. Un dégustateur le résume : « Un rosé féminin, harmonieux et doux, tout en dentelle. » (RM)
🔑 EARL Hubert Paulet, 55, rue de Chigny, 51500 Rilly-la-Montagne, tél. 03.26.03.40.68, fax 03.26.03.48.63, champ.h.paulet@wanadoo.fr ☑ 𝐈 ⛹ r.-v.

JEAN PERNET Tradition ★★

○	45 000		11 à 15 €

Cette petite maison de négoce trouve son origine dans la Côte des Blancs au XVIIe s. Elle a son siège au Mesnil-sur-Oger, mais ses installations techniques se trouvent à Chavot. Christophe et Frédéric Pernet, aux commandes de l'affaire, disposent d'un vignoble de 16,5 ha répartis entre Côte des Blancs, coteaux d'Épernay et vallée de la Marne. Si le chardonnay domine l'encépagement de leur vignoble, le brut sans année de la maison est composé aux deux tiers de noirs (pinot noir 50 %, meunier 13 %). Ce champagne arrive à maturité, comme le montrent sa robe jaune bouton d'or et son nez marqué par des nuances de torréfaction (pain grillé beurré, café) et d'épices, aux côtés de senteurs d'agrumes confits. La maturité est moins sensible en bouche en raison d'un beau volume fruité ; on y retrouve ces notes d'agrumes qui renforcent l'impression de fraîcheur. On servira ce champagne à table, comme un beau millésime, avec des ris de veau ou de la volaille. (NM)
🔑 Jean Pernet, 6, rue de la Brèche-d'Oger, 51190 Le Mesnil-sur-Oger, tél. 03.26.57.54.24, fax 03.26.57.96.98 ☑ 𝐈 ⛹ r.-v.

♥ **PERRIER-JOUËT** Belle Époque 2004 ★★★

●	n.c.	▮	+ de 100 €

Célèbre maison sparnacienne fondée en 1811 par Pierre-Nicolas Perrier, propriétaire de vignes, et par Adèle Jouët. Leur fils, Charles, développe l'affaire, notamment vers l'Angleterre, et crée le premier champagne brut en 1854. La marque fait partie du groupe Pernod Ricard depuis 2005. Le magnifique décor Art nouveau des cuvées Belle Époque, dessiné en 1902 par Émile Gallé, orne les bouteilles haut de gamme de la maison. Mi-blancs, mi-noirs (avec seulement 5 % de meunier), ce rosé 2004 a toutes les qualités d'une cuvée spéciale accomplie. Sa robe est raffinée, brillante, d'un rose très pâle, traversée d'un train de fines bulles qui entraîne à la surface des parfums délicats traduisant une noble évolution : une pointe de beurre, de la cerise macérée, du moka, des fruits secs grillés... On retrouve dans sa matière harmonieuse, veloutée et fraîche, ces notes de torréfaction et de fruits secs qui persistent longtemps. Le **Belle Époque 2004 blanc** provient d'un assemblage identique, à la réserve du vin rouge. Il obtient une étoile pour son équilibre et sa palette complexe (fruits confits ou cuits, tabac blond, thé, notes toastées...). Une étoile également pour le **Grand Brut (30 à 50 €)**. Ce dernier, qui associe 20 % de blancs aux deux cépages noirs à parité, brille par sa fraîcheur et sa longueur. (NM)
🔑 Perrier-Jouët, 28, av. de Champagne, 51200 Épernay, tél. 03.26.53.38.00, fax 03.26.54.54.55, info@perrier-jouet.fr
🔑 Pernod Ricard

DANIEL PERRIN Chardonnay ★

○	11 000	▮	15 à 20 €

Le village d'Urville, près de Bar-sur-Aube, s'étire au pied d'un vigoureux coteau colonisé par les ceps et formant le versant sud de la butte de Montouillet. C'est là que Daniel Perrin, de vieille souche vigneronne, a champagnisé ses premiers vins en 1957. Son fils cadet, Christian, dirige aujourd'hui l'exploitation (14 ha). Dans ce pays où règne le pinot noir, le blanc de blancs est le dernier-né de sa gamme. Il fait preuve d'un grand classicisme : robe jaune pâle à reflets verts, fines senteurs de fleurs et de fruits blancs, bouche structurée, équilibrée, d'une belle fraîcheur. Bien agréable à cette heure, l'ensemble saura se garder un à deux ans. (RM)
🔑 EARL Daniel Perrin, 40, rue des Vignes, 10200 Urville, tél. 03.25.27.40.36, fax 03.25.27.74.57, champagnedanielperrin@nordnet.fr ☑ 𝐈 ⛹ r.-v.

PERSEVAL-FARGE Blanc de blancs ★

○ 1er cru	6 000	▮ 🛢	11 à 15 €

Son haut clocher (36 m) signale de loin le village de Chamery, situé au sud de Reims, au pied de la Montagne. Isabelle et Benoist Perseval exploitent un vignoble de 4 ha sur les coteaux environnants. Leur blanc de blancs, malgré son assemblage de vins de cinq à dix ans, garde une belle fraîcheur aromatique dans son nez de fleurs blanches. Des notes pâtissières se joignent à celles-ci pour donner de l'éclat à une bouche puissante et équilibrée. Le **2000 (20 à 30 €; 2 000 b.)** fait suite aux 1998 et 1999 également distingués. Le chardonnay, majoritaire (60 %), est complété par 10 % de meunier et 30 % de pinot noir. C'est un champagne à son apogée, riche et long, à déboucher dès la sortie du Guide. Une étoile également. (RM)
🔑 Isabelle et Benoist Perseval, 12, rue du Voisin, 51500 Chamery, tél. 03.26.97.64.70, fax 03.26.97.67.67, champagne.perseval-farge@orange.fr ☑ 𝐈 ⛹ r.-v.

PERTOIS-MORISET Blanc de blancs Grande Réserve ★★

○ Gd cru	40 000	▮	15 à 20 €

Yves Pertois et Janine Moriset ont uni en 1952 leurs destins et leurs noms sur les étiquettes de leurs champagnes. Cinquante ans plus tard, leur petite-fille Cécile et son mari Vincent arrivent sur l'exploitation. Avec Dominique Pertois, le fils d'Yves et de Janine, ils continuent à faire vivre la marque en s'appuyant sur un important vignoble (18 ha) situé sur la Côte des Blancs et dans le Sézannais. Le chardonnay est très présent dans leur gamme. Cette Grande Réserve est une belle illustration du brut sans année blanc de blancs. Elle associe au nez des notes grillées, des nuances de fruits exotiques et de miel. Ces arômes s'entrelacent avec la prune et la figue dans une bouche qui équilibre son ampleur par une grande fraîcheur. Un ensemble à la fois généreux et élégant. (RM)

Pertois-Moriset, 13, av. de la République, 51190 Le Mesnil-sur-Oger, tél. 03.26.57.52.14, fax 03.26.57.78.98, info@champagne-pertois-moriset.com t.l.j. 9h-12h 14h-17h; sam. dim. sur r.-v.; f. août

TH. PETIT Carte d'or ★

Gd cru	15 000	11 à 15 €

Dans les années 1920, Théophile Petit vend ses premiers flacons. Sa petite-fille Bénédicte Bérard-Meuret exploite aujourd'hui plus de 6 ha autour d'Ambonnay, au sud et au sud-est de la Montagne de Reims. Sa cuvée Carte d'or privilégie le pinot noir (63 %), complété par le chardonnay ; elle est issue de l'année 2008 associée à 29 % de vins de réserve. Les fleurs blanches sont très présentes au nez comme en bouche, escortées au palais de touches d'amande et de frangipane. Un champagne gourmand, équilibré et frais, agréable dès maintenant mais apte à une garde de deux à trois ans. (RC)

Bénédicte Bérard-Meuret, 11, rue Colbert, 51150 Ambonnay, tél. 03.26.57.01.13, fax 03.26.52.13.63, champagneth.petit@wanadoo.fr t.l.j. 10h-12h30 14h-16h30; sam. dim. sur r.-v.; f. août, 16-24 fév.

PETITJEAN-PIENNE Blanc de blancs Cœur de chardonnay ★

Gd cru	19 000	11 à 15 €

Une bouteille de champagne monumentale marque l'entrée de Cramant, rappelant aux visiteurs distraits l'activité économique principale, voire exclusive, de ce village de la Côte des Blancs. Les Petitjean, parents et fille, cultivent un vignoble de 3,5 ha, dont 60 % sont implantés sur les communes de Cramant, d'Avize et de Chouilly (grands crus). Leur cuvée Cœur de chardonnay grand cru répondra aux attentes suscitées par l'étiquette. Le cépage apporte une robe pâle et des notes d'agrumes (citron, pamplemousse) et de fruits secs ; le terroir, la minéralité crayeuse, la fraîcheur et l'aptitude à la garde. Le **blanc de blancs grand cru 2005 (15 à 20 € ; 2 100 b.)** obtient la même note pour son nez beurré et miellé, pour son volume et sa longueur. On dégustera ces deux cuvées à l'apéritif ou sur des fruits de mer. (RM)

EARL Petitjean-Pienne, 4, allée des Bouleaux, 51530 Cramant, tél. 03.26.57.58.26, petitjean.pienne@wanadoo.fr r.-v.

DANIEL PÉTRÉ & FILS ★★

	1 000	15 à 20 €

Aux beaux jours, Auguste Renoir se réfugiait à Essoyes, dans l'Aube. Nombre de ses œuvres furent inspirées par les paysages de cette contrée et par ses habitants. En suivant ses traces sur les coteaux environnants, on pourra passer devant une vigne des Pétré. Installés à quelques kilomètres de là, ces récoltants cultivent depuis sept générations un vignoble qui couvre aujourd'hui 12 ha. Ils font leur entrée dans le Guide avec ce remarquable rosé, assemblage dominé par les noirs (60 % pinot, 30 % meunier) issus de la récolte 2007. Avec sa robe saumonée aux reflets orangés, son nez d'orange confite qui se prolonge dans une bouche ample, vive et longue, ce champagne aura beaucoup de succès, notamment sur des desserts aux fruits rouges. La cuvée **Vieilles Vignes 2004 (20 à 30 € ; 1 500 b.)**, issue des trois cépages champenois à égalité, reçoit une étoile pour son nez intense, sa droiture et son équilibre. (RC)

Daniel Pétré, 2, chem. de la Voie-aux-Chèvres, 10110 Ville-sur-Arce, tél. 09.75.85.79.15, fax 03.25.38.77.23, contact@champagne-petre.com r.-v.

MAURICE PHILIPPART ★

1er cru	4 807	15 à 20 €

Franck Philippart s'est installé en 1996 sur le domaine familial, perpétuant une tradition vigneronne qui remonte au moins à 1827 – date à laquelle Nicaise Philippart cultivait quelques arpents à Chigny-les-Roses – et une marque lancée en 1930. Son rosé, issu d'assemblage, est entièrement élaboré à partir de cépages noirs (les deux pinots à parts égales). La robe est plutôt pâle. Au nez, les fruits rouges prennent des accents confits et confiturés ; on trouve aussi de la pêche, de la prune, de légères notes de torréfaction et d'amande grillée. La bouche, dans le même registre, est bien équilibrée. (NM)

SARL Maurice Philippart, 3, rue des Vignes, 51500 Chigny-les-Roses, tél. 03.26.03.42.44, fax 03.26.03.46.05, contact@champagne-mphilippart.com t.l.j. sf dim. 9h-11h30 14h-17h30; sam. sur r.-v.; f. août

PHILIPPONNAT Clos des Goisses 2002 ★

	15 000	+ de 100 €

Les Philipponnat ont pignon sur rue à Aÿ depuis le début du XVIe s., blason depuis la fin du XVIIe s., château à Mareuil-sur-Aÿ depuis 1910 ; ils ont acquis en 1935 dans cette commune le Clos des Goisses, qui surplombe le canal latéral de la Marne et la rivière. Plantée sur un coteau vertigineux, la vigne, ceinte de murs, compte 5,5 ha de ceps de pinot noir (65 %) et de chardonnay exposés au sud, dont les racines plongent dans la craie pure. La vinification est toujours la même, traditionnelle, sans fermentation malolactique ; une partie des vins séjourne en fût et le dosage est faible. Dans le joli millésime 2002, la cuvée développe une effervescence extrêmement fine, qui s'échappe en un léger cordon traversant une robe jaune paille. Le nez, un peu sur la réserve, laisse poindre des notes briochées, miellées, grillées et épicées. La bouche se montre puissante et trouve son équilibre grâce à sa longue finale fraîche à peine marquée par une pointe d'amertume. Les jurés pensent qu'il faut servir cette cuvée à table, sans attendre, mais l'expérience des millésimes précédents a montré que ce champagne était capable d'une belle longévité. À vous de voir... (NM)

Philipponnat, 13, rue du Pont, 51160 Mareuil-sur-Aÿ, tél. 03.26.56.93.00, fax 03.26.56.93.18, info@champagnephilipponnat.com r.-v.

JACQUES PICARD Prestige 2005 ★★

	7 000	20 à 30 €

Ce domaine familial assez récent est situé à Berru, dans un îlot viticole au nord-est de Reims. Il est conduit par Corinne et Sylvie, les deux filles de Jacques Picard, et par leurs époux. Le vignoble de 17 ha est implanté près de Reims, à Avenay-Val-d'Or (Grande Vallée de la Marne). Cette cuvée Prestige met à contribution 60 % de chardonnay et les deux cépages noirs (20 % chacun). Un assemblage qui confère délicatesse et légèreté à ce champagne qui ne fait pas son âge, et qui délivre des arômes de fleurs blanches, de tilleul et d'agrumes. La finale vive, sur le pamplemousse, suggère de le servir à l'apéritif ou pour accompagner des produits de la mer. Cité, le brut **Réserve (15 à 20 € ; 20 000 b.)** privilégie davantage le chardonnay (85 %, avec un appoint des deux pinots). Discret mais complexe, le bouquet marie les fleurs, les fruits blancs et les agrumes, nuances qui se prolongent dans une bouche fraîche. (RM)

Jacques Picard, 12, rue de Luxembourg, 51420 Berru, tél. 03.26.03.22.46, fax 03.26.03.26.03, champagnepicard@aol.com r.-v.

PIERSON-CUVELIER Cuvée Tradition ★

Gd cru | 30 000 | 11 à 15 €

Implantée à Louvois, grand cru de la Montagne de Reims, cette propriété compte 11,5 ha de vignes. Elle est aujourd'hui conduite par François Pierson, très actif dans le syndicalisme viticole local. Ses champagnes sont construits sur le pinot noir, cépage majoritaire dans cette partie du vignoble. Complétée par le chardonnay, cette variété compose 85 % de la cuvée Tradition. Vieilli trois ans en cuve, ce brut sans année livre des arômes marqués de fruits rouges. Son attaque reste fraîche, et sa longueur est appréciée. Ce champagne racé pourra accompagner volailles ou viandes blanches. Le **2005 grand cru (20 à 30 € ; 6 000 b.)**, un pur pinot noir, ne peut cacher son séjour de deux ans en fût : il mêle au nez un boisé vanillé et des notes de pain d'épice ; puissant, gourmand, torréfié en finale, il montre un réel potentiel qui incite à l'attendre quelques années. Une étoile. (RM)

Pierson-Cuvelier, 4, rue de Verzy, 51150 Louvois, tél. 03.26.57.03.72, fax 03.26.51.83.84, pierson-cuvelier@orange.fr
t.l.j. 9h30-11h30 14h-17h30; f. 15-31 août

PIÉTREMENT-RENARD Cuvée Prestige

n.c. | 15 à 20 €

En septembre 1914, les habitants de Villevenard durent se cacher dans les hypogées pour se protéger des combats qui mirent fin à l'avancée de l'armée allemande dans les marais de Saint-Gond. Ces grottes funéraires du Néolithique sont aujourd'hui entourées de vignes. Dirigée depuis vingt ans par Emmanuel Piétrement et son épouse, cette exploitation dispose d'un vignoble de 12 ha sur les coteaux du Sézannais. Sa cuvée Prestige privilégie les noirs (60 %, dont 40 % de pinot noir). Plus expressive en bouche qu'au nez, elle développe des arômes de fruits blancs. Équilibrée et dotée d'une bonne longueur, elle accompagnera volontiers une viande blanche. (RC)

Piétrement-Renard, 30, rue des Hauts-de-Saint-Loup, 51270 Villevenard, tél. 03.26.52.83.03, fax 03.26.52.84.25, pietrement-renard@terre-net.fr r.-v.

PIPER-HEIDSIECK 2004 ★★

75 000 | 30 à 50 €

À l'origine de cette marque, Florens Louis Heidsieck. Arrivant en Champagne en 1777 de sa Westphalie natale pour faire fortune dans le commerce de la laine, il s'intéresse bien vite à l'autre richesse locale, appelée à un avenir plus durable, et fonde son négoce de vins en 1785. L'affaire, qui était aux mains du groupe Rémy-Cointreau depuis 1989, est passée en 2011 dans celles du groupe EPI, détenteur de marques de vêtements et de chaussures haut de gamme. Cette cuvée millésimée est une réussite. Mariant 60 % de pinot et 40 % de chardonnay, elle dévoile une belle évolution dans sa palette riche et complexe, qui joue sur des nuances empyreumatiques (noisette grillée), miellées et épicées. Agréables au nez, ces arômes séduisent en bouche, parfumant une matière à la fois ample et tendue. Un champagne d'une remarquable harmonie, belle image de son millésime. (NM)

PH-CH, 12, allée du Vignoble, 51100 Reims, tél. 03.26.84.43.00, fax 03.26.84.43.49

EPI

PLOYEZ-JACQUEMART Extra-brut Blanc de blancs 2004 ★

11 530 | 30 à 50 €

Cette maison de négoce a été fondée en 1930 sur la Montagne de Reims par Marcel Ployez et Yvonne Jacquemart. Laurence Ployez, qui assure les vinifications depuis 1988, en a pris la présidence en 2006. Elle s'emploie à produire des cuvées de haute tenue, essentiellement destinées aux restaurateurs et cavistes, et privilégie les champagnes faiblement dosés, comme cet extra-brut 2004 qui a vieilli six ans sur pointes. Ouvert et complexe, ce blanc de blancs déploie ses arômes fruités, beurrés et grillés sur une bouche étoffée, « cossue » et persistante. Cette générosité en fait un champagne de gastronomie. Cité, l'**extra-brut Passion (20 à 30 € ; 4 591 b.)** assemble 62 % de pinot noir et 38 % de chardonnay récoltés en 2005. Un quart des vins a été vinifié en fût sans fermentation malolactique. Un champagne floral, grillé, miellé, équilibré et de bonne longueur. (NM)

SAS Ployez-Jacquemart, 8, rue Astoin, 51500 Ludes, tél. 03.26.61.11.87, fax 03.26.61.12.20, ployez.jacquemart@wanadoo.fr r.-v. 5

GASTON POITTEVIN ★

1er cru | 24 291 | 11 à 15 €

Gaston Poittevin fut député de la Marne et président du Syndicat des vignerons entre les deux guerres. Son arrière-petit-fils, prénommé lui aussi Gaston, conduit le domaine familial. L'exploitation compte près de 6 ha aux environs de Cumières, et son vignoble, exposé au sud face à Épernay, est réputé pour sa précocité. Son brut 1er cru est largement dominé par les noirs (60 % de pinot et 30 % de meunier). Aux classiques parfums de fruits mûrs et de miel du nez s'ajoute en bouche une originale touche minérale, saline et iodée. Équilibrée et fraîche, cette bouteille trouvera sa place à l'apéritif ou avec un plateau de fruits de mer. (RM)

EARL Gaston Poittevin, 129, rue Louis-Dupont, 51480 Cumières, tél. 03.26.55.38.37, fax 03.26.54.30.89, gaston.poittevin@wanadoo.fr r.-v.

POL ROGER Réserve ★

n.c. | 30 à 50 €

Grande maison de négoce d'Épernay, célèbre en Angleterre, où elle expédia ses premières bouteilles dès sa création par Pol Roger en 1849. En hommage à ce dernier, les Roger purent ajouter en 1900 le prénom du fondateur à leur patronyme. L'affaire, restée familiale, s'appuie sur un vignoble de 90 ha. Cette cuvée, qui assemble les trois cépages champenois à parts égales, est l'achétype du style maison, fait d'une élégante vinosité : un nez expressif qui s'ouvre à l'aération sur des notes florales, confites, légèrement grillées ; une bouche riche, onctueuse et droite qui porte loin la sensation de fraîcheur. On ne lui trouve pas d'occasions de consommation particulières : elles seront toutes bonnes ! Deux autres champagnes font jeu égal, recevant chacun une étoile. L'**extra-brut Cuvée pure**, issu d'un assemblage identique au précédent, qui allie des notes de miel et d'agrumes confits à une belle franchise, et la **cuvée Sir Winston Churchill 1999 (plus de 100 €)**, de nouveau dégustée, qui traverse les années sans prendre une ride ; élégante, citronnée et briochée au nez, elle est toujours fraîche en bouche. (NM)

SA Pol Roger, 1, rue Winston-Churchill, 51200 Épernay, tél. 03.26.59.58.00, fax 03.26.55.25.70, polroger@polroger.fr
r.-v.

POMMERY Brut royal

n.c. 30 à 50 €

Cette célèbre maison rémoise, née sous le nom de Dubois-Greno en 1836, est devenue Pommery et Greno à l'arrivée de Louis-Alexandre Pommery en 1856. Au décès de ce dernier, sa veuve, une maîtresse femme, donna une dimension internationale à l'affaire, alors artisanale : le nombre de cols commercialisés passa en trente ans de quelques milliers à plus de deux millions. Restée familiale pendant presque un siècle, la société fait partie du groupe Vranken depuis 2002. Assemblage des trois cépages à parts égales, ce Brut royal affiche une robe pâle animée d'une bulle fine. Discret mais agréable, le nez annonce une bouche fruitée et minérale qui fait preuve de fraîcheur et de finesse. Un champagne léger et harmonieux qui pourra être dégusté pendant plusieurs années. (NM)

Vranken Pommery Production, 5, pl. du Gal-Gouraud, 51100 Reims, tél. 03.26.61.62.63, fax 03.26.61.63.98, domaine@vrankenpommery.fr r.-v.

Vranken Pommery Monopole

PASCAL PONSON Cuvée du Domaine

1er cru 3 120 15 à 20 €

À la tête du domaine familial depuis une trentaine d'années, Pascal Ponson cultive un vignoble de 13,5 ha implanté sur cinq 1ers crus du versant nord de la Montagne de Reims. Ses cuvées sont élaborées à Coulommes-la-Montagne, village situé à l'ouest de la cité des Sacres. Ce 1er cru mi-blancs mi-noirs (avec les deux cépages noirs à égalité), issu de la récolte 2006, revêt une robe jaune doré et séduit par la finesse de ses parfums de fruits exotiques confits, que relayent des arômes de fruits secs (abricot, datte) dans une bouche équilibrée et longue. (RM)

Pascal Ponson, 2, rue du Château, 51390 Coulommes-la-Montagne, tél. 03.26.49.00.77, fax 03.26.49.76.48, ponson@wanadoo.fr
t.l.j. 9h-12h 14h-18h; f. 14-31 août

POTEL-PRIEUX ★★

5 000 15 à 20 €

Charles Potel, qui vivait au milieu du XVIIe s., semble être le premier vigneron d'une lignée qui aboutit à François Potel. À la tête du domaine familial depuis 1997, ce dernier entretient un vignoble de 6 ha dans la vallée de la Marne. Noté une étoile l'an dernier, son rosé en « gagne » une dans cette édition. L'assemblage est le même, 40 % de pinot noir, 30 % de meunier et 30 % de chardonnay ; seules changent les années (ici vendanges 2009 à 2006). La robe est légère, saumonée. Le nez dévoile des arômes de pêche, d'abricot, de vanille, rafraîchi par une touche mentholée, la poire compotée s'invitant au palais. Une agréable gamme aromatique qui se fond dans une bouche harmonieuse et fraîche. Nos dégustateurs ont par ailleurs cité la **Grande Réserve (11 à 15 € ; 35 000 b.)**, née des trois cépages champenois à parts égales. Fruitée, tonique, d'une belle vivacité, elle trouvera sa place à l'apéritif ou sur des fruits de mer. (RM)

Potel-Prieux, 10, rue de Champagne, 51480 Venteuil, tél. 03.26.58.48.59, fax 03.26.58.68.11, potel.prieux@wanadoo.fr r.-v.

YVELINE PRAT Rosé ★

10 000 15 à 20 €

Établis à Vert-Toulon sur les coteaux qui dominent les marais de Saint-Gond, entre Côte des Blancs et Sézannais, Yveline Prat et son mari Alain sont vignerons depuis 1975. Ils exploitent un domaine de 12 ha implanté sur la côte de Congy, dans le Sézannais, la vallée de la Marne et la Côte des Bar. Leur rosé associe un tiers de blancs et deux tiers de noirs (les deux pinots quasi à égalité). Presque tuilé, il exprime la cerise et la prune très mûres. Équilibré, souple et long, il devrait s'accorder avec un canard à l'orange. (RM)

Yveline Prat, 9, rue des Ruisselots, 51130 Vert-Toulon, tél. 03.26.52.12.16, fax 03.26.52.03.04, info@champagneprat.com r.-v.

SAS Prat

PRESTIGE DES SACRES Prestige ★

150 000 15 à 20 €

Un groupe de vignerons de Janvry, à une quinzaine de kilomètres à l'ouest de Reims, crée en 1961 cette structure coopérative, qui lancera plus tard deux marques. L'approvisionnement couvre 120 ha aux environs de la cité des Sacres. Issue des trois cépages champenois à parité, cette cuvée Prestige s'annonce par un nez flatteur de fruits mûrs, de raisins secs et d'ananas. La bouche est légère, équilibrée et plutôt généreusement dosée. Un brut sans année facile. (CM)

Prestige des Sacres, rue de Germigny, 51390 Janvry, tél. 03.26.03.63.40, fax 03.26.03.66.93, contact@champagne-prestigedessacres.com
t.l.j. 8h-12h 14h-18h

PHILIPPE PRIÉ Love Flowers 1999

10 000 15 à 20 €

Fabienne Prié perpétue une tradition vigneronne remontant à 1737. Installée dans l'Aube, à Neuville-sur-Seine, elle gère une structure de négoce forte d'un vignoble de 15 ha. Elle a pris les rênes de la maison en 1999, l'année de la récolte de ce millésimé mi-blancs mi-noirs (pinot noir). Intense et agréable, plaisamment évolué, le nez est fait de fruits très mûrs, voire confits ou macérés, de pain d'épice, de ratafia et de nuances empyreumatiques (moka). Ces arômes s'entremêlent dans une bouche droite et encore fraîche. Un champagne à son apogée, à déguster sans attendre. (NM)

Philippe Prié, 108, Grande-Rue, 10250 Neuville-sur-Seine, tél. 03.25.38.21.51, fax 03.25.38.21.73, fprie@champagne-prie.com
t.l.j. sf dim. 9h-12h 14h-18h; sam. 9h-12h août

CH. ET A. PRIEUR Grand Prieur 2000 ★★

	9 000	30 à 50 €

Une maison créée à Vertus par Jean-Louis Prieur et Marie-Reine Pageot en 1825, l'année de leur mariage. Elle a pris plus tard les initiales des deux fils du couple, Charles et Alphrède. La société est restée familiale jusqu'à son achat en 2005 par la coopérative vertusienne La Goutte d'Or. La maison a proposé un remarquable 2000. Cet assemblage de pinot noir et de chardonnay à parts égales affiche sa belle maturité dans une robe vieil or traversée de fines bulles. Intense et gourmand, le bouquet évoque les fruits confits, le pain d'épice, la pâte d'amandes, la noisette, la figue sèche, le miel, les épices et le moka : une farandole d'arômes d'évolution que l'on retrouve au palais dans une matière riche et puissante. À savourer dès la sortie du Guide avec un foie gras frais poêlé aux figues. Le **brut Grand Prieur (20 à 30 € ; 60 000 b.)** comprend un peu plus de noirs (55 % des deux cépages). Ouvert sur d'agréables notes d'évolution (miel, brioche), il est onctueux, flatteur et équilibré : une étoile. (NM)

Ch. et A. Prieur, 31, rue du Gal-Leclerc, 51130 Vertus, tél. 03.26.52.37.61, fax 03.26.52.29.10, info@champagne-prieur.com
t.l.j. sf sam. dim. 9h-12h 14h-17h30

QUATRESOLS-GAUTHIER Secrets de chêne ★★

1er cru	n.c.		20 à 30 €

Comme beaucoup de viticulteurs champenois, les Quatresols sont devenus récoltants-manipulants pour survivre, la crise des années 1930 ayant entraîné une mévente du vin. Aujourd'hui, Régis et son fils Guillaume peuvent cultiver sereinement leur vignoble de 7 ha situé autour de Ludes, 1er cru de la Montagne de Reims. Comme son nom l'indique, leur cuvée Secrets de chêne a été vinifiée en fût. Elle naît des trois cépages champenois (70 % de noirs dont 40 % de meunier) récoltés en 2008, et n'a pas fait sa fermentation malolactique. Le nez intense dévoile un boisé subtil qui ne masque pas le fruité. Expressive, onctueuse, la bouche s'équilibre très bien entre puissance et acidité. Une pointe d'amertume due aux tanins du bois marque la finale sans nuire à l'impression générale d'harmonie. À servir à l'apéritif ou à table, sur une viande sauce champignons par exemple. (RM)

Quatresols-Gauthier, 4, rue de Reims, 51500 Ludes, tél. 03.26.61.10.13, fax 03.26.61.12.71, regis.quatresols@wanadoo.fr
r.-v.

SERGE RAFFLIN ★

	8 000	15 à 20 €

De vieille souche vigneronne, la famille Rafflin commercialise ses champagnes depuis les années 1920. Denis Rafflin, qui conduit actuellement l'exploitation familiale (8 ha), préside également la coopérative vinicole de Chigny-les-Roses, dans la Montagne de Reims. Son rosé comprend 90 % de raisins noirs (dont 60 % de pinot noir) et 10 % de blancs récoltés en 2007. Il tire sa teinte rose aux reflets cuivrés de 18 % de vin rouge. D'abord discret, le nez s'ouvre sur des arômes de fruits rouges (framboise). La bouche équilibrée séduit par sa finesse, sa fraîcheur et sa longue finale aux arômes de petits fruits. Un champagne harmonieux que l'on servira à l'apéritif, sur un carpaccio de saumon ou sur un dessert léger, une salade de fruits par exemple. (RC)

EARL Serge Rafflin, 1A, rue de Chigny, BP 25, 51500 Ludes, tél. 03.26.61.12.84, fax 03.26.61.14.07, contact@champagnesergerafflin.fr r.-v.

CHAMPAGNE DU RÉDEMPTEUR
Cuvée du Centenaire 1911-2011 ★★

	10 000		30 à 50 €

Autre étiquette du Champagne Claude Dubois. Claudy Dubois-Michaux, la fille de Claude, a pris les rênes du domaine familial (7 ha) en 2010. Le Rédempteur ? Le surnom donné à son arrière-grand-père... Il y a un siècle, les vignerons champenois étaient paupérisés : malgré les ravages du phylloxéra et de mauvaises récoltes, les négociants maintenaient la pression sur les prix du raisin et la concurrence entre les producteurs de la Marne et ceux de l'Aube. Venteuil, village de la rive droite de la Marne, fut en 1911 le point de départ d'une mémorable révolte dont Edmond Dubois fut l'initiateur. Cette cuvée remarquable célèbre dignement le centenaire de cet événement. Mi-chardonnay, mi-pinot noir, elle a été vinifiée en foudre de chêne. Intensément florale au nez, elle est corpulente, structurée et onctueuse en bouche, laissant apparaître une délicate évolution. Un champagne de repas. (RM)

Champagne du Rédempteur, rte d'Arty, 51480 Venteuil, tél. 03.26.58.48.37, fax 03.26.58.63.46, redempteur@wanadoo.fr t.l.j. 9h-12h 14h-17h30; sam. dim. sur r.-v.

LOUIS RÉGNIER Grande Réserve

	15 000		20 à 30 €

Négociant installé à Damery, sur la rive droite de la Marne, Jean-Noël Haton a lancé cette marque en 2002. Son rosé Grande Réserve est souvent en bonne place dans le Guide. Assemblage des trois cépages champenois pratiquement à égalité (70 % de noirs), ce champagne d'un rose pâle à reflets cuivrés retient l'attention par son nez mêlant les petits fruits rouges (groseille, fraise) à une touche grillée. En bouche, il reste fruité et se montre bien équilibré. (NM)

SAS Louis Régnier, 10, av. de Champagne, 51480 Damery, tél. 06.32.18.31.95

ERNEST REMY Rosé de saignée ★

Gd cru	2 500		30 à 50 €

Isabey Remy et Zelia Dubois se marient et créent en 1883 leur champagne – qui prend le nom d'Ernest Remy à l'arrivée de leur petit-fils aux affaires. Depuis 2008, l'arrière-arrière-petite-fille du fondateur, Alice, et son époux Tarek Berrada président aux destinées de la maison, qui dispose d'un vignoble de 15 ha dans la Montagne de Reims. Ce rosé, issu de la récolte 2008, a été obtenu par macération de pinot noir et sans fermentation malolactique. Très agréable, il distille d'intenses arômes de fruits rouges et offre une présence fraîche et équilibrée en bouche. Un champagne aromatique et long qui pourra être servi de l'apéritif à la fin du repas. Bel accord en perspective avec le melon, les viandes grillées, les desserts aux pêches et aux poires... (NM)

Ernest Remy, 1, rue Aristide-Bouché, 51500 Mailly-Champagne, tél. 03.26.97.63.55, contact@ernest-remy.fr r.-v.

F. REMY-COLLARD Cuvée Prestige

	8 000		15 à 20 €

À l'origine de ce domaine, deux familles de la vallée de la Marne. Fabrice Remy a repris en 1997 l'exploitation,

CHAMPAGNE

qui compte plus de 9 ha répartis sur neuf communes différentes. Il pratique l'élevage en foudre de chêne et évite la fermentation malolactique. Assemblage de vins de base des années 2007 à 2005, sa cuvée Prestige naît de 60 % de noirs (les deux pinots à parts égales) et de 40 % de blancs. Or paille, elle est partagée au nez entre les fruits secs (noisette) et les fruits blancs (poire, pêche). En bouche, elle se montre vineuse, corpulente et onctueuse, un peu généreusement dosée. Un champagne de repas. (RM)
F. Remy-Collard, 41, rue du Jardin-Neuf,
51700 Villers-sous-Châtillon, tél. 03.26.59.44.56,
fax 03.26.51.67.53, remy-collard@orange.fr r.-v.

M. RICHOMME Blanc de blancs Cuvée Génération 2005 ★

Gd cru | 2 360 | 20 à 30 €

En 1998, Franck Richomme a repris le flambeau allumé quarante-sept ans plus tôt par Moïse et Jules Richomme. Installé à Cramant dans la Côte des Blancs, il a soumis à nos dégustateurs la cuvée haut de gamme de la propriété, dont le millésime précédent a déjà obtenu une étoile : un chardonnay grand cru, vinifié et élevé huit mois en fût. De son séjour dans le chêne, ce 2005 a retiré une couleur dorée et des nuances de caramel au lait que l'on retrouve dans une bouche onctueuse, riche et équilibrée. À marier avec un poisson en sauce. (RM)
EARL Franck Richomme, 306, rue du Moutier,
51530 Cramant, tél. 03.26.57.52.93,
fax 03.26.57.97.15, franck.richomme@wanadoo.fr
r.-v.

CLAUDE RIGOLLOT Grande Réserve ★

2 000 | 11 à 15 €

Descendant d'une lignée de viticulteurs aubois, Claude Rigollot a lancé sa marque en 1970. Il a porté à près de 7 ha le vignoble familial, repris par son fils Emmanuel en 2009. Le Centre vinicole de Chouilly assure les vinifications. Cette Grande Réserve assemble 50 % de pinot noir et 30 % de meunier au chardonnay. Très agréable, elle distille d'élégantes senteurs de cannelle et de menthol, avant de dévoiler une texture onctueuse et chaleureuse. Ce champagne vineux donnera volontiers la réplique à une volaille. Issu des trois cépages champenois à parts égales, la **Cuvée spéciale (15 à 20 €; 2 000 b.)** est citée. Ample, discrètement fruitée au nez, elle développe en bouche des notes de brioche et de fruit jaune avant de finir sur une touche d'amertume. Pour l'apéritif. (RC)
Emmanuel Rigollot, 5, rue des Vignes, 10200 Bergères,
tél. 03.25.27.43.18, contact@champagne-rigollot.com
r.-v.

MARC RIGOLOT ★

4 400 | 15 à 20 €

Sur l'étiquette, en gros caractères, les deux lettres RM, pour Rigolot Marc, et pour récoltant-manipulant, le statut de ce producteur. À présent, c'est Benjamin Rigolot qui met en valeur le vignoble familial : 4 ha sur les coteaux sud d'Épernay et dans la Côte des Blancs. Son rosé naît du seul pinot noir. Sa couleur rose pâle est bien moins intense que son nez de fruits rouges, dominé par la cerise. Un panier gourmand qui s'épanouit dans une bouche harmonieuse et longue. Déjà agréable, cette bouteille saura attendre un an ou deux. On la verrait bien avec un gâteau aux fruits ou une forêt-noire. (RM)
Marc Rigolot, 54-56, rue Julien-Ducos,
51530 Saint-Martin-d'Ablois, tél. 06.22.58.78.20,
fax 03.26.59.94.95, champagnerm@wanadoo.fr r.-v.

A. ROBERT ★

n.c. | 11 à 15 €

Arnaud Robert est l'héritier d'un vignoble qui trouve ses origines sous Louis XV. Plus exactement, en 1722, année où la cour rejoignit Versailles après la Régence. Quelques années plus tard allaient éclore les premières maisons de champagne. Le rosé de la propriété assemble les récoltes 2007 à 2005 et privilégie les noirs (70 %, dont 40 % de meunier). De couleur saumon assez pâle, il dévoile un nez vif et élégant de fraise et de groseille, prélude à un palais équilibré et frais. (RM)
A. Robert, Le Sablon, 02650 Fossoy, tél. 03.23.71.59.40,
fax 03.23.71.59.41, contact@champagne-robert.fr
t.l.j. sf dim. lun. 9h-12h 14h-17h

ANDRÉ ROBERT Blanc de blancs Le Mesnil 2004 ★★

Gd cru | 7 000 | 15 à 20 €

La marque existe depuis 1960. Le domaine familial, qui couvre 13 ha, est exploité par Bertrand Robert, installé en 1986. Il a son siège au Mesnil-sur-Oger, village de la Côte des Blancs classé en grand cru d'où provient cette cuvée. Arrivée à maturité, celle-ci affiche une robe dorée et des arômes évolués de caramel au lait, de miel, de grillé et d'agrumes confits. Une expression que l'on retrouve dans une matière riche, ronde et harmonieuse. Quant à la **cuvée Séduction 2006 (6 260 b.)**, assemblage à parts presque égales de pinot noir et de chardonnay, elle obtient une étoile. Sa vinification en fût lui a donné une robe dorée, un nez beurré et grillé, une bouche à la fois ample et vive, légèrement boisée, qui finit sur une pointe d'amertume. Deux champagnes de repas qui s'accorderont à une poularde et à des viandes blanches. (RM)
André Robert, 15, rue de l'Orme, BP 5,
51190 Le Mesnil-sur-Oger, tél. 03.26.57.59.41,
fax 03.26.57.54.90, champ.andre.robert@free.fr r.-v.

VALÉRY ROBERT Cuvée Prestige ★

12 000 | 11 à 15 €

Les Riceys sont situés dans la zone la plus méridionale du vignoble champenois, aux confins de la Bourgogne. Dans ce village, on sait faire du vin rosé, qu'il soit tranquille ou effervescent. Voyez cette cuvée née d'une macération de pinot noir. Cette pratique, qui permet d'obtenir un surcroît de structure, n'admet aucune médiocrité. Le résultat est ici concluant. Une fine bulle traverse la robe saumonée et porte à la surface d'intenses parfums de fruits rouges et de fumée. Tout aussi aromatique, la bouche s'équilibre entre puissance et fraîcheur. Un champagne à servir à table. Même prééminence du pinot noir (1 % de chardonnay !) dans la **cuvée Sensation (20 à 30 € ; 1 000 b.)**, élevée en partie sous bois. Son nez complexe mêlant l'amande grillée, l'abricot, la mirabelle et les petits fruits, sa bouche vineuse et aromatique lui valent aussi une étoile. Une expression typée du pinot noir. (RM)
Robert, 8, rue de Bagneux, 10340 Les Riceys,
tél. 03.25.29.10.33, fax 03.25.29.12.64,
champagnerobert@wanadoo.fr
t.l.j. sf sam. dim. 9h-12h 14h-17h30

JACQUES ROBIN Tradition ★★

	38 536	▮	11 à 15 €

Jacques Robin exploite un vignoble d'un peu plus de 9 ha créé de toutes pièces à partir de 1973, et agrandi au fil des années en fonction des attributions de droits de plantations nouvelles. Il a commercialisé ses premières bouteilles en 1986. Son brut Tradition doit presque tout au pinot noir (95 %), associé à un soupçon de chardonnay. Il développe un nez fin et gourmand aux senteurs alléchantes de pâtisserie, de noisette, de crème vanillée, puis de citron vert. Frais en bouche, il évolue sur des notes d'agrumes et de brioche. Ce champagne peut être servi dès maintenant à l'apéritif ou sur un poisson grillé, mais il devrait gagner en complexité au cours des deux à trois prochaines années. (RM)

SCEA Jacques Robin, 23, rue Deuxième-D.B., 10110 Buxières-sur-Arce, tél. 03.25.38.76.25, fax 03.25.38.75.28, ajrobin@orange.fr r.-v.

MICHEL ROCOURT Blanc de blancs ★

1er cru	18 000	▮	11 à 15 €

Michel Rocourt achète ses premières parcelles en 1965 et lance son champagne en 1975. Sa fille aînée, Florence, a repris récemment le domaine familial. Le vignoble, situé dans la Côte des Blancs, à Vertus (1er cru) et au Mesnil-sur-Oger (grand cru), est exclusivement planté de chardonnay. Le blanc de blancs 1er cru révèle des senteurs complexes, riches et mûres de pâtisserie, de confiture de lait, de noix de coco, de rhum et de mirabelle, auxquelles répond une bouche riche, structurée, généreuse et longue. Très vineux, un champagne de caractère, à apprécier dès à présent à table, avec des coquilles Saint-Jacques cuisinées par exemple. (RM)

EARL Michel Rocourt, 1, rue des Zalieux, 51190 Le Mesnil-sur-Oger, tél. 03.26.57.94.99, fax 03.26.57.78.33, michelrocourt@wanadoo.fr r.-v.

ÉRIC RODEZ Blanc de blancs ★

	5 000	▮	20 à 30 €

Une nouvelle étape pour cette exploitation : depuis 2012, ses 6 ha sont conduits en bio. Installé à Ambonnay, dans la Côte des grands noirs, Éric Rodez brille par ses blancs de blancs. C'est encore un chardonnay qui vient en tête de la sélection. Comme les autres cuvées, il s'agit d'un assemblage savant : six millésimes différents – des vins de réserve des années 2000 à 2006, vinifiés en fût et sans fermentation malolactique pour 70 % d'entre eux. Il en résulte des arômes agréablement évolués, légèrement boisés, toastés, briochés et vanillés. Quant à la bouche, elle reste fraîche et légère, laissant envisager une petite garde. Pour des noix de Saint-Jacques à la normande. Cité, le **grand cru cuvée des Crayères (15 000 b.)** marie presque à égalité chardonnay et pinot noir ; il comprend 25 % de vins de réserve conservés en fût. On aime son nez expressif de brioche et de fruits mûrs (agrumes, fruits jaunes) et sa bouche aromatique, structurée, ample, fraîche et longue. (RM)

Éric Rodez, 4, rue de Isse, 51150 Ambonnay, tél. 03.26.57.04.93, fax 03.26.57.02.15, e.rodez@champagne-rodez.fr r.-v.

LOUIS ROEDERER Brut Premier ★

	n.c.	▮	30 à 50 €

Maison née à Reims dès 1776. Louis Roederer en devint l'actionnaire en 1827, puis le patron six ans plus tard. Devenue un groupe aux dimensions internationales, riche d'un vignoble de 214 ha en Champagne, la maison est toujours dirigée par les descendants des fondateurs. Prospère dès la deuxième moitié du XIXe s., l'affaire expédie 2,5 millions de bouteilles en Europe, aux États-Unis et surtout en Russie (près de 700 000 bouteilles) où le tsar Alexandre II demande à Louis Roederer II de lui réserver une cuvée : l'une des premières cuvées de prestige, la cuvée Cristal. C'est le brut Premier, incarnation du style maison, que nos dégustateurs ont jugé. Il marie 40 % de pinot noir, 40 % de chardonnay et 20 % de meunier de plus de quarante crus. Les vins de réserve sont conservés un minimum de trois ans en fût. La robe d'or jaune s'anime d'une belle effervescence. Le nez, plein de charme, laisse percevoir des notes d'évolution dues aux vins de réserve, des nuances beurrées, des touches de fruits cuits. Le palais se montre gras, gourmand, ample et bien construit. Le dosage généreux (plus de 10 g/l) ne nuit en rien à l'harmonie générale. Pour un apéritif dînatoire. (NM)

Louis Roederer, 21, bd Lundy, 51100 Reims, tél. 03.26.40.42.11, fax 03.26.61.40.35, com@champagne-roederer.com

Rouzaud

ROGGE-CERESER La Colleterie

	5 000	▮	11 à 15 €

De petits ruisseaux vont à la rivière, découpant les versants de la vallée de la Marne. Ainsi, la Semoigne et la Brandouille ont modelé les coteaux bien exposés de Passy-sur-Marne, village où est installé Benjamin Rogge. Ce dernier a repris en 2000 l'exploitation familiale créée en 1982, qui compte 10 ha. Sa cuvée La Colleterie associe les trois cépages champenois à parts égales. Après aération, elle dévoile des arômes fruités. Puissante, structurée, elle présente un côté légèrement acidulé qui permettra de la déboucher à l'apéritif. (RM)

Rogge-Cereser, 1, imp. des Bergeries, 51700 Passy-Grigny, tél. 03.26.52.96.05, fax 03.26.52.07.73, info@rogge-cereser.fr r.-v. 2

ROUSSEAUX-BATTEUX ★★

	3 000	▮	15 à 20 €

Tout amateur de champagne devrait un jour visiter Verzenay, village classé en grand cru de la Montagne de Reims. Une curiosité locale, le phare, mérite le déplacement, tant pour la vue exceptionnelle sur le vignoble qu'il offre à son sommet que pour le musée de la Vigne qu'il abrite. C'est dans ce haut lieu du pinot noir que Denis Rousseaux, installé depuis 1974 et rejoint par son fils Adrien, exploite 3 ha de vignes. Son rosé d'assemblage a fait l'unanimité. Associant des vins blancs et rouges de pur pinot noir, ce champagne est d'un rose très pâle que l'un de nos dégustateurs qualifie malicieusement de « cuisse de bergère » ! Si son nez de cerise et de groseille est plaisant, c'est surtout sa bouche qui fait l'unanimité par son équilibre, sa finesse et sa fraîcheur. Un juré verrait bien cette bouteille sur des scampis grillés. (RM)

Denis Rousseaux, 17, rue de Mailly, 51360 Verzenay, tél. et fax 03.26.49.81.81, rousseaux.batteux@orange.fr r.-v.

CHAMPAGNE

ROUSSEAUX-FRESNET Blanc de noirs Prestige

Gd cru 4 000 15 à 20 €

Le versant nord de la Montagne de Reims possède un trio de grands crus prestigieux : les villages voisins de Mailly-Champagne, Verzenay et Verzy. Dominique et Jean-Brice Rousseaux exploitent 6 ha de vignes réparties sur ces trois communes où prospère le pinot noir, cépage à l'origine de cette cuvée. Le millésime n'est pas revendiqué mais c'est la récolte 2008 qui est mise ici à contribution. Encore sur la réserve, ce blanc de noirs libère un fruité discret à l'aération avant de dévoiler une bouche structurée et vive. Un équilibre représentatif du cépage, du terroir et de l'année. Cette bouteille devrait s'ouvrir au cours des deux prochaines années. (RM)

Jean-Brice Rousseaux-Fresnet, 45, rue Chanzy, 51360 Verzenay, tél. 03.26.49.45.66, fax 03.26.49.40.09, champagnerousseauxfresnet@voila.fr r.-v.

JEAN-JACQUES ET SÉBASTIEN ROYER 2006 ★

500 15 à 20 €

Il y a une dizaine d'années, Sébastien et Carine Royer, frère et sœur, rejoignent l'exploitation familiale, créée en 1974 dans l'Aube. Ils décident d'élaborer leur propre champagne, dont la commercialisation débute en 2005. Nos dégustateurs ont retenu deux cuvées qui assemblent l'une comme l'autre deux tiers de pinot noir et un tiers de chardonnay. La préférée est ce 2006. Ne cachant pas son âge, ce millésimé dévoile une belle évolution dans ses notes de fruits jaunes mûrs, de miel, et dans sa bouche fondue, ample, onctueuse et briochée, à la finale d'une belle fraîcheur. Citée, la **cuvée Catherine (11 à 15 €; 3 000 b.)** provient de la récolte 2007. Elle demande à être sollicitée quelques minutes pour livrer ses parfums floraux et fruités, alors que la bouche intense apparaît plus mûre. Ces deux champagnes peuvent attendre deux ans. (RM)

Jean-Jacques et Sébastien Royer, 18, rue de Viviers, BP 7, 10110 Landreville, tél. 03.25.38.52.62, fax 03.25.29.16.62, champagne.royerjjs@orange.fr t.l.j. 8h30-12h 13h30-17h; sam. dim. 10h30-12h 14h30-16h30

RICHARD ROYER ★

1 000 15 à 20 €

La famille Royer cultive des vignes depuis le XVIIIe s. à Balnot-sur-Laignes, près de Bar-sur-Seine (Aube). Installé en 2007, Richard Royer, ingénieur agronome et œnologue, dirige le domaine qui s'étend sur 13 ha. Il signe ce joli rosé d'assemblage qui met en vedette le pinot noir (90 %), le chardonnay faisant l'appoint. Paré d'une robe d'un rose léger, ce champagne offre un nez plaisant évoquant la fraise écrasée. Ce fruité très gourmand se prolonge en bouche, parfumant une matière fraîche et équilibrée. Un champagne très plaisant qui se plaira aussi bien à l'apéritif que sur un sabayon de fruits rouges. (RM)

Richard Royer, 14, Grande-Rue, 10110 Balnot-sur-Laignes, tél. 03.25.29.33.23, fax 03.25.29.74.31, richard-royer@hotmail.fr r.-v.

ROYER PÈRE ET FILS ★

16 000 11 à 15 €

Exploitation familiale créée en 1960 par Georges Royer. Ses petits-enfants Franck et Jean-Philippe cultivent plus de 25 ha dans la côte des Bar. Leur rosé doit tout au pinot noir. De couleur soutenue, il offre un nez de petits fruits (mûre, cerise) légèrement confiturés. Dans le même registre, la bouche onctueuse finit sur une pointe de fraîcheur acidulée. Un champagne harmonieux qui accompagnera volontiers des viandes blanches. Le pinot noir (75 %) laisse entrer un quart de chardonnay dans le brut **Réserve (157 000 b.)**, cité pour son nez charmeur, floral et fruité, et pour sa bouche gourmande, ample, équilibrée, légèrement torréfiée. On pourra l'ouvrir à l'apéritif et le finir avec une volaille. (RM)

Royer Père et Fils, 120, Grande-Rue, 10110 Landreville, tél. 03.25.38.52.16, fax 03.25.38.37.17, infos@champagne-royer.com r.-v.

RUELLE-PERTOIS Tradition ★

15 000 11 à 15 €

Benoît et Virginie Ruelle (frère et sœur) dirigent cette exploitation dont le siège est à Moussy, au sud d'Épernay. Leur vignoble s'étend sur 6 ha répartis entre coteaux d'Épernay et Côte des Blancs. Avec 80 % de meunier, 10 % de pinot et 10 % de chardonnay, c'est donc le terroir sparnacien qui domine dans le brut Tradition. Un vin or pâle au joli nez floral, brioché et citronné, et à la bouche ronde, de bonne tenue. Il accompagnera volontiers un poisson en sauce. De la Côte des Blancs provient le **blanc de blancs Cuvée de réserve 1er cru (15 à 20 €; 10 000 b.)**, un champagne d'apéritif floral, fruité, brioché et minéral au nez, et au palais aromatique, ample, onctueux et long. Il obtient une citation. (RM)

SCEV Ruelle-Pertois, 11, rue du Champagne, 51530 Moussy, tél. 03.26.54.05.12, fax 03.51.08.15.48, ruellemi@wanadoo.fr r.-v.

RUFFIN ET FILS Cuvée Nobilis 2005

7 500 20 à 30 €

Fondée en 1947 et devenue maison de négoce en 1996, la société a son siège à Étoges, village situé sur la ligne de coteaux qui s'étend du sud de la Côte des Blancs aux marais de Saint-Gond. Elle associe Alexandre Ruffin, chargé du commerce, et son oncle Dominique, responsable de la vinification. La cuvée Nobilis est élaborée à partir de chardonnay mûri à Cramant, grand cru de la Côte des Blancs. Or clair aux reflets verts, elle offre un nez ouvert et évolué jouant sur la torréfaction, les fruits mûrs, l'amande, la frangipane. La bouche, un peu fugace, est minérale, crayeuse, ample et aromatique. Un blanc de blancs destiné prioritairement à la table. À servir maintenant, sur un filet mignon aux noisettes par exemple. (NM)

Ruffin et Fils, 20, Grande-Rue, 51270 Étoges, tél. 03.26.59.30.14, fax 03.26.59.34.96, contact@champagnes-ruffin.com t.l.j. sf sam. dim. 8h-12h 14h-17h

RUINART Blanc de blancs ★★★

n.c. 50 à 75 €

La plus ancienne maison de champagne. On pourrait la classer monument historique, comme ses caves creusées dans la craie à l'époque gallo-romaine. Le fondateur de l'affaire, Nicolas Ruinart, ajouta en 1729 le négoce en vin à son activité de marchand drapier – une autre industrie florissante dans la région à l'époque. La société est restée familiale jusqu'à son absorption par Moët et Chandon en 1963. Nos dégustateurs ont particulièrement apprécié les cuvées présentées, dont les deux premières frôlent le coup de cœur. Ce blanc de blancs, qui assemble les années 2008 à 2006, a charmé les jurés par son intensité et sa complexité.

On y décèle de la torréfaction (café, praliné-noisette), de la brioche, du fruit jaune, nuancés de touches de silex. Un entrelacs aromatique que l'on retrouve dans une bouche réussissant le difficile mariage de la richesse et de la finesse. D'une rare harmonie, ce champagne vieillira plusieurs années. Le **Dom Ruinart 2002 (plus de 100 €)**, un autre blanc de blancs, obtient lui aussi la note maximale. Il captive par ses nobles et délicates senteurs d'évolution : fruits secs, pain grillé, moka, tabac blond. La pêche bien mûre s'ajoute à cette palette dans une bouche ample, fraîche, expressive et d'une longueur impressionnante. Deux grands vins dignes d'une poularde de Bresse. Quant au **Dom Ruinart rosé 1998 (plus de 100 €)**, il obtient une étoile. Construit sur le chardonnay (85 %) teinté de rose orangé par l'ajout d'un vin rouge de pinot noir, il est fruité, torréfié, fumé et long. Un rosé pour initiés. (NM)

Ruinart, 4, rue des Crayères, 51100 Reims,
tél. 03.26.77.51.51, fax 03.26.82.88.43, wines@ruinart.com
r.-v.
LVMH

LOUIS DE SACY ★

Gd cru	6 000		30 à 50 €

Né en 1654, Louis de Sacy fut avocat, homme de lettres, et entra à l'Académie française. La marque est un hommage à cet aïeul. Dirigée par Alain Sacy depuis 1986, la propriété a son siège à Verzy dans la Montagne de Reims. Elle dispose d'une structure de négoce et d'un vignoble de 20 ha. Son rosé grand cru n'est pas inconnu de nos lecteurs. Il provient d'une macération de pinot noir (90 %) et de meunier. La robe tendre, couleur pétale de rose, est particulièrement séduisante. Le nez ne se montre pas exubérant mais ses senteurs de fraise sont délicates. La bouche est ample, chaleureuse, structurée et longue. Quant au **Brut originel (20 à 30 € ; 120 000 b.)**, assemblage de pinot noir (67 %) et de chardonnay (30 %), avec un soupçon de meunier, c'est un champagne léger et floral, qui est cité. (NM)

Louis de Sacy, 6, rue de Verzenay, 51380 Verzy,
tél. 03.26.97.91.13, fax 03.26.97.94.25,
contact@champagne-louis-de-sacy.fr
t.l.j. sf sam. dim. 8h-12h 14h-18h

SADI MALOT 2006 ★

	5 000	20 à 30 €

Né en 1894, un ancêtre de Franck Malot hérita du prénom de Sadi en hommage au président de la République Sadi-Carnot, assassiné le jour de sa naissance. L'infortuné périt durant la Grande Guerre. Son nom est resté sur les étiquettes de la propriété. L'exploitation est implantée à Villers-Marmery, l'une des rares communes de la Montagne de Reims où le chardonnay règne en maître. Ce 2006 doit tout à ce cépage. Des senteurs de fruits blancs et de fruits exotiques s'échappent d'une robe jaune pâle au cordon persistant. Des arômes de citron et de pamplemousse soulignent la sensation de fraîcheur acidulée perçue au palais. Ce jeune champagne devrait se bonifier au cours des deux prochaines années. Il peut accompagner dès maintenant un poisson grillé. (RM)

Malot, 35, rue Pasteur, 51380 Villers-Marmery,
tél. 03.26.97.90.48, fax 03.26.97.97.62,
sadi-malot@wanadoo.fr t.l.j. sf dim. 9h-12h 14h-19h

SAINT-CHAMANT Blanc de blancs Carte or ★

	11 128		20 à 30 €

Un bel exemple d'attachement au métier et d'endurance. Christian Coquillette a rejoint sa mère sur l'exploitation à dix-huit ans, en... 1951 et il reste en activité. Son vignoble de 11,5 ha s'étend sur les coteaux d'Épernay et surtout sur la Côte des Blancs d'où est issue cette cuvée. Le millésime n'est pas revendiqué, mais le brut Carte or naît d'une seule année, ici de l'excellente vendange 2008. C'est un champagne plaisant et facile d'accès. D'une couleur assez pâle, il présente un nez agréable sur les fruits blancs et sur la mirabelle, et une bouche savoureuse, d'une grande fraîcheur. (RM)

Christian Coquillette,
Saint-Chamant, 50, av. Paul-Chandon, 51200 Épernay,
tél. 03.26.54.38.09, fax 03.26.54.96.55 r.-v.

DE SAINT-GALL Blanc de blancs ★

1er cru	170 000	30 à 50 €

Marque commerciale de l'Union Champagne, un groupement de coopératives qui a son siège à Avize dans la Côte des Blancs : quelque deux mille adhérents apporteurs de raisins, 1 200 ha de vignes implantées essentiellement en grand cru et en 1er cru, et de nombreuses sélections dans le Guide. Le blanc de blancs 1er cru retient une nouvelle fois l'attention grâce à son nez ouvert, expressif et élégant d'acacia, d'abricot et de coing. Équilibrée, riche et longue, la bouche finit sur une agréable pointe d'amertume. Pour accompagner ce champagne, on suggère un pain de saumon. (CM)

Union Champagne, 7, rue Pasteur, 51190 Avize,
tél. 03.26.57.94.22, fax 03.26.57.57.98, info@de-saint-gall.com
r.-v.

♥ SALMON ★★★

	12 000		15 à 20 €

L'Ardre a érodé la Montagne de Reims et façonné des coteaux où les Salmon cultivent leurs vignes. Il y a eu d'abord Michel, le fondateur, en 1958, puis Olivier, son fils, en 1980, aujourd'hui rejoint par Alexandre. Très souvent distingué dans le Guide, leur rosé a fait l'unanimité par sa finesse. Il naît du seul meunier récolté en 2009 et 2008 et vinifié pour partie en fût. Sa jolie robe saumonée, presque cuivrée, est traversée d'un cordon de bulles très fines qui favorise l'expression délicate du nez de fruits rouges, aux nuances de fraise des bois, de framboise et de cerise. Une élégance aromatique que l'on retrouve dans une bouche équilibrée, généreuse, justement dosée, qui finit sur une belle fraîcheur. Une propriété en forme : le brut **AS (30 à 50 € ; 1 700 b.)**, une cuvée mi-pinot noir, mi-chardonnay, qui n'a connu que le fût, obtient une étoile. Un champagne au nez de fruits confits et de fleurs blanches, et à la bouche structurée et harmonieuse, pour l'apéritif ou un poisson comme le saumon. Le brut **Prestige (20 à 30 € ; 7 700 b.)**, autre mi-blancs, mi-noirs (les deux pinots à égalité), reçoit la même note. Complexe, équilibré, il pourra être gardé deux à trois ans. (RM)

EARL Salmon, 21-23, rue du Capitaine-Chesnais, 51170 Chaumuzy, tél. 03.26.61.82.36, fax 03.26.61.80.24, info@champagnesalmon.com t.l.j. 9h-18h

CHRISTELLE SALOMON Cuvée Prestige 2007 ★

2 010 | 15 à 20 €

Christelle Salomon s'est installée en 1999 sur le domaine familial, qui couvre 3 ha à Vandières, sur la rive droite de la Marne. Elle a créé son étiquette en 2004 et construit pressoir et cuverie en 2006. Des outils qui lui ont permis de vinifier l'année suivante ce joli blanc de noirs (pinot noir 70 %, meunier 30 %) aux discrètes nuances d'agrumes. Frais à l'attaque, bien équilibré, justement dosé, ce champagne est déjà agréable, mais il aura gagné en expression dans un an ou deux. (RM)

Christelle Salomon, 7, rue Principale, 51700 Vandières, tél. 03.26.53.18.55, fax 08.11.38.08.69, champ.c.salomon@orange.fr r.-v.

SALON Blanc de blancs Le Mesnil 1999 ★★

n.c. | + de 100 €

Fils de charron, Aimé Salon naît en 1867 à Pocancy, village de la plaine, à quelques kilomètres de la Côte des Blancs. Ses parents veulent en faire un instituteur ; il choisit les affaires et commence sa carrière en ramassant de ferme en ferme, à bicyclette, des peaux de lapins pour une entreprise de fourrures dont il finit par prendre le contrôle. Brillant, aimant la vie et ses plaisirs, il rêve de produire le meilleur champagne qui soit. Avec l'aide de son beau-frère, chef de cave du célèbre Clos du Mesnil, le projet prend forme et la maison est fondée en 1920. Elle ne produira jamais qu'une unique cuvée : un blanc de blancs millésimé (les meilleures années), du Mesnil-sur-Oger, commercialisé après de longues années en cave. Au cours du XXe s., seulement 37 cuvées ont été élaborées. La première en 1911, la dernière en 1999. Nos jurés ne savaient pas ce qu'ils dégustaient, mais ils ont très vite su qu'ils avaient affaire à un grand vin en percevant ses complexes arômes de torréfaction (café, pain grillé...) et en découvrant sa matière ample, riche, onctueuse mais jamais lourde, qui reste longtemps en bouche. Un champagne puissant que devrait accompagner dignement un chapon aux morilles. (NM)

Salon, 5, rue de la Brèche-d'Oger, 51190 Le Mesnil-sur-Oger, tél. 03.26.57.51.65, fax 03.26.57.79.29, champagne@salondelamotte.com r.-v.
Laurent-Perrier

SANCHEZ-LE GUÉDARD Grande Réserve

23 800 | 15 à 20 €

Bernard Le Guédard, salarié viticole, décide de s'intaller en 1953 à Cumières, dans la Grande Vallée de la Marne. Il loue quelques vignes ici et là, achète un peu plus tard des terres, les défriche. Trente ans plus tard, il transmet son domaine à sa fille et son gendre. Ces derniers exploitent aujourd'hui 5 ha. Leur brut Grande Réserve met en vedette les raisins noirs (pinot noir 80 %, meunier 10 %) et comprend 20 % de vins élevés douze mois en fût. D'un or aux reflets légèrement cuivrés, il laisse échapper une fine bulle, ainsi qu'une couronne généreuse. Harmonieux et long, il est à boire. (RM)

Sanchez-Le Guédard, 106, rue Gaston-Poittevin, 51480 Cumières, tél. et fax 03.26.51.66.39, champagne.sanchezleguedard@orange.fr r.-v.

SANGER Tradition ★

40 000 | 11 à 15 €

La marque de la coopérative des anciens élèves du lycée viticole d'Avize. Déposée peu après le second conflit mondial, elle signifie « plus jamais de guerre » – le nom se prononce « sans guerre ». Depuis soixante ans, la cave a permis, grâce aux apports de raisins des « anciens », de former à l'œnologie des générations de vignerons et de salariés viticoles, au-delà même de la Champagne. Si elle est implantée à Avize, dans la Côte des Blancs, elle s'approvisionne dans toute l'aire d'appellation. Assemblage des trois cépages champenois à égalité, avec un tiers de vins de réserve, ce brut présente un nez de fleurs blanches et de grillé, arômes que l'on retrouve dans une bouche élégante, à la fois crémeuse et vive. Un très bon vin d'apéritif, tout comme le **grand cru blanc de blancs (15 à 20 € ; 30 000 b.)**, cité, dans lequel un cinquième de vin de réserve enrichit les vendanges 2008. Épicé, floral et citronné, c'est un champagne incisif et tonique. (CM)

Coopérative des Anciens de la Viticulture, Lycée viticole, 51190 Avize, tél. 03.26.57.79.79, fax 03.26.57.78.58, contact@sanger.fr
t.l.j. sf sam. dim. 9h-12h 14h-17h; f. août

FRANÇOIS SECONDÉ Clavier ★

2 000 | 15 à 20 €

Difficile de croire, en traversant Sillery, que l'on est dans une commune viticole. Le village est dans la plaine, les vignes sont au loin, sur le coteau nord-est de la Montagne de Reims, et nulle enseigne de vigneron. Ah si ! Une seule ! Celle des Secondé, uniques récoltants-manipulants et seuls à proposer du sillery grand cru, car la production locale approvisionne surtout les grandes maisons. Souvent retenue, la cuvée Clavier contient deux fois plus de blancs que de noirs comme le clavier d'un piano – d'où son nom, et la forme de l'étiquette. Son passage en fût lui a donné des notes vanillées, boisées, des nuances de fruits secs qui s'entrelacent dans une bouche structurée et fraîche, à la finale remarquable. Cité, le **blanc de noirs La Loge grand cru (2 000 b.)** né du seul pinot noir, offre un fruité typé aux nuances de noyau et conjugue richesse et fraîcheur. (RM)

EARL François Secondé, 6, rue des Galipes, 51500 Sillery, tél. 03.26.49.16.67, fax 03.26.49.11.55, francois.seconde@wanadoo.fr
t.l.j. sf sam. dim. 8h-12h 13h30-17h30

SÉLÈQUE Or blanc

1er cru | 4 000 | 20 à 30 €

Jean-Marc et Nathalie Sélèque ont repris il y a cinq ans la succession de Richard et Jean Sélèque. Ils sont installés à Pierry, commune classée 1er cru au sud d'Épernay. La cuvée Or blanc est un pur chardonnay vinifié pour moitié en fût de chêne. Elle exprime son terroir et ses caractères variétaux par des notes minérales, alliées à des senteurs de fleurs blanches. L'attaque flatteuse prélude à une bouche franche et bien structurée. À déboucher dès maintenant à l'apéritif ou sur du poisson, ou à garder jusqu'à trois ans. (RM)

Sélèque, 10, rue de l'Égalité, 51530 Pierry, tél. 06.72.25.25.02, champagne-seleque@orange.fr t.l.j. sf dim. 9h-18h

CRISTIAN SENEZ ★

35 000 | 11 à 15 €

Chef de cave à la coopérative de Fontette (Aube), Cristian Senez plante ses premiers ares de vignes dans les années 1950. Il commercialise ses bouteilles à partir de 1973 et porte le vignoble à 28 ha. Retraité actif, il distribue une bonne partie de la production à sa fille, Angélique Roger, actuelle dirigeante, et à son gendre Frédéric, le maître de chai. Les champagnes Senez ne font pas leur fermentation malolactique. Ce rosé, issu de la récolte 2009, naît de 80 % de pinot noir, complété par du chardonnay. D'un rose foncé tirant sur le rubis, il dévoile des arômes de framboise et de fraise qui se prolongent dans un palais équilibré, gourmand et bien structuré. La finale est très agréable, persistante, fruitée et fraîche. Un rosé de table. Cité, le brut **Carte blanche (320 000 b.)** est un pur pinot noir. Finement floral au nez, plus fruité en bouche, c'est un champagne ample que l'on pourra également servir à table. (NM)

Senez, 6, Grande-Rue, 10360 Fontette, tél. 03.25.29.60.62, fax 03.25.29.64.63, contact@champagne-senez.com r.-v.

SERVEAUX FILS Grand Vintage 2004 ★

4 800 | 20 à 30 €

Georges Servaux a créé en 1954 le domaine aujourd'hui exploité par son fils Pascal et son petit-fils Nicolas. Ceux-ci cultivent 15 ha de vignes orientées plein sud, sur la rive droite de la Marne. Cuvée spéciale millésimée, ce Grand Vintage assemble 50 % de meunier vinifié sans fermentation malolactique, 20 % de pinot noir et 30 % de chardonnay élevé en fût de chêne. Mentholé et épicé au nez, il dévoile une matière riche et charpentée. Un champagne de repas qui peut attendre un an ou deux. (RM)

Pascal Serveaux, 2, rue de Champagne, 02850 Passy-sur-Marne, tél. 03.23.70.35.65, fax 03.23.70.15.99, serveaux.p@wanadoo.fr r.-v.

SIMART-MOREAU Cuvée des Crayères 2005 ★★

Gd cru | 5 310 | 15 à 20 €

Pascal Simart exploite avec sa famille ce domaine qui a vendu ses premières bouteilles en 1976. Le vignoble couvre 4,5 ha ; il est surtout situé sur la Côte des Blancs, dont le sous-sol de craie, percé de caves, a donné son nom à la cuvée millésimée de la propriété. Le 2005 représente l'archétype du grand cru blanc de blancs encore jeune. La robe est claire, le nez discrètement minéral, la bouche droite et vive. Délicat, l'ensemble apparaît un peu austère mais affiche un grand potentiel. Ce champagne pourra être débouché dès maintenant, à l'apéritif ou avec des fruits de mer ; il saura aussi attendre de longues années. (RM)

Simart-Moreau, 9, rue du Moulin, 51530 Chouilly, tél. 03.26.55.42.06, fax 03.26.55.95.92, simart.moreau@wanadoo.fr r.-v.

Pascal Simart

SIMON-DEVAUX Tradition ★

22 000 | 11 à 15 €

À la fin des années 1990, Alain Simon a repris l'exploitation familiale implantée sur les coteaux proches de Bar-sur-Seine. Son brut Tradition est bien aubois : il comprend 80 % de pinot noir, cépage majoritaire dans le secteur, accompagné de 10 % de pinot blanc, variété rare qui subsiste dans le département. Le chardonnay complète l'assemblage. La robe dorée est animée d'un cordon de mousse persistant. Le nez expressif, fruité à souhait, annonce une bouche gourmande et ample aux arômes de fruits jaunes, de mirabelle. (RM)

Simon-Devaux, 4, rue du Clamart, 10110 Celles-sur-Ource, tél. 03.25.29.00.35, simon-devaux@neuf.fr r.-v.

Alain Simon

JACQUES SONNETTE ★

5 000 | 11 à 15 €

Fils et petit-fils de viticulteurs, Jacques Sonnette a pris la tête du domaine familial en 1973 et s'est lancé dans la manipulation trois ans plus tard. Il cultive 8 ha de vignes dans le secteur le plus occidental de la vallée de la Marne. Son rosé, assemblage des années 2009 et 2008, marie 49 % de pinot meunier à 40 % de chardonnay. Un vin rouge de pinot noir (11 %) lui donne une couleur soutenue, presque cerise, qui annonce un nez puissant, panier de petits fruits, et une matière vineuse, ample et parfumée, équilibrée par une bonne fraîcheur. Ce côté plantureux et la longue finale laissent envisager un vieillissement de quelques années. Un champagne rosé capable de donner la réplique à une viande rouge. (RM)

Jacques Sonnette, 2, rue du Port-Picard, Porteron, 02310 Charly-sur-Marne, tél. 03.23.82.05.71, fax 03.23.82.71.89, contact@champagnesonnette.com r.-v.

SOURDET-DIOT Cuvée de Réserve ★★★

25 000 | 11 à 15 €

Un secteur peu connu qui réserve parfois de bonnes surprises. Le vignoble de la Chapelle-Monthodon regarde le sud, niché dans le vallon du Saconnet, ruisseau affluent du Surmelin, rivière qui se jette dans la Marne entre Dormans et Château-Thierry. Raymond Sourdet a planté là ses premiers ceps en 1962. Son fils Patrick, installé en 1975, a cessé d'approvisionner les grandes maisons pour élaborer ses propres champagnes. Celui-ci, né des récoltes 2008 et 2007, assemble deux tiers de meunier et un tiers de chardonnay. La moitié des jus n'ont pas fait leur fermentation malolactique. Or brillant, ce brut séduit par la finesse de son nez de brioche, de beurre, de fleurs blanches et de frangipane. Son attaque souple annonce une bouche ample et gourmande, marquée par des notes persistantes de viennoiserie, de pain aux raisins. Déjà délectable, ce champagne accompagnera volontiers des coquilles Saint-Jacques. Il se gardera deux ou trois ans. Avec un assemblage inverse (deux tiers de chardonnay), la cuvée **Prestige (15 à 20 € ; 15 000 b.)** a obtenu une étoile pour ses arômes de fruits mûrs et de brioche qui se prolongent dans un palais ample et frais, sensiblement dosé. Elle est destinée au repas ou au dessert. (RM)

EARL Sourdet-Diot, 1, hameau de Chézy, 02330 La Chapelle-Monthodon, tél. 03.23.82.46.18, fax 03.23.82.18.82, info@champagnesourdet.com r.-v.

SOUTIRAN Signature

Gd cru | 71 200 | 20 à 30 €

Gérard Soutiran, orphelin à onze ans, fut élevé par une famille de viticulteurs dont il reprit l'exploitation en 1954, après une carrière militaire. Alain, son fils, développa vignoble et commerce à partir des années 1970. La maison a pris le statut de négociant en 1999, sous l'impulsion de Valérie Renaux-Soutiran, la fille d'Alain. Sa cuvée Signature naît de 60 % de pinot noir et de 40 % de chardonnay. De couleur or jaune, elle se montre puissante et vineuse, grillée et fumée, et offre une finale épicée, longue et fraîche. Également cité, le **grand cru 2005 (30 à 50 €; 10 355 b.)**, mi-pinot noir mi-chardonnay, est équilibré et long. Ses arômes toastés et briochés indiquent une certaine évolution. (NM)

Soutiran, 3, rue de Crilly, 51150 Ambonnay,
tél. 03.26.57.07.77, fax 03.26.57.81.74, info@soutiran.com
r.-v.

PATRICK SOUTIRAN Blanc de noirs ★

Gd cru | 10 000 | 15 à 20 €

Vigneron bien connu, Gérard Soutiran a eu plusieurs fils dont on retrouve les noms dans le Guide. Patrick Soutiran, installé en 1970, cultive – avec sa fille Estelle depuis 2007 – un vignoble de 3 ha à Ambonnay, grand cru de la Montagne de Reims, et à Trépail, village voisin classé en 1er cru. Si la Montagne de Reims est célèbre pour son pinot noir, ce récoltant-manipulant est très souvent distingué pour ses blancs de blancs. Cette année, voici son blanc de noirs, né bien sûr du seul pinot noir récolté en 2009 et 2008. Il présente une couleur claire, or pâle, et une jolie mousse. Son nez entremêle des notes de fruits mûrs, de pâtisserie, de raisin sec, de figue, de brioche. Fraîche, tendue et structurée, un brin tannique, la bouche bénéficie d'une finale longue et vive. Cette bouteille pourra attendre un an avant d'accompagner une belle volaille. (RM)

EARL Patrick Soutiran, 2, rue des Tonneliers,
51150 Ambonnay, tél. 03.26.57.08.18, fax 03.26.57.81.87,
champagne.patrick.soutiran@orange.fr r.-v.

SUENEN Blanc de blancs 2006

Gd cru | 3 581 | 15 à 20 €

Depuis la disparition de son père en 2009, Aurélien Suenen dirige l'exploitation familiale créée en 1905 par son arrière-grand-père. Les installations se trouvent à Cramant et les 5 ha de vignes sont répartis entre les grands crus du nord de la Côte des Blancs (Cramant, Oiry et Chouilly) et le massif de Saint-Thierry, à l'ouest de Reims. Ce millésime est un blanc de blancs grand cru. C'est un champagne à l'équilibre classique, à la robe claire et au nez de fruits blancs compotés et de fruits exotiques bien mûrs. On le dégustera prochainement à l'apéritif. (RM)

Aurélien Suenen, 53, rue de la Garenne, 51530 Cramant,
tél. 03.26.57.54.94, fax 03.26.59.71.15,
champagne.suenen@wanadoo.fr r.-v.

TAITTINGER Blanc de blancs
Comtes de Champagne 2002 ★★★

n.c. | + de 100 €

Pierre Taittinger devint en 1936 l'actionnaire principal de la maison Forest-Fourneaux, l'une des plus anciennes de Champagne (1734). Passée sous contrôle d'un fonds de pension américain en 2005, la société a été reprise un an plus tard par la famille Taittinger. Avant de s'installer sur

la butte Saint-Nicaise, site historique, l'affaire avait son siège à l'hôtel des Comtes de Champagne, d'où le nom de sa cuvée Prestige. Lorsqu'il disait que « le vin est ce qu'il y a de plus civilisé au monde », Hemingway devait penser à des bouteilles comme celle-ci. Dans le très joli millésime 2002, ce blanc de blancs, élevé pour partie (5 %) en fût neuf, s'approche de la perfection. La bulle est très fine, bien présente au-dessus d'une robe or pâle. Le nez, d'une grande finesse, marie la fleur d'acacia, les fruits compotés, la torréfaction à une touche minérale qui lui donne beaucoup d'élégance. Tout aussi flatteuse, la bouche apparaît structurée, ample, équilibrée par une attaque fraîche, des arômes citronnés et une note crayeuse. Sa longueur est celle d'un vin hors du commun. On le mariera aux poissons les plus nobles, un turbot par exemple. Le **2005 (30 à 50 €)**, mi-chardonnay mi-pinot noir, floral et beurré, équilibré et élégant, dévoile un bel apogée : deux étoiles. Cité, le brut **Réserve (30 à 50 €)**, qui comprend davantage de pinot noir (60 %), marie notes d'agrumes et d'évolution. Vineux, il garde une plaisante fraîcheur. (NM)

Taittinger, 9, pl. Saint-Nicaise, 51100 Reims,
tél. 03.26.85.45.35, fax 03.26.85.84.65,
marketing@taittinger.fr t.l.j. 9h30-13h 14h-17h;
f. sam. dim. de mi-nov. à mi-mars

TANNEUX-MAHY Le Rosé ★★

4 000 | 11 à 15 €

Dominant la Marne, le coteau de Mardeuil prolonge celui d'Épernay. C'est là qu'est implantée cette propriété, qui dispose de 7 ha de vignes de part et d'autre de la rivière. Christophe Tanneux, installé en 2009, représente la quatrième génération de récoltants-manipulants sur le domaine. Complété par du pinot noir, le meunier, très cultivé dans le secteur, compose 90 % de l'assemblage de ce rosé de saignée, né de la vendange 2010 et vinifié sans fermentation malolactique. D'une couleur soutenue, presque rubis, ce champagne offre un nez puissant aux nuances de mûre et de fraise. Des arômes que l'on retrouve dans une matière concentrée, longue et fraîche. « Le fruité envahit la bouche ! » écrit un dégustateur enthousiaste. Bâti sur 90 % de chardonnay, avec un petit appoint des deux cépages noirs, le brut **Prestige (15 à 20 €; 15 000 b.)** obtient une étoile pour son fruité intense et frais, ainsi que pour son élégance. (RM)

Tanneux-Mahy, 2, rue Jean-Jaurès, 51530 Mardeuil,
tél. 03.26.55.24.57, fax 03.26.52.84.59,
champagne.tanneux@orange.fr
t.l.j. sf dim. 10h-12h 13h30-18h; f. août

TARLANT Extra-brut Cuvée Louis 1999 ★★★

8 000 | 50 à 75 €

Sous le règne de Louis XIV, les Tarlant cultivaient déjà la vigne dans la vallée de la Marne. Le domaine est aujourd'hui présidé par Jean-Mary Tarlant, mais c'est la génération suivante, représentée par Benoît et Mélanie, qui conduit l'exploitation. Ici, on applique des principes simples mais efficaces, comme le prouve le bon accueil réservé aux cuvées soumises aux jurés : sélection parcellaire, fermentations en petite cuve ou en barrique, vinifications sans fermentation malolactique, élevage en fût des vins de réserve, dosages faibles. La cuvée Louis rend hommage au premier récoltant-manipulant de la lignée. Assemblage à parité de chardonnay et de pinot noir récoltés au lieu-dit Les Crayons, elle a fermenté en fût sans levurage. Légèrement boisé, le nez associe le beurre et l'amande, prélude à un palais ample et rond, auquel une agréable fraîcheur et une rare longueur donnent un charme fou. L'**extra-brut blanc de meuniers La Vigne d'or (2 000 b.)** est issu d'une vendange 2003 de vieilles vignes au lieu-dit Pierre de Bellevue. Un champagne or rose qui obtient deux étoiles pour son fruité racé et complexe, et pour sa bouche harmonieuse, droite et franche. Non dosé, le **Brut Nature Zéro (20 à 30 €; 10 000 b.)** naît des trois cépages champenois à parts égales. Son nez de fruits secs et de brioche, sa bouche vive à l'attaque, équilibrée et longue lui valent une citation. (RM)

Tarlant, 21, rue de la Coopérative, 51480 Œuilly, tél. 03.26.58.30.60, champagne@tarlant.com
t.l.j. sf dim. 10h-12h 13h30-17h30

J. DE TELMONT Blanc de blancs Grand Couronnement 2000 ★

15 000 | 30 à 50 €

Voici exactement un siècle qu'Henri Lhopital a commercialisé les premières bouteilles (1912). La maison, implantée près d'Épernay sur la rive droite de la Marne, est aujourd'hui dirigée par la quatrième génération. Bertrand Lhopital s'appuie sur un vignoble en propre de 36 ha en conversion au bio. Nos dégustateurs ont apprécié cette cuvée de prestige, un blanc de blancs millésimé issu de Chouilly et d'Avize, grands crus de la Côte des Blancs. Fin et élégant au nez, ce champagne s'ouvre sur des arômes beurrés, des senteurs d'agrumes confits et de fruits exotiques. Ample, crémeuse et équilibrée, la bouche suit cette ligne fruitée. Cette bouteille accompagnera volontiers des coquilles Saint-Jacques. (NM)

J. de Telmont, 1, av. de Champagne, 51480 Damery, tél. 03.26.58.40.33, fax 03.26.58.63.93, commercial@champagne-de-telmont.com
t.l.j. sf dim. 9h30-12h 14h-18h; sam. 10h-17h

V. TESTULAT Cuvée Paul-Vincent 2006

5 000 | 15 à 20 €

Maison sparnacienne fondée en 1862, à l'époque où Louis Pasteur, le père de l'œnologie moderne, découvrait les secrets de la fermentation. La sixième génération est aujourd'hui aux commandes et fête cette année le cent-cinquantième anniversaire de l'affaire. Cette cuvée Paul-Vincent sera sans doute des réjouissances. C'est un blanc de blancs au nez léger et frais, fait d'agrumes, de fleurs blanches et d'amande. Des notes de miel et de fruits mûrs s'ajoutent à cette palette dans une bouche vive à l'attaque et de bonne ampleur. (NM)

SA V. Testulat, 23, rue Léger-Bertin, 51200 Épernay, tél. 03.26.54.10.65, fax 03.26.54.61.18, vtestulat@champagne-testulat.com r.-v.

ÉRIC THERREY Cuvée spéciale ★

15 000 | 11 à 15 €

Jacky Therrey a planté ses premières vignes dans les années 1960 et lancé son champagne en 1978. Son fils Éric a travaillé pendant vingt-cinq ans à ses côtés avant de reprendre le domaine en 2006. Son vignoble couvre 8 ha dans l'Aube ; il est implanté en majorité à Montgueux, sur une butte qui domine la plaine céréalière à l'ouest de Troyes. Dans cet îlot viticole, le chardonnay prospère, si bien que les assemblages sont construits sur ce cépage : cette Cuvée spéciale en compte neuf parts pour une de pinot noir. Elle marie les récoltes 2009 et 2008. Tout en finesse, elle livre des notes de fruits blancs et d'agrumes qui se développent sur une matière fraîche, équilibrée et longue. Belle alliance avec des fruits de mer. (RM)

EARL Vignoble Éric Therrey, 6, rte de Montgueux, La Grange-au-Rez, 10300 Montgueux, tél. 03.25.70.30.25, contact@champagne-therrey.fr
t.l.j. sf dim. 9h-12h 14h-18h; f. 5-25 août

THÉVENET-DELOUVIN Blanc de blancs ★

2 000 | 15 à 20 €

Pour découvrir la vallée de la Marne, on peut prendre comme base le gîte rural d'Isabelle et Xavier Thévenet, dont le vignoble est implanté sur les deux rives de la rivière ainsi qu'à Grauves, près d'Épernay. Issu de la récolte 2007, leur blanc de blancs a été vinifié partiellement (20 %) en fût de chêne de réemploi. De teinte pâle, il décline des notes citronnées et beurrées, assorties de nuances grillées et minérales. Vif, presque incisif au palais, il a la structure nécessaire pour être attendu quelques années supplémentaires. (RM)

Isabelle et Xavier Thévenet, 28, rue Bruslard, 51700 Passy-Grigny, tél. 03.26.52.91.64, fax 03.26.52.97.63, xavier.thevenet@wanadoo.fr r.-v.

PHILIPPE THÉVENIN Tradition ★

26 000 | 11 à 15 €

Ce domaine du Barséquanais (Aube) élabore ses champagnes depuis les années 1970. Philippe Thévenin, installé en 1979, exploite 6 ha de vignes. Il a lancé sa marque en 1992. Son brut Tradition, presque exclusivement issu de pinot noir (95 %, complété de chardonnay) reflète l'encépagement du domaine, où cette variété est largement majoritaire. Il s'habille d'or pâle et se parfume de pêche, d'abricot, de fleurs blanches et de tilleul. Franc à l'attaque, équilibré, il séduit surtout par sa finale vive, longue et pure. Un champagne gourmand, tout comme le brut **Prestige (9 293 b.)**, qui obtient la même note. Privilégiant le chardonnay (60 %, le solde en pinot noir), cette cuvée se différencie de la précédente par une robe plus dorée. Ses arômes, plus évolués, évoquent la brioche, le grillé et les fruits secs, et sa bouche est tout en rondeur. (RM)

Philippe Thévenin, 10, rue de la Fontaine-Saint-Aubin, 10110 Ville-sur-Arce, tél. 03.25.38.78.04, fax 03.25.38.44.03, thevandco@wanadoo.fr
r.-v.

THIÉNOT Blanc de blancs Cuvée Stanislas 2004 ★★

5 000 | 75 à 100 €

Alain Thiénot, rejoint par ses enfants Stanislas et Garance, a lancé sa marque en 1985 ; il préside également d'autres maisons, telles que Joseph-Perrier, Marie-Stuart et Canard-Duchêne, et détient plusieurs propriétés dans le

Bordelais. Il a dédié cet assemblage de la Côte des Blancs à son fils Stanislas. Déjà apprécié il y a deux ans, ce 2004 s'est épanoui, gagnant une étoile. Sa robe or vert traversée de bulles fines et légères est déjà flatteuse ; complexe et expressif, le nez développe des caractères d'évolution : pain d'épice, fruits mûrs, que l'on retrouve dans une bouche ronde, de belle longueur. On ouvrira cette bouteille dès maintenant, à l'apéritif, avec du poisson cru ou grillé. Issu de 45 % de chardonnay et de 55 % des deux pinots (dont 35 % de pinot noir), le **brut sans année (20 à 30 €)** est cité pour son fruité franc ; il est à boire dès maintenant. Le **rosé (30 à 50 €)**, également cité, est né des trois cépages champenois, dont deux tiers de noirs. Un vin saumon pâle dont on apprécie l'élégance discrète, l'équilibre et le dosage adéquat. (NM)

Thiénot, 4, rue Joseph-Cugnot, 51500 Taissy,
tél. 03.26.77.50.10, fax 03.26.77.50.19, infos@thienot.com
r.-v.

J. M TISSIER Réserve *

	10 000		15 à 20 €

Petit-fils de Diogène Tissier, Jacques Tissier a repris en 1993 le domaine de 5 ha que dirigeait son père Jean-Marie. Les références helléniques sont de mise dans la famille, et les étiquettes sont ornées de colonnes corinthiennes et de médaillons à l'antique. À l'aveugle, nos dégustateurs ont apprécié ce brut Réserve, issu des récoltes 2008 et 2007, composé de chardonnay pour les deux tiers et de meunier pour un tiers. Le nez, léger et frais, associe les fleurs et les fruits blancs. Bien équilibré, le palais montre une structure étoffée. Son ampleur et sa fraîcheur laissent présager une garde de deux à trois ans. Le **rosé cuvée Aphrodite (3 000 b.)**, composé de noirs où le meunier domine (70 %), fait jeu égal. Passée en fût, elle mêle des arômes de fraise et de fruits des bois à des notes boisées dans un bel équilibre. (RM)

SAS J.M. Tissier, 9, rue du Gal-Leclerc,
51530 Chavot-Courcourt, tél. 03.26.54.17.47,
fax 03.26.59.01.43, contact@champagne-jm-tissier.com
r.-v.

DIOGÈNE TISSIER ET FILS Cuvée de Réserve **

	33 000		15 à 20 €

Créateur de la marque en 1931, Diogène Tissier est représenté sur les étiquettes debout dans un tonneau marqué de son nom, faisant sauter le bouchon et offrant son champagne à la ronde. Clin d'œil au philosophe grec qui dormait dans une jarre, l'équivalent grec du tonneau ? Le domaine, établi sur les coteaux sud d'Épernay, est dirigé depuis 1998 par Vincent Huber, un petit-fils du fondateur. Sa cuvée de réserve marie 60 % de chardonnay, 25 % de meunier et 15 % de pinot noir récoltés en 2009 et 2008 ; elle a été élevée partiellement (20 %) en fût pendant six mois. D'un jaune très pâle aux reflets verts, elle dévoile un nez puissant et élégant mêlant fleurs blanches, beurre, brioche et miel. Son ampleur et sa vinosité se teintent de minéralité. Pour l'apéritif et le début du repas. (NM)

Diogène Tissier et Fils, 10, rue du Gal-Leclerc,
51530 Chavot-Courcourt, tél. 03.26.54.32.47,
fax 03.26.54.32.48, diogenetissier@hexanet.fr r.-v.
Huber

MICHEL TIXIER Grande Année *

1er cru	16 882		11 à 15 €

Michel Tixier s'installe en 1963. En 1998, Benoît, son fils, prend le relais. Son domaine comprend de très nombreuses parcelles réparties dans la Montagne de Reims, la Côte des Blancs et la vallée de la Marne. Grande Année ? Cette cuvée assemble paradoxalement deux vendanges, 2007 et 2008. Elle marie le pinot noir (40 %), le meunier (20 %) et le chardonnay. La robe, or pâle aux reflets d'évolution, offre une belle expression : les fruits jaunes (pêche, mirabelle) et blancs (poire) s'accompagnent d'une touche de cannelle. Suit une attaque douce, un palais volumineux, une finale fruitée, longue et généreuse. Une étoile encore pour le **rosé de saignée 1er cru (5 668 b.)**, un pur meunier qui plaira beaucoup à ceux qui rêvent de trouver des champagnes rouges, tant sa couleur est soutenue, effet de la macération. À cette couleur répondent des arômes intenses de fruits noirs (cassis, myrtille) et de griotte, une bouche légèrement tannique et une finale puissante. Un champagne de caractère à découvrir sur un dessert aux fruits rouges. (RM)

Michel Tixier, 8, rue des Vignes, 51500 Chigny-les-Roses,
tél. 03.26.03.42.61, fax 03.26.03.41.80,
champ.michel.tixier@wanadoo.fr r.-v.

FRÉDÉRIC TORCHET *

	2 000		11 à 15 €

Un nouveau nom dans le Guide, mais le vignoble a été planté à partir de 1966 par le père de Frédéric Torchet. Ce dernier, installé en 1985, a commercialisé ses premières bouteilles en 2004. Son domaine (7 ha) est situé aux confins de la Marne, de la Seine-et-Marne et de l'Aube, dans le seul village aubois du Sézannais, Villenauxe-la-Grande. Le chardonnay domine dans le secteur, ce qui nous vaut ce rosé d'assemblage presque exclusivement issu de blancs, teinté par un peu de vin rouge et vinifié sans fermentation malolactique. De fines bulles s'échappent d'une belle robe rose bonbon, d'où montent de frais effluves évoquant la framboise fraîchement cueillie. Ce fruité se prolonge dans une bouche agréable, ronde et persistante. Pour un apéritif sous la tonnelle. (RM)

Frédéric Torchet, 1, chem. de la Rue,
10400 Plessis-Barbuise, tél. 03.25.21.36.15,
torchet.f@wanadoo.fr r.-v.

BERNARD TORNAY Carte d'or *

	n.c.		11 à 15 €

C'est aujourd'hui Nathalie Tornay qui conduit cette exploitation familiale dont les lointaines origines remontent au XVIIes. Installée à Bouzy, grand cru réputé pour son pinot noir, elle signe une cuvée qui privilégie largement (70 %) ce cépage, le chardonnay faisant l'appoint. Ce champagne se distingue tout au long de la dégustation par sa fraîcheur : le nez libère des nuances de pomme et de fruits blancs qui annoncent une bouche fringante et légèrement acidulée. Un champagne tout indiqué pour l'apéritif. (SR)

Bernard Tornay, rue du Haut-Petit-Chemin,
51150 Bouzy, tél. 03.26.57.08.58, fax 03.26.57.06.62,
info@champagne-tornay.fr
t.l.j. 8h30-12h 13h30-18h; sam. dim. sur r.-v. 2

G. TRIBAUT Grande Cuvée spéciale

1er cru	n.c.		20 à 30 €

Vincent et Valérie Tribaut sont installés à Hautvillers, le « berceau du champagne », village le plus touristique de la Champagne, où dom Pérignon n'eût de cesse de perfectionner le vin de la région. Enfants de Ghislain, ils ont repris l'affaire familiale en 1992 et disposent de 12 ha de vignes. Issue de l'unique année 2006, leur Grande Cuvée spéciale assemble trois quarts de chardonnay et un quart de pinot noir ; elle développe des arômes gourmands de beurre, de gâteau et de fruits secs. La bouche est équilibrée et mûre. À servir dans les deux ans sur une viande blanche. (NM)

G. Tribaut, 88, rue d'Eguisheim, 51160 Hautvillers, tél. 03.26.59.40.57, fax 03.26.59.43.74, champagne.tribaut@wanadoo.fr
t.l.j. 9h-12h 14h-18h; f. dim. jan.-mars

TRIBAUT-SCHLOESSER Origine ★★

120 000 | 15 à 20 €

Fondée en 1929, cette propriété est nichée dans un vallon tributaire de la Marne, à l'orée de la forêt d'Hautvillers. Jean-Marie Tribaut, à la tête du domaine, dispose de 20 ha de vignes. Son brut Origine a fait grande impression. Il est né de 70 % de raisins noirs (40 % de pinot noir) et de 30 % de blancs. Les vins de réserve (15 %) ont séjourné en foudre. Les dégustateurs apprécient la complexité, la fraîcheur et la finesse de ce champagne aux nuances de fruité et de torréfaction, qui reste vif et léger au palais. La pointe citronnée de la finale persiste longtemps et suggère de servir cette bouteille avec un fin poisson comme la sole ou le flétan. (NM)

Tribaut-Schloesser, 21, rue Saint-Vincent, 51480 Romery, tél. 03.26.58.64.21, fax 03.26.58.44.08, contact@champagne-tribaut.com r.-v.
M. Tribaut

ALFRED TRITANT Cuvée Prestige

Gd cru | 11 200 | 15 à 20 €

Ces récoltants-manipulants ont élaboré leurs premiers champagnes en 1929. Leur vignoble n'est pas très grand (2,5 ha) mais a pour atout d'être entièrement implanté au sud de la Montagne de Reims, dans le village de Bouzy, classé en grand cru. Assemblage de pinot noir (65 %) et de chardonnay, cette cuvée fait preuve de finesse et révèle des notes discrètes de maturité. Équilibrée, vineuse et élégante, la bouche finit sur une agréable pointe d'amertume. Un champagne d'apéritif. (RM)

Alfred Tritant, 23, rue de Tours, 51150 Bouzy, tél. 03.26.57.01.16, fax 03.26.58.49.56, champagne.tritant@free.fr r.-v.

TROUILLARD Extra Sélection ★★

100 000 | 15 à 20 €

Fondée en 1896 par Lucien Trouillard, cette maison a été reprise en 2006 par la famille Gobillard d'Hautvillers. Elle signe un brut composé de 70 % de noirs (pinot noir et meunier à égalité) et de 30 % de chardonnay. Le nez frais penche résolument vers les agrumes, le citron. Dans le même registre, la bouche s'oriente vers le pamplemousse ; elle montre un bel équilibre et offre une finale agréable et persistante sur l'amande. Un excellent brut sans année d'apéritif, qui devrait pouvoir attendre un an ou deux. Cité, l'**extra-brut blanc de noirs** (90 % pinot noir, 10 % meunier) conjugue rondeur et finesse, et dévoile de jolis arômes de fruits frais. (NM)

Trouillard, 38, rue de l'Église, 51160 Hautvillers, tél. 03.26.55.37.55, fax 03.26.55.46.33, champagnetrouillard@free.fr r.-v.

JEAN VALENTIN Tradition

1er cru | 30 000 | 11 à 15 €

Jane Roualet a créé le domaine en 1922, que son petit-fils Gilles Valentin dirige depuis 1995. Ancien responsable du service viticulture du Comité interprofessionnel des vins de Champagne, ce dernier a toutes les compétences pour cultiver ses 5,5 ha de vignes implantées sur la Montagne de Reims. Son brut Tradition associe 50 % de meunier, 38 % de pinot noir et 12 % de chardonnay. Affichant une robe dorée, ce champagne exprime des arômes de fruits frais, citronnés et élégants, qui se prolongent au palais. Son dosage marqué (10 g/l) ajoute de la rondeur à sa matière pleine et franche. À déboucher à l'apéritif. (RM)

EARL les Coteaux Valentin, 9, rue Saint-Remi, 51500 Sacy, tél. 03.26.49.21.91, fax 03.26.49.27.68, givalentin@wanadoo.fr r.-v.

VALENTINE Brut nature ★★

35 000 | 15 à 20 €

Créé en 1905 et rebaptisé plusieurs fois (aujourd'hui Marguet Père et Fils), ce domaine familial implanté à Ambonnay est dirigé à présent par Benoît Marguet. Ce dernier a donné le prénom de sa fille aux cuvées issues de son activité de négoce. Malgré le motif « peau de panthère » des étiquettes, les champagnes n'ont rien de sauvage – ni de racoleur – et, dégustés à l'aveugle, ils ont obtenu deux étoiles chacun. Ce Brut nature (champagne non dosé) privilégie les noirs (75 % de pinot noir et 15 % de meunier). Sa robe est claire, et son bouquet charmeur, tout en finesse, mêle les fleurs blanches, les agrumes et des nuances crayeuses que l'on retrouve en bouche. Sa matière apparaît délicate ; elle est néanmoins suffisamment structurée pour permettre à cette bouteille d'être servie au repas, avec un poulet au curry par exemple. Quant au **rosé (20 000 b.)**, qui marie deux tiers de noirs (60 % de pinot) et un tiers de blanc, il apparaît plus corsé. À sa robe d'un orange assez soutenu répondent un nez puissant et évolué, aux nuances de fruits macérés et confiturés, puis une bouche vineuse. Un champagne d'amateur à déguster à table avec du *jamón ibérico* ou des rougets. Une étoile. (NM)

Valentine, 1, pl. Barancourt, 51150 Ambonnay, tél. 03.26.53.78.61, fax 03.26.53.81.80, info@champagne-marguet.fr r.-v.
Benoît Marguet

VARNIER-FANNIÈRE Brut zéro

Gd cru | 8 000 | 15 à 20 €

Sur ce domaine familial, dont les origines remontent au XIXᵉ s., Jean Fannière décide en 1950 d'élaborer ses champagnes. Depuis la fin des années 1980, c'est son petit-fils Denis Varnier qui conduit la propriété. Les 4 ha de son vignoble se répartissent sur des grands crus de la Côte des Blancs : Avize, Oger, Cramant et Oiry. Ce brut zéro est évidemment un blanc de blancs. Or à reflets verts, il dévoile un nez évolué et une bouche vive et droite. Certains pourraient le trouver austère, mais il récoltera une majorité de suffrages servi à l'apéritif ou avec des produits de la mer, voire des sushis... (RM)

Varnier-Fannière, 23, Rempart-du-Midi, 51190 Avize, tél. 03.26.57.53.36, fax 03.26.57.17.07, contact@varnier-fanniere.com ☑ Y ⚲ r.-v.

F. VAUVERSIN Rosé du soir ★★

Gd cru | 1 300 | 15 à 20 €

Une lignée de vignerons, depuis le XVIIe s., devenus récoltants-manipulants dans l'entre-deux-guerres. Aujourd'hui, c'est un domaine exigu (3 ha) mais très bien situé, essentiellement aux environs d'Oger, grand cru de la Côte des Blancs. En 2011, Laurent Vauversin a rejoint son père Bruno et son grand-père François ; l'exploitation a engagé sa conversion au bio. Le chardonnay règne évidemment presque sans partage dans l'offre de ces vignerons. Une exception depuis peu : ce rosé, issu de blancs à 90 %, qui tire cependant sa couleur de quelques pieds de pinot noir de Bouzy. Le jury a été conquis par sa robe soutenue aux reflets cuivrés, puis par ses parfums flatteurs (acacia et surtout cassis) se prolongeant dans une bouche équilibrée et longue, justement dosée. Assez de matière pour accompagner tout un dîner, mais certainement pas assez de bouteilles pour satisfaire tout le monde... Quant au **blanc de blancs grand cru Brut original (11 500 b.)**, c'est un champagne fin, brioché et équilibré, parfait pour l'apéritif : une étoile. (RM)

F. Vauversin, 9 bis, rue de Flavigny, 51190 Oger, tél. 03.26.57.51.01, fax 03.26.51.64.44, bruno.vauversin@wanadoo.fr ☑ Y ⚲ r.-v.

VAZART-COQUART ET FILS Blanc de blancs Spécial Club 2006 ★

Gd cru | 6 300 | 20 à 30 €

Fort d'un vignoble de 11 ha implanté à Chouilly, grand cru de la Côte des Blancs, ce domaine s'est développé à partir des années 1950 sous l'impulsion du regretté Jacques Vazart. Son fils Jean-Pierre, à la tête de l'exploitation depuis 1995, poursuit la même quête de l'excellence dans le respect de l'environnement. Les cuvées Spécial Club sont des champagnes millésimés proposés par une association de vignerons ; l'étiquette est identique, l'élaboration propre à chaque producteur. Après d'autres millésimes, ce 2006 a été retenu pour son intensité, sa finesse aromatique et son équilibre. Évolué, rond et harmonieux, il sera servi à l'apéritif, sur des poissons fins ou des ris de veau. Autre millésimé, le **blanc de blancs grand cru Grand Bouquet 2007 (5 700 b.)** offre un nez un peu évolué aux nuances de poire mûre et une bouche vive et droite, sur les agrumes : il est cité. (RM)

Vazart-Coquart et Fils, 6, rue des Partelaines, 51530 Chouilly, tél. 03.26.55.40.04, fax 09.71.70.19.03, contact@vazart-coquart.com ☑ Y ⚲ r.-v.

JEAN VELUT 2005 ★★

2 987 | 15 à 20 €

Jean Velut, père de Denis, l'actuel chef d'exploitation, décida d'abandonner les terres de plaine à l'appétit immobilier de Troyes pour se reconvertir à la viticulture sur la belle colline argilo-calcaire de Montgueux, à l'ouest du chef-lieu de l'Aube. Sur ce terroir adapté au chardonnay, père et fils ont développé leur vignoble et se sont lancés dans la champagnisation en 1976. De haute maturité, le millésime 2005 a très bien réussi au plus frais des cépages champenois, comme le prouve ce blanc de blancs à la robe dorée. Le nez intense offre une palette variée : fruits blancs très mûrs, fleurs blanches, notes grillées, épicées, vanillées et minérales. Ces arômes parfument une matière riche, soyeuse et équilibrée, qui tapisse longtemps le palais. Cette bouteille remarquable pourra accompagner un repas. (RM)

EARL Velut, 9, rue du Moulin, 10300 Montgueux, tél. 03.25.74.83.31, fax 03.25.74.17.25, champ.velut@wanadoo.fr ☑ Y ⚲ r.-v.

DE VENOGE Louis XV 1996 ★

50 000 | + de 100 €

Une marque de champagne portant le nom d'un cours d'eau, la Venoge, qui se jette dans le lac Léman. Le canton de Vaud était en effet la région d'origine de Henri-Marc de Venoge, fondateur de la maison en 1837. L'affaire, installée à Épernay, appartient depuis 1998 au groupe Lanson-BCC. En 1996, les raisins de Champagne étaient arrivés à très bonne maturité tout en gardant un haut niveau d'acidité, deux facteurs favorables à la longévité des vins. Cette cuvée Louis XV, née de pinot noir et de chardonnay à parts égales, est une bonne image de cette année. Si le nez se développe dans un registre évolué, déployant des notes empyreumatiques complexes et subtiles (torréfaction, caramel...) avec des nuances de cire, le palais apparaît encore frais. Quant au **blanc de blancs 2002 (30 à 50 € ; 20 000 b.)**, cité, il associe des arômes beurrés et biscuités à des touches de fruits mûrs. On le servira à l'apéritif ou sur un poisson grillé. (NM)

De Venoge, 46, av. de Champagne, 51200 Épernay, tél. 03.26.53.34.34, fax 03.26.53.34.35, infos@champagnedevenoge.com

☑ t.l.j. sf sam. dim. 9h-12h 14h-17h

Lanson-BCC

J.-L. VERGNON Extra-brut Blanc de blancs Éloquence ★

Gd cru | 10 000 | 20 à 30 €

Négociants, les Vergnon sont devenus récoltants en 1950 grâce à Jean-Louis Vergnon. L'exploitation, conduite aujourd'hui par Didier Vergnon, dispose de 5 ha très bien situés autour du Mesnil-sur-Oger, grand cru de la Côte des Blancs. Elle ne propose que des blancs de blancs et affectionne un style frais et tendu : les vins ne font pas leur fermentation malolactique, ils sont faiblement dosés et mûrissent longtemps avant commercialisation. C'est le cas de cet extra-brut vieilli trois ans. Sa robe est claire, son nez, beurré et floral ; sa bouche se montre fraîche, ferme, finement citronnée et minérale. Un vin d'avenir que l'on peut servir jeune, à l'apéritif. (RM)

J.-L. Vergnon, 1, Grande-Rue, 51190 Le Mesnil-sur-Oger, tél. 03.26.57.53.86, fax 03.26.52.07.06, contact@champagne-jl-vergnon.com ☑ Y ⚲ r.-v.

FRANCIS VERRIER Cuvée Pinots noirs ★

1 000 | 11 à 15 €

Après avoir travaillé de nombreuses années aux côtés de ses parents, Emmanuel Verrier a repris l'affaire familiale en 2009. Ses installations sont établies à Étoges, bourg situé au centre de la ligne de coteaux qui s'étire du sud de la Côte des Blancs au Petit Morin. Son vignoble de 5 ha est pour l'essentiel implanté dans cette région. La cuvée Pinots noirs présente une robe d'or pâle et porte un

parfum léger, à la fois floral et fruité, sur un corps équilibré et frais. Elle devrait pouvoir vieillir quelques années. La **cuvée Raymond Verrier 2002 (15 à 20 € ; 1 000 b.)**, citée, qui assemble 90 % de chardonnay et 10 % de pinot, est vinifiée partiellement en fût. Elle en tire des notes fumées et un toucher onctueux. C'est un champagne fruité, minéral et vif ; il semble à son apogée. (NM)
Verrier et Fils, rue des Rochelles, 51270 Étoges, tél. 03.26.59.32.42, champagne.verrier@orange.fr
t.l.j. 8h-12h 14h-18h; sam. dim. sur r.-v.

LES VERTUS D'ÉLISE Blanc de blancs 2005 ★★

1er cru	3 000		11 à 15 €

Cédric Guyot s'est installé en 2002 sur le vignoble familial constitué par son arrière-grand-mère à Vertus, à la pointe sud de la Côte des Blancs. Ses vins, commercialisés sous deux marques, figurent depuis deux ans en très bonne place dans le Guide. Ce coup de cœur confirme un réel savoir-faire. Et ce n'est pas tout : deux autres cuvées, également en 1er cru, obtiennent chacune deux étoiles. Hommage à la fondatrice du domaine, la marque Les Vertus d'Élise a été lancée en 1999. Ce blanc de blancs 2005, à l'effervescence fine et légère, libère de délicates senteurs d'aubépine et de fruits blancs bien mûrs. Intense, minérale, justement dosée, la bouche offre une finale fraîche qui laisse une impression de pureté. Ce superbe millésime sera parfait à table, sur une escalope de foie gras, des ris de veau ou des langoustines. Le brut **Sélection Guyot-Poutrieux (5 000 b.)**, assemblage de chardonnay (60 %) et de pinot noir (40 %), a frôlé le coup de cœur. Ample, riche, généreux et long, il fait aussi preuve d'une belle fraîcheur. Quant au **blanc de blancs demi-sec Gourmand Guyot-Poutrieux (1 000 b.)**, aux jolis arômes de fleurs blanches et d'amande fraîche, il séduit surtout pour son équilibre remarquable entre le dosage (40 g/l) et l'acidité, qui lui confère finesse et élégance. (RC)
Les Vertus d'Élise, 12, rue du Dr-Bonnet, 51130 Vertus, tél. 06.70.72.84.87, fax 03.26.32.39.46, lesvertusdelise@yahoo.fr r.-v.
Cédric Guyot

ALAIN VESSELLE Thibaud Vesselle ★

Gd cru	n.c.		20 à 30 €

Les Vesselle ont fait souche à Bouzy, village classé en grand cru sur le versant sud de la Montagne de Reims, aussi réputé pour ses coteaux champenois rouges que pour ses champagnes. À la tête du domaine depuis 1989, Éloi Vesselle a proposé deux champagnes qui ont obtenu l'un comme l'autre une étoile. Ce brut, qui assemble à parts égales pinot noir et chardonnay, a partiellement connu le bois, mais ce séjour ne l'a pas marqué. Il présente un profil élégant, floral et vif, tout en finesse, et fait preuve d'une bonne longueur. On peut le servir aujourd'hui à l'apéritif, sur du poisson, ou l'attendre un peu. Une fois de plus retenue, la **cuvée Saint-Éloi grand cru (15 à 20 €)** mobilise elle aussi à parité le chardonnay et le pinot noir. Acidulée et harmonieuse, elle saura également vieillir. (RM)
Alain Vesselle, 15, rue de Louvois, 51150 Bouzy, tél. 03.26.57.00.88, fax 03.26.57.09.77, contact@champagne-alainvesselle.fr
t.l.j. sf dim. 9h-12h 13h30-17h; sam. sur r.-v.; f. 2 sem. en été

MAURICE VESSELLE 2004 ★★

	15 573	20 à 30 €

La famille Vesselle a plusieurs branches à Bouzy. Maurice Vesselle a inscrit son nom sur une étiquette pour la première fois en 1955. Attaché aux traditions, le domaine n'a jamais cessé de travailler les sols. La pratique, fastidieuse, a pu paraître désuète, mais elle reprend de l'intérêt pour deux raisons : elle est moins polluante que les herbicides, élimine les radicelles de la vigne en surface et rend la plante ainsi moins vulnérable aux aléas hydriques de l'été (sécheresse ou excès d'eau), et aux excès de vigueur – comme ce fut souvent le cas en 2004. Le chardonnay et le pinot noir ont été mariés à parts égales dans ce brut vinifié sans fermentation malolactique. Ce champagne or paille séduit par son nez complexe, où l'on découvre du chèvrefeuille, de la brioche, de la torréfaction (café, cacao, pain grillé) et des épices. La bouche ajoute à cette palette la pêche, les fruits mûrs. Vive à l'attaque, équilibrée et longue, elle bénéficie aussi d'un dosage parfaitement adapté. (RM)
Maurice Vesselle, 2, rue Yvonnet, 51150 Bouzy, tél. 03.26.57.00.81, fax 03.26.57.83.08, champagne.vesselle@wanadoo.fr r.-v.

VEUVE A. DEVAUX D de Devaux 2002 ★

	15 000	50 à 75 €

L'Union auboise naît en 1967 du regroupement de 11 coopératives du département le plus méridional de la Champagne. Forte de 1 400 ha, la structure a pu assurer un développement commercial significatif. En 1987, elle a racheté la très ancienne (1846) marque sparnacienne Devaux pour en valoriser les cuvées haut de gamme. Dans le même esprit, la maison s'est doté en septembre 2011 d'un somptueux espace de réception et de vente : le Manoir Devaux. Mi-chardonnay mi-pinot noir, ce millésime 2002 montre beaucoup d'élégance. Sa couleur est d'un jaune encore pâle ; son nez exprime avec finesse des notes de fruits mûrs et confits, et de coing ; son attaque délicate dévoile un corps très aromatique, ample et long. Un champagne harmonieux que l'on servira à l'apéritif. (CM)
Devaux, Dom. de Villeneuve, 10110 Bar-sur-Seine, tél. 03.25.38.30.65, fax 03.25.29.73.21, mariegillet@champagne-devaux.fr
t.l.j. sf dim. 10h-18h; f. sam. oct.-avr.
Union auboise

VEUVE CHEURLIN Prestige ★

	66 222		15 à 20 €

Une affaire familiale gérée par Alain Cheurlin depuis 1978. Elle dispose d'un vignoble de 12 ha répartis sur cinq communes de la Côte des Bar. Sa cuvée Prestige assemble 50 % de pinot noir avec 20 % de chardonnay et 30 % du rare pinot blanc, que l'on rencontre encore dans l'Aube. Les raisins ont été récoltés en 2009 et 2008. La robe claire est traversée d'un fin cordon de bulles. Le nez, charmeur, léger et frais, donne le ton. La mise en bouche dévoile une matière fine, équilibrée, minérale et longue. C'est un champagne élégant, qui devrait gagner en complexité dans les prochains mois. (NM)

Veuve Cheurlin, 100, Grande-Rue, 10110 Celles-sur-Ource, tél. 03.25.38.56.85, fax 03.25.38.58.01, alain.cheurlin@free.fr r.-v.

VEUVE CLICQUOT PONSARDIN
La Grande Dame 2004 ★★

n.c. | + de 100 €

Cette prestigieuse marque rémoise, fondée en 1772, perpétue la mémoire de Nicole Barbe Ponsardin, sans doute la plus célèbre des veuves de Champagne. Après la disparition de son mari en 1805, cette femme déterminée sut s'imposer et impulser un essor considérable à la maison. Sa devise : « Une seule qualité, la toute première. » Cuvée de prestige, La Grande Dame fut lancée en 1972, année du bicentenaire de la marque. Quarante ans après, elle reste l'une des plus emblématiques de la maison. Elle donne la majorité aux noirs (61 % de pinot noir, 39 % de chardonnay) provenant exclusivement de grands crus. On y trouve de la complexité, tant au nez qu'en bouche : des nuances d'agrumes, de beurre frais et de noisette, accompagnées de notes de fruits confits et de torréfaction. Élégant, frais et délicat, c'est un champagne de grande gastronomie qui s'entendra avec les crustacés et les poissons nobles, telles la langouste et la lotte. Le **Vintage 2004 (30 à 50 €)** assemble 70 % de noirs (pinot noir 62 %) et 30 % de chardonnay. Il obtient une étoile pour la délicatesse florale de son nez et pour sa bouche bien dosée et persistante évoquant le grillé et le caramel. (NM)

Veuve Clicquot Ponsardin, 12, rue du Temple, 51100 Reims, tél. 03.26.89.54.40 r.-v.

LVMH

VEUVE DOUSSOT Tradition ★

120 000 | 11 à 15 €

À 357 m d'altitude, le plateau de Blu, à l'est de Bar-sur-Seine, est l'un des points culminants de la Champagne viticole, offant un point de vue unique sur les vignes auboises. Sur son piémont, Stéphane Joly exploite un domaine de 7 ha planté de pinot noir (70 %) et de chardonnay. Les cuvées retenues font la part belle au cépage majoritaire du vignoble. Le brut Tradition ne contient ainsi que 15 % de blancs. Discrètement grillé au nez avec des nuances de fruits secs, il dévoile une bouche très séduisante, à la fois riche, fraîche et longue. Un champagne complet et harmonieux. La cuvée **L by VD (30 à 50 € ; 4 400 b.)**, 100 % pinot noir, reçoit également une étoile pour son nez à la fois mûr et frais, pour sa bouche franche, expressive et équilibrée. (NM)

SARL Chatet, 1, rue Chatet, 10360 Noé-les-Mallets, tél. 03.25.29.60.61, fax 03.25.29.11.78, champagne.veuve.doussot@wanadoo.fr t.l.j. sf dim. 9h-12h 14h-17h; sam. 9h30-12h30

Joly

VEUVE ÉMILLE ★★

1er cru | 100 000 | 15 à 20 €

Union Champagne est un groupement de treize coopératives vinifiant les vendanges d'environ 2 000 adhérents qui cultivent quelque 1 200 ha. Implanté à Avize en Côte des Blancs, il commercialise ses cuvées sous la marque De Saint-Gall. Toutefois, une part non négligeable de sa production est mise sur le marché sous différentes marques de distributeurs, comme cette Veuve Émille, que l'on trouve dans les linéaires d'Auchan. Deux tiers de chardonnay et un tiers de pinot composent ce brut 1er cru au nez ouvert et complexe. Des senteurs de fruits mûrs, voire confits, des notes grillées, florales, biscuitées, vanillées et miellées s'entremêlent et se prolongent dans une matière équilibrée et structurée. La belle finale longue et épicée donne l'avant-dernière touche de plaisir, la dernière étant d'imaginer le mets le plus adapté pour l'accompagner : une large palette est possible. (MA)

Union Champagne, 7, rue Pasteur, 51190 Avize, tél. 03.26.57.94.22, fax 03.26.57.57.98, info@de-saint-gall.com r.-v.

VEUVE J. LANAUD Blanc de blancs Carte noire ★

5 000 | 20 à 30 €

Maison de négoce fondée à l'issue de la Grande Guerre par Henri Léopold Taubourin, qui la baptisa du nom de sa mère, et dirigée par la famille Gauthier, elle a son siège à Avize dans la Côte des Blancs. Ce blanc de blancs, qui a vieilli sept ans en cave, s'impose par son nez intense et évolué mêlant les fruits mûrs à des notes florales, épicées, grillées et toastées. Ample à l'attaque, bien structuré, équilibré et long, il a gardé une belle fraîcheur. À la fois riche et élégant, c'est un champagne de repas qui s'accordera avec des crustacés ou du poisson cuisiné. (NM)

Veuve J. Lanaud, 3, pl. Léon-Bourgeois, 51190 Avize, tél. 03.26.57.99.19, fax 03.26.57.59.06, champagnelanaud@wanadoo.fr t.l.j. 10h-12h 14h-18h; sam. dim. sur r.-v.

VEUVE OLIVIER ET FILS Carte d'or ★

70 000 | 11 à 15 €

Un nouveau nom dans le Guide, mais le domaine a quatre-vingt-dix ans d'existence : il a été fondé en 1922 sur la rive droite de la Marne par l'arrière-grand-père de Sandrine Olivier. La Carte d'or met surtout à contribution le meunier (60 %), complété par le pinot noir et le chardonnay à parts égales. Élégante et florale au nez, souple et expressive en bouche, elle offre une jolie finale fraîche. On la servira à l'apéritif ou sur du poisson. La **Vieille Réserve (15 à 20 € ; 30 000 b.)**, qui fait jeu égal, a passé une année supplémentaire en cave. Elle comprend davantage de chardonnay (40 %), les deux pinots à parité complétant l'assemblage. On aime ses parfums gourmands de fruits jaunes mûrs (mirabelle) et de brioche, que l'on retrouve dans une bouche ample et ronde à la finale longue et puissante. Les dégustateurs la verraient bien servie sur des huîtres chaudes ou après le repas. (RM)

Veuve Olivier et Fils, 10, rte de Dormans, 02850 Trélou-sur-Marne, tél. 03.23.70.24.01, fax 03.23.70.36.87, info@champagne-veuve-olivier.com r.-v.

MARCEL VÉZIEN Cuvée Armand Vézien ★★

7 000 | 15 à 20 €

Cette maison auboise dispose d'une quinzaine d'hectares dans le Barséquanais. Jean-Pierre Vézien, qui la dirige, doit à son père Marcel la création de la marque, en 1958, et à son arrière-grand-père Armand celle du domaine, au XIXe s. Il rend à ce dernier un bel hommage avec cette cuvée fort remarquée, qui marie 70 % de pinot noir au chardonnay. La robe est engageante, d'un jaune doré intense. Le nez traduit une belle évolution dans ses notes de fruits mûrs et de fruits secs. Au palais, ce champagne garde sa séduction grâce à sa matière aromatique, ample, vineuse sans lourdeur. On le servira à table. Le **brut chardonnay (11 à 15 € ; 5 000 b.)**, issu de la récolte 2007, reçoit une étoile. Les fleurs blanches épousent la minéralité dans un nez complexe ; les agrumes frais (citron et pamplemousse) entrent en scène dans une bouche vive et longue. La structure devrait permettre une garde de deux à trois ans. (NM)

Marcel Vézien et Fils, 68, Grande-Rue,
10110 Celles-sur-Ource, tél. 03.25.38.50.22,
fax 03.25.38.56.09, marcelvezien@champagne-vezien.com
t.l.j. 8h30-11h45 13h30-16h45; sam. dim. sur r.-v.;
f. jui.-août

FLORENT VIARD Tradition ★

1er cru | n.c. | 11 à 15 €

En s'installant sur le domaine familial en 1994, Florent Viard s'est mis à signer les champagnes de la propriété. Il cultive 4 ha autour de Vertus, commune classée en 1er cru, et les champagnes retenus sont tous deux des 1ers crus. Dans cette partie méridionale de la Côte des Blancs, le pinot noir se fraie une place. Il contribue pour 40 % à l'assemblage de ce brut à la robe dorée et au nez agréable de fruits mûrs. Ample et gourmand au palais, ce champagne fait preuve d'un bel équilibre grâce à un dosage bien étudié contrebalançant la vivacité naturelle du vin. « Pour un dîner de la Saint-Valentin », écrit un juré. Le **blanc de blancs** fait jeu égal. Il présente bien les caractères de ce style de vin : une robe plutôt claire, un nez intense et vif, sur les fleurs et les fruits blancs, teinté de minéralité, une bouche équilibrée et fraîche. (RC)

Florent Viard, 35, av. Saint-Vincent, 51130 Vertus,
tél. 03.26.51.60.82, viard.florent@wanadoo.fr r.-v.

VIGNON PÈRE ET FILS Réserve Les Marquises

Gd cru | 3 800 | 15 à 20 €

Héritier de trois générations de vignerons, Stéphane Vignon exploite 5,5 ha à Verzy et à Verzenay, dans la Montagne de Reims. Il s'est formé à la viticulture en Alsace, au Clos Saint-Landelin. Sans être passé au bio, il applique dans ses grands crus champenois nombre de pratiques respectueuses de l'environnement observées dans le grand cru haut-rhinois. En vinification, il s'emploie à limiter les interventions, évitant par exemple la chaptalisation ou le levurage. Élevée en fût pendant neuf mois, cette cuvée assemble deux tiers de pinot noir et un tiers de chardonnay. Son nez mûr, aux nuances de miel, d'abricot, de cire, de réglisse et de pain d'épice, est marqué par son passage sous bois. Sa bouche fraîche permettra de déboucher cette bouteille dès l'apéritif et de la terminer sur du poisson. (RM)

EARL Michel Vignon, Les Marquises, 10, rue Colet,
51360 Verzenay, tél. 03.26.49.80.39, fax 03.26.49.46.20,
vignon.marquises@orange.fr t.l.j. 9h-12h 13h-18h30

VOIRIN-DESMOULINS Blanc de blancs
Cuvée Prestige 2007 ★

Gd cru | 5 800 | 15 à 20 €

Cette exploitation familiale a été créée en 1960 par les parents de Pascale Voirin, l'actuelle dirigeante. Celle-ci dispose d'un vignoble de 9 ha répartis entre Côte des Blancs et vallée de la Marne. Ces deux terroirs sont rassemblés dans la cuvée **Tradition (11 à 15 € ; 71 000 b.)** qui associe 50 % de chardonnay, 30 % de pinot noir et 20 % de meunier ; ce champagne équilibré, aux arômes de fruits blancs, obtient une citation. La Côte des Blancs est seule représentée dans ce blanc de blancs Prestige millésimé, originaire d'un grand cru. À la robe claire, or vert, animée d'une bulle abondante et fine, répondent un nez frais aux arômes d'agrumes et, en bouche, une vivacité et une minéralité crayeuse et saline qui laissent une impression de pureté cristalline. Un vin d'un indéniable potentiel (cinq ans). (RM)

Voirin-Desmoulins, 24, rue des Partelaines,
51530 Chouilly, tél. 03.26.54.50.30, fax 03.26.52.87.87,
pascale.voirin@wanadoo.fr r.-v.

VOIRIN-JUMEL Blanc de noirs ★

1er cru | 7 000 | 15 à 20 €

Patrick et Alice Voirin, frère et sœur, exploitent un domaine d'une douzaine d'hectares qui propose gîtes, chambres d'hôtes et visite conviviale du domaine « la flûte à la main ». Ils sont établis à Cramant, célèbre grand cru de la Côte des Blancs, mais c'est leur blanc de noirs qui a le plus retenu l'attention. Outre leurs vignes de la Côte des Blancs, ces récoltants exploitent une parcelle de pinot noir à Mareuil-sur-Aÿ, dans la Grande Vallée de la Marne, lieu de naissance de ce 1er cru au nez puissamment fruité mêlant la mirabelle et les fruits rouges. L'attaque est franche, le corps structuré, la finale vive et expressive. Un champagne de table. Le **blanc de blancs grand cru De Courtoisie (10 000 b.)** est cité. Tout en fraîcheur, il marie agrumes et notes grillées sur une matière équilibrée. Parfait pour l'apéritif. (RM)

Voirin-Jumel, 555, rue de la Libération, 51530 Cramant,
tél. 03.26.57.55.82, fax 03.26.57.56.29,
info@champagne-voirin-jumel.com
t.l.j. 9h-11h30 13h30-17h

VRANKEN Demoiselle E.O.

n.c. | 30 à 50 €

Paul-François Vranken a fondé en 1976 sa maison, qui a connu un développement rapide : son groupe, aujourd'hui coté en bourse, possède de nombreuses marques, tant en Champagne (Heidsieck and Co, Pommery, Charles Lafitte) que dans d'autres régions (Provence, Languedoc, Porto). D'abord cuvée spéciale lancée en 1985, Demoiselle est vite devenue une marque à part entière. Ce brut, qui assemble les trois cépages, est habillé d'or pâle. Il présente un nez discrètement floral et une bouche équilibrée et vive qui le destine à l'apéritif. Également citée, la cuvée **Demoiselle rosé** est d'une couleur saumonée pâle et brillante. Son nez vif aux nuances de fruits rouges, de groseille, précède une bouche dominée par la fraîcheur. L'équilibre est apporté par une bonne vinosité. On peut attendre cette bouteille quelques années ou bien la déguster dès aujourd'hui sur un dessert aux fruits rouges. (NM)

Vranken, 56, bd Henry-Vasnier, 51100 Reims,
tél. 03.26.61.62.63 r.-v.
Vranken Pommery Monopole

WARIS ET FILLES Héritage ★

n.c. | 11 à 15 €

Bertrand Waris s'est installé en 1998 sur l'exploitation familiale et a lancé son étiquette en 2002. Son brut Héritage donne la majorité (60 %) au chardonnay, complété par le pinot noir. Il fait preuve d'un réel dynamisme : une effervescence généreuse s'échappe de la robe or pâle ; le nez élégant et frais décline des senteurs florales, minérales et fruitées, nuancées de touches de noisette ; la bouche se montre vive et expressive. Un joli champagne

d'apéritif qui pourrait gagner en complexité et en vinosité au cours des deux prochaines années. (RM)
EARL Waris et Filles, 6, rue d'Oger, 51190 Avize,
tél. 04.67.77.21.42, fax 04.67.00.07.32
t.l.j. 9h30-12h 14h30-17h30
Bertrand Waris

ALAIN WARIS ET FILS Blanc de blancs Cuvée Étrusque ★★

	n.c.		20 à 30 €

Cette exploitation familiale a été fondée en 1898 par Armand Waris, l'arrière-grand-père. Odile et Alain Waris conduisent aujourd'hui un vignoble de 6 ha aux environs d'Avize, grand cru de la Côte des Blancs. Les deux champagnes sélectionnés ne sont pas inconnus de nos fidèles lecteurs, mais ils ont brillé d'un éclat tout particulier cette année. Notamment cette cuvée Étrusque plébiscitée par les jurés, un blanc de blancs alliant vinosité et élégance. Le nez, épanoui, complexe et fin, mêle harmonieusement des notes de pomme, de beurre frais, de fleurs à bulbe à des nuances plus évoluées de marron. Tout aussi aromatique, fondue, onctueuse, la bouche est tonifiée par une fraîcheur qui lui donne beaucoup de relief. Pour un apéritif raffiné, pendant plusieurs années. Également armé pour durer, le **blanc de blancs grand cru (11 à 15 €)** a, lui aussi, reçu deux étoiles pour sa riche palette de beurre, de brioche, de fruits et de noisette, et pour sa bouche fraîche et longue. (RM)
Alain Waris et Fils, 6, rue d'Oger, 51190 Avize,
tél. 03.26.57.87.35, fax 03.26.51.61.45 r.-v.

WARIS-HUBERT Blanc de blancs 2007 ★

Gd cru	n.c.		15 à 20 €

Olivier Waris et son épouse Stéphanie se sont installés en 1997 sur l'exploitation familiale sise à Cramant, grand cru de la Côte des Blancs. Leur vignoble de 8,7 ha s'étend aussi dans le Sézannais, la vallée de l'Ardre et dans la Côte des Bar (Aube). Ce grand cru millésimé provient, lui, du coteau d'Avize, village voisin de Cramant. Sa robe claire aux reflets verts est parcourue d'une bulle fine. Son nez fin se partage entre nuances grillées, torréfiées et citronnées. On retrouve les agrumes dans une bouche vive à l'attaque, charnue et longue, un peu marquée par le dosage. Sa pointe d'amertume en finale et ses saveurs citronnées permettront à cette cuvée d'accompagner pendant quelques années un plateau d'huîtres. (RM)
Waris-Hubert, 227, rue du Moutier, 51530 Cramant,
tél. 03.26.58.29.93, fax 03.26.51.26.57, olivier.waris@orange.fr
t.l.j. 9h-12h 14h-18h

WARIS-LARMANDIER Blanc de blancs Tradition ★

Gd cru	16 000		15 à 20 €

En 2009, Marie-Hélène Larmandier, qui avait perdu son mari en 2000, s'est associée à ses trois enfants. Son fils aîné Jean-Philippe travaille aujourd'hui à ses côtés. Les blancs de blancs constituent l'essentiel de la gamme de ce vignoble (7 ha) principalement implanté en Côte des Blancs. Ce grand cru revêt une robe claire aux reflets verts, traversée de bulles fines. Le bouquet léger mais complexe évoque les agrumes (citron et pamplemousse), le beurre, les fleurs et les fruits blancs (pêche). Gourmande et soyeuse, la bouche est ample, un peu fugace. Ce champagne devrait s'épanouir dans les deux ans qui viennent. Cité, le **rosé**, né de chardonnay (80 %) et de pinot noir, plaît par son nez beurré, avec des nuances de noisette et de pêche blanche, et par sa bouche ample et ronde. (RM)
EARL Waris-Larmandier, 608, rempart du Nord,
51190 Avize, tél. 03.26.57.79.05, fax 03.26.52.79.52,
earlwarislarmandier@wanadoo.fr r.-v.

Coteaux-champenois

Production : 550 hl

Appelés à l'origine vins nature de Champagne, ils devinrent AOC en 1974 et prirent le nom de coteaux-champenois. Tranquilles, ils sont souvent rouges, plus rarement blancs ou rosés ; on les boira avec respect et curiosité historique, en songeant qu'ils sont la survivance de temps antérieurs à la naissance du champagne. Comme ce dernier, ils peuvent naître de raisins noirs vinifiés en blanc (blanc de noirs), de raisins blancs (blanc de blancs) ou encore d'assemblages.

Le coteaux-champenois rouge le plus connu porte le nom de la célèbre commune de Bouzy (grand cru de pinot noir). Dans cette commune, on peut découvrir l'un des deux vignobles les plus étranges au monde (l'autre est situé à Aÿ) : de « vieilles vignes françaises préphylloxériques », conduites en foule, selon une technique immémoriale abandonnée partout ailleurs. Tous les travaux sont exécutés artisanalement, à l'aide d'outils anciens. C'est la maison Bollinger qui entretient ce joyau destiné à l'élaboration d'un rare champagne.

Les coteaux-champenois se boivent jeunes ; à 7-8 °C et avec les plats convenant aux vins très secs pour les blancs ; à 9-10 °C et avec des mets légers (viandes blanches et... huîtres) pour les rouges que l'on pourra, pour quelques années exceptionnelles, laisser vieillir.

HERBERT BEAUFORT Bouzy 2005 ★

	4 200		15 à 20 €

Les Beaufort sont installés depuis plusieurs siècles à Bouzy, où prospère le pinot noir. Ils ont produit des vins tranquilles avant d'élaborer du champagne. Aujourd'hui, Henry et ses fils Hugues et Ludovic, à la tête d'un domaine de 12,5 ha, réservent au bouzy rouge leurs parcelles de vieilles vignes situées au cœur du terroir. Ils ne proposent ce vin que dans les bonnes années, comme 2005. Une vinification en cuve et dix-huit mois de fût pour ce millésime rouge profond, au nez partagé entre la réglisse, le cuir et des notes boisées. Dans le même registre, la bouche, parfaitement équilibrée, offre une charpente solide et soyeuse. À marier dès maintenant avec un filet de bœuf ou avec des rognons de veau.

Herbert Beaufort, 32, rue de Tours-sur-Marne, BP 7, 51150 Bouzy, tél. 03.26.57.01.34, fax 03.26.57.09.08, beaufort-herbert@wanadoo.fr t.l.j. 9h-12h 14h-17h30; f. dim. a.-m du 7 avr. au 30 oct.

GEOFFROY Cumières 2006 ★

	1 900		20 à 30 €

Vignerons à Cumières depuis le XVIIes., les Geoffroy ne proposent du champagne que depuis la dernière guerre. Ils se sont récemment installés à Aÿ, commune elle aussi célèbre pour son pinot noir. Implantées sur le coteau de la rive droite de la Marne, les vignes à l'origine de ce 2006 regardent le sud, exposition favorable à la bonne maturation du raisin. La vinification a été effectuée dans des cuves de chêne ouvertes à chapeau immergé, avec des remontages quotidiens. Le vin a ensuite séjourné douze mois en fût. Vêtu de grenat, il dévoile des arômes de griotte confite qui se prolongent dans une bouche ample, structurée, tapissée de tanins bien marqués. À déboucher dès la sortie du Guide, sur une viande rouge.

René Geoffroy, 4, rue Jeanson, 51160 Aÿ, tél. 03.26.55.32.31, fax 03.26.54.66.50, info@champagne-geoffroy.com r.-v.

FRANCK PASCAL Confiance ★

	1 000		30 à 50 €

Installé dans la vallée de la Marne depuis 1994, Franck Pascal cultive 4 ha de vignes en biodynamie. Pour ce coteaux-champenois, il a assemblé le meunier à 20 % de pinot noir des récoltes 2008 et 2007. Pas de levurage, pas de collage ni de filtration, juste un peu de soufre avant la mise en bouteilles ; neuf mois de cuve et douze mois de fût. Dans le verre, ce vin livre un bouquet expressif de petits fruits rouges et noirs, d'épices et de vanille. Fraîche, charnue et élégante, la bouche ne manque pas de longueur. À découvrir dès maintenant sur une viande blanche.

Franck Pascal, 1 bis, rue Valentine-Regnier, 51700 Baslieux-sous-Châtillon, tél. 03.26.51.89.80, franck.pascal@wanadoo.fr r.-v.

R. POUILLON Mareuil 2007 ★

1er cru	500		15 à 20 €

Moins connu que son voisin d'Aÿ, le terroir de Mareuil bénéficie d'un coteau plein sud, planté majoritairement de pinot noir. Fabrice Pouillon, qui exploite un vignoble de 15 ha très morcelé, avec des parcelles dans douze communes, détient dans cette localité 10 ares de vieilles vignes qu'il a dédiées à cette microcuvée. Une macération de dix-huit jours et un élevage en fût de vingt-quatre mois ont légué à ce coteaux une robe d'un rouge profond, des notes de mûre soulignées de touches boisées et vanillées. Rond à l'attaque, doté de tanins fondus, ce vin se plaira sur toutes les viandes.

R. Pouillon et Fils, 3, rue de la Couple, 51160 Mareuil-sur-Aÿ, tél. 03.26.52.60.08, fax 03.26.59.49.83, contact@champagne-pouillon.com r.-v.

ALFRED TRITANT Bouzy

	1 600	11 à 15 €

Le vignoble des Tritant est implanté sur un terroir de choix : celui de Bouzy, village de la Montagne de Reims classé en grand cru et célèbre depuis le XVIIes. Le pinot noir y prospère. La famille consacre une cinquantaine d'ares à la production de ce vin rare mais fort prisé des amateurs. Son bouzy rouge, né de la récolte 2008, séduit par sa robe soutenue, son nez fin et élégant de cerise à l'eau-de-vie et par ses tanins bien fondus et sa fraîcheur.

Alfred Tritant, 23, rue de Tours, 51150 Bouzy, tél. 03.26.57.01.16, fax 03.26.58.49.56, champagne.tritant@free.fr r.-v.

JEAN VESSELLE Bouzy 2004 ★

Gd cru	4 000		15 à 20 €

La famille Vesselle cultivait déjà la vigne à Bouzy alors que le vin du cru, rouge et sans bulle, était célèbre à la cour. Depuis 1995, Delphine Vesselle, la fille de Jean, conduit ce domaine de 15 ha de vignes, du pinot noir très majoritairement. Son bouzy 2004 a fait l'objet d'une macération de quinze jours puis d'un élevage de deux ans en cuve. D'un rubis profond, il se partage au nez entre les fruits rouges et le cuir, arômes tertiaires que l'on retrouve en bouche. Un vin harmonieux qui pourra être servi dès aujourd'hui et pendant quelques années sur une viande blanche.

Jean Vesselle, 4, rue Victor-Hugo, 51150 Bouzy, tél. 03.26.57.01.55, fax 03.26.57.06.95, champagne.jean.vesselle@wanadoo.fr r.-v.

VEUVE DOUSSOT Chante Merle Vieilli en fût de chêne 2009

	2 000		8 à 11 €

La Côte des Bar, dans l'Aube, est l'autre terre champenoise du pinot noir. Stéphane Joly, à la tête de l'exploitation familiale, tire aussi de ce cépage un coteaux-champenois rouge. Il y consacre une parcelle de 20 ares, située au lieu-dit Chante Merle. Élevé un an en fût, le 2009 mêle au nez des notes de cuir, de sous-bois et de poivre. La bouche, équilibrée, montre des tanins assez marqués en finale. À attendre deux ans.

SARL Chatet, 1, rue Chatet, 10360 Noé-les-Mallets, tel. 03.25.29.60.61, fax 03.25.29.11.78, champagne.veuve.doussot@wanadoo.fr t.l.j. sf dim. 9h-12h 14h-17h; sam. 9h30-12h30

Joly

Rosé-des-riceys

Production : 360 hl

Les trois villages des Riceys (Haut, Haute-Rive et Bas) sont situés à l'extrême sud de l'Aube, non loin de Bar-sur-Seine. La commune accueille les trois appellations: champagne, coteaux-champenois et rosé-des-riceys. Ce dernier est un vin tranquille, l'un des meilleurs rosés de France. Déjà apprécié par Louis XIV, il aurait été apporté à Versailles par les canats, spécialistes réalisant les fondations du château, originaires des Riceys.

Ce rosé est issu de la vinification par macération courte de pinot noir, dont le degré alcoolique naturel ne peut être inférieur à 10 % vol. Il faut interrompre la macération – saigner la cuve – à l'instant précis où apparaît le « goût des Riceys » (un goût d'amande et de fruits rouges) qui, sinon, disparaît. Ne sont labellisés que les rosés marqués par ce goût spécial. Élevé en cuve, le rosé-des-riceys se boit jeune, à 8-9 °C, à l'apéritif ou en entrée ; élevé en pièce, il mérite d'attendre entre trois et cinq ans, et on le servira alors à 10-12 °C pendant le repas.

M. CHEVROLAT 2009

2 000 | 11 à 15 €

Installé en 1984, Michel Chevrolat cultive 7 ha de vignes plantés majoritairement en pinot noir, dont il consacre toujours quelques parcelles à l'appellation locale. Son 2009 a macéré en grappes entières dans des cuves ouvertes, puis jus de goutte et jus de presse ont été assemblés. Il en résulte un vin à la robe soutenue et au nez puissant et vineux, sur les fruits rouges, relevé de touches légèrement épicées. Ce fruité se prolonge dans une bouche à la fois souple, fraîche et de bonne longueur. Pour un magret de canard grillé ou un dessert aux fruits rouges. (RM)

EARL Michel Chevrolat, 7 bis, rue du Pont, 10340 Les Riceys, tél. 03.25.29.99.64, fax 03.25.29.75.24, champagne.mchevrolat@cder.fr r.-v.

MOREL PÈRE ET FILS 2008 ★

8 000 | 11 à 15 €

Très attachée à la production locale, cette propriété a longtemps commercialisé le rosé-des-riceys avant de se lancer dans la vente du champagne sous sa propre étiquette. Ce 2008 naît d'une macération semi-carbonique de pinot noir en grappes entières durant cinq jours dans des cuves Inox, suivie d'un pressurage doux et d'un élevage de dix à douze mois dans des fûts de réemploi. Il en résulte un rosé clair, aux reflets orangés. Le nez dévoile des arômes de fruits mûrs et de cuir. La bouche apparaît ronde, équilibrée, assez charpentée. À servir dès la sortie du Guide sur un filet de bœuf.

Morel Père et Fils, 93, rue du Gal-de-Gaulle, 10340 Les Riceys, tél. 03.25.29.10.88, fax 03.25.29.66.72, morel.pereetfils@wanadoo.fr r.-v.

VINCENT LAMOUREUX 2009

1 680 | 11 à 15 €

Cette marque est née en 1987 de la réunion de l'exploitation de Sylviane Vincent avec celle de Jean-Michel Lamoureux. Ce 2009 provient de deux lieux-dits très pentus, Le Petit Charmoy et Val Preuse, réputés pour la qualité des rosés qui y naissent. La robe soutenue annonce un nez d'une belle finesse, associant la cerise à une pointe de minéralité. Le palais dévoile une matière fruitée, équilibrée et fraîche, légèrement tannique. Tout indiqué pour un chaource, fromage produit non loin des Riceys.

EARL Lamoureux-Vincent, 2, rue du Sénateur-Lesaché, 10340 Les Riceys, tél. 03.25.29.39.32, fax 03.25.29.80.30, lamoureux-vincent@wanadoo.fr r.-v.

LE JURA, LA SAVOIE ET LE BUGEY

CÔTES-DU-JURA ARBOIS
L'ÉTOILE CHÂTEAU-CHALON
CRÉMANT MACVIN
VIN-DE-SAVOIE ROUSSETTE
BUGEY CERDON VIN JAUNE
VIN DE PAILLE SAVAGNIN
MONDEUSE

LE JURA

Superficie
1 950 ha
Production moyenne
86 000 hl
Types de vins
Blancs pour les deux tiers, rouges et rosés (un tiers), effervescents.
Spécialités : vins jaunes (vins de voile) et liquoreux (vins de paille).
Cépages
Rouges : pinot noir, poulsard (ou ploussard), trousseau.
Blancs : chardonnay, savagnin.

Faisant pendant à celui de la Bourgogne, le vignoble du Jura, soumis à un climat plus continental, est plus limité en superficie. Pinot noir et chardonnay, les cépages du vignoble bourguignon, y prospèrent, donnant aussi bien des vins tranquilles que le crémant-du-jura, qui a trouvé son public. Cependant, le Jura choie également des cépages autochtones : en rouge, le trousseau et le poulsard ; en blanc, le savagnin. Les amateurs prisent particulièrement des productions aussi originales que confidentielles, telles que le vin de paille, le macvin et le vin jaune.

Face à la Côte d'Or Le vignoble, situé sur la rive gauche de la Saône, occupe les pentes qui descendent du premier plateau des monts du Jura vers la plaine, selon une bande nord-sud traversant tout le département, de la région de Salins-les-Bains à celle de Saint-Amour. Ces pentes, beaucoup plus dispersées et irrégulières que celles de la Côte-d'Or, se répartissent sous toutes les expositions, à une altitude se situant entre 250 et 400 m.

Nettement continental, le climat voit ses caractères accusés par l'orientation générale en façade ouest et par les traits spécifiques du relief jurassien, notamment l'existence des « reculées » ; les hivers sont très rudes et les étés très irréguliers, mais avec souvent beaucoup de journées chaudes. La vendange se prolonge parfois jusqu'à novembre en raison des différences de précocité entre les cépages. Les sols marneux et argileux sont en majorité issus du trias et du lias, surtout dans la partie nord, ainsi que des calcaires qui les surmontent, surtout dans le sud du département. Les cépages locaux sont parfaitement adaptés à ces terrains. Ils nécessitent toutefois un mode de conduite assez élevé au-dessus du sol, pour éloigner le raisin d'une humidité parfois néfaste à l'automne. C'est la taille dite « en courgées », longs bois arqués que l'on retrouve sur les sols semblables du Mâconnais. La culture de la vigne est ici très ancienne : elle remonte au moins au début de l'ère chrétienne si l'on en croit les textes de Pline ; et il est sûr que le vin du Jura, qu'appréciait tout particulièrement Henri IV, était fort en vogue dès le Moyen Âge.

Pleine de charme, la vieille cité d'Arbois, si paisible, est la capitale de ce vignoble ; on y évoque le souvenir de Pasteur qui, après y avoir passé sa jeunesse, y revint souvent. C'est là, de la vigne à la maison familiale, qu'il mena ses travaux sur les fermentations, si précieux pour la science œnologique ; ils devaient, entre autres, aboutir à la découverte de la « pasteurisation ».

Des vins originaux Des cépages locaux voisinent avec d'autres, issus de la Bourgogne. Le poulsard (ou ploussard) est propre aux premières marches des monts du Jura ; il n'a été cultivé, semble-t-il, que dans le Revermont, ensemble géographique incluant également le vignoble du Bugey, où il porte le nom de mècle. Ce raisin à gros grains oblongs, très parfumé et peu coloré, contient peu de tanin. C'est le cépage type des vins rosés, vinifiés ici le plus souvent comme des rouges. Le trousseau, autre cépage local, est en revanche riche en couleur et en tanin. Il donne naissance à des vins rouges caractéristiques des appellations d'origine du Jura. Le pinot noir, venu de la Bourgogne, est utilisé en assemblage ou vinifié seul. Il contribue aussi, avec le chardonnay, au crémant-du-jura. Le chardonnay, comme en Bourgogne, réussit ici parfaitement sur les terres argileuses, où il apporte aux vins blancs leur bouquet inégalable. Le savagnin, cépage blanc local, cultivé sur les marnes les plus ingrates, donne, après plus de six ans d'élevage spécial dans des fûts en vidange (non ouillés), le vin jaune, un vin de garde vif, riche et complexe, fruit d'une patiente vinification sous voile du savagnin. Le vin de paille, un liquoreux, et le macvin, un vin de liqueur, sont deux autres productions réputées du Jura.

Les vins blancs et rouges sont de style classique, mais, du fait semble-t-il d'une attraction pour le vin jaune, on cherche à leur donner un caractère très évolué, presque oxydé. Au début du XX^{e}s., on trouvait même des vins rouges de plus de cent ans, mais on est maintenant revenu à des évolutions plus normales.

Le rosé, quant à lui, est en fait un vin rouge peu coloré et peu tannique, qui se rapproche souvent plus du rouge que du rosé des autres vignobles. De ce fait, il est apte à un certain vieillissement. Il ira très bien sur les mets assez légers, les vrais rouges – surtout issus de trousseau – étant réservés à des viandes rouges. Le blanc a les usages habituels, viandes blanches et poissons ; s'il est vieux, il sera un bon partenaire du comté. Le vin jaune excelle sur ce fromage, mais aussi sur le roquefort et sur le célèbre poulet au vin... jaune.

Arbois

Superficie : 812 ha
Production : 30 000 hl (54 % rouge et rosé ; 45 % blanc et jaune ; 1 % vin de paille)

La plus connue des appellations d'origine du Jura s'applique à tous les types de vins produits sur douze communes de la région d'Arbois. Il faut rappeler l'importance des marnes triasiques dans cette zone, et la qualité toute particulière des « rosés » de poulsard qui sont issus des sols correspondants. Réputé justement pour ses vins de poulsard, le village de Pupillin peut faire figurer son nom sur les étiquettes à côté de celui d'Arbois.

FRUITIÈRE VINICOLE D'ARBOIS Pinot noir 2009 ★★

■ 20 000 5 à 8 €

Si 1906 est l'année de la réhabilitation du capitaine Dreyfus, ou d'une loi qui rend le repos hebdomadaire obligatoire, c'est aussi l'année de naissance de la Fruitière vinicole d'Arbois. Cent trois millésimes plus tard, la coopérative présente ce pinot noir d'un rouge profond. Au nez, la prune mûre et les fruits rouges nous emmènent vers un côté confit. La bouche, tannique, riche mais équilibrée, offre un bel instant d'harmonie. Un vin de garde assurément, mais qui peut se déguster tout de suite. Toujours en rouge, le **trousseau 2009 (8 à 11 €; 20 000 b.)** obtient une étoile. Fruité au nez (fraise écrasée), il est soyeux en bouche. On appréciera son fruit dès maintenant. Le **vin jaune 2004 (20 à 30 €; 10 000 b.)** obtient la même note. Noisette, noix fraîche et curry sont au rendez-vous du nez. Sans avoir une charpente et une concentration exceptionnelles, il offre une belle occasion de découvrir ce style de vin si particulier.

Fruitière vinicole d'Arbois, 2, rue des Fossés, 39600 Arbois, tél. 03.84.66.11.67, fax 03.84.37.48.80, contact@chateau-bethanie.fr t.l.j. 10h-12h 15h-18h

CAVEAU DE BACCHUS Réserve du caveau Cuvée des Géologues 2010 ★

■ 3 500 11 à 15 €

Salarié viticole dans un lycée agricole puis sur l'exploitation familiale jusqu'en 1991, Vincent Aviet alias le « pt'iot Bacchus » s'est ensuite associé avec son père, Lucien Aviet. Les générations passent, mais les cuvées mythiques de la maison restent, millésime après millésime. Cette Réserve de trousseau allie au nez les fruits rouges et les épices. Le fruité persiste dans une bouche relevée d'une belle fraîcheur. Pour des grillades réussies, dès aujourd'hui. Une étoile revient aussi au **vin jaune cuvée de la Confrérie (30 à 50 €; 1 000 b.)**, qui développe un nez de pain grillé, de pomme mûre et de cire. Sa bouche, assez chaleureuse, devrait bien évoluer : on peut boire cette bouteille tout de suite mais aussi l'attendre.

Vincent Aviet, Caveau de Bacchus, rue Boutière, 39600 Montigny-lès-Arsures, tél. et fax 03.84.66.11.02 r.-v.

PAUL BENOIT ET FILS Pupillin La Grande Chenevière 2010 ★★

■ 1 200 20 à 30 €

Les caves qui ont vu grandir ce pinot noir se situent sur un ancien lieu de culture du chanvre nommé la Chenevière. Élevée en fût pendant huit mois, cette cuvée a la couleur framboise des grands jours. Son bouquet, d'abord fruité, offre aussi des nuances de cuir. Frais et gouleyant, le palais est unanimement apprécié pour son équilibre et sa finesse. Un vin subtil, harmonieux, et prêt à boire. Toujours en rouge, le **ploussard Pupillin 2010 (8 à 11 €; 4 000 b.)** décroche lui aussi deux étoiles. Typique, intense, le nez dévoile quelques nuances animales que l'on retrouve aussi en bouche. Ronde et chaleureuse, cette dernière livre une longue finale. À déguster sans attendre avec un saucisson brioché.

Paul Benoit et Fils, rue du Chardonnay, La Chenevière, 39600 Pupillin, tél. 03.84.37.43.72, fax 03.84.66.24.61, paul-benoit-et-fils@orange.fr t.l.j. sf dim. 9h-19h

DOM. DE LA BORDE Pupillin Chardonnay Caillot 2009 ★

1 200 5 à 8 €

Caillot, pour « très caillouteux », est une des parcelles du domaine qui s'essaye à la biodynamie depuis quelques années. D'ores et déjà 3 ha, sur les 5 que compte la propriété, sont cultivés sans produits de synthèse, avec labours et buttages notamment. Or clair, ce vin de chardonnay a fermenté en fût de quatre à cinq vins puis été élevé sur lies pendant vingt-quatre mois. Fleurs blanches en première approche, le nez s'intensifie à l'aération sur des tons briochés. Fraîche et délicate, la bouche n'en fait pas des tonnes mais développe un joli caractère fruité, mariant la pêche et l'écorce d'orange.

Julien Mareschal, Dom. de la Borde, chem. des Vignes, 39600 Pupillin, tél. 03.84.66.25.61, julien.mareschal@free.fr t.l.j. sf dim. 9h-19h

JOSEPH DORBON Les Bernardines Vieilles Vignes 2009 ★★

■ 1 200 5 à 8 €

Les plus vieilles vignes du domaine, comme celles qui ont donné ce vin, sont travaillées à l'aide du cheval. Assemblage de 50 % de poulsard, 30 % de pinot et 20 % de trousseau, ce 2009 tire parti de ce qu'il y a de meilleur dans chacun de ces cépages si différents. D'un rouge intense aux reflets de framboise, il dévoile au nez de riches nuances de fruits rouges qui voient les épices les accompagner. Aucune timidité chez nos trois mousquetaires, chacun participe à une bouche équilibrée, ronde et fraîche. Une belle harmonie. Le **savagnin 2004 (11 à 15 € ; 1 800 b.)** est par ailleurs cité. Élevé sous voile, il offre un nez de miel et de pomme au four, suivi d'une bouche très chaleureuse.

Joseph Dorbon, 3, pl. de la Liberté, 39600 Vadans, tél. et fax 03.84.37.47.93, joseph.dorbon@wanadoo.fr t.l.j. 10h-12h 14h-19h

DOM. DANIEL DUGOIS
Trousseau Grevillière 2009 ★★★

6 600 | 8 à 11 €

Depuis 2007, le domaine est cogéré par Daniel et par son fils Philippe. Ce dernier, comme un certain nombre de jeunes viticulteurs, est allé voir du côté de l'Australie et de l'Afrique du Sud avant de s'installer. Bien jurassien, leur trousseau s'affiche ostensiblement dans une robe d'un rouge intense. Le bouquet offre une belle expression du cépage, associant fruité, épices et notes animales. L'attaque plaisante, équilibrée, dévoile de jolis arômes de fruits mûrs au sein d'une structure ample et enrobée, qui « tapisse » littéralement le palais. Il est temps de réunir vos meilleurs amis devant un lièvre à la royale... Cité, le **vin jaune 2005 (20 à 30 € ; 3 300 b.)** a du potentiel, même s'il semble plus miser sur l'élégance que sur la puissance.

Dom. Daniel Dugois, 4, rue de la Mirode, 39600 Les Arsures, tél. 03.84.66.03.41, fax 03.84.37.44.59, daniel.dugois@wanadoo.fr r.-v.

SYLVAIN FAUDOT Chardonnay Le Clos 2010 ★

3 100 | 5 à 8 €

Une nouvelle cuverie, plus moderne, a vu le jour dans l'exploitation de Sylvain Faudot, avec notamment la thermorégulation automatique des cuves. Élevé sous bois pendant un an, ce chardonnay offre un bouquet discret aux notes de fleurs et de fruits blancs. On peut regretter qu'il n'ait pas un peu plus de mordant, mais la bouche séduit par son volume et ses arômes de fruits exotiques d'une belle persistance, teintés de vanille en finale. À apprécier sur des ris de veau ou une volaille, dès aujourd'hui.

Sylvain Faudot, 13, rte de Salins, 39600 Saint-Cyr-Montmalin, tél. et fax 03.84.37.41.03, sylvain.faudot-vigneron@orange.fr t.l.j. sf dim. 10h-12h 13h30-19h

RAPHAËL FUMEY ET ADELINE CHATELAIN
Chardonnay 2009 ★

4 000 | 5 à 8 €

Ce vin de chardonnay à la robe pâle a été élevé un an en cuve Inox puis un an en foudres de 30 hl. Très aromatique, à en être presque entêtant de prime abord, il livre au nez un fruité exubérant sur l'amande et la poire. Tout naturellement, la bouche suit cette tendance. Ronde à l'attaque, équilibrée, elle repose sur une jolie fraîcheur et pourra être appréciée dès la sortie du Guide. Cité, le **trousseau 2009 (4 000 b.)** offre une trame légère enrobée de fruits rouges.

Raphaël Fumey et Adeline Chatelain, quartier Saint-Laurent, 39600 Montigny-lès-Arsures, tél. 03.84.66.27.84, fax 03.84.66.18.72, contact@fumey-chatelain.fr t.l.j. sf dim. 10h30-18h30

MICHEL GAHIER Trousseau La Vigne du Louis 2010 ★★

2 000 | 8 à 11 €

« Le Louis » n'est autre que le frère de Michel Gahier, à qui cette vigne de trousseau est louée. Une autre cuvée du même cépage, baptisée « Grands Vergers » a plusieurs fois eu les honneurs du Guide dans de précédentes éditions. Issu de vignes cultivées « sans chimie », sans qu'il y ait pour autant de certification en agriculture biologique, ce trousseau se pare d'un rouge soutenu. Intense également, très ouvert, le bouquet joue sur les fruits rouges, appuyés par un fond de cuir. La bouche ne fait pas exception à cette ligne de conduite : les tanins marquent le palais d'une puissance qui va s'atténuer d'ici deux à trois ans. Gibier à plume ou canard sont les accords gourmands à privilégier.

Michel Gahier, 4, pl. de l'Église, 39600 Montigny-lès-Arsures, tél. 03.84.66.17.63, michel.gahier@free.fr r.-v.

DOM. HORDÉ Chardonnay Les Fouilles 2010

1 173 | 5 à 8 €

Yves Hordé a quitté Reims en 2007 pour venir assouvir sa passion vigneronne à Port-Lesney. Dans le haut Jura proche, on trouve de la grande gentiane jaune dont on recueille la racine pour en faire de l'eau-de-vie. Le parfum de cette plante semble justement se retrouver dans le bouquet de ce chardonnay, annonçant une bouche nette et délicate, à la matière fine, empreinte d'une certaine vivacité.

Yves Hordé, 14, rue du Port, 39600 Port-Lesney, tél. 03.84.73.89.24, yves.horde39@orange.fr r.-v.

HUGHES BEGUET Pupillin Côte de Feule 2010 ★★

1 100 | 11 à 15 €

Patrice Hughes Beguet, ancien consultant informatique, s'est installé en 2009 après avoir étudié l'œnologie. Il s'est tout de suite mis à l'agriculture biologique, mais règle de conversion oblige, il faudra attendre un peu avant la certification. Rouge carminé, ce ploussard joue au nez entre notes animales et petits fruits rouges. La bouche, d'entrée franche et nette, offre le même profil aromatique, intense, teinté d'une fine minéralité. Encore jeune, cet arbois est déjà très plaisant à la dégustation mais pourra aussi rester un peu en cave.

Dom. Hughes Beguet, 1, rue Bardenet, 39600 Mesnay, tél. et fax 03.84.66.26.39, patrice@hughesbeguet.com r.-v.

DOM. LIGIER PÈRE ET FILS Vin jaune 2005 ★

1 500 | 20 à 30 €

Auteur d'un coup de cœur en savagnin dans la précédente édition du Guide, ce domaine a été créé en 1986 avec seulement 70 ares de vignes. Fort de 10 ha aujourd'hui, il a continué à investir régulièrement, notamment dans la construction (en 2002) d'un chai adapté au vieillissement des vins jaunes. Visiblement, ces derniers s'y plaisent. Celui-ci mêle noix et pomme au nez, tandis que la bouche, solide, présente une finale un peu chaleureuse. Dans un autre univers, le **trousseau 2010 (8 à 11 €; 3 000 b.)** est cité. C'est un rouge léger, à accorder avec une saucisse de morteau.

Dom. Ligier, 56, rue de Pupillin, 39600 Arbois, tél. 03.84.66.28.06, fax 03.84.66.24.38, gaec.ligier@wanadoo.fr t.l.j. sf dim. 9h30-18h30

FRÉDÉRIC LORNET Vin jaune 2005 ★★

	6 000		20 à 30 €

Si vous reconnaissez cette étiquette, c'est peut-être simplement parce que vous l'aviez repérée dans la précédente édition du Guide. En effet, le vin jaune de Frédéric Lornet était déjà coup de cœur dans sa version 2004. Né et élevé dans l'ancienne abbaye de Genne, il semble décidément béni des dieux. Intensément doré à l'œil et légèrement vanillé au nez, il a fait vibrer les dégustateurs qui ont loué, avant sa structure, sa finesse et sa persistance aromatiques. La noix est bien présente et appelle le traditionnel coq au vin jaune et aux morilles. En rouge, le **trousseau 2010 (8 à 11 €; 10 000 b.)** est cité. Il est déjà prêt.

Frédéric Lornet, L'Abbaye, 39600 Montigny-lès-Arsures, tél. 03.84.37.45.10, fax 03.84.37.40.17, frederic.lornet@orange.fr t.l.j. 9h-19h

DOM. MARTIN-FAUDOT Trousseau 2010

	6 000		11 à 15 €

Vous trouverez le caveau de vente en vous promenant sous les arcades de la jolie petite ville d'Arbois. Couleur cerise aux reflets violacés, ce trousseau séduit au nez par son expression fruitée rappelant notamment la fraise écrasée. Le parti pris de vinification semble avoir privilégié le fruit et la fraîcheur à la structure, qui apparaît ici légère. À apprécier au cours des deux années à venir.

Dom. Martin-Faudot, 19, rue Bardenet, 39600 Mesnay, tél. 03.84.66.29.97, fax 03.84.66.29.84, info@domaine-martin.fr r.-v.

DOM. OVERNOY-CRINQUAND
Pupillin Savagnin 2008 ★

	1 500		15 à 20 €

Cela fait maintenant de nombreuses années que l'exploitation est certifiée en agriculture biologique. Elle propose un savagnin élevé en fût, sans ouillage, pendant quarante mois. Autant dire qu'il ne s'agit pas d'unprimeur ! Le nez, intense et fruité, fait aussi appel aux épices (curry). La bouche, chaleureuse, s'assoit sur une belle acidité qui assure à ce 2008 un grand avenir. Riche en matière aromatique, long et puissant, c'est un vin qui a de la personnalité à revendre et qui devra s'assagir avec cinq ans de garde.

Dom. Overnoy-Crinquand, chem. des Vignes, 39600 Pupillin, tél. 03.84.66.01.45, domaine_overnoycrinquand@yahoo.fr t.l.j. 9h-12h 13h30-18h, dim. sur r.-v.

DÉSIRÉ PETIT Pupillin Vin de paille 2008 ★★★

	5 000		20 à 30 €

Chaque génération apporte sa touche à l'édifice. Quatre-vingts ans après la création du domaine par Désiré, ses petits-enfants conservent l'essentiel mais s'adonnent à quelques expérimentations comme une cuvée sans soufre. L'âme de la maison et son savoir-faire s'expriment pleinement dans cette bouteille, petite par la taille mais grande par le contenu. Couleur caramel, elle livre une incroyable complexité au nez : cacao, abricot, vanille, orange, pruneau, figue, épices... Cette liste se déclinerait encore si la bouche ne venait capter les sens à

Le Jura

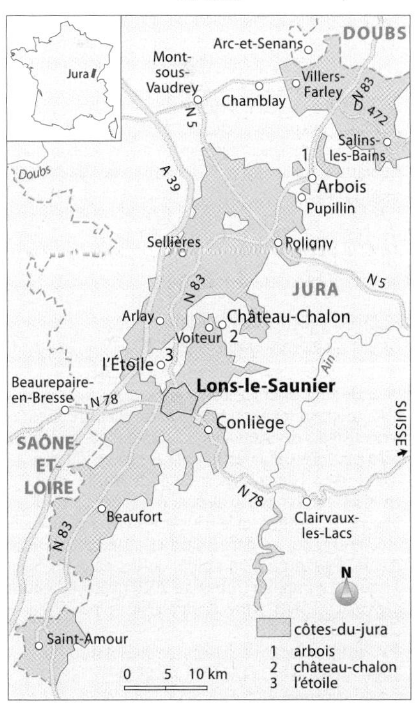

nouveau dans un velouté remarquable. Le raffinement à l'état pur. Si une tarte Tatin ne la trahirait pas, il semble que cette bouteille se suffise à elle-même. (Bouteilles de 37,5 cl.) Avec pour sa part une étoile, le **Pupillin L'Essen'Ciel 2010 (8 à 11 €; 3 000 b.)** est un vin de savagnin élevé en barrique ouillée, porté par la vivacité de la jeunesse et au joli potentiel. Pour une poêlée de saint-jacques d'ici un à deux ans.

Dom. Désiré Petit, rue du Ploussard, 39600 Pupillin,
tél. 03.84.66.01.20, fax 03.84.66.26.59,
contact@desirepetit.com t.l.j. 8h30-12h 14h-19h

DOM. DE LA PINTE Pupillin Chardonnay 2009 ★

9 900 | 8 à 11 €

Le nouveau directeur du domaine, Bruno Ciofi, se charge de veiller à l'application des principes de la biodynamie – certifiée depuis la récolte 2009. Il présente un chardonnay à la robe jaune assez soutenu, dont le nez est qualifié de mûr et fruité par le jury. La bouche, cohérente avec le bouquet, présente une belle rondeur, à la limite de la sucrosité, sans atteindre cependant la lourdeur. Le **poulsard de l'Ami Karl 2010 (7 700 b.)** est par ailleurs cité : s'il manque un peu de longueur, ce rouge fruité et épicé offre un bel équilibre sur la rondeur.

Dom. de la Pinte, rte de Lyon, 39600 Arbois,
tél. 03.84.66.06.47, fax 03.84.66.24.58, contact@lapinte.fr
t.l.j. 9h-12h 14h-18h; sam. dim. sur r.-v.
Pierre Martin

FRÉDÉRIC PUFFENEY Trousseau 2009 ★

650 | 8 à 11 €

Issu d'une famille de vignerons de Montigny-lès-Arsures, Frédéric Puffeney s'est installé en 2006 après dix ans de pluriactivité. Élevé en cuve pendant huit mois, puis sous bois pendant dix mois, ce trousseau se pare d'un beau rouge déjà légèrement évolué. Poivré, le nez est agréable et typé. La bouche, douce et chaleureuse, livre une finale aux accents réglissés. Rien ne sert d'attendre, ce 2009 accompagnera dès aujourd'hui un jambon chaud. Le **naturé 2008 (900 b.)**, cité, est en fait un savagnin ouillé. Noisette et caramel au nez, il se fait très vif en bouche.

Frédéric Puffeney, 17, rue de la Résistance,
39600 Vadans, tél. 06.67.20.81.94, fax 03.84.37.58.36,
frederic.puffeney@orange.fr r.-v.

FRUITIÈRE VINICOLE DE PUPILLIN
Pupillin Chardonnay Grande Réserve 2010 ★

8 420 | 8 à 11 €

De trois ans plus jeune que sa consœur d'Arbois, cette coopérative est tout de même centenaire. Issue de vieilles vignes de chardonnay, sa Grande Réserve, jaune pâle aux reflets d'or vert, a été élevée en fût pendant douze mois. Elle en ressort avec un nez expressif, sur les fleurs et les fruits blancs, délicatement miellé et brioché. L'attaque souple fait place à une bouche équilibrée et fraîche, toujours fruitée et nuancée d'un boisé discret. Parfait pour un sandre ou des coquilles Saint-Jacques. Le **Pupillin trousseau 2010 (5 600 b.)** obtient une citation : léger, porté par des tanins un peu rustiques, il est prêt.

Fruitière vinicole de Pupillin, rue du Ploussard,
39600 Pupillin, tél. 03.84.66.12.88, fax 03.84.37.47.16,
info@pupillin.com t.l.j. 8h30-12h 14h-18h

LA CAVE DE LA REINE JEANNE Pinot noir
Les Rusards 2010 ★

5 000 | 8 à 11 €

Cette cuvée de négoce (achat de raisin) est issue d'une sélection de parcelles à dominante calcaire. Élevée un an en fût, elle a été mise en bouteilles sans filtration. Rouge sombre, c'est une bouteille dont l'intensité ne s'arrête pas à la robe. Le nez, au fruité caractéristique (fruits rouges), est lui aussi puissant. Les tanins bien présents en bouche laissent deviner une belle capacité de vieillissement, même si l'ensemble peut être apprécié dès 2013.

Cellier des Tiercelines, 54, Grande-Rue,
39600 Arbois, tél. 03.84.37.36.09,
benoitmulin@cavereinejeanne.com

DOM. DE LA RENARDIÈRE Pupillin Les Vianderies 2009 ★★

3 000 | 8 à 11 €

Le moût de ces vieilles vignes de chardonnay a été mis à fermenter dans des fûts de 500 l sans levurage. Après un élevage de dix-huit mois, c'est un vin jaune clair aux reflets verts, au nez racé, intense et mûr, qui se présente à nous. Les impressions fruitées, minérales et florales s'y côtoient en harmonie. Ample et généreuse, la bouche développe une trame soyeuse sur le citron confit et le pain grillé. Une richesse agréablement contrebalancée par une fine vivacité. En rouge, le **Pupillin trousseau 2010 (3 000 b.)** décroche une étoile. Il penche au nez du côté des fruits rouges, avec des notes animales. La bouche assez chaleureuse finit sur une touche réglissée. Pour un faisan au chou, par exemple.

Dom. de la Renardière, rue du Chardonnay,
39600 Pupillin, tél. 03.84.66.25.10, renardiere@libertysurf.fr
t.l.j. 10h-12h 14h-18h30; dim. sur r.-v.
Jean-Michel Petit

DOM. ROLET Tradition 2006 ★★

15 000 | 11 à 15 €

Une édition du Guide sans le domaine Rolet ? Cela semble difficile, tant cette importante propriété a su conserver un niveau qualitatif élevé, reconnu au-delà de nos frontières puisque l'exportation représente presque 20 % de ses ventes. Ce Tradition est un assemblage de savagnin (60 %) et de chardonnay, élevé en barrique et en foudre pendant pas moins de cinq ans. D'un beau jaune doré, il dégage une forte identité jurassienne dès le premier nez : la noix fraîche se drape d'épices dans un élan flatteur. Avec des accents qui rappellent le fameux vin jaune, la bouche puissante mais équilibrée évoque la pomme et l'amande. Harmonieux, long et fortement identitaire, ce 2006 ne laissera pas indifférent. En rouge, le **trousseau 2009 (8 à 11 €; 16 000 b.)**, noté une étoile, offre un fruité friand et expressif. Pour un jambon à l'os.

Rolet Père et Fils, Montesserin, rte de Dole,
39600 Arbois, tél. 03.84.66.00.05, fax 03.84.37.47.41,
rolet@wanadoo.fr t.l.j. 9h-12h 14h-18h30

CELLIER SAINT-BENOIT Pupillin Ploussard
Vieilles Vignes 2010

1 000 | 5 à 8 €

Dans le petit village jurassien de Pupillin, la vigne et le vin dominent l'activité économique, mais aussi sociale. Le club du troisième âge a ainsi pris le nom de « Grappe pupillanaise ». Loin d'être arrivé au stade de la retraite, ce ploussard issu de vignes de quarante-cinq ans offre un fruité discret qui tourne autour de la sympathique groseille. Fraîche et équilibrée, la bouche montre une belle typicité.

Cellier Saint-Benoit, rue du Chardonnay, 39600 Pupillin, tél. et fax 03.84.66.06.07, celliersaintbenoit@wanadoo.fr
t.l.j. 9h-19h
Denis Benoit

DOM. DE SAINT-PIERRE Chardonnay Les Brûlées 2009 ★

7 500 | 11 à 15 €

Hubert et Renaud Moyne ont acquis en 2011 la certification de leur vignoble en agriculture biologique : ce millésime, antérieur, ne porte donc pas encore le logo. Élevé en partie en fût, vêtu d'une robe d'or soutenu, ce blanc ne peut nier son parcours : ses quelques senteurs minérales se mêlent à un boisé franc. Suivant la même route, la bouche est marquée par l'élevage, avec une certaine vivacité, notamment en finale. La **cuvée F 2010 rouge (8 à 11 € ; 3 000 b.)** est un assemblage de ploussard et de pinot noir. Dominée par les fruits rouges, d'une belle rondeur, elle est assez éloignée des rouges jurassiens traditionnels. Elle est citée.

Dom. de Saint-Pierre, 6, rue du Moulin, 39600 Mathenay, tél. 03.84.73.97.23, fax 03.84.37.59.48, domainedesaintpierre2@wanadoo.fr
t.l.j. 10h-12h 15h-19h
Renaud Moyne

JEAN-LOUIS TISSOT Trousseau 2009 ★

8 000 | 8 à 11 €

La famille Tissot est depuis longtemps dans la viticulture. Parmi les aïeux, on trouve même un des fondateurs de la fruitière vinicole d'Arbois ainsi qu'un « champagniseur » – comme on disait autrefois. Aujourd'hui, Jean-Christophe et Valérie sont à la tête du domaine, qui s'étend sur 16 ha. Caractéristique, le nez de leur trousseau valse entre fruits rouges et épices. La bouche puissante et chaleureuse offre une longue finale et commence à montrer un début d'évolution : on dégustera donc cette bouteille dès la sortie du Guide.

Jean-Louis Tissot, Vauxelles, 39600 Montigny-lès-Arsures, tél. 03.84.66.13.08, fax 03.84.66.08.09, jean.louis.tissot.vigneron.arbois@wanadoo.fr
t.l.j. 9h-12h 14h-18h; dim. sur r.-v.

DOM. DE LA TOURAIZE Terres bleues 2010 ★

700 | 8 à 11 €

Issu d'une lignée de vignerons depuis quatre générations, André-Jean Morin a d'abord été adhérent à une cave coopérative avant de se lancer en 2010 dans la vinification. Voici son premier millésime : un savagnin régulièrement ouillé pendant ses dix-huit mois de fût. On n'y retrouve donc pas tous les caractères typiques de l'élevage oxydatif. Fleur de sureau au nez, il offre une bouche très ronde, encline à la douceur plutôt qu'à la vivacité tout en gardant une belle élégance. On peut le boire sans attendre.

NOUVEAU PRODUCTEUR

Dom. de la Touraize, 69, rue de Courcelles, 39600 Arbois, tél. 06.83.41.74.60, aj.morin@wanadoo.fr r.-v.
André-Jean Morin

DOM. CÉLINE ET RÉMI TREUVEY
Chardonnay Cuvée Le Louis 2010 ★★

2 500 | 5 à 8 €

C'est le grand-père de Rémi Treuvey qui a planté, il y a cinquante-cinq ans, les vignes de chardonnay qui ont donné naissance à ce blanc or pâle. Le « Louis » serait certainement heureux de sentir ce nez joliment fruité à base de poire mais aussi de fleurs blanches. La bouche vive, d'une belle intensité, affiche une splendide complexité aromatique. La finale sur des notes de mandarine, en particulier, n'a pas laissé les dégustateurs indifférents. Une harmonie déjà parfaite, mais qui saura se faire apprécier pendant de nombreuses années.

Dom. Céline et Rémi Treuvey, 18, Petite-Rue, 39600 Villette-lès-Arbois, tél. 03.84.66.14.51, commercial@domaine-treuvey.fr r.-v.

Château-chalon

Superficie : 48 ha
Production : 1 620 hl

Le plus prestigieux des vins du Jura est exclusivement du vin jaune, le célèbre vin de voile élaboré en quantité limitée selon des règles strictes. Le raisin est récolté sur les marnes noires du lias, dans un site remarquable : un vieux village établi sur des falaises. La mise en vente s'effectue six ans et trois mois après la vendange. Il est à noter que, dans un souci de qualité, les producteurs eux-mêmes ont refusé l'agrément en AOC pour les récoltes de 1974, 1980, 1984 et 2001.

JEAN BOURDY 2004 ★

2 100 | 30 à 50 €

On affiche ici volontiers des chiffres et des dates impressionnants : quinzième génération de vignerons depuis la fin du XVe s., stock de vingt mille vieux millésimes depuis 1781... Mais ce regard vers l'histoire n'empêche pas Jean-Philippe et Jean-François Bourdy de se raccrocher aussi à des tendances actuelles comme la biodynamie. Ce « jeune » millésime, donc, présente un nez fin et élégant. La bouche, équilibrée par une jolie fraîcheur, se distingue par une finale minérale, de type « pierre à fusil ». Elle s'accordera ainsi avec bonheur sur des produits de la mer, des gambas par exemple.

Caves Jean Bourdy, 41, rue Saint-Vincent, 39140 Arlay, tél. 03.84.85.03.70, fax 03.84.85.13.94, cavesjeanbourdy@wanadoo.fr
t.l.j. 9h-13h 14h-19h

PHILIPPE BUTIN 2004 ★

900 | 30 à 50 €

Ce domaine, mentionné depuis longtemps dans le Guide, s'est particulièrement distingué en château-chalon lors du millésime précédent, décrochant un coup de cœur. Plus modeste, ce 2004 doré aux reflets verts offre un nez intense de noix verte, de foin coupé et de caramel.

L'attaque en bouche est nette, et on note une certaine finesse aromatique mais surtout un bel équilibre. La finale acidulée et réglissée laisse sur une impression d'élégance.
Philippe Butin, 21, rue de la Combe, 39210 Lavigny, tél. 03.84.25.36.26, fax 03.84.25.39.18, ph.butin@wanadoo.fr r.-v.

CAVEAU DES BYARDS 2005

600 | 30 à 50 €

L'appellation château-chalon représente moins de 0,5 % de la superficie d'apport des adhérents de cette toute petite cave coopérative. Six cents bouteilles de 2005 à mettre donc sur le marché, qui n'auront aucun mal à s'écouler. Le nez au caractère beurré annonce un développement riche et soyeux en bouche, dans un équilibre préservé. Les impressions de beurre frais et de brioche persistent jusqu'en finale.
Caveau des Byards, rte de Voiteur, 39210 Le Vernois, tél. 03.84.25.33.52, fax 03.84.25.38.02, info@caveau-des-byards.fr r.-v.

MARCEL CABELIER 2005

16 000 | 20 à 30 €

Alors qu'un seul négociant régnait en maître sur le Jura il y a quelques années, la Maison du vigneron, filiale des Grands chais de France, est venue s'imposer. La robe de son château-chalon est claire, plutôt or pâle. Le nez très ouvert, avenant, affiche un caractère presque printanier, empreint de jeunesse : on y sent la noix verte et les fruits frais. La bouche, plutôt fine et légère, reste élégante. À essayer sur une langouste à l'américaine.
La Maison du vigneron, rte de Champagnole, 39570 Crançot, tél. 03.84.87.61.30, fax 03.84.48.21.36, pespitalie@maisonduvigneron.fr
t.l.j. sf dim. 9h-12h30 14h-18h

DOM. COURBET 2004 *

3 200 | 20 à 30 €

Après quarante ans à la tête du domaine, Jean-Marie Courbet a pris sa retraite en 2011, suivi de Brigitte en 2012. Mais la relève était assurée depuis longtemps par leur fils Damien dans le cadre du GAEC. Il travaillait déjà sur l'exploitation quand ce 2004 a vu le jour. Doré intense, ce vin d'abord lactique livre à l'aération d'intenses parfums de noix. Après une attaque fraîche, cet arôme caractéristique des « jaunes » s'affirme jusqu'en finale avec puissance. Un vin de caractère, particulièrement typé. Si vous envisagez un gallinacé en accompagnement, prévoyez un vrai coq plutôt qu'un coquelet.
Dom. Courbet, 1130, rte de la Vallée, 39210 Nevy-sur-Seille, tél. 03.84.85.28.70, fax 03.84.44.68.88, dcourbet@hotmail.com r.-v.

DOM. JEAN-CLAUDE CREDOZ 2004 *

3 400 | 20 à 30 €

Voilà quatre générations que les Credoz sont « dans le vin ». Les parents ont livré leur récolte à la cave coopérative mais tout comme ses ancêtres les plus lointains, Jean-Claude Credoz a choisi de vinifier lui-même. Une bonne idée, à en juger par ce château-chalon jaune doré au bouquet expressif et typé, sur la noix verte délicatement soutenue par des touches mentholées. Après une attaque nette, la bouche affiche une présence affirmée que ce soit par la charpente, portée par un bel équilibre acidité-alcool, ou par l'intensité aromatique. Une harmonie et une ampleur qui finissent en un long bouquet final. Ce 2004 peut se boire dès à présent ou être gardé en cave quelques années.
Dom. Jean-Claude Credoz, rue des Chèvres, 39210 Château-Chalon, tél. 03.84.44.64.91, fax 03.84.44.98.76, domjccredoz@orange.fr t.l.j. 8h-12h 13h-19h

DOM. GENELETTI 2005 **

5 000 | 30 à 50 €

Déjà auréolé d'un coup de cœur pour son château-chalon 2003, ce domaine vous reçoit dans un caveau du village éponyme, où furent tournées quelques scènes de *L'Espagnol*, film inspiré d'un roman de Bernard Clavel, jurassien d'origine. Or léger à l'œil, ce 2005 intrigue par son bouquet complexe, entre pomme verte, touches balsamiques, gingembre et notes de noix plus typiques. Riche, solide et d'une grande finesse aromatique, la bouche trouve son harmonie grâce à une fraîcheur citronnée bien agréable. Élégance et originalité caractérisent ce vin jaune qui devrait se plaire en compagnie d'un saumon grillé à l'unilatérale, après un passage prolongé en carafe.
Dom. Geneletti, rue Saint-Jean, 39210 Château-Chalon, tél. 06.81.25.03.87, contact@domaine-geneletti.net
t.l.j. 10h-19h

DOM. GRAND En Beaumont 2005

1 200 | 30 à 50 €

Ce château-chalon ne représente que 3 % de la superficie totale de l'exploitation, qui produit par ailleurs du vin jaune dans l'AOC côtes-du-jura. Mais qui ne mettrait pas cette prestigieuse appellation sur sa carte de visite ? En ambassadeur, donc, ce vin ciselé au nez affiche un bouquet fin et fondu sur la noix et le menthol, qui donne envie de poursuivre. Puissante, la bouche se trouve quelque peu en retrait en matière aromatique, mais elle montre du corps et du potentiel.
Dom. Grand, 139, rue du Savagnin, 39230 Passenans, tél. 03.84.85.28.88, fax 03.84.44.67.47, domaine-grand@wanadoo.fr
t.l.j. sf dim (hors jui.-août) 9h-12h 14h-18h; sam. dim. sur r.-v. en jan.-fév.

DOM. MACLE 2004 **

6 000 | 30 à 50 €

La famille Macle, qui consacre un tiers de la surface de son exploitation à cette appellation, sait que le temps est pour beaucoup dans l'expression de son vin jaune. Toutes les étiquettes des flacons précieusement bouchés à

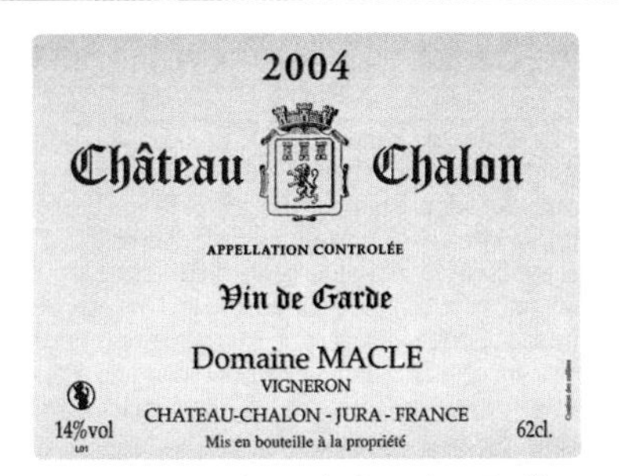

la cire portent la mention « vin de garde ». Et s'il en est un, c'est bien celui-ci. Vêtu d'une belle robe dorée, il dévoile un nez à la fois élégant et typé, bien fondu : la noix y côtoie les épices (curry) avec bonheur. De l'attaque à la finale, on trouve tout ce qu'un château-chalon d'exception peut porter en lui : l'équilibre, la finesse aromatique mais aussi la puissance. Avec cette bouteille, on mesure pourquoi l'appellation est devenue le grand cru des vins jaunes : elle possède ce supplément d'élégance. Poularde aux morilles ou comté sauront la mettre en valeur.

Dom. Macle, rue de la Roche, 39210 Château-Chalon, tél. 03.84.85.21.85, fax 03.84.85.27.38, maclel@wanadoo.fr
r.-v.

HENRI MAIRE Réserve Catherine de Rye 2002

3 900 | 50 à 75 €

Catherine de Rye fut une des abbesses de Château-Chalon ; on lui devrait l'implantation du cépage savagnin dans la région. Se targuant de posséder « la plus grande réserve mondiale de vin jaune », la maison Henri Maire propose comme à l'accoutumée un millésime ancien. On sent d'ailleurs au nez le temps qui a déjà fait son œuvre. Arômes chocolatés, cire d'abeille et caramel dominent. Une certaine simplicité en bouche mais un produit qui ne déçoit pas, à boire dès aujourd'hui.

Henri Maire, Dom. de Boichailles, 39600 Arbois, tél. 03.84.66.12.34, fax 03.84.66.42.42, info@henri-maire.fr
t.l.j. 9h-19h en été; t.l.j. 9h30-12h 14h-17h30 en hiver

JEAN-LUC MOUILLARD 2005

2 050 | 20 à 30 €

Outre ce château-chalon, Jean-Luc Mouillard élève aussi dans sa belle cave voûtée des vins d'AOC côtes-du-jura ou encore l'étoile. Bien doré, son 2005 associe au nez des tons de noix et de beurre bien fondus. L'attaque est franche, voire vive, et le vin garde cette ligne de conduite tout au long de la dégustation. Laissons-lui quelques années de vieillissement pour qu'il s'assagisse.

Jean-Luc Mouillard, 379, rue du Parron, 39230 Mantry, tél. 03.84.25.94.30, domainemouillard@hotmail.fr
r.-v. 2

LA CAVE DE LA REINE JEANNE 2004

1 500 | 20 à 30 €

Cette société de négoce n'achète pas de vins mais des raisins pour les traiter comme elle l'entend. Stéphane Tissot, par ailleurs viticulteur à Montigny-lès-Arsures, y vinifie ainsi depuis 1997. Le nez de ce vin jaune est simple, sur la fraîcheur de la noix verte. Après une attaque vive, la bouche s'équilibre, livrant toujours de frais arômes de noix et de menthol. Malgré une relative légèreté, ce 2004 a un certain potentiel.

Cellier des Tiercelines, 54, Grande-Rue, 39600 Arbois, tél. 03.84.37.36.09, benoitmulin@cavereinejeanne.com

FRUITIÈRE VITICOLE DE VOITEUR 2005

17 000 | 20 à 30 €

Depuis sa création en 1957, la coopérative de Voiteur ne cesse de s'agrandir. Elle propose ici un vin jaune à la robe légère, or pâle, nuancée de reflets verts. Cette discrétion est aussi de mise à l'olfaction, et la bouche commence juste à se livrer : de la fraîcheur, une touche mentholée, une trame fine et élégante. Le potentiel est là, il faudra savoir patienter pour le laisser s'exprimer.

Fruitière vinicole de Voiteur, 60, rue de Nevy, 39210 Voiteur, tél. 03.84.85.21.29, fax 03.84.85.27.67, voiteur@fvv.fr
t.l.j. 8h30-12h 13h30-18h; dim. 10h-12h 14h-18h

Côtes-du-jura

Superficie : 528 ha
Production : 20 540 hl (70 % blanc et jaune ; 28 % rouge et rosé ; 2 % vin de paille)

L'appellation englobe toute la zone du vignoble de vins fins et produit tous les types de vins jurassiens, à l'exception des effervescents.

CH. D'ARLAY 2007

15 000 | 11 à 15 €

Constitué à la fin du XIe s., le domaine viticole de ce château a été au cours de son histoire une vigne royale d'Espagne, d'Angleterre et de France. Le pinot noir représente la partie la plus importante de son encépagement. Il a donné naissance à un 2007 rouge sombre qui commence à se parer de reflets bruns. Le nez, sur des notes de boisé, de cerise et de cuir, est plaisant. Légère et vive en attaque, la bouche possède des tanins marqués, sans être agressifs. À découvrir dès la sortie du Guide.

Ch. d'Arlay, 2, rte de Proby, 39140 Arlay, tél. et fax 03.84.85.04.22, chateau@arlay.com
t.l.j. sf dim. 10h-12h 14h-18h
Alain de Laguiche

BENOIT BADOZ Dédicace à Pierre 2009 ★★

3 000 | 11 à 15 €

Pierre, le grand-père de Benoit Badoz, est celui qui a renouvelé le vignoble familial, Les Roussots. En hommage, son petit-fils lui dédie cette cuvée de pinot noir élevée dix-huit mois en fût. Parée d'une robe cerise noire, elle livre un nez expressif de mûre et de griotte. Légèrement boisée, la bouche présente beaucoup de matière, structurée par des tanins bien marqués mais dénués d'agressivité. Déjà prêt mais pouvant attendre, ce pinot élégant, d'une belle maturité, s'accordera avec une terrine de chevreuil. Du même domaine, le **trousseau 2010 (8 à 11 € ; 8 000 b.)**, au nez de cerise et de groseille, séduit par sa rondeur et ses tanins fondus. Il décroche une étoile.

Benoit Badoz, 3, av. de la Gare, 39800 Poligny, tél. 03.84.37.18.00, fax 03.84.37.11.18, contact@benoit-badoz.com
t.l.j. sf dim. 9h-12h 14h-19h

DOM. BERTHET-BONDET Naturé 2010

3 500 | 8 à 11 €

Sur cette exploitation, le naturé (synonyme de savagnin) sert à l'élaboration du château-chalon, du vin de paille et de vins blancs à l'élevage plus classique, comme ce côtes-du-jura qui est resté en cuve à l'abri de l'air pendant un an. La robe or pâle se pare de reflets verts. D'abord citronné, le nez s'ouvre à l'aération sur des notes éclatantes de fruits secs et de fruits exotiques. Si son ampleur est limitée, la bouche plaît par sa souplesse et son côté légèrement acidulé. Un vin léger et aromatique, à déguster avec une terrine de poisson.

Berthet-Bondet, rue de la Tour, 39210 Château-Chalon, tél. 03.84.44.60.48, fax 03.84.44.61.13, berthet-bondet@orange.fr r.-v.

DANIEL BROCARD 2010

2 200 | 5 à 8 €

On est ici viticulteur de père en fils depuis 1890. Assemblage constitué de 70 % de trousseau et de 30 % de pinot noir, ce vin rouge montre une robe légère qui s'anime déjà de quelques reflets tuilés. Fraise et framboise se partagent un bouquet délicat, tout en finesse. Sur le fruit, la bouche montre le même caractère gourmand, léger et gouleyant. Idéal pour une saucisse de morteau ou un jambon fumé, dès aujourd'hui.

Daniel Brocard, 7, rue de l'Église, 39570 Pannessières, tél. 03.84.43.04.67, fax 03.84.86.28.99
t.l.j. 8h-19h; dim. 8h-12h

PEGGY ET JEAN-PASCAL BURONFOSSE Entre-Deux 2010 ★★

860 | 11 à 15 €

La certification bio est désormais acquise pour cette exploitation du sud-Revermont qui présente un Entre-Deux, c'est-à-dire un vin issu de deux parcelles vinifiées séparément puis assemblées à parts égales à la mise en bouteilles. D'un côté les savagnins « verts » sur éboulis et marnes, et de l'autre les savagnins « jaunes » sur marnes. Une construction réussie, à en juger par le nez intense de mangue et d'ananas bien mûrs. Toujours aussi fruitée et exotique, la bouche est mise en valeur par une belle fraîcheur alliée à une grande souplesse. À déguster dès 2013 ou à attendre deux ans de plus, pour un accord sur une langouste grillée.

GAEC Buronfosse, 2, la Serpentine, La Combe, 39190 Rotalier, tél. 03.84.25.05.09, buronfossepjp@orange.fr
r.-v.

PHILIPPE BUTIN Cuvée spéciale 2005 ★

4 200 | 11 à 15 €

Spéciale, cette cuvée l'est par son assemblage avant mise en bouteille de 50 % de chardonnay élevé en cuve Inox ouillée et de 50 % de savagnin élevé en fût non ouillé. Six ans d'élevage pour un joli résultat : le nez tire sur l'oxydatif, le surmûri avec des tons très fins de noisette, de pain grillé et de confit ; la bouche, chaleureuse et suave, est tempérée par une fine acidité. Il s'en dégage une harmonie appréciable dès aujourd'hui ou d'ici encore cinq à dix ans. Dans un concept plus classique, le **vin jaune 2005 (20 à 30 € ; 2 100 b.)** est cité. Ses arômes profiteront d'une petite garde pour s'épanouir.

Philippe Butin, 21, rue de la Combe, 39210 Lavigny, tél. 03.84.25.36.26, fax 03.84.25.39.18, ph.butin@wanadoo.fr
r.-v.

MARCEL CABELIER Chardonnay Vieilles Vignes 2010 ★★

50 000 | 5 à 8 €

La filiale des Grands Chais de France s'impose dans le vignoble jurassien comme un des acteurs principaux du négoce. Élevé douze mois en fût, son 2010 issu de vieilles vignes de chardonnay est d'une belle limpidité à l'œil. Vanillé et floral, le nez se tourne aussi du côté de la pêche, offrant une belle complexité aromatique. Une expression confirmée dans une bouche qui trouve, entre rondeur et vivacité, un équilibre et une élégance remarqués. Poisson grillé ou cuisses de grenouilles feront honneur à cette bouteille, dès la sortie du Guide.

La Maison du vigneron, rte de Champagnole, 39570 Crançot, tél. 03.84.87.61.30, fax 03.84.48.21.36, pespitalie@maisonduvigneron.fr
t.l.j. sf dim. 9h-12h30 14h-18h

CAVEAU DU TERROIR Chardonnay 2010 ★

3 000 | 5 à 8 €

Descendant d'une lignée de vignerons, Philippe Peltier est associé depuis l'été 2011 avec son épouse Christine. Le couple organise deux journées portes ouvertes, en juin et en décembre, au cours desquelles vous pourrez découvrir ce chardonnay au nez expressif, sur la noisette et les fruits exotiques. La bouche, harmonieuse et élégante, se dévoile en souplesse jusqu'à une finale fraîche et épicée. Assez polyvalent, ce blanc soyeux et frais à la fois pourra être servi aussi bien avec des poissons grillés ou en sauce, que seul, à l'apéritif.

Dom. Peltier, rte des Granges, 39210 Menétru-le-Vignoble, tél. 03.84.44.90.79, phpeltier@orange.fr t.l.j. sf dim. 9h-12h 14h-19h

LES CHAIS DU VIEUX BOURG Vin jaune Yellow 2004 ★★

1 200 | 30 à 50 €

Installé en 2003 à Arlay, Ludwig Bindernagel a déménagé : il s'est établi à Poligny dans un hôtel particulier du XVIIIes. qui comprend deux suites de charme pouvant accueillir chacune deux à six personnes. Du charme, ce vin jaune en a aussi à revendre. Pain grillé, épices, noix et champignon entraînent l'amateur dans un joli voyage olfactif. Cette complexité aromatique se retrouve au sein d'une bouche qui a pour elle l'élégance et la longueur. Si cette bouteille peut se déboucher tout de suite, mais en prévoyant une aération, ses perspectives de vieillissement sont très bonnes. Le **poulsard 2009 rouge (11 à 15 € ; 1 500 b.)**, cerise à l'œil et fruité au nez, se montre très structuré. Un peu surprenant par ce côté tannique plutôt que gourmand, il obtient une citation.

Ludwig Bindernagel, Les Chais du Vieux Bourg, Vieux-Bourg, 30, Grande-Rue, 39140 Arlay, tél. 03.63.86.50.78, l.bindernagel@gmail.com
r.-v.

CHAMP DIVIN Pinot 2010

3 000 | 8 à 11 €

Belges d'origine, ingénieurs de formation, les époux Closset ont acquis ce domaine viticole en 2008 après avoir été conseillers agricoles à la chambre d'agriculture du Maine-et-Loire. 2010 est leur premier millésime certifié en agriculture biologique. Ce pinot noir, encore discret au nez, laisse entrevoir après aération de jolies notes de fruits rouges accompagnées de cuir. La bouche, aromatique, est bien concentrée pour le millésime, avec des tanins qui demandent à s'assouplir un peu. Ce n'est pas un vin de garde, mais une élégante bouteille à apprécier sur des charcuteries.

Fabrice Closset, 39, rue du Château, 39570 Gevingey, tél. 03.84.24.93.41, fax 03.84.86.47.89, fabrice.closset@orange.fr r.-v.

MARIE ET DENIS CHEVASSU Savagnin 2006 ★

1 200 | 11 à 15 €

Marie-Pierre Chevassu est allée un peu partout pour vinifier (Châteauneuf-du-Pape, Champagne, Nouvelle-Zélande), mais l'élevage du savagnin, « école de patience », elle l'a appris de son père. Vin filial, donc, ce joli blanc est discret au nez mais raffiné dans ses tons d'amande fraîche. La bouche suit cette trajectoire d'élégance dans la retenue : agrumes, fruits blancs, minéralité forment une base aromatique qui colle parfaitement à sa structure équilibrée. « Une valeur sûre », concluent les dégustateurs.

Marie-Pierre Chevassu-Fassenet, Les Granges-Bernard, 39210 Menétru-le-Vignoble, tél. et fax 03.84.48.17.50, mpchevassu@yahoo.fr r.-v.

CLOS DES GRIVES Vin jaune 2005 ★

n.c. | 20 à 30 €

On ne sait pas s'il s'agit de la grive litorne, de la grive draine ou encore de la grive musicienne. Toujours est-il que le petit passereau, friand de baies, est la star du domaine. Avant même de l'écouter chanter, on se plaît à la contempler, comme ce vin jaune au doré franc, limpide et brillant. Le nez a des airs de sonate d'automne : fruits secs, amande, noix et noisette. Partant d'une attaque franche et souple, la bouche développe une matière ronde enrobée d'arômes typiques de noix et d'épices. Ni aigle ni moineau, ce vin fait preuve d'un bel équilibre.

Claude Charbonnier, Clos des Grives, 204, Grande-Rue, 39570 Chille, tél. 06.84.28.28.20, claude.charbonnier@cegetel.net r.-v.

DOM. COURBET Vin de paille 2008 ★

1 200 | 15 à 20 €

Les cépages blancs (chardonnay, savagnin) constituent l'essentiel de l'assemblage de ce vin de paille ambre clair, au côté d'un peu de poulsard. Encore fermé, le nez tente quelque sortie sur des notes d'abricot et d'ananas. La bouche, intense et puissante, montre un équilibre maîtrisé entre sucre et fraîcheur. Si les notes d'abricot bien mûr sont plaisantes, l'expression aromatique se fera plus complexe après un an de garde. Damien Courbet présente aussi une cuvée de **trousseau 2010 rouge Violette (11 à 15 €; 800 b.)**, citée pour sa vivacité et sa souplesse.

Dom. Courbet, 1130, rte de la Vallée, 39210 Nevy-sur-Seille, tél. 03.84.85.28.70, fax 03.84.44.68.88, dcourbet@hotmail.com r.-v.

RICHARD DELAY Vin jaune 2004 ★★

3 000 | 20 à 30 €

Richard Delay mène une retraite active. S'il a cédé une partie de ses vignes, il conserve ses stocks ainsi que quelques arpents, car une séparation définitive du monde de la viticulture lui semblait inenvisageable. Une décision qui devrait faire le bonheur des amateurs, tant son vin jaune a charmé les membres du jury, avec sa robe couleur tournesol. Le nez, encore en train de se fignoler, évoque le caramel, le pain grillé et la noix. Bien typée, la bouche repose sur une belle vivacité, gage de long vieillissement au prix d'une nécessaire attente. La matière, pleine et riche, exprime déjà cette noix verte enchanteresse. On imagine l'auteur de cette bouteille la déguster dans une petite dizaine d'années, à l'apéritif, jurant que retraite, jamais il n'y aura !

Richard Delay, 37, rue du Château, 39570 Gevingey, tél. 03.84.47.46.78, fax 03.84.43.26.75, richard-delay@orange.fr r.-v.

DOM. GRAND Vin jaune 2005 ★★

2 500 | 20 à 30 €

Chaque génération apporte sa pierre à l'édifice de cette affaire de famille créée en 1692. La production du domaine se voit régulièrement distinguée dans le Guide et cette année ne fait pas exception. Paré d'une belle robe dorée, ce 2005 va droit au but dès l'olfaction : c'est un vrai vin jaune aux accents épicés, complexes et intenses. L'attaque en bouche, franche, dévoile de la souplesse mais aussi une structure affirmée où s'amplifient de minute en minute les notes de noix sèche. De la puissance mais aussi de l'équilibre, grâce à une fine vivacité. Loin du Jura, les coquilles Saint-Jacques n'attendent que d'être pêchées pour finir crémées en cassolette. Cité, le **vin de paille 2008 (5 000 b.)** raconte une autre histoire. Celle du coing, de l'abricot, de la figue et d'une bouche tout en fraîcheur.

Dom. Grand, 139, rue du Savagnin, 39230 Passenans, tél. 03.84.85.28.88, fax 03.84.44.67.47, domaine-grand@wanadoo.fr
t.l.j. sf dim (hors jui.-août) 9h-12h 14h-18h; sam. dim. sur r.-v. en jan.-fév.

DIDIER GRAPPE Vin de paille 2008 ★★

260 | 15 à 20 €

Créé en 2000, le domaine a engagé sa conversion au bio sept ans plus tard. Il exploite un petit vignoble d'à peine 4 ha et se plaît à présenter des « microcuvées », tel ce vin de paille. Difficile à trouver donc, mais le jeu en vaut la chandelle : de couleur ambrée, il s'ouvre au nez sur les fruits secs, la figue et l'abricot en particulier. Compotée, la bouche réussit un parfait équilibre entre alcool, acidité et sucre. Pour un dessert gourmand au chocolat noir. **Les Insouciantes 2010 (5 à 8 €; 1 860 b.)** est un rouge d'assemblage fruité (pruneau, groseille, fraise), assez vif en bouche, à attendre un à deux ans. Il est cité.

Didier Grappe, 81, rte du Revermont, 39230 Saint-Lothain, tél. 03.84.37.19.21, didier.grappe@orange.fr r.-v.

DOM. HORDÉ Trousseau 2010 ★

666 | 8 à 11 €

Yves Hordé a acquis un peu à l'aventure une vigne sur le coteau de Port-Lesney en 1999 alors qu'il habitait Reims. Il s'est pris au jeu et s'est agrandi, en louant ou achetant des parcelles. Il réside à plein temps aujourd'hui en terre jurassienne et travaille 2,5 ha de vignes. Assez soutenue, la robe rubis de son trousseau présente de jolis reflets violacés. Sur le fruit, ample, la bouche trouve son équilibre entre fine acidité et tanins souples et fondus. Un gibier à plumes sera le bienvenu, dès 2013. Le **vin jaune de Port-Lesney 2003 (20 à 30 €, 1 016 b.)** est par ailleurs cité pour sa vivacité et ses notes de fruits secs.

Yves Hordé, 14, rue du Port, 39600 Port-Lesney, tél. 03.84.73.89.24, yves.horde39@orange.fr r.-v.

CLAUDE ET CÉDRIC JOLY Le Monceau 2007

6 500 | 5 à 8 €

Cette cuvée est composée à 65 % de chardonnay et à 35 % de savagnin. L'élevage en fût sans ouillage a duré trente mois et a donné naissance à un vin jaune paille aux reflets dorés. Noix, noisette et pomme constituent son bouquet élégant, suivi d'une bouche légère et souple, bien équilibrée. Un vin réussi, qui montre quelques signes d'évolution : à boire sans tarder.

EARL Claude et Cédric Joly, chem. des Pataruttes, 39190 Rotalier, tél. 03.84.25.04.14, fax 03.84.25.14.48, cc.joly@wanadoo.fr r.-v.

DOM. LABET Chardonnay Fleur de marne Le Montceau 2009 ★★

900 | 15 à 20 €

Créé par Alain Labet en 1974, ce domaine est une affaire de famille. Trois enfants y travaillent en effet : Charline, la dernière arrivée, et ses deux frères, Julien et Romain. Sous la dénomination « Fleur de marne », le domaine regroupe des cuvées issues de vieilles vignes de chardonnay. Le nez de ce Montceau est très expressif : pâte de fruits, pêche bien mûre, épices. La matière, ample, soutenue par une fine acidité, conserve un côté confit assez présent, aux accents d'abricot. Massif mais élégant, c'est un vin prometteur. La cuvée **Fleur de savagnin 2010 (2 500 b.)** décroche une étoile pour ses parfums exotiques, sa fraîcheur minérale et sa finale citronnée : parfaite pour des langoustines. Toujours en blanc, le **Fleur de chardonnay 2010 (4 000 b.)** est cité. C'est un vin fin et vif, pour l'apéritif.

Dom. Labet, pl. du Village, 39190 Rotalier, tél. 03.84.25.11.13, fax 03.84.25.06.75, domaine.labet@wanadoo.fr r.-v.

JULIEN LABET Chardonnay En Chalasse 2008 ★

600 | 15 à 20 €

Bien connu des lecteurs du Guide, Julien Labet a décroché un coup de cœur l'an dernier pour un vin de poulsard. Après avoir testé durant plusieurs années l'absence de produits de synthèse pour les traitements, il s'est engagé officiellement dans une conversion à l'agriculture biologique. Son chardonnay livre au nez d'intenses parfums de cire, mêlés de noisette. Ample et généreuse, la bouche développe une jolie gamme de fruits confits, et présente une finale persistante, légèrement épicée. Noté une étoile également, le **savagnin 2009** offre un nez intense et fruité (pomme), puis une bouche riche et dense, « pulpeuse », toujours sur le fruit.

Julien Labet, 1, chem. Montceau, 39190 Rotalier, tél. 03.84.25.11.13, fax 03.84.25.06.75, domaine.labet@wanadoo.fr r.-v.

FRÉDÉRIC LAMBERT Tradition 2009

1 000 | 5 à 8 €

Œnologue, Frédéric Lambert a acquis ses premières vignes il y a pratiquement vingt ans. Vieillis en fût de chêne séparément durant deux ans, le chardonnay (70 %) et le savagnin à l'origine de cette cuvée ont été assemblés avant la mise en bouteilles. Il ressort au nez des accents de noyau, de bois et de fruits secs (noix). Encore jeune, la bouche dévoile déjà une belle richesse aromatique (épices, amandes, fruits blancs) et fait preuve de longueur. On attendra trois ans avant d'ouvrir cette bouteille sur une volaille à la crème.

Frédéric Lambert, 14, Pont-du-Bourg, 39230 Le Chateley, tél. et fax 03.84.25.97.83, cellierdesterroirs@numeo.fr r.-v.

DOM. LIGIER PÈRE ET FILS Trousseau Les Chassagnes 2010 ★★

4 500 | 8 à 11 €

Ce domaine familial, surtout implanté et reconnu dans l'AOC arbois, continue de pratiquer des vendanges manuelles. La robe de son trousseau est assez soutenue, rouge sombre aux reflets ambrés. Les fruits rouges s'annoncent au nez avec charme et intensité. Agréable et équilibrée, la bouche est tonifiée par une fine acidité qui souligne ces mêmes impressions fruitées. Les tanins, souples, sont présents sans exagération, portant une finale appréciée pour sa fraîcheur. Un vin gourmand, à déguster dans deux ou trois ans sur une pintade rôtie.

Dom. Ligier, 56, rue de Pupillin, 39600 Arbois, tél. 03.84.66.28.06, fax 03.84.66.24.38, gaec.ligier@wanadoo.fr t.l.j. sf dim. 9h30-18h30

♥ **DOM. MACLE** 2008 ★★★

20 000 | 11 à 15 €

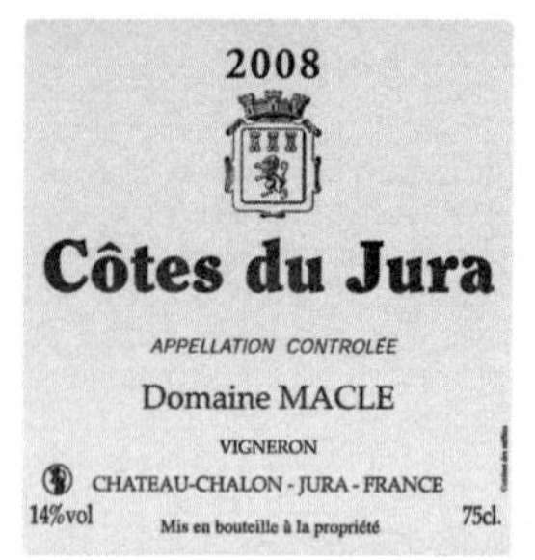

Coup double cette année pour le domaine Macle : un coup de cœur dans l'AOC château-chalon, et un autre en côtes-du-jura ! Paré d'une robe or intense, ce 2008 est né d'un assemblage de chardonnay (85 %) et de savagnin, vieilli trois ans en pièce sans ouillage. Tout de finesse et de force retenue, le nez associe la noisette et le miel dans un élan racé. Très typée « jaune », la bouche affiche une puissance et une richesse impressionnantes, au service d'une palette splendide, faite de noix, d'amande et d'épices. La finale, sur la noblesse des agrumes (orange, mandarine), évolue sans cesse. Une bouteille de référence, à savourer aussi bien sur un homard au beurre blanc citronné que sur une traditionnelle poularde au vin jaune et morilles.

Dom. Macle, rue de la Roche, 39210 Château-Chalon, tél. 03.84.85.21.85, fax 03.84.85.27.38, maclel@wanadoo.fr r.-v.

DOM. DES MARNES BLANCHES Empreinte Tradition 2008 ★★

2 500 | 8 à 11 €

Désormais installés à Sainte-Agnès, Pauline et Géraud Fromont ont baptisé cette cuvée « Empreinte » pour évoquer l'élevage sous voile et « Tradition » pour suggérer la nature de l'assemblage. Élaboré à partir de savagnin (60 %) et de chardonnay, ce blanc élevé en fût pendant trois ans a tous les attributs jurassiens. La noix fraîche s'exprime avec intensité dans un nez au fond beurré.

Nette à l'attaque, la bouche développe une matière ample, aux nuances de pomme, de noisette et de noix. Un joli fond de vivacité accompagne l'équilibre de ce vin décidément très typé. Autre blanc, le **chardonnay Reflet En Levrette 2009 (2 000 b.)** reçoit une étoile. D'abord lacté puis intensément fruité, son bouquet se marie à une trame soyeuse, gourmande, équilibrée par une fine vivacité.

Pauline et Géraud Fromont, 3, les Carouges, 39190 Sainte-Agnès, tél. et fax 03.84.25.19.66, contact@marnesblanches.com t.l.j. 8h-20h

ANDRÉ ET JEAN-FRANÇOIS MICHEL Vin jaune 2005 ★

2 000 — 20 à 30 €

Y a-t-il des truites dans la Seille ? C'est un poisson qui pourrait en effet convenir à ce vin jaune aux reflets paille et au bouquet typique, bien défini, où la noix dispute sa place aux épices. L'attaque est franche, la bouche ample, intense et nette, sur les fruits secs. Un style volumineux et démonstratif qui pourra être apprécié tout de suite comme dans vingt ans.

Jean-François Michel, rue des Sauges, 39140 Ruffey-sur-Seille, tél. 03.84.85.00.18, jfmichelvin@orange.fr t.l.j. 8h-19h; dim. 8h-12h

CH. DE MIÉRY Savagnin 2004 ★★

2 000 — 8 à 11 €

Philippe de Buhren, propriétaire du château de Miéry, a voulu d'abord se faire plaisir en plantant 2 ha de vignes en 1985. Les parcelles, qui étaient en vignes avant le phylloxéra, portent ainsi du chardonnay sur trois quarts de la surface et du savagnin pour le reste. Ce dernier cépage a été mis en pièces de chêne et élevé sans ouillage et sous voile pendant six ans. L'ampleur du nez vaut celle d'un vin jaune : la noix fraîche côtoie la muscade, le safran, le curcuma et le curry. Dans un magnifique équilibre, la bouche vive et longue aime tutoyer la minéralité. Déjà prêt, ce 2004 pourra aussi affronter une garde d'une dizaine d'années.

Ch. de Miéry, Miéry, 39800 Poligny, tél. 03.84.37.31.28, fax 01.45.00.21.88, philippe.debuhren@hotmail.fr r.-v.

Philippe de Buhren

DOM. MOREL-THIBAUT Vin de paille 2008 ★

4 000 — 15 à 20 €

Deux amis d'enfance, Jean-Luc Morel et Michel Thibaut, gèrent ce domaine depuis plus de vingt ans. Leur vin de paille, élaboré à partir de chardonnay (40 %), de poulsard (30 %), de savagnin (25 %) et d'une pincée de trousseau, nous accueille avec un bouquet d'abricot, de coing et de fruits secs. Fraîche en attaque, la bouche prend le même chemin aromatique dans une belle impression de douceur. L'ensemble, long et agréable, s'accordera avec une tarte aux abricots et à la pâte d'amande. Avec la même note, le **trousseau 2010 rouge (5 à 8 € ; 8 000 b.)** offre un joli fruité après aération. La bouche est vive, les tanins souples et l'ensemble franc. Un vin à carafer avant le service.

Dom. Morel-Thibaut, 8, rue Coittier, 39800 Poligny, tél. 03.84.37.07.61, fax 09.64.35.54.79, domaine.morelthibaut@orange.fr t.l.j. 15h-19h; sam. 10h-12h 15h-18h; dim. 10h-12h

JEAN-LUC MOUILLARD Chardonnay 2010

3 200 — 5 à 8 €

Vigneron multi-appellations (côtes-du-jura, château-chalon, macvin...), Jean-Luc Mouillard a terminé la fermentation de son chardonnay en fût et l'a ouillé pendant dix-huit mois. C'est un vin à la robe or pâle animée de reflets verts. Avec sa dominante de fleurs blanches, le nez apparaît franc et net. Après une attaque très ronde, fruitée et beurrée, la bouche confirme un certain « embonpoint » en finale. Pour un poisson en sauce.

Jean-Luc Mouillard, 379, rue du Parron, 39230 Mantry, tél. 03.84.25.94.30, domainemouillard@hotmail.fr r.-v. 2

DOM. PÊCHEUR Trousseau 2010 ★

2 000 — 8 à 11 €

Ne cherchez pas de vignes aux alentours immédiats du caveau de Patricia et Christian Pêcheur, ceint de cultures et de pâturages. Elles se trouvent sur les coteaux, un peu plus éloignés. Rubis brillant, ce trousseau, en revanche, est immédiatement à votre portée. Son nez subtil, aux accents de fruits rouges et d'épices, annonce une bouche à la fraîcheur plaisante et aux tanins harmonieux mâtinés d'épices. Un vin gouleyant, caractéristique de son cépage, à apprécier dès la sortie du Guide sur des côtes de porc grillées par exemple.

Dom. Christian et Patricia Pêcheur, rue Philibert, 39230 Darbonnay, tél. 03.84.85.50.19, fax 03.84.25.94.39 t.l.j. 8h30-12h 13h30-19h; dim. sur r.-v.

♥ DOM. DE LA PETITE MARNE Trousseau 2010 ★★★

3 500 — 8 à 11 €

Bleues, rouges, grises, voire noires, les marnes forment avec les éléments calcaires d'excellents terroirs viticoles, terres de prédilection des vignes jurassiennes. « Petite Marne, mais grand vin », pourrait-on dire de ce trousseau rubis brillant qui décroche la première place sur le podium des coups de cœur. Racé, le nez évoque les épices et les fruits rouges légèrement confiturés. En écho, la bouche aux tanins mûrs joue la même partition fruitée de l'attaque, vive, à la finale gourmande. Un trousseau dans toute sa finesse, à savourer d'ici l'horizon 2015. Avec une étoile, la cuvée **Les Creux d'enfer 2010 (4 000 b.)**, assemblage de chardonnay et de savagnin, séduit par sa fraîcheur et par l'élégance de ses arômes de fleurs blanches et d'amande. Enfin, le **vin jaune 2004 (20 à 30 € ; 2 500 b.)** est cité.

Noir Frères, Dom. de la Petite Marne, RN 83, 39800 Poligny, tél. 03.84.37.20.32, petitemarne.noir@wanadoo.fr ven. sam. 10h-12h 14h-19h

♥ DOM. PIGNIER Chardonnay À la percenette 2010 ★★★

2 500 — 11 à 15 €

Le domaine semble avoir pris un abonnement aux coups de cœur du Guide. À l'heure où la réglementation

à la Percenette
Chardonnay
2010

va enfin permettre de définir ce qu'est un vin biologique, la famille Pignier a une nouvelle fois l'occasion, grâce à ce coup de cœur, de démontrer que la biodynamie sert depuis longtemps le terroir dans toutes ses dimensions – tout en confirmant le savoir-faire des trois frères et sœurs. Pressurage lent, fermentation en pièces de chêne, bâtonnage et vieillissement de douze mois avec ouillage : ce chardonnay a été choyé, et il le rend bien. Jaune pâle aux reflets verts, il livre un bouquet envoûtant de pêche et de vanille. Ces mêmes notes se retrouvent avec un côté plus confit dans une bouche ronde, ample et persistante. Le **trousseau 2010 rouge Les Gauthières (15 à 20 € ; 800 b.)** décroche une étoile. Joliment fruité au nez, il offre une bouche de griotte bien mûre aux tanins souples. Le **chardonnay 2008 Cellier des chartreux (4 000 b.)** obtient, lui, une citation : vieilli trois ans sous voile, il développe un caractère oxydatif ; à découvrir sans attendre.

Dom. Pignier, 11, pl. Rouget-de-Lisle, 39570 Montaigu, tél. 03.84.24.24.30, fax 03.84.47.46.00, contact@domaine-pignier.com
t.l.j. sf dim. 10h-12h 14h-19h

DOM. QUILLOT Vin jaune 2005 *

3 000 | 15 à 20 €

Créé en 1999 par Gérard Quillot, ce domaine a été racheté en 2005 par la Maison du vigneron, négoce de Crançot. Jaune doré, ce vin jaune présente un nez discret composé de touches de noisette et de vanille. Ronde et équilibrée, la bouche offre un beau volume au fruité délicat. À savourer sur une lotte à l'américaine. Avec la même note, le **chardonnay 2009 Vieilles Vignes (5 à 8 € ; 12 000 b.)** livre un bouquet de noisette et de pain grillé. En bouche, sa matière opulente semble appeler un accord avec un poisson en sauce ou une blanquette.

Dom. Quillot, rte de Champagnole, 39570 Crançot, tél. 03.84.87.61.30, lseverino@lgcf.fr

CH. DE QUINTIGNY Cuvée Bel de Juhans Vieilli en fût de chêne 2010 *

3 000 | 5 à 8 €

Sébastien Cartaux est désormais le seul exploitant de ce domaine qui était géré précédemment en société. Si les caves et la cuverie sont installées à Arlay, l'accueil se fait aussi tout l'été au château de Quintigny. On y trouvera ce vin grenat né de l'assemblage à parts égales du trousseau et du pinot noir. Le nez, qui demande encore à se développer, est dominé par les parfums de fruits rouges légèrement poivrés. Charnue, la bouche repose sur des tanins encore un peu sévères en finale, qui vont devoir se fondre. Un petit gibier à plume conviendra bien, après un à deux ans de garde.

Dom. Cartaux-Bougaud, 5, rue des Vignes, Juhans, 39140 Arlay, tél. 03.84.48.11.51, contact@vinscartaux.fr
r.-v.
Sébastien Cartaux

XAVIER REVERCHON Vin jaune 2004

n.c. | 20 à 30 €

Il y a dans la petite ville de Poligny tout ce que l'épicurien peut souhaiter. Plusieurs affineurs de comté et de beaux vins jaunes, dont celui de Xavier Reverchon, jaune doré aux reflets verts. Typé, le nez se tourne vers la noix et le sous-bois, voire le champignon. La bouche, d'une certaine nervosité, confirme les impressions de noix, agrémentées de cacao. Un 2004 fin et élégant, qui peut être bu tout de suite ou attendre cinq à huit ans.

Xavier Reverchon, 2, rue du Clos, 39800 Poligny, tél. 03.84.37.02.58, fax 03.84.37.00.58, reverchon.chantemerle@wanadoo.fr r.-v.

PIERRE RICHARD Tradition 2006

7 000 | 8 à 11 €

Vincent Richard, le fils, a décidé de reprendre le flambeau de l'exploitation familiale, actuellement en cours de transmission. Il présente un assemblage de savagnin (55 %) et de chardonnay vinifiés séparément et assemblés six mois avant la mise en bouteilles. De l'élevage sous voile du savagnin, ce vin tire le côté « oxydatif », levuré et lacté du nez, et du chardonnay, un fruité aux tons d'ananas. La bouche, riche, est soutenue par une fine acidité. Qui a dit que seul le vin rouge allait avec le fromage ?

Pierre Richard, 93, rue Florentine, 39210 Le Vernois, tél. 03.84.25.33.27, fax 03.84.25.36.13, domainepierrerichard@wanadoo.fr r.-v.

DOM. ROBELIN FILS Trousseau 2010 **

3 800 | 8 à 11 €

Les fils de Marie-Claude Robelin ont repris l'exploitation il y a plus de dix ans, après des études d'œnologie et de viticulture dans la proche Bourgogne. La robe rubis sombre de leur trousseau donne le la ; c'est un seigneur, à n'en point douter. Racé, le nez développe un fruité opulent dominé par le cassis, agrémenté de compotée de fruits rouges. Franc dès l'attaque, voilà un vin « vivant », complexe, structuré grâce à des tanins solides mais épanouis. Le fruité du cassis résonne avec force et originalité dans une longue finale. La charcuterie ira bien à cette bouteille mais on pourra aussi se risquer avec un petit gibier en sauce.

Dom. Robelin Fils, 13, pl. de l'Église, 39210 Voiteur, tél. 03.84.85.29.97, fax 03.84.85.21.81, robelinfils@wanadoo.fr
t.l.j. 10h-12h 15h-19h

ÉRIC ET BÉRANGÈRE THILL Chardonnay 2009

5 000 | 5 à 8 €

L'année 2009 fut riche pour Bérengère et Éric Thill : naissance de leur fille, achat de leur maison et reprise des vignes. Fruit de leur première vinification, ce chardonnay or pâle traduit lui aussi au nez tout l'entrain de la jeunesse dans une belle fraîcheur réglissée et mentholée. Encore fermé en bouche, il a un certain potentiel compte tenu d'une bonne matière. On attendra donc deux ans.

Éric et Bérengère Thill, rue Principale, 39570 Trenal, tél. 03.84.44.82.87, vinsdujura.ebthill@orange.fr r.-v.

JACQUES TISSOT Pinot noir 2009

■ 5 000 8 à 11 €

Si le domaine est surtout producteur de vins d'Arbois, il élabore aussi en côtes-du-jura ce pinot noir élevé pendant vingt-quatre mois en foudre de chêne. De bonne intensité, la robe grenat fait valoir quelques reflets violets. Le nez « pinote » bien, évoquant les traditionnels cassis et petits fruits rouges. L'attaque souple dévoile une bouche équilibrée, légère, aux tanins fondus. C'est un vin prêt à paraître à table, sur un filet mignon de veau, par exemple.

Jacques Tissot, 39, rue de Courcelles, 39600 Arbois, tél. 03.84.66.24.54, fax 03.84.66.25.15, courrierjt@yahoo.fr r.-v.

Crémant-du-jura

Production : 19 700 hl (93 % blanc)

Reconnue en 1995, l'AOC crémant-du-jura s'applique à des mousseux élaborés selon les règles strictes des crémants (la méthode traditionnelle), à partir de raisins récoltés à l'intérieur de l'aire de production de l'AOC côtes-du-jura. Les cépages rouges autorisés sont le poulsard (ou ploussard), le pinot noir (appelé localement gros noirien) et le trousseau ; les cépages blancs sont le chardonnay (appelé aussi melon d'Arbois ou gamay blanc), le savagnin (appelé localement naturé) et le pinot gris (rare).

DOM. BAUD PÈRE ET FILS Brut sauvage ★★

6 600 8 à 11 €

Coup de cœur dans l'édition précédente pour un crémant 2008. Sauvage, ce brut ne l'est que sur l'étiquette. Il est construit sur le chardonnay (70 %) et le pinot noir. Les Baud ont pour habitude de très peu doser cette cuvée, parfois même à zéro ; ici, 5 g/l. Les bulles fines, denses et régulières, forment un cordon élégant. Franc et sans aucune agressivité, le nez dévoile des notes délicates d'amande et de beurre ; tout juste si le citron vert vient donner un peu de tonus à cette entrée en matière. La bouche se révèle ronde, complexe et très longue ; sans acidité ni extravagance. « Un vin d'amis », conclut un dégustateur, à découvrir sur un foie gras ou un dessert aux fruits.

Dom. Baud Père et Fils, 222, rte de Voiteur, 39210 Le Vernois, tél. 03.84.25.31.41, fax 03.84.25.30.09, info@domainebaud.fr t.l.j. sf dim. 9h-12h 14h-18h

MARCEL CABELIER 2009 ★

200 000 ▮ 5 à 8 €

Cette marque appartient à la Maison du vigneron, négociant-vinificateur, elle même filiale des Grands Chais de France. Un soupçon (5 %) de pinot noir a été assemblé au chardonnay pour ce crémant à la mousse foisonnante. Printanier, le nez joue une partition florale intense. « Extra », résume un dégustateur pour qualifier une bouche à la fois florale et fruitée, puissante et d'un beau volume.

La Maison du vigneron, rte de Champagnole, 39570 Crançot, tél. 03.84.87.61.30, fax 03.84.48.21.36, pespitalie@maisonduvigneron.fr t.l.j. sf dim. 9h-12h30 14h-18h

♥ **DENIS ET MARIE CHEVASSU** 2009 ★★★

4 800 ▮ 5 à 8 €

Avant de reprendre le domaine familial, Marie-Pierre Chevassu a effectué un passage en Champagne. De quoi se familiariser avec les bulles et y acquérir un sacré savoir-faire. Ce pur chardonnay laisse échapper une mousse fine et délicate, qui chapeaute une robe pâle aux reflets verts. Intense, le nez mêle avec une rare finesse les fleurs et les agrumes. Vif mais structuré, c'est un vin parfaitement dosé ; on retrouve en bouche les agrumes, qui soulignent la vigueur de l'ensemble. Un ambassadeur d'exception pour le crémant-du-jura.

Marie-Pierre Chevassu-Fassenet, Les Granges-Bernard, 39210 Menétru-le-Vignoble, tél. et fax 03.84.48.17.50, mpchevassu@yahoo.fr r.-v.

SYLVAIN FAUDOT Blanc de blancs

4 500 ▮ 5 à 8 €

Ce blanc de blancs a la bulle discrète mais tenace. Un fin cordon se maintient longtemps dans le verre. Le nez est puissant mais agréable : le citron rivalise avec le brioché. La bouche, équilibrée, s'exprime tout en rondeur. Parfait pour l'apéritif, avec des tapas.

Sylvain Faudot, 13, rte de Salins, 39600 Saint-Cyr-Montmalin, tél. et fax 03.84.37.41.03, sylvain.faudot-vigneron@orange.fr t.l.j. sf dim. 10h-12h 13h30-19h

DOM. GRAND Prestige ★

50 000 ▮ 5 à 8 €

Ce sont Emmanuel et Sébatien Grand qui dirigent désormais le domaine – géré de père en fils depuis 1692. Mais les parents ne sont pas loin. Le nez de leur brut de chardonnay se montre discret mais agréable, associant les fleurs blanches et les agrumes. Bien structurée et assez dosée, autrement dit plutôt sur la douceur, la bouche suit cette même ligne aromatique. Idéal pour une salade de fruits.

Dom. Grand, 139, rue du Savagnin, 39230 Passenans, tél. 03.84.85.28.88, fax 03.84.44.67.47, domaine-grand@wanadoo.fr t.l.j. sf dim (hors jui.-août) 9h-12h 14h-18h; sam. dim. sur r.-v. en jan.-fév.

FRÉDÉRIC LAMBERT

6 000 5 à 8 €

De jeunes vignes de chardonnay et de pinot noir de dix ans d'âge sont à l'origine de ce crémant. Fugaces à l'ouverture, les bulles finissent par former un beau cordon, fin et léger, qui parcourt une robe jaune pâle aux reflets verts. Très aromatique, le nez évoque le citron vert et la fleur de tilleul. La bouche, de bonne tenue, poursuit sur cette lancée et se révèle bien équilibrée.

Frédéric Lambert, 14, Pont-du-Bourg, 39230 Le Chateley, tél. et fax 03.84.25.97.83, cellierdesterroirs@numeo.fr ✉ Y ⚲ r.-v.

AUGUSTE PIROU ★

20 000 | 5 à 8 €

D'un surnom, le producteur Henri Maire a fait d'« Auguste Pirou » une marque pour la vente en grandes surfaces. Jaune doré, parcouru de fines bulles, ce brut de chardonnay présente un nez à la fois fruité et floral. Le fruit (la poire notamment) devient le maître mot d'une bouche équilibrée et harmonieuse, d'une bonne longueur.

Auguste Pirou, Caves royales, 39600 Arbois, tél. 03.84.66.42.70, fax 03.84.66.42.71, info@auguste-pirou.fr

FRUITIÈRE VINICOLE DE PUPILLIN Cuvée du siècle ★★

7 800 | 8 à 11 €

La Cuvée du siècle rend hommage à la poignée de vignerons qui ont fondé la coopérative de Pupillin en 1909. Cent ans plus tard, les viticulteurs et l'équipe technique de la Fruitière honorent ces pionniers avec ce crémant remarquable, qui foisonne de très fines bulles. Le nez d'agrumes (pamplemousse, citron) est souligné de délicates notes beurrées et briochées. On retrouve ces arômes, agrémentés de fruits exotiques, dans une bouche vive mais sans agressivité aucune, longue et équilibrée.

Fruitière vinicole de Pupillin, rue du Ploussard, 39600 Pupillin, tél. 03.84.66.12.88, fax 03.84.37.47.16, info@pupillin.com ✉ Y ⚲ t.l.j. 8h30-12h 14h-18h

♥ **DOM. G. QUILLOT** ★★

43 000 | 5 à 8 €

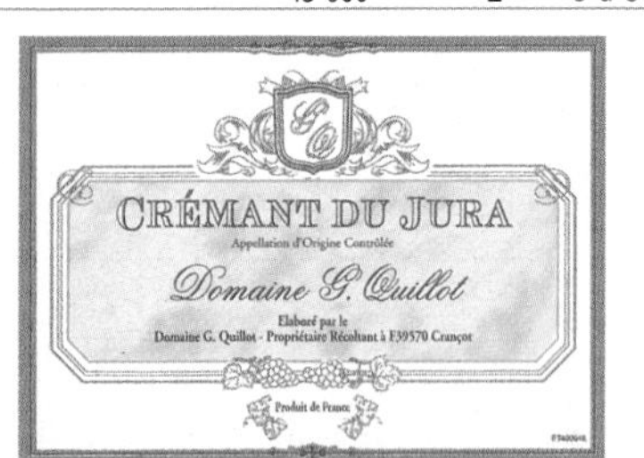

Le domaine Quillot est l'une des propriétés de la Maison du vigneron, qui l'a acquis en 2005. On trouve donc derrière la maîtrise technique du produit tout le savoir-faire de l'équipe de cette importante affaire de négoce. Après un coup de cœur en AOC côtes-du-jura l'an dernier, c'est au tour du crémant de se démarquer, avec ce pur chardonnay. Sa mousse discrète est formée de bulles très fines qui parcourent une robe jaune pâle limpide. D'abord réservé, le nez s'ouvre progressivement sur les agrumes. À la fois vive et structurée, la bouche développe avec intensité des arômes de pamplemousse et de citron d'une grande persistance. Les vins effervescents les plus renommés n'ont qu'à bien se tenir !

Dom. Quillot, rte de Champagnole, 39570 Crançot, tél. 03.84.87.61.30, lseverino@lgcf.fr

LA CAVE DE LA REINE JEANNE ★

10 000 | 5 à 8 €

Élaboré par Benoît Mulin et Stéphane Tissot à partir d'achats de raisins, ce crémant jaune pâle est issu pour moitié de chardonnay et pour l'autre de pinot noir. Si la mousse est discrète, le nez est, lui, de bonne intensité, très floral mais aussi vanillé. Ronde, voire vineuse, la bouche se montre bien structurée, avec une jolie finale grillée. Une belle harmonie, à apprécier plutôt au moment du dessert.

Cellier des Tiercelines, 54, Grande-Rue, 39600 Arbois, tél. 03.84.37.36.09, benoitmulin@cavereinejeanne.com

XAVIER REVERCHON 2009

5 800 | 5 à 8 €

Chardonnay et pinot noir forment l'assemblage de ce crémant à la mousse discrète. Le nez est plus disert : fleurs blanches, parfums beurrés, briochés et fruités s'y expriment avec intensité. On aurait aimé que ce joli vin reste un peu plus en bouche, laquelle offre un agréable fruité et une légèreté qui feront merveille à l'apéritif.

Xavier Reverchon, 2, rue du Clos, 39800 Poligny, tél. 03.84.37.02.58, fax 03.84.37.00.58, reverchon.chantemerle@wanadoo.fr ✉ Y ⚲ r.-v.

DOM. PIERRE RICHARD 2009 ★

5 000 | 5 à 8 €

Ce blanc de blancs brut est issu de vignes de chardonnay implantées sur des sols argileux, en bas de coteaux. Ses bulles fines ont colonisé une robe finement dorée. Très frais, le nez dévoile un côté agrumes, agrémenté de notes de croûte de pain, que l'on retrouve dans une bouche équilibrée et de bonne longueur, fraîche mais sans excès. Tout indiqué pour l'apéritif ou le dessert.

Pierre Richard, 93, rue Florentine, 39210 Le Vernois, tél. 03.84.25.33.27, fax 03.84.25.36.13, domainepierrerichard@wanadoo.fr ✉ Y ⚲ r.-v.

DOM. DE SAVAGNY

20 000 | 5 à 8 €

Si le domaine appartient à la Maison du vigneron, négoce particulièrement actif de l'AOC crémant-du-jura, les vins qui en sont issus sont vinifiés séparément. Une belle effervescence anime ce vin très clair, 100 % chardonnay, qui reste timide au nez. Tout en souplesse, la bouche étend sa gamme du menthol au bonbon anglais. Pour accompagner un dessert aux fruits acidulés.

Dom. de Savagny, rte de Champagnole, 39570 Crançot, tél. 06.24.54.22.89, mbailly@lgcf.fr ✉ Y ⚲ t.l.j. sf dim. 10h-12h30 14h-18h

FRUITIÈRE VINICOLE DE VOITEUR ★

75 000 | 5 à 8 €

Les cépages blancs sont légion dans cette cave coopérative : savagnin pour le vin jaune en côtes-du-jura et en château-chalon, chardonnay pour les blancs tranquilles et pour ce crémant aux reflets paille. Explosif, le nez va du brioché au grillé en passant par le vanillé. Cette ligne aromatique persiste au sein d'une bouche longue et bien structurée, à la finale vive. À ouvrir sans attendre, à l'apéritif.

Fruitière vinicole de Voiteur, 60, rue de Nevy, 39210 Voiteur, tél. 03.84.85.21.29, fax 03.84.85.27.67, voiteur@fvv.fr ✉ Y t.l.j. 8h30-12h 13h30-18h; dim. 10h-12h 14h-18h

L'étoile

Superficie : 56 ha
Production : 2 345 hl

Le village doit son nom à des fossiles, segments de tiges d'encrines (échinodermes en forme de fleurs), petites étoiles à cinq branches. Son vignoble produit des vins blancs, jaunes et de paille.

CH. DE L'ÉTOILE Vin jaune 2004 ★★

4 000 | 20 à 30 €

Alexandre Vandelle dirige depuis dix ans cette propriété qui offre, du haut du mont Muzard, une vue panoramique sur le vignoble, la plaine et le Revermont. Ce vin jaune, à sa manière, nous fait aussi prendre de la hauteur. Jaune pâle aux reflets vieil or, il témoigne déjà à l'œil d'une certaine stature. La noix est omniprésente dans le bouquet plaisant, animée d'une pointe de curry de temps à autre. La bouche confirme l'élégance de l'approche. De la noix toujours, du curry encore, et quelques notes de cuir et de grillé. Une grande finale épicée clôt cette superbe dégustation équilibrée entre puissance et fraîcheur. Et comme un bonheur n'arrive jamais seul, c'est un vin qui peut se boire tout de suite (il affrontera aussi une bonne garde). Citée, la **cuvée des Ceps d'or 2009 (8 à 11 € ; 30 000 b.)** est un assemblage de 95 % de chardonnay et de 5 % de savagnin, élevé sous voile. Un vin vif.

EARL Ch. de l'Étoile,
G. Vandelle et Fils, 994, rue Bouillod, 39570 L'Étoile,
tél. 03.84.47.33.07, fax 03.84.24.93.52,
info@chateau-etoile.com r.-v.

DOM. GENELETTI PÈRE ET FILS Vin de paille 2008

6 000 | 15 à 20 €

S'il n'atteint pas les mêmes sommets que son prédécesseur, le millésime 2007 distingué l'an dernier d'un coup de cœur, ce vin de paille reste élégant. Les fruits secs et le caramel se mêlent à des senteurs moins classiques de foin coupé. Avec une matière ample et équilibrée, la bouche confirme le caramel mou comme marqueur aromatique. Simple mais efficace.

Dom. Geneletti, rue Saint-Jean, 39210 Château-Chalon,
tél. 06.81.25.03.87, contact@domaine-geneletti.net
t.l.j. 10h-19h

♥ DOM. DE MONTBOURGEAU Vin de paille 2008 ★★

2 000 | 20 à 30 €

À la fois lieu de vie et lieu de travail – les chais entourant la maison familiale à proximité des 9 ha de vignes –, le domaine de Montbourgeau accueille les visiteurs en un espace vivant où ils aiment s'attarder. Et quel meilleur représentant que ce vin de paille vieil or aux superbes nuances ambrées ? Ses raisins de chardonnay, de poulsard et de savagnin ont séché jusqu'à Noël avant le pressurage et les trois ans de vieillissement en fût. À la fin de ce parcours, un nez puissant et voluptueux, qui allie abricot, pêche, coing et nuances de torréfaction. L'équilibre entre la sucrosité, sans excès, et l'acidité légère, est une véritable réussite. Et que dire de la splendide finale ? À savourer sur une tarte Tatin ou un foie gras, selon les préférences.

Dom. de Montbourgeau, 53, rue de Montbourgeau,
39570 L'Étoile, tél. 03.84.47.32.96, fax 03.84.24.41.44,
domaine@montbourgeau.com r.-v.
Nicole Deriaux

JEAN-LUC MOUILLARD Sélection 2009

6 500 | 8 à 11 €

Cette Sélection est un assemblage de chardonnay (60 %) et de savagnin (40 %) vieilli sous voile pendant vingt-quatre mois. Le nez est frais, minéral, avec quelques touches iodées. La bouche, assez longue, fait preuve de cette même vivacité, axée elle aussi sur la minéralité mais agrémentée de touches de pomme verte. Il faudra attendre un à deux ans pour servir cette bouteille sur un poisson à la crème.

Jean-Luc Mouillard, 379, rue du Parron, 39230 Mantry,
tél. 03.84.25.94.30, domainemouillard@hotmail.fr
r.-v. 2

Macvin-du-jura

Superficie : 69 ha
Production : 4 095 hl (92 % blanc)

Tirant probablement son origine d'une recette des abbesses de l'abbaye de Château-Chalon, l'AOC macvin-du-jura – anciennement maquevin ou marc-vin-du-jura – a été reconnue en 1991. C'est en 1976 que la Société de Viticulture engagea pour la première fois une démarche de reconnaissance en AOC pour ce produit très original. L'enquête fut longue. En effet, au cours du temps, le macvin, d'abord vin cuit additionné d'aromates ou d'épices, est devenu mistelle, élaboré à partir du moût concentré par la chaleur (cuit), puis vin de liqueur muté soit au marc, soit à l'eau-de-vie de vin. C'est cette dernière méthode, la plus courante, qui a été finalement retenue pour l'AOC. Vin de liqueur, le macvin met en œuvre du moût ayant subi un léger départ en fermentation, muté avec une eau-de-vie de marc de Franche-Comté à appellation d'origine issue de la même exploitation que le moût. Ce dernier doit provenir des cépages et de l'aire de production ouvrant droit à l'AOC. L'eau-de-vie doit être « rassise », c'est-à-dire vieillie en fût de chêne pendant dix-huit mois au moins.

Après cette association réalisée sans filtration, le macvin doit « reposer » pendant un an en fût de

JURA

chêne, puisque sa commercialisation ne peut se faire avant le 1er octobre de l'année suivant la récolte. Apéritif d'amateur, il rappelle les produits jurassiens à forte influence du terroir.

PAUL BENOIT

2 500 | 15 à 20 €

Paul Benoit s'est installé à Pupillin en 1976, année de grande sécheresse. 2009, millésime solaire, a vu naître ce macvin qui a unanimement séduit les dégustateurs par sa robe jaune profond aux reflets ambrés. En revanche, le nez a divisé les jurés : une forte note de gentiane a gêné certains, tandis que d'autres, sans la nier, ont apprécié son amertume. Mais l'équilibre et le gras en bouche ont permis un retour à la rondeur et ramené le consensus.

Paul Benoit et Fils, rue du Chardonnay, La Chenevière, 39600 Pupillin, tél. 03.84.37.43.72, fax 03.84.66.24.61, paul-benoit-et-fils@orange.fr t.l.j. sf dim. 9h-19h

BLONDEAU ET FILS *

2 300 | 11 à 15 €

Menétru-le-Vignoble a le privilège d'être situé dans l'aire d'appellation château-chalon, patrie du savagnin. Ici, c'est un moût de chardonnay qui a été utilisé. Très clair à l'œil, ce macvin distille une bonne odeur de marc. Fondu en bouche, équilibré, il dévoile des arômes de noisette et de café. Cette bouteille conviendra bien à l'apéritif, en accompagnement de toasts au foie gras.

Dom. Blondeau et Fils, 39210 Menétru-le-Vignoble, tél. 03.84.85.21.02, fax 03.84.44.90.56, blondeau.yves@9business.fr t.l.j. 8h-12h 14h-19h; dim. sur r.-v.

DANIEL BROCARD **

1 700 | 11 à 15 €

Ce domaine, voisin du château du Pin (XIIIe s.) est conduit par les Brocard de père en fils depuis 1890. Élégant et d'une puissance « seigneuriale », le nez de ce macvin s'épanouit dans des tons de fruits secs, de fruits confits, de brioche et d'agrumes. La bouche se montre riche, fondue, ample et profonde. Et si l'alcool est bien présent, il trouve dans le sucre un lit de douceur lui permettant de calmer ses ardeurs. La pâte de coings et l'amande offrent une tonalité aromatique intéressante, notamment en finale. Un bel ambassadeur de l'appellation, pour l'apéritif ou avec un gâteau aux noix.

Daniel Brocard, 7, rue de l'Église, 39570 Pannessières, tél. 03.84.43.04.67, fax 03.84.86.28.99 t.l.j. 8h-19h; dim. 8h-12h

PHILIPPE BUTIN Vieilli en fût de chêne **

2 000 | 11 à 15 €

Rares sont les macvins rosés. Celui-ci, dans sa robe pelure d'oignon, est de caractère léger. Le nez, discret, s'ouvre lentement sur l'amande et la fraise. La souplesse de la bouche séduit d'emblée, le fondu est excellent et l'équilibre sucre-alcool permet d'apprécier au mieux une expression aromatique très plaisante, où le pain d'épice se mêle à la noisette et à la confiture de fraises. Parfait sur un dessert aux fruits rouges.

Philippe Butin, 21, rue de la Combe, 39210 Lavigny, tél. 03.84.25.36.26, fax 03.84.25.39.18, ph.butin@wanadoo.fr r.-v.

CAVEAU DES BYARDS

20 000 | 11 à 15 €

Small is beautiful ? La coopérative du Vernois gère l'apport de seulement 42 ha de vignes, mais cela ne l'empêche pas de proposer une belle gamme de produits jurassiens, dont ce macvin plutôt chaleureux au nez, les notes généreuses du marc s'associant aux fruits secs. La bouche suit la même trajectoire, dominée par les accents d'eau-de-vie malgré la présence plus douce du sucre. Mais rien de rédhibitoire, une petite garde permettra à l'ensemble de se fondre.

Caveau des Byards, rte de Voiteur, 39210 Le Vernois, tél. 03.84.25.33.52, fax 03.84.25.38.02, info@caveau-des-byards.fr r.-v.

DOM. JEAN-CLAUDE CREDOZ

3 000 | 11 à 15 €

Producteur dans la prestigieuse AOC château-chalon, Jean-Claude Credoz utilise aussi du savagnin pour élaborer son macvin. Celui-ci, jaune pâle aux reflets verts, livre un nez intensément floral qui donne aussi dans le registre des fruits secs (amande), avec un côté marc bien présent. La bouche apparaît généreuse, moelleuse et ronde, tonifiée par une touche d'agrumes. L'ensemble, équilibré, mettra en valeur un gâteau au chocolat et aux noix.

Dom. Jean-Claude Credoz, rue des Chèvres, 39210 Château-Chalon, tél. 03.84.44.64.91, fax 03.84.44.98.76, domjccredoz@orange.fr t.l.j. 8h-12h 13h-19h

DOM. MARTIN FAUDOT

5 000 | 15 à 20 €

Ce macvin couleur jaune d'or a été élevé en fût pendant vingt-quatre mois. Aromatique, le nez offre des senteurs harmonieuses de foin coupé et de fleurs séchées, agrémentées des plus traditionnels arômes de fruits secs. L'alcool se fait plus dominant dans une bouche cependant riche et agréable. Un macvin pour les amateurs de produits puissants qui le serviront à l'apéritif.

Dom. Martin Faudot, 19, rue Bardenet, 39600 Mesnay, tél. 03.84.66.29.97, fax 03.84.66.29.84, info@domaine-martin.fr r.-v.

JEAN-LUC MOUILLARD **

3 000 | 11 à 15 €

Avec plusieurs coups de cœur à son actif pour cette appellation (le dernier en date dans l'édition précédente), Jean-Luc Mouillard nous offre toujours de beaux macvins. Celui-ci, jaune d'or ambré, ne fait pas exception. Complexe, le nez évolue sur des tons de brioche, de pain beurré, de fruits confits et de marc, tonifiés par des notes plus vives de citron. Fondue, la bouche offre un équilibre réussi entre sucre et alcool. Les agrumes s'allient aux raisins secs et à l'amande amère dans une remarquable harmonie. Pour l'apéritif ou en accompagnement d'une tarte aux pommes.

Jean-Luc Mouillard, 379, rue du Parron, 39230 Mantry, tél. 03.84.25.94.30, domainemouillard@hotmail.fr r.-v. 2

♥ DOM. CHRISTIAN ET PATRICIA PÊCHEUR **

4 000 | 11 à 15 €

Pour élaborer un macvin, on doit utiliser de l'eau-de-vie « rassise », c'est-à-dire vieillie en fût de chêne pendant au moins dix-huit mois ; un temps nécessaire qui

participe à l'excellence du produit. D'un jaune d'or brillant, le macvin de Patricia et Christian Pêcheur a connu le bois pendant deux ans et continue d'afficher sa bonne humeur à travers son nez élégant et racé d'amande, de mangue et de raisin sec. Riche, généreuse et concentrée, la bouche révèle un moelleux délicat, presque gouleyant, tapissée de notes de miel et de coing du plus bel effet. Un ensemble harmonieux et charmeur en diable, qui invite à la « redemande ».

Dom. Christian et Patricia Pêcheur, rue Philibert, 39230 Darbonnay, tél. 03.84.85.50.19, fax 03.84.25.94.39 t.l.j. 8h30-12h 13h30-19h; dim. sur r.-v.

DOM. DÉSIRÉ PETIT ★★

8 000 | 11 à 15 €

Ici, tout est fait pour accueillir au mieux les clients, notamment les adeptes du camping-car qui trouveront où se garer. Pour tous, le domaine organise aussi des portes ouvertes à l'Ascension. L'occasion de découvrir ce macvin couleur or, dont la franchise est le maître mot. Le nez, typique, allie fruits secs et fruits confits. Équilibrée, la bouche se révèle souple et fondue, tapissée d'arômes de raisin bien mûr, de frangipane et de fruits secs. Avez-vous pensé à la galette des rois ?

Dom. Désiré Petit, rue du Ploussard, 39600 Pupillin, tél. 03.84.66.01.20, fax 03.84.66.26.59, contact@desirepetit.com t.l.j. 8h30-12h 14h-19h

DOM. DE LA RENARDIÈRE ★

2 000 | 11 à 15 €

Le domaine ne possède pas de chambres d'hôtes, mais il en existe trois à un saut de puce du charmant petit village vigneron de Pupillin. L'occasion de découvrir ce macvin issu de chardonnay, au nez de noix, d'abricot sec et de fruits cuits. La bouche se révèle bien équilibrée, sans lourdeur, et laisse le dégustateur sur une agréable impression de fruité qui s'associera volontiers avec un gâteau au chocolat.

Dom. de la Renardière, rue du Chardonnay, 39600 Pupillin, tél. 03.84.66.25.10, renardiere@libertysurf.fr t.l.j. 10h-12h 14h-18h30; dim. sur r.-v.

Jean-Michel Petit

XAVIER REVERCHON ★

n.c. | 15 à 20 €

Généralement élaboré à partir de cépages blancs, le macvin a été produit ici avec du pinot noir. De couleur rosée, un peu tuilée, la robe est limpide et avenante. Fruits rouges et pruneau côtoient les épices au nez. Harmonieuse, la bouche évoque dans un élégant fondu la fraise et la framboise cuite. Pour une entrée gourmande, sous la tonnelle, avec melon et jambon cru.

Xavier Reverchon, 2, rue du Clos, 39800 Poligny, tél. 03.84.37.02.58, fax 03.84.37.00.58, reverchon.chantemerle@wanadoo.fr r.-v.

PIERRE RICHARD

3 000 | 11 à 15 €

Installé depuis 1976 sur le domaine familial (9 ha), Pierre Richard transmet peu à peu le flambeau à son fils Vincent. Né sur 60 ares d'argiles du lias, son macvin a connu quarante mois de vieillissement sous bois qui ont permis une belle alliance entre le moût de savagnin et la puissance du marc. Au nez, le coing s'associe aux fleurs blanches. En bouche, la pâte de fruits et le miel prennent le relais et confèrent à l'ensemble un côté doux et rond, tempéré par une agréable fraîcheur. Pour le dessert.

Pierre Richard, 93, rue Florentine, 39210 Le Vernois, tél. 03.84.25.33.27, fax 03.84.25.36.13, domainepierrerichard@wanadoo.fr r.-v.

DOM. ROBELIN FILS ★★

3 800 | 11 à 15 €

Le caveau de dégustation est situé à Voiteur, au pied de Château-Chalon, sur la route touristique de Baume-les-Messieurs. C'est à un joli périple aussi qu'invite ce macvin jaune d'or. Le nez évoque les agrumes, les fruits confits et le miel, agrémentés de notes plus chaleureuses de marc. Encore vive, la bouche en est presque gouleyante, égayée par des touches citronnées et des arômes de pain d'épice.

Dom. Robelin Fils, 13, pl. de l'Église, 39210 Voiteur, tél. 03.84.85.29.97, fax 03.84.85.21.81, robelinfils@wanadoo.fr t.l.j. 10h-12h 15h-19h

DOM. DE SAVAGNY ★

4 000 | 11 à 15 €

Le domaine, créé en 1984 par Claude Rousselot-Pailley, a été racheté il y a une dizaine d'années par la Maison du vigneron, affaire de négoce établie à Crançot. Riche et raffiné, le nez de ce macvin s'ouvre sur des tons de vanille, d'orange et d'amande, complétés par des touches plus exotiques de gentiane. Cette gamme aromatique se poursuit en bouche avec l'appui du raisin sec. En trois mots : de l'ampleur, de la rondeur et de l'équilibre. Avez-vous déjà goûté de la glace aux bourgeons de sapin ? C'est le moment.

Dom. de Savagny, rte de Champagnole, 39570 Crançot, tél. 06.24.54.22.89, mbailly@lgcf.fr t.l.j. sf dim. 10h-12h30 14h-18h

MICHEL TISSOT ET FILS Cuvée Saint-Antoine

20 000 | 8 à 11 €

La marque Michel Tissot fait référence à une maison fondée en 1896 et rachetée par Henri Maire en 1999. Intense, la robe de cette cuvée Saint-Antoine est cuivrée aux reflets ambrés. Puissant, le nez est dominé par l'alcool mais laisse passer des tons plus doux d'orange, de coing, de vanille et de miel. La bouche, chaleureuse et puissante, suit aussi cette ligne. À servir plutôt à la fin d'un repas, avec un gâteau au chocolat.

Michel Tissot et Fils, BP 40012, 39601 Arbois Cedex, tél. 03.84.66.47.97, fax 03.84.66.47.75, info@michel-tissot.fr

♥ CHRISTELLE ET GILLES WICKY ★★

1 200 | 11 à 15 €

La conversion du domaine à l'agriculture biologique a été engagée en 2010 par les Wicky, installés depuis

neuf ans sur les terres de Sainte-Agnès. En tout cas, point n'est besoin de convertir le jury à la cause de ce macvin : il est d'emblée tout acquis. Dans le verre, le précieux liquide passe du doré à l'ambré selon l'orientation de la lumière. Une intensité partagée avec un nez vif, aux nuances d'amande, de raisin sec, de figue sèche et qui libère aussi ces odeurs si prenantes d'alambic. La bouche, bien équilibrée, se révèle également très aromatique et ajoute la noix aux parfums de l'olfaction. Une forte personnalité, avec un caractère qui sort vraiment de l'ordinaire. Vous n'avez pas fini de parler de votre glace aux noix et du macvin qui l'accompagnait...

🔑 Gilles Wicky, 13, rue Principale, 39190 Sainte-Agnès, tél. 03.84.25.10.96, gilles.wicky@wanadoo.fr
V 🍷 🚶 r.-v.

LA SAVOIE ET LE BUGEY

Du lac Léman à la rive droite de l'Isère, dans les départements de la Haute-Savoie, de l'Ain, de l'Isère et surtout de la Savoie, ce vignoble s'éparpille en îlots le long des vallées, borde les lacs ou s'accroche aux basses pentes les mieux exposées des Préalpes. Il fournit surtout des vins friands à boire jeunes au bas des pistes ou sous la tonnelle, blancs secs pour les deux tiers, mais les sélections du Guide montrent l'existence de vins de caractère, voire de garde.

La vigne, la montagne et l'eau Le vignoble savoyard est principalement situé à proximité du lac Léman ou de celui du Bourget, ou le long des rives du Rhône et de l'Isère. Les barrières rocheuses des Bauges et de la Chartreuse, les lacs et les cours d'eau tempèrent la rudesse du climat montagnard.

Superficie
2 170 ha
Production
140 000 hl
Types de vins
Blancs majoritairement (70 %), secs pour la plupart ; rouges et quelques rosés. Quelques blancs effervescents.
Cépages
Rouges : mondeuse ; gamay ; pinot noir.
Blancs : jacquère (majoritaire) ; altesse ; bergeron (roussanne) ; chasselas ; chardonnay ; molette ; gringet.

Des cépages typiques Du fait de la grande dispersion du vignoble, ils sont assez nombreux. Certains sont rares : le pinot et le chardonnay, notamment, et des variétés locales comme la molette ou le gringet. Les principales variétés sont au nombre de deux en rouge et de quatre en blanc. En rouge, le gamay, importé du Beaujolais voisin après la crise phylloxérique, donne des vins vifs et gouleyants, à consommer dans l'année. La mondeuse, cépage local, fournit des vins rouges bien charpentés, notamment à Arbin ; c'était, avant le phylloxéra, le cépage le plus important de la Savoie ; elle connaît un regain d'intérêt mérité, car ses vins ont de la personnalité et du potentiel. En blanc, la jacquère et le chasselas (ce dernier cultivé sur les rives du lac Léman) sont à l'origine de vins blancs frais et légers. L'altesse est un cépage très fin, typiquement savoyard, celui de l'appellation roussette-de-savoie. La roussanne, appelée localement bergeron, donne également des vins blancs de haute qualité, spécialement à Chignin (chignin-bergeron).

Vin-de-savoie

Superficie : 1 980 ha
Production : 129 000 hl (70 % blanc)

Le vignoble donnant droit à l'appellation est installé le plus souvent sur les anciennes moraines glaciaires ou sur des éboulis. La dispersion géographique s'ajoute à ce facteur géologique pour expliquer la diversité des vins savoyards, souvent consacrée par l'adjonction d'une dénomination locale à celle de l'appellation régionale (ex. : vin-de-savoie Apremont). Au bord du Léman, à Marin, Ripaille, Marignan et Crépy (ex-AOC), comme sur la rive suisse, c'est le chasselas qui règne. Il donne des vins blancs légers, à boire jeunes, souvent perlants. Les autres zones ont des cépages différents et, selon la vocation des sols, produisent des vins blancs ou des vins rouges. On trouve ainsi, du nord au sud, Ayze, au bord de l'Arve, et ses vins blancs pétillants ou mousseux, puis, au bord du lac du Bourget (et au sud de l'appellation seyssel), la Chautagne, et ses vins rouges au caractère affirmé. Au sud de Chambéry, les bords du mont Granier recèlent des vins blancs frais, comme le cru Apremont et celui des Abymes, vignoble établi sur le site d'un effondrement qui, en 1248, fit des milliers de victimes. En face, Monterminod, envahi par l'urbanisation, a malgré tout conservé un vignoble qui donne des vins remarquables ; il est suivi de ceux de Saint-Jeoire-Prieuré, de l'autre côté de Challes-les-Eaux, puis de Chignin, dont le bergeron a une renommée justifiée. En remontant l'Isère par la rive droite, les pentes sud-est sont occupées par les crus de Montmélian, Arbin, Cruet et Saint-Jean-de-la-Porte.

Les vins de la région sont surtout consommés jeunes, sur place, la demande dépassant parfois l'offre. Les blancs, majoritaires, vont bien sur les produits des lacs ou de la mer, et les rouges issus de gamay s'accordent avec beaucoup de mets. Il est cependant dommage de consommer jeunes les vins rouges de mondeuse, qui ont besoin de plusieurs années pour s'épanouir et s'assouplir : ces bouteilles de haut niveau conviendront aux plats puissants, au gibier et aux fromages locaux tels que la tomme de Savoie et le reblochon.

DOM. DES ANGES Le Plaisir des anges 2011 ★★

15 000 | 5 à 8 €

L'aligoté du domaine porte maintenant le doux nom de Plaisir des anges, mais le parcellaire et la méthode de vinification (1,8 ha de vignes de soixante ans vendangées à la machine puis cuvées à basse température) sont restés les mêmes. Cité dans le millésime 2009, ce cru est bien plus à l'aise dans le 2011 où il arbore un nez expressif, sur des notes florales, et une bouche élégante, complexe, équilibrée et de belle longueur. Une superbe cuvée capable de vieillir deux ans en cave avant d'être savourée sur un poisson grillé.

Angelier Frères, hameau de Mure, 73800 Les Marches,
tél. 04.79.28.03.41, fax 04.79.71.52.59,
domainedesanges@wanadoo.fr t.l.j. 8h-12h 14h-19h

DOM. BELLUARD Ayse Brut zéro Mont-Blanc 2008

5 000 | 11 à 15 €

Dominique Belluard est maintenant seul aux commandes du domaine, ayant racheté les parts de son frère Patrick en 2011. Il conduit 10 ha, dont 8,5 traités en biodynamie : son but est d'arriver à tout exploiter ainsi, mais la tâche est rude, car il entretient déjà 3 ha à la bouille à dos (pulvérisateur à dos utilisé pour répandre les doses de préparation bio). Ayse est réputée pour ses méthodes traditionnelles. Dominique Belluard les interprète à sa façon, optant pour un vieillissement sur lattes de quatre ans et zéro liqueur d'expédition, d'où ce vin vif, léger, à la bulle fine, au nez de coing, de pomme verte, à la matière fraîche et nette. Une pointe d'évolution laisse cependant entendre qu'il sera à boire prochainement.

Dom. Belluard, 283, Les Chenevaz, 74130 Ayse,
tél. 04.50.97.05.63, domainebelluard@wanadoo.fr
r.-v.

DENIS ET DIDIER BERTHOLLIER
Chignin Bergeron Saint-Anthelme 2010 ★★

4 400 | 11 à 15 €

Avec une opiniâtreté d'alpinistes, les frères Berthollier ont planté à Montmélian, à partir de 2000, de raides coteaux abandonnés depuis un siècle, trop difficiles à cultiver : la pente avoisine les 60 %. Saint-Anthelme est le premier lieu-dit ainsi vendangé. L'exposition sud et le sol très calcaire sont toujours à l'origine de grandes maturités, et donnent des vins sortant de l'ordinaire, comme ce 2010 opulent, au nez de coing et de pain d'épice, agrémenté de légères notes boisées léguées par un passage de dix mois en fût. La bouche, élégante, très longue, bénéficie d'une pointe de sucre résiduel. Un très joli vin, gras et frais à la fois, « remarquable pour son équilibre d'ensemble », conclut un dégustateur. À boire l'an prochain sur une volaille à la crème.

Denis et Didier Berthollier,
Dom. la Combe des Grand'Vignes, Le Viviers, 73800 Chignin,
tél. 04.79.28.11.75, fax 04.79.28.16.22, contact@chignin.com
r.-v.

PHILIPPE BETEMPS Apremont 2011 ★

8 000 | - de 5 €

Philippe Betemps a vendangé à la machine ses parcelles de jacquère implantées sur les contreforts graveleux du mont Granier. Il en tire ce vin à la robe or pâle typique de ce cépage et au nez classique de pierre à fusil, d'agrumes et de citron vert. La bouche est équilibrée, rafraîchie de jolies notes acidulées évoquant l'orange amère et le pamplemousse. Fin, classique, ce 2011 accompagnera dès l'an prochain une assiette de fruits de mer.

Philippe Betemps, Saint-Pierre, 73190 Apremont,
tél. 06.09.05.24.95, fax 04.79.28.28.80,
philippebetemps@orange.fr r.-v.

DOM. BLARD ET FILS Apremont Cuvée Thomas Vieilles Vignes 2011 ★★

12 500 | 5 à 8 €

La cuvée Thomas, du nom du futur successeur de Jean-Noël Blard, est une valeur sûre du domaine, déjà sélectionnée dans le millésime 2010. Avec son nez intense de bourgeon de cassis, d'orange et d'agrumes, elle met les sens en éveil. La bouche est dans la même veine, tendue, carrée, franche et tonique. « Voilà un vin que l'on pourrait qualifier de technologique, conclut un juré, mais bien agréable en bouche. » À déguster cette année à l'apéritif.

Dom. Blard et Fils, Le Darbé, 73800 Les Marches,
tél. 06.11.50.30.37, fax 04.79.28.01.35, blardsavoie@yahoo.fr
r.-v.

ÉRIC ET FRANÇOIS CARREL Jongieux Pinot 2011

8 000 | 5 à 8 €

Éric Carrel a vinifié à la bourguignonne son hectare de pinot noir, qu'il a vendangé à la main, égrappé, laissé

SAVOIE-BUGEY

macérer vingt jours, puis élevé deux mois en fût. Il en tire ce vin aimable à la robe couleur fraise, qui commence à prendre des nuances tuilées, et au nez intense de griotte. La bouche, fine et légère, indique un vin à boire dans l'année, sur une viande rouge.

Éric et François Carrel, 73170 Jongieux, tél. 04.79.33.18.48, fax 04.79.33.10.90, gaec-la-rosiere@wanadoo.fr t.l.j. 14h-19h30; matin sur r.-v.

MICHEL ET MIREILLE CARTIER Abymes 2008 ★

4 000 | 5 à 8 €

Michel Cartier, fidèle à sa réputation de « coupetard », a patienté jusqu'au 28 septembre pour vendanger sa jacquère, afin de recueillir des raisins les plus mûrs possible. Il obtient en conséquence un vin au nez opulent de cire d'abeille, relevé d'une touche minérale. La bouche, fine et équilibrée, évoque la pêche blanche et la nectarine, et finit tout en rondeur. Une microcuvée à déguster cette année à l'heure de l'apéritif, sur des gougères.

Michel Cartier, EARL du Château, rue du Puits, 38530 Chapareillan, tél. 04.76.45.21.26, fax 04.76.45.21.67, earl-du-chateau@wanadoo.fr r.-v.

LE CELLIER DU PALAIS Apremont Vieilles Vignes 2011

4 000 | 5 à 8 €

Béatrice Bernard parvient toujours à extraire des arômes délicats et raffinés de ses jacquères, dans un style très pur mêlant fleurs blanches et fruits exotiques (mangue). Ce vin développe une bouche équilibrée et nette, portée par une acidité sans aspérités. Archétype de l'apremont, il se dégustera l'an prochain sur un pavé de saumon à l'aneth

René et Béatrice Bernard, Le Cellier du Palais, village de l'Église, 73190 Apremont, tél. 04.79.28.33.30, fax 04.79.28.28.61, bea-bernard@wanadoo.fr t.l.j. 9h-12h 14h-19h

PHILIPPE CHAPOT Apremont 2011 ★★★

50 000 | - de 5 €

Philippe Chapot a trouvé en 2011 pour son apremont, cuvée phare du domaine, le petit supplément d'âme qui fait la différence. Le vin s'inscrit totalement dans son appellation avec sa robe très pâle, ses arômes francs de citron confit et de pierre à fusil. C'est en bouche, et notamment dans la finale portée longuement par une sensation de salinité, que le vin trouve le parfait équilibre entre fraîcheur et fruité, sublimant toute la richesse de la jacquère. Une bien belle bouteille à déguster dans un an. Réservez-la à un mets de choix, un poisson noble ou des langoustines grillées au safran.

Philippe Chapot, La Serraz, 73190 Apremont, tél. 04.79.28.26.20, p.chapot@orange.fr r.-v.

CAVE DE CHAUTAGNE Chautagne Cuvée Exception 2011

n.c. | 5 à 8 €

Cette coopérative est une valeur sûre de la région pour ses blancs et ses rouges, qui sont sélectionnés chaque année dans le Guide. Cette année, c'est le rosé qui a eu la préférence. Une séduisante robe rose fuchsia annonce un nez de fruits rouges, de bonbon anglais et de milk-shake à la grenadine, suivi d'une bouche fruitée et persistante. On servira cet été ce vin nerveux et pimpant sur un poulet grillé à l'ananas.

Cave de Chautagne, lieu-dit Saumont, 73310 Ruffieux, tél. 04.79.54.27.12, fax 04.79.54.51.37, info@cave-de-chautagne.com t.l.j. 9h-12h 14h-18h

CHEVALLIER-BERNARD Jongieux Pinot noir 2011 ★

3 600 | 5 à 8 €

Les esprits taquins feront remarquer à Chantal et à Jean-Pierre Bernard qu'ils obtiennent une étoile pour un pinot noir et non pour leur gamay, valeur sûre de ce domaine fondé par ces anciens du Beaujolais. Cela dit, réussir le pinot est un art difficile, et ils s'en sortent très bien avec leurs 40 ares de vignes vendangées à la main, à l'origine de ce vin grenat au nez intense de cerise confite, à la bouche soyeuse et chaleureuse. Leur **jongieux mondeuse 2011 (moins de 5 € ; 18 000 b.)**, aux tanins carrés, est cité pour son côté croquant, nature, égayé de notes épicées. Même note pour le fameux **jongieux gamay (moins de 5 € ; 22 000 b.)**, puissant et fruité, un peu fugace.

EARL Chevallier-Bernard, Le Haut, 73170 Jongieux, tél. 06.60.77.14.76, fax 04.79.44.00.33 r.-v.

DOM. DE CHEVIGNEUX Chautagne Gamay 2010 ★

25 000 | 5 à 8 €

Lisa Gilmore suit depuis 2007 les vignes et les vinifications de ce domaine de 12 ha. Son gamay 2010, rond, riche et structuré, est très réussi, même si le boisé domine encore au nez et en bouche, avec des notes vanillées et réglissées, en dépit de la brièveté de l'élevage en fût (trois mois). Un vin friand, à découvrir dans un an sur une viande blanche. L'**aligoté 2010 (1 500 b.)** a été élevé un an en fût. Il est cité pour son nez vanillé et sa finale citronnée.

Dom. de Chevigneux, 747, rue de Chevigneux, 73310 Chindrieux, tél. 04.79.54.24.01, fax 04.79.54.56.05, domainedechevigneux@orange.fr t.l.j. 9h-18h; sam. dim. sur r.-v.

Lisa Gilmore

BERTRAND CHEVRIER Apremont 2011

13 000 | 5 à 8 €

Bertrand Chevrier a vendangé à la machine 4 ha de son petit domaine qui en compte sept, pour en tirer ce vin pâle aux reflets gris, au nez de fruits jaunes, souple et beurré en bouche. Le jury pense que cet apremont a fait sa fermentation malolactique, cette deuxième fermentation qui fait chuter l'acidité, ce qui expliquerait sa finale onctueuse, atypique mais élégante. À déguster l'an prochain à l'apéritif.

Bertrand Chevrier, Le Severt, 73190 Apremont, tél. 06.42.58.52.08, chevrier.bm@orange.fr r.-v.

DOM. DU COLOMBIER Mondeuse 2011 ★

n.c. | 5 à 8 €

Patrick Tardy a vendangé à la main, « en douceur », précise-t-il, sa mondeuse dont il contrôle soigneusement les rendements en ne gardant que quatre ou cinq grappes par pied. Il obtient un vin foncé, au nez exubérant de figue et de fruits rouges très mûrs, à la bouche flatteuse, ample, enrobée de tanins soyeux, pas trop extraits. Équilibré et net, ce vin sera à boire dans deux ans sur du petit gibier.

Dom. du Colombier, 230 chem. de la Grue, Saint-André, 73800 Les Marches, tél. 04.79.28.04.92, fax 04.79.71.57.64, patrick@lesvinstardy.fr r.-v.

Patrick Tardy

DOM. DELALEX Marin Cuvée Tradition 2011

35 000 ▮ 5 à 8 €

Samuel Delalex a un credo : pas de fermentation malolactique ni de sucres résiduels ; il aime les vins droits, nets, vifs, comme ce chasselas aux reflets verts, au nez frais de citron et de fleurs, à la bouche fruitée et persistante. Souple, friand, ce vin gracieux est à déguster dans l'année sur du beaufort.

Dom. Delalex – La Grappe dorée, 108, chemin des Noyereaux, 74200 Marin, tél. 04.50.71.45.82, fax 04.50.71.06.74, samueldelalex@wanadoo.fr t.l.j. sf dim. 14h-19h

DOM. GIACHINO Abymes Monfarina 2011

26 000 ▮ 5 à 8 €

David et Frédéric Giachino ont vendangé tard (le 1er octobre) et à la main les 4 ha à l'origine de cette cuvée. Depuis 2010, ils ont la certification bio et travaillent en biodynamie, en essayant de trouver le juste milieu entre leurs idéaux... et le réalisme économique. Ils ont donc mis à la retraite le cheval de trait du domaine pour faire appel à un laboureur à façon. Moins de soins, donc plus d'heures de sommeil ! Ils proposent ici un joli vin acidulé, rond, équilibré, qui a fait sa fermentation malolactique et qui a été élevé quatorze mois, nourri par ses lies. À garder un an.

Dom. Giachino, chem. du Mimoray, La Palud, 38530 Chapareillan, tél. et fax 04.76.92.37.94, domaine-giachino@orange.fr r.-v.

YVES GIRARD-MADOUX Chignin Mondeuse 2011 ★

15 000 ▮ 5 à 8 €

Yves Girard-Madoux est si fier d'appartenir aux familles de Chignin qui ont œuvré, dans les années 1950, pour la replantation du coteau de Tormery, qu'il a retenu le nom de ce dernier pour son site Web personnel. Il propose cette mondeuse, dont il a, en 2011, modifié la vinification, se rapprochant de la technique bourgui-

La Savoie et le Bugey

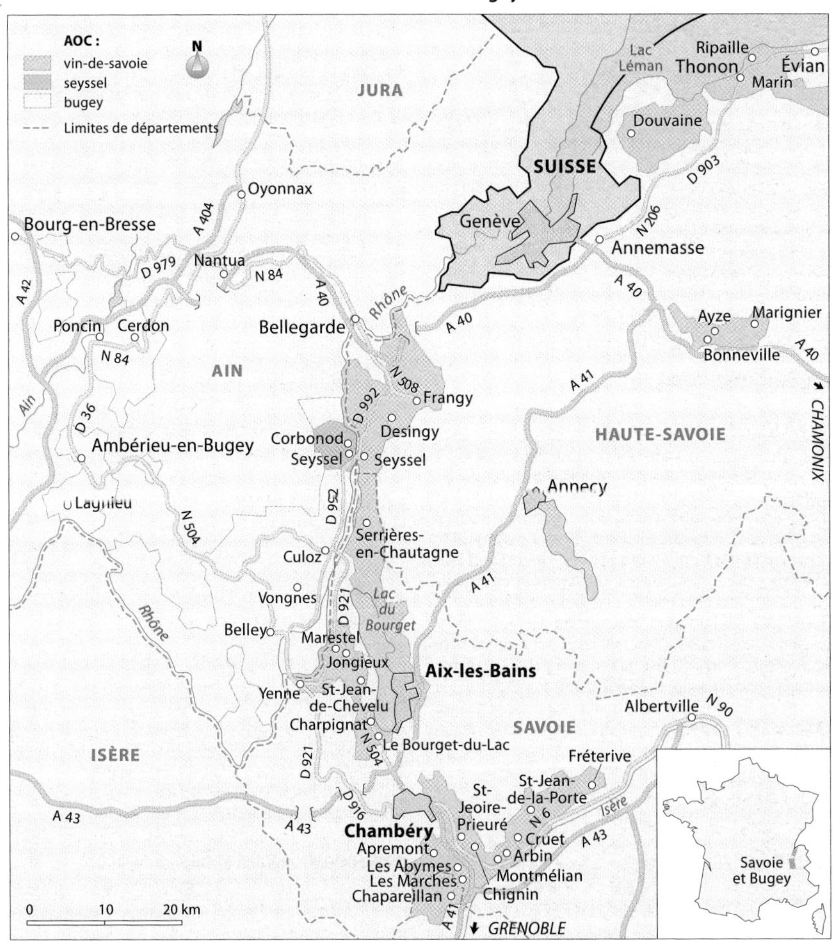

gnonne avec un éraflage plus important (50 %) et une cuvaison plus longue (quinze jours). Il en résulte un vin très foncé, offrant un nez intense de cassis et de cerise, et une bouche équilibrée et soyeuse. Le **chignin bergeron 2011 blanc (8 à 11 € ; 35 000 b.)** est cité pour son équilibre entre douceur et vivacité.

Yves Girard-Madoux, Tormery, 73800 Chignin, tél. et fax 04.79.28.05.60, girard-madoux.yves@wanadoo.fr
r.-v.

SAMUEL ET FABIEN GIRARD-MADOUX
Chignin Mondeuse 2011 ★

	5 000		5 à 8 €

Samuel et Fabien Girard-Madoux sont deux frères à la tête d'un tout petit domaine de 5,5 ha. Ils sont plutôt connus pour leur chignin bergeron. Mais en 2011, c'est leur mondeuse qui se distingue avec sa belle robe pourpre et son nez élégant de violette et de cerise à l'eau-de-vie. La bouche, ample, « a du coffre », écrit un juré, qui souligne la capacité de garde (cinq ans) de cette bouteille. À déguster sur un civet.

Samuel et Fabien Girard-Madoux, Cave Plantin, Tormery, 73800 Chignin, tél. 04.79.28.11.76
r.-v.

CHARLES GONNET 2011 ★★

	5 000		- de 5 €

Véronique Gonnet a pressé directement les raisins rouges, qui étaient très colorés, sans les faire macérer une nuit : c'est la technique du pressurage direct qui donne ici une robe rose pâle. Comme à son habitude, elle a vinifié le tout à très basse température, obtenant ainsi ce nez de bonbon anglais et de rose ancienne. La bouche, fruitée, douce sans excès, est très réussie. Le **chignin 2011 blanc (60 000 b.)** du domaine, aux arômes de pamplemousse, est bien vinifié ; il reçoit une étoile.

Charles Gonnet, Chef-Lieu, Cidex 3500, 73800 Chignin, tél. 06.80.74.08.46, fax 04.79.71.55.91, veronique.gonnet@bbox.fr r.-v.

B LA GOUTTE D'OR Les Pourpres 2011 ★★

	5 000		5 à 8 €

Claude Mercier travaille maintenant avec son fils Stéphane. Ce domaine certifié bio en 2011 poursuit l'orientation prise avec la biodynamie, déjà expérimentée sur la moitié de cette exploitation de 30 ha. Le **crépy 2011 blanc cuvée des Fondateurs Vieilles Vignes (8 à 11 € ; 25 000 b.)**, valeur sûre de la maison, reçoit une étoile pour son nez de poire et sa bouche harmonieuse. Mais c'est le rouge 2011 qui l'emporte haut la main. Cet assemblage mi-gamay mi-mondeuse a été vendangé à la main, macéré à basse température et élevé quatre mois en fût. Il en garde une robe grenat intense et un nez vanillé très expressif ; la bouche est superbe, fraîche et fondue. Le boisé se nuance en finale de belles notes kirschées : une bouteille remarquable à garder deux ans en cave.

EARL La Goutte d'or, Dom. de La Grande Cave, 74140 Ballaison, tél. 04.50.94.01.23, clmercier74@aol.com
t.l.j. sf dim. 8h-12h 14h-18h

PHILIPPE GRISARD Saint-Jean-de-la-Porte Mondeuse 2010

	2 600		5 à 8 €

Philippe Grisard vole de ses propres ailes depuis juillet 2010 et exploite maintenant un domaine de 14,5 ha dont il complète la production par des achats de raisins. Ces 30 ares de mondeuse ont été vendangés à la main et vinifiés à la bourguignonne : égrappage à 100 % et cuvaison de vingt-cinq jours, puis élevage de 10 % en fût, le reste en cuve. Le vin en ressort intense de robe et d'arômes. Le nez développe des notes de cassis et de mûre. Ample, riche et fruité, ce 2010 sera dégusté dans deux ans sur un gigot d'agneau.

Philippe Grisard, 33, place du Maréchet, Saint-Laurent, 73800 Cruet, tél. 04.79.84.30.91, fax 04.79.84.30.50, vins@philippegrisard.com
t.l.j. sf dim. 8h-12h 13h30-18h30

DOM. GRISARD Saint-Jean-de-la-Porte Mondeuse 2011

	8 000		5 à 8 €

Les Grisard sont trois frères et deux d'entre eux figurent dans notre sélection. Jean-Pierre, c'est Monsieur Internet, deux blogs à lui tout seul, un compte Twitter actif (et intéressant à suivre) et, surtout, une passion pour les cépages oubliés qu'il tient de son activité annexe de pépiniériste. Il propose une mondeuse vendangée à la main, à la robe rubis, au nez de fraise cuite, vinifiée dans un style rond et léger. Ce vin harmonieux et bien typé sera à apprécier dès la sortie du Guide.

Dom. Grisard, Le Chef-Lieu, 73250 Fréterive, tél. 04.79.28.54.09, fax 04.79.71.41.36, gaecgrisard@aol.com
t.l.j. sf dim. 8h30-12h 13h30-18h

DOM. DE L'IDYLLE Gamay 2011 ★★

	8 000		5 à 8 €

Philippe et François Tiollier exploitent 2 ha de gamay sur un terroir d'éboulis. Ils ont vendangé à la main leurs vignes de trente ans et vinifié leur récolte à la beaujolaise, en grappes entières. Ils en tirent ce vin rubis intense aux reflets violets, au nez riche et complexe d'épices, de cassis et de mûre. La bouche, ronde, friande et fruitée, de belle longueur, est portée par des tanins souples et fondus. Une bouteille pleine de charme, à déguster l'an prochain sur des diots.

Dom. de l'Idyllle, rue Croix-de-l'Ormaie, Saint-Laurent, 73800 Cruet, tél. 04.79.84.30.58, tiollier.idylle@wanadoo.fr
t.l.j. sf dim. 10h-12h 14h30-18h; f. fin sept.

XAVIER JACQUELINE Méthode traditionnelle
La Perle du lac 2010

	6 600		8 à 11 €

Xavier Jacqueline est installé à Aix-les-Bains, sur les rives du lac du Bourget. Depuis la vigne de Brison-Saint-Innocent, à l'origine de cette cuvée, on aperçoit les eaux bleutées du lac qui crée un microclimat favorable au raisin, doux et tempéré. Cet hectare de chardonnay a donné naissance à une méthode traditionnelle, citée pour sa robe aux reflets verts, son nez muscaté et nuancé de pêche jaune, sa bouche ronde, à la finale un peu douce. Un effervescent bien fait, à déguster cet été sur une tarte Tatin.

Xavier Jacqueline, 7, chem. de Saint-Simond, 73100 Aix-les-Bains, tél. 06.74.49.57.05, xavier.jacqueline@orange.fr t.l.j. 18h-19h

DOM. EDMOND JACQUIN ET FILS Jongieux 2011

	24 000		5 à 8 €

Patrice et Jean-François Jacquin sont surtout connus pour leur roussette en marestel mais leur jongieux blanc séduit lui aussi par son nez exotique, sa bouche ronde et grasse. Son côté suave rend ce vin facile à servir à l'apéritif.

Dom. Edmond Jacquin et Fils, Jongieux-le-Haut, 73170 Jongieux, tél. 04.79.44.02.35, fax 04.79.44.03.05, jacquin4@wanadoo.fr t.l.j. 9h-12h 15h-19h

MICHEL ET XAVIER MILLION ROUSSEAU
Mondeuse Sélection Vieilles Vignes 2011 ★

4 300 — 5 à 8 €

Michel (le père) et Xavier (le fils) se définissent comme des artisans-vignerons, avec leur petit domaine familial de 8 ha situé sur le coteau de Monthoux. De forme parabolique, ce terroir expose au soleil, une bonne partie de la journée, les vieux ceps de soixante-quinze ans. Citée pour le 2009, cette mondeuse obtient une étoile en 2011. Entre les deux millésimes, une différence d'arômes et de technique : la mondeuse n'est plus égrappée et elle a séjourné seize jours en cuve au lieu de quatorze. Elle affiche une robe pourpre et un nez de cuir, de réglisse et de fruits rouges. La bouche, solide et mûre, sera prête après deux ans de garde.

Michel et Xavier Million-Rousseau, Monthoux, 73170 Saint-Jean-de-Chevelu, tél. 04.79.36.83.93, fax 04.79.36.80.08, vinsmillionrousseau@orange.fr t.l.j. sf dim. 8h-12h 14h-19h

DOM. DES OPHRYS Apremont 2011 ★

41 000 — 5 à 8 €

Le Vigneron savoyard est une coopérative d'une dizaine de viticulteurs. Depuis 1966, ceux-ci travaillent individuellement leurs vignes, puis les vendangent en commun et apportent ensemble leur récolte à la cave qui assure la vinification, l'embouteillage et la commercialisation. Sur cette parcelle de 6 ha de jacquère en partie vendangée à la machine, ils obtiennent un vin très pâle au nez d'agrumes. Souple, gras, pas complètement sec (4,5 g/l de sucre), il trouvera sa place à l'apéritif. Le **Dom. des Sabots de Vénus Apremont 2011 (48 000 b.)**, autre marque de la coopérative, fait jeu égal dans ce même style suave et amylique (poire et banane).

Le Vigneron savoyard, rte du Crozet, 73190 Apremont, tél. 04.79.28.33.23, fax 04.79.28.26.17 t.l.j. sf dim. 8h 12h 14h 18h

♥ JEAN PERRIER ET FILS Fleur de Chardonnay Élevé en fût de chêne 2011 ★★

20 000 — 5 à 8 €

Gilbert Perrier, figure du vignoble, vient de quitter la présidence de l'interprofession des vins de Savoie. À son initiative, une réflexion sur les terroirs a été engagée. Ce propriétaire-négociant finit son mandat en beauté, avec un coup de cœur et deux autres de ses vins blancs sélectionnés. Le coup de cœur doublement étoilé va au chardonnay, au nez de miel et de brioche, gras, rond et équilibré, capable de vieillir trois ans en cave. Une citation va à deux autres classiques de la maison : l'**apremont cuvée Gastronomie 2011 (80 000 b.)** et le **chignin bergeron Fleur de roussanne 2011 (30 000 b.)**, vin du domaine Perrier. Le premier plaît avec son nez de coing et sa bouche empreinte de douceur, le second par sa bouche ronde et suave.

Jean Perrier et Fils, Saint-André, 73800 Les Marches, tél. 04.79.28.11.45, fax 04.79.28.09.91, info@vins-perrier.com t.l.j. sf sam. dim. 9h-12h 14h-18h

LA CAVE DU PRIEURÉ Jongieux Mondeuse 2011 ★

24 000 — 5 à 8 €

Noël Barlet insiste sur le fait qu'il vendange à la main ses vignes de mondeuse et il a raison, car la mondeuse fait mauvais ménage avec la machine à vendanger : ses grains, difficiles à détacher, résistent trop et le raisin arrive talé en cuve. Ici, le vin est mûr, net, impeccable. La robe est impressionnante de concentration (violet tirant sur le noir), et la matière est également dense. Le laisser patienter encore deux ans en cave avant de l'apprécier sur une spécialité savoyarde, un gratin de crozets par exemple.

Raymond Barlet et Fils, La Cave du Prieuré, Le Haut, 73170 Jongieux, tél. 04.79.44.02.22, fax 04.79.44.03.07, cavedufprieure@wanadoo.fr t.l.j. sf dim. 14h-19h

ANDRÉ ET MICHEL QUÉNARD Chignin Mondeuse Coteau de Tormery Vieilles Vignes 2011 ★

12 000 — 8 à 11 €

Guillaume Quénard, le fils, et Michel, le père, voient trois de leurs classiques salués. La mondeuse, âgée de soixante ans et plantée sur 2 ha, fut coup de cœur dans le millésime 2010. En 2011, les raisins ont été égrappés à 50 %, pour une cuvaison de quinze jours avec pigeage journalier. L'élevage en foudre de dix mois n'a pas laissé de trace. Le vin est frais et croquant au nez, rond et fruité en bouche : à garder trois ans. Le **chignin 2011 Coteau de Tormery Vieilles Vignes (5 à 8 € ; 30 000 b.)**, issu de 4 ha de jacquère, est expressif (agrumes, acacia, mimosa), net et vif (une citation). Le **chignin-bergeron Les Terrasses 2011 (11 à 15 € ; 20 000 b.)**, 3 ha de roussane plantés par André sur de très fortes pentes, est mûr au nez (pêche blanche), ample et minéral en bouche (une citation).

André et Michel Quénard, Torméry, 73800 Chignin, tél. 04.79.28.12.75, fax 04.79.28.19.36 r.-v.

♥ JEAN-FRANÇOIS QUÉNARD Mondeuse Élisa 2011 ★★

6 500 — 11 à 15 €

Élisa, la quatrième fille de Jean-François Quénard, sera contente : « sa » cuvée, à laquelle elle est très attachée, obtient un coup de cœur pour le millésime 2011 !

Cela ne surprendra pas nos fidèles lecteurs qui retrouvent tous les ans Élisa dans le Guide (deux étoiles pour le 2009, une citation pour le 2010) grâce au talent du père qui, chaque année, ajuste ses vinifications au millésime. Ainsi, cette mondeuse fut entièrement éraflée en 2009, à 70 % en 2010, et à 80 % en 2011, avec une cuvaison courte (douze jours) et un entonnage à chaud en demi-muid (huit mois d'élevage). Le vin, superbe, en ressort complexe au nez (cerise noire, cassis, framboise), bien extrait et concentré. Sa robe violacée comme ses tanins soyeux et serrés en bouche indiquent qu'il sera prêt dans un an ou deux. Le **chignin 2011 blanc (5 à 8 € ; 20 000 b.)** du domaine est cité pour son nez complexe (agrumes, fleurs et pierre à fusil), et pour sa bouche croquante et minérale.

Jean-Pierre et Jean-François Quénard, Le Villard, 73800 Chignin, tél. 04.79.28.08.29, fax 04.79.28.18.92, j.francois.quenard@wanadoo.fr r.-v.

DOM. PASCAL ET ANNICK QUÉNARD
Chignin Bergeron Cuvée Noé 2011 ★

2 000 ▮ 15 à 20 €

Pascal Quénard a vendangé en trois passages les 30 ares de roussanne à l'origine de ce vin, la dernière trie fournissant des raisins surmûris, comme lors d'une vendange tardive : c'est la particularité de cette cuvée Noé, du nom de son fils, double étoile dans le millésime 2009. Il en résulte ce vin jaune paille, au nez expressif d'abricot et de coing, de miel et de cire d'abeille. La bouche est également opulente avec une matière suave et riche, et une vinosité qui lui permettra de vieillir deux ans. Le **chignin 2011** du domaine, une jacquère qui a fait sa fermentation malolactique, est du même style, charnu et aromatique (une citation). À servir à l'apéritif.

Dom. Pascal et Annick Quénard, Le Villard, Cidex 4800, 73800 Chignin, tél. 04.79.28.09.01, fax 04.79.28.13.53, pascal.quenard.vin@wanadoo.fr r.-v.

PASCAL RAVIER Abymes RP 2011 ★

40 000 - de 5 €

Le style Pascal Ravier, ce sont les agrumes, qui marquent chaque année son abymes, cuvée phare du domaine, sélectionnée très régulièrement dans le Guide. La version 2011, équilibrée et d'une belle persistance, évoque donc les agrumes et les fruits exotiques (mangue), tant au nez qu'en bouche. L'**apremont blanc (5 à 8 € ; 7 000 b.)**, qui fleure bon le pamplemousse, est cité.

EARL Pascal Ravier, Chacuzard, 73800 Myans, tél. et fax 04.79.28.10.97 t.l.j. 8h-12h 14h-19h

PHILIPPE RAVIER
Chignin Bergeron 2011 ★★

35 000 ▮ 8 à 11 €

Philippe Ravier a été rejoint en 2007 par son fils Sylvain et, depuis lors, le vignoble s'est agrandi, passant des 3 ha du début, en 1983, aux 25 ha d'aujourd'hui. Le domaine est installé à Myans, là où veille la Vierge Noire qui rappelle que l'éboulement en 1248 du mont Granier tout proche s'arrêta là. En face, les Ravier exploitent 5 ha sur les pentes raides d'un coteau de Chignin exposé plein sud impossible à travailler à la machine : s'y tenir debout, c'est déjà bien ! Cette cuvée est une valeur sûre, présente presque chaque année dans le Guide, ici coup de cœur en raison de sa typicité. La roussanne donne en effet le meilleur d'elle-même dans ce vin jaune paille, au nez suave de beurre frais et de raisin confit. La bouche est ronde,

PHILIPPE RAVIER
VIN DE SAVOIE
Chignin Bergeron
2011

équilibrée, fine et longue, sur des notes d'abricot et de pêche. Un blanc superbe, à déguster dans deux ans. L'**apremont 2011 blanc Clos Saint-André (5 à 8 € ; 30 000 b.)** est cité.

EARL Philippe et Sylvain Ravier, 63, chem. du Cellier, 73800 Myans, tél. 04.79.28.17.75, fax 04.79.28.51.73, vinsdesavoie@wanadoo.fr r.-v.

BERNARD ET CHRISTOPHE RICHEL Apremont La Combelle Vieilles Vignes 2011

8 800 ▮ 5 à 8 €

La Combelle est une parcelle de 2,6 ha de vignes plantées par Joseph Richel en 1933 en plein cœur de Saint-Badolph. Elle donne ici un vin minéral, au nez de fleurs blanches et d'agrumes. La bouche est vive, nette et équilibrée, portée par une plaisante fraîcheur qui souligne la longueur. À déguster l'an prochain – sur un soufflé aux asperges, recommande le vigneron.

Bernard et Christophe Richel, rte de Fontaine-Lamée, 73190 Saint-Baldoph, tél. 06.80.20.75.94, fax 04.79.28.36.55, vins.richel@wanadoo.fr r.-v.

DOM. DE ROUZAN Apremont 2011

12 000 ▮ - de 5 €

Denis Fortin est à la tête d'un petit domaine de 7 ha qu'il bichonne, tant à la vigne (ébourgeonnage, effeuillage manuel) qu'en cave (usage limité du soufre). Il vendange, moitié à la main, moitié à la machine les 3,85 ha à l'origine de ce vin vert pâle, au nez discret de fruits, à la bouche ronde. La fermentation malolactique donne une finale opulente : voici un vin d'apéritif à servir cette année. Le **gamay 2011 (6 600 b.)** fait jeu égal : vinifié à la beaujolaise, il est gouleyant, un peu fumé.

Denis Fortin, 152, chem. de la Mairie, 73190 Saint-Baldoph, tél. 04.79.28.25.58, fax 04.79.28.21.63, denis.fortin@wanadoo.fr r.-v.

DOM. SAINT-GERMAIN Persan 2011 ★

6 000 ▮ 8 à 11 €

Le persan est un cépage ancien et rustique, qui donne des vins trapus, tanniques mais souvent moins complexes aromatiquement que la mondeuse. Autant dire qu'Étienne et Raphaël Saint-Germain ont travaillé finement pour obtenir cette robe grenat intense, ce nez de fleurs, de fraise confiturée, de baie de sureau, et cette bouche... structurée. Les tanins sont présents, massifs, et gagneront à s'arrondir. Attendre jusqu'en 2016.

Dom. Saint-Germain, rte du Col-du-Frêne, 73250 Saint-Pierre-d'Albigny, tél. 06.15.34.47.47, fax 04.79.28.61.68, vinsstgermain1@aol.com r.-v.

DOM. DE SENOCHE Crépy 2011

23 000 | 5 à 8 €

Henri Déturche est l'un des quatre frères propriétaires de ce petit domaine de 2,9 ha planté de chasselas, en conversion vers l'agriculture biologique. Il a vendangé à la main ses vignes situées à deux pas du lac Léman. Il se sert d'un pressoir vertical doux, idéal pour préserver la pureté aromatique du discret chasselas, et obtient ce vin vert pâle, au nez de brioche, à la bouche ronde et équilibrée.

Dom. de Senoche, 501, chem. de Senoche, 74140 Ballaison, tél. 06.71.26.38.43, fax 04.50.35.41.54, domainedesenoche@yahoo.fr t.l.j. 10h-19h
Déturche

LES FILS DE CHARLES TROSSET
Arbin Mondeuse Prestige des Arpents 2011 ★★

32 000 | 11 à 15 €

Louis Trosset est un vigneron comme on en voit peu, à la ville professeur en biologie végétale à l'université de Savoie, passionné de botanique et de géologie, et bientôt à la retraite. Les étudiants perdront alors un professeur chaleureux et bon pédagogue... Un bon vigneron par ailleurs, puisque cette sélection de petites parcelles, qu'il cultive avec son frère, est une référence à Arbin, haut-lieu de la mondeuse en Savoie. Au moment des vendanges, les Trosset isolent les parcelles qui seront assemblées pour cette cuvée Prestige, vinifiée en grappes entières, avec un pressurage vertical (le plus doux qui soit). L'élevage se déroule en cuve Inox, sans passage en fût : Louis Trosset laisse « faire la nature ». Le millésime 2011 est violet foncé, avec un nez de réglisse, de fraise et de violette, de chocolat et de pruneau, d'une rare complexité. La bouche est séveuse, puissante, mais encore fermée : il faudra patienter jusqu'en 2017 pour la laisser s'épanouir. On servira alors ce vin sur une côte de bœuf saignante. L'**arbin mondeuse 2011 cuvée Harmonie**, épicé et tannique, reçoit une étoile.

SCEA Les Fils de Charles Trosset, 280, chem. des Moulins, 73800 Arbin, tél. et fax 04.79.84.30.99, louis.trosset@univ-savoie.fr
r.-v.

ADRIEN VACHER Apremont Les Adrets 2011 ★

45 000 | 5 à 8 €

Charles-Henri Gayet voit deux vins de son négoce distingués par une étoile dans le millésime 2011 : cet apremont, qui semble être en passe de devenir une valeur sûre à en juger par les derniers millésimes, et le **gamay rosé 2011 Les Adrets (22 000 b.)**, léger et fruité. L'apremont, vendangé à la main et vinifié à basse température, offre le nez amylique typique de la maison, sur la minéralité, le pamplemousse et le zeste d'orange. Sec, net, il sera parfait servi sous la tonnelle, comme le rosé à la robe claire, au nez de rose ancienne, de fraise et de framboise, à la bouche ferme et ronde.

Maison Adrien Vacher, Z.A. plan Cumin, rue de la Mondeuse, 73800 Les Marches, tél. 04.79.28.11.48, fax 04.79.28.09.26, charleshenri.gayet@wanadoo.fr
t.l.j. sf mer. sam. dim. 8h30-12h 14h-17h30; f. mer. a.-m.

DOM. DE VERONNET Chautagne 2011 ★★

20 000 | 5 à 8 €

Alain Bosson a vendangé à la main les 4 ha de gamay qui constituent presque la moitié de son domaine. Sur un terroir de molasse gréseuse – riche de ce sable acide qu'affectionne ce cépage – réchauffé par le microclimat presque méditerranéen de la Chautagne, il obtient ce vin rubis intense, au nez complexe et concentré de fruits rouges et noirs (fraise, cassis). La bouche, structurée mais sans dureté, se développe avec élégance pour mener vers une belle finale, dévoilant des tanins déjà fondus. Mûre et harmonieuse, cette magnifique cuvée se dégustera cette année sur un tournedos.

Alain Bosson, Dom. de Veronnet, 73310 Serrières-en-Chautagne, tél. et fax 04.79.63.73.11, alain.bosson@wanadoo.fr t.l.j. 9h-19h

PHILIPPE VIALLET Chignin Bergeron Les Vendanges des premières neiges 2010 ★

3 000 | 20 à 30 €

Coup de cœur dans le millésime 2009, cette cuvée 2010 est une vendange tardive, obtenue par des tries de raisin surmûris. Le style de la maison favorise la sucrosité et l'opulence, avec un record ici de 102 g/l de sucre, qui tapissent le palais et donnent beaucoup de puissance au vin. Le nez évoque la poire au sirop, l'abricot et les épices douces. Élevé douze mois en fût d'acacia, le vin ne reste pas marqué par le bois. À déguster l'an prochain sur un foie gras poêlé. (Bouteilles de 50 cl.)

Maison Philippe Viallet, rte de Myans, Le Clos Réservé, 73190 Apremont, tél. 04.79.28.33.29, fax 04.79.28.20.68, viallet-vins-qualite@wanadoo.fr

CH. DE LA VIOLETTE Les Abymes 2011

63 376 | - de 5 €

Charles-Henri Gayet, négociant et patron de la maison Adrien Vacher, a repris en 2000 ce domaine qu'il a agrandi, portant sa surface à 17 ha. Son style, ce sont des vins exubérants au nez, comme cette jacquère qui fleure le pamplemousse. La bouche, vive et pimpante, évoque le fruit de la Passion. À déguster sur des huîtres. Le **gamay 2011 (13 550 b.)** du domaine reçoit aussi une citation pour son style gouleyant.

Charles-Henri Gayet, Dom. du Ch. de la Violette, Le Bourg, 73800 Les Marches, tél. 04.79.28.13.30, fax 04.79.28.09.26, charleshenri.gayet@wanadoo.fr
t.l.j. sf dim. 9h-12h 14h-19h

DOM. JEAN VULLIEN ET FILS Pinot noir Jeannine Élevé en fût de chêne 2011

11 000 | 5 à 8 €

Olivier Vullien, fils de Jean, est à la fois vigneron et pépiniériste, comme nombre de ses collègues de Fréterive. La région fournissant de très nombreux plants pour la Bourgogne, le domaine s'est essayé à planter quelques-uns des clones de ses clients, obtenant ici un pinot noir à la robe rubis, au nez boisé et confituré. C'est en fait sur l'**arbin mondeuse 2011 (8 à 11 € ; 9 000 b.)**, également cité, cépage traditionnel de la Savoie, que le domaine s'est montré le plus à l'aise. Le vin, rubis, offre un nez de moka et de thym, et une bouche séveuse, ronde et harmonieuse, à déguster l'an prochain.

EARL Dom. Jean Vullien et Fils, La Grande Roue, Chef-Lieu, 73250 Fréterive, tél. 04.79.28.61.58, fax 04.79.28.69.37, contact@jeanvullien.com
t.l.j. sf dim. 9h-12h 14h-18h30

Roussette-de-savoie

Superficie : 48 ha
Production : 2 425 hl

Issue aujourd'hui du seul cépage altesse, la roussette-de-savoie est produite à Frangy, le long de la rivière des Usses, à Monthoux et à Marestel, au bord du lac du Bourget. L'usage qui veut que l'on serve jeunes les roussettes de ce cru est regrettable, puisque, bien épanouies avec l'âge, elles font merveille sur du poisson, des viandes blanches ou encore avec le beaufort local.

BLARD ET FILS Altesse 2011 ★★

9 500 | 5 à 8 €

Jean-Noël Blard défend un credo : rechercher la finesse avant les arômes et toujours inscrire le cépage dans son millésime. Pas question donc pour lui de passer en force pour obtenir un même arôme tous les ans. Sa roussette 2011 s'avère ainsi délicate, avec un bouquet complexe de réglisse, de brioche, de sous-bois, de cire d'abeille et de fleur d'acacia. La bouche, fondue, riche et persistante, sera magnifique en 2013 sur un sauté de veau accompagné de trompettes de la mort.

Dom. Blard et Fils, Le Darbé, 73800 Les Marches, tél. 06.11.50.30.37, fax 04.79.28.01.35, blardsavoie@yahoo.fr
r.-v.

FRANÇOIS ET ÉRIC CARREL Marestel La Marété 2011 ★

10 000 | 8 à 11 €

« La Marété », c'est ainsi que le grand-père Joseph Carrel désignait en patois le cru « Marestel » dans ses tonneaux. Situées sur le bas du coteau, les vignes bénéficient d'un sol drainant composé d'un lit de sable et de galets vestiges d'un torrent. Le vin y possède un profil souvent acide, minéral et frais. Cela se traduit dans cette cuvée jaune pâle par un nez de fleurs blanches et de citron vert et par une bouche vive, acidulée, complexe et longue.

François et Éric Carrel, Le Haut, 73170 Jongieux, tél. 04.79.33.18.48, fax 04.79.33.10.90, gaec-la-rosiere@wanadoo.fr
t.l.j. 14h-19h30, mat. sur r.-v.

DOM. GRISARD 2011

6 666 | 5 à 8 €

Jean-Pierre Grisard exploite 1,5 ha de vignes d'altesse exposées plein sud, d'où il a tiré ce vin jaune pâle animé de reflets verts indiquant sa jeunesse. Le nez s'ouvre sur des notes de fleurs blanches et d'épices douces, avant de faire place à une bouche franche, fruitée, souple et légère. Un vin délicat, équilibré, à déguster dès maintenant sur un poisson grillé.

Dom. Grisard, Le Chef-Lieu, 73250 Fréterive, tél. 04.79.28.54.09, fax 04.79.71.41.36, gaecgrisard@aol.com
t.l.j. sf dim. 8h30-12h 13h30-18h

DOM. EDMOND JACQUIN Marestel 2010 ★★

18 660 | 8 à 11 €

Patrice Jacquin est le maire de Jongieux, et l'entendre défendre le foncier viticole de sa commune face à l'urbanisation sauvage venue de Chambéry est une leçon de civisme que l'on écoute volontiers. Il se signale aussi par son talent de vigneron, proposant ici un marestel particulièrement réussi, qui se distingue d'abord par l'élégance de son bouquet : brioche, miel et fruits confits. La bouche ample, riche et teintée d'un soupçon de douceur, traduit une grande maturité. L'équilibre et la finesse sont présents, complétés par une longue finale grillée. Une superbe roussette qui mérite d'attendre au moins deux ans pour révéler tout son potentiel.

Dom. Edmond Jacquin et Fils, Jongieux-le-Haut, 73170 Jongieux, tél. 04.79.44.02.35, fax 04.79.44.03.05, jacquin4@wanadoo.fr t.l.j. 9h-12h 15h-19h 2

GUY JUSTIN Cuvée gastronomique 2010 ★

13 000 | 5 à 8 €

Emmanuelle Justin aide son père Guy au domaine : à lui le tracteur et les vinifications, à elle le commerce et les marchés. Leur exploitation est spécialiste de l'altesse, qui constitue les deux tiers de sa superficie totale (12 ha). Cette cuvée en représente trois, plantés sur des éboulis calcaires. Elle offre un nez fin d'agrumes, de fleurs blanches, de miel et de brioche. La bouche confirme ces arômes – agrémentés de fruits confits – dans un univers structuré, concentré, à la finale fraîche. À tester après deux ans de garde sur des asperges sauce Béchamel, spécialité de la maison.

EARL Guy Justin, La Touvière, 73170 Billième, tél. 04.79.36.81.61, justin.guy@orange.fr r.-v.

DOM. LUPIN Frangy 2011

28 000 | 5 à 8 €

Bruno Lupin possède 5,5 ha de ce cru exposé plein sud, au terroir de moraine glaciaire, sur lequel il ne cultive que de l'altesse. Cet ancien œnologue est donc un spécialiste du cépage, qu'il déteste brusquer (débourbage léger, levures indigènes, fermentation à 20 °C). Il en tire un 2011 au bouquet floral, empreint de fraîcheur. Vif, équilibré et doté d'une jolie finale saline, ce vin pourra se déguster dans sa jeunesse, mais laisse présager aussi de belles surprises, d'ici trois à quatre ans.

Bruno Lupin, rue du Grand-Pont, 74270 Frangy, tél. 04.50.32.29.12, fax 04.50.44.75.04, lupin.bruno@aliceadsl.fr
t.l.j. sf dim. lun. 8h30-14h 17h-19h30

CH. DE LA MAR Marestel Le Verney 2010 ★★

1 500 | 11 à 15 €

Jean-Paul Richard fait une entrée remarquée dans le Guide avec deux vins sélectionnés. Ce néo-vigneron a acheté en août 2009 le château de la Mar, une splendide bâtisse qui tombait en ruine au pied du coteau de Marestel. « C'est au détour d'un voyage aux sports d'hiver que nous avons découvert le château », explique-t-il. Trois semaines plus tard, il en est le propriétaire. Il a confié le soin de vinifier à Olivier Turlais, œnologue connu de la région. Sa cuvée Le Verney est un assemblage de huit mois de cuve et huit mois de fût : le boisé ressort discrètement, dans un bouquet de noisette et de beurre frais. La bouche harmonieuse, fondue et ample, permettra d'apprécier cette roussette après un an de garde. Miellé, puissant, le **Marestel 2010 Le Golliat (8 à 11 €; 1 500 b.)** est cité.

SARL du Ch. de la Mar, 73170 Jongieux, tél. et fax 04.79.75.74.86, chateaudelamar@live.fr
r.-v.
Richard

DOM. DE MÉJANE 2011

18 000	5 à 8 €

Anne Bellemin-Laponnaz, fille de Jean Henriquet vendange à la machine. Son style mêle toujours minéralité et vivacité, comme pour ce vin au nez délicat de miel, de verveine et de tilleul. La bouche droite et nette, d'une belle fraîcheur, dévoile une pointe d'amertume dans la finale, qu'il faudra laisser s'adoucir pendant deux années de garde. Une roussette de gastronomie, à servir sur un poisson de lac.

Dom. de Méjane, Les Reys, 73250 Saint-Jean-de-la-Porte, tél. 04.79.71.48.51, contact@domaine-de-mejane.com
t.l.j. sf dim. 9h-12h 14h-18h
Henriquet

DOM. MARC PORTAZ 2011

4 000	- de 5 €

Jean-Marc Portaz, auteur d'un vin-de-savoie coup de cœur du Guide l'an dernier, a vendangé à la machine les 46 ares à l'origine de cette cuvée. Il obtient un vin au nez pétulant de fleurs blanches et de bonbon anglais, d'agrumes et de brioche. La bouche, complexe et puissante, mériterait un peu plus de vivacité, mais elle est équilibrée grâce à une finale minérale. Pour une cassolette d'écrevisses, dès aujourd'hui.

EARL Dom. Marc Portaz, allée du Colombier, 38530 Chapareillan, tél. 04.76.45.23.51, fax 04.76.45.57.60, domainemarcportaz@wanadoo.fr r.-v.

LA CAVE DU PRIEURÉ Marestel 2011 ★

33 000	8 à 11 €

Noël Barlet exploite un parcellaire éparpillé sur le coteau de Marestel, mais ses 4 ha ont pour point commun d'être exposés au sud-ouest sur des pentes entre 30 et 70 %. Il aime vendanger son altesse en surmaturité, à 14 % vol. d'alcool potentiel. Le vin qui en résulte se fait donc chaleureux, riche et gras. Son nez s'ouvre sur des notes de miel et de fruits confits. La bouche privilégie clairement la puissance et la douceur plutôt que la fraîcheur. Bien construite, elle s'associera dans un an avec un gratin de fruits de mer. À l'inverse, la **roussette 2011 (5 à 8 €; 14 000 b.)** présente un nez de pamplemousse et une bouche vive et pimpante. Elle reçoit aussi une étoile.

Raymond Barlet et Fils, La Cave du Prieuré, Le Haut, 73170 Jongieux, tél. 04.79.44.02.22, fax 04.79.44.03.07, cavedupriere@wanadoo.fr t.l.j. sf dim. 14h-19h

DOM. SAINT-GERMAIN 2011 ★★

7 500	8 à 11 €

Étienne et Raphaël Saint-Germain devraient approcher de la certification bio, puisque leur conversion a débuté avec le millésime 2009. Ils ont vendangé à la main l'hectare soixante-dix à l'origine de ce vin floral, qui, à l'olfaction, évoque aussi la pêche blanche et l'abricot. Ce bouquet d'une grande finesse précède une bouche complexe et harmonieuse, à dominante fruitée. Aromatique, gourmande et complétée par une longue finale empreinte de fraîcheur, cette altesse se gardera deux ans et fera merveille sur un foie gras, suivi d'un sandre grillé.

Dom. Saint-Germain, rte du Col-du-Frêne, 73250 Saint-Pierre-d'Albigny, tél. 06.15.34.47.47, fax 04.79.28.61.68, vinsstgermain1@aol.com r.-v.

DOM. DE VERONNET Altesse dorée 2010 ★

1 000	8 à 11 €

Alain Bosson a patienté jusqu'au 30 octobre 2010 pour récolter une vendange surmaturée sur une petite parcelle de 25 ares, dans le but d'élaborer ce vin atypique, moelleux, au nez de bergamote et de litchi. Friande et fruitée, la bouche n'est pas écrasée par le sucre ; elle reste au contraire croquante et fraîche. Pour accompagner une salade au foie gras, dès l'année prochaine.

Alain Bosson, Dom. de Veronnet, 73310 Serrières-en-Chautagne, tél. et fax 04.79.63.73.11, alain.bosson@wanadoo.fr t.l.j. 9h-19h

MAISON PHILIPPE VIALLET Delhaize 2011 ★

30 000	5 à 8 €

Cette maison de négoce, spécialisée dans la commercialisation de vins de Savoie, du Jura et du Bugey, a été créée en 1985 par Philippe Viallet, vigneron et œnologue de formation. Elle présente une roussette dont le bouquet fin et frais est dominé par les fleurs blanches (aubépine, acacia) et nuancé de touches de miel. La bouche, nette et tendue, propose un équilibre structuré et une noble amertume en finale. À servir dans un an sur une douzaine d'escargots.

Maison Philippe Viallet, rte de Myans, Le Clos Réservé, 73190 Apremont, tél. 04.79.28.33.29, fax 04.79.28.20.68, viallet-vins-qualite@wanadoo.fr

Seyssel

Superficie : 83 ha
Production : 4 455 hl

Occupant les deux rives du Rhône entre Haute-Savoie et Ain, cette AOC produit des vins blancs tranquilles, à base du seul cépage altesse, et des vins mousseux associant cette variété à la molette ; les effervescents sont commercialisés trois ans après leur prise de mousse. Les cépages locaux donnent aux seyssel un fin bouquet aux nuances de violette.

LAMBERT DE SEYSSEL Royal Carte noire Méthode traditionnelle 2008 ★

73 859	8 à 11 €

Le « Royal Seyssel » est une marque créée en 1901 pour séduire les rois et reines qui venaient en cure thermale à Aix-les-Bains ; après quelques avanies, elle a ressuscité en 2007 avec l'achat, par Gérard Lambert, du site de production. Cet ancien négociant a remis sur pied la filière, signant des contrats pour cadrer la qualité des raisins fournis et imposant au vin quarante-deux mois de prise de mousse, sur lattes, pour lui donner de la complexité. Ce 2008 est donc son premier millésime. Des bulles fines et persistantes animent la robe aux reflets verts, qui annonce un nez généreux, fruité et floral. La bouche évoque la pêche de vigne et finit sur une sensation de fraîcheur. C'est un vin souple et friand, à servir à l'apéritif ou sur une soupe de fruits.

Lambert, 2, rue de Montauban, 74910 Seyssel,
tél. 04.50.56.21.59, fax 04.50.59.22.16,
contact@lambert-de-seyssel.com r.-v.

MAISON MOLLEX Roussette Vieilles Vignes 2010

6 800 | 5 à 8 €

Ces vieilles vignes d'altesse ont été plantées il y a cinquante ans par le fondateur du domaine. Maintenant, elles sont conduites par les troisième et quatrième générations de la famille, afin de produire un vin tranquille (sans bulles). Vinifié à basse température, sans une fermentation malolactique pour lui conserver de l'acidité, ce 2010 offre un nez fin et délicat, rehaussé de notes florales. La bouche est de bonne tenue, équilibrée et élégante. Pour un accord immédiat avec un pavé de saumon.

Maison Mollex, 161, pl. de l'Église, 01420 Corbonod,
tél. 04.50.56.12.20, fax 04.50.56.17.29,
maisonmollexsa@wanadoo.fr
t.l.j. sf dim. lun. 8h-12h 14h-18h

Bugey

Superficie : 490 ha
Production : 30 335 hl (55 % rouge et rosé)

Dans le département de l'Ain, le vignoble du Bugey occupe les basses pentes des monts du Jura, dans l'extrême sud du Revermont, de Bourg-en-Bresse à Ambérieu-en-Bugey, ainsi que celles qui, de Seyssel à Lagnieu, descendent vers la rive droite du Rhône. Autrefois important, il est aujourd'hui réduit et dispersé. En 2009, il a accédé à l'AOC.

Il est établi le plus souvent sur des éboulis calcaires assez escarpés. L'encépagement reflète la situation de carrefour de la région : en rouge, le poulsard jurassien – limité à l'assemblage des effervescents de Cerdon – y voisine avec la mondeuse savoyarde et le pinot et le gamay de Bourgogne ; de même, en blanc, la jacquère et l'altesse sont en concurrence avec le chardonnay – majoritaire – et l'aligoté, sans oublier la molette, cépage local surtout utilisé dans l'élaboration des vins effervescents.

MAISON ANGELOT Roussette du Bugey 2010 ★

6 600 | 5 à 8 €

Le domaine d'Éric Angelot s'est développé à vue d'œil, passant de 5 ha de vigne en 1987 à 29 ha aujourd'hui. Cette roussette est un classique de l'exploitation. Dans le millésime 2010, elle ne manque pas d'atouts : sa robe dorée, son nez beurré qui évolue vers des sensation miellées, sa bouche à la fois riche et vive aux nuances de thé vert et de rhubarbe, et sa finale citronnée. À servir dans un an sur un saumon à l'oseille.

GAEC Maison Angelot, 121, rue du Lavoir,
01300 Marignieu, tél. 04.79.42.18.84, fax 04.79.42.13.61,
maison.angelot@voila.fr r.-v.

YANNICK BLANCHET Cerdon Méthode ancestrale Demi-sec 2011 ★

25 000 | 5 à 8 €

Yannick Blanchet s'est installé en 2006 à Jujurieux, prenant le relais de son grand-père, sur un tout petit domaine de 4,4 ha. Plus de la moitié de sa production passe dans cette cuvée de cerdon, le rosé pétillant de la région, qu'il travaille de façon traditionnelle, vinifiant le gamay en méthode ancestrale. La robe d'un rose intense est parcourue de fines bulles. Le nez évoque la framboise et la groseille avant une bouche fine, fruitée et équilibrée – même avec un dosage de demi-sec (55 g/l de sucres résiduels). La finale apparaît un peu tannique. Pour un accord avec des poires au vin, par exemple.

Yannick Blanchet, Chaux, pl. du Plâtre, 01640 Jujurieux,
tél. 04.37.86.55.69, blanchetyannick.viticulteur@orange.fr
r.-v.

CAVEAU SYLVAIN BOIS Roussette du Bugey Coteau de Chambon 2011

5 300 | - de 5 €

Le Coteau de Chambon est le fleuron du petit domaine de Sylvain Bois. Ce vigneron, la trentaine tout juste passée, est à la tête de 4,5 ha, dont la moitié est plantée sur les pentes raides, exposées plein sud, de ce coteau qu'il a défriché. Cette roussette, notée une étoile dans le millésime précédent, affiche une robe d'un jaune intense et un nez qui évoque les agrumes, la lavande, la poire et le fenouil. Avec sa bouche, fraîche et citronnée, souple et légère, elle sera idéale à l'apéritif. Le bugey **chardonnay 2011 (15 000 b.)** est également cité pour sa rondeur et sa très légère douceur.

Sylvain Bois, 11, rte de Bourgogne, 01350 Béon,
tél. et fax 04.79.87.23.26, cavesylvainbois@yahoo.fr r.-v.

MAISON BONNARD FILS Roussette de Montagnieu 2010 ★

n.c. | 8 à 11 €

Frédéric Bonnard s'oriente de plus en plus vers l'agriculture biologique sur son domaine de 12 ha. Il exploite de jeunes vignes d'altesse (dix ans d'âge) sur un terroir assez froid de marnes argileuses, qui préserve l'acidité du vin. Il obtient un 2010 équilibré, au nez de beurre frais et de pain toasté. La bouche opulente et soyeuse finit sur des notes d'épices douces. Un vin riche et élégant, à boire à l'apéritif ou avec une truite grillée.

GAEC Bonnard Fils, Crept, 01470 Seillonnaz,
tél. et fax 04.74.36.14.50, bonnardfils@orange.fr r.-v.

NATHALIE ET PASCAL BONNOD-LACOUR Cerdon Méthode ancestrale 2011

11 200 | 5 à 8 €

Depuis 2000 et l'arrivée de Pascal Lacour, mari de Nathalie Bonnod, sur l'ancien petit domaine de son beau-père, la production de cerdon en méthode ancestrale augmente et la moitié du vignoble lui est aujourd'hui

consacrée. Les deux cuvées, Vieilles Vignes et classique, sont l'une et l'autre citées. Elles sont vinifiées en demi-sec (60 g/l de sucres résiduels), avec une finale sur la douceur qui les destine à être servies avec un dessert. Avec son nez de confiture de fraises et de framboises, le **cerdon méthode ancestrale Vieilles Vignes 2011 (4 000 b.)** est plus expressif que la cuvée classique, plus coloré aussi.
Bonnod-Lacour, Cornelle, 01640 Boyeux-Saint-Jérôme, tél. et fax 04.74.36.87.28 r.-v.

LE CAVEAU BUGISTE Manicle Cuvée des Rocailles 2010 ★

12 000 | 8 à 11 €

Le Caveau bugiste est une association de quatre propriétaires regroupant ensemble 45 ha de vignes. Deux de leurs bugey sont sélectionnés avec une étoile chacun : ce pinot noir et le **chardonnay Vieilles Vignes 2011 (5 à 8 €; 30 000 b.; bouteilles de 37,50 cl)**. Les deux ont séjourné en fût : onze mois pour le pinot noir, trois mois pour 15 % du chardonnay. Né sur de splendides éboulis calcaires exposés plein sud et abrités du vent par de hautes falaises, le rouge se fait rond, velouté et élégant. Ses arômes vanillés et toastés le destinent aux amateurs de vins boisés. À servir dans un an ou deux, avec une volaille rôtie aux champignons. Le blanc, floral et minéral, est plus frais.
Le Caveau bugiste, 326, rue de la Vigne-du-Bois, 01350 Vongnes, tél. 04.79.87.92.32, fax 04.79.87.91.11, caveau-bugiste@wanadoo.fr
t.l.j. 9h-12h 14h-19h

DOM. DU CLOS DE LA BIERLE Cru Cerdon Méthode ancestrale 2011

72 500 | 5 à 8 €

Thierry Troccon revient dans le Guide avec le millésime 2011 de cette cuvée à laquelle est consacrée la quasi-totalité de son domaine de 8 ha. Il l'a vinifiée de façon traditionnelle : vendanges manuelles de gamay et macération à basse température. Il en tire un rosé finement pétillant, au nez de framboise et à la bouche ronde et fruitée. Plutôt doux (sucres résiduels : 65 g/l), cet effervescent s'accordera bien avec un dessert aux fruits rouges.
Thierry Troccon, Leymiat, Clos de la Bierle, 01450 Poncin, tél. 04.74.37.25.55, fax 04.74.37.28.82, bierle@orange.fr t.l.j. 8h-19h30

PIERRE DUCOLOMB Millière Mondeuse 2011 ★

2 100 | 8 à 11 €

Pierre Ducolomb est un spécialiste des rouges et, chaque année une de ses mondeuses figure dans le Guide. Cette fois-ci, c'est la cuvée Millière, issue de 25 ares de vignes vendangées à la main, et élevée douze mois en fût de chêne, qui se distingue. Sa robe est violacée et son nez est fait d'iris, de fruits rouges et d'épices douces. La bouche, pareillement fruitée et épicée, montre de la rondeur et des tanins souples, bien fondus. On pourra ouvrir cette bouteille dès cet hiver, sur une terrine de chevreuil. Le **pinot 2011 (5 à 8 €; 4 500 b.)**, au nez de griotte et de cuir, séduit par sa richesse, son soyeux et sa concentration. Également noté une étoile, il attendra deux ans en cave.
Pierre Ducolomb, Vernans, 01680 Lhuis, tél. et fax 04.74.39.82.58, pierre.ducolomb@wanadoo.fr
r.-v.

YVES DUPORT Montagnieu Brut 2010 ★

41 000 | 5 à 8 €

Yves Duport a engagé en 2009 la conversion de son domaine vers la biodynamie. Son mousseux Montagnieu représente 4 ha et quatre cépages différents : pinot noir, mondeuse, chardonnay, roussette – tous passés en pressurage direct pour l'obtention d'un jus aux reflets dorés. La fermentation, à la champenoise, donne un vin au nez mûr de fleurs de tilleul et d'aubépine. La bouche, ronde, équilibrée, vive et franche, fera merveille à l'apéritif. En rouge, le **2010 mondeuse Tradition (4 400 b.)** décroche aussi une étoile. Son bouquet intense de violette, de cerise et d'épices précède un palais charpenté et plein. À découvrir dans deux ans sur du bœuf en daube.
Maison Yves Duport, Le Lavoir, 01680 Groslée, tél. 04.74.39.74.33, fax 04.74.39.71.11, contact@yvesduport.fr
r.-v.

DUPORT ET DUMAS Montagnieu Méthode traditionnelle 2009 ★

13 580 | 5 à 8 €

Cette maison de négoce propose une rareté, un effervescent 2009 issu majoritairement de chardonnay (75 %), en assemblage avec un peu de mondeuse et d'altesse. L'ancienneté du millésime présenté s'explique par les dix-huit mois d'élevage sur lattes. La robe pâle animée de bulles vives et légères annonce un bouquet aérien : chèvrefeuille, lys, petits fruits secs. La bouche riche, veloutée et élégante, conserve une petite touche de fraîcheur. Pour un apéritif dînatoire.
Duport Dumas, Pont-Bancet, 01680 Groslée, tél. 04.74.39.75.19, fax 04.74.39.70.05, duportdumas.vinsdubugey@orange.fr r.-v.

MICHEL ET STÉPHANE GIRARDI Cerdon Méthode ancestrale Demi-sec 2011 ★★

55 000 | 5 à 8 €

Les Girardi, Michel et son neveu Stéphane, exploitent 6,2 ha sur les pentes raides d'un coteau exposé est-sud-est, bien abrité au-dessus du village de Cerdon, entre 300 et 400 m d'altitude. Ils ne produisent que du pétillant, en blanc de blancs et en rosé, comme ce cerdon issu d'un assemblage de 95 % de gamay et d'une touche de poulsard. « Vendange manuelle », indique l'étiquette, car les bons effervescents se fabriquent avec des raisins intacts, protégés de l'oxydation. Typique de l'appellation avec sa robe rose vif, son nez de fruits rouges à dominante de framboise et sa bouche fruitée et pimpante, ce 2011 se fait séducteur. « On croque un sorbet de fruits rouges », écrit même un juré. Harmonieux, pas trop marqué par la douceur (sucres résiduels : 50 g/l), il fera des merveilles au dessert.
GAEC Michel et Stéphane Girardi, rue de la Gumarde, 01450 Cerdon, tél. 04.74.39.95.90, fax 04.74.39.93.47, cavegirardi@orange.fr
t.l.j. 8h-12h 13h30-19h30

LINGOT-MARTIN Cerdon Méthode ancestrale Demi-sec Cuvée réservée 2011 ★★

● 27 000 5 à 8 €

Né en 1970 de l'association de quatre familles, ce domaine, souvent remarqué pour ses rosés effervescents, en voit trois retenus par le jury. Coup de cœur l'an passé, cette Cuvée réservée représente le haut de gamme de la maison, soit 3,5 ha de gamay vendangés pour moitié à la main. Elle affiche une robe fuchsia et dévoile un nez puissant et vineux, presque celui d'un vin rouge. La bouche au fruité intense, équilibrée par une jolie fraîcheur, évoque la groseille et la fraise. Ce demi-sec sera idéal avec une tarte au sucre. Le **cerdon méthode ancestrale demi-sec Classic 2011 (93 000 b.)** décroche une étoile pour ses notes de fruits exotiques et de pamplemousse, tandis que le **cerdon méthode ancestrale sec 2011 (32 940 b.)**, mêlant la vanille et les fruits rouges, est cité.

Cellier Lingot-Martin, ZA sous la côte Menestruel, 01450 Poncin, tél. 04.74.39.97.77, fax 04.74.39.94.55, lingot-martin@orange.fr t.l.j. 8h-12h 13h30-18h

GEORGES MARTIN Cerdon Méthode ancestrale Vieilles Vignes Demi-sec 2011 ★★

● 20 000 5 à 8 €

Voilà quatre ans que Laure Martin a repris le domaine de son mari. Elle voit ici retenus deux de ses rosés mousseux demi-secs : cette cuvée Vieilles Vignes et le **cerdon Cuvée spéciale 2011 (10 000 b.)**. Tous deux ont été vendangés à la main. La différence réside dans leur assemblage : 70 % gamay et 30 % poulsard pour le premier, 100 % gamay pour l'autre. Le poulsard, cépage rosé jurassien, apporte des notes sauvages, d'épices, de cuir et de poivre, tandis que le gamay joue sur le registre gouleyant de la framboise et du cassis. L'alliance des deux donne un vin au nez fruité, à la bouche fraîche, longue et harmonieuse. La Cuvée spéciale, plus simple et typée bonbon anglais, est citée.

Laure Martin, Vieillard, 01640 Jujurieux, tél. 04.74.36.84.44, vins.georges.martin@wanadoo.fr t.l.j. 8h-12h 14h-18h

DOM. MONIN Manicle 2010

■ 8 671 11 à 15 €

Hubert et Philippe Monin récoltent à la main cet hectare de pinot noir issu du lieu-dit La Main du Fauconnier, un terroir identifié depuis 1260. Il faut dire que le coteau est superbe, exposé plein sud au pied d'une haute falaise calcaire qui le protège des vents. Élevé sept mois sous bois, le 2010 des deux frères s'ouvre sur un nez discret de cassis et de cuir mâtiné de vanille. La bouche, ronde en attaque, puis fine mais élégante, livre une finale chocolatée. À déguster dès aujourd'hui sur une volaille en sauce.

Dom. Monin, 204, rue de la Vigne-du-bois, 01350 Vongnes, tél. 04.79.87.92.33, fax 04.79.87.93.25, info@domaine-monin.fr t.l.j. 9h-12h30 14h30-19h

FAMILLE PEILLOT Montagnieu Méthode traditionnelle

○ 25 000 5 à 8 €

Franck Peillot, maniant le second degré, affirme vinifier en suivant des méthodes alchimiques et « chamaniques »... celles, en fait très sérieuses, qu'utilisent les viticulteurs de Champagne (récolte en cagettes, pressurage pneumatique). Il n'indique pas de millésime sur ce mousseux en robe dorée, au nez de brioche et de fruits secs. La bouche, fruitée, est bien construite, un peu trop douce en finale. À essayer sur un dessert praliné.

EARL Famille Peillot, rte de Seillonnaz, 01470 Montagnieu, tél. 04.74.36.71.56, fax 04.74.36.14.12, franckpeillot@aol.com t.l.j. sf dim. 9h30-12h 14h30-19h

DOM. PERDRIX Montagnieu 2010 ★

○ 10 340 5 à 8 €

Philippe et Corinne Perdrix conduisent depuis treize ans ce petit vignoble de 3,55 ha. Leur chardonnay effervescent du cru Montagnieu se pare d'une robe jaune pâle à la mousse fine. Son nez gourmand de pâte de fruits (coing) est nuancé de touches raffinées de fleurs blanches. La bouche longue et nette plaît par ses notes florales et fruitées (agrumes, poire) et par sa fine fraîcheur. Une jolie bouteille, à proposer à l'apéritif dès la sortie du Guide.

Philippe Perdrix, 283, rue du Creux-des-Vignes, 01300 Saint-Benoît, tél. et fax 04.74.39.74.24, vin.philippeperdrix@wanadoo.fr r.-v.

CAVEAU QUINARD Pinot 2009 ★

■ 6 600 - de 5 €

Julien Quinard a commencé sa conversion vers la culture biologique en 2008, il devrait donc obtenir la certification pour le millésime 2011. En attendant, il propose un pinot noir aux légers reflets tuilés, qui livre un bouquet de cassis, de fruits rouges mûrs et d'épices douces. La bouche d'une belle ampleur évolue sur le registre du cuir et de la réglisse, avec des tanins présents, mais déjà presques fondus. C'est un vin généreux, complet, à servir dès 2013 sur une tomme de Savoie.

Julien Quinard, Caveau Quinard, 201, rte du Lit-au-Roi, 01300 Massignieu-de-Rives, tél. 04.79.42.10.18, caveau.quinard@orange.fr r.-v.

THIERRY TISSOT Méthode traditionnelle

○ 5 400 5 à 8 €

Thierry Tissot assemble dans cette cuvée de mousseux quatre cépages blancs, dont deux sont connus pour leur acidité naturelle : l'aligoté et la jacquère. Il leur ajoute altesse et chardonnay, et applique au tout un long élevage de trente mois sur lattes pour apporter du gras, du fond et de la complexité. Le vin, issu de la récolte 2008, en ressort avec une robe jaune paille et un nez agréable de fleurs blanches, de litchi et de poire. La bouche est souple et empreinte de douceur.

Thierry Tissot, 42, quai du Buizin, 01150 Vaux-en-Bugey, tél. 06.81.14.02.17, tissot.bugey@gmail.com r.-v.

DOM. TRICHON Chardonnay 2010

□ 8 600 5 à 8 €

Stéphane Trichon tient à préciser sur ses étiquettes que son vignoble est depuis 2008 en conversion vers l'agriculture biologique. En attendant la certification (pour le millésime 2011), il voit deux de ses vins cités : ce blanc tranquille et le **brut méthode traditionnelle 2009 blanc (19 700 b.)**. Ce chardonnay offre un nez citronné et une bouche droite et nette, sur la vivacité. On l'appréciera avec des fruits de mer. Le mousseux est expressif grâce à son nez de poire. Il montre de la rondeur et une douceur imposante en finale.

EARL Dom. Trichon, Le Poulet, 01680 Lhuis, tél. 04.74.39.83.77, domaine.trichon@gmail.com t.l.j. 8h-18h30; dim. sur r.-v.

LE LANGUEDOC ET LE ROUSSILLON

CORBIÈRES LIMOUX
CÔTES-DU-ROUSSILLON MUSCAT
SYRAH GRENACHE
MINERVOIS COLLIOURE
RIVESALTES BANYULS
LA CLAPE PICPOUL-DE-PINET
MAURY PIC SAINT-LOUP

LE LANGUEDOC

Superficie
246 000 ha
Production
12,7 Mhl (toutes catégories confondues) ; 1 245 000 hl (AOC du Languedoc).
Types de vins
Rouges majoritaires, rosés et blancs secs ; effervescents (à Limoux) ; vins doux naturels (muscats).
Cépages principaux (en AOC)
Rouges : grenache noir, syrah, carignan, mourvèdre, cinsault, cabernet-sauvignon.
Blancs : grenaches gris et blanc, macabeu, clairette, bourboulenc, vermentino (rolle), muscat à petits grains, muscat d'Alexandrie, marsanne, roussanne, piquepoul, chardonnay, mauzac, chenin, ugni blanc.

Plus de deux mille ans d'histoire pour cette région viticole, sous le même soleil méditerranéen. Et pourtant, que de mutations ! Aucun vignoble de France n'a connu de tels bouleversements. Naguère symbole de la viticulture de masse, il fournit encore un tiers de la production française. Si, depuis les années 1980, il se contracte comme peau de chagrin, depuis la première édition en 1985, il s'étoffe dans le Guide ! La preuve de son ascension qualitative. En une génération, le « gros rouge » a fait place à des rouges multiples, tour à tour profonds, veloutés, épicés, ronds, suaves, fringants, aux arômes de cerise, de garrigue, de réglisse... Les vins doux naturels sont toujours superbes, mais la région fournit désormais des blancs vifs, avec ou sans bulles, et des rosés pimpants.

De la montagne à la mer Entre la bordure méridionale du Massif central, les Corbières et la Méditerranée, le Languedoc est formé d'une mosaïque de vignobles répartis dans trois départements côtiers : le Gard, l'Hérault et l'Aude. On y distingue quatre zones successives : la plus haute, formée de régions montagneuses, notamment de terrains anciens du Massif central ; la deuxième, région des Soubergues (coteaux pierreux) et des garrigues, la partie la plus ancienne du vignoble ; la troisième, la plaine alluviale, assez bien abritée et présentant quelques coteaux peu élevés (200 m) ; et la quatrième, la zone littorale formée de plages basses et d'étangs où le développement concerté du tourisme balnéaire dans les années 1960 n'a pas fait totalement disparaître la viticulture.

L'héritage de l'Antiquité La vigne est ici chez elle, léguée par les Grecs dès le VIII^{e}s. av. J.-C., puis par les Romains, qui font la conquête des terres bordant le golfe du Lion dès le II^{e}s. av. J.-C. Le vignoble se développe rapidement et concurrence même celui de la péninsule. Affecté par les incursions sarrasines plus que par les grandes invasions, il connaît un début de renaissance au IX^{e}s. grâce aux monastères. La vigne occupe alors surtout les coteaux, les plaines étant vouées aux cultures vivrières. Le commerce du vin s'étend aux XIVe et XV^{e}s. Aux XVIIe et XVIII^{e}s., l'essor économique donne une nouvelle impulsion à la viticulture. Création du port de Sète, ouverture du canal des Deux Mers... ces nouvelles infrastructures encouragent les exportations. Avec le développement des manufactures de tissage de draps et de soieries, une certaine prospérité règne. Le vignoble commence alors à se répandre dans la plaine. Le frontignan est réputé jusqu'en Europe du Nord.

De la viticulture de masse à la recherche des terroirs L'essor du chemin de fer, entre les années 1850 et 1880, assure l'ouverture de nouveaux marchés urbains dont les besoins sont satisfaits par l'abondante production de vignobles reconstitués après la crise du phylloxéra. C'est la grande époque du « vin de consommation courante », avec ses crises de surproductions récurrentes, qui ne décline qu'à partir du milieu du XX^{e}s. et surtout du milieu des années 1970. Une telle production ne correspond plus au goût du consommateur. Institué en 1949, le statut VDQS, catégorie un peu moins contraignante que l'AOC, a permis à ses vignobles de progresser par paliers : un grand nombre sont devenus AOVDQS. Leur reconnaissance par étapes en AOC a jalonné leurs progrès. Grâce à ses bons terroirs situés sur les coteaux, au retour à des cépages traditionnels, le Languedoc viticole produit aujourd'hui des vins de qualité. En 2009, les vins sans indication géographique comptent pour moins de 10 % (encore 20 % en 2000), les vins de pays (IGP) représentent 70 % de la production et les AOC 27 %. Le Languedoc est aussi première région pour le bio. Depuis 2007 et la création d'une appellation régionale languedoc (qui s'étend aux Pyrénées-Orientales), la profession cherche à hiérarchiser ses appellations, comme c'est le cas dans les anciens vignobles tel le Bordelais.

Des terroirs variés Les différentes appellations du Languedoc se trouvent dans des situations très variées quant à l'altitude, à la proximité de la mer et aux terroirs. Les sols peuvent être ainsi des schistes de massifs primaires comme dans certains secteurs des Corbières, du Minervois et de Saint-Chinian ; des grès du lias et du trias (alternant souvent avec des marnes) comme en Corbières et à Saint-Jean-de-Blaquière ; des terrasses et cailloux roulés du quaternaire, excellent terroir à vignes, comme dans le Val d'Orbieu (Corbières), à Caunes-Minervois, dans la Méjanelle ; des terrains calcaires à cailloutis souvent en pente ou situés sur des plateaux, comme en Corbières, en Minervois ; des terrains d'alluvions récentes dans les coteaux du Languedoc.

Un climat méditerranéen Assurant l'unité du Languedoc, ce climat a ses contraintes et ses accès de violence. C'est la région la plus chaude de France, avec des températures pouvant dépasser 30 °C en juillet et en août ; les pluies sont rares, irrégulières et mal réparties. La belle saison connaît toujours un manque d'eau important du 15 mai au 15 août. Dans beaucoup d'endroits, seule la culture de la vigne et de l'olivier est possible. La pluviométrie peut varier cependant du simple au triple suivant l'endroit (400 mm au bord de la mer, 1 200 mm sur les massifs montagneux). Les vents viennent renforcer la sécheresse du climat lorsqu'ils soufflent de la terre (mistral, cers, tramontane) ; au contraire, ceux qui proviennent de la mer modèrent les effets de la chaleur et apportent une humidité bénéfique. Souvent transformées en torrents après les orages, souvent à sec en période de sécheresse, les rivières ont contribué à l'établissement du relief et des terroirs.

Un encépagement très varié À partir de 1950, l'aramon, cépage des vins de table légers planté au XIXe s., a progressivement laissé la place aux variétés traditionnelles du Languedoc-Roussillon comme le grenache noir ; venus des autres régions françaises, des cépages comme les cabernet-sauvignon, cabernet franc merlot et chardonnay, se sont également répandus, notamment pour produire des vins de pays. Dans le vignoble des vins d'appellation, les cépages rouges sont le carignan qui apporte au vin structure, tenue et couleur ; le grenache, qui donne au vin sa chaleur, participe au bouquet mais s'oxyde facilement avec le temps ; la syrah, cépage de qualité, qui apporte ses tanins et des arômes qui s'épanouissent au vieillissement ; le mourvèdre, qui donne des vins élégants et de garde ; le cinsault enfin, qui, cultivé en terrain pauvre, donne un vin souple au fruité agréable. Ce dernier entre surtout dans l'assemblage des vins rosés.

Les blancs sont produits à base de grenache blanc pour les vins tranquilles, de piquepoul, de bourboulenc, de macabeu, de clairette. Le muscat à petits grains est à l'origine d'une production traditionnelle de vins doux naturels – les vins liquoreux, riches en sucres et en alcool, se conservaient bien, même sous les climats chauds, ce qui explique leur naissance sur des terres méditerranéennes. Marsanne, roussanne et vermentino se sont ajoutés plus récemment à ce riche éventail de cépages blancs. Pour les vins effervescents, on fait appel au mauzac, au chardonnay et au chenin.

Cabardès

Superficie : 400 ha
Production : 18 000 hl

Rouges ou rosés, les cabardès proviennent de dix-huit communes situées au nord de Carcassonne et à l'ouest du Minervois. Implanté dans la partie la plus occidentale du Languedoc, le vignoble subit davantage l'influence océanique que les autres appellations. C'est pourquoi les cépages autorisés comprennent des cépages atlantiques comme le merlot et le cabernet-sauvignon à côté de variétés méditerranéennes comme le grenache noir et la syrah.

GUILHEM BARRÉ Sous le bois 2010 ★★

■ 3 000 ▮ 8 à 11 €

Avec ténacité, Guilhem Barré, diplômé en psychologie, s'est réorienté vers la viticulture, choisissant le Languedoc, pour s'installer à une époque où il y était plutôt question ici d'arrachages... Il a créé en 2008 un domaine à taille humaine (5 ha) qu'il exploite en bio (conversion en cours). D'emblée, une étoile dans le Guide et un coup de cœur l'an dernier. Ce 2010, assemblage de merlot et de syrah, présente une robe profonde, encore très jeune. Le nez puissant, entre fruits mûrs et épices, s'ouvre progressivement. La bouche ample finit sur une note de fruits à l'alcool et révèle une charpente digne d'un vin de garde.

Guilhem Barré, chem. de Montolieu, 11610 Ventenac-Cabardès, tél. 06.32.38.72.55, guilhem.barre@voila.fr r.-v.

♥ DOM. DE CABROL Vent d'est 2010 ★★★

■ n.c. ▮ 11 à 15 €

Que le vent souffle à l'ouest ou à l'est, il va toujours dans le bon sens pour Claude Carayol, installé en 1987, et pour les amateurs de ses vins, car son talent sait jouer de tous les cépages de l'appellation, atlantiques ou méditerranéens. Cette année, sa cuvée Vent d'est, reflet d'un terroir en altitude où le vigneron sait cueillir le raisin – à la main – à sa maturité optimale, lui vaut un neuvième coup de cœur. La syrah, très présente dans ce vin, est vinifiée en macération carbonique. La robe est profonde et encore jeune, avec ses reflets violines. Des parfums intenses s'échappent du verre, de plus en plus sombres : fruits rouges, puis cassis, violette et réglisse. Une même complexité marque la bouche, qui a pour autres atouts son ampleur, son joli grain de tanins et sa longue finale renouant avec la réglisse. On verrait bien cette bouteille avec un tajine d'agneau.

Claude Carayol, Dom. de Cabrol, D 118, 11600 Aragon, tél. 04.68.77.19.06, fax 04.68.77.54.90, cc@domainedecabrol.fr

t.l.j. 11h-12h 15h-19h; dim. sur r.-v.

CH. JOUCLARY Cuvée Guillaume de Jouclary 2009 ★

■ 4 000 11 à 15 €

Ce domaine, valeur sûre du Guide, couvre 60 ha à 10 km au nord-est de Carcassonne, et porte d'ailleurs le nom d'un consul de la cité au XVI[e]s. Cette cuvée Guillaume de Jouclary, assemblage de merlot et de syrah, avec 10 % de grenache en appoint, et élevé un an sous bois revêt une belle robe grenat sombre aux reflets rubis. Son nez puissant mêle les fruits noirs à de fraîches notes mentholées. Bien équilibré, ce vin n'attend plus que de passer à table.

Ch. Jouclary, rte de Villegailhenc, 11600 Conques-sur-Orbiel, tél. 04.68.77.10.02, fax 04.68.77.00.21, chateau.jouclary@orange.fr

t.l.j. sf dim. 11h-19h

Gianesini

LORGERIL Le Mont Peyroux 2009 ★★

■ 1 500 20 à 30 €

À l'origine, les fastueux Pennautier, Bernard et Pierre-Louis, trésoriers des États du Languedoc sous l'Ancien Régime. Leur château est l'imposant berceau des six exploitations gérées par leurs descendants, Nicolas et Miren de Lorgeril. En cabardès, ce n'est pas le Ch. de Pennautier que nous découvrons cette année, mais Le Mont Peyroux. Ce vin ne provient pas des propriétés des Lorgeril ; il s'agit d'une sélection restreinte, issue d'une vigne en altitude dont l'exposition plein sud permet une maturation prolongée des raisins. Mi-syrah mi-merlot, ce 2009 résulte d'une longue cuvaison suivie d'un élevage de dix-huit mois en fût de chêne. Son nez puissant mêle un élégant boisé à des nuances d'amande grillée et des notes poivrées. On retrouve cette puissance dans une bouche ample, aux tanins soyeux. Le vin de garde par excellence.

Vignobles Lorgeril, BP 4, Ch. de Pennautier, 11610 Pennautier, tél. 04.68.72.65.29, fax 04.68.72.65.84, marketing@lorgeril.com

t.l.j. sf dim. 10h-18h (ven. sam. 22h); f. jan.

MAS VENTENAC 2009 ★★★

■ 8 000 20 à 30 €

En reprenant le domaine en 1973, Alain Maurel avait misé sur la qualité. Il a passé la main, mais la succession est réussie. Ce Mas Ventenac a participé à la finale des coups de cœur : trois millésimes successifs de cette cuvée phare du domaine ont obtenu la note maximale. Mariage de cabernet franc et de syrah, avec le merlot en complément, ce vin provient de vignes cultivées à haute densité avec de petits rendements. La cuvaison, fort longue, est suivie d'un élevage de quatorze mois en barrique et en demi-muid. À la fois puissant et fin, le nez mêle les fruits mûrs et le tabac. L'attaque ample introduit une bouche d'une rare longueur, au boisé bien fondu et au grain de tanin particulièrement élégant. Une bouteille qui mérite d'être conservée.

Vignobles Alain Maurel, 4, rue des Jardins, 11610 Ventenac-Cabardès, tél. 04.68.24.93.42, fax 04.68.24.81.16, olivier.rame@vignoblesalainmaurel.fr

t.l.j. sf sam. dim. 8h-12h 13h30-18h

CH. SALITIS Cuvée Équinoxe 2010 ★★

■ 16 000 8 à 11 €

Un très ancien domaine, jadis une dépendance de l'abbaye de Lagrasse, dans les Corbières. Aujourd'hui, Anne et Frédéric Maurel conduisent cette vaste exploitation, dont le vignoble est situé sur le plateau caillouteux de Conques-sur-Orbiel. Assemblage de syrah, de cabernet franc, de malbec et de grenache, la cuvée Équinoxe est issue de vendanges tardives – autorisées par ce terroir – et de la recherche d'une maturité maximale. Il en résulte un nez intense et épicé, une belle attaque, une bouche fondue et ample, remarquablement équilibrée.

Ch. Salitis, 11600 Conques-sur-Orbiel, tél. 04.68.77.16.10, fax 04.68.77.05.69, salitis@orange.fr r.-v.

DOM. SESQUIÈRES 2011 ★

■ 4 500 ▮ 5 à 8 €

La commune d'Alzonne est située aux confins du Lauragais, dans la partie ouest de l'appellation. Le petit bourg est situé en plaine, mais le domaine se blottit sur les hauteurs, au pied d'une forêt de chênes verts. Comme l'an dernier, son rosé est très réussi. L'assemblage est dominé par le cinsault et le grenache (30 % chacun). Ce vin rose pâle séduit par son fruité complexe aux nuances de framboise et de fraise des bois. Son ampleur est équilibrée par une pointe de fraîcheur. On le marierait bien avec les excellentes saucisses de la région.

Gérard Lagoutte, Dom. des Sesquières, rte de Montolieu, 11170 Alzonne, tél. 06.08.45.96.83, fax 04.68.76.92.77, lagouttegerard@wanadoo.fr r.-v.

DOM. TALUOS 2011 ★

▪	4 000	5 à 8 €

L'appellation attire de jeunes talents. Voici un nouveau nom dans le Guide : celui d'Éric Soulat, avec son domaine Taluos. « Une activité secondaire, par passion », écrit-il sobrement. Un vignoble d'agrément ? Toujours est-il qu'il est géré avec professionnalisme, à en juger par ce rosé issu d'un pressurage direct. La robe est pâle et brillante, le nez intensément floral, d'une grande finesse, et la bouche fraîche et nerveuse. On verrait bien cette bouteille avec des salades composées et des quiches.

NOUVEAU PRODUCTEUR

Éric Soulat, 6 bis, av. de la Viale, 11610 Ventenac-Cabardès, tél. 06.86.49.84.32, domaine.taluos@gmail.com r.-v.

LES HAUTS DE SAINT-ROME Cabrières Moelleux 2011 ★

▪	100 000	▮	- de 5 €

Coopérative historique de l'appellation, la cave de Cabrières propose durant tout l'été des expositions de photos et des animations afin de promouvoir les vins dans leur contexte culturel. Produite sur le terroir de schistes du vignoble de Cabrières, cette cuvée très expressive libère des arômes d'abricot, de pêche et de zeste de mandarine. Fraîche et ronde à la fois, la bouche est fondue et délicate. Cette clairette prendra toute sa dimension en compagnie d'un moelleux à la poire. On pourra l'encaver entre trois et cinq ans.

Caves de l'Estabel, rte de Roujan, 34800 Cabrières, tél. 04.67.88.91.60, fax 04.67.88.00.15, sca.cabrieres@wanadoo.fr t.l.j. 9h-12h 14h-18h

Clairette-du-languedoc

Superficie : 60 ha
Production : 2 487 hl

Les vignes du cépage clairette sont cultivées dans huit communes de la vallée moyenne de l'Hérault. Après vinification à basse température avec le minimum d'oxydation, on obtient un vin blanc généreux, à la robe jaune soutenu. Il peut être sec, demi-sec ou moelleux. En vieillissant, il acquiert un goût de rancio.

CH. D'ADISSAN Sec 2011

▪	20 000	- de 5 €

Un blanc typé au caractère méridional affirmé qui ne manque ni de volume, ni de fraîcheur. La robe séduit par sa couleur dorée aux reflets verts, et le nez par ses arômes de fruits blancs, de fleurs blanches et d'anis. Ample et onctueux, ce vin sec convient aussi bien pour l'apéritif qu'en accompagnement d'une volaille à la crème.

Cave coop. La Clairette d'Adissan, 34230 Adissan, tél. 04.67.25.01.07, fax 04.67.25.37.76, clairette.adissan@wanadoo.fr t.l.j. sf dim. 9h-12h 15h-18h

DOM. LA CROIX CHAPTAL Rancio Vendanges du 4 novembre 2008 ★★

▪	3 000	▮	11 à 15 €

Charles-Walter Pacaud a repris en 1999 ce domaine créé au Xes. par les moines bénédictins de l'abbaye de Gellone à Saint-Guilhem-le-Désert. Les clés de voûte sculptées du cellier sont reproduites sur l'étiquette. Vendangés le 4 novembre, atteints de pourriture noble en raison des entrées maritimes de l'automne, les raisins à l'origine de cette cuvée ont engendré ce vin d'une rare complexité. D'une belle couleur ambrée, ce 2008 offre un nez d'abricot confit, de raisins secs, de figue et de miel, ainsi qu'une note de rancio qui explose en bouche. Offrant une matière riche et ample, il se révèle très harmonieux et accompagnera un foie gras poêlé, une pastilla et certains fromages, comme le roquefort et le pélardon affiné. On pourra le garder précieusement en cave dix ans et plus.

Pacaud-Chaptal, Dom. la Croix Chaptal, hameau de Cambous, 34725 Saint-André-de-Sangonis, tél. 06.82.16.77.82, fax 04.67.16.09.36, lacroixchaptal@wanadoo.fr r.-v.

Corbières

Superficie : 13 000 ha
Production : 461 000 hl

VDQS depuis 1951, reconnus en AOC en 1985, les Corbières constituent une région typiquement viticole, et ce massif montagneux aride, qui sépare le bassin de l'Aude des plaines du Roussillon, n'offre guère d'autres possibilités de culture. Cette vaste appellation s'étend sur 87 communes. Les corbières rouges, majoritaires, ont en commun un côté chaleureux et souvent charpenté. Ils assemblent aux traditionnels carignan et grenache noir la syrah, le cinsault, le mourvèdre, le lladoner pelut... L'appellation produit aussi des rosés et des blancs ; ces derniers mettent à contribution les cépages grenache, macabeu, bourboulenc, marsanne, roussanne et vermentino. Corbières maritimes au sud-est, hautes Corbières au sud, Corbières centrales faites de terrasses et de collines, montagne d'Alaric au nord-ouest... la région présente un relief très compartimenté et des terroirs divers par leur altitude, leurs sols, l'influence méditerranéenne plus ou moins dominante. Ce cloisonnement des sites a conduit à une réflexion sur les spécificités des terroirs de l'AOC, notamment ceux de Durban, Lagrasse et Sigean.

CH. AIGUES VIVES Cuvée d'Exception 2011 ★★

▪	n.c.	▮	8 à 11 €

Vous connaissez sans doute Gérard Bertrand – car il apparaît tous les ans dans le Guide –, mais vous n'avez probablement pas encore entendu parler du château Aigues Vives, ce domaine qu'il vient d'acquérir et qu'il sait déjà mettre en valeur. Ce rosé singulier, à la teinte pâle nuancée de reflets argent, s'ouvre sur des notes subtiles de fleurs blanches et de grillé. Une fine touche de fraîcheur à la mise en bouche précède des sensations de rondeur et de gras, où le grillé ressort, signe d'un judicieux élevage en fût. Ce 2011 « bien assis » accompagnera des plats épicés, comme du poulet au curry, mais aussi un gouda très affiné. Le **Dom. de Villemajou 2011 rosé (11 à 15 € ;**

LANGUEDOC

110 000 b.) a été élevé lui aussi sous bois, ce qui lui confère de la complexité sans lui enlever de sa fraîcheur. Une étoile.

Gérard Bertrand,
Ch. l'Hospitalet, rte de Narbonne Plage, 11104 Narbonne Cedex, tél. 04.68.45.36.00, fax 04.68.45.27.17,
vins@gerard-bertrand.com t.l.j. 9h-19h

CH. AIGUILLOUX Tradition 2010 ★

36 000 — 5 à 8 €

Ce vignoble d'un seul tenant (36 ha) planté sur un coteau abrité au cœur des Corbières est traversé par un tout petit ruisseau au nom languedocien d'Aiguilloux. Une longue allée de pins conduit à la cave où vous pourrez déguster cette cuvée Tradition au nez frais et intense, véritable panier de fruits rouges où domine la groseille. En bouche, même impression : de la fraîcheur et de la rondeur, des arômes francs et entiers, sans boisé. À recommander aux amateurs d'authenticité et de vins de terroir.

Marthe et François Lemarié, Dom. des Aiguilloux,
11200 Thézan-des-Corbières, tél. 04.68.43.32.71,
fax 04.68.43.30.66, aiguilloux@wanadoo.fr r.-v.

CH. AURIS 2011 ★★

6 000 — 5 à 8 €

Un domaine très ancien – une « campagne » comme on dit dans la région –, sur le versant nord du massif de Fontfroide et non loin de l'abbaye cistercienne du même nom. Est-ce cette exposition ou le terroir particulier de grès qui nous offre ce blanc d'une telle élégance ? Il affiche une impeccable présentation, un nez explosif de fruits jaunes (abricot, mirabelle), une bouche tout aussi exubérante, souple, ample et longue. À noter également, le **2011 rosé (12 000 b.)** aux parfums de fleurs blanches, qui allie avec harmonie gras et fraîcheur. Une étoile.

EARL Auris-Albert, CD 613, rte du Massif-de-Fontfroide,
11100 Narbonne, tél. et fax 04.68.45.16.85,
commercial@chateau-auris.com r.-v.

Jean-Claude Albert

CH. D'AUSSIÈRES 2010 ★

140 000 — 15 à 20 €

En 1920, Aussières était l'un des plus grands domaines du Languedoc avec 270 ha de vignes et 120 personnes, un véritable hameau avec ses artisans et son école. Repris par les Domaines Barons de Rothschild (Lafite) en 1999, il a fait l'objet d'une réhabilitation complète. Dépourvu de carignan et issu d'un sol gréseux, le millésime 2010 affiche un profil particulier : une couleur intense, des parfums élégants et complexes mêlant le cuir, les épices et un boisé grillé bien fondu, une bouche tout en douceur portée par des tanins fins, dénués d'agressivité. Une bouteille de classe.

SAS Aussières, RD 613, 11100 Narbonne,
tél. 04.68.45.17.67, fax 04.68.45.76.38, aussieres@lafite.com
r.-v.

Domaines Barons de Rothschild

CH. LA BASTIDE Tradition 2010 ★★★

100 000 — 5 à 8 €

Si elles côtoient le Minervois, les terrasses de galets roulés au nord de Lézignan appartiennent bien à l'appellation corbières. En raison de ce terroir, le carignan a été totalement abandonné au profit de la syrah et, dans une proportion moindre, du grenache noir et du mourvèdre. La présentation de ce 2010 est irréprochable : d'une robe limpide et brillante s'élèvent des parfums raffinés, mariage heureux du fruit, des épices et d'un boisé finement toasté. En bouche, on retrouve ces arômes élégants au sein d'une matière puissante et volumineuse, et la finale s'alanguit sur des tanins soyeux. Une bouteille tellement accomplie qu'on aurait envie de l'ouvrir dès l'apéritif. Apprécié aussi par le jury, le **2011 blanc (8 à 11 €; 30 000 b.)**, au profil frais et floral, décroche une étoile.

Ch. la Bastide, 11200 Escales, tél. 04.68.27.08.57,
fax 04.68.27.26.81, chateaulabastide@wanadoo.fr
r.-v.

Durand

CH. BEAUREGARD MIROUZE Tradition 2011 ★

6 000 — 5 à 8 €

Un terroir très particulier des Corbières, le massif de Fontfroide : un sol gréseux, profond mais peu fertile, sur des pentes exposées au versant nord. Si l'on ajoute un encépagement équilibré (syrah, grenache, cinsault), tout est en ordre pour élaborer de beaux rosés, tel ce 2011 à la teinte pâle et aux reflets pivoine. Le nez affiche une plaisante fraîcheur, confortée par une belle intensité fruitée ; suit une bouche tendre, ample, équilibrée et longue, en un mot agréable. Bel accord en perspective avec des rougets grillés.

Ch. Beauregard Mirouze, 11200 Bizanet,
tél. 04.68.45.19.35, info@beauregard-mirouze.com
r.-v.

♥ CH. CAMBRIEL Tête de cuvée 2010 ★★★

2 800 — 5 à 8 €

Dans les deux précédentes éditions du Guide, nous présentions la famille Cambriel en louant ses efforts constants au vignoble comme au chai. La voici couronnée dans le millésime 2010 pour une cuvée plutôt confidentielle, qui prouve néanmoins la capacité de Christophe Cambriel à tirer le meilleur parti de ses raisins de carignan (60 %) et de grenache noir. Illustration parfaite de l'appellation, ce vin grenat intense s'exprime tout en nuances, livrant de subtils arômes de fruits rouges confiturés assortis d'un soupçon de réglisse. Franchise, souplesse et fine fraîcheur composent une plaisante attaque ; volume et puissance prennent le relais avant que de beaux tanins nés de l'élevage en fût ne viennent tapisser le palais. À réserver pour du gibier rôti.

GAEC Les Vignobles Cambriel, 65, av. Saint-Marc,
11200 Ornaisons, tél. et fax 04.68.27.43.08,
christophe.cambriel@orange.fr
t.l.j. 10h-12h15 16h30-19h; dim. 10h-12h15

VIGNERONS DE CAMPLONG Fontbories 2010 ★★

90 000 — 5 à 8 €

La coopérative du petit village de Camplong, sur les pentes au sud de l'Alaric, profite d'un remarquable terroir et de l'engagement professionnel d'une poignée de vignerons. Ce Fontbories revêt une magnifique tenue pourpre sombre, étincelante à souhait. Après une véritable explosion aromatique au nez, sur le cassis et les épices, le vin emplit délicieusement la bouche, respectant un parfait équilibre entre la structure affirmée, la matière ample et un boisé judicieux. Pour un plaisir immédiat. Le **2009 rouge La Cuvée (11 à 15 € ; 13 000 b.)** présente plus de maturité et de caractère. Il décroche une étoile.

Vignerons de Camplong, 25, av. de la Promenade, 11200 Camplong-d'Aude, tél. 04.68.43.60.86, fax 04.68.43.69.21, vignerons-camplong@wanadoo.fr

t.l.j. sf dim. 8h-12h 14h-18h (19h l'été)

LES MAÎTRES VIGNERONS CASCASTEL
Les Hauts de Saint-Jean 2011 ★

40 000	5 à 8 €

Située dans les Hautes Corbières, entre les communes de Durban et Tuchan, la coopérative de Cascastel intervient autant en fitou qu'en corbières, à la suite de la restructuration des caves. Elle propose ici un rosé de fort belle facture en provenance des coteaux de Saint-Jean de Barrou. Ce vin se distingue par une robe plutôt soutenue et par un bouquet expressif de petits fruits rouges. Charnu et plein, d'une remarquable longueur, il sera apprécié sur des grillades parfumées aux herbes de la garrigue. Noté une étoile également, le **2010 rouge Héritage de Bonnafous Élevé en fût de chêne (8 à 11 € ; 40 000 b.)**, minéral et boisé, montre du volume, des tanins fondus, de la douceur.

Les Maîtres Vignerons de Cascastel, Grand-Rue, 11360 Cascastel-des-Corbières, tél. 04.68.45.91.74, fax 04.68.45.82.70, info@cascastel.com

t.l.j. sf sam. dim. 8h-12h 14h-18h

♥ **CASTELMAURE** Cuvée N° 3 2010 ★★★

35 000	15 à 20 €

On ne louera jamais assez cette coopérative nichée au fond des Hautes Corbières, presque dans une impasse, derrière La Sauveille et le col de Bent. Sur les pentes, les ceps apprécient cet environnement rocailleux d'aspect sauvage, symbolisant les Corbières. Et que dire des hommes, amoureux de leur terroir et de leurs souches tourmentées, qui ont construit récemment un nouveau chai écologique ? Leur travail se traduit dans des bouteilles pleines d'authenticité, à la présentation moderne et colorée. En tête, la N° 3 au dossard rouge carmin éclatant sait marier les terroirs de schistes et de calcaires. C'est un vin voluptueux qui allie puissance et délicatesse, une forte personnalité au caractère boisé, avec du gras, du volume et de remarquables tanins policés. Pour confirmer le savoir-faire de la cave, la **Grande Cuvée 2010 rouge (8 à 11 € ; 100 000 b.)** décroche deux étoiles. Annoncée par un bouquet de sous-bois et de confiture de fraises, elle dévoile une matière ronde et ample.

SCV Castelmaure, Cave coopérative, 4, rte des Cannelles, 11360 Embres-et-Castelmaure, tél. 04.68.45.91.83, fax 04.68.45.83.56, vins@castelmaure.com

t.l.j. 10h-12h 15h-18h

LA CENDRILLON 2010

6 600	30 à 50 €

La Cendrillon est le nom d'un lieu-dit ; il désigne une très vieille auberge placée sur le bord de l'ancienne voie romaine de l'époque impériale, l'Aquitania, qui reliait Narbonne à Toulouse, au point même où cette route traversait le cours capricieux de la rivière Orbieu. Cendrillon s'avance dans une robe grenat, gracieuse et limpide, environnée de parfums de petits fruits rouges et de notes raffinées d'élevage. Elle possède une ligne svelte sans être dénuée de rondeur ; le boisé fait partie de son charme. Dans quelques mois de plus, elle saura séduire.

Dom. la Cendrillon, rte de Narbonne, 11200 Ornaisons, tél. 09.61.37.85.51, fax 04.68.48.80.62, lacendrillon@orange.fr

r.-v.

Robert Joyeux

CH. DU CERBIER Cuvée Mahakam 2010

6 400	5 à 8 €

Avoir des amis en Corbières, s'intéresser à la région, s'éprendre de Fabrezan jusqu'à se faire adopter et naturellement y devenir vigneronne, tel est le parcours de Carol Bloch. Avec cette cuvée issue de très vieilles vignes – du carignan presque exclusivement –, elle propose un corbières à la robe sombre et au bouquet net et plaisant sur les fruits rouges des bois. Une attaque où rien ne dépasse, un agréable équilibre entre fraîcheur, douceur et charpente, une finale sans à-coup : ce 2010 plaît par sa simplicité et sa sincérité.

Carol Bloch, 5, portail de la Trinité, BP 2, 11200 Fabrezan, tél. 04.68.43.55.31, fax 04.68.43.55.30, domaineducerbier@free.fr r.-v.

CH. CICÉRON 2011 ★★

10 000	- de 5 €

Historiquement, ce domaine appartenait à une famille de juristes et de tribuns romains, d'où il tient son nom. Aujourd'hui, c'est l'un des domaines de la famille Vialade, bien ancré sur le versant sud de la montagne d'Alaric. Cette exposition semble avoir réussi à ce rosé pâle et étincelant au nez intensément marqué par les fruits confits mais sans lourdeur. L'attaque sincère, cordiale est suivie d'une bouche tout en rondeur qui réserve une place de choix aux notes fruitées. À servir sur des tajines sucrés-salés.

SAS Les Domaines Auriol, BP 79, ZI Gaujac, 11200 Lézignan-Corbières, tél. 04.68.58.15.15, fax 04.68.58.15.16, info@les-domaines-auriol.eu r.-v.

Claude Vialade

DOM. LA COMBE GRANDE L'Espère 2010 ★

3 400	11 à 15 €

Cette cuvée, déjà remarquée dans le millésime 2008, s'affirme de nouveau et pourrait bien devenir un classique des Corbières. Elle affiche une belle personnalité. La nature n'y est certainement pas étrangère, mais une vinification en grains entiers et une fin de fermentation en fût lui confèrent ses caractères particuliers : parfums puissants de fruits à l'eau-de-vie, boisé impétueux, attaque franche et droite, matière enveloppée et cohérente avec le nez, tanins fondus et patinés. Un plaisir assuré sur une poêlée de cèpes.

Dom. la Combe Grande, chem. de Garrigue-Plane, 11200 Camplong-d'Aude, tél. et fax 04.68.75.38.28, domaine.combegrande@orange.fr
t.l.j. sf sam. dim. 8h-12h 14h-19h
Jacques Tibie

CH. DE COMIGNE La Réserve
Élevé en fût de chêne 2010 ★

■	10 000		5 à 8 €

Si le trésor des Wisigoths n'a toujours pas été découvert sous cette montagne d'Alaric, celle-ci offre avec ses fameux terroirs de belles ressources à la viticulture des Corbières. Mais Comigne s'étend sur sa face nord, un peu moins ensoleillée, que le poète Gaston Bonheur appelait celle des « vins de l'ombre ». Ce 2010 de la coopérative n'en est pas moins de belle tenue : sa robe pourpre brillant, associée à une expression aromatique de fruits cuits confiturés. Un volume certain, des saveurs de pruneau, de cacao et de grillé mêlées à une pointe de garrigue, des tanins agréables, de la persistance ; voici un corbières sans reproche.

Ucavca Cantalric, 1, rue de l'Artisanat, BP 24, 11700 Capendu, tél. 04.68.79.00.76, fax 04.68.79.05.42, service.commercial@cantalric.com
t.l.j. sf dim. lun. 10h-12h 14h-19h

ESPRIT 1909 2009 ★

■	n.c.		8 à 11 €

1909 est la date de création de cette cave, première coopérative à avoir vu le jour dans l'Aude. Cela justifie

Le Languedoc

bien de s'appliquer pour élaborer une belle bouteille comme celle-ci : une robe soutenue à reflets carminés, un premier nez épicé (clou de girofle), puis vanillé et agrémenté de senteurs de garrigue, un palais vineux et généreux sans renoncer à la fraîcheur, une finale dont le caractère tannique est accentué par des accents grillés et torréfiés. Pas de doute, il faudra l'associer à un civet de sanglier des Corbières. Noté une étoile également, le **L de Lézignan 2010 rouge (5 à 8 €)** s'exprime avec ampleur sur les fruits bien mûrs (pas de fût).

Le Chai des Vignerons de Lézignan,
15, av. Mistral, 11200 Lézignan-Corbières,
tél. 04.68.27.00.36, fax 04.68.27.48.78,
chai-vignerons@wanadoo.fr
t.l.j. 9h-12h 14h-19h

CH. FABRE CORDON Fragrances oubliées 2009 ★★★

■ 4 200 ▮ 8 à 11 €

Henri Fabre a apporté ses raisins à la coopérative pendant une trentaine d'années, non à contrecœur, mais avec une impression d'inachevé. Avec le changement de siècle, il décide de devenir vigneron. Il installe alors sa cave dans une vieille bâtisse au milieu des vignes, et élabore son vin. Bien éclairé par Christian Lacassy, œnologue, il signe un superbe 2009 mettant en vedette la syrah (90 % de l'assemblage). Élogieux sur ses qualités aromatiques entre les fruits rouges presque confits et de fines épices douces qui apportent du relief, les jurés admirent aussi les impressions de puissance, de générosité, de volume et de rondeur perçues en bouche. Des tanins affirmés appellent quelques mois de garde supplémentaires.

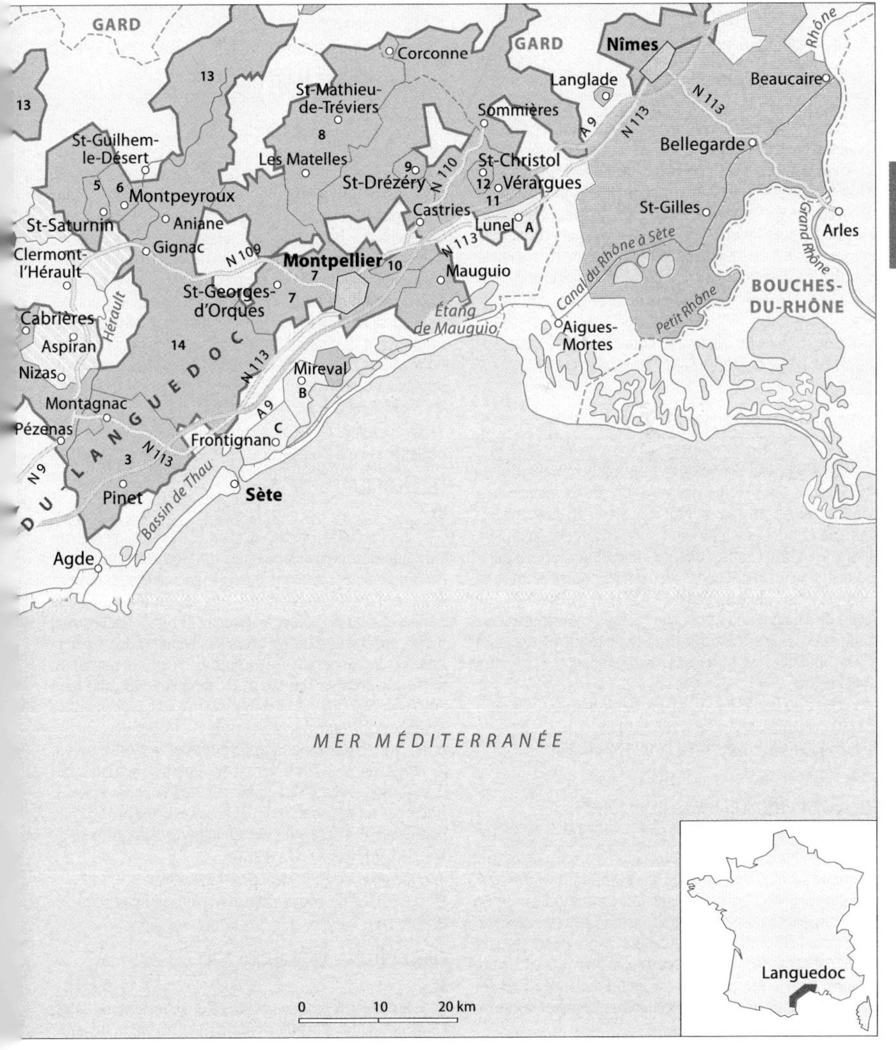

🔑 Ch. Fabre Cordon, L'Oustal Nau, 11440 Peyriac-de-Mer, tél. et fax 04.68.42.00.31, chateaufabrecordon@gmail.com
r.-v.

LE VIGNOBLES FONCALIEU La Lumière 2009 ★

	2 400		8 à 11 €

En 1967, M. Grignon réalise, sous le nom de Foncalieu, l'union de trois caves coopératives en utilisant une syllabe de chaque commune : Fontiès, Capendu et Montolieu. Aujourd'hui, ce groupement, qui compte 1 200 coopérateurs, a décidé de proposer des vins de qualité, à l'image de ce corbières assemblant 80 % de syrah et 20 % de carignan, dans le verre, un pourpre intense et des senteurs qui oscillent entre la minéralité et le fruit, le cacao et la vanille. Franc et flatteur, le palais au boisé encore dominant repose sur une charpente solide, dont les tanins se portent garants d'un bel avenir.

🔑 Les Vignobles Foncalieu, Dom. de Corneille, 11290 Arzens, tél. 04.68.76.21.68, fax 04.68.76.32.01, aurranp@foncalieuvignobles.com

CH. FONTENELLES Cuvée Notre-Dame 2010 ★

	35 000		11 à 15 €

Thierry Tastu, son épouse Nelly et toute leur équipe poursuivent leur quête de la qualité. Cette cuvée, élue coup de cœur dans le millésime 2008, reste de belle tenue. Vêtu d'une robe presque noire, mais étincelante, ce 2010 charme par ses senteurs de cassis, de myrtille et de résine de pin. Le palais d'une belle ampleur, gras et posé sur des tanins soyeux, est maintenu par une pointe de fraîcheur qui assure la persistance des arômes découverts au nez. Un vin déjà flatteur et prometteur.

🔑 Thierry Tastu, Dom. de Fontenelles, 78, av. des Corbières, 11700 Douzens, tél. et fax 04.68.79.12.89, t.tastu@fontenelles.com
r.-v.

DOM. DU GRAND ARC En Sol majeur 2010 ★★

	n.c.		8 à 11 €

Voilà ce qui arrive quand on tombe amoureux des Corbières ; on y plante des ceps, on prend racine, on y produit du vin, ensuite du bon vin ; on se retrouve une fois dans le Guide, puis plusieurs ; on y décroche même un coup de cœur... Comme chaque année donc, le Sol majeur se distingue : robe d'encre aux reflets pourpres ; palette complexe aux nuances de fruits noirs, de fruits rouges, de café, de tabac blond ; bouche charnue, chaleureuse, aux tanins denses mais enrobés, un tantinet toastés et réglissés. Cette bouteille ravira bien des palais pendant trois à quatre ans encore.

🔑 Dom. du Grand Arc, 15, chem. des Métairies-du-Devez, 11350 Cucugnan, tél. et fax 04.68.45.01.03, info@grand-arc.com t.l.j. 9h-12h 14h-18h
🔑 Bruno Schenck

CH. GRAND MOULIN Terres rouges 2009 ★

	15 000		8 à 11 €

Jean-Noël Bousquet, nous vous l'avons maintes fois présenté ; il n'a rien perdu de son savoir-faire et propose des cuvées authentiques et de qualité, comme celle-ci, issue d'une majorité de syrah complétée d'un peu de grenache noir pour lui donner de la patine. Le 2009 s'ouvre sur une forte concentration d'arômes aux tonalités variées : fruits confits, poivre ou menthol. La même richesse se révèle dans une bouche charnue, généreuse, équilibrée, assez ferme en finale.

🔑 Jean-Noël Bousquet, 6, av. Gallieni, 11200 Lézignan-Corbières, tél. 04.68.27.40.80, fax 04.68.27.47.61, chateaugrandmoulin@wanadoo.fr
t.l.j. sf dim. 9h-19h

GRUSSIUS Élevé en fût de chêne 2009 ★

	10 000		15 à 20 €

On pourrait croire que Gruissan, installée sur les rives de la Méditerranée, ne vinifie que du vin blanc afin d'accompagner les moules et les huîtres produites en mer. Il n'en est rien : le rouge y est particulièrement à l'honneur. Cette cuvée spéciale est réservée aux années où la qualité des raisins de mourvèdre et syrah le permet. Vêtu d'une robe profonde, ce 2009 séduit par son parfum vanillé mêlé de nuances de sous-bois. L'attaque franche dévoile du gras et des tanins fondus qui s'affirment en fin de bouche. Cette bouteille s'entendra parfaitement avec un cassoulet.

🔑 La Cave de Gruissan, 1, bd de la Corderie, 11430 Gruissan, tél. 04.68.49.01.17, fax 04.68.49.34.99, contact@cavedegruissan.com t.l.j. 9h30-12h30 15h-19h

CH. HAUTERIVE LE HAUT 2011 ★★★

	5 300		- de 5 €

Un vaste domaine implanté sur plusieurs terroirs, un encépagement réfléchi et adapté, du vin de pays IGP, du corbières, du boutenac... du rouge, beaucoup de rouge, mais aussi – à ne surtout pas manquer – un corbières blanc d'exception ! Il y en a peu, c'est vrai, mais ici l'assemblage du grenache blanc, de la marsanne et d'un rien de macabeu engendre un vin proche de la perfection. Teinte pâle mais lumineuse aux doux reflets verts ; parfums fruités surprenants, vifs et frais, suivis de nuances florales tout aussi intenses ; au palais, sensation charmeuse de souplesse et d'ampleur, dans une belle cohérence aromatique avec le nez. Parfait pour l'apéritif et sensationnel sur un bar en croûte de sel.

🔑 SCEA Reulet, 1, ancien chem. de Ferrals, 11200 Boutenac, tél. 04.68.27.62.00, fax 04.68.27.12.73, hauterive-le-haut@orange.fr r.-v.

CH. HORTALA 2009 ★★★

	20 000		5 à 8 €

En l'an 985, à Cruscades, un Hortala faisait déjà du vin ; une dizaine de siècles plus tard, en 2007, un de ses descendants, après avoir enseigné la médecine, devient viticulteur en s'appuyant sur vingt et un associés de la famille afin de perpétuer le domaine. Pour la vinification, il fait appel aux compétences de l'équipe des Celliers d'Orfée, la coopérative d'Ornaisons. Cette organisation porte une nouvelle fois ses fruits, donnant naissance à un 2009 d'une qualité rare. La robe est très soutenue, presque noire, avec de brillants reflets violacés. Le bouquet encore frais, entre fruits rouges, grillé et épices, annonce un vin au corps ample et rond porté par des tanins veloutés, qui persiste longuement en finale sur des nuances épicées. Encore plein de promesses, ce corbières tirera profit d'une petite garde, même s'il peut se déguster aujourd'hui.

🔑 Bernard Hedon – Ch. Hortala, 338, rue de la Vieille-Poste, 34000 Montpellier, tél. 06.75.05.87.88, bernard.hedon@chateau-hortala.com
r.-v.

CH. DE L'ILLE Cuvée Angélique 2010

	20 000		8 à 11 €

Le site est unique : d'un côté, la mer, d'un autre, l'étang du Doul dans un rond presque parfait, d'un autre encore, le village de pêcheurs de Peyriac-de-Mer. Les vignes de syrah et de grenache profitent du microclimat créé par l'influence marine. Elles ont donné naissance à un 2010 très coloré, au nez de cerise à l'eau-de-vie. Une rondeur accueillante, des saveurs fruitées en accord avec le nez, et des tanins un peu nerveux complètent la dégustation.

Ch. de l'Ille, 11440 Peyriac-de-Mer, tél. 04.68.41.05.96, fax 04.68.42.81.73, chateau-de-lille@wanadoo.fr
t.l.j. 10h30-13h 14h-19h
Joubaud

CH. LALIS Les Petits Moulins 2010 ★★

10 000 | 8 à 11 €

Philippe Estrade, après dix ans passés à la tête du domaine familial, est maintenant un vigneron averti qui a pris la mesure de l'exploitation et de son potentiel. Déjà remarqué l'an passé, il revient avec deux nouvelles cuvées. Ce rouge du lieu-dit Les Petits Moulins planté de vignes de syrah (70 %), de carignan (20 %) et de grenache se distingue par son fruité intense aux notes de cassis et de poivre, net, sans boisé, expression du seul raisin. Entière et gracieuse, la bouche fait preuve d'un équilibre parfait, et dévoile des arômes friands. Le **2011 rosé Choryphée (5 à 8 € ; 7 000 b.)**, une étoile, présente un bouquet discret et une bouche singulièrement ronde et épicée.

Philippe Estrade, Ch. Lalis, 2, rue des Fleurs, 11220 Ribaute, tél. 04.68.43.19.50, lalis@orange.fr
r.-v.

CH. DE LASTOURS Réserve 2009 ★

32 000 | 15 à 20 €

Le domaine a changé de mains en 2004 et une profonde réorganisation a été effectuée tant aux vignes qu'au chai. M. de Rozières, le responsable du château, et Mme Roulier, l'œnologue, vont sans doute encore nous étonner avec le nouveau cuvier fonctionnant depuis 2010. Leur Réserve, qui n'en a pas bénéficié, n'en est pas moins très réussie. Elle offre au nez une explosion de senteurs rappelant la garrigue, le poivre et le menthol. Ample, sans aspérités, la bouche d'une richesse qui témoigne de la maturité du raisin repose sur des tanins puissants et vanillés. La **cuvée Simone Descamps 2009 rouge (11 à 15 € ; 47 000 b.)**, plus classique mais pourvue d'un fort tempérament, décroche elle aussi une étoile.

Famille P. et J. Allard, Ch. de Lastours, 11490 Portel-des-Corbières, tél. 04.68.48.64.74, fax 04.68.40.06.94, contact@chateaudelastours.com
t.l.j. sf dim. 10h-12h30 13h30-18h (t.l.j. jusqu'à 19h en juil.-août)

DOM. DE LONGUEROCHE Cuvée Aurélien 2009 ★

10 000 | 8 à 11 €

Cette même cuvée a obtenu dans le Guide précédent un coup de cœur pour le millésime 2008 ; elle revient dans une jolie version 2009, et confirme ainsi l'art de Roger Bertrand à confectionner de grands corbières. Sa robe vive, cerise burlat, conserve une belle fraîcheur. Son nez, très ouvert, affiche une palette variée où l'on reconnaît le sous-bois, la vanille, le poivre, le pruneau... Une semblable complexité se retrouve en bouche : une entrée suave, puis des tanins puissants et veloutés, et une longue finale aux accents boisés. Cette bouteille peut déjà s'apprécier, mais saura attendre.

Roger Bertrand, rue Ancienne-Poste, 11200 Saint-André-de-Roquelongue, tél. 06.75.22.85.51, fax 04.68.32.22.43, contact@rogerbertrand.fr r.-v.

CELLIER DE MAJORINE Génération 3 2010 ★

1 600 | 5 à 8 €

Apporteur de raisins à la coopérative, Christophe Lagarde n'accepte plus la crise viticole que sa cave subit. Plutôt que d'arracher ses vignes pour repartir de zéro, il décide en 2008 de devenir vigneron, de créer son chai et d'élaborer ses bouteilles. Après un rosé l'an passé, le voici maintenant avec une cuvée de vin rouge couleur cerise noire, au bouquet sincère et sans détour de fruits noirs et de garrigue. Ronde et riche en attaque, la bouche poursuit sur des notes de cassis, de résine de pin et de tabac blond, portée par des tanins doux.

Christophe Lagarde, 5, rue de la Gaffe, 11200 Luc-sur-Orbieu, tél. 06.21.56.60.40, fax 04.68.27.32.60, cellier.majorine@hotmail.fr r.-v.

CH. DE MATTES-SABRAN Le Clos Redon 2010 ★

15 000 | 5 à 8 €

L'existence du domaine de Mattes est attestée dès le XIIe s. Vaste entité jusqu'à la Révolution, il est morcelé à la veille de la Première Guerre mondiale. Ses 58 ha sont aujourd'hui implantés sur un terroir de la façade méditerranéenne des Corbières : une terrasse très graveleuse de gros galets roulés. Le vin assemble 80 % de syrah au cépage grenache. Il offre au nez de riches sensations aromatiques : cassis, myrtille, fruits confits. Rond et équilibré, il confirme ce fruité intense au palais et s'appuie sur une structure solide, à la finale épicée.

Marie-Alyette Brouillat, Ch. de Mattes, 11490 Portel-des-Corbières, tél. 09.77.78.21.35, fax 09.70.62.64.36, mattes.sabran@laposte.net
t.l.j. 8h-12h 14h-18h

CH. PRIEURÉ BORDE-ROUGE Ange 2010 ★★

6 000 | 15 à 20 €

À proximité de l'abbaye de Lagrasse, le prieuré Borde-Rouge s'inscrit dans un paysage unique, entouré d'oliviers, de pinèdes et de vignes plantées sur un sol rouge, riche en oxyde de fer. Les cultures sont environnées de garrigue et abritées par des coteaux abrupts. Cette cuvée, à la robe pourpre limpide, s'ouvre sur des senteurs légères de figue et de fleurs. Une charpente veloutée, dotée de tanins serrés mais doux et enrobés, contribue au charme de cette bouteille qui fera des heureux à table, avec un pigeon rôti.

Ch. Prieuré Borde-Rouge, rte de Saint-Pierre, 11220 Lagrasse, tél. 05.34.40.59.20, fax 05.34.40.59.21, contact@borde-rouge.com
t.l.j. sf dim. lun. de mai à sept. 10h-13h 15h-19h; autres périodes sur r.-v.

CH. DU ROC Saint-Louis 2009 ★

8 000 | 5 à 8 €

Si le château du Roc porte son regard sur le Minervois, sa cuvée Saint-Louis n'en demeure pas moins typique des Corbières, caractérisée par un encépagement classique de l'AOC : carignan, grenache noir et syrah en proportions égales. Une robe bien colorée ; un nez qui garde une certaine discrétion, délivrant de fines impressions de fruits noirs, de chocolat et de café ; une matière dense, équilibrée et puissante, soutenue par des tanins solides mais sans agressivité, que complète un boisé encore perceptible. Les notes d'élevage méritent un à deux ans de garde pour se fondre.

Bacou, Ch. du Roc, 11700 Montbrun-des-Corbières, tél. 04.68.32.84.84, fax 04.68.32.84.85, chateauduroc@sfr.fr t.l.j. sf sam. dim. 8h-12h 14h-18h

CH. DE ROMILHAC Prestige 2010

	3 200		20 à 30 €

Il s'agit d'une cuvée toute particulière qui a pris naissance sur une vieille parcelle de syrah à laquelle Élie Bouvier ajoute quelques grappes d'un grenache lui aussi âgé. Les rendements ne dépassent pas les 25 hl/ha ; la vendange, presque en surmaturité, est effectuée et triée à la main. S'ensuivent une cuvaison longue et un séjour de deux ans en fût, pour que le vin ressorte très concentré, mûr, puissant. Une richesse extrême qui a bien des adeptes.

Élie Bouvier, Ch. de Romilhac, chem. des Geyssières, 11100 Narbonne, tél. et fax 04.68.41.59.67, chateau-de-romilhac@wanadoo.fr r.-v.

ROQUE SESTIÈRE Carte blanche Élevé en fût de chêne 2010 ★

	5 000		8 à 11 €

Bien connu des lecteurs du Guide, le domaine de Roland Lagarde n'a de cesse de collectionner les étoiles avec des cuvées souvent blanches, les cépages blancs constituant les deux tiers du vignoble. Mais la syrah et le carignan ne sont pas pour autant oubliés, assemblés ici pour une cuvée à la robe profonde, de couleur violine. Discret en première approche, le nez s'ouvre ensuite sur le sous-bois et la violette. Dense mais sans lourdeur, le palais séduit par l'élégance de ses tanins, par son gras enveloppant et par ses accents de garrigue et de vanille.

EARL Roland Lagarde, Dom. Roque Sestière, 8, rue des Étangs, 11200 Luc-sur-Orbieu, tél. 04.68.27.18.00, fax 04.68.27.04.18, roque.sestiere@wanadoo.fr t.l.j. sf dim. 10h-18h

DOM. ROUÏRE-SÉGUR L'Ardente 2010 ★★

	3 000		11 à 15 €

Nicolas Bourdel s'installe en 2002 comme jeune vigneron ; deux ans plus tard, il intègre la propriété familiale. Non content d'asseoir la réputation du rosé, il se distingue ici avec un rouge de grande qualité. Il s'agit d'une cuvée particulière, composée exclusivement de syrah, au volume limité. Marquée à l'olfaction par un boisé élégant (vanille, grillé), elle dévoile une belle sucrosité en bouche, avec une charpente généreuse et une finale en harmonie. Quant au **2011 rosé Tradition (5 à 8 €; 15 000 b.)**, noté une étoile, il séduit par sa finesse aromatique et sa bouche délicate, friande, enrobée de douceur.

SARL Rouïre-Ségur, 12, rue des Fleurs, 11220 Ribaute, tél. 04.68.27.19.76, nicolasbourdel@orange.fr r.-v.

DOM. SAINTE-MARIE-DES-CROZES Timéo 2010

	2 934		15 à 20 €

Les pentes nord-ouest de l'Alaric, des vignes entourées par la garrigue et conduites en agriculture raisonnée, une judicieuse proportion des cépages syrah, grenache noir et mourvèdre complétés par un peu de carignan et de cinsault : revoici la cuvée Timéo. Sa version 2010, grenat brillant, marquée au nez par les fruits confits, le cassis et la mûre sauvage, offre une attaque moelleuse, une structure ferme et équilibrée, reposant sur des tanins boisés.

Bernard Alias, 36, av. des Corbières, 11700 Douzens, tél. 04.68.79.09.00, fax 04.68.79.20.57, bernard.alias@wanadoo.fr r.-v.

CH. SAINT-ESTÈVE Altaïr 2010 ★

	14 660		15 à 20 €

Éric Latham est le petit-fils du célèbre aventurier et écrivain Henry de Monfreid, un enfant du pays né à La Franqui, petite plage des Corbières maritimes. Ataïr était le nom arabe de l'un des navires sur lequel il navigua en mer Rouge. Encore tout en retenue, la bouteille, elle, invite à un voyage olfactif entre fruits noirs et vanille. L'attaque souple et plaisante, orientée sur le boisé de l'élevage, dévoile une bouche concentrée, ample, dont les tanins encore affirmés ne perturbent en rien l'équilibre. Une petite garde est conseillée pour un meilleur fondu.

Éric Latham, GFA Ch. Saint-Estève, 11200 Thézan-des-Corbières, tél. 04.68.43.32.34, fax 04.68.43.75.63, contact@chateau-saint-esteve.com t.l.j. 10h-18h; sam. dim. sur r.-v.

CH. DE SAINT-EUTROPE 2011 ★★

	10 000		5 à 8 €

Le Guide a déjà fait découvrir ce corbières, soit en rouge, soit en blanc. Aussi, pour faire découvrir l'ensemble de sa palette, le domaine présente cette année son rosé. Un mariage de syrah et de grenache sans macération, un pressurage mesuré, une excellente maîtrise des températures durant la cuvaison, et voici le résultat : une robe pâle délicatement saumonée ; un bouquet intense d'une grande finesse de fleurs et de fruits exotiques ; une bouche fraîche sans être mordante, enrobée sans être lourde, dont l'équilibre friand persiste longuement sur une note de framboise.

EARL Ch. de Saint-Eutrope, 31, rue de Fabrezan, 11220 Saint-Laurent-de-la-Cabrerisse, tél. et fax 04.68.44.05.55, verdale.olivier@orange.fr r.-v.

Olivier et Jean-Louis Verdale

CH. SAINT-JEAN DE LA GINESTE Carte noire 2010 ★★

	6 600		8 à 11 €

Une belle maison vigneronne, des bâtiments d'exploitation tout à côté, quelques pins pour agrémenter le cadre et, tout autour, les vignes : ni trop, ni trop peu (20 ha), juste de quoi les bichonner toutes sur le remarquable terroir de Boutenac. Annoncée par un bouquet à tendance florale (violette), cette Carte noire déroule une matière très ronde parfumée de fruits rouges, finement poivrée, assise sur une trame de tanins mûrs et fondus bien équilibrée. Une longue finale réglissée ajoute à l'élégance générale. À savourer sur une côte à l'os grillée aux sarments.

SCEA Saint-Jean de la Gineste, Saint-Jean de la Gineste, 11200 Saint-André-de-Roquelongue, tél. 04.68.45.12.58, saintjeandelagineste@orange.fr r.-v.

M.-H. Bacave

CH. DE SÉRAME Réserve du château 2009 ★

	160 000		5 à 8 €

Ce domaine est l'un des rares à avoir gardé la superficie des exploitations viticoles languedociennes du XIXe s. : il s'étend sur plus de 170 ha. Aujourd'hui géré par les vignobles Dourthe, il propose une Réserve 2009 à la

robe grenat sombre. Le nez révèle la puissance aromatique de la syrah (65 %) implantée sur des terrasses extrêmement graveleuses ; des sensations fruitées confirmées dans une bouche équilibrée, souple, aux tanins séduisants. Déjà prête, cette cuvée pourra être savourée sur de l'agneau de lait tendrement grillé.
SAS Ch. de Sérame, lieu-dit Sérame,
11200 Lézignan-Corbières, tél. 04.68.27.59.00,
fax 04.68.27.59.01, marie-helene.inquimbert@dourthe.com
Vins Dourthe

TERROIRS DU VERTIGE Fraîcheur de Padern 2011 ★★

6 000 - de 5 €

Il suffit de lire l'étiquette pour identifier l'origine du vin : les terroirs du Vertige, c'est la contrée, jalonnée de châteaux cathares, la plus en altitude des Corbières. La Fraîcheur de Padern annonce la couleur : c'est un blanc affriolant, léger, au fruité séduisant (pêche blanche), égayé de touches florales. Charmeur, il convainc par une vivacité vite contrebalancée par une souplesse et une rondeur qui n'altèrent pas pour autant son élégance aromatique. Naturellement, il accompagnera les clovisses et autres coques de Méditerranée, mais il mettra aussi en valeur des ris de veau aux girolles.
SCAV Les Terroirs du Vertige, 2, chem. des Vignerons,
11220 Talairan, tél. 04.68.44.02.17, fax 04.68.44.06.13,
terroirsduvertige11@orange.fr r.-v.

TRESMOULIS Élevé en fût de chêne 2009 ★

13 000 5 à 8 €

Cette cuvée, à l'origine produite par la cave coopérative de Roquefort, poursuit son chemin au sein des Vignobles Cap Leucate. Après le regroupement et la modernisation des moyens de production, l'entité des terroirs est préservée. Vêtu d'une robe éclatante aux reflets mordorés, ce 2009 dévoile un léger bouquet de vanille et d'épices. Une pointe de fraîcheur accompagne au palais des touches de fruits rouges finement poivrées, avant que les tanins bien mûrs ne titillent la finale. Un vin convivial, représentatif des Corbières maritimes, à apprécier dès maintenant.
Vignobles Cap Leucate, Chai La Prade, 11370 Leucate,
tél. 04.68.33.20.41, fax 04.68.33.08.82,
cave-leucate@wanadoo.fr t.l.j. 9h-12h 16h-19h

CH. DE TRÉVIAC 2011 ★

4 500 8 à 11 €

Arnaud Sié n'avait pas étudié pour être vigneron, il est en effet licencié en histoire ! Cela ne l'empêche pas d'avoir la passion du vin. Il adapte son vignoble, transforme son chai, s'applique aux vinifications, et son travail se traduit par des résultats. Première preuve, ce blanc à la forte personnalité, qui développe un bouquet intense et complexe de chèvrefeuille, de fenouil et de genêt. Le palais ample et harmonieux se montre tout aussi aromatique. Noté également une étoile, le **2010 rouge (26 000 b.)** plaît pour son nez discret de cassis et pour sa bouche dense aux accents mentholés et à la finale chaleureuse.
Arnaud Sié, 2, pl. de la République, 11220 Talairan,
tél. 06.89.56.61.20, treviac@wanadoo.fr r.-v.

CH. VAUGELAS Excellence 2010 ★★

30 000 8 à 11 €

Une immense terrasse de galets roulés entièrement vouée aux vignes, de grands bâtiments, un château, une situation idéale... Un superbe domaine en somme, conduit avec brio par la famille Bonfils, qui a su s'entourer des meilleures compétences et qui ne cesse d'apparaître aux premières places dans le Guide. La cuvée Excellence porte bien son nom : brillante dans sa robe grenat profond, elle attire l'attention grâce à un fin boisé qui s'efface avec élégance pour révéler des parfums de fruits confits et d'épices. Rond et vanillé, le palais s'appuie sur des tanins satinés assurant volume et longueur à ce vin remarquable et déjà prêt. Le **2010 rouge Ch. Vaugelas (100 000 b.)** possède un lien de parenté évident avec Excellence, mais il révèle une concentration moindre et une structure lisse. Il obtient la même note.
SCEA Ch. de Vaugelas, Dom. de Vaugelas,
11200 Camplong-d'Aude, tél. 04.68.43.68.41,
fax 04.68.43.57.43 r.-v. D
Jérôme Bonfils

CH. VIEUX MOULIN Les Ailes 2010 ★★★

8 000 15 à 20 €

Les millésimes du château Vieux Moulin se suivent et se ressemblent, non par leur caractère – les dégustateurs avertis savent que chaque année marque les vins d'une empreinte différente –, mais par leur régularité qualitative. Alexandre They a pris décidément ses habitudes dans le Guide. Félicitations aussi à son œnologue Claude Gros, avec lequel il a élaboré deux admirables corbières rouges. La préférence va à ces Ailes d'un rouge profond aux reflets violines : le bouquet met en vedette les fruits noirs et le pruneau, avant de dévoiler une bouche d'une rondeur incomparable, teintée de gras et de douceur. Le relief et la complexité des arômes fruités enrobés de cacao et de vanille séduisent autant que la trame tannique soyeuse et veloutée. Le classique du château, le **2010 rouge (5 à 8 € ; 60 000 b.)**, décroche deux étoiles. Élevé en cuve, il se montre à peine moins chaleureux et se porte davantage sur les fruits rouges.
EARL Alexandre They et Associés, Ch. Vieux Moulin,
11700 Montbrun-des-Corbières, tél. 04.68.43.29.39,
fax 04.68.43.29.36, alex.they@vieuxmoulin.net
r.-v. E

CH. DU VIEUX PARC La Sélection 2009 ★★

40 000 8 à 11 €

Il y a toujours un vigneron dans la famille Panis ; Louis a repris les rênes du château en 1986, et Guillaume travaille déjà depuis plusieurs années aux côtés de son père et il perpétuera, le moment venu, la tradition viticole. Cette année, deux 2009 remarquables. La Sélection, à la robe sombre et brillante, livre un bouquet mesuré dont le vanillé discret agrémente des notes de griotte en confiture. L'attaque concentrée prélude à un palais chaleureux aux tanins puissants et enveloppants. La cuvée **Ambroise 2009 rouge (15 à 20 € ; 5 000 b.)**, deux étoiles également, se différencie par un palais dense et gras, et par un boisé plus affirmé, toasté.

Louis Panis, 1, av. des Vignerons,
11200 Conilhac-Corbières, tél. 04.68.27.47.44,
fax 04.68.27.38.29, louis.panis@orange.fr t.l.j. 9h-19h

CH. LA VOULTE-GASPARETS 2011 ★★

23 000 — 5 à 8 €

Un château toujours sur le devant de la scène : après le dernier en date de ses coups de cœur, un rouge 2009, il montre encore ses multiples facettes et son aptitude à élaborer, aussi, un blanc de haute qualité. Patrick Reverdy, prudent, ne se dispense pas du socle de grenache blanc (40 %), mettant à profit une vaste parcelle de vermentino, variété à son avantage sur le terroir de Boutenac. Le nez s'oriente vers les fleurs blanches, avec un soupçon d'épices et d'agrumes. L'attaque se montre fraîche, accueillante, et assure la continuité des arômes dans une matière persistante à la rondeur séduisante.

Patrick Reverdy,
Ch. la Voulte-Gasparets, 13, rue des Corbières,
11200 Boutenac, tél. 04.68.27.07.86, fax 04.68.27.41.33,
chateaulavoulte@wanadoo.fr t.l.j. 9h-12h 14h-18h

Corbières-boutenac

Superficie : 245 ha
Production : 8 926 hl

Le terroir de Boutenac (dix communes de l'Aude) fait depuis 2005 l'objet d'une AOC à part entière pour des vins rouges comportant une proportion notable de carignan (30 à 50 %).

GÉRARD BERTRAND La Forge 2010 ★★★

■ 10 000 — 30 à 50 €

Vous le cherchiez ? Le voici ! Ce nectar de Gérard Bertrand, coup de cœur dans le précédent millésime, nous ravit de nouveau. Il faut encore reconnaître l'influence d'un remarquable terroir, le savoir-faire du vigneron, qui a la patience de sauvegarder ces ceps « fatigués » de carignan et de syrah, et celui du maître de chai... L'art de transformer un fruit en un vin de grande classe : une teinte d'un grenat sombre aux reflets éclatants annonce la richesse de l'ensemble. L'intensité aromatique épate, sa finesse aussi : le cassis très mûr et le poivre se mêlent à des nuances toastées et épicées (muscade) de l'élevage. Le vin, charnu et dense, fait montre d'une réelle personnalité : opulence et rondeur, tanins au grain fin, et cette délicatesse apportée par un boisé pertinent. Une bouteille que l'on peut déguster seule, pour le plaisir d'en recueillir toutes les sensations.

Gérard Bertrand,
Ch. l'Hospitalet, rte de Narbonne Plage, 11104 Narbonne Cedex, tél. 04.68.45.36.00, fax 04.68.45.27.17,
vins@gerard-bertrand.com t.l.j. 9h-19h

DOM. CALVEL Cuvée Gaston 2009 ★★

■ 4 000 — 8 à 11 €

Vigneronne dans l'âme, Pascale Calvel a su, en reprenant l'exploitation familiale, se séparer de certaines vignes pour en planter de plus qualitatives, et créer son chai pour mettre son vin en bouteilles. Elle n'oublie pas son grand-père, Gaston, qui lui fit aimer ce métier, et elle lui rend hommage avec un 2009 sombre et vif à la fois, aux nuances de garrigue, de poivre, de cannelle et de café. Ample et gras, le palais conjugue sucrosité et légèreté. Les tanins se font sentir quand le boisé sait rester discret dans une finale moelleuse. Agréable dès aujourd'hui, ce boutenac saura aussi affronter la garde.

Pascale Calvel, 16, rue de la Rivière,
11200 Saint-André-de-Roquelongue, tél. 06.88.76.89.10,
fax 04.68.45.17.65, domainecalvel@hotmail.fr r.-v.

CELLIER DES DEMOISELLES Messaline 2009 ★★

■ 8 900 — 11 à 15 €

Les arrachages réduisant le potentiel viticole du village, la cave coopérative n'a d'autre solution que de miser sur la qualité pour revaloriser la production. La cuvée Messaline se présente cette année en porte-drapeau du cellier des Demoiselles. Tirage limité, pour un vin remarquable : de la délicatesse et de l'intensité à l'olfaction, alliance d'épices, de thym, de fleurs, de minéralité et, bien sûr, du grillé laissé par le fût. La bouche attaque plutôt sur la fraîcheur, puis développe une matière chaleureuse aux arômes gourmands, dont les tanins denses assurent l'ossature. Pour un accord avec du gibier, un lièvre en saupiquet par exemple.

Cellier des Demoiselles, 5, rue de la Cave,
11220 Saint-Laurent-de-la-Cabrerisse, tél. 04.68.44.02.73,
fax 04.68.44.07.05, coop.stlaurent@wanadoo.fr
t.l.j. sf sam. dim. 8h-12h 14h-18h

CH. MEUNIER SAINT-LOUIS Exégèse 2009 ★★★

■ 1 800 — 30 à 50 €

En allant au château Meunier Saint-Louis, vous entrez par la porte nord dans l'appellation boutenac. Devant vous s'étend un panorama de petites collines douces et, si vous regardez le sol, vous pourrez voir ces fameux galets du terroir majeur des Corbières. Philippe Meunier conduit ici les vignes avec labour et apport de matière organique ; son épouse Martine s'emploie à extraire du raisin le substantifique nectar. Exégèse est une production confidentielle, presque triée grain à grain, du cousu main. D'un rouge grenat étincelant, elle offre un nez très ouvert sur la garrigue, la mûre, le menthol et le moka. Ces impressions flatteuses précèdent une bouche déjà arrondie, franche en attaque, corpulente, généreuse et soyeuse, intensément aromatique, offrant en finale un boisé tout en finesse.

Ph. Pasquier-Meunier, Ch. Meunier-Saint-Louis,
11200 Boutenac, tél. 04.68.27.09.69, fax 04.68.27.53.34,
info@pasquier-meunier.com r.-v.

♥ **CELLIERS D'ORFÉE** B de Boutenac 2009 ★★★

■ 50 000 — 11 à 15 €

Née de l'union des caves d'Ornaisons et de Ferrals-les-Corbières, cette coopérative a trouvé son nom en réunissant simplement les premières lettres de ces deux villages. Une dénomination poétique qui se décline aujourd'hui en plusieurs cuvées, dont ce « B » né sur le terroir de Boutenac. Le responsable de la cave, Alain Cros, connaît autant les parcelles et les hommes qui les cultivent que les goûts de l'acheteur en quête de vins de Corbières authentiques. Il propose ici un 2009 à la robe d'encre noire et à la palette variée, alliance de cerise, d'épices, de vanille et d'une légère touche végétale. L'intensité encore modérée du bouquet laisse pressentir une évolution éclatante dans les mois à venir. Agréable surprise à la mise en bouche, l'harmonie semble déjà atteinte : un ensemble chaleureux, tannique sans être agressif, d'une rare complexité, où apparaissent des airs empyreumatiques. Une bouteille noble, au potentiel certain.

Les Celliers d'Orfée, 53, av. des Corbières, 11200 Ornaisons, tél. 04.68.27.09.76, fax 04.68.27.58.15, info@cuveesextant.com r.-v.

Faugères

Superficie : 2 004 ha
Production : 68 733 hl (99 % rouge et rosé)

Reconnus en AOC depuis 1982 comme les saint-chinian leurs voisins, les faugères sont produits sur sept communes situées au nord de Pézenas et de Béziers et au sud de Bédarieux. Les vignobles sont plantés sur des coteaux à forte pente, d'altitude relativement élevée (250 m), dans les premiers contreforts schisteux peu fertiles des Cévennes. Produits à partir des cépages grenache, syrah, mourvèdre, carignan et cinsault, les faugères rouges sont bien colorés, chaleureux, avec des arômes de garrigue et de fruits rouges. L'appellation produit aussi des rosés et de rares blancs.

ABBAYE SYLVA PLANA Le Songe de l'abbé 2010 ★★

40 000 — 15 à 20 €

Avec huit siècles d'héritage cistercien, cette propriété adapte minutieusement son savoir-faire au terroir particulier du Faugérois. Ce 2010 n'est pas sans évoquer le coup de cœur du millésime 2008 : robe à reflets noirs, bouquet complexe où se côtoient des notes balsamiques, des senteurs de garrigue, de fruits noirs et réglisse. Des tanins tendres soutiennent la bouche savoureuse et charnue. Sans oublier la pointe de fraîcheur qui confère à l'ensemble un caractère aérien. Le **2011 blanc (8 à 11 € ; 6 500 b.)** affiche la finesse et la rondeur requises pour un risotto aux gambas. Il décroche une étoile.

Bouchard, 13, ancienne rte de Bédarieux, 34480 Laurens, tél. 04.67.93.43.55, fax 04.67.24.94.21, info@vignoblesbouchard.com
t.l.j. sf dim. 10h-12h 14h-17h ④

DOM. ALQUIER Cuvée Tradition 2009

20 000 — 8 à 11 €

Frédéric Alquier vinifie séparément dans de petites cuves ses raisins de syrah (majoritaire), de grenache, de carignan et de mourvèdre avant de les assembler dans cette cuvée Tradition. Le bouquet de ce millésime 2009 témoigne d'une évolution maîtrisée : fruits confits et fruits secs, épices douces. Une fraîcheur délicate vient accompagner en bouche la rondeur et les tanins déjà patinés. À servir sans attendre sur un canard à l'orange. Citée également, la **cuvée roussanne marsanne 2010 blanc (4 000 b.)** offre une fraîcheur citronnée qui s'accordera bien avec des tellines poêlées.

Dom. Frédéric Alquier, Le Clos Timothée, 6, rte de Pézènes-les-Mines, 34600 Faugères, tél. 04.67.95.15.21, frederic@gilbert-alquier.fr t.l.j. 10h-12h 14h-18h

LES AMANTS DE LA VIGNERONNE De chair et de sang 2010 ★

8 000 — 11 à 15 €

Depuis sa création en 2004, ce petit domaine de 8 ha confirme chaque année son talent dans le Guide avec, notamment, cette cuvée De chair et de sang bien connue des lecteurs. Mourvèdre et syrah composent l'assemblage de ce 2010 aux reflets violets qui exhale des notes minérales, confiturées et grillées. Avec sa belle structure, son volume et son long élevage sous bois bien maîtrisé, il est déjà harmonieux et prêt à passer à table. La cuvée **2010 rouge Dans la peau (20 à 30 € ; 3 000 b.)** reçoit également une belle étoile, mais elle cache encore un peu sa richesse intrinsèque derrière sa jeunesse et ses notes boisées. N'hésitez pas à l'attendre deux à trois ans, elle vous réserve de grandes sensations.

Les Amants de la Vigneronne, 18, rte de Pézenas, 34600 Faugères, tél. 04.67.95.78.49, fax 04.67.95.79.20, lesamantsdelavigneronne@yahoo.fr
t.l.j. 10h-19h ; f. déc.-janv. ③
Godefroid

DOM. BALLICCIONI Orchis 2010 ★★

n.c. — 8 à 11 €

Le coup de cœur décroché l'an dernier avec un rouge Kallisté 2009, les Balliccioni l'ont frôlé cette année avec cette cuvée qui doit son nom à une orchidée rare à la teinte pourpre. Ce vin superbe, de couleur violacée, est un assemblage de mourvèdre et de grenache. Il exhale les senteurs du terroir : fruits noirs, grillé, notes minérales. Le jury a admiré la finesse de ses tanins, sa plénitude et sa longueur en bouche. Vous pouvez l'attendre deux ans, mais en aurez-vous la patience ? Quant au **2010 rouge Kallisté (11 à 15 € ; 5 600 b.)**, valeur toujours sûre, il décroche une belle étoile pour sa douceur.

Dom. Balliccioni, 1, chem. de Ronde, 34480 Autignac, tél. 04.67.90.20.31, fax 04.26.30.38.96, ballivin@sfr.fr
r.-v.

BARON ERMENGAUD 2010 ★

130 000 — 5 à 8 €

Les vignerons coopérateurs de Faugères ont vinifié en raisins entiers la syrah (majoritaire) et le carignan constituant cette cuvée d'une couleur très profonde. Derrière le premier nez à dominante fruitée se profilent des notes de grillé et de garrigue. L'attaque souple, l'équilibre en bouche et les tanins ronds et soyeux permettent de déguster ce vin dès maintenant, sur un lapereau grillé.

Les Crus Faugères, Mas Olivier, 34600 Faugères, tél. 04.67.95.08.80, fax 04.67.95.14.67, contact@lescrusfaugeres.com t.l.j. 9h-12h 14h-18h

LANGUEDOC

CH. DES ESTANILLES Raison d'être 2010 ★★★

■	1 500		30 à 50 €

Julien Seydoux, à la tête du domaine depuis trois ans seulement, laisse déjà son empreinte et se présente en digne successeur de Michel Louison qui, toujours au rendez-vous du Guide, proposait des faugères plus admirables les uns que les autres. La cuvée Raison d'être est le tout nouveau haut de gamme du château, et vous aurez moult raisons de l'adopter. Son trio de cépages fait chanter le terroir et captive par la profondeur de sa robe et par la richesse de ses arômes : fruits noirs, épices, une pointe florale et une délicate note boisée. En bouche, la qualité des tanins serrés et veloutés le dispute à la rondeur de la chair. La finale d'une longueur remarquable, aux accents cacaotés, laisse prévoir un apogée de quatre à cinq ans. **Le Clos du Fou 2010 rouge (20 à 30 € ; 2 500 b.)**, à dominante de syrah, remporte deux étoiles. Puissant et riche, il s'imposera sur du gibier ou sur un fondant au chocolat noir.

SCEA Ch. des Estanilles, hameau de Lentheric, 34480 Cabrerolles, tél. 04.67.90.29.25, fax 04.67.90.10.99, contact@chateau-estanilles.com
t.l.j. sf sam. dim. 10h-12h 14h-17h30
Seydoux

DOM. DE FENOUILLET Extraits de schistes 2010 ★

■	40 000		- de 5 €

Les vignobles Jeanjean ont acquis en 1990 les premières parcelles de ce domaine situé à 350 m d'altitude et regroupant aujourd'hui 70 ha. Plantés selon les courbes de niveau, la syrah et le grenache laissent bien transparaître, dans cette cuvée, la typicité du terroir de schistes derrière les notes d'un élevage bien maîtrisé. Arômes empyreumatiques et minéraux, impression de rondeur, tanins soyeux, presque veloutés, voilà un vin déjà à maturité, très équilibré, à servir, par exemple, sur un gigot d'agneau au thym. Assemblage de roussanne et de marsanne, le **2011 blanc Les Hautes Combes (5 à 8 € ; 10 000 b.)** est, par ailleurs, cité pour ses arômes délicats de poire et d'épices.

SCEA Fenouillet, BP 1, 34725 Saint-Félix-de-Lodez, tél. 04.67.88.80.00, fax 04.67.96.65.67, elise.bellot@jeanjean.fr
Jeanjean

VIGNOBLE LES FUSIONELS Le Rêve 2010 ★

■	25 000		11 à 15 €

Après le coup de cœur de l'an dernier, obtenu par la cuvée Intemporelle 2009, Jem Harris, originaire d'Australie, et son épouse Arielle présentent deux 2010 encore un peu discrets le jour de la dégustation, mais bien marqués par leur terroir. Le Rêve, à déboucher en premier, affiche un beau nez de fruits rouges aux notes toastées et un équilibre élégant sur la rondeur et la richesse. Le **2010 rouge Re-Naissance (20 à 30 € ; 1 200 b.)**, dominé par le mourvèdre, se montre minéral, réglissé et soyeux. Cité, il devrait s'épanouir d'ici deux ans.

Arielle et Jem Harris, lieu-dit Aigues-Vives, 34480 Cabrerolles, tél. 04.67.77.31.40, arielleetjem@les-fusionels-faugeres.com r.-v.

DOM. GABARON
Trilogie de cépages méditerranéens 2010

■	4 000		- de 5 €

Les parcelles de grenache, de mourvèdre et de syrah cultivées par Marc Roque sont orientées plein sud et perchées à 250 m d'altitude. Elles sont à l'origine d'une cuvée à la robe légère, commercialisée par le négoce des Domaines Auriol. Dominée à l'olfaction par les épices, les fruit rouges et des notes de grillé, souple et gourmande en bouche, cette bouteille s'accordera dès aujourd'hui avec une bavette à l'échalote.

SAS Les Domaines Auriol, BP 79, ZI Gaujac, 11200 Lézignan-Corbières, tél. 04.68.58.15.15, fax 04.68.58.15.16, info@les-domaines-auriol.eu r.-v.
Claude Vialade

CH. GRÉZAN Les Schistes dorés 2010

■	6 000		20 à 30 €

D'abord *villa* romaine, puis commanderie de Templiers, ce château classé Monument historique et restauré au XIX^e^s. vaut le détour, pour son architecture comme pour son faugères 2010 profond en couleur. La syrah occupe la première place de l'assemblage aux côtés d'un peu de mourvèdre. Des notes de réglisse et de fruits rouges, une bouche ample et structurée : ce vin puissant s'accordera avec un salmis de pintade.

Ch. Grézan, D 909, 34480 Laurens, tél. 04.67.90.27.46, fax 04.67.90.29.01, contact@chateau-grezan.fr
t.l.j. sf dim. 8h-12h 14h-18h30
Pujol

CH. HAUT LIGNIÈRES Le 1er 2010

■	25 000		5 à 8 €

Jérôme Rateau, œnologue formé à Bordeaux, s'est installé à Faugères en 2007. Cette cuvée, issue des cinq cépages rouges de l'appellation, a été la première élaborée à la création du domaine, d'où son nom. Robe brillante assez légère, bouquet de fruits rouges et noirs, équilibre, élégance et fruité intense en bouche, ses atouts sont indéniables et s'accorderont avec un sauté de veau aux olives.

EARL Vignobles Jérôme Rateau, Ch. Haut Lignières, lieu-dit Bel-Air, 34600 Faugères, tél. 04.67.95.38.27, fax 04.67.95.78.51, hautlignieres@yahoo.fr
t.l.j. sf dim. 10h-18h

CH. DE LA LIQUIÈRE Cistus 2010 ★

■	16 000		15 à 20 €

Voici un domaine sur lequel on peut compter, une valeur sûre et l'un des pionniers de l'appellation. *Cistus* est le nom latin du ciste, plante qui embaume l'air de la garrigue qui encercle les vignes de syrah, de grenache et de mourvèdre à l'origine de cette cuvée – vieilles de plus de quarante ans pour certaines. Pourpre profond, ce 2010 exprime dès l'ouverture une belle maturité : premier nez de fruits confits aux côtés d'une pointe de violette et de vanille. Avec ses tanins serrés et sa bouche chaleureuse, il est suffisamment charnu pour accompagner un confit de canard. Une étoile revient également au **2011 blanc**

Cistus (11 à 15 € ; 18 000 b.), dont la richesse conviendra à une volaille à la crème – plutôt après un à deux ans de garde.

Ch. de la Liquière, La Liquière, 34480 Cabrerolles, tél. 04.67.90.29.20, fax 04.67.90.10.00, info@chateaulaliquiere.com
t.l.j. 9h-12h 14h30-18h; sam. dim. sur r.-v.
Vidal-Dumoulin

MAS GABINÈLE Rarissime 2010 ★★

13 800	20 à 30 €

En langue d'oc, une *gabinela* est un petit cabanon installé au cœur des vignes. Les rouges 2010 de ce domaine ont enthousiasmé le jury. La cuvée Rarissime à la robe pourpre tirant sur le noir apparaît comme un concentré de terroir dans le verre : des notes de grillé, de garrigue et de pierre à fusil épousent quelques touches boisées (moka). En bouche, la puissance, le volume, le côté charnu et la persistance de la finale sur le fruit et les épices laissent présager un bon vieillissement. Ce n'est pas tout : Thierry Rodriguez aime les défis ; pour preuve la nouvelle cuvée à majorité de mourvèdre, l'**Inaccessible 2010 rouge (75 à 100 € ; 906 b.)**, rare, originale, aux tanins bien serrés, qui traversera des années. Une étoile.

Thierry Rodriguez,
prieuré Saint-Sever, 1, hameau de Veyran,
34490 Causses-et-Veyran, tél. 04.67.89.71.72,
fax 04.67.89.70.69, info@prieuresaintsever.com
r.-v.

DOM. OLLIER-TAILLEFER Allegro 2011 ★★

15 000	8 à 11 €

Lorsque l'on représente la cinquième génération d'un domaine, il faut encore savoir étonner. Par exemple avec un faugères blanc qui mêle roussanne et rolle dans une bouteille d'une délicatesse extrême. Quelle belle palette d'arômes où se superposent fruits à chair blanche, notes citronnées et minérales ! L'équilibre s'impose entre fraîcheur et rondeur, signe d'une maturité optimale surveillée au jour près. Accord sans risques sur un loup de grillé, mais on osera aussi ce blanc sur un petit pâté de Pézenas. Le **2010 rouge Grande Réserve (35 000 b.)** décroche une étoile avec ses notes de fraise, sa bouche fondue et déjà mûre.

Dom. Ollier-Taillefer, rte de Gabian, 34320 Fos, tél. 04.67.90.24.59, fax 04.67.90.12.15, ollier.taillefer@wanadoo.fr
t.l.j. sf dim. 11h-12h 14h30-18h; hors saison sur r.-v.; f. 16 oct.-14 avr.
Luc et Françoise Ollier

CH. DES PEYREGRANDES 2010

10 000	5 à 8 €

Marie Boudal cultive avec un soin méticuleux ses vieilles vignes de syrah, de grenache, de carignan et de mourvèdre (certaines âgées de plus de soixante-dix ans) accrochées sur le site escarpé de Roquessels. De son 2010 à reflets noirs s'élèvent de fines senteurs de fruits rouges et de réglisse. Ample à l'attaque, le palais s'appuie sur des tanins encore jeunes qui ont besoin d'un peu de temps pour s'affiner. À servir sur un canard aux olives.

Marie-Geneviève Boudal-Bénézech, 11, chem. de l'Aire, 34320 Roquessels, tél. 04.67.90.15.00, fax 04.67.90.15.60, chateau-des-peyregrandes@wanadoo.fr
t.l.j. sf dim. 14h-19h

DOM. DE LA REYNARDIÈRE 2011

6 700	5 à 8 €

Ce domaine de 65 ha élabore des faugères depuis 1985. La syrah s'allie au grenache dans ce rosé brillant, déjà séducteur dans sa robe vive à reflets grenadine. Expressif avec ses arômes de framboise et de fraise des bois, ce vin gourmand et délicat, tout en souplesse, pourra être apprécié de l'apéritif au dessert, et tout particulièrement sur des sèches à la plancha.

Dom. de la Reynardière, 7, cours Jean-Moulin, 34480 Saint-Geniès-de-Fontedit, tél. 04.67.36.25.75, fax 04.67.36.15.80, contact@reynardiere.fr
t.l.j. sf dim. 9h-12h 14h30-19h
Mégé-Pons

DOM. DU ROUGE GORGE 2010

70 000	5 à 8 €

Un quatuor de syrah, grenache, carignan et mourvèdre s'accorde sans fausse note dans ce 2010 à reflets grenat. Le nez s'ouvre sur les fruits rouges frais, avec la fraise au premier plan, puis évolue sur des notes florales. Rond et souple, ce vin épaulé de tanins doux accompagnera sans l'écraser un filet mignon de porc, dès la sortie du Guide.

SCEA Alain et Philippe Borda,
Dom. les Affanies, Dom. du Rouge Gorge, 34480 Magalas, tél. 04.67.36.22.86, fax 04.67.36.61.24, sceaborda@orange.fr
t.l.j. 8h-12h 13h-18h; sam. dim. sur r.-v.

DOM. VALAMBELLE Florentin Abbal 2010

13 000	8 à 11 €

Dans la lignée du précédent millésime, cité pareillement dans le Guide, cette cuvée 2010 un peu austère à ce jour dévoile progressivement ses parfums de fruits noirs, de poivre et de réglisse. Ses tanins solides et encore jeunes vont s'enrober dans les deux ans à venir. Ce vin puissant aura de la tenue sur un civet de sanglier.

GAEC Dom. de Valinière,
Famille Abbal, 25, av. de la Gare, 34480 Laurens, tél. 04.67.90.12.12 t.l.j. 10h-18h

Fitou

Superficie : 2 590 ha
Production : 90 023 hl

L'appellation fitou, la plus ancienne AOC rouge du Languedoc-Roussillon (1948), est située dans la zone méditerranéenne de l'aire des corbières ; elle comprend à l'est le fitou maritime qui borde l'étang de Leucate, séparé par un plateau calcaire du fitou de l'intérieur situé dans le massif des Corbières, à l'abri du mont Tauch. L'AOC s'étend sur neuf communes qui ont également le droit de produire les vins doux naturels rivesaltes et muscat-de-rivesaltes. Le carignan trouve ici son terroir de prédilection. Il peut être complété par le grenache noir, le mourvèdre et la syrah. Élevé au moins neuf mois, le fitou affiche une couleur rubis foncé et un corps puissant et charpenté.

CH. ABELANET Roma Cuvée Patrimoine 2009 ★★★

■ 2 500 | 15 à 20 €

Ce patrimoine viticole se transmet dans la famille depuis 1697. À son tour, Régis Abelanet prépare l'avenir en indiquant à son fils Romain le chemin qui le mènera à l'excellence. Sa cuvée Roma, particulièrement remarquée, montre que la fougue du carignan peut être domptée par une vinification et un élevage de dix-huit mois en barrique. La robe est d'un rouge profond aux reflets rubis. Le nez, s'il est dominé par un boisé de qualité, s'ouvre à l'agitation sur des notes de sous-bois, d'épices et de fruits rouges. En bouche, l'élevage est bien fondu et les tanins d'une grande finesse confèrent à l'ensemble élégance et complexité. Une association avec un parmentier devrait séduire. La cuvée **Vieilles Vignes 2009 (5 à 8 €; 25 000 b.)**, élevée en fût, se distingue par sa longue finale épicée et décroche une étoile.

Marie-Françoise Abelanet, 7, av. de la Mairie, 11510 Fitou, tél. 04.68.45.76.50, fax 04.68.45.64.18 r.-v.

RÉSERVE GÉRARD BERTRAND Art de vivre 2009 ★

■ n.c. | - de 5 €

La devise de Gérard Bertrand quand il parle d'AOC, c'est la « culture du goût ». On peut également parler de culture de la qualité tant cette cuvée Art de vivre a séduit le jury avec sa belle robe violacée et son bouquet ouvert sur les fruits rouges et le cassis. La bouche, riche de saveurs et de rondeurs, est portée par une structure tannique solide. On vous propose de déguster ce vin avec des champignons à l'estragon avant de profiter d'un concert au festival de jazz du château l'Hospitalet.

Gérard Bertrand, Ch. l'Hospitalet, rte de Narbonne Plage, 11104 Narbonne Cedex, tél. 04.68.45.36.00, fax 04.68.45.27.17, vins@gerard-bertrand.com t.l.j. 9h-19h

DOM. BERTRAND-BERGÉ Ancestrale 2010 ★★

■ 15 000 | 11 à 15 €

Si vous souhaitez vous immerger dans un havre de paix et de vie sauvage, arrêtez-vous dans le gîte du Domaine Bertrand-Bergé à Paziols où les accueillants propriétaires, outre la visite en véhicule tout-terrain du vignoble, vous proposeront de découvrir leur gamme de grands vins. Ces terres arides et ces paysages grandioses sont l'écrin de la cuvée Ancestrale, un assemblage carignan-grenache-syrah à la robe profonde. Le bouquet exprime des nuances florales et fruitées, le tout élégamment enrobé de vanille. L'attaque en bouche révèle une explosion de fruits mûrs. La fraîcheur du vin et son volume s'accorderont avec un carré de porc aux herbes. La cuvée **Origines 2010 (5 à 8 €; 60 000 b.)** décroche une étoile grâce à son style très franc et à son équilibre.

Dom. Bertrand-Bergé, 38, av. du Roussillon, 11350 Paziols, tél. 04.68.45.41.73, fax 04.68.45.03.94, bertrand-berge@wanadoo.fr t.l.j. 9h-12h 14h-18h B

Bertrand

LES VIGNERONS DU CAP LEUCATE Cap 42° 2009 ★

■ 33 000 | 11 à 15 €

La coopérative du Cap Leucate est incontournable dans le Fitou maritime. Rejoint par une partie des vignerons de la cave de Fitou-La Palme, le nouveau chai peut maintenant exprimer son potentiel. Si la gamme est variée, le fleuron reste la cuvée Cap 42°. Sa robe intense et brillante et son bouquet d'épices, de garrigue, de fruits rouges introduisent une bouche généreuse en gras et en volume. Les arômes de fruits mûrs accompagnent des tanins fondus, bien maîtrisés lors de l'élevage en fût. À déguster avec un cassoulet de Castelnaudary. Le **Maritime Élevé en fût de chêne 2009 (5 à 8 €; 13 000 b.)**, fruité et soyeux, obtient lui aussi une étoile. Les cuvées **Saint-Pancrace 2009 (8 à 11 €; 13 000 b.)** et **Dom. Cézelly 2010 (5 à 8 €; 25 000 b.)**, qui montrent une forte présence de mourvèdre, sont par ailleurs citées.

Vignobles Cap Leucate, Chai La Prade, 11370 Leucate, tél. 04.68.33.20.41, fax 04.68.33.08.82, cave-leucate@wanadoo.fr t.l.j. 9h-12h 16h-19h

LES MAÎTRES VIGNERONS DE CASCASTEL L'Extravagant Vieilles Vignes 2010 ★★

■ 160 000 | 5 à 8 €

La coopérative de Cascastel est décidément une des valeurs sûres du haut Fitou. Ses vins se retrouvent distingués dans le Guide avec une constance impressionnante. Cette année, c'est L'Extravagant qui reflète parfaitement l'esprit et l'expression du travail de la cave. Sa robe très foncée et brillante annonce un bouquet intense, encore dominé par le vanillé de l'élevage en fût. La bouche puissante offre beaucoup de volume et de gras. Les notes boisées se mêlent à des arômes de fruits noirs et de garrigue, soutenues par une fraîcheur salutaire. À servir avec un civet de chevreuil. La cuvée **Expression de schistes 2010 (8 à 11 €; 60 000 b.)**, ample et ronde, décroche une étoile alors que la **Sélection Vieilles Vignes 2010 (145 000 b.)**, élevée en fût, est citée.

Les Maîtres Vignerons de Cascastel, Grand-Rue, 11360 Cascastel-des-Corbières, tél. 04.68.45.91.74, fax 04.68.45.82.70, info@cascastel.com t.l.j. sf sam. dim. 8h-12h 14h-18h

CH. CHAMP DES SŒURS La Tina 2010 ★

■ 5 000 | 11 à 15 €

Acteur du syndicat du cru Fitou, défenseur d'une partie de son terroir menacé, Laurent Maynadier est un vigneron engagé dans une quête constante de qualité pendant que son épouse Marie officie avec succès au chai. La Tina, en occitan, c'est un tonneau, un foudre en bois, celui dans lequel cette cuvée à dominante de carignan a été élevée. Vinifiée pour moitié en grappe entière, elle offre au nez une explosion aromatique : fleur d'amandier, clou de girofle, fruits rouges. Si la bouche est puissante, ample et tannique, elle présente aussi de la finesse. Un vin qui demandera à être dompté par une garde d'un an ou deux et qui accompagnera du gibier.

Laurent Maynadier, 19, av. des Corbières, 11510 Fitou, tél. et fax 04.68.45.66.74, chateauchampdessoeurs@orange.fr r.-v.

CH. DES ERLES Cuvée des Ardoises 2010 ★

■ 45 000 | - de 5 €

Depuis plus de trente ans qu'il côtoie le terroir de Fitou, François Lurton a appris à connaître son immense potentiel qualitatif. Avec son frère Jacques, il porte le nom de Fitou à travers le monde, exportant la majorité de sa production. Ici, il est difficile de garantir des rendements élevés, la terre est capricieuse, le temps et les hommes aussi. Derrière la robe légère de cette cuvée des Ardoises, on découvre un nez de garrigue, à la fois poivré et fumé.

La bouche est ample, enrobée, partagée entre des notes fruitées et le boisé de l'élevage. Elle livre une longue finale réglissée, portée par des tanins qui se fondront avec deux ans de garde.

François Lurton, Dom. de Poumeyrade, 33870 Vayres, tél. 05.57.55.12.12, francoislurton@francoislurton.com

CH. L'ESPIGNE Jean Cassignol 2009 ★★

■ 1 000 15 à 20 €

Au XVIIes., on retrouve trace de ce domaine alors exploité en polyculture. Au fil de son histoire mouvementée, l'exploitation s'est orientée vers la vigne. Elle met en valeur le magnifique terroir de Villeneuve-des-Corbières, plus particulièrement les schistes primaires. La cuvée Jean Cassignol, fleuron de la gamme, est issue principalement de carignan et de grenache. Le rouge profond de sa robe et la complexité aromatique de son bouquet ont séduit les dégustateurs : vanille, épices, garrigue et fruits rouges. Si le palais est ample, gras et charnu, une touche de fraîcheur lui apporte un équilibre savoureux. Fitou de garde et de gastronomie à sublimer avec un gigot d'agneau aux herbes.

Famille Cassignol, 21, rue des Moulins, 11360 Villeneuve-des-Corbières, tél. 04.68.41.92.46, fax 04.68.46.32.97, chateau.lespigne@orange.fr

t.l.j. 8h-20h

DOM. LA GARRIGO Cuvée Vin de Terre 2010

■ 1 000 11 à 15 €

Voici un vin très proche de son terroir ! Christian Coteill n'a pas hésité à garder cette cuvée mise en fût à 1,50 m sous terre pendant neuf mois, à l'abri de l'air et des ondes. De cette démarche engagée est né un fitou aux reflets violets et au nez discret de sous-bois. La bouche fraîche et ronde est ponctuée de notes de fruits rouges bien mûrs, et soutenue par des tanins de caractère qui ne troublent pas son équilibre. À servir avec une côte de bœuf, tout simplement.

Christian Coteill-Dolcerocca, 10, rue des Condomines, 11510 Fitou, tél. 04.68.45.00.69, christian.coteil@wanadoo.fr

r.-v.

DOM. GRAND GUILHEM 2010 ★

■ 13 000 11 à 15 €

Séverine et Gilles Contrepois éprouvent un véritable amour pour leur terre d'accueil. Venus de Montmartre, où les vignes de la Butte les inspirèrent, ils se retrouvent vignerons en agriculture biologique à Cascastel. Leur fitou à la robe rubis animée de reflets violines offre des senteurs de fruits noirs, d'épices et de garrigue. La bouche tout en rondeur exalte de fines notes chocolatées autour de tanins fondus, un peu plus marqués en finale. Un vin droit qui s'invitera à table sur un lapin chasseur, après un an de garde.

Dom. Grand Guilhem, 1, chem. du Col-de-la-Serre, 11360 Cascastel-des-Corbières, tél. 04.68.45.86.67, fax 04.68.45.29.58, gguilhem@aol.com

t.l.j. 11h-13h 17h-19h 4

Contrepois

DOM. LEPAUMIER Vieilles Vignes 2010 ★

■ 5 000 5 à 8 €

C'est du travail soigné que Christophe Lepaumier effectue sur ses 20 ha de vignes : vendanges manuelles, égrappées, élevage en fût savamment dosé. Le résultat obtenu sur ce terroir argilo-calcaire de Fitou est un joli vin à la robe grenat et au nez intense, mêlant cacao et fruits surmûris à une pincée de vanille. La bouche franche s'exprime sur des notes de fruits noirs et d'épices douces. La fraîcheur, qualifiée d'« exquise », apporte de la longueur à ce vin bien équilibré que l'on appréciera avec un tajine d'agneau aux épices.

Dom. Lepaumier, 15, av. de la Mairie, 11510 Fitou, tél. et fax 04.68.45.66.95

t.l.j. 10h-12h 14h-18h30

DOM. MAMARUTÁ Le Coupe-Soif 2010 ★★

■ 1 600 8 à 11 €

Une belle entrée dans le Guide pour Marc Castan qui s'est lancé en 2009 dans la vinification au domaine avec un désir d'authenticité et de respect du terroir passant par une conversion à l'agriculture biologique. Sa cuvée Coupe-soif, rubis brillant, mêle avec élégance des parfums d'épices, de garrigue et de fruits rouges. Après une attaque ronde, le palais développe ensuite une fraîcheur qui permet à ce vin structuré d'atteindre un magnifique équilibre et une bonne longueur. Bel accord sur un poulet de Bresse aux truffes. Le **2009 Cacahuète (2 400 b.)** obtient une étoile grâce à son velouté et à sa puissance.

NOUVEAU PRODUCTEUR

Marc Castan, 10, rue Dr-Ferroul, 11480 La Palme, tél. 06.83.24.90.92, marccastan@hotmail.fr

ven. sam. 10h-12h 17h30-20h; f. avr. à sept.

MAS DES CAPRICES Retour aux sources 2010 ★★

■ 6 400 11 à 15 €

Le parcours de Mireille et de Pierre Mann, enfants de vignerons alsaciens, passa d'abord par l'art de la table et un restaurant qui fut un moment de partage. Puis vint l'envie de tout quitter pour tout recommencer. Leur installation en cave particulière en 2009 fut en quelque sorte un retour aux sources, une célébration de la nature. Cette cuvée qui a charmé le jury s'anime de profonds reflets violines. Le bouquet joue la complexité, naviguant entre les fruits, le poivre et la garrigue. Du gras, de la structure, de la fraîcheur... la bouche est un modèle d'équilibre. Elle mène droit au plaisir, sans retouche ni maquillage, et promet un bon vieillissement. Pour un *xaï* catalan (agneau des Pyrénées-Orientales).

NOUVEAU PRODUCTEUR

Mas des Caprices, rue du Boulodrome, 11370 Leucate, tél. 06.76.99.80.24, fax 04.68.40.96.19, masdescaprices@free.fr

t.l.j. 18h-20h; dim. 11h-13h; hiver sur r.-v.

Pierre Mann

DOM. MAYNADIER Cuvée Sélection Élevé en fût de chêne 2009 ★

■ 10 000 8 à 11 €

Les amateurs de fitou traditionnels, authentiques, seront séduits par cette bouteille. Il faut dire que la tradition se perpétue dans la famille Maynadier depuis le XVIes. Aujourd'hui, Marie-Antoinette et sa fille Cécile exploitent 24 ha de vignes dans le village berceau de l'appellation. La robe aux reflets violines, le nez intense de cassis et de fruits rouges agrémenté par la touche vanillée de l'élevage, tout est réuni pour mettre en valeur un palais ample et gras réveillé par une belle fraîcheur. On verrait bien cette bouteille accompagner un civet de sanglier.

Dom. Maynadier, RD 6009, 11510 Fitou, tél. 04.68.45.63.11, fax 04.68.45.60.94, cecile@domainemaynadier.com

t.l.j. 9h-12h30 14h-19h30

LANGUEDOC

MONT TAUCH 2010 ★

■ 200 000 ▮ 5 à 8 €

La solidarité, l'union et la passion ont permis aux vignerons du Mont Tauch de redresser la tête et de regarder de nouveau vers l'avant avec optimisme et fierté. C'est près de 2 000 ha qui sont vinifiés par cette coopérative avec une conscience accrue à l'environnement. Cet assemblage à dominante grenache-carignan affiche une robe soutenue et livre un nez intense empreint de fruits rouges et d'épices poivrées. La bouche est équilibrée, chaleureuse et d'une jolie longueur. À célébrer avec un plat de charcuterie locale. Quatre autres cuvées sont citées et démontrent l'homogénéité des vins présentés : **Rocflamboyant Tradition 2010 (moins de 5 €; 300 000 b.)** marie les fruits et les épices dans un ensemble frais et léger ; **Vieilles Vignes 2010 Élevé en fût de chêne (80 000 b.)** dévoile des senteurs de garrigue et des tanins affirmés ; **Ch. de Montmal 2010 (8 à 11 €; 30 000 b.)** se montre souple et chaleureux ; **Ch. de Ségure 2010 Cuvée Olivier de Termes (11 à 15 €; 12 000 b.)**, élevé en fût de chêne, est ample et structuré.

SICA Caves du Mont Tauch, 2, rue Cave-Coopérative, 11350 Tuchan, tél. 04.68.45.41.08, fax 04.68.45.45.29, contact@mont-tauch.com r.-v.

♥ **CH. DE NOUVELLES** Cuvée Vieilles Vignes 2010 ★★★

■ 20 000 ▮ 8 à 11 €

Si Jean Daurat est un homme de consensus quand il préside l'Organisme de défense et de gestion des vins de Fitou, il fait aussi l'unanimité en ce qui concerne sa production. Son domaine remarquable, situé près des ruines d'un château médiéval, propose des vins régulièrement plébiscités par le Guide. Le grand jury est tombé sous le charme de cette cuvée éclatante, au nez expressif de fruits mûrs et d'épices. En bouche, on découvre un équilibre quasi parfait, tout en rondeur. L'harmonie est dirigée par des arômes de fruits noirs qui subsistent longuement et donnent à ce fitou un côté aérien, en phase avec son terroir. Un flacon d'exception, à ouvrir dans un an avec des bécasses rôties. La **cuvée Gabrielle 2010 (11 à 15 €; 10 000 b.)**, élevée sous bois, décroche une étoile pour sa puissance et son beau potentiel de garde.

SCEA R. Daurat-Fort, Ch. de Nouvelles, 11350 Tuchan, tél. 04.68.45.40.03, fax 04.68.45.49.21, daurat-fort@terre-net.fr
t.l.j. 9h-12h 14h-18h; sam. dim. sur r.-v.

DOM. DE LA ROCHELIERRE Noblesse du temps 2010 ★

■ 5 000 15 à 20 €

Cultivant ses vignes sans aucun produit chimique, Jean-Marie Fabre vinifie ses raisins dans une cave en partie creusée dans la roche. La gamme proposée est riche et la cuvée sélectionnée ici est le phare du domaine. Pour moitié issue de mourvèdre, elle libère des senteurs de fruits rouges confiturés et des notes boisées intenses. Les marques de l'élevage dominent encore en bouche mais la structure tannique est faite pour supporter l'apport de la barrique : un vin de garde donc, qui se fondra en cave quelques années et qui mettra en valeur un fromage d'Époisses.

Jean-Marie Fabre, 17, rue du Vigné, 11510 Fitou, tél. et fax 04.68.45.70.52, la.rochelierre@orange.fr
t.l.j. sf dim. 9h-12h 14h-19h; jan.-fév. 14h-19h

DOM. DE ROUDÈNE Élevé en fût de chêne 2010

■ 3 500 15 à 20 €

À Paziols, les vignes sont entourées de garrigue et baignées de senteurs de thym, de romarin et de genièvre. Dans ce paysage hors du temps, la famille Faixo travaille depuis trois générations un vignoble qui couvre aujourd'hui 22 ha. Cette cuvée élevée sous bois s'affiche dans une robe pourpre brillant. Le nez intense offre des nuances de fruits noirs bien mûrs, associées à une touche épicée. L'attaque souple dévoile une belle fraîcheur et des tanins fondus, domptés par l'élevage. À déboucher avec un confit de canard.

Bernadette et Jean-Pierre Faixo, 5, Espace des Écoles, 11350 Paziols, tél. et fax 04.68.45.43.47, domainederoudene@orange.fr
t.l.j. 9h-12h30 14h-19h

CH. WIALA Harmonie 2009 ★

■ 4 000 8 à 11 €

Deux amis d'école avec un rêve en commun : lui, Alain Voorons, du Nord de la France, et elle, Wiebke Seubert, d'Allemagne. Au bout du chemin, le château Wiala, à Tuchan. Leur complémentarité leur permet d'atteindre un équilibre et une harmonie qui se retrouvent dans cette cuvée au nom bien choisi. Une teinte soutenue aux légers reflets brique et un nez intense aux nuances vanillées introduisent une bouche à l'attaque ronde, aux tanins fondus et aux arômes épicés persistants. Pour un filet mignon de porc fermier.

SCEA Seubert, 3, rue de la Glacière, 11350 Tuchan, tél. 04.68.45.49.49, fax 04.68.45.92.13, vins@chateau-wiala.com t.l.j. 16h-20h

Languedoc

Superficie : 9 522 ha
Production : 398 780 hl (85 % rouge et rosé)

En 2007, l'appellation coteaux-du-languedoc s'est élargie et a pris le nom de languedoc. L'ancienne AOC était formée de terroirs disséminés en Languedoc, dans la zone des coteaux et des garrigues, entre Narbonne et Nîmes, du pied de la montagne Noire et des Cévennes à la mer Méditerranée – d'anciennes aires VDQS promues en AOC en 1985. Elle a fait place à partir du millésime 2006 à une vaste appellation régionale incluant toutes les aires d'appellation du Languedoc et du Roussillon, jusqu'à la frontière espagnole – à l'exception de Malepère : près de cinq cents communes (122 dans les Pyrénées Orientales, 195 dans l'Aude, 160 dans l'Hérault et 19 dans le Gard). Les AOC existantes (corbières, faugères, côtes-du-roussillon, etc.) subsistent. Quant au nom « coteaux-du-languedoc », il peut figurer sur les étiquettes jusqu'en 2012 pour les vins provenant de l'aire historique de l'appellation.

Six cépages dominent la production des vins rouges (majoritaires) et des rosés : carignan et cinsault (limités à 40 %) complétés par les grenache noir, lladoner, mourvèdre et syrah ; en blanc, grenache blanc, clairette, bourboulenc, marsanne, roussanne et vermentino sont les principaux cépages, le piquepoul étant également utilisé. Ce dernier, qui donne un vin vif, est la variété exclusive du Picpoul-de-Pinet, produit autour du bassin de Thau. Six autres dénominations géographiques correspondent à un terroir particulier et affichent des conditions de production plus restrictives que dans le reste de la région : La Clape où l'on produit les trois couleurs, le Pic-Saint-Loup pour les rouges et les rosés, les Grès de Montpellier, Pézenas et les Terrasses du Larzac pour les rouges, ainsi que Sommières depuis 2009. En outre, certaines dénominations liées à une ancienne renommée peuvent figurer sur l'étiquette des rouges et des rosés : Cabrières, célèbre pour ses rosés, Montpeyroux, Saint-Saturnin, Saint-Georges-d'Orques, La Méjanelle, Quatourze, Saint-Drézéry, Saint-Christol et Vérargues.

(B) ABBAYE DE VALMAGNE Grès de Montpellier Cuvée de Turenne 2009 ★★

■ 9 300 11 à 15 €

Bel hommage au comte Henri de Turenne, ancêtre du propriétaire actuel, qui acquit l'abbaye de Valmagne en 1838 et lui offrit un renouveau, cette cuvée ravit par son originalité. Des parcelles plantées sur des sols de grès rouges au pied de la garrigue, elle tire sa palette riche et complexe de senteurs épicées et végétales, mêlées au cassis, à la mûre et à la cerise noire. La violette et le thym complètent ce panorama en bouche, rejoints par des notes de chocolat en finale. La structure tannique, encore marquée, laisse augurer une belle aptitude à la garde. L'ensemble, tout en puissance, sait allier fraîcheur et maturité, finesse et concentration. Déjà prête à servir sur de la gardiane, cette bouteille sera à son apogée d'ici deux à trois ans.

Philippe d'Allaines, Abbaye de Valmagne, 34560 Villeveyrac, tél. 04.67.78.06.09, fax 04.67.78.02.50, info@valmagne.com t.l.j. 14h-18h (hiver); 10h-18h (été)

DOM. ALEXANDRIN Terrasses du Larzac Alex 2009 ★

■ 2 600 8 à 11 €

Une étiquette originale en forme de point d'exclamation orne cette cuvée Alex : exclamation du travail long et soigné du vigneron, exclamation aussi du dégustateur qui exprime ses impressions, verre en main... Les dégustateurs du Guide ont eux aussi ponctué leurs descriptions de quelques points d'exclamation, pour appuyer sur l'élégance de la robe, pourpre et dense, sur le fruité intense du bouquet, rehaussé de quelques épices, ou encore sur le côté friand et gourmand de la bouche. « Pour un plaisir immédiat ! » conclut un juré, avec de belles terrines, du pain craquant et des amis réunis.

Jérôme Hermet, 8, rue du Labadou, 34150 Saint-Jean-de-Fos, tél. 06.87.54.07.42, exclamation@domaine-alexandrin.com t.l.j. 10h30-12h30 17h-20h; hors période estivale sur r.-v.

CH. D'ANGLÈS La Clape 2008 ★

■ 45 000 11 à 15 €

Éric Fabre, ancien directeur technique du château Lafite Rothschild, est indissociable du terroir de La Clape. Son 2008 met le mourvèdre en première place devant la syrah et le grenache. Des épices (poivre, muscade), du cuir, des fruits noirs et quelques notes boisées se dégagent du verre. Le palais se révèle chaleureux, soyeux et dense. Une bouteille de belle tenue, qui accompagnera dès à présent du petit gibier à plume.

Ch. d'Anglès, La Clape, 11560 Saint-Pierre-la-Mer, tél. 04.68.33.61.33, info@chateaudangles.com

DOM. D'ARCHIMBAUD Terrasses du Larzac L'Enfant terrible 2009 ★

■ 1 800 11 à 15 €

La famille Archimbaud est installée sur le terroir de Saint-Saturnin depuis le début du XIVᵉs. Les femmes y sont à l'honneur depuis quatre générations. Trois d'entre elles sont aujourd'hui aux commandes de ce vignoble de 12 ha, qu'elles convertissent au bio depuis 2008. Cette cuvée met en valeur le cépage mourvèdre, majoritaire ici, complété de grenache et de vieux ceps de carignan. Un Enfant plus charmant que terrible en réalité, un vin gourmand, rond et charnu, aux arômes de mûre, de garrigue et d'épices douces, qui accompagnera harmonieusement une épaule d'agneau braisée, au cours des deux ou trois prochaines années.

SCEA Dom. d'Archimbaud, 12, av. du Quai, 34725 Saint-Saturnin-de-Lucian, tél. et fax 04.67.96.65.35, domainearchimbaud@voila.fr r.-v.

Cabanes

(B) DOM. D'AUPILHAC Montpeyroux 2009 ★

■ 40 000 11 à 15 €

Sylvain Fadat continue, millésime après millésime, à nous faire partager son savoir-faire. Il travaille en agriculture biologique ses deux terroirs, argilo-calcaires et marnes bleues pour Aupilhac, en versant sud, et argilo-calcaire et vestiges volcaniques pour Cocalières, à 350 m d'altitude. Issue du premier, cette bouteille profitera d'un carafage avant le service. Elle dévoilera alors toute sa complexité aromatique, qui démarre par des notes animales et des nuances de sous-bois pour culminer sur les fruits rouges bien mûrs. L'élégance de la bouche, sa structure, son harmonie en font un vin de convivialité qui a encore un bel avenir devant lui.

Aupilhac, 28, rue du Plô, 34150 Montpeyroux, tél. 04.67.96.61.19, fax 01.83.64.04.71, aupilhac@wanadoo.fr r.-v. (E)

Fadat

DOM. LES AURELLES Terroir de Pézenas Solen 2009 ★★

■ 11 000 ▮ 15 à 20 €

On reconnaît bien la signature de Basile Saint-Germain qui, après un coup de cœur sur la cuvée Aurel 2008, le manque de peu cette année avec la cuvée Solen d'une grande élégance. Une fois encore, ce vigneron propose pour notre plus grand plaisir un languedoc, issu de vieilles vignes (cinquante ans) et élevé quatre mois en cuve, déjà prêt à boire, mais avec un potentiel certain de garde (trois ans minimum), marque des grands vins. Dans sa robe sombre à peine évoluée, ce languedoc s'ouvre sur la puissance des fruits noirs confiturés, qui se prolongent dans une bouche pleine, ample, soutenue par des tanins soyeux d'une remarquable tenue. Vous pourrez servir cette belle bouteille sur des rougets, des poissons de roche, ou plus classiquement sur un rôti d'agneau.

Basile Saint-Germain, 8, chem. des Champs-Blancs, 34320 Nizas, tél. 04.67.25.08.34, fax 04.67.25.00.38, contact@les-aurelles.com r.-v.

BERGERIE DU CAPUCIN Pic Saint-Loup Dame Jeanne 2010 ★

■ 30 000 ▮ 8 à 11 €

Hommage à l'arrière-grand-mère de l'épouse de Guilhem Viau, cette cuvée Dame Jeanne obtient une étoile pour sa complexité et son élégance. À dominante de syrah (60 %), elle se pare d'une robe rouge cerise profonde et brillante, et dévoile des senteurs de chocolat, de fraise bien mûre et de garrigue. Sous-tendue par une belle fraîcheur et de savoureux tanins fondus, la bouche se révèle dense, moelleuse et gourmande. À déguster aujourd'hui ou dans trois ans, sur un rôti de canard aux épices douces. Une étoile également pour le **Pic Saint-Loup Larmanela 2009 rouge (15 à 20 €; 5 000 b.)**, pour son nez fruité (cassis, groseille), réglissé et poivré, et pour son volume, sa richesse et sa puissance en bouche.

Guilhem Viau, Mas de Boisset, 34270 Valflaunès, tél. 04.67.59.01.00, fax 04.99.62.56.16, contact@bergerieducapucin.fr r.-v.

GÉRARD BERTRAND Pic Saint-Loup Art de vivre 2010 ★

■ n.c. 5 à 8 €

Gérard Bertrand, célèbre vigneron et négociant, propose une large gamme de vins représentatifs de la diversité du vignoble languedocien. Ce Pic Saint-Loup, assemblage classique de syrah, grenache et mourvèdre, revêt une robe profonde et brillante. Le nez se révèle intense et complexe : notes florales, fruits rouges frais rappelant la groseille, pruneau, chocolat, vanille, encens. La trame tannique, soulignée par une noble amertume, soutient une bouche harmonieuse qui conjugue puissance, volume et rondeur. À découvrir au cours des trois ou quatre prochaines années. Du même propriétaire, le **Ch. la Sauvageonne Terrasses du Larzac Les Ruffes 2010 rouge (11 à 15 €)** est cité pour son bouquet frais et typé de petits fruits rouges, d'épices douces et de garrigue, pour sa souplesse et sa rondeur en bouche.

Gérard Bertrand, Ch. l'Hospitalet, rte de Narbonne Plage, 11104 Narbonne Cedex, tél. 04.68.45.36.00, fax 04.68.45.27.17, vins@gerard-bertrand.com t.l.j. 9h-19h

DOM. BOISANTIN Montpeyroux L'Embellie 2009 ★

■ 8 000 ▮ 8 à 11 €

Quand le terroir argilo-calcaire imprime sa marque sur les parcelles de syrah, assemblées à 30 % de grenache et 30 % de carignan, on obtient la belle complexité aromatique de ce vin : des notes de truffes et de garrigue, d'épices, de vanille, avec une dominante de fruits rouges, de cassis et de violette. Sa robe grenat, sa chaleur en bouche, sa finesse, ses tanins arrondis par dix mois d'élevage en cuve seront appréciés dès la sortie du Guide. Autre marque de la famille Giner, le **Dom. de la Solane 2009 Solaire (5 à 8 €; 12 000 b.)**, également prêt à boire, offre un beau velouté, de la fraîcheur et des arômes de cassis. Il décroche une étoile.

SARL Les Domaines de la Solane, 1, chem. d'Aigues-Vives, 34150 Montpeyroux, tél. 04.67.96.61.37, fax 04.67.96.63.20, giner.charles@wanadoo.fr r.-v.

Famille Giner

CH. DE CABRIÈRES 2009 ★★

■ n.c. 11 à 15 €

Soumis à une sélection parcellaire stricte et né sur un terroir de schistes, cet assemblage de syrah (70 %) et de grenache a bien supporté ses vingt-quatre mois d'élevage dont douze en fût. Ce remarquable 2009 s'habille d'une robe pourpre aux reflets bruns. Fruits rouges mûrs, épices et notes empyreumatiques (grillé, toasté), le bouquet est complexe et puissant. La bouche soyeuse et fraîche est en continuité avec le nez et confirme que cette bouteille est faite pour être bue dans l'année sur un gigot d'agneau à la broche ou une gardiane. On peut aussi la garder deux ou trois ans sans dommage ; c'est l'apanage d'un grand vin. Conformément à la tradition, les caves de l'Estabel présentent le **Fulcrand Cabanon 2011 rosé (5 à 8 €; 30 000 b.)**, à base de cinsault et de grenache, avec une touche de syrah. Cette cuvée reçoit une étoile pour son nez explosif, qui mêle l'ananas au fruit de la Passion, la fraise à la framboise, sans oublier la grenadine, et pour sa bouche légère, ronde et fraîche.

Caves de l'Estabel, rte de Roujan, 34800 Cabrières, tél. 04.67.88.91.60, fax 04.67.88.00.15, sca.cabrieres@wanadoo.fr t.l.j. 9h-12h 14h-18h

CAP CETTE Picpoul-de-Pinet 2011 ★★

□ 120 000 ▮ 5 à 8 €

Les Costières de Pomérols ont été inspirées par ce millésime avec trois cuvées distinguées en picpoul-de-pinet. La toute dernière-née, Cap Cette (ancienne orthographe de la ville de Sète), n'est pas passée loin du coup de cœur. La robe cristalline, jaune à peine doré, bordée de reflets verts, annonce un bouquet complexe typique de l'appellation : velouté de la poire fondante, fraîcheur de l'ananas, du pamplemousse et d'autres agrumes, l'ensemble soutenu par une touche mentholée. La bouche à l'unisson, vive et fruitée, révèle un très bel équilibre entre rondeur et vivacité. Riche et gourmand, ce 2011 s'appréciera sur une tielle locale, un beau plateau de fruits de mer ou des brochettes de la mer. Une étoile récompense le **Beauvignac 2011 blanc (moins de 5 €; 300 000 b.)** à l'élégant bouquet de fruits à chair blanche et d'agrumes et à la bouche franche et fraîche. Même note pour le **Beauvignac Prestige 2011 blanc (8 à 11 €; 16 000 b.)** dont le subtil élevage en fût de six mois apporte un

soupçon de complexité à la palette aromatique classique de l'appellation, fraîche et fruitée.
Costières de Pomérols, av. de Florensac, 34810 Pomérols, tél. 04.67.77.01.59, fax 04.67.77.77.21, info@cave-pomerols.com
t.l.j. sf dim. 8h30-12h 14h-18h

CH. CAPION Terrasses du Larzac 2009 ★★★

	9 000		20 à 30 €

Agriculture raisonnée pour mieux préserver le terroir argilo-calcaire, enherbement, respect des raisins vinifiés quasiment en grappes entières, à peine foulées, ce coup de cœur vient récompenser une recherche d'expression authentique. Intensité et complexité ne sauraient tout résumer : la robe, d'un grenat aux reflets violines, est encore jeune ; les mûres et fraises des bois, la réglisse, le menthol, la garrigue, les épices apportent chacun leur touche au bouquet, dans un séduisant mélange de sensations. Après une attaque franche et souple, le palais est comblé par le volume, l'élégance des saveurs, les tanins soyeux et la superbe fraîcheur qui amplifie la longueur finale. Comme tous les grands vins, on peut le boire tout de suite, sur un filet de bœuf, ou profiter de sa garde pour quelques belles années.
Ch. Capion, Dom. de Capion, 34150 Aniane, tél. 04.67.57.71.37, fax 04.67.57.47.39, chateau.capion@wanadoo.fr
t.l.j. sf sam. dim. 8h-12h 14h-18h

CH. CAPITELLE DES SALLES Terrasses du Larzac Hommage 2009 ★

	1 400		11 à 15 €

Créé en 1829, ce domaine a été repris en 2007 par Estelle Salles, « vigneronne passionnée et tenace », comme elle se décrit elle-même, dont l'ambition est, outre l'élaboration de vins « authentiques », d'entretenir et de protéger les paysages aux nuances rouges ou jaunes qui traduisent la diversité des terroirs et le patrimoine viticole, en sauvegardant les vignes en terrasses languedociennes, les murets, les capitelles et les mazets. C'est à tout cela que rend « Hommage » cette cuvée à dominante de grenache, partiellement élevée en fût, aux séduisants arômes de fraise et de mûre, fraîche et soyeuse en bouche. La finale aux accents de garrigue appelle un râble de lapin rôti au thym. La cuvée **Caractère 2010 rouge (8 à 11 €; 1 000 b.)**, référence au tempérament de la vigneronne, est un vin de cuve, sur le fruit, souple, harmonieux et persistant en bouche, avec une jolie finale sur la figue et les épices douces.
Salles, 6, rte de Rabieux, 34700 Saint-Jean-de-la-Blaquière, tél. 06.86.98.38.48, estelle@capitelle-des-salles.com r.-v.

DOM. CASTAN Terroir du Lias 2009

	3 900		8 à 11 €

Les vignes de syrah et de grenache à l'origine de cette cuvée sont implantées sur un terroir calcaire de la période géologique du Lias. Ce 2009 affiche d'emblée sa maturité avec ses reflets bruns, son nez expressif de cacao, d'épices et de confiture de griottes, son attaque fondue et son palais chaleureux. À boire dès la sortie du Guide, sur un tajine aux pruneaux.
EARL Dom. Castan, 28, av. Jean-Jaurès, 34370 Cazouls-lès-Béziers, tél. 04.67.93.54.45, domandrecastan@aol.com
t.l.j. sf dim. 10h-12h30 16h-19h30

DOM. DU CAUSSE D'ARBORAS Terrasses du Larzac Les Cazes 2009 ★

	24 000		8 à 11 €

Bien qu'élevée en partie en fût, cette cuvée issue d'un assemblage de grenache (60 %), de syrah et de cinsault, conserve un fruité très net, auquel se mêlent des parfums de fruits rouges, de cade et de menthe poivrée. La bouche ? Ronde, grasse, puissante et fraîche à la fois. Une bouteille harmonieuse que l'on dégustera dans les trois ans à venir et qui appelle une cuisine de caractère, un lapin à la moutarde ou des travers de porc laqué par exemple. Le **2009 rouge Terrasses du Larzac Les 3 Jean (15 à 20 €; 6 000 b.)**, marqué par la présence majoritaire du grenache et par un élevage en fût soigné, séduit par ses parfums de garrigue et de réglisse, ses tanins soyeux et sa fraîcheur de milieu de bouche. Il obtient une étoile également.
Dom. du Causse d'Arboras, Le Mas de Cazes, 477, rue Georges-Cuvier, 34090 Montpellier, tél. 06.11.51.08.41, fax 04.67.04.11.40, causse-arboras@wanadoo.fr r.-v.
Jean-Louis Sagne

CH. DE CAZENEUVE Pic Saint-Loup Le Roc des Mates 2009 ★

	15 000		15 à 20 €

André Leenhardt est l'un des vignerons emblématiques du Pic Saint-Loup, et ses vins fréquentent ces pages avec une belle constance. Il propose également des gîtes ruraux, qui permettent d'apprécier le calme et la beauté du terroir, en toute quiétude et verre en main. À l'issue de deux ans d'élevage en fût, cette cuvée à forte proportion de syrah (80 %), complétée de grenache, offre un nez complexe aux délicates notes de chocolat, d'épices douces et de réglisse. La bouche se révèle ample et généreuse, bâtie sur une trame tannique savoureuse et soyeuse, qui appelle le caractère juteux d'une pièce de bœuf grillée. Une bouteille que l'on peut attendre trois ou quatre ans, ou déguster dès l'automne. Une étoile également pour le **2010 rouge Pic Saint-Loup Carline (8 à 11 €; 24 000 b.)**, élevé en cuve, au nez expressif de violette, de cacao et de petits fruits rouges, et au palais tout en souplesse et rondeur. À boire d'ici à trois ans.
Ch. de Cazeneuve, Cazeneuve, 34270 Lauret, tél. 04.67.59.07.49, fax 04.67.59.06.91, andre.leenhardt@wanadoo.fr r.-v.
André Leenhardt

DOM. CHAZALON Pic Saint-Loup Altitude 658 2009 ★

■	3 000	◖◗	8 à 11 €

Créé en 2005 à partir de 4 ha de vignes, ce jeune domaine fait son entrée dans le Guide. Cette cuvée, dont le nom évoque l'altitude du Pic Saint-Loup, prend de la hauteur avec son nez intense, sur le chocolat, la confiture de fraise et les épices douces, comme avec son palais doux, au boisé délicat et aux tanins fondus. Ce vin long et bien construit est déjà très agréable et s'épanouira après trois à cinq ans de garde.

Dom. Stéphane Chazalon, 160, chem. du Gouletier, 34270 Saint-Mathieu-de-Treviers, tél. 06.76.23.98.38, fax 04.67.55.37.60, schazalon@domaine-chazalon.com
r.-v.

LE CHEMIN DES RÊVES Abracadabra 2011 ★

□	4 000	▮	5 à 8 €

Pour Benoît Viot, autrefois pharmacien et toujours passionné de biologie et de médecine, l'alchimie du vin n'a pas de secrets. Nous découvrons cette année son blanc, assemblage de quatre cépages implantés sur des éclats calcaires à 10 km à peine au nord de Montpellier. Derrière sa robe pâle, ce 2011 fleure bon la fleur d'acacia, le coing, la poire et la cannelle, et dévoile une bouche ronde et fraîche à la fois. Pour un plaisir immédiat, avec un poisson au four.

Le Chemin des Rêves, 218, rue de la Syrah, 34980 Saint-Gély-du-Fesc, tél. 04.99.62.74.25, fax 04.67.10.09.84, contact@chemin-des-reves.com
t.l.j. sf dim. 16h-19h
Viot

♥ **LES CHEMINS DE CARABOTE** Terrasses du Larzac Les Pierres qui chantent 2009 ★★

■	3 500	◖◗	15 à 20 €

Depuis l'édition du Guide 2009 qui célébra son premier millésime, 2005, Jean-Yves Chaperon est devenu un incontournable de l'appellation et enrichit son palmarès d'un troisième coup de cœur. Ce journaliste amateur de jazz sait faire chanter son terroir de galets roulés pour le plus grand régal des papilles. C'est la classe qui caractérise cette cuvée. Les dix-huit mois d'élevage en fût n'ont fait que révéler le potentiel inné de ce 2009 qui permet de le savourer dès maintenant. Dans sa robe pourpre, c'est un vin d'une belle intensité, d'une grande complexité, aux arômes de fruits compotés, de garrigue, de poivre blanc avec un soupçon de pain toasté. En bouche, les sensations de volume, de plénitude, d'harmonie, et l'enrobage des tanins de belle facture forment un crescendo inoubliable. À servir avec du gibier ou une souris d'agneau du Larzac confite.

Jean-Yves Chaperon, Mas de Navas, 34150 Gignac, tél. 06.07.16.76.13, fax 04.67.55.50.27, contact@carabote.com
r.-v.

DOM. CINQ VENTS Montpeyroux 2009 ★

■	9 000	▮◖◗	15 à 20 €

C'est une entrée étoilée pour le premier millésime du domaine Cinq Vents, conduit par une famille britannique qui est tombée sous le charme du terroir argilo-calcaire du Causse, fameux vignoble à près de 400 m d'altitude au-dessus du village de Montpeyroux. Épaulés de Virgile Joly, ils proposent un languedoc discret de prime abord, qui se dévoile en finesse au nez comme au palais sur des notes de fruits rouges cuits, de kirsch et d'aromates – la garrigue n'est pas loin. Prêt à boire, ce 2009 révèle quelques notes d'élevage bien fondues, et son acidité balance à merveille avec le gras de l'attaque.

NOUVEAU PRODUCTEUR

Dom. Cinq Vents, 22, rue du Portail, 34725 Saint-Saturnin-de-Lucian, tél. 04.67.44.52.21, fax 04.99.91.09.69, virgilejoly@wanadoo.fr
t.l.j. sf dim. 9h-12h 14h-18h

DOM. CLAVEL Pic Saint-Loup Bonne Pioche 2010 ★★

■	30 000	▮◖◗	11 à 15 €

Bonne pioche en effet. Cette cuvée signée Pierre Clavel tutoie les trois étoiles. Élevée en partie en fût, elle associe à 65 % de syrah les classiques grenache et mourvèdre. Le résultat est un vin pourpre profond, au nez intense et élégant de griotte, de violette et de garrigue. Les tanins sont présents sans excès, le boisé également, donnant une bouche ronde à souhait, douce et savoureuse, qui persiste longuement sur des notes de tapenade, de noyau de cerise et de mine de crayon. Un vin complexe et complet, à déguster au cours des quatre à cinq prochaines années. Le **2010 rouge Terroir de la Méjanelle Copa Santa (15 à 20 € ; 18 000 b.)** obtient une étoile pour son nez de garrigue et de fruits rouges, et pour son palais dense, riche et séveux. Même note pour le **2011 blanc Terroir de la Méjanelle Cascaille (8 à 11 € ; 6 500 b.)**, frais, tonique et fruité (agrumes, pêche).

Dom. Pierre Clavel, Mas de Perié, rte de Sainte-Croix, 34820 Assas, tél. 04.99.62.06.13, fax 04.99.62.06.14, info@vins-clavel.fr t.l.j. sf dim. 14h-19h

CLOS DE L'AMANDAIE Grès de Montpellier Huis clos 2009 ★

■	2 600	◖◗	15 à 20 €

Une nouvelle cave en pierre du Gard avec une toiture photovoltaïque située au pied du château d'Aumelas, des parcelles disséminées parmi les bosquets de chênes verts et la garrigue. Voici le cadre où s'épanouissent la syrah et le grenache qui, grâce à leur belle maturité, confèrent à ce Huis clos rouge sa rondeur et ses tanins mûrs. Avec la fraîcheur et les fruits rouges comme base aromatique, auxquels s'ajoutent des senteurs florales (ciste, iris sauvage), ce languedoc offre un ensemble d'une belle prestance. Existant également en blanc, la cuvée **Huis clos 2009 blanc (2 500 b.)** traduit le même souci de finesse. Citée, elle offre une grande fraîcheur et des arômes printaniers (fleurs, fruits blancs) ; idéale pour du poisson.

Philippe Peytavy, rte de Montpellier, 34230 Aumelas, tél. 06.86.68.08.62, fax 04.67.88.72.37, closdelamandaie@free.fr
t.l.j. sf dim. 17h30-19h; sam. 14h-19h

CLOS DES AUGUSTINS Pic Saint-Loup
Sourire d'Odile 2009 ★

■	6 500	15 à 20 €

Toutes les cuvées du domaine portent le nom d'un membre de la famille ; ici, c'est la grand-mère de Frédéric Mézy qui est à l'honneur et donne le sourire aux dégustateurs du Guide avec ce vin à dominante très nette de syrah. La robe est sombre et profonde. Les quinze mois de barrique marquent le nez comme la bouche de ses senteurs intenses de moka et de vanille. Mais le vin se révèle suffisamment puissant, opulent et solidement structuré pour le « digérer ». Après quatre ou cinq ans de cave, viandes mijotées en sauce et petit gibier à plume seront les bienvenus. À noter : le domaine est en cours de conversion à la biodynamie depuis 2008.

Clos des Augustins, 111, chem. de la Vieille, 34270 Saint-Mathieu-de-Tréviers, tél. 04.67.54.73.45, fax 04.67.54.52.77, closdesaugustins@wanadoo.fr
t.l.j. 10h-12h30 14h-18h30
Mézy

CLOS DES NINES O du Clos 2009 ★

■	3 800	20 à 30 €

Niché au milieu de la garrigue et bordé d'oliviers, le vignoble d'Isabelle Mangeart, travaillé dans le respect du terroir, connaît un petit courant d'air frais bénéfique. Récoltée mi-septembre, cette cuvée O à la robe grenat se montre discrète avant de dévoiler des notes de poivre, de clou de girofle et de cade mêlées à du kirsch, témoin d'une belle maturité. Grande réussite pour l'ampleur, le gras et la longueur en bouche. Sa structure solide et ferme lui permettra d'être à son optimum d'ici trois ans pour des accords d'automne ou d'hiver – sanglier, daubes et ragoûts.

Clos des Nines, 329, chem. du Pountiou, 34690 Fabrègues, tél. 04.67.68.95.36, clos.des.nines@free.fr
r.-v.
Isabelle Mangeart

DOM. LE CLOS DU SERRES Terrasses du Larzac
Les Maros 2010

■	13 000	11 à 15 €

Assemblage des quatre plus belles parcelles de grenache du domaine, associé à une touche de cinsault, de syrah et de carignan, ce vin exprime toute la complexité et la fraîcheur de son terroir. Le nez déroule de séduisants parfums de fruits rouges et de poivre. Souple en attaque, la bouche se révèle ample, charnue et veloutée, un rien plus austère en finale toutefois. On attendra trois à quatre ans que l'ensemble se fonde avant de servir cette bouteille sur une souris d'agneau braisée.

Le Clos du Serres, chem. des Condamines, 34700 Saint-Jean-de-la-Blaquière, tél. 04.67.88.21.96, fax 04.86.17.23.86, contact@leclosduserres.fr r.-v.

DOM. DU CLOS ROCA Pézenas Symbiose 2009 ★★★

■	4 000	15 à 20 €

La finesse et l'élégance sont les deux traits majeurs de cette cuvée qui a littéralement charmé le jury. La syrah (50 % de l'assemblage), le carignan et le mourvèdre, qui s'épanouissent sur les terrasses villafranchiennes de galets bordées par la coulée basaltique entre Caux et Nizas, ont été vinifiés séparément et élevés deux ans en barrique. Symbiose, dans son habit d'un pourpre sombre, est donc dans sa plénitude. Si le premier nez est discret, il dévoile peu à peu toute sa délicatesse en mêlant les fruits noirs, le pruneau et les épices douces. Dans le même registre aromatique, la bouche est à la fois puissante et raffinée, harmonieuse, soyeuse, et d'une rare longueur. Accord gourmand suggéré sur un osso bucco ou un lapin aux pruneaux.

Louis Aleman, Dom. du Clos Roca, D124, 34320 Nizas, tél. 06.74.73.84.02, closroca.nizas@gmail.com r.-v.

CH. CONDAMINE BERTRAND 2010 ★

■	50 000	5 à 8 €

Au château Condamine Bertrand, conduit en lutte raisonnée, le terroir de galets roulés des terrasses villafranchiennes est respecté, ainsi que l'équilibre des cépages. Syrah, grenache et une pointe de mourvèdre composent cette cuvée très réussie. Pour preuve, la brillante robe rubis ; le mariage harmonieux entre les notes grillées et toastées de l'élevage (trois mois en fût) et les arômes de fruits noirs d'une belle maturité ; la bouche à la fois fine et pleine, chaleureuse et structurée. Pour plus de plaisir encore, attendre une paire d'années avant de savourer cette bouteille bien équilibrée sur des aiguillettes de canard confites.

Ch. Condamine Bertrand, 2, av. d'Ormesson, 34120 Lézignan-la-Cèbe, tél. 04.67.25.27.96, fax 04.67.25.07.56, export@condamine-bertrand.com
t.l.j. sf sam. dim. 9h-12h 14h-17h
Jany-Andreu

DOM. DES CONQUÊTES Terrasses du Larzac
Les Convoitises 2009 ★★

■	6 000	8 à 11 €

Ce domaine, créé en 1997 par Philippe Ellner, est idéalement situé au pied des contreforts des Cévennes et à quelques minutes de lieux historiques et touristiques de grand intérêt tels le village de Saint-Guilhem-le-Désert et le Pont du Diable. Ce Champenois d'origine signe une belle cuvée issue de la trilogie syrah-grenache-mourvèdre, dont le nez évoque la fraise, la garrigue et les épices. La bouche, ronde et douce en attaque, dévoile une trame soyeuse, fraîche et fine qui confère beaucoup d'élégance à ce vin. Parfait pour un magret de canard rôti, au cours des trois ou quatre prochaines années. Deux étoiles sont également attribuées au **2009 rouge Terrasses du Larzac la cuvée Les Innocents (15 à 20 €; 1 200 b.)**, élevé quatorze mois en fût, dense, suave et profond, équilibré par une fine minéralité, expression aboutie de la syrah, largement dominante ici.

Ellner, Dom. des Conquêtes, chem. des Conquêtes, 34150 Aniane, tél. et fax 04.67.57.35.99, ellner.philippe@neuf.fr
t.l.j. sf dim. 9h-12h 15h-18h30

DOM. DE LA COSTE-MOYNIER Saint-Christol
Cuvée sélectionnée 2010 ★

■	20 000	5 à 8 €

Ce terroir de terrasses villafranchiennes n'a plus de secret pour Élisabeth et Luc Moynier, qui cultivent ce vignoble depuis près de quarante ans. Cette cuvée, repérée depuis des années par le Guide, revient drapée dans une robe très sombre, le nez intense empreint d'épices douces, de réglisse et de fruits à l'eau-de-vie, ample, charnu et soyeux en bouche. Parfait dès à présent pour une gardiane de taureau, une spécialité bien locale.

LANGUEDOC

🔑 Élisabeth et Luc Moynier, Dom. de la Coste-Moynier, 34400 Saint-Christol, tél. 04.67.86.02.10, fax 04.67.86.07.71, luc.moynier@wanadoo.fr
t.l.j. sf dim. 9h-12h30 13h30-19h

DOM. DE COSTES-CIRGUES Bois du roi 2009 ★

	7 000		11 à 15 €

Produit en agriculture biologique et biodynamique, ce vin tire son nom de la forêt qui entoure les vignes de ce domaine repris en 2003 par Béatrice Althoff, mosaïque de 17 ha constituée d'une centaine de petites parcelles. Issu de l'assemblage des cépages syrah, grenache et mourvèdre, ce 2009 se présente, après dix-huit mois de cuve, dans une robe d'un grenat profond, offrant un nez d'une belle complexité, sur les fruits rouges et les épices douces. Les tanins sont serrés et soutiennent une bouche ample, longue et harmonieuse. Côte de bœuf à la braise et canard rôti donneront des accords très fusionnels, aujourd'hui comme dans deux ou trois ans.

🔑 Béatrice Althoff,
Dom. de Costes-Cirgues, 1531, rte d'Aubais,
30250 Sommières, tél. 06.77.14.09.69, fax 04.66.81.58.72,
info@costes-cirgues.com r.-v.

LES COTEAUX DU PIC Pic Saint-Loup
Les Champs noirs 2010

	90 000		5 à 8 €

Premier producteur de Pic Saint-Loup en volume, la cave des Coteaux du Pic a entrepris la conversion à l'agriculture biologique (deuxième année en cours) de ses 70 ha consacrés à cette dénomination. Ce 2010 issu à 80 % de syrah, le grenache en appoint, est un vin plaisant par son nez typé de fruits rouges, de sous-bois et de réglisse, ses tanins fins et fondus, sa bonne fraîcheur et sa finale gourmande et épicée. À boire aux cours de deux prochaines années, sur une grillade aux sarments ou un navarin d'agneau.

🔑 SCA Les Coteaux du Pic,
140, av. des Coteaux-de-Montferrand,
34270 Saint-Mathieu-de-Tréviers, tél. 04.67.55.81.19,
fax 04.67.55.81.20, info@coteaux-du-pic.com
t.l.j. sf dim. 9h30-12h30 14h30-18h

COUR SAINT-VINCENT Grès de Montpellier
Le Clos du prieur 2009 ★★

	3 000		20 à 30 €

Sur ce terroir argilo-calcaire qui permet d'atteindre de grandes maturités, Francis et Martine Bouys proposent un vin pourpre d'une typicité bien méditerranéenne, équilibré entre la concentration et l'élégance. L'élevage en barrique a laissé quelques traces de vanille et d'épices qui se sont intimement intégrées au fruité du cassis, aux fruits rouges compotés et à l'eucalyptus. Cette luxuriance aromatique règne également en bouche, enrobant des tanins soyeux dans un ensemble gourmand qui devrait être à son optimum d'ici deux à trois ans. Mais même sans attendre, cette cuvée sera le compagnon idéal d'une côte de bœuf.

🔑 Martine Bouys, 1, pl. Saint-Vincent,
34730 Saint-Vincent-de-Barbeyrargues, tél. 04.67.59.60.74,
fax 04.99.62.02.06, fbouys@yahoo.fr r.-v.

CH. DES CRÈS RICARDS Terrasses du Larzac
Stécia 2010 ★★

	18 000		8 à 11 €

Repris par Jean-Claude Mas en 2010, ce domaine est fidèle au rendez-vous et propose ici un vin qui séduit d'emblée par sa complexité et ses arômes de fruits mûrs, de violette et de truffe. L'élevage est particulièrement soigné, sans excès et laissant le fruit s'exprimer. Le toucher en bouche s'avère délicat et soyeux, vivifié par une juste fraîcheur. Parfait avec un tajine de poulet ou un navarin d'agneau, dès aujourd'hui. Deux étoiles également pour le **2010 rouge Terrasses du Larzac Œnothéra (15 à 20 € ; 6 000 b.)**, qui plaît par son bouquet intense et frais de framboise, de violette et de poivre blanc, par son palais charnu, aux tanins veloutés et harmonieux. Il demande entre trois et cinq ans de garde pour exprimer tout son potentiel, et s'accordera alors avec un magret de canard aux cèpes.

🔑 Dom. des Crès Ricards, 34800 Ceyras, tél. 04.67.90.66.51, fax 04.67.98.00.60, contact@cresricards.com
t.l.j. sf sam. dim. 9h-12h 13h30-17h
🔑 Jean-Claude Mas

CH. DE LA DEVÈZE-MONNIER Terrasses du Larzac
Les Reynets 2009 ★

	2 500		8 à 11 €

Laurent Damais a quitté l'enseignement en 1986 pour reprendre les rênes du domaine familial et mettre en place la vente directe. En ces temps de développement de l'œnotourisme, il a aussi mis en place le camping à la ferme, créé des gîtes ruraux et propose des séances d'initiation à la dégustation. L'occasion de découvrir ce vin charmeur à la robe cerise et au nez frais, rappelant la fraise, la réglisse et la menthe poivrée. Les tanins sont fins, denses et élégants, et laissent augurer une bonne évolution d'au moins cinq ans. À servir avec un filet mignon de porc.

🔑 SCEA du Dom. de la Devèze, 34190 Montoulieu,
tél. 04.67.73.70.21, fax 04.67.73.32.40, domaine@deveze.com
t.l.j. 9h-12h 15h-19h
🔑 Laurent Damais

DOM. ELLUL-FERRIÈRES Grès de Montpellier
Dolce Vitae 2010

	6 000		11 à 15 €

Lorsqu'on déguste Dolce Vitae, on se retrouve transporté dans les collines de garrigue proches de Montpellier où les grenaches, vieux ceps magnifiquement exposés sur un terroir de galets, et la syrah sur argilo-calcaire bénéficient de la chaleur méditerranéenne tempérée par l'influence marine. Groseille et myrtille se partagent le nez, annonçant une bouche ronde au caractère gourmand et aux tanins tout de même affirmés, rehaussés d'une certaine vivacité en finale.

🔑 Dom. Ellul-Ferrières, CD 610, Fontmagne,
34160 Castries, tél. 06.15.38.45.01, fax 04.67.02.28.28,
contact@domaine-ellul.com r.-v.
🔑 Gilles et Sylvie Ellul

CH. DE L'ENGARRAN Saint-Georges d'Orques 2011 ★

	25 000		8 à 11 €

Toujours présent dans le Guide, le château de l'Engarran continue sur le chemin de l'excellence. La touche féminine apportée par Diane Losfelt et Constance Rérolle se retrouve à travers la race et l'élégance de ce rosé fin et délicat : par sa couleur pâle aux reflets saumon, par ses parfums subtils de fleurs et de petits fruits rouges. Et surtout par la bouche agréable, fruitée, équilibrée entre rondeur et fraîcheur, qui en fait un vin de plaisir (également conditionné en magnum). Cité, le **2009 rouge Quetton Saint-Georges (20 à 30 € ; 20 000 b.)**, encore marqué par son élevage en fût (poivre et fumée dominants), montre une puissance qui lui assure un potentiel de garde de cinq ans.

SCEA du Ch. de l'Engarran, Ch. de l'Engarran, 34880 Lavérune, tél. 04.67.47.00.02, fax 04.67.27.87.89, lengarran@wanadoo.fr t.l.j. 10h-13h 15h-19h

Grill

ERMITAGE DU PIC SAINT-LOUP Pic Saint-Loup Cuvée Sainte-Agnès 2010 ★★

	25 000		15 à 20 €

Habitué du Guide, et souvent en bonne place, le domaine des frères Ravaille signe un beau doublé cette année. Cette cuvée Sainte-Agnès est un vin très élégant, caractérisé par un élevage en fût d'un an et demi encore sensible au nez, mais d'une grande finesse, qui ne masque pas d'intenses et séduisants parfums de fruits rouges frais, de garrigue, de cade et de menthe. Suit une bouche riche, douce et tonique à la fois, aux tanins fondus et veloutés. Un vin complexe, qui s'épanouira après cinq ans de cave. Une étoile est attribuée au **Pic-Saint-Loup Tour de Pierres 2010 rouge (11 à 15 € ; 60 000 b.)** pour sa robe pourpre soutenu, pour son joli bouquet de fraise, de framboise, d'épices douces, de résine et de poivre, et pour son palais souple, harmonieux, frais et délicat. Agréable dès à présent.

GAEC Ermitage du Pic Saint-Loup, Cami-Lou-Castellas, 34270 Saint-Mathieu-de-Tréviers, tél. 04.67.54.24.68, fax 04.67.55.23.49, ermitagepic@free.fr t.l.j. sf dim. 9h-12h 14h-18h

Ravaille

DOM. DE L'ESCATTES Héritage Matthieu 2009 ★

	6 000		8 à 11 €

Repris en 2008 par François Robelin, ce domaine familial en conversion bio depuis 2010 vaut le détour pour son parc à la française datant du XVIII^e^s., mais aussi pour ses vins. Syrah et grenache élevés durant un an en demi-muids donnent naissance à cette cuvée d'un beau rouge profond, au nez de fruits rouges, de réglisse, de suie, de grillé et d'épices douces. Après une attaque ronde, la bouche, élégante et persistante, monte en puissance, portée par des tanins serrés et une belle finale aux accents généreux de fruits à l'eau-de-vie et de moka. À boire ou à garder trois ou quatre ans. Le **2010 blanc Tradition (5 à 8 € ; 9 500 b.)** a séduit le jury par son équilibre entre fraîcheur et suavité, et par ses arômes expressifs de fleurs blanches, de coing frais, d'abricot et de cannelle. Idéal pour un apéritif autour de tapas marines.

Dom. de l'Escattes, Mas d'Escattes, 30420 Calvisson, tél. 04.66.01.40.58, fax 04.66.01.42.20, snc.robelin@wanadoo.fr t.l.j. sf dim. lun. 8h30-12h30 (mer. sam.); 14h30-18h30 (mar. jeu. ven.)

CH. L'EUZIÈRE Pic Saint-Loup Les Escarboucles 2009 ★★

	13 000		11 à 15 €

Michel et Marcelle Causse, frère et sœur, représentent la quatrième génération à produire du vin au domaine, ancien relais de chevaux. Marcelle a rejoint son frère en 1991 après avoir exercé le métier de sertisseuse en joaillerie. Cette cuvée Les Escarboucles tire ainsi son nom d'un terme de gemmologie, qui désignait jusqu'au XVIII^e^s. l'ensemble des pierres fines ou précieuses de couleur rouge. De fait, c'est un petit bijou que ce 2009 d'un rouge soutenu, ouvert sur les fruits noirs et les épices, alliance en bouche de la puissance et de la finesse, soutenue par une juste fraîcheur et par des tanins souples et charnus. D'une grande longueur et remarquablement équilibré, ce vin déjà fort aimable pourra aussi patienter trois ou quatre ans en cave. Avec une étoile, le **2010 blanc L'Or des Fous**, dont le nom s'inspire de la pyrite, pierre aux reflets dorés, brille par son bouquet original de pomme cuite, de poire au sirop et de coing, et par sa bouche complexe (vanille, beurre frais) et bien équilibrée entre gras et fraîcheur. Parfait pour une volaille à la crème et aux morilles ou un turbot au beurre blanc.

Michel et Marcelle Causse, L'Euzière, ancien chem. d'Anduze, 34270 Fontanès, tél. 04.67.55.21.41, fax 04.67.56.38.04, leuziere@chateauleuziere.fr t.l.j. 10h-12h; 14h-19h (hiver); 16h-19h (été); dim. sur r.-v.; f. 14-23 août

DOM. DU FAMILONGUE Terrasses du Larzac Trois Naissances 2010 ★

	8 000		15 à 20 €

Une trentaine de volières présentes sur le domaine explique l'emblème du perroquet qui orne les étiquettes. Jean-Luc Quinquarlet, qui revendique une culture des vignes sans engrais chimiques ni désherbants, s'est déjà illustré avec ces Trois naissances, sa cuvée haut de gamme, hommage à ses enfants. Syrah, mourvèdre et carignan confèrent à ce vin un nez bien languedocien de fruits rouges mûrs, de garrigue et d'épices douces, relayé par une bouche ample, concentrée et fine à la fois, adossée à des tanins serrés et savoureux qui appellent une cuisine de caractère, un bœuf en daube ou un cuissot de sanglier rôti par exemple. Le **2010 rouge Terrasses du Larzac L'Esprit de la Bastide aux Oliviers (8 à 11 € ; 6 000 b.)**, au nez délicat, fruité, épicé et balsamique, frais et équilibré en bouche, est cité.

SCEA Quinquarlet, 3, rue Familongue, 34725 Saint-André-de-Sangonis, tél. 04.67.57.59.71, fax 04.67.57.26.32, contact@domainedefamilongue.fr r.-v.

DOM. FÉLINES JOURDAN 2011 ★

	20 000		5 à 8 €

Le terroir qui s'étend au nord de l'étang de Thau est le berceau du piquepoul. On retrouve ce cépage aux côtés d'une majorité de roussanne dans cette cuvée dorée à reflets verts. Les dégustateurs ont aimé la maturité du bouquet : fruits exotiques presque confits, abricot sec. La bouche, avec son gras et son ampleur, est bien en harmonie avec le profil aromatique. Pour une bourride de baudroie ou une poularde à la crème.

Claude Jourdan, Dom. Félines Jourdan, 34140 Mèze, tél. 04.67.43.69.29, fax 04.67.78.43.28, claude@felines-jourdan.com r.-v.

CH. DE FLAUGERGUES Les Comtes 2009 ★

	11 600		5 à 8 €

Sur cette propriété citadine située sur le terroir de La Méjanelle, les comtes Henri et Pierre de Colbert perpétuent une tradition de neuf générations. Lors d'une halte gourmande au restaurant qu'ils ont ouvert il y a deux ans, vous pourrez apprécier ce 2009 puissant et équilibré. Vous aimerez sa robe rubis pimpante, ainsi que l'intensité des arômes de fruits noirs et de cerise à l'eau-de-vie qui envahissent le nez comme le palais. La chaleur, la rondeur

LANGUEDOC

caractéristique du grenache sur ce terroir de galets, les tanins fondus et la tenue en bouche permettent à cette bouteille d'accompagner dès aujourd'hui de nombreux plats de viande rouge.
Colbert, 1744, av. Albert-Einstein, 34000 Montpellier, tél. 04.99.52.66.37, fax 04.99.52.66.44, colbert@flaugergues.com r.-v.

LES VIGNERONS DE FLORENSAC Picpoul-de-Pinet 2011 ★★

100 000 | - de 5 €

Cette cuvée, qui frôle le coup de cœur, a séduit les dégustateurs pour sa robe lumineuse, jaune pâle aux reflets verts, son bouquet d'une belle complexité de fruits blancs et d'agrumes (pamplemousse). La plénitude de la bouche, intense, ronde et vive à la fois, invite à des accords gourmands variés : poisson et fruits de mer bien sûr, mais aussi volailles en sauce ou même choucroute. Possibilité de déguster ce vin au restaurant du complexe œnotouristique « Vinopolis » de la coopérative.
Les Vignerons de Florensac, 5, av. des Vendanges, 34510 Florensac, tél. 04.67.77.00.20, fax 04.67.77.79.66, cave.florensac@orange.fr t.l.j. 9h-18h (19h en été)
Cherel

DOM. LES GRANDES COSTES Pic Saint-Loup 2009 ★

13 500 | 15 à 20 €

Ce vin à dominante de syrah (80 %) est la cuvée prestige de Jean-Christophe Granier, expression tout en élégance du terroir argilo-calcaire et des garrigues environnantes qui caractérisent cette partie du vignoble, située sur le terroir du pic Saint-Loup. Le nez séduit par ses parfums de petits fruits rouges, de tapenade et de réglisse, la bouche par sa finesse, sa persistance sur les fruits mûrs et sa fraîcheur qui apporte une belle tension. Un 2009 équilibré, idéal, selon le vigneron, pour accompagner des cailles braisées farcies aux fruits secs ou une fricassée de poulette au vin rouge et aux champignons. À boire aujourd'hui ou dans trois ans.
Jean-Christophe Granier, 2, rte du Moulin-à-Vent, 34270 Vacquières, tél. et fax 04.67.59.27.42, jcgranier@grandes-costes.com r.-v.

LA GRANGE Castalides Icône 2010

1 000 | 20 à 30 €

Le domaine de La Grange, créé en 2007, voit son travail récompensé pour la seconde année consécutive avec cette plaisante cuvée qui porte le nom des nymphes grecques, gardiennes des puits (le domaine en possède trois). Vendangé à la main et élevé douze mois en fût, ce vin, revêtu d'une robe aux reflets violines, fleure bon la garrigue (thym, laurier) environnante et les notes boisées de l'élevage. Le palais découvre de la fraîcheur et une jolie structure délicate et élégante. Encore jeune, ce 2010 méritera de patienter en cave une bonne année avant d'être apprécié sur un gibier d'automne.
SARL la Grange, rte de Fouzilhon, 34320 Gabian, tél. et fax 04.67.24.69.81, shugeux@domaine-lagrange.com t.l.j. sf sam. dim. 9h-16h30 C
Freund

DOM. LA GRANGETTE Picpoul-de-Pinet La Part des Anges 2010 ★★

1 500 | 8 à 11 €

Sur le terroir argilo-calcaire de Castelnau-de-Guers, les vignes du domaine de la Grangette voisinent avec la garrigue. Drapée dans une robe éclatante, d'un beau jaune soutenu, ce 2010 affiche un bouquet somptueux et frais, qui évoque les fruits, le miel, la fleur d'amandier, les fruits confits et les épices très douces. Le jury a particulièrement apprécié cette richesse qui se retrouve dans une bouche onctueuse et généreuse, équilibrée par une plaisante fraîcheur. Un vin boisé à découvrir à l'apéritif sur des croquettes de brandade.
Dom. la Grangette, 34120 Castelnau-de-Guers, tél. 04.67.98.13.56, info@domainelagrangette.com t.l.j. 9h-12h 15h-18h
Moret

LA GRAVETTE Vieilles Vignes 2010

25 000 | 5 à 8 €

Fermenté et élevé en barrique, ce blanc offre un nez expressif de pêche mûre, de vanille, d'épices douces et de miel. Le palais, gras et riche, tient bien la note et s'équilibre grâce à une pointe de fraîcheur bienvenue. Une bouteille qui pourra accompagner aussi bien foie gras mi-cuit, poissons en sauce, viandes blanches et fromages.
SCA la Gravette, rte de Montpellier, 30260 Corconne, tél. 04.66.77.32.75, fax 04.66.77.13.56, la.gravette@wanadoo.fr t.l.j. 8h30-12h30 14h-18h

GRÈS SAINT-PAUL Antonin 2009 ★★

30 000 | 8 à 11 €

Héritier de six générations, Jean-Philippe Servière allie tradition et modernité après avoir redonné tout leur lustre aux bâtiments du domaine. Le même soin est apporté au vignoble, dont les sols de galets roulés sont travaillés mécaniquement. La syrah, qui prédomine dans l'assemblage, donne à cette cuvée ses notes explosives de cassis et de mûre, et l'intensité de sa robe presque noire. La bouche, charnue, remarquable de puissance et de finesse, s'appuie sur des tanins ciselés par un élevage de trente mois. Vin de convivialité par excellence, il sera servi sur des grillades d'agneau.
Ch. Grès Saint-Paul, 1909, rte de Restinclières, 34400 Lunel, tél. 04.67.71.27.90, fax 04.67.71.73.76, contact@gres-saint-paul.com
t.l.j. sf dim. 9h30-12h30 14h-19h
Jean-Philippe Servière

GRÈS SORIAN Grès de Montpellier 2008

6 000 | 11 à 15 €

Florent Granier, après une vingtaine d'années passées dans le Bordelais, revient à ses origines et travaille sur un terroir face à la mer, en pente sud, où se mêlent des argiles à galets et des formations marines calcaires. Prête à boire, cette cuvée syrah-grenache affiche une robe grenat brillant et un bouquet intense où le boisé domine les fruits rouges très mûrs. Ses tanins sont fondus, et son équilibre, typique des Grès de Montpellier, sur la rondeur.
Granier, 486, rue du Triolet, 34090 Montpellier, tél. 06.07.50.33.64, sorian.languedoc@gmail.com
r.-v. E

DOM. GUIZARD Grès de Montpellier 2010 ★

14 000 | 8 à 11 €

Les bâtiments de ce domaine familial datant du XVIe s. sont situés au cœur du village de Lavérune, dans les anciens communs du château des Évêques, et son vignoble de syrah et de grenache, sur les fameuses terrasses villafranchiennes d'argiles rouges à galets. Paré d'une robe grenat brillante, ce 2010 est un vin élégant qui parle à tous les sens. Le nez est comblé par la puissance d'un fruité gourmand aux nuances de sous-bois, quand la bouche est conquise par une matière généreuse et épicée, animée d'une pointe de fraîcheur.

Dom. Guizard, 12, bd de la Mairie, 34880 Lavérune, tél. et fax 04.67.27.86.59, vigneron@domaine-guizard.com
t.l.j. 17h-19h

CH. HAUT-BLANVILLE Grès de Montpellier Clos des Légendes 2008 ★

■	3 500		30 à 50 €

Pari réussi pour la famille Nivollet qui préside aux destinées du château, avec pour objectif année après année d'offrir des vins d'expression. À l'œil, le Clos des Légendes se présente dans une robe pourpre intense, tandis qu'au nez surgissent des notes de fruits noirs, de poivre et de torréfaction. L'élevage de trente mois n'a fait qu'étoffer ce développement aromatique et surtout attendrir les tanins de qualité. Pour une dégustation optimale, mieux vaut toutefois le carafer à l'avance. Alors, sa belle tenue en bouche et son volume seront à réserver pour un moment de haute gastronomie – un tournedos Rossini par exemple.

Ch. Haut-Blanville, rte de Gignac, 34230 Saint-Pargoire, tél. 04.67.25.22.53, fax 04.67.25.22.54, deblanville@wanadoo.fr
t.l.j. sf dim. 10h-13h 15h-19h
B. et B. Nivollet

HECHT & BANNIER 2010 ★

	n.c.		5 à 8 €

Cette maison de négoce et d'élevage, créée en 2002 et dédiée aux vins du Sud de la France, a sélectionné pour ce 2010 des ceps de piquepoul et de roussanne qui regardent l'étang de Thau. Le doré soutenu de la robe est de bonne augure. Le bouquet intense, typé par des notes de fruits confits et d'agrumes, ne déçoit pas. Le palais se révèle riche, puissant, généreux mais sans lourdeur grâce à une fine trame acide. Une bouteille toute indiquée pour une volaille truffée.

Hecht & Bannier, 3, rue Seguin, 34140 Bouzigues, tél. 04.67.74.66.38, fax 04.67.74.66.45, contact@hbselection.com r.-v.

DOM. DE L'HORTUS Pic Saint-Loup Grande Cuvée 2009

■	82 000		20 à 30 €

Vignoble de référence de l'appellation, le domaine de l'Hortus a été créé, *ex-nihilo*, dans les années 1970 par Jean et Marie-Thérèse Orliac. La Grande Cuvée est fidèle au rendez-vous du Guide, comme toujours. On la retrouve ici vêtue d'une robe limpide, le nez empreint de petits fruits rouges et de senteurs des sous-bois, offrant en bouche une belle finesse, de la rondeur et une agréable note boisée accompagnée d'épices douces. Déjà harmonieuse, elle s'appréciera dès l'automne sur un sauté d'agneau.

EARL Vignobles Orliac, Dom. de l'Hortus, 34270 Valflaunès, tél. 04.67.55.31.20, fax 04.67.55.38.03, orliac.hortus@wanadoo.fr t.l.j. sf dim. 10h-12h 15h-18h

♥ **LA JASSE CASTEL** Terrasses du Larzac La Jasse 2009 ★★

■	2 000		15 à 20 €

Pascale Rivière a créé son domaine en 1998, tombée sous le charme des plus hautes vignes de Montpeyroux et

d'une bergerie du XVIIe s. Dressée face au vent et baignée de soleil, la Jasse Castel couve du regard la vallée de l'Hérault et veille sur un vignoble qui atteint aujourd'hui 9,5 ha. Cette cuvée, à forte dominante de syrah, élevée pour moitié en fût, se présente dans une robe d'un rouge sombre et profond qui invite à poursuivre. Le nez, expressif et intense, évoque la réglisse, les petits fruits rouges et la violette. La bouche s'impose par sa richesse, son volume et son opulence, mais sans jamais céder à la lourdeur, étayée par une belle fraîcheur et des tanins soyeux, qui souligneront aujourd'hui comme dans quatre ou cinq ans le fondant d'un carré d'agneau rôti ou l'équilibre salé-sucré d'un filet de marcassin poêlé aux fruits rouges. Le **2010 rouge Montpeyroux La Pimpanela (8 à 11 € ; 12 000 b.)** est un vin expressif, entre fruits rouges et garrigue, complexe et savoureux, idéal pour accompagner une viande rouge saignante. Il obtient une étoile.

Pascale Rivière, 533, chem. des Saumailles, 34150 Montpeyroux, tél. 04.67.88.65.27, jasse-castel@wanadoo.fr r.-v.

DOM. VIRGILE JOLY Saturne 2011 ★

	4 000		11 à 15 €

Enracinés sur les coteaux de Saint-Saturnin, grenache (80 %) et roussanne s'épaulent à merveille dans ce 2011, qui séduit par l'intensité de son fruité rappelant la mangue et les fruits à chair blanche. Des notes florales surviennent dans une bouche ronde émoustillée par une belle fraîcheur. Servir dans sa jeunesse, à l'apéritif ou sur du poisson fumé.

Dom. Virgile Joly, 22, rue du Portail, 34725 Saint-Saturnin-de-Lucian, tél. 04.67.44.52.21, fax 04.99.91.09.69, virgilejoly@wanadoo.fr
par correspondance

CH. DE JONQUIÈRES Terrasses du Larzac La Baronnie 2008 ★

■	7 000		15 à 20 €

On produit du vin depuis au moins 1890 au château de Jonquières, dont le statut de baronnie est ici représenté par cette cuvée, née des cépages syrah, grenache, mourvèdre et carignan. Le nez, ouvert, mêle les senteurs florales aux notes de tapenade, d'épices douces et de fruits rouges bien mûrs. La bouche, ronde et avenante, traduit la belle évolution du millésime 2008, à travers des tanins moelleux et harmonieux, et une finale fraîche et persistante. Cité, le **2010 rouge Terrasses du Larzac (11 à 15 € ; 7 000 b.)** plaît par ses arômes frais de petits fruits rouges et par son palais charnu et gourmand. Deux vins prêts à boire.

François et Isabelle de Cabissole, Ch. de Jonquières, 34725 Jonquières, tél. 04.67.96.62.58, fax 04.67.88.61.92, contact@chateau-jonquieres.com r.-v.

DOM. JORDY Tentation 2010

■ 8 000 🛢 5 à 8 €

La famille Jordy, forte de plusieurs générations de vignerons, continue de proposer des vins marqués par le terroir de schistes. La syrah, très majoritaire dans cette cuvée Tentation, le grenache et le carignan donnent un vin qui développe à l'aération, après quelques notes animales, des arômes fruités nuancés de caramel. L'élevage d'un an en fût marque à peine la bouche, et les tanins sont présents sans aspérité ni excès. Pour un agneau du Larzac bien entendu, dès aujourd'hui, en grillade ou tajine.

Jordy, Loiras, 9, rte de Salelles, 34700 Le Bosc, tél. 04.67.44.70.30, fax 04.67.44.76.54, frederic.jordy@orange.fr t.l.j. sf dim. 9h-19h

CH. DES KARANTES La Clape 2010 ★★

■ 20 000 🛢 15 à 20 €

L'Américain Walter Knysz, propriétaire de ce domaine niché dans une combe face à la Méditerranée, a su s'entourer d'hommes de talent qui ciselent les vins comme de vrais bijoux. On se souvient notamment d'un coup de cœur pour un 2008. Cette cuvée 2010, presque noire, a aussi de beaux arguments à faire valoir. Les arômes explosent dès que l'on s'approche : fruits noirs, notes mentholées et clou de girofle se conjuguent pour masquer les quelques touches boisées de l'élevage. La bouche impressionne par sa puissance, son gras, son boisé harmonieux et sa finale empreinte de douceur. À attendre trois à cinq ans sans crainte. Deux étoiles aussi reviennent au **2009 rouge Diamant (30 à 50 € ; 900 b.)** qui réserve d'intenses sensations fruitées, boisées et épicées, et séduit par son équilibre entre générosité et fraîcheur.

Ch. des Karantes, Dom. de Karantes-le-Haut, 11100 Narbonne-Plage, tél. 04.68.43.61.70, fax 04.68.32.14.58, chateaudeskarantes@karantes.com
t.l.j. sf dim. lun. 10h-12h 14h-17h
Knysz

CH. DE LANCYRE Pic Saint-Loup Madame 2009 ★

■ 3 500 20 à 30 €

À la tête du domaine familial depuis 2001, Régis Valentin conduit 40 ha de vignes plantés sur un beau terroir de calcaires durs et d'argiles rouges. Cette Madame, du nom de la petite parcelle d'1,5 ha qui l'a vue naître, fait la part belle à la syrah (90 %), le grenache en complément. Elle revêt une élégante robe rouge soutenu aux reflets violets et dévoile d'intenses et complexes parfums de petits fruits rouges, d'épices douces, de cuir et de réglisse. En bouche, elle se révèle riche, ample, charnue, persistante. Un vin harmonieux, malgré une petite pointe de sévérité en finale qui appelle une garde de deux ou trois ans.

SCEA Ch. de Lancyre, Lancyre, 34270 Valflaunès, tél. 04.67.55.32.74, fax 04.67.55.23.84, contact@chateaudelancyre.com
t.l.j. sf dim. 10h-12h30 14h30-18h30
Durand-Valentin

CH. DE LASCAUX Classique 2011 ★★

■ 40 000 5 à 8 €

Jean-Benoît Cavalier, agronome de formation, a relancé le domaine familial au milieu des années 1980, marchant dans les pas de plus de dix générations de vignerons. Sa cuvée Classique, assemblage de syrah, de grenache et de mourvèdre, présente un nez de petits fruits rouges, d'épices douces et de menthe, suivi d'une bouche complexe, charnue, douce et harmonieuse. On peut d'ores et déjà l'apprécier, ou l'attendre deux ou trois ans. Connu pour ses blancs racés, le domaine est également récompensé d'une étoile pour sa cuvée **2010 blanc Pierres d'argent (15 à 20 € ; 5 000 b.)**, élevée en partie en fût, aux notes beurrées et au boisé délicat, et dont la bouche très suave rappelle l'encaustique et la marmelade. À servir, aujourd'hui ou dans un an ou deux, sur un bar grillé ou sur un carré de veau.

Jean-Benoît Cavalier, pl. de l'Église, 34270 Vacquières, tél. 04.67.59.00.08, fax 04.67.59.06.06, info@chateau-lascaux.com
t.l.j. sf sam. dim. 10h-12h 14h-18h

CH. DE LASCOURS Pic Saint-Loup Nobilis 2010 ★★

■ 35 000 5 à 8 €

Claude Arles s'apprête à passer le flambeau à sa fille Lise qui, tout en terminant ses études, participe activement à l'élaboration des vins et met en place un « packaging » plus moderne. Une belle étiquette orne en effet cette cuvée à dominante de syrah (grenache et mourvèdre en appoint), mais c'est « nue » que les dégustateurs ont découvert cette dernière. Ils ont aimé son nez soutenu de réglisse, de petits fruits rouges et de violette, ainsi que sa bouche d'une agréable fraîcheur minérale et d'une grande finesse, qui persiste longuement sur des notes de garrigue et d'épices douces. Parfait pour une cuisine de caractère, comme un salmis de pigeon, une épaule d'agneau farci ou une pastilla de canard.

Claude Arles, Ch. de Lascours, 34270 Sauteyrargues, tél. et fax 04.67.59.00.58, domaine.de.lascours@wanadoo.fr
r.-v.

LATITUDE 44 2010

■ 3 400 🛢 11 à 15 €

Depuis 1993, Gilles Louvet commercialise des vins issus de l'agriculture biologique de plusieurs AOC du Sud de la France. Ce languedoc a séjourné dix-huit mois en fût et ne le cache pas, offrant derrière ses parfums d'épices et de fruits confits, d'intenses mais élégantes notes vanillées. Rond à l'attaque, il se prolonge sur des tanins solides et un boisé bien présent, qui incitent à attendre deux à trois ans avant d'ouvrir cette bouteille sur un civet de lièvre.

Vignobles Gilles Louvet, 30, rue Ernerst-Cognacq, ZA Bonne-Source, 11100 Narbonne, tél. 04.68.90.12.80, fax 04.68.65.00.18, contact@gilleslouvet.com

CH. DES LAURIERS 2011 ★

6 000 5 à 8 €

Cet habitué du Guide avec ses blancs revient cette année avec un languedoc issu à parts égales de vermentino et de piquepoul. Derrière sa robe aux reflets verts, ce 2011 déploie un nez plein d'éclat qui tend vers l'acacia, les agrumes et la verveine. Rond, gras, sans manquer de fraîcheur, persistant sur les agrumes, il peut être servi dès aujourd'hui sur des gambas flambées.

Dom. des Lauriers, 15, rte de Pézenas, 34120 Castelnau-de-Guers, tél. 04.67.98.18.20, fax 04.67.98.96.49, marccabrol@domaine-des-lauriers.com
r.-v.
Marc Cabrol

L'ORANGERIE DE LUC 2011

■ 100 000 ▮ 5 à 8 €

L'orangerie est située dans le parc du château de Luc, au cœur du village de Luc-sur-Orbieu, dans l'Aude. La famille Fabre, propriétaire des lieux depuis 1605 et quatorze générations, propose ici un languedoc jeune mais déjà agréable et charmeur par son fruité prononcé, par sa bouche fondue et gourmande, et sa finale épicée. Un vin élégant, qui accompagnera dès maintenant ou dans deux ans des grillades aux sarments de vigne.

Famille Fabre, Ch. de Luc, 1, rue du Château, 11200 Luc-sur-Orbieu, tél. 04.68.27.10.80, fax 04.68.27.38.19, bernard@famille-fabre.com
t.l.j. 9h-12h 14h-18h; sam. dim. sur r.-v. 4

DOM. MAGELLAN Pézenas 2010 ★★

■ 12 000 11 à 15 €

Quand un bourguignon devient « sudiste » en comprenant la spécificité des vins méditerranéens et en pariant sur l'assemblage des cépages et des terroirs (grès et terrasses graveleuses pour ces syrah et grenache), le résultat ne se fait pas attendre. Ainsi, pour ce troisième millésime en appellation, Bruno Lafon et Sylvie Legros font une entrée remarquée avec un vin intense, puissant dans sa robe d'un pourpre presque noir. La palette aromatique est le reflet de la garrigue environnante, complétée de cerise à l'eau-de-vie. La bouche sait conjuguer la concentration et la fraîcheur, la rondeur et la présence de tanins de belle facture. Si on peut le servir dès à présent sur une côte de bœuf, c'est encore un vin en devenir qui peut être gardé jusqu'en 2014 ou 2015.

Dom. Magellan, 467, av. de la Gare, 34480 Magalas, tél. 04.67.36.20.83, fax 04.67.36.61.98, contact@domainemagellan.com
t.l.j. sf sam. dim. 9h-12h 13h30-17h

CH. MANDAGOT Montpeyroux Tradition 2010

■ 40 000 5 à 8 €

La famille Vallat propose un vin charmeur, au profil méditerranéen typique, que l'on aura plaisir à déguster dans des occasions simples. Sa couleur est d'un pourpre intense, et on y reconnaît très rapidement au nez comme en bouche les fruits noirs et les épices. Avec un élevage d'un an en fût, la bouche s'est arrondie, la finesse s'est affirmée. La matière laisse augurer d'un certain potentiel de garde (trois à quatre ans), mais il n'est nul besoin d'attendre.

Jean-François Vallat, Dom. les Thérons, 34150 Montpeyroux, tél. 04.67.96.64.06, fax 04.67.96.67.63, contact@vallat-languedoc.com r.-v.

CH. DE MARMORIÈRES La Clape Les Amandiers 2010 ★

■ 50 000 ▮ 8 à 11 €

Ce domaine, le plus grand de La Clape avec ses 120 ha, réussit un beau millésime 2010 avec deux vins qui décrochent une étoile chacun. Celui-ci dévoile un nez complexe et fin : cerise, fraise, gingembre, poivre noir, puis une bouche fondue et fraîche à la fois, soutenue par des tanins soyeux. À boire dans les deux ans à venir. Le **2010 rouge La Clape Marquis de Raymond (11 à 15 €; 10 000 b.)** élevé avec discrétion en fût, évoque la framboise, le sirop de grenadine et les épices. La matière est là, ronde et fruitée, l'équilibre aussi et la finale vive étire bien l'ensemble.

SCEA Ch. de Marmorières, Ch. de Marmorières, 11110 Vinassan, tél. 04.68.45.23.64, fax 04.68.45.59.39, marmorieres@orange.fr t.l.j. sf dim. 13h-18h

CH. PAUL MAS Clos des Mûres
Élevé en fût de chêne 2010 ★

■ 60 000 11 à 15 €

Ce vignoble, conduit en agriculture raisonnée, est situé sur un terroir argilo-marno-calcaire, contenant des coquilles d'huîtres fossiles. Jean-Claude Mas a travaillé dans le respect de sa philosophie qui recherche l'alliance du terroir et de la tradition à la modernité et l'innovation. Cet assemblage, où la syrah domine aux côtés du grenache et d'une pointe de mourvèdre, dense et d'un beau grenat, offre une palette riche de fruits noirs et de garrigue, mêlés aux notes boisées de l'élevage. La structure intéressante est encore ferme mais la finale gourmande invite à découvrir ce vin dès la sortie du Guide.

Domaines Paul Mas, Dom. Nicole, rte de Villeveyrac, 34530 Montagnac, tél. 04.67.90.16.10, fax 04.67.98.00.60, info@paulmas.com t.l.j. sf dim. 10h-12h 13h30-17h30 (ven. 16h30); en juil.-août 10h-19h

MAS BRUGUIÈRE Pic Saint-Loup L'Arbouse 2010 ★★

■ 55 000 ▮ 11 à 15 €

Xavier Bruguière représente la septième génération de vignerons à la tête du Mas Bruguière et perpétue avec talent le travail entrepris par son père Guilhem. Il produit, selon les principes de l'agriculture biologique (conversion officielle en cours), des vins racés et typés qui fréquentent assidûment ces pages, souvent en bonne place. Sa cuvée L'Arbouse, née de syrah et de grenache à parts quasi égales, se pare d'une robe intense et profonde, et livre un bouquet séduisant de fruits noirs, de garrigue, de réglisse et de violette. Le charme continue d'opérer dans un palais dense, ample et généreux, bâti autour de savoureux tanins veloutés. Ce vin déjà fort plaisant dévoilera tout son potentiel après quatre à six ans de garde, en compagnie d'un pigeon rôti ou d'un gigot d'agneau à la fleur de thym.

Mas Bruguière, La Plaine, 34270 Valflaunès, tél. et fax 04.67.55.20.97, xavier.bruguiere@wanadoo.fr
t.l.j. sf mer. dim. 10h-12h 14h-18h

MAS BRUNET Cuvée Tradition
Élevé en fût de chêne 2010 ★

□ 13 000 11 à 15 €

Voici une cuvée bien connue des lecteurs du Guide. Le terroir du Causse de la Selle, l'un des plus septentrionaux de l'appellation, donne aux vins blancs finesse et fraîcheur. Ce 2010 se situe bien dans ce profil avec ses notes florales, citronnées et grillées, sa plénitude au palais et sa belle persistance aromatique. Les touches apportées par l'élevage en fût sont déjà fondues. Un vin à servir sur un émincé de pageot au safran et à la crème.

GAEC du Dom. de Brunet, rte de Saint-Jean-de-Buèges, 34380 Causse-de-la-Selle, tél. 04.67.73.10.57, fax 04.67.73.12.89, contac@domainedebrunet.com
t.l.j. 9h30-12h 15h30-19h; dim. 15h30-19h 2
Coulet

LE MAS DE BERTRAND Saint-Saturnin 2009

■ 3 000 11 à 15 €

Sur le terroir argilo-calcaire de Saint-Saturnin, les quatre cépages qui composent cette cuvée sont de vieilles vignes conduites en agriculture biologique. À l'issue d'un

LANGUEDOC

long élevage en fût, la robe rubis reste sur des tons de jeunesse. Le nez est subtil, doux mélange de fruits rouges bien mûrs et de notes boisées. La bouche, dans la même veine, dévoile de la sucrosité, des tanins de qualité et un caractère gourmand. Elle devrait être à son apogée d'ici deux ans.

Bertrand, Malavieille, 34800 Mérifons, tél. 04.67.96.34.67, fax 04.67.96.32.21, domainemalavieille.merifons@wanadoo.fr
r.-v.

MAS DE FIGUIER Pic Saint-Loup Joseph 2010 ★

6 000 | 11 à 15 €

Sur les traces de son grand-père, qui a acheté le domaine en 1920, Gilles Pagès représente la quatrième génération de vignerons au Mas de Figuier. En attendant le millésime 2012 pour voir les étiquettes ornées du logo AB, voici un 2010 de belle facture, paré d'une élégante robe pourpre. Au nez finement bouqueté, sur les fruits mûrs, les épices douces, la réglisse et la garrigue, fait écho un palais à la texture soyeuse et fraîche, long et équilibré. À découvrir dans un an ou deux, cette bouteille est aussi armée pour une plus longue garde.

Gilles Pagès, Mas de Figuier, 34270 Vacquières, tél. et fax 04.67.59.00.29, pagesgi@wanadoo.fr
r.-v.

MAS DE FOURNEL Pic Saint-Loup Tradition 2010 ★

11 000 | 8 à 11 €

Ce domaine, régulièrement présent dans ce chapitre, propose avec cette cuvée Tradition une trilogie classique syrah (60 %), grenache et mourvèdre. Un vin au caractère méridional comme il se doit avec ses parfums intenses de garrigue, d'épices douces, de sous-bois, de champignon et de cuir. On retrouve ces accents « chantants » dans une bouche dense, persistante, aux tanins serrés, qui s'étire dans une jolie finale poivrée. Un vin qui s'associera volontiers, dans trois ou quatre ans, avec un rôti de sanglier ou un coq au vin. Le **2010 rouge Pic Saint-Loup Nombre d'argent (20 à 30 € ; 2 500 b.)**, à dominante de mourvèdre, obtient également une étoile pour son bouquet typé de réglisse, de cuir, de cacao et de truffe, et pour sa matière généreuse, épaulée par de solides tanins, gages d'une bonne capacité de vieillissement.

SCEA Mas de Fournel, 34270 Valflaunès, tél. 04.67.55.22.12, fax 04.67.55.70.43, masdefournel@free.fr
t.l.j. 9h-12h 14h-19h; dim. sur r.-v.
Gérard Jeanjean

MAS DE LA BARBEN Les Sabines 2009 ★

10 000 | 11 à 15 €

Établi au nord-ouest de Nîmes sur un plateau argilo-calcaire à 200 m d'altitude, ce domaine est depuis 1999 la propriété de la famille Hermann, qui l'a entièrement rénové, de la cave au vignoble. Majoritairement issue de syrah, complétée de grenache, cette cuvée partiellement élevée en fût offre une robe sombre et un nez bien typé de tapenade, de fruits noirs, de garrigue et d'épices douces. La bouche, à l'unisson, se révèle ample et généreuse, les tanins fondus et soyeux, et la finale d'une remarquable persistance. À boire au cours de trois ou quatre prochaines années, sur une viande en sauce.

Mas de la Barben, rte de Sauve, 30900 Nîmes, tél. 04.66.81.15.88, fax 04.66.63.80.43, masdelabarben@wanadoo.fr
t.l.j. sf dim. 10h-12h 14h-18h
Hermann

MAS DE LA SERANNE Terrasses du Larzac Antonin et Louis 2009 ★★

7 000 | 15 à 20 €

Jean-Pierre Venture est l'une des figures emblématiques du très réputé terroir d'Aniane, et produit des vins d'une grande régularité, témoins les nombreuses sélections dans ces pages. Cette cuvée, élevée un an en fût, est un hommage aux ancêtres de la famille, et traduit toute la complexité de l'assemblage de la syrah, du mourvèdre et du carignan. D'un grenat profond aux reflets pourpres, elle offre un nez intense de fruits rouges mûrs, de poivre et de réglisse soulignés par une élégante note boisée. La bouche se révèle ample, soyeuse et fraîche, et promet une belle évolution d'au moins cinq ans. Le **2009 rouge Terrasses du Larzac Clos des Immortelles (11 à 15 € ; 11 000 b.)** décroche également deux étoiles pour son nez expressif de fruits rouges, de poivre noir et de garrigue, son palais ample, soutenu par une trame tannique fine et harmonieuse. Une étoile revient au **2011 rosé Sous les Micocouliers (5 à 8 € ; 8 000 b.)** pour son fruité explosif, sa gourmandise et sa rondeur.

Venture, Mas de la Seranne, rte de Puéchabon, 34150 Aniane, tél. et fax 04.67.57.37.99, mas.seranne@wanadoo.fr
t.l.j. sf dim. 10h-12h 15h-19h

MAS DE LUNÈS 2010

50 000 | 5 à 8 €

Au cœur d'un écrin de garrigue d'un millier d'hectares, la syrah et le grenache noir qui composent cette cuvée sont plantés sur un terroir d'argiles à galets, en conversion bio. La robe grenat aux reflets violacés témoigne de la jeunesse de ce vin, comme sa structure qui, après un élevage de dix-huit mois dont douze en fût, est encore ferme, et s'arrondira d'ici deux à trois ans. Les arômes s'articulent autour des épices douces, que complètent quelques touches de violette et de cassis.

SARL Mas de Lunès, BP 1, 34725 Saint-Félix-de-Lodez, tél. 04.67.88.80.00, fax 04.67.96.65.67, elise.bellot@jeanjean.fr
Jeanjean

MAS DE MARTIN Grès de Montpellier Cuvée Cinarca 2010

6 000 | 11 à 15 €

Le Mas de Martin, îlot viticole au milieu de la garrigue et des bois de pins, est un havre de paix datant du XII[e]s., ancienne dépendance de l'abbaye Saint-Germain. Avec sa cuvée Cinarca, Christian Mocci a atteint son objectif de proposer un vin déjà accessible au bout de quatorze mois d'élevage en fût. La robe est pourpre, le nez, timide, gagne à l'aération ses galons fruités et grillés. Tabac et cuir complètent cette gamme en bouche dans un équilibre sur la rondeur, avec une structure déjà affinée.

Christian Mocci, Mas de Martin, rte de Carnas, 34160 Saint-Bauzille-de-Montmel, tél. et fax 04.67.86.98.82, masdemartin@wanadoo.fr t.l.j. 9h-12h 14h-19h

MAS DES BROUSSES Terrasses du Larzac 2010 ★

n.c. | 15 à 20 €

Géraldine Combes et Xavier Peyraud conjuguent leur talent pour élaborer ce Mas des Brousses, issu des cépages syrah et mourvèdre du fameux terroir d'éboulis argilo-calcaire de Puéchabon. Avec toujours la même ligne directrice, à savoir l'élégance, la finesse. La robe est grenat, limpide, le nez discret de prime abord gagne à l'aération de la complexité (fruits rouges, vanille). La concentration en bouche est présente sans excès, teintée d'une pointe de fraîcheur qui met en valeur des arômes d'épices douces, de réglisse et de café d'une grande persistance. À attendre deux ans.

Combes-Peyraud, 2, chem. du Bois, 34150 Puéchabon, tél. 04.67.57.33.75, geraldine.combes@wanadoo.fr
r.-v.

MAS DES CHIMÈRES Terrasses du Larzac Nuit Grave 2010 ★

20 000 | 8 à 11 €

À partir du millésime 2011, Guilhem Dardé produira ses vins en agriculture biologique. En attendant le logo AB sur l'étiquette, découvrons cette cuvée, issue de syrah, de grenache et de mourvèdre, à la robe pourpre et au nez expressif de petits fruits rouges et de réglisse. La bouche se révèle ronde, suave et élégante, équilibrée par une jolie fraîcheur. Une bouteille qui demande une cuisine méridionale et goûteuse, comme un carré d'agneau grillé aux herbes ou, après quelques années d'élevage, un civet de lapin.

Mas des Chimères, La Vialle, 34800 Octon, tél. 04.67.96.22.70, mas.des.chimeres@wanadoo.fr
r.-v.
Darde

MAS DU NOVI Grès de Montpellier Prestigi 2009 ★★

73 200 | 8 à 11 €

Pour le millésime 2009 en Grès de Montpellier, le Mas du Novi réussit un joli doublé avec deux vins jugés remarquables. Les bouteilles de la cuvée **N de Novi 2009 (30 à 50 €; 2 000 b.)** gagneront à être oubliées en cave quelques années. En écho à la garrigue environnante, le nez décline un florilège de senteurs de ciste, de thym, de menthe fraîche... Le poivre et le chocolat se rajoutent en bouche à des tanins puissants et à un volume chaleureux. Mais c'est la cuvée Prestigi qui séduit dès à présent dans sa robe pourpre presque noire. Elle aussi dotée d'un joli potentiel de garde (deux à trois ans au bas mot), et est appréciée pour sa présence. Son nez tonique, sur les fruits noirs et le poivre, annonce une personnalité qui s'affirme en bouche : de l'ampleur, des sensations fruitées et épicées harmonieuses, une structure affinée par douze mois de fût.

Saint-Jean du Noviciat, Mas du Novi, rte de Villeveyrac, 34530 Montagnac, tél. et fax 04.67.24.07.32, saint-jean-du-noviciat@orange.fr t.l.j. 10h-19h
Famille Palu

MAS DU SOLEILLA La Clape Les Chailles 2010

21 000 | 11 à 15 €

À la tête de ce domaine depuis dix ans, Peter Wildbolz a été séduit par la typicité du terroir de La Clape et par son cadre à la fois sauvage et romantique. Issu en majorité de vieux ceps de grenache, accompagnés de syrah, ce 2010 en robe légère plaît par son fruité soutenu (mûre, cerise, grenadine), relevé par une touche de poivre et par sa bouche soyeuse et charnue. Il accompagnera dès aujourd'hui un large choix de tapas.

Mas du Soleilla, rte de Narbonne-Plage, 11100 Narbonne, tél. 04.68.45.24.80, fax 04.68.45.25.32, vins@mas-du-soleilla.com r.-v.
Wildbolz

MAS FABREGOUS Sentier botanique blanc 2010

4 800 | 11 à 15 €

Ce vignoble est situé le long du sentier botanique de Soubès, à 400 m d'altitude en direction du cirque de Navacelles. Quatre cépages se complètent harmonieusement dans ce vin nuancé de reflets verts, aux arômes fins et charmeurs de fleurs et d'anis d'une aimable rondeur en bouche. Pourquoi pas sur un gratin d'écrevisses ?

Philippe Gros, Mas Fabregous, chem. d'Aubaygues, 34700 Soubès, tél. 04.67.44.31.75, masfabregous@free.fr
r.-v.

MAS GOURDOU Pic Saint-Loup Joseph Onésime 2010

4 500 | 8 à 11 €

Ce domaine, propriété de la famille de Jocelyne Thérond depuis la Révolution française, étend ses 16 ha de vignes sur les communes de Valflaunès, Sauteyrargues et Vacquières. Il propose ici une cuvée à dominante de syrah (70 %), complétée de grenache, qui livre des parfums complexes d'épices (poivre), de moka et de fruits rouges. Après une attaque franche, la bouche dévoile de jolies notes de garrigue, et s'appuie sur une solide charpente de tanins serrés, et même un peu austères en finale. À garder deux ou trois ans pour plus de fondu.

Jocelyne Thérond, Mas de Gourdou, 34270 Valflaunès, tél. et fax 04.67.55.30.45, jtherond@masgourdou.com
t.l.j. sf dim. 18h-20h; sam. 10h-12h 16h-20h

MAS GRANIER Camp de l'Oste 2010 ★

2 500 | 11 à 15 €

Camp de l'Oste signifie « champ de l'invité » en occitan, nom du tènement d'où provient cette cuvée. Cernées par la garrigue, les vignes de syrah, de mourvèdre et de grenache se complètent pour exprimer la typicité de ce terroir de Sommières. Paré d'une robe sombre, ce 2010 affiche sa jeunesse dès le premier nez avec ses notes vanillées et grillées se profilant derrière celles de garrigue et de fruits confits. Sa matière ronde et charnue, son gras et sa délicate fraîcheur laissent penser que ce vin s'épanouira d'ici trois à cinq ans, quand l'effet de l'élevage en fût se sera atténué.

Mas Granier, Mas Montel, Cidex 1110, 30250 Aspères, tél. 04.66.80.01.21, fax 04.66.80.01.87, montel@wanadoo.fr
t.l.j. sf dim. 9h-12h30 14h-19h

MAS PEYROLLE Pic Saint-Loup Esprit 2010 ★

8 000 | 8 à 11 €

Jean-Baptiste Peyrolle, issu d'une longue lignée de vignerons, a réaménagé la cave de son arrière grand-père à partir de 2002, et conduit aujourd'hui un vignoble de 6,43 ha, en cours de conversion bio (certification prévue pour 2012). Élevée quatorze mois en fût, cette cuvée offre un nez plaisant qui mêle les fruits rouges aux senteurs de garrigue, que confirme une bouche très gourmande, fraîche, veloutée et persistante. Un vin déjà très agréable, mais qui pourra aussi se bonifier durant les trois ou quatre prochaines années.

Mas Peyrolle, 5, rte de Brestalou, 34270 Vacquières, tél. 06.12.29.53.91, fax 04.67.55.99.50, jbpeyrolle@yahoo.fr
r.-v.

PAUL MAURY La Clape Le Diable au corps 2009 ★

623 | 15 à 20 €

Issu d'une famille cultivant la vigne depuis cinq générations, Paul Maury a acquis en 2002 un petit vignoble de 6 ha et créé sa propre cave en 2008. Voici donc sa deuxième mise en bouteilles avec ce 2009 très confidentiel, derrière lequel se cache un terroir argilo-sableux très caillouteux et le mourvèdre, majoritaire ici. Les fruits noirs, le moka, la cannelle et le poivre composent un bouquet complexe et intense. La bouche se fait gourmande, dense et soyeuse, équilibrée par une pointe de fraîcheur. À déguster dans les trois ou quatre ans à venir sur un magret de canard grillé aux sarments.

Paul Maury - GFA des Coteaux de Pérignan,
62, av. de Fleury, 11110 Salles-d'Aude, tél. 06.15.08.54.07,
contact@domaine-maury.com r.-v.

CH. MIRE L'ÉTANG La Clape Réserve du château 2009 ★★★

	4 400		15 à 20 €

Un domaine de référence, coup de cœur avec deux millésimes successifs. Aucun hasard dans cela, mais le talent du vigneron qui s'adapte à son terroir caillouteux étalé en terrasses et caressé par les brises marines. Les ceps de syrah, de grenache et de mourvèdre se plaisent ici et se conjuguent pour exprimer le *genius loci* (le génie du lieu). La robe pourpre profond de ce 2009 laisse présager la richesse d'un bouquet qui marie avec éclat olive noire, gelée de groseille, notes toatées et vanille en gousse. Tout au long de la dégustation, les jurés sont restés admiratifs devant l'opulence, le charnu et la puissance domptée en bouche. Aujourd'hui ou dans cinq ans, un régal assuré.

Ch. Mire l'Étang, 11560 Fleury-d'Aude,
tél. 04.68.33.62.84, fax 04.68.33.99.30,
mireletang@wanadoo.fr t.l.j. sf dim. 9h-12h 15h-19h

CH. DES MONGES La Clape Réserve de l'abbaye Élevé en fût de chêne 2009 ★

	4 000		8 à 11 €

En 1202 fut fondée sur ce lieu une abbaye cistercienne tenue par des Bernardines, dont il reste encore l'église classée Monument historique. Cette cuvée à la robe sombre et brillante est classée, elle, « très réussie » par les dégustateurs du Guide. Elle s'exprime sans timidité à travers des senteurs de garrigue, de fruits noirs confits et de sous-bois. L'ampleur en bouche se conjugue avec une solide structure. À ouvrir aujourd'hui ou dans deux ans, sur une côte à l'os.

Paul de Chefdebien,
Ch. Abbaye des Monges, rte de Gruissan, 11100 Narbonne,
tél. 04.68.32.26.61, fax 04.68.65.39.03,
info@abbaye-des-monges.com t.l.j. 9h-19h

DOM. MONPLÉZY Pézenas Plaisirs 2010 ★

	24 000		5 à 8 €

Anne Sutra de Germa livre cette cuvée de pure convivialité, bien nommée, issue d'un assemblage de syrah, de grenache, de carignan et de cinsault à parts égales. Dès le premier nez, vous savez que vous êtes dans un univers gourmand de cassis, de baies rouges, avec un soupçon de pruneau. L'œil se perd dans les reflets d'un pourpre franc et la bouche « croque » dans ce même fruit. Du gras, de la fraîcheur et des tanins qui portent loin la finale : ce vin harmonieux est prêt à boire sur un gigot d'agneau aux herbes ou un magret de canard aux airelles. À noter : ce domaine verra sa conversion biologique actée en 2013.

Anne Sutra de Germa et Christian Gil,
Dom. de Monplézy, chem. Mère-des-Fontaines,
34120 Pézenas, tél. 04.67.98.27.81, fax 04.67.01.47.44,
domainemonplezy@orange.fr r.-v.

LES VIGNOBLES MONTAGNAC Picpoul-de-Pinet M 2011 ★

	50 000		- de 5 €

Issu de parcelles situées au pied des collines du nord de l'appellation, ce « M » se présente sous une robe très pâle, aux reflets presque argentés. Le nez intense évoque les amandiers en fleurs et les agrumes. L'attaque franche dévoile une bouche aromatique, bâtie sur la fraîcheur. Pour un plateau de coquillages de l'étang de Thau ou même un pélardon demi-sec.

Les Vignobles Montagnac, 15, av. d'Aumes,
34530 Montagnac, tél. 04.67.24.03.74, fax 04.67.24.14.78,
cooperative.montagnac@wanadoo.fr
t.l.j. sf dim. 9h30-12h 15h30-18h; sam. 9h30-12h

DOM. MORIN-LANGARAN Picpoul-de-Pinet 2011 ★

	26 000		- de 5 €

On reconnaît la « patte » d'Albert Morin, qui signe des picpouls citronnés, dans ce millésime 2011. Bien dans l'appellation, cette cuvée fraîche et pimpante affiche un nez fin d'agrumes et de fruits exotiques. Le palais dans le même registre, à la fois friand et vif, s'étire longuement en finale, soutenu par une élégante pointe de minéralité. Idéal pour accompagner un poisson grillé.

Albert Morin, Dom. Morin-Langaran,
rte de Marseillan, 34140 Mèze,
tél. 04.67.43.71.76, fax 04.67.43.77.24,
domainemorin-langaran@wanadoo.fr
t.l.j. 10h-18h (19h en été); f. dim. jan.-fév.

CH. DES MOUCHÈRES Pic Saint-Loup Cuvée Centaurées 2010 ★

	4 000		8 à 11 €

Après un an passé en barrique, ce vin à dominante de syrah se présente vêtu d'une robe soutenue et profonde. Elle dévoile un nez complexe et puissant d'épices, de garrigue, de cuir et de réglisse, relayé par une bouche dense et ample, adossée à des tanins serrés mais soyeux. Si elle offre déjà beaucoup d'équilibre, elle n'en sera que meilleure après trois à cinq ans de garde, lorsque la note boisée encore sensible en finale sera patinée. Elle fera alors merveille sur un canard rôti, un civet de porcelet ou une épaule d'agneau braisée.

Teissèdre, hameau de la Vieille,
34270 Saint-Mathieu-de-Tréviers, tél. 04.67.55.20.17,
fax 04.67.34.04.39, contact@chateaudesmoucheres.com
t.l.j. sf dim. 12h-19h

CH. MOYAU La Clape 2011 ★

	9 000		5 à 8 €

Racheté et rénové en 2004 par la famille Köhler, le vignoble du château Moyau s'étend sur 25 ha de vignes. Il jouit d'une vue imprenable sur la mer Méditerranée et propose quatre gîtes ruraux haut de gamme, qui permettent de profiter de la région tout en découvrant les vins du domaine. Dans cette cuvée, le grenache majoritaire est complété de cinsault, et donne un nez de petits fruits rouges bien mûrs que confirme une bouche à la fois fraîche, ronde et élégante. Que diriez-vous d'un tajine de poulet ?

Ch. Moyau, rte des Étangs, 11560 Saint-Pierre-la-Mer, tél. 04.68.45.68.83, fax 04.68.33.62.48, info@moyau.com
t.l.j. sf sam. dim. 9h-17h
B. Köhler

CH. LA NÉGLY La Clape La Falaise 2010 ★

	30 500		15 à 20 €

Le vignoble de la Négly s'abrite derrière une falaise et bénéficie des brises marines estivales qui contribuent à une bonne maturation des raisins. Une robe à reflets violacés habille ce vin élégamment boisé, qui affirme sa personalité à travers des arômes de garrigue et de fruits mûrs. Une belle harmonie règne en bouche grâce à sa suavité, ses tanins fins et son agréable fraîcheur. S'il est déjà appréciable, ce 2010 devrait atteindre son apogée d'ici deux ou trois ans.

Ch. la Négly, Dom. de la Négly, 11560 Fleury-d'Aude, tél. 04.68.32.41.50, fax 04.68.32.10.69, lanegly@wanadoo.fr
t.l.j. sf sam. dim. 9h30-12h 14h-17h

CH. NOTRE-DAME DU QUATOURZE Quatourze 2011

	130 000		5 à 8 €

Le vignoble de Quatourze, situé aux portes de Narbonne, est un terroir historique de l'appellation coteaux-du-languedoc. Il bénéficie d'un microclimat induit par la tramontane, un vent sec qui souffle de l'intérieur des terres, et par des brises maritimes dues à la proximité de l'étang de Bages. Majoritairement à base de syrah, ce vin au nez subtil exprime des parfums floraux qui rappellent la rose, et dévoile une bouche équilibrée, à la fois fraîche et suave. À boire avec des tapas et des grillades.

SCEA des Dom. Georges Ortola, Ch. Notre-Dame du Quatourze, 11100 Narbonne, tél. 06.74.78.69.07, georges@ortola.fr r.-v.

DOM. LE NOUVEAU MONDE Tradition 2009 ★

	4 000		5 à 8 €

Ce vignoble de Vendres, implanté sur des galets villafranchiens, bénéficie des brises marines qui tempèrent les excès de chaleur estivaux, ce qui permet une maturation optimale des raisins. Témoin, ce 2009 très réussi. Ses arguments ? Une robe pourpre sombre, d'agréables effluves de cade, d'épices, de café et de fruits compotés, une matière dense, soyeuse et enrobée, et une jolie finale qui évoque un bâton de réglisse. Un vin déjà harmonieux, prêt pour un gigot d'agneau à l'ail.

Famille Borras-Gauch, Dom. le Nouveau Monde, 34350 Vendres, tél. 04.67.37.33.68, fax 04.67.37.58.15, domaine-lenouveaumonde@wanadoo.fr r.-v.

L'ORMARINE Picpoul-de-Pinet Duc de Morny 2011 ★★

	120 000		- de 5 €

Ce classique de l'appellation, dans sa robe jaune pâle aux légers reflets verts, a déclenché l'enthousiasme du jury par son bouquet puissant et complexe de poire, de fruits exotiques, d'agrumes et de notes mentholées. Ces arômes, rehaussés par une note minérale, trouvent un écho très plaisant dans un palais frais et rond, d'une exceptionnelle longueur. Idéal bien sûr pour accompagner les produits de la mer, soupes et fricassées de poissons. La **cuvée Prestige (5 à 8 € ; 30 000 b.)** reçoit une étoile pour son équilibre, sa fraîcheur et son élégance.

Cave de l'Ormarine, 13, av. du Picpoul, 34850 Pinet, tél. 04.67.77.03.10, fax 04.67.77.76.23, caveormarine@wanadoo.fr r.-v.

DOM. DU PAS DE L'ESCALETTE
Terrasses du Larzac 2010 ★

	1 800		15 à 20 €

Venus du centre de la France, Julien Zernott et Delphine Rousseau se sont installés en 2003 en rachetant un domaine existant. Un vrai coup de cœur pour ces paysages sauvages et grandioses, pour ce terroir frais qui permet de produire des vins complexes et d'une grande finesse. Élevée quatorze mois en cuve, cette cuvée est née du cinsault, du grenache et du carignan. Drapée dans une robe violacée, elle livre un bouquet intense de poivre noir, de réglisse, de fraise et de mûre, et se révèle souple, ample et complexe en bouche, adossée à de fins tanins et portée en finale par une élégante fraîcheur mentholée. À découvrir dans deux ou trois ans, sur un filet de chevreuil sauce madère.

Dom. du Pas de l'Escalette, Le Champ-de-Peyrottes, 34700 Poujols, tél. 04.67.96.13.42, fax 09.70.62.26.61, contact@pasdelescalette.com
t.l.j. sf lun. ven. 9h-12h
Zernott

CH. PECH-CÉLEYRAN
La Clape Cinquième génération 2011 ★★

	12 000		5 à 8 €

Ce château, un fidèle du Guide, se transmet dans la famille Saint-Exupéry depuis cinq générations. Ce 2011 marie le bourboulenc, cépage de référence dans La Clape, à la marsanne, la roussanne et le grenache blanc. Il offre une belle entrée en scène avec sa robe dorée brillante, ses arômes d'agrumes et d'acacia agrémentés d'une élégante minéralité. Rondeur, fraîcheur et persistance caractérisent une bouche dynamique. Un vin équilibré, qui fera honneur à une bouillabaisse.

Jacques de Saint-Exupéry, Ch. Pech-Céleyran, 11110 Salles-d'Aude, tél. 04.68.33.50.04, fax 04.68.33.36.12, desaint-exupery@pech-celeyran.com
r.-v.

CH. PECH-REDON La Clape L'Épervier 2010 ★

	n.c.		11 à 15 €

Une route sinueuse mène au point culminant du massif de La Clape, le Coffre de Pech-Redon, qui donne son nom au domaine : un petit paradis au sein de ce parc naturel, site classé. Ce 2010 aux reflets violacés de jeunesse mêle dans des proportions similaires grenache, syrah, carignan et mourvèdre. Le nez n'est pas sans évoquer le terroir, avec ses notes balsamiques et ses senteurs de laurier. On apprécie son gras, sa délicate sucrosité et la finesse de ses tanins serrés dans une bouche encore fougueuse, qui aura besoin de temps pour se fondre. Dans trois à cinq ans, cette bouteille accompagnera volontiers une viande en sauce.

Ch. Pech-Redon, rte de Gruissan, 11100 Narbonne, tél. 04.68.90.41.22, fax 04.68.65.11.48, chateaupechredon@wanadoo.fr
t.l.j. sf dim. 10h-12h 14h-19h

DOM. PECH ROME Pézenas Florens 2010

■	6 000	■	8 à 11 €

Malgré l'élevage en cuve de vingt-quatre mois, il est préférable de prévoir une petite période d'aération avant de pouvoir apprécier la complexité de cet assemblage de mourvèdre (60 %), complété à parts égales de syrah et de grenache, né sur les calcaires, les terrasses villafranchiennes et les formations basaltiques spécifiques du terroir de Pézenas. Les notes prononcées d'épices (poivre) se marient, au nez comme en bouche, aux petits fruits rouges. Si les tanins sont encore un peu fermes, la longue finale laisse le dégustateur sur une agréable sensation de fruité bien agréable. Mieux vaut attendre un ou deux ans pour mieux apprécier ce vin.

SCEA Remparts de Neffiès,
17, rue Montée-des-Remparts, 34320 Neffiès,
tél. 06.08.89.58.11, contact@domainepechrome.com
r.-v.
Pascal Blondel

PLAN DE L'HOMME Terrasses du Larzac Sapiens 2010 ★★

■	3 200	■	15 à 20 €

Ancien producteur, réputé, en Pic Saint-Loup (Mas de Mortiès), Rémi Duchemin s'est installé en 2009 sur ce domaine des Terrasses du Larzac. Comme l'an dernier, pour le millésime 2009, il décroche deux étoiles avec la cuvée Sapiens, un vin élevé un an en fût, élaboré à partir de syrah (80 %), de grenache et de carignan. La robe, intense, ornée de beaux reflets bleutés, annonce un nez riche et élégant de fruits mûrs, d'épices douces et de tapenade, agrémentés d'un fin boisé. La bouche s'impose par sa concentration, sa densité et sa rondeur, le fruité y est explosif et les notes d'élevage bien fondues. Une bouteille harmonieuse, qui appelle une viande savoureuse comme un carré de veau braisé accompagné de champignons. On pourra aussi l'attendre trois à cinq ans.

Le Plan de l'Homme, 15, av. Marcellin-Albert,
34725 Saint-Félix-de-Lodez, tél. 04.67.44.02.21 r.-v.
Rémi Duchemin

DOM. DU POUJOL Grès de Montpellier Podio alto 2010 ★

■	5 000	■	11 à 15 €

Bientôt vingt ans que Robert et Kim Cripps se sont installés à Vailhauquès, sur un domaine qu'ils ont su comprendre. Leur souci permanent d'élégance transparaît dans cette cuvée, juste assemblage de syrah, grenache, mourvèdre et d'un soupçon de cinsault. Tout y est limpide : la robe grenat, le bouquet de cassis et de fraise, les notes épicées apportées par un élevage doux. La structure en bouche est soyeuse, sans lourdeur, et une pointe de vivacité laisse en finale d'agréables sensations.

Dom. du Poujol, 1067, rte de Grabels,
34570 Vailhauquès, tél. 04.67.84.47.57, poujol.cripps@sfr.fr
r.-v.
Cripps

PRIEURÉ DE SAINT-JEAN DE BÉBIAN Pézenas 2009 ★

■	30 000	■	20 à 30 €

Tout a déjà été dit sur ce Prieuré, et pourtant pour ce millésime, on ne peut s'empêcher de rappeler la devise latine inscrite sur son cadran solaire du XVIe s., *Nihil sin sol*, « jamais sans le soleil ». En conjuguant ce soleil au terroir villafranchien et basaltique, au soin d'une cueillette manuelle et d'une longue macération, on goûte aujourd'hui un vin à maturité, encore un peu marqué par son élevage en fût. Le nez passe du goudron et de la minéralité à des notes grillées puis fruitées à l'aération. Si les tanins sont serrés, une certaine sucrosité apporte du velouté, et des saveurs de tapenade et de poivre apparaissent pour une alliance avec de l'agneau braisé aux olives.

Prieuré de Saint-Jean-de-Bébian, rte de Nizas,
34120 Pézenas, tél. 04.67.98.13.60, fax 04.67.98.22.24,
info@bebian.com t.l.j. sf sam. dim. 9h-17h (19h en été)
Alexander Pumpyanskiy

PRIEURÉ SAINT-HIPPOLYTE 2011 ★

■	300 000	■	- de 5 €

Depuis de nombreuses années, le rosé des vignerons de Fontès séduit les dégustateurs du Guide. Ce 2011 ne fait pas exception avec sa robe vive attirante, son nez bien expressif (fruits rouges, épices douces) et sa bouche friande et croquante. Le **2011 blanc (70 000 b.)**, cité, mêle la clairette blanche, présente ici depuis la nuit des temps, à du grenache blanc et du rolle. Floral et équilibré, il se laissera boire aisément sur des moules grillées.

SCVA La Fontesole, bd Jules-Ferry, 34320 Fontès,
tél. 04.67.25.14.25, fax 04.67.25.30.66,
sm.la.fontesole@orange.fr
t.l.j. sf dim. 8h-12h 14h-18h

PUECH-AUGER Montpeyroux Les Dolimies 2009 ★

■	8 500	■	8 à 11 €

Issu d'un savant assemblage de quatre cépages majeurs de l'appellation (syrah pour moitié, grenache, mourvèdre et carignan) plantés sur le fameux terroir argilo-calcaire de Montpeyroux, ce 2009 pourra être apprécié dès la sortie du Guide ou gardé en cave. Si sa robe grenat donne quelques signes d'évolution, nez comme bouche sont encore très marqués par le clou de girofle et la vanille, témoins d'un an en barrique, auxquels s'ajoutent des notes de cerise. Avec son ampleur au palais, sa rondeur et sa longue finale épicée, ce vin est à servir sur des viandes rouges de caractère.

Dom. Puech-Auger, 3, chem. de la Cagaroulette,
34150 Montpeyroux, tél. 04.67.88.69.88,
domainepuechauger@wanadoo.fr r.-v.
Crézégut

CH. PUECH-HAUT Tête de bélier 2009 ★

■	80 000	■	20 à 30 €

Gérard Bru propose une belle cuvée Tête de Bélier, qui tire son nom des sculptures intercalées entre les cuves où elle est élevée, après une extraction douce des raisins de syrah (70 %), grenache et mourvèdre. La robe carmin encore jeune, aux reflets violets, traduit le beau potentiel de garde de ce vin tout comme la qualité de sa charpente. L'élevage partiel en fût s'exprime à travers des notes toastées, vanillées et mentholées qui, mêlées à la mûre, lui confèrent de la complexité. Il faut carafer ce 2009 pour qu'il s'exprime pleinement dès aujourd'hui, et alors la mise en bouche se montrera pleine, ample et chaleureuse. Cité, le **2010 rouge Prestige (15 à 20 €; 300 000 b.)**, puissant et épicé, est apprécié pour son équilibre et sa longueur.

Gérard Bru, 2250, rte de Teyran, 34160 Saint-Drézery,
tél. 04.99.62.27.27, fax 04.99.62.27.29,
domainesbru@wanadoo.fr
t.l.j. sf dim. 10h-12h 14h-18h

CH. RAISSAC Belmont 2011 ★

■ 20 000 ▮ 8 à 11 €

Gustave Viennet, la trentaine, a pris la suite de son père en 2006 après avoir étudié l'œnologie à Beaune. À Béziers, de beaux coteaux de cailloutis villafranchiens ont rejoint l'AOC languedoc en 2011. Là de jeunes ceps de dix ans de syrah et de grenache ont donné naissance à cette cuvée aux reflets violets, très séduisante avec ses arômes intenses de fruits rouges et d'épices douces. Son équilibre, ses tanins fins et sa pointe de fraîcheur en font une vraie gourmandise, à découvrir dès maintenant sur un gigot d'agneau.

Ch. Raissac, rte de Murviel, 34500 Béziers,
tél. 04.67.28.15.61, fax 04.67.28.19.75, info@raissac.com
t.l.j. sf dim. 9h-12h 14h30-18h
Viennet

DOM. DE LA RAMADE La Clape Meritum 2010 ★

■ 8 600 15 à 20 €

Repris en 2007 par Jacques Ribourel, ce domaine décroche une étoile dans les deux couleurs. Ce rouge, d'un pourpre dense, est très éloquent dès le premier nez ; fruits noirs surmûris, poivre et vanille. Dense en bouche, puissant et bien construit, ce vin ambitieux et étayé par une pointe de fraîcheur mentholée gagnera encore à attendre deux à trois ans. Le **2010 blanc La Clape Les Murailles (11 à 15 € ; 2 300 b.)** associe l'incontournable bourboulenc au vermentino. Ses notes de cédrat et d'acacia, sa rondeur et sa fraîcheur délicate feront honneur à des saint-jaques poêlées.

SCEA Meritum,
Dom. de la Ramade, rte de Narbonne-Plage, 11110 Armissan,
tél. et fax 04.68.41.31.15, iacobus@sfr.fr
t.l.j. 10h-12h 13h-18h (20h l'été)
Jacques Ribourel

DOM. REINE JULIETTE Picpoul-de-Pinet Terres rouges 2011 ★

45 000 5 à 8 €

Le domaine, traversé par le chemin de la Reine Juliette qui lui donne son nom, est situé sur l'ancienne Via Domitia, qui reliait Rome à ses lointaines provinces ibériques. Sur les fameuses terres rouges du glacis d'épandage pliocène, 6 ha de vignes donnent cette cuvée typiquement picpoul, à la robe jaune pâle aux légers reflets verts, aux arômes frais et intenses d'agrumes et de fruits de la Passion, à la bouche ample et onctueuse. « Un picpoul de gastronomie », s'exclame un dégustateur avant de le recommander sur une dorade royale à la tapenade d'olives noires.

EARL Alliès, Dom. Reine Juliette, 11, rte de Magalas,
34480 Pouzolles, tél. et fax 04.67.24.78.77,
reine.juliette@orange.fr r.-v.

CH. RICARDELLE La Clape Blason 2010 ★

■ 7 000 15 à 20 €

Une longue histoire viticole précède le château de Ricardelle puisque l'on en fait état dès 1696. Depuis 1990, elle se pertétue sous la conduite de Bruno Pellegrini, œnologue originaire du Tyrol italien. Cette cuvée pourpre sombre dévoile un nez bien typé par des effluves de garrigue (thym, romarin) et des notes de fruits mûrs. La bouche, ronde et élégante, étayée par une belle fraîcheur, révélera toute sa finesse sur un tournedos de bœuf. Le **2009 rouge La Clape cuvée Juliette (20 à 30 € ; 2 000 b.)** obtient également une étoile. Soigneusement élevé en fût, il est déjà fondu mais résistera au temps.

Ch. Ricardelle, rte de Gruissan, 11100 Narbonne,
tél. 04.68.65.21.00, fax 04.68.32.58.36, ricardelle@wanadoo.fr
t.l.j. 9h-12h 14h-18h30
Pellegrini

CH. LA ROQUE Pic Saint-Loup En garde ! 2009

■ 5 000 20 à 30 €

Officiellement en culture biologique et biodynamique depuis le millésime 2011, ce domaine produit du vin depuis le XIIIe s. Une longue histoire vigneronne que perpétue Jacques Figuette depuis 2006. Ce dernier propose ici un 2009 qui met en valeur le mourvèdre, 80 % de l'assemblage aux côtés du grenache. Le résultat est un vin pourpre intense, au nez de cuir, d'épices et de fruits noirs, ample et structuré par des tanins bien présents mais fins, qui lui assureront un bon vieillissement de deux ou trois ans.

Ch. la Roque, 2, chem. de Saint-Mathieu,
34270 Fontanès, tél. 04.67.55.34.47, fax 04.67.55.10.18,
contact@chateau-laroque.eu
t.l.j. 8h-12h 14h-18h; f. sam. oct.-juin
Jacques Figuette

DOM. DE ROQUEMALE Grès de Montpellier Lema 2010 ★

■ 3 000 11 à 15 €

Sur les terres rouges de Villeveyrac, portant localement des traces de bauxite, les vignes du domaine de Roquemale – « mauvaise roche » – ont su tirer le meilleur. Après seize mois d'élevage qui respecte le fruité de la cerise, des fraises des bois, et les agrémente de notes toastées et vanillées, la cuvée Lema est déjà prête à boire. D'un équilibre gourmand, elle conjugue matière et longueur. Dans un registre plus structuré, plus puissant, la cuvée **Male 2010 (15 à 20 € ; 2 500 b.)**, elle aussi en Grès de Montpellier, décroche une étoile. Le fruit s'épanouit à l'aération, les tanins encore fermes et la fraîcheur laissent présager d'un bel avenir : à garder deux ou trois ans.

Valérie et Dominique Ibanez, 25, rte de Clermont,
34560 Villeveyrac, tél. et fax 04.67.78.24.10,
contact@roquemale.com
t.l.j. sf dim. lun. 10h-12h 16h-19h

CH. ROUQUETTE-SUR-MER La Clape Cuvée Henry Lapierre 2010 ★★

■ 8 500 15 à 20 €

Avec cette cuvée, qui prend naissance sur les falaises dominant la mer du massif de La Clape, Jacques Boscary rend un bel hommage à son grand-père Henry Lapierre. Derrière une robe de velours grenat profond, ce vin offre une superbe expression aromatique : confiture de mûres, tapenade, moka et épices douces se disputent la première place. Opulent, dense et charnu sans toutefois manquer de finesse, le palais laisse pointer une délicate fraîcheur en finale qui apporte du tonus et de la longueur. Après deux ans de garde, et carafé, ce 2010 n'en sera que plus éloquent.

Jacques Boscary, rte Bleue, 11100 Narbonne-Plage,
tél. 04.68.65.68.65, fax 04.68.65.68.68,
bureau@chateaurouquette.com r.-v.

DOM. SAINTE-CÉCILE DU PARC Pézenas Notes d'Orphée 2009 ★★

■ 6 500 5 à 8 €

Toutes les cuvées de ce domaine installé au lieu-dit nommé Sainte-Cécile, patronne des musiciens, déclinent un hommage à la musique. La délicatesse des notes

LANGUEDOC

d'Orphée se retrouve dans ce 2009 d'un rouge profond. Une cascade de senteurs égrène peu à peu des épices douces, du cacao, du poivre puis de la réglisse pour finir sur de la cerise bien mûre. La groseille complète la gamme au palais, où les tanins fins mais encore un peu serrés alliés à une belle fraîcheur laissent entrevoir une certaine aptitude à la garde. Mais déjà prêt, on mariera cette bouteille à un tajine d'agneau. Une étoile salue le **2009 rouge Pézenas Sonatina (8 à 11 €; 9 000 b.)**, vin de gourmandise aux senteurs de garrigue, au joli fruité et aux tanins subtils.

Dom. Sainte-Cécile du Parc, rte de Caux, 34120 Pézenas, tél. 06.79.18.68.56, fax 04.67.84.86.37, cmb@stececileduparc.com r.-v.

SAINT-FÉLIX Terrasses du Larzac 2010 ★★

5 000 | 8 à 11 €

Située à proximité du lac du Salagou, de Saint-Guilhem-le-Désert ou encore des cirques de Mourèze et de Navacelle, la cave de Saint-Félix est l'une des plus performantes de la région et s'inscrit dans une démarche de production respectueuse du développement durable. Ce Saint-Félix, hommage au saint protecteur du village, est élevé un an en fût, et fait la part belle à la syrah complétée de grenache et de carignan. C'est un vin au fruité immédiat, agrémenté de notes d'épices douces et de réglisse, très typé en bouche, porté par des tanins souples et charnus, et par une longue finale pleine de fraîcheur qui rappelle la garrigue. Il accompagnera agréablement, au cours des deux ou trois prochaines années, un carré d'agneau rôti ou une gardiane de taureau.

Vignoble des Deux Terres, 21 bis, av. Marcelin-Albert, 34725 Saint-Félix-de-Lodez, tél. 04.67.96.60.61, fax 04.67.88.61.77, info@vignerons-saintfelix.com t.l.j. sf dim. 9h-12h 14h-18h

CH. SAINT-MARTIN DE LA GARRIGUE Bronzinelle 2010

110 000 | 8 à 11 €

Le vignoble qui entoure le château est imbriqué dans les bosquets de pins et la garrigue, et cela se retrouve dans la palette aromatique de cette cuvée, subtil assemblage de syrah, grenache, carignan et mourvèdre. Proche de sa plénitude, encore jeune au regard, ce 2010 livre un bouquet puissant qui fait écho à la bouche fruitée et épicée, dont les tanins présents sont contrebalancés par une belle sucrosité.

SCEA Saint-Martin de la Garrigue, 34530 Montagnac, tél. 04.67.24.00.40, fax 04.67.24.16.15, jczabalia@stmartingarrigue.com t.l.j. sf sam. dim. 8h-12h 14h-17h30
Guida

LES VINS DE SAINT-SATURNIN Saint-Saturnin Max Rouquette 2009 ★

2 500 | 11 à 15 €

Sur le Sentier des poètes créé en 2009 par les vignerons de Saint-Saturnin, vous trouverez cette cuvée Max Rouquette qui célèbre la mémoire de cet écrivain en recherchant la plus belle expression de la syrah, du grenache et du mourvèdre. Vous apprécierez la robe d'un pourpre intense et les effluves fruités qui se dévoilent peu à peu, mettant en avant la myrtille et les fruits rouges sur un fond cacaoté. C'est un vin de plaisir à croquer, en savourant le velouté des tanins, la souplesse, et toujours le fruit. À apprécier dès la sortie du Guide ou d'ici trois ans.

Les Vins de Saint-Saturnin, 5, av. Noël-Calmel, 34725 Saint-Saturnin-de-Lucian, tél. 04.67.96.61.52, fax 04.67.88.60.13, contact@vins-saint-saturnin.com t.l.j. 8h30-12h 14h-18h

CH. DE LA SALADE SAINT-HENRI Pic Saint-Loup Mille huit cent trois 2010 ★

10 000 | 8 à 11 €

Pharmacienne de formation, Anne Donnadieu a repris les rênes de l'exploitation familiale en 2006. Un changement de cap radical, et un beau succès à la clé, comme en témoigne cette cuvée 1803 (date d'achat du domaine par la famille Vialla). Le bouquet, complexe, mêle fruits rouges confiturés, senteurs de garrigue et de fleurs séchées. La bouche est chaleureuse, douce et enrobée, vivifiée par une pointe de fraîcheur et soutenue par des tanins charnus et fondus. À boire au cours des trois prochaines années, sur une viande en sauce. Cité, le **2009 rouge Pic Saint-Loup Aguirre (11 à 15 €; 6 000 b.)**, plaît par ses arômes d'épices douces, de framboise et de réglisse, et par la finesse et le velouté de ses tanins, qui appellent la délicatesse d'un gigot d'agneau en croûte ou d'une épaisse côte de veau braisée.

Vialla-Donnadieu, Dom. de la Salade Saint-Henri, 1050, rte Saint-Jean-de-Cuculles, 34270 Saint-Mathieu-de-Tréviers, tél. 04.67.55.20.11, annedonnadieu@gmail.com t.l.j. sf dim. 11h-13h 17h-19h

VIGNERONS DU SOMMIÉROIS Les Romanes 2010

10 000 | - de 5 €

Assemblage de grenache et de syrah, cette cuvée de la coopérative de Sommières, élevée treize mois en cuve, exprime bien le caractère méridional des paysages de garrigue qui entourent les vignes. La robe est d'un pourpre intense. Le nez, très ouvert, exhale des parfums de fruits rouges, de garrigue, de silex et de cacao. On retrouve cette complexité aromatique dans une bouche puissante, ronde et charnue. À servir dès à présent ou dans deux ou trois ans sur un tajine d'agneau aux légumes d'été.

SCA Les Vignerons du Sommiérois, 2, rue de l'Arnède, 30250 Sommières, tél. 04.66.80.03.31, fax 04.66.77.14.31, vigndusommierois@orange.fr t.l.j. sf dim. 9h-12h30 15h-19h

LES SOULS Terrasses du Larzac 2010 ★

2 000 | 15 à 20 €

Les Souls ? « Seul » en occitan, une référence au fait que les vignes du domaine, plantées à 350 m d'altitude, sont les plus éloignées sur le terroir de Pégairolles de l'Escalette. Ceps de syrah (70 %) et de mourvèdre donnent naissance à ce vin élevé près d'un an et demi en fût. Derrière une robe cerise aux reflets violines, on découvre un bouquet fin de fraise, de thym, d'épices douces et de menthe poivrée. La bouche séduit par sa fraîcheur et son élégance, par la finesse de sa trame tannique et sa finale soyeuse, aux accents de garrigue. À déguster dans les trois ans à venir avec une côte de bœuf à la braise.

Roland Alméras, 325, chem. de Roquegude, 34700 Soubès, tél. 04.67.44.21.56, roland.almeras@sfr.fr r.-v.

CH. TAURUS-MONTEL Pic Saint-Loup Prestige Élevé en fût de chêne 2010 ★

8 000 | 15 à 20 €

Situé au cœur du village de Teyran, ce domaine familial existe depuis 1872. Cette cuvée Prestige, essentiellement composée de syrah, est d'un beau rubis intense. Au nez, elle évoque la fraise, la violette et les épices douces. En bouche, les arômes de fruits rouges se font intenses, et la texture suave et moelleuse se fait charmeuse, adossée à des tanins soyeux et fondus. Une bouteille que l'on verrait bien, dans les deux ans à venir, sur un poulet aux épices douces.

SCEA Ch. Montel, 1, rue du Devès, 34820 Teyran, tél. 04.67.70.20.32, fax 09.70.63.05.43, contact@chateau-montel.com r.-v.

DOM. DE TERRE MÉGÈRE Grès de Montpellier
Les Dolomies 2009

	8 000		8 à 11 €

Le terroir argilo-calcaire entouré de garrigue confère à ce 2009 sa richesse aromatique : du fruit, du thym, des senteurs balsamiques qu'il faut prendre le temps de découvrir. C'est un vin friand aussi bien à la vue, dans sa pimpante robe grenat, qu'au palais, avec son équilibre sur la fraîcheur. Porté par des tanins au grain fin, il sera choisi pour des moments de simplicité, pique-nique et grillades.

Moreau, Dom. de Terre Mégère, 10, rue du Jeu-de-Tambourin, 34660 Cournonsec, tél. 04.67.85.42.85, fax 04.67.85.25.12, terremegere@wanadoo.fr r.-v.

LA TÊTE DANS LES ÉTOILES Terrasses du Larzac
Au-delà des rêves 2010 ★

	1 000		8 à 11 €

Conseiller à la chambre d'agriculture, Luc Jourdan s'est installé en 2009, en remettant en état la cave de son grand-père et en construisant son projet en parallèle de son activité professionnelle. Une activité qu'il conduit « en douceur », progressivement, sur un petit volume de vin afin de maîtriser toutes les étapes de la production. Déjà remarqué l'an dernier pour sa première vendange, il confirme ici son savoir-faire avec cette cuvée à dominante de syrah, le grenache en appoint. Un vin au nez fin et délicat, sur les épices douces et les fruits noirs, rond, presque moelleux en bouche, avec une pointe de fraîcheur pour l'équilibre. Déjà séduisante, cette bouteille pourra aussi s'apprécier dans une paire d'années.

Luc Jourdan, 1 bis, rue du Cayre, 34700 Salelles-du-Bosc, tél. 06.47.04.05.35, latetedanslesetoiles@orange.fr r.-v.

DOM. DE TRÉPALOUP Le Clos des Oliviers 2010 ★

	3 600		8 à 11 €

Le domaine a été repris en 2002 par deux frères, Laurent et Rémi Vandôme, qui convertissent leur 16,5 ha de vignes à l'agriculture biologique depuis 2010. Issu de syrah et de mourvèdre et élevé quatorze mois en barrique, ce vin grenat intense dévoile des arômes d'épices douces, de cuir, de poivre et de fruits noirs, et une bouche ample, généreuse et harmonieuse, bâtie autour de tanins soyeux. Parfait pour accompagner une pièce de bœuf rôti aux herbes de Provence, au cours des deux ou trois prochaines années.

Dom. de Trépaloup, rue du Moulin-d'Huile, 30260 Saint-Clément, tél. 04.66.77.48.39, fax 04.66.77.55.21, trepaloup@gmail.com
mer. ven. 17h-19h30; sam. 15h-19h30
Rémi et Laurent Vandôme

DOM. DE LA TRIBALLE Grès de Montpellier
La Capitelle part en fumée 2010 ★★

	n.c.		15 à 20 €

En agriculture biologique « depuis toujours », le domaine est conduit par Sabine et Olivier Durand, qui ont rebaptisé leur cuvée des Grès de Montpellier en souvenir du gigantesque incendie qui, au cours de l'été 2010, juste avant les vendanges, a ravagé bosquets de pins et garrigue aux abords de la propriété. Ils ont réussi à préserver les raisins, récoltés à leur optimum pour élaborer ce vin au joli fruité, agrémenté d'arômes de menthol et de réglisse à l'issue d'un élevage en cuve de dix-huit mois. Charmeur, porté par des tanins soyeux, ce 2010 dévoile un équilibre gourmand et une finale sur la fraîcheur. Une grande polyvalence pour ce languedoc déjà prêt pour la cuisine méridionale.

Sabine et Olivier Durand, Dom. de la Triballe, 34820 Guzargues, tél. 04.67.59.66.32, la-triballe@club-internet.fr r.-v.

CH. DE VALFLAUNÈS Pic Saint-Loup T'Em T'Em 2010 ★

	8 000		15 à 20 €

Fabien Reboul est installé depuis 1998 sur cette ancienne propriété du baron Jean-Jacques Louis Durand, qui fut le premier maire élu de Montpellier au XVIIIes. Il dit trouver l'inspiration en parcourant le monde, « pour créer des vins au fil des paysages et des hommes » qu'il rencontre. Ce 2010 de caractère, marqué par la prédominance de la syrah, est lui bien d'inspiration languedocienne. Paré d'une robe sombre, il dévoile un nez de cuir, de réglisse, d'épices, de fruits confiturés et de zeste d'orange, puis une bouche ample aux tanins fondus, offrant beaucoup de rondeur et de moelleux. Un vin harmonieux, parfait pour accompagner, dans deux ans, un lapin aux olives ou des poivrons farcis.

Fabien Reboul, rue de l'Ancien-Lavoir, 34270 Valflaunès, tél. 06.83.48.37.85, fabien.reboul@free.fr r.-v.

CH. DE VÉRARGUES Le Clos du Gaulois 2009

	1 520		5 à 8 €

Le nom de la cuvée rappelle le surnom de l'arrière grand-père de Rodolphe Coulondre, l'actuel propriétaire. Né de syrah, mourvèdre et cinsault, ce 2009 a fait l'objet d'un long élevage afin d'assouplir sa puissante structure encore ferme. Il gagnera à être carafé pour permettre aux fruits rouges et aux épices de s'exprimer une fois passées les premières notes animales. Avec son attaque enrobée et son volume, il laisse deviner un beau potentiel de garde : on l'attendra deux à trois ans.

Ch. de Vérargues, 1, rue du Château-d'Eau, 34400 Vérargues, tél. 04.67.86.09.70, chateaudeverargues@live.fr t.l.j. 8h-12h 14h-18h
Coulondre

VERMEIL DU CRÈS Rosé Marine 2011 ★

	41 000		- de 5 €

Situé à 3 km des plages de Sérignan, première « éco-plage » de France, cette cave coopérative produit depuis longtemps des vins de qualité appréciés pour leur finesse et leur caractère méditerranéen bien typé. À dominante de cépage syrah, ce rosé de saignée drapé dans une robe intense et brillante dévoile un nez puissant qui rappelle la framboise et le bourgeon de cassis. La bouche se révèle riche et ronde, soutenue par une belle fraîcheur. Pour tout un repas aux derniers beaux jours de l'automne.

SCAV Les Vignerons de Sérignan,
114, av. Roger-Audoux, 34410 Sérignan, tél. 04.67.32.24.82,
fax 04.67.32.59.66, vignerons.de.serignan.34@wanadoo.fr
t.l.j. sf dim. 9h-12h 15h-18h

CH. LA VERNÈDE Tradition 2011

5 700 | 5 à 8 €

Proche de l'oppidum d'Ensérune et du canal du Midi, ce domaine en cours de conversion bio marie dans cette cuvée grenache blanc et roussanne. Paré d'une robe pâle, ce 2011 se montre expressif au nez, mêlant notes florales et fruits exotiques. Vif à l'attaque, il affiche ensuite un bon volume, du gras et une agréable fraîcheur citronnée. Il accompagnera, dans les deux ans à venir, un curry de poisson.

Jean-Marc Ribet, Ch. la Vernède, rte de Salles,
34440 Nissan-lez-Ensérune, tél. 04.67.37.00.30,
fax 04.67.36.60.11, chateaulavernede.34@orange.fr
t.l.j. 9h-12h 14h-18h

DOM. LES VERRIÈRES Les Sept Fontaines 2009 ★★

n.c. | 8 à 11 €

Cette cuvée résume la rencontre entre le savoir-faire traditionnel et la modernité. Walter Pizzaferri, Olivier Groux et Sébastien Pichot ont conjugué leurs talents pour vous régaler d'un vin dans sa plénitude, issu d'un terroir argilo-calcaire bien représentatif de l'appellation, qui allie intensité et finesse. La robe d'un grenat profond présente quelques prémices d'évolution. Le nez, d'abord sur la retenue, s'épanouit dans un bouquet gourmand de fruits rouges et noirs nuancé d'épices douces. Le plaisir se poursuit au palais, ajoutant à cette richesse aromatique une belle rondeur et une matière soyeuse. D'un équilibre remarquable, ce languedoc ravira les papilles avec un magret de canard rôti.

Dom. les Verrières, BP9, 34530 Montagnac,
tél. 04.67.44.54.99, fax 04.67.44.79.72,
spichot@verrieresdemontagnac.com r.-v.
Pizzaferri

DOM. DE LA VIEILLE Pic Saint-Loup Sang du Wisigoth 2009

12 000 | 8 à 11 €

Cette cuvée doit son nom à la découverte sur le domaine d'un cimetière wisigoth. C'est le « sang » mêlé, à parts égales, de la syrah et du grenache qui coule dans ce 2009, équilibre réussi entre la structure et l'expression aromatique de la première et la rondeur généreuse du second. Le nez généreux mêle les fruits rouges, la réglisse, le poivre et la prune à l'eau-de-vie, et se prolonge dans une bouche veloutée, de bon volume et d'une longueur honorable, soutenu par des tanins bien présents. À boire dès à présent, avec un osso bucco ou, après deux ou trois ans de garde, avec une pièce de gibier.

Guy Ratier, Dom. de la Vieille, 4, chem. de la Vieille,
34270 Saint-Mathieu-de-Tréviers, tél. 06.86.46.44.25,
fax 04.67.55.35.17, domainedelavieille@wanadoo.fr
t.l.j. 18h-20h; sam. 10h-12h; dim. sur r.-v.

VILLA SYMPOSIA L'Amphora 2010 ★

12 000 | 8 à 11 €

Ce vignoble, en cours de conversion vers l'agriculture biologique, présente cette cuvée très réussie issue pour moitié de syrah et complétée à parts égales de carignan et de cinsault. Né sur un terroir complexe argilo-calcaire et argilo-graveleux, ce 2010, pur produit d'un élevage en cuve, est remarqué pour son fruité intense et ses épices douces. Après une attaque franche, la bouche, dense et ferme, d'une grande complexité, est soutenue par une longue finale pleine de fraîcheur. Un vin d'une belle maturité à servir dès maintenant sur un médaillon de veau aux girolles.

Éric Prissette, chem. de Saint-Georges, 34800 Aspiran,
tél. et fax 05.57.40.07.31, fabien@villasymposia.com
r.-v. 5

VILLA TEMPORA Un Temps pour elle 2010

5 000 | 11 à 15 €

Pour ce dernier millésime avant la certification en agriculture biologique, Serge Schwartz et Jean-Pierre Sanson ont fait le choix d'un élevage long de quinze mois en barrique pour permettre à cet assemblage de bourboulenc majoritaire et de marsanne (un soupçon), d'être expressif dès la sortie du Guide, même si cette cuvée sera à son apogée dans deux ou trois ans. La robe, d'un beau jaune doré, annonce le bouquet d'une grande complexité, où l'ananas et le miel font écho aux notes d'élevage. La bouche, longue et gourmande, au beau volume, laisse une impression de plénitude. À servir sur une blanquette de veau, une truite à la crème ou un fromage à pâte cuite.

Villa Tempora,
SCEA Les Coteaux de Pézenas, 6, chem. de la Faissine,
34120 Pézenas, tél. 06.60.75.11.21,
contact@villatempora.com r.-v. 4

DOM. DE VILLENEUVE Pic Saint-Loup
Chant des roches 2009 ★★

3 500 | 15 à 20 €

À Claret, au nord de Montpellier, Anne-Lise Fraisse et son mari apiculteur accueillent œnophiles et amoureux de la nature dans leur caveau voûté du XIIe s. pour déguster leur production de vins et d'apéritifs. L'occasion de découvrir cette cuvée d'un beau rouge soutenu, à dominante de syrah, qui offre un nez très riche de senteurs de sous-bois, de réglisse, de menthe, d'épices douces et de fruits noirs. Le palais allie persistance aromatique (girofle, cannelle, fruits mûrs), puissance des tanins, soyeux et générosité de la chair. Un vin déjà très agréable, mais qui gagnera encore en complexité et en rondeur d'ici trois à cinq ans.

Anne-Lise Fraisse,
Dom. de Villeneuve, hameau Les Embuscalles, 34270 Claret,
tél. 04.67.59.08.66, fax 04.67.59.07.76,
fraisse.villeneuve@orange.fr
t.l.j. sf dim. 9h-12h 14h-17h

Les appellations de Limoux

Blanquette-de-limoux

Ce sont les moines de l'abbaye Saint-Hilaire, commune proche de Limoux, qui, découvrant que leurs vins repartaient en fermentation, ont été les premiers élaborateurs de blanquette-de-limoux. Trois cépages sont utilisés pour son élaboration : le mauzac (90 % minimum), le chenin et le chardonnay; ces deux derniers cépages introduits à la place de la clairette apportent à la blanquette acidité et finesse aromatique. La blanquette-de-limoux est élaborée suivant la méthode de seconde fermentation en bouteille et se présente sous dosages brut, demi-sec ou doux.

DELMAS Cuvée Tradition ★★

40 000 | 5 à 8 €

Coup de cœur dans le Guide 2009, cette cuvée issue de 6,28 ha de vignes, cultivées en agriculture biologique, a failli renouveler l'exploit. Dans cette tête de cuvée, tout est subtilité et délicatesse. Une mousse fine et persistante couronne une robe limpide très pâle, d'où s'échappent des senteurs florales et de fruits à chair blanche. Ces nuances se retrouvent dans un palais dont on admire l'équilibre et la vivacité. Une longue finale complète cet ensemble prêt à affronter tout un repas, de l'apéritif au fromage sec. La **blanquette méthode ancestrale Clair de lune (26 000 b.)** se distingue également par sa grande fraîcheur et par sa finale fruitée ; elle saura accompagner des crêpes Suzette. Une étoile.

Dom. Delmas, 11, rte de Couiza, 11190 Antugnac, tél. 04.68.74.21.02, fax 04.68.74.19.90, domainedelmas@orange.fr
t.l.j. 9h-18h; sam. dim. sur r.-v.

DOM. DE FOURN Carte noire 2010 ★

30 000 | 5 à 8 €

C'est dans les années 1930 que Pierre Robert s'intalle au domaine de Fourn. À cette époque, il cultive quelques arpents de mauzac, cépage traditionnel de la région. Actuellement, ses deux petits-fils Jean-Luc et Bernard exploitent 38 ha de vignes dans un lieu idyllique dominant la vallée de l'Aude, loin de toute agitation. Livrant des notes florales et minérales au nez, cette blanquette à la robe jaune pâle adopte le même registre en bouche, fraîche, minérale et enrobée de sensations florales qui perdurent jusqu'en finale. Citée, la **Carte ivoire 2010 (80 000 b.)** propose un bouquet floral d'une agréable fraîcheur.

GFA Robert, Dom. de Fourn, 11300 Pieusse, tél. 04.68.31.15.03, fax 04.68.31.77.65, robert.blanquette@wanadoo.fr t.l.j. 9h-12h 14h-19h

JEAN LAFON 2010 ★★

100 000 | 5 à 8 €

C'est au domaine de Flassian à Limoux, dans un chai alliant tradition et modernité, que s'effectue aujourd'hui l'élaboration de toutes les cuvées de la maison Antech sous la responsabilité de l'œnologue Patrick Bruno et du maître de chai Rémy Rivière. Cette équipe rigoureuse n'en est pas à son premier coup de cœur. Cette cuvée or pâle animée d'une effervescence vive et régulière fait l'unanimité. Au nez, rien ne manque : on respire des arômes de fleurs blanches, de miel, de mie de pain et une touche de fruits à chair blanche. L'équilibre est parfait, la bouche se montrant onctueuse, douce et fruitée avec, en prime, des notes florales et épicées d'une grande persistance. Du gras et de la fraîcheur, un mariage idéal pour accompagner un filet mignon de porc aux pêches.

Georges et Roger Antech, Dom. de Flassian, 11300 Limoux, tél. 04.68.31.15.88, fax 04.68.31.71.61, courriers@antech-limoux.com
t.l.j. sf sam. dim. 8h-12h 14h-18h

DOM. J. LAURENS Le Moulin

30 000 | 5 à 8 €

Situé à 2 km de Limoux, en plein cœur de l'appellation, le domaine Laurens s'est installé sous la protection du charmant village de La Digne-d'Aval, construit sur un plan circulaire, qui a su être très bien préservé. Coup de cœur trois années consécuitives en AOC crémant-de-limoux, il a réussi à tirer son épingle du jeu cette année grâce à cette cuvée née de la récolte 2010 (mais non millésimée). Le nez, légèrement brioché, offre des nuances de citron, de noisette et d'amande. Ample, ronde et intense en bouche, cette blanquette fait preuve d'une belle fraîcheur.

Dom. J. Laurens, Les Graimenous, 11300 La Digne-d'Aval, tél. 04.68.31.54.54, fax 04.68.31.61.61, domaine.jlaurens@wanadoo.fr
t.l.j. 8h-12h 14h-18h; sam. dim. sur r.-v.
J. Calvel

SIEUR D'ARQUES Diaphane Grande cuvée ★

150 000 | 8 à 11 €

À la tête d'une équipe de techniciens dynamique et performante, Guilhem Marty peut être satisfait de la qualité des produits proposés par la coopérative. Cette cuvée Diaphane se présente dans une robe effectivement pâle et limpide aux reflets verts, couronnée d'une mousse fine, et libère des arômes intenses d'épices et d'agrumes, ainsi qu'une minéralité marquée. La bouche, vive et bien équilibrée, montre des nuances plus évoluées, toastées et fruitées. À servir sur une tarte aux poires Bourdaloue. À retenir également, la cuvée **Aimery (5 à 8 € : 150 000 b.)** de la récolte 2010, et la **cuvée Les Six Arches Expert Club Tête de cuvée (150 000 b.)**, notée chacune une étoile.

Aimery-Sieur d'Arques, av. de Carcassonne, 11300 Limoux, tél. 04.68.74.63.00, fax 04.68.74.63.12, a.aguanno@sieurdarques.com t.l.j. 9h-12h 14h-18h

Blanquette méthode ancestrale

AOC à part entière, la blanquette méthode ancestrale reste un produit confidentiel. Le principe d'élaboration réside dans une seule fermentation en bouteille. Aujourd'hui, les techniques modernes permettent d'élaborer un vin peu alcoolisé (autour de 6 % vol.), doux, provenant de l'unique cépage mauzac.

MICHÈLE CAPDEPON Fruité ★★

	75 000	5 à 8 €

Lorsque Rolland Capdepon s'est lancé dans l'élaboration de ce produit, ce fut de façon confidentielle, et avec plus ou moins de bonheur suivant les années. Entre-temps, les deux fils ont repris le flambeau et ils dédient cette cuvée à leur mère, Michèle. Titrant à peine 6 % vol. en alcool, avec 89 g de sucres résiduels, ce pur mauzac est un vin très typique de l'appellation, paré d'une robe dorée soutenue par une effervescence fine et abondante. Le bouquet intense et complexe évoque la pomme confite et les fleurs jaunes, tout en douceur, annonçant un palais gras et souple, aux nuances de coing et à l'équilibre réussi entre sucrosité et acidité.

Capdepon, Dom. des Trois Fontaines, 11300 Villelongue-d'Aude, tél. 04.68.69.51.81, fax 04.68.69.51.69, capdepon@wanadoo.fr
r.-v.

Crémant-de-limoux

Production : 30 000 hl

Reconnu seulement en 1990, le crémant-de-limoux n'en bénéficie pas moins de la solide expérience et de l'exigence des producteurs de la région en matière de vins effervescents. Les conditions de production de la blanquette étant déjà très strictes, les Limouxins n'ont eu aucune difficulté à adopter la rigueur de l'élaboration propre au crémant. Depuis déjà quelques années s'affinaient dans leurs chais des cuvées issues de subtils mariages entre la personnalité et la typicité du mauzac, l'élégance et la rondeur du chardonnay, la jeunesse et la fraîcheur du chenin. Depuis 2004, le mauzac, cépage traditionnel de la région, est désormais réservé à la blanquette et c'est le chardonnay qui règne en maître dans l'appellation crémant-de-limoux. Enfin, le pinot noir peut être utilisé en appoint pour élaborer des rosés.

ANTECH Expression 2010 ★★

	70 000	8 à 11 €

Entreprise familiale et indépendante depuis six générations, cette maison de négoce s'est spécialisée dans l'élaboration des vins effervescents avec un souci permanent : la préservation de l'environnement. Tous les raisins sont issus de vignes conduites en agriculture raisonnée. Cette cuvée au nez très expressif a frôlé le coup de cœur grâce à ses parfums de fruits mûrs et de fruits à l'eau-de-vie soulignés d'une touche florale et à sa bouche ample et fraîche, parfaitement équilibrée entre richesse et vivacité. Un crémant sur le fruit, à déguster avec des nems, par exemple.

Georges et Roger Antech, Dom. de Flassian, 11300 Limoux, tél. 04.68.31.15.88, fax 04.68.31.71.61, courriers@antech-limoux.com
t.l.j. sf sam. dim. 8h-12h 14h-18h

GÉRARD BERTRAND 2010 ★★

	n.c.	11 à 15 €

Figure bien connue du Languedoc-Roussillon, le négociant Gérard Bertrand a brillé ces dernières années dans de nombreuses AOC de la région, notamment en corbières, minervois ou languedoc La Clape. C'est la première année qu'il se distingue dans le Guide en crémant-de-limoux. Ce 2010 jaune pâle brillant offre un nez subtil et complexe, partagé entre la fleur, le fruit et des notes toastées. La bouche au fruité gourmand est remarquable d'équilibre et de fraîcheur. Le **2009 blanc Autrement (8 à 11 €)** plus riche et vineux, obtient une étoile, ainsi que le **limoux 2010 blanc Aigle royal (30 à 50 € ; 6 000 b.)**, marqué par le vanillé de l'élevage.

Gérard Bertrand, Ch. l'Hospitalet, rte de Narbonne Plage, 11104 Narbonne Cedex, tél. 04.68.45.36.00, fax 04.68.45.27.17, vins@gerard-bertrand.com t.l.j. 9h-19h

(B) **DELMAS** Cuvée Passion 2008 ★

	35 000	8 à 11 €

Représentant la troisième génération à conduire le domaine, Bernard Delmas est un passionné dans tout ce qu'il fait. Pionnier en Languedoc-Roussillon, c'est dès1986 qu'il se lance dans la culture biologique sous le regard parfois ironique de certains de ses confrères. Sa cuvée Passion a séduit le jury par la complexité de ses arômes d'agrumes, de fleurs blanches et de pâte de coings. Très jeune, la bouche conserve une expression florale et se distingue par sa fraîcheur, sa finesse et son bel équilibre. La **cuvée Audace 2008 blanc (15 à 20 € ; 4 500 b.)**, vinifiée en barrique de réemploi, est citée.

Dom. Delmas, 11, rte de Couiza, 11190 Antugnac, tél. 04.68.74.21.02, fax 04.68.74.19.90, domainedelmas@orange.fr
t.l.j. 9h-18h; sam. dim. sur r.-v.

♥ **DOM. ROSIER** Cuvée Ma maison 2010 ★★

	20 000	5 à 8 €

Voilà plus de trente ans que Michel Rosier a quitté sa Champagne natale pour venir s'implanter dans cette belle région limouxine. Avec cette toute nouvelle cuvée constituée de 70 % de chardonnay, 20 % de chenin et 10 % de pinot noir, il obtient son troisième coup de cœur. Le jury salue la complexité du bouquet, qui décline des notes discrètes de fleurs blanches et de fruits frais, ainsi que les multiples qualités du palais : élégance, équilibre, fraîcheur persistante, avec des notes d'agrumes légèrement mentholées. La **blanquette-de-limoux 2010 cuvée Jean-Philippe (moins de 5 € ; 28 000 b.)** aux fraîches impressions florales et minérales, décroche une étoile.

⊶ Dom. Rosier, rue Farman, 11300 Limoux,
tél. 04.68.31.48.38, fax 04.68.31.34.16,
domaine-rosier@wanadoo.fr Y ⁂ r.-v.

SALASAR Carte or

16 000 5 à 8 €

Voilà plus de cent vingt ans que la maison Salasar, aujourd'hui gérée par René Salasar, est implantée à Campagne-sur-Aude. En passant dans ce charmant village construit par des templiers, vous serez attirés par cette bâtisse atypique de style baroque et latino-américain. Le crémant est pareillement original avec ses arômes intenses de brioche, de verveine et de fruits surmûris. L'attaque veloutée dévoile une bouche ample et vineuse aux accents toastés et à la finale délicate. À déguster sur un poisson en sauce. La **blanquette-de-limoux Carte blanche (17 000 b.)** a été également citée pour sa complexité aromatique et sa vivacité.

⊶ SA Joseph Salasar, 4, rue de l'Égalité,
11260 Campagne-sur-Aude, tél. 04.68.20.04.62,
fax 04.68.20.24.91, renesalasar@wanadoo.fr
Y t.l.j. sf dim. 8h-12h 14h-18h

SIEUR D'ARQUES Blason rouge ★

150 000 11 à 15 €

Créée en 1947, la coopérative du Sieur d'Arques est devenue une très grosse entreprise. Plus de la moitié de sa production est exportée, notamment vers les États-Unis, l'Asie et l'Europe. Sa cuvée Blason rouge est un blanc de blancs composé de 70 % de chardonnay, 20 % de chenin et 10 % de mauzac. Elle séduit grâce à un nez intense aux notes toastées, souligné de touches de café et d'agrumes. Tout aussi expressive, la bouche, harmonieuse et vive, rappelle les notes grillées et fruitées du bouquet. Ce vin gracieux brillera à l'apéritif mais aussi sur un poisson grillé.

⊶ Aimery Sieur d'Arques, av. de Carcassonne,
11300 Limoux, tél. 04.68.74.63.00, fax 04.68.74.63.12,
a.aguanno@sieurdarques.com Y ⁂ t.l.j. 9h-12h 14h-18h

TAUDOU 2008 ★

2 000 8 à 11 €

Ce domaine familial dispose d'une trentaine d'hectares de vignes situées dans la région la plus à l'ouest de l'appellation, soumise à l'influence océanique. Jean-Pascal Taudou a pris la tête de l'exploitation en 2004, succédant à son père Jean-Marc. Après un coup de cœur l'an passé en blanquette-de-limoux, le domaine se distingue cette année avec ce crémant au nez complexe (fleurs, fruits à l'alcool et notes toastées). L'attaque est pleine, et la bouche équilibrée et vineuse finit sur des arômes toastés que soutient une fine fraîcheur. Cette bouteille conviendra parfaitement sur des viandes blanches.

⊶ Taudou, 1, rue du Parc, 11300 Loupia,
tél. et fax 04.68.69.50.14, taudouvignerons@orange.fr
Y ⁂ r.-v.

Limoux

Superficie : 194 ha
Production : 8 097 hl (60 % blanc)

L'appellation limoux nature, reconnue en 1938, désignait le vin de base destiné à l'élaboration de l'appellation blanquette-de-limoux et toutes les maisons de négoce en commercialisaient quelque peu.

En 1981, cette AOC s'est vu interdire, au grand regret des producteurs, l'utilisation du terme *nature*, et elle est devenue limoux. Resté à 100 % mauzac, le limoux a décliné lentement, les vins de base de la blanquette-de-limoux étant alors élaborés avec du chenin, du chardonnay et du mauzac.

Cette appellation renaît depuis l'intégration, pour la première fois à la récolte 1992, des cépages chenin et chardonnay, le mauzac restant toutefois obligatoire. La dynamique équipe limouxine voit ainsi ses efforts récompensés. Une particularité : la fermentation et l'élevage jusqu'au 1er mai, à réaliser obligatoirement en fût de chêne. Depuis 2004, l'AOC produit également des vins rouges à partir des cépages atlantiques (merlot surtout, cabernets et cot) et des cépages méditerranéens (syrah, grenache).

ANNE DE JOYEUSE La Butinière
Élevé en fût de chêne 2009 ★★

50 000 8 à 11 €

Créée en 1929, cette cave coopérative engagée depuis de nombreuses années dans la viticulture raisonnée propose une cuvée assemblant 50 % de merlot, 20 % de cabernet-sauvignon, 15 % de syrah et 15 % de malbec. Une attrayante robe pourpre annonce une expression aromatique intense de fruits mûrs légèrement épicés et de vanille, ainsi qu'une bouche enrobée aux tanins puissants et soyeux, dont la savoureuse finale s'étire sur des notes cacaotées et réglissées. Ce vin formera un bel accord avec un cassoulet, dans deux à trois ans. Le **limoux blanc Le Chemin de Martin 2009 (5 à 8 € ; 70 000 b.)** obtient une étoile, tant pour son équilibre, sa fraîcheur, son volume que pour ses notes de noisette grillée et de nougatine.

⊶ Oustal Anne de Joyeuse,
41, av. Charles-de-Gaulle, BP 39, 11303 Limoux Cedex,
tél. 04.68.74.79.40, fax 04.68.74.79.49,
commercialfrance@cave-adj.com Y t.l.j. 9h-12h 15h-19h

CH. D'ANTUGNAC Terres amoureuses 2010 ★★

25 000 11 à 15 €

C'est en 1997 que Jean-Luc Terrier et Christian Collovray, propriétaires du domaine des Deux Roches en Mâconnais, achètent le château d'Antugnac. Actuellement, une partie du vignoble est en conversion à la culture biologique. Parée d'une robe vieil or signant un vin mûr, cette cuvée née du chardonnay et du mauzac (15 %) a ébloui les dégustateurs, qui ont aimé ses parfums de fleur d'oranger, d'ananas confit et d'épices. De même, la bouche s'impose, ample, généreuse et bien équilibrée. Cette bouteille conviendra sur de la cuisine asiatique – un filet mignon de porc au curry par exemple.

⊶ Ch. d'Antugnac, 11190 Antugnac, tél. 03.85.35.86.51,
fax 03.85.35.86.12, info@collovrayterrier.com Y ⁂ r.-v.

♥ **DOM. DE BARON'ARQUES** 2009 ★★

60 000 30 à 50 €

Le domaine de 47 ha de vignes, acheté en 1998 par la baronne Philippine de Rothschild et ses deux fils, était au

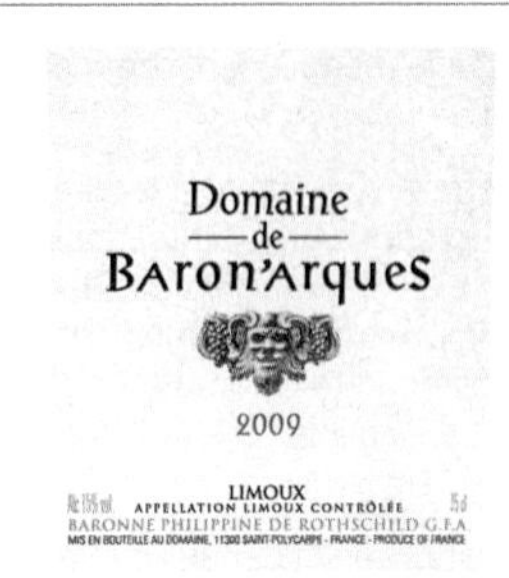

XVIIe s. la propriété de l'abbaye de Saint-Polycarpe. Cette cuvée, qui n'allie pas moins de six cépages rouges (le merlot en tête), a ravi le jury par sa robe d'un rouge profond à reflets noirs et par son bouquet expressif de fruits confiturés aux nuances fumées. Ample à l'attaque, le palais révèle une solide présence tannique, une structure tout en finesse alliée à un boisé bien dosé. On se laissera aussi tenter par **La Capitelle du domaine 2009 (15 à 20 € ; 36 000 b.)**, qui décroche une étoile pour sa rondeur et ses arômes gourmands de fruits rouges et de cacao. Superbe, **Le Chardonnay du domaine 2010 (6 500 b.)** décroche deux étoiles : il allie finesse et fraîcheur, boisé et fruité dans une harmonie complexe ; à découvrir d'ici trois ans.

Dom. de Baron'Arques, 11300 Limoux,
tél. 04.68.31.96.60, fax 04.68.31.54.23,
cfoucachon@domainedebaronarques.com
t.l.j. sf sam. dim. 9h-12h 14h-17h
GFA Baronne Philippine de Rothschild

DOM. JEAN-LOUIS DENOIS Sainte-Marie 2010 ★

	5 000		11 à 15 €

Après un coup de cœur en limoux rouge dans le millésime 2007, Jean-Louis Denois, propriétaire d'un domaine situé dans la haute vallée de l'Aude, propose cette fois-ci un blanc de chardonnay qui a séduit le jury par la fraîcheur de sa robe. Finement boisé, le vin révèle essentiellement des parfums d'agrumes et offre un bel équilibre en bouche, où raisin et fût s'allient avec bonheur dans un ensemble acidulé. Un vin élégant et harmonieux, à déguster dans deux ans sur des gambas à la plancha.

Vignobles Jean-Louis Denois, Borde-Longue,
11300 Roquetaillade, tél. 04.68.31.39.12, fax 04.68.31.39.14,
jldenois@orange.fr

CH. RIVES-BLANQUES Chardonnay Odyssée 2010 ★

	8 000		8 à 11 €

Ce domaine d'une vingtaine d'hectares est situé dans une zone protégée par le programme européen Natura 2000, à la croisée des influences méditerranéennes et atlantiques. La production est pour l'essentiel (85 %) écoulée à l'exportation, dont probablement cette cuvée Odyssée très appréciée du jury pour sa palette aromatique complexe mêlant la fleur de garrigue, la brioche légèrement grillée et des notes boisées. La bouche est prometteuse avec sa structure développée, soyeuse et vanillée, tonifiée par une délicate fraîcheur, qui laisse présager un bel avenir à cette bouteille. À servir sur un porc à l'ananas, par exemple.

Ch. Rives-Blanques, Dom. Rives-Blanques, 11300 Cépie,
tél. et fax 04.68.31.43.20, rives-blanques@wanadoo.fr
r.-v.
Jan et Caryl Panman

♥ TOQUES ET CLOCHERS Terroir Haute-Vallée Élevé en fût de chêne 2010 ★★

	35 000		11 à 15 €

La bataille est rude chaque année entre les quatre terroirs limouxins que la cave coopérative du Sieur d'Arques a mis en évidence. Dans le millésime 2010, c'est le terroir Haute-Vallée qui arrive en tête, avec un coup de cœur. Drapée d'or à reflets verts, cette cuvée exhale des senteurs florales agrémentées de notes boisées bien fondues. On ressent dès l'attaque la fraîcheur de ce chardonnay. Beaucoup de volume, une palette intense aux accents de fruits exotiques, une finale explosive et minérale. Cette excellente bouteille trouvera sa place auprès de fruits de mer ou d'une poularde truffée. Deux étoiles reviennent aussi à la cuvée **Terroir océanique 2010 blanc (35 000 b.)**, plus vive et aérienne.

Aimery-Sieur d'Arques, av. de Carcassonne,
11300 Limoux, tél. 04.68.74.63.00, fax 04.68.74.63.12,
a.aguanno@sieurdarques.com t.l.j. 9h-12h 14h-18h

Malepère

Superficie : 384 ha
Production : 18 521 hl

Longtemps AOVDQS côtes-de-la-malepère, ce vignoble a accédé à l'appellation d'origine contrôlée en 2007. Il s'étend sur le territoire de trente-neuf communes de l'Aude. Sa situation au nord-ouest des hauts de Corbières limite les influences méditerranéennes pour le soumettre à des influences océaniques. Aussi les malepère, vins rouges ou rosés, ne privilégient-ils pas les cépages du Sud mais les variétés bordelaises. En rouge, le merlot doit constituer la moitié de l'assemblage, suivi du cabernet franc ou du cot (20 %). En rosé, c'est le cabernet franc qui joue le rôle majeur (50 %). Les cépages méditerranéens comme le grenache et le cinsault n'entrent dans les assemblages qu'à titre accessoire.

♥ CH. BELVÈZE Cuvée Tradition 2010 ★★★

	11 000		5 à 8 €

Avec cette cuvée, Guillaume Malafosse confirme son talent. Il a repris le domaine familial en 1997 et l'a partiellement replanté. Celui qui se dit « artisan du vin » réserve sa production aux circuits traditionnels : cavistes, restaurants et particuliers. Pourquoi ne pas goûter le vin

dans son cadre, jouir de la « belle vue » (Belvèze) que ménage le château du XVIII^e^s., et découvrir son nouveau point de dégustation dans le parc ? Cabernet franc et merlot s'unissent presque à parité dans cette cuvée au nez puissant et complexe, alliance de fruits rouges et de cacao. La bouche ample et élégante est soutenue par un tanin dont la finesse autorise une consommation immédiate, tout en permettant quelques années de garde.
Malafosse, Le Château, 11240 Belvèze-du-Razès, tél. et fax 04.68.69.13.94, chateaubelveze@gmail.com t.l.j. 10h-13h 16h-19h

CH. DE COINTES Clémence 2009 *

7 000 | 8 à 11 €

Créé au milieu du XVII^e^s. par deux consuls de Carcassonne qui lui ont légué leur nom, le domaine a été acheté en 1924 par la famille des actuels propriétaires. Seuls 10 % de grenache entrent dans ce vin dominé par la « trilogie bordelaise », le merlot et les deux cabernets. Ce 2009, qui a séjourné un an en barrique, fait preuve d'une belle élégance, finement boisé au nez et souple en bouche. Ses arômes de fruits macérés dans l'alcool reflètent le soleil du millésime et de la région. Une bouteille pour maintenant.
Anne Gorostis, Ch. de Cointes, 11290 Roullens, tél. 04.68.26.81.05, fax 04.68.26.84.37, chateaudecointes@wanadoo.fr t.l.j. sf dim. lun. 10h30-12h30 17h30-19h; hiver sur r.-v.

DOM. DE FOURNERY D. de Fournery 2011 **

34 000 | - de 5 €

Un des châteaux vedettes de la Cave du Razès, coopérative fondée en 1947 : au fil des éditions du Guide, il a obtenu trois coups de cœur et de nombreuses étoiles, souvent attribuées par paire. Cette année comme la précédente, il brille en rosé. Celui-ci est un rosé de saignée, mi-cabernet franc mi-merlot. Il ne manque ni de couleur, ni de nez. Complexe, floral et fruité, il charme par son attaque, sa fraîcheur et son gras qui se conjuguent dans un remarquable équilibre et par ses arômes de fleurs blanches et de pêche qui s'épanouissent en bouche. Une bouteille qui donne envie de grillades.
Cave du Razès, D623, 11240 Routier, tél. 04.68.69.39.15, info@cave-razes.com t.l.j. 9h-12h 14h-18h

DOM. GIRARD Tradition 2010 **

6 300 | 5 à 8 €

Vu du ciel, le pittoresque village d'Alaigne ressemble à un escargot, avec son plan circulaire typique du Languedoc. Quant aux Girard, ils ne tournent pas en rond. Depuis le nouveau millénaire, ils élaborent eux-mêmes leurs vins, et ils ont obtenu trois coups de cœur dans cette appellation. Assemblage de merlot (60 %) et de cabernet franc, ce 2010 exprime toute l'élégance et la finesse du second cépage. Le nez, très aromatique, marie les fruits noirs, les épices (poivre) et le laurier. Plein et rond, le palais dévoile un joli grain de tanin qui laisse envisager une bonne garde.
Dom. Girard, 3, chem. de la Garriguette, 11240 Alaigne, tél. 04.68.69.05.27, domaine-girard@wanadoo.fr r.-v.

DOM. ROSE ET PAUL 2011 *

5 500 | 5 à 8 €

Gilles Foussat a participé activement à la reconnaissance de l'appellation. Rose et Paul, ce sont ses grands-parents ; il leur rend hommage en baptisant de leurs prénoms son jeune domaine. Son rosé assemble quatre cépages : beaucoup de cabernet franc (60 %), comme il se doit, une proportion non négligeable de malbec (20 %), avec du cabernet-sauvignon et du grenache en appoint. D'un rose pâle, légèrement saumoné, il offre un nez sur le fruit avec une touche amylique, et une bouche élégante dont la légère fraîcheur finale invite à le servir sous la tonnelle.
EARL Dom. Rose et Paul, chem. de la Malepère, 11290 Arzens, tél. 06.03.92.91.11, fax 04.68.76.33.96, domaine@rose-paul.fr r.-v.
Foussat

DOM. DE LA SAPINIÈRE Le Rosé de la Sapinière 2011 **

29 000 | 5 à 8 €

Il n'y a plus de sapins à la Sapinière : les arbres ont été offerts à Viollet-le-Duc au XIX^e^s. pour fournir du bois utile à la restauration du château comtal, au cœur de la cité de Carcassonne toute proche. Il n'y avait plus de ceps non plus sur cette propriété, et Joëlle Parayre, après un parcours dans l'industrie agroalimentaire, a recréé le vignoble familial en 1998. Très attirant dans sa robe pâle aux reflets argentés, son rosé offre un nez intense sur le fruit (pêche et fraise), arômes que l'on retrouve en bouche, soulignés en finale par une belle fraîcheur. Un ensemble gourmand.
Joëlle Parayre, Dom. de la Sapinière, Maquens, 11090 Carcassonne, tél. et fax 04.68.72.65.99, domainedelasapiniere@orange.fr r.-v.

DOM. DES SOULEILLES Coup de foudre 2009 *

4 200 | 5 à 8 €

Très vieux hameau que celui de Pech-Salamou aux maisons blotties en rond : il date de 931. Très jeune, à l'inverse, Sophie Delaude qui, après avoir passé plusieurs années au service du vin dans des terres plus ou moins lointaines, a décidé de perpétuer le domaine familial en s'installant en 2006 comme jeune agricultrice. Sa cuvée Coup de foudre montre quelques nuances d'évolution. Bien présente au nez, sur des notes de fruits mûrs, elle séduit par ses tanins policés et par sa finale élégante.
Delaude, Dom. des Souleilles, 2, rue des Fosses, Pech-Salamou, 11240 Donazac, tél. 06.12.93.69.21, d.souleilles@orange.fr r.-v.

LA TOUR DU FORT 2010 **

8 000 | 5 à 8 €

Une imposante bâtisse fortifiée datant du XVII^e^s. a donné son nom à ce domaine familial repris en 1995 par Marc Pagès. Le vignoble, qui couvre aujourd'hui 40 ha,

a été restructuré par le jeune vigneron après son installation, notamment dans son encépagement. Une trilogie merlot-cabernet franc-malbec est à l'origine de ce vin rubis profond, au nez vineux. Ce 2010 s'exprime pleinement en bouche où il offre des tanins puissants, de la rondeur et des arômes de fruits rouges et de réglisse. Un réel potentiel.
Marc Pagès, Dom. Le Fort, 11290 Montréal, tél. et fax 04.68.76.20.11, info@domainelefort.com
t.l.j. sf mer. dim. 10h-12h 14h30-18h30

Minervois

Superficie : 5 000 ha
Production : 170 000 hl (97 % rouge et rosé)

Le minervois est produit sur soixante et une communes, dont quarante-cinq dans l'Aude et seize dans l'Hérault. Cette région plutôt calcaire, aux collines douces et au revers exposé au sud, protégée des vents froids par la Montagne noire, produit des vins blancs, rosés et rouges.

Le vignoble du Minervois est sillonné de routes séduisantes ; un itinéraire fléché constitue la route des Vins, bordée de nombreux caveaux de dégustation. Un site célèbre dans l'histoire du Languedoc, celui de l'antique cité de Minerve, où eut lieu un acte décisif de la tragédie cathare, de nombreuses chapelles romanes et les églises de Rieux et de Caune sont les atouts touristiques de la région.

ALLIANCE MINERVOIS Les Meuliers 2010

25 000 | - de 5 €

Sur les hauteurs de La Livinière, on taillait jusqu'au XIXe s. des meules en grès. On peut encore voir les cavités d'extraction sur la roche. Cette cuvée dédiée aux meuliers, loin d'être dure comme la pierre, est ronde à souhait, parfumée de senteurs d'iris et de laurier. En bouche, une touche minérale se mêle à des notes plus chaleureuses de poivre, de cerise et de framboise bien mûres, le tout porté par des tanins polis. Prêt à boire, sur un tajine d'agneau aux épices douces.
SCAV Alliance Minervois, rue des Chevaliers, 11200 Homps, tél. 04.68.91.22.14, fax 04.68.91.19.16, adandrea@alliance-minervois.com
t.l.j. sf dim. 9h-12h 14h-18h

DOM. ANCELY La Muraille 2010 ★★

n.c. | 5 à 8 €

Quatrième sélection consécutive pour cette Muraille qui se bâtit une solide réputation, gravée dans la pierre du Minervois. Le **minervois-la-livinière Les Vignes oubliées 2009 (11 à 15 € ; 4 500 b.)** se rappelle aussi à notre bon souvenir, un vin qui fait preuve de « classe et d'une belle expression aromatique ». Mais les dégustateurs ont préféré la construction aboutie et équilibrée de ce 2010, son bouquet intense de fruits rouges et de cassis relevé d'épices, et sa structure croquante en soutien d'une bouche vive et d'une grande finesse.
Bernard Ancely, 4, pl. du Soleil-d'Oc, 34210 Siran, tél. et fax 04.68.91.55.43, domaineancelybernard@wanadoo.fr r.-v.

LES VIGNERONS D'ARGELIERS Les 87 2009 ★

10 000 | 5 à 8 €

C'est de ce village que partit la révolte vigneronne de 1907. Quatre-vingt-sept vignerons, emmenés par Marcellin Albert, leader du mouvement, furent les premiers à manifester le 11 mars. Ils seront huit cent mille le 9 juin, à Montpellier, pour dire non à la fraude et à la misère. Quoi de mieux pour un hommage à cette « révolte des gueux » qu'un minervois bien typé, riche de parfums de cassis, de mûre et de pruneau agrémentés d'une touche vanillée, souple, généreux, suave et charnu en bouche ? Le « vin de plaisir » par excellence.
La Languedocienne et ses vignerons, 10, av. Pierre-de-Coubertin, 11120 Argeliers, tél. 04.68.46.11.14, fax 04.68.46.23.03, lang-vin@wanadoo.fr
t.l.j. 10h-12h 15h-18h

CH. ARTIX Les Murailles 2010 ★

100 000 | 5 à 8 €

Après un coup de cœur l'an passé pour la cuvée Haute Expression 2009 de son château Portal, ce vigneron nous promène d'un château à l'autre, et ouvre grand ici les portes d'Artix, havre de paix isolé au creux d'une pinède. Pour un vin qui, drapé dans une robe violine, livre un bouquet intense où les fruits rouges, le menthol et la coriandre semblent danser un rigodon endiablé. La bouche dévoile quant à elle de douces notes de confiture de fraises, qui enrobent des tanins ronds à souhait. Une cuvée complexe et persistante.
Jérôme Portal, Dom. d'Artix, 34210 Beaufort, tél. 04.68.91.28.28, fax 04.68.91.38.38, ch-beaufort@wanadoo.fr r.-v.

LES DOM. AURIOL Grand Terroir de Pech Mireille 2009

10 000 | - de 5 €

Cette maison de négoce ne s'est pas trompée en sélectionnant ce vin d'un rouge brillant aux reflets noirs, sympathique et chaleureux. Le nez mêle la prune à l'eau-de-vie et de fines volutes de tabac blond. Le palais se révèle « féminin », souple et soyeux, mais conserve un caractère affirmé et épicé. Une invitation à un pique-nique gourmand dans la garrigue, autour de tapas.
SAS Les Domaines Auriol, BP 79, ZI Gaujac, 11200 Lézignan-Corbières, tél. 04.68.58.15.15, fax 04.68.58.15.16, info@les-domaines-auriol.eu r.-v.
Claude Vialade

FRANK BENAZETH Aragonite 2010 ★★

16 500 | 11 à 15 €

L'aragonite est une variété de carbonate présente dans le gouffre de Cabrespine, où elle forme des étoiles cristallines à l'extrémité des stalactites. Splendide et brillant, ce vin en obtient deux... Il sort de l'ombre pour nous fixer d'un regard sombre et profond, et dévoile d'intenses arômes d'épices, d'olive et d'agrumes qui invitent à poursuivre la dégustation et à croquer à pleines dents dans les fruits mûrs, onctueux et charnus. Délivré du bois, il se pare en bouche d'atours vanillés élégants et soyeux, et offre une finale chaleureuse d'une longueur infinie.

🔑 Frank Benazeth, 16, rue de la Condamine,
11160 Villeneuve-Minervois, tél. 06.30.61.30.01,
benazeth.frank@orange.fr ☑ 🍷 🚶 r.-v.

DOM. BORIE DE MAUREL Cuvée Sylla 2010 ★★

■ 8 000 ▮ 20 à 30 €

Les deux fils, Maxime et Gabriel, embarqués récemment dans le navire, s'affairent aux machines et dans les grands salons, tandis que Michel Escande, le capitaine expérimenté, maintient le rythme de croisière. Cette cuvée, toujours à la proue de l'appellation, nous embarque dans un voyage au long cours, les cales chargées de senteurs exotiques, de fruits mûrs et de garrigue enivrante. La bouche soyeuse, bordée de notes de cassis, de fraise et de mûre, navigue sur un océan de douceur. Ce vin croise le cap des huit caudalies avec aisance, et sa concentration et sa structure le destinent à un plus long périple.

🔑 Dom. Borie de Maurel, rue de la Sallele,
34210 Félines-Minervois, tél. 04.68.91.68.58,
fax 04.68.91.63.92, contact@boriedemaurel.fr
☑ 🍷 🚶 t.l.j. sf dim. 9h-12h 14h-18h 🏠 ❷
🔑 Michel, Gabriel et Maxime Escande

DOM. LE CAZAL Le Pas de Zarat 2010 ★

■ 110 000 🛢 11 à 15 €

C'est avec plaisir que les œnophiles retrouveront les Derroja qui, après de dures épreuves, vous invitent de nouveau à suivre les Pas de Zarat. Puisées aux vertus d'un grand terroir d'altitude, finesse et puissance se conjuguent autour de délicates notes de vanille et de fruits rouges. Harmonie et douceur caractérisent la bouche, qui livre une longue finale chaleureuse et épicée. Assurément une belle rencontre gourmande en perspective avec une cuisine moderne.

🔑 Claude Derroja, EARL Dom. le Cazal, 34210 La Caunette,
tél. et fax 04.68.91.62.53, info@lecazal.com
☑ 🍷 🚶 t.l.j. 9h-12h 13h30-18h30

COMBE BLANCHE Calamiac Terroir 2010

■ 15 000 ▮ 5 à 8 €

Parachuté sur les hauts coteaux de Calamiac par les hasards de la vie, ce sympathique Wallon a su révéler les nuances de ce terroir d'altitude qu'il a sorti de sa froideur. Après un nez mutin de fruits rouges, on découvre une bouche charnue et gourmande, tapissée de notes de framboise en coulis, un rien tannique, et pourvue d'une finale ample et équilibrée. Comme le dit avec justesse son créateur, c'est « un vin quotidien pour une cuisine quotidienne ».

🔑 Guy Vanlancker, 3, ancien chem. du Moulin-Rigaud,
34210 La Livinière, tél. et fax 04.68.91.44.82,
contact@lacombeblanche.com ☑ 🍷 🚶 t.l.j. 10h-13h 16h-19h

♥ **DOM. LA CROIX DE SAINT-JEAN** Lo Païre 2009 ★★★

■ 6 500 🛢 15 à 20 €

Le chemin de cette Croix conduit aux sommets. Cette cuvée Lo Païre (« le père » en occitan) met à l'honneur le patriarche, soixante-dix-neuf ans et toujours en activité sur le domaine où trois générations œuvrent de concert. D'une grande complexité, elle mêle au nez le grillé, le chocolat et le poivre. La bouche ravit les papilles par sa puissance et ses notes de framboise, de cassis, de Zan et de vanille qui s'enroulent autour de tanins polis. Dense, ample et élégante, elle s'étire dans une finale chaleureuse et persistante. Une superbe partition familiale.

LAC
ROIX
DESAI
NTJEAN

🔑 Fabre, La Croix de Saint-Jean, 11120 Bize-Minervois,
tél. 04.68.46.35.32, fax 04.68.40.76.55,
lacroixdestjean@hotmail.fr ☑ 🍷 🚶 r.-v.

♥ **PIERRE CROS** Les Aspres 2009 ★★★

■ 5 000 🛢 20 à 30 €

Pierre Cros
Les Aspres
2009

Septième coup de cœur pour la cuvée phare du domaine. Véritable « guide spirituel » du Minervois, Pierre Cros fait partie de ces grands artistes vignerons qui, ayant trouvé le graal dans leurs souches, nous font partager l'œuvre de leur vie en honorant nos tables de divins breuvages. Ce 2009 livre des parfums de cassis, de mûre, de vanille, de poivre et de cannelle d'une intensité exceptionnelle. Suave, sensuelle même, la bouche dévoile une chair onctueuse et s'achève en apothéose sur « une éternité de caudalies ».

🔑 Pierre Cros, 20, rue du Minervois, 11800 Badens,
tél. 04.68.79.21.82, fax 04.68.79.24.03,
domaine-pierre-cros@wanadoo.fr ☑ 🍷 🚶 r.-v. 🏠 ©

CH. FAÎTEAU Cuvée Gaston 2009 ★★

■ 4 000 🛢 11 à 15 €

Dédiée à son fils Gaston, cette cuvée signée Jean-Michel Arnaud est une friandise enrobée de notes de caramel, d'un doux sirop de griotte et parfumée à la fleur d'oranger. Bâtie sur des tanins affinés et torréfiés, elle présente en bouche un caractère bien trempé. C'est un vin souple et musculeux à la fois, d'un volume imposant, soutenu par une belle fraîcheur. À laisser grandir jusqu'en 2014.

🔑 Jean-Michel Arnaud, Ch. Faîteau, rte des Mourgues,
34210 La Livinière, tél. 06.15.90.89.48,
jm.arnaud71@orange.fr ☑ 🍷 🚶 r.-v.

LANGUEDOC

DOM. PIERRE FIL Cuvée Orebus 2010 ★

■ 12 000 ▮◖◗ 8 à 11 €

Le terroir de galets roulés et de grès calcarifères permet au mourvèdre de s'exprimer pleinement. Composant 60 % de cette cuvée, il a son mot à dire et il en raconte d'épicées... Mais carignan et grenache ne l'entendaient pas ainsi, et il a fallu mettre les trois compères au secret dix-huit mois dans le chêne français. Le trio en ressort grandi et offre un vin harmonieux, aux senteurs d'eucalyptus bien mariées à de douces notes de moka, de vanille et de chocolat apportées par le fût. En bouche, l'ambiance se fait chaleureuse et évolue favorablement, ce qui permettra une ouverture dès l'automne sur un salmis de pigeon.

Jérôme Fil, 12, imp. des Combes, 11120 Mailhac, tél. et fax 04.68.46.13.09, fil.pierre@yahoo.fr r.-v.

EXCELLENCE DE FLORIS 2010 ★

■ 1 800 ◖◗ 5 à 8 €

Cette cuvée, déjà remarquée dans ces pages, porte bien son nom tant elle a séduit les dégustateurs par la maîtrise de son élevage. Des senteurs douces de cannelle et d'épices se mêlent au cassis bien mûr, sans l'écraser. Tout en finesse, ce vin sait aussi hausser le ton en bouche, mais sans aucune lourdeur, porté par la vitalité d'une jeunesse bien née, et il offre une finale généreuse aux accents de garrigue.

Damien Remaury, Floris, 11700 Azille, tél. 06.75.02.24.12, scea-de-floris@orange.fr r.-v.

CH. FRANCES Millegrand 2010 ★

■ 78 000 ◖◗ 5 à 8 €

Jean Glavany, alors ministre de l'Agriculture, signa en 1999 le premier contrat territorial d'exploitation, dispositif destiné à préserver à la fois l'agriculture, ici l'environnement et les paysages. Dans ce cadre privilégié, ceps de syrah, grenache et carignan ont donné naissance à ce 2010 aux parfums intenses de garrigue et, en creusant un peu, de truffe... Cette promenade gourmande mène ensuite à un palais frais, agréable par sa structure fine, soyeuse et élégante, qui s'achève sur des notes plus chaleureuses de moka.

GAEC Frances et Fils,
Dom. Camberaud, 1, rue Saint-Julien, 11120 Mailhac,
tél. 04.68.46.58.13, didier.frances11@orange.fr
r.-v. D

CH. LA GRAVE Expression 2011 ★★

□ n.c. ▮ 5 à 8 €

Ancien fief de l'abbaye de Lagrasse (XIIe s.), ce domaine est établi sur un sol aux éclats de grès. C'est l'expression de ce terroir que Jean-François Orosquette met en valeur de façon remarquable avec ce blanc issu de macabeu (70 %), de vermentino et de marsanne. Un minervois au bouquet généreux de fleurs blanches et de fruits mûrs, ample, onctueux et étoffé en bouche, tonifié par des arômes plus vifs, jeunes et amyliques. Un vin complexe et très équilibré, que rien ne vient perturber et qui est appelé à bien vieillir.

Jean-François Orosquette, Ch. la Grave, 11800 Badens, tél. 04.68.79.16.00, fax 04.68.79.22.91,
chateaulagrave@wanadoo.fr
t.l.j. 9h-12h 14h-17h30, sam. dim. sur r.-v.

CH. GUÉRY Les Éolides 2010 ★★

■ 5 000 ▮◖◗ 11 à 15 €

César Franck, séjournant à Azille et probablement inspiré par les vents qui traversent le pays, composa une symphonie intitulée *Éolides*. Les Guéry, fins mélomanes et vignerons exigeants, sont animés par ce souffle qui les guide chaque année vers l'excellence. Loin d'étouffer le vin, les treize mois de mise à l'abri derrière le chêne apportent d'harmonieux parfums grillés et réglissés, mâtinés de nuances vivifiantes de mélisse. On retrouve cette fraîcheur en bouche aux côtés des fruits mûrs et d'un boisé fondu dont les saveurs vanillées s'envolent en finale, adossées à de doux arômes épicés.

Ch. Guéry, 4, av. du Minervois, 11700 Azille,
tél. et fax 04.68.91.44.34, rh-guery@chateau-guery.com
r.-v.

CH. DE L'HERBE SAINTE Tradition 2010 ★

■ 12 000 ▮ 5 à 8 €

Les herboristes locaux trouvent autour du domaine des plantes de garrigue aux vertus médicinales. Mais cette terre donne aussi naissance à des vins de qualité, à l'image de cette cuvée rubis intense, qui titille le nez par ses parfums épicés de poivre et de coriandre, et qui enchante par la douceur de ses notes de fruits rouges. À l'image de son terroir de galets, la bouche se révèle encore un peu rocailleuse et mérite d'être « érodée » par le temps pour atteindre le fondu parfait. Les plus impatients pourront toutefois l'apprécier dès maintenant avec un confit de canard.

Greuzard, Dom. de l'Herbe Sainte, 11120 Mirepeisset,
tél. 04.68.46.30.37, fax 04.68.46.06.15,
herbe.sainte@wanadoo.fr
t.l.j. 10h-12h 16h-19h; dim. sur r.-v.

B **DOM. DES HOMS** Paul 2010 ★

■ 30 000 ▮ 8 à 11 €

Respect est le maître mot de Jean-Marc de Crozals : respect de la terre, de la vigne, du raisin. La conversion « à la religion bio » devenait alors une évidence, et ce Paul se présente ici en grand apôtre du domaine. Il nous promène à travers la garrigue odorante et les buissons de cassis, proposant au passage quelques baies de mûres charnues. Au palais, il offre de généreuses et douces notes épicées accompagnées par un coulis de framboise, qui enrobe une charpente équilibrée et laisse sur une agréable sensation de sucrosité. À déguster avec un fromage à pâte molle.

de Crozals, Dom. des Homs, 11160 Rieux-Minervois,
tél. 04.68.78.10.51, fax 04.68.78.47.41, jm.decrozals@free.fr
t.l.j. 10h-13h 16h-20h C

CH. LAVILLE BERTROU La Réserve 2010 ★★

■ 53 000 ◖◗ - de 5 €

Sur le domaine, sont organisées des soirées jazz. Mais nul besoin d'être mélomane pour apprécier l'harmonie parfaite de ce vin aux notes confiturées de cassis et de myrtille. Sur un tempo jeune et entraînant, précédé d'une ouverture riche et équilibrée, le palais affiche un volume remarquable, de la générosité, de la complexité et une solide structure. Il mérite un rappel pour sa finale en apothéose.

Gérard Bertrand,
Ch. l'Hospitalet, rte de Narbonne Plage, 11104 Narbonne Cedex, tél. 04.68.45.36.00, fax 04.68.45.27.17,
vins@gerard-bertrand.com t.l.j. 9h-19h

DOM. DES MAELS Le Clos du pech Laurié 2009 ★

■ 4 000 (II) 11 à 15 €

Les vignes de ce clos de 1,4 ha seront certifiées en agriculture biologique pour le millésime 2011. Tout le talent du vigneron, qui met l'élevage au service du terroir, s'exprime dans cette cuvée dont les douces senteurs vanillées cèdent vite le pas devant des notes kirschées et réglissées. La bouche, subtile et concentrée à la fois, séduit par son harmonie. À déguster dans peu de temps, sur un civet de lièvre.

Schwertz, 32, av. des Platanes, 11200 Argens-Minervois, tél. 06.23.49.34.16, vignoble@domainedesmaels.com t.l.j. sf dim. 10h30-13h30 16h-19h; f. nov.-avr.

CH. MALVES Les Frères Bousquet 2011 ★★

6 000 5 à 8 €

Le chai pourrait faire penser à une œuvre architecturale contemporaine avec les matériels en Inox poli et brillant, qui s'insèrent dans la pierre brute des caves massives du XIXᵉs. Rien ne se juxtapose, tout s'intègre et s'équilibre comme dans ce vin en robe d'or limpide et brillant, qui marie au nez minéralité fondue et touches briochées. La bouche se révèle à la fois vive et charnue, mêlant des nuances acidulées à des notes plus douces de fruits en coulis. Parfait pour une volaille à la crème.

SCEA Bousquet, Ch. de Malves, 11600 Malves-en-Minervois, tél. 04.68.72.25.32, fax 04.68.72.25.00, malves-bousquet@wanadoo.fr t.l.j. 8h-12h 14h-19h; sam. dim. sur r.-v.

CH. MILLEGRAND Cuvée Aurore 2010 ★★

■ 80 000 8 à 11 €

Les Bonfils sont des adeptes de l'extraction maximale : chaque grain doit rendre généreusement le soin apporté par le geste vigneron et l'effort accompli. Le résultat est ici à la hauteur de l'attente, avec une structure volumineuse et enrobée soutenue par des tanins au caractère bien trempé. Aux côtés d'arômes de menthol et de laurier, la prise de bois étoffe le palais de notes toastées et chocolatées qui, loin de l'étouffer, lui procurent davantage de puissance. Ainsi paré, ce vin mérite votre patience, même si vous pouvez d'ores et déjà l'apprécier sur une viande longuement mijotée.

SCEA Ch. de Millegrand, Dom. de Millegrand, 11800 Trèbes, tél. et fax 04.68.78.30.96 r.-v.

Bonfils

CH. MIRAUSSE Le Grand Penchant 2010 ★★

■ 9 000 8 à 11 €

Les lecteurs du Guide connaissent bien désormais Raymond Julien, ce « vigneron de l'extrême » et digne descendant de son ingénieux ancêtre de Zanzibar. La vendange est ici manuelle ; les vendangeuses qui portent avec soin les grappes de raisin pour les amener entières au cuvier. La macération carbonique permet de faire « exploser » alors les grains pour que surgissent une multitude d'arômes (mûre, cannelle, pruneau, épices) qui enrobent de beaux tanins dans une bouche ample et consistante. L'ensemble est harmonieux, élégant, haut en couleur et porte la signature d'un vrai talent.

Raymond Julien, Ch. Mirausse, 11800 Badens, tél. 09.60.43.65.01, julien.mirausse@wanadoo.fr r.-v.

DOM. MONASTREL 2011 ★

1 000 8 à 11 €

Première ode de Monastrel au minervois blanc et première sélection dans le Guide. Entrée sur scène en tenue scintillante, avec un bouquet de fleurs blanches. Dès l'attaque, des notes de fruits frais amènent un air entraînant. Le palais, charnu et fondu, monte ensuite en puissance, porté par une tonalité vive qui étire la finale et tonifie l'ensemble. Ce blanc jouera de concert avec des poissons grillés aux sarments ou un plateau de coquillages.

Vincent Enaud, 24, rte de Mailhac, 11120 Bize-Minervois, tél. 04.68.46.01.55, domaine@monastrel.com r.-v.

LE PLÔ NOTRE-DAME L'Atelier 2010 ★

■ 13 300 5 à 8 €

C'est un « vin d'artisan », cousu main, qui est manufacturé par cet Atelier. Et si la **cuvée principale 2009 rouge (11 à 15 € ; 3 827 b.)**, ciselée par un élevage d'orfèvre de vingt-quatre mois, a elle aussi séduit les dégustateurs, la primeur est donnée à la jeunesse et à ce 2010 aux arômes généreux de fraise et de réglisse. Intense, ample et onctueux en bouche, il ne néglige pas non plus la finesse et plaît par l'élégance de sa finale. Une bouteille racée et bien typée minervois.

Nicolas Azalbert, L'Atelier, rte du Pouzet, 11600 Bagnoles, tél. 04.68.77.05.33, fax 04.68.26.32.24, plonotredame@orange.fr r.-v.

DOM. LA PRADE MARI Conte des garrigues 2009 ★★

■ 20 000 (II) 11 à 15 €

Les millésimes se succèdent au rythme des éditions et ce domaine est toujours au rendez-vous du Guide. Ce Conte, paré d'une robe violine, semble poser près d'une capitelle, au milieu de la garrigue, avec ses senteurs de lavande et de romarin accompagnées de cerise gorgée de soleil. Puis la menthe poivrée et les épices s'invitent dans une bouche douce et charnue. Une petite merveille, à découvrir avec un sauté d'agneau au thym et au romarin.

Dom. la Prade Mari, 5, hameau de la Prade, 34210 Aigne, tél. 04.68.91.22.45, fax 05.31.60.08.36, domainelaprademari@wanadoo.fr r.-v.

Éric Mari

DOM. PUJOL La Mitre de l'évêque 2009 ★

■ 2 500 20 à 30 €

Cette cuvée ornée d'une parure pourpre... cardinal a connu un « sacerdoce » de douze mois en fût. Si elle laisse poindre des senteurs gourmandes de griotte, elle n'a pas enlevé sa chape de grillé et de cannelle héritée de l'élevage. En bouche, elle s'impose par sa puissance, tout en laissant en finale un petit goût sucré (de paradis). À ouvrir sur une assiette de charcuteries du terroir.

Dom. Pujol-Izard, 8 bis, av. de l'Europe, 11800 Saint-Frichoux, tél. 04.68.78.15.30, fax 04.68.78.24.58, info@pujol-izard.com t.l.j. 8h-12h 13h30-17h30; sam. dim. sur r.-v.

CH. SAINTE-EULALIE Plaisir d'Eulalie 2010 ★

■ 90 000 - de 5 €

Le « vin de plaisir » par excellence ! Les dégustateurs ne s'y sont pas trompés, louant sa finesse, la douceur de ses arômes de myrtille et de mûre, le soyeux de sa matière et sa finale croquante rehaussée de poivre. Ils ont aussi apprécié la cuvée **La Cantilène 2009 rouge (11 à 15 € ;**

LANGUEDOC

60 000 b.) pour ses parfums doux et concentrés de kirsch précédés par une touche vanillée d'une belle finesse. Deux vins qui se compléteront à merveille sur votre table : une salade de gésiers pour le premier, le second prenant le gigot d'agneau à son compte.

Isabelle Coustal, Ch. Sainte-Eulalie, 34210 La Livinière, tél. 04.68.91.42.72, fax 04.68.91.66.09, info@chateausainteeulalie.com
t.l.j. 10h30-13h 15h-17h (été 19h30)

DOM. SAINTE-LÉOCADIE Cuvée Fernand Avéroux 2009 ★

6 000 | 8 à 11 €

Chaque année, à pareille époque, on célèbre, avec ce vin rouge « bon œil », éclatant de jeunesse, la mémoire du bisaïeul fondateur du domaine. Il fleure bon le printemps avec ses parfums intenses de bourgeon de cassis et de garrigue. Il se montre vif et alerte en bouche, mais sait aussi se faire suave et délicat grâce à ses tanins doux, synonymes d'une vinification en grains entiers très réussie. Idéal sur une entrecôte grillée.

Thierry Bonnel, La Combe, 34210 Aigne, tél. 04.68.91.80.27, thierry.bonnel4@wanadoo.fr
t.l.j. 9h-19h

LES VIGNERONS DE SAINT-JEAN 2010 ★★

10 000 | 5 à 8 €

Est-ce le réchauffement climatique ? Ou l'atmosphère magique de ces terroirs d'altitude ? Ou bien la baguette d'Alain Tailhan, « grand sorcier » de la cave ? Toujours est-il que ce vin bénéficie de cette alchimie. Quelques tours du verre, et le charme opère : on sent que la dégustation fera surgir la minéralité des calcaires durs de Saint-Jean et le fruit des cerisiers environnants, cette burlat aussi charnue que chaleureuse. Ajoutez au philtre une pincée d'épices, et vous voilà envoûtés ! Aujourd'hui, et pour longtemps.

SCA le Muscat, Le Village, 34360 Saint-Jean-de-Minervois, tél. 04.67.38.03.24, fax 04.67.38.23.38, lemuscat@wanadoo.fr
t.l.j. 8h-12h 14h-18h

DOM. SICARD Hommage à Élie 2009 ★

10 000 | 5 à 8 €

Les actuels propriétaires de ce domaine familial qui se transmet depuis quatre générations sont également apiculteurs, d'où l'abeille sur l'étiquette de ce vin, qui rend hommage à Élie, le fondateur. Ce 2009 taquine délicatement les narines de ses parfums floraux et aiguise les papilles dès l'entrée en bouche par de délicieux arômes de toast et de confiture de prunes. Dans un cadre classique, le palais dévoile une sucrosité qui enrobe des tanins bien présents, gages d'une bonne tenue dans le temps.

Dom. Sicard, 11, rte de Saint-Pons, 34210 Aigues-Vives, tél. 04.68.91.23.94, gaecsicard@wanadoo.fr
t.l.j. sf dim. 8h-12h 14h-19h B

DOM. LA SIRANIÈRE 2010 ★

8 200 | 8 à 11 €

La « fête du vin » continue à la Siranière : après une première sélection l'an dernier, ce domaine créé en 2008 confirme son savoir-faire, avec Bernard Marty toujours chef d'orchestre au chai. Première apparition en revanche pour le **minervois-la-livinière 2010 rouge (20 à 30 € ; 2 000 b.)** qui, s'il apparaît grâce à son élevage particulièrement réussi, laisse le devant de la scène à ce minervois 2010. Au nez, la réglisse, les fruits à noyau et des nuances douces de confiture de prunes jouent une partition harmonieuse. En bouche, les tanins chantent juste également, accompagnés de notes de fruits noirs qui composent une finale intense et longue.

EARL La Siranière, 9, av. du Petit-Soleil, 34210 Siran, tél. 06.12.72.12.98, lasiraniere@neuf.fr r.-v.

DOM. TAILHADES MAYRANNE ... À Élise 2010 ★★

2 000 | 11 à 15 €

Ce domaine est une affaire de famille, et Élise Tailhades, fille aînée du propriétaire, donne son nom à cette cuvée. Une œuvre originale, née sur une parcelle de syrah issue d'une sélection massale de l'appellation saint-joseph (vallée du Rhône nord) et plantée il y a plus de trente ans dans les dures grésettes par le regretté André. Le vin ? À l'image des gens du terroir : généreux, chaleureux, d'une tendresse pudique, le regard franc et la poigne ample et massive. Accueillant, il invite à déguster une coupe de fraises et de cassis mûrs et doux. Vous pouvez lui accorder votre confiance dès aujourd'hui ou avoir foi en son avenir.

Régis Tailhades, Dom. de Mayranne, 34210 Minerve, tél. 09.65.15.40.28, fax 04.68.91.11.96, domaine.tailhades@orange.fr r.-v. C

VIGNOBLES DES TERRES DE JOIES Bon-Ôme 2009

4 000 | 8 à 11 €

Dans la religion cathare, un « bon-ôme » était un être « parfait » considéré comme ayant atteint le sommet de la spiritualité. Pierre Ferret et ses acolytes signent un joli vin de garde, qui atteindra son zénith d'ici deux ans. Pour l'heure, on apprécie ses arômes prometteurs de cassis et de griotte acidulée, adossés à une charpente dense et concentrée. « L'expérience précédant l'essence », laissons à cette cuvée le temps de s'épanouir.

Vignobles des Terres de Joies, Les Jouarres, 11290 Alairac, tél. 06.87.24.89.52, pierreferret11@free.fr
r.-v.

DOM. TERRES GEORGES Quintessence 2010 ★

5 600 | 8 à 11 €

Le nom de l'exploitation est un hommage à la mémoire du père d'Anne-Marie Coustal. Cette Quintessence, cuvée de référence du domaine, traduit le goût de l'effort et de l'exigence à l'œuvre dans le vin. Elle décline une vaste palette aromatique, où l'artiste vigneron semble avoir jeté une poignée de cerises burlat et de mûres gorgées de soleil. S'y ajoutent ensuite une nuance de chocolat noir, avec le kirsch pour la touche finale. L'ensemble compose un tableau harmonieux et chaleureux, à apprécier sur une viande en sauce.

Anne-Marie et Roland Coustal, 2, rue des Jardins, 11700 Castelnau-d'Aude, tél. 06.30.49.97.73, fax 04.68.43.79.39, info@domaineterresgeorges.com
r.-v. E

TERROIR LES MOURELS Cuvée Image 2009 ★

7 000 | 8 à 11 €

Cette « image » n'a rien de fugace. Elle offre une vision brillante, d'un beau pourpre profond, des vins du Minervois. Son nez intense de fruits rouges bien mûrs, agrémenté de nuances empyreumatiques et vanillées, annonce une bouche à l'attaque chaleureuse, pleine et entière, aux traits aromatiques encore plus marqués. Il y a du relief et du caractère dans ce 2009 bâti sur une trame tannique solide que l'on laissera encore à l'abri de la lumière pour quelques années.

SCV Les Crus du Haut-Minervois, av. d'Olonzac, 34210 Azillanet, tél. 04.68.91.22.61, fax 04.68.91.19.46, les3blasons@wanadoo.fr r.-v.

CH. TOURRIL Cuvée Philippe 2010

	13 800		5 à 8 €

Le domaine est caché au creux de la pinède dans un cadre bucolique et privilégié. De cet écrin, émerge un vin rubis scintillant à la structure bien ciselée, aux contours soyeux, parfumé de senteurs fruitées de cerise, de grenade et de cassis. La dégustation de cette cuvée qui conjugue élégance, charme et style moderne, se conclut sur un tempo équilibré et enjoué.

Ch. Tourril, Le Tourril, 11200 Roubia, tél. 04.68.91.36.89, fax .04.68.91.30.24, info@chateautourril.fr r.-v.

Espelque et Kandler

CH. VAISSIÈRE 2010

	13 000		11 à 15 €

Les premières syrahs du Languedoc furent plantées ici en 1960, et c'est de ces vignes chenues qu'est née cette cuvée éclatante de jeunesse. Bien élevée durant douze mois à l'école du chêne, elle obtient la mention « réussi » pour ses parfums délicatement grillés et vanillés et pour sa bouche équilibrée de bout en bout, et tout en douceur. Elle acceptera une petite garde et aussi une ouverture immédiate.

Olivier Mandeville, Dom. de Vaissière, 11700 Azille, tél. 06.18.39.31.22, fax 04.68.78.31.83, vmandeville@chateauvaissiere.fr r.-v.

DOM. VORDY MAYRANNE Cuvée Louise 2010 ★

	10 000		5 à 8 €

Hameau proche de Minerve, Mayranne vaut le détour. Dans ce lieu « minéral » et baigné de soleil, les vignes serpentent au milieu des garrigues. Elles donnent naissance à cette Louise et à son « aînée » **Alice 2009 (11 à 15 € ; 4 000 b.)**. Les deux cuvées présentent un air de famille. Alice se montre bien élevée, un rien plus sage, dominée par des notes de cacao. Louise offre un joli minois de fruits frais et plaît par son exubérante jeunesse. Finalement, vous pourrez adopter les deux, tant elles semblent inséparables à la dégustation.

Didier Vordy, Mayranne, 34210 Minerve, tél. 04.68.91.80.39, vordy.didier@wanadoo.fr r.-v.

Minervois-la-livinière

Superficie : 200 ha
Production : 7 000 hl

Reconnue en 1999, l'appellation minervois-la-livinière regroupe cinq communes des contreforts de la Montagne noire. Elle produit des vins rouges issus de petits rendements.

CH. CESSERAS 2009 ★★

	30 000		11 à 15 €

Camille Ournac fut sénateur et maire de Toulouse de 1897 à 1920. On lui doit la restauration de la fameuse place du Capitole. Les œnophiles doivent à son descendant, Pierre-André, ce judicieux assemblage des « quatre piliers de la sagesse » locale (syrah, grenache, carignan, mourvèdre), qui offre une expression aromatique originale de cassis, de confiture de fraises, de pain grillé et de moka, prélude à un palais concentré mais également onctueux, doux et réglissé. Appréciez dès maintenant son velouté et sa suavité sur une viande rouge en sauce ou sur une pièce de gibier.

Dom. Coudoulet, chem. de Minerve, 34210 Cesseras, tél. 04.68.91.15.70, pierreandre.coudoulet@wanadoo.fr r.-v.

Pierre-André Ournac

♥ **DOM. CHABBERT-FAUZAN** Clos la Coquille 2009 ★★★

	3 500		8 à 11 €

Située à 300 m d'altitude, sur les collines de Fauzan, cette parcelle sort une perle rare de sa « coquille ». Dans une belle vague aromatique, fruits noirs et fruits confits se succèdent avec puissance et densité. Sans tout emporter sur leur passage, épices et notes boisées donnent du roulis à une bouche ample, aux tanins corsés et concentrés, relayés par des senteurs de caféier et de mûrier, jusqu'à une finale fraîche comme l'écume.

Dom. Chabbert-Fauzan, Fauzan, 34210 Cesseras, tél. 04.68.91.23.64, fax 04.68.91.31.17 r.-v.

Gérard Chabbert

MAS PAUMARHEL Mourel rouge 2009 ★★

	2 500		8 à 11 €

« Aux âmes bien nées, la valeur n'attend pas le nombre des années... » Troisième millésime et troisième sélection dans le Guide pour Jean-Luc Dressayre qui confirme son talent, et son Mourel rouge sort de la dégustation avec le titre de dauphin du coup de cœur. Il évoque un coulis de fruits noirs à la cannelle fondant littéralement sur une ganache de chocolat, enrobé de tanins croquants, et il laisse une agréable sensation de douceur. Un vin ample et harmonieux, à l'équilibre remarquable. Qualifié de « grand classique de l'appellation », il fera merveille sur une joue de bœuf en daube.

Jean-Luc Dressayre, Mas Paumarhel, 3, chem. de la Métairie, 34210 Azillanet, tél. 04.68.49.22.18, jl.dressayre@neuf.fr r.-v.

CH. MIGNAN Les Trois Clochers 2010 ★★

	30 000		8 à 11 €

De la cave, on distingue les trois clochers des villages voisins. Sous cette triple protection, syrah, grenache et carignan donnent naissance à ce vin à la carrure « triple XL ». Drapé dans une tenue d'un violine intense et soutenu, ce 2010 dévoile au nez des notes de moka, de

cerise et de vanille. La bouche s'impose par ses tanins fondus, par son volume et sa rondeur. Une cuvée armée pour durer et pour voyager : « Un grand vin destiné aux marchés internationaux », imagine un dégustateur sous le charme. À noter : le vignoble est en conversion vers le bio.
Christian Mignard, Ch. Mignan, 34210 Siran,
tél. et fax 04.68.49.35.51, chateau.mignan@wanadoo.fr
r.-v.

Saint-chinian

Superficie : 3 261 ha
Production : 138 218 hl (99 % rouge et rosé)

Mentionnés dès 1300, les saint-chinian sont VDQS depuis 1945 et AOC depuis 1982. Implanté dans l'Hérault, au nord-ouest de Béziers, orienté vers la mer, le vignoble couvre vingt communes et s'étend sur des coteaux le plus souvent situés entre 100 et 300 m d'altitude. Il s'enracine dans les schistes, surtout dans la partie nord, et dans les cailloutis calcaires, vers le sud. Nés du grenache, de la syrah, du mourvèdre, du carignan et du cinsault, les saint-chinian ont un potentiel de garde de quatre à cinq ans. Une maison des Vins créée à Saint-Chinian assure la promotion des vins de l'appellation.

DOM. BELLES COURBES Tradition 2011 *

4 200 | 5 à 8 €

Jean-Benoît Pelletier est bien connu des lecteurs du Guide. Il décroche une nouvelle étoile pour ce rosé de saignée, assemblage de cinsault (85 %) et de grenache. Ce 2011 saumoné s'exprime avec complexité, tant au nez qu'en bouche, livrant des arômes floraux et fruités (abricot, melon, pêche jaune) et une pointe de minéralité d'une grande finesse. La bouche est ronde, équilibrée par une belle fraîcheur.
Jean-Benoît Pelletier,
Dom. Belles Courbes, 24, cours Lafayette,
34480 Saint-Geniès-de-Fontedit, tél. et fax 04.67.36.32.24,
vinbellescourbes@wanadoo.fr r.-v.

BORIE LA VITARÈLE Les Crès 2010 ***

4 000 | 15 à 20 €

Jean-François Izarn conduit le domaine en culture biodynamique et biologique, et réalise des vinifications douces et sans intrants. La cuvée Les Crès 2010 a emporté l'adhésion du jury par sa couleur d'un rouge profond illuminé de reflets violets, et par son nez puissant et élégant où se mêlent fruits rouges, violette, réglisse, qui s'harmonisent avec un fond délicatement vanillé. La bouche dévoile une magnifique matière portée par de puissants tanins enrobés d'épices douces et de vanille encore. Le coup de cœur n'était pas loin. Il faudra savoir attendre cette merveille, avant de la déguster sur un agneau grillé à la broche.
Jean-François Izarn, Borie La Vitarèle,
34490 Causses-et-Veyran, tél. 04.67.89.50.43,
fax 04.67.89.70.79, jf.izarn@borielavitarele.fr r.-v.

CH. BOUSQUETTE Prestige 2009 *

4 300 | 8 à 11 €

Conduit en agriculture biologique dès 1972 (selon la charte Nature et Progrès) et aujourd'hui certifié, ce domaine viticole très ancien a été repris en 1996 par Éric et Isabelle Perret. Ces derniers ont restructuré le vignoble, amélioré la cave et valorisé avec succès ce site exceptionnel. Régulièrement distingués dans le Guide, ils proposent la cuvée Prestige à dominante de syrah (90 %). Le nez complexe dévoile tour à tour des notes d'eucalyptus, de cassis, d'épices et de camphre. Dans le même registre, la bouche se montre généreuse et fraîche à la fois. Pour un plaisir immédiat.
Éric Perret, Ch. Bousquette, rte de Cazouls,
34460 Cessenon-sur-Orb, tél. 04.67.89.65.38,
fax 04.67.89.57.58, labousquette@wanadoo.fr
t.l.j. 9h-12h 13h30-18h30; sam. dim. sur r.-v.

DOM. CARRIÈRE-AUDIER Le Gouleyant 2011 *

3 000 | - de 5 €

Le domaine se situe dans l'un des lieux les plus touristiques de l'appellation ; Vieussan, village à flanc de coteau, domine les terrasses plantées de vignes surplombant l'Orb. Sur ce terroir de schistes, roussanne (70 %) et grenache blanc s'expriment à merveille. Le nez très expressif est fait de fleurs, de fruits à chair blanche (pêche) et de fruits exotiques agrémentés de quelques notes de fruits secs. Droit et équilibré, le palais séduit par une belle rondeur. Une pointe d'amertume en finale apporte de la fraîcheur à ce vin léger et aromatique. Ce Gouleyant sera idéal à l'heure de l'apéritif.
Dom. Carrière-Audier, Le Village, 34390 Vieussan,
tél. 04.67.97.77.71, fax 04.67.97.34.14, carriereaudier@free.fr
t.l.j. 9h-13h 15h-19h

DOM. DE CLAIRAC L'Or des schistes 2010

4 200 | 11 à 15 €

La réverbération des rayons du soleil hivernal sur les sols schisteux a inspiré le nom de cette cuvée issue des parcelles situées à Berlou, au cœur de l'appellation. La robe grenat s'illumine de reflets rubis. Le nez complexe se montre gourmand, avec des tons de fruits bien mûrs (cerise, cassis) et des notes de poivre sauvage. La bouche aux tanins encore jeunes se révèle équilibrée, et s'étire longuement, soutenue en finale par une plaisante vivacité. Ce vin pourra être apprécié dans sa jeunesse tout comme dans deux ou trois ans sur un coq au vin. À noter que le domaine est en conversion bio.
Dom. de Clairac, 34370 Cazouls-les-Béziers,
tél. 04.67.90.55.62, fax 04.67.90.66.07,
deborah.knowland@wanadoo.fr r.-v.
Deborah Knowland

CLOS BAGATELLE La Terre de mon père 2009 **

12 000 | 20 à 30 €

Avec 60 ha, ce beau domaine bénéficie de la variété des terroirs de l'appellation (sols schisteux, argilo-calcaires, grès), des expositions et des cépages (traditionnels ou plus récents). La cuvée La Terre de mon père a charmé par son élégance et son harmonie générale. La robe pourpre profond annonce le bouquet intense de petits fruits rouges et de réglisse. Souple et bien équilibré, le palais s'appuie sur des tanins très fins. Un 2009 remarquable, à apprécier dans les deux ans. **Le Clos de**

ma mère 2011 blanc (5 à 8 € ; 10 000 b.) est cité pour sa bouche ronde, fraîche et équilibrée.

EARL Bagatelle, Clos Bagatelle, rte de Saint-Pons, 34360 Saint-Chinian, tél. 04.67.93.61.63, fax 04.67.93.68.84, closbagatelle@wanadoo.fr r.-v.

CLOS DE LA RIVIÈRE 2009

14 000 | 5 à 8 €

Jean-Philippe Madalle a repris le vignoble familial où son grand-père, en précurseur, avait déjà planté des cépages « nobles ». Dans ce saint-chinian élevé en fût de chêne, assemblage de syrah (80 %) et de grenache noir, les notes d'élevage (clou de girofle, pain grillé) accompagnées d'un fruité intense (cassis confituré) dominent au nez. En bouche, le boisé persiste sur des notes complexes de tabac, mêlé d'arômes de poivre et d'eucalyptus. Ample, généreux, riche, ce vin est destiné à s'épanouir. À découvrir dans un an ou deux sur un filet de bœuf.

Jean-Philippe Madalle, 52, av. Jean-Jaurès, 34490 Causses-et-Veyran, tél. 06.76.29.26.34, madallejp@orange.fr

CH. COUJAN Bois joli 2009 ★

3 600 | 11 à 15 €

La famille Guy, propriétaire du domaine depuis 1868, travaille dans le respect de la nature. Rien d'étonnant donc à ce qu'elle concrétise cette philosophie en convertissant son vignoble à l'agriculture biologique. Cette cuvée a séjourné quatorze mois en demi-muid de 600 l avant de livrer son potentiel. Pourpre profond, elle offre un nez de petits fruits noirs (cassis, mûre) sur un fond finement vanillé, agrémenté de notes de café. La bouche, charnue et délicatement épicée, enrichie de notes de cuir, est sous-tendue par une fraîcheur bienvenue, un tantinet poivrée. Un vin pour maintenant.

Florence Guy, Ch. Coujan, 34490 Murviel-les-Béziers, tél. 04.67.37.80.00, fax 04.67.37.86.23, chateau-coujan@orange.fr t.l.j. 9h-12h 14h-18h; dim. sur r.-v.

CH. CREISSAN Cort d'amor 2011

13 000 | - de 5 €

Le domaine, situé dans l'enceinte médiévale de Creissan, met à l'honneur la langue occitane avec une cuvée Cort d'amor (« Cour d'amour »), qui porte le nom d'un récit poétique et lyrique du XIIe siècle. Rose tendre aux reflets saumonés, cet assemblage de syrah, grenache, carignan et mourvèdre dévoile un beau fruité sur une bouche fraîche et tendre. Un bel accent méditerranéen pour ce rosé à servir en toute simplicité sur une assiette de charcuterie. La **cuvée Adoira Vieilles Vignes 2010 rouge (5 à 8 € ; 7 500 b.)** reçoit la même note pour son bouquet épicé et réglissé, et pour sa bouche soyeuse et légère au bel équilibre.

Bernard Reveillas, 3, chem. du Moulin-d'Abram, 34370 Creissan, tél. 06.85.13.83.15, bernard.reveillas@orange.fr r.-v.

DOM. LA CROIX SAINTE-EULALIE Cuvée Armandélis 2010

10 000 | 8 à 11 €

Le nom d'un ancêtre de la famille à l'origine de la création de la cave a été retenu pour cette cuvée aux reflets rubis. Sa belle palette aromatique, évoluant de la cerise griotte au cacao, se retrouve dans un palais frais et équilibré, adossé à des tanins fondus. À apprécier dès maintenant sur un tartare de bœuf épicé.

Dom. la Croix Sainte-Eulalie, 17-19, av. de Saint-Chinian, hameau de Combejean, 34360 Pierrerue, tél. et fax 04.67.38.08.51, croix-sainte.eulalie@neuf.fr t.l.j. 8h-19h

Agnès Gleizes

DOM. DESLINES LC 2010

3 000 | 5 à 8 €

Informaticienne reconvertie à la viticulture, Line Cauquil a repris en 1995 le petit domaine familial et s'est inspirée, pour le nommer, du prénom de sa mère Éveline et du sien. La cuvée, marquée de ses propres initiales, marie avec bonheur grenache (60 %), syrah et carignan. Au palais, des arômes de fraise écrasée et de framboise fraîche s'expriment pleinement. Les tanins, souples et aimables, invitent à découvrir ce vin plaisant dès aujourd'hui sur un magret de canard aux airelles.

Line Cauquil, Dom. Deslines, rte de Donnadieu, 34360 Babeau-Bouldoux, tél. 06.75.86.63.42, domainedeslines@hotmail.fr r.-v.

CH. LA DOURNIE 2011

1 100 | 5 à 8 €

Six générations de femmes se sont succédé à la tête de ce domaine, apportant savoir-faire, passion et belles réussites, tel ce rosé issu à parts égales de syrah, de grenache noir et de cinsault. La robe est pâle et très brillante ; le nez fin développe une belle complexité florale ; la bouche se montre longue, aromatique et dotée d'un équilibre parfait.

Ch. la Dournie, La Dournie, 34360 Saint-Chinian, tél. 04.67.38.19.43, fax 04.67.38.00.37 r.-v.

CH. FONTANCHE 2011 ★

7 000 | 5 à 8 €

Originaire du Jura, Frédéric Lornet, également bien connu de nos lecteurs dans l'appellation arbois, s'est installé il y a presque dix ans sur les terres de Saint-Chinian, et il vinifie avec un certain succès. Pour preuve ce joli rosé d'assemblage (grenache noir, syrah) à la robe rose framboise aux reflets bleutés, au bouquet gourmand de fruits rouges (framboise, groseille) ; au palais frais, montrant une pointe d'amertume fort plaisante en finale.

Frédéric Lornet, Dom. de Fontanche, 34310 Quarante, tél. 03.84.37.45.10, fax 03.84.37.40.17, frederic.lornet@orange.fr

♥ DOM. LA GRANGE LÉON Berlou D'une main à l'autre 2010 ★★

2 000 | 15 à 20 €

Découvert dans le Guide 2011, confirmé dans l'édition 2012, le domaine créé en 2008 par Véronique et Joël Fernandez décroche cette année un coup de cœur pour cette superbe cuvée qui fait parler le terroir de schistes de Berlou. Derrière la robe d'un rouge soutenu, la minéralité, le fruité des baies noires et rouges, les senteurs de garrigue ravissent les sens. La bouche n'est pas en reste et les arômes persistent longuement, agrémentés d'une touche de poivre. Ample, rond, tapissé de tanins souples et soyeux, ce 2010 d'une remarquable fraîcheur révèle un équilibre parfait. À savourer sans attendre.

La Grange Léon, 3, rue du Caladou, 34360 Berlou, tél. 06.73.83.37.68, fax 04.67.89.73.61, lagrangeleon@orange.fr ☑ Y ☆ r.-v.
Fernandez

MICHEL ET POMPILIA GUIRAUD Terre promise 2010 ★

■ 3 000 15 à 20 €

À cheval sur les terroirs de schistes de Roquebrun et d'argilo-calcaires de Causses-et-Veyran, le domaine tire le meilleur parti de ces deux types de sols. Pour preuve cette cuvée à forte dominante de syrah (85 %) complétée d'une pointe de carignan. D'un beau rouge sombre, ce saint-chinian dévoile des arômes de bourgeon de cassis, puis de cassis frais, d'une belle intensité. En bouche, du fruit encore et des épices. Charnu, concentré, chaleureux, complexe, ce 2010 mérite d'attendre quatre ou cinq années en cave pour livrer le meilleur de lui-même. Même distinction pour la cuvée **Comme à Cayenne 2010 rouge (8 à 11 €; 6 500 b.)**, souple et généreuse, très marquée par le grenache (80 % de l'assemblage), aux arômes intenses de garrigue et de fruits compotés.
Michel et Pompilia Guiraud, 10, av. de Balaussan, 34460 Roquebrun, tél. 04.67.89.68.17, fax 09.58.92.28.60, gaec.guiraud@wanadoo.fr ☑ Y ☆ r.-v.

♥ **DOM. LA LINQUIÈRE** La Sentenelle 310 2010 ★★

■ 3 000 15 à 20 €

DOMAINE LA LINQUIÈRE 2010
SAINT-CHINIAN

Les années passent et la réussite est toujours au rendez-vous, récompensant le terroir exceptionnel mis en valeur par le travail rigoureux et respectueux que la famille Salvestre accomplit depuis plusieurs générations. La cuvée La Sentenelle 310, qui tire son nom d'une parcelle de schistes située à 310 m d'altitude, décroche un coup de cœur. Sous une robe intense, elle dévoile un nez puissant de sous-bois, de truffe, de cacao et de grillé, sur fond de réglisse et de fruits confiturés. Ample et concentré, soutenu par des tanins de qualité, ce vin dispose d'un potentiel de garde considérable. À réserver pour un gibier en sauce. **Le Chant des cigales 2010 rouge (8 à 11 €; 16 000 b.)** aux parfums de cannelle et de fruits bien mûrs reçoit une étoile pour sa belle structure, ses tanins fermes et pour sa finale fraîche. Même distinction pour la cuvée **Fleur de lin 2011 blanc (8 à 11 €; 1 600 b.)** au bel équilibre gras-fraîcheur.
Salvestre et Fils, Dom. la Linquière, 34360 Saint-Chinian, tél. 04.67.38.25.87, fax 04.67.38.04.57, linquiere@neuf.fr ☑ Y ☆ t.l.j. 9h-12h 14h30-19h

DOM. LA MADURA Grand Vin 2009

■ 6 500 11 à 15 €

Le credo de Nadia et Cyril Bourgne, à la tête de ce domaine constitué d'une mosaïque de parcelles au cœur de la garrigue : travailler de façon raisonnée dans le respect de la nature et de l'environnement. Et le vin en profite, témoin ce 2009 qui dévoile des senteurs chaudes de garrigue et d'épices sur fond boisé tandis qu'en bouche, des notes mentholées et réglissées apportent de la vivacité. Un vin élégant, dont la finale chaleureuse est marquée par des tanins sévères qui demandent deux ou trois ans pour se fondre. À servir sur un civet de lapin.
Bourgne, 12, rue de la Digue, 34360 Saint-Chinian, tél. et fax 04.67.38.17.85, lamadura@wanadoo.fr ☑ r.-v.

MAS DE CYNANQUE Acutum 2010 ★★

■ 10 000 11 à 15 €

Violaine et Xavier de Franssu travaillent depuis 2004 ce vignoble sur sols de grès rouge dans le plus pur respect de la vigne et du terroir. Ils voient leur cuvée Acutum (qui fut élue coup de cœur dans le millésime 2007) une nouvelle fois très remarquée. La robe superbe est profonde, presque noire. Le nez intense dévoile des arômes de fruits rouges, de réglisse et de cuir, rehaussés d'élégantes notes de moka. Le kirsch et les fruits cuits se révèlent dans une bouche charnue à la finale chaleureuse. Les tanins puissants, encore très présents, suggèrent une garde de trois à quatre ans. À servir carafé sur une daube de sanglier ou un magret de canard rôti.
Xavier et Violaine de Franssu, Mas de Cynanque, rte d'Assignan, 34310 Cruzy, tél. et fax 04.67.25.01.34, contact@masdecynanque.com ☑ Y ☆ r.-v.

DOM. DES MATHURINS Variation 2009 ★

■ 2 500 5 à 8 €

Ce domaine dans la famille depuis cinq générations est proche de l'abbaye de Fontcaude, qui renoue avec le chant grégorien. Nicolas Pistre, qui en est à la tête depuis 2006, a élaboré cette cuvée de grande expression. Derrière la robe cerise, le nez offre une explosion de cassis. Le palais, plus complexe, dévoile des notes de cuir et de Zan. D'une belle harmonie, alliant fraîcheur, tanins fondus et longue finale poivrée, ce vin sera au diapason avec une viande blanche cuisinée en sauce ou rôtie à la broche.
Nicolas Pistre, 22, av. de Saint-Ballery, 34460 Cazedarnes, tél. 06.83.33.51.69, fax 09.72.23.52.85, contact@domainedesmathurins.com ☑ Y ☆ r.-v.

DOM. LA MAURERIE Vieilles Vignes 2010 ★

■ 5 000 5 à 8 €

La cuvée Vieilles Vignes, habituée du Guide, a été vinifiée dans la nouvelle cave construite en 2009, et elle a bénéficié des techniques de vinification modernes. Michel Depaule a su préserver toutefois le caractère traditionnel et typique de son terroir, qui s'exprime dans ce vin à la robe soutenue et aux arômes complexes d'épices, de poivre et de sous-bois mêlés à des notes de cuir. Tout en finesse, la bouche séduit par ses arômes frais de bourgeon

de cassis et par sa finale épicée soutenue par des tanins fondus. Cette belle bouteille pourra patienter deux ou trois ans en cave, avant d'être appréciée sur un agneau grillé.
Michel Depaule, La Maurerie, 34360 Prades-sur-Vernazobre, tél. 04.67.38.22.09, michel.depaule@wanadoo.fr r.-v.

DOM. LA MAURINE ROUGE Rachel 2011 ★

11 000 | 5 à 8 €

Carole et Sébastien Collot ont restructuré le domaine familial et se sont lancés en 2003 dans la vinification. Dans une ancienne écurie qu'ils ont restaurée au cœur du village, ils ont aménagé le caveau de dégustation où vous pourrez découvrir ce rosé saumoné aux notes minérales et florales (jasmin). On apprécie le très bel équilibre de la bouche, fraîche et nette, aux arômes de fruits rouges. À apprécier sur des salades composées ou sur des grillades.
Carole et Sébastien Collot, 7, rue Victor-Hugo, 34490 Causses-et-Veyran, tél. 06.82.96.28.00, lamaurinerouge@hotmail.fr r.-v.

CH. MILHAU-LACUGUE 2011 ★

9 000 | 5 à 8 €

Une nouvelle sélection pour ce domaine conduit par un passionné. L'expression de la roussanne et du grenache blanc sur ces terres rouges argilo-calcaires est ici très belle : une robe limpide et dorée, des arômes complexes (agrumes, verveine, fruits exotiques, cédrat au nez, pêche et abricot en bouche). Au palais, l'équilibre est parfait, entre une fine acidité et le gras de la chair. À découvrir sans attendre sur des tapas ou sur un poisson grillé.
Ch. Milhau-Lacugue, Dom. de Milhau, rte de Cazedarnes, 34620 Puisserguier, tél. et fax 04.67.93.64.79, lacuguejean@yahoo.fr r.-v.

DOM. MONTCABREL Viggö 2009 ★

1 250 | 11 à 15 €

Depuis plus de vingt ans qu'il préside aux destinées de ce domaine, Jean-Michel Calmette s'attache, tout en respectant l'équilibre naturel de l'environnement, à élaborer des vins qui expriment la diversité de leur terroir. Cette cuvée, issue de deux parcelles de syrah (80 %) et de grenache noir sur sol argilo-calcaire, révèle, derrière une robe profonde aux reflets violines, des parfums fruités et gourmands mêlés d'épices (cannelle) et de fruits secs. En rétro-olfaction, la réglisse et des notes toastées le disputent aux arômes de fruits cuits et de kirsch. Une matière ronde, souple et équilibrée, au boisé bien fondu invite à apprécier ce 2009 sans attendre, carafé de préférence.
Calmette, Dom. Montcabrel, 55, av. des Deux-Fontaines, 34460 Cazedarnes, tél. 04.67.38.13.82, montcabrel@orange.fr r.-v.

DOM. MOULINIER 2011 ★

13 000 | 5 à 8 €

On ne naît pas vigneron, on le devient à force de passion, de conviction et de travail. Tel est le parcours de Guy Moulinier, qui a repris le domaine familial en 1994. D'une légère teinte saumonée, son rosé 2011 mêle agréablement des notes florales et des senteurs fruitées évoquant les petits fruits rouges et la grenadine. La bouche est à l'unisson, souple, équilibrée, fraîche et nerveuse, d'une belle typicité. Une harmonie plaisante, à apprécier dès l'apéritif.
Dom. Guy et Stéphane Moulinier, Dom. Moulinier, 34360 Pierrerue, tél. 04.67.38.03.97, fax 04.67.38.09.15, domaine-moulinier@wanadoo.fr r.-v.

CH. QUARTIRONI DE SARS 2009

7 000 | 5 à 8 €

Guilhem et Magali Quartironi, frère et sœur, gèrent depuis 2008 le domaine familial situé en zone de schistes à plus de 300 m d'altitude. Ce terroir particulier, associé à un élevage de douze mois en foudre de chêne, a donné naissance à cette cuvée aux arômes de fruits cuits et d'épices. Le palais élégant, à la finale chaleureuse, est soutenu par des tanins fins qui annoncent un bon potentiel de garde.
Dom. des Pradels-Quartironi, hameau Le Priou, 34360 Saint-Chinian, tél. 04.67.38.01.53, quartironipradels@gmail.com r.-v.; juil.-août 10h-12h30 15h-19h sf dim.

VILLA QUAT'Z'ARTS 2010 ★

4 670 | 5 à 8 €

La marque est née de l'amitié entre quatre amoureux du vin et des paysages viticoles languedociens. L'association de leurs savoir-faire avec un brin de fantaisie a fait éclore cette cuvée très réussie dans sa robe grenat. Le bouquet complexe oscille entre des notes épicées (poivre) confiturées (coulis de fraise, fruits rouges) et des touches plus animales de gibier. L'attaque est charnue et fraîche, mais les tanins bien présents doivent encore se fondre. Attendre deux ans avant d'ouvrir cette bouteille sur du petit gibier, tel un lièvre à la broche.
Villa Quat'z'arts, chez Michel Remondat, 3, rue de Sauret, 34170 Castelnau-le-Lez, tél. 06.20.26.28.40, villaquatzarts@gmail.com r.-v.
Autour du vin

CAVE DE ROQUEBRUN Roches noires Roquebrun Macération 2010 ★★

90 000 | 8 à 11 €

Son terroir de schistes orienté au sud a valu au village de Roquebrun une dénomination particulière. Précurseurs et perfectionnistes, les vignerons de la cave coopérative pratiquent la sélection de parcelles et des apports selon les cépages, les tènements et les maturités. Le résultat apparaît à la hauteur de ce travail, le jury décernant deux étoiles à ce 2010. Des arômes intenses de fruits noirs, de fruits rouges confiturés, de truffe, de sous-bois et de cuir annoncent un palais ample et gourmand, tapissé de tanins soyeux. À apprécier sur une gardiane de taureau ou sur un plateau de fromages.
SCAV Cave de Roquebrun, av. des Orangers, 34460 Roquebrun, tél. 04.67.89.64.35, fax 04.67.89.57.93, cave@cave-roquebrun.fr t.l.j. sf dim. 9h30-12h30 14h-18h

CAVE DES VIGNERONS DE SAINT-CHINIAN Chant des garrigues 2010 ★

40 000 | 5 à 8 €

On ne saurait donner nom plus évocateur à cette cuvée aux accents méditerranéens gourmands composée de syrah, de grenache noir et de carignan vinifiés ensemble en macération carbonique pendant trente jours. Ce 2010 à la robe sombre et profonde affiche une expression aromatique intéressante évoquant les fruits noirs, la réglisse et l'olive noire. Chaleureux et fin, le palais finit sur une fraîcheur minérale du plus bel effet. Idéal pour un civet de lièvre.

Cave des Vignerons de Saint-Chinian,
rte de Sorteilho, 34360 Saint-Chinian, tél. 04.67.38.28.48,
fax 04.67.38.28.49, info@vin-saintchinian.com
t.l.j. 9h-12h 14h-18h

DOM. LA SERVELIÈRE 2009

3 300 | 8 à 11 €

À la tête de l'exploitation familiale depuis 1994, Joël Berthomieu a doublé la superficie cultivée – qui est passée de 12 à 24 ha –, tout en améliorant la vinification. Élevé douze mois en fût de chêne, cet assemblage de syrah (50 %), de mourvèdre (30 %) et de grenache (20 %) se présente sous une robe profonde aux reflets violets. Le nez, encore fermé, s'ouvre à l'aération sur des notes grillées et fumées. Généreux et souple, le palais retient l'attention par ses arômes de poivre, de réglisse, de garrigue et de fruits. Un vin encore en devenir que l'on appréciera dans quelques années sur une assiette de charcuteries fines. La cuvée **Tradition 2010 rouge (5 à 8 €; 8 000 b.)** est également citée pour son bouquet de fruits rouges et de griotte, nuancé d'une touche anisée fort plaisante. Encore un peu jeunes, les tanins invitent à conserver ce vin deux à trois ans en cave.

Joël Berthomieu, 1, rue des Cèdres,
34360 Babeau-Bouldoux, tél. et fax 04.67.38.17.08,
joel.berthomieu@orange.fr r.-v.

CH. VALLOUVIÈRES Pech Ménel 2009 ★

6 600 | 11 à 15 €

Situé en altitude au cœur de la garrigue, le domaine bénéficie d'une situation exceptionnelle. Il faudra attendre deux ou trois ans ce 2009 composé majoritairement de mourvèdre (82 %) et élevé longuement en cuve (vingt-sept mois). Il exprimera alors tout son potentiel aromatique que l'on devine dans ses senteurs de fruits rouges et fruits noirs (cassis, mûre) complétées de notes animales. Son caractère un peu rustique s'effacera pour faire place à une structure d'une belle ampleur. Il accompagnera des plats bien relevés.

Marie-Françoise et Élisabeth Poux,
Dom. de Pech-Ménel, rte de Creissan, 34610 Quarante,
tél. 04.67.89.41.42, fax 04.67.89.38.17,
pech-menel@wanadoo.fr r.-v.

CH. VIRANEL Tradition 2011 ★

n.c. | 5 à 8 €

Cette propriété, dans la famille depuis 1551, voit s'installer en 2012 la nouvelle génération : Nicolas et Arnaud Bergasse. Les vins, quant à eux, sont des habitués du Guide. C'est une nouvelle fois cette cuvée qui a retenu l'attention du jury, un rosé à la belle personnalité. Très plaisant, moderne par sa fraîcheur et son équilibre, il est gourmand par son fruité complexe (groseille, framboise, fraise) et par sa douceur toute délicate. La cuvée **V 2010 rouge (11 à 15 €; 10 000 b.)** reçoit une citation pour son élégance, sa finesse et son joli vin fruité (cerise, fruits à l'eau-de-vie).

Bergasse-Milhé, rte de Causses,
34460 Cessenon-sur-Orb, tél. 04.67.89.60.59,
fax 04.67.89.64.99, abergasse@hotmail.fr r.-v.

Les vins doux naturels

Dès l'Antiquité, les vignerons de la région ont élaboré des vins liquoreux de haute renommée. Au XIIIe s., Arnaud de Villeneuve découvrit le mariage miraculeux de la « liqueur de raisin et de son eau-de-vie » : c'est le principe du mutage qui, appliqué en pleine fermentation sur des vins rouges ou blancs, arrête celle-ci en préservant ainsi une certaine quantité de sucre naturel.

Les vins doux naturels d'appellation contrôlée se répartissent dans la France méridionale : Pyrénées-Orientales, Aude, Hérault, Vaucluse et Corse, jamais bien loin de la Méditerranée. Les cépages utilisés sont le grenache (blanc, gris, noir), le macabeu, la malvoisie du Roussillon, dite tourbat, le muscat à petits grains et le muscat d'Alexandrie. La taille courte est obligatoire.

Les rendements sont faibles et les raisins doivent, à la récolte, avoir une richesse en sucre de 252 g minimum par litre de moût. L'agrément des vins est obtenu après un contrôle analytique. Ils doivent présenter un taux d'alcool acquis de 15 à 18 % vol., une richesse en sucre de 45 g minimum à plus de 100 g pour certains muscats et un taux d'alcool total (alcool acquis plus alcool en puissance) de 21,5 % vol. minimum. Certains sont commercialisés tôt (muscats), d'autres le sont après trente mois d'élevage. Vieillis sous bois de manière traditionnelle, c'est-à-dire dans des fûts, ils acquièrent parfois après un long élevage des notes très appréciées de rancio.

Muscat-de-lunel

Superficie : 321 ha
Production : 8 206 hl

Implanté entre Nîmes et Montpellier, le vignoble est principalement installé sur des nappes de cailloutis de plusieurs mètres d'épaisseur à ciment d'argile rouge (gress). Le seul muscat à petits grains est à l'origine de vins doux naturels qui doivent garder au minimum 110 g/l de sucre.

♥ **CLOS BELLEVUE** Cuvée Vieilles Vignes 2011 ★★★

5 000 | 8 à 11 €

Deuxième millésime, et déjà la plus haute distinction. Nicolas Charrière, installé ici en 2010, s'appuie sur

« l'expérience » de ses vignes de cinquante ans, qui puisent leurs vertus dans un terroir d'exception. Quant aux œnophiles, c'est dans un cadre enchanteur, entre mer et montagne, qu'ils pourront découvrir cette cuvée à la robe brillante et soutenue, qui charme par son caractère primesautier. Le nez mutin dévoile de capiteuses essences de pin et d'encens. La bouche se révèle d'abord ronde, chaleureuse et douce, sur des accents de résine et de miel des garrigues, pour enfin se « rebeller » dans une finale d'une belle vivacité.

Dom. le Clos de Bellevue, Mas de Bellevue, 34400 Saturargues, tél. 04.67.83.24.83, fax 04.67.71.48.23, leclosdebellevue@gmail.com
t.l.j. sf dim. 9h-12h30 14h-19h30
Charrière

CH. GRÈS SAINT-PAUL Cuvée Rosanna 2010 ★

800 | 11 à 15 €

Jean-Philippe Servière, représentant la septième génération, est aux commandes depuis 1976 de ce domaine dont les muscats semblent avoir pris racine dans le Guide... *Small is beautiful* avec cette cuvée petite par le volume mais grande par la qualité. Une œuvre ciselée par quatre mois de fût, qui exhale de subtiles senteurs empyreumatiques. De l'élevage sous bois le palais, chaleureux, retire du volume et de la rondeur, et mêle du grillé aux doux arômes de cire d'abeille. Un agréable moment de gourmandise en perspective avec un dessert au chocolat noir.

Ch. Grès Saint-Paul, 1909, rte de Restinclières, 34400 Lunel, tél. 04.67.71.27.90, fax 04.67.71.73.76, contact@gres-saint-paul.com
t.l.j. sf dim. 9h30-12h30 14h-19h
Servière

Muscat-de-frontignan

Superficie : 812 ha
Production : 19 666 hl

Reconnu en 1936, le frontignan a été le premier muscat à obtenir l'appellation d'origine contrôlée. Il naît entre Sète et Mireval. Le vignoble, exposé au sud-est, est abrité des vents du nord par le massif de la Gardiole. Il s'enracine dans des terrains secs, caillouteux, pierreux, issus de couches jurassiques, molassiques et d'alluvions anciennes – des sols ingrats pour toute autre culture. Autrefois appelé « muscat doré de Frontignan », le muscat à petits grains est le cépage exclusif de l'appellation. Avec un minimum de 110 g/l de sucre, les frontignan sont des vins doux naturels puissants ; ils ne manquent pourtant jamais d'élégance.

MAS DE MADAME Vieilles Vignes 2010 ★

12 000 | 8 à 11 €

Le vignoble de coteau, en bord de mer, offre une vue imprenable sur le lido de sable fin. C'est le lieu de naissance de ce frontignan, dont l'étiquette esquisse une silhouette féminine. Peut-être pour suggérer la nature fine et élégante de ce muscat à la robe scintillante pailletée de reflets verts, environné de parfums capiteux de rose et de lilas, à l'allure déliée et légère, sur un tempo encore vif. Les fleurs blanches mènent la danse jusqu'à une finale intense, qui appelle le foie gras.

Dom. du Mas de Madame, rte de Montpellier, 34110 Frontignan, tél. 06.07.38.77.89, fax 04.99.57.09.17, jacques.sourina@mas-de-madame.com
t.l.j. 9h-12h30 15h-19h
M. Sourina

MAS DE RIMBAULT 2011

35 000 | 5 à 8 €

Sa teinte pâle et délicate tranche avec l'étiquette rouge et noire éclatante, pleine de jeunesse. Même contraste, au nez, entre des évocations chaleureuses et des notes fraîches et acidulées de fruits juste cueillis, de litchi, et en bouche, entre des impressions de souplesse élégante et une vivacité dynamique qui donne rythme et tonus à la dégustation : l'équilibre, en somme. Éclectique, ce muscat s'accordera aussi bien avec un melon, l'été, qu'avec un canard à l'orange, l'hiver.

SCA Frontignan Muscat, 14, av. du Muscat, BP 136, 34112 Frontignan Cedex, tél. 04.67.48.12.26, fax 04.67.43.07.17, contact@frontignanmuscat.fr
t.l.j. 9h30-12h30 14h30-18h30

DOM. DU MAS ROUGE 2011 ★

2 000 | 8 à 11 €

Ce mas typique est situé au cœur du bois des Aresquiers, entre Méditerranée et étangs. Dans ce cadre privilégié, les vignes se sont fait une place au soleil pour offrir un nectar chaleureux et miellé. La mer, toute proche, apporte un soupçon de fraîcheur, une brise parfumée aux fragrances de rose, sur des notes suaves de pêche de vigne. Ce vin généreux, dont la complexité n'a d'égale que la persistance, sera l'occasion d'un moment mémorable de dégustation sur un fondant au chocolat.

Dom. du Mas rouge, 30, chem. de la Poule-d'Eau, 34110 Vic-la-Gardiole, tél. 04.67.51.66.85, fax 04.67.51.66.89, contact@domainedumasrouge.com
t.l.j. sf dim. 10h-12h30 14h30-18h30
Cheminal

♥ CH. DE LA PEYRADE Sol invictus 2011 ★★★

7 000 | 8 à 11 €

Sol invictus (« Soleil invaincu ») trône au zénith, auréolé de lumière et escorté de senteurs intenses de fleurs

LANGUEDOC

et de nectarine mêlées de touches de sureau. Une explosion aromatique tout en finesse, d'une élégance hors du commun. Dans l'orbite de ce radieux muscat, la **cuvée Prestige 2011 (30 000 b.)** décroche également trois étoiles pour sa jeunesse exubérante et pour son fruité frais, croquant à souhait. D'une rare harmonie, elle aussi, elle atteint les sommets, si bien que vous aurez du mal à vous décider pour l'une ou l'autre bouteille. D'ailleurs, nous vous conseillons les deux. Enfin, les surprenantes **Barriques oubliées (5 000 b.)**, longuement élevées dans le bois, recèlent dans leur filon d'or une matière ronde et chaleureuse, vanillée et chocolatée ; on y trouve aussi des fruits cuits, du pruneau, des accents balsamiques et miellés. D'une belle complexité, ce muscat ira à ravir sur du foie gras au torchon.

Yves Pastourel et Fils, Ch. de la Peyrade, 34110 Frontignan, tél. 04.67.48.61.19, fax 04.67.43.03.31, info@chateaulapeyrade.com t.l.j. 9h-12h 14h-19h

DOM. PEYRONNET Cuvée Belle Étoile 2011 ★★

5 000 | 8 à 11 €

À la belle étoile... ou dans la journée, à l'apéritif ou sur une douceur, ce frontignan est incontournable. Il a la couleur bien jaune et le nez appétissant de la pomme golden dans laquelle on croque goulûment. Né dans l'ancienne forge de l'arrière-grand-père, il est à l'opposé du fer dur, sombre et froid. Il ferait plutôt songer au métal en fusion tout malléable et aux chaudes couleurs, ce muscat plein de douceur, onctueux et chaleureux à souhait, qui vous laisse sur des évocations de pêche et de nectarine bien mûres et charnues.

EARL Dom. Peyronnet, 9, av. de la Libération, 34110 Frontignan, tél. 04.67.48.34.13, fax 04.67.48.14.42, caves.favier-bel@wanadoo.fr t.l.j. 9h-12h 14h-19h

DOM. DE LA PLAINE Christho 2010 ★

30 000 | 5 à 8 €

Christho ? Le nom de cette cuvée accole les premières syllabes du prénom des deux enfants des vignerons. Ce joli muscat recèle des trésors d'arômes. Il déploie à profusion des senteurs d'orange et de clémentine qui invitent au voyage. Tendre et moelleux, il fond en bouche, évoquant le pain d'épice au puissant miel de garrigue. Et pourtant, nulle lourdeur dans ce vin tout en finesse, à la démarche ample et gracieuse. La légèreté même. À déguster bien frais à l'apéritif, accompagné de quelques fruits.

Francis Sala, Dom. de la Plaine, 6, rte de Montpellier, 34110 Vic-la-Gardiole, tél. 04.67.48.10.78, muscat-de-f@wanadoo.fr t.l.j. 8h-19h; avr. à sept. sur r.-v.

Muscat-de-mireval

Superficie : 275 ha
Production : 6 211 hl

Ce vignoble est bordé par Frontignan à l'ouest, le massif de la Gardiole au nord et la mer et les étangs au sud. D'origine jurassique, les sols se présentent sous forme d'alluvions anciennes de cailloutis calcaires. Le cépage exclusif est le muscat à petits grains ; le mutage est effectué assez tôt, car les vins doivent avoir un minimum de 110 g/l de sucre ; ceux-ci sont fruités et liquoreux, avec onctuosité.

DOM. DE LA BELLE DAME 2011 ★

8 400 | 5 à 8 €

On pourrait croire ici que l'on flatte le charme féminin... Pas seulement : la Belle Dame est aussi un joli papillon qui lors de sa migration fait escale sur le domaine. Et ce vin jaune d'or, aux reflets vifs, de séduire par son côté aérien. Jeune et gracieux, il évoque au nez la verveine et les fruits exotiques frais, tel le litchi. Ample, délicat et « virevoltant » de fraîcheur en bouche, il s'inscrit dans la durée.

Dom. de la Belle Dame, 135, chem. de la Tieulière, 34110 Mireval, tél. 06.62.24.10.10, fax 04.67.78.10.10, belledame@aliceadsl.fr r.-v.

DOM. DE GIBRALTAR 2011 ★

70 000 | 5 à 8 €

Un domaine entouré d'eau, entre Méditerranée, étangs et marais. Un « îlot » de 70 ha entièrement dédié au muscat à petits grains, relié à la terre par un cordon argilo-calcaire. C'est probablement cet environnement particulier qui confère au vin cette touche saline et une surprenante minéralité aux côtés de parfums intenses de fleurs blanches. En bouche, ce 2011 se montre onctueux et velouté, équilibré avec élégance par des notes de zeste de citron bien frais. À l'apéritif pour son moelleux, comme au dessert pour sa fraîcheur.

SCEA Mas neuf des Aresquiers, Dom. du Mas Neuf, 34110 Vic-la-Gardiole, tél. 04.67.88.80.00, fax 04.67.96.65.67, elise.bellot@jeanjean.fr

Jeanjean

DOM. DE LA RENCONTRE Éclat 2010 ★★

2 110 | 11 à 15 €

L'étiquette de ce vin est la représentation stylisée de *La Rencontre*, peinte par Gustave Courbet en 1854 à l'endroit même où les vignes du domaine sont aujourd'hui plantées. C'est aussi l'évocation d'une rencontre, au Mexique, entre Pierre et Julie Viudes, qui les conduisit en 2008 sur ces terres. Première rencontre aussi pour nos dégustateurs avec ce vin paré d'une robe éclatante, au corps souple, généreux et gracieux, parfumé de fleurs blanches et de notes acidulées d'agrumes. L'entrevue avec la cuvée **L'Hédoniste 2010 (2 170 b.)**, véritable invitation à croquer dans les fruits à chair blanche, aura également été fructueuse.

NOUVEAU PRODUCTEUR

Pierre et Julie Viudes, 50, chem. de la Condamine, 34110 Vic-la-Gardiole, tél. 06.24.05.39.46, pierre@domainedelarencontre.com r.-v.

Muscat-de-saint-jean-de-minervois

Superficie : 185 ha
Production : 5 522 hl

Constitué de parcelles imbriquées dans la garrigue, le vignoble est perché à 200 m d'altitude. Il s'ensuit une récolte tardive – près de trois semaines environ après les autres appellations de muscat de l'Hérault. Seul cépage autorisé, le muscat à petits grains plonge ses racines dans des sols calcaires d'un blanc étincelant où apparaît parfois le rouge de l'argile. Les vins doivent avoir un minimum de 125 g/l de sucre. Ils sont très aromatiques, avec beaucoup de finesse, de fraîcheur et des notes florales caractéristiques.

BAGATELLE Grain de lumière 2011 ★★

3 600 | 8 à 11 €

Depuis quelques années, les jurés du Guide mettent en vedette les cuvées de muscat du domaine. Ce Grain de lumière, le bien nommé, dans sa parure lumineuse aux reflets scintillants, s'impose à la dégustation. Il charme par la fraîcheur de ses senteurs mentholées, de ses notes d'agrumes, d'écorce d'orange. Au palais, c'est un délice de finesse et de vivacité citronnée. Le **Clos Saint-Jean 2011 (15 000 b.)** a lui aussi été remarqué, même s'il apparaît un cran en dessous. Son univers aromatique est plus simple, comme confiné dans un petit monde de fleurs blanches, ce qui lui donne un air de jeunesse. Attendons qu'il mûrisse....

EARL Bagatelle, Clos Bagatelle, rte de Saint-Pons, 34360 Saint-Chinian, tél. 04.67.93.61.63, fax 04.67.93.68.84, closbagatelle@wanadoo.fr r.-v.

Simon

♥ DOM. DE BARROUBIO Dieuvaille 2010 ★★★

5 000 | 11 à 15 €

Ce champion revient en force sur le devant de la scène avec un nouveau coup de cœur (son septième), qui honore cette fois-ci ce Dieuvaille. La **Cuvée bleue 2010 (5 à 8 €; 5 000 b.)** décroche, elle, deux étoiles. La différence entre les deux muscats est finalement ténue, et les deux font la paire et l'affaire ! L'un comme l'autre affichent une parure brillante et offrent les mêmes évocations de verveine et de menthe poivrée, avec une touche de zeste de citron. La bouche du Dieuvaille a notre préférence pour son ampleur, son onctuosité et ses arômes d'agrumes et de pêche d'une rare persistance, tandis que

celle de la Cuvée bleue, à la fois fraîche et miellée, montre un peu moins de caudalies.

Raymond Miquel, Barroubio, 34360 Saint-Jean-de-Minervois, tél. 04.67.38.14.06, barroubio@barroubio.fr
t.l.j. 10h-12h 14h-18h

PETIT GRAIN 2011 ★★

180 000 | 8 à 11 €

Une belle partition jouée par les vignerons de Saint-Jean. Avec le virtuose Alain Tailhan à la baguette, ce « petit grain » ne peut être que grand. Enchâssée dans une parure d'or scintillant, la minéralité de son terroir brille de mille feux. Sa générosité vous fait croquer le pain de miel, puis l'abricot bien mûr et la suave pâte de coings, le tout mis en valeur par une note acidulée de pomme. Un petit joyau pour accompagner avec grâce un foie gras truffé.

SCA le Muscat, Le Village, 34360 Saint-Jean-de-Minervois, tél. 04.67.38.03.24, fax 04.67.38.23.38, lemuscat@wanadoo.fr
t.l.j. 8h-12h 14h-18h

DOM. DU SACRÉ CŒUR 2011 ★

n.c. | 8 à 11 €

Cette bouteille occupera une place de choix dans l'épicerie fine tenue à Saint-Chinian par l'épouse du propriétaire, où l'on trouvera aussi la gamme des saint-chinian proposés par le domaine. Quant à ce muscat, il offre un nez très tendre, évocateur de verger au printemps. En bouche, en revanche, il attaque avec vivacité et monte en puissance, suivant cette ligne tendue, dynamique et citronnée sur un fond de douceur : l'équilibre même. À découvrir cet hiver sur du navet noir de Pardailhan frit au miel.

Luc Cabaret, SCEA du Sacré-Cœur, 34360 Assignan, tél. 04.67.38.17.97, fax 04.67.38.24.52, gaecsacrecoeur@wanadoo.fr
t.l.j. 9h-12h30 13h30-19h

LANGUEDOC

LE ROUSSILLON

Superficie
7 300 ha
Production
900 000 hl environ (dont 540 000 en AOC, et 307 000 en IGP, le reste sans IG).
Types de vins
Rouges majoritaires, rosés, quelques blancs secs ; vins doux naturels.
Cépages principaux
Rouges : grenache noir, carignan, syrah, mourvèdre, lladoner pelut.
Blancs : grenaches gris et blanc, macabeu, malvoisie du Roussillon, roussanne, marsanne, vermentino, muscat à petits grains, muscat d'Alexandrie.

Le Roussillon viticole, qui correspond au département des Pyrénées-Orientales, est très proche du Languedoc voisin par son climat, son histoire, son encépagement et les styles de vins. Il est d'ailleurs inclus dans la nouvelle appellation régionale languedoc. La différence est surtout culturelle : le Roussillon est en majeure partie catalan. L'offre du plus méridional des vignobles de France se partage entre de superbes vins doux naturels et des vins secs : rouges aux multiples facettes, rosés généreux et même, de plus en plus, blancs vifs.

Aux portes de l'Espagne Amphithéâtre tourné vers la Méditerranée, le vignoble du Roussillon est bordé par trois massifs : les Corbières au nord, le Canigou à l'ouest, les Albères au sud, qui forment la frontière avec l'Espagne. Trois fleuves, la Têt, le Tech et l'Agly, ont modelé un relief de terrasses dont les sols caillouteux et lessivés sont propices aux vins de qualité, et particulièrement aux vins doux naturels. On rencontre également des schistes noirs et bruns, des arènes granitiques, des argilo-calcaires ainsi que des collines détritiques du pliocène. Le vignoble du Roussillon bénéficie d'un climat très ensoleillé, avec des températures clémentes en hiver, chaudes en été. La pluviométrie (350 à 600 mm/an) est mal répartie, et les pluies d'orage ne profitent guère à la vigne. Il s'ensuit une période estivale très sèche, dont les effets sont souvent accentués par la tramontane, vent qui favorise la maturation des raisins. La vigne, depuis l'invasion phylloxérique, est plantée sur les meilleurs terroirs, en particulier sur les coteaux. Sa culture reste traditionnelle, souvent peu mécanisée. La plante est encore souvent conduite en gobelet : les ceps forment de petits buissons, sans palissage.

Vins doux naturels et vins secs L'implantation de la vigne en Roussillon, sous l'impulsion des marins grecs attirés par les richesses minières de la côte, date du VII^e^s. avant notre ère. Sans doute produisait-on ici déjà des vins doux. Au Moyen Âge, époque d'essor de la viticulture, fut mise au point, dans la région, la technique du mutage des vins à l'alcool, qui permet la conservation et qui valut aux vins doux roussillonnais une réputation solide. Si la part de ces derniers dans la production a baissé à la fin du XX^e^s., leur qualité s'est améliorée, et la région en offre une diversité sans pareille. La modernisation de l'équipement des caves, la diversification de l'encépagement et des techniques de vinification (avec la macération carbonique, par exemple), et la maîtrise des températures au cours de la fermentation permettent aujourd'hui au Roussillon d'exceller dans les vins secs.

Côtes-du-roussillon et côtes-du-roussillon-villages

Ces deux appellations s'étendent dans les Pyrénées-Orientales – la région historique du Roussillon. L'aire la plus étendue, celle des côtes-du-roussillon, produit des vins dans les trois couleurs, tandis que les côtes-du-roussillon-villages sont toujours rouges.

Les vins blancs sont produits principalement à partir des cépages macabeu et grenache blanc, complétés par la malvoisie du Roussillon, la marsanne, la roussanne et le rolle, et vinifiés par pressurage direct. Bien méditerranéens, finement floraux (fleur de vigne), ils accompagnent les fruits de mer, les poissons et les crustacés. Les vins rosés et les vins rouges sont obtenus à partir d'au moins trois cépages, le carignan (60 % maximum), le grenache noir, la syrah et le mourvèdre constituant les cépages principaux. Tous ces cépages (sauf la syrah) sont conduits en taille courte à deux yeux. Souvent, une partie de la vendange est vinifiée en macération carbonique, notamment le carignan qui donne, avec cette méthode de vinification, d'excellents résultats. Les vins rouges sont fruités, épicés et riches. Les rosés, vinifiés obligatoirement par saignée, sont aromatiques, corsés et nerveux.

Au sud de Perpignan, depuis 2003, on produit des côtes-du-roussillon-Les-Aspres, une dénomination attribuée aux vins rouges après identification parcellaire.

Les côtes-du-roussillon-villages sont localisés dans la partie septentrionale du département des Pyrénées-Orientales ; ils s'enrichissent de quatre dénominations reconnues pour leur terroir particulier : Caramany, Lesquerde, Latour-de-France et Tautavel. Gneiss, arènes granitiques et schistes confèrent aux vins une richesse et une diversité qualitatives que les vignerons ont bien su mettre en valeur. Les côtes-du-roussillon-villages varient selon la nature de leur terroir mais affichent toujours de beaux tanins, fins pour les terrroirs acides, plus solides sur schistes et argilo-calcaires ; certains peuvent se boire jeunes, d'autres gagnent à être gardés quelques années ; ils développent alors un bouquet intense et complexe. Leurs qualités organoleptiques diversifiées leur permettent de s'associer avec les mets les plus variés.

Côtes-du-roussillon

Superficie : 5 770 ha
Production : 215 500 hl (98 % rouge et rosé)

LES VIGNERONS DES ALBÈRES Cuvée Mandorle Élevé en fût de chêne 2010 ★

■ 20 900 (I) 5 à 8 €

Au pied des Pyrénées, entre mer et autoroute, les Albères méritent le détour. Le paysage y est à la fois sauvage et reposant, l'art roman s'y décline en chapelles, cloîtres, églises aux superbes linteaux, et les vignes y trouvent un terroir acide et frais à leur convenance. À l'image de cette cuvée, les vins y gagnent en finesse et en vivacité, avec un grain de tanin soyeux et de belles notes aromatiques de sous-bois, de violette et de cassis, agrémentées ici d'épices et d'un joli boisé. Gibier et fromages accompagneront ce 2010, tandis que l'on servira des gambas à la plancha et un fromage de brebis avec le **Mandorle 2010 blanc (8 à 11 € ; 1 900 b.)**, cité, un vin fin, frais et minéral aux arômes d'abricot sec, de grillé et de coing, auquel l'élevage donne du volume et de la longueur.

SCV Les Vignerons des Albères, 9, av. des Écoles, 66740 Saint-Génis-des-Fontaines, tél. 04.68.89.81.12, fax 04.68.89.80.45, vigneronsdesalberes@wanadoo.fr
r.-v.

DOM. ALQUIER Tradition 2010 ★★

■ 3 500 ▮ 5 à 8 €

La vallée du Tech, qui coule au pied des Pyrénées, a le privilège d'être abritée de la tramontane. Là, entre chênes-lièges et mimosas, la vigne profite d'un terroir frais et... d'un superbe paysage. Cette situation donne des vins tendres à la minéralité affirmée, jouant sur la finesse et la fraîcheur, et au grain de tanin soyeux. Ici, la syrah, majoritaire, apporte ses notes épicées qui entourent des arômes de violette, de mûre et de cassis composant une jolie bouteille à servir dès maintenant. La cuvée **Tradition 2010 blanc (2 500 b.)** confirme les atouts de son terroir par son profil élégant, tendre et minéral : une étoile.

Alquier, Dom. Alquier, 66490 Saint-Jean-Pla-de-Corts, tél. 04.68.83.20.66, fax 04.68.83.55.45, domainealquier@wanadoo.fr
t.l.j. sf sam. dim. 9h-12h 15h-19h

DOM. BENASSIS Grande Terre 2008 ★★

■ 4 000 ▮ (I) 11 à 15 €

Il n'y a pas que les vacanciers à se dorer au soleil du côté de Canet, l'été venu. À quelques centaines de mètres de là, au bord de l'étang, se dorent également, sur les cailloux roulés, syrah et grenache, profitant de la brise et de la rosée matinale pour peaufiner leur maturité. Cela donne un joli vin grenat sombre au fruité confituré et nuancé de la note toastée de l'élevage sous bois. Avec sa bouche fondue, équilibrée, où la cerise confite se laisse approcher par la vanille et le cacao de la barrique, ce 2008 attend avec impatience viandes grillées et fromages.

Dom. Benassis, 5, imp. de l'Hort, 66140 Canet-en-Roussillon, tél. 06.63.02.46.00, fax 04.68.35.19.07, contact@domaine-benassis.fr
r.-v.

♥ GÉRARD BERTRAND Sang et or Pure Légende 2010 ★★★

■ n.c. - de 5 €

Gérard Bertrand, c'est l'homme des vins du Sud. À son image, ils prennent de la hauteur, ces vins de terroir enracinés dans la culture méridionale, entre rugby et tramontane. Ils bénéficient aussi de sa passion et de son dynamisme, hérités d'un père inoubliable, vigneron emblématique des Corbières. Ce Languedocien s'intéresse également aux vins de la Catalogne voisine, ce qui nous vaut ce Sang et or qui joue au rubis avec talent. Puissant et frais, le nez surfe sur une cerise noire finement soulignée par un trait de fève de cacao torréfiée. Il s'ouvre sur une matière veloutée où le fruit se croque entre des tanins élégants d'une remarquable fraîcheur. D'une réelle puissance aromatique, ce vin est prêt à bien des accords.

Un dégustateur gourmet suggère un rôti de biche aux champignons des bois sauce rivesaltes grenat.

Gérard Bertrand,
Ch. l'Hospitalet, rte de Narbonne Plage, 11104 Narbonne Cedex, tél. 04.68.45.36.00, fax 04.68.45.27.17,
vins@gerard-bertrand.com t.l.j. 9h-19h

CH. DE CALCE 2011

2 400 - de 5 €

Proche de Perpignan, le château de Calce jouit d'une solide réputation pour ses vins blancs empreints de minéralité, qui, entre les collines calcaires et les schistes, bénéficient d'un microclimat particulier dans ce havre de sérénité, loin des sentiers battus. Ce 2011 livre un joli nez d'agrumes et de gingembre associés aux notes anisées de l'immortelle, que l'on retrouve dans une bouche d'une belle fraîcheur minérale. Pour un tartare de cabillaud ou des saint-jacques.

SCV Les Vignerons du Ch. de Calce, 8, rte d'Estagel,
66600 Calce, tél. 04.68.64.47.42, fax 04.68.64.36.48,
scvcalce@orange.fr
t.l.j. sf dim. 9h-12h 15h-18h; sam. 9h-12h

CLOS DES VINS D'AMOUR Flirt 2011 ★

10 000 5 à 8 €

Est-ce dans l'Alcôve, après un Baiser, que l'Idylle débute ? Peut-être... On voit par là que la famille Dornier a puisé son inspiration dans la carte du Tendre pour nommer ses cuvées. Celle-ci est un rosé au parfum floral légèrement citronné, au regard timide et tendre : sa robe est « rose Provence », pétale de rose. Le Flirt se dessine autour de senteurs de petits fruits des bois, d'effluves de chèvrefeuille, avec fraîcheur, vivacité et un joli volume. Un rendez-vous est en vue avec un dos de cabillaud aux agrumes en papillote.

Vignobles Dornier, 38, av. de Grande-Bretagne,
66000 Perpignan, tél. 04.68.34.97.06, fax 04.68.34.97.07,
maury@closdesvinsdamour.fr r.-v.

DOM. DE LA CROIX DE TERRE 2010 ★

18 000 5 à 8 €

Des références ? En veux-tu, en voilà : le château date des XIIe et XIV[e]s. ; c'est l'un des derniers vestiges de l'époque féodale, remarquable par ses murs de briquettes rouges et de petites pierres ; la famille l'habite depuis 1485 ! Dans le domaine sportif, celle-ci ne manque pas de titres : les Jonquères d'Oriola ont remporté plusieurs médailles olympiques et des championnats du monde en équitation et en escrime. En matière viticole, pour ajouter aux distinctions, voici le **Ch. de Corneilla 2009 rouge Pur-sang Élevé en fût de chêne (8 à 11 € ; 11 000 b.)**, cité, un vin fruité et vanillé, puis le **Ch. de Corneilla 2010 rouge Cavalcade (20 à 30 € ; 3 500 b.)**, structuré, gras et rond, noté une étoile, et enfin cette cuvée grenat hésitant entre violette et senteurs plus chaudes de garrigue ; un vin frais, plaisant, souple, qui accompagnera des grillades aux herbes et qui surprendra par sa finale aux accents de tabac de Virginie.

EARL Jonquères d'Oriola,
Ch. de Corneilla, 3, rue du Château,
66200 Corneilla-del-Vercol, tél. 04.68.22.73.22,
fax 04.68.22.43.99, chateaudecorneilla@hotmail.com
t.l.j. sf dim. 11h-12h 17h-18h30

VIGNERONS D'ELNE Dame d'Elne Élevé en fût de chêne 2010

14 000 5 à 8 €

La Dame d'Elne a trouvé son preux chevalier avec ce 2010 d'un rouge profond, qui mêle au nez nuances toastées, fruits confiturés et venaison. Gourmand, sur un fond réglissé, le palais s'appuie sur de jolis tanins qui contribuent à l'équilibre d'ensemble. Amateurs de bons vins et d'art roman, vous trouverez ici votre bonheur, entre les œuvres du maître de Cabestany et le superbe cloître d'Elne.

SARL Terroirs romans, 2, av. Angel-Guimera,
66180 Villeneuve-de-la-Raho, tél. 04.68.22.06.51,
vignerons.cabestany@wanadoo.fr r.-v.
SCV C.A.V.E.S

DOM. GRIER Odyssea 2010 ★★

50 000 5 à 8 €

Originaire d'Afrique du Sud, où elle élabore notamment des effervescents réputés, la famille Grier est tombée en 2006 sous le charme de la vallée de l'Agly. Épaulée par l'œnologue Raphaël Graugnard, elle avait décroché un coup de cœur l'an passé et elle obtient ici deux étoiles pour sa cuvée Odyssea comme pour sa cuvée **Galamus 2010 rouge (8 à 11 € ; 10 000 b.)**, qui plaît par son impression de plénitude, son bel apport boisé et sa profondeur. Odyssea, elle, révèle un bouquet élégant, sur le fruit, agrémenté d'une touche minérale et de senteurs du maquis matinal aux accents d'encens. La bouche ? Aucune aspérité, des tanins remarquables de fondu, du volume, de la fraîcheur, un fruité réglissé. Superbe.

Dom. Grier, 18, av. Jean-Moulin, BP 4,
66220 Saint-Paul-de-Fenouillet, tél. 04.68.73.34.39,
fax 09.81.70.50.12, contact@domainegrier.com
t.l.j. sf dim. 8h30-12h 14h-17h30

HOSPICES CATALANS Grande Réserve 2011 ★★

20 000 5 à 8 €

Avec 200 ha de vignes cultivées en biodynamie et un restaurant, *La Table d'Aimé*, qui propose des menus bio, la maison Cazes est, en Roussillon, une référence en ce domaine. Elle l'est aussi en matière d'œnotourisme (premier prix national en 2010) ; une réputation qui franchit également les frontières, avec 50 % des ventes à l'export. Elle propose ici un vin équilibré, harmonieux et plein de jeunesse, attirant par sa robe grenat aux reflets violines, par sa palette aromatique, mariage remarquable du cassis, de la violette et des épices (noix de muscade). Puissant, persistant, étayé par un tanin élégant, le palais joue sur du velours. Le **Dom. Cazes Marie-Gabrielle 2011 rouge (90 000 b.)**, ample, généreux et fruité, obtient une étoile.

Cazes, 4, rue Francisco-Ferrer, 66600 Rivesaltes,
tél. 04.68.64.08.26, fax 04.68.64.69.79, info@cazes.com
t.l.j. sf dim. 8h30-12h 14h-18h30

CH. DE JAU 2011 ★

17 000 5 à 8 €

Niché au creux de l'Agly, sur le piémont des Corbières catalanes, le château de Jau rayonne grâce à son espace d'art contemporain fréquenté par des artistes de renom. Il fait connaître ses vins nés au Chili, à Banyuls, à Collioure ou tout simplement ici. Tel ce blanc, fruit du vermentino et d'un appoint de macabeu. Son or se déploie entre fraîcheur citronnée et douceur de la vanille et de l'abricot rouge du Roussillon. Le jury a apprécié sa présence, sa finesse,

sa richesse aromatique et sa vivacité. De beaux accords en perspective avec de la lotte ou des fromages doux.
Vignobles Dauré, Ch. de Jau, 66600 Cases-de-Pène, tél. 04.68.38.90.10, fax 04.68.38.91.33, daure@wanadoo.fr
t.l.j. sf ven. sam. dim. 8h-17h (hiver); 9h30-20h (été)

CH. DE LACROIX Réserve 2009 ★

n.c. | 15 à 20 €

Sur la via Domitia, campé en bord de terrasse au milieu de ses vignes, cet ancien monastère jouit d'une vue unique sur la mer et sur la montagne, *Mar i mont*, comme on dit ici. Un bâtiment imposant, et un profil tendre pour ce 2009 remarqué pour sa fraîcheur et pour son arête acide qui vient donner du relief à des senteurs douces de garrigue mêlées de notes suaves de figue et de prune. L'alliance surprenante d'une certaine vivacité et de la douceur des grenaches, où l'élevage arrondit les tanins et prolonge le vin.
Yann Tanguy, Ch. de Lacroix, chem. du Mas-du-Moulin, 66330 Cabestany, tél. 04.68.50.48.39, fax 04.68.50.36.36, chateau-de-lacroix@wanadoo.fr
t.l.j. sf sam. dim. 8h30-16h30; f. 15 j. en août

DOM. LAFAGE Miraflors 2011 ★★

10 000 | 8 à 11 €

Quel vin retenir ? La cuvée **Léa Les Aspres 2010 rouge (15 à 20 € ; 12 000 b.)**, en devenir, gorgée de fruits des bois escortés de toasté vanillé ? Le **Saint-Roch Vieilles Vignes 2010 rouge (5 à 8 € ; 15 000 b.)**, souple et fondu, sur la cerise, déjà prêt ? La cuvée **Centenaire 2011 blanc (11 à 15 € ; 30 000 b.)** née de vieilles vignes, puissante et douce, dont la rondeur beurrée appelle une aile de raie aux câpres ? Ces trois vins reçoivent chacun une étoile. Cette année, le rosé est sur le devant de la scène. D'un saumoné tendre attirant, il apparaît réservé au nez, sur une note de sous-bois et d'agrumes ; c'est en bouche qu'il s'impose par sa présence. Vif et ample, équilibré, il mêle la touche sauvage de l'iris à la groseille et aux notes épicées du mourvèdre, majoritaire dans l'assemblage.
SCEA Dom. Lafage, Mas Miraflors, rte de Canet, 66000 Perpignan, tél. 04.68.80.35.82, fax 04.68.80.38.90, contact@domaine-lafage.com r.-v.

CH. LAURIGA Cuvée Bastien 2010 ★★

5 000 | 11 à 15 €

Sur les galets roulés de la terrasse de Thuir, la syrah, majoritaire dans l'assemblage de ce vin, apporte couleur et finesse aromatique autour du cassis, de la mûre et de notes réglissées. Le grenache donne de la douceur, du volume et une générosité toute méditerranéenne qui s'appuie sur la structure du carignan. L'ensemble a été bien élevé, dans la fraîcheur d'un mas catalan posé au milieu de ses vignes sous l'œil bienveillant du Canigou. Vous aurez grand plaisir à avoir tout cela dans votre verre, en accompagnement d'un rable de lapereau aux pruneaux ou d'une polenta au beaufort.
Ch. Lauriga, traverse de Ponteilla, RD 37, 66300 Thuir, tél. 04.68.53.26.73, fax 04.68.53.58.37, info@lauriga.com
r.-v.
Jacqueline Clar

BERNARD MAGREZ Mon seul rêve 2009 ★★

5 000 | 11 à 15 €

Du château Pape Clément et des schistes bruns de Montner à la porte des Fenouillèdes, dans la superbe vallée

Le Roussillon

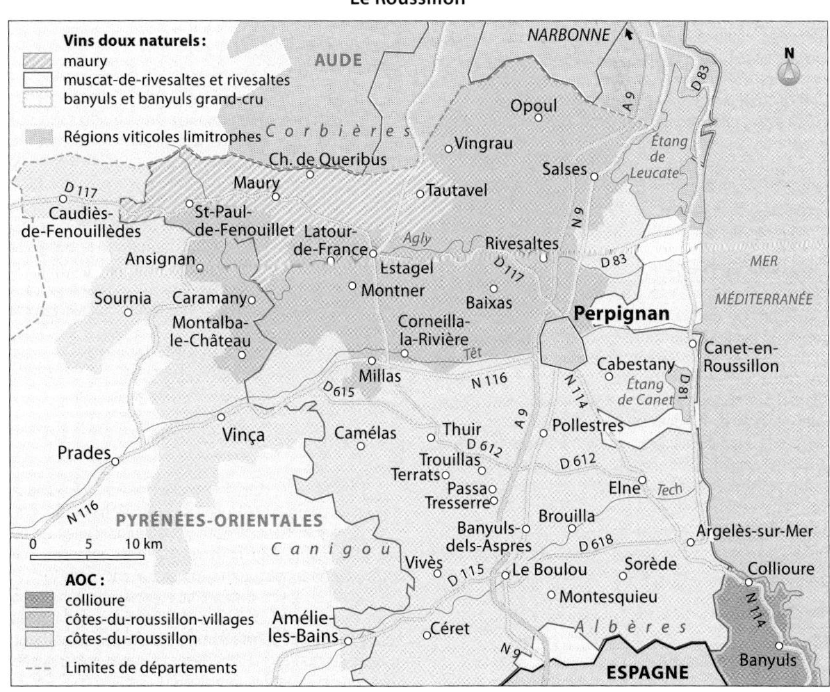

de l'Agly, Bernard Magrez n'a pas fait le voyage pour rien. Depuis son arrivée en Roussillon, il tient le haut du pavé dans le Guide. Et cette bouteille, dominée par la syrah, « flirte » avec le coup de cœur. Un joli Rêve couleur cerise bigarreau, qui joue entre fruité mûr, senteurs épicées des schistes les soirs d'été, et torréfaction. Au palais, ce vin est remarquable par son équilibre, son fondu, sa sucrosité et par sa palette aromatique mêlant le toasté de la barrique et la cerise qu'enrobe un tanin au grain velouté.

Dom. Bernard Magrez, 2, Grand-Rue, 66720 Montner, tél. et fax 04.68.80.24.81, domaines-magrez-montner@orange.fr r.-v.

MAS BAUX Soleil rouge 2008

■ 4 160 11 à 15 €

Un joli vin d'élevage, mûri dix-huit mois bien au frais derrière les murs de briques et de cailloux roulés du vieux mas catalan, là où le soleil rouge du matin vient caresser les vignes au sortir de la mer toute proche. Cet assemblage dominé par le mourvèdre a donné un vin à la robe pourpre encore très jeune, qui s'ouvre sur un boisé fin et élégant, et sur des touches de sous-bois et de kirsch. Les épices et la torréfaction, entourées d'un tanin au grain serré, composent une bouche puissante et massive qui appelle une épaule d'agneau aux épices ou du gibier.

EARL Mas Baux, voie des Coteaux, 66140 Canet-en-Roussillon, tél. et fax 04.68.80.25.04, contact@mas-baux.com r.-v.

MAS BÉCHA Charles Chapitre 10 Excellence Les Aspres 2010 ★★

■ 9 935 11 à 15 €

Ici, chaque membre de la famille dispose de son étiquette. Charles décroche deux étoiles avec ce vin qui se distingue par son volume et par la générosité du fruit. On aime son équilibre et le fondu apportés par un court élevage en cuve, son grain de tanin soyeux et la fraîcheur épicée qui donne à cette bouteille un air de jeunesse. Le **2009 rouge Serge Chapitre 09 Barrique (8 à 11 €; 6 020 b.)**, ample, souple, fruité, boisé avec mesure et prêt à boire, obtient une étoile.

Dom. du Mas Bécha, 1, av. de Pollestres, 66300 Nyls-Ponteilla, tél. 04.68.56.23.64, fax 04.68.56.23.65, hachette2013@masbecha.com r.-v.

Charles Perez

MAS DEN FOUNS 2009

■ 4 000 8 à 11 €

Un coup de foudre pour les collines de Vives, ses forêts de chênes-lièges et son terroir : c'est ainsi qu'en 2008, Anne-Marie et Dierik Verbeelen quittent la Belgique, et la médecine, pour venir toucher terre en Roussillon. Leur premier millésime en côtes-du-roussillon leur vaut une belle entrée dans le Guide. Un vin minéral, épicé et fruité, à la bouche charnue, ample et équilibrée, bâtie sur des tanins encore bien présents. Une bouteille à carafer avant de la servir sur une viande rouge relevée d'épices.

NOUVEAU PRODUCTEUR

Anne-Marie et Dierik Verbeelen, EARL Hepi, 40 bis, av. des Pyrénées, 66300 Villemolaque, tél. 04.68.22.06.29, verbeelen@orange.fr r.-v.

CH. DU MAS DÉU Cuvée Guilhem 2011 ★

■ 3 500 5 à 8 €

Certifié bio depuis 2010, ce domaine situé au cœur des Aspres est une ancienne commanderie des templiers datant du XIIe s. C'est là qu'Arnaud de Villeneuve, médecin, mit au point le mutage (ajout d'alcool pour arrêter la fermentation) des vins doux naturels. Grenache (60 %) et syrah, avec le carignan en appoint, composent ici un vin sec à la robe pourpre et au nez de mûre, de violette et d'épices. Puissant, fruité, réglissé et très frais, bâti sur des tanins serrés, ce 2011 apparaît encore jeune ; il patientera un an ou deux en cave.

Claude Olivier, Ch. du Mas Déu, 66300 Trouillas, tél. 04.68.53.11.66, claude.olivier@orange.fr t.l.j. sf dim. 14h-18h

MAS MUDIGLIZA Coume des loups 2010 ★★★

■ 4 000 8 à 11 €

Muriel et Dimitri Glipa ont joué avec leurs nom et prénoms pour nommer ce domaine créé en 2006 sur les terres noires de Maury. Une acclimatation plus que réussie pour ce jeune vigneron bordelais, à seulement vingt-quatre ans. La robe profonde de ce 2010 attire, tout comme son bouquet d'épices, de raisin mûr, de cerise confite, agrémenté d'une touche de genièvre. Le volume et le fondu de la bouche ont également impressionné le jury, charmé par ce vin ample, généreux, plein de fruits (mûre, cerise, pruneau) et structuré par des tanins veloutés et sans aspérité, qui allie en finale fraîcheur du maquis et note poivrée. Un équilibre parfait, à découvrir aujourd'hui comme dans cinq ou six ans. La cuvée **Carmine 2009 rouge (11 à 15 €; 12 000 b.)** réglissée, florale (violette) et fruitée (cerise), est prête. Elle obtient deux étoiles.

Mas Mudigliza, 20, rue de Lesquerde, 66220 Saint-Paul-de-Fenouillet, tél. 06.79.82.03.46, masmudigliza@neuf.fr r.-v.

Dimitri Glipa

DOM. DU MAS TRINCAT Achillée 2009 ★

■ 1 250 8 à 11 €

Ici, ce qui fait le plus de bruit l'été, ce sont les cigales. Vespeille, au pied des arides Corbières inondées de soleil, au milieu de la garrigue et des vignes, est un havre de fraîcheur pour les randonneurs, une « île » sauvage à dix minutes de Perpignan. C'est un terroir à grenache où se plaît aussi la syrah, qui est venue apporter dans ce 2009 sa fraîcheur, sa touche de réglisse et de violette, et une jolie note de genévrier à la suavité charnue de la cerise. La bouche ? Un grain de tanin serré, une sensation de rondeur et de puissance. Ce vin plein de jeunesse accompagnera volontiers un bœuf bourguignon ou un magret de canard.

SCEA Vespeille, Mas Sainte-Marie-de-Vespeille, 66600 Salses-le-Château, tél. 06.72.69.55.85, marie-claudepigouche@wanadoo.fr r.-v.

CH. MONTANA Le Rouge éternel 2011 ★★

■ 20 000 5 à 8 €

Depuis 1996, Patrick Saurel n'a pas chômé. Venu du monde du commerce, il a poussé sa passion pour la vigne jusqu'au bout : restructuration et agrandissement du domaine, création d'un nouveau chai, inauguration d'un musée du Vin, conduite raisonnée (avant le bio ?)... Le résultat est là, avec ce vin grenat soutenu aux senteurs de fruits compotés et de cerise légèrement poivrée, et au palais gourmand et fruité, étayé par des tanins enrobés ; la concentration est bien maîtrisée, la finesse et la fraîcheur sont conservées. Pour une viande en sauce.

Ch. Montana, rte de Saint-Jean-Lasseille, 66300 Banyuls-dels-Aspres, tél. 04.68.37.54.84, fax 04.68.21.86.37, chateaumontana@wanadoo.fr t.l.j. 9h30-12h30 14h30-18h; sam. dim. sur r.-v.
P. Saurel

CH. MONTNER Premium 2011 ★

n.c. | 5 à 8 €

Au carrefour des terroirs de l'Agly, la cave d'Estagel dispose d'une palette unique pour élaborer ses cuvées. Pour ce blanc sec, c'est dans les vieilles vignes plantées sur les schistes bruns de Montner bien calés dans le versant nord de Força Réal et destinées aux vins doux naturels que Franck Galangau, directeur de la cave, va chercher structure et fraîcheur. Ce vin à la robe d'or, élevé sur lies, dévoile un fruité intense et mûr accompagné de notes de fleurs blanches, de miel et de pomme au four. Son volume, sa touche de noisette et sa fraîcheur citronnée en bouche sublimeront un sandre au beurre blanc.

Les Vignerons des Côtes d'Agly, av. Louis-Vigo, 66310 Estagel, tél. 04.68.29.00.45, fax 04.68.29.19.80, contact@agly.fr t.l.j. sf dim. 9h-12h 14h-18h

CH. NADAL-HAINAUT Les Terres du Pilou 2010 ★★

6 000 | 5 à 8 €

Il exploitait son domaine (45 ha) depuis dix ans en agriculture raisonnée. En 2011, Jean-Marie Nadal a franchi le pas et engagé la conversion bio de son vignoble. Les lieux sont chargés d'histoire : une chapelle rappelle le prieuré cistercien de l'Eule (XIIe s.), remplacé au XVIIIe s. par un château entouré d'un parc ombragé sur la terrasse de Thuir. Un lieu de détente idéal pour goûter ce 2010, noir dans le verre, bien élevé, où le fruit frais fait place au pruneau et à la cerise compotée, sur fond de cuir. Équilibré, puissant et long, le vin se déroule sans heurt autour de tanins fondus. Il conserve une belle fraîcheur, et sa bouche épicée, méditerranéenne, se prêtera à bien des accords.

Jean-Marie Nadal, Ch. Nadal-Hainaut, RD 37, 66270 Le Soler, tél. 04.68.92.57.46, fax 04.68.38.07.38, chateaunadalhainaut@gmail.com
t.l.j. sf dim. 9h-12h 15h-19h

CH. DE L'OU 2010

n.c. | 8 à 11 €

L'agriculture biologique est la règle au château de l'Ou - château de l'« œuf » en catalan - depuis son acquisition par les Bourrier en 1998. Un ancien domaine des templiers autour d'un vieux mas catalan rénové en 2004. Voici donc un « œuf » grenat à reflets violines, aux senteurs de petits fruits des bois et de réglisse. L'élevage lui a apporté rondeur et souplesse, des tanins veloutés et un fruit très mûr, presque confit. À servir sur du veau en sauce.

Ch. de l'Ou, rte de Villeneuve, 66200 Montescot, tél. 04.68.54.68.67, fax 09.71.70.26.53, chateaudelou66@orange.fr r.-v.
Bourrier

DOM. DE LA PERDRIX L'Empreinte 2009 ★★

2 900 | 15 à 20 €

Pour fêter le nouveau chai créé en 2009, quoi de mieux que deux étoiles dans le Guide ? Le rideau rouge levé, ce vin s'exprime sur le grillé de la barrique (quinze mois d'élevage) et sur le fruit confituré, avec une touche d'épices. La bouche, à l'unisson, apparaît ronde, gourmande et corsée. Reposant sur des tanins solides au grain velouté, elle laisse en finale une impression de fraîcheur épicée. Civets, viandes grillées au thym, fromages... Ce vin laissera volontiers son empreinte sur tous ces mets.

Dom. de la Perdrix, Traverse-de-Thuir, 66300 Trouillas, tél. et fax 04.68.53.12.74, contact@domaine-perdrix.fr
t.l.j. sf dim. 10h-12h30 15h-18h30 (19h30 juil.-août-sept.)

DOM. PIQUEMAL Les Terres grillées 2010

12 000 | 8 à 11 €

Nouveau chai, nouveau caveau, nouveau local de stockage et nouvelle salle de réception : des aménagements superbes et opérationnels dès 2012. Une batterie de petites cuves permet le travail à la parcelle. Il ne manque plus que le moulin à huile pour les deux cents oliviers. Cette année, un vin blanc encore jeune à l'or affirmé et brillant où notes toastées, noisette et noix de muscade prennent le pas sur l'abricot. Un élevage sur lies avec bâtonnage a donné ampleur et richesse à ce 2010 qui n'en conserve pas moins une belle fraîcheur dans un environnement empyreumatique. Dorade au sel, saint-jacques, viande blanche, tout lui conviendra.

Dom. Piquemal, lieu-dit Della-Lo-Rec, km 7, RD 117, 66600 Espira-de-l'Agly, tél. 04.68.64.09.14, fax 04.68.38.52.94, contact@domaine-piquemal.com
t.l.j. sf dim. 8h-12h 14h-18h

CH. PLANÈRES La Romanie 2011 ★★

8 000 | 8 à 11 €

La malvoisie du Roussillon (tourbat) est un cépage ancien et mythique de la région, malheureusement presque disparu. Ici, grâce à un travail soigné des vignes, à une grande patience et à un savoir-faire reconnu, le tandem Jaubert-Noury propose un vin rare et original où cette variété est en vedette. Or pâle, ce 2011 s'ouvre lentement sur des senteurs miellées, finement vanillées, assorties de nuances plus sauvages de jacinthe d'eau et de lentisque. En bouche, une note amylique épouse un léger tanin au sein d'une matière tout en rondeur et en finesse qui laisse en finale une impression de fraîcheur. L'ensemble n'attend plus que des seiches à la plancha ou des noix de Saint-Jacques. Deux étoiles encore pour la cuvée **Prestige 2010 rouge (5 à 8 €; 60 000 b.)**, puissante, aromatique et boisée ; une étoile enfin pour **La Coumo d'Ars Les Aspres 2009 rouge (10 000 b.)** comme pour la **cuvée Chantail 2011 rouge (moins de 5 €; 80 000 b.)**, la première confiturée et ample, la seconde jeune et fraîche.

Ch. Planères, Ch. Planères, 66300 Saint-Jean-Lasseille, tél. 04.68.21.74.50, fax 04.68.21.87.25, contact@chateauplaneres.com
t.l.j. 8h30-12h 14h-18h (19h été); sam. sur r.-v.
Jaubert-Noury

CH. DE REY Sisquò 2011 ★

4 100 | 5 à 8 €

La terrasse de galets roulés vient doucement s'effacer dans l'étang de Canet. Au milieu des vignes caressées par la tramontane, les grands arbres du parc s'affrontent à la tour élancée du château bâti par Petersen. Mais c'est dans la vaste cave catalane, bien au frais derrière les grands murs de galets et de cayroux que ce vin blanc vous attend. Or pâle, floral, mêlant de légères fragrances citronnées et des nuances de pêche blanche, il surprend par sa présence en bouche, par ses arômes suaves de jasmin et par son bel

ROUSSILLON

équilibre alliant vivacité et note sauvage de la roussanne (associée au grenache blanc). L'ensemble est prêt à accompagner un loup en croûte de sel. On débouchera aussi maintenant, mais sur du gibier, la cuvée **Les Galets roulés 2009 rouge (11 à 15 € ; 7 000 b.)**, qui obtient la même note.

Cathy et Philippe Sisqueille,
Ch. de Rey, rte de Saint-Nazaire, 66140 Canet-en-Roussillon,
tél. 04.68.73.86.27, fax 04.68.73.15.03,
contact@chateauderey.com
t.l.j. sf dim. 10h-12h 15h-18h; sam. lun. 10h-12h

DOM. RIÈRE CADÈNE Cuvée Augusta 2011 ★★

	8 400		5 à 8 €

Vous n'irez pas chez les Rière par hasard. Le domaine, bien qu'à deux pas de la ville, est situé hors des sentiers battus ; un avantage pour proposer des gîtes très courus. Très apprécié aussi, ce rosé, le meilleur de la sélection pour les jurés du Guide, conquis par son air rose tendre et par son nez de petits fruits acidulés, de rose et de bonbon anglais. Ample, très frais et long, il surprend par son volume et par sa finesse aromatique, laissant deviner en finale un soupçon d'agrumes. Salades composées, grillades, il accompagnera tout le repas.

Dom. Rière Cadène, chem. de Saint-Génis-de-Tanyères,
66000 Perpignan, tél. 04.68.63.87.29, fax 04.68.52.30.65,
contact@domaineririecadene.com
t.l.j. sf dim. 9h-12h 14h-19h

DOM. ROSSIGNOL Les Aspres Bérénice 2009

	3 870		8 à 11 €

Déguster ce vin rubis empreint de plaisantes notes d'évolution (sous-bois, cuir, venaison) et alliant en bouche sucrosité du grenache, nuance réglissée de la syrah, toasté de la barrique, souplesse et bonne structure, est une chose. Aller au domaine, y découvrir le clos des cépages, le musée-théâtre des automates, l'espace des saveurs, les vignes... puis passer un moment avec les Rossignol sera un instant inoubliable... À noter également : la cuvée **Les Schistes 2010 rouge (5 à 8 € ; 3 976 b.)**, citée pour son équilibre.

Pascal Rossignol, rte de Villemolaque, 66300 Passa,
tél. et fax 04.68.38.83.17, domaine.rossignol@free.fr
t.l.j. sf dim. 10h30-12h30 16h-19h

DOM. SABARDA 2010 ★

	20 000		8 à 11 €

Le charme de la vallée de l'Agly n'en finit pas d'opérer. « C'est l'internationale vigneronne », a-t-on pu dire, avec le sourire, en voyant ces Bourguignons, Parisiens ou encore Bordelais – comme Thomas Ducourd – venir s'établir dans la région. Sans doute, mais cette tendance représente une reconnaissance des terroirs roussillonnais. Grenache, syrah et carignan plantés sur schistes ont engendré un joli vin rubis, agréablement fruité, franc et frais à l'attaque, épicé en finale et doté de solides tanins, ce qui le destine à du gibier sauce au poivre.

EARL Domaines Ducourd, rue de la Fou-za, Le Real,
66220 Saint-Paul-de-Fenouillet, tél. 06.19.99.16.52,
thomasducourd@orange.fr r.-v.

CELLIER SAINT-JEAN Sant-Joan 2008

	13 000		- de 5 €

Sans bruit, avec patience et organisation, Christian Lleres a réussi, autour d'hommes de valeur, à fédérer les caves du cœur des Aspres pour garantir l'avenir. Élevé deux ans en cave souterraine, ce 2008 de la coopérative se « languit » de grillades. S'il n'a rien perdu de son grenat d'origine, de ses senteurs de cassis et de sous-bois, il s'est enrichi de notes épicées et réglissées ; son tanin s'est fondu et une touche poivrée est venue agrémenter le fruit. Il est prêt.

Les Vignobles du Sud Roussillon, 1, av. du Mas-Deu,
66300 Trouillas, tél. 04.68.53.47.08, fax 04.68.53.24.56,
info@vignobles-sud-roussillon.fr
t.l.j. sf dim. 9h-12h 14h30-18h30

CH. SAINT-NICOLAS Nicolavs 2009 ★★★

	2 500		20 à 30 €

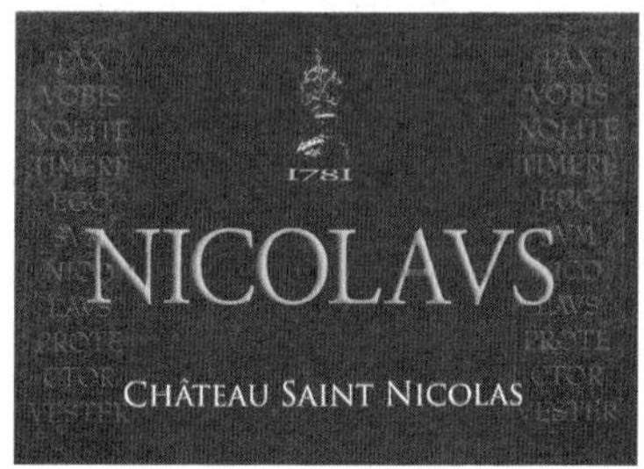

Cet ancien prieuré des templiers a été transformé en une exploitation viticole d'importance sous la houlette de Pierre Poeydavant, sous-intendant de Louis XVI. Depuis cinq ans, c'est avec une précision suisse que la famille Schneider conduit ce domaine, en culture raisonnée. Elle propose ici un vin remarquable d'équilibre, où syrah et grenache épousent un boisé d'une grande finesse. La bouche, charmeuse et charnue, dévoile des arômes de petits fruits rouges acidulés qui jouent avec la cerise noire. Le tanin est soyeux, et la puissance soutenue par une agréable fraîcheur. Ajoutez à cela un bouquet en harmonie, sur la griotte, les épices, la vanille et le sous-bois, et vous obtenez un grand vin au superbe équilibre, fait pour sublimer une côte de bœuf aux sarments accompagnée d'une poêlée de cèpes.

SCEA du Ch. Saint-Nicolas, rte de Canohès,
66300 Ponteilla, tél. et fax 04.68.53.47.61,
info@chateausaintnicolas.com r.-v.
Schneider

DOM. SALVAT Taïchac Élevé en fût de chêne 2008 ★

	6 000		8 à 11 €

Sur les plateaux et les collines de la haute vallée de l'Agly, les ruines de Taïchac, ancien domaine fortifié du XIVe s., isolées au milieu des vignes entre calcaire et granite, garrigue et maquis, offrent un spectacle insolite. Il a fallu toute la maîtrise de Jean-Philippe Salvat pour dompter ce terroir de caractère et élaborer ce 2008 rubis foncé, finement boisé, où la cerise flirte avec le sous-bois, la réglisse, les épices, la garrigue et d'autres notes végétales rappelant le poivron vert, qui s'invite en bouche. Un vin fin, élancé, nerveux, porté par un tanin élégant, qui laisse une belle impression de fraîcheur. Il est prêt.

Dom. Salvat, 8, av. Jean-Moulin,
66220 Saint-Paul-de-Fenouillet, tél. 04.68.59.29.00,
fax 04.68.59.20.44, salvat.jp@wanadoo.fr
t.l.j. 9h-12h 14h-18h

DOM. SARDA-MALET Terroir Mailloles 2007 ★★

	8 000		20 à 30 €

Résistant à l'urbanisation, ce vignoble a deux particularités : il est implanté sur un site paléontologique de renommée mondiale, et toutes ses vignes, selon le vœu de l'aïeul, regardent le Canigou. Pas de vin de l'année au domaine, mais des produits d'élevage très mûrs, tel ce 2007 associant le mourvèdre et la syrah ; un ensemble élégant, puissant et fondu, où les fruits compotés courtisent les fruits secs et la figue, entre cacao et épices. Ce millésime est arrivé à maturité ; son joli grain de tanin accompagnera du gibier ou une côte de bœuf.

Dom. Sarda-Malet,
Mas Saint-Michel, chem. de Sainte-Barbe, 66000 Perpignan, tél. 04.68.56.72.38, fax 04.68.56.47.60, info@sarda-malet.com
r.-v.

DOM. DES SCHISTES Les Terrasses blanches 2010 ★★

8 000 | 11 à 15 €

Trop longtemps réservés aux vins doux naturels, les grenaches blanc et gris composent un 2010 blanc typiquement « d'ici ». Cette cuvée laisse en bouche une impression de plénitude grâce à son ampleur, à sa richesse et à son gras, assortis d'une jolie minéralité et du caractère légèrement tannique du grenache gris, qui porte l'ensemble. Ajoutez à cela la finesse aromatique, la touche de noisette de la barrique, un joli fruit... fruit de la complicité des Sire et d'Henri Parayre, l'œnologue.

Dom. des Schistes, 1, av. Jean-Lurçat, 66310 Estagel, tél. 04.68.29.11.25, fax 04.68.29.47.17, sire-schistes@wanadoo.fr r.-v.

DOM. SOL-PAYRÉ Les Aspres Scelerata Âme noire 2009 ★★

6 000 | 15 à 20 €

Le vin : les quatre cépages rouges du Roussillon, à parité ; la ville : Elne, haut lieu de l'art roman catalan au cloître célèbre ; la région : les Aspres, contreforts arides du Canigou, terres impossibles à irriguer. Voilà qui dessine un produit identitaire du Roussillon. À l'approche, cette cuvée ne laisse rien paraître de son élevage de douze mois sous bois, et conserve un regard noir. Puis elle exprime des notes concentrées de fruits confiturés et d'épices (poivre vert), associées au grillé et à la vanille de la barrique. L'attaque ronde et souple dévoile du fruit noir, du pruneau mêlé à de la réglisse et à une touche de café. L'ensemble est fondu, frais et d'une superbe longueur. La cuvée **Vertigo 2009 (11 à 15 €; 8 000 b.)**, qui n'a pas connu le bois, privilégie le grenache. Elle est citée pour son fruité mûr et pour sa longueur.

Dom. Sol-Payré, rte de Saint-Martin, 66200 Elne, tél. 04.68.22.17.97, fax 04.68.22.50.42, domaine@sol-payre.com
t.l.j. sf dim. 9h-12h 15h-18h; f. 15h-18h de jan. à mars (rue de Paris)

TERRASSOUS Villare Juliani 2010 ★★★

10 000 | 5 à 8 €

« Tout est bon chez elle »... Plagiant Brassens dans sa chanson *Rien à jeter*, on pourrait appliquer ce refrain à la cave de Terrats : trois vins présentés, trois vins retenus. **L'Original rouge 2010 (moins de 5 €; 20 000 b.)**, tout en fruit, épicé, souple et frais, obtient une étoile, tandis que le **2008 rouge Les Aspres Les Pierres plates (8 à 11 €; 25 000 b.)**, puissant, structuré mais très velouté, sur des notes de toast, de cuir et de fruits confiturés, en décroche deux. Quant à ce superbe Villare Juliani, grenat profond, il respire la violette, le bourgeon de cassis, la myrtille et les senteurs poivrées de la syrah. Il se montre concentré en bouche, ample et fin à la fois, légèrement épicé en finale. Prêt pour des noisettes de chevreuil sauce poivrade.

SCV Vignobles Terrassous, av. des Corbières, BP 32, 66300 Terrats, tél. 04.68.53.02.50, fax 04.68.53.23.06, contact@terrassous.com
t.l.j. sf dim. 8h30-12h 14h-18h30

DOM. TRILLES Incantation 2010 ★

2 000 | 8 à 11 €

Le village de Tresserre (« trois collines » en catalan) est connu pour être le terrain de jeu des *bruxes* (sorcières). On dit que celles-ci menaient leur sabbat non loin des parcelles à l'origine de ce vin rouge, d'où le nom de cette cuvée. Aujourd'hui, c'est le vin de Jean-Baptiste Trilles qui nous ensorcelle, un 2010 couleur grenat au nez de réglisse, de vanille et de fruits rouges confits. Généreux en bouche, il repose sur des tanins solides sans se départir d'un joli fondu.

Jean-Baptiste Trilles, chem. des Coulouminettes, 66300 Tresserre, tél. 06.15.46.64.71, contact@domainetrilles.fr r.-v.

DOM. DES TROIS ORRIS Lhusanes 2010

4 400 | 8 à 11 €

À la culture bio, qui semble contribuer à l'obtention de vins plus nerveux et tendus, s'ajoutent l'altitude, qui favorise elle aussi la fraîcheur, et les arènes granitiques de Tarerach propices à la finesse et à la minéralité. Voilà les atouts de ces Trois Orris, (domaine qui tire son nom des abris de berger, les *orris*) et plus particulièrement de ce « lieu saint » (*llossanes* en catalan ancien, nom du lieu-dit où se trouve la propriété). Au nez, du sous-bois, du cuir et des fruits confiturés, et au palais, des tanins marqués et des nuances épicées. À boire dès à présent, sur des grillades ou sur des mets relevés.

Dom. des Trois Orris, Mas Llossannes, 66320 Tarerach, tél. 06.75.02.51.00, troisorris@wanadoo.fr r.-v.
Graler

CH. VALFON Mirabet 2010 ★

6 000 | 8 à 11 €

Christian Fons a joué gagnant avec le carré d'as des cépages rouges du Roussillon. La syrah apporte du velouté, de la souplesse plus la fraîcheur de la violette et des épices ; le mourvèdre, un tanin souple enrobé de légères notes de café ; le grenache, un fruité élégant de cerise mûre, de la générosité et de la rondeur ; le carignan, l'ossature qui soutient ce vin équilibré. Les dix mois de barrique enfin ont conféré un boisé fondu et une touche empyreumatique. Pour du gibier ou un comté affiné.

GAEC Dom. Valfon, 11, rue des Rosiers, 66300 Ponteilla, tél. 06.14.02.81.54, fax 04.68.53.61.66, chvalfon@aol.com
t.l.j. sf sam. dim. 8h-12h 14h-17h

LE PREMIER DE VALMY 2007 ★★★

10 750 | 15 à 20 €

Au pied des Pyrénées, Viggo Petersen construisit à la Belle Époque pour Jules Pams, homme politique de la région qui allait devenir ministre de l'Agriculture, ce petit bijou de château, romantique à souhait. Les vignes, la mer et une forêt de chênes-lièges lui servent d'écrin. Le Premier de Valmy tient son rang. Le grenat profond de la robe s'ourle de reflets tuilés. L'élevage confère finesse, douceur et élégance à un nez où s'expriment café, boisé vanillé et épices. Ample, fondue, empreinte de minéralité, la bouche évolue sur un tanin remarquable par le velouté

ROUSSILLON

de son grain et elle dévoile des notes confiturées de cerise et de pruneau qui traduisent sa maturité. Le maître mot de la dégustation ? Élégance. À marier à du chevreuil ou à un civet de lièvre. Plaisamment épicé, le **Ch. Valmy 2008 rouge (8 à 11 €; 9 150 b.)** obtient deux étoiles.
Ch. Valmy, chem. de Valmy, 66700 Argelès-sur-Mer, tél. 04.68.81.25.70, fax 04.68.81.15.18, contact@chateau-valmy.com
t.l.j. sf dim. 9h30-12h30 14h30-18h
Carbonnell

VAQUER L'Éphémère 2011 ★

	10 000		5 à 8 €

Voilà cent ans que le domaine est dans la famille Vaquer. Dans cette lignée, une figure mythique : le « maréchal », Fernand Vaquer, international de rugby, champion de France 1920 et 1921, puis entraîneur de l'USAP en 1955. La réalité d'aujourd'hui, c'est Frédérique Vaquer, qui a vinifié ce rosé rose tendre, vif et délicat, dont on aime les senteurs de fraise, le volume et la longue finale épicée. Tout ce qu'il faut pour accompagner salades composées ou paellas.
Dom. Vaquer, 1-2, rue des Écoles, 66300 Tresserre, tél. 04.68.38.89.53, fax 04.68.38.84.42, domainevaquer@gmail.com r.-v.

DOM. DE VÉNUS L'Effrontée 2009

	8 000		11 à 15 €

Un groupe d'amis venus d'horizons divers, mais tous œnophiles, tombent sous le charme de ce site des Fenouillèdes. Dix ans plus tard : quarante parcelles pour 15 ha, et la fraîcheur d'un terroir d'altitude. L'histoire est belle encore. Le grenache gris tant décrié exprime sa typicité dans le gras, dans le volume de ce blanc et dans une discrète arête tannique qui porte le vin, lui permettant de relever le défi de la barrique. Enrichi de l'élevage sur lies, il finit sur une pointe d'agrumes bienvenue, reflet de son lieu d'origine. Cette bouteille est prête.
Dom. de Vénus, 13, av. Jean-Moulin, 66220 Saint-Paul-de-Fenouillet, tél. et fax 04.68.59.18.81, domainedevenus@adsl.fr r.-v.
Nègre

INTENSE DE CLAUDE VIALADE
Des Balcons des Pyrénées 2010 ★

	50 000		5 à 8 €

Claude Vialade est une femme de caractère, qui a su s'entourer d'œnologues et de commerciaux de talent. Et sa maison de négoce travaille sur le long terme en suivant les différentes cuvées, de la vigne à la bouteille. Ici, des vendanges manuelles, une longue macération et un élevage en cuve sont à l'origine de ce vin à la robe profonde, qui s'ouvre à l'aération sur les épices, la réglisse et la cerise mûre. En bouche, le fruité s'exprime sans réserve autour de la cerise noire enrobant des tanins bien présents de belle facture. Attendre un an ou deux, le temps de débusquer le lièvre pour le civet...
SAS Les Domaines Auriol, BP 79, ZI Gaujac, 11200 Lézignan-Corbières, tél. 04.68.58.15.15, fax 04.68.58.15.16, info@les-domaines-auriol.eu r.-v.
Claude Vialade

VILLA SOLEIL Premium 2011 ★

	80 000		- de 5 €

« L'autre région des rosés », le Roussillon, n'a pas attendu la mode pour faire reconnaître son savoir-faire en la matière, et les Vignerons catalans, qui vendent en tout 35 millions de cols par an, participent à sa mise en avant. Cette couleur représente maintenant 110 000 hl et elle se décline même, depuis peu, en rivesaltes. Voici un rosé bien méditerranéen, coloré, partagé entre mara des bois et fruits mûrs. La fraise s'allie en bouche à la cerise noire et à des impressions un peu confites au sein d'une matière douce, suave et volumineuse, soutenue par une fine acidité. Une belle présence.
Vignerons catalans, 1870, av. Julien-Panchot, BP 29000, 66962 Perpignan Cedex 9, tél. 04.68.85.04.51, fax 04.68.55.25.62, contact@vigneronscatalans.com

Côtes-du-roussillon-villages

Superficie : 2 270 ha
Production : 67 500 hl

DOM. ARGUTI Ugo 2009 ★★

	8 000		11 à 15 €

Marie-Christine et Ugo Arguti ont posé leurs valises en 2004 dans la vallée de l'Agly, à Saint-Paul-de-Fenouillet exactement. Depuis lors, leurs cuvées fréquentent avec assiduité ces colonnes. Ils ne manquent pas le rendez-vous du Guide et signent ici un 2009 rouge sombre qui séduit d'emblée par son bouquet intense de grillé, d'épices douces et de fruits noirs, prolongé par une bouche ronde, bien en chair, aux tanins et au boisé fondus à souhait, une pointe mentholée apportant une jolie touche de fraîcheur et de complexité. À boire dès aujourd'hui sur un gigot de chevreuil.
Dom. Arguti, 14, av. du 16-Août-1944, 66220 Saint-Paul-de-Fenouillet, tél. 06.73.85.17.93, fax 04.68.28.57.68, domaine.arguti@orange.fr r.-v.

DOM. LA BEILLE Les Quatre As 2009

	1 800		15 à 20 €

La Beille va pouvoir butiner en paix, sur fond de tramontane, dans ce domaine en conversion bio depuis 2010 entre l'accent chantant d'Agathe Larrère et les intonations anglo-saxonnes d'Ashley, *winemaker* australien. Drapé dans une robe profonde tirant vers le noir, ce 2009 livre une expression aromatique aérienne après un premier nez de venaison et de sous-bois. Il offre en bouche un profil nerveux, tendu, minéral, sans se départir néanmoins d'une certaine rondeur en harmonie avec des nuances cerise confite, soutenu par des tanins puissants. Pour un plat épicé, un tajine par exemple.
Agathe Larrère, 18, rue Saint-Jean, 66550 Corneilla-la-Rivière, tél. 04.68.57.17.82, la-beille@neuf.fr r.-v.

DOM. DE BILA-HAUT Latour de France
Occultum lapidem 2009 ★

	100 000		11 à 15 €

Deux beaux vins de caractère signés du négociant-éleveur Michel Chapoutier. Né sur les schistes de Latour de France, ce 2009 sombre aux reflets brillants livre un bouquet plaisant de violette, de truffe et d'épices. La bouche plaît par ses tanins doux et enrobés, et par ses arômes bien mariés d'épices et de fruits. Les arènes granitiques de Lesquerde ont donné naissance à la cuvée **L'Esquerda 2009 (30 000 b.)**, un vin ample et aromatique où souplesse et finesse reflètent l'élégance du terroir. Une étoile également.

🔑 Maison M. Chapoutier, 18, av. du Dr-Paul-Durand, 26600 Tain-l'Hermitage, tél. 04.75.08.28.65, fax 04.75.08.81.70, chapoutier@chapoutier.com
☑ Y ⁂ t.l.j. 9h-12h30 14h-19h

DOM. BOUCABEILLE Les Orris 2009

■ 3 500 20 à 30 €

Face à la mer, Força Réal est l'un des plus beaux sites du département. Jean Boucabeille y cultive la vigne (en conversion bio) à 300 m d'altitude, sur des coteaux de schistes. Plantation de forêts et de bosquets, partenariat avec un berger pour un débroussaillage par les chèvres, et mise en place de ruchers, il a entrepris une démarche de préservation de la biodiversité. Sa cuvée Les Orris, issue de syrah majoritaire, dévoile un nez dominé par la vanille et le toasté du fût, avec quelques notes de framboise à l'arrière-plan. La bouche offre un bon volume, adossée à une solide structure tannique et à un boisé encore sensible. À boire sur une viande de caractère, un sauté de sanglier par exemple.

🔑 Dom. Boucabeille, RD 614, 66550 Corneilla-la-Rivière, tél. 04.68.34.75.71, domaine@boucabeille.com ☑ Y ⁂ r.-v.

DOM. BOUDAU Patrimoine 2010 ★

■ 6 500 15 à 20 €

Les lecteurs fidèles ne seront pas surpris de découvrir de nouveau le nom des Boudau, en l'occurrence Pierre et Véronique, le frère et la sœur, chaque année présents dans le Guide. Issue de grenache à 80 % avec la syrah en complément, cette cuvée Patrimoine, parée d'une robe grenat foncé, respire les fruits rouges frais et les épices, accompagnés de fraîches notes anisées ; on retrouve ces mêmes arômes dans une bouche à la fois ample, généreuse, fraîche et fine, soutenue par de beaux tanins enrobés et soyeux. Un modèle d'équilibre, à apprécier sans attendre.

🔑 Dom. Boudau, 6, rue Marceau, 66600 Rivesaltes, tél. 04.68.64.45.37, fax 04.68.64.46.26, contact@domaineboudau.fr
☑ Y t.l.j. sf dim. 10h-12h 15h-19h; sam. 10h-12h en hiver

CH. DE CALADROY Cuvée Saint-Michel 2010 ★

■ 3 500 20 à 30 €

Deux tours majestueuses rappellent que ce château date du XIIe s. De la même époque, la chapelle Saint Michel donne son nom à cette cuvée à dominante de mourvèdre (70 %), avec la syrah en complément. Si les lieux respirent ici l'Histoire, ce vin exhale, lui, des parfums plaisants d'épices douces, de garrigue, de fruits noirs et de boisé. La bouche se montre ample et chaleureuse, adossée à des tanins bien présents. À boire dans les deux ans à venir. Les cuvées **La Juliane 2010 (11 à 15 € ; 3 500 b.)** et **Réserve 2009 (5 à 8 € ; 7 300 b.)** sont également très réussies.

🔑 Ch. de Caladroy, lieu-dit Caladroy, 66720 Bélesta, tél. 04.68.57.10.25, fax 04.68.57.27.76, chateau.caladroy@wanadoo.fr
☑ Y ⁂ t.l.j. sf sam. dim. 8h-12h 13h30-17h30
🔑 Mézerette

LES VIGNERONS DE CARAMANY Caramany Huguet de Caraman Élevé en fût de chêne 2009 ★

■ 13 000 11 à 15 €

La dynamique cave de Caramany, présidée par le jeune Sébastien Sales, fait honneur à ce terroir de gneiss et de granite, avec trois cuvées retenues ici. Né de syrah, de grenache et de carignan, ce dernier étant vinifié en macération carbonique comme il se doit dans cette dénomination, ce Huguet de Caraman (seigneur de Caramany au XIIIe s.) dévoile un nez intense à dominante vanillée, souvenir des douze mois de barrique, avec des notes de fruits mûrs et de réglisse à l'arrière-plan. À l'unisson, la bouche, de belle longueur, s'adosse à des tanins puissants et enrobés. Une étoile également pour les cuvées élevées en cuve **Presbytère 2010 (5 à 8 € ; 80 000 b.)** et **Réserve rouge carmin 2010 (8 à 11 € ; 20 000 b.)**.

🔑 SCV de Caramany, 70, Grand-Rue, 66720 Caramany, tél. 04.68.84.51.80, fax 04.68.84.50.84, contact@vigneronsdecaramany.com
☑ Y ⁂ t.l.j. sf dim. 8h-12h 14h-18h

Ⓑ **CAZES** Le Credo 2009 ★

■ 5 950 30 à 50 €

Le credo de l'incontournable maison Cazes : respect de la vigne et du terroir ; à preuve la conversion totale des 200 ha du vignoble à la biodynamie. Credo, c'est aussi le nom de cette cuvée, l'un de ses fleurons, née de grenache, de syrah, de mourvèdre et de carignan. Un vin au nez intense d'épices (poivre), de boisé torréfié et de fruits noirs mâtinés des senteurs bien méridionales du laurier, et à la bouche puissante, ample et gourmande, étayée par une fine acidité. Un ensemble équilibré, à découvrir à *La Table d'Aimé*, restaurant créé en 2009 au sein du domaine. Le **Latour de France L'Excellence de Triniac 2010 Élevé en fût de chêne (5 à 8 € ; 30 000 b.)** fait jeu égal.

🔑 Cazes, 4, rue Francisco-Ferrer, 66600 Rivesaltes, tél. 04.68.64.08.26, fax 04.68.64.69.79, info@cazes.com
☑ Y ⁂ t.l.j. sf dim. 8h30-12h 14h-18h30

DOM. DES CHÊNES Tautavel Le Mascarou 2008 ★

■ 6 000 8 à 11 €

Issu d'une longue lignée vigneronne remontant au XIXe s., Alain Razungles, œnologue émérite et professeur à l'Institut des hautes études de la vigne et du vin à Montpellier, conduit depuis 1987 le domaine acquis par l'arrière-grand-père. À l'entrée du village de Vingrau, le mas jouxte les chais à l'architecture très catalane. Dans le verre, un 2008 d'un rouge dense et profond au nez de fruits mûrs mâtiné de notes méridionales de laurier et de garrigue. La bouche, harmonieuse, séduit par son volume, par sa souplesse et par ses tanins bien fondus, au grain fin. Un vin équilibré, à déguster dès aujourd'hui sur un lapin au romarin.

🔑 Razungles, Dom. des Chênes, 7, rue Mal-Joffre, 66600 Vingrau, tél. 04.68.29.40.21, fax 04.68.29.10.91, domainedeschenes@wanadoo.fr
☑ Y ⁂ t.l.j. 9h-12h 14h-18h; sam. dim. sur r.-v.

CLOS DEL REY Le Sabina 2010

■ 6 000 8 à 11 €

Jacques Montagné conduit une douzaine d'hectares au milieu de 300 ha d'une garrigue classée espace protégé Natura 2000. Né sur des sols argilo-ferriques uniques à Maury, son vin est dominé au nez par les épices douces et par les fruits confiturés. Le palais se révèle gras, généreux, souple et réglissé. À attendre deux ans.

🔑 Jacques Montagné, 7, rue Henri-Barbusse, 66460 Maury, tél. et fax 04.68.59.15.08, closdelrey@gmail.com ☑ Y ⁂ r.-v.

DOM. DE LA COUME MAJOU Cuvée Majou 2009

■ 5 500 ▮ 11 à 15 €

Vigneron « catalano-flamand » – c'est d'ailleurs vers la Belgique que 80 % de la production sont expédiés –, Luc Charlier « blogue » parfois en souvenir de son ancien métier de journaliste. Mais il préfère à présent, et de loin, le sécateur au clavier, se plaisant à élaborer des vins « cousus main » et bien typés. Sa cuvée Majou en est un bel exemple. Parée d'une robe pourpre, elle dévoile un nez de fruits noirs, de garrigue, d'épices et de poivre, et une bouche à l'unisson, ample et onctueuse. À déguster sans attendre.

Luc Charlier, 11, rue de l'Église,
66550 Corneilla-la-Rivière, tél. 04.68.51.84.83,
charlier.luc@wanadoo.fr r.-v.

DOM. DANJOU-BANESSY La Truffière 2009 ★

■ 2 500 15 à 20 €

Benoît et Sébastien Danjou, deux frères « biodynamistes » (sans certification), nous entraînent vers les schistes, les quartz, la lune, le soleil, et vers des vins non filtrés, non collés, non acidifiés et non levurés. Cette Truffière grenat intense évoque les fruits mûrs confiturés (myrtille, cassis) et la réglisse. À l'unisson, la bouche se montre à la fois puissante et élégante, bâtie sur des tanins fondus et très fins. Un ensemble harmonieux, à boire ou à encaver deux ou trois ans. Conseillé par les vignerons sur un bar de ligne sauce au jus de viande.

Dom. Danjou-Banessy, 1 bis, rue Thiers,
66600 Espira-de-l'Agly, tél. 04.68.64.18.04,
bendanjou@hotmail.fr r.-v.

♥ **DOM. DEPEYRE** 2010 ★★★

■ 8 000 8 à 11 €

Serge Depeyre et Brigitte Bile conduisent depuis 2002 ce domaine de 13 ha établi sur un terroir composé d'argilo-calcaires et de schistes noirs. Syrah, grenache et carignan y ont trouvé un beau terrain d'expression, témoin cette cuvée parfaite en tout point. La robe est couleur cerise noire. Le nez, très ouvert, mêle la violette, les fruits noirs et les épices douces. Une attaque souple et moelleuse prélude à une bouche puissante sans lourdeur aucune, riche, ample et dense, tapissée d'arômes de réglisse, de vanille et de fruits rouges confiturés, et bâtie sur des tanins d'un grain très fin. Un vin d'une grande intensité, à déguster au cours des trois à cinq prochaines années sur un gigot d'agneau de sept heures.

Brigitte Bile, Dom. Depeyre, 1, rue Pasteur,
66600 Cases-de-Pène, tél. et fax 04.68.28.32.19 r.-v.

DOM. DEVEZA Opus I 2010

■ 3 000 8 à 11 €

Ce domaine familial, qui propose une large gamme, vins secs et vins doux naturels, a quitté la coopérative en 2007 pour créer sa cave particulière. Et depuis lors, cette famille de musiciens – Chantal Deveza, son mari Jean-Michel et leur fils Jordan – joue chaque année une belle partition dans le Guide. Ici, une symphonie harmonieuse de fruits mûrs agrémentés de senteurs de garrigue, de laurier et de cacao. Bien structurée, la bouche plaît par sa fraîcheur, soulignant des tanins bien présents et une jolie finale épicée. À déguster dans deux ou trois ans, sur un civet de lièvre par exemple.

Chantal Deveza, rue Pierre-Mendès-France,
66310 Estagel, tél. 04.68.29.15.60, domainedeveza@orange.fr
r.-v.

DOM BRIAL Corpus 2008 ★

■ 8 444 20 à 30 €

Suivi à la parcelle, maîtrise de la totalité de la chaîne d'élaboration, du raisin à la bouteille, démarche de développement durable... La cave de Baixas – 380 coopérateurs répartis sur une trentaine de communes – ne laisse rien au hasard dans la conception de ses cuvées. Celle-ci, vendangée à la main a ainsi connu trois tris de grappes avant d'engendrer ce 2008 pourpre intense, au nez fin de fruits mûrs, de garrigue et de boisé vanillé léger, et à la bouche fruitée, ronde et longue, soutenue par des tanins soyeux. Un bon classique, à découvrir dès l'automne.

Vignobles Dom Brial, 14, av. Mal-Joffre, 66390 Baixas,
tél. 04.68.64.22.37, fax 04.68.64.26.70,
contact@dom-brial.com
t.l.j. sf dim. 8h30-12h 14h-18h

DOM. DE L'EDRE Carrément rouge 2010 ★★

■ 11 000 ▮ 11 à 15 €

Jacques Castany et Pascal Dieunidou, installés depuis 2002 dans leur minuscule cave de Vingrau, sont devenus des habitués du Guide. « Carrément bon », a-t-on envie de dire à la dégustation de ce 2010 rubis profond au nez de cassis et d'épices. La bouche, souple en attaque, ample et fine, s'appuie sur une jolie vivacité qui lui donne du tonus et de l'équilibre, et sur des tanins soyeux et veloutés. Un ensemble harmonieux, tout comme le **Dom. de l'Edre 2010 (20 à 30 €)** sans nom de cuvée, qui reçoit une étoile et dont les millésimes 2007 et 2006, pour mémoire, obtinrent un coup de coeur.

Dom. de l'Edre, 81, rue Mal-Joffre, 66600 Vingrau,
tél. 06.08.66.17.51, fax 04.68.54.65.18, contact@edre.fr
r.-v.

DOM. FONTANEL Tautavel Cistes 2010 ★

■ 10 000 11 à 15 €

Fidèles au rendez-vous du Guide, Pierre et Marie-Claude Fontanel sont présents avec leur cuvée Cistes. Née de syrah (60 %) et de grenache, la version 2010 de ce vin – le 2009 avait obtenu trois étoiles – s'affiche dans une robe cerise noire intense, et offre un nez complexe et très typé avec ses notes fumées et ses nuances de laurier. Ample et puissant, le palais s'appuie sur des tanins mûrs enrobés de coulis de framboise et dévoile en finale « l'austérité qu'il faut pour être pris au sérieux », conclut un dégustateur. À attendre deux ans ou à boire dès aujourd'hui, sur des rognons d'agneau par exemple. Le **Tautavel Prieuré 2010 (15 à 20 €; 8 000 b.)** fringant et fruité, obtient aussi une étoile, et la cuvée **Tradition 2010 (8 à 11 €; 10 000 b.)**, élevée en cuve, une citation.

🔑 Dom. Fontanel, 25, av. Jean-Jaurès, 66720 Tautavel, tél. 04.68.29.04.71, fax 04.68.29.19.44, pierre@domainefontanel.fr ☑ 🍷 🚶 r.-v.

DOM. GRIER Crusade 2008 ★★

■ 2 500 🍾🛢 15 à 20 €

La famille Grier, propriétaire d'un vignoble en Afrique du Sud réputé pour ses effervescents, possède depuis 2006 ce domaine de 23,5 ha d'un seul tenant dans les Fenouillèdes. Cette cuvée Crusade, que les lecteurs connaissent bien, se pare d'un joli pourpre profond et livre un nez de fruits rouges, de réglisse et de violette. La bouche, ronde et douce, réglissée et vanillée, laisse percevoir une attaque puissante et une belle qualité de tanins qui assurera à ce vin une garde de trois ou quatre ans.

🔑 Dom. Grier, 18, av. Jean-Moulin, BP 4, 66220 Saint-Paul-de-Fenouillet, tél. 04.68.73.34.39, fax 09.81.70.50.12, contact@domainegrier.com ☑ 🍷 🚶 t.l.j. sf dim. 8h30-12h 14h-17h30

Ⓑ **DOM. JOLIETTE** Romain Mercier 2005 ★★★

■ 5 000 🛢 11 à 15 €

Lieu magique, juché sur les derniers contreforts des Corbières, la Joliette domine la plaine du Roussillon, les étangs et la mer. Philippe Mercier, quatrième du nom à conduire le domaine, a su préserver l'endroit, exploitant la propriété en agriculture biologique depuis 2000. Son travail sur les cépages syrah (70 %, ici), grenache et mourvèdre donne de beaux vins de garde, tel ce magnifique 2005, qui séduit par son nez riche et très floral (violette, rose, pivoine) agrémenté de notes de fruits rouges compotés et de pruneau. Complexe, intense et veloutée, la bouche est un délice : de la myrtille, de la mûre et de la cerise en attaque, puis une touche de boisé vanillé vient se fondre dans une longue finale. Un grand vin, proche du coup de cœur.

🔑 André et Philippe Mercier, Dom. Joliette, rte de Mont-Pins, 66600 Espira-de-l'Agly, tél. 04.68.64.50.60, fax 04.68.64.18.82, mercier.joliette@wanadoo.fr ☑ 🍷 🚶 r.-v.

LES VIGNERONS DE LESQUERDE Lesquerde Bodicea 2009 ★★

■ 12 794 🍾 8 à 11 €

Née sur les arènes granitiques de Lesquerde, cette cuvée porte le nom de la reine guerrière des Icéniens comme symbole de vins à la fois « féminins » et de caractère. Plus féminine que guerrière, après un an de cuve, elle livre un bouquet délicat de raisin mûr agrémenté de violette et de nuances minérales. On retrouve cette palette dans une bouche « tout en dentelle », souple et fine, qui joue dans le registre de l'élégance plutôt que dans celui de la force. Le **Lesquerde Les Arènes de Granit 2010 (5 à 8 €; 14 130 b.)** obtient une étoile, tandis que le **Lesquerde G. Pous 2007 (5 à 8 €; 8 130 b.)** est cité.

🔑 SCV Lesquerde, rue Grand-Capitoul, 66220 Lesquerde, tél. 04.68.59.02.62, fax 04.68.59.08.17, lesquerde@wanadoo.fr ☑ 🍷 🚶 t.l.j. sf dim. 9h-12h 14h-18h

MAS AMIEL Notre Terre 2009 ★

■ 55 000 15 à 20 €

Si le Mas Amiel d'Olivier Decelle est surtout connu pour ses vins doux naturels, il a développé une gamme de vins secs, comme ce 2009 en robe pourpre né de grenache (50 %), de carignan et de syrah. Le nez, ouvert sur la cerise noire à l'eau-de-vie et sur les épices douces, laisse augurer une belle générosité. La bouche confirme l'olfaction, chaleureuse, douce et ample, soutenue par de savoureux tanins fondus enrobés de réglisse et de fruits à l'alcool. « Un véritable vin de schistes », conclut un dégustateur. On appréciera cette bouteille sur un canard aux cerises.

🔑 Dom. Mas Amiel, 66460 Maury, tél. 04.68.29.01.02, fax 04.68.29.17.82, contact@lvod.fr ☑ 🍷 🚶 t.l.j. 8h30-19h

🔑 Decelle

DOM. MAS CRÉMAT Cuvée Bastien 2010 ★

■ 2 500 🛢 11 à 15 €

Christine et Julien Jeannin, issus d'une famille de vignerons bourguignons, ont repris le domaine familial en 2006. Leur fils Bastien donne son nom à cette cuvée qui assemble par tiers grenache, syrah et mourvèdre plantés sur schistes. Drapé dans une robe rouge profond aux reflets violines, ce 2010 s'ouvre sur un nez d'épices, d'eau-de-vie de framboise, de chocolat amer et de vanille. L'attaque souple introduit un palais dense, d'une belle puissance, longuement parcouru de notes de fruits rouges et de cassis, et soutenu par une jolie fraîcheur en finale. Pour un canard aux cerises, dans deux ou trois ans.

🔑 Dom. Mas Crémat, Mas Crémat, 66600 Espira-de-l'Agly, tél. 04.68.38.92.06, fax 04.68.38.92.23, mascremat@mascremat.com ☑ 🍷 🚶 t.l.j. sf dim. 10h-12h 14h-18h 🏠 Ⓑ

🔑 Jeannin

MAS DE LA GARRIGUE 2010 ★★★

■ 45 000 🍾 5 à 8 €

Accroché aux pentes de l'ermitage de Força Réal, ce domaine étend ses vignes sur 40 ha de terrasses argileuses, argilo-caillouteuses et de pentes schisteuses au sol aride, entre 100 et 450 m d'altitude. Comme à son habitude, la famille Henriquès propose un vin haut en couleur. Ici, un assemblage grenache-syrah-carignan proche du coup de cœur, qui dévoile un bouquet intense de cassis, de myrtille et de cerise à l'eau-de-vie sur un fond de violette. La bouche élégante et fondue s'adosse à des tanins soyeux et veloutés qui lui confèrent une admirable rondeur, équilibrée par une touche fraîche et minérale. À déguster dès aujourd'hui sur des noisettes de chevreuil sauce grand veneur et purée de potimarrons. Proposée par la partie négoce, la cuvée **Força Premium 2011 (150 000 b.)** obtient une étoile.

🔑 SCEA Dom. Força Réal, Mas de la Garrigue, 66170 Millas, tél. 04.68.85.06.07, fax 04.68.85.49.00, info@forcareal.com ☑ 🍷 🚶 r.-v.

🔑 Henriquès

MAS DES MONTAGNES Terroirs d'altitude 2010 ★

■ n.c. 🛢 8 à 11 €

Acquis en 2007 par Nicolas et Miren de Lorgeril (voir AOC Cabardès), le Mas des Montagnes étend son vignoble de 33 ha dans un rayon de 12 km au creux de la vallée de l'Agly. Née d'une sélection de terroirs d'altitude, cette cuvée mi-syrah mi-grenache aux reflets violines dévoile un nez de figue, de fruits confits, de vanille et de cacao. Douce en attaque, la bouche, longuement portée par des tanins gras, offre beaucoup de volume et une belle puissance. Pour une entrecôte de bœuf Angus, aujourd'hui ou dans deux à trois ans.

Vignobles Lorgeril, BP 4, Ch. de Pennautier, 11610 Pennautier, tél. 04.68.72.65.29, fax 04.68.72.65.84, marketing@lorgeril.com
t.l.j. sf dim. 10h-18h (ven. sam. 22h); f. jan.

MAS JANEIL Pas de la mule 2008 ★

3 000 | 15 à 20 €

Dès les années 1980, François Lurton, bien décidé à concurrencer les pays émergents, s'est intéressé aux vins du Languedoc. Séduit par les vignobles de la région, il prend en charge en 1996 la conduite de ce domaine, qu'il acquiert en 2008. Ce Pas de la mule – du nom d'une parcelle située au pied du château de Quéribus sur la seule zone autorisant le passage des bêtes de somme – s'affiche dans une élégante robe pourpre intense. Le nez de cerise, de fruits noirs et de réglisse séduit par sa finesse et sa complexité. La bouche y ajoute des notes plus marquées de boisé vanillé, mais elle sait rester gourmande et équilibrée, soutenue par des tanins veloutés.

François Lurton, Mas Janeil, 66720 Tautavel, tél. 05.57.55.12.12, francoislurton@francoislurton.com

MAS KAROLINA 2009 ★★

9 800 | 11 à 15 €

Les millésimes de Caroline Bonville se suivent et se ressemblent, toujours d'une grande qualité. De ces ceps de grenache, de syrah et de carignan plantés sur marnes rouges, schistes et granite, elle a extrait ce 2009 grenat au nez complexe et élégant de fruits rouges, de violette, de réglisse et d'épices, et au palais ample et généreux, soutenu par des tanins aimables et ronds. Pour un plaisir immédiat, sur une épaule d'agneau confite.

Caroline Bonville, 29, bd de l'Agly, 66220 Saint-Paul-de-Fenouillet, tél. 06.20.78.05.77, fax 04.68.84.78.30, mas.karolina@gmail.com
t.l.j. 10h-12h 15h-18h; f. jan.-mars

MAS LAVAIL Tradition 2010 ★★

18 000 | 5 à 8 €

Jean et Nicolas Batlle, père et fils, sont installés dans un joli mas du XIXe s. acquis en 1999. Ils signent une cuvée Tradition d'un beau rubis profond au nez intense et élégant de fruits cuits mâtinés de nuances animales. La bouche se révèle ample, ronde, généreuse et aromatique (tapenade, épices), soutenue par des tanins souples et veloutés. À boire ou à attendre deux ou trois ans. Même note pour la cuvée **La Désirade 2008 (11 à 15 € ; 8 000 b.)**.

Nicolas Batlle, Mas de Lavail, 66460 Maury, tél. 04.68.59.15.22, fax 04.68.29.08.95, masdelavail@wanadoo.fr r.-v.

DOM. MODAT Comme avant 2009 ★★

2 605 | 11 à 15 €

Le jeune domaine créé en 2007 par Philippe Modat prend ses aises dans le Guide. Ce juriste de métier exploite 19 ha (en conversion bio) dans la commune de Cassagnes au sein de la vallée de l'Agly, sur un plateau situé entre 200 et 300 m d'altitude. Comme l'an passé, sa cuvée Comme avant fait belle impression. Le nez mêle des notes de tabac et de café à une pointe de pruneau et de vanille. La bouche se révèle puissante, fruitée, réglissée et vanillée, portée par des tanins enrobés, et déroule une finale longue et chaleureuse. À déguster dans les deux ou trois ans à venir. La cuvée **Le Plus Joli 2009 (30 à 50 € ; 1 600 b.)** obtient une étoile.

Dom. Modat, lieu-dit Les Plas, 66720 Cassagnes, tél. 06.11.64.40.38, dom.modat@orange.fr r.-v.

CH. MONTNER 2011 ★★★

n.c. | 5 à 8 €

La coopérative des vignerons des Côtes d'Agly, qui regroupe plusieurs vignobles des Fenouillèdes et de la vallée de l'Agly, et quelque 220 producteurs, réalise un beau triplé. En tête, ce Château Montner 2011 né de syrah, de carignan et de grenache. Derrière sa robe cerise aux reflets violines se dévoile un nez intense de framboise, de mûre et d'épices. D'une grande harmonie, corpulente et très longue, la bouche, tapissée d'arômes soutenus de fruits rouges et noirs, conjugue puissance et fraîcheur. La cuvée **Montner Premium rouge 2010 (30 000 b.)** obtient deux étoiles, et le **Tautavel Expression d'un terroir rouge 2010 (30 000 b.)** reçoit, lui, une étoile.

Les Vignerons des Côtes d'Agly, av. Louis-Vigo, 66310 Estagel, tél. 04.68.29.00.45, fax 04.68.29.19.80, contact@agly.fr t.l.j. sf dim. 9h-12h 14h-18h

CH. DE PÉNA Les Pierres noires Élevé en fût de chêne 2009 ★

1 400 | 15 à 20 €

Le nom de la commune *Cases de pene*, que l'on peut traduire par « maisons sur le rocher », désignait au Moyen Âge le château bâti sur une montagne dominant la vallée de l'Agly : le lieu de naissance de ce 2009 issu de syrah, de carignan et de grenache. Rubis soutenu, ce vin dévoile un nez d'abord boisé qui s'ouvre ensuite sur des notes d'épices et de garrigue. La bouche se montre suave, dense, ronde et généreuse, et développe de plaisantes notes de sous-bois et de vanille Bourbon. À déguster dans les deux ou trois prochaines années sur une viande en ragoût.

Ch. de Péna, 2, bd Mal-Joffre, 66600 Cases-de-Pène, tél. 04.68.38.93.30, fax 04.68.38.92.41, chateau-de-pena@wanadoo.fr
t.l.j. sf sam. dim. 9h-12h 14h-18h

DOM. PIQUEMAL Pygmalion 2008 ★★

5 000 | 11 à 15 €

Située à l'entrée du village d'Espira-de-l'Agly, la nouvelle cave de Marie-Pierre Piquemal mérite une visite. On y découvrira des cuvées de très belle facture, à l'image de ce Pygmalion grenat profond orné de reflets violines, au nez intense, riche et complexe de cerise et de poivre, mâtiné de garrigue. Une attaque veloutée introduit une bouche ample, charnue, douce et longue, portée par des tanins soyeux et par un boisé bien fondu. Une bouteille déjà fort aimable mais armée aussi pour durer quatre ou cinq ans, et plus encore.

Dom. Piquemal, lieu-dit Della-Lo-Rec, km 7, RD 117, 66600 Espira-de-l'Agly, tél. 04.68.64.09.14, fax 04.68.38.52.94, contact@domaine-piquemal.com
t.l.j. sf dim. 8h-12h 14h-18h

DOM. POUDEROUX Terre brune 2008 ★★

8 000 | 11 à 15 €

Robert et Cathy Pouderoux proposent des vins toujours bien structurés, puissants et généreux. Cette cuvée à dominante de grenache (avec syrah et mourvèdre en appoint) entre bien dans cette catégorie et elle n'a pas laissé le jury insensible. Celui-ci a aimé son nez d'épices (poivre noir) et de fruits mûrs agrémentés de notes balsamiques et légèrement animales, comme son palais à la fois frais et puissant, ample et rond, bâti sur des tanins serrés qui portent loin la finale. Une bouteille armée pour bien vieillir (trois à cinq ans), que l'on peut cependant déjà apprécier sur une daube de bœuf. La cuvée **Latour de Grès 2010 (8 000 b.)** obtient quant à elle une étoile. Proposé par la propriété, conduite en bio, de Catherine Pouderoux à Corneilla-la-Rivière, le **Dom. la Vista 2011 Grains mêlés (5 à 8 € ; 20 000 b.)** est cité pour sa fraîcheur et pour sa richesse fruitée.

Dom. Pouderoux, 2, rue Émile-Zola, 66460 Maury, tél. 04.68.57.22.02, domainepouderoux@orange.fr
r.-v.

LA PRÉCEPTORIE Les Terres nouvelles 2009 ★

3 500 | 20 à 30 €

Née en 2001 de l'association de la famille Parcé de Banyuls avec des vignerons du cru maury, la Préceptorie est dirigée depuis 2009 par Joseph Parcé, qui a entrepris une conversion bio du vignoble. Mi-grenache mi-carignan, cette cuvée affiche un sacré caractère. Vêtue d'une élégante robe grenat profond, elle oscille au nez entre fruits confiturés et gelée de mûre. À l'unisson, la bouche attaque sur la rondeur avant de dévoiler de beaux tanins fermes qui permettront d'attendre deux ans avant de servir ce vin qualifié de « très méditerranéen » sur un sauté d'agneau au thym et au romarin.

Préceptorie, 1, rte de Lansac, 66220 Saint-Arnac, tél. 04.68.59.26.74, fax 04.68.59.99.07, lapreceptorie@gmail.com r.-v.
Joseph Parcé

DOM. DE RANCY Latour de France 2008 ★

5 000 | 8 à 11 €

Au domaine de Rancy, la cave résonne du son des barriques entreposées pour l'élevage des fameux rivesaltes rancio de Jean-Hubert et Brigitte Verdaguer. En rouge sec, ils proposent avec ce 2008 un vin bien représentatif du terroir de schistes bruns de Latour-de-France. Le nez s'ouvre d'emblée sur les épices et les fruits confiturés. Une belle attaque met l'accent sur la puissance et sur la structure. Puis une impression d'élégance, de rondeur et de souplesse se manifeste en toute harmonie jusqu'à la finale persistante et gourmande. À noter : le domaine est en conversion bio.

Dom. de Rancy, 11, rue Jean-Jaurès, 66720 Latour-de-France, tél. 04.68.29.03.47, info@domaine-rancy.com
t.l.j. 10h-12h30 15h-19h; dim. 15h-19h
Verdaguer

LES ROCHES NOIRES Élevé en fût de chêne 2008 ★★

12 000 | 8 à 11 €

La vénérable cave coopérative de Maury (1910) présente deux beaux *villages*. Le grenache noir, cépage roi à Maury, se retrouve dans les deux cuvées. Ces Roches noires nées sur schistes dévoilent un bouquet intense de fruits rouges, de poivre, de cacao et de sous-bois, relayé par une bouche ronde à souhait, ample, chaleureuse et charnue. À déguster au cours des trois prochaines années sur un filet de bœuf sauce aux champignons. La cuvée **Nature de schiste 2009 (18 000 b.)**, suave, puissante et généreuse, obtient elle aussi deux étoiles.

SCAV Les Vignerons de Maury, 128, av. Jean-Jaurès, 66460 Maury, tél. 04.68.59.00.95, fax 04.68.59.02.88, a.contact@vigneronsdemaury.com
t.l.j. 8h30-12h30 14h-18h

CH. ROMBEAU Élise Vieilles Vignes 2009 ★★

n.c. | 11 à 15 €

Au château Rombeau, le dynamique et passionné Pierre-Henri de La Fabrègue est partout : dans les vignes, à la cave, à la cuisine ou dans la salle du restaurant... Un beau moment de gastronomie catalane vous attend sur la terrasse de l'auberge, un verre de cette remarquable cuvée Élise à la main. Vous apprécierez sans nul doute ses parfums fruités, floraux (pivoine) et épicés, ainsi que sa bouche souple, suave et aromatique (épices douces, fruits rouges mûrs, violette), structurée par de fins tanins. Un régal dès aujourd'hui.

SCEA Dom. de Rombeau, 2, av. de la Salanque, 66600 Rivesaltes, tél. 04.68.64.35.35, fax 04.68.64.64.66, domainederombeau@wanadoo.fr
t.l.j. 10h-19h 2
P.-H. de la Fabrègue

CH. SAINT-ROCH Kerbuccio 2010 ★★

7 000 | 20 à 30 €

Depuis leur installation en 1995, Éliane et Jean-Marc Lafage ont agrandi leur « portefeuille de domaines » en acquérant le mas Miraflors en 2006 et le château Saint-Roch en 2007. Comme à leur habitude, ils signent avec ce Kerbuccio – nom celte du château de Quéribus qui domine la propriété – une cuvée à forte personnalité. Intense et complexe, le nez dévoile des notes de caramel, d'épices douces et de fruits confiturés. Suavité, volume, concentration, richesse et structure sont les termes utilisés par les dégustateurs pour décrire le palais. Un ensemble parfaitement équilibré, à découvrir sur un râble de lapereau aux pruneaux. La cuvée **Chimères 2010 (11 à 15 € ; 15 000 b.)** obtient une étoile.

SCEA Dom. Lafage, Mas Miraflors, rte de Canet, 66000 Perpignan, tél. 04.68.80.35.82, fax 04.68.80.38.90, contact@domaine-lafage.com r.-v.

DOM. DES SCHISTES Tautavel Les Terrasses 2010 ★★

8 000 | 11 à 15 €

Au hameau de Las Fredas, tout près de Maury, Jacques et Mickaël Sire élèvent, avec un talent constant, des cuvées de Tautavel, ainsi que de fameux maury et les si particuliers rancios secs. De belles découvertes en perspective... Après une cuvée 2009 qui avait privilégié syrah et grenache, la version 2010 de leur incontournable cuvée Les Terrasses remet le carignan (55 %) au premier plan. Le résultat est un *villages* drapé dans une magnifique robe d'encre violette au nez fin, coulis de fruits noirs posé sur un élégant support boisé. Après une attaque veloutée, la bouche se montre suave sans mollesse, ample et fraîche à la fois, offrant en finale une noble amertume qui fait saliver. « Un vin de copains » qui pourrait se faire l'ami d'une côte de bœuf aux sarments, d'ici 2015.

Dom. des Schistes, 1, av. Jean-Lurçat, 66310 Estagel, tél. 04.68.29.11.25, fax 04.68.29.47.17, sire-schistes@wanadoo.fr r.-v. B

DOM. SERRELONGUE Extrait de passion 2009 ★★

3 000 | 20 à 30 €

Fils de vigneron en cave coopérative, Julien Fournier a effectué sa première vinification en 2003 sur le domaine familial – 6 ha de vignes plantés de vieux ceps de grenache, de syrah, de mourvèdre et de carignan, pour la plupart âgés de plus de soixante ans et vendangés à la

ROUSSILLON

main. Des trois premiers cépages, il a extrait cette cuvée à la robe noire ornée de reflets violines, au nez profond et épicé, et au palais bien structuré sans rudesse, aromatique (fruits mûrs, piment, pointe mentholée) et boisé avec mesure. Tout indiqué pour une côte de bœuf, dès la sortie du Guide.

Julien Fournier, 149, av. Jean-Jaurès, 66460 Maury, tél. 06.16.95.15.87, julienf66@aol.com r.-v.

VIGNERONS TAUTAVEL-VINGRAU
Tautavel Les Vingt Marches 2009 ★★★

5 040	11 à 15 €

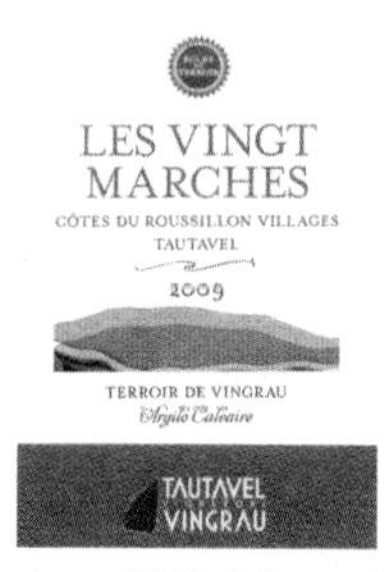

La fusion récente (2010) de la coopérative de Tautavel avec celles de la Tautavelloise et de Vingrau est une réussite, comme en témoignent les cuvées sélectionnées par les palais experts du Guide. Si vingt marches (*grau*) permettaient d'accéder au village du Pas de l'Échelle en passant par le cirque de Vingrau, celles-ci mènent au sommet de l'appellation. Issus d'un terroir argilo-calcaire de qualité, syrah, grenache et carignan ont donné naissance à un magnifique 2009 couleur cerise noire orné de reflets grenat. Très élégant, le nez évoque le raisin sec et le pruneau. Une attaque à la fois très directe et souple ouvre sur un palais riche et onctueux aux tanins de velours. Un grand vin complexe sans être compliqué, à déguster dans les deux ans à venir sur une cuisine épicée, sur une pastilla de pigeon par exemple. Trois autres cuvées de Tautavel sont retenues : les **Réserve Vieilles Vignes 2009 (8 à 11 € ; 8 000 b.)** et **Silex 2009 (15 à 20 € ; 6 000 b.)** avec une étoile, et le **Roc amour 2009 (5 040 b.)** avec une citation.

Vignerons de Tautavel-Vingrau, 24, av. Jean-Badia, 66720 Tautavel, tél. 04.68.29.12.03, fax 04.68.29.41.81, contact@tautavelvingrau.com t.l.j. 9h-12h 14h-18h

DOM. THUNEVIN-CALVET Les Dentelles 2008 ★★

13 000	15 à 20 €

Domaine appartenant à Jean-Roger Calvet, à son épouse et à Jean-Luc Thunevin, propriétaire bien connu de Saint-Émilion (Ch. Valandraud). Dans la nouvelle cave (2008) en pierre du Gard équipée d'un puits canadien, les cuvées s'élèvent lentement. Après dix-huit mois de fût, ces Dentelles mi-grenache mi-carignan, drapées dans une robe noir d'encre, offrent un bouquet intense de fève de cacao, de fumé et de fruits rouges confiturés. La bouche se révèle bien charpentée, fruitée (cerise, pruneau) et empyreumatique. À boire ou à attendre un an ou deux ; cette bouteille pourra affronter une pièce de gibier. Une étoile est attribuée à la cuvée **Constance 2009 (5 à 8 € ; 170 000 b.)**.

Thunevin-Calvet, 13, rue Pierre-Curie, 66460 Maury, tél. 04.68.51.05.57, fax 04.68.51.17.28, jr@thunevin-calvet.fr t.l.j. 9h-12h 14h-18h

LES VIGNERONS DE TRÉMOINE Cuvée Moura Lympany Élevé en fût de chêne 2009 ★

53 000	5 à 8 €

Regroupement des vignerons de quatre villages – Planèzes, Rasiguères, Lansac et Cassagnes –, cette coopérative propose ici une cuvée en hommage à Moura Lympany, célèbre pianiste anglaise, organisatrice du Festival de musique classique de Rasiguères. Au nez, le boisé vanillé et chocolaté de la barrique donne le *la*. La bouche, ample et ronde, tient la note, équilibrée par une pointe de fraîcheur mentholée. À boire dès à présent sur une viande grillée. L'**Excellence du Ch. Cuchous 2009 Caramany Élevé en fût de chêne (8 à 11 € ; 15 000 b.)** obtient, elle aussi, une étoile.

Les Vignerons de Trémoine, 5, av. de Caramany, 66720 Rasiguères, tél. 04.68.29.11.82, fax 04.68.29.16.45, rasigueres@wanadoo.fr t.l.j. sf dim. 8h-12h 14h-18h

VIGNERONS CATALANS Haute Coutume 2010 ★★

8 000	8 à 11 €

Groupement de producteurs, les Vignerons catalans en Roussillon sont connus dans le monde entier avec la déclinaison des vins « Terroir Catalan ». Cette année, le jury a apprécié cette cuvée Haute Coutume, sa jolie robe aux nuances violettes et noires, son nez exubérant de fruits frais, d'épices, de garrigue et de réglisse, et sa bouche équilibrée aux tanins soyeux et veloutés. La cuvée **Villages de Terroir Catalan Latour de France 2008 (5 à 8 € ; 10 000 b.)** et le **Ch. Cuchous 2011 (moins de 5 € ; 25 000 b.)** obtiennent chacun une étoile.

Vignerons catalans, 1870, av. Julien-Panchot, BP 29000, 66962 Perpignan Cedex 9, tél. 04.68.85.04.51, fax 04.68.55.25.62, contact@vigneronscatalans.com

Collioure

Superficie : 619 ha
Production : 19 930 hl (85 % rouge et rosé)

Portant le nom d'un charmant petit port méditerranéen, cette appellation couvre le même terroir que celui de l'appellation banyuls ; il regroupe les quatre communes de Collioure, Port-Vendres, Banyuls-sur-Mer et Cerbère. Les collioure rouges et rosés assemblent principalement grenache noir, mourvèdre et syrah, le cinsault et le carignan entrant comme cépages accessoires. Issus de petits rendements, ce sont des vins colorés, chaleureux, corsés, aux arômes de fruits rouges bien mûrs. Les rosés sont aromatiques, riches et néanmoins nerveux. Les collioure blancs, qui font la part belle aux grenaches blanc et gris, sont produits depuis le millésime 2002.

ABBÉ ROUS Cornet & Cie 2011 ★

13 000	11 à 15 €

Dans la cave de l'Abbé Rous, la lumière est toujours douce, et l'accueil professionnel. Cette cuvée Cornet & Cie d'un beau rose soutenu et très brillant a été appréciée pour son nez complexe de cerise, de fraise et de mûre, et pour sa bouche ample, généreuse et structurée par un passage en barrique qui lui confère aussi des notes grillées. « Un vrai rosé de Collioure », conclut un juré.

Cave de l'Abbé Rous, 56, av. du Gal-de-Gaulle, 66650 Banyuls-sur-Mer, tél. 04.68.88.72.72, fax 04.68.88.30.57, contact@templers.com r.-v.

DOM. BERTA-MAILLOL Arrels 2009

	5 000		11 à 15 €

Jean-Louis et Michel Berta-Maillol, rejoints depuis peu par leur frère Georges, perpétuent une très ancienne tradition viticole, ce domaine existant depuis 1611. Dans la cave trônent de vieux foudres, où se reposent les banyuls. Cette cuvée Arrels, rubis aux reflets framboise, révèle un nez intense de cassis et d'épices relayé par une bouche chaleureuse, riche et douce, empreinte de senteurs de pruneau et de réglisse. À boire dans les deux ans sur un tajine d'agneau aux pruneaux.

Dom. Berta-Maillol, rte des Mas, 66650 Banyuls-sur-Mer, tél. et fax 04.68.88.00.54, domaine@bertamaillol.com t.l.j. 10h-12h 15h-18h

CAZES Notre-Dame des anges 2010 ★

	15 000		11 à 15 €

Connue et reconnue, la maison Cazes de Rivesaltes conduit un vaste domaine de 220 ha et mène aussi des partenariats avec des vignerons, comme ici à Collioure, dont l'église a inspiré le nom de cette cuvée 2010. Derrière une robe grenat soutenu, on découvre un nez intense et fin de mûre, de vanille, de réglisse et d'épices. La bouche se révèle ample, douce, généreuse et corpulente, bâtie sur des tanins puissants, qui permettront à cette bouteille de bien vieillir durant quatre ou cinq ans. Parfait pour un civet de lièvre.

Cazes, 4, rue Francisco-Ferrer, 66600 Rivesaltes, tél. 04.68.64.08.26, fax 04.68.64.69.79, info@cazes.com t.l.j. sf dim. 8h30-12h 14h-18h30

COUME DEL MAS Quadratur 2010

	10 000		20 à 30 €

Philippe Gard est fidèle au rendez-vous du Guide, comme toujours, avec sa cuvée Quadratur, comme souvent. Grenache, mourvèdre et carignan, par ordre d'importance, composent ce vin à la robe rouge profond, au nez intensément boisé, tendance torréfié, et fruité (confiture de mûres). Onctueux en attaque, puissant, tannique et toujours dominé en bouche par le fût, il appelle deux ou trois ans de garde. On lui réservera une viande rouge grillée.

Coume Del Mas, 3, rue Alphonse-Daudet, 66650 Banyuls-sur-Mer, tél. et fax 04.68.88.37.03, info@coumedelmas.com r.-v.

Philippe Gard

L'ÉTOILE Les Toiles fauves 2011

	11 500		11 à 15 €

La cave de L'Étoile a été la première coopérative créée à Banyuls (1921). Connue pour ses grands vins doux naturels, elle soigne aussi ses vins secs, à l'image de ce collioure or pâle aux reflets argent né des grenaches blanc et gris. Le nez fin évoque les fleurs blanches et les fruits exotiques. Fraîche et vive, la bouche évolue sur de plaisantes notes d'agrumes. Pour un loup au fenouil grillé sur des sarments (de grenache).

Sté coopérative l'Étoile, 26, av. du Puig-del-Mas, 66650 Banyuls-sur-Mer, tél. 04.68.88.00.10, fax 04.68.88.15.10, info@cave-letoile.com t.l.j. 8h-12h 14h-17h

♥ DOM. MADELOC Cuvée Crestall 2009 ★★

	1 000		20 à 30 €

Cuvée Crestall
Domaine Madeloc
Collioure
2009
Appellation Collioure Contrôlée
Pierre GAILLARD

Pierre Gaillard, vigneron réputé de la vallée du Rhône septentrionale, et sa fille Élise ont repris ce domaine en 2003. Ils ont restructuré la cave et le vignoble, 29 ha en terrasses à Banyuls et à Port-Vendres, un ensemble de parcelles aux expositions diverses, ce qui leur permet de faire jouer les styles. Ici, un collioure issu de syrah et de mourvèdre plantés sur schistes. Derrière une robe grenat profond se dévoile un nez puissant et complexe d'épices, de boisé torréfié, de réglisse, de violette et de fruits mûrs, avec quelques notes mentholées. Ample, charnue, suave et veloutée, la bouche s'adosse à de magnifiques tanins qui ne se cachent pas mais n'écrasent pas le vin, enrobés par les arômes perçus à l'olfaction et accompagnés par une juste fraîcheur. Une cuvée d'une grande harmonie, équilibrée et élégante, à déguster aujourd'hui ou dans deux ou trois ans, sur une daube de joue de bœuf ou sur un canard laqué. La **cuvée Serral 2009 rouge (11 à 15 € ; 14 000 b.)** et la **cuvée Magenca 2009 rouge (15 à 20 € ; 1 500 b.)** obtiennent chacune une étoile.

Dom. Madeloc, 1 bis, av. du Gal-de-Gaulle, 66650 Banyuls-sur-Mer, tél. 04.68.88.38.29, fax 04.68.88.04.65, madeloc@orange.fr t.l.j. sf sam. dim. 9h-12h 13h30-17h30

Pierre Gaillard

LE MIRADOU 2010

	4 000		8 à 11 €

Face au château royal de Collioure, l'église des Dominicains est propriété de la cave coopérative depuis 1926. Les œnophiles pourront y découvrir une belle exposition sur le travail du vigneron. Côté vin, ils apprécieront sans nul doute ce 2010 à dominante de grenache, au nez de cassis, de sous-bois et d'eucalyptus, et à la bouche gourmande, souple et fraîche, sur la cerise confite. Accord suggéré par un dégustateur : un poulet rôti accompagné de marrons.

Cave coop. le Dominicain, pl. Orfila, 66190 Collioure, tél. 04.68.82.05.63, fax 04.68.82.43.06, contact@dominicain.com t.l.j. 9h-12h 13h30-19h

DOM. PIC JOAN 2010 ★

	2 500		15 à 20 €

Jean Solé et Laura Parcé ont créé en 2009 leur propre cave particulière sur le domaine familial : un vignoble de poche de 2,8 ha. Après un coup de cœur l'an passé pour leur première vinification, ils signent ici une jolie cuvée appréciée pour sa robe limpide aux reflets verts et brillants, pour son nez délicat de fruits mûrs et de pain grillé, et pour sa bouche ample, florale, miellée, un rien anisée et sous-tendue par une agréable fraîcheur.

Jean Solé, 20, rue de l'Artisanat, 66650 Banyuls-sur-Mer, tél. 06.21.34.20.96, domainepicjoan@orange.fr
t.l.j. 9h-23h (été); 10h-19h (hiver)

DOM. PIÉTRI-GÉRAUD Sine nomine 2010

5 400 | 11 à 15 €

Laetitia Piétri-Clara, qui a succédé à sa mère en 2006 à la tête du domaine familial, signe un joli flacon avec ce 2010 grenat aux reflets violines, au nez discret de fruits frais, souple, floral (violette) et fruité en bouche. Tout indiqué pour un filet de thon à la plancha et sa compotée de tomates aux épices. **L'Écume 2010 blanc (3 600 b.)** est par ailleurs citée pour sa belle vivacité.

Laetitia Piétri-Clara, Dom. Piétri-Géraud, 22, rue Pasteur, 66190 Collioure, tél. 04.68.82.07.42, fax 04.68.98.02.52, domaine.pietri-geraud@wanadoo.fr r.-v.

DOM. DE LA RECTORIE Montagne 2010 ★★★

6 500 | 20 à 30 €

Entre mer et montagne, Marc, Thierry et Pierre Parcé nous régalent avec deux cuvées de collioure rouge. Côté Montagne, le vin tutoie les sommets : robe cerise burlat du plus bel effet ; nez élégant et complexe de fruits noirs, de pruneau, de chocolat et de sous-bois ; bouche à l'unisson, ronde, souple et savoureusement fruitée, portée par des tanins d'une grande finesse et par une juste arête acide. Une bouteille à l'équilibre admirable, à découvrir dans les trois ou quatre prochaines années. Le **Côté mer 2010 rouge (11 à 15 €; 15 000 b.)** corpulent, ample, puissant et frais à la fois, décroche deux étoiles.

Thierry et Jean-Emmanuel Parcé, Dom. de la Rectorie, 28/65, av. du Puig-del-Mas, BP 35, 66650 Banyuls-sur-Mer, tél. 04.68.88.13.45, fax 04.68.88.15.21, thierryparce@orange.fr t.l.j. sf dim. 10h-12h 16h-19h

CH. REIG 2009

70 000 | 15 à 20 €

Née de grenache, de mourvèdre et de carignan, cette cuvée de la coopérative de Banyuls se pare d'une robe grenat aux reflets tuilés et dévoile un nez intense de mûre, de cassis et d'épices douces. La bouche se montre souple et ronde, bâtie sur des tanins fondus, un peu plus austères en finale. Un accord plaisant en perspective avec du gigot d'agneau en croûte d'épices. La cuvée **L'Espérade 2010 rouge (11 à 15 €; 15 000 b.)** est également citée.

Cellier des Templiers, rte du Balcon-de-Madeloc, 66650 Banyuls-sur-Mer, tél. 04.68.98.36.70, fax 04.68.88.00.84, contact@banyuls.com
t.l.j. 10h-18h; f. dim. nov.-mars

DOM. SAINT-SÉBASTIEN Inspiration minérale 2010 ★

1 800 | 20 à 30 €

Belle sélection pour Jacques Piriou et Romuald Peronne installés depuis peu (2008) sur ce domaine : quatre vins sont retenus. En rouge, les cuvées **Empreintes 2010 (11 à 15 €; 8 000 b.)**, **Inspiration marine 2010 (1 800 b.)** et **Inspiration céleste 2009 (3 000 b.)** sont citées. Mais c'est ce blanc à forte dominante de grenache gris (90 %) avec sa version blanche en appoint qui emporte l'adhésion. Ses atouts : un nez finement fruité rehaussé d'épices et une bouche généreuse, riche, aromatique (pêche jaune, miel, épices), soutenue par un bon boisé et une juste fraîcheur. À boire ou à attendre deux ans.

Dom. Saint-Sébastien, 10, av. du Fontaulé, 66650 Banyuls-sur-Mer, tél. et fax 04.68.88.30.14, contact@domaine-st-sebastien.com
t.l.j. 10h-13h 14h-19h
Piriou et Peronne

DOM. DU TRAGINER 2010 ★

3 000 | 15 à 20 €

Jean-François Deu, adepte de la culture biologique et biodynamique depuis 1988, laboure avec un mulet une grande partie de ses 8 ha de vignes en terrasses, comme le faisait son oncle Anicet, le dernier et le plus célèbre *traginer* (« muletier » en catalan) de Banyuls. Trois hectares ont été consacrés à ce blanc né des grenaches blancs et gris et de la malvoisie. Le résultat ? Un vin or brillant au nez de fruits blancs et au palais frais et très aromatique (raisin sec, miel, grillé). Un ensemble équilibré, à déguster sur un tartare de poisson. Le **2008 rouge (5 000 b.)**, vieilli en foudre, obtient une citation.

Jean-François Deu, 7, rue Saint-Pierre, 66650 Banyuls-sur-Mer, tél. 04.68.88.15.11, fax 04.68.88.31.48, jfdeu@hotmail.com r.-v.

Les vins doux naturels

Banyuls et banyuls grand cru

Superficie : 1 160 ha
Production : 28 500 hl (90 % rouge)

Voici un terroir exceptionnel, comme il en existe peu dans le monde viticole : à l'extrémité orientale des Pyrénées, des coteaux en pente abrupte sur la Méditerranée. Seules les quatre communes de Collioure, Port-Vendres, Banyuls-sur-Mer et Cerbère bénéficient de l'appellation. Le vignoble s'accroche à des terrasses installées sur des schistes dont le substrat rocheux est, sinon apparent, tout au plus recouvert d'une mince couche de terre. Le sol est donc pauvre, souvent acide, n'autorisant que des cépages très rustiques, comme le grenache, au rendement extrêmement faible – souvent moins d'une vingtaine d'hectolitres à l'hectare.

En revanche, le lieu bénéficie d'un microclimat particulier avec un ensoleillement optimisé par la culture en terrasses – culture difficile car manuelle, afin de protéger la terre qui ne demande qu'à être ravinée par le moindre orage – et par la proximité de la Méditerranée.

L'encépagement des rouges, majoritaires, est à base de grenache ; ce sont surtout de vieilles vignes qui occupent le terroir. La vinification se fait par macération ; le mutage intervient parfois sur le raisin, permettant ainsi une longue macération qui peut durer plus d'un mois ; c'est la pratique de la macération sous alcool, ou mutage sur grains. Grenaches gris et blanc, macabeu, plus rarement muscat et malvoisie, entrent dans la composition des blancs.

L'élevage joue un rôle essentiel. En général, il tend à favoriser une évolution oxydative du produit, dans le bois (foudres, demi-muids) ou en bonbonnes exposées au soleil sur les toits des caves. Les différentes cuvées ainsi élevées sont assemblées avec le plus grand soin par le maître de chai pour créer les nombreux types que nous connaissons. Dans certains cas, l'élevage cherche à préserver au contraire le fruit du vin jeune en empêchant toute oxydation ; on obtient alors des produits différents : ce sont les rimages. Pour l'appellation grand cru, l'élevage sous bois est obligatoire pendant trente mois.

Les vins sont rouges, de couleur rubis à acajou, avec un bouquet de raisins secs, de fruits cuits, d'amande grillée, de café, d'eau-de-vie de pruneau, ou plus rarement blancs. Les rimages gardent des arômes de fruits rouges, de cerise et de kirsch. Les banyuls se dégustent à une température de 12 à 17 °C selon leur âge ; on les boit à l'apéritif, au dessert (certains banyuls sont les seuls vins à pouvoir accompagner un dessert au chocolat), avec un café et un cigare, mais également avec du foie gras, un canard aux cerises ou aux figues, et certains fromages à pâte persillée.

Banyuls

DOM. BERTA-MAILLOL Rancio Solera ★

■ 2 000 ❙❙❙ 15 à 20 €

La note de rancio, cette nuance très particulière de noix, est très appréciée des Catalans. Le terme, parfois galvaudé, est aujourd'hui protégé, et les vins qui affichent cette mention traditionnelle doivent la justifier en cas de contrôle. Ici, cette tonalité aromatique s'acquiert par la solera, technique empruntée au xérès d'Andalousie, qui permet aux vins jeunes, durant trois à cinq ans, de s'enrichir en cascade au contact de vins plus âgés. Au fil des ans, la robe tuilée s'orne de reflets roux tandis que le nez, sur le grillé et le pruneau, prend ces accents de noix caractéristiques. Cet arôme se mêle à la torréfaction et à la cerise épicée au sein d'une matière charnue et voluptueuse enveloppant et prolongeant l'ensemble.

Dom. Berta-Maillol, rte des Mas, 66650 Banyuls-sur-Mer, tél. et fax 04.68.88.00.54, domaine@bertamaillol.com
t.l.j. 10h-12h 15h-18h

M. CHAPOUTIER 2009 ★

■ 20 000 ▮ 11 à 15 €

Michel Chapoutier est un sacré personnage. Passionné de vins doux, de coteaux pentus, de paysages et de valeurs humaines, il s'est naturellement intéressé au Roussillon. Acheter des vignes ? Il hésitait... Brel lui soufflant que « le monde se mourait par manque d'audace » lui aurait inspiré sa décision. Aujourd'hui, le vigneron-négociant propose un 2009 dans sa plénitude, qui s'annonce par une robe profonde et des senteurs de cerise et de mûre, avec un soupçon de cassis. En bouche, les petits fruits des bois se fondent autour de tanins délicats finement épicés. L'ensemble est frais, agréable et savoureux. Idéal sur une soupe de petits fruits rouges vanillés. Le 2007 avait obtenu un coup de cœur. (Bouteilles de 50 cl.)

Maison M. Chapoutier, 18, av. du Dr-Paul-Durand, 26600 Tain-l'Hermitage, tél. 04.75.08.28.65, fax 04.75.08.81.70, chapoutier@chapoutier.com
t.l.j. 9h-12h30 14h-19h

L'ÉTOILE Macéré tuilé 2002 ★★

■ 3 000 ▮❙❙❙ 15 à 20 €

L'Étoile brille toujours sur Banyuls. Au cœur du village, la petite cave, tel un bijou dans son écrin, garde l'aspect rétro des années 1920, mais elle déborde de richesses en matière de banyuls anciens et millésimés. Ce 2002 n'attend que le foie gras, le chocolat ou les pâtisseries aux fruits rouges. Il vous accueille dans une robe profonde au joli tuilé, et livre force senteurs de torréfaction, de pruneau, de fruits confiturés et de cerise confite. Dans une belle continuité aromatique, la bouche évolue avec ampleur sur des tanins souples et fondus. Un grenache velouté et tout en rondeur, finement vivifié en finale par un soupçon d'agrumes.

Sté coopérative l'Étoile, 26, av. du Puig-del-Mas, 66650 Banyuls-sur-Mer, tél. 04.68.88.00.10, fax 04.68.88.15.10, info@cave-letoile.com t.l.j. 8h-12h 14h-17h

GRAIN DE LUNE 2009 ★★

■ 2 500 ▮ 8 à 11 €

Une nouvelle étoile s'est levée en 2009 dans le ciel méditerranéen : une maison de négoce dédiée aux vins doux naturels, qui a pris le nom d'une étoile de la constellation de la Vierge, Vindemiatrix. La société travaille dans un étroit partenariat avec les vignerons, du choix des parcelles à la mise en bouteilles. Un élevage en cuve a apporté à ce banyuls une oxydation ménagée, d'où les nuances légèrement tuilées de la robe, l'évolution sur des notes de pruneau et de fruits confiturés, la matière douce, fondue et équilibrée. Un vin fin, souple et suave, à siroter à l'apéritif. (Bouteilles de 37,5 cl.)

Vindemiatrix, 131, impasse des Palmiers, 30100 Alès, tél. 04.66.24.39.18, fax 04.66.52.58.69, contact@vin-demiatrix.com r.-v.

HELYOS Muté sur grains 2005 ★

■ 3 000 ❙❙❙ 30 à 50 €

Son devancier le 2003 avait obtenu un coup de cœur. Helyos, c'est la recherche de la pureté, de l'expression totale du grenache trié grain par grain à pleine maturité. Ce travail se poursuit avec l'affinage durant un an en fût et s'achève par une mise en bouteilles sans collage ni filtration. Il y a de la vie dans ce regard noir intense ; de la profondeur dans ce vin, qui se dévoile lentement à l'aération par des effluves de sous-bois, de bourgeon de cassis, de cerise noire, avec un soupçon de pruneau et le toasté du fût. Il émane de ce banyuls beaucoup de présence ; on y trouve de la matière, du fruit, de la cerise

ROUSSILLON

à l'eau-de-vie, une belle structure tannique et une finale mentholée. Un 2005 que l'on pourra garder sans crainte.

Cave de l'Abbé Rous, 56, av. du Gal-de-Gaulle, 66650 Banyuls-sur-Mer, tél. 04.68.88.72.72, fax 04.68.88.30.57, contact@templers.com r.-v.

DOM. MADELOC Robert Pagès ★★

8 000 | 15 à 20 €

Pierre Gaillard aime les côtes ! Producteur bien connu de la Côte Rôtie, il s'est tourné vers le Sud et s'est intéressé à la Cottebrune de Faugères avant d'atteindre en 2003 la Côte Vermeille et l'architecture tourmentée des terrasses de Banyuls. Il acquiert Madeloc, 29 ha répartis entre Banyuls-sur-Mer et Port-Vendres. Pour sa fille Élise, qui élabore les vins du domaine, c'est grenache au menu. Encore une belle profondeur pour ce banyuls d'élevage passé en fût et en bonbonne au soleil pour accélérer l'oxydation indispensable à ces grands vins. De ce double séjour dans le bois et dans le verre proviennent ce nez intense alliant patine du foudre, cuir, cacao, cerise à l'eau-de-vie et cette puissance de la bouche déployant des notes de pruneau, de cerise, de toasté fondu, avec une touche de café et une finale sur le cacao qui appelle un fondant au chocolat. Le **blanc 2010 Asphodèles (11 à 15 € ; 3 000 b.)** obtient la même note pour ses jolis arômes d'agrumes vanillés.

Dom. Madeloc, 1 bis, av. du Gal-de-Gaulle, 66650 Banyuls-sur-Mer, tél. 04.68.88.38.29, fax 04.68.88.04.65, madeloc@orange.fr
t.l.j. sf sam. dim. 9h-12h 13h30-17h30
Pierre Gaillard

DOM. MANYA-PUIG 2010 ★★

4 000 | 11 à 15 €

Le banyuls blanc est plus récent que le rouge. Avec plus de 3 000 hl de production, sa place est acquise. Dans cette couleur, les Puig, dont les aïeux figurent parmi les précurseurs de la vente directe, proposent l'une des meilleures bouteilles de la série. Un vin brillant et attirant, fin et élégant, entre douceur du jasmin et fraîcheur de la pêche blanche. Bien équilibré, il fait preuve d'une belle sucrosité et finit sur une pointe de fraîcheur. Il sera le protagoniste d'un soir d'été entre amis, tout près de la plage ; sur un fond de musique, avec un sorbet à la pêche pour lui donner la réplique. Et dire qu'avant guerre, le Dr Paul Manya vendait les banyuls de la propriété comme remontants dans la pharmacie familiale...

Dom. Manya-Puig, 7, av. de la République, 66190 Collioure, tél. 04.68.98.02.59, fax 04.68.87.19.34, domaine.manya_puig@orange.fr t.l.j. 9h30-18h

DOM. PIÉTRI-GÉRAUD Rimage Mademoiselle O 2010 ★

5 100 | 11 à 15 €

Dans cette famille colliourenque, le bisaïeul regroupait, dans les années 1920, les producteurs autour d'un pressoir commun. Une longue saga vigneronne qui s'écrit ici au féminin : succédant à sa mère Maguy Piétri-Géraud, Laetitia a pris en 2006 les commandes de l'exploitation – 20 ha de vignes dans un cadre sublime mais exigeant. Quant à la jeune Ornella venue au monde en 2000, elle a donné en même temps naissance à cette cuvée. Ce banyuls rimage offre toute la fraîcheur et le fruité de la jeunesse dans une robe très sombre et vous accueille avec des notes de cassis et de fruits rouges escortées d'un soupçon de grillé. Élégante et suave, la bouche s'enrichit de senteurs de groseille et de framboise. Surprenante de fraîcheur, elle s'attarde sur des tanins fondus et appelle une forêt-noire ou une soupe de fruits rouges. Par ailleurs, un superbe banyuls **blanc 2009 (15 à 20 € ; 2 500 b.)** élégant, ample et long, aux arômes de fleurs, de poire et de pêche blanche épicées, obtient la même note. On le servira à l'apéritif ou sur un nougat glacé.

Laetitia Piétri-Clara, Dom. Piétri-Géraud, 22, rue Pasteur, 66190 Collioure, tél. 04.68.82.07.42, fax 04.68.98.02.52, domaine.pietri-geraud@wanadoo.fr r.-v.

DOM. DE LA RECTORIE Rimage mise précoce Muté sur grains Cuvée Thérèse Reig 2010 ★★★

5 000 | 11 à 15 €

Passionné de musique, Thierry Parcé fait jouer les grenaches à l'unisson. Sa partition est ici parfaite et elle ne viendra pas ternir sa réputation qui n'est plus à faire en Roussillon. C'est ce producteur en effet qui a su mettre en musique le grenache gris en solo, alors très décrié. Aujourd'hui, ce cépage constitue la base des collioure blancs. C'est avec du grenache noir, ponctué d'une note de carignan, qu'il compose ici avec maestria. En ouverture, un concert de petits fruits, cerise, cassis et mûre, légèrement poivrés. Le prélude à une bouche fondue et ample, tout en rondeur, capiteuse, dans une même tonalité de fruits rouges, avec un soupçon de réglisse et une finale très fraîche qui a conquis le jury. Un banyuls à marier avec du chocolat ou une tarte aux cerises, ou encore à savourer pour lui-même. (Bouteilles de 50 cl.) La **cuvée Léon Parcé Rimage muté sur grains 2009 (15 à 20 € ; 10 000 b.)** a été élevée dix-huit mois en barrique, contrairement à la précédente. Elle obtient une étoile pour son équilibre et pour ses arômes de fruits confits.

Thierry et Jean-Emmanuel Parcé, Dom. de la Rectorie, 28/65, av. du Puig-del-Mas, BP 35, 66650 Banyuls-sur-Mer, tél. 04.68.88.13.45, fax 04.68.88.15.21, thierryparce@orange.fr t.l.j. sf dim. 10h-12h 16h-19h

DOM. SAINT-SÉBASTIEN Inspiration ardente 2008 ★★

3 500 | 15 à 20 €

Face au port de Banyuls, entre cliquetis des drisses, cris des mouettes et bruissement des feuilles au gré de la brise marine ou de la tramontane, vous pourrez vous restaurer au *Jardin de Saint-Sébastien* et découvrir les vins de Jacques Piriou, le propriétaire, et de Romuald Peronne, l'œnologue, qui dirigent en tandem un domaine de 15 ha repris en 2008. Vous pourrez aussi goûter leurs vins dans les vignes. Ici, un banyuls traditionnel, tuilé sans excès, dévoilant au nez une sage évolution, sur des notes de fruits confits, de pruneau ou de torréfaction. On apprécie particulièrement le caractère fondu du palais, son équilibre, sa rondeur et ses tanins soyeux. Un « vin de

plaisir » idéal pour le chocolat, le café ou du foie gras aux figues. (Bouteilles de 50 cl.)
Dom. Saint-Sébastien, 10, av. du Fontaulé, 66650 Banyuls-sur-Mer, tél. et fax 04.68.88.30.14, contact@domaine-st-sebastien.com
t.l.j. 10h-13h 14h-19h
Peronne et Piriou

CAVE TAMBOUR Dom. Mas Guillaume 2011 ★★

	8 000	15 à 20 €

Lorsque Bernard Saperas eut l'idée de séparer les grenaches blancs et gris des noirs dans les vieilles vignes de banyuls, plantées en mélange selon la tradition, il n'imaginait pas l'engouement qu'il allait susciter auprès des viticulteurs de Banyuls. Jeune vigneronne de vingt-huit ans représentant la cinquième génération aux commandes de la Cave Tambour, Clémentine Herre s'est elle aussi intéressée au grenache blanc. Ce cépage a permis à l'exploitation de faire son entrée dans le Guide avec un vin frais, floral, tout d'or vêtu. Un banyuls élégant à la palette complexe mariant poire williams et fruits exotiques, riche à l'attaque, fin, souple et minéral. On le verrait bien à l'apéritif, avec des toasts au roquefort ou sur une tarte Tatin.
EARL Cave Tambour, 2, rue Charles-de-Foucault, 66650 Banyuls-sur-Mer, tél. 04.68.88.12.48, fax 04.68.88.03.03, cavetambour@gmail.com t.l.j. 9h-12h30 14h-19h
Herre

CELLIER DES TEMPLIERS Rimage Mise précoce 2010 ★★★

	32 000	15 à 20 €

Dans le large éventail de banyuls de cette coopérative, la gamme des rimages (« millésime » ou « récolte » en catalan, des banyuls élevés à l'abri de l'air) se décline en « mise précoce » (mise en bouteilles après six mois de cuve) et en « mise tardive » (mise en bouteilles après douze mois sous bois). Les deux vins sont issus de grenache noir et ils ont été mutés sur grains pour une extraction maximale des constituants du raisin. L'un comme l'autre ont été retenus, avec une préférence pour l'explosion fruitée de cette mise précoce (comme l'an dernier : la dernière édition avait hissé le 2009 sur le podium). La griotte, la mûre et la fraise charment au nez et se retrouvent en bouche, accompagnées de notes épicées et réglissées. Un ensemble riche, rond et persistant, évoluant sur des tanins veloutés et vivifié par une belle fraîcheur. Noté une étoile, le **Rimage Mise tardive 2010 (14 000 b.)** apparaît plus structuré et offre un fruité plus mûr, finement vanillé. La mise précoce s'accordera avec un canard aux cerises ou une soupe de fruits rouges, la mise tardive avec un dessert au chocolat.
Cellier des Templiers, rte du Balcon-de-Madeloc, 66650 Banyuls-sur-Mer, tél. 04.68.98.36.70, fax 04.68.88.00.84, contact@banyuls.com
t.l.j. 10h-18h; f. dim. nov.-mars

DOM. LA TOUR VIEILLE Reserva ★★

	n.c.	15 à 20 €

Le chai est dans les vignes, à deux pas de Collioure. Là, le temps s'arrête, seul le vent vient jouer à caresser les bonbonnes de banyuls laissées au soleil. Puis vient la convivialité. Avec Vincent, Jean et Christine, un verre à la main, autour de quelques anchois et de la tapenade, on apprécie l'accueil et le banyuls. C'est de bonbonnes que sort cette Reserva, d'où la robe dépouillée au tuilé chatoyant. Lentement, les parfums montent du verre : la torréfaction, le cuir, le chocolat. La bouche généreuse s'ouvre sur le pruneau, la figue, la cerise, les épices, le grillé et le tabac. Superbe, ample, solide et durable, ce banyuls accompagnera durant de longues années fromages à pâte persillée, chocolat, café et cigares. Le **Rimage Mise tardive 2008** fait jeu égal, apprécié tant pour l'intensité de ses arômes de fruits rouges vanillés que pour sa fraîcheur et pour sa longue finale.
Dom. la Tour Vieille, 12, rte de Madeloc, 66190 Collioure, tél. 04.68.82.44.82, fax 04.68.82.38.42, info@latourvieille.fr r.-v.
Cantié et Campadieu

DOM. DU TRAGINER Rimage 2010 ★★

	3 000	15 à 20 €

Un petit domaine (8 ha) mais une grande notoriété et un vigneron, Jean-François Deu, qui ne laisse personne indifférent. Ce dernier cultive en bio depuis 1988, laboure à la mule – sur les traces de son oncle Anicet, le *traginer* (muletier) –, n'utilise ni levures sélectionnées ni enzymes, limite ou supprime collage, filtration et parfois soufre. Son rimage, noir dans le verre, offre au nez une corbeille de petits fruits : cerise, mûre et griotte. Riche, structurée et étayée par un tanin solide, la bouche dévoile une matière d'une remarquable fraîcheur où la cerise se laisse croquer. Avec quoi servir ce banyuls ? Un dessert aux fruits rouges, du chocolat ou... un cigare. (Bouteilles de 50 cl.)
Jean-François Deu, 7, rue Saint-Pierre, 66650 Banyuls-sur-Mer, tél. 04.68.88.15.11, fax 04.68.88.31.48, jfdeu@hotmail.com r.-v.

Banyuls grand cru

CAVE DE L'ABBÉ ROUS
Cuvée Castell des hospices 1999 ★★

	6 800	20 à 30 €

Banyuls n'est certes pas Rennes-le-Château mais ici, l'abbé Rous a trouvé le trésor des Templiers ! L'appellation est sans doute redevable à ce curé qui, pour financer l'agrandissement de l'église paroissiale, développa dans les années 1870 la vente en bouteilles du vin destiné aux offices religieux. Cette cave coopérative lui rend hommage. Dans sa gamme, ce Castell des hospices est un « vin de messe » à faire voler les anges de travers... Le long élevage a dépouillé le rouge sombre de la robe, qui est devenu un bel ambré aux reflets acajou. Le nez intéresse et surprend : il tourne autour de l'abricot sec, du tabac miellé, du vieil armagnac et d'un début de rancio (noix). Au palais, ce grand cru fait montre d'une réelle présence ; puissant, équilibré, il décline le pain d'épice, les fruits secs, la torréfaction et surtout cette belle note de rancio qui le destine au chocolat, au café, au gâteau aux noix et au cigare. La **cuvée Christian Reynal 2000 (30 à 50 € ; 10 300 b.)**, si elle s'efface cette année devant la précédente, n'en est pas moins très agréable : une citation.
Cave de l'Abbé Rous, 56, av. du Gal-de-Gaulle, 66650 Banyuls-sur-Mer, tél. 04.68.88.72.72, fax 04.68.88.30.57, contact@templers.com r.-v.

L'ÉTOILE Cuvée réservée 1991 ★★★

	5 000	20 à 30 €

Une vendange impeccable, un mutage sur grains pour tout extraire du raisin, puis le temps, la patience des vieux foudres, l'empreinte des saisons, vingt ans durant. Et

ROUSSILLON

voici la star de L'Étoile ! La robe chatoyante est encore soutenue : l'acajou domine. Et le vin d'exploser en un tourbillon d'arômes : fruits confits, cacao, épices, touche de café, torréfaction, figue et un soupçon de noix. En bouche, on retrouve la même complexité aromatique avec cette nuance de rancio, le tout au sein d'une matière superbement fondue, volumineuse, puissante et douce, portée par de sublimes tanins, et longue, si longue... Un bijou à découvrir dans la plus ancienne coopérative de Banyuls (1921) qui, si elle a diversifié ses gammes, offre néanmoins avec cette cuvée le meilleur de la tradition. À savourer pour lui-même, ou avec un dessert au chocolat, au café ou aux noix.

Sté coopérative l'Étoile, 26, av. du Puig-del-Mas, 66650 Banyuls-sur-Mer, tél. 04.68.88.00.10, fax 04.68.88.15.10, info@cave-letoile.com t.l.j. 8h-12h 14h-17h

CELLIER DES TEMPLIERS Cuvée Président Henry Vidal 2000 ★

■ 35 000 30 à 50 €

Au Cellier des Templiers, dans la longue allée où s'alignent les grands foudres, de petits panneaux indiquent : « Viviane Le Roy », « Amiral François Vilarem » et « Président Henry Vidal », à savoir les cuvées prestige de banyuls grand cru, la haute couture, les Champs-Élysées du banyuls. Émotion. Respect du travail d'élevage. Silence : les grands crus sont en marche... Un séjour de six ans sous bois a donné à ce Président une robe tuilée d'un superbe acajou et des senteurs de fruits confiturés, de cerise kirschée, de pruneau, de torréfaction, de cacao et de réglisse. Ample, chaleureuse, puissante, la bouche évolue sur des tanins caressants et veloutés avant de renouer avec la réglisse en finale. Cité, le banyuls grand cru **demi-doux Rancio (14 000 b.)** a été mis en bouteilles en 2010 après un long élevage extérieur en demi-muid et un assemblage selon le principe de la solera. Il ravira les amateurs de rancio.

Cellier des Templiers, rte du Balcon-de-Madeloc, 66650 Banyuls-sur-Mer, tél. 04.68.98.36.70, fax 04.68.88.00.84, contact@banyuls.com
t.l.j. 10h-18h; f. dim. nov.-mars

Rivesaltes

Superficie : 5 180 ha
Production : 107 930 hl (55 % blanc)

Longtemps, rivesaltes fut la plus importante des appellations des vins doux naturels : elle couvrait 14 000 ha et produisait 264 000 hl en 1995. Puis la crise a frappé et après un Plan rivesaltes qui a permis la reconversion d'une partie de ce vignoble, la production de cette appellation se rapproche désormais en volume de celle du muscat-de-rivesaltes.

Le terroir du rivesaltes s'étend en Roussillon et dans une toute petite partie des Corbières, sur des sols pauvres, secs, chauds, favorisant une excellente maturation.

Quatre cépages sont autorisés : grenache, macabeu, malvoisie et muscat, les deux premiers étant largement dominants. La vinification se fait en blanc et en rouge. Les rivesaltes rouges proviennent principalement du grenache noir ; ce cépage subit alors souvent une macération, afin de donner le maximum de couleur et de tanins.

L'élevage des rivesaltes est fondamental pour la détermination de la qualité. Les blancs donnent les ambrés, et les rouges les tuilés, au terme de deux ans ou plus d'élevage. En cuve ou dans le bois, ils développent des arômes bien différents. Le bouquet rappelle la torréfaction, les fruits secs, avec une note de rancio dans les cas les plus évolués, les hors d'âge. Certains rivesaltes rouges ne subissent pas d'élevage et sont mis très jeunes en bouteilles. Ce sont les grenats, caractérisés par des arômes de fruits frais : cerise, cassis, mûre. Dans le même style fruité, une production de rosés pourrait se développer.

On boira les rivesaltes à l'apéritif ou au dessert, à une température de 11 à 15 °C, selon leur âge.

DOM. BENASSIS Ambré Hors d'âge Petite Vermeille Élevé en fût de chêne ★

■ n.c. 11 à 15 €

Avant de se perdre en mer, la Têt a eu la bonne idée de répandre quelques cailloux arrachés aux Pyrénées et roulés jusqu'à Canet. Cette terrasse à quelques pas de la mer porte un vignoble sur lequel la brise et les rosées matinales tempèrent avec bonheur les chaleurs estivales. Cet ambré aux nuances acajou révèle, entre des notes de grillé, de vermouth et d'eau-de-vie blanche, la touche de verveine des vieux muscats. Un bel équilibre, de la finesse, une bouche onctueuse qui glisse en finale sur le zeste d'orange : ses atouts s'accorderont avec des fromages à pâte persillée.

Dom. Benassis, 5, imp. de l'Hort, 66140 Canet-en-Roussillon, tél. 06.63.02.46.00, fax 04.68.35.19.07, contact@domaine-benassis.fr
r.-v.

GÉRARD BERTRAND Legend Vintage 1974 ★★★

■ 8 876 75 à 100 €

L'homme des Corbières a toujours eu un penchant pour les vins des Pyrénées-Orientales, qu'ils soient secs ou doux. Il est vrai qu'en tant qu'amateur de produits de qualité et de terroirs d'exception, il ne pouvait longtemps ignorer ce voisin qui lui donne l'occasion de marier, les soirs d'été, légendes de jazz et vins doux. Ce 1974 a flirté avec le coup de cœur. Clair et jouant sur le rose orangé, il dévoile dès l'approche de douces senteurs d'agrumes confits, d'abricot sec, d'amande et de foin. La bouche s'enrichit de notes de tabac blond et de miel, prend l'exotisme de la vanille et revient sur le fruit en finale. Fondu, richesse, équilibre... tout est réuni pour composer une bouteille sublime.

Gérard Bertrand, Ch. l'Hospitalet, rte de Narbonne Plage, 11104 Narbonne Cedex, tél. 04.68.45.36.00, fax 04.68.45.27.17, vins@gerard-bertrand.com t.l.j. 9h-19h

CH. DE CALCE Tuilé 2006

600 | 5 à 8 €

Entre calcaires et schistes, le terroir de Calce, pittoresque « village château », tire aussi sa particularité du climat. Au nord de Perpignan, le paysage de collines prend des allures de moyenne montagne, avec la fraîcheur qui l'habite. Ce tuilé, dont le rouge est encore soutenu, dévoile des senteurs de garrigue, de pruneau, de fruits rouges confiturés et de poivre. Souple et rond, le palais exprime les mêmes arômes épicés et fruités. Un ensemble gourmand à déguster à l'apéritif avec des fruits secs, puis sur du melon au jambon serrano.

SCV Les Vignerons du Ch. de Calce, 8, rte d'Estagel, 66600 Calce, tél. 04.68.64.47.42, fax 04.68.64.36.48, scvcalce@orange.fr t.l.j. sf dim. 9h-12h 15h-18h; sam. 9h-12h

CAZES Ambré 1999 ★★★

13 200 | 15 à 20 €

Avec cet ambré d'exception, le **tuilé 1995 (20 à 30 € ; 5 000 b.)** et le **grenat 2009 (8 à 11 € ; 8 000 b.)**, qui décrochent deux étoiles chacun, c'est une ovation que méritent Bernard Cazes, Emmanuel et toute leur équipe. Cet ambré 1999, vêtu d'une robe lumineuse, s'ouvre sur des parfums d'épices orientales, de fruits secs et d'écorce d'orange agrémentés d'un soupçon de rancio. Un vrai plaisir qui se poursuit en bouche sur le même profil aromatique, avec puissance, finesse et douceur, le tout restant équilibré grâce à une rare fraîcheur. Le résultat d'une conduite en biodynamie et de sept ans de foudre.

Cazes, 4, rue Francisco-Ferrer, 66600 Rivesaltes, tél. 04.68.64.08.26, fax 04.68.64.69.79, info@cazes.com t.l.j. sf dim. 8h30-12h 14h-18h30

DOM. DES CHÊNES Tuilé 2005 ★★★

2 700 | 11 à 15 €

Le nom de Vingrau vient des vingt marches qu'il fallait gravir pour sortir du cirque naturel de ce village avant de se rendre sur le plateau puis vers la mer. Un chemin qu'Alain Razungles doit emprunter régulièrement pour assurer sa charge de professeur à « l'agro » de Montpellier. L'élevage qu'il a réservé à son 2005 apporte de jolis reflets tuilés et une évolution aromatique douce, faite de cacao, de figue et de fruits confiturés. En bouche, le fruit rouge encore, et la vanille qui joue avec le pruneau et le tabac blond. L'ensemble est riche, volumineux, intense, fondu et de belle longueur. Pour du foie gras, un canard aux cerises ou un fromage bleu.

Razungles, Dom. des Chênes, 7, rue Mal-Joffre, 66600 Vingrau, tél. 04.68.29.40.21, fax 04.68.29.10.91, domainedeschenes@wanadoo.fr t.l.j. 9h-12h 14h-18h; sam. dim. sur r.-v.

LES VIGNERONS DES CÔTES D'AGLY
Hors d'âge Cuvée François Arago 1996 ★★★

3 600 | 8 à 11 €

Carrefour des terroirs de l'Agly, le village d'Estagel a la particularité d'afficher un parcours routier tortueux au moment où le fleuve retrouve un cours rectiligne. Sur la place trône la statue d'Arago, et il suffit de passer le pont pour retrouver l'enfant du pays sur l'étiquette de la « cave des aigles ». La coopérative propose un superbe hors d'âge. Un tuilé classique, brillant, habille le verre, et dès le premier nez, c'est l'orchestre qui ouvre le bal : fruits rouges très mûrs, pruneau, tabac blond, malt, senteurs agréables de foudre... La bouche ample, généreuse et puissante, invite la figue et les épices méditerranéennes, évoque le tabac et le grillé enrobés d'une douceur miellée, avant que n'apparaisse le rancio dans une longue finale.

Les Vignerons des Côtes d'Agly, av. Louis-Vigo, 66310 Estagel, tél. 04.68.29.00.45, fax 04.68.29.19.80, contact@agly.fr t.l.j. sf dim. 9h-12h 14h-18h

DOM. DES GORGES DU SOLEIL Élixir d'hiver 2008 ★

4 000 | 8 à 11 €

C'est peut-être ce vin-là que Jean-Philippe Beille aurait dû nommer « Tinto Absoluto », le nom d'une autre de ses cuvées, tant sa robe est sombre, d'un noir absolu. Le grenache noir a été travaillé ici en oxydation légère pour conserver les notes fruitées du raisin (mûre, griotte, zeste d'orange) en les enrichissant d'épices et de vanille. Un rivesaltes généreux, équilibré, aux tanins encore bien présents, qui n'attend plus que le chocolat...

Beille, Dom. des Gorges du soleil, chem. de Saint-Nazaire, 66330 Cabestany, tél. 04.68.50.77.58, fax 04.68.50.39.75, d.g.s.beille@wanadoo.fr t.l.j. sf lun. 11h-12h30

GRAIN DE LUNE Mémoire 1974 ★★★

400 | 20 à 30 €

Proposé par la société de négoce Vindemiatrix, le voyage dans le monde merveilleux des vieux vins doux naturels commence avec le rivesaltes **Mémoire 1989 tuilé (400 b.)**, qui décroche deux étoiles, puis nous ramène une génération en arrière avec ce 1974, au temps de la première grande sécheresse. Une quarantaine d'années plus tard, le rouge sombre est devenu brun café, et quelle belle histoire ce vin pour initiés nous raconte-t-il en bouche ! Cacao, rancio, fruits secs, tourbe et noix se mêlent dans un palais qui « en impose » par son intensité aromatique, par ses tanins solides et par sa forte personnalité qui appelle un dessert au chocolat noir. (Bouteilles de 37,5 cl pour chaque cuvée.)

Vindemiatrix, 131, impasse des Palmiers, 30100 Alès, tél. 04.66.24.39.18, fax 04.66.52.58.69, contact@vin-demiatrix.com r.-v.

DOM. JOLIETTE Ambré 1990

■	2 000	◖◗	15 à 20 €

Vous avez rêvé un jour de devenir vigneron, dans un mas catalan sous les pins, enivré du chant des cigales, avec vue sur la mer, en jouant sur une palette de terroirs... C'est au domaine Joliette que vous deviez songer ! Un long élevage marqué par un passage de deux années en barrique en plein air donne à ce 1990 sa couleur ambré-roux. Le nez oscille entre pruneau et figue sèche, café et cacao, avant de dévoiler une bouche à la fois aérienne et chaleureuse, aux riches arômes d'abricot sec. Pour un fromage bleu ou du foie gras aux figues. (Bouteilles de 50 cl.)

André et Philippe Mercier,
Dom. Joliette, rte de Mont-Pins, 66600 Espira-de-l'Agly,
tél. 04.68.64.50.60, fax 04.68.64.18.82,
mercier.joliette@wanadoo.fr ☑ Ⅰ ⚲ r.-v.

DOM. JOLLY FERRIOL Ambré Hors d'âge Passe-temps ★

■	2 000	◖◗	20 à 30 €

Au débouché de l'Agly, le mas posé là depuis trois cent cinquante ans a repris en 2005 ses couleurs viticoles sous la houlette de Jean-Luc Chossart et d'Isabelle Jolly. Désormais, c'est en bio (conversion en cours) que les vignes sont conduites, et le vin est travaillé sans levurage, sans collage ni filtration. Macabeu et grenache gris jouent dès lors sur le temps pour s'affirmer et se clarifier, donnant à la robe ambre sa pureté et, avec l'appui d'un bel élevage, léguant au nez ses notes complexes de torréfaction et de fruits secs. Dans un palais plutôt sec, tabac blond et tourbe accompagnent des notes d'amande grillée et de noix. Un rivesaltes puissant qui appelle un dessert au chocolat ou au café et, pour les amateurs, un bon cigare.

Jean-Luc Chossart, Dom. Jolly Ferriol, Mas Ferriol,
66600 Espira-de-l'Agly, tél. et fax 04.68.62.08.96,
jollyferriol@gmail.com ☑ Ⅰ ⚲ r.-v.

CH. DE LACROIX Grenat Le Muté sur grains 2010 ★★

■	1 100	▮	8 à 11 €

Le « mas des fenêtres », comme on l'appelle ici, offre une superbe vue sur les étangs, la mer et le massif pyrénéen des Albères, avec à ses pieds le chemin de Charlemagne, la via Domitia et... son vignoble de 45 ha. Dans la belle tradition du grenat, la robe de son 2010 est profonde, et la mûre, la cerise burlat et le menthol s'invitent au nez avant de souligner une bouche réglissée, un brin sauvage, ample et riche de tanins au grain serré. Une belle bouteille en devenir.

Yann Tanguy, Ch. de Lacroix, chem. du Mas-du-Moulin,
66330 Cabestany, tél. 04.68.50.48.39, fax 04.68.50.36.36,
chateau-de-lacroix@wanadoo.fr
☑ Ⅰ ⚲ t.l.j. sf sam. dim. 8h30-16h30; f. 15 j. en août

CH. MARIA JONQUÈRES Ambré Haute Coutume 1976 ★★★

■	13 000	▮	20 à 30 €

Avec sa gamme Haute Coutume, « le » groupement de producteurs catalans frappe un grand coup. Il propose une admirable série de vieux rivesaltes, véritables trésors culturels. Séduit par l'**ambré 1988 (11 à 15 € ; 10 000 b.)**, cité, enchanté par l'**ambré 1969 (50 à 75 € ; 3 600 b.)**, deux étoiles, le jury s'est extasié devant ce 1976 qui a flirté avec le coup de cœur. Dans sa brillante robe d'ambre soutenu à reflets topaze, ce rivesaltes envoûte dès le service, offrant un bouquet complexe qui mêle caramel au lait, vanille, tabac miellé et menthe poivrée. Puis il s'impose avec sa bouche puissante, riche et fondue, remarquablement équilibrée. On y perçoit la pomme cuite, la cannelle, l'abricot sec ou encore le pralin. Quelle intensité et quelle persistance ! Un grand vin, assurément.

Vignerons catalans, 1870, av. Julien-Panchot, BP 29000,
66962 Perpignan Cedex 9, tél. 04.68.85.04.51,
fax 04.68.55.25.62, contact@vigneronscatalans.com

DOM. MARIDET Grenat Despenja figues 2010 ★★

■	2 500	▮	8 à 11 €

Ce grenat a inauguré le nouveau chai de vinification situé au pied du château de Salses, au départ du Crest (terrasse de cailloux roulés), terre de prédilection du grenache noir et des vins doux naturels. Drapé dans une robe noire, ce 2010 s'ouvre et nous parle de l'été autour de la tapenade, de chaleureuses senteurs méditerranéennes et d'un soupçon de fruits noirs gourmands. Un fruité croquant, qui se prolonge dans une bouche à la fois fraîche et ronde, veloutée et poivrée. L'**ambré 2007 Sense mida (1 500 b. de 50 cl.)**, aux arômes miellés et confits, décroche une étoile.

Dom. du Maridet, chem. de Boto-Nord,
66600 Salses-le-Château, tél. 04.68.51.73.24,
fax 04.68.64.47.56, domaine.maridet@gmail.com ☑ Ⅰ ⚲ r.-v.

LE SWEET DE MONTANA Grenat 2011

■	4 000	▮◖◗	11 à 15 €

Patrick Saurel a réalisé son rêve il y a quinze ans, devenir vigneron. Son choix s'est porté sur le terroir des Aspres, et le chemin qu'il a parcouru depuis est impressionnant : restructuration du vignoble, création d'un nouveau chai, d'un musée du Vin et de deux gîtes. Son rivesaltes grenat aux reflets violines s'ouvre lentement sur la mûre, le cassis et des notes empyreumatiques. Doux à l'attaque, il marie la griotte et les fruits des bois dans un palais chaleureux aux tanins soyeux. Pour une ganache au chocolat.

Ch. Montana, rte de Saint-Jean-Lasseille,
66300 Banyuls-dels-Aspres, tél. 04.68.37.54.84,
fax 04.68.21.86.37, chateaumontana@wanadoo.fr
☑ Ⅰ ⚲ t.l.j. 9h30-12h30 14h30-18h; sam. dim. sur r.-v. ⌂ Ⓓ
P. Saurel

♥ **CH. MOSSÉ** Ambré Hors d'âge 1931 ★★★

■	2 000	◖◗	+ de 100 €

Après les Années folles, le charleston, l'insouciance... La Grande Dépression. C'est à l'automne de l'une de ces années de crise qu'ont été vendangés la malvoisie et le grenache blanc que l'on retrouve dans quelque 2 000 flacons à dénicher dans la cave de Jacques Mossé à Sainte-Colombe, petit bijou des Aspres. C'est la mémoire de toutes ces années qui se déguste ici après un sommeil de cinquante ans en foudre. Respect, émotion... mais aussi plaisir, car à plus de quatre-vingts ans, « papy fait de la résistance ». Sa tenue reste irréprochable, d'ambre et d'or, et son regard franc et brillant. Du verre montent quelques notes annonçant le rancio. Lentement, le vin se matérialise, sur les fruits secs, l'amande grillée, la noisette, des senteurs miellées de garrigue et de vieux foudres. Surprenant par sa présence en bouche, il se montre ample, généreux, savoureux et toujours nerveux. On y retrouve l'abricot sec, l'eau-de-vie de pruneau, la torréfaction, une touche de whisky, sur un équilibre sec et frais, avant un rancio infini.

Jacques Mossé, Ch. Mossé, 66300 Ste-Colombe-de-la-Commanderie, tél. 04.68.53.08.89, fax 04.68.53.35.13, chateau.mosse@worldonline.fr r.-v.

CH. DE PÉNA Tuilé Hors d'âge Vieilli en fût de chêne ★

2 640 | 8 à 11 €

Protégées par l'ermitage de Notre-Dame de Pène bâti sur le roc au débouché des gorges de l'Agly, les terres noires de Cases-de-Pène dans leur écrin blanc calcaire ont vu naître ce grenache noir bien élevé. Sept ans de foudre et de cuve en milieu oxydatif donnent à ce hors d'âge un regard tuilé pâle et un bouquet fondu autour du pruneau, des fruits rouges macérés, de la garrigue et du boisé. La bouche ? Elle se distingue par sa présence suave, son équilibre et par sa complexité aromatique qui conduit au pays des épices et des fèves de cacao. Ce rivesaltes se prêtera à bien des accords gourmands, de l'apéritif au dessert, en passant par un tajine aux pruneaux.

Ch. de Péna, 2, bd Mal-Joffre, 66600 Cases-de-Pène, tél. 04.68.38.93.30, fax 04.68.38.92.41, chateau-de-pena@wanadoo.fr t.l.j. sf sam. dim. 9h-12h 14h-18h

CH. PRADAL Ambré Hors d'âge Serrat d'en vaquer Élevé en fût de chêne 1999 ★★

1 000 | 11 à 15 €

C'est « sur le tas » qu'André Coll-Escluse vous dira qu'il a appris le métier, héritier de cinq générations de vignerons ancrés au cœur de Perpignan, à 200 m de la gare ferrovière, « centre du monde » selon Dalí. L'ambré soutenu de ce rivesaltes rappelle les vieux rhums, auxquels le vin emprunte aussi les parfums épicés et boisés, avec ici un zeste d'agrumes. La bouche ample, généreuse et vive à la fois, mêle le citron confit, l'abricot sec et la vanille, accompagnés d'un joli grillé. La finale, qui marie le raisin de Corinthe à un léger rancio, appelle un accord gourmand avec un baba au rhum.

André Coll-Escluse, 58, rue Pépinière-Robin, 66000 Perpignan, tél. 06.11.13.61.57, fax 08.26.38.23.17, chateaupradal@orange.fr r.-v.

CH. PUIG-BONAS Grenat 2010 ★

2 000 | 8 à 11 €

Depuis deux cent cinquante ans, la famille Puig se consacre à la viticulture, au milieu de la tramontane et avec une vue imprenable sur le Canigou. Son grenat intéresse. Entre cassis et pruneau, la robe et le nez hésitent... À moins que... la cerise noire ? Au sein d'une matière veloutée penchant vers la douceur, portée par des tanins bien présents, le fruit s'impose sur fond d'épices, et une jolie note méditerranéenne apporte un surcroît de complexité. Une bouteille que l'on aimerait partager avec ses amis, autour de quelques chocolats, croquants de Saint-Paul ou autres gourmandises, en refaisant le match de l'USAP.

Marie-Françoise Puig, 44, av. de la Méditerranée, 66670 Bages, tél. 06.83.89.43.06, louis.puig@mairie-ponteilla-nyls.fr r.-v.

DOM. DE RANCY Ambré 1998 ★★

8 000 | 15 à 20 €

Si vous aimez les vins doux naturels rancio, voici la bonne adresse. Il vous faut, dans la sauvage vallée de l'Agly, sortir de l'axe principal, découvrir le village fortifié de Latour-de-France et, dans le dédale des ruelles, vous laisser entraîner vers les petites caves d'élevage des Verdaguer. Vous serez surpris que l'ambré puisse, à partir d'un cépage blanc (le macabeu), prendre une couleur brique. Vous découvrirez un vin puissant, marqué par la futaille. Le nez sur les fruits rouges cuits, le noyau et la vanille prélude à un palais fondu, élégant, patiné par le temps, où se mêlent des arômes de malt, de tourbe, de cire et toujours de fruits cuits, avant une finale qui laisse percer le rancio.

Dom. de Rancy, 11, rue Jean-Jaurès, 66720 Latour-de-France, tél. 04.68.29.03.47, info@domaine-rancy.com t.l.j. 10h-12h30 15h-19h; dim. 15h-19h

Verdaguer

DOM. ROSSIGNOL Tuilé 2007 ★★

1 800 | 8 à 11 €

« Bienvenue à la ferme pour faire du tourisme de terroir. » Telle pourrait être l'accroche du domaine de Passa. Car ici, la visite vaut autant pour les vins que pour la culture viticole et la convivialité. On se laissera volontiers tenter par ce tuilé au nez intense de cire, de fruits confiturés et de pruneau à l'eau-de-vie, un vin de caractère, équilibré, suave et en même temps empreint d'une fine vivacité, fruité et marqué en finale par le cacao et le tabac miellé. À moins que l'**ambré 2008 (4 900 b.)** tout d'or vêtu n'ait votre préférence ? Il décroche une étoile.

Pascal Rossignol, rte de Villemolaque, 66300 Passa, tél. et fax 04.68.38.83.17, domaine.rossignol@free.fr t.l.j. sf dim. 10h30-12h30 16h-19h 4

B **DOM. ROUSSELIN** Grenat Doux Vin 2011 ★

2 300 | 11 à 15 €

Lesquerde (« l'éperon, l'épine ») doit son nom à l'impressionnant « caillou » de fer qui semble sorti du cœur du village. Situé hors des axes principaux du pays roussillonnais, sur un plateau granitique, il offre un paysage surprenant, embaumé en février par les parfums d'une foire à la truffe très courue. Associant le rouge et le noir, ce rivesaltes au regard andalou livre un bouquet généreux de cerise burlat. La bouche ample et solide évoque les fruits confiturés (mûre, cassis), soutenue par des tanins au grain serré qui laissent envisager une belle garde. Accord gourmand en perspective avec une coupe de fruits des bois. (Bouteilles de 50 cl.)

Dom. Pascal Rousselin, 104, rte D19, 66220 Lesquerde, tél. 04.68.59.17.12, domainerousselin@yahoo.fr r.-v.

DOM. SALVAT Ambré Hors d'âge 2002 ★★

■ 8 000 🍷 15 à 20 €

Avec son accent du terroir, son regard clair et pétillant posé sur le verre, Jean-Philippe Salvat vous dira que c'est la touche de muscat (30 % de l'assemblage) qui apporte la note de verveine et d'écorce d'orange à ce 2002, que le macabeu (40 %) lui permet de garder cette fraîcheur aux nuances de fleurs blanches et que le grenache blanc (30 %), chaleureux et « diplomate », est là pour fédérer l'ensemble. En bouche, vous découvrirez une large palette mariant la douceur des raisins à l'eau-de-vie, le grillé de l'amande et la note miellée du tabac blond. Vous apprécierez la finesse d'un vin assagi par le temps... et la convivialité passionnée de votre hôte.

🔑 Dom. Salvat, 8, av. Jean-Moulin, 66220 Saint-Paul-de-Fenouillet, tél. 04.68.59.29.00, fax 04.68.59.20.44, salvat.jp@wanadoo.fr

✉ 🍷 🚶 t.l.j. 9h-12h 14h-18h

DOM. SARDA-MALET Ambré Le Serrat 2000 ★

■ 5 000 11 à 15 €

Si le Serrat d'en Vaquer (« la colline du vacher ») n'a pas vu de vaches depuis pas mal de temps, il n'en reste pas moins un lieu de campagne dans la ville, un site paléontologique d'intérêt mondial et un haut lieu viticole apprécié du grenache. Ici, les variétés blanches et grises du cépage, après plus de dix ans d'élevage, donnent naissance à un ambré clair et brillant, au bouquet de noisette grillée et de fruits confiturés agrémentés d'une note miellée. Fin, élégant, presque à l'étroit dans un boisé un peu serré, le palais s'évade sur la vanille, la marmelade d'oranges et la muscade. Fruits rouges et notes kirschées composent la palette du **grenat 2008 La Carbasse (20 à 30 €; 4 000 b.)**, cité. (Bouteilles de 37,5 cl pour chaque cuvée.)

🔑 Dom. Sarda-Malet, Mas Saint-Michel, chem. de Sainte-Barbe, 66000 Perpignan, tél. 04.68.56.72.38, fax 04.68.56.47.60, info@sarda-malet.com

✉ 🍷 r.-v.

🔑 Jérôme Malet

CH. DE SAÜ Ambré Hors d'âge ★★

■ 2 000 🍷 15 à 20 €

Dans un cadre agréable, la famille Passama enrichit son expérience viticole depuis 1856. Plus de dix ans d'élevage en barrique pour cet ambré limpide et brillant, de superbe tenue. Nous voilà au cœur du pays du vin doux naturel : l'éventail aromatique se déploie de l'écorce d'orange à la noix, en passant par l'amande et l'abricot sec, des épices délicates du rhum des Caraïbes jusqu'à la torréfaction poussée du café. Tout cela dans un palais plein, onctueux et chaleureux, non dépourvu pour autant de vivacité et prolongé par un noble rancio.

🔑 Ch. de Saü, 66300 Thuir, tél. 04.68.53.21.74, fax 04.68.53.29.07, chateaudesau@orange.fr

✉ 🍷 🚶 t.l.j. sf dim. 10h-12h 16h-18h30; sam. 10h-12h 🏠 Ⓔ

🔑 Passama

TERRASSOUS Ambré Hors d'âge Astérie 2003 ★★

■ 4 000 🍷 11 à 15 €

Au pied du Canigou culminant à 2 800 m d'altitude, le village de Terrats a planté ses racines dans le glacis caillouteux des Aspres que la Canterrane a entaillé de ses eaux parfois capricieuses. Après plus de cinq ans d'élevage sous bois, les grenaches gris et blanc donnent ici naissance à un ambré aux notes de miel, d'abricot sec et de zeste d'agrumes, agrémenté de la douceur patinée du bois et de quelques touches empyreumatiques. En bouche, un toasté fondu et une jolie fraîcheur accompagnent un fruit épicé et exotique. Bien plus âgé, l'**ambré 1974 L'Héritage de Terrassous (20 à 30 €)** vous charmera, quant à lui, par ses délices confiturés. Il obtient la même note.

🔑 SCV Vignobles Terrassous, av. des Corbières, BP 32, 66300 Terrats, tél. 04.68.53.02.50, fax 04.68.53.23.06, contact@terrassous.com

✉ 🍷 🚶 t.l.j. sf dim. 8h30-12h 14h-18h30

TRÉMOINE Ambré 2006

■ 13 000 🍷 5 à 8 €

À Rasiguères, petite commune du cœur des Fenouillèdes établie au bord de l'Agly, vous trouverez l'empreinte *so british* d'Edward Heath, ancien Premier ministre de Sa Majesté, qui dirigea des concerts dans la cave sous la sonorité envoûtante du piano de Moura Lympany. C'est aussi une jolie mélodie qu'offre cet ambré en robe claire avec ses notes harmonieuses de pain d'épice, de torréfaction, de fruits confits, de noyau d'abricot et de boisé fondu après six ans d'élevage...

🔑 Les Vignerons de Trémoine, 5, av. de Caramany, 66720 Rasiguères, tél. 04.68.29.11.82, fax 04.68.29.16.45, rasigueres@wanadoo.fr ✉ 🍷 🚶 t.l.j. sf dim. 8h-12h 14h-18h

ARNAUD DE VILLENEUVE Ambré Hors d'âge 1985 ★★

■ 3 350 🛢🍷 20 à 30 €

Appelée ADV dans le coin, cette coopérative accumule les « trésors » de trois caves fortement impliquées dans l'élevage de vieux ambrés. Elle représente, avec plusieurs centaines de rivesaltes de tous âges, un véritable livre d'histoire ouvert sur les vins doux naturels. Au chapitre 1985, un ambré soutenu à reflets roux. Douze ans de cuve et quinze ans de fût pour une complexité aromatique remarquée. Dès l'ouverture s'échappent des senteurs de noisette et de noix, suivies de notes d'anis et d'écorce d'orange. Soyeux, élégant, très aromatique autour du fruit confituré, le palais est porté en finale par une fraîcheur mentholée et par la patine du bois. À dominante de café et de figue, l'**ambré hors d'âge 1976 (30 à 50 €)** a encore de belles pages gourmandes à écrire. Il obtient une étoile.

🔑 Arnaud de Villeneuve, Les Vignobles du Rivesaltais, 153, RD 900, 66600 Rivesaltes, tél. 04.68.64.06.63, fax 04.68.64.64.69, contact@caveadv.com

✉ 🍷 🚶 r.-v.

Muscat-de-rivesaltes

Superficie : 5 221 ha
Production : 106 765 hl

Le muscat-de-rivesaltes peut provenir de l'ensemble du terroir des appellations rivesaltes, maury et banyuls. Les deux cépages autorisés sont le muscat à petits grains et le muscat d'Alexandrie. Le premier, souvent appelé muscat blanc ou muscat de Rivesaltes, est précoce et préfère les terrains relativement frais et calcaires. Le second, appelé aussi muscat romain, est plus tardif et très résistant à la sécheresse.

La vinification s'opère soit par pressurage direct, soit avec une macération plus ou moins longue. La conservation se fait obligatoirement en milieu réducteur, pour éviter l'oxydation des arômes primaires. Avec 100 g/l minimum de sucres, les vins sont liquoreux. Ils sont à boire jeunes, à une température de 9 à 10 °C. Ils accompagnent l'apéritif, les desserts (tartes au citron, aux pommes ou aux fraises, sorbets, glaces, fruits, touron, pâte d'amandes) ainsi que le roquefort.

DOM. ARGUTI Muscat d'ange 2009

500 | 11 à 15 €

Coup de cœur dans le millésime 2008, ce Muscat d'ange très confidentiel revient avec une jolie version 2009 : robe d'or jaune, nez brioché aux nuances de fleurs blanches, de citron et d'ananas, bouche fraîche et nette pour un vin riche et élégant. À déguster sur une tarte au citron ou sur de la cuisine exotique.

Dom. Arguti, 14, av. du 16-Août-1944, 66220 Saint-Paul-de-Fenouillet, tél. 06.73.85.17.93, fax 04.68.28.57.68, domaine.arguti@orange.fr
r.-v.

BERTRAND-BERGÉ 2011 ★

3 700 | 11 à 15 €

Très souvent à l'honneur dans le Guide, notamment pour l'AOC fitou dont il est l'un des porte-drapeau, ce domaine offre encore une très jolie expression du muscat. Revêtue d'un or tendre, cette cuvée livre des arômes d'une grande finesse, aux nuances de fleur de vigne et de citron frais délicatement miellé. L'attaque vive et franche se prolonge dans une bouche délicate, fraîche et équilibrée. À l'apéritif sur des dés de fromage de chèvre ou en dessert avec une tarte au citron.

Dom. Bertrand-Bergé, 38, av. du Roussillon, 11350 Paziols, tél. 04.68.45.41.73, fax 04.68.45.03.94, bertrand-berge@wanadoo.fr
t.l.j. 9h-12h 14h-18h

CH. DE CALADROY 2011 ★

10 000 | 8 à 11 €

Flanqué de ses deux tours majestueuses, le château vous accueille dans un écrin de schistes. Après avoir arpenté le vignoble par les sentiers de randonnée qui le sillonnent, le visiteur aura à cœur de faire une halte historico-œnologique au cours de laquelle il pourra apprécier ce muscat 2011. Le jury a été séduit par la robe d'or jaune très pâle, par la grande finesse des arômes mêlant fruits exotiques, citron vert et fleurs blanches, et par la bouche ronde et fraîche à la fois au final d'ananas et d'agrumes.

Ch. de Caladroy, lieu-dit Caladroy, 66720 Bélesta, tél. 04.68.57.10.25, fax 04.68.57.27.76, chateau.caladroy@wanadoo.fr
t.l.j. sf sam. dim. 8h-12h 13h30-17h30
Mézerette

CH. DE CALCE 2011 ★★

6 000 | 5 à 8 €

Le village de Calce est un petit bijou niché au creux des vignobles et de la garrigue. Les vignerons y sont encore nombreux, et la cave coopérative participe largement à la réputation du terroir. Ce muscat doré clair aux reflets verts révèle de puissants arômes de thé vert, de poire, d'agrumes, de fleur d'oranger et d'abricot confit. Une complexité (verveine, jacinthe, épice) que l'on retrouve dans une bouche équilibrée, à la fois liquoreuse et fraîche. Une gourmandise à découvrir avec une meringue citronnée.

SCV Les Vignerons du Ch. de Calce, 8, rte d'Estagel, 66600 Calce, tél. 04.68.64.47.42, fax 04.68.64.36.48, scvcalce@orange.fr
t.l.j. sf dim. 9h-12h 15h-18h; sam. 9h-12h

LES VIGNERONS DU CAP LEUCATE 2011 ★

15 000 | 5 à 8 €

Le Chai La Prade inauguré en 2010 répond aux plus hautes exigences de la coopérative dans le domaine environnemental et technique. Cette cuvée composée à 80 % de muscat à petits grains y a été vinifiée en raisins entiers. Vêtue d'or clair et brillant, elle exprime des arômes généreux d'agrumes, de fruits exotiques et de pêche blanche. En bouche, une belle fraîcheur se fait jour, appuyée par de subtiles nuances mentholées. Tout indiqué pour une salade de pêches ou une mousse de fruits légère.

Vignobles Cap Leucate, Chai La Prade, 11370 Leucate, tél. 04.68.33.20.41, fax 04.68.33.08.82, cave-leucate@wanadoo.fr t.l.j. 9h-12h 16h-19h

DOM. CAZES 2009 ★

60 000 | 8 à 11 €

Ce très ancien domaine du Roussillon s'impose depuis de nombreuses années comme une référence. Depuis les années 1990, son vignoble de 200 ha est entièrement mené en agriculture biologique et en biodynamie. Il est établi autour de Rivesaltes, berceau de l'appellation. Son 2009 d'un bel or brillant aux légers reflets cuivrés s'ouvre sur un nez fin et complexe aux notes confites évoquant la pâte de fruits, la cire d'abeille et la verveine. À la fois frais, rond et suave en bouche, il se mariera volontiers avec des pâtisseries vanillées (bras de Vénus à la crème) ou avec une rosace à l'orange.

Cazes, 4, rue Francisco-Ferrer, 66600 Rivesaltes, tél. 04.68.64.08.26, fax 04.68.64.69.79, info@cazes.com
t.l.j. sf dim. 8h30-12h 14h-18h30

CLOS HAUT VALOIR Tuileries 2010 ★

1 200 | 11 à 15 €

Les vignes de muscat à petits grains à l'origine de ce 2010 sont situées sur les terres noires caractéristiques du secteur. Vêtu d'une superbe robe d'or brillant aux reflets orangés, le vin s'ouvre au nez sur d'intenses arômes de raisin mûr, de fleurs, d'agrumes confits et d'épices. Ces nuances se retrouvent en bouche, mêlées à une pointe de verveine et d'abricot confit. À tester sur une tarte aux abricots et à la crème d'amande.

Denis Sarda-Bobo, Mas Kilo, 66600 Espira-de-l'Agly, tél. 06.08.57.17.34, fax 04.68.38.95.79, venise@hautvaloir.com r.-v.

MARIE DELMAS 2011

4 000 | 11 à 15 €

Ce domaine de création récente (2007) a entamé sa conversion vers l'agriculture biologique. Il doit son nom aux différentes Marie qui se sont succédé pendant cinq générations dans la famille Delmas. Pour son entrée dans le Guide, il propose un muscat élaboré sur les terroirs argilo-calcaires proches de la forteresse de Salses : un vin jaune d'or limpide aux senteurs de fruits exotiques, dont le palais allie rondeur et fraîcheur. À déguster sur une tarte aux pommes.

Pierre-André Delmas, 29, av. du Stade, 66600 Rivesaltes, tél. 04.68.51.88.10, fax 04.68.67.35.08, pad@masdelmas.com r.-v.

DOM. D'ESPERET 2011

	10 000		8 à 11 €

Dernière année de conversion bio pour ce domaine familial situé dans les hautes terres cathares de la région. Cultivés sur un terroir de schistes, les muscats (80 % d'Alexandrie et 20 % à petits grains) ont donné naissance à un vin limpide aux arômes très frais de fleurs et de fruits, et à la bouche vive et ronde. Pour une tarte au citron, par exemple.

Dom. d'Esperet, rte de Caudies, 66220 Saint-Paul-de-Fenouillet, tél. 04.68.59.18.85, fax 04.68.59.24.79, domainedesperet@sfr.fr r.-v.
Balaguer

DOM. DE L'ÉVÊCHÉ 2011 ★

	5 000		8 à 11 €

Le muscat d'Alexandrie et le muscat à petits grains se partagent de manière équitable l'assemblage de ce 2011 or pâle aux reflets verts. Le nez très frais évoque les fruits exotiques, la poire et le citron vert, agrémentés de fines nuances de verveine et de menthe. Vif en attaque, le palais développe une belle onctuosité sur des notes d'ananas et de raisin frais. Un vin élégant et équilibré, idéal pour une salade de fruits frais.

Dom. de l'Évêché, rte de Baixas, 66600 Espira-de-l'Agly, tél. 06.07.78.27.86, fax 04.68.59.05.87, alain.sabineu@orange.fr r.-v.
Sabineu

DOM. FONTANEL L'Âge de pierre 2011 ★

	4 000		8 à 11 €

Si Tautavel est un terroir de grande réputation pour ses vins rouges, catégorie dans laquelle excelle le domaine Fontanel, il produit également d'élégants muscats. Cette cuvée L'Âge de pierre – allusion aux traces préhistoriques omniprésentes dans le village – en est un parfait exemple. La robe se pare d'un or brillant aux reflets verts. Les arômes, intenses, évoquent la fleur d'acacia, la pêche et une légère touche de fougère. La bouche est fraîchement citronnée et animée de notes de menthol et de verveine. Un « vin plaisir », en somme.

Dom. Fontanel, 25, av. Jean-Jaurès, 66720 Tautavel, tél. 04.68.29.04.71, fax 04.68.29.19.44, pierre@domainefontanel.fr r.-v.

DOM. JOLIETTE 2011 ★

	8 000		8 à 11 €

Ce beau domaine cultivé en bio depuis l'an 2000 est situé sur les terres rouges du piémont des Corbières. Sa cuvée constituée intégralement de muscat à petits grains, cépage particulièrement bien adapté à ce terroir, se montre fine et élégante. Au nez, elle développe des arômes de fleurs blanches et de fruits frais : pêche, abricot, citron vert. Son palais puissant et frais à la fois permet de l'imaginer avec un tajine de poulet au citron.

André et Philippe Mercier, Dom. Joliette, rte de Mont-Pins, 66600 Espira-de-l'Agly, tél. 04.68.64.50.60, fax 04.68.64.18.82, mercier.joliette@wanadoo.fr r.-v.

CH. DE LACROIX Trois quarts d'or 2010 ★★

	n.c.		5 à 8 €

Ce vignoble de 45 ha est admirablement situé sur un terroir de terrasses caillouteuses, un des meilleurs de l'appellation. Le muscat d'Alexandrie (majoritaire dans cette cuvée) s'y exprime particulièrement bien. À preuve ce magnifique 2010 dont les jurés ont beaucoup apprécié la robe d'or pâle extrêmement lumineuse. Ils ont aussi été séduits par ses arômes d'une élégance indéniable mêlant les fleurs, les fruits exotiques, les agrumes, la menthe et la verveine. Une bouche nette et fraîche, conclue par une longue finale sur le citron et le pamplemousse, complète le portrait de ce muscat de grande classe. À déguster tant à l'apéritif (toasts au roquefort) qu'au dessert (tarte au citron), voire sur de la cuisine thaï.

Yann Tanguy, Ch. de Lacroix, chem. du Mas-du-Moulin, 66330 Cabestany, tél. 04.68.50.48.39, fax 04.68.50.36.36, chateau-de-lacroix@wanadoo.fr
t.l.j. sf sam. dim. 8h30-16h30; f. 15 j. en août

DOM. LAFAGE Grain de vignes 2011 ★★

	10 000		11 à 15 €

Que de chemin parcouru depuis que Jean-Marc et Éliane Lafage ont repris le domaine familial en 1995 ! Replantations, acquisitions, rénovations... le tout se traduisant par une superbe réussite dans tous les styles de vins. Ce Grain de vignes est un des fleurons de leur production. Régulièrement sélectionné dans le Guide, il séduit de nouveau dans sa version 2011. Une robe d'or pâle étincelant et un nez d'une belle finesse sur le pamplemousse, les fruits exotiques et la menthe fraîche précèdent un palais plein, harmonieux et long, « qui donne envie d'en reprendre », selon le jury. On l'associera volontiers avec du fromage frais, une tarte au citron, ou encore du chocolat blanc.

SCEA Dom. Lafage, Mas Miraflors, rte de Canet, 66000 Perpignan, tél. 04.68.80.35.82, fax 04.68.80.38.90, contact@domaine-lafage.com r.-v.
Jean-Marc Lafage

DOM. LAPORTE 2011 ★★

	10 000		8 à 11 €

Proche de la cité antique de Ruscino, ce domaine est situé à l'est de Perpignan, sur le trajet de la voie Domitienne qui reliait Rome à l'Espagne. Le terroir constitué de terrasses caillouteuses est particulièrement adapté à la culture du muscat. Pour son millésime 2011,

Raymond Laporte propose une cuvée très attrayante, d'un or jaune brillant. Elle se montre à la fois intense et fine à l'olfaction, exprimant d'élégantes nuances florales (rose, pivoine, iris) et de riches parfums de fruits exotiques. La bouche est à l'avenant, équilibrée, ronde, vive et aromatique. À servir classiquement sur une salade de fruits frais ou à oser sur un poulet à la vanille.

Raymond Laporte, Ch. Roussillon, 66000 Perpignan, tél. 04.68.50.06.53, fax 04.68.66.77.52, domaine-laporte@wanadoo.fr r.-v.

CH. LAURIGA 2011 ★★

3 000 — 11 à 15 €

Commandé par un vieux mas catalan blotti au milieu des vignes au pied du Canigou, ce domaine joliment restauré ne manque pas de charme. La conduite des vignes en agriculture raisonnée, une cave moderne et bien équipée ont permis à Jacqueline Clar d'élaborer ce superbe 2011 issu du seul muscat à petits grains. Dans sa robe d'or clair brillant, ce vin offre une très belle expression du cépage, livrant un bouquet intense et frais de fruits exotiques et d'agrumes alliant rondeur et vivacité en bouche. On se plaît à l'imaginer bien frais à l'apéritif ou au dessert, avec une salade de fruits rouges.

Ch. Lauriga, traverse de Ponteilla, RD 37, 66300 Thuir, tél. 04.68.53.26.73, fax 04.68.53.58.37, info@lauriga.com r.-v.

Jacqueline Clar

MAÎTRE CABESTANY 2011

20 000 — 5 à 8 €

Du nom du célèbre maître sculpteur roman, cette cuvée est élaborée par les cinq caves regroupées autour de la ville d'Elne. La robe est brillante aux reflets vieil or ; le nez mêle l'abricot compoté, les fruits exotiques et les fleurs blanches, et la bouche, équilibrée, évoque les agrumes confits. À déguster sur une tarte aux pommes ou un flan à la vanille.

SARL Terroirs romans, 2, av. Angel-Guimera, 66180 Villeneuve-de-la-Raho, tél. 04.68.22.06.51, vignerons.cabestany@wanadoo.fr r.-v.

SCV C.A.V.E.S

DOM. MAS CRÉMAT 2011 ★

5 000 — 8 à 11 €

Issus d'une famille bourguignonne de grande réputation, Christine et Julien Jeannin ont repris le domaine de leurs parents en 2006. Ils bénéficient d'un terroir d'exception : des terres noires qui donnent au paysage un aspect brûlé, d'où le nom du mas. Leur muscat 2011 revêt une robe d'or vif et livre au premier nez des senteurs florales et exotiques, qui tendent ensuite vers des nuances briochées et miellées. Frais en bouche, il dévoile des notes d'agrumes frais et de pain d'épice. À déguster sur une salade de fruits ou sur des rousquilles (biscuit catalan).

Dom. Mas Crémat, Mas Crémat, 66600 Espira-de-l'Agly, tél. 04.68.38.92.06, fax 04.68.38.92.23, mascremat@mascremat.com t.l.j. sf dim. 10h-12h 14h-18h

Jeannin

CH. MILLAS 2011

3 000 — 5 à 8 €

Le vignoble de Millas s'étend aux pieds de la colline schisteuse où se dresse l'ermitage de Força Réal. Cette cuvée présentée par la coopérative offre une belle expression de la finesse du terroir, tant par sa robe cristalline que par la légèreté de son bouquet : verveine, menthe, citron, rose. Son volume en bouche et sa douceur en font un vin qui saura tenir tête à de la tapenade ou à du roquefort.

SCV Les Vignerons de Força Réal, 4, rue Léo-Lagrange, 66170 Millas, tél. 04.68.57.35.02, fax 04.68.57.28.09, cave-coop-millas@wanadoo.fr t.l.j. sf dim. lun. 15h-18h30

DOM. MOUNIÉ 2011 ★

5 000 — 8 à 11 €

Depuis sa construction en 1925, la cave a vu se succéder cinq générations qui ont su progressivement mettre en valeur les différents terroirs du domaine aujourd'hui cultivés en agriculture raisonnée. Ce muscat drapé dans une étoffe or vif s'ouvre sur des parfums intenses de fruits exotiques et de pamplemousse. La bouche, d'une grande élégance, livre de subtiles notes d'ananas et de fleurs. Un très beau vin d'apéritif, qui pourrait également se mesurer à des mets plus complexes, à des cailles aux raisins, par exemple, ou à des fromages de caractère.

Dom. Mounié, 1, av. du Verdouble, 66720 Tautavel, tél. 04.68.29.12.31, domainemounie@free.fr r.-v.

Claude Rigaill

CH. NADAL-HAINAUT 2011 ★★

6 000 — 8 à 11 €

Le superbe bâtiment du XVIII[e]s. a été édifié sur le site de l'ancien prieuré de Santa-Maria de l'Eule. Concernant son histoire, personne ne vous en parlera aussi bien que Martine et Jean-Marie Nadal. Le couple signe ici un 2011 à la robe engageante, or pâle aux reflets verts, et au bouquet puissant et élégant qui évoque la fleur d'oranger, le jasmin et le pamplemousse assortis d'une légère pointe mentholée. D'une belle personnalité en bouche, à la fois frais et finement structuré, ce vin sera à son avantage sur du foie gras ou sur une tarte au citron meringuée.

Jean-Marie Nadal, Ch. Nadal-Hainaut, RD 37, 66270 Le Soler, tél. 04.68.92.57.46, fax 04.68.38.07.38, chateaunadalhainaut@gmail.com t.l.j. sf dim. 9h-12h 15h-19h

♥ CH. DE NOUVELLES Cuvée Prestige 2011 ★★

8 000 — 11 à 15 €

Telle une oasis au cœur de l'austérité des terres cathares, le domaine est bâti autour des ruines d'un château du XII[e]s. dont sont encore visibles la tour carrée et la chapelle. Il est la propriété de la famille Daurat-Fort depuis plusieurs générations. Le grand-père Robert a toujours été un ardent défenseur des vins doux naturels dans cette partie audoise de l'appellation. Il a transmis son patrimoine, son savoir-faire et surtout sa passion à son fils Jean et à son petit-fils Jean-Rémy. Après l'avoir frôlé dans le millésime 2010, le muscat obtient cette année le coup de cœur. Derrière une robe d'or jaune brillant s'élèvent des arômes enivrants d'iris et de glycine mêlés à des notes d'agrumes confits, d'amande grillée et de fruits exotiques. La bouche dévoile une liqueur puissante « apaisée » par une finale d'une belle fraîcheur. Le jury, inspiré, imagine cette bouteille tour à tour sur du foie gras d'oie, sur de l'agneau à la menthe ou, plus classiquement, sur un sorbet à l'orange.

SCEA R. Daurat-Fort, Ch. de Nouvelles, 11350 Tuchan, tél. 04.68.45.40.03, fax 04.68.45.49.21, daurat-fort@terre-net.fr
t.l.j. 9h-12h 14h-18h; sam. dim. sur r.-v.

CH. DE L'OU 2011

	5 000		8 à 11 €

Sur l'étiquette de cette bouteille de 50 cl figure l'œuf (*ou* en catalan) illustrant le nom du domaine. Implanté sur les anciennes terres des Templiers, celui-ci fut un précurseur de l'agriculture biologique en Roussillon. Son 2011, issu du seul muscat à petits grains, est habillé d'un or pâle et brillant. Après un premier nez légèrement minéral, il développe des parfums de fruits mûrs puis s'affirme en bouche avec une belle puissance qui lui permettra d'affronter un mets exotique, un poulet au curry par exemple.

Ch. de l'Ou, rte de Villeneuve, 66200 Montescot, tél. 04.68.54.68.67, fax 09.71.70.26.53, chateaudelou66@orange.fr r.-v.
Bourrier

DOM. PARCÉ L'Exotisme 2011

	4 000		5 à 8 €

Habitué du Guide en AOC côtes-du-roussillon, le domaine est parfois aussi mis à l'honneur pour sa cuvée de muscat, si bien nommée. Fruit de la Passion, litchi et ananas se mêlent en un bouquet puissant à des notes d'agrumes et de chèvrefeuille. La bouche, ronde et très parfumée, offre une belle liqueur, qui appelle un dessert aux agrumes ou un fromage de chèvre frais.

EARL A. Parcé, 21 ter, rue du 14-Juillet, 66670 Bages, tél. et fax 04.68.21.80.45, vinsparce@9business.fr
t.l.j. sf dim. 9h-12h 16h-19h

PIERRE PELOU Le Muscat d'Inès 2011 ★

	8 000		11 à 15 €

Deuxième année de présence dans le Guide pour la cuvée qui porte le nom de la fille cadette du vigneron. Toujours beaucoup de fraîcheur dans ce vin à la robe claire, qui s'ouvre sur d'intenses parfums fruités (pêche, litchi) et légèrement floraux (rose). La bouche est à l'avenant, fine et veloutée, complétée de nuances de menthol et de bonbon acidulé. À tenter sur un sorbet poire-menthe.

Celler d'Al Mouli, 9, rue de la République, 66720 Tautavel, tél. 06.16.96.49.61, pierre@pelou.eu
r.-v.

DOM. DE LA PERDRIX 2011 ★★

	5 200		8 à 11 €

Après avoir vinifié pendant trois ans dans la cave familiale ancienne, André et Virginie Gil ont emménagé en 2009 dans leurs nouveaux chais, situés à la sortie du village. Ils proposent ici un superbe muscat or vert cristallin, dont la finesse au nez (acacia, fruits exotiques, citron, pointe de fenouil) se prolonge dans une bouche fraîche et légère. Un vin harmonieux, idéal à l'apéritif ou sur des desserts aux fruits frais. (Bouteilles de 75 cl et 50 cl.)

Dom. de la Perdrix, Traverse-de-Thuir, 66300 Trouillas, tél. et fax 04.68.53.12.74, contact@domaine-perdrix.fr
t.l.j. sf dim. 10h-12h30 15h-18h30 (19h30 juil.-août-sept.)

DOM. PIÉTRI-GÉRAUD 2011

	2 500		8 à 11 €

Créé au début du siècle dernier, le domaine est maintenant dans les mains de Laetitia Piétri-Clara qui, comme sa mère et ses ancêtres colliourencs, a progressivement modernisé l'outil de vinification. Témoin de ces efforts, ce muscat or clair aux reflets verts, aux parfums d'agrumes frais teintés de jolies nuances florales, à la bouche fraîche et équilibrée.

Laetitia Piétri-Clara, Dom. Piétri-Géraud, 22, rue Pasteur, 66190 Collioure, tél. 04.68.82.07.42, fax 04.68.98.02.52, domaine.pietri-geraud@wanadoo.fr r.-v.

CH. LES PINS 2011 ★

	8 800		8 à 11 €

Depuis une vingtaine d'années, ce domaine est l'un des fleurons de la coopérative Dom Brial. Son muscat 2011 à la forte personnalité revêt une superbe robe vieil or aux reflets orangés. Le nez se fait intense avec ses notes de fruits surmûris (poire, coing, abricot) et ses riches nuances florales (rose, mimosa). Très rond et liquoreux en bouche, ce vin s'inscrit dans la grande tradition des muscats de dessert.

Vignobles Dom Brial, 14, av. Mal-Joffre, 66390 Baixas, tél. 04.68.64.22.37, fax 04.68.64.26.70, contact@dom-brial.com
t.l.j. sf dim. 8h30-12h 14h-18h

DOM. PIQUEMAL Les Larmes d'Hélios 2011 ★

	13 000		8 à 11 €

La famille Piquemal poursuit avec constance et énergie son travail d'investissement. Le nouveau chai en construction étant bientôt disponible, il devrait pouvoir accueillir les prochaines récoltes. Cette cuvée issue d'une sélection parcellaire rigoureuse s'affiche dans une robe lumineuse qui évoque le soleil du Roussillon. Son bouquet d'une belle intensité révèle des nuances de fleurs fraîches (jasmin, jacinthe) et d'agrumes. Très gras et rond en bouche, ce muscat fait rêver à une escorte de douceurs catalanes : tourons, croquants et autres coques aux fruits.

Dom. Piquemal, lieu-dit Della-Lo-Rec, km 7, RD 117, 66600 Espira-de-l'Agly, tél. 04.68.64.09.14, fax 04.68.38.52.94, contact@domaine-piquemal.com
t.l.j. sf dim. 8h-12h 14h-18h

DOM. RIÈRE CADÈNE 2011 ★

	6 000		8 à 11 €

Créé en 1904, ce domaine conduit depuis près de vingt ans par Jean-François Rière est situé aux portes de Perpignan. Malgré une situation quasi citadine, c'est un lieu calme et paisible qui accueille dans ses gîtes ruraux des visiteurs du monde entier. Friands de découvertes et amateurs de vins, ils auront notamment le plaisir de déguster un muscat d'une belle fraîcheur à la fois fruité, floral et légèrement minéral. Vif et intense en bouche, ce 2011 devrait bien se marier à une tarte aux abricots du Roussillon ou à une tarte poire-chocolat.

Dom. Rière Cadène, chem. de Saint-Génis-de-Tanyères, 66000 Perpignan, tél. 04.68.63.87.29, fax 04.68.52.30.65, contact@domainerierecadene.com

t.l.j. sf dim. 9h-12h 14h-19h

CH. LA ROCA 2011 ★

7 400 | 5 à 8 €

Le château la Roca est l'un des fleurons de la cave coopérative des Albères. Régulièrement retenu dans le Guide, son muscat séduit encore dans le millésime 2011 avec sa robe brillante ornée de reflets dorés. Le nez, intense, évoque la poire williams, le fruit de la Passion et les épices légères. Équilibre et longueur en bouche sont aussi de la partie pour ce vin doux que l'on imagine à l'apéritif ou accompagné d'un gâteau citronné.

SCV Les Vignerons des Albères, 9, av. des Écoles, 66740 Saint-Génis-des-Fontaines, tél. 04.68.89.81.12, fax 04.68.89.80.45, vigneronsdesalberes@wanadoo.fr

r.-v.

CH. ROMBEAU 2010 ★

11 000 | 8 à 11 €

L'auberge du domaine est ouverte « tous les jours, toute la vie »... et c'est la vérité. Le lieu est accueillant, et l'assiette délicieuse. On vous y proposera de déguster les vins de la propriété avec le choix, à l'apéritif, entre différentes déclinaisons de muscats. Si vous optez pour ce 2010, vous apprécierez sa complexité aromatique aux accents de garrigue, de genêt, de verveine et de fruits exotiques, et sa douceur en bouche, qui vous donnera envie d'y regoûter au moment du dessert.

SCEA Dom. de Rombeau, 2, av. de la Salanque, 66600 Rivesaltes, tél. 04.68.64.35.35, fax 04.68.64.64.66, domainederombeau@wanadoo.fr

t.l.j. 10h-19h

DOM. SAINT-MARTIN

19 000 | 5 à 8 €

Cette cuvée est présentée par l'un des plus importants groupements de producteurs, acteur incontournable de la commercialisation des vins du Roussillon. Derrière sa robe d'or jaune, elle livre des arômes intenses de fleurs blanches, de pêche et d'abricot bien mûr. En bouche, l'attaque est souple, et une belle vivacité lui succède. À déguster sur une tarte amandine aux abricots.

Vignerons catalans, 1870, av. Julien-Panchot, BP 29000, 66962 Perpignan Cedex 9, tél. 04.68.85.04.51, fax 04.68.55.25.62, contact@vigneronscatalans.com

DOM. SARDA-MALET 2010

6 000 | 11 à 15 €

Créé en 1925, ce domaine situé aux portes de Perpignan est dans la famille depuis quatre générations. Il propose un muscat doré dont le bouquet à la fois floral, exotique et légèrement mentholé est assorti d'une touche de citron confit. La bouche ample, d'une agréable fraîcheur, s'alliera avec une salade de pêches blanches.

Dom. Sarda-Malet, Mas Saint-Michel, chem. de Sainte-Barbe, 66000 Perpignan, tél. 04.68.56.72.38, fax 04.68.56.47.60, info@sarda-malet.com

r.-v.

Jérôme Malet

L'OR DE VALMY 2009 ★

4 700 | 11 à 15 €

Œuvre de l'architecte danois Viggo Dorph-Petersen, le château dresse sa silhouette romantique entre mer et montagne. Habitation, vignoble et cave ont été entièrement rénovés ces dernières années. De grands côtes-du-roussillon y sont élaborés ainsi qu'un beau muscat paré ici d'une robe dorée brillante. Intense et élégant à l'olfaction, il évoque l'ananas, la mangue et le citron avant de dévoiler une bouche fraîche et tout aussi fruitée (abricot, pêche blanche, poire). Cet ensemble harmonieux appelle sorbets et salades de fruits.

Ch. Valmy, chem. de Valmy, 66700 Argelès-sur-Mer, tél. 04.68.81.25.70, fax 04.68.81.15.18, contact@chateau-valmy.com

t.l.j. sf dim. 9h30-12h30 14h30-18h

Carbonnell

Maury

Superficie : 280 ha
Production : 6 600 hl (85 % rouge)

Le vignoble recouvre la commune de Maury, au nord de l'Agly, et une partie des trois communes limitrophes. Encadré par des montagnes calcaires, les Corbières au nord et les Fenouillèdes au sud, il s'accroche à des collines escarpées aux sols de schistes noirs de l'aptien plus ou moins décomposés. Les maury rouges doivent leur caractère au grenache noir, cépage dominant. La vinification se fait souvent par de longues macérations, et un long élevage en fût – parfois en bonbonnes de verre – permet d'affiner des cuvées remarquables.

D'un rouge profond lorsqu'ils sont jeunes, les maury prennent par la suite une teinte acajou. Au bouquet, ils évoquent d'abord les petits fruits rouges, avant d'évoluer vers le cacao, les fruits cuits et le café. Appréciés à l'apéritif et au dessert, notamment sur les préparations au chocolat ou au café, ils accompagnent également des mets épicés et sucrés-salés. Plus rares sont les blancs, élaborés à partir des grenaches blanc et gris et du macabeu.

DOM. ARRIVÉ L'Âme du maury 2009 ★★

2 700 | 15 à 20 €

« Tomber amoureux », dans le cas d'Arnaud et de Marie-Pierre Arrivé, signifie passer de la montagne Saint-Émilion aux collines plus escarpées de Maury, du calcaire blanc aux schistes noirs, des senteurs océaniques aux effluves du maquis et s'accrocher à 2 ha de grenaches noirs lovés au pied des Corbières. C'est ainsi que nos lecteurs découvrent un nouveau nom dans le Guide (ce qui n'est pas si fréquent ici) et un vin remarqué pour son fruité mûr et pour son équilibre, mais surtout pour la fine évolution de ses arômes vers le pruneau, la figue et l'amande grillée. Évolution qui se traduit également par le côté poli et

ROUSSILLON

« glissant » des tanins, et par une belle douceur contrebalancée par une fraîcheur minérale bien agréable.

NOUVEAU PRODUCTEUR

Arnaud et Marie-Pierre Arrivé, 39, rue de la Fou, 66220 Saint-Paul-de-Fenouillet, tél. 06.70.79.90.86, domainearrive@hotmail.fr r.-v.

DOM. DU DERNIER BASTION Prestige Vieilli en fût de chêne 2002 ★

■ 2 400 | 15 à 20 €

Dans ce très ancien domaine, propriété des Lafage depuis plus de deux siècles, on peut découvrir au sein de la cave un vin original, typiquement catalan : le rancio sec, très prisé des cuisiniers de renom. On y trouvera aussi ce maury fort séduisant. Grenache noir et long élevage en fût font bon ménage. Le cépage et le bois ont contribué de concert au caractère de ce vin puissant ; le second a légué les notes de moka, et les nuances toastées et vanillées qui sous-tendent une palette dans laquelle se côtoient les fruits secs, la cerise kirschée et la figue, et où percent des notes épicées et réglissées. Une belle évolution.

SCEA Dom. du Dernier Bastion, 29, av. Jean-Jaurès, 66460 Maury, tél. 06.73.03.24.71, fax 04.68.59.13.14, dernierbastion@aol.com
t.l.j. sf dim. 10h-12h 14h30-18h30; f. jan.-fév.
Lafage

MAS AMIEL 1969 ★★★

■ 6 000 | 50 à 75 €

Auteur de deux coups de cœur consécutifs dans les dernières éditions, ce Mas Amiel a bien failli renouveler l'exploit avec ce superbe vieux millésime élevé un an en bonbonne de verre, puis resté des lustres en foudre. Envoûtant dès l'approche, ce 1969 joue entre le miel, l'abricot sec et le zeste d'orange – évocateurs d'un ambré –, le pruneau et la cerise confite – caractéristiques d'un tuilé – et les notes vanillées, toastées et cacaotées léguées par l'élevage sous bois. Équilibre, superbe fondu, puissance contenue, assise fraîche et longue finale sur des nuances de vieil armagnac contribuent à un mémorable moment de dégustation et garantissent de nombreuses années de plaisir. Le mas, c'est aussi un site à ne pas manquer au pied du château de Quéribus. On pourra aussi choisir d'autres cuvées goûtées par nos jurés : les remarquables cuvées **Vintage Charles Dupuy 2009 (30 à 40 € ; 4 000 b.)** et **Vintage Réserve 2009 (20 à 30 € ; 10 000 b.)**, concentrées et jeunes, et le **blanc 2010 (15 à 20 € ; 10 000 b.)**, qui reçoit une étoile.

Dom. Mas Amiel, 66460 Maury, tél. 04.68.29.01.02, fax 04.68.29.17.82, contact@lvod.fr t.l.j. 8h30-19h
Decelle

MAS DE LAVAIL Expression 2010

■ 15 000 | 11 à 15 €

Le rouge est « noir », tant la robe est intense et profonde. La cerise se glisse dans un joli boisé qui se teinte d'épices. L'ensemble, savoureux, fondu, joue en bouche sur la cerise à l'eau-de-vie, faisant ainsi montre d'une belle fraîcheur. Un agréable maury qui comblera avec bonheur le creux d'un demi-melon, à moins que l'on ne préfère l'accorder à un dessert au chocolat. Et pourquoi ne pas aller le déguster au mas à l'ombre des grands arbres, face à Quéribus, dans le souffle de la tramontane ou au milieu du chant des cigales, pour goûter aussi la convivialité de Nicolas Batlle et des siens ?

Nicolas Batlle, Mas de Lavail, 66460 Maury, tél. 04.68.59.15.22, fax 04.68.29.08.95, masdelavail@wanadoo.fr r.-v.

MAS KAROLINA 2010 ★★

■ 4 000 | 11 à 15 €

« Tu devrais aller voir du côté de Maury, c'est superbe ! » Caroline Bonville a suivi le conseil avisé de cet ami et, en 2003, elle est tombée amoureuse des vieux grenaches, des schistes noirs, des senteurs méditerranéennes, des soirs d'été et des fruits que l'on croque dans ses propres vins. Un fruit qui s'accompagne de la note toastée de la barrique dans ce maury à la robe d'un grenat profond. Issu d'un tri grain par grain, ce vin marqué par l'extraction et d'une belle longueur dévoile un volume impressionnant, où le fruit mûr l'emporte autour de tanins savoureux. Il saura attendre. Le **blanc 2009 (2 500 b.)**, cité, trouvera sa place à l'apéritif ou sur des sorbets.

Caroline Bonville, 29, bd de l'Agly, 66220 Saint-Paul-de-Fenouillet, tél. 06.20.78.05.77, fax 04.68.84.78.30, mas.karolina@gmail.com
t.l.j. 10h-12h 15h-18h; f. jan.-mars

♥ LES VIGNERONS DE MAURY Cent ans d'histoire ★★★

■ 7 500 | 15 à 20 €

CENT ANS D'HISTOIRE

Pour ce qui est de l'avenir, il ne s'agit pas de le prévoir mais de le rendre possible.
A de Saint Exupéry

Élaborée en l'honneur du centenaire de la cave coopérative fondée en 1910, cette cuvée née de l'assemblage de vieux millésimes reflète non seulement l'originalité et l'excellence du terroir de l'appellation mais aussi la richesse des vins en cours d'élevage contenus dans les chais. Les jurys ont par ailleurs noté deux étoiles la cuvée **Chabert de Barbera 1985 (30 à 50 € ; 8 000 b.)**, complexe, fine, fondue et longue, et le **blanc 1998 (5 à 8 € ; 25 000 b.)** à l'équilibre un peu sec et à la riche palette légèrement marquée par le rancio ; ils ont cité la **Vieille Réserve 1995 (8 à 11 € ; 32 000 b.)**, chaleureuse et fondue, et enfin le **grenat Pollen 2010 (5 à 8 € ; 29 000 b.)**, un vin jeune, sur le fruit. Quant à ce coup de cœur, c'est un superbe vin d'élevage qui sort du lot tant par sa finesse et son élégance que par sa matière fondue où se retrouvent les épices, le torréfié, le cacao, les fruits confits, la figue et, pour finir, la noix. Un superbe équilibre, une rare présence aromatique et une approche mêlée de feu et d'ambre... Il ne manque plus au tableau que le foie gras aux figues ou le fondant au chocolat qui l'accompagnera.

SCAV Les Vignerons de Maury, 128, av. Jean-Jaurès, 66460 Maury, tél. 04.68.59.00.95, fax 04.68.59.02.88, a.contact@vigneronsdemaury.com
t.l.j. 8h30-12h30 14h-18h

DOM. DE MONTPY 2010 ★

■	500	🛢	15 à 20 €

Première vinification, et voilà Benjamin Gadois dans « le livre » ! Certes, après plusieurs années passées comme responsable de la production du côté des merlots de Saint-Émilion, il n'a rien d'un novice. La performance ne mérite pas moins d'être saluée, car le grenache n'est pas cultivé en Bordelais, et les vins doux constituent en soi un autre monde. Celui des grenats par exemple, dont voici un représentant très réussi, paré d'un rubis profond. Dans le verre, la cerise burlat joue sur la torréfaction de la barrique. La sucrosité vient équilibrer la fermeté des tanins, tandis que la puissance et le volume contrebalancent la vivacité de l'alcool du mutage. En attendant le foie gras poêlé ou la soupe de petits fruits rouges...

NOUVEAU PRODUCTEUR

Benjamin Gadois, 15, rue du Pech, 66220 Saint-Paul-de-Fenouillet, tél. 06.20.29.48.95, vignobles.gadois@orange.fr r.-v.

DOM. POUDEROUX Vendange mise tardive 2006 ★★

■	5 000	🛢	15 à 20 €

Après deux ans de barrique ouillée et deux ans de bouteilles, voici un maury au regard noir et à l'accent des vintages portugais. C'est une corbeille de fruits qui vient parfumer un palais au fondu remarqué. La fraise, la cerise et la mûre colorent une matière puissante, riche et bien structurée, se glissant dans le velours réglissé, toasté et vanillé d'un joli boisé. Tout cela appelle une terrine de foie gras aux figues. On comparera cette bouteille à la **vendange 2010 (11 à 15 € ; 10 000 b.)**, dont la version 2009 avait décroché un coup de cœur. Un vin exubérant, sur le fruit, riche, ample et structuré, encore dans la fougue de la jeunesse : une étoile. À noter que le domaine est en conversion bio.

Dom. Pouderoux, 2, rue Émile-Zola, 66460 Maury, tél. 04.68.57.22.02, domainepouderoux@orange.fr r.-v.

SEMPER Viatge 2009

■	7 000	🍾🛢	11 à 15 €

Voilà une dizaine d'années que cette belle et sympathique exploitation familiale nous a fait découvrir son Viatge. Le 2009 a le regard noir ; il invite à croquer dans la chair de la cerise, et nous fait apprécier la fraîcheur acidulée de la groseille et la patine d'un boisé bien maîtrisé (six mois). Une invitation au voyage – comme son nom l'indique –, à aller découvrir au domaine, chez Mathieu et Florent Semper, la convivialité maurynate et l'enthousiasme contagieux de vignerons heureux.

Dom. Semper, 2, chem. du Rec, 66460 Maury, tél. et fax 04.68.59.14.40, domaine.semper@wanadoo.fr t.l.j. 10h30-12h 15h30-19h; f. jan.

DOM. DE SERRELONGUE Vintage 2009 ★

■	4 000	🍾	8 à 11 €

Une culture raisonnée, l'utilisation de levures indigènes, des vins peu ou même non filtrés et, au quotidien, beaucoup de travail manuel, la pioche souvent à l'œuvre. C'est Maury et ses terres noires enserrées dans leur écrin calcaire, où la tramontane joue à « saute-colline », pas toujours de manière raisonnée mais pour la plus grande salubrité du climat. Issu de vieux grenaches noirs âgés de quatre-vingts ans, ce 2009 au regard noir hésite entre senteurs de maquis et notes plus douces de noisette grillée. Après une attaque ronde et fruitée, relevée d'un soupçon d'épices poivrées, il dévoile des tanins dans la fougue et la puissance de leur jeunesse, qui appellent des fromages comme le beaufort ou la fourme d'Ambert, voire un dessert au chocolat.

Julien Fournier, 149, av. Jean-Jaurès, 66460 Maury, tél. 06.16.95.15.87, julienf66@aol.com r.-v.

SERRE ROMANI 2010 ★

■	6 000	🍾	11 à 15 €

Si Romani m'était conté, il me parlerait de schistes noirs, de tramontane, des senteurs enivrantes du maquis et de la rencontre entre ces terres de grenache et un jeune couple débordant d'enthousiasme, ce qui nous fait découvrir un nouveau nom dans le Guide (la région est décidément attirante...). Ingénieurs agricoles de formation, Laurent et Cylia Pratx ont travaillé chacun de leur côté avant de franchir le pas. Ils sont installés depuis trois ans et montrent déjà leur savoir-faire à travers ce grenat à la robe profonde et aux fins arômes de mûre et de cerise nuancés d'un soupçon de cassis. On retrouve cette finesse dans une bouche ample et tout en rondeur, pourvue d'une juste fraîcheur, qui étonne par le fondu de ses tanins. Une bouteille à apprécier à l'apéritif, avec des fruits secs, ou sur un fondant au chocolat.

NOUVEAU PRODUCTEUR

Cylia Pratx, 8, rue Ludovic-Ville, 66600 Rivesaltes, tél. et fax 04.68.50.12.36, serre-romani@orange.fr r.-v.

♥ **VIGNERONS TAUTAVEL-VINGRAU** Éclat 2009 ★★★

■	2 000	🍾	8 à 11 €

ÉCLAT
VIN DOUX NATUREL
MAURY ROUGE
APPELLATION D'ORIGINE PROTÉGÉE
TAUTAVEL VINGRAU

Après leur fusion en 2010, les trois caves de la vallée de Tautavel – la cave coopérative de Vingrau, les Maîtres Vignerons de Tautavel et la Tautavelloise – ont dorénavant un destin unique : « ensemble pour être plus forts », ils développent leurs gammes. Leur regroupement se matérialise notamment par un nouvel « Éclat », cuvée dont le nom est une évocation discrète de l'homme de Tautavel et de ses éclats de roche. Un véritable bijou que ce « grenat catalan » gorgé de fruits. L'attaque pleine et ronde fait croquer la cerise ; le cassis apporte sa touche de fraîcheur sur un fond de tapenade d'olive noire. Puissance et douceur s'équilibrent à merveille, et le tanin apparaît superbement velouté. Un vin savoureux et généreux, d'une longueur infinie et apte à une belle garde.

Vignerons de Tautavel-Vingrau, 24, av. Jean-Badia, 66720 Tautavel, tél. 04.68.29.12.03, fax 04.68.29.41.81, contact@tautavelvingrau.com t.l.j. 9h-12h 14h-18h

LE POITOU ET LES CHARENTES

HAUT-POITOU SAUVIGNON CHARDONNAY CABERNET PINEAU-DES-CHARENTES GAMAY VIEUX TRÈS VIEUX EXTRA VIEUX COGNAC XO VSOP GRANDE CHAMPAGNE FINS BOIS

LE POITOU ET LES CHARENTES

Les vignobles des anciennes provinces de l'Aunis, de la Saintonge et du Poitou ont prospéré avant celui du Bordelais, grâce au port de La Rochelle. Si le Poitou n'a gardé que quelques ceps, les Charentes ont, depuis le XVIes., fondé leur essor sur la distillation des vins blancs. Le cognac a fait leur réputation – une eau-de-vie qui contribue à un élégant vin-de-liqueur, le pineau-des-charentes.

Superficie
Haut-Poitou : 700 ha ;
Cognac : 685 400 ha (79 643 plantés, essentiellement destinés à la production de l'eau-de-vie ;
pineau-des-charentes : 1 138 ha).
Production
Haut-Poitou : 19 000 hl ;
Cognac : 765 000 hl (cognac) ;
100 000 hl (pineau-des-charentes).
Types de vins
Vin de liqueur (le pineau-des-charentes, assemblage de moût et de cognac, eau-de-vie élaborée dans la même aire d'appellation) ; vins tranquilles rouges, rosés et blancs (haut-poitou).
Sous-régions
Haut-Poitou au nord (rattaché viticolement au Val de Loire).
Vignobles du cognac et ses six terroirs (voir carte).
Cépages principaux
Rouges : cabernet franc, cabernet-sauvignon, merlot, gamay (ce dernier uniquement pour le haut-poitou).
Blancs : ugni blanc (surtout), colombard, folle blanche (pour le cognac) ; sémillon, montils, sauvignon.

Du Bassin parisien au Bassin aquitain Au nord-ouest, la Vendée ; au nord, l'Anjou ; au nord-est, la Touraine ; à l'est, les plateaux du Limousin ; au sud, le Bassin aquitain. Géologiquement, le Poitou, enserré entre les terrains primaires du Massif armoricain et du Massif central, fait communiquer les deux grands bassins sédimentaires du territoire français, le Bassin parisien et le Bassin aquitain : d'où le nom de Seuil du Poitou. Ses terrains jurassiques sont de nature sédimentaire, tout comme ceux, au sud, des pays charentais, auréoles crétacées et tertiaires du Bassin aquitain. La région est marquée par des paysages de plaines en Poitou, plus ondulés en Charente, où les sols prennent çà et là la couleur blanchâtre du calcaire. Son climat océanique très doux, souvent ensoleillé en été ou à l'arrière-saison, avec de faibles écarts de températures qui permettent une lente maturation des raisins, rapproche la région Poitou-Charentes de l'Aquitaine.

La région administrative comprend quatre départements : la Vienne, les Deux-Sèvres, la Charente et la Charente-Maritime. D'un point de vue viticole, elle s'identifie à son vignoble principal, celui du cognac, qui s'étend sur les deux Charentes, avec une incursion en Dordogne. Ce n'est pas le seul , le vignoble du Saumurois pousse une pointe en Poitou-Charentes, tout au nord des Deux-Sèvres, dans la plaine de Thouars. Et au nord-est de Poitiers, vers Neuville, subsistent les vignobles du Poitou, dont les vins, au XIIes., dépassaient en notoriété ceux du Bordelais.

La fortune médiévale Dès l'époque gallo-romaine, les pays des Pictaves et des Santones ont été rattachés à la même province que Bordeaux et à partir du Xes., Aquitaine et Poitou ont été réunis sous un même duché, avant de devenir partie intégrante, au milieu du XIIes., du grand royaume Plantagenêt comprenant Aquitaine, Poitou, Anjou et Angleterre. Leur histoire viticole présente ainsi bien des traits communs, quoique les époques de prospérité n'aient pas toujours coïncidé.

Aux temps gallo-romains, malgré l'éclat de Saintes et de Poitiers, nul indice d'une viticulture prospère dans la région, alors que Bordeaux possède déjà des vignobles réputés. C'est au Moyen Âge que le vignoble poitevin s'épanouit. Sa viticulture a un caractère hautement spéculatif : elle est suscitée par l'essor des villes de l'Europe du Nord et par le renouveau de la navigation maritime. Ce nouveau patriciat urbain veut consommer du vin. Des navires, plus gros et plus perfectionnés qu'auparavant, partent en quête de la boisson aristocratique. Les Poitevins répondent à cette demande. On plante en quantité dans les diocèses de Poitiers et de Saintes : vins de La Rochelle, de Ré et d'Oléron, vins de Niort, vins de Saint-Jean d'Angély, vins d'Angoulême... Fondée par Guillaume X et protégée par les ducs d'Aquitaine, La Rochelle est l'un des principaux ports d'expédition, mais le moindre port de rivière profite de ce commerce. On appelle aussi vins du Poitou les produits nés dans les régions voisines de l'Aunis, de la Saintonge et de l'Angoumois – les provinces historiques situées sur le territoire actuel des deux Charentes.

Des alambics pour les Hollandais Si la prise de La Rochelle par le roi de France, en 1224, ferme aux vins du Poitou le marché anglais qui achète désormais des clarets bordelais, la soif des autres régions de l'Europe du Nord permet aux vignobles de la région de survivre. La Hollande devient leur principal débouché, surtout après 1579, quand les Provinces-Unies prennent leur indépendance et s'affirment comme une puissance maritime et commerciale. Les Hollandais apprécient les vins blancs doux. Néanmoins, la production de la région devenue pléthorique voyage mal. Les négociants hollandais trouvent la solution : le *brandwijn*, ou eau-de-vie. Grâce à la distillation, ils remédient non seulement à la surproduction mais parviennent aussi à valoriser des vins faibles. Une opération tellement intéressante que l'alambic se répand dans les campagnes de l'Aunis et de la Saintonge.

Cette eau-de-vie est devenue le cognac, dont la notoriété s'est affirmée aux XVIIIes. et XIXes. La crise phylloxérique, si elle a suscité l'essor des alcools de grains, n'a pas ruiné durablement le vignoble charentais, qui bénéficiait d'un grand prestige, consacré par une AOC dès 1909. En revanche, le vignoble poitevin, qui était resté très étendu mais dont la réputation avait pâli, a failli disparaître complètement du paysage viticole.

Haut-poitou

Superficie : 186 ha
Production : 11 000 hl (55 % blanc)

Le docteur Guyot rapporte en 1865 que le vignoble de la Vienne représente 33 560 ha. De nos jours, outre le vignoble du nord du département, rattaché au Saumurois, et une enclave dans les Deux-Sèvres, seuls subsistent deux îlots viticoles autour des cantons de Neuville et de Mirebeau. Marigny-Brizay est la commune la plus riche en viticulteurs indépendants. Les autres se sont regroupés pour former la cave de Neuville-de-Poitou. En 2011, le Haut-Poitou a accédé à l'appellation d'origine contrôlée.

Les sols du plateau du Neuvillois, évolués sur calcaires durs et craie de Marigny ainsi que sur marnes, sont propices aux différents cépages de l'appellation ; le plus connu d'entre eux est le sauvignon (blanc ou gris). En rouge, le cépage principal est le cabernet franc, complété par le merlot, le pinot noir et le gamay.

CAVE DU HAUT-POITOU Diane de Poitiers 2011

■ 100 000 ▮ - de 5 €

Cette année sont représentées trois couleurs de la cave du Haut-Poitou, acteur principal de l'appellation. En tête, ce 2011 rouge issu de cabernet franc (60 %) et de gamay : un vin franc et friand de fruits rouges (groseille) et noirs (cassis), frais et tout aussi fruité en bouche, assis sur des tanins soyeux. La cuvée **Diane de Poitiers 2011 rosé (110 000 b.)**, légère, tonique et pleine de fruits (fraise, framboise, cerise, pêche), est citée, de même que le **Diane de Poitiers 2011 blanc sauvignon (450 000 b.)**, équilibré, floral et fruité.

Cave du Haut-Poitou, 32, rue Alphonse-Plault, 86170 Neuville-de-Poitou, tél. 05.49.51.21.65, fax 05.49.51.91.13, c-h.p@wanadoo.fr
t.l.j. 9h-12h 14h-19h; dim. 9h-12h30

DOM. LA TOUR BEAUMONT Sauvignon Cœur de tuffeau 2011 ★

1 000 ▮ 8 à 11 €

Pierre Morgeau, fils de Gilles, a repris le domaine familial après cinq années passées en Bourgogne. C'est en duo avec son père qu'il a élaboré ce sauvignon élevé neuf mois en bouteille dans la toute nouvelle cave en tuffeau créée pour les vendanges 2011. Le vin se présente dans une robe limpide, le nez ouvert sur les agrumes et les fleurs blanches ; il est long, frais et équilibré en bouche. Il obtiendra sa deuxième étoile sur un poisson de rivière en sauce. La cuvée principale **sauvignon blanc 2011 (5 à 8 € ; 42 000 b.)**, joliment bouquetée (poire, agrumes, fleurs blanches), portée par une discrète acidité, et le **2011 rouge (5 à 8 € ; 23 000 b.)**, au nez fruité et mentholé, léger et soyeux au palais, obtiennent également une étoile.

Gilles et Brigitte Morgeau, 2, av. de Bordeaux, 86490 Beaumont, tél. et fax 05.49.85.50.37, tour.beaumont@terre-net.fr
t.l.j. sf dim. 9h30-12h 14h30-19h (18h en hiver)

DOM. DE VILLEMONT Sauvignon 2011 ★

13 000 ▮ 5 à 8 €

Alain, le père, et Jérôme, le fils, aux vinifications ; Annie, la mère, et Virginie, la fille, à la commercialisation : les efforts conjugués des membres de ce domaine familial aboutissent, avec une régularité sans faille, à des sélections. Ce 2011 se distingue par un bouquet intense de fleurs blanches, de fruits jaunes et d'agrumes. En bouche, il se révèle bien équilibré, souple, frais et très aromatique, dans le prolongement de l'olfaction. Parfait pour des fruits de mer. La **cuvée Prestige 2011 rouge (8 à 11 € ; 4 000 b.)**, au nez fruité (groseille, cerise) et délicatement boisé (réglisse, cacao), souple et ronde en bouche, obtient également une étoile.

🔑 EARL Alain Bourdier,
6, rue de l'Ancienne-Commune, Seuilly, 86110 Mirebeau,
tél. 05.49.50.51.31, fax 05.49.50.96.71,
domaine-de-villemont@wanadoo.fr
t.l.j. 9h30-12h 14h-18h; f. 1re sem. de jan.

Pineau-des-charentes

Le pineau-des-charentes est produit dans la région de Cognac – vaste plan incliné d'est en ouest, d'une altitude maximale de 180 m, qui s'abaisse progressivement vers l'océan Atlantique. Le vignoble, traversé par la Charente, est implanté sur des coteaux au sol essentiellement calcaire. Sa destination principale est la production du cognac. Cette eau-de-vie est « l'esprit » du pineau-des-charentes, vin de liqueur résultant du mélange des moûts des raisins charentais frais ou partiellement fermentés avec du cognac.

Selon la légende, c'est par hasard qu'au XVIes. un vigneron un peu distrait commit l'erreur de remplir de moût de raisin une barrique qui contenait encore du cognac. Constatant que ce fût ne fermentait pas, il l'abandonna au fond du chai. Quelques années plus tard, alors qu'il s'apprêtait à vider la barrique, il découvrit un liquide limpide, délicat, à la saveur douce et fruitée : ainsi serait né le pineau-des-charentes. Le recours à cet assemblage se poursuit aujourd'hui encore de la même façon artisanale et à chaque vendange, car le pineau-des-charentes ne peut être élaboré que par les viticulteurs. Restée locale pendant longtemps, sa renommée s'est étendue peu à peu à toute la France, puis au-delà de nos frontières.

Les moûts de raisin proviennent essentiellement, pour le pineau-des-charentes blanc, des cépages ugni blanc, colombard, montils, sauvignon et sémillon, auxquels peuvent être adjoints le merlot et les deux cabernets, et, pour les rouge et rosé, des cabernets, du merlot et du malbec. Les ceps doivent être conduits en taille courte et cultivés sans engrais azotés. Le moût doit dépasser les 170 g de sucre par litre en puissance. Le pineau-des-charentes vieillit en fût de chêne pendant au moins un an, le plus souvent pendant plusieurs années. Il ne peut sortir de la région que mis en bouteilles.

Comme en matière de cognac, il n'est pas d'usage d'indiquer le millésime. En revanche, un qualificatif d'âge est souvent spécifié. Le terme « vieux pineau » est réservé au pineau de plus de cinq ans, et celui de « très vieux pineau » à celui de plus de dix ans. Dans ces deux cas, le vieillissement s'accomplit exclusivement en barrique. La qualité de ce vieillissement doit être reconnue par une commission de dégustation. Le degré alcoolique est généralement compris entre 17 % vol. et 18 % vol., et la teneur en sucre non fermenté entre 125 et 150 g ; le rosé est généralement plus doux et plus fruité que le blanc, lequel est plus nerveux et plus sec.

Nectar de miel et de feu, dont la merveilleuse douceur dissimule une certaine traîtrise, le pineau-des-charentes peut être consommé jeune (à partir de deux ans) ; il donne alors tous ses arômes de fruits, encore plus présents dans le rouge et le rosé. Avec l'âge, il prend des parfums de rancio très caractéristiques. Par tradition, il se consomme à l'apéritif ou au dessert ; sa rondeur accompagne également le foie gras et le roquefort, son moelleux intensifie le goût et la douceur de certains fruits, comme le melon (charentais), les fraises et les framboises. Le pineau-des-charentes est utilisé également en cuisine pour la confection de plats régionaux (mouclade).

BARBEAU Très vieux Grande Réserve ★

1 800 | 20 à 30 €

Né de colombard, cépage charentais devenu minoritaire et planté ici sur argilo-calcaire, ce très vieux blanc issu de pineaux de plus de douze ans a su conserver une belle fraîcheur. Au nez, les fruits secs, le rancio et le miel se mêlent à des notes de bois de santal. On apprécie ensuite l'attaque vive relayée par un milieu de bouche plus rond, riche et généreux. Un ensemble harmonieux, à découvrir sur un bleu d'Auvergne.

🔑 Maison Barbeau et Fils, Les Vignes, 17160 Sonnac,
tél. 05.46.58.55.85, fax 05.46.58.53.62,
barbeaumi@wanadoo.fr r.-v.

VEUVE BARON ET FILS Vieux Logis de Brissac ★★

8 000 | 11 à 15 €

Cette belle propriété de la Saintonge est un ancien pavillon de chasse datant de François Ier, avec cour fermée par les chais de vinification et de vieillissement. Elle se transmet de père en fils depuis 1837 et c'est Antoine Baron, cinquième du nom, qui en assure aujourd'hui la conduite. Ici, on ne produit du pineau que les bonnes années ; 2003 en fut une et ce vieux blanc a séduit les jurés. La robe accroche l'œil avec sa teinte or ambré, et le nez se montre flatteur avec ses parfums de fruits confits (pomme, coing, orange) et de noisette grillée. Fraîche à l'attaque, la bouche régale par sa richesse, son volume et sa générosité. Le mariage heureux de la puissance et de la finesse. Le **2009 rosé (8 à 11 € ; 11 000 b.)**, rond, fruité et élégant, obtient une étoile.

🔑 SCEA Vignobles Baron, Logis de Brissac,
16370 Cherves-Richemont, tél. 05.45.83.16.27,
fax 05.45.83.18.67, veuve.baron@wanadoo.fr
t.l.j. sf dim. 9h30-12h 14h-18h30

M. ET J.-F. BERTRAND

80 000 | 8 à 11 €

Ce pineau rouge intense livre un bouquet plaisant de fruits rouges et de réglisse. Dans la continuité du nez,

le palais dévoile une agréable sucrosité équilibrée par une juste fraîcheur, et il ne manque pas de longueur. Un ensemble harmonieux, à découvrir sur une soupe aux fraises.
SARL M. et J.-F. Bertrand, Le Feynard,
17210 Chevanceaux, tél. 05.46.04.61.08, fax 05.46.04.66.00,
contact@vignobles-bertrand.fr r.-v.

DOM. DE BIRIUS ★

3 400 | 8 à 11 €

Valeur sûre de l'appellation, ce domaine situé en Petite Champagne, au cœur de l'AOC cognac, pratique depuis longtemps la lutte raisonnée. À la faveur de l'enherbement naturel du vignoble, il n'est pas rare de voir fleurir des orchidées sauvages entre les rangs. Le merlot et le cabernet franc, à parité, ont contribué à ce pineau rouge profond qui laisse percer d'agréables parfums de pruneau, de cerise confite et de fin boisé. On retrouve ces sensations fruitées dans une bouche ronde et montante, accompagnées en finale d'une élégante touche vanillée. Un bon compagnon pour une tarte au chocolat. Le **2008 blanc (3 400 b.)**, bien équilibré entre fruité et boisé et entre alcool et vivacité, est cité.
EARL Bouyer,
Dom. de Birius, 4, rue des Peupliers, La Brande, 17800 Biron,
tél. et fax 05.46.91.22.71, contact@cognac-birius.com
r.-v.

RAYMOND BOSSIS Vieux ★

4 000 | 15 à 20 €

Ce vignoble de 31 ha, situé sur les coteaux de l'estuaire de la Gironde, jouit d'un climat et d'un terroir argilo-calcaire propices à l'épanouissement des raisins, comme en témoignent les sélections régulières du domaine dans le Guide. Ce vieux pineau a su tirer profit de ces avantages ainsi que de son long élevage en fût qui enrichit d'un boisé subtil un bouquet épanoui et complexe de miel, de fruits confits, de pâte de coings et d'agrumes. Un savant équilibre s'établit en bouche entre sucrosité et fraîcheur, entre notes de rancio et de vanille. Foie gras, fromage à pâte persillée, dessert, tout lui va. Le **rouge (8 à 11 €; 8 000 b.)**, rond et fruité, est cité.
SCEA Les Groies, Les Groies,
17150 Saint-Bonnet-sur-Gironde, tél. 05.46.86.02.19,
fax 05.46.70.66.85, pineau.bossis@neuf.fr
t.l.j. 9h-12h 14h-19h

BRANCHAUD Vieux ★★

1 000 | 15 à 20 €

Première apparition dans le Guide pour Stéphane Branchaud qui, jeune vigneron, s'est installé en 1999 à la tête du domaine paternel et s'est lancé d'emblée dans la commercialisation en bouteilles des cognacs et des pineaux. Une entrée remarquée avec ce vieux rosé qui a postulé au coup de cœur. Ses atouts ? Une belle robe nuancée d'acajou et de reflets orangés ; un bouquet élégant qui marie le pruneau, le rancio, la noisette et un boisé subtil ; un palais au diapason, long, harmonieux, tout en douceur et en finesse. Parfait sur un dessert au chocolat.
EARL Branchaud, La Gasconnière, 17500 Ozillac,
tél. 06.82.41.77.92, fax 05.46.86.18.42,
branchaud@club-internet.fr r.-v.

DOM. DU CHÊNE Vieux ★

5 000 | 15 à 20 €

Sur le sol argilo-calcaire et sableux de ce domaine régulier en qualité, les ceps d'ugni blanc (60 %) et de colombard ont engendré les moûts à l'origine de ce vieux pineau d'un doré brillant, aux senteurs de fleur d'acacia, de fruits secs (amande, noisette), d'écorce d'orange et de miel. À cette complexité olfactive fait écho un palais ample, rond, soyeux, sublimé par une belle touche de rancio et tonifié par une juste fraîcheur. Accord gourmand en perspective avec du foie gras.
SCEA Doussoux-Baillif,
Dom. du Chêne, 20, rue des Chênes,
17800 Saint-Palais-de-Phiolin, tél. 05.46.70.90.53,
fax 05.46.70.91.70, baillif.jm@orange.fr
t.l.j. sf dim. 9h-12h 14h-18h

PASCAL CLAIR ★

n.c. | 8 à 11 €

Sémillon (75 %) et ugni blanc ont contribué à ce pineau élégant dans sa robe d'or ambré et richement bouqueté (poire, ananas, miel, angélique). Le palais se révèle souple et doux, tonifié par une finale fraîche et légère. Un vin complet et harmonieux, à déguster dès à présent sur une salade de fruits frais.
EARL Pascal Clair, 6, La Genebrière, 17520 Neuillac,
tél. 05.46.70.22.01, pascal.clair@free.fr r.-v.

DOM. DROUET ET FILS

4 000 | 11 à 15 €

Les arrière-grands-parents étaient domestiques sur le domaine, les grands-parents achetèrent l'exploitation, et le père installa l'alambic. Les Drouet, livreurs de vins, devinrent ainsi bouilleurs de cru ; Patrick s'établit en 1993 et développa la vente en direct. Il s'est aussi engagé récemment dans un projet-pilote de lutte raisonnée pour limiter l'emploi des désherbants, engrais et autres pesticides. Il signe ici un pineau mi-merlot mi-cabernet à la robe rouge tuilée, au bouquet bien dosé entre notes d'élevage et fruité (cerise en tête), de bonne tenue en bouche, avec ce qu'il faut de fraîcheur pour assurer l'équilibre.
Patrick Drouet, 1, rte du Maine-Neuf,
16130 Salles-d'Angles, tél. 05.45.83.63.13, fax 05.45.83.65.48,
contact@cognac-drouet.fr
t.l.j. sf. mer. a.-m. 9h-13h 14h-17h30;
sam. dim. sur r.-v.

DULUC ★★

n.c. | 8 à 11 €

Apéritif, fromages, desserts... tout sera occasion de savourer ce pineau remarquable, dont le moût est né du seul ugni blanc. Un bel éventail de fruits confits, de fruits secs et de senteurs florales compose un bouquet complexe et intense. La bouche n'est pas en reste : ample, suave et généreuse, elle laisse le dégustateur sur une impression d'opulence mesurée et s'étire longuement en finale sur des notes de fruits compotés et d'épices.
Pierre et Daniel Duluc, GAEC de l'If, Chez Guionnet,
16120 Touzac, tél. 05.45.97.03.30, fax 05.45.66.28.49,
dulucpierredaniel@orange.fr t.l.j. sf dim. 9h-19h

VIGNOBLE EGRETEAU ★

8 000 | 8 à 11 €

Coup de cœur dans l'édition 2010 pour son rosé, Ludovic Egreteau s'invite à nouveau dans ces colonnes avec les deux couleurs du pineau. Le rosé se présente dans une robe rouge intense, le nez ouvert sur les fruits rouges confits, avec une touche boisée en complément. Acidulée à l'attaque, la bouche se révèle ample, suave et longue. Le **blanc (7 000 b.)**, floral (acacia), fruité et miellé, riche sans lourdeur, obtient également une étoile.

🔑 EARL Egreteau, 29, rue de Saint-Bris, Chez Petit-Bois, 17770 Brizambourg, tél. 05.46.95.96.04, fax 05.46.95.06.73, earlegreteau@wanadoo.fr ☒ ⊻ ☨ r.-v.

PIERRE GAILLARD Très vieux ★★

■ 2 000 ⫼ 15 à 20 €

À partir de l'ugni blanc (80 %) et du sémillon, Pierre Gaillard signe un très vieux pineau, en tout point remarquable. La robe est d'un bel ambré scintillant. Le nez, d'une grande finesse, mêle le miel, les raisins secs et le rancio. Tapissé d'arômes de fruits frais, d'amande douce et de notes boisées fondues, le palais se révèle tendre et soyeux, soutenu en finale par une juste fraîcheur. Un pineau à la fois gourmand et délicat, à réserver pour un mets raffiné.

🔑 Pierre Gaillard, 3, Chez Trébuchet, 17240 Clion, tél. 05.46.70.47.35 ☒ ⊻ ☨ t.l.j. sf sam. dim. 14h-19h ⌂ Ⓐ

PIERRE GAILLARD ET FILS Vieux ★

■ 2 000 ⫼ 11 à 15 €

Dans la famille Gaillard depuis cinq générations, ce domaine étend son vignoble au cœur de la Saintonge romane, entre Pons et Jonzac. Ce vieux rosé n'accuse pas ses dix ans de vieillissement en fût et dévoile au nez un fruité (griotte, agrumes) plein de fraîcheur, avec un rancio subtil et léger à l'arrière-plan. La bouche, ample et riche, suit la même ligne et offre une belle et longue finale fruitée. Tout indiqué pour un clafoutis aux cerises.

🔑 Pascal Gaillard,
EARL Pierre Gaillard et Fils, 5, Chez Trébuchet, 17240 Clion, tél. 05.46.70.45.15, fax 05.46.70.39.30, pierre-gaillard-et-fils@wanadoo.fr
☒ ⊻ ☨ t.l.j. 14h-19h ⌂ Ⓐ

♥ HENRI GEFFARD Vieux ★★

■ 8 000 ⫼ 11 à 15 €

Adresse incontournable du Charentais, la maison Henri Geffard décroche ici son second coup de cœur après celui obtenu dans l'édition 2008, déjà pour son vieux

Le Poitou-Charentes

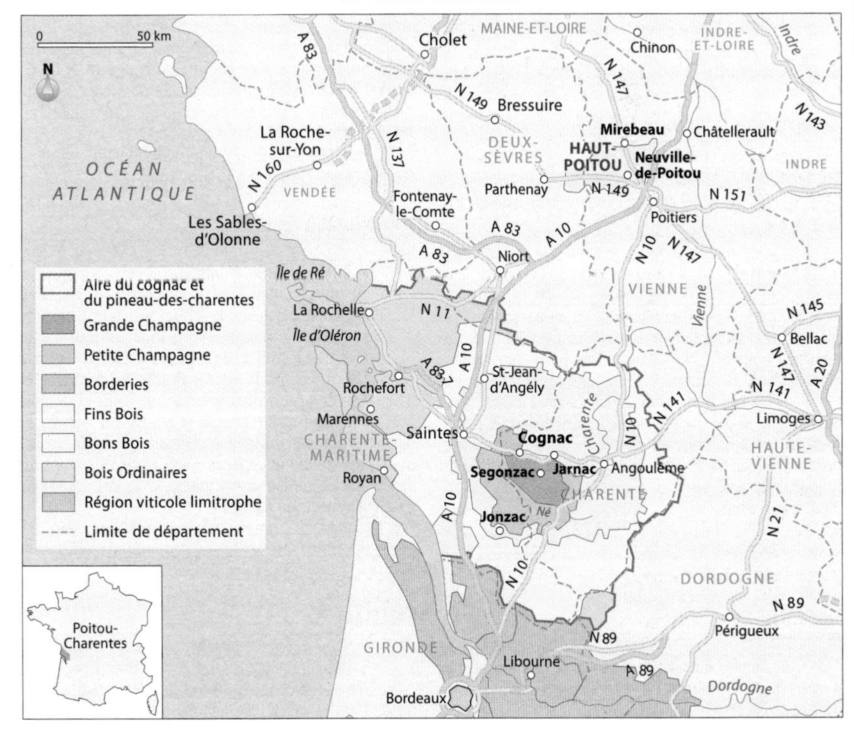

pineau blanc. Une superbe teinte vieil or ambré illumine le verre. Voluptueux, fin et complexe, le nez dévoile des senteurs mêlées de rancio, de fleurs blanches, d'orange et d'abricot confits. Ces arômes, agrémentés de notes d'agrumes et de pomme, s'épanouissent dans une bouche ample, riche et longue, vivifiée par une élégante fraîcheur. Ce superbe pineau de gastronomie trouvera sa place sur des mets au foie gras.

SARL Henri Geffard, La Chambre, 16130 Verrières, tél. 05.45.83.02.74, fax 05.45.83.01.82, cognac.geffard@aliceadsl.fr t.l.j. 8h30-12h 13h30-18h; dim. sur r.-v.

GUERINAUD ★★

3 700 — 8 à 11 €

L'histoire vigneronne de la famille a débuté en 1914 avec l'arrière-grand-père. Emmanuel Guerinaud s'installe en 1998 sur le domaine de Mazerolles, près de Pons, et développe la vente en direct. Cette année, son rosé a fait fondre les jurés, séduits d'emblée par la robe rubis intense et profond. Au nez, des senteurs puissantes d'agrumes et de fruits noirs mûrs, cassis en tête, invitent à poursuivre la dégustation. En bouche, le vin se montre gourmand à souhait, fruité, rond, soyeux, long et remarquablement équilibré. Belle alliance en perspective avec un crumble aux fruits rouges et noirs ou avec un dessert chocolaté.

Emmanuel Guerinaud, 3, l'Opitage, 17800 Mazerolles, tél. et fax 05.46.94.01.56, emmanuel.guerinaud@terre-net.fr r.-v.

ILRHÉA ★

217 400 — 5 à 8 €

Si l'île de Ré doit sa renommée à ses paysages – ses plages, ses villages typiques, ses marais salants et sa fabuleuse lumière –, elle s'illustre aussi par sa production viticole, en IGP comme en pineau-des-charentes et en cognac. Plantés sur une terre de groies et de sables, ceps de merlot et de cabernet franc ont contribué à cette cuvée tout en fruits (framboise, noyau de cerise, pruneau), nuancée au nez d'une pointe de réglisse, souple, ronde et fondue en bouche. Un pineau équilibré et fin, idéal sur un dessert aux fruits.

SCA UNIRE, rte de Sainte-Marie, BP 3, 17580 Le Bois-Plage, tél. 05.46.09.23.09, fax 05.46.09.09.26, unire@wanadoo.fr r.-v.

THIERRY JULLION

15 000 — 8 à 11 €

Cet habitué du Guide propose un joli pineau né d'ugni blanc et de montils (20 %). Le nez, discret mais fin, dévoile à l'aération des notes de fruits secs, d'ananas confit, de miel et de vanille. Des nuances de rancio et de noix s'y ajoutent dans une bouche ample et riche. À réserver à un dessert. Pourquoi pas à une île flottante ?

EARL Dom. de Montizeau, Montizeau, 17520 Saint-Maigrin, tél. 05.46.70.00.73, fax 05.46.70.02.60, jullion@wanadoo.fr t.l.j. sf sam. dim. 14h-19h

DOM. DE LANDON ★

n.c. — 8 à 11 €

Au domaine de Landon, les pineaux vieillissent exclusivement en petits fûts de chêne de 270 à 350 l. Pour préserver l'authenticité du vin, très peu de manipulations sont réalisées entre l'élaboration et la mise en bouteilles. Et le résultat est ici très convaincant avec ce blanc dont la richesse du bouquet a été soulignée par les dégustateurs : fleurs blanches, abricot sec, pêche, épices. La bouche affiche une belle puissance, de la concentration, de jolis arômes de fruits confits et un juste équilibre entre le sucre, l'alcool et l'acidité. Tout indiqué pour une tarte aux fruits.

Stéphane Aupit, Cheville, rue des Vignauds, 16120 Bassac, tél. 06.19.12.78.01, fax 05.45.32.05.93, cognacaupit@orange.fr r.-v.

J.-P. MÉNARD ET FILS Très vieux ★★

5 000 — 15 à 20 €

Coup de cœur l'an dernier pour son rosé, ce domaine très régulier en qualité s'illustre ici par son blanc très vieux. Fort séduisant dans sa robe ambrée et lumineuse, ce pur ugni blanc offre un nez complexe et élégant de fruits confits, de miel, d'amande et de rancio. Concentration et complexité se retrouvent au palais, où l'on découvre un vin ample, rond et généreux, rehaussé par une longue finale acidulée. Une bouteille qui trouvera facilement sa place à table, avec un foie gras mi-cuit. Le **rouge (8 à 11 €; 20 000 b.)**, assemblage à dominante de merlot, est cité pour son fruité concentré (framboise, cerise confite).

J.-P. Ménard et Fils, 2, rue de la Cure, 16720 Saint-Même-les-Carrières, tél. 05.45.81.90.26, fax 05.45.81.98.22 t.l.j. 9h-12h 14h-17h

J. PAINTURAUD Vieux ★★

10 000 — 15 à 20 €

En 2011, Jacques Painturaud a pris sa retraite à l'issue de presque trente ans de vinification au domaine familial. Emmanuel assure la relève, avec talent, et signe ici un remarquable pineau dont le moût est issu d'ugni blanc (60 %), de montils et de colombard. Drapé dans une robe vieil or, ce vin de liqueur dévoile un nez riche et gourmand de figue sèche, de cacao, de coing et de miel fondus dans un rancio intense et élégant. La bouche se distingue par son volume, sa puissance et sa générosité, mais sans jamais se départir d'une réelle élégance. Un vieux pineau raffiné et harmonieux, à savourer pour lui-même ou sur du foie gras.

J. Painturaud, 3, rue Pierre-Gourry, 16130 Segonzac, tél. 05.45.83.40.24, contact@cognac-painturaud.com t.l.j. 9h-12h30 14h-19h

PELLETANT ★

2 000 — 8 à 11 €

Ce domaine situé au cœur des Fins Bois, entre Angoulême et Cognac, propose un pineau issu d'ugni blanc (90 %) et de colombard, qui a séduit par sa complexité et sa finesse. Le nez, expressif, évoque les fruits confits, le miel et la noix. La bouche se montre ronde et onctueuse, fruitée et discrètement teintée de bois. Un ensemble harmonieux, à découvrir sur du foie gras ou du roquefort.

Pelletant, La Chevalerie, rte de la Vigerie,
16170 Saint-Amand-de-Nouère, tél. 05.45.96.88.53,
fax 05.45.96.45.16, contact@cognac-pineau-pelletant.com
t.l.j. sf dim. a.-m. 8h30-12h30 14h-19h;
sam. a.-m. dim. m. sur r.-v.

DOM. LE PETIT COUSINAUD

2 000 | 8 à 11 €

Denis Maurice, installé depuis 1977, a pris sa retraite en 2011 et confié son domaine en fermage à Geoffrey Valentin, étranger au milieu viticole mais formé pendant un an par le futur retraité. Le néo-vigneron fait une entrée réussie dans le monde complexe du pineau-des-charentes avec ce blanc dont le moût assemble ugni blanc (50 %), colombard (40 %) et merlot blanc. Le nez mêle avantageusement des notes florales, fruitées et miellées. La bouche se montre ronde, équilibrée et suffisamment longue, encore un rien boisée en finale. Un bon représentant de l'appellation.

Geoffrey Valentin, Le Petit-Cousinaud,
16480 Guizengeard, tél. 05.45.78.16.49,
geoffrey.valentin@orange.fr t.l.j. 9h-12h 14h-18h;
sam. dim. sur r.-v.

THIERRY POUILLOUX ★

8 000 | 8 à 11 €

L'exploitation de Thierry Pouilloux est située à 10 km de la cité médiévale de Pons, halte sur le chemin de Compostelle réputée pour son donjon, ses remparts et l'hôpital des Pèlerins. Elle s'étend sur 35 ha, dont 1 ha d'ugni blanc est consacré à ce pineau jaune pâle, au nez intense de poire et de pamplemousse, auquel fait écho un palais à la fois rond et frais, tapissé d'arômes de fruits exotiques et confits, qui s'achève sur une finale ample et longue. Un ensemble équilibré, que l'on verrait bien sur du foie gras.

Thierry Pouilloux, 6, imp. du Sud, Peugrignoux,
17800 Pérignac, tél. 05.46.96.46.89,
pouilloux.thierry@wanadoo.fr r.-v.

CHAI DU ROUISSOIR

3 000 | 8 à 11 €

Avec l'arrivée en 2000 de Hugues, le fils de Didier Chapon, ce domaine familial est passé à la vente directe de pineau et de vin de pays charentais. De plus, l'œnotourisme a été mis à l'ordre du jour, la propriété proposant d'originales promenades de nuit, pendant lesquelles le « vigneron noctambule » conte les secrets du pineau et de la distillation. L'occasion de découvrir aussi cet aimable pineau, floral, fruité (abricot sec) et miellé, bien équilibré et de bonne longueur.

EARL Chapon, chai du Rouissoir, 1, Roussillon,
17500 Ozillac, tél. 05.46.48.14.76,
chaidurouissoir@hotmail.com
t.l.j. sf dim. 14h-19h

LA PROVENCE ET LA CORSE

CÔTES-DE-PROVENCE BANDOL
COTEAUX-VAROIS BELLET
BAUX-DE-PROVENCE CASSIS
COTEAUX-D'AIX PALETTE
VINS-DE-CORSE PATRIMONIO
MUSCAT-DU-CAP-CORSE AJACCIO
NIELLUCCIU SCIACCARELLU

LA PROVENCE

La Provence, pour tout un chacun, c'est un pays de vacances, où « il fait toujours soleil » et où les gens, à l'accent chantant, prennent le temps de vivre... Pour les vignerons aussi, c'est un pays de soleil, qui brille trois mille heures par an. Les pluies y sont rares mais violentes, les vents fougueux et le relief tourmenté. Les Phocéens, débarqués à Marseille vers 600 av. J.-C., ne se sont pas étonnés d'y voir de la vigne, comme chez eux, et ont participé à sa diffusion. Grâce au tourisme, la viticulture a retrouvé des couleurs, et sa couleur préférée est le rosé. La région fournit aussi des rouges concentrés ou fruités, et de rares blancs.

Superficie
29 000 ha
Production
1 300 000 hl
Types de vins
Rosés majoritaires, rouges de garde et blancs.
Cépages principaux
Rouges : grenache, cinsault, syrah, carignan, tibouren, mourvèdre, cabernet-sauvignon.
Blancs : ugni blanc, vermentino (rolle), bourboulenc, clairette, sémillon, sauvignon.

Des voies romaines aux routes des vacances
Après les Phocéens, les Romains puis les moines et les nobles, et jusqu'au roi-vigneron René d'Anjou, comte de Provence au XVe s., se sont fait les propagateurs de la vigne. Éléonore de Provence, épouse d'Henri III, roi d'Angleterre, sut donner aux vins de Provence un grand renom, tout comme Aliénor d'Aquitaine l'avait fait pour les vins d'Aquitaine. Ils furent par la suite un peu oubliés du commerce international, faute de se trouver sur les grands axes de circulation. Ces dernières décennies, le développement du tourisme les a remis à l'honneur, et spécialement les vins rosés, vins joyeux s'il en est, symboles de vacances estivales et dignes accompagnements des plats provençaux.

Un vignoble morcelé et des cépages variés La structure du vignoble est souvent morcelée, la géopédologie étant très diversifiée par le relief offrant des zones contrastées tant en matière des sols que des microclimats. Comme dans les autres vignobles méridionaux, les cépages sont très variés : l'appellation côtes-de-provence en admet treize. Encore que les muscats, qui firent la gloire de bien des terroirs provençaux avant la crise phylloxérique, aient pratiquement disparu.

Le rosé en tête Depuis plusieurs années, le rosé s'est imposé auprès des consommateurs. La Provence possède ainsi le premier vignoble au monde de vins rosés et s'impose comme la première région en France des vins de cette couleur avec environ 40 % de la production nationale.

Ces vins, de même que les vins blancs (ceux-ci plus rares mais souvent surprenants), sont généralement bus jeunes. Il en est de même pour beaucoup de vins rouges, lorsqu'ils sont légers. Mais les plus corsés, dans toutes les appellations, vieillissent fort bien.

« Ave l'assent » Et puisqu'on parle encore provençal dans quelques domaines, sachez qu'un « avis » est un sarment, qu'une « tine » est une cuve et qu'une « crotte » est une cave ! Peut-être vous dira-t-on aussi qu'un des cépages porte le nom de « pecoui-touar » (queue tordue) ou encore « ginou d'agasso » (genou de pie), à cause de la forme particulière du pédoncule de sa grappe...

Bandol

Superficie : 1 690 ha
Production : 56 466 hl (95 % rouge et rosé)

Noble vin produit sur les terrasses brûlées de soleil des villages de Bandol, Le Beausset, La Cadière-d'Azur, Le Castellet, Évenos, Ollioules, Saint-Cyr-sur-Mer et Sanary, à l'ouest de Toulon, le bandol est blanc, rosé ou rouge. Ce dernier est corsé et tannique grâce au mourvèdre, cépage qui le compose pour plus de la moitié. Généreux, il s'accorde avec les venaisons et les viandes rouges. Sa palette aromatique et subtile est faite de poivre, de cannelle, de vanille et de cerise noire. Le bandol rouge supporte fort bien une longue garde.

DOM. DES BAGUIERS 2011

	48 000		11 à 15 €

Un domaine de 35 ha, conduit en famille par Franck et Claudine Jourdan, épaulés par leur père Jean-Louis. Leur rosé 2011, assemblage de mourvèdre, de cinsault et de grenache, se présente dans une robe saumonée très pâle. C'est un bandol tout en pondération : des accents fruités (agrumes et fruits exotiques) au nez, agrémentés de quelques notes florales sous-jacentes ; une bouche bien proportionnée, à la fois ronde et égayée par une jolie fraîcheur fruitée. À déguster sur un poisson sauce au citron.

GAEC Jourdan,
227, rue des Micocouliers, Le Plan-du-Castellet,
83330 Le Castellet, tél. et fax 04.94.90.41.87,
jourdan@domainedesbaguiers.com
t.l.j. sf dim. 10h-12h 15h-18h30

CH. BARTHÈS 2011 **

	10 933		8 à 11 €

Créé par Monique Barthès en 1970, ce domaine résulte du regroupement de plusieurs petits vignobles. La route étroite qui y mène, fort pittoresque, conduit à la chapelle romane du Beausset-Vieux et fait face à la montagne dite du « Gros Cerveau ». Le décor est planté et la dégustation s'annonce sous d'excellents auspices. Derrière une robe d'un jaune très pâle, se découvre un nez des plus agréables, sur les fruits exotiques, accompagnés de délicates notes florales (acacia). Parfaitement équilibrée, la bouche offre également une belle intensité aromatique, de la fraîcheur et beaucoup d'élégance, l'ultime gorgée évoquant le pamplemousse et la pêche. À marier avec un turbot grillé et son tian de légumes.

Monique Barthès, Ch. Barthès, 83330 Le Beausset,
tél. 04.94.98.60.06, fax 04.94.98.65.31,
barthesph2@wanadoo.fr r.-v.

LA BASTIDE BLANCHE 2011 **

	10 000		11 à 15 €

Coup de cœur l'an dernier pour son rouge Estagnol 2009, le domaine de Baptistin Bronzo se distingue cette année encore, mais avec son blanc. Drapé dans une élégante robe nuancée de jaune doré, ce bandol issu de clairette (50 %), d'ugni blanc et de bourboulenc livre un bouquet surprenant de prime abord avec ses parfums d'eucalyptus, avant que ne déferlent sans retenue des notes exotiques, épicées et miellées. La bouche se révèle ample, onctueuse et soyeuse, longuement tapissée d'arômes d'ananas et de poire. Un vin gourmand par son fruité intense. Une étoile est par ailleurs attribuée à la **cuvée Estagnol 2010 rouge (20 à 30 €; 4 500 b.)** pour sa complexité (fruits à l'eau-de-vie, tabac, whisky) et ses tanins élégants. Même note pour la cuvée principale **2010 rouge (15 à 20 €; 68 000 b.)**, au nez de fruits frais et d'épices relayés par des notes surmûries dans une bouche d'une belle puissance.

SCEA Bronzo, 367, rte des Oratoires,
83330 Sainte-Anne-du-Castellet, tél. 04.94.32.63.20,
fax 04.94.32.74.34, contact@bastide-blanche.fr r.-v.

BASTIDE DE LA CISELETTE 2010 *

	3 300		20 à 30 €

Robert De Salvo a réalisé un rêve d'enfant en s'installant en 2010 sur les terres de ses ancêtres, au Brûlat-du-Castellet. Toute première production donc que ce millésime dégusté à peine sorti des foudres. Naturellement, il affiche son caractère boisé, tant au nez qu'en bouche. Pour autant, il en ressort une belle matière, portée par des notes douces de cassis, de chocolat et de tabac, qui s'éternise en finale sur des nuances épicées. Les dégustateurs proposent de l'attendre entre trois et cinq ans. Léger, rond et fruité, le **2011 rosé (11 à 15 €; 16 500 b.)** est cité.

NOUVEAU PRODUCTEUR

Robert De Salvo, 54, chem. de l'Olivette,
83330 Le Brûlat-du-Castellet, tél. 04.94.07.98.84,
fax 09.71.70.58.99, rds.bastideciselette@orange.fr
t.l.j. sf dim. 9h-12h30 14h-19h

CH. DES BAUMELLES 2011 **

	12 000		11 à 15 €

Sur ce domaine au sol argilo-marneux, repris en fermage depuis quelques années par la famille Bronzo, le rosé trouve un terroir de haute expression. Et celui-ci est savoureux. Au nez, le citron mûr se marie à une pointe de curry. Dans le prolongement, la bouche affiche un bel équilibre entre rondeur et fraîcheur aromatique, tandis que la finale, charnue, renforce son caractère généreux et friand. Accord gourmand en perspective avec un « festival de brochettes » (viande, poisson et crustacés). Plus « sauvageon », le **rouge 2010 (15 à 20 €; 6 000 b.)**, une étoile, se montre puissant, tannique et complexe (figue, olive noire, tabac). À découvrir dans cinq ou six ans, sur une pièce de gibier. Du même propriétaire, le **Ch. de Castillon 2011 rosé (16 000 b.)**, une étoile aussi, plaît par son nez floral et fruité (agrumes) et par son équilibre entre rondeur et tonicité.

SCEA Bronzo, 367, rte des Oratoires,
83330 Sainte-Anne-du-Castellet, tél. 04.94.32.63.20,
fax 04.94.32.74.34, contact@bastide-blanche.fr r.-v.

DOM. DE LA BÉGUDE 2007 ***

	12 000		20 à 30 €

Le domaine vinicole date du XIVe s. La famille Tari, conquise par le caractère exceptionnel du site, établi à plus de 400 m d'altitude sur le point culminant de l'appellation, reprend le flambeau en 1996. L'année 2007 a été bénéfique pour ce bandol rouge, qui a connu le fût pendant vingt mois. L'œil se régale de la robe pourpre foncé, aux francs reflets violines de jeunesse, étonnants pour un millésime de cinq ans. Le nez réserve lui aussi des surprises, révélant tour à tour des notes de fruits noirs, de fruits des bois, de cerise à l'eau-de-vie, puis des nuances poivrées, réglissées et mentholées. L'attaque ample et fraîche prélude à une bouche dense, aux tanins soyeux. Tout est à sa place dans ce vin, encore jeune, que l'on verrait bien sur un carré d'agneau en croûte d'herbes.

Dom. de la Bégude, rte des Garrigues,
83330 Le Camp-du-Castellet, tél. 04.42.08.92.34,
fax 04.42.08.27.02, contact@domainedelabegude.fr
t.l.j. 9h-15h; sam. dim. sur r.-v. 5

LES VIGNERONS DE LA CADIÉRENNE 2010 *

	60 000		5 à 8 €

Au pied de La Cadière-d'Azur, village perché typique de la région, cette coopérative regroupe quelque trois cents vignerons et 700 ha de vignes, toutes appellations confondues. C'est au sein du chai d'une cinquantaine de foudres (de 35 à 140 hl) que sont élevés les vins rouges, dont ce 2010. Une jolie palette aromatique signe le nez : notes mentholées et vanillées, cassis, tabac. La bouche offre une harmonie certaine : tanins fins et élégants, étoffe souple, rétro-nasale expressive et finale intense, épicée et fruitée. Un vin ouvert et équilibré, à essayer sur des fromages affinés.

SCV La Cadiérenne, quartier Le Vallon, 83740 La Cadière-d'Azur, tél. 04.94.90.11.06, fax 04.94.90.18.73, cadierenne@wanadoo.fr r.-v.

DOM. DU CAGUELOUP 2011 ★★

	14 400		11 à 15 €

Richard Prébost cultive sa passion du vin depuis plus de trente ans, qu'il hérite d'une longue lignée de vignerons (vingt-et-une générations). Cagueloup ? C'est l'histoire d'un petit Prébost qui un jour avala un louis d'or. Son père, pris de panique, lui lança : « Cague l'ou »... L'or coule aujourd'hui dans les vins, d'une constance remarquable, et dans les trois couleurs bandolaises. À l'honneur cette année, ce rosé 2011, à l'élégante parure rose saumonée, au nez friand d'agrumes, de mangue et de fleurs blanches, à la bouche douce, ample, équilibrée, longuement étirée sur des senteurs de fruits exotiques. « On a envie d'en reprendre », conclut un juré sous le charme. Hommage au père, la cuvée **Les terrasses de Gaston 2009 rouge (20 à 30 € ; 7 000 b.)**, deux étoiles, n'est élaborée que les très bonnes années : un vin remarquable d'expression (mûres, notes poivrées, fruits rouges compotés, notes balsamiques...), à la fois puissant, riche, rond et tannique. Suggestion originale d'un dégustateur : une daube de langouste avec un carré de chocolat ; les moins aventuriers opteront pour une association classique avec une viande en sauce.

SCEA Dom. de Cagueloup, 267, chem. de la Verdelaise, 83270 Saint-Cyr-sur-Mer, tél. 04.94.26.15.70, fax 04.94.26.54.09, domainedecagueloup@gmail.com
t.l.j. 9h-21h (été); 10h-19h30 (hiver); f. jan.
Richard Prébost

DOM. CASTELL-REYNOARD 2010 ★

	5 000		15 à 20 €

Un des plus petits domaines de l'appellation (11 ha), conduit en biodynamie depuis 2009 par le jeune Julien Castell. Ce rouge « de terroir », élaboré sans levurage, apparaît séduisant sous sa robe pourpre sombre. Au nez, les fruits noirs se marient aux notes boisées et épicées. La bouche, de bonne longueur, offre un bel équilibre entre des tanins bien intégrés et une finale à la fraîcheur bienvenue, florale et un rien poivrée. À boire dès à présent sur une viande rouge ou à revoir dans trois ans sur une daube de sanglier. S'il en reste encore, le confidentiel **2011 blanc (11 à 15 € ; 800 b.)**, une étoile, est à découvrir pour sa rondeur et son agréable caractère fruité (abricot, pêche, pamplemousse).

Dom. Castell-Reynoard, 1000A, chem. de Thouron, 83740 La Cadière-d'Azur, tél. et fax 04.94.90.10.16, contact@castell-reynoard.com
t.l.j. sf dim. 9h-12h 14h-19h

DUPÉRÉ BARRERA Cuvée India 2011 ★

	6 000		11 à 15 €

Mourvèdre, cinsault et grenache composent cette cuvée très pâle, aux nuances saumonées. Une large palette s'affiche au nez : abricot, fraise, poire, gingembre. Le palais se révèle ample et gras, égayé par une belle présence fruitée et épicée. Un vin généreux, à savourer avec une bouillabaisse.

Dupéré Barrera, 254, rue Robert-Schumann, 83130 La Garde, tél. 04.94.23.36.08, fax 04.92.94.77.63, vinsduperebarrera@hotmail.com r.-v.

DOM. DUPUY DE LÔME 2011 ★

	n.c.		11 à 15 €

Acquis en 1903 par la fille de Stanislas Dupuy de Lôme, ce domaine est situé au cœur des Grès de Sainte-Anne-d'Évenos, classé site naturel. Il a été restructuré en 1998 par deux descendants de l'inventeur du cuirassé à vapeur, Benoit Cossé et Geoffroy Perouse, et le chai est sorti de terre en 2006. Les vignes sont implantées sur un sol silico-calcaire exposé plein nord. Une exposition a priori peu propice, mais dont le Bourguignon Gérald Damidot, vinificateur du domaine, a semble-t-il fait un atout. Témoin, ce rosé de belle expression, aux notes exotiques (mangue, fruit de la Passion), le pamplemousse en complément, ample, généreux, long et tout aussi fruité en bouche, une pointe de vivacité venant dynamiser la finale. Un vin équilibré, à apprécier sur un plateau de fruits de mer.

Bandol

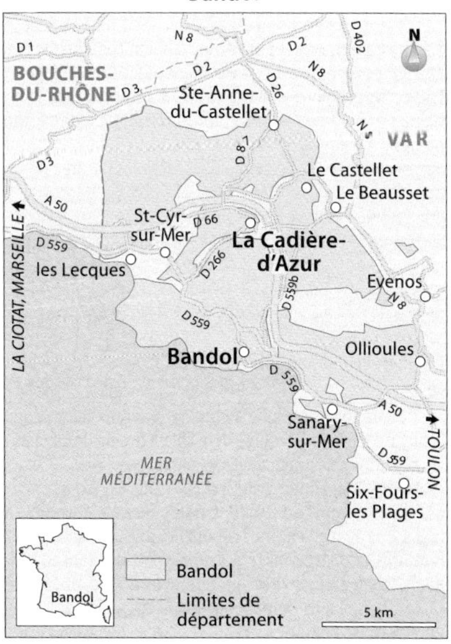

🔑 Dom. Dupuy de Lôme, 624, rte de Toulon, 83330 Sainte-Anne-d'Évenos, tél. 04.94.05.22.99, domainedupuydelome@orange.fr
✉ 🍷 🚶 t.l.j. 10h-12h 14h-17h
🔑 SAS Les Grès

CH. DE FONT-VIVE 2011 ★

	39 000		8 à 11 €

Philippe Barthès propose un rosé de caractère d'une belle complexité : fleur d'oranger, aubépine, pêche, abricot. Rondeur et ampleur caractérisent la bouche, généreuse en fruits mûrs et en fruits secs (amande, noisette). Finement épicée par le gingembre, la finale invite à un voyage exotique, avec un tajine d'agneau par exemple.
🔑 Philippe Barthès, Ch. de Font-Vive, 83330 Le Beausset, tél. 04.94.98.60.06, fax 04.94.98.65.31, barthesph2@wanadoo.fr ✉ 🍷 🚶 r.-v.

DOM. DE FRÉGATE 2009

	6 000		11 à 15 €

« Entre mer et pierres » ; ainsi s'affiche le domaine. Son nom vient du vieux provençal « fragato », signifiant « casser », en référence au travail d'épierrage nécessaire pour planter la vigne. Quant à la grande bleue, elle est ici omniprésente et borde magnifiquement cette propriété familiale. Drapé dans une robe franche aux reflets grenat, ce bandol dévoile un nez riche de safran, de fruits et de cuir. En bouche, la présence tannique s'équilibre avec une agréable fraîcheur. Un joli vin pour accompagner un tajine d'agneau. Le **rosé 2011 (13 400 b.)** est également cité pour son nez franc d'agrumes un rien épicés et pour son palais rond et fin.
🔑 Dom. de Frégate, rte de Bandol, 83270 Saint-Cyr-sur-Mer, tél. 04.94.32.57.57, fax 04.94.32.24.22, domainedefregate@wanadoo.fr
✉ 🍷 🚶 t.l.j. 8h30-12h30 13h30-18h

DOM. LE GALANTIN 2011

	83 200		11 à 15 €

Ce domaine familial, créé en 1965 par Achille et Liliane Pascal, maintenant dirigé par leurs enfants Jérôme et Céline, propose un rosé expressif, dont l'élégance fruitée se découvre sur des notes d'agrumes rehaussées d'épices. La bouche offre un surcroît de complexité, ajoutant quelques nuances de bonbon anglais, et séduit par sa rondeur et sa générosité équilibrées par une pointe de vivacité.
🔑 Jérôme Pascal et Céline Devictor, 690, chem. du Galantin, 83330 Le Plan-du-Castellet, tél. 04.94.98.75.94, fax 04.94.90.29.55, domaine-le-galantin@wanadoo.fr
✉ 🍷 🚶 t.l.j. sf dim. lun. 9h-12h 14h-17h30 🏠 E

CH. JEAN-PIERRE GAUSSEN 2009 ★

	14 000		20 à 30 €

Jean-Pierre et Julia Gaussen œuvrent depuis quarante ans sur leur domaine, leur fille Mireille désormais à leurs côtés. Ce rouge issu de mourvèdre (95 %) et de grenache, très sombre aux reflets violacés, s'ouvre avec une belle complexité sur des notes de café torréfié, de réglisse et de fruits noirs. La bouche, fine et fraîche, laisse toutefois une large place à l'expression des tanins, et la finale, chaleureuse, offre un agréable trait d'amertume. Deux ou trois ans de patience avant de servir ce vin sur une pièce de bœuf.
🔑 Ch. Jean-Pierre Gaussen, 1585, chem. de l'Argile, BP 23, 83740 La Cadière-d'Azur, tél. 04.94.98.75.54, fax 04.94.98.65.34, jp.gaussen@free.fr ✉ 🍷 🚶 r.-v.

DOM. DU GROS'NORÉ Cuvée Antoinette 2008 ★★

	2 000		30 à 50 €

Les lecteurs connaissent bien ce domaine, qui porte le nom du père, célèbre pour son... embonpoint. Cette cuvée Antoinette honore la mère d'Alain Pascal, vigneron bien connu de l'appellation pour la qualité et la typicité de ses vins. Elle assemble le mourvèdre (75 %) aux cinsault, grenache et carignan. Le nez mêle les senteurs de garrigue, de sous-bois, de fruits à l'eau-de-vie et d'épices douces. À ce bouquet complexe fait écho une bouche longue, ample, dense et riche, adossée à des tanins aimables et fondus. Déjà appréciable, ce bandol pourra aussi rester quelques années en cave. Recommandé sur un plat aux truffes noires. La cuvée principale **2009 rouge (20 à 30 €; 38 000 b.)** obtient une étoile pour sa concentration, son volume, sa rondeur et son boisé bien intégré. Trois à cinq ans de garde la porteront à son apogée.
🔑 Alain Pascal, 675, chem. de l'Argile, 83740 La Cadière-d'Azur, tél. 04.94.90.08.50, fax 04.94.98.20.65, alainpascal@gros-nore.com ✉ 🍷 🚶 r.-v.

♥ LES VIGNOBLES GUEISSARD 2010 ★★

	1 000		11 à 15 €

Une entrée fracassante dans le Guide pour ce nouveau venu qui décroche un coup de cœur dès son premier millésime ! L'œil se perd dans la profondeur de la robe, tandis que le nez ne se livre pas immédiatement. Après quelques instants, le fruit rouge apparaît, accompagné de senteurs de muscade. La bouche dévoile quant à elle des arômes de tabac, d'épices, de vanille et de chocolat, soutenue par des tanins élégants et bien ciselés et par une fine acidité. D'un équilibre remarquable, ce bandol pourra s'apprécier dès à présent, après carafage, sur une côte de bœuf. Pour d'autres sensations gustatives, on pourra l'oublier sans crainte quatre ou cinq ans sur les clayettes.
NOUVEAU PRODUCTEUR

🔑 SAS Dom. Gueissard, rte de la Gare, allée des Figuiers, 83110 Sanary-sur-Mer, tél. 09.81.49.76.00, contact@lesvignoblesgueissard.com
✉ 🍷 🚶 t.l.j. sf dim. 9h30-12h30 15h-19h30; oct.-avr. sur r.-v.
🔑 Minne

HECHT & BANNIER 2009

	n.c.		20 à 30 €

Cette maison de négoce et d'élevage dédiée aux vins du Sud propose ici un bandol à la robe profonde et concentrée ; une concentration confirmée au nez comme en bouche. L'aération est nécessaire pour révéler des nuances de fruits à l'alcool mâtinés d'épices. Le palais, où s'épanouissent les épices, les fruits mûrs et une touche animale, est bâti sur une belle charge tannique. Un vin à la puissance certaine mais maîtrisée, que l'on dégustera sur un agneau de sept heures dans quatre ou cinq ans, ou plus encore.

Hecht & Bannier, 3, rue Seguin, 34140 Bouzigues, tél. 04.67.74.66.38, fax 04.67.74.66.45, contact@hbselection.com r.-v.

DOM. DE L'HERMITAGE 2011 ★★

	100 000		11 à 15 €

La destruction de l'ancien château fort de l'Hermitage du Beausset-Vieux, haut-lieu de pèlerinage édifié en 1164, ne laissa en place que la chapelle et le vignoble à ses pieds. De celui-ci est issu ce brillant rosé aux irisations saumonées, qui livre des parfums délicats d'agrumes et d'épices, et convainc définitivement par son équilibre entre vivacité de l'attaque et matière charnue du milieu de bouche. Un vin subtil et long, à apprécier sur un plat méditerranéen, une pissaladière par exemple. Une étoile pour le **2009 rouge (15 à 20 € ; 35 000 b.)**, assemblage de mourvèdre, de grenache et d'une pointe de syrah, qui s'ouvre après aération sur les fruits noirs, la cannelle, le cuir et le tabac blond. Le palais plaît par ses tanins fermes et fins, son volume et ses arômes épicés et réglissés. À boire dans deux ou trois ans. Une étoile également pour le **2011 blanc (15 à 20 € ; 5 000 b.)**, floral et exotique, ample et élégant.

SAS Gérard Duffort, Dom. de l'Hermitage, 1687, chem. du Rouve, 83330 Le Beausset, tél. 04.94.98.71.31, fax 04.94.90.44.87, contact@domainesduffort.com r.-v.

DOM. LAFRAN-VEYROLLES Tradition 2010

	15 000		15 à 20 €

Ce domaine, régulièrement sélectionné dans le Guide et détenteur de plusieurs coups de cœur, signe une cuvée Tradition de bonne facture, au nez concentré, sur les petits fruits noirs et rouges confiturés mêlés à de plaisantes notes d'écorces d'orange et d'épices. En bouche, le boisé de l'élevage est présent sans excès, porté par une structure sans défaut. Un bandol agréable et prêt à boire sur une côte de bœuf grillée.

SCEA Férec-Jouve, Dom. Lafran-Veyrolles, 2115, rte de l'Argile, 83740 La Cadière-d'Azur, tél. 04.94.90.13.37, fax 04.94.90.11.18, contact@lafran-veyrolles.com t.l.j. sf dim. 8h-12h30 13h30-17h30 (hiver); 8h-12h 14h-18h

DOM. DE LA LAIDIÈRE 2011 ★★

	13 000		11 à 15 €

Ce domaine familial, aujourd'hui conduit par Freddy Estienne et sa fille Anne, a vu le jour en 1941, l'année de la création de l'appellation bandol. Ce blanc 2011, né de clairette et d'ugni blanc, porte beau dans sa robe aux reflets mordorés. Le nez, éloquent, dévoile des senteurs fruitées (pêche, poire, agrumes) et florales (fleurs en grappe). La bouche est dense, riche, persistante sur les fruits blancs, équilibrée par une juste fraîcheur. À mettre en valeur sur une marinade de filets de sardines. Le **2009 rouge (15 à 20 € ; 25 000 b.)**, fruité, ample, dense et frais, porté par de fins tanins, obtient une étoile, de même que le **2011 rosé (45 000 b.)**, dominé par des parfums d'épices et d'agrumes, et d'une belle rondeur en bouche.

Dom. de la Laidière, 426, chem. de Font-Vive, Sainte-Anne-d'Évenos, 83330 Évenos, tél. 04.98.03.65.75, fax 04.94.90.38.05, info@laidiere.com t.l.j. sf dim. 9h-12h 14h-18h; sam. 10h30-12h

Famille Estienne

DOM. DE LA NARTETTE 2011 ★

	40 000		11 à 15 €

Installée depuis 1950 dans un moulin du XVIe s., une partie de la structure de la coopérative du Castellet a été transférée dans 3 200 m² semi-enterrés répondant aux normes éco-environnementales, et le site de la Cadière-d'Azur abritera désormais les vinifications. Cette cuvée se distingue par la subtilité de ses parfums de fruits rouges légers, d'agrumes et d'épices, et par sa bouche ample, longue et bien équilibrée. Le **2007 rouge (5 000 b.)** obtient une étoile pour son expression riche de pruneaux et de cuir agrémentés d'accents balsamiques et épicés, et pour sa bouche fondante. Même note pour le **Moulin de la Roque cuvée Les Baumes 2007 rouge (8 à 11 €)**, qui plaît par son bouquet fruité (cerise, fraise cuite, fruits noirs) nuancé d'épices douces et par son palais plein et puissant. Enfin, très réussi lui aussi, le **Moulin de la Roque 2011 rosé cuvée Les Adrets (5 à 8 € ; 250 000 b.)** livre un joli nez de pêche, d'abricot et de fraise écrasée, qui se prolonge dans une bouche ample, fraîche et persistante.

Moulin de la Roque, 1, rte des Sources, 83330 Le Castellet, tél. 04.94.90.10.39, fax 04.94.90.08.11, cave@laroque-bandol.fr r.-v.

CH. DE LA NOBLESSE 2011 ★

	6 000		11 à 15 €

Une exploitation familiale, de père en fille, tournée vers la culture raisonnée. Bien dans l'air du temps, le blanc et le rosé du domaine plaisent par leur caractère fruité. La fraîcheur des agrumes vient ainsi équilibrer le palais rond et gras de ce rosé élégant, à déguster sur un tajine de poulet. Quant au **2011 blanc (2 500 b.)**, ample et rond, il affiche une savoureuse générosité autour des fruits à chair blanche et du jasmin. Parfait pour l'apéritif ou des saint-jacques à la plancha. Une étoile également.

EARL du Ch. de la Noblesse, 1685, chem. de l'Argile, 83740 La Cadière-d'Azur, tél. 04.94.98.72.07, fax 04.94.98.40.41, chateau.noblesse@gmail.com t.l.j. sf dim. 10h-12h 14h-18h; f. hiver

Famille Gaussen

DOM. DE L'OLIVETTE 2011 ★

	150 000		11 à 15 €

Depuis deux siècles, la famille Dumoutier, très impliquée dans la création de l'appellation, anime ce domaine de 55 ha. Elle propose un vin remarqué pour sa robe franche, son nez séducteur d'épices (poivre blanc), de miel et de coing, vivifié par des nuances minérales, et pour son palais rond, ample et tapissé en finale d'agréables notes d'abricots mûrs. Un rosé de caractère, qui pourra affronter une « cuisine d'automne », une daube de bœuf aux olives par exemple. Fruits noirs mûrs et fruits à noyau pour le nez ; bouche puissante et riche offrant un beau potentiel de garde : le **2009 rouge (15 à 20 € ; 40 000 b.)** est jugé réussi.

Dumoutier, Dom. de l'Olivette, 519, chem. de l'Olivette, 83330 Le Castellet, tél. 04.94.98.58.85, fax 04.94.32.68.43, contact@domaine-olivette.com t.l.j. sf dim. 8h30-12h 14h-18h

PROVENCE

CH. PEY-NEUF 2011 ★

■ 76 000 ▮ 11 à 15 €

La culture vigneronne coule dans les veines de Guy Arnaud depuis plus de trente ans. À ses débuts, en 1982, ne disposant que de peu de foudres nécessaires à l'élevage des rouges de l'appellation, il décide d'élaborer des rosés « clairs et fruités ». Une technique qu'il maîtrise parfaitement, témoin ce 2011 délicat, à peine rosi, orné de beaux reflets argents. Le fruit est là, frais et intense. Pamplemousse et zeste de citron accompagnent savoureusement la bouche, équilibrée et très longue. À déguster dès l'apéritif et pour tout le repas. Un bouquet discrètement miellé agrémenté d'un soupçon d'exotisme et une belle matière soutenue par une franche vivacité caractérisent le **blanc 2011 (4 200 b.)**, qui obtient également une étoile.

Guy Arnaud, Ch. Pey-Neuf, 1947, rte de la Cadière, 83270 Saint-Cyr-sur-Mer, tél. 04.94.90.14.55, fax 04.94.26.13.89, domaine.peyneuf@wanadoo.fr

r.-v.

CH. DE PIBARNON 2010 ★

■ 85 000 20 à 30 €

Le domaine se découvre, à 300 m d'altitude, sous une impressionnante superposition de terrasses (pas moins de deux cents), formant un cirque exposé sud-est. Le mourvèdre y trouve une expression généreuse et élégante, à l'image de ce 2010 en robe sombre, qui distille après aération des notes de fruits noirs et rouges à l'alcool agrémentées d'une délicate touche florale. Après une attaque ronde, la bouche paraît presque légère, portée par des tanins soyeux et déjà bien ronds, puis glisse vers une finale goûteuse aux accents floraux et épicés. Un vin harmonieux pour les trois années à venir. Le **blanc 2011 (20 000 b.)** obtient une étoile pour son nez de tilleul et d'amande fraîche et pour son palais ample, bien équilibré entre le gras et la fraîcheur des agrumes.

Ch. de Pibarnon, 83740 La Cadière-d'Azur, tél. 04.94.90.12.73, fax 04.94.90.12.98, contact@pibarnon.fr

t.l.j. sf dim. 9h-12h 14h-18h

Éric de Saint-Victor

DOM. ROCHE REDONNE 2011 ★

■ 15 000 ▮ 11 à 15 €

Geneviève et Henri Tournier, à la tête de ce domaine depuis plus de vingt ans, proposent un joli rosé à la robe très claire, brillante et saumonée. Des nuances appuyées d'agrumes et de fruits exotiques dominent le nez et se confirment dans une bouche vive et de bonne longueur. Parfait pour un apéritif aux accents provençaux.

Geneviève et Henri Tournier, Ch. des Palums, 83740 La Cadière-d'Azur, tél. 04.94.90.11.83, fax 04.94.90.00.96, roche.redonne@free.fr r.-v.

CH. LA ROUVIÈRE 2011 ★

□ 5 300 ▮ 15 à 20 €

C'est au tour de la troisième génération de s'investir au sein des Domaines Bunan, créés en 1961 et certifiés en bio depuis le millésime 2011. Un millésime qui réussit à ce blanc à forte dominante de clairette (95 %), l'ugni blanc en appoint. La robe est brillante, ornée de reflets verts. Le bouquet s'épanouit sur des notes de lys et de freesia complétées d'agrumes. Ample, dense et tout aussi flatteuse, la bouche laisse poindre une nuance végétale plus fraîche en finale. Tout indiqué pour une viande blanche ou un poisson en sauce. Le **2009 rouge (20 à 30 €; 8 000 b.)** est cité pour ses tanins charnus, enrobés de notes balsamiques, de café, d'épices et de fruits mûrs. Le **Bunan 2011 rosé Moulin des Costes (11 à 15 €; 50 000 b.)** et le **Bunan 2011 blanc Moulin des Costes (11 à 15 €; 20 000 b.)** se distinguent tous deux par une belle expression aromatique (agrumes pour le premier, fleurs blanches pour le second) et par leur équilibre. Ils obtiennent chacun une étoile.

Dom. Bunan, Le Moulin des Costes, BP 17, 83740 La Cadière-d'Azur, tél. 04.94.98.58.98, fax 04.94.98.60.05, bunan@bunan.com

t.l.j. 9h-12h 14h-18h; dim. 10h-12h 16h-19h; f. dim. avr.-sept.

CH. SAINTE-ANNE 2009

■ 13 000 15 à 20 €

Le château abrite une cave de pierres construite au XVIes. par la congrégation des Pères de l'Oratoire, attestant d'une culture de la vigne bien implantée en ces lieux. En 2010, Jean Dutheil de la Rochère reprend les rênes de la propriété familiale. Ce 2009 à la robe grenat affiche un nez bandolais classique, bien fondu, sur les fruits mûrs. La bouche, fraîche en attaque, s'étoffe autour de tanins bien intégrés, accompagnés de fruits rouges et d'épices. Un vin bien construit, équilibré, apte pour une garde de trois à cinq ans.

Dutheil de la Rochère, Ch. Sainte-Anne, rte nationale 8, 83330 Évenos, tél. 04.94.90.35.40, fax 04.94.90.34.20

r.-v.

CH. SALETTES 2011 ★

□ 10 000 ▮ 15 à 20 €

Un terroir mêlé d'argile, de calcaire et de roc concassé, un vin, le bandol, et des hommes, pas moins de dix-sept générations qui se sont ici succédé. À la suite de son fils, Jean-Pierre Boyer a repris les rênes du domaine, poursuivant les travaux entrepris par Nicolas et désormais accompagné d'un nouveau directeur et œnologue, Alexandre Le Corguillé. Leur 2011 séduit par sa présence aromatique citronnée, subtile et délicate. Il se montre dense dès l'attaque et dévoile une matière ample aux nuances de zestes d'agrumes, alliant ainsi rondeur et fraîcheur. Il agrémentera un plateau de fruits de mer avec justesse.

Ch. Salettes, chem. des Salettes, 83740 La Cadière-d'Azur, tél. 04.94.90.06.06, fax 04.94.90.04.29, salettes@salettes.com

t.l.j. sf dim. 8h-12h 14h-18h; sam. sur r.-v.

Boyer-Ricard

♥ **DOM. DE SOUVIOU** Tête de cuvée Bandes noires 2009 ★★

■ 6 900 20 à 30 €

Déjà coup de cœur pour le millésime 2007, cette cuvée revient en force dans sa version 2009. Sous une parure grenat, l'élégance du mourvèdre et la puissance du grenache s'expriment sans retenue à travers une palette généreuse et intense de petits fruits mûrs (cerise, myrtille) agrémentés des notes boisées apportées par vingt mois de barrique. Après une attaque franche et fine, le palais ample et gras renoue avec les fruits rehaussés de nuances épicées, et s'appuie sur des tanins soyeux et une finale pleine de fraîcheur. Un vin homogène, que l'on savourera dès aujourd'hui comme dans cinq ou six ans, sur une belle

pièce de bœuf grillée. La cuvée principale **2009 rouge (15 à 20 € ; 17 000 b.)**, moins en force, est citée pour son bouquet de romarin, de garrigue et de fruits rouges et pour son palais doux et rond. Un bandol sur la maturité, prêt à boire.

EARL Olivier Pascal, Dom. de Souviou, RN 8, 83330 Le Beausset, tél. 04.94.90.57.63, fax 04.94.98.62.74, souviou@wanadoo.fr t.l.j. 9h-12h 15h-19h

DOM. LA SUFFRÈNE 2009 ★★

■ 35 000 11 à 15 €

De la constance dans la qualité des vins de Cédric Gravier, maintes fois récompensée dans le Guide ; on se souvient notamment du coup de cœur (et de la Grappe d'argent) pour son superbe 2010 blanc dans l'édition précédente. L'histoire se répète, mais sous la bannière rouge de Bandol. Ce 2009, drapé dans une robe violine aux reflets d'ébène, livre une expression fruitée intense relevée de saveurs d'épices, d'olive noire et de réglisse. La bouche a du répondant, bâtie autour de tanins puissants mais veloutés. Le fruit est omniprésent, concentré, et s'alanguit sur une finale fraîche et tonique. Une belle ligne de conduite bandolaise, pour au moins les dix prochaines années. Le **2011 blanc (13 000 b.)**, une étoile, est un beau classique, bien équilibré entre matière suave et nervosité minérale et fruitée. Recommandé sur un caviar d'aubergine. La **cuvée Les Lauves 2009 rouge (20 à 30 € ; 7 000 b.)**, une étoile également, a besoin que le temps fasse son œuvre pour gommer la dégustation austère du moment. Mais le potentiel est là.

Dom. la Suffrène, 1066, chem. de Cuges, 83740 La Cadière-d'Azur, tél. 04.94.90.09.23, fax 04.94.90.02.21, suffrene@wanadoo.fr
t.l.j. sf dim. 9h-12h 14h-18h

DOM. DE TERREBRUNE 2011 ★

■ 60 000 11 à 15 €

Séduit par la renommée des vins de Bandol, Georges Delille se lance en 1963 dans l'aventure viticole : terrassements, restauration des restanques, plantations en terres argileuses très brunes (donnant son nom au domaine), édification de la cave et premier millésime en 1980. Reynald, le fils, conduit aujourd'hui le vignoble et signe ici un très joli rosé aux nuances pâles. Tout en finesse, le nez s'exprime sur des dominantes florales, quelques notes d'agrumes en appoint. Celles-ci s'imposent dans une bouche d'une égale finesse, ronde, persistante et bien équilibrée. Bel accord gourmand en perspective avec une tarte à la tomate.

Delille, Dom. de Terrebrune, 724, chem. de la Tourelle, 83190 Ollioules, tél. 04.94.74.01.30, fax 04.94.88.47.51, domaine@terrebrune.fr
t.l.j. sf dim. 9h-12h30 14h30-18h

CH. GUILHEM TOURNIER 2009

■ 5 500 15 à 20 €

Guilhem Tournier exploite depuis 2004 ce vignoble de 6 ha établi au pied du village médiéval de La Cadière-d'Azur. Le mourvèdre (95 %) donne naissance à un 2009 profond aux éclats grenat. L'aération libère un bouquet chaleureux de pruneaux et d'épices. La bouche puissante joue d'une sucrosité affirmée, alliant arômes de fruits mûrs (framboise, cerise) et fermeté des tanins. Elle offre un beau potentiel de garde de six à huit ans. Le **2011 rosé (11 à 15 € ; 15 000 b.)** est cité pour son fruité aérien, sa souplesse et sa fraîcheur.

Guilhem Tournier, Ch. des Palums, 83740 La Cadière-d'Azur, tél. 04.94.90.11.83, fax 04.94.90.00.96, roche.redonne@free.fr r.-v.

CH. VAL D'ARENC 2010 ★

■ 20 000 11 à 15 €

Mourvèdre à 80 %, ce 2010 s'ouvre lentement à l'aération sur des notes de grillé, de cassis et d'épices. Après une attaque franche, le palais apparaît gras mais sans lourdeur, construit sur des tanins fondus, et laisse poindre une jolie fraîcheur florale en finale. Il pourra être apprécié dès cet automne sur une souris d'agneau aux herbes, ou rester en cave deux ou trois ans. Également très réussi, le **2011 rosé (30 000 b.)** offre une intense expression aromatique, poivrée et exotique, et une bouche ample, ronde et chaleureuse équilibrée par une juste vivacité épicée.

SCA Dom. de Val d'Arenc, 997, chem. du Val-d'Arenc, 83330 Le Beausset, tél. 04.94.98.71.89, fax 04.94.98.74.10, domainedevaldarenc@orange.fr

Les baux-de-provence

Superficie : 300 ha
Production : 9 212 hl

Perchée sur un éperon rocheux, la citadelle des Baux garde le souvenir des seigneurs orgueilleux qui l'édifièrent à partir du XIe s. La blancheur de ses murailles est celle du calcaire des Alpilles, dont elle constitue un avant-poste. Ce massif au relief pittoresque taillé en biseau par l'érosion est le paradis de l'olivier, dont les fruits bénéficient de deux AOC. Le vignoble trouve également dans ce secteur un milieu favorable, sur les dépôts caillouteux caractéristiques de cette région, comme les grèzes litées, éboulis d'origine glaciaire. Elles sont ici peu épaisses et la fraction fine, dont dépend la réserve hydrique du sol, est importante. Ce secteur se distingue par une nuance climatique qui en fait une zone précoce, peu gélive, chaude et plus arrosée (650 mm).

Reconnue en 1995 au sein de la zone des coteaux-d'aix-en-provence, cette AOC est réservée aux vins rouges (80 %) et rosés. Les règles de production y sont plus strictes (rendement plus bas, densité plus élevée, taille plus restrictive, élevage d'au moins douze mois pour les vins rouges, minimum de 50 % de saignée pour les vins rosés) ; l'encépagement, mieux défini, repose sur le couple grenache-syrah, accompagné quelquefois du mourvèdre.

CH. DALMERAN 2011

10 300 | 11 à 15 €

Première apparition dans ce chapitre pour ce domaine établi sur une butte du versant nord des Alpilles. À sa tête depuis 2006, Béatrice Joyce, qui signe ici un rosé né de grenache et de cinsault à parts égales (45 %), le cabernet-sauvignon en appoint. Derrière une robe pâle se dévoile un bouquet délicat d'orange mûre, de fleurs blanches et d'épices, relayé par une bouche soyeuse et équilibrée. À noter que le vignoble est en cours de conversion bio.

Dom. Dalmeran, 45, av. Notre-Dame-du-Château,
13103 Saint-Étienne-du-Grès, tél. 04.90.49.04.04,
fax 04.90.49.15.39, info@dalmeran.fr
t.l.j. sf dim. 10h-12h30 14h-18h
Béatrice Joyce

DOM. GUILBERT 2010

7 800 | 15 à 20 €

Un nouveau nom dans le Guide. Situé à Saint-Rémy-de-Provence, c'est le plus petit domaine de l'appellation (4 ha), créé en 2007 par Guy et Nathalie Delacommune. Vinifié en cuve tronconique bois de 30 hl puis élevé quatorze mois en barrique, ce 2010 se présente dans une robe rouge soutenu aux reflets violines, le nez empreint de notes de pruneau et de petits fruits rouges et noirs, porté en bouche par une structure bien fondue. Un ensemble harmonieux et prêt à boire.

Guy et Nathalie Delacommune,
chem. du Trou-des-Bœufs, La Haute Galine,
13210 Saint-Rémy-de-Provence, tél. 04.32.61.18.89,
fax 04.32.60.10.63, domaineguilbert@orange.fr
t.l.j. sf dim. 9h-13h 14h-18h

MAS SAINTE-BERTHE Tradition 2010 ★

50 000 | 5 à 8 €

Valeur sûre de l'appellation, ce domaine, situé au pied du célèbre village des Baux-de-Provence, produit sous cette AOC du vin et de l'huile d'olive. Christian Nief a élaboré un 2010 tout en matière et en équilibre, gourmand et fruité (fruits à noyau), adossé à des tanins souples et fondus. Une bouteille prête à boire, mais qui peut aussi se garder une paire d'années. Le vigneron propose également un **rosé Passe-rosé 2011 (55 000 b.)** très réussi, au nez expressif de fruits rouges et d'agrumes, rond et soyeux en bouche, vivifié par une jolie finale citronnée.

Mas Sainte-Berthe, RD 27 A,
13520 Les Baux-de-Provence, tél. 04.90.54.39.01,
fax 04.90.54.46.17, info@mas-sainte-berthe.com
t.l.j. 9h-12h 14h-18h
Rolland

DOM. DES TERRES BLANCHES 2009

22 800 | 11 à 15 €

L'un des plus vieux domaines de Provence conduit en bio, dès les années 1970, sous la houlette de Noël Michelin. Installées depuis 2007 à la tête du vignoble, les familles Parmentier et Jolly perpétuent l'œuvre du fondateur. Elles proposent un 2009 de belle facture, drapé dans une robe cerise noire, qui séduit par son nez expressif de truffe noire et de sous-bois. Une « ambiance forestière » que l'on retrouve dans une bouche plutôt ronde mais encore sous l'emprise de la barrique. On attendra un an ou deux pour plus de fondu.

Dom. des Terres blanches, rte de Cavaillon,
13210 Saint-Rémy-de-Provence, tél. 04.90.95.91.66,
info@terresblanches.com t.l.j. 8h-20h
Familles Parmentier et Jolly

Bellet

Superficie : 48 ha
Production : 1 150 hl (65 % rouge et rosé)

De rares privilégiés connaissent ce minuscule vignoble situé sur les hauteurs de Nice, dont la production est presque introuvable ailleurs que localement. Elle est faite de blancs originaux et aromatiques, grâce au rolle, cépage de grande classe, et au chardonnay (qui se plaît à cette latitude quand il est exposé au nord et suffisamment haut) ; de rosés soyeux et frais ; de rouges somptueux, auxquels deux cépages locaux, la fuella et le braquet, donnent une typicité certaine. Ils seront à leur juste place avec la riche cuisine niçoise si originale, la tourte de blettes, le tian de légumes, l'estocaficada, les tripes, sans oublier la socca, la pissaladière ou la poutine.

COLLET DE BOVIS Cuvée Prestige 2010 ★

2 800 | 11 à 15 €

À 220 m d'altitude, entre mer Méditerranée et sommets enneigés, le rolle semble s'épanouir. Il donne naissance à ce 2010 d'un jaune flamboyant, qui marie au nez notes de fruits secs (noix, abricot), de miel et de viennoiserie sur un fond toasté. Ces nuances ne se démentent pas en bouche, où rondeur et fraîcheur s'équilibrent, où l'élevage de onze mois sous bois laisse une

empreinte sensible qu'il faudra laisser fondre et où la réglisse donne le tempo de la finale. À déguster dans deux ou trois ans, avec une volaille à la crème et aux morilles.
🔑 SCEA Collet de Bovis, Le Fogolar, 370, chem. de Crémat, 06200 Nice, tél. et fax 04.93.37.82.52, jeanetmichele.spizzo@sfr.fr
☑ 🍷 🚶 t.l.j. sf dim. 8h-12h 14h-19h 🏠 Ⓔ
🔑 Spizzo

CH. DE CRÉMAT 2009 ★★

■ n.c. 15 à 20 €

Un étonnant ensemble architectural, construit au début du XXe s. au-dessus de galeries souterraines romaines, compose ce château d'inspiration médiévale. Côté cave, ce 2009 d'un rouge grenat intense se révèle très expressif, à la fois minéral et richement fruité (cerise noire et cassis mûrs), nuancé de notes résineuses. Fondante et soyeuse, la bouche s'appuie sur une structure déliée enrobée d'arômes de fruits, de vanille et de cacao. « Un joli compromis entre vin du Sud et vin septentrional », conclut un dégustateur. Le **blanc 2009**, complexe (narcisse, genêt, giroflée, fruit sucré presque confit, verveine, fin boisé), ample et persistant, obtient une étoile. Un beau mariage de la matière et du bois.
🔑 SCEA Kamerbeek, 442, chem. de Crémat, 06200 Nice, tél. 04.92.15.12.15, fax 04.92.15.12.13, cremat.infos@orange.fr
☑ 🍷 🚶 t.l.j. sf sam. dim. 10h-18h

DOM. SAINT-JEAN 2011 ★★

□ 1 630 ▮ 15 à 20 €

Le dernier-né de l'appellation (2006), le plus petit domaine aussi (2,3 ha), en conversion bio depuis 2010. Mais « aux âmes bien nées, la valeur n'attend pas le nombre des années » : Jean-Patrick et Nathalie Pacioselli tirent d'une « vigne de curé » de 50 ares plantée de rolle un blanc certes petit par le volume, mais grand par la qualité. Derrière une robe élégante aux reflets verts, on découvre un bouquet puissant de fleurs jaunes, de miel, de bergamote et de fruits à chair blanche. Une complexité aromatique que l'on retrouve dans une bouche d'un très beau volume, à laquelle une fine sucrosité apporte de la rondeur, « réveillée » par de fraîches notes mentholées. Déjà harmonieux, ce bellet gagnera encore en complexité d'ici deux ou trois ans. À essayer sur un loup en papillote.
🔑 Nathalie et Jean-Patrick Pacioselli, 343, chem. de Crémat, 06200 Nice, tél. 06.08.43.22.53, fax 04.93.96.28.40, saintjeanbellet@orange.fr ☑ 🍷 🚶 r.-v.

DOM. DE LA SOURCE Cuvée Loan 2009

■ 2 000 ⅠⅡ 30 à 50 €

Autrefois, une source arrosait ici fleurs et maraîchage, et inspira le nom du domaine. En 2009, naquit Loan, donnant son prénom à cette cuvée ; une façon de lier la quatrième génération à cette terre... En attendant une éventuelle (et lointaine) relève, les Dalmasso poursuivent leur bonhomme de chemin sur ce domaine de 5 ha, en conversion bio. Ils signent ici un rouge profond, sur la minéralité et les épices, avec quelques nuances empyreumatiques sous-jacentes. La bouche se montre structurée, ample et équilibrée, parcourue de notes d'épices, de menthol et de fougère. Un vin agréable pour accompagner des magrets de canard. Le **blanc 2011 (15 à 20 €; 5 000 b.)** est également cité pour ses senteurs de buis, d'agrumes et ses notes minérales et pour sa bouche fine et fraîche. Une élégance sans ostentation pour ce bellet qui, comme le rouge, présente une belle typicité.
🔑 Dom. de la Source, 303, chem. de Saquier, Saint-Roman-de-Bellet, 06200 Nice, tél. et fax 04.93.29.81.60, contact@domainedelasource.fr
☑ 🍷 🚶 t.l.j. 9h-19h
🔑 Dalmasso

Cassis

Superficie : 200 ha
Production : 7 687 hl

Un creux de rochers, auquel on n'accède que par des cols relativement hauts de Marseille ou de Toulon, abrite, au pied des plus hautes falaises de France, des calanques et une certaine fontaine qui, selon les Cassidens, rendrait leur ville plus remarquable que Paris... Mais aussi un vignoble que se disputaient déjà, au XIe s., les puissantes abbayes, en demandant l'arbitrage du pape, et qui produit aujourd'hui des vins rouges, rosés et surtout blancs. Mistral disait de ces derniers qu'ils sentaient le romarin, la bruyère et le myrte. Capiteux et parfumés, les cassis blancs sont des vins de classe qui s'apprécient particulièrement avec les bouillabaisses, les poissons grillés, les coquillages et les viandes blanches.

DOM. DU BAGNOL 2011 ★★

□ 36 000 ▮ 11 à 15 €

Descendant la rue de Provence vers Cassis, un imposant portail et son mur de pierre marquent l'entrée du domaine. Sébastien Genovesi vous fera découvrir ce blanc de haute expression, aux reflets verdoyants, qui mêle au nez fruits exotiques, fruits jaunes (pêche, abricot), agrumes (bergamote) et fleurs blanches (aubépine, acacia). La bouche se révèle dense, savoureuse et d'une grande fraîcheur, ciselée par des notes d'agrumes, de fleurs et de poivre blanc. Beaucoup de longueur et de tenue pour ce vin élégant, qui a participé à la finale des coups de cœur. Le **rosé 2011 (41 000 b.)** décroche lui aussi deux étoiles pour son nez complexe (fruits exotiques, agrumes, feuille de figuier, bourgeon de cassis) et son palais ample, tonique et long.
🔑 Sébastien Genovesi, Dom. du Bagnol, 12, av. de Provence, 13260 Cassis, tél. 04.42.01.78.05, fax 04.42.01.11.22, jeanlouis.geno@orange.fr
☑ 🍷 🚶 t.l.j. sf sam. dim. 9h-12h 14h30-15h

CH. BARBANAU Clos Val Bruyère 2010

	25 000	▮	11 à 15 €

Le vignoble est conduit selon les préceptes de l'agriculture biologique depuis 2008. D'une jeunesse expressive, ce 2010 offre un bouquet complexe : amande grillée, pêche blanche, viennoiserie... En bouche, il se révèle frais et croquant. À déguster pour lui-même, à l'apéritif. Le **blanc 2009 cuvée Kalahari (20 à 30 €; 4 000 b.)** est également cité pour sa large palette de saveurs – miel, abricot sec, tabac blond – et pour sa bouche tonique et vanillée.

Ch. Barbanau, Le Hameau, 13830 Roquefort-la-Bédoule, tél. 04.42.73.14.60, fax 04.42.73.17.85, contact@chateau-barbanau.com
t.l.j. sf dim. 10h-12h 15h-18h
Cerciello

BODIN Pur jus de gouttes 2011

	40 000	▮	11 à 15 €

Pas moins de quatre cépages (marsanne, clairette, ugni blanc et sauvignon), en pur jus de gouttes, sans pressurage, pour ce blanc réussi, marqué par son millésime qui fut précoce et chaud. Des arômes de fruits mûrs à chair blanche imprègnent une bouche ample, ronde et même chaleureuse, qui se termine sur une pointe saline et épicée. S'il s'invite à l'apéritif, n'oubliez pas les mises en bouche...

SCEA Bontoux-Bodin, Ch. de Fontblanche, 4, rte de Carnoux, 13260 Cassis, tél. 04.42.01.00.11, fax 04.42.01.32.11, chateau.fontblanche@terre-net.fr r.-v.

CLOS SAINTE-MAGDELEINE 2011 ★

	36 000	▮	11 à 15 €

Cette propriété, dans la famille Sack depuis plus de quatre-vingt dix ans, dispose d'un vignoble étagé en restanques (ou terrasses), face à la mer, sur les flancs du cap Canaille. Un bel endroit pour que s'épanouissent les ceps de marsanne, d'ugni blanc et de clairette à l'origine de ce cassis lumineux dans sa robe d'or. La bouche longue, tendue, ciselée par une fine acidité et une pointe iodée et végétale, succède à une riche palette florale (acacia, genêt) et fruitée (mangue, pêche jaune), vivifiée par un soupçon d'herbe fraîche. Représentatif de son appellation, ce vin tiendra son rang auprès d'un plateau de coquillages.

François Sack, Clos Sainte-Magdeleine, av. du Revestel, 13260 Cassis, tél. 04.42.01.70.28, fax 04.42.01.15.51, clos.sainte.magdeleine@gmail.com
t.l.j. sf dim. 10h-12h30 14h30-19h; sam. sur r.-v.

DOM. LA FERME BLANCHE Bastide 2011 ★

	21 333	▮	8 à 11 €

L'inspiration pour cette cuvée a été trouvée lors d'un doux moment à l'ombre d'une bastide sous le cap Canaille. Une belle perspective pour déguster en toute quiétude ce vin expressif et savoureux. Le nez, finement floral, évoque le tilleul, l'acacia ou encore le chèvrefeuille. L'aération libère des notes douces de miel et de fruits confits. La bouche se montre onctueuse, parcourue par une jolie fraîcheur qui lui donne de l'équilibre. Plaisir garanti autour d'une dorade royale grillée.

Dom. de la Ferme blanche, RD 559, 13260 Cassis, tél. 04.42.01.00.74, fax 04.42.01.73.94, fermeblanche@wanadoo.fr t.l.j. 9h-18h
F. Paret

CH. DE FONTCREUSE Cuvée «F» 2011

	83 000	▮	8 à 11 €

Pas de fausse note pour ce blanc 2011 : une robe jaune pâle et brillante ; un nez frais et délicat dans un registre floral, agrémenté d'une pointe végétale ; une bouche souple, sur les agrumes, soutenue par une tonicité bienvenue. Si l'ensemble n'est pas « explosif », il est des plus harmonieux. Parfait sur une salade de supions ou à l'apéritif, tout simplement.

Jean-François Brando, Ch. de Fontcreuse, 13, rte Pierre-Imbert, 13260 Cassis, tél. 04.42.01.71.09, fax 04.42.01.32.64, fontcreuse@wanadoo.fr
t.l.j. sf sam. dim. 8h30-12h 14h-18h

DOM. DU PATERNEL Blanc de blancs 2011 ★★

	130 000	▮	11 à 15 €

L'un des plus grands domaines de l'appellation, qui se tourne vers l'agriculture biologique (certification prévue pour le millésime 2012). Ce Blanc de blancs 2011, paré d'une jolie robe d'or pâle aux reflets verts, s'ouvre sans retenue sur un nez riche et délicat de fleurs blanches, d'abricot et de bergamote. La bouche, d'un beau volume, conjugue fraîcheur fruitée et douceur aux accents subtils de dragée. L'équilibre est là, souligné par une longue finale tonique et élégante. Un bel automne en perspective avec des coquilles Saint-Jacques. Deux étoiles également pour le **2011 blanc Couronne de Charlemagne (8 à 11 €; 8 000 b.)**, au nez opulent et complexe (bourgeon de cassis, feuille de tomate, fruits exotiques), et au palais montant, fruité, à la fois chaleureux et frais. Un vin complet, qui a frôlé le coup de cœur. À découvrir également, le savoureux **2011 rouge Grande Réserve (8 000 b.)**, une étoile pour son bouquet de fruits et d'épices, et pour son palais onctueux et enrobé.

Dom. du Paternel, 11, rte Pierre-Imbert, 13260 Cassis, tél. 04.42.01.77.03, fax 04.42.01.19.54, contact@domainedupaternel.com
t.l.j. sf dim. 9h30-12h30 14h-18h; f. jan.
Santini

DOM. DES QUATRE VENTS 2011 ★

	29 000	▮	8 à 11 €

Alain de Montillet conduit ce domaine d'une dizaine d'hectares depuis 1975. Il signe un cassis à la robe jaune pâle qui accroche le regard par sa brillance argentée. Au nez, la mangue et la pêche blanche rejoignent une délicate senteur florale et une légère touche muscatée. Ronde et fine en attaque, la bouche évolue ensuite vers une fraîcheur soutenue qui porte loin la finale, sur des notes toniques de citron vert. À servir à l'apéritif, accompagné de quelques anchois marinés.

Alain de Montillet,
Dom. des Quatre Vents, 7, av. des Albizzi, 13260 Cassis,
tél. 04.42.01.88.10, quatrevents-cassis@orange.fr r.-v.

Coteaux-d'aix-en-provence

Superficie : 4 720 ha
Production : 211 012 hl (95 % rouge ou rosé)

Sise entre la Durance au nord et la Méditerranée au sud, entre les plaines rhodaniennes à l'ouest et la Provence triasique et cristalline à l'est, l'AOC coteaux-d'aix-en-provence appartient à la partie occidentale de la Provence calcaire. Le relief est façonné par une succession de chaînons, parallèles au rivage marin et couverts de taillis, de garrigue ou de résineux: chaînon de la Nerthe près de l'étang de Berre, chaînon des Costes prolongé par les Alpilles, au nord.

Entre ces reliefs s'étendent des bassins sédimentaires d'importance inégale (bassin de l'Arc, de la Touloubre, de la basse Durance) où se localise l'activité viticole. Grenache et cinsault forment encore la base de l'encépagement, avec une prédominance du premier; syrah et cabernet-sauvignon sont en progression et remplacent peu à peu le carignan.

Les vins rosés légers, fruités et agréables s'apprécient avec des plats provençaux: ratatouille, artichauts barigoule, poisson grillé au fenouil, aïoli... Les vins rouges bénéficient d'un contexte pédologique et climatique favorable. Jeunes et fruités, avec des tanins souples, ils peuvent accompagner viandes grillées et gratins. Ils atteignent leur plénitude après deux ou trois ans de garde et se marient alors avec viandes en sauce et gibiers. La production de vins blancs est limitée. La partie nord de l'aire de production est plus favorable à l'élaboration de ces cuvées qui mêlent la rondeur du grenache blanc à la finesse de la clairette, du rolle et du bourboulenc.

DOM. BAGRAU 2010 *

10 000 | 5 à 8 €

Le domaine est créé en 2005 par Mireille Bastard, sur 13 ha de vignes. En 2009, son mari Christian la rejoint, et l'exploitation s'étoffe de 27 ha... Voilà aujourd'hui un coquet vignoble, dont 4 ha de grenache (70 %) et de cabernet-sauvignon ont été sélectionnés pour cette cuvée au nez d'épices, de poivron et de fruits rouges, ronde, souple et de structure légère en bouche mais sans maigreur, une fine fraîcheur en soutien. À boire au cours des deux ans à venir, sur une grillade au feu de bois.

EARL Dom. Bagrau,
Le Grand-Saint-Paul, rte des Mauvares, 13840 Rognes,
tél. et fax 04.42.50.12.53, domaine@bagrau.com r.-v.
Bastard

CH. BAS Pierre du Sud 2009

10 000 | 8 à 11 €

Ce 2009 est le fruit de trois cépages assemblés à parts égales – grenache, syrah, cabernet-sauvignon – qui ont fermenté ensemble. Le résultat ? Un vin au nez de fruits noirs très mûrs et de poivre agrémentés de notes mentholées, rond, fondu, souple et soyeux en bouche, sans le côté parfois alcooleux des 2009, année très chaude faut-il le rappeler. Une bouteille friande et prête à boire.

Ch. Bas, 13116 Vernègues, tél. 04.90.59.13.16,
chateaubas@wanadoo.fr t.l.j. 9h-12h30 13h30-18h

DOM. LES BÉATES Les Béatines 2011 *

12 000 | 8 à 11 €

Acquis en 1996 par les familles Terrat et Chapoutier, ce domaine est conduit « en solo » (et en bio) par les Terrat depuis 2002. Ce vin ne se laisse pas apprivoiser facilement. Une légère aération permet toutefois de découvrir de plaisantes notes florales. La bouche évoque quant à elle l'orange sanguine, qui lui apporte vivacité et tonus. Parfait pour l'apéritif.

Dom. les Béates, rte de Caireval, 13410 Lambesc,
tél. 04.42.57.07.58, fax 04.42.57.19.70,
contact@domaine-des-beates.com
t.l.j. sf dim. 10h-18h
P.-F. Terrat

DOM. BELAMBRÉE Cuvée Les Éphémères 2011 **

15 000 | 5 à 8 €

Ce domaine confirme avec cette cuvée la très bonne impression laissée dans l'édition précédente par un rosé 2010, récompensé d'un coup de cœur. Ce 2011 a peu à lui envier et s'impose comme l'un des meilleurs vins de cette sélection. La robe est limpide et brillante, couleur litchi. Le nez, à dominante florale, se révèle fin et élégant. La bouche est remarquablement équilibrée, fraîche et délicate. « Un vrai rosé de plaisir », conclut un dégustateur sous le charme.

Dom. de Belambrée, 2070, rte du Seuil, 13540 Puyricard,
tél. et fax 04.42.28.04.77, domainedebelambree@orange.fr
t.l.j. sf sam. dim. 9h-12h 15h-18h

DOM. LA CADENIÈRE Vallon d'Escale 2010 *

5 866 | 5 à 8 €

La première vinification au domaine a eu lieu en 1973, sous la conduite de Gérard et Pierrette Tobias. Depuis 1985, leurs quatre enfants ont pris la relève. Ils signent ici une cuvée encore sous l'emprise du merrain à en juger par le bouquet vanillé, épicé et torréfié qui relègue les fruits noirs à l'arrière-plan. Franche en attaque, la bouche, portée par des tanins souples et ronds, offre la même dominante boisée, que deux ans de garde permettront de fondre. Pour une viande rouge en sauce. À noter : le millésime 2011 sera certifié en agriculture biologique.

Dom. la Cadenière, rte de Coudoux, D19,
13680 Lançon-de-Provence, tél. et fax 04.90.42.82.56,
la-cadeniere@wanadoo.fr
t.l.j. sf dim. 8h30-12h 14h-18h

CH. CALISSANNE Clos Victoire 2009 **

7 000 | 11 à 15 €

L'histoire de la Calissanne s'écrit depuis des temps immémoriaux : ancienne place forte celto-ligure dont il reste un oppidum dit de « Constantine » en surplomb du

PROVENCE

domaine, propriété de l'ordre de Malte aux XIIIe et XIVes., d'un parlementaire de la cour d'Aix-en-Provence au XVIIes., de Charles Auguste Verminck, personnalité de Marseille à la tête de savonneries et huileries au XIXes., et enfin de Philippe Kessler en 2001. C'est aujourd'hui Sophie, l'épouse de ce dernier, qui conduit le domaine, toujours au sommet de l'appellation. Douzième coup de cœur, excusez du peu, pour Jean Bonnet, directeur d'exploitation depuis plus de vingt ans. Ce Clos Victoire 2009 issu de syrah (60 %) et de cabernet-sauvignon livre un bouquet intense de fruits noirs et de moka. La bouche tient la note, longtemps, très longtemps, et s'impose par sa grande fraîcheur, sa force tannique et son boisé parfaitement maîtrisé. À attendre deux ou trois ans, même si l'envie d'y goûter est déjà fort tentante... On attendra aussi le puissant et corpulent **2009 rouge Rocher (20 à 30 € ; 2 500 b.)**, à dominante de mourvèdre, qui a tout du vin de garde et décroche deux étoiles. Pour patienter, on ouvrira la cuvée principale **2010 rouge (5 à 8 € ; 50 000 b.)**, un vin harmonieux, suave et aromatique (olive noire, poivre, mûre).

Ch. Calissanne, SAS Jasso de Calissanne, RD 10, 13680 Lançon-de-Provence, tél. 04.90.42.63.03, fax 04.90.42.40.00, commercial@chateau-calissanne.fr
t.l.j. 9h-19h; dim. 9h-13h; lun. 12h-19h
Kessler-Matière-CHIP International

LE CELLIER D'ÉGUILLES Cuvée d'Ophélie 2011 ★★

15 000 | 5 à 8 €

Cette petite cave regroupant quarante coopérateurs a superbement réussi ses rosés 2011. Deux cuvées ont été jugées remarquables et figuraient dans le carré final pour l'attribution du coup de cœur. Le **Dom. des Baoux 2011 rosé (2 500 b.)** est un très joli vin aussi bien par sa couleur (framboise), par son nez tout en fruit (cerise, pêche) que par sa bouche complexe, douce et généreuse. Quant à cette Ophélie, elle s'affiche dans une présentation impeccable (bouteille sérigraphiée), évoque la fraise fraîche et séduit par son palais riche mais sans lourdeur, fin et long. Deux rosés de gastronomie, assurément.

Le Cellier d'Éguilles, 1, pl. Lucien-Fauchier, 13510 Éguilles, tél. 04.42.92.51.12, fax 04.42.92.38.57, celliereguilles@orange.fr t.l.j. sf dim. 9h-12h30 14h-19h

B **DOM. D'ÉOLE** 2011

50 000 | 8 à 11 €

Un habitué du Guide, placé sous le signe du mistral, ce vent bienfaiteur pour l'état sanitaire des raisins. Ici, du grenache (60 %), un peu de syrah et de cinsault, et un soupçon de carignan et de mourvèdre. Le résultat : un vin saumoné, au nez floral (garance), rond, gras et chaleureux en bouche. À déguster sur un tajine de poulet aux courgettes.

Dom. d'Éole, chem. des Pilons, rte de Mouriès, D24, 13810 Eygalières, tél. 04.90.95.93.70, fax 04.90.95.99.85, domaine@domaineeole.com
t.l.j. 10h-12h30 14h30-18h; sam. dim. sur r.-v.
C. Raimont

DOM. DE LA GRANDE SÉOUVE Aix 2011 ★

200 000 | 11 à 15 €

Le Hollandais Éric Kurver a acquis ce domaine en 2009 : 73 ha de vignes plantées sur le plateau de Bèdes, à 400 m d'altitude. Il propose ici un rosé qualifié « de terroir ». Entendez par là un vin discrètement floral au nez, gras, généreux et charnu en bouche, et souligné par une fraîcheur finale sans doute due à la situation élevée des vignes. Une bouteille de caractère, que l'on verrait bien en compagnie d'un tajine d'agneau.

SCA Dom. de la Grande Séouve, D11, 13490 Jouques, tél. 04.42.67.60.87, fax 04.42.67.62.33, erickurver@gmail.com
t.l.j. sam. dim. 9h-12h 13h-18h
Éric Kurver

DOM DU MAS BLEU Val des vignes 2009

10 000 | 8 à 11 €

Ce 2009 à dominante de syrah (80 %) a subi une fermentation d'un mois et demi et un élevage de douze mois sous bois. Le résultat est un vin aux reflets orangés d'évolution, au nez assez complexe, à la fois minéral, mentholé, poivré et chocolaté, chaleureux, rond, au boisé fondu en bouche. À boire dès aujourd'hui sur une viande en sauce.

Dom. du Mas bleu, 6, av. de la Côte-Bleue, 13180 Gignac-la-Nerthe, tél. 04.42.30.41.40, fax 09.71.70.48.08, contact@mas-bleu.com
t.l.j. sf dim. lun. 9h-12h 14h30-18h30 (15h-19h l'été)
Didier Rougon

CH. MONTAURONE Cuvée Tradition 2011 ★

266 000 | - de 5 €

Ce domaine de 90 ha propose une cuvée de rosé qui n'a rien de confidentiel. Et pour ne rien gâcher, le vin est de fort belle facture. Drapé dans une robe rose pâle, il dévoile un bouquet à dominante de fruits blancs bien mûrs, la poire notamment, agrémenté de légères notes amyliques. En bouche, le gras s'équilibre avec une fine acidité qui donne de l'allonge à la finale. Un vin harmonieux, et qui plus est d'un très bon rapport qualité-prix.

SCEA Berthoune, Dom. de la Montaurone, rte d'Éguilles, 13760 Saint-Cannat, tél. 04.42.57.20.04, fax 04.42.57.32.80, scea.berthoune@wanadoo.fr r.-v.
Decamps

DOM. NAÏS 2011 ★★

10 000 | 5 à 8 €

Laurent Bastard et Éric Davin, deux amis d'enfance attachés à leur terre natale, ont créé le domaine en 2002 avec l'aide de leurs épouses Christiane et Évelyne. Depuis, ils fréquentent régulièrement cette rubrique. Ils offrent ici un blanc brillant aux reflets verts, issu de rolle (60 %) et d'ugni blanc. Le nez est dominé par les agrumes (pamplemousse, citron), agrémentés de nuances florales. On retrouve cette fraîcheur fruitée en bouche, en harmonie avec de plus douces notes beurrées. Un ensemble équilibré, à déguster sur un poisson en sauce. Le **2010 rouge (5 000 b.)**, très extrait et boisé, mais avec une bonne matière, est cité.

Laurent Bastard et Éric Davin, rte du Puy, 13840 Rognes, tél. et fax 04.42.50.16.73, domainenais@club-internet.fr
t.l.j. sf dim. 9h-12h 15h-18h30

DOM. L'OPPIDUM DES CAUVINS Perle de Rosé 2011 ★★

	30 000		5 à 8 €

Ce rosé est né au cœur du massif de la Trévaresse, à l'emplacement d'un antique oppidum romain qui donne son nom au domaine. Un domaine bien connu des lecteurs, qui prend ici de la hauteur avec cette Perle rare ; rare non pas tant par son volume que par ses qualités remarquables. Parée d'une robe rose soutenu aux reflets framboise, elle livre des senteurs délicates, sans exubérance, de fruits rouges confits, de cerise notamment. Elle s'impose en bouche par sa rondeur, son charnu et son fruité en harmonie avec l'olfaction, une légère acidité apportant un regain de fraîcheur. Ce vin a beaucoup de personnalité, et on le réservera pour le repas, avec un jarret de veau aux épices douces par exemple. Cité, le **2011 blanc (moins de 5 €; 100 000 b.)**, très marqué par le sauvignon (buis) – pourtant seulement 30 % de l'assemblage aux côtés du grenache blanc et du vermentino –, plaira aux amateurs de blancs vifs et fruités.

Dom. l'Oppidum des Cauvins, RD 543, Les Cauvins, 13840 Rognes, tél. et fax 04.42.50.29.40, oppidumdescauvins@wanadoo.fr
t.l.j. sf dim. 9h-12h 14h-19h
Ravaute

CH. PETIT SONNAILLER 2010

	10 000		5 à 8 €

2010 n'est pas 2009 : moins de puissance ici, mais un vin harmonieux, au nez plaisant de violette, de fruits rouges et noirs, de garrigue et de sous-bois. La bouche, souple, empreinte d'une légère sucrosité, dévoile des tanins soyeux et bien fondus. À boire dans les deux ans, sur un magret. Le **2011 rosé cuvée Prestige (20 000 b.)**, fruité (litchi, agrumes) et bien équilibré entre vinosité et vivacité, obtient la même note.

Dominique Brulat, Ch. Petit Sonnailler, 13121 Aurons, tél. 04.90.59.34.47, fax 04.90.59.32.30, jc.brulat@club-internet.fr t.l.j. 8h-19h

DOM. PEY BLANC L'Instant d'avant 2011 ★

	25 000		5 à 8 €

Trois vins et trois étoiles pour ce domaine créé en 2004 par Gabriel Giusiano. En tête, ce rosé « très Provence » d'aspect avec sa robe pâle et limpide. Le nez évoque, en finesse, les fruits à chair blanche et les agrumes, une fraîcheur minérale en soutien. Une finesse qui caractérise aussi la bouche, longue et fruitée. Idéal pour l'apéritif. Le **2011 rosé Les Peyrès (8 à 11 € ; 10 000 b.)** se distingue par son bouquet d'agrumes et de bonbon acidulé, et par son palais puissant et long. Conseillé sur un aïoli. Quant au **2011 blanc Les Chazelles (8 à 11 € ; 4 000 b.)**, il séduit par son fruité soutenu de pamplemousse et son équilibre.

Dom. Pey blanc, 1200, chem. du Vallon-des-Mourgues, 13090 Aix-en-Provence, tél. 04.42.12.34.76, fax 04.42.22.86.21, peyblanc@wanadoo.fr
t.l.j. sf dim. 9h-12h 14h-19h
Giusiano

CH. PIGOUDET Pigoudet Insolite ! 2011 ★★

	3 600		11 à 15 €

Né sur un terroir frais et tardif, ce pur vermentino a fait belle impression. Le nez, très floral, évoque pêle-mêle le freesia, l'acacia et le glaïeul. Le palais se montre plein, rond et délicat, sans toutefois manquer de fraîcheur. Son seul défaut : il est plutôt confidentiel... Plus disponible est le **2011 rosé Pigoudet Insolite (26 000 b.)**, une étoile pour son fruité fin et sa richesse en bouche. Un vin de caractère, bien travaillé.

SC Ch. Pigoudet, rte de Jouques, 83560 Rians, tél. 04.94.80.31.78, fax 04.94.80.54.25, pigoudet@pigoudet.com
t.l.j. sf sam. dim. 8h30-12h 13h30-17h
Schmidt-Rabe

CH. PONTET BAGATELLE La Rosée de Bagatelle 2011 ★

	20 000	11 à 15 €

Garry Stephen, australien de naissance, décide en 2007 de quitter l'Angleterre pour reprendre ce petit domaine de 7 ha, qu'il convertit actuellement à l'agriculture biologique. L'homme a plus d'une corde à son arc... à sa guitare plus exactement, puisqu'il organise chaque première semaine de juillet un festival international autour de cet instrument. L'occasion pour les mélomanes et/ou œnophiles de goûter ce vin d'un rose très pur et brillant, au nez intense de fruits mûrs, cerise en tête, rond, ample et généreux en bouche, une pointe de fraîcheur bienvenue apportant l'équilibre. Un rosé de gastronomie assurément.

Garry Stephen, Ch. Pontet Bagatelle, rte de Pélissanne, 13410 Lambesc, tél. 04.42.92.70.50, fax 04.42.96.40.55, jeanregis@chateaupontetbagatelle.fr r.-v.

CELLIER SAINT-AUGUSTIN Les Caillas Élevé en fût de chêne 2010 ★

	12 800		5 à 8 €

Établie aux portes des Alpilles, cette cave fondée en 1925 propose un rouge intéressant, au nez intense de vanille, de cuir et de fruits rouges à l'eau-de-vie. En bouche, on retrouve les arômes de la barrique qui, pour l'heure, confèrent une certaine austérité au vin, mais la structure tannique et la matière sont bien présentes, aptes à « digérer » l'élevage. Attendre deux à quatre ans avant de servir cette bouteille de caractère sur une pièce de gibier.

Cellier Saint-Augustin, quartier de la Gare, 13560 Sénas, tél. 04.90.57.20.25, fax 04.90.59.22.96, staugustin3@wanadoo.fr r.-v.

DOM. SAINT-HILAIRE Prestige 2009 ★

	13 000		11 à 15 €

La famille Lapierre exploite la vigne depuis le XVIIIe s. sur Coudoux. Le domaine dans sa forme mo-

PROVENCE

derne a été créé en 1973, et étend son vignoble sur 58 ha, actuellement en cours de conversion bio. Ce 2009 issu de cabernet-sauvignon (60 %) et de syrah surprend par sa jeunesse. Très expressif, le nez évoque les fruits rouges et noirs, mâtinés d'un fin boisé. Le palais plaît par son équilibre, sa fraîcheur, ses tanins bien présents mais sans agressivité et sa longueur. À déguster dans les deux ans à venir.

Dom. Saint-Hilaire, 13111 Coudoux, tél. 04.42.52.10.68, fax 04.42.52.05.45, contact@domaine-saint-hilaire.fr
t.l.j. sf dim. 9h-12h 15h-18h30
Yves Lapierre

DOM. SAN PEYRE 2011 ★

30 000 | 5 à 8 €

La cave coopérative de Lambesc prouve une nouvelle fois son savoir-faire pour les rosés. Deux cuvées obtiennent ici une étoile : ce Dom. San Peyre, au nez floral (jasmin, genêt), gras, rond et long en bouche, et le **Dom. du Libran 2011 rosé (30 000 b.)**, sur les fruits rouges et la fraîcheur.

Les Vignerons du Roy René,
6, av. du Gal-de-Gaulle, RN7, 13410 Lambesc,
tél. 04.42.57.00.20, fax 04.42.92.01.94,
c.lesage@lesvigneronsduroyrene.com
t.l.j. sf dim. 8h30-12h 14h30-19h (hiver 18h)

CH. DU SEUIL 2011 ★★

10 000 | 8 à 11 €

Sauvignon, grenache blanc et rolle composent cette cuvée, dans la pure lignée des vins blancs de ce domaine habitué de nos colonnes, plusieurs coups de cœur à la clé. Ce coteaux-d'aix délicat et complexe mêle au nez des parfums d'amande et d'aubépine, et offre en bouche un superbe équilibre entre la rondeur et la vivacité, une belle note citronnée venant conclure la dégustation. Le **2011 rosé (40 000 b.)**, d'une jolie finesse aromatique (citron, pamplemousse, fleurs blanches), reçoit une étoile. Recommandé par les dégustateurs sur une langouste grillée, noble crustacé que pourra aussi accompagner le blanc.

Carreau-Gaschereau, 4690, rte du Seuil, 13540 Puyricard,
tél. 04.42.92.15.99, fax 04.42.28.05.00,
contact@chateauduseuil.fr
t.l.j. 9h-12h 14h-19h (18h nov.-avr.)

DOM. DE SURIANE Tradition 2010

10 000 | - de 5 €

« Un vin qui ne la ramène pas », écrit un dégustateur à propos de ce 2010 mi-grenache mi-syrah. Un vin qui joue la simplicité et la discrétion avec son nez de violette, de kirsch et de cacao, et sa bouche souple et ronde, fruitée et légèrement épicée (cannelle). Prêt à boire, sur une grillade aux sarments.

SCEA Dom. de Suriane, CD 10, 13250 Saint-Chamas,
tél. 04.90.50.91.19, fax 04.90.50.92.80,
contact@domainedesuriane.fr
t.l.j. sf dim. 9h-12h30 14h-18h30

DOM. LES TOULONS Sanlaurey 2011 ★

10 000 | 5 à 8 €

Sanlaurey ? Pour Sandrine, Laure et Rémy, les enfants du domaine. Déjà distinguée en blanc dans l'édition précédente, cette cuvée revient tout aussi plaisante dans sa version 2011. Au nez, on apprécie ses notes délicates de pêche de vigne et de rose, que prolonge une bouche fine et persistante, sous-tendue par une pointe fraîche d'acidité. Le **Sanlaurey 2011 rosé (10 000 b.)**, aux accents fruités et exotiques (papaye, melon), bien équilibré en bouche, à la fois rond et tonique, obtient également une étoile. À servir sur des alouettes sans tête (paupiettes de bœuf).

EARL Denis Alibert et Fils,
Dom. les Toulons, rte de Jouques, 83560 Rians,
tél. 04.94.80.37.88, fax 04.94.80.57.57,
lestoulons@wanadoo.fr r.-v.

DOM. VAL DE CAIRE 2010 ★★

4 000 | 5 à 8 €

L'acquisition du vignoble et la création du domaine remontent à 2003, suite au départ à la retraite d'un adhérent de la cave coopérative. Guillaume Reynier signe ici un vin rouge sombre aux reflets brillants, au nez concentré sur les fruits noirs, la mûre notamment, une pointe d'olive noire en appoint. La bouche se révèle dense et corpulente, étayée par des tanins soyeux et fondus et par un boisé bien intégré. Un ensemble équilibré et harmonieux, dont la solide structure permet d'envisager une garde de trois ou quatre ans. Le **2011 blanc (5 000 b.)** obtient une étoile pour son fruité plaisant de pêche et son côté minéral.

Guillaume Reynier, Dom. Val de Caire, rte de Caire-Val,
13840 Rognes, tél. 04.42.50.94.79, valdecaire@gmail.com
r.-v.

DOM. DE LA VALLONGUE 2011

6 500 | 11 à 15 €

Ce domaine, niché au cœur des Alpilles, se situe sur l'ancienne voie romaine qui reliait l'Espagne à l'Italie. Il propose un blanc né de quatre cépages à parts égales (grenache blanc, clairette, sémillon, vermentino). Ses atouts ? Fraîcheur, délicatesse et équilibre. Accord gourmand en perspective avec un poisson en sauce.

SCEA Mas de la Vallongue, rte de Mouriès, D 24, BP 4,
13810 Eygalières, tél. 04.90.95.91.70, fax 04.90.95.97.76,
contact@lavallongue.com r.-v.
Latouche

CH. DE VAUCLAIRE 2011 ★

30 000 | 5 à 8 €

Ce domaine appartient à la famille Sallier depuis 1774. Deux cuvées également réussies sont sélectionnées. Ce 2011 rosé à dominante de grenache et de cinsault, complété par la syrah et le cabernet-sauvignon, plaît par son fruité intense, légèrement confit, agrémenté de notes florales et amyliques. La bouche joue plutôt sur la rondeur et la vinosité, sans toutefois manquer de vivacité. Au final, un vin équilibré à réserver pour le repas, sur un risotto aux saint-jacques et dés de chorizo par exemple. Le **2011 blanc (6 500 b.)**, une étoile également, dévoile un joli bouquet de fleurs blanches et d'agrumes et offre un bel équilibre en bouche entre fraîcheur et douceur.

Sallier, SCA Ch. de Vauclaire, 2398, RD 556,
13650 Meyrargues, tél. 04.42.57.50.14, fax 04.42.63.47.16,
contact@chateaudevauclaire.com
t.l.j. sf dim. 9h-12h 14h-18h (19h mai-oct.)

LA VENISE PROVENÇALE Cuvée Réservée 2011

23 000 | 5 à 8 €

Grenache (70 %), cinsault et counoise composent cette cuvée à la robe ni trop foncée ni trop pâle, qui tire sur une belle couleur saumonée. Au nez, les fruits s'imposent, la cerise et les agrumes notamment. Le cépage principal confère de la douceur et de la rondeur au palais, équilibré par une pointe de fraîcheur citronnée. Un vin harmonieux, à découvrir à l'apéritif.

Cave vinicole Venise provençale, 233, rte de Sausset, Saint-Julien-les-Martigues, 13500 Martigues, tél. 04.42.81.33.93, fax 04.42.07.17.94, laveniseprovencale@wanadoo.fr r.-v.

CH. VIRANT Tradition 2011 ★

13 500 | 5 à 8 €

Sur cette vaste propriété de 130 ha de vignes (et de 30 ha d'oliviers), l'ancien côtoie le moderne : cave souterraine datant de 1631 et cave de vinification de 1897 à laquelle a été adjoint en 1996 un nouveau bâtiment pour l'embouteillage, le stockage et... le moulin à huile. Côté vin, le domaine propose ici un blanc délicat mais intense, au nez floral et fruité (agrumes, fruits blancs), auquel fait écho une bouche tout aussi fine et tonique, bien soutenue par une belle trame acide et une finale citronnée. La **Cuvée des Oliviers 2009 rouge (8 à 11 €; 6 600 b.)**, ronde, chaleureuse, épicée, torréfiée et mentholée, obtient une étoile. Elle est prête à boire.

Ch. Virant, CD 10, 13680 Lançon-de-Provence, tél. 04.90.42.44.47, fax 04.90.42.54.81, contact@chateauvirant.com t.l.j. 8h-12h 14h-18h30

Robert Cheylan

Coteaux-varois-en-provence

Superficie : 2 285 ha
Production : 123 900 hl (97 % rouge et rosé)

Reconnue en 1993, l'AOC est produite dans le département du Var sur 28 communes. Ceinturé à l'est et à l'ouest par les côtes-de-provence, le vignoble, discontinu, se niche entre les massifs calcaires boisés, au nord de la Sainte-Baume et autour de Brignoles qui fut résidence d'été des comtes de Provence. Signalons que le syndicat a son siège dans l'ancienne abbaye de La Celle reconvertie en hôtel-restaurant sous la houlette d'Alain Ducasse.

ABBAYE SAINT-HILAIRE La Cuvée du prieur 2010

20 000 | 8 à 11 €

De magnifiques reflets rubis ornent cette Cuvée du prieur. Sur la réserve, son esprit sauvageon prend des airs de garrigue, puis lentement la douceur de la vanille et du pain d'épice amadouent le palais encore juvénile dans son expression, où les tanins apparaissent fermes. Elle patientera un à deux ans pour plus de maturité. Une dégustation franche, sur un croquant de fruits rouges agréable, c'est ce qu'offre **La Cuvée du prieur 2011 rosé (5 à 8 €; 20 000 b.)**, citée.

Abbaye Saint-Hilaire, rte de Rians, 83470 Ollières, tél. 04.98.05.40.10, fax 04.98.05.12.18, cave@abbayesainthilaire.com t.l.j. sf dim. 10h-18h

M. Burel

CH. DES ANNIBALS
Suivez-moi-jeune-homme 2011 ★★

61 000 | 8 à 11 €

Cette année encore, ce jeune rosé laisse le souvenir d'un équilibre tout en finesse et en élégance. Son bouquet intense et complexe d'abricot, de pêche mûre et d'orange confite s'épanouit pleinement en bouche, accompagné d'une vivacité poivrée répondant ainsi au joli duo acidité-alcool. Un millésime si réussi qu'il a participé à la finale des coups de cœur. **La Jouvencelle 2011 blanc (17 000 b.)**, coup de cœur dans le précédent millésime, décroche une étoile pour sa rondeur, sa fraîcheur et ses arômes intenses de pamplemousse, de fleurs blanches et de pêche de vigne.

Dom. des Annibals, rte de Bras, 83170 Brignoles, tél. 04.94.69.30.36, fax 04.94.69.50.70, dom.annibals@orange.fr t.l.j. sf dim. 9h-12h 15h-19h

Nathalie Coquelle

LA BASTIDE DES OLIVIERS Cuvée classique 2010 ★

6 000 | 5 à 8 €

Installé depuis l'an 2000, Patrick Mourlan s'applique à cultiver sa vigne et à élaborer ses vins avec le moins d'interventions possibles. Ce rouge ni collé ni filtré a gardé une robe rubis soutenu. La syrah majoritaire offre un bouquet harmonieux de fruits rouges, de figue, de mûre et de réglisse. La bouche tendre exprime une fraîcheur et un fondu toujours bien fruité. Un large choix de charcuteries conviendra à cette bouteille gourmande, dès l'automne. Élevé sur lies fines, le **blanc classique 2011 (8 à 11 €; 1 100 b.)**, cité, montre équilibre et longueur.

Patrick Mourlan, La Bastide des Oliviers, 1011, chem. Louis-Blériot, 83136 Garéoult, tél. et fax 04.94.04.03.11, patrick.mourlan@wanadoo.fr t.l.j. sf dim. 10h-12h 15h-19h

BERGERIE D'AQUINO Étoiles d'Aquino 2011 ★

3 000 | 11 à 15 €

Reprenant en 2008 la propriété, Jean-Pierre Beert, industriel belge, reconstruit la bergerie en ruine et y aménage une cave performante. Défini comme le second vin du domaine, Étoiles d'Aquino brille par son expression estivale de pêche blanche et de melon. L'équilibre est là, autour d'une jolie rondeur teintée d'une acidité modérée qui apporte de la longueur. À apprécier avec une volaille à la crème et aux morilles.

Bergerie d'Aquino, rte de Mazaugues, D 64, 83170 Tourves, tél. 06.29.21.09.52, jpbeert@aquino.fr r.-v.

Jean-Pierre Beert

CH. LA CALISSE Patricia Ortelli 2011 ★★

8 000 | 11 à 15 €

Patricia Ortelli a élaboré deux vins de caractère dont la participation au grand jury des coups de cœur a été remarquée, générant un résultat serré. Les honneurs reviennent à ce rosé qui a séduit par une allure légère aux reflets lumineux et par un bouquet ouvert et complexe de fruits frais (pamplemousse rose). Cette agréable sensation de fraîcheur et d'élégance est confirmée au palais, enrichie d'une matière tout en rondeur des plus harmonieuses. La finale s'éternise sur la pêche et les agrumes délicats, telle la mandarine. Un vin « à croquer ». Vinifié en partie en

barrique de chêne neuf, le **blanc 2011 Patricia Ortelli cuvée Étoiles (20 à 30 €; 1 200 b.)** témoigne d'une parfaite maîtrise du travail au chai tant il apparaît généreux avec ses multiples facettes fruitées (pêche, ananas, abricot). Un léger grillé et quelques notes de fruits secs viennent compléter ce panel savoureux et équilibré par une juste acidité. Deux étoiles également.

Ch. la Calisse, RD 560, 83670 Pontevès, tél. 04.94.77.24.71, fax 04.94.77.05.93, contact@chateau-la-calisse.fr t.l.j. 9h-19h

Patricia Ortelli

DOM. DE CAMBARET Cuvée Tradition 2011 ★

15 000 | - de 5 €

C'est en 2003, après des études de viticulture et d'œnologie en Bourgogne, que Sébastien Truc rejoint son père au sein du domaine familial (27 ha). Deux cépages traditionnels, cinsault et grenache, composent cette cuvée qui fleure bon la pêche de vigne, l'abricot et le bonbon anglais. Ample et ronde, la bouche dévoile une palette aromatique dans la même lignée, gardant en finale une belle fraîcheur aux accents de pamplemousse. Un rosé joliment nuancé pour accompagner des petits farcis ou une salade niçoise.

Dom. de Cambaret, 4, rue Louis-Cauvin, 83136 Garéoult, tél. 04.94.04.88.81, domainedecambaret@gmail.com
r.-v.

F. Truc

CH. DES CHABERTS Cuvée Prestige 2011

6 500 | 8 à 11 €

Cette cuvée Prestige est un blanc à base de sémillon et de rolle (60 %), à l'allure vive et cristalline. Sa personnalité, définie comme « classique », s'exprime au moyen d'une palette florale et fruitée réussie, agrémentée d'une touche acidulée.

Betty-Ann Cundall, Ch. des Chaberts, 83136 Garéoult, tél. 04.94.04.92.05, fax 04.94.04.00.97, chaberts@wanadoo.fr
t.l.j. 9h-12h 14h-18h

DOM. LA CHAUTARDE 2010

n.c. | 5 à 8 €

C'est en 2003 que Vincent Garnier a repris les rênes du domaine appartenant à sa famille depuis le XVIIIe s. Il propose un rouge sombre aux contours violacés qui livre une expression chaleureuse de pain d'épice et de fruits secs soutenue en bouche par des tanins présents mais soyeux. Des nuances de menthol et de Zan marquent la finale. À suivre au cours des trois prochaines années. Cité aussi, le **rosé 2011** offre une générosité enveloppante, sur des notes amyliques.

SCEA Garnier, 2927, rte de Bras, 83143 Le Val, tél. et fax 04.94.80.89.30, la-chautarde@orange.fr r.-v.

CH. LA CURNIÈRE 2009 ★

2 600 | 8 à 11 €

Situé sur la route des gorges du Verdon, château la Curnière est le domaine le plus septentrional de l'appellation. Signé de Victor et Béatrice Bonifaci, les nouveaux propriétaires, ce 2009 révèle une personnalité ancrée dans son terroir et marquée par de jolis arômes de garrigue et de fruits très mûrs aux nuances mentholées. La bouche, souple dès l'attaque, repose sur des tanins présents mais soyeux, et offre un joli retour fruité. Cette bouteille laisse une impression chaleureuse qui s'appréciera dès cet hiver sur une viande braisée aux herbes de Provence. Bergamote, tilleul, mais aussi melon, banane, fruits rouges : une palette des plus variées compose le **rosé 2011 (2 000 b.)**, rond et persistant, qui décroche aussi une étoile.

Ch. la Curnière, rte de Montmeyan, 83670 Tavernes, tél. et fax 04.89.67.00.10, contact@chateaulacurniere.com
t.l.j. sf dim. 9h-12h 14h-19h; f. jan.-fév.

Bonifaci

DOM. DU DEFFENDS Champs de la truffière 2009 ★★

11 000 | 11 à 15 €

Champs de la Truffière
2009
Domaine du Deffends

Depuis le coup de cœur du millésime 2006, le clos est devenu « champs », mais la syrah et le cabernet de cette cuvée sont toujours issus de la même parcelle établie sur les pentes des contreforts des monts Auréliens. Ce 2009 a tout d'un grand. En robe grenat violacé, il s'impose lentement par un premier nez de fruits noirs (myrtille, mûre, cassis), puis l'aération sublime son côté épicé né d'un boisé fin sur le poivre et le gingembre. Ample, complexe, charpenté par des tanins fermes mais élégants, le palais retrouve la douceur de la vanille et des fruits au sein d'une longue finale. Déjà admirable, cette bouteille ne pourra qu'évoluer harmonieusement lors des sept prochaines années. Cité, le **Marie-Liesse 2010 rouge (5 500 b.)** plaît par son bouquet de fleurs du maquis et par sa bouche structurée aux accents de menthol et de myrte.

Suzel de Lanversin, Dom. du Deffends, 83470 Saint-Maximin-la-Sainte-Baume, tél. 04.94.78.03.91, fax 04.94.59.42.69, domaine@deffends.com
t.l.j. sf dim. 9h-12h 15h-18h

CH. DE L'ESCARELLE 2011 ★

130 000 | 5 à 8 €

Ce vignoble de 105 ha représente sans nul doute la plus grande structure en cave particulière de l'appellation. Le rosé du domaine, issu d'une courte macération, affiche une robe légère d'un rose tendre aux reflets lumineux. Franchise et vivacité s'allient en bouche à un plaisir simple de pêche, de poire et de notes anisées. À ouvrir à l'apéritif ou sur une salade composée, pour profiter de ce vin dans sa jeunesse.

SA Escarelle, Ch. de l'Escarelle, 83170 La Celle, tél. 04.94.69.09.98, contact@escarelle.fr
t.l.j. sf dim. 9h30-12h30 14h-18h30
G. Gassier

CH. DE FONTLADE Cuvée Saint-Quinis 2011 ★

20 000	5 à 8 €

Cette année encore, le rosé Saint-Quinis montre un nez engageant composé d'agréables arômes de fruit de la Passion, de fraise et de litchi. Tout en fraîcheur, la bouche reprend ce fruité riche et harmonieux au sein d'un développement rond et équilibré. Une bouteille généreuse, à essayer sur des associations sucrées-salées.

Véronique Goupy, Dom. de Fontlade, rte de Cabasse, 83170 Brignoles, tél. 04.94.59.24.34, fax 04.94.72.02.88, fontlade@orange.fr t.l.j. sf sam. dim. 8h-12h 14h-18h

LES BARRIQUES DE GARBELLE Vieilles Vignes 2009 ★

1 600	11 à 15 €

Si la production de rosés est majoritaire sur son domaine, Jean-Charles Gambini se passionne aussi pour des rouges de terroir comme ce vin élevé un an en barrique issu d'une sélection parcellaire de très vieille syrah. Sous la profondeur de la robe, d'un pourpre éclatant, s'ouvre un bouquet complexe mêlant les fruits mûrs (cassis, cerise, prune) et la vanille de l'élevage. La matière dense et généreuse est étayée par des tanins à la mâche encore aiguisée, mais le retour du fruit confituré et poivré dans la longue finale contribue à adoucir son caractère. Dans un an ou deux, il s'unira à table avec un tournedos Rossini. À l'apéritif ou sur une tarte aux fruits rouges, **Il fallait... rosé 2011 (8 à 11 € ; 11 000 b.)** séduit par son expression de fraise et de framboise, et par sa fraîcheur finale appuyée par le citron vert. Plein, long et fruité, le **Come prima 2009 rouge (8 à 11 € ; 4 000 b.)** a été apprécié pour sa typicité. Au total, un trio étoilé.

Jean-Charles Gambini, Dom. de Garbelle, 83136 Garéoult, tél. 06.08.63.91.00, contact@domaine-de-garbelle.com
t.l.j. 9h-12h 14h-18h

LA GRAND'VIGNE Les Fournerys 2011 ★

5 400	5 à 8 €

Le rosé des Fournerys vinifié par Roland Mistre développe une expression agréable de fruits mûrs (abricot notamment) animée d'une pointe épicée après aération. Après une attaque tout en souplesse, la bouche s'affirme avec du gras et du volume. D'une bonne longueur, la finale apparaît saline sous le fruit. Un rosé généreux, pour un repas automnal. Le **blanc 2011 (2 700 b.)**, à dominante rolle, affiche un nez floral et fruité, à la bouche ample, portée par la fraîcheur des agrumes et des notes épicées de gingembre et de girofle. Une citation.

La Grand'Vigne, Roland Mistre, rte de Cabasse, 83170 Brignoles, tél. 04.94.69.37.16, fax 04.94.69.15.59, contact@lagrandvigne.com r.-v.

DOM. DE LA JULIENNE Cuvée Émilie 2011

10 000	5 à 8 €

Le vignoble et la cave ultramoderne ont été entièrement créés en 2000. Plantés sur des sols argilo-calcaires, grenache, cinsault et syrah réalisent, malgré leur jeunesse, un heureux assemblage dans cette cuvée d'un rose franc. Dominé par de petits fruits rouges aux nuances biscuitées, le nez est attrayant. La bouche débute dans la fraîcheur, sur le croquant de la framboise et des agrumes, et finit sur le sucre roux. Un plaisir à partager à l'apéritif.

Marc Sicardi, Dom. de la Julienne, Chem. des Plaines, 83170 Tourves, tél. 04.94.78.78.76, fax 04.94.78.81.62, marc.sicardi@lajulienne.com t.l.j. sf dim. 9h-19h

CH. LAFOUX Cuvée Auguste 2010

6 500	11 à 15 €

Enserré de garrigue et d'une forêt de chênes, le vignoble s'étend sur 22 ha. Cette cuvée Auguste à dominante de syrah se construit sur un boisé fin et élégant aux notes de grillé et d'épices. Les tanins y sont généreux, gages d'une bonne évolution, et s'entourent d'accents de vanille et de moka. Parfait pour des terrines campagnardes.

SCEA Ch. Lafoux, RN 7, 83170 Tourves, tél. et fax 04.94.78.77.86, sales@chateaulafoux.com
t.l.j. 9h-12h 14h-18h
Boisdron

CH. LA LIEUE Cuvée Batilde Philomène 2011 ★

8 400	5 à 8 €

Le respect de la terre se transmet depuis cinq générations sur ce domaine qui s'est tourné tout naturellement depuis 1998 vers l'agriculture biologique. Dans cet écosystème préservé, ce Batilde Philomène, d'un rose soutenu, exprime au mieux la pleine maturité de la syrah et du grenache. Sa bouche ronde s'impose sans détour sur les fruits rouges. Puissante, elle offre une belle impression de complexité. Un rosé de gastronomie à associer avec une viande blanche.

Ch. la Lieue - EARL Famille Vial, rte de Cabasse, 83170 Brignoles, tél. 04.94.69.00.12, fax 04.94.69.47.68, chateau.la.lieue@wanadoo.fr
t.l.j. 9h15-12h30 14h15-19h; dim. 10h-12h 15h-18h

CH. MARGILLIÈRE Bastide 2011 ★

15 000	8 à 11 €

Le caveau de dégustation est installé dans une ancienne magnanerie du XVIIe s., entièrement rénovée au moyen des techniques d'antan. Rolle et ugni blanc, récoltés manuellement, sont à l'origine de ce blanc dont la jeunesse transparaît sous une robe claire aux reflets verts. Dans un sillage très élégant de fleurs blanches, les fruits d'été (pêche blanche, poire) ne veulent pas jouer le second rôle. Ils reviennent longuement complétés de pamplemousse rose dans un palais équilibré, à la fois ample et d'une vivifiante légèreté. D'une expression plus simple, le **rosé Bastide 2011 (15 000 b.)** est cité.

SCEA Ch. Margillière, rte de Cabasse, 83170 Brignoles, tél. 04.94.69.05.34, fax 04.94.72.00.98, contact@chateau-margilliere.fr r.-v.
P. Caternet

CH. MARGÜI Les Pierres sauvages 2011 ★

2 000	15 à 20 €

Vignoble et oliveraie étant déjà ici intégralement conduits en agriculture biologique, Marie-Christine et Philippe Guillanton ont tout naturellement choisi de s'orienter vers la biodynamie. Récoltés en surmaturité, rolle et ugni blanc évoluent avec rondeur dans ce 2011 au nez expressif d'agrumes et de fruits blancs. Le palais, persistant, reprend le croquant des fruits pour apaiser la pointe de chaleur ressentie en finale. Ce blanc d'automne se plaira avec un rôti de lotte aux herbes. Le **rosé 2011 Perle de Margüi**

PROVENCE

(11 à 15 €; 15 000 b.), aux fins arômes de fleurs et d'amande, et plus nerveux en bouche, est cité.

Ch. Margüi, Dom. de Margüi, rte de Barjols, 83670 Chateauvert, tél. 09.77.90.23.18, fax 04.94.77.30.34, philguillanton@yahoo.com r.-v.

Guillanton

CH. MIRAVAL Clara Lua 2011 ★★

	27 000		11 à 15 €

Connu pour ses vins mais aussi pour ses célèbres propriétaires, Brad Pitt et Angelina Jolie, le château Miraval occupe 28 ha dans sa partie viticole. Point de timidité chez cette Clara Lua d'un jaune pâle éclairé de reflets verts, dont le nez mi-floral mi-fruité, plaît par sa complexité. Quant à la bouche, qui dessine un joli filigrane d'agrumes, elle montre une construction quasi parfaite : souple, tonique, elle s'étire dans une longue finale agrémentée d'une pointe de douceur. Un blanc équilibré, à la fois plein, charnu et frais. Le **rosé 2011 (8 à 11 €; 6 600 b.)** décroche une étoile pour son caractère généreux, chaleureux même, aux accents de grenade et de fraise.

SA Ch. Miraval, 4515, rte de Barjols, 83143 Le Val, tél. 04.94.86.39.33, fax 04.94.86.46.79, info@miraval.com

CH. D'OLLIÈRES Clos de l'Autin 2011 ★★

	7 000		11 à 15 €

Le château d'Ollières est engagé depuis une dizaine d'années dans un renouveau qui porte ses fruits, à l'image de ce rosé à la forte personnalité, qui s'appuie sur des arômes de fruits mûrs aux légères nuances beurrées. Le palais se fait ample et onctueux. La fraise écrasée et la groseille s'y mêlent à des notes épicées. Ce rosé de repas accompagnera cet hiver un carré de porc en croûte de pain d'épice. Le **rouge 2009 Clos de l'Ermitage (15 à 20 €; 5 500 b.)** décroche une étoile pour son nez de fruits rouges confiturés, son boisé fin aux nuances de réglisse et de cacao et son palais ferme, ciselé par des tanins encore accrocheurs, qui lui assurent un potentiel de garde de trois à quatre ans.

Ch. d'Ollières, Le Château, 83470 Ollières, tél. et fax 04.94.59.85.57, info@chateau-ollieres.com
t.l.j. sf sam. dim. 9h-12h30 14h-17h30; sam. ouv en juil.-août

Hubert Rouy

VIGNERONS DE LA PROVENCE VERTE
Cuvée Amandine 2011

	n.c.	5 à 8 €

Les coopératives de Brignoles, Garéoult, Bras et Tavernes se regroupent en 2007 : la Provence verte reflète ainsi l'expression de ces différents terroirs. Ce blanc offre une dégustation empreinte de vivacité où s'entremêlent pêche, poire et citron au nez, pamplemousse, melon et buis en bouche. Une palette, intense, fraîche et variée, qui accompagnera en toute simplicité des tapas à l'apéritif ou une gougère au jambon en entrée.

Vignerons de la Provence verte, rte d'Aix, 83170 Brignoles, tél. 04.94.69.02.53, fax 04.94.59.26.59, vignerons-provenceverte@orange.fr
t.l.j. sf sam. dim. 9h-12h 15h-18h30 (15h30-19h en juil.-août)

DOM. RAMATUELLE 2009 ★

	5 500		5 à 8 €

Au pied du massif de la Sainte-Baume, ce vignoble de 40 ha est conduit en culture raisonnée : en enherbement total, il est pâturé de l'hiver au printemps par un troupeau de brebis. Ce 2009 rubis dévoile des notes chaleureuses de fruits rouges, de myrtille et de sous-bois relevées d'une touche poivrée. La bouche puissante est construite sur une charpente tannique encore jeune et enrobée de saveurs de cassis et d'épices. Une bouteille caractéristique de son terroir, à apprécier d'ici trois à quatre ans. Le **blanc 2011 (11 000 b.)**, une étoile, séduit par son fruité explosif de bergamote, de pêche et de fruit de la Passion, sa concentration, son volume et sa fraîcheur.

EARL Bruno Latil, Dom. Ramatuelle, 83170 Brignoles, tél. 04.94.69.10.61, ramatuelle2@wanadoo.fr
t.l.j. 9h-12h 14h-18h

LES RESTANQUES BLEUES 2011 ★★

	35 000		5 à 8 €

Si le rosé 2008 fut couronné d'un coup de cœur, ce 2011 ne démérite pas, décrochant deux étoiles et une participation au grand jury. Élégant dans sa robe printanière, il dévoile un nez expressif et frais de bourgeon de cassis et de buis, enrichi d'une pointe d'exotisme. L'attaque franche confirme cette palette, annonçant une matière ample, friande et équilibrée par une vivacité bienvenue en finale. Un ensemble harmonieux qui s'accommodera volontiers d'une cuisine provençale et séduira les amateurs de rosés très aromatiques.

Les Vignerons de la Sainte-Baume, Les Fauvières, 83170 Rougiers, tél. 04.94.80.42.47, fax 04.94.80.40.45, cave.saintebaume@wanadoo.fr
t.l.j. sf dim. 9h-12h 15h-18h

LA ROQUIÈRE Cuvée Le Laoucien 2011 ★★

	n.c.	5 à 8 €

La cave coopérative de La Roquebrussanne présente un rosé des plus expressifs, à la palette aromatique variée et intense, qui évoque une salade de fruits d'été composée de melon et de fruits exotiques. Encore et toujours sur le fruit, la bouche offre une matière à la fois ample, douce et croquante, à la fraîcheur mentholée et anisée. Le jury a été particulièrement séduit par l'originalité des parfums et saveurs de ce Laoucien à apprécier dès la sortie du Guide.

Cave Coop. Vinicole de la Roquière, 36, av. Saint-Sébastien, 83136 La Roquebrussanne, tél. 04.94.86.83.33 t.l.j. sf dim. 8h-12h 14h-18h

DOM. LA ROSE DES VENTS
Seigneur de Broussan 2010 ★

	5 000		8 à 11 €

Une exploitation familiale que Gilles Baude, œnologue, conduit avec son beau-frère Thierry Josselin, chargé de la commercialisation. C'est dans un tout nouveau caveau de dégustation que vous découvrirez ce millésime un peu mystérieux dans sa robe intense aux reflets noirs. Mêlant les fruits noirs, la garrigue et le boisé, le nez invite à aller plus loin. Pas de déception, la bouche dévoile une matière douce aux tanins d'une grande finesse et aux accents de poivre gris, de réglisse et de grillé. Parfait avec une pintade aux choux. Le jury prévoit par ailleurs un bel automne pour le **blanc 2011 (5 à 8 €; 10 000 b.)**, cité.

Dom. la Rose des vents, rte de Toulon, 83136 La Roquebrussanne, tél. 04.94.86.99.28, fax 04.94.86.91.75, larosedesvents073@orange.fr
t.l.j. sf dim. lun. 9h-12h 14h-18h

CH. ROUTAS Rouvière 2011

	95 500	▮	5 à 8 €

Un assemblage classique de cépages régionaux – cinsault, grenache, syrah – pour un rosé à la présentation impeccable avec son joli teint de pêche. Le nez subtil vagabonde entre les agrumes, les petits fruits rouges et la violette. La bouche, d'attaque franche, transporte un fruité exotique vers une longue finale empreinte de vivacité. Filets de rougets et millefeuille de fenouil pour une découverte gourmande.

Ch. Routas, SARL Rouvière Plane, rte de Barjols, Chateauvert, 83149 Bras, tél. 04.98.05.25.80, fax 04.98.05.25.81, rouviere.plane@wanadoo.fr r.-v.

David Murray

CELLIER DE LA SAINTE-BAUME Cuvée royale 2010

	n.c.		5 à 8 €

L'Amicale de 1912 est devenue en 1997 Le Cellier de la Sainte-Baume en fusionnant avec la coopérative de Tourves. En 2012, la cave fête son centenaire et déménage dans des locaux plus adaptés. Son 2010 à la robe sombre s'ouvre sur des notes de caramel au lait et de vanille offrant une agréable impression de douceur. La bouche plus ferme reprend un accent boisé, soutenue par de bons tanins et une pointe de vivacité. À déguster dès cet automne avec une omelette au bruccio.

Le Cellier de la Sainte-Baume, av. d'Estienne-d'Orves, 83470 Saint-Maximin-la-Sainte-Baume, tél. 04.94.78.03.97, fax 04.94.78.07.40, amicalecellier@orange.fr

t.l.j. 8h-12h 14h-17h45; dim. 8h-12h

DOM. DE SAINT-FERRÉOL 2011

	6 000		5 à 8 €

Sa situation géographique, aux portes du Verdon, en fait l'un des domaines les plus septentrionaux de l'appellation. Armelle et Guillaume de Jerphanion y sont devenus vignerons en 1979 et ils proposent aujourd'hui un rosé à la robe « framboisée » lumineuse, et aux parfums agréables de pêche de vigne et de fruits rouges. Au diapason, la bouche se révèle équilibrée entre rondeur et vivacité. Un classique pour la table.

Guillaume de Jerphanion, Dom. de Saint-Ferréol, 83670 Pontevès, tél. 04.94.77.10.42, fax 04.94.77.19.04, saint-ferreol@wanadoo.fr

t.l.j. sf dim. 9h 12h 14h 19h

CH. SAINT-JULIEN 2011 ★

	55 000	▮	5 à 8 €

Issu en majorité de grenache et de cinsault, ce 2011 est bien dans l'air du temps avec son allure rosée aux nuances violines. Il s'ouvre sur un bouquet tout en finesse, qui laisse libre cours à la verveine, au tilleul et aux fruits blancs. En bouche, il séduit par une agréable rondeur et par une élégante persistance aromatique. Un rosé qualifié de « féminin », à découvrir en toute occasion.

EARL Dom. Saint-Julien, rte de Tourves, RD 5, 83170 La Celle, tél. 04.94.59.26.10, fax 04.94.72.06.22, info@domaine-st-julien.com

t.l.j. sf dim. lun. 9h-12h 14h-18h

Garrassin

DOM. SAINT-MITRE Clos Madon 2011 ★

	n.c.	▮	8 à 11 €

Un domaine repris en 2004 par une famille de viticulteurs champenois qui a procédé à une importante restructuration du vignoble et du chai de vinification. Ce rosé offre une belle brillance sous sa teinte rose pâle et une agréable finesse aromatique qui se prolonge dans une bouche équilibrée, ample, aux saveurs de fruits rouges et à la finale acidulée.

Dom. Saint-Mitre, rte d'Esparron, 83470 Saint-Maximin-la-Sainte-Baume, tél. 04.94.78.07.54, fax 04.98.05.82.88, saint.mitre@wanadoo.fr

lun. mer. ven. 8h-12h 14h-18h; f. vacs Toussaint

D. et N. Martin

CH. THUERRY Les Abeillons 2011 ★

	10 000	▮	11 à 15 €

C'est dans un chai futuriste, semi-enterré, que sont élaborés des vins régulièrement sélectionnés dans le Guide. Rappelons le coup de cœur du rouge Abeillons 2007. Cette année, ces derniers sont remarqués en blanc. Ils se distinguent par un bouquet complexe et expressif d'amande, de fruit frais et de fleurs blanches qui trouve écho dans une bouche savoureuse, fraîche et persistante. Un beau représentant de son appellation, que l'on servira de l'entrée au fromage. Plaisant également, **Les Abeillons 2011 rosé (53 000 b.)**, cités, proposent un caractère plus chaleureux.

Ch. Thuerry, 83690 Villecroze, tél. 04.94.70.63.02, fax 04.94.70.67.03, thuerry@chateauthuerry.com

t.l.j. 9h-17h30 (été 19h; f. dim. en hiver)

Croquet

DOM. LES VALLONS DE FONTFRESQUE Cuvée des Tamaris 2011 ★

	10 500	▮	5 à 8 €

Grâce à un dynamisme et à une volonté farouche, Claire et Denis Sicamois ont redonné vie à ce domaine au potentiel incontesté, qu'ils ont repris en 2006. Cette cuvée couleur pêche, aux éclats légèrement saumonés, est issue de vignes de trente ans. Elle séduit d'emblée par une intense fraîcheur fruitée et mentholée. La bouche, friande, complexe et légère, s'étire en longueur sur de fraîches notes d'agrumes. Un rosé à découvrir sur une cuisine exotique, comme des côtes de veau au rougail de tomate. Le **blanc 2011 cuvée de Claire (8 à 11 € ; 1 900 b.)**, ample, fruité et subtilement boisé (vanille, noisette), fait jeu égal.

Dom. les Vallons de Fontfresque, ferme de Camp-Redon, RD 64, 83170 Tourves, tél. 04.94.69.01.22, domaine@lvdf.fr t.l.j. 10h-18h

♥ **DOM. DU VIGNARET** 2011 ★★

	9 000	▮	5 à 8 €

Dans la famille Tourrel, on est vigneron depuis plusieurs générations ; c'est donc naturellement que Roger,

PROVENCE

après avoir vinifié au sein de prestigieux domaines de la région, revient en 2004 à ses racines viticoles et décide d'élaborer ses propres vins. Une persévérance qui se trouve récompensée avec ce rosé intensément fruité, un rien amylique, doux, généreux et persistant. Un vin harmonieux et élégant, à réserver pour la table. Une étoile est décernée au **rouge 2009 (4 000 b.)** pour son caractère affirmé. Sous les notes de mûre et de myrtille ressort une structure tannique encore intense et une matière charnue et épicée. Son avenir s'envisage sereinement, en compagnie d'une côte de bœuf.

EARL Tourrel, Dom. du Vignaret, 8, rue de Provence, 83136 Sainte-Anastasie, tél. 04.94.86.78.84, fax 04.94.86.61.20, vignaret@orange.fr
t.l.j. sf dim. 9h30-12h30 15h-19h

Côtes-de-provence

Superficie : 23 280 ha
Production : 975 977 hl (96 % rouge et rosé)

Née en 1977, cette vaste appellation occupe un bon tiers du département du Var, avec des prolongements dans les Bouches-du-Rhône, jusqu'aux abords de Marseille, et une enclave dans les Alpes-Maritimes. Trois terroirs la caractérisent : le massif siliceux des Maures, au sud-est, bordé au nord par une bande de grès rouge allant de Toulon à Saint-Raphaël, et, au-delà, l'importante masse de collines et de plateaux calcaires qui annonce les Alpes. Issus de nombreux cépages en proportions variables, sur des sols et des expositions tout aussi divers, les côtes-de-provence présentent, à côté d'une parenté due au soleil, des variantes qui font précisément leur charme... Un charme que le Phocéen Protis goûtait sans doute déjà, six cents ans avant notre ère, lorsque Gyptis, fille du roi, lui offrait une coupe en aveu de son amour... La diversité des côtes-de-provence a conduit à individualiser certains terroirs, comme ceux de Sainte-Victoire et de Fréjus, reconnus en 2005, ou La Londe en 2008.

Sur les blancs tendres mais sans mollesse du littoral, les nourritures maritimes et très fraîches seront tout à fait à leur place, tandis que ceux qui sont un peu plus « pointus », nés un peu plus au nord, appelleront des écrevisses à l'américaine et des fromages piquants. Les rosés, plus ou moins tendres ou nerveux, s'accorderont aux fragrances puissantes de la soupe au pistou, de l'anchoïade, de l'aïoli, de la bouillabaisse, et aussi aux poissons et fruits de mer aux arômes iodés : rougets, oursins, violets. Parmi les rouges, ceux qui sont tendres, à servir frais, conviennent aussi bien aux gigots et aux rôtis qu'au pot-au-feu, surtout si l'on sert ce dernier en salade ; les rouges puissants, généreux, qui peuvent parfois vieillir une dizaine d'années, conviendront aux civets, aux daubes, aux bécasses. Et pour les amateurs d'harmonies insolites, rosés frais et champignons, rouges et crustacés en civet, blancs avec daube d'agneau (au vin blanc) procurent de bonnes surprises.

DOM. DE L'ABBAYE Le Thoronet
Rosé de saignée 2011 ★★

19 000 | 15 à 20 €

Les terres du domaine de l'Abbaye étaient autrefois cultivées par les moines cisterciens de l'abbaye du Thoronet. Franc Petit s'attache depuis trente-trois ans à reconstituer le vignoble initial. Il signe un rosé de saignée délicatement parfumé, à la robe si légère qu'elle en paraît transparente. C'est en bouche que cette bouteille révèle la quintessence de son expression. Concentrée sur de généreuses notes fruitées (pêche, poire), elle allie vivacité et douceur, ampleur et longueur. Un vin harmonieux, à tester sur une morue à l'aïoli.

Franc Petit, quartier Pugette, 83340 Le Thoronet, tél. 04.94.73.87.36, fax 04.94.60.11.62, domaine.de.labbaye@wanadoo.fr t.l.j. 8h-18h

CH. L'AFRIQUE N'2 2011 ★★

46 000 | 5 à 8 €

Ce domaine doit son nom aux influences orientalistes du début du XIXe s., époque de sa rénovation. Acquis en 1953 par Gabriel Sumeire, il est désormais conduit par ses descendants Olivier et sa sœur Sophie, qui ont converti le vignoble à l'agriculture bio (certifiée depuis 2010). C'est à Sophie que l'on doit cette cuvée N'2, un rosé né de grenache, de tibouren et de cinsault à parts quasi égales. Une robe bien dans l'air du temps, rose pâle et limpide, ornée de quelques reflets framboise. Un bouquet intense dominé par les agrumes, pamplemousse en tête. Un palais à l'unisson, remarquable d'équilibre, à la fois rond et frais. Ces arguments l'ont porté à la table du grand jury des coups de cœur... Il s'invitera à la vôtre en compagnie d'un tajine d'agneau aux abricots confits. Le **rosé 2011 Elie Sumeire (8 à 11 €; 46 000 b.)** expressif (mandarine, fraise, pamplemousse), ample et soutenu par une jolie vivacité, obtient une étoile.

Ch. l'Afrique, 83390 Cuers, tél. 04.42.61.20.00, fax 04.42.61.20.01, sumeire@sumeire.com r.-v.
Famille Sumeire

LES CAVES DE L'AMIRAL Cuvée Sainte Anne 2011 ★

5 567 | 5 à 8 €

En 1791, l'amiral d'Entrecasteaux fut envoyé par Louis XVI à la recherche de La Pérouse, disparu dans les mers du sud. Il y mourut du scorbut... Il donne son nom à cette coopérative fondée en 1925, dont les 209 ha de vignoble sont composés de restanques, de coteaux et de petits plateaux. Grenache et cinsault marquent la personnalité de ce rosé aux reflets corail, chaleureux, souple et rond. À découvrir sur un loup en croûte de sel.

SCA Les Caves de l'Amiral, rte de Saint-Antonin, quartier Les Prés, 83570 Entrecasteaux, tél. 04.94.04.42.68, fax 04.94.04.49.05, cave.amiral@wanadoo.fr r.-v.

CH. DES ANGLADES 2010 ★

10 500 | 8 à 11 €

Aux abords de la ville de Hyères, une allée de palmiers conduit à la bâtisse du XVIIe s., cœur de ce domaine racheté en 2000 par M. Gautier. Depuis lors, une remise à niveau des vignes et de la cave est engagée. Ce

2010 rubis aux reflets noirs, développe un fruité complexe et généreux entre mûre, fraise et cerise et s'appuie sur des tanins bien présents qui ne nuisent pas à l'équilibre et poussent loin la finale. Un vin cohérent, à déguster, pourquoi pas, sur un dessert au chocolat.
Ch. des Anglades, quartier Couture, 1845, rte de Nice, 83400 Hyères, tél. 04.94.65.22.21, fax 04.94.65.96.69, contact@lesanglades.com
t.l.j. sf dim. 9h-12h 14h-18h; f. 10-31 jan.
Gautier

DOM. DE L'ANGUEIROUN La Londe Prestige 2010 ★

6 000 | 15 à 20 €

Une *angueiroun* (« petite anguille », en provençal) orne l'étiquette de cette cuvée à la robe profonde auréolée de reflets pourpres. L'invitation est franche et goûteuse : mûre, cerise, puis douceur de l'amande et de la rose. D'une rondeur flatteuse en attaque, la bouche montre suffisamment de gras et de fondu. La finale reprend le fruit mûr et y ajoute les épices. « De l'harmonie, du volume et de la matière », conclut une dégustatrice. À proposer dès l'automne sur une souris d'agneau au miel et aux épices douces. On précisera que le domaine est une ancienne réserve de chasse, d'où peut-être le choix d'un autre animal pour baptiser la cuvée de négoce d'Éric Dumon et de l'œnologue Bertrand Dubois réunis sous la marque Oenolatino : le **Zèbre 2011 rosé (5 à 8 €; 30 000 b.)**, cité, pour ses arômes puissants d'agrumes, de pêche, de litchi et de fleurs blanches, et pour son palais rond et gourmand.
Éric Dumon, Dom. de l'Angueiroun, 1077, chem. de l'Angueiroun, 83230 Bormes-les-Mimosas, tél. 04.94.71.11.39, fax 04.94.71.75.51, contact@angueiroun.fr
t.l.j. 8h-12h 14h-18h

CH. LES APIÈS Sieur Saint-Jean 2010 ★★

4 000 | 11 à 15 €

Le domaine, qui porte le nom d'une forêt toute proche, a lancé ses premières vinifications en 2003, créant alors une gamme complète. Il propose ici un 2010 bien sous tous rapports : robe jaune paille, bouquet floral et zesté, maturité expressive, matière ronde qui emplit bien le palais et jolie note boisée en finale. Sa personnalité généreuse classe ce vin en « blanc d'assiette » ; il accompagnera volontiers une queue de lotte sauce safranée.
Ch. les Apiès, SARL Les Muriers, Clos Saint-Jean, 83460 Les Arcs-sur-Argens, tél. 06.30.44.16.14, georgesduval001@hotmail.com
t.l.j. 9h-12h 14h-19h; dim. sur r.-v.
Wouters

CH. L'ARNAUDE 2011 ★★

4 000 | 8 à 11 €

Cet ancien ermitage est situé sur l'une des routes menant à Saint-Jacques-de-Compostelle, dans la plaine de Lorgues. Mats Wallin y signe ses sixièmes vendanges avec ce 100 % rolle attrayant dans sa robe aux nuances dorées. Si le premier nez évoque les fruits exotiques et les épices (cumin), l'aération révèle des notes de fruits blancs (poire williams, pêche). Cette belle intensité aromatique est confirmée en bouche, à travers de persistantes senteurs de vanille, de poivre et de fruits frais. L'ensemble est équilibré, ample et long, et s'appréciera sur des ris de veau aux morilles.
Ch. l'Arnaude, 692, rte de Vidauban, 83510 Lorgues, tél. 04.94.73.70.67, info@chateaularnaude.com r.-v.
Wallin

DOM. DES ASPRAS Les Trois Frères 2011

15 000 | 8 à 11 €

Michaël Latz dédie cette cuvée à ses trois fils, qui l'épaulent sur ce domaine de 16 ha. Il fut l'un des pionniers de la viticulture biologique (1996) à Correns, qui affiche fièrement son titre de « premier village bio de France ». Il propose ici un rosé pâle, couleur chair, tout en fruit (cerise, pêche, fraise) au nez et d'une jolie fraîcheur en bouche. Parfait pour accompagner la cuisine provençale.
Michaël Latz, Dom. des Aspras, 83570 Correns, tél. 04.94.59.59.70, fax 04.94.59.53.92, mlatz@aspras.com
t.l.j. sf dim. 9h-12h 15h-19h (18h en hiver); f. dim. lun. en hiver

CH. D'ASTROS Cuvée spéciale 2011 ★★

2 400 | 8 à 11 €

Sur cette propriété, se sont succédé une commanderie templière, une bâtisse de la Renaissance et enfin ce château à l'architecture italienne, qui servit de lieu de tournage pour le film d'Yves Robert, *Le Château de ma mère*. De ses vignes de sémillon et de rolle naît ce vin à la robe pâle et limpide. Au nez, senteurs d'agrumes, de fruits exotiques et de fleurs s'entremêlent avec éloquence. La bouche est soyeuse et joliment proportionnée entre la franchise de l'attaque et le croquant de la finale. Une bouteille à essayer sur des fromages de chèvre secs.
SCEA du Ch. d'Astros, rte de Lorgues, 83550 Vidauban, tél. 04.94.99.73.00, fax 04.94.73.00.18, contact@astros.fr
t.l.j. sf dim. 8h30-12h30 14h-18h
Maurel

CH. DE L'AUMERADE Cuvée Sully 2011 ★★

Cru clas. | 29 000 | 8 à 11 €

Dans son écrin élégant, créé par Henri Fabre et son fils Louis, inspiré d'une pâte de verre d'Émile Gallé, la cuvée Sully séduit aussi par le contenu du flacon. Dans le verre, de lumineux reflets verts et des parfums complexes d'agrumes, de fleurs blanches et de sous-bois agrémentés d'une pointe d'épices. Le palais ample oscille entre nervosité et sucrosité, portant avec assurance le même bouquet varié que celui perçu à l'olfaction, enrichi d'amande fraîche en finale. Un blanc de haute expression, friand et long, à découvrir avec des brochettes de lotte aux épices douces.
Ch. de l'Aumerade, SCEA des Domaines Fabre, 83390 Pierrefeu-du-Var, tél. 04.94.28.20.31, fax 04.94.48.23.09, vincent.grimaldi@aumerade.com
t.l.j. sf dim. 8h30-12h30 14h-18h
Famille Fabre

CH. BARBANAU L'Instant 2011 ★★

10 000 | 8 à 11 €

Les vignes sont situées à l'extrême ouest de l'appellation, non loin de Cassis, autre appellation que produisent Sophie et Didier Simonini Cerciello. Maturité idéale pour les deux cépages, rolle et clairette, entrant dans cette cuvée pâle aux reflets vert brillant, au bouquet expressif et fin, fruité et légèrement épicé (poivre blanc). La bouche, complexe, évolue entre gras et vivacité, et persiste longuement sur la pêche blanche et l'abricot. Pour un apéritif aux accents marins ou une tarte aux fruits jaunes. Cité, le

PROVENCE

rosé Et cae terra 2011 (11 à 15 € ; 4 000 b.), s'affirme par son fruité (agrumes, ananas) et son équilibre.

Ch. Barbanau, Le Hameau, 13830 Roquefort-la-Bédoule, tél. 04.42.73.14.60, fax 04.42.73.17.85, contact@chateau-barbanau.com

t.l.j. sf dim. 10h-12h 15h-18h

Cerciello

CH. BARBEIRANNE Cuvée Camille 2011 ★★

12 000 — 11 à 15 €

Nés sur les coteaux du massif des Maures, les raisins de cette cuvée ont bénéficié d'une pleine maturité, comme en témoigne l'expression chaleureuse du fruité. La vinification et l'élevage en fût y laissent une empreinte épicée et vanillée. Le palais se révèle ample, rond, gras et dense, une juste fraîcheur venant apporter équilibre et tonus. Un rosé qualifié de « différent » par son caractère boisé, mais aussi fort plaisant, complexe et intense. Poivrons en salade, rougets grillés, petit chèvre aux herbes, salade de fruits : un vaste choix s'offre à vous. La **cuvée Vallat-Sablou 2011 blanc (8 000 b.)** est citée pour son boisé vanillé bien fondu dans un bouquet floral et fruité (agrumes) et dans une bouche riche et généreuse.

Ch. Barbeiranne, lieu-dit La Pellegrine, 83790 Pignans, tél. 04.94.48.84.46, fax 04.94.33.27.03, barbeiranne@wanadoo.fr

t.l.j. sf dim. 9h-12h 13h30-18h; sam. 10h-12h 14h-18h

Mme Febvre

La Provence

DOM. DE LA BASTIDE BLANCHE Two B 2011 ★★★

	30 000	11 à 15 €

Un magnifique rosé aux nuances irisées, qui n'est pas passé loin du coup de cœur. Son profil aromatique, mélange « explosif » de notes florales et de nuances fruitées, ravit le jury, tant au nez qu'au palais. C'est un vin aux proportions parfaites : attaque vive et franche, cœur de bouche charnu et ample, complexité, concentration et finale persistante. Rien à dire de plus, il faut le déguster ! De la même entité, le **Dom. de la Croix 2011 rosé Éloge (70 000 b.)** décroche une étoile pour son nez fin aux nuances amyliques complétées d'agrumes et pour sa bouche fraîche et persistante, sur la pêche et les épices. Une étoile aussi pour le **Dom. de la Croix 2010 rouge Éloge (15 à 20 € ; 20 000 b.)** pour son bouquet complet (fruits noirs, vanille, tilleul) et sa puissance veloutée en bouche ; à oublier en cave durant deux à quatre ans.

Domaines de la Croix et de la Bastide blanche, bd de Tabarin, 83420 La Croix-Valmer, tél. 04.94.95.01.75, fax 04.94.17.47.67, contact@domainedelacroix.com

t.l.j. 10h-13h 15h-19h

Bolloré

DOM. DE LA BASTIDE NEUVE Perle des anges 2011 ★

	40 000	8 à 11 €

Repris en 1988 par Nicole et Hugo Wiestner, ce domaine assemble une bastide provençale vieille de deux siècles et un ensemble paysager ceint d'un étang et d'un parc animalier, le tout dans la plaine bordant le début du massif des Maures. Ce rosé pâle libère d'élégantes notes

briochées et florales (fleurs blanches, violette) agrémentées de parfums d'amande. La bouche, friande, présente une belle cohésion entre fraîcheur et finesse. Un vin tout indiqué pour un gaspacho.

Dom. de la Bastide neuve, quartier Maltrate, 83340 Le Cannet-des-Maures, tél. 04.94.50.09.80, fax 04.94.50.09.99, richard@bastideneuve.fr t.l.j. sf dim. 8h-18h; sam. 8h-13h

Wiestner

CH. DE BERNE 2011 ★

	n.c.		15 à 20 €

Situé au cœur du Var, ce vaste domaine de 491 ha est devenu un véritable centre œnotouristique : journées à thème, concerts, cours de cuisine, visites des caves et dégustations, hôtel relais-château, deux restaurants... Côté vin, voici un rosé à dominante de grenache, le cinsault en appoint (20 %), joliment vêtu de rose clair aux reflets pêche. Le nez, expressif, mêle notes amyliques et senteurs citronnées. La bouche se révèle bien fruitée (agrumes et fruits rouges), ronde et généreuse, tonifiée par une pointe de vivacité bienvenue. Des mêmes propriétaires (depuis 2010), le **Ch. des Bertrands 2011 rosé (11 à 15 €; 40 000 b.)** est cité pour son nez intense, floral et fruité, et pour son palais équilibré entre gras et acidité. Un rosé de repas, généreux et fin à la fois.

Vignobles de Berne en Provence, chem. de Berne, 83510 Lorgues, tél. 04.94.60.43.52, fax 04.94.60.43.58, vins@chateauberne.com r.-v.

DOM. BOUISSE-MATTERI Harmonie 2010 ★

	1 800		8 à 11 €

Cette exploitation familiale étend son vignoble sur 55 ha et possède un grand caveau de dégustation bien connu des œnophiles hyérois. Une vinification et un élevage en fût ont donné cette cuvée déjà harmonieuse qui, sous des parfums de noisette et de grillé, garde une jolie fraîcheur florale. L'attaque douce annonce une bouche ronde et onctueuse, beurrée et miellée. Cette bouteille élégante se livrera dès cet automne sur un risotto aux champignons parfumé à l'huile de noix. Si la cuvée **Harmonie 2010 rouge (11 à 15 €; 1 500 b.)**, citée, est encore sous l'emprise de la barrique, elle offre une matière ample et généreuse portée par une structure ferme qui lui permet de bien « digérer » son élevage. Pour un mets de caractère, aujourd'hui ou dans deux ans.

Dom. Bouisse-Matteri, 3301, rte des Loubes, 83400 Hyères, tél. 04.94.38.65.05, fax 04.94.38.65.30, bruno.merle@wanadoo.fr t.l.j. sf dim. 9h-19h

Mathilde Merle

DOM. DE LA BOUVERIE 2011 ★

	10 000		8 à 11 €

C'est dans les années 1980 que Jean Laponche acquiert cette ancienne ferme autrefois consacrée à l'élevage de bovins. Dans un décor majestueux face aux crêtes dentelées du rocher de Roquebrune-sur-Argens est né ce blanc issu de rolle, belle expression de ce terroir typique de l'Esterel. Vinifié en fut de chêne et élevé sur lies, il a gardé une robe légère et s'exprime délicatement sur des notes toastées et florales. Franc à l'attaque, il déroule une bouche onctueuse, longue et aromatique. À découvrir dans l'année, sur un couscous de poisson.

Jean Laponche, Dom. de la Bouverie, 83520 Roquebrune-sur-Argens, tél. 04.94.44.00.81, fax 04.94.44.04.73, domainedelabouverie@wanadoo.fr t.l.j. 9h-12h 14h30-18h30

CH. DE BRÉGANÇON Réserve du château 2011 ★

Cru clas.	50 000		8 à 11 €

Idéalement placée en bordure maritime, cette demeure du XVIIes. est propriété de la famille Tézenas depuis huit générations. Si l'on y élevait jadis les vers à soie, seuls les vignes et les oliviers y sont désormais exploités. Côté vin, ce 2011 livre un nez élégant de fleurs, de groseille et d'amande. La souplesse prédomine dès l'attaque, prélude à un palais ample, vif et persistant sur les fruits rouges. Un rosé délicat et gourmand.

SARL Ch. de Brégançon, 639, rte de Léoube, 83230 Bormes-les-Mimosas, tél. 04.94.64.80.73, fax 04.94.64.73.47, chateaubregancon@wanadoo.fr t.l.j. sf dim. 9h-12h 13h-19h

Tézenas

DOMAINES BUNAN Bélouvé 2011 ★

	35 000		8 à 11 €

Ce 2011, dont le nom signifie « beau raisin » en provençal, est le premier certifié AB pour le domaine. Rose tendre aux reflets saumonés, il livre un bouquet complexe où se mêlent notes fruitées et florales. Très réussie, la bouche exprime avec intensité ce terroir de cailloutis calcaires situé à quelques kilomètres de la Méditerranée. Rondeur et minéralité, équilibre et puissance sont les atouts de ce vin qui se mariera à merveille avec de la cuisine exotique. Citée, la cuvée **Bélouvé 2011 blanc (4 000 b.)** a séduit par son bouquet complexe (fleurs jaunes, miel, épice) et sa plaisante vivacité.

Dom. Bunan, Le Moulin des Costes, BP 17, 83740 La Cadière-d'Azur, tél. 04.94.98.58.98, fax 04.94.98.60.05, bunan@bunan.com t.l.j. 9h-12h 14h-18h; dim. 10h-12h 16h-19h; f. dim. avr.-sept.

LA CADIÉRENNE 2011 ★

	50 000		- de 5 €

Créée en 1929, cette cave coopérative regroupe un vignoble de quelque 700 ha qui s'étend sur les coteaux calcaires proches de la Méditerranée, sous le regard bienveillant du mont Caume. Elle propose ici un vin rouge d'un grenat brillant et soutenu orné de reflets violacés. Le nez mêle aux fruits mûrs une note de cuir et d'épices. Longue et bien équilibrée, la bouche s'appuie sur des tanins fondus et soyeux qui permettront à ce vin de bien vieillir deux ou trois ans avant d'accompagner un civet de lièvre.

SCV La Cadiérenne, quartier Le Vallon, 83740 La Cadière-d'Azur, tél. 04.94.90.11.06, fax 04.94.90.18.73, cadierenne@wanadoo.fr r.-v.

CH. CARPE DIEM Plus 2010

	1 500		8 à 11 €

Sur l'étiquette, comme une devise : « La vie est trop courte... savourez l'instant ! » Savourons donc ce rouge profond aux nuances pourpres, né de syrah (80 %) et de cabernet. Le nez, expressif, évoque la cerise noire agrémentée de touches de poivron. Franche en attaque, la bouche se montre structurée, fruitée et réglissée. La puissance de l'ensemble demande deux années de garde pour s'assagir et appelle des côtelettes d'agneau grillées aux herbes.

Francis Adam, Ch. Carpe Diem, 4436, rte de Carcès, 83570 Cotignac, tél. 04.94.04.72.88, fax 04.94.04.77.50, chateaucarpediem@free.fr
été t.l.j. 9h30-12h30 15h-19h; hiver t.l.j. sf lun. mer. 10h-12h30 14h30-18h30

DOM. DE CASENEUVE 2011 ★

130 000 - de 5 €

La coopérative de Brignoles a vinifié cette cuvée du domaine de Caseneuve née de cinsault, de syrah et de grenache. La robe est pâle et limpide. Le nez, intense, mêle fruits rouges et notes amyliques. Dans la même ligne aromatique, la bouche se révèle ample, charnue et généreuse, et même chaleureuse en finale. Un rosé « solaire », à déguster sur un tajine d'agneau. Le **rosé 2011 Estandon (5 à 8 € ; 500 000 b.)** est cité pour son agréable profil aromatique (fruits rouges, fruits exotiques, sureau).

Estandon Vignerons, 727, bd Bernard-Long, ZI Les Consacs, 83170 Brignoles, tél. 04.94.37.21.00, fax 04.94.59.14.84, ghawadier@cercleprovence.fr

CH. DE LA CASTILLE 2011

25 000 5 à 8 €

En 1524, le domaine abrita les régiments impériaux de Castille, venus bouter les armées de Charles Quint. Ancienne propriété des Comtes de Provence au XVes., il appartient aujourd'hui au diocèse de Fréjus-Toulon. Il présente un rosé clair dont les senteurs de rose s'allient à des parfums de fruits mûrs, entre pêche blanche et poire, dans un ensemble élégant. La bouche vive et souple persiste sur une finale citronnée. Un vin d'une belle fraîcheur, idéal pour des tapas.

Fondation la Castille, Dom. de la Castille, rte de la Farlède, Sollies-Ville, 83260 La Crau, tél. 04.94.00.80.50, fax 04.94.00.80.51, caveau@domaine-castille.fr
t.l.j. sf dim. lun. 8h-12h 14h-18h

CH. CAVALIER 2011 ★

250 000 8 à 11 €

Ce domaine acquis par Pierre Castel en 2000 ne produit que du rosé, au sein d'un coquet vignoble de 140 ha implanté sur des terres sableuses. D'un joli rose saumoné, cette cuvée dominée par le grenache, la syrah et le cinsault évoque avec netteté les fruits à noyau, le litchi et le pamplemousse. La bouche, ample et fraîche, tient la note avec persistance. Un vin équilibré et fruité, à déguster sur un tian de légumes provençaux.

SCEA Ch. Cavalier, 1265, chem. de Marafiance, 83550 Vidauban, tél. 04.94.73.56.73, fax 04.94.73.10.93, vidauban@castel-freres.com r.-v.

CH. DE CHAUSSE Rubis 2009 ★

1 200 20 à 30 €

Depuis 1990, Roseline Schelcher est à la tête de cette propriété qu'elle a créée de toutes pièces en contrebas du village de La Croix-Valmer. Plus sombre et violacé que rubis, ce 2009 laisse apparaître au nez une belle concentration aromatique autour de la mûre, des aromates et des épices, nuancées de notes de pain grillé. La bouche dense et suave s'appuie sur de solides tanins qui demandent deux à trois ans de garde pour s'arrondir. Cité, le **blanc 2011 (8 à 11 € ; 9 000 b.)** s'inscrit dans un équilibre fruité, à apprécier à l'apéritif.

Ch. de Chausse, 83420 La Croix-Valmer, tél. 04.94.79.60.57, fax 04.94.79.59.19, chateaudechausse@orange.fr t.l.j. 10h-12h 15h-18h
Schelcher

CH. CLARETTES Grande Cuvée 2010

8 000 11 à 15 €

Ce domaine situé au-dessus du village médiéval des Arcs-sur-Argens propose une cuvée issue de mourvèdre et de cabernet-sauvignon qui présente bien dans sa robe rouge sombre aux reflets violacés. Le nez mêle parfums de fruits noirs mûrs, notes torréfiées et senteurs de sous-bois. La bouche affiche une bonne structure tannique et boisée enrobée d'une étoffe veloutée. L'ensemble est plaisant et déjà harmonieux, mais l'on pourra attendre une paire d'années que le boisé encore dominant se fonde. Parfait pour une grillade au feu de bois. La **Grande Cuvée 2011 rosé (8 à 11 € ; 15 000 b.)** tonique, fraîche et aromatique (fruits rouges acidulés, pamplemousse, litchi), est également citée.

Vignobles Crocé-Spinelli, Dom. des Clarettes, BP 31, 83460 Les Arcs-sur-Argens, tél. 04.94.47.45.05, fax 04.94.73.30.73, crocespinellivin@aol.com
t.l.j. 10h-12h 14h-18h30

CLOS CIBONNE Cuvée spéciale tibouren 2011 ★

7 000 11 à 15 €

Le tibouren a trouvé un beau terroir d'élection sur cette propriété familiale. Il représente 90 % de l'assemblage de cette cuvée, le grenache en appoint. Le résultat est un vin à la robe rubis éclatant, au nez généreux de fruits rouges et d'épices, au palais soyeux, élégant et fin. À déguster dès aujourd'hui, avec un rôti de veau aux chanterelles.

Dom. Clos Cibonne, chem. de la Cibonne, 83220 Le Pradet, tél. 04.94.21.70.55, fax 04.94.08.13.44, contact@clos-cibonne.com
t.l.j. sf dim. 9h-12h 14h-19h
SCEA André Roux

DOM. DU CLOS D'ALARI Grand Clos 2011 ★

18 000 8 à 11 €

Nichée au cœur du Var, cette propriété entourée de vignes, d'oliviers et de chênes truffiers, est conduite par deux femmes, la mère et la fille, Anne-Marie et Nathalie Vancoillie. Leur cuvée, d'un joli rose pâle aux reflets saumonés, livre un bouquet discret mais élégant de fruits rouges égayé d'un zeste d'agrumes. La bouche offre du gras, de la rondeur et du volume, sous-tendue par une agréable fraîcheur et par un fruité en harmonie avec l'olfaction. Un vin équilibré et persistant, tout indiqué pour des côtelettes d'agneau grillées.

Nathalie Vancoillie, Clos d'Alari, 717, rte de Mappe, 83510 Saint-Antonin-du-Var, tél. 04.94.72.90.49, fax 04.94.72.90.51, domaine.du.clos.alari@orange.fr
r.-v.

CLOS GAUTIER 2011

5 200 8 à 11 €

Gilles Pedini, originaire de la région niçoise, a pris la suite, en juillet 2011, de Sébastien Pereira, créateur de ce domaine situé au cœur de la Provence verte. Rolle et ugni blanc s'assemblent ici pour libérer un large bouquet naviguant entre fleur et fruit, alors que la bouche est

PROVENCE

remarquée pour son équilibre, sa fraîcheur et sa longueur. À conseiller sur un loup de mer grillé et citronné.
Dom. Clos Gautier,
EARL Pedini, 800, chem. des Bastides, 83570 Carcès,
tél. 04.94.80.05.05, fax 04.94.80.05.06, clos.gautier@free.fr
t.l.j. 9h-12h 14h-18h
Gilles Pedini

CLOS MIREILLE Cœur de grain 2011 ★

100 000 | 20 à 30 €

Arrivant d'Alsace, où leurs ancêtres étaient vignerons, la famille Ott s'est installée dans les années 1930 sur ce domaine situé à quelques mètres de la Méditerranée. Issu d'un assemblage de grenache, cinsault, syrah et cabernet-sauvignon, ce rosé présente une robe cristalline aux reflets rose tendre. Le nez dévoile des parfums discrets d'airelle, de fruits exotiques et de myrtille. La bouche offre un bel équilibre entre rondeur et fraîcheur, et s'achève sur une très plaisante finale tonique et acidulée. À déguster sur un carpaccio de langoustines.
SA Domaines Ott,
Clos Mireille, rte du Fort-de-Brégançon,
83250 La Londe-les-Maures, tél. 04.94.01.53.50,
fax 04.94.01.53.51, closmireille@domaines-ott.com
t.l.j. sf sam. dim. 9h-12h 14h-18h
Roederer

CLOS RÉQUIER 2011 ★★

21 000 | 11 à 15 €

Ce Clos Réquier 2011 est issu d'un vignoble situé à Cabasse. Il se dévoile avec élégance, drapé dans une robe rose pâle aux nuances sable. Le nez, intense et fin, évoque les fleurs blanches, les fruits jaunes (pêche) et exotiques (ananas). La bouche, dans la continuité du bouquet, révèle un équilibre remarquable ; elle est à la fois ample, ronde, douce et franche, portée par une longue finale fruitée. Pourquoi pas sur un tartare de saumon. Le **Ch. Saint-Louis du Thoronet 2011 rosé (8 à 11 €; 14 000 b.)**, né sur les anciennes terres de l'abbaye du Thoronet, est un vin soyeux, souple et harmonieux. Il obtient une étoile.
SAS Les Domaines du Lac, 279, rte du Thoronet,
83570 Carcès, tél. 04.98.05.28.28, fax 04.94.80.21.14,
info@lesdomainesdulac.fr

CLOS SAINT-JOSEPH Blanc de blancs 2011

8 000 | 15 à 20 €

Établi à 40 km au nord-ouest de Nice, ce petit clos de 6 ha inséré dans un cirque montagneux est le seul domaine de l'appellation situé dans les Alpes-Maritimes. Plantés sur un sol de cailloutis calcaires, les ceps de rolle, d'ugni blanc, de sémillon et de clairette ont donné naissance à cette cuvée jaune d'or au nez délicat de fruits blancs, de fruits exotiques (ananas, papaye) et d'épices douces, et à la bouche ample, longue et fruitée.
Clos Saint-Joseph, 168, rte du Savel,
06710 Villars-sur-Var, tél. et fax 04.93.05.73.29,
closaintjoseph@orange.fr r.-v.
Roch Sassi

CH. COLBERT CANNET 2011 ★

200 000 | 5 à 8 €

Mis en bouteilles par le château Reillanne, propriété du comte de Chevron Villette, ce rosé clair aux nuances violines séduit par la fraîcheur de son fruité autour de notes d'agrumes et de fruits blancs. Sans être explosif, le palais affiche de la densité, du volume et de la persistance en finale. Vin de marque de Reillanne, le **Chevron Villette rosé 2011 (moins de 5 €; 400 000 b.)** joliment floral (violette), fruité (fraise) et un rien anisé, charnu et frais, est cité. Deux vins que l'on verrait bien sur une cuisine aux accents italiens. Vitello tonnato ? Saltimbocca à la tomate ? Gnocchis à la romaine ?
SCEA Domaines de Colbert, Le Bouillidou,
83340 Le Cannet-des-Maures, tél. 04.94.50.11.70,
fax 04.94.50.11.75,
commercial@chevron-villette-vigneron.com
t.l.j. sf dim. lun. 9h-12h 14h-17h
Mme de Pierrefeu

LES CAVES DU COMMANDEUR Dédicace 2010 ★

5 734 | 8 à 11 €

Habituées du Guide, les Caves du Commandeur signent une cuvée très réussie issue d'un assemblage où domine la syrah. Séduisant dans sa robe d'un rouge sombre brillant aux reflets violacés, ce 2010 s'exprime avec intensité, révélant des arômes de fruits noirs mûrs et d'épices agrémentés de notes torréfiées. Ample et gras, le palais dévoile des tanins bien présents mais fondus. Un vin de belle expression à accorder sur des brochettes de bécasse au genièvre. Une étoile également pour la cuvée **Dédicace 2011 rosé (5 à 8 €; 20 667 b.)**, bien équilibrée.
Les Caves du Commandeur, 44, rue de la Rouguière,
83570 Montfort-sur-Argens, tél. 04.94.59.59.02,
fax 04.94.59.53.71, valcommandeur@aol.com
t.l.j. sf dim. 9h-12h30 14h30-18h30

LE COMPTOIR DES VINS DE FLASSANS
Secret de comptoir 2011 ★

40 000 | - de 5 €

Cette coopérative, qui regroupe 800 ha de vignes exploités par cent vingt viticulteurs, fête cette année son centenaire. Ce 2011 développe des parfums d'agrumes et de fruits jaunes de belle expression, quelques notes florales en appoint. La bouche se révèle douce tout en restant vive. Un vin fin, aérien, tout indiqué pour l'apéritif.
Le Comptoir des Vins de Flassans, av. du Gal-de-Gaulle,
83340 Flassans-sur-Issole, tél. 04.94.69.71.01,
fax 04.94.69.71.80, contact@comptoirdesvinsflassans.fr
t.l.j. 9h30-12h30 15h-19h

(B) LES VIGNERONS DE CORRENS Vallon Sourn
Cuvée Tradition 2010 ★

13 000 | 8 à 11 €

Les vignerons de la cave coopérative de Correns, petit village pittoresque niché au cœur du Var, ont fait le choix de l'agriculture biologique en 1997. Cette cuvée issue de syrah et de cabernet-sauvignon revêt une élégante robe pourpre aux reflets violacés. Le nez évoque les fruits des bois, la mûre et le cassis, accompagnés de notes briochées apportées par un élevage en fût bien maîtrisé. Ample dès l'attaque, puissant et doux à la fois, le palais s'appuie sur des tanins fins et soyeux qui poussent loin la finale aux accents réglissés. Un vin de belle expression, à déguster avec une côte de bœuf Angus cuite aux sarments. Le **2011 blanc Croix de Basson (5 à 8 €; 20 000 b.)**, long, floral et équilibré, obtient une étoile.
Les Vignerons de Correns, pl. de l'Église, 83570 Correns,
tél. 04.94.59.59.46, fax 04.94.59.50.32,
lesvignerons-correns@wanadoo.fr r.-v.

COSTE BRULADE Entrecœur 2011 ★

	40 000		5 à 8 €

Une couleur franche aux reflets framboise pour cet assemblage de cinq cépages provençaux et un nez tourné vers les fruits rouges presque confiturés. Une bonne fraîcheur dès l'attaque, une évolution sur la rondeur et des notes persistantes de fraise des bois agrémentées de douces nuances réglissées en finale. Un rosé de repas, pour un magret de canard à la plancha et sa marinade asiatique. Une étoile également pour le **rosé 2011 Élite (10 000 b.)**, au nez plaisant de fruits exotiques, de bonbon anglais et de fleurs, au palais bien équilibré entre rondeur et fraîcheur.

Cellier Saint-Sidoine, 12, rue de la Libération, 83390 Puget-Ville, tél. 04.98.01.80.50, fax 04.98.01.80.59, cellier-saint-sidoine@wanadoo.fr r.-v.

CH. DE LA COULERETTE La Londe Élixir 2011 ★★

	20 000		8 à 11 €

Le vignoble de 60 ha d'un seul tenant s'étend sur une petite colline, *petit coulet* en provençal, qui inspire le nom de la propriété, exposée plein sud face aux îles d'Or. Cette cuvée Élixir marie les fruits exotiques à des notes minérales et florales. Cette complexité aromatique se confirme dans une bouche ample et persistante, qui allie rondeur et acidité. Un beau représentant de l'appellation. Cité, le **2010 rouge La Londe (3 000 b.)** au nez de cassis, de griotte et de pruneau alliés à des nuances de pain d'épice, affiche une belle concentration. Même distinction pour le **2011 rosé La Vieille Pascalette (5 à 8 € ; 30 000 b.)**, vif et fruité.

Ch. de la Coulerette, 83250 La Londe-les-Maures, tél. 04.90.83.70.31, fax 04.90.83.51.97, contact@famillebrechet.fr r.-v.

CH. CROIX DE BONTAR By Bontar 2011 ★

	5 000		8 à 11 €

Des ceps de rolle âgés de quarante ans sont à l'origine de cette cuvée jaune pâle et brillante, au nez intense et complexe de fleurs blanches et d'agrumes. Tout aussi expressive, la bouche offre un bel équilibre entre gras et acidité. Un vin harmonieux et persistant, à découvrir sur un bar de ligne au fenouil.

SCEA l'Hermitage de la Croix de Bontar, Dom. de la Croix de Bontar, 83890 Besse-sur-Issole

Christophe Spadone

CH. LES CROSTES Cuvée Prestige 2011 ★

	26 000		8 à 11 €

Depuis plus de vingt ans, Ted Garin pilote cette propriété et propose de belles cuvées issues de vendanges exclusivement manuelles et régulièrement distinguées dans le Guide. La cuvée Prestige, née d'un assemblage de grenache et de cinsault (20 %), d'un rose très pâle, séduit par ses arômes délicats de meringue et de framboise. L'attaque vive introduit une bouche fine, persistante et croquante, sur les fruits rouges et les agrumes. Un bel ensemble à savourer sur un tajine de poisson aux épices orientales. Avec une étoile également, le **rosé 2011 (120 000 b.)** est apprécié pour sa richesse aromatique et pour ses notes subtiles acidulées. Même distinction pour le **blanc 2011 (40 000 b.)** frais, ample et long, aux accents floraux.

H.-L. Ch. les Crostes, 2086, chem. de Saint-Louis, 83510 Lorgues, tél. 04.94.73.98.40, fax 04.94.73.97.93, caveau@chateau-les-crostes.eu t.l.j. sf dim. 9h-19h (9h-18h d'oct. à mars) 5

DOM. DE CUREBÉASSE Fréjus Roches noires 2009

	6 000		8 à 11 €

Jérôme Paquette, œnologue, revendique le terroir de Fréjus pour ce 2009. Le nom de la cuvée fait référence aux terres volcaniques de dolérite sur lesquelles les vignes sont ici enracinées. Affaire de terre et de terroir, donc, pour ce vin carmin, assemblage de syrah et de mourvèdre. Un nez de cerise et de cassis, agrémenté de nuances d'épices, annonce une bouche concentrée, aux tanins affirmés. Une bouteille à attendre au moins deux ans. Le **rosé 2011 Fréjus Angélico (38 000 b.)** est également cité.

Jérôme Paquette, Dom. de Curebéasse, rte de Bagnols-en-Forêt, 83600 Fréjus, tél. 04.94.40.87.90, fax 04.94.40.75.18, courrier@curebeasse.com t.l.j. sf dim. 8h30-12h30 14h-18h

CH. DEFFENDS Cuvée Première 2010 ★

	22 000		8 à 11 €

Le carignan entrant pour 30 % dans l'assemblage aux côtés du cabernet-sauvignon, de la syrah et du grenache, cette cuvée a été vinifiée en macération carbonique par grappes entières. Le résultat est un vin carminé, concentré sur les fruits rouges confiturés, quelques notes de garrigue et de poivre blanc apportant un surcroît de complexité. La bouche ? De la rondeur et de la générosité autour de tanins bien arrimés. Un bon vin de garde en perspective (trois ou quatre ans), qui s'appréciera toutefois aussi dès cet automne sur une côte de bœuf.

Vergès, EARL Ch. Deffends, quartier du Deffends, 83660 Carnoules, tél. et fax 04.94.28.33.12, chateaudeffends@orange.fr t.l.j. 9h-12h 15h-19h E

CH. DES DEMOISELLES 2010 ★

	14 400		11 à 15 €

Située sur le plateau de La Motte à quelques kilomètres des gorges de Pennafort, cette ancienne propriété de la famille Grimaldi est conduite par Aurélie Bertin depuis 2005. D'importants travaux de rénovation, aujourd'hui achevés, lui ont redonné sa splendeur. La syrah a engendré ce 2010 puissant, d'un rouge sombre presque noir, au nez d'épices et de sous-bois, ample et tannique en bouche. Un vin prometteur, à attendre quatre ou cinq ans, puis à servir sur une selle d'agneau farcie.

SCEA Ch. des Demoiselles, 2040, rte de Callas, 83920 La Motte, tél. 04.94.70.28.78, fax 04.94.47.53.06, contact@chateaudesdemoiselles.com r.-v. 5 E

Teillaud

DOM. DESACHY Chloé 2008 ★

	3 962		5 à 8 €

Le domaine familial, exploité par la deuxième génération (Marc et Anne Desachy), se situe face aux îles d'Or, à 4 km de la mer Méditerranée. Ce 2008 d'un rouge rubis encore vif et franc dévoile des nuances poivrées et mentholées sur un fond de fruits rouges. Générosité en attaque, milieu de bouche souple et persistant : l'équilibre est là. À déguster dès à présent avec un osso bucco.

PROVENCE

Desachy, Le Bas-Pansard, 83250 La Londe-les-Maures, tél. et fax 04.94.66.84.46, domaine.desachy@orange.fr
t.l.j. sf dim. 9h-12h 15h-18h30

DOM. DES DIABLES Sainte-Victoire Rose bonbon 2011 ★★

	45 000	8 à 11 €

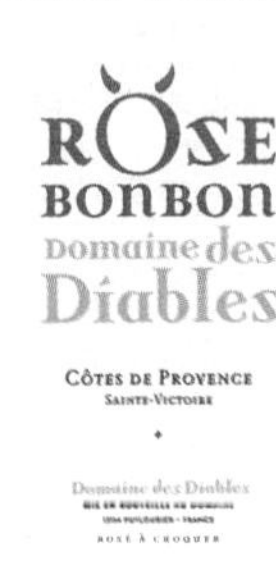

Inutile ou presque de présenter les protagonistes : Virginie Fabre et Guillaume Philip, qui ont repris en 2007 ce domaine laissé à l'abandon, se sont fait depuis régulièrement remarquer dans les pages du Guide. Ils ne ratent pas le rendez-vous, et mieux encore, décrochent un coup de cœur avec ce Sainte-Victoire admirable en tous points : élégante robe couleur pêche ; bouquet intense et complexe de zeste d'agrumes, de fleurs blanches et de bonbon acidulé ; bouche fruitée, ronde et croquante à la fois. Une gourmandise pour tout le repas. Cité, **Le Petit Diable 2011 rosé (5 à 8 € ; 45 000 b.)** affiche des notes de fruits exotiques dans un ensemble gras et long.
Guillaume Philip et Virginie Fabre, Dom. des Diables, av. Paul-Cézanne, 13114 Puyloubier, tél. 06.81.43.94.62, fax 04.42.66.33.22, virginie@m.p-provence.com
t.l.j. sf dim. lun. mar. 10h-12h 14h-18h; f. août-déc.

CH. ESCARAVATIERS 2011 ★

	4 200		8 à 11 €

La culture de la vigne remonterait à l'Antiquité sur ce domaine, une ancienne villa romaine dont certains vestiges ont été mis au jour. Présentement, c'est la famille Costamagna qui, depuis 1928, s'y adonne. Sous une prédominance vanillée et toastée, souvenir d'un bref passage en fût, ce blanc aux reflets argent dévoile des parfums fruités et amyliques. La bouche supporte bien la présence boisée, montrant du gras, de la douceur et une longue finale fruitée. Un bel ensemble, à déguster avec un loup à l'anis. Le **rosé 2011 (5 à 8 € ; 10 000 b.)** est cité pour sa fraîcheur citronnée.
SNC B.-M. Costamagna, Dom. des Escaravatiers, 514, chem. de Saint-Tropez, 83480 Puget-sur-Argens, tél. 04.94.19.88.22, fax 04.94.45.59.83, escaravatiers@wanadoo.fr
t.l.j. sf dim. lun. 10h-12h 14h-18h

CAVES D'ESCLANS Les Clans 2010

	15 000		50 à 75 €

Le domaine a connu de nombreux propriétaires avant que Sacha Lichine n'acquière, en 2006, l'ensemble des 267 ha et la bâtisse du XIXes. inspirée des villas toscanes. Son rosé, discret à l'œil, a été élevé dix mois en fût ; un passage qui a légué des notes vanillées et beurrées intenses, en harmonie avec la rondeur de la bouche, soutenue par des tanins gras et enveloppants. Un rosé atypique par son profil boisé qui accompagnera volontiers des fromages de chèvre provençaux.
Caves d'Esclans, 4005, rte de Callas, 83920 La Motte, tél. 04.94.60.40.40, fax 04.94.70.23.99, chateaudesclans@sachalichine.com r.-v.
Sacha Lichine

DOM. DE L'ESPARRON 2011 ★★

	13 000		- de 5 €

Assemblage de syrah, de mourvèdre et de cabernet-sauvignon, ce 2011 couleur rubis aux reflets éclatants offre un bouquet intense de fruits rouges et noirs (cerise, cassis). L'attaque ample et fraîche dévoile une bouche charpentée aux tanins néanmoins soyeux, et s'étire dans une finale longue et onctueuse sur les fruits mûrs. Un vin harmonieux et d'une belle typicité, à boire au cours des deux prochaines années sur un rôti de bœuf en croûte et sa fricassée de girolles.
Dom. de l'Esparron, EARL Migliore, 83590 Gonfaron, tél. 04.94.78.34.41, fax 04.94.78.34.43, domaineesparron@orange.fr
t.l.j. sf dim. 8h-12h 13h30-18h
Migliore

DOM. DE L'ESTELLO Sextant d'or 2011 ★★

	6 000		5 à 8 €

Ce domaine familial consacre 1,15 ha de son terroir argilo-calcaire à cette cuvée à dominante de rolle. Vêtu d'une belle robe jaune pâle aux reflets verts, ce 2011 sent bon la poire, la pêche blanche de vigne et les fleurs blanches. Dans le même registre, la bouche, ample et complexe, affiche une très belle longueur. Ce vin remarquable accompagnera avec bonheur une poêlée de saint-jacques au beurre. La cuvée **Sextant d'or 2011 rosé (15 000 b.)** reçoit une étoile pour sa fraîcheur et son élégance, pour son nez de fruits rouges et ses notes citronnées.
Dom. de l'Estello, 838, chem. de Bélinarde, rte de Carcès, 83510 Lorgues, tél. 04.94.73.22.22, fax 04.94.73.29.29, lestello@lestello.com
t.l.j. sf dim. 9h-12h30 14h-18h; ouv. dim. matin juil.-août
Gilles Malinge

DOM. DES FÉRAUD 2011

	4 000		8 à 11 €

Situé dans le sanctuaire écologique de la plaine des Maures, le domaine des Féraud exploite 13,6 ha de vignes sur un terroir sablo-limoneux très qualitatif. Issu d'un assemblage à dominante de syrah (85 %), ce 2011 rouge sombre aux reflets violines présente un nez intense de fruits rouges relevés d'épices. Agréable, souple et fruitée, la bouche s'adosse à des tanins plaisants et déjà mûrs. « L'archétype du vin rouge friand et facile à boire », conclut un dégustateur. On l'appréciera dès à présent sur des côtes d'agneau au feu de bois. Chaleureux, corsé, charpenté et épicé, le **2011 rouge cuvée Vielles Vignes (2 500 b.)**, élevé en fût, est cité. On l'attendra deux ou trois ans.
SARL Cerf, Dom. des Féraud, 2956, chem. de Marafiance, 83550 Vidauban, tél. 04.94.73.03.12, fax 04.94.73.08.58, domainedesferaud@orange.fr
t.l.j. sf sam. dim. 9h-12h 14h-17h; ven. 9h-12h
Conrad

LA FERME DES LICES 2011 ★

	6 300	▮	11 à 15 €

Une belle association que celle de ces huit propriétaires mitoyens, avec le concours d'une œnologue, Laurence Berlemont, unis pour reconstituer ce vignoble et la seule cave particulière de Saint-Tropez. Leurs efforts conjugués ont permis d'élaborer ce rosé au nez fin, floral et fruité, agrémenté d'un soupçon d'anis. L'attaque en bouche est fraîche, et la concentration s'installe progressivement sur des nuances confiturées et chaleureuses. Un rosé à découvrir avec des rougets poêlés et une compotée de fenouil.

SCEA Clos des Vignes,
Mas de la Moutte, chem. des Treilles-de-la-Moutte,
83990 Saint-Tropez, tél. 04.94.59.12.40, fax 04.94.59.16.11,
info@fermedeslices.fr r.-v.

CH. DES FERRAGES Cuvée Roumery 2011 ★

	15 000	▮	5 à 8 €

Bordé au sud par le mont Aurélien et au nord par la Sainte-Victoire, les vignes du château des Ferrages ont donné naissance à ce vin rosé d'une belle pâleur, au nez délicat et gourmand de pêche de vigne et de pamplemousse. Un fruité que l'on retrouve dans un palais bien équilibré, rond, souple et persistant. Un vin fruité donc, à découvrir avec un poisson grillé au fenouil.

SCEA Vignobles José Garcia, Ch. des Ferrages, RN 7,
83470 Pourcieux, tél. 04.94.59.45.53, fax 04.94.59.72.49,
chateaudesferrages@free.fr
t.l.j. sf dim. 9h-12h30 13h-18h

CH. FERRY LACOMBE Cascaï 2011 ★

	n.c.		11 à 15 €

Une parure claire et lumineuse pour ce rosé issu d'un assemblage grenache, syrah et cinsault. Le bouquet, discrètement vanillé et fruité (fruits rouges), prélude à un palais amylique en attaque, gras, fin et persistant, centré sur les fruits exotiques.

Ch. Ferry Lacombe, 2068, rte de Saint-Maximin,
13530 Trets, tél. 04.42.29.40.04, fax 04.42.61.46.65,
info@ferrylacombe.com
t.l.j. sf sam. dim. 9h-12h 14h-18h
Pinot

CH. LA FONT DU BROC 2011 ★

	50 000	▮	11 à 15 €

Sylvain Massa se partage entre deux passions : l'élevage de chevaux lusitaniens de compétition et la production de vins, régulièrement sélectionnés dans le Guide. Épaulé par Gérald Rouby, son maître de chai, il propose un travail abouti avec ce rosé à la robe aguichante, couleur abricot. Le nez, discret, dévoile un agréable équilibre entre vivacité minérale et douceur fruitée ; un duo qui dynamise aussi une bouche des plus gourmandes, délicate, soyeuse et néanmoins bien structurée. Que diriez-vous d'une salade composée crabe et avocat pour accompagner cette bouteille ?

Ch. Font du Broc, quartier Sainte-Roseline,
83460 Les Arcs, tél. 04.94.47.48.20, fax 04.94.47.50.46,
cbroch@chateau-fontdubroc.com
t.l.j. 10h-19h (18h dim.)
Sylvain Massa

DOM. DE LA FOUQUETTE Cuvée Bonne Chère Élevé en fût de chêne 2010

	7 000	▮	8 à 11 €

La syrah, dominante (80 %) dans cette cuvée à la robe grenat, est issue exclusivement de la parcelle Bonne Chère. Elle s'exprime sans retenue à travers un bouquet intense de fruits noirs (cassis, myrtille) relayé par une bouche suave et charnue, concentrée autour des fruits mûrs. À découvrir dès à présent sur une viande en sauce. À noter : le domaine est en conversion bio depuis 2010.

Isabelle et Jean-Pierre Daziano,
Dom. de la Fouquette, rte de Gonfaron, 83340 Les Mayons,
tél. 04.94.73.08.45, fax 04.94.60.02.91,
domaine.fouquette@wanadoo.fr
t.l.j. 10h-12h 15h-19h

CH. DU GALOUPET 2010 ★★

Cru clas.	17 000	▮	11 à 15 €

La cave de ce château bien connu des habitués du Guide a été entièrement rénovée au cours des trois dernières années. Cette cuvée remarquable, née de l'assemblage du rolle (80 %) et du sémillon, y a séjourné onze mois en cuve et en fût. Elle se présente vêtue d'une robe jaune pâle aux reflets verts lumineux, d'où s'échappent des notes fruitées (abricot), miellées et toastées. En bouche, c'est la rondeur qui domine et qui apporte à ce vin beaucoup d'ampleur. Une très belle bouteille, à apprécier avec des filets de loup grillé au fenouil. Le **2010 rouge (50 000 b.)** obtient quant à lui une étoile pour sa richesse et pour sa longueur.

SAS Ch. du Galoupet, Saint-Nicolas,
83250 La Londe-les-Maures, tél. 04.94.66.40.07,
fax 04.94.66.42.40, wines@galoupet.com
t.l.j. sf sam. dim. 9h30-12h30 13h30-17h30

CH. DES GARCINIÈRES Cuvée traditionnelle 2011 ★

	3 600	▮	8 à 11 €

Cela fait vingt-cinq ans que Stéphanie Valentin contribue au renom de ce domaine familial, dont la grande allée de platanes tricentenaires ne saurait renier la maxime « La nature est notre guide » figurant sur l'étiquette de cette cuvée de pur rolle. Dès le premier coup d'œil, la pâleur de la robe, ornée de lumineux reflets verts, incite à poursuivre. On découvre alors un agréable bouquet floral (fleurs blanches, genêt) et une attaque franche, ciselée par les agrumes, qui ouvre sur une bouche ample, longue et fruitée. Cet équilibre des senteurs et des saveurs s'accordera dès l'automne à des brochettes de poulet au citron confit et aux épices.

Famille Valentin, Ch. des Garcinières, RN 98,
83310 Cogolin, tél. 04.94.56.02.85, fax 04.94.56.07.42,
garcinieres@wanadoo.fr r.-v.

CH. GASQUI Cuvée Prestige 2011 ★

	3 800	▮	5 à 8 €

Assemblage de clairette, de vermentino et de sémillon à parts presque égales, cette cuvée à la robe jaune pâle animée de reflets verts s'ouvre à l'aération sur des notes fruitées et minérales. La bouche ample et bien structurée laisse présager un beau développement dans les mois à venir. Pour une viande blanche à la crème ou un plat épicé.

SCEA Ch. Gasqui, rte de Flassans, 83590 Gonfaron,
tél. 04.94.78.23.14, fax 04.94.78.27.16, vcp@club-internet.fr
r.-v.

CH. GASSIER Cuvée Loubiero 2011 ★★

	80 000		8 à 11 €

Situé dans la commune de Puyloubier, sur les coteaux calcaires issus de colluvions arrachées à la Sainte-Victoire, le vignoble de château Gassier représente une quarantaine d'hectares. Issu d'un assemblage de cinq cépages – grenache, cinsault et syrah en tête –, ce Loubiero, ou « crête de la montagne » en provençal, revêt une robe rose tendre brillant de reflets saumonés. Expressif, puissant et élégant à la fois, le nez évoque les agrumes, la pêche blanche, l'abricot et l'ananas. Au palais, rondeur et volume se marient avec puissance et persistance. Un vin gourmand et aromatique qui fera des merveilles accompagné de petits rougets au safran. Autre cuvée remarquée, le **rosé 2011 Sainte-Victoire Le Pas du moine (11 à 15 €; 12 000 b.)** décroche une étoile pour son équilibre entre gras et vivacité.

SCEA Ch. Gassier, 13114 Puyloubier, tél. 04.42.66.38.74, fax 04.42.66.38.77, gassier@chateau-gassier.fr r.-v.

♥ **DOM. GAVOTY** Cuvée Clarendon 2011 ★★★

	16 000		15 à 20 €

Depuis le tout début du XIXᵉs., dix générations se sont succédé sur ce domaine qui a bâti sa renommée avec l'élaboration de blancs et de rouges de garde. Ce 2011, qui pourra cependant être dégusté dans sa jeunesse, a littéralement enchanté les jurés. Issu du mariage de l'un des meilleurs terroirs argilo-calcaires du domaine et du seul cépage rolle, il s'habille d'une robe jaune pâle limpide et lumineux aux reflets verts. Son nez élégant et complexe révèle des arômes de fleurs et d'agrumes mêlés de fines notes minérales. Tout aussi expressive, la bouche présente un équilibre parfait entre la rondeur, la vivacité et la persistance. Un vin de grande expression, à réserver pour un turbot au citron. Le jury a également retenu le **rosé 2011 cuvée Clarendon (30 000 b.)** et lui attribue une étoile pour son nez intense et amylique, et pour son palais doux et long.

Roselyne Gavoty, Dom. Gavoty, Le Grand Campdumy, 83340 Cabasse, tél. 04.94.69.72.39, fax 04.94.59.64.04, domaine.gavoty@wanadoo.fr
t.l.j. sf sam. dim. 8h-12h 14h-18h

CH. GIROUD 2011 ★★

	12 000		5 à 8 €

Son diplôme d'œnologue en poche, Thierry Giroud a créé entièrement cette petite propriété de 12 ha. Aujourd'hui, il est épaulé par son épouse Caroline et propose ici un rosé construit sur un fruité éclatant, exotique et frais, souple, onctueux et remarquablement équilibré en bouche, à la finale longue et savoureuse. Sa robe d'un rose gris parfait enveloppe avec légèreté cette personnalité si élégante et l'invite au grand jury des coups de cœur. Un très beau représentant de l'appellation, que l'on verrait bien sur une paëlla.

Ch. Giroud, rte du Luc, 83340 Cabasse, tél. 06.82.86.52.29, fax 04.94.80.29.83, chateaugiroud@yahoo.fr r.-v.

DOM. DE LA GISCLE Moulin de l'Isle 2011

	60 000		5 à 8 €

Propriété de la famille Audemard depuis le XVIᵉs., ce domaine, où l'on peut découvrir un ancien moulin à farine, propose une jolie cuvée à la robe rose tendre. Expressif et complexe, le bouquet de fruits blancs mêlés à des zestes de pamplemousse annonce une bouche ronde, chaleureuse et équilibrée par une plaisante fraîcheur. Un vin à marier avec un loup en croûte de sel.

Dom. de la Giscle, hameau de l'Amirauté, rte de Collobrières, 83310 Cogolin, tél. 04.94.43.21.26, fax 04.94.43.37.53, dom.giscle@wanadoo.fr
t.l.j. sf mer. dim. 9h-12h30 14h-18h30; f. 25 déc.-15 jan.
Audemard

VIGNERONS DE GONFARON Hédonique 2011 ★★

	22 500		5 à 8 €

Sélectionnée au grand jury des coups de cœur, cette cuvée Hédonique de la coopérative de Gonfaron a séduit à tous les stades de la dégustation. Rose tendre aux reflets saumonés, la robe lumineuse laisse présager une grande élégance. Le nez, subtile alliance d'arômes floraux et fruités, ne déçoit pas. La bouche non plus, qui est longue, ronde et fine, à l'unisson de l'olfaction. Un vin très harmonieux, à déguster avec des gambas sauce aigre-douce. Une étoile a été attribuée à la cuvée **Hédonique 2011 blanc (6 078 b.)** pour son intense expression fruitée (poire, agrumes, fruits exotiques).

Maîtres Vignerons de Gonfaron, 83590 Gonfaron, tél. 04.94.78.30.02, fax 04.94.78.27.33, m.vignerons.gonfaron@wanadoo.fr
t.l.j. 9h-12h 14h-18h

CH. LA GORDONNE Vérité du terroir 2008 ★

	45 000		5 à 8 €

Le nom du domaine rappelle un certain conseiller de Gourdon, qui acquit la propriété au XVIIᵉs. Depuis 1941, celle-ci fait partie des Domaines Listel. Ce rouge à la parure légère s'ouvre sur un bouquet de mûre et de cerise agrémenté de discrètes notes de cuir. Le fruit s'affirme également au palais, enrobant des tanins souples et se prolongeant dans une finale longue et nette. Un 2008 prêt à boire.

Domaines Listel, Ch. la Gordonne, rte de Cuers, 83390 Pierrefeu-du-Var, tél. et fax 04.94.28.20.35, njulian@listel.fr t.l.j. sf sam. dim. 9h-12h 13h-19h

LE GRAND CROS L'Esprit de Provence 2011 ★

	8 000		5 à 8 €

Au cœur de l'appellation, le vignoble du Grand Cros côtoie les pins ainsi qu'une oliveraie. Et c'est toute l'âme de la Provence que l'on retrouve dans ce blanc né d'un assemblage de rolle (74 %) complété de sémillon. Vif et aromatique, le palais laisse le dégustateur sur une très agréable impression d'harmonie. Parfait pour un tartare de saumon aux baies roses. Cité, **L'Esprit de Provence 2011 rosé (6 000 b.)**, soutenu par des notes acidulées de fruits jaunes, se révèle frais et équilibré.

Dom. du Grand Cros, RD 13, 83660 Carnoules,
tél. 04.98.01.80.08, fax 04.98.01.80.09, info@grandcros.fr
t.l.j. sf dim. 9h-18h
J. Faulkner

DOM. DE LA GRANDE PALLIÈRE 2011 ★★

n.c. | 8 à 11 €

Ce domaine de 33 ha, situé à près de 250 m d'altitude, est entièrement tourné vers l'agriculture biologique depuis 1998. Grenache, cinsault et syrah, par ordre d'importance, composent ce rosé lumineux et cristallin d'une grande élégance aromatique. Les fruits exotiques et la rose égayent le nez. La bouche, modèle d'expression et d'équilibre, se révèle à la fois ample, gourmande, souple et fraîche. À apprécier dès l'apéritif ou sur un poisson grillé. Un plateau de fruits de mer accompagnera le **blanc 2011**, cité pour son bouquet subtil d'ananas, de fruits blancs et de jasmin, et pour son agréable vivacité citronnée en bouche.

Dom. de la Grande Pallière, La Grande Pallière,
83570 Correns, tél. et fax 04.96.59.57.55,
contact@lagrandepalliere.com r.-v.
Guibergia

DOM. DE LA GRAND'PIÈCE 2011 ★

50 000 | - de 5 €

Pas moins de six cépages pour cette cuvée née sur des terrasses de cailloutis calcaires : grenache (50 %) complété de carignan et de cinsault et d'une pointe de cabernet sauvignon, d'ugni blanc et de syrah. Très pâle et limpide avec des reflets cuivrés, cette cuvée exprime des parfums élégants de poire et d'agrumes. Ces mêmes arômes tapissent une bouche persistante et équilibrée par une bonne fraîcheur finale.

SCEA de Chauvelin, Dom. la Grand'Pièce,
83340 Cabasse, tél. 06.99.17.75.04, fax 04.94.72.57.43,
lagrandpiece@live.fr r.-v.

DOM. DE GRANDPRÉ Cuvée favorite 2011 ★

50 000 | 5 à 8 €

Valeur sûre de l'appellation, ce domaine est conduit depuis 2006 par Valérie Vidal-Revel, qui dit vouloir signer avec ce 2011 « un rosé de soif ». De fait, ce vin né de grenache, de cinsault et de mourvèdre réunit toutes les qualités du « vin plaisir » facile à boire. Derrière une robe saumonée aux légers reflets orangés, se découvre un bouquet frais de citron et de pamplemousse. La fraîcheur des agrumes s'invite aussi dans une bouche tonique et vive, longue et intense, qui ne manque pas non plus de générosité. Bref, un vin équilibré, à découvrir sur des linguines ail, basilic et tomates séchées, tout simplement. Plus rond et chaleureux, le **Minotaure 2011 rosé (8 à 11 €; 10 000 b.)** sur les fruits mûrs (abricot, pruneau), vivifié par une fine trame acide, reçoit également une étoile. On le verrait plutôt sur un plat de viande épicé, un poulet *tikka massala*, par exemple.

Dom. de Grandpré, Ch. des Grands Prés,
83390 Puget-Ville, tél. 04.94.23.42.86, fax 04.93.28.60.21,
domaine-grandpre@orange.fr t.l.j. 9h-18h; f. fév.
Vidal-Revel

DOM. DES GRANDS ESCLANS Cuvée Castrum 2009 ★

12 570 | 15 à 20 €

Belle constance pour cette cuvée née principalement de syrah (90 %) qui se voit presque chaque année retenue dans le Guide. Derrière sa robe profonde aux reflets grenat, elle dévoile un nez puissant, marqué par son élevage en fût qui s'ouvre sur des notes de petits fruits noirs caractéristiques du cépage. En bouche, la rondeur prédomine à l'aération, la trame tannique se faisant douce et fondante. On accordera à ce vin une petite garde d'un an ou deux avant de le servir sur un plateau de fromages affinés.

SCEA Dom. des Grands Esclans, D 25, rte de Callas,
83920 La Motte, tél. et fax 04.94.70.26.08,
domaine.grands.esclans@orange.fr
t.l.j. sf dim. 9h-18h
M. Bénito

LES VIGNERONS DE GRIMAUD Cuvée du Golfe de Saint-Tropez 2011 ★

100 000 | - de 5 €

Fondée en 1932, la cave des vignerons de Grimaud regroupe quelque 200 coopérateurs pour 750 ha de vignes accrochées aux coteaux dominant le golfe de Saint-Tropez. Cette cuvée, qui associe le grenache (80 %) et le cinsault, se présente sous des auspices flatteurs avec sa robe rose pâle et ses parfums plaisants de fruits frais. Souple en attaque, la bouche s'affirme à travers une matière ronde et chaleureuse, à laquelle nos dégustateurs opposeraient bien la fraîcheur iodée des oursins et des coquillages.

SCV Les Vignerons de Grimaud, 36, av. des Oliviers,
83310 Grimaud, tél. 04.94.43.20.14, fax 04.94.43.30.00,
vignerons.grimaud@wanadoo.fr
t.l.j. sf dim. 8h30-12h30 14h-18h15

CH. LA GUEIRANNE 2011 ★

44 000 | 8 à 11 €

Acquisition récente (2011) de Bernard Magrez (célèbre homme d'affaires bordelais aux trente-cinq domaines), le château la Gueiranne étend son vignoble sur 9 ha entre Gonfaron et Le Luc, et bénéficie d'un terroir propice aux vins rosés. Il fait une belle entrée dans le Guide avec ce 2011 d'un joli rose clair et limpide, qui s'ouvre avec élégance sur des parfums de fruits frais, d'agrumes notamment. Fidèle au nez, la bouche se révèle ample, chaleureuse et longue. Un beau représentant de l'appellation à servir au repas, avec un tajine par exemple.

Bernard Magrez, Dom. Magrez, 83340 Le Luc,
raynalsud@free.fr

LES VIGNOBLES GUEISSARD 2011 ★

6 000 | 8 à 11 €

Clément Minne, producteur et négociant, s'est installé en 2011. Il fait son entrée dans le Guide avec cet assemblage de syrah (80 %) et de cabernet-sauvignon cultivés à flanc de collines sur des restanques argilo-calcaires dominant la Méditerranée. Le nez, puissant, dévoile des parfums de petits fruits noirs et d'épices. La bouche plaît par sa richesse, sa corpulence, ses tanins présents mais fondus, et par sa finale fruitée et poivrée. Un vin à déguster dans deux ou trois ans sur un civet de lièvre.

NOUVEAU PRODUCTEUR

SAS Dom. Gueissard, rte de la Gare, allée des Figuiers,
83110 Sanary-sur-Mer, tél. 09.81.49.76.00,
contact@lesvignoblesgueissard.com
t.l.j. sf dim. 9h30-12h30 15h-19h30; oct.-avr. sur r.-v.
Minne

PROVENCE

GUILDE DES VIGNERONS Cuvée Gens heureux 2011 ★

13 000 - de 5 €

Au cœur du Var, aux alentours de l'abbaye du Thoronet, cette cave coopérative produit ce rosé aux nuances soutenues, dans les tons abricot, au nez floral (rose, fleurs blanches) ravivé par des notes d'agrumes et de menthe fraîche, à la bouche souple et harmonieuse. Un vin que l'on verrait bien sur des rougets poêlés. Le **blanc 2011 cuvée des Abbés Prestige du Thoronet (2 000 b.)**, 100 % rolle, obtient une étoile pour son profil fruité et épicé.

La Guilde des Vignerons, rond-point Saint-Louis, 83340 Le Cannet-des-Maures, tél. 04.94.50.05.94, fax 04.94.60.71.73, guilde-vignerons@wanadoo.fr
t.l.j. sf dim. 9h-12h 14h-18h
Bessonne

DOM. DE JALE La Garde 2011

6 700 5 à 8 €

Les 22 ha du vignoble sont implantés au pied du massif des Maures et entourés de pins parasols et de chênes-lièges, végétation typiquement méditerranéenne. Le rolle non plus ne peut renier ses origines sudistes ; il produit ici un vin au fruité élégant et gorgé de soleil. Quant à la bouche, ample et croquante, elle se développe autour d'une riche base aromatique (fruits blancs et exotiques), animée par un léger perlant de jeunesse.

Dom. de Jale, chem. des Fenouils, rte de Saint-Tropez, 83550 Vidauban, tél. et fax 04.94.73.51.50, domjale@yahoo.fr
t.l.j. sf sam. dim. 9h-12h 14h-18h
François Seminel

JAS D'ESCLANS Cuvée du loup 2011 ★

Cru clas. 40 000 8 à 11 €

Pastoralisme, agriculture, magnanerie et viticulture sont autant d'activités qui se sont succédé au fil des siècles sur cette propriété. Depuis 2002, la famille de Wulf s'attache à la culture de la vigne, en bio. Son rosé de saignée issu de grenache et de syrah présente une parure rose framboise scintillante. Tout en élégance, il marie au nez la framboise, la cerise et les agrumes à des notes florales. Le palais s'équilibre entre notes citronnées et acidulées et une agréable sensation de gras.

EARL du Dom. du Jas d'Esclans, 3094, rte de Callas, 83920 La Motte, tél. 04.98.10.29.29, fax 04.98.10.29.28, mdewulf@terre-net.fr
t.l.j. sf dim. 8h30-12h 14h-18h; f. août
M. de Wulf

CH. DE JASSON Cuvée Éléonore 2011 ★

44 200 8 à 11 €

Entre massif des Maures et mer Méditerranée, Benjamin de Fresne et son épouse exploitent 16 ha de vignes, qui produisent des vins régulièrement sélectionnés dans ces pages, et souvent aux meilleures places. Celui-ci, un rosé né de grenache, cinsault, syrah et tibouren (10 %), fait belle impression dans sa robe aux nuances groseille et légèrement violines. Le nez s'articule autour des fruits (pêche blanche, poire, fruits rouges), que la bouche, ample et généreuse, prolonge avec persistance. Pourquoi pas sur des linguines au roquefort ?

Benjamin de Fresne, Ch. de Jasson, rte de Collobrières, 83250 La Londe-les-Maures, tél. 04.94.66.81.52, fax 04.94.05.24.84, chateau.de.jasson@wanadoo.fr
t.l.j. 9h30-12h30 15h-19h

CH. LA JEANNETTE Baguier 2009 ★★

8 800 11 à 15 €

Implanté à l'entrée de la vallée des Borrels, ce vignoble s'étend sur 31 ha. Racheté en 2000 à la famille Moutte (propriétaire depuis plus de cent ans), il est mené en culture raisonnée par Gisèle et Hervé Limon qui ont réalisé par ailleurs d'importants investissements en cave. Un travail qui porte ses fruits, témoin ce 2009 d'une tenue irréprochable et profonde. Une superbe densité aromatique accueille le dégustateur, composée de fruits noirs très mûrs sur fond boisé. La bouche se révèle charnue, riche, ample et complexe, portée par de solides tanins qui doivent encore se fondre. Le fruit, omniprésent, se pimente de notes toastées et cacaotées en finale. À savourer après deux ans de garde sur une daube provençale. Le **rosé 2011 Baguier (8 à 11 €; 20 000 b.)**, une étoile, plaît par sa fraîcheur fruitée sans détour, centrée sur le pamplemousse et le citron. On se laissera tenter par une salade de langoustines aux agrumes pour l'accompagner.

SCEA Ch. la Jeannette, 566, rte des Borrels, 83400 Hyères, tél. 04.94.65.68.30, fax 04.94.12.76.07, chateaulajeannette@yahoo.fr
t.l.j. sf dim. 9h30-12h30 14h-19h
Hervé Limon

VIGNOBLE KENNEL Classic 2011 ★★

40 000 8 à 11 €

Julien Kennel, installé en 2005 à la tête de ce domaine familial de 35 ha, produit des vins riches en saveurs et en expression, parmi lesquels un rosé 2008 a d'ailleurs décroché un coup de cœur. Plébiscité par le grand jury, son dernier millésime se présente sous une élégante robe rose pâle aux reflets lumineux, d'où s'élèvent des parfums complexes de fruits exotiques, de citron et de pêche blanche. Il s'inscrit dans l'intensité, mais sans ostentation. Dès l'attaque, la bouche se fait dense et fraîche, animée par des notes de poire et d'agrumes. Les dégustateurs sont conquis par son harmonie, sa finesse et sa longueur, et ils conseillent cette bouteille aussi bien à l'apéritif qu'au cours du repas. Le **blanc 2011 Classic (10 000 b.)**, cité, à la fois vif et gras, s'épanouit sur des notes d'acacia et de miel. Ce vin équilibré sera apprécié sur des tempuras de crevettes et de légumes.

🔑 Julien Kennel, Mas Les Baux, 116, chem. des Moulières, 83390 Pierrefeu-du-Var, tél. 04.94.28.20.39, fax 04.94.48.14.77, vignoble.kennel@wanadoo.fr
☑ 🍷 ⛹ t.l.j. sf dim. 8h-12h 14h-18h; sam. 8h-12h

CH. DES LAUNES 2011 ★

	9 500	▮	8 à 11 €

Situé sur les contreforts du massif des Maures, le château des Launes étend ses vignes sur 17 ha. À sa tête depuis 2005, Jacqueline et Lambert Dielesen sont des passionnés de vin et... d'équitation (une écurie et un centre de dressage ont été construits en parallèle de la restructuration du vignoble). Cavaliers et œnophiles (ou cavaliers-œnophiles) sont ici les bienvenus. Ils découvriront, entres, autres, ce 2011 rose saumoné au nez élégant de fleurs blanches et d'abricot, et à la bouche franche et fraîche longuement parcourue de notes citronnées. Un vin plein de fraîcheur, à déguster, selon le conseil des propriétaires, avec une tarte croustillante aux tomates cerises. Le jury a également attribué une étoile à la **Cuvée spéciale 2009 rouge (15 à 20 €; 2 500 b.)** pour son bouquet expressif de fumé, de sous-bois et de fruits rouges, et pour son palais intense, tannique et boisé. Une bouteille de caractère, à attendre deux ou trois ans.

🔑 Ch. des Launes, rte de Saint-Tropez, 83680 La Garde-Freinet, tél. 04.94.85.29.10, chai@chateaudeslaunes.com ☑ 🍷 ⛹ t.l.j. 10h-18h; f. dim. sept.-juin; f. sam. sept.-mars 🏠 ⑤
🔑 Dielesen

CH. LAUZADE 2011 ★

	15 000	▮	8 à 11 €

Propriétaire du Château Marquis de Terme (margaux) et du Val d'Arenc (bandol), la famille Sénéclauze a repris ce domaine en 2007. Elle propose ici un 2011 à la tenue scintillante ornée de reflets verts et au nez délicat de fleurs blanches légèrement épicé. Après une attaque ciselée, la bouche s'épanouit harmonieusement entre rondeur et fraîcheur, et s'étire dans une longue finale qui revient sur le floral. À découvrir sur un loup grillé. Le **rosé 2011 (50 000 b.)**, à la fois gourmand et bien structuré, fruité et généreux, obtient également une étoile.

🔑 Ch. Lauzade-Sénéclauze, 3423, rte de Toulon, 83340 Le Luc-en-Provence, tél. 04.94.60.72.51, fax 04.94.60.96.26, chateaulauzade@orange.fr
☑ 🍷 ⛹ t.l.j. sf sam. dim. 9h-12h 13h30-17h30
🔑 Sénéclauze

Ⓑ DOM. LOLICÉ Voltige 2011 ★

	10 000		5 à 8 €

En 2002 naît la marque Lolicé, contraction des prénoms des trois filles des propriétaires. Et pour ce millésime 2011, le domaine affiche le label AB, puisque récemment certifié. Cette cuvée aux pans saumonés et brillants délivre d'intenses notes de pêche de vigne et de pamplemousse. La bouche se révèle gourmande : dans une dominante d'agrumes et de fruits exotiques, elle s'appuie sur une belle fraîcheur aux accents épicés en finale. Parfait pour l'apéritif.

🔑 SCEA Dom. Lolicé, chem. de la Ruol, quartier Saint-Laurent, 83390 Puget-Ville, tél. et fax 04.94.33.53.61, info@lolice.fr ☑ 🍷 ⛹ r.-v.
🔑 Monet

LOU BASSAQUET Rascailles 2011 ★

	7 000	▮	5 à 8 €

Un beau travail de sélection au vignoble et un strict suivi des maturités ont permis à la coopérative de Trets d'élaborer ce 2011 très réussi à dominante de rolle (ou vermentino). Ses atouts ? Une présentation « juvénile », très pâle aux reflets verts, un nez fin et expressif (melon, citron, amande), un palais ample, gras et vif à la fois, qui persiste longuement en finale sur des notes citronnées et mentholées. Un vin harmonieux, à découvrir sur une salade de chèvre chaud.

🔑 SCA Cellier Lou Bassaquet, chem. du Loup, BP 22, 13530 Trets, tél. 04.42.29.20.20, fax 04.42.29.32.03, contact@loubassaquet.com
☑ 🍷 ⛹ t.l.j. sf dim. 9h-12h 14h-18h

Ⓑ DOM. DE LA MADRAGUE Cuvée Claire 2011 ★

	32 000	▮	8 à 11 €

Belle constance pour cette cuvée, qui rend hommage à l'une des filles du propriétaire et qui se voit sélectionnée chaque année depuis sa première apparition dans le Guide en 2010 (date à laquelle Arnaud Gris a repris ce domaine). Ce rosé très pâle aux reflets cuivrés marie harmonieusement le pamplemousse rose et le litchi. Du volume et du gras : un vin de plaisir au parfait équilibre, tout indiqué pour accompagner un rougail de thon.

🔑 Dom. de la Madrague, rte de Gigaro, 83420 La Croix-Valmer, tél. 04.94.49.04.54, fax 04.94.49.09.63, info.lamadrague@orange.fr ☑ 🍷 ⛹ r.-v.
🔑 Jean-Marie Zodo

CH. MAÏME Cuvée Raphaëlle 2011 ★

	23 000	▮	8 à 11 €

Un nom de domaine inspiré par une chapelle moyenâgeuse située au cœur des vignes et un nom de cuvée en hommage à la fille d'un des propriétaires. Ce vin aux reflets violacés dévoile un nez joliment provençal, entre garrigue, gelée de coing et fruits secs. La bouche se caractérise par sa souplesse et son volume. Un équilibre à apprécier dès aujourd'hui avec un tian de légumes confits à l'huile d'olive. Le **blanc 2011 (24 000 b.)**, cité, pourra être marié avec un carré de veau aux morilles. On savourera alors ses arômes de fruits blancs et d'agrumes.

🔑 Ch. Maïme, RN 7, 83460 Les Arcs-sur-Argens, tél. 04.94.47.41.66, fax 04.94.47.42.08, maime.terre@wanadoo.fr ☑ 🍷 ⛹ r.-v.
🔑 Sibran

Ⓑ CH. MARAVENNE Grande Réserve 2011 ★

	55 000	▮	5 à 8 €

De passage au domaine, n'oubliez pas de visiter le musée vivant des Automates vignerons créé par Jean-Louis Gourjon, qui raconte l'histoire de la famille. Côté cave, cette Grande Réserve revêt une robe éclatante aux reflets framboise. Au nez, elle évoque un véritable panier de fruits rouges, intense et généreux. Cerise, framboise et groseille sont également bien présentes dans une bouche souple et ronde à la finale gourmande. Un rosé de caractère, à déguster sur un risotto aux gambas et dés de chorizo.

🔑 Ch. Maravenne, rte de Valcros, 83250 La Londe-les-Maures, tél. 04.94.66.80.20, fax 04.94.66.97.79, chateau.maravenne@wanadoo.fr
☑ 🍷 t.l.j. sf dim. 9h-12h 14h-18h 🏨 ④ 🏠 ⑤
🔑 Jean-Louis Gourjon

CH. LA MARTINETTE Rollier de la Martinette 2011 ★

	32 000	▮	11 à 15 €

Le rollier d'Europe est un oiseau rare aux couleurs vives, turquoise, autrefois appelé corneille bleue. Quelques individus fréquentent les bois de cette propriété d'avril à septembre, d'où le nom de cette cuvée. Floral à l'olfaction, ce 2011 livre un élégant bouquet de rose, de violette et de fleur d'oranger. L'attaque franche annonce une bouche en souplesse et en finesse, animée par le caractère acidulé de la framboise. « De la dentelle. » Le **rosé 2011 cuvée Colombier (8 à 11 € ; 31 000 b.)** obtient également une étoile pour sa puissance autour des fruits exotiques et des agrumes.

SCEA la Martinette, 4005, chem. de la Martinette, 83510 Lorgues, tél. 04.94.73.84.93, fax 04.94.73.88.34, chateau.la.martinette@wanadoo.fr

t.l.j. sf dim. 10h-19h; sam. sur r.-v.

Dmitriev

LA MASCARONNE Quat'saisons 2011 ★

	57 000	▮	8 à 11 €

Disposés en restanques, les 45 ha de vignes du domaine sont plantés sur des terres très caillouteuses. Une partie de celles-ci produit ce rosé tout en finesse et en subtilité : légèreté de la robe pâle, de couleur chair ; discrétion d'un nez élégant aux parfums de fleurs et de fruits blancs. En revanche, ce vin s'exprime sans retenue dans une bouche ample, charnue et persistante sur des arômes de rose et de framboise. Un rosé de gastronomie, à « croquer » sur un chapon farci aux légumes.

SCEA Ch. la Mascaronne, RN 7, 83340 Le Luc-en-Provence, tél. 04.94.39.45.40, fax 04.94.60.95.85, mascaronne@orange.fr

Tom Bove

MAS DE CADENET Sainte Victoire 2010 ★

	12 000		8 à 11 €

Accompagné de ses enfants Maud et Matthieu, Guy Négrel perpétue une tradition familiale débutée en 1813 sur ces terres des contreforts de la montagne Sainte-Victoire. Il signe un 2010 grenache-syrah-cabernet à la robe sombre et profonde, presque opaque, au nez intense de cerise et de réglisse, ample, dense et solidement charpenté en bouche, vivifié par une fraîcheur bienvenue en finale. Attendre deux ou trois ans avant de servir cette bouteille sur un gigot d'agneau aux herbes.

Mas de Cadenet, CD 57, 13530 Trets, tél. 04.42.29.21.59, matthieu.negrel@masdecadenet.fr

t.l.j. sf dim. 9h-12h 14h-19h

Guy et Matthieu Négrel

MAS DES BORRELS 2011 ★★

	22 000	▮	8 à 11 €

Niché au cœur de la très belle vallée des Borrels non loin d'Hyères et de la Méditerranée, le vignoble du Mas des Borrels s'étend sur les terrasses de schistes des contreforts du massif des Maures. Pêche, citron, abricot et agrumes, le nez n'a pas laissé indifférents les dégustateurs. Ces parfums se prolongent dans une bouche ronde et persistante au parfait équilibre entre douceur et fraîcheur. Un très beau vin, à déguster à l'apéritif accompagné de petites seiches à la plancha.

GAEC Garnier, Mas des Borrels, 3846, chem. des Borrels, 83400 Hyères, tél. 04.94.12.76.51, masdesborrels@gmail.com

t.l.j. 10h30-12h 15h-18h30

MAS PORQUETIÈRE Équilibre 2011 ★★

	4 000	▮	8 à 11 €

Première sélection dans le Guide pour Stéphane Cuer, qui a repris en 2002 ce vignoble situé au cœur du massif des Maures. Cette cuvée Équilibre, qui porte bien son nom, se présente vêtue d'une robe jaune pâle animée de reflets verts. Entre fruits exotiques et épices douces, le nez se révèle fort élégant. C'est en bouche que ce 2011 dévoile toute sa complexité qui associe rondeur, vivacité et persistance aromatique, tout en laissant s'exprimer avec bonheur notes de pêche de vigne et de réglisse. Un très beau vin, à réserver sur une truite fario à la crème. Une étoile pour la cuvée **Équilibre 2011 rosé (18 000 b.)**, intense et ronde, aux accents épicés en finale.

Stéphane Cuer, Mas Porquetière, rte de l'Eaalat, 83340 Le Cannet-des-Maures, tél. et fax 04.94.73.04.67, scuer@orange.fr r.-v.

CH. MATHERON M'Tradition 2011 ★★

	6 000		5 à 8 €

Face à la plaine des Maures, les vignes sont enracinées sur des coteaux argilo-calcaires exposés au plein sud. Dès la fin août, les raisins de cinsault, grenache (40 % chacun) et de tibouren sont à maturité. À peine pressés, ils donnent cette teinte rose pastel, claire et lumineuse. Intense et généreux, le nez mêle notes amyliques, fraise des bois et pamplemousse. Généreuse aussi, sans lourdeur aucune, la bouche affiche une réelle élégance et une fraîcheur bienvenue qui pousse loin la finale aux accents de fruits rouges. « D'une belle harmonie toute provençale », conclut un dégustateur. Bien équilibré également entre rondeur, fraîcheur et intensité aromatique (fleurs, fruits), le **blanc 2011 M'Tradition (2 000 b.)** obtient une étoile.

EARL Bernard, 400, chem. du Domaine-de-Matheron, 83550 Vidauban, tél. 04.94.73.01.64, earl.bernard@orange.fr

t.l.j. sf dim. 9h-12h 14h-18h

CH. MAUPAGUE Sainte-Victoire 2011 ★

	104 000		8 à 11 €

L'une des propriétés de la famille Sumeire, adossée aux flancs du massif de la Sainte-Victoire où les sols pauvres, caillouteux, confèrent une typicité particulière aux vins. Des notes florales fort odorantes de lys et de jasmin caractérisent celui-ci, en robe saumonée, né de grenache pour moitié, cinsault et syrah en complément. La bouche, équilibrée, s'appuie sur une fraîcheur vivifiante et sur une élégante présence aromatique, florale et fruitée. À découvrir avec des moules marinière.

Ch. Maupague, 13114 Puyloubier, tél. 04.42.61.20.00, fax 04.42.61.20.12, sumeire@sumeire.com

Famille Sumeire

DOM. DE LA MAURETTE Sacha 2011 ★★

	13 000	▮	8 à 11 €

Le sol argilo-calcaire de la Maurette a superbement révélé l'expression du cinsault et du grenache à travers ce vin rose pâle brillant et limpide orné de seyants reflets saumonés. Le nez, très expressif, dévoile des notes de fruits blancs mêlées de nuances plus florales auxquelles la bouche, alliance subtile de rondeur et de vivacité, fait longuement écho. Un vin très plaisant, à marier avec des petits farcis niçois. Le jury a également jugé remarquable la cuvée **Marie Léa 2011 blanc (5 400 b.)** pour son intense expression fruitée (fruits exotiques, pêche, melon, agrumes) et pour sa fraîcheur en bouche.

Bruno Fournaire et Philippe Jouffroy, rte de Callas, 83920 La Motte, tél. 04.94.45.51.54, fax 04.94.45.50.68, dom.maurette@wanadoo.fr t.l.j. 10h-18h; dim. 9h-16h

DOM. DE MAUVAN 2011 ★★

3 900 | 5 à 8 €

C'est sous l'œil bienveillant de la Sainte-Victoire que le vignoble (25 ha) du château de Mauvan s'étend sur un terroir de cailloutis calcaires. Issu du seul rolle vinifié en macération pelliculaire afin que tous les arômes se révèlent, ce blanc se présente dans une robe jaune pâle aux reflets verts. Le nez, expressif et élégant, exhale des senteurs de fruits blancs, de fruits exotiques et de fleurs blanches. Une attaque franche prélude à une bouche ronde, onctueuse mais toujours fraîche, longuement portée par des notes d'agrumes qui tonifient la finale. Un joli vin à marier avec un filet de saint-pierre en papillote saupoudré d'un peu de safran. Une étoile est par ailleurs attribuée au **rosé 2011 (13 000 b.)** pour sa richesse et pour sa complexité.

Gaëlle Maclou, Dom. de Mauvan, RN 7, 13114 Puyloubier, tél. et fax 04.42.29.38.33, mauvan@wanadoo.fr r.-v.

GABRIEL MEFFRE Alaïs 2011 ★

80 000 | 8 à 11 €

La maison Gabriel Meffre, négociant-éleveur à Gigondas, propose un rosé issu de grenache (75 %), cinsault et syrah plantés sur un vignoble situé aux pieds de la Sainte-Victoire et du mont Aurélien. Drapé dans une seyante robe rose tendre lumineuse, ce vin révèle un nez suave et intense de fruits rouges agrémentés de notes amyliques, et, en écho, une bouche ronde, friande et équilibrée.

Gabriel Meffre, Le Village, 84190 Gigondas, tél. 04.90.12.32.42, fax 04.90.12.32.49, gabriel-meffre@meffre.com

CH. LES MESCLANCES Cuvée Saint-Honorat 2009

3 600 | 11 à 15 €

Issu du meilleur coteau du domaine, la parcelle Saint-Honorat, ce 2009 aux nuances grenat associe au nez baies noires, fruits à l'eau-de-vie et nuances poivrées. Un léger parfum de cacao s'y ajoute avant que ne se dévoile une structure appuyée sur des tanins présents mais bien intégrés, le fruit en filigrane. Cette bouteille excellera sur un fondant au chocolat amer.

SCEA Les Mesclances, 3583, chem. du Moulin-Premier, 83260 La Crau, tél. 04.94.12.10.95, fax 04.94.12.10.93, contact@mesclances.com t.l.j. 8h30-12h 14h-19h

GFA de Boutiny

CH. MINUTY Prestige 2011 ★

40 000 | 15 à 20 €

Dans ce cadre d'exception, les vignes surplombent la presqu'île de Saint-Tropez, sous le village de Gassin. La famille Matton, présente à la tête de la propriété depuis 1936, propose un blanc animé de légers reflets verts. Expressif, le nez s'épanouit sur des notes fruitées. La bouche fraîche à souhait, entre agrumes et minéralité, montre du volume et une belle longueur finale. Un 2011 très bien vinifié, à réserver sur un pot-au-feu de poisson. Le **rosé 2011 Prestige (500 000 b.)** obtient une étoile. Friand, il allie complexité variétale (pêche, agrumes, minéralité) et structure fine. En rouge, la cuvée **Rouge et or 2010 (20 à 30 €; 9 000 b.)** est citée pour sa trame tannique équilibrée et son large panel de parfums (cerise, vanille, pivoine, épices).

SA Minuty, Ch. Minuty, 83580 Gassin, tél. 04.94.56.12.09, fax 04.94.56.18.38 t.l.j. sf sam. dim. 9h-12h 14h-18h

Matton

CH. MIRAVAL Pink Floyd 2011 ★

75 000 | 11 à 15 €

Le château Miraval est un très beau domaine viticole historique situé au cœur de la Provence verte. Les 28 ha du vignoble conduit en agriculture biologique sont implantés sur des restanques de cailloutis calcaire au potentiel qualitatif élevé. Dans son élégante robe rose tendre aux reflets lumineux, la cuvée Pink Floyd, harmonieuse et complexe, livre des arômes de fruits frais : ananas, fraise et agrumes. La bouche, ronde et vive à la fois, révèle une bonne persistance aromatique. Un vin ciselé et tendu, à servir sur un carpaccio de bar à l'aneth.

SA Ch. Miraval, 4515, rte de Barjols, 83143 Le Val, tél. 04.94.86.39.33, fax 04.94.86.46.79, info@miraval.com

CH. MISTRAL 2011 ★

25 000 | 5 à 8 €

Issu d'un assemblage de grenache (50 %), de cinsault et de syrah cultivés sur un terroir argilo-calcaire, ce 2011 rose pâle éclatant livre un bouquet à la fois puissant et élégant de fruits rouges frais nuancés de senteurs florales. Équilibrée et complexe, la bouche offre fraîcheur, tonicité et intensité, laissant s'épanouir des arômes d'agrumes et de fruits rouges rehaussés par une pointe d'épices en finale. À déguster à l'apéritif, avec quelques crostinis tomate-mozarella-coppa.

SA Gilardi, ZAC du Pont-Rout, 83460 Les Arcs-sur-Argens, tél. 04.98.10.45.45, fax 04.98.10.45.49, gilardi@gilardi.fr t.l.j. sf sam. dim. 8h-12h 13h-17h; f. mi-août

CH. MONTAUD 2011 ★★

11 000 | 5 à 8 €

Établie au cœur du massif des Maures, la famille Ravel exploite depuis 1952 ce coquet vignoble de 320 ha, où les sols de schistes et de grès imposent un enracinement profond. Expression remarquable du terroir et de la maturité des raisins, ce blanc paré de jaune d'or aux reflets verts livre un bouquet intense de fruits secs, de fruits à noyau et de fruits exotiques. Une richesse aromatique savamment portée par une bouche puissante, riche, longue et équilibrée. Un vin méridional à souhait, pour une cuisine... méditerranéenne (bouillabaisse, rougets, loup au fenouil...).

Ch. Montaud, Vignobles Ravel, 83390 Pierrefeu, tél. 04.94.28.20.30, fax 04.94.28.26.26, contact@chateau-montaud.eu t.l.j. sf dim. 8h-12h 13h-17h

F. Ravel

PROVENCE

CH. MOURESSE Classic 2011 ★★

■ 44 000 ▮ 5 à 8 €

Repris en 2008 par Hynde et Christophe Bouvet, le château Mouresse se hisse parmi les références de l'appellation. Pas moins de trois rosés sont distingués cette année. Présent au grand jury final, ce rosé Classic aux reflets nacrés a séduit par son intensité aromatique (agrumes, fleurs blanches), par son élégance, son volume et son équilibre, par son côté friand et généreux, et par sa finale fraîche et aérienne. Conseillé sur un filet mignon de porc aux tomates confites. La **Grande Cuvée 2011 rosé (8 à 11 €; 7 000 b.)** obtient une étoile pour ses arômes plaisants de pamplemousse, de fruits exotiques et de pêche de vigne. Même note pour le **rosé 2011 MMM! (27 000 b.)** ample, frais et fruité (fruits à chair blanche, framboise).

SCEA Dom. de Mouresse, 3353, chem. de Pied-de-Banc, 83550 Vidauban, tél. 09.61.59.27.23, fax 04.94.73.12.38, mouresse@gmail.com t.l.j. 10h-12h30 13h30-17h30

Bouvet

CH. LA MOUTÈTE Grande Réserve 2011 ★

■ 150 000 ▮ 8 à 11 €

Le vignoble du Château s'étend au pied de la barre de Cuers, sur un sol de graves argilo-calcaires ventilé par le mistral. Cette Grande Réserve, issue d'un assemblage grenache, cinsault, syrah et mourvèdre, revêt une robe rose tendre et pâle. Le nez, discret et élégant, évoque les fruits blancs, une pointe minérale à l'arrière-plan. La bouche associe dans un bel équilibre rondeur, générosité et vivacité. Un vin harmonieux, qui accompagnera volontiers une dorade grillée sur une braise de sarments de vigne. Cité, le **rosé 2011 Vieilles Vignes (11 à 15 €; 50 000 b.)** intéresse par son bouquet floral (aubépine) et fruité (agrumes), et par son palais souple, frais et joliment mentholé en finale.

Ch. la Moutète, chem. des Vignes, quartier Saint-Jean, 83390 Cuers, tél. 04.94.98.71.31, fax 04.94.90.44.87, contact@domainesduffort.com

t.l.j. sf sam. dim. 9h-12h 14h-17h30

SAS Duffort

DOM. MURENNES 2011 ★

■ 8 000 ▮ 11 à 15 €

Propriété familiale de 5 ha située au cœur du massif des Maures entre La Môle et Le Lavandou, ce domaine jouit d'un terroir de schistes et de phyllades propice aux rosés. Issu de l'assemblage grenache-cinsault à parts égales, un brin de syrah en appoint (10 %), ce 2011 rose tendre aux reflets saumonés dévoile un bouquet élégant d'agrumes et de fruits exotiques. Équilibrée, ronde et chaleureuse, la bouche laisse s'exprimer longuement les arômes perçus au nez. Pour une bouillabaisse, suggère le vigneron.

Ivan Gresle, Dom. Murennes, Campagne Les Murennes, 83310 La Môle, tél. 06.09.08.61.86, domainemurennes@yahoo.fr t.l.j. 9h-13h 14h-18h

DOM. DE LA NAVICELLE Cuvée Colle noire 2010 ★★★

■ 6 500 ⦀ 11 à 15 €

La Colle noire est un massif montagneux au piémont duquel se situe ce vignoble de 20 ha, en cours de conversion à la biodynamie. Né sur un terroir de restanques argilo-schisteuses, ce 2010 issu d'un assemblage de grenache, syrah et mourvèdre a fait forte impression et concouru pour le coup de cœur. Ses arguments : une superbe robe rouge sombre aux reflets violacés ; un nez riche et complexe de fruits noirs (mûre, cassis), de garrigue et de poivre gris ; une bouche à l'unisson, ronde, veloutée et concentrée, adossée à des tanins fins et soyeux et à un boisé parfaitement fondu. Un très beau vin qui accompagnera dès aujourd'hui un civet de lièvre. La **cuvée Prestige 2010 rouge (20 à 30 €; 1 750 b.)**, dense, ample et encore dominée par le bois, est citée. À attendre deux ou trois ans pour plus d'harmonie.

Dom. de la Navicelle, 1617, chem. de la Cibonne, 83220 Le Pradet, tél. 04.94.21.79.99, fax 04.94.08.40.53, contact@domainelanavicelle.com

t.l.j. sf dim. 10h-12h 14h-18h

CH. NESTUBY 2010

■ 8 000 5 à 8 €

Une source donne son nom à ce domaine, propriété des Roubaud depuis quatre générations. Planté sur les colluvions du plateau calcaire qui domine le village de Cotignac, le vignoble s'étend sur 75 ha. Assemblage de mourvèdre (45 %), de cabernet-sauvignon et de grenache, ce vin rubis brillant s'ouvre à l'aération sur les fruits rouges, la réglisse et les épices. Après une attaque franche, la bouche se montre légère, souple et fruitée, portée par des tanins bien fondus. À déguster dès à présent, sur une terrine de lapin aux herbes de Provence.

Ch. Nestuby, 4540, rte de Montfort, 83570 Cotignac, tél. 04.94.04.60.02, fax 04.94.04.79.22, nestuby@wanadoo.fr

t.l.j. 10h-19h

J.-F. Roubaud

CH. DE PAMPELONNE 2009

■ 33 000 ⦀ 11 à 15 €

Derrière une robe profonde, on découvre des notes riches de fruits cuits et de fruits à l'eau-de-vie mêlés à des nuances plus fraîches de badiane et de menthe. Nette dès l'attaque, la bouche se révèle ample, délicate et équilibrée. Un vin flatteur, encore un peu dans sa jeunesse, qui méritera un peu de patience.

Ch. de Pampelonne, Plages de Pampelonne, 83350 Ramatuelle, tél. 04.94.56.32.04, fax 04.94.43.42.57, info@mavigne.com

Edgard Pascaud

DOM. DE LA PARDIGUIÈRE 2011 ★

■ 20 000 ▮ 8 à 11 €

Premier millésime vinifié par les propriétaires de ce domaine situé en contrebas du massif des Maures. Ce 2011, violine soutenu, se fait discret au nez, libérant avec parcimonie des parfums de fruits noirs et des notes poivrées. Beaucoup de douceur au palais, étayée par une structure ronde enrobée d'arômes de fruits et d'épices. Encore un peu anguleux en finale toutefois, ce vin élégant appelle une garde d'un an ou deux.

NOUVEAU PRODUCTEUR

Dom. de la Pardiguière, rte des Mayons, 83340 Le Luc, tél. 04.94.59.12.40, fax 04.94.59.16.11

CH. PAS DU CERF La Londe Rocher des Croix 2009 ★★

■ 7 000 ▮⦀ 11 à 15 €

Au cœur de la forêt des Maures, il n'était pas rare d'observer autrefois le passage des cerfs entre les deux collines en surplomb des bâtiments. La famille Gualtieri, parents et enfants, s'est installée ici en 2001. Elle propose un vin d'une belle profondeur, dont le nez discret évoque les sous-bois, les épices, la vanille et les baies rouges. Concentrée et puissante, la bouche s'adosse à des tanins structurés et s'achève sur une agréable touche mentholée. À déguster entre 2014 et 2018. Une étoile revient au **rosé 2011 (8 à 11 € ; 53 400 b.)**, soyeux, délicat et persistant, aux arômes d'abricot et de pomelo.

SCEA Ch. Pas du Cerf, rte de Collobrières, CD 88, 83250 La Londe-les-Maures, tél. 04.94.00.48.80, fax 04.94.00.48.81, info@pasducerf.com
t.l.j. sf dim. 9h-12h30 14h30-18h30
Gualtieri

CH. PEYRASSOL 2011 ★★

60 000 | 11 à 15 €

La cave moderne et le parc de sculptures s'intègrent aujourd'hui parfaitement à cette ancienne commanderie templière, créée en 1204. Ici, on exploite 86 ha de vignes, cent cinquante chênes truffiers et des milliers d'oliviers. Une visite s'impose pour déguster ce rosé couleur coquille d'œuf, aux senteurs exubérantes de fruits jaunes et d'agrumes, dont la bouche, à l'unisson, conjugue souplesse en attaque et structure en finale. Un ensemble équilibré, à découvrir sur une dorade en croûte de sel. Deux étoiles également pour **Le Clos Peyrassol 2011 rosé (20 à 30 € ; 2 600 b.)**, au nez minéral et floral et à la bouche montante, généreuse et épicée. Un vin surprenant, à accorder à des gambas à la plancha.

SCEA Commanderie de Peyrassol, RN 7, 83340 Flassans-sur-Issole, tél. 04.94.69.71.02, fax 04.94.59.69.23, contact@peyrassol.com
t.l.j. 10h-19h (18h; f. dim. en hiver) 5

LES VIGNERONS DE LA CAVE DE PIERREFEU Les Coteaux 2010 ★

30 000 | 5 à 8 €

Créée en 1922, c'est une des plus anciennes coopératives de la région. Cette cuvée, née de syrah (45 %), de carignan et de grenache, représente avantageusement l'expression de ce terroir. Si des notes chaleureuses de fruits rouges et d'épices caractérisent le nez, la bouche apparaît plus fraîche, portée par des tanins fins et soyeux, plus sensibles en finale. Un vin équilibré, à déguster d'ici 2015 sur un onglet de bœuf grillé. Cité, le **rosé 2011 Les Coteaux (50 000 b.)** est joliment construit : élégante robe rose pâle, arômes fruités (fraise bien mûre, fruits exotiques), bouche florale et épicée.

Cave de Pierrefeu, av. Léon-Blum, 83390 Pierrefeu-du-Var, tél. 04.94.28.20.09, fax 04.94.28.21.94, vignerons.pierrefeu@wanadoo.fr
t.l.j. sf dim. 8h-12h 14h-18h

B DOM. PINCHINAT 2011 ★

6 600 | 5 à 8 €

Dès son installation en 1990, Alain de Welle a appliqué les principes de l'agriculture biologique sur tout le vignoble. Il propose ici un blanc né de rolle (80 %) et de clairette, à la tenue jaune pâle impeccable, aux saveurs franches et délicates de noisette et de fleurs blanches, plein, frais et équilibré en bouche.

Alain de Welle, Dom. Pinchinat, 83910 Pourrières, tél. et fax 04.42.29.29.92, domainepinchinat@wanadoo.fr
r.-v.

B DOM. DES PLANES L'Admirable 2011 ★★

6 800 | 11 à 15 €

Déjà plus de trois décennies que la famille Rieder exploite ce vaste domaine de 96 ha, dont 28 ha sont plantés de vignes et conduits en agriculture biologique depuis 2009. Ilse Rieder est aux commandes depuis 2005. Elle signe une cuvée qui porte décidément bien son nom (doublement étoilée aussi dans les millésimes 2009 et 2010). Admirable en effet, ce 2011 rose corail livre un bouquet éloquent, véritable « corbeille de fruits » (pêche et fraise notamment), relayé par une bouche sans fausse note, douce, riche et généreuse dans sa structure comme dans son expression aromatique. Un rosé complet et séduisant, à découvrir sur des petits farcis provençaux. Deux étoiles également pour le **Blanc de blancs 2011 (8 à 11 € ; 16 000 b.)**, cristallin dans sa robe pâle, flatteur avec ses parfums de fleurs blanches et de fruits exotiques, ample, rond et très long en bouche, et porté en finale par une jolie touche acidulée. Une étoile enfin pour le **rouge 2010 La Triade (8 à 11 € ; 3 300 b.)**, au nez complexe de fruits rouges mûrs, de figue sèche et de cuir, plein, dense et bien structuré en bouche.

SCEA Les Planes Famille Rieder, Dom. des Planes, 83520 Roquebrune-sur-Argens, tél. 04.98.11.49.00, fax 04.94.82.94.76, vin@dom-planes.com
t.l.j. sf dim. 9h-12h30 14h30-18h30 E

DOM. DES POMPLES 2011

2 100 | 5 à 8 €

Matthieu Lafont est né et a grandi au hameau des Pomples. Après des études en électronique, il prend en 2009 la direction du domaine familial et insuffle une nouvelle dynamique (création d'un caveau de vente, conversion en cours vers l'agriculture biologique, expositions « art et vin », pique-nique vigneron...). Il signe ici un joli blanc 100 % rolle, à l'expression délicate et florale, équilibré en bouche, tonique et vif en finale. Parfait pour l'apéritif.

SCEA Brissy, Dom. des Pomples, rte du Luc, 83340 Cabasse, tél. et fax 04.94.80.24.66, m.lafont@domainedespomples.fr t.l.j. sf dim. 9h-19h

CH. DE POURCIEUX 2011 ★

160 000 | 8 à 11 €

Le château de Pourcieux appartient depuis son origine à la famille du marquis d'Espagnet, dont plusieurs membres occupèrent la charge de conseiller du Parlement de Provence. Michel d'Espagnet propose ici un rosé au bouquet riche et intense de cerise, de pêche et de pamplemousse accompagnés de quelques notes de verveine et de menthe. La bouche affiche une belle fraîcheur dès l'attaque, parcourue d'intenses notes de framboise et de cerise jusqu'à la finale, longue et mentholée. Un vin élégant et typé, pour coquillages et poissons grillés.

Michel d'Espagnet, Ch. de Pourcieux, 83470 Pourcieux, tél. 04.94.59.78.90, fax 04.94.59.32.46, me@pourcieux.com
r.-v.

DOM. POUVEREL 2011

20 000 | 5 à 8 €

Les Maîtres Vignerons de la Presqu'île de Saint-Tropez proposent un plaisant 2011 issu de syrah (70 %) complété de mourvèdre. Le nez, intense, évoque les fruits rouges et noirs. La bouche est à l'avenant, ronde, chaleu-

PROVENCE

reuse et friande, posée sur des tanins serrés. Une bouteille pour amateurs de vins gourmands et fruités, à découvrir dans les deux ans.

SCA Les Maîtres Vignerons de la Presqu'île de Saint-Tropez, 270 RD 98, La Foux, 83580 Gassin, tél. 04.94.56.32.04, fax 04.94.43.42.57, info@mavigne.com
t.l.j. sf dim. 8h30-12h30 14h30-19h (juil.-août 19h30)

RABIEGA Clos Dière 2009 ★

2 783 | 20 à 30 €

Cette cuvée est l'ambassadrice du domaine Rabiega, propriété de 10 ha appartenant à l'œnologue suédois Sven Anders Aakesson. À forte dominante de syrah (95 %), le grenache pour l'appoint, ce 2009 s'affiche dans une robe sombre aux reflets grenat. L'annonce d'un vin de caractère, plutôt massif. De fait, le nez exhale des senteurs intenses de fruits noirs très mûrs, d'épices, de réglisse et de venaison, et la bouche offre un beau volume, portée par des tanins bien présents mais assez soyeux. Dans deux ou trois ans, ce vin accompagnera volontiers une brochette de bécasses ou un lièvre à la broche.

Sven Anders Aakesson, Dom. Rabiega, 516, chem. Cros-d'Aimar, 83300 Draguignan, tél. 04.94.68.44.22, fax 04.94.47.17.72, sandra.chiancone@rabiega.com r.-v. 4

CH. RASQUE Cuvée Alexandra 2011 ★★

71 000 | 15 à 20 €

Coup de cœur avec le rouge 2008 dans l'édition précédente, le château Rasque se distingue cette année dans le millésime 2011 et sous le double signe rosé et blanc. Le jury privilégie cette cuvée Alexandra pour sa haute expression aromatique et pour son équilibre. On y retrouve la douceur du coing alliée à la fraîcheur des agrumes et à la finesse des épices, tandis qu'une pointe de minéralité vient fort à propos vivifier une bouche ronde, ample et suave. Sans nul doute un rosé de table, à servir sur un filet de saint-pierre au fenouil par exemple. Le **blanc de blanc 2011 (35 000 b.)**, un pur rolle, s'ouvre sur des senteurs florales et sur un fruité délicat procurant une sensation de légèreté que l'on retrouve dans une bouche croquante à souhait. Une étoile.

Ch. Rasque, rte de Flayosc, 83460 Taradeau, tél. 04.94.99.52.20, fax 04.94.99.52.21, accueil@chateaurasque.com
t.l.j. 9h-18h (f. sam. dim. nov.-mars) 5
Sophie Courtois Biancone

CH. RÉAL MARTIN Perle de rosé 2011 ★

40 000 | 8 à 11 €

Cet ancien domaine des comtes de Provence profite d'une altitude de 350 m, et les vendanges y sont plutôt tardives. Cette Perle de rosé, couleur pastel aux reflets diaphanes, dévoile un bouquet complexe et varié de fruits rouges, de réglisse et d'anis. Le palais se révèle généreux, gras et plus chaleureux en finale, mais la fraîcheur des agrumes vient faire contrepoint et apporter un tonus bienvenu. Un vin de caractère, à déguster sur une terrine de lotte sauce à l'aneth.

SCEA Ch. Réal Martin, rte de Barjols, 83143 Le Val, tél. 04.94.86.40.90, fax 04.94.86.32.23, crm@chateau-real-martin.com
t.l.j. sf sam. dim. 8h30-12h 13h30-17h; juin-sept. t.l.j. sf dim. 10h-18h
Jean-Marie Paul

CH. RÊVA Harmony 2011 ★

40 000 | 8 à 11 €

C'est un vieux rêve qui s'est réalisé pour Patrice Maillard en 2004 avec l'acquisition de ce domaine de 37 ha ; un rêve, et un défi qu'il partage en famille, accompagné de son épouse et de ses deux filles. Depuis lors, ses vins fréquentent régulièrement les pages du Guide, et l'on se souvient notamment d'un coup de cœur pour cette même cuvée Harmony, version 2007. Le 2011 n'atteint pas les mêmes sommets mais il a quelques atouts à faire valoir, à commencer par sa robe pâle comme il se doit aujourd'hui. Le nez n'est pas des plus loquaces mais il s'avère plaisant par son côté agrumes et par sa pointe minérale. La bouche allie fraîcheur et rondeur dans un bel équilibre. Un vin... harmonieux, en effet, à déguster à l'apéritif. La cuvée **Ré 2011 rosé (15 à 20 € ; 6 000 b.)** fruitée (fruits rouges, agrumes, pêche), souple et fraîche, est citée.

Patrice Maillard, Ch. Rêva, 1833, rte de Bagnols, 83920 La Motte, tél. 04.94.70.24.57, fax 04.94.84.31.43, chateaureva@wanadoo.fr
t.l.j. sf dim. 10h-12h30 14h30-18h

RIMAURESQ 2011 ★

Cru clas. | 200 000 | 8 à 11 €

Au pied de Notre-Dame-des-Anges, point culminant des Maures, s'étend la quarantaine d'hectares du vignoble. Ce rosé en robe légère, aux reflets bleutés, offre un bouquet d'agrumes. Une jolie rondeur se manifeste au palais, accompagnée de nuances de fruits exotiques. Une salade composée conviendra à sa dégustation. Cité, le **cru classé blanc 2011 (11 à 15 € ; 22 000 b.)** évoque les fruits blancs et les agrumes.

Dom. de Rimauresq, rte Notre-Dame-des-Anges, BP 26, 83790 Pignans, tél. 04.94.48.80.45, fax 04.94.33.22.31, rimauresq@wanadoo.fr t.l.j. sf dim. 9h-12h 14h-17h
Wemyss

CH. DE ROQUEFEUILLE 2011 ★★

400 000 | 5 à 8 €

Situé sur les contreforts du mont Aurélien, le vignoble du château de Roquefeuille s'épanouit sous le regard bienveillant de la montagne Sainte-Victoire. La robe rose pâle lumineuse et brillante de ce 2011 est une invitation à la dégustation. Très expressif, le bouquet évoque les fruits rouges (fraise bien mûre) agrémentés de notes florales, tandis que la bouche est appréciée pour son caractère rond et gourmand. Un très beau vin d'apéritif, à déguster avec des toasts à l'oursin de Méditerranée. Une étoile pour le **blanc 2011 (60 000 b.)** aux notes d'agrumes et de fleurs, qui affiche une belle longueur.

SCEA Ch. de Roquefeuille, Dom. de Roquefeuille, 83910 Pourrières, tél. 04.94.50.11.70, fax 04.94.50.11.75, chateau.roquefeuille@free.fr
t.l.j. sf dim. 9h-12h 14h-17h 3
Henri Bérenger

CH. ROUBINE 2011 ★

Cru clas. | 55 727 | 11 à 15 €

Roubine signifie « ruisseau » en provençal, un drainage naturel pour les 72 ha de vignes du domaine, plantés de treize cépages méditerranéens. Sémillon, rolle et ugni blanc ont été sélectionnés pour ce blanc à la présentation distinguée et au nez très expressif, sur les agrumes et la minéralité. La bouche, à l'unisson, se révèle fraîche, équilibrée, de bonne longueur. Une bouteille recommandée sur un tartare de poisson.

Ch. Roubine, RD 562, 83510 Lorgues, tél. 04.94.85.94.94, fax 04.94.85.94.95, contact@chateauroubine.com

V. Rousselle

DOM. DE ROUCAS 2011 ★★

10 000 | 5 à 8 €

Cette cuvée, qui fait la part belle au cinsault (80 %) complété d'un brin de grenache, se présente dans une jolie robe limpide, rose sable. Le nez, tout aussi raffiné, marie l'ananas, le zeste de pamplemousse et de légères notes de fruits rouges. La bouche se révèle généreuse, riche et longue, portée par une belle vivacité. Parfait sur un filet de saint-pierre grillé. Une citation pour le **2009 rouge (8 à 11 €; 2 000 b.)** à majorité de syrah, qui gagnera à séjourner un an ou deux en cave afin que le boisé se fonde totalement.

Dom. de Roucas, rte de Carcès, 83570 Entrecasteaux, tél. 04.94.04.48.14, nicolas.mignone@orange.fr

t.l.j. sf dim. 10h-12h 14h-19h; 14h-19h nov.-mars

Paulin

LE ROUËT Cœur du Rouët 2011 ★

28 000 | 5 à 8 €

La maison Savatier Sélection, négociant-éleveur au Muy, présente un 2011 à la robe rose pâle brillante, qui développe au nez des notes intenses d'agrumes et de fruits blancs. Après une attaque franche, le palais se montre long, suave et gras. Un rosé harmonieux, à déguster sur une salade de poulpe et de pommes de terre. Proposé sous la casquette producteur, le **Ch. du Rouët 2009 rouge Belle Poule (8 à 11 €; 32 000 b.)** est cité pour sa bonne structure et pour son joli nez fruité, épicé et grillé.

SAS Savatier Sélection, rte de Bagnols-en-Forêt, 83490 Le Muy, tél. 04.94.99.21.10, fax 04.94.99.20.40, chateau.rouet@wanadoo.fr r.-v.

DOM. LA ROUILLÈRE Domaine 2011 ★

30 000 | 8 à 11 €

Ce domaine emprunte son nom au ruisseau qui s'écoule en direction de Gassin. Bertrand Letartre y exploite 40 ha de vignes, dont sept sont consacrés à cette cuvée vêtue d'une belle robe limpide aux reflets saumonés. Expressif et complexe, le nez développe des parfums de fruits jaunes (pêche, abricot) mêlés d'agrumes. À l'unisson, le palais séduit par son équilibre entre rondeur et vivacité, et s'achève sur une jolie note épicée. Le **rosé 2011 Grande Réserve (11 à 15 €; 30 000 b.)**, vif et fruité (pamplemousse), est cité.

Bertrand Letartre,
Dom. de la Rouillère, RD 61, rte de Ramatuelle, 83580 Gassin, tél. 04.94.55.72.60, fax 04.94.55.72.61, contact@domainedelarouillere.com

été t.l.j. 9h-20h; hiver t.l.j. sf sam. dim. 9h-17h30

DOM. SAINT-ALBERT Cuvée Prestige 2010 ★

7 000 | 8 à 11 €

Olivier Foucou conduit ce domaine familial de 16 ha depuis 1997. Mourvèdre, carignan et cinsault cultivés sur des restanques de schistes arrachés au massif des Maures ont donné naissance à cette cuvée rouge sombre aux reflets violacés. Expressif et complexe, le nez s'ouvre sur des notes de fruits noirs (mûre, cassis) et d'épices. La bouche, riche et longue, s'adosse à des tanins présents mais soyeux, et s'achève sur une belle finale épicée. Parfait pour une gardiane de taureau. La **cuvée Prestige 2011 blanc (9 000 b.)** obtient également une étoile pour sa fraîcheur, sa finesse et son élégance.

Olivier Foucou, 3846, chem. des Borrels, 83400 Hyères, tél. et fax 04.94.65.30.66, olivier.foucou@orange.fr

t.l.j. sf dim. 10h-12h 15h-18h

DOM. SAINT-ANDRÉ DE FIGUIÈRE
La Londe Confidentielle 2010 ★★

8 400 | 20 à 30 €

Amorcé il y a vingt ans, l'attachement à la terre de Provence est bien ancré dans la famille Combard. Défenseur de la première heure de la dénomination La Londe, le domaine en présente ici un digne représentant, né de mourvèdre et de syrah. Vêtu d'une épaisse robe grenat, ce 2010 dévoile des parfums de baies noires (cassis, myrtille) sur fond de sous-bois et de pain grillé. Des impressions confirmées par un palais ample et enveloppant, épaulé par des tanins soyeux. Ce vin aux excellentes proportions atteindra son apogée vers 2015. Deux autres cuvées décrochent aussi deux étoiles: le **rouge 2010 Vieilles Vignes (11 à 15 €; 35 000 b.)**, à la structure ronde et fraîche enrobée de fruits rouges confiturés ; le **blanc 2011 Vieilles Vignes (11 à 15 €; 20 000 b.)**, frais et typique, centré sur le pamplemousse et le buis.

Saint-André de Figuière,
605, rte de Saint-Honoré, BP 47, 83250 La Londe-les-Maures, tél. 04.94.00.44.70, fax 04.94.35.04.46, figuiere@figuiere-provence.com

t.l.j. sf dim. 9h-12h 14h-18h

Alain Combard

DOM. SAINT-ANDRIEU 2011 ★★

52 500 | 8 à 11 €

C'est à Correns, au pied du Bessillon, que la famille Bignon-Cordier, propriétaire de Château Talbot (4e cru classé en saint-julien), s'est attachée au terroir provençal. Cet assemblage à dominante de grenache (45 %) charme l'œil par sa robe élégante aux lueurs saumonées. L'expression de fruits rouges, discrète au nez, s'intensifie et se précise (fraise) dans une bouche vive et acidulée en attaque, ample et gourmande dans son développement. Un rosé équilibré, à savourer sur un poisson grillé simplement assaisonné d'un filet de citron.

Dom. Saint-Andrieu, BP 32, 83570 Correns, tél. 04.94.59.52.42, fax 04.94.77.73.18, domainesaintandrieu@club-internet.fr r.-v.

Bignon

CH. SAINTE-BÉATRICE Cuvée Vaussière 2010 ★★

40 000 | 5 à 8 €

Voilà plus de trente-cinq ans que le domaine a été créé ; petit à petit, des améliorations sont amenées, la dernière en date étant la construction d'une cave enterrée pour abriter le chai à barriques. Ce rouge profond aux reflets rubis y a séjourné pendant douze mois. Notes boisées et chocolatées agrémentent un nez de fruits et d'épices. Ces impressions se confirment dans une bouche équilibrée, ronde et longue. Une daube de bœuf mettra ce vin en valeur, dans deux ou trois ans. Le **rouge 2009 Cuvée prestigieuse (11 à 15 €; 4 000 b.)**, élégant, d'une belle maturité, décroche une étoile.

🔑 Ch. Sainte-Béatrice, 491, chem. des Peiroux, 83510 Lorgues, tél. 04.94.67.62.36, fax 04.94.73.72.70, stebeatrice@wanadoo.fr
✉ 🍷 🚶 t.l.j. sf dim. 8h-12h 14h-18h30
🔑 M. Novaretti

CH. SAINTE-CROIX Laurent Gerra 2011 ★

	15 000	▮	8 à 11 €

Grenache (90 %) et syrah ont été ici récoltés et assemblés sous la houlette de Stéphane Pélépol, selon les souhaits de l'humoriste Laurent Gerra, qui donne son nom à ce vin. Cette cuvée, à la robe très pâle et légèrement saumonée, dévoile un bouquet expressif de fleurs et d'agrumes. Sur les mêmes notes variétales, le palais trouve un bel équilibre entre fraîcheur et ampleur. Une étoile également, le **2011 Rosé charmeur (5 à 8 € ; 30 000 b.)**, à dominante amylique, est apprécié pour son élégance et son harmonie. Enfin, le **2010 rouge Réserve des anges (8 à 11 €)** est cité pour son nez d'épices et de fruits frais, pour ses tanins soyeux et sa persistance mentholée.

🔑 Ch. Sainte-Croix, rte du Thoronet, 83570 Carcès, tél. 06.29.97.22.48, fax 04.94.80.79.13, chateausaintecroix83@yahoo.fr
✉ 🍷 🚶 t.l.j. sf dim. 9h-12h 14h-18h
🔑 Pélépol

DOM. SAINTE-LUCIE Sainte-Victoire L'Hydropathe Élite 2011 ★

	20 000	11 à 15 €

Né de ceps de syrah et de grenache plantés au plus près de la montagne Sainte-Victoire, L'Hydropathe Élite version rosé (coup de cœur dans le millésime 2010, et dans le 2007 en rouge) a séduit les dégustateurs par son allure juvénile, rose pâle, et par son nez intense d'agrumes accompagnés d'une pointe florale. La bouche trouve rapidement son équilibre entre gras et vivacité, et offre une très belle longueur finale, sur le zeste d'agrumes. Un rosé né sous une bonne étoile, qui fera des merveilles avec des noix de Saint-Jacques poêlées. Autre cuvée bien connue des lecteurs – coup de cœur en rosé 2006 et en rouge 2007 –, le très aromatique (bonbon anglais, citron), ample et suave **Made in Provence Premium by Sainte-Lucie 2011 rosé (8 à 11 € ; 67 500 b.)** obtient lui aussi une étoile.

🔑 Dom. Sainte-Lucie, av. Paul-Cézanne, 13114 Puyloubier, tél. 06.81.43.94.62, fax 04.42.66.33.22, virginie@mip-provence.com
✉ 🍷 🚶 mer. jeu. ven. sam. 10h-12h 14h-18h; f. août
🔑 Michel Fabre

Ⓑ **CH. SAINTE-MARGUERITE** La Londe Cuvée Symphonie 2011 ★★

Cru clas.	n.c.	15 à 20 €

Ce vignoble familial de 75 ha conduit en agriculture biologique s'étend sur les coteaux qui dominent la mer Méditerranée, à quelques encablures des Îles d'Or. Assemblage de grenache (90 %) et de cinsault cultivés sur un sol de schistes et de galets de quartzite, cette cuvée revêt une robe rose tendre, pâle et lumineuse. Très élégante, elle joue dans un registre floral et fruité (agrumes, pêche) souligné par des notes minérales. La bouche tient bien la note ; à la fois ronde et dynamique, elle affiche un remarquable équilibre et déroule une longue finale. Une Symphonie harmonieuse et de haute expression, à réserver pour une cuisine exotique, un poulet tandoori par exemple.

🔑 Ch. Sainte-Marguerite, Fayard, 303, chem. du Haut-Pansard, 83250 La Londe-les-Maures, tél. 04.94.00.44.44, fax 04.94.00.44.45, contact@vinsfayard.com
✉ 🍷 t.l.j. sf dim. 9h30-12h 14h-17h30 (été 19h)

♥ **CH. SAINTE-ROSELINE** Cuvée Prieuré 2009 ★★

Cru clas.	32 900	🛢	15 à 20 €

CUVÉE PRIEURE
CHÂTEAU SAINTE ROSELINE
CRU CLASSÉ
2009
CÔTES DE PROVENCE
APPELLATION CÔTES DE PROVENCE PROTÉGÉE

Sainte Roseline fut la mère prieure de cette abbaye du XIe s., à partir des années 1300 et durant presque trente ans. Son esprit semble veiller sur les vins du domaine, maintes fois remarqués dans le Guide, et souvent en bonne place. Composé de syrah et de cabernet-sauvignon, ce millésime 2009 revêt un habit grenat d'une forte intensité. De sa vinification en cuve bois et de son élevage en barrique demeure un léger vanillé intégrant en filigrane des parfums élégants de cerise griotte. À l'unisson, le palais dévoile une matière riche, dense et généreuse, portée par des tanins fondus et soyeux. Ce vin excellera, aujourd'hui ou dans deux ans, sur un dessert au chocolat noir comme sur une viande en sauce.

🔑 SCEA Ch. Sainte-Roseline, 83460 Les Arcs-sur-Argens, tél. 04.94.99.50.30, fax 04.94.47.53.06, contact@sainte-roseline.com
✉ 🍷 🚶 t.l.j. 9h-12h30 14h-18h30
🔑 Teillaud

CH. SAINT-JULIEN D'AILLE Imperator 2010

	13 000	8 à 11 €

Cet Imperator – le nom du domaine associe à l'Aille, petite rivière, saint Julien, centurion romain martyr au IVe s. – se présente dans une tunique pourpre intense, qui annonce un nez concentré de petits fruits noirs confiturés agrémentés d'arômes de venaison, d'épices et de boisé torréfié. La bouche riche et très structurée, encore sous l'emprise du bois, devrait évoluer favorablement d'ici trois ans. Pour une viande de caractère, une daube de sanglier à la provençale par exemple.

🔑 Ch. Saint-Julien d'Aille, 5480, rte de la Garde-Freinet, 83550 Vidauban, tél. 04.94.73.02.89, fax 04.94.73.61.31, contact@saintjuliendaille.com ✉ 🍷 🚶 t.l.j. 9h30-18h30
🔑 Fleury

CH. SAINT-PIERRE Cuvée Marie 2011 ★★

	10 000	▮	5 à 8 €

Vignerons de père en fils depuis quatre générations, les Victor proposent ici une cuvée grenache (80 %) et cinsault qui a fait belle impression. La robe, d'un seyant rose violine, est lumineuse. Le nez s'exprime avec finesse et élégance sur de discrètes notes fruitées. La bouche, plus intense, se révèle puissante, riche, structurée et longue. Assurément un vin de repas, que l'on verrait bien avec la cuisine asiatique, des nouilles sautées bœuf et épices par exemple. La **cuvée du Prieur 2011 blanc (8 à 11 €; 5 000 b.)**, fermentée et élevée en barrique, obtient une étoile pour son boisé fondu et pour son palais suave et rond. Parfait sur une volaille à la crème.

Jean-Philippe Victor, Ch. Saint-Pierre, rte de Taradeau, 83460 Les Arcs-sur-Argens, tél. 04.94.47.41.47, fax 04.94.73.34.73, contact@chateausaintpierre.fr
t.l.j. sf dim. 9h-12h 14h-18h (juil.-août 19h)

SAINT-ROMAN D'ESCLANS 2011 ★

1 176 | 8 à 11 €

En 1973, Philippe Miguet rachète cette propriété, et ses petits-enfants vinifient leur premier millésime en 2011. Ils signent donc ce pur rolle au nez fin et agréable, floral et épicé. Persistante, la bouche allie rondeur, richesse et complexité. Un vin complet, qui dévoile ses atouts avec subtilité. À boire sur une brousse du Rove au miel de lavande.

Saint-Roman d'Esclans, rte de Callas, 83920 La Motte, tél. et fax 04.94.70.24.92, st-roman@wanadoo.fr
t.l.j. 10h-18h (19h en juil.-août)
Raymond

DOM. SAINT-SER Cuvée Prestige 2011 ★

10 000 | 8 à 11 €

Sous le regard bienveillant de la montagne Sainte-Victoire chère à Cézanne, le vignoble du domaine Saint-Ser s'étend sur un terroir très qualitatif de cailloutis calcaires, où se plaît le rolle. Pour preuve, cette cuvée élégante, jaune pâle aux reflets verts lumineux, au nez intensément floral et fruité. L'attaque franche fait place à une bouche équilibrée, soutenue par une fraîcheur fort plaisante et une longue finale aromatique. Un vin d'une belle expression, qui accompagnera un saint-pierre en papillote.

SAS Dom. de Saint-Ser, RD 17, rte de Cézanne, 13114 Puyloubier, tél. 04.42.66.30.81, fax 04.42.66.37.51, info@saint-ser.com t.l.j. 10h-13h 14h-19h
J. Guichot

DOM. DE LA SANGLIÈRE Prestige 2010 ★★

18 000 | 8 à 11 €

Quelque 20 ha de vignes conduits par Rémy et Olivier Devictor (deuxième génération de vignerons) au cap Bénat, site protégé par le conservatoire du littoral. Née de vignes de trente ans (syrah et cabernet-sauvignon), cette cuvée Prestige, d'un beau rubis intense et brillant, dévoile un nez chaleureux de pruneau, de griotte mûre et d'épices. La bouche se révèle puissante, généreuse et solidement charpentée, tout en restant soyeuse, veloutée et fruitée. Un rouge bien typé, qui mérite d'être attendu encore deux ou trois ans. Au nez, le vanillé du **blanc 2011 Prestige (4 000 b.)** se mêle harmonieusement aux notes de pain brioché, de poire et de coing. On retrouve cet équilibre dans un palais franc en attaque, gras, long, fruité et boisé avec discernement. Deux étoiles pour ces deux vins, finalistes du grand jury des coups de cœur. Sous la casquette du négoce, le **2010 rouge Signature (5 à 8 €; 15 000 b.)** est cité pour son caractère « sauvageon » à la fois boisé (fumé, grillé) et végétal, et pour sa matière dense aux accents de garrigue.

EARL Dom. de la Sanglière, 3886, rte de Léoube, rte de Brégançon, 83230 Bormes-les-Mimosas, tél. 04.94.00.48.58, fax 04.94.00.43.77, sangliere@domaine-sangliere.com
t.l.j. sf dim. 9h-12h 15h-18h
Rémy Devictor

CH. DES SARRINS Grande Cuvée 2011 ★

30 000 | 11 à 15 €

Né sur un terroir argilo-calcaire planté de grenache, cinsault, syrah et mourvèdre, ce 2011 rose tendre aux reflets saumonés livre un bouquet élégant et expressif de fruits frais et d'agrumes (pomelo). Vive et acidulée en attaque, la bouche séduit par sa rondeur avenante et par sa persistance aromatique, au diapason de l'olfaction. Un vin harmonieux et de belle expression, tout indiqué pour un apéritif aux accents du Midi.

Dom. des Sarrins, 897, chem. des Sarrins, 83510 Saint-Antonin-du-Var, tél. 04.94.78.90.23, info@chateaudessarrins.com
t.l.j. sf sam. dim. 8h30-12h30; lun. mer. ven. 8h30-12h30 14h-17h30
Bruno Paillard

DOM. DES SAURONNES 2010 ★

4 600 | 5 à 8 €

La famille Bouisson vinifie depuis 2004 sur ce domaine de 30 ha. Elle propose un 2010 d'un beau rouge profond aux nuances violacées. Si le premier nez se fait discret, l'aération libère des parfums de fruits rouges, de cassis et de violette. Les tanins, bien fondus, s'intègrent avec élégance dans une bouche au diapason, persistante et charpentée, que mettra en valeur un carré de veau, dans un an ou deux.

Dom. des Sauronnes, La Ruol, 83390 Puget-Ville, tél. 06.80.10.64.93, michel.bouisson@laposte.net r.-v.
Bouisson

CH. DE LA SAUVEUSE Cuvée Château 2011

10 600 | 8 à 11 €

De mémoire d'homme, la source qui alimente le domaine ne s'est jamais tarie, même en période de grande sècheresse, protégeant ainsi les habitants en cas de disette. Elaboré selon les préceptes bio, à la vigne et au chai, ce 2011 livre une expression ronde et « charnelle » du rosé de Provence, marquée par la chaleur du millésime. Quelques notes florales et minérales, ainsi qu'une pointe d'amertume et de vivacité en finale évitent la lourdeur et lui confèrent une fraîcheur bienvenue. À déguster sur des caillettes et des petits farcis.

Salinas, Dom. de la Sauveuse, Grand-Chemin-Vieux, 83390 Puget-Ville, tél. 04.94.28.59.60, production@sauveuse.fr
t.l.j. sf sam. dim. 9h-12h 14h-18h

LES VIGNERONS DE TARADEAU L'Oppidum 2011 ★

7 000 | 5 à 8 €

La visite archéologique de l'oppidum du fort de Taradeau précédera l'initiation œnologique de cet Oppidum blanc. Il se dégage de sa parure pâle aux reflets verts une fraîcheur confirmée par un nez floral et minéral qui libère de douces senteurs de vanille après agitation. La bouche se révèle riche, longue et bien équilibrée entre

PROVENCE

fruité et boisé fondu, une fine acidité venant soutenir la finale. Un mariage très réussi des saveurs, à découvrir sur une dorade grillée ou sur un fromage de chèvre.

SCA Les Vignerons de Taradeau, quartier de l'Ormeau, 83460 Taradeau, tél. 04.94.73.02.03, fax 04.94.73.56.69, vignerons-de-taradeau@wanadoo.fr
t.l.j. sf dim. 9h-12h30 14h30-18h30
Henry

DOM. DES THERMES Iter privatum 2011 ★

	20 000		5 à 8 €

La famille Robert, qui exploite ses vignes depuis six générations, est sortie de la coopérative en 1998. Des fouilles archéologiques mirent au jour les thermes d'une villa romaine, qui ont inspiré le nom du domaine. Sous une belle robe brillante, couleur pamplemousse rose, cette cuvée dévoile des parfums de petits fruits rouges et un palais souple, frais et persistant. Un vin à déguster dès l'apéritif. Le **rouge 2011 Iter privatum (5 000 b.)** est par ailleurs cité pour son nez de fruits rouges mûrs, son gras et ses tanins presque fondus.

Dom. des Thermes, EARL Robert, RN 7, 83340 Le Cannet-des-Maures, tél. 04.94.60.73.15, fax 04.94.99.29.71, domaine.des.thermes@orange.fr
t.l.j. sf dim. 8h-19h (18h en hiver)

THUERRY Le Château 2011 ★

	8 400		11 à 15 €

Au sein du parc régional du Haut-Var Verdon, la bâtisse du XIIe s. soulignée par un chai longiligne blanc, contemporain et semi-enterré, s'entoure des 340 ha de la propriété, dont 43 ha de vignes. Sous les reflets d'or blanc de ce 2011 s'exprime une belle force aromatique entre pomelo, citron et épices. Puissance tout aussi présente en bouche, où fraîcheur et rondeur trouvent leur place. Un « vin de plaisir » bien équilibré et prêt à boire. Le **rosé 2011 Le Château (20 000 b.)** obtient la même note. Droit et fin, il séduit par son expression fruitée.

Ch. Thuerry, 83690 Villecroze, tél. 04.94.70.63.02, fax 04.94.70.67.03, thuerry@chateauthuerry.com
t.l.j. 9h-17h30 (été 19h; f. dim. en hiver)
Croquet

B **DOM. LA TOUR DES VIDAUX** Saint Paul 2010 ★★

	10 100		15 à 20 €

Situé sur le versant méridional du massif des Maures, sur des sols schisteux de la petite vallée fluviale du Réal Martin, ce vignoble est conduit selon les préceptes de la biodynamie. Cette cuvée Saint Paul, trilogie à parts quasi égales de syrah (40 %), grenache et cabernet-sauvignon, a participé à la finale des coups de cœur. Alliance remarquable de la matière et de l'élevage en barrique, elle dévoile un bouquet expressif de fruits noirs enrichis de notes torréfiées, de moka et de cacao. La bouche, ample et équilibrée, affiche une structure ferme mais sans rudesse, laissant le fruit se fondre au boisé. Déjà gourmand, ce vin promet aussi un heureux vieillissement de deux ou trois ans. Deux étoiles également pour le **rouge 2010 Farnoux (11 à 15 €; 3 600 b.)**, sur une base syrah-grenache, au bouquet subtil de framboise, de fleurs, d'eucalyptus et de résine, au palais puissant, généreux, fruité et épicé. À attendre un à deux ans pour une pleine maturité.

V.-Paul Weindel, rte de Pignans, hameau Les Vidaux, 83390 Pierrefeu-du-Var, tél. 04.94.48.24.01, fax 04.94.48.24.02, tourdesvidaux@orange.fr
t.l.j. sf dim. 9h-12h 14h30-18h30 D

B **CH. TOUR SAINT-HONORÉ** La Londe Sixtine 2011 ★

	1 500		11 à 15 €

Serge Portal, grand gaillard passionné par l'expression de son terroir londais, cultive ses vignes en agriculture biologique sur les restanques arrachées aux contreforts du massif des Maures. Cette cuvée Sixtine se présente dans une brillante robe rose tendre aux reflets saumonés. Le nez, complexe et intense, livre des parfums de petits fruits rouges mêlés de zestes de pamplemousse et de mandarine. À l'unisson, la bouche se révèle ronde, ample, équilibrée, soutenue par une belle vivacité acidulée en finale. Un vin élégant et long. Le **rosé TSH 2011 (5 à 8 €; 33 000 b.)**, bien structuré et harmonieux, est cité.

Ch. la Tour Saint-Honoré, 1255, rte de Saint-Honoré, 83250 La Londe-les-Maures, tél. 04.94.66.98.22, fax 04.94.66.52.12, chateau-tsh@wanadoo.fr
t.l.j. sf sam. dim. 9h-12h 14h-18h30 E
Portal

DOM. DES TOURNELS Cuvée spéciale 2011 ★★

	60 000		5 à 8 €

Cela fait quarante ans que Laurent Bologna est à la tête de ce vignoble situé au pied du phare de Camarat. Sur les 110 ha que compte le domaine, 50 ha sont consacrés à la vigne qui domine la baie de Pampelonne bien connue des estivants. Une terre ensoleillée, faite de schistes, tempérée par les vents marins, où grenache, cinsault, tibouren et une pointe de rolle ont trouvé un beau terrain d'expression et donnent naissance à ce vin très pâle aux reflets gris. Le bouquet intense évoque les agrumes, la pêche de vigne, l'abricot et les fruits exotiques. Il est prolongé par une bouche ample, douce et soyeuse, longuement soutenue par une fine trame minérale. Un plaisir gourmand, de l'apéritif au dessert.

Laurent Bologna, Dom. des Tournels, 83350 Ramatuelle, tél. 04.94.55.90.93, fax 04.94.55.90.98, contact@domaine-des-tournels.com
t.l.j. 9h30-12h30 15h30-18h30

DOM. LA TOURRAQUE Classic 2011 ★

	3 000		8 à 11 €

Le vignoble, en cours de conversion vers l'agriculture biologique, et les quatre cents oliviers du domaine constituent une presqu'île de verdure dans le golfe de Saint-Tropez. Rolle et sémillon à parts égales ont donné naissance à ce vin jaune pâle, franc, minéral et fruité, tant au nez qu'en bouche. Un vin long et harmonieux, qui accompagnera volontiers à l'apéritif quelques tapas et autres mises en bouche.

GAEC Brun-Craveris, Dom. la Tourraque, 83350 Ramatuelle, tél. 04.94.79.25.95, fax 04.94.79.16.08, latourraque@wanadoo.fr
t.l.j. sf sam. dim. 8h-12h 14h-18h

LES TREILLES D'ANTONIN Gyptis
Élevé en fût de chêne 2009 ★

■ 6 000 8 à 11 €

La coopérative de Saint-Antonin-du-Var (1923) propose ici un vin à dominante de cabernet-sauvignon (70 %), la syrah en appoint. Drapé dans une robe profonde, ce 2009 marie finement la griotte et le poivre blanc. La bouche, généreusement fruitée dès l'attaque, dévoile des tanins mûrs et déroule une belle et longue finale. À déguster au cours des deux ou trois prochaines années, sur une daube de bœuf aux olives. Le **blanc 2011 Gyptis (4 000 b.)**, une étoile également, est bien construit, étoffé, mais pas tout à fait affranchi de son élevage en barrique. Ses parfums vanillés plairont dès cet hiver aux amateurs de vins boisés. Les plus patients le retrouveront avantageusement d'ici deux ou trois ans, sur un rôti de veau à la crème et aux oignons grelots.

Les Treilles d'Antonin, 107, rte d'Entrecasteaux, 83510 Saint-Antonin, tél. 04.94.04.42.79, fax 04.94.04.47.29, treilles.antonin@orange.fr
t.l.j. sf dim. 9h-12h 15h30-18h30

DOM. LES TROIS TERRES Tradition 2011 ★★

■ 30 000 5 à 8 €

Luc Nivière, depuis 2002 à la tête de ce domaine de 28 ha, propose deux vins jugés remarquables : ce Tradition né de la trilogie classique grenache-cinsault-syrah, et le **rosé 2011 cuvée Famille (10 000 b.)**. Une allure commune avec un rose pâle cristallin, une expression intense des saveurs sur la fraise et la rose pour la cuvée Tradition, sur les fruits exotiques, l'écorce de pamplemousse et l'ananas pour la cuvée Famille. En bouche, la Tradition est « une gourmandise raffinée », aérienne, élégante et équilibrée, la seconde montrant davantage de chaleur et de puissance. Ces deux vins se retrouveront à l'apéritif ou à table sur des plats provençaux traditionnels, petits farcis, bouillabaisse, rougets grillés...

Dom. les Trois Terres, D 79, rte de Brignoles, 83340 Cabasse, tél. 04.94.80.38.46, domainetroisterres@orange.fr
mar. jeu. ven. sam. 10h-12h 14h30-18h
Luc Nivière

DOM. TROPEZ Tropez black 2011

■ 6 408 15 à 20 €

Créé en 1996, ce domaine portant le prénom du grand-père (Tropez Béraud) de l'actuel propriétaire s'étend sur 36 ha, répartis sur la presqu'île de Saint-Tropez. Ce 2011 « couleur litchi », propose un juré, dévoile un nez discret mais élégant de fraise et de fleurs blanches. La bouche se montre généreuse, chaleureuse même, et imprégnée de notes de fruits rouges bien mûrs et de fleurs séchées. Un vin plutôt pour le repas, sur un curry d'agneau par exemple.

Dom. Tropez, Campagne Virgile, 83580 Gassin, tél. 06.12.03.34.39, fax 04.94.56.11.81, jean-baptiste@domainetropez.com
t.l.j. 10h-12h30 14h-19h
Grégoire Chaix

DOM. VAL D'ASTIER Cuvée One more 2010 ★

■ 4 000 15 à 20 €

Sur les hauteurs de Cogolin, au pied des Maures et à quelques encablures de la Grande Bleue, Bruno Seignez se lance en famille dans l'épopée vinicole. Pour sa deuxième année dans le Guide, il nous soumet un rouge grenat profond au bouquet hétéroclite : baies sauvages, cerise griotte, vanille, résine et tabac. Une puissance aromatique moins marquée en bouche (sur la réglisse et les petits fruits noirs), avec une trame tannique encore un peu sévère. Un rouge qui « fleure bon la garrigue », à marier avec des brochettes d'agneau au thym, dans un an ou deux.

Bruno Seignez, Dom. Val d'Astier, RD 98, 83310 Cogolin, tél. 04.94.54.05.31, domaine-valdastier@gmail.com
t.l.j. 9h-13h 16h-20h; dim. sur r.-v.

CH. LES VALENTINES La Londe Cuvée 8 2011 ★★

■ 8 800 11 à 15 €

Cette cuvée 8 est issue de huit parcelles différentes et elle fait aussi référence à l'année de création de la dénomination La Londe (2008). Affichant de jolis tons pêche, elle dévoile des arômes frais de pamplemousse et de fleurs blanches, qui se prolongent, agrémentés d'une pointe miellée, dans une bouche douce et longue, égayée par une touche minérale. À déguster sur une brouillade d'oursins. Deux étoiles aussi pour le **blanc 2011 (16 000 b.)**, un vin fruité (pamplemousse, orange amère), minéral, complexe et généreux. Enfin, le **rosé 2011 (130 000 b.)**, une étoile, séduit par son fruité délicat et par sa bouche charnue.

Ch. les Valentines, RD 88, lieu-dit Les Jassons, 83250 La Londe-les-Maures, tél. 04.94.15.95.50, fax 04.94.15.95.55, contact@lesvalentines.com
t.l.j. sf dim. 9h-19h
Gilles Pons

CH. LA VALETANNE 2011 ★

■ 18 000 5 à 8 €

Jérôme Constantin, œnologue suisse à la direction de ce jeune domaine (2007), a récolté dès le 15 août les premières grappes de grenache entrant dans l'assemblage de ce rosé très pâle. Au nez, les fruits (rouges et exotiques) se mêlent à l'aération à de plaisantes nuances florales. Le palais dévoile un beau volume, puis s'équilibre entre rondeur et vivacité, et déroule une finale longue et ciselée. Un rosé gourmand, à découvrir sur une salade de poulpes. Cité, le **rosé 2011 Vieilles Vignes (8 à 11 € ; 14 000 b.)** garde un air de famille (notes florales et fruitées, pointe minérale, équilibre en bouche).

Ch. la Valetanne, rte de Valcros, 83250 La Londe-les-Maures, tél. 04.94.28.91.78, jc@chateauvaletanne.fr
t.l.j. sf sam. dim. 10h-12h 15h-18h
Kenth Runge

DOM. VALETTE Cuvée des Hautes Restanques 2011 ★

■ 15 000 5 à 8 €

Cette cuvée des Hautes Restanques née de cinsault, de grenache et de carignan dévoile un nez agréablement fruité. L'attaque franche et vive est le prélude à une bouche fraîche et tonique, sur les agrumes, une pointe d'amertume apportant en finale un surcroît de complexité. Un ensemble harmonieux, à découvrir à l'apéritif avec canapés au saumon et autres plaisirs de la mer.

Dom. Valette, 300, rte de Sainte-Cécile, 83460 Les Arcs, tél. et fax 04.94.73.30.55, domvalette83@aol.com
t.l.j. 8h-19h

CH. VEREZ Élevé en fût de chêne 2010 ★★

n.c. | 15 à 20 €

Une robe d'un rouge intense habille ce 2010 mi-cabernet mi-syrah au nez riche et complexe de fruits noirs, d'eucalyptus, de garrigue, de vanille et de poivre. Ce bouquet généreux se prolonge dans une bouche ample, dense, ronde et fondue. Un vin très méridional et harmonieux, à déguster dès l'automne comme dans deux ou quatre ans, sur un gigot d'agneau de sept heures. Le **2011 rosé L'Or de l'aube (11 à 15 €)** est un vin pâle aux reflets gris, au nez intense de mangue et de pamplemousse, au palais doux et soyeux, rehaussé par une fine acidité. Il obtient une étoile, comme le **rosé 2011 (8 à 11 €)**, finement bouqueté (pomelo, agrumes, fleurs blanches), ample et frais.

Rosinoer, Ch. Verez, 5192, chem. de la Verrerie-Neuve, 83550 Vidauban, tél. 04.94.73.69.90, fax 04.94.73.55.84, verez@chateau-verez.com
t.l.j. sf sam. dim. 9h-12h 13h-17h

CH. VERT La Londe Cuvée Séduction 2011 ★

4 000 | 11 à 15 €

L'un des plus vieux domaines de la commune (XVII[e]s.), repris en 2010 par le Varois Robert Ghico. Une présentation élégante, rose pâle, un nez subtil de pamplemousse mâtiné de litchi, de rose et de fleurs blanches, une bouche à la fois ample et légère, aux arômes de fruits jaunes et d'agrumes, une finale tonique, longue et citronnée. De beaux arguments pour un apéritif aux accents maritimes et pour un repas autour d'un loup au fenouil.

Robert Ghigo, av. Georges-Clemenceau, 83250 La Londe-les-Maures, tél. 04.94.66.80.59, fax 04.94.66.64.42, contact@chateau-vert.com
t.l.j. 9h15-12h15 14h30-19h30

LA VIDAUBANAISE Le Jas de la barre 2011 ★

10 000 | 5 à 8 €

Présenté par la coopérative de Vidauban, cet assemblage à majorité de syrah complétée de carignan et de mourvèdre s'orne d'une robe rubis violacé très dense. Un nez intense sur les fruits mûrs (cassis, notamment) prélude à une bouche riche, chaleureuse et persistante. À réserver aux amateurs de vins concentrés, et pour du gibier en sauce, une daube de sanglier par exemple.

SCA La Vidaubanaise, 89, chem. de Sainte-Anne, BP 24, 83550 Vidauban, tél. 04.94.73.00.12, fax 04.94.73.54.67, commercial@vidaubanaise.com
t.l.j. sf dim. 8h-12h 14h-18h

CAVE DES VIGNERONS LONDAIS
Cuvée Notre Dame 2011 ★

5 000 | 5 à 8 €

La coopérative des Vignerons londais, créée en 1921, propose un vin blanc issu de ceps de rolle plantés sur les coteaux schisteux des contreforts du massif des Maures. Vinifiée par l'œnologue maison Jean-Jacques Bès, cette cuvée se pare d'une robe jaune pâle aux reflets verts lumineux. Le bouquet, fin et élégant, mêle agrumes, poire williams et notes minérales. Tout aussi fruitée, la bouche affiche un bel équilibre entre rondeur et vivacité. Un vin harmonieux, à déguster sur des seiches à la plancha.

Cave des Vignerons londais, quartier Pansard, 83250 La Londe-les-Maures, tél. 04.94.66.80.23, fax 04.94.05.20.10 t.l.j. sf dim. lun. 8h45-12h15 15h-18h

CH. VOLTERRA 2011 ★★

3 483 | 11 à 15 €

Situé à quelques kilomètres de la Méditerranée et du golfe de Saint-Tropez, ce domaine tire son nom de Léon Volterra, imprésario parisien et propriétaire de salles de théâtre dans la capitale, qui l'acquit en 1926. Raimu, Joséphine Baker, Colette, Jean Cocteau... dans les années 1930-1940, plusieurs célébrités fréquentèrent les lieux. Endormi pendant une dizaine d'années, il revit depuis 1999 et sa reprise par un groupe d'investisseurs canadiens. Ce blanc lumineux, issu de vermentino, livre un bouquet intense de citron, de fruits blancs et de chèvrefeuille agrémenté d'une touche fraîche et mentholée. Un charme que reprend à son compte une bouche ronde, longue et fine, délicatement parfumée d'amande douce en finale. À déguster sur un chapon de Méditerranée farci.

Ch. Volterra, rte de Camarat, 83350 Ramatuelle, tél. et fax 04.94.49.66.83, info@chateauvolterra.com
t.l.j. 10h-18h

Palette

Superficie : 48 ha
Production : 1 843 hl (70 % rouge et rosé)

Tout petit vignoble, aux portes d'Aix, qui englobe l'ancien clos du bon roi René. Rosés, rouges et blancs font appel à de nombreux cépages locaux. Les rouges, de garde, expriment la violette et le bois de pin.

♥ **CH. HENRI BONNAUD** Quintessence 2011 ★★

6 500 | 20 à 30 €

Un bel hommage cette année encore de Stéphane Spitzglous à son grand-père, qui donna son nom au domaine. Coup de cœur dans les millésimes 2009 et 2010, cette Quintessence version 2011 égale ses « grandes sœurs ». Drapée dans une robe étincelante, elle offre un bouquet explosif qui réveille le nez : un boisé discret (pain grillé) et une note minérale accompagnent des senteurs complexes de violette, d'abricot sec et d'épices. Rondeur, puissance et longueur composent la trame d'une bouche aux saveurs raffinées qui font écho à l'olfaction. Un vin plein de relief, armé pour résister à l'épreuve du temps, une dizaine d'années et même plus estiment les dégustateurs. Pas de millésime 2009 en rouge, la grêle étant passée par là. C'est donc le **rouge 2008 (15 à 20 € ; 35 000 b.)** qui a été soumis au jugement des palais experts du Guide. Le résultat est remarquable. Un vin tout en concentration du début à la fin. Le nez mêle fruits compotés (cassis, cerise), touches poivrées et minérales. Une richesse et une générosité qui caractérisent aussi la bouche, bâtie sur des tanins fins et soyeux. Quant au **rosé 2011 (15 à 20 €; 12 000 b.)**, une étoile, il plaît par ses notes élégantes de fruits à chair blanche et d'agrumes et par sa rondeur en bouche.

Ch. Henri Bonnaud, 945, chem. de la Poudrière, 13100 Le Tholonet, tél. 04.42.66.86.28, fax 04.42.66.94.64, contact@chateau-henri-bonnaud.fr
t.l.j. sf dim. 10h-12h 14h-18h

CH. CRÉMADE 2011 ★

7 000 | 15 à 20 €

Sous le regard de la Sainte-Victoire, ce domaine étend son vignoble sur 9 ha riches de plus de vingt-cinq cépages. Une large... palette pour élaborer ses vins. Ici, cinq d'entre eux (grenache, cinsault, syrah, mourvèdre et muscat de Hambourg) ont été sélectionnés pour cet élégant 2011 rose franc. Le bouquet dévoile des nuances variées de fruits (framboise, fraise, litchi) et de rose. Des arômes qui imprègnent aussi la bouche, ronde et riche, vivifiée par une légère fraîcheur acidulée et par une touche de minéralité en finale. Un vin complexe, à associer à un carré de veau rôti aux légumes de printemps. Cité, le **rouge 2009 (12 000 b.)** livre un bouquet concentré de petits fruits noirs et d'épices, rehaussés de notes réglissées en bouche. Ample et bien structuré, il attendra une paire d'années avant d'accompagner un agneau rosé.

Ch. Crémade, rte de Langesse, 13100 Le Tholonet, tél. 04.42.66.76.80, chateaucremade@yahoo.fr
t.l.j. sf dim. lun. mar. 9h-12h 14h-18h

CH. DE MEYREUIL 2010

2 424 | 11 à 15 €

Les bâtiments du domaine abritèrent un couvent de jeunes filles nobles d'Aix-en-Provence au XVIII[e]s. Depuis 2006, Jacqueline Raynaud poursuit l'œuvre de son époux, débutée en 1992. La qualité est toujours au rendez-vous, témoin ce 2010 rouge profond, qui conjugue au nez puissance et richesse aromatique (fruits noirs et rouges, épices, cacao). De belle tenue, la bouche s'appuie sur des tanins souples et soyeux, un boisé fondu et un fruité élégant, et déroule une finale chaleureuse qui aurait mérité un rien de fraîcheur supplémentaire. Mais l'ensemble reste fort plaisant, « facile à boire », et ce dès aujourd'hui comme dans deux ou trois ans. Le **blanc 2011 (8 à 11 €; 3 613 b.)** est également cité pour la délicatesse de ses parfums de fleurs et de fruits blancs très mûrs, et de poivre, et pour sa rondeur en bouche. Un vin de gastronomie, à déguster sur un poisson en sauce.

J. Raynaud, Le Château, allée des Pins, 13590 Meyreuil, tél. et fax 04.42.58.03.96

LA CORSE

Superficie
7 000 ha
Production
350 000 hl dont 35,5 % en AOC, 59,2% en IGP et 5,3 % en VSIG
Types de vins
En AOC, rosés majoritaires (55 %), rouges (33 %), blancs (10,5 %), vins doux naturels muscat-du-cap-corse (1,5 %)
En IGP, rosés majoritaires (48 %), rouges (35 %) et blancs (17 %)
Cépages principaux :
Rouges : niellucciu, sciaccarellu, grenache, cinsault, syrah, carignan, aleatico
Blancs : vermentinu (rolle), bourboulenc, clairette, muscat à petits grains

La production viticole corse est avant tout orientée vers l'élaboration de vins identitaires portés par des cépages historiquement installés et adaptés aux sols et climats locaux. Les efforts qualitatifs tant au vignoble (gestion des arrachages et des restructurations) qu'en unités de vinification (efforts sur les cuveries, maîtrise des températures) se ressentent bien évidemment dans les vins. Cette évolution qui apporte une vision d'avenir est aujourd'hui associée à un fort développement de la production en agriculture biologique et à un développement de l'œnotourisme.

Une montagne dans la mer La définition traditionnelle de la Corse est aussi pertinente en matière de vins que pour mettre en évidence ses attraits touristiques. La topographie est en effet très tourmentée dans toute l'île, et même l'étendue que l'on appelle la côte orientale – et qui, sur le continent, prendrait sans doute le nom de costière – est loin d'être dénuée de relief. Cette multiplication des pentes et des coteaux, inondés le plus souvent de soleil mais maintenus dans une relative humidité par l'influence maritime, les précipitations et le couvert végétal, explique que la vigne soit présente à peu près partout. Seule l'altitude en limite l'implantation.

Le relief et les modulations climatiques qu'il entraîne s'associent à trois grands types de sols pour caractériser la production vinicole, dont la majorité est constituée de vins de pays (surtout) et de vins sans indication géographique. Le plus répandu des sols est d'origine granitique ; c'est celui de la quasi-totalité du sud et de l'ouest de l'île. Au nord-est se rencontrent des sols de schistes et, entre ces deux zones, existe un petit secteur de sols calcaires.

Des cépages originaux Associés à des cépages importés, on trouve en Corse des cépages spécifiques d'une originalité certaine, en particulier le nielluccìu, donnant des vins au caractère tannique dominant et qui excelle sur le calcaire. Le sciaccarellu, lui, présente plus de fruité et donne des vins que l'on apprécie davantage dans leur jeunesse. Quant au blanc, vermentinu (ou malvasia), il est, semble-t-il, apte à produire les meilleurs vins des rivages méditerranéens.

En règle générale, on consommera plutôt jeunes les blancs et surtout les rosés ; ils iront très bien sur tous les produits de la mer et avec les excellents fromages de chèvre du pays, ainsi qu'avec le brocciu. Les vins rouges, eux, conviendront, selon leur âge et la vigueur de leurs tanins, aux différentes préparations de viande et, bien sûr, à tous les fromages de brebis. À noter que certains grands vins blancs, passés ou non en bois, ont une belle aptitude au vieillissement.

Corse ou vin-de-corse

Superficie : 2 150 ha
Production : 90 360 hl (90 % rouge et rosé)

L'AOC corse ou vin-de-corse peut être produite dans les trois couleurs sur l'ensemble des terroirs classés de l'île, à l'exception de l'aire d'appellation patrimonio, au nord. Selon les régions et les domaines, les proportions respectives des différents cépages ainsi que les variétés des sols apportent aux vins des tonalités diverses. Les nuances régionales justifient une dénomination spécifique de microrégions, dont le nom peut être associé à l'appellation (Coteaux-du-Cap-Corse, Calvi, Figari, Porto-Vecchio, Sartène). La majeure partie de la production est issue de la côte orientale.

♥ DOM. D'ALZIPRATU Calvi Cuvée Fiumeseccu 2011 ★★

40 000 | 8 à 11 €

Pierre et Cécilia Acquaviva sont installés dans un magnifique domaine situé à quelques kilomètres de Calvi sur la route de Zilia. Le millésime 2011 a particulièrement bien réussi à leurs vins rosés, deux d'entre eux décrochant chacun deux étoiles. Mais c'est au Fiumeseccu que le grand jury attribue un coup de cœur. Composé uniquement de sciaccarellu, ce rosé presque diaphane enchante par ses arômes intenses de fraise, de pamplemousse et d'anis étoilé nuancés de quelques touches amyliques. À la fois rond et frais en bouche, il fait preuve d'un équilibre admirable. Son « cousin » **Calvi Pumonte 2011 rosé (11 à 15 € ; 8 000 b.)** lui ressemble : belle présence aromatique, belle persistance, belle fraîcheur. Enfin, le **Calvi Fiumeseccu rouge 2010 (30 000 b.)** décroche une étoile pour son bouquet de cerise et d'épices, et pour ses tanins amples. À attendre un an ou deux.

Dom. d'Alzipratu, Lieu-dit Alzipratu, 20214 Zilia, tél. 04.95.62.75.47, fax 04.95.60.32.16, alzipratu@orange.fr
t.l.j. sf sam. dim. 9h-12h 13h30-17h

DOM. CASABIANCA 2010 ★

50 000 | 5 à 8 €

N'hésitez pas à venir découvrir les vins du domaine Casabianca situé à la sortie de Bravone, en bordure de la nationale 198. Anne-Marie, fille du fondateur Jean Bernardin disparu en 2011, vous parlera avec passion de son terroir et de ses différentes cuvées, sélections parcellaires de ce vaste vignoble de 220 ha. Elle évoquera le nez confit et très mûr, les notes épicées et la douceur du tanin de ce rouge généreux. Elle parlera aussi de la puissance et du potentiel de garde de la cuvée **Excellence 2010 rouge (11 à 15 € ; 5 000 b.)**, qui remporte aussi une étoile. Le vignoble est important, mais l'âme est bien vigneronne.

Dom. Casabianca, RN 198, 20230 Bravone, tél. 04.95.38.96.00, fax 04.95.38.96.09, domaine-casabianca@orange.fr
t.l.j. sf sam. dim. 8h 18h

CASTELLU DI BARICCI Sartène 2011 ★

10 000 | 15 à 20 €

C'est en 2010 que les sœurs Quilichini ont repris en main cette propriété familiale de 12 ha en cours de conversion bio située dans la vallée de l'Ortolo. Elles proposent ce vermentinu très clair et brillant, dominé par des senteurs exotiques de mangue et de litchi, que complètent quelques touches d'agrumes. Le fruit envahit également la bouche, douce et longue, agrémentée de nuances de foin frais. Un blanc d'une belle richesse, à carafer avant le service. Le **2010 rouge Sartène (20 000 b.)**, élevé en fût, cité, est prêt à boire sur un bœuf braisé en sauce au vin.

Élisabeth Quilichini, Vallée-de-L'Ortolo, 20100 Sartène, tél. 09.54.07.32.61, fax 04.95.73.41.95, info@castelludibaricci.com r.-v.

CLOS CANERECCIA Rosé des Pierre 2011 ★

12 000 | 8 à 11 €

En 2010, Christian Esteve a remis en route une cave avec comme objectif, pour ses différentes cuvées « des

Pierre », d'élaborer dans le respect du terroir des vins festifs, sur le fruit. Objectif atteint pour ce rosé issu de nielluccìu, de grenache et de syrah, très clair, couleur pétale de rose, au nez encore discret et légèrement amylique. Assez vif en attaque, léger et citronné, il sera parfait pour un apéritif dînatoire. Obtenant la même note, le **2010 Rouge des Pierre (2 500 b.)** rappelle les fruits compotés et le caramel, agrémentés d'une pointe de menthol. Complexe et puissant, il pourra être dégusté jeune sur du fromage.

Clos Canereccia, Rotani, 20270 Aléria, tél. 06.09.97.03.17, closcanereccia@orange.fr r.-v.

Esteve

CLOS CULOMBU Calvi 2011 ★★

50 000 — 8 à 11 €

Avec ses 60 ha de vignes, le clos Culombu propose une grande variété de cuvées dans des styles et couleurs différents. Étienne Suzzoni a construit en 2011 un cuvier ultramoderne où il a vinifié ce superbe rosé issu d'un assemblage à dominante de nielluccìu. Pâle aux reflets saumonés, ce Calvi régale par sa complexité et sa fraîcheur aromatique : fenouil, pamplemousse, minéralité et épices se mêlent en harmonie, annonçant une bouche équilibrée et tendue, avec ce qu'il faut de gras pour accompagner tout un repas. Le **Calvi Ribbe Rosse 2011 blanc (15 à 20 €; 4 000 b.)** reçoit aussi deux étoiles. On retient la richesse de ses arômes de fruits exotiques, de zeste de citron et de menthol. Le **2011 rouge Calvi (50 000 b.)** obtient une étoile. Offrant les qualités de ses deux cépages principaux (nielluccìu et sciaccarellu), les épices et la structure, il est déjà prêt à boire.

Étienne Suzzoni, Clos Culombu, chem. San-Petru, 20260 Lumio, tél. 04.95.60.70.68, fax 04.95.60.63.46, culombu.suzzoni@wanadoo.fr r.-v.

CLOS D'ORLÉA Alliance nº 1 2010 ★★

10 000 — 5 à 8 €

Sourire vissé aux lèvres et yeux rieurs, François Orsucci, vigneron fort sympathique, a revu toute la charte graphique de sa gamme d'étiquettes. Alliance et Signature sont les fils conducteurs de ses différentes cuvées. Ce rouge d'assemblage a été apprécié pour sa belle expression aromatique sur l'épice, le cuir et le romarin, et pour ses tanins doux et soyeux. Le volume en bouche met en valeur des nuances chaleureuses de poivre et de fruits cuits qui accompagneront une côte d'agneau grillée après un à deux ans de garde. Cité, le **2011 rosé Signature (8 à 11 €; 5 000 b.)**, qui allie le nielluccìu et la syrah, reste vif en bouche, sur des notes de pomelos et de violette. Pour l'apéritif.

François Orsucci, Clos d'Orléa, 20270 Aléria, tél. 04.95.57.13.60, fax 04.95.57.09.64, contact@closdorlea.com t.l.j. 9h-13h 15h-20h

CLOS FORNELLI La Robe d'ange 2011 ★

2 200 — 11 à 15 €

Josée Vanucci, vigneronne passionnée au verbe haut et au sourire enchanteur, a repris en 2005 le vignoble familial avec son mari Fabrice. Elle signe, avec cette Robe d'ange élevée en demi-muid, un joli vin issu de vermentinu très mûr qui présente un bouquet puissant et minéral, teinté de notes de fenouil. Équilibré, rond et floral, le palais montre en finale une certaine vivacité qui appelle les fruits de mer.

Josée et Fabrice Vanucci-Couloumère, Clos Fornelli, Pianiccia, 20270 Tallone, tél. 04.95.57.11.54, fax 04.30.65.06.61, josee.vanucci@laposte.net r.-v.

CLOS LANDRY Calvi Gris 2011 ★

66 000 — 8 à 11 €

Ce domaine est l'un des plus anciens de la région de Balagne. Fondée par Timothée Landry, père de l'ancien ministre Adolphe Landry, la cave a été construite en 1911. Si le bâtiment est ancien, les vins qui y sont élaborés suivent bien, tel ce « rosé gris », la tendance du moment. Saumon pâle aux reflets argent, ce vin joue au nez sur des notes de framboise et d'agrumes. Très généreux en bouche, il y persiste longtemps après la dégustation. À servir en toute occasion, de l'apéritif au dessert. Une étoile revient aussi au **Calvi Rouge d'été 2010 (6 600 b.)**, léger et fruité, qui sera servi légèrement rafraîchi sur une viande grillée ou avec une coupe de fraises au basilic. Enfin, le **Calvi 2010 rouge cuvée Léa (3 300 b.)** est cité. Élevé en fût, il marie le fruit et le bois dans une bouche gourmande, aux tanins encore un peu austères en finale. À déguster dans les deux ans sur une viande rouge grillée.

La Corse

CORSE

Paolini, rte de la Forêt de Bonifatu, 20260 Calvi, tél. 04.95.65.04.25 t.l.j. sf dim. 9h30-19h; f. fév.

CLOS LUCCIARDI 2011 ★★

6 000	8 à 11 €

Josette et Joseph Lucciardi ont repris en 2004 l'exploitation familiale, 11 ha de vigne plantés sur les coteaux d'Antisanti, non loin d'Aléria. À l'honneur cette année, ce 2011 issu de nielluciu affiche un rose plutôt soutenu. On découvre au nez comme en bouche une belle complexité aromatique associant les fruits printaniers à quelques notes de réglisse et d'immortelle. Ample, croquant et gourmand au palais, ce rosé pour la table s'appréciera, par exemple, sur une salade d'endives au roquefort. Le **2010 rouge Signora Catalina (11 à 15 € ; 9 000 b.)**, cité, développe de plaisants arômes de fruits cuits. Le tanin encore un peu sauvage suggère un séjour d'un an ou deux en cave.

Josette et Joseph Lucciardi, Dom. de Pianiccione, 20270 Antisanti, tél. 06.77.07.27.34, contact@closlucciardi.com r.-v.

DOM. FAZI 2011 ★

100 000	- de 5 €

La cave des vignerons d'Aghione a depuis longtemps choisi le rosé comme cheval de bataille et s'est dotée de l'équipement technique nécessaire à l'élaboration de vins de haute expression. Le président Casanova et le vice-président Fazi ont mis leur nom au service de la communauté pour produire des vins de marque « qui se remarquent ». Ainsi le Domaine Fazi composé essentiellement de sciaccarellu a-t-il séduit le jury avec un caractère léger et joyeux, sur l'épice et le fruit printanier. Cité, le **rosé 2011 Parallèle Casanova (100 000 b.)** présente cette même caractéristique, une pointe amylique en plus. De jolis rosés pour les dernières chaleurs de l'été.

Les Vignerons d'Aghione, Samuletto, 20270 Aghione, tél. 04.95.56.60.20, fax 04.95.56.61.27, coop.aghione.samuletto@orange.fr r.-v.

DOM. FIGARELLA Calvi Prestige 2011 ★

13 000	5 à 8 €

Achille Acquaviva propose un blanc de pur vermentinu né sur des arènes granitiques. Brillant et animé de reflets verts, ce 2011 livre un nez ouvert sur des notes de fleurs blanches et de citron vert accompagnées d'une touche de marjolaine. La bouche ample et équilibrée fait preuve d'une belle longueur. Pour un poisson noble grillé et parfumé à l'huile d'olive, corse bien sûr. Le **Calvi 2011 rosé Tradition (13 000 b.)**, cité, accompagnera l'entrée, une bruschetta de la mer par exemple.

Achille Acquaviva, dom. de la Figarella, rte de la Forêt-de-Bonifato, 20214 Calenzana, tél. 06.60.29.00.04, fax 04.95.61.06.69, domainefigarella@wanadoo.fr t.l.j. sf dim. 11h-13h 16h-20h

DOM. FIUMICICOLI Sartène 2010 ★★

80 000	8 à 11 €

Très régulier en qualité, ce domaine de 73 ha dirigé par Simon Andreani voit trois de ses cuvées sélectionnées cette année, et dans les trois couleurs. Assemblage de nielluciu, de sciaccarellu et de syrah, ce rouge enchante par ses arômes épicés (poivre blanc et clou de girofle) complétés de fines notes de truffe noire. La bouche est complexe, riche et veloutée. Son potentiel invite à laisser dormir cette bouteille en cave deux ou trois ans. En attendant, on n'hésitera pas à découvrir dès aujourd'hui le **2011 blanc Sartène (35 000 b.)**, très expressif, sur les agrumes et les fruits exotiques. Décoré d'une étoile, ce vin de soleil se dégustera aussi bien à l'apéritif qu'au repas. Le **2011 rosé Sartène (90 000 b.)**, pur sciaccarellu, obtient une citation. Si le nez est encore discret, la bouche révèle une fraîcheur plaisante, aux nuances fruitées.

EARL Terra Corsa, rte de Levie, 20100 Sartène, tél. 04.95.77.10.20, fax 04.95.77.96.90, domaine.fiumicicoli@laposte.net r.-v.

F. et S. Andreani

DOM. DE GRANAJOLO Porto-Vecchio Cuvée Tradition 2011 ★★

9 000	5 à 8 €

Créé en 1974 par Monika et André Boucher et immédiatement conduit en bio, le domaine obtient sa première certification en 1987. Tout d'abord vinifié en structure coopérative, il se voit doté d'une cave particulière en 2003. C'est Gwenaëlle, fille des propriétaires, qui s'occupe du vignoble et de l'élaboration des cuvées. Le jury a été charmé par l'harmonie générale de son blanc Tradition. Très ouvert au nez, sur les fleurs blanches printanières et la fleur de pêcher, ce 2011 dévoile en bouche des notes plus typiques d'agrumes et de fenouil. Le gras et la rondeur découverts au palais lui permettront de tenir son rang sur un poisson grillé ou sur un fromage corse. Le **2011 rosé Porto-Vecchio cuvée Tradition (16 000 b.)**, aux arômes de fruits frais, d'épices et de bonbon anglais, décroche une étoile. Le **2011 rouge Porto-Vecchio Le J (11 à 15 € ; 4 400 b.)**, au boisé fondu, à la structure puissante mais souple, est cité. Il peut être dégusté aujourd'hui comme dans trois ans.

Boucher, La Testa, 20144 Sainte-Lucie-de-Porto-Vecchio, tél. 06.07.63.86.59, fax 04.95.70.37.43, info@granajolo.fr t.l.j. sf dim. 9h30-13h

DOM. MAESTRACCI Calvi Clos Reginu 2011 ★

30 000	5 à 8 €

Sous le nom de Domaine Maestracci est proposée une large variété de cuvées que Dominique et Michel Raoust ont à cœur de nous faire découvrir chaque année. Depuis 2009, l'une de leur fille, Camille, a pris les vinifications sous sa responsabilité, et pas moins de trois rouges de Calvi ont été retenus par le jury. Le Clos Reginu séduit par ses arômes épicés et cacaotés qui enrobent une mâche imposante et une solide structure sous-tendue par une fine acidité. Les tanins devraient s'assagir après un séjour d'un an ou deux en cave. Le **2009 rouge Villa Maestracci (15 à 20 € ; 6 000 b.)**, doux et soyeux, pourra être dégusté plus rapidement ; il décroche une étoile. À boire aussi, le **2009 rouge E Prove (8 à 11 € ; 25 000 b.)** marqué par les épices ; une citation.

Michel Raoust, Dom. Maestracci, E-Prove, 20225 Feliceto, tél. 04.95.61.72.11, fax 04.95.61.80.16, contact@clos-maestracci.com r.-v.

DOM. DE MUSOLEU 2010 ★

10 000 | 5 à 8 €

La cave du domaine se situe au cœur du village de Folelli, au bord de la nationale qui descend vers Porto-Vecchio. Charles Morazzani, vigneron discret et talentueux, vous y fera découvrir son rouge 2010 drapé de carmin sombre. Très ouvert sur le fruit rouge et la prune, le bouquet est complété de notes de fenouil. Souple en attaque et structuré par des tanins de qualité, ce vin est déjà prêt à boire. Il trouvera son harmonie sur un foie de veau déglacé au vinaigre de framboise.

Charles Morazzani, Dom. de Musoleu, 20213 Folelli, tél. 04.95.36.80.12 t.l.j. sf dim. 8h30-12h 15h-19h

DOM. PETRA BIANCA Figari Prestige 2011 ★

12 000 | 5 à 8 €

Joël Rossi et Jean Curallucci reprennent dans les années 1990 cette propriété de 48 ha. Ils apportent un grand soin à la restructuration du vignoble qu'ils convertissent en bio. Leur pur vermentinu, belle expression du cépage, dévoile de jolies notes d'agrumes, plutôt pamplemousse et cédrat. Long en bouche et doté d'une jolie finale exotique et florale, ce blanc de caractère accompagnera à merveille un fromage de brebis. Une étoile également, le **rosé 2011 Figari Prestige (35 000 b.)** offre des fragrances florales et poivrées. On identifie le sciaccarrellu à ses notes minérales et épicées dans une bouche à la structure légère relevée d'une pointe acidulée. Cité, le **2010 rouge Figari Vinti Legna (11 à 15 € ; 17 000 b.)**, encore un peu dominé par le bois (douze mois de fût) et puissant, devra patienter un an ou deux en cave.

Dom. Petra Bianca, Tarabucetta, 20114 Figari, tél. 04.95.71.01.62, petra.bianca@orange.fr t.l.j. sf sam. dim. lun. 9h-13h 15h-18h; f. fév.

DOM. DE PIANA 2011

13 300 | 5 à 8 €

À la sortie de Bravone, vous trouverez sur la droite le caveau du domaine de Piana. Vous y croiserez peut-être Ange Poli, le propriétaire, qui vous parlera de ce blanc 2011 au nez très ouvert sur le fruit exotique et les fleurs blanches, et agrémenté d'une touche muscatée. Très vif en bouche, ce vin saura tenir la cave quelques mois avant d'être servi sur une salade de chèvre chaud.

Ange Poli, Linguizzetta, 20230 San-Nicolao, tél. 04.95.38.86.38, fax 04.95.38.94.71, domaine.de.piana@wanadoo.fr t.l.j. 8h30-19h

DOM. PIERETTI Coteaux du cap Corse Marine 2011 ★

3 000 | 11 à 15 €

Les vignes du domaine sont complantées sur plusieurs communes du cap Corse. La magnifique cave se situe, elle, au bord de la mer, sur la marine de Luri à Santa-Severa. Lina et Alain Venturi proposent ici un rosé né d'un assemblage de niellucciu et de grenache. Paré d'un rose très pâle à reflets saumonés, ce 2011 dévoile une dominante aromatique sur les petits fruits rouges, la groseille notamment. En bouche, il révèle une matière charnue, ronde et gourmande qui s'appréciera sur une grillade d'agneau. Le **2010 blanc Coteaux du cap Corse Marine (20 à 30 € ; 4 000 b.)**, frais et ouvert sur des notes de cédrat et une pointe de thym, est cité.

Lina Venturi-Pieretti, Santa-Severa, 20228 Luri, tél. 06.17.93.92.17, fax 04.95.35.01.03, domainepieretti@orange.fr r.-v.

DOM. RENUCCI Calvi Cuvée Vignola 2011

23 000 | 11 à 15 €

Bernard Renucci et son épouse ont repris en main voilà une vingtaine d'années la propriété familiale de 17 ha. Leur rosé de pressurage, assemblage de sciaccarellu (70 %) et de niellucciu, offre une gamme aromatique intense à dominante de fruits rouges et de notes amyliques. Du volume en attaque, un milieu de bouche léger et une finale tendue aux nuances de fraise des bois : un vin tout trouvé pour l'apéritif.

Bernard Renucci, Dom. Renucci, 20225 Feliceto, tél. 04.95.61.71.08, fax 04.95.38.28.74, domaine.renucci@wanadoo.fr t.l.j. 10h-12h 15h-19h; f. oct.-mars

RÉSERVE DU PRÉSIDENT Vermentinu 2011 ★

150 000 | - de 5 €

L'Union des vignerons de l'Île de Beauté est la plus grande cave coopérative de Corse. Dotée d'un équipement technique moderne, la dynamique équipe s'emploie à élaborer des vins de qualité, particulièrement pour la Réserve du président, marque phare de la structure. Souple et généreux, sur la fleur de citronnier piquée de menthol, ce vermentinu brille dans une robe claire à reflets verts. Ample et riche, il trouvera sa place sur un fromage doux. Le **rosé 2011 Sciaccarellu (250 000 b.)** est par ailleurs cité. Friand et gourmand, il exprime des arômes de fruits blancs relevés d'une pointe d'épices.

SCA Union de Vignerons de l'Île de Beauté, Padulone, 20270 Aléria, tél. 04.95.57.02.48, fax 04.95.56.09.59, aleymarie@uvib.fr r.-v.

A RONCA Calvi 2011

6 000 | 5 à 8 €

Marina Acquaviva a repris une partie du vignoble du domaine de la Figarella, propriété de son père, pour créer la marque A Ronca. De son blanc habillé d'une robe jaune clair, on remarque la minéralité, ainsi qu'une bouche ronde et chaleureuse qui devrait s'accorder avec une tomme de brebis ou de chèvre.

Marina Acquaviva, rte de la Forêt-de-Bonifato, 20214 Calenzana, tél. 06.71.89.29.95, fax 04.95.61.06.69, aronca@orange.fr t.l.j. sf dim. 11h-13h 16h-20h

SANT ARMETTU Sartène Myrtus 2009

12 000 | 15 à 20 €

Gilles Seroin présente ici un assemblage de quatre cépages à dominante de sciaccarellu élevé douze mois en fût. Les notes boisées de l'élevage se marient aux notes poivrées du cépage et à des impressions de fruits rouges compotés. L'attaque souple révèle des tanins fins, mais la finale un peu plus austère appelle une petite année de garde avant un accord avec un magret de canard en croûte d'herbes.

EARL Sant Armettu, 9, av. Napoléon, 20110 Propriano, tél. et fax 04.95.76.24.47, contact@santarmettu.com t.l.j. sf sam. dim. 8h-12h 14h-18h

Seroin

CORSE

♥ DOM. SAPARALE Sartène 2010 ★★★

■ 90 000 | 🍷 | 5 à 8 €

Le domaine de Philippe Farinelli propose ici un superbe ambassadeur rouge pour son appellation. Son Sartène à dominante de sciaccarellu, élevé en foudre, décroche la note maximale. Avec une expression aromatique exceptionnelle alliant la fraise, la mûre, le poivre et la vanille, couplée à une richesse et une complexité en bouche remarquables, portées par des tanins de velours, il contentera dès aujourd'hui tous les palais. Il s'accordera aux meilleures viandes rouges, tiendra son rang sur les fromages ou sera dégusté pour lui-même, à l'apéritif. Le **2010 rouge Sartène cuvée Casteddu (11 à 15 €; 40 000 b.)**, élevé en fût, reçoit deux étoiles. Sous des notes boisées, on découvre de beaux arômes de cerise et de poivre. Ce vin pourra dormir en cave une paire d'années avant d'escorter une côte de bœuf au grill. Deux étoiles également pour le **2011 blanc Sartène (40 000 b.)** qui séduit par son équilibre aromatique : notes d'ananas, de mangue et d'agrumes portées par une bouche vive et persistante. À essayer sur un poulet à la crème.

🔑 Dom. Saparale, Vallée de l'Ortolo, 20100 Sartène, tél. 04.95.77.15.52, fax 04.95.73.43.08, contact@saparale.com ☑ 🍷 🚶 r.-v. 🏠 Ⓔ

DOM. DE TANELLA Figari Clos Marc-Aurèle 2011 ★★

■ 21 300 | ▮ | 8 à 11 €

Cette belle propriété de 57 ha est transmise de père en fils depuis la fin du XIXes. Aujourd'hui à la tête du domaine, Jean-Baptiste de Peretti della Rocca a dédié cette cuvée à son aïeul Marc-Aurèle qui créa le vignoble. Pur nielluccìu, ce rosé se présente en habit clair, limpide et brillant. Le nez d'une remarquable intensité mêle les fruits blancs aux agrumes relevés d'une pointe de caramel blond. La bouche se révèle ronde et puissante, mais fait place aussi à une jolie fraîcheur. Parfait pour une cuisine orientale. Le **2010 rouge Figari cuvée Prestige Alexandra (11 à 15 €; 30 000 b.)** évoque au nez les petits fruits rouges complétés de notes poivrées et dévoile en bouche des tanins bien présents mais veloutés et un boisé encore sensible. Il décroche une étoile et sera à découvrir d'ici deux ou trois ans.

🔑 de Peretti della Rocca, Dom. de Tanella, rt de Bonifacio, 20137 Porto-Vecchio, tél. 04.95.70.46.23, fax 04.95.70.54.40, tanella@wanadoo.fr ☑ 🍷 t.l.j. 9h-12h 15h-19h

TERRA NOSTRA Cuvée ancestrale Vermentinu 2011 ★

□ 15 000 | 🍷 | 8 à 11 €

La cave des Vignerons corsicans se trouve aux portes de Bastia, dans la commune de Borgo. Situation atypique pour ce négoce dont le vignoble se situe plus bas sur la côte orientale. Doté d'un outil technique sans cesse remis à jour, il a élaboré un vermentinu de belle facture, qui n'a d'ancestral que le nom. Moderne et élevé dix mois en fût, ce 2011 révèle, outre de fines notes boisées, des parfums exotiques teintés de pêche et d'agrumes, et se montre fruité et volumineux en bouche. Un vin blanc de gastronomie. Cité, le **2011 rosé (moins de 5 €; 200 000 b.)**, né du seul sciaccarellu, navigue sur les épices et la griotte. Long et chaleureux, il égayera un encornet à la provençale.

🔑 UVAL-Les Vignerons corsicans, Rasignani, 20290 Borgo, tél. 04.95.58.44.00, fax 04.95.38.38.10, uval.sica@corsicanwines.com ☑ t.l.j. sf dim. 9h-12h 15h-19h

♥ DOM. DE TERRA VECCHIA 2010 ★★★

■ 10 000 | ▮🍷 | 5 à 8 €

Jean-François Renucci, président de la cave coopérative d'Aléria, a acquis en 2011 ce domaine de la famille Skalli. Il a octroyé tous les moyens à son équipe technique afin de tirer le meilleur de ce vaste vignoble de 135 ha. Ce 2010 accède à la note maximale pour son équilibre tout simplement parfait. Il ravit le nez par ses parfums gourmands de petits fruits rouges épicés nuancés de fines notes boisées. Sa bouche repose sur une structure solide, mais sans agressivité, composée de tanins ronds et gras très bien intégrés. D'une grande longueur et d'une élégance indéniable, ce vin saura plaire dès à présent. En vermentinu, le **Clos Poggiale 2011 blanc (50 000 b.)** présente un remarquable volume et une belle expression du cépage (pêche blanche, fruit de la Passion) : il décroche deux étoiles. Il saura se faire attendre une année en cave. Le **2011 rosé (50 000 b.)** est quant à lui cité pour son bouquet flatteur, exotique.

🔑 Dom. Terra Vecchia, 20270 Tallone, tél. 04.95.57.20.30, fax 04.95.57.08.98, contact@clospoggiale.fr ☑ 🍷 🚶 t.l.j. sf sam. dim. 9h-12h 14h-18h

Ⓑ **DOM. DE TORRACCIA** Porto-Vecchio 2011

□ 20 000 | | 11 à 15 €

Marc Imbert a récemment pris la suite de son père Christian, vigneron emblématique de l'appellation à la tête du domaine. Il signe ici un pur vermentinu au bouquet d'agrumes, de fleurs et de pomme granny smith, vif et tonique en bouche. À réserver pour l'apéritif. Mis en vente seulement cette année, le **2006 rouge Porto-Vecchio Oriu (20 à 30 €; 15 000 b.)** a atteint sa maturité et sera bu sans attendre sur une daube de sanglier. Il est cité.

🔑 Dom. de Torraccia, 20137 Lecci, tél. 04.95.71.43.50, fax 04.95.71.50.03, torracciaoriu@wanadoo.fr ☑ 🍷 🚶 t.l.j. sf dim. 8h-18h (20h de juin à sept.)

🔑 C. M. et C. Imbert

DOM. VICO Torra Nova 2010 ★★

■ 15 000 | ▮ | 5 à 8 €

Le domaine Vico est installé en zone de montagne dans la commune de Ponte-Leccia. Le climat y est rude en hiver, sec et chaud en été. Les propriétaires, Jean-François Venturi et François Acquaviva, ont doté leur chai d'installations modernes afin d'élaborer une large gamme de cuvées. Ce Torra Nova et le classique **2010 rouge (70 000 b.)** décrochent chacun deux étoiles. Sur de belles notes de maturité (cerise à l'eau-de-vie), on retrouve le caractère puissant et épicé du niellucciu assagi par la main du vinificateur pour donner souplesse et rondeur en bouche. Deux rouges d'un style proche, à découvrir dès la sortie du Guide avec un sauté de veau aux tomates et olives. Pur sciaccarellu, le **rosé 2011 Collection (8 à 11 € ; 10 000 b.)**, sur le fruit et le bonbon anglais, décroche aussi deux étoiles pour son caractère frais et friand, à réserver à de joyeux apéritifs.

SCEA Dom. Vico, rte de Calvi, 20218 Ponte-Leccia, tél. 04.95.47.32.04, fax 04.95.30.85.57, domaine.vico@orange.fr t.l.j. sf dim. 9h-12h 14h-17h

DOM. LA VILLA ANGELI Cuvée Don Pasquale 2011 **

9 000 | 11 à 15 €

La cave coopérative de la Marana a incité certains de ses adhérents à s'orienter vers une politique de domaines. C'est le cas de Guy Mizael qui a créé il y a quelques années la Villa Angeli et, en 2011, cette cuvée spéciale Don Pasquale en hommage au créateur historique du vignoble. Ce blanc de vermentinu frôle le coup de cœur. Ce vin qualifié de « technique », et ce n'est pas un défaut, propose une gamme aromatique dominée par la minéralité et complétée par de splendides envolées fruitées (pêche blanche, agrumes). Ample et pourvu d'une grande vivacité en bouche, il sera parfait sur un risotto aux fruits de mer. Du même domaine, la **cuvée classique 2011 blanc (5 à 8 € ; 20 000 b.)** décroche également deux étoiles. Un peu plus marquée par les agrumes et les fruits exotiques, elle fait preuve elle aussi d'une belle vivacité. Enfin, une citation revient au **2011 rouge (5 à 8 € ; 40 000 b.)**, fruité et très structuré.

Cave coopérative de la Marana, Rasignani, 20290 Borgo, tél. 04.95.58.44.00, fax 04.95.38.38.10, uval.sica@corsicanwines.com
t.l.j. sf dim. 9h-12h 15h-19h; sam. 9h-12h

Ajaccio

Superficie : 243 ha
Production : 8 800 hl (90 % rouge et rosé)

L'appellation ajaccio borde sur quelques dizaines de kilomètres la célèbre cité impériale et son golfe. Ce terroir d'exception, généralement granitique, permet au sciaccarellu, cépage phare pour les rouges et rosés, et au vermentinu, en blanc, d'exprimer tout leur potentiel.

CLOS CAPITORO 2011 *

90 000 | 8 à 11 €

Fondé dans la seconde moitié du XIXe s., le Clos Capitoro fut l'un des premiers domaines à conditionner ses vins. Jacques Bianchetti, emblématique vigneron de l'appellation, passe depuis l'an dernier, en douceur, la main à ses deux filles, Eloïse et Melissa. Ce rosé, vinifié à partir du seul sciaccarellu, se présente dans une robe vive et limpide, avant de dévoiler des arômes subtils ancrés sur une base fruitée légèrement amylique. En bouche, après une attaque fraîche, on apprécie son fruité gourmand centré sur la griotte et la fraise gariguette. Le **2011 blanc (25 000 b.)**, encore un peu timide au nez, est cité pour son équilibre. Cité également, le **2010 rouge (90 000 b.)**, à la typicité bien présente, devra patienter deux ou trois ans pour assagir ses tanins.

Jacques Bianchetti, Clos Capitoro, Pisciatella, 20166 Porticcio, tél. 04.95.25.19.61, fax 04.95.25.19.33, info@clos-capitoro.com r.-v.

♥ CLOS D'ALZETO L'Alzeto 2011 **

80 000 | 8 à 11 €

Le Clos d'Alzeto fait partie des références de l'appellation. Situé à la pointe nord-ouest de la zone classée, il présente la particularité d'être le domaine le plus élevé, perché à 500 m d'altitude. La famille Albertini le possède depuis le XIXe s., et c'est aujourd'hui Alexis qui est en charge de l'élaboration des vins. Très attaché à la typicité des cépages d'Ajaccio, il nous enchante avec un magnifique rosé, issu en grande majorité du sciaccarellu. Drapé dans une robe un peu plus soutenue que la tendance actuelle, ce 2011 offre au nez un festival aromatique de fruits rouges printaniers et d'agrumes. En bouche, les papilles sont flattées par une rondeur séductrice qui s'accordera volontiers avec une volaille cuisinée en sauce légère. Le **2011 blanc L'Alzeto Prestige (11 à 15 € ; 25 000 b.)**, très riche et chaleureux, est cité.

Clos d'Alzeto, 20151 Sari-d'Orcino, tél. 04.95.52.24.67, fax 04.95.52.27.27, contact@closdalzeto.com
t.l.j. sf dim. 8h-12h 14h-18h
Albertini

CLOS ORNASCA 2011 *

20 000 | 5 à 8 €

Laetitia Tola et Jean-Antoine Manenti dirigent cette petite propriété familiale depuis le début des années 2000. Le vignoble situé dans les premiers virages de la route de Porto-Pollo, sur la commune d'Eccica-Suarella, est mené avec grand soin. On n'hésitera pas à leur rendre visite pour admirer la salle de dégustation et goûter ce rosé de sciaccarellu à la robe diaphane, qui dévoile de jolis parfums de fruits blancs relevés d'une pointe de minéralité. La fraîcheur domine en bouche, destinant ce rosé à l'apéritif. Cité, le **2010 rouge (17 330 b.)**, tout en légèreté, séduit par sa large palette aromatique allant de la fraise au poivre gris. À déguster sans attendre.

Tola-Manenti, Clos Ornasca, 20117 Eccica-Suarella, tél. 04.95.25.09.07, closornasca@orange.fr
t.l.j. sf dim. 8h-12h 14h-18h (15h-19h en été)

COMTE PERALDI Clos du Cardinal 2009 ★★★

■ 20 000 15 à 20 €

Le domaine Peraldi est l'un des fleurons de l'appellation. Son propriétaire Guy de Poix, disparu prématurément en 2011, avait su s'entourer d'une équipe technique solide, qui, sous la férule de l'œnologue Christophe George, perpétue la volonté du fondateur de proposer le meilleur à ses clients. Ainsi, ce Clos du Cardinal a ébloui le jury. Le sciaccarellu s'y exprime pleinement, révélant toute sa typicité, depuis la légère robe rubis jusqu'au bouquet complexe de fruits rouges et d'épices relevé de senteurs du maquis. Le palais rond et mentholé, aux tanins de velours, s'étire dans une finale d'une longueur exceptionnelle. Un grand vin, à déguster aujourd'hui ou d'ici cinq ans. Le **2011 blanc (8 à 11 €; 9 058 b.)** n'est pas en reste. La fleur blanche y côtoie le citrus, l'attaque vive apporte sa fraîcheur, la longueur laisse rêveur. Résultat : deux étoiles. Le **2010 rouge (8 à 11 €; 136 266 b.)** décroche, lui, une étoile. Un peu plus discret, il présente de séduisantes notes minérales, tout en finesse. Enfin, le **2011 rosé (8 à 11 €; 50 000 b.)** est cité.

EARL Dom. Peraldi, chem. du Stiletto, 20167 Mezzavia, tél. 04.95.22.37.30, fax 04.95.20.92.91, dom.peraldi@wanadoo.fr r.-v.

Tyrel de Poix

DOM. MARTINI Cuvée Tradition 2009

■ 13 000 8 à 11 €

Cette jolie propriété de 18 ha doit son nom au cardinal Martini, son fondateur florentin arrivé en Corse au XVIIes. Élaboré à partir d'un assemblage 60/40 de sciaccarellu et de niellucciu, ce 2009 s'ouvre sur d'intenses senteurs poivrées, complétées de nuances de pruneau. Rond et gras en bouche, il conserve ce profil épicé jusqu'en finale. On distingue des premiers signes d'évolution, il ne faudra donc pas hésiter à l'ouvrir dès aujourd'hui.

Martini-Ledentu, Pont-de-la-Pierre, 20117 Eccica-Suarella, tél. 04.95.20.04.09, fax 04.95.23.81.73, gillesveyssiere@hotmail.com r.-v.

DOM. DE PIETRELLA 2010 ★★

■ n.c. 5 à 8 €

Le domaine a été créé dans les années 1980 par les frères Tirroloni. Toussaint, fils de l'un des fondateurs, dirige aujourd'hui cette propriété de 13 ha établie sur la commune d'Eccica-Suarella. Les dégustateurs ont apprécié la palette aromatique complexe de ce rouge issu de sciaccarellu (80 %) et grenache, alliant fruits rouges et notes épicées. Ils ont également aimé le soyeux et la douceur des tanins. Un vin d'une belle typicité, dont il ne faudra pas hésiter à garder quelques flacons pour une nouvelle découverte d'ici deux ans. Le **2011 rosé**, sur la même base d'assemblage, plaît pour ses notes de fraise et de fruits blancs, sa fraîcheur et sa longueur. Il décroche une étoile.

Toussaint Tirroloni, Dom. de Pietrella, 20117 Cauro, tél. 06.11.36.41.20, fax 04.95.50.11.52, info@domainedepietrella.com t.l.j. sf dim. 9h-12h 14h-18h

♥ **DOM. DE PRATAVONE** 2010 ★★

■ 44 000 5 à 8 €

Remarquable prestation d'Isabelle Courrèges qui décroche pas moins de deux coups de cœur dans cette

édition ! Un doublé qui démontre, s'il en était besoin, son talent de vigneronne et d'œnologue. Secondée par son mari Rodolphe, elle a pris à « bras le cœur » cette propriété depuis une douzaine d'années, à la suite de son père. Dans ce rouge de toute beauté, à majorité de sciaccarellu, on retrouve toute la richesse du cépage, tant au nez qu'en bouche. Un véritable festival d'arômes épicés et de fruits rouges mâtinés de subtiles notes de violette, soutenus en bouche par une structure soyeuse de tanins fins. À essayer sur un carré d'agneau en croûte d'herbes. Deuxième coup de cœur donc (deux étoiles également), le **2011 blanc (16 000 b.)** enchante le dégustateur par sa complexité aromatique. Sur une base d'agrumes viennent se greffer quelques notes mentholées, une pointe de glycine et une touche d'iode. Très puissant en bouche, ce vin de garde aura la politesse de se laisser déguster aussi dans sa jeunesse, pourquoi pas sur un poulet mariné au miel. Le **2011 rosé (50 000 b.)**, un pur sciaccarellu, est par ailleurs cité pour son gras et sa rondeur.

SCEA Dom. de Pratavone, 20123 Cognocoli-Monticchi, tél. 04.95.24.34.11, fax 04.95.24.34.74, domainepratavone@wanadoo.fr t.l.j. sf dim. 8h30-12h 15h-19h; ouv. le dim. en juil.-août

DOM. DE LA SORBA 2010 ★

■ 18 500 5 à 8 €

D'abord adhérent à la coopérative d'Ajaccio, Louis Musso, dont le père a planté ce vignoble de 25 ha en 1974, se lance dans la vinification à la propriété au début des années 2000. Régulièrement remarqué dans le Guide, il propose encore cette année deux rouges très réussis. De ce 2010, les dégustateurs ont apprécié la complexité aromatique sur les épices, le cuir et surtout la griotte, prédominante, et sa bouche tout en souplesse aux accents poivrés. Une étoile également pour la **cuvée Sebastianu Costa 2009 rouge (11 à 15 €; 1 500 b.)**, qui marie les fruits rouges et les notes empyreumatiques de l'élevage sous bois. Enfin, le **2011 rosé (17 500 b.)** est cité pour sa fraîcheur.

Louis Musso, EARL Dom. San Biaggio, Dom. de la Sorba, rte du Finosello, 20090 Ajaccio, tél. 06.10.85.10.98, fax 04.95.23.38.26, domainedelasorba@wanadoo.fr r.-v.

DOM. DE VACCELLI Cuvée Roger Courrèges 2009 ★★

■ 4 000 15 à 20 €

Alain Courrèges passe progressivement le relais à son fils Gérard, qui, s'il travaille ses vignes dans un « esprit bio », n'a pas entamé de démarche de conversion. Cette cuvée qui rend hommage au fondateur du domaine est issue uniquement de sciaccarellu. Sa robe rubis aux légers reflets cuivrés nous renseigne sur sa maturité. Au nez, elle offre un voyage au pays des épices, de la groseille et du grillé. La bouche se révèle souple, bâtie sur des tanins arrondis et d'une grande élégance. Si elle affiche un beau potentiel de garde, cette bouteille peut être appréciée dès aujourd'hui sur un filet de bœuf en sauce poivrée. Le **2011 rosé Unu (8 à 11 €; 13 000 b.)**, tout en fraîcheur, mêle des arômes fruités, floraux et minéraux. Il décroche une étoile. Enfin, le **2010 blanc cuvée Roger Courrèges (2 400 b.)** élevé sous bois dévoile de fines notes vanillées. Cité, il accompagnera une viande blanche.

Dom. de Vaccelli, lieu-dit Aja-Donica, 20123 Cognocoli-Monticchi, tél. 04.95.24.35.54, fax 04.95.24.38.07, vaccelli@aol.com r.-v.

A. Courrèges

Patrimonio

Superficie : 418 ha
Production : 16 140 hl (85 % rouge et rosé)

Au pied du cap Corse, la petite enclave de terrains calcaires qui, du golfe de Saint-Florent, se développe vers l'est et surtout vers le sud, présente les caractères d'un cru bien homogène. Le niellucciu, en rouge et en rosé, et le vermentinu en blanc laissent leur empreinte dans des vins typés et d'excellente qualité : des rouges fruités et épicés, qui peuvent être somptueux et de longue garde, des rosés colorés, puissants et fruités, des blancs gras et aromatiques.

DOM. DE CATARELLI 2010

12 000 | 8 à 11 €

Au domaine de Catarelli, vous aurez grand plaisir à découvrir un caveau de dégustation très agréable et vous pourrez même camper à la ferme. Laurent Le Stunff vous fera découvrir son rouge 2010, déjà en pleine maturité. Vous apprécierez sans nul doute les senteurs de sous-bois et de cuir du bouquet, puis vous « plongerez » vers une bouche d'une grande longueur, dont les tanins doux et aimables sont réveillés par une pointe de vivacité. À boire sans attendre, sur une grillade au feu de bois.

EARL Dom. de Catarelli, Marine de Farinole, rte de Nonza, 20253 Patrimonio, tél. 04.95.37.02.84, fax 04.95.37.18.72

t.l.j. 9h-12h 15h-19h; f. nov.-mars

Laurent Le Stunff

CLOS ALIVU 2009 ★★

4 000 | 8 à 11 €

Éric Poli, également vigneron dans l'appellation corse, a repris ce petit vignoble en 2005. Ses productions sont assez confidentielles, à l'image des 4 000 bouteilles de ce rouge arrivé à parfaite maturité. Depuis le rubis vif de la robe jusqu'à la bouche enveloppante et fondue d'une longueur remarquable, en passant par le bouquet de fruits rouges relevé de senteurs du maquis, l'équilibre est remarquable. Ce 2009 pourra être dégusté dans sa jeunesse (d'ici trois ans) sur un sauté de veau aux olives. Le **rosé 2011 (13 300 b.)** obtient une étoile. Pur niellucciu, il se distingue par son équilibre entre fraîcheur et rondeur. Cité enfin, le **blanc 2011 (6 600 b.)** plaît par ses arômes d'agrumes et de noisette.

Éric Poli, lieu-dit Puntichiu, 20230 San-Nicolao, tél. 06.19.42.54.91, fax 04.95.38.94.71, clos.alivu@orange.fr

t.l.j. 9h-12h30 16h-20h; f. nov.-avr.

CLOS SAN QUILICO 2010 ★★

17 500 | 5 à 8 €

Le Clos San Quilico, situé non loin de Saint-Florent sur la route intérieure menant à Poggio-d'Oletta, est une magnifique propriété de 30 ha, sur laquelle trône une belle maison de maître habitée par Henri Orenga et son épouse Anne. Celle-ci s'occupe du vignoble. Philippe Rideau, œnologue de talent, est chargé des vinifications sous la houlette d'Henri. Leur 2010 se présente en habit sombre et s'ouvre sur une belle complexité aromatique associant le chocolat noir, le cassis bien mûr et le sous-bois. La bouche est gourmande, souple, équilibrée, et présente en renfort des touches persistantes de poivre noir. Pour une dégustation immédiate ou pour la garde (cinq ans). Le **blanc 2011 (18 000 b.)** est cité pour ses fragrances de pomelo et sa longueur.

EARL Dom. San Quilico, Morta Majo, 20253 Patrimonio, tél. 04.95.37.45.00, fax 04.95.37.14.25, contact@orengadegaffory.com t.l.j. 8h-18h

Henri Orenga

CLOS TEDDI Grande Cuvée 2010 ★★

4 000 | 11 à 15 €

Joseph Poli plante ce vignoble d'une trentaine d'hectares dans les années 1970. Marie-Brigitte, sa fille, le reprend en main à la fin des années 2000, y construit une cave et réalise ses premières vinifications. Au fil des ans, l'expérience grandit, et le Clos Teddi devient une valeur sûre de l'appellation. Parmi ses cuvées présentées cette année, c'est le rouge 2010 qui a le plus séduit les dégustateurs. Drapé de sombre, il dévoile un bouquet encore timide mais prometteur de notes de sous-bois et de réglisse. En bouche, la palette aromatique se renforce de fines nuances boisées, portées par des tanins ronds. Un vin très harmonieux, à déguster sur des noisettes de biche sauce au vin rouge. Le **blanc Tradition 2011 (8 à 11 €; 30 000 b.)** décroche également deux étoiles. Le vermentinu s'y exprime parfaitement, depuis les parfums d'agrumes jusqu'à la longue finale empreinte de vivacité. Un bar grillé lui conviendra à merveille. Le **rosé Grande Cuvée 2011 (4 000 b.)** reçoit quant à lui une étoile pour ses arômes de pêche de vigne et sa fraîcheur.

Marie-Brigitte Poli, Casta, 20217 Saint-Florent, tél. 09.66.82.24.07, fax 04.95.37.24.07, clos.teddi@orange.fr

t.l.j. 9h-12h30 16h-20h; f. nov.-avr.

♥ DOM. GIACOMETTI Cru des Agriates 2010 ★★

28 000 | 5 à 8 €

Le domaine est implanté au cœur du désert des Agriates, à quelques kilomètres du village de Casta. Christian et Corinne Giacometti y exploitent 32 ha avec une passion qu'ils ont su transmettre à leur fils Simon, qui officie désormais en cave sous les conseils avisés de son père. Leur patrimonio rouge, issu de raisins très mûrs, se présente dans une robe rubis profond. Le nez, ouvert sans retenue sur la cerise croquante et la mûre, est une véritable gourmandise. Complétée en bouche de fines pointes de cassis, la gamme aromatique est soutenue par une structure tannique enveloppante, sans agressivité aucune. Une légère sucrosité s'ajoute à l'harmonie générale de ce superbe 2010, à savourer sur des côtes d'agneau grillées

CORSE

dans deux ou trois ans. Le **rosé Cru des Agriates 2011 (20 000 b.)** reçoit une étoile pour son fruité intense et sa fraîcheur.

⊶ Giacometti, Casta, 20217 Saint-Florent,
tél. 04.95.37.00.72, fax 04.95.37.19.49,
domainegiacometti@orange.fr
t.l.j. sf dim. 10h-12h 15h-18h

DOM. LAZZARINI 2011 ★★

16 000 ■ 5 à 8 €

Débarquer au caveau des frère Lazzarini, à l'entrée de Patrimonio, est la garantie de passer un bon moment entre éclats de rire et dégustation de jolis flacons, tel ce blanc 2011 au nez très expressif de fleur de pêcher et d'orange confite. Tendu en bouche, droit et d'une belle densité, ce patrimonio saura s'accorder à tous les poissons, grillés ou en sauce, mais ravira aussi les palais dès l'apéritif. Pour les plus patients, deux années de garde lui seront bénéfiques. Le **rouge 2010 (36 000 b.)** décroche une étoile pour son bouquet plaisant de café agrémenté d'une touche de cuir et pour ses tanins puissants, qui incitent à l'attendre deux ou trois ans avant de le servir sur un bœuf mijoté.

⊶ Lazzarini, hameau Fracciasca, 20253 Patrimonio,
tél. 04.95.37.18.61, fax 04.95.37.13.17,
cave.lazzarini@orange.fr t.l.j. 8h-19h; f. nov.-avr.

DOM. LECCIA 2011

10 000 ■ 15 à 20 €

Annette Leccia avait à cœur de convertir son vignoble en bio ; c'est chose faite depuis la récolte 2011. Elle travaille ses raisins avec des levures indigènes afin d'exprimer au mieux le potentiel de son vignoble. Son vermentinu se révèle un peu timide au nez, évoquant à l'aération les fruits secs et le litchi. Puissant et chaleureux en bouche, il s'équilibre grâce à une fine acidité. À déguster frais, sur du veau en sauce blanche.

⊶ Dom. Leccia, lieu-dit Morta-Piana,
20232 Poggio-d'Oletta, tél. 04.95.37.11.35, fax 04.95.37.17.03,
domaine.leccia@wanadoo.fr
t.l.j. 9h-12h30 14h30-19h

A MANDRIA DI SIGNADORE 2009 ★★

8 000 ■ 15 à 20 €

Christophe Ferrandis a repris ce vignoble de 10 ha au début des années 2000. À partir d'une vendange soigneusement sélectionnée, il a élaboré cette cuvée 100 % niellucciu. On y retrouve au bouquet toutes les qualités du cépage : l'épice (clou de girofle) et la réglisse. La bouche, vive en attaque, repose sur une structure solide mais non dénuée de suavité. Associés à une remarquable longueur, ses tanins de grande qualité autoriseront une garde de deux à trois ans et un accord gourmand avec une daube de sanglier. Le **blanc 2011 (4 600 b.)**, plus fleurs blanches qu'agrumes, est encore jeune et très frais en bouche. Il obtient une étoile.

⊶ Christophe Ferrandis, Clos Signadore, La Morta-Piana,
20232 Poggio-d'Oletta, tél. 06.15.18.29.81,
contact@signadore.com r.-v.

DOM. MONTEMAGNI 2011 ★★

20 000 ■ 5 à 8 €

Comme à l'accoutumée, Louis Montemagni, vigneron attachant au verbe haut et à l'accent chantant, voit trois de ses nombreuses cuvées sélectionnées. Les blancs sont à l'honneur, avec au sommet le « classique » du domaine. Blanc plutôt moderne, il offre au nez une véritable explosion d'arômes fruités et amyliques, avec en dominante le fruit de la Passion et les agrumes. Gras, long et complexe en bouche, il est réveillé par une belle fraîcheur et s'accordera avec des poissons et des crustacés. Toujours en blanc, le **Campo Altoso 2011 (moins de 5 €; 9 000 b.)** reçoit une étoile. Dans la même veine, instaurée par la patte d'Aurélie Melleray, œnologue du domaine, il marie fraîcheur et parfums fruités et floraux exubérants. Par ailleurs, la cuvée principale de **rosé 2011 (36 000 b.)** est appréciée pour son côté frais et printanier et décroche une étoile.

⊶ Montemagni, Puccinasca, 20253 Patrimonio,
tél. 04.95.35.90.40, fax 04.95.37.17.15,
domainemontemagni@orange.fr r.-v.

DOM. NOVELLA 2010

15 000 8 à 11 €

Pierre-Marie Novella a repris en 1976 le vignoble créé par son père vingt-six ans plus tôt et exploite aujourd'hui une vingtaine d'hectares. Son 2010, né du seul cépage niellucciu, est habillé de pourpre sombre. Il s'exprime au nez via un bouquet de petits fruits noirs (cassis, myrtille) avant de dévoiler des tanins fins, sans agressivité, complétés par quelques pointes épicées. Un patrimonio bien typé.

⊶ Pierre-Marie Novella, 20232 Oletta,
tél. et fax 04.95.39.07.41, domainenovella@wanadoo.fr
t.l.j. sf dim. lun. 10h-12h 15h-18h; f. nov.-jan.

ORENGA DE GAFFORY Cuvée Felice 2011 ★★

4 000 ■ 8 à 11 €

Au domaine Orenga de Gaffory, vous profiterez non seulement du plaisir de la dégustation, mais aussi de celui plus culturel de découvrir une galerie d'expositions présentant des œuvres d'artistes contemporains (peintres, plasticiens). Nouveautés cette année : le relookage des étiquettes des cuvées principales, ornées désormais de grandes initiales « OG », et le retour à la bouteille bourguignonne. La cuvée Felice, en blanc, issue d'une sélection de vieilles vignes, combine minéralité et nuances florales (jasmin et fleur de pommier). Le palais long, ample et gras, d'une complexité remarquable, est équilibré par une juste fraîcheur. À déguster sur un fromage de brebis. Le **blanc OG 2011 (33 500 b.)** décroche une étoile. Très ouvert, sur des notes originales de loukoum, il est apprécié pour sa douceur. Enfin, le **rouge OG 2010 (55 000 b.)** est cité pour ses arômes fruités et ses tanins discrets.

GFA Orenga de Gaffory, Morta-Majo, 20253 Patrimonio, tél. 04.95.37.45.00, fax 04.95.37.14.25, contact@orengadegaffory.com t.l.j. 8h-18h
Henri Orenga

DOM. PASTRICCIOLA 2011 ★

	16 000		5 à 8 €

Situé à la sortie de Patrimonio, en allant vers Saint-Florent, ce domaine d'un seul tenant (près de 15 ha) propose un rosé d'assemblage composé de niellucciu (75 %) et de vermentinu. Habillé d'une robe claire aux reflets gris, ce 2011 révèle un bouquet de fruits blancs (pêche et poire) et de notes florales qui invite à la découverte. La bouche franche, ronde et gourmande est réveillée par des nuances mentholées qui apportent fraîcheur et équilibre. Parfait pour des salades composées.
GAEC Pastricciola, rte de Saint-Florent, 20253 Patrimonio, tél. 04.95.37.18.81, fax 04.95.37.08.83
t.l.j. 9h-12h 15h-18h

DOM. SANTAMARIA 2011

	8 000		8 à 11 €

Jean-Louis Santamaria fait partie de ces vignerons que l'on a plaisir à rencontrer. Passionné par son vignoble, porteur de mémoire, il aime parler de son métier et de son appellation. Il présente ici un rosé de saignée de pur niellucciu, dont la robe est plus soutenue que la tendance actuelle aux rosés pâles. On retrouve tant au nez qu'en bouche une plaisante gamme aromatique composée de fruits rouges parsemés d'épices sur un fond minéral. Gras et long, maintenu en éveil par une fine acidité, ce vin de repas s'accordera volontiers avec un poulet tandoori.
Dom. Santamaria, rte du Lac-de-Padula, Oletta, 20217 Saint-Florent, tél. 04.95.39.03.51, fax 04.95.39.07.42, domaine.santamaria@orange.fr
t.l.j. 9h-12h 14h-18h; sam. dim. sur r.-v.

Muscat-du-cap-corse

Superficie : 89 ha
Production : 1 977 hl

Délimitée dans les territoires de 17 communes de l'extrême nord de l'île, l'appellation a été reconnue en 1993 – aboutissement des longs efforts d'une poignée de vignerons regroupés sur les terroirs calcaires de Patrimonio et sur ceux, schisteux, de l'AOC vin-de-corse Coteaux-du-cap-corse.

Le seul muscat blanc à petits grains entre dans ce vin, élaboré par mutage à l'eau-de-vie de vin comme tout vin doux naturel. L'eau-de-vie arrête la fermentation et préserve ainsi au moins 95 g/l de sucres résiduels. Les muscats n'en gardent pas moins une belle fraîcheur. Ils pourront accompagner des canapés de foie gras, du fromage et des salades de fruits.

DOM. NAPOLÉON BRIZI 2011

	6 500		11 à 15 €

Installé à mi-chemin entre Patrimonio et Saint-Florent, Napoléon Brizi et ses associés exploitent plus de 3 ha de muscat à petits grains au pied de falaises calcaires, à l'origine de ce vin clair aux jolies notes de fruits confits sur fond minéral. Une présentation tout en fraîcheur pour un muscat équilibré, qui pourra attendre les fêtes de Noël pour s'inviter sur la bûche traditionnelle.
EARL Napoléon Brizi, 20253 Patrimonio, tél. 04.95.58.44.01, uval.mazoyer@corsicawines.com
r.-v.

CLOS NICROSI Muscatellu 2011

	4 500		15 à 20 €

Pour découvrir ce muscat, il vous faudra longer le cap Corse, jusqu'à Rogliano, magnifique village dominé par la belle maison familiale des Luigi, propriétaires du domaine. Ce 2011 présente au nez quelques notes d'évolution indiquant que les raisins ont été passerillés, laissés au soleil, afin d'obtenir une concentration naturelle. Très riche et puissant, sillonné de notes caramélisées, c'est un muscat « à l'ancienne » qui conviendra à un dessert peu sucré.
Jean-Noël Luigi, 20247 Rogliano, tél. 04.95.35.41.17, clos.nicrosi@orange.fr
t.l.j. sf dim. 10h-12h 16h-19h; f. 1er oct.-30 avr.

♥ **CLOS SAN QUILICO** 2011 ★★

	n.c.		11 à 15 €

Le Clos San Quilico, situé sur la route de Poggio-d'Oletta en partant de Saint-Florent, étend son vignoble sur 35 ha dont 3 ha de muscat blanc à petits grains. À partir de raisins récoltés à parfaite maturité, Philippe Rideau, œnologue du domaine, signe un muscat d'une remarquable complexité et d'une belle fraîcheur, qui délivre de séduisants parfums d'agrumes et de loukoum à la rose. Puissant en bouche, mais en parfait équilibre, souple et teinté en finale d'une noble amertume, ce 2011 viendra ravir les papilles sur un foie gras poêlé aux abricots.
EARL Dom. San Quilico, Morta Majo, 20253 Patrimonio, tél. 04.95.37.45.00, fax 04.95.37.14.25, contact@orengadegaffory.com t.l.j. 8h-18h
Henri Orenga

DOM. LAZZARINI 2011 ★

	24 000		11 à 15 €

Au cœur du village de Patrimonio, se trouve le caveau du domaine. L'un ou l'autre des trois frères Lazzarini, toujours un bon mot et un sourire aux lèvres, vous proposera peut-être de déguster ce muscat d'une grande finesse. Paré de jaune clair à reflets verts, ce 2011 s'ouvre sur des fragrances de cédrat confit relevées de menthol. D'une belle onctuosité, il reste bien présent en bouche, mais sans lourdeur. S'il est agréable aujourd'hui, quelques flacons pourront être mis en cave, pour une redécouverte au printemps prochain.

Lazzarini, hameau Fracciasca, 20253 Patrimonio, tél. 04.95.37.18.61, fax 04.95.37.13.17, cave.lazzarini@orange.fr t.l.j. 8h-19h; f. nov.-avr.

LOUIS MONTEMAGNI Cuvée Prestige 2011 ★★

10 000 | 11 à 15 €

Le domaine Montemagni est l'un des plus importants de la commune de Patrimonio avec ses 105 ha de vigne. Louis, « grand sage » de l'appellation, secondé par Aurélie, œnologue de talent, présente un muscat en robe dorée. Les raisins ont été cueillis à juste maturité pour conférer au nez comme en bouche un caractère fruité tout en légèreté. Un muscat d'une remarquable longueur à partager à l'apéritif, accompagné de tapas sucrées-salées.

Montemagni, Puccinasca, 20253 Patrimonio, tél. 04.95.35.90.40, fax 04.95.37.17.15, domainemontemagni@orange.fr r.-v.

STÉPHANIE OLMETA 2011

2 600 | 11 à 15 €

Stéphanie Olmeta a repris les vignes de ses grands-parents il y a maintenant six ans. Elle mène son vignoble en agriculture biologique et recherche avant tout à exprimer son terroir. C'est le cas avec ce muscat tout en dentelle, qui déroule au nez de jolies notes de fleurs blanches, de fruits blancs et d'abricot sec. Fruité, structuré et équilibré en bouche, il sera apprécié sans attendre sur une salade de fruits frais.

Stéphanie Olmeta-Savelli, lieu-dit Lustincone, 20253 Patrimonio, tél. 06.75.77.72.13 r.-v.

ORENGA DE GAFFORY Impassitu 2010 ★★

6 000 | 15 à 20 €

Le domaine Orenga de Gaffory fait partie des références des appellations muscat et patrimonio. Henry Orenga et Anne, son épouse, secondés par l'œnologue Philippe Rideau, font découvrir ici un muscat puissant, dont les raisins ont été soigneusement sélectionnés sur les différentes parcelles du vignoble de 58 ha. Maintenues sur pied, les grappes se concentrent sous l'effet des chauds rayons du soleil de septembre, pour donner un vin légèrement ambré, aux arômes d'orange confite et de kumquat. D'un remarquable volume et d'une grande richesse nuancée de fraîcheur, cet Impassitu finement épicé reste en mémoire bien après sa dégustation. Il se mariera volontiers à un pain d'épice maison. Le **muscat traditionnel 2011 (11 à 15 €; 30 000 b.)** décroche une étoile pour ses arômes muscatés typiques accompagnés de notes de litchi. À servir frais à l'apéritif.

GFA Orenga de Gaffory, Morta-Majo, 20253 Patrimonio, tél. 04.95.37.45.00, fax 04.95.37.14.25, contact@orengadegaffory.com t.l.j. 8h-18h

Henri Orenga

DOM. PIERETTI 2011 ★

3 000 | 15 à 20 €

Les vignes de muscat du domaine Pieretti se situent sur les communes de Pietracorbara et de Meria. Balayées par le vent, elles ont besoin de tout le talent de la vigneronne pour livrer des raisins à parfaite maturité. Et le talent est au rendez-vous, comme le confirme ce 2011 chaleureux, aux fins arômes de miel et de fleurs, équilibré par une pointe de minéralité. À découvrir dans le très joli caveau de Santa-Severa, marina de Luri.

Lina Venturi-Pieretti, Santa-Severa, 20228 Luri, tél. 06.17.93.92.17, fax 04.95.35.01.03, domainepieretti@orange.fr r.-v.

LE SUD-OUEST

MONBAZILLAC GAILLAC
MALBEC TANNAT
CAHORS MANSENG
FRONTON BUZET
BERGERAC ARMAGNAC
SAUVIGNON MADIRAN
JURANÇON IROULÉGUY

LE SUD-OUEST

Superficie
51 500 ha (environ)
Production
1 600 000 hl (environ)
Types de vins
Rouges ; rosés ; blancs secs et moelleux ; vins effervescents (gaillac) ; vins de liqueur (floc-de-gascogne).
Cépages principaux
Rouges : malbec (cot ou auxerrois), tannat, négrette, fer servadou (braucol ou mansois), duras, merlot, cabernet franc, cabernet-sauvignon, syrah, gamay.
Blancs : sauvignon, sémillon, muscadelle, mauzac, len de l'el (loin de l'œil), gros manseng, petit manseng, courbu, baroque, ugni blanc (ce dernier pour l'armagnac).

Groupant sous la même bannière des appellations aussi éloignées qu'irouléguy, bergerac ou gaillac, la région viticole du Sud-Ouest rassemble ce que les Bordelais appelaient le « Haut-Pays » et le vignoble de l'Adour, proche des Pyrénées. Elle comprend de microvignobles très anciens, jusqu'au pied du Massif central. À la diversité des cépages cultivés dans ces régions dispersées répond celle de la production : le Sud-Ouest fournit pratiquement tous les styles de vins. Des vins originaux, longtemps restés dans l'ombre, et qui bénéficient souvent de ce fait d'un bon rapport qualité-prix.

Dans l'ombre de Bordeaux Jusqu'à l'apparition du rail, les vins du Haut-Pays, en provenance des vignobles de la Garonne et de la Dordogne, sont restés dans l'ombre du grand voisin bordelais. Fort de sa position géographique et de privilèges royaux, Bordeaux dictait sa loi aux producteurs de Duras, Buzet, Fronton, Cahors, Gaillac et Bergerac. Jusqu'à la fin du XVIII^e^s., tous leurs vins devaient attendre que la récolte bordelaise soit entièrement vendue aux amateurs d'outre-Manche et aux négociants hollandais avant d'être embarqués, quand ils n'étaient pas utilisés comme vins « médecins » pour remonter certains clarets. De leur côté, les vins du piémont pyrénéen ne dépendaient pas de Bordeaux, mais étaient soumis à une navigation hasardeuse sur l'Adour avant d'atteindre Bayonne. On peut comprendre que, dans ces conditions, leur renommée ait rarement dépassé le voisinage immédiat.

Un conservatoire des cépages Si les vignobles les plus proches du Bordelais, dans le Bergeracois ou le Lot-et-Garonne, cultivent les mêmes variétés que leur voisin girondin, les autres constituent un véritable musée des cépages d'autrefois. On trouve rarement ailleurs une telle diversité de variétés. Le particularisme et l'enclavement de nombreuses régions du Sud-Ouest expliquent la survivance de cépages locaux. Les Gascons ont ainsi le petit et le gros mansengs, le tannat, le baroque, sans parler de l'arrufiac, du raffiat de Moncade ou du camaralet de Lasseube. Cahors tire son originalité du malbec (ou auxerrois), Fronton de la négrette, Gaillac des duras, len de l'el (loin de l'œil), mauzac, braucol... Loin de renier le qualificatif de vin « paysan », toutes ces appellations le revendiquent avec fierté en donnant à ce terme toute sa noblesse. La vigne n'a pas exclu l'élevage et les autres cultures, et les vins côtoient sur le marché les produits fermiers avec lesquels ils se marient tout naturellement, ce qui fait du Sud-Ouest l'une des régions privilégiées de la gastronomie de tradition.

Le piémont du Massif central

Cahors

Superficie : 4 050 ha
Production : 155 370 hl

D'origine gallo-romaine, le vignoble de Cahors est l'un des plus anciens de France. Jean XXII, pape d'Avignon, fit venir des vignerons quercinois pour produire le châteauneuf-du-pape, et François Ier planta à Fontainebleau un cépage cadurcien ; l'Église orthodoxe adopta le cahors comme vin de messe, et la cour des tsars comme vin d'apparat... Pourtant, ce vignoble revient de loin ! Totalement anéanti par les gelées de 1956, il était retombé à 1 % de sa surface antérieure. Reconstitué dans les méandres de la vallée du Lot avec des cépages nobles traditionnels – le principal étant l'auxerrois, également appelé cot ou malbec (70 % de l'encépagement), complété par le merlot (environ 20 %) et le tannat –, le terroir de Cahors a retrouvé la place qu'il mérite, gagnant même les causses comme dans les temps anciens.

Appelé jadis *black wine* par les Anglais, le cahors est puissant, robuste, haut en couleur ; il s'agit incontestablement d'un vin de garde, même si cette aptitude au vieillissement varie en fonction du terroir, de l'encépagement et de la vinification. Il peut toutefois être servi jeune : il est alors charnu, agréablement fruité, et doit être consommé légèrement rafraîchi, sur des grillades par exemple.

CH. D'ARQUIÈS 2010 ★

■ 20 000 - de 5 €

En trois générations, la famille Montagne a constitué un coquet domaine de 22 ha. Elle recherche des vins fins et fruités : pas de fût pour ce 2010 dont l'assemblage comprend 20 % de merlot à côté du malbec. De couleur violine, ce millésime offre un nez expressif et assez complexe de fruits noirs mûrs (mûre) mâtinés de notes de cuir et de sous-bois. Le palais reste dans le même registre aromatique. Souple et gras à l'attaque, il se montre ensuite structuré, un peu sévère en finale. Cette bouteille donnera le meilleur d'elle-même dans les trois prochaines années.

Éric Montagne, Arquiès, 46700 Vire-sur-Lot,
tél. 05.65.36.52.75, fax 05.65.24.67.57, montagneeric@free.fr
t.l.j. 9h-12h 14h-19h; dim. sur r.-v.

DOM. LA BÉRANGERAIE Cuvée Maurin 2009 ★★

■ 15 500 5 à 8 €

Née officiellement en 1971, la propriété des Béranger a le même âge que l'AOC cahors. Elle fournit cette année un modèle accompli de l'appellation. Non pas la **Gorgée de Mathis Bacchus 2009 (15 à 20 € ; 5 046 b.)**, une vieille connaissance de nos lecteurs, élevée deux ans en barrique, qui obtient tout de même une étoile pour sa puissance, sa complexité (boisé grillé bien intégré, griotte, pruneau) et son potentiel, mais cette cuvée Maurin qui n'a pas connu le bois. Construite pour exalter le malbec, elle s'annonce par une robe pourpre profond et par un nez gourmand et exubérant mêlant la cerise et la mûre aux épices et à la réglisse. De frais arômes mentholés s'ajoutent à cette palette dans une bouche ample et puissante, aux tanins fins, vifs en finale. On pourra découvrir cette bouteille prochainement avec un goûteux magret de canard à la peau croustillante.

La Bérangeraie, Coteaux de Cournou, 46700 Grézels,
tél. 05.65.31.94.59, fax 05.65.31.94.64,
berangeraie@wanadoo.fr t.l.j. 10h-12h 14h-19h

L'EXCELLENCE DU CH. BLADINIÈRES Élevé en fût chêne 2010 ★★

■ 20 000 5 à 8 €

C'est l'arrière-grand-père d'Arnaud Bladinières qui a planté les premiers ceps de l'exploitation familiale, qui compte aujourd'hui 36 ha. Avec le millésime 2010, nous avons pu découvrir une remarquable cuvée de pur malbec élevée un an en barrique. La robe violine est profonde, tirant sur le noir. Le bouquet naissant s'annonce complexe, même s'il apparaît marqué par les notes toastées et vanillées du merrain. La bouche est superbe, puissante, construite sur une trame tannique serrée et veloutée jusqu'en finale. Déjà agréable, ce vin pourra aussi affronter une décennie. Citée, la cuvée **Préférence 2010 (80 000 b.)**, élevée en cuve, contient une petite part de merlot. Fruitée et épicée, franche et équilibrée, elle est prête.

Famille Bladinières, Le Bourg, 46220 Pescadoires,
tél. 05.65.22.41.85, fax 05.65.36.47.10,
chateau.bladinieres@laposte.net
t.l.j. sf dim. 10h-12h30 15h-18h; f. fin août

DOM. LA BORIE Exception 2009 ★★

■ 7 000 15 à 20 €

Logée entre deux cingles (méandres) du Lot, la petite ville de Prayssac abrite de nombreux vignerons comme les Froment, qui exploitent depuis cinq générations leur domaine couvrant 21 ha aujourd'hui. Ces producteurs ont proposé deux très belles cuvées où le malbec s'exprime sans l'accompagnement du bois. Élevée deux ans, celle-ci est d'une rare concentration. Sa robe profonde, d'un violet presque noir à reflets rubis, donne le ton. Le nez bien ouvert, complexe et caractéristique du cépage est un panier de fruits – cerise burlat, framboise, mûre – nuancé d'épices et de menthol. La bouche suit la même ligne aromatique, dévoilant une matière ample et généreuse, des tanins veloutés et une finale gourmande. Notée une étoile, la **cuvée principale 2010 (5 à 8 € ; 40 000 b.)** confirme le style de la propriété avec son nez aromatique, sur les fruits à l'alcool, et sa bouche harmonieuse, tout en souplesse : un joli cahors prêt à passer à table, tandis que la cuvée Exception attendra un an ou deux.

Jacques Froment, Dom. la Borie, 46220 Prayssac,
tél. 05.65.22.42.90, fax 05.65.30.64.70,
domaine.la.borie@wanadoo.fr
t.l.j. 9h-12h 14h-19h

DOM. LE BOUT DU LIEU Empyrée 2009 ★★

■ 2 800 20 à 30 €

Au siècle dernier, beaucoup d'Italiens se sont installés dans les campagnes riantes et ensoleillées du Midi-Pyrénées. C'est le cas des grands-parents d'Arnaldo Dimani qui ont quitté la péninsule en 1925, avec une simple valise. Aujourd'hui, la famille exploite 17 ha de vignes le long des méandres du Lot. Sa cuvée Empyrée, née de pur malbec sur argiles rouges, élevée presque deux ans en barrique, est un cahors solide. D'un pourpre sombre aux reflets violets, elle affiche un nez complexe où les fruits rouges et les épices côtoient le menthol et des notes torréfiées. Bien équilibrée, charpentée par des tanins d'une belle fraîcheur, la bouche offre un agréable retour aromatique. Mieux vaut attendre deux ou trois ans avant de servir ce 2009 sur un gigot, un civet ou du confit.

SUD-OUEST

Dimani et Fils, Le Bout-du-Lieu,
46140 Saint-Vincent-Rive-d'Olt, tél. et fax 05.65.30.70.80,
leboutdulieu@orange.fr r.-v.

CH. LA CAMINADE La Commandery 2010 ★

27 000	11 à 15 €

Le premier coup de cœur de l'exploitation fut décroché par un 1987, dans l'édition 1990. Six autres ont suivi, la plupart distinguant cette cuvée La Commandery, décidément valeur sûre du domaine. Le 2010, pratiquement un pur malbec, à 3 % de tannat près, a été élevé un an en barrique. La robe montre des reflets violets de jeunesse. L'élevage respecte le fruit : au nez, les fruits noirs et rouges se mêlent aux accents de cacao, de vanille et de réglisse. Dans le même registre aromatique, la bouche dévoile une structure solide. Les tanins, encore un peu vifs, ne demanderont qu'un à trois ans de garde pour s'affiner. On pourra alors servir cette bouteille sur un gigot d'agneau, un magret ou du salers.

SCEA Ch. la Caminade, Ch. la Caminade, 46140 Parnac,
tél. 05.65.30.73.05, fax 05.65.20.17.04, resses@wanadoo.fr
t.l.j. sf sam. dim. 8h-12h 14h-18h
M. Ressès

DOM. DE CAUSE Notre-Dame-des-Champs 2009 ★

3 300	15 à 20 €

Voilà dix-sept ans que Serge et Martine Costes ont quitté la ville pour perpétuer l'exploitation familiale. Aujourd'hui, ils exploitent près de 15 ha dans la partie ouest de l'appellation et ils ont pris leurs habitudes dans le Guide. La version 2006 de cette cuvée a même décroché un coup de cœur. Ce pur malbec séjourne deux ans en barrique et le 2009 témoigne une fois de plus de la qualité des raisins et d'une belle maîtrise de l'élevage. La robe aubergine est profonde ; le nez expressif et raffiné marie dans une bonne harmonie la mûre, la griotte macérée, le moka et la vanille. Souple et ample à l'attaque, la bouche évolue avec élégance, dévoilant des tanins de merrain fins, suaves et chocolatés. On laissera cette bouteille en cave au moins deux ans avant de la servir sur des mets goûteux et délicats, comme un pigeonneau au foie gras.

Costes, Cavagnac, 46700 Soturac, tél. 05.65.36.41.96,
fax 09.71.70.54.95, domainedecause@wanadoo.fr
t.l.j. sf dim. 10h-19h; f. une sem. fin août-début sept.

LES MARCHES DE CAYX 2010 ★★

40 000	11 à 15 €

Le vin des souverains du Danemark fut en majesté l'an dernier, avec un coup de cœur pour la cuvée spéciale élaborée à l'occasion de l'anniversaire de la reine Margrethe. Une consécration pour ce vieux château situé dans la région d'origine du prince, qui fut acquis en 1975 par le couple royal et qui a renoué avec la production viticole en 1993. Aux commandes, Guillaume Bardin, neveu du Prince, et au chai, Alexandre Gélis, venu du domaine de Lagrézette. Cette année, on découvre deux cuvées issues d'excellents terroirs d'éboulis calcaires. Les jurés ont été conquis par ces Marches de Cayx, élevées en cuve, où un appoint de merlot accompagne le malbec. Une robe couleur d'encre aux reflets violines, un nez complexe, gourmand et frais de fruits noirs et de réglisse, une bouche souple à l'attaque, bien construite sur des tanins soyeux composent un vin authentique, remarquable expression du terroir, qui accompagnera dès maintenant un magret grillé. Quant au **Ch. de Cayx 2010 (15 à 20 € ; 30 000 b.)**, élevé sous bois, il est cité pour sa richesse et sa longueur.

SCEA Ch. de Cayx, Ch. de Cayx, 46140 Luzech,
tél. et fax 05.65.30.52.50, office@chateau-de-cayx.com
SAR le prince Henrik de Danemark

CH. DU CÈDRE GC 2009 ★

8 000	50 à 75 €

À la tête d'une exploitation de 27 ha symbolisée par le cèdre centenaire qui se dresse sur le domaine, Pascal et Jean-Marc Verhaeghe ont engagé en 2009 leur conversion au bio, après avoir adopté graduellement une démarche de plus en plus respectueuse de l'environnement. Ils figurent parmi les « champions » de l'appellation, avec plus de dix coups de cœur à leur actif – dont deux pour cette cuvée GC (millésimes 2003 et 2005). « Vin de l'extrême », selon ses auteurs, celle-ci résulte d'un élevage de plus de deux ans en fût neuf et provient de deux types de terroirs : des éboulis calcaires et des terrains argilo-siliceux, riches en galets roulés. Le 2009 affiche la robe sombre du « vin noir », avec des reflets rubis. Le nez complexe associe la griotte et le menthol aux notes vanillées de la barrique. La bouche est ample, généreuse, construite sur des tanins enrobés. Cassoulet ? Confit ? Côte de bœuf ?

Pascal et Jean-Marc Verhaeghe, Bru, 46700 Vire-sur-Lot,
tél. 05.65.36.53.87, fax 05.65.24.64.36,
chateauducedre@wanadoo.fr
t.l.j. sf dim. 9h-12h 14h-18h

DOM. DES CHÂTAIGNALS 2010 ★

43 000	- de 5 €

Vinovalie ? Un groupement de quatre coopératives du Sud-Ouest : deux en Gaillacois, une à Fronton et une en AOC cahors, la cave des Côtes d'Olt à Parnac. Cette dernière réalise un beau tir groupé en plaçant quatre cuvées dans la sélection, avec une étoile pour chacune. Ce domaine des Châtaignals privilégie le fruité. On aime son nez de mûre, de cassis et de violette, poivré et mentholé, et son attaque ronde. Sa finale sévère marquée par des tanins vifs demande un an de patience. Le **Ch. Bru Lagardette Élevé en fût de chêne 2010 (5 à 8 € ; 33 000 b.)** offre, après un an d'élevage, un boisé « moderne », flatteur, sur une matière concentrée et suave ; on l'attendra aussi au moins un an. La cuvée **Terre de Gaule Élevé en fût de chêne 2010 (5 à 8 € ; 53 000 b.)** semble devoir être oubliée plus longtemps en cave (trois ans) ; elle devrait bien évoluer. Les jurés louent son bel équilibre entre le boisé vanillé du merrain et des arômes de fruits noirs. Mêmes qualités et mêmes perspectives pour le **Ch. les Bouysses Élevé en fût de chêne 2010 (5 à 8 € ; 33 000 b.)**, concentré, charpenté, au boisé vanillé et empyreumatique.

Vinovalie / Côtes d'Olt, 46140 Parnac, tél. 05.65.30.71.86,
fax 05.65.30.35.09 r.-v.

DOM. DU CHÊNE ROND 2009

6 700	- de 5 €

À une dizaine de kilomètres en aval de Cahors, Douelle était autrefois un petit port actif sur le Lot. Les tonneliers y étaient nombreux à fabriquer les barriques, qui étaient embarquées sur des gabarres. Pas de bois dans cette cuvée de la famille Cagnac, établie à Cessac, hameau voisin situé dans le pédoncule d'un méandre du Lot. On tient un joli cahors, souple et affable, frais et croquant. Intense et gourmand, ce vin rouge sombre aux reflets violets libère au premier nez des notes de fraise et de framboise, puis de fruits noirs et de réglisse. En bouche, les petits fruits se fondent dans une matière soyeuse. Les tanins complètement polis invitent à une dégustation immédiate.

GAEC Dom. du Chêne rond,
268, rte du Château, Cessac-en-Quercy, 46140 Douelle,
tél. et fax 05.65.20.02.92, chenerond@orange.fr
t.l.j. 8h30-12h 13h30-19h

CHEVALIER DES TERRASSES 2010 ★

108 000 - de 5 €

Albas Distribution, marque locale de négoce, propose deux cahors de pur malbec que le jury a retenus avec une étoile pour chacun. Ce Chevalier des terrasses est un vin gourmand, au nez expressif de fruits surmûris, de pruneau et de kirsch. On retrouve en bouche les arômes du bouquet au sein d'une matière délicate, suave, aux tanins fondus. L'ensemble est bien équilibré, voire « gracieux », selon un juré, et la finale révèle beaucoup de fraîcheur. À servir dès maintenant sur des volailles, des grillades et, suggère un dégustateur, un dessert aux griottes. La cuvée **Tournepique 2010 (92 000 b.)**, également élevée en cuve, privilégie elle aussi le fruité, qui prend des accents de cassis et de myrtille. Sa bouche souple et élégante, sans la moindre agressivité, signe un « cahors de plaisir » à déguster sans attendre.

Albas Distribution France Vin, RD 99, Circofoul,
46140 Albas, tél. 05.65.30.52.97, fax 05.65.30.75.67,
albasdistribution@wanadoo.fr

CLOS DU CHÊNE Élevé en fût de chêne 2010

8 000 5 à 8 €

Après la consécration en AOC du vignoble de Cahors en 1971, la famille Roussille a abandonné la polyculture pour miser sur le malbec, qu'elle a planté sur la deuxième terrasse de la vallée du Lot. Aujourd'hui, elle exploite avec succès 14 ha. Ce Clos du Chêne 2010 se pare d'une robe engageante, couleur tulipe noire. Son nez typé monte en puissance, sur des notes de cerise burlat, de mûre, de menthol et de Zan. La bouche, un peu courte, est toutefois bien construite. Ses tanins suaves et enrobés lui donnent un côté souple qui invite à déboucher cette bouteille prochainement.

EARL Roussille, rte de la Gineste,
46700 Duravel, tél. 05.65.36.50.09,
fax 05.65.24.67.64, closduchene@wanadoo.fr
t.l.j. 9h-13h 15h-19h

♥ **LE CLOS D'UN JOUR** Un Jour... 2009 ★★★

6 500 15 à 20 €

Un jour... il y a douze ans déjà, Stéphane Azémar, architecte de formation, et Véronique, archéologue, ont quitté la région parisienne pour s'installer sur une petite propriété à Duravel, localité abritée du vent du nord par un arc de collines. Une entreprise couronnée de succès. Le couple, qui a engagé la conversion au bio de ses 7 ha de vignes, obtient son troisième coup de cœur avec cette cuvée : un pur malbec ayant macéré pendant un mois avant son élevage de deux ans en barrique. La robe ? Celle qui a valu au cahors son nom de « vin noir ». Le nez ? Tout aussi intense, sur les fruits noirs, la mûre, et un boisé élégant aux notes de toast et de cannelle. Suit une bouche ample, puissante et ronde, où la violette s'allie à la réglisse et au moka d'un merrain bien fondu. La longue finale laisse une

Le Sud-Ouest

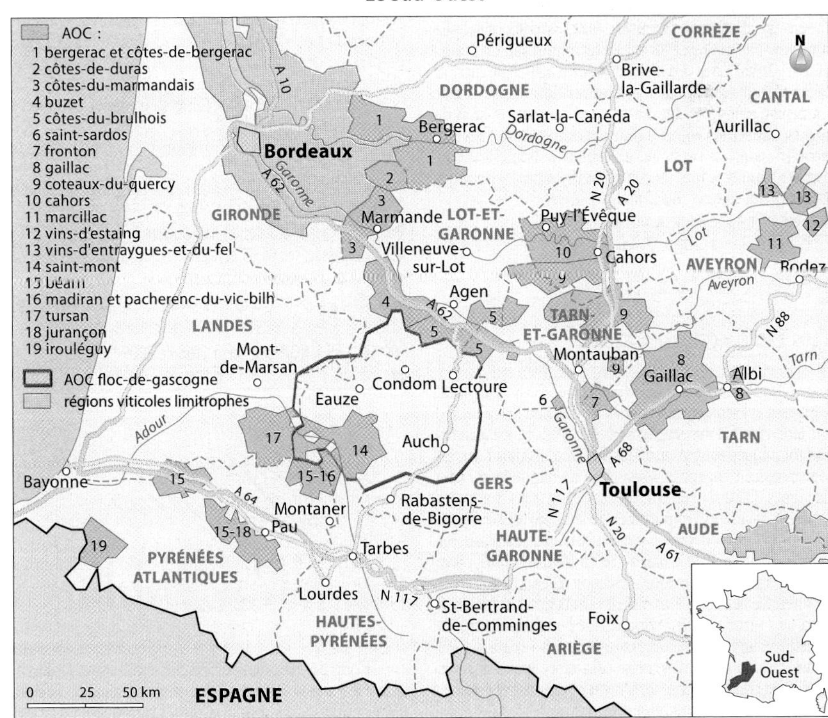

impression de délicatesse et de fraîcheur. La cuvée **Un jour sur terre 2010 (11 à 15 € ; 7 000 b.)** a été élevée dix-huit mois dans des jarres de terre évoquant les *dolia* de l'Antiquité. Ce mode d'élaboration permet une oxygénation du vin, gage de rondeur. Ce 2010 obtient deux étoiles pour sa superbe expression aromatique (cerise, violette, épices) et pour son palais souple à l'attaque, ample et gras, aux tanins parfaitement maîtrisés. Deux grands vins typiques, à la fois gourmands et précis. Le premier attendra trois ans, le second n'attend qu'une poêlée de cèpes.

Véronique et Stéphane Azémar, Le Clos d'un Jour, 46700 Duravel, tél. et fax 05.65.36.56.01, s.azemar@wanadoo.fr t.l.j. sf dim. 9h-19h

CLOS LA COUTALE 2010 ★

■ 380 000 5 à 8 €

À Vire-sur-Lot, à une dizaine de kilomètres du Lot-et-Garonne, les méandres du Lot s'élargissent quelque peu, le paysage commence à s'ouvrir. La vigne n'en prend que davantage ses aises. Au Clos la Coutale, elle n'occupe pas moins de 88 ha. Le terroir est fait de graves et d'argilo-calcaires. Le malbec, associé à 20 % de merlot, compose un cahors qui n'a d'autres fins que le plaisir immédiat, comme l'annonce son nez franc de cerise et de réglisse. Les fruits noirs s'ajoutent à cette palette dans une bouche souple à l'attaque, chaleureuse, dont les petits tanins arrondis se font un peu plus vifs en finale. Pour des grillades, du magret, du cantal...

EURL Philippe Bernède et Fils, Clos la Coutale, Le Caillau, 46700 Vire-sur-Lot, tél. 05.65.36.51.47, fax 05.65.24.63.73, info@coutale.com t.l.j. sf sam. dim. 9h-12h 14h-18h

CLOS TROTELIGOTTE Kprice 2009 ★★

■ 20 000 8 à 11 €

L'agriculture raisonnée (à partir de 2001) a conduit Christian et Emmanuel Rybinski à porter un autre regard sur leur vigne et sur leur terre – des sols argilo-calcaires sidérolithiques rouges, riche en fer. Dix ans plus tard, les vignerons ont engagé la conversion au bio de leur 12 ha de vignes. D'édition en édition, les distinctions traduisent leur savoir-faire et l'importance de leurs investissements. Les étiquettes modernes – que le jury n'a pas eues sous les yeux – annoncent la couleur : le vin (ici, un 2009 élevé dix-huit mois en barrique) est noir d'encre, à reflets violines. Le nez complexe mêle les fruits noirs, le kirsch et des notes torréfiées : le prélude à une bouche puissante et équilibrée, ample, structurée et soyeuse, où s'épanouissent les arômes du nez, cassis, boisé cacaoté et épices, jusqu'à une finale fraîche et fruitée. Un vin gourmand et élégant, déjà agréable, qui peut attendre.

Emmanuel Rybinski, Le Cap-Blanc, 46090 Villesèque, tél. 06.74.81.91.26, contact@clostroteligotte.com t.l.j. sf dim. 9h-12h 14h-19h

CH. COMBEL LA SERRE Cuvée Originelle 2010 ★

■ 15 000 5 à 8 €

Ce domaine familial, qui existe depuis 1900, est sorti de la coopérative en 1998. Il trouve ses marques dans le Guide à partir de cuvées de pur malbec. Si le **Cœur de cuvée 2009 (15 000 b.)**, qui a connu le bois, est cité pour son travail d'élevage et sa solide structure (appelant deux ans de garde), cette cuvée Originelle a davantage séduit. C'est l'entrée de gamme des Ilbert. Violine intense, ce vin vinifié en cuve délivre un fruité intense aux nuances de fraise et de cassis, puis de réglisse. Après une attaque souple et ronde, on retrouve le cassis en confiture, associé au cachou, au sein d'une bouche fraîche, avec ce qu'il faut de tanins. Rien d'imposant dans ce vin aimable, qui a pour seule ambition de plaire dès aujourd'hui et d'accompagner tout un repas, de la salade gourmande au rôti.

Julien et Jean-Pierre Ilbert, Cournou, 46140 Saint-Vincent-Rive-d'Olt, tél. 05.65.30.71.34, fax 05.65.30.54.44, julien.ilbert@yahoo.fr t.l.j. 9h-12h 14h-19h

CH. LA COUSTARELLE L'Éclat 2009 ★★

■ 10 000 20 à 30 €

Cinq générations de vignerons se sont succédé sur cette exploitation forte d'un vignoble de 45 ha, régulièrement en bonne place dans le Guide. Cette cuvée, qui a l'éclat de deux étoiles, est issue des plus vieux malbecs de la propriété, âgés de cinquante ans, plantés sur la troisième terrasse du Lot. On a offert à leurs fruits un long élevage de près de deux ans. La robe, pourpre foncé, est engageante. Le nez complexe associe les fruits noirs frais à un boisé torréfié aux accents de fumée et de moka. La bouche impressionne par sa puissance, sa charpente et son équilibre. La finale, d'une rare longueur, renoue avec le cassis relevé d'épices. Une bouteille de garde, qui ne devrait atteindre son apogée que dans cinq ans. À attendre donc, sauf si l'on apprécie les vins boisés.

SCEA Cassot et Fille, Ch. la Coustarelle, Les Caris, 46220 Prayssac, tél. 05.65.22.40.10, fax 05.65.30.62.46, chateaulacoustarelle@wanadoo.fr t.l.j. sf dim. 9h-12h 14h-19h

♥ CH. LES CROISILLE Divin Croisille 2009 ★★★

■ 6 500 20 à 30 €

Coup de cœur dans le précédent millésime, ce Divin Croisille « garde son titre » et « gagne » même une étoile. Cécile et Bernard Croisille se diront sans doute qu'ils ont

eu raison de s'installer en 1979 dans ce hameau de Fages, perdu sur le causse au-dessus de Luzech ; de défricher les terres ; de quitter la coopérative et d'aménager le bâti pittoresque mais chancelant, pour agencer une belle cave et élaborer enfin leur vin, en 2000. Germain, leur fils (installé en 2008), qui a engagé la conversion au bio du domaine, débute sa carrière avec les honneurs. Pur malbec élevé deux ans en barrique, ce cahors affiche une robe profonde et développe des senteurs de fruits noirs et de réglisse, enrichies de notes torréfiées. En bouche, il s'impose par sa chair, son ampleur, ses tanins fins et policés, et par sa finale friande et fraîche. Un vin prêt à affronter quinze ans de garde, que l'on peut aussi déguster jeune, sur une côte de bœuf par exemple. Quant à la **Noble Cuvée 2009 (8 à 11 €; 12 000 b.)**, elle est citée pour son nez de fruits rouges et de menthol, et pour sa matière souple, où le bois, discret, souligne le fruit.

Ch. les Croisille, Fages, 46140 Luzech, tél. 05.65.30.53.88, chateaulescroisille@wanadoo.fr t.l.j. 9h-12h 14h-19h

LO DOMENI Vendémia Vinifié en foudre de bois et élevé en barrique 2010 ★

■ 5 000 | 8 à 11 €

Lorsque Pierre Pradel a repris la propriété familiale en 2004, il a décidé de vinifier lui-même. On retrouve sa cuvée Vendémia, issue d'une petite parcelle de malbec implanté sur la troisième terrasse du Lot. Vendangée à la main, la récolte est vinifiée en foudre et élevée huit mois en barrique de réemploi. Dans le même style que le millésime précédent, c'est un vin bien fruité, mariant au nez la purée de petits fruits rouges et la vanille. Structuré et frais, élégant et velouté, il montre en finale quelques tanins « virils » qui incitent à l'attendre un an ou deux.

Pierre Pradel, Lo Domeni, 159, rte des Vignes-Vieilles, 46140 Caillac, tél. et fax 05.65.22.84.89, contact@lodomeni.fr
t.l.j. sf dim. 9h-12h 14h-19h

CH. EUGÉNIE Cuvée réservée de l'aïeul 2010 ★

■ 50 000 | 8 à 11 €

On trouve trace des Couture, vignerons du seigneur d'Albas, en 1470. Mais le nom de cette cuvée se réfère au grand-père de l'actuel récoltant, qui a planté il y a quarante ans les vignes à l'origine de ce vin de garde. Le solide tannat (15 %) vient y compléter le malbec, et un séjour de dix-huit mois en fût (dont un tiers de neufs) lui lègue ses tanins. Les jurés ont découvert dans un écrin sombre, couleur violine, des senteurs complexes de pruneau et de torréfaction. Ample, opulente mais suave, la bouche finit sur des impressions fraîches et réglissées. Déjà flatteur, ce 2010 peut attendre 2015. Il devrait alors bien s'accorder avec un canard à l'orange.

Ch. Eugénie, Rivière-Haute, 46140 Albas, tél. 05.65.30.73.51, fax 05.65.20.19.81, couture@chateaueugenie.com
t.l.j. sf dim. 9h30-12h30 14h-19h
Couture

DOM. DE LA GARDE Cuvée Momentum 2009 ★★

■ 4 000 | 15 à 20 €

Installé au sud du Lot, dans la région du Quercy blanc et dans l'aire des coteaux-du-quercy, Jean-Jacques Bousquet exploite aussi des vignes en cahors, vinifiant avec un égal savoir-faire dans les deux AOC. Élevé deux ans en fût, ce cahors, en robe cerise noire, offre un beau moment de dégustation. Intense et complexe au bouquet, il allie la mûre, la pivoine, le Zan et des notes beurrées, briochées et épicées (cannelle) léguées par le fût. Opulent en bouche, il n'en est pas moins très équilibré ; ses accents de cassis et de moka, ses tanins fondus laissent une impression d'élégance. La **cuvée principale 2010 (8 à 11 €; 8 000 b.)** obtient une étoile pour ses arômes sincères de pruneau, de cerise et de cassis, et sa structure tannique bien présente mais enrobée. Un vin pour maintenant, alors que la cuvée Momentum peut attendre quelques années.

Jean-Jacques Bousquet, Le Mazut, 46090 Labastide-Marnhac, tél. et fax 05.65.21.06.59, contact@domainedelagarde.com
t.l.j. sf dim. 9h-12h 14h-18h30

DOM. DU GARINET Fûts de chêne 2009 ★

■ 3 000 | 8 à 11 €

Les Britanniques Michael et Susan Spring se sont établis en 1994 au sud du Lot, dans une ancienne ferme quercynoise en pierre blanche, au milieu des vignes, des noyers et des pruniers. « Fûts de chêne-Malbec » : l'étiquette explique bien les origines de la bouteille. Élevé dix-huit mois sous bois, ce 2009 d'un pourpre intense aux reflets violines offre un nez expressif où le cassis, la myrtille et le menthol du cépage s'allient à la vanille de la barrique. La bouche, d'une belle fraîcheur, traduit un vin bien construit. Ses tanins fermes et sa dominante vanillée conseillent la patience – trois ans –, sauf si l'on aime le boisé.

Michael et Susan Spring, Le Garinet, 46800 Le Boulvé, tél. et fax 05.65.31.96.43, spring@domainedugarinet.fr
t.l.j. 11h-18h30; dim. 14h-18h30, 1er oct.-31 mai sur r.-v.

CH. DE GAUDOU Réserve de Caillau 2009 ★

■ 1 050 | 8 à 11 €

Au XVIIIe s., Louis Durou s'installe au lieu-dit Gaudou, à l'intérieur d'un large méandre de la rivière, près de Vire-sur-Lot. Aujourd'hui, René et son fils Fabrice, forts d'un vignoble de 38 ha et d'un manoir avec pigeonnier, perpétuent une tradition bientôt tricentenaire. Le jury a beaucoup apprécié leur Réserve de Caillau, élevée dix-huit mois en barrique. Le bouquet associe les fruits noirs bien mûrs, la viennoiserie et l'amande grillée, la bouche se montrant volumineuse et bien structurée. Sa charpente un peu brute devrait s'affiner au cours des trois années à venir. Citée, la cuvée **Renaissance 2010 (11 à 15 €; 20 000 b.)** est un vin également boisé auquel son auteur veut donner l'expression du cahors d'autrefois. Avec ses arômes de fruits noirs et de violette, sa belle matière reflétant un mariage réussi du vin et du fût, elle est prête à passer à table.

Durou et Fils, Gaudou, 46700 Vire-sur-Lot, tél. 05.65.36.52.93, fax 05.65.36.53.60, info@chateaudegaudou.com
t.l.j. 15h-18h; sam. dim. sur r.-v.

CH. LA GINESTE Secrets de la Gineste 2009 ★

■ 12 000 | 8 à 11 €

Dix ans après avoir acquis ce château – 13 ha de vignes autour d'un petit manoir flanqué de son pigeonnier –, la famille Dega s'engage dans la conversion du domaine à l'agriculture biologique. Secrets de la Gineste ? Les jurés ont scruté sa robe noire pour les percer et vous les divulguer, une fois de plus. Le nez intense et complexe de cassis, de réglisse, de vanille et d'épices révèle une bonne maîtrise de l'élevage (dix-huit mois de fût). La bouche

SUD-OUEST

ample à l'attaque, structurée, équilibrée et longue, la finale mentholée à la fois suave et fraîche complètent le portrait d'un vin gourmand, qui se bonifiera au cours des deux prochaines années. Le **Grand Secret de la Gineste 2009 (15 à 20 € ; 3 000 b.)** tire d'un élevage prolongé en barrique (vingt-quatre mois) son boisé vanillé et sa riche matière, laquelle sera plus expansive dans trois ans. Même note.

SCEA des Vignobles Dega, Ch. la Gineste, 46700 Duravel, tél. 05.65.30.37.00, fax 05.65.30.37.01, chateau-la-gineste@wanadoo.fr r.-v.

CH. LES GRAUZILS Cuvée Tradition 2010 ★★

n.c. 5 à 8 €

Voilà trente ans que Philippe Pontié a pris les rênes de l'exploitation familiale dont le nom, Grauzils, évoque des terrains graveleux propices au vignoble. Cette année, sa simple cuvée Tradition, élevée en cuve, a enchanté le jury par son côté franc et authentique. Les dégustateurs louent son bouquet de fruits rouges frais, sa bouche gourmande à souhait, suave, ample et ronde, aux tanins bien fondus et à la finale douce, qui suit la ligne aromatique du nez. On appréciera cette bouteille dès maintenant sur des côtelettes d'agneau du Quercy ou sur des brochettes de magret.

Philippe Pontié, Gamot, 46220 Prayssac, tél. 05.65.30.62.44, fax 05.65.22.46.09, pontie.philippe@wanadoo.fr

t.l.j. sf dim. 9h-12h 14h-19h

CH. HAUTE-BORIE Tradition 2010 ★

45 000 5 à 8 €

Cette famille est établie au sommet d'un plateau de graves bordé par des collines boisées qui marquent la limite avec l'Agenais, où la vigne s'efface devant les autres cultures et les vergers. Cela n'empêche pas son cahors d'être typique. Cette année, deux vins et une étoile pour chacun. Élevée en cuve, cette cuvée Tradition offre un nez élégant et fruité, prélude à une bouche ample, puissante et structurée. Son côté gourmand et suave autorise une consommation immédiate. La **cuvée Prestige 2010 (8 à 11 € ; 24 000 b.)**, pur malbec élevé dix-huit mois en fût, est plus dense, plus sombre. On aime son nez franc, dont le boisé marqué ne cache pas le fruit, sa richesse et sa finesse, ses tanins serrés mais enrobés. Une bouteille d'avenir déjà flatteuse, que l'on peut attendre trois ou quatre ans.

Jean-Marie Sigaud, Haute-Borie, 46700 Soturac, tél. 05.65.22.41.80, fax 05.65.30.67.32, barat.sigaud@wanadoo.fr r.-v.

CH. HAUT-MONPLAISIR Pur Plaisir 2009 ★

6 900 20 à 30 €

L'année 2009 a été pour Cathy et Daniel Fournié celle du début de la conversion de leur domaine vers l'agriculture biologique. Pour le reste, on observe une belle continuité, notamment dans la qualité de cette cuvée Pur Plaisir, qui semble avoir pris un abonnement dans le Guide. Élevé deux ans en fût de 500 l, ce pur malbec planté sur sols caillouteux exprime bien son origine par son nez chaleureux de fruits rouges et de boisé toasté. Le cassis se dévoile dans un palais rond et gras, bien charpenté, à la finale épicée. Une certaine fermeté en finale invite à patienter un an pour apprécier cette bouteille à son optimum.

Ch. Haut-Monplaisir, Daniel et Cathy Fournié, 46700 Lacapelle-Cabanac, tél. 05.65.24.64.78, fax 05.65.24.68.90, chateau.hautmonplaisir@wanadoo.fr

t.l.j. sf sam. dim. 9h-12h 14h-18h

CH. LACAPELLE CABANAC Malbec original 2010 ★

n.c. 15 à 20 €

Néo-vignerons venus du monde de l'informatique et du marketing, Thierry Simon et Philippe Vérax ont jeté en 2001 leur dévolu sur ce vignoble implanté en plein causse, à quelque distance du fleuve. D'emblée, ils l'ont conduit en biodynamie (certification en 2005). Cette année, les deux cuvées phares, élevées deux ans, ont été retenues. Ce Malbec original, qui n'a pas connu le bois, se distingue par sa complexité ; on y trouve beaucoup de fruits, évidemment : des fruits noirs bien mûrs, du pruneau... et aussi du cacao, des épices, de la fougère et du sous-bois. La bouche ronde, structurée par des tanins denses, un peu fermes en finale, offre une note de truffe. Ce vin de caractère mérite d'attendre un à deux ans, voire cinq. Cité, le **Malbec XL (11 à 15 €)**, élevé en fût, mêle au fruité un boisé torréfié aux nuances de café. Sa matière ample indique un bon potentiel de garde, même si ses tanins soyeux le rendent déjà séduisant.

Ch. Lacapelle Cabanac, Le Château, 46700 Lacapelle-Cabanac, tél. 05.65.36.51.92, contact@lacapelle-cabanac.com

t.l.j. 14h-18h; sam. dim. sur r.-v.

Simon et Vérax

CH. LAGRÉZETTE 2009 ★★

80 000 20 à 30 €

Lagrézette est de tous les guides, non seulement en raison de son architecture, caractéristique du manoir quercynois avec ses tours en poivrière, ses toits pentus, ses fenêtres à meneaux et surtout son pigeonnier, mais aussi pour son beau domaine viticole (83 ha), exploité depuis le début du XVIe s. À la tête d'un empire du luxe, Alain-Dominique Perrin l'a racheté en 1980 et en a restauré le bâti comme le vignoble. Ses vins collectionnent les étoiles. Ce malbec, complété de merlot et de tannat, arbore la robe profonde du *black wine*. Exubérant et complexe au nez, il mêle le cassis, le Zan, le menthol à un boisé épicé et toasté légué par l'élevage de dix-huit mois en barrique. En bouche, il dévoile une grande matière, avec du gras, de l'ampleur, des tanins déjà bien enrobés. Il serait cependant dommage de ne pas attendre cette bouteille au moins deux ans... voire dix. La cuvée **Le Pigeonnier 2009 (75 à 100 € ; 3 500 b.)**, de garde également, obtient une étoile pour son boisé complexe et son palais charnu, ample et imposant.

SCEV La Grézette, Dom. de Lagrézette, 46140 Caillac, tél. 05.65.20.07.42, fax 05.65.20.06.95, cblanc@lagrezette.fr

t.l.j. 10h-12h 14h-18h; f. jan.

Alain-Dominique Perrin

CH. LAMARTINE Expression 2010 ★★

25 000 20 à 30 €

Pour être excentrée, la propriété d'Alain Gayraud, située aux confins du Lot-et-Garonne, propose des cuvées qui atteignent généralement le centre de la cible : des étoiles à foison, quatre coups de cœur. On retrouve les deux cuvées phares de l'exploitation, issues de vignes âgées de près d'un demi-siècle. Pur malbec né sur argilo-calcaire et élevé vingt mois en fût de chêne neuf, ce 2010 coloré offre une palette aussi fine que complexe, où le cassis et le kirsch se mêlent à un boisé torréfié évoquant le moka. En bouche, il développe une grande matière, charnue, puissante, étayée par des tanins soyeux. La longue finale se distingue par sa finesse et sa fraîcheur. On attendra cette bouteille trois à cinq ans avant de la servir sur du gibier à plume, une volaille de fête ou du laguiole. Expression du « style maison », la **Cuvée particulière 2010 (8 à 11 € ; 100 000 b.)** comprend 10 % de tannat aux côtés du malbec ; elle séjourne quatorze mois en barrique. Elle est citée pour son nez de cerise à l'alcool et de cacao, et pour sa bouche puissante qui demande, elle aussi, de la patience (deux ans au moins).

SCEA Ch. Lamartine, Lamartine, 46700 Soturac, tél. 05.65.36.54.14, fax 05.65.24.65.31, chateau-lamartine@wanadoo.fr
t.l.j. 9h-12h 14h-18h30; dim. sur r.-v.
Alain Gayraud

LANNAC SAINT-JEAN G (sol) 2010 *

	40 000		5 à 8 €

Ce négoce récent (2010) est né de l'association de deux jeunes vignerons cadurciens : Fabien Jouves (Mas del Périé) et Emmanuel Rybinski (Clos Troteligotte). Leur ambition : créer un « négoce équitable » valorisant l'environnement et le travail des vignerons. Leurs cuvées portent des noms de notes de musique pour souligner la recherche de l'accord parfait entre le cépage et le terroir. Le vin ? Une robe grenat profond, un bouquet complexe de cerise confite, de violette, de pruneau, une bouche bien structurée offrant un joli prolongement au nez avec ses arômes de framboise et de violette soulignés par une finale fraîche. À servir dès maintenant ou à attendre un peu (deux ou trois ans).

Lannac Saint-Jean, Le Poujols, 46090 Villesèque, tél. 06.86.66.10.74, fax 05.65.53.12.13, lannacsaintjean@hotmail.fr
Emmanuel Rybinski et Fabien Jouves

MAS DEL PÉRIÉ Les Acacias 2010 **

	10 000		20 à 30 €

Jeune vigneron, Fabien Jouves s'est installé en 2006 sur ce domaine implanté à quelque distance de la rivière sur les plus hauts coteaux de l'appellation, non loin des coteaux-du-quercy. Sa démarche ? Biodynamie (en conversion) et sélection parcellaire, pour exprimer toutes les facettes du malbec. Cette cuvée est ainsi née sur terres rouges. Après un séjour de près de deux ans sous bois, elle affiche une robe profonde presque noire, un nez complexe mariant les fruits noirs, le kirsch et des notes subtiles d'élevage : épices (cannelle), café et toast. Dans le même registre, le palais est gras, à la fois dense et moelleux, de belle longueur. Ses tanins soyeux permettront d'apprécier cette bouteille prochainement, tout en autorisant une garde de dix ans. Déjà agréable, la cuvée **La Roque 2010 (11 à 15 € ; 20 000 b.)** provient de terrains argilo-calcaires caillouteux et d'un élevage mi-cuve mi-fût. Elle obtient une étoile pour son fruité gourmand évoquant la cerise à l'alcool légèrement vanillée et pour sa bouche ample, bien équilibrée, à la finale cacaotée.

Mas del Périé, Le Bourg, 46090 Trespoux-Rassiels, tél. 06.86.66.10.74, fax 05.65.30.18.07, masdelperie@wanadoo.fr t.l.j. 9h-12h 14h-19h
Fabien Jouves

CH. DE MERCUÈS 2010 *

	70 000		15 à 20 €

Dominant la vallée du Lot de son promontoire, le château de Mercuès garde de son passé médiéval son profil aigu et ses tours en poivrière. L'intérieur, confortable, est celui d'un hôtel « relais et châteaux ». Georges Vigouroux, qui l'a acheté en 1987, est un pionnier de l'œnotourisme. Le vignoble (36 ha) est complanté des trois cépages de l'appellation : malbec (85 %), merlot et tannat. Son vin se présente dans un bel écrin pourpre profond. Au nez, il allie les fruits noirs à un boisé toasté. La bouche réglissée, mentholée, ample et charpentée demande deux à trois ans de patience. En attendant, on pourra déboucher **Le Vassal de Mercuès 2009 (8 à 11 € ; 26 000 b.)**, élevé en cuve, un vin concentré, généreux, aux arômes typiques de fruits rouges et de menthol et aux tanins déjà bien fondus. Il obtient également une étoile. Quant au **Ch. Lafleur de Haute-Serre 2009 (5 à 8 € ; 230 000 b.)**, il est cité. Provenant du Ch. Haute-Serre, acquis par G. Vigouroux dès 1970 (et doté lui aussi d'un restaurant), ce cahors n'a pas connu le bois. Il est fait pour maintenant, avec son nez de cerise et d'épices, et sa bouche fraîche aux tanins arrondis.

GFA Georges Vigouroux, Ch. de Mercuès, 46090 Mercuès, tél. 05.65.20.80.80, fax 05.65.20.80.81, vigouroux@g-vigouroux.fr
t.l.j. sf lun. 10h-12h 14h30-19h; f. nov.-mars

MÉTAIRIE GRANDE DU THÉRON Tradition 2010 **

	69 000		5 à 8 €

Fidèle au rendez-vous du Guide, un domaine de 100 ha, dont 32 ha de vignes plantées sur la troisième terrasse du Lot aux sols argilo-calcaires. Il est géré par les deux frères Sigaud. Au chai, Sébastien, œnologue. Cette année, la cuvée Tradition, pur malbec élevé dix-huit mois en cuve, est un « vin de plaisir » accompli. D'un grenat sombre aux reflets rubis, elle offre un nez typique, complexe et flatteur de fruits noirs surmûris, de prune rouge et de violette. Souple à l'attaque, ample en bouche et fraîche en finale, avec un joli retour des fruits noirs relevés d'épices, elle accompagnera dès aujourd'hui toutes les viandes rouges.

Liliane Barat-Sigaud, Métairie Grande du Théron, 46220 Prayssac, tél. 05.65.22.41.80, fax 05.65.30.67.32
t.l.j. 9h-12h 14h-17h

MONTLAUR 2010 *

	68 000		- de 5 €

Patrick Laur s'est associé en 2009 avec son fils Ludovic pour conduire l'exploitation familiale implantée dans un petit village du causse, à l'ouest de Cahors. Avec cette cuvée, ces vignerons nous proposent un pur malbec élevé douze mois en cuve ; un vin très accessible – dans tous les sens du terme. Entre pourpre et grenat, ce 2010 libère des parfums nets et friands de cerise et de prune relevés de poivre. On retrouve les épices dans une bouche souple, ronde et suave, dont la structure met en valeur l'expression aromatique, dominée par la violette. Pour accompagner tout un repas, dès aujourd'hui.

Patrick et Ludovic Laur, Le Bourg, 46700 Floressas, tél. 05.65.31.95.61, fax 05.65.31.95.64, vignobleslaur@orange.fr r.-v.

CH. NOZIÈRES 2009 *

	32 000		- de 5 €

Dans la famille depuis les années 1950, cette exploitation, qui couvre aujourd'hui plus de 50 ha, est gérée depuis 2006 par Olivier Guitard, œnologue. Pour obtenir ce cahors, ce dernier assemble au malbec 20 % de merlot, privilégiant la rondeur et l'expression fruitée. L'élevage se prolonge vingt-quatre mois, sans apport boisé. D'un rubis

SUD-OUEST

soutenu à reflets violines, le vin offre un nez montant, sur les fruits rouges, la griotte, le guignolet, avec une touche réglissée. Bien construit, il fait preuve en bouche d'une belle fraîcheur qui met en valeur ce panier de fruits. Ses tanins fondus permettent de le servir dès maintenant avec une volaille, par exemple.

EARL de Nozières Maradenne-Guitard, Bru, 46700 Vire-sur-Lot, tél. 05.65.36.52.73, fax 05.65.36.50.62, chateaunozieres@wanadoo.fr
t.l.j. 8h-12h 14h-19h; dim. sur r.-v.

DOM. LE PASSELYS Prestige Élevé en fût de chêne 2010 ★

■ 10 000 8 à 11 €

Ancien port sur le Lot, Douelle a connu un regain de notoriété lorsqu'un enfant du pays, Didier Chamizo, a peint sur ses quais une fresque dédiée au vin de Cahors, qui passe pour la plus longue d'Europe. Installés aux environs, les Baudel perpétuent une tradition viticole remontant au XVIIe s. Le jury a retenu deux de leurs cuvées, ce qui représente une fraction importante de la production du domaine (7,5 ha). Cette cuvée Prestige a séjourné un an en fût. Sa palette aromatique se partage entre les fruits noirs, la réglisse et le café. Sa structure riche et la finesse de ses tanins lui valent une étoile. Élevée en cuve, la cuvée **Tradition 2010 (5 à 8 €; 15 000 b.)** est un vin pour maintenant, cité pour sa complexité aromatique (cassis confit, pruneau, fruits rouges, poivre, menthol), sa rondeur et son côté gourmand.

Thierry et Marie-Hélène Baudel, La Prade, 46140 Douelle, tél. 05.65.20.05.76, contact@lepasselys.com
r.-v.

DOM. PÉJUSCLAT Tradition 2009 ★

■ 6 000 5 à 8 €

Trois générations se côtoient sur ce domaine situé au sud de l'appellation. Après l'installation de Guillaume Bessières en 2002, un nouveau chai a été construit. A-t-il permis à la propriété de faire son entrée dans le Guide ? Toujours est-il que cette petite cuvée de vieux malbec est un vin authentique, ancré dans le terroir, qui traduit un raisin bien choyé. Elle revêt une robe profonde tirant sur le violet. Son nez exubérant et gourmand marie la fraise écrasée, le kirsch et le poivre blanc. La cerise à l'eau-de-vie s'allie aux fruits noirs dans une bouche tout en souplesse et en fraîcheur. Ce 2009 accompagnera pendant cinq ans toutes sortes de viandes.

Guillaume Bessières, Péjusclat, 46090 Villesèque, tél. 06.83.80.01.46, pejusclat.guillaume@live.fr
t.l.j. sf dim. 9h-12h 14h-19h

♥ **CH. PINERAIE** L'Authentique 2010 ★★

■ 17 000 15 à 20 €

À la Pineraie (qui n'était alors que « domaine »), un cahors 1982 obtint trois étoiles dans la première édition du Guide. Depuis dix ans, Anne et Emmanuelle ont rejoint leur père Jean-Luc sur ce beau domaine de 50 ha, fondé il y a juste cent cinquante ans (1862). La qualité perdure, à en juger par cette cuvée qui décroche son deuxième coup de cœur (après le 2005). Le fleuron de la gamme, produit de vieilles vignes de malbec vendangées à la main et d'un élevage de dix-huit mois en fût. Le 2010, grenat sombre, s'annonce par un nez bien ouvert et complexe où les nuances de l'élevage respectent le fruit. Solidement construite, la bouche apparaît ample, concentrée et persistante, étayée par des tanins serrés qui laissent augurer un réel potentiel. On pourra cependant ouvrir prochainement cette bouteille sur le traditionnel confit ou sur une belle entrecôte. La **cuvée principale 2010 (8 à 11 €; 150 000 b.)** comprend 15 % de merlot. À la fois puissante, concentrée et enrobée, elle obtient elle aussi deux étoiles pour la finesse de son boisé bien marié au fruit, pour son côté croquant et son remarquable équilibre.

Burc, Leygues, 46700 Puy-l'Évêque, tél. 05.65.30.82.07, fax 05.65.21.39.65, chateaupineraie@wanadoo.fr
t.l.j. sf sam. dim. 9h-12h 14h-18h

CH. PLAT FAISANT Cuvée de l'Ancêtre Élevé en fût de chêne 2009 ★★

■ 12 000 15 à 20 €

La cuvée de l'Ancêtre de Serge Bessières et Caroline Dumond est une valeur sûre du Guide. Ce pur malbec né sur argilo-calcaires, enrichi d'un léger élevage en barrique, séduit par sa belle qualité aromatique, associant au nez un fruité gourmand à des notes de moka et de vanille. Le bois apparaît également bien intégré au palais, où la matière est à la fois fraîche, onctueuse, souple et persistante. Notée une étoile, la **cuvée des Générations 2009 Élevé en fût de chêne (8 à 11 €; 12 000 b.)** doit, elle aussi, tout au malbec. On aime son nez fruité, épicé et mentholé, légèrement vanillé, les belles rondeurs de sa bouche et sa finale sur le cassis et la vanille. Deux vins charmeurs faits pour les prochaines années.

Serge Bessières, Les Roques, 46140 Saint-Vincent-Rive-d'Olt, tél. 05.65.30.76.38, fax 05.65.30.76.10, chateauplatfaisan@wanadoo.fr
r.-v. E

CH. PONZAC Maintenant Cahors 2009 ★★

■ 10 000 5 à 8 €

On avait déjà goûté les cuvées de garde du domaine, nommées « Éternellement » et « Patiemment ». Avec ce cahors « Maintenant », Mathieu Molinié affiche le programme : ce 2009 issu de pur malbec, élevé en cuve, est destiné au plaisir immédiat. C'est dès à présent et dans le courant des prochaines années que l'on appréciera ce vin coloré aux reflets pourpres, au nez intense de cerise macérée, de groseille et de violette, nuancé de notes réglissées et épicées (poivre). Franche à l'attaque, souple et élégante, la bouche finit sur un joli retour du fruit rouge et de la violette. Une bouteille à inviter sans façons, sur des brochettes par exemple.

Mathieu Molinié, Le Causse, 46140 Carnac-Rouffiac, tél. 06.07.86.49.43, chateau.ponzac@wanadoo.fr
t.l.j. 8h-19h

CH. DU PORT Tertre Perdigous 2010 ★

■	68 000	▮	5 à 8 €

Les trois frères Arnaud, Didier et Francis Pelvillain gèrent ensemble plusieurs vignobles (36 ha en tout) ainsi qu'une structure de négoce. Les jurés ont retenu deux de leurs cahors ; de purs malbecs élevés en cuve et destinés au plaisir immédiat. Né dans un méandre du Lot, celui-ci charme d'emblée par son fruité aux nuances de cerise cuite, de fraise et de cassis, accompagné d'une touche de menthol. Un côté gourmand que l'on retrouve dans une bouche souple aux beaux arômes de fruits noirs. Avec le **Gariottin Sélection 2010 (84 000 b.)**, une étoile, la propriété se flatte d'offrir le vin qui désaltérait jadis les vignerons quand ils se reposaient dans leurs gariottes, ces cabanes rondes de pierre sèches... Cette cuvée offre sûrement moins d'aspérités que la piquette des ancêtres. On apprécie la franchise de ses arômes, ses tanins arrondis et sa longue finale sur les fruits cuits.

Pelvillain,
Ch. du Port, GAEC de Circofoul, Circofoul, RD 9, 46140 Albas,
tél. 05.65.20.13.13, fax 05.65.30.75.67,
pelvillainfreres@orange.fr t.l.j. 8h30-12h 14h-18h

LES CARRALS DU CH. QUATTRE 2010 ★★

■	17 000	◖◗	15 à 20 €

Établi en Quercy blanc, ce vignoble de 65 ha est implanté sur les plus hautes terrasses de l'appellation, au sud de l'AOC. Il a été acheté fin 2008 par une société rattachée au groupe bordelais Ginestet. Issu du lieu-dit Les Carrals, ce pur malbec, élevé dix-huit mois en fût de 500 l, confirme ses bonnes dispositions révélées par le millésime précédent. Intense dans le verre, il mêle au nez le cassis, le pruneau et une touche minérale. Souple à l'attaque, équilibré et gourmand, le palais met en valeur le fruit, mêlé de notes de réglisse et de torréfaction. La finale un peu ferme garantit un bel avenir à cette bouteille que l'on peut ouvrir maintenant, en la carafant, ou attendre cinq ans.

SCEA Saint-Seurin, Ch. Quattre, 46800 Bagat-en-Quercy,
tél. 05.65.36.91.04, fax 05.65.36.96.90,
chateauquattre@orange.fr
t.l.j. sf sam. dim. 8h-12h 13h-19h
Vignoble de Terroirs

CH. RÉCÈS 2010 ★★

■	20 000	▮	8 à 11 €

Le Ch. Récès est une étiquette des vignobles Chambert implantés sur le plateau quercynois. Un manoir aux tours « néo » (fin du XXe s.), mais un domaine d'origine très ancienne. Philippe Lejeune, qui l'a repris en 2007, a restructuré son vignoble qu'il cultive en biodynamie – la conversion est en cours. Le jury a retenu deux cuvées ; l'une comme l'autre comprennent un appoint de merlot à côté du malbec. Vin accompli et « moderne », ce Ch. Récès charme d'emblée par son joli bouquet qui s'épanouit à l'aération, mêlant la mûre et la cerise burlat à des touches de menthol. Dans une belle continuité, la bouche évolue avec suavité sur des tanins polis avant d'offrir une finale acidulée sur les petits fruits rouges. Déjà très plaisant, ce 2010 saura aussi attendre. Le **Ch. de Chambert 2010 (11 à 15 €; 50 000 b.)** demande plus de patience pour permettre à son bouquet de s'affirmer et à ses tanins de s'affiner.

Vignobles Chambert, Les Hauts-Coteaux,
46700 Floressas, tél. 05.65.31.95.75, fax 05.65.31.93.56,
info@chambert.com
t.l.j. sf sam. dim. 9h-12h30 14h-17h
Lejeune

CH. LA REYNE Grande Réserve
Élevé en fût de chêne 2010 ★

■	60 000	▮◖◗	5 à 8 €

Implantée à Puy-l'Évêque, très beau village de la vallée du Lot, cette propriété familiale reprise par Johan Vidal il y a quinze ans dispose d'une trentaine d'hectares. Sa Grande Réserve doit presque tout au malbec, ne comptant qu'un soupçon de tannat. Élevée au moins vingt mois, elle associe des vins élaborés en cuve et en fût. Cet assemblage lui donne une belle complexité. La barrique n'a rien d'envahissant, et le fruit noir s'exprime à loisir. La bouche dévoile une matière solide, ample et riche, étayée par des tanins de qualité. Le côté boisé se révèle discrètement dans les nuances de réglisse et de café perçues en finale. Ce vin d'avenir accompagnera dès maintenant des viandes rouges grillées.

SCEA Ch. la Reyne, Leygues, 46700 Puy-l'Évêque,
tél. 05.65.30.82.53, fax 05.65.21.39.83,
chateaulareyne@cegetel.net
t.l.j. sf sam. dim. 9h-12h 14h-18h
Johan Vidal

RIGAL Contes et légendes 2010 ★

■	40 000	◖◗	- de 5 €

Les origines de la maison remontent au milieu du XVIIIe s. et à la propriété de Saint-Didier-Parnac. Depuis 2003, Rigal est une structure de négoce d'importance régionale, adossée au groupe AdVini. Cette année, nos jurés ont retenu deux cuvées avec une étoile pour chacune. La plus facile d'accès est celle-ci, issue de plusieurs terroirs de terrasses alluviales, qui vise l'expression du malbec. Le nez, sur les petits fruits, annonce une bouche souple aux tanins fondus. L'élevage sous bois se manifeste dans le côté empyreumatique de la finale. La cuvée **Les Pierres blanches 2009 (11 à 15 € ; 5 800 b.)**, issue d'une sélection parcellaire, provient d'un terroir où abondent les éboulis calcaires (d'où son nom). Plus riche et plus complexe, elle mêle le cassis et la myrtille surmûris, voire confits ou macérés, au pruneau, à la vanille et à une touche de torréfaction. Puissante et suave, ample et veloutée, elle montre aussi une pointe de chaleur, qui l'a empêchée d'atteindre les sommets de ses devancières des Terres rouges. Elle n'en est pas moins fort agréable et pourra se déguster dès maintenant tout en étant apte à attendre cinq ans au moins.

Rigal, Ch. Saint-Didier Parnac, 46140 Parnac,
tél. 05.65.30.70.10, fax 05.65.20.16.24, marketing@rigal.fr

SUD-OUEST

CH. DES ROCHES Le Serment 2009 ★

■	4 500	◖◗	15 à 20 €

Sur les étiquettes de Jean Labroue, un bonnet phrygien et des références révolutionnaires. Ce domaine couvrant environ 13 ha dans la vallée du Lot se distingue régulièrement par des cuvées ambitieuses issues de longs élevages – comme ce Serment, qui tient encore ses promesses. Le malbec, après une macération de cinq semaines et un séjour de deux ans en fût de chêne neuf, a donné un vin « noir » aux reflets aubergine. Le nez gourmand mêle le fruit noir à un boisé complexe nuancé de parfums évoquant le petit déjeuner : brioche, moka, chocolat, grillé... Tout aussi complexe, la bouche est appréciée pour sa chair et son volume. Un vin généreux, que les amateurs de vins très boisés pourront déguster prochainement en le carafant. Les autres l'attendront deux ans.

Jean Labroue, Les Roches, 46220 Prayssac, tél. 06.80.36.20.52, fax 05.65.30.83.53, chateaudesroches@wanadoo.fr
t.l.j. 9h-13h 15h-20h (été); hiver sur r.-v.

CH. DE ROUFFIAC La Passion
Élevé en fût de chêne 2010 ★

10 000 — 8 à 11 €

Pascal et Olivier Pieron détiennent 60 ha de vignes, dont ce Ch. de Rouffiac (40 ha), situé sur les hauteurs de Duravel, dans la vallée du Lot. Leurs vins sont aujourd'hui distribués par la maison Rigal. La cuvée Passion n'est pas une inconnue de nos lecteurs. Après un élevage d'un an en barrique, c'est un vin séducteur, tout en nuances, mêlant la mûre aux notes vanillées et empyreumatiques d'un boisé bien intégré. La réglisse vient compléter cette palette dans une bouche suave étayée par des tanins déjà enrobés, plus fermes en finale. Agréable dès maintenant, ce 2010 évoluera dans le bon sens pendant plusieurs années.

SCEA PO Pieron, Ch. de Rouffiac, 46700 Duravel, tél. 05.65.36.54.27, fax 05.65.36.44.14, vignoblespieron@orange.fr r.-v.

CH. SAINT-DIDIER-PARNAC Tradition 2010 ★★

105 000 — 5 à 8 €

Domaine de la famille Rigal, présente dans la région depuis le milieu du XVIIIe s. Développé par Jean-Marie Rigal à partir des années 1950, il est aujourd'hui géré par Franck, tandis que David est l'œnologue. Les vins, où le merlot entre à hauteur de 30 % à côté du malbec, font preuve d'une belle régularité. Cette cuvée Tradition, après un élevage de dix-huit mois en cuve, affiche une robe très dense, presque noire, aux reflets grenat. Le nez intense, complexe, évoque les fruits mûrs, voire surmûris ou confits : le cassis y voisine avec le pruneau et avec ces notes typiques de violette et d'épices. La bouche est équilibrée, tendue et fraîche ; on y retrouve les arômes de fruits noirs du nez, qui prennent en finale des tons réglissés. C'est un vin pour les prochaines années, qui devrait former un bon accord avec un canard au pruneau. Issu d'un autre vignoble des Rigal, le **Prieuré de Cénac Mission 2010 (1 450 000 b.)** est un bon cahors pour aujourd'hui, qui n'a rien de confidentiel ! Il est cité pour ses arômes de fruits noirs, de prune et de poivron épicé et pour son palais équilibré, à la fois rond et frais.

SCEA Ch. Saint-Didier-Parnac, Ch. Saint-Didier, 46140 Parnac, tél. 05.65.30.78.13, fax 05.65.36.76.40
r.-v.
Famille Rigal

DOM. DES TROIS CAZELLES Cuvée Tradition 2009 ★

11 000 — 5 à 8 €

Trespoux veut dire « Troits puits ». On trouve ces points d'eau sur ce village du causse. Sans doute découvrirait-on aussi dans les environs trois cazelles, ces petits abris circulaires de pierre sèche qui parsèment les campagnes quercynoises. À quelque distance du Lot, les ceps s'insinuent sur le plateau. Francis et Martine Pouderoux y cultivent leur vignoble en conversion au bio. Leur cuvée Tradition (80 % malbec, 20 % merlot) est un vin authentique dont le fruité traduit une grande maîtrise de la vendange et de l'élevage en cuve. Complexe et croquant, le nez évoque les petits fruits des bois, la fraise sauvage et la mûre, avec une touche de menthe. Sans doute la matière est-elle un peu légère, mais les tanins soyeux laissent une impression d'élégance : une bouteille à la fois « sympathique et raffinée », « traditionnelle et moderne », pour les trois prochaines années.

Francis et Martine Pouderoux, Dom. des Trois Cazelles, 46090 Trespoux-Rassiels, tél. et fax 05.65.30.05.17, francis-pouderoux@wanadoo.fr
t.l.j. 9h-12h 14h-18h

VARUA MAOHI Mana 2010 ★

50 000 — 8 à 11 €

Un nom exotique pour ce cahors honorant la Polynésie, terre d'origine de Heifara Swartvagher, fils de restaurateur, marié à Anne Cavalié, fille de vigneron. Le premier était éducateur spécialisé, la seconde, professeur. Le couple a finalement décidé de perpétuer l'exploitation familiale. Le vin est bien cadurcien par sa couleur grenat sombre et dense, et par son bouquet de fruits rouges et noirs très mûrs, de prune et de violette. On retrouve la violette, alliée au pruneau, dans une bouche structurée sans agressivité, aux tanins serrés mais policés. Un cahors sur la rondeur, homogène et plaisant, à servir maintenant ou dans trois ans.

Swartvagher-Cavalié, Les Tuileries, 46140 Parnac, tél. 05.65.20.13.26, fax 05.65.30.79.88, jms@chateau-st-sernin.com
t.l.j. sf sam. dim. 9h-12h 13h30-18h30

CH. VINCENS Origine 2009 ★

40 000 — 5 à 8 €

Isabelle Vincens et son frère Philippe ont repris il y a une dizaine d'années l'exploitation familiale qui élabore son vin depuis la génération précédente. Ils ont soumis aux jurés une nouvelle cuvée incorporant 10 % de merlot (90 % malbec), élevée quinze mois en barrique. Le vin a tiré de ce séjour dans le chêne une robe sombre, grenat soutenu à reflets rouges, un nez associant les fruits noirs à la torréfaction. On retrouve en bouche ces notes d'élevage aux nuances de vanille et de café au sein d'une matière plaisante par sa rondeur, marquée par une agréable sucrosité. Quelques mois de patience et l'on pourra apprécier ce 2009 sur un gigot d'agneau du Quercy.

Ch. Vincens, Foussal, 46140 Luzech, tél. 05.65.30.51.55, fax 05.65.20.15.83, contact@chateauvincens.fr
t.l.j. 10h-19h

DOM. DE VINSSOU Falhial 2010 ★

5 000 — 11 à 15 €

Il y a cinq ans, Isabelle Delfau a repris l'exploitation familiale (13 ha), qui fait preuve d'une belle continuité dans la qualité. Cette cuvée, déjà très réussie dans le millésime précédent, a pour nom celui de la parcelle d'où elle provient, située à un point élevé du vignoble, sur la troisième terrasse du Lot. De même style que sa devancière, elle met en valeur l'expression aromatique, l'élégance et la rondeur. La couleur de la robe évoque la tulipe noire ; quant au nez, intense et complexe, il ferait plutôt penser à la violette ; on y trouve aussi du cassis écrasé, de

la fraise confite, du menthol. La bouche, dans le même registre, conjugue rondeur et fraîcheur. La finale tannique suggère d'attendre cette bouteille un an ou deux.
Rivier Delfau, Dom. de Vinssou, 485, rue du Castagnol, 46090 Mercuès, tél. 05.65.30.99.91, vinssou.cahors@wanadoo.fr
t.l.j. 10h-20h (été) 17h-20h (hiver); jan. sur r.-v.

Coteaux-du-quercy

Superficie : 300 ha
Production : 13 290 hl

Située entre Cahors et Gaillac, la région viticole du Quercy s'est reconstituée assez récemment. Mais, comme dans toute l'Occitanie, la vigne y était cultivée dès l'Antiquité. La viticulture connut cependant plusieurs périodes de reflux. Elle pâtit notamment, au Moyen Âge, de la prépondérance de Bordeaux, puis au début du XXe s., du poids du Languedoc-Roussillon. La recherche de la qualité, qui s'est manifestée à partir de 1965 par le remplacement des hybrides, a conduit à la définition d'un vin de pays en 1976. Peu à peu, les producteurs ont isolé les meilleurs cépages et les meilleurs sols. Ces progrès qualitatifs ont débouché sur l'accession à l'AOVDQS en 1999. Le territoire délimité s'étend sur 33 communes des départements du Lot et du Tarn-et-Garonne. Le 31 décembre 2011, la catégorie des AOVDQS a disparu et les coteaux-du-quercy ont été reconnus en AOC.

Rouges et rosés, les coteaux-du-quercy assemblent le cabernet franc, cépage principal pouvant atteindre 60 %, et les tannat, cot, gamay ou merlot (chacune de ces variétés à hauteur de 20 % maximum).

BESSEY DE BOISSY 2010 ★★

40 000 - de 5 €

La coopérative de Montpezat signe un superbe 2010, qui frôle le coup de cœur et obtient les louanges des dégustateurs : robe sombre du plus bel effet, tendance cerise burlat ; nez complexe et frais sur les fruits noirs, les épices, la pivoine et le menthol ; attaque nette et précise, prélude à un palais ample, rond et riche, aux tanins mûrs et veloutés. « Un vin pur et élégant », résume un dégustateur. Il est prêt, mais peut aussi attendre trois à cinq ans.
Vignerons du Quercy, RN 820, 82270 Montpezat-de-Quercy, tél. 05.63.02.03.50, fax 05.63.02.00.60, lesvigneronsduquercy@wanadoo.fr
r.-v.

DOM. DE LA GARDE 2010 ★

7 500 5 à 8 €

Cabernet franc (60 %), malbec et merlot composent une cuvée d'un rouge sombre presque noir, au nez intense de fruits cuits (cerise) et d'épices (poivre, muscade) relevé par une pointe minérale. Le palais, rond et plein, goûteux et chaleureux, offre une mâche consistante et des arômes persistants de réglisse, de cacao et de fruits compotés. À boire dans les deux ou trois prochaines années sur un rôti de porc, par exemple.
Jean-Jacques Bousquet, Le Mazut, 46090 Labastide-Marnhac, tél. et fax 05.65.21.06.59, contact@domainedelagarde.com
t.l.j. sf dim. 9h-12h 14h-18h30

DOM. DE GUILLAU Tradition 2010 ★★

13 300 - de 5 €

Une valeur (très) sûre de l'appellation. Nouveauté 2012 : un espace « forme et bien-être » aménagé dans un ancien atelier. Un très bon moment en perspective avec ce 2010. D'un noir dense orné de reflets rubis, la robe est superbe. Les fruits noirs légèrement confiturés (cassis, mûre, baie de sureau) se mâtinent de nuances épicées et mentholées pour composer un bouquet charmeur en diable. Puissante, riche, ample et concentrée, la bouche offre un long écho à l'olfaction, agrémentée de notes fraîches de sous-bois. De l'harmonie à revendre et, pendant les cinq ou six prochaines années, une garde assurée. Les moins patients pourront s'en régaler dès l'automne, sur un canard rôti. Le **2011 rosé (5 300 b.)**, frais et fruité, est cité.
Jean-Claude Lartigue, Dom. de Guillau, 82270 Montalzat, tél. 06.11.86.22.04, fax 05.63.93.28.06, jean-claude.lartigue@orange.fr r.-v.

DOM. DE LAFAGE Tradition 2010

18 000 5 à 8 €

Conduit en biodynamie depuis 1994, ce domaine étend son vignoble sur 12 ha. Cabernet franc, merlot, cot et tannat s'associent pour donner ce vin grenat soutenu, qui s'ouvre à l'aération sur les fruits rouges et noirs en marmelade soulignés par un trait de réglisse. L'attaque est goûteuse, le corps ample et bien charpenté par des tanins fermes, encore un peu sévères en finale. Dans deux ou trois ans, l'harmonie devrait être au rendez-vous.
EARL Dom. de Lafage, Bernard Bouyssou, 82270 Montpezat-de-Quercy, tél. 05.63.02.06.91, fax 05.63.02.04.55, domainedelafage@free.fr r.-v.

GRAINS DE REVEL 2011 ★

7 000 - de 5 €

La relève est assurée au domaine : Mickaël, le fils de Bernard et de Claudine Raynal, a pris les rênes en 2010. Ces Grains de Revel, à dominante de cabernet franc (90 %), avec le gamay en appoint, affichent une jolie robe d'un rose pâle brillant, bien dans le ton des rosés d'aujourd'hui. Au nez, les parfums de fruits rouges sont nuancés de quelques touches florales et amyliques. La bouche, d'une aimable rondeur, souple et légère, tient bien la note fruitée, soutenue par une pointe de fraîcheur.
EARL Papyllon, La Cave de Revel, 82800 Vaïssac, tél. 05.63.30.92.97, wineofmick@yahoo.fr r.-v.
Raynal

Gaillac

Superficie : 3 923 ha
Production : 160 000 hl (65 % rouge et rosé)

Comme l'attestent les vestiges d'amphores fabriquées à Montels, les origines du vignoble gaillacois remontent à l'occupation romaine. Au XIIIe s., Raymond VII, comte de Toulouse, prit à son endroit un des premiers décrets d'appellation contrôlée, et le poète occitan Auger Gaillard célébrait déjà le vin pétillant de Gaillac bien avant l'invention du champagne. Le vignoble se répartit entre les premières côtes, les hauts coteaux de la rive droite du Tarn, la plaine, la zone de Cunac et le pays cordais.

Les coteaux calcaires se prêtent admirablement à la culture des cépages blancs traditionnels comme le mauzac, le len-de-l'el (loin-de-l'œil), l'ondenc, le sauvignon et la muscadelle. Les zones de graves sont réservées aux cépages rouges, duras, braucol ou fer-servadou, syrah, gamay, négrette, cabernet, merlot. La variété des cépages explique la palette des vins gaillacois. Pour les blancs, on trouvera les secs et perlés, frais et aromatiques, et les moelleux des premières côtes, riches et suaves. Ce sont ces vins, très marqués par le mauzac, qui ont fait la renommée de l'appellation. Le gaillac mousseux peut être élaboré soit par une méthode artisanale à partir du sucre naturel du raisin (méthode gaillacoise), soit par la méthode traditionnelle ; la première donne des vins plus fruités, avec du caractère. Les rosés de saignée sont légers ; quant aux vins rouges, s'ils sont souvent gouleyants, notamment lorsqu'ils sont issus de gamay, ils peuvent aussi se montrer plus charpentés et offrir un certain potentiel de garde.

CH. D'ARLUS Doux Élevé en fût de chêne 2010 ★

4 400 — 20 à 30 €

Ce vin doux issu de mauzac, s'il a de quoi surprendre par son style atypique, a su séduire notre jury. Sa robe légère montre des reflets or vert. Complexité et élégance qualifient son bouquet qui marie la poire, la reine-claude et le coing à des senteurs miellées et légèrement boisées. La bouche s'ouvre sur une impression de volume et de gras, et se prolonge en douceur vers une finale chaleureuse et expressive rappelant la nèfle, les fruits secs et les fruits au rhum. Un liquoreux vendu en bouteilles de 50 cl. Le **2011 rosé (5 à 8 € ; 10 000 b.)**, frais, amylique et floral, est cité.
Ch. d'Arlus, Les Homps, 81140 Montels,
tél. 05.63.33.15.06, fax 05.63.57.90.87,
info@chateau-d-arlus.com t.l.j. 8h-12h 13h30-17h30

♥ **CH. BALSAMINE** Un Ange passe
Méthode ancestrale 2011 ★★

11 900 — 8 à 11 €

Après avoir adhéré pendant dix ans à la coopérative, Christelle et Christophe Merle ont décidé, en 2007, de voler de leurs propres ailes en vinifiant leur production.

Ainsi vit le jour leur Château Balsamine, remarqué chaque année dans le Guide depuis sa création, et pour la deuxième fois auteur d'une cuvée élue coup de cœur. Cet effervescent né de la méthode ancestrale gaillacoise, couronné d'une mousse très fine et persistante, livre un bouquet élégant de pomme verte, de poire et de pain grillé. En bouche, le mariage de la rondeur et de la fraîcheur est une parfaite réussite ; à cet agrément s'ajoute une palette florale et fruitée d'une grande pureté qui ravira vos convives dès l'apéritif.
EARL Les Balsamines, Saint-Martin-de-Grèzes, RD 4,
81600 Gaillac, tél. 06.11.28.12.99, fax 05.63.57.11.78,
chateaubalsamine@orange.fr
t.l.j. sf dim. 9h30-12h30 14h30-19h
Christelle et Christophe Merle

DOM. BARREAU Méthode ancestrale 2011

8 000 — 8 à 11 €

Installé sur la rive droite du Tarn, au niveau des premières côtes de Gaillac, le domaine de Jean-Claude Barreau compte 35 ha de vignes, dont 6 ha de mauzac, cépage à l'origine de ce 2011 à la bulle fine et abondante. Le nez tout en fraîcheur évoque sans hésitation la pomme, un arôme prononcé qui ne sera pas démenti en bouche, souligné par un trait de citron. La saveur est légèrement douce et la matière ronde, fruitée, d'une jolie longueur.
EARL Dom. Barreau J.-C. et Fils, Boissel, 81600 Gaillac,
tél. 05.63.57.57.51, fax 05.63.57.66.37,
domaine.barreau@wanadoo.fr t.l.j. 9h-12h 14h-19h

CH. BOURGUET 2011 ★★

10 000 — - de 5 €

Composé de 21 ha de vignes exposées au soleil levant face à la cité médiévale de Cordes-sur-Ciel, le domaine conduit par Jean et Jérôme Borderies a proposé l'un des meilleurs rosés de la sélection. Vêtu d'une robe pâle et brillante, celui-ci allie dès le premier nez d'intenses notes amyliques, florales et fruitées. Parfaitement équilibré entre rondeur et fraîcheur, il ne perd rien de sa richesse aromatique en bouche, rappelant le bonbon anglais agrémenté de nuances persistantes d'agrumes. Le **2011 blanc doux (5 à 8 € ; 8 533 b.)**, riche et onctueux, est marqué par des arômes de fruits très mûrs et de miel. Il obtient une étoile.
Jean et Jérôme Borderies, Les Bourguets,
81170 Vindrac-Alayrac, tél. et fax 05.63.56.15.23,
chateaubourguet@orange.fr
t.l.j. sf dim. 9h-12h 15h-18h; dim. juil.-août 15h-18h

DOM. DE BRIN Anthocyanes 2010 ★

4 000 — 8 à 11 €

Apportés autrefois à la coopérative, les raisins de ce domaine de 10 ha sont vinifiés à la propriété depuis cinq ans par Damien Bonnet. D'une couleur particulièrement intense, presque noire, cette cuvée n'a pas volé son nom qui évoque les pigments contenus dans la peau du raisin, responsables de la teinte des vins rouges. Un nez expressif, axé sur les fruits rouges mûrs, le poivron et les épices, précède la bouche ample et riche aux tanins soyeux. Les arômes fruités, soulignés par une note poivrée, s'étirent longuement en finale. Cité, le **Brin de temps 2009 rouge (11 à 15 €; 2 960 b.)** se montre suave et charnu.

Damien Bonnet, Dom. de Brin, 81150 Castanet, tél. 06.81.50.78.14, domainedebrin@gmail.com
t.l.j. 8h-19h

CH. CANDASTRE 2011 ★

212 900 — - de 5 €

Laurent Aza, maître de chai de ce vaste domaine depuis l'an 2000, a élaboré un rosé à dominante de syrah, complété par les cépages gamay, duras et fer servadou. Une association heureuse, qui donne un vin à la robe légère égayée de reflets bleutés, au nez délicat : petits fruits rouges, fleurs et bonbon anglais. Frais et aromatique, le palais se montre très équilibré. Un rosé de plaisir, qui devrait s'entendre avec un gaspacho.

SCEA Ch. Candastre, rte de Senouillac, 81600 Gaillac, tél. 09.65.27.43.86, fax 05.63.57.22.26, laurent.aza@uccoar.com

DOM. CANTO PERLIC Petit Prestige Élevé en fût de chêne 2010 ★

2 000 — 5 à 8 €

Déjà remarqués dans la précédente édition du Guide, les Suédois Ursula et Sune Sloge continuent sur leur lancée avec l'aide de leur œnologue Arnaud Thierry, en présentant ici deux cuvées qui ont obtenu l'une comme l'autre une étoile. Vêtu de grenat intense, le Petit Prestige livre un bouquet complexe où se côtoient notes florales, fruits noirs et un boisé discret. L'attaque veloutée introduit un palais rond et souple aux tanins fondus, assez chaleureux et boisés, enrobés de fruit en finale. Un vin à boire ou à garder. Le **Bel Canto 2011 blanc sec premières-côtes élevé en fût de chêne (8 à 11 €; 1 200 b.)** séduit par sa rondeur et par ses arômes fruités et vanillés.

SCEA Canto Perlic, rte de la Ramaye, 81600 Gaillac, tél. 05.63.57.25.56, fax 05.63.57.50.91, cantoperlic@tella.com
r.-v.
Sloge

DOM. CARCENAC Jouque Viel 2010 ★

25 000 — - de 5 €

Installé au cœur du village de Montans, qui remonte à l'époque gallo-romaine, ce domaine de 70 ha est souvent présent dans le Guide pour son gaillac liquoreux. Il se démarque cette fois-ci avec un rouge né de syrah et de braucol qui s'ouvre doucement à l'aération sur des senteurs de cassis et de mûre. Le palais affiche de la souplesse, de la longueur et une belle concentration aromatique aux accents de fruits noirs. À découvrir à partir de 2013. Toujours présent à l'appel, le **Frisson d'automne 2011 blanc doux (5 à 8 €; 10 000 b.)** obtient la même note grâce à sa fraîcheur et à son fruité intense.

Dom. Carcenac, Le Jauret, 81600 Montans, tél. 05.63.57.57.28, fax 05.63.57.68.41, domaine.carcenac@orange.fr t.l.j. 8h-12h 14h-19h30

CH. CLÉMENT TERMES Cuvée Mémoire 2010 ★

20 000 — 8 à 11 €

Le braucol est à l'honneur sur le vaste domaine de la famille David : ce cépage local domine en effet les assemblages des deux vins rouges qui décrochent cette année chacun une étoile. Complété par la syrah dans cette cuvée Mémoire, il affiche une robe très dense, presque noire, et un bouquet complexe mêlant des notes florales, fruitées et boisées. Ronde et ample en attaque, la bouche se fait gourmande et laisse les tanins encore jeunes s'affirmer en finale. Une bouteille au potentiel certain, à ouvrir après deux ans de garde. La cuvée principale, le **2010 rouge (5 à 8 €; 180 000 b.)**, se montre charnue, tannique et concentrée. Elle patientera aussi un peu en cave.

EARL David, Les Fortis, 81310 Lisle-sur-Tarn, tél. 05.63.40.47.80, fax 05.63.40.45.08, contact@clementtermes.fr
t.l.j. sf dim. 9h-12h 13h-19h

DOM. LA CROIX DES MARCHANDS 2011

16 000 — 5 à 8 €

Né d'un assemblage à parts égales de syrah et de gamay, ce rosé se présente dans une robe pâle, légère, aux reflets saumon. Il montre une certaine discrétion aromatique, au nez comme en bouche, livrant quelques arômes de fruits à chair blanche et d'agrumes dont la subtilité n'est pas pour déplaire. Suave en attaque, d'un beau volume, il est équilibré par une pointe de fraîcheur en finale. Plutôt pour le repas (des grillades) que pour l'apéritif.

J.-M. et M.-J. Bezios, Dom. la Croix des Marchands, 81600 Montans, tél. 05.63.57.19.71, fax 05.63.57.48.56
t.l.j. sf dim. 9h-12h 14h-19h

DOM. DUFFAU Méthode ancestrale 2011 ★

1 714 — 8 à 11 €

Pour son premier millésime vinifié au domaine (2009), Bruno Duffau s'était particulièrement distingué dans le Guide avec un rouge élevé en fût. Il continue cette année à intéresser le jury avec ses productions encore confidentielles, notamment cet effervescent de pur mauzac au nez délicat de fleurs blanches et de pomme, légèrement citronné. En bouche, les bulles fines semblent apporter la fraîcheur nécessaire à l'équilibre de l'ensemble, tout en rondeur, et en fruit (pomme, poire), marqué par une pointe de douceur. La cuvée **2010 rouge Songes (1 200 b.)** est citée pour son caractère gourmand, à apprécier dès aujourd'hui.

Bruno Duffau, Saint-Laurent, 81600 Gaillac, tél. 05.63.58.43.13, bruno.duffau@wanadoo.fr r.-v.

DOM. D'ESCAUSSES La Vigne de l'oubli 2010 ★

17 000 — 8 à 11 €

Voici deux cuvées incontournables du domaine de la famille Balaran, présente sur le vignoble depuis huit générations. La Vigne de l'oubli, ainsi nommée en référence aux « caractères oubliés des vinifications traditionnelles conduites lentement, avec douceur », est un blanc sec ciselé d'or pâle qui mêle à l'olfaction le litchi, le citron, les amandes grillées et la vanille. Une attaque sur la vivacité introduit une bouche portée par la fraîcheur et marquée par un boisé sensible, qu'accompagnent des nuances d'agrumes. La cuvée **2010 Vendanges dorées gaillac doux (10 000 b. de 50 cl.)**, très liquoreuse et concentrée, obtient une étoile pour ses arômes de fruits confits.

SUD-OUEST

EARL Denis Balaran, Domaine d'Escausses, 81150 Sainte-Croix, tél. 05.63.56.80.52, fax 05.63.56.87.62, jean-marc.balaran@wanadoo.fr t.l.j. sf dim. 9h-19h

CAVE DE LABASTIDE

Grande Réserve des bastides Perlé 2011 ★★

120 000 - de 5 €

Originalité de l'appellation, le blanc perlé est aussi une spécialité de la cave coopérative de Marssac qui entretient avec ce produit une part de la tradition gaillacoise. Vêtu d'une robe jaune pâle aux reflets argent, cet assemblage de mauzac, de loin de l'œil et de sauvignon s'ouvre sur de riches senteurs de fruits exotiques, de pêche, d'agrumes, de fleurs blanches et de buis. Son attaque doucement perlante dévoile une matière acidulée, ronde et fraîche avec un soupçon de douceur. La palette aromatique, toujours complexe, préserve le croquant du fruit. Un vin friand à apprécier sur du poisson grillé. Autres vins de la cave, l'**Esprit de Labastide 2011 rosé (97 000 b.)** obtient une étoile pour sa fraîcheur, et le **Grain de velours 2010 rouge (8 à 11 €; 33 000 b.)**, prêt à boire, est cité.

Cave de Labastide, BP 12, 81150 Marssac-sur-Tarn, tél. 05.63.53.73.73, fax 05.63.53.73.74, commercial@cave-labastide.com r.-v.

CH. DE LACROUX Premières Côtes

Vigne de Maurival 2011 ★

6 666 5 à 8 €

Conduit par trois frères, Philippe-Xavier, Jean-Marie et Bruno Derrieux, le domaine de Lacroux offre un joli point de vue sur la Montagne Noire. Il permet aussi de découvrir de beaux vins de Gaillac, telle la cuvée **Vigne de Maurival 2010 rouge (17 000 b.)**, citée pour son fruité souple et plaisant, et ce blanc sec issu du cépage mauzac. Jaune pâle aux reflets argent, ce 2011 marie au nez des notes végétales à de subtiles sensations d'agrumes, de pêche blanche et de litchi. La bouche tout en fraîcheur offre un fruité plus affirmé. Ronde et savoureuse, elle est équilibrée par une noble amertume en finale. À essayer sur un fromage de type beaufort, aujourd'hui comme dans un an.

GAEC Derrieux Pierre et Fils, Ch. de Lacroux, Lincarque, 81150 Cestayrols, tél. et fax 05.63.56.88.88, lacroux@chateaudelacroux.com t.l.j. 9h-12h 14h-19h

DOM. DE LAMOTHE Sec 2011 ★

3 900 - de 5 €

Véronique et Alain Aurel privilégient les petits volumes pour tous les vins qu'ils mettent en bouteilles à la propriété depuis quinze ans. Celui-ci, issu de loin de l'œil et de sauvignon assemblés à parts égales, s'habille d'une robe jaune pâle et livre une palette de parfums variés, allant de la pêche au buis en passant par les fruits exotiques et la clémentine. Souple, ronde et fraîche, la bouche est plutôt bien équilibrée et dévoile une longue finale.

Dom. de Lamothe, 81140 Sainte-Cécile-du-Cayrou, tél. et fax 05.63.33.10.84, aurel.alain@wanadoo.fr r.-v.

DOM. DE LARROQUE Les Seigneurines 2010 ★★

6 000 8 à 11 €

S'il est commandé par une maison de maître du XVIIIe s. en pierre du pays, le domaine tel qu'on le connaît aujourd'hui n'existe que depuis 1995, année qui a vu débuter la restauration des bâtiments et du vignoble par la famille Nouvel. Il propose un gaillac aux senteurs de violette, de mûre et d'épices, mêlées d'une touche de bois de santal. La bouche ample et riche restitue un fruité subtil, porté dans une longue finale par une fraîcheur appréciable. Les tanins affirmés se fondront dans les années qui viennent. Toujours en rouge, le **Privilège d'antan 2010 (5 à 8 €; 12 000 b.)** obtient une étoile. Même note pour **Les Seigneurines 2010 blanc doux (11 à 15 €; 2 000 b.)** aux arômes d'agrumes et de fruits confits.

EARL Valérie et Patrick Nouvel, Larroque, 81150 Cestayrols, tél. 05.63.56.87.63, fax 05.63.56.87.40, domainedelarroque@wanadoo.fr t.l.j. 9h-12h 14h-19h; dim. sur r.-v.

CH. LASTOURS Les Graviers 2011 ★★

30 000 - de 5 €

Si les cépages blancs ne représentent qu'un quart de la surface du vignoble géré par Hubert de Faramond, ils participent activement à la réputation du domaine, le blanc sec des Graviers se distinguant régulièrement dans le Guide, avec en prime un coup de cœur dans le précédent millésime. Admirable dans sa version 2011, il libère au nez de douces notes de fruits exotiques, ainsi qu'un parfum plus frais de buis et de fleurs blanches. La bouche, à la fois ronde et friande, montre une grande richesse aromatique (pêche, melon, agrumes...) et un équilibre parfait entre gras et fraîcheur. À savourer sur un saumon mariné à l'aneth. **Les Graviers 2011 rosé (25 000 b.)** qui marient des nuances florales et fruitées obtiennent une étoile, tandis que la cuvée **Tradition 2010 rouge (5 à 8 €; 130 000 b.)** est citée.

Hubert de Faramond, Ch. Lastours, 81310 Lisle-sur-Tarn, tél. 05.63.57.07.09, fax 05.63.41.01.95, chateau-lastours@wanadoo.fr t.l.j. 9h-12h 13h30-18h

DOM. LAUBAREL 2010 ★★

10 000 5 à 8 €

Depuis son installation en 2008 sur un vignoble de 6 ha, Lucas Merlo fait des merveilles. Auteur d'une cuvée coup de cœur en blanc moelleux dans le millésime précédent, il s'est distingué cette fois-ci en rouge, avec un assemblage syrah-braucol complété d'une pointe de duras. Des fragrances très nettes de cassis et de violette s'échappent du verre, invitant à découvrir ce vin ample au fruité intense et aux tanins enveloppés, qui charme par sa rondeur et sa puissance. Prêt à boire, il pourra aussi séjourner trois ans en cave avant d'accompagner un boudin noir aux pommes.

Lucas Merlo, Dom. Laubarel, 3000, rte de Cordes, 81600 Gaillac, tél. 05.63.57.41.90, fax 05.63.57.79.48, lucas.merlo545@orange.fr t.l.j. sf dim. 8h-19h

DOM. DE LONG-PECH Cuvée Mathieu 2010 ★

n.c. 5 à 8 €

Sandra Bastide et sa sœur Marine travaillent ensemble depuis plus de dix ans sur la petite propriété familiale située à égale distance d'Albi, de Toulouse et Montauban. Elles ont privilégié le braucol (70 %) pour ce 2010 qui exprime au nez des notes caractéristiques de cassis et de poivron. Franche en attaque, la bouche déroule une matière serrée, épaulée de tanins jeunes et vigoureux, qui offre un joli retour du fruit en finale. À attendre un an.

GAEC Bastide Père et Fille,
Dom. de Long-Pech, Lapeyrière, 81310 Lisle-sur-Tarn,
tél. 05.63.33.37.22, fax 05.63.40.42.06,
contact@domaine-de-long-pech.com
t.l.j. 9h30-12h30 14h-19h, dim. sur r.-v.

MAS D'AUREL Cuvée Alexandra 2010 ★★

15 000 | 5 à 8 €

Bien connu des lecteurs du Guide, ce domaine, qui n'a pas changé de propriétaire depuis sa création en 1963, propose une très belle gamme de vins qui se déclinent dans trois styles différents. Ce gaillac rouge à la robe rubis, tout d'abord, a séduit le jury par la fraîcheur de ses arômes évoquant à la fois les baies rouges, la feuille de cassis et le poivron. La bouche agréablement fruitée se dévoile tout en souplesse, en élégance, en légèreté. Doté d'une matière croquante et d'une trame bien serrée, ce 2010 déjà plaisant profitera aussi de deux à trois années de garde. Le **2011 blanc sec (moins de 5 € ; 5 000 b.)** décroche une étoile pour son caractère fin et floral, de même que la **Cuvée Clara 2011 blanc doux (8 à 11 € ; 2 000 b.)**, un liquoreux à la palette variée (miel, écorce d'orange, gelée de coing).

Mas d'Aurel, 81170 Donnazac, tél. 05.63.56.06.39,
fax 05.63.56.09.21, masdaurel@wanadoo.fr
t.l.j. sf dim. 9h-12h 14h-19h

MAS DES COMBES 2010

30 000 | - de 5 €

Le souhait affiché de Rémi Larroque, c'est d'extraire de la couleur et du fruit au cours de la vinification de son gaillac, sans laisser les tanins prendre le dessus. De ce point de vue-là, ce 2010 est une réussite : paré d'une robe cerise intense, il offre une farandole d'arômes confiturés parmi lesquels on relève la fraise, la cerise et les petits fruits noirs. Le tout, légèrement épicé, se fond dans une bouche souple et friande aux tanins fondus. À servir dans un an ou deux sur une canette aux myrtilles.

Rémi Larroque, Mas d'Oustry, 81600 Gaillac,
tél. 05.63.57.06.13, fax 05.63.57.48.31,
larroque.remi@orange.fr t.l.j. sf dim. 9h-19h

DOM. MAS PIGNOU Cuvée Mélanie 2010 ★★

14 000 | 5 à 8 €

Situé au sommet des premières côtes de Gaillac, avec une belle vue sur la route des Bastides, ce domaine de 36 ha propose en rouge un assemblage de quatre cépages, dont 50 % de braucol. Pourpre intense, cette cuvée offre un nez très ouvert, dominé par les fruits rouges et noirs nuancés d'épices. Ces mêmes arômes donnent le ton au sein d'une bouche équilibrée, riche et ample, à la structure solide. À attendre deux ou trois ans. En effervescent, **Les Hauts de Laborie Méthode ancestrale 2011 blanc (8 à 11 € ; 14 000 b.)** obtiennent une étoile pour leur caractère doux et gourmand.

Jacques et Bernard Auque, Mas Pignou, 81600 Gaillac,
tél. 05.63.33.18.52, fax 05.63.33.11.58,
maspignou@gmail.com
t.l.j. sf dim. 10h-12h 14h-19h

CH. LES MERITZ Doux Prestige 2011 ★

90 000 | 5 à 8 €

Un assemblage classique des cépages gaillacois prisés pour l'élaboration de vins doux : loin de l'œil (70 %), mauzac (20 %) et muscadelle. Cette recette a déjà fait ses preuves dans le Guide et se révèle ici sous une robe dorée, claire et limpide. Le nez très ouvert marie à loisir les fleurs blanches, le coing, la poire, le kiwi et une touche citronnée. Le palais, franc en attaque, bien enlevé par l'acidité, évoque l'abricot sec et les agrumes. Un moelleux qui pourra s'apprécier à l'apéritif sur des toasts au foie gras.

Les Domaines Philippe Gayrel, Ravailhe,
81140 Cahuzac-sur-Vère, tél. 05.63.56.53.49,
fax 05.63.81.21.09

DOM. DES TROIS MOINEAUX 2011 ★

6 000 | - de 5 €

Pour identifier ce gaillac de la famille Verdier, il vous suffira de vous laisser guider par les trois petits oiseaux esquissés sur l'étiquette. La couleur de la robe peut aussi vous servir d'indice ; jaune pâle, elle se distingue par des reflets or vert particulièrement brillants. Le bouquet allie en harmonie les fruits exotiques, la pêche et l'abricot à une touche de bois frais. La bouche fait valoir sa rondeur et son fruité ainsi qu'une jolie fraîcheur. Les sensations boisées, assez imposantes, devraient se fondre avec une petite année de garde.

EARL Verdier-Fourure, Les Pièces Longues,
81140 Le Verdier, tél. 05.63.40.18.49,
verdier-fourure@hotmail.fr r.-v.

CH. MONTELS Doux Les Trois Chênes Élevé en fût de chêne 2009 ★★

3 600 | 8 à 11 €

Récoltées par tries successives à la mi-octobre sur un terroir calcaire, les baies de loin de l'œil et de muscadelle du domaine Montels ont donné naissance à un superbe moelleux, brillant d'or pur. Tout en subtilité, le nez livre par touches des nuances fruitées, parmi lesquelles on devine l'abricot, le coing, la compote d'agrumes ou encore le fruit de la Passion. La douceur de l'attaque annonce une bouche ample et riche au caractère gourmand, éclatante de fruit, dont la suavité est contrebalancée par une heureuse vivacité en finale. Un vin aromatique, miellé, qui joue la carte de la finesse. À réserver pour une tarte aux pommes caramélisées (bouteilles de 50 cl).

SCEV B. Montels, Burgal, 81170 Souel,
tél. 05.63.56.01.28, fax 05.63.56.15.46 r.-v.

♥ DOM. DU MOULIN Florentin 2010 ★★

3 000 | 20 à 30 €

Déjà élue coup de cœur dans le millésime 2008, cette cuvée Florentin est née du seul cépage braucol, planté pour moitié sur un terroir de graves, pour moitié sur un sol argilo-calcaire. Elle se distingue à l'œil par sa profondeur, sa densité et sa teinte presque noire aux reflets violines qui annonce un nez à la fois puissant et élégant : un mariage de fruits à l'eau-de-vie, d'épices et de réglisse, animé d'une pointe mentholée. La bouche en impose par son volume, sa concentration et son caractère charnu et structuré. Les tanins, déjà presque veloutés, soutiennent une magnifique expression réglissée et chaleureuse en finale. Une bouteille à ouvrir après deux ans de garde. Notée deux étoiles également, la cuvée **Vieilles Vignes 2009 blanc sec (5 à 8 €; 10 000 b.)** se distingue par ses arômes épicés et sa complexité due à un élevage sous bois. Le **Vieilles Vignes 2010 rouge (8 à 11 € ; 20 000 b.)** décroche une étoile. On l'attendra deux ans.

Hirissou, chem. des Crêtes, 81600 Gaillac, tél. 05.63.57.20.52, fax 05.63.57.66.67, domainedumoulin81@orange.fr t.l.j. 9h-12h 14h-19h

CH. MOUSSENS Signature 2010

■ n.c. 5 à 8 €

Le fer servadou (appelé ici « braucol ») prédomine dans l'assemblage de ce 2010, issu d'un terroir argilo-calcaire, élevé longuement en cuve. La robe reste néanmoins assez légère, annonçant un bouquet d'abord discret, qui s'ouvre à l'aération sur le poivron rouge, le cassis et la violette. Souple et ronde en attaque, la bouche au fruité plus expressif repose sur des tanins fondus. À découvrir dès la parution du Guide.

Alain Monestié, Moussens, 81150 Cestayrols, tél. 05.63.56.86.60, a.monestie@free.fr t.l.j. 9h-12h 16h-19h, sam. dim. sur r.-v.

LES SECRETS DU CH. PALVIÉ 2008 *

■ 8 000 11 à 15 €

Deux gaillac rouges du château Palvié ont obtenu une étoile. L'un comme l'autre sont issus du même assemblage : 50 % braucol, 50 % syrah ; ils se différencient par leur type d'élevage. La préférence va à cette cuvée Secrets, qui a passé quinze mois en fût et qui s'ouvre sur de riches parfums de fruits noirs bien mûrs, d'épices douces et de réglisse. Doux en attaque, le palais montre de la puissance, de la concentration et un corps solide et charpenté. Un vin de garde, à attendre un an ou deux pour plus de finesse. Élevé en cuve, le classique **rouge 2009 (8 à 11 €; 8 000 b.)** se montre élégant et fruité.

Jérôme Bézios, Ch. Palvié, 81140 Cahuzac-sur-Vère, tél. 06.80.65.44.69, jeromebezios@orange.fr

DOM. DE PIALENTOU Les Gentilles Pierres Élevé en fût en chêne 2010 *

■ 6 800 11 à 15 €

Pour leur premier millésime certifié en agriculture biologique, Agnès et Jean Gervais présentent un assemblage de quatre cépages nés sur un sol d'argiles et de graves. Paré d'une robe grenat animée de reflets violets, ce vin mêle au nez les fruits à noyau bien mûrs (cerise, pruneau), le cassis et le boisé. Le terroir argileux semble avoir apporté sa souplesse et sa fraîcheur à une bouche ample et fruitée, solidement campée sur ses tanins. Des nuances épicées confèrent à l'ensemble un caractère quelque peu exotique qu'il sera intéressant de découvrir après trois ans de garde.

SCEA du Pialentou, Dom. de Pialentou, 1661, rte de Cadalen, 81600 Brens, tél. 05.63.57.17.99, fax 05.63.57.20.51, domaine.pialentou@wanadoo.fr t.l.j. 8h-12h 14h-18h

Famille Gervais

RAIMBAULT Quintessence 2010 **

■ 26 700 8 à 11 €

Les gaillac représentent la majorité de la production de la coopérative de Rabastens, qui regroupe aujourd'hui 150 adhérents et plus de 1 200 ha. Syrah, braucol et merlot composent cette Quintessence à la robe avenante, qui livre un bouquet puissant marqué par l'élevage sous bois : fruits caramélisés, chocolat et touche de poivre. Si le bois est aussi présent en bouche, apportant des notes torréfiées et vanillées, il n'écrase heureusement pas les arômes de fruits rouges surmûris ni la rondeur de la structure. Accompagnée d'une touche de fraîcheur, la finale s'étire en longueur, gage d'un bel avenir : on attendra trois ans.

SCA Vignerons de Rabastens, 33, rte d'Albi, 81800 Rabastens, tél. 05.63.33.73.80, fax 05.63.33.85.82, jn.barrau@vigneronsderabastens.com r.-v.

CH. DE RHODES 2010 **

■ 18 000 5 à 8 €

Un site magnifique qui évoque certains paysages de Toscane, deux belles caves voûtées en brique pour accueillir le visiteur, et des vins de qualité qui ne manqueront pas de séduire, comme ce rouge 2010, superbe assemblage de duras, de syrah et de braucol, avec le prunelard et le cabernet franc en appoint, qui a participé à la finale du grand jury. Il séduit par sa robe grenat, par son bouquet intense de fruits rouges et noirs soulignés d'épices, par sa matière ample et concentrée, dont les tanins puissants sont enrobés de cassis et de touches poivrées. Un grand gaillac, à attendre deux ou trois ans avant de le servir sur un gigot d'agneau. Très liquoreux, le **blanc doux 2011 (8 à 11 €; 3 700 b.)** est cité.

Éric Lépine, Ch. de Rhodes, Boissel, 81600 Gaillac, tél. 05.63.57.06.02, fax 05.63.57.66.63, info@chateau-de-rhodes.com t.l.j. sf dim. 9h-12h 13h30-17h30; sam. sur r.-v.; f. 1er-7 août

♥ DOM. RENÉ RIEUX Doux Harmonie 2010 **

■ 15 000 5 à 8 €

S'exprimant d'une même voix, les dégustateurs du grand jury ont placé sans hésitation ce liquoreux à la première place. Derrière un habit de lumière, le len de l'el et le mauzac y trouvent leur meilleure expression, signe d'une maturité parfaite. Au nez comme en bouche, ils contribuent à une véritable explosion du fruit : notes de poire, de coing, de fruits secs ou encore d'abricot confit. La douceur et la concentration sont de mise (200 g/l de sucres résiduels) dans un palais à l'équilibre incomparable, tout en finesse. Une harmonie qui devrait sublimer un crumble aux fruits blancs ou jaunes. La cuvée **Harmonie 2010 rouge (18 000 b.)** décroche elle aussi deux étoiles. Long et fruité, ce vin peut être apprécié dès aujourd'hui.

Dom. René Rieux, 1495, rte de Cordes, 81600 Gaillac,
tél. 05.63.57.29.29, fax 05.63.57.51.71,
domaine@domainerenerieux.com
t.l.j. sf sam. dim. 9h-12h 14h-18h
Adapei 81

DOM. ROTIER Doux Renaissance 2010 ★★

	7 500		11 à 15 €

L'une des stars incontestées de l'appellation, cette cuvée Renaissance collectionne les étoiles et coups de cœur du Guide. Issue du seul len de l'el, elle ne perd rien de sa prestance avec le millésime 2010 : une robe lumineuse et brillante, une corbeille de fruits mûrs et confits à l'olfaction (coing, abricot, ananas, orange), une bouche concentrée et longuement aromatique, teintée d'un fin boisé et d'une superbe fraîcheur. Même après toutes ces sélections, on en redemande ! Plutôt svelte et expressif, exprimant un fruité gourmand et un boisé fondu, **L'Âme 2009 rouge (20 à 30 € ; 4 200 b.)** est cité.

Dom. Rotier, Petit Nareye, 81600 Cadalen,
tél. 05.63.41.75.14, fax 05.63.41.54.56,
rotier.marre@domaine-rotier.com
t.l.j. sf dim. 9h-12h 14h-19h
Francis Marre

DOM. SALVY Doux Cuvée Léonie 2010 ★

	1 800		11 à 15 €

Anne Marc, installée en Gaec avec sa mère en 1996, assure désormais avec son mari la gestion du domaine familial créé au XIXᵉs. par l'un de ses ancêtres. Composé de loin de l'œil et de muscadelle récoltés à surmaturation, son gaillac liquoreux affiche un bouquet complexe autour des fruits secs, des fruits confits et du zeste d'agrume. La bouche, bien équilibrée entre richesse, douceur et fraîcheur interpelle par ses nuances originales de caramel, d'orange confite et de clou de girofle (bouteilles de 50 cl.) En effervescent, le **2011 méthode gaillacoise (8 à 11 € ; 4 200 b.)** est cité pour sa rondeur et ses discrets parfums de pomme.

Dom. Salvy, Arzac, 81140 Cahuzac-sur-Vère,
tél. 05.63.33.97.29, salvy@wanadoo.fr
t.l.j. sf lun. 10h-12h 15h-18h
Anne Marc

DOM. SARRABELLE Methode ancestrale gaillacoise 2011 ★

	12 600	8 à 11 €

Laurent et Fabien Caussé représentent la huitième génération de la famille à conduire ce vignoble des côtes du Tarn, sur lequel ils élaborent gaillac et vins de pays. Leur effervescent, né de mauzac comme il se doit, mêle au nez la pomme et la poire, ainsi que de légères nuances citronnées et briochées. Franc en attaque, le palais offre un bel équilibre sucre-acidité, tout en restant rond et plutôt sur la douceur, comme le sont les vins élaborés selon la méthode ancestrale. À consacrer à un dessert, un flan aux poires par exemple. Le **2011 blanc sec Tradition (moins de 5 € ; 13 300 b.)** est par ailleurs cité. Un peu perlant, il exprime de subtils parfums de fruits à chair blanche soulignés de citron.

Dom. Sarrabelle, Les Fortis, 81310 Lisle-sur-Tarn,
tél. 05.63.40.47.78, fax 05.63.81.49.36,
contact@sarrabelle.com t.l.j. sf dim. 9h-12h 14h-19h
Caussé

CH. DE SAURS La Constance 2010 ★

	32 000		5 à 8 €

Établie dans le village de Saurs depuis le XIVᵉs., la famille Gineste affiche une belle constance dans la qualité de ses gaillac, souvent étoilés dans le Guide. Assemblage à dominante de syrah, ce 2010 s'ouvre à l'aération sur un fruité aux accents épicés. La bouche combine fraîcheur et douceur, volume et rondeur des tanins. Une bouteille agréable, qui devrait gagner en complexité avec trois ans de garde. On attendra aussi la **Réserve Éliézer 2010 rouge (8 à 11 € ; 30 000 b.)**, un vin puissant et charnu dont les tanins très marqués doivent se fondre (une citation).

SCEA Ch. de Saurs, Saurs, 81310 Lisle-sur-Tarn,
tél. 05.63.57.09.79, fax 05.63.57.10.71,
info@chateau-de-saurs.com t.l.j. 10h-12h30 15h-18h
Burrus

CH. TAUZIES Confidence 2010 ★

	5 000		8 à 11 €

Situé sur les premiers coteaux de la rive droite du Tarn, ce domaine d'une cinquantaine d'hectares propose un rouge d'assemblage (quatre cépages) qui n'a pas connu d'élevage sous bois. Rubis sombre aux reflets pourpres, ce 2010 fait preuve d'élégance dès le premier nez, évoquant avec subtilité les petits fruits noirs et la cerise cuits au chaudron. La bouche présente un beau volume avec du gras et de la douceur, une matière fruitée soutenue par des tanins de qualité. Prometteur, ce gaillac séjournera deux à trois ans en cave.

Ch. de Tauzies, rte de Cordes, 81600 Gaillac,
tél. 05.63.57.06.06, fax 05.63.41.01.92,
chateau.tauzies@wanadoo.fr
t.l.j. sf dim. 8h-12h 14h-18h30
Mouly

♥ DOM. DES TERRISSES 2010 ★★

	50 000		8 à 11 €

Datant du milieu du XVIIIᵉs., l'imposante bâtisse à quatre pentes qui commande ce vignoble de 38 ha a été construite en « terrisses », blocs composés de terre argileuse mélangée à de la paille brisée. Brigitte et Alain Cazottes gèrent le domaine familial depuis presque trente ans et ils sont toujours restés fidèles aux cépages gaillacois, proposant ici un superbe assemblage de braucol (60 %), de duras et de syrah, vêtu d'une robe rubis foncé aux reflets violines. Le nez, subtil, montre déjà sa typicité : il allie le cassis à de fines touches de poivre. La bouche plutôt svelte, aux tanins arrondis, dévoile un équilibre parfait mettant en valeur le fruit et les nuances épicées qui persistent longuement en finale. À savourer à partir de 2013, tout comme le **2011 blanc sec (25 000 b.)**, vif et citronné, qui obtient une citation.

EARL Cazottes, Dom. des Terrisses, 81600 Gaillac,
tél. 05.63.57.16.80, fax 09.70.62.71.36,
gaillacterrisses@orange.fr
t.l.j. sf dim. 10h-12h 15h-18h

DOM. DE VAISSIÈRE Doux 2010 ★★

4 600 | 5 à 8 €

Plantées sur des terres riches en alluvions apportées par le Tarn (rive gauche) et le Dadou, rivière qui coule au sud de l'appellation, ces vignes de loin de l'œil récoltées fin octobre ont donné un vin moelleux à la magnifique robe dorée. Le bouquet élégant et miellé est une véritable corbeille de fruits : ananas, abricot, coing, citron... Il annonce une bouche suave et souple, au fruité croquant dont la douceur est contrebalancée par une jolie fraîcheur. Une gourmandise qui en appelle une autre : une crème catalane, ou une tarte aux pêches.

Vaissière, 81300 Busque, tél. et fax 05.63.34.59.06,
andre.vaissiere@orange.fr
t.l.j. sf dim. 10h30-12h30 15h30-19h30

DOM. VAYSSETTE Cuvée Maxime 2010 ★★

4 400 | 11 à 15 €

Désireuse de suivre le chemin de l'œnotourisme, la famille Vayssette a fait bâtir une nouvelle salle de réception pour son caveau de dégustation, et mis en place un circuit au milieu de ses vignes. Régulièrement aux meilleures places de l'appellation, sa cuvée Maxime est issue d'un assemblage de loin de l'œil, de mauzac et de muscadelle récoltés en octobre. Parée d'un or aux reflets cuivrés, elle s'illustre cette année grâce à des senteurs fines et gourmandes de pâte de coing, de miel, de confiture de mirabelles et d'écorce d'orange. L'attaque suave annonce un développement gras et soyeux en bouche, équilibré par une pointe de fraîcheur. L'ensemble joue la carte de la concentration, de la douceur et de la richesse aromatique. Une superbe bouteille à marier à des crêpes suzette ou à une tarte fine aux fruits jaunes ou aux agrumes.

Vayssette, 2738, chem. des Crêtes, 81600 Gaillac,
tél. 05.63.57.31.95, fax 05.63.81.56.84,
domaine.vayssette@e-kiwi.fr
t.l.j. 9h-12h 14h-19h; dim. sur r.-v.

V. DE VIGNÉ-LOURAC 2011 ★★

15 000 | 8 à 11 €

La diversité de styles des vins gaillacois est particulièrement bien illustrée par le vignoble d'Alain et de Vincent Gayrel. Cette année, la couleur blanche est à l'honneur dans ses trois versions : sec, liquoreux et effervescent. Légèrement toasté et vanillé à l'olfaction, le gaillac sec enrichit rapidement sa palette de fleurs et miel d'acacia, de pêche blanche, de citron et de buis. En bouche, une magnifique fraîcheur se mêle à une structure ronde et soyeuse, portant loin les arômes boisés et fruités perçus au nez. Le **Terrae Veritas doux 2011 (5 à 8 €; 90 000 b.)** décroche une étoile avec ses notes d'agrumes confits, de même que l'**Antiquorum Modo méthode ancestrale (24 000 b.)**, un brut sur la fraîcheur aux arômes de pomme citronnée.

Alain et Vincent Gayrel, 103, av. Foch, 81600 Gaillac,
tél. 05.63.81.21.11, fax 05.63.81.21.09,
cave-gaillac@wanadoo.fr t.l.j. 9h30-12h30 14h30-19h30

Vins-d'estaing

Superficie : 18 ha
Production : 656 hl (95 % rouge et rosé)

Entourées par les causses de l'Aubrac, les monts du Cantal et le plateau du Lévezou, les appellations de l'Aveyron seraient plutôt à classer parmi celles du Massif central. Ces petits vignobles sont très anciens puisque leur fondation par les moines de Conques remonte au IXᵉs.

Les vins-d'estaing se partagent entre rouges et rosés frais et parfumés (cassis, framboise), à base de fer-servadou et de gamay, et blancs originaux, assemblages de chenin, de mauzac et de rousselou, des vins vifs au parfum de terroir.

LES VIGNERONS D'OLT Cuvée Prestige 2010

20 000 | 5 à 8 €

La petite coopérative des vins-d'estaing (une dizaine de producteurs) est fidèle au rendez-vous avec deux cuvées réussies. La préférée est ce rouge né du fer-servadou (40 %) et des deux cabernets. De couleur cerise burlat, cette cuvée offre un premier nez plutôt animal avant de s'ouvrir à l'agitation sur des notes plus variétales de fruits rouges, de poivre et de poivron rouge. L'attaque est souple, le milieu de bouche bien équilibré entre une légère sucrosité et une jolie fraîcheur. Une agréable bouteille, à déguster dès aujourd'hui. La **cuvée de l'Amiral 2010 blanc (3 000 b.)**, issue de chenin (80 %) et de mauzac, est appréciée pour sa fraîcheur et pour ses arômes plaisants de fruits exotiques et de fleurs blanches.

Les Vignerons d'Olt, L'Escaillou, 12190 Coubisou,
tél. et fax 05.65.44.04.42, cave.vigneronsdolt@wanadoo.fr
t.l.j. 10h-12h30 15h-18h30

Marcillac

Superficie : 185 ha
Production : 7 904 hl

Reconnu en AOC en 1990, ce vin rouge naît dans l'Aveyron, dans une cuvette naturelle au microclimat favorable, le « vallon ». Cultivé sur des argiles riches en oxyde de fer, les rougiers, le mansoi (fer-servadou) lui donne une réelle originalité, faite d'une rusticité tannique et d'arômes de framboise.

DOM. DES COSTES ROUGES 2011

9 000 | 5 à 8 €

À l'origine exploité en polyculture, ce domaine – en cours de conversion bio – est aujourd'hui presque exclusivement dédié à la vigne et à l'œnotourisme (gîte à la ferme), une petite production de légumes, de céréales et de volaille complétant l'activité. Claudine et Éric Vinas signent un marcillac rouge sombre aux reflets grenat, au nez délicat de fruits rouges et d'épices, chaleureux et charnu en bouche, un peu plus austère en finale. Un ensemble agréable, à boire dans les deux prochaines années.

Claudine et Éric Vinas, Combret, 12330 Nauviale,
tél. et fax 05.65.72.83.85,
domaine-des-costes-rouges@wanadoo.fr
t.l.j. 9h-12h 14h-19h; juil.-août sur r.-v.

DOM. DU CROS Vieilles Vignes 2010

20 000 | 8 à 11 €

Bien connue des lecteurs, cette cuvée Vieilles Vignes de Philippe Teulier est fidèle au rendez-vous. Ses arguments : une jolie robe rouge soutenu ; un nez agréablement épicé et fruité ; un palais frais, de bonne longueur, plus sur la légèreté que sur la puissance, rehaussé en finale par une belle note poivrée. À boire dès à présent, sur une viande rouge juste grillée.

Philippe Teulier, Dom. du Cros, Le Cros,
12390 Goutrens, tél. 05.65.72.71.77, fax 05.65.72.68.80,
pteulier@domaine-du-cros.com
t.l.j. sf dim. 9h-12h 14h-18h

DOM. DU MIOULA 2011 ★★

22 000 | 5 à 8 €

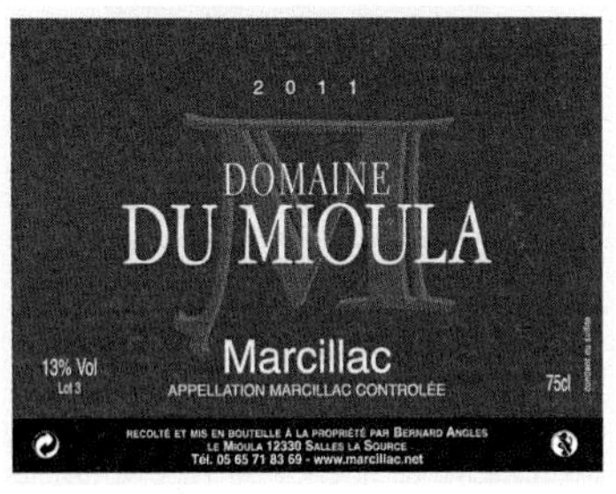

Si l'œnologue maison a changé, Athanase Fakorellis ayant succédé à Patrice Lescarret, la qualité des vins, elle, n'a pas baissé. Bernard Angles voit ainsi ce 2011 décrocher un coup de cœur unanime, qui récompense aussi indirectement tous ses efforts engagés depuis 1994 pour restructurer ce vignoble mal en point, propriété du clergé de la cathédrale de Rodez au XIIe s. Paré d'une robe sombre et profonde, tirant sur le noir, ce marcillac se livre d'abord avec retenue, avant qu'une bonne aération ne dévoile des senteurs de fruits rouges mûrs (fraise, cerise), de garrigue, d'épices, de poivron rouge... Fraîche et épicée en attaque, la bouche se révèle ample, charnue, généreuse et longue. Ses tanins solides autorisent une garde de deux ou trois ans, même si une ouverture à l'automne ne gâchera pas votre plaisir. La cuvée **Terres roses 2011 rosé (3 500 b.)**, aromatique et fraîche, est citée.

Bernard Angles, Le Mioula, Saint-Austremoine,
12330 Salles-la-Source, tél. 06.08.95.15.60, fax 05.65.68.50.45,
bernardangles@wanadoo.fr r.-v.

LIONEL OSMIN & CIE Mansois 2010 ★

12 500 | 8 à 11 €

Cette jeune maison de négoce vise à regrouper sous la marque Lionel Osmin une vaste gamme de vins du grand Sud-Ouest. On la découvre en marcillac avec ce mansois (nom local du fer-servadou, cépage en vedette dans l'appellation) rouge cerise qui joue dans un registre fruité (confiture de fraises) et épicé (poivre) agrémenté d'une petite touche végétale apportant de la complexité et de la fraîcheur. Un même fruité généreux s'épanouit dans une bouche ronde et gourmande, soutenue par de tendres tanins. Un ensemble harmonieux et flatteur, à déguster dès à présent sur un pot-au-feu.

Lionel Osmin & Cie, ZI Berlanne, rue d'Aspe, bât. 6,
64160 Morlaas, tél. 05.59.05.14.66, fax 05.59.05.47.09,
vin@osmin.fr r.-v.

LES VIGNERONS DU VALLON Cuvée réservée 2010 ★★

60 000 | 5 à 8 €

Créée en 1965, cette coopérative réunit une quarantaine de vignerons établis dans le fameux « vallon » de Marcillac au terroir de rougier riche en oxyde de fer, si propice à l'épanouissement du fer-servadou (ou mansoi). Ce 2010, d'un beau rouge cerise burlat, attire par son nez complexe et expressif où les fruits noirs (cassis, mûre) se teintent de notes d'épices, de poivron et d'aromates. L'attaque ample et fraîche prélude à un palais rond et long, porté par des tanins veloutés. Un modèle d'harmonie, à découvrir dans les deux ou trois prochaines années. La **cuvée Exception 2010 rouge Élevé en fût de chêne (8 à 11 €; 10 000 b.)**, plus tannique et encore un peu dominée par le bois, est citée.

Les Vignerons du Vallon, RD 840, 12330 Valady,
tél. 05.65.72.70.21, fax 05.65.72.68.39,
valady@groupe-unicor.com r.-v.

Côtes-de-millau

Superficie : 56 ha
Production : 2 030 hl (97 % rouge et rosé)

Reconnu en AOVDQS en 1994, le plus méridional des vignobles aveyronnais est implanté sur des coteaux de la haute vallée du Tarn, dans un secteur déjà soumis aux influences méditerranéennes. Majoritaires, les rouges et rosés sont composés de syrah et de gamay et, dans une moindre proportion, de cabernet-sauvignon, de fer-servadou et de duras. Les blancs assemblent chenin et mauzac. Les côtes-de-millau ont accédé à l'AOC en 2011.

DOM. MONTROZIER 2010 ★★

13 000 | 8 à 11 €

Les vignerons coopérateurs du pays de Millau sont désormais installés dans le village de Compeyre, doté de nombreuses caves naturelles. Changement sur les étiquettes également, puisque l'AOVDQS est devenue AOC. Dans le flacon, un 2010 remarquable qu'Alain Montro-

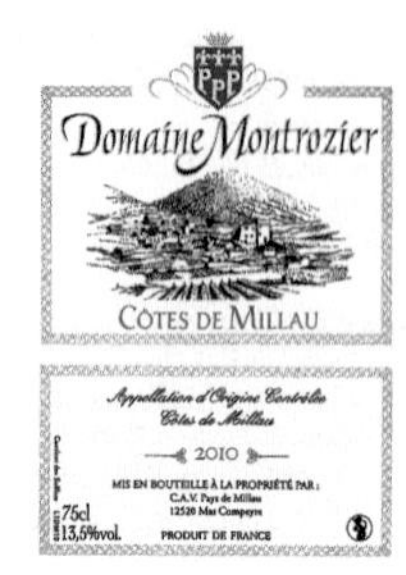

zier, issu d'une longue lignée de vignerons, a élevé dans les caves de la coopérative. La robe est profonde, ornée de reflets violines. Le nez, intense, évoque la myrtille et la crème de cassis. La bouche, ample et harmonieuse, révèle les mêmes accents fruités, tonifiés par une touche végétale. Les tanins sont racés mais encore jeunes, et demandent à s'arrondir pendant un an ou deux. Également proposée par la coopérative, la cuvée **Seigneur de Peyreviel 2011 rosé (moins de 5 € ; 19 000 b.)** est citée pour sa jolie robe grenadine, pour ses parfums plaisants de pamplemousse et de groseille, et pour sa fraîcheur en bouche.

🔑 CAV Pays de Millau, Mas de Compeyre, 12520 Compeyre, tél. 05.65.59.84.11, fax 05.65.59.17.90 ☑ 🍷 🚶 r.-v.

DOM. DU VIEUX NOYER Cuvée de la 12 France 2010 ★

■ 6 500 ▮ 5 à 8 €

Clin d'œil à la chanson de Charles Trénet et au département de l'Aveyron, cette cuvée présente, sous sa robe ornée de reflets pourpres, une palette aromatique variée et complexe de cassis, de fruits rouges confiturés, de poivron rouge et d'épices. Après une attaque franche et fruitée, le palais dévoile une matière équilibrée, portée par des tanins bien marqués. On attendra une année avant de servir cette bouteille sur un ragoût de veau. La **cuvée Isaïe 2010 rouge (4 600 b.)** est citée pour son bouquet plaisant de violette, typé syrah, et pour son palais bien structuré.

🔑 Dom. du Vieux Noyer, rte des Gorges, Boyne, 12640 Rivière-sur-Tarn, tél. et fax 05.65.62.64.57, legaecduvieuxnoyer@orange.fr ☑ 🍷 🚶 t.l.j. 9h-13h 15h-19h

La moyenne Garonne

Fronton

Superficie : 2 060 ha
Production : 97 242 hl

Vin des Toulousains, le fronton provient d'un très ancien vignoble, autrefois propriété des chevaliers de l'ordre de Saint-Jean-de-Jérusalem. Lors du siège de Montauban, Louis XIII et Richelieu se livrèrent à force dégustations comparatives... Reconstitué grâce à la création des coopératives de Fronton et de Villaudric, le vignoble a conservé un encépagement original avec la négrette, variété locale que l'on retrouve à Gaillac ; lui sont associés principalement la syrah, le cot, le cabernet franc et le cabernet-sauvignon, le fer-servadou et le gamay.

Le terroir occupe les trois terrasses du Tarn, aux sols de boulbènes, de graves ou de rougets. Les vins rouges à forte proportion de cabernet, de gamay ou de syrah sont fruités et aromatiques. Plus riches en négrette, ils sont alors plus puissants, tanniques, dotés d'un fort parfum de terroir aux accents de violette. Les rosés sont francs, vifs et fruités.

♥ **CH. BAUDARE** Vieilles Vignes 2010 ★★

■ 100 000 ▮ 5 à 8 €

La régularité de ce domaine, qui ne cesse de s'agrandir par le rachat de diverses parcelles, se manifeste à nouveau avec la cuvée Vieilles Vignes, couronnée par un coup de cœur unanime. Cet assemblage de négrette (60 %) récoltée à pleine maturité et de syrah se pare d'une robe rubis limpide. Le nez intense offre de très jolies notes de fruits rouges et noirs macérés dans l'alcool, agrémentés d'épices et de réglisse. On retrouve ces arômes dans une bouche ronde, riche, concentrée, d'une longueur remarquable. Un vin complet, harmonieux, aux accents méridionaux, à boire dès maintenant sur un plat épicé ou à attendre deux à trois ans. La cuvée **Perle noire 2010 rouge (40 000 b.)**, 100 % négrette, obtient une étoile pour son nez plaisant de fruits rouges et d'épices, et pour sa bouche ample et bien équilibrée.

🔑 Ch. Baudare, 265, chem. de Lauzard, 82370 Labastide-Saint-Pierre, tél. 05.63.30.51.33, fax 05.63.64.07.24, vigouroux@aol.com ☑ 🍷 🚶 r.-v.

CH. BELAYGUES 2011

■ 1 300 - de 5 €

Un terroir de boulbène graveleuse, sur la première terrasse du Tarn, est à l'origine de ce rosé issu de négrette et de syrah à parts égales. Drapé d'une robe brillante, d'un rose soutenu, ce 2011 affiche un nez de fruits rouges dominé par la cerise fraîche, agrémenté de notes épicées. La bouche, à la fois chaleureuse et fraîche, révèle un bon équilibre autour du fruit. À boire dès aujourd'hui à l'apéritif.

🔑 Guillaume Veyrac, 1755, chem. de Bonneval, 82370 Labastide-Saint-Pierre, tél. et fax 05.63.63.38.68, chateaudebelaygues@orange.fr ☑ 🍷 🚶 r.-v.

CH. BELLEVUE LA FORÊT 2010 ★

■ 300 000 🍾 5 à 8 €

Ce vaste domaine bien connu de nos lecteurs propose un 2010 élaboré à partir de négrette (50 %), de syrah, de cabernet franc et de cabernet-sauvignon. La robe rubis aux reflets framboise annonce un nez complexe de fruits rouges, de violette et d'épices mâtinés de légères notes végétales (poivron vert), qui évoquent le cabernet. La bouche, suave, ronde et fraîche, soutenue par des tanins soyeux, montre un équilibre parfait. Un fronton charmeur à apprécier dès aujourd'hui ou dans deux ans.

Ch. Bellevue la Forêt, 5580, rte de Grisolles, 31620 Fronton, tél. 05.34.27.91.91, fax 05.61.82.39.70, cblf@chateaubellevuelaforet.com
t.l.j. sf dim. 9h-12h 14h-18h
Philip Grant

♥ CH. BOUISSEL La négrette de Bouissel 2010 ★★

■ 8 800 🍾 5 à 8 €

Remarquable dans le millésime précédent, cette cuvée de pure négrette vaut à l'exploitation son cinquième coup de cœur. On appréciera son bouquet puissant de petits fruits noirs et d'épices, sa bouche, ample et suave, qui offre un beau retour sur la réglisse. Une bouteille de caractère, parfaitement équilibrée, qu'on préférera attendre un à deux ans avant de l'ouvrir pour accompagner une entrecôte grillée. La cuvée **Classic 2010 (50 000 b.)**, assemblage de quatre cépages, obtient deux étoiles pour son nez complexe de fruits noirs et sa bouche ronde, tandis que le **Bouissel 2010 (8 à 11 € ; 8 800 b.)** reçoit une étoile pour ses notes de fruits rouges et de poivre, et pour sa longue finale épicée.

Pierre, Anne-Marie et Nicolas Selle, Ch. Bouissel, 200, chem. du Vert, 82370 Campsas, tél. 05.63.30.10.49, fax 05.63.64.01.22, chateaubouissel@orange.fr
t.l.j. sf dim. 10h-12h 14h-19h, sam. sur r.-v.

CH. BOUJAC Tradition 2010 ★

■ 15 000 🍾 5 à 8 €

Michelle Selle, qui a repris le domaine familial en 1998, signe ce joli assemblage de négrette (50 %) complétée de syrah et de cabernet. Cette cuvée parée d'une robe sombre, presque grenat, libère un bouquet puissant alliant les fruits noirs compotés, la violette, la pivoine et la réglisse. La bouche, dans le même registre, fait preuve d'une belle ampleur, portée par des tanins encore jeunes. Un ensemble plaisant que l'on appréciera mieux dans les deux ans. Bel accord avec un magret de canard. Le **rosé 2011 (20 000 b.)** est cité pour son fruité.

Michelle Selle, 427, chem. de Boujac, 82370 Campsas, tél. 05.63.30.17.79, fax 05.63.30.19.12, selle.philippe@wanadoo.fr
t.l.j. sf dim. 9h-12h30 14h-19h

CH. CARROL DE BELLEL Élégance 2011 ★

■ 8 000 - de 5 €

Assemblage dominé par la négrette, complétée de syrah (30 %) et d'un brin de gamay, ce rosé présente une robe grenadine limpide et brillante. Le nez gourmand évoque la cerise, la framboise et le cassis. Ces arômes, encore plus intenses au palais et relevés de notes épicées, sont portés par une bouche ronde et élégante, à la fois suave et fraîche. Un rosé bien maîtrisé qui s'appréciera à l'apéritif ou au cours d'un repas sous la tonnelle. Une étoile également pour la **cuvée Gino 2010 rouge (5 à 8 € ; 8 000 b.)** qui a séduit par son bouquet complexe de fruits noirs et d'épices, par sa rondeur et son bel équilibre.

EARL Carrol de Bellel, 93, chem. de Boujac, 82370 Campsas, tél. 06.49.25.05.82, fax 05.63.30.11.19, yannick.gasparotto@hotmail.fr t.l.j. sf dim. 14h-19h

Ⓑ CH. LA COLOMBIÈRE Ce vin qui chante 2010 ★★

■ 15 000 🍾 8 à 11 €

La certification bio est désormais officielle pour ce vignoble de 16 ha : l'étiquette de ce 2010 peut donc arborer le logo AB. Ce vin qui chante est issu de négrette et d'un brin de syrah (20 %) plantés sur un terroir propice, argilo-sablonneux. Élevé douze mois en cuve, il fait preuve d'une belle intensité. Son nez expressif mêle les fruits rouges, les fleurs (la violette, l'iris), le poivre et des notes mentholées. Après une attaque ample et ronde, la bouche surprend, à la fois fraîche et chaleureuse. La longue finale poivrée est portée par des tanins soyeux. Un ensemble équilibré, typique de l'appellation, à boire dans les deux ans sur une viande rouge ou sur un magret de canard.

Ch. la Colombière, 190, rte de Vacquiers, 31620 Villaudric, tél. 05.61.82.44.05, fax 05.61.82.57.56, vigneron@chateaulacolombiere.com r.-v.
M. Cauvin

CH. COUTINEL 2011 ★

■ 43 000 🍾 5 à 8 €

Cette propriété familiale, fondée en 1920 par la famille Arbeau, propose un rosé fort plaisant à la robe soutenue et limpide, entre grenadine et framboise. Dès le premier nez, des parfums fermentaires (banane, fraise) s'échappent, annonçant une bouche suave, légèrement acidulée, portée par une agréable fraîcheur. À essayer sur une blanquette de veau. Le **rouge 2010 (55 000 b.)** est cité. Son nez expressif (fruits noirs confiturés, réglisse) précède un palais encore marqué par les tanins.

Ch. Coutinel, 6, rue Demages, 82370 Labastide-Saint-Pierre, tél. 05.63.64.01.80, fax 05.63.30.11.42, vignobles@arbeau.com r.-v.

CH. CRANSAC N Résolument négrette 2011 ★

■ n.c. 🍾 5 à 8 €

Ce beau domaine, l'un des plus anciens de l'appellation, se distingue avec trois cuvées. En tête, ce N Résolument négrette, au nez encore un peu timide sur les fruits noirs, les fruits à l'eau-de-vie et les épices, à la bouche ample et concentrée, étayée par des tanins encore fermes. Attendre encore deux ans avant de le savourer sur un parmentier de canard. La cuvée **Renaissance 2010**

SUD-OUEST

(20 000 b.) reçoit une étoile pour sa jolie palette aromatique (fruits noirs, violette). Même distinction pour le **Tradition 2011 rosé (moins de 5 €, 30 000 b.)**, rond et fruité, qui fait preuve d'une agréable fraîcheur.
SCEA Dom. de Cransac, 1020, chem. du Cotité, BP 61, 31620 Fronton, tél. 05.62.79.34.30, fax 05.62.79.34.37, g.larnaudie@chateaucransac.com
t.l.j. sf dim. 9h-12h 14h-18h, sam. 10h-12h 15h-18h

CH. DEVÈS Tradition 2010 ★

16 000 | 5 à 8 €

Michel Abart, bien connu des lecteurs du Guide, propose un assemblage de cinq cépages dominé par la négrette (50 %). Rubis intense aux reflets grenat, ce 2010 dévoile tour à tour des senteurs de fruits rouges et noirs, de violette et de Zan, rehaussées d'une touche d'épices. Après une attaque franche, la bouche chaleureuse révèle une agréable matière, tout en rondeur et en fruité, et un joli retour sur les épices en finale. Un vin généreux à consommer dès la sortie du Guide. La cuvée **Allegro 2010 rouge (8 000 b.)** est citée ; ses tanins encore un peu serrés en finale s'assagiront d'ici deux ans.
Michel Abart, 2255, rte de Fronton, 31620 Castelnau-d'Estrétefonds, tél. et fax 05.61.35.14.97, chateaudeves@hotmail.fr r.-v.

CH. FAYET 2010 ★

4 500 | - de 5 €

Depuis 1882, les générations de vignerons se sont succédé sur cette exploitation qui n'a cessé de s'agrandir et de se moderniser à partir des années 1980. Ce fronton, d'un grenat foncé tirant vers le noir, montre un superbe nez, où se mêlent des arômes de fruits noirs et d'épices agrémentés de notes légères de réglisse et de cacao. Souple à l'attaque, la bouche montre ensuite du volume, de la fraîcheur, avec une touche de douceur. Un fronton facile d'accès que l'on appréciera dès la sortie du Guide.
GAEC Fayet, Rte de Coulon, 82170 Fabas, tél. 06.48.77.46.35, fax 05.63.67.38.40, chateaufayet@hotmail.fr r.-v.

CH. FERRAN 2010 ★★

26 700 | 5 à 8 €

Nicolas Gélis, producteur et négociant, s'illustre une nouvelle fois dans le Guide : pas moins de cinq fronton retenus cette année. Né sur un sol de rougets (graves argileuses riches en oxydes de fer, d'où leur couleur rouge), ce château Ferran, remarquable, a la préférence. Ce vin charme par son bouquet de fruits rouges (groseille) et noirs (cassis), de violette et d'épices. Après une attaque chaleureuse, la bouche révèle un bel équilibre entre fraîcheur et moelleux. La matière ronde et fruitée est portée par des tanins soyeux. Un fronton gourmand, prêt à boire. Quatre autres cuvées obtiennent chacune une étoile : le **Ch. Cahuzac 2010 (130 000 b.)** pour sa richesse et sa fraîcheur, le **Ch. Montauriol 2010 (160 000 b.)** pour son bel équilibre sur le fruit, le **Ch. Fonvieille 2010 (moins de 5 € ; 50 000 b.)** typique de l'appellation, et le **Chemin Saint-Jacques (moins de 5 € ; 100 000 b.)** pour sa vivacité.
Nicolas Gélis, Ch. Montauriol, 1925, rte des Châteaux, 31340 Villematier, tél. 05.61.35.30.58, fax 05.61.35.30.59, contact@vignobles-nicolasgelis.com r.-v.

CH. FONT BLANQUE 2010 ★

4 000 | 5 à 8 €

Ce domaine familial, créé en 2005 et déjà bien connu des habitués du Guide, propose un 2010 issu d'un assemblage de négrette (60 %) et de syrah. Le nez fait preuve d'une belle intensité : cassis, mûre, myrtille, cerise, réglisse et touches végétales. L'attaque est tout en douceur, la bouche trouve un équilibre entre fruité et fraîcheur. Ce vin plaisant devrait encore gagner en expression d'ici un an ou deux.
GAEC de Font Blanque, 1055, rte de Fabas, 82370 Campsas, tél. 05.63.64.08.91, chateau.font-blanque@orange.fr r.-v.
Bonhoure

HAUT-CAPITOLE 2010 ★

12 500 | 5 à 8 €

La coopérative de Fronton appartient, avec les caves de Técou et de Rabastens et celles de Cahors, à l'entité Vinovalie. Elle propose ce fronton issu d'un assemblage de négrette (50 %) et, à parts égales, de cabernet-sauvignon et de syrah, élevé un an en cuve et un an en fût. Le nez, très ouvert, exhale des senteurs de fruits noirs (cassis), de menthe et d'épices, prélude à une bouche franche, bien équilibrée où l'on retrouve les fruits. Un vin plaisant, que l'on peut attendre deux ans.
Cave de Fronton – Vinovalie, 33, av. des Vignerons, 31620 Fronton, tél. 05.62.79.97.79, fax 05.62.79.97.70, laboratoire@vins-fronton.com r.-v.

CH. JOLIET L'Aristo 2010 ★

2 500 | 5 à 8 €

Premier millésime pour Marie-Ange et Jérôme Soriano, anciens coopérateurs, et première étoile dans le Guide avec ce 2010 issu de vieilles vignes et élevé un an en fût. Le nez évoque les fruits rouges, la violette, la réglisse et la vanille. La bouche ample et de belle tenue est portée par des tanins encore un peu serrés en finale. Un vin séduisant qui se bonifiera dans les deux ans à venir. Le **Clin d'œil 2010 (5 000 b.)** est quant à lui cité pour sa douceur et son fruité plaisant.
NOUVEAU PRODUCTEUR
EARL de Joliet, 1070, chem. des Peyrounets, 31620 Fronton, tél. 05.61.82.46.02, fax 09.70.06.64.16, dejoliet@orange.fr mer.-sam. 9h-12h 15h-18h
Soriano

CH. LAUROU 2011 ★

26 000 | 5 à 8 €

Dans la logique d'un retour à la terre, cet ancien informaticien devenu vigneron a engagé sa conversion vers l'agriculture biologique. Il propose un rosé de saignée à la robe lumineuse, rose clair. Le nez est intensément floral et fruité. La bouche charnue, sur les fruits frais, est soutenue par une plaisante fraîcheur. Un rosé de repas. La cuvée **Tradition 2010 rouge (70 000 b.)** est citée pour son nez complexe de fruits mûrs relevé de notes poivrées, et pour sa belle longueur. Une citation également pour la cuvée **Délit d'initiés 2010 rouge (8 à 11 € ; 8 000 b.)**, 100 % négrette : un vin bien fait, au nez puissant de cerise noire et de cassis, typique de l'appellation.

Guy Salmona, Dom. de Laurou, 2250, rte de Nohic, 31620 Fronton, tél. 05.61.82.40.88, fax 05.61.82.73.11, guy.salmona@wanadoo.fr r.-v.

DOM. DE LESCURE À l'avenir... 2010 ★★

	3 000		5 à 8 €

À l'avenir... : cette cuvée de pure négrette porte bien son nom, le temps jouant pour elle. Pour son deuxième millésime présenté au Guide, Fabien Cardetti, qui dirige l'exploitation familiale depuis 2008, confirme son savoir-faire. Dans sa robe cerise intense aux reflets violines, ce 2010 livre un nez ouvert, typé négrette, sur les fruits rouges et noirs bien mûrs, la réglisse et les épices (poivre). La bouche franche se développe en harmonie avec le bouquet, révélant des arômes frais de Zan et des tanins parfaitement enrobés. Tous les atouts d'un grand vin bien dans son appellation, qui se bonifiera au cours des cinq prochaines années. Bonne entente en perspective avec un filet de bœuf aux pleurotes. La cuvée **Comme avant... 2009 (3 000 b.)** est citée pour sa plaisante harmonie.

EARL Dom. de Lescure, 151, chem. de Lescure, 82370 Labastide-Saint-Pierre, tél. et fax 05.63.30.55.45, domainedelescure@orange.fr r.-v.
F. Cardetti

LE ROSÉ DU CH. MARGUERITE 2011 ★

	162 000		- de 5 €

Ce domaine de quelque 120 ha d'un seul tenant est bien connu des habitués du Guide pour ses rosés. Ce 2011 séduit par sa robe limpide, son nez intense, qui marie harmonieusement les fruits et les fleurs, sa bouche qui éveille les sens par son fruité et sa belle fraîcheur. Long, franc et d'une bonne harmonie générale, il sera le partenaire idéal d'une salade composée ou d'un poisson grillé. Une étoile également pour le **rouge 2010 (64 500 b.)**, aux arômes intenses de fruits rouges.

SCEA Ch. Marguerite, 1709, chem. Cavailles, 82370 Campsas, tél. 09.61.37.69.90, fax 05.63.64.08.21, chateau.marguerite@wanadoo.fr r.-v.

THIBAUT DE PLAISANCE 2010 ★★

	10 000		8 à 11 €

Ce vignoble familial, repris en 1991 par Marc Penavayre, restructuré et agrandi, s'étend aujourd'hui sur 30 ha. C'est là que vous pourrez découvrir cette remarquable cuvée, assemblage de négrette (majoritaire) et de syrah (20 %), élevé dix-huit mois sous bois. Le résultat est superbe. Un bouquet expressif s'élève du verre : des senteurs plus raffinées de fruits noirs, de réglisse et de violette. Franche et parfaitement équilibrée, la bouche fait preuve d'une belle intensité. Une bouteille qui mérite d'attendre deux ans.

Ch. Plaisance, 102, pl. de la Mairie, 31340 Vacquiers, tél. 05.61.84.97.41, fax 05.61.84.11.26, chateau-plaisance@wanadoo.fr
mer. à sam. 9h-12h 15h-19h
Penavayre

DOM. DES PRADELLES Prestige 2010

	5 500		5 à 8 €

Cela fait plus de vingt ans que François Prat dirige le domaine familial, épaulé depuis peu par sa fille Noëlle. Ce vin, né de négrette (48 %), de syrah (42 %) et d'un brin de cabernet, présente une robe de belle intensité, aux reflets grenat. Le nez, encore un peu fermé, s'ouvre sur un léger bouquet végétal avant de dévoiler des notes florales (pivoine, violette) et réglissées. La bouche, dans le même registre aromatique, allie souplesse, suavité et longueur. Un fronton harmonieux à déguster dès la sortie du Guide.

François Prat, 44, chem. de la Bourdette, 31340 Vacquiers, tél. et fax 05.61.84.97.36, noelle.prat@hotmail.fr
t.l.j. sf dim. 14h-19h, sam 9h-12h

LE ROC Cuvée Don Quichotte 2010 ★

	20 000		8 à 11 €

Une cuvée habituée aux honneurs du Guide, assemblage de négrette (60 %) et de syrah. Dans sa version 2010, elle se pare de grenat sombre et s'ouvre doucement sur les fruits noirs compotés, rehaussés d'une touche poivrée. Des nuances de violette et de réglisse s'invitent dans une bouche ample et empreinte d'une certaine douceur malgré des tanins serrés. Un vin harmonieux et élégant, à découvrir sur une garbure dès cet hiver.

Dom. le Roc, 1605c, rte de Toulouse, 31620 Fronton, tél. 05.61.82.93.90, fax 05.61.82.72.38, leroc@cegetel.net
t.l.j. sf dim. 9h-12h 14h-18h
Famille Ribes

CH. SAINT-LOUIS 2011 ★★

	2 400		5 à 8 €

Souvent sélectionné pour ses vins rouges, ce domaine, conduit en agriculture biologique, se distingue cette année avec un rosé particulièrement charmeur. Issu de négrette et de cabernet franc (40 %), ce 2011 lumineux, rose clair, laisse s'échapper du verre de splendides arômes de cerise et de pêche de vigne. L'attaque souple, rehaussée d'un léger perlant, ouvre un palais équilibré autour du fruit, entre rondeur et vivacité. « Le meilleur rosé de la dégustation », conclut un juré. Ce rosé franc fera une apparition remarquée sur un croustillant de saumon.

SCEA Ch. Saint-Louis, 380, chem. du Bois-Vieux, 82370 Labastide-Saint-Pierre, tél. 05.63.30.13.13, fax 09.70.62.12.72, proprietaire@chateausaintlouis.fr
t.l.j. 9h-12h 14h-18h; sam. dim. sur r.-v.
A. Mahmoudi

DOM. DU TEMBOURET 2011 ★

	100 000		- de 5 €

Cette propriété de 78 ha, exploitée depuis 1978 par la famille Cassin, fait cette année son apparition dans le Guide. Elle porte le nom d'un lieu-dit, Tembour, qui a fait la réputation du domaine. Derrière une robe rouge framboise aux reflets violacés, cette cuvée révèle un nez de fruits rouges et d'épices. Après une attaque souple, la

SUD-OUEST

bouche dévoile une matière fruitée et pleine de fraîcheur. Cette vivacité soutient une longue finale, encore un peu austère. Un vin à savourer sur une viande rouge.

SARL Fronton Nez, 800, rte de Nohic, 31620 Fronton, tél. 05.61.82.93.29, fax 05.61.82.32.07 r.-v.

Famille Cassin

CH. VIGUERIE DE BEULAYGUE L'Enchanteur 2010 ★

	4 000		11 à 15 €

Régulièrement distingué pour ses rosés, Cédric Faure s'illustre également en rouge, avec deux 2010 de belle facture. L'Enchanteur porte bien son nom, il a séduit les dégustateurs par ses parfums intenses, caractéristiques de la négrette (70 %) : fruits rouges (cerise, fraise bien mûre) et noirs (cassis), violette et épices. En bouche, on apprécie sa richesse aromatique, son côté épicé, et le juste équilibre entre douceur et fraîcheur. Un fronton authentique, qui mérite d'attendre un à trois ans et qui pourra accompagner un civet de lièvre. Le **2010 Élevé en fût de chêne (8 à 11 € ; 3 300 b.)** est cité pour son nez intense de fruits rouges et noirs, agrémentés de notes boisées et chocolatées, pour sa belle matière et sa longue finale.

Janine et Cédric Faure, 1650, chem. de Bonneval, 82370 Labastide-Saint-Pierre, tél. et fax 05.63.30.54.72, ce.faure@gmail.com t.l.j. sf dim. 9h-19h

Côtes-du-brulhois

Superficie : 194 ha
Production : 8 787 hl

Passés de la catégorie des AOVDQS en 1984 à celle de AOC en 2011, ces vins sont produits de part et d'autre de la Garonne, autour de la petite ville de Layrac, dans les départements du Gers, du Lot-et-Garonne et du Tarn-et-Garonne. Essentiellement rouges, ils sont issus des cépages bordelais et des cépages locaux, tannat et cot.

CH. GRAND CHÊNE 2010 ★★

	36 000		5 à 8 €

Ce vin de domaine vinifié par la coopérative du Brulhois reste une des valeurs sûres de l'appellation. Assemblage de cabernets, de merlot et de tannat, il a bénéficié d'un long élevage sous bois (deux ans). Son nez en ressort très épicé, sans pour autant négliger le fruit, qui s'exprime par des notes de fruits rouges compotés. Sa bouche bien ronde et ample montre des tanins fondus et enrobés de riches arômes de cassis et de cacao. Cet ensemble harmonieux et concentré pourra s'apprécier d'ici deux ans. Trois cuvées de la cave reçoivent une étoile chacune : le **Voute Saint-Roc 2010 rouge (moins de 5 € ; 20 000 b.)**, fruité et charnu, le **Carrelot des amants 2010 rouge (moins de 5 € ; 245 000 b.)**, plus souple, qui n'a pas connu le bois, et le **2011 rosé 1808 (moins de 5 € ; 15 000 b.)**, rond et discrètement fruité, pour la table.

Les Vignerons du Brulhois, 3458, av. du Brulhois, 82340 Donzac, tél. 05.63.39.91.92, fax 05.63.39.82.83, info@vigneronsdubrulhois.com r.-v.

DOM. DU POUNTET Éclats de fruits 2011 ★

	40 000		5 à 8 €

En cours de conversion vers l'agriculture biologique, le vignoble de Guillaume et d'Amanda Combes est planté sur des terres de graves idéales pour la culture de cépages rouges, celle du merlot et du tannat en l'occurrence. Élaborée dans le respect du fruit, cette cuvée violet profond s'ouvre sur un nez explosif de fruits surmûris mêlés de réglisse et d'épices. L'attaque franche, un peu nerveuse, dévoile une bouche ample avec beaucoup de matière et des tanins serrés. Les riches arômes évoquent le cassis et la mûre écrasés. Un vin charnu et puissant, que l'on peut garder en cave un an ou deux.

Dom. du Pountet, lieu-dit Saint-Amand, 32800 Eauze, tél. 06.23.84.82.45, fax 05.81.69.50.01, contact@pountet.com r.-v.

Combes

Buzet

Superficie : 2 091 ha
Production : 115 003 hl (95 % rouge et rosé)

Connu depuis le Moyen Âge et autrefois partie intégrante du haut pays bordelais, le vignoble de Buzet s'étendait entre Agen et Marmande. D'origine monastique, il a été développé par les bourgeois d'Agen puis a failli disparaître après la crise phylloxérique. Il est devenu à partir de 1956 le symbole de la renaissance du vignoble du haut pays. Deux hommes, Jean Mermillod et Jean Combabessouse, ont présidé à ce renouveau, qui doit beaucoup à la cave coopérative de Buzet, laquelle élève une grande partie de sa production en barrique. Ce vignoble s'étend aujourd'hui entre Damazan et Sainte-Colombe, sur les premiers coteaux de la Garonne, près des villes touristiques de Nérac et de Barbaste.

L'alternance de boulbènes et de sols graveleux et argilo-calcaires permet d'obtenir des vins à la fois variés et typés. Les rouges, puissants, profonds, charnus et soyeux, rivalisent avec certains de leurs voisins girondins. Ils s'accordent à merveille avec la gastronomie locale : magret, confit et lapin aux pruneaux.

♥ BARON D'ALBRET 2011 ★★

	30 000		5 à 8 €

Coup de cœur en rouge dans la précédente édition du Guide, cette cuvée bien connue, élaborée par les Vignerons de Buzet, réitère la performance mais, cette fois-ci, dans sa version blanche. Assemblage à parts égales de sémillon et de sauvignon, elle se présente dans une robe jaune pâle limpide, animée de reflets verts. Le nez fin et fruité rappelle la fraîcheur des agrumes. L'attaque soyeuse fait place à une bouche ample et ronde, aux arômes de fruits mûrs mêlés d'une pointe de douceur. Un blanc dense et harmonieux. Le **2010 rouge (250 000 b.)** de la même marque décroche une étoile. C'est un vin au fruité agréable et aux tanins ronds, déjà prêt à boire.

Les Vignerons de Buzet,
56, av. des Côtes-de-Buzet, BP 17, 47160 Buzet-sur-Baïse,
tél. 05.53.84.74.30, fax 05.53.84.74.24,
buzet@vignerons-buzet.fr r.-v.

CH. DU BOUCHET 2010 ★★

■ 83 000 5 à 8 €

Il s'agit du plus ancien domaine de l'appellation, vinifié ici par la coopérative de Buzet. Issu d'un assemblage classique de merlot et de cabernets, son 2010 élevé pendant un an entre la cuve et le fût se présente dans une robe pourpre brillant. Le nez sur le fruit dévoile une agréable pointe de cassis. Après une attaque tout en rondeur, la bouche montre une chair bien structurée, dont les tanins fondus portent des arômes vanillés jusqu'à une longue finale. Une réelle harmonie grâce à un élevage bien maîtrisé ; à découvrir en 2013. Dans le même registre mais un peu plus court et moins complexe, le **Dom. de Brazalem 2010 (8 à 11 € ; 45 000 b.)** est cité.

Les Vignerons de Buzet,
56, av. des Côtes-de-Buzet, BP 17, 47160 Buzet-sur-Baïse,
tél. 05.53.84.74.30, fax 05.53.84.74.24,
buzet@vignerons-buzet.fr r.-v.

♥ LES VIGNERONS DE BUZET Merlot-cabernet 2010 ★★

■ 100 000 5 à 8 €

Vous reconnaîtrez cette superbe cuvée générique de la cave de Buzet grâce au sceau doré imprimé sur son étiquette. Née d'un assemblage classique de merlot (55 %) et des deux cabernets, elle n'a pas connu d'élevage sous bois et, derrière sa robe rouge intense, elle exprime un fruité mûr et gourmand d'une belle puissance. Cette richesse aromatique se retrouve dans un palais rond et complexe, aux tanins fondus, agrémenté de notes de cassis savoureuses. Une pointe de fraîcheur vient vivifier la finale. Un grand vin de plaisir, à apprécier dès aujourd'hui. Noté deux étoiles également, l'**Astris 2011 blanc (moins de 5 € ; 60 000 b.)** séduit par sa finesse et par son fruité (litchi) nuancé de notes grillées. Enfin, l'**Éphémère 2010 rouge (moins de 5 € ; 220 000 b.)** est cité. Sa matière charpentée autorise une garde de deux ans.

Les Vignerons de Buzet,
56, av. des Côtes-de-Buzet, BP 17, 47160 Buzet-sur-Baïse,
tél. 05.53.84.74.30, fax 05.53.84.74.24,
buzet@vignerons-buzet.fr r.-v.

COURÈGE-LONGUE Vieilles Vignes 2010 ★

■ 2 000 11 à 15 €

Nouvellement installé en tant que producteur et négociant, David Sazi vinifie sur les parcelles cultivées auparavant par son père et son grand-père. La belle robe grenat de cette cuvée Vieilles Vignes s'anime de reflets violets. Le nez, plutôt floral au premier abord, est ensuite dominé par un boisé vanillé. Souple et légère en attaque, axée sur les fruits rouges, la bouche s'appuie sur des tanins puissants, boisés, encore un peu austères en finale. Un vin concentré et complexe qui doit encore se fondre : on l'oubliera en cave deux à trois ans. La cuvée **Family Reserve 2010 (5 à 8 € ; 6 000 b.)** est citée pour son équilibre entre le fruit et le bois.

NOUVEAU PRODUCTEUR

David Sazi – Courège-Longue, Débat, 47230 Feugarolles,
tél. 06.49.95.45.14, sazi.david@neuf.fr r.-v.

L'EXCELLENCE 2011 ★

60 000 - de 5 €

La gamme L'Excellence de la coopérative de Buzet est à l'honneur, sélectionnée ici dans deux couleurs. Le blanc, assemblage de sémillon et de sauvignon, s'ouvre sur un bouquet fin et fruité mêlant les agrumes et la pêche blanche. La bouche, ronde et toujours sur le fruit, surprend par sa plaisante fraîcheur et sa grande persistance. Quant à **L'Excellence 2010 rouge (380 000 b.)**, elle est citée pour sa rondeur et ses arômes de fruits rouges. C'est un vin prêt à boire.

Les Vignerons de Buzet,
56, av. des Côtes-de-Buzet, BP 17, 47160 Buzet-sur-Baïse,
tél. 05.53.84.74.30, fax 05.53.84.74.24,
buzet@vignerons-buzet.fr r.-v.

CH. DU FRANDAT Expression 2009

■ 1 000 11 à 15 €

Propriété viticole depuis plus de deux siècles, ce château a été repris en 1980 par Patrice Sterlin, qui a instauré la vinification au domaine ; il a passé la main à sa fille et à son gendre en 2008. Cette cuvée Expression, élevée sous bois, livre des senteurs vanillées auxquelles se joignent à l'aération des senteurs de cassis. En bouche, le boisé se montre dominant, mais la structure, ronde et solide, permettra une garde d'un an ou deux qui laissera au fruit le temps de s'exprimer.

Laetitia et Mickaël Le Biavant,
EARL Vignoble du Frandat, Le Frandat, 47600 Nérac,
tél. 05.53.65.23.83, fax 05.53.97.05.77,
chateaudufrandat@orange.fr
t.l.j. sf dim. 9h-12h 13h30-18h

CH. DE GACHE 2010 ★

■ 63 000 5 à 8 €

Le merlot constitue la majeure partie de l'assemblage de ce vin de domaine vinifié par la coopérative, et lui confère un côté gouleyant. Une robe cerise intense

SUD-OUEST

annonce un nez sur les fruits rouges bien mûrs. La bouche plaît par sa souplesse, sa rondeur et sa longue finale. Une bouteille à apprécier dans sa jeunesse.

Les Vignerons de Buzet,
56, av. des Côtes-de-Buzet, BP 17, 47160 Buzet-sur-Baïse,
tél. 05.53.84.74.30, fax 05.53.84.74.24,
buzet@vignerons-buzet.fr r.-v.

LA TUQUE DE GUEYZE 2010 ★

■ 80 000 5 à 8 €

Cette année, c'est le deuxième vin du château de Gueyze, porte-drapeau de la coopérative régulièrement remarqué dans le Guide, qui a séduit le jury. Partagé de façon équilibrée entre le merlot et les cabernets, ce 2010 offre au nez un fruité mûr et intense avant de dévoiler une matière charpentée. Concentré et encore un peu austère en finale, il profitera d'une garde d'un an ou deux pour affiner ses tanins puissants.

Les Vignerons de Buzet,
56, av. des Côtes-de-Buzet, BP 17, 47160 Buzet-sur-Baïse,
tél. 05.53.84.74.30, fax 05.53.84.74.24,
buzet@vignerons-buzet.fr r.-v.

DOM. DE LHIOT Réserve 2010 ★★

■ 60 000 5 à 8 €

Dans la sélection de la cave de Buzet retenue par nos dégustateurs, voici la seule cuvée élevée entièrement sous bois. Vêtue d'une robe grenat profond, elle s'annonce par un bouquet encore discret mais élégant, qui associe les fruits frais, les épices et le cacao. L'attaque souple et ronde dévoile des tanins marqués mais soyeux, mêlés d'une certaine douceur et d'arômes fruités, avec un retour des notes chocolatées en finale. Un vin équilibré et long, à savourer après un à deux ans de garde.

Les Vignerons de Buzet,
56, av. des Côtes-de-Buzet, BP 17, 47160 Buzet-sur-Baïse,
tél. 05.53.84.74.30, fax 05.53.84.74.24,
buzet@vignerons-buzet.fr r.-v.

CH. PIERRON 2010 ★

■ 40 000 5 à 8 €

La nouvelle équipe du château Pierron, fière de son pays d'Albret où elle produit du buzet, de l'armagnac et du floc, n'a pas lésiné sur les investissements : un bâtiment de vinification entièrement rénové et des équipements à la pointe de la modernité. Elle propose ici trois cuvées retenues par le jury avec une étoile. Ce 2010 rouge résulte d'un mariage réussi entre un raisin bien mûr et un boisé bien dosé. Le nez intense s'exprime sur les fruits rouges mêlés de plaisantes notes grillées. L'attaque ronde et charnue dévoile des tanins présents sans excès, fondus et enrobés d'arômes fruités aux nuances de vanille et de café en finale. L'**Alternative 2010 rouge (8 à 11 € ; 8 000 b.)** est un peu plus marquée par le bois. Elle tirera profit d'un séjour d'un à deux ans en cave pour se fondre. Enfin, le **Fleur d'Albret 2011 rosé (17 000 b.)** se distingue par ses arômes de fraise et par sa fraîcheur.

SC du Ch. Pierron, rte de Mézin, 47600 Nérac,
tél. 05.53.65.05.52, fax 05.53.65.75.03,
chateau.pierron@orange.fr
t.l.j. sf sam. dim. lun. 9h-12h 14h-18h

DOM. SALISQUET L'Imprévu 2010 ★

■ 20 000 5 à 8 €

Changement d'orientation pour ce vignoble auparavant vinifié en coopérative : il possède désormais son propre chai et s'est engagé dans une conversion bio. Ce premier millésime élaboré au domaine se présente dans une robe noire aux reflets rubis. Le nez, complexe, évoque à la fois les fruits frais et les fleurs. L'attaque souple annonce une bouche à la fois ronde et fraîche, nuancée de fruits noirs et d'une pointe épicée. Ce vin ample et équilibré, porté par des tanins soyeux, montre une vivacité en finale qui fait suggérer une garde de deux à trois ans.

NOUVEAU PRODUCTEUR

SCEA de Caraud, lieu-dit Calezun, 47230 Vianne,
tél. 05.53.97.53.22, fax 05.53.97.07.47,
scea.caraud@gmail.com r.-v.
Chassenard

♥ **CH. SAUVAGNÈRES** Tradition 2010 ★★

■ 80 000 5 à 8 €

Dominant un vignoble de 20 ha implanté en arc de cercle aux portes d'Agen sur un terroir réputé depuis le Moyen Âge, le château Sauvagnères a été acquis par la famille Therasse dans les années 1970. Les vignes de merlot et de cabernets qu'elle a plantées il y a plus de trente ans donnent aujourd'hui naissance à cette cuvée de caractère. Vêtue d'une robe profonde, presque noire, animée de reflets rubis, celle-ci étonne à l'olfaction par sa puissance aromatique et sa complexité : des fruits noirs, du chocolat et des épices. Riche à l'attaque, la bouche se montre ronde et ample tout en conservant du fruit, de la finesse et de la fraîcheur. Les tanins apparaissent bien fondus, la structure est solide et la finale persistante. Un grand buzet qui s'appréciera encore mieux après trois ou quatre ans de garde.

Therasse, lieu-dit Sauvagnères,
47310 Sainte-Colombe-en-Brulhois, tél. 05.53.67.20.23,
fax 05.53.67.20.86, contact@sauvagneres.fr r.-v.

TOURNELLES Voluptabilis 2010 ★

■ 64 000 5 à 8 €

Après avoir acheté le château Tournelles en 1995, Bertrand-Gabriel Vigouroux a replanté le vignoble en haute densité et y a introduit le cépage malbec, qui constitue 15 % de l'assemblage de cette cuvée. Si le nez libère d'abord des notes boisées et réglissées, il laisse s'exprimer les fruits mûrs à l'aération. En bouche, des arômes grillés et vanillés se marient à ceux du cassis au sein d'une matière charpentée encore un peu tendue en finale. Équilibré et long, ce vin s'assouplira à la faveur d'un séjour d'un an en cave. La cuvée classique du château, le **2010 rouge (11 à 15 € ; 14 000 b.)**, est par ailleurs citée. C'est un vin rond, souple et fruité, à apprécier dès aujourd'hui.

EARL Bertrand-Gabriel, Ch. Tournelles, 47600 Calignac,
tél. 05.65.20.80.80, fax 05.65.20.80.81,
vigouroux@g-vigouroux.fr
Bertrand-Gabriel Vigouroux

Côtes-du-marmandais

Superficie : 1 314 ha
Production : 67 387 hl (97 % rouge et rosé)

Les côtes-du-marmandais sont produits sur les deux rives de la Garonne ; le vignoble, un peu en aval de Buzet, jouxte à l'ouest l'Entre-deux-Mers, au nord les côtes-de-duras. Les vins blancs, à base de sémillon, de sauvignon, de muscadelle et d'ugni blanc, sont secs, vifs et fruités. Les vins rouges, issus des cépages bordelais et d'abouriou, de syrah, de cot et de gamay, sont bouquetés et souples. La Cave du Marmandais, qui regroupe les deux sites de Beaupuy et de Cocumont, fournit les plus importants volumes de l'AOC.

CH. LA BASTIDE 2011 ★★

17 000 - de 5 €

Ce vin blanc vinifié par la coopérative a la particularité d'avoir été élevé en barrique (pendant un an). Assemblage des deux sauvignons (blanc et gris), il se présente dans une robe jaune pâle aux reflets dorés. Le nez tout en finesse exprime de plaisantes notes de fruits exotiques mariées à de discrètes nuances boisées. La bouche est pareillement fruitée, ronde et soyeuse, avec un léger grillé parfaitement intégré à l'ensemble. Un vin persistant, à l'équilibre flatteur, pour accompagner un brochet.

SCA Cave du Marmandais, La Cure, 47250 Cocumont, tél. 05.53.94.50.21, fax 05.53.94.52.84, chais@cavedumarmandais.fr r.-v.

CH. DE BEAULIEU 2010 ★

n.c. 8 à 11 €

Après l'acquisition du domaine en 1991 par les Schulte et la sortie de la cave coopérative, tout a été mis en œuvre pour valoriser le terroir, à commencer par la restriction des rendements, le travail du sol, les vendanges en vert, la restructuration du vignoble... Cet assemblage de cinq cépages offre un bouquet intense sur les fruits mûrs et la vanille. La bouche révèle une structure puissante, épicée et chaleureuse en finale. Un vin au caractère bien trempé, qui s'assagira avec deux ou trois ans de garde.

Robert et Agnès Schulte, Ch. de Beaulieu, 47180 Saint-Sauveur-de-Meilhan, tél. 05.53.94.30.40, fax 05.53.94.81.73, chateau_de_beaulieu@hotmail.com t.l.j. sf dim. 8h30-12h30 14h-18h

♥ DOM. DE BEYSSAC L'Essentiel 2010 ★★

8 000 11 à 15 €

Quelle performance pour ce nouveau domaine, créé *ex nihilo* en 2009 ! Engagé dès le départ dans l'agriculture biologique (vignoble en conversion), Frédéric Broutet voit sa cuvée haut de gamme associant le merlot et le cabernet franc au cépage local abouriou décrocher la première place du podium. Dix mois de cuve suivis de sept mois de fût, telle est sa recette pour obtenir ce vin à la robe grenat limpide et au bouquet ouvert sur les fruits rouges teintés de vanille. Le fruit prédomine en attaque, porté par des tanins marqués mais d'une belle douceur. La matière ample et équilibrée permet un mariage harmonieux entre le raisin et le boisé de l'élevage. On appréciera encore mieux ce 2010 après deux ans de garde. Toujours en

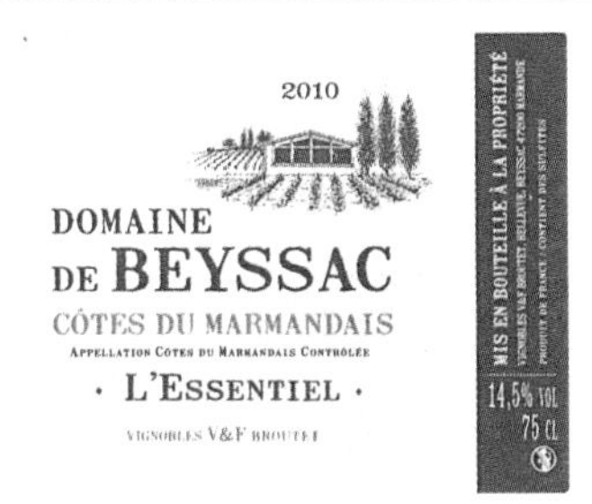

rouge, la cuvée **L'Initial 2010 (25 000 b.)** reçoit une étoile pour son caractère fruité.

NOUVEAU PRODUCTEUR

Dom. de Beyssac, Bellevue, Beyssac, 47200 Marmande, tél. 06.81.26.46.52, info@domainedebeyssac.fr r.-v.
F. Broutet

CH. CÔTE DE FRANCE 2010 ★

70 000 - de 5 €

Cette côte exposée plein sud et dominant la vallée de la Garonne a donné naissance à un beau vin rouge d'assemblage, à dominante de merlot, qui s'affiche dans une robe limpide, de couleur cassis. D'abord sur les fruits noirs confits, le bouquet dévoile aussi une pointe vanillée et épicée, née de l'élevage en fût. La bouche ronde et charnue ne subit pas trop l'influence du bois, reposant sur des tanins amples et soyeux d'une belle sucrosité. S'il est plaisant dès aujourd'hui, ce 2010 devrait atteindre son apogée d'ici deux à trois ans.

SCA Cave du Marmandais, La Cure, 47250 Cocumont, tél. 05.53.94.50.21, fax 05.53.94.52.84, chais@cavedumarmandais.fr r.-v.

ESSENCE D'ABOURIOU 2010 ★★

40 000 5 à 8 €

La coopérative du Marmandais s'efforce de mettre en avant les cépages locaux, spécifiques à l'appellation, tel l'abouriou qui constitue la majorité (70 %) de cette cuvée aux côtés du merlot. Grenat soutenu, ce 2010 s'ouvre sur des senteurs de fruits mûrs et d'épices. Le fruit se taille ensuite la part du lion au sein d'une bouche ronde et équilibrée, portée par des tanins murs qui savent rester discrets. La finale douce et chaleureuse signe une bouteille à apprécier dès la sortie du Guide. Née du même assemblage, la cuvée **Just abouriou 2010 (40 000 b.)** est citée. Il lui faudra une courte garde pour assouplir sa charpente.

SCA Cave du Marmandais, La Cure, 47250 Cocumont, tél. 05.53.94.50.21, fax 05.53.94.52.84, chais@cavedumarmandais.fr r.-v.

♥ FERRAN PRADETS 2010 ★★

130 000 - de 5 €

Cette cuvée emblématique de la coopérative du Marmandais est non seulement sélectionnée cette année dans les trois couleurs, mais elle décroche aussi un coup de cœur dans sa version rouge née d'un assemblage parfaitement dosé de cinq cépages. La robe limpide, d'un beau grenat aux légers reflets orangés, annonce un bouquet riche et chaleureux à dominante de fruits noirs. Souple et également fruitée en attaque, la bouche offre une superbe montée en puissance sur des tanins soyeux. La finale, qui persiste longuement, montre du caractère : elle appelle

SUD-OUEST

deux ans de garde pour se fondre. Sous la même marque, le **2011 blanc (40 000 b.)** décroche deux étoiles. Côté arômes, il associe la pêche et le genêt. Côté matière, il se montre rond, gras, équilibré. Enfin, le **rosé 2011 (130 000 b.)** obtient une étoile pour son gras et ses parfums de fruits rouges.

SCA Cave du Marmandais, La Cure, 47250 Cocumont, tél. 05.53.94.50.21, fax 05.53.94.52.84, chais@cavedumarmandais.fr r.-v.

CH. MONPLAISIR Élevé en fût de chêne 2010 ★

35 000 - de 5 €

Un assemblage de cabernets élevé en fût pendant un an : il va falloir un peu de patience pour déguster ce vin lorsqu'il sera réellement prêt... Mais le jury ne s'y est pas trompé et il a su apprécier cette robe grenat soutenu, ce nez qui combine l'élégance du boisé avec la suavité du fruit et cette bouche souple et franche en attaque, fruitée, persistante et portée par des tanins puissants. La finale austère marquée par des notes grillées gagnera en amabilité avec trois ans de garde. À attendre, donc. Associant le malbec et le cabernet, le **Ch. Terrebert 2010 (40 000 b.)** est cité pour son fruité, sa souplesse et son harmonie.

SCA Cave du Marmandais, La Cure, 47250 Cocumont, tél. 05.53.94.50.21, fax 05.53.94.52.84, chais@cavedumarmandais.fr r.-v.

TAP D'E PERBOS 2010 ★

40 000 5 à 8 €

Le malbec et le merlot, complétés d'une pointe de cabernet franc, se partagent l'assemblage de cette cuvée de la coopérative, bien connue des habitués du Guide. Élevé douze mois sous bois, ce vin n'en est pas moins déjà harmonieux dans sa robe intense, presque noire. Son nez ouvert et chaleureux marie les fruits mûrs à des notes épicées. Le fruit et la fraîcheur de l'attaque sont relayés par des tanins réglissés denses mais soyeux, qui sauront séduire dès la sortie du Guide. Autre cuvée de la cave à décrocher une étoile, le **Crépuscule d'été 2011 rosé (- de 5 €; 40 000 b.)** se distingue par son fruité gourmand (fraise, framboise, pêche), sa fraîcheur et sa souplesse.

SCA Cave du Marmandais, La Cure, 47250 Cocumont, tél. 05.53.94.50.21, fax 05.53.94.52.84, chais@cavedumarmandais.fr r.-v.

R DE SOUBIRAN 2011 ★

40 000 - de 5 €

On trouve du rouge et du rosé au château Soubiran, vinifié par la cave du Marmandais. Le rosé version 2011 s'habille d'une robe légère, limpide et brillante. Son bouquet très expressif évoque à la fois la fraise, le cassis et le bonbon anglais. En attaque, un léger perlant annonce une bouche vive et souple aux arômes intenses et persistants. Un rosé fin et frais, à apprécier dès l'apéritif. Le **2010 rouge (40 000 b.)** du château obtient une citation. Chaleureux, dense et réglissé, il est à découvrir d'ici deux à trois ans.

SCA Cave du Marmandais, La Cure, 47250 Cocumont, tél. 05.53.94.50.21, fax 05.53.94.52.84, chais@cavedumarmandais.fr r.-v.

Saint-sardos

Superficie : 104 ha
Production : 5 492 hl

Ancien vin de pays, saint-sardos a été reconnu en AOVDQS en 2005 et AOC en 2011. Ce vignoble fut créé au XIIes. lors de la fondation de l'abbaye de Grand Selve à Bouillac. Il s'étend sur la rive gauche de la Garonne, au sud-ouest du Tarn-et-Garonne et au nord de la Haute-Garonne. Rouges et rosés, les saint-sardos assemblent au moins trois cépages : la syrah (plus de 40 % de l'encépagement) et le tannat (plus de 20 %), complétés par le cabernet franc et le merlot.

TERRE D'INSOLENCE 2010 ★★

2 000 11 à 15 €

La cave de Saint-Sardos propose une belle trilogie de vins. En tête, cette Terre d'insolence, assemblage de syrah (90 %), de tannat et de merlot. Une cuvée violine aux reflets d'encre, au nez ouvert et gourmand sur les fruits noirs, le tabac et la torréfaction. La bouche se révèle ample, opulente, longue et bien structurée par des tanins veloutés. Encore un peu marquée par le bois, elle appelle deux ans de garde. La cuvée **Grand Selve 2010 rouge (5 à 8 €; 36 000 b.)** obtient une étoile pour son volume et sa fraîcheur. La cuvée **Hauts de Cadis 2010 rouge (5 à 8 €; 12 000 b.)** est citée.

Les Vignerons de Saint-Sardos, 2, chem. de Naudin, 82600 Saint-Sardos, tél. 05.63.02.52.44, fax 05.63.02.62.19, alexandre.saint-sardos@orange.fr
t.l.j. sf dim. lun. 9h-12h 14h-18h; sam. 9h-12h

Le Bergeracois et Duras

Bergerac

Superficie : 10 002 ha
Production : 500 562 hl (70 % rouge et rosé)

Héros de la célèbre pièce d'Edmond Rostand, Cyrano de Bergerac a certainement accru la notoriété de la cité dordognaise qui a donné son nom à l'AOC en 1936. Sa gastronomie comme son vignoble vallonné, mosaïque de terroirs, confèrent à la région un réel intérêt touristique. Les vins peuvent être produits dans 90 communes de l'arrondissement de Bergerac. Rouges, rosés ou blancs secs, les bergerac naissent principalement du merlot, des cabernets et du malbec en rouge et en rosé, du sémillon, du sauvignon et de la muscadelle en blanc. Les rouges sont aromatiques et souples, les rosés, frais et fruités. La diversité des terroirs (calcaires, graves, argiles, boulbènes) donne aux blancs des expressions aromatiques variées. Jeunes, les vins sont fruités, élégants, un rien nerveux. Vinifiés dans le bois, ils devront attendre un an ou deux avant de révéler l'expression du terroir.

CH. LA BORDERIE 2010 ★

■ 50 000 5 à 8 €

Des correspondances commerciales datées de 1663 attestent l'ancienneté de ce domaine, qui signe ce 2010 à la robe claire, couleur cerise. Des senteurs de fruits noirs et de griotte, avec quelques notes grillées, composent un bouquet complexe d'une grande intensité. Après une attaque souple et fraîche, les tanins bien présents, déjà veloutés et enrobés, tapissent une finale persistante et agréable, marquée par un joli retour sur la vanille. « C'est un vin harmonieux, rond et soyeux, dans un style plutôt féminin », conclut un dégustateur.

SCI La Borderie, Ch. La Borderie, 24240 Monbazillac, tél. 05.53.57.00.36, fax 05.53.63.00.94, chateau.la.borderie@wanadoo.fr

t.l.j. sf sam. dim. 8h-12h 14h-18h

Vidal

CH. BOUFFEVENT Cuvée Tradition 2011 ★★

■ 80 000 - de 5 €

Cela devient une tradition pour cette cuvée de figurer dans la sélection du Guide. Citée l'an dernier, elle « gagne » deux étoiles dans le millésime 2011. Sombre, presque noir dans le verre, ce vin libère des notes chaleureuses de fruits noirs. La bouche est généreuse, équilibrée et persistante, évolue sur des tanins fins. Une bouteille de caractère que l'on peut apprécier dans sa jeunesse ou attendre quelques années avant de lui réserver un rôti de bœuf en croûte.

Vignobles Pauty, 19, rte de Bouffevent, 24680 Lamonzie-Saint-Martin, tél. 05.53.24.29.05, fax 05.53.61.83.32, chateaubouffevent@wanadoo.fr

r.-v.

CH. BRAMEFANT 2011 ★★

■ 40 000 5 à 8 €

La troisième génération arrive sur le domaine, avec toujours la même motivation : analyser, déguster, connaître à fond chaque parcelle afin d'en tirer le meilleur. L'objectif est atteint avec ce beau 2011 au nez de fruits mûrs, à la bouche intense, fruitée, ronde et suave. Les amateurs de vins jeunes l'apprécieront dès la sortie du Guide, les autres préféreront l'attendre deux à trois ans. Le **Ch. Petite Borie 2011 rouge (36 000 b.)** obtient une étoile. C'est un bergerac encore un peu fermé au nez, marqué en bouche par une légère pointe végétale appelée à s'estomper dans deux ou trois ans.

Pierre Sadoux, Court-les-Mûts, 24240 Razac-de-Saussignac, tél. 05.53.27.92.17, fax 05.53.23.77.21, court-les-muts@wanadoo.fr

t.l.j. 9h-12h 14h-18h; sam. dim. sur r.-v.

CH. LA BRIE Cuvée Prestige 2010 ★

■ 8 500 5 à 8 €

Issu de merlot (80 %) et de cabernet franc, ce 2010 paré d'une robe intense, rubis profond, a séduit le jury. Boisé au premier nez, il dévoile à l'aération de belles notes de fruits noirs et d'épices. L'attaque est remarquable, alliant rondeur et fraîcheur ; la bouche s'appuie sur une structure tannique bien enrobée, qui met en valeur le fruit, – des notes de cerise et de pruneau qui s'étirent sur une finale généreuse et persistante. Ce bergerac très bien construit saura se faire apprécier sur un tournedos d'ici deux ans, quand le bois se sera complètement fondu. Le **monbazillac 2010 Cuvée Plénitude (15 à 20 €; 3 500 b.)** est cité. Très concentrée, cette bouteille est à attendre car elle est encore trop marquée par le bois. Enfin, le **bergerac sec 2011 (20 600 b.)**, bien équilibré entre rondeur et vivacité, obtient une étoile.

Ch. la Brie, Dom. de la Brie, 24240 Monbazillac, tél. 05.53.74.42.46, fax 05.53.58.24.08, expl.lpa.bergerac@educagri.fr

t.l.j. sf dim. 10h-12h30 14h-19h; f. jan.

Lycée viticole

CASTEL LA PÈZE Élevé en fût de chêne 2010

■ 5 600 5 à 8 €

Voici un vin concentré, paré d'une robe intense, couleur cassis, qui annonce un nez net, bien que dominé par le bois. La bouche est vineuse, bien structurée, mais les tanins ne sont pas encore assez fondus. C'est un 2010 de caractère, un peu rustique, à oublier trois à quatre ans avant de l'ouvrir sur une viande rouge.

EARL La Pèze, La Pèze, 24240 Pomport, tél. et fax 05.53.61.33.35, daniel.la.peze@wanadoo.fr

r.-v.

Daniel

CH. LE CHABRIER La cuvée des Drôlesses 2011 ★

■ 22 000 5 à 8 €

Plus connu pour ses saussignac, ce domaine régulièrement distingué dans le Guide présente sa cuvée des Drôlesses, qui rend hommage aux filles du producteur et à leurs amies venues danser le french cancan à l'occasion d'une mise en bouteilles. Effrontées, ces Drôlesses, avec leur robe écarlate ; chaleureuses, avec un nez de cerise bien mûre ; nerveuses enfin, avec une bouche fruitée et des tanins encore un peu vifs. À attendre quelques années. Une étoile aussi pour le **côtes-de-bergerac 2010 blanc Le Moelleux d'octobre (3 000 b.)**, un vin suave, à la belle palette aromatique de raisin confit par le soleil et le vent d'autan.

Pierre Carle, Ch. Le Chabrier, 24240 Razac-de-Saussignac, tél. 05.53.27.92.73, fax 05.53.23.39.03, chateau-le-chabrier@free.fr r.-v.

LE CLOS DU BREIL L'Odyssée 2010 ★

■ 6 600 5 à 8 €

« L'Odyssée », parce que ce vin est une invitation au voyage : une robe intense et profonde aux reflets grenat, un nez frais de fruits rouges, une bouche souple et ronde, parfaitement équilibrée entre les fruits et les notes de cacao et de torréfaction. Un 2010 concentré, aux tanins fondus, prêt à boire sur une pièce de bœuf. Le **bergerac sec 2011 (7 000 b.)** est pour sa part cité. La bouche est complexe, avec une attaque fraîche, un milieu de bouche sur le fruit et une agréable minéralité en finale.

🔑 Le Clos du Breil Vergniaud, Le Breil,
24560 Saint-Léon-d'Issigeac, tél. et fax 05.53.58.75.55,
leclosdubreil@free.fr
☑ 🍷 🚶 t.l.j. sf dim. 9h-12h30 14h-18h30
🔑 Famille Vergniaud

Ⓑ EXTRAVAGANCE DU CLOS JULIEN 2010 ★

■	1 500	🛢	8 à 11 €

Cette cuvée est une habituée du Guide, élue coup de cœur pour le millésime 2008. Très réussi, le 2010 se pare d'une robe profonde, dont la couleur noire annonce une belle concentration, avant de développer un bouquet intense de fruits rouges bien mûrs. L'attaque douce dévoile une matière ample et boisée. Les tanins encore austères en finale s'arrondiront avec le temps. La **cuvée classique 2010 rouge (5 à 8 €; 1 800 b.)** fruitée, souple et légère, est citée. Même distinction pour le **montravel 2009 rouge Carpe Diem (20 à 30 €; 1 000 b.)**, à la bouche suave et dense.

🔑 Viviane Sroka, 127, chem. des Lavandières,
24230 Saint-Antoine-de-Breuilh, tél. 06.16.65.13.67,
vitijul@club-internet.fr ☑ 🍷 🚶 r.-v.

EPICURUS Élevé en fût de chêne 2010 ★

■	10 700	🛢	- de 5 €

Epicurus est un beau vin, gourmand et généreux, régulièrement sélectionné dans le Guide – sous le nom d'Épicure avant le millésime 2010. Sa robe, rubis profond, est aussi intense que son nez aux notes boisées, toastées et vanillées qui se prolongent tout au long de la dégustation. Chaleureux, gras et persistant, le palais affiche un bel équilibre. Il faudra attendre deux ou trois ans pour permettre aux tanins de s'arrondir et aux notes toastées de l'élevage de se fondre. Le **Chêne Peyraille 2011 rouge Édition limitée (66 700 b.)**, cité par le jury pour sa rondeur, son fruité plaisant et sa fraîcheur, est à apprécier dès aujourd'hui.

🔑 Vins fins du Périgord,
rte de Marmande, Les Séguinots, bât. Unidor,
24100 Saint-Laurent-des-Vignes, tél. 05.53.63.78.50,
fax 05.53.63.78.59, contact@vinsfinsduperigord.fr

CH. LE FAGÉ Cuvée Prestige Élevé en fût de chêne 2010 ★★

■	4 000	🛢	8 à 11 €

Au Fagé, une nouvelle génération arrive, en quête de vins tendres, légers, fruités et frais. Parée d'une robe intense, noire aux reflets grenat, cette cuvée livre un bouquet exubérant dominé par les fruits noirs, puis le sous-bois, les épices et le poivre. La mise en bouche est souple et fruitée, ample et douce. Les tanins enrobés portent loin la finale, sur d'opulentes notes de moka. Un 2010 déjà bien fondu, complexe, riche et gourmand. À apprécier dans deux à trois ans sur un civet de biche. Le **bergerac rosé 2011 (5 à 8 €; 20 000 b.)** est cité. Du fruit, de la fraîcheur : une bouteille bien faite et plaisante.

🔑 Gérardin, Ch. le Fagé, 24240 Pomport,
tél. 05.53.58.32.55, fax 05.53.24.57.19,
info@chateau-le-fage.com
☑ 🍷 t.l.j. 8h30-12h30 13h30-17h30; sam. dim. sur r.-v.

CH. LES FONTENELLES 2011

■	72 000	🛢	- de 5 €

Sur un coteau argilo-calcaire bien exposé, les vignes produisent un raisin concentré apte à élaborer de jolis vins. Pour preuve, cette cuvée au nez ouvert sur les fruits très mûrs. La bouche séduit par sa rondeur et sa sucrosité. Adossé à des tanins souples, plus austères en finale, ce 2011 marqué par une légère pointe d'amertume gagnera à patienter en cave pour s'exprimer pleinement sur un rôti de bœuf.

🔑 SCEA Les Fontenelles, Les Fontenelles,
24500 Saint-Julien-d'Eymet, tél. 06.83.89.05.09,
fax 05.53.58.82.01, chateau.fontenelles@orange.fr
☑ 🍷 🚶 r.-v.
🔑 Bourdil

CH. LA GRANDE PLEYSSADE 2010 ★

■	86 500	🛢🛢	5 à 8 €

Finesse et fruité mais aussi structure et puissance résument à merveille ce vin qui a séduit les dégustateurs. D'une belle couleur noire, il libère des parfums de fruits mûrs, soulignés par des notes toastées, souvenir d'un séjour en fût de six mois. La bouche est au diapason, élégante, avec des tanins fondus et une belle persistance. Une bouteille bien faite, à apprécier dans deux ou trois ans. Une étoile aussi pour le **Ch. Haut Perthus 2010 rouge (8 à 11 €; 53 000 b.)**, fruité et bien équilibré. L'élevage en bois plus long (douze mois) invite à découvrir ce bergerac dans trois à quatre ans.

🔑 SCEA Dupuy, La Grande Pleyssade, 24240 Mescoulès,
tél. 05.53.24.27.61, fax 05.53.23.48.97, scea.dupuy@orange.fr
☑ 🍷 🚶 r.-v.

Ⓑ CH. DU GRAND ROC Les Coteaux 2010 ★

■	13 000	🛢	5 à 8 €

Comme le 2009, ce vin issu d'un domaine exploité selon les principes de la biodynamie obtient une étoile. Il assemble du merlot (50 %), du cabernet franc (30 %) et du malbec. Son nez intense et frais est marqué par des arômes variétaux, notamment par une note de poivron, évocatrice du cabernet franc. La bouche, franche à l'attaque, se fait ample et moelleuse, la finale révélant des tanins encore sévères. Un bergerac séduisant, qui devrait gagner à attendre deux ans.

🔑 Henri-Paul Guillot, 39, rte du Roc,
24230 Lamothe-Montravel, tél. et fax 05.53.73.68.80,
henri-paul.guillot@cegetel.net ☑ 🍷 r.-v.

CH. HAUT LAMOUTHE 2011 ★

■	50 000	🛢	5 à 8 €

Plénitude et générosité caractérisent ce 2011 paré d'une robe vive, d'un beau rubis intense. Le bouquet puissant, sur les fruits rouges bien mûrs, annonce une bouche harmonieuse et équilibrée, portée par des tanins soyeux et marquée en finale par un plaisant retour de fruits rouges. Un vin élégant à apprécier dans sa jeunesse ou à attendre quelques années. « Pour un gâteau au chocolat », recommande le vigneron. Une étoile aussi pour le **bergerac rosé 2011 cuvée Rose de Lamouthe (moins de 5 €; 15 000 b.)**, apprécié pour ses arômes gourmands de fraise et pour sa fraîcheur.

🔑 GAEC de Lamouthe, 56, rte de Lamouthe,
24680 Lamonzie-Saint-Martin, tél. 09.64.45.34.53,
fax 05.53.74.33.13, chateauhautlamouthe@wanadoo.fr
☑ 🍷 t.l.j. sf dim. 8h30-18h; sam. 8h30-12h
🔑 Durand-Pouget

Ⓑ CH. DE LA JAUBERTIE Mirabelle 2010 ★

■ n.c. 15 à 20 €

Mirabelle, tant en blanc qu'en rouge, est devenue la cuvée emblématique du château de la Jaubertie. En rouge, les promesses de la belle robe noire aux reflets violets sont tenues par l'intense concentration du bouquet, fait de fruits noirs (cassis, mûre) et de délicates notes boisées et vanillées. Ronde et fruitée, la bouche dévoile de bons tanins assez fondus. Les fruits des bois et le boisé toasté de l'élevage marquent la longue finale qui laisse présager un vin de garde. Une étoile aussi pour le **bergerac sec 2010 Mirabelle**, dont le nez sauvignonné et miellé révèle également un élevage sous bois. La bouche est fruitée et fraîche. Pour un plaisir immédiat.

SA Ryman, Ch. de la Jaubertie, 24560 Colombier, tél. 05.53.58.32.11, fax 05.53.57.46.22, jaubertie@wanadoo.fr
t.l.j. sf dim. 10h-17h
Vien-Graciet

CH. LAMOTHE BELLEVUE 2010 ★

■ 20 000 - de 5 €

Le Château Lamothe Belair 2009 du même producteur avait obtenu un coup de cœur dans la précédente édition du Guide. Cette année, c'est le Château Lamothe Bellevue qui a eu la préférence. Ce 2010, dans sa robe intense, noire aux reflets grenat, évoque les fruits rouges (fraise), assortis de furtives touches de vanille et d'épices fort agréables. Le jury a aimé sa bouche souple et ronde, tout en fruit, dévoilant en finale des tanins serrés qui demandent encore à se fondre. Un vin racé, élégant et fin, à un prix très abordable. Le **bergerac rosé Ch. Lamothe Belair 2011 (6 000 b.)** est cité. Le nez qui s'ouvre sur la cerise annonce un palais gras, marqué en finale par une légère pointe d'amertume.

SCEA des Vignobles Stéphane Puyol, Ch. Barberousse, 33330 Saint-Émilion, tél. 05.57.24.74.24, fax 05.57.24.62.77, chateau-barberousse@wanadoo.fr r.-v.

♥ CH. LAULERIE Élevé en fût de chêne 2010 ★★

■ 70 000 5 à 8 €

Créé en 1977, le domaine voit cohabiter deux générations, l'une apportant son expérience, l'autre son esprit d'innovation. De cette cuvée remarquable, on retiendra la parfaite harmonie entre le vin et la barrique. Le nez, franc, dévoile des arômes bien agréables de griotte et de vanille. La bouche présente une belle sucrosité, de la rondeur et du fruit. Équilibrée par une légère fraîcheur fort plaisante, elle est aussi nuancée d'un boisé fondu et élégant. On peut saluer le travail de vinification et d'élevage qui a produit ce vin déjà séducteur mais apte à une garde de quelques années. Le **montravel 2009 rouge Comtesse de Ségur (8 à 11 €; 10 000 b.)**, rond et fruité, est cité.

Vignobles Dubard, lieu-dit Le Gouyat, 24610 Saint-Méard-de-Gurçon, tél. 05.53.82.48.31, fax 05.53.82.47.64, contact@vignoblesdubard.com
t.l.j. sf sam. dim. 9h-12h 14h-17h

CH. MALECOURSE 2010 ★

■ 110 000 5 à 8 €

Au pied de la châtellenie moyenâgeuse de Puyguilhem, le vignoble du château Malecourse couvre un coteau aux sols argilo-calcaires. Première apparition dans le Guide pour ce cru qui mérite d'être découvert. Une robe limpide et intense aux reflets violets ; un nez vif, dominé par les fruits rouges ; une attaque marquée par une grande sucrosité ; une bouche ample, aux tanins ronds et bien équilibrés : voilà un bergerac très réussi, à consommer rapidement sur un carré d'agneau persillade.

Christophe Vergneau, Rudelle, Puyguilhem, 24240 Thénac, tél. 05.53.73.92.76, fax 05.53.73.92.77, contact@chateau-rudelle.com r.-v.

CH. DE LA MALLEVIEILLE 2011 ★

■ 40 000 5 à 8 €

Comme le 2010, le millésime 2011 décroche une étoile. Le nez, un peu discret au premier abord, s'ouvre à l'aération sur de belles notes de fruits mûrs rouges et noirs (mûre). La bouche séduit par sa belle matière, sa puissance et son équilibre. Une pointe tannique s'estompera avec le temps. Trois ans de garde sont recommandés avant d'ouvrir ce joli vin. Le **côtes-de-bergerac 2010 rouge Élevé en fût de chêne (8 000 b.)** est cité pour sa bouche puissante, de même que le **montravel 2009 rouge Imagine Mallevieille (11 à 15 €; 3 000 b.)** franc, fruité et réglissé. Tous deux offrent un boisé encore marqué : attendre deux ou trois ans donc, avant de les déguster.

Vignobles Biau, La Mallevieille, 24130 Monfaucon, tél. 05.53.24.64.66, fax 05.53.58.69.91, chateaudelamallevieille@wanadoo.fr
t.l.j. 9h-19h

CH. MONDÉSIR 2011

■ 33 000 - de 5 €

Joli doublé pour la coopérative Univitis. Ce Château Mondésir affiche un bouquet plaisant de fruits rouges alliés à de subtiles notes d'épices, arômes qui se retrouvent en bouche. Bâti sur la fraîcheur et sur une structure aimable, ce vin déjà prêt est destiné à une consommation rapide. Même note pour le **Ch. Westphalie 2011 rouge (33 000 b.)** tout en fraîcheur et en fruité.

SCA Univitis, 1, rue du Gal-de-Gaulle, 33220 Les Lèves-et-Thoumeyragues, tél. 05.57.56.02.02, fax 05.57.56.02.22, h.girou@univitis.fr r.-v.

CH. DE PANISSEAU 2010

■ 42 650 5 à 8 €

Ce château féodal a été construit par les Anglais. Il commande aujourd'hui un vignoble de 65 ha qui nous offre ce vin agréable, net et fruité. Souple et fraîche, complexe et bien équilibrée, la bouche dévoile rapidement des tanins veloutés qui sont la marque d'une belle structure. Ce joli bergerac sur le fruit est à découvrir dès aujourd'hui avec des grillades.

Ch. Panisseau, Panisseau, 24240 Thénac, tél. 05.53.58.40.03, fax 05.53.58.94.46, panisseau@gmail.com
r.-v. Ⓔ
Gaspard

SUD-OUEST

♥ CH. LE PAVILLON 2011 ★★

■ 27 000 ▮ - de 5 €

Cette structure coopérative récente, née en 2009 de la réunion des caves de Bergerac, du Fleix, de Saint-Vivien et du Carsac-de-Gurson, décroche la palme en bergerac rosé (voir plus loin) et en bergerac rouge avec ce 2011 d'une grande puissance et au fruité savoureux. Le nez, intense et complexe, décline des parfums de fruits rouges mûrs accompagnés d'épices douces. Après une attaque veloutée, la bouche dévoile des tanins aimables et ronds, présents mais sans aucune agressivité, qui portent loin la finale. Un vin d'une grande finesse, à découvrir sur son fruit ou dans deux ou trois ans pour de nouvelles sensations gustatives. Le **Ch. de la Vaure 2010 rouge Réserve du château (5 à 8 € ; 12 700 b.)** décroche deux étoiles pour son équilibre remarquable entre la fraîcheur, le fruité et un boisé élégant qui invite à l'attendre.

Alliance Aquitaine, Le Vignoble, 24130 Le Fleix, tél. 05.53.24.65.46 t.l.j. sf dim. lun. 9h-12h 14h-18h30

CH. PERROU Grande Réserve Élevé en fût de chêne 2010 ★

■ 17 600 5 à 8 €

Cette magnifique propriété, située sur un plateau calcaire, surplombe les vallées de la Dordogne et de la Gardonnette. Elle signe un pur merlot au nez bien ouvert sur les fruits rouges mêlés à quelques notes d'épices et de réglisse. Après une attaque souple et riche, le palais, dans le même registre aromatique, s'étire longuement sur des tanins soyeux. Un bergerac au bel équilibre, « plutôt masculin », relève un juré. À laisser deux à trois ans en cave, avant de l'ouvrir sur une entrecôte à la bordelaise. Le **Ch. de Vernajou 2010 rouge Grande Réserve (17 600 b.)**, aux tanins fondus, obtient une citation. Pour un plaisir immédiat.

SCEA Famille d'Amécourt, Ch. Bellevue, 33540 Sauveterre-de-Guyenne, tél. 05.56.71.54.56, fax 05.56.71.83.95, vignesdamecourt@aol.com r.-v.

CH. PUYPEZAT-ROSETTE Cuvée Classic 2010 ★

■ 16 000 5 à 8 €

L'intérêt de ce domaine pour les vins blancs moelleux de l'appellation rosette n'empêche pas la production de vins rouges de qualité. Pour preuve, ce bergerac au nez intense de fruits rouges enrobés par les notes boisées de l'élevage. On retrouve ces arômes dans une bouche bien structurée par des tanins consistants. La finale sévère appelle une garde de deux à trois ans pour apprécier ce 2010 riche et concentré.

Ch. Puypezat-Rosette, rte de Rosette, 24100 Bergerac, tél. 05.53.24.76.45, fax 05.53.24.83.33, csa@terroir-imagination.com
t.l.j. 9h-19h; sam. dim. sur r.-v.

SEMENTAL 2010 ★★

■ 10 000 15 à 20 €

Ce domaine régulier en qualité se distingue par une très jolie cuvée née de cabernet-sauvignon et élevée en fût douze mois. L'intensité de la robe cerise noire annonce un nez complexe, aux notes animales et boisées. La bouche, portée par des tanins riches et concentrés et agrémentée d'arômes de fruits mûrs, est très prometteuse. Bien constitué, l'ensemble accompagnera une côte de bœuf dans quelques années. Plus classique, **L'Adagio des Eyssards 2010 rouge (11 à 15 € ; 10 000 b.)** obtient une étoile. Un vin à dominante de merlot, dont les tanins encore jeunes s'assagiront d'ici deux à trois ans. Le **bergerac sec Ch. des Eyssards (moins de 5 € ; 160 000 b.)** est cité pour ses arômes floraux.

GAEC des Eyssards, 24240 Monestier, tél. 05.53.24.36.36, fax 05.53.58.63.74, eyssards@wanadoo.fr
t.l.j. sf sam. dim. 9h-18h

L'AUDACE DE SIGOULÈS 2010 ★★

■ n.c. 15 à 20 €

La coopérative de Sigoulès est une habituée du Guide. Cette année, quatre de ses vins ont été sélectionnés, dont ce 2010 qui fait la part belle au merlot. Élevé douze mois en barrique, ce bergerac séduit par son bouquet exubérant, aux senteurs complexes de fruits rouges, et par sa bouche volumineuse, ample et ronde, aux notes persistantes de fruits, d'épices et de torréfaction. Une étoile pour le **bergerac sec 2011 Rose de Sigoulès (moins de 5 €)**. Ce sauvignon fin et racé, aux parfums suaves de fleurs et de pâte d'amandes, laisse percer en bouche de plaisantes touches d'agrumes qui apportent vivacité et harmonie. Même note pour le **Ch. la Besage 2010 Prestige rouge (5 à 8 €)**, ample et rond, encore un peu austère ; une citation, enfin, pour le **bergerac rosé 2011 Doméa (moins de 5 €)**, moderne, aromatique et frais.

Les Vignerons de Sigoulès, 24240 Sigoulès, tél. 05.53.61.55.00, fax 05.53.61.55.10, contact@vigneronsdesigoules.fr
t.l.j. sf. dim. 9h-12h30 14h-17h30 (18h30 en été)

CH. THENOUX 2011 ★

■ 30 000 ▮ - de 5 €

Déjà distingué avec deux étoiles l'an dernier, ce domaine confirme la qualité de ses vins avec cette jolie cuvée, bien faite, sur le fruit. De la sucrosité, avec juste ce qu'il faut de fraîcheur, de la rondeur, du gras, des tanins soyeux et une belle longueur : le portrait d'une bouteille plaisir, à boire dans trois ans.

Joëlle Carrère, Thenoux, 24560 Colombier, tél. 05.53.61.26.42, vignoblesjoellecarrere@orange.fr
t.l.j. 9h-12h 14h-18h30; sam. dim. sur r.-v.

CH. TOUR DE GRANGEMONT 2011 ★★

■ 14 000 ▮ - de 5 €

Le merlot (60 %) complété de cabernet-sauvignon et un bref élevage en cuve constituent les clés de ce remarquable bergerac, unanimement apprécié par le jury pour son bouquet gourmand de cassis confit mêlé à des notes animales. La bouche, ronde et fraîche, à la fois florale et épicée, est soutenue par des tanins fins, qui portent loin la finale. Un vin équilibré et élégant, qui fera plaisir dès l'automne et pendant quatre ou cinq ans. Pour une lamproie à la bordelaise. Le **bergerac sec 2011**

(10 000 b.) séduira les amateurs de sauvignon par ses arômes d'agrumes et d'acacia.

EARL Lavergne, Portugal,
24560 Saint-Aubin-de-Lanquais, tél. 05.53.24.32.89,
fax 05.53.24.56.77 t.l.j. sf dim. 10h-12h 15h30-19h30

Tours des Gendres 2011 ★

	90 000		5 à 8 €

On ne compte plus les sélections, dans le Guide, de ce domaine, valeur sûre du Bergeracois avec plusieurs coups de cœur à son actif. Une étoile récompense ce vin très concentré, presque noir à l'œil. Au nez se mêlent des notes puissantes de fruits surmûris, de raisin gorgé de soleil et de poivre. La bouche aux tanins joliment extraits se montre riche et puissante, sur les fruits mûrs. Voici un bergerac de haute expression, à réserver à une cuisine gastronomique.

SCEA De Conti, Les Gendres, 24240 Ribagnac,
tél. 05.53.57.12.43, fax 05.53.58.89.49,
familledeconti@wanadoo.fr r.-v.

Bergerac rosé

Ch. Briand 2011

	7 000		5 à 8 €

Les vignes de cette parcelle de 1,5 ha sont bordées de jachères fleuries, ce qui, au-delà de l'esthétique, est bon pour la faune et la biodiversité. Elles ont donné naissance à ce rosé à la robe soutenue, couleur cerise. Le nez discret révèle à l'aération quelques notes de fruits mûrs qui annoncent une bouche douce et ronde. L'ensemble, ample et vif, dévoile une finale au plaisant équilibre entre la fraîcheur et le fruit. Le jury a également cité le **bergerac 2010 rouge (8 à 11 € ; 6 500 b.)**. Bien que les tanins soient encore sévères, ce vin séduisant est ample et gouleyant en bouche.

Cédric et Amélie Bougues-Cayre, Le Nicot,
24240 Ribagnac, tél. 06.83.33.48.83, fax 05.53.24.94.63,
chtbriand@yahoo.fr t.l.j. sf dim. 9h-20h

Dom. du Castellat 2011 ★

	6 666		- de 5 €

Ce rosé d'une nuit – telle fut la durée de macération avant pressurage – se montre très réussi dans sa robe rouge clair cristallin. Le nez fin et délicat, très fruité, développe des notes complexes de framboise et de cassis. L'attaque vive annonce une bouche équilibrée entre le fruité et la fraîcheur. La finale plaisante laisse pointer une légère touche d'amertume. Un vin de plaisir à découvrir sur des grillades.

Jean-Luc Lescure, Le Castellat,
24240 Razac-de-Saussignac, tél. 05.53.27.08.83,
fax 05.53.58.11.40, domaine.castellat@wanadoo.fr
t.l.j. 8h-12h30 13h30-19h; dim. 8h-12h30

Ch. Combrillac 2011 ★

	6 000		5 à 8 €

Les raisins destinés à la production de ce rosé ont fait l'objet d'une sélection rigoureuse et ont été récoltés trois semaines avant ceux destinés à l'élaboration de vins rouges. Le résultat ? Ce joli 2011 pastel, presque gris avec des reflets orangés. Il affiche un nez subtil de petits fruits rouges ; un palais équilibré, où l'on trouve du gras et de la rondeur, du fruit et de la fraîcheur. Le **bergerac 2010**

Le Bergeracois

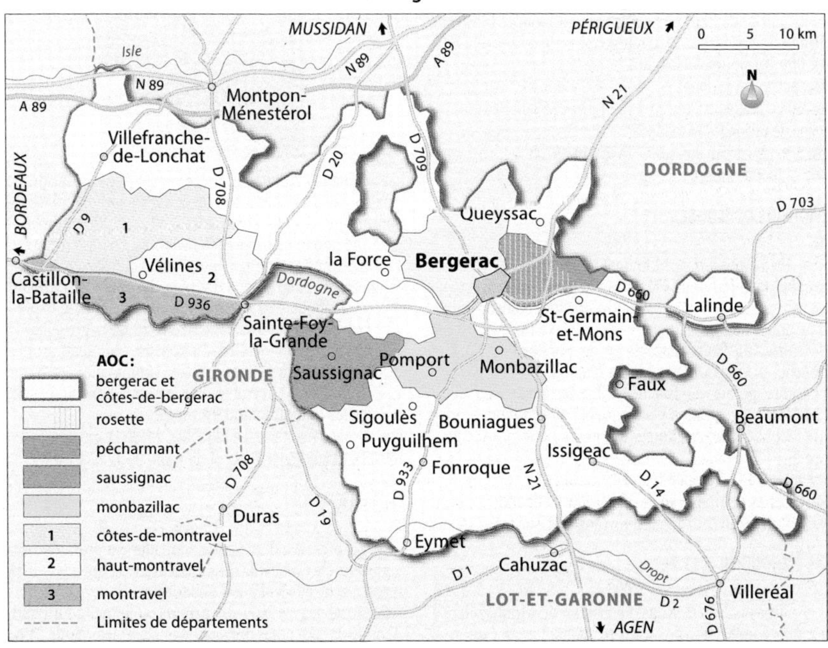

rouge L'Inédit (8 à 11 € ; 8 000 b.) est cité. C'est un vin puissant, encore marqué par le bois de l'élevage. À laisser quelques années en cave.

🔑 Florent Girou, imp. Coucombre, Combrillac,
24130 Prigonrieux, tél. 05.53.23.32.49,
florentgirou@combrillac.fr ☑ Ɪ ⁂ t.l.j. sf dim. 9h-18h

CH. DU HAUT PEZAUD Clair de la roche 2011 *

■	3 000	▮	5 à 8 €

Le mode d'élaboration de ce rosé est original (50 % par pressurage direct et 50 % par saignée) et judicieux, comme le prouve ce rosé à la robe légère, très pâle, nuancée de reflets orangés. Le bouquet, complexe, évoque les fleurs et les épices, mais il reste sur la réserve, relayé par une bouche tendre, légèrement moelleuse. Les arômes floraux, toujours présents, s'expriment dans une longue finale dominée par la fraîcheur. « Voilà un vrai vin de plaisir, surprenant et aromatique », conclut un dégustateur.

🔑 Christine Borgers, Les Pezauds, 24240 Monbazillac,
tél. 06.70.75.56.72, fax 05.53.61.35.31, cborgers@wanadoo.fr
☑ Ɪ ⁂ t.l.j. 13h30-18h; été 10h-18h30

LES JARDINS DE CYRANO Larmandie 2011 *

■	12 000	▮	- de 5 €

Ce rosé fait la part belle au merlot. Expressif, le nez de fruits rouges annonce une bouche au bel équilibre, entre fraîcheur et fruité. Un vin élégant, d'une grande tenue, idéal pour l'apéritif, « sur un transat au bord de l'eau », recommande un dégustateur. Étoilé également, le **Julien de Savignac 2011 Le Rosé Clos l'Envège (5 à 8 € ; 25 000 b.)** a séduit les jurés par son nez gourmand de fraise et de framboise, et par sa bouche d'une grande vivacité. Même distinction pour le **bergerac sec 2011 Les Jardins de Cyrano Quatre Vents (8 000 b.)**, typé sauvignon, au nez d'agrumes, de buis et de laurier, et à la bouche friande, toujours sur le fruit ; et pour le **bergerac Julien de Savignac 2010 rouge Clos l'Envège (5 à 8 € ; 47 000 b.)**, souple et élégant.

🔑 Julien de Savignac, av. de la Libération,
24260 Le Bugue, tél. 05.53.07.10.31, fax 05.53.07.16.41,
julien.de.savignac@wanadoo.fr
☑ Ɪ ⁂ t.l.j. sf dim. lun. 10h-12h30 14h30-19h
🔑 Julien Montfort

MOULINS DE BOISSE 2011 *

■	2 784	▮	- de 5 €

Deux moulins surplombent le domaine et offrent un exceptionnel panorama à découvrir en même temps que ce rosé très réussi dans sa robe soutenue, couleur grenadine aux reflets fuchsia. Le nez complexe mêle des notes de fraise, de fruits macérés et de bonbon anglais. La bouche, à l'unisson, est pleine d'allant, portée par une plaisante pointe de fraîcheur. Le **bergerac sec 2011 (2 900 b.)** est, pour sa part, cité. Né du sémillon, il offre une bouche bien structurée, qui ne manque pas d'équilibre.

🔑 Bernard Molle, Spéretout, 24560 Boisse,
tél. 05.53.24.12.01, moulins.de.boisse@wanadoo.fr
☑ Ɪ ⁂ t.l.j. 9h-12h30 13h30-19h; sam. dim. sur r.-v.

CH. PÉROUDIER 2011 *

■	5 000	▮	5 à 8 €

Situé juste en dessous du château de Monbazillac, il y a pire comme terroir ! Ce rosé original a été élaboré à partir du seul cépage cabernet-sauvignon, dont les raisins étaient parfaitement mûrs. La robe est fraîche, éclatante, d'un joli rose clair. Fruits rouges et bonbon anglais s'expriment dès le premier nez jusqu'à la fin de la dégustation. Une bouche ronde, légère, parfaitement équilibrée entre douceur et vivacité, renforce le caractère fort plaisant de ce vin à servir à l'heure de l'apéritif. Le **bergerac sec 2011 (3 000 b.)** est cité pour son nez fruité et pour sa fraîcheur.

🔑 SCEA du Ch. Péroudier, Le Péroudier,
24240 Monbazillac, tél. 05.53.58.30.04, fax 05.53.24.55.20,
chateauperoudier@wanadoo.fr ☑ Ɪ ⁂ t.l.j. 10h-19h

CH. DU PRIORAT 2011 *

■	30 000	- de 5 €

Grand classique de l'appellation, cette cuvée séduit par sa robe intense, couleur rubis, qui surprend car elle évoque celle des bordeaux clairet. Au nez, les petits fruits mûrs, la groseille ; en bouche, de la rondeur, une légère sensation de douceur et encore des fruits, le tout porté par une belle vivacité. Voilà un rosé complexe, bien construit, qui saura se tenir à table.

🔑 GAEC du Priorat, Le Priorat,
24610 Saint-Martin-de-Gurçon, tél. 05.53.80.76.06,
fax 05.53.81.21.83, lepriorat-gaec@wanadoo.fr
☑ Ɪ ⁂ t.l.j. sf dim. 8h30-12h 14h-18h
🔑 Maury

♥ STV 2011 **

■	84 000	▮	- de 5 €

Alliance Aquitaine, créée en 2009 de la fusion de quatre caves coopératives de la Dordogne, se place au sommet de l'appellation avec ce 2011 né de 90 % de merlot et d'une pointe de cabernet-sauvignon. Une légère macération avant pressurage, puis une vinification à basse température : une recette des plus classique pour aboutir à ce magnifique rosé. Le nez dévoile une palette expressive : notes amyliques, petits fruits rouges (groseille) et légères senteurs minérales. La bouche, tout aussi aromatique, se révèle à la fois fraîche, volumineuse et d'une grande finesse. « Un vrai rosé de terroir », conclut un juré, à déguster tout au long d'un repas.

🔑 Alliance Aquitaine, Le Vignoble, 24130 Le Fleix,
tél. 05.53.24.65.46 ☑ Ɪ t.l.j. sf dim. lun. 9h-12h 14h-18h30

LA TUILIÈRE 2011 **

■	25 800	▮	- de 5 €

La présence d'une ancienne tuilerie à proximité des vignes révèle un terroir fortement argileux qui a fort bien réussi à cette cuvée. Paré d'une robe rose pâle aux discrets reflets orangés, ce 2011 offre un nez joliment gourmand, dominé par des notes de bonbon anglais ; le prélude à une bouche ample et grasse, marquée par la douceur. Ce vin harmonieux, aux élans fruités et floraux, porté par la vivacité, en séduira plus d'un. Des grillades lui iront bien. Le domaine reçoit par ailleurs deux citations, l'une pour le **bergerac sec 2011 (11 300 b.)**, fruité et muscaté, l'autre pour le **monbazillac Moulin de Sanxet 2009 (8 à 11 € ; 9 700 b.)**, plaisant, bien dans son style.

SCEA Moulin de Sanxet, Belingard-Bas, 24240 Pomport, tél. 05.53.58.30.79, fax 05.53.61.71.84, moulindesanxet@wanadoo.fr t.l.j. sf dim. 9h-18h

Grellier

Bergerac sec

DOM. L'ANCIENNE CURE L'Extase 2010 ★★

5 000 | 15 à 20 €

Six fois couronné en monbazillac, Christian Roche brille aussi en bergerac sec. Une sélection de vieilles vignes en conversion biologique, un élevage de treize mois en cuve, quatorze mois en fût, le résultat est là. L'Extase, qui porte bien son nom, a fait l'unanimité du grand jury : il lui a décerné un coup de cœur. Cette superbe cuvée, alliant le fruité du sauvignon (70 %) et les parfums discrets de la muscadelle, livre une explosion de fruits mûrs et de fruits secs. Après une attaque délicate, le palais s'arrondit, offrant une chair grasse et complexe, la longue finale rappelant le fruit du nez. Armé pour la garde, ce vin s'appréciera plus sûrement encore dans un à trois ans sur des filets de sole bonne-femme. Le **côtes-de-bergerac 2010 rouge L'Extase (10 000 b.)** reçoit une étoile. Cette bouteille, à laisser patienter quelques années, séduira les amateurs de vin boisé.

Christian Roche, L'Ancienne Cure, 24560 Colombier, tél. 05.53.58.27.90, fax 05.53.24.83.95, ancienne-cure@orange.fr t.l.j. sf dim. 9h-19h

CH. BELINGARD Cuvée Blanche de Bosredon 2011 ★

5 400 | 5 à 8 €

Installé en 1986 sur le domaine familial, créé en 1830, Laurent Bosredon est plus fréquemment distingué dans le Guide pour ses monbazillac ; il reçoit cette année une étoile pour cette cuvée élevée six mois en barrique. Au nez, les fruits et les fleurs ont encore un peu de mal à se frayer un passage parmi les notes boisées intenses. Le gras est immédiatement perceptible dans la bouche, équilibrée entre fraîcheur et douceur. Une bouteille à garder un ou deux avant de l'ouvrir sur une volaille à la crème.

SCEA Comte de Bosredon, lieu-dit de Belingard, 24240 Pomport, tél. 05.53.58.28.03, fax 05.53.58.38.39, laurent.debosredon@wanadoo.fr t.l.j. sf dim. 9h30-12h30 14h-18h30

CH. LA BESAGE La Grande Cuvée 2011 ★

8 700 | - de 5 €

Cette Grande Cuvée est une belle expression du terroir. Sous une robe brillante aux reflets blanc-vert, elle dévoile un nez bien agréable, discrètement floral. La bouche plus fruitée dévoile une matière ronde, soutenue par une plaisante fraîcheur. Un vin gourmand à apprécier dès aujourd'hui sur des fruits de mer. Même distinction pour le **bergerac 2010 rouge La Grande Cuvée (moins de 5 € ; 32 000 b.)**. La matière est riche, boisée, un peu rustique, marquée par des tanins encore sévères.

Vins fins du Périgord, rte de Marmande, Les Séguinots, bât. Unidor, 24100 Saint-Laurent-des-Vignes, tél. 05.53.63.78.50, fax 05.53.63.78.59, contact@vinsfinsduperigord.fr

CH. CAILLAVEL 2011 ★

4 000 | - de 5 €

Ce 2011, qui fait la part belle au sauvignon (90 %), a été élevé douze mois en cuve. Il affiche une robe très pâle, presque blanche, aux reflets verts, et un nez puissant de bourgeon de cassis. La bouche pimpante, ronde et fruitée est rehaussée par une plaisante fraîcheur acidulée qui apporte l'équilibre. Il ne manque rien à cette cuvée harmonieuse, prête à boire sur un poisson en sauce. Une citation pour le **monbazillac 2010 (11 à 15 € ; 2 600 b.)** au style frais, qui gagnera à patienter quelques années en cave.

GAEC Ch. Caillavel, 24240 Pomport, tél. 05.53.58.43.30, fax 05.53.58.20.31 t.l.j. sf dim. 8h30-12h 14h-18h30

DOM. DU CANTONNET Sauvignon 2011 ★★

8 000 | - de 5 €

Ce domaine, situé dans le Périgord pourpre, entre Bergerac et Sainte-Foy-la-Grande, propose une remarquable cuvée au « nez ensorcelant et envoûtant », selon les dégustateurs enthousiastes. Le nez dévoile des arômes intenses de citron et de pamplemousse. L'attaque nerveuse introduit une bouche ample et fruitée (agrumes, fruit de la Passion) à la finale persistante. Un très beau vin gourmand, à croquer dès la sortie du Guide avec un carpaccio de bar. Le **saussignac 2009 cuvée Cécile (8 à 11 € ; 5 400 b.)**, aux accents d'abricot et au bel équilibre entre douceur et fraîcheur, reçoit une étoile.

EARL Vignobles Rigal, Dom. du Cantonnet, 24240 Razac-de-Saussignac, tél. 05.53.27.88.63, vin@domaine-du-cantonnet.fr r.-v.

CLOS DU MAINE-CHEVALIER 2011

2 500 | - de 5 €

Sur les plateaux calcaires et secs d'Issigeac, la vigne produit peu mais les raisins sont toujours riches et

concentrés, témoin ce pur sauvignon aux arômes intenses d'agrumes, de fleurs blanches et de buis. La bouche puissante, portée par une agréable fraîcheur, est fruitée à souhait. Marqué par une très légère pointe d'amertume en finale, ce vin bien fait est prêt à boire.
EARL Clos du Maine-Chevalier, Le Maine-Chevalier, 24560 Plaisance, tél. et fax 05.53.58.55.63, closdumainechevalier@orange.fr
t.l.j. 9h-12h30 13h30-19h
Caillard

CH. GRINOU Tradition 2011

100 000 | 5 à 8 €

Parée d'une belle robe jaune légèrement dorée, cette cuvée mi-sauvignon mi-sémillon, vinifiée et élevée six mois en cuve sur lies fines, présente un nez intensément floral et fruité. La bouche, tout aussi aromatique, s'enrichit de notes de fleur d'acacia. De la matière, du gras, de la vivacité : un vin à boire dès maintenant, sous la tonnelle.
Catherine et Guy Cuisset, Ch. Grinou, 24240 Monestier, tél. 05.53.58.46.63, chateaugrinou@aol.com r.-v.

DOM. HAUT MONTLONG Éclat de fruit 2011 *

13 000 | 5 à 8 €

Cette cuvée, qui n'a pas connu le fût, est appréciée pour sa robe brillante, jaune pâle aux reflets verts, et pour son nez agréablement typé sauvignon, aux notes de buis et de fruits exotiques. Ces arômes intenses se confirment dans une bouche bien construite, portée par une agréable fraîcheur. Ce vin à la finale un peu sévère est à apprécier dès aujourd'hui sur une choucroute de la mer. Le **monbazillac Haut Montlong 2009 cuvée Audrey (8 à 11 € ; 12 000 b.)**, au nez d'acacia, de vanille et d'agrumes, est cité pour son harmonie.
EARL Sergenton, Dom. du Haut Montlong, 24240 Pomport, tél. 05.53.58.81.60, fax 05.53.58.09.42, sergenton-haut-montlong@wanadoo.fr
t.l.j. 8h30-12h 13h30-18h

CH. LES MARNIÈRES Cuvée La Côte fleurie 2010

2 500 | 15 à 20 €

Cette microcuvée, issue de quatre cépages, sémillon (60 %) et sauvignon blanc (25 %) complétés de sauvignon gris (10 %) et de muscadelle, porte le nom de la parcelle Côte fleurie située sur l'un des meilleurs terroirs du domaine. La famille Geneste a patienté jusqu'au 30 septembre 2010 pour récolter une vendange surmûrie dans le but d'élaborer ce vin élevé quatre mois en cuve, douze mois en fût, au nez très marqué par le boisé. La bouche, portée par une agréable fraîcheur, s'enrichit de notes de fruits mûrs et de miel agrémentées de quelques touches végétales en finale. Idéal pour accompagner un beaufort ou un vieux comté.
Reine et Christophe Geneste, GAEC des Brandines, 24520 Saint-Nexans, tél. 05.53.58.31.65, fax 05.53.73.20.34, christophe.geneste2@wanadoo.fr
t.l.j. 9h30-12h30 14h-19h; sam. dim. sur r.-v.

CH. MONTPLAISIR 2011 **

2 000 | 5 à 8 €

Depuis 2001, Charles Blanc exploite, parcelle par parcelle, le petit domaine familial de 7 ha qui surplombe la rive droite de la Dordogne. Sauvignon (70 %) complété de muscadelle, voici un remarquable assemblage, né de 50 ares et élevé en barrique, qui a séduit les dégustateurs par ses parfums délicats de fleurs blanches alliés à de fines senteurs d'amande grillée et de vanille. Du fruit, du gras, de la fraîcheur, des notes toastées : la bouche harmonieuse reflète un beau travail de vinification et d'élevage. Le vin demande néanmoins deux ans de patience pour se fondre. Citée, la **rosette 2011 (2 000 b.)**, encore dominée par le bois mais prometteuse, devra patienter un an ou deux.
Charles Blanc, 147, rte de Peymilou, lieu-dit Montplaisir, 24130 Prigonrieux, tél. 06.81.05.69.64, fax 05.53.24.68.17, info@chateau-montplaisir.com
t.l.j. sf dim. 9h-19h; f. jan.

LIONEL OSMIN & CIE 2010

19 000 | 8 à 11 €

Ce négociant, qui cherche à assurer la visibilité des cépages du grand Sud-Ouest, propose un assemblage de sémillon (70 %) et de sauvignon blanc. Pourtant, c'est la variété minoritaire, fort aromatique, qui ressort. La robe est très pâle avec des reflets verts. Le nez se révèle frais et dominé par le buis et le bourgeon de cassis. L'attaque est vive et la bouche harmonieuse, sur les fruits, dévoile une pointe de minéralité.
Lionel Osmin & Cie, ZI Berlanne, rue d'Aspe, bât. 6, 64160 Morlaas, tél. 05.59.05.14.66, fax 05.59.05.47.09, vin@osmin.fr r.-v.

CH. LA RAYRE 2011 **

16 000 | 5 à 8 €

Vendange surmûrie, macération pelliculaire, fermentation et élevage en barrique sur lies : il en résulte ce très joli 2011 aux arômes complexes de fruits mûrs, de fruits exotiques, d'agrumes (mandarine), de fleurs blanches, agrémentés de quelques notes épicées qui se prolongent dans un palais suave, rond et généreux. C'est un vin que l'on a envie de boire de suite mais qui gagnera en complexité d'ici un an ou deux. Une étoile pour le **bergerac blanc 2010 Premier Vin (11 à 15 € ; 1 200 b.)**, encore marqué par son élevage en fût.
Ch. la Rayre, La Rayre, 24560 Colombier, tél. 05.53.58.32.17, fax 05.53.24.55.58, vincent.vesselle@wanadoo.fr r.-v.
Vesselle

SEIGNEURS DE BERGERAC 2011 *

200 000 | - de 5 €

Cette maison de négoce présente un bergerac sec, né de sauvignon (50 %), de sémillon (40 %) et d'une pointe de muscadelle. Dans une robe limpide aux reflets verts, ce 2011 dévoile un nez de fleurs et de fruits exotiques. En bouche, l'attaque vive et savoureuse se prolonge sur le fruit et sur des notes acidulées, qui portent loin la finale : l'équilibre est là. Un beau représentant de l'appellation, à déguster dès aujourd'hui sur des filets de poisson. Le **bergerac rosé 2011 (100 000 b.)**, cité, est apprécié pour son nez de grenadine et pour son équilibre.
SA Yvon Mau, rue Sainte-Pétronille, 33190 Gironde-sur-Dropt, tél. 05.56.61.54.54, fax 05.56.61.54.61, info@ymau.com

LES VIGNERONS DE SIGOULÈS Rose de Sigoulès 2011 *

n.c. | - de 5 €

La coopérative de Sigoulès voit chaque année plusieurs vins retenus dans le Guide. Elle propose ce pur sauvignon à la robe brillante animée de reflets jaune pâle. Le nez, fin et racé, mêle des parfums de fleurs blanches et des notes plus douces de pâte d'amandes. La bouche est réveillée par des touches d'agrumes (citron) qui apportent vivacité et harmonie. Un vin puissant, complexe et persistant, que l'on peut laisser mûrir encore pendant un an ou deux. Le **côtes-de-bergerac 2010 blanc Rose de Sigoulès (moins de 5 €)** a été cité. Boisé, concentré et gras, ce vin laisse deviner un beau potentiel de garde. Même distinction pour le **bergerac rosé 2011 Doméa (moins de 5 €)**, moderne, aromatique et frais.

Les Vignerons de Sigoulès, 24240 Sigoulès, tél. 05.53.61.55.00, fax 05.53.61.55.10, contact@vigneronsdesigoules.fr
t.l.j. sf. dim. 9h-12h30 14h-17h30 (18h30 en été)

CH. THEULET 2011 ★

26 000 | 5 à 8 €

Dominée par le sauvignon (60 %) complété par le sémillon, cette cuvée vinifiée en macération pelliculaire, avec élevage sur lies, a séduit le jury. Elle présente une réelle complexité. Au nez, on trouve des arômes de fleurs blanches, de buis, que viennent agrémenter quelques nuances fruitées. La bouche surprend par son fruit et sa fraîcheur. Ce vin long et structuré est à apprécier dès aujourd'hui sur des crustacés.

SCEA Alard, Le Theulet, 24240 Monbazillac, tél. 05.53.57.30.43, fax 05.53.58.88.28, alardetfils@wanadoo.fr
t.l.j. sf sam. dim. 9h-12h 14h-18h

Côtes-de-bergerac

Cette appellation ne définit pas un terroir mais des conditions de récolte plus restrictives qui doivent permettre d'obtenir des vins riches, concentrés, charpentés, au potentiel de garde plus important que les bergerac.

CH. COURT-LES-MÛTS Des pieds et des mains 2010 ★

1 200 | 20 à 30 €

Des pieds et des mains ? L'expression est aussi à prendre au sens premier : les raisins sont foulés au pied et le pigeage dans les barriques est manuel. Il faudra aussi aux œnophiles « faire des pieds et des mains » pour dénicher cette cuvée confidentielle, issue d'une majorité de malbec (40 %) aux côtés du merlot et du cabernet-sauvignon. La robe est d'un pourpre soutenu. Le nez, d'abord sur la retenue, développe à l'aération des arômes de mûre, de cassis et de vanille. Franche et fraîche en attaque, la bouche s'appuie sur des tanins mûrs et enrobés, un rien plus austères en finale. Un beau classique, à ouvrir dans deux ou trois ans. La **cuvée principale 2010 (19 500 b. ; 8 à 11 €)**, offrant une belle sucrosité mais encore sous l'emprise du bois, est citée.

Pierre Sadoux, Court-les-Mûts, 24240 Razac-de-Saussignac, tél. 05.53.27.92.17, fax 05.53.23.77.21, court-les-muts@wanadoo.fr
t.l.j. 9h-12h 14h-18h; sam. dim. sur r.-v.

CH. HAUT BERNASSE 2009 ★★

9 163 | 8 à 11 €

Le credo de Thierry Toffano, maître de chai du domaine depuis 1978 : la maturité optimale du raisin pour une expression aromatique maximale, avec plusieurs tries successives si besoin. Objectif atteint avec ce 2009 profond et intense dans sa robe rouge foncé, annonciatrice d'un nez puissant mais fin de fruits cuits agrémentés de nuances mentholées et réglissées. La bouche se révèle ronde et tout aussi aromatique (fruits rouges, vanille), soutenue par une solide structure tannique, encore un peu sévère en finale mais porteuse d'un bel avenir. À déguster dans deux ou trois ans.

SARL Jules et Marie Villette, Ch. Haut Bernasse, 24240 Monbazillac, tél. 05.53.58.36.22, fax 05.53.61.26.40, contact@haut-bernasse.com r.-v.

CONSUL DE MASBUREL 2009

12 500 | 8 à 11 €

Référence à Jean de Sambellie, consul de Sainte-Foy à l'époque de Louis XV, qui planta ici le premier cep de vigne, cette cuvée fait la part belle aux cabernets, cabernet-sauvignon en tête. Il en résulte un vin que l'on devine puissant dès le premier coup d'œil à sa robe sombre et profonde. Le nez confirme cette impression et dévoile des notes intenses de cerise mûre à souhait. Le palais est à l'unisson, corsé, boisé (vanille, toasté), tannique et persistant. Il aurait gagné à développer un rien de souplesse et de fraîcheur en plus, mais l'ensemble demeure fort bien construit. À attendre un an ou deux.

Ch. Masburel, Fougueyrolles, 33220 Sainte-Foy-la-Grande, tél. 05.53.24.77.73, fax 05.53.24.27.30, chateau-masburel@wanadoo.fr
t.l.j. 9h-17h
Robbins

CH. MONESTIER LA TOUR Prestige 2010 ★★

7 000 | 15 à 20 €

Changement de propriétaire en 2012 pour ce domaine avec l'arrivée aux commandes de Karl Friedrich Scheufele, d'origine suisse, qui succède à un Hollandais, P. de Haseth Möller. C'est donc ce dernier qui signe ce 2010, un vin pourpre aux reflets violets, au premier nez réservé, qui s'ouvre à l'aération sur les fruits rouges et les épices (cannelle). Après une attaque fraîche, le palais se montre à la fois concentré et soyeux, adossé à des tanins enrobés et à un boisé fondu. On pourra apprécier cette bouteille dès aujourd'hui ou l'attendre deux ans. Le **bergerac rouge cuvée de Navarre 2010 (5 à 8 €; 65 000 b.)**, fruité et charnu, égayé par une pointe mentholée, est cité.

SCEA Monestier la Tour, La Tour, 24240 Monestier, tél. 05.53.24.18.43, fax 05.53.24.18.14, contact@chateaumonestierlatour.com r.-v.
Scheufele

CH. MONTDOYEN Tout simplement 2009 ★

5 000 | 15 à 20 €

Ici, on pratique la lutte raisonnée : désherbage mécanique, compost naturel... ; on a aussi installé une centaine de nichoirs à oiseaux et de « niches » à insectes pour favoriser la biodiversité. Côté vin, ce 2009 couleur grenat profond livre un bouquet dominé par les notes fumées de l'élevage en barrique, agrémentées de nuances épicées et mentholées. Dans le prolongement du nez, la bouche se révèle corsée et bien charpentée. Un beau potentiel pour cette bouteille, que l'on sortira de cave dans deux ou trois ans.

SARL Vignobles Jean-Paul Hembise,
Ch. Montdoyen, Le Puch, 24240 Monbazillac,
tél. 05.53.58.85.85, fax 05.53.61.67.78,
contact@chateau-montdoyen.com t.l.j. 9h-19h

CH. LE PAYRAL Héritage 2009 ★★

	5 700		15 à 20 €

La démarche bio est poussée ici jusqu'au chai : aucun sulfite n'est ajouté et les levures sont exclusivement indigènes. Le résultat est ici un pur merlot pourpre aux reflets grenat, au nez de fruits mûrs rehaussé d'une pointe épicée et d'un boisé bien intégré. Souple en attaque, plein, le palais fait la part belle aux fruits, cerise en tête, porté par des tanins fins et fondus, et par une trame acide du meilleur effet. Un vin équilibré et élégant, à boire dans les deux ou trois ans à venir.

EARL Thierry et Isabelle Daulhiac, Ch. Le Payral,
24240 Razac-de-Saussignac, tél. 05.53.22.38.07,
daulhiac.thierry@wanadoo.fr r.-v.

CH. LES SAINTONGERS D'HAUTEFEUILLE
Élevé en fût de chêne 2009 ★

	6 300		8 à 11 €

Mi-merlot mi-cabernet-sauvignon, ce 2009 est né sur le beau terroir calcaire du secteur d'Issigeac, où Catherine d'Hautefeuille excerce depuis maintenant douze ans. Le nez mêle avec intensité les fruits, cerise en tête, et le boisé des douze mois d'élevage. L'attaque, franche et fruitée, ouvre sur un palais, élégant et long, boisé sans excès, porté par des tanins au grain fin et par une note crayeuse et fraîche qui rappelle le terroir. Un vin harmonieux que l'on laissera s'affiner encore un an ou deux.

Catherine d'Hautefeuille, Les Saintongers,
24560 Saint-Cernin-de-Labarde, tél. 05.53.24.32.84,
fax 05.53.57.77.18, saintongersdhautefeuille@hotmail.fr
r.-v.

CH. THÉNAC 2010 ★

	30 000		15 à 20 €

Après trois coups de cœur consécutifs pour son côtes-de-bergerac, ce domaine décroche une étoile avec son 2010 et s'impose comme une valeur sûre de l'appellation. Paré d'une robe noire d'encre aux reflets orangés, le vin livre un bouquet ouvert et riche de cassis et de mûre. La bouche se révèle dense, concentrée et longue, portée par des tanins enrobés. À déguster dès aujourd'hui sur une viande en sauce. Le **bergerac sec 2010 (10 000 b. ; 11 à 15 €)**, frais, floral et minéral, obtient également une étoile.

SCEA Ch. Thénac, Le Bourg, 24240 Thénac,
tél. 05.53.61.36.85, fax 05.53.58.37.13,
wines@chateau-thenac.comr.-v.

LES VERDOTS SELON DAVID FOURTOUT 2010 ★★

	14 500		20 à 30 €

David Fourtout, installé en 1992 sur l'exploitation familiale, collectionne les étoiles. Il en ajoute deux à son palmarès et un coup de cœur pour cette cuvée élevée vingt-deux mois en fût. La robe éclatante, d'un pourpre soutenu, est animée de reflets bleutés. Le nez intense affiche sans ambages un boisé dominateur mais de grande qualité, derrière lequel transparaissent les fruits rouges. Et l'on n'est pas surpris de découvrir en bouche un vin puissant, riche, dense, boisé, tannique, avec une juste fraîcheur qui vient équilibrer l'ensemble et lui offrir la

longueur des grands vins. Ce 2010 sera superbe dans quatre ou cinq ans, peut-être mieux encore dans dix ans. Le **bergerac rouge Clos des Verdots (70 000 b. ; 5 à 8 €)**, élevé en cuve, plus fruité et plus souple, obtient une étoile.

EARL David Fourtout, Les Verdots,
24560 Conne-de-Labarde, tél. 05.53.58.34.31,
fax 05.53.57.82.00, verdots@wanadoo.fr
t.l.j. sf dim. 9h-12h 14h-19h

Côtes-de-bergerac moelleux

Les mêmes cépages que les vins blancs secs, mais récoltés à surmaturité, permettent d'élaborer ces vins moelleux recherchés pour leurs arômes de fruits confits et leur souplesse.

CH. BELLEVUE 2009

	2 600		5 à 8 €

Cette petite cuvée (par le volume) est née de sémillon et d'une pointe d'ugni blanc. Parée d'une robe jaune citron soutenu, elle dévoile des parfums généreux de fruits confits agrémentés d'une note d'amande. La bouche se révèle joliment fruitée, à l'unisson de l'olfaction, de bonne longueur, plus acidulée en finale. Un vin d'une aimable simplicité, à boire dans l'année.

Philippe Gachet, Les Eymeries,
24230 Lamothe-Montravel, tél. et fax 05.53.58.60.88,
philippegachet24@sfr.fr mer. et sam. 9h-18h

CH. BINASSAT Cuvée Pépite 2010

	n.c.		8 à 11 €

Jean-François Jeante a suivi sa formation au lycée viticole de la Tour Blanche à Bommes, également 1er cru classé du Sauternais ; l'endroit idéal pour acquérir la maîtrise des vins doux. Les raisins sont ici vendangés entre amis, avec le traditionnel repas de fin de vendanges qui clôture de manière festive ce travail délicat. Le résultat est un moelleux plaisant, sur le raisin croquant et l'abricot frais, avec une touche d'amande en appoint. La bouche légère et fruitée apparaît bien équilibrée entre fraîcheur et sucrosité. Un bon classique de l'appellation.

Jeante, Le Casse, 24520 Saint-Nexans,
tél. 06.89.12.47.99, fax 05.53.61.21.58,
chateaubinassat@orange.fr t.l.j. 10h-12h 14h-18h

♥ CH. LA GRANDE BORIE 2011 ★★

■ 50 000 ▮ 5 à 8 €

Sur les 30 ha que compte l'exploitation, 9 ha de sémillon (85 %), de muscadelle et de sauvignon gris sont dédiés à cette remarquable cuvée. La robe est brillante et dorée, ornée de reflets verts. Des parfums de fleurs blanches et de fruits confits composent un bouquet intense et charmeur. Après une attaque délicate, tout en finesse, le palais dévoile une sucrosité flatteuse mais sans lourdeur aucune, mise en valeur par une juste vivacité et par une finale persistante qui offre un beau retour fruité (abricot). Bref, un moelleux comme il se doit, ni trop doux, ni trop mou, mais parfaitement équilibré. Le **côtes-de-bergerac rouge 2009 (8 à 11 €; 13 000 b.)**, issu de merlot à 75 % et de cabernet-sauvignon, obtient lui aussi deux étoiles pour son nez harmonieux mêlant les fruits noirs et le vanillé d'un merrain bien fondu, et pour sa bouche structurée, fruitée et persistante, le bois restant en retrait. Le **bergerac rouge 2011 (5 à 8 €; 30 000 b.)**, riche et encore tannique, est cité.

EARL des Vignobles Lafon-Lafaye, La Grande Borie, 24520 Saint-Nexans, tél. 05.53.24.33.21, fax 05.53.24.97.74, cllafaye@wanadoo.fr
t.l.j. 8h30-12h 14h-19h; dim. sur r.-v.
Claude Lafaye

DOM. DE GRANGE NEUVE 2011 ★★

■ 40 666 ▮ - de 5 €

Après un coup de cœur dans l'édition précédente pour son côtes-de-bergerac 2010, ce domaine confirme par ces deux étoiles qu'il faut compter avec lui. Son 2011, jaune brillant à reflets dorés, séduit par son bouquet complexe et intense de fruits frais (ananas), de fruits secs et de fleurs blanches agrémentés d'une légère touche de buis caractéristique du sauvignon (50 % de l'assemblage aux côtés du sémillon). Dans la continuité du nez, la bouche se révèle remarquablement équilibrée entre gras et fraîcheur, longue et tout en finesse, offrant en finale un beau retour sauvignonné et tonique. Accord gourmand en perspective avec une cuisine sucrée-salée.

SCEA de Grange Neuve, 24240 Pomport, tél. 05.53.58.42.23, fax 05.53.61.35.50, fmcastaing@aol.com
t.l.j. 8h30-12h 13h30-18h; sam. dim. sur r.-v.
Castaing et Fils

CH. HAUTE-FONROUSSE 2011

■ 60 000 ▮ - de 5 €

Une part non négligeable de sauvignon (40 %) accompagne ici le sémillon (50 %) et la muscadelle. Il en découle ce vin tonique, vif, sauvignonné au nez, acidulé et fruité en bouche. Un ensemble équilibré, plutôt sur la fraîcheur donc, à déguster à l'apéritif.

EARL Ch. Haute-Fonrousse, 24240 Monbazillac, tél. 06.14.22.15.04, fax 05.53.58.30.28, geraud.vins@wanadoo.fr t.l.j. 9h-12h30 14h-19h
Géraud et Fils

♥ LES RAISINS OUBLIÉS 2011 ★★

■ 24 000 ▮ - de 5 €

Comme son nom l'indique, cette cuvée est un vrai liquoreux, né de l'oubli, volontaire bien sûr, des raisins sur leurs grappes afin que la pourriture noble produise son effet. Vendangées le 25 septembre 2011, les baies de sémillon ont donné naissance à ce superbe vin, lumineux dans sa robe jaune paille soutenu. Le nez, intense, évoque la cire d'abeille, les fleurs blanches et les abricots confits. Souple et vive à la fois, l'attaque s'ouvre sur un palais gras, ample et rond, tapissé par les arômes perçus à l'olfaction. La finale, longue, fraîche et fruitée, laisse le souvenir d'un ensemble très harmonieux et racé. (Bouteilles de 50 cl.) Le **bergerac sec 2011 Haute Tradition (16 000 b.)**, vif, nerveux, sauvignonné, obtient une étoile.

Vins fins du Périgord, rte de Marmande, Les Séguinots, bât. Unidor, 24100 Saint-Laurent-des-Vignes, tél. 05.53.63.78.50, fax 05.53.63.78.59, contact@vinsfinsduperigord.fr

ROC DE MIREMONT 2011 ★

■ 150 000 ▮ - de 5 €

La maison de négoce Rigal, spécialisée dans les vins du Sud-Ouest, propose une cuvée charmante dans sa robe jaune pâle à reflets verts, au nez empreint de notes vives, citronnées et florales, presque sauvignonnées, étonnantes pour un moelleux issu du seul sémillon mais fort plaisantes. On retrouve ces arômes dans une bouche tonique et harmonieuse. Parfait pour l'apéritif.

Rigal, Ch. Saint-Didier Parnac, 46140 Parnac, tél. 05.65.30.70.10, fax 05.65.20.16.24, marketing@rigal.fr

Monbazillac

Superficie : 1 949 ha
Production : 44 152 hl

Ce vignoble est implanté au cœur du Bergeracois, sur des coteaux pentus de la rive gauche de la Dordogne exposés au nord. Les grappes y reçoivent en automne la fraîcheur et les brumes qui favorisent le développement du botrytis, la pourriture noble. Le sol argilo-calcaire apporte des arômes intenses ainsi qu'une structure puissante à ces vins moelleux et liquoreux qui s'harmonisent avec le foie gras, les viandes blanches à la crème ou les fraises du Périgord.

L'ANCIENNE CURE L'Extase 2009 ★★

3 000 | 30 à 50 €

Valeur sûre du Bergeracois, ce domaine signe un monbazillac d'un beau classicisme. Drapé dans une robe jaune doré comme il se doit, le vin dévoile un bouquet intense d'agrumes, de poire, de coing et de tilleul, agrémenté de notes vanillées bien marquées. Vif et tonique en attaque, il offre beaucoup de gras et de richesse en bouche, longuement tapissé par les arômes de fruits confits et de boisé perçus à l'olfaction. Un ensemble harmonieux. Moins complexe mais bien équilibrée, la cuvée **l'Abbaye 2009 (15 à 20 € ; 10 000 b.)** est citée. (Bouteilles de 50 cl.)

SARL L'Ancienne Cure, 24560 Colombier, tél. 05.53.58.27.90, fax 05.53.24.83.95, ancienne-cure@orange.fr t.l.j. sf dim. 9h-19h

DOM. DE LA BORIE BLANCHE Carpe diem 2010

2 600 | 11 à 15 €

Ce domaine tourné vers l'œnotourisme (gîtes et chambres d'hôtes, parcours de golf) est actuellement en cours de restructuration et vise de plus hautes densités. Son monbazillac, d'un doré brillant, dévoile un nez chaleureux et fruité. En bouche, il se montre très concentré, très riche, agrémenté d'un boisé toasté encore dominant, qu'il faudra laisser s'affiner encore trois ou quatre ans. (Bouteilles de 50 cl.)

Emmanuelle et Jean-Luc Ojeda, La Borie-Blanche, 24240 Pomport, tél. 05.53.73.02.45, ejlojeda@wanadoo.fr t.l.j. 10h30-18h30; 10 sept.-14 juin sur r.-v.

CH. CLUZEAU Bois blanc 2010 ★★

3 000 | 11 à 15 €

Quoi de plus naturel pour un tonnelier passionné de vin que de s'essayer à la vinification ? Marc Saury a tenté l'aventure en 2005, et les résultats ne se font pas attendre avec ce monbazillac remarquable en tout point. La robe, élégante, jaune paille, est animée de reflets dorés étincelants. Le nez mêle agréablement les fleurs blanches, le miel, l'abricot confit et les notes toastées de la barrique. Bien soutenu par un boisé fondu à souhait, le palais se révèle tout aussi aromatique, miellé et fruité, à la fois puissant et d'une grande fraîcheur. Un vin déjà harmonieux mais qui ne pourra que se bonifier avec le temps. Le **bergerac 2010 rouge (8 à 11 € ; 15 000 b.)**, généreux et puissant, obtient une étoile, comme le **bergerac sec 2010 (8 à 11 € ; 14 000 b.)**, très typé sauvignon.

Marc Saury, Le Petit Cluzeau, 24240 Flaugeac, tél. 06.80.71.04.05, fax 05.53.24.33.71, marc.saury@chateaucluzeau.com r.-v.

CH. LES HAUTS DE CAILLEVEL Grains de folie 2009 ★

2 500 | 11 à 15 €

Sylvie Chevallier a repris Caillevel (« caillou sur le vallon ») en 1999, a entièrement restructuré bâtiments et vignoble, et a engagé la conversion de ce dernier à l'agriculture biologique. Cette cuvée Grains de folie – car il faut être un peu fou pour récolter les raisins grain par grain – séduit d'emblée dans sa robe jaune d'or brillant. Le nez, intense, évoque les fruits confits, égayé par une note de zeste d'agrumes et une pointe de vanille. L'attaque est vive, sur les agrumes, puis le fruit s'exprime avec douceur, tapissant un palais généreux et rond. Un vin délicat. (Bouteilles de 50 cl.) Gourmand et fruité mais encore un rien dominé par le bois, le **côtes-de-bergerac 2009 rouge Ébène (2 500 b.)** est cité.

Ch. les Hauts de Caillevel, 24240 Pomport, tél. et fax 05.53.73.92.72, caillevel@wanadoo.fr t.l.j. sf dim. 9h-12h 14h-18h

Sylvie Chevallier

CH. KALIAN Sélection de grains nobles 2009

2 800 | 15 à 20 €

En 2012, ce domaine fête ses vingt ans d'existence et l'arrivée du logo AB sur ses étiquettes. En attendant la mention biologique sur les bouteilles, on pourra apprécier ce monbazillac fermenté et élevé vingt-quatre mois en barrique. Dans le verre, une belle teinte jaune pâle et des parfums intenses de fruits blancs et de boisé vanillé. En bouche, un bon équilibre entre rondeur et vivacité, une finale plus chaleureuse concluant la dégustation.

EARL Kalian Griaud, Ch. Kalian, Bernasse, 24240 Monbazillac, tél. 05.53.24.98.34, kalian.earl@orange.fr t.l.j. 10h-19h

CH. LADESVIGNES Automne Élevé en fût de chêne 2009 ★★

5 000 | 11 à 15 €

CHATEAU LADESVIGNES MONBAZILLAC
ELEVE EN FUT DE CHENE
Automne

Le vignoble de ce domaine est en pleine restructuration depuis 1999 ; la fin des travaux est prévue pour 2020. Mais ces efforts semblent déjà porter leurs fruits, témoin cette cuvée haut de gamme, issue du seul sémillon, vinifiée et élevée en barrique pendant dix-huit mois. Drapée dans une seyante et limpide robe dorée, elle offre un bouquet intense et suave, floral (tilleul) et fruité (agrumes). Portée par la fraîcheur des agrumes, la bouche attaque avec dynamisme, puis se révèle ample, ronde, riche, concentrée mais sans lourdeur aucune, avec toujours en soutien cette vivacité nécessaire à l'équilibre et qui porte loin la finale, sur des notes de fruits compotés. Déjà harmonieux, ce monbazillac est aussi armé pour une longue garde. (Bouteilles de 50 cl.) Le **côtes-de-bergerac Le Petrocore 2009 rouge (8 à 11 € ; 4 000 b.)** obtient également deux étoiles

pour son bel équilibre entre fruité bien mûr et boisé fin (réglisse), et pour sa finale persistante.
Ch. Ladesvignes, Ladesvignes, 24240 Pomport, tél. 05.53.58.30.67, fax 05.53.58.22.64, contact@ladesvignes.com
t.l.j. sf sam. dim. 9h-12h 14h-19h
Monbouché

DOM. DE LA LANDE L'Héritage d'Albert Camus Sélection de grains nobles 2010 ★★

6 700 | 8 à 11 €

Cette marque, créée en 2009, n'est pas un hommage à l'auteur de *La Peste*, mais à son homonyme, le grand-père de Fabrice Camus, fondateur du domaine dans les années 1930. Et c'est un bel hommage que ce monbazillac né de sémillon (80 %) et de muscadelle. La robe est d'un beau jaune limpide, ornée de reflets dorés. Le nez, complexe et subtil, mêle les fleurs blanches, les fruits confits et le miel. On retrouve cette finesse et cette élégance en bouche, avec un côté acidulé qui apporte tonus et vivacité, conférant à l'ensemble un équilibre remarquable.
Fabrice Camus, Dom. de la Lande, 24240 Monbazillac, tél. et fax 05.53.73.21.79, fabrice.camus@domaine-de-la-lande.com
t.l.j. 9h-19h

DOM. DE PÉCOULA 2009 ★★★

9 300 | 5 à 8 €

Bien connu des lecteurs, ce domaine signe un monbazillac jugé exceptionnel. Ses arguments ? Une superbe robe jaune doré, lumineuse. Un nez d'une grande fraîcheur, citronné à souhait. Un palais à l'unisson, très frais dès l'attaque, sur les agrumes confits, mais aussi puissant, concentré, gras, complexe et fort long. Un vin très pur et d'une harmonie rare, à déguster jeune ou plus vieux pour de nouvelles sensations gustatives. Le **bergerac sec 2011 (moins de 5 € ; 9 300 b.)**, gourmand, frais et équilibré, obtient une étoile, de même que le **bergerac rosé 2011 (moins de 5 € ; 10 600 b.)**, doux et fruité.
Dom. de Pécoula, Pécoula, 24240 Pomport, tél. 05.53.58.46.48, fax 05.53.58.82.02, pecoula.labaye@wanadoo.fr t.l.j. 9h-12h 14h-18h

CH. LA ROBERTIE Vendanges de brumaire 2009 ★

3 200 | 11 à 15 €

Brigitte Soulier conduit, en bio certifié depuis 2011 (la biodynamie est en cours depuis 2009), un vignoble de plus de 14 ha. Sa cuvée, dont le nom évoque le brouillard si propice au *botrytis cinerea*, est un pur sémillon qui a connu vingt-quatre mois de barrique. Et le nez ne s'en cache pas, intensément boisé – mais il s'agit d'un boisé de qualité. La bouche apparaît elle aussi dominée par des notes grillées et toastées, mais sa concentration et sa puissance lui permettront d'assimiler son élevage dans les cinq à sept ans à venir. (Bouteilles de 50 cl.) Une étoile également pour le **côtes-de-bergerac la Robertie Haute 2009 rouge (5 000 b.)**, aux tanins souples et fondus, prêt à boire, et pour le **côtes-de-bergerac E de la Robertie 2009 rouge (15 à 20 € ; 2 800 b.)**, que l'on attendra un peu pour lui laisser le temps de fondre ses tanins et son boisé.
Ch. la Robertie, La Robertie, 24240 Rouffignac-de-Sigoulès, tél. 05.53.61.35.44, fax 05.53.58.53.07, chateau.larobertie@wanadoo.fr
t.l.j. 9h-19h; sam. dim. sur r.-v.
Brigitte Soulier

CH. TIRECUL LA GRAVIÈRE Les Pins 2009

6 000 | 8 à 11 €

Cette cuvée doit son nom à un bois de pins maritimes qui coiffe le domaine. Issue de sémillon et de muscadelle à parts presque égales, elle arbore une élégante robe dorée animée de reflets verts et livre un bouquet riche et intense de fruits confits. En bouche, elle se révèle très liquoreuse, opulente et grasse ; un rien de fraîcheur eût été bienvenu, mais l'ensemble est harmonieux et bien construit. À réserver aux amateurs de vins très doux. (Bouteilles de 50 cl.)
Ch. Tirecul la Gravière, 24240 Monbazillac, tél. 05.47.77.07.60, fax 05.53.61.36.49, info@vinibilancini.com
t.l.j. 9h-12h 14h-18h (déc.-jan. 17h); sam. dim. sur r.-v.
Claudie et Bruno Bilancini

CH. VARI Gold 2010 ★★

1 350 | 50 à 75 €

Yann Jestin, installé depuis 1994 sur ce domaine de 20 ha, est œnologue et courtier en grands crus classés du Bordelais. Une proximité avec l'excellence qui l'inspire et qui a donné ce monbazillac haut de gamme – « de l'or en bouteille » – au nez complexe, expressif et frais, au boisé bien fondu, au palais riche, puissant et gras mais qui garde toujours un côté vif et tonique. Un vin raffiné et harmonieux. (Bouteilles de 50 cl.) La **cuvée principale 2010 (8 à 11 € ; 19 000 b.)**, moins concentrée mais très élégante, obtient une étoile.
Vignobles Jestin, Ch. Vari, Le Pataud, 24240 Monbazillac, tél. 05.53.61.84.98, fax 05.57.19.03.04, contact@chateau-vari.com t.l.j. sf dim. 8h-12h 13h-17h

CH. LA VIEILLE BERGERIE Quercus 2009 ★

2 000 | 15 à 20 €

C'est l'ancien chai, aménagé dans une bergerie désaffectée, qui donne son nom au domaine ; mais il est devenu trop petit, et les installations ont été déménagées en 2006 dans un bâtiment voisin. Cette cuvée Quercus – dont le nom est peut-être inspiré des barriques de chêne qui l'ont vue naître – dévoile un nez complexe d'acacia, de tilleul, de fruits blancs et d'abricot confit, avec une pointe iodée en arrière-plan. Le palais, bien équilibré entre rondeur et vivacité, est plus marqué par la poire et le coing, et aussi par le boisé qui apporte une élégante touche vanillée. Un ensemble harmonieux. Le **bergerac rosé 2011 cuvée Soir d'été (5 à 8 € ; 5 000 b.)**, frais et fruité, obtient une étoile également.
SCEA de Malauger, Ch. la Vieille Bergerie, Malauger, 24100 Bergerac, tél. et fax 05.53.61.35.19, lavieillebergerie@free.fr
t.l.j. sf dim. 10h-12h 15h-19h
Pierre Desmartis

Montravel

Cette région garde le souvenir de Montaigne : c'est dans la maison forte familiale que l'écrivain rédigea ses *Essais* et l'on peut encore visiter sa « librairie » à Saint-Michel-de-Montaigne. La production se divise en montravel blanc sec, typé par le sauvignon, en côtes-de-montravel et haut-

SUD-OUEST

montravel, deux appellations de vins moelleux, et depuis 2001 en montravel rouge. En rouge comme en blanc, les cépages sont ceux du Bordelais voisin.

CH. DU BLOY Le Bloy 2009

■ 1 900 11 à 15 €

Les nouveaux propriétaires, installés en 2001, M. Lambert, ancien consultant en informatique, et M. Lepoittevin-Dubost, ancien avocat, ont engagé en 2011 la conversion du vignoble à l'agriculture biologique. Ils présentent une cuvée mi-merlot mi-cabernet franc d'une belle couleur rubis aux reflets bruns. Le nez, discret, évoque après aération les fruits noirs et la réglisse. La bouche se révèle fruitée, ronde et douce, adossée à des tanins souples, mais plus austères en finale. À boire dans les deux ans à venir.

SCEA Lambert Lepoittevin-Dubost, Le Blois, 24230 Bonneville, tél. 05.53.22.47.87, fax 05.53.27.56.34, chateau.du.bloy@wanadoo.fr

t.l.j. 9h-12h 14h-18h; sam. dim. sur r.-v.

♥ **L'ENCLOS PONTYS** 2009 ★★

■ 7 500 8 à 11 €

Le vignoble avait disparu de ce coteau des Pontys en 1986. En 2001, la plus belle parcelle (1,75 ha) a été replantée. Les premières récoltes sont déclarées en bergerac, et ce n'est qu'en 2008 qu'apparaît l'Enclos Pontys en montravel. Deuxième vendange donc pour ce 2009 proposé par un producteur bordelais bien connu dans une appellation voisine, et une réussite totale avec un vin remarquable tout au long de la dégustation. La robe est pourpre soutenu, tirant vers le noir : l'annonce d'un nez intense et généreux de fruits noirs mûrs mâtiné d'épices (cannelle, girofle). Ronde, ample et élégante d'entrée, la bouche monte rapidement en puissance, portée par des tanins bien présents mais sans agressivité et par un boisé grillé qui laisse s'exprimer le fruit. Armée pour une bonne garde, cette bouteille s'appréciera dans les quatre ou cinq ans à venir, sur un confit de canard par exemple.

SC Ch. Marsau, Bernarderie, 33570 Francs, tél. 06.09.71.22.35, fax 05.56.44.30.49, jm.chadronnier@gmail.com r.-v.

CH. LES GRIMARD 2011 ★★

7 580 - de 5 €

Un soupçon de sémillon (2 %) entre dans ce montravel très limpide, jaune clair aux reflets verts. Mais c'est avant tout le sauvignon qui logiquement s'exprime ici, à travers un bouquet floral et citronné, assorti d'une minéralité qui renvoie au terroir argilo-calcaire. Une minéralité que l'on perçoit aussi en bouche, dès l'attaque, où des notes de silex apportent, aux côtés des agrumes, une belle fraîcheur et de la longueur. Fine et élégante, cette bouteille accompagnera volontiers des noix de Saint-Jacques sur une fondue de poireau. Le **côtes-de-montravel 2010 Cuvée spéciale (2289 b.)**, cité, est un moelleux agréable, rond et boisé sans excès.

GAEC des Grimard, Les Grimards, 24230 Montazeau, tél. 05.53.63.09.83, fax 05.53.24.90.14, ch.lesgrimard@orange.fr

t.l.j. 8h-19h; sam. dim. sur r.-v.

Joyeux et Havard

RÉVÉLATION DE GRIMARDY 2009 ★★

■ 4 300 15 à 20 €

Venu du Bordelais voisin, Marcel Establet a acquis en 1998 ce domaine, qu'il convertit actuellement à l'agriculture biologique. Une vieille vigne de merlot plantée sur le plateau calcaire de Montazeau exposé plein sud a donné, avec 20 % de cabernet franc, ce vin rubis limpide, au nez intense de fruits noirs, d'épices et de sous-bois. Franc en attaque, le palais s'appuie sur des tanins suaves et ronds et sur un boisé de qualité mais qui demande encore à se fondre. La longue finale laisse le dégustateur sur d'agréables évocations de fruit et de caramel. Un vin à la fois puissant et élégant, à boire dans les trois ou quatre ans. Le **bergerac Nucléus de G. 2010 rouge (5 à 8 € ; 3 200 b.)**, un pur merlot rond et généreux, est cité.

Marcel Establet, Les Grimards, 24230 Montazeau, tél. 05.53.57.96.78, fax 05.53.61.97.16, grimardy@wandoo.fr

r.-v.

CH. MOULIN CARESSE Grande Cuvée cent pour 100 2009 ★★

■ 18 000 11 à 15 €

Ce vin a valu quatre coups de cœur (et une Grappe de bronze du Guide) à Sylvie et Jean-François Deffarge. Assemblage de merlot (60 %), de cabernets et de malbec, cette cuvée se présente dans une robe rubis profond ornée de reflets violets. Le nez, intense, mêle les fruits noirs à la réglisse et à un boisé fondu. Le palais, rond et doux à l'attaque, monte rapidement en puissance, porté par de solides tanins et un boisé vanillé qui demande encore à s'affiner et qui pour l'heure masque un peu le fruit. Mais ce vin a du coffre et dans deux ou trois ans, il fera merveille sur un rosbif sauce au champignon. Le montravel **blanc 2010 Magie d'automne (5 à 8 € ; 9 000 b.)** obtient une étoile pour sa complexité aromatique, entre notes florales, fruitées et boisées, de même que le **bergerac rouge 2010 Magie d'automne (5 à 8 € ; 25 000 b.)**, intense, tannique et encore sous l'emprise du fût.

EARL Deffarge Danger, 1235, rte de Couin, 24230 Saint-Antoine-de-Breuilh, tél. 05.53.27.55.58, fax 05.53.27.07.39, moulin.caresse@cegetel.net

t.l.j. sf sam. dim. 9h-12h 14h-18h

CH. MOULIN-GARREAU Miss Diane 2010 ★

2 000 11 à 15 €

Un moulin à vent, dressé autrefois sur le hameau de Garreau, donne son nom à ce domaine conduit depuis 2005 par Alain Péronnet et en cours de conversion bio. Cette cuvée jaune doré dévoile au nez un boisé élégant et bien fondu. On retrouve ces arômes vanillés dans une bouche ronde et généreuse, et même chaleureuse en finale.

Une bouteille que l'on réservera, d'ici une petite année, à une viande blanche en sauce.
Alain Péronnet, 10, rte du Coteau, Garreau, 24230 Lamothe-Montravel, tél. 05.53.61.26.97, fax 05.53.22.69.51, aperonnet@wanadoo.fr
r.-v. 3

TERRE DE PIQUE-SÈGUE Anima Vitis Élevé en fût de chêne 2009 ★★

15 000	11 à 15 €

Ce domaine était déjà répertorié au XIVes. par l'archevêque de Bordeaux pour la qualité de ses vins. Sept siècles plus tard, la vigne, plantée sur les plus hauts coteaux de Montravel, continue de produire de belles bouteilles, à l'image de ce 2009 à la robe noire animée de reflets violets. Au nez, les fruits noirs et rouges s'expriment avec intensité, avant de s'estomper devant un boisé élégant et légèrement épicé. La même palette aromatique imprègne le palais, rond, charnu, généreux, adossé à des tanins soyeux et porté en finale par de jolies sensations florales (violette) et fruitées (cassis). À découvrir dans les trois ou quatre ans à venir. Cité, le **côtes-de-montravel 2011 (5 à 8 €; 5 500 b.)** est un moelleux agréable et frais.
SNC Ch. Pique-Sègue, Ponchapt, 33220 Port-Sainte-Foy-et-Ponchapt, tél. 05.53.58.52.52, fax 05.53.58.77.01, infos@chateau-pique-segue.fr
r.-v.
Mallard

CH. PUY-SERVAIN Vieilles Vignes 2009 ★

6 000	11 à 15 €

Cette cuvée, issue à 80 % de merlot, présente une robe rubis ornée de reflets violacés. Le nez, encore sur la réserve, s'ouvre à l'agitation sur des notes surmûries de pruneau à l'eau-de-vie. La bouche est à l'unisson, chaleureuse, ronde, douce, portée par des tanins soyeux. Une pointe d'austérité en finale appelle une petite garde d'un an. Cité, le **haut-montravel cuvée Terrement 2010 (6 200 b.)** est un liquoreux issu du seul sémillon, aux arômes de fruits exotiques, rond et gras en bouche.
SCEA Puy-Servain, Calabre, 33220 Port-Sainte-Foy, tél. 05.53.24.77.27, fax 05.53.58.37.43, oenovit.puyservain@wanadoo.fr
t.l.j. 8h-12h 14h-18h; sam. sur r.-v. E
Hecquet

CH. LE RAZ Les Filles 2009

12 292	11 à 15 €

Hommage aux femmes qui travaillent chaque année dans les vignes, cette cuvée associe une pointe de malbec au merlot (75 %) et au cabernet-sauvignon. Il en résulte un vin pourpre intense, au nez puissant et concentré de fruits rouges enrobés par les notes torréfiées de l'élevage. On retrouve ces arômes dans une bouche bien équilibrée entre douceur et moelleux de la chair, rondeur des tanins et vivacité. La finale, plus sévère, appelle une petite garde d'un an pour apprécier ce 2009 à son optimum.
GAEC du Maine, Le Raz, 24610 Saint-Méard-de-Gurçon, tél. 05.53.82.48.41, fax 05.53.80.07.47, vignobles-barde@le-raz.com
t.l.j. sf dim. 9h-12h30 14h15-18h30; sam. sur r.-v.
Barde

CH. ROQUE-PEYRE Subtilité 2011 ★★

40 000	5 à 8 €

MIS EN BOUTEILLE AU CHÂTEAU
CHÂTEAU ROQUE-PEYRE
2011
Vignobles Vallette
MONTRAVEL
APPELLATION MONTRAVEL CONTRÔLÉE
SUBTILITÉ

Cette cuvée tire son nom de la subtilité de ses arômes, explique Jean-Marie Vallette. De fait, ce 2011 jaune clair à reflets verts, à forte dominante de sauvignon (80 %, avec un appoint de sémillon et de muscadelle), livre un bouquet expressif et fin de fruits exotiques (mangue) rehaussé par une note minérale fraîche et tonique. Vif et franc en attaque, il ajoute en bouche des senteurs intenses d'agrumes, pamplemousse en tête, à ces nuances exotiques et s'étire longuement en finale, soutenu par une noble amertume. Un vin élégant et racé, belle expression de son terroir argilo-limoneux. À déguster dans l'année sur une poêlée de saint-jacques.
EARL Vignobles Vallette, lieu-dit Roque, 33220 Fougueyrolles, tél. 05.53.24.77.98, fax 05.53.61.36.87, vignobles.vallette@wanadoo.fr
t.l.j. sf dim. 9h-18h; sam. sur r.-v.

TERRE BLEUE 2011 ★★

16 600	- de 5 €

Cette Terre est bleue comme un citron... Paul Éluard aurait pu employer cette image pour décrire ce vin de la coopérative de Port-Sainte-Foy, issu de sauvignon (60 %) et de muscadelle. Derrière le jaune clair de la robe, orné de reflets saumonés, on découvre un nez expressif et intense de fleurs blanches, d'agrumes et de pêche. Un fruité croquant anime le palais, souple, fin et harmonieux, porté par une belle vivacité (citron vert) en finale. Un montravel long et équilibré, à servir dès à présent sur des fruits de mer. Le **bergerac rouge Terre noire 2010 (5 à 8 €; 16 000 b.)**, chaleureux, séveux mais encore un peu austère, est cité, de même que le **bergerac rosé Terre satinée 2011 (40 000 b.)**, pour son originalité aromatique (pomme et poire).
Union de viticulteurs de Port-Sainte-Foy, 78, rte de Bordeaux, 33220 Port-Sainte-Foy, tél. 05.53.27.40.70, fax 05.53.27.40.71, union.viticulteurs@orange.fr
t.l.j. sf dim. 9h-12h 14h-18h

Pécharmant

Superficie : 418 ha
Production : 14 864 hl

Au nord-est de Bergerac, ce « Pech », colline couverte de vignes, donne un vin rouge aux tanins fins et élégants, apte à la garde.

♥ L'ANCIENNE CURE Sélection Collection 2009 ★★

■ 10 000 | 11 à 15 €

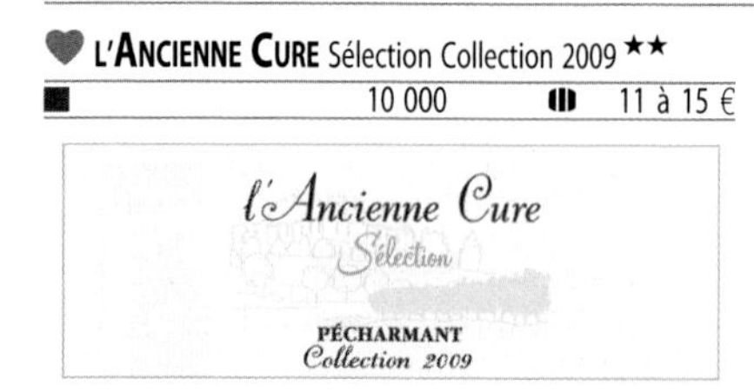

S'il produit sur son domaine des monbazillac remarquables, Christian Roche sait aussi, en tant que négociant-éleveur, proposer des pécharmant de grande qualité, tel celui-ci, superbe assemblage de merlot (60 %), de cabernet-sauvignon (20 %) et de malbec (20 %). Paré d'une robe pourpre aux reflets violines, ce 2009 révèle un nez des plus complexes mêlant les fruits rouges à un boisé très fin et épicé. La bouche, d'une grande puissance, s'appuie sur des tanins imposants, qui restent cependant ronds et soyeux. Les arômes de pruneau, de fraise et de cerise se fondent dans des notes chocolatées et toastées. Sa charpente et sa longue finale garantissent à ce 2009 un magnifique vieillissement. En tout cas, on laissera séjourner cette bouteille deux à trois ans en cave pour une parfaite intégration de l'élevage.

SARL L'Ancienne Cure, 24560 Colombier, tél. 05.53.58.27.90, fax 05.53.24.83.95, ancienne-cure@orange.fr t.l.j. sf dim. 9h-19h

LES CHEMINS D'ORIENT Cuvée Coumely 2009 ★

■ 9 000 | 15 à 20 €

Actif jadis au sein d'une mission humanitaire en Afghanistan, Régis Lansade a retrouvé dans le plateau pyrénéen de Coumely, des panoramas grandioses dignes des hauts plateaux afghans, d'où le nom de cette cuvée. Son pécharmant à la robe grenat profond mêle au nez des notes boisées issues d'un long élevage et des senteurs de fruits rouges bien mûrs. La bouche ronde, sur le fruit, repose sur des tanins soyeux d'une agréable douceur. Ce vin délicat et élégant, au fût bien intégré, pourra être ouvert dès 2013.

SCEA Régis Lansade - Robert Saléon-Terras, 19, chem. du Château-d'Eau, 24100 Creysse, tél. 06.75.86.47.54, fax 05.53.22.08.38, lescheminsdorient@orange.fr t.l.j. 8h30-18h30

♥ CH. CORBIAC 2010 ★★★

■ 36 000 | 8 à 11 €

Déjà élu coup de cœur dans le millésime 2008, ce magnifique pécharmant provient d'un vignoble de 16,5 ha planté sur le versant d'une colline exposée plein sud. Une situation idéale favorisant notamment la surmaturité du merlot, qui constitue ici 60 % de l'assemblage aux côtés des deux cabernets et du malbec. Élevé pendant un an, en fût et en cuve, ce 2010 se présente dans une livrée d'un rouge profond avant de dévoiler un bouquet ouvert et chaleureux mêlant intimement le fruité et le boisé. La bouche impressionne par son volume et sa matière, soutenue par des tanins puissants déjà fondus qui permettent au fruit de s'exprimer. S'il est déjà prêt à ravir les papilles, ce vin gagnera aussi à vieillir quelques années.

Durand de Corbiac, Ch. de Corbiac, rte de Corbiac, 24100 Bergerac, tél. 05.53.57.20.75, fax 05.53.57.89.98, corbiac@corbiac.com t.l.j. 9h-19h

DOM. DES COSTES Grande Réserve 2009 ★

■ 3 000 | 20 à 30 €

Les grappes de merlot (cépage majoritaire) et de cabernets ont été sélectionnées et cueillies à la main pour élaborer cette cuvée dont l'élevage en fût a duré deux ans. La robe d'un rouge intense, qui montre déjà quelques reflets tuilés, annonce un nez plaisant de fruits mûrs et de pruneau nuancé d'une touche toastée. Après une attaque en rondeur, les tanins s'expriment avec puissance et volume, mais aussi avec finesse. Les notes de vanille et de café traduisent encore la présence du bois. Un vin étoffé, à attendre trois ans.

Nicole Dournel, Les Costes, 4, rue Jean-Brun, 24100 Bergerac, tél. 05.53.57.64.49, fax 05.53.61.69.08 r.-v.

DOM. LES GANGETTES Selon Gaston 2010 ★

■ 14 000 | 8 à 11 €

Installés au pied du château de Monbazillac, les Borderie travaillent en famille : Francis au vignoble et son neveu Frédéric au chai. Leur pécharmant à la couleur intense et au nez ouvert sur les fruits rouges traduit une belle extraction et une jolie concentration. En attaque, l'impression de gras et de douceur est agréable. La bouche ample dévoile des arômes vanillés et des tanins assez fondus. Côté moelleux, le **côtes-de-bergerac Ch. Poulvère 2011 blanc (5 à 8 € ; 56 000 b.)** est cité. C'est un vin doux aux notes d'abricot, de fleurs blanches et de cire d'abeille. Et en liquoreux, le **monbazillac Ch. Poulvère 2010 cuvée Prestige (11 à 15 € ; 28 000 b.)**, boisé et équilibré par une jolie fraîcheur, obtient lui aussi une citation.

GFA Poulvère et Barses, Famille Borderie, 24240 Monbazillac, tél. 05.53.58.30.25, fax 05.53.58.35.87, francis.borderie@poulvere.com t.l.j. sf dim. 8h-12h 14h-19h

DOM. DU HAUT-PÉCHARMANT Cuvée Veuve Roches 2009 ★

■ 20 000 | 8 à 11 €

Auteur d'une cuvée Prestige qui n'avait pas connu le bois, élue coup de cœur dans le millésime précédent, Didier Roches revient avec, cette fois-ci, un pécharmant élevé un an. La robe d'un rouge profond précède un bouquet d'abord vanillé et toasté, qui révèle très vite des notes de fruits rouges et de pruneau. La bouche tout en rondeur et en douceur est équilibrée par une fine fraîcheur et livre un fruité élégant. Un vin au boisé très bien maîtrisé, à attendre un an ou deux.

Didier Roches, Dom. du Haut-Pécharmant, 24100 Bergerac, tél. 05.53.57.29.50, fax 05.53.24.28.05, haut-pecharmant@orange.fr
t.l.j. 8h-12h 13h30-18h30

CH. HUGON 2009 ★★

	5 000		8 à 11 €

Sur ce petit vignoble de 4,14 ha situé au sommet de la butte du hameau de Pécharmant, la recherche de la qualité reste la préoccupation constante du producteur, Sébastien Cousy qui, depuis qu'il a repris le domaine en 2007, a proscrit l'utilisation de désherbant. Au premier nez, son pécharmant laisse deviner un élevage en barrique que traduit un léger toasté, puis le fruit se développe sur des notes de griotte au sirop. L'attaque introduit un joli fruité en bouche, épaulé par des tanins élégants et doux, aux accents vanillés. Un ensemble équilibré à l'élevage presque fondu, qui attendra encore deux ans en cave.

Sébastien Cousy, chem. du Hameau-de-Pécharmant, 24100 Bergerac, tél. et fax 05.53.73.23.80, chateau.hugon@neuf.fr t.l.j. 9h-12h 14h-18h

MARQUIS DE CHAMTERAC 2009 ★

	n.c.		8 à 11 €

La cave coopérative de Monbazillac voit trois de ses vins sélectionnés dans le Guide. Commençons par ce pécharmant rouge vif dont le fin bouquet évoque les fruits rouges bien mûrs. Il présente un palais rond et gras en attaque, des tanins élégants et un beau volume teinté d'une heureuse fraîcheur. Consacré entièrement au fruit, sans fioritures boisées, il plaira dès aujourd'hui sur un canard rôti. Le **bergerac Marquis de Chamterac 2011 rosé (moins de 5 € ; 33 000 b.)** est cité pour la belle alliance de la fraîcheur et du fruit. Cité enfin, le **côtes-de-bergerac Ch. Pion 2009 rouge (24 000 b.)** est un vin équilibré, au boisé fondu, à déguster sans attendre.

SA Ch. de Monbazillac, rte de Mont-de-Marsan, 24240 Monbazillac, tél. 05.53.63.65.00, fax 05.53.63.65.09, gmpasselande@chateau-monbazillac.com
t.l.j. 10h-12h30 13h30-18h

CH. LES MERLES L'Envol 2010 ★

	17 000		8 à 11 €

Bien qu'il soit vinifié en barrique et élevé douze mois avec bâtonnage régulier comme les vins blancs, ce pécharmant supporte parfaitement la présence tannique du chêne. Le nez s'exprime sur les fruits rouges bien mûrs, et le boisé se distingue tout en restant discret. La bouche surprend par sa puissance et, surtout, par la rondeur et la douceur de ses tanins. Le fruit et le bois s'y fondent en harmonie. Un 2010 que l'on pourra ouvrir dès la sortie du Guide sur un confit de canard. Le **bergerac rouge 2010 (5 à 8 €)**, souple, ample, fruité et au boisé bien fondu, obtient une étoile, de même que le **bergerac sec Le Merle 2011 (5 000 b.)**, encore dominé par le fût mais prometteur, à attendre deux ou trois ans.

SCEA Roben, 2, chem. des Merles, 24520 Mouleydier, tél. et fax 05.53.63.43.70 r.-v.
Lajonie

CH. NEYRAC Élevé en fût de chêne 2009

	32 000		5 à 8 €

Lorsque les Bouché ont acquis ce domaine en 2000, il n'y avait que 1 ha de vieilles vignes et des prés. Après plantations et nouveaux achats, le vignoble dépasse maintenant les 9 ha. Montrant quelques notes d'évolution à l'œil (reflets tuilés), cet assemblage merlot-cabernets dévoile un nez de fruits bien mûrs. La bouche ronde repose sur des tanins fondus et propose une finale souple et assez longue. Pas de grande puissance, mais une belle harmonie.

Élise et Paul Bouché, 131, chem. du Hameau-de-Pécharmant, 24100 Bergerac, tél. 05.53.61.62.90, chateauneyrac@hotmail.com
t.l.j. sf dim. lun. 9h-12h 14h-18h

DOM. LE PERRIER Cuvée Morton de la Chapelle Élevé en fût de chêne 2010 ★★

	1 200		11 à 15 €

« Il n'y a pas de bon vin sans bon raisin », telle est la devise appliquée par le domaine depuis trois générations. Récoltés début octobre, les grains de merlot (80 %) et de cabernet franc à l'origine de cette cuvée confidentielle ont donné une robe franche, grenat, d'où s'échappent des parfums de cerise à l'eau-de-vie sur fond vanillé. Le palais rond et gras fait preuve d'élégance et de douceur. Le boisé y est fondu, enrobé d'arômes complexes de fruits mûrs. C'est un vin puissant, dont la matière n'est cependant pas écrasante ; un style flatteur qui pourra être apprécié dans sa jeunesse.

Dom. le Perrier, Les Graves, 24140 Queyssac, tél. et fax 05.53.27.11.76 t.l.j. 8h-12h 14h-19h
Guyon-Labat

CH. LA RENAUDIE Élevé en fût de chêne 2010 ★

	40 000		8 à 11 €

Commandé par un château du XVIIIes. dominant Bergerac, ce vignoble s'étend sur une centaine d'hectares. Son 2010, né d'un assemblage de cabernet-sauvignon, de merlot et de malbec, affiche une robe grenat d'une belle concentration. Le nez est ouvert sur le fruit, accompagné d'une touche toastée, rappelant presque le caramel. La bouche se distingue par sa rondeur, son fruit et le velouté de ses tanins. C'est un vin bien construit qui supporte son élevage en barrique. Une citation pour **Les Vieilles Vignes 2010 Élevé en fût de chêne (15 à 20 € ; 8 000 b.)** : une cuvée concentrée et complexe, encore un peu dominée par le bois, à oublier trois années en cave.

Ch. la Renaudie, RN 21, 24100 Lembras, tél. 05.53.27.05.75, fax 05.53.73.37.10, contact@chateaurenaudie.com t.l.j. 10h-19h

FOLLY DU ROOY 2009

	6 000		15 à 20 €

Voici une cuvée spéciale qui n'est élaborée que les années où les producteurs jugent la qualité requise atteinte. Dans le millésime 2009, elle affiche une robe soutenue aux reflets cerise et un bouquet vanillé et fruité. La bouche révèle une grande douceur, de la puissance et des tanins soyeux, même si les arômes boisés ne sont pas entièrement fondus. Le fruité est néanmoins présent ainsi qu'une fine fraîcheur : un vin encore jeune, à attendre deux à trois ans pour l'apprécier à sa juste valeur.

Gilles et Laetitia Gérault, Rosette, 24100 Bergerac, tél. et fax 05.53.24.13.68, contac@chateau-du-rooy.fr
t.l.j. 10h-19h; sam. dim. sur r.-v.

CH. TERRE VIEILLE Vieilli en fût de chêne 2010 ★

	30 000		11 à 15 €

Ce coteau regorgeant de silex témoigne d'une intense activité à l'époque préhistorique, comme le prouve la

SUD-OUEST

collection de pierres taillées que vous pourrez admirer au domaine. Les vignes semblent s'y plaire, qui sont à l'origine ici d'un vin au nez puissant de fruits mûrs et de pain grillé. Du gras et des arômes vanillés se dévoilent dès l'attaque, faisant place à des tanins assez vifs, accompagnés d'un boisé bien présent. Le temps devra faire son œuvre pour arrondir l'ensemble, mais la longue finale ne laisse pas de doute sur son potentiel. À attendre deux ans.
Gérôme et Dolores Morand-Monteil, Grateloup, 24520 Saint-Sauveur-de-Bergerac, tél. 05.53.57.35.07, fax 05.53.61.91.77, gerome-morand-monteil@wanadoo.fr
t.l.j. 9h-12h 14h-18h; juil.-août 9h-19h

CH. DE TIREGAND Grand Millésime 2010 ★★

9 000 | 15 à 20 €

La caractéristique de cette cuvée régulièrement sélectionnée dans le Guide reste son boisé intense, mais le vin possède heureusement la structure pour le supporter. Son nez expressif est dominé par des notes de pain grillé. La bouche d'un beau volume laisse une impression chaleureuse, et les tanins présentent un côté un peu sévère. Une garde de trois ans sera nécessaire pour que boisé et charpente se fondent. On savourera alors cette belle bouteille sur un gigot de mouton rôti.
SCEA Ch. de Tiregand, 118, rte de Sainte-Alvère, 24100 Creysse, tél. 05.53.23.21.08, fax 05.53.22.58.49, chateautiregand@orange.fr
t.l.j. sf dim. 9h-12h 14h-17h30; f. sam. de nov. à Pâques
de Saint-Exupéry

Rosette

Superficie : 10,6 ha
Production : 402 hl

Dans un amphithéâtre de collines dominant au nord la ville de Bergerac et sur un terroir argilo-graveleux est installée l'appellation la plus confidentielle de la région, qui produit un vin moelleux.

DOM. DE COUTANCIE Cuvée Elina 2010

2 500 | 8 à 11 €

Trois vins du domaine de Coutancie ont été retenus. Cette cuvée Elina, qui a fait l'objet d'un élevage en barrique, se présente dans une robe scintillante, jaune clair à reflets verts. Le nez, fin, mêle les agrumes et les fleurs blanches à un boisé plaisant et fondu. Souple et douce en attaque, la bouche accentue le caractère boisé perçu à l'olfaction, mais sans jamais se départir d'une certaine élégance. Une rosette bien construite, à déguster dans les deux ans. La **cuvée classique 2011 (5 à 8 €; 9 000 b.)**, élevée en fût, agréablement fruitée néanmoins, bien équilibrée, et le **bergerac rouge Jules 2010 (6 600 b.)**, solidement structuré et encore sous l'emprise du merrain, sont également cités.
Dom. de Coutancie, SCEA Maury, 7, chem. de Fongravière, 24130 Prigonrieux, tél. 05.53.57.52.26, fax 05.53.58.52.76, coutancie@wanadoo.fr
r.-v.
Nicole Maury

DOM. DU GRAND JAURE 2011 ★

11 600 | 5 à 8 €

Issu de sauvignon et de sémillon, ce moelleux fort sympathique a bénéficié d'un élevage sur lies qui lui a apporté une intéressante complexité. D'un jaune pâle brillant, il dévoile un bouquet floral, frais et sauvignonné. En bouche, il attaque avec fraîcheur et légèreté, puis évolue vers plus de sucrosité, celle-ci bien soutenue par une juste vivacité. Un vin équilibré, à déguster dans sa jeunesse.
GAEC Baudry, 16, chem. de Jaure, 24100 Lembras, tél. 05.53.57.35.65, fax 05.53.57.10.13, domaine.du.grand.jaure@wanadoo.fr
t.l.j. sf dim. 9h-19h

LES VIGNOBLES DU LAC 2011 ★★

10 400 | - de 5 €

La devise *Le vin égaye la vie* orne l'étiquette ; cette rosette, née de sauvignon gris et de sémillon, y contribuera certainement. Parée d'une robe brillante, jaune clair à reflets dorés, elle dévoile un premier nez floral, printanier, aérien, avant d'évoluer sur des notes plus complexes de fruits et de miel d'acacia. Vive et tonique en attaque, la bouche monte doucement en puissance, affichant toujours plus de gras, de rondeur et de douceur, tout en conservant une fraîcheur dynamique qui porte loin la finale. Un ensemble très harmonieux, sans fausse note, qui plus est à prix très doux.
SCEA Dom. du Lac, Le Lac, 24130 Ginestet, tél. 05.53.57.45.27, fax 05.53.73.10.13, domainedulac@orange.fr t.l.j. 8h-12h 14h-19h
Gaudy-Dantin

Saussignac

Superficie : 49 ha
Production : 771 hl

Un vignoble situé sur la rive gauche de la Dordogne, entre celui du pays foyen (Gironde), à l'ouest, et l'aire du monbazillac, à l'est. Loué au XVI[e]s. par le Pantagruel de François Rabelais, inscrit au cœur d'un superbe paysage de plateaux et de coteaux, ce terroir engendre de grands vins liquoreux.

LÉGENDE 2010

n.c. | 11 à 15 €

Réservée uniquement aux grands millésimes, cette cuvée de la cave de Sigoulès est née du seul sémillon et a connu un an de fût. Il en résulte un vin d'un beau jaune doré limpide, au nez ouvert sur les fleurs, les fruits blancs et les épices douces (cannelle). Après une attaque pleine et ronde, le palais ne cache pas son boisé qui, pour l'heure, masque quelque peu le fruit et la douceur du vin. La finale apporte un surcroît bienvenu de fraîcheur fruitée. Un saussignac plutôt moelleux que liquoreux, auquel on laissera un an ou deux pour qu'il fonde totalement ses notes d'élevage.

Les Vignerons de Sigoulès, 24240 Sigoulès,
tél. 05.53.61.55.00, fax 05.53.61.55.10,
contact@vigneronsdesigoules.fr
t.l.j. sf. dim. 9h-12h30 14h-17h30 (18h30 en été)

CH. MIAUDOUX 2009

4 500 | 15 à 20 €

Cet habitué du Guide, souvent aux meilleures places, engage cette année le passage à la biodynamie de son vignoble, qu'il conduit déjà en agriculture biologique. Issu à parts égales du sémillon et du sauvignon, ce 2009 a été vinifié et élevé en barrique mais, à la dégustation, il n'en paraît rien ou presque. Derrière une robe brillante, d'un beau jaune doré à reflets verts, on découvre un nez intense et complexe, floral (chèvrefeuille, acacia) et fruité (écorce d'orange, abricot confit). Vive, sur le fruit et un discret vanillé, la bouche est à l'unisson, mais avec un peu plus de réserve. Un ensemble harmonieux, à boire dans les deux ou trois ans à venir sur un tajine. (Bouteilles de 50 cl.) Le **bergerac 2010 rouge cuvée Fût de chêne (8 à 11 €; 8 000 b.)**, enrobé et gourmand, mais encore dominé par le bois, est également cité.

Gérard Cuisset, Les Miaudoux, 24240 Saussignac,
tél. 05.53.27.92.31, fax 05.53.27.96.60,
gerard.cuisset@wanadoo.fr r.-v.

CH. MARIE PLAISANCE Cuvée Prestige 2009 ★★

1 600 | 11 à 15 €

Depuis ce coteau exposé au nord, on a une vue imprenable sur la vallée de la Dordogne et, dans le lointain, sur Bergerac. À la tête du vignoble familial depuis 2006, un frère et une sœur qui ont opté pour la conversion bio en 2010. Ils signent une cuvée remarquable, d'un jaune d'or limpide et lumineux. D'une grande richesse et d'une réelle complexité, la palette aromatique mêle notes florales, fruits confits (abricot) et fruits exotiques, une pointe de caramel en appoint. La bouche est telle qu'on l'attend d'un grand liquoreux : riche, ample, dense, complexe, avec la fraîcheur « qui va bien » pour apporter l'équilibre et soutenir une longue finale sur les fruits secs. Tout est en place pour une garde de cinq à dix ans. Le **bergerac sec Le Bouquet de Plaisance 2011 (moins de 5 €; 10 000 b.)**, au nez riche et complexe (fleurs blanches, fruits mûrs), impressionnant par son gras, son volume et sa longue finale, décroche trois étoiles. Deux étoiles sont par ailleurs attribuées au **côtes-de-bergerac 2009 rouge Cuvée Prestige (5 à 8 €; 3 400 b.)**, harmonieux, élégant, porté par un boisé fondu et des tanins soyeux. Quant au **bergerac rosé Le Brin de Plaisance 2011 (moins de 5 €; 50 000 b.)**, fruité, vineux et puissant, il est cité.

EARL des Vignobles Merillier, La Ferrière,
24240 Gageac-Rouillac, tél. et fax 05.53.27.86.23,
chateaumarieplaisance@hotmail.fr
t.l.j. sf dim. 8h-12h 14h-18h; f. 15-25 août

CH. TOURMENTINE Chemin neuf 2009 ★

4 200 | 15 à 20 €

Chemin neuf ? Selon Jean-Marie Huré, l'appellation saussignac doit prendre une nouvelle direction. Celle de l'agriculture biologique peut-être ? C'est en tout cas ce chemin qu'emprunte depuis plusieurs années ce vigneron passé par le ministère de l'Agriculture de Côte d'Ivoire avant de reprendre ce domaine en 1986. D'élégants reflets dorés animent la robe de cette cuvée. Le nez, d'abord sur la réserve, s'ouvre à l'agitation sur les fleurs blanches, les fruits exotiques, la pêche jaune et les épices. On retrouve ces arômes, agrémentés de notes toastées, dans un palais généreux et riche, équilibré par une bonne fraîcheur finale. Un vin sans excès de sucrosité, harmonieux, qui pourra bien vieillir cinq ans et plus. (Bouteilles de 50 cl.) Le **bergerac 2010 rouge (5 à 8 €; 10 000 b.)**, souple, léger et fruité, prêt à boire, est cité.

EARL Vignobles Huré, Tourmentine, 24240 Monestier,
tél. 05.53.58.41.41, fax 05.53.63.40.52,
aetjmhure@wanadoo.fr
t.l.j. sf dim. 9h-12h 14h-18h

Côtes-de-duras

Superficie : 1 943 ha
Production : 111 660 hl (65 % rouge et rosé)

Entre côtes-du-marmandais au sud et Bergeracois au nord, ce vignoble fait la jonction entre ceux de la Garonne et ceux de la Dordogne. Il est implanté sur des coteaux découpés par la Dourdèze et ses affluents, aux sols d'argilo-calcaires et de boulbènes. Prolongement du plateau de l'Entre-deux-Mers, il a accueilli tout naturellement les cépages bordelais : en blanc, sémillon, sauvignon et muscadelle ; en rouge, cabernet franc, cabernet-sauvignon, merlot et malbec. Historiquement, il a été marqué par l'influence des huguenots, très présents dans la région. Après la révocation de l'édit de Nantes, les exilés protestants faisaient venir, dit-on, le vin de Duras jusqu'à leur retraite hollandaise et marquer d'une tulipe les rangs de vigne qu'ils se réservaient. Le vignoble se partage entre les vins blancs, secs ou moelleux, et les vins rouges, souvent vinifiés en cépages séparés. Il produit aussi des rosés. La Maison des Vins de Duras permet de découvrir tous ces vins ainsi que les cépages, dans un jardin des vignes où l'on peut pique-niquer.

DOM. DES ALLÉGRETS Les Grandes Règes 2010 ★★

15 000 | 5 à 8 €

Deux coups de cœur dans la même édition du Guide, voilà qui est exceptionnel ! C'est la magnifique performance réalisée par la famille Blanchard, aux commandes du domaine depuis cinq générations, qui voit en prime quatre autres de ses cuvées sélectionnées. Première place pour ces Grandes Règes assemblant merlot et cabernets : rouge profond, elles libèrent de plaisantes senteurs de fruits mûrs mêlées d'épices douces. L'attaque est souple, et la bouche s'arrondit sur des tanins soyeux. On y retrouve le fruit avec un côté charnu et croquant. Les tanins encore marqués en finale demandent une garde de deux ans pour se fondre. Deuxième coup de cœur, le **sauvignon 2011 (12 000 b.)**, deux étoiles, est un blanc sec au nez particulièrement expressif, sur le buis, les fruits exotiques et les agrumes. La bouche se montre aussi riche et complexe, dévoilant un superbe volume, du gras et une pointe de fraîcheur en finale. Pour compléter la série des vins blancs secs, les cuvées **Divine Alliance 2011 (8 à 11 €; 2 500 b.)** et **Les Inséparables 2011 blanc (15 000 b.)** décrochent chacune également deux étoiles. La première offre le volume et la rondeur d'un élevage en fût, la deuxième un fruité persistant sur la mangue et l'abricot. Deux étoiles reviennent aussi au **2010 rouge Les Inséparables (15 000 b.)** pour sa chair et son fruité gourmand. Dernier vin de ce palmarès, le **2010 blanc moelleux Cuvée Champ du Bourg (8 à 11 €; 4 000 b.)** décroche une étoile grâce à sa richesse aromatique.

SCEA Blanchard, Dom. des Allégrets,
47120 Villeneuve-de-Duras, tél. et fax 05.53.94.74.56,
contact@allegrets.com r.-v.

BERTICOT Sauvignon Cuvée Première 2011 ★

50 000 | 5 à 8 €

Ce sauvignon de la cave coopérative se présente dans une robe jaune pâle animée de reflets verts. Le nez évoque le genêt et les agrumes (le citron surtout) – une belle expression du cépage. On retrouve ces arômes typiques dans une bouche ronde offrant à la fois du gras et une pointe de vivacité en finale. Pour accompagner des anguilles grillées, par exemple. Le **2010 rouge merlot Cuvée Première (moins de 5 €; 40 000 b.)** décroche lui aussi une étoile. Fin et frais, il repose sur des tanins souples.

Cave de Berticot, rte de Sainte-Foy-la-Grande,
47120 Duras, tél. 05.53.83.75.47, fax 05.53.83.82.40,
berticot@wanadoo.fr r.-v.

DUC DE BERTICOT Élevé en fût de chêne 2010 ★★

30 000 | 8 à 11 €

La cave coopérative de Duras présente ici trois belles cuvées de vin rouge élevées en fût, à commencer par ce Duc de Berticot vêtu d'une robe pourpre. Marqué à l'olfaction par le bois (notes de moka et de cacao), il laisse percer à l'aération des senteurs de fruits noirs. Rond en attaque, le palais se montre charnu et concentré. Il repose sur une trame tannique serrée qui porte loin la finale aux accents torréfiés. Un vin de garde qu'il s'agira d'attendre trois ans pour un meilleur fondu de l'élevage. Équilibrée aussi entre le bois et le fruit, mais peut-être un peu moins riche, **La Grande Réserve 2010 rouge Élevé en fût de chêne (moins de 5 €; 50 000 b.)** décroche une étoile. La **Quintessence de Berticot 2010 rouge Élevé en fût de chêne (moins de 5 €; 20 000 b.)** est quant à elle citée.

Cave de Berticot, rte de Sainte-Foy-la-Grande,
47120 Duras, tél. 05.53.83.75.47, fax 05.53.83.82.40,
berticot@wanadoo.fr r.-v.

SECRET DE BERTICOT Sauvignon 2011 ★★

200 000 | - de 5 €

La cave coopérative de Duras propose sous le nom de Berticot les trois couleurs de l'appellation. En blanc, ce Secret plaît par sa robe jaune pâle aux reflets d'argent et par ses senteurs d'agrumes et de fruits exotiques. On retrouve ces mêmes impressions aromatiques dans une bouche tout en finesse, harmonieuse et fraîche, à dominante de pamplemousse. Le **2010 rouge Secret de Berticot (250 000 b.)** est cité : c'est un vin souple et sur le fruit, à apprécier dans sa jeunesse. Une belle citation revient aussi au **2011 rosé BB de Berticot (5 à 8 €; 40 000 b.)**, amylique et fruité.

Cave de Berticot, rte de Sainte-Foy-la-Grande,
47120 Duras, tél. 05.53.83.75.47, fax 05.53.83.82.40,
berticot@wanadoo.fr r.-v.

DOM. LES BERTINS Cuvée Dominique
Élevé en fût de chêne 2009

8 920 | 5 à 8 €

Composée à 80 % de merlot, cette cuvée a séjourné douze mois en fût pour se présenter dans une tenue rubis profond aux reflets violines. Si le premier nez livre de généreux parfums d'épices et de grillé, l'aération permet de libérer des notes de fruits à l'eau-de-vie. Le volume n'est pas imposant, mais la souplesse est là, ainsi que la longueur et la vivacité. Prêt à boire dès la sortie du Guide.

Jacqueline Bertin, Dom. les Bertins, 47120 Saint-Astier,
tél. 05.53.94.76.26, fax 05.53.94.76.64,
bertins.manfe@wanadoo.fr
t.l.j. sf dim. 9h-12h 14h-19h

CHATER 2011 ★

4 100 | 5 à 8 €

D'origine britannique, Iain et Jacky Chater ont repris le domaine en 2003 en instaurant la vinification à la propriété puis la culture biologique. Ils présentent un rosé de teinte vive, grenadine, au bouquet intense de petits fruits rouges et de fleurs. Une ligne aromatique qui se prolonge au sein d'une bouche ample, ronde et équilibrée par une pointe de fraîcheur en finale. Parfait pour une pizza margherita. Autre cuvée étoilée, le **2009 rouge merlot-cabernet (15 à 20 €; 2 500 b.)** mêle la fraise et les notes empyreumatiques d'un long élevage en fût. Rond et soyeux, il est déjà prêt.

Dom. Chater, Vignoble de la Lègue,
47120 Saint-Sernin-de-Duras, tél. et fax 05.53.64.67.14,
info@domainechater.com t.l.j. sf dim. 14h-18h

CH. CONDOM Perceval Vendanges d'automne Élevé en fût de chêne et d'acacia 2010 ★★

2 000 | 11 à 15 €

Ce vin, né de sémillon récolté le 10 novembre puis élevé dix-huit mois en fût, joue clairement la carte du liquoreux (sucres résiduels : 85 g/l) dans sa robe doré intense. Le nez complexe réunit le miel, les fruits secs et des notes beurrées. Axée sur le gras et la douceur, la bouche retrouve une riche palette mêlant l'abricot, la noix et toujours le miel. Si la fraîcheur n'est pas mise en avant, l'ensemble reste équilibré. À réserver pour le dessert. (Bouteilles de 50 cl.) Le **2010 rouge Cuvée Delph (8 à 11 € ; 7 000 b.)** est par ailleurs cité pour sa souplesse.

SCEA Condom, 47120 Loubès-Bernac, tél. 05.53.76.05.02, fax 05.53.76.03.79, lutaud@wanadoo.fr r.-v.

SA SAFIRE

LES COURS Merlot 2010 ★

3 500 | - de 5 €

Fabrice Pauvert a repris en 2007 la propriété de sa belle-famille, où il adopte à la fois la casquette de viticulteur et celle de négociant. Il propose un merlot à la robe pourpre, qui mêle avec élégance des senteurs de fruits rouges et de violette. On retrouve en bouche une belle attaque sur le fruit, suivie d'une sensation de rondeur et de souplesse. L'exemple même du vin de plaisir, à déguster dès aujourd'hui. Toujours en rouge, le **merlot-cabernet 2010 (2 000 b.)** est cité. Rond et mûr, il se montre assez discret en matière aromatique.

SARL Fasy, Le Grand Coup, 47120 Saint-Sernin, tél. et fax 05.53.83.62.42, fabrice-pauvert@orange.fr r.-v.

F. Pauvert

DOM. DE DAME BERTRANDE Les Pruniers 2009 ★

1 600 | 8 à 11 €

Attachés au respect de la nature, Alain Tingaud et son fils Brice (sur le domaine depuis trois ans) viennent d'amorcer la conversion bio de leur vignoble. Ce merlot qu'ils ont vendangé à la main, vinifié et élevé en barrique, est dominé à l'olfaction par des notes de cacao et de café que rejoignent ensuite quelques touches de réglisse et de fruits noirs. L'attaque souple révèle des tanins à la fois ronds et frais, assurant un joli volume. À découvrir après un an de garde.

Tingaud, Les Guignards, 47120 Saint-Astier, tél. 05.53.94.74.03, chateaupb@gmail.com r.-v.

DOM. DE FERRANT Fût 2010 ★★

2 700 | 5 à 8 €

Denis Vuillien a racheté en 2003 ce domaine de 27 ha sur lequel sont aussi cultivés des pruniers d'ente destinés à la production du pruneau d'Agen. Cette cuvée a bien supporté son long élevage sous bois : la robe reste fraîche, profonde avec des reflets pourpres ; le nez très fin entremêle la mûre, le cassis, les épices et le grillé ; la bouche s'ouvre sur le fruit mûr, dévoilant des tanins jeunes mais presque fondus et un volume imposant. On attendra 2014 pour ouvrir ce vin bien structuré et subtil. Noté une étoile, le **C de Ferrant 2010 rouge (8 à 11 €)** montre de la vivacité et des tanins plus sévères : on l'attendra au moins deux ans. Dès aujourd'hui, on pourra apprécier le **Tradition 2010 rouge (moins de 5 € ; 13 300 b.)**, cité pour son nez de cassis et pour sa souplesse. Cité encore, le **sauvignon 2011 (moins de 5 €)** joue sur la fraîcheur et les agrumes.

Vignobles Vuillien, Dom. de Ferrant, 47120 Esclottes, tél. 05.53.84.45.02, fax 05.53.93.52.10, vignobles.vuillien@free.fr t.l.j. 9h-17h; sam. dim. sur r.-v.

GRAND MAYNE Sauvignon 2011 ★★

80 000 | - de 5 €

L'importateur britannique Andrew Gordon a acheté ce domaine en 1986 pour le restaurer et replanter entièrement le vignoble, qui couvre aujourd'hui 34 ha. Une heureuse entreprise, comme le prouve ce blanc à la robe soutenue, dont le bouquet s'ouvre à l'aération sur des impressions fruitées (pêche blanche, agrumes) et florales. La bouche surprend par son attaque ample, son gras et son volume, la complexité aromatique étant mise en valeur par une pointe de vivacité. Un vin puissant et charnu, pour accompagner une truite aux amandes. Noté deux étoiles également, le **2010 rouge cuvée Prestige (5 à 8 € ; 10 000 b.)** est un vin de garde qui marie boisé et fruité, soutenu par des tanins ronds. Enfin, le **2011 blanc cuvée des Vendangeurs (5 à 8 € ; 10 000 b.)** décroche une étoile pour sa rondeur et pour ses arômes de fruits mûrs et de grillé.

SARL Andrew Gordon, Le Grand-Mayne, 47120 Villeneuve-de-Duras, tél. 05.53.94.74.17, fax 05.53.94.77.02, domaine-du-grand-mayne@wanadoo.fr t.l.j. sf sam. dim. 9h-12h 13h-17h

CH. LA GRAVE BÉCHADE 2010 ★

7 000 | - de 5 €

Ayant engagé sa conversion vers l'agriculture biologique il y a deux ans, le domaine présente un assemblage de merlot (75 %) et de cabernet franc qui mêle dans un bouquet délicat des notes de fruits rouges bien mûrs et d'épices douces. Souple en attaque, le palais se développe sur des tanins discrets, enrobés d'un joli fruité. Un vin de plaisir empreint d'une touche de fraîcheur, qui sera prêt à la sortie du Guide.

Ch. la Grave Béchade, La Grave, 47120 Baleyssagues, tél. 05.53.83.70.06, fax 05.53.83.82.14, lagravebechade@wanadoo.fr t.l.j. 8h-12h 14h-17h

LES HAUTS DE RIQUETS Le Mignon 2010 ★

10 000 | 8 à 11 €

D'abord adhérent à la coopérative, le domaine s'est lancé dans la vinification en 2003 avant d'obtenir la certification en agriculture biologique. Issue du lieu-dit Le Mignon, sa cuvée de merlot offre un nez élégant et expressif sur la mûre et le cassis. En bouche, les tanins mûrs soutiennent une matière ronde et équilibrée, au fruité confituré. Le boisé de l'élevage parfaitement fondu permettra d'apprécier cette bouteille dès la sortie du Guide. Le **2011 blanc Amourette (5 à 8 € ; 10 000 b.)** est cité : c'est un sauvignon frais et bien typé.

Vignoble Hauts de Riquets, Les Riquets, 47120 Baleyssagues, tél. et fax 05.53.83.83.60, marie-jose.bireaud@wanadoo.fr r.-v.

DOM. DE LAPLACE Élevé en fût de chêne 2009 ★★★

2 625 | 5 à 8 €

Conduisant depuis presque trente ans le domaine créé en 1924 par son grand-père, Jean-Luc Carmelli se distingue une nouvelle fois avec cette cuvée, née de cabernet-sauvignon complété par 20 % de merlot, élevée sous

SUD-OUEST

bois pendant un an. La robe profonde aux reflets violines annonce un nez riche et complexe, alliance de fraise écrasée et de notes torréfiées. L'attaque souple, pleine, dévoile un palais charnu aux tanins très présents et bien mûrs. Des arômes de fruits noirs, de moka et de réglisse se prolongent dans une finale persistante. D'un volume impressionnant, ce vin est à garder au moins deux ans en cave. Avec une étoile, le **2011 blanc sauvignon (moins de 5 € ; 7 500 b.)** fait valoir ses notes de fruits mûrs et sa rondeur.

EARL de Laplace, Jean-Luc Carmelli, Laplace, 47120 Saint-Jean-de-Duras, tél. 05.53.83.00.77, laplace.carmelli@wanadoo.fr
t.l.j. 9h-12h 14h-18h

DOM. DE LAULAN 2010 ★

10 000 | - de 5 €

Souvent remarqué dans le Guide pour son sauvignon, ce domaine montre aussi qu'il maîtrise la vinification des cépages rouges : ici, le merlot et les deux cabernets. Le premier nez se développe sur les fruits rouges avant de laisser apparaître des notes de sous-bois et d'épices. Fraîche et fruitée, la bouche se distingue par sa structure équilibrée et sa longueur. À attendre encore un an ou deux. Toujours présent, le **sauvignon 2011 (90 000 b.)** obtient la même note grâce à sa matière souple et légère, aromatique (fleurs, fruits exotiques, agrumes).

EARL Geoffroy, Dom. de Laulan, 47120 Duras, tél. 05.53.83.73.69, fax 05.53.83.81.54, contact@domainelaulan.com
t.l.j. 8h-12h 14h-18h30; sam. sur r.-v.

CH. LA MOULIÈRE Sauvignon 2011 ★

18 000 | - de 5 €

Mis en bouteilles au château, ce vin est distribué par la Maison des vignerons récoltants située à Saint-Pardoux-du-Breuil (47), à destination des grandes surfaces. Il est apprécié pour son élégance, tant celle de sa robe jaune pâle brillant que celle de son fin bouquet fruité à dominante de pêche. Après une attaque fraîche, la bouche monte en intensité et affiche une complexité aromatique croissante, rappelant la réglisse dans une finale persistante. Autre vin élaboré par Patrick et Francis Blancheton, le **Ch. Molhière 2009 rouge Pierrot (11 à 15 € ; 3 900 b.)**, rond et mûr, élevé en fût, décroche une étoile. Le **Ch. Molhière sauvignon Terroir des ducs 2011 (5 à 8 € ; 40 000 b.)** est cité pour ses notes d'agrumes.

EARL Blancheton, La Moulière, 47120 Duras, tél. 05.53.64.18.84, fax 05.53.64.22.82, daniel.bensoussan@mdv.fr r.-v.

DOM. DU PETIT MALROMÉ Paléo 2010 ★★

6 400 | 5 à 8 €

De nombreux silex taillés datant de la préhistoire ont été trouvés sur cette parcelle, inspirant le nom de cette cuvée à Alain Lescaut, adepte de la biodynamie. Vêtu d'une robe particulièrement profonde, ce 2010 s'exprime à l'olfaction sur les fruits rouges presque surmûris. Un fruité confituré qui explose aussi dans une bouche ample et douce, aux tanins délicats et à la finale chaleureuse. D'une grande longueur, cette bouteille se bonifiera encore au cours des trois prochaines années. Le **Grains d'Elles 2010 blanc Élevé en fût de chêne (3 400 b.)**, un blanc moelleux aux notes miellées, obtient une étoile. Deux autres rouges sont cités par ailleurs : la **Cuvée Sarah 2010 rouge Élevé en fût de chêne (4 900 b.)** et la **cuvée Céleste 2010 rouge (10 000 b.)**.

Alain Lescaut, Le Lac, 47120 Saint-Jean-de-Duras, tél. et fax 05.53.89.01.44, petitmalrome@wanadoo.fr
t.l.j. sf dim. 11h-19h

CH. LA PILAR La Réserve Élevé en fût de chêne 2010 ★★

20 000 | - de 5 €

Déjà noté deux étoiles dans le précédent millésime, ce château vinifié par la coopérative se montre encore une fois admirable. D'une présentation attrayante avec sa teinte sombre, ce 2010 offre un nez puissant assez marqué par le bois (vanille) mais qui évoque aussi les fruits rouges bien mûrs. La bouche livre une sensation de complexité et d'équilibre, portée par des tanins parfaitement fondus, d'une belle douceur. La matière ample permet un mariage réussi de l'élevage et du fruit, à apprécier aujourd'hui comme dans trois ans. « Que du plaisir ! », conclut un dégustateur.

Cave de Berticot, rte de Sainte-Foy-la-Grande, 47120 Duras, tél. 05.53.83.75.47, fax 05.53.83.82.40, berticot@wanadoo.fr r.-v.

TRUCHASSON 2010 ★

n.c. | - de 5 €

On pourrait décrire ce vin de pur merlot en deux mots : souplesse et richesse. Annoncé par une jolie robe pourpre intense, son bouquet se montre léger, tout en finesse, sur les fruits rouges mûrs. La bouche, souple à l'attaque, s'affirme, affichant des tanins soyeux et des arômes confiturés, un rien épicés en finale. L'équilibre entre le fruit et la rondeur est réussi, et pourra s'apprécier dès la sortie du Guide.

Thierry Teyssandier, La Sivaderie, 47120 Saint-Jean-de-Duras, tél. 06.86.17.88.61, fax 05.53.89.04.78, thierryteyssandier@wanadoo.fr
t.l.j. 8h-12h 14h-18h

DOM. DU VIEUX BOURG Moelleux 2010 ★★

17 000 | 5 à 8 €

Le moelleux est rare à Duras, mais lorsque le millésime s'y prête, cela peut donner de beaux vins, tel ce 2010 de pur sémillon à la légère robe dorée. Le nez est bien ouvert, partagé entre les agrumes, le miel et un discret toasté. L'attaque vive dévoile une large palette de saveurs fruitées. Le gras est présent sans excès, équilibré grâce à une jolie fraîcheur que l'on retrouve au cours de la longue finale. Le **sauvignon sec 2011 (moins de 5 € ; 25 000 b.)** obtient une étoile pour l'étonnante intensité de ses arômes anisés.

Bernard Bireaud, Dom. du Vieux Bourg, 47120 Pardaillan, tél. 05.53.83.02.18, fax 05.53.83.02.37, vieux_bourg@lgtel.fr
t.l.j. sf dim. 9h-12h 14h-18h; sam. sur r.-v.

Le piémont pyrénéen

Madiran

Superficie : 1 273 ha
Production : 61 738 hl

D'origine gallo-romaine, le madiran fut pendant longtemps le vin des pèlerins de Saint-Jacques-de-Compostelle, avant de retrouver la notoriété grâce à la gastronomie du Gers. Son aire de production, à quelque 40 km au nord-est de Pau, est à cheval sur trois départements : le Gers, les Hautes-Pyrénées et les Pyrénées-Atlantiques. Le cépage roi à l'origine de ce vin rouge est le tannat, complété par les cabernet franc (ou bouchy), cabernet-sauvignon, fer-servadou (ou pinenc). Les vignes, cultivées en demi-hautain, partagent les coteaux avec cultures et bosquets.

Les madiran traditionnels, à forte proportion de tannat, sont colorés et virils. Fort tanniques, ils supportent très bien le passage sous bois et doivent attendre quelques années. Avec l'âge, ils se montrent à la fois sensuels, charnus et charpentés et s'allient avec le gibier et les fromages de brebis des hautes vallées. Lorsqu'ils sont moins riches en tannat et issus de cuvaisons plus courtes, les madiran sont plus souples et fruités. Ils peuvent alors être servis jeunes, avec les confits d'oie et les magrets saignants de canard.

AYDIE L'Origine 2010 ★

■ 130 000 ▮ 5 à 8 €

Une belle affaire de famille que celle des Laplace : ils sont aujourd'hui quatre enfants passionnés à suivre les traces de leur grand-père Frédéric. Celui-ci fut l'un des premiers à vendre du madiran en bouteille, avec l'aide d'André Daguin, le célèbre restaurateur gascon. Comme elle n'a pas connu le bois, cette cuvée Origine exprime le fruit sans retenue. Son bouquet livre des nuances florales, fruitées et épicées avant de dévoiler une bouche tout en souplesse, suave, ronde et fraîche, construite sur des tanins veloutés. C'est un madiran flatteur, aromatique, à découvrir dès aujourd'hui. À boire également l'**Odé d'Aydie 2009 (8 à 11 € ; 46 000 b.)** qui décroche une étoile pour ses arômes de fraise et sa structure plutôt légère. Enfin, le **pacherenc-du-vic-bilh sec Odé d'Aydie 2011 (8 à 11 € ; 17 000 b.)**, aux notes de poire et d'agrumes, est cité.

GAEC Vignobles Laplace, Au château d'Aydie, 64330 Aydie, tél. 05.59.04.08.00, fax 05.59.04.08.08, contact@famillelaplace.com t.l.j. 9h-13h 14h-19h

DOM. BERNET Vieilles Vignes Élevé en fût de chêne 2010 ★★

■ n.c. 8 à 11 €

Si le tannat domine largement l'assemblage de ce madiran, les 10 % de cabernet-sauvignon semblent contribuer à la sensation de fraîcheur générale. Presque opaque, vêtu d'une robe d'encre aux reflets bleutés, ce 2010 affiche cette vivacité dès l'olfaction, livrant des notes de poivron, de menthol, de fruits rouges et de réglisse. Le palais harmonieux, rond et gras ne manque ni d'ampleur ni de chair. Ses arômes gourmands se prolongent dans une finale persistante. On peut apprécier cette bouteille dans un an, ou la garder de nombreuses années.

EARL Bernet, Dom. Bernet, 32400 Viella, tél. 05.62.69.71.99, fax 05.62.69.75.08, earl.bernet@wanadoo.fr t.l.j. 9h-13h 14h-19h

Yves Doussau

♥ CH. BOUSCASSÉ Vieilles Vignes 2009 ★★

■ 25 000 20 à 30 €

Combien de coups de cœur, déjà, pour les domaines d'Alain Brumont depuis la création du Guide ? Mieux vaut ne pas se risquer à les compter, de peur d'en oublier... Quoi qu'il en soit, celui-ci s'ajoute à une collection impressionnante et vient distinguer un pur tannat, dont les vignes ont dépassé en âge la quarantaine. La robe paraît dense, presque noire, et il s'échappe du verre un bouquet intense et complexe de fruits bien mûrs, de vanille et de boîte à cigares. On observe un très beau volume en bouche, de la rondeur et un caractère gourmand. L'ensemble, superbement équilibré entre fraîcheur et douceur, dévoile des tanins mûrs, un boisé bien fondu et une longue finale fruitée et balsamique. Déjà excellent, ce 2009 s'épanouira encore au cours des deux ou trois années à venir. La cuvée classique du château, le **2009 (11 à 15 € ; 300 000 b.)**, décroche une étoile pour sa rondeur et son fruité mêlant cassis, fraise et cerise.

SA Vignobles Brumont, Ch. Bouscassé, 32400 Maumusson-Laguian, tél. 05.62.69.74.67, fax 05.62.69.70.46, contact@brumont.fr t.l.j. 9h-12h30 14h-18h

CHÊNAIE DU TILH Élevé en fût de chêne 2009 ★★

■ 90 000 5 à 8 €

20 % de pinenc, autre nom du fer servadou, se sont glissés dans l'assemblage de cette cuvée produite par la coopérative de Saint-Mont. Mariés au tannat, bien sûr, et au cabernet-sauvignon, ils donnent un vin presque noir aux douces senteurs de vanille et de moka, que viennent compléter des notes de fraise, de cassis et de cerise. Fidèle à ces arômes, la bouche ronde et fraîche est épaulée par des tanins fins et réglissés. Un vin équilibré, plutôt souple mais de bonne tenue, à garder deux ans avant de le servir sur des magrets grillés. Deux autres madiran de la cave décrochent une étoile : **Terres de moraines 2010 (100 000 b.)**, tendre et fruité car il n'a pas connu le bois, et **Laperre-Combes 2009 Vieilles Vignes Élevé en fût de chêne (8 à 11 € ; 80 000 b.)**, qui doit vieillir deux ans pour permettre à ses tanins de se fondre.

Producteurs Vignoble de Gascogne, 32400 Saint-Mont, tél. 05.62.69.62.87, fax 05.62.69.66.71, d.caillard@plaimont.fr r.-v.

CLOS DE L'ÉGLISE 2010

■ 80 000 ▮ 5 à 8 €

Un assemblage classique de tannat (70 %) et de cabernet franc pour ce madiran d'Arnaud Vigneau, élevé essentiellement en cuve. Le nez, délicat, offre de plaisantes senteurs florales et fruitées. La bouche, souple en attaque, trouve son équilibre entre une structure présente sans

SUD-OUEST

agressivité, une matière plutôt svelte, de la douceur et des arômes en harmonie avec l'olfaction. Un vin agréable, déjà prêt à boire sur des aiguillettes de canard.

🔑 Arnaud Vigneau, Clos de l'Église, 7, rte de l'Église, 64350 Crouseilles, tél. 06.07.13.05.06, fax 05.59.68.13.46, closdeleglise@orange.fr ☑ 🚶 r.-v.

🔑 Vigneau-Pouguet

♥ CAVE DE CROUSEILLES Folie de roi 2010 ★★

■ 60 000 ⦀ 5 à 8 €

Voilà une impressionnante collection de madiran élevés en fût de chêne que propose la cave coopérative de Crouseilles, à commencer par ce millésime 2010 qui ne réunit pas moins de quatre cépages : tannat (60 %), cabernet franc, cabernet-sauvignon et pinenc. Dans sa superbe robe cerise burlat, il a su intéresser le grand jury d'abord par ses fines senteurs florales mêlées de petits fruits rouges bien mûrs. Il a définitivement convaincu avec sa bouche à la fois ronde et structurée, d'une grande tenue, mariant harmonieusement le fruit et l'élevage. Les tanins affirmés en finale se fondront avec une petite garde d'un an ou deux. Deux étoiles récompensent aussi le **Premium de Crouseilles 2009 (15 à 20 € ; 25 000 b.)**, très gourmand, sur les épices et les fruits noirs. Prêt à boire, il peut aussi se garder cinq ans. Enfin, avec une étoile chacun, le **C de Crouseilles 2009 (15 à 20 € ; 15 000 b.)** et l'**Ostau d'Estile 2009 (60 000 b.)** seront appréciés dans un an voire deux.

🔑 Cave de Crouseilles, 64350 Crouseilles, tél. 05.62.69.66.77, fax 05.62.69.66.08, m.darricau@crouseilles.fr ☑ Y 🚶 r.-v. 🏠 ❸ 🏠 Ⓓ

CRU DU PARADIS Tradition Vieilli en fût de chêne 2010

■ 80 000 ▮⦀ 5 à 8 €

Représentant la troisième génération de la famille à conduire le domaine et ses 27 ha de vignes, Jacques Maumus propose un madiran d'assemblage tannat-cabernets élevé en barrique. Grenat à l'œil, ce 2010 offre un nez direct, mentholé et réglissé, complété de notes de fruits noirs très mûrs. La bouche repose sur des tanins discrets et veloutés. On apprécie le retour des fruits confiturés dans une finale tendre. Prêt à boire.

🔑 Jacques Maumus, Cru du Paradis, Le Paradis, 65700 Saint-Lanne, tél. 05.62.31.98.23, fax 05.62.31.93.23, cru.du.paradis@wanadoo.fr

☑ Y 🚶 t.l.j. sf dim. 9h-13h 14h-19h

DOM. DAMIENS Tradition 2010 ★

■ 30 000 ▮⦀ 5 à 8 €

Régulièrement présent dans le Guide, le domaine de Pierre-Michel Beheity a engagé l'an dernier sa conversion vers l'agriculture biologique. En attendant la certification, il propose trois belles cuvées qui décrochent une étoile chacune. Celle-ci, au nez encore discret, révèle à l'aération des notes fruitées, une touche de violette et une pointe de vanille. En bouche, on découvre une mâche importante, du gras et une structure bien campée sur des tanins fermes. Le fruit encore timide pointe en finale. La cuvée **Saint-Jean 2010 (8 à 11 € ; 14 000 b.)**, un peu moins imposante, devra elle aussi laisser s'assagir ses tanins marqués en finale. En blanc, le **pacherenc-du-vic-bilh sec 2011 (5 000 b.)** plaît pour sa fraîcheur, sa finesse et ses arômes d'agrumes citronnés.

🔑 Pierre-Michel Beheity, Dom. Damiens, 64330 Aydie, tél. 05.59.04.03.13, fax 05.59.04.02.74, domainedamiens@numeo.fr

☑ Y 🚶 t.l.j. 9h-12h30 14h-19h; sam. dim. sur r.-v.

♥ CH. DE DIUSSE Cuvée Privilège Élevé en fût de chêne 2009 ★★

■ 4 000 ⦀ 8 à 11 €

Ce château est une structure médico-sociale ESAT accueillant des personnes en situation de handicap. À la cave, l'œnologue Michel Camy réussit une superbe performance, dans deux styles bien différents : rouge de madiran et liquoreux de pacherenc. C'est le premier qui a remporté le coup de cœur. Né d'un assemblage de tannat (80 %) et de pinenc (fer-servadou), élevé pendant un an en fût, il livre un nez montant, d'abord un peu sauvage, puis très fruité et chaleureux, qui évoque le chocolat à la liqueur de cerise et la figue sèche, avec des notes boisées. La bouche se dévoile avec douceur ; elle repose sur un parfait équilibre entre une jolie fraîcheur, une structure solide aux tanins enrobés et un boisé ambitieux, épicé, fondu, qui teinte la finale veloutée. Un madiran plein de promesses, à oublier quelques années en cave. Le **pacherenc-du-vic-bilh 2011 (3 000 b.)**, blanc moelleux aux accents d'agrumes, parfaitement équilibré entre sucre et acidité, décroche deux étoiles.

🔑 Ch. de Diusse, ESAT de Diusse, 64330 Diusse, tél. 05.59.04.00.52, fax 05.59.04.05.77, madiusse@orange.fr

☑ Y 🚶 r.-v.

DOM. LABRANCHE LAFFONT 2010 ★★

■ 62 000 ▮ 5 à 8 €

Si nous annoncions, il y a deux ans, que Christine Dupuy conduisait ses 20 ha de vigne selon une démarche proche de la culture biologique : la conversion au bio est désormais lancée. Ce 2010 offre un nez franc et expressif mêlant le fruit et la réglisse. Tout aussi nette, l'attaque dévoile un palais plein à la structure généreuse et empreinte de douceur. Un long développement d'arômes fruités achève de convaincre. Ce madiran de haute

expression peut s'apprécier dès aujourd'hui sur une côte à l'os. En blanc, le **pacherenc-du-vic-bilh sec 2011 (8 à 11 € ; 10 800 b.)** décroche une étoile pour la finesse de sa palette aux nuances d'agrumes, de fleurs et de boisé.
Christine Dupuy, 32400 Maumusson-Laguian, tél. 05.62.69.74.90, fax 05.62.69.76.03, christine.dupuy@labranchelaffont.fr
t.l.j. 9h-12h30 14h-19h; dim. sur r.-v.

LAFFONT Hecate 2010 ★

2 600 | 20 à 30 €

Les madiran de Pierre Speyer sont des vins élaborés dans le respect du terroir et de l'environnement, extraits d'une matière généreuse. Riches et profonds, ils peuvent avoir besoin d'une certaine garde, comme ce pur tannat à la robe cerise burlat. Son nez intense évoque les fruits noirs confiturés, la griotte, mais aussi la réglisse et le menthol. La bouche montre de la douceur à l'attaque, puis développe du gras et une solide trame de tanins enrobés, réveillée par une pointe de fraîcheur. En finale, on apprécie le joli retour des épices. Un potentiel de garde de cinq à dix ans... La cuvée **Erigone 2010 (11 à 15 €; 16 000 b.)**, souple en attaque et plus sévère en finale, est citée.
Dom. Laffont, A. Laffont, 32400 Maumusson-Laguian, tél. 05.62.69.75.23, fax 05.62.69.80.27, pierre@domainelaffont.fr r.-v.
Pierre Speyer

CH. LATREILLE-SOUNAC Cuvée 60's 2009 ★

10 000 | 11 à 15 €

Pour fêter ses soixante ans, Jean-Marc Vanasten a élaboré une cuvée spéciale, élevée près de trente mois avant sa mise en bouteilles. Parée d'une robe sombre aux reflets violets, celle-ci livre de douces senteurs de cerise mûre, de cassis et de prune associées à des notes balsamiques. L'attaque pleine et fraîche dévoile une bouche ronde aux tanins fondus ; la finale est marquée par un retour en finesse du fruit, mêlé à une touche de vanille. D'une puissance mesurée, cette bouteille est à apprécier dans les deux ans.
SCEA d'Asten, Ch. Latreille-Sounac, Balembitz, 32400 Riscle, tél. 05.62.69.70.32, fax 05.62.09.69.68, latreillesounac@orange.fr r.-v.
Vanasten

DOM. MONBLANC Tradition 2010

5 000 | - de 5 €

Élevé longuement en cuve (dix-huit mois), cet assemblage de tannat (80 %) et de cabernet franc se présente dans une robe rouge profond, animée de reflets violines. Le nez, tout en subtilité, marie des nuances fruitées (cassis, mûre) et végétales pour annoncer une bouche franche, de belle tenue, à l'expression aromatique persistante. Ample mais pas imposant, cet harmonieux 2010 pourra être apprécié dans sa jeunesse.
Daniel Saint-Orens, 32400 Maumusson-Laguian, tél. et fax 05.62.69.82.51, domainemonblanc@hotmail.fr
t.l.j. sf dim. 9h-12h 14h-19h

CH. MONTUS 2009 ★★

200 000 | 20 à 30 €

L'un des porte-drapeau de l'appellation, conduit par Alain Brumont (avec Bouscassé, notamment). Montus et sa cuvée principale ne laissent encore une fois aucun dégustateur indifférent. Élevé en fût pendant un an, cet assemblage de tannat (80 %) et de cabernet-sauvignon affiche une robe grenat aux nuances noires et livre un nez puissant, sur les fruits noirs surmûris, la vanille et le sous-bois. Le vin emplit le palais d'une matière dense et riche, reflet d'un millésime solaire. Le boisé suave apporte ses accents épicés dans cette bouche chaleureuse dont la puissance s'appréciera après cinq ans de garde, voire davantage. Recevant une belle étoile, la cuvée **Prestige 2009 (50 à 75 € ; 50 000 b.)** marie aussi le fruit et les épices au sein d'une structure solide.
SA Vignobles Brumont, Ch. Bouscassé, 32400 Maumusson-Laguian, tél. 05.62.69.74.67, fax 05.62.69.70.46, contact@brumont.fr
t.l.j. 9h-12h30 14h-18h

LA MOTHE PEYRAN 2009 ★

100 000 | 5 à 8 €

Les producteurs Plaimont proposent ici deux madiran élevés en fût, assemblages de tannat et de cabernets, jugés très réussis par notre jury. La Mothe Peyran, tout d'abord, séduit par sa robe d'encre aux reflets pourpres, par son bouquet délicat de fruits noirs et de poivron nuancés de notes grillées, et par son volume, son boisé fondu et ses arômes gourmands (vanille, cassis, chocolat). Ses tanins bien présents pourraient encore s'arrondir d'ici un an ou deux. L'**Altéus 2009 (15 à 20 €; 13 000 b.)** ensuite, tendre et soyeux, mêle des notes de myrtille et d'épices et peut être apprécié sans délai.
Plaimont Producteurs , rte d'Orthez, 32400 Saint-Mont, tél. 05.62.69.62.87, fax 05.62.69.61.68, d.caillard@plaimont.fr
r.-v. 3 D

DOM. DU MOULIÉ Cuvée Chiffre 2009 ★★

6 000 | 8 à 11 €

« Chiffre » est le nom de famille des ancêtres de Michèle et Lucie Charrier, les deux sœurs qui conduisent actuellement le vignoble en agriculture biologique (conversion engagée en 2011 pour le madiran). Cette cuvée de pur tannat livre un nez complexe partagé entre les arômes d'élevage (vanille, grillé), le poivre et la figue. L'attaque est puissante, la matière dense, et la structure solide, maintenue par des tanins serrés qui portent loin les sensations de fruits mûrs et d'épices douces. Un madiran typé, chaleureux et de bonne facture, à attendre deux ou trois ans.
Famille Charrier, Dom. du Moulié, 32400 Cannet, tél. 05.62.69.77.73, fax 05.62.69.83.66, domainedumoulie@orange.fr
t.l.j. 9h-12h30 14h-18h; dim. sur r.-v. D

LIONEL OSMIN & CIE Mon Adour 2010 ★

18 000 | 8 à 11 €

Cette compagnie de négoce récemment créée offre une gamme de vins du grand Sud-Ouest, afin de mettre en valeur la richesse des cépages de la région. Mariant le tannat (75 %) et le cabernet franc, cette cuvée a séduit dans une robe sombre aux nuances pourpres. Son nez profond et complexe montre un côté vanillé avant de laisser la place à des notes de fruits rouges et de réglisse. Gras et dense dès la mise en bouche, le vin apparaît assez ample et puissant dans son évolution. Structuré par des tanins de qualité, il confirme les sensations fruitées et épicées de bouquet mais il aura besoin de rester au moins trois ans en cave pour une expression plus intense. Le **jurançon sec Cami Salié 2010 (11 à 15 € ; 12 000 b.)**, au nez frais de fleurs blanches et d'agrumes, vif, minéral et fruité en bouche, obtient également une étoile.

Lionel Osmin & Cie, ZI Berlanne, rue d'Aspe, bât. 6, 64160 Morlaas, tél. 05.59.05.14.66, fax 05.59.05.47.09, vin@osmin.fr r.-v.

GASTON PHÉBUS 2009

130 000 - de 5 €

La maison de négoce Rigal, basée à Parnac dans l'appellation cahors, propose aussi des vins dans d'autres AOC du Sud-Ouest, comme ce madiran à la robe cerise et au nez discret, frais et fruité. Joliment équilibrée, la bouche joue sur la souplesse et la douceur, faisant de ce 2009 un vin de plaisir, à apprécier dès la sortie du Guide sur un pavé de bœuf grillé.

Rigal, Ch. Saint-Didier Parnac, 46140 Parnac, tél. 05.65.30.70.10, fax 05.65.20.16.24, marketing@rigal.fr

DOM. PICHARD Cuvée Aimé 2009 ★

12 000 11 à 15 €

Pour les « nouveaux » propriétaires (qui ont cependant racheté ce domaine en 2006...), la relance de l'exploitation est arrivée à son terme : le vignoble a été remis en état et le chai rénové. Ils ont donc pu se consacrer entièrement à l'élaboration de cette cuvée couleur cerise burlat, aux parfums discrets de fruits noirs et d'épices. Après une attaque en fraîcheur et en souplesse, la bouche reste équilibrée dans son rapport acidité-alcool. Ronde et fruitée, elle révèle aussi des notes de vanille et de café, ainsi que des tanins assez marqués en finale, qui devraient s'assagir d'ici deux à trois ans.

SARL Cork-Sentilles, Dom. Pichard, côte de Pichard, 65700 Soublecause, tél. 05.62.96.35.73, fax 05.62.96.96.72, pichard65@orange.fr
t.l.j. 9h30-12h30 13h30-18h; dim. sur r.-v.

Pacherenc-du-vic-bilh

Superficie : 260 ha
Production : 10 510 hl

Né sur la même aire que le madiran, ce vin blanc est issu de cépages locaux (courbu, gros et petit mansengs, arrufiac) et bordelais (sauvignon) ; cet ensemble apporte une palette aromatique d'une extrême richesse. Tous les pacherenc sont gras et vifs. Suivant les conditions climatiques du millésime, ils sont secs ou moelleux. Les premiers, à boire jeunes, expriment les agrumes, les fruits exotiques et le miel. L'amande et la noisette s'ajoutent à cette gamme dans les moelleux, de moyenne garde. Les pacherenc font d'excellents vins d'apéritif et les moelleux sont parfaits sur le foie gras en terrine.

CH. ARRICAU-BORDES 2010

10 000 11 à 15 €

Ce pacherenc comprend un fort pourcentage de gros manseng (50 %) aux côtés du petit manseng et du petit courbu. Les raisins ont été récoltés par tries successives (dernière vendange le 1er décembre), et le vin a été élevé douze mois en fût. Le résultat n'a pas manqué de séduire le jury : robe dorée, bouquet intense de fruits secs, de fruits confits, de fruits caramélisés et de miel, mêlés à un boisé très torréfié, bouche tout aussi aromatique, ample et moelleuse, et portée par la douceur, avec des nuances d'élevage sous bois. Un vin en devenir qui gagnera à séjourner en cave. (Bouteilles de 50 cl.) Le **madiran 2009 (15 000 b.)** est également cité pour son volume et sa plaisante finale.

Plaimont Terroirs et Châteaux, 32400 Saint-Mont, tél. 05.62.69.62.87, fax 05.62.69.61.68, d.caillard@plaimont.fr
t.l.j. sf dim. 9h-12h30 14h30-19h

CH. BARRÉJAT Cuvée de la Passion Élevé en fût de chêne 2010 ★★

5 400 5 à 8 €

Cette cuvée de la Passion suscite toujours le même plaisir. Ce classique de la propriété, aux arômes de fruits bien mûrs (abricot, pêche, poire), de fruits secs et confits et de miel, offre une bouche onctueuse et généreuse, équilibrée par la fraîcheur. De l'ampleur, de la puissance, de la longueur, une superbe finale, tout est réuni dans ce vin au boisé bien fondu, qui s'accommodera parfaitement d'un foie gras poêlé. (Bouteilles de 50 cl.) Une étoile pour le **madiran cuvée des Vieux Ceps 2009 Élevé en fût de chêne (33 000 b.)**, qui affiche une bonne fraîcheur.

Denis Capmartin, Ch. Barréjat, 32400 Maumusson-Laguian, tél. 05.62.69.74.92, fax 05.62.69.77.54, deniscapmartin@laposte.net
t.l.j. sf dim. 8h30-12h30 14h-19h

DOM. DE BASSAIL Doux Cuvée Muriel 2010

2 300 8 à 11 €

Dédiée à la fille du vigneron, cette petite cuvée, élevée six mois en cuve, est une nouvelle fois remarquée. Elle livre au nez d'intenses parfums de fleurs (acacia), de fruits (ananas, figue, raisin blond) et de miel. La bouche, ronde et souple, douce et savoureuse, est relayée par une pointe de vivacité qui apporte l'équilibre. Une citation également pour le **madiran 2010 Tradition (5 à 8 €; 34 600 b.)**, plus simple mais plaisant.

Patrick Berdoulet, EARL Dom. de Bassail, 32400 Viella, tél. 05.62.69.76.62, fax 05.62.69.78.02, domaine.bassail@wanadoo.fr t.l.j. 9h-12h 14h-19h30

DOM. BERTHOUMIEU Sec Vieilles Vignes 2011 ★★

10 000 8 à 11 €

Le meilleur des pacherenc secs présentés au grand jury. Paré d'une robe séduisante aux reflets verts et argentés, il libère des arômes d'une grande intensité : poire, agrumes et quelques notes épicées se mêlent harmonieusement. Après une attaque franche, un fruité vif anime le palais de belle tenue, gras et bien équilibré entre la fraîcheur et une juste douceur. Un vin d'une grande harmonie et très plaisant, qui accompagnera dès maintenant un poisson en sauce ou des crustacés. Une étoile pour le **moelleux 2010 Symphonie d'automne Vendange de novembre (6 000 b.)**, concentré sur le fruit (bouteilles de 50 cl.), pour le **madiran Haute Tradition 2010 (5 à 8 €; 80 000 b.)** au nez complexe de fruits noirs et d'épices, et pour le **madiran 2009 Charles de Batz Élevé en fût de chêne (11 à 15 €; 40 000 b.)** souple et velouté, encore marqué par le bois.

Didier Barré, Dutour, 32400 Viella, tél. 05.62.69.74.05, fax 05.62.69.80.64, barre.didier@wanadoo.fr
t.l.j. 8h-12h 14h-19h; dim. sur r.-v.

DOM. CAPMARTIN Sec 2011 *

6 500 ■ 5 à 8 €

Trois types de vins sélectionnés pour ce domaine phare de l'appellation. Ce joli sec, qui s'illumine de reflets or et argent, a séduit le jury par son nez discret qui s'ouvre après aération sur des notes de fleurs, de fruits exotiques, le tout porté par de fines nuances mentholées. Vif, aromatique, le palais, entre fraîcheur et douceur, laisse le dégustateur sur une très agréable impression d'harmonie. À savourer dès aujourd'hui sur des fruits de mer. Même note pour le **madiran 2010 Cuvée du Couvent (11 à 15 €; 12 000 b.)**, rond et harmonieux, qui mérite de patienter en cave quelques années. À noter : ce domaine est en cours de conversion bio.

Guy Capmartin, Dom. Capmartin, Le Couvent, 32400 Maumusson, tél. 05.62.69.87.88, fax 05.62.69.83.07, capmartinguy@yahoo.fr
t.l.j. 9h-13h 14h-19h; dim. sur r.-v.

CLOS BASTÉ 2010 **

3 000 11 à 15 €

Deux prétendants au grand jury des coups de cœur et un couronné. Ce petit manseng, salué unanimement, se manifeste avec élégance sous sa robe somptueuse, nuancée d'or et d'argent. D'une rare intensité, sa palette décline des notes de confiserie (pâte d'amandes, pralin), de fruits secs et de gingembre confit. La superbe bouche, ample et concentrée, d'un remarquable volume, se montre parfaitement équilibrée. La richesse aromatique indéniable est portée jusqu'à la longue finale réveillée par une belle fraîcheur. (Bouteilles de 50 cl.) Même note pour le **madiran 2010 (12 000 b.)**, un vin de caractère, concentré et puissant, à attendre deux à cinq ans.

Chantal et Philippe Mur, Clos Basté, 64350 Moncaup, tél. et fax 05.59.68.27.37, closbaste@wanadoo.fr
t.l.j. sf dim. 10h-18h

DOM. DU CRAMPILH Cuvée Céleste 2010

8 000 11 à 15 €

Une robe qui évoque le blé, un nez intense aux notes de fruits secs (amande grillée, noisette) et de torréfaction (café), une bouche souple et suave où les fruits compotés (coing) se mêlent au boisé de l'élevage. L'ensemble est bien fait, mais il sera préférable d'attendre quatre à cinq ans, pour que le bois se fonde. Pour une tarte aux pommes ou un dessert au chocolat. (Bouteilles de 50 cl.)

Bruno Oulié, Le Crampilh, 64350 Aurions-Idernes, tél. 05.59.04.00.63, fax 05.59.04.04.97, madirancrampilh@orange.fr t.l.j. sf dim. 8h-18h30

CAVE DE CROUSEILLES Folie de roi 2011 **

60 000 8 à 11 €

Année faste pour cette coopérative puisque pas moins de quatre de ses vins en pacherenc moelleux sont sélectionnés. Ce 2011 possède tous les atouts d'un grand vin : une robe jaune pâle limpide aux reflets argentés, un nez frais qui hésite entre notes florales (jasmin, rose) et fruitées (mangue, agrumes) ; une bouche splendide, ronde et ample, entre douceur et fraîcheur, avec une pointe de vivacité qui mène loin la finale. Beaucoup d'harmonie pour ce vin à découvrir sans attendre sur un fromage de brebis. Même note pour le **Grains de Givre Douceur d'automne 2011 (11 à 15 €; 30 000 b.)**, puissant et chaleureux, au remarquable équilibre sucre-alcool. Les moelleux **Les Ombrages 2011 (20 000 b.)** et **Carte d'or 2010 (5 à 8 €; 100 000 b.)** reçoivent chacun une étoile pour leur équilibre.

Cave de Crouseilles, 64350 Crouseilles, tél. 05.62.69.66.77, fax 05.62.69.66.08, m.darricau@crouseilles.fr r.-v.

CH. LAFFITTE-TESTON Rêve d'automne 2010 **

22 000 11 à 15 €

Jean-Marc Laffitte signe un remarquable moelleux, 100 % petit manseng, élevé huit mois en fût. Au nez, une explosion de fruits exotiques (mangue, ananas), de fruits jaunes (brugnon, pêche, abricot) et de touches miellées. Après une attaque suave, la fraîcheur s'affirme progressivement, soulignant la persistance de la finale. L'équilibre acidité-sucre-alcool est parfait. Une superbe bouteille à déguster à l'heure de l'apéritif ou « avec un cigare », selon un dégustateur. Même note pour le séduisant **sec 2011 Ericka Élevé en fût de chêne (5 à 8 €; 35 000 b.)**, bien construit sur la fraîcheur, qui marie les arômes de fleurs blanches, d'agrumes, de fruits exotiques et de beurre et pour le **madiran Vieilles Vignes Vieilli en fût de chêne 2009 (8 à 11 €; 40 000 b.)**, généreux, rond et charnu, aux tanins veloutés et au boisé bien intégré, prêt à paraître à table.

Jean-Marc Laffitte, Ch. Laffitte-Teston, 32400 Maumusson-Laguian, tél. 05.62.69.74.58, fax 05.62.69.76.87, info@laffitte-teston.com
t.l.j. sf dim. 9h-12h30 13h30-18h30

DOM. LAOUGUÉ Doux 2010 *

13 000 ■ 8 à 11 €

Joli triplé pour ce domaine, qui voit trois de ses vins retenus par le jury. Ce moelleux élevé sept mois en cuve a eu la préférence, avec sa belle robe limpide et brillante, et son nez franc de fruits secs, de fruits confits, de miel. L'attaque suave introduit une bouche ample et grasse, bien équilibrée entre fraîcheur et douceur, marquée par un retour aromatique persistant en finale. Pour l'apéritif ou un plat exotique. Très aromatique, le **sec Passion de Charles Clément 2011 (5 à 8 €; 5 000 b.)** est cité pour sa fraîcheur et son équilibre. Même distinction pour le **madiran L'Excellence de Marty 2009 (11 à 15 €; 13 000 b.)**, original par ses arômes de fruits mûrs mêlés à des notes forestières (gibier, sous-bois).

Pierre Dabadie, Dom. Laougué, rte de Madiran, 32400 Viella, tél. 05.62.69.90.05, fax 05.62.69.71.41, pierre-dabadie@orange.fr t.l.j. 8h-12h 14h-18h

DOM. DE MAOURIES Grains d'hiver 2010 ★

5 000 | 8 à 11 €

Ce vignoble, conduit en lutte raisonnée, a décidé d'expérimenter l'agriculture biologique sur les parcelles de pacherenc. La cuvée Grains d'hiver, d'un beau jaune d'or, évoque les fruits secs (abricot, datte, figue) et confits (mandarine), la cire d'abeille et le bois de cèdre. Le fruit, qui se mêle parfaitement au boisé de l'élevage, est mis en valeur dans une bouche fraîche et douce, ample et généreuse. Un liquoreux irréprochable, à apprécier seul ou sur un plat exotique.

Dom. de Maouries, Maouries, 32400 Labarthète, tél. 05.62.69.63.84, fax 05.62.69.65.49, domainemaouries@alatis.net
t.l.j. sf dim. 9h-12h30 14h-18h30
Dufau

DOM. POUJO 2010 ★★

1 266 | 5 à 8 €

Ce domaine, plus connu pour ses madiran, propose un pacherenc élevé en barrique, paré d'une robe intense et brillante, de couleur chaume doré. Le nez complexe et gourmand, entre pâtisserie et confiserie, évoque la tarte à l'abricot, le pralin, la pâte d'amandes, les fruits caramélisés, les fruits confits, les bonbons au miel et la vanille. La bouche conserve la même expression ; elle fait belle impression par son ampleur et par son équilibre entre fraîcheur et douceur, jusqu'à la finale agréablement acidulée. Un vin plaisir de style moderne. À déguster sur un foie gras poêlé au pacherenc.

EARL Poujo, Dom. Poujo, 64330 Aydie, tél. 05.59.04.01.23, fax 05.59.04.06.47, domainepoujo@numeo.fr t.l.j. 9h-12h30 14h-19h
Philippe Lanux

DOM. SERGENT Sec Élevé en fût de chêne 2011 ★

3 300 | 5 à 8 €

La famille Dousseau n'est plus à présenter. Elle est distinguée une nouvelle fois grâce à trois cuvées. Mi-gros manseng mi-petit manseng, élevé sur lies en barrique avec bâtonnage, ce 2011 présente un nez frais de fruits exotiques (goyave, fruit de la Passion), agrémentés de touches de vanille (souvenir de son élevage) et de nuances fraîches de menthe. La bouche, tout aussi aromatique, s'enrichit de notes d'agrumes en finale. Du volume, de la vivacité : un vin de plaisir à boire sans attendre, sur une poule au pot ou un saumon grillé. Le **madiran 2010 Cuvée élevée en fût de chêne (8 à 11 € ; 16 900 b.)**, à la bouche douce, souple et ronde, aux tanins enrobés, et le **madiran 2010 (57 000 b.)**, à la jolie structure, reçoivent également une étoile.

Famille Dousseau, Dom. Sergent, 32400 Maumusson-Laguian, tél. 05.62.69.74.93, fax 05.62.69.75.85, contact@domaine-sergent.com
t.l.j. sf sam. dim. 9h-12h30 14h-18h30

DOM. TAILLEURGUET Sec 2011 ★

2 600 | 5 à 8 €

Une sélection de gros manseng (60 %), de petit courbu (35 %) et une pointe de petit manseng, issus de vignes âgées de quarante-cinq ans, a donné ce sec à la robe séduisante, jaune pâle aux reflets argentés. Le nez expressif et frais mêle fleurs blanches, fruits exotiques et une touche de miel. Après une attaque vive, la bouche, à l'unisson, dévoile des notes citronnées, portée par une finale persistante. Un pacherenc tonique, à savourer dès aujourd'hui sur une ambroisie de volaille à chair blanche. Le **madiran 2010 (15 000 b.)** obtient une citation pour son fruité et son léger boisé.

EARL Dom. Tailleurguet, 32400 Maumusson-Laguian, tél. 05.62.69.73.92, fax 05.62.69.83.69, domaine.tailleurguet@wanadoo.fr
t.l.j. sf dim. 9h-13h 14h-19h
Bouby

CH. VIELLA 2010 ★★

5 000 | 8 à 11 €

Le pur petit manseng fait une nouvelle fois honneur à ce domaine bien connu des amateurs du Guide. Annoncé par une belle robe vieil or aux reflets cuivrés, le nez d'abord discret s'ouvre à l'aération sur des parfums complexes de gelée de coing, de confiture d'abricots, de mandarine confite, de fruits caramélisés et de miel. Le palais montre de la douceur à l'attaque, puis du gras, du volume et de la fraîcheur. L'équilibre fruit-sucre-acidité est parfaitement réussi. Une cuvée remarquable, à réserver à un foie gras. (Bouteilles de 50 cl.) Le **madiran Tradition 2010 (5 à 8 € ; 80 000 b.)** obtient une étoile pour son nez complexe (fruits rouges, café, réglisse, menthol) et son palais charnu, dense et fruité. À attendre trois à cinq ans. le **madiran Prestige 2009 (11 à 15 € ; 14 000 b.)**, encore marqué par le bois, fait jeu égal.

Alain Bortolussi, Ch. de Viella, rte de Maumusson, 32400 Viella, tél. 05.62.69.75.81, fax 05.62.69.79.18, contact@chateauviella.fr t.l.j. 8h-12h30 14h-19h

Saint-mont

Superficie : 1 149 ha
Production : 76 724 hl (80 % rouge et rosé)

Consacré AOVDQS en 1981 sous le nom de côtes-de-saint-mont, le saint-mont a accédé trente ans plus tard à l'AOC. Prolongement vers l'est du vignoble de Madiran, il tire son nom et son origine d'une abbaye fondée au XIes. et a connu une renaissance à partir de 1970. Le cépage rouge principal est encore ici le tannat, les cépages blancs, vinifiés en secs, se partageant entre la clairette, l'arrufiac, le courbu et les mansengs. L'essentiel de la production est assuré par l'union dynamique des caves coopératives Plaimont. Colorés et corsés, rapidement ronds et plaisants, les rouges accompagnent grillades et garbure gasconne. Les rosés sont fins et fruités, les blancs secs et nerveux.

CH. DU BASCOU 2010 ★★

20 000 | 11 à 15 €

Comme à son habitude, la gamme du Château Saint-Go des producteurs Plaimont s'illustre dans le Guide. Tannat (70 %), pinenc (fer-servadou) et cabernet-sauvignon sont assemblés dans ce 2010 du Château du Bascou. Remarqué d'emblée pour sa robe profonde nuancée de violine, ce vin livre un bouquet concentré et harmonieux de fruits mûrs agrémenté de touches épicées et d'un boisé élégant. En bouche, il affiche aussi une belle concentration, soutenu par des tanins fins et extraits avec mesure. La finale revient longuement sur les arômes perçus à l'olfaction. Déjà prête, cette bouteille peut aussi patienter quatre ou cinq ans en cave. Deux étoiles également sont décernées à l'**Expression de Ch. Saint-Go 2011 rosé (5 à 8 € ; 20 000 b.)**, frais, élégant, floral et fruité (mangue, groseille). Le **Ch. Saint-Go 2011 blanc (8 à 11 € ; 15 000 b.)**, d'une aimable rondeur, est cité.

Ch. Saint-Go, 32400 Saint-Mont, tél. 05.62.69.62.87, fax 05.62.69.66.71, d.caillard@plaimont.fr
t.l.j. sf sam. dim. 9h-12h30 14h30-19h

BÉRET NOIR 2010 ★

50 000 | 5 à 8 €

Les producteurs Plaimont accrochent une belle étoile à leur Béret noir avec cette cuvée de couleur... noire. Un vin de caractère, au nez puissant d'épices et de fruits rouges et noirs. Dans le prolongement du bouquet, la bouche offre de la concentration et du volume, soutenue par une solide charpente. « Un vin pastoral », conclut un juré. L'**Esprit de vignes 2010 rouge Vieilles Vignes (8 à 11 € ; 40 000 b.)**, rond et généreux, est cité.

Plaimont Producteurs , rte d'Orthez, 32400 Saint-Mont, tél. 05.62.69.62.87, fax 05.62.69.61.68, d.caillard@plaimont.fr
r.-v.

CH. LA BERGALASSE 2011 ★

80 000 | - de 5 €

Didier Tonon veille depuis plus de trente-cinq ans sur son vignoble de 25 ha accroché aux coteaux pentus de la commune d'Aurensan. Il signe un 2011 intéressant à tous les stades de la dégustation : robe rubis intense ; bouquet bien fruité (cassis, myrtille, fraise) et un rien épicé ; palais souple, frais et tout aussi aromatique, porté par des tanins assagis. À boire sans chichis, sur une viande rouge grillée. Le **2011 rosé (25 000 b.)**, délicatement fruité et empreint d'une subtile douceur, obtient également une étoile.

Ch. la Bergalasse, La Bergalasse, 32400 Aurensan, tél. 05.62.09.46.01, fax 05.62.08.40.64, chateaulabergalasse@wanadoo.fr
t.l.j. sf. sam. dim. 9h-12h 16h-19h; f. 2e quinz. août
Didier Tonon

THIBAULT DE BRETHOUS 2010 ★

30 000 | 5 à 8 €

Christine Cabre, l'œnologue de la coopérative de Riscle, a bien soigné ses 2010, témoin ces trois cuvées retenues. La préférée est ce blanc de couleur jaune paille aux reflets verts, au nez intense et frais de fruits exotiques, de pêche, d'agrumes et de fleurs blanches. La bouche, ample et persistante, associe rondeur et vivacité dans un bel équilibre. Le **Dom. la Vendôme 2010 rouge Élevé en fût de chêne (50 000 b.)**, fruité, boisé sans excès, facile d'accès, est cité, de même que le **Thibault de Brethous 2010 rouge (100 000 b.)**, plus tannique.

Producteurs Vignoble de Gascogne, 32400 Saint-Mont, tél. 05.62.69.62.87, fax 05.62.69.66.71, d.caillard@plaimont.fr
r.-v.

MONASTÈRE DE SAINT-MONT 2010 ★★

12 000 | 11 à 15 €

Coup de cœur dans les millésimes 2002, 2005 et 2006, cette cuvée de la coopérative de Saint-Mont s'invite à nouveau dans ces colonnes. Dans sa version 2010, elle revêt une seyante robe cerise noire. Le nez, flatteur et intense, se montre fruité à souhait (cassis, mûre, griotte), avec des nuances d'épices en agrément. Dans le prolongement du bouquet, la bouche est bien bâtie, concentrée, une petite touche boisée apportant un surcroît de structure et de complexité. Pour un magret de canard au miel, aujourd'hui comme dans deux ou trois ans. L'**Absolu de Saint-Mont 2010 rouge (8 à 11 € ; 10 000 b.)**, solidement structuré et boisé, obtient une étoile. On l'attendra deux ou trois ans.

Plaimont Terroirs et Châteaux, 32400 Saint-Mont, tél. 05.62.69.62.87, fax 05.62.69.61.68, d.caillard@plaimont.fr
t.l.j. sf dim. 9h-12h30 14h30-19h

Tursan

Superficie : 300 ha
Production : 16 532 hl (82 % rouge et rosé)

Autrefois vignoble d'Aliénor d'Aquitaine, le terroir de Tursan s'étend essentiellement dans les Landes, sur les coteaux de l'est de la Chalosse, autour d'Aire-sur-Adour et de Geaune. Il produit des vins dans les trois couleurs. Les plus intéressants sont les blancs, issus principalement d'un cépage original, le baroque. Sec et nerveux, au parfum inimitable, le tursan blanc accompagne alose, pibale et poisson grillé. Longtemps classé en AOVDQS (appellation d'origine vin délimité de qualité supérieure), il a accédé à l'AOC à la disparition des AOVDQS en 2011.

BARON DE BACHEN 2010 ★★

24 200 | 15 à 20 €

Le chef étoilé Michel Guérard cultive aussi d'autres étoiles, celles du Guide Hachette ; deux nouvelles s'ajoutent ici à son palmarès. Au programme, un assemblage équilibré de baroque, de sauvignon et de gros manseng. Drapé dans une robe brillante or pâle, ce vin mêle des senteurs de fleurs blanches, de réséda, de pêche et de citron vert. Une juste fraîcheur vient tonifier un palais gras, rond et harmonieux. Une cuvée remarquablement équilibrée, à déguster dès à présent sur un fromage de brebis. Plus léger, le **Ch. de Bachen 2010 blanc (8 à 11 € ; 27 800 b.)** est cité.

Michel Guérard, Cie hôtelière et fermière d'Eugénie-les-Bains, 40320 Eugénie-les-Bains, tél. 05.58.71.76.76, fax 05.58.71.77.77, direction@michelguerard.com
t.l.j. sf sam. dim. 9h-12h 14h-17h

CH. DE PERCHADE 2011 ★★

25 000 | 5 à 8 €

Très régulier en qualité, ce domaine est fidèle au rendez-vous. Son vin se montre très engageant dans sa robe violine, profonde et brillante à la fois. Le nez, montant et subtil, évoque les fruits rouges et le cassis. Souple en attaque, le palais dévoile un très beau volume, une matière riche et des tanins parfaitement maîtrisés. Un tursan gourmand et bien construit, à déguster dans les trois ans.

SUD-OUEST

🔑 EARL Dulucq, Ch. de Perchade, 40320 Payros-Cazautets, tél. 05.58.44.50.68, fax 05.58.44.57.75, tursan-dulucq@wanadoo.fr
☑ Y 🚶 t.l.j. sf dim. 8h30-13h 14h30-19h

LES VIGNERONS LANDAIS Secret 2010 ★★

■ 5 000 🍷 11 à 15 €

La coopérative de Geaune propose, comme à son habitude, une belle gamme de tursan. En tête, ce 2010 mi-tannat, mi-cabernet, paré d'une robe couleur d'encre aux reflets violines. Le nez, élégant, associe les fruits rouges et noirs, les épices (poivre blanc) et des notes toastées. Douce en attaque, la bouche se révèle grasse, ronde et longue, portée par des tanins fondus et une belle fraîcheur. « Respect du fruit et maîtrise de l'élevage », synthétise un dégustateur. À découvrir dans l'année sur un navarin d'agneau. Un rien plus tannique, la cuvée **Expression Impératrice 2010 rouge (8 à 11 €; 9 000 b.)** obtient une étoile. Le plaisant **blanc 2011 Secret (2 000 b.)** est cité.

🔑 Les Vignerons landais, 30, rue Saint-Jean, 40320 Geaune, tél. 05.58.44.51.25, fax 05.58.44.40.22, info@tursan.fr ☑ Y 🚶 t.l.j. sf dim. 9h-12h 14h30-17h30

Béarn

Les vins du Béarn peuvent être produits sur trois aires séparées. Les deux premières coïncident avec celles du jurançon et du madiran. La troisième comprend les communes qui entourent Orthez, Salies-de-Béarn et Bellocq. Reconstitué après la crise phylloxérique, le vignoble occupe les collines prépyrénéennes et les graves de la vallée du Gave. Les cépages rouges sont constitués par le tannat, les cabernet-sauvignon et cabernet franc (bouchy), les anciens manseng noir, courbu rouge et fer-servadou. Les vins sont corsés et généreux, et accompagnent garbure (soupe régionale) et palombe grillée. Les rosés du Béarn sont vifs et délicats, avec des arômes fins de cabernet et une bonne structure en bouche.

♥ **DOM. DE LA CAILLABÈRE** Confidence 2010 ★★

■ 5 800 🍷 11 à 15 €

Déjà coup de cœur dans le précédent millésime, cette cuvée Confidence confirme la valeur de ce petit domaine (4,12 ha) et de son créateur, Jean-Marc Larroudé, qui emporte l'adhésion du jury grâce à son cépage fétiche, le tannat. Grenat profond aux reflets d'encre violette, ce 2010 livre un bouquet intense d'une remarquable complexité : les fruits noirs confiturés et la cerise y côtoient le chocolat, les épices et la violette. La bouche est riche et bien équilibrée, portée par une structure massive mais fondue. La palette aromatique impressionne toujours, et se prolonge dans une finale épicée et chaleureuse. Cette bouteille pourra encore tirer profit de deux ans de garde.

🔑 Jean-Marc Larroudé, 479, rte de Madiran, 64330 Taron, tél. et fax 05.59.04.78.80, caillabere@gmail.com ☑ Y 🚶 r.-v.

CAVE DE CROUSEILLES Summer Rosé 2011

■ 50 000 ▮ - de 5 €

Installée en Madiranais, la coopérative de Crouseilles voit deux de ses béarn rosés obtenir une citation. Cette cuvée Summer à dominante de tannat (70 %) évoque les journées ensoleillées qui vous permettront d'apprécier autour d'un barbecue ses senteurs florales relevées d'épices fraîches et sa bouche acidulée, légère et gouleyante, d'une certaine élégance. Le **Pyréo 2011 (100 000 b.)**, à l'assemblage sensiblement identique, propose la même vivacité, avec un peu plus d'arômes fruités.

🔑 Cave de Crouseilles, 64350 Crouseilles, tél. 05.62.69.66.77, fax 05.62.69.66.08, m.darricau@crouseilles.fr ☑ Y 🚶 r.-v.

DOM. GUILHEMAS 2010 ★

■ 15 000 ▮🍷 5 à 8 €

Elles sont bien rares, les éditions du Guide qui ne comprennent pas le nom de Pascal Lapeyre en appellation béarn. Installé en 1987, ce producteur propose ici deux vins rouges qui décrochent une étoile chacun. Le Guilhemas s'ouvre sur des senteurs confiturées (griotte), complétées de notes de chocolat et d'épices douces. Souple en attaque, il développe du gras et de la rondeur mais aussi une élégante structure tannique au boisé fondu. La finale sur la violette et la vanille se montre soyeuse. Le **Dom. Lapeyre 2010 vieilli en fût de chêne (8 à 11 €; 13 000 b.)** est un vin flatteur et généreux, équilibré entre le fruit et le bois. Deux cuvées à attendre un an ou deux.

🔑 Pascal Lapeyre, 52, av. des Pyrénées, 64270 Salies-de-Béarn, tél. 05.59.38.10.02, fax 05.59.38.03.98, contact@domaine-lapeyre-guilhemas.com
☑ Y 🚶 t.l.j. 9h-12h 14h30-19h30

DOM. LAMAZOU 2011 ★

■ 38 600 ▮ - de 5 €

Remarqué l'an dernier dans sa version rosé, ce domaine Lamazou vinifié par la coopérative de Gan plaît d'abord par sa robe grenat profond animée de nuances violettes. Issu du tannat (50 %) et des cabernets, il libère d'intenses parfums de fruits noirs confiturés et d'épices. L'attaque, à la fois souple et fraîche, dévoile un bon équilibre entre douceur, rondeur et vivacité. Un vin long et structuré qui demande à vieillir deux ans. Le rosé **Peyresol 2011 (130 000 b.)** de la coopérative est par ailleurs cité pour ses fins arômes fruités et floraux.

🔑 Cave de Gan Jurançon, 53, av. Henri-IV, 64290 Gan, tél. 05.59.21.57.03, fax 05.59.21.72.06, cave@cavedejurancon.com ☑ Y 🚶 r.-v.

Jurançon

« Je fis, adolescente, la rencontre d'un prince enflammé, impérieux, traître comme tous les grands séducteurs : le jurançon », écrit Colette. Célèbre depuis qu'il servit à Pau au baptême d'Henri IV, le jurançon est devenu le vin des cérémonies de la maison de France. On trouve ici les premières notions d'appellation protégée – car il était interdit d'importer des vins étrangers – et même une hiérarchie des crus, puisque toutes les parcelles étaient répertoriées suivant leur valeur par le parlement de Navarre. Comme les autres vins de Béarn, le jurançon, alors rouge ou blanc, était expédié jusqu'à Bayonne, au prix de navigations parfois hasardeuses sur les eaux du Gave. Très prisé des Hollandais et des Américains, le jurançon connut une éclipse avec la crise phylloxérique. La reconstitution du vignoble fut effectuée avec les méthodes et les cépages anciens, sous l'impulsion de la Cave de Gan et de quelques propriétaires.

Ici plus qu'ailleurs, le millésime revêt une importance primordiale, surtout pour les jurançon moelleux qui demandent une surmaturation tardive par passerillage sur pied. Les cépages traditionnels, uniquement blancs, sont le gros et le petit mansengs, et le courbu. Les vignes sont cultivées en hautains pour échapper aux gelées. Il n'est pas rare que les vendanges se prolongent jusqu'aux premières neiges.

Le jurançon sec est un blanc de couleur claire à reflets verts. Très aromatique, avec des nuances miellées, il accompagne truites et saumons du Gave. Les jurançon moelleux ont une couleur dorée, des arômes complexes de fruits exotiques (ananas et goyave) et d'épices (muscade et cannelle). Leur équilibre acidité-liqueur en fait des faire-valoir tout indiqués du foie gras. Ces vins peuvent vieillir très longtemps et donner de grandes bouteilles qui accompagneront un repas, de l'apéritif au dessert en passant par les poissons en sauce et le fromage pur brebis de la vallée d'Ossau.

DOM. BORDENAVE Doux Cuvée des Dames 2010

22 000 | 11 à 15 €

Gisèle Bordenave exploite 12 ha de vignes dont la moitié est dédiée à cette cuvée. Dans sa robe jaune doré aux reflets orangés, ce vin mêle fruits exotiques, fruits confits et notes de miel. L'attaque est fraîche, ronde et fruitée, le palais, gras, fortement concentré. Malgré un petit manque de longueur, l'ensemble est plaisant. À découvrir sur une tarte aux fruits.

Dom. Bordenave, quartier Ucha, rte d'Ucha, 64360 Monein, tél. 05.59.21.34.83, fax 05.59.21.37.32, contact@domaine-bordenave.com
t.l.j. 9h-19h; dim. sur r.-v.

DOM. BORDENAVE-COUSTARRET
Doux Le Barou Élevé en fût de chêne 2010

2 600 | 15 à 20 €

Le petit manseng, vendangé le 16 décembre 2010, est à l'origine de cette « cuvée du seigneur » (traduction de l'occitan *barou*) or pâle, dont le nez discret laisse poindre des parfums de miel, de fruits blancs et d'agrumes, sur fond de vanille. Vive et douce, la bouche évolue sur des notes de bonbons acidulés. Une jolie bouteille, équilibrée entre douceur et fraîcheur, prête à boire – sur un carpaccio d'ananas, recommande le vigneron.

Bordenave-Coustarret, chem. Ranque, 64290 Lasseube, tél. 05.59.21.72.66, domainecoustarret@wanadoo.fr
t.l.j. 9h30-12h30 13h30-18h; dim. sur r.-v.

DOM. BRU-BACHÉ Sec Les Casterasses 2010 ★★

18 000 | 11 à 15 €

Claude Loustalot propose au fil des millésimes de grandes réussites. Le jurançon sec, Les Casterasses, revêtu d'une robe paille doré, livre un bouquet complexe de raisins rôtis par le soleil et de miel, subtilement associés à des notes florales (tilleul, fleur de sureau). L'attaque fraîche, la rondeur de la bouche et le fruité intense composent un ensemble harmonieux à la finale tendrement boisée. Un vin de gastronomie. La cuvée **Les Casterasses doux 2010 (15 à 20 € ; 15 000 b.)** aux notes chaleureuses de coing, d'ananas et de miel, typiques de l'appellation, reçoit une étoile, tout comme la **Quintessence doux 2010 (20 à 30 € ; 11 000 b.)**, fraîche et équilibrée.

Dom. Bru-Baché, 39, rue Barada, 64360 Monein, tél. 05.59.21.36.34, fax 09.70.32.15.22, domaine.bru-bache@orange.fr r.-v.
Claude Loustalot

DOM. DE CABARROUY Doux Cuvée Passerillage 2010 ★

7 000 | 11 à 15 €

Ce petit manseng offre un nez, bien ouvert, fait d'agrumes, de pêche, de poire. La bouche conserve la même expression, ronde et équilibrée entre vivacité minérale et douceur fruitée. Un moelleux de caractère à la longue finale agréablement acidulée. À découvrir sur un canard au kumquat. Le **sec 2011 (5 à 8 € ; 5 000 b.)** qui évoque les fleurs blanches, les fruits jaunes (pêche, abricot) et les agrumes, reçoit également une étoile.

Dom. de Cabarrouy, chem. Cabarrouy, 64290 Lasseube, tél. 05.59.04.23.08, domaine.cabarrouy@orange.fr
t.l.j. 10h-12h30 14h-19h; dim. sur r.-v.
Patrice Limousin et Freya Skoda

CAMIN LARREDYA Doux Au Capcéu 2010 ★★

10 000 | 20 à 30 €

Familière des étoiles, souvent obtenues par paire, la cuvée Capcéu tient une nouvelle fois ses promesses tout au long de la dégustation : la belle parure lumineuse, d'un jaune soutenu, la palette aromatique superbe où se marient fruits exotiques, fruits à chair blanche, miel et gelée de coing, la bouche fine et équilibrée, qui associe avec élégance vivacité et moelleux, la finale aromatique et persistante composent un vin remarquable à découvrir sur un fondant au chocolat. La cuvée **La Part Davan sec 2011 (11 à 15 € ; 20 000 b.)**, ronde et puissante, est citée.

Jean-Marc Grussaute, La Chapelle-de-Rousse, 64110 Jurançon, tél. 05.59.21.74.42, fax 05.59.21.76.72, contact@caminlarredya.fr r.-v.

SUD-OUEST

DOM. CASTERA Sec 2011

16 000 ▮ 5 à 8 €

Ce pur gros manseng, né sur un terroir limono-sableux, a séduit les dégustateurs. La robe jaune pâle annonce un nez délicat de pain frais, de fleurs blanches, de pêche et de melon d'Espagne. Légèrement perlant à l'attaque, gouleyant et frais, le palais finit sur une note d'agrumes fort plaisante. Tout ce qu'il faut pour un plateau de fruits de mer.

Christian Lihour, quartier Ucha, 64360 Monein, tél. 05.59.21.34.98, fax 05.59.21.46.32, christian.lihour@wanadoo.fr

t.l.j. sf dim. 9h-12h 14h-19h

DOM. CAUHAPÉ Sec Geyser 2011 ★★

21 000 ▮ 11 à 15 €

Toujours au sommet de son art, ce domaine est une nouvelle fois distingué pour deux superbes jurançon. Gros manseng et petit manseng à parts égales, complétés de camaralet (26 %), de lauzat (12 %) et de courbu (12 %) sont à l'origine de cette superbe cuvée. De ce Geyser jaillit une explosion de fleurs blanches, de fruits mûrs (pêche, poire) et d'agrumes. L'attaque nette annonce une bouche subtile, sur la pêche de vigne, le melon d'Espagne et la verveine, qui s'étire longuement en finale, soutenue par des notes acidulées (citron) qui apportent la fraîcheur et l'équilibre. Un très beau vin à découvrir sans attendre sur un carpaccio de langoustine. Le **doux Noblesse du temps 2010 (20 à 30 €; 12 000 b.)** reçoit une étoile pour son palais gras et fruité et pour sa finale acidulée. Une bouteille encore marquée par le boisé, à attendre trois ans.

Henri Ramonteu, Dom. Cauhapé, quartier Castet, 64360 Monein, tél. 05.59.21.33.02, fax 05.59.21.41.82, contact@cauhape.com

t.l.j. sf dim. 8h-12h30 13h30-18h

DOM. DU CINQUAU Sec Sensation 2010 ★

13 500 ▮ 5 à 8 €

Le duo gros manseng (75 %) et petit courbu joue sur le fruit (agrumes, pêche), avec une touche gourmande de bonbon anglais qui surprend et intéresse par son registre aromatique inhabituel. Ample, chaleureux, bien équilibré, le palais finit sur des notes acidulées. Un beau jurançon sec qui procurera bien du plaisir sur des cassolettes de moules au safran.

Dom. du Cinquau, chem. du Cinquau, 64230 Artiguelouve, tél. 05.59.83.10.41, fax 05.59.83.12.93, info@jurancon.com

t.l.j. 9h-12h30 13h30-18h30

CLOS BELLEVUE Doux Cuvée spéciale 2010 ★★

6 500 ▮ 11 à 15 €

Ce domaine, qui appartient depuis la Révolution française à la famille Muchada, propose un magnifique petit manseng, élevé sur lies fines, pour partie en cuve (seize mois) et pour l'autre en fût (douze mois). Cette cuvée paille clair se présente au nez sur des tons de fruits frais (agrumes) et de noisette, souvenir du séjour sous bois. Tout aussi aromatique, la bouche dévoile une matière ronde et fait preuve d'une remarquable longueur. Une superbe bouteille d'apéritif.

Clos Bellevue, chem. des Vignes, 64360 Cuqueron, tél. 06.15.34.49.36, fax 05.59.21.34.82, closbellevue@club.fr

t.l.j. 8h-12h 13h-19h

Muchada

CLOS BENGUÈRES Doux Le Chêne couché 2010 ★

3 000 15 à 20 €

Cette cuvée régulière en qualité rend un nouvel hommage au beau-père de Thierry Bousquet, M. Cassou (« le chêne » en béarnais). La robe est franche, d'un jaune d'or soutenu ; le nez expressif mêle les notes d'élevage (vanille, grillé), les fruits jaunes et le miel. L'attaque est douce, élégante, sur le miel, la confiture et des notes toastées. De la chaleur, du gras, une pointe de fraîcheur : ce classique du genre s'appréciera dès maintenant. Bel accord en perspective avec un cake salé-sucré, pomme-roquefort ou chorizo-figue.

Thierry Bousquet, Clos Benguères, chem. de l'École, 64360 Cuqueron, tél. 05.59.21.43.03, bengueres@free.fr

t.l.j. 9h-19h

CLOS DE LA VIERGE Sec 2011 ★

24 000 ▮ 5 à 8 €

Le Clos de la Vierge, coup de cœur l'an passé pour le millésime 2010, est fidèle au rendez-vous avec deux cuvées très réussies. Ce gros manseng se révèle frais et fruité (agrumes, ananas, kiwi). L'attaque vive, animée par un léger perlant, annonce une bouche à l'unisson, soutenue par des notes acidulées (citron) qui apportent une fraîcheur tonique. Une étoile pour le **Cancaillaü moelleux 2010 Gourmandise (11 à 15 €; 1 800 b.)**, très vif à l'attaque.

Anne-Marie Barrère, pl. de l'Église, 64150 Lahourcade, tél. 05.59.60.08.15, fax 05.59.60.07.38, earl.barrere@orange.fr

t.l.j. sf dim. 8h-19h; f. 1er oct.-15 nov.

CLOS GUIROUILH Sec 2011

14 000 ▮ 5 à 8 €

Cette cuvée fait la part belle au gros manseng. Dans sa robe limpide, jaune pâle, aux reflets verts, elle affiche un nez variétal de pêche, d'abricot et d'agrumes. L'attaque est douce ; la bouche, à l'unisson, se révèle parfaitement équilibrée, entre la rondeur du fruit, la suavité de la chair et la fraîcheur toujours présente, typique de l'appellation. Un vin facile d'accès à ouvrir dès maintenant, « sur un fromage de chèvre », recommande le vigneron.

SCEA Guirouilh, rte de Belair (D34), 64290 Lasseube, tél. 05.59.04.21.45, fax 05.59.04.22.73, guirouilh@gmail.com

r.-v.

CLOS THOU Sec Cuvée Guilhouret 2010 ★★

8 500 8 à 11 €

Régulièrement distingué pour ses jurançon doux, ce domaine décroche un coup de cœur avec ce vin sec. D'un jaune pâle lumineux, cette cuvée laisse dans son sillage des parfums intenses d'abricot et de fruits exotiques bien mûrs, mêlés à des notes d'agrumes (citron, citron vert, pomelo) qui apportent une fraîcheur fort plaisante. Après une attaque ronde, le palais s'épanouit, gras et complexe, alliant le fruité tonique du nez à une touche vanillée bien fondue. Ce vin racé et long patientera quatre ans en cave, avant d'accompagner des calamars farcis à la luzienne. Une étoile pour les moelleux **cuvée Julie 2010 (11 à 15 € ; 11 500 b.)** et **Suprême de Thou 2010 (15 à 20 € ; 7 000 b.)**, deux vins sur le fruit, destinés à l'apéritif.

Henri Lapouble-Laplace, chem. Larredya, 64110 Jurançon, tél. 05.59.06.08.60, clos.thou@wanadoo.fr
t.l.j. sf dim. 9h-12h30 14h-19h

CRU LAROSE Doux Régal des grives 2009 ★

3 000 | 11 à 15 €

Situé sur la crête de Saint-Faust, face aux Pyrénées, ce vignoble bénéficie d'un ensoleillement maximal qui bénéficie à ce petit manseng. Le nez élégant offre de douces nuances de vanille qui se marient à des notes de fruits frais (poire, ananas, raisin) et secs (abricot). D'une belle richesse, équilibrée entre fraîcheur et douceur, la bouche garde cette même expression aromatique. Un joli vin de dessert.

Chantal Peyroutet-Davancens, 251, chem. des Crêtes, 64110 Saint-Faust, tél. 05.59.83.12.06, fax 05.47.55.11.56, contact@crularose.com t.l.j. 10h-19h

DOM. GAILLOT Doux Sélection 2010 ★

2 600 | 15 à 20 €

Voici un moelleux bien fait d'un jaune lumineux aux reflets verts. Les dégustateurs ont aimé son nez chaleureux de fruits secs et de fruits confits, sa bouche équilibrée, moelleuse et fraîche à la fois, qui s'enrichit de notes de citron, d'abricot, de pêche et d'ananas, soulignées par un subtil boisé bien fondu légèrement vanillé. Idéal pour un foie gras poêlé. Cité, le **jurançon sec 2010 (11 à 15 € ; 3 300 b.)** révèle un bouquet léger de fleurs blanches et une longue finale plus gourmande, sur des notes d'ananas et d'épices.

EARL Dom. Gaillot, chem. Gaillot, 64360 Monein, tél. 05.59.21.31.69, fax 05.59.21.45.96, domaine.gaillot@orange.fr t.l.j. 9h-19h

CH. DE JURQUE Sec Fantaisie 2011 ★

24 000 | 8 à 11 €

Pas moins de quatre vins sélectionnés cette année pour la société Latrille, qui possède deux domaines : le château de Jurque, de 10 ha, et celui de Jolys de 30 ha. Du premier, les dégustateurs ont retenu la cuvée Fantaisie, à la robe jaune d'or, prélude à un bouquet intense de pêche, d'abricot, de melon d'Espagne, de fleurs et de brioche. Rond et aromatique, ce vin dévoile une belle matière, bâtie sur la fraîcheur. Du même domaine, le **sec Émotion 2010 (15 à 20 € ; 4 000 b.)**, aux arômes d'agrumes, de fleurs, de fruits exotiques et de boisé et au palais équilibré, ainsi que le **doux Tendresse 2010 (11 à 15 € ; 30 000 b.)**, bien typé jurançon, se voient décerner une étoile. Même distinction pour le **Ch. Jolys 2011 sec (5 à 8 € ; 35 000 b.)**, aromatique et suave.

Sté Latrille, Ch. de Jurque, 330, rte Chapelle-de-Rousse, 64290 Gan, tél. 05.59.21.72.79, fax 05.59.21.55.61, chateau.de.jurque@orange.fr
t.l.j. sf sam. dim. 8h-12h 13h30-17h30

CH. LAFITTE Doux Réserve 2009

2 250 | 15 à 20 €

A la tête du vignoble depuis 2000, Jacques Balent, qui a opté pour l'agriculture biologique, signe un joli liquoreux, d'un jaune d'or clair, limpide et lumineux. D'une grande richesse, ce 2009 est dominé à l'olfaction par des nuances de fruits confits et de fruits secs, assorties de quelques notes boisées qui rappellent le séjour en fût d'un an. Il se montre équilibré et chaleureux en bouche. (Bouteilles de 50 cl.)

EARL Ch. Lafitte, rue du Pic-de-Ger, 64360 Monein, tél. 05.59.21.49.44, fax 05.59.21.43.01, contact@chateau-lafitte.com
t.l.j. 9h-18h; sam. dim. sur r.-v.
M. Arraou

DOM. LAGUILHON Doux 2010 ★★

45 000 | 8 à 11 €

Nouveau coup de cœur pour la coopérative de Gan déjà couronnée dans l'édition précédente pour le moelleux Grain d'automne 2009. Pour ce remarquable 2010, petit manseng et gros manseng ont été assemblés à parts égales. Sous une robe jaune paille intense, le superbe nez, aromatique et frais, joue sur des notes de mangue et de grillé. D'une grande richesse, la bouche est un festival gourmand de fruits bien mûrs ; le gras, la rondeur et la douceur s'imposent avec élégance, rehaussés d'une fine vivacité. Ce moelleux devrait se plaire sur un mille-feuille de foie gras à la mangue. Deux étoiles brillent également pour le **Dom. Loustalé doux 2010 (17 000 b.)**, un vin puissant, typique de l'appellation par sa fraîcheur sous-jacente, et pour le **Dom. Les Terrasses doux 2010 (20 000 b.)**, fruité et équilibré.

Cave de Gan Jurançon, 53, av. Henri-IV, 64290 Gan, tél. 05.59.21.57.03, fax 05.59.21.72.06, cave@cavedejurancon.com r.-v.

VITATGE VIELH DE LAPEYRE Sec 2010 ★

15 000 | 11 à 15 €

Jean-Bernard Larrieu élabore des vins de grande expression et conduit son vignoble en agriculture biologique depuis 2005. Le millésime 2010 semble lui avoir bien réussi. Vêtue d'or pâle, cette cuvée s'ouvre sur des parfums légèrement muscatés, relayés à l'aération par des senteurs de raisins passerillés, de fruits secs et de brioche. Au palais, elle s'appuie sur une belle fraîcheur. Ce vin élégant, aux douces notes boisées, laisse une très bonne impression en finale. La **Magienda de Lapeyre doux 2010 (15 à 20 € ; 10 000 b.)** reçoit également une étoile.

SARL Larrieu, Clos Lapeyre, La Chapelle-de-Rousse, 64110 Jurançon, tél. 05.59.21.50.80, fax 05.59.21.51.83, contact@jurancon-lapeyre.fr
t.l.j. sf dim. 9h-12h 14h-17h30

CH. LAPUYADE Doux Cuvée Marie-Louise Vinifié en fût de chêne 2010 ★★★

600 | 20 à 30 €

La famille Aurisset est une habituée du Guide avec cette cuvée, aussi exceptionnelle que dans le millésime précédent, qui confirme son talent. Ce pur petit manseng, mûri en fût quinze mois, attire l'œil dans sa robe magnifique, vieil or aux reflets ambrés. Campée sur les fruits exotiques, les fruits secs, les fruits confits et les agrumes, la bouche, d'une grande richesse, montre un parfait équilibre entre suavité et vivacité. Une sublime expression du jurançon à apprécier de l'apéritif au dessert. Le **sec 2010 (8 à 11 € ; 4 000 b.)**, cité, est plus simple mais fort plaisant.

Aurisset, Ch. Lapuyade, 64360 Cardesse, tél. 05.59.21.32.01, clos.marie-louise@wanadoo.fr r.-v.

LARROUDÉ Sec Cuvée Vieille Vigne 2011 ★

4 000 | 5 à 8 €

Sur ce coteau aux sols argilo-calcaires, à dominante argileuse, exposé plein sud, face aux Pyrénées, le gros manseng se plaît bien. Témoin cette cuvée très réussie qui dévoile progressivement un bouquet séduisant de fleurs et de fruits frais (pêche, agrumes), complété de notes plus suaves de miel et de fruits confits. Ronde et fraîche à la fois, la bouche n'est pas en reste ; elle enchaîne sur des arômes intenses de poire, d'abricot et de brioche, accompagnés de notes acidulées de pamplemousse qui portent loin la finale. Une jolie bouteille à attendre un an avant de l'ouvrir sur un saumon grillé. Une citation pour **Un Jour d'automne doux 2010 (15 à 20 € ; 1 500 b.)**, à la finale gourmande sur le miel et les fruits confits.

SARL Larroudé, 64360 Lucq-de-Béarn, tél. 05.59.34.35.40, domaine.larroude@wanadoo.fr
t.l.j. 8h30-12h30 14h-19h; dim. sur r.-v.

DOM. DE MALARRODE Doux Quintessence Cuvée Gauthier 2009 ★

6 500 | 11 à 15 €

Trois hectares de petit manseng vendangé le 15 décembre ont donné cette cuvée très réussie, d'un jaune lumineux, « presque fluo », souligne un dégustateur. Le nez intense n'est pas en reste : bonbon anglais, ananas, pomme, poire s'allient à des notes épicées, souvenir du long séjour en fût (dix-huit mois). Les fruits exotiques, les fruits jaunes et le pralin s'épanouissent dans une bouche au bel équilibre, suave et fraîche à la fois. Un vin bien constitué, à apprécier à l'heure de l'apéritif.

Gaston Mansanné, quartier Ucha, 64360 Monein, tél. 05.59.21.44.27, fax 05.59.21.48.01, mansanne.gaston@wanadoo.fr
t.l.j. sf dim. 8h30-12h 14h-19h

CH. DE NAVAILLES Sec 2011 ★★

10 700 | 5 à 8 €

Une parfaite maîtrise des vinifications en blanc sec et voici le résultat : trois cuvées sélectionnées pour le millésime 2011. Jaune pâle aux beaux reflets argentés, cette cuvée subtile et délicate s'impose par son bouquet de fleurs blanches, de fruits blancs (pêche, poire) et d'agrumes, avec en appoint des notes minérales fort plaisantes. L'attaque fraîche, à l'unisson, annonce une bouche à la fois ample, ronde et tonique, à la superbe finale d'une rare longueur. Un vin très bien fait, idéal sur un homard. Deux autres vins de la coopérative de Gan reçoivent une étoile : le **Ch. les Astous sec 2011 (10 700 b.)**, aromatique et frais, **L'Or d'hiver sec 2011 (8 à 11 € ; 10 000 b.)**, harmonieux et sur le fruit.

Cave de Gan Jurançon, 53, av. Henri-IV, 64290 Gan, tél. 05.59.21.57.03, fax 05.59.21.72.06, cave@cavedejurancon.com r.-v.

DOM. NIGRI Sec Confluence 2011 ★

18 000 | 5 à 8 €

Jean-Louis Lacoste, œnologue de formation, décline avec brio, du sec au liquoreux, les cépages autochtones. Pour sa cuvée Confluence, il a sélectionné 80 % de gros manseng, complété de camaralet et de lauzet à parts égales. Vêtu d'une robe pâle aux reflets argentés, ce 2011 laisse s'échapper du verre des notes de chèvrefeuille, de pêche et de bonbon acidulé. La bouche équilibrée est tout en vivacité et en fraîcheur. Même distinction pour le **doux Toute une histoire 2010 (11 à 15 € ; 12 000 b.)**, à la belle expression de fruits frais. À noter : le domaine est en cours de conversion à l'agriculture biologique.

Jean-Louis Lacoste, Dom. Nigri, Candeloup, 64360 Monein, tél. 05.59.21.42.01, fax 05.59.21.42.59, domaine.nigri@wanadoo.fr
t.l.j. 9h-12h 13h30-18h; dim. sur r.-v.

CH. DE ROUSSE Doux Cuvée Séduction 2010 ★

6 600 | 15 à 20 €

Le château de Rousse fait une nouvelle fois bonne impression avec ce moelleux au nez délicat partagé entre les fleurs blanches et les fruits frais sur fond d'épices. Tout aussi séduisante, aromatique, la bouche offre en finale de belles notes de fruits mûrs caramélisés, d'épices et de bonbon acidulé, associant douceur et vivacité.

Ch. de Rousse, La Chapelle-de-Rousse, 64110 Jurançon, tél. 05.59.21.75.08, fax 05.59.21.76.54, chateauderousse@wanadoo.fr
t.l.j. 9h-12h 13h30-19h
Marc et Olivier Labat

SÉDUCTION D'AUTOMNE Doux 2010 ★

10 000 | 5 à 8 €

Cette maison de négoce, créée en 2001, présente deux jolies cuvées, l'une comme l'autre distinguées par une étoile. Jaune clair aux reflets verts, ce vin livre un nez franc de fruits exotiques. L'attaque ronde et pleine de fruits annonce une bouche explosive, croquante et friande, à la finale acidulée. Une gourmandise pour l'apéritif. Le **Séduction d'automne sec 2011 (moins de 5 € ; 2 600 b.)** plaît pour sa vivacité.

Confrérie du Jurançon, quartier Loupien, 64360 Monein, tél. 05.59.21.34.58, fax 05.59.21.27.68, contact@canon-de-montanin.com r.-v.
Castel Frères

DOM. DE SOUCH Doux Cuvée de Marie-Kattalin 2010 ★★

2 900 | 20 à 30 €

Ce vignoble, en biodynamie depuis 1994, est une référence de l'appellation. Ce petit manseng, élevé en fût dix-huit mois, a fait l'unanimité. Il possède un joli nez de fruits exotiques confits, de miel et d'épices mêlés à des notes de chocolat et de café. Suit un palais gras et doux, bien structuré. Des notes plus fraîches d'agrumes apparaissent en finale et s'associent à un boisé bien fondu. Pour une tarte Tatin.

SCEA Dom. de Souch,
Dom. de Souch, 805, chem. de Souch, 64110 Laroin,
tél. 05.59.06.27.22, fax 05.59.06.51.55,
domaine.desouch@neuf.fr
t.l.j. 9h-12h30 14h-18h30; dim. sur r.-v.
Yvonne Hegoburu

UROULAT Doux 2010 ★

	17 600		15 à 20 €

Charles Hours, dont le domaine réputé est bien connu des fidèles lecteurs du Guide, voit deux de ses jurançon distingués. D'un beau jaune d'or, ce moelleux flatte l'odorat par ses arômes de fruits bien mûrs aux nuances exotiques caractéristiques. Sa bouche, ample et équilibrée, nuancée d'un fin boisé, en fait un vin typique de l'appellation, tout disposé à se bonifier au cours des trois prochaines années. Cité, le **Charles Hours 2010 sec Cuvée Marie (11 à 15 €; 25 000 b.)** séduit par sa fraîcheur et ses notes miellées.

SARL Charles Hours, quartier Trouilh, 64360 Monein,
tél. 05.59.21.46.19, fax 05.59.21.46.90,
charles.hours@orange.fr r.-v.

DOM. VIGNAU LA JUSCLE Doux Vendanges tardives 2010 ★★

	4 000		20 à 30 €

DOMAINE VIGNAU
LA JUSCLE

2010
JURANÇON
VENDANGES TARDIVES

Trois coups de cœur de suite : cet ancien chirurgien devenu vigneron peut être fier. Dans sa robe éclatante bouton d'or, ce vin annonce une belle personnalité. Le nez expressif marie de plaisantes notes d'élevage à un séduisant fruité (fruits exotiques, agrumes, fruits jaunes confits) agrémenté de parfums miellés et épicés. La bouche est un enchantement : volume, fruité persistant, suavité, onctuosité, tout y est. Une pointe de fraîcheur et une belle longueur la rendent parfaitement harmonieuse. Un vin voluptueux pour un foie gras aux pommes caramélisées.

Michel Valton, Dom. Vignau la Juscle, 64110 Saint-Faust,
tél. 05.59.83.03.66, fax 05.59.83.03.71, michelvalton@yahoo.fr
r.-v.

Irouléguy

Superficie : 214 ha
Production : 6 380 hl (88 % rouge et rosé)

Dernier vestige d'un grand vignoble basque dont on trouve la trace dès le XIe s., l'irouléguy témoigne de la volonté des vignerons de perpétuer l'antique tradition des moines de Roncevaux. Le vignoble s'étage sur le piémont pyrénéen, dans les communes de Saint-Étienne-de-Baïgorry, d'Irouléguy et d'Anhaux.

Les cépages d'autrefois ont à peu près disparu pour laisser place au cabernet-sauvignon, au cabernet franc et au tannat pour les vins rouges, au courbu et aux gros et petit mansengs pour les blancs. De couleur cerise, vif et léger, le rosé accompagne la piperade et la charcuterie. Le rouge, parfois assez tannique, convient aux confits.

DOM. ABOTIA Élevé en fût de chêne 2010 ★★

	n.c.		11 à 15 €

C'est Peïo Errecart, installé en 2001 à la suite de ses parents, qui a lancé la production de vins blancs sur le domaine – avec succès, comme en témoigne le coup de cœur reçu par le 2008 de cette cuvée. Le 2010 n'a rien à lui envier et séduit d'emblée avec sa parure jaune d'or et limpide. Le nez, intense et complexe, libère des notes délicates de miel, de fleurs blanches et de fruits frais (pêche, melon) mâtinées d'un doux vanillé. Une même harmonie règne dans un palais gras, rond, charnu, un rien brioché, mais toujours pourvu de cette juste fraîcheur qui fait l'équilibre des très bons vins. À découvrir dès à présent ; pourquoi pas sur une brandade de morue ?

Peïo Errecart, Dom. Abotia, 64220 Ispoure,
tél. 05.59.37.03.99, fax 05.59.37.23.57, abotia@wanadoo.fr
r.-v.

ARRETXEA Hegoxuri 2011 ★★

	12 000		15 à 20 €

Arretxea
Hegoxuri
2011
IROULÉGUY

Thérèse et Michel Riouspeyrous, installés depuis 1989 sur ce petit domaine de montagne (8 ha), décrochent leur huitième coup de cœur. Une valeur sûre que l'on retrouve ici avec la cuvée Hegoxuri, un blanc issu des gros et petit mansengs et du petit courbu. La robe est jaune d'or. Superbe de complexité, le nez mêle les fleurs blanches, les agrumes (citron), les fruits blancs et le miel. En écho, la bouche se révèle ample, riche, profonde et longue, une noble amertume venant chatouiller la finale. « Un vin pur et authentique », conclut un dégustateur. Foie gras mi-cuit, terrine d'écrevisses, viande blanche en sauce, une large palette d'accords s'offre à vous. La cuvée **Haitza 2010 rouge (8 000 b.)**, née de tannat et de cabernet-sauvignon, obtient une étoile : c'est un vin boisé avec élégance (dix-huit mois de fût), fruité avec générosité, gras et bien charpenté, que l'on attendra deux à trois ans au moins avant de lui proposer gibier ou viande en sauce.

Maison Arretxea, Thérèse et Michel Riouspeyrous,
64220 Irouléguy, tél. et fax 05.59.37.33.67, arretxea@free.fr
r.-v.

ARROLA 2011 ★

20 000 | 5 à 8 €

Deux cuvées très réussies proposées par la coopérative d'Irouléguy (1952). Les dégustateurs ont eu une (légère) préférence pour ce rouge classiquement issu des cabernets et du tannat, drapé dans une robe aubergine. Le nez, montant et gourmand, respire les fruits rouges (fraise, groseille, griotte...). Fraîche et souple, la bouche évolue dans le même registre, portée par d'aimables tanins. Un vin de plaisir, pour une grillade au feu de bois. Le **Xuri 2011 blanc (8 à 11 € ; 25 000 b.)** se révèle très aromatique (miel, fleurs blanches, pêche, citron confit...) et bien équilibré entre rondeur et vivacité. Ossau iraty et poissons en sauce lui conviendront à merveille.

Cave d'Irouléguy, rte de Saint-Jean-Pied-de-Port, CD 15,
64430 Saint-Étienne-de-Baïgorry, tél. 05.59.37.41.33,
fax 05.59.37.47.76, contact@cave-irouleguy.com
t.l.j. 9h-12h 14h-18h; f. dim. d'oct. à mars

Floc-de-gascogne

Le floc-de-gascogne est produit dans l'aire géographique de l'appellation armagnac. Il s'agit d'un vin de liqueur muté à l'aide de la célèbre eau-de-vie. La région viticole fait partie du piémont pyrénéen et se répartit sur trois départements : le Gers, les Landes et le Lot-et-Garonne. Afin de donner une force supplémentaire à l'antériorité de leur production, les vignerons du floc-de-gascogne ont mis en place un principe nouveau qui n'est ni une délimitation parcellaire telle qu'on la rencontre pour les vins, ni une simple aire géographique comme pour les eaux-de-vie. C'est le principe des listes parcellaires approuvées annuellement par l'INAO.

Les blancs sont issus des cépages colombard, gros manseng et ugni blanc, qui doivent ensemble représenter au moins 70 % de l'encépagement et ne peuvent dépasser seuls 50 % depuis 1996, avec pour cépages complémentaires le baroque, la folle blanche, le petit manseng, le mauzac, le sauvignon, le sémillon ; pour les rosés, les cépages sont le cabernet franc et le cabernet-sauvignon, le cot, le fer-servadou, le merlot et le tannat, ce dernier ne pouvant dépasser 50 % de l'encépagement. Les règles de production mises en place par les producteurs sont contraignantes : 3 300 pieds/ha taillés en guyot ou en cordon, nombre d'yeux à l'hectare toujours inférieur à 60 000, rendement de base des parcelles inférieur ou égal à 60 hl/ha...

Les moûts récoltés ne peuvent avoir moins de 170 g/l de sucres. La vendange, une fois égrappée et débourbée, est mise dans un récipient où le moût peut subir un début de fermentation. Aucune adjonction de produits extérieurs n'est autorisée. Le mutage se fait avec une eau-de-vie d'armagnac d'un compte d'âge minimum 0 et d'un degré minimum de 52 % vol. Tous les lots de vins sont dégustés et analysés. En raison de l'hétérogénéité toujours à craindre de ce type de produit, l'agrément se fait en bouteilles et ces dernières ne peuvent sortir des chais des récoltants avant le 15 mars de l'année qui suit celle de la récolte.

DOM. DE BILÉ ★★

4 000 | 8 à 11 €

Le domaine s'est établi non loin de Bassoues, bastide fortifiée dominée par son donjon. La famille Della-Vedove propose tout un ensemble d'échappées belles : marchés à la ferme, soirées autour de la distillation, randonnées... Ces ouvertures préparent l'esprit à la découverte des produits de la vigne. Remarquable d'intensité gustative, le floc rosé du domaine affiche une robe rubis et vous entraîne dans une fraîche sarabande de saveurs gourmandes, très fruitées. Rondeur, fraîcheur, l'équilibre reste parfait tout au long de la dégustation, la sucrosité maîtrisée. Pour une forêt noire. Floral, charnu et souple, le **blanc (6 466 b.)** devrait s'entendre avec un foie gras.

EARL Della-Vedove, Dom. de Bilé,
32320 Bassoues-d'Armagnac, tél. et fax 05.62.70.93.59,
contact@domaine-de-bile.com
t.l.j. 9h-19h; dim. sur r.-v.

DOM. DES CASSAGNOLES ★

3 000 | 8 à 11 €

Dans ce coin de Gascogne qui répond au joli nom de Ténarèze, la passion de la famille Baumann pour la vigne a pris corps avec l'armagnac. Janine et Gilles se sont ensuite intéressés avec bonheur aux vins de pays et aux flocs, pour lesquels ils collectionnent les coups de cœur. Cette année, leur floc blanc a séduit. Colombard (45 %), gros manseng (25 %) et ugni blanc se sont assemblés avant d'affronter l'armagnac. Après un long élevage en fût (dix-huit mois), on découvre une robe or pâle aux reflets émeraude ; le nez délicat joue sur la pêche, les fruits frais avant une bouche enjôleuse et fraîche, équilibrée par l'armagnac. Un ensemble harmonieux, pour un foie gras poêlé.

Dom. des Cassagnoles, Famille Baumann,
32330 Gondrin, tél. 05.62.28.40.57, fax 05.62.28.42.42,
j.baumann@domainedescassagnoles.com
t.l.j. sf dim. 9h (sam. 9h30)-12h30 14h-17h30;
f. août

DE CASTELFORT ★

86 000 | 5 à 8 €

La Cave des producteurs réunis de Nogaro met en valeur des vignobles implantés sur les sables fauves et limoneux du Bas-Armagnac. Elle n'a pas manqué son rendez-vous avec le Guide. Nos dégustateurs ont retrouvé dans la fraîcheur guillerette de son floc rosé les finesses aromatiques du cabernet franc, structurées par le cabernet-sauvignon et le tannat. Bien mariés à l'armagnac, ces jus ont pourvu le floc d'une belle franchise et d'une palette où les fruits cuits donnent le ton. Fruité et nerveux, le **blanc (66 000 b.)** fera un bel apéritif.

CPR – Les Hauts-de-Montrouge, rte d'Aire-sur-Adour, 32110 Nogaro, tél. 05.62.09.01.79, fax 05.62.09.10.99, cpr@de-castelfort.com r.-v.

DOM. CHIROULET ★

6 000 | 8 à 11 €

Le vent envoie de joyeux *chiroulis* parmi les règes qui décorent les hauts coteaux de la Ténarèze, entretenus depuis la fin du XIXᵉs. par la famille Fezas. Lorsque ça *chiroule*, c'est le signe que le dieu Éole accorde son souffle avec Bacchus pour transmettre cette vivacité qui n'appartient qu'aux flocs racés. Cette année encore, les dégustations consacrent deux produits bien choyés, élevés en cuve puis en fût, qui reçoivent chacun une étoile. Le blanc se drape d'un or soyeux. L'olfaction complexe (fruits mûrs, épices) précède une bouche envoûtante où l'armagnac et les saveurs fruitées affichent une complicité friande. Quant au **rosé (16 000 b.)**, c'est un floc coloré et charmeur, au fruité souligné par l'eau-de-vie.

Famille Fezas, Dom. Chiroulet, 32100 Larroque-sur-l'Osse, tél. 05.62.28.02.21, fax 05.62.28.41.56, chiroulet@wanadoo.fr
t.l.j. sf dim. 9h-12h30 15h-18h30

CAVE DE CONDOM ★

40 000 | 5 à 8 €

Le rosé de la cave de Condom, coup de cœur de la dernière édition, reste de belle tenue. L'assemblage est le même : merlot et cabernet-sauvignon à parts égales. Flamboyant à l'œil dans sa robe d'un rose soutenu tirant sur le rouge, il semble ensuite prendre plaisir à ménager ses effets. On découvre, à petits pas comptés, une olfaction élégante qui joue sur des notes de cerise et d'armagnac. La bouche s'oriente ensuite vers une douceur suave et une rondeur agréable. Pour une salade de fruits rouges ou un melon. Le **blanc (26 600 b.)**, à 140 g/l de sucres résiduels, est cité pour sa souplesse.

Terres de Gascogne, Cave de Condom, 59, av. des Mousquetaires, 32100 Condom, tél. 05.62.28.12.16, fax 05.62.68.39.62, cavedecondom@terresdegascogne.fr r.-v.

DOM. D'EMBIDOURE

4 000 | 8 à 11 €

Ce domaine familial du Haut-Armagnac privilégie la viticulture depuis la génération précédente. Les deux sœurs Menegazzo, aux commandes depuis 2006, ont modernisé la conduite du vignoble et les vinifications. Elles écoulent en vente directe ou en circuits courts l'essentiel de leurs armagnacs, vins et flocs. Leur blanc, issu de colombard et gros manseng à parité, se pare d'une robe lumineuse aux éclats émeraude. Le nez intense allie des fragrances fruitées et florales à une pointe d'eau-de-vie. L'attaque franche et puissante introduit une bouche ample, où les fruits blancs restent maîtres de la place en finale. Un joli nectar d'apéritif.

EARL Menegazzo Filles, Sandrine et Nathalie Menegazzo, Dom. d'Embidoure, 32390 Réjaumont, tél. 05.62.65.28.92, fax 05.62.65.27.40, menegazzo.embidoure@wanadoo.fr
t.l.j. 9h-12h 14h-18h30; sam. dim. sur r.-v.

ENTRAS ★

6 600 | 8 à 11 €

Le nom a raccourci sur l'étiquette, mais le domaine n'a pas changé : près de 36 ha, un terroir de coteaux entre Auloue et Baïse où les vignes rouges font jeu égal avec les blanches. La série des sélections continue avec ce rosé. Merlot et cabernet-sauvignon nés sur argilo-calcaires ont associé leurs mérites à l'armagnac et l'élevage d'un an en fût a fait le reste pour aboutir à ce produit élégant. Les dégustateurs ont aimé le brillant de la parure, d'un rose soutenu à reflets rouges ; ils ont été sensibles aux charmes discrets d'une olfaction où le côté floral le dispute à un fruité gourmand, sur la fraise mûre, et à l'équilibre de la bouche aux saveurs fondues. Belles connivences avec un melon juteux et parfumé, comme la région en produit. Cité, le **blanc (4 530 b.)**, floral et assez rond, apparaît légèrement dominé par l'armagnac mais reste équilibré.

GAEC Bordeneuve-Entras, Entras, 32410 Ayguetinte, tél. 05.62.68.11.41, fax 05.62.68.15.32, mbrmaestrojuan@wanadoo.fr
t.l.j. 9h-12h30 14h-18h (20h en été); dim. sur r.-v.
Maestrojuan

DOM. D'ESPÉRANCE

5 000 | 8 à 11 €

Claire de Montesquiou dirige depuis 1990 ce domaine situé dans les Landes, aux confins du Gers. Ses étiquettes sont dessinées par un Gascon célèbre dans le monde de la mode, Jean-Charles de Castelbajac. Né sur les sables fauves caractéristiques du Bas-Armagnac qui engendrent d'incomparables parfums de terroir, ce floc blanc s'affiche dans une ravissante robe cristalline. Il libère au nez de légers parfums floraux stimulés par l'armagnac. La bouche est élancée, fraîche et avenante. Bel accord en perspective avec une tarte Tatin.

Claire de Montesquiou, Dom. d'Espérance, 40240 Mauvezin-d'Armagnac, tél. 05.58.44.85.93, fax 05.58.44.87.15, info@esperance.fr
t.l.j. 8h-12h; sam. dim. sur r.-v.

♥ FERME DE GAGNET ★★★

6 000 | 8 à 11 €

Floc de Gascogne
APPELLATION D'ORIGINE CONTRÔLÉE
SERVIR TRÈS FRAIS
EARL Ferme de Gagnet
47 170 MEZIN
Vigneron Récoltant
Mis en bouteille à la propriété

Au sud du Lot-et-Garonne, la ferme de Gagnet. Dix hectares de vignes et un élevage de canards. Armagnacs, flocs, foies gras, confits... Marielle, Marion, Caroline, Éliane : quatre femmes cultivent l'art de l'accueil convivial. Avec ce floc rosé, qui vient couronner une très belle série de même couleur, le bonheur est dans le pré ! Né de merlot et de cabernet franc, celui-ci a très bien assimilé, lors de sa rencontre avec l'armagnac, la quintessence des vertus de la vigne. Il en donne une traduction gustative élégante : parure d'un rose soutenu et lumineux, nez intense sur le cassis, rafraîchi par un soupçon de jeune eau-de-vie. Quant à la bouche, équilibrée et sereine, elle développe des accents pointus de framboise. D'une longueur admirable, la finale est soulignée avec grâce par des notes d'armagnac fines et déliées. De quoi magnifier des desserts au chocolat. Le **blanc (6 000 b.)** obtient une étoile pour ses arômes floraux et fruités.

EARL Ferme de Gagnet, Gagnet, 47170 Mézin, tél. 06.82.36.19.82, fax 05.53.97.22.04, fermedegagnet@gmail.com r.-v.

Tadieu

CH. GARREAU ★★

22 133 | 8 à 11 €

Créée par un prince russe à la fin du XIXᵉs., une vaste propriété établie dans le Bas-Armagnac, entre Landes et Gers : 80 ha, dont 22 ha de vignes. Elle est administrée depuis 1919 par la famille Garreau qui voue une passion à l'alambic. Les chais souterrains, du XIXᵉs., valent le détour. Il en ressort des armagnacs de haute densité. Quant à ce floc blanc, Il ne manque pas d'ambitions. Celles-ci s'affichent dès la robe limpide, d'un jaune pâle aux reflets argentés, ainsi que dans l'olfaction tout en légèreté, qui mêle les fleurs et le raisiné. Fraîche et fluide, la bouche laisse émerger un fruité marqué par une petite exaltation de l'armagnac, qui s'assagira avec le temps. Cité pour ses plaisantes saveurs de fruits rouges, de mûre et de cassis, le **rosé** fait partie de ces joyeux drilles dont la compagnie est recherchée pour des apéros sans chichis.

SCEA Ch. Garreau, dom. de Gayrosse, 40240 Labastide-d'Armagnac, tél. 05.58.44.84.35, fax 05.58.44.87.07, chateau.garreau@wanadoo.fr t.l.j. 9h-12h 14h-18h

DOM. DE GUILHON D'AZE

15 000 | 8 à 11 €

Propriété de la famille Tastet depuis plus d'un siècle, ce domaine couvre 53 ha dans le Bas-Armagnac. L'actuel maître des lieux, Denis Tastet, propose un floc blanc généreux (152 g/l de sucres résiduels), à la robe brillante et au nez floral, qui laisse percer à l'aération quelques nuances d'agrumes et de fruits exotiques. Vive à l'attaque, puis chaleureuse et ronde, la bouche est équilibrée. Pour une terrine de foie gras. Le **rosé (15 400 b.)** développe des notes suaves et chaleureuses de fruits rouges compotés et de pruneau. Encore marqué par l'armagnac, il s'entendra avec un dessert au chocolat.

Denis Tastet, Dom. de Guilhon d'Aze, 32150 Larée, tél. 05.62.09.53.88, fax 05.62.09.58.92, contact@denis-tastet.fr t.l.j. 8h-12h 14h-19h

DOM. DE JOŸ ★★

6 600 | 8 à 11 €

Vraisemblablement séduite par les charmes de la Gascogne, la famille Gessler, d'origine suisse, est venue s'établir en Bas-Armagnac en 1934. Aujourd'hui, Olivier et Roland Gessler consacrent toute leur énergie à la valorisation du domaine et proposent la trilogie armagnacaise : eau-de-vie, vins (côtes-de-gascogne) et floc. Des blancs uniquement. Au chai, ils recherchent l'extraction du fruit et des élevages sur lies qui bénéficient aux jus tirés

des cépages locaux. Né de colombard, de gros manseng et d'ugni blanc assemblés par tiers et mariés à l'armagnac blanc, ce floc offre un modèle accompli de ce vin de liqueur. Sa robe d'un jaune clair brillant s'anime de reflets argent ; son nez s'épanouit sur les fleurs blanches, la poire, la cire d'abeille, prélude à la découverte des délicates friandises d'une bouche élégante, aromatique, vive et longue, équilibrée entre les titillements de l'armagnac et les suavités du fruit. Un bel apéritif.

GAEC Gessler et Fils, Dom. de Joÿ, 32110 Panjas, tél. 05.62.09.03.20, fax 05.62.69.04.46, contact@domaine-joy.com t.l.j. sf dim. 9h-12h 13h30-18h

DOM. DE LARTIGUE ★

3 300 | 8 à 11 €

Ce domaine proche d'Eauze, au cœur du Bas-Armagnac, a été fondé il y a juste soixante ans par le grand-père de Sonia et de Jérôme Lacave. Ces derniers élaborent armagnacs, vins et flocs tout en perpétuant les pépinières viticoles de la famille. Cette double vocation ne nuit pas à la qualité de leur production, témoin ce floc blanc qui assemble par tiers gros manseng, colombard et ugni blanc. Un même équilibre règne au nez comme en bouche où l'armagnac adopte une sage discrétion, laissant parler les arômes floraux et fruités des moûts. À destiner à l'un de ces foies gras que le pays gascon dispense avec tant de générosité. Fruité à souhait, le **rosé (4 000 b.)** est un joli vin d'apéritif. Il est cité.

EARL Francis Lacave, Au village, 32800 Bretagne-d'Armagnac, tél. 05.62.09.90.09, fax 05.62.09.79.60, francis.lacave@wanadoo.fr t.l.j. 8h-12h30 13h30-18h30; sam. dim. sur r.-v.

DOM. DE LAUBESSE

3 300 | 8 à 11 €

Le domaine est situé aux confins des vastes Landes, dans un secteur où la vigne s'est surtout développée après la Seconde Guerre mondiale. Le village de Hontanx est une bastide-rue célèbre pour sa porte fortifiée, ses trois étangs et le château d'Aon. Josette et Corinne Lacoste signent un floc vêtu d'or, qui offre au bouquet de subtiles fragrances de fruits secs. Son équilibre en bouche penche vers la rondeur. On le boira sans trop tarder – pourquoi pas sur un fromage à pâte persillée ? Quant au **rosé (3 300 b.)**, ses arômes suaves de cerise, de fruits rouges confiturés et sa finale chaleureuse devraient faire merveille sur un melon.

Corinne Lacoste, Dom. de Laubesse, 2155, rte de Péjouan, 40190 Hontanx, tél. 05.58.03.23.14, fax 05.58.03.10.01, armagnac.lacoste@wanadoo.fr t.l.j. 14h-20h

DOM. DE MAGNAUT ★

	3 000	■	8 à 11 €

Jean-Marie Terraube a pris en 2000 les rênes du domaine constitué par la génération précédente dans le nord-ouest du Gers, en Ténarèze. Il a développé l'offre de vins et fait du domaine une valeur sûre du Guide. Les jurés pensent beaucoup de bien de ce floc rosé, qui associe du pur merlot à l'armagnac. La robe nette, rouge clair, évoque la cerise ; le nez intense fait penser à un panier de fruits noirs et rouges cueillis à la fraîche – des fruits que l'on retrouve en bouche, harmonieusement mariés à l'eau-de-vie. Un joli floc pour un fondant au chocolat. Fruité mais marqué en finale par la chaleur de l'armagnac, le **blanc (3 000 b.)** est cité.

Jean-Marie Terraube, Dom. de Magnaut, 32250 Fourcès, tél. 05.62.29.45.40, fax 05.62.29.58.42, domainedemagnaut@wanadoo.fr
t.l.j. sf dim. 9h-12h 14h-19h

CH. DE MILLET ★

	6 000		8 à 11 €

Francis et Lydie Dèche, rejoints par leur fille Laurence, sont établis à Éauze, l'une des plus anciennes cités de Gascogne, au cœur du Bas-Armagnac. Ils signent ici un floc blanc dont le tempérament gascon doit beaucoup à un assemblage « signé Sud-Ouest » : colombard et gros manseng, pratiquement à parts égales, l'ugni blanc faisant de la figuration. La robe est pimpante, d'un jaune d'or soutenu ; d'approche discrète, le nez dévoile à l'aération de doux arômes abricotés ; assez réservée, elle aussi, la bouche apparaît équilibrée, fondue, et séduit par sa finale persistante et fruitée, marquée par de jolies notes d'écorce d'orange. Pour un apéritif accompagné de toasts au foie gras.

Ch. de Millet, 32800 Éauze, tél. 05.62.09.87.91, fax 05.62.09.78.53, chateaudemillet@wanadoo.fr
r.-v.
Dèche

CH. DE MONS

	n.c.	■	11 à 15 €

La Chambre d'agriculture du Gers, logée depuis une cinquantaine d'années dans le château de Mons, a eu le bon goût d'allier nature et culture. Ici vécurent des figures de notre histoire, comme le maréchal Lannes, natif du Gers, fait duc de Montebello avant d'être tué à la bataille d'Essling. Les flocs du domaine n'ont pas l'âme guerrière, bien au contraire. Ce rosé se signale par un bouquet de fruits mûrs annonçant les belles notes confites qui s'épanouissent dans un palais chaleureux. Quant au **blanc**, cité, il est apprécié pour ses arômes floraux et fruités persistants et pour sa texture harmonieuse.

Chambre d'Agriculture du Gers, Ch. de Mons, 32100 Caussens, tél. 05.62.68.30.30, fax 05.62.68.30.35, contact@chateau-mons.com r.-v.

DE MONTAL

	66 000	■	5 à 8 €

La Cave des producteurs réunis est une coopérative établie à Nogaro, dans le Bas-Armagnac. Tannat, cabernets, merlot, folle blanche, baco, gros manseng se sentent à l'aise sur les sables fauves de ce secteur de Gascogne. Ce dernier cépage s'associe au colombard et au sauvignon pour donner naissance à un floc séduisant par sa matière équilibrée entre rondeur et vivacité. Le **rosé (86 000 b.)**, quant à lui issu des deux cabernets et du tannat, libère par paliers des arômes de fruits frais (griotte, fraise), appuyées par l'armagnac. Deux produits gourmands à déguster à l'apéritif ou avec des tartes aux fruits.

CPR, 32110 Nogaro, tél. 05.62.09.09.79, fax 05.62.09.10.99, montal@de-montal.com r.-v.

DOM. POLIGNAC ★★

	10 000	■	8 à 11 €

Entre les balades à travers le pittoresque pays (lavoirs, village voisin de Roques, chapelle de Polignac), la contemplation des chênes séculaires du domaine et l'exploration des plaisirs proposés sur place à l'œnophile, le visiteur n'a pas le temps de s'ennuyer. Surtout si ces dégustations sont guidées par Jacques Gratian, passé maître dans l'art du floc. Celui-ci s'est placé parmi les finalistes du coup de cœur. Intense au nez, il allie délicatesse florale et fraîcheur fruitée. Des sensations qui se prolongent en bouche, accompagnées de la suavité élégante dispensée par l'armagnac. À découvrir sur un dessert au chocolat. Cité pour sa vivacité en bouche, le **blanc (6 000 b.)** s'appréciera sur une généreuse terrine de foie gras. La région n'en manque pas...

EARL Gratian, Polignac, 32330 Gondrin, tél. 05.62.28.54.74, fax 05.62.28.54.86, j.gratian@cerfrance.fr
t.l.j. 10h-13h 15h-20h

DOM. SAINT-LANNES ★

	4 000		8 à 11 €

À Saint-Lannes, dans les années 1950, on vivait encore en prise directe avec la terre. Entre céréales, vignes, bovins et volaille, les gens « cultivaient leur jardin » – l'autarcie à la gersoise. C'est dans ce hameau que s'est établie la famille de Michel Duffour. Ce dernier, installé en 1973 et rejoint aujourd'hui par son fils Nicolas, a donné a son domaine une renommée internationale en misant sur une offre diversifiée à partir des cépages gascons. Une fois de plus, ses flocs ont convaincu. Son blanc marie à l'armagnac colombard et gros manseng à parts égales, variétés dont on retrouve l'intensité aromatique. Au nez, beaucoup de fleurs, nuancées de fruits secs ; en bouche, une belle onctuosité. Plus léger, le **rosé (4 000 b.)** retient l'attention par ses sympathiques arômes de cerise, de fraise et de pruneau.

EARL Vignobles Duffour, Dom. Saint-Lannes, 32330 Lagraulet-du-Gers, tél. 05.62.29.11.93, fax 05.62.29.12.71, contact@saint-lannes.fr r.-v.

SUD-OUEST

LA VALLÉE DE LA LOIRE ET LE CENTRE

ANJOU MUSCADET
CHENIN SAUMUR-CHAMPIGNY
SAVENNIÈRES TOURAINE
BOURGUEIL CHINON
SANCERRE MONTLOUIS
CÔTES-D'AUVERGNE BRETON
POUILLY-FUMÉ BONNEZEAUX

LA VALLÉE DE LA LOIRE ET LE CENTRE

Unis par un fleuve majestueux jalonné de châteaux Renaissance, les divers pays de la vallée de la Loire sont baignés par une lumière unique, qui fait éclore ici le « Jardin de la France ». Dans ce jardin, bien sûr, la vigne est présente ; des confins du Massif central jusqu'à l'estuaire, elle ponctue le paysage au long du fleuve et d'une dizaine de ses affluents. Les ceps donnent naissance à une des productions les plus variées du pays, qui a pour traits communs des prix doux et une vivacité qui anime jusqu'à ses grands vins liquoreux.

Superficie
51 900 ha
Production
2 841 395 hl
Types de vins
Blancs (45 %) secs, demi-secs, moelleux et liquoreux, rosés (22 %), rouges (21 %), effervescents (12 %).
Sous-régions
Région nantaise, Anjou-Saumur, Touraine, Centre.
Cépages
Rouges : cabernet franc (breton), cot, gamay, pinot noir, grolleau ; accessoirement : pineau d'Aunis, cabernet-sauvignon, pinot meunier.
Blancs : muscadet (ou melon de Bourgogne), chenin (pineau de la Loire), sauvignon ; accessoirement : chardonnay, romorantin, pinot gris (malvoisie), tressallier, menu pineau.

Quatre sous-régions Les vignobles de la région nantaise, de l'Anjou et de la Touraine forment de véritables entités. On a également inclus dans les vignobles de la Loire ceux, plus dispersés, du Berry, des côtes d'Auvergne et roannaises ; ils appartiennent au bassin hydrographique de la Loire et se rapprochent des vignobles ligériens par les types de vins produits, friands et fruités.

De l'Océan à la montagne De l'embouchure à la source du plus long fleuve de France, les différences climatiques ne sont pas minces : bien qu'identifiés comme septentrionaux, certains vignobles sont situés à une latitude qui, dans la vallée du Rhône, subit l'influence climatique méditerranéenne... Mâcon est à la même latitude que Saint-Pourçain, et Roanne, que Villefranche-sur-Saône. Le relief influe ici sur le climat, ainsi que l'éloignement de l'Océan ; le courant d'air atlantique qui s'engouffre d'ouest en est dans le couloir tracé par la Loire s'estompe peu à peu au fur et à mesure qu'il rencontre les collines du Saumurois et de la Touraine. Alors que le climat de la région nantaise est océanique, avec des hivers peu rigoureux, des étés chauds et souvent humides, le climat du Centre et des vignobles du Massif central est semi-continental, avec des hivers froids et des étés chauds.

Massif armoricain et Bassin parisien Dans la basse vallée de la Loire, l'aire du muscadet et une partie de l'Anjou (dit « Anjou noir ») reposent sur le Massif armoricain, constitué de schistes, de gneiss et d'autres roches de l'ère primaire, sédimentaires ou éruptives. La région nantaise présente un relief peu accentué, les roches dures du Massif armoricain étant entaillées à l'abrupt par de petites rivières. Les vallées escarpées ne permettent pas la formation de coteaux cultivables, et la vigne occupe les mamelons de plateau.

L'Anjou est un pays de transition entre la région nantaise et la Touraine. Il se divise en plusieurs sous-régions : les coteaux de la Loire (prolongement de la région nantaise), en pente douce d'exposition nord, où la vigne occupe la bordure du plateau ; les coteaux du Layon, schisteux et pentus, et ceux de l'Aubance ; la zone proche de la Touraine, dans laquelle s'est développé le vignoble des rosés.

L'Anjou englobe historiquement le Saumurois ; géographiquement ce dernier devrait plutôt être rattaché à la Touraine occidentale avec laquelle il présente des similitudes, tant au point de vue des sols (sédimentaires) que du climat. Les formations sédimentaires du Bassin parisien viennent ici recouvrir des formations primaires du Massif armoricain, de Brissac-Quincé à Doué-la-Fontaine.

Le Saumurois se caractérise essentiellement par la craie tuffeau sur laquelle poussent les vignes ; dans le sous-sol, les bouteilles rivalisent avec les champignons de Paris pour occuper galeries et caves facilement creusées. En face du Saumurois, on trouve sur la rive droite de la Loire les vignobles de Saint-Nicolas-de-Bourgueil, sur le coteau turonien. Plus à l'est, après Tours, et sur le même coteau, débute le vignoble de Vouvray ; Chinon, sur l'autre rive, est le prolongement du Saumurois sur les coteaux de la Vienne. Azay-le-Rideau, Montlouis, Amboise, Mesland et les coteaux du Cher complètent la Touraine. Les petits vignobles des coteaux du Loir, de l'Orléanais, de Cheverny, de Valençay et des coteaux du Giennois peuvent être rattachés à la Touraine.

Les vignobles du Berry (ou du Centre) se distinguent des trois autres tant par les sols, essentiellement jurassiques – voisins de ceux du Chablisien, pour Sancerre et Pouilly-sur-Loire – que par le climat. Nous rattachons Saint-Pourçain, les côtes roannaises et le Forez à cette quatrième unité, bien que sols (Massif central primaire) et climats (semi-continental à continental) soient différents.

Les cépages blancs Dans la région nantaise, un cépage domine : le melon, à l'origine d'un vin blanc sec et vif. Le cépage folle blanche engendre un autre vin blanc sec, plus léger, le gros-plant. En Anjou, en Saumurois et en Touraine, le cépage-roi en blanc est le chenin ou pineau de la Loire, à l'origine des grands vins liquoreux ou moelleux, ainsi que d'excellents vins secs, demi-secs et mousseux ; on le trouve jusqu'à l'est de Tours, à Vouvray, Montlouis, Amboise et Mesland, ainsi que dans les vignobles sarthois de Jasnières et des coteaux du Loir. Le chardonnay et le sauvignon y ont été plus tardivement associés.

En Touraine orientale, le sauvignon supplante le chenin, donnant des vins blancs très aromatiques. C'est le cépage vedette des vins blancs du Centre, des sancerre, pouilly-fumé, reuilly, quincy, menetou-salon... Citons aussi des cépages beaucoup plus rares, comme le romorantin en cour-cheverny, le chasselas, qui subsiste à Pouilly-sur-Loire, le tressallier en saint-pourçain, ou encore le pinot gris.

Les cépages rouges On trouve le gamay à l'ouest, en Vendée et sur les coteaux d'Ancenis, en Anjou et surtout en Touraine orientale où il tend cependant à régresser. Il est en revanche majoritaire, voire exclusif, dans les vignobles du Massif central (côtes-d'auvergne, côte-roannaise, côtes-du-forez...). Autrefois très répandu, le grolleau noir produit traditionnellement des rosés demi-secs. Le cabernet franc, anciennement appelé « breton », l'a supplanté, complété par le cabernet-sauvignon. Les cabernets engendrent des vins rouges fins et corsés ayant une bonne aptitude à la garde, qui gardent un caractère vif dans la vallée de la Loire. Le cabernet franc est à la base de trois appellations réputées de la Touraine occidentale : chinon, bourgueil et saint-nicolas-de-bourgueil. En amont du fleuve, on se rapproche de la Bourgogne, et le cabernet s'efface derrière le pinot noir. C'est la variété des rouges du Berry, comme le sancerre. Parmi les cépages rouges, on citera aussi le cot (malbec), cultivé en Touraine orientale, qui donne des vins structurés, le pineau d'Aunis des coteaux du Loir à la nuance poivrée, le meunier, cultivé notamment dans l'Orléanais, ou encore la négrette, dans les fiefs-vendéens.

Les atouts du tourisme Résidence royale au XVIes., berceau de la Renaissance, la région a pour atouts ses paysages et son architecture, des châteaux de la Loire à l'habitat troglodytique de l'Anjou-Saumur. Le tourisme est ici varié, culturel, gastronomique (fromages de chèvre AOC, rillettes...) ou œnologique ; et les routes qui suivent le fleuve sur les « levées », ou celles, un peu en retrait, qui traversent vignobles et forêts sont les axes de découvertes inoubliables. Un large tronçon du Val de Loire, entre Sully-sur-Loire (Loiret) et Chalonnes-sur-Loire (Maine-et-Loire) a été inscrit au Patrimoine mondial par l'Unesco.

Les appellations régionales du Val de Loire

Rosé-de-loire

Superficie : 1 100 ha
Production : 61 672 hl

Vin d'appellation régionale, AOC depuis 1974, le rosé-de-loire peut être produit dans les limites des AOC anjou, saumur et touraine. Ce rosé sec naît des cépages cabernet franc, cabernet-sauvignon, gamay noir à jus blanc, pineau d'Aunis et grolleau.

DOM. BODINEAU 2011

■ 5 000 ▮ - de 5 €

Le domaine se situe sur les coteaux schisteux bordant le Layon, dont le nom évoque les « douceurs angevines » produites sur ses flancs. Cette petite rivière s'écoule depuis la commune éponyme et rencontre toute une série de coteaux abrupts aux terres superficielles propices à la production des liquoreux. Les vignes plantées sur les replats aux sols plus profonds sont, elles, dédiées aux vins rouges et rosés. Celui-ci est né du grolleau et du cabernet-sauvignon. Vêtu d'une robe rose franc et limpide, il dévoile un joli bouquet de fruits rouges prolongé par un palais rond, équilibré par une pointe de vivacité en finale.

Dom. Bodineau,
Savonnières, 4, chem. du Château-d'Eau,
49700 Les Verchers-sur-Layon, tél. 02.41.59.22.86,
fax 02.41.59.86.21, domainebodineau@yahoo.fr r.-v.

DOM. CHUPIN 2011 ★★

■ 100 000 ▮ - de 5 €

La commune de Champ-sur-Layon, située rive gauche de la rivière, offre des reliefs peu marqués, où sables et graviers coiffent de légères buttes propices à la culture de la vigne et à la production de rosés secs ou demi-secs (rosé-d'anjou et cabernet-d'anjou) ; ces derniers représentent aujourd'hui près de la moitié des vins d'Anjou. Ce 2011 assemble grolleau (50 %), cabernet franc (40 %) et gamay. Dans le verre, on découvre des notes amyliques, liées à la vinification à basse température, et d'autres fruitées (framboise notamment) et florales apportées par les cépages. La bouche se révèle longue, ronde, riche et généreuse. Un rosé de caractère et de gastronomie, assurément.

SCEA Dom. Chupin, 8, rue de l'Église,
49380 Champ-sur-Layon, tél. 02.41.78.86.54,
fax 02.41.78.61.73, domaine.chupin@wanadoo.fr r.-v.
Saget la Pierrière

DOM. DE CLAYOU 2011 ★

■ 7 000 ▮ - de 5 €

Le domaine de Clayou s'étend sur 22 ha au cœur du vignoble angevin et produit une large gamme de vins rouges, blancs et rosés. Jean-Bernard Chauvin, par ailleurs président de l'appellation coteaux-du-layon, propose ici un rosé-de-loire bien typé, assemblage de grolleau (70 %) et de cabernet franc. Après une macération de quelques heures, le vin se présente dans une élégante robe rose profond. Le bouquet intense de fruits rouges confiturés, fraise en tête, exprime une belle maturité des raisins. La bouche, dans un registre similaire, se montre puissante, ronde et riche, étayée par une juste vivacité qui lui apporte équilibre et longueur. Un ensemble harmonieux, à déguster à l'apéritif ; pourquoi pas avec des beignets de fleurs de courgette et quelques fines tranches de coppa ?

SCEA Jean-Bernard Chauvin, 18 bis, rue du Pont-Barré,
49750 Saint-Lambert-du-Lattay, tél. 02.41.78.44.44,
fax 02.41.78.48.52, domainedeclayou@aliceadsl.fr
t.l.j. sf dim. 9h-12h30 14h-19h; f. 15-31 août

DOM. DU CLOS DES GOHARDS 2011 ★

■ 5 000 ▮ - de 5 €

Mickaël Joselon représente la quatrième génération sur ce domaine, passé de 4 à 40 ha. Sa sœur Fabienne l'a rejoint depuis deux ans. Les vignes sont établies sur les terres schisteuses et caillouteuses des coteaux du Layon ou sur les sols sablonneux et graveleux situés sur les replats au-dessus des coteaux. Ici, un rosé né sur schistes, de grolleau (70 %) et de cabernet franc. Une macération pelliculaire de quelques heures, puis une fermentation alcoolique à basse température, et le résultat est un vin limpide aux reflets rose-violine, le nez empreint de fraise et de citron, la bouche dans la continuité, longue, douce et fruitée. Un ensemble harmonieux, à déguster sur un foie de veau à la vénitienne.

EARL Joselon, Les Oisonnières,
49380 Chavagnes-les-Eaux, tél. et fax 02.41.54.13.98,
earljoselon@orange.fr r.-v.

LE COTILLON BLANC 2011

■ 2 000 ▮ - de 5 €

La commune de Chavagnes-les-Eaux se situe au cœur du vignoble des coteaux-du-layon, à quelques kilomètres du cru bonnezeaux. Le coteau de Millé était d'ailleurs cité dès le XVIIIes. comme l'égal des vignobles les plus réputés de l'Anjou. Le Cotillon blanc étend son vignoble sur 13 ha, dont 78 ares consacrés à ce rosé-de-loire né du grolleau gris et du gamay, vinifié à basse température après une macération de quelques heures. Le résultat est un 2011 qui exalte le fruit frais et le bonbon acidulé, à la bouche légère, fraîche et tonique. Parfait pour une assiette de charcuterie.

Gauthier Gassot, 2, rue du Cotillon-Blanc,
49380 Chavagnes-les-Eaux, tél. et fax 02.41.54.01.27,
gauthier.gassot@hotmail.fr r.-v.

DOM. DE GATINES 2011 ★

■ 3 000 - de 5 €

La commune de Tigné est une zone de transition entre le Massif armoricain et le Bassin parisien. Les schistes affleurent sur les coteaux mis à nu par l'érosion, et les calcaires (sables coquillers ou faluns) occupent l'ensemble des plateaux. La réputation viticole des lieux, liée à la production des rosés, s'y est brusquement développée au début du XXes. Le domaine de Gatines, avec 50 % de sa production dédiée à ce type de vin, est bien représentatif des exploitations viticoles de la région. Il propose ici un 2011 délicat, paré d'une robe légèrement rosée, caractéristique d'un pressurage direct (sans macération des raisins). Le nez, discret, évoque avec finesse la fraise et le bonbon anglais. Le palais est à l'unisson, fruité et amylique, léger, frais et harmonieux.

Vignoble Dessèvre,
Dom. de Gatines, 12, rue de la Boulaie, 49540 Tigné,
tél. 02.41.59.41.48, fax 02.41.59.94.44,
contact@domainedegatines.fr
t.l.j. sf dim. 8h-12h 14h-18h

DOM. DE LA PETITE ROCHE 2011 ★

■ 16 000 ▮ - de 5 €

Ce domaine du Haut-Layon, étendu sur 73 ha, oriente l'essentiel de sa production vers les rosés demi-secs (rosé-d'anjou et cabernet-d'anjou), les vins rouges et les effervescents. Mais il ne néglige pas pour autant les rosés secs, témoin ce 2011 rose pâle né de grolleau et de gamay, au nez gourmand de fruits frais (fraise, cassis) agrémentés de délicates notes florales, léger, souple et fruité en bouche. Une friandise à découvrir sur une grillade aux derniers beaux jours de l'automne.

SCEV Régnard, Dom. de la Petite Roche, 49310 Trémont,
tél. 02.41.59.43.03, fax 02.41.59.69.43,
scevregnard@wanadoo.fr r.-v.

DOM. PIED-FLOND Cuvée Tradition 2011

■ 5 000 ▮ - de 5 €

Martigné-Briand est l'une des communes les plus viticoles d'Anjou. Les vignes ont conquis tout un plateau schisteux recouvert de dépôts argilo-calcaires propices à la production de vins rosés. C'est dans ce village, d'ailleurs appelé « capitale des rosés d'Anjou », que furent inventés les pressoirs horizontaux par le compagnon forgeron Joseph Vaslin en 1856. Le brevet fut ensuite vendu en 1945 aux Constructions chalonnaises, qui en assurent depuis la fabrication et la diffusion dans le monde entier. Franck Gourdon a pratiqué un lent pressurage pour ce 2011 bien représentatif de son appellation : robe rose délicate, nez léger de fruits rouges et de fleurs de prin-

LOIRE

temps, bouche fraîche et gourmande. Un vin facile à boire, qui laisse une agréable sensation fruitée.

Franck Gourdon, Dom. Pied-Flond, 49540 Martigné-Briand, tél. 02.41.59.92.36, pied-flond@9business.fr r.-v.

DOM. DE SAINTE-ANNE 2011 ★

10 000 - de 5 €

Le vignoble de Sainte-Anne est principalement établi sur une côte calcaire au pied du Massif armoricain. La région de Brissac est en effet une zone de transition entre les roches sombres de l'Anjou noir et celles claires de l'Anjou blanc (Bassin parisien). Cette diversité géologique est propice à celle des vins, l'un des atouts du domaine. Ici, un rosé-de-loire expressif, amylique, fruité, floral (violette) et, plus étonnant, un rien cire d'abeille. La bouche se révèle ronde, douce, presque moelleuse mais sans lourdeur, sachant garder le caractère aérien et léger qui sied à cette appellation. À déguster sur une cuisine sucrée-salée.

EARL Brault, Sainte-Anne, 49320 Brissac-Quincé, tél. 02.41.91.24.58, fax 02.41.91.25.87, contact.anne@orange.fr t.l.j. sf dim. 9h-12h 14h-19h

DOM. DE SAINT-MAUR 2011 ★★

2 500 - de 5 €

Le vignoble est implanté sur la rive gauche de la Loire, à proximité de l'abbaye de Saint-Maur, sur la commune du Thoureil, petite cité de caractère. Mentionné dès l'an 865, il a été planté par les moines bénédictins et occupe un site unique, ouvert sur le fleuve royal. Les Chouteau y sont installés depuis 1962, Xavier depuis 2000. Ce rosé a fait l'unanimité par son expression aromatique fringante, caractéristique des rosés du Val de Loire : on y hume de toniques notes citronnées mêlées de groseille et de cassis. La bouche tient bien la note, longue, fraîche et légère comme il se doit. Parfait avec une grillade au feu de bois et une ratatouille.

Xavier Chouteau, Saint-Maur, 49350 Le Thoureil, tél. 02.41.57.30.24, info@domaine-de-saint-maur.fr t.l.j. sf dim. 17h-19h

LES VIGNES DE L'ALMA 2011 ★

4 600 - de 5 €

Le vignoble de l'Alma est le trait d'union entre l'Anjou et le pays nantais, à l'intersection des aires des appellations anjou-coteaux-de-la-loire et muscadet-coteaux-de-la-loire. Le domaine commercialise des vins de ces deux régions. Son nom lui a été donné par son premier propriétaire, un général de l'armée française pendant la guerre de Crimée, en souvenir de la première victoire en septembre 1854. Les vignes courent sur une dizaine d'hectares autour du chai et dominent la petite et charmante ville de Saint-Florent-le-Vieil, site historique des guerres de Vendée. Ce rosé séduit par sa fraîcheur et sa légèreté. Le nez, délicat et discret, évoque les fruits frais, les agrumes notamment (citron, pamplemousse). Le palais se révèle ample, long et plein de fraîcheur. Un joli vin d'apéritif pour les derniers beaux jours de l'automne.

Roland Chevalier, L'Alma, 49410 Saint-Florent-le-Vieil, tél. 02.41.72.71.09, fax 02.41.72.63.77, chevalier.roland@wanadoo.fr t.l.j. sf dim. 8h30-12h30 14h-19h

Crémant-de-loire

Superficie : 1 512 ha
Production : 100 963 hl

Il s'agit d'une appellation régionale qui peut s'appliquer à des vins effervescents surtout blancs, parfois rosés, produits selon la méthode traditionnelle dans les limites des appellations anjou, saumur, touraine et cheverny. Les cépages, nombreux, sont les variétés plantées dans les différents secteurs du Val de Loire : chenin ou pineau de Loire, cabernet-sauvignon et cabernet franc, pinot noir, chardonnay... Reconnue en 1975, l'AOC a trouvé son public.

ACKERMAN Grande Réserve ★★

40 000 8 à 11 €

Voilà plus de deux siècles que cette maison pionnière fondée en 1811 élabore des effervescents sur les bords de Loire. Si sa gamme actuelle joue parfois la carte de la modernité, elle reste fidèle à la tradition avec cette cuvée Grande Réserve, non millésimée mais issue de la récolte 2008. Ce crémant assemble trois cépages : le chardonnay (60 %), le chenin et le cabernet franc à parts égales. La vinification s'est déroulée à basse température, et l'élevage sur lattes, qui détermine notamment la finesse de la mousse, a duré trente mois. Le résultat ? Une large palette aromatique associant des parfums toniques de fruits exotiques et d'agrumes à des notes de brioche, de fruits mûrs et de coing ; une bouche fraîche et harmonieuse aux belles notes d'évolution. Un remarquable classique, qui séduit par son élégance et sa délicatesse, et qui laisse une sensation de légèreté tout au long de la dégustation.

SA Ackerman, 19, rue Léopold-Palustre, Saint-Hilaire-Saint-Florent, 49400 Saumur, tél. 02.41.53.03.10, fax 02.41.53.03.19, contact@ackerman.fr t.l.j. 9h30-12h30 14h-18h30

DOM. DE L'ANGELIÈRE 2010 ★

20 000 5 à 8 €

Exploité par la famille Boret depuis six générations, le domaine s'étend aujourd'hui sur 50 ha. Il est installé à Champ-sur-Layon, village voisin de Thouarcé où naît le célèbre bonnezeaux. Néanmoins, le vignoble est plutôt implanté sur des formations sablo-graveleuses que sur les terrains schisteux propices aux liquoreux, si bien que l'exploitation ne mise pas que sur les vins doux. Comme l'an dernier, elle voit ses crémants sélectionnés dans les deux couleurs. Le blanc resté sur lattes environ douze mois assemble trois cépages (chenin et chardonnay à parité, avec un appoint de cabernet). Avec ses arômes printaniers (fleur de vigne, fruits verts), briochés et son effervescence abondante, il laisse aujourd'hui la sensation d'un vin très jeune. La bouche est agréable, presque onctueuse, et douce en finale. Le **rosé sec 2010 (4 500 b.)**, mi-grolleau mi-cabernet, obtient la même note pour sa pimpante robe rose clair, pour son nez fruité et acidulé, et pour sa bouche bien typée des effervescents de la région, fraîche malgré le dosage en sec (17 g/l.)

EARL Boret, L'Angelière, 49380 Champ-sur-Layon, tél. 02.41.78.85.09, fax 02.41.78.67.10, boret@orange.fr r.-v.

BLANC FOUSSY

30 000 ▮ 5 à 8 €

Entreprise spécialisée dans les vins effervescents du Val de Loire, Blanc Foussy propose des vins de diverses appellations élaborés dans ses vastes caves de Saint-Roch à Rochecorbon, en aval de Vouvray. Ce crémant met largement en vedette le chardonnay, le pinot noir faisant l'appoint. Il trouve sa place dans le Guide grâce à son nez d'agrumes et à sa bouche fine, toujours sur le fruit. Pour l'apéritif.

SA Blanc Foussy, 65, quai de la Loire, 37210 Rochecorbon, tél. 02.47.40.40.20, fax 02.47.52.65.82, brigitte.savoie@blancfoussy.com r.-v.

DOM. DE BRIZÉ ★★

16 000 5 à 8 €

Fondé en 1755, ce domaine situé dans la vallée du Layon a été pionnier en matière de vins rouges dans un vignoble surtout dédié aux vins blancs et rosés. Avec plusieurs coups de cœur à son actif, il est une référence aussi bien pour ses rouges que pour ses effervescents. Concernant ces derniers, il en sélectionne rigoureusement les raisins et, depuis plusieurs décennies, il élabore des cuvées provenant de différents cépages et de différents terroirs, et conduit des vinifications et des élevages de longue durée. Ce crémant assemble chardonnay, chenin et cabernet franc de la récolte 2009. D'un or blanc délicat animé d'une mousse généreuse, ce vin séduit d'emblée par la fraîcheur et l'élégance de son nez, tout en légèreté. Ample en bouche, vivifié par une finale particulièrement agréable sur les fruits frais, il montre une belle harmonie.

EARL Dom. de Brizé, village de Cornu, 49540 Martigné-Briand, tél. 02.41.59.43.35, fax 02.41.59.66.90, contact@domainedebrize.fr r.-v.

Luc et Line Delhumeau

CLOS DES QUARTERONS Cuvée Ronsard ★

4 400 ▮ 5 à 8 €

Installé en Touraine occidentale sur une terrasse ancienne de la Loire, le domaine est bien connu des lecteurs du Guide pour ses saint-nicolas-de-bourgueil. Thierry et Xavier Amirault montrent qu'ils maîtrisent aussi l'élaboration des vins effervescents, à en juger par celui-ci, un très beau classique. Assemblage dominé par le chenin (80 %) avec le chardonnay en complément, ce crémant est un représentant accompli des effervescents du Val de Loire. La robe pâle aux reflets jaune-vert est délicate ; le nez mêle les fleurs blanches et la brioche. La bouche séduit par son équilibre, sa légèreté et sa fraîcheur. À noter que l'exploitation est en cours de conversion vers l'agriculture biologique et qu'elle a adopté la biodynamie il y a deux ans.

Clos des Quarterons, 46, av. Saint-Vincent, 37140 Saint-Nicolas-de-Bourgueil, tél. 02.47.97.75.25, fax 02.47.97.97.97, agnes.amirault@gmail.com

t.l.j. 9h-12h 14h-19h; dim. sur r.-v.

Thierry et Xavier Amirault

DELAUNAY Extra dry 2010 ★

45 000 ▮ 5 à 8 €

Cette exploitation est établie dans l'ouest du Maine-et-Loire, à Montjean, petite ville dominant le fleuve et la très longue île de Chalonnes qui s'achève à cet endroit. Son vaste domaine géré en commun par quatre enfants de la famille Delaunay comprend 26 ha de vergers et 50 ha de vignes implantées sur les coteaux de la Loire (principalement) et dans la vallée du Layon. Quelque 6 ha sont dédiés à la production de ce crémant issu de chenin majoritaire (75 %) associé au chardonnay. Un vin bien représentatif de son appellation, tant par la fraîcheur de sa palette aromatique, qui marie les fleurs blanches, les agrumes, la pomme et des nuances végétales, que par sa légèreté (malgré le dosage en extra-dry, plus élevé que pour un brut). De jolies petites bulles faciles d'accès.

Dom. Delaunay, Daudet, rte de Chalonnes, 49570 Montjean-sur-Loire, tél. 02.41.39.08.39, fax 02.41.39.00.20, delaunay.anjou@wanadoo.fr

t.l.j. 8h-12h 14h-18h30; sam. 9h-12h; dim. sur r.-v.

DOM. DE GAGNEBERT 6ème sens 2010 ★

● 13 000 ▮ 5 à 8 €

Dans le secteur des coteaux de l'Aubance, où est implantée cette ancienne (1850) et importante (90 ha) propriété familiale, le vignoble, plus récent que dans d'autres parties de l'Anjou, s'est surtout développé en accueillant des cépages rouges nouveaux ou jusqu'alors peu répandus, comme le grolleau ou le cabernet. Les rouges et rosés des Moron apparaissent souvent dans le Guide. La sélection de ce crémant traduit la progression de cette appellation, tant à l'échelle du domaine qu'à celle de la région. Assemblage de cabernet-sauvignon (70 %) et de grolleau, ce rosé joue la carte de la modernité par son dosage assez faible. Sa robe rose pâle montre de délicats reflets violines. Le nez assez discret associe un fruité acidulé et des notes briochées. La bouche est fraîche, tonique, avec une finale nerveuse qui titille agréablement le palais.

GAEC Moron, Dom. de Gagnebert, 2, chem. de la Naurivet, 49610 Juigné-sur-Loire, tél. 02.41.91.92.86, fax 02.41.91.95.50, moron@domaine-de-gagnebert.com

t.l.j. sf dim. 8h-12h30 14h-19h

CH. GAILLARD Clémence Guéry ★

n.c. 5 à 8 €

Les lecteurs du Guide connaissent bien les vins tranquilles d'appellation touraine-mesland produits par Vincent Girault. Des rouges, des blancs, des rosés provenant d'un vignoble (35 ha) cultivé en biodynamie. Ils découvriront dans cette édition un crémant issu principalement des cépages de la région (60 % de chenin complété par du cabernet franc et du chardonnay à parts égales). Restée deux ans sur lattes, cette cuvée offre de pimpantes senteurs de fruits exotiques qui se prolongent en bouche. L'attaque est franche, et la longue finale fraîche, sur des notes de tilleul, laisse une impression d'élégance.

Ch. Gaillard, 1 bis, rte de Seillac, 41150 Mesland, tél. 02.54.70.25.47, contact@closchateaugaillard.fr

t.l.j. sf sam. dim. 9h-12h 13h30-17h30

Girault

LOUIS DE GRENELLE Platine ★

57 000 5 à 8 €

Marque d'une maison saumuroise fondée sous le Second Empire et figurant régulièrement dans ces pages, parfois aux meilleures places. On peut visiter au cœur de la ville les caves creusées dans le tuffeau, installées dans

LOIRE

d'anciennes carrières exploitées au XVes. L'occasion de découvrir aussi cette cuvée qui privilégie le chenin (80 %) assemblé au chardonnay et à un soupçon de cabernet franc. Bien dans l'esprit des bulles septentrionales, ce crémant aux discrets reflets jaune citron laisse une sensation de légèreté très agréable. Mêlant au nez la fleur de vigne et les fruits exotiques, il attaque avec vivacité et laisse en finale une impression de fraîcheur caractéristique.

🔑 Louis de Grenelle, 839, rue Marceau, 49400 Saumur, tél. 02.41.50.17.63, fax 02.41.50.83.65, grenelle@louisdegrenelle.fr
t.l.j. sf dim. 9h30-12h 13h30-18h
🔑 FLAO

DOM. DE LANDREAU ★

● 10 086 8 à 11 €

Installé au cœur du vignoble des coteaux-du-layon, ce domaine couvre une cinquantaine d'hectares. Si la production est principalement orientée vers les vins tranquilles, l'élaboration des vins effervescents n'est pas négligée pour autant, comme le montre ce rosé à la robe délicate, d'un rose très pâle, parcourue de longs chapelets de bulles. Le nez vif associe les fruits frais et la brioche. La bouche ferme et étoffée finit sur des arômes très agréables de fruits exotiques. Un crémant de caractère, au dosage peu marqué, qui pourrait même accompagner des fromages à pâte molle.

🔑 SARL Dom. du Landreau, Le Landreau, 49750 Saint-Lambert-du-Lattay, tél. 02.41.78.30.41, fax 02.41.78.45.11, cmorin@domaine-du-landreau.com
r.-v.

LANGLOIS ★

260 000 8 à 11 €

Cette affaire saumuroise, fondée en 1885 et spécialisée dans les vins mousseux, est passée en 1973 sous le contrôle du Champagne Bollinger. Exportant 60 % de sa production, elle jouit d'une solide réputation, assise sur une sélection rigoureuse des raisins et sur une élaboration soignée. Cet assemblage de chenin (60 %), de chardonnay et de cabernet a ainsi été élevé plus de vingt-quatre mois sur lattes. La robe délicate est parcourue de longs chapelets de bulles fines. Le nez harmonieux et vif mêle les fruits frais, la brioche et une touche végétale caractéristique du chenin. On retrouve la fraîcheur dans une bouche complexe, élégante et bien dosée. Une belle image des effervescents du Val de Loire.

🔑 Langlois-Chateau, 3, rue Léopold-Palustre, 49400 Saint-Hilaire-Saint-Florent, tél. 02.41.40.21.40, fax 02.41.40.21.49
1er avr.-15 oct. t.l.j. 10h-12h30 14h-18h; 16 oct.-30 mars sur r.-v.
🔑 Bollinger

DOM. MICHAUD ★

20 000 5 à 8 €

Pour les nouveaux lecteurs, rappelons que Thierry Michaud est installé depuis 1985 dans la vallée du Cher, où il exploite 22 ha, et que son domaine est une valeur sûre du Guide aussi bien en AOC touraine qu'en effervescent, avec plusieurs coups de cœur à son actif. Pour cette cuvée, il fait en sorte qu'aucun cépage ne domine ; il en assemble quatre, dont la proportion varie légèrement selon le

La vallée de la Loire

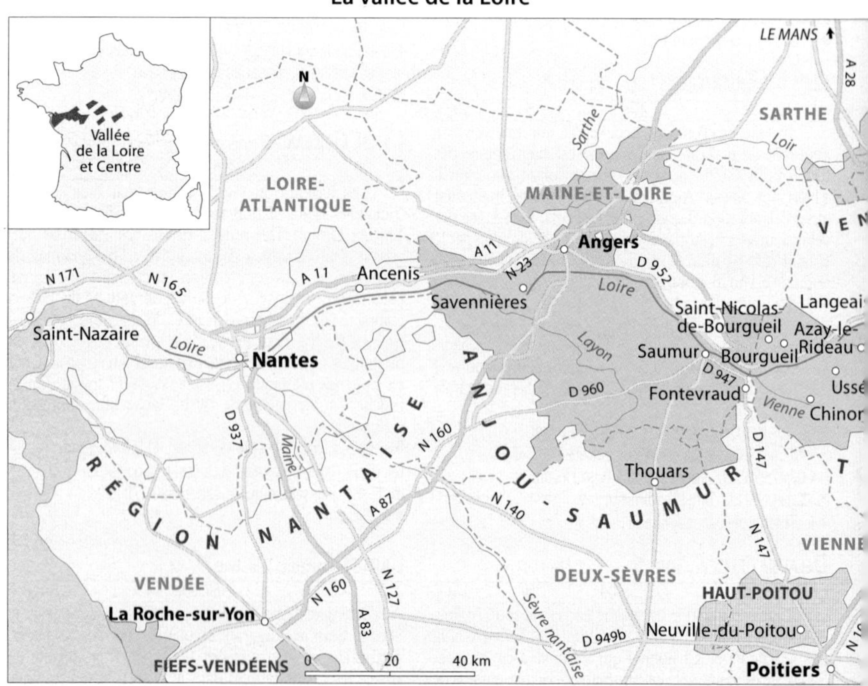

millésime : du chardonnay (40 %), du chenin, du pinot noir et du cabernet franc. Ces variétés se complètent parfaitement pour donner un crémant déjà charmeur par la finesse de ses bulles. Élégamment fruité et floral, ce vin fait preuve d'une bonne présence en bouche, évoluant avec finesse, intensité et persistance sur des notes d'agrumes.

Dom. Michaud, 20, rue des Martinières, 41140 Noyers-sur-Cher, tél. 02.54.32.47.23, fax 02.54.75.39.19, thierry@domainemichaud.com

t.l.j. sf dim. 9h-12h 14h-19h; sam. 10h-12h 14h-18h

DOM. DE PAIMPARÉ

5 000 | 5 à 8 €

L'un des nombreux domaines de Saint-Lambert-du-Lattay, une des plus importantes communes viticoles de l'Anjou, au cœur de la vallée du Layon, connue pour son musée de la Vigne et du Vin. Les producteurs angevins ont misé avec succès sur l'appellation crémant-de-loire, montrant leur aptitude à maîtriser de nouveaux produits. Le domaine de Paimparé, qui propose essentiellement des vins liquoreux, a bien réussi cette cuvée, assemblage de chardonnay majoritaire et de cabernet franc. Un crémant à la robe jaune pâle limpide parcouru de fines bulles. Le nez élégant marie la pâtisserie, les fruits blancs et les fruits secs, avant une bouche fraîche, agréablement citronnée.

SCEA Michel Tessier, 32, rue Rabelais, 49750 Saint-Lambert-du-Lattay, tél. 02.41.78.43.18, fax 02.41.78.41.73, domainedepaimpare@gmail.com

r.-v.

CH. PIÉGUË L'Esprit de Piéguë 2010 ★

6 000 | 11 à 15 €

Le coup de cœur de la dernière édition pour cette appellation, et ce n'était pas le premier... Le château bénéficie pareillement d'une position élevée : dressé au sommet d'un coteau, il domine la Loire et fait face au vignoble de Savennières, sur l'autre rive. Les pins parasols de son parc lui donneraient presque un petit air méditerranéen, mais les toits d'ardoise sont bien angevins. Quant à ce crémant, il se démarque par son cépage d'origine, le chardonnay, vinifié seul, et par son élevage en tonnes neuves de 400 l. Une originalité relevée par les dégustateurs qui ont apprécié les notes de boisé vanillé, inhabituelles dans cette appellation, et le palais rond, presque gras, lui aussi très marqué par le chêne. Un style qui a ses amateurs.

Ch. Piéguë, Piéguë, 49190 Rochefort-sur-Loire, tél. 09.63.20.20.39, fax 02.41.78.71.26, chateau-piegue@wanadoo.fr

t.l.j. 9h-12h 14h-18h

Thomas

DOM. DU PORTAILLE ★

18 000 | 5 à 8 €

François et Philippe Tisserond exploitent 40 ha dans la vallée du Layon et figurent souvent dans le Guide pour leurs liquoreux. Leur crémant a eu son heure de gloire dans l'édition 2011 : il fut le coup de cœur de l'année. La version issue de la récolte 2010 reste de très belle tenue. L'assemblage est identique : 50 % de chenin, complété par du pinot noir et du chardonnay à parts égales ; un quart

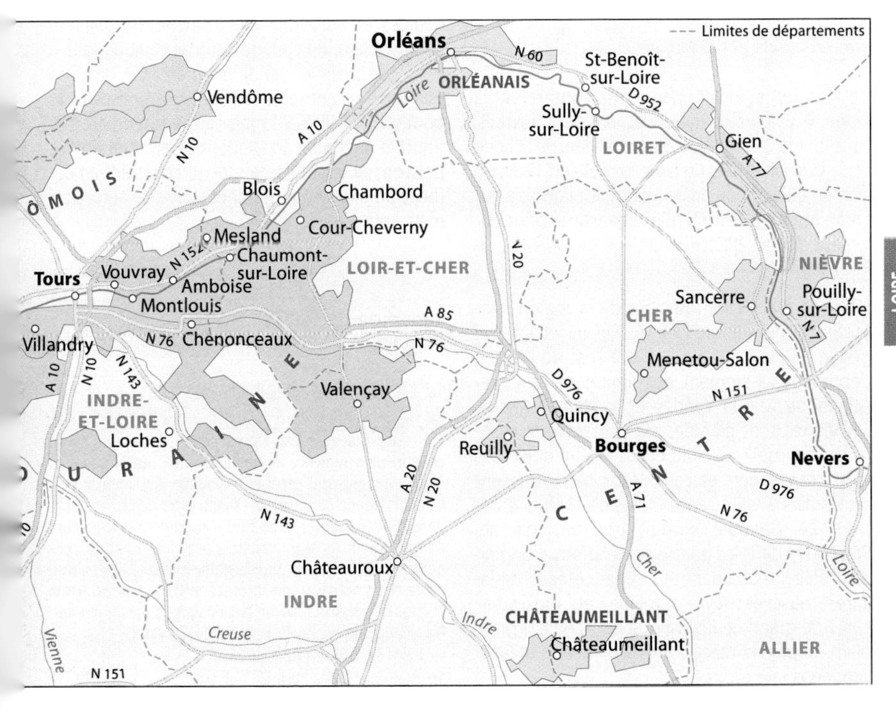

de la cuvée a séjourné dans le bois, ce qui traduit une évolution des pratiques en matière d'élevage. Il en résulte un vin d'une grande délicatesse aromatique aux nuances de fleurs et de fruits blancs (pêche), à la bouche d'une agréable suavité, et au dosage probablement assez généreux.

🔑 François et Philippe Tisserond, 24, rue de Jarzé, Millé, 49380 Chavagnes-les-Eaux, tél. 02.41.54.07.85, earl.tisserond@wanadoo.fr
t.l.j. sf dim. 9h-12h 14h-19h

DOM. RICHOU Dom Nature 2008 ★

5 000 — 11 à 15 €

Une valeur sûre du vignoble angevin que ce domaine de 31 ha en conversion bio : Damien et Didier Richou ont obtenu plusieurs coups de cœur tant dans les blancs que dans les rouges, ou encore pour les fines bulles. Ils signent un crémant très original dont l'histoire mérite d'être racontée : proposant des cuvées dont la qualité tient à la maturité des vendanges, tant en anjou-villages-brissac qu'en coteaux-de-l'aubance, ils ont eu l'idée d'élaborer un effervescent à partir de raisins très mûrs issus des meilleurs terrains schisteux de l'exploitation classés en coteaux-de-l'aubance. La prise de mousse se fait avec les propres sucres du raisin, et aucune liqueur d'expédition n'est ajoutée (méthode ancestrale). Le jury a salué la finesse aromatique de cette bouteille aux arômes de fruits mûrs et de fruits secs (noisette). Quant à la bouche, elle conjugue richesse et élégance. Un crémant de caractère. Rappelons que le 2002 avait obtenu un coup de cœur.

🔑 Dom. Richou, Chauvigné, 49610 Mozé-sur-Louet, tél. 02.41.78.72.13, fax 02.41.78.76.05, domaine.richou@wanadoo.fr r.-v.

La région nantaise

Ce sont des légions romaines qui apportèrent la vigne il y a deux mille ans en pays nantais, carrefour de la Bretagne, de la Vendée, de la Loire et de l'Océan. Après un hiver terrible en 1709, où la mer gela le long des côtes, le vignoble fut complètement détruit, puis reconstitué principalement par des plants du cépage melon venu de Bourgogne.

L'aire de production des vins de la région nantaise occupe aujourd'hui 16 000 ha et s'étend géographiquement au sud et à l'est de Nantes, débordant légèrement des limites de la Loire-Atlantique vers la Vendée et le Maine-et-Loire. Les vignes sont plantées sur des coteaux ensoleillés exposés aux influences océaniques. Les sols plutôt légers et caillouteux se composent de terrains anciens entremêlés de roches éruptives. Le vignoble produit bon an, mal an, 960 000 hl dans les quatre appellations d'origine contrôlée : muscadet, muscadet-coteaux-de-la-loire, muscadet-sèvre-et-maine et muscadet-côtes-de-grand-lieu, ainsi que les AOVDQS gros-plant du pays nantais, coteaux-d'ancenis et fiefs-vendéens.

Les AOC du muscadet et le gros-plant du pays nantais

Le muscadet est un vin blanc sec reconnu en appellation d'origine contrôlée dès 1936. Il est issu d'un cépage unique : le melon. Principalement situé dans la partie sud du département de Loire-Atlantique, avec quelques incursions dans le Maine-et-Loire et en Vendée, le vaste vignoble comprend quatre appellations d'origine contrôlée : l'AOC régionale muscadet ; le muscadet-sèvre-et-maine, qui regroupe 23 communes des vallées de la Sèvre et de la Maine, et qui fournit les plus importants volumes ; le muscadet-coteaux-de-la-loire, qui s'étend plus en amont sur 24 communes des deux rives du fleuve, en particulier dans la région d'Ancenis sur la rive droite ; le muscadet-côtes-de-grand-lieu, AOC plus récente, qui correspond à 19 communes au sud-ouest de Nantes.

La mise en bouteilles sur lie est une technique traditionnelle de la région nantaise, qui fait l'objet d'une réglementation précise, renforcée en 1994. Pour bénéficier de cette mention, les vins doivent n'avoir passé qu'un hiver en cuve ou en fût, et se trouver encore sur leur lie et dans leur chai de vinification au moment de la mise en bouteilles ; celle-ci ne peut intervenir qu'à des périodes définies et en aucun cas avant le 1er mars, la commercialisation étant autorisée seulement à partir du premier jeudi de mars. Ce procédé permet d'accentuer la fraîcheur, la finesse et le bouquet des vins. Vif mais sans verdeur, aromatique, le muscadet accompagne parfaitement les poissons et les fruits de mer ; il constitue également un excellent apéritif et doit être servi frais mais non glacé (8-9 °C).

Muscadet

Superficie : 2 977 ha
Production : 185 011 hl

CH. DE LA FESSARDIÈRE Climat 2011 ★

150 000 — 5 à 8 €

Autodidacte, Alexis Sauvion connaît le travail du sol pour avoir commencé la viticulture avec un cheval. Ses 25 ha de vigne sont certifiés bio depuis déjà quinze ans. Caractéristique des vins élevés en foudre de chêne (50 % de cette cuvée), le nez de ce 2011 s'oriente sur des senteurs de miel, de fleurs et de vanille. La bouche confirme ces impressions, montrant une certaine richesse, de la rondeur, et de nouveau, des arômes miellés. Un vin assez atypique, à déguster sur un bar de ligne grillé au fenouil.

🔑 Alexis Sauvion, La Hersonnière, 44330 Vallet, tél. 02.40.36.20.88, fax 02.40.36.36.28, alexissauvion@wanadoo.fr r.-v.

DOM. DE LA NOË 2011 ★

150 000 ■ - de 5 €

Né sur les granites de Château-Thébaud, ce 2011 a été vinifié pour une consommation rapide, sur le fruit. Paré d'une robe aux vifs reflets verts, il livre un nez fruité et expressif. Fraîche à l'attaque, la bouche développe des nuances de pamplemousse et des touches végétales, avant une finale plus ronde, évoquant la pêche blanche.

Dom. de la Noë, 44690 Château-Thébaud, tél. 02.40.06.50.57, fax 09.55.85.50.57, domainedelanoe@free.fr t.l.j. sf dim. 8h-12h30 14h-19h

Drouard

LA PERRIÈRE 2011

25 000 ■ - de 5 €

L'exploitation familiale reprise en 1993 par Vincent Loiret a été récemment modernisée (construction d'un nouveau chai de cuverie et de stockage). Né sur un sol de schistes et de gabbros, ce 2011 se signale par un bouquet intense évoquant la fougère et le buis. Un peu végétal aussi en bouche, il montre une belle richesse, teintée de notes florales. Une légère sucrosité, qui accentue la sensation de souplesse, s'associe à une touche de fraîcheur agréable. Pour un apéritif avec des bouchées au fromage frais.

Vincent Loiret, 120, La Mare-Merlet, 44330 Le Pallet, tél. 02.40.80.43.24, fax 02.40.80.46.99, vins.loiret@free.fr t.l.j. sf dim. 8h-12h30 14h-18h; f. 15-25 août

DOM. DES RAILLÈRES 2011 ★

35 000 ■ - de 5 €

Les vignes des Raillères sont implantées sur des schistes et des granites au nord-ouest de Vallet, à la limite du Landreau. Cette cuvée issue d'un assemblage de deux terroirs s'ouvre sur des nuances intensément florales, avant de manifester en bouche un excellent équilibre, fondé sur une belle intensité aromatique et sur une grande fraîcheur. Un ensemble très plaisant, qui confirme le professionnalisme de ce producteur et qui s'associera à merveille avec une petite friture de poissons.

SCEA Claude-Michel Pichon, 60, la Chevillardière, 44330 Vallet, tél. 06.28.98.58.97, fax 02.40.06.74.29, cmpichon@orange.fr t.l.j. sf dim. 9h-12h 14h-19h

Muscadet-sèvre-et-maine

Superficie : 7 822 ha
Production : 421 272 hl

CH. D'AMOUR Sur lie 2011 ★

40 000 - de 5 €

Un temps abandonné à la suite des ravages du phylloxéra, le domaine devint un lieu de rendez-vous galant pour les habitants du village. Ayant retrouvé sa vocation viticole, il propose ici une cuvée de belle facture, au nez puissant, minéral, fruité et épicé. La bouche attaque avec franchise et vivacité, portée par un léger perlant, puis elle s'assouplit et s'arrondit autour de notes de fruits à chair blanche. Un vin équilibré et bien dans son appellation, à servir dans les deux ans à venir sur un poisson sauce aux agrumes.

Vignoble Brochard-Guiho, La Grenaudière, 44690 Maisdon-sur-Sèvre, tél. 02.40.03.85.13, brochardhugues@wanadoo.fr r.-v.

DOM. DE L'ANGELIER Sur lie 2011 ★

160 000 ■ - de 5 €

Christophe et Cédric Gobin représentent la quatrième génération sur ce domaine qui compte 60 ha. Ils proposent une cuvée née sur un terroir de gneiss, à la robe cristalline, au nez intense, floral (gentiane) et fruité. Bien équilibré en bouche, à la fois souple, rond et minéral, ce vin est friand et aromatique. Pourquoi pas une matelote d'anguille ?

GAEC Gobin, 30, La Bigotière, 44690 Maisdon-sur-Sèvre, tél. 02.40.03.81.63, fax 02.40.03.85.14, gaec-gobin@laposte.net t.l.j. sf dim. 8h-20h

DOM. DE L'AULNAYE Sur lie 2011 ★

85 000 ■ - de 5 €

Des ceps de soixante ans, plantés sur un terroir de schistes et de granite, ont donné naissance à cette cuvée au nez ouvert sur les fleurs blanches (aubépine) et les agrumes, avec une touche minérale à l'arrière-plan. À l'unisson, la bouche s'équilibre bien entre fraîcheur et générosité. Un ensemble harmonieux et long, à boire dans l'année sur un brochet sauce au citron.

Pierre-Yves Perthuy, L'Aulnaye, 44120 Vertou, tél. et fax 02.40.34.70.22, domaineaulnaye@orange.fr r.-v.

DOM. DE BEAUREPAIRE Sur lie 2011 ★

45 000 ■ - de 5 €

Un domaine familial de 17 ha, dont l'architecture italianisante de la cave rappelle celle de la toute proche Clisson. Depuis 2009, Christine Bouin-Boumard est aux commandes. Elle signe un 2011 finement bouqueté, sur les fleurs blanches et les agrumes (orange). La bouche suit la même ligne aromatique et offre une finesse identique, longuement portée par une agréable fraîcheur. Un vin équilibré et friand, à servir sur un pavé de cabillaud sauce citronnée.

Bouin-Boumard, 5, La Recivière, 44330 Mouzillon, tél. et fax 02.40.36.35.97, domainedebeaurepaire@orange.fr t.l.j. 10h-19h; dim. sur r.-v.

DOM. DE BEL-AIR L'Authentique 2010 ★★

10 000 ■ - de 5 €

Emmanuel Audrain vise l'authenticité avec cette cuvée née sur le sol de gneiss et de micaschistes de La Haye-Fouassière, et vendangée à bonne maturité, fin septembre. L'objectif est atteint. Le nez, d'une grande finesse, évoque la brioche sortie du four, avec une légère trame minérale en soutien. La bouche se révèle riche, puissante et soyeuse, tapissée de notes de fruits mûrs et de miel, et s'étire dans une longue finale « terroitée ». Un digne représentant de l'appellation et du millésime, à déguster sur une volaille en sauce crémée.

Audrain, 13, rue de la Caillaudière, 44690 La Haye-Fouassière, tél. 02.40.54.84.11, fax 02.40.36.91.36, earl.audrain@orange.fr t.l.j. sf dim. 8h-19h30

DOM. DE LA BERTAUDIÈRE Sur lie 2011

18 000 - de 5 €

Ce domaine étend ses 20 ha de vignes au nord-ouest du Loroux-Bottereau sur un sol de gneiss et de mica-

LOIRE

schistes. Le vin se présente dans une robe jaune pâle aux reflets gris. Le nez séduit par sa complexité (agrumes, aubépine, notes minérales et fumées), la bouche par son équilibre entre gras et vivacité. Un bon classique, pour un accord non moins classique avec des fruits de mer.

Alain Vallet, La Bertaudière, 44430 Le Loroux-Bottereau, tél. et fax 02.40.33.85.66, alainvallet.viti@neuf.fr r.-v.

DOM. MICHEL BERTIN Sur lie La Tour Gasselin 2011 ★

23 000 ▪ - de 5 €

Les années difficiles, les micaschistes du Landreau favorisent une certaine précocité. Et la situation du village de La Tour-Gasselin, qui domine les marais de Goulaine, est propice à une bonne maturité. Voilà des conditions optimales réunies pour élaborer de belles cuvées, à l'image de ce 2011 d'abord réservé, qui s'ouvre progressivement sur des notes de pomme, d'agrumes et de minéralité. On retrouve tout cela dans une bouche fine, fraîche et longue. Un vin bien dans son appellation et son millésime, à déguster dès aujourd'hui sur une terrine de poisson.

EARL Michel Bertin, La Tour Gasselin, 44430 Le Landreau, tél. 02.40.06.41.38, fax 02.40.06.48.75, earlbertin.michel@wanadoo.fr t.l.j. 9h-12h 15h-19h

♥ **DOM. DU BOIS BRULEY** Sur lie 2011 ★★

75 000 ▪ 5 à 8 €

Situé aux portes de Nantes, sur un plateau de la commune de Basse-Goulaine, le vignoble du Bois Bruley résiste à l'urbanisme galopant. De ce « village gaulois » au sol de micaschistes, Bernard Chéreau a tiré un 2011 excellent, drapé dans une élégante robe or pâle aux brillants reflets verts. Au nez, les fruits mûrs se nuancent de touches minérales. D'une grande richesse, le palais offre une rondeur caressante et un fruité gourmand (fruits à chair jaune) mâtiné d'épices, sans jamais perdre de sa fougue, soutenu par une belle trame acide. Un ensemble équilibré, harmonieux et encore plein de promesses. À découvrir au cours des deux prochaines années sur un plat exotique, un sauté de crevettes aux épices par exemple. Du même propriétaire, le **Ch. de la Chesnaie 2011 Sur lie (90 000 b.)**, puissant, frais et long, obtient une étoile.

Chéreau-Carré, Chasseloir, 44690 Saint-Fiacre-sur-Maine, tél. 02.40.54.81.15, fax 02.40.54.81.70, contact@chereau-carre.fr t.l.j. 9h-18h

DOM. DU BOIS-PERRON Sur lie 2011

10 000 ▪ - de 5 €

Cette cuvée or pâle livre un bouquet plaisant de fruits exotiques et de fleurs blanches, soutenu par une touche minérale. Le palais évolue plutôt sur les fruits secs, vivifié par un perlant caractéristique de l'élevage sur lies fines et par une note fraîche de graphite. Un vin équilibré, à boire sur un plateau de fruits de mer.

GAEC du Bois-Perron, Brégeon-Burot, Le Perron, 44430 Le Loroux-Bottereau, tél. 02.51.71.90.63, fax 02.40.03.71.55, jean-michel.burot@wanadoo.fr r.-v.

CHRISTOPHE ET BRIGITTE BOUCHER Gorges 2005 ★

6 000 ▪ 8 à 11 €

Après un élevage prolongé (quatre ans) sur lies fines en cave souterraine, ce 2005 se montre « bien conservé ». Derrière une robe dorée, on découvre un bouquet complexe et atypique d'aromates (laurier, thym), d'anis et de fleurs blanches. Après une attaque franche, le palais dévoile des arômes de réglisse et de fruits secs. Il est porté par une belle vivacité et par une pointe d'amertume finale qui s'équilibrent avec le gras et donnent de l'allonge à l'ensemble. Déjà plaisant, ce vin pourra aussi patienter encore deux ou trois ans dans votre cave. Conseillé sur une choucroute de la mer.

Christophe et Brigitte Boucher, 2, La Ganolière, 44190 Gorges, tél. et fax 02.40.06.98.87, earl.boucher@wanadoo.fr r.-v.

DOM. BOUFFARD Sur lie 2011 ★★

28 000 ▪ - de 5 €

Ce domaine d'une belle régularité est établi à l'extrémité est de l'appellation, dans le Maine-et-Loire, aux portes des Mauges. Gilles et Frédéric Bouffard signent un 2011 au nez flatteur de fruits bien mûrs (agrumes, fruits exotiques) et de fleurs blanches. Au diapason, la bouche se révèle ample, ronde, douce et longue, équilibrée par une trame acide fort à propos. Un vin harmonieux, à déguster dans les deux ans à venir sur une salade aux dés de saumon et d'avocat, suivie d'un rôti de veau à la crème.

GAEC Gilles et Frédéric Bouffard, 8, La Brosse, 49230 Saint-Crespin-sur-Moine, tél. et fax 02.41.70.43.42, gaec.bouffard@orange.fr r.-v.

PATRICE BOULANGER Sur lie Sélection du Champ Coteau 2011 ★

8 660 ▪ - de 5 €

Une originalité : un peu plus de 10 % des vins du domaine sont exportés vers les destinations peu communes que sont le Gabon et l'île Maurice. Ce vin bien typé propose quant à lui un voyage plus classique sur les terres de gabbros de Vallet, à travers un bouquet franc et fin d'agrumes (orange) et de fleurs blanches, suivi par un palais minéral, fruité, vif et long. Prévoir une escale gourmande autour d'un plateau de fruits de mer.

Patrice Boulanger, 25, La Bonnefontaine, 44330 Vallet, tél. 02.40.36.22.79, fax 02.72.22.06.98, begaudieres@wanadoo.fr t.l.j. sf dim. 8h30-12h30 14h-18h30

CH. DE BRIACÉ Goulaine 2009 ★★

8 000 ▪ 8 à 11 €

Plus d'un vigneron du pays nantais est passé par le château de Briacé, devenu lycée viticole. Le « professeur devant montrer l'exemple », le domaine récolte deux étoiles pour ce Goulaine au nez frais, sur les fleurs blanches, la poire, la pêche et le miel. La bouche se révèle

bien fondue, riche, fruitée et longue, étayée par une belle minéralité. À boire ou à attendre deux ans.
Ch. de Briacé, Lycée de Briacé, 44430 Le Landreau, tél. 02.40.06.49.16, fax 02.40.06.46.15, contact@chateau-briace.com r.-v.
Cong. Saint-Gabriel

DOM. DES CANTREAUX Sur lie
Élégance des Cantreaux 2011 ★

4 000 - de 5 €

Planté sur un coteau dominant la Loire, le vignoble du domaine bénéficie d'une bonne exposition et d'un sol de micaschistes propices à une certaine précocité des vins. En 2011, les vendanges ici ont eu lieu le 25 août et elles ont donné naissance à cette cuvée or pâle, dont le bouquet fruité (agrumes, ananas, pêche de vigne) se prolonge avec persistance dans un palais à la fois gras, souple et « terroité », entendez « minéral ». Bref, un vin équilibré, que l'on pourra apprécier dès l'automne voire dans un an ou deux, sur une cassolette de moules.
Patrice Marchais, Les Cantreaux, 44430 Le Loroux-Bottereau, tél. 02.40.33.84.20, marchaispatrice@wanadoo.fr r.-v.

CHATELLIER ET FILS Sur lie La Prestige du Coin aux lièvres Vieilles Vignes 2010 ★★

7 000 - de 5 €

Le domaine est dans la famille Chatellier depuis 1845, transmis de père en fils depuis six générations. Le Coin aux lièvres est le nom d'une parcelle plantée de vieux ceps de soixante ans à l'origine de cette cuvée remarquable : bouquet fin, intense et complexe, à dominante de fruits blancs et de fruits secs, bouche souple, fraîche et minérale, avec toujours ces notes de fruits secs, qui imprègnent une longue finale. Le **Clisson 2004 (8 à 11 € ; 3 500 b.)**, élevé quatre ans sur lie, obtient une étoile pour sa complexité aromatique (poire confite, abricot sec, fumé, épices, thym...) et pour son palais équilibré entre générosité et nervosité.
Chatellier et Fils, La Claveliére, 44190 Saint-Lumine-de-Clisson, tél. 06.81.49.71.40, fax 02.40.06.69.02, lesvinschatellier@gmail.com
t.l.j. 10h-12h30 15h-19h30

DOM. DES CHAUSSELIÈRES Sur lie Tradition 2010

16 000 - de 5 €

L'histoire vigneronne de la famille Bosseau débute à la fin du XIXᵉs. : un aïeul boulanger se faisait payer en arpents de vignes par ses clients débiteurs. L'histoire moderne s'écrit depuis 1987 avec Jean Bosseau, qui signe ici un 2010 au nez intense d'agrumes et de fleur d'acacia. La bouche se révèle fruitée et structurée, voire un peu austère, adoucie toutefois par des nuances miellées, et elle s'achève sur une note acidulée et minérale. À boire ou à attendre une année.
Dom. des Chausselières, 12, rue des Vignes, Les Chausselières, 44330 Le Pallet, tél. 02.40.80.93.88, domainechausselieres@wanadoo.fr
r.-v.

LA CHAUVINIÈRE Château-Thébaud
Parcelle Le Tord 2007 ★

11 000 8 à 11 €

En empruntant le sentier de randonnée de Château-Thébaud, vous passerez devant le domaine de Jérémie Huchet implanté sur un terroir de granite. Élevé pendant quarante-huit mois, ce 2007 livre des parfums complexes d'écorce d'orange, d'amande et de miel. Après une attaque vive, le palais se montre onctueux, plein et généreux, et même chaleureux en finale. Ce vin qualifié de gourmand est prêt, mais il pourra aussi s'apprécier dans trois ou quatre ans. Recommandé sur une poularde à la crème.
Jérémie Huchet, La Chauvinière, 44690 Château-Thébaud, tél. 02.40.06.51.90, fax 02.40.06.57.13, domaine-de-la-chauviniere@wanadoo.fr
r.-v.

DOM. PIERRE CHEVALLIER Sur lie
Bonne Fontaine 2011 ★★

22 000 - de 5 €

Après une dizaine d'années aux côtés de ses parents sur le domaine familial, Pierre-François Chevallier navigue en solo depuis 2005 sur ses terres de schistes et de gabbro. Il signe une cuvée appréciée des dégustateurs du Guide pour sa robe claire et brillante, pour son bouquet délicat et frais de fleurs blanches, et pour son palais vif, net et structuré, tendu jusque dans sa longue finale par la pointe minérale de rigueur. Idéal pour un apéritif aux accents maritimes.
Pierre-François Chevallier, 115, Bonne-Fontaine, 44330 Vallet, tél. 02.40.36.44.26, fax 02.51.71.72.25, earlchevallierpierrefrancois@orange.fr r.-v.

OLIVIER CLENET Gorges 2009

1 800 8 à 11 €

Olivier Clenet signe un Gorges élevé vingt-quatre mois sur lies fines comme il se doit, au bouquet intense de fruits mûrs et de fleurs blanches. L'attaque moelleuse prélude à une bouche riche, concentrée et chaleureuse, « réveillée » par une pointe d'amertume en finale. Une bouteille au potentiel intéressant, que l'on pourra servir dans deux ou trois ans sur un bar de ligne sauce au beurre blanc.
Olivier Clenet, 1 bis, La Galussière, 44190 Gorges, tél. et fax 02.40.06.90.68, annaik.rocher@wanadoo.fr
r.-v.

CLOS DE LA BARILLÈRE
Rubis de la Sanguèze Vieilles Vignes 2009

6 000 5 à 8 €

Xavier Gouraud est installé depuis 1979 sur le domaine familial transmis par ses grands-parents. Il participe à la démarche de reconnaissance du cru communal Rubis de la Sanguèze, et ce 2009 est un bon porte-drapeau de ce terroir. Issu de raisins vendangés à la main, ce vin à la robe cristalline dévoile un nez généreux de fruits compotés et de fruits secs accompagnés de notes anisées et beurrées. La bouche est tout aussi généreuse, riche, d'un bon volume, équilibrée par une finale fraîche. À boire ou à attendre une paire d'années.
Xavier Gouraud, 1, Le Pin, 44330 Mouzillon, tél. 02.40.36.62.85, xaviergouraud@free.fr
t.l.j. 10h-12h30 15h-18h; dim. sur r.-v.; f. 26-31 août

LE CLOS DU CHAILLOU Sur lie 2011

10 000 ▮ - de 5 €

C'est à partir des pierres extraites du vignoble que fut construit en 1909 le château de Vénéraud, auquel l'exploitation est rattachée. Des ceps de vingt ans, enracinés dans un sol de schistes, ont donné naissance à ce vin au nez discret de fleurs blanches et d'agrumes, rond et doux en bouche. Tout indiqué pour une cuisine exotique, un sauté de crevettes au curry par exemple.

Allard-Brangeon, La Guertinière, 44330 Vallet,
tél. et fax 02.40.36.27.43, allard-brangeon@orange.fr
r.-v.

DOM. DU COLOMBIER Sur lie Cuvée des Deux Colombes 2011 ★

20 000 - de 5 €

Tillières est l'une des rares communes en AOC muscadet-sèvre-et-maine situées à l'extrême est du vignoble, en bordure de la Sanguèze. Depuis plus de dix ans, les Bretaudeau militent activement pour la reconnaissance de crus communaux au sein de l'appellation. Pour l'heure, c'est sous la bannière « sous-régionale » que ce 2011 se présente à la dégustation. Au nez, les fleurs blanches se mêlent aux agrumes (citron). Au diapason, la bouche se montre ronde et gourmande, égayée par une agréable fraîcheur. Un vin équilibré et friand.

Jean-Yves Bretaudeau, 3, Le Colombier, 49230 Tillières,
tél. 02.41.70.45.96, fax 02.76.01.32.71,
contact@lecolombier.com r.-v.

DOM. BRUNO CORMERAIS Clisson 2009

9 000 ▮ 11 à 15 €

Les vins de Bruno Cormerais sont souvent issus de raisins vendangés à maturité optimale. Récoltés le 21 septembre, ceux-ci ont donné naissance à un 2009 dans le style maison, au nez intense de fruits secs et de fleurs blanches accompagnés de notes fumées et minérales, et au palais rond, riche et gras, avec une pointe d'amertume en finale. « Un vin de connaisseur », conclut un dégustateur. À boire au cours des deux ou trois prochaines années.

EARL Bruno, Marie F. et Maxime Cormerais,
La Chambaudière, 44190 Saint-Lumine-de-Clisson,
tél. 02.40.03.85.84, b.mf.cormerais@wanadoo.fr
r.-v.

DOM. DE LA CORNULIÈRE Gorges 2009 ★

3 800 ▮ 8 à 11 €

Les Barreau signent un Gorges bien typé, qui fait honneur à sa récente reconnaissance en cru communal. Ce 2009 se pare d'une robe limpide et brillante aux reflets verts de jeunesse, et livre un bouquet fin et complexe : fruits confits, agrumes, fougère, notes fumées et mentholées. La bouche est dominée par une vivacité tranchante, mais déjà le gras apparaît et lui confère un surcroît d'équilibre. Encore en devenir, ce vin offre de belles promesses : à découvrir dans deux ou trois ans, sur un boudin blanc ou un poisson en sauce. Le **Ch. de la Bourdonnière 2011 Sur lie (moins de 5 € ; 20 000 b.)**, vif et fruité, est cité.

EARL Jean-Michel et Jean-Philippe Barreau,
La Cornulière, 44190 Gorges, tél. 02.40.03.95.06,
jm.barreau@terre-net.fr
lun. mar. 8h-12h30 14h-19h

FRÈRES COUILLAUD Collection privée M 2009 ★★

3 600 ▮ 8 à 11 €

À l'extrême est du vignoble nantais, le château de la Ragotière exploite ses vignes sur un terroir de première qualité riche en micaschistes. Régulièrement distingués, les frères Couillaud sont fidèles au rendez-vous du Guide et signent un 2009 remarquable en tout point. Derrière une robe jaune paille brillant se présente un bouquet intense et élégant de fruits secs (amande, noisette) et de fleurs blanches. La bouche se révèle puissante et ronde, équilibrée par une pointe minérale « qui va bien », étirant la finale sur de longues nuances florales. Bien structuré par l'alcool et l'acidité, ce vin pourra s'apprécier aujourd'hui comme dans deux ou trois ans, sur une volaille à la crème par exemple.

SCEA de la Ragotière, Ch. de la Ragotière,
44330 La Regrippière, tél. 02.40.33.60.56, fax 02.40.33.61.89,
freres.couillaud@wanadoo.fr
t.l.j. sf sam. dim. 8h-12h 14h-18h

CH. LES CROIX PICHON Sur lie 2011 ★

100 000 ▮ - de 5 €

Des vignes de vingt-cinq ans, plantées sur un sol de gabbro, ont donné naissance à ce 2011 au bouquet plaisant de fleurs blanches et d'agrumes. La bouche suit la même ligne aromatique et dévoile une matière douce et riche, avec une fine minéralité à l'arrière-plan. Un vin harmonieux, à découvrir aujourd'hui comme dans deux ans.

Bernard Pichon, Ch. les Croix Pichon, 44330 Vallet,
tél. 02.40.36.23.18, bernardmariepierre@yahoo.fr r.-v.

DOM. LOUIS DONATIEN Sur lie 2011

20 000 ▮ 5 à 8 €

Emmanuel Luneau est installé depuis quinze ans sur ce domaine, un ancien relais de poste établi au nord-ouest de Vallet sur un terroir de schistes. Il signe une cuvée agréable et bien dans son appellation : robe claire aux reflets verts, bouquet tonique d'agrumes, bouche ample, souple et fraîche. Un bon classique pour des fruits de mer.

Emmanuel Luneau, Le Bois-Brûlé, 44330 Vallet,
tél. et fax 02.40.33.91.47, emmanuel.luneau@wanadoo.fr
r.-v.

DOM. DES DUAUX Sur lie 2011 ★★

13 300 ▮ - de 5 €

Les coteaux de la Sanguèze ont été particulièrement favorables à ce millésime difficile que fut 2011. Témoin cette cuvée née de ceps de trente ans, au nez intense et élégant de fruits du verger (poire en tête) et d'agrumes. La bouche offre un très bel équilibre entre un côté rond et enveloppé, et une trame minérale qui apporte de la fermeté, du tonus et de la longueur. À boire dans les deux ans, sur un gratin de fruits de mer.

Patrice Aubron, Dom. des Duaux, 49230 Tillières,
tél. 02.41.70.46.48, aubron.patrice@orange.fr r.-v.

DOM. DE L'ESPÉRANCE Sur lie Cuvée Prestige 2011 ★★

16 000 ▮ - de 5 €

Le saviez-vous ? Le gabbro, roche plutonique propice à l'épanouissement du cépage melon (bien représenté dans cette édition), compose aussi une partie des roches à la surface de la Lune... Ce 2011, quant à lui, décroche les étoiles pour son bouquet fin d'agrumes et de fleurs blanches agrémenté d'une touche lactée, et pour son palais franc et frais en attaque, plus tendre et rond dans son évolution, avec un beau retour fruité en finale. Pour une sole sauce aux fruits de mer. Le **gros-plant-du-pays-nantais 2011 Sur lie (1 300 b.)**, frais, floral, fruité et long, obtient une étoile.

🔑 GAEC Patrice et Anne-Sophie Chesné, 4, Dom. de l'Espérance, 49230 Tillières, tél. et fax 02.41.70.46.09, gaecchesne@orange.fr ☑ 🍷 🚶 r.-v.

LE FIEF COGNARD Sur lie Château-Thébaud Vieilles Vignes 2011 ★

40 000 - de 5 €

Dominique Salmon signe un 2011 bien typé, né sur les sols granitiques de Château-Thébaud. D'une robe brillante tirant vers le jaune paille, ce vin livre d'intenses parfums de fruits blancs et de fruits exotiques. En bouche, il affiche une bonne minéralité qui, apportant de la fraîcheur, fait contrepoids à la rondeur de la chair et allonge la finale. Un vin équilibré, à servir sur un poisson grillé ou en sauce. La **Réserve du Fief Cognard Sur lie 2011 Château-Thébaud (120 000 b.)** est citée pour son bouquet d'agrumes, de fruits secs et de pain grillé, et pour sa bouche étoffée penchant plutôt vers la rondeur que vers la vivacité.

🔑 Dominique Salmon, EURL Divinloire, Les Landes-Devin, 44690 Château-Thébaud, tél. 02.40.06.53.66, fax 02.40.06.55.42 ☑ 🍷 🚶 r.-v.

FLEURON DES ROCHETTES Sur lie 2011 ★

25 000 - de 5 €

Né dans le village typiquement vigneron de Bas-Briacé, sur un terroir de gneiss à proximité du marais de Goulaine, ce 2011 se présente dans une élégante robe jaune pâle. Le nez, discret mais plaisant, évoque l'aubépine, agrémenté d'une touche minérale. Sur la même ligne aromatique, la bouche se révèle droite et vive, elle aussi encore un peu sur la réserve, mais elle laisse entrevoir un bon potentiel pour l'année à venir.

🔑 EARL Jean-Pierre et Éric Florance, Bas-Briacé, 44430 Le Landreau, tél. 02.40.06.43.84, fax 02.40.06.45.66, domaine.des.rochettes@wanadoo.fr ☑ 🍷 🚶 r.-v.

DOM. DE LA FRUITIÈRE Sur lie Grande Réserve 2010 ★

20 000 ▮ 5 à 8 €

Ce domaine est établi à proximité du château de la Placelière, folie nantaise construite au XVIIIe s., dont les jardins, les bois et les pièces d'eau sont, par leur charme, une invitation à la promenade. Le bouquet gourmand de ce vin invite, quant à lui, à poursuivre la dégustation : on y perçoit des notes chaudes de cire d'abeille et de brioche, d'autres nuances plus fraîches et minérales venues du terroir granitique de Château-Thébaud. Le palais, souple et gras, est à l'unisson, sur le miel, les fruits confits et la pâtisserie, et offre une jolie finale acidulée qui tonifie l'ensemble. À boire au cours des deux prochaines années, sur un poisson en sauce.

🔑 EARL La Fruitière, La Fruitière, 44690 Château-Thébaud, tél. 02.40.06.53.05, fax 02.40.06.54.55
☑ 🍷 🚶 t.l.j. sf dim. 10h30-12h 14h-19h
🔑 Lieubeau

CH. DE LA GALISSONNIÈRE Sur lie Prestige 2011

80 000 ▮ - de 5 €

Depuis près d'un siècle, la famille Lusseaud élabore des muscadets sur cette ancienne propriété de l'amiral

La région nantaise

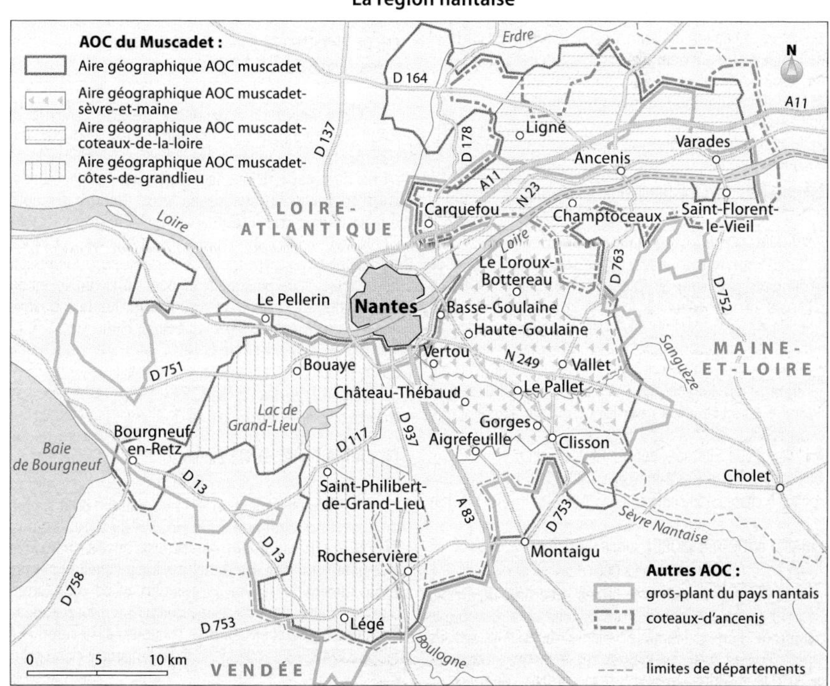

LOIRE

Barrin de la Galissonnière, connu pour avoir introduit le magnolia en Europe au XVIIIes. Ce 2011, en robe jaune pâle, livre un bouquet plaisant de fleurs blanches et de fruits exotiques. Dans la continuité de l'olfaction, la bouche se montre droite, légère et équilibrée. Parfait à l'apéritif, avec des toasts au fromage de chèvre.

EARL Vignobles Lusseaud, La Galissonnière, 44330 Le Pallet, tél. 02.40.80.42.03, vignoble@chateaugalissonniere.com
t.l.j. sf dim. 8h-12h30 14h-19h30

DOM. DE LA GARNIÈRE Sur lie 2011

13 000 - de 5 €

Situé à l'extrême est du vignoble nantais, sur les coteaux de la Maine, ce domaine propose une cuvée plaisante, qui s'ouvre après aération sur un fruité fin. La bouche se révèle onctueuse et de bonne longueur, soutenue par une finale plus vive. Un ensemble équilibré, à servir à l'apéritif avec des toasts au crottin de Chavignol.

GAEC Camille Fleurance et Fils, 202, La Garnière, 49230 Saint-Crespin-sur-Moine, tél. 02.41.70.40.25, fax 02.41.70.68.84, fleurance@garniere.com
r.-v.

CHRISTIAN GAUTHIER Clisson 2007

4 000 8 à 11 €

Clisson, son château, ses ruelles pittoresques en bordure de la Sèvre et ses maisons de style italien. Et ses vins, bien sûr, qui ont récemment bénéficié d'une dénomination communale. Ici, un 2007 élevé quarante mois en cuve. Encore plein de jeunesse, il reste d'abord sur la réserve avant de s'ouvrir à l'aération sur des notes de fumé, de grillé, de silex, d'anis et d'épices. En bouche, la vivacité domine, le gras est fondu, et l'ensemble plaît par sa finesse et par son dynamisme. Un peu plus de corps et de longueur lui auraient permis d'accrocher l'étoile.

Christian Gauthier, 19, La Mainguionnière, 44190 Saint-Hilaire-de-Clisson, tél. 02.40.54.42.91, vins-gauthier@orange.fr
t.l.j. sf dim. 15h-19h; sam. 9h-12h

GRAND FIEF DE LA CORMERAIE Sur lie 2011

44 000 5 à 8 €

Cette ancienne commanderie étend son vignoble de 7 ha et son terroir assez tardif sur la commune de Monnières, au sud de Nantes. Véronique Günther-Chéreau, pharmacienne de formation, a engagé la conversion du domaine au bio en 2010. Elle signe une cuvée encore sur la réserve, qui laisse poindre à l'aération quelques notes de fruits mûrs et de fleurs blanches, et qui se montre en bouche vive et de bonne longueur. À attendre un an ou deux pour lui permettre de gagner en expression.

Véronique Günther-Chéreau, Ch. du Coing, 44690 Saint-Fiacre-sur-Maine, tél. 02.40.54.85.24, contact@chateau-du-coing.com t.l.j. 9h-13h 14h-18h

GRAND MORTIER GOBIN Sur lie 2010 ★

12 000 - de 5 €

À l'origine de ce vin, le terroir renommé du Grand Mortier Gobin, composé d'orthogneiss métamorphique datant de l'ère primaire et planté de melon âgé de vingt-cinq ans. Après un élevage sur lie de quatorze mois, ce 2010 jaune doré livre des parfums intenses de coing, de miel et de pain brioché, avec une pointe minérale en soutien. Dans le prolongement du nez, le palais se révèle riche, gras et soyeux, vivifié par une finale fraîche. À déguster sur un bar en croûte de sel ou sur un gratin de langoustines.

Vignoble Bidgi, 11, rue du Calvaire, 44690 La Haye-Fouassière, tél. 02.40.54.83.24, scea.bideau.giraud@wanadoo.fr r.-v.

DOM. DE LA GRANGE Sur lie 2011

100 000 - de 5 €

Né de ceps de trente ans plantés sur un sol de gabbro, ce 2011 se pare d'une robe or pâle et dévoile un joli bouquet floral, fruité (fruits à chair blanche) et minéral. La bouche offre de la rondeur et de la souplesse, soutenue par une trame vive. Encore jeune, ce vin pourra être attendu un an ou deux.

Dominique Hardy, La Grange, 44330 Mouzillon, tél. 02.40.33.93.60, fax 02.40.36.29.79, contact@dhardy.com
t.l.j. 8h-12h 14h-18h

PHILIPPE GUÉRIN Sur lie Souverain 2011 ★

190 000 - de 5 €

Planté sur le terroir de schistes assez précoce de Vallet, le melon de Bourgogne a donné ici naissance à un 2011 au nez gourmand de fruits mûrs (l'abricot notamment), d'agrumes et d'épices. En bouche, le vin se montre gras, riche et puissant, vivifié par une belle minéralité. Du corps et de l'esprit pour cette bouteille à découvrir au cours des deux prochaines années, sur un poisson ou une volaille en sauce.

Philippe Guérin, Les Pèlerins, 44330 Vallet, tél. 06.80.23.06.17, fax 02.40.36.40.73, phguerin44@free.fr
r.-v.

CH. DE LA GUIPIÈRE Sur lie Cuvée Excellence Vieilles Vignes 2011 ★★

20 000 - de 5 €

Cette ancienne dépendance de la seigneurie de Briacé au Landreau est conduite depuis 1976 par Joël Charpentier. De son terroir semi-précoce de micaschistes planté du cépage melon, âgé de quarante ans, il a tiré ce vin d'abord sur la réserve, qui laisse poindre des notes fumées et de pierre à fusil, avant de s'ouvrir à l'aération sur les agrumes, l'abricot, les fleurs blanches et l'iode. Après une attaque fraîche, le palais laisse une impression de richesse et de puissance, et persiste en finale sur les fruits exotiques et le citron vert. À déguster dans les deux ans à venir, avec une alose au beurre blanc.

GAEC Charpentier Père et Fils, Ch. de la Guipière, La Guipière, 44330 Vallet, tél. 02.40.36.23.30, fax 02.40.36.38.14, chateau.guipiere@wanadoo.fr r.-v.

CH. LA HAIE-THESSENTE Sur lie 2011 ★★

7 000 - de 5 €

Les Peigné signent un 2011 « solaire », pour reprendre les termes d'un juré. Si le nez, sur les agrumes, reste discret, le palais se montre plus prolixe, ouvert sur le citron et le pamplemousse, rond, riche et long, équilibré par une finale minérale. Un vin harmonieux et de caractère, à déguster dans l'année sur une quiche saumon-poireaux.

EARL Peigné et Fils, La Haie Tessante, 44330 Vallet, tél. 06.62.74.85.63, fax 02.51.71.77.20, earlpeigne@orange.fr
r.-v.

HAUTE-COUR DE LA DÉBAUDIÈRE Sur lie 2011 ★

94 800 ■ - de 5 €

Ce domaine, établi sur les coteaux escarpés et riches en schistes et en gabbro de la Sanguèze, affluent de la Sèvre, propose une cuvée joliment bouquetée, sur les fleurs blanches, la pêche et l'abricot. Animée par un léger perlant et une pointe minérale, la bouche se révèle bien équilibrée entre rondeur et vivacité. Un bon classique, harmonieux et prêt à boire sur un poisson grillé ou des fruits de mer.

GAEC Goislot-Papin, 220, La Débaudière, 44330 Vallet, tél. 06.13.24.48.91, goislot.papin0464@orange.fr ☑ Ɏ ⁂ r.-v.

CH. DE L'HYVERNIÈRE Sur lie 2011 ★

200 000 ■ - de 5 €

Cette ancienne demeure seigneuriale du XVᵉs., dans le giron du groupe Castel Frères, étend son vaste vignoble de 75 ha sur un terroir très précoce de gneiss. On y découvre une cuvée en robe légère, mêlant au nez des notes d'agrumes, de fruit de la Passion et de pain grillé. La bouche se révèle bien équilibrée, à la fois fraîche, intense et riche. À boire ou à garder un an ou deux. Proposée par la structure de négoce Castel Frères, la cuvée **Plessis-Duval Sur lie 2011 (450 000 b.)**, de bonne typicité, fraîche et acidulée, est citée.

Dom. de l'Hyvernière, La Guillemochère, 44330 La Chapelle-Heulin, tél. 02.40.06.70.71, chateau.hyverniere@orange.fr

Castel Frères

CH. JOUSSELINIÈRE Sur lie Clos de la Chapelle 2011 ★

15 000 ■ - de 5 €

Une chapelle du XVIIᵉs. située sur le domaine donne son nom à cette cuvée. Au nez, les fleurs blanches (aubépine) se mêlent aux agrumes. La bouche se révèle fruitée, vive et tonique, soutenue par un léger perlant, une touche saline venant égayer la finale. Parfait pour un plateau de fruits de mer.

GAEC de la Jousselinière, La Jousselinière, 44450 Saint-Julien-de-Concelles, tél. 02.40.54.11.08, fax 02.40.54.19.90, muscadetchon@aol.com ☑ Ɏ ⁂ r.-v.

GFA du Parc

♥ DOM. DU LANDREAU VILLAGE Sur lie Grande Réserve 2011 ★★

60 000 ■ ⦀ 5 à 8 €

Ce domaine est établi au pied du clos Ferré, terroir réputé de Vallet. Enracinés dans ce sol de micaschistes, des ceps de quarante-cinq ans ont donné naissance à cette cuvée unanimement saluée pour son harmonie et son élégance. Le bouquet, intense et fin, évoque les fruits blancs mûrs et le zeste d'agrumes (pamplemousse). La bouche se révèle d'emblée douce et ronde, enrobée par un fruité gourmand en accord avec l'olfaction, puis elle offre une finale longue et puissante. À déguster sur une poêlée de saint-jacques ou sur une volaille rôtie.

GFA Drouet, Dom. du Landreau Village, 44330 Vallet, tél. et fax 02.40.33.90.23 Ɏ ⁂ t.l.j. sf dim. lun. 10h-15h

BRIGITTE ET MICHEL LOIRET Clos des Ramées 2009

4 000 ■ 5 à 8 €

Vertou, première commune viticole aux portes de Nantes, connaît une forte urbanisation qui a condamné nombre de producteurs. Quelques-uns résistent à cette pression et maintiennent à flot le vignoble local, à l'image de Michel et de Brigitte Loiret, installés sur ces terres de gneiss depuis 1977. Ils proposent une cuvée qui s'ouvre doucement, après aération, sur des notes fumées. La bouche se révèle bien équilibrée entre richesse et fraîcheur minérale, structurée et longue. Un bon potentiel de garde en perspective – entre deux et quatre ans, estiment les dégustateurs.

Brigitte et Michel Loiret, 47, rte de La Haye-Fouassière, 44120 Vertou, tél. 02.40.34.28.13, loiret.earl@wanadoo.fr ☑ Ɏ ⁂ t.l.j. 8h-12h 14h-18h

CHRISTIAN ET PASCALE LUNEAU Nuance 2009 ★

5 000 ⦀ 8 à 11 €

Ce 2009 né sur le terroir de « rubis » (gabbro) des coteaux de la Sanguèze et élevé vingt mois en fût présente de « beaux restes », selon les termes d'un juré. Au nez, on perçoit une jolie vivacité aux côtés de notes de thé, de fleurs blanches et de fumé. L'attaque, tout en souplesse, est le prélude à une bouche fruitée, florale, fraîche et élégante. Une bouteille raffinée, à déguster au cours des deux ou trois prochaines années.

Christian et Pascale Luneau, Bois-Braud, 44330 Vallet, tél. 02.40.33.93.76, fax 02.40.33.64.19, cpluneau@wanadoo.fr ☑ Ɏ ⁂ r.-v.

GILLES LUNEAU Gorges 2007 ★

7 000 ■ 8 à 11 €

Les gabbros sont réputés pour donner des vins de garde ; ce 2007 en est une illustration très réussie. Après un élevage de trente mois sur lies fines, il se pare d'une belle robe jaune brillant et livre de douces senteurs de cire d'abeille, de miel d'acacia, de tarte Tatin et de pamplemousse. À cette complexité répond une bouche à l'unisson, ample, généreuse et tendre, mais ne cédant jamais à la lourdeur grâce à une fine acidité et à une noble amertume. Poissons au beurre blanc et volailles à la crème seront en excellente compagnie.

Gilles Luneau, Ch. Elget, 20, Les Forges, 44190 Gorges, tél. 02.40.54.05.09, fax 02.40.54.05.67, chateau-elget@wanadoo.fr ☑ Ɏ ⁂ t.l.j. sf dim. 9h-12h45 14h-19h30

♥ MICHEL LUNEAU ET FILS Rubis de la Sanguèze Tradition Stanislas 2003 ★★★

7 000 ■ 8 à 11 €

Né de l'alliance de deux familles, ce domaine créé en 1968 s'est peu à peu étendu sous l'impulsion de Michel Luneau, pour atteindre aujourd'hui 32 ha. Deux de ses fils

sont désormais aux commandes et proposent ici un 2003 d'exception. Après un long élevage sur lie de cinquante-quatre mois, ce vin se montre encore plein de jeunesse, drapé dans une robe jaune d'or, cristalline et brillante. Le nez offre une complexité rare : tilleul, cire d'abeille, pâte de coings, notes grillées. La bouche ? Ample, riche, généreuse et suave, équilibrée par une juste fraîcheur. Une bouteille d'une grande élégance, qui fera merveille sur une blanquette de veau.

🔑 GAEC Michel Luneau et Fils, 3, rte de Nantes, 44330 Mouzillon, tél. 02.40.33.95.22, luneau.michel.et.fils@wanadoo.fr ☑ 🍷 🚶 r.-v.

MANOIR DE LA FIRETIÈRE Sur lie 2011 ★

43 757 ▮ - de 5 €

Situé à la limite du Landreau et du Loroux-Bottereau, ce domaine étend ses vignes à proximité des marais de Goulaine. On y découvre cette cuvée au nez complexe et expressif mêlant le pain d'épice, le citron confit, l'ananas et une note originale de guimauve. Le palais se révèle puissant, riche et gras, fruité et long. Un vin de caractère et de garde (deux à cinq ans), à réserver pour une viande blanche ou un poisson en sauce.

🔑 EARL Manoir de la Firetière, Les Noues, 44430 Le Loroux-Bottereau, tél. 02.40.06.43.76, fax 02.40.06.43.74, manoir.f@wanadoo.fr ☑ r.-v.

🔑 Charpentier

BERNARD ET DOMINIQUE MARTIN Sur lie Le Perd-son-pain 2011

45 000 ▮ - de 5 €

Perd-son-pain ? Autrefois le surnom d'une parcelle qu'il était très difficile de cultiver et qui rapportait peu, le viticulteur y « perdant son pain »... Dominique Martin semble, lui, y trouver son compte. Les dégustateurs aussi, qui apprécient le bouquet discret mais plaisant de ce vin aux fines notes minérales, ainsi que son palais légèrement perlant, frais et fruité (agrumes, fruits exotiques), nuancé par une touche de graphite.

🔑 Dominique Martin, 6, rue de la Garnière, La Hautière, 44690 Saint-Fiacre-sur-Maine, tél. 02.40.54.81.49, fax 02.40.36.98.95, info@martin-bernard.com
☑ 🍷 🚶 t.l.j. sf dim. 9h-12h 14h-19h

MARTIN-LUNEAU Sur lie 2011 ★★

15 000 ▮ - de 5 €

Proposée au grand jury des coups de cœur, cette cuvée Tradition a de beaux arguments à faire valoir, à commencer par une élégante robe brillante aux reflets verts. Le nez plaît par la finesse de ses parfums floraux et fruités (citron), agrémentés d'une note d'amande. La même finesse caractérise la bouche, souple, fraîche et longuement tapissée d'arômes de fruits blancs et d'abricot. Parfait à l'apéritif, avec une bourriche d'huîtres.

🔑 Martin-Luneau, 16, Le Magasin, 44190 Gorges, tél. 02.40.54.38.44, fax 02.40.54.07.23, martinluneau@wanadoo.fr
☑ 🍷 🚶 t.l.j. sf dim. 8h-12h30 14h-19h

DOM. MÉNARD-GABORIT Cuvée Prestige 2010 ★

30 000 ▮ - de 5 €

Les frères Ménard, Philippe et Thierry, exploitent un coquet domaine familial de 73 ha, dont quatre sont dédiés à ce 2010. Le nez, intense, évoque la pêche et l'abricot nuancés par quelques notes « sauvignonnées » de buis. Le palais se montre vif, franc et droit, et prolonge le plaisir dans une jolie finale fruitée. Tout indiqué pour le plateau de fruits de mer. Le **2011 Sur lie cuvée Prestige (30 000 b.)**, dans un style assez proche, sur la vivacité, est cité.

🔑 SC Ménard-Gaborit, 30-34, La Minière, 44690 Monnières, tél. 02.40.54.61.06, fax 02.40.54.66.12, info@domaine-menard-gaborit.fr
☑ 🍷 🚶 t.l.j. 10h-12h30 15h-19h; sam. dim. sur r.-v.

CH. DE LA MERCREDIÈRE Sur lie 2010

60 000 ▮ - de 5 €

Établi sur un site gallo-romain dédié au dieu Mercure, ce beau manoir avec parc, allées cavalières, chapelle et plan d'eau date de 1337. Le vignoble s'étend sur 60 ha autour du château et de ses dépendances, planté sur un sol silico-argileux. Dans le verre, un vin jaune doré au bouquet fin de fruits frais et de fruits secs (noisette), au palais léger, souple et vif, agrémenté en finale d'une touche grillée et fumée.

🔑 Futeul Frères, La Mercredière, 44330 Le Pallet, tél. 02.40.54.80.10, fax 09.52.54.89.79, michel.futeul@laposte.net ☑ 🍷 🚶 r.-v.

LOUIS MÉTAIREAU GRAND MOUTON Sur lie 2011 ★

58 000 ▮ 5 à 8 €

Les vignes à l'origine de ce vin ont un âge moyen de soixante ans, et certaines, les plus vieilles du domaine, ont même été plantées en 1937. Afin de préserver le plus longtemps possible ces vénérables ceps, on pratique ici des vendanges manuelles, chose suffisamment peu fréquente pour être précisée. Il en résulte une cuvée aux parfums tout en finesse de fleurs blanches et d'agrumes, et au palais bien équilibré entre le gras apporté par l'élevage sur lie, le fruité du cépage et la minéralité du terroir.

🔑 Louis Métaireau Grand Mouton, Dom. du Grand Mouton, 44690 Saint-Fiacre-sur-Maine, tél. 02.40.54.81.92, fax 02.40.54.87.83, contact@muscadet-grandmouton.com ☑ 🍷 🚶 r.-v.

DOM. DU MOULIN CAMUS Sur lie 2011 ★★

48 266 ▮ 5 à 8 €

Catherine et François Boulanger ne sont pas en « bio », mais l'esprit est là. Sur leur vignoble de 40 ha, ils pratiquent l'enherbement et optent pour des produits naturels en vue de stimuler les défenses de la vigne et de limiter ainsi au maximum les intrants. Le melon de Bourgogne s'en porte à merveille, et il donne ici naissance à un 2011 jaune pâle limpide, au nez intense, minéral et fruité (agrumes). Le palais, à l'unisson, affiche un équilibre remarquable entre le gras légué par l'élevage sur lie et la touche « terroitée » apportée par le sol de micaschistes. Un vin complet et typé, que l'on verrait bien sur un carpaccio de saumon. Le **gros-plant-du-pays-nantais 2011 Sur lie (moins de 5 € ; 14 800 b.)** obtient une étoile pour sa finesse et pour son fruité intense.

EARL Huteau-Hallereau, 41, rue Saint-Vincent, 44330 Vallet, tél. 02.40.33.93.05, fax 02.40.36.29.26, domainedumoulincamus@wanadoo.fr
t.l.j. sf dim. 8h-12h30 14h-18h; sam. sur r.-v.
Catherine et François Boulanger

NOUET Sur lie Excellence 2011

13 000 | - de 5 €

Jean-Claude et Pierre-Yves Nouet sont issus d'une lignée ancienne de vignerons ; un acte de décès datant de 1720 évoque un « laboureur de vignes et fouassier » (fabricant de la fouasse, brioche nantaise). Une tradition qu'ils perpétuent depuis 1985. Leur cuvée Excellence offre un nez classique et frais de fleurs blanches et de citron. Droite, vive, d'une honorable longueur, la bouche suit la même ligne aromatique et s'achève sur une plaisante note saline. Tout indiqué pour un apéritif de la mer.

GAEC Nouet Frères, 1, imp. des Pressoirs, La Cognardière, 44330 Le Pallet, tél. 02.40.80.41.72, nouet.vigneron@orange.fr r.-v.

CH. DE L'OISELINIÈRE Sur lie Les Grands Gâts 2010 ★★

30 000 | - de 5 €

Un document daté de 1635, retrouvé au château de l'Oiselinière, mentionne « des plantations de vignes blanches » sur la parcelle des Grands Gâts. C'est sur ce terroir « historique » de gabbro, planté de ceps âgés de cinquante ans, qu'est née cette cuvée en robe dorée, profonde et brillante, au nez intense de fruits mûrs, d'agrumes et de fleurs blanches. Le palais se révèle riche et tout aussi expressif (agrumes, miel, fruits secs), et équilibré par une belle fraîcheur ; il s'achève sur une agréable note briochée. Parfait pour une viande blanche en sauce ou un reblochon fermier.

Sté fermière de l'Oiselinière, L'Oiselinière, 44190 Gorges, tél. 02.40.06.91.59, fax 02.40.06.98.48, g.verdier@chateau-de-l-oiseliniere.com
t.l.j. sf dim. 14h-18h 5
Verdier

VIGNERONS DU PALLET Jubilation Le Pallet 2009 ★★★

58 000 | 8 à 11 €

« Plus forts ensemble que le plus fort de l'ensemble », tel est le slogan de cette jeune cave coopérative créée en 2007 autour de cette marque phare Jubilation. Jubilatoire, en effet, est la dégustation de ce 2009 paré d'une élégante robe jaune paille, limpide et lumineuse. Un vin enchanteur par son bouquet complexe d'agrumes, de fleurs blanches, de noisette et de pain d'épice, agrémenté de nuances mentholées. Le charme continue d'opérer en bouche à travers un volume remarquable, une rondeur avenante, un fruité rayonnant et une fraîcheur minérale qui emmène l'ensemble vers une longue finale sur les fruits secs. Un modèle d'équilibre et un porte-drapeau des plus réjouissants pour ce nouveau cru communal. Réservez-lui un mets de choix, un chapon de Bresse à la crème par exemple.

Vignerons du Pallet, 56, Bretigne, 44330 Le Pallet, tél. 02.28.00.10.20, contact@vigneronsdupallet.com

CYRILLE ET SYLVAIN PAQUEREAU Sur lie L'Espinose Sélection 2010

8 000 | - de 5 €

Ce domaine, propriété d'un riche négociant nantais au XVII^e^s., est dans la famille Paquereau depuis plus d'un siècle ; à sa tête aujourd'hui, deux frères installés en 2000 et 2006. Cette cuvée se présente vêtue d'une robe pâle, le nez empreint de senteurs fraîches et florales, la bouche souple, ample et légère, un peu plus stricte en finale. À découvrir dans l'année, sur un plateau de fruits de mer.

EARL Cyrille et Sylvain Paquereau, 20, rte de la Sablette, L'Épinay, 44190 Clisson, tél. 02.40.36.13.57, fax 02.40.36.72.78, domaine-epinay@orange.fr r.-v.

LAURENT PERRAUD Clisson 2009 ★★

6 050 | 8 à 11 €

Les générations de Perraud se succèdent ici depuis 1804 ; dernier du nom, Laurent, installé sur le domaine familial depuis 1986. Cet adepte de la culture raisonnée signe un Clisson remarquable de puissance et de générosité. Au nez, l'abricot sec, l'ananas rôti et les fleurs blanches se mêlent à des senteurs plus fraîches, minérales et mentholées. La bouche se révèle douce, dense, intense et riche, égayée en finale par des notes citronnées plus vives. Déjà aimable, ce vin est armé pour une garde de quatre ou cinq ans. Accord gourmand en perspective avec une volaille noble à la crème ou avec un foie gras poêlé.

Laurent Perraud, Dom. de La Vinçonnière, 44190 Clisson, tél. 02.40.03.95.76, fax 02.40.03.96.56, domainevinconniere@wanadoo.fr
t.l.j. 8h30-12h30 14h-19h; f. 6-20 août

STÉPHANE ET VINCENT PERRAUD Clisson 2006 ★★

6 000 | 8 à 11 €

Stéphane et Vincent Perraud conduisent un domaine de 28 ha autour de Clisson, cité appelée « la petite Venise » pour son architecture à l'italienne du XIX^e^s. Ces ardents défenseurs de leur terroir voient (enfin) les vins de la commune classés en crus communaux. Ce 2006, fruit d'un long élevage de quarante-quatre mois, en est un magnifique représentant, et il a d'ailleurs été admis au grand jury des coups de cœur. Ses arguments ? Une robe encore jeune, dorée, brillante et limpide. Un bouquet complexe et racé : pamplemousse, poire et abricot confits, fumée, anis ; un palais puissant, gras, plein, affichant en même temps une grande fraîcheur minérale. « Il n'a rien à envier à un grand blanc de Bourgogne », conclut un dégustateur sous le charme. Que diriez-vous d'une poularde de Bresse pour l'accompagner ?

LOIRE

EARL Stéphane et Vincent Perraud,
25, rte de Saint-Crespin, Bournigal, 44190 Clisson,
tél. 02.40.54.45.62, fax 09.72.21.23.87,
vincentperraud@wanadoo.fr
t.l.j. sf dim. 8h30-12h30 14h-19h15

DOM. DES PERRIÈRES Sur lie Vieilles Vignes 2009 ★

30 000 - de 5 €

Ce domaine, situé à l'extrême est du vignoble nantais, propose une cuvée de très belle facture, drapée dans une robe cristalline aux reflets verts, dont le bouquet enchante par ses senteurs de fruits secs et d'agrumes alliées à une fine minéralité. Le palais, sur l'amande et le raisin frais, s'équilibre entre richesse et vivacité, une noble amertume venant dynamiser la finale. Un vin harmonieux, à boire ou à attendre deux ou trois ans.

Philippe Augusseau, Les Perrières, 44330 Mouzillon,
tél. et fax 02.40.03.92.14, contact@muscadet-augusseau.com
r.-v.

PETITEAU-GAUBERT Goulaine Clos Le Royaume 2009 ★

6 000 5 à 8 €

Sur ce vieux terroir valletais réputé du Ferré, situé sur le bassin versant de la Goulaine, la famille Petiteau exploite depuis cinq générations une parcelle de 2 ha, le Clos du Royaume. Ce 2009 livre un bouquet tout en finesse, sur les fleurs blanches et les fruits du verger, accompagnés de notes briochées plus chaudes. La bouche se révèle riche et ample, structurée et longue, égayée par une finale minérale. Bien dans le style Goulaine, ce vin peut patienter encore deux ou trois ans en cave. Le **Dom. de la Tourlaudière 2011 Sur lie (60 000 b. ; moins de 5 €)**, fruité et acidulé, est cité.

EARL Petiteau-Gaubert,
La Tourlaudière, 174, Bonne-Fontaine, 44330 Vallet,
tél. 02.40.36.24.86, fax 02.40.36.29.72,
vigneron@tourlaudiere.com r.-v.

DOM. DE LA POITEVINIÈRE Sur lie 2007 ★

628 - de 5 €

Les vignes du domaine, âgées de quarante ans, sont plantées sur un sous-sol de gabbro et bien exposées au sud-ouest, sur la rive droite de la Sèvre Nantaise. Vincent Rineau en tire une microcuvée millésimée 2007 restée encore jeune. Le nez démarre en fanfare sur de puissants accents empyreumatiques agrémentés de nuances florales et mentholées. À cette complexité répond un palais ample et long, souligné par une belle minéralité qui permettra de conserver cette bouteille encore un an ou deux.

Vincent Rineau, Dom. de la Poitevinière, 44190 Gorges,
tél. 02.40.06.96.93, vincent.rineau@wanadoo.fr
t.l.j. sf dim. 17h-20h, sam. 11h-20h

DOM. DES POUINIÈRES Sur lie 2011 ★★

8 000 - de 5 €

Depuis 2002, Dominique Chupin conduit ce domaine de 16 ha de vignes plantés à l'est de Vallet sur un terroir de micaschistes. Il propose une cuvée particulièrement réussie, pâle et lumineuse, au nez d'agrumes intense et tonique, à la bouche fine, légère et fraîche, qui persiste longuement sur des notes florales et fruitées. Un classique accompli, à découvrir sur les produits de la mer.

EARL Chupin, 1, La Pouinière, 44330 Vallet,
tél. 06.19.82.64.58, earl.chupin44@orange.fr
t.l.j. 8h-12h 14h-20h

DOM. DU RAFOU DE BÉJARRY Clos de Béjarry 2011 ★

16 000 - de 5 €

Trois frères – « passionnés par leur terroir par atavisme », disent-ils – conduisent ce domaine de 20 ha, transmis de père en fils depuis 1851. Le terroir en question est situé sur un coteau au sous-sol de gabbro dominant la Sanguèze. Le melon de Bourgogne à l'origine de ce vin s'y épanouit depuis quarante-cinq ans. Au nez, le genêt se mêle à des senteurs minérales et citronnées. La bouche se montre fruitée à souhait, onctueuse, fine et équilibrée. À déguster aujourd'hui ou dans deux ans, sur un sandre au beurre blanc et sa fondue de poireaux. La cuvée **La Côte du Rafou 2009 Sur lie (8 à 11 €; 3 000 b.)**, ronde et harmonieuse, obtient également une étoile.

EARL Luneau Frères, Dom. du Rafou, 49230 Tillières,
tél. et fax 02.41.70.68.78, domainedurafou@orange.fr
r.-v.

DOM. DE LA ROCHE Fleur de Roche Schistes de Goulaine 2007 ★★

n.c. 5 à 8 €

Amateurs de randonnée, empruntez le joli pont de L'Ouen au Loroux-Bottereau pour accéder à la butte de La Roche, d'où vous aurez un superbe point de vue sur le château de Goulaine et les marais qui l'entourent. Au retour, passez chez Vincent Pineau (vous pourrez même y loger car il propose des chambres d'hôtes), vous y découvrirez ce 2007 né sur ce terroir de La Roche considéré comme l'un des plus précoces du vignoble nantais. Vous apprécierez sans doute le bouquet puissant de ce vin, ses notes d'abord fraîches et fruitées, qui font place à l'aération à des nuances plus chaleureuses de miel, d'amande et de grillé. La bouche vous séduira par son ampleur, sa richesse et sa persistance sur le fruit. Parfait pour une quiche au saumon ou un poisson en sauce.

EARL Dom. de la Roche, 243, La Roche,
44430 Le Loroux-Bottereau, tél. 06.99.38.57.02,
fax 02.40.33.89.96, domainedelaroche@free.fr
t.l.j. 9h-18h 2
Vincent Pineau

SERGE SAUPIN Sur lie Cuvée Prestige 2011 ★

25 000 - de 5 €

De la pousse à la vigne, il n'y a qu'un pas, que Serge Saupin, après une carrière de pépiniériste viticole, a franchi en 1984 en créant son propre domaine sur les coteaux de micaschistes de La Chapelle-Basse-Mer réputés précoces. Il signe ici une cuvée tout en fruit, tant au nez qu'en bouche. Le palais dévoile une belle trame minérale en harmonie avec une chair ronde et une finale qui penche vers une légère sucrosité. Un ensemble plaisant et équilibré, à déguster sur une viande blanche.

Serge Saupin, Le Norestier,
44450 La Chapelle-Basse-Mer, tél. 02.40.06.31.31,
fax 02.40.03.60.67, saupinserge@yahoo.fr r.-v.

SAUVION Sur lie Éolie 2011

100 000 - de 5 €

Proposé par la maison de négoce Lacheteau, ce 2011 livre un bouquet plaisant, frais et fruité. La bouche attaque sur la rondeur, avant de se montrer plus vive et minérale. Un ensemble friand et aimable, à déguster sur un plateau de fruits de mer.

🔑 SA Lacheteau, Ch. du Cléray, 44194 Vallet, tél. 02.40.36.66.00, fax 02.40.36.34.62, contact@lacheteau.fr
t.l.j. sf sam. dim. 9h-12h 13h30-16h

CH. DE LA SÉBINIÈRE Sur lie 2010 ★

56 000 | 5 à 8 €

« Un vin élevé en fût ? » s'interroge un dégustateur. Bien vu : chose peu commune dans l'appellation, cette cuvée a séjourné pour partie en barrique. D'où ces notes boisées de noix de coco et de vanille, que l'on perçoit au nez comme en bouche, associées à des parfums de fruits frais ainsi qu'à des senteurs fumées, signes de bonne maturité du cépage. Cela donne un surcroît de structure au vin, qui garde néanmoins un caractère souple et tonique. À déguster dans les deux ans, sur une volaille en sauce crémée.

🔑 Alpha Loire Domaines, 230, rue des Grosses-Pierres, 37400 Amboise, tél. 06.68.74.03.59, fax 09.59.84.10.60, aguichet44@wanadoo.fr r.-v.
🔑 Alain Guichet

DOM. DE LA TOURETTE Sur lie Passionnément 2011 ★★

18 600 | - de 5 €

Gaëtan Leroy et Laurent Freuchet conduisent un vignoble de 29 ha planté sur un sol granitique. Ils signent une cuvée jaune pâle ornée de reflets gris, au nez discret mais élégant, floral (chèvrefeuille), fruité (agrumes, pomme verte) et minéral. Les fruits frais s'imposent dans une bouche à la fois puissante et fine, vive et longue, une jolie touche saline venant égayer la finale. « Typique de l'appellation », concluent les dégustateurs, qui verraient bien cette bouteille accompagner une viande blanche.

🔑 GAEC Leroy-Freuchet, 11 bis, Le Gast, 44690 Maisdon-sur-Sèvre, tél. 02.40.06.62.48, fax 02.40.33.56.74, domainedelatourette@wanadoo.fr
t.l.j. sf dim. 8h-12h30 14h-19h

LA TOUR GALLUS Sur lie 2010 ★★

8 000 | - de 5 €

Les Rineau se succèdent de père en fils depuis neuf générations sur ces coteaux de la Sèvre Nantaise au sol de gabbro altéré. Héritier de cette longue lignée, Damien Rineau conduit le domaine depuis 1983. Deux cuvées retenues ici avec, en tête, ce remarquable 2010 au nez puissant et complexe (agrumes, épices, tilleul, fruits blancs), au palais rond et souple, porté par une élégante minéralité. La finale, longue et fine, laisse le souvenir d'un vin harmonieux et subtil. Parfait pour des saint-jacques sur une fondue de poireaux. Le **Damien Rineau Gorges 2005 (8 à 11 €; 6 000 b.)**, élevé cinquante-sept mois en cuve, obtient une étoile pour sa complexité aromatique (orange confite, réglisse, miel, curry, poivre...) et pour son palais riche et long, étayé par une pointe de fraîcheur.

🔑 Damien Rineau, 1, La Maison-Neuve, 44190 Gorges, tél. 07.70.26.53.90, rineau.damien@wanadoo.fr
t.l.j. sf dim. 8h-20h

DOM. DES TROIS TOITS Sur lie 2011

50 000 | - de 5 €

Établi sur les vestiges d'une ancienne abbaye du Moyen Âge remaniée au XVIIe s., ce domaine tire son nom de l'architecture particulière de son chai, qui aligne trois toits identiques. Dans le verre, un 2011 au nez discret mais fin de fleurs blanches et de poire, frais, sec, minéral et équilibré en bouche. « Bien dans son appellation et son millésime », conclut un juré.

🔑 SCEA Dom. des Trois Toits, 47, rue des Cornuelles, La Nicolière, 44120 Vertou, tél. et fax 02.40.34.03.55, lestroistoits@yahoo.fr
t.l.j. sf sam. dim. 9h-12h30 15h-19h
🔑 Hubert Rousseau

JEAN-LUC VIAUD Schistes de Goulaine Fleur de Panloup 2007

3 000 | 5 à 8 €

Une grande partie des vignes de ce domaine appartenait autrefois au château de Beauchêne. Jean-Luc Viaud exploite 15 ha, dont 70 ares de ce Clos du Panloup, la meilleure parcelle du vignoble. Il en a tiré ce vin jaune pâle, qui dévoile des parfums plaisants d'écorce d'orange et une bouche ample, bien structurée et vive, pas encore totalement fondue mais prometteuse. À déguster d'ici deux ou trois ans, sur une escalope de veau à la crème.

🔑 Jean-Luc Viaud, 2, La Renouère, 44430 Le Landreau, tél. 02.53.78.13.25, contact@domainejeanlucviaud.fr
r.-v.

DOM. DU VIEUX FRÊNE Sur lie Cuvée Saint-Nathan 2011 ★★

30 000 | - de 5 €

Daniel Baudrit, à la tête du domaine depuis 1998, envisage de convertir, à moyen terme, son vignoble à l'agriculture biologique. En attendant, il propose cette cuvée remarquable de bout en bout. Derrière une robe or pâle se dévoile un bouquet charmeur et tout en finesse d'agrumes, de fleurs blanches et d'épices. La bouche séduit par sa rondeur, sa texture charnue, son fruité croquant et sa fraîcheur. En somme, un modèle d'équilibre, à découvrir au cours des deux prochaines années, sur un brochet sauce au beurre blanc.

🔑 Daniel Baudrit, La Recivière, 44330 Mouzillon, tél. et fax 02.40.36.47.70, domaine-baudrit@orange.fr
t.l.j. sf dim. 8h-12h30 14h-19h

Muscadet-côtes-de-grand-lieu

Superficie : 277 ha
Production : 14 447 hl

LA GARNAUDIÈRE Sur lie 2011 ★★

11 000 | - de 5 €

Au sud du lac de Grandlieu, la commune de La Limouzinière a conservé quelques exploitations viticoles. La Garnaudière y est installée depuis 1981 et conduite depuis 2003 par François Denis. Le melon de Bourgogne, planté sur un sol d'amphibolites, a donné naissance à ce 2011 plein, riche et rond en bouche, aux senteurs délicates de fleurs blanches et de pêche de vigne, avec en soutien une belle minéralité caractéristique du terroir.

🔑 GAEC de la Garnaudière, 15, La Garnaudière, 44310 La Limouzinière, tél. 02.40.05.82.28, fax 02.40.05.99.43, lagarno@orange.fr t.l.j. sf dim. 8h-12h30 14h-19h

DOM. LE GRAND FÉ Sur lie 2011 ★

20 000 | - de 5 €

Les vignes du domaine entourent un ancien relais de poste du XVIIIe s. transformé en chai. Jean Boutin y a

LOIRE

élevé ce 2011 au nez aérien de fruits secs et de pierre à fusil. La bouche se révèle à la fois ronde et fringante, étayée par une bonne fraîcheur minérale. Tout indiqué pour l'apéritif, autour d'un bouquet de langoustines.
EARL Jean Boutin, 8, Le Poirier, 44310 La Limouzinière, tél. et fax 02.40.05.83.66, jean-boutin@wanadoo.fr
t.l.j. sf dim. 10h-12h30 15h-19h30 (sam. 17h)

DOM. DU HAUT BOURG Sur lie 2011 ★★

80 000 - de 5 €

Ce domaine d'une quarantaine d'hectares situé sur la commune de Bouaye, à la sortie de Nantes, fait de la résistance contre l'extension urbaine de la grande ville. De leur terroir de micaschistes et de granite, les Choblet ont tiré un vin au bouquet expressif de fruits blancs et d'aubépine. Ample et gras, agrémenté de jolies notes fumées, le palais s'appuie sur une fine vivacité qui porte loin la finale. Du même domaine, le **gros-plant-du-pays-nantais 2011 Sur lie (15 000 b.)** est cité pour sa souplesse.
SCEA Dom. du Haut Bourg, 11, rue de Nantes, 44830 Bouaye, tél. 02.40.65.47.69, fax 02.40.32.64.01, hautbourg@free.fr t.l.j. sf dim. 9h-12h 14h-18h

DOM. DES HERBAUGES Sur lie La Roche blanche 2011 ★

75 000 5 à 8 €

Le vignoble étend ses 12 ha sur les bords du lac de Grandlieu au microclimat océanique tempéré, si propice au melon de Bourgogne et à son épanouissement précoce. Ici, les raisins ont été récoltés le 6 septembre et ont donné naissance à ce vin pâle et limpide, au nez empreint de fines notes florales, plutôt sur la rondeur que sur la vivacité en bouche. Un vin harmonieux, que l'on verrait bien sur des saint-jacques sauce aux agrumes.
SARL Jérôme Choblet, Les Herbauges, 44830 Bouaye, tél. 02.40.65.44.92, fax 02.40.65.58.02, commercial.france@domainedesherbauges.com
t.l.j. sf dim. 9h-12h 14h-17h30

DOM. DU LOGIS Sur lie 2011 ★

11 000 - de 5 €

Ce domaine, créé en 2010 par Vincent Fiolleau, fait son entrée dans le Guide avec ce 2011 né sur le terroir de gneiss et de leptynites de Corcoué-sur-Logne. La robe est d'un jaune pâle brillant, le nez minéral comme il se doit, puis floral (aubépine) à l'aération. La bouche attaque sur une fraîcheur qu'elle ne lâche plus, et dévoile des arômes qui font écho à l'olfaction. Parfait pour les fruits de mer.
NOUVEAU PRODUCTEUR
EARL Fiolleau-Le Logis du Coin, 1, Le Logis-du-Coin, 44650 Corcoué-sur-Logne, tél. 02.40.05.94.17, fax 02.40.05.84.58, fiolleau.domainedulogis@orange.fr
t.l.j. 8h30-12h 14h-19h30

CH. DE LORIÈRE Sur lie 2011 ★

50 000 - de 5 €

Un manoir construit en 1640, pillé et incendié en 1793, confisqué par l'État, puis acquis par la famille Hervé en 1886. Depuis 1998, c'est Vincent Hervé, cinquième du nom, qui en a la charge. Il signe un 2011 bien typé : robe pâle et limpide ; bouquet floral (acacia), fruité (fruits jaunes) et minéral ; bouche à l'unisson, avec un joli gras apporté par l'élevage sur lie, tonifié par la fraîcheur iodée caractéristique du terroir. Pourquoi pas des crevettes flambées ? Le 2005 fut coup de cœur.
Vincent Hervé, Ch. de Lorière, 44830 Brains, tél. 02.40.65.68.47, chateauloriere@sfr.fr
t.l.j. sf dim. 11h-12h 17h-19h

DOM. DE LA PIERRE BLANCHE Sur lie 2011 ★★

12 000 - de 5 €

La première pierre – blanche et issue d'une petite carrière située à proximité de l'exploitation – fut posée en 1850. Elle a donné son nom à ce domaine situé au sud du vignoble nantais, dans le département de la Vendée. Le millésime 2011 est à marquer d'une pierre... blanche, puisqu'il s'agit du premier vinifié par Freddy Épiard, épaulé à l'administratif et au commercial par sa sœur Sandrine. Dans le verre, un vin en robe légère, qui livre des parfums encore naissants de fleurs blanches et de fruits mûrs. Franc en attaque, le palais dévoile une belle matière et des notes citronnées qui lui apportent de la tonicité et de l'allonge. À déguster sur un saumon en papillote.
EARL Vignoble Épiard, La Pierre-blanche, 85660 Saint-Philbert-de-Bouaine, tél. 02.51.41.93.42, fax 02.51.41.91.71, vignoble-epiard@orange.fr
t.l.j. 9h-12h 14h30-18h

Muscadet-coteaux-de-la-loire

Superficie : 244 ha
Production : 12 064 hl

DOM. DE LA CAMBUSE Sur lie 2011 ★

5 000 - de 5 €

Le vignoble du domaine, planté sur des coteaux aux sols escarpés de schistes, domine la Loire. Le melon, ici âgé de vingt-cinq ans, a donné naissance à ce 2011 au nez complexe, qui mêle les fruits exotiques (ananas) aux fleurs blanches (jasmin). La bouche se révèle ample, croquante et bien équilibrée. Recommandé sur un risotto aux coques. Sont cités le **coteaux-d'ancenis rosé 2011 (2 000 b.)**, pour sa finesse, et le **coteaux-d'ancenis malvoisie 2011 moelleux (6 000 b.)**, pour sa souplesse et son équilibre.
Dom. de la Cambuse, La Cambuse, 49530 Drain, tél. et fax 02.40.83.91.63, gaec-cambuse@orange.fr
t.l.j. sf dim. 9h-12h30 14h-19h
Toublanc

♥ **DOM. DES GALLOIRES** Sur lie Sélection 2011 ★★★

25 000 - de 5 €

Si les lecteurs du Guide connaissent plus sûrement les coteaux-d'ancenis des Galloires, ils ne seront pas déçus par la découverte de ce muscadet-coteaux-de-la-loire, jugé exceptionnel. Ses arguments ? Une robe élégante, frangée de doré. Puis un bouquet d'une grande complexité, où l'on perçoit pêle-mêle des fruits mûrs, comme l'abricot et l'ananas, des épices et des nuances minérales bien typées. Enfin, une bouche riche, ample et croquante à la fois, d'une longueur remarquable, celle des grands vins. Un modèle de finesse et d'harmonie, à découvrir aujourd'hui ou dans trois ans, sur un poisson noble, un sandre au beurre blanc par exemple. Le **coteaux-d'ancenis rosé 2011 (6 000 b.)**, tout en fruit, obtient une étoile, de même que le **coteaux-d'ancenis moelleux malvoisie 2011 (5 à 8 € ; 30 000 b.)**, bien équilibré entre richesse et minéralité.

Dom. des Galloires, La Galloire, 49530 Drain,
tél. 02.40.98.20.10, fax 02.40.98.22.06,
contact@galloires.com t.l.j. sf dim. 9h-12h 14h-19h (sam. 17h)
Toublanc

DOM. GUINDON Sur lie Cuvée Prestige 2011 ★

20 000 | 5 à 8 €

Ce domaine plus que centenaire – il a été fondé en 1907, ce qui en fait l'un des plus anciens de la rive droite de la Loire – est situé à la sortie d'Ancenis, sur la route de Nantes. Régulièrement sélectionné pour ses vins, il propose ici un 2011 de belle facture, jaune doré, au nez vif, plus végétal que minéral, ample, puissant et long en bouche. À déguster au cours des deux années à venir, sur un poisson gras en sauce.

Vignoble Guindon, La Couleuverdière,
44150 Saint-Géréon, tél. 02.40.83.18.96, fax 02.40.83.29.51,
domaine.guindon@hotmail.fr
t.l.j. sf dim. 9h-12h 14h-18h

DOM. DU HAUT FRESNE Sur lie 2011 ★★

40 000 | - de 5 €

Pas moins de trois vins sélectionnés pour ce domaine, situé à la frontière de l'Anjou et du pays nantais, dont les vins fréquentent avec assiduité les pages du Guide, en particulier dans l'appellation coteaux-d'ancenis. Mais les Renou ne négligent pas, loin de là, leur muscadet-coteaux-de-la-loire. Enracinés dans un sous-sol de micaschistes qui favorise une bonne maturité des raisins, notamment lors des millésimes difficiles, les ceps de melon de Bourgogne ont donné naissance à un vin au nez généreux et gourmand de fleur d'oranger et de brioche. Ample et enrobé, le palais affiche la même maturité, vivifié par une fine trame minérale. Le **coteaux-d'ancenis rouge 2011 gamay (20 000 b.)**, souple, fruité et épicé, est cité, de même que le **coteaux-d'ancenis moelleux 2011 pineau de la Loire (5 à 8 €)**, riche et puissant, équilibré par une juste fraîcheur.

EARL Renou Frères et Fils, Dom. du Haut Fresne,
49530 Drain, tél. 02.40.98.26.79, fax 02.40.98.27.86,
contact@renou-freres.com r.-v.

DOM. DU MOULIN GIRON Sur lie 2011 ★

19 600 | - de 5 €

À 500 m du moulin Giron, dont la construction remonte à 1450, on trouve le château de Joachim Du Bellay, le poète natif de Liré dont les vers du sonnet *Heureux qui comme Ulysse...* éveillent nos souvenirs d'enfance... La douceur angevine prend ici les contours d'un vin expressif, sur les fruits mûrs, abricot en tête, auquel une légère surmaturité confère un caractère tendre et onctueux très flatteur. Tout indiqué pour un poisson en sauce.

EARL Dom. du Moulin Giron, 49530 Liré,
tél. 06.08.09.56.20, fax 02.40.96.11.95,
domainemoulingiron@orange.fr
t.l.j. sf mer. dim. 9h30-12h 14h30-18h30
N. et J.-P. Allard

DOM. DE PORT-JEAN Sur lie 2011 ★

10 000 | - de 5 €

Ce domaine familial de 13 ha est situé sur les bords de l'Erdre, affluent de la Loire qu'appréciait tout particulièrement François Ier. Cyrille Bécavin, installé à la suite de son père Daniel en 1999, propose une cuvée élégante dans sa robe aux reflets dorés, au nez complexe et intense d'abricot, d'ananas et de fleurs blanches. Franc en attaque, le palais séduit par sa vivacité et sa longueur. À déguster sur une brochette de saint-jacques. Le **muscadet Le Nectar de l'Erdre 2009 (8 à 11 € ; 3 000 b.)**, bien équilibré entre rondeur et acidité, ample et fruité, obtient également une étoile.

EARL de Port-Jean, 54, rte de Port-Jean, L'Angle,
44470 Carquefou, tél. 06.62.43.94.64, becavin.cyrille@neuf.fr
r.-v.
Bécavin

DOM. DU QUARTERON Sur lie 2011 ★★

6 000 | - de 5 €

Ce domaine est situé dans le joli village de Bouzille, sur la rive gauche de la Loire. Le melon de Bourgogne trouve sur ses coteaux schisteux un beau terrain d'expression, ce que confirme la dégustation de ce 2011 au nez minéral, agrémenté de notes de fruits secs et d'épices. La bouche s'impose par son volume, sa chair tendre et par sa longue finale. Un vin flatteur et harmonieux, à découvrir sur un sandre en papillote et ses légumes croquants. Pour le dessert, on servira le **coteaux-d'ancenis 2011 malvoisie moelleux (5 500 b.)**, fin, souple et frais, qui obtient une étoile.

François Vincent, La Vasinière, 49530 Bouzille,
tél. 02.40.98.11.22, domaine.quarteron@orange.fr
t.l.j. sf dim. 9h-19h

LES VIGNES DE L'ALMA Sur lie 2011 ★★

4 600 | - de 5 €

À Saint-Florent-le-Vieil, haut lieu des guerres de Vendée et village charnière entre l'Anjou et le pays nantais, Roland Chevalier conduit un domaine de 10 ha, premier vignoble de l'aire du muscadet sur la route des Vins. On y découvre régulièrement de bons vins, que ce soit du côté angevin (anjou et anjou-gamay notamment) ou côté nantais. Ici, un 2011 qui a charmé les dégustateurs par son bouquet intense et original, sur les fruits exotiques (ananas, mangue, kiwi), et par son palais frais à souhait, agrémenté d'un léger perlant, signe d'un élevage sur lie, long et tonique. Que diriez-vous d'un crabe farci ?

Roland Chevalier, L'Alma, 49410 Saint-Florent-le-Vieil,
tél. 02.41.72.71.09, fax 02.41.72.63.77,
chevalier.roland@wanadoo.fr
t.l.j. sf dim. 8h30-12h30 14h-19h

LOIRE

Gros-plant-du-pays-nantais

Superficie : 1 212 ha
Production : 90 255 hl

Le gros-plant-du-pays-nantais est un vin blanc sec, AOVDQS depuis 1954 et AOC depuis 2011, produit dans trois départements : Loire-Atlantique, Maine-et-Loire et Vendée. Il est issu d'un cépage unique d'origine charentaise, la folle blanche appelée ici gros-plant. Comme le muscadet, le gros-plant peut être mis en bouteilles sur lie. Vin blanc sec, il convient parfaitement aux fruits de mer en général et aux coquillages en particulier ; il doit être servi, lui aussi, frais mais non glacé (8-9 °C).

DOM. DU CHAMP CHAPRON Sur lie 2011 *

70 000 ▮ - de 5 €

Située à la limite de la Bretagne et de l'Anjou, sur la rive sud de la Loire, cette propriété exploite des coteaux dominant la rivière Divatte (70 ha au total). Elle présente un vin au nez expressif de fruits à chair blanche (pêche) et à l'attaque franche. Équilibrée, la bouche marie harmonieusement la vivacité et la rondeur. Sa finale longue et fraîche appelle des moules marinière à la crème fraîche de Normandie.

EARL Suteau-Ollivier, Le Champ-Chapron, 44450 Barbechat, tél. 02.40.03.65.27, fax 02.40.33.34.43, suteau.ollivier@wanadoo.fr r.-v.

Carmen Suteau

CH. LA FORCHETIÈRE Sur lie 2011 **

60 000 ▮ - de 5 €

Dans le giron du groupe des Grands Chais de France depuis plusieurs années, ce vaste domaine d'une quarantaine d'hectares situé à l'entrée de Corcoué-sur-Logne s'illustre encore une fois en appellation gros-plant. Comme dans le millésime précédent, ce vin élevé sur lie a conquis le jury, qui aime sa robe d'or pâle aux reflets verts, ses parfums prononcés d'agrumes, sa finesse et sa tenue en bouche soulignées par des arômes citronnés qui ajoutent à sa fraîcheur. Un vin d'une grande harmonie qui fera le bonheur des amateurs sur un plateau de coquillages.

SCEA Champteloup, 49700 Brigné, tél. 02.40.36.66.00, fax 02.40.36.34.62

GCF

DOM. DE LA POTARDIÈRE Sur lie 2011 *

12 000 - de 5 €

C'est sur une butte dominant le marais de Goulaine, terroir particulièrement précoce pour la folle blanche, qu'est né le gros-plant de Romain Couillaud. Il s'annonce dans une robe claire et limpide animée de brillants reflets verts, et séduit par la finesse de son bouquet aux délicates nuances de fruits à chair blanche. La bouche se distingue par sa grande souplesse et par sa finale longue et harmonieuse.

Couillaud et Fils, La Potardière, 44430 Le Loroux-Bottereau, tél. 02.40.33.82.50, fax 02.51.71.92.42, domainepotardiere@orange.fr r.-v.

DOM. DU SILLON CÔTIER Sur lie 2011

2 500 ▮ - de 5 €

Aux confins ouest du vignoble nantais, les vignes du Sillon Côtier dominent la baie de Bourgneuf. Le microclimat marin favorise ici la maturité de la folle blanche qui montre dans cette cuvée 2011 une belle expression, partagée entre la minéralité et le fruit. Des senteurs d'agrumes annoncent une bouche fraîche et persistante que l'on ne saurait accorder avec d'autres huîtres que celles pêchées dans la baie de Bourgneuf, bien évidemment.

Jean-Marc Ferré, chem. de Trélebourg, 44760 Les Moutiers-en-Retz, tél. et fax 02.40.64.77.29, sillon-cotier@wanadoo.fr

t.l.j. sf dim. 10h-12h30 16h-19h

DOM. DE LA TARAUDIÈRE Sur lie 2011

40 000 ▮ - de 5 €

Les schistes du Landreau sont propices à la folle blanche, cépage unique de l'appellation gros-plant. Installé au sud de cette commune, le domaine de la Taraudière vinifie sa production de façon traditionnelle par thermorégulation. Bien équilibré, long avec juste ce qu'il faut de vivacité, son 2011 tient bien en bouche, offrant une finale citronnée et un léger perlant, témoin d'un élevage sur lies.

GAEC Madeleineau, L'Errière, 44430 Le Landreau, tél. 02.40.06.43.94, fax 02.40.06.48.82, domaine-madeleineau@orange.fr

t.l.j. sf dim. 8h30-12h30 14h30-18h30

DOM. DE LA VRILLONNIÈRE 2011 **

6 000 ▮ - de 5 €

Installé sur la route qui mène du Landreau à La Chapelle-Heulin, ce domaine dans la même famille depuis quatre générations est conduit depuis quatre ans par Stéphane Fleurance qui a parfaitement réussi la vinification de ce gros-plant. Une robe claire et limpide, un nez complexe partagé entre des senteurs florales et exotiques, et une bouche très typée, acidulée, fraîche et d'un beau volume : le vin idéal pour accompagner des anguilles grillées du marais de Goulaine. Du même domaine le **muscadet-sèvre-et-maine Sur lie 2011** (11 000 b.) au nez floral, bien équilibré et d'une bonne persistance, décroche une étoile.

EARL de La Vrillonnière, 10, La Vrillonnière, 44430 Le Landreau, tél. 02.40.06.42.00, fax 02.40.06.45.75, lavrillonniere@netcourrier.com r.-v.

Fleurance

Fiefs-vendéens

Superficie : 469 ha
Production : 27 613 hl (85 % rouge et rosé)

Anciens fiefs du Cardinal : cette dénomination évoque le passé de ces vins appréciés par Richelieu après avoir connu un renouveau au Moyen Âge ici, à l'instigation des moines, comme bien souvent. L'AOVDQS fut accordée en 1984, puis l'AOC, en 2011.

À partir de gamay, de cabernet et de pinot noir, la région de Mareuil produit des rosés et des rouges fins et fruités ; les blancs sont encore confidentiels. Non loin de la mer, le vignoble de Brem, lui, donne des blancs secs à base de chenin et de grolleau gris, ainsi que des rosés et des rouges. Aux environs de Fontenay-le-Comte, blancs secs (chenin, colombard, melon, sauvignon), rosés et rouges (gamay et cabernets) proviennent des régions de Pissotte et de Vix. On boira ces vins jeunes, selon les alliances classiques des mets et des vins.

DOM. DE LA BARBINIÈRE Chantonnay Les Silex 2011

18 000 5 à 8 €

La commune de Chantonnay est entrée dans l'aire délimitée des fiefs-vendéens en 2011. Grâce à cette nouvelle reconnaissance, la famille Orion peut proposer des vins d'AOC, comme ce rosé d'assemblage (pinot noir, gamay, cabernet-sauvignon) à la robe saumonée et au fruité discret. Ronde et équilibrée, la bouche se montre soyeuse jusqu'en finale.

EARL Orion Père et Fils, La Barbinière, Saint-Philbert, 85110 Chantonnay, tél. 02.51.34.39.72, fax 02.51.34.32.06, contact@domainedelabarbiniere.com

t.l.j. sf dim. 14h30-19h

DOM. DE LA CAMBAUDIÈRE Mareuil 2011 ★★

15 000 - de 5 €

Si cette exploitation a conservé une parcelle de négrette pré-phylloxérique, ce sont les cépages gamay (70 %) et pinot noir qui ont été choisis pour élaborer ce rosé à la robe brillante, parcourue de reflets mauves. Le nez, d'une bonne intensité, est dominé par des impressions de fruits rouges d'une grande douceur. Le gras et la fraîcheur s'accordent en bouche dans un équilibre parfait qu'accompagnent les mêmes sensations fruitées. Un rosé qui s'alliera avec bonheur à vos salades composées. Mi-chenin mi-chardonnay, le **Mareuil 2011 blanc (5 000 b.)** offre une bonne tenue en bouche et de frais arômes d'agrumes. Il obtient une étoile.

Michel Arnaud, La Cambaudière, 85320 Rosnay, tél. 02.51.30.55.12, cavearnaud@orange.fr r.-v.

LE CLOS DES CHAUMES Mareuil 2011 ★

20 000 - de 5 €

Les schistes sont très présents dans le sous-sol du vignoble des fiefs-vendéens, et les parcelles de Fabien Murail, à la tête du domaine familial depuis plus de dix ans, ne font pas exception. C'est sur ce terroir que le cabernet, accompagné du gamay et de la négrette, a mûri pour offrir sa plus belle expression dans ce vin au bouquet caractéristique de fruits rouges. Sa longueur et sa structure en bouche lui promettent un avenir certain, même si sa rondeur sera appréciée dès aujourd'hui. Les autres couleurs sont aussi retenues, avec un **Mareuil 2011 rosé (30 000 b.)** qui décroche une étoile pour sa fraîcheur et pour son expression fruitée, et un **Mareuil 2011 blanc (5 à 8 € ; 20 000 b.)** fin, floral et léger, qui est cité.

Fabien Murail, La Tudelière, 85320 La Couture, tél. 02.51.30.58.56, earl.murailfabien@orange.fr

t.l.j. sf dim. 8h30-12h15 14h-18h

DOM. COIRIER Pissotte Origine 2011 ★★

20 000 5 à 8 €

Seule famille de vignerons à produire des fiefs-vendéens sur le terroir de Pissotte, les Coirier portent fièrement ce blason viticole depuis plus d'un siècle. Vous trouverez leur domaine à la sortie de Fontenay-le-Comte sur la route de la forêt de Mervent, berceau de la fée Mélusine. Leur cuvée Origine mariant le chenin et le chardonnay a réussi à conquérir le grand jury avec sa robe d'or pâle limpide et son bouquet engageant aux nuances de fleurs blanches et d'agrumes. La bouche, harmonieuse, conjugue un côté charnu, rond et velouté, avec une impeccable fraîcheur. Évoquant à la fois les fruits jaunes et le pamplemousse rose, elle fera des merveilles sur un saumon de Norvège mariné aux agrumes. À découvrir aussi, le **Pissotte Origine 2011 rosé (20 000 b.)**, une étoile, et le **Pissotte Origine 2011 rouge (20 000 b.)**, cité.

Dom. Coirier, 15, rue des Gélinières, La Petite-Groie, 85200 Pissotte, tél. 02.51.69.40.98, fax 02.51.69.74.15, coirier@pissotte.com t.l.j. sf dim. 9h-12h 14h30-18h

CH. MARIE DU FOU Mareuil 2011 ★

200 000 5 à 8 €

Dominant les vallées du Lay et de l'Yon, ce vignoble bénéficie d'un microclimat particulier issu de la jonction de trois écosystèmes : le bocage vendéen, la plaine de Luçon et le Marais poitevin. Né sur un terroir de schiste, son rosé d'assemblage aux reflets saumonés s'ouvre à l'olfaction sur les fruits à noyau (pêche, quetsche, cerise). Ce fruité persiste longtemps dans une bouche fine, empreinte de souplesse et de fraîcheur. Le **Mareuil 2011 blanc (90 000 b.)**, à dominante de chenin, plaît pour sa longue palette fruitée et amylique (une étoile), quand le **Mareuil 2011 rouge (250 000 b.)** obtient une citation.

Ch. Marie du Fou, 5, rue de La Trémoille, 85320 Mareuil-sur-Lay, tél. 02.51.97.20.10, fax 02.51.97.21.58, jmourat@mourat.com

t.l.j. sf dim. 9h-12h30 14h30-19h

J. Mourat

VIGNOBLE MERCIER Vix Cuvée M 2011 ★

7 500 5 à 8 €

À l'extrême sud de la Vendée, le vignoble de Vix est situé sur une terrasse argilo-calcaire dominant le Marais poitevin. Pépinière viticole depuis 1890, cette exploitation familiale s'étend aujourd'hui sur 42 ha. Né d'un assemblage des cinq cépages rouges autorisés dans l'appellation, son 2011 rubis soutenu pétille de fraîcheur au nez, grâce à des nuances minérales et réglissées. En bouche, il ajoute à ces impressions des saveurs de fruits rouges, portées par une matière souple et ronde empreinte de douceur. Le **Vix**

LOIRE

cuvée M 2011 rosé (7 500 b.), vif et léger, est par ailleurs cité.

🔑 Les Vignobles Mercier, 16, rue de la Chaignée, 85770 Vix, tél. 02.51.00.60.87, fax 02.51.00.67.60, vignobles@mercier-groupe.com
t.l.j. sf dim. 8h-12h 14h-18h; sam. 8h-12h

DOM. DE LA VIEILLE RIBOULERIE
Mareuil Cuvée des Rêves de l'Yon 2011 ★

4 000 | - de 5 €

À l'origine de ce rosé, des vignes de gamay (50 %), de pinot noir (40 %) et de négrette cultivées sur les coteaux de l'Yon. Le résultat s'affiche dans une robe pétale de rose aux légères nuances saumon. Au nez, un discret bouquet floral se développe sur fond d'agrumes citronnés. En bouche, une structure souple et légère s'étire vers une longue finale aux saveurs de fruits rouges. Décrochant lui aussi une étoile, le **Mareuil cuvée des Moulins brûlés 2011 rouge (5 à 8 €; 1 800 b.)** se montre rond, fruité et soyeux.

🔑 Vignoble Macquigneau-Brisson, Le Plessis, 85320 Rosnay, tél. et fax 02.51.30.59.54, macquigneauh@aol.com r.-v.

Coteaux-d'ancenis

Superficie : 170 ha
Production : 10 131 hl (85 % rouge et rosé)

Produits sur les deux rives de la Loire, à l'est de Nantes, les coteaux-d'ancenis, classés AOVDQS en 1954, ont accédé à l'AOC en 2011. On en produit quatre types, à partir de cépages purs : gamay (80 % de la production), cabernet, chenin et malvoisie (pinot gris).

DOM. DES GÉNAUDIÈRES Gamay 2011 ★

16 000 | - de 5 €

Régulièrement sélectionnée dans le Guide pour ses coteaux-d'ancenis, cette exploitation familiale est campée sur un rocher de la commune du Cellier depuis plus de trois cent cinquante ans. Ses vignes de gamay exposées à flanc de coteau au-dessus de la Loire ont donné naissance à un rosé finement fruité, né pour moitié de pressurage direct et pour moitié de macération pelliculaire. Si le nez se montre discret, la bouche exprime pleinement des arômes de fruits rouges mûrs au sein d'une matière ample et équilibrée. Une étoile revient aussi au **gamay 2011 rouge (20 000 b.)**, pour sa légèreté et sa souplesse.

🔑 Athimon et ses enfants, Dom. des Génaudières, 44850 Le Cellier, tél. 02.40.25.40.27, fax 02.40.25.35.61, earl.athimon@wanadoo.fr
t.l.j. sf dim. 9h-12h30 14h-19h

DOM. DES GRANDES PIERRES MESLIÈRES
Gamay 2011 ★★

9 500 | - de 5 €

C'est à la sortie d'Ancenis, en direction de Nantes, que vous apercevrez ce vignoble de 20 ha et son imposant mégalithe sur lequel on pratique l'escalade. Les amateurs de randonnée se réjouiront à la découverte des sentiers pédestres de ce site préhistorique qui offrent un beau panorama sur la Loire. Les amateurs de vins ne seront pas en reste avec ce superbe rosé de gamay aux reflets violacés. La fraise, le cassis et la framboise se partagent le bouquet intense qui annonce un développement souple et acidulé en bouche, sur des arômes persistants de fruits rouges. Le **muscadet-coteaux-de-la-loire Ch. Meslière 2011 blanc Sur lie (26 600 b.)**, vin léger et facile aux accents citronnés, est cité.

🔑 Jean-Claude Toublanc, Les Pierres-Meslières, 44150 Saint-Géréon, tél. 06.81.77.84.88, fax 02.40.83.23.95, toublanc.jc@bbox.fr r.-v.

DOM. MERCERON-MARTIN Malvoisie 2011

9 500 | 5 à 8 €

Tout juste associés au sein de ce domaine de 30 ha situé sur la rive gauche de la Loire, dans la dernière commune du Maine-et-Loire, Emmanuel Merceron et Olivier Martin sont déjà distingués dans le Guide avec un moelleux à la robe très pâle. La mangue et la pêche signalent leur présence dans un bouquet discret, qui précède une bouche souple en attaque, ronde et équilibrée par une vivacité assez marquée.

NOUVEAU PRODUCTEUR

🔑 Dom. Merceron-Martin, 41, La Coindassière, 49270 La Varenne, tél. 02.40.83.53.32, contact@domainemerceronmartin.fr r.-v.

DOM. DU MOULIN GIRON Malvoisie 2011

6 800 | 5 à 8 €

Produite dans le village natal du poète Joachim Du Bellay, cette malvoisie élevée six mois en cuve se présente dans une robe jaune pâle limpide. Après une légère agitation du verre, elle libère des parfums de fruits exotiques bien mûrs. Dans un style friand et fruité (nuances de pêche), la bouche est celle d'un moelleux léger et élégant, à apprécier à l'apéritif.

🔑 EARL Dom. du Moulin Giron, 49530 Liré, tél. 06.08.09.56.20, fax 02.40.96.11.95, domainemoulingiron@orange.fr
t.l.j. sf mer. dim. 9h30-12h 14h30-18h30
🔑 N. & J.-P. Allard

DENIS ONILLON Malvoisie 2011 ★

1 500 | - de 5 €

Auteur d'une cuvée élue coup de cœur l'an dernier en appellation muscadet-coteaux-de-la-loire, Denis Onillon signe un blanc moelleux issu de pinot gris. Cultivée sur des micaschistes de la rive gauche de la Loire, cette malvoisie a trouvé son terroir de prédilection. Assez discrète au premier nez, elle laisse poindre quelques parfums de litchi, de fleurs et de fruits confits. Souple, soyeuse et longue, elle mise tout sur la douceur, rehaussée en bouche par des arômes rappelant la gelée de coing. À déguster sur des toasts au foie gras.

🔑 Denis Onillon, 144, rue de la Draperie, 49530 Liré, tél. et fax 02.40.09.02.24, onillondenis@orange.fr
t.l.j. sf mer. dim. 9h-12h 14h-19h; f. 15-31 août

CH. DU ROTY Gamay 2011 ★★

17 300 | - de 5 €

Installée depuis 1955 à l'extrême nord du vignoble ancenien, dans une commune assez peu viticole, la famille Bodineau cultive 2 ha de gamay sur un terroir de micaschistes. Elle en a tiré un 2011, à la couleur rubis nuancée de violine, tout aussi remarquable que le millésime précédent. Annoncé par des notes de sous-bois, le nez développe à l'aération des fragrances de fruits mûrs. De la matière, de la puissance et de la longueur : la bouche ne ménage pas ses effets, enrobée d'arômes de myrtille et de fraise que vient relever une pointe de minéralité. Pour une association réussie, préparez quelques cailles aux raisins.

GAEC du Roty, Le Roty, 44150 Saint-Herblon, tél. 02.40.98.00.88, fax 02.40.98.01.83, bodineau-michel@wanadoo.fr
t.l.j. sf dim. 8h30-12h30 14h-19h30

Anjou-Saumur

À la limite septentrionale des zones de culture de la vigne, sous un climat atlantique, avec un relief peu accentué et de nombreux cours d'eau, les vignobles d'Anjou et de Saumur s'étendent dans le département du Maine-et-Loire, débordant un peu sur le nord de la Vienne et des Deux-Sèvres.

Les vignes ont depuis fort longtemps été cultivées sur les coteaux de la Loire, du Layon, de l'Aubance, du Loir, du Thouet... C'est à la fin du XIXes. que les surfaces plantées sont les plus vastes. Le Dr Guyot, dans un rapport au ministre de l'Agriculture, cite alors 31 000 ha en Maine-et-Loire. Le phylloxéra anéantira le vignoble, comme partout. Les replantations s'effectueront au début du XXes. et se développeront un peu dans les années 1950-1960, pour régresser ensuite. Aujourd'hui, ce vignoble couvre environ 17 380 ha, qui produisent un million d'hectolitres.

Les sols, bien sûr, complètent très largement le climat pour façonner la typicité des vins de la région. C'est ainsi qu'il faut faire une nette différence entre ceux qui sont produits en « Anjou noir », constitué de schistes et autres roches primaires du Massif armoricain, et ceux qui sont produits en « Anjou blanc » ou Saumurois, nés sur les terrains sédimentaires du Bassin parisien dans lesquels domine la craie tuffeau. Les cours d'eau ont également joué un rôle important pour le commerce : ne trouve-t-on pas encore trace aujourd'hui de petits ports d'embarquement sur le Layon ? Les plantations sont de 4 500-5 000 pieds par hectare ; la taille, qui était plus particulièrement en gobelet et en éventail, est aujourd'hui en guyot.

La réputation de l'Anjou est due aux vins blancs moelleux, dont les coteaux-du-layon sont les plus connus. Cependant, l'évolution conduit désormais aux types demi-sec et sec, à la production de vins rouges et, plus récemment encore, de rosés, qui ont le vent en poupe. Dans le Saumurois, ces derniers sont les plus estimés, avec les vins mousseux qui ont connu une forte croissance, notamment les AOC saumur et crémant-de-loire.

Anjou

Superficie : 1 890 ha
Production : 98 794 hl (61 % rouge)

Constituée d'un ensemble de près de 200 communes, l'aire géographique de cette appellation régionale englobe toutes les autres. Traditionnellement, le vin d'Anjou était un vin blanc doux ou moelleux, issu de chenin, ou pineau de la Loire. L'évolution de la consommation vers des secs a conduit les producteurs à associer à ce cépage chardonnay ou sauvignon, dans la limite maximale de 20 %. La production de vins rouges s'est accrue depuis les années 1970 (et surtout celle des rosés, qui disposent d'appellations spécifiques). Ce sont les cépages cabernet franc et cabernet-sauvignon qui sont alors mis en œuvre.

VIGNOBLE DE L'ARCISON 2011

7 500 - de 5 €

Sur 2 ha de schistes, Romain Reulier a récolté le cabernet franc qu'il a ensuite élevé six mois en cuve. Son anjou dévoile une intense palette de fruits frais (mûre, cassis, framboise). Ample et intense, la bouche plaisante est portée par des tanins légers. À boire dans l'immédiat ou à attendre une ou deux années.

Romain Reulier, Vignoble de l'Arcison, Le Mesnil, 49380 Thouarcé, tél. 02.41.54.16.81, fax 02.41.54.31.12, vignoble-arcison@orange.fr r.-v.

CH. D'AVRILLÉ 2011

30 000 - de 5 €

Quand on est allergique au cuir, on peut toujours se pencher sur les cuves de cabernet. C'est notamment ce qu'a fait Eusèbe Biotteau dans les années qui précédèrent la Seconde Guerre mondiale, abandonnant alors son métier de cordonnier pour se consacrer aux 40 ha de vignes du domaine d'Avrillé. Aujourd'hui, l'exploitation gérée par l'un de ses petits-fils, Pascal, compte 200 ha conduits dans le respect de la tradition. Son 2011 se révèle franc en bouche, fruité et frais. Il sera un compagnon tout indiqué pour des grillades au feu de bois.

SCEA Biotteau, Ch. d'Avrillé, 49320 Saint-Jean-des-Mauvrets, tél. 02.41.91.22.46, fax 02.41.91.25.80, chateau.avrille@wanadoo.fr
t.l.j. sf dim. 9h30-12h 14h30-18h30

B **DOM. DE BABLUT** Ordovicien 2010 ★

11 000 8 à 11 €

La famille Daviau a engendré des lignées de meuniers et de vignerons dans le secteur de Brissac. La minoterie a fermée à la fin du XIXes. mais la filière viticole, créée en 1546, poursuit avec succès son chemin. Arrivé sur le domaine en 1989 après des études d'œnologie à l'université de Bordeaux et une expérience en Australie, Christophe Daviau a su apporter sa pierre à l'édifice

LOIRE

familial. Après avoir expérimenté la biodynamie en 1993, il a converti trois ans plus tard l'ensemble du vignoble en agriculture biologique. La cuvée Ordovicien née sur schistes et grès est aujourd'hui une référence de l'appellation. La sélection 2010 élevée dix-huit mois en barrique affiche une belle harmonie. Le nez est délicat et riche ; encore boisé, il donnera sa pleine mesure dans quelques mois. Ample et fraîche, la bouche révèle un bel équilibre.

Daviau, Dom. de Bablut, 49320 Brissac-Quincé, tél. 02.41.91.22.59, fax 02.41.91.24.77, daviau.contact@wanadoo.fr
t.l.j. sf dim. 9h-12h 14h-18h30

CH. DE BELLEVUE Cuvée Tradition 2011 ★

10 700 | 5 à 8 €

Le nom de la propriété Bellevue n'est pas usurpé. Le charmant panorama qui se déroule à ses pieds invite à la contemplation. La vigne, elle, n'attend pas, et ce vaste domaine de 32 ha se doit d'assurer la production en anjou, savennières, chaumes, crémant et autres flacons. Né sur l'argilo-schisteux, ce 2011 a belle allure dans sa robe grenat. Un nez flatteur de fruits rouges donne le ton. Il annonce une bouche harmonieuse et charpentée. On ouvrira cette jolie bouteille sur une côte de bœuf.

Hervé Tijou, EARL Tijou et Fils, Ch. de Bellevue, 49190 Saint-Aubin-de-Luigné, tél. 02.41.78.33.11, chateaubellevuetijou@orange.fr
t.l.j. sf dim. 9h-12h 14h-18h

DOM. DE LA BODIÈRE Bonnes Blanches 2010 ★

3 500 | 5 à 8 €

Installé à Saint-Lambert-du-Lattay, le domaine de la Bodière a développé un partenariat avec le musée de la Vigne et du Vin d'Anjou. Ce lieu attire nombre de visiteurs, pour une halte, un pique-nique ou une dégustation de vins. L'occasion d'apprécier notamment ce bel anjou vendangé à la main, puis élevé six mois en cuve et douze en barrique. Tout cela aboutit à un vin paré de rubis, « facile à boire, léger et fruité », selon un dégustateur. Si le nez de fruits rouges et de fruits secs est marqué par le bois (vanille), la bouche allie rondeur et fraîcheur dans un bel équilibre.

Tony Rousseau, 8 bis, rue de la Chauvière, 49750 Saint-Lambert-du-Lattay, tél. 02.41.78.34.76, fax 02.41.78.44.40, rousseau@vignoblerousseau.com
r.-v.

CH. D BOIS-BRINÇON La Seigneurie 2010

10 000 | 5 à 8 €

Xavier Cailleau, dont le domaine est converti au « bio », vendange à la main ses 2,5 ha situés sur des terres reposant sur le tuffeau et plantés de vignes âgées de trente-cinq ans. Paré d'une robe pourpre intense, ce pur cabernet franc dévoile, au nez comme en bouche, de croquants arômes de fruits noirs. Ce vin expressif aux tanins vifs méritera une petite attente pour révéler tout son potentiel.

Xavier Cailleau, Le Bois-Brinçon, 49320 Blaison-Gohier, tél. 02.41.57.19.62, fax 02.41.57.10.46, chateau.bois.brincon@terre-net.fr r.-v.

SOPHIE ET JEAN-CHRISTIAN BONNIN 2011 ★★

15 000 | 5 à 8 €

Sophie et Jean-Christian Bonnin, tous deux œnologues s'attachent à montrer la belle diversité des terroirs à travers des vins « friands et gourmands ». Ce 2011 rouge, qui a frôlé le coup de cœur, en est une belle illustration. Sur l'argilo-calcaire et le schiste, le cabernet franc a puisé de belles énergies qui se manifestent dès le premier regard porté à la robe rubis éclatant de cette cuvée. Au nez comme en bouche, fruits rouges, violette et pivoine se mêlent dans une ronde joyeuse. L'harmonie est au rendez-vous. Parfait pour un barbecue.

SCEA Sophie et Jean-Christian Bonnin, Dom. la Croix des Loges, 49540 Martigné-Briand, tél. 02.41.59.43.58, fax 02.41.59.41.11, bonninlesloges@orange.fr r.-v.

CH. DE BROSSAY 2011 ★

4 000 | - de 5 €

Le vignoble de ce château, qui s'étend sur 45 ha, se situe dans le Haut-Layon, au sud de l'Anjou et à l'ouest du Saumurois. Les pratiques culturales obéissent aux principes bien connus de la viticulture raisonnée : travail du sol, enherbements, interventions justes et précises. C'est sur 50 ares d'un sol argilo-graveleux sur schistes que les deux cabernets ont donné ce rouge pimpant et gracieux, digne représentant de l'appellation. On aimera ses arômes de cassis et son fruité rond et souple qui flatte le palais.

Ch. de Brossay, Brossay, 49560 Cléré-sur-Layon, tél. 02.41.59.59.95, fax 02.41.59.58.81, contact@chateau.brossay.fr
t.l.j. sf dim. 8h-12h30 14h-18h30
Deffois Reth

DOM. DE CHANTEMERLE Cuvée Tradition 2011

20 000 | - de 5 €

Signataires de la charte de qualité des vignerons indépendants, Caroline et Patrick Laurilleux pratiquent une viticulture propre et durable. Vendangé à la machine et élevé un an en cuve, cet anjou fruité (cerise) et souple laisse le dégustateur sur de délicieuses sensations de fraîcheur. Un bon classique.

EARL Patrick et Caroline Laurilleux, 4, rue de l'École, 49310 Trémont, tél. 02.41.59.43.18, chantemerle49@wanadoo.fr r.-v.

DOM. DE LA CLARTIÈRE Cuvée Terres de Paillé 2011 ★

2 600 | 5 à 8 €

Installé depuis 2007 sur le domaine familial, Pierre-Antoine Pinet s'est fait connaître par ses rosés de qualité qui représentent 70 % de sa production. Cette année, c'est un anjou blanc issu de chenin enraciné sur une parcelle argilo-schisteuse qui a retenu l'attention du jury. Ce 2011 s'affiche dans une belle robe jaune pâle nuancée de reflets verts. Le bouquet aux arômes fruités (coing) et boisés se montre riche et aromatique. Un brin de sucres résiduels (5 g/l) rend ce vin particulièrement pulpeux et délicat, jusque dans l'expression de ses fines notes boisées.

Pierre-Antoine Pinet, Dom. de la Clartière, 49560 Nueil-sur-Layon, tél. et fax 02.41.59.53.05, earlpinet@orange.fr t.l.j. sf dim. 10h-19h

DOM. DU CLOS DES GOHARDS 2011 ★

8 000 | - de 5 €

Mickaël et Fabienne Joselon, le frère et la sœur, ont repris l'exploitation familiale en 2010 lors du départ de leur père à la retraite. Et ils comptent bien faire de cet important vignoble (40 ha), réparti sur diverses appellations ligériennes, une référence. Leur anjou rouge devrait

tenter plus d'un gourmet. Il a su capter les richesses des deux cabernets, conjuguant élégance et générosité. Des notes de fruits mûrs et de fumée, de l'ampleur et de la douceur : ce vin s'épanouit en une bouche harmonieuse.
EARL Joselon, Les Oisonnières,
49380 Chavagnes-les-Eaux, tél. et fax 02.41.54.13.98,
earljoselon@orange.fr r.-v.

DOM. DE CONQUESSAC 2011 ★

6 450 - de 5 €

En 2011, Nicolas et Paul Hervé ont repris ce vignoble exploité historiquement par la famille Delaunay. Connu pour ses coteaux-de-l'aubance et ses anjou-villages-brissac, le domaine de Conquessac signe un bel anjou 2011, dont la fermentation a démarré « naturellement » avec le seul secours des levures indigènes. S'il tarde un peu à s'ouvrir lors de l'olfaction, il assume pleinement, une fois aéré, ses qualités angevines : souplesse en bouche, finesse aromatique, tanins délicats. Une courte garde (deux à trois ans) devrait encore le bonifier.
EARL Dom. de Conquessac, Les Landes,
49320 Vauchrétien, tél. 02.41.47.64.69,
xavierleble@hotmail.fr t.l.j. sf dim. 8h-18h

DOM. DE LA COUCHETIÈRE Cuvée Les Sables 2010 ★

2 600 5 à 8 €

L'exploitation familiale est tenue aujourd'hui par les deux frères Éric et Tony Brault, qui ont fait agrandir le chai cette année (réalisation d'un chai à barriques et renouvellement de la cuverie). La région de Brissac a la particularité d'être une zone de transition géologique où se rencontrent en quelques kilomètres des formations du Massif armoricain, des formations sableuses et graveleuses du début du Secondaire, et les roches calcaires constituant les auréoles occidentales du Bassin parisien. Cette sélection 2010 est issue de sables ; elle a été vinifiée et élevée en barrique pendant neuf mois. Le nez intense est encore dominé par des notes boisées nuancées de touches beurrées apportées par la fermentation malolactique. La bouche ample et délicate se termine sur des notes de fruits blancs et d'agrumes très agréables. Les amateurs de vins boisés l'apprécieront dès aujourd'hui ; les autres pourront attendre un à deux ans.
GAEC Brault, Dom. de la Couchetière,
49380 Notre-Dame-d'Allençon, tél. 02.41.54.30.26,
fax 02.41.54.40.98 t.l.j. sf dim. 8h-12h 14h-19h

DOM. DES DEUX ARCS 2011 ★

10 000 - de 5 €

Cette exploitation familiale située à Martigné-Briand et dirigée par Michel et Jean-Marie Gazeau s'est orientée peu à peu vers une viticulture plus respectueuse de l'environnement. Régulièrement distinguée dans le Guide (coup de cœur dans l'édition 2011), cette cuvée pourpre nuancée de parme séduit par son nez gourmand de framboise et de mûre, par sa bouche croquante et sa longue finale reposant sur des tanins mûrs. Un 2011 très réussi, à apprécier dans un an ou deux sur une viande rouge.
Dom. des Deux Arcs, 11, rue du 8-Mai-1945,
49540 Martigné-Briand, tél. 02.41.59.47.37,
do2arc@wanadoo.fr
t.l.j. sf dim. 9h-12h30 14h-19h
Michel Gazeau

DOM. DES DEUX VALLÉES Clos de la Casse 2010 ★

12 000 5 à 8 €

Philippe et René Socheleau ont repris et restructuré le domaine des Deux Vallées en 2001, et construit un nouveau chai situé sur la corniche angevine surplombant les vallées de la Loire et du Layon. Le chenin est ici sur ses terres de prédilection, et l'exploitation lui consacre son énergie et sa passion. La sélection 2010 a été récoltée à la main, et la vinification s'est déroulée en barrique pendant une année. Le nez avec ses notes de beurre et de noix est caractéristique de la fermentation malolactique. La bouche ronde et intense rappelle la richesse de raisins scrupuleusement sélectionnés. Un vin au bon potentiel, qui peut être conservé plusieurs années.
SCEA Dom. des Deux Vallées, Bellevue,
49190 Saint-Aubin-de-Luigné, tél. 02.41.78.33.24,
fax 02.41.78.66.58, contact@domaine2vallees.com
t.l.j. sf dim. 9h-12h 14h-18h
Socheleau

DOM. DE LA DOUESNERIE 2011 ★

6 000 - de 5 €

Ce domaine situé à Vauchrétien, dont les origines remontent au XVIe s., a transmis au fil des générations un savoir-faire vigneron plusieurs fois récompensé dans le Guide, notamment pour ses coteaux-de-l'aubance. Élaboré selon les rites classiques (températures contrôlées, courtes macérations, brassages traditionnels), ce pur cabernet franc attire l'œil dans sa robe écarlate. Le bouquet de fruits rouges mêlés à des touches de poivron est caractéristique du cépage. Il annonce une bouche ronde et équilibrée, portée par des tanins fermes qui offrent un bon potentiel à ce vin. Idéal pour accompagner viandes et fromages.
Rabineau-Fillion, La Douesnerie, 4, rue Principale,
49320 Vauchrétien, tél. 02.41.54.81.62, fax 02.41.54.82.73,
rabineau@terre-net.fr
t.l.j. sf dim. 9h-12h30 14h-18h30; sam. sur r.-v.

CH. DU FRESNE Demi-sec Brin de fou 2011

8 000 - de 5 €

Plus connu pour sa production d'anjou rouge, ce vaste domaine (80 ha) consacre 1 ha à ce pur chenin né sur un sol schisto-gréseux qui confère au vin une belle acidité naturelle. Annoncé « demi-sec », ce Brin de fou au nez de fleurs, de fruits et de miel confirme en bouche un taux raisonnable de sucres résiduels (34 g/l). La rondeur du palais, vivifiée par une pointe citronnée, se révèle très agréable. Un vin destiné à des entrées de type oriental.
Ch. du Fresne, 25 bis, rue des Monts,
49380 Faye-d'Anjou, tél. 02.41.54.30.88, fax 02.41.54.17.52,
contact@chateaudufresneanjou.com
t.l.j. sf dim. 8h-12h 14h-19h

DOM. DES GALLOIRES Les Rougeries 2011

13 000 - de 5 €

Pas moins de treize cuvées (rouges, blancs, rosés, crémants...) sont produites sur cette propriété familiale dont le cœur se trouve sur l'emplacement d'un ancien manoir. Ce 2011 vêtu de pourpre aux reflets pétale de rose dévoile un nez ouvert sur les fruits rouges et les fleurs et

LOIRE

une bouche fraîche et tendre. Cette bouteille accompagnera facilement charcuterie et grillades.
Dom. des Galloires, La Galloire, 49530 Drain, tél. 02.40.98.20.10, fax 02.40.98.22.06, contact@galloires.com t.l.j. sf dim. 9h-12h 14h-19h (sam. 17h)
Toublanc

DOM. LES GRANDES VIGNES
Le Temps des vignes L'Aubinaie 2011

29 000 | 5 à 8 €

Dans la famille Vaillant depuis le début du XVIIe s., ce domaine récemment converti à la biodynamie (2008) s'est beaucoup agrandi au fil du temps. Il occupe à ce jour une importante surface de 55 ha. Élevé six mois en barrique, ce 2011 ample, riche et généreux, dévoile un aimable fruité, en dépit d'un boisé jugé encore un peu impérieux. Pour une viande rôtie.
Dom. les Grandes Vignes, La Roche-Aubry, 49380 Thouarcé, tél. 02.41.54.05.06, fax 02.41.54.08.21, vaillant@domainelesgrandesvignes.com r.-v.
Vaillant

DOM. DU HAUT FRESNE 2011

10 000 | - de 5 €

Non loin de la maison natale de Joachim Du Bellay, les vins du domaine du Haut Fresne, inspirés sans doute par le poète, ont pris la bonne habitude de nous entraîner, « comme Ulysse » à faire « un beau voyage ». Gustatif, cela se comprend... Cet anjou est un aimable guide. Léger et frais en bouche, friand sur des notes de fruits rouges, il fera un galant compagnon pour une viande grillée, rouge ou blanche.
EARL Renou Frères et Fils, Dom. du Haut Fresne, 49530 Drain, tél. 02.40.98.26.79, fax 02.40.98.27.86, contact@renou-freres.com r.-v.

LEDUC-FROUIN La Seigneurie 2010 ★★

6 000 | 5 à 8 €

Ce domaine familial situé dans un village troglodytique possède des caves souterraines ; les vins y séjournent dans la fraîcheur du falun. Partisan de la lutte raisonnée, Antoine Leduc prend grand soin de ses vignes. Régulièrement présenté dans ces pages pour ses vins rosés et moelleux, il se distingue ici avec un superbe anjou issu du seul cabernet franc et élevé douze mois en cuve. Rond, fruité et charnu, ce 2010, qui n'est pas passé loin du coup de cœur, régale les papilles. On l'appréciera sans attendre sur une savoureuse selle d'agneau au thym.
Dom. Leduc-Frouin, La Seigneurie, Soussigné, 49540 Martigné-Briand, tél. 02.41.59.42.83, fax 02.41.59.47.90, info@leduc-frouin.com r.-v.

DOM. LEROY Vinifié en fût de chêne 2011

3 000 | 5 à 8 €

Né de chenin planté sur un terroir argilo-schisteux, ce blanc paré d'un jaune paille étincelant offre un fruité léger. Riche, grasse et boisée, cette cuvée n'a pas encore maîtrisé totalement les effets de sa rencontre de cinq mois avec le chêne. Mais on peut parier que sa matière reprendra le dessus après un séjour en cave durant deux à trois ans. Le moment sera alors venu de l'apprécier sur une sole à la crème ou des coquilles Saint-Jacques.
Jean-Michel Leroy, 15, rue d'Anjou, 49540 Aubigné-sur-Layon, tél. 02.41.59.61.00, fax 02.41.59.96.47, leroy.domaine@wanadoo.fr t.l.j. sf dim. 8h30-12h30 14h-19h; f. juil.-août

JEAN-LOUIS LHUMEAU 2010 ★★

5 000 | 5 à 8 €

Joël et Jean-Louis Lhumeau consacrent 2 ha de cabernet franc à cette remarquable cuvée qu'ils vendangent à la fraîche, dans le but de préserver la qualité du fruit. Leur rouge 2010, élevé douze mois en fût, a tout d'un grand : couleur intense, nez puissant de fruits noirs et rouges bien mûrs agrémentés de notes boisées et minérales (pierre à fusil), et bouche opulente, harmonieuse et longue. L'équilibre est parfait.
EARL Joël et Jean-Louis Lhumeau, 7, rue Saint-Vincent, Linières, 49700 Brigné, tél. 02.41.59.30.51, fax 02.41.59.31.75, dnehauteshouches@wanadoo.fr r.-v.

DOM. MARTIN 2011

1 000 | - de 5 €

Voilà un anjou blanc extrait de chenin mûr, fringant d'allure dans sa tenue jaune clair. Le nez, aérien, libère d'élégants parfums de fleurs blanches. Ces arômes persistent dans une bouche ronde et souple, qui achève sa course friande sur de séduisantes notes de fruits secs. Un joli vin d'apéritif.
Dom. des Martin, 10, rue de la Gare, Vraire, 79290 Cersay, tél. et fax 05.49.96.80.71, domainedesmartin@orange.fr r.-v.

DOM. MATIGNON Sur le fruit 2011 ★★

20 000 | 5 à 8 €

L'étiquette « Sur le fruit » annonce les intentions des auteurs, Yves et Hélène Matignon, frère et sœur pour l'état civil et... pour les efforts qu'ils déploient en faveur de la vigne. Du cabernet franc enraciné sur les schistes ils ont su extraire le meilleur, ce qui n'a pas échappé aux dégustateurs qui ont noté la parfaite adéquation entre le terroir et le vin. Un bouquet intense de fruits rouges (framboise) agrémentés de notes épicées, une bouche ronde et fraîche, aux tanins soyeux : il n'en fallait pas plus séduire le jury.
EARL Yves et Hélène Matignon, 21, av. du Château, 49540 Martigné-Briand, tél. 02.41.59.43.71, info@domaine-matignon.fr r.-v.

♥ DOM. DE MIHOUDY Les Tréjeots 2011 ★★

120 000 | 5 à 8 €

Jean-Paul Cochard a hérité du savoir-faire de six générations vigneronnes qui bâtirent la renommée du domaine de Mihoudy. Cette année, il réussit un tir groupé impressionnant. Sa cuvée Les Tréjeots arbore une belle robe rubis aux vifs reflets violines. Le bouquet livre de douces senteurs de fruits rouges et noirs auxquelles se mêlent de stimulantes notes poivrées. La bouche, à l'unisson, dévoile une matière veloutée, parfaitement équilibrée entre la rondeur du fruit et la suavité de la chair. Voici un flacon à la belle personnalité que l'on débouchera, l'automne venu, sur une pièce de gibier. Plus modeste, la cuvée **Delectum 2011 rouge (8 à 11 € ; 13 000 b.)** reçoit une étoile pour sa bouche ample, fruitée, de belle longueur. Même distinction pour la cuvée **Quid Novi 2011 blanc (5 à 8 € ; 7 000 b.)**, qui avait obtenu un coup de cœur en 2009 : un vin gourmand aux arômes intenses de coing et de fleurs blanches.

Cochard et Fils, Dom. de Mihoudy, 49540 Aubigné-sur-Layon, tél. 02.41.59.46.52, fax 02.41.59.68.77, domainedemihoudy@orange.fr

t.l.j. sf dim. 8h30-12h 14h-18h

DOM. LE MONT 2011 ★

■ 15 000 - de 5 €

Claude Robin a repris en 1995 le domaine familial situé sur l'une des communes les plus réputées du vignoble des coteaux-du-layon. Quatre hectares de vignes de cabernet franc âgées de quarante ans ont donné naissance à cette cuvée intense, tant par sa robe que par son bouquet de fruits rouges et noirs. Des arômes généreux que l'on retrouve dans un palais ample et suave, adossé à des tanins fondus. Un anjou bien dans la tradition.

EARL Louis et Claude Robin, 64, rue des Monts, 49380 Faye-d'Anjou, tél. 02.41.54.31.41, fax 02.41.54.17.98, clauderobin@domainelemont.fr

t.l.j. sf dim. 8h30-12h30 14h-19h

LE MOULIN DU SABLON 2011 ★

■ 10 000 - de 5 €

Depuis que Jacques Baranger a repris le domaine en 1984, celui-ci s'est bien agrandi. Aujourd'hui, le vigneron dispose de 20 ha et propose une large gamme de vins : rosé-d'anjou, rosé-de-loire, anjou-villages, cabernet-d'anjou.... Élevé en cuve, ce 2011 est issu de l'assemblage à parts égales des deux cabernets. Le nez est quelque peu sur la réserve, tandis que la bouche, ronde et gouleyante, est portée par les fruits mûrs. On conseillera ce vin sur une viande de bœuf ou sur un fromage de chèvre... d'Anjou.

Anjou et Saumur

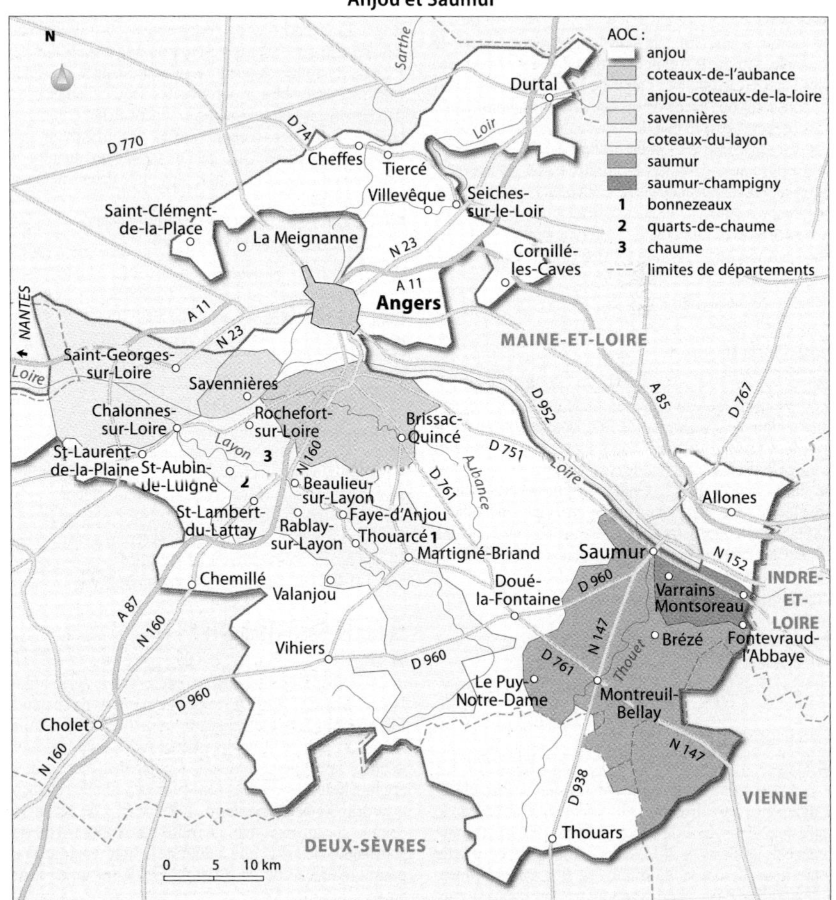

LOIRE

EARL le Moulin du Sablon, Le Sablon,
49540 La Fosse-de-Tigné, tél. 02.41.59.47.16,
lemoulindusablon@wanadoo.fr r.-v.
Jacques Baranger

VIGNOBLE MUSSET-ROULLIER Les Neuf Vingt 2011 ★★

25 000 | 5 à 8 €

Autrefois, la part de la récolte due par le métayer à son fermier était fixée à neuf vingtièmes. Voici l'explication du nom de cette cuvée qui a séduit les dégustateurs par la qualité de sa matière et, surtout, par son élégance. Robe brillante et bouquet généreux qui évoque le pruneau confit, bouche à l'unisson, souple et harmonieuse, sur les fruits bien mûrs. Sans doute pourrez-vous déguster ce vin à l'occasion du concert organisé à la propriété le premier week-end de décembre.

Vignoble Musset-Roullier, 36, Le Bas-Chaumier,
49620 La Pommeraye, tél. 02.41.39.05.71, fax 02.41.77.75.76,
musset.roullier@wanadoo.fr
t.l.j. 9h-12h 14h-18h; dim. sur r.-v.

DOM. DES NOËLS 2011 ★

3 500 | - de 5 €

Situé à une vingtaine de kilomètres d'Angers, le vignoble de Faye-d'Anjou était naguère réputé pour ses vins blancs. Cela n'a pas empêché le domaine des Noëls de consacrer une partie de ses activités à l'élaboration de vins rouges. Celui-ci, issu des deux cabernets complantés sur de l'argilo-schisteux, a fière allure dans sa robe rouge foncé. Des arômes fruités et floraux (rose, glycine) très agréables s'échappent du verre. Fraîche et bien équilibrée, la bouche s'étire en longueur. Beaucoup de plaisir en perspective avec une grillade au feu de bois.

Dom. des Noëls, Les Noëls, 49380 Faye-d'Anjou,
tél. 02.41.54.18.01, fax 02.41.54.30.76,
domaine-des-noels@terre-net.fr r.-v.

DOM. OGEREAU 2010 ★

8 400 | 5 à 8 €

Vincent Ogereau ne se cantonne pas seulement à la production de savennières et de coteaux-du-layon. Il excelle également dans l'élaboration de vins rouges, comme le prouvent les nombreuses distinctions obtenues au fil des années dans le Guide. Ce pur cabernet franc, résultat de soins méticuleux prodigués à la vigne, affiche de belles prétentions. La robe, brillante, annonce un vin à la santé insolente, et dévoile un bouquet gourmand (salade de fruits rouges et noirs) d'une grande élégance. Un exemple de droiture et d'équilibre. Parfait sur une viande rouge.

Vincent Ogereau, 44, rue de la Belle-Angevine,
49750 Saint-Lambert-du-Lattay, tél. 02.41.78.30.53,
fax 02.41.78.43.55, contact@domaineogereau.com r.-v.

CH. DE PASSAVANT 2011 ★★

26 000 | 5 à 8 €

Déjà certifié en agriculture biologique, cet habitué du Guide verra sa conversion en biodynamie actée par le millésime 2012. Issu de cabernet franc (90 %) et d'une touche de grolleau, ce 2011, dans sa robe vive, dévoile de jolies notes de cerise, de framboise et d'épices. Ample, souple et fruité, ce vin est structuré par des tanins soyeux qui invitent à le découvrir sans attendre. « Harmonieux ! » note tout simplement un dégustateur en guise de bilan.

SCEA David-Lecomte, 31, rue du Prieuré,
49560 Passavant-sur-Layon, tél. 02.41.59.53.96,
fax 02.41.59.57.91, passavant@wanadoo.fr r.-v.

DOM. DU PETIT VAL 2010 ★

5 000 | - de 5 €

Denis Goizil, qui avait repris l'exploitation familiale en 1988, est désormais secondé par son fils Simon. La relève est donc assurée. Élevé en cuve, ce cabernet franc s'exprime surtout sur le fruit et la fraîcheur. Le nez tout en finesse laisse poindre d'agréables notes de petits fruits rouges bien mûrs et un brin épicés, qui se prolongent dans une bouche ronde et équilibrée. La finale, de belle longueur, achève de convaincre.

Denis Goizil, Dom. du Petit Val, 49380 Chavagnes,
tél. 02.41.54.31.14, fax 02.41.54.03.48, denisgoizil@aliceadsl.fr
t.l.j. sf dim. 9h-12h 14h-19h

FRANÇOIS PRÉVOST 2011 ★

3 000 | - de 5 €

Vigneron à Faye d'Anjou et précisément au lieu-dit Ragot, François Prévost a restructuré à partir de 2008 un petit domaine de 7,5 ha et s'est tourné vers la vente directe. Il signe un rouge éloquent. L'intensité fruitée des deux cabernets assemblés à parts égales séduit d'emblée les papilles. Fruits noirs et rouges dominent au nez comme en bouche. Les tanins encore jeunes perturbent un peu l'harmonie en finale. Qu'à cela ne tienne, on attendra ce vin pendant trois ans en cave, puis on le débouchera sur une entrecôte.

François Prévost, Ragot, 49380 Faye-d'Anjou,
tél. 02.41.78.55.56, prevost-f@orange.fr
t.l.j. 8h-12h30 13h-19h

DOM. DES RICHÈRES Seigneurie de Millé 2011

14 000 | 5 à 8 €

Ce domaine viticole anciennement rattaché à la seigneurie de Millé fut exploité à partir de 1775 par les ancêtres de Fabrice Guibert. L'étiquette de ce vin, qui arbore le blason de ladite seigneurie, rend hommage à ce noble passé. La robe rouge vive, les arômes intenses de groseille, de cassis et de prunelle mûrie au soleil, et une agréable fraîcheur invitent à découvrir sans attendre ce vin « de soif » très plaisant.

Fabrice Guibert, 7, rte d'Angers, Millé,
49380 Chavagnes-les-Eaux, tél. 02.41.54.10.47,
fax 02.41.44.97.91, faguibert@yahoo.com r.-v.

LA ROCHE-SAINT-AENS 2011 ★

13 000 | 5 à 8 €

La Roche-Saint-Aens est située sur le terroir des Hautes-Brosses adossé à l'appellation quarts-de-chaume. Elle tire son nom du mot latin *aena* (« dur comme le bronze »), qui rend compte de la rudesse des sols sur lesquels la vigne a réussi à s'implanter. Les pentes argilo-schisteuses érodées sont propices aux deux cabernets qui donnent naissance à des vins « de terroir », comme cet anjou rouge au fruité harmonieux. Un vin gourmand, bien structuré autour de la fraîcheur, que l'on pourra apprécier dès la sortie du Guide sur un civet de lièvre.

🔑 EARL Pin, Les Hautes-Brosses, 49190 Rochefort-sur-Loire, tél. 02.41.78.35.26, fax 02.41.78.98.21, pin@webmails.com
☑ Ὑ ⚘ r.-v.

CH. DE LA ROULERIE 2011 ★

■	20 000	▮	5 à 8 €

Au pied des coteaux du Layon, le château, situé dans le village de Saint-Aubin-de-Luigné bien connu pour ses liquoreux, présente un anjou gracieux vêtu de rouge bigarreau, dont le nez confit annonce une bouche intensément fruitée. Ce vin très réussi, aux tanins fondus, est à boire sur le fruit avec, pour compagnon, une terrine de rillauds d'Anjou.

🔑 Ch. de la Roulerie, La Roulerie, 49190 Saint-Aubin-de-Luigné, tél. 02.41.54.88.26, pgermain@laroulerie.fr ☑ Ὑ ⚘ r.-v.

DOM. DES TROTTIÈRES 2011 ★

■	7 000		- de 5 €

Le domaine des Trottières (108 ha), parmi les plus importants du Val de Loire, propose un large panel d'appellations en Anjou et en Saumurois. Il offre ici un 2011 fort bien réussi. Profondément enraciné dans les graves du cénomanien (Crétacé supérieur), le cabernet franc a puisé dans ces sols filtrants une élégance incontestable. De la parure rouge incarnat jusqu'à la soyeuse finale, ce vin joue les séducteurs impénitents. Nez chaleureux de cassis compoté, bouche charnue, ample et souple, voici les principaux atouts de cette cuvée que l'on pourra destiner cet hiver à une fondue bourguignonne.

🔑 SCEA Dom. des Trottières, Les Trottières, 49380 Thouarcé, tél. 02.41.54.14.10, fax 02.41.54.09.00, lestrottieres@wanadoo.fr ☑ Ὑ ⚘ r.-v.
🔑 Famille Lamotte

LES VIGNES DE L'ALMA 2010 ★

■	7 000	▮	- de 5 €

Entre Anjou et pays nantais, le vignoble de l'Alma signe des cuvées régulièrement au rendez-vous du Guide. Habillé de garance, ce 2010 délivre d'agréables parfums de fruits rouges frais sur fond de réglisse. Le palais, ample et vif, est persistant, porté par des tanins fins. Un vin gourmand et joyeux qui « trompette les accords martiaux du fier cabernet franc et de l'aérien grolleau ». Un anjou de liesse pour copains en goguette.

🔑 Roland Chevalier, L'Alma, 49410 Saint-Florent-le-Vieil, tél. 02.41.72.71.09, fax 02.41.72.63.77, chevalier.roland@wanadoo.fr
☑ Ὑ ⚘ t.l.j. sf dim. 8h30-12h30 14h-19h

Anjou-gamay

Superficie : 125 ha
Production : 6 630 hl

Vin rouge produit à partir du cépage gamay. Né sur les terrains les plus schisteux de la zone, bien vinifié, il peut donner un excellent vin de carafe. Quelques exploitations se sont spécialisées dans ce type, qui n'a d'autre ambition que de plaire au cours de l'année de sa récolte.

LES VIGNES DE L'ALMA 2011

■	19 000	▮	- de 5 €

Installé à Saint-Florent-le-Vieil, site historique des guerres de Vendée, ce vignoble de 10 ha est situé à la limite du vignoble de l'Anjou et de celui du muscadet-coteaux-de-la-loire. Roland Chevalier y élabore donc des vins dans les trois couleurs. Son rouge de gamay aux reflets violacés dévoile un intense bouquet de fruits rouges, parmi lesquels on distingue plus particulièrement la griotte. La bouche est à l'unisson : fruitée, souple en attaque, plus structurée par la suite et d'une belle longueur. À déguster sur un jambon de Vendée.

🔑 Roland Chevalier, L'Alma, 49410 Saint-Florent-le-Vieil, tél. 02.41.72.71.09, fax 02.41.72.63.77, chevalier.roland@wanadoo.fr
☑ Ὑ ⚘ t.l.j. sf dim. 8h30-12h30 14h-19h

Anjou-villages

Superficie : 190 ha
Production : 8 510 hl

Le terroir de l'AOC anjou-villages correspond à une sélection de terrains dans l'AOC anjou : seuls les sols se ressuyant facilement, précoces et bénéficiant d'une bonne exposition ont été retenus. Ce sont essentiellement des sols développés sur schistes, altérés ou non.

Issus du cabernet franc parfois complété par du cabernet-sauvignon, les anjou-villages sont colorés, fruités, charnus et assez charpentés. Vite prêts, ils se gardent deux à trois ans.

DOM. DE LA BERGERIE Le Chant du bois 2010 ★

■	6 000	ⅡⅠ	5 à 8 €

Goûter aux saveurs de la cuisine angevine à *La Table de la Bergerie* vous incitera probablement à imaginer des accords joyeux avec les vins de la famille Guégniard chez qui on courtise la vigne depuis huit générations. Issue du cabernet-sauvignon complété du breton (cabernet franc), la cuvée Chant du bois parée de rubis aux reflets violacés joue une symphonie bachique bien composée. Aux arômes de fruits rouges bien mûrs perçus à l'olfaction succède une bouche ronde qui a bien négocié sa rencontre avec le bois. Le vanillé, très doux, en atteste. Des tanins mûrs, une finale gourmande, aucune fausse note, l'orchestre était au point.

🔑 Yves et Anne Guégniard, Dom. de la Bergerie, 49380 Champ-sur-Layon, tél. 02.41.78.85.43, fax 02.41.78.60.13, domainede.la.bergerie@wanadoo.fr
☑ Ὑ t.l.j. sf dim. 9h-12h30 14h-19h

DOM. DE BOIS MOZÉ Jean-Joseph 2010 ★★

■	9 600	ⅡⅠ	8 à 11 €

Dans cet ancien manoir habité au XVI^{e}s. par la famille huguenote du poète Agrippa d'Aubigné, on s'efforce de ne pas prendre les choses au tragique car la vigne n'est pas ici une « mère affligée ». Elle est au contraire

LOIRE

bichonnée à un point tel que le label Terra Vitis lui fut récemment décerné. L'enthousiasme de Mathilde Giraudet, la jeune maître de chai, semble s'être communiqué au cabernet franc enraciné sur des sols argilo-calcaires, car voilà une cuvée remarquable qui n'engendre pas la mélancolie. Dans le verre, la robe se pare d'un rouge sombre aux contours bleutés. Le nez offre une palette intense de fruits mûrs. Au palais, un beau volume enrobé de tanins veloutés met en valeur les fruits noirs légèrement surmûris ; l'équilibre est bon, le boisé intégré avec art. Ce vin s'exprimera au mieux sur un coq au vin d'Anjou.

Dom. de Bois Mozé, Le Bois-Mozé, 49320 Coutures, tél. 02.41.57.91.28, fax 02.41.57.93.71, boismoze@gmail.com r.-v.

Lancien

DOM. DE BRIZÉ Clos Médecin 2010 ★★

31 000 | 5 à 8 €

Cette entreprise familiale dirigée par Luc et Line Delhumeau possède des vignes réparties sur plusieurs appellations de l'Anjou-Saumur. Régulièrement présentée dans le Guide – elle a souvent obtenu des coups de cœur –, elle propose un anjou-villages vêtu de rubis sombre, prélude à un subtil bouquet de fruits mûrs. En bouche, ce vin découvre une structure aux tanins mûrs qui met en valeur les arômes de petits fruits rouges. Pour du petit gibier.

EARL Dom. de Brizé, village de Cornu, 49540 Martigné-Briand, tél. 02.41.59.43.35, fax 02.41.59.66.90, contact@domainedebrize.fr r.-v.

Luc et Line Delhumeau

DOM. PIERRE CHAUVIN Les Gonordes 2010 ★

2 800 | 11 à 15 €

Adepte de l'agriculture biologique, qu'il pratique depuis 2005, Pierre Chauvin, à la tête d'un domaine familial remontant à 1860, fait partie de ces vignerons à qui les productions d'une grande régularité qualitative valent une clientèle assidue. La cuvée Les Gonordes née de cabernet franc enraciné sur 0,5 ha de sables et graviers a fermenté avec le seul recours aux levures indigènes. Une longue macération (trente jours) et un élevage patient en fût de chêne ont donné naissance à ce vin d'esprit « rabelaisien ». Une robe pure grenat aux lueurs indigo et un bouquet complexe de pruneau macéré mêlé à un boisé discret annoncent une bouche émérite dotée d'une matière franche et veloutée. Une « dive bouteille », qui devrait faire bon ménage avec un garenne rôti.

Dom. Pierre Chauvin, 45, Grande-Rue, 49750 Rablay-sur-Layon, tél. 02.41.78.32.76, info@domainepierrechauvin.fr r.-v.

Chauvin-Cesbron

DOM. DU COLOMBIER Les Rémones Élevé en fût de chêne 2010

4 000 | 5 à 8 €

C'est sur une parcelle de falun (roche sédimentaire composée de dépôts coquilliers) que cabernet franc (70 %) et cabernet-sauvignon ont été complantés. Élevés en fût de chêne, ils ont donné naissance à cet anjou-villages aromatique, habillé de rubis. La bouche ronde, aux tanins fins, laisse percevoir quelques nuances végétales. On ouvrira cet agréable flacon sur une côte de bœuf.

EARL Florence et Sylvain Bazantay, 10, rue du Colombier, Linières, 49700 Brigné, tél. et fax 02.41.59.31.82, earlbazantay@orange.fr t.l.j. sf dim. 9h-12h30 14h-18h30; sam. 9h-12h30

COTEAU SAINT-VINCENT Élevé en fût de chêne 2010 ★

2 400 | 5 à 8 €

Patron des vignerons, saint Vincent a donné son nom à ce coteau schisteux sur lequel prospèrent les deux cabernets. Olivier Voisine en a extrait un anjou-villages de très belle tenue, qui a bénéficié d'un élevage en fût (douze mois) parfaitement maîtrisé. Cela se traduit en bouche par un vanillé doux, élégant compagnon d'un fruité corsé. Un vin plutôt raffiné, dont les arômes de cacao perçus à l'olfaction indiquent une voie gourmande idéale : celle de côtes d'agneau braisées.

EARL Olivier Voisine, Coteau Saint-Vincent, 49290 Chalonnes-sur-Loire, tél. 02.41.78.59.00, coteau-saint-vincent@wanadoo.fr r.-v. 1

CH. LA FRANCHAIE Clos la Franchaie 2010 ★

1 700 | 5 à 8 €

Non loin du port de La Possonnière et de sa guinguette, la propriété de La Franchaie s'étend sur un peu plus de 7 ha. Jean-Marc Renaud a isolé un « clos » d'à peine 0,5 ha pour produire un véritable « vin de niche ». De cette aire de schistes, où cohabitent les deux cabernets, il a extrait un anjou-villages friand, objet de soins attentifs : macération longue, pigeages fréquents, élevage de dix-huit mois en fût. Ce vin séduisant au nez avec ses arômes de fruits rouges, d'épices et de pain grillé s'épanouit en une bouche soyeuse soutenue par des tanins bien enrobés. « Joli vin », note un dégustateur qui le trouve « assez typique ». On le dégustera dans sa jeunesse avec « quelques bons rillauds bien chauds ».

Jean-Marc Renaud, Ch. la Franchaie, 49170 La Possonnière, tél. 06.72.12.05.75, fax 09.70.62.46.76, chateau.franchaie@wanadoo.fr r.-v.

GFA Chaillou

DOM. DU FRESCHE 2010 ★★

6 000 | 5 à 8 €

Le grand jury n'a pas hésité longtemps pour décerner ce coup de cœur. Ayant opté depuis 2000 pour l'agriculture biologique dans le souci – affirmé sans ambages – de produire « le plus naturel possible », de « respecter l'environnement et... *votre* santé », Alain Boré voit ses efforts récompensés. Drapé de carmin orné de douces lueurs violines, ce vin explore, dès l'olfaction, le registre des fruits rouges et noirs chaudement mûris. La trame tannique de la bouche, fondue, se veut tendre. Sans tarder, on dégustera ce vin de beau lignage sur des viandes rouges. C'est sans doute aussi cela « la douceur angevine ».

EARL Alain Boré,
Dom. du Fresche, rte de Chalonnes, D 151,
49620 La Pommeraye, tél. 02.41.77.74.63,
domainedufresche@orange.fr
t.l.j. sf dim. 10h-12h 14h-18h; f. 15-31 août

CH. DU FRESNE L'YDN 2010

	5 000		8 à 11 €

Baptisé « L'YDN », histoire d'expliquer au consommateur qu'il s'agit de la cuvée de trois associés (Y pour Yannick, D pour David et N pour Nicolas), ce vin « sans excès et bien construit », selon l'appréciation d'un dégustateur, obtient une citation. Sa robe brillante, son nez discret mais franc et frais, et sa bouche souple constituent ses mérites. Ce sont ceux que l'on attend d'un anjou-villages classique. À boire sur des viandes et des fromages.

Ch. du Fresne, 25 bis, rue des Monts,
49380 Faye-d'Anjou, tél. 02.41.54.30.88, fax 02.41.54.17.52,
contact@chateaudufresneanjou.com
t.l.j. sf dim. 8h-12h 14h-19h

DOM. DE LA GACHÈRE Cuvée Les Jumeaux 2010

	7 500		5 à 8 €

La propriété familiale La Gachère a été reprise en 1998 par Alain et Gilles Lemoine, frères jumeaux, qui proposent, pour la première fois, leur propre cuvée élaborée uniquement à partir de cabernet-sauvignon, fait assez rare en Anjou. Un vin de plaisir joliment vêtu de pourpre et équipé de solides tanins, dont le fruité pulpeux tapisse la bouche. Pour une tablée de bons copains autour de gourmandes charcuteries ligériennes.

GAEC Alain et Gilles Lemoine, Dom. de la Gachère,
79290 Saint-Pierre-à-Champ, tél. 05.49.96.81.03,
gachere@orange.fr

LE LOGIS DU PRIEURÉ 2010

	6 000		5 à 8 €

Caviste-viticulteur à Concourson-sur-Layon, Vincent Jousset propose un anjou-villages élevé en cuve. Ce 2010 gorgé de fruits manifeste en bouche une présence impérieuse. On l'attendra quelques années, le temps que les tanins, un brin austères, s'assouplissent. Il sera alors temps de le boire accompagné de grillades.

Vincent Jousset, Le Logis du Prieuré, 8, rue des Verchers,
49700 Concourson-sur-Layon, tél. 02.41.59.11.22,
fax 02.41.59.38.18, logis.prieure@wanadoo.fr
t.l.j. sf dim. 9h-12h 14h-18h

DOM. DES MARTIN 2010 ★★

	2 500		5 à 8 €

Se distinguant avec deux étoiles, ce domaine des Martin a été perçu comme très représentatif de l'appellation anjou-villages. D'une teinte rouge foncé nuancée d'éclairs bleutés, il affirme, au nez comme en bouche, la présence d'un boisé franc et net qui soutient de belles saveurs fruitées. Équilibré mais laissant déjà percevoir un début d'évolution, il laissera peu « de temps au temps ». Il conviendra donc de ne pas trop l'attendre et de le boire, par exemple, sur une viande en sauce.

Dom. des Martin, 10, rue de la Gare, Vraire,
79290 Cersay, tél. et fax 05.49.96.80.71,
domainedesmartin@orange.fr r.-v.

VIGNOBLE MUSSET-ROULLIER
Petit Clos La Philosophie du bel ouvrage 2010

	6 000		5 à 8 €

La philosophie du domaine Musset-Roullier est fondée sur le bon sens. Celui-ci est nourri de l'observation de l'aptitude des cépages livrés aux terroirs limono-sableux reposant sur un socle de schistes. Avec le Petit Clos, c'est le fruit qui est privilégié. On le perçoit à son nez de griotte et à sa bouche souple, dotée d'une certaine vivacité. Un vin aimable, à consommer un peu rafraîchi, sur une quiche ou sur une pizza.

Vignoble Musset-Roullier, 36, Le Bas-Chaumier,
49620 La Pommeraye, tél. 02.41.39.05.71, fax 02.41.77.75.76,
musset.roullier@wanadoo.fr
t.l.j. 9h-12h 14h-18h; dim. sur r.-v.

DOM. OGEREAU Côte de la Houssaye 2010 ★

	4 000		11 à 15 €

Véritable artisan du vignoble à l'écoute des terroirs, Vincent Ogereau s'inscrit également dans la lignée des bons vinificateurs ligériens, que ce soit en anjou, en savennières ou en coteaux-du-layon. Il délivre un Côte de la Houssaye issu de cabernet-sauvignon enraciné sur schistes, qui a bien négocié une rencontre de dix-sept mois avec le bois. La parure foncée aux reflets violacés est un joyeux prélude à une olfaction riche de fruits noirs confits, d'épices et de doux vanillé. On trouve en bouche une belle matière. La finale, un peu rude, délivre comme un message : attendre ce vin très réussi un an ou deux, avant de l'ouvrir – pourquoi pas – sur un navarin d'agneau.

Vincent Ogereau, 44, rue de la Belle-Angevine,
49750 Saint-Lambert-du-Lattay, tél. 02.41.78.30.53,
fax 02.41.78.43.55, contact@domaineogereau.com r.-v.

DOM. DE PAIMPARÉ Cuvée Floriane 2010

	3 000		5 à 8 €

La robe rouge limpide de cette cuvée annonce un bouquet intense et très agréable de fruits mûrs qui se retrouvent en bouche, enrobant de tendres tanins. Ce vin rond et frais trouvera sa place auprès d'une volaille. On songe à un coq au vin...

SCEA Michel Tessier, 32, rue Rabelais,
49750 Saint-Lambert-du-Lattay, tél. 02.41.78.43.18,
fax 02.41.78.41.73, domainedepaimpare@gmail.com
r.-v.

DOM. DE LA PETITE CROIX Clos de la Hucaudière 2010

	4 000		8 à 11 €

Situé au cœur des vignes du Layon, le domaine de la Petite Croix est une exploitation familiale où le visiteur découvrira un beau panel ligérien : bonnezeaux, coteaux-du-layon, anjou dans les trois couleurs. Le Clos de la Hucaudière fut coup de cœur l'an passé. Cette année, il se présente campé sur de solides tanins, et dévoile une bouche franche et aromatique, un peu perturbée cependant par une finale asséchante. C'est un vin convivial, à déguster avec des rillons.

Dom. de la Petite Croix, La Petite-Croix,
49380 Thouarcé, tél. 02.41.54.06.99, fax 02.41.54.30.05,
scea@lapetitecroix.com r.-v.

LOIRE

DOM. DE LA POTERIE 2010 ★★

■ 5 000 ▮ 5 à 8 €

On peut être du pays des Ch'tis et se révéler bon vigneron. C'est le cas de Philippe Mordacq, installé dans le Thouarcé depuis 1996 et qui exploite un vignoble de 10 ha, dont la moitié a été consacrée à cette cuvée. Ce 2010 remarquable, riche et généreux, exprime toutes les qualités d'un millésime moins frais que 2009. Belle robe rubis et nez chaleureux où fruits noirs et rouges se sont donné rendez-vous... La bouche, qui fait preuve à l'attaque d'une souplesse féline, déploie des saveurs de fruits frais.

Dom. de la Poterie, 16, av. des Trois-Ponts, 49380 Thouarcé, tél. 06.10.35.51.09, mordacqg@club-internet.fr r.-v.

Mordacq

DOM. DES QUARRES Métis 2010 ★

■ 4 000 5 à 8 €

Pourquoi ce nom « métis » ? Parce que cette cuvée, selon ses concepteurs, est née de l'assemblage de deux cépages (cabernet franc et cabernet-sauvignon) issus de deux types de sols (graves et schistes). Soit. Ce vin, très réussi, arbore une livrée carmin d'une belle limpidité. À l'agitation, le nez dévoile un fruité intense (baies rouges imprégnées d'alcool), nuancé de notes empyreumatiques, un souvenir du séjour de neuf mois en barrique. Gras et volumineux, le palais repose sur des tanins bien fondus. Attendons l'ouverture de la chasse pour ouvrir ce flacon. Il fera merveille sur du gibier.

Dom. des Quarres, 66, Grande-Rue, 49750 Rablay-sur-Layon, tél. 02.41.78.36.00, fax 09.70.32.04.43, domainedesquarres@wanadoo.fr t.l.j. 9h-12h 14h-18h; dim. sur r.-v. 2

Aubert-Gourdon

CH. DES ROCHETTES Pièces du moulin 2010

■ 5 950 5 à 8 €

On dénombre trois moulins dans le village des Rochettes, dont un sur cette propriété, ce qui explique le nom de la cuvée. Ample et rond, ce vin élevé quatorze mois en barrique n'a pas encore dompté ses tanins. Néanmoins, il est pourvu d'une belle matière, et si l'on patiente un an ou deux, il se présentera, enfin assagi, sous de meilleurs auspices. On pourra alors l'ouvrir sur un gigot de mouton à la crème d'ail.

SCEA Catherine Nolot, L'Été, 49700 Concourson-sur-Layon, tél. 02.41.59.11.63, fax 02.41.59.95.16, domainedelete@wanadoo.fr t.l.j. sf dim. 9h-12h30 13h30-17h30

DOM. ROMPILLON 2010 ★★

■ 3 000 5 à 8 €

Sur un sol argilo-schisteux, le cabernet franc a donné le meilleur de lui-même, un peu comme s'il avait voulu récompenser Mickaël Rompillon des soins méticuleux qu'il lui prodigue constamment. Un court séjour en barrique semble lui avoir donné un supplément d'âme, élégance qui n'a pas échappé aux dégustateurs. Lumineuse, la robe rubis est soutenue de belles nuances brunes. Le nez se distingue par des arômes de fruits mûrs mêlés à un subtil vanillé. En bouche, ce vin au bel équilibre en impose par une vigueur bâtie autour d'un bois très bien maîtrisé. Une remarquable réussite.

SARL Dom. Rompillon, L'Ollulière, 49750 Saint-Lambert-du-Lattay, tél. et fax 02.41.78.48.84, domainerompillon@orange.fr r.-v.

DOM. SAUVEROY Cuvée Andécaves 2010 ★

■ 8 500 8 à 11 €

Ce domaine fondé en 1886 est la propriété de la famille Cailleau, dont la présence dans le Guide est devenue habituelle. Il propose, cette année encore, un vin très réussi, issu de parcelles sélectionnées, qui arbore une resplendissante livrée pourpre. Le nez, plutôt aérien, évoque la marmelade de fruits rouges, le boisé vanillé et l'amande grillée. Finement mûrie, la bouche procure un plaisir plein et harmonieux. À déboucher sur un confit de canard.

EARL Pascal Cailleau, Dom. du Sauveroy, 49750 Saint-Lambert-du-Lattay, tél. 02.41.78.30.59, fax 02.41.78.46.43, domainesauveroy@sauveroy.com r.-v.

Anjou-villages-brissac

Superficie : 105 ha
Production : 4 517 hl

Au sein de l'AOC anjou-villages, les dix communes situées autour du château de Brissac constituent l'aire géographique de cette AOC reconnue en 1998. Les vignes sont implantées sur un plateau en pente douce vers la Loire, limité au nord par ce fleuve et au sud par les coteaux abrupts du Layon. Les sols sont profonds. La proximité de la Loire, qui limite les températures extrêmes, explique également la particularité du terroir. Complexes, charnus et denses, les anjou-villages-brissac sont aptes à une moyenne garde (deux à cinq ans) et peuvent vivre dix ans les meilleures années.

DOM. DES BONNES GAGNES Les Clos 2010 ★

■ 10 000 ▮ 5 à 8 €

Propriété familiale depuis 1610, ce domaine fondé par les moines de l'abbaye du Ronceray à Angers, consacre 2 ha de son vignoble (40 ha au total) à cette cuvée très séduisante. D'une belle couleur rubis profond, ce 2010 développe un bouquet de fruits noirs et de fruits rouges agrémentés de quelques notes animales. Après une belle attaque, la bouche se révèle élégante, gouleyante et fraîche. Les tanins déjà bien fondus achèvent de convaincre.

Héry, Orgigné, 49320 Saint-Saturnin-sur-Loire, tél. 02.41.91.22.76, hery.vignerons@wanadoo.fr t.l.j. sf dim. 9h-12h 14h-19h

CLOS MARTINEAU 2010

■ 4 000 ▮ 5 à 8 €

Conduit depuis 1982 par Michel Rabineau, ce domaine familial propose un 2010 élevé quinze mois en cuve. Ornée de rubis, cette cuvée s'ouvre à l'aération sur les fruits rouges et noirs (fraise, groseille, cerise, cassis) accompagnés de notes épicées (cardamome, curcuma, muscade). Ronde, ample et harmonieuse, la bouche est bien équilibrée. À découvrir dès la sortie du Guide, sur une entrecôte grillée.

Rabineau-Fillion, La Douesnerie, 4, rue Principale, 49320 Vauchrétien, tél. 02.41.54.81.62, fax 02.41.54.82.73, rabineau@terre-net.fr t.l.j. sf dim. 9h-12h30 14h-18h30; sam. sur r.-v.

DOM. DES DEUX MOULINS Le Clos au Chat 2009

■ 7 000 5 à 8 €

Ce vignoble, situé sur un terroir de schistes ardoisiers, est exploité depuis 1989 par la famille Macault. La robe de ce vin ornée de reflets grenat intense annonce la palette aromatique qui mêle les fruits noirs et les épices. Dense et ronde à l'attaque, la bouche s'appuie sur une plaisante vivacité et sur une belle structure que portent un boisé léger et des tanins encore jeunes. Un vin généreux, à attendre deux à trois ans avant de l'ouvrir sur un canard rôti.

Macault, 20, rte de Martigneau, 49610 Juigné-sur-Loire, tél. 02.41.54.65.14, fax 02.41.54.67.94, les.deux.moulins@wanadoo.fr
t.l.j. sf dim. 9h-12h 14h-18h

DOM. DE GAGNEBERT Clos de Grésillon 2010 ★

■ 16 000 8 à 11 €

Situé dans la commune de Juigné-sur-Loire, à 15 km d'Angers, ce vaste domaine (90 ha) a consacré 3 ha à cette cuvée élevée un an en fût. D'un rouge grenat intense, ce 2010 libère un bouquet puissant où les fruits rouges (groseille, fraise) et noirs (cassis) côtoient les épices (clou de girofle, muscade) et les notes grillées. Rond, souple et délicat en bouche, ce vin encore marqué par le boisé de l'élevage s'appuie sur une belle structure, jusqu'à la finale longue et aromatique.

GAEC Moron, Dom. de Gagnebert, 2, chem. de la Naurivet, 49610 Juigné-sur-Loire, tél. 02.41.91.92.86, fax 02.41.91.95.50, moron@domaine-de-gagnebert.com
t.l.j. sf dim. 8h-12h30 14h-19h

DOM. DES GIRAUDIÈRES 2010 ★

■ 5 500 5 à 8 €

Ce domaine familial créé en 1927, à quelques kilomètres du château de Brissac, s'étend sur 40 ha. Son anjou-villages-brissac fait le beau dans sa robe pimpante d'un rubis sombre et profond. Discret, le nez révèle à l'aération des arômes complexes de fruits bien mûrs (framboise, myrtille). La bouche suave, gourmande et harmonieuse, s'achève sur une finale fruitée et élégante, qui invite à découvrir ce vin dès la sortie du Guide.

EARL Dominique Roullet, Les Giraudières, 49320 Vauchrétien, tél. 02.41.91.24.00, roulletdo@wanadoo.fr t.l.j. sf dim. 9h-12h 14h-19h

DOM. DE HAUTE-PERCHE 2010 ★

■ 20 000 5 à 8 €

Le domaine, bien connu des habitués du Guide pour ses prestigieux coteaux-de-l'aubance, signe un "brissac" très réussi, élevé dix-huit mois en cuve. Parée d'une robe rouge sombre, ce vin offre un nez de petits fruits rouges agrémentés de notes florales, végétales et épicées. Après une belle attaque, la bouche se révèle ample et charnue, soutenue par des tanins encore un peu austères qui s'arrondiront avec le temps.

Christian Papin, 7, chem. de la Godelière, Dom. de Haute-Perche, 49610 Saint-Melaine-sur-Aubance, tél. 02.41.57.75.65, fax 02.41.57.75.42, papin.ch.a@wanadoo.fr
t.l.j. sf dim. 8h-12h 14h-18h30; sam. 9h30-12h30 14h30-19h

♥ **DOM. DES ROCHELLES** La Croix de mission 2010 ★★

■ 40 000 8 à 11 €

Habitué aux étoiles et aux coups de cœur, le domaine des Rochelles voit trois de ses cuvées sélectionnées, et

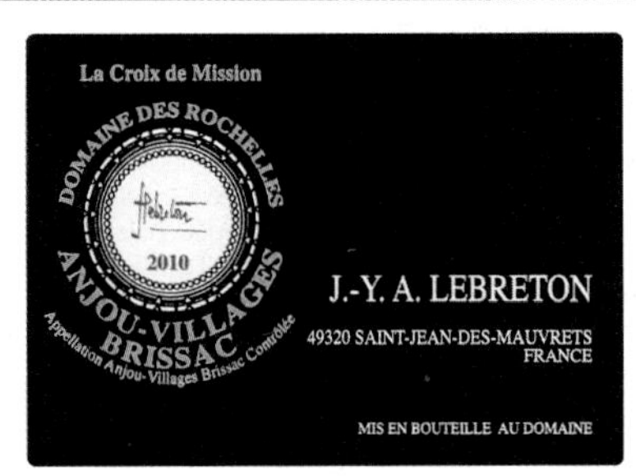

chacune d'elles auréolée de deux étoiles. Cette Croix de mission, qui décroche le seul coup de cœur de l'appellation, est une des valeurs sûres en anjou-villages-brissac. Elle se présente dans une seyante robe grenat foncé aux reflets violets et dévoile d'intenses parfums de fruits rouges et noirs (framboise, cassis, mûre) et d'épices (muscade, réglisse). La bouche, superbe, dans un même registre aromatique, se montre suave et harmonieuse. Un vin prometteur qui s'accordera parfaitement d'ici trois à quatre ans sur du gibier, un rôti de chevreuil sauce grand veneur par exemple. « Une vraie gourmandise », confirme le jury. Même note pour la cuvée **Breton 2010 (5 à 8 €; 26 000 b.)** qui a frôlé le coup de cœur. Les dégustateurs ont aimé son nez gourmand et fruité, et sa bouche ample, équilibrée et élégante, mais aux tanins encore un peu trop présents. Deux étoiles également pour la cuvée **Les Millerits 2010 (15 à 20 €; 5 000 b.)**, un vin souple et rond, porté par de jolies sensations fruitées.

EARL J.-Y. A. Lebreton, Dom. des Rochelles, 49320 Saint-Jean-des-Mauvrets, tél. 02.41.91.92.07, fax 02.41.54.62.63, jy.a.lebreton@wanadoo.fr r.-v.

CH. LA VARIÈRE La Chevalerie 2010 ★★

■ 14 000 11 à 15 €

Ce domaine familial (depuis quatorze générations !) de 110 ha, qui produit presque toutes les appellations de la région, n'a cessé de se faire remarquer dans le Guide. La Chevalerie, saluée unanimement, porte beau dans sa robe rouge profond presque noire. Le nez superbe mêle harmonieusement le bois et les fruits noirs, agrémentés de notes vanillées, boisées et torréfiées fort plaisantes. Le palais, ample, généreux et chaleureux, dévoile des tanins encore un peu austères, qui s'affineront cependant très vite, compte tenu du bon potentiel. Un excellent compagnon pour un confit de canard.

Jacques Beaujeau, Ch. la Varière, 49320 Brissac, tél. 02.41.91.22.64, fax 02.41.91.23.44, beaujeau@wanadoo.fr
r.-v.

Rosé-d'anjou

Superficie : 2 267 ha
Production : 149 536 hl

Après un fort succès à l'exportation au début du XXe s., ce vin demi-sec connaît à nouveau une embellie. Le grolleau, principal cépage, autrefois conduit en gobelet, produit des vins rosés légers, jadis appelés « rougets ».

DOM. CHUPIN 2011 ★

146 000 - de 5 €

Ce domaine de Champ-sur-Layon fait partie des exploitations qui ont fait connaître les vins rosés d'Anjou. Une maison de maître située en plein cœur du village atteste de l'ancienneté et de la notoriété de ce vignoble, étendu aujourd'hui sur 98 ha (dont 20 ha en rosé-d'anjou) et planté principalement sur les sables et graviers d'Anjou. Ce 2011, né de cabernet franc, grolleau et gamay à parts égales, séduit par sa délicatesse aromatique (rose, iris, petits fruits rouges), puis par sa bouche à la fois ample, riche et fraîche. Un vin équilibré en somme, à déguster sur un plat exotique ou une salade de fraises.

SCEA Dom. Chupin, 8, rue de l'Église, 49380 Champ-sur-Layon, tél. 02.41.78.86.54, fax 02.41.78.61.73, domaine.chupin@wanadoo.fr r.-v.

Saget la Perrière

DOM. DES HAUTS PERRAYS Rosé lumineux 2011

10 000 5 à 8 €

Le domaine se situe sur des coteaux dominant le Layon, où les terres superficielles et bien drainantes sont favorables à la maturité des vendanges et permettent sur certains secteurs l'élaboration de vins liquoreux. Les vendanges manuelles ont été cette année un choix déterminant pour la qualité, compte tenu d'une très grande hétérogénéité de maturité. Cette sélection 2011 provient d'un assemblage de trois cépages : cabernet franc (50 %), grolleau et gamay à parts égales. La robe est rose intense, animée de reflets tirant vers le rouge. Le nez évoque le bourgeon de cassis, la rose et l'herbe fraîche. La bouche, assez discrète, se montre agréable et fruitée, une pointe d'austérité marquant toutefois la finale. Pourquoi pas sur une paella ?

Dom. des Hauts Perrays, Les Hauts-Perrays, 49290 Chaudefonds-sur-Layon, tél. 02.41.78.67.57, fax 02.41.78.68.78, contact@domaine-des-hauts-perrays.fr r.-v.

Le Fournis

LACHETEAU 2011

230 000 - de 5 €

La société Lacheteau s'est spécialisée dans la production de vins effervescents et de vins rosés. Cette sélection 2011, élaborée à partir de moûts obtenus dans les vendangeoirs de l'entreprise, est un assemblage de grolleau (80 %) et de cabernet franc. La robe est rose clair, ornée de reflets vifs. Le nez, avec ses notes amyliques et ses nuances de fruits acidulés, laisse une agréable sensation de fraîcheur. La bouche est fraîche et printanière, « joviale », note un dégustateur. L'archétype du vin gourmand et facile à boire.

SA Lacheteau, Ch. du Cléray, 44194 Vallet, tél. 02.40.36.66.00, fax 02.40.36.34.62, contact@lacheteau.fr t.l.j. sf sam. dim. 9h-12h 13h30-16h

♥ **LEDUC-FROUIN** La Seigneurie 2011 ★★

6 000 - de 5 €

Le domaine, qui a une histoire ancienne, a été acheté au XIXe s. par les Leduc-Frouin au marquis de Becdelièvre. Il est situé dans le village de Soussigné, caractéristique avec ses caves et ses maisons troglodytiques creusées dans le falun (sables coquilliers déposés au Tertiaire). C'est aujourd'hui Antoine Leduc, œnologue de formation, et sa sœur Nathalie qui dirigent ce domaine d'un peu plus de 30 ha. Pour ce 2011 né du seul grolleau, les raisins ont macéré quelques heures et ont été ensuite pressées directement, puis la vinification s'est

effectuée avec une maîtrise des températures. Le vin ainsi élaboré surprend par sa richesse assez inhabituelle pour l'appellation. Le bouquet rappelle la pivoine, l'iris, la myrtille et les bonbons acidulés. La bouche se révèle ample et remarquablement équilibrée, à la fois suave et fraîche, et déploie en finale une noble amertume qui contribue à la structure d'ensemble. Un vin gourmand et riche, que l'on pourra conserver un an ou deux.

Dom. Leduc-Frouin, La Seigneurie, Soussigné, 49540 Martigné-Briand, tél. 02.41.59.42.83, fax 02.41.59.47.90, info@leduc-frouin.com r.-v.

JEAN-LOUIS LHUMEAU 2011 ★

15 000 - de 5 €

La commune de Brigné-sur-Layon se situe sur un plateau calcaire d'origine tertiaire joignant le Massif armoricain au Bassin parisien. Les sols argilo-calcaires favorisent l'élaboration de vins expressifs, une caractéristique pleinement utilisée par ce domaine, qui en a fait « sa marque de fabrique » depuis plusieurs générations. Ce 2011 n'échappe pas à la règle et séduit par son nez intense, fruité (cerise) et floral (iris), comme par sa bouche à l'unisson, pleine de fruit, fraîche et bien structurée. Un rosé de repas, conseillé sur une viande blanche.

EARL Joël et Jean-Louis Lhumeau, 7, rue Saint-Vincent, Linières, 49700 Brigné, tél. 02.41.59.30.51, fax 02.41.59.31.75, dnehauteshouches@wanadoo.fr r.-v.

CH. DE LA MULONNIÈRE 2011 ★

21 000 5 à 8 €

Le château de la Mulonnière doit son nom au « mulon » (ou argile) qui était acheminé par bateau en même temps que les vins produits sur les coteaux bordant le Layon. L'exploitation, située sur la rive droite de la rivière, compte parmi les plus beaux domaines de l'Anjou. Elle propose ici un 2011 né du seul gamay, implanté sur des coteaux schisteux idéalement exposés au sud. Ce vin, rose intense aux reflets presque rouges, laisse une sensation de richesse inhabituelle pour l'appellation. Le nez évoque les fruits rouges mûrs, fraise en tête, et le cassis. La bouche se fait ample, moelleuse et très suave. À réserver aux amateurs de douceurs rosées...

SAS Ch. de la Mulonnière, La Mulonnière, 49750 Beaulieu-sur-Layon, tél. 02.41.78.47.52, fax 02.41.78.63.63, chateau.lamulonniere@orange.fr r.-v.

Jean-Louis Saget

DOM. DE LA PETITE CROIX 2011 ★

10 000 - de 5 €

La commune de Thouarcé occupe deux versants bien différenciés du Layon. Sur la rive droite, les coteaux sont escarpés avec affleurement de la roche mère schisteuse : le domaine y compte tout un ensemble de parcelles classées en AOC bonnezeaux, notamment au lieu-dit Moulin de la Montagne, qui surplombe magnifiquement le village en contrebas. Sur la rive gauche, les collines sont légèrement ondulées et graveleuses : le domaine y a ses bâtiments et des terres donnant les vins rosés. Celui-ci, rose saumoné aux reflets légèrement orangés, livre un nez fin et discret de pivoine et d'herbe fraîche. La bouche recèle une intéressante richesse, qui se révèle progressivement, vivifiée par une pointe mentholée.

Dom. de la Petite Croix, La Petite-Croix, 49380 Thouarcé, tél. 02.41.54.06.99, fax 02.41.54.30.05, scea@lapetitecroix.com r.-v.

Geffard

DOM. DE LA PETITE ROCHE 2011 *

100 000 - de 5 €

Situé dans le Haut-Layon, le vignoble de la Petite Roche a été créé après la Révolution et représente aujourd'hui un peu plus de 70 ha établis sur des collines schisteuses parfois recouvertes de sables et graviers d'Anjou. L'encépagement est dominé par les cabernets, franc et sauvignon, principalement destinés à la production de cabernet-d'anjou et d'anjou rouge. Ce rosé-d'anjou est, lui, issu d'un assemblage de grolleau (70 %) et de gamay. Il plaît par son intensité aromatique, faite de notes de bonbons acidulés, de bourgeon de cassis et de rose. La bouche, fraîche, fine et délicate, laisse une sensation de jeunesse et de vitalité caractéristique de l'appellation. Un beau représentant, à servir sur une soupe de fruits rouges juste relevée d'un tour de poivre du moulin.

SCEV Régnard, Dom. de la Petite Roche, 49310 Trémont, tél. 02.41.59.43.03, fax 02.41.59.69.43, scevregnard@wanadoo.fr r.-v.

DOM. DE LA RAIMBAUDIÈRE 2011

5 000 - de 5 €

Le vignoble de la Raimbaudière a été créé à la fin des années 1930, à la suite du morcellement d'une exploitation viticole et agricole dite « modèle » au début du XXes., sur laquelle étaient testées diverses techniques de production. Les bâtiments en pierre du domaine datent de cette époque et bordent une grande cour. Le vignoble s'étend sur un peu plus de 20 ha exploités depuis 2004 par Florian Cesbron. Ce 2011 est né des grolleaux noir et gris, et d'une vinification caractéristique (macération pelliculaire de 12 heures pour un des cépages, vinification à température régulée). Paré d'une robe rose intense aux reflets presque rouges, il dévoile un nez délicat rappelant le bonbon anglais, la rose et l'iris, et révèle une bouche d'une aimable simplicité, fraîche et légère.

EARL Cesbron-Martin, La Frappillonnière, 49380 Champ-sur-Layon, tél. 02.41.78.86.76, contact@la-raimbaudiere.fr r.-v.

LES TERRIADES Prestige 2011 **

72 600 - de 5 €

Les Caves de la Loire, structure créée en 1951, est l'une des plus grandes coopératives du Val de Loire : elle est composée de 350 adhérents et vinifie environ 1 500 ha de vignes. Équipée de techniques et matériel de pointe, elle fait partie des leaders en rosé du Val de Loire. Cette sélection Les Terriades provient de vignes implantées sur une concrétion géologique caractéristique de l'Anjou

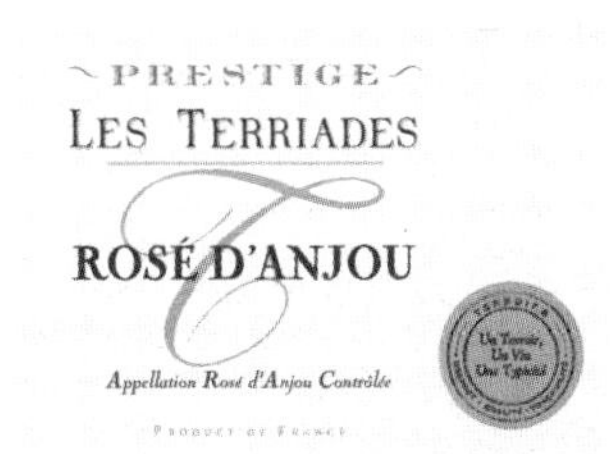

(sables et graviers), zone de transition entre les formations schisteuses du Massif armoricain et les roches calcaires du Bassin parisien. La vinification s'est faite à froid afin d'intensifier le profil aromatique du vin. Le résultat est ici un 2011 au bouquet intense, qui mêle les notes amyliques, la framboise, les agrumes et le pétale de rose, et dont la bouche fraîche, délicate et légère persiste longuement en finale sur des notes de fruits rouges. Un modèle de vin gouleyant et gourmand, signé par une valeur sûre de l'appellation.

Les Caves de la Loire, rte de Vauchrétien, 49320 Brissac-Quincé, tél. 02.41.91.22.71, fax 02.41.54.20.36, loire-wines@uapl.fr t.l.j. sf dim. 9h-12h30 14h-18h

Cabernet-d'anjou

Superficie : 5 341 ha
Production : 331 114 hl

On trouve dans cette appellation d'excellents vins rosés demi-secs, issus des cépages cabernet franc et cabernet-sauvignon. À table, on les associe assez facilement, servis frais, au melon en hors-d'œuvre ou à certains desserts pas trop sucrés. En vieillissant, ces vins prennent une nuance tuilée et peuvent être bus à l'apéritif. Ceux qui naissent sur les faluns de la région de Tigné et dans le Layon sont les plus réputés.

DOM. DE LA BERGERIE Les Buissons 2011 ***

7 300 5 à 8 €

Bien connu des amateurs de savennières, cette propriété de tradition familiale depuis huit générations est régulièrement sélectionnée dans le Guide. Issue d'une microparcelle de 1,2 ha, cette cuvée, née de cabernet franc pour moitié, de cabernet-sauvignon pour l'autre, a fait sensation auprès du grand jury des coups de cœur. Elle revêt une robe soutenue aux nuances orangées. Gour-

LOIRE

mand, le nez marie les fruits rouges bien mûrs et les fruits exotiques. Ces mêmes arômes s'épanouissent et persistent longuement au palais. Moelleux et harmonieux, ce vin est un modèle d'équilibre, à déguster sur un tiramisu au chocolat.

🔑 Yves et Anne Guégniard, Dom. de la Bergerie, 49380 Champ-sur-Layon, tél. 02.41.78.85.43, fax 02.41.78.60.13, domainede.la.bergerie@wanadoo.fr
☑ 🍷 t.l.j. sf dim. 9h-12h30 14h-19h

ALBERT BESOMBES 2011 ★

■ 400 000 - de 5 €

Bien implantée dans le Saumurois depuis sa création en 1872, cette maison de négoce propose toutes les appellations du Val de Loire. Ce rosé complexe évoque les fruits rouges accompagnés de notes amyliques. L'attaque souple dévoile une bouche tout aussi aromatique, à la finale acidulée. Pour un apéritif ou un plat exotique.

🔑 SA Besombes-Moc-Baril, 24, rue Jules-Amiot, 49404 Saint-Hilaire-Saint-Florent, tél. 02.41.50.23.23, fax 02.41.50.30.45, laurent.bourdin@uapl.fr
🔑 UAPL

DOM. DE LA BODIÈRE 2011 ★

■ 12 000 ▮ - de 5 €

Installé au cœur des coteaux du Layon depuis 2002, Tony Rousseau propose des rosés régulièrement distingués. Témoin cet assemblage des deux cabernets, macéré trois heures et vinifié à basse température (16-17 °C). Expressif, frais et fruité (fraise, fruits des bois), ce rosé est une réussite. Les dégustateurs ont aussi aimé sa belle finale dynamique et invitent à découvrir ce vin sur un bavarois aux fruits rouges.

🔑 Tony Rousseau, 8 bis, rue de la Chauvière, 49750 Saint-Lambert-du-Lattay, tél. 02.41.78.34.76, fax 02.41.78.44.40, rousseau@vignoblerousseau.com
☑ 🍷 🚶 r.-v.

DOM. DE BRIGNEAU 2011

■ 5 000 - de 5 €

Première sélection dans le Guide pour ce domaine de tradition familiale (quatre générations) dirigé depuis 1980 par Thierry et Yohann Vallet. Des vignes de cabernet franc âgées de trente ans ont donné cette cuvée rose aux reflets orangés. Le bouquet évoque les fruits mûrs agrémentés de délicates notes fumées qui se prolongent dans un palais frais, équilibré et persistant.

🔑 Yohann et Thierry Vallet, 1, rue des Ouches, 49700 Brigné, tél. et fax 02.41.59.61.93, codivallet@wanadoo.fr ☑ 🍷 🚶 r.-v.

LE CLOS DES MAILLES 2011

■ 10 000 ▮ - de 5 €

Ce domaine, conduit depuis 2005 par François Rullier, était sélectionné pour la première fois dans l'édition 2012 du Guide avec un anjou rouge. Cette année, le jury a aimé ce rosé qui « croque » dans le fruit. Un vin franc et équilibré pour un curry de volaille.

🔑 François Rullier, Les Jauraux, 49320 Brissac-Quincé, tél. 06.82.41.28.38, francois@leclosdesmailles.com
☑ 🍷 🚶 t.l.j. sf dim. 9h-12h 15h-18h

DOM. DU COLOMBIER 2011 ★

■ 5 000 ▮ - de 5 €

Ce domaine familial créé en 1974 a été repris en 2003 par la nouvelle génération, le frère et la sœur. La robe flatteuse légèrement saumonée et le nez gourmand de fruits rouges mâtinés de notes florales invitent à la dégustation. La bouche ample, ronde et fraîche, laisse une sensation d'harmonie ; l'équilibre est réussi. Ce rosé typique de l'appellation est idéal pour accompagner de la charcuterie locale.

🔑 EARL Florence et Sylvain Bazantay, 10, rue du Colombier, Linières, 49700 Brigné, tél. et fax 02.41.59.31.82, earlbazantay@orange.fr
☑ 🍷 t.l.j. sf dim. 9h-12h30 14h-18h30; sam. 9h-12h30

LE COTILLON BLANC 2011 ★

■ 2 000 ▮ - de 5 €

Gauthier Gassot, normand d'origine, a pris la tête de ce domaine situé en plein cœur des coteaux du Layon il y a bientôt dix ans. Depuis son premier millésime, il a vu ses vins régulièrement retenus. Il a sélectionné 85 % de cabernet franc complétés d'une touche de cabernet-sauvignon pour élaborer ce 2011 aux parfums exhubérants de fruits et de fleurs, rond et doux en bouche, qui se termine sur de plaisantes notes acidulées. Parfait pour un crumble aux framboises.

🔑 Gauthier Gassot, 2, rue du Cotillon-Blanc, 49380 Chavagnes-les-Eaux, tél. et fax 02.41.54.01.27, gauthier.gassot@hotmail.fr ☑ 🍷 🚶 r.-v.

ELYSIS 2011 ★

■ 136 000 ▮ - de 5 €

Les vins de la coopérative de Brissac-Quincé, l'une des plus importantes du Val de Loire spécialisée dans le cabernet-d'anjou, sont régulièrement retenus dans le Guide. Derrière le rose clair aux reflets violines de la robe, on découvre un nez discret de fruits et de bonbon acidulé. La fraîcheur anime le palais long et équilibré. Pour accompagner une pizza.

🔑 Les Caves de la Loire, rte de Vauchrétien, 49320 Brissac-Quincé, tél. 02.41.91.22.71, fax 02.41.54.20.36, loire-wines@uapl.fr ☑ 🍷 t.l.j. sf dim. 9h-12h30 14h-18h

DOM. DES ÉPINAUDIÈRES 2011

■ 11 600 ▮ - de 5 €

Situé dans l'aire des coteaux-du-layon, ce domaine, créé par Roger Fardeau en 1966, a été repris par son fils Paul en 1991. Cette cuvée provient d'un assemblage à parts égales de cabernet franc et de cabernet-sauvignon. Elle libère un bouquet concentré de fruits mûrs rehaussé par une touche végétale. Moelleux, rond et fruité, ce vin bien équilibré saura s'associer à de la cuisine exotique.

🔑 SCEA Fardeau, Sainte-Foy, 49750 Saint-Lambert-du-Lattay, tél. 02.41.78.35.68, fax 02.41.78.35.50, fardeau.paul@club-internet.fr ☑ 🍷 🚶 r.-v.

CH. DE FESLES La Chapelle 2011

■ 60 000 ▮ 5 à 8 €

Ce domaine de 55 ha a son siège sur la rive droite du Layon, à Thouarcé, au cœur de l'appellation du liquoreux. Plus connu pour ses anjou, il se distingue cette année avec un rosé « moelleux » qui séduit par son nez frais et fruité, et par sa bouche ronde, sa longue finale avenante et sa plaisante acidité. À découvrir sur un couscous royal.

🔑 Ch. de Fesles, Fesles, 49380 Thouarcé, tél. 02.41.68.94.08, fax 02.41.68.94.30, gbigot@sauvion.fr
☑ 🍷 🚶 t.l.j. sf dim. 10h-12h30 14h-17h30
🔑 Les GCF

LA ROSE FL 2011 ★

	14 000	▮	5 à 8 €

Né en 2006, le domaine FL, conduit en bio, fait l'objet d'importants investissements avec la construction en cours d'un chai de 2 000 m² sur la commune de Rochefort-sur-Loire. D'un rose léger, ce 2011 laisse paraître à l'aération des arômes forts plaisants de fruits frais qui se prolongent dans une bouche moelleuse et harmonieuse. Un vin équilibré, que l'on réservera à des brochettes de bœuf.

Dom. FL, 11, pl. François-Mitterrand, 49100 Angers, tél. 02.72.73.59.26, fax 02.72.73.58.22, julien.fournier@domainefl.com t.l.j. sf sam. dim. 9h-12h30 14h-17h30; f. août

VIGNOBLE DE LA FRESNAYE 2011

	3 000	▮	- de 5 €

Joseph, le père, et Éric, le fils, gèrent un vignoble de 22 ha environ, plus connu des habitués du Guide pour ses rouges et ses blancs. Derrière une robe rose pâle se dévoilent des parfums de fruits rouges et de fleurs blanches. Après une belle entrée en matière, la bouche se fait fruitée et amylique, onctueuse et fraîche, avant de s'achever sur des notes acidulées. Pour un apéritif ou un plat exotique.

SCEA Joseph et Éric Halbert, Villeneuve, 49190 Saint-Aubin-de-Luigné, tél. 02.41.78.38.21, fax 02.41.78.66.44, scea-halbertje@orange.fr r.-v.

DOM. DE GATINES 2011 ★

	7 500		- de 5 €

Établi entre les terres caillouteuses du Massif armoricain et les formations sablo-calcaires du Bassin parisien, le village de Tigné bénéficie d'un terroir de qualité propice aux rosés. En témoigne ce 2011 qui dévoile une subtile palette d'abricot, de pêche et de mangue, nuancée de notes florales. Ronde, moelleuse et harmonieuse, la bouche n'est pas en reste ; elle offre en finale une sensation fraîche sur le fruit fort agréable. Pour un plaisir immédiat sur une salade de crevettes à la mangue.

Vignoble Dessèvre, Dom. de Gatines, 12, rue de la Boulaie, 49540 Tigné, tél. 02.41.59.41.48, fax 02.41.59.94.44, contact@domainedegatines.fr t.l.j. sf dim. 8h-12h 14h-18h

GUILBAUD FRÈRES Coraline 2011 ★

	10 000	▮	- de 5 €

Ce cabernet-d'anjou a été mis en bouteilles par la maison de négoce Guilbaud Frères du pays nantais, créée en 1927 par l'arrière-grand-père et le grand-oncle des actuels propriétaires. Dans sa robe rose pâle, qui évoque la couleur de la chair du pamplemousse, la cuvée Coraline a charmé les dégustateurs par son bouquet puissant de fleurs blanches et de fruits rouges mêlés à des notes de pêche et de bonbon. La bouche bien construite retrouve ces mêmes arômes ; légère, ronde, et équilibrée, elle dévoile une finale gourmande aux accents acidulés. Un vin charmeur, à servir sur un chili con carne.

Guilbaud Frères, BP 49601, 44196 Clisson Cedex, tél. 02.40.06.90.69, fax 02.40.06.90.79, oenologue@gmvl.fr r.-v.

DOM. DES NOËLS 2011 ★

	5 200	▮	- de 5 €

Vinifié, après macération pelliculaire de douze heures en cuve Inox thermorégulée, à partir d'un assemblage de cabernet franc (65 %) et de cabernet-sauvignon, ce rosé scintille dans sa robe intense aux reflets orangés. Le bouquet libère des parfums délicats de fruits rouges, et le palais se montre ample, gourmand et équilibré. À apprécier sur des brochettes de canard.

Dom. des Noëls, Les Noëls, 49380 Faye-d'Anjou, tél. 02.41.54.18.01, fax 02.41.54.30.76, domaine-des-noels@terre-net.fr r.-v.

DOM. DU PETIT CLOCHER 2011 ★★

	15 000	▮	- de 5 €

Ce domaine, conduit par la même famille depuis 1920, est un spécialiste de l'appellation, régulièrement distingué dans le Guide. Une petite parcelle de 2,25 ha sur les 80 ha du vignoble a donné naissance à ce 2011 à la robe rose orangé intense ornée de reflets violets, au nez expressif de fruits rouges accompagnés de notes végétales et de sous-bois. Généreuse et ronde, la bouche joue dans le registre de la gourmandise. À partager sur une charlotte aux framboises.

Dom. du Petit Clocher, 1, rue du Layon, 49560 Cléré-sur-Layon, tél. 02.41.59.54.51, fax 02.41.59.59.70, petit.clocher@wanadoo.fr t.l.j. sf dim. 8h30-12h30 14h-18h

Denis

DOM. DE LA RAIMBAUDIÈRE 2011

	5 000	▮	- de 5 €

Florian Cesbron exploite depuis 2004 les 22 ha de ce domaine familial créé dans les années 1930. Après une visite guidée dans les vignes, il vous invite à découvrir cette cuvée à la robe rose intense, au nez discret de fruits rouges. Souple à l'attaque, ce vin rond, moelleux et bien équilibré, s'appréciera sur un canard à l'orange.

EARL Cesbron-Martin, La Frappillonnière, 49380 Champ-sur-Layon, tél. 02.41.78.86.76, contact@la-raimbaudiere.fr r.-v.

DOM. DES RICHÈRES 2011 ★

	7 000	▮	- de 5 €

Ce domaine de 35 ha est situé dans le vignoble des coteaux-du-layon. Depuis 1775, plusieurs générations de viticulteurs s'y sont succédé. Fabrice Guibert, « en poste » depuis 2007, signe un beau 2011 rose pâle étincelant. Le bouquet, peu expressif au premier nez, offre à l'agitation une belle corbeille de fruits rouges. Le palais gourmand et persistant se révèle frais et léger. Pour accompagner une entrée : une salade tomate-mozzarella-basilic.

Fabrice Guibert, 7, rte d'Angers, Millé, 49380 Chavagnes-les-Eaux, tél. 02.41.54.10.47, fax 02.41.44.97.91, faguibert@yahoo.com r.-v.

BENOÎT ROCHER 2011

	6 000	▮	5 à 8 €

Les terres sableuses et argileuses de la commune de Notre-Dame-d'Allençon, village situé entre les vallées du Layon et de l'Aubance, qui jouxte Bonnezeaux vers le nord, sont propices au cabernet franc. En témoigne cette

LOIRE

cuvée charmeuse, dominée par les fruits exotiques. Moelleuse, la bouche est bien équilibrée par une pointe d'acidité bienvenue en finale. Pourquoi pas sur un tajine ?

Benoît Rocher, Closerie de la Picardie, 49380 Notre-Dame-d'Allençon, tél. 02.41.54.30.32, fax 02.41.54.32.27, contact@benoitrocher.fr

t.l.j. 9h-19h30

DOM. SAUVEROY 2011

	45 700		5 à 8 €

Une sélection de 70 % de cabernet-sauvignon et de 30 % de cabernet franc a donné naissance à ce rosé acidulé, simple et agréable. Le nez, encore sur la retenue, s'ouvre à l'agitation sur des notes expressives de fruits rouges et de bonbon anglais. Long et équilibré, ce vin fera honneur à des rillauds d'Anjou.

EARL Pascal Cailleau, Dom. du Sauveroy, 49750 Saint-Lambert-du-Lattay, tél. 02.41.78.30.59, fax 02.41.78.46.43, domainesauveroy@sauveroy.com

r.-v.

DOM. DE LA TUFFIÈRE 2011 ★

	12 000		- de 5 €

Créé au XIVe s. par des moines, ce domaine situé sur la rive droite de la Loire, au nord-est d'Angers, fut longtemps une dépendance du château de la Tuffière. Il est aujourd'hui exploité par Clarisse Bénesteau et Frédéric Coignard, la sœur et le frère. Ce vin né de cabernet franc (60 %) complété de cabernet-sauvignon se révèle très réussi avec sa robe claire animée de jolis reflets argentés, son nez de fruits rouges et de fleurs, et sa bouche ronde et longue, équilibrée entre moelleux et vivacité. Pour une tarte aux fruits.

EARL Coignard-Benesteau, Dom. de la Tuffière, 49140 Lué-en-Baugeois, tél. et fax 02.41.45.11.47, vignoble-tuffiere@wanadoo.fr

t.l.j. sf dim. 9h-12h30 14h-19h

VERDIER 2011 ★★

	2 500		- de 5 €

Pour cette cuvée, Sébastien Verdier, qui a repris en 1987 l'exploitation familiale, a privilégié la vinification à basse température (13 °C) et l'élevage sur lies fines. Cela donne un remarquable 2011 puissant et chaleureux, au nez intense de fruits rouges et de bonbon anglais, à la bouche longue et équilibrée. Le plaisir est là et il sera décuplé à l'apéritif, avec des beignets de langoustine.

EARL Sébastien Verdier, 26 bis, rue Rabelais, 49750 Saint-Lambert-du-Lattay, tél. et fax 02.41.74.01.77, sebastien@domaineverdier.com

r.-v.

ANDRÉ VINET La Tourmandière 2011 ★★

	15 000		- de 5 €

Premier coup de cœur pour la maison de négoce GMVL, spécialisée dans le muscadet-sèvre-et-maine, et ce, pour un rosé qui a fait l'unanimité du grand jury. Un rose pâle éclatant accroche le regard, tandis que le bouquet dévoile une superbe palette aromatique qui associe fruits frais et fruits confits. En bouche, l'équilibre est parfait entre la rondeur du fruit, la suavité de la chair et la fraîcheur qui pousse loin la finale. On servira ce rosé remarquable sur un saint-honoré aux framboises.

André Vinet, BP 49601, 44196 Clisson Cedex, tél. 02.40.06.90.74 r.-v.

Coteaux-de-l'aubance

Superficie : 216 ha
Production : 6 722 hl

Petit affluent de la rive gauche de la Loire, comme le Layon qui coule plus à l'ouest, l'Aubance est bordée de coteaux de schistes portant de vieilles vignes de chenin, dont on tire un vin blanc moelleux qui s'améliore en vieillissant. Cette appellation a choisi de limiter strictement ses rendements.

Depuis 2002, la mention « Sélection de grains nobles » est autorisée pour les vins de vendanges présentant une richesse naturelle minimale de 234 g/l, soit 17,5 ° sans aucun enrichissement. Ceux-ci ne pourront être commercialisés que dix-huit mois après la récolte.

DOM. DE BABLUT Grandpierre 2010 ★

	n.c.		15 à 20 €

Ce domaine familial conduit en agriculture bio est très ancien (1546). Les schistes friables qui affleurent sur les coteaux bordant le cours alangui de l'Aubance ont délivré une fine acidité permettant d'équilibrer ce beau liquoreux paré d'or vif. Le nez opulent se révèle miellé à l'aération. En milieu de bouche, où la rondeur et le gras prédominent, s'entrecroisent des saveurs fruitées agrémentées d'un fin vanillé, cadeau du long élevage en barrique.

Daviau, Dom. de Bablut, 49320 Brissac-Quincé, tél. 02.41.91.22.59, fax 02.41.91.24.77, daviau.contact@wanadoo.fr

t.l.j. sf dim. 9h-12h 14h-18h30 2

CH. LA DOUESNERIE Cuvée Prestige 2010 ★

	3 000		8 à 11 €

Voici un liquoreux tout à fait réussi, qui a été extrait de chenins vendangés à la main et vinifiés « à l'ancienne ». Ses qualités résultent de récoltes par tries successives. Elles se dévoilent en douceur autour d'un fruité discret nappé de miel, qui précède une bouche ronde, opulente et délicate, à la finale « vivifiée » par une pointe d'acidité. Une bouteille prête pour une confrontation avec une terrine de foie gras.

🔑 Rabineau-Fillion, La Douesnerie, 4, rue Principale,
49320 Vauchrétien, tél. 02.41.54.81.62, fax 02.41.54.82.73,
rabineau@terre-net.fr
t.l.j. sf dim. 9h-12h30 14h-18h30; sam. sur r.-v.

♥ DOM. DE MONTGILET Les Trois Schistes 2010 ★★★

27 905 | 15 à 20 €

Ce domaine situé aux portes d'Angers est une référence incontestée de la région et décroche souvent les honneurs du Guide. Cette cuvée est née de vignes réparties sur trois types de schistes : les bleus, les gris, les pourpres. La vendange, méticuleuse, admet trois passages de tries, les raisins botrytisés étant récoltés en caisses ajourées de 25 kg. Ces méthodes fondées sur un immense respect du fruit ont permis d'élaborer un vin d'exception, paré d'une livrée d'or aux reflets orangés. Le bouquet, intense, s'ouvre sur un fruité très mûr aux notes de « rôti ». L'attaque onctueuse amorce un palais gras et suave, parfaitement équilibré par la vivacité minérale du terroir. Pour les accords gourmands, le choix est large : tartes aux fruits, fromages bleus, mousse au chocolat noir...

🔑 Dom. de Montgilet,
Victor et Vincent Lebreton, 10, chem. de Montgilet,
49610 Juigné-sur-Loire, tél. 02.41.91.90.48, fax 02.41.54.64.25,
montgilet@wanadoo.fr t.l.j. sf dim. 8h-18h

MOULIN DES BESNERIES 2010 ★★

3 000 | 11 à 15 €

Hervé Papin est un adepte des vinifications lentes et des élevages en barrique, ce qui semble convenir à ses chenins enracinés sur les schistes. Impression confirmée par les dégustateurs, qui ont jugé ce vin remarquable, profond et complexe dans ses expressions : robe d'or fin, nez de fruits exotiques (mangue, ananas), bouche également fruitée, onctueuse, accompagnée de notes de caramel. « Pour la nougatine et les desserts vanillés », conseille un juré, qui suggère aussi de patienter trois à quatre ans. L'acidité sous-jacente garantit de toute façon à cette bouteille un grand avenir.

🔑 EARL Hervé Papin, Moulin des Besneries,
49610 Mozé-sur-Louet, tél. 02.41.45.34.33, fax 02.41.45.32.61,
papin.herve2@wanadoo.fr t.l.j. 8h-18h

CH. PRINCÉ La Clé d'or 2010 ★

2 000 | 20 à 30 €

Mathias Levron, qui s'est installé en Anjou il y a une dizaine d'années, a fait du château Princé une référence incontournable de l'appellation. Sa Clé d'or ouvre les portes de la volupté. Le nez, d'une grande pureté, évoque la mirabelle, la pomme caramélisée, le raisin confit. En bouche, on perçoit une puissance fruitée et une douceur intense (220 g/l de sucres résiduels) régulée par l'acidité du terroir et le chêne des barriques. Un digne représentant de l'AOC, à servir sur une tarte Tatin. (Bouteilles de 50 cl.)

🔑 Ch. Princé, Le Petit-Princé,
49610 Saint-Melaine-sur-Aubance, tél. 02.41.57.82.28,
bureau@chateaudeparnay.fr r.-v.

DOM. RICHOU Les 3 Demoiselles 2010

2 100 | 20 à 30 €

Damien et Didier Richou n'ont qu'un seul souci : le respect de la vigne et du terroir. Dans cette optique, ils obtiendront bientôt leur certification bio. Extrait d'une parcelle de schistes où le botrytis s'installe facilement, ce qui oblige à plusieurs tries, leur liquoreux nécessitera du temps pour être apprivoisé. Un peu fermé, il révèle à l'aération un fruité délicat, prélude à une bouche pourvue d'une matière ample et gracieuse. À oublier en cave jusqu'en 2017.

🔑 Dom. Richou, Chauvigné, 49610 Mozé-sur-Louet,
tél. 02.41.78.72.13, fax 02.41.78.76.05,
domaine.richou@wanadoo.fr r.-v.

Anjou-coteaux-de-la-loire

Superficie : 30 ha
Production : 980 hl

Située en aval d'Angers, l'appellation est réservée aux vins blancs issus du pineau de la Loire. Elle constitue un vestige du vignoble médiéval d'Anjou, qui était planté sur les bords de la Loire, principale voie de transport à cette époque. Cette proximité du fleuve conditionne le climat des coteaux qui se caractérise par des températures douces, avec des écarts atténués. Les vins paraissent presque légers, délicats, ce qui traduit bien les conditions de maturation équilibrées. L'aire de production est située uniquement sur les schistes et les calcaires de Montjean.

COTEAU SAINT VINCENT Tris successifs 2011

3 200 | 5 à 8 €

Récoltés à partir du 7 octobre sur une parcelle offrant une vue imprenable sur la ville de Chalonnes-sur-Loire, les raisins de chenin atteints de pourriture noble ont été minutieusement triés pour donner, après huit mois d'élevage, un liquoreux jaune doré d'abord plutôt discret. Après agitation, le verre laisse monter de fines senteurs de fruits surmûris. Ce fruité se prolonge dans une bouche ronde et veloutée, dont la douceur (130 g/l de sucres résiduels) est contrebalancée par une pointe d'acidité qui met en valeur une finale sur les agrumes.

🔑 EARL Olivier Voisine, Coteau Saint-Vincent,
49290 Chalonnes-sur-Loire, tél. 02.41.78.59.00,
coteau-saint-vincent@wanadoo.fr r.-v.

DOM. DU FRESCHE Clos du Chalet 2010 ★

1 400 | 11 à 15 €

Dans les deux précédentes éditions du Guide, Alain Boré se distinguait avec des vins rouges d'Anjou très réussis, montrant ainsi sa maîtrise des cabernets et du gamay, qu'il cultive, comme les autres cépages, en bio

LOIRE

depuis plus de dix ans. Cette fois, il se fait remarquer grâce à un chenin liquoreux à la robe dorée et aux parfums prononcés de fleurs blanches. Le palais, souple et suave en attaque, se révèle rond et fruité avant d'être vivifié par une longue finale sur la fraîcheur. Pour un dessert aux fruits jaunes.

EARL Alain Boré,
Dom. du Fresche, rte de Chalonnes, D 151,
49620 La Pommeraye, tél. 02.41.77.74.63,
domainedufresche@orange.fr
t.l.j. sf dim. 10h-12h 14h-18h; f. 15-31 août

Savennières

Superficie : 147 ha
Production : 5 068 hl (crus inclus)

Implanté sur la rive droite de la Loire, à une quinzaine de kilomètres en aval d'Angers, ce vignoble se singularise par sa production : des vins blancs secs, issus du chenin, essentiellement sur la commune de Savennières.

Les schistes et grès pourpres leur confèrent un caractère particulier, ce qui les a fait définir longtemps comme crus des coteaux de la Loire ; mais ils méritent une appellation à part entière. Pleins de sève, un peu nerveux, ils vont à merveille sur les poissons cuisinés.

DOM. DES BARRES Les Bastes 2010 ★

5 000 | 5 à 8 €

À Saint-Aubin-de-Luigné, la « perle du Layon », ce domaine de 29 ha, conduit par la famille Achard depuis trois générations, est plus connu pour ses coteaux-du-layon. Cette année, Patrice signe un savennières très réussi. Jaune d'or intense, ce 2010 charme par ses arômes de fruits bien mûrs, de fleurs blanches, agrémentés de nuances miellées et vanillées. Rehaussée par une fraîcheur minérale, la bouche s'étire en longueur. L'élevage en fût de dix mois a laissé son empreinte. Un vin encore austère à attendre trois à cinq ans.

Patrice Achard, Dom. des Barres,
49190 Saint-Aubin-de-Luigné, tél. 02.41.78.98.24,
fax 02.41.78.68.37, achardpatrice@wanadoo.fr r.-v.

DOM. DE LA BERGERIE La Croix Picot 2010

5 000 | 8 à 11 €

Yves et Marie-Annick Guégniard, aidés à partir de ce millésime par Anne, leur fille, peuvent être rassurés : la huitième génération est prête à prendre la relève sur le domaine familial. En témoigne ce plaisant savennières aux arômes de fruits exotiques (mangue, litchi) qui tapissent un palais ample et généreux. Pour un boudin noir, suggère la jeune vigneronne dont le mari David Guitton a ouvert un restaurant gastronomique sur le domaine.

Yves et Anne Guégniard, Dom. de la Bergerie,
49380 Champ-sur-Layon, tél. 02.41.78.85.43,
fax 02.41.78.60.13, domainede.la.bergerie@wanadoo.fr
t.l.j. sf dim. 9h-12h30 14h-19h

(B) DOM. DU CLOSEL Les Caillardières 2010 ★★★

3 160 | 15 à 20 €

Cette dynastie de femmes sur la seigneurie de Vaults à Savennières n'a de cesse de se faire remarquer, avec ici deux très beaux vins sélectionnés. Issue de 3 ha cultivés en bio et élevée dix-huit mois en cuve, cette cuvée confidentielle, superbe dans sa robe or pâle, livre des arômes d'une grande finesse : fumée et fruits exotiques mêlés à des notes minérales fort plaisantes. La bouche, fine et soyeuse, s'étire longuement sur les épices et les agrumes ; l'équilibre est parfait. Une cuvée d'exception à attendre trois ans avant de l'apprécier sur des aspics de langouste. **La Jalousie 2010 (11 à 15 €; 18 400 b.)** a été jugée remarquable pour son bouquet de fruits exotiques, de brioche et de truffe blanche, prélude à une bouche gourmande, suave et fraîche.

Dom. du Closel, Ch. des Vaults, 1, pl. du Mail,
49170 Savennières, tél. 02.41.72.81.00,
closel@savennieres-closel.com
t.l.j. 9h30-18h30; f. dim. en hiver

DOM. DHOMMÉ Les Fougeraies 2010 ★

7 000 | 8 à 11 €

Un terroir de sables éoliens et de schistes verts est à l'origine de ce beau savennières drapé dans une robe pimpante jaune d'or, qui annonce un nez intense de fruits blancs (pêche, poire), de fruits confits et de fruits exotiques, avec une pointe de minéralité. Riche et frais à la fois, ce vin gourmand et harmonieux s'accordera à des filets de mulet au beurre blanc.

Dom. Dhommé,
46, Les Petits-Fresnaies, rte de Chemillé,
49290 Chalonnes-sur-Loire, tél. 02.41.45.06.53,
info@domainedhomme.com
t.l.j. sf dim. 10h-12h 14h-18h

CH. D'EPIRÉ 2010

20 000 | 11 à 15 €

Régulièrement distingué dans le Guide, Luc Bizard s'est forgé une belle réputation dans l'appellation. Il dédie 11 ha de son domaine (sur 12) à cette cuvée séduisante. Fruits blancs (pêche) et fleurs jaunes (genêt) annoncent une bouche ronde et équilibrée, soutenue par une plaisante acidité. Un vin vif pour accompagner des coquillages.

Luc Bizard, SCEA Bizard-Litzow, Chais du Ch. d'Epiré,
49170 Savennières, tél. 02.41.77.15.01, fax 02.41.77.16.23,
luc.bizard@wanadoo.fr
t.l.j. sf dim. 9h-12h 14h-18h30

LUC ET FABRICE MARTIN L'Aiglerie 2010 ★★

3 200 | 8 à 11 €

Les frères Luc et Fabrice Martin sont bien connus pour leurs coteaux-du-layon régulièrement distingués. Cette année, ils se font remarquer avec cette superbe cuvée dorée aux reflets verts, au bouquet complexe de fruits exotiques (mangue, ananas), de fruits confits, de miel, de chocolat, de genêt, de vanille... Une explosion de senteurs envahit le palais d'une grande finesse, rond, gras, à l'équilibre parfait. En finale, une légère amertume, typique de l'appellation, apporte de la fraîcheur à ce vin que l'on appréciera sur un bar grillé sauce au beurre blanc.

GAEC Luc et Fabrice Martin, 2 bis, rue du Stade,
49290 Chaudefonds-sur-Layon, tél. 02.41.78.19.91,
fax 02.41.78.98.25, luc.martin3@wanadoo.fr r.-v.

MOULIN DE CHAUVIGNÉ Clos Brochard 2010 ★

1 800 | 11 à 15 €

Cet ancien moulin, construit en 1750 et situé au cœur des vignes, domine la vallée de la Loire. Avant de savourer ce savennières très réussi, prenez le temps de découvrir le magnifique panorama. Jaune d'or aux reflets vifs, ce 2010 respire la pêche (blanche et jaune). Après une attaque vive et franche, la bouche se montre élégante avec, en finale, une légère amertume et de délicates notes de poire. Un vin au très beau potentiel (trois ou quatre ans de garde). Pour des brochettes de saint-jacques.

Christian et Sylvie Plessis, Le Moulin de Chauvigné, 49190 Rochefort-sur-Loire, tél. et fax 02.41.78.86.56, info@moulindechauvigne.com r.-v.

DOM. DU PETIT MÉTRIS Clos de la Marche Tri d'automne 2010 ★

2 200 | 8 à 11 €

Fondé en 1742, ce domaine, aujourd'hui conduit en lutte raisonnée, produit un 2010 or pâle qui développe après aération un bouquet d'abricot mûr, de fruits exotiques et de tilleul. Un palais harmonieux, gras et moelleux, lui fait écho. Cet ensemble élégant, bien équilibré, est à découvrir dès à présent sur une lotte au curry. Même note pour le **Clos de la Marche 2010 (4 000 b.)** au bouquet complexe de fruits secs et de fruits blancs agrémenté de notes florales, qui annonce une bouche à l'unisson, ample et fraîche.

Dom. du Petit Métris, 13, chem. de Treize-Vents, Le Grand-Beauvais, 49190 Saint-Aubin-de-Luigné, tél. 02.41.78.33.33, fax 02.41.78.67.77, domaine.petit.metris@wanadoo.fr r.-v.

Famille Renou

CH. PIERRE-BISE Clos de Coulaine 2010

9 750 | 8 à 11 €

Les enfants de Claude Papin (figure emblématique de la région et président de l'AOC quarts-de-chaume) ont repris le domaine en 2010 et se voient déjà distingués avec ce Clos de Coulaine, joliment doré. Le bouquet marie fruits très mûrs (pomme), fleurs et notes minérales. La bouche, riche et ronde, laisse tout au long de la dégustation une sensation fruitée, avec une légère pointe d'acidité en finale. Un vin équilibré, à apprécier sur un poulet à la crème. Pour 2013.

EARL Ch. Pierre-Bise, 1, imp. du Chanoine-de-Douves, 49750 Beaulieu-sur-Layon, tél. 02.41.78.31.44, fax 02.41.78.41.24, chateaupb@hotmail.com r.-v.

Papin

CH. DE PLAISANCE Le Clos 2010

10 000 | 11 à 15 €

Le château de Plaisance est une valeur sûre de l'appellation. Cette cuvée est née de ceps âgés de trente ans et a séjourné pour une moitié en cuve (douze mois), pour l'autre en fût (un an également). Dans sa robe brillante aux reflets or, elle a séduit le jury par son nez discret qui s'ouvre après aération sur un bouquet de fruits secs (amande) et de fruits mûrs (pomme verte, abricot) agrémenté de notes miellées. Ces parfums se prolongent dans une bouche fraîche, souple et bien équilibrée. À boire dès aujourd'hui sur des asperges sauce mousseline, suggère le vigneron.

Guy Rochais, Ch. de Plaisance, Chaume, 49190 Rochefort-sur-Loire, tél. 02.41.78.33.01, fax 02.41.78.67.52, rochais.guy@wanadoo.fr r.-v.

Savennières-roche-aux-moines, savennières-coulée-de-serrant

Il est difficile de séparer ces deux crus, qui ont pourtant reçu une appellation particulière, tant ils sont proches en caractère et en qualité. La coulée-de-serrant, plus restreinte en surface, est située de part et d'autre de la vallée du Petit Serrant. Elle est propriété en monopole de la famille Joly. La roche-aux-moines appartient à plusieurs propriétaires. Si elle est moins homogène que son homologue, on y trouve cependant des cuvées qui n'ont rien à lui envier.

Savennières-roche-aux-moines

DOM. AUX MOINES 2010

20 000 | 15 à 20 €

Ce domaine, fondé par les moines de Saint-Nicolas d'Angers puis vendu comme bien national à la Révolution, est engagé depuis 2009 dans une conversion en agriculture biologique. C'est à Tessa, la fille de Monique, qu'est due cette cuvée. Revêtu d'une belle robe jaune pâle, ce 2010 libère des arômes intenses de fruits blancs agrémentés de notes florales. Souple à l'attaque, la bouche riche s'étire longuement, soutenue par des notes acidulées qui apportent fraîcheur et équilibre. À ouvrir sur des crustacés.

Tessa Laroche, Dom. aux Moines, La Roche-aux-Moines, 49170 Savennières, tél. 02.41.72.21.33, fax 02.41.72.86.55, info@domaine-aux-moines.com t.l.j. 9h30-12h30 14h-19h; dim. mat. sur r.-v.

♥ **CH. PIERRE-BISE** 2010 ★★

6 170 | 15 à 20 €

Ce domaine se place une nouvelle fois dans le peloton de tête avec cette remarquable cuvée qui lui vaut son douzième coup de cœur et qui confirme son talent en matière de blancs de chenin. D'un beau jaune doré aux reflets verts, ce 2010 délivre d'élégants arômes de fruits blancs (pêche) et de fleurs relevés d'une flatteuse pointe minérale. Riche, rond et fruité à souhait, ce vin d'une superbe longueur est un excellent représentant de l'appellation. À réserver dans deux ans à un délice de crevettes à la coriandre.

EARL Ch. Pierre-Bise, 1, imp. du Chanoine-de-Douves, 49750 Beaulieu-sur-Layon, tél. 02.41.78.31.44, fax 02.41.78.41.24, chateaupb@hotmail.com r.-v.

Coteaux-du-layon

Superficie : 1 486 ha
Production : 46 625 hl

Demi-secs, moelleux ou liquoreux, les coteaux-du-layon naissent du seul chenin, cultivé le long de la rive gauche de la Loire sur les coteaux des communes qui bordent le Layon, de Nueil à Chalonnes. Plusieurs villages sont réputés : le plus connu, devenu une appellation à part entière, est celui de Chaume. Six noms peuvent être ajoutés à l'appellation : Rochefort-sur-Loire, Saint-Aubin-de-Luigné, Saint-Lambert-du-Lattay, Beaulieu-sur-Layon, Rablay-sur-Layon, Faye-d'Anjou. Depuis 2002, les vins ont droit à la mention « Sélection de grains nobles » lorsque la richesse naturelle minimale de la vendange est de 234 g/l, soit 17,5 % vol. sans aucun enrichissement. Ils ne peuvent être commercialisés avant les dix-huit mois suivant la récolte. Vins subtils, or vert à Concourson, plus jaunes et plus puissants en aval, les coteaux-du-layon présentent des arômes de miel et d'acacia, acquis lors de la surmaturation. Leur capacité de vieillissement est étonnante.

DOM. DE L'ARBOUTE Faye 2010 ★★

5 000 | 8 à 11 €

Arrivé en 1955 sur le domaine, Jules Massicot a dynamisé cette exploitation, restructurant un vignoble plus ou moins en déshérence. Sa descendance en assure la pérennité et ce, avec brio. Très expressive, cette remarquable cuvée flâne entre abricot confit, acacia et miel, ces arômes caractéristiques d'un chenin très choyé. Douce et fraîche à la fois, la bouche, qui s'étire longuement, apporte beaucoup de plaisir. Prévoir quelques fromages bleus (fourme d'Ambert, roquefort) pour satisfaire la fin d'un repas. (Bouteilles de 50 cl.)

EARL Massicot Père et Fils, Dom. de l'Arboute, 49380 Faye-d'Anjou, tél. 02.41.54.03.38, fax 02.41.47.19.52, earl.massicot@wanadoo.fr r.-v.

DOM. DES BARRES Saint-Aubin 2011 ★

9 000 | 5 à 8 €

Le domaine des Barres offre un beau spectacle sur la vallée du Layon et sur les vestiges du moulin Guérin, brûlé lors des guerres de Vendée et aujourd'hui aménagé en belvédère. Panorama bucolique qui incite à un *dolce* farniente qu'on aimera agrémenter par la dégustation d'un liquoreux jubilatoire, tel ce coteaux-du-layon. Joyeux, il s'affiche dans une tenue striée de reflets or, prélude à un nez délicat de fleurs blanches (acacia) et à une bouche ample et onctueuse qui lui fait écho. Un vin très réussi pour un foie gras poêlé.

Patrice Achard, Dom. des Barres, 49190 Saint-Aubin-de-Luigné, tél. 02.41.78.98.24, fax 02.41.78.68.37, achardpatrice@wanadoo.fr r.-v.

DOM. DE LA BELLE ANGEVINE Beaulieu Cuvée Béhuard 2011 ★

2 500 | 15 à 20 €

Ce domaine, créé en 1993, réunit deux exploitations, l'une sise à Beaulieu-sur-Layon, l'autre à Saint-Lambert-du-Lattay. Quant au caveau de dégustation, que les gourmets friands de plats régionaux de qualité fréquentent assidûment, il se trouve sur une île de la Loire, dans la petite commune de Béhuard. C'est l'endroit rêvé pour goûter cette cuvée 2011 de la Belle Angevine aux arômes de fruits confits et de miel. À l'unisson, la bouche se montre ample et généreuse. Un vin plaisant et harmonieux, bien équilibré.

Florence Dufour, La Promenade, 49750 Beaulieu-sur-Layon, tél. 06.72.59.99.38, labelleangevine@wanadoo.fr r.-v.

CH. DE BELLEVUE Chaume 2010 ★

12 560 | 11 à 15 €

Hervé Tijou est « tombé tout petit dans le vin », à l'instar d'Obélix dans la potion magique... C'est du moins ce qu'il aime à répéter. De là est née sa passion, qui se confirme au fil des éditions du Guide. Ce Chaume très réussi dans sa robe jaune paille soutenu est un vin de caractère fort plaisant. Fruité, fin et équilibré, il sera apprécié dès à présent lors d'un apéritif dînatoire.

Hervé Tijou, EARL Tijou et Fils, Ch. de Bellevue, 49190 Saint-Aubin-de-Luigné, tél. 02.41.78.33.11, chateaubellevuetijou@orange.fr t.l.j. sf dim. 9h-12h 14h-18h

MICHEL BLOUIN Chaume Cuvée des Onnis 2010

4 100 | 11 à 15 €

Cette exploitation familiale bien connue en Val de Loire et régulièrement « étoilée » dans le Guide propose un Chaume puissant et déjà prêt. Le jury a aimé son palais gras et volumineux tapissé d'arômes de fruits exotiques. À réserver à une tarte aux poires.

EARL Dom. Michel Blouin, 53, rue du Canal-de-Monsieur, 49190 Saint-Aubin-de-Luigné, tél. 02.41.78.33.53, fax 02.41.78.67.61, domaine.michel.blouin@wanadoo.fr t.l.j. 9h-12h30 14h-19h; dim. sur r.-v.

DOM. BODINEAU Fleur de schiste 2011 ★★

5 000 | 11 à 15 €

Le domaine Bodineau, « cave touristique du vignoble de Loire », prend son assise sur les riants coteaux qui bordent le Layon. L'accueil chaleureux se veut également pédagogique. On y découvre l'histoire des vins du domaine et les opérations qui accompagnent leur naissance. Fleur de schiste est née de petits rendements. La séduction commence par un bouquet joyeux de fruits mûrs et de miel remarquable d'harmonie. Le palais, gras et long, est parfaitement équilibré. À servir à l'apéritif ou sur du roquefort. (Bouteilles de 50 cl.)

Dom. Bodineau,
Savonnières, 4, chem. du Château-d'Eau,
49700 Les Verchers-sur-Layon, tél. 02.41.59.22.86,
fax 02.41.59.86.21, domainebodineau@yahoo.fr r.-v.

DOM. DES BOHUES Cuvée des Martyrs 2010 ★★

	4 000		11 à 15 €

Exploité depuis trois générations par la famille Retailleau, le domaine des Bohues à taille humaine (14 ha) est régulièrement sélectionné dans le Guide pour ses moelleux. Le nom de la cuvée des Martyrs rappelle un épisode douloureux des guerres de Vendée. Élevé dix-huit mois en fût, ce 2010 charme par ses délicates notes de fruits mûrs, de fruits confits, de grillé et de vanille. La bouche, tout en rondeur, s'exprime avec élégance et fraîcheur, découvrant une très belle finale. Ce vin prometteur, qui devrait s'épanouir d'ici cinq ans et plus, peut néanmoins être apprécié dès maintenant à l'apéritif ou sur un dessert.

Denis Retailleau, Les Bohues,
49750 Saint-Lambert-du-Lattay, tél. 02.41.78.33.92,
fax 02.41.78.34.11, denisretailleau.bohues@orange.fr
r.-v.

DOM. CADY Saint-Aubin Cuvée Volupté Sélection de grains nobles 2010 ★★

	4 000		20 à 30 €

Habitué du Guide, le domaine Cady réputé en matière de vins blancs, notamment liquoreux, propose la cuvée Volupté jugée remarquable par les dégustateurs. Un terroir schisteux, où le chenin exprime tout son potentiel aromatique, a donné naissance à ce 2010 au beau bouquet de fruits confits, de miel et de brioche. La bouche, dans le même registre, fait belle impression. « Noble et harmonieuse », souligne l'un des jurés. À noter : le domaine est en cours de conversion vers l'agriculture biologique.

Dom. Cady, 20, Valette, 49190 Saint-Aubin-de-Luigné,
tél. 02.41.78.33.69, domainecady@yahoo.fr
t.l.j. sf. dim. 9h-12h 15h-18h30; sam. sur r.-v.

CH. LA CALONNIÈRE Kilorédie 2010 ★★

	1 100		11 à 15 €

La seigneurie de La Calonnière est une étape plaisante sur la route des vignobles du Layon. Cette exploitation viticole performante, dirigée depuis 2005 par Guillaume Lafuie, voit sa cuvée Kilorédie distinguée par un coup de cœur unanime. Robe jaune d'or luminescente, large éventail aromatique, où se mêlent fruits secs, agrumes confits et vanillé tendre, bouche « explosive » de fruits mûris à point : le charme opère jusqu'à la finale, superbe, généreuse et interminable.

Ch. de la Calonnière, La Calonnière,
49540 Martigné-Briand, tél. 02.41.59.43.37, fax 02.41.59.97.36,
lafaie@chateaudelacalonniere.com
t.l.j. sf sam. dim. 9h-19h

DOM. DE CHANTEMERLE L'Ivresse du soleil 2011 ★★

	4 000		8 à 11 €

Une remarquable cuvée ensoleillée due au talent de Patrick Laurilleux. Des chenins encore jeunes, mais prometteurs, vendangés à la main et élevés en partie en fût de chêne ont donné naissance à ce superbe 2011. Tout en lui séduit : la robe dorée, le bouquet gourmand de coing, de miel et de fruits secs, et la bouche riche et ronde, équilibrée par la fraîcheur. **L'Intemporel Rosaine 2010 (11 à 20 € ; 2 600 b.)** reçoit une étoile pour ses arômes compotés (abricot, poire, coing) qui tapissent une bouche bien équilibrée par une bonne vivacité finale.

EARL Patrick et Caroline Laurilleux, 4, rue de l'École,
49310 Trémont, tél. 02.41.59.43.18,
chantemerle49@wanadoo.fr r.-v.

DOM. DES CHESNAIES Chaume La Mignonne 2010

	1 000		15 à 20 €

Cette Mignonne n'aura pas le temps d'aller voir « si la rose [...] a point perdu cette vesprée », car on la dégustera bien vite afin de profiter des instants joyeux que procurent ses saveurs moelleuses de coing. De la rondeur, un bel équilibre et une pointe d'acidité plaisante, voilà un liquoreux primesautier qui sera à son aise avec un dessert. Charlotte aux abricots ou crème brûlée ? (Bouteilles de 50 cl.)

Olivier de Cenival, La Noue, 49190 Denée,
tél. 02.41.78.79.80, odecenival@wanadoo.fr
r.-v. 3

DOM. DE LA CLARTIÈRE Cuvée Diapason 2010 ★

	2 000		11 à 15 €

La cuvée Diapason du domaine de la Clartière semble avoir trouvé le *la* des accords parfaits. Elle s'ouvre sur des senteurs exotiques de mangue et de fruit de la Passion agrémentées d'élégantes notes empyreumatiques. Un fruité délicat aux accents acidulés en finale rehausse un palais de belle tenue. On réservera ce vin à un dessert aux fruits, à une tarte aux poires par exemple. (Bouteilles de 50 cl.)

Pierre-Antoine Pinet, Dom. de la Clartière,
49560 Nueil-sur-Layon, tél. et fax 02.41.59.53.05,
earlpinet@orange.fr t.l.j. sf dim. 10h-19h

DOM. DE CLAYOU 2011

	12 000		5 à 8 €

C'est au cœur du vignoble angevin, dans le gros bourg viticole de Saint-Lambert-du-Lattay, que s'étend le domaine de Clayou qui produit une vaste gamme de rosés, de rouges et de blancs. Ce coteaux-du-layon 2011 libère de beaux arômes de fruits confits et d'agrumes. Équilibré par une juste fraîcheur, ce vin ample et gras, bien structuré, accompagnera à merveille une flognarde aux poires.

SCEA Jean-Bernard Chauvin, 18 bis, rue du Pont-Barré,
49750 Saint-Lambert-du-Lattay, tél. 02.41.78.44.44,
fax 02.41.78.48.52, domainedeclayou@aliceadsl.fr
t.l.j. sf dim. 9h-12h30 14h-19h; f. 15-31 août

DOM. DU CLOS DES GOHARDS Cuvée Emma 2011 ★★

	5 000		5 à 8 €

Quatre générations de vignerons ont participé à l'ascension du Clos des Gohards, reconnu pour la qualité régulière de ses vins. La cuvée Emma 2011 confirme le savoir-faire de ses productions dans sa séduisante livrée jaune paille, prélude aux arômes de fruits mûrs et de miel que le chenin – lorsqu'il est habilement conduit – a coutume de délivrer. La bouche, à l'unisson, est grasse, équilibrée et longue. Une harmonie surprenante quand on connaît le niveau de sucres résiduels (245 g/l) de ce beau flacon. À ouvrir sur une terrine de foie gras.

EARL Joselon, Les Oisonnières,
49380 Chavagnes-les-Eaux, tél. et fax 02.41.54.13.98,
earljoselon@orange.fr r.-v.

DOM. DES CLOSSERONS Vieilles Vignes 2011 ★

	10 800		8 à 11 €

Une propriété familiale qui a grandi dans l'harmonie, exploitée avec méticulosité par une fratrie. Sa cuvée Vieilles Vignes, très réussie, est née de raisins aux cinquante printemps qui ont bénéficié de soins attentifs. L'élégance de la robe jaune pâle, le nez de fruits mûrs assortis de nuances miellées et la bouche parfaitement équilibrée invitent à découvrir cette bouteille dès maintenant. Écartons la perspective classique du foie gras en accompagnement et proposons un canard à l'orange !

EARL Jean-Claude Leblanc et Fils, 2, rue des Monts,
49380 Faye-d'Anjou, tél. 02.41.54.30.78, fax 02.41.54.12.02,
contact@domaine-leblanc.fr r.-v.

COTEAU SAINT-VINCENT Vieilles Vignes 2011 ★

	3 500		5 à 8 €

C'est la troisième génération des Voisine qui officie au Coteau Saint-Vincent, rendant ainsi hommage au saint patron des vignerons. Cette cuvée 2011 possède tous les atouts d'un coteaux-du-layon nourri de la force de ses terres schisteuses : une robe jaune doré, un nez intense de fleurs et de fruits blancs (poire) ; une bouche douce et fraîche. Le chenin a apporté la générosité pulpeuse des baies vendangées par tries. Voilà un liquoreux très réussi.

EARL Olivier Voisine, Coteau Saint-Vincent,
49290 Chalonnes-sur-Loire, tél. 02.41.78.59.00,
coteau-saint-vincent@wanadoo.fr r.-v. 1

DOM. LA CROIX DE GALERNE 2011 ★

	n.c.		5 à 8 €

Très réussi, ce liquoreux de la Croix de Galerne. Il fait honneur à l'appellation coteaux-du-layon... Et au travail assidu d'Yvette et André Roger et de leur fils Frédéric qui les a rejoints en 2007. Derrière sa livrée jaune pâle, ce vin dévoile d'élégants arômes de fruits surmûris qu'une pointe acidulée souligne avec bonheur en finale. Équilibrée et fraîche, la bouche s'étire longuement sur ces tendres saveurs. Pour du bleu d'Auvergne.

Yvette, André et Frédéric Roger,
20, rue du Pressoir, Maligné, 49540 Martigné-Briand,
tél. 02.41.59.65.73, fax 02.41.59.82.57, earl.roger@orange.fr
t.l.j. sf dim. 9h-12h 14h-18h30

DOM. DES DEUX VALLÉES Le Clos de la Motte 2011 ★★

	20 000		8 à 11 €

Le domaine des Deux Vallées a été restructuré en 2001. Les excellents résultats ne se sont pas fait attendre, le talent de deux vinificateurs hors pair, Philippe et René Socheleau, y étant pour beaucoup. Exigeants et précis, de la vendange à l'élevage, ils font preuve d'un beau savoir-faire distingué par plusieurs coups de cœur. On ne peut qu'être séduit par ce liquoreux jaune doré aux subtils accents de fruits confits évoquant le coing et la figue. Tout aussi concentrée, la bouche s'inscrit dans le même registre aromatique. On réservera un foie gras à cette remarquable cuvée. (Bouteilles de 50 cl.)

SCEA Dom. des Deux Vallées, Bellevue,
49190 Saint-Aubin-de-Luigné, tél. 02.41.78.33.24,
fax 02.41.78.66.58, contact@domaine2vallees.com
t.l.j. sf dim. 9h-12h 14h-18h
Socheleau

DOM. DE LA DUCQUERIE Cuvée Lola 2010 ★★★

	4 000		11 à 15 €

Un très joli coup double pour la Ducquerie de la famille Cailleau. La cuvée Lola 2010 emporte l'adhésion des dégustateurs, qui l'ont trouvée exceptionnelle. Tant dans son apparence princière – la robe intense, dorée, est superbe – que dans la suavité tendre de son bouquet imprégné d'un vanillé charmeur. C'est à sa bouche que l'on réserve les plus beaux compliments. Le boisé original (chêne et acacia) et très bien intégré enrobe d'opulentes saveurs fruitées et miellées. L'équilibre est parfait, l'harmonie totale. À déguster à petites gorgées voluptueuses, accompagné d'un Havane... (Bouteilles de 50 cl.) Le **1er cru Chaume 2011 (8 à 11 € ; 4 500 b.)** chaleureux et doté d'une légère pointe acidulée reçoit une étoile.

EARL Cailleau et Fils,
Dom. de la Ducquerie, 2, chem. du Grand-Clos,
49750 Saint-Lambert-du-Lattay, tél. 02.41.78.42.00,
fax 02.41.78.48.17, domaine.ducquerie@wanadoo.fr
t.l.j. sf dim. 8h-12h 14h-18h

DOM. DE L'ÉTÉ 2010 ★

	30 580		5 à 8 €

L'Été, ce n'est pas que le temps des vacances. C'est aussi le nom d'un domaine viticole ligérien piloté par Catherine Nolot, qui propose des coteaux-du-layon aux saveurs délicates. Représentative de sa production, cette cuvée 2010 aux arômes intenses de fruits confits et de miel procure d'harmonieuses sensations au palais. Une belle réussite, qui appelle un sucré-salé de gambas – une suggestion intéressante. On se plaira aussi à découvrir le **Ch. des Rochettes 2010 Vieilles Vignes (8 à 11 € ; 8 140 b.)**, également très réussi (une étoile) ; ce vin équilibré déroule longuement ses gourmandises fruitées jusqu'à une agréable finale soyeuse.

SCEA Catherine Nolot, L'Été,
49700 Concourson-sur-Layon, tél. 02.41.59.11.63,
fax 02.41.59.95.16, domainedelete@wanadoo.fr
t.l.j. sf dim. 9h-12h30 13h30-17h30

DOM. DE FIERVAUX Cuvée Manon 2011 ★★

	12 000		20 à 30 €

Remarquable, cette cuvée Manon élevée dans la cave troglodytique du domaine creusée au XIIe s. dans la pierre de tuffeau. Les clés de son succès ? Du chenin cultivé sur un sol schisteux, une vendange par tries, une vinification douce (pressurage) et un séjour d'un an en barrique de chêne. Les jurés ont été conquis par sa livrée jaune pâle ainsi que par son nez subtil de fruits confiturés.

Nullement en reste, la bouche, fraîche et équilibrée, a su se montrer conquérante. Un coup de cœur fut proposé...
Christian Cousin, 235, rue des Caves, 49260 Vaudelnay, tél. 02.41.52.34.63, fax 02.41.38.89.23 r.-v.

DOM. DES FORGES Chaume Les Onnis 2010 ★

	4 000		11 à 15 €

Un domaine réputé pour ses vins liquoreux, qui lui ont valu plusieurs coups de cœur. C'était le cas l'an passé de ce Chaume. Les Onnis 2010 doit se contenter d'une étoile. Ce liquoreux n'en demeure pas moins de très belle tenue avec sa superbe livrée d'or brillant et son riche bouquet de fleurs blanches, de fruits confits et de délicates notes boisées. La bouche, harmonieuse et équilibrée, appelle un dessert raffiné, un soufflé glacé aux cerises, par exemple.
EARL Branchereau,
Dom. des Forges, Le Clos-des-Forges,
49190 Saint-Aubin-de-Luigné, tél. 02.41.78.33.56,
fax 02.41.78.67.51, cb@domainedesforges.net
t.l.j. 9h-12h 14h-19h; dim. mat. sur r.-v.

VIGNOBLE DE LA FRESNAYE Saint-Aubin
Cuvée Quintessence 2010 ★

	2 000		15 à 20 €

Un Saint-Aubin né de vignes bien travaillées et d'un élevage consciencieux, qui affiche les qualités attendues d'une vendange mûre. Ce vin très réussi au bouquet chaleureux de miel et d'abricot s'épanouit en une bouche ample et superbement équilibrée entre moelleux et acidité. On prédit à cette belle bouteille un franc succès à l'apéritif ou au dessert.
SCEA Joseph et Éric Halbert, Villeneuve,
49190 Saint-Aubin-de-Luigné, tél. 02.41.78.38.21,
fax 02.41.78.66.44, scea-halbertje@orange.fr r.-v.

CH. DU FRESNE Faye 2011 ★

	15 000		5 à 8 €

Créé en 1927, le vignoble qui a donné naissance à ce Faye est beaucoup plus récent que le château en pierre de schiste bâti, lui, en 1437. Il accueille plusieurs fois par an la confrérie des Gourmandiers Tasteviniers, lors de ses cérémonies. Ce liquoreux aux saveurs de coing et de raisin bien mûr, voire passerillé, est vivifié par une pointe de minéralité. Friand et équilibré, il procurera bien du plaisir sur un entremets au chocolat ou sur des mangues rôties.
Ch. du Fresne, 25 bis, rue des Monts,
49380 Faye-d'Anjou, tél. 02.41.54.30.88, fax 02.41.54.17.52,
contact@chateaudufresneanjou.com
t.l.j. sf dim. 8h-12h 14h-19h

DOM. GAUDARD Chaume 2010

	n.c.		5 à 8 €

Installé à Chaudefonds-sur-Layon, ce domaine familial est également réputé pour ses cabernets-d'anjou et ses quarts-de-chaume. Vêtu de jaune aux reflets orangés, ce layon Chaume élevé dix-huit mois en cuve évoque, après aération, les fruits exotiques. La bouche se montre concentrée, avec une pointe de nervosité bienvenue.
Janes et Pierre Aguilas,
Dom. Gaudard, rte de Saint-Aubin,
49290 Chaudefonds-sur-Layon, tél. 02.41.78.10.68,
fax 02.41.78.67.72, pierre.aguilas@wanadoo.fr
t.l.j. sf dim. 9h-12h30 13h30-18h30

DOM. LES GRANDES VIGNES Le Pont Martin
Le Temps des vignes 2011 ★★

	7 400		11 à 15 €

En biodynamie depuis 2008, Les Grandes Vignes proposent une cuvée qui nous porte vers les rives d'une terre de délices. Rien d'étonnant à cela, ces vignerons souvent couronnés étant passés maîtres dans la vinification du chenin. Remarquable, ce liquoreux ! Il se présente dans un bel habit paille et offre un magnifique bouquet de coing, d'acacia et d'abricot sec, agrémenté de notes vanillées, souvenir de l'élevage en fût (dix mois). Ces mêmes arômes s'invitent dans un palais rond, gras et très harmonieux. Pour une terrine de foie gras truffé.
Dom. les Grandes Vignes, La Roche-Aubry,
49380 Thouarcé, tél. 02.41.54.05.06, fax 02.41.54.08.21,
vaillant@domainelesgrandesvignes.com r.-v.

DOM. GROSSET La Motte à Bory 2010 ★★★

	2 300		11 à 15 €

Cette cuvée a enthousiasmé le jury avec ce 2010 d'une richesse exceptionnelle. La ravissante parure dorée annonce un bouquet intense où le fruité (abricot, coing) côtoie le nougat, le miel et les fruits confits. Tout aussi exubérante, la bouche ample, ronde et fraîche, affiche une très belle longueur. Un grand vin puissant et harmonieux. Le **Chaume 2010 (2 400 b.)**, ample et suave, est cité.
Serge Grosset, 60, rue René-Gasnier,
49190 Rochefort-sur-Loire, tél. 02.41.78.78.67,
segrosset@wanadoo.fr r.-v.

CH. DE LA GUIMONIÈRE Chaume 2010

	7 500		15 à 20 €

À partir de 2004, le domaine a entrepris de moderniser ses installations suivant en cela les conseils éclairés de Denis Dubourdieu, célèbre œnologue bordelais. Cette révolution « culturelle » a conduit cette exploitation à affiner les techniques de vinification. Ce Chaume est prometteur. Vêtu d'or pâle, il dévoile un nez discret qui libère à l'aération des parfums subtils et très plaisants de fleurs blanches et de fruits exotiques. D'une bonne longueur, la bouche est souple et équilibrée par une juste acidité. Pour l'apéritif, avec des canapés au foie gras.
SAS Vignobles Alain Château, Chaume,
49190 Rochefort-sur-Loire, tél. 02.41.78.33.66,
fax 02.41.78.68.47, info@vignobles-alainchateau.com
r.-v.

VIGNOBLE HOUDET Vieilles Vignes 2011 ★

	6 000		5 à 8 €

Sous l'impulsion dynamique des frères Houdet, qui ont repris l'exploitation familiale en 2001, le domaine propose toute la gamme des vins d'Anjou. Cette cuvée libère à l'aération des arômes délicats de fleurs, de miel et d'abricot. Bien équilibré, le palais se révèle gras, fruité et long. Un vin qui se plaira à l'apéritif. À découvrir dès aujourd'hui sur des toasts au foie gras, ou à attendre deux à trois ans.
EARL Houdet, La Grande-Terrandière, 49670 Valanjou,
tél. 02.41.45.44.92, vignoble.houdet@orange.fr r.-v.

DOM. LEROY Vieilles Vignes 2011 ★

	4 000		5 à 8 €

Le vignoble ici a quatre siècles. De cette propriété, qui conserve des vestiges du passé (escalier à vis, caveau

LOIRE

voûté, four à pain), Jean-Michel Leroy entend faire un lieu de vie accueillant. C'est la raison pour laquelle il ouvre les portes de son domaine au printemps, début d'avril. Un moment idéal pour y apprécier un verre de ces Vieilles Vignes 2011 fruitées et délicatement miellées, bien équilibrées entre douceur et rondeur. Un vin que l'on pourra associer, bien frais, à un poulet rôti à la broche croustillant.

Jean-Michel Leroy, 15, rue d'Anjou,
49540 Aubigné-sur-Layon, tél. 02.41.59.61.00,
fax 02.41.59.96.47, leroy.domaine@wanadoo.fr
t.l.j. sf dim. 8h30-12h30 14h-19h; f. juil.-août

LE LOGIS DU PRIEURÉ Le Clos des Aunis 2010 ★★

7 000 | 8 à 11 €

Ce domaine, qui produit une grande variété de vins à Concourson-sur-Layon, est un habitué du Guide. Ce 2010 se présente dans une belle robe jaune paille nuancée d'or blanc. Il dévoile un riche bouquet qui marie fruits mûrs et agrumes, annonçant une bouche gourmande et superbe, dense et bien structurée. Un Clos des Aunis remarquable, qui s'entendra avec des fromages bleus.

Vincent Jousset, Le Logis du Prieuré, 8, rte des Verchers,
49700 Concourson-sur-Layon, tél. 02.41.59.11.22,
fax 02.41.59.38.18, logis.prieure@wanadoo.fr
t.l.j. sf dim. 9h-12h 14h-18h

♥ LUC ET FABRICE MARTIN Les Peumins 2010 ★★★

2 200 | 15 à 20 €

Les coups de cœur attribués aux vins des frères Martin se multiplient. Voici le septième, qui vient s'ajouter à une collection débutée en 1997. Le chenin a fourni une matière généreuse que l'élevage d'un an en fût a magnifiée. La parure est d'un jaune d'or engageant aux légères nuances cuivrées. Au nez, ce liquoreux évoque les fruits confits et le miel, soulignés d'un fin grillé. La bouche, tout en rondeur et en onctuosité (238 g/l de sucres résiduels) reste parfaitement équilibrée. Une superbe partition jouée sans fausse note. La **cuvée Prestige 2010 (11 à 15 €; 5 500 b.)** reçoit une étoile pour sa finesse et pour son équilibre.

GAEC Luc et Fabrice Martin, 2 bis, rue du Stade,
49290 Chaudefonds-sur-Layon, tél. 02.41.78.19.91,
fax 02.41.78.98.25, luc.martin3@wanadoo.fr r.-v.

DOM. LE MONT Faye d'Anjou 2011

6 500 | 5 à 8 €

Ce Faye d'Anjou correspond « aux meilleurs passages dans les vignes les plus âgées du domaine », affirme Claude Robin, qui a repris l'exploitation familiale en 1995. C'est donc des meilleures vendanges de chenin qu'est né ce liquoreux. Ce 2011 révèle, au nez comme en bouche, une palette aromatique fort classique : coing, miel et acacia. Plaisant et opulent, il tiendra sans peine sa place auprès d'une tarte aux abricots.

EARL Louis et Claude Robin, 64, rue des Monts,
49380 Faye-d'Anjou, tél. 02.41.54.31.41, fax 02.41.54.17.98,
clauderobin@domainelemont.fr
t.l.j. sf dim. 8h30-12h30 14h-19h

DOM. DE LA MONTCELLIÈRE Les Petites Bernes Prestige 2010 ★

2 500 | 11 à 15 €

Récoltés par tries successives et précautionneuses puis élevés en cuve quelques mois, les chenins du domaine, qui ont capté un joli botrytis, ont donné naissance à cette cuvée fruitée et fraîche. Parée d'une robe scintillante ornée de reflets dorés, elle offre un bouquet séducteur fait de fruits exotiques nuancés de cire d'abeille ; la bouche, ronde et généreuse, laisse une sensation fruitée fort agréable. À ouvrir au dessert ; pourquoi pas sur une forêt-noire ?

EARL Louis Guéneau et Fils, Montcellière,
49310 Trémont, tél. 02.41.59.60.72, fax 02.41.59.66.15,
vincent.gueneau@wanadoo.fr r.-v.

CH. DE LA MULONNIÈRE 2010 ★

25 000 | 8 à 11 €

Cette cuvée provient de ceps de trente ans d'âge plantés sur les coteaux bordant la rive droite du Layon et exposés au plein sud ; ils bénéficient d'un ensoleillement maximal, ce qui nous vaut ce 2010 doré aux arômes complexes de fleurs blanches, d'agrumes et de fruits frais. Tout en rondeur et en souplesse, le palais est tonifié en finale par des notes acidulées d'agrumes qui apportent la fraîcheur et l'équilibre. On pourra déboucher cette bouteille plaisante dès l'apéritif !

SAS Ch. de la Mulonnière, La Mulonnière,
49750 Beaulieu-sur-Layon, tél. 02.41.78.47.52,
fax 02.41.78.63.63, chateau.lamulonniere@orange.fr
r.-v.
Jean-Louis Saget

DOM. DES NOËLS Faye Noëlissime 2010 ★★

2 000 | 15 à 20 €

Les dégustateurs ont jugé remarquable cette cuvée issue d'une parcelle de 90 ares. La séduisante robe d'un jaune d'or lumineux annonce une riche palette aromatique de fruits confits et de fleurs blanches. Ronde, ample et puissante, la bouche bien construite séduit par son harmonie. Cette bouteille fera merveille sur des fromages à pâte persillée. (Bouteilles de 50 cl.)

Dom. des Noëls, Les Noëls, 49380 Faye-d'Anjou,
tél. 02.41.54.18.01, fax 02.41.54.30.76,
domaine-des-noels@terre-net.fr r.-v.

DOM. DU PETIT CLOCHER Prestige des demoiselles 2010 ★

3 600 | 11 à 15 €

Quatre générations de vignerons se sont succédé au domaine du Petit Clocher où, sans carillonner ses mérites, on s'efforce de pratiquer une viticulture respectueuse de l'environnement. Vêtue d'une belle robe jaune doré, la cuvée Prestige des demoiselles présente bien des charmes. Au nez d'abord, où les arômes de fruits, frais ou compotés, dominent ; en bouche ensuite, où l'équilibre très réussi des saveurs assure un plaisir immédiat tout en permettant la garde. Bel accord avec des poires au roquefort... (Bouteilles de 50 cl.)

Dom. du Petit Clocher, 1, rue du Layon,
49560 Cléré-sur-Layon, tél. 02.41.59.54.51, fax 02.41.59.59.70,
petit.clocher@wanadoo.fr
t.l.j. sf dim. 8h30-12h30 14h-18h
Denis

DOM. DE LA PETITE CROIX L'Éclipse 2011 ★

	9 000		8 à 11 €

Réputé pour ses bonnezeaux, le domaine déploie toute son énergie pour produire des coteaux-du-layon de qualité à partir de vignes implantées entre Thouarcé et Faye d'Anjou. Le résultat est là avec cette cuvée Éclipse très réussie. On aime sa belle robe jaune paille, son fruité miellé et son palais gras et équilibré. Un joli vin de foie gras et de dessert.

Dom. de la Petite Croix, La Petite-Croix,
49380 Thouarcé, tél. 02.41.54.06.99, fax 02.41.54.30.05,
scea@lapetitecroix.com r.-v.
Geffard

DOM. DES PETITES GROUAS Sélection 2010 ★

	2 000		8 à 11 €

Le chenin des Petites Grouas a été élevé un an en fût de chêne. Ce 2010 en a retiré un zeste d'élégance et de complexité, sans être boisé pour autant. Le nez mêle le miel et la compote de coing, arôme que l'on retrouve dans une bouche tout en rondeur vivifiée en finale par une légère acidité. Un coteaux-du-layon très réussi et conforme à la tradition.

EARL Léger, Les Petites-Grouas, Cornu,
49540 Martigné-Briand, tél. 02.41.59.67.22,
leger.joselon@wanadoo.fr r.-v.

DOM. DU PETIT VAL Cuvée Simon 2010 ★★

	3 000		8 à 11 €

Le domaine du Petit Val est loin d'être un inconnu des amateurs du Guide. Installé depuis 1988, Denis Goizil a repris l'exploitation familiale, créée en 1951, et l'a bien agrandie, la faisant passer de 18 à 45 ha. Épaulé par son épouse Janine, il a su hisser son vignoble au niveau des grands. Pour preuve ce coup de cœur unanime qui n'est d'ailleurs pas le premier obtenu par la propriété. La cuvée Simon porte beau dans son élégante robe jaune doré d'une grande intensité. Elle libère d'intenses arômes d'abricot, de raisin sec et d'agrumes confits. Du fruit, de la concentration, du gras, de la longueur : ce vin s'épanouit en une bouche harmonieuse tout en finesse. Pour l'apéritif ? En digestif ? Le mariage avec du foie gras paraît tout indiqué. Un plaisir assuré et durable.

Denis Goizil, Dom. du Petit Val, 49380 Chavagnes,
tél. 02.41.54.31.14, fax 02.41.54.03.48, denisgoizil@aliceadsl.fr
t.l.j. sf dim. 9h-12h 14h-19h

DOM. DE PIED-FLOND Les Tentations 2010

	2 000		11 à 15 €

C'est en ces lieux déjà cultivés au XVe s. par les moines que sont nées ces Tentations. Drapé d'or soyeux, ce coteaux-du-layon charmeur mérite bien son nom de baptême. On aimera son bouquet complexe d'abricot et d'ananas compotés, sa bouche ronde et équilibrée, de bonne longueur. Pour du foie gras, tout simplement.

Franck Gourdon, Dom. de Pied-Flond,
49540 Martigné-Briand, tél. 02.41.59.92.36,
pied-flond@9business.fr r.-v.

CH. DE PLAISANCE
Chaume Les Zerzilles 2010 ★★

1er cru	5 000		20 à 30 €

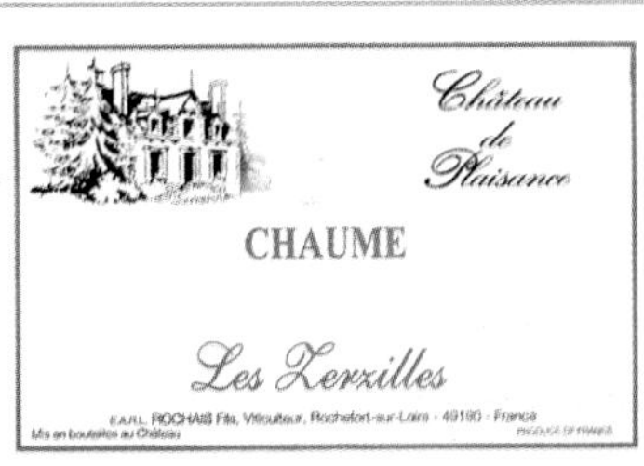

Acquis à la biodynamie, le domaine propose ce superbe Chaume qui devrait plaire aux amateurs les plus exigeants... Les jurés ne s'y sont pas trompés et lui ont décerné un coup de cœur. Ce 2010 fait belle figure dans sa robe d'un jaune orangé aux reflets intenses. Le riche bouquet de fruits exotiques et de coing a très bien intégré sa rencontre avec le chêne (douze mois). Quant à la bouche, intense elle aussi, elle campe sur une matière pulpeuse. En finale, une note minérale apporte sa touche d'élégance. À noter qu'un layon Chaume 1970 de la famille Rochais fut le premier coup de cœur dans l'édition 1986. D'autres, bien plus récents, ont suivi.

Guy Rochais, Ch. de Plaisance, Chaume,
49190 Rochefort-sur-Loire, tél. 02.41.78.33.01,
fax 02.41.78.67.52, rochais.guy@wanadoo.fr r.-v.

DOM. DE PONT-PERRAULT Chaume 2010 ★

	3 000		11 à 15 €

Jean-Jacques Papiau, qui a repris l'exploitation familiale il y a dix ans, présente un Chaume 2010 particulièrement attrayant dans sa robe jaune d'or soutenu. Fruits, acacia et miel annoncent une bouche intense d'une grande finesse. Adepte des fermentations naturelles sans levurage, ce vigneron ne vise qu'à proposer des vins de plaisir : objectif atteint. Pour un dessert au chocolat.

SCEA Papiau, Pont-Perrault, 49190 Rochefort-sur-Loire,
tél. 02.41.78.71.57, domainedupontperrault@orange.fr
t.l.j. sf dim. 8h30-12h 14h-17h30

DOM. DES RICHÈRES Cuvée Louis
Vendanges tardives 2011 ★

	2 000		11 à 15 €

Fabrice Guibert a élaboré cette cuvée en l'honneur de son fils Louis. Dans sa robe étincelante jaune paille aux reflets verts, ce liquoreux bien bâti (180 g/l de sucres résiduels) dévoile une belle palette aromatique de pâte de coings, d'abricot sec et de miel. Dans le même registre, la bouche, concentrée et longue, affiche un bel équilibre. Pour un dessert à base de fruits à noyau ; pourquoi pas un clafoutis aux abricots ?

Fabrice Guibert, 7, rte d'Angers, Millé,
49380 Chavagnes-les-Eaux, tél. 02.41.54.10.47,
fax 02.41.44.97.91, faguibert@yahoo.com r.-v.

MICHEL ROBINEAU Saint-Lambert-du-Lattay 2010 ★★

2 000 | 8 à 11 €

Producteur réputé en coteaux-du-layon, Michel Robineau a reçu plus d'un coup de cœur. Il privilégie de petites parcelles, obtenant ainsi des vins de niche de qualité aussi originaux que rares. Deux de ses liquoreux se sont distingués cette année. Ce Saint-Lambert s'impose dans sa brillante parure dorée qui annonce le délicat bouquet de fruits blancs, où domine le coing – signature du chenin –, embelli d'un soupçon de notes miellées. La bouche ronde et charnue, qui dévoile en finale quelques pointes réglissées surprenantes (écho de l'élevage en barrique), est d'un équilibre parfait. Quant à l'impressionnant **Beaulieu 2010 (700 b.)** issu de 40 ares, apprécié pour sa fraîcheur, son harmonie et sa longueur, il obtient la même note. Un plaisir rare, dans tous les sens du mot.

Michel Robineau,
3, chem. du Moulin, Les Grandes-Tailles,
49750 Saint-Lambert-du-Lattay, tél. 02.41.78.34.67,
vignoblemichelrobineau@orange.fr r.-v.

DOM. DE LA ROCHE MOREAU 2011 ★★★

7 000 | 5 à 8 €

Installé sur la corniche angevine, site classé au patrimoine mondial par l'Unesco, le domaine de la Roche Moreau est régulièrement en très bonne place dans le Guide. Ses vins mûrissent lentement en foudre de chêne afin de bénéficier d'une meilleure oxygénation. André Davy réalise un beau triplé avec, en point d'orgue, cette cuvée 2011 jugée exceptionnelle par les jurés. Le nez joue la partition fruitée des grands classiques liquoreux imprégnés de la « douceur angevine » : arômes de coing, d'abricot et de pomme caramélisée rafraîchis en bouche par un équilibre parfait, avec du gras, de la rondeur et une longue finale vive. Complexe et intense, le **Saint-Aubin 2010 (8 à 11 € ; 6 000 b.)** a conservé de ses dix mois passés dans le merrain quelques notes boisées qui subliment ses saveurs de fruits confits. Il obtient une étoile. Cité, le **Chaume 2010 (11 à 15 € ; 4 000 b.)** se révèle riche et opulent (188 g/l de sucres résiduels).

André Davy, Dom. de la Roche Moreau, La Haie-Longue,
49190 Saint-Aubin-de-Luigné, tél. 02.41.78.34.55,
davy.larochemoreau@wanadoo.fr r.-v.

DOM. DU ROCHER NOTRE-DAME Vieilles Vignes 2011 ★★

3 500 | 5 à 8 €

De vieilles vignes de chenin, un beau terroir argilo-schisteux, deux vignerons perfectionnistes et enthousiastes : voici les atouts pour faire de bons vins. Personne ne sera déçu par ce coteaux-du-layon remarquable d'ampleur et d'harmonie, qui mêle délicatement la fraîcheur des fruits à la douceur du miel. À goûter sur une tarte Tatin. (Bouteilles de 50 cl.)

GAEC Bruno et Christophe Brouard,
1, place Notre-Dame, 49290 Chalonnes-sur-Loire,
gaecbrouard-bc@orange.fr r.-v.

LA ROCHE SAINT-AENS 2011 ★★★

40 000 | 5 à 8 €

« Nous prendrons le temps de vivre », chantait Moustaki dans les années 1980. Du temps, il en faudra pour apprécier à sa juste valeur cet exceptionnel liquoreux promis à une belle longévité. Car ce vin peu chargé en sucres résiduels (90 g/l), s'il est déjà plaisant, mérite d'être attendu plusieurs années. Ce 2011 séduit d'emblée par sa parure d'or limpide et par son élégant fruité agrémenté de notes minérales. La bouche, ample et droite, laisse une sensation de fraîcheur typique des liquoreux de la Loire. Le **Dom. des Hautes Brosses 2011 (45 000 b.)**, fin et équilibré, reçoit une étoile.

EARL Pin, Les Hautes-Brosses, 49190 Rochefort-sur-Loire,
tél. 02.41.78.35.26, fax 02.41.78.98.21, pin@webmails.com
r.-v.

DOM. DES SAULAIES Faye d'Anjou
Cuvée Papy Philippe 2010 ★

4 666 | 15 à 20 €

De vieilles vignes de chenin de cinquante ans plantées sur des sols limono-sableux reposant sur un socle de schiste ont donné cette cuvée qui rend honneur à papy Philippe pour ses soixante-dix printemps. Très réussi, ce 2010 affiche un nez intense de fruits confits (abricot, coing) mêlés à de douces notes de miel. En bouche, une pointe de fraîcheur apporte l'équilibre. Ample et généreuse, cette bouteille est « prête pour une tarte aux abricots », suggère un des jurés.

Philippe et Pascal Leblanc, Dom. des Saulaies,
49380 Faye-d'Anjou, tél. 02.41.54.30.66, fax 02.41.54.17.21,
philippepascal.leblanc@wanadoo.fr
t.l.j. sf dim. 8h-13h 14h-19h

CH. SOUCHERIE L'Exception 2010 ★★

7 000 | 11 à 15 €

Ce domaine ayant appartenu aux ducs de Brissac a été repris en 2007 par Pascale et Roger-François Béguinot. Couvrant 27 ha, il est exploité en agriculture raisonnée, en attendant la conversion en bio du vignoble, à l'étude. Deux des liquoreux du domaine ont séduit les jurés. Remarquable d'équilibre, L'Exception 2010, dense et riche, révèle de beaux arômes de fruits confits assortis d'un miellé tendre. On le verrait bien avec un crumble à la rhubarbe. Quant au **Chaume 2010 (20 à 30 € ; 4 000 b.)**, né de vieux chenin (soixante-dix ans), il témoigne de la magie secrète des schistes beiges. Un nectar friand et frais, qui reçoit lui aussi deux étoiles.

Ch. Soucherie, La Soucherie, 49750 Beaulieu-sur-Layon,
tél. 02.41.78.31.18, fax 02.41.78.48.29,
contact@domaine-de-la-soucherie.fr
t.l.j. sf dim. 9h-18h 5

R.-F. Béguinot

DOM. DES TROIS MONTS Caprice d'automne 2011 ★

2 500 | 5 à 8 €

Il est des caprices qu'il serait bon de considérer comme des attentions vertueuses. Car Sébastien et Nicolas Gueneau, qui ont obtenu un coup de cœur l'an passé, persistent dans leur intention première : produire des vins de « vignerons artisans » à des prix abordables, ce qui est le cas de ce 2011 issu d'une récolte surmûrie. Belle robe jaune paille aux éclairs dorés, nez un peu sur la réserve qui s'ouvre à l'aération sur des parfums de miel, bouche ample et équilibrée : ce liquoreux sera parfaitement à son aise sur un foie gras poêlé.

Dom. des Trois Monts, 3, rue Saint-Fiacre, 49310 Trémont, tél. 02.41.59.45.21, fax 02.41.59.69.90, scea.hubertgueneauetfils@wanadoo.fr
t.l.j. sf dim. 8h30-12h 14h-18h

DOM. DE TROMPE-TONNEAU Faye d'Anjou 2011 *

4 000 | 5 à 8 €

Dans la vallée du Layon, à quelques kilomètres du hameau de Bonnezeaux, cette exploitation familiale de 38 ha consacre une petite parcelle (1,5 ha) à ce coteaux-du-layon élevé cinq mois en cuve. Ce 2011 séduit par ses arômes intenses : ananas, papaye, mangue, rafraîchis d'une pointe d'agrumes. Fin, gras et équilibré, il est à croquer dès maintenant sur une tarte aux fruits du verger. Une très jolie gourmandise.

EARL Guillet, Dom. de Trompe-Tonneau, 12, rue du Layon, 49380 Faveraye-Machelles, tél. 02.41.54.14.95, fax 02.41.54.03.88, guillet@trompetonneau.com
t.l.j. sf dim. 9h-12h30 14h-18h30

DOM. VERDIER Cuvée Antonin 2010 **

1 800 | 11 à 15 €

L'exploitation, créée en 1910, est installée à Saint-Lambert-du-Lattay, au cœur de l'appellation. Depuis cette date, elle s'est agrandie, passant de 18 à 33 ha, et une belle gamme d'AOC (crémant-de-loire, anjou, cabernet-d'anjou, coteaux-du-layon...) et de vins de pays. Après des études en viticulture-œnologie, Sébastien Verdier a rejoint l'exploitation familiale en 1997. Il entoure ses vignes de soins judicieux et bannit, par exemple, les insecticides. Il recueille, cette année, l'assentiment des jurés pour deux coteaux-du-layon de millésimes différents. La cuvée Antonin 2010, élevée en fût de chêne, a été jugée remarquable. Puissante et délicate à la fois, elle s'impose par sa fraîcheur (agrumes) et par sa douceur (fruits confits). (Bouteilles de 50 cl.) Également élevé en fût, le **Saint-Lambert 2011 (5 à 8 € ; 7 000 b.)** présente à peu près les mêmes caractéristiques, avec moins de puissance. Il reçoit une étoile.

EARL Sébastien Verdier, 26 bis, rue Rabelais, 49750 Saint-Lambert-du-Lattay, tél. et fax 02.41.74.01.77, sebastien@domaineverdier.com r.-v.

Quarts-de-chaume

Superficie : 28 ha
Production : 579 hl

Le nom de l'appellation dit l'ancienneté de ce vignoble réputé de la vallée du Layon : le seigneur se réservait le quart de la production et gardait le vin né sur le meilleur terroir. Les quarts-de-chaume proviennent d'une colline exposée plein sud autour de Chaume, à Rochefort-sur-Loire. Les vignes souvent vieilles, l'exposition et les aptitudes du chenin conduisent à des productions, souvent faibles de grande qualité. Récoltés par tries, les vins sont moelleux ou liquoreux. Séveux et nerveux, ils sont de garde (de cinq ans à plusieurs décennies, selon le millésime).

DOM. DES FORGES 2010 *

3 100 | 30 à 50 €

La famille Branchereau s'est fait une véritable spécialité du cépage chenin cultivé sur les coteaux du Layon, et notamment des vins liquoreux pour lesquels elle reçoit régulièrement les louanges du Guide. Le quarts-de-chaume 2010 ne déroge pas à la règle, séduisant dans sa robe d'or éclatante d'où s'élèvent des fragrances de fruits confits, de miel et de fleurs blanches. Riche et puissant en bouche, il plaît par sa douceur intense et finit sur une légère touche de fraîcheur. À déguster seul ou en accompagnement d'un quatre-quarts aux pommes.

EARL Branchereau, Dom. des Forges, Le Clos-des-Forges, 49190 Saint-Aubin-de-Luigné, tél. 02.41.78.33.56, fax 02.41.78.67.51, cb@domainedesforges.net
t.l.j. 9h-12h 14h-19h; dim. mat. sur r.-v.

DOM. DU PETIT MÉTRIS N° 51 2010 **

2 000 | 20 à 30 €

Qu'ils soient secs ou liquoreux, les blancs du Petit Métris représentent désormais une valeur sûre du vignoble angevin. Comme pour fêter ses deux cent soixante-dix ans d'existence, la propriété, qui domine du haut de son coteau le village de Saint-Aubin-de-Luigné traversé par le Layon, propose une superbe sélection de chenin à savourer sur un dessert fruité. Paré d'une robe dorée du plus bel effet, ce 2010 dévoile une palette aromatique subtile, tout en finesse, mariant les fruits frais et les fruits confits. La richesse et la puissance se conjuguent avec l'élégance dans une bouche d'une longueur exceptionnelle, qui laisse en finale une agréable sensation de fraîcheur.

Dom. du Petit Métris, 13, chem. de Treize-Vents, Le Grand Beauvais, 49190 Saint-Aubin-de-Luigné, tél. 02.41.78.33.33, fax 02.41.78.67.77, domaine.petit.metris@wanadoo.fr
r.-v.
Famille Renou

CH. DE PLAISANCE 2010 *

3 000 | 30 à 50 €

Le château de Plaisance, maison bourgeoise construite au tout début du XXe s., semble veiller sur le coteau exposé au plein sud sur lequel a été reconnue l'appellation quarts-de-chaume. Guy Rochais y travaille selon les règles de la biodynamie, à la vigne comme au chai. Son 2010,

LOIRE

bien représentatif du cépage chenin, offre un bouquet minéral et frais aux nuances de pâte de coings, de fruits exotiques et de miel. Ces impressions se prolongent en bouche avec autant d'intensité et de concentration pour former un ensemble suave, à déguster plutôt en dessert.
Guy Rochais, Ch. de Plaisance, Chaume, 49190 Rochefort-sur-Loire, tél. 02.41.78.33.01, fax 02.41.78.67.52, rochais.guy@wanadoo.fr r.-v.

DOM. DE LA ROCHE MOREAU 2010 ★★

n.c. | 20 à 30 €

Le quarts-de-chaume d'André Davy a été élevé durant une année en foudre de chêne – pour une meilleure oxygénation –, au cœur d'une ancienne mine de charbon creusée dans le roc et surmontée d'une demeure classée du XVIIe s. Comme souvent pour les liquoreux du domaine, ce 2010 se montre particulièrement séduisant, vêtu d'une robe au doré intense et précédé de riches parfums de fruits confits. On retrouve en bouche cette même concentration aromatique, qui se prolonge dans une finale miellée, équilibrée par une jolie fraîcheur. Un vin de classe, pour le foie gras ou un fromage à pâte persillée.
André Davy, Dom. de la Roche Moreau, La Haie-Longue, 49190 Saint-Aubin-de-Luigné, tél. 02.41.78.34.55, davy.larochemoreau@wanadoo.fr r.-v.

CH. LA VARIÈRE Les Guerches 2010 ★

3 800 | 30 à 50 €

Les habitués du Guide savent désormais facilement repérer les étiquettes dorées des vins liquoreux de Jacques Beaujeau, également propriétaire du Domaine de la Perruche en saumur-champigny. Ce spécialiste du « chenin botrytisé » séduit encore le jury avec un quarts-de-chaume jaune d'or limpide, qui libère des arômes de fruits confits nappés de miel. Franche en attaque, la bouche, intensément douce et fruitée, termine sur une fraîcheur bienvenue qui contribue à l'équilibre général. Bel accord avec un nougat glacé. (Bouteilles de 50 cl.)
Jacques Beaujeau, Ch. la Varière, 49320 Brissac, tél. 02.41.91.22.64, fax 02.41.91.23.44, beaujeau@wanadoo.fr r.-v.

Bonnezeaux

Superficie : 67 ha
Production : 1 830 hl

« L'inimitable vin de dessert », disait le Dr Maisonneuve en 1925. À cette époque, les grands liquoreux étaient surtout consommés à ce moment du repas ou dans l'après-midi, entre amis. De nos jours, on apprécie plutôt ce grand cru à l'apéritif. Très parfumé, plein de sève, de grande garde, le bonnezeaux doit toutes ses qualités au terroir exceptionnel qu'il occupe : surplombant le village de Thouarcé, trois petits coteaux de schiste abrupts exposés plein sud : La Montagne, Beauregard et Fesles.

LE COTILLON BLANC Mapa Manpa 2010 ★

1 000 | 11 à 15 €

Fort d'une première expérience en Bourgogne, Gauthier Gassot a décidé, au lieu d'aller « revoir sa Normandie », de faire fructifier dans le Val de Loire son savoir acquis et il s'y est installé en 2003, année de la fameuse canicule. Son domaine est implanté à Chavagnes sur le plateau qui domine Thouarcé, village où naît le grand bonnezeaux. C'est donc en voisin qu'il exploite un demi-hectare dans cette appellation. Son liquoreux se drape dans une robe d'un vieil or ambré qui annonce un nez riche aux nuances de vieil alcool et de pruneau, et les belles suavités miellées de l'attaque puisées dans le terroir argilo-schisteux. Évocateur de raisin passerillé, ce liquoreux offre aussi la fraîcheur du chenin qui tonifie la finale. À boire à l'apéritif.
Gauthier Gassot, 2, rue du Cotillon-Blanc, 49380 Chavagnes-les-Eaux, tél. et fax 02.41.54.01.27, gauthier.gassot@hotmail.fr r.-v.

CH. DE FESLES 2010

39 000 | 20 à 30 €

Célèbre domaine au cœur de l'appellation, le château de Fesles a été racheté en juillet 2008 par les Grands Chais de France. Le groupe a entrepris la conversion vers l'agriculture biologique de son vignoble de 55 ha. Commercialisé en flacons de 50 cl, ce bonnezeaux a été élevé en fûts de 400 l (chêne et acacia) pendant dix mois. D'un jaune doré aux reflets émeraude, ce vin printanier d'une grande fraîcheur procure en bouche d'agréables sensations : attaque souple, bel équilibre sucre-acidité et finale vive, avec une pointe d'amertume. Un beau mariage en perspective avec un fromage à pâte persillée et – s'il en reste – avec une tarte meringuée.
Ch. de Fesles, Fesles, 49380 Thouarcé, tél. 02.41.68.94.08, fax 02.41.68.94.30, gbigot@sauvion.fr t.l.j. sf dim. 10h-12h30 14h-17h30
GCF

DOM. DE LA GABETTERIE Cuvée Prestige 2010 ★★

2 000 | 11 à 15 €

Le pittoresque village sur la rive gauche du Layon, dans lequel Vincent et Christine Reuiller sont installés depuis 1995, jouxte Thouarcé et la prestigieuse appellation bonnezeaux, où ils cultivent 1 ha de chenin à l'origine de ce remarquable liquoreux. Issu de vendanges tardives passerillées et botrytisées, et récolté en trois tries successives, ce 2010 à la robe éclatante d'un bel or paille est resté un an en fût d'un vin. L'élevage se traduit au nez par de subtiles notes de moka, qui voisinent avec des senteurs de fruits confits. Remarquable de précision aromatique, élégant à l'attaque, ample, persistant, alliance de fraîcheur et d'opulence, ce vin déploie en bouche toutes les saveurs que l'automne ensoleillé du millésime a transmises au chenin : mangue et coing confit assortis de notes torréfiées. Pour une tarte Tatin.
EARL Vincent Reuiller, La Gabetterie, 10, rue de l'Oratoire, 49380 Faveraye-Machelles, tél. 02.41.54.14.99, domainedelagabetterie@wanadoo.fr r.-v.

DOM. DES GAGNERIES Les Hauts Fleuris 2010

8 500 | 11 à 15 €

Ce domaine est installé au cœur de l'aire d'appellation bonnezeaux, qui se limite aux meilleurs terrains de la seule commune de Thouarcé. On le trouve dans le hameau du Petit-Bonnezeaux au sommet des pentes abruptes de « La Montagne ». Les senteurs florales et miellées dispensées au nez par ce liquoreux pourraient à elles seules justifier le nom de la cuvée : Les Hauts Fleuris. C'est un vin bien représentatif de son appellation par l'or éclatant de sa robe, par ses arômes de fruits confits et de cire. Il penche vers la douceur et la rondeur : on le servira bien frais à l'apéritif.

EARL Christian et Anne Rousseau, Le Petit-Bonnezeaux, 49380 Thouarcé, tél. 02.41.54.00.71, fax 02.41.54.02.62, roussaulesgagneries@orange.fr r.-v.

DOM. LES GRANDES VIGNES Le Temps des vignes Noble Sélection 2010 ★★

n.c.	20 à 30 €

En biodynamie depuis 2008, ce très ancien domaine familial conduit par Laurence Vaillant et par ses frères Dominique et Jean-François joue du chenin avec un grand talent, à en juger par les sept coups de cœur obtenus en blanc (dont trois pour cette appellation). Cette Noble Sélection 2010 a eu d'ailleurs d'ardents partisans, mais elle n'est pas montée sur le podium, sans doute en raison de son côté imposant. Elle n'en est pas moins une bouteille de très haut lignage qui pourra sommeiller longtemps en cave : « quinze ans et plus », prédit l'un des jurés. À la robe mordorée animée de reflets ambrés fait écho un nez d'abricot sec, de figue, de pruneau, de fruits macérés alliés aux notes vanillées léguées par dix mois en barrique... Ce ballet visuel et olfactif annonce une bouche à la fois riche et élégante, comblée de saveurs fruitées : fruits exotiques, fruits compotés, pâte de coings et, en finale, une touche plus fraîche d'agrumes... Les 269 g/l de sucres résiduels disent son opulence. De quoi donner la réplique à un gâteau au chocolat et aux noix, mais ce vin fera aussi un bel apéritif.

Dom. les Grandes Vignes, La Roche-Aubry, 49380 Thouarcé, tél. 02.41.54.05.06, fax 02.41.54.08.21, vaillant@domainelesgrandesvignes.com r.-v.

DOM. DE MIHOUDY 2011 ★

14 000	8 à 11 €

Établis à Aubigné-sur-Layon, village vigneron digne d'intérêt pour son cadre agreste et pour son fleurissement, les Cochard sont à la tête d'un domaine de 58 ha ; ils exploitent à Thouarcé de belles parcelles qui leur permettent de proposer plusieurs cuvées de bonnezeaux. Après un remarquable 2010 l'an dernier, voici un 2011 très agréable élevé quatre mois en cuve : un vin d'un jaune paille éclatant aux parfums intenses de fruits secs, de datte et de figue. Concentrée et équilibrée, la bouche finit sur une pointe de fraîcheur. (Bouteilles de 50 cl.)

Cochard et Fils, Dom. de Mihoudy, 49540 Aubigné-sur-Layon, tél. 02.41.59.46.52, fax 02.41.59.68.77, domainedemihoudy@orange.fr t.l.j. sf dim. 8h30-12h 14h-18h

DOM. LE MONT Cuvée Privilège 2010 ★

4 000	15 à 20 €

Claude Robin a repris en 1995 le domaine fondé par son grand-père en 1930 à Faye-d'Anjou, dans la vallée du Layon. Sur les 25 ha de l'exploitation, la moitié environ est plantée en chenin. Les vignes dont cette cuvée est issue sont âgées de soixante-dix ans. Élevé neuf mois en fût de chêne, ce vin limpide et éclatant, d'un or soutenu, fait accéder à un univers riche et gourmand. Le nez, complexe, mêle les agrumes et les fruits secs à de délicates touches fumées héritées de la barrique. Opulente et généreuse (200 g/l de sucres résiduels), la bouche finit sur une fraîcheur bienvenue.

EARL Louis et Claude Robin, 64, rue des Monts, 49380 Faye-d'Anjou, tél. 02.41.54.31.41, fax 02.41.54.17.98, clauderobin@domainelemont.fr t.l.j. sf dim. 8h30-12h30 14h-19h

DOM. DE LA PETITE CROIX Cuvée Prestige Vieilles Vignes 2011 ★★

5 000	15 à 20 €

Domaine de la Petite Croix

BONNEZEAUX

Cuvée Prestige 2011

APPELLATION BONNEZEAUX CONTROLÉE

VIEILLES VIGNES

Mis en bouteille à la propriété par SCEA Vignoble A. DENECHERE - GEFFARD LA PETITE CROIX - 49380 THOUARCÉ - FRANCE

Si elle montre aussi une belle maîtrise dans l'élaboration des vins rouges, cette exploitation implantée au cœur de l'appellation manque rarement le rendez-vous du Guide en bonnezeaux. Sa cuvée Prestige, issue de vieux chenins âgés d'un demi-siècle, est bien connue de nos fidèles lecteurs. Le 2011 a séduit tout au long de la dégustation. À l'intensité de la robe jaune paille répond la puissance d'un nez qui s'épanouit d'emblée sur des notes élégantes, fruitées et miellées, fraîches et suaves à la fois. Ample, riche, concentré, onctueux et long, ce vin fait preuve d'une réelle douceur (170 g/l de sucres résiduels), mais il garde en bouche la vivacité qui assure l'harmonie et la longévité. Il appréciera autant un fromage bleu ou un fromage à croûte lavée qu'une tarte ou un crumble aux pommes ou aux poires. Et pourquoi pas à l'apéritif, avec des croustillants au foie gras ?

Dom. de la Petite Croix, La Petite-Croix, 49380 Thouarcé, tél. 02.41.54.06.99, fax 02.41.54.30.05, scea@lapetitecroix.com r.-v.

Geffard

DOM. DES PETITS QUARTS Vendangé grain par grain 2010 ★★

5 000	15 à 20 €

Jean-Pascal Godineau a assis la réputation de son domaine sur les moelleux et les liquoreux, ceux-ci constituant l'essentiel de sa production. En bonnezeaux, il a fait des émules mais, avec neuf coups de cœur, il reste le champion. L'élaboration des vins, méticuleuse et précise, est fonction de l'âge des vignes et des parcelles sélectionnées. Cette année, deux millésimes différents donnent une bonne idée de son offre. Ce 2010 a été « vendangé grain par grain » sur des ceps âgés d'un demi-siècle. Après dix-huit mois de fût, il se présente dans une robe or soutenu aux reflets orangés. Ses parfums généreusement fruités (orange, mandarine, mangue, ananas) s'épanouissent en bouche et se nuancent de touches miellées et de notes vanillées. Une belle personnalité pour ce liquoreux complexe, intense et délicat, qui se mariera bien avec un soufflé au cointreau. La **cuvée classique 2011 (11 à 15 €; 3 000 b.)**, élevée en cuve, obtient une étoile pour son nez confit et pour sa bouche équilibrée, fraîche et longue.

Jean-Pascal Godineau, Dom. des Petits Quarts, 49380 Faye-d'Anjou, tél. 02.41.54.03.00, fax 02.41.54.25.36 t.l.j. sf dim. 8h-12h 14h-18h

LOIRE

CH. LA VARIÈRE Les Melleresses 2010 ★

	8 000		20 à 30 €

Héritier d'une lignée remontant au milieu du XIXe s., Jacques Beaujeau exploite de vastes vignobles en Anjou-Saumur : 110 ha rien que pour ce domaine de la Varière (il détient aussi une propriété en saumur-champigny), ancienne terre noble commandée par un petit manoir de tuffeau. Il y produit tous les styles de vins de la région ; en vins moelleux et liquoreux, pas moins de quatre AOC : coteaux-du-layon, coteaux-de-l'aubance, quarts-de-chaume et bonnezeaux. Dans cette dernière, il a obtenu un coup de cœur pour le millésime précédent. Non pour ces Melleresses, qui avaient reçu une étoile, mais pour la cuvée principale. Vêtu d'or brillant, ce 2010 mêle au nez les fleurs blanches, le miel et les fruits mûrs, presque confits. Avec ses 258 g/l de sucres résiduels, la bouche est très douce tout en restant équilibrée, délicate et fruitée. Du plaisir, rien que du plaisir ! (Bouteilles de 50 cl.)

Jacques Beaujeau, Ch. la Varière, 49320 Brissac, tél. 02.41.91.22.64, fax 02.41.91.23.44, beaujeau@wanadoo.fr r.-v.

Saumur

Superficie : 2 613 ha
Production : 161 278 hl (61 % mousseux, 24 % rouge)

Le vignoble s'étend sur 36 communes. Il couvre les coteaux de la Loire et du Thouet, implanté sur le blanc tuffeau qui marque aussi l'habitat local. Les vins blancs de Turquant et de Brézé étaient autrefois les plus réputés ; depuis le milieu des années 1970, les vins rouges se développent. Ils dominent en volume les blancs secs tranquilles. Ceux du Puy-Notre-Dame, de Montreuil-Bellay et de Tourtenay ont acquis une bonne notoriété. L'appellation est beaucoup plus connue pour les vins effervescents, qui ont progressé en qualité. Les élaborateurs, tous installés à Saumur, possèdent des caves creusées dans le tuffeau, que l'on peut visiter.

DOM. ANNIVY Cuvée Je m'improvise 2011 ★★

	2 500		5 à 8 €

Les spécialistes de la communication et de l'art théâtral vous diront que les « impros » permettent de détecter les vrais talents. La remarque vaut pour cette cuvée baptisée « Je m'improvise » par son concepteur Bruno Bersan. Ce vigneron avoue volontiers qu'en se fixant au domaine Annivy, il s'est lancé un défi à la hauteur de ses rêves d'enfant : faire du vin. Son saumur blanc séduit par ses frais arômes floraux et fruités assortis de notes minérales. À l'unisson, la bouche, élégante, offre un équilibre remarquable. Une superbe cuvée, à découvrir dès maintenant sur des fruits de mer. Pareillement distinguée, la **cuvée Petit Clos 2011 blanc (1 500 b.)** affiche un bouquet délicat de fruits blancs et de fruits secs. Des coquilles Saint-Jacques devraient mettre en valeur cette cuvée équilibrée, aromatique et délicate.

Bruno Bersan, Dom. Annivy, 66, rue des Ducs-d'Anjou, 49400 Souzay-Champigny, tél. 06.73.27.51.46, domaineannivy@orange.fr r.-v.

DOM. LA BONNELIÈRE La Gourmandine 2011 ★

	5 000		- de 5 €

Après quelques expériences vitivinicoles à l'étranger, Anthony et Cédric Bonneau ont rejoint le domaine familial de la Bonnelière situé sur les terres argilo-calcaires de la butte des Poyeux dominant la jolie vallée du Thouet, affluent de la Loire. Ils signent un saumur rouge d'une belle ampleur, issu de cabernet franc. C'est un vin de plaisir pour maintenant, avec des saveurs rondes et charnues caractéristiques des cabernets doucement mûris. À déboucher dès la sortie du Guide.

Dom. la Bonnelière, EARL Bonneau et Fils, 45, rue du Bourg-Neuf, 49400 Varrains, tél. 02.41.52.92.38, fax 02.41.67.35.48, bonneau@labonneliere.com r.-v.

Cédric et Anthony Bonneau

BOUVET LADUBAY Trésor 2009 ★★

	150 000		11 à 15 €

Selon une histoire aux accents de légende, Étienne Bouvet, fondateur en 1851 de cette maison de négoce, aurait découvert un trésor dans les caves de tuffeau de l'abbaye de Saint-Florent, là où reposent aujourd'hui les vins de la propriété. Des caves, un trésor « naturel » sans doute inépuisable, qui voient naître de ravissantes bulles. Témoin ce Trésor issu de chenin éclatant dans sa robe dorée, qui conserve quelques notes empyreumatiques de ses six mois passés en fût. Il n'en a pas pour autant perdu sa fraîcheur, ni cette aristocratique élégance enregistrée par les papilles. Un brut rond et souple, parfait pour un turbot à la crème. Même distinction pour le **2009 brut rosé effervescent Taille princesse de Gérard Depardieu (15 à 20 € ; 15 000 b.)** au beau bouquet de mûre et de baies sauvages, prélude à une bouche vive et persistante.

Bouvet-Ladubay, 11, rue Jean-Ackerman, BP 65 Saint-Hilaire-Saint-Florent, 49426 Saumur, tél. 02.41.83.83.83, fax 02.41.50.24.32, gfournier@bouvet-ladubay.fr t.l.j. 9h-12h30 14h-18h

CH. DE BRÉZÉ 2011 ★

	15 000		8 à 11 €

En 2009, date à laquelle Arnaud Lambert a pris la conduite du château de Brézé, le vignoble s'est engagé sur la voie de l'agriculture biologique. La certification est intervenue en 2012. Souvent présents dans le Guide, les vins du château n'ont cessé d'entretenir une réputation qui remonte à la Renaissance. Le poète, Joachim du Bellay, revenu de Rome « plein d'usage et raison », en vantait les mérites. Ce saumur blanc, qui s'ouvre sur un bouquet floral caressé de fruits confits, allie en bouche gras et rondeur. Une fine acidité maintient l'équilibre jusqu'à la longue et superbe finale. Crustacés et fromages de chèvre se plairont en compagnie de ce 2011 très réussi.

Dom. de Saint-Just, 12, rue de la Prée, Mollay, 49260 Saint-Just-sur-Dive, tél. 02.41.51.62.01, fax 02.41.67.94.51, infos@st-just.net t.l.j. sf. dim. 10h-12h 14h-18h

Arnaud Lambert

DOM. DE BRIZÉ 2010 ★

20 500 5 à 8 €

Ce domaine angevin excelle aussi bien en rouge qu'en vins effervescents. Ce saumur est une belle illustration de son savoir-faire. Vêtu de rose pâle, il dévoile de délicates fragrances de fruits rouges. Fraîche, vive et primesautière, la bouche laisse une impression d'harmonie.

EARL Dom. de Brizé, village de Cornu, 49540 Martigné-Briand, tél. 02.41.59.43.35, fax 02.41.59.66.90, contact@domainedebrize.fr r.-v.

Luc et Line Delhumeau

DOM. DES CHAMPS FLEURIS 2011 ★

12 000 5 à 8 €

Cette cuvée 100 % chenin née sur un sol argilo-calcaire révèle toutes les caractéristiques connues de l'élégance ligérienne. Une robe brillante et dorée, un bouquet pimpant de fleurs blanches et d'agrumes (citron, pamplemousse) et une bouche dont l'harmonie finale doit beaucoup à la minéralité du terroir. Un vin jubilatoire, à déguster en compagnie de francs gourmets.

EARL Rétiveau-Rétif, 54, rue des Martyrs, 49730 Turquant, tél. 02.41.38.10.92, fax 02.41.51.75.33, domaine@champs-fleuris.com t.l.j. sf dim. 8h-12h 13h30-18h30

LYDIE ET THIERRY CHANCELLE 2011 ★★

5 000 5 à 8 €

Thierry Chancelle propose une large palette de vins dans les appellations saumur, saumur-champigny et coteaux-de-saumur. Sur une parcelle argilo-calcaire de 1 ha, il a vendangé à la main des chenins mûris à point, dont les raisins ont fermenté sans le recours à des levures exogènes. Refusant le secours du bois durant l'élevage, Thierry s'est appliqué à bâtonner régulièrement, tout l'hiver, afin d'extraire le gras des lies. Il obtient ainsi un vin aromatique et séveux, étonnamment fruité, qui laisse le terroir s'exprimer avec discrétion.

Thierry Chancelle, 27, rue des Martyrs, 49730 Turquant, tél. 02.41.38.11.83, fax 02.41.51.47.71, domaine-bourdin-chancelle@orange.fr t.l.j. sf dim. 9h-12h 14h-18h

DOM. DES CLOS MAURICE Licorne des clos 2011

5 000 5 à 8 €

Mickaël Hardouin, qui se présente comme « un enfant de la viticulture moderne », a décidé d'engager son domaine sur la voie de l'agriculture biologique en 2012. Il signe ici un saumur paré d'or fin qui dévoile un bouquet avenant, floral et fruité. L'équilibre en bouche est bon, le fruité rehaussé par une plaisante fraîcheur. À déguster sur une terrine de légumes.

Mickaël Hardouin, 18, rue de la Mairie, 49400 Varrains, tél. 02.41.38.80.02, fax 02.41.52.44.32, closmaurice@orange.fr r.-v.

DOM. DE L'ÉPINAY La Treille de Berrye 2010

10 000 5 à 8 €

Situé dans la Vienne, le domaine de l'Épinay est campé sur le calcaire turonien que l'on retrouve dans le Val de Loire. Dans sa coquette robe jaune pâle, ce 2010 offre un nez frais de chèvrefeuille et d'agrumes. Moelleuse à l'attaque, la bouche fruitée dévoile une jolie vivacité en finale, qui apporte l'équilibre.

EARL de l'Épinay, 3, allée du Presbytère, 86120 Pouançay, tél. 05.49.22.98.08, menestreau-epinay@wanadoo.fr r.-v.

CH. DE LA FESSARDIÈRE L'Amélie 2010 ★

750 5 à 8 €

Situé entre le château de Saumur et celui de Montsoreau, La Fessardière n'est qu'à quelques portées d'arquebuse de l'abbaye royale de Fontevraud. Le nom de cette cuvée rend hommage à la frégate sur laquelle embarqua, en 1812, le navigateur Abel Aubert né à La Fessardière. Les jurés ont aimé sa robe doré limpide, son nez complexe sur les fleurs et les agrumes et sa bouche vive et fruitée, portée par un élégant boisé. Un vin harmonieux, que l'on pourra destiner à une escalope de veau à la crème.

Ch. de la Fessardière, 5, rue des Martyrs, 49730 Turquant, tél. 02.41.51.48.89, fax 02.41.38.18.49, la-fessardiere@wanadoo.fr r.-v.

Poitevin

FIERVAUX Cuvée suprême 2010 ★

5 000 8 à 11 €

Voici un beau saumur blanc qui, après avoir fait l'objet d'une sélection drastique et efficace, s'est vu offrir le privilège d'une longue fermentation en barrique (dix-huit mois). De la fréquentation du merrain, cette cuvée a conservé des arômes empyreumatiques qui se sont fondus au fruité harmonieux. On ouvrira ce vin puissant, à la belle finale acidulée, sur une viande blanche. La cuvée **L'Apogée 2011 rouge (15 à 20 € ; 8 000 b.)** très typée cabernet franc est citée.

Christian Cousin, 235, rue des Caves, 49260 Vaudelnay, tél. 02.41.52.34.63, fax 02.41.38.89.23 r.-v.

DOM. FILLIATREAU Château Fouquet Le Clos 2010 ★

5 000 5 à 8 €

Ce clos issu d'une vigne en conversion vers l'agriculture biologique affiche un habit élégant, rubis discrètement tuilé, prélude à un bouquet intense de fruits rouges agrémentés d'un fin vanillé. À l'unisson, la bouche se révèle charnue, ronde et bien structurée. À servir légèrement rafraîchi (12-14 °C) sur des grenadins de porc à l'ancienne.

Paul Filliatreau, 1, ruelle des Fossés-de-Chaintres, 49400 Dampierre-sur-Loire, tél. 02.41.52.90.84, domaine@filliatreau.fr t.l.j. 10h-18h

DOM. DE LA FUYE Puy-Notre-Dame 2011 ★

15 000 5 à 8 €

L'appellation Saumur Puy-Notre-Dame a été reconnue il y a quelques années pour les spécificités de son terroir propice aux vins rouges. La robe rubis intense de ce 2011 s'anime de reflets indigo. Le nez évoque avec intensité les fruits rouges mâtinés d'une touche de poivron. Bien en chair, harmonieuse, la bouche dévoile une longue finale qui ramène les notes fruitées perçues à l'olfaction. Un bon classique de l'appellation.

Philippe Elliau, 527, rue du Château, Sanziers, 49260 Vaudelnay, tél. 06.08.86.30.32, fax 02.41.38.87.31, contact@domainedelafuye.com r.-v.

LOIRE

DOM. DE LA GIRARDRIE 2011

6 500 - de 5 €

Le Puy-Notre-Dame est la commune viticole la plus importante du Saumurois. Gilles Falloux, à la tête d'un vaste domaine (47,5 ha), signe un saumur blanc élevé sur lie. Ce vin limpide aux arômes de fruits jaunes surmûris, équilibré par une plaisante fraîcheur, charme les papilles. Un agréable vin d'apéritif.

SCEA Falloux et Fils, 1, rue de la Fontaine de Cix, 49260 Le Puy-Notre-Dame, tél. 02.41.52.25.10, fax 02.41.38.83.77, girardrie@orange.fr
r.-v.

LA GIRAUDIÈRE L'Ardillon de Brézé 2011 ★★

3 000 5 à 8 €

Les vins blancs de la commune de Brézé ont acquis une solide réputation. Fabrice Esnault ayant par ailleurs peaufiné lors de son séjour en Bourgogne l'art des vinifications précises, c'est donc à peine surprenant de voir ce 2011 recueillir l'assentiment des jurés. Ce sec remarquable a bénéficié d'un terroir argilo-calcaire profond qui engendre des vins de haute expression. La robe d'une brillance extrême est parcourue de flammèches couleur paille. Le bouquet, volumineux, évoque le coing – signature du chenin – et le pain grillé, souvenir de l'élevage en fût. Ronde et suave dès l'attaque, la bouche évolue sur une superbe fraîcheur qui apporte l'équilibre. Pour un carpaccio de saint-jacques à la papaye. Quant aux **Vieilles Vignes 2010 rouge (3 000 b.)**, nées du seul cabernet franc élevé en cuve, elles sont citées pour leur fruité mutin.

M. Giraudière, rue Saint-Vincent, 49260 Brézé, tél. 02.41.51.63.84, fax 02.41.52.89.13, lagiraudiere.vinsdesaumur@orange.fr
t.l.j. 9h-12h 15h-18h; sam. dim. sur r.-v.; f. août
Esnault et Matrion

DOM. DU GRAND CLOS 2011 ★★

3 000 - de 5 €

À Saint-Léger-de-Montbrillais, au nord du département de la Vienne, la vie rurale a encore un petit air poitevin. L'espace viticole est néanmoins rattaché au Saumurois, tels les 20 ha de ce domaine piloté depuis cinq générations par la famille Robert. Damien, le dernier du nom, applique à ses vignes les enseignements de la tradition. Ses vins, une fois vinifiés, s'attardent dans les caves troglodytiques de la propriété avant d'être proposés à la vente. Ce blanc a plus d'un atout à faire valoir : une ravissante tenue jaune clair, une olfaction fraîche et une bouche vive et tendue, aux arômes de fruits délicatement mûris. Un ensemble des plus harmonieux.

Dom. du Grand Clos, Besse, 12, rue des Vignes, 86120 Saint-Léger-de-Montbrillais, tél. et fax 05.49.22.96.33, damien.robert16@sfr.fr t.l.j. sf dim. 9h-19h
Robert

LOUIS DE GRENELLE Grande Cuvée 2010

80 000 8 à 11 €

Ce saumur brut bien structuré, élaboré suivant les usages de la méthode traditionnelle, présente une mousse légère. Le nez, sur les fleurs blanches, est aérien. Quant à la bouche, elle se montre souple, ronde et longue. Tout indiqué pour l'apéritif.

Louis de Grenelle, 839, rue Marceau, 49400 Saumur, tél. 02.41.50.17.63, fax 02.41.50.83.65, grenelle@louisdegrenelle.fr
t.l.j. sf dim. 9h30-12h 13h30-18h
Flao

DOM. DE LA GUILLOTERIE Affinité 2011

20 000 5 à 8 €

Ce saumur rouge issu de cabernet franc a vu ses arômes exaltés par une méticuleuse micro-oxygénation, pratique qui consiste à apporter de l'oxygène dans le vin lors de l'élevage. Le résultat ? Un vin d'une bonne harmonie, facile à boire, porteur des classiques arômes de fruits rouges dispensés par le cabernet franc. La bouche, avec quelques nuances végétales, est souple et équilibrée. À déboucher sur des grillades.

Dom. de la Guilloterie, 63, rue Foucault, 49260 Saint-Cyr-en-Bourg, tél. 02.41.51.62.78, fax 02.41.51.63.14, contact@domainedelaguilloterie.com
t.l.j. sf dim. 9h-12h 14h-18h
Duveau

CH. DU HUREAU 2011 ★★

5 000 11 à 15 €

Conduites en bio, les vignes de chenin du domaine ont été vendangées à la main et soigneusement recueillies en petites cagettes avant de subir une presse douce suivie d'une fermentation en foudre. De ce travail précis signé par Philippe et Georges Vatan est né ce blanc sec fort apprécié par les jurés du Guide. Ces derniers, séduits par la prestance de la robe d'or pâle et par le frais bouquet de fleurs blanches, semblent avoir encore plus apprécié son milieu de bouche moelleux qui fait suite à une franche attaque. La finale, équilibrée, est remarquable d'élégance. Du cousu main.

Ch. du Hureau, Le Hureau, 49400 Dampierre-sur-Loire, tél. 02.41.67.60.40, fax 02.41.50.43.35, philippe.vatan@wanadoo.fr
t.l.j. sf sam. dim. 9h-12h 14h-17h
Philippe Vatan

DOM. LANGLOIS-CHATEAU 2010 ★

65 000 5 à 8 €

Cette maison de négoce bien connue présente un saumur blanc habillé d'un jaune pâle strié de reflets évoquant l'herbe tendre. S'appuyant sur un nez de fleurs blanches d'où surgissent quelques touches épicées, ce vin, après une attaque fraîche, dévoile au palais d'agréables notes de fruits jaunes et blancs. « C'est bien fait et typique de l'appellation », note un dégustateur. Le **2010 rouge (65 000 b.)**, flatteur en bouche comme au nez, est cité.

Langlois-Chateau, 3, rue Léopold-Palustre, 49400 Saint-Hilaire-Saint-Florent, tél. 02.41.40.21.40, fax 02.41.40.21.49
1er avr.-15 oct. t.l.j. 10h-12h30 14h-18h; 16 oct.-30 mars sur r.-v.
Bollinger

DOM. DES MATINES Bulle rose 2010 ★★

8 000 5 à 8 €

BULLE ROSE

Coup de cœur incontesté pour ce rosé effervescent extrait de vignes de cabernet franc dont les racines plongent dans les terres jurassiques du plateau de Vaudelnay et de Brossay. La parure affiche un séduisant rose pâle nuancé d'orangé. Le nez délivre à profusion des arômes de petits fruits rouges. Au palais, ce vin se montre harmonieux, plein, long, avec juste ce qu'il faut de fruit et de fraîcheur. À découvrir de l'apéritif au dessert. Le **2011 rouge Vieilles Vignes (13 000 b.)** est cité pour son nez de fruits rouges bien mûrs, prélude à une bouche riche, ronde et équilibrée.
Dom. des Matines, 31, rue de la Mairie, 49700 Brossay, tél. 02.41.52.25.36, fax 02.41.52.25.50, contact@domainedesmatines.fr r.-v.
Etchegaray

DOM. LES MÉRIBELLES 2011 ★

6 000 5 à 8 €

Ce saumur blanc très réussi récompense le travail de Jean-Yves Dézé, installé depuis 1984 sur le domaine familial où l'on produit également des saumur-champigny, saumur bruts et coteaux-de-saumur. Né de jeune chenin (âgé de huit ans) qui grandit sur l'argilo-calcaire, ce vin au nez joliment floral et fruité se pare d'un beau jaune d'or nuancé de vert. Franc et frais, le palais fait longuement écho aux arômes perçus à l'olfaction. La finale, légèrement minérale, est agréable.
Jean-Yves Dézé, 14, rue de la Bienboire, 49400 Souzay-Champigny, tél. 02.41.67.46.64, fax 02.41.67.73.77, jean-yves.deze@wanadoo.fr r.-v.

DOM. DE MONTFORT Mont Louette 2011 ★

1 000 8 à 11 €

Installée depuis la fin du XIXes. dans la région de Montfort, où polyculture et élevage constituaient alors le lot de l'activité paysanne, la famille Huet s'est peu à peu spécialisée dans la viticulture, renforcée depuis 2011, par l'arrivée d'Anthony Huet, œnologue, et de sa compagne Stéphanie, ingénieur agronome. Sur ce petit mont Louette, le chenin prospère, extrayant des terroirs du Crétacé la minéralité indispensable aux équilibres distingués. C'est ce qui s'affirme dans cette cuvée drapée de jaune pâle limpide, au joli nez d'agrumes et de fruits blancs. Ces arômes se poursuivent en bouche, jusqu'à une finale aux notes acidulées. Pour des plats exotiques.
Famille Huet, 4, rte de Brossay, 49700 Montfort, tél. 02.41.67.02.20, domainemontfort@gmail.com r.-v.

CH. DE MONTGUÉRET Tête de cuvée ★

14 945 5 à 8 €

Les jurys ont retenu deux cuvées du château de Montguéret, fidèle au rendez-vous du Guide. La fine effervescence de cette Tête de cuvée brut réjouit l'œil. Les arômes de fruits exotiques mêlés à des notes de pâtisserie, et la bouche, friande et délicate, invitent à ouvrir cette bouteille à l'apéritif. Plus réservé, le **Montguéret brut (5 à 8 € ; 151 836 b.)** affiche une belle fraîcheur ; il est cité.
Ch. de Montguéret, 49560 Nueil-sur-Layon
LGCF

DOM. DE LA PALEINE Méthode traditionnelle 2009 ★

25 000 5 à 8 €

Ce saumur du domaine de la Paleine révèle toute la magie du sous-sol de tuffeau. Chenin (60 %) et chardonnay (20 %), complétés à parts égales de cabernet et de grolleau gris, ont donné naissance à cet effervescent bien structuré, animé d'un cordon de fines bulles. Le nez, un brin vineux, dévoile de légers arômes de fruits (pomme verte notamment) mâtinés de notes de cire d'abeille. La bouche, fraîche et généreuse à la fois, possède un caractère affirmé et laisse en finale une sensation d'harmonie. Des bulles de table qui pourront accompagner un poisson en sauce. Une étoile également pour le **2010 blanc cuvée de Printemps (8 000 b.)** équilibré et fruité, un sec qui a séduit les dégustateurs par sa bouche riche et bien équilibrée. Même distinction pour le **2010 rouge Puy-Notre-Dame Moulin des Quints (15 à 20 € ; 5 500 b.)**, d'une grande puissance aromatique.
SAS Dom. de la Paleine, 9, rue de la Paleine, 49260 Le Puy-Notre-Dame, tél. 02.41.52.21.24, fax 02.41.52.21.66, contact@domaine-paleine.com
t.l.j. sf dim. 9h-12h30 14h-17h30
Marc Vincent

DOM. DE LA PETITE CHAPELLE L'Ancestrale 2010

2 500 8 à 11 €

Issu d'une famille de vignerons installés en Val de Loire depuis le XVIIes, Laurent Dézé tient ferme les rênes du domaine de la Petite Chapelle. Sa cuvée L'Ancestrale, engageante dans sa robe paille, affiche un bouquet intense de fruits exotiques et de fleurs champêtres. La bouche, dans une belle continuité, se révèle ronde et discrètement marquée par l'élevage en fût (onze mois). On appréciera ce 2010 sur des charcuteries régionales.
Laurent Dézé, 4, rue des Vignerons, 49400 Souzay-Champigny, tél. 02.41.52.41.11, deze.laurent@orange.fr r.-v.

LYCÉE VITICOLE EDGARD PISANI 2011 ★

20 000 - de 5 €

Il ne faut jamais sous-estimer les vins élaborés dans les lycées viticoles, car ils sont le fruit de l'application des étudiants et de l'investissement de leurs professeurs. Cet établissement public créé en 1967 propose régulièrement dans le Guide de jolies cuvées, tel ce saumur rouge très réussi né de cabernet franc enraciné sur graves limoneuses. Vêtu d'un rubis lumineux, il libère à l'aération des arômes frais de fruits rouges bien mûrs. La bouche, à

LOIRE

l'unisson, ample et délicate, s'appuie sur des tanins enrobés. Un beau représentant de l'appellation.

🔑 Lycée viticole Edgard Pisani, rte de Méron, 49260 Montreuil-Bellay, tél. 02.41.40.19.24, fax 02.41.38.72.86, francoise.mignonneau@educagri.fr ☑ 🍷 🚶 t.l.j. 9h-12h 14h-18h

LIONEL RENARD 2011 ★★

5 000 | - de 5 €

Proche du coup de cœur, ce saumur blanc est un modèle quasi parfait de droiture et d'harmonie. Il se présente dans un bel habit pâle aux reflets émeraude, prélude à des notes fraîches, fleuries et fruitées fort séduisantes. Ronde et équilibrée, la bouche légèrement saline affiche un superbe équilibre. Ce vin remarquable est un bel ambassadeur du Saumurois. Parfait pour des fruits de mer.

🔑 Lionel Renard, 24, rue des Vignes, Bessé, 86120 Saint-Léger-de-Montbrillais, tél. 05.49.22.41.03, lc.renard@orange.fr ☑ 🍷 🚶 r.-v.

DOM. DE LA ROCHELAMBERT Méthode traditionnelle 2010 ★

9 000 | 5 à 8 €

Dans la famille Prudhomme, on est passé de la douelle au cep : le grand-père de Sébastien, actuel maître du domaine, exerçait la profession de tonnelier, ce qui ne l'empêchait pas non plus de taquiner la vigne sur les quelques arpents qu'il possédait à la fin de la Seconde Guerre mondiale. Le domaine s'est agrandi depuis lors, au point de compter aujourd'hui 25 ha, à l'origine de treize cuvées différentes. Cet effervescent né de chenin s'exprime avec gourmandise. Vêtu de jaune pâle, harmonieux au nez comme en bouche, il affiche une vitalité sympathique, avec ses arômes de fruits blancs d'une grande fraîcheur. « Un vin de belle typicité », conclut l'un des jurés.

🔑 Prudhomme, 16, rue du Calvaire, 79100 Mauzé-Thouarsais, tél. 05.49.96.64.18 ☑ 🍷 r.-v.

DOM. DE ROCHEVILLE La Dame 2011 ★

5 300 | 11 à 15 €

Ce domaine a nommé ses cuvées « Le Roi », « Le Prince », « Le Fou du roi », « La Dame »... Des vins tranquilles du Saumurois. Cette Dame à la robe blanc doré offre un nez sur les agrumes et la vanille. L'annonce de francs plaisirs, confirmés par une bouche délicate à la finale riche et fraîche. Pour l'apéritif et le fromage.

🔑 EARL Dom. de Rocheville, 9, rte des Vins, 49730 Parnay, tél. 06.77.51.23.68, fax 02.41.50.32.88, jeromecallet@domainederocheville.fr ☑ 🍷 🚶 r.-v.

🔑 Callet Porche

DOM. DES SABLES VERTS 2010 ★★

2 000 | 5 à 8 €

Une exploitation familiale conduite par deux frères, Alain et Dominique Duveau. Avec de jeunes vignes (dix ans) de chenin plantées sur des terres de sables mêlés d'argile, ils ont élaboré un saumur blanc concentré avant tout sur le fruit, que le passage de six mois en fût a ennobli. Dominée par une grande fraîcheur, l'expression en bouche est remarquable. La finale, citronnée, flatte les papilles. Cette bouteille est prête pour donner la réplique à un de ces brochets de Loire si bien décrits par le romancier et poète Maurice Genevoix.

🔑 GAEC Dominique et Alain Duveau, 66, Grand-Rue, 49400 Varrains, tél. 02.41.52.91.52, fax 02.41.38.75.32, duveau@domaine-sables-verts.com ☑ 🍷 🚶 r.-v.

DOM. SAINT-JEAN 2010 ★

900 | 5 à 8 €

Un vignoble en lutte raisonnée, dont on préserve l'environnement avec conviction : vignes enherbées, labour des sols, plantation de haies, aire de lavage agréée... C'est ici qu'est né ce saumur blanc sec que la présence de sucres résiduels (6 g/l) aurait tendance à rapprocher du « tendre ». Bien ouvert sur la fleur d'acacia et les fruits blancs, le nez annonce une bouche souple et délicate, encore un peu marquée par la barrique, qui montre une légère douceur miellée. Pour accompagner du fromage de chèvre frais.

🔑 Jean-Claude Anger, Dom. Saint-Jean, 3, rue des Fossés, 49730 Turquant, tél. 02.41.38.11.78, fax 02.41.51.79.23, anger.domainestjean@laposte.net ☑ 🍷 🚶 r.-v.

DOM. DE SAINT-JUST Coulée de Saint-Cyr 2010

10 000 | 15 à 20 €

Arnaud Lambert ne craint pas de s'affirmer « paysan-vigneron ». Il a pris en charge le domaine de Saint-Just en 2009 et élaboré un blanc gourmand, rond et souple qui dévoile un bouquet intense d'agrumes et de fruits blancs accompagnés de quelques notes boisées. Tout indiqué pour des rillauds à l'heure de l'apéritif.

🔑 Dom. de Saint-Just, 12, rue de la Prée, Mollay, 49260 Saint-Just-sur-Dive, tél. 02.41.51.62.01, fax 02.41.67.94.51, infos@st-just.net ☑ 🍷 🚶 t.l.j. sf. dim. 10h-12h 14h-18h

🔑 Arnaud Lambert

DOM. DU VIEUX BOURG Clos Poinçon 2011 ★★

9 000 | 5 à 8 €

Issu d'un élevage pour deux tiers en fût qui lui a légué de discrètes notes empyreumatiques, ce saumur blanc dans sa belle robe or pâle s'est vu décerner deux étoiles. Juste récompense du beau travail effectué dans la vigne et au chai par Jean-Marie et Noël Girard. Du terroir argilo-calcaire le chenin vendangé à la main tire une belle minéralité qui souligne un fruité généreux. Un vin racé, prêt à se mesurer à quelques filets de perche.

🔑 EARL Girard Frères, 30, Grand-Rue, 49400 Varrains, tél. 02.41.52.91.89, fax 02.41.52.42.43, n-girard@vieux-bourg.com ☑ 🍷 🚶 t.l.j. sf dim. 9h-12h 15h-18h

🔑 J.-M. et N. Girard

DOM. DU VIEUX PRESSOIR Élégance 2011 ★

13 000 | 5 à 8 €

Très connu des aficionados des vins du Saumurois, le domaine du Vieux Pressoir a su tirer le meilleur parti de ses terres jurassiques pour ce blanc sec ouvert sur des notes de fleurs (tilleul) et de fruits blancs. L'équilibre en bouche, très réussi, fait de ce 2011 un vin de gastronomie, idéal pour accompagner une viande blanche ou un fromage de chèvre.

🔑 Bruno Albert, 205, rue du Château-d'Oiré, 49260 Vaudelnay, tél. 02.41.52.21.78, fax 02.41.38.85.83, vieuxpressoir@wanadoo.fr ☑ 🍷 🚶 r.-v. 2

Cabernet-de-saumur

Superficie : 79 ha
Production : 4 602 hl

Bien qu'elle ne représente que de faibles volumes, l'appellation cabernet-de-saumur tient bien sa place par la finesse de ce cépage, cultivé sur terrains calcaires et élaboré en rosé.

DOM. DE CHAINTRES 2011 *

■ 2 000 ▮ 5 à 8 €

En conversion bio, ce domaine clos de murs est une référence de l'AOC saumur-champigny. Les vignes y ont été introduites par les Oratoriens de Notre-Dame de Nantilly à la fin du XVIIe s. Et pourtant, il n'y a aucune austérité ni solennité dans ce 2011, bien au contraire. La robe est étincelante, ornée de reflets rose vif. Au nez pointent des arômes fringants et toniques évoquant les agrumes et les fruits frais. La bouche, dans la même tonalité, laisse une sensation de fraîcheur très agréable. Mais ne vous trompez pas sur cette sensation apparente de légèreté et de facilité, l'élégance d'ensemble de ce vin est de celle que l'on obtient sur les grands terroirs.

Ch. de Chaintres, 54, rue de la Croix-de-Chaintres, 49400 Dampierre-sur-Loire, tél. 02.41.52.90.54, fax 02.41.52.99.92, info@chaintres.fr

t.l.j. 9h-12h 14h-18h; f. sam. dim. de sept. à avr.

B

G. de Tigny

Coteaux-de-saumur

Superficie : 25 ha
Production : 736 ha

Ils ont acquis autrefois leurs lettres de noblesse. Les coteaux-de-saumur, équivalents en Saumurois des coteaux-du-layon en Anjou, sont élaborés à partir du chenin pur, planté sur la craie tuffeau.

DOM. DES CHAMPS FLEURIS Cuvée Sarah 2010 *

■ 1 200 15 à 20 €

Les amateurs de pittoresque conservent de leur passage au village de Turquant une image idyllique qui doit beaucoup à ses habitations troglodytiques creusées dans le tuffeau. Ce 2010 est un beau rappel gustatif de ces joliesses. Le chenin y étale avec intensité les qualités qui font sa réputation : ampleur fruitée (agrumes et abricot sec), harmonie des saveurs à la fois douces et acidulées, et cet équilibre gracieux qu'il a le don d'extraire du terroir. Un « vin plaisir ». (Bouteilles de 50 cl.)

EARL Rétiveau-Rétif, 54, rue des Martyrs, 49730 Turquant, tél. 02.41.38.10.92, fax 02.41.51.75.33, domaine@champs-fleuris.com

t.l.j. sf dim. 8h-12h 13h30-18h30

LYDIE ET THIERRY CHANCELLE 2010 ***

■ 1 000 ▮ 11 à 15 €

Thierry Chancelle figure régulièrement dans les pages du Guide, et ce, dans les trois couleurs : blanc en coteaux-de-saumur, rosé en cabernet-de-saumur, rouge en saumur-champigny. Son liquoreux 2010 a véritablement suscité l'enthousiasme des jurés, qui lui ont accordé la mention « exceptionnel ». Vêtu d'atours lumineux, il a longuement fermenté en cuve. Persistants, ses arômes fruités – agrumes confits au nez, fruits exotiques (papaye, mangue) en bouche – s'expriment dans un équilibre parfait, accompagnés tout au long de la dégustation d'une fraîcheur tonique. Régal absolu en perspective pour les amateurs de crumbles. (Bouteilles de 50 cl.)

Thierry Chancelle, 27, rue des Martyrs, 49730 Turquant, tél. 02.41.38.11.83, fax 02.41.51.47.71, domaine-bourdin-chancelle@orange.fr

t.l.j. sf dim. 9h-12h 14h-18h

FABIEN DUVEAU Rumba 2010 **

■ 1 500 11 à 15 €

Quand il y a de la rumba dans l'air, bien des corps exultent. Comme les papilles, au contact de ce liquoreux « de niche » que l'habileté vigneronne de Fabien Duveau a mis au point. Succédant à un bouquet évoquant une corbeille de fruits mûrs, la bouche évolue sur un rythme aussi ample qu'harmonieux. La finale, équilibrée par son côté acidulé, stimule de sa fraîcheur cette matière soyeuse. Pour des apéritifs... en musique.

Fabien Duveau, 36, rue de l'Église, 49400 Chacé, tél. 06.30.87.32.24, fabienduveau@yahoo.fr

t.l.j. sf dim. 8h-12h 14h-19h

B DOM. DE LA FUYE Grain de folie 2010 *

■ n.c. ▮ 20 à 30 €

Sous la houlette de Philippe Elliau, le domaine s'est tourné en l'an 2000 vers l'agriculture biologique. Ce Grain de folie a demandé bien des efforts : tris méticuleux lors de la vendange, récolte en cagettes déposée dans un pressoir vertical, sélection des jus, élevage de dix mois en cuve. Un travail couronné de réussite. La robe scintillante préfigure les joies d'une olfaction subtile aux accents d'agrumes et de fruits exotiques. La bouche, à l'unisson, déploie une matière souple et concentrée, aux saveurs miellées.

Philippe Elliau, 527, rue du Château, Sanziers, 49260 Vaudelnay, tél. 06.08.86.30.32, fax 02.41.38.87.31, contact@domainedelafuye.com r.-v.

DOM. DE LA GIRARDRIE Sélecte 2010 *

■ 2 600 11 à 15 €

Au Puy-Notre-Dame, les caves creusées dans le tuffeau réunissent les conditions idéales pour la culture des champignons. La gastronomie locale s'appuie d'ailleurs souvent sur ce produit pour s'accorder aux vins rouges ou blancs du Saumurois. Accompagnés de foie gras, ces champignons devraient aussi savoir parler à cette cuvée Sélecte. Elle rassemble les qualités attendues des moelleux distingués : fruité expressif et acidité suffisante pour faire pendant au sucre (175 g/l) et assurer ainsi équilibre et potentiel de garde. (Bouteilles de 50 cl.)

SCEA Falloux et Fils, 1, rue de la Fontaine de Cix, 49260 Le Puy-Notre-Dame, tél. 02.41.52.25.10, fax 02.41.38.83.77, girardrie@orange.fr r.-v. C

LA GIRAUDIÈRE Le Lingot de Brézé 2009 ***

■ 1 800 15 à 20 €

« Tout ce qui brille n'est pas or. » C'est ce qu'énonce le dicton populaire. De l'or en lingot, ce moelleux ne

LOIRE

possède que la couleur. Sa valeur ne se mesure pas en espèces sonnantes mais en références – et en révérences ! – gustatives. De jeunes vignes de chenin, prometteuses si l'on en juge par la qualité de la vendange, ont profité à plein d'un millésime hors du commun, offrant au pressoir une matière généreuse, chargée de sucrosités pulpeuses. L'élevage de quatorze mois en barrique a fourni ce zeste d'élégance boisée qui n'appartient qu'aux grands. Fabrice Esnault et Étienne Matrion peuvent être fiers de ce nectar aux accents exotiques et vanillés, et d'une superbe complexité, qui allie à merveille douceur et fraîcheur. (Bouteilles de 50 cl.)

M. Giraudière, rue Saint-Vincent, 49260 Brézé, tél. 02.41.51.63.84, fax 02.41.52.89.13, lagiraudiere.vinsdesaumur@orange.fr
t.l.j. 9h-12h 15h-18h; sam. dim. sur r.-v.; f. août
Esnault et Matrion

DOM. DU GRAND CLOS 2010 ★

1 000 | 8 à 11 €

Ce coteaux-de-saumur de Damien Robert montre qu'il est tout à fait possible d'obtenir de bons moelleux sur les sols calcaires de ce secteur de la Vienne. Peu marqué par la sucrosité, il avance en bouche de tendres saveurs fruitées qui ne saturent pas le palais. Sa fraîcheur, appréciée par les jurés, et sa matière ample en feront le compagnon idéal d'une salade d'agrumes.

Dom. du Grand Clos, Besse, 12, rue des Vignes, 86120 Saint-Léger-de-Montbrillais, tél. et fax 05.49.22.96.33, damien.robert16@sfr.fr t.l.j. sf dim. 9h-19h

DOM. DES MATINES 2010 ★

9 000 | 11 à 15 €

Quatre générations de vignerons se sont succédé sur cette exploitation où l'on pratique une culture raisonnée. On a attendu la venue du plein automne pour vendanger les grappes de chenin presque surmûries. Le fruit a longuement déployé ses arômes au cours de l'élevage en cuve. Au final, un liquoreux rond et concentré, habillé d'une élégante parure jaune, au bouquet explosif de fruits exotiques, qui s'exprime en bouche sur de tendres saveurs miellées (200 g/l de sucres résiduels).

Dom. des Matines, 31, rue de la Mairie, 49700 Brossay, tél. 02.41.52.25.36, fax 02.41.52.25.50, contact@domainedesmatines.fr r.-v. B
Etchegaray

CH. DE TARGÉ 2010 ★★★

2 553 | 20 à 30 €

Dans cette ancienne résidence de chasse ont séjourné des personnages célèbres, comme Gambetta et Jules Ferry. On ne saurait dire si c'est ici que le premier conçut l'idée de lever une armée de la Loire pour combattre les Prussiens qui assiégeaient Paris, et si le second y rédigea les lois laïques de l'école de la République. Quoi qu'il en soit, on peut imaginer que ces deux grands hommes auraient adoré ce vin d'exception paré d'or étincelant, que les délicats arômes de fruits confits rendent particulièrement séduisant. La bouche, élégante, est pourvue d'une acidité qui équilibre à la perfection les sucres résiduels (162 g/l). Un vin de méditation, à savourer en écoutant de la grande musique. (Bouteilles de 50 cl.)

SCEA Édouard Pisani-Ferry, Ch. de Targé, 49730 Parnay, tél. 02.41.38.11.50, fax 02.41.38.16.19, edouard@chateaudetarge.fr
t.l.j. 9h-12h 14h-18h; dim. sur r.-v. D

Saumur-champigny

Superficie : 1 376 ha
Production : 74 442 hl

Entre Saumur et Montsoreau, ce vignoble s'insère dans l'aire du saumur, près de la Loire. Si son expansion est récente, les vins rouges de Champigny sont connus depuis plusieurs siècles. Produits dans neuf communes à partir du cabernet franc (ou breton) parfois complété de cabernet-sauvignon, ils sont fruités, charnus et souples. Ils sont à découvrir dans des villages typiques aux rues étroites et aux caves de tuffeau.

DOM. DES AMANDIERS 2011

12 000 | 5 à 8 €

À découvrir dans un caveau troglodytique creusé dans le tuffeau, typique de Turquant, ce saumur-champigny non moins typique offre au nez comme en bouche des parfums de fruits noirs rappelant le cassis. Sans manquer de structure, ce 2011 fait preuve dès l'attaque d'une souplesse qui invite à une consommation immédiate sur un bel onglet de bœuf grillé ou sur un hachis parmentier.

Marc Rideau, 2, rue du Moulin-Château-Gaillard, 49730 Turquant, tél. et fax 02.41.51.79.81, domaineamandiers@orange.fr r.-v.

DOM. DES BLEUCES Fruits de la forêt 2011 ★

16 000 | 5 à 8 €

Ines Racault a pris en 2005 la suite de son père Benoît Proffit sur le domaine familial. L'exploitation, qui a son siège dans la vallée du Layon, compte aujourd'hui une cinquantaine d'hectares, dont cinq en saumur-champigny. Fruits de la forêt ? De fait, les dégustateurs ont trouvé d'intenses parfums de fruits noirs bien mûrs dans cette cuvée, et aussi beaucoup de couleur, une attaque ample, une certaine puissance et des tanins en bon nombre. Cela fait de ce 2011 un vin de semi-garde qui devrait tenir cinq ans. Il gagnera à attendre un an ou deux pour accompagner ensuite une entrecôte.

Ines Racault, Dom. des Bleuces, 49700 Concourson-sur-Layon, tél. 02.41.59.11.74, fax 02.41.59.97.64, contact@domainedesbleuces.com
t.l.j. 8h30-12h 14h-17h30; sam. dim. sur r.-v.

DOM. DU BOIS MIGNON Le Clos Mollet 2011 ★

■ 4 000 ▮ 5 à 8 €

Le département de la Vienne, inclus dans la région Poitou-Charentes, pousse une pointe vers le Maine-et-Loire juste au sud de Fontevraud. C'est dans ce secteur qu'est installé Pascal Barillot. Par sa géologie, par son vignoble et ses paysages, cette zone se rattache toutefois au Saumurois, et la maison troglodytique de ce vigneron n'a d'ailleurs rien à envier aux caves des bords de Loire. Ce saumur-champigny coloré, pourpre foncé, affiche une belle typicité dans ses parfums assez chaleureux de fruits rouges bien mûrs un rien épicés, dans son attaque guillerette, à la fois souple et fraîche, dans ses tanins soyeux et sa finale fruitée. À déboucher au cours des quatre ou cinq prochaines années sur une grillade ou sur une matelote d'anguilles.

SCEA Charier-Barillot, Dom. du Bois Mignon, La Tourette, 86120 Saix, tél. 05.49.22.94.59, fax 05.49.22.91.54, barillot.pascal@gmail.com r.-v.

DOM. DU BOIS-MOZÉ PASQUIER
Vieilles Vignes Élevé en fût de chêne 2010 ★

■ 2 500 8 à 11 €

Installé au cœur de l'appellation, non loin du Thouet, Patrick Pasquier exploite 9 ha de vignes. Toujours présent au rendez-vous du Guide, parfois aux meilleures places (déjà deux coups de cœur), il a proposé cette année une cuvée particulièrement choyée, car vendangée à la main et élevée un an en fût. Il en résulte une robe d'un rouge violacé profond et un nez fruité et vanillé. La bouche suit la même ligne : le boisé est très présent, mais il laisse s'exprimer les fruits noirs. La matière souple et ronde autorise une consommation immédiate tout en étant assez étoffée pour permettre une petite garde. Cette bouteille devrait bien s'entendre avec du petit gibier, rôti ou en cocotte.

Patrick Pasquier, 7, rue du Bois-Mozé, 49400 Chacé, tél. 02.41.52.59.73, pasquierpatrick@orange.fr r.-v.

DOM. LA BONNELIÈRE Prestige Les Poyeux 2010

■ 19 000 ▮ 5 à 8 €

La Bonnelière ? Le « repaire » des Bonneau. Sous la protection de saint Vincent, dont une statue orne la vieille cave de tuffeau, et avec la corne d'abondance pour symbole, l'exploitation a pris un nouveau départ en 1972, il y a tout juste quarante ans. Depuis 2000, les deux fils Cédric et Anthony conduisent le vignoble, lequel s'agrandit d'année en année (plus de 33 ha) et s'équipe aussi (un nouveau chai de vinification en 2009). Cette cuvée élevée pour un tiers en fût est une vieille connaissance. Grenat vif, elle parle de fruits rouges, ne révélant la barrique qu'au palais. Franc, épicé, vanillé et doté de ce qu'il faut d'étoffe et de tanins, ce 2010 pourra bientôt passer à table tout en étant apte à attendre au moins trois ans.

Dom. la Bonnelière, EARL Bonneau et Fils, 45, rue du Bourg-Neuf, 49400 Varrains, tél. 02.41.52.92.38, fax 02.41.67.35.48, bonneau@labonneliere.com r.-v.

DOM. DES BONNEVEAUX Vieilles Vignes 2011 ★

■ 10 400 ▮ 5 à 8 €

Au cœur de l'appellation, le gros village de Varrains limitrophe de Saumur abrite nombre de vignerons choyant le cabernet franc. Parmi eux, Nicolas Bourdoux, qui exploite depuis dix ans les 16 ha du domaine familial et dont la cuvée Vieilles Vignes figure souvent dans cette section du Guide. La version 2011 est un vin de bonne compagnie, franc, ample, équilibré et souple, au nez de fruits rouges mâtiné de sous-bois, que l'on appréciera dans les trois à cinq ans sur de la charcuterie ou sur des fromages à croûte fleurie.

Nicolas Bourdoux, Dom. des Bonneveaux, 79, Grande-Rue, 49400 Varrains, tél. 02.41.52.94.91, fax 02.41.52.99.24, bourdoux@domainedesbonneveaux.com t.l.j. 8h-12h 14h-19h

CLOS DE BAUX 2011 ★

■ 2 000 ▮ 5 à 8 €

Christophe Baillergeon a pris en 2005 les rênes du domaine familial fondé par son grand-père. L'exploitation, qui couvre 11 ha, est située au cœur de l'appellation. Avec ce 2011 d'un pourpre intense, il propose un saumur-champigny typique, dont le nez de cassis et de groseille annonce une bouche ronde, friande et gourmande. Celle-ci laisse une impression de souplesse et de légèreté tout en ayant assez de matière pour se bonifier dans les prochains mois et supporter une petite garde. Cette bouteille s'accommodera de toutes sortes de viandes grillées ou sautées, rouges ou blanches.

SARL Clos de Baux, 30, rue Émile-Landais, 49400 Chacé, tél. 02.41.38.37.20, baillergeon.christophe@neuf.fr t.l.j. 9h-19h
Baillergeon

CLOS DES CORDELIERS Cuvée Tradition 2010

■ 70 000 ▮ 5 à 8 €

Les Cordeliers, autrement dit les Franciscains, ont cultivé la vigne ici entre la fin du XVIIes. et la Révolution. Sébastien Ratron conduit depuis 2007 ce domaine acquis par sa famille il y a quatre-vingts ans. Dans sa cuvée Tradition, il recherche l'expression du fruit. À la cave, pas de levurage ni de collage. Le vin, pourpre intense, livre à l'aération de jolies notes de groseille, de mûre et de myrtille. Les petits fruits des bois se prolongent en bouche au sein d'une matière suave et ronde à l'attaque, structurée et plus tannique en finale. On pourra apprécier cette bouteille prochainement pour son fruité, ou laisser ses tanins se polir deux à quatre ans.

EARL Dom. Ratron, Les Cordeliers, 49400 Souzay-Champigny, tél. 02.41.52.95.48, fax 02.41.52.99.50, domaine-ratron@clos-des-cordeliers.com t.l.j. 8h30-12h 13h30-18h30; dim. jan.-fév. sur r.-v.

CLOS DES MORAINS 2011 ★★

■ 40 000 ▮ 5 à 8 €

Gérée par un frère et une sœur, cette importante exploitation du Saumurois compte 75 ha. Elle signe un saumur-champigny plein de qualités, qui s'est placé parmi les finalistes du coup de cœur. Si la brillance de la robe aux reflets violets n'est pas pour déplaire, c'est surtout l'intensité du fruité qui a valu à ce 2011 de chauds partisans. On hume dans le verre un panier de petits fruits (fraise, framboise et cassis), que l'on retrouve avec grand plaisir au palais. Tout cela donne envie de déboucher cette bouteille dès maintenant, mais sa structure et son étoffe permettent d'envisager plusieurs années de garde.

LOIRE

🔑 SCEA Tessier, 14, rue Saint-Vincent, Sanziers, 49260 Le Puy-Notre-Dame, tél. 02.41.52.26.75, tessieretfils@wanadoo.fr ☑ 𝕐 🚶 r.-v.

LES CLOS MAURICE Le Clos de Midi 2010 ★

■ 4 000 ⊕ 11 à 15 €

Après dix ans d'expérience, Mickaël Hardouin a pris en 2007 la succession de son père sur ce domaine de 20 ha situé au cœur de l'appellation. Il propose ici un saumur-champigny issu de vignes de soixante ans exposées au plein midi. Le 2010 affiche une robe colorée, d'un grenat intense aux reflets bleutés. D'une belle finesse, sa palette aromatique mêle le fruit rouge très mûr à des nuances florales de violette et de rose ; en bouche, une note boisée apporte un surcroît de complexité. Franc à l'attaque, ample et frais, le palais est porté par des tanins jeunes mais déjà arrondis. Conjuguant puissance et subtilité, cette bouteille, déjà agréable, saura aussi attendre cinq ans.

🔑 Mickaël Hardouin, 18, rue de la Mairie, 49400 Varrains, tél. 02.41.38.80.02, fax 02.41.52.44.32, closmaurice@orange.fr ☑ 𝕐 🚶 r.-v.

DOM. DE LA CUNE Tradition 2010 ★

■ 20 000 ▮ 5 à 8 €

À la tête de 17 ha de vignes dans le Saumurois, Jean-Luc et Jean-Albert Mary signent un saumur-champigny rubis violacé qui offre tout ce que l'on attend de l'appellation : un nez à la fois concentré et subtil, où le fruit noir prend des tons de violette, une bouche sur la même ligne florale et fruitée, ronde et équilibrée. En finale, ce vin ne fait sans doute pas la queue de paon mais il tire joliment sa révérence sur des évocations parfumées. À servir dès la sortie du Guide sur des grillades.

🔑 EARL Dom. de la Cune, Chaintres, Dampierre-sur-Loire, 49400 Saumur, tél. 02.41.52.91.37, fax 02.41.52.44.13, jlmcune@wanadoo.fr ☑ 𝕐 🚶 t.l.j. sf dim. 9h-12h 14h-18h

🔑 Jean-Luc et Jean-Albert Mary

DOM. FILLIATREAU La Grande Vignolle 2011 ★

■ 8 000 8 à 11 €

Paul Filliatreau, rejoint par son fils Freedrik, s'est intéressé au saumur-champigny dès ses débuts sur l'exploitation familiale en 1967. Le domaine (aujourd'hui 45 ha) fait partie de ceux qui comptent dans l'appellation. Son **Dom. Filliatreau Vieilles Vignes 2011 (40 000 b.)** est un saumur-champigny typique par son nez de fruits rouges et par sa matière à la fois fraîche et souple, un peu sévère en finale. Il fait jeu égal avec cette Grande Vignolle grenat aux reflets bleutés qui laisse déjà poindre des notes fruitées et une légère touche de poivron caractéristique du cabernet franc. Rond et ample à l'attaque, ce vin finit sur des impressions tanniques incitant à le carafer ou à le garder (jusqu'à cinq ans). On pourra le goûter sur place et découvrir un superbe site troglodytique : La Grande-Vignolle, qui était au Moyen Âge un véritable village souterrain.

🔑 Paul Filliatreau, 1, ruelle des Fossés-de-Chaintres, 49400 Dampierre-sur-Loire, tél. 02.41.52.90.84, domaine@filliatreau.fr ☑ 𝕐 🚶 t.l.j. 10h-18h

DOM. DES GALMOISES Secret du caveau 2010 ★★

■ 13 000 ▮ 5 à 8 €

Un nouveau nom dans le Guide mais le domaine, lui, n'est pas nouveau, car Didier Pasquier a constitué son exploitation à partir de 1984 en regroupant diverses parcelles familiales, pour arriver à quelque 10 ha. Voilà enfin dévoilé un des secrets du caveau, et c'est une belle découverte : les jurés ont apprécié la robe colorée de ce 2010, son fruité intense et complexe aux nuances de fruits rouges surmûris et de cassis, son palais bien charpenté et long qui renoue avec le cassis en finale. À déguster dans les cinq ou six prochaines années sur toutes sortes de viandes, y compris sur du petit gibier en sauce.

🔑 Pasquier, 37, rue Émile-Landais, 49400 Chacé, tél. 02.41.52.99.98, dom.galmoises@gmail.com ☑ 𝕐 r.-v.

LA GIRAUDIÈRE Clos des Meuniers 2010 ★

■ 5 000 ▮ 5 à 8 €

Cette exploitation est implantée à Brézé, village du Saumurois célèbre pour son château aux vastes souterrains. Constituée récemment (2007), elle résulte de l'association d'un œnologue conseil champenois, Étienne Matrion, et d'un vigneron du cru, Fabrice Esnault. Une collaboration fructueuse à en juger par les sélections de ce domaine dans le Guide, en rouge comme en blanc (avec déjà plusieurs coups de cœur). Très réussi dans le millésime précédent, ce Clos des Meuniers présente les mêmes qualités de couleur, de fruité, de rondeur et de fondu que son devancier. Sa palette aromatique s'oriente vers la groseille et la violette. Une bouteille à servir dès la sortie du Guide avec des grillades.

🔑 M. Giraudière, rue Saint-Vincent, 49260 Brézé, tél. 02.41.51.63.84, fax 02.41.52.89.13, lagiraudiere.vinsdesaumur@orange.fr ☑ 𝕐 🚶 t.l.j. 9h-12h 15h-18h; sam. dim. sur r.-v.; f. août

🔑 Étienne Matrion et Fabrice Esnault

CH. DU HUREAU Tuffe 2011 ★

■ 85 000 ▮ 8 à 11 €

Un élégant petit manoir du XVIIIe s. adossé à la falaise et doté d'un pigeonnier troglodytique et de caves creusées dans le tuffeau : le domaine géré par Philippe Vatan est typique de la région. Ses saumur-champigny en font une référence du Guide : onze coups de cœur... En 2011, après des années d'essais, le vigneron a franchi le pas et s'est engagé dans la voie de la certification bio. Cette année, pas de cuvée spéciale, mais celle « de base » de la propriété, un assemblage de terroirs variés qui représentent 70 % de la superficie du domaine. « Un grand vin », écrit en conclusion un des jurés. Robe soutenue, presque opaque, parfums et arômes de fruits surmûris ; en bouche, de la fraîcheur, de la souplesse, de l'étoffe et de la longueur : un bel enfant de la « tuffe ».

🔑 Ch. du Hureau, Le Hureau, 49400 Dampierre-sur-Loire, tél. 02.41.67.60.40, fax 02.41.50.43.35, philippe.vatan@wanadoo.fr ☑ 𝕐 🚶 t.l.j. sf sam. dim. 9h-12h 14h-17h

DOM. JORDI 2011 ★

■ 25 000 ▮ 5 à 8 €

Stéphane Jordi a rejoint le domaine familial en avril 2011. C'est donc lui qui a vinifié cette cuvée qui a intéressé les jurés par sa couleur, sa présence et, semble-t-il, par son potentiel. La robe ? « Plus foncé serait difficile... », « rouge-noir ». Le nez ? Fruité et frais, complexe, sur la cerise avec une touche de clou de girofle. En bouche, ce vin se montre à la fois fruité, gai et puissant, encore un peu ferme et vif, mais tonique. « Très typé saumur-champigny nouvelle génération », écrit un dégustateur. Si l'ensemble

se laisse déjà goûter, la finale tannique et la trame acide inspirent confiance quant au devenir de ce vin.
EARL Dom. des Marigrolles, rte de Chaintres, 49400 Saumur, tél. et fax 02.41.50.58.61 r.-v.
Nicole Jordi

DOM. JOULIN Mon Clos 2010 ★

6 500 | 8 à 11 €

En une vingtaine d'années, le domaine de Philippe Joulin installé au cœur de l'appellation est passé de 4 à 17 ha. On se souvient notamment du coup de cœur obtenu pour sa cuvée 2009 de Jeunes Vignes, dont la valeur n'eut point à attendre le nombre des années. Pour cette édition, il présente un vin issu d'une petite parcelle bien abritée, enserrée par des murs de tuffeau. On aime ses arômes subtils et bien fondus de groseille et de mûre, son attaque à la fois franche, suave et ronde, et son évolution souple et équilibrée marquée en finale par de petits tanins plutôt bénins, qui n'interdisent pas l'ouverture prochaine de cette bouteille.
Philippe Joulin, 58, rue Émile-Landais, 49400 Chacé, tél. et fax 02.41.52.41.84, domaine.joulin@orange.fr
r.-v.

DOM. LAVIGNE-VÉRON La Chesnaie des moulins 2010 ★

2 600 | 8 à 11 €

Pascale et Antoine Véron, fille et gendre de Gilbert Lavigne, sont aujourd'hui aux commandes de cette exploitation implantée au cœur de l'appellation, dont les 38 ha sont très majoritairement dédiés au cabernet franc. Bien connu de nos lecteurs, le **Dom. Lavigne Les Aïeules 2011 (5 à 8 €; 35 000 b.)** issu de vieilles vignes reste de bonne tenue et il pourra s'apprécier dès la sortie du Guide, tout en étant apte à profiter d'une petite garde. Il est cité. Mais ce 2010 élevé six mois en cuve puis en demi-muid de chêne pendant un an semble un petit cran au-dessus. Sa couleur profonde, son nez alliant une touche vanillée à des notes de fruits rouges confiturés qui se prolongent au palais, sa matière équilibrée, ample et généreuse, étayée par des tanins soyeux, traduisent une vendange bien mûre et une vinification maîtrisée. À déboucher sans hâte dès l'automne et à marier avec du gibier en sauce.
SCEA Lavigne-Véron, 15, rue des Rogelins, 49400 Varrains, tél. 02.41.52.92.57, fax 02.41.52.40.87, scea.lavigne-veron@wanadoo.fr
t.l.j. sf dim. 9h-12h 14h-18h

RENÉ-NOËL LEGRAND Les Terrages 2010

13 000 | 8 à 11 €

Parmi les nombreux metteurs en marché installés à Varrains, la famille Legrand cultive la vigne depuis le XVIIe s. Sa maison, qui date de 1820, a gardé un papier peint classé Monument historique. Celui-ci déroule un paysage panoramique montrant des scènes de chasse et il est partiellement reproduit sur l'étiquette. Cette cuvée est-elle destinée à un retour de chasse ? Certes, ce 2010 encore discret, qui s'ouvre à l'aération sur des notes de fruits mûrs, est plutôt du genre solide, affichant du volume, de l'alcool, de la vivacité et une meute de tanins en ordre serré. De quoi faire une belle bouteille, qui mérite de s'affiner pendant deux ans et qui vieillira au moins cinq ans. Pour l'accompagner, un civet de lapin ou, si vous êtes impatient, une entrecôte grillée prochainement.
René-Noël Legrand, 13, rue des Rogelins, 49400 Varrains, tél. 02.41.52.94.11, fax 02.41.52.49.78, renenoel.legrand@wanadoo.fr
t.l.j. sf dim. 8h-12h30 14h-19h

DOM. DE NERLEUX Les Loups noirs 2010 ★

10 000 | 11 à 15 €

Des bâtiments d'une sobre élégance en tuffeau datant du XVIIe s., coiffés d'ardoise et ordonnés autour d'une cour carrée : le domaine de Nerleux. Le cœur du petit royaume viticole de Régis Neau, à la tête de 48 ha de vignes. De très beaux blancs, de jolies bulles... Quant aux saumur-champigny, on garde en mémoire une cuvée 2008 qui valut à son auteur un coup de cœur et la Grappe de bronze du Guide. Ce 2010 ne déçoit pas. Une macération de vingt-six jours suivie d'un élevage d'un an en fût pour 70 % de la vendange. Dans le verre, une robe profonde au pourpre violet ; un nez boisé ne masquant pas les parfums de petits fruits compotés et de groseille dans la bassine à confiture. Au palais, un vanillé très fin, une matière ronde étayée par une structure tannique solide, gage d'une bonne évolution pendant les cinq prochaines années. Les impatients pourront déjà commencer à ouvrir cette bouteille sur une côte de bœuf.
Dom. de Nerleux, 4, rue de la Paleine, 49260 Saint-Cyr-en-Bourg, tél. 02.41.51.61.04, fax 02.41.51.65.34, contact@nerleux.fr
t.l.j. sf dim. 9h-18h; sam. 10h-18h
SCEA Amélie et Régis Neau

CH. DE PARNAY 2011 ★★

70 000 | 5 à 8 €

Deux étoiles, et trois raisons de s'intéresser à cette exploitation implantée au cœur de l'appellation : le riche passé du domaine, ancienne propriété d'Antoine Cristal (1837-1931) qui œuvra pour promouvoir les vins de la région à la Belle Époque et qui fit aménager ici un « clos d'entre les murs », l'une des rares parcelles de vigne classée Monument historique ; le duo efficace que forment depuis 2006 Mathias Levron (le vigneron) et Régis Vincenot, qui connaissent d'autres succès en Anjou-Saumur (Ch. Princé, Ch. la Serpe...) ; et enfin, la qualité de cette cuvée classique qui a frôlé le coup de cœur. À la robe intense et sombre tirant sur le noir fait écho un nez ouvert et gourmand, qui penche lui aussi vers le noir des petits fruits. La mise en bouche révèle un vin franc, très rond et gras, bien structuré et long, où l'on retrouve le fruit noir en rétro-olfaction. Cet ensemble déjà fort harmonieux saura aussi attendre trois ans. À noter que les 26 ha du domaine sont en conversion bio.
Ch. de Parnay, 1, rue Antoine-Cristal, 49730 Parnay, tél. 02.41.38.10.85, fax 02.41.38.18.04, m.levron@chateaudeparnay.fr
t.l.j. 9h30-12h30 14h-18h

♥ **DOM. DE LA PERRUCHE** Le Chaumont 2011 ★★

80 000 | 8 à 11 €

Jacques Beaujeau possède un vaste vignoble réparti dans les appellations les plus connues de la région. On connaît déjà son château la Varière (anjou-villages-brissac, bonnezeaux, quarts-de-chaume...). Il a acquis ce domaine plus récemment, en 2000. Grâce à cette cuvée, il obtient son sixième coup de cœur. Ce 2011 s'est imposé face à cinq autres finalistes grâce à son caractère et à sa finesse. Le 2004 avait, lui aussi, été couronné. Derrière une robe

dense et profonde, presque noire, on découvre des parfums de fruits cuits et de noyau, avec une nuance animale. Tout aussi expressive, la bouche montre dès l'attaque sa puissance et sa richesse ainsi qu'une texture veloutée. Les tanins de la finale permettront à cette bouteille de se bonifier au cours des trois à cinq prochaines années, mais ce flacon procurera déjà un grand plaisir sur une belle pièce de bœuf grillée avec des cèpes. Quant à la cuvée principale **2011 (5 à 8 € ; 180 000 b.)**, un cran en dessous (une étoile), elle n'en offre pas moins de beaux arômes de fruits rouges mûrs, une bouche riche, ronde et étoffée, et d'intéressantes perspectives de garde.

Jacques Beaujeau, Dom. de la Perruche, 49730 Montsoreau, tél. 02.41.91.22.64, fax 02.41.91.23.44, beaujeau@wanadoo.fr
t.l.j. sf sam. dim. 10h-12h 14h-18h

LE PRIEURÉ D'AUNIS Le Fruit de ma passion 2011 ★

■ 4 500 ■ 5 à 8 €

Nicolas Pasquier s'est installé en 2006 sur l'exploitation familiale, qui fut jadis un prieuré dépendant de l'abbaye de Fontevraud. Il signe une petite cuvée dont la robe profonde est en accord avec la tonalité aromatique dominée par les petits fruits noirs, mûre et cassis. Sa franchise et sa matière souple et élégante, non dénuée de gras, font de ce 2011 un « vin de plaisir » qui s'accordera avec toutes sortes de mets, des charcuteries aux grillades en passant par les fromages à pâte molle. À déguster dans les deux ans.

GAEC Nicolas et Jacques Pasquier, Le Prieuré-d'Aunis, 49400 Dampierre-sur-Loire, tél. 02.41.50.33.61, leprieuredaunis@akeonet.com r.-v.

LE P'TIT DOMAINE Les Bonneveaux 2010 ★

■ 3 000 ■ 20 à 30 €

Un petit domaine en effet : 2,48 ha à ce jour. Vinificateur au château de Chaintres, Richard Desouche a voulu avoir son vignoble et il a acquis en 2006 des parcelles qu'il exploite aujourd'hui en bio (conversion engagée en 2010). Née de ceps âgés d'un demi-siècle, cette cuvée a connu le bois comme toutes celles de la propriété : son séjour de dix-huit mois en barrique n'a pourtant pas écrasé le vin. La robe évoque plutôt la cerise que le cassis. Au nez, beaucoup de fruits rouges et noirs soulignés d'un trait vanillé et torréfié. Le palais est à l'unisson. Malgré sa structure tannique bien marquée, ce vin équilibré et long laisse une impression de souplesse et de facilité. « On le verrait bien dans un bar à vins », écrit un juré.

Le P'tit Domaine, 75, Grand'Rue, 49400 Varrains, tél. 02.41.51.10.87, richard.desouche@wanadoo.fr
r.-v.
Desouche

DOM. DES RAYNIÈRES Vieilles Vignes 2010 ★

■ 5 800 ■ 5 à 8 €

Déjà mentionné en 1840, ce domaine est aujourd'hui conduit par Jean-Pierre Rebeilleau et par son fils Sylvain, qui l'a rejoint en 2006. D'un rouge soutenu aux reflets violets, leur cuvée Vieilles Vignes s'ouvre à l'aération sur des parfums de fruits rouges ou noirs (mûre et myrtille) qui montent en puissance, relevés de notes poivrées. Souple et généreuse, elle ne laisse percevoir ses petits tanins qu'en finale : ce vin déjà à son meilleur acccompagnera pendant les deux prochaines années grillades et viandes blanches. Si vous tenez au gibier, choisissez des cailles plutôt que du sanglier.

Jean-Pierre et Sylvain Rebeilleau, Dom. des Raynières, 33, rue du Ruau, 49400 Varrains, tél. 02.41.52.44.87, fax 02.41.52.48.40, contact@domainedesraynieres.com r.-v.

DOM. REGNIER 2010 ★

■ 26 900 ■ 5 à 8 €

Fondée en 1957, la cave de Saumur a l'âge de l'appellation. Aujourd'hui, la coopérative propose aux visiteurs ateliers œnologiques et randonnées à bicyclette dans le vignoble. Outre ses propres marques, elle vinifie pour le compte d'adhérents, tel Bernard Regnier. Ce viticulteur signe un 2010 charmeur par l'intensité, la fraîcheur et la finesse de ses parfums de fruits rouges et de violette. Ce fruité tonique se retrouve dans une bouche où la framboise entre en scène. La matière est souple et équilibrée, à peine marquée par de petits tanins un peu vifs en finale. Le type même du « vin de plaisir », à servir dans les trois ou quatre ans sur entrées, grillades et matelotes de poisson.

Cave des Vignerons de Saumur, rte de la Perrière, 49260 Saint-Cyr-en-Bourg, tél. 02.41.53.06.08, fax 02.41.53.06.16, info@cavedesaumur.com
t.l.j. 9h-13h 13h30-19h

DOM. DES SABLES VERTS Cuvée ligérienne 2010

■ 12 000 ■ 5 à 8 €

Le domaine de Dominique et d'Alain Duveau tire son nom de sables riches en glauconie, minéral de couleur verdâtre présent dans le tuffeau. Couvrant 15 ha, le vignoble est principalement dédié au saumur-champigny. Avec la Cuvée ligérienne, ces vignerons entendent proposer un vin souple et fruité. C'est bien un tel profil qui se dégage des commentaires de nos dégustateurs, mais le vin ne manque pas pour autant de volume et il montre même une certaine complexité. On aime son nez sur la cerise au kirsch et le cassis, et sa bouche fraîche qui laisse une impression de légèreté. À boire dès la sortie du Guide.

GAEC Dominique et Alain Duveau, 66, Grand-Rue, 49400 Varrains, tél. 02.41.52.91.52, fax 02.41.38.75.32, duveau@domaine-sables-verts.com r.-v.

DOM. DE SAINT-JUST Les Terres rouges 2011 ★

■ 15 000 ■ 8 à 11 €

L'année 2011 a vu disparaître le fondateur de ce domaine, Yves Lambert. Ce fils d'agriculteur de Saint-Just-sur-Dive, qui avait commencé sa carrière dans la finance, a pu accomplir son rêve : devenir vigneron – en achetant des vignes, confiées d'abord à la coopérative puis conduites directement à partir de 1996 – et connaître le succès dans cette activité. Dès le millésime 1997, il obtint un coup de cœur dans le Guide, et trois autres suivirent. En 2005, son fils Arnaud, œnologue, est venu l'appuyer et il a engagé la conversion bio des 41 ha de vignes (certification en 2012). Cette cuvée, qui a pris le nom de sa parcelle d'origine, est une vieille connaissance. Dans sa version 2011, elle séduit d'emblée par sa robe dense et par son nez franc sur le fruit rouge mûr et la cerise noire cuite, où l'on décèle une fraîcheur bien ligérienne. Si la bouche exprime une puissance et une longueur mesurées, elle montre néanmoins une belle franchise et des rondeurs bien agréables. On pourra ouvrir cette bouteille dès maintenant.

Dom. de Saint-Just, 12, rue de la Prée, Mollay, 49260 Saint-Just-sur-Dive, tél. 02.41.51.62.01, fax 02.41.67.94.51, infos@st-just.net
t.l.j. sf. dim. 10h-12h 14h-18h
Arnaud Lambert

DOM. SAINT-VINCENT Les Trézellières 2011

■ 100 000 ▮ 5 à 8 €

Bien connu des lecteurs du Guide grâce à de nombreuses sélections, parfois aux meilleures places, Patrick Vadé exploite 30 ha sur les coteaux dominant la Loire. En saumur-champigny, il a soumis cette année aux jurés sa « cuvée de base », qui représente les deux tiers de sa production. Un vin fait pour maintenant, fruité, souple mais bien équilibré, qui pourrait gagner en expression au cours des prochains mois. Cette bouteille accompagnera avantageusement de belles assiettes de charcuterie, ou de brie et de saint-nectaire.

Patrick Vadé, allée Saint-Vincent, 49400 Saumur, tél. 02.41.67.43.19, fax 02.41.50.23.28, pavade@wanadoo.fr
r.-v.

DOM. DES SANZAY Vieilles Vignes 2011 ★

■ 12 000 8 à 11 €

Sur les 28 ha cultivés par Didier Sanzay, vingt-cinq sont dédiés au cabernet franc. Ce cépage donne des rosés tendres, de fines bulles (même en rouge, hors AOC) et surtout des saumur-champigny qui récoltent souvent des étoiles par paire... Cette année, trois cuvées et une belle étoile pour chacune. Ces Vieilles Vignes, vraiment vieilles (soixante ans), ont engendré un vin grenat soutenu aux reflets violets. L'élevage d'un an en barrique n'écrase pas le fruit ; il apporte même un surcroît de complexité, ce qui donne un joli nez de fruits noirs relevés d'une pointe d'épices. Le chêne semble un peu plus présent en bouche, où il s'exprime en notes vanillées, mais il sait rester discret. Les dégustateurs apprécient ce vin principalement pour son attaque ronde, sa bonne structure, ses tanins doux et sa longueur. Un ensemble harmonieux et gourmand qui, pendant au moins cinq ans, fera plaisir sur un gigot rôti. Mêmes perspectives pour la cuvée principale **2011 (5 à 8 €; 40 000 b.)**, élevée en cuve, dévoilant des arômes de fruits noirs et une matière étoffée et bien fraîche, et pour la cuvée **Les Poyeux 2011 (5 à 8 €; 9 200 b.)**, plus tannique en finale mais déjà prête.

Dom. des Sanzay, 93, Grand-Rue, 49400 Varrains, tél. 02.41.52.91.30, fax 02.41.52.45.93, contact@domaine-sanzay.com r.-v.

ANTOINE SANZAY 2011 ★★

■ 13 000 ▮ 8 à 11 €

L'une des bonnes adresses à Varrains : la propriété collectionne les étoiles (souvent par paire) en saumur-champigny. Antoine Sanzay a repris il y a dix ans le domaine familial qu'il a orienté vers l'agriculture biologique. La certification devrait être acquise en 2013. En attendant, voici un 2011 qui fut proposé pour un coup de cœur. Le secret de son charme ? La remarquable harmonie régnant entre le nez et la bouche. Un vin dominé par des évocations de fruits rouges et de griotte, que l'on retrouve en bouche, de l'attaque à la longue finale. On aime aussi sa matière étoffée et riche, étayée par des tanins enrobés. Une belle structure qui permettra d'apprécier cette cuvée pendant au moins cinq ans, voire une décennie, et qui autorise un mariage avec une gigue de chevreuil. On conseille d'attendre cette bouteille un an ou deux.

Antoine Sanzay, 19, rue des Roches-Neuves, 49400 Varrains, tél. 02.41.52.90.08, fax 02.41.50.27.39, antoine-sanzay@wanadoo.fr
r.-v.

LA SEIGNEURIE 2011 ★★

■ 40 000 ▮ - de 5 €

Alban Foucher a repris en 2005 l'exploitation familiale installée à l'est de Saumur. Jouxtant Dampierre-sur-Loire, ce quartier encore rural du Petit Puy (« montagne ») est situé sur le haut de la falaise de tuffeau longeant la Loire et il offre un superbe point de vue sur le fleuve. Ici commence l'appellation saumur-champigny, que ce vigneron défend avec talent. Son 2011 s'habille d'une robe intense et délivre des arômes de fruits rouges ou noirs très mûrs traduisant une belle maturité de la vendange. Dans le même registre, le palais apparaît puissant, équilibré, acidulé et très persistant. Un excellent vin de semi-garde que l'on pourra servir dans quelques mois et qui fera plaisir pendant cinq ou six ans.

EARL Foucher, 2, rue Dovalle, Le Petit-Puy, 49400 Saumur, tél. 02.41.50.11.15, fax 02.41.51.19.84, laseigneurie.vins@hotmail.fr
t.l.j. sf dim. 10h-19h

B **LA SOURCE DU RUAULT** Le Clos de la Côte 2010 ★★

■ 3 200 ▮ 20 à 30 €

Installé sur l'exploitation familiale en 1998, Jean-Noël Millon exploite un vignoble de 11 ha surtout planté en cabernet franc. En 2010, il vient d'obtenir la certification bio. À la cave, pas de levurage, ni de collage ou de filtration, mais de longs élevages : six mois en cuve et douze mois sous bois pour cette cuvée qui s'est placée parmi les finalistes du coup de cœur. Le nez puissant associe le fruit noir mûr, voire compoté, à des notes d'élevage. En bouche, on découvre un vin de garde encore un peu brut, vif à l'attaque, ample, étoffé et long. Ce 2010 apparaît pour l'heure marqué par des accents chocolatés et torréfiés, mais on sent percer le fruit à l'arrière-plan. Il demande au moins un an de patience, et on peut l'attendre jusqu'en 2020 pour le servir sur du gros gibier, du sanglier en daube par exemple. Le **2011 (5 à 8 €)**, élevé en cuve, est un autre vin de caractère, offrant des perspectives proches. Il obtient une belle étoile tant pour son nez complexe sur les fruits noirs, la pivoine et l'iris, que pour sa matière concentrée et ronde, à la finale fraîche et persistante.

Jean-Noël Millon, 29, rue du Ruau, 49400 Varrains, tél. 02.41.52.93.80, fax 02.41.52.46.13, lasourceduruault@orange.fr
t.l.j. 8h-18h; sam. dim. sur r.-v.

LOIRE

CH. DE TARGÉ 2010

■ 40 000 ▮ 5 à 8 €

Cette ancienne résidence de chasse a été acquise par le secrétaire personnel de Louis XIV, un des ancêtres de l'actuel propriétaire. Depuis lors, nombre de serviteurs de l'État se sont transmis le château, résidence des Ferry. Quant au père d'Édouard Pisani, il n'est autre qu'Edgard Pisani, qui fut notamment ministre de l'Agriculture du général de Gaulle. Son fils a préféré se mettre au service du chenin et du cabernet franc en prenant la direction du domaine à partir de 1978. Ingénieur agronome, il a modernisé le vignoble, qui compte aujourd'hui 24 ha exploités en agriculture raisonnée. Avec ce 2010, il signe un saumur-champigny typique par son fruité subtil et franc aux accents de groseille, qui penche vers le fruit noir en bouche. Des tanins assez marqués appellent une petite garde de deux à trois ans. Un accord original suggéré par le vinificateur : des nems.

SCEA Édouard Pisani-Ferry, Ch. de Targé, 49730 Parnay, tél. 02.41.38.11.50, fax 02.41.38.16.19, edouard@chateaudetarge.fr

t.l.j. 9h-12h 14h-18h; dim. sur r.-v.

DOM. DU VAL HULIN Val Hulin 2011 ★

■ 45 000 5 à 8 €

Ce saumur-champigny est proposé par Denis Rétiveau, sa sœur Catherine et son beau-frère Patrice Rétif, plus connus des lecteurs du Guide pour leur domaine des Champs Fleuris, régulièrement sélectionné en blanc comme en rouge. Avec ce Val Hulin, ces vignerons présentent un vin typique de l'appellation. Derrière la robe pourpre violacé, on découvre un nez intense et harmonieux aux nuances de cassis et de fruits rouges (cerise). La bouche ronde, voire généreuse, suit la même ligne aromatique et persiste longuement sur un fruité suave. Cette bouteille affiche une belle présence, et l'on pourra la servir dès maintenant et pendant cinq ans, voire davantage.

EARL Rétiveau-Rétif, 54, rue des Martyrs, 49730 Turquant, tél. 02.41.38.10.92, fax 02.41.51.75.33, domaine@champs-fleuris.com

t.l.j. sf dim. 8h-12h 13h30-18h30

DOM. DES VARINELLES Larivale 2010 ★★

■ 4 000 15 à 20 €

Laurent Daheuiller préside aux destinées de cette exploitation, propriété familiale depuis plus d'un siècle, et il a engagé en 2011 la conversion à l'agriculture biologique de ses 42 ha de vignes. Les cuvées sont régulièrement saluées dans le Guide et ce, depuis la première édition (trois coups de cœur et une belle collection d'étoiles). Comme de nombreuses cuvées du domaine, Larivale provient de vieilles vignes âgées d'un demi-siècle, et connaît le bois. Ici, l'élevage de treize mois s'est déroulé en barrique neuve. On perçoit effectivement au nez un léger boisé vanillé, mais ces nuances laissent une large place au fruit, qui s'exprime à travers des notes de cassis et de cerise noire. Ce fruité gourmand et ourlé de vanille se prolonge dans une bouche ronde, suave et persistante. On pourra déboucher cette bouteille dès la sortie du Guide sur des viandes rouges et du gibier. Une des finalistes pour un coup de cœur.

SCA Daheuiller, 28, rue du Ruau, 49400 Varrains, tél. 02.41.52.90.94, fax 02.41.52.94.63, daheuiller.vins@wanadoo.fr r.-v.

La Touraine

Les intéressantes collections du musée des Vins de Touraine à Tours témoignent du passé de la civilisation de la vigne et du vin dans la région, et il n'est pas indifférent que les récits légendaires de la vie de saint Martin, évêque de Tours vers 380, émaillent la *Légende dorée* d'allusions viticoles ou vineuses... À Bourgueil, l'abbaye et son célèbre clos abritaient le « breton » ou cabernet franc, dès les environs de l'an mil, et, si l'on voulait poursuivre, la figure de Rabelais arriverait bientôt pour marquer de faconde et de bien-vivre une histoire prestigieuse. Celle-ci revit au long des itinéraires touristiques, de Mesland à Bourgueil sur la rive droite (par Vouvray, Tours, Luynes, Langeais), de Chaumont à Chinon sur la rive gauche (par Amboise et Chenonceaux, la vallée du Cher, Saché, Azay-le-Rideau, la forêt de Chinon).

Célèbre il y a donc fort longtemps, le vignoble tourangeau atteignit sa plus grande extension à la fin du XIXes. Il se répartit essentiellement sur les départements de l'Indre-et-Loire et du Loir-et-Cher, empiétant au nord sur la Sarthe. Des dégustations de vins anciens, des années 1921, 1893, 1874 ou même 1858, par exemple, à Vouvray, Bourgueil ou Chinon, font apparaître des caractères assez proches de ceux des vins actuels. Cela montre que, malgré l'évolution des pratiques culturales et œnologiques, le « style » des vins de la Touraine reste le même ; sans doute parce que chacune des appellations n'est élaborée qu'à partir d'un seul cépage. Le climat joue aussi son rôle : les influences atlantique et continentale ressortent dans l'expression des vins, les coteaux formant un écran aux vents du nord. En outre, la succession de vallées orientées est-ouest – vallées du Loir, de la Loire, du Cher, de l'Indre, de la Vienne – multiplie les coteaux de tuffeau favorables à la vigne, sous un climat tout en nuances, en entretenant une saine humidité. Ce tuffeau, pierre tendre, est creusé d'innombrables caves. Dans les sols des vallées, l'argile se mêle au calcaire et au sable, avec parfois des silex ; au bord de la Loire et de la Vienne, des graviers s'y ajoutent.

Ces différents caractères se retrouvent donc dans les vins. À chaque vallée correspond une appellation dont les vins s'individualisent chaque année grâce aux variations climatiques ; et l'association du millésime aux données du cru est indispensable.

Le classement des millésimes est à moduler, bien sûr, entre les rouges tanniques de Chinon ou de

Bourgueil (plus souples quand ils proviennent des graviers, plus charpentés quand ils sont issus des coteaux) et ceux plus légers, et parfois diffusés en primeur, de l'appellation touraine ; entre les rosés plus ou moins secs selon l'ensoleillement, tout comme les blancs d'Azay-le-Rideau ou d'Amboise, et ceux de Vouvray et de Montlouis dont la production va des secs aux moelleux en passant par les vins effervescents. Les techniques d'élaboration des vins ont leur importance. Si les caves de tuffeau permettent un excellent vieillissement à une température constante d'environ 12 °C, les vinifications en blanc se font à température contrôlée ; les fermentations durent quelquefois plusieurs semaines, voire plusieurs mois pour les vins moelleux. Les rouges légers, de type touraine, sont issus de cuvaisons au contraire assez courtes ; en revanche, à Bourgueil et à Chinon, les cuvaisons sont longues : deux à quatre semaines. Si les rouges font leur fermentation malolactique, les blancs et les rosés, eux, doivent leur fraîcheur à la présence de l'acide malique.

Touraine

Superficie : 4 470 ha
Production : 254 353 hl (30 % rouge, 14 % mousseux)

S'étendant des portes de Montsoreau à l'ouest jusqu'à Blois et Selles-sur-Cher à l'est, l'aire d'appellation régionale touraine est principalement localisée de part et d'autre des vallées de la Loire, de l'Indre et du Cher. Le tuffeau affleure rarement ; les sols surmontent le plus souvent l'argile à silex. Les vins rouges proviennent de gamay (cépage exclusif des touraines primeurs) ou d'assemblages de cépages plus tanniques, comme le cabernet franc et le cot. À base de deux ou trois cépages, ils ont une bonne tenue en bouteille. Nés du cépage sauvignon qui, depuis quarante ans, a détrôné les autres, les blancs sont secs. Une partie de la production des blancs et des rosés est élaborée en mousseux selon la méthode traditionnelle. Toujours secs, friands et fruités, les rosés sont élaborés à partir des cépages rouges.

DOM. GUY ALLION Sauvignon A Le Haut Perron 2011 ★

40 000 - de 5 €

Sur la rive droite du Cher, le vignoble de Thésée est idéalement implanté sur une magnifique succession de coteaux dominant la vallée. Le sauvignon s'y plaît, et celui de Cédric Allion a séduit le jury par son intensité aromatique et son attaque chaleureuse. Au nez, les fruits exotiques se marient au buis et aux fleurs blanches. En bouche, le gras et la rondeur confirment l'impression de richesse qui fait de ce blanc sec, équilibré par une belle acidité, un compagnon envisageable pour du foie gras. En rouge, le **malbec 2010 Le Poira (10 000 b.)** décroche aussi une belle étoile avec son nez de fruits noirs et son palais velouté au volume respectable. Enfin, le **rouge Dom. du Haut Perron 2010 Toucheronde (10 000 b.)**, rond et frais, est cité.

Dom. Guy Allion, 15, rue du Haut-Perron, 41140 Thésée, tél. 02.54.71.48.01, fax 02.54.71.48.51, contact@guyallion.com r.-v.

DOM. AUGIS Réserve des Caillouteux Élevé en fût de chêne 2010 ★

10 000 5 à 8 €

Le terme de « caillouteux » fait référence aux ouvriers qui taillaient le silex extrait des coteaux de Meusnes pour la fabrication des pierres à fusil. Ces coteaux sont maintenant couverts de vignes, et le silex encore très présent apporte aux vins une minéralité profonde. Ici, c'est plutôt son élevage d'un an sous bois que la cuvée met en avant. D'une présentation agréable dans sa robe sombre aux franges violettes, elle dévoile un nez puissant qui marie la griotte à des notes épicées. Au palais, une matière riche et structurée s'enrobe d'arômes fruités et boisés accompagnés d'une touche de poivron typique du cabernet (50 %). Un vin de caractère, qui demande deux années de garde pour fondre ses tanins et ses notes d'élevage.

Dom. Augis, 1465, rue des Vignes, 41130 Meusnes, tél. 02.54.71.01.89, fax 02.54.71.74.15, philippe.augis@wanadoo.fr t.l.j. sf dim. 8h-12h 14h-19h

DOM. DE L'AUMONIER Cuvée Henri 2010 ★

6 000 5 à 8 €

Baptisée d'après le prénom du fils cadet de Sophie et Thierry Chardon, cette cuvée est un pur chenin récolté en octobre, qui se pare d'une robe jaune doré. Cette couleur intense annonce des senteurs miellées sur un fond frais et mentholé, auxquelles répond un palais souple et acidulé, à la longue finale anisée et florale. Idéal sur un poisson de rivière. Le **2011 sauvignon Terres de l'Aumonier (100 000 b.)** et le **rouge gamay 2011 (20 000 b.)** obtiennent tous deux une citation.

Sophie et Thierry Chardon, 44, rue de Villequemoy, 41110 Couffy, tél. 02.54.75.21.83, fax 02.54.75.21.56, domaine.aumoniertchardon@wanadoo.fr r.-v.

DOM. AUPETITGENDRE Cabernet 2010 ★

3 000 - de 5 €

Ce domaine situé à deux pas du château de Chenonceaux engage sa conversion bio qui commencera par l'AOC montlouis avant de s'appliquer aux vignes d'appellation touraine. Son pur cabernet, paré d'une robe grenat, livre un bouquet complexe de fleurs et de fraise, rehaussé d'une note de cuir. Bien structuré et tout en faisant preuve d'une bonne souplesse, le palais est apprécié pour sa matière ample au fruité gourmand. La **cuvée des Lys 2010 (5 à 8 € ; 3 500 b.)**, aux tanins plus austères, encore jeunes, est citée. On l'attendra un an ou deux.

Dom. Aupetitgendre, 12, rue des Fougères, Thore, 37150 Civray-de-Touraine, tél. 02.47.23.92.50, fax 02.47.23.96.29, contact@domaineaupetitgendre.com r.-v.

LOIRE

DOM. BARON Le Baron rouge 2010 ★

	5 000		5 à 8 €

Cette cuvée de pur cot, née sur un terroir argilo-calcaire, est l'un des porte-drapeau de ce domaine régulier en qualité, qui vient d'engager sa conversion vers l'agriculture biologique. Elle s'annonce par une robe grenat sombre du plus bel effet, un bouquet fruité alliant la framboise et la cerise noire. Vif en attaque, le palais montre un beau volume empreint de fraîcheur dans lequel s'exprime de nouveau la cerise burlat bien mûre. Un vin à carafer avant de le servir sur un pot-au-feu, par exemple. Le **sauvignon Les Vieilles Vignes 2011 (30 000 b.)** est quant à lui cité pour ses arômes intenses d'agrumes.

Dom. Baron, 95, rue de Saint-Romain, 41140 Thésée, tél. 06.30.37.14.02, fax 02.54.71.41.30, vignoblebaron@aol.com r.-v.

BARRÉ FRÈRES Sauvignon La Noblette 2011

	10 000		- de 5 €

Si le négoce Barré Frères de Clisson commercialise principalement du muscadet, il propose ici un sauvignon de Touraine fort honorable. Vêtu d'une robe jaune pâle aux reflets vert argent, ce 2011 révèle un bouquet très fin de bourgeon de cassis. Le palais, frais et équilibré, offre une longue finale sur les fruits acidulés. Pour un plateau de fruits de mer dès cet automne.

Barré Frères, BP 49601, 44196 Clisson Cedex, tél. 02.40.06.90.70, fax 02.40.06.96.52, barrefreres@gmvl.fr t.l.j. sf sam. dim. 8h30-12h 14h-17h

DOM. BELLEVUE Sauvignon 2011 ★

	100 000		- de 5 €

Le vignoble de Patrick Vauvy est implanté sur un terroir particulier : un sol sableux au sous-sol argilo-calcaire donnant beaucoup de légèreté à ses vins. Ce sauvignon, dans sa robe d'or pâle finement perlée, révèle au nez des arômes de fruits exotiques accompagnées de notes séveuses à l'arrière-plan. Au palais, on ressent la maturité et le soleil emmagasiné par les raisins : du gras, de la souplesse, de la douceur, le tout heureusement rehaussé par une fraîcheur minérale en finale. Pour des asperges de Sologne à la crème. Le **rouge Tradition 2010 (10 000 b.)**, au fruité compoté et aux tanins soyeux, est cité.

Dom. Bellevue, 6, rue du Coteau, Les Martinières, 41140 Noyers-sur-Cher, tél. 02.54.71.42.73, fax 02.54.75.21.89, domainebellevue@orange.fr r.-v.

Patrick Vauvy

DOM. DE BELLEVUE Sauvignon 2011

	80 000		5 à 8 €

Raphaël Midoir représente la cinquième génération dans ce vignoble situé à une trentaine de kilomètres au sud de Blois. Classique, son sauvignon or pâle aux reflets verts révèle de discrets parfums variétaux sur un fond d'agrumes citronnés. Les mêmes arômes se mêlent avec délicatesse dans un palais équilibré entre douceur et fraîcheur et doté d'une finale persistante. Les poissons grillés seront à l'honneur.

Dom. de Bellevue, 132, chem. des Loges-de-Vignes, 41700 Chémery, tél. 02.54.71.83.58, fax 02.54.71.50.30, domainedebellevue41@orange.fr t.l.j. 9h-13h 14h-18h30

Midoir

DOM. DE LA BERGEONNIÈRE Sauvignon 2011 ★

	10 667		- de 5 €

La commune de Saint-Romain-sur-Cher, au nord de Saint-Aignan, bénéficie sur une partie de son territoire de sols argilo-sablonneux apportant beaucoup de finesse aux vins blancs. C'est le cas pour ce 2011 à la robe claire et limpide, et aux senteurs végétales typiques du sauvignon : bourgeon de cassis et buis. Une attaque en souplesse dévoile une matière ample au délicat fruité centré sur les agrumes. Les arômes persistent dans une finale harmonieuse. Une bouteille que l'on appréciera avec une salade de la mer.

Dom. de la Bergeonnière, EARL Bodin, 26, rte des Fourneaux, 41140 Saint-Romain-sur-Cher, tél. et fax 02.54.71.70.43, jcbodin@wanadoo.fr t.l.j. sf dim. 9h-12h30 14h-19h

Delphine et Laurent Benoist

DOM. DES BESSONS Arroma 2011

	7 500		5 à 8 €

Limeray, sur la rive droite de la Loire, est une terre plutôt propice au chenin, mais quelques vignerons, dont François Péquin, y cultivent avec succès le sauvignon. La preuve en est fournie par cette cuvée Arroma à la robe jaune pâle, qui s'ouvre dès le premier nez sur de fines nuances de bourgeon de cassis et d'agrumes. Privilégiant la finesse et la douceur, le palais offre un équilibre réussi avec un peu plus de fermeté en finale.

François Péquin, Dom. des Bessons, 113, rue de Blois, 37530 Limeray, tél. 02.47.30.09.10, francois.pequin@wanadoo.fr t.l.j. sf dim. 9h-12h15 14h-19h; f. 1er-13 jan.

JEAN-MARC BIET Sec Méthode traditionnelle 2009 ★

	3 333	5 à 8 €

Les vins rosés effervescents, encore assez méconnus des consommateurs, peuvent pourtant révéler bien des surprises, comme cette cuvée qui assemble à parts égales cabernet franc et pineau d'Aunis et affiche une teinte légèrement saumonée. Des arômes de fruits blancs et une pointe de fraise au nez, une attaque fruitée et une fin de bouche minérale et épicée, font de ce 2009 une jolie bouteille qui accompagnera une salade de fruits.

Jean-Marc Biet, 38, rte de Bel-Air, 41110 Seigy, tél. 02.54.75.34.34, jm.biet@orange.fr r.-v.

DOM. DES CAILLOTS Tradition 2010 ★

	20 000		- de 5 €

Sur ce domaine viticole, dont la présence est attestée depuis le XVIIIe s., Dominique Girault perpétue la mise en valeur des excellents terroirs argilo-siliceux bordant le Cher. On appréciera la luminosité et l'intensité de la robe rouge de son touraine 2010 et la richesse du bouquet aux notes de griotte et d'épices. Le palais s'appuie sur une plaisante fraîcheur et sur des tanins encore affirmés, garants d'une bonne garde. Une entrecôte charolaise conviendra à cette bouteille dans deux à trois ans.

EARL Dominique Girault, 2, chem. du Vigneron, Le Grand-Mont, 41140 Noyers-sur-Cher, tél. 02.54.32.27.07, fax 02.54.75.27.87, domaine.des.caillots@orange.fr t.l.j. 8h30-12h 14h-19h; dim. sur r.-v.

DOM. FRANÇOIS CARTIER Sauvignon 2011 ★

15 000 | ▮ | - de 5 €

Les générations se succèdent dans la vallée du Cher : Vincent a rejoint le domaine familial et François Cartier, après une solide formation et un bref séjour en Australie. Le tandem propose ici un blanc sympathique aux senteurs confites et minérales. Souple et frais, fruité et long, ce sauvignon sera un excellent compagnon d'apéritif ou d'entrées gourmandes. Le **rouge 2011 gamay (12 000 b.)** obtient une citation pour sa rondeur et son fruité gourmand.

EARL Dom. François Cartier, 13, rue de la Bergerie, La Tesnière, 41110 Pouillé, tél. 02.54.71.51.54, fax 02.54.71.74.09, cartier-francois@wanadoo.fr

t.l.j. sf dim. 9h-12h 14h-18h; f. 15 août-1er sept.

DOM. DE LA CHAISE Tradition 2010 ★

■ 10 000 | ▮ | - de 5 €

Christophe Davault est depuis 2004 à la tête de l'exploitation familiale située sur les anciennes terres du prieuré de la Chaise, déjà planté en vignes par les moines au Xes. Son touraine Tradition, issu d'un assemblage cot-cabernet de belle facture, offre à l'olfaction des nuances complexes de fruits rouges, de menthol et d'épices. Très expressif au palais (notes de cassis), bien fondu, l'ensemble repose sur une structure solide, composée de tanins encore jeunes qui nécessiteront une petite garde pour s'assouplir. En attendant, on découvrira le **blanc 2011 sauvignon (100 000 b.)**, très typé (genêt, bourgeon de cassis), qui obtient une citation.

Christophe Davault, La Chaise, 37, rue de la Liberté, 41400 Saint-Georges-sur-Cher, tél. et fax 02.54.71.53.08, domainedelachaise@orange.fr

t.l.j. 9h-12h 14h-18h

DOM. DE LA CHAPELLE Cuvée des moines 2010

■ 1 000 | ▮ ⦀ | - de 5 €

Cette Cuvée des moines, assemblage de carbernet franc, de gamay et de cot, méritera peut-être une courte retraite en cave (trois ans) afin de s'exprimer pleinement. Mêlant à l'olfaction le cassis à un discret boisé, elle montre une structure franche, assez ronde, et une longue finale sur les fruits noirs. La présence tannique doit encore se fondre.

La Touraine

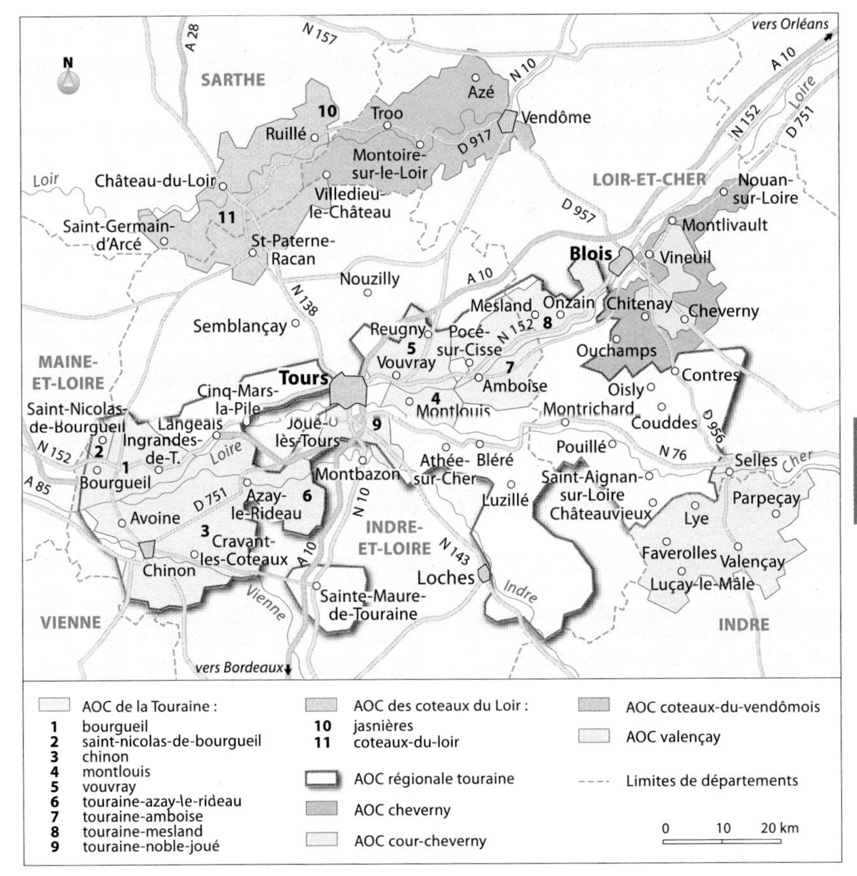

LOIRE

Thierry Gosseaume, La Chapelle, 41700 Choussy, tél. 02.54.71.32.43, fines-bulles@orange.fr r.-v.

LA CHAPINIÈRE Cot Garnon 2010 ★★

6 500 | 5 à 8 €

2010
LA CHAPINIÈRE
TOURAINE
APPELLATION TOURAINE CONTRÔLÉE
COT GARNON
12,5 % vol.
Mis en bouteille à la propriété - Florence Veilex et Eric Yung
Propriétaire récoltant - La Chapinière de Châteauvieux
41110 Châteauvieux - Produit de France - Tél. : 02 54 75 43 00
750ml
L1003 - contient des sulfites
Terra Vitis

Rien, dans son environnement familial, ne prédisposait Florence Veilex au métier de vigneronne. C'est avec une passion naissante pour la nature et pour la Touraine qu'elle a décidé, après une première vie professionnelle, de retourner sur les bancs de l'école afin de décrocher un BTS de viticulture-œnologie. Avec son mari, le chroniqueur de radio Éric Yung, elle achète donc en 2003 le domaine La Chapinière. Son touraine 100 % cot a surpris le jury par son aptitude à séduire dès le premier nez : sous une robe sombre, des parfums de griotte, de poivre et de cassis incitent à découvrir un corps souple et concentré, enrobé de tanins épicés qu'une garde de un an ou deux assagira. Une harmonie remarquable. Deux autres vins du domaine, le **gamay 2011 rouge (moins de 5 €; 10 000 b.)** et le **sauvignon 2011 (20 000 b.)**, sont cités, le premier pour ses arômes friands de framboise, le second pour sa fraîcheur citronnée.

La Chapinière de Châteauvieux,
4, chem. de la Chapinière, 41110 Châteauvieux,
tél. 02.54.75.43.00, fax 02.54.75.31.60,
contact@lachapiniere.com
t.l.j. sf lun. 10h-19h; dim. 10h-13h
Florence Veilex

DOM. DU CHAPITRE Le S 2011 ★★

40 000 | 5 à 8 €

Un « S » qui veut dire... « sauvignon », bien entendu. Élaboré par Maryline et François Desloges, ce blanc sec a charmé le jury par sa robe d'or éclatante aux reflets argentés et par son bouquet empreint de fraîcheur, dominé par le pamplemousse et la fleur d'acacia. Le palais, en harmonie avec le nez, se montre lui aussi souple et aromatique, alliant des notes persistantes d'agrumes, de litchi et de bourgeon de cassis. Des asperges tièdes ou une volaille en cocotte seront des accords gourmands de choix.

Maryline et François Desloges, 82, rue Principale,
41140 Saint-Romain-sur-Cher, tél. 02.54.71.71.22,
fax 02.54.71.08.21, ledomaineduchapitre@wanadoo.fr
t.l.j. 9h-18h30

DOM. CHARBONNIER Cot 2010 ★

10 000 | - de 5 €

Cette cuvée élaborée par Michel Charbonnier et son neveu Stéphane est tout à fait dans l'esprit des vins rouges de garde de Touraine, que le cot magnifie par son originalité. Une robe grenat soutenu précède des arômes floraux (violette) et fruités (griotte) sur fond d'épices. En bouche, les tanins sont présents sans agressivité ; ils soutiennent un fruité plaisant (mûre) aux légères nuances végétales. Une belle souplesse rend l'ensemble déjà aimable, une finale fraîche permettra une garde de deux à trois ans.

EARL Michel et Stéphane Charbonnier,
4, chem. de la Cossaie, 41110 Châteauvieux,
tél. 02.54.75.49.29, fax 02.54.75.40.74,
dms.charbonnier@wanadoo.fr r.-v.

COMPLICES DE LOIRE Sauvignon Pointes d'agrumes 2011 ★

n.c. | 5 à 8 €

Ce négoce vinificateur créé en 2010 a vu le jour grâce à l'association de François-Xavier Barc et Gérald Vallée, vignerons à Saint-Nicolas-de-Bourgueil. Pointes d'agrumes ? Les dégustateurs en détectent effectivement dans le bouquet de ce sauvignon qui reste néanmoins sur la réserve à l'olfaction. Une belle complexité aromatique se fait jour au palais, sur la mangue et le fruit de la Passion. Un « souffle de fraîcheur » vient parfaire ces sensations souples et fruitées qui enrobent littéralement le palais et qui s'apprécieront sur une salade gourmande, voire à l'apéritif.

NOUVEAU PRODUCTEUR

Complices de Loire, 4, rue de la Cotelleraie,
37140 Saint-Nicolas-de-Bourgueil, tél. 06.84.35.22.07,
fax 02.47.97.85.90, fxbarc@complicesdeloire.com
r.-v.
Barc - Vallée

DOM. DES CORBILLIÈRES Angeline 2010 ★

4 000 | 8 à 11 €

Régulièrement présent dans les pages du Guide en appellation touraine (souvent avec son sauvignon), le domaine des Corbillières effectue toujours un travail minutieux, dans le vignoble comme au chai. Il propose ici un rouge très réussi, produit sur une petite surface, qui allie cabernet et cot. La robe encore jeune aux reflets violets annonce un nez complexe où se mêlent dans une belle harmonie des fruits confiturés sur un léger toasté. Bien présents, les tanins ne font pas obstacle au fruit ni au volume ressenti. Deux années de garde seront profitables pour fondre le boisé, encore dominant. Le **sauvignon 2011 (5 à 8 €: 110 000 b.)** obtient une citation pour sa souplesse, et le rouge **Les Demoiselles 2010 (5 à 8 ; 13 000 b.)**, rond et élégant, décroche lui aussi une étoile.

EARL Barbou, Dom. des Corbillières, 41700 Oisly,
tél. 02.54.79.52.75, fax 02.54.79.64.89 r.-v.

LES VIGNERONS DES COTEAUX ROMANAIS Péronne Méthode traditionnelle 2009

13 500 | - de 5 €

Une structure coopérative dont les vins ne cessent de progresser en termes de qualité et d'originalité. Ici, un assemblage de chardonnay, chenin et arbois à l'origine de ce mousseux aux bulles fines, aux parfums de pêche et aux nuances minérales. L'attaque fraîche et ample confirme les impressions fruitées découvertes au nez, rehaussées par une effervescence élégante. Parfait pour accompagner des toasts salés à l'apéritif.

Les Vignerons des Coteaux Romanais, 50, rue Principale,
41140 Saint-Romain-sur-Cher, tél. 02.54.71.70.74,
fax 02.54.71.52.68, vignerons.romanais@wanadoo.fr
t.l.j. sf dim. 8h-12h 14h-18h

VIGNOBLE DELAUNAY Sauvignon 2011

18 000 - de 5 €

Désormais conduit par Fabrice Delaunay et sa mère Pierrette – qui a pris la suite de Daniel après son départ à la retraite –, le domaine présente un blanc sec qui pourra être proposé aussi bien à l'apéritif qu'au repas. Sa robe or pâle aux reflets verts est plaisante, tandis que montent des senteurs de pamplemousse et de mandarine fraîche. Le palais, sur le fruit et la vivacité également, est bien équilibré avec une petite amertume en finale, gage de conservation.

Vignoble Daniel et Fabrice Delaunay,
2, rue de la Bergerie, 41110 Pouillé, tél. 02.54.71.46.93,
fax 02.54.71.77.34, fabricedelaunay@hotmail.com
t.l.j. sf dim. 8h30-12h 14h-18h

DOM. DESLOGES Harmonie 2010 ★

2 000 - de 5 €

Cette cuvée Harmonie s'inscrit dans la future AOC touraine-chenonceaux que vous découvrirez l'an prochain dans le Guide. Ici, le cot (malbec) a été privilégié, conférant à la robe cette teinte sombre, violacée. Le bouquet, friand, allie les fruits rouges et le cassis bien mûr. La matière bien présente, le fruité intense et persistant, la structure solide et encore un peu marquée en finale composent une bouteille prometteuse, à découvrir après deux années de garde. En attendant, on appréciera la **méthode traditionnelle Fines Bulles 2008 (5 à 8 €; 5 000 b.)** aux arômes briochés et toastés, qui est citée.

Dom. Desloges, 5, Les Petits-Bois-Bernier,
41400 Monthou-sur-Cher, tél. 02.54.71.41.54,
domainedesloges@orange.fr
t.l.j. sf dim. 8h30-12h30 14h30-19h

♥ **DOM. DESROCHES** Sauvignon 2011 ★★

5 000 - de 5 €

DOMAINE DESROCHES
2011
TOURAINE
SAUVIGNON

Propriété familiale depuis quatre générations, le domaine Desroches, installé sur la rive gauche du Cher, a vendangé le 28 août les raisins de cette cuvée. Suffisamment rare en Touraine pour être mentionnée, cette précocité a permis une finesse aromatique remarquable que l'on retrouve dès l'olfaction et qui ne se dément pas au palais : la palette marie les fruits blancs, le buis et la fleur d'acacia. Sa bonne structure enveloppée de gras permettrait à ce sauvignon d'affronter une courte garde mais on préférera l'apprécier dès à présent, accompagné d'une poêlée de saint-jacques ou d'un sainte-maure de Touraine.

Jean-Michel Desroches,
8, imp. du Vieux-Porche, Les Raimbaudières,
41400 Saint-Georges-sur-Cher, tél. 02.54.32.33.13,
desroches.jm@wanadoo.fr r.-v.

VIGNOBLE DUBREUIL Cuvée Harmonie 2010

2 500 - de 5 €

Idéalement situé entre le château de Cheverny et le zoo de Beauval, le vignoble Dubreuil vous fera déguster sur le chemin de ces visites une cuvée Harmonie ouverte sur des senteurs de fruits rouges. Des tanins tendres et discrets soutiennent une bouche équilibrée, à la finale longue et teintée de fraîcheur. Cette bouteille pourra être associée à une assiette de charcuterie tourangelle. La **Réserve de la Touche 2010 (2 000 b.)**, assemblage de cot et de cabernet, est également citée.

EARL Vignoble Dubreuil, La Croix-de-la-Touche,
41700 Couddes, tél. 02.54.71.32.85, fax 02.54.71.09.64,
vignobledubreuil@gmail.com
t.l.j. sf dim. 9h-12h30 14h-19h

DOM. DES ÉCHARDIÈRES Sauvignon blanc 2011 ★

35 000 5 à 8 €

Un vin blanc sec très réussi par Luc Poullain, entré « en viticulture » il y a une douzaine d'années après l'acquisition d'un solide bagage agricole. Cette bouteille à la robe claire laisse libre cours à des arômes de fruits blancs très fins. Du palais, l'impression de volume est agréable tandis que le fruité revient en force en finale. Un sauvignon tout en finesse. Le **2010 rouge cabernet franc Vieilles Vignes (2 300 b.)**, souple et léger, obtient une citation.

Luc Poullain, 9, rue de la Brosse, 41110 Pouillé,
tél. et fax 02.54.71.46.66, info@domaine-echardieres.com
r.-v.

DOM. DES ÉLÉPHANTS Harmonie 2010 ★

3 000 5 à 8 €

Une cuvée harmonieuse, en effet, qui allie trois cépages et un élevage d'un an en fût dans un bel équilibre. Proposée en petit volume, elle est parée d'une robe grenat sombre dont les reflets violacés démontrent sa jeunesse. Elle affiche un bouquet riche en fruit (cassis, cerise, framboise), prélude à un palais volumineux, gourmand, tendre, encore empreint de l'élevage sous bois. On optera pour une petite garde d'un an ou deux afin d'obtenir un meilleur fondu, avant d'associer cette bouteille avec un fromage affiné.

Dom. des Éléphants, 19, rte des Éléphants,
41400 Monthou-sur-Cher, tél. 06.81.33.51.34,
fax 02.54.71.32.08, philippe.boucher27@wanadoo.fr
t.l.j. sf dim. 8h30-12h30 14h-18h30
EARL Boucher

LE CH. DE FONTENAY Le Clos des Sables 2011

4 000 5 à 8 €

S'il n'atteint pas les mêmes sommets que dans le millésime 2010 (deux étoiles), ce rosé du Clos des Sables à la robe très claire séduira par son côté frais et aérien provenant de l'assemblage d'une majorité de grolleau avec du gamay et du pinot noir. Une bouteille nette et fruitée, d'une grande vivacité, à apprécier dès l'apéritif.

EARL Dom. de Fontenay, 3, Fontenay, 37150 Bléré,
tél. 02.47.57.12.74, vin@lechateaudefontenay.fr
r.-v.
Carli

LOIRE

VALÉRIE FORGUES Cot 2010

7 000 - de 5 €

Installée en 1997, Valérie Forgues s'est immédiatement intéressée aux cépages anciens de Touraine comme le cot (malbec) et elle en propose ici une belle version 2010. Bien travaillé, celui-ci livre au nez comme en bouche des arômes gourmands et fruités, axés sur la cerise. Assez léger, avec suffisamment de rondeur et de structure, il montre un caractère friand que l'on appréciera, après carafage, dès la sortie du Guide. Frais et acidulé, le **2011 blanc sauvignon (16 000 b.)** est également cité.

Valérie Forgues, La Méchinière, 22, rte de Saint-Aignan, 41110 Mareuil-sur-Cher, tél. 02.54.75.15.80, fax 09.57.59.15.81, domaine_mechiniere@yahoo.fr
r.-v.

OLIVIER GARNIER Gamay 2011 ★

5 000 - de 5 €

Dans la famille Garnier, on cultive la vigne depuis sept générations. Ce sont les deux frères, Olivier et Éric, qui assurent la continuité du domaine depuis plus de vingt ans. Dans sa robe rubis sombre, leur gamay livre des parfums gourmands et intenses de fraise et de framboise. La bouche, bien équilibrée, repose sur des tanins souples et fondus qui laissent le fruit s'exprimer à loisir. Un vin printanier de belle facture, à servir frais sur des entrées de charcuterie.

Dom. Garnier, 81, rue Delacroix, Chamberlin, 41130 Meusnes, tél. 02.54.00.10.06, fax 02.54.05.13.36, olivier@oliviergarnier.com r.-v.

DOM. DE LA GIRARDIÈRE Sauvignon 2011 ★★

40 000 - de 5 €

Installé à Saint-Aignan-sur-Cher, à deux pas du zoo de Beauval et de ses nouvelles vedettes que sont les pandas venus de Chengdu, Patrick Léger, inscrit dans la démarche Terra Vitis de culture raisonnée, a élaboré un superbe sauvignon au nez marqué par le terroir de tuffeau. Bourgeon de cassis et litchi se marient avec douceur pour annoncer un ensemble gras et rond, dont la légère sucrosité est contrebalancée par la fraîcheur des arômes. Une bouteille d'une grande élégance, à servir sur une friture de Loire.

Patrick Léger, 283, rte de la Girardière, 41110 Saint-Aignan, tél. 02.54.75.42.44, fax 02.54.75.21.14, domainedelagirardiere@wanadoo.fr r.-v.

LES MAÎTRES VIGNERONS DE LA GOURMANDIÈRE
La Reine blanche Méthode traditionnelle 2008

36 000 5 à 8 €

Cette structure coopérative vinifie plus de 300 ha et produit des vins très appréciés à l'export, notamment en Asie et en Amérique du Sud. La Reine blanche est la marque de la cave pour les vins effervescents, et cette cuvée traduit bien l'originalité tourangelle par son bouquet intense de coing et de fruits cuits. La finesse des bulles et la richesse de la matière sont ses atouts majeurs, ainsi que sa subtile fraîcheur qui devrait être appréciée sur une tarte au citron. Cité également, le **2011 rosé gamay Tête de cuvée (moins de 5 € ; 15 000 b.)** présente d'agréables arômes de fruits des bois et de cerise.

Les Maîtres Vignerons de La Gourmandière, 24, rte de Chenonceaux, 37150 Francueil, tél. 02.47.23.91.22, fax 02.47.23.82.50, info@vignerons-gourmandiere.com
r.-v.

DOM. DE LA GRANGE Le Reinet 2011 ★★

10 000 - de 5 €

Le gamay issu de vieilles vignes assagies permet d'élaborer des vins pleins de charme, à l'image de cette cuvée Le Reinet à la robe profonde qui attire par son bouquet intense de fruits rouges frais (cerise) assorti de nuances florales. Suave en attaque, le palais fait preuve de puissance et d'une belle rondeur, rehaussé par des arômes confiturés sur un fond d'épices douces. Un vin harmonieux et riche, d'une grande longueur, que l'on associera avec une queue de bœuf mijotée.

Dom. de la Grange, 8, rue de la Grange, 37150 Bléré, tél. 02.47.57.68.18, bruno.curassier@bbox.fr
t.l.j. sf dim. 10h-12h 14h-19h
Curassier

♥ **DOM. GUENAULT** Sauvignon 2011 ★★

55 200 - de 5 €

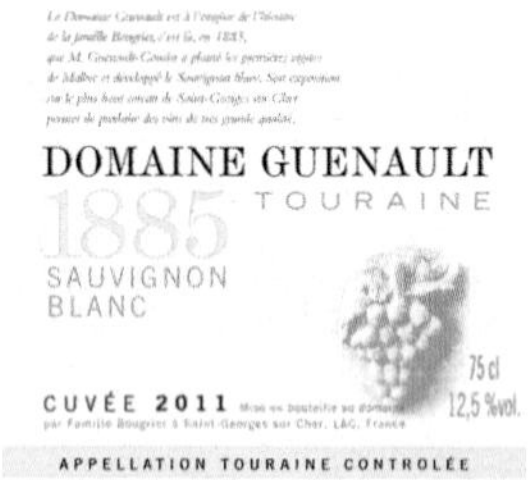

La famille Bougrier a développé un négoce florissant le long de la Loire ; elle exploite également des vignes dans la commune de Saint-Georges-sur-Cher d'où est issue cette remarquable cuvée 2011. Vêtu d'une robe pâle, ce pur sauvignon livre au nez des arômes puissants de fruits presque compotés, tandis que le palais offre du gras, du volume et de la rondeur, contrebalancés par une belle fraîcheur. La longue finale sur les fruits exotiques ajoute au charme de cette bouteille qui en séduira plus d'un, servie sur un dos de lieu au beurre blanc.

SA Bougrier, 1, rue des Vignes, 41400 Saint-Georges-sur-Cher, tél. 02.54.32.31.36, fax 02.54.71.09.61, st.georges@bougrier.fr

JEAN-CHRISTOPHE MANDARD Sauvignon 2011 ★

30 000 - de 5 €

Représentant la quatrième génération de vignerons sur le domaine, Jean-Christophe Mandard exploite 25 ha sur les premières côtes de la rive gauche du Cher, un terroir riche en silex et précoce. Son sauvignon livre dès le premier nez d'élégantes nuances florales mêlées de touches d'agrumes. Ce même fruité se retrouve dans une bouche un peu fugace mais agréable, tout en finesse et en fraîcheur. Une bouteille idéale pour des rillettes ou du poisson grillé. Le **2011 rouge gamay Vieilles Vignes (4 000 b.)** obtient une citation pour sa rondeur et ses notes de fruits des bois.

Jean-Christophe Mandard, 14, rue du Bas-Guéret, 41110 Mareuil-sur-Cher, tél. 02.54.75.19.73, fax 02.54.75.16.70, mandard.jc@wanadoo.fr
r.-v.

HENRY MARIONNET Première Vendange 2011 ★

■ 65 000 ▮ 8 à 11 €

Avec le même souci de l'authencité, Jean-Sébastien Marionnet a pris la suite de son père Henry, toujours présent pour vous accueillir et vous faire découvrir le domaine. Cette cuvée Première Vendange, issue d'une vendange manuelle et vinifiée sans ajout de soufre, est surprenante de vérité. Fruitée et épicée au nez, ronde et mûre au palais avec une agréable fraîcheur qui persiste sur le fruit, elle fait preuve de complexité et d'élégance. Vous pourrez également apprécier le **2011 blanc sauvignon (5 à 8 €; 120 000 b.)** qui reçoit une citation et qui s'accordera parfaitement avec des asperges de Sologne, ou le **2011 rouge gamay (5 à 8 €; 200 000 b.)**, qui obtient la même note pour son fruité gourmand (prune, griotte) et pour sa rondeur.

Henry et Jean-Sébastien Marionnet, Dom. de la Charmoise, 41230 Soings-en-Sologne, tél. 02.54.98.70.73, fax 02.54.98.75.66, henry@henry-marionnet.com ☑ 🍷 t.l.j. sf dim. 9h-12h 14h-17h; sam. sur r.-v.

DOM. JACKY MARTEAU Sauvignon 2011 ★

125 000 ▮ - de 5 €

Le sauvignon est roi au domaine Jacky Marteau, repris depuis 2010 par ses enfants qui développent leur commercialisation en Amérique du Nord et en Asie. Nul doute que cette cuvée 2011 saura séduire avec son bouquet d'agrumes mêlé de fleurs blanches. En bouche, après une attaque franche et directe, l'équilibre se fait sur le gras et la richesse, souligné par des arômes de fruits confits. On l'associera avec une terrine de poisson.

Dom. Jacky Marteau, 36, rue de la Tesnière, 41110 Pouillé, tél. 02.54.71.50.00, fax 02.54.71.75.83, domainejackymarteau@free.fr ☑ 🍷 r.-v.

DOM. MICHAUD Ad vitam Vieilles Vignes 2010 ★

■ 18 000 ▮ 5 à 8 €

Cette cuvée Ad vitam a fait à plusieurs reprises l'objet de commentaires élogieux dans le Guide, et le millésime 2010 ne ternira pas sa réputation. Préfigurant la future AOC touraine-chenonceaux, ce vin à la robe sombre libère des senteurs de myrtille et de cassis. Ample et concentré, particulièrement fruité, le palais offre une structure soyeuse et fondue, qui porte un long retour aromatique aux nuances originales d'orange confite. Ce vin respectera une belle pièce de bœuf grillée et pourra par ailleurs se garder en cave quatre à cinq ans sans souci.

Dom. Michaud, 20, rue des Martinières, 41140 Noyers-sur-Cher, tél. 02.54.32.47.23, fax 02.54.75.39.19, thierry@domainemichaud.com ☑ 🍷 t.l.j. sf dim. 9h-12h 14h-19h; sam. 10h-12h 14h-18h

MONMOUSSEAU Brut Cuvée J.M.

● 28 000 ▮ 5 à 8 €

Filiale depuis 2010 de la société saumuroise Ackerman, la maison de négoce Monmousseau propose nombre d'effervescents en Touraine sur son site de Montrichard où des expositions de peinture sont souvent organisées. L'occasion de venir apprécier ce rosé mousseux, né de cabernet franc (70 %) et de gamay. Derrière sa robe pâle aux reflets orangés, on découvre un fin bouquet aux nuances minérales. Cette fraîcheur se confirme au palais, accompagnée de friands arômes de groseille. Long et gouleyant, ce vin aux bulles intenses est recommandé sur un dessert aux fruits rouges.

Monmousseau, 71, rte de Vierzon, BP 30025, 41400 Montrichard, tél. 02.54.71.66.66, fax 02.54.32.56.09, monmousseau@monmousseau.com ☑ 🍷 r.-v.

Ackerman

DOM. DE MONTIGNY 2011

■ 4 000 - de 5 €

Le pineau d'Aunis est le cousin germain du cépage chenin, mais en rouge. Jean-Marie Michaud produit l'un des derniers rosés de Touraine à base de ce cépage qui donne des vins très typés. Ici, il livre un bouquet de fruits frais (fraise, pamplemousse) et développe au palais une fraîcheur épicée de bon aloi. Idéal pour une cuisine exotique.

Dom. de Montigny, 22, rte de Soings, 41700 Sassay, tél. 02.54.79.60.82, domaine.montigny@gmail.com ☑ 🍷 r.-v.

Jean-Marie Michaud

DOM. DES MOREAUX Sauvignon 2011

20 000 ▮ - de 5 €

Francis Jourdain exploite la majeure partie de son vignoble dans l'AOC valençay, son chai se situant près d'une très belle « loge » de vigne qu'il aura plaisir à vous faire découvrir dans la commune de Lye. Il élabore cependant des blancs en appellation touraine, dont ce sauvignon aux discrets parfums de miel. Des notes de fruits blancs à l'attaque, puis du volume, de la rondeur et une belle fraîcheur en finale en font un compagnon de table sympathique, à servir plutôt sur des poissons gras.

EARL F. Jourdain, 24, Les Moreaux, 36600 Lye, tél. 02.54.41.01.45, fax 02.54.41.07.56, jourdainearl@wanadoo.fr ☑ 🍷 t.l.j. sf dim. 9h-12h30 15h-19h

CH. DE NITRAY Cot 2010 ★★

■ 6 000 ▮ - de 5 €

Le château de Nitray, magnifique ensemble architectural des XVe et XVI^e^s. situé à quelques kilomètres en amont de Tours, propose la location de salles pour célébrer un mariage ou pour organiser un séminaire professionnel. Il vous fera alors découvrir sa production, et notamment ce cot 2010 jugé admirable dans sa robe grenat ourlée de violine. Fruits noirs et rouges se mêlent à l'olfaction dans une belle intensité, tandis que le palais dévoile un rare volume, des tanins soyeux et une belle finale épicée. Un grand touraine, délicat, fruité et long, à associer par exemple avec un pâté de Pâques tourangeau. Citée, la cuvée **Les Meuriers 2010 rouge (12 000 b.)** se montre plus souple et gouleyante.

de l'Espinay, Ch. de Nitray, 37270 Athée-sur-Cher, tél. 02.47.50.29.74, fax 02.47.50.29.61, nitray@visit-chateau.com ☑ 🍷 t.l.j. 9h30-12h 14h-19h

DOM. OCTAVIE Cuvée Pauline 2009

10 533 ▮ 5 à 8 €

Noë Rouballay et sa femme Isabelle ont donné au domaine le prénom de l'ancêtre à qui appartenaient les premiers hectares de cette exploitation créée en 1885. Cet hommage se perçoit aussi à travers leurs vins : le **sauvignon 2011 (130 000 b.)**, un blanc assez vif, qui obtient aussi une citation, et cette cuvée Pauline au cordon persistant de bulles fines. Le bouquet, fin et complexe,

LOIRE

évoque à la fois la pêche blanche, les fleurs, l'amande et la brioche. Souple en attaque, bien équilibrée, la bouche déploie un fruité mûr, persistant, accompagné d'une fraîcheur de bon aloi. À essayer sur un soufflé au fromage.
Dom. Octavie,
SCEA Barbeillon-Rouballay, 7, rte de Marcé, 41700 Oisly,
tél. 02.54.79.54.57, fax 02.54.79.65.20,
domaineoctavie@domaineoctavie.com
t.l.j. sf dim. 9h-12h30 14h-18h30
Noë Rouballay

LA CONFRÉRIE DES VIGNERONS DE OISLY ET THÉSÉE
Sauvignon Vallée des rois 2011 ★★

130 000 - de 5 €

Cette cave coopérative réunit 24 adhérents et 250 ha de vignes. Idéalement située au milieu des châteaux de la Loire, elle propose dans cette cuvée Vallée des rois un blanc sec de sauvignon aux arômes élégants et frais mêlant fleurs et fruits blancs. Dynamique et franc en attaque, le palais développe un beau volume fruité, guidé lui aussi par une fraîcheur plaisante qui porte loin la finale. Parfait pour accompagner des crustacés. La cave produit aussi le **rouge Ch. Vallagon 2010 (5 300 b.)**, cité pour sa douceur et ses tanins fondus : à déguster sans attendre.
Confrérie des vignerons de Oisly et Thésée,
5, rue du Vivier, 41700 Oisly, tél. 02.54.79.75.20,
fax 02.54.79.75.29, oisly@uapl.fr
t.l.j. sf dim. 9h-12h 14h-17h30
UAPL

CAVES DU PÈRE AUGUSTE Cot Les Marreux 2010 ★

10 400 - de 5 €

La famille Godeau, qui anime ce domaine situé à quelques pas du château de Chenonceaux, vous accueille pour la dégustation dans des caves creusées dans le tuffeau par son ancêtre Auguste Villemaine. Sa cuvée Les Marreux, un touraine de pur cot, revêt une robe profonde, d'un noir ourlé de rubis. Le nez discret, à la fois fruité et floral (violette), précède une attaque fraîche qui laisse libre cours à un volume imposant, structuré par des tanins ronds, presque fondus, enrobés de notes de cassis. Le **rosé sec 2011 (9 000 b.)** obtient également une étoile pour son caractère rond et friand.
GAEC Caves du Père Auguste, 14, rue des Caves,
37150 Civray-de-Touraine, tél. 02.47.23.93.04,
fax 02.47.23.99.58, contact@cavesdupereauguste.com
t.l.j. 8h30-19h30 (18h30 nov.-avr.);
dim. 10h-12h
Godeau

♥ CH. DU PETIT THOUARS Cabernet franc Réserve 2010 ★★

40 000 5 à 8 €

Situé à l'extrême ouest de l'appellation, à la limite des AOC chinon et saumur, le château du Petit Thouars apparaît dans un écrin de verdure au cœur d'une jolie clairière parsemée de jardins à la française. Michel Pinard, qui a fait ses armes à Chinon, en est le maître de chai depuis cinq ans. Il a vinifié les plus vieilles vignes du domaine, âgées d'une quarantaine d'années, pour élaborer ce superbe touraine dont le nez joue sur des notes d'orange confite, de vanille et de cuir. Vive en attaque, riche et volumineuse, la bouche au boisé discret demande encore un peu de patience, mais le fruité persistant en

finale est déjà un vrai délice. Une belle volaille rôtie s'accommodera volontiers de cette bouteille. Cité, le rouge **cabernet franc Sélection 2010 (32 500 b.)**, aux tanins plus marqués, patientera deux ans en cave.
Yves du Petit Thouars, Ch. du Petit Thouars,
37500 Saint-Germain-sur-Vienne, tél. 02.47.95.96.40,
fax 02.47.95.80.27, chateau.du.petit.thouars@wanadoo.fr
t.l.j. 9h30-17h30; dim. lun. sur r.-v.

DOM. DE PIERRE Gamay 2011 ★

4 800 5 à 8 €

Dès son plus jeune âge, Lionel Gosseaume a voulu parcourir le monde. La nostalgie aidant, il est revenu à trente-sept ans en Touraine pour conduire un vignoble, comme son père vigneron l'aurait souhaité. C'est avec succès qu'il présente ce gamay à la couleur pourpre intense, qui livre au nez des notes de petits fruits rouges et de fleurs d'une belle richesse. Des tanins soyeux, une touche épicée qui vient rehausser le fruit, une matière ronde et veloutée... Tout est déjà réuni pour savourer, sur une poularde rôtie, cette bouteille au caractère gourmand.
Lionel Gosseaume, 6, chem. des Étangs, 41700 Choussy,
tél. 06.72.50.16.47, info@lionelgosseaume.fr r.-v.

DOM. DES PIERRETTES Eros 2011

10 000 - de 5 €

À deux pas du château de Chaumont-sur-Loire aujourd'hui célèbre pour son Festival des jardins, Vincent Guilbaud et Cyril Geffard sont installés depuis 2004 sur ce domaine de 20 ha. À la recherche de simplicité et d'authenticité, ils ont élaboré ce rosé à la robe brillante, rose bonbon, et au fruité affirmé. La bouche, friande et portée par une certaine vivacité, s'accordera sur des salades composées et autres charcuteries.
Dom. des Pierrettes, Le Meunet, 41150 Rilly-sur-Loire,
tél. 02.54.20.98.44, fax 02.54.20.98.83,
contact@domainedespierrettes.fr t.l.j. sf dim. 9h-19h

DOM. DU PRÉ BARON Sauvignon 2011 ★

120 000 - de 5 €

Régulièrement distingué dans le Guide (deux coups de cœur consécutifs en touraine gamay), Jean-Luc Mardon s'investit en Touraine, et notamment à Oisly, où il a œuvré de manière efficace à la reconnaissance de l'AOC touraine-oisly, dont les vins étaient encore en élevage lors de cette dégustation. Trois de ses « simples » touraines ont été retenus. D'abord, ce sauvignon aux parfums de fruits mûrs, tels la pêche et l'ananas. Cette impression aromatique persiste au palais, où elle enrobe une matière souple et soyeuse, se terminant dans un halo de fraîcheur. Également en blanc, la cuvée **L'Élégante 2011 (5 à 8 €)** est citée pour sa souplesse. Enfin, le **rouge 2010**

Renaissance (5 à 8 € ; 9 000 b.) obtient une belle citation pour son fruité élégant et réglissé.
🔑 Dom. Pré Baron, 9, rue des Ormeaux, 41700 Oisly, tél. 02.54.79.52.87, fax 02.54.79.00.45, jean-luc.mardon@wanadoo.fr ☑ Y ⚲ r.-v.
🔑 Jean-Luc Mardon

CH. DE QUINÇAY Opus Vinum 2010

■ 6 600 ▮ 5 à 8 €

La commune de Meusnes est réputée pour ses terroirs riches en silex, particulièrement propices au sauvignon blanc. Celui du château de Quinçay, le **sauvignon 2011 Sélection tradition (moins de 5 € ; 30 000 b.)**, qui allie des parfums d'agrumes et d'ananas, est cité. Avec la même note, mais un petit cran au-dessus, le jury lui a préféré un rouge, assemblage de cot et de cabernet franc à parts égales, qui s'ouvre sur des senteurs de fruits noirs confiturés. Dense et concentré en bouche, cet Opus Vinum offre un long retour du fruit dans une finale chaleureuse. Les tanins, encore un peu austères, s'assagiront avec une courte garde.
🔑 Ch. de Quinçay, 41130 Meusnes, tél. 02.54.71.00.11, fax 02.54.71.77.72, cadart@chateaudequincay.com ☑ Y ⚲ t.l.j. sf dim. 9h-12h 14h-19h 🏠 Ⓐ
🔑 Cadart

DOM. DE LA RENAUDIE Cuvée Albert Denis 2010 ★

■ 15 000 ▮ - de 5 €

Cette cuvée Albert Denis est dédiée au créateur du domaine, grand-père de Bruno, qui appréciait particulièrement ce vin issu du cot, cépage emblématique de la vallée du Cher. Ce 2010 dévoile ses charmes à l'olfaction, offrant un riche bouquet qui rappelle une marmelade de petits fruits noirs. L'attaque est pleine, souple et ronde, le fruité intense, et les tanins se montrent soyeux. Un touraine à apprécier dès aujourd'hui, sur un coq au vin par exemple.
🔑 Dom. de la Renaudie, 115, rte de Saint-Aignan, 41110 Mareuil-sur-Cher, tél. 02.54.75.18.72, fax 02.54.75.27.65, domaine.renaudie@wanadoo.fr ☑ Y ⚲ t.l.j. sf dim. 9h-12h 14h-19h
🔑 Bruno Denis

DOM. DU RIN DU BOIS Sauvignon 2011 ★

□ 15 000 ▮ 5 à 8 €

Le vignoble du Rin du Bois (« orée du bois » en patois solognot) a la particularité d'être confiné à une seule parcelle (de 20 ha tout de même), fait assez rare pour être mentionné. Pascal Jousselin a élaboré avec talent ce blanc de sauvignon : une robe or pâle brillant, un bouquet délicat sur les fruits exotiques, un palais franc et droit, qui reste frais jusqu'à la longue finale citronnée. Pour des asperges du Val de Loire ou un fromage de chèvre. Le **rosé 2011 (4 500 b.)** est cité pour son équilibre et pour sa palette aromatique, entre notes florales et amyliques et touche de framboise.
🔑 Pascal Jousselin, Dom. du Rin du Bois, 41230 Soings, tél. 02.54.98.71.87, fax 02.54.98.75.09, jousselin@jousselinetfils.com ☑ Y ⚲ r.-v.

CH. DE LA ROCHE Gamay 2011

■ 17 420 - de 5 €

Situé sur la rive gauche de la Loire, près d'Amboise, ce château fut construit au XVes. puis remanié à la Renaissance. Une réussite que ce gamay 2011 dont le bouquet intense évoque les petits fruits rouges (groseille, fraise). La bouche tout en fraîcheur renoue avec persistance avec ces arômes fruités. Ce vin sympathique s'appréciera en toute simplicité sur un croque-monsieur.
🔑 SCA Dom. Chainier, Ch. de la Roche, 37530 Chargé, tél. 02.47.23.12.69, domaine.chainier@pierrechainier.com

DOM. DE LA ROCHETTE Prestige du vigneron 2010 ★

■ 21 000 ▮ 5 à 8 €

François Leclair propose une cuvée qui, demain, s'intégrera peut-être à la nouvelle AOC touraine-chenonceaux. Issu des premières Côtes de Pouillé, un terroir de perruches, ce vin associant cot et cabernet franc mérite l'attention. Vêtu d'une robe grenat ornée de pourpre, il s'ouvre sur des parfums de fruits mûrs (prune, cassis) soulignés d'une délicate touche de violette, et bénéficie en bouche d'un bel équilibre entre la finesse des tanins et une matière dense et ronde. On l'associera, de préférence après deux ans de garde, à un magret de canard ou à du bœuf en sauce.
🔑 François Leclair, 79, rte de Montrichard, 41110 Pouillé, tél. 02.54.71.44.02, fax 02.54.71.10.94, info@vin-rochette-leclair.com ☑ Y ⚲ t.l.j. 8h-17h; ven. 8h-12h; ven. apr.-m. sam. dim. sur r.-v.

MARIE-FRANCE ROLLAND Cabernet 2010 ★

■ 800 ▮ 5 à 8 €

La commune de Lignières-de-Touraine, à proximité du château d'Azay-le-Rideau, possède des terroirs argilo-calcaires qui conviennent particulièrement au cabernet. Ici, un assemblage des cabernets franc et sauvignon, dont le bouquet mêle des arômes typés de fruits rouges, de cuir et de poivron. Au palais, volume et rondeur sont au rendez-vous, mis en valeur par une longue finale sur le fruit. Une bouteille d'une belle richesse, à apprécier sur une pièce de bœuf grillée, dès 2013.
🔑 Marie-France Rolland, 30, rue de Villandry, 37130 Lignières-de-Touraine, tél. 02.47.96.83.55, francis-rolland@orange.fr ☑ Y ⚲ t.l.j. 10h-20h; dim. sur r.-v.

LE CHAI DES SABLONS Fines Bulles de Touraine 2010 ★

● 2 740 5 à 8 €

Osez les vins effervescents rosés comme celui de Fabienne et d'Hervé Gaudefroy, issu de cabernet-sauvignon. Paré d'une robe rose soutenu parcourue de fines bulles, il livre une palette aromatique d'une belle fraîcheur, axée sur les fruits rouges (framboise). Le fruit montre en bouche un caractère un peu plus confituré au sein d'un beau volume, animé d'une fine vivacité. À savourer sur une coupe de fraises, ou bien à l'apéritif.
🔑 Gaudefroy, 8, rte des Sablons, 41140 Saint-Romain-sur-Cher, tél. 02.54.71.72.83, fax 02.54.71.46.53 ☑ Y ⚲ t.l.j. 8h-19h

Ⓑ **DOM. SAUVÈTE** Antea 2010 ★

■ 6 000 ▮ 8 à 11 €

Jérôme Sauvète exploite ses 16 ha de vignes en agriculture biologique depuis une dizaine d'années et s'implique avec succès dans les structures professionnelles viticoles. Il présente ici un rouge de garde issu du cépage cot (malbec). La robe noire ourlée de rubis attire l'œil, tandis que le bouquet gourmand de cerise engage à progresser dans la dégustation. Au palais, on découvre une matière étoffée qui s'appuie sur une structure tannique imposante ne masquant pas toutefois le fruité toujours

LOIRE

présent et persistant en finale. Cette bouteille, qui pourra affronter une garde de cinq ans, s'accordera avec une pièce de bœuf comme avec du gibier à plume.
Dom. Sauvète, 9, chem. de la Bocagerie, 41400 Monthou-sur-Cher, tél. 02.54.71.48.68, fax 02.54.71.75.31, domaine-sauvete@wanadoo.fr
t.l.j. sf dim. 10h-12h 14h-19h; f. 15-31 août

HUBERT ET OLIVIER SINSON Charmeur 2010

	4 000		5 à 8 €

La famille Sinson exploite la majeure partie de son vignoble dans la commune de Meusnes en AOC touraine, mais elle possède également des vignes en AOC valençay distantes de quelques centaines de mètres. Ce rouge Charmeur, mi-cabernet mi-cot, se distingue par son bouquet original à dominante mentholée. Après une attaque agréablement épicée, le vin déroule une solide structure et des arômes intenses.
EARL Hubert et Olivier Sinson, 1397, rue des Vignes, Le Musa, 41130 Meusnes, tél. 02.54.71.00.26, fax 02.54.71.50.93, o.sinson@wanadoo.fr
t.l.j. 8h-12h 14h-19h; dim. 8h-12h

DOM. DES SOUTERRAINS Cabernet 2011 ★

	6 600		- de 5 €

Principalement issu de cabernet-sauvignon, comme l'indique l'étiquette, ce rosé est complété d'une pointe (10 %) de cot. Présenté par Nicolas Mazzesi, dont c'est le premier millésime, il s'affiche dans une robe aux reflets orangés. L'harmonie est présente dès le bouquet aux notes de pamplemousse et de bonbon anglais qui se prolongent au palais dans un bel équilibre. La finale d'une bonne longueur est relevée par de légères nuances poivrées ; le tout devrait bien s'accorder avec des charcuteries fines.
Nicolas Mazzesi, 37 bis, rue des Souterrains, La Haie-Jallet, 41130 Châtillon-sur-Cher, tél. 02.54.71.02.94, fax 02.54.71.76.26, adm@domainedessouterrains.com
t.l.j. sf sam. dim. lun. 8h30-17h30

LA CAVE DES VALLÉES Cuvée Vieux Chêne 2010

	5 000		5 à 8 €

Marc Badiller, connu des lecteurs du Guide pour ses blancs secs en touraine-azay-le-rideau, propose cette fois-ci un touraine issu de cabernet, élevé partiellement en fût de chêne. Ce rouge à la robe profonde et au fin bouquet de fruits rouges et de cuir dévoile au palais une matière souple et ample portée par des tanins de qualité, presque fondus. Une bouteille à ouvrir d'ici deux ans sur un civet de marcassin.
Marc Badiller, 29, Le Bourg, 37190 Cheillé, tél. 02.47.45.24.37, fax 02.47.45.29.66, marc.badiller@orange.fr r.-v.

DOM. DU VIEUX PRESSOIR Cuvée des Sourdes 2010 ★

	10 000		5 à 8 €

Installé à deux pas du château de Chaumont-sur-Loire et de ses magnifiques jardins, Joël Lecoffre exploite les meilleurs coteaux de cette rive gauche de la Loire. Son assemblage de cabernet (70 %) et de cot élevé un an en fût revêt une robe brillante dont les nuances violettes témoignent de sa jeunesse. Assez nettement boisée, l'olfaction se fait chaleureuse, sur les fruits noirs à l'eau-de-vie et les épices. Structurée par des tanins serrés mais assez fondus, la bouche est, elle aussi, encore sous le signe du fût : on attendra deux ans pour que ces notes d'élevage s'atténuent. Le **rosé sec 2011 Cuvée champêtre (moins de 5 € ; 5 000 b.)**, aux arômes intenses de bonbon anglais et de framboise, décroche également une étoile. Le **blanc 2011 sauvignon cuvée Fleur de lys (moins de 5 € ; 20 000 b.)**, sur la fraîcheur, est cité.
Joël Lecoffre, 27, rte de Vallières, 41150 Rilly-sur-Loire, tél. 02.54.20.90.84, fax 02.54.20.99.66, joel.lecoffre@wanadoo.fr
t.l.j. 8h-19h30; f. jan.

Touraine-noble-joué

Superficie : 28 ha
Production : 1 908 hl

Présent à la cour du roi Louis XI, le noble-joué est au sommet de sa renommée au XIXᵉs. Grignoté par l'urbanisation de la ville de Tours, le vignoble, qui faillit disparaître, renaît sous l'impulsion de vignerons qui le reconstituent. Ce vin gris, issu des pinot meunier, pinot gris et pinot noir, a été reconnu en AOC.

RÉMI COSSON 2011 ★

	10 500		- de 5 €

Si Rémi Cosson ne cultive que 4 ha en touraine-noble-joué, c'est qu'il ne souhaite pas évoluer en surface mais continuer à vivre sa passion d'être dans les vignes, à travailler lui-même ses raisins et son vin, et à le vendre aux clients en direct. Ces derniers pourront apprécier un 2011 à la robe saumonée et aux arômes intenses de fruits rouges, que l'on retrouve du premier nez jusqu'à la longue finale. La bouche, tout en finesse, est équilibrée par une agréable fraîcheur. À apprécier, pourquoi pas, dès l'apéritif, sur une terrasse ensoleillée...
Rémi Cosson, 3, rue de la Girarderie, La Hardellière, 37320 Esvres-sur-Indre, tél. 02.47.65.70.63, remicosson@orange.fr r.-v.

ROUSSEAU FRÈRES 2011

	60 000		- de 5 €

Idéalement placé dans le registre de la fraîcheur et du fruité, ce noble-joué est tout à fait séduisant. Sa robe légère, œil-de-perdrix, ouvre la voie à des parfums délicats de fruits rouges et blancs. Un léger perlant et une touche de vivacité œuvrent ensuite à l'équilibre de ce vin particulier à la Touraine, issu du pinot meunier et du pinot gris principalement. À consommer à l'apéritif, puis sur une assiette de charcuteries.
Rousseau Frères, Le Vau, 37320 Esvres-sur-Indre, tél. 02.47.26.44.45, rousseau-freres@wanadoo.fr
t.l.j. sf dim. 9h-12h 14h-19h

Touraine-amboise

Superficie : 165 ha
Production : 8 767 hl (83 % rouge et rosé)

De part et d'autre de la Loire, sur laquelle veille le château d'Amboise des XVᵉ et XVIᵉs., non loin du manoir du Clos-Lucé où vécut et mourut

Léonard de Vinci, ce vignoble produit des vins rosés et rouges à partir du gamay, du cot et du cabernet franc. Ce sont des vins pleins, aux tanins légers ; lorsque cot et cabernet dominent, les rouges ont une certaine aptitude à la garde. Les mêmes cépages donnent des rosés secs et tendres, fruités et bien typés. Secs à demi-secs selon les années, les blancs peuvent également être gardés en cave.

PHILIPPE CATROUX 2011 ★

5 000 - de 5 €

Régulièrement sélectionné dans le Guide pour cette appellation et dans les trois couleurs, Philippe Catroux propose ici un rosé œil-de-perdrix né d'un assemblage de gamay, de cot et de cabernet franc. Cette cuvée libère de fins arômes de petits fruits rouges des bois (framboise, notamment) sur un corps ample et frais, de bonne tenue. Sa matière riche s'associera avec une cuisine exotique.

Philippe Catroux, 4, rue des Caves-de-Moncé, 37530 Limeray, tél. 02.47.30.13.10, fax 02.47.23.22.87, philippe.catroux@caves-catroux.com
t.l.j. sf dim. 8h30-12h 14h-19h

CLOSERIE DE CHANTELOUP Félix 2010

6 000 5 à 8 €

Conduit par trois viticulteurs venus d'horizons différents, ce domaine de 22 ha propose un 2010 à la robe dense et profonde, qui mêle au nez des senteurs concentrées de cerise et de fraise écrasée. Frais et léger en attaque, le palais développe ensuite une mâche imposante, gage d'un bon vieillissement (deux à trois ans).

Closerie de Chanteloup, Chanteloup, 37400 Amboise, tél. 09.65.03.38.31, fax 02.47.57.60.49, closdechanteloup@aol.com
t.l.j. sf dim. 9h-12h 14h-19h
Guichard

DOM. DUTERTRE Cuvée Prestige 2009 ★★

16 000 5 à 8 €

Le domaine, qui a bien grandi au cours du XXe s. en passant de 1 ha à sa création à 37 ha aujourd'hui, est connu depuis fort longtemps pour sa compétence. Ce n'est pas cette cuvée Prestige qui ternira cette renommée. Dans sa superbe robe grenat, elle dispense de douces nuances de vanille rehaussées par un fruit discret. L'attaque souple prélude à un palais équilibré entre gras et charpente, de bonne longueur. Un ensemble bien construit sur des tanins soyeux, aux arômes gourmands (cassis, fruits rouges), qui sera attendu au moins deux ans. L'entrecôte est de rigueur. Également remarquable, le **rosé Plaisir 2011 (7 200 b.)** obtient aussi deux étoiles pour son fruité persistant et harmonieux.

EARL Dom. Dutertre, 20-21, rue d'Enfer, 37530 Limeray, tél. 02.47.30.10.69, fax 02.47.30.06.92, domainedutertre@9business.fr
t.l.j. 9h-12h30 14h-18h; dim. 10h-12h

♥ DOM. FRISSANT 2010 ★★★

3 000 5 à 8 €

Installé depuis 1990 à Mosnes, en aval de la ville d'Amboise et de son magnifique château sur la Loire, Xavier Frissant cultive des terroirs riches en silex propices

à l'expression du cépage blanc ligérien par excellence, le chenin. Son sec tendre, élaboré à partir d'une petite superficie (50 ares), transmet un message floral d'une belle intensité sur fond miellé. Équilibré et droit, le palais exprime la minéralité du terroir, ligne directrice de ce vin d'exception qui fera le bonheur des invités en association avec un poisson de Loire ou une géline de Touraine en cocotte.

Frissant, 1, chem. Neuf, 37530 Mosnes, tél. 02.47.57.23.18, fax 02.47.57.23.25, xf@xavierfrissant.com
r.-v.

DOM. DE LA GABILLIÈRE Harmonie 2010

9 000 5 à 8 €

Ce domaine est l'outil pédagogique du lycée viticole d'Amboise et constitue également une structure de recherche à l'échelle de la région Centre, en lien avec les organismes viticoles. Ce blanc demi-sec (27 g/l de sucres résiduels) vous séduira par sa couleur jaune paille dorée qui annonce des parfums confits de coing et d'abricot sur fond vanillé. Frais en attaque, un peu plus doux par la suite mais équilibré, il se boira à l'apéritif ou au dessert, sur une tarte aux pommes.

Dom. de la Gabillière, 46, av. Émile-Gounin, 37400 Amboise, tél. 02.47.23.35.51, fax 02.47.23.35.68, expl.lpa.amboise@educagri.fr r.-v.
Lycée viticole d'Amboise

DOM. DE LA GRANDE FOUCAUDIÈRE Cuvée François 1er 2010 ★

3 000 5 à 8 €

Après avoir travaillé quinze ans dans la région parisienne, Lionel Truet est revenu sur les terres familiales en 1990 pour créer son domaine. Produite sur une petite superficie (70 ares) et privilégiant le cabernet franc et le cot, sa cuvée François Ier se présente dans une robe dense, couleur grenat. Pruneau et mûre se partagent l'olfaction, puis une belle puissance et un corps ample aux tanins presque fondus donnent à ce vin ses lettres de noblesse. On l'attendra deux ans. Le **rosé 2011 (3 000 b.)**, aux arômes de bonbon à la fraise, est cité.

Lionel Truet, La Grande Foucaudière, 37530 Saint-Ouen-les-Vignes, tél. 02.47.30.04.82, lioneltruet@orange.fr t.l.j. 8h-20h

DOM. MESLIAND La Besaudière 2010 ★

4 850 5 à 8 €

Stéphane Mesliand, qui convertit son vignoble à l'agriculture biologique depuis cette année, propose ce très beau 2010 à la robe grenat profond. Le nez, très concentré, fait remonter des notes de réglisse et de pruneau cuit tandis que la bouche ample laisse entrevoir une structure serrée. Un vin auquel le jury prédit un bel

LOIRE

avenir mais que l'on pourra déjà apprécier à sa table dans un an ou deux, sur un fromage à pâte molle de type neufchâtel. Le **blanc 2010 (2 500 b.)** est cité pour ses arômes de pêche vanillée.

Dom. Stéphane Mesliand, 15 bis, rue d'Enfer, 37530 Limeray, tél. et fax 02.47.30.11.15, domaine.mesliand@orange.fr
t.l.j. 9h-19h; dim. 9h-12h

DOM. DE LA TONNELLERIE Cuvée François Ier 2010 ★

2 000 | 5 à 8 €

À mi-chemin des châteaux d'Amboise et de Chaumont-sur-Loire, le petit vignoble de Vincent Péquin est implanté sur des coteaux aux sols argilo-calcaires et argilo-siliceux. Cette cuvée François Ier allie ces deux terroirs ainsi que les cépages traditionnels que sont le cot, le gamay noir et le cabernet franc. D'aspect sombre à disque violet, elle offre de discrètes senteurs de cassis et d'épices avant de dévoiler un corps riche, surprenant de densité. À savourer dans deux ans avec des filets de canard au cassis. Le **2010 blanc Manguitte (moins de 5 €; 1 000 b.)**, cité, est un vin sec et vif aux impressions fruitées (coing, abricot).

Vincent Péquin, 71, rue de Blois, 37530 Limeray, tél. 02.47.30.13.52, fax 02.47.30.06.23, vincent.pequin@orange.fr
t.l.j. sf dim. 9h-12h 14h-18h

Touraine-azay-le-rideau

Superficie : 46 ha
Production : 1 705 hl (44 % blanc)

Nés sur les deux rives de l'Indre, les vins ont ici l'élégance du château qui se reflète dans la rivière et dont ils ont pris le nom. Les blancs, secs à tendres, particulièrement fins et de bonne garde, sont issus du cépage chenin. Les cépages grolleau (60 % minimum de l'assemblage), gamay, cot et cabernets (au maximum 10 %) donnent des rosés secs et très friands. Les vins rouges ont l'appellation touraine.

CH. DE L'AULÉE Vieilles Vignes 2010 ★

5 000 | 5 à 8 €

Manoir du XIX[e]s., installé au centre du vignoble, cette demeure de charme propose de vous accueillir en chambre d'hôtes pour découvrir le Val de Loire, ses châteaux et ses vins, dont ce très beau blanc issu des vignes les plus anciennes du domaine. Onctueux et frais, ce 2010 a choisi les registres fruité (abricot, poire, noisette) et boisé pour exprimer sa personnalité et sa complexité. Il pourra être conservé trois à quatre ans. Un filet de sole bonne femme fera un bon compagnon de table.

Ch. de l'Aulée, rte de Tours, 37190 Azay-le-Rideau, tél. 02.47.45.44.24, chateau-de-laulee@wanadoo.fr
t.l.j. 9h-19h
Arnaud et Marielle Henrion

♥ **THIERRY BESARD** Les Perrières 2010 ★★

2 500 | 5 à 8 €

La commune de Lignières-de-Touraine bénéficie d'un intéressant patrimoine, dont une belle église romane

agrandie par une double nef aux XIIIe et XV[e]s. On pourra s'y rendre à bicyclette, car le village se situe sur la route de « La Loire à vélo ». Et dans le caveau de dégustation de Thierry Besard, on se laissera envoûter par ce moelleux dont la robe d'or soutenu est en parfaite adéquation avec sa structure. Un bouquet fin de fruits blancs sur fond d'amande annonce un palais ample et velouté qui allie harmonieusement le gras et la fraîcheur. De la rondeur, de la longueur, du fruit, un équilibre parfait... Cette superbe bouteille émerveillera vos convives à l'apéritif, mais aussi, pourquoi pas, sur une poularde à la crème.

Thierry Besard, 10, Les Priviers, 37130 Lignières-de-Touraine, tél. et fax 02.47.96.85.37, thierry.besard@orange.fr r.-v.

CH. DE LA COUR AU BERRUYER 2010 ★

3 000 | 11 à 15 €

Au Moyen Âge, ce château classé Monument historique était l'un des quatre garde-fieffés de la forêt de Chinon. Son petit vignoble en cours de conversion bio est à l'origine de deux beaux chenins, dont ce sec qui ne peut dissimuler son élevage en fût. Vêtu d'une robe dorée, ce 2010 mêle au nez d'intenses nuances d'agrumes et de noisette grillée. L'attaque franche et vive dévoile un palais complexe et aromatique qui marie le fruit et le bois. Parfait pour accompagner un mont-d'or. Le **demi-sec Love you 2010 (8 à 11 €; 3 000 b.)** obtient une citation pour sa finesse.

NOUVEAU PRODUCTEUR

Ch. de la Cour au Berruyer, 37190 Cheillé, tél. 06.09.27.18.02, info@lacourauberruyer
r.-v.

DOM. DE LA CROULE 2011 ★

4 000 | 5 à 8 €

Christophe Garnier a racheté cette petite propriété de 3 ha en 2000. Il consacre un tiers de son vignoble à l'élaboration de ce rosé de pressurage, né du seul cépage grolleau. La robe brillante aux légers reflets saumon annonce un bouquet d'une fraîcheur plaisante, sur le fruit (abricot dominant). Cette impression aromatique se confirme dans une bouche à l'équilibre réussi entre souplesse, douceur et vivacité. Un rosé de plaisir à déguster sur une assiette de charcuterie.

Christophe Garnier, 18, rue Inglessi, 37230 Fondettes, tél. 02.47.42.18.88, fax 02.47.42.28.77, cgselection@wanadoo.fr r.-v.

NICOLAS PAGET Opus 2010 ★★

4 000 | 8 à 11 €

Nicolas Paget, bien connu dans la région, peaufine sa réputation dans cette petite appellation aux grands terroirs à chenin grâce à une superbe cuvée Opus qui a participé à la finale des coups de cœur. L'or de la robe annonce déjà la richesse de la structure. Les parfums s'expriment d'emblée évoquant notamment la confiture de coings et l'abricot sec. Ce « sec tendre » (sucres résiduels : 20 g/l.), riche et très complet en bouche, ne peut pas laisser indifférent. Il se montrera des plus flatteurs en compagnie d'un foie gras poêlé au miel.

Nicolas Paget, 7, rue de la Gadouillère, 37190 Rivarennes, tél. 02.47.95.54.02, fax 02.47.95.45.90, domaine.paget@wanadoo.fr
t.l.j. sf dim. lun. 9h-12h30 14h30-18h

PASCAL PIBALEAU 2011 ★

8 000 | 5 à 8 €

Toujours aussi talentueux, Pascal Pibaleau, qui cultive son vignoble en biodynamie, présente un séduisant rosé à la robe saumonée. Typiques du cépage grolleau, les arômes de fruits bien mûrs s'accordent avec la matière légère, fraîche, équilibrée et gouleyante, et avec la finale sur la pêche de vigne. Ce 2011 réjouira les papilles en compagnie de rillons de Touraine. Le **chenin 2010 (10 000 b.)** obtient une citation pour son fruité complexe (pêche, abricot, citron confit) et pour sa douceur.

Pascal Pibaleau, 68, rte de Langeais, 37190 Azay-le-Rideau, tél. 02.47.45.27.58, fax 02.47.45.26.18, pascal.pibaleau@wanadoo.fr
t.l.j. sf dim. 9h-12h30 13h30-19h (18h du 1er déc. au 31 mars)

LA CAVE DES VALLÉES Cuvée du Pain Béni 2010 ★

3 000 | 5 à 8 €

Ce chenin du lieu-dit Pain Béni reflète bien les vins du secteur d'Azay-le-Rideau produits sur les coteaux de l'Indre. Jaune à reflets légèrement dorés, il livre un bouquet flatteur aux nuances d'abricot et de fleur d'acacia. C'est un blanc sec qui aborde le palais avec une vivacité citronnée avant de s'adoucir pour terminer sur des notes de pamplemousse et de fruits exotiques. Un 2010 élégant, à découvrir sur une truite grillée, par exemple.

Marc Badiller, 29, Le Bourg, 37190 Cheillé, tél. 02.47.45.24.37, fax 02.47.45.29.66, marc.badiller@orange.fr r.-v.

Touraine-mesland

Superficie : 100 ha
Production : 5 105 hl (82 % rouge et rosé)

Sur la rive droite de la Loire, au nord de Chaumont et en aval de Blois, le vignoble est implanté sur des sols perrucheux (argile à silex à couverture localement sableuse du miocène, ou limono-sableuse). Les rouges, très majoritaires, sont issus du gamay, assemblé à du cabernet et à du cot : ils sont bien structurés. Les blancs doivent contenir une majorité de chenin éventuellement complété de chardonnay et de sauvignon.

CH. GAILLARD 2011

n.c. | 5 à 8 €

Vincent Girault exploite son vignoble de 35 ha en biodynamie depuis maintenant vingt ans, assurant aux vignes de gamay un équilibre que l'on retrouve dans ce rosé droit et frais. Son nez de fruits des bois, sa rondeur en bouche et sa légère amertume en finale en font un excellent candidat pour les assiettes de charcuterie ou les salades composées.

Ch. Gaillard, 1 bis, rte de Seillac, 41150 Mesland, tél. 02.54.70.25.47, contact@closchateaugaillard.fr
t.l.j. sf sam. dim. 9h-12h 13h30-17h30
Vincent Girault

DOM. DU PARADIS Vieilles Vignes 2011 ★

12 000 | - de 5 €

Lors de votre visite de la région pour découvrir les châteaux d'Amboise, de Chaumont-sur-Loire et de Blois, faites une halte au domaine du Paradis pour déguster cette cuvée issue de vignes âgées de quarante ans. Derrière une robe rubis sombre, les arômes particuliers du cot semblent dominer (50 % de l'assemblage), offrant à l'ensemble un caractère poivré. On décèle aussi des parfums de fruits rouges apportés par le gamay. Le cabernet (35 %), quant à lui, confère une structure faite de tanins frais que le temps adoucira. Prévoir un à deux ans de garde avant de servir cette bouteille sur des côtes de porc grillées.

EARL Philippe Souciou, 39, rue d'Asnières, 41150 Onzain, tél. 02.54.20.81.86, philippe.souciou@orange.fr r.-v.

DOM. DE RABELAIS 2011

10 000 | - de 5 €

Issu d'un assemblage de trois cépages où le gamay noir est majoritaire, ce 2011 se distingue par ses arômes plaisants de fruits rouges et par sa rondeur en bouche. Le cot et le cabernet apportent en finale quelques tanins et une note épicée. Pour un petit salé aux lentilles, par exemple. Cité aussi, le **rosé 2011 (8 000 b.)** se montre frais et léger.

Cédric Chollet, 60, rte de Meuves, 41150 Onzain, tél. et fax 02.54.20.88.91, cedric.chollet0980@orange.fr
t.l.j. 10h-12h 15h-18h; mar. mer. sur r.-v.

DOM. DES TERRES NOIRES 2011

4 000 | - de 5 €

Des vignes du domaine, vous pourrez contempler le magnifique château de Chaumont-sur-Loire et ses jardins créatifs renouvelés à chaque printemps. C'est à cette saison-là que ce blanc sec, très expressif, au nez de mangue, de fleurs et de fruit de la Passion fait penser. L'attaque fraîche porte des arômes de pêche blanche qui persistent au sein d'une bouche légère, fondue, marquée par une pointe d'amertume en finale. On attendra juste quelques mois avant de servir cette bouteille sur une volaille à la crème et au curry.

GAEC des Terres noires, 81, rue de Meuves, 41150 Onzain, tél. 02.54.20.72.87, fax 02.54.20.85.12, gaec.terres.noires@orange.fr r.-v.

LES VAUCORNEILLES Cuvée Nathan 2010 ★★

3 000 | 5 à 8 €

Beau doublé pour le domaine des Vaucorneilles dirigé par Gilles Chelin depuis près de quinze ans. En vedette, cet assemblage de cabernet franc (40 %), de cot (40 %) et de gamay paré d'une robe grenat brillant. Un florilège de fruits rouges apparaît au nez, rehaussé par une touche d'épices. Le palais séduit par son attaque souple et fruitée, et par sa rondeur, tandis qu'une belle fraîcheur en

LOIRE

finale vient parfaire la cohérence d'ensemble. Un carafage avant service est conseillé. Une citation revient à la **cuvée Lucile 2010 blanc (3 000 b.)**, un vin élégant dans sa minéralité.

EARL Les Vaucorneilles, 10, rue de l'Égalité, 41150 Onzain, tél. 02.54.20.72.91, fax 02.54.20.74.26, les.vaucorneilles@wanadoo.fr r.-v.

Chelin

Bourgueil

Superficie : 1 356 ha
Production : 69 234 hl

Rouges et parfois rosés, les bourgueil sont produits à partir du cépage cabernet franc (breton), à l'ouest de la Touraine et aux frontières de l'Anjou, sur la rive droite de la Loire. Racés, dotés de tanins élégants, ils ont une très bonne aptitude au vieillissement, après une cuvaison longue, s'ils proviennent des sols sur tuffeau jaune des coteaux : au moins dix ans pour les meilleurs millésimes. Ils sont plus gouleyants et fruités s'ils proviennent des terrasses aux sols graveleux à sableux.

JEAN-MARIE ET NATHALIE AMIRAULT 2010 ★

5 000 — 5 à 8 €

Totalement converti à l'agrobiologie, qui occupe l'essentiel de son temps, Jean-Marie Amirault pratique aussi le travail d'équipe puisqu'il vinifie ses vins au sein d'une structure de type coopératif où sont mis en commun les moyens techniques et humains. Le 2010 qu'il propose a été perçu comme une sorte d'archétype d'un millésime de haute volée : « souple, soyeux, fruité, élégant », autant de caractéristiques notées par les dégustateurs. Un nez discret à dominante de fruits rouges précède une bouche docile et suave, qui fait preuve d'un bel équilibre. À apprécier dès aujourd'hui.

Jean-Marie Amirault, La Motte, 6, rue de Nozillon, 37140 Benais, tél. 02.47.97.48.00, bourgueil.bio@amiraultjm.fr r.-v.

VIGNOBLE AUDEBERT ET FILS Les Grands Rangs 2010

25 000 — 8 à 11 €

La robe rubis intense de ce bourgueil précède une olfaction discrète, sur le fruit, où l'on décèle quelques notes d'évolution. La bouche reste néanmoins fraîche en attaque, soutenue par des tanins souples, puis elle livre une finale plus chaleureuse aux nuances poivrées. Représentatif de l'appellation, ce vin s'appréciera sans attendre. Quant au **rosé 2011 (5 à 8 € ; 18 000 b.)** issu de pressurage direct, il affiche une belle santé aromatique, tout en fraîcheur. Il est cité.

Dom. Audebert et Fils, Le Grand-Clos, BP 39, 37140 Bourgueil, tél. 06.81.47.56.07, fax 02.47.97.72.07, francois@audebert.fr r.-v.

DOM. DU CARROI 2011 ★★

4 000 — 5 à 8 €

Si Bruno Breton a plusieurs fois figuré dans les pages du Guide en rouge de bourgueil ou de saint-nicolas, il se distingue cette année avec un magnifique rosé. L'étoffe de la robe saumon frangée de violine est un régal pour l'œil. Du charme et de l'élégance, il n'en manque pas non plus dans son expression olfactive adossée à de savoureuses fragrances de pêche et d'agrumes. La bouche, largement fruitée et bien équilibrée entre gras et fraîcheur, s'éternise dans une finale cossue. À déguster, par exemple, avec un poulet basquaise.

EARL du Carroi - Bruno Breton, 45, rue Basse, 37140 Restigné, tél. 02.47.97.31.35, fax 02.47.97.49.00, earlducarroi@orange.fr r.-v.

LES CHAMPS DE LOUYS 2010 ★★★

28 000 — 8 à 11 €

Venus d'Outre-Quiévrain en 2010, les nouveaux propriétaires ont choisi de poursuivre la conversion vers l'agriculture biologique, en engageant dans le même temps de gros investissements, matériels et humains. Réussite totale si l'on en juge par le concert d'éloges qui accompagne la dégustation de ces Champs de Louys. Impressionnante tenue rubis éclatant, bouquet exaltant de fruits confits et de fleurs cueillies « à la fraîche », bouche exemplaire d'harmonie associant une matière opulente et charnue et des tanins courtois. « Superbe ! », écrit un dégustateur qui augure à cette bouteille, en plus d'une longue vie, de nobles épousailles avec un lièvre à la royale. D'un long élevage en fût le **Ch. de Minière 2010 (11 à 15 € ; 13 000 b.)**, cité, a retiré des tanins encore acérés. Il faudra donc patienter quelques années avant de l'ouvrir.

SCEV du Ch. Minière, 25, rue de Minière, 37140 Ingrandes-de-Touraine, tél. 02.47.96.94.30, fax 02.47.96.91.53, contact@chateaudeminiere.com r.-v.

DOM. DE LA CHANTELEUSERIE Beauvais 2010 ★★

4 000 — 5 à 8 €

Dans sa longère édifiée au cœur du vignoble, Thierry Boucard réserve au visiteur un accueil plein de chaleur, qui précède une visite instructive. Ici, le raisin reçoit les plus grands soins : traitement à base de produits biologiques, tri pointilleux, fermentation sans adjonction de levures exogènes, micro-oxygénation calculée... Les résultats sont à la hauteur des efforts. Ce Beauvais 2010 se signale par sa profonde tenue grenat aux reflets prune. Son bouquet, dense et concentré, libère des arômes de framboise et de mûre stimulés par les épices douces. Franche et puissante, l'attaque fait place à un milieu de bouche gras et volumineux, soutenu par des tanins élégants. D'un abord plus simple, la cuvée **Alouettes 2010 (moins de 5 € ; 40 000 b.)**, fraîche et ronde à la fois, décroche une étoile.

Thierry Boucard, La Chanteleuserie, 37140 Benais, tél. 02.47.97.30.20, fax 02.47.97.46.73, t-boucard@wanadoo.fr t.l.j. sf dim. 9h-12h 14h-19h

DOM. DES CHESNAIES Cuvée Prestige 2010 ★

4 530 — 5 à 8 €

Cette belle réussite fait honneur à tout un passé vigneron d'après la crise du phylloxéra où Jules Lamé, jeune ouvrier agricole formé au greffage, permit au domaine de prendre un essor jamais plus contesté. Aux commandes de l'exploitation, Philippe Boucard et Stéphanie Degaugue semblent avoir hérité de ce volontarisme. Les jurés ont aimé leur « vin de caractère », joliment drapé de pourpre brillant, exprimant au nez les charmes que l'on attend du cabernet mûri à point : fruité

profond et intense aux nuances compotées. La bouche ronde et soyeuse est équipée de beaux tanins, résultat d'un passage d'un an en foudre de chêne.
Lamé Delisle Boucard, 21, rue de la Galotière, 37140 Ingrandes-de-Touraine, tél. 02.47.96.98.54, fax 02.47.96.92.31, lame.delisle.boucard@wanadoo.fr
t.l.j. sf dim. 9h-12h 13h30-17h30; sam. 9h-12h
Boucard et Degaugue

DOM. DE LA CHEVALERIE Chevalerie 2010 ★★

9 000 | 11 à 15 €

Grand gagnant de la finale des coups de cœur, ce superbe bourgueil est né de vieilles vignes de cabernet franc puissamment enracinées sur les pentes d'un coteau silico-argileux. Bel hommage bachique aux quatorze générations vigneronnes qui se sont succédé en ces lieux. Élevé en douceur (quatre mois en cuve, six mois en fût), il exhibe une rayonnante livrée rubis à reflets parme et présente un bouquet bien ordonné aux senteurs dominantes de cassis et de petits fruits rouges. Au travers d'une chair souple, il propose une bouche harmonieuse, équilibrée, nantie de tanins veloutés et frais qui rendent la finale particulièrement agréable. À déguster sur un sauté d'agneau, à partir de fin 2013.
Dom. de la Chevalerie, 7-14, rue du Peu-Muleau, 37140 Restigné, tél. 02.47.97.46.32, fax 02.47.97.45.87, chevalerie@caslot.fr
t.l.j. 9h-12h 14h-18h; dim. sur r.-v.

DOM. DE LA CHOPINIÈRE DU ROY Cuvée Coquelicot Vieilles Vignes Élevé en fût de chêne 2010 ★

11 700 | 5 à 8 €

La chanson dit que « pour aimer les coquelicots / et n'aimer qu'ça faut être idiot ». On ne se sentira pourtant pas idiot lorsqu'on aura goûté cette cuvée Coquelicot, née du talent de Christophe Ory, un vigneron dont le sens de l'accueil et du partage n'est plus à prouver. Planté sur ces sols de petits cailloux qu'il affectionne, le cabernet franc a dispensé un vin plein d'arômes de fruits rouges, harmonieux et structuré par de riches tanins. Un bourgueil frais et distingué, à découvrir à partir de 2013. Peut-être dans la cave troglodytique du domaine, en entonnant la chanson que la voix de Mouloudji a rendue immortelle ?
Christophe et Nicolas Ory, Dom. de la Chopinière du Roy, 30, La Rodaie, 37140 Saint-Nicolas-de-Bourgueil, tél. 02.47.97.77.74, fax 02.47.97.78.86, chopiniereduroy@aol.com
t.l.j. 8h-19h30

CLOS DE L'ABBAYE 2010 ★★

n.c. | 5 à 8 €

Indiquer la date précise des premières plantations de vignes autour de l'abbaye bénédictine de Bourgueil relève de la gageure. Heureusement qu'un charitable abbé prieur en a vanté les qualités dans quelques écrits : c'était au XI^{e}s. ! Déjà l'adéquation entre vigne et terroir était mise en évidence. Michel Lorieux et Jean-Baptiste Thouet semblent avoir, par-delà les siècles, recueilli ce message pour en faire leur éthique vigneronne. Ils proposent un bourgueil remarquable par sa couleur vive, sa densité aromatique (fruits noirs, café) et son élégance gustative. Élevé six mois en cuve et six mois en foudre, ce 2010 privilégie la friandise en bouche plutôt que le boisé racoleur. Il sera servi avec un accompagnement goûteux : un canard aux figues, par exemple.
SCEA de la Dime, Clos de l'Abbaye, av. Le Jouteux, 37140 Bourgueil, tél. 02.47.97.76.30, fax 02.47.97.72.03, closdelabbaye@wanadoo.fr
t.l.j. sf dim. 10h30-12h 14h30-19h
Sœurs de la Providence

DOM. DE LA CLOSERIE Vieilles Vignes 2010

14 000 | 5 à 8 €

Si votre camping-car vous conduit à l'emplacement que Jean-François Mabileau réserve à ses visiteurs, n'ayez aucune honte à y faire halte, la gourmandise n'étant plus, depuis longtemps, considérée comme un vilain défaut. Vous pourrez alors apprécier les charmes fruités de ce bourgueil issu de vieilles vignes enracinées sur un terroir silico-calcaire. Un vin aux arômes de fruits noirs surmûris, à la longueur flatteuse et aux tanins soyeux, déjà prêt à satisfaire les aficionados du cabernet franc.
Jean-François Mabileau, La Closerie, 28, rte de Bourgueil, 37140 Restigné, tél. 02.47.97.36.29, fax 02.47.97.48.33, j-f-mabileau@orange.fr
r.-v.

LYDIE ET MAX COGNARD Cuvée Caudalies 2010 ★★

4 000 | 11 à 15 €

« Un vin qui ne laisse pas indifférent », note un dégustateur qui, pour sa part, l'a trouvé exceptionnel. Issu de vignes de plus de quarante ans enracinées sur un terroir argilo-calcaire dispensateur de volume et de puissance, ce vin pigé manuellement au chai a été élevé avec un soin tout particulier (quinze mois de fût). Le résultat est admirable. Depuis la robe rouge sombre nuancée de violine jusqu'à la bouche finement équilibrée par un boisé précis et un large fruité, en passant par une olfaction riche, aromatique, stimulée de notes vanillées... Un grand vin de garde, à attendre au moins deux ou trois ans.
Lydie et Max Cognard, 3, lieu-dit Chevrette, 37140 Saint-Nicolas-de-Bourgueil, tél. 02.47.97.76.88, fax 02.47.97.97.83, max.cognard@wanadoo.fr
t.l.j. 9h-12h 13h30-18h; sam. dim. sur r.-v.

LES COLLIS 2010

5 000 | 15 à 20 €

François-Xavier Barc et Gérald Vallée se sont associés pour créer Complices de Loire, un négoce dont l'esprit de conquête passe par une recherche attentive de la qualité. Leur cuvée Collis, issue de vignes en conversion bio, n'a pas tout à fait intégré sa longue confrontation avec le merrain. Aromatiquement séduisante (senteurs de vanille), dense et tannique, elle peine encore à exprimer des saveurs fruitées : il faudra donc l'attendre quelques années, avant de la servir sur du bœuf bourguignon.

LOIRE

NOUVEAU PRODUCTEUR

Complices de Loire, 4, rue de la Cotelleraie,
37140 Saint-Nicolas-de-Bourgueil, tél. 06.84.35.22.07,
fax 02.47.97.85.90, fxbarc@complicesdeloire.com
r.-v.
Barc - Vallée

JÉRÔME DELANOUE 2010

5 000	5 à 8 €

Producteur également dans l'appellation voisine saint-nicolas, Jérôme Delanoue propose un bourgueil joliment vêtu de pourpre. Le nez, délicat, donne dans le registre fruité. L'attaque en bouche est souple et légère, tout comme la suite de la dégustation conclue par une finale tendre. Un rouge équilibré et gouleyant, à servir sur des viandes blanches rôties.

Jérôme Delanoue, 11, rue du Port-Guyet,
37140 Saint-Nicolas-de-Bourgueil, tél. 06.16.95.16.55,
vinjdelanoue@wanadoo.fr t.l.j. 9h-18h

NATHALIE ET DAVID DRUSSÉ Leroy de Restigné 2010

6 800	5 à 8 €

Héritier des savoirs d'une tradition vigneronne qui remonte à quatre générations et néanmoins « ouvert » à la modernité, le couple Drussé affirme vouloir évoluer « vers une viticulture plus écologique ». Ce vin est le résultat d'un suivi rigoureux aussi bien à la vigne qu'au chai. Le jury a aimé sa robe grenat frangée de violine, son bouquet de fruits noirs et sa bouche soyeuse, équilibrée et gourmande. Suggestion d'accord : des escalopes de veau à la milanaise.

Nathalie et David Drussé, 1, impasse de la Villatte,
37140 Saint-Nicolas-de-Bourgueil, tél. 02.47.97.98.24,
fax 02.47.97.61.89, drusse@wanadoo.fr
t.l.j. 9h-19h; dim. sur r.-v.

♥ **DOM. DUBOIS** Vieilles Vignes 2010 ★★

7 000	5 à 8 €

En fêtant sa dixième année aux commandes du domaine créé par son père Serge, Mickaël Dubois pourra aussi célébrer l'arrivée de ce coup de cœur décerné à une cuvée issue de ses plus anciennes vignes plantées sur terroir calcaire. Ce 2010 a impressionné par son équilibre et par l'opulence d'un fruité qui persiste longtemps en bouche autour de tanins très mûrs, ennobli par un boisé délicat. Ce vin très élégant signe un travail précis, qui vise à la juste expression des spécificités de chaque parcelle. On s'en régalera en accompagnement d'un rôti de bœuf ou de fromages de chèvre frais, après deux années de garde. Quant au **rosé sec 2011 (3 000 b.)**, cité pour sa finesse aromatique, il devrait rapidement trouver preneur.

EARL Dom. Serge Dubois, 49, rue de Lossay,
37140 Restigné, tél. 02.47.97.31.60, fax 02.47.97.43.33,
domaine.sergedubois@wanadoo.fr r.-v.

DOM. BRUNO DUFEU Grand Mont 2010 ★★

8 500	5 à 8 €

Bruno Dufeu a trouvé dans la richesse et l'originalité d'un sous-sol de tuffeau l'inspiration qui lui permet d'élaborer de grands vins rouges, comme cette cuvée Grand Mont pour laquelle il n'a pas ménagé sa peine. En bon postulant de la finale des coups de cœur, ce vin se pare de rubis auréolé d'un radieux disque violacé. Le nez découvre avec délices les complexités d'un éventail aromatique qui fleure bon la fraîcheur de la framboise, les doux parfums de la violette, le laurier et la vanille. La matière ample regorge aussi de saveurs gourmandes et de douceur. Plaisirs culinaires garantis avec la complicité d'une belle côte de bœuf. Bourgueil classique sans artifices ni fioritures, la **cuvée Clémence 2010 (6 000 b.)**, empreinte de fraîcheur, décroche une étoile.

Bruno Dufeu, Les Neusaies, 37140 Benais,
tél. 02.47.97.76.53, brunodufeu@gmail.com
r.-v.

DUVAL VOISIN 2010 ★★

6 984	5 à 8 €

Déjà sélectionné dans le Guide avec les deux précédents millésimes, le domaine familial Duval Voisin affiche une belle régularité grâce à la qualité de son bourgueil élevé en cuve, résultat d'un travail précis. Drapé de rouge nuancé de violine, ce vin délivre un agréable bouquet de fruits noirs accompagné de notes de laurier. La bouche offre une composition homogène de tanins cordiaux et soyeux, et de saveurs épicées et fruitées. « Un remarquable vin de plaisir », notent les jurés, qui l'imaginent accompagner dès à présent une volaille rôtie.

SCEA Duval Voisin, 6, rue de Fontenay,
37140 Ingrandes-de-Touraine, tél. 02.47.96.95.91,
fax 02.47.96.95.92, contact@duvalvoisin.com r.-v.

LAURENT FAUVY 2010 ★

4 200	5 à 8 €

Voilà un peu plus de vingt ans que Laurent Fauvy a pris la tête d'une propriété où l'on s'efforce de produire des vins conformes aux canons de l'appellation. Vendangé à la machine, le cabernet franc de vingt-cinq ans d'âge, enraciné sur l'argilo-calcaire, a donné un 2010 intensément coloré qui s'ouvre au nez sur les fruits légèrement compotés. La bouche à l'attaque ronde retrouve des saveurs de fruits rouges dans un ensemble équilibré, armé de tanins souples. Pour accompagner un filet mignon de veau, aujourd'hui comme dans cinq ans. La cuvée **Vieilles Vignes 2010 (3 600 b.)**, citée, est apparue un peu plus austère. Elle devrait s'assouplir avec une garde de deux ans.

Laurent Fauvy, 14, rte de Saint-Gilles, 37140 Benais,
tél. 02.47.97.46.67, earl.fauvy.laurent@wanadoo.fr
r.-v.

PAULINE FOUCHEREAU Secrets de chai 2010 ★

20 000	5 à 8 €

Quelques-uns des vignerons-coopérateurs de la cave de Bourgueil ont fait le choix de l'agriculture biologique, les autres restant fidèles (pour le moment) à l'agriculture raisonnée. Issu de sélections parcellaires, ce Secrets de chai, qui a patiemment macéré, s'affiche dans une sombre tunique grenat. Il développe des parfums de fruits noirs mâtinés d'épices douces et de poivre. Après une attaque ronde et souple, il garde une certaine fraîcheur qui s'estompe néanmoins pour faire place à une finale puissante aux tanins encore un peu austères. À déguster dans un an sur un chou farci.

Cave des Vins de Bourgueil, 16, rue des Chevaliers, 37140 Restigné, tél. 02.47.97.32.01, fax 02.47.97.46.29, accueil@cave-de-bourgueil.com
t.l.j. sf dim. 9h-12h 14h-17h30

DOM. DES GÉLÉRIES Les Sablons 2010

15 000 | 5 à 8 €

Les parcelles des Sablons, situées non loin de l'historique abbaye de Bourgueil, sont chouchoutées par Jean-Marie Rouzier qui a depuis longtemps acquis la certitude que ce terroir offre au cabernet franc les conditions idéales à son épanouissement. Ce 2010 en est la preuve, avec sa limpide tenue rubis et son nez tout en fraîcheur, à la fois floral et fruité. Sa souplesse, sa douceur et sa finesse gustative sont telles qu'un dégustateur voit là « un des rares bourgueil qui peut s'apprécier hors d'un repas », et sinon, sur un navarin d'agneau. Encore dominé par le bois, le **2010 Vieilles Vignes sur tuffeau (7 000 b.)** est également cité.

Jean-Marie Rouzier, 4, rue des Géléries, 37140 Bourgueil, tél. 02.47.97.74.83, fax 02.47.97.48.73, jean-marie.rouzier@wanadoo.fr
t.l.j. sf dim. 9h-12h30 14h-19h; f. 25 sept.-10 oct.

VIGNOBLE DE LA GRIOCHE Cuvée Manon 2010 ★★

3 000 | 5 à 8 €

« Manon, la lune argente ta demeure... », dit une très vieille chanson où il est question d'un soupirant qui clame son amour à la dame de ses pensées. Il est vrai que les dégustateurs risquent de tomber follement amoureux de cette cuvée. De la structure, de l'élégance, une générosité aromatique quasi parfaite, qui dévoile un mariage fruit-bois juste et précis... « Un régal ! » s'enthousiasme un dégustateur séduit par sa fraîcheur et sa persistance. Il n'en faut pas plus pour que ce vin de production confidentielle soit rangé dans la catégorie des séducteurs. Remarquée pour sa vivacité, la **cuvée Prestige 2010 (2 000 b.)** est citée.

Jean-Marc Breton, 19, rue des Marais, 37140 Restigné, tél. 02.47.97.31.64, bretonstephane@orange.fr
r.-v.

DOM. GUION Cuvée Prestige 2010

12 000 | 5 à 8 €

Stéphane Guion, qui a vécu diverses expériences viticoles dans le Bordelais et en Val de Loire, est l'un des pionniers de l'agriculture biologique dans l'espace ligérien. Sa cuvée Prestige n'a d'autre prétention – tout à fait honorable – que de présenter un vin « sur le fruit ». Grenat profond à l'œil, elle livre de fait au nez un fruité délicat. La bouche, équipée de tanins serrés qui contribuent à l'équilibre, se révèle agréable de rondeur et de souplesse. Un 2010 prêt à boire.

Stéphane Guion, 3, rte de Saint-Gilles, 37140 Benais, tél. 02.47.97.30.75, guion.stephane@sfr.fr r.-v.

ALAIN ET ARNAUD HOUX Le Clos Barbin 2010 ★

5 000 | 5 à 8 €

Arnaud Houx a pris la tête du domaine en 2008. Adepte de la lutte raisonnée et des vinifications traditionnelles, il cherche à obtenir des « vins de plaisir » répondant à une demande accrue. Il y réussit tout à fait avec ce Clos Barbin qui exprime les vertus d'un grand millésime. La robe d'un rouge profond est animée de reflets pourpres, le nez délivre de délicates nuances de fruits rouges fraîchement cueillis, et la bouche, fringante, se montre à l'avenant (notes de groseille et de framboise). Dans un registre similaire, la **cuvée de la Chopinière 2010 (5 000 b.)** se révèle un peu plus sévère en finale. Elle est citée.

EARL Alain et Arnaud Houx, 21, Le Clos-Barbin, 37140 Restigné, tél. et fax 02.47.97.30.95, earlalainarnaud.houx@yahoo.fr
t.l.j. sf dim. 9h30-12h30 13h30-19h30

JOUR DE SOIF 2010

30 000 | 8 à 11 €

Un vin dont la réussite est due à son côté « rafraîchissant », intensément suggéré par l'étiquette. Ses mérites ne s'arrêtent pas là. Outre sa belle tenue sombre, il propose un bouquet complexe centré autour des fruits rouges et noirs ainsi qu'une bouche ample et souple étayée par de fins tanins. Vin de garde raisonnable (deux à cinq ans), que l'on ne se privera pas pour autant d'apprécier dès maintenant sur des grillades.

GAEC Gauthier, 7, rue de la Motte, 37140 Benais, tél. 02.47.97.95.58 r.-v.

DOM. DE LA LANDE Prestige 2010 ★

5 000 | 8 à 11 €

Propriété familiale depuis quatre générations, ce domaine s'étend sur 16 ha en bordure de la bien nommée route du Vignoble. Afin de protéger au mieux les dons de Dame Nature, le clan Delaunay a fait aujourd'hui le choix de l'agriculture biologique (conversion en cours). De cette cuvée Prestige, on retiendra, en plus de sa parure sombre aux reflets violines, un bouquet discret au premier nez, qui s'épanouit progressivement sur les fruits et les arômes de torréfaction. La bouche vive, dense et structurée, conserve un caractère convivial malgré une pointe de rusticité. Pour une tête de veau sauce gribiche, après une à deux années de garde. Souple, portée par des saveurs de fruits mûrs, la cuvée **Les Graviers (5 à 8 €; 5 000 b.)** est citée.

EARL Delaunay Père et Fils, Dom. de la Lande, 20, rte du Vignoble, 37140 Bourgueil, tél. 02.47.97.80.73, fax 02.47.97.95.65, earl.delaunay.pfils@wanadoo.fr r.-v.

DAMIEN LORIEUX Graviers 2010

8 000 | 5 à 8 €

Damien Lorieux semble porter une affection toute particulière à ses vieilles vignes (plus de soixante-dix ans) enracinées sur des terrasses de graviers, terres réputées idéales à l'épanouissement du cabernet franc. Il en a extrait une vendange mûre, triée avec soin, qui a donné naissance à un vin fringant et courtois. On a aimé sa charmante tenue grenat, ses arômes de fruits noirs légèrement épicés, sa bouche souple et fraîche aux tanins dociles. Un vin primesautier, que l'on dégustera « sans prise de tête » dans sa jeunesse.

Damien Lorieux, 2, rue de la Percherie, 37140 Bourgueil, tél. 02.47.97.88.44, fax 02.53.46.26.09, domainelorieux@orange.fr t.l.j. 9h-12h 14h-19h

LOIRE

FRÉDÉRIC MABILEAU Racines 2010 ★

■ 4 000 8 à 11 €

On ne présente plus Frédéric Mabileau, figure de proue du vignoble bourgueillois, qui a fait le choix de l'agriculture biologique (sans certification). Retenue déjà l'an passé, sa cuvée Racines, élevée neuf mois en fût, a de nouveau convaincu le jury. Vêtue d'un pourpre profond et lumineux, elle développe un bouquet flatteur dont le large fruité mâtiné d'épices s'enveloppe de notes de boisé toasté et de moka. La bouche, construite sur une chair fondante, montre une trame tannique à la fois solide et soyeuse, qui ouvre la voie à des saveurs épicées persistantes. On patientera deux petites années pour que l'élevage se fonde.

Frédéric Mabileau, 6, rue du Pressoir, 37140 Saint-Nicolas-de-Bourgueil, tél. 02.47.97.79.58, fax 02.47.97.45.19, contact@fredericmabileau.com
t.l.j. sf dim. 8h30-12h 14h-17h30; sam. 10h30-12h30 14h-17h30

DOM. LAURENT MABILEAU 2010 ★

■ 45 000 5 à 8 €

Célèbre vigneron du Bourgueillois, Laurent Mabileau s'évertue avec une remarquable régularité à produire des vins droits qui lui valent reconnaissance et respect. Son 2010 se montre à la fois robuste et distingué. Après un temps d'aération, il s'épanche avec franchise sur des notes de fruits frais et déroule en bouche du volume et une structure tendre. Pour une escapade gourmande avec un magret de canard aux cerises, dès à présent.

Laurent Mabileau, La Croix-du-Moulin-Neuf, 37140 Saint-Nicolas-de-Bourgueil, tél. 02.47.97.74.75, fax 02.47.97.99.81, domaine@mabileau.fr
t.l.j. 8h-12h 14h-19h; sam. dim. sur r.-v.

DOM. DES MAILLOCHES
Vieilles Vignes sur tuffeau 2010 ★★

■ 9 000 5 à 8 €

Ce vin racé et porteur des élégances d'un terroir de tuffeau pouvait, aux yeux de certains dégustateurs, prétendre à un coup de cœur. Son bouquet, magnifique de concentration et de complexité, s'ouvre sur des arômes de raisin mûr avant de s'épanouir sur une véritable salade de fruits rouges et noirs. La bouche puissante et veloutée laisse s'extérioriser des essences de mûre, de violette, de baie de sureau et de poivre noir fraîchement moulu. Un bourgueil d'une richesse incontestable, que l'on peut d'ores et déjà apprécier avec du gibier. Pourquoi pas avec un perdreau rôti aux raisins ? Le **rosé 2011 (6 000 b.)** offre une bouche longue et charmeuse, gorgée de fruits blancs (pêche), qui lui vaut une étoile.

Demont, 40, rue de Lossay, 37140 Restigné, tél. 02.47.97.33.10, fax 02.47.97.43.43, demont-j.f@wanadoo.fr t.l.j. 9h-12h 14h-18h

MESLET-THOUET Vieilles Vignes 2010 ★

■ 4 000 5 à 8 €

Depuis près d'un siècle, la famille Meslet exploite l'espace viticole de ce coin du Bourgueillois où l'implantation de la vigne remonte au Moyen Âge (1089). Fort de cette longue tradition, Germain Meslet traite sa production avec le maximum d'égards : enherbement naturel, travail mécanique, vinification sans levures ajoutées... Issu de vieux ceps de cabernet, ce 2010 tire de ce terroir argilo-calcaire une densité charnue et soyeuse. Il s'ouvre avec discrétion sur des arômes de fruits noirs aux accents de poivre, et divulgue une fraîcheur avenante. Pour accompagner un chapon rôti à point.

EARL Meslet-Thouet, 3, rue des Géléries, 37140 Bourgueil, tél. 02.47.97.80.33, maisonmeslet@sfr.fr
t.l.j. 9h-12h30 14h-19h
Germain Meslet

DOM. RÉGIS MUREAU 2010

■ 3 000 5 à 8 €

Régis Mureau recueille pour deux de ses vins une citation soulignant une jolie réussite dans ce millésime 2010. Le premier, élevé six mois en cuve, est issu de terres graveleuses. L'élaborateur a recherché la souplesse et les arômes fruités, ce qui n'a pas échappé au jury particulièrement sensible à l'équilibre manifesté en bouche. Le second, **Dom. de la Gaucherie 2010 (7 000 b.)**, qui a bénéficié d'un élevage plus long (douze mois), dévoile des tanins fermes et une bonne harmonie fruitée. Deux cuvées à apprécier sur des plats régionaux : rillettes ou poisson de Loire fumé.

SCEV Régis Mureau, 16, rue d'Anjou, 37140 Ingrandes-de-Touraine, tél. 02.47.96.97.60, fax 02.47.96.93.43, regismureau@wanadoo.fr
t.l.j. 9h-12h 14h-19h; dim. 14h-19h

NAU FRÈRES Vieilles Vignes 2010 ★★★

■ 13 500 5 à 8 €

Un joli coup double pour le domaine Nau Frères, que l'on retrouve régulièrement dans les pages du Guide avec cette cuvée née de vignes de cinquante ans. Ancrées sur un terroir argilo-siliceux, celles-ci ont délivré dans le millésime 2010 un vin admirable aux tendres parfums de fruits rouges. Ronde, gourmande et charnue, la bouche se montre elle aussi généreuse en douces sensations fruitées. Un bourgueil pour un plaisir immédiat ou une garde de cinq ans, selon l'envie ; à servir sur des rognons de veau persillés. La cuvée **Les Blottières 2010 (10 000 b.)**, souple et équilibrée, affirme de son côté un tempérament conforme à ce que l'on attend de l'appellation : de la fraîcheur avant toute chose. Elle décroche deux étoiles.

Nau Frères, 52, rue de Touraine, 37140 Ingrandes-de-Touraine, tél. 02.47.96.98.57, naufreres@wanadoo.fr
t.l.j. sf dim. 9h-12h 14h-18h30

♥ **DOM. DE LA NOIRAIE** Cuvée Prestige 2010 ★★

■ 40 000 5 à 8 €

Le premier des Delanoue vignerons à Benais était métayer. Son fils acheta les bâtiments à ses propriétaires, ainsi que les premières vignes, et six générations plus tard, la famille exploite plus de 40 ha en culture biologique, la certification officielle étant prévue pour le millésime 2012. En attendant, il ne faudrait pas manquer la version 2010 de cette cuvée Prestige qui délivre, derrière sa robe grenat brillant, de discrets parfums de fruits rouges et de cassis. La bouche, ample, ronde et concentrée, dispense des arômes suaves de fruits cuits qui ne demandent qu'à s'épanouir avec le temps. Aucun souci : de l'avenir, ce rouge élégant et solidement structuré en a à revendre. Il affirmera sa personnalité lors d'une rencontre avec un civet de sanglier, d'ici trois à cinq ans.

EARL Delanoue Frères, 19, rue du Fort-Hudeau, 37140 Benais, tél. 02.47.97.30.40, fax 02.47.97.46.95, delanoue@terre-net.fr
t.l.j. 8h30-20h; dim. 8h30-12h30

BERNARD OMASSON 2010 *

2 000 - de 5 €

Bernard Omasson fait partie de ces vignerons du Bourgueillois chez qui l'on achète pratiquement « les yeux fermés » tant il a su établir une solide réputation de confiance en son travail et en ses vins. Nulle déception, donc, quant à ce 2010 né sur une parcelle argilo-calcaire de 1 ha à peine, qui présente au regard une tenue limpide. Son bouquet au fruité intense évoque entre autres fruits rouges, la cerise, que l'on retrouve dans une bouche élégante et gourmande, aux tanins fondus. Pour accompagner de petits gibiers à plume, dès la sortie du Guide.

Bernard Omasson, 54, rue de Touraine, 37140 Ingrandes-de-Touraine, tél. 02.47.96.98.20 r.-v.

NATHALIE OMASSON Vieilles Vignes 2010

4 000 - de 5 €

Elle revendique haut et fort son statut de « femme vigneronne », Nathalie Omasson... Surtout qu'elle a pris l'habitude de proposer aux consommateurs des vins d'envergure, et ceux-ci ne manquent pas de venir les apprécier lors des portes ouvertes organisées le week-end de l'Ascension. Son 2010 Vieilles Vignes tentera les amateurs de vin rouge fruité (fraise et framboise) aux tanins soyeux, dont la finale est portée par une belle fraîcheur qui fait durer le plaisir. Le **rosé 2011 (1 000 b.)**, vif et aromatique, semble avoir été conçu pour ensoleiller des apéritifs conviviaux. Une citation.

Nathalie Omasson, 3, rue de la Cueille-Cadot, 37130 Saint-Patrice, tél. et fax 02.47.96.90.26, nathalie.omasson@gmail.com r.-v.

DOM. DE L'OUBLIÉE Notre histoire 2010

3 500 11 à 15 €

Il ne faudra pas craindre d'aérer quelques heures avant le service ce bourgueil ample et intense élevé un an au contact du bois. De ce vin prometteur, né d'un tout jeune domaine qui s'est lancé sur la voie de l'agriculture biologique et a fait l'an passé son entrée dans le Guide, les jurés ont retenu la complexité olfactive (boisé léger, fruits rouges et noirs, notes animales), ainsi que l'ampleur d'une bouche gorgée de fruits confits. À attendre deux ans.

Xavier Courant, 26, rue Dorothé-de-Dino, 37130 Saint-Patrice, tél. 06.42.62.52.18, xc@loubliee.fr
r.-v.

DOM. DES OUCHES Igoranda 2010 *

30 000 5 à 8 €

« Igoranda », c'est l'ancien nom d'Ingrandes, lieu où la Loire a déposé des alluvions constituées de sables et de graviers et qui fut longtemps une sorte de zone frontière entre le duché de Touraine et celui d'Anjou. C'est ici que Thomas et Denis Gambier exercent leur talent viticole, récoltant le raisin à la main. « Escarboucle dense et profond », note un dégustateur conquis par la robe de ce 2010. L'olfaction, discrète au départ, dévoile à l'aération des senteurs de fruits mûrs. La bouche, ample et suave, rappelle le cassis, lequel se laisse escorter par des épices poivrées. Prêt pour une alliance avec du bœuf miroton. Le **rosé 2011 (22 000 b.)**, aromatique à souhait, est cité.

Dom. des Ouches, 3, rue des Ouches, 37140 Ingrandes-de-Touraine, tél. 02.47.96.98.77, fax 02.47.96.93.08, contact@domainedesouches.com
t.l.j. sf dim. 10h-12h 14h-18h30
Thomas et Denis Gambier

DOM. DU PETIT BONDIEU Les Brunetières 2010 *

4 000 5 à 8 €

Voici une propriété familiale dont la personnalité tient autant à son ancienneté (1830) qu'à ses terroirs et à l'inlassable travail de ses occupants. Thomas Pichet y pérennise un esprit de convivialité que le visiteur peut vérifier à l'occasion des portes ouvertes organisées lors du 14 Juillet. De ces Brunetières, on retiendra la fraîcheur d'un bouquet épanoui sur des arômes de fruits confits, ainsi que la rondeur fondante d'une bouche qui laisse en finale une sensation d'équilibre. Pour un magret de canard aux cèpes. La cuvée **Les Couplets 2010 (8 à 11 €; 6 600 b.)**, encore dépendante de robustes tanins, est citée. Elle méritera un an ou deux de patience.

EARL Thomas Pichet, 30, rte de Tours, 37140 Restigné, tél. 02.47.97.33.18, fax 02.47.97.46.57, jean-marc-pichet@wanadoo.fr r.-v. 2

DOM. DE LA PETITE MAIRIE 2010

8 000 5 à 8 €

S'il a connu un élevage mixte, partagé entre cuve et fût, ce 2010 issu d'un cabernet franc enraciné sur des terres graveleuses n'a pas été marqué par le bois. Son bouquet centré sur les fruits mûrs révèle une jolie fraîcheur rehaussée par d'agréables nuances florales. La bouche déploie des sensations tendres et charnues, les tanins doux étant équilibrés par une pointe de fraîcheur. Pour accompagner dès aujourd'hui un poulet rôti.

James Petit, 9, rue de la Petite-Mairie, 37140 Restigné, tél. 02.47.97.30.13 t.l.j. sf dim. 9h-12h30 14h-19h30

DOM. DU PETIT SOUPER Vieilles Vignes 2010 **

11 800 5 à 8 €

Thierry Dupuis connaît parfaitement les ressources vinicoles de chacun des terroirs qu'il travaille. L'expérience sans doute, fondée sur plus de quarante années d'observations enregistrées et de mises en pratique. Ce 2010 a puisé ampleur et générosité dans l'argilo-calcaire. Les dégustateurs en ont fait état, louant – au-delà des charmes traditionnels du cabernet franc (robe intense, bouquet explosif de fruits rouges et noirs) –, la chair, la longueur et, surtout, l'équilibre remarquable qui assure la séduction de cette cuvée. Quant au **rosé 2011 (moins de 5 €; 2 500 b.)**, sa vivacité fruitée lui vaut d'être cité.

EARL Dupuis, 13, rue de la Barbinière, 37130 Saint-Patrice, tél. et fax 02.47.96.97.46, earl.thierry.dupuis@gmail.com r.-v.

LOIRE

DOM. LES PINS Vieilles Vignes 2010 ★★

■ 9 000 ▮ 8 à 11 €

Un beau domaine familial où le savoir vigneron se transmet depuis cinq générations. Mis en bouteilles au terme d'un an d'élevage en cuve, ce bourgueil, issu de vignes de soixante ans, représente dignement le style des vins de l'appellation. Remarquable par son équilibre et sa profondeur, il n'est pas passé loin du coup de cœur. C'est un vin raffiné, qui plaît par la qualité soyeuse des tanins, par la douceur et la plénitude d'une bouche aux arômes de fruits noirs un rien confiturés. Un vin que l'on pourra déboucher dans un an ou deux sur une pièce de gibier.

Pitault-Landry et Fils, 8, rte du Vignoble, 37140 Bourgueil, tél. 02.47.97.47.91, fax 02.47.97.98.69, philippe.pitault@wanadoo.fr

t.l.j. sf dim. 9h-12h 14h30-18h30

DOM. DU PRESSOIR FLANIÈRE Vieilles Vignes 2010

■ 10 000 ▮ - de 5 €

Voilà un vin dont l'abord facile aura l'heur de plaire à tous ceux qui se régalent de vins « sans chichi », élaborés dans le but d'être appréciés sur le fruit, dans leur jeunesse. Paré d'une robe au rubis brillant, il s'ouvre sur un nez au fruité aérien, nuancé de cerise à l'eau-de-vie. La bouche, légère et élégante, repose sur des tanins bien fondus. Un joli classique, friand et équilibré, à apprécier sans attendre.

GAEC Galteau, 44-48, rue de Touraine, 37140 Ingrandes-de-Touraine, tél. 02.47.96.98.95, fax 02.47.96.90.91 t.l.j. sf dim. 8h-12h 14h-19h

DOM. DES RAGUENIÈRES 2010

■ 8 000 ▮ 5 à 8 €

Une maison de maître datant de la fin du XIX[e]s., qui trône au milieu d'un vignoble de presque 19 ha, des caves creusées dans le roc où les vins mûrissent doucement, un travail soigné à la vigne comme au chai... Ce sont les images que les visiteurs conservent de leur passage au domaine des Raguenières. Ce 2010, élevé six mois en cuve, puis en barrique, est un bourgueil classique qu'il sera bon d'attendre un an ou deux avant dégustation, le temps que les tanins se disciplinent. Des parfums de tabac et d'épices douces précèdent une matière bien présente, douce, ronde et équilibrée. La cuvée **Les Haies 2010 (6 600 b)**, au caractère plus « rustique », est également citée.

Éric Roi, 11, rue du Machet, 37140 Benais, tél. 02.47.97.30.16, fax 02.47.97.46.78, domaine@bourgueil-france.com r.-v.

VIGNOBLE DES ROBINIÈRES L'Alouette 2010 ★

■ 10 000 ▮ 5 à 8 €

Engagé depuis deux ans dans une démarche « bio », ce vignoble voit ses efforts récompensés par un joli doublé. Son Alouette se signale par une belle parure rubis aux reflets bleutés, une olfaction oscillant entre puissance et délicatesse sur fond de griotte, et une bouche tout en rondeur et en souplesse, avec une honorable présence tannique en soutien. Équilibré, vif et gourmand, **L'Ormeau de Maure 2010 (25 000 b.)**, élevé pour un quart en fût, est cité.

Bertrand et Vincent Marchesseau, 16, rue de l'Humelaye, 37140 Bourgueil, tél. 02.47.97.47.72, fax 02.47.97.46.36, contact@vinmarchesseau.fr

t.l.j. sf dim. 10h-12h 14h-19h

VIGNOBLE DE LA ROSERAIE 2010

■ 10 000 ▮ 5 à 8 €

Une vinification en cuve Inox et un élevage de trois mois en barrique pour ce bourgueil fringant, vêtu de grenat, qui affiche sans complexe sa prétention de « vin de plaisir ». Un nez pimpant sur les fruits mûrs, titillé par un zeste de vanille, une bouche souple avec juste ce qu'il faut de pointe acidulée, et voilà un de ces délices faciles comme le Bourgueillois en dispense à l'envi. Repas convivial en perspective, avec des brochettes dorées sur un feu de sarments.

Vignoble de la Roseraie, 46, rue Basse, 37140 Restigné, tél. 02.47.97.32.97, fax 02.47.97.44.24, vignobledelaroseraie@orange.fr r.-v.

Éric et Patrick Vallée

JOËL TALUAU Cuvée du domaine 2010 ★

■ 25 000 ▮ 5 à 8 €

Déjà retenus dans le Guide avec leur cuvée 2008, qui avait décroché un coup de cœur, Joël Taluau et Thierry Foltzenlogel reviennent avec un 2010 qui a su capter les bienfaits d'un millésime sec, mais sans excès de chaleur, propice à des vendanges de qualité. Des 3,5 ha de terres argilo-calcaires, le cabernet franc a extrait de belles harmonies. Ce vin drapé de grenat se montre réservé à l'olfaction, puis développe après aération quelques nuances de cassis et de cerise. Il se révèle généreux en bouche, souple et gourmand, centré autour des fruits rouges. On l'ouvrira dès cet automne sur des grillades.

EARL Taluau-Foltzenlogel, 11, Chevrette, 37140 Saint-Nicolas-de-Bourgueil, tél. 02.47.97.78.79, fax 02.47.97.95.60, joel.taluau@wanadoo.fr

t.l.j. 8h-12h 13h30-18h; dim. sur r.-v.

DOM. DES VALLETTES Vieilles Vignes 2010 ★

■ 20 300 5 à 8 €

Antoine et François Jamet avouent ce qu'ils nomment une « obsession » : que leurs clients aient du plaisir en buvant leurs vins. Le succès de cette cuvée auprès du jury devrait les rassurer. Car ce vin aussi dense que fruité possède l'éloquence d'un cabernet franc séducteur, qui s'adresse à la fois au cœur et au palais. En effet, il marie habilement les nuances fruitées et les charmes vanillés d'un boisé délicat, et demeure un très agréable vin de plaisir, souple et léger. Il fera bon le déboucher pour un flirt avec une entrecôte marchand de vin.

Antoine et François Jamet, Dom. des Vallettes, 37140 Saint-Nicolas-de-Bourgueil, tél. 02.47.97.44.44, fax 02.47.97.44.45, francis.jamet@les-vallettes.com

t.l.j. sf dim. 9h-12h 14h-18h

DOM. DE LA VERNELLERIE 2010 ★

■ 2 000 ▮ - de 5 €

Les bâtiments de l'ancienne ferme du château de Benais abritent l'exploitation viticole conduite par Camille et Marie-Thérèse Petit, un tandem efficace qui a souvent connu les honneurs du Guide. Il récidive ici avec un bourgueil pourpre brillant élevé six mois en cuve, plutôt démonstratif à l'olfaction, associant de délicates senteurs de fruits des haies aux légèretés de la violette. La bouche, ronde et équilibrée, présente des tanins mûrs. Vin « de printemps », plein de fraîcheur, à servir sur de la charcuterie tourangelle.

Camille et Marie-Thérèse Petit, EARL Dom. de la Vernellerie, 7, rue d'Orfeuil, 37140 Benais, tél. et fax 02.47.97.31.18 r.-v.

DOM. DES VIÉNAIS 2011 ★

	1 300		- de 5 €

L'amateur de rosés ne devra pas traîner s'il veut se porter acquéreur de ce vin « de niche », qui arbore une tenue saumonée très pâle. Le nez est tentateur avec ses arômes expressifs de fruits exotiques. L'attaque en bouche se montre assez franche et vive. Apparaît ensuite une certaine rondeur qui accompagne une finale aux saveurs confites. Un bourgueil qui appelle des plats relevés, un couscous par exemple. On goûtera aussi le **rouge 2010 (5 à 8 €; 10 000 b.)** élevé en cuve, cité pour sa souplesse axée sur les fruits rouges, et le **Vieilles Vignes 2010 rouge (5 à 8 €; 4 000 b.)**, plus complexe, qui a séjourné un an en barrique. Une citation également.

Gérard Poupineau, 3, rue des Lavandières, 37140 Benais, tél. 02.47.97.35.19, fax 08.11.38.41.32, domaine.desvienais@wanadoo.fr
t.l.j. sf dim. 9h-12h 14h-19h

DOM. DU VIEUX MOULIN Cuvée Prestige 2010

	2 500		5 à 8 €

C'est en 1999 que Jérôme Houx a rejoint son père aux commandes de l'entreprise familiale, apportant avec lui l'enthousiasme de la nouvelle génération. Leur cuvée Prestige issue de terres argilo-calcaires fait belle impression. Les jurés ont aimé sa brillante tenue garance aux reflets violines, son bouquet un brin sauvage autour duquel s'animent les fruits rouges, et sa bouche canaille qui régale les papilles de saveurs finement acidulées. Un ensemble gourmand qui trouvera un écho favorable auprès de cailles rôties.

GAEC Christian et Jérôme Houx, 9, Les Grandes-Rottes, 37140 Restigné, tél. 02.47.97.30.38 r.-v.

DOM. DES VINS CŒUR Rouge désir 2010 ★★

	3 000	5 à 8 €

Depuis Corneille, tout le monde sait que « la valeur n'attend point le nombre des années ». Et ce jeune domaine (né en 2006), qui commercialise pour la première fois son vin en bouteilles, en fait la démonstration avec brio, car les dégustateurs ont multiplié les éloges : « Robe magenta profond, tanins tapissants, de la matière pour bien vieillir... » C'est vrai que ce vin a fière allure avec ses parfums exubérants de framboise et de cassis mêlés de rose séchée, avec sa rondeur, sa douceur, son fruité opulent en bouche et sa finale d'une grande persistance. On lui prédit une belle longévité (jusqu'à sept ans), mais nul n'est tenu d'attendre aussi longtemps pour l'apprécier.

Guillaume Galteau, 42, rue de Touraine, 37140 Ingrandes-de-Touraine, tél. 06.68.58.53.39, domainedesvinscoeur@gmail.com
t.l.j. sf sam. dim. 17h-19h

Saint-nicolas-de-bourgueil

Superficie : 1 076 ha
Production : 61 307 hl

Malgré des caractéristiques proches de celles de l'aire contiguë de Bourgueil, la commune de Saint-Nicolas-de-Bourgueil (simple paroisse détachée de Bourgueil au XVIIIes.) possède son appellation particulière. Son vignoble croît, pour les deux tiers, sur les sols sablo-graveleux des terrasses de la Loire. Au-dessus, le coteau est protégé des vents du nord par la forêt; le tuffeau y est surmonté d'une couverture sableuse. Bien que ce ne soit pas le cas des vins provenant exclusivement du coteau, les saint-nicolas-de-bourgueil, souvent issus d'assemblages, ont la réputation d'être plus légers que les bourgueil.

YANNICK AMIRAULT La Mine 2010

	16 000		8 à 11 €

Cette cuvée est issue de vignes de quarante-cinq ans enracinées sur des sols graveleux que le cabernet franc affectionne particulièrement. Un élevage d'un an en fût a donné à ce vin une solide charpente tannique, qui se traduit en bouche par une pointe d'austérité. Mais la matière est là, et le nez se montre séduisant avec des arômes de fruits rouges confiturés et de moka. Au final, un vin prometteur et bien fait, que l'on attendra un an ou deux pour une harmonie complète. À noter : Yannick Amirault s'est engagé dans la voie de l'agriculture biologique.

Yannick Amirault, 5, pavillon du Grand-Clos, 37140 Bourgueil, tél. 02.47.97.78.07, fax 02.47.97.94.78, info@yannickamirault.fr r.-v.

VIGNOBLE AUDEBERT ET FILS Les Graviers 2010 ★★

	n.c.		8 à 11 €

Valeur sûre du Bourgueillois, le vignoble Audebert est fidèle au rendez-vous du Guide avec cette cuvée qui a concouru pour le coup de cœur. Ses arguments : une belle intensité colorante, un bouquet frais de fruits rouges, cerise en tête, un palais très aromatique et tout en fruit, porté par des tanins enrobés et par une longue finale soyeuse. « On a envie d'y revenir », note un dégustateur. Certains le conseillent dès à présent, d'autres préfèrent le voir vieillir deux ou trois ans ; c'est selon. Le **Vignoble de la Contrie 2010 (20 000 b.)**, ample et harmonieux, obtient une étoile.

Dom. Audebert et Fils, Le Grand-Clos, BP 39, 37140 Bourgueil, tél. 06.81.47.56.07, fax 02.47.97.72.07, francois@audebert.fr r.-v.

DOM. DU BOIS MAYAUD La Volupté Vieilles Vignes 2010 ★

	9 870		5 à 8 €

Ce domaine organise chaque année une opération portes ouvertes au cours de laquelle les vins s'honorent de la présence d'expositions et de concerts. L'occasion de découvrir cette cuvée issue de vieilles vignes enracinées sur 1,5 ha d'argilo-calcaires. La robe est profonde, le nez très expressif, sur les fruits rouges, la bouche souple et soyeuse, bâtie sur des tanins bien présents mais arrondis. À servir sur une viande rouge dans l'année qui vient.

Françoise et Ludovic Boucher, 1, allée du Bois-Mayaud, 37140 Chouzé-sur-Loire, tél. et fax 02.47.95.17.23, domaineduboismayaud@orange.fr r.-v.

CAVE BRUNEAU-DUPUY Vieilles Vignes 2010 ★★

	27 000		5 à 8 €

Sylvain Bruneau « bichonne » ses vieilles vignes enracinées depuis un demi-siècle dans le sable, l'argile et

LOIRE

le calcaire, en refusant notamment l'emploi de désherbants. Le terroir peut alors s'exprimer librement. Réguliers en qualité, ses vins sont fidèles au rendez-vous du Guide. Trois cuvées pour cette édition, avec en tête ce 2010 intensément coloré, centré sur les fruits noirs mûrs à souhait, rond et charnu en bouche, porté par des tanins soyeux et une longue finale. Bien dans le style de l'appellation, ce vin harmonieux s'appréciera dans l'année. Une étoile revient à la cuvée **Tradition 2010 (moins de 5 €; 12 000 b.)**, fraîche et équilibrée. La **Cuvée Réserve 2010 (6 000 b.)**, encore sous l'emprise du bois et à attendre trois ou quatre ans, est citée.

Sylvain Bruneau, 14, La Martellière,
37140 Saint-Nicolas-de-Bourgueil, tél. 02.47.97.75.81,
fax 02.47.97.43.25, info@cave-bruneau-dupuy.com
t.l.j. sf dim. 9h-12h30 14h-18h

YVAN ET GHISLAINE BRUNEAU ET FILS
Cuvée traditionnelle 2010 ★

6 600 | 5 à 8 €

Natifs de Saint-Nicolas, eux-mêmes enfants de vignerons, Yvan et Ghislaine Bruneau perpétuent la tradition depuis 1986 ; et la relève est assurée, leur fils les ayant rejoints depuis peu. Ils proposent une cuvée aimable en tout point : un bouquet plein de fruit, un palais à l'avenant, rond et soyeux. Bref, un vin harmonieux que les amateurs de charcuterie apprécieront. Plus tannique et de garde (deux ou trois ans), la **cuvée des Clos Vieilles Vignes 2010 (16 000 b.)** est citée.

EARL Yvan et Ghislaine Bruneau et Fils,
50, av. Saint-Vincent, 37140 Saint-Nicolas-de-Bourgueil,
tél. 02.47.97.90.67, yg.bruneau@orange.fr r.-v.

DOM. DE LA CABERNELLE D'une vigne à l'autre 2010 ★

n.c. | 5 à 8 €

En conversion bio, ce domaine a planté son cabernet franc sur diverses parcelles, associant dans le même élan les vertus des sols de sable, de graviers et d'argilo-calcaires. Cette cuvée joliment nommée est donc le composé heureux de ce métissage des terroirs. Ses arguments : une robe rubis étincelant ; une olfaction riche d'arômes de fruits rouges ; une bouche épanouie, souple, légère et soyeuse, nantie d'une fine trame tannique. Flirt gourmand en perspective avec une viande rouge ou de la charcuterie tourangelle.

Dom. de la Cabernelle, 3, rue du Machet, 37140 Benais,
tél. 02.47.97.84.69, fax 02.47.97.48.55, cabernelle@orange.fr
t.l.j. sf dim. 10h-12h 14h-18h
Caslot-Pontonnier

LA CHEVALLERIE Vieilles Vignes 2010 ★★

8 000 | 5 à 8 €

Ici, on cavale de succès en succès. Pour preuve, cette année encore, la qualité enregistrée par cette cuvée Vieilles Vignes décorée de deux étoiles, qui n'était pas loin du coup de cœur. La parure, séduisante, affiche une teinte pourpre cardinalice. Le cabernet franc, élevé dix mois en cuve, offre un fruité langoureux, indice de belle maturité. L'attaque en bouche est fraîche, puis évolue vers la rondeur et des tanins fondus qui soutiennent une longue finale soyeuse chargée de fruits noirs. Pour une viande en sauce ou du petit gibier. La cuvée **75 cl de terroir 2010 (15 000 b.)**, ronde, fruitée et dotée de tanins fondus, obtient une étoile. Quant au **rosé 2011 (moins de 5 €; 5 000 b.)**, élevé sur lies fines, puissant, gras et aromatique, il décroche deux étoiles.

EARL Alain Bruneau, 2, La Chevallerie,
37140 Saint-Nicolas-de-Bourgueil, tél. 02.47.97.93.58,
vin.chevallerie@gmail.com r.-v.

VIGNOBLE DE LA CHEVALLERIE
Cuvée Martial Sélection vieilles vignes 2010

25 000 | 5 à 8 €

Jean-Charles Bruneau, petit-fils de Martial, le fondateur du domaine en 1947, perpétue la tradition familiale depuis 2007. Et ses vins sont régulièrement retenus par les jurés du Guide. Deux ont capté l'attention cette année. Tout d'abord cette cuvée, hommage au grand-père, issue d'un terroir sablo-graveleux, élevée six mois en cuve afin de mettre en évidence un fruité conquérant ; et c'est réussi : le nez est centré sur les fruits noirs, agrémenté d'arômes de violette, et la bouche, ronde et équilibrée, ne dit pas autre chose. Appréciée pour la qualité de ses tanins et son équilibre en bouche, la **cuvée Jean-Charles 2010 Élevé en fût de chêne (15 000 b.)** est également citée.

Jean-Charles Bruneau, 5, La Chevallerie,
37140 Saint-Nicolas-de-Bourgueil, tél. 02.47.97.81.19,
fax 02.47.97.40.73, info@vignobledelachevallerie.fr
t.l.j. sf dim. 9h-12h30 14h-19h

LE CLOS DES QUARTERONS Vieilles Vignes 2010 ★

13 600 | 8 à 11 €

En route vers la biodynamie, Thierry Amirault, flairant comme le plus fin des limiers le potentiel de ses terroirs, délivre une cuvée Vieilles Vignes franche, nette et précise, dont l'élevage bien maîtrisé (deux mois en cuve et onze mois en fût) met en évidence une vigoureuse charpente, sans pour autant que le fruité soit affecté par sa rencontre avec le bois. Et les dégustateurs d'apprécier également la complexité de ce vin, faite de délicates notes empyreumatiques et poivrées, que l'on retrouve en bouche, fondues autour d'un fruité soutenu par de beaux tanins de garde. On attendra au moins trois ans avant d'ouvrir cette bouteille sur un gibier.

Clos des Quarterons, 46, av. Saint-Vincent,
37140 Saint-Nicolas-de-Bourgueil, tél. 02.47.97.75.25,
fax 02.47.97.97.97, agnes.amirault@gmail.com
t.l.j. 9h-12h 14h-19h; dim. sur r.-v.
Thierry Amirault

LYDIE ET MAX COGNARD Cuvée Les Malgagnes 2010 ★

8 000 | 8 à 11 €

Une cuvée bien connue des lecteurs du Guide, baptisée du nom de la parcelle qui l'a vue naître. Ce saint-nicolas est un vin généreux, au fruité mâtiné des notes torréfiées de l'élevage partiel en barrique. Ample, gras et bien structuré autour de tanins robustes, il est à attendre deux ou trois ans.

Lydie et Max Cognard, 3, lieu-dit Chevrette,
37140 Saint-Nicolas-de-Bourgueil, tél. 02.47.97.76.88,
fax 02.47.97.97.83, max.cognard@wanadoo.fr
t.l.j. 9h-12h 13h30-18h; sam. dim. sur r.-v.

♥ JÉRÔME DELANOUE 2010 ★★★

12 000 | 5 à 8 €

Un sympathique « récidiviste » : Jérôme Delanoue décroche, comme l'an passé, un coup de cœur. Les remarques relevées sur les fiches de dégustation sont éloquentes : « vin élégant, bouche soyeuse, finesse du fruité... » Jérôme Delanoue fait partie de ces vignerons non seulement à

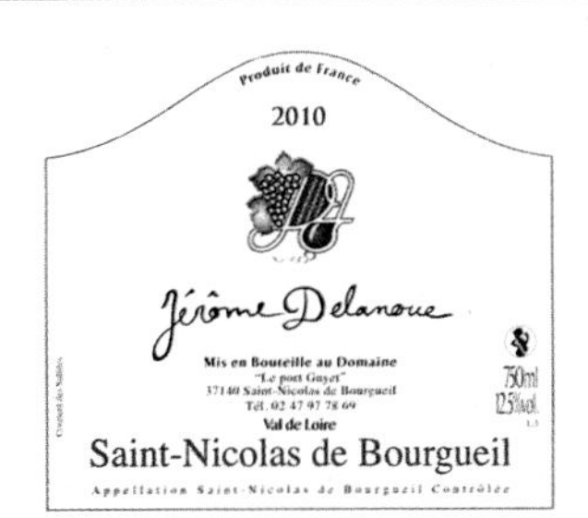

l'écoute du terroir – ici, ce sont des graviers, et l'on sait combien le cabernet franc les affectionne –, mais qui s'appliquent à perfectionner le travail au chai, avec des procédés de vinification et d'élevage qui extraient le meilleur du cépage. La parure de ce 2010 est rouge vif et intense, animée de reflets violines. Le nez déploie un fruité imposant : fraise des bois, framboise et cerise. La bouche riche, ronde et veloutée affiche un équilibre parfait. C'est élégant, racé, gourmand et prêt à boire.

Jérôme Delanoue, 11, rue du Port-Guyet,
37140 Saint-Nicolas-de-Bourgueil, tél. 06.16.95.16.55,
vinjdelanoue@wanadoo.fr t.l.j. 9h-18h

NATHALIE ET DAVID DRUSSÉ Les Graviers 2010 ★

■ 30 000 - de 5 €

Nathalie et David Drussé, animés d'une belle passion « viti-culturelle », proposent aux visiteurs, outre un accueil de Bienvenue à la ferme, la visite de leur vignoble et des dégustations au sein d'une cave troglodytique du Xᵉs. Deux vins ont retenu l'attention des jurys cette année : Les Graviers et le **2010 Vieilles Vignes (5 à 8 € ; 30 000 b.)**. Le premier, joliment printanier, exprime un beau fruité agrémenté de notes de violette et dévoile un palais tout aussi aromatique, souple et soyeux. À boire sur le fruit et sur une grillade. Le second, encore sous l'emprise de robustes tanins, devra être attendu trois ou quatre ans. On lui réservera une viande en sauce.

Nathalie et David Drussé, 1, impasse de la Villatte,
37140 Saint-Nicolas-de-Bourgueil, tél. 02.47.97.98.24,
fax 02.47.97.61.89, drusse@wanadoo.fr
t.l.j. 9h-19h; dim. sur r.-v.

DOM. DU FONDIS 2010 ★

■ 30 000 5 à 8 €

Chaque année, pendant les fêtes de l'Ascension, la famille Jamet, également propriétaire de vignes dans le Saumurois, propose des portes ouvertes afin de découvrir les vins du domaine. Les visiteurs sauront sans nul doute apprécier ce 2010 « printanier », couleur rouge sombre, évoquant la framboise et le cassis, frais, fondant et gourmand en bouche. « Un vin qui se fond dans le fruit », note, conquis, un juré.

Dom. du Fondis, 14, Le Fondis,
37140 Saint-Nicolas-de-Bourgueil, tél. 02.47.97.78.58,
fax 02.47.97.43.59, domainedufondis@wanadoo.fr
t.l.j. sf dim. 9h-18h
Laurent Jamet

LE VIGNOBLE DU FRESNE Cuvée Simon 2010

■ 2 000 5 à 8 €

Les dégustateurs ont paru intéressés par la qualité et la typicité des vins présentés par Patrick Guenescheau, représentant de la troisième génération aux commandes du Vignoble du Fresne : « rond et agréable », « très saint-nicolas » sont des appréciations qui reviennent pour chacun des deux vins retenus. En tête, cette cuvée brillante dans sa robe rouge, dont le caractère primesautier affleure au nez comme en bouche à travers de délicates fragrances de fruits, avec une souplesse et une légèreté des plus agréables. Dans un style proche, la cuvée **Vieilles Vignes 2010 (2 500 b.)** est également citée.

Patrick Guenescheau, 1, Le Fresne,
37140 Saint-Nicolas-de-Bourgueil, tél. 02.47.97.86.60,
fax 02.47.97.42.53, patrick.guenescheau@wanadoo.fr
r.-v.

DOM. DES GESLETS La Contrie 2010 ★

■ 15 000 5 à 8 €

Entreprise familiale dont les origines remontent à 1882, ce domaine, en conversion bio depuis 2010, est une valeur sûre du Bourgueillois. Régulièrement sélectionnés, ses vins bénéficient de belles terres à vigne reposant sur d'imposantes épaisseurs de graviers (7 à 12 m), à l'image de ce terroir de La Contrie. Des ceps d'une quarantaine d'années ont donné naissance à ce vin bien sous tous rapports. Derrière une robe brillante, on découvre une tendre olfaction, dont la timidité s'atténue à l'aération pour dévoiler ses atours fruités, puis un palais rond et long, équipé de bons tanins, présents sans agressivité. À découvrir dans l'année, pourquoi pas sur un poisson sauce au vin rouge.

EARL Vincent Grégoire, 12, Dom. des Geslets,
37140 Bourgueil, tél. 02.47.97.97.06, fax 02.47.97.73.95,
domainedesgeslets@wanadoo.fr
t.l.j. 10h-12h 13h30-18h30; dim. sur r.-v.

DOM. GODEFROY Cuvée Prestige 2010 ★

■ 14 200 5 à 8 €

Cette cuvée est dédiée à la bécasse (l'étiquette le confirme), passion chasseresse du père de Jérôme Godefroy. Ce dernier a tiré le meilleur parti des formations suivies aux lycées viticoles de Montreuil-Bellay et de Montagne-Saint-Émilion. Preuve en sont les sélections régulières de ses vins dans ces pages. Celui-ci est un saint-nicolas très équilibré, au nez finement fruité, long, souple et rond en bouche, porté par une bonne structure tannique. À boire dans l'année sur une viande blanche.

Dom. Jérôme Godefroy, 19, Le Plessis,
37140 Chouzé-sur-Loire, tél. 02.47.95.16.56,
domaine.godefroy@orange.fr r.-v.

DOM. DU GROLLAY 2010

■ 26 000 - de 5 €

Partis en 1976 avec un demi-hectare de vignes, simplement équipés « d'un sécateur, d'un seau et d'un pressoir manuel », Jean Brecq et son épouse n'ont pas compté leurs efforts pour agrandir et équiper leur domaine qui couvre aujourd'hui 14 ha. Dix hectares sont consacrés à cette cuvée vêtue de carmin un brin tuilé, au nez primesautier de griotte et de rose, souple, fruitée et agrémentée d'agréables et originaux accents de thym et de laurier en bouche. À boire dans l'année, sur des rillettes ou des grillades.

Jean Brecq, 1, Le Grollay,
37140 Saint-Nicolas-de-Bourgueil, tél. et fax 02.47.97.78.54,
jean.brecq@orange.fr t.l.j. 9h-12h 13h30-19h

VIGNOBLE DE LA JARNOTERIE L'Élégante MR 2010 ★★

■ 60 000 5 à 8 €

Très régulier en qualité, ce domaine réalise ici un beau triplé avec, en tête cette cuvée bien nommée, qui a participé à la finale du grand jury. Le charme opère dès l'olfaction, à travers des senteurs de fruits frais et de grillé (six mois de fût). Il se prolonge dans une bouche souple et délicate, ronde et fraîche à la fois, qui s'harmonise autour des fruits noirs et de quelques notes confites. À déguster dès l'automne, sur des noix de veau aux girolles. Décoré d'une étoile, le **Dom. Mabileau-Rezé 2010 Quintessence (8 à 11 €; 10 000 b.)**, ample et bien structuré, appelle plutôt du gibier. Empyreumatique, fruitée et bien charpentée, la cuvée **Concerto Vieilles Vignes 2010 (13 350 b.)** est citée.

Didier Rezé, La Jarnoterie,
37140 Saint-Nicolas-de-Bourgueil, tél. 02.47.97.75.49,
fax 02.47.97.79.98, mabileau.reze@wanadoo.fr
t.l.j. sf dim. lun. 9h-12h 14h-18h (sam. 17h30)

PASCAL LORIEUX Agnès Sorel 2010 ★★

■ 5 000 8 à 11 €

Les frères Pascal et Alain Lorieux ont particulièrement bien réussi leur millésime 2010. Vendanges égrappées et triées, longues macérations, élevages attentifs... ces vignerons appliqués signent une superbe cuvée Agnès Sorel, née de cabernet enraciné sur des sols graveleux. Au nez, on découvre un fruité libéré et conquérant, frais et complexe (fruits noirs, framboise, pointe de rhubarbe), qui se prolonge dans une bouche ample, charnue et bien structurée. À ouvrir dans les deux ans. La cuvée **Les Mauguerets La Contrie 2010 (5 à 8 €; 18 000 b.)**, vin gras, aux tanins serrés, obtient une étoile.

Pascal et Alain Lorieux, 64, av. Saint-Vincent,
37140 Saint-Nicolas-de-Bourgueil, tél. 02.47.97.92.93,
fax 09.57.29.58.76, contact@lorieux.fr r.-v.

FRÉDÉRIC MABILEAU Coutures 2010 ★★★

■ 15 000 11 à 15 €

On ne compte plus les distinctions dont les vins de Frédéric Mabileau ont fait l'objet. Peu s'en fallut que cette cuvée Coutures n'obtînt le coup de cœur. Drapé dans un habit pourpre haute... couture, ce vin intensément aromatique (cerise, pivoine, cassis, mûre...) en appelle à l'élégance : ample, gras, séveux à souhait, des tanins d'une rare finesse et une finale droite et distinguée, tout en fraîcheur. Une bouteille pour gourmets avertis, que l'on ouvrira dans les trois ans sur une pièce de gibier. Plus rustique, tannique et puissante, la cuvée **Les Rouillères 2010 (8 à 11 €; 120 000 b.)** obtient une étoile. Quant au **Dom. du Bourg 2010 Les Graviers (8 à 11 €; 25 000 b.)**, il est cité pour sa souplesse et ses tanins sages.

Frédéric Mabileau, 6, rue du Pressoir,
37140 Saint-Nicolas-de-Bourgueil, tél. 02.47.97.79.58,
fax 02.47.97.45.19, contact@fredericmabileau.com
t.l.j. sf dim. 8h30-12h 14h-17h30;
sam. 10h30-12h30 14h-17h30

JACQUES ET VINCENT MABILEAU La Gardière 2010 ★

■ 65 000 5 à 8 €

Jacques et Vincent Mabileau réussissent un beau doublé avec cette Gardière et leur cuvée **Vieilles Vignes 2010 (20 000 b.)**, toutes deux issues de parcelles argilo-calcaires, toutes deux élevées en cuve, la première un an, la seconde seize mois, toutes deux récompensées d'une étoile. L'une comme l'autre, d'un pourpre profond, possèdent un incontestable air de famille. La similitude s'arrête là. L'olfaction de La Gardière, fruitée et très expressive, diffère de celle des Vieilles Vignes, plus discrète. Mais c'est en bouche que les personnalités diffèrent le plus. Au volume, à la douceur et à la fluidité fruitée de La Gardière répond la trame serrée et plus ferme des Vieilles Vignes. Au final, voilà deux vins complémentaires, l'un – La Gardière – pour des plaisirs immédiats, l'autre – les Vieilles Vignes – pour s'en délecter plus tard, dans un an ou deux.

Jacques et Vincent Mabileau, La Gardière,
37140 Saint-Nicolas-de-Bourgueil, tél. 02.47.97.75.85,
fax 02.47.97.98.03, vincent.mabileau@wanadoo.fr
t.l.j. sf dim. 9h-12h 14h-18h

LYSIANE, GUY ET WILFRIED MABILEAU
Cuvée des Quatre Filles 2011 ★

■ 6 400 - de 5 €

Une vieille chanson populaire rappelle qu'il « y a trois filles à Saint-Quentin »... Faudra-t-il ajouter qu'il y en a quatre en Val de Loire, d'une autre nature mais tout aussi charmantes ? Car ce rosé est bien gourmand avec son bouquet frais et fruité (pêche, agrumes) et son palais au diapason, franc, tonique et équilibré.

Guy et Lysiane Mabileau, 17, rue du Vieux-Chêne,
37140 Saint-Nicolas-de-Bourgueil, tél. et fax 02.47.97.70.43,
lg.mabileau@aliceadsl.fr t.l.j. 9h-19h

DOMINIQUE MESLET 2010 ★

■ 2 000 5 à 8 €

Plus souvent remarqué dans ces pages pour ses bourgueil, Dominique Meslet soigne aussi ses saint-nicolas. Témoin, ce 2010 qui s'affiche dans une robe d'un rouge rayonnant et de belle densité. Le nez, expressif, marie les fruits noirs à une agréable fraîcheur. La bouche est fruitée, solide, structurée par des tanins bien présents mais sans agressivité. Une bouteille que l'on peut d'ores et déjà déguster et que l'on pourra aussi laisser vieillir trois ans pour plus de fondu.

EARL Dominique Meslet, 7, rue de la Gitonnière,
37140 Bourgueil, tél. et fax 02.47.97.42.95,
ds.meslet@orange.fr r.-v.

LAURENCE ET CHRISTIAN MILLERAND La Taille 2010 ★

■ 5 000 5 à 8 €

À l'origine de ce vin, un terroir de poche (0,86 ha) constitué de graves et d'argilo-calcaires, et planté de très vieux cabernet franc (quatre-vingts ans de moyenne d'âge, dont certains ceps de plus de cent ans !), cueilli manuellement et à bonne maturité. On ajoutera aussi la patte attentive du vigneron, et aussi, dans le cas de Christian Millerand, quelque chose de l'ordre de l'affectif : ces vignes furent plantées par son grand-père... Le résultat est un saint-nicolas harmonieux, très fruité, doux et long en bouche, adossé à de solides tanins, un rien austères en finale. Pour un coq au vin, dans un an ou deux.

Millerand, 2 bis, imp. des Galuches,
37420 Savigny-en-Véron, tél. 02.47.58.45.38,
fax 02.47.58.08.52, cmillerand@numeo.fr r.-v.

VIGNOBLE DE LA MINERAIE Élégance 2010

■	3 700	■	5 à 8 €

Richard Réthoré aime rappeler que Robert Amirault, l'arrière-grand-père de son épouse, s'est largement investi dans le combat pour la reconnaissance de l'appellation en 1937. L'aïeul aurait certainement plaisir à constater que cette cuvée fait honneur à l'AOC. Parée d'une belle tenue rubis, celle-ci livre un nez intense et harmonieux de fruits rouges, puis se montre ronde et gourmande en bouche, portée par des tanins soyeux.

Richard Réthoré, La Mineraie,
37140 Saint-Nicolas-de-Bourgueil, tél. 02.47.97.76.45,
vignobledelamineraie@wanadoo.fr r.-v.

HERVÉ MORIN Levant 2010 ★★

■	8 000	■	8 à 11 €

Une exploitation dirigée par le petit-fils d'Hervé Morin, créateur du domaine à la veille de la Seconde Guerre mondiale. En ces lieux accueillants, les amateurs de musique pourront, de temps à autre, associer les rythmes d'un concert blues aux senteurs du cabernet franc maîtrisé avec soin. Comme, par exemple, celles de cette cuvée qui participa à la finale des coups de cœur. Extrait de la parcelle argilo-calcaire la plus haute du domaine, ce vin offre une tenue rouge vif ornée de reflets d'indigo, et s'ouvre sur d'intenses notes de fruits noirs rehaussées d'une fraîcheur mentholée. La bouche, ronde d'emblée, enveloppe les papilles d'un large fruité que soutiennent de beaux tanins soyeux. Une petite garde de deux ans lui donnera davantage d'aménité. On attendra un peu plus longtemps la solide cuvée **Signature 2010 (3 500 b.)**, élevée douze mois en fût, le temps que ses tanins s'assagissent. Une étoile.

Hervé Morin, 20, La Rodaie,
37140 Saint-Nicolas-de-Bourgueil, tél. 02.47.97.75.34,
contact@hervemorin.com t.l.j. 9h-18h

DOM. DU MORTIER Dionysos 2010 ★

■	11 000	■	11 à 15 €

Honneur au fils de Zeus et de Sémélé qui, élevé par les nymphes de Nysa, eut l'idée de cultiver la vigne. À croire que son esprit a inspiré les vignerons de la maison Boisard, lesquels, avec une ferveur toute... dionysiaque, délivrent un vin de très belle qualité, né sur argilo-calcaires. L'élevage de quatorze mois en fût a laissé son empreinte tant au nez qu'en bouche, où le boisé et des tanins solides sont aisément supportés par une matière ample et généreuse. En complément, les mêmes vignerons proposent un vin tout aussi charmeur : le **Graviers 2010 (8 à 11 €; 12 000 b.)**, rond et très concentré sur le fruit, qui obtient également une étoile.

Boisard Fils, Dom. du Mortier,
37140 Saint-Nicolas-de-Bourgueil, tél. et fax 02.47.97.94.68,
info@boisard-fils.com r.-v.

DOM. OLIVIER 2010 ★

■	110 000	■	5 à 8 €

Ce beau domaine de 39 ha, créé en 1959 et conduit depuis 1998 par Patrick Olivier et son épouse Agnès, est un fidèle du Guide. Il propose ici un saint-nicolas de belle expression : du rouge intense et limpide pour la parure, un fruité fin et frais pour l'olfaction, des tanins caressants, des fruits un brin confits, à dominante pruneau, et de la rondeur pour la bouche. Tout indiqué pour un de ces plantureux buffets campagnards qui vous feraient dire, après Balzac : « Ne me demandez pas pourquoi j'aime la Touraine »...

EARL Dom. Olivier, La Forcine,
37140 Saint-Nicolas-de-Bourgueil, tél. 02.47.97.75.32,
fax 02.47.97.48.18, patrick.olivier14@wanadoo.fr
t.l.j. 9h-12h30 13h30-19h; dim. sur r.-v.

DOM. DE LA PERRÉE Cuvée Vieilles Vignes 2010

■	10 000	■	5 à 8 €

Patrice Delarue connaît son terroir de sables et de graviers, et les réactions du vieux cabernet qui y a été planté il y a plus de soixante-cinq ans. L'adéquation se vérifie dans le verre. Du fruit et encore du fruit, exprimé tant au nez qu'en bouche, mais aussi une bonne structure et de la fraîcheur. Bref, un vin équilibré, à déguster dès à présent sur un poulet à la broche.

Patrice et Lydie Delarue, La Perrée,
37140 Saint-Nicolas-de-Bourgueil, tél. et fax 02.47.97.94.74
r.-v.

DOM. LES PINS 2010 ★★

■	20 000	■	5 à 8 €

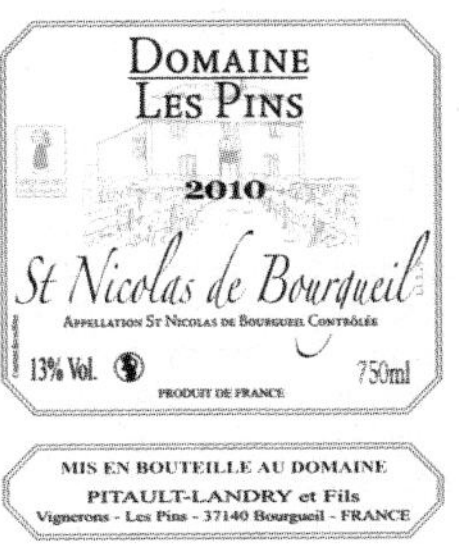

Ce domaine a bâti sa notoriété sur le savoir-faire de cinq générations. Un savoir-faire souvent salué dans ces pages au travers de nombreuses et régulières sélections, souvent étoilées. Après le coup de cœur décroché en bourgueil dans l'édition 2005 pour sa cuvée Clos Les Pins 2002, c'est un saint-nicolas qui se hisse cette année sur la plus haute marche. Élaboré à partir d'une vendange mûre, ce 2010 « haute couture » s'affiche dans une superbe robe rubis, le nez empreint d'arômes intenses de crème de cassis. La bouche ample et puissante est gorgée de fruits, le pruneau et la cerise noire jouent les premiers rôles. Les impatients adopteront cette bouteille dès l'automne, les plus prudents attendront son épanouissement, à envisager d'ici trois ans. Un très beau vin qui prouve, si besoin était, que le recours au bois – huit mois d'élevage en cuve ont suffi ici – n'est pas forcément nécessaire à l'obtention de l'excellence.

Pitault-Landry et Fils, 8, rte du Vignoble,
37140 Bourgueil, tél. 02.47.97.47.91, fax 02.47.97.98.69,
philippe.pitault@wanadoo.fr
t.l.j. sf dim. 9h-12h 14h30-18h30

LES CAVES DU PLESSIS Vieilles Vignes 2010 ★

■	20 000	■	5 à 8 €

Chantal Renou, qui administre les Caves du Plessis depuis 1976, s'attache à produire des vins qui doivent autant aux vertus de la tradition qu'aux élans de la modernité et aux évolutions techniques, aujourd'hui incarnées par son fils Stéphane. Leur cuvée Vieilles Vignes se présente dans une élégante robe incarnat. Le nez est

LOIRE

frais, empreint de parfums de fruits rouges vivifiés par une note mentholée, la bouche ronde, longuement portée par des tanins de qualité. Un saint-nicolas équilibré, à marier avec une volaille.

Chantal Renou, 17, La Martellière, 37140 Saint-Nicolas-de-Bourgueil, tél. 02.47.97.85.67, fax 02.47.97.45.55, lescavesduplessis@wanadoo.fr

t.l.j. sf dim. 9h-12h 14h-18h30

VIGNOBLE DE LA ROSERAIE 2010 ★★

	5 000		5 à 8 €

Cité l'an passé, le Vignoble de la Roseraie voit cette année son vin proposé pour disputer la finale des coups de cœur. Ce saint-nicolas très fruité, vinifié en cuve Inox, puis élevé en fût, apparaît lumineux, dans un bel habit rouge intense. Le nez joue avec de tendres floralités et un fruité plein, prélude à une bouche charnue, ronde, adossée à des tanins très « soft ». Un vrai « vin plaisir » pour tout un repas.

Vignoble de la Roseraie, 46, rue Basse, 37140 Restigné, tél. 02.47.97.32.97, fax 02.47.97.44.24, vignobledelaroseraie@orange.fr r.-v.

Éric et Patrick Vallée

JOËL TALUAU Le Vau Jaumier 2010 ★

	30 000		5 à 8 €

La famille Taluau a « civilisé » le lieu-dit Le Vau Jaumier en y plantant, il y a une vingtaine d'années, ce fameux cépage breton « qui poinct ne croist en Bretaigne », disait Rabelais, et dont l'adaptation au terroir silico-calcaire a fourni ici un vin fortement coloré, presque noir, qui s'épanouit après aération sur les fruits rouges mûrs et offre en bouche une matière opulente, adossée à des tanins ronds au service d'un beau fruité. Taillé pour une garde de deux ou trois ans, ce saint-nicolas s'appréciera aussi dès à présent. Tannique, concentrée et puissante, la cuvée **Vieilles Vignes 2010 (8 à 11 €; 13 000 b.)**, citée, mérite une plus longue attente, de quatre ou cinq ans, voire plus.

EARL Taluau-Foltzenlogel, 11, Chevrette, 37140 Saint-Nicolas-de-Bourgueil, tél. 02.47.97.78.79, fax 02.47.97.95.60, joel.taluau@wanadoo.fr

t.l.j. 8h-12h 13h30-18h; dim. sur r.-v.

Véronique et Thierry Foltzenlogel

TERRASSES DE LUNES 2010 ★

	5 000		11 à 15 €

Ce nouveau négoce, créé en 2010, fait une belle entrée dans le Guide avec cette sélection parcellaire née de raisins vendangés à la main et élevée en fût pendant douze mois. Le résultat est un vin rouge vif, au bouquet charmeur de fruits noirs associés à quelques notes mutines de réglisse, au palais souple, vif, ample et long. Pour une confrontation goûteuse avec une belle viande rouge, d'ici un an ou deux.

NOUVEAU PRODUCTEUR

Complices de Loire, 4, rue de la Cotelleraie, 37140 Saint-Nicolas-de-Bourgueil, tél. 06.84.35.22.07, fax 02.47.97.85.90, fxbarc@complicesdeloire.com

r.-v.

Barc - Vallée

DOM. DES VALLETTES Événement 2010 ★

	5 300		8 à 11 €

Depuis 2009, les frères Jamet, François et Antoine, conduisent ensemble le domaine familial. Ils proposent ici une cuvée née d'une petite parcelle de 0,76 ha. Les quinze mois de barrique marquent encore de leur présence vanillée un bouquet élégant et un palais rond, bien charpenté et de bonne longueur. À attendre deux ans avant de servir cette bouteille sur une pièce de gibier.

Antoine et François Jamet, Dom. des Vallettes, 37140 Saint-Nicolas-de-Bourgueil, tél. 02.47.97.44.44, fax 02.47.97.44.45, francis.jamet@les-vallettes.com

t.l.j. sf dim. 9h-12h 14h-18h

Chinon

Superficie : 2 337 ha
Production : 119 239 hl (99 % rouge et rosé)

Autour de la vieille cité médiévale qui lui a donné son nom, au pays de Gargantua et de Pantagruel, l'AOC chinon est produite sur les terrasses anciennes et graveleuses du Véron (triangle formé par le confluent de la Vienne et de la Loire), sur les basses terrasses sableuses du val de Vienne (Cravant), sur les coteaux de part et d'autre de ce val (Sazilly) et sur les terrains calcaires, les « aubuis » (Chinon). Le cabernet franc, dit breton, y donne des vins rouges racés aux tanins élégants. De moyenne garde, les chinon peuvent dépasser une, voire plusieurs décennies dans les meilleurs millésimes. L'appellation produit aussi quelques rosés secs et de très rares blancs secs tendres – certaines années – issus de chenin.

CAVES ANGELLIAUME 2011 ★

	20 000		- de 5 €

Disposant de caves remarquables par leur agencement et leurs dimensions, le domaine Angelliaume met un point d'honneur à garantir, grâce à un équipement moderne, la qualité des raisins mis en fermentation. Ce rosé 2011 ravira les amateurs par sa verve et sa droiture. Des senteurs de violette et de lilas s'échappent finement du verre, tandis que le fruit surprend en bouche, intense, croquant et frais. Alliance de rondeur et de vivacité, ce vin accompli sera idéal pour un apéritif dînatoire.

EARL Caves Angelliaume, La Croix de Bois, 37500 Cravant-les-Coteaux, tél. 02.47.93.06.35, fax 02.47.98.35.19, caves.angelliaume@wanadoo.fr

t.l.j. sf dim. 8h30-12h 14h-18h; sam. 8h30-12h

L'ARPENTY Cuvée Prestige 2010 ★★

	12 000		5 à 8 €

En vous baladant près de la propriété installée entre les coteaux et la forêt, vous pourrez découvrir une flore très variée, composée notamment d'orchidées, signe de la bonne santé écologique du vignoble chinonais. Très bel élevage pour cette cuvée Prestige à l'intense robe pourpre sous laquelle percent des fragrances de cassis et de cerise bien mûrs. La bouche ample et soyeuse, portée par des tanins doux, témoigne aussi de la maturité de la vendange. Une longue finale évoquant la liqueur de cassis conclut cette harmonie tout en rondeur à découvrir après deux à quatre ans de garde. Avec une étoile, le **rosé 2011 (moins de 5 €; 6 000 b.)**, à la structure solide, réjouira les amateurs de cuisine asiatique.

Francis et Françoise Desbourdes,
Arpenty, 11, rue de la Forêt, 37220 Panzoult,
tél. 02.47.95.22.86, larpenty@hotmail.fr
t.l.j. sf dim. 9h-12h 14h-18h

VIGNOBLE AUDEBERT ET FILS Les Hautes Vignes 2010

15 000 — 8 à 11 €

Cette cuvée, issue de vignes âgées de quarante-cinq ans plantées sur des sols sableux, peut se targuer de développer un bouquet frais au fruité intense rappelant la framboise et le cassis. Elle offre aussi un beau volume en bouche, des tanins fondus, et toujours ce fruité, croquant et gourmand. L'ensemble manque peut-être un peu de douceur, mais on l'appréciera sur une volaille en sauce, à la parution du Guide.

Dom. Audebert et Fils, Le Grand-Clos, BP 39,
37140 Bourgueil, tél. 06.81.47.56.07, fax 02.47.97.72.07,
francois@audebert.fr r.-v.

PATRICK BARC Cuvée la Galvauderie 2010 ★

8 000 — 5 à 8 €

Beaucoup de caractère dans cette cuvée née d'un terroir argilo-calcaire, à commencer par sa robe sombre ourlée de violet. Le nez, frais et friand, offre un fruité gourmand de fraise et de cerise. Des arômes confirmés par un palais tapissé de tanins serrés qui auront besoin d'un peu de temps pour s'assouplir. Un chinon classique et persistant qui vous garantira un franc succès auprès de vos invités, après deux ans de garde.

EARL Patrick Barc, Clos de la Croix Marie, 37500 Rivière,
tél. 02.47.93.02.24, fax 02.47.93.99.45,
contact@vinsduclosdelacroixmarie.com
t.l.j. sf dim. 9h-12h30 14h-19h

BAUDRY-DUTOUR 3 Coteaux 2011

9 000 — 8 à 11 €

Né de l'assemblage de petites parcelles plantées sur trois coteaux différents, ce blanc paré d'une robe jaune pâle éclatante offre une belle complexité aromatique aux nuances fruitées, florales et beurrées. Doux à l'attaque, il se révèle rond et séducteur, contrebalancé par une fraîcheur bienvenue. La **cuvée Marie-Justine 2011 rosé (5 à 8 €; 26 000 b.)**, aux arômes appuyés d'agrumes et de litchi, se fait élégante, souple et friande. Elle obtient une citation.

Dom. du Roncée, La Morandière, 12, Coteau de Sonnay,
37500 Cravant-les-Coteaux, tél. 02.47.93.44.99,
fax 02.47.58.64.06, info@baudry-dutour.fr
t.l.j. sf dim. lun. 10h-12h 14h-18h

DOM. DES BÉGUINERIES Cuvée Élise 2010

10 000 — 8 à 11 €

Jean-Christophe Pelletier se plaît à produire des vins gourmands, à l'image de cette cuvée Élise au bouquet plaisant de fruits rouges et d'épices. Le palais est sans artifice, harmonieux et souple, porté par des tanins fondus. On peut en profiter dès à présent sur un lapin sauté à la sarriette par exemple.

Pelletier, 52, rue de l'Ancien-Port, Saint-Louans,
37500 Chinon, tél. et fax 02.47.93.37.16,
domainebeguineries@wanadoo.fr
t.l.j. 10h-12h30 14h-18h30; dim. sur r.-v.

BELLIVIER CB 2010 ★

4 860 — 5 à 8 €

Un domaine à taille humaine (6 ha) protégé des vents par la forêt de Chinon. Cette cuvée CB, pour « Chinon Bellivier », retient l'attention par sa puissance et sa fermeté tout en restant onctueuse. Parée d'une belle robe sombre, elle séduit aussi par ses arômes intenses de petits fruits noirs. Riche et volumineuse, elle demandera trois à quatre années de patience pour s'affiner. Citée, la cuvée **Noune en neuf 2009 rouge (4 400 b.)**, bien structurée, sera prête à la sortie du Guide.

Vincent Bellivier, 12, rue de la Tourette, La Tourette,
37420 Huismes, tél. et fax 02.47.95.54.26,
vincent.bellivier@wanadoo.fr r.-v.

CH. DE LA BONNELIÈRE 2010

30 000 — 5 à 8 €

Si cette propriété familiale existe depuis 1846, c'est en 1976 que le vignoble a été réimplanté autour du château, vignoble aujourd'hui conduit par Marc Plouzeau en agriculture biologique. Ce 2010 livre un nez complexe mêlé de cerise, de cassis et de violette. L'attaque franche dévoile une bouche ronde aux tanins soyeux, équilibrée et de bonne tenue, à apprécier sur un rôti de bœuf.

Marc Plouzeau, Ch. de la Bonnelière,
37500 La Roche-Clermault, tél. 02.47.93.16.34,
fax 02.47.98.48.23, marc@plouzeau.com
t.l.j. sf dim. 8h30-12h 14h-18h

DOM. DES BOUQUERRIES Cuvée Confidence 2010 ★★

4 000 — 11 à 15 €

Les deux frères, Guillaume et Jérôme Sourdais, ont élaboré cette cuvée Confidence... assez confidentielle, à partir de vignes de quatre-vingts ans plantées sur un terroir argilo-calcaire, et ils l'ont élevée dix-huit mois en barrique. Le résultat a fière allure dans sa robe noire aux franges grenat. La fraîcheur et la complexité aromatique découvertes au nez sont de bon augure, comme le confirme le palais à la structure ample et solide, enrobé d'un fruité de framboise aux très légères nuances boisées. Un chinon fort prometteur, qui se livrera entièrement après trois à quatre années de garde. À découvrir aussi, la **Cuvée royale Vieilles Vignes 2010 rouge (5 à 8 €; 53 000 b.)**, plus en souplesse, est citée.

GAEC des Bouquerries,
Guillaume et Jérôme Sourdais, 4, les Bouquerries,
37500 Cravant-les-Coteaux, tél. 02.47.93.10.50,
fax 02.47.93.41.94, gaecdesbouquerries@wanadoo.fr
t.l.j. sf dim. 8h30 12h 14h 18h

PHILIPPE BROCOURT Les Coteaux 2010 ★

28 000 — 5 à 8 €

Philippe Brocourt a assemblé deux terroirs pour élaborer cette cuvée Les Coteaux : un gravier qui apporte fruité et souplesse, et un argilo-calcaire qui offre structure et volume. Le nez dispense de discrets arômes de fruits rouges épicés, tandis que le palais dense et concentré, d'une belle douceur en finale, séduira les plus exigeants. Une garde de trois à quatre ans sera la bienvenue, avant de proposer cette bouteille avec du gibier à plume.

Brocourt, 3, chem. des Caves, 37500 Rivière,
tél. 02.47.93.34.49, fax 02.47.93.97.40,
philippe.brocourt@gmail.com r.-v.

DOM. PASCAL BRUNET Tradition Étilly 2010 ★

10 000 — - de 5 €

La confluence de la Vienne et de la Manse est visible du domaine de Pascal Brunet qui depuis son installation en 1979 est passé de 1 à 15 ha de vignes. Il signe ici un vin

LOIRE

gouleyant, dont la robe rubis s'ouvre sur un bouquet de fruits rouges très mûrs soulignés d'épices douces. Au palais, on apprécie une matière ample et équilibrée, toujours fruitée, dont les tanins demandent à s'assagir quelque peu. Vous l'apprécierez dans deux ans sur un magret de canard, assurément.
Dom. Pascal Brunet, 11, Étilly, 37220 Panzoult, tél. et fax 02.47.58.62.80
t.l.j. sf dim. 9h-12h30 14h-19h; f. 20-31 août

CHRISTIAN CHARBONNIER Vieilles Vignes 2010 ★

6 000 | 5 à 8 €

Christian Charbonnier représente la deuxième génération de vignerons à mener ce domaine conduit auparavant en polyculture. Il propose un très beau chinon issu de la parcelle de cabernet la plus âgée de son vignoble (cinquante ans). Ce 2010 livre au nez une nuance discrète de raisin frais pour ensuite laisser exploser les fruits rouges mûrs. Les tanins se révèlent rapidement au palais, mais ils restent à leur place permettant ainsi au fruit de s'imposer. Un « vin de plaisir », tout en souplesse, déjà prêt à accompagner un sainte-maure de Touraine. Citée pour son équilibre, la **cuvée de Printemps 2010 rouge (moins de 5 €; 8 000 b.)** offre aussi une belle rondeur fruitée.
EARL Christian Charbonnier, 2, rue Balzac, 37220 Crouzilles, tél. 02.47.97.02.37, charbonnier.christian0083@orange.fr
t.l.j. sf dim. 9h-12h 13h30-18h30

CLOS DE LA GRILLE 2010 ★

3 000 | 5 à 8 €

Un petit vignoble de 5 ha, une culture de la vigne au plus proche de la nature et des vins élaborés sans collage ni filtration, seul le soufre venant stabiliser les cuvées. Résultat ici, un chinon ouvert sur le fruit (cassis), une attaque souple, une matière ample aux tanins présents et une jolie fraîcheur en soutien. Un style ligérien agréable, structuré et aromatique, à découvrir après trois ans de garde.
Sylvain Colla, Le Ponceau, 37220 Crouzilles, tél. et fax 02.47.58.62.85, domainedugrandportail@yahoo.fr
t.l.j. 8h-20h

DOM. DE LA COMMANDERIE Renaissance 2010 ★

22 000 | 5 à 8 €

Philippe Pain propose ici deux belles cuvées 2010, toutes deux étoilées. Comportant 30 % de cabernet-sauvignon, la Renaissance, au fruité intense de cerise et de cassis, révèle son caractère au palais : elle offre beaucoup de volume et de rondeur, des tanins parfaitement mûrs et une finale riche et longue. La **Tradition 2010 rouge (14 500 b.)**, élevée douze mois en fût, développe un bouquet finement torréfié et une sensation de puissance et d'harmonie au palais. Ces deux chinon possèdent un potentiel de garde important.
Philippe Pain, Dom. de la Commanderie, La Commanderie, 37220 Panzoult, tél. 02.47.93.39.32, fax 02.47.98.41.26, philippepain@wanadoo.fr
t.l.j. sf dim. 9h-12h 14h30-18h

DOM. COTON Cuvée des Tonneliers 2010

4 500 | 5 à 8 €

Nul doute que l'étiquette représentant la cave à fûts creusée dans le tuffeau plaira au public amateur de tradition et d'authenticité. Ce dessin se retrouve sur les deux cuvées retenues cette année : celle des Tonneliers tout d'abord, à la robe crépusculaire et aux arômes légers de fruits rouges. Du fruit encore en bouche qui vient enrober des tanins soyeux et persistants. Un joli vin qui demandera un an de patience. La cuvée principale **2010 rouge (moins de 5 €; 10 400 b.)** est quant à elle prête à égayer votre table dès la sortie du Guide.
Dom. Coton, La Perrière, 37220 Crouzilles, tél. 02.47.58.55.10, domainecoton@wanadoo.fr r.-v.
Natacha Métivier

PIERRE ET BERTRAND COULY La Haute Olive 2010

18 000 | 11 à 15 €

Vous ne pourrez pas manquer d'apercevoir le nouveau chai installé à l'entrée de la ville de Chinon dont le style contemporain ne laisse pas indifférent. Mais l'important, c'est moins l'outil que l'artisan, et en bons faiseurs, Pierre et Bertrand Couly proposent ici une fort plaisante Haute Olive à la robe rubis, au bouquet intense de petits fruits rouges sur fond de violette, et au palais frais et gourmand offrant un beau retour fruité en finale. Un vin équilibré et gouleyant qui s'appréciera dès aujourd'hui sur une omelette aux champignons.
Pierre et Bertrand Couly, rond-point des Closeaux, rte de Toues, 37500 Chinon, tél. 02.47.93.64.19, fax 02.47.98.03.45, contact@pb-couly.com
t.l.j. 10h-12h30 14h-18h30

COULY-DUTHEIL Clos de l'Écho 2010 ★

32 000 | 15 à 20 €

Le Clos de l'Écho est un véritable monument dans le Chinonais, et la famille Couly-Dutheil, autre réféfence, l'exploite depuis 1921. Dès la présentation, ce millésime 2010 séduit dans sa robe de velours, grenat profond. Cette élégance naturelle se retrouve à l'olfaction, à travers des senteurs bien typées de fruits rouges et de poivron. Une attaque tout en fraîcheur précède un palais ample bâti sur des tanins soyeux, qui fera apprécier ce vin dès la sortie du Guide, sur des rognons de veau par exemple.
Couly-Dutheil, 12, rue Diderot, BP 234, 37502 Chinon Cedex, tél. 02.47.97.20.20, fax 02.47.97.20.25, info@coulydutheil-chinon.com
t.l.j. sf sam. dim. 8h-13h 14h-17h30

DOM. DA COSTA Élevé en fût 2010 ★

2 000 | 5 à 8 €

Vendanges tardives sur des vignes de soixante-cinq ans, terroir de graviers fins, macération longue et micro-oxygénation de dix mois en fût : Alain Da Costa met tous les atouts de son côté pour élaborer un vin plein de maturité. Une robe grenat soutenu aux reflets violets et un nez confituré rehaussé d'une pointe d'épices confortent ce souhait de concentration. Au palais, le boisé s'intègre parfaitement dans une matière ronde aux tanins mûrs, qui laisse le fruit s'exprimer à loisir. On pourra apprécier ce chinon au cours des cinq ans à venir.
Alain Da Costa, 51, rte de Candes, 37420 Savigny-en-Véron, tél. 02.47.58.08.36, domainedacosta@gmail.com
t.l.j. 8h-12h30 14h-19h

DOM. DOZON Le Bois Joubert 2010 ★

10 000 | 5 à 8 €

Les baies de prunelle dessinées sur l'étiquette évoquent une plante caractéristique du terroir argilo-calcaire de ce lieu-dit planté de vignes de plus de quarante ans. Vêtu d'une belle robe violacée, ce 2010 libère au nez des arômes de fruits rouges très mûrs (cerise, framboise). En bouche, la structure est plaisante, équilibrée par des tanins serrés mais d'une souplesse appréciable. La finale conserve de la fraîcheur, apportant à l'ensemble une touche aérienne. Une bouteille agréable dès aujourd'hui, qui pourra aussi séjourner trois ans en cave.

Laure Dozon, 52, rue du Rouilly, 37500 Ligré, tél. 02.47.93.17.67, fax 02.47.93.95.93, dozon@terre-net.fr t.l.j. sf dim. 9h-12h 14h-18h

DOM. D'ÉTILLY Graviers 2010 *

7 000 - de 5 €

Le vignoble de Hervé Desbourdes (18 ha) a la particularité d'être installé pour moitié sur des sols sablonneux qui ont particulièrement bien réagi à la typologie du millésime 2010. D'une couleur intense parcourue de reflets violets, cette cuvée livre un nez discret de fruits noirs et rouges. Alliant une structure ample et fondue à une matière riche et charnue, le palais reste agréablement fruité et s'étire dans une longue finale. À attendre deux petites années. À attendre également, la cuvée **Argilo-calcaire 2010 rouge (5 000 b.)** est citée pour son expression douce et chaleureuse.

EARL Hervé Desbourdes, 12, rue d'Étilly, 37220 Panzoult, tél. 02.47.58.58.38, fax 02.47.95.21.51, herve.desbourdes@orange.fr r.-v.

DOM. DES FORGES Tradition 2010

5 000 5 à 8 €

Le castel des Forges était le lieu de résidence du roi Louis XI lors de ses chasses en forêt de Chinon, et Christian Thibault y produit un 2010 « printanier » : robe rubis, bouquet de fruits rouges, matière légère épaulée par une pointe de vivacité en finale. Idéal sur une charcuterie chaude comme des rillons de Touraine, après une année de garde.

Christian Thibault, Dom. des Forges, 37500 Saint-Benoît-la-Forêt, tél. 02.47.58.01.26, contact@domainedesforges-chinon.com r.-v.

DOM. DE LA FOSSE DE DOULAIE 2010 **

1 700 5 à 8 €

Fabien Demois a repris en 2008 l'exploitation familiale située sur les coteaux de Cravant. Vendange manuelle, maturité pleine et macération longue ont permis la production de cette superbe bouteille à la noble allure dans sa robe grenat profond. Les fruits rouges et noirs finement relevés d'épices donnent le ton dès l'olfaction, annonçant un palais qui reste toujours frais sous le velouté et la richesse de la matière, accompagné d'un boisé fondu et d'un fruité savoureux. C'est le vin ligérien par excellence, et il sera prêt à la parution du Guide.

EARL Demois, Chézelet, 37500 Cravant-les-Coteaux, tél. 02.47.98.49.01, fabiendemois@orange.fr r.-v.

DOM. DES GALUCHES Vieilles Vignes 2010 *

12 000 5 à 8 €

Des vignes de soixante-cinq ans, un sol de sable et de graviers, et un sous-sol riche en silex plats nommés localement « galuches » ont participé à la production de ce 2010 intense. Un bouquet chaleureux et franc, d'où émergent des notes de fraise et de fruits à noyau, précède une bouche ronde et puissante au boisé discret issu d'un élevage d'un an en fût. La finale aux arômes élégants de fruits secs et de cerise montre des tanins de qualité qui commencent à se fondre : on leur laissera encore un an ou deux. La cuvée principale **2010 rouge (30 000 b.)** est citée pour le plaisir immédiat procuré par sa fraîcheur et son fruité.

Millerand, 2 bis, imp. des Galuches, 37420 Savigny-en-Véron, tél. 02.47.58.45.38, fax 02.47.58.08.52, cmillerand@numeo.fr r.-v.

DOM. DES GÉLÉRIES Le Puy blanc 2010 **

12 000 5 à 8 €

Le Puy blanc est situé sur le sommet d'un coteau calcaire classé en zone naturelle pour la protection de variétés d'orchidée. Les vignes se trouvent juste en dessous et profitent de ce calcaire pour produire des vins à fort caractère. Ce 2010 revêt une belle robe noire aux franges rubis pleine de jeunesse. Les arômes de cassis dominent au nez, tandis que le volume en bouche et la qualité des tanins, au-delà de leur austérité encore sensible, sont des signes prometteurs pour l'avenir. Une bouteille à suivre, qui va se patiner d'ici trois à cinq ans.

Jean-Marie Rouzier, 4, rue des Géléries, 37140 Bourgueil, tél. 02.47.97.74.83, fax 02.47.97.48.73, jean-marie.rouzier@wanadoo.fr t.l.j. sf dim. 9h-12h30 14h-19h; f. 25 sept.-10 oct.

DOM. GOURON Terroir 2010

25 000 8 à 11 €

La salle de dégustation des frères Gouron, Laurent et Stéphane, rénovée il y a deux ans, est prête à vous accueillir pour une découverte de cette cuvée Terroir. Ce pur cabernet franc sait se rendre plaisant par son bouquet chaleureux de fruits rouges, par son palais riche aux tanins bien fondus et par ses saveurs confiturées. Un « vin de plaisir », à boire dans l'année sur une grillade au feu de bois.

Laurent et Stéphane Gouron, La Croix de Bois, 37500 Cravant-les-Coteaux, tél. 02.47.93.15.33, fax 02.47.93.96.73, info@domaine-gouron.com t.l.j. sf sam. dim. 8h30-12h 14h-17h30

CH. DE LA GRILLE 2009

80 000 15 à 20 €

Le château de la Grille, son vignoble d'un seul tenant (20 ha) entourant les bâtiments des XVIe et XVIIe s, son chai de vieillissement et ses vins toujours soignés : une valeur sûre de l'appellation. Le 2009, après dix-huit mois d'élevage en barrique, arrive à sa plénitude : robe grenat aux reflets noirs, nez discrètement praliné, structure puissante et souple aux arômes épicés. Il sera agréable de le déguster dans sa jeunesse et aussi de découvrir, après cinq ans de garde, voire plus, qu'il peut encore surpendre. Issu d'un autre domaine des Baudry-Dutour, le **Ch. de Saint-Louans 2009 rouge (20 à 30 €; 10 000 b.)** développe des senteurs de sous-bois et de vanille, et une agréable douceur. Cité également, il devra s'assouplir avec une petite garde.

Ch. de la Grille, rte de Huismes, 37500 Chinon, tél. 02.47.93.01.95, fax 02.47.58.64.06, info@baudry-dutour.fr t.l.j. sf lun. 10h-12h 14h-18h

♥ **DOM. GROSBOIS** Clos du Noyer 2010 ★★★

■ 3 000 ▮ 15 à 20 €

Chinon
Clos du Noyer
2010
DOMAINE GROSBOIS

Après un périple et une expérience nationale et internationale dans la viticulture et la vinification (Chili, Oregon, Australie...), Nicolas Grosbois a rejoint il y a cinq ans l'exploitation familiale. Petit vignoble (9 ha) mais grands vins décomplexés, comme ce Clos du Noyer très élégant dans sa robe de velours noir aux bords carminés. Le bouquet, intense et cohérent, évoque les fruits noirs soulignés d'un trait de réglisse frais. Au palais, la douceur domine au sein d'une matière ample, et les tanins présents sans excès portent une longue finale chaleureuse et fruitée. N'hésitez pas à utiliser les épices dans vos plats pour faire honneur à cette bouteille, mais plutôt après deux à trois ans de garde. La cuvée **Gabare 2010 rouge (11 à 15 €; 19 000 b.)**, citée pour son caractère gourmand, est à apprécier dans sa jeunesse.

Dom. Grosbois, Le Pressoir, 37220 Panzoult, tél. 06.87.74.49.03, grosboisnicolas@yahoo.fr r.-v.

DOM. ÉRIC HÉRAULT Cuvée Tradition 2010

■ 18 536 ▮ - de 5 €

Une cave issue d'une carrière du XIIIᵉs. découverte en 1975 sert aujourd'hui à l'élevage et à la dégustation des différents millésimes. On y découvre ce 2010 de couleur sombre, dont le nez bien typé s'exprime sur de classiques arômes de fruits frais (cassis). Fruitée également, d'un beau volume, la bouche repose sur des tanins fins mais encore un peu sévères en finale. Une petite année de garde devrait y remédier. La cuvée **Vieilles Vignes 2010 rouge (5 à 8 €; 6 152 b.)**, assez vive et épicée, séjournera elle aussi en cave : deux ans.

Dom. Éric Hérault, Le Château, 37220 Panzoult, tél. 02.47.58.56.11, fax 02.47.58.69.47, domaineherault@orange.fr t.l.j. sf dim. 8h-12h 14h-18h30

DOM. LA JALOUSIE 2011

■ 16 900 ▮ 5 à 8 €

Depuis son rachat en 2002, la propriété semble avoir pris ses habitudes dans les pages du Guide. Cette fois-ci, elle se distingue avec un rosé à la robe saumonée de belle allure. Le nez livre de légères nuances fruitées et amyliques, puis fait place à une bouche souple, fine et ronde. Parfait pour une assiette de charcuteries.

SCEA Le Corre, 17, Briançon, 37500 Cravant-les-Coteaux, tél. et fax 02.47.93.90.83, scea.lecorre@orange.fr t.l.j. sf sam. dim. 8h-12h30 14h-18h; f. août

CHARLES JOGUET Les Petites Roches 2010

■ 40 000 ▮ 8 à 11 €

Plusieurs fois remarqué récemment pour sa cuvée Les Varennes du Grand Clos, élevée en fût, Jacques Genet se distingue ici par un chinon qui n'a pa connu le bois. Rouge vif à l'œil, ce 2010 laisse échapper du verre des effluves épicés sur un fond de fruit très présent. Le palais séduit par son harmonie entre une belle fraîcheur et des tanins fins, quoiqu'un peu plus marqués en finale. À boire dans une paire d'années.Très concentré, vanillé, le **Clos du chêne vert 2010 rouge (20 à 30 €; 8 000 b.)**, cité, devra patienter trois à quatre ans pour atteindre son apogée. Il est cité.

Charles Joguet, La Dioterie, 37220 Sazilly, tél. 02.47.58.55.53, fax 02.47.58.52.22, contact@charlesjoguet.com t.l.j. sf dim. 9h-12h30 14h-18h

Jacques Genet

PATRICK LAMBERT Vieilles Vignes 2010 ★★

■ 8 000 5 à 8 €

Patrick Lambert exploite un petit domaine de 6,5 ha adossé à un côteau calcaire dans lequel de très belles caves ont été creusées. Celles-ci accueillent fûts et foudres servant à l'élevage des vins, comme cette cuvée qui a attendu patiemment douze mois pour notre plus grand plaisir. Violette et fruits noirs mûrs composent un bouquet ouvert, agrémenté d'une note vanillée. Le palais évolue sur la puissance grâce à une trame tannique ample et veloutée, tandis que la finale déborde de douceur. On peut attendre cette bouteille trois ans, mais elle séduit déjà par sa maturité.

Earl Patrick Lambert, 6, coteau de Sonnay, 37500 Cravant-les-Coteaux, tél. et fax 02.47.93.92.39, vins.lambert.patrick@orange.fr r.-v.

DOM. DE LA LANDE Le Véron 2010 ★

■ 5 000 ▮ 5 à 8 €

En attendant la certification bio (conversion en cours), le domaine propose un chinon 2010 qui se distingue par sa générosité, sa complexité et sa structure tannique. Sous une robe rubis aux reflets grenat, on découvre des parfums de violette et de fruits rouges. Souple à l'attaque, la bouche fraîche et gourmande repose sur une trame serrée dont les tanins encore affirmés en finale s'assagiront avec une petite garde (un à deux ans).

EARL Delaunay Père et Fils, Dom. de la Lande, 20, rte du Vignoble, 37140 Bourgueil, tél. 02.47.97.80.73, fax 02.47.97.95.65, earl.delaunay.pfils@wanadoo.fr r.-v.

ANGÉLIQUE LÉON 2010

■ 15 000 ▮ 5 à 8 €

Un terroir de sables et de graviers pour cette cuvée d'Angélique Léon, qui est également productrice d'asperges vendues en direct au domaine, situé sur la route de « La Loire à vélo » fort appréciée des vacanciers. Belle opportunité pour goûter ce vin typique du millésime. Une robe rubis brillant et des notes chaleureuses de fruits rouges confiturés et finement poivrés offrent une belle matière qui se prolonge dans un palais rond et flatteur, soutenu par une finale élégante et tonique. Parfait pour une assiette de charcuterie.

Angélique Léon, 2, rue des Capelets, 37420 Savigny-en-Véron, tél. et fax 02.47.58.92.70, contact@leonchinon.fr t.l.j. sf dim. 9h-12h 14h-19h

CH. DE LIGRÉ 2011

20 000 — 5 à 8 €

Domaine familial depuis 1923, le château de Ligré et ses propriétaires ont toujours été des « personnages » du terroir viticole de Chinon. Ce rosé de pressurage, gras et frais à la fois, voit le côté floral du nez rejaillir en finale. C'est un vin attachant par son caractère vif et gourmand, qui devrait bien s'accorder avec des rouleaux de printemps.

Pierre Ferrand, 1, rue Saint-Martin, Ch. de Ligré, 37500 Ligré, tél. 02.47.93.16.70, fax 02.47.93.43.29, chateau.de.ligre@wanadoo.fr
t.l.j. sf dim. 9h-12h 14h-18h

LE LOGIS DE LA BOUCHARDIÈRE Les Clos 2010 ★★

40 000 — 5 à 8 €

Installée depuis 1850 au Logis de la Bouchardière, la famille Sourdais a développé un vignoble qui atteint aujourd'hui 55 ha. Bruno, représentant la sixième génération, conduit le domaine depuis 1992. Sa cuvée Les Clos provient d'un terroir argilo-siliceux, dont la vigne travaillée en culture raisonnée est vendangée manuellement pour un tri facilité des meilleurs raisins. Le résultat est admirable. La robe profonde à reflets noirs semble renfermer quelques mystères, percés dès que le nez libère un fruité bien mûr et très fin (framboise, bigarreau). Par son superbe volume et le soyeux de ses tanins, le palais confirme la profondeur perçue à l'œil. La persistance exceptionnelle de sa finale laisse augurer une belle garde de quatre ou cinq ans, mais on peut aussi profiter de cette bouteille dès à présent. Très réussie, la cuvée **Les Cornuelles Vieilles Vignes 2010 rouge (8 à 11 €; 10 000 b.)**, concentrée et structurée, offrant beaucoup de relief, saura affronter elle aussi plusieurs années de cave.

EARL Serge et Bruno Sourdais, La Bouchardière, 37500 Cravant-les-Coteaux, tél. 02.47.93.04.27, fax 02.47.93.38.52, info@sergeetbrunosourdais.com
t.l.j. sf dim. 8h-12h30 14h-18h30

ALAIN LORIEUX Expression 2010

30 000 — 5 à 8 €

Les frères Alain et Pascal Lorieux ont fusionné leurs vignobles respectifs en 1993 tout en gardant deux chais de vinification. Ils proposent une cuvée Expression à la belle couleur rubis profond, dont le bouquet mêle senteurs de fruits, de poivron et d'épices. Le palais se plaît à osciller entre matière élégante, structure ferme et arômes de cerise. Un vin à déguster dès à présent, pour son fruité.

Pascal et Alain Lorieux, 2, Malvault, 37500 Cravant-les-Coteaux, tél. 02.47.58.59.14, contact@lorieux.fr
t.l.j. sf sam. dim. 9h-12h 14h-17h30; f. 10-20 août

DOM. DE LA LYSARDIÈRE 2011

50 000 — 5 à 8 €

Les Vignobles du Paradis (30 ha) sont exploités depuis plus de vingt ans par des salariés handicapés travaillant au sein d'un Établissement de service d'aide par le travail (ESAT). Ce 2011, élevé six mois en cuve, est de belle facture avec son bouquet fruité. L'attaque franche et aimable dévoile un ensemble doux et soyeux, d'une jolie rondeur fruitée. Un vin de plaisir immédiat, à déguster sur de la charcuterie.

Vignobles du Paradis, 2, imp. du Grand-Bréviande, 37500 La-Roche-Clermault, tél. 02.47.95.81.57, fax 02.47.95.86.78, vignoblesduparadis@wanadoo.fr
t.l.j. sf dim. 8h30-12h30 14h-18h

MANOIR DE LA BELLONNIÈRE Vieilles Vignes 2010

12 000 — 5 à 8 €

Le manoir de la Bellonnière servait autrefois de résidence pour les gouverneurs de la bonne ville de Chinon. Grâce aux plantations du milieu du XXᵉs., il produit aujourd'hui ce savoureux vin rouge à la robe grenat. Le couple framboise-cassis, souligné d'une note de poivron, est bien secondé par un palais ample aux tanins encore très présents. On conseille d'attendre deux à trois ans pour une meilleure harmonie.

EARL Béatrice et Patrice Moreau, La Bellonnière, 37500 Cravant-les-Coteaux, tél. 02.47.93.45.14, fax 02.47.93.93.65 r.-v.

DOM. DE LA MARINIÈRE Réserve de la marinière Élevé en fût de chêne 2010 ★

5 400 — 5 à 8 €

Renaud Desbourdes ne se contente pas d'élaborer de beaux vins de Chinon, il se consacre également à la vie du village de Panzoult, faisant découvrir aux visiteurs la beauté des paysages viticoles et les curiosités locales, tels le pigeonnier ou la cave sculptée. Joliment ciselée dans sa robe sombre ourlée de violet, sa Réserve de la marinière séduit d'emblée avec son bouquet complexe aux nuances fruitées, florales et légèrement pimentées. Souplesse et velouté viennent ensuite s'ajouter au palais pour mieux faire apprécier les arômes de cerise noire et la finale épicée. À savourer dès aujourd'hui. Citée, la cuvée **Vieilles Vignes 2010 rouge (10 000 b.)**, au nez chaleureux, floral et fruité, assez tannique en bouche, attendra un an ou deux.

Renaud Desbourdes, Dom. de la Marinière, 37220 Panzoult, tél. 02.47.95.24.75, fax 02.47.58.63.72, domaine.la.mariniere@orange.fr r.-v.

DOM. DE LA NOBLAIE Pierre de tuf 2010 ★

6 500 — 8 à 11 €

Jérôme Billard officie sur le domaine familial depuis quatre ans et perpétue le goût du travail bien fait au travers de cette cuvée souvent étoilée dans le Guide. Ce millésime 2010 à la robe noire ourlée de grenat laisse s'élever un bouquet fin et complexe aux notes boisées et fruitées (cassis). Au palais, l'attaque suave dévoile une matière soyeuse. Un vin élégant, velouté et chaleureux, que l'on attendra deux ou trois ans pour un fondu parfait du bois et des tanins.

Dom. de la Noblaie, 21, rue des Hautes-Cours, Le Vau-Breton, 37500 Ligré, tél. 02.47.93.10.96, fax 02.47.93.26.13, contact@lanoblaie.fr
t.l.j. 9h (dim. 10h)-12h 14h-18h
Billard

DOM. DE NOIRÉ Élégance 2010 ★

■ 25 000 5 à 8 €

Présent avec une belle régularité dans les pages du Guide en appellation chinon, quelques coups de cœur à la clé, Jean-Max Manceau signe une cuvée sombre et profonde au bouquet très typé cabernet (fruits rouges, poivron) et au palais friand, porté par une agréable fraîcheur et des tanins arrondis. Un vin fringant et bien construit, pour aujourd'hui comme pour dans trois ans. Une étoile également pour la cuvée **Caractère 2010 rouge (8 à 11 €; 8 000 b.)** demandera un peu de garde pour harmoniser structure et fruité.

Dom. de Noiré, 160, rue de l'Olive, Noiré, 37500 Chinon, tél. 02.47.93.44.89, fax 02.47.98.44.13, domaine.de.noire@orange.fr t.l.j. sf dim. 10h-19h

Jean-Max Manceau

DOM. DE NUEIL Cuvée Vieilles Vignes 2010 ★

■ 5 000 5 à 8 €

Commandé par une ferme fortifiée datant du XVI^e^s., ce domaine propose un chinon né d'un terroir argilo-calcaire et élevé huit mois en fût. Le bouquet chaleureux exprime les fruits rouges bien mûrs, voire macérés à l'eau-de-vie. Une impression de richesse que l'on retrouve dans un palais soyeux et gras, mais sans être envahissant. Cette bouteille bien construite sera prête à la sortie du Guide pour accompagner un coq au vin.

Laurent Gilloire, Dom. de Nueil, 37500 Cravant-les-Coteaux, tél. 02.47.93.19.24, laurent.gilloire@wanadoo.fr t.l.j. sf dim. 8h-18h

DOM. CHARLES PAIN Cuvée Prestige 2010 ★★

■ 30 000 5 à 8 €

La cuvée Prestige de Charles Pain est issue de raisins récoltés sur des parcelles argilo-calcaires et argilo-siliceuses permettant une belle maturité que l'on retrouve dans ce vin puissant. La robe grenat intense séduit dès le premier abord, autant que le nez de fruits noirs confits (mûre, cassis) aux nuances poivrées. Le palais offre un équilibre remarquable entre tanins, acidité et alcool, qui se traduit par un caractère mûr, complexe et soyeux. Une grande bouteille, qui pourra affronter un séjour en cave de cinq ans et aussi satisfaire plus tôt les impatients.

Dom. Charles Pain, Chézelet, 37220 Panzoult, tél. 02.47.93.06.14, fax 02.47.93.04.43, charles.pain@wanadoo.fr t.l.j. sf dim. 8h30-12h 14h-18h

PHILIPPE PICHARD Les 3 Quartiers Vieilles Vignes 2010

■ 32 000 8 à 11 €

Ayant pris voici quelques années le chemin de la biodynamie, Philippe Pichard propose une cuvée qui assemble sept parcelles provenant de trois secteurs différents. D'un grenat intense, ce 2010 affirme sa fraîcheur dans un bouquet mentholé aux discrets accents boisés. Ronde et soyeuse en attaque, la bouche repose sur de puissants tanins qui doivent encore se fondre en finale, à l'aide de deux ou trois ans de garde.

Philippe Pichard, Le Puy, 37500 Cravant-les-Coteaux, tél. 02.47.93.42.35, fax 02.47.98.33.76, contact@philippe-pichard.fr r.-v.

CAVE DU PIÉTOURD Vieilles Vignes 2010 ★

■ 4 000 5 à 8 €

Depuis le départ à la retraite de son associé en 2005, Olivier Hurtault conduit en solo l'exploitation qui appartenait à son grand-père. Née sur sols siliceux, cette cuvée, issue des vignes les plus anciennes du domaine, livre un bouquet printanier rappelant la framboise, le cassis et la cerise. Le palais à l'attaque légère affiche un beau volume, de la longueur et une fraîcheur agréable. Souple et friand, ce vin est prêt à boire sur une viande blanche grillée.

EARL Olivier Hurtault, 4, vallée de Nargay, 37500 Cravant-les-Coteaux, tél. 06.89.28.37.86, earl.olivier.hurtault@orange.fr r.-v.

VIGNOBLE DE LA POËLERIE Vieilles Vignes 2010 ★

■ 4 000 5 à 8 €

Issue de terrasses graveleuses et de vignes âgées de cinquante ans, cette cuvée possède de réels atouts pour l'avenir. Sa robe d'une forte intensité offre à l'œil de brillants reflets, et l'évocation légèrement animale du nez est plutôt plaisante. Au palais, la matière dense et équilibrée s'appuie sur des tanins imposants mais maîtrisés. Une harmonie appréciable, qu'une petite garde d'un an ou deux finira de parfaire.

François Caillé, Le Grand-Marais, 37220 Panzoult, tél. 02.47.95.26.37, caille37@wanadoo.fr r.-v.

DOM. BRUNO PRÉVEAUX Prestige 2011

4 280 5 à 8 €

La totalité des vins de ce petit domaine de 8 ha est commercialisée en vente directe à la propriété. Vous trouverez ce chinon blanc élevé quelques mois en barrique, qui dès le premier nez affirme son élégance et sa subtilité autour de fines senteurs florales. Le palais ne manque pas de charme : une rondeur avenante, un élevage bien maîtrisé et une finale pimpante. Il saura se faire apprécier sur une volaille à la crème.

Bruno Préveaux, 19, rue de Launay, 37500 La Roche-Clermault, tél. 02.47.93.23.19, fax 02.47.93.30.84, bruno.preveaux@orange.fr r.-v.

DOM. DU PUY Cuvée Baptiste Vieilles Vignes 2010 ★★

■ 15 000 5 à 8 €

Le domaine du Puy a vu se succéder cinq générations de vignerons, et la sixième a mis le pied à l'étrier en 2010 pour mener le vignoble de 27 ha, dont sont issues ces Vieilles Vignes (soixante-dix ans). Le vin a ravi le jury par son élégance et son potentiel de garde indéniable. Drapé dans une robe rubis sombre et sobre, il dévoile un fin bouquet dont les évocations de fruits rouges et noirs bien mûrs (cassis, framboise) se retrouvent au palais, enrobant des tanins délicats. Le tout s'épanouit au sein d'une matière volumineuse, quelque peu épicée, à la puissance maîtrisée. Si on l'appréciera dès l'année prochaine, cette bouteille saura aussi affronter une garde de cinq ans sans difficulté. La cuvée générique du domaine, le **rouge 2010 (moins de 5 €; 12 000 b.)** décroche une étoile pour son fruité et sa matière généreuse.

Patrick Delalande, Le Puy, 37500 Cravant-les-Coteaux, tél. 02.47.98.42.31, fax 02.47.93.39.79, domaine.du.puy@wanadoo.fr r.-v.

DOM. DES QUATRE VENTS Vieilles Vignes 2010

■ n.c. 5 à 8 €

Ce domaine situé sur une butte non protégée propose régulièrement des vins de caractère. Ici, les vignes de cinquante ans associées à un élevage sous bois ont permis à ce 2010 d'être remarqué pour son bouquet intense, épicé et boisé. Son palais, puissant et toasté, lui confère un bon potentiel de garde. À attendre au moins trois ou quatre ans puis à accompagner d'une tomme de brebis.

Philippe Pion, La Bâtisse, 37500 Cravant-les-Coteaux, tél. 02.47.93.46.79, fax 02.47.93.99.59, pionphilippe@aol.com r.-v.

CAVES DES VINS DE RABELAIS Le Fauteuil rouge 2010

■ 10 000 5 à 8 €

La Cave des Vins de Rabelais regroupe une cinquantaine de producteurs soucieux de développer l'image du chinon, notamment à l'export. Ce Fauteuil rouge, élevé douze mois en barrique, possède de réels atouts. Très concentré, il développe un nez charmeur à dominante vanillée. Le palais, riche, encore marqué par les tanins, montre du volume mais aussi de la finesse. Une petite garde de deux ans sera nécessaire pour caresser le velours du fauteuil.

SICA des Vins de Rabelais, Les Hauts-Buis, Saint-Louans, 37500 Chinon, tél. 02.41.50.23.23, fax 02.41.50.30.45, laurent.bourdin@uapl.fr

UAPL

JEAN-MAURICE RAFFAULT Les Picasses 2010

■ 33 000 5 à 8 €

Le domaine Jean-Maurice Raffault a toujours été innovant en Chinonais (vinification par parcelle dès les années 1970, fermentations malolactiques en barrique, élevages longs...), et cela se traduit à chaque récolte par des vins à découvrir avec curiosité. Les Picasses plairont par leur robe cerise burlat et leur joli fruité aérien. Les tanins manifestent leur présence dans une bouche d'une belle amplitude, encore un peu austère en finale. Un bon représentant de l'appellation, à apprécier dans deux ans sur un civet de lapin.

EARL Jean-Maurice Raffault, 74, rue du Bourg, 37420 Savigny-en-Véron, tél. 02.47.58.42.50, fax 02.47.58.83.73, rodolphe.raffault@wanadoo.fr r.-v.

OLGA RAFFAULT Les Peuilles 2010 ★

■ 12 000 8 à 11 €

Éric de La Vigerie et son épouse Sylvie ont su profiter du savoir-faire d'Olga Raffault, la fondatrice du domaine, dont ils ont pris la suite en 2001. Ils proposent une cuvée issue d'un terroir argilo-siliceux qui s'annonce par un bouquet prometteur de fruits mûrs. Au palais, on devine la richesse des raisins et celle du soleil emmagasiné au long de l'été, en harmonie avec les notes de l'élevage sous bois et les tanins présents et concentrés. Un beau classique destiné à un bel avenir : on l'attendra trois à cinq ans.

Dom. Olga Raffault, 1, rue des Caillis-Roguinet, 37420 Savigny-en-Véron, tél. 02.47.58.42.16, fax 02.47.58.83.61, infos@olga-raffault.com t.l.j. sf dim. 9h-12h 14h-18h; sam. sur r.-v.

Éric et Sylvie de La Vigerie

PHILIPPE RICHARD Vieilles Vignes 2010 ★

■ 8 800 5 à 8 €

Une petite propriété viticole située au pied des 16 000 ha de la forêt de Chinon, avec bâtisses en pierre de tuffeau et cave creusée à la main par le grand-père de Philippe Richard. Cette cuvée fleure bon l'authenticité, elle aussi, et la convivialité. Vêtue d'une robe noire ourlée de rubis, elle livre un bouquet de framboise et de violette typique du cabernet franc. Le palais séduit par son équilibre incontestable entre une matière ample, des tanins de qualité et un fruité expressif et persistant. Un beau vin qui fera du chemin et que l'on pourra conserver cinq années en cave.

EARL Philippe Richard, Le Sanguier, 37420 Huismes, tél. 02.47.95.45.82, fax 02.47.95.59.27, philipperichard.vins-chinon@wanadoo.fr r.-v.

DOM. DE LA ROCHE HONNEUR Diamant prestige 2010 ★

■ 8 000 8 à 11 €

Grande fierté du domaine, la vaste cave entièrement sculptée dans le tuffeau, qui sert à Stéphane Mureau de lieu d'élevage des vins, vaut à elle seule un détour. Ce Diamant prestige, issu de vignes de soixante-cinq ans cultivées en bio (conversion en cours), mérite également l'attention. La framboise et les fruits à noyau se côtoient au nez comme en bouche, soutenant une impression générale flatteuse, finement torréfiée, qui met en avant un élevage soigné. Un vin de plaisir immédiat, tout comme la **cuvée Rubis 2010 rouge (5 à 8 € ; 23 000 b.)**, qui décroche une étoile pour sa fraîcheur et son côté gouleyant.

Dom. de la Roche Honneur, 1, rue de la Berthelonnière, 37420 Savigny-en-Véron, tél. 02.47.58.42.10, fax 02.47.58.45.36, roche.honneur@club-internet.fr r.-v.

Stéphane Mureau

FAMILLE ROUET Cuvée des Battereaux Vieilles Vignes 2009

■ 8 000 8 à 11 €

Cette cuvée des Battereaux est issue de raisins cultivés sur des terroirs de graves selon les préceptes de l'agriculture biologique. Elle attire l'œil par sa couleur vive aux reflets brillants et séduit le nez avec de discrètes nuances de fruits noirs. Bien équilibrée, légère et gouleyante, cette bouteille sera à découvrir dès la sortie du Guide.

Dom. des Rouet, Chézelet, 37500 Cravant-les-Coteaux, tél. 02.47.93.19.41, fax 02.47.93.96.58, domainedesrouet@orange.fr r.-v.

WILFRID ROUSSE Clos de la Roche 2010

■ 10 000 11 à 15 €

Wilfrid Rousse a décroché la certification « agriculture biologique » en 2011. Même si cette cuvée 2010 n'a pas le logo sur l'étiquette, elle a donc été produite selon le respect de cette charte. Elle offre à l'œil une belle couleur pourpre. Son expression aromatique est dominée par les fruits rouges très mûrs sur un fond boisé subtil. Les tanins de l'élevage commencent à s'intégrer, et la finale demande encore un peu de temps pour s'exprimer : cette bouteille aura gagné en complexité d'ici deux ans.

Wilfrid Rousse, 19-21, rte de Candes, La Halbardière, 37420 Savigny-en-Véron, tél. 02.47.58.84.02, fax 02.47.58.92.66, wilfrid.rousse@wanadoo.fr t.l.j. sf dim. 9h-12h 14h-18h; f. 15-30 août

LOIRE

DOM. DE LA SABLIÈRE 2010 ★

■ 20 000 ■ - de 5 €

Nicolas Pointeau a repris les vignes de ses grands-parents en 2007, alors que le vignoble avait été dispersé à leur départ faute de repreneur dans la famille. Né d'un terroir de graviers, ce 2010 à la robe intense et brillante s'ouvre sur un nez expressif et frais de fruits rouges (fraise, cerise). Le palais séduit par sa rondeur, son fruité gourmand et ses tanins fins. Un vrai « vin plaisir », à consommer dès à présent sur des paupiettes de veau par exemple.

Nicolas Pointeau, La Sablière, 37220 Crouzilles, tél. 06.27.95.41.98, pointeau.n@hotmail.fr r.-v.

CAVES DE LA SALLE Vieilles Vignes 2010 ★★

■ 8 000 ■ 5 à 8 €

Voilà vingt ans maintenant que le domaine de La Salle et ses bâtiments du XVIIIes. ouvrent leurs portes le week-end de Pâques – et vingt ans que Rémi Desbourdes travaille le terroir et la vigne avec respect, élaborant des cuvées régulièrement mentionnées dans le Guide. Né de ceps âgés de soixante ans, ce 2010 à la robe grenat profond offre une véritable explosion de fruits à l'olfaction, autour de la cerise burlat et du cassis. Le palais affiche un beau volume et de la fraîcheur, tout en étirant le fruit sur une très longue finale. Un superbe chinon déjà prêt à ravir les papilles mais aussi à affronter trois ou quatre années de garde.

EARL Rémi Desbourdes, La Salle, 37220 Avon-les-Roches, tél. 02.47.95.24.30, fax 02.47.95.24.83, remi.desbourdes@wanadoo.fr t.l.j. 9h-12h30 14h-19h; dim. 9h-12h30

PIERRE SOURDAIS Tradition 2010

■ 30 000 ■ 5 à 8 €

Trentième millésime pour Pierre Sourdais, une longue expérience qui lui permet de connaître parfaitement ses terroirs et de présenter des vins reconnus dans le Chinonais. Sa cuvée Tradition, née sur sol graveleux, se pare d'une élégante robe noir satiné. Un bouquet d'abord épicé, puis ouvert sur le fruit prélude à une bouche ronde et fine, aux tanins soyeux. Un vin harmonieux, à déguster dès à présent sur une viande mijotée.

EARL Pierre Sourdais, 12, Le Moulin-à-Tan, 37500 Cravant-les-Coteaux, tél. 02.47.93.31.13, fax 02.47.98.30.48, pierre.sourdais@wanadoo.fr r.-v. B

STÉPHANE ET FRANCIS SUARD La Poplinière 2010

■ 4 000 ■ 5 à 8 €

Ayant repris en 2010 l'exploitation familiale conduite jusqu'alors par son père Francis, Stéphane Suard propose une cuvée sympathique qui mêle au nez les fruits rouges et la vanille. L'impression de boisé due à l'élevage est perceptible mais fondue. Elle enveloppe le vin sans masquer le fruit aux accents griottés, accompagné de nuances végétales qui apportent de la fraîcheur. On appréciera cette bouteille dès aujourd'hui.

Stéphane et Francis Suard, 74, rte de Candes, Roguinet, 37420 Savigny-en-Véron, tél. 02.47.58.91.45, suardsf@orange.fr r.-v.

DOM. DE LA TRANCHÉE 2010 ★

■ 5 000 ■ 5 à 8 €

Cette sélection du domaine de la Tranchée, dont le vignoble s'étend sur trois communes autour de Beaumont-en-Véron, se présente dans une robe sombre aux reflets violacés. Son bouquet intense mêle la prune, les petits fruits rouges et une note mentholée. Au palais, la maturité et la qualité du raisin sont indéniables, traduites par des tanins pleins et bien fondus, réveillés par une fraîcheur agréable. Un vin harmonieux, complet, à déguster dès aujourd'hui sur une côte de veau grillée et ses tomates au four.

Dom. de la Tranchée, 33, rue de la Tranchée, 37420 Beaumont-en-Véron, tél. 02.47.58.91.78, fax 02.47.58.85.25, pascal.gasne@club-internet.fr r.-v.

CH. DE VAUGAUDRY 2010

■ 40 000 ■ 5 à 8 €

Le château du XIXes., typique de l'architecture tourangelle, se dresse fièrement au sein de cette propriété ceinte de murs, et fait face à la forteresse de Chinon. On y découvre un plaisant 2010 à la robe sombre violacée, au bouquet de fruits rouges et au palais souple et harmonieux, tout aussi fruité et d'une belle longueur. La finale, un peu austère, appelle toutefois une petite garde d'un an ou deux. Pour une géline de Touraine en cocotte.

SCEA Ch. de Vaugaudry, 37500 Chinon, tél. 02.47.93.13.51, fax 02.47.93.23.08, chateau-de-vaugaudry@orange.fr r.-v. A

Coteaux-du-loir

Superficie : 79 ha
Production : 3 086 hl (55 % rouge et rosé)

Avec le jasnières, voici le seul vignoble de la Sarthe, sur les coteaux de la vallée du Loir. Il renaît après avoir failli disparaître dans les années 1970. Les vignes sont plantées sur l'argile à silex qui recouvre le tuffeau. Le pineau d'Aunis, assemblé aux cabernets, gamay ou cot, donne des rouges légers et fruités tandis que le chenin produit des blancs secs.

DOM. DE CÉZIN 2011

■ 8 000 ■ - de 5 €

On ne peut que louer l'attachement des vignerons de cette vallée au pineau d'Aunis, cépage identitaire de cette appellation par excellence. Ici, il offre une explosion de fleurs et de fruits rouges au nez, et une fraîcheur épicée dans un palais léger, presque aérien. Les salades et les grillades seront à la fête.

François et Xavier Fresneau, rue de Cézin, 72340 Marçon, tél. et fax 02.43.44.13.70, earl.francois.fresneau@wanadoo.fr r.-v.

CHRISTOPHE CROISARD Rasné 2011

■ 20 000 ■ 5 à 8 €

Maintes fois reconnues dans les précédentes éditions du Guide, la compétence et l'expérience de Christophe Croisard sont indiscutables. Il nous convie ici à déguster sa cuvée Rasné, un vin issu d'un coteau très pentu, laissant s'exprimer le chenin. Complexe au nez, rond et chaleureux au palais, il sera parfait en accompagnement d'un poisson en sauce.

🔑 Christophe Croisard, Dom. de la Raderie, La Pommeraie, 72340 Chahaignes, tél. 02.43.79.14.90, christophe.croisard@wanadoo.fr ☑ Y 🚶 r.-v. 🏠 B

GIGOU Pineau d'Aunis 2010

■	7 800	▮	5 à 8 €

L'étiquette de ce coteaux-du-loir met en avant le cépage phare de cette appellation, qui mérite la reconnaissance pour son originalité. Il développe ici des parfums poivrés du plus bel effet sur une attaque légère et chaleureuse. Des notes de griotte apparaissent en bouche, accompagnées de tanins arrondis et toujours des notes épicées caractéristiques du pineau d'Aunis. À découvrir sur un plat relevé, un tajine de veau par exemple.

🔑 Vins Gigou, 4, rue des Caves, 72340 La Chartre-sur-le-Loir, tél. 02.43.44.48.72, fax 02.43.44.42.15, vins.gigou@wanadoo.fr ☑ Y 🚶 r.-v. 🏠 1

PASCAL JANVIER Cuvée Henri IV 2010

■	4 000	▮	5 à 8 €

Pascal Janvier a baptisé cette cuvée Henri IV en raison des quatre cépages qui la composent : pineau d'Aunis, cot, gamay et cabernet. Paré d'une robe grenat intense, ce 2010 mêle au nez le cassis et les épices. Souple en attaque, il s'appuie sur des tanins épicés qui apparaissent encore fermes et qui devraient s'arrondir avec deux années de garde. À déguster sur des côtes d'agneau. Le **2011 blanc (6 600 b.)**, également cité, séduit par sa fraîcheur et son caractère floral.

🔑 Pascal Janvier, La Minée, 72340 Ruillé-sur-Loir, tél. 02.43.44.29.65, vins.janvier@orange.fr ☑ Y 🚶 t.l.j. 9h30-12h 14h30-18h

JEAN-JACQUES MAILLET 2011 ★

□	3 000	▮	5 à 8 €

Si Jean-Jacques Maillet s'est distingué à plusieurs reprises dans le Guide avec son rosé de pineau d'Aunis, il montre cette année sa belle maîtrise du chenin. Beaucoup de présence pour cette cuvée 2011 à la robe jaune paille brillante. Le nez, dominé par les fleurs blanches, affiche aussi des nuances d'agrumes marquées. L'attaque, tout en souplesse, laisse ensuite percer une acidité qui apporte à l'ensemble une fraîcheur de bon aloi. Un vin long et équilibré, qu'une petite garde de deux à trois ans arrondira certainement. À essayer sur des sushis.

🔑 Jean-Jacques Maillet, La Pâquerie, 72340 Ruillé-sur-Loir, tél. 02.43.44.47.45, fax 02.43.44.20.10, maillet4@wanadoo.fr ☑ Y 🚶 r.-v.

DOM. J. MARTELLIÈRE Pineau d'Aunis 2010 ★

■	1 400	▮	- de 5 €

Les cuvées de pur pineau d'Aunis deviennent la règle dans la vallée du Loir, une bonne chose pour le consommateur qui peut ainsi mieux découvrir les spécificités de ce cépage local. Jean-Vivien Martellière en propose un beau spécimen à la robe rubis brillant. Le bouquet intense repose sur des notes mentholées rehaussées d'épices. L'attaque puissante dévoile un palais au caractère bien trempé, structuré et aromatique, évoquant la griotte et le poivre. Une belle expression du cépage qui saura être appréciée dès à présent mais aussi attendre quatre à cinq ans.

🔑 Dom. J. Martellière, 46, rue de Fosse, Fosse, 41800 Montoire-sur-le-Loir, tél. 02.54.85.16.91, domainejmartelliere@free.fr ☑ Y 🚶 r.-v.

DOM. DE LA ROCHE BLEUE Belle d'Aunis 2010 ★

■	1 700	⊕	15 à 20 €

Fraîchement installé (2007), Sébastien Cornille propose ici sa troisième vendange, issue de vieilles vignes de pineau d'Aunis cultivées en agriculture biologique (conversion en cours). Une robe cerise burlat habille ce vin au nez intense, mélange d'épices, de notes boisées et de fruits noirs. Bien dosé, l'élevage en fût arrondit la structure où fruits des bois et cerise sont au rendez-vous. La finale mentholée apporte une agréable fraîcheur. Un vin à passer en carafe avant de le servir sur une viande d'agneau ou un jambon braisé.

🔑 Dom. de la Roche bleue, La Roche, 72340 Marçon, tél. 02.43.46.26.02, domainedelarochebleue@gmail.com ☑ Y 🚶 ven. sam. 10h-19h

Jasnières

Superficie : 66 ha
Production : 2 912 hl

C'est le cru des coteaux du Loir, bien délimité sur un unique versant plein sud de 4 km de long sur environ 65 ha. Seul cépage de l'appellation, le chenin ou pineau de la Loire peut donner des produits sublimes les grandes années. Curnonsky n'a-t-il pas écrit : « Trois fois par siècle, le jasnières est le meilleur vin blanc du monde » ? Le jasnières accompagne la « marmite sarthoise », spécialité locale où il rejoint d'autres produits du terroir : poulets et lapins finement découpés, légumes cuits à la vapeur. Vin rare, à découvrir.

B **DOM. DE BELLIVIÈRE** Les Rosiers 2010 ★★

□	11 000	⊕	15 à 20 €

Inconditionnel de l'agrobiologie et de la biodynamie, Éric Nicolas produit des vins de chenin tout à fait remarquables, comme cette cuvée Les Rosiers élue coup de cœur dans le précédent millésime. La version 2010 présente une minéralité affirmée à laquelle le terroir riche en silex n'est pas étranger. L'élégance prime dans cette bouteille dont les arômes de fleurs blanches et de pamplemousse mêlés à un léger brioché font leur effet. Onctueux et souple, le palais propose ici une longue finale aux nuances de poire et de vanille, portée par un grain d'une grande finesse. Parfaite pour accompagner dès aujourd'hui une volaille rôtie, cette bouteille affrontera aussi une garde de cinq ans au moins.

🔑 Dom. de Bellivière, Bellivière, 72340 Lhomme, tél. 02.43.44.59.97, fax 02.43.79.18.33, info@belliviere.com ☑ Y 🚶 r.-v.
🔑 Éric Nicolas

DOM. DE CÉZIN 2011 ★

□	10 000	▮	8 à 11 €

Le domaine des Fresneau fait encore parler de lui, et en bien, comme à son habitude. Il présente un blanc sec de chenin aux senteurs de fleurs blanches sur un fond délicatement minéral. On perçoit en bouche une dominante fruitée, marquée par les agrumes, et un bel équilibre tendresse-fraîcheur, avec une finale aux accents floraux très élégante. On pourra l'associer à un poisson blanc en cocotte.

François et Xavier Fresneau, rue de Cézin, 72340 Marçon, tél. et fax 02.43.44.13.70, earl.francois.fresneau@wanadoo.fr r.-v.

DOM. DES GAULETTERIES Cuvée Saint-Vincent 2011

16 000 | 8 à 11 €

Le couple Lelais conduit depuis près de trente ans ce domaine de 17 ha (seulement 2 ha à sa création) et ses cinq caves anciennes creusées dans le tuffeau. Sa cuvée Saint-Vincent, un vin tendre au nez complexe, mêlant fleurs blanches et agrumes, a séduit le jury. Ce demi-sec révèle toute la subtilité du chenin à travers une bouche ronde, élégante et équilibrée. La longue finale, portée par une fine acidité, rappelle les fruits mûrs agrémentés de légères touches végétales. À ouvrir à l'apéritif.

Francine et Raynald Lelais, Dom. des Gauletteries, 41, rte de Poncé, 72340 Ruillé-sur-Loir, tél. et fax 02.43.79.09.59, vins@domainelelais.com t.l.j. 10h-12h30 14h-19h

JEAN-JACQUES MAILLET Réserve d'automne 2011 ★

8 000 | 5 à 8 €

La famille Maillet propose dans le millésime 2011 deux très beaux jasnières d'un registre bien différent. Élaborée à partir des raisins surmûris de la fin des vendanges, cette Réserve d'automne offre un bouquet ouvert sur le fruit de la Passion et les agrumes, nuancé de fleurs. L'attaque au léger perlant dévoile du corps, de la rondeur et du moelleux, équilibrés par une juste fraîcheur. On retrouve des arômes expressifs de litchi et de pamplemousse, qui devraient bien s'accorder avec une cuisine exotique ou une salade de fruits. En **blanc sec, le jasnières 2011 (8 000 b.)**, aux arômes floraux et exotiques, décroche aussi une étoile.

Jean-Jacques Maillet, La Pâquerie, 72340 Ruillé-sur-Loir, tél. 02.43.44.47.45, fax 02.43.44.20.10, maillet4@wanadoo.fr r.-v.

DOM. J. MARTELLIÈRE Cuvée des Perrés 2010

3 760 | 5 à 8 €

Cette propriété familiale est désormais menée par Jean-Vivien Martellière qui s'applique à maintenir au domaine ce que son père et son grand-père lui ont transmis, notamment le respect du raisin et des vinifications sans fard. Vous découvrirez ce vin limpide aux parfums exotiques (goyave) et aux notes d'agrumes qui procure une intense sensation de fraîcheur jusqu'à la finale empreinte de minéralité. Un « sec tendre », comme l'indique l'étiquette, qui s'accordera avec un poisson en sauce.

Dom. J. Martellière, 46, rue de Fosse, Fosse, 41800 Montoire-sur-le-Loir, tél. 02.54.85.16.91, domainejmartelliere@free.fr r.-v.

JEAN-MARIE RENVOISÉ 2010 ★

10 000 | 5 à 8 €

Jean-Marie Renvoisé, qui fête ses vingt ans à la tête du domaine, vinifie selon les méthodes traditionnelles, sans ajout de levures ou autres intrants « améliorateurs » ; il en résulte des vins en parfaite corrélation avec le millésime, comme ce 2010 au discret bouquet de fleurs et de fruits frais (pêche blanche) associés à une agréable pointe minérale. Bien équilibré et doté d'une certaine puissance, le palais à la structure légère retrouve les arômes fruités du nez sur un fond de fraîcheur acidulée. Une belle bouteille à proposer sur des toasts au chèvre chaud.

Jean-Marie Renvoisé, 2 quater, rue de la Gare, 72340 Chahaignes, tél. 02.43.44.89.37, jean-marie.renvoise@wanadoo.fr r.-v.

PHILIPPE SEVAULT Demi-sec 2011

14 600 | 5 à 8 €

On se souvient d'un coup de cœur décroché il y a trois ans par Philippe Sevault pour un jasnières moelleux. Aujourd'hui, le vigneron présente un demi-sec à la belle intensité aromatique et à la tendresse délicate (15 g/l de sucres résiduels). Des parfums de fruits frais citronnés associés aux fleurs blanches, une bouche voluptueuse en attaque et ferme en finale, l'ensemble laisse une impression d'élégance et d'harmonie. À découvrir sur un fromage bleu ou un chèvre, aujourd'hui comme dans cinq ans.

Philippe Sevault, rue Élie-Savatier, 72340 Poncé-sur-le-Loir, tél. 02.43.79.07.75, psevault@wanadoo.fr r.-v.

Montlouis-sur-loire

Superficie : 447 ha
Production : 17 415 hl

La Loire au nord, la forêt d'Amboise à l'est, le Cher au sud sont les limites naturelles de l'aire d'appellation. Les sols « perrucheux » (argile à silex), localement recouverts de sable, sont plantés de chenin blanc (ou pineau de la Loire) et produisent des vins blancs vifs et pleins de finesse, tranquilles (secs ou doux), ou effervescents. Les premiers gagnent à évoluer longuement en bouteilles (une dizaine d'années).

♥ **PATRICE BENOIT** Doux
La Cuvée Saint-Martin 2009 ★★★

1 500 | 11 à 15 €

Avec ses 90 g de sucres résiduels par litre, la cuvée Saint-Martin est considérée officiellement comme un vin liquoreux ; sur les bords de la Loire, on préférera l'appeler « un grand moelleux ». Parée d'une superbe robe dorée, elle livre des arômes intenses de fruits confits, abricot en

tête. Ses arguments en bouche : équilibre impeccable, persistance sur le fruité, longueur remarquable. « Un vin net et sans aucun défaut », résume un dégustateur. Si saint Martin est symbole de partage, cette cuvée porte alors magnifiquement son nom. Elle pourra se goûter dès la sortie du Guide et pendant de nombreuses années encore.
Patrice Benoit, 3, rue des Jardins, Nouy, 37270 Saint-Martin-le-Beau, tél. et fax 02.47.50.63.93, patrice.benoit.vins@orange.fr r.-v.

DOM. BOUCHET Doux Cuvée Alexandre Prestige 2009 ★

1 500 | 11 à 15 €

L'exploitation est encore jeune puisqu'elle est apparue en 2006. Les vignes, plantées bien avant, ont plus de cinquante ans. Nicolas Bouchet fait des vendanges par tries successives et les fermentations se déroulent lentement en petits lots. Le résultat est un vin net et tonique au nez, dévoilant un botrytis élégant, long, ample et fruité en bouche, équilibré par une agréable vivacité. Il accompagnera volontiers un foie gras et pourra être servi à l'apéritif. Le **sec 2010 (5 à 8 € ; 1 900 b.)** et le **demi-sec 2010 (5 à 8 € ; 3 000 b.)** sont cités.
Dom. Bouchet, 43 bis, rte de Saint-Aignan, 37270 Montlouis-sur-Loire, tél. 02.47.50.93.59, domainebouchet@orange.fr r.-v.

♥ FRANCK BRETON Sec Les Caillasses 2010 ★★

4 000 | 5 à 8 €

Franck Breton a repris le domaine de son beau-père Claude Boureau en 2008, 7 ha de vignes qu'il oriente vers la culture bio. D'emblée, son vin séduit par l'élégance de sa robe jaune paille animée d'un éclat vif. Le nez intense évoque la fleur d'acacia, le pamplemousse et le coing. La bouche se révèle remarquablement équilibrée, ronde, ample, puissante, pleine de fruit, avec un vanillé subtil en appoint. Un montlouis de gastronomie assurément, « à savourer sur un poulet rôti à la broche », conseille un dégustateur inspiré. Le **demi-sec Authentique 2010 (8 à 11 € ; 3 500 b.)**, long, équilibré et bien typé chenin, obtient une étoile.
Franck Breton, 1 bis, rue de la Résistance, 37270 Saint-Martin-le-Beau, tél. 02.47.50.23.24, franckbretonvigneron@orange.fr r.-v.

LAURENT CHATENAY Sec Les Quarts de Nouy 2010 ★

n.c. | 5 à 8 €

L'occasion de reprendre l'exploitation familiale a détourné Laurent Chatenay de son précédent métier de dessinateur industriel. La culture des 6 ha de l'exploitation se fait en culture biologique et se poursuivra dorénavant avec Benoît Mérias, le nouveau propriétaire, selon les mêmes principes. Le résultat est ici un vin fin et délicat où le floral domine au nez. Le fruit apparaît en bouche dans un registre de notes confites vivifiées par une agréable fraîcheur.
Laurent Chatenay, 41, rte de Montlouis, 37270 Saint-Martin-le-Beau, tél. 06.42.36.19.41, bmerias@free.fr r.-v.
Benoît Mérias

CLOSERIE DE CHANTELOUP Doux Gourmandise 2010 ★

2 000 | 8 à 11 €

Les trois compères Vincent Guichard, Frédéric Plou et Willy Debenne, dont l'exploitation se situe dans le périmètre de l'ancien château du duc de Choiseul, par la suite propriété du comte de Chaptal, sont à la tête d'un vignoble de 22 ha. Cette Gourmandise n'usurpe pas son nom. Sa robe d'un beau jaune soutenu, son nez de coing et d'amande grillée, sa longueur et son équilibre en bouche, portés par une belle fraîcheur finale, en font un vin bien représentatif et le placent dans la catégorie des vins... gourmands.
Closerie de Chanteloup, Chanteloup, 37400 Amboise, tél. 09.65.03.38.31, fax 02.47.57.60.49, closdechanteloup@aol.com
t.l.j. sf dim. 9h-12h 14h-19h
Guichard

DOM. DE LA CROIX MÉLIER Demi-sec 2010 ★

6 000 | 5 à 8 €

Propriété ancienne datant du XVIes., le domaine se situe à Husseau, hameau typique de l'appellation, qui regroupe plusieurs belles exploitations viticoles. Pascal Berthelot y cultive ses vignes en culture raisonnée. Ce demi-sec se distingue par son nez agréable, un rien acidulé, et par son bon équilibre en bouche entre douceur et acidité. Des caractéristiques d'équilibre qui se retrouvent dans le **sec 2010 (6 000 b.)** et le **moelleux 2010 (6 000 b.)**, cités tous deux.
EARL Dom. de la Croix Mélier, 2, chem. Sainte-Catherine, Husseau, 37270 Montlouis-sur-Loire, tél. 02.47.45.12.14, fax 02.47.50.77.85, pascal.berthelot.lacroixmelier@neuf.fr
t.l.j. 10h-13h 14h-19h; dim. 10h-13h
Pascal Berthelot

DOM. DE L'ENTRE-CŒURS Brut ★

13 300 | 5 à 8 €

Alain et Patricia Lelarge conduisent depuis plus de vingt ans ce domaine de 13 ha. Pour cet effervescent, on retrouve les qualités qui ont fait sa réputation : joli nez fruité (pamplemousse, citron), finesse et légèreté en bouche, bel équilibre entre acidité et souplesse. On s'imagine très bien le dégustant sous la tonnelle.
Alain Lelarge, 10, rue d'Amboise, 37270 Saint-Martin-le-Beau, tél. 02.47.50.61.70, fax 02.47.50.68.92, entre-coeurs@wanadoo.fr r.-v.

DOM. FLAMAND-DELÉTANG Sec Les Pierres écrites 2010 ★

2 200 | 11 à 15 €

Ce domaine à Saint-Martin-le-Beau produit chaque année des vins issus de raisins arrivés à pleine maturité. La vinification en fût apporte une note vanillée qui s'associe au coing pour donner un nez riche et harmonieux. En bouche, le vin se montre souple, rond et long. Un bel hommage à l'arrière-grand-père, auteur du livre *Les Pierres écrites*.

Dom. Flamand-Delétang, 19, rue d'Amboise, 37270 Saint-Martin-le-Beau, tél. 02.47.35.65.71, fax 02.47.35.67.64, flamandolivier@aol.com r.-v.

DOM. LA GRANGE TIPHAINE Demi-sec Les Grenouillères 2010 ★★

5 200	11 à 15 €

Depuis dix ans, Coralie et Damien Delecheneau conduisent ce domaine de 13 ha. La culture en bio et biodynamie sont au programme. Après un tri attentif aux vendanges, les levures indigènes sont mises à contribution, et tout se fait sans forcer la nature. La cuvée des Grenouillères, drapée dans une robe jaune paille, dévoile un bouquet expressif de raisins bien mûrs légèrement vanillé et une bouche ample et riche. Le **sec 2010 Clef de sol (10 000 b.)** obtient une étoile pour son nez floral et son fruité généreux en bouche.

Delecheneau, Dom. la Grange-Tiphaine, 37400 Amboise, tél. 02.47.30.53.80, fax 02.47.57.39.49, lagrangetiphaine@wanadoo.fr t.l.j. 9h-12h 14h-17h; dim. 9h-12h

JEAN-PAUL HABERT Brut 2009 ★

9 500	5 à 8 €

Depuis janvier 2009, après trente-six ans passés dans la fonction publique, Françoise Habert Gaultier a repris les vignes de son mari, poursuivant ainsi la tradition vigneronne de sa belle-famille entamée il y a sept générations. C'est dans les caves séculaires ayant appartenu à Gabrielle d'Estrée, favorite d'Henri IV, qu'elle a élaboré cette belle cuvée jaune pâle aux bulles fines et fugaces, au nez frais de fruits acidulés, longue, expressive et équilibrée en bouche. Parfait à l'apéritif, avec quelques gougères.

Françoise Habert Gaultier, 3, imp. des Noyers, Le Gros Buisson, 37270 Saint-Martin-le-Beau, tél. et fax 02.47.50.26.47, caveduvieuxcange@aol.com r.-v.

ALAIN JOULIN ET FILS Demi-sec Complan 2010 ★

3 500	5 à 8 €

Saint-Martin-le-Beau est une commune du sud de l'appellation, tournée vers les rives du Cher. Les coteaux en pente douce sont baignés de soleil et nombre de viticulteurs y sont installés. La famille Joulin, père et fils, y cultive la vigne sans jamais chercher les rendements mais plutôt l'authenticité. Et leur demi-sec 2010 est une belle expression de ces vins de Loire où la douceur rappelle les paysages mais où ne manque jamais la touche d'acidité qui interdit de s'endormir. Ce bel équilibre est agrémenté des arômes de pomme et de coing si caractéristiques des vins issus du chenin. Le **brut (18 000 b.)**, tonique et fruité, est cité.

Alain Joulin et Fils, 58, rue de Chenonceaux, 37270 Saint-Martin-le-Beau, tél. 02.47.50.28.49, fax 02.47.50.69.73, alain.joulin@wanadoo.fr t.l.j. sf dim. 8h30-12h 14h-19h

DOM. DES LIARDS Brut ★★

40 000	5 à 8 €

Les frères Berger sont spécialisés depuis longtemps dans l'élaboration de vins effervescents et notamment en montlouis-sur-loire. Depuis quelques années, ce ne sont plus seulement les frères mais aussi les enfants qui œuvrent au domaine. Leur brut se présente dans une élégante robe jaune soutenu qu'accompagne une mousse abondante. Le nez, frais, évoque la citronnelle. Le palais, dans le prolongement, se montre ample, long et bien équilibré. Les trente mois de vieillissement sur lattes ne sont pas étrangers à ce beau résultat. Mais la maison maîtrise aussi les autres styles, témoin le **demi-sec La Montée des liards 2010 (8 à 11 €; 7 500 b.)**, persistant et harmonieux, et le **doux La Côte Saint-Martin 2010 (15 à 20 €; 2 000 b.)**, rond, riche et fruité, chacun une étoile.

Dom. des Liards, 33, rue de Chenonceaux, 37270 Saint-Martin-le-Beau, tél. 02.47.50.67.36, bergerfreres@aol.com r.-v.

L. Berger

DOM. MARNÉ Sec 2010

2 660	5 à 8 €

Fort d'un savoir accumulé par cinq générations de viticulteurs, Patrick Marné cultive ses vignes en culture raisonnée sur des parcelles jalonnant les coteaux depuis la Loire jusqu'au Cher. Cet aimable 2010 est issu de raisins bien mûrs et a été longuement élevé en fût. Tonique et tendre à la fois, il révèle, au nez comme en bouche, de plaisants arômes de pain grillé et une note beurrée en finale. On le verrait bien accompagner une friture de Loire.

Dom. Marné, 21, rue du Chapitre, 37270 Montlouis-sur-Loire, tél. 02.47.45.11.32, domaine.marne@wanadoo.fr sam. 8h-12h 14h-18h

DOM. DE MONTORAY Brut Bulles de chenin Cuvée de l'Accordéon 2009

3 000	8 à 11 €

Jeune exploitation atypique créée en 2007, le domaine de Montoray est l'association de cinquante-huit passionnés de vins de Loire. Ils cultivent à peine 2 ha de vignes et viennent d'acquérir une cave dans le roc. Ces Bulles de chenin sont un vin effervescent brut non dosé, un type de vin en vogue sur le terroir de Montlouis. Plein de fougue, équilibré, empreint d'arômes de fleurs blanches, il sera du meilleur effet à l'apéritif. Le **demi-sec Vallée Saint-Martin (2 500 b.)** et le **sec L'Oiseau blanc 2010 (2 500 b.)** sont également cités.

SCEV Dom. de Montoray, 11, vallée Saint-Martin, 37400 Lussault-sur-Loire, tél. 06.75.38.79.69, fax 02.47.23.96.29, contact@domaineaupetitgendre.com r.-v.

DANIEL ET THIERRY MOSNY Demi-sec Le Chesneau 2010 ★

7 000	5 à 8 €

Thierry Mosny réalise avec cette cuvée du Chesneau le plus classique des montlouis-sur-loire, dans la pure tradition de ces demi-secs pleins de saveurs et d'arômes qui ont toujours fait la réputation de l'appellation, en particulier auprès des dames. Les vignes de trente-cinq ans et plus savent capter ces choses indéfinissables qui font le terroir. Un long séjour sur lie enrichit la matière, soutenue par une juste vivacité finale. Parfait pour l'apéritif, ce 2010 équilibré est bien dans l'esprit du temps où les vins de caractère sont dégustés pour eux-mêmes. Le **sec Les Graviers 2010 (7 000 b.)**, vif et minéral, et le **brut (15 000 b.)**, frais et souple, sont cités.

EARL Daniel et Thierry Mosny, 8, rue des Vignes, 37270 Saint-Martin-le-Beau, tél. et fax 02.47.50.61.84, thierry.mosny@orange.fr t.l.j. sf dim. 8h-18h

DOM. MOYER Sec 2010

5 000	▮	5 à 8 €

Cet ancien rendez-vous de chasse du XVIIe s. fut édifié par le duc de Choiseul. Depuis 1830, c'est une propriété viticole renommée où chaque génération marque le domaine de sa personnalité sans renier le travail des anciens. Les vignes ont un âge moyen de soixante-dix ans. La première trie de 2010 a donné ce joli vin vif, aromatique (poire, citron) et équilibré, qui sera parfait en compagnie de fruits de mer. Le **sec 2009 Edmond (8 à 11 €; 1 500 b.)**, hommage au grand-père de Damien et Michaël Moyer, l'un des vignerons fondateurs de l'appellation en 1938, est également cité pour son boisé bien fondu qui respecte le fruit.

Dom. Moyer, 2, rue de la Croix-des-Granges, Husseau, 37270 Montlouis-sur-Loire, tél. 02.47.50.94.83, fax 02.47.45.10.48, domaine.moyer@wanadoo.fr r.-v.

DOM. DE L'OUCHE GAILLARD Moelleux Améthyste 2010

1 400	▮▮	11 à 15 €

Gabrièle et Régis Dansault sont installés depuis 1984 sur ce domaine de 14 ha, qu'ils conduisent en bio certifié depuis 2010. Leur moelleux évoque les fruits mûrs, en particulier la pêche et le coing. Il se montre rond et fruité en bouche, soutenu par une plaisante acidité qui apporte l'équilibre. On patientera encore trois ou quatre ans pour l'apprécier à son apogée. Sont également cités le **sec Impressions 2010 (8 à 11 €; 6 000 b.)** et l'**extra-brut 2010 (8 à 11 €; 25 000 b.)**.

EARL Gabrièle et Régis Dansault, 1, rue Gaspard-Monge, 37270 Montlouis-sur-Loire, tél. 02.47.44.36.23, regis.dansault@wanadoo.fr r.-v.

DOM. DE LA ROCHEPINAL Tendre Les Grillonières 2010 *

4 000	▮	5 à 8 €

Hervé Denis cultive ses vignes âgées de cinquante ans avec tout le respect qui leur est dû, en culture raisonnée. La parcelle dont est issue cette cuvée est située sur des perruches, sols où abondent les silex. Sous le soleil de l'été, les grillons ne cessent d'y chanter. Le vin, pâle et limpide, s'exprime au nez à travers des notes soutenues d'agrumes. Dans le prolongement, la bouche affiche un bel équilibre entre rondeur et vivacité, et laisse en finale une agréable sensation de douceur.

EARL Hervé Denis, 4, rue de la Barre, 37270 Montlouis-sur-Loire, tél. 02.47.45.16.65, herve.denis.vigneron@wanadoo.fr r.-v.

LE ROCHER DES VIOLETTES Sec Touche-Mitaine 2010 *

14 000	▮▮	8 à 11 €

Si certains viticulteurs peuvent se targuer d'être vignerons de père en fils depuis plusieurs générations, ce n'est pas le cas de Xavier Weisskopf, qui a créé son exploitation en 2005. Les vignes, cependant, sont anciennes et les méthodes très classiques : rendements modérés, vendanges manuelles, fermentation et élevage en barrique au cœur des caves de tuffeau. Le résultat est fort plaisant avec ce sec net et précis, dont les arômes citronnés procurent une belle fraîcheur, au nez comme en bouche. Le **sec La Négrette 2010 (11 à 15 €; 7 000 b.)**, floral et équilibré, est cité.

Xavier Weisskopf, 38, rue du Rocher-des-Violettes, 37400 Amboise, tél. 06.15.96.52.47, fax 02.47.23.57.82, xavier.weisskopf@hotmail.com r.-v.

Vouvray

Superficie : 2 151 ha
Production : 126 272 hl (70 % mousseux)

Un long vieillissement en cave et en bouteilles révèle toutes les qualités des vouvray, blancs nés au nord de la Loire, presque en face de Tours, sur un vignoble qu'écorne l'autoroute A 10 au nord (le TGV passe en tunnel) et que traverse la large vallée de la Brenne. Le cépage blanc de Touraine, le chenin, donne ici des vins tranquilles, colorés et très racés, secs ou moelleux selon les années, et des vins pétillants et effervescents, vineux, élaborés selon la méthode traditionnelle. Si ces derniers sont bus assez jeunes, les vins tranquilles sont aptes à une longue garde qui leur donne de la complexité. Poissons et fromages de chèvre iront bien avec les uns; plats fins ou desserts légers avec les autres, qui feront aussi d'excellents vins d'apéritif.

ABBAYE DE MARMOUTIER Clos de Rougement 2010

9 000	8 à 11 €

C'est là, dit-on, que saint Martin planta au IVe s. les premières vignes de la région. Il choisit ce lieu pour fonder une abbaye et y installer son ermitage. La légende précise que c'est son âne qui enseigna aux vignerons l'art de tailler la vigne. Attaché à un pieu, il grignota les sarments qui fructifièrent de plus belle l'année suivante. Aujourd'hui, la vigne est cultivée ici en biodynamie et les levures du cru assurent la fermentation. Passé le caractère boisé, on hume des parfums de poire et de vanille. Le rond et le gras se développent en bouche sur des notes de raisin mûr. Encore un peu marqué par le bois, mais un « vin sympa », conclut un juré.

Dom. Vigneau-Chevreau, 4, rue du Clos-Baglin, 37210 Chançay, tél. 02.47.52.93.22, fax 02.47.52.23.04, contact@vigneau-chevreau.com r.-v.

DOM. DE BEAUMONT Brut Fines Bulles 2009 *

10 000	▮▮▮	5 à 8 €

Mathieu Cosme, installé en 2005, réunit tous les atouts pour réussir. Quatre générations de vignerons le précèdent et une passion débordante l'a saisi depuis le lycée. Il conduit ses vignes et vinifie au rythme du calendrier lunaire et, comme ses ancêtres, il continue à creuser la roche pour agrandir ses caves. C'est dans la fraîcheur du tuffeau que les levures indigènes transforment le moût en vin. Son brut offre un cordon persistant de... fines bulles. Très expressif, il dévoile des arômes soutenus de coing, d'acacia, de brioche et de miel. Long, souple et bien équilibré entre gras et vivacité, il inspire les dégustateurs, qui l'imaginent à l'apéritif, avec des fruits de mer, des charcuteries, un lapin aux pruneaux, ou encore au dessert – finalement, durant tout le repas...

Mathieu Cosme, Dom. de Beaumont, 86, rue du Bois-de-l'Olive, 37210 Noizay, tél. 02.47.52.15.44, mathieucosme@orange.fr r.-v.

LOIRE

PASCAL BERTEAU ET VINCENT MABILLE Brut

30 000 ▮ 5 à 8 €

Ces deux beaux-frères se sont associés en 1990 pour créer la marque B.M. Issus tous deux du milieu viticole, ils ont une ambition simple et efficace qui leur sert de devise : « Avoir de beaux raisins pour faire de bons vins. » En zone septentrionale de culture de la vigne, une telle exigence demande parfois des sacrifices. La vinification naturelle avec le strict minimum d'intrant en est la suite logique. Le résultat paraît ici convaincant et le vin est « simple et bon », résume un juré : une jolie couleur or pâle, des parfums plaisants de miel et de fruits mûrs, de la rondeur et une honorable longueur.

Pascal Berteau et Vincent Mabille, 46, rue de Vaugondy, 37210 Vernou-sur-Brenne, tél. et fax 02.47.52.03.43, vincent.mabille1@libertysurf.fr r.-v.

CHRISTIAN BLOT Demi-sec 2009

6 000 ▮ 5 à 8 €

L'exploitation a été créée en 1955 par le grand-père. Son fils Christian Blot lui a succédé en 1983 et, en 2006, la troisième génération est arrivée avec le petit-fils. Chaque génération apporte ainsi sa pierre à l'édifice ou plus exactement l'extrait puisqu'il s'agit plus de creuser la cave que de bâtir. Aujourd'hui, c'est 25 ha qui sont cultivés dans la partie la plus orientale de l'aire d'appellation. Ce demi-sec à la robe intense d'or jaune dévoile un joli nez de poire, de prune et de coing. Peu dosée et de bonne longueur, la bouche évoque quant à elle les fruits exotiques. Le **brut (12 000 b.)**, franc et frais, est également cité.

Christian Blot,
306, coteau de Venise, Dom. de Beauclair, 37210 Noizay, tél. 02.47.52.11.32, fax 02.47.52.07.48, freddyblot@aol.com
t.l.j. sf dim. 8h-12h 14h-19h

DOM. BOURILLON-DORLÉANS Sec La Coulée d'argent 2010 ★★★

30 000 ▮ 5 à 8 €

Frédéric Bourillon a une âme d'artiste : on se rappelle les caves rupestres et les étiquettes recelant le parfum délicat de la fleur de vigne. Pour cette Coulée d'argent, c'est dans le vin lui-même que se révèlent le savoir-faire et l'opiniâtreté d'un homme de goût. La robe est d'un jaune d'or brillant. Les parfums très riches de fruits mûrs rappellent la pêche, l'abricot et les fruits confits, agrémentés de nuances briochées ; « il embaume le nez », résume joliment un dégustateur. Le vin touche à la perfection en bouche : ample, rond, puissant, doux et enveloppé à la fois, mais avec toujours une juste vivacité en soutien. Accord (très) gourmand en perspective sur une blanquette de veau aux girolles.

Frédéric Bourillon, 30 bis, rue de Vaufoynard, 37210 Rochecorbon, tél. 02.47.52.83.07, fax 02.47.52.82.19, info@bourillon.com r.-v.

MARC BRÉDIF Brut ★

100 000 8 à 11 €

Cette vieille maison (1893) sise au bord de la Loire à Rochecorbon propose une imposante gamme de millésimes en Vouvray. C'est cependant le brut de la maison qui en constitue le plus sûr cheval de bataille, comme en témoigne cette très agréable cuvée qui a toutes les qualités pour plaire : bulles fines, robe jaune pâle, nez de fruits mûrs rappelant le coing agrémenté de fleur d'acacia, bouche longue, tendre et fine. L'apéritif semble lui convenir parfaitement. La cuvée **Vigne blanche 2010 sec (10 000 b.)**, vive et aromatique, recueille également une étoile.

Marc Brédif, 87, quai de la Loire, 37210 Rochecorbon, tél. 02.47.52.50.07, fax 02.47.52.53.41, bredif.loire@domaine-bredif.fr t.l.j. 10h-13h 14h-18h
de Ladoucette

YVES BREUSSIN Brut ★

25 000 ▮ 5 à 8 €

Depuis cinq générations, la famille Breussin cultive la vigne sur les hauteurs de Vernou-sur-Brenne, à l'est de l'appellation. Chaque génération a marqué de son empreinte ces caves où le jus de raisin devient vin. Depuis 1995, Yves Breussin s'efforce de cultiver la vigne dans le respect du végétal et de la faune auxiliaire. À la cave, les fermentations à basse température, l'élevage sur lies fines et les soutirages successifs permettent d'exprimer au mieux le potentiel du terroir. Une effervescence gracile et une robe pâle préludent à un vin rond, tendre et longuement tapissé de notes de fruits mûrs, de fleurs, de pain d'épice, de miel et de brioche au sucre. Un vin pour mets sucrés ou pour un lapin aux pruneaux.

Yves et Denis Breussin, 45, Vallée-de-Vaugondy, 37210 Vernou-sur-Brenne, tél. 02.47.52.18.75, breussindenis@aol.com
t.l.j. sf dim. 8h30-12h30 14h-19h; f. 15 août-1er sept.

VIGNOBLE BRISEBARRE Brut ★

20 000 ▮ 5 à 8 €

Si l'on montre son attachement aux choses par les gestes que l'on fait, il ne fait pas de doute que Philippe Brisebarre est viscéralement attaché à son appellation et au vin en général. Président de l'appellation, il ne manque pas une occasion de défendre Vouvray, si proche de l'agglomération de Tours et des menaces de grignotage du terroir. Il le démontre aussi par ses vins dont ce brut effervescent est un bel exemple. Le nez est bien présent avec une palette aromatique allant des notes fruitées d'orange et de coing aux impressions de pain grillé et de pierre à fusil. La bouche tendue se révèle moins démonstrative par ses arômes que par sa fraîcheur minérale. On imagine volontiers cette bouteille servie avec des huîtres pochées. Le **sec 2010 (12 000 b.)**, cité, plaît aussi pour son nez floral et mentholé et son palais de bonne longueur.

Philippe Brisebarre, 34, Vallée-Chartier, 37210 Vouvray, tél. 02.47.52.63.07, fax 02.47.52.65.59, brisebarre.ph@wanadoo.fr
t.l.j. sf dim. 9h-12h 14h-18h30

DOM. NICOLAS BRUNET Brut 2009 ★

50 000 ▮ 5 à 8 €

En 2009, Nicolas Brunet a vendangé le 10 octobre, ce qui est plutôt tardif pour ce millésime. Cela lui a permis de réaliser ce dont rêvent beaucoup de viticulteurs de la région : élaborer sa méthode traditionnelle sans chaptalisation et sans apport de sucre pour la seconde fermentation en bouteille. Cela s'associe à d'autres soins, tels que les vendanges manuelles, les fermentations conduites par la flore indigène et un long vieillissement sur lattes de dix-huit mois et plus. Dans le verre, on retrouve les caractères découlant de ces pratiques. Une effervescence peu active accompagne une couleur jaune paille à reflets verts. Le nez s'ouvre graduellement sur la poire, la pomme verte, le pamplemousse et le caramel. La bouche s'exprime en finesse, sur des arômes subtils de coing, de pêche et de citron. « Un vin sensuel », conclut un juré, qui verrait bien un brochet pêché dans la Loire toute proche lui donner la réplique.

Dom. Nicolas Brunet,
EARL Les Loges du Paradis, 9, rue de la Croix-Mariotte,
37210 Vouvray, tél. 06.83.22.47.14, fax 02.47.52.75.38,
nico.brunet37@voila.fr r.-v.

VIGNOBLES OLIVIER CARÊME Brut 2009

20 000 | 5 à 8 €

Le vignoble Carême est de création récente (1995). En peu d'années, il est passé de 3,5 à 14 ha. Les méthodes mises en œuvre, tant à la vigne qu'à la cave, sont dans la tradition du lieu. Le vin est élaboré dans le même esprit. La robe présente des reflets d'or. Le nez, floral et minéral, évolue à l'agitation vers des notes de fruits exotiques (papaye et litchi). L'attaque révèle une vivacité de bon aloi, puis apparaissent des saveurs fruitées de pêche blanche, de poire et de pamplemousse et une finale fraîche et tonique. Un vin charmant et bien équilibré qui peut accompagner tout un repas, avec viande blanche et dessert aux poires.

Olivier Carême, 14, rue de la Vallée-Chartier,
37210 Vouvray, tél. et fax 02.47.52.69.79,
careme.vin@wanadoo.fr r.-v. B

CHAMPALOU Sec 2010

72 000 | 8 à 11 €

Un travail soigneux à la vigne et une vinification patiente avec un élevage long sur lies fines donnent au vin de Catherine et Didier Champalou le style de l'année sans vouloir aller au-delà. Le sec de la maison se révèle ainsi droit et équilibré. C'est un vin plutôt tendre, qui se mariera avec aisance avec les mets de la cuisine japonaise et les fruits de mer.

Champalou, 7, rue du Grand-Ormeau, 37210 Vouvray,
tél. 02.47.52.64.49, fax 02.47.52.67.99, champalou@orange.fr
r.-v.

PIERRE CHAMPION Brut Cuvée Prestige 2007

3 000 | 5 à 8 €

Pierre Champion représente la quatrième génération de vignerons sur le domaine et cultive 14 ha dans la vallée de Cousse, entre Vouvray et Vernou-sur-Brenne. Comme beaucoup de viticulteurs de sa génération, il pratique la lutte raisonnée pour lutter contre les maladies de la vigne et s'oriente vers la vinification naturelle. Il apporte les plus grands soins pour affiner ses cuvées, trie les jus à la sortie de pressoir, débourbe soigneusement et pratique les fermentations longues. Pour cette cuvée, il a choisi un mûrissement de trois ans en cave avant de la proposer à sa clientèle. C'est donc un vin assagi à la robe d'or, à l'effervescence discrète, aux arômes de cire d'abeille, de fleur d'acacia et de fruits qui est présenté. Ample et frais en bouche, il constituera un agréable apéritif.

EARL Pierre Champion, 57, Vallée-de-Cousse,
37210 Vernou-sur-Brenne, tél. 02.47.52.02.38,
fax 02.47.52.05.69, pierre.champion3@wanadoo.fr
r.-v.

DOM. THIERRY COSME Sec 2010 ★★

1 500 | 5 à 8 €

Thierry Cosme est un homme discret qui travaille en agriculture raisonnée ses 19 ha de vignes sur les communes de Noizay et de Chançay. Ce sec 2010 jaune pâle et brillant dévoile un nez fin, floral et fruité (poire, pêche). Quelques notes de sucres résiduels lui confèrent un palais souple et rond fort plaisant. Un vin gourmand, tendre et long, parfait accompagnement pour les rillons de Touraine. Le **demi-sec 2010 (1 700 b.)**, rond et généreux, est cité.

EARL Thierry Cosme, 1127, rte de Nazelles,
37210 Noizay, tél. 02.47.52.05.87, fax 02.47.52.11.36,
thierry.cosme@wanadoo.fr r.-v.

DOM. DES COUDRIÈRES Brut

10 000 | 5 à 8 €

Alain Delaleu sait que le temps joue en sa faveur. Après la première fermentation, le vin de base séjourne sur ses lies fines pendant six mois. Il reste ensuite dix-huit mois sur lattes et repose encore quelques mois après dégorgement. Dans l'ombre des caves de tuffeau à la température constante de 12 °C en toute saison, les vins évoluent harmonieusement. Le brut de la maison illustre ce principe avec son nez de belle intensité, sa bouche vive et fraîche. Un vin de soleil et d'apéritif gourmand. Le **demi-sec (8 000 b.)**, plus marqué par les fruits mûrs, est également cité.

Alain Delaleu,
Dom. des Coudrières, 44, rte de Châteaurenault,
37210 Vernou-sur-Brenne, tél. 02.47.52.13.70,
alain.delaleu@wanadoo.fr r.-v.

MAISON DARRAGON Sec 2010 ★★

7 000 | 5 à 8 €

La maison Darragon a ses racines profondément ancrées dans le terroir vouvrillon ; des racines de pineau de la Loire, bien sûr, l'autre nom du chenin. Ici, la tradition prévaut tant dans les vignes qu'à la cave, avec pour objectif de produire des vins fidèles à l'image du vouvray. Et cette cuvée d'offrir une véritable corne d'abondance emplie de fleurs et de fruits, ainsi que cet équilibre des saveurs si particulier à la Loire, où la souplesse et le gras ne sont jamais pesants grâce à une légère acidité pourvoyeuse de fraîcheur. Un vin gourmand et équilibré, à déguster sur un poisson noble. L'image de la *cornucopia* vient aussi à l'esprit dans la **cuvée Antique 2009 brut (6 000 b.)**, un effervescent frais, fruité et un rien iodé qui obtient une étoile.

Maison Darragon, 34, rue de Sanzelle, 37210 Vouvray,
tél. 02.47.52.74.49, fax 02.47.52.64.96,
scea.darragon@wanadoo.fr
t.l.j. 9h15-12h 13h-19h A

RÉGIS FORTINEAU Sec 2010

2 000 | 5 à 8 €

Régis Fortineau est un garçon discret mais ses vins parlent pour lui et figurent depuis de nombreuses années dans le Guide tantôt pour les fines bulles, tantôt pour les vins tranquilles. C'est encore le cas cette année avec ce sec, plutôt du type « sec-tendre » selon la terminologie vigneronne locale. La personnalité de ce vin est marquée. Sa robe est d'or clair, son nez de fruits mûrs, et même légèrement surmûris, rappelant l'abricot et la poire. En bouche règne une certaine opulence, tonifiée par une finale minérale bienvenue. Poissons, crustacés, apéritif, tout lui convient et il réjouira les cœurs comme il est dit dans la devise de Vouvray.

🔑 Régis Fortineau, 4, rue de la Croix-Mariotte, 37210 Vouvray, tél. 02.47.52.63.62, regis.fortineau@orange.fr ☑ 🍷 🚶 r.-v.

CH. GAUDRELLE Brut tendre

	20 000	▮	8 à 11 €

Le château Gaudrelle est un domaine de près de 20 ha fondé au XVII[e]s. par un riche soyeux de Tours, alors capitale de la soie. Depuis 1931, c'est la famille Monmousseau qui veille aux destinées de la propriété. La vigne est cultivée au rythme de la nature jusqu'à obtenir la maturité optimale des raisins. « Brut tendre » : cette cuvée présente une désignation inhabituelle en forme d'oxymore. Lors de la dégustation, cette apparente opposition des termes révèle le joyeux équilibre d'un vin qui se fait frais en attaque, puis plus tendre et rond, toujours aimable et festif, au bouquet plaisant de chèvrefeuille, de litchi, de brioche et de grillé. Plébiscité pour l'apéritif.

🔑 Ch. Gaudrelle, Clos de l'Olivier, 12, quai de la Loire, 37210 Rochecorbon, tél. 02.47.25.93.50, fax 02.47.52.67.98, chateaugaudrelle@free.fr ☑ 🍷 🚶 r.-v.

🔑 Alexandre Monmousseau

DOM. SYLVAIN GAUDRON Sec 2010 ★

	13 000	▮	5 à 8 €

Si la rue Neuve à Vernou-sur-Brenne a connu dans des temps très anciens l'exploitation de son tuffeau pour construire des monuments tels que la cathédrale de Tours (à partir du XII[e]s.), les caves laissées vacantes ont permis le développement de la viticulture dans la partie est de l'appellation vouvray. La famille Gaudron y produit des vins de bonne réputation, et c'est aujourd'hui Gilles qui est aux commandes. Une vinification très soignée et attentive donne ce beau 2010 à la robe jaune aux reflets verts, aux arômes de coing et de groseille blanche. L'élevage sur lies fines conduit à cette harmonie en bouche, à cet équilibre acidité-gras et à ce côté tendre et souple qui a séduit les jurés. Le **brut blanc de blancs 2009 (40 000 b.)** reçoit également une étoile pour sa douceur et son fruité.

🔑 EARL Dom. Sylvain Gaudron, 59, rue Neuve, 37210 Vernou-sur-Brenne, tél. 02.47.52.12.27, fax 02.47.52.05.05, sylvain.gaudron@wanadoo.fr ☑ 🍷 🚶 r.-v.

DOM. GENDRON Sec Cuvée Clos Cartaud 2010

	1 760	🛢	8 à 11 €

Les Gendron étaient à Vouvray au temps de Louis XVI. Bien sûr, les installations ont évolué depuis cette époque, mais pas tant que cela. Les fermentations se font en fût dans le calme et la fraîcheur des caves creusées dans le tuffeau. Cette cuvée provient d'une parcelle particulière, le Clos Cartaud. En ce lieu subsiste une loge de vigne restaurée, une de ces petites maisons au milieu des ceps que Philippe Gendron se fera un plaisir de vous faire visiter. La belle maturité des raisins confère au vin des notes de raisin de Corinthe. On retrouve ces senteurs dans une bouche vigoureuse et élégante, non dénuée de vivacité et d'une pointe agréable d'amertume. Un vin tout indiqué pour un sainte-maure sec ou un poisson grillé.

🔑 Dom. Philippe Gendron, 10, rue de la Fuye, 37210 Vouvray, tél. et fax 02.47.52.63.98, gendronvinsvouvray@orange.fr ☑ 🍷 🚶 r.-v.

C. GREFFE Brut Excellence ★

	226 000	▮	5 à 8 €

La cave coopérative de la Vallée Coquette a été créée en 1953. Que de chemin parcouru depuis cette époque et surtout au cours de ces dernières années, sous l'impulsion de son dynamique directeur, Philippe Thierry. Après un magnifique bâtiment d'accueil des visiteurs sur les lieux historiques de la maison, c'est un chai de 22 000 hl de capacité qui a ouvert ses portes en octobre 2011, à l'Étang Vignon. Le brut C. Greffe démontre la parfaite maîtrise des vouvrillons pour l'élaboration de vins effervescents à partir de raisins bien mûrs. La couleur et les arômes intenses ne la jouent pas « petit bras ». Miel, fruits compotés, coing, caramel, cerise, légumes frais, pêche, abricot constituent le corpus sémantique développé par le jury pour décrire ce nez intense et complexe. La bouche, harmonieuse, déroule une belle longueur et offre un équilibre acidité-fruité très réussi.

🔑 Cave des Producteurs de Vouvray, 38, rue de la Vallée-Coquette, 37210 Vouvray, tél. 02.47.52.75.03, fax 02.47.52.66.41, cavedesproducteurs@cavedevouvray.com ☑ 🍷 🚶 t.l.j. 9h-12h30 14h-19h

LAURENT KRAFT Sec 2010 ★

	20 000	▮ 🛢	5 à 8 €

La famille Kraft exploite la vigne depuis sept générations. Comme beaucoup de propriétés qui ont connu la réussite, le vignoble s'est agrandi au fil des années, passant de 3,5 ha en 1992 à 19 ha aujourd'hui. La protection du vignoble se fait en lutte raisonnée depuis quinze ans et les méthodes de vinification mises en œuvre comprennent les fermentations lentes et l'élevage sur lies. Cela donne ici un vin ouvert aux arômes de fruits mûrs qui rappellent la pêche jaune. Une pointe de vivacité vient titiller le palais et réveiller les papilles sans pour autant amoindrir le gras et la persistance en bouche.

🔑 Laurent Kraft, 29, rue du Petit-Coteau, 37210 Vouvray, tél. et fax 02.47.52.61.82, lkraft@wanadoo.fr ☑ 🍷 🚶 r.-v.

FRANCIS MABILLE Brut 2009

	42 000	▮	5 à 8 €

Francis Mabille va de l'avant. Avec le temps, il a progressivement agrandi son domaine, passé des 5 ha de l'exploitation familiale en 1986 aux 19 ha actuels. En 2011, il a entièrement refait son caveau de dégustation pour pouvoir accueillir confortablement les visiteurs. Son brut correspond à une bonne part de sa production. Drapé d'une robe jaune paille auréolée de fines bulles, il offre un nez plaisant de pomme verte et d'agrumes, et se montre vif et tonique en bouche. Il conviendra tout à fait à l'apéritif. Également cité, le **sec 2010 (5 820 b.)** est de la même veine, sur la fraîcheur, avec une dominante florale.

🔑 Francis Mabille, 17, Vallée-de-Vaugondy, 37210 Vernou-sur-Brenne, tél. 02.47.52.01.87, fax 02.47.52.19.41, earl.francis.mabille@wanadoo.fr ☑ 🍷 🚶 r.-v.

GILLES MADRELLE Brut Cuvée Louis 2009

	4 000	▮	5 à 8 €

Gilles Madrelle propose avec cette cuvée un type de vin un peu délaissé. L'élaboration de vouvray « pétillant », autrefois majoritaire, a été abandonnée au profit des méthodes dites traditionnelles, qui présentent une pression plus forte et une mousse beaucoup plus abondante. Cette pression est une aide, lors du dégorgement, pour évacuer le bouchon de résidus de levures de la seconde fermentation. Les pétillants laissent quant à eux s'exprimer davantage la vinosité du vin, à l'image de cette cuvée.

Le nez évoque les agrumes, le coing et la cire d'abeille. La bulle délicate n'encombre pas la bouche qui joue une partition fraîche et fruitée. On imagine un accord gourmand avec une tarte Tatin. Le **brut 2009 (4 000 b.)**, souple et bien dosé, est également cité.

EARL Gilles Madrelle, 9, rue de la Vallée-Chartier, 37210 Vouvray, tél. 02.47.52.78.59, fax 02.47.52.78.63, gilles.madrelle804@orange.fr r.-v.

MAILLET PÈRE ET FILS Brut ★

30 000 | 5 à 8 €

La famille Maillet cultive 30 ha de vignes, dans la bonne tradition vouvrillonne. La Vallée Coquette en est le berceau. C'est avec régularité que les cuvées de méthode traditionnelle contribuent à la réputation du domaine. Nombre d'étoiles et plusieurs coups de cœur en témoignent dans ces pages. Cette belle bouteille fait mouche avec un profil comparable d'une année à l'autre. La robe d'or, le nez très riche de fruits et de fleurs, la saveur fraîche et plaisante emportent l'adhésion sans restriction. La **cuvée Prestige brut (9 000 b.)**, vineuse et élégante, reçoit également une étoile.

EARL Laurent et Fabrice Maillet, 101, rue de la Vallée-Coquette, 37210 Vouvray, tél. 02.47.52.76.46, fax 02.47.52.63.06, vouvray.maillet@orange.fr r.-v.

VINCENT MÉTIVIER Demi-sec ★

15 000 | 5 à 8 €

Vincent Métivier a repris l'exploitation familiale en 2004. Il signe ici un type de vin peu représenté, le demi-sec effervescent. La robe d'or est ourlée d'un cordon de fines bulles persistantes. Le nez complexe évoque les fruits mûrs mêlés de notes de beurre frais, de brioche avec un peu de grillé. La bouche est à l'avenant, et la douceur ne domine pas, une bonne vivacité faisant contrepoint. Cela donne un vin harmonieux, qui pourra être servi à l'apéritif. Le **brut (30 000 b.)** est également cité pour son fruité et sa fraîcheur.

EARL Métivier, 51, rue Neuve, 37210 Vernou-sur-Brenne, tél. 02.47.52.01.95, fax 02.47.52.06.01 r.-v.

MAISON MIRAULT Brut

30 000 | 5 à 8 €

La maison Mirault est une entreprise familiale installée depuis 1959 à Vouvray. Elle sélectionne des moûts et des vins à la propriété avec rigueur et fidélité. Elle s'est faite une spécialité de l'élaboration des effervescents et dispose d'imposantes caves dans le roc. Ce savoir-faire conduit à des cuvées de qualité comme ce brut or pâle, au bouquet expressif de pain grillé et d'agrumes. En bouche, le vin révèle tout son caractère avec une attaque nerveuse et une belle longueur. Sa fraîcheur suggère de le servir lors d'un apéritif sous la tonnelle ou au dessert pour accompagner une tarte au citron.

Maison Mirault, 15, av. Brûlé, 37210 Vouvray, tél. 02.47.52.71.62, fax 02.47.52.60.90, maisonmirault@wanadoo.fr t.l.j. 8h-12h 14h-18h; dim. sur r.-v.

MONMOUSSEAU Brut 2011

119 336 | 5 à 8 €

Monmousseau, fondé en 1886 et basé à Montrichard, est désormais une filiale de la société Ackerman de Saint-Hilaire-Saint-Florent en Saumurois. Ce vouvray brut a été élaboré dans les caves vouvrillonnes pendant de nombreux mois et a bénéficié d'un solide savoir-faire. Les bulles sont fines et persistantes. La robe, pâle, présente des reflets verts. Le nez expressif et fin évoque la noisette fraîche et précède une bouche légèrement acidulée, vive et de bonne longueur. Un vin de tonnelle pour l'apéritif.

Monmousseau, 71, rte de Vierzon, BP 30025, 41400 Montrichard, tél. 02.54.71.66.66, fax 02.54.32.56.09, monmousseau@monmousseau.com r.-v.

Ackerman

MAISON PELTIER Demi-sec 2010

6 500 | - de 5 €

Créée par l'arrière-grand-père en 1900, l'entreprise familiale prend un tout nouvel essor avec la dernière génération. Comme leur ancêtre, les trois frères sont des bâtisseurs et ils ont adjoint à la maison et aux dépendances une cave creusée dans le rocher ; une cave labyrinthique à laquelle un chai tout neuf est associé depuis 2012. Quant au vin, il est le reflet d'un aspect particulier du terroir de Vouvray, les perruches de Chançay, et de son sol envahi de silex qui usent les outils. Les arômes de ce demi-sec évoquent le buis et le chèvrefeuille, et se prolongent dans une bouche réservant un juste équilibre entre sucres et acidité.

EARL Peltier Frères, 43, rue de la Mairie, 37210 Chançay, tél. et fax 02.47.52.93.34, maisonpeltier@orange.fr t.l.j. sf dim. 8h30-12h30 14h-19h

DOM. DU PETIT COTEAU Brut

60 000 | 5 à 8 €

Le domaine du Petit Coteau joue la carte des vins issus de l'agriculture biologique. Les vignes sont situées sur les sols argilo-siliceux des premières côtes de Vernou-sur-Brenne. Le travail du sol est intégral et aucune substance de synthèse n'est utilisée. Ce brut, pâle à reflets verts, présente une effervescence discrète de bulles fines. Le nez plutôt timide lui aussi révèle des notes briochées sur un fond floral, agrémenté d'une nuance de guimauve. Si l'attaque est vive et fruitée, le vin offre une fin de bouche complexe où se mêlent rondeur et légère amertume.

SARL Dom. du Petit Coteau, 71, rue du Petit-Coteau, 37210 Vouvray, tél. 02.47.52.60.77, fax 02.47.52.65.50, info@moncontour.com t.l.j. 10h-12h 15h-18h

Gilles Feray

DOM. DU PETIT NOYER Demi-sec Réserve 2010

770 | 5 à 8 €

Michel Grenier cultive le vignoble familial, dont la superficie (4 ha) suffit au travail d'un seul homme. La vinification est traditionnelle, en fût et en cuve, au cœur des caves de tuffeau. Le tour de ces dernières fait d'ailleurs partie du programme réservé aux visiteurs. L'occasion de goûter la diversité des vins produits chaque année en fonction du climat. La cuvée présentée ici est un demi-sec dominé par les arômes de pleine maturité rappelant les raisins secs et les fruits exotiques, souple, rond et équilibré en bouche. Il est prêt à boire.

Michel Grenier, 37, rue des Violettes, Vallée du Vau, 37210 Chançay, tél. 02.47.52.20.52, michgren@hotmail.fr r.-v.

♥ DOM. PICHOT Brut 2006 ★★

16 000 | 11 à 15 €

Ce domaine ancien est dans la famille Pichot depuis 1770. La dernière génération dédaigne les vins passe-

LOIRE

partout au profit des petites séries haut de gamme à forte personnalité. Pour cela, pas de recette mystère mais seulement la tradition, avec les évolutions qui vont dans le bon sens : lutte raisonnée, travail du sol et enherbement. Les vouvray, parfois un peu vifs quand ils sont jeunes, voient leur acidité s'arrondir avec l'âge. Constatant cette évolution naturelle, la solution apportée pour cette cuvée est le temps : au minimum trois ans sur lattes dans la fraîcheur des caves. Il n'est plus alors besoin de liqueur d'expédition, et le vin n'est que vin. Mousse très fine et légère et robe jaune d'or constituent sa parure. Le nez, généreux et d'une rare complexité, rappelle les fruits mûrs, le coing, la figue sèche, le caramel, les amandes ou encore le café torréfié. La bouche, de la même veine, se révèle aimable, pleine de finesse, subtile et très longue. Des bulles de gastronomie à n'en pas douter, pourquoi pas sur une volaille à la crème ou un comté affiné de dix-huit mois. La cuvée **Le Marigny 2010 moelleux (20 à 30 € ; 3 000 b.)**, florale et miellée, est citée.

Dom. Pichot, 70, rue de la Vallée-de-Nouy, 37210 Vouvray, tél. 02.47.52.62.55, fax 02.47.52.66.59, contact@domaine-pichot.fr t.l.j. 8h-18h

BRUNO ET JEAN-MICHEL PIEAUX Brut Cuvée Privilège 2007

5 500 | 5 à 8 €

Les frères Pieaux cultivent ensemble 26 ha de vignes. Lutte raisonnée et enherbement sont de mise, dans le but de faire progresser la qualité et de respecter l'environnement. Les bulles fines accompagnent harmonieusement l'or de la robe. Le coing, la pêche blanche et la poire s'associent aux caractères briochés et miellés et se retrouvent tout au long de la dégustation. Une pointe de surmaturité apparaît en fin de bouche. Un vin de tous les instants, de l'apéritif au dessert. Le **brut Dom. Margalleau (50 000 b.)** est également cité pour sa fraîcheur.

EARL Bruno et Jean-Michel Pieaux, 10 bis, rue du Clos-Baglin, Vallée de Vaux, 37210 Chançay, tél. 02.47.52.25.51, fax 02.47.52.27.59, earl.pieaux@orange.fr t.l.j. sf dim. 8h-12h 14h-18h30

DOM. DE LA POULTIÈRE Brut 2009 ★★

54 500 | 5 à 8 €

C'est la troisième génération qui petit à petit prend le relais avec Damien Pinon, et le même amour du métier prévaut à la vigne comme à la cave. Les traitements sont ceux que l'on autorise pour la viticulture biologique. Les levures indigènes ainsi préservées conduisent la fermentation des moûts. Une maturité arrivée à son terme permet d'assurer la seconde fermentation en bouteille avec les sucres provenant du raisin. Un long séjour sur lattes de plus de dix-huit mois affine la bulle et donne du corps. L'élégance et la fraîcheur sont au rendez-vous pour délivrer l'image d'un vouvray remarquable d'équilibre et de délicatesse, qui conduira vers un joli voyage intérieur, de l'apéritif jusqu'au dessert.

GAEC Michel et Damien Pinon, 29, rte de Château-Renault, 37210 Vernou-sur-Brenne, tél. 02.47.52.15.16, fax 02.47.52.07.07, gaec.pinon@wanadoo.fr r.-v.

CAVES POUSSIN Brut Tête de cuvée ★

6 660 | 8 à 11 €

C'est en 2008 que Vincent et Francis ont pris la relève de Jean-Paul Poussin. La cave est ancienne et connue pour avoir été utilisée pour protéger les hommes lors des épidémies au temps de Louis XI. Côté viticulture, les traitements et les engrais interviennent le moins possible. Le désherbage est mécanique pour l'essentiel. À la cave, les pratiques sont orientées pour avoir un recours aussi faible que possible au sulfitage. Cette cuvée résulte de l'assemblage de vin de base et de vin tranquille pour moitié. Cela donne un caractère vineux accentué. Cette Tête de cuvée exprime avec intensité, évoquant la framboise, la poire, la fleur d'acacia, la brioche et l'amande. L'attaque est fraîche, le corps puissant, révélant une belle matière. Un ensemble équilibré.

EARL Caves Poussin, La Babauderie, 37380 Reugny, tél. 02.47.52.91.32, fax 02.47.52.25.02, caves-poussin@orange.fr t.l.j. 8h-12h 14h-19h

DOM. DES RAISINS DORÉS Brut 2009

14 000 | 5 à 8 €

Si le nom du domaine date de 1974, la tradition viticole familiale remonte à 1675. Les vignes sont situées en première côte, c'est-à-dire sur la bordure du coteau qui fait face au fleuve. Nathalie Berton a repris les vignes en 2005 et applique les méthodes modernes d'enherbement et de protection du vignoble. Une vendange bien mûre confère au vin une belle robe d'or intense qu'accompagne une fine moustille persistante. Le nez, soutenu, évoque les fruits compotés, la brioche et la poire pochée. L'acidité est bien présente en bouche mais ne nuit aucunement à l'harmonie. Tout indiqué pour l'apéritif.

Nathalie Berton, 40, rue du Professeur-Debré, 37210 Vernou-sur-Brenne, tél. 09.61.64.99.69, nathalie_berton@orange.fr t.l.j. sf dim. 9h-12h 14h-18h30

VIGNOBLE ALAIN ROBERT ET FILS Sec Les Charmes 2010 ★

n.c. | 5 à 8 €

Chez les Robert, le souci de bien faire se transmet d'une génération à l'autre : Alain et aujourd'hui Cyril. On n'utilise pas d'engrais chimiques et les traitements sont proportionnés a minima pour lutter contre les maladies de la vigne. À la cave, la vinification est pointue, avec des macérations pelliculaires de quelques heures et un contrôle strict des températures. Cette rigueur de l'homme de métier va de pair avec cette phrase de Georges Brassens, reprise comme devise : « Le meilleur vin n'est pas nécessairement le plus cher mais celui qu'on partage. » Et l'on partagera volontiers cette cuvée au nez expressif de chèvrefeuille, d'acacia et de fruits mûrs, au palais bien équilibré entre le gras et la vivacité. À servir aussi bien avec des coquilles Saint-Jacques qu'avec les charcuteries tourangelles, rillons et rillettes.

Alain et Cyril Robert, Charmigny, 37210 Chançay, tél. 02.47.52.97.95, fax 02.47.52.27.24, vignoblerobert@orange.fr r.-v.

DOM. DE ROCHE BLONDE Brut 2008

12 300 | 5 à 8 €

Christophe Gaudron a repris l'exploitation familiale en 1996 et utilise pour ses vinifications les caves creusées par son père dans les années 1980. Après une solide formation au lycée viticole d'Amboise, il cultive de façon traditionnelle ses 12 ha de vignes. L'enherbement naturel des inter-rangs favorise la diversité écologique et s'éloigne de la monoculture pratiquée par la génération précédente. Le nom de « fines bulles » que l'on donne aux vins effervescents de la région est bien illustré par cette cuvée 2008 qui a bénéficié d'un long mûrissement en cave. Fin et floral, le nez est complété par des notes fruitées rappelant le coing, la pomme verte et les agrumes. La bouche se révèle longue et vive. Un joli vin d'apéritif.

Christophe Gaudron,
Dom. de Roche blonde, 90, rue Neuve,
37210 Vernou-sur-Brenne, tél. 02.47.52.12.17,
christophegaudron@wanadoo.fr
t.l.j. sf dim. 9h-12h30 14h-19h

DOM. DE VAUGONDY Brut ★

86 500 | 5 à 8 €

La vallée de Vaugondy, située à Vernou-sur-Brenne, est orientée est-ouest. Les coteaux qui la bordent au nord bénéficient d'une exposition exceptionnelle. Les vins issus de ces parcelles se sont maintes fois illustrés dans les pages du Guide. Ici, une cuvée vieillie dix-huit mois sur lattes réussie à bien des égards : une robe jaune d'or ourlée d'un cordon persistant de fines bulles ; un nez expressif et intense, proche de la surmaturation, qui rappelle la pomme et la mûre ; une bouche très équilibrée entre vivacité, douceur et structure. À déguster de l'apéritif au dessert.

SARL Perdriaux, 73, rue du Petit-Coteau, 37210 Vouvray, tél. 02.47.52.60.77, fax 02.47.52.65.50, info@moncontour.com
t.l.j. 10h-13h 15h-18h

DOM. DE VODANIS Brut ★

40 000 | 5 à 8 €

François Gilet exploite ce domaine depuis 2003 et produit régulièrement de belles cuvées sur ces parcelles très propices à la culture de la vigne. Les fermentations à basse température durent trois mois et sont réalisées sans apport de levures exogènes. C'est le terroir qui doit s'exprimer intégralement. Les arômes de poire, de coing et de miel que l'on perçoit au nez témoignent d'une belle maturité de la vendange et imprègnent aussi délicieusement une bouche souple et fraîche. Un vin complexe, friand et élégant.

Dom. de Vodanis, 19, rue de la Mairie,
37210 Parçay-Meslay, tél. et fax 02.47.29.10.74,
vodanis@orange.fr
t.l.j. 9h-12h 14h-19h; dim. sur r.-v.
François Gilet

Cheverny

Superficie : 579 ha
Production : 26 961 hl (49 % rouge et rosé)

VDQS en 1973, Cheverny a bénéficié d'une AOC vingt ans plus tard. À dominante sableuse (des sables sur argile de la Sologne aux terrasses de la Loire), le terroir s'étend le long de la rive gauche du fleuve, de la Sologne blésoise jusqu'aux portes de l'Orléanais. Les cépages, nombreux, sont assemblés dans des proportions variant légèrement selon les terroirs. Les vins rouges, à base de gamay et de pinot noir, avec parfois un appoint de cabernet franc et de cot, sont fruités dans leur jeunesse et acquièrent, en évoluant, des arômes animaux... en harmonie avec l'image cynégétique de cette région. Les rosés, dominés par le gamay, sont secs et parfumés. Les blancs, où le sauvignon est associé à un ou plusieurs autres cépages, le chardonnay en général, sont floraux et fins.

CHRISTELLE ET CHRISTOPHE BADIN
La Pièce de l'Aubras 2009 ★

5 800 | - de 5 €

Ce jeune couple maintient la tradition familiale sur un domaine de 15 ha, et présente un rouge élevé en pièces de bois issu de vignes du lieu-dit l'Aubras. Sous une robe rouge grenat, aux légers reflets tuilés, ce vin dévoile un nez franc de fruits noirs. La bouche est ronde à l'attaque, chaleureuse, mêlée de fines notes boisées qui se prolongent en finale. Un vin équilibré, prêt à être dégusté sur une queue de bœuf en sauce. Le **blanc 2011 (15 000 b.)** décroche aussi une étoile. Ses parfums de buis et de bourgeon de cassis précèdent une bouche dense et gourmande. Est enfin cité le **rosé 2011 (15 000 b.)** pour son caractère fruité (agrumes, bonbon anglais).

EARL Christelle et Christophe Badin, L'Aubras,
41120 Cormeray, tél. et fax 02.54.44.23.43,
cave-badin@wanadoo.fr t.l.j. sf dim. 8h-12h 14h-19h

DOM. CHESNEAU 2011 ★

17 000 | 5 à 8 €

Cet assemblage de pinot noir (60 %), gamay et cabernet franc est né sur un terroir argilo-siliceux situé au sud-ouest de Cheverny. De couleur grenat soutenu, il exprime timidement des senteurs de fruits rouges qui s'intensifient à l'aération. La bouche longue et équilibrée dévoile une structure assez solide, encore un peu sévère en finale. Prévoir une garde d'une petite année pour laisser le pinot noir exprimer toute sa complexité.

EARL Chesneau et Fils, 26, rue Sainte-Néomoise,
41120 Sambin, tél. 02.54.20.20.15, fax 02.54.33.21.91,
contact@chesneauetfils.fr r.-v.

LOIRE

LE CLOS DE L'ATELIER 2011 ★

1 500 | - de 5 €

Depuis 2008, Damien Merigot dirige cette exploitation située sur la route menant de Blois au château de Cheverny. Il signe ici une cuvée à majorité de sauvignon (90 %), complétée par du chardonnay. Jaune paille aux reflets argent, ce 2011 s'ouvre sur d'intenses senteurs de bourgeon de cassis et de genêt. Le palais, rond et plein, se conclut par une longue finale empreinte de minéralité. Le **rouge 2010 (2 000 b.)** est par ailleurs cité pour son fruité persistant et sa trame tannique encore jeune : on l'attendra un an.

Damien Merigot, 73, rte de Blois, Le Clos de l'Atelier,
41700 Cour-Cheverny, tél. 01.54.56.81.30, fax 01.79.75.94.73,
leclosdelatelier@orange.fr t.l.j. 9h-19h; mar. 9h-12h

DOM. DU CROC DU MERLE 2011

■ 10 000 ▮ 5 à 8 €

Sur cette exploitation des bords de Loire, qui abrite désormais un grand gîte rural, la relève de Patrice Hahusseau est assurée : son fils Damien reprend dès cette année les rênes des 10 ha de vignes. Cet assemblage gamay (70 %), pinot noir et cabernet revêt une robe grenat soutenu et livre un bouquet friand de cerise. Toujours sur le fruit, la bouche se révèle structurée par des tanins soyeux. Prêt à boire, ce « vin plaisir » vous séduira par son équilibre et sa souplesse. Le **rosé 2011 (5 000 b.)** s'exprime avec discrétion sur les fruits rouges : il est également cité.

Dom. du Croc du Merle, 38, rue de la Chaumette, 41500 Muides-sur-Loire, tél. 02.54.87.58.65, fax 02.54.87.02.85, contact@domaineducrocdumerle.fr
t.l.j. 9h-12h30 14h-19h
Hahusseau

BENOÎT DARIDAN 2011 ★★

21 333 ▮ 5 à 8 €

Après avoir décroché un coup de cœur en appellation cour-cheverny dans le précédent Guide, Benoît Daridan réussit encore à charmer le jury avec ce cheverny à dominante de sauvignon. Sous une parure pâle et discrète explosent des senteurs fraîches et élégantes de bourgeon de cassis et de fleurs blanches. L'attaque est franche et droite, puis la bouche associe en harmonie la rondeur, le gras et une belle acidité. Du plaisir et de la gourmandise pour ce vin aux arômes de pêche, à essayer sur des asperges à la crème. Le **cour-cheverny 2010 Vieilles Vignes (8 à 11 €; 15 400 b.)** obtient une étoile. Il offre des arômes de fleurs et de miel qui se prolongent au sein d'une bouche tendre. À attendre un à deux ans de préférence.

Benoît Daridan, 16, voie de la Marigonnerie, 41700 Cour-Cheverny, tél. et fax 02.54.79.94.53, benoit.daridan@wanadoo.fr
t.l.j. sf dim. 9h-12h30 14h-18h

EMMANUEL DELAILLE 2011 ★★

20 000 ▮ 5 à 8 €

Cette cuvée de négoce porte le nom de l'un des deux frères gérant l'exploitation familiale depuis 2008. Elle est issue d'un assemblage de sauvignon (80 %) et de chardonnay. Récoltés à belle maturité, les raisins ont fait l'objet de grands soins à la vigne comme au chai. On en mesure le résultat par ce bouquet explosif construit sur la pêche blanche et sur des notes florales. L'attaque est souple, et la bouche, ronde et ample. Un léger perlant et une sensation mentholée assurent la fraîcheur, l'équilibre et la finesse. Issu des vignes de la propriété, le **Dom. du Salvard blanc 2011 (110 000 b.)** décroche une étoile pour ses arômes de menthol et de fruits à chair blanche, sa rondeur et sa fraîcheur. Enfin, le **Dom. du Salvard blanc 2011 Vieilles Vignes (30 000 b.)** aux notes de buis, de minéralité et de fumée obtient une citation.

SARL G.L. Delaille, Le Salvard, 41120 Fougères-sur-Bièvre, tél. 02.54.20.28.21, fax 02.54.20.22.54, delaille@orange.fr r.-v.

QUARTET DE LA DÉSOUCHERIE Élevé en fût de chêne 2010 ★

■ n.c. 5 à 8 €

Située sur le plus haut plateau de Cour-Cheverny, cette exploitation transmise de père en fils depuis le XVIII^e^s. couvre aujourd'hui 30 ha. Issu d'un terroir silico-argileux, ce vin rassemble trois cépages : pinot noir (majoritaire), gamay et cabernet franc. Au nez, les fruits rouges confiturés arrivent en tête, fondus à de discrètes notes de vanille. Après une attaque souple et soyeuse, la bouche s'appuie sur une solide charpente dont les tanins demandent à s'arrondir. À boire dans un an. Le **cour-cheverny 2010 Soléa (8 à 11 €; 6 000 b.)** est aussi étoilé. C'est un moelleux au bouquet complexe de coing, de miel et de tilleul. Sa minéralité lui garantit une bonne tenue. Enfin, le **cheverny blanc 2011 Prélude de la Désoucherie (57 400 b.)** est cité pour ses notes d'agrumes et de bourgeon de cassis.

Christian et Fabien Tessier, Dom. de la Désoucherie, 47, voie de la Charmoise, 41700 Cour-Cheverny, tél. 02.54.79.90.08, fax 02.54.79.22.48, infos@christiantessier.fr
t.l.j. 8h-12h 14h-19h; dim. matin sur r.-v.

DOM. DE LA GAUDRONNIÈRE Cuvée Laetitia 2011 ★

11 167 ▮ 5 à 8 €

Deux cuvées présentées par Christian Dorléans ont décroché une étoile. Le blanc allie avec finesse des senteurs de fleurs blanches et des notes mentholées. Le chardonnay, qui représente 30 % de l'assemblage, apporte en bouche du gras, du volume et des saveurs miellées. À déguster dès la sortie du Guide sur un saumon à l'oseille. Le **rouge 2010 Tradition (12 333 b.)** se distingue par ses francs arômes de fruits rouges, sa longueur et sa finale puissante.

EARL Dorléans, 34, rue de la Gaudronnière, 41120 Cellettes, tél. 02.54.70.40.41, fax 02.54.70.38.83
r.-v.

MICHEL GENDRIER Le Pressoir 2010

■ 19 400 ▮ 8 à 11 €

Ce domaine de 35 ha, créé en 1846, est conduit en biodynamie « pour une meilleure expression du terroir et le respect de l'environnement », comme le précisent Jocelyne et Michel Gendrier. Il propose un 2010 à la robe profonde, couleur grenat, empreint de fines notes de fruits rouges. La bouche ronde et souple reprend les arômes du nez. Gouleyant et fruité, ce cheverny est à déguster en toute simplicité sur une volaille rôtie. Le **cour-cheverny 2010 (5 à 8 €; 44 120 b.)** est cité pour ses senteurs de fleurs blanches et d'épices et pour son caractère minéral.

Jocelyne et Michel Gendrier, Les Huards, 41700 Cour-Cheverny, tél. 02.54.79.97.90, fax 02.54.79.26.82, infos@domainedeshuards.com
t.l.j. sf dim. 9h-12h 14h-19h

DOM. DE LA GRANGE Cuvée Plaisir 2010 ★

■ 3 500 5 à 8 €

Implantée aux portes de Chambord, cette exploitation familiale tient son nom d'une grange dîmière du XIV^e^s. entièrement restaurée pour accueillir une salle de réception. Guy Genty présente une cuvée moitié pinot noir, moitié gamay. Le bouquet dévoile des notes de fruits rouges bien mûrs qui annoncent une bouche ronde en attaque, profonde, aux saveurs gourmandes et persistantes de chocolat et de cerise. À garder au moins un an en cave. Le **cour-cheverny 2010 Délirium (3 500 b.)** décroche aussi une étoile. Il trouve son équilibre entre sucre et acidité et offre des arômes complexes de miel, d'acacia, de coing et de menthe. Le **cheverny blanc 2011 (10 000 b.)** est cité pour son caractère très sauvignonné.

GAEC de la Grange, La Grange,
41350 Huisseau-sur-Cosson, tél. 02.54.20.31.17,
fax 09.70.61.01.69, domainedelagrange@orange.fr
r.-v.
Guy Genty

DOM. HUGUET 2011

9 900 | 5 à 8 €

Ce domaine de 10 ha est situé sur la rive gauche de la Loire, entre Blois et Chambord. Son pinot noir et son gamay plantés dans les sols silico-caillouteux des bords de Loire ont donné naissance à un vin au bouquet de fruits rouges bien mûrs. Tout aussi fruitée, la bouche plaît par sa souplesse et sa jolie finale. Prêt à boire, sur un sauté de veau par exemple.

Patrick Huguet, 12, rue de la Franchetière,
41350 Saint-Claude-de-Diray, tél. 02.54.20.57.36,
fax 02.54.20.58.57, vin.p.huguet@orange.fr r.-v.

DOM. DE LÉRY 2011 ★

80 000 | 5 à 8 €

Cette exploitation familiale de 45 ha, dont le chai entouré de hauts murs domine la Loire, consacre deux tiers de son vignoble aux vins blancs de cheverny. Né sur un sol siliceux et rocailleux, cet assemblage sauvignon (80 %) et chardonnay aborde le dégustateur avec un bouquet de buis et de fleurs blanches aux notes beurrées. La mise en bouche souple et tendre dévoile une matière ample aux saveurs exotiques. Un équilibre réussi et une belle longueur. Le **blanc 2011 Pascal Bellier (80 000 b.)** décroche aussi une étoile pour ses arômes de bourgeon de cassis et d'agrumes, son volume et sa finale acidulée.

Dom. Pascal Bellier, 3, rue Reculée, 41350 Vineuil,
tél. 02.54.20.64.31, fax 02.54.20.58.19,
vinsbellier@wanadoo.fr r.-v.

DOM. MAISON PÈRE ET FILS 2011 ★

150 000 | 5 à 8 €

Les premières vignes du domaine géré par Jean-François Maison ont été plantées en 1906. Aujourd'hui, le vignoble comprend 70 ha, ce qui en fait le plus grand de l'appellation. Cette cuvée grenat à majorité de pinot noir offre un nez encore jeune de petits fruits rouges. La bouche présente un beau volume. Ronde et pleine, elle dévoile de plaisantes saveurs de cerise. On l'appréciera au cours des deux ou trois années à venir. Le **blanc 2011 (200 000 b.)**, cité, est un assemblage sauvignon-chardonnay. Tout en vivacité, il évoque le pamplemousse et le bourgeon de cassis.

Dom. Maison Père et Fils, 22, rue de la Roche,
41120 Sambin, tél. 02.54.20.22.87, fax 02.54.20.22.91,
contact@domainemaison.com
t.l.j. 8h-12h30 14h-17h30; sam. dim. sur r.-v.;
f. 2 sem. fin août

JÉRÔME MARCADET 2011

8 000 | 5 à 8 €

Ce domaine de 10 ha situé sur la route qui relie les châteaux de Cheverny et de Chenonceaux présente un rosé d'assemblage équilibré entre le pinot noir, le gamay et le cabernet franc. Animé de reflets argentés, il s'ouvre sur des parfums de fruits rouges et montre une certaine douceur à l'attaque. Rond, fruité et étayé par une fine vivacité, il accompagnera volontiers une salade composée ou une assiette de charcuterie.

Jérôme Marcadet, 5, rte de l'Orme, Favras,
41120 Feings, tél. et fax 02.54.20.28.42,
domaine-jeromemarcadet@wanadoo.fr
t.l.j. sf dim. 9h-12h30 14h-19h

DOM. DE MONTCY Tradition 2011 ★

30 000 | 5 à 8 €

Clos du château de Troussay jusqu'au début du XXe s., le domaine a été restructuré et modernisé dans les années 1990. Nouveauté en 2012, Laura Semeria, d'origine italienne, vous y accueille dans une salle de réception au toit végétalisé. Vous pourrez y déguster cette jolie cuvée au bouquet intense de pain brioché auquel viennent s'ajouter quelques notes d'agrumes. L'attaque en rondeur fait place à un milieu de bouche plus frais et léger, avant une finale aux accents acidulés. Pour accompagner un poisson grillé.

Laura Semeria, 32, rte de Fougères, la Porte dorée,
41700 Cheverny, tél. 02.54.44.20.00, fax 02.54.44.21.00,
info@domaine-de-montcy.com
t.l.j. sf dim. 10h-19h 4

VIGNERONS DE MONT-PRÈS-CHAMBORD 2010

76 000 | - de 5 €

Vingt-quatre producteurs confient leurs raisins à cette coopérative incontournable, qui vinifie aujourd'hui 134 ha de vignes, idéalement située près de Blois, entre les châteaux de Chambord et de Cheverny. Ce 2010 gouleyant, aux arômes dominants de cerise, dévoile une bouche équilibrée, fruitée, aux tanins soyeux. Une citation revient aussi au **blanc 2011 (302 226 b.)** qui « sauvignonne » avec finesse au nez comme en bouche.

Vignerons de Mont-près-Chambord, 816, la Petite-Rue,
41250 Mont-près-Chambord, tél. 02.54.70.71.15,
fax 02.54.70.70.65, cavemont@orange.fr
t.l.j. sf dim. 9h-12h 14h-18h; lun. 14h-18h

LA CONFRÉRIE DES VIGNERONS DE OISLY ET THÉSÉE 2011

14 000 | - de 5 €

Cette cave coopérative réunit actuellement vingt-quatre vignerons et 250 ha de vignes sur les AOC cheverny, touraine et crémant-de-loire. Ce rouge issu de pinot noir et de gamay revêt une robe grenat intense pour dévoiler un nez chaleureux de fruits rouges. Sa bouche, souple et ronde en attaque, marie le fruité à des notes de café torréfié d'une bonne persistance. À découvrir dès la sortie du Guide.

Confrérie des Vignerons de Oisly et Thésée,
5, rue du Vivier, 41700 Oisly, tél. 02.54.79.75.20,
fax 02.54.79.75.29, oisly@uapl.fr
t.l.j. sf dim. 9h-12h 14h-17h30
UAPL

DOM. SAUGER Vieilles Vignes 2011 ★

8 000 | 5 à 8 €

Sur ce domaine familial situé aux portes de la Sologne, sur la route des châteaux de la Loire, on est producteur de père en fils depuis 1870. Ce cheverny, assemblage de sauvignon et de chardonnay d'une trentaine d'années, s'ouvre sur un nez puissant dominé par les fleurs blanches. En bouche, la fraîcheur et la rondeur s'équilibrent autour de saveurs d'agrumes. Un 2011 à déguster, pourquoi pas, sur des rouleaux de printemps. Le **blanc 2011 traditionnel (30 000 b.)**, issu de vignes plus jeunes, se montre plus acidulé et accompagnera plutôt un poisson.

LOIRE

🔑 Dom. Sauger , 4, rue des Touches, 41700 Fresnes, tél. 02.54.79.58.45, fax 02.54.79.03.35, domaine.sauger@orange.fr
t.l.j. 9h-12h 14h-18h; sur r.-v. sept.-mars

CYRILLE SEVIN Le Bois de Bisson 2010 ★

6 000 | 8 à 11 €

Dès 2007, en reprenant ce domaine, Cyrille Sevin a entrepris avec passion la conversion du vignoble à l'agriculture biologique. Il signe avec ce 2010, premier millésime certifié « bio », un vin d'assemblage dominé par le pinot noir et élevé douze mois en fût. Annoncé par une robe grenat profond, le nez s'ouvre sur de puissantes notes de griotte et d'épices. La bouche bien équilibrée repose sur des tanins serrés mais arrondis, toutefois encore un peu marqués par le bois. Pour un meilleur fondu, on oubliera cette bouteille un à deux ans en cave. Boisé lui aussi, le **blanc 2010 Une lente mélopée (11 à 15 €; 2 600 b.)** offre de la rondeur et des saveurs vanillées intenses. Il est cité. Le **rouge 2010 La Quadrature du rouge (5 à 8 €; 8 000 b.)** décroche une étoile. Rond, charnu et fruité, il est à attendre un an ou deux.

🔑 Sevin, 282, rue de Chancelée, 41250 Mont-près-Chambord, tél. 06.88.33.43.44 r.-v.

VIGNOBLE TÉVENOT 2011

17 000 | - de 5 €

Ce vignoble créé à l'initiative des moines de Saint-Lomer de Blois occupe toujours une partie du plateau de Madon. Le roi Louis XII qui y séjourna plusieurs fois aurait affirmé qu'il s'agissait de « l'un des plus beaux vignobles qui soient en Blaisois ». Messieurs Tévenot père et fils maintiennent la tradition et proposent un jeune cheverny vêtu de grenat. Le nez encore timide mais prometteur, sur la cerise, invite à la découverte d'une bouche charpentée, longue, aux tanins presque fondus. Pour des côtes de porc grillées, dans l'année à venir.

🔑 Vignoble Tévenot, 4, rue du Moulin-à-Vent, Madon, 41120 Candé-sur-Beuvron, tél. et fax 02.54.79.44.24, daniel.tevenot@wanadoo.fr r.-v.

DOM. DE VEILLOUX Les Veilleurs 2010 ★

2 500 | 8 à 11 €

Michel Quenioux a pris la tête du domaine familial en 1994 et travaille en agriculture biologique depuis maintenant seize ans. Assemblage de quatre cépages dominé par le pinot noir, ses Veilleurs se parent d'une robe grenat intense. L'élevage de douze mois en fût a laissé son empreinte au nez par la présence de nuances grillées et épicées, associées à des notes de fruits rouges. La bouche est soutenue par des tanins assez puissants qui, s'ils sont prêts à être découverts, pourront aussi vieillir trois ans.

🔑 Dom. de Veilloux, Quenioux, Veilloux, 41120 Fougères-sur-Bièvre, tél. 02.54.20.22.74, fax 02.54.33.20.40, contact@domainedeveilloux.fr r.-v.
🔑 Quenioux

Cour-cheverny

Superficie : 55 ha
Production : 2 433 hl

Reconnue en 1993, l'appellation est réservée aux vins blancs issus du cépage romorantin, produits dans quelques communes situées au sud-est de Blois. Le terroir est typique de la Sologne (sable sur argile). Élégants, les cour-cheverny méritent souvent de vieillir quelques années.

LA CHARMOISE 2010

3 000 | 5 à 8 €

Issu d'un terroir de sable sur argile, ce 2010 livre au premier nez des senteurs de buis et de fruits exotiques. Après une légère aération, on distingue aussi des notes de miel et de coing. Cette palette complexe se prolonge au sein d'une bouche d'abord vive et souple, puis d'une rondeur appréciable. L'ensemble se termine sur des saveurs d'agrumes soutenues. L'acidité présente permettra une garde de trois à cinq ans.

🔑 GAEC Laurent et Jacky Pasquier, La Charmoise, 41700 Cour-Cheverny, tél. 06.87.11.15.19, fax 02.54.79.92.76, gaec.pasquier@terre-net.fr r.-v.

PHILIPPE LOQUINEAU Fleurs de lis 2010

6 000 | 5 à 8 €

Philippe Loquineau, à la tête du domaine de la Plante d'or depuis trente ans, présente une cuvée de romorantin dont la robe jaune paille est animée de reflets dorés. Des senteurs intenses de coing, de miel et de tilleul précèdent une bouche mûre, souple, longue et soyeuse, à la fois fruitée, épicée et florale.

🔑 Philippe Loquineau, La Demalerie, 41700 Cheverny, tél. 02.54.44.23.09, fax 02.54.44.22.16, domainedelaplantedor@orange.fr
t.l.j. 9h30-12h 14h-18h; f. jan.

LUC PERCHER L'Épicourchois 2009

3 200 | 11 à 15 €

Créé en 2005 par Luc Percher, L'Épicourchois est un domaine de 9 ha en conversion bio, qui tient son nom de l'association des noms « Épicure » et « Courchois » (habitants de Cour-Cheverny). Cette cuvée aux reflets dorés livre un nez expressif et complexe mêlant des arômes de fleurs blanches, de tilleul et de coing. Elle s'annonce en bouche par une attaque fraîche et poursuit avec légèreté et vivacité dans un registre fruité à dominante de pêche.

🔑 Luc Percher, 12, voie de la Marigonnerie, 41700 Cour-Cheverny, tél. 02.54.79.95.39, lucpercher@wanadoo.fr r.-v.

LE PETIT CHAMBORD Cuvée Renaissance 2010 ★

6 550 | 5 à 8 €

François Cazin exploite une propriété familiale située à la lisière de la forêt de Cheverny, porte de la Sologne. La cuvée Renaissance est issue de ses plus vieilles vignes de romorantin plantées sur d'excellentes parcelles argilo-calcaires. Une sélection qui a conduit à un moelleux aux reflets dorés et aux senteurs complexes de fruits exotiques, de fruits confits et d'abricot. Ce bouquet annonce une bouche ample et chaleureuse, aux notes de noisette grillée. Le bel équilibre sucre-acidité conviendra à un apéritif ou sur du foie gras. Une citation revient au **cheverny 2010 rouge (14 000 b.)**, vin léger aux arômes de fruits rouges.

🔑 François Cazin, Le Petit Chambord, 41700 Cheverny, tél. 02.54.79.93.75, fax 02.54.79.27.89, f.cazin@lepetitchambord.com r.-v.

DOM. LE PORTAIL Douceur d'automne 2010 ★

	5 600		8 à 11 €

À 600 m du château de Cheverny – le château de Moulinsart du capitaine Haddock –, ce domaine est idéalement situé pour une pause dégustation. Ce vin moelleux a d'abord conquis le jury par sa robe étincelante jaune doré. Il s'épanouit ensuite sur un nez puissant et complexe de fleurs printanières, de miel et de pêche de vigne. Le palais est sublimé par des nuances de pain brioché et d'abricot. La sucrosité est parfaitement équilibrée par une finale acidulée. Un très beau vin, prêt pour la sortie du Guide mais pouvant aussi bénéficier d'une garde de deux ans. Le **cheverny 2011 blanc (5 à 8 €; 40 000 b.)** obtient également une étoile pour sa fraîcheur florale et mentholée.

Michel, Damien et Nicole Cadoux, Le Portail, 41700 Cheverny, tél. 02.54.79.91.25, fax 02.54.79.28.03, leportailcadoux@wanadoo.fr r.-v.

DOM. PHILIPPE TESSIER 2010

	7 200		8 à 11 €

Cette exploitation familiale est située tout près du château de Troussay, gentilhommière du XVᵉs. restaurée au XIXᵉs. par Jules de La Morandière, célèbre architecte blaisois. Aussi charmant que cette demeure, ce 2010 jaune doré livre des senteurs de fleurs et de fruits blancs. Franc à l'attaque, il développe en bouche une certaine douceur évoquant le biscuit, réveillée en finale par une pointe de vivacité.

Dom. Philippe Tessier, 3, voie de la Rue-Colin, 41700 Cheverny, tél. 02.54.44.23.82, fax 02.54.44.21.71, domaine.ph.tessier@wanadoo.fr r.-v.

Orléans

Superficie : 80 ha
Production : 2 986 hl (69 % rouge et rosé)

Autrefois AOVDQS, ce vignoble a été reconnu en AOC en 2006. Parmi les « vins françois », ceux d'Orléans eurent leur heure de gloire à l'époque médiévale. À côté des jardins, des pépinières et des vergers, la vigne a encore sa place aujourd'hui. Les vignerons tirent parti des cépages mentionnés depuis le Xᵉs. – des plants que l'on disait venir d'Auvergne mais qui sont identiques à ceux de Bourgogne: auvernat rouge (pinot noir), auvernat blanc (chardonnay) et gris meunier. L'appellation s'étend des deux côtés de la Loire et s'applique aux trois couleurs. Les rouges et rosés assemblent une majorité de pinot meunier au pinot noir : des vins très originaux aux arômes de groseille et de cassis. On pourra boire les rouges sur un perdreau, un faisan rôti ou des pâtés de gibier de la Sologne voisine. Quant aux vins blancs, dominés par le chardonnay, ils accompagneront des fromages cendrés du Gâtinais.

♥ **CLOS SAINT FIACRE** 2011 ★★★

	12 000		5 à 8 €

C'est en 2001 que Bénédicte et Hubert Piel reprennent le domaine familial de près de 20 ha avec l'aide de leur oncle Jacky Montigny. Le millésime 2011 fut petit par la quantité, à cause du gel de printemps, mais grand par la qualité ; cet assemblage de pinot meunier (80 %) et de pinot noir en témoigne, résultat d'un travail intense et minutieux. Ce vin à la flamboyante robe cerise explose à l'olfaction sur les petits fruits rouges bien mûrs et les épices. Une alliance harmonieuse rappelée dans une bouche longue et complexe bâtie sur des tanins fins et soyeux. Un régal à découvrir à partir de 2013. Une étoile revient au **blanc 2011 (14 400 b.)** pour son bouquet finement fruité et pour sa bouche ronde aux arômes briochés. L'**orléans-cléry rouge 2010 (7 200 b.)** décroche aussi une étoile pour ses puissantes saveurs de réglisse et de fruits noirs. À la fois souple et chaleureux, il se mariera avec une souris d'agneau.

Montigny-Piel, Clos Saint-Fiacre, 560, rue de Saint-Fiacre, 45370 Mareau-aux-Prés, tél. 02.38.45.61.55, fax 02.38.45.66.58, contact@clossaintfiacre.fr t.l.j. sf dim. 9h-12h30 14h-19h

DOM. SAINT-AVIT 2011 ★

	6 200		5 à 8 €

Les amateurs de chardonnay apprécieront cette cuvée, coup de cœur dans le millésime 2010. Pascal Javoy et son épouse montrent une nouvelle fois combien ils maîtrisent ce cépage bien adapté à leur terroir siliceux et argileux. Paré d'une robe jaune pâle brillante, ce 2011 livre des parfums de fruits à chair blanche. La bouche associe rondeur, finesse et fraîcheur. Parfait à l'apéritif. Une étoile également, l'**orléans-cléry rouge 2011 (8 000 b.)**, au nez fruité et épicé, teinté de jeunes nuances de poivron, s'appuie sur des tanins présents mais assez soyeux. À attendre un an. Cité, l'**orléans rosé 2011 (moins de 5 €; 4 800 b.)** offre un bouquet floral, fruité et amylique, suivi d'une bouche empreinte de douceur.

EARL Javoy et Fils, 450, rue du Buisson, 45370 Mézières-lez-Cléry, tél. 02.38.45.66.95, javoy-et-fils@orange.fr t.l.j. sf dim. 9h-12h 14h-19h

Orléans-cléry

Superficie : 34 ha
Production : 1 223 hl

Reconnue en 2006, l'appellation porte le nom de la commune de Cléry dont la basilique renferme le tombeau de Louis XI. Elle s'étend sur les

LOIRE

terrasses sablo-graveleuses de la rive sud de la Loire et produit exclusivement des vins rouges issus de cabernet franc.

VIGNOBLE DU CHANT D'OISEAUX 2010 ★★

■ 10 000 ■ 5 à 8 €

Édouard Montigny, à la tête de cette exploitation familiale de 12 ha depuis six ans, avait déjà ravi le jury avec son millésime 2009. Cette année, il décroche deux étoiles pour un cabernet franc élevé avec patience douze mois en foudre. Ce vin, qui se dévoile dans une robe éclatante, livre de puissants parfums de fruits mûrs associés à des notes finement grillées. La bouche, structurée par des tanins enrobés et soyeux, se prolonge sur les épices en charmant les papilles. À découvrir dès aujourd'hui. L'**orléans blanc 2011 (3 800 b.)** est cité pour son élégance fruitée et ses saveurs de miel et de fruits secs. Quant à l'**orléans rosé 2011 (6 500 b.)**, il obtient une citation grâce à sa fraîcheur aux accents amyliques.

Vignoble du Chant d'Oiseaux, 321, rte des Muids, 45370 Mareau-aux-Prés, tél. 06.82.30.38.88, montignye@yahoo.fr
t.l.j. sf dim. 8h30-12h30 14h-19h
Édouard Montigny

LES VIGNERONS DE LA GRAND'MAISON 2010 ★

■ 35 000 ■ 5 à 8 €

Créée en 1931, cette coopérative, qui regroupe 100 ha de vignes, se situe au cœur de l'appellation. Elle présente un pur cabernet franc à la robe grenat foncé. Le nez évoque les fruits noirs, le poivron et une légère touche d'épices douces. L'attaque est franche et ronde, mais les tanins encore un peu sévères mériteront de patienter une petite année en cave afin de s'assouplir. L'**orléans rouge 2011 (35 000 b.)** est par ailleurs cité pour ses arômes de fruits rouges aux nuances végétales. Il se bonifiera aussi avec une courte garde, le temps que le pinot apporte toute sa complexité.

Les Vignerons de la Grand'Maison, 550, rte des Muids, 45370 Mareau-aux-Prés, tél. 02.38.45.61.08, fax 02.38.45.65.70, vignerons.orleans@free.fr r.-v.

Coteaux-du-vendômois

Superficie : 125 ha
Production : 6 417 hl (82 % rouge et rosé)

Sur le cours du Loir, les coteaux sont truffés d'habitations troglodytiques et de caves taillées dans le tuffeau. Reconnue en 2001, l'AOC jouxte en amont de la vallée les aires des jasnières et coteaux-du-loir, sur un terroir similaire, entre Vendôme et Montoire. Elle produit des vins gris originaux aux arômes poivrés, issus de pineau d'Aunis, des blancs nés de chenin, et des rouges, devenus majoritaires. Vins d'assemblage, ces derniers allient la nervosité légèrement épicée du pineau d'Aunis, la finesse du pinot noir, les tanins du cabernet franc et le fruité du gamay.

DOM. BRAZILIER Tradition 2011

7 000 ■ - de 5 €

Installé depuis seize ans sur l'exploitation familiale, Benoît Brazilier présente avec ce 2011 un pur chenin issu d'un terroir argilo-calcaire. Sous des reflets jaune brillant s'ouvre un nez intense de fleurs blanches subtilement associées au miel. L'attaque est ronde, puis la bouche réveillée par une touche acidulée s'allonge pour conclure sur une fine sensation iodée. À essayer sur des filets de sole citronnés.

Dom. Brazilier, 5, rue de l'Orangerie, 41100 Thoré-la-Rochette, tél. et fax 02.54.72.78.56, vinbrazilier@wanadoo.fr r.-v.

PATRICE COLIN Les Vignes d'Émilien Colin 2010 ★

■ 8 500 8 à 11 €

Née sur un terroir argileux, cette cuvée 100 % pineau d'Aunis rend hommage à l'arrière-grand-père de Patrice Colin dont subsistent 2 ha de ces vignes plantées il y a plus d'un siècle. Rubis brillant à l'œil, ce vin livre au nez des senteurs boisées aux accents cacaotés et épicés, et une bouche croquante et fine soutenue par un joli fruité. Cité, le **rosé 2011 Gris Bodin (5 à 8 € ; 8 500 b.)**, certifié en agriculture biologique, plaît pour ses notes poivrées mêlées de pamplemousse. Deux vins à découvrir dès aujourd'hui.

Patrice Colin, 5, imp. de la Gaudetterie, 41100 Thoré-la-Rochette, tél. 02.54.72.80.73, fax 02.54.72.75.54, colinpatrice41@orange.fr r.-v.

DOM. DU FOUR À CHAUX 2011 ★

■ 20 000 ■ - de 5 €

Cette propriété familiale tire son nom d'un four à chaux entièrement rénové par une association locale. Elle propose une belle gamme de coteaux-du-vendômois, trois de ses vins (blanc, rosé et rouge) décrochant chacun une étoile. Ce rosé œil-de-perdrix (couleur typique du pineau d'Aunis) offre des parfums complexes de pêche de vigne, de pamplemousse et de bonbon anglais agrémentés de poivre. Une palette complétée en bouche par des saveurs de fraise portées par une bonne structure empreinte de fraîcheur. Le **blanc 2011 (5 000 b.)** s'exprime sur les fruits exotiques et les fleurs blanches. Ce chenin frais et équilibré pourra s'apprécier dès l'apéritif. Le **rouge 2011 Tradition (8 000 b.)** est marqué par les fruits rouges confiturés et épicés. Sa trame tannique lui confère une bouche dense et harmonieuse.

EARL Dominique Norguet, lieu-dit Berger, 41100 Thoré-la-Rochette, tél. 02.54.77.12.52, fax 02.54.80.23.22, norguet.dominique@wanadoo.fr r.-v.

CHARLES JUMERT Tradition 2010 ★

■ n.c. ■ - de 5 €

Gérant du vignoble depuis 1984, Charles Jumert représente la septième génération travaillant sur ce domaine de 13 ha. Élevé dans une cave creusée dans le tuffeau, son 2010 habillé de rubis dévoile un nez intense de fruits rouges frais. La bouche, légère mais très longue, se caractérise par des saveurs de fruits noirs associées aux épices (poivre, cumin), typiques du pineau d'Aunis récolté à bonne maturité. Pour un plaisir immédiat.

Charles Jumert, 4, rue de la Berthelotière, 41100 Villiers-sur-Loir, tél. 02.54.72.94.09, francoisejumert@live.fr t.l.j. sf lun. 8h30-19h

DOM. J. MARTELLIÈRE Réserve Jean-Vivien 2010

■ 4 600 5 à 8 €

Jean-Vivien Martellière vinifie les trois AOC de la vallée du Loir, jasnières, coteaux-du-loir et coteaux-du-vendômois depuis 2003, perpétuant la tradition familiale initiée par son grand-père. Sa Réserve Jean-Vivien livre des parfums de cassis aux nuances boisées, avant de dévoiler une bouche structurée par des tanins souples, enrobés de notes épicées et grillées. À attendre un an pour un meilleur fondu de l'élevage.

Dom. J. Martellière, 46, rue de Fosse, Fosse, 41800 Montoire-sur-le-Loir, tél. 02.54.85.16.91, domainejmartelliere@free.fr r.-v.

DOM. MINIER 2011 ★

n.c. 5 à 8 €

Vignerons à Lunay, village troglodyte, les Minier exploitent ce domaine de 7 ha depuis cinq générations. Découvrez leur cuvée à majorité de chenin, complétée par 20 % de chardonnay, avec un brochet au beurre blanc ou un fromage de chèvre rustique. Vous n'en apprécierez que mieux son bouquet intense de fruits surmûris aux nuances de miel et de fleurs blanches, et sa bouche tendre d'une belle richesse. Un vin prêt à boire.

Claude Minier, Les Monts, 41360 Lunay, tél. 02.54.72.02.36, fax 02.54.72.18.52 r.-v.

♥ **CAVE COOPÉRATIVE DU VENDÔMOIS**
Cuvée Prestige 2011 ★★★

■ 10 000 5 à 8 €

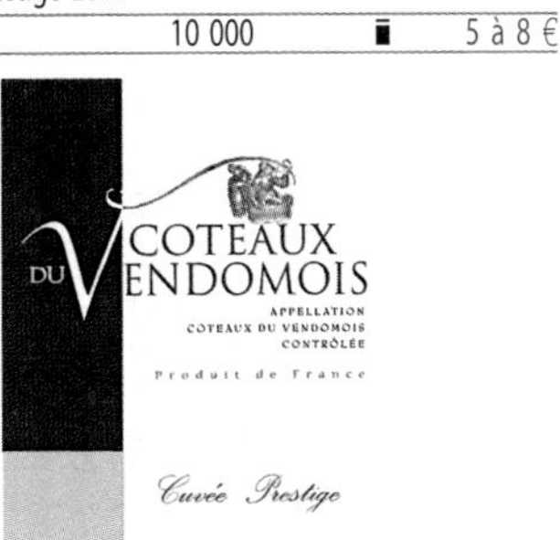

Un nouveau coup de cœur pour cette cave coopérative couvrant 162 ha de vignes. Le jury a été séduit par cet assemblage de pineau d'Aunis et de cabernet franc (avec une pincée de pinot noir) drapé dans une parure profonde rouge vermillon. Ce vin révèle une palette aromatique riche de fruits rouges bien mûrs et de réglisse. La bouche, ample et intense, porte aussi sur les fruits agrémentés d'une nuance de cardamome et d'épices, et s'adosse à des tanins souples et soyeux. D'une grande persistance, elle vous ravira par sa complexité après un an de garde. Deux autres cuvées décrochent une étoile chacune. La première est le **rosé 2011 Montagne blanche (moins de 5 €; 113 000 b.)**, dont le bouquet mêle la fraise, les agrumes et les épices. C'est un vin à la fois riche et frais, bien équilibré. Et pour le dessert ou le foie gras, on découvrira le **blanc moelleux 2011 Saint-Hilaire (8 à 11 €; 4 000 b.)**, au nez puissant de fruits confits et de tilleul, qui allie en bouche douceur et fraîcheur.

Cave coopérative du Vendômois, 60, av. du Petit-Thouars, 41100 Villiers-sur-Loir, tél. 02.54.72.90.69, caveduvendomois@wanadoo.fr r.-v.

Valençay

Superficie : 143 ha
Production : 7 129 hl (63 % rouge et rosé)

Dans cette région marquée par le souvenir de Talleyrand, aux confins du Berry, de la Sologne et de la Touraine, la vigne alterne avec les forêts, la grande culture et l'élevage de chèvres.

Sur des sols à dominante argilo-siliceuse ou argilo-limoneuse, un encépagement classique de la moyenne vallée de la Loire donne des vins le plus souvent à boire jeunes. En blanc, le sauvignon, complété par le chardonnay, fournit des vins aromatiques aux touches de cassis ou de genêt. Les vins rouges assemblent gamay, cabernets, cot et pinot noir. La même appellation désigne un fromage de chèvre, qui a aussi obtenu l'AOC. Ces fromages en forme de pyramide s'accordent, selon leur degré d'affinage, avec les vins rouges ou les vins blancs.

DOM. AUGIS 2011 ★

■ 10 000 - de 5 €

Ce domaine créé en 1900 est géré depuis vingt-cinq ans par Philippe Augis. Après un coup de cœur décerné dans la précédente édition à son valençay blanc, il se distingue cette année avec un rouge au gamay majoritaire, complété de côt et de pinot noir. Cet assemblage né sur un sol de perruches (argiles à silex) a été vinifié en cuvaison courte de quatre jours. Il en résulte un bouquet intense de fruits rouges (griotte) et une bouche soyeuse, fraîche et gouleyante, tout en finesse. À découvrir en 2013 sur de la charcuterie.

Dom. Augis, 1465, rue des Vignes, 41130 Meusnes, tél. 02.54.71.01.89, fax 02.54.71.74.15, philippe.augis@wanadoo.fr
t.l.j. sf dim. 8h-12h 14h-19h

DOM. DU BOIS GAULTIER Cuvée Prestige 2010 ★

■ 5 000 5 à 8 €

Créé en 1985 par Marylène et Serge Leclair, ce domaine vend la majorité de sa production à la propriété ou sur les marchés de producteurs régionaux. Vous pourrez y découvrir ce beau 2010, résultat d'un assemblage de quatre cépages. Couleur cerise, il offre un nez de petits fruits rouges. Sa bouche encore timide est souple et équilibrée, portée par des tanins fins. Les arômes s'épanouiront avec une à deux années de garde. Le **2011 blanc (20 000 b.)** obtient une citation. Il associe les agrumes et des notes végétales à une jolie fraîcheur, teintée d'une noble amertume en finale.

Marylène et Serge Leclair, Le Bois-Gaultier, 36600 Fontguenand, tél. 02.54.00.18.46, serge.leclair@orange.fr t.l.j. 8h-19h

LE CLAUX DELORME 2010 ★★

■ 28 000 5 à 8 €

Vignerons à Menetou-Salon, Albane et Bertrand Minchin ont été charmés en 2004 par ce domaine situé au carrefour du Berry, de la Sologne et de la Touraine. Fruit de leur travail sur ce terroir, ce 2010 associe le gamay, le côt, le pinot noir et le cabernet franc. Rouge soutenu à l'œil, il dévoile un nez de fruits cuits qui prend son envol à l'aération (vin à carafer). En bouche, on découvre une matière généreuse, ample et douce, portée par des tanins fins d'une belle maturité. Un vin à découvrir dès aujourd'hui. Le **2011 blanc (27 000 b.)** obtient une étoile pour son équilibre entre richesse et fraîcheur, cette dernière étant rehaussée par des arômes de fleurs blanches, de buis et de citron vert.

Le Claux Delorme, 8, rue des Landes, 41130 Selles-sur-Cher, tél. 02.48.25.02.95, fax 02.48.25.05.03, tour.saint.martin@wanadoo.fr r.-v.

Minchin

VIGNOBLE GIBAULT 2011

17 000 | 5 à 8 €

Si le domaine est installé à Meusnes, les vignes produisant ce valençay à la jolie robe grenat sont implantées à Lye, sur un plateau de la rive gauche du Cher. Le nez et la bouche expriment les fruits rouges avec quelques nuances compotées en finale. La matière légère, portée par des tanins fins, se montre encore jeune et devrait s'arrondir avec quelques mois de garde.

Vignoble Gibault, 183, rue Gambetta, 41130 Meusnes, tél. 02.54.71.02.63, fax 02.54.71.58.92, vg@vignoblegibault.com

t.l.j. sf dim. 8h-12h 14h-19h

FRANCIS JOURDAIN Les Terrajots 2011 ★

10 000 | 5 à 8 €

Sur ce plateau viticole au sol argileux, vous pourrez visiter la Loge à Perrin, une loge de vigne à étage entièrement rénovée, et déguster ensuite cette cuvée associant du sauvignon blanc (80 %), du chardonnay et du sauvignon rose. Les agrumes dominent le nez et la bouche avec des arômes exotiques de litchi à l'arrière-plan. Le palais ample est animé à l'attaque d'un léger perlant qui procure une sensation de fraîcheur. La **cuvée des Griottes 2011 rouge (moins de 5 €; 20 000 b.)** est citée. On l'oubliera un à deux ans en cave pour lui laisser développer ses saveurs de fruits rouges et assouplir ses tanins.

EARL F. Jourdain, 24, Les Moreaux, 36600 Lye, tél. 02.54.41.01.45, fax 02.54.41.07.56, jourdainearl@wanadoo.fr

t.l.j. sf dim. 9h-12h30 15h-19h

DOM. DE MONPLAISIR Fût de chêne 2010 ★

1 500 | 5 à 8 €

Entré dans le Guide pour la première fois en 2010, ce jeune vigneron maintient le cap de la qualité avec, cette année, deux cuvées étoilées. La première a passé dix-huit mois sous bois et en ressort avec quelques reflets tuilés et un nez de fruits noirs confiturés. L'attaque chaleureuse révèle une bouche puissante, ample, aux tanins fondus et épicés. À découvrir dès la sortie du Guide. Le **2010 rouge (- de 5 €; 3 000 b.)**, élevé en cuve, dévoile des arômes de griotte et des tanins fins.

Dom. de Monplaisir, La Grelettière, 41130 Selles-sur-Cher, tél. et fax 02.54.97.75.74, alexandreloste@domainedemonplaisir.com

t.l.j. sf dim. 8h30-12h 14h-18h30

Alexandre Loste et Chantal Lefèvre

CH. DE QUINÇAY 2010 ★

4 500 | 5 à 8 €

Les frères Frédéric et Philippe Cadart et leurs épouses vous accueillent au caveau de ce joli petit château devenu propriété viticole il y a 150 ans grâce à la passion d'un général de brigade. Si la production en appellation valençay est récente sur le domaine, deux cuvées décrochent cependant déjà une étoile. Cet assemblage gamay-côt-pinot noir s'ouvre avec finesse sur des notes de fruits rouges, et dévoile une bouche équilibrée dont les saveurs de fruits secs et d'épices enrobent une belle matière aux tanins fondus. Le **blanc 2011 (4 500 b.)** mêle au nez la pêche blanche, le litchi et le kaki, fruits qui se retrouvent en bouche avec une finale sur le pamplemousse. Un vin frais et complexe, à essayer sur une raclette.

Ch. de Quinçay-Cadart, Quinçay, 41130 Meusnes, tél. 02.54.71.00.11, fax 02.54.71.77.72, cadart@chateaudequincay.com

t.l.j. 9h-12h 14h-19h; dim. 10h-12h

JEAN-FRANÇOIS ROY 2011 ★

50 000 | 5 à 8 €

Dans la commune de Lye en Indre, Jean-François Roy gère depuis 1989 un domaine de 26 ha. Son blanc 2011 a séduit le jury dès le premier coup d'œil avec sa teinte jaune doré aux reflets argent. Au nez défile un cortège de parfums : fruits exotiques, buis, pierre à fusil... Riche, rond puis ferme en finale, le palais révèle des saveurs de fruit de la Passion et de groseille blanche. Ce vin complexe et harmonieux peut être servi sur un fromage de chèvre (de Valençay, bien sûr). Le **rosé 2011 (25 000 b.)** obtient aussi une étoile. Plus discret, il plaît pour sa douceur et sa finale acidulée.

Roy, 3, rue des Acacias, 36600 Lye, tél. 02.54.41.00.39, jfr@jeanfrancoisroy.fr t.l.j. sf dim. 9h-12h 15h-19h

HUBERT ET OLIVIER SINSON Prestige 2011

14 000 | - de 5 €

Cette exploitation productrice dans les AOC touraine et valençay se transmet de père en fils depuis quatre générations. Elle présente ici un assemblage de trois cépages locaux : gamay, pinot noir, côt (un tiers de chaque). Encore discret, le nez s'ouvre progressivement sur les fruits rouges. La bouche se montre plus expressive, avec des saveurs gourmandes de griotte et une trame ronde et équilibrée. Un vin à apprécier dès aujourd'hui, ou d'ici deux ans.

EARL Hubert et Olivier Sinson, 1397, rue des Vignes, Le Musa, 41130 Meusnes, tél. 02.54.71.00.26, fax 02.54.71.50.93, o.sinson@wanadoo.fr

t.l.j. 8h-12h 14h-19h; dim. 8h-12h

GÉRARD TOYER 2011 ★

4 500 | - de 5 €

Sur la route de Valençay, faites une halte à Selles-sur-Cher où l'on peut visiter un château privé construit sur des ruines datant de 1140, remis en état récemment et ouvert à nouveau au public. Gérard Toyer propose, quant à lui, la découverte d'un très joli blanc 2011 paré d'une seyante robe jaune aux reflets verts. Le nez s'ouvre sur le fruit exotique et sur des nuances de fumée et de pierre à fusil. La bouche joue la carte de la fraîcheur. À essayer sur un fromage de chèvre AOC de la commune. La **cuvée du Prince 2011 rouge (8 500 b.)**, citée, demande à vieillir un à deux ans.

Gérard Toyer, 63, Grande-Rue-Champcol,
41130 Selles-sur-Cher, tél. 02.54.97.49.23, fax 02.54.97.46.25,
gerard.toyer@orange.fr r.-v.

SÉBASTIEN VAILLANT Le Poirentin 2011 ★★

23 000 5 à 8 €

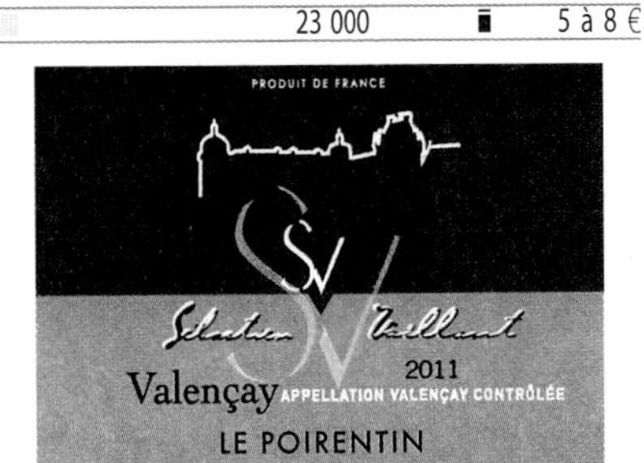

La petite coopérative de Valençay, créée en 1964, regroupe trois vignerons et représente un vignoble de 42 ha. La production de chacun est récoltée et vinifiée séparément afin de mettre en valeur l'expression des différents terroirs. Cette année, c'est la parcelle Le Poirentin de Sébastien Vaillant qui est à l'honneur. Parée d'une robe jaune pâle aux reflets verts, cette magnifique cuvée à dominante de sauvignon explose au nez avec des senteurs printanières de fleurs blanches, de bourgeon de cassis et d'agrumes. La bouche, d'une grande finesse, manifeste une légère sucrosité et une riche palette fruitée qui lui confèrent une parfaite plénitude. Toujours signée Sébastien Vaillant, la cuvée 2011 rouge **Les Chailloux (45 000 b.)** est citée pour sa charpente affirmée et ses arômes de fruits cuits : à oublier un an en cave. Cité également, le **Dom. de Patagon 2011 rouge (20 000 b.)**, à l'expression vive et fruitée, se révèle encore jeune et on l'attendra deux ans.

SCA La Cave de Valençay, La Lie, 36600 Fontguenand,
tél. 02.54.00.16.11, fax 02.54.00.05.55,
vigneronvalencay@aol.com
t.l.j. sf dim. 9h-12h 14h-18h
Vaillant

Les vignobles du Centre

Les secteurs viticoles du Centre occupent les endroits les mieux exposés des coteaux ou plateaux modelés au cours des âges géologiques par la Loire et ses affluents, l'Allier et le Cher. Ceux qui, sur les côtes d'Auvergne, à Saint-Pourçain (en partie) ou à Châteaumeillant, sont implantés sur les flancs est et nord du Massif central, restent cependant ouverts sur le bassin de la Loire. Siliceux ou calcaires, les sols viticoles de ces régions portent un nombre restreint de cépages, parmi lesquels ressortent surtout le gamay pour les vins rouges et rosés, et le sauvignon pour les vins blancs. Quelques spécialités : tressallier à Saint-Pourçain et chasselas à Pouilly-sur-Loire pour les blancs ; pinot noir à Sancerre, Menetou-Salon et Reuilly pour les rouges et rosés, avec encore le délicat pinot gris dans ce dernier vignoble. Tous les vins du Centre ont en commun légèreté, fraîcheur et fruité, ce qui les rend particulièrement agréables et en harmonie avec la cuisine régionale.

Châteaumeillant

Superficie : 82 ha
Production : 4 000 hl

Le gamay retrouve ici les terroirs qu'il affectionne, dans un site très anciennement viticole. La réputation de Châteaumeillant s'est établie grâce à son « gris », un rosé issu du pressurage immédiat des raisins de gamay présentant un grain, une fraîcheur et un fruité remarquables. L'appellation produit aussi des rouges, nés de sols d'origine éruptive. Des vins gouleyants à boire jeunes et frais.

DOM. DU CHAILLOT 2011

4 000 8 à 11 €

Ce 100 % gamay se pare d'une robe corail, soutenue et brillante, et dévoile un bouquet intense aux nuances de bonbon anglais, puis de fraise et de framboise bien mûres. Souple et rond à l'attaque, il développe ensuite de la fraîcheur pour finir sur une pointe tannique. Un rosé bien vinifié, dont le charme réside dans son caractère fruité. Le **2011 rouge Parenthèse** (issu du même cépage) est lui aussi cité pour ses arômes fruités : groseille, cassis.

Dom. du Chaillot, pl. de la Tournoise,
18130 Dun-sur-Auron, tél. 02.48.59.57.69, fax 02.48.59.58.78,
pierre.picot@wanadoo.fr r.-v.
Pierre Picot

LA CAVE DES VINS DE CHÂTEAUMEILLANT
Prestige des Garennes 2011 ★★

18 000 5 à 8 €

Avec deux cuvées sélectionnées, la coopérative de Châteaumeillant nous donne un aperçu de la réussite de son millésime. Mariant 80 % de gamay à 20 % de pinot noir, ce vin rouge rubis aux légers reflets tuilés révèle un bouquet original, plus marqué par les notes de gibier, d'épices et d'humus que par celles de fruits rouges, néanmoins présentes. Souple à l'attaque, le palais s'ouvre sur une matière ample, généreuse, à l'acidité discrète. Il se prolonge avec rondeur sur les fruits mûrs et le grillé. Suggestion d'accord : une côte d'agneau. Le **2011 rosé Prestige des Garennes (22 000 b.)** affiche une belle harmonie entre la finesse des arômes (framboise, agrumes) et la fraîcheur : une étoile.

Cave du Tivoli, rte de Culan, 18370 Châteaumeillant,
tél. 02.48.61.33.55, fax 02.48.61.44.92,
cave@chateaumeillant.com
t.l.j. 9h30-12h 13h30-18h; lun. 13h30-18h;
dim. ouv. de mai à août

DOM. GEOFFRENET-MORVAL Version originale 2011 ★

10 000 8 à 11 €

Fabien Geoffrenet a de la conviction et fait partie de ceux qui ont redonné de l'élan à l'appellation châteaumeillant. Auteur de nombreuses cuvées élues coup de cœur, il propose ici un pur gamay à la robe profonde, animée de reflets violines. Le nez respire le raisin mûr : les arômes de fruits noirs, presque confits, commencent à s'ouvrir. Les tanins souples et fondus portent une bouche soyeuse, fruitée ; déjà prêt, ce vin a aussi le potentiel pour attendre trois ans.

Dom. Geoffrenet-Morval, 21 bis, rue Benoît-Malon, 18000 Bourges, tél. 06.07.24.44.94, fax 09.70.62.66.41, fabien.geoffrenet@wanadoo.fr r.-v.

DOM. LECOMTE 2011 ★★★

11 200 | 5 à 8 €

Depuis qu'il a intégré le domaine familial, Nicolas Lecomte a été chargé par Bruno, son père, de l'élaboration du châteaumeillant (ils produisent également du quincy). Il a parfaitement mis en valeur la qualité exceptionnelle des raisins de gamay et de pinot noir à l'origine de ce 2011. Soutenue et dense, la robe affiche des reflets violet foncé. Le nez, encore sur la réserve le jour de la dégustation, n'en est pas moins séduisant par sa finesse fruitée (mûre, cerise). La bouche ample et charnue repose sur des tanins puissants et soyeux, qui portent une longue finale épicée. « Bravo le vigneron ! » conclut un dégustateur enthousiaste qui conseille d'accompagner cette bouteille d'un pavé de bœuf en croûte sauce foie gras.

Dom. Lecomte, 105, rue Saint-Exupéry, 18520 Avord, tél. 02.48.69.27.14, fax 02.48.69.16.42, quincy.lecomte@wanadoo.fr r.-v.

NAIRAUD-SUBERVILLE Reflet des sept fonts 2011

5 460 | 8 à 11 €

Voici le fruit de la première récolte de Daniel Nairaud. Après avoir fait carrière dans des organismes viticoles nationaux, celui-ci vient de s'installer à Châteaumeillant, dont le terroir l'a convaincu. Des débuts prometteurs avec ce rosé saumon clair, qui mêle au nez des notes florales (aubépine) et fruitées (fraise). Souple et gouleyant à l'attaque, le palais offre une matière ample, animée par une plaisante vivacité avant de dévoiler une pointe tannique en finale.

NOUVEAU PRODUCTEUR

SCEA Nairaud-Suberville, 11, rue de la Liberté, 23270 Bétête, tél. 06.26.46.23.50, fax 01.55.63.92.55, daniel.nairaud@free.fr

DOM. ROUX Héritage 2011 ★★

n.c. | 8 à 11 €

Sur ces parcelles aux sols de sables grossiers qu'il a reprises en 2010, Jean-Claude Roux ne ménage pas ses efforts, limitant en particulier les rendements aux alentours de 20 hl/ha. La récompense est là : un rouge à dominante de gamay, d'un rubis soutenu et brillant. Le nez gourmand rappelle les fruits rouges bien sûr, mais aussi les épices. Ronde et concentrée, la bouche est tapissée de tanins soyeux que vient relever une acidité contenue. Idéal pour un plateau de charcuterie, dès aujourd'hui ou d'ici deux ans.

Jean-Claude Roux, Puy-Ferrand, 18340 Arcay, tél. 02.48.64.76.10, fax 02.48.64.75.69, jean.claude.roux@wanadoo.fr r.-v.

DOM. DES TANNERIES 2011

5 000 | 5 à 8 €

Intense, la robe soutenue de ce rosé d'assemblage est émaillée de reflets rubis. À dominante fruitée, agrémenté de touches d'épices douces, le nez choisit la finesse. Souple à l'attaque, la bouche gagne peu à peu en fraîcheur et en structure. La puissance l'emporte en finale. Un rosé qui conviendra à une cuisine provençale.

Raffinat et Fils, Dom. des Tanneries, 12, rue des Tanneries, 18370 Châteaumeillant, tél. 02.48.61.35.16, fax 02.48.61.44.27 t.l.j. 8h30-12h 13h30-19h

Coteaux-du-giennois

Superficie : 194 ha
Production : 5 928 hl (48 % rouge et rosé)

Sur les coteaux de Loire réputés depuis longtemps, la viticulture a progressé, tant dans la Nièvre que dans le Loiret, attestant la bonne santé du vignoble. Les coteaux-du-giennois ont accédé à l'AOC en 1998. Plantés sur des sols siliceux ou calcaires, les cépages traditionnels, gamay, pinot noir et sauvignon, donnent des vins dans les trois couleurs. Les blancs, issus de sauvignon, sont légers et fruités. Tout aussi fruités, les rouges et les rosés assemblent le gamay et le pinot noir. Souples et peu tanniques, les premiers peuvent être servis jusqu'à cinq ans d'âge, avec toutes les viandes.

DOM. CÉDRICK BARDIN La Côte 2011 ★

3 500 | 5 à 8 €

Assemblage de pinot noir et de gamay, ce coteaux-du-giennois, issu de l'activité de négoce de Cédrick Bardin, se présente dans une robe aux reflets violets. Au nez, les nuances de fruits rouges et noirs (cerise, cassis) sont complétées d'une touche fumée. Tendre en attaque, souple en milieu de bouche, le palais évolue sur des tanins d'une bonne maturité et d'une extraction mesurée. Un vin ample et frais, à la finale sur la griotte, qui s'alliera avec une assiette de charcuterie.

EURL Cédrick Bardin, 12, rue Waldeck-Rousseau, 58150 Pouilly-sur-Loire, tél. 03.86.39.11.24, cedrick.bardin@orange.fr r.-v.

DOM. DES BEAUROIS 2011 ★

13 000 | 5 à 8 €

Il suffit de se promener dans la commune de Beaulieu-sur-Loire pour y sentir une forte tradition viticole. Anne-Marie et Bernard Marty n'ont fait que la perpétuer lorsqu'ils ont démarré leur exploitation en 1998. Fermé au premier nez, leur blanc s'ouvre au fur et à mesure de l'aération, dévoilant des arômes de fruits blancs, de buis et de fleurs. Légèrement acidulée, la bouche possède du relief et va, elle aussi, crescendo pour conclure sur une longue finale fruitée. À découvrir sur une anguille grillée, par exemple.

Anne-Marie Marty, Dom. des Beaurois, 89170 Lavau, tél. et fax 03.86.74.16.09, contact@domaine-des-beaurois.fr

t.l.j. sf dim. 11h-12h30 16h-19h ❷

LYCÉE AGRICOLE DE COSNE-SUR-LOIRE
Cuvée Fût de chêne 2011 ★

	4 000		5 à 8 €

Sous la houlette de son directeur d'exploitation, Sylvain Bujeon, le lycée viticole des Cottereaux à Cosne-sur-Loire présente souvent de belles cuvées, ce rouge élevé en fût ayant même décroché un coup de cœur dans le millésime 2008. Le boisé domine – sans exagération – au premier nez de cette version 2011, puis laisse apparaître dans un beau fondu les notes fruitées du pinot et du gamay (framboise, mûre). Les tanins, discrets et tendres, apportent une juste structure. Le tout est équilibré et prêt à boire. Le **2011 blanc (moins de 5 €; 10 000 b.)**, frais, léger et friand, est cité.

Lycée viticole de Cosne-sur-Loire, Dom. des Athénées, 66, rue Jean-Monnet, BP 132, 58200 Cosne-sur-Loire, tél. et fax 03.86.26.99.84, expl.cosne@educagri.fr

t.l.j. sf sam. dim. 8h-12h30 13h30-17h30. f. août

♥ DOM. COUET 2011 ★★

	8 000		5 à 8 €

Après avoir reçu nombre de louanges pour son blanc (versions 2009 et 2010 notamment), Emmanuel Couet complète son palmarès avec un superbe rosé. Composée à 80 % de gamay, cette bouteille démontre le potentiel qualitatif de ce cépage lorsqu'il est conduit sur les sols qui lui conviennent (terres argilo-calcaires à silex ici). Au nez, les arômes de fruits rouges et de rose sont agrémentés de fines notes minérales et amyliques. Souple et plein, le palais allie la richesse à la finesse. Un rosé tout en subtilité, à servir sur

des entrées froides. Le **2011 blanc (26 000 b.)**, à l'expression variétale typée (bourgeon de cassis, genêt, fruits exotiques), obtient une citation.

Emmanuel Couet, Croquant, 58200 Saint-Père, tél. 03.86.28.14.80, domainecouet@gmail.com

t.l.j. 8h-12h 14h-18h; dim. sur r.-v. ❸

♥ MICHEL LANGLOIS Les Charmes 2011 ★★

	27 000		5 à 8 €

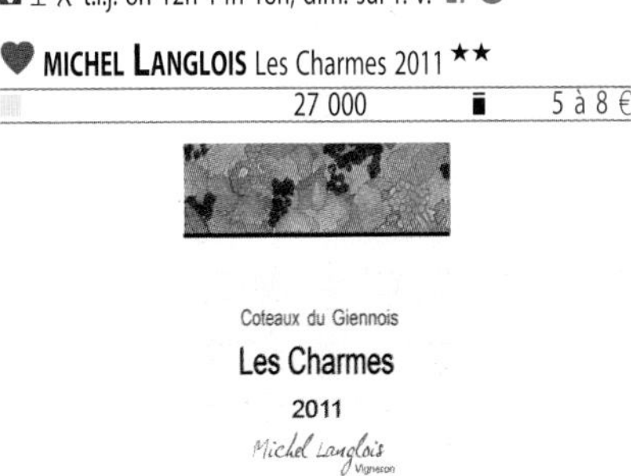

Déjà élue coup de cœur dans le millésime 2008 et remarquable en 2010, cette cuvée de Michel Langlois, élevée sur lies pendant six mois, ne cesse de charmer les dégustateurs du Guide. Issue d'un terroir argilo-calcaire, elle possède l'élégance des grands sauvignons. Si au premier abord le nez reste discret, il exprime avec beaucoup de finesse des notes d'agrumes. Dans une belle continuité, la bouche achève de convaincre par ses délicats

Le Centre

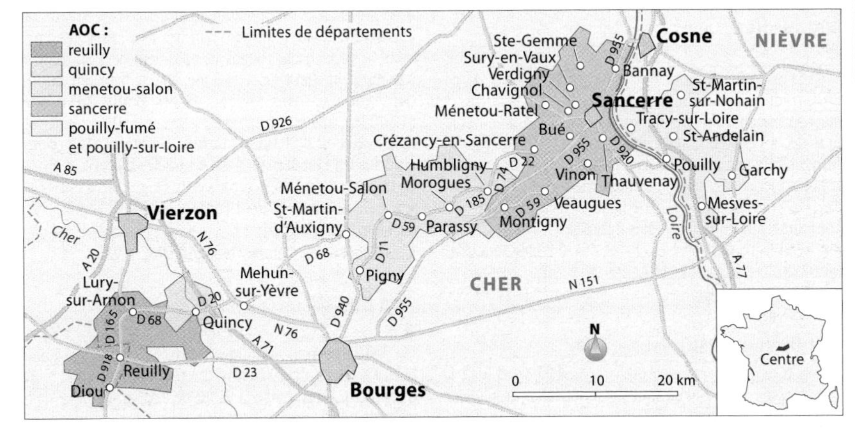

arômes de fleurs blanches, par sa plénitude, son harmonie et sa longueur. À servir sur une poêlée de saint-jacques ou sur un poisson noble. Le **2011 rosé Ma vie en rose (13 000 b.)** est cité pour son fruité et son volume en bouche.

Michel Langlois, 17, rue de Cosne, 58200 Pougny, tél. 03.86.28.06.52, fax 03.86.28.59.29, catmi-langlois@orange.fr
t.l.j. 9h-12h30 14h30-19h; dim. sur r.-v.

DOM. DES LOUPS 2011 *

50 000 | 5 à 8 €

Cette cuvée de négoce affiche un nez plutôt discret mais élégant, fait de notes épicées accompagnées de quelques touches végétales (genêt) typiques du sauvignon, qui lui apportent de la fraîcheur. La bouche, relativement légère, fait preuve d'un bel équilibre et de finesse. Autre blanc proposé par la maison Balland-Chapuis, le **2011 Montagnes blanches (50 000 b.)**, aux arômes exotiques et à la bouche ronde et fraîche, est cité.

Dom. Balland-Chapuis, L'Esterille, 18300 Bué, tél. 02.48.54.06.67, fax 02.48.54.07.97, balland-chapuis@wanadoo.fr
t.l.j. sf sam. dim. 8h-12h 13h30-17h30
J.-L. Saget

DOM. POUPAT ET FILS Rivotte 2011 **

27 000 | 5 à 8 €

Le domaine Poupat s'affirme une fois de plus comme une des valeurs sûres de l'appellation, avec trois cuvées retenues, dans les trois couleurs. D'abord, ce blanc Rivotte à la belle qualité aromatique, qui conjugue intensité, finesse et complexité. Des notes de pêche et de citron se mêlent, au bouquet, à des nuances d'iris. La bouche, ronde et ample, offre une harmonie persistante aux saveurs d'agrumes. Un vin de plaisir par excellence. Sont également sélectionnés avec une étoile le **2011 rosé Le Trocadéro (14 000 b.)** pour son joli fruité et sa fraîcheur, ainsi que le **2010 rouge Rivotte (10 000 b.)** pour ses arômes de griotte et ses tanins équilibrés.

Dom. Poupat et Fils, Rivotte, 45250 Briare, tél. et fax 02.38.31.39.76, domainepoupat@hotmail.fr
t.l.j. 14h-18h; sam. 10h-19h; matin et dim. sur r.-v.

DOM. DES RATAS 2010

7 000 | 5 à 8 €

D'un jaune franc à reflets dorés, la couleur de ce 2010 traduit la maturité des raisins, nés sur des terrasses aux sols bien filtrants dominant la Loire. La rondeur et le gras découverts en bouche confirment cette impression. Mais la fraîcheur est elle aussi présente à travers des notes fruitées (pêche, agrumes) et une finale légèrement acidulée. Un coteaux-du-giennois équilibré, à la douceur peu commune pour un 2010, mais agréable.

SCEA Dom. des Ratas, Les Ratas, 45420 Bonny-sur-Loire, tél. 02.38.07.18.90, fax 02.38.07.18.99 r.-v.
Daniel Villeneuve

DOM. DE VILLARGEAU Les Licotes 2010 *

9 300 | 8 à 11 €

Depuis qu'ils ont commencé à défricher un plateau aux sols d'argile à silex en 1991 pour y planter de la vigne, Jean-Fernand et François Thibault – auxquels est venu se joindre Marc – ont fait la renommée du domaine de Villargeau. Cet assemblage de plusieurs parcelles (pinot noir, gamay) livre à l'olfaction une belle harmonie autour des fruits confits, du kirsch et de la vanille. Après une attaque ronde et souple, la puissance des tanins apparaît. Une charpente solide qui confère au vin de la mâche et un potentiel de garde de cinq ans. Le **2011 blanc (5 à 8 €; 84 000 b.)** décroche lui aussi une étoile pour son équilibre entre rondeur et minéralité.

GAEC Thibault, allée des Noyers, Villargeau, 58200 Pougny, tél. 03.86.28.23.24, domainedevillargeau@orange.fr r.-v.

Côtes-d'auvergne

Superficie : 258 ha
Production : 10 549 hl (90 % rouge et rosé)

Très vaste jusqu'à la crise phylloxérique, le vignoble des côtes-d'auvergne a accédé à l'AOVDQS en 1977, puis à l'AOC en 2011. Qu'ils soient issus de vignobles des puys, en Limagne, ou de vignobles des monts (dômes), en bordure orientale du Massif central, les vins d'Auvergne rouges et rosés proviennent du gamay, cultivé ici de longue date, ainsi que du pinot noir. Le chardonnay produit quelques blancs. Rouges et rosés s'accordent avec les spécialités locales, charcuteries, potée et certains fromages. Dans les crus Boudes, Chanturgue, Châteaugay, Corent et Madargues, ils peuvent prendre une ampleur et un caractère surprenants.

JACQUES ET XAVIER ABONNAT Boudes Les Rivaux 2011 *

1 500 | - de 5 €

Jacques Abonnat et Xavier, son fils, exploitent ensemble leur propriété à Chalus depuis cinq ans. Coup de cœur dans sa version 2009, leur cuvée Les Rivaux est encore une fois remarquée. Son nez frais, presque « primeur », mêle fruits rouges et notes épicées. Sa bouche structurée et chaleureuse évoque, elle, le pruneau cuit. À découvrir d'ici deux ans. **La Croix petite 2011 rosé (1 500 b.)**, une étoile, se révèle par sa palette aromatique de groseille et de bonbon anglais. Enfin, le **2011 rouge Boudes La Gardonne (5 à 8 €; 10 000 b.)** est cité. Rond en bouche, il s'exprime sur la cerise et les épices poivrées.

Cave Abonnat, pl. de la Fontaine, 63340 Chalus, tél. et fax 04.73.96.45.95, famille.abonnat-vignerons@orange.fr r.-v.

YVAN BERNARD Les Dômes 2011

7 000 | 5 à 8 €

Montpeyroux, commune classée parmi les « plus beaux villages de France », a été bâtie sur une butte d'arkose qui surplombe la vallée de l'Allier. Profitez de la visite du village pour découvrir cette cuvée de gamay issue de raisins en conversion bio. On y décèle des notes de fruits rouges et noirs au nez, qui se prolongent dans une bouche ample et structurée, laquelle affinera ses tanins lors d'un séjour en cave durant un à deux ans.

Yvan Bernard, pl. de la Reine, 63114 Montpeyroux, tél. 04.73.55.31.97, bernard_corent@hotmail.com r.-v.

BONJEAN Châteaugay Cuvée Gabin 2011 ★

5 000 | 5 à 8 €

Stéphane Bonjean est tout aussi passionné par le vin que les six générations qui l'ont précédé sur le vignoble familial. Il dédie cette cuvée à son fils Gabin, qui assurera peut-être la continuité. Cet assemblage gamay-pinot noir est généreux à l'olfaction. La cerise, le bonbon anglais, le zeste d'orange et les épices se mêlent en harmonie. La bouche est gourmande, ronde et légèrement acidulée en finale. À déguster dès la sortie du Guide. Le **2010 blanc Châteaugay (2 000 b.)** aux senteurs de grillé, de vanille et de fleur d'acacia a fait l'objet d'un long élevage en fût. Il est cité.

GAEC Bonjean, 12, rue de la Tour, 63112 Blanzat, tél. 04.73.87.90.50, fax 04.73.87.62.59, info@vin-auvergne-bonjean.com r.-v.

A. CHARMENSAT 2011 ★

5 800 | 5 à 8 €

Sur cette très ancienne propriété (1850), cinq générations se sont succédé, cultivant des vignes dont la plupart habillent un joli coteau aménagé en terrasses, exposé plein sud. La particularité de ce rosé de gamay : 70 % des raisins proviennent de ceps centenaires ! Le vin se présente dans une robe légère aux reflets saumonés. Ses arômes explosent au nez, puis en bouche, tel un panier de fruits tout juste cueillis, d'une jolie fraîcheur. Un vin souple et friand, à déguster sur de la charcuterie ou sur une salade composée.

EARL Charmensat, rue du Coufin, 63340 Boudes, tél. 04.73.96.44.75, fax 04.73.96.58.04, cavecharmensat@orange.fr t.l.j. sf dim. 9h-12h 14h-18h30

LE CLOS DES MONTS Boudes Gamay Vieilles Vignes 2011

1 200 | 8 à 11 €

Certifiée en agriculture biologique depuis 2010, cette petite exploitation dispose maintenant de chambres d'hôtes. On profitera donc d'un séjour au domaine pour découvrir ce gamay aux parfums intenses de cerise à l'eau-de-vie et de cassis. La bouche est gourmande, longue, animée par une touche de vivacité. Une bouteille à savourer dès aujourd'hui ou à attendre deux ans pour plus de complexité.

Le Clos des Monts, 4, rue du Curator, 63340 Boudes, tél. 04.73.55.33.41, christophe.grayon@orange.fr t.l.j. 10h-12h 15h-19h 2

Christophe et Fabienne Grayon

DOM. DE LA CROIX ARPIN Châteaugay 2011 ★

60 000 | - de 5 €

Établie en 1989 avec 2,9 ha de vignes, cette exploitation s'est bien agrandie et en compte aujourd'hui presque vingt. Ce châteaugay, assemblage de gamay (70 %) et de pinot noir, offre un nez intense et complexe de fruits mûrs et d'épices. La bouche dense et persistante s'exprime sur les fruits noirs confiturés. Ce vin encore jeune demande à rester un peu en cave, six mois à un an, pour s'affiner.

EARL Pierre Goigoux, Dom. de la Croix Arpin, Pompignat, 63119 Châteaugay, tél. 04.73.25.00.08, fax 04.73.25.17.07, gaec.pierre.goigoux@63.sideral.fr r.-v.

DESPRAT La Légendaire 2010 ★

6 000 | 8 à 11 €

Fidèle à la tradition familiale, cette structure de négoce a travaillé cette cuvée selon les observations de l'aïeul, Jean Desprat, auquel elle rend hommage. Après une vinification en fût, ce vin est élevé en altitude dans un buron cantalien durant un an. Il se présente dans une robe dorée et dévoile au nez une palette complexe de parfums toastés et miellés. La bouche allie volume, gras et une fine fraîcheur agrémentée de nuances fruitées et boisées. Un équilibre à découvrir sur une volaille truffée. Noté une étoile également, le **2011 rouge Châteaugay Les Amandiers** s'appuie sur des tanins fermes, enrobés d'arômes de prune compotée.

Desprat Vins, 10, av. Jean-Baptiste-Veyre, 15000 Aurillac, tél. 04.71.48.25.16 r.-v.

DOM. DE LACHAUX Corent La Vigne de Nicolas 2011 ★★

3 600 | 5 à 8 €

Thierry Sciortino vous invitera à découvrir sa production au sein d'une belle bâtisse en pierre d'arkose ornée de deux trompe-l'œil. Le gamay et le pinot noir, vendangés à la main sur un sol granitique, ont donné naissance à un rosé charmeur. Sous sa robe très pâle se dévoile un nez fin et subtil de pêche, de nectarine et de bonbon anglais. En bouche, la rondeur et la souplesse sont au rendez-vous, sur le fruit. Un vin qui fera le bonheur des gourmands servi avec un couscous.

Thierry Sciortino, 1, chem. du Domaine, Lachaux, 63270 Vic-le-Comte, tél. 06.64.18.48.84, fax 04.73.69.08.06, thsciortino@aol.com r.-v.

BENOÎT MONTEL Bourrassol 2011

4 000 | 5 à 8 €

Ce petit vignoble dispersé sur quatre crus différents comprend des ceps de chardonnay sur la commune de Ménétrol, que domine le château Bourrassol à l'origine du nom de cette cuvée. Arborant une robe jaune d'or, celle-ci s'annonce par un nez discret mêlant le pamplemousse à des senteurs briochées. La bouche montre à la fois du gras et de la fraîcheur, enrobée de saveurs gourmandes d'abricot sec. Le **Bourrassol 2011 rouge (4 000 b.)** est également cité. Il associe les fruits rouges à une structure fondue et acidulée.

EARL Benoît Montel, 6, rue Henri-Goudier, 63200 Riom, tél. 06.74.50.00.24, fax 04.73.64.96.14, benoit-montel@orange.fr r.-v.

LOIRE

DAVID PÉLISSIER Boudes Les Terres rouges 2011 ★

n.c. 5 à 8 €

En 1999, David Pélissier a repris l'exploitation familiale transmise par son père Michel. Sa cuvée Terres rouges est ainsi nommée en raison de son lieu de naissance, voisin de la vallée des Saints, petit « Colorado » auvergnat. Le gamay s'exprime pleinement dans son bouquet de pivoine et de cerise, suivi d'une bouche tendre, fondue, dont la finale sur la fraise est portée par des tanins fins. Le **Boudes cuvée Prestige Vieilles Vignes 2010 rouge Élevé en fût de chêne** est cité pour son expression originale associant la cerise, la vanille et des notes anisées. À l'approche de la retraite, Michel a concentré sa passion sur une surface de moins de 1 ha pour proposer cette unique cuvée : le **Michel Pélissier 2011 rouge La Gouleyette (4 500 b.)**. Cet assemblage gamay-pinot noir joue sur la mûre et le cacao. Chaleureux et ample, avec des tanins affirmés, il ne demande qu'à s'ouvrir.

Cave David Pélissier, rue de Dauzat, 63340 Boudes, tél. et fax 04.73.96.43.45, dfpelissier@hotmail.com t.l.j. 8h-12h 14h-19h

GILLES PERSILIER Gergovia 2010 ★

3 000 5 à 8 €

En conversion vers l'agriculture biologique depuis 2009, ce domaine de 9 ha présente une cuvée qui tient son nom du coteau de Gergovie, site présumé de la célèbre bataille où Vercingétorix fut victorieux des légions romaines. Ce chardonnay vinifié et élevé dix mois en barrique affiche une belle couleur jaune doré. Au nez, on retrouve la marque du bois dans de fines senteurs de vanille. La bouche présente de la matière, de la rondeur et se montre très aromatique, mariant les épices douces à la noisette grillée.

Gilles Persilier, 27, rue Jean-Jaurès, 63670 Gergovie, tél. 06.77.74.43.53, gilles-persilier@wanadoo.fr r.-v.

MARC PRADIER Corent 2011

9 600 - de 5 €

Ce petit domaine de 4,5 ha est issu de vignes familiales gérées aujourd'hui par Marc Pradier, de la culture à la commercialisation. Né sur les flancs d'un ancien volcan, le puy de Corent, ce rosé de gamay à la robe cristalline flatte le nez de son fruité gourmand de cerise. Le palais rond est réveillé en finale par une vivacité marquée.

Marc Pradier, 9, rue Saint-Jean-Baptiste, centre-ville, 63730 Les Martres-de-Veyre, tél. 04.73.39.86.41, fax 04.73.39.88.17, pradier.marc@orange.fr sam. 8h30-12h

JEAN-PIERRE PRUGNARD Châteaugay Clos de la Sarre 2011

9 000 - de 5 €

Un triplé réussi pour Jean-Pierre Prugnard qui voit ici ses vins cités dans les trois couleurs. Cet assemblage de gamay (70 %) et de pinot noir, grenat intense, séduit d'abord par ses senteurs chaleureuses de cerise à l'eau-de-vie. Des notes que l'on retrouve aux côtés du pruneau cuit au sein d'une matière pleine et dense, dont les tanins jeunes profiteront d'un an de garde. Le **Clos de la Sarre 2011 blanc (5 à 8 €)** se montre souple, droit et discrètement floral. Quant au **rosé 2011**, un 100 % gamay, il évoque par sa fraîcheur les petits fruits rouges acidulés agrémentés d'une pointe minérale.

Jean-Pierre Prugnard, 12, rue de Sibony, 63118 Cébazat, tél. et fax 04.73.87.63.63, j.p.prugnard@wanadoo.fr r.-v.

DOM. ROUGEYRON 2011

11 500 5 à 8 €

Cette propriété est installée sur le site de la Crouzette, nom donné à la petite croix érigée par les ancêtres de Roland Rougeyron au début du XVIII[e]s. Le vigneron présente un chardonnay aux reflets jaune d'or, dont le nez discrètement floral accueille une pointe minérale. On retrouve le caractère du cépage en bouche dans une matière ample et enrobée. Un vin élégant, équilibré, à la finale acidulée. Cité également, le **2011 rouge Châteaugay Vieilles Vignes (10 000 b.)** décline des arômes de fruits cuits dans une bouche ronde et chaleureuse. On le découvrira sans attendre.

Dom. Rougeyron, 27, rue de la Crouzette, 63119 Châteaugay, tél. 04.73.87.24.45, fax 04.73.87.23.55, domaine.rougeyron@terre-net.fr r.-v.

♥ **SAINT-VERNY** Privilège Élevé en fût de chêne 2010 ★★★

4 800 11 à 15 €

Le patron des vignerons auvergnats a donné son nom à cette coopérative dont tout le vignoble est situé dans le département du Puy-de-Dôme. Après plusieurs coups de cœur, dont un l'an passé pour un rouge 2009, voici que la performance est réitérée, grâce cette fois à un chardonnay élevé douze mois sous bois. D'un jaune paille brillant d'éclats dorés, ce vin a charmé les dégustateurs par son bouquet intense de fruits blancs, de miel et de vanille. Cette complexité se prolonge en bouche, où l'abricot sec s'allie à une rondeur sans pareille. Une harmonie persistante, à apprécier sans attendre. L'**Impromptu 2010 rouge (5 à 8 € ; 9 700 b.)** est cité pour ses notes de fruits rouges et d'épices, signe d'une belle maturité du gamay. La **Cuvée des Volcans 2011 blanc (5 à 8 € ; 40 000 b.)** est portée par les fruits secs, les agrumes et par une pointe minérale lui apportant fraîcheur et longueur. Elle est également citée.

Cave Saint-Verny, 2, rte d'Issoire, 63960 Veyre-Monton, tél. 04.73.69.60.11, fax 04.73.69.65.22, saint.verny@saint-verny.com t.l.j. sf dim. lun. 9h-12h30 14h-18h30

ANNIE SAUVAT Boudes Les Demoiselles oubliées du Donazat 2011

40 000 5 à 8 €

Voilà vingt-cinq ans qu'Annie Sauvat, accompagnée de son mari, a rejoint son père sur ce vignoble de 10 ha. Leur cuvée évoque le lieu-dit Donazat où se dressait, paraît-il, un château qui était un refuge de lépreux et appartenait à des demoiselles. Ce vin, 100 % gamay, offre un nez intense et complexe de cerise noire et d'épices, avant de dérouler une bouche tendre à la finale mentholée.

Dom. Claude et Annie Sauvat, rte de Dauzat, 63340 Boudes, tél. 04.73.96.41.42, fax 09.70.32.31.46, sauvat@terre-net.fr t.l.j. sf dim. 9h-12h 14h-19h

DOM. DES TROUILLÈRES Annolium 2011 ★

3 400 — 5 à 8 €

Annolium est le nom gallo-romain que portait le village des Martres-de-Veyre, où Jean-Pierre Pradier gère son vignoble en conversion bio depuis 2009. Cette cuvée charme l'œil par sa robe grenat profond. Un nez intense se dévoile ensuite, sur les fruits rouges acidulés. Souple et ronde à l'attaque, la bouche se développe en douceur sur des saveurs de fruits cuits et d'épices. Un vin long et soyeux, à apprécier dès aujourd'hui. Le **Corent 2011 rosé (8 800 b.)** est cité pour le fruit apporté par le gamay et pour le gras typique du pinot noir.

Jean-Pierre Pradier, Dom. des Trouillères, rue de Tobize, 63730 Les Martres-de-Veyre, tél. 06.72.40.75.26, fax 04.73.39.95.63, pradierjp@wanadoo.fr sam. 8h-12h

Côte-roannaise

Superficie : 220 ha
Production : 10 000 hl

Des sols d'origine éruptive ; des vignes faisant face à l'est, au sud et au sud-ouest, sur les pentes d'une vallée creusée par une Loire encore adolescente : voilà un milieu naturel qui appelle le gamay. Quatorze communes situées sur la rive gauche du fleuve produisent d'excellents rouges et de frais rosés, plus rares. Des vins originaux et de caractère qui intéressent les chefs les plus prestigieux de la région. On évoque les traditions viticoles de la Côte roannaise au musée Alice-Taverne d'Ambierle.

♥ ALAIN BAILLON Montplaisir 2011 ★★

3 500 — 5 à 8 €

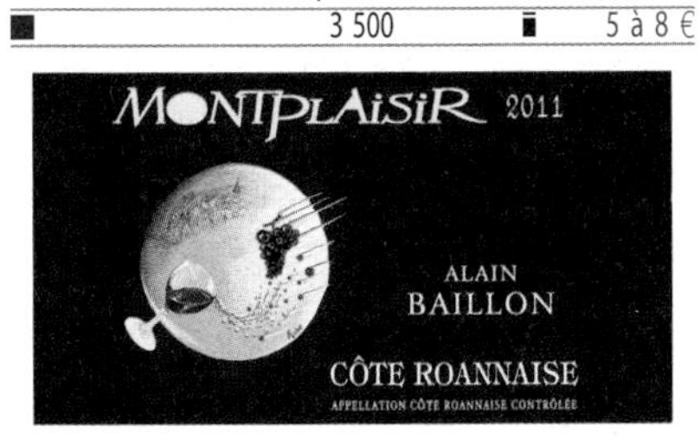

Alain Baillon, bien connu des fidèles lecteurs du Guide, voit deux de ses vins récompensés : l'un décroche la première place décernée par le jury des coups de cœur, l'autre, La Barytine, reçoit une étoile. Montplaisir est le nom d'un coteau exposé au sud-est, dont les raisins reçoivent le soleil dès l'aube. Alain Baillon ayant fait le choix de garder ses vieilles vignes, il s'astreint à les récolter à la main et obtient ici un raisin mûr. Une cuvaison courte de huit jours a donné ce vin au nez complexe de fruits rouges et de sous-bois, à la bouche trapue et dense, et à la longue finale. Les tanins bien présents, un peu sévères aujourd'hui, permettront à ce 2011 de vieillir trois ans. Un très beau vin de garde, à déguster sur un pavé de bœuf charolais. Plus fruitée, **La Barytine 2011 rouge (moins de 5 € ; 8 000 b.)** séduit par son nez de cassis, par son style rond, souple et vif. À déguster dans l'année sur une viande blanche ou au cours d'un buffet.

Alain Baillon, Montplaisir, 42820 Ambierle, tél. 04.77.65.65.51, fax 04.77.65.65.65, alain.baillon.42@free.fr r.-v.

CH. DE CHAMPAGNY Grande Réserve 2011 ★★

20 000 — 5 à 8 €

Frédéric Villeneuve et Jérôme Forest exploitent 12 ha d'un vignoble ressuscité en 1968 par le père du premier, André Villeneuve. Une petite parcelle de 1 ha a été dédiée à cette superbe cuvée issue de vieilles vignes de cinquante ans, vinifiée à la beaujolaise avec une macération semi-carbonique courte (sept ou huit jours) et élevée un an en cuve. Le résultat ? Un 2011 paré d'une robe magnifique couleur rubis profond aux reflets violets et doté d'un nez gourmand de cassis et de fruits rouges. Dans une belle continuité, la bouche est croquante, vive et fruitée. À déguster sur un saucisson chaud dans un an. Facile et friande, la cuvée du domaine **2011 rouge (moins de 5 €)** obtient une citation pour son palais frais et fruité.

Vignoble de Champagny, Champagny, 42370 Saint-Haon-le-Vieux, tél. 04.77.64.42.88, fax 04.77.62.12.55, frederic.villeneuve300@orange.fr t.l.j. 9h-12h 14h-19h

MICHEL DÉSORMIÈRE ET FILS Tradition 2011 ★

14 000 — - de 5 €

La cuvée Tradition, la première produite par le domaine en 1974, a toujours le vent en poupe. Témoin ce 2011 issu d'un assemblage des plus vieilles vignes de la propriété, vinifiées à la beaujolaise. Le nez est fruité, la bouche friande, agrémentée de notes de bonbon anglais. Rond, souple, c'est un vin aimable, bien typique de l'appellation, à déguster dans l'année.

Dom. Désormière, Le Perron, 42370 Renaison, tél. 04.77.64.48.55, fax 04.77.62.12.73, domaine.desormiere@orange.fr t.l.j. 8h-12h 13h30-19h; dim. sur r.-v.

VINCENT GIRAUDON Éponyme 2010 ★★

3 500 — - de 5 €

Vincent Giraudon, installé sur ce petit domaine de 4 ha depuis 2004, propose de découvrir cette superbe cuvée au restaurant gastronomique *Le Jacques Cœur*, qu'il dirige. Son gamay présente un nez discret mais net et très agréable sur les petits fruits noirs. La bouche est ronde, harmonieuse, dotée d'une jolie matière. Mieux vaudra attendre ce vin deux ans pour l'apprécier à sa juste valeur. Quant aux accords mets et vins, ce cuisinier-vigneron a son idée : il conseille un émincé de bœuf à la lie de vin ou un poulet à la crème et aux morilles recouvert d'un feuilletage !

Vincent Giraudon, 15, rue Robert-Barathon, 42370 Renaison, tél. 04.77.64.25.34, fax 04.77.64.43.88, vincentgiraudon@free.fr r.-v.

DOM. DES PALAIS Le Carré du prieur 2011 ★

■ 2 000 ▮ - de 5 €

Pour cette cuvée, Yann et Sylvie Palais ont vendangé un demi-hectare de gamay. Les vignes ont l'âge du domaine : une dizaine d'années, puisque Yann s'est installé « hors cadre », c'est-à-dire en créant de ses mains une exploitation sur de splendides coteaux en friche. Ce rosé est dit de pressurage direct : sitôt arrivées en cuverie, les grappes de gamay ont été pressées, et le jus rosé qui en a coulé a ensuite fermenté. La robe est saumonée, le nez discret et la bouche, très fruitée, au bel équilibre, évoque la fraise des bois et la grenadine. Un vin tendre, à servir à la sortie du Guide.

EARL Yann et Sylvie Palais, Dom. des Palais, Charpinots, 42820 Ambierle, tél. 04.77.65.60.31, yann.palais@orange.fr r.-v.

DOM. DE LA PAROISSE Tradition 2011 ★

■ 12 000 ▮ 5 à 8 €

Jean-Claude Chaucesse propose cette cuvée éraflée à 50 % à la bourguignonne et macérée six jours. Après six mois d'élevage en cuve, le vin dévoile des arômes intenses de fruits relevés par des notes minérales et florales. La bouche, souple et plaisante, laisse entendre que le vin sera prêt à la sortie du Guide. Un côte-roannaise gouleyant à découvrir sur des boulettes de porc aux pistaches.

Jean-Claude Chaucesse, La Paroisse, 42370 Renaison, tél. et fax 04.77.64.26.10, la.paroisse@laposte.net r.-v.

DOM. DES POTHIERS 2011 ★

■ 8 000 ▮ 5 à 8 €

Pour ce vignoble, l'année 2011 aura été celle des évolutions ! La certification en bio est désormais officielle, et une nouvelle cuverie a été inaugurée pour produire cette cuvée issue de 2 ha de vignes de quarante ans. Afin de donner du corps à ce millésime, Romain Paire a égrappé 70 % de sa vendange et l'a fait macérer treize jours, avant un élevage de dix mois en cuve. Il en résulte un vin concentré au nez, livrant de puissants parfums de cassis. À l'unisson, la bouche gourmande est portée par des tanins encore jeunes, qui durcissent un peu le palais : attendre trois ans avant de servir cette bouteille sur un pavé de charolais.

Dom. des Pothiers, Les Pothiers, 42155 Villemontais, tél. et fax 04.77.63.15.84, contact@domainedespothiers.com t.l.j. sf dim. 8h-12h 14h-19h

Famille Paire

LOUIS ROBIN 2010 ★

■ 2 450 ▮ - de 5 €

Edgar Pluchot travaille avec son frère sur le domaine hérité de leur grand-père, Louis Robin. Pour se démarquer des autres domaines, puisqu'ils sont partis de rien en 2005 et qu'il leur a bien fallu se faire connaître, ils ont fait le choix de « l'anticassis » : pas d'éraflage, pas de thermovinification, ils travaillent à l'ancienne. Vendanges manuelles, grappes entières, dix jours en cuve, levures indigènes... Le vin séduit par sa complexité au nez : fraise mûre, pointe minérale, réglisse... La bouche est massive, trapue, avec de jolis tanins qui demandent à s'arrondir deux ans en cave.

EARL Le Retour aux Sources, Les Échaux, 42370 Saint-Alban-les-Eaux, tél. 06.74.50.51.24, leretourauxsources.pluchot@orange.fr r.-v.

Pluchot

SINE NOMINE 2011 ★★

■ 6 000 ▮ - de 5 €

Pas de doute, ce vin a bénéficié de soins attentifs : en septembre 2011, Simon Hawkins a trié une par une les grappes atteintes de la pourriture acétique en raison des piqûres des guêpes fort attirées par ces grappes juteuses et très présentes par un temps inhabituellement chaud. Enlever chaque grain percé et atteint : « Un sacré travail », reconnaît-il... Mais le résultat est là, dans cette cuvée, citée l'an dernier, très séduisante avec son nez de cassis... et encore de cassis. La bouche est ronde, mûre, souple, et s'accordera bien d'ici deux ans avec du gibier.

Dom. du Fontenay, Fontenay, 42155 Villemontais, tél. 04.77.63.12.22, fax 04.77.63.15.95, info@domainedufontenay.com t.l.j. 8h-12h 14h-18h 3

Côtes-du-forez

Superficie : 168 ha
Production : 7 433 hl

C'est à une somme d'efforts intelligents et tenaces que l'on doit le maintien de ce vignoble abrité par les monts du Forez, qui s'étend sur dix-sept communes autour de Boën-sur-Lignon (Loire). Le climat y est semi-continental, les terrains sont tertiaires au nord et primaires au sud. Rosés et rouges, secs et vifs, les vins proviennent exclusivement du gamay et sont à consommer jeunes. Ils ont été reconnus en AOC en 2000.

DOM. DU POYET Cuvée du Poyet 2011 ★

■ 12 000 ▮ 5 à 8 €

Jean-François Arnaud aime égrapper une partie de sa vendange. En 2009, année solaire, il avait ôté 85 % des rafles pour sa cuvée de vieilles vignes. En 2011, année plus froide, il en a gardé la moitié sur des vignes de trente ans. Cette proportion légèrement plus importante de rafles donne un vin plus complexe au nez (petits fruits, notes minérales) et en bouche, avec une finale gourmande, riche, croquante. Le côté un peu végétal qui s'y ajoute s'estompera après deux ans de garde.

Dom. du Poyet, Jean-François Arnaud, Le Bourg, 42130 Marcilly-le-Châtel, tél. 04.77.97.48.54, fax 04.77.97.48.71, domainedupoyet@sfr.fr t.l.j. 8h-12h 14h-19h

ODILE VERDIER ET JACKY LOGEL La Volcanique 2011

■ 15 000 ▮ 5 à 8 €

Le domaine Verdier-Logel fête cette année ses vingt ans. Fondé en effet en 1992, il s'étend maintenant sur 16 ha, certifiés bio depuis l'an 2000. Plusieurs fois en bonne place dans le Guide, il produit en général des vins très fruités. Cette Volcanique à la robe grenat s'annonce justement par un nez de cassis. Si elle manque un peu de longueur, la bouche séduit par son fruité net et par sa belle fraîcheur. À servir dès aujourd'hui sur un petit salé aux lentilles.

Odile Verdier et Jacky Logel, La Côte, 42130 Marcilly-le-Châtel, tél. 04.77.97.41.95, fax 09.70.06.47.99, cave.verdierlogel@wanadoo.fr

r.-v.

♥ CAVE DES VIGNERONS FORÉZIENS Tradition 2011 ★★

25 000 - de 5 €

Voici une production de coopérative qui fait honneur à son appellation. Coup double cette année pour la Cave des Vignerons foréziens, qui décroche non pas un, mais deux coups de cœur ! La cuvée Tradition, née de 13 ha plantés en terroir granitique, séduit par son fruité franc et généreux aux nuances de cassis. Très expressif, souple et rond, le palais repose sur des tanins de qualité qui permettront une petite garde, même si cette bouteille peut accompagner dès la sortie du Guide une terrine de foies de volaille. Même distinction et même note pour la cuvée **2011 rouge Les Loges (5 à 8 €;10 000 b.)**, aux arômes plus complexes (cassis, airelle, note minérale) et à la bouche ample et gourmande. À associer avec un civet de lapin dans deux ou trois ans.

Cave des Vignerons foréziens, 72, rte de Montbrison, 42130 Trelins, tél. 04.77.24.00.12, fax 04.77.24.01.76, vignerons.foreziens@wanadoo.fr t.l.j. 9h-12h 14h-18h

Menetou-salon

Superficie : 473 ha
Production : 10 761 hl (60 % blanc)

Menetou-Salon doit son caractère viticole à la proximité de la métropole médiévale qu'était Bourges ; Jacques Cœur y eut des vignes. À la différence de nombreuses régions jadis célèbres pour leurs crus, aujourd'hui disparus, ce secteur du Berry a gardé son vignoble, planté en coteaux. Menetou-Salon partage avec son prestigieux voisin Sancerre sols favorables et cépages nobles : sauvignon blanc et pinot noir sur kimméridgien. D'où ces blancs frais et épicés, ces rosés délicats et fruités, ces rouges harmonieux et bouquetés, à boire jeunes. Ces vins accompagnent à ravir une cuisine classique (apéritif, entrées chaudes pour les blancs ; poisson, lapin, charcuterie pour les rouges, à servir frais).

DOM. DE BEAUREPAIRE 2011

40 000 5 à 8 €

Vêtue d'une robe jaune doré aux reflets verts de la jeunesse, cette cuvée offre un bouquet expressif marqué par le caractère du sauvignon : les notes de buis, de genêt et de bourgeon de cassis l'emportent. Souple et ronde, la bouche laisse transparaître une discrète fraîcheur en finale, accompagnée de plaisantes nuances de fleurs blanches et de kiwi. À servir en entrée, sur des asperges sauce mousseline, par exemple.

Cave Gilbon, Dom. de Beaurepaire, rte de Saint-Michel, 18220 Soulangis, tél. 02.48.64.41.09, fax 02.48.64.39.89, cave-gilbon@wanadoo.fr

t.l.j. sf sam. dim. 9h-12h 14h-18h; f. mi-août

ALAIN BELLEVILLE 2011

28 000 5 à 8 €

Alexandre Belleville, qui conduit le petit domaine familial (5,3 ha), se fera un plaisir de vous recevoir pour une dégustation. Demandez-lui de vous faire découvrir ce sauvignon aux parfums de fruits bien mûrs, aux discrètes nuances poivrées et variétales. La bouche ronde se révèle assez marquée par la chaleur et le gras. Un poivron farci au thon, un peu pimenté, lui conviendra tout à fait.

Belleville, 2, rue de la Vieille-Grange, 18220 Aubinges, tél. 02.48.64.88.95, alexandrebelleville@sfr.fr

t.l.j. 9h-12h 14h-19h; sam. dim. sur r.-v.

CHAVET FILS 2011 ★

110 000 5 à 8 €

Les Chavet figurent parmi les pionniers de l'appellation en matière de méthodes culturales nouvelles (éclaircissage, enherbement...) visant à améliorer la qualité des raisins. Leur menetou blanc 2011 combine au nez puissance et élégance : les agrumes (mandarine, pamplemousse) y sont nuancés de notes végétales. La maturité du raisin se traduit en bouche par de la souplesse, du volume et un long retour aromatique (orange confite). La cuvée **Exception 2010 rouge (8 à 11 € ; 17 500 b.)**, élevée en fût, décroche une étoile pour ses arômes gourmands (kirsch, vanille), pour ses tanins fins et son boisé fondu. Le **rosé 2011 (10 000 b.)** est cité pour son palais tendre.

G. Chavet et Fils, GAEC des Brangers, 18510 Menetou-Salon, tél. 02.48.64.80.87, fax 02.48.64.84.78, contact@chavet-vins.com

t.l.j. sf dim. 7h30-12h 13h30-18h

ISABELLE ET PIERRE CLÉMENT La Dame de Châtenoy 2010 ★

12 000 8 à 11 €

Depuis plus de quatre siècles, les Clément sont vignerons à Menetou-Salon. Leur Dame de Châtenoy est un peu la cuvée phare du domaine, souvent remarquée dans le Guide. Son nez très mûr s'ouvre avec exubérance sur la poire, les agrumes et l'ananas. Rond à l'attaque, le palais se montre charnu et dévoile un beau relief en milieu de bouche. Il se termine agréablement, laissant percevoir le fruit mais aussi des notes épicées et miellées. Un menetou-salon flatteur. Le **rouge 2010 Tradition (60 000 b.)**, auquel l'élevage en fût donne du caractère et de la structure, est cité.

Isabelle et Pierre Clément, Dom. de Châtenoy, 18510 Menetou-Salon, tél. 02.48.66.68.70, fax 02.48.66.68.71, info@clement-chatenoy.com

t.l.j. sf dim. 8h30-12h 13h30-17h30; sam. sur r.-v.

LOIRE

DOM. DE COQUIN Héloïse En aparté 2011 ★★

7 000 ▮ 5 à 8 €

Né d'une sélection parcellaire, ce sauvignon porte clairement l'empreinte du sol argilo-calcaire où il a grandi. La puissance aromatique se révèle dès le premier nez, qui associe dans une belle complexité les fruits frais (pêche, abricot), l'orange confite et quelques touches mentholées. Onctueuse et tout aussi concentrée, la bouche est soulignée d'un trait de fraîcheur qui lui confère son équilibre. Riche, marquée par le terroir, cette cuvée Héloïse accompagnera des mets raffinés, telle une sole à la crème d'agrumes. La cuvée principale **blanc 2011 (60 000 b.)** est par ailleurs citée pour sa bouche ample et fruitée.

Francis Audiot, Dom. de Coquin, 18510 Menetou-Salon, tél. 02.48.64.80.46, fax 02.48.64.84.51, domainedecoquin@orange.fr
t.l.j. sf dim. 9h-12h 14h-18h30; f. 15-31 août

DOM. DE L'ERMITAGE 2010

18 000 ▮ 8 à 11 €

Fermé au premier nez, ce pinot noir révèle à l'aération de jolies touches de fruits mûrs (framboise, cassis) et des notes épicées. La structure est bien établie, sans excès de tanins, enrobée par des arômes de cerise burlat légèrement compotée. Bien équilibré, avec du volume, ce 2010 accompagnera des œufs en meurette, dès aujourd'hui.

Géraud et Laurence de La Farge, L'Ermitage, 18500 Berry-Bouy, tél. 02.48.26.87.46, fax 02.48.26.03.28, domaine-ermitage@wanadoo.fr r.-v. 3 D

DOM. OLIVIER FOUCHER 2011 ★

40 000 ▮ 5 à 8 €

C'est avec passion et grâce à son énergie qu'Olivier Foucher a fait prospérer son exploitation, anciennement appelée Domaine des Gaultiers, qui a aujourd'hui vingt ans. Plutôt discret au premier abord, le nez de ce 2011 livre de fines touches de fleurs blanches et de fruits frais sur un fond variétal (bourgeon de cassis, buis). Si la bouche montre de l'ampleur à l'attaque, elle a ensuite tendance à s'affiner, et fait preuve de fraîcheur (notes de genêt) et de longueur. Ce blanc sera en harmonie avec une blanquette de veau. Le **rouge 2010 (13 000 b.)** obtient la même note, car il est structuré par une belle trame de tanins et agrémenté d'arômes de fruits noirs confiturés.

Olivier Foucher, Les Gaultiers, 18220 Aubinges, tél. 02.48.64.26.23, domaine.olivierfoucher@orange.fr
t.l.j. 8h-12 13h30-18h30; dim. 8h-12h

♥ **CAVE FRAISEAU-LECLERC** 2011 ★★

24 000 ▮ 5 à 8 €

Installée à 500 m du château de Menetou-Salon, Viviane Fraiseau-Leclerc sait ce qu'est l'œnotourisme. Elle a ouvert deux chambres d'hôtes et un gîte, ce qui permet aux visiteurs de prendre tout leur temps pour déguster les vins et découvrir le vignoble. D'une grande finesse, le nez de son blanc 2011 se dévoile peu à peu : les arômes variétaux s'effacent pour faire place à des nuances florales (muguet, rose) et fruitées. Souple à l'attaque, la bouche ravit par sa rondeur, son gras et sa richesse tonifiés d'une fine fraîcheur. Sobre en cette période de jeunesse, elle devrait révéler tous ses arômes après une petite année de garde ; elle mettra alors en valeur une nage de langoustines.

Viviane Fraiseau, 3-5, rue du Chat, 18510 Menetou-Salon, tél. 02.48.64.88.27, fax 02.48.64.86.09, cave.fraiseau.leclerc@orange.fr lun.-ven. sur r.-v.; sam. dim. 9h-12h 13h30-19h 2 B

DOM. NICOLAS GIRARD 2011

7 000 ▮ 5 à 8 €

Présent dans le Guide pour la troisième année consécutive, le menetou-salon blanc de Nicolas Girard se distingue cette fois par l'élégance de son bouquet aux notes fruitées et florales (sureau). Souple à l'attaque, la bouche ronde livre une sensation plutôt chaleureuse, soulignée par des nuances de fruits confits ; la finale est opportunément réveillée par une pointe d'amertume. Cette bouteille s'appréciera avec un brochet au beurre blanc.

Nicolas Girard, Les Brosses, 18300 Veaugues, tél. 02.48.79.24.88, nicolasgirard7@yahoo.fr r.-v.

DOM. DU LORIOT 2011 ★

20 000 ▮ 8 à 11 €

En 2010, François et Jean-Marie Cherrier, dont la famille cultive la vigne à Sancerre, ont saisi l'occasion de s'implanter sur le vignoble de Menetou-Salon. Ainsi est né le Domaine du Loriot. Le nez de ce sauvignon révèle une intensité fraîche sur des notes de citron nuancées d'arômes de pêche blanche et d'aubépine. La vivacité et le fruit se retrouvent avec élégance et harmonie au palais. Pour une sole meunière, dès la sortie du Guide.

NOUVEAU PRODUCTEUR

SCEV Les Chézeaux, 2, rue du Champ-Pierrette, 18510 Menetou-Salon, tél. 02.48.79.34.93, fax 02.48.79.33.41, cherrier@easynet.fr r.-v.

PATRICK NOËL Vignes de Chantenais 2010

20 000 ▮ 8 à 11 €

Issu d'une famille vigneronne du Sancerrois, Patrick Noël a créé son propre domaine en 1988. Épaulé par sa fille Julie, il propose un menetou-salon au bouquet végétal et fruité (pêche, abricot). De petites touches miellées viennent aussi l'agrémenter. Souple, le palais se montre rond et gras avant d'offrir une finale douce et légère aux nuances de fruits exotiques.

EARL Patrick Noël, av. de Verdun, rte de Bannay, 18300 Saint-Satur, tél. 02.48.78.03.25, fax 02.48.54.06.88, patricknoel-vigneron@orange.fr
t.l.j. sf dim. 8h-12h 14h-19h

DOM. JEAN-PAUL PICARD 2011 ★

3 000 ▮ 5 à 8 €

C'est la première fois que la famille Picard, par ailleurs productrice de sancerre, présente son menetou-salon blanc au Guide. Il fait bonne impression auprès des jurés, même s'il se montre discret de prime abord.

L'aération lui permet de dévoiler des notes florales (jasmin, acacia) et fruitées (pêche de vigne, fruit de la Passion). L'attaque franche débouche sur une matière onctueuse, équilibrée par une vivacité mesurée. Un menetou-salon qui supportera des sauces à la crème légère sur des poissons poêlés ou grillés.

Jean-Paul Picard et Fils, 11, chem. de Marloup, 18300 Bué, tél. 02.48.54.16.13, fax 02.48.54.34.10, jean-paul.picard18@wanadoo.fr
t.l.j. sf dim. 8h-12h 13h30-18h30

CAVE PRÉVOST 2011 ★

40 000 5 à 8 €

Gérard Prévost a modernisé le domaine que son père avait créé en 1950 et l'a orienté vers la vente directe au début des années 1990 en sortant de la coopérative. Sa fille et son neveu prennent progressivement le relais. Ils présentent un 2011 au nez ouvert et complexe, sur le sureau, la pêche blanche, le bourgeon de cassis et le buis. L'attaque tendre précède une jolie fraîcheur bien répartie au palais. Bel accord en perspective avec une truite.

Cave Prévost, 3, rte de Quantilly, 18110 Vignoux-sous-les-Aix, tél. et fax 02.48.64.68.36, contact@cave-prevost.com t.l.j. sf dim. 9h-18h

LE PRIEURÉ DE SAINT-CÉOLS 2011

50 000 5 à 8 €

Le chai est installé dans les bâtiments d'un ancien prieuré bénédictin dépendant de l'abbaye de La Charité-sur-Loire, elle-même « fille aînée » de l'abbaye de Cluny. Ce sauvignon aux senteurs végétales (lierre), d'agrumes et de fruits exotiques, y a grandi. Bien présente, l'acidité anime une attaque franche ; puis la rondeur reprend le dessus avant la finale fruitée. Le **blanc 2010 Cuvée des bénédictins (8 à 11 € ; 4 800 b.)** est lui aussi cité pour ses arômes d'agrumes et de fleurs, et pour son fondu en bouche.

Pierre Jacolin, Le Prieuré de Saint-Céols, 18220 Saint-Céols, tél. 02.48.64.40.75, fax 02.48.64.41.15, domaine.jacolin@gmail.com
t.l.j. 8h-19h; dim. sur r.-v.

GUY SAGET 2011

40 000 5 à 8 €

Le plaisir de cette cuvée de négoce réside d'abord dans ses arômes. Les notes de violette, de chèvrefeuille et d'acacia apportent de la finesse à un bouquet plus variétal de buis et de fleur de sureau. Fraîche à l'attaque, la bouche se déroule avec une certaine légèreté, mais la pointe d'amertume de la finale laisse présager une bonne tenue dans le temps. Pour un poisson grillé.

SA Saget La Perrière, La Castille, 58150 Pouilly-sur-Loire, tél. 03.86.39.57.75, fax 03.86.39.08.30, guy-saget@wanadoo.fr
t.l.j. sf dim. 8h-12h 14h-18h

♥ DOM. JEAN TEILLER 2011 ★★

26 000 8 à 11 €

Deux générations contribuent au succès de ce domaine familial, chaque année en bonne place dans le Guide : Jean-Jacques et Monique Teiller, les parents, Patricia et Olivier Luneau, la fille et le gendre. Particulièrement attachés depuis trois ans au respect du terroir et de l'environnement (labour et enherbement, compost naturel...), ils se distinguent cette année grâce à un pinot noir à la robe grenat profond. Une véritable explosion de par-

MENETOU-SALON
APPELLATION MENETOU-SALON CONTRÔLÉE
2011
DOMAINE JEAN TEILLER
VIGNERON À MENETOU-SALON

fums de petits fruits rouges (framboise, fraise, groseille) accueille le dégustateur. Ce fruité gourmand se prolonge dans une bouche tout en rondeur, dont les tanins fondus affirment leur présence en finale, sans exagération. Flatteuse dans sa jeunesse, cette bouteille pourra aussi séjourner deux à trois ans en cave avant d'accompagner une belle côte de bœuf.

Dom. Jean Teiller, 13, rte de la Gare, 18510 Menetou-Salon, tél. 02.48.64.80.71, fax 02.48.64.86.92, domaine-teiller@wanadoo.fr
t.l.j. sf dim. 8h30-12h 14h-18h

CHRISTOPHE ET GUY TURPIN Morogues Cuvée Guignée 2010 ★

3 200 5 à 8 €

La cave de Christophe Turpin jouxte sa belle demeure du XVes. à l'architecture typique. On peut venir y déguster cette cuvée Guignée (du nom de la parcelle) aux arômes charmeurs de fruits exotiques (mangue, Passion) et de liqueur de poire. L'équilibre en bouche entre les sensations de douceur et de fraîcheur est réussi. Ce vin au fruité persistant conviendra à des poissons en sauce, dès la sortie du Guide.

Christophe Turpin, 11, pl. de l'Église, 18220 Morogues, tél. et fax 02.48.64.32.24, christopheturpin@wanadoo.fr
t.l.j. 8h-12h 14h-19h

Pouilly-fumé et pouilly-sur-loire

Œuvre de moines bénédictins, voilà l'heureux vignoble des vins blancs secs de Pouilly-sur-Loire. La Loire s'y heurte à un promontoire calcaire qui la rejette vers le nord-ouest et qui porte le vignoble exposé au sud-sud-est, planté sur des sols moins calcaires qu'à Sancerre. Le sauvignon, ou « blanc fumé », y a presque entièrement supplanté le chasselas pourtant historiquement lié à Pouilly. Ce dernier cépage produit, sous l'appellation pouilly-sur-loire, un vin léger non dénué de charme lorsqu'il est cultivé sur sols siliceux. Le sauvignon, à l'origine de l'AOC pouilly-fumé, traduit bien les qualités enfouies en terre calcaire : une fraîcheur parfois assortie d'une certaine fermeté, une gamme d'arômes spécifiques au cépage affinés par le terroir et les conditions de fermentation du moût.

Ici encore, la vigne s'intègre harmonieusement aux paysages de Loire. Aux charmes des lieux-dits (Les Cornets, Les Loges, Le Calvaire-de-Saint-Andelain...) répond la qualité des vins, que l'on servira à l'apéritif, sur des fruits de mer ou des fromages secs.

Pouilly-fumé

Superficie : 1 237 ha
Production : 60 263 hl

CH. DE L'ABBAYE DE SAINT-LAURENT 2011 ★★

30 000 ■ 5 à 8 €

Patrice et Pascal Morlat exploitent le domaine du Château de l'Abbaye depuis 1990. Des terroirs de silex, de marnes et de calcaires constituent les 14 ha du vignoble d'où est issue cette cuvée. Cette pluralité de sols contribue sans aucun doute à la diversité des arômes. Une pointe minérale ouvre le bal à l'olfaction, suivie de notes de fleurs blanches (acacia) et d'abricot. La bouche est nette à l'attaque. Elle affirme de la rondeur et une belle fraîcheur. L'élégance aromatique se confirme et persiste longuement. Un pouilly-fumé typique, tout en finesse, à servir sur des saint-jacques poêlées.

GAEC de l'Abbaye, 4, rte de Villiers, 58150 Saint-Laurent-L'Abbaye, tél. 03.86.26.11.96, fax 03.86.26.19.78, pascal.patrice.morlat@hotmail.fr r.-v.

JEAN-PIERRE BAILLY Les Blanches 2010

4 000 ■ 8 à 11 €

Les Bailly figurent parmi les plus anciennes familles de vignerons de l'appellation. Le nez de ces Blanches est certes discret, mais il recèle de belles notes de maturité : fruits exotiques (ananas, mangue) et fruits confits (coing). L'attaque assez douce, subtile, est réveillée en finale par une fine fraîcheur aux évocations d'agrumes (citron, pamplemousse). À découvrir pour son originalité.

Jean-Pierre Bailly, Les Girarmes, 58150 Tracy-sur-Loire, tél. 03.86.26.14.32, fax 03.86.26.16.13, domaine.jean-pierre.bailly@wanadoo.fr r.-v.

MICHEL BAILLY Les Terrasses 2010 ★

1 500 ■ 15 à 20 €

La petite parcelle qui produit cette cuvée est exposée plein sud, juste au-dessus de la Loire, et plantée en espalier, d'où son nom. Des notes de fruits à coque (noisette fraîche, pistache) dominent le premier nez. Ensuite, des nuances d'agrumes et une touche beurrée apparaissent. Tendre à l'attaque, ronde et onctueuse, la bouche offre une longue finale aux arômes d'épices et d'écorce d'orange. Une autre cuvée du domaine, **Les Bines 2010 (8 à 11 € ; 3 000 b.)**, est citée pour son fruité mêlé de notes beurrées très marquées.

Michel et David Bailly, 3, rue Saint-Vincent, Les Loges, 58150 Pouilly-sur-Loire, tél. 03.86.39.04.78, fax 03.86.39.05.25 t.l.j. sf sam. dim. 8h-12h 14h-18h

JEAN-JACQUES BARDIN Cuvée Vautrepain 2010

6 500 8 à 11 €

Né sur un sol de marnes kimméridgiennes, ce 2010 livre un nez de bonne intensité dominé par des nuances variétales (buis, genêt). On décèle aussi en fond d'élégantes notes de fruit de la Passion et de fleurs blanches. La bouche se caractérise par sa rondeur, son gras et sa persistance aromatique. À servir sur une blanquette de veau.

Jean-Jacques Bardin, lieu-dit Les Chaumes, 58150 Pouilly-sur-Loire, tél. 03.86.39.15.87, fax 03.86.39.08.77, jean-jacquesbardin@wanadoo.fr r.-v.

DOM. DE BEL AIR Cuvée Riquette 2011 ★

20 000 ■ 5 à 8 €

Katia et Cédric Mauroy dédient cette cuvée à leur arrière-grand-père, ancienne figure viticole de Pouilly, dont « Riquette » était le surnom. Complexe, le bouquet allie des notes de fruits mûrs, voire surmûris, à un fond plus frais de fleurs blanches et de pamplemousse. La bouche est en harmonie avec le nez. Droite et pleine, elle se termine sur des impressions acidulées d'agrumes. Un pouilly-fumé pour des coquillages. La cuvée principale du domaine, le **2011 (40 000 b.)**, est citée pour sa richesse et sa longueur.

Dom. de Bel Air, Mauroy-Gauliez, Le Bouchot, 6 rue Waldeck-Rousseau, 58150 Pouilly-sur-Loire, tél. 03.86.39.02.73, fax 03.86.39.19.52, mauroygauliez@gmail.com r.-v.

Mauroy

FRANCIS BLANCHET Silice 2011 ★

10 000 ■ 5 à 8 €

Le nom des cuvées de Francis Blanchet indique leur origine respective ; pour cette cuvée Silice, il s'agit d'un terroir d'argiles à silex. D'emblée, les arômes fruités s'imposent à l'olfaction (poire et pêche bien mûres), dominant des touches florales et épicées (curry). La bouche, elle aussi, montre beaucoup de gourmandise, tout en conservant une fraîcheur minérale persistante qui ne lasse pas le dégustateur. Un vin plein de promesses, à boire ou à attendre deux ans. La cuvée **Calcite 2011 (35 000 b.)** décroche également une étoile pour ses arômes floraux nuancés de touches végétales.

EARL Francis Blanchet, Le Bouchot, 58150 Pouilly-sur-Loire, tél. 03.86.39.05.90, fax 03.86.39.13.19, francisblanchet@orange.fr t.l.j. 9h-12h 14h-18h; dim. sur r.-v.

BOUCHIÉ-CHATELLIER Premier millésimé 2011 ★

18 000 ■ 15 à 20 €

Exposées au soleil sur les coteaux les mieux orientés du domaine, ces grappes de sauvignon ont donc été les premières à atteindre la maturité et à être récoltées. Une courte macération a précédé le pressurage et un élevage de huit mois en cuve. Il en résulte un bouquet persistant de fleurs blanches et de citron. L'attaque est vive et fruitée. Du gras et de la rondeur apparaissent ensuite, conférant au vin sa plénitude. La finale distinguée, sur les agrumes et les fruits exotiques, destine cette bouteille à un plateau de fruits de mer.

Bouchié-Chatellier, La Renardière, 10, rue de Loire, 58150 Saint-Andelain, tél. 03.86.39.14.01, fax 03.86.39.05.18, pouilly.fume.bouchie.chatellier@wanadoo.fr r.-v.

DOM. DU BOUCHOT 2011

	50 000		8 à 11 €

Pratiquant la viticulture biologique depuis plusieurs années, Pascal Kerbiquet a obtenu la certification en 2009. Il propose un pouilly-fumé au nez expressif : des notes de bourgeon de cassis, qui font place aux arômes de fleurs blanches après aération. Tendu à l'attaque, ce vin montre à la fois du gras et de la fraîcheur, même si c'est la vivacité qui l'emporte. Prometteur, il pourra être gardé un an ou deux avant d'accompagner une douzaine d'huîtres.

Dom. du Bouchot, 58150 Saint-Andelain, tél. 03.86.39.13.95, fax 03.86.39.05.92, domaine-du-bouchot@orange.fr r.-v.

Pascal Kerbiquet

HUBERT BROCHARD Classique 2011

	30 000		8 à 11 €

Une ancienne grange aux pierres apparentes a été réhabilitée pour accueillir des dégustations et aussi les fûts d'élevage. Une petite partie de cette cuvée, élevée sous bois, y a fait un séjour. Ses senteurs de fleurs blanches, expressives, précèdent une bouche équilibrée, pourvue d'une pointe de gras et de minéralité. Le boisé a été bien dosé. Un pouilly de terroir pour une anguille fumée.

Hubert Brochard, Chavignol, 18300 Sancerre, tél. 02.48.78.20.10, fax 02.48.78.20.19, domaine@hubert-brochard.fr t.l.j. 9h-12h 14h-18h

DOM. A. CAILBOURDIN Cuvée de Boisfleury 2011 ★

	n.c.	8 à 11 €

Au Boisfleury, plateau situé au pied de la butte de Saint-Andelain, le sol est siliceux en surface et calcaire en profondeur ; d'une certaine façon, la vigne a deux régimes alimentaires. Le calcaire apporte le fruité (citron, pamplemousse, pêche de vigne), tandis que la silice donne un côté minéral. Sous-tendue par une jolie vivacité, la bouche montre un peu de douceur et de rondeur avant une finale acidulée. Pour accompagner, en entrée, une salade de la mer.

Alain Cailbourdin, 35, rte Nationale, Maltaverne, 58150 Tracy-sur-Loire, tél. 03.86.26.17.73, fax 03.86.26.14.73, domaine-cailbourdin@wanadoo.fr
t.l.j. 8h-17h30; sam. matin sur r.-v.

JACQUES CARROY ET FILS 2011

	6 000		5 à 8 €

Les frères Christophe et Sébastien Carroy se complètent, l'un s'intéressant plus à la vigne et l'autre plus aux vins. Leur 2011 s'annonce par des parfums de fruits mûrs. Puis percent de jolies notes de terroir parmi lesquelles la pierre à fusil ressort. La bouche, souple, légère et équilibrée, se termine par une pointe de nervosité qui mettra cette bouteille en accord avec des crustacés.

Jacques Carroy et Fils, 9, rue Joseph-Renaud, 58150 Pouilly-sur-Loire, tél. 03.86.39.17.01, fax 03.86.39.06.84, carroy-jacquesetfils@sfr.fr r.-v.

♥ **DOM. CHAMPEAU** Silex 2010 ★★

	12 000		8 à 11 €

C'est une série exceptionnelle dans le millésime 2010 que nous ont fait déguster Guy et Franck Champeau. Voyez le palmarès : d'abord, un coup de cœur pour la cuvée Silex. L'olfaction est intense et d'une grande finesse.

Les senteurs florales (lilas, rose) et fruitées sont agrémentées de notes iodées et de touches minérales. La bouche répond avec la même éloquence : dense et pleine, elle reprend cette admirable déclinaison aromatique. Frais, fondu et persistant, c'est un pouilly-fumé de gastronomie, à savourer avec un sandre au beurre blanc, par exemple. Ensuite, deux étoiles pour la cuvée **Vieilles Vignes 2010 (11 à 15 € ; 5 500 b.)**. L'élevage en fût est bien marqué, mais le vin offre assez de puissance pour maintenir l'équilibre. Vanille, fruits et fleurs s'accordent dans une bouche charnue et gourmande, au boisé élégamment fondu. Enfin, la cuvée du domaine **2010 (5 à 8 € ; 85 000 b.)** reçoit une étoile pour la finesse de son fruité.

SCEA Dom. Champeau, 20, rue Saint-Edmond, 58150 Saint-Andelain, tél. 03.86.39.15.61, fax 03.86.39.19.44, domaine.champeau@wanadoo.fr
t.l.j. sf dim. 9h-12h 14h-18h; mer. 14h-18h

DOM. DES CHANTALOUETTES 2011

	17 300		8 à 11 €

Cette cuvée provient d'une parcelle de 2 ha plantée sur sols argilo-calcaires. Plutôt discret, le nez ne cache cependant pas sa finesse. Les notes variétales sont complétées par une jolie minéralité. La bouche, ronde à l'attaque, pleine et charnue, s'ouvre sur les fruits en salade (pêche, pomme, poire, abricot). De bonne longueur, elle se termine par une fraîcheur équilibrée, toujours minérale.

EARL Les Chantalouettes, 1, rue René-Couard, 58150 Pouilly-sur-Loire, tél. 03.86.39.04.43, brumineur@yahoo.fr

DOM. CHATELAIN Prestige 2010

	8 500		11 à 15 €

Sélection de terroirs argilo-calcaires et riches en silex, cette cuvée est élevée pendant un an sur lies. Les arômes variétaux sont bien présents, avec une dominante de notes citronnées et végétales. La bouche est franche et nette à l'attaque, puis ronde. Dans la finale, on retrouve la fraîcheur du millésime appuyée par les nuances d'agrumes toujours au rendez-vous.

SAS Dom. Chatelain, 24, rue du Mont-Beauvois, Les Berthiers, 58150 Saint-Andelain, tél. 03.86.39.17.46, fax 03.86.39.01.13, jean-claude.chatelain@wanadoo.fr
t.l.j. 8h-12h 13h30-17h30; sam. dim. sur r.-v.

DOM. CHAUVEAU Cuvée Sainte-Clélie 2011

	3 500		8 à 11 €

Les jumeaux des Chauveau, Clément et Lise, ont inspiré le nom de cette cuvée. Bien qu'il soit un peu distant,

LOIRE

le nez montre une certaine complexité : agrumes (orange sanguine) et notes végétales. Droit à l'attaque, le palais est soutenu par une acidité qui lui donne du relief. Une pointe de gras, une finale vive et une bonne longueur : ce pouilly-fumé conviendra à l'apéritif.

EARL Dom. Chauveau,
11, rue du Coin-Chardon, Les Cassiers, 58150 Saint-Andelain,
tél. 03.86.39.15.42, fax 03.86.39.19.46, pouillychauveau@sfr.fr
t.l.j. 9h-18h30; sam. dim. sur r.-v.

GILLES CHOLLET 2011 *

n.c. | 5 à 8 €

Mention spéciale pour Gilles Chollet, récemment rejoint par son fils, dont trois cuvées décrochent une étoile. Ce pouilly-fumé, au premier nez de fleurs blanches (acacia), s'ouvre après aération sur des notes de pêche et d'agrumes. En bouche, la fine douceur de l'attaque est relayée par une fraîcheur aux évocations d'orange et par une noble amertume finale qui entretient la persistance. La cuvée **Opaline 2011 (8 à 11 €; 2 000 b.)** mêle des arômes fruités à une touche vanillée. Sa bouche souple et chaleureuse est l'expression d'une belle maturité. Le **pouilly-sur-loire 2011 (2 000 b.)**, au bouquet d'amande fraîche, légèrement végétal, montre un volume et une bonne longueur soutenus par un joli perlant.

Gilles Chollet, Le Bouchot, 58150 Pouilly-sur-Loire,
tél. 03.86.39.02.19, fax 03.86.39.06.13, gilles.chollet@bbox.fr
t.l.j. 10h-12h30 14h-18h30

DOM. DE CONGY Cuvée Les Galfins 2011 **

13 500 | 5 à 8 €

D'abord exploitation de polyculture-élevage, le domaine de la famille Bonnard s'est orienté vers la vigne à partir des années 1990. Sur le lieu-dit Les Galfins, au terroir de marnes kimméridgiennes, est née une superbe cuvée pourvue d'un nez intense et complexe : de fines senteurs de pêche et de fleurs d'acacia, complétées par une élégante minéralité. En bouche, l'harmonie est très bien dessinée : la fraîcheur minérale équilibre le côté tendre de l'attaque. Très long, friand et citronné en finale, ce pouilly-fumé s'accordera avec bonheur avec un homard. Le **2011 (9 000 b.)**, cuvée du domaine, est cité pour ses notes d'agrumes et pour sa souplesse.

Dom. Bonnard, 1, rue du Domaine, Congy,
58150 Saint-Andelain, tél. 03.86.39.14.20, fax 03.86.39.10.79,
c.bonnard@cerb.cernet.fr
t.l.j. 8h-18h30; dim. sur r.-v.

DOM. PAUL CORNEAU Cyllène 2011

20 000 | 5 à 8 €

Née sur un terroir argilo-siliceux, cette cuvée Cyllène livre un bouquet fin et élégant, encore jeune, qui plaît grâce à sa minéralité nuancée d'une touche végétale (fenouil). Souple à l'attaque, la bouche est légère, évoquant la fraîcheur des agrumes. La **cuvée Sélection 2011 (40 000 b.)** est également citée pour sa vivacité et pour ses arômes plus floraux.

Paul Corneau, Le Bouchot, 21, rue Louis-Joseph-Gousse,
58150 Pouilly-sur-Loire, tél. 03.86.39.17.95, fax 03.86.39.16.32,
domainecorneau@wanadoo.fr r.-v.

MARC DESCHAMPS Les Champs de Cri 2011 **

13 600 | 11 à 15 €

Si les cuvées sélectionnées alternent, Marc Deschamps reste chaque année présent dans le Guide, confirmant ainsi son savoir-faire et sa connaissance du terroir. Ses Champs de Cri s'annoncent par un bouquet éclatant : fragrances de fruits frais (pêche blanche) et de fleurs, notes minérales finement dosées. Nette et droite à l'attaque, la bouche fait preuve d'un équilibre quasi parfait entre une douceur et une vivacité qui se fondent l'une dans l'autre de telle sorte que l'on ne sait laquelle domine. Déployant une atmosphère de fraîcheur, une grande persistance aromatique et une harmonie de toutes les sensations, cet ensemble remarquable sublimera à table des brochettes de gambas.

Marc Deschamps, 3, rue des Pressoirs, Les Loges,
58150 Pouilly-sur-Loire, tél. 03.86.39.16.79, fax 03.86.39.06.90
r.-v.
Colette Figeat

JEAN DUMONT Le Grand Plateau 2011

60 000 | 8 à 11 €

Cette cuvée de négoce semble fermée au premier abord, encore sur des arômes de fermentation. Après aération, le nez s'affirme et révèle de jolies notes de fleurs blanches. Souple à l'attaque, la bouche est légère. La minéralité, accompagnée d'une pointe d'amertume en finale, montre que ce 2011 est encore jeune. Prometteur, il devrait s'épanouir au cours des deux prochaines années.

Jean Dumont, BP 26, 58150 Pouilly-sur-Loire,
tél. 03.86.39.56.60, fax 03.86.39.08.30
Jean-Louis Saget

PRESTIGE DES FINES CAILLOTTES 2010 *

10 400 | 11 à 15 €

Les pierres blanches calcaires, dont la proportion peut atteindre 80 % dans certains terroirs, sont localement appelées les « caillottes » et ont inspiré le nom de ce domaine ; sa cuvée Prestige provient de vignes de quarante à cinquante ans. Élégant, le nez mêle des notes de fleurs blanches et de fruits exotiques (Passion, ananas) sur un fond légèrement iodé. Le palais se distingue par son côté riche, plein et charnu. D'une bonne fraîcheur néanmoins, il offre un puissant retour aromatique des fruits exotiques en finale. La cuvée du domaine **2011 (8 à 11 €; 157 000 b.)** reçoit, elle, une citation pour sa fraîcheur acidulée et ses arômes d'agrumes.

Jean Pabiot et Fils, 9, rue de la Treille, Les Loges,
58150 Pouilly-sur-Loire, tél. 03.86.39.10.25, fax 03.86.39.10.12,
info@jean-pabiot.com
t.l.j. 8h-12h 14h-18h; sam. dim. sur r.-v.

DOM. DE FONTENILLE 2011 **

9 300 | 5 à 8 €

Installé en 2009 sur 1,12 ha, David Maudry progresse doucement en superficie et plus sûrement en qualité, si l'on en juge par ses résultats dans le Guide. Après une étoile dans le millésime précédent, son pouilly-fumé améliore sa note dans la version 2011. Il se dévoile au nez avec intensité, évoquant la bonne maturité du raisin. Les notes de pêche blanche et d'agrumes mêlées d'une pointe végétale (buis) lui garantissent finesse et fraîcheur. Franc en attaque, le palais déploie de gourmandes flaveurs fruitées. Une longue finale sur les agrumes et la minéralité vient parfaire l'équilibre.

David Maudry, Fontenille, 58150 Tracy-sur-Loire,
tél. 06.19.88.90.84, fax 03.86.26.13.39,
earlduchampmena@orange.fr r.-v.

DOM. DENIS GAUDRY 2011

64 000 | ▪ | 5 à 8 €

Denis Gaudry commercialise son vin en bouteille depuis trente-cinq ans. Il propose un 2011 au nez intense, végétal (mousse), minéral (craie) et fruité. La bouche attaque en souplesse, pour dévoiler ensuite du volume et de la rondeur. Elle se termine par des notes d'agrumes qui lui confèrent de la fraîcheur. À servir sur une aile de raie à la crème.

Denis Gaudry, 21, rue des Gominets, Boisgibault, 58150 Tracy-sur-Loire, tél. 03.86.26.17.92, fax 03.86.26.18.05, domainedenisgaudry@orange.fr
t.l.j. 8h-12h 13h30-17h15; sam. dim. sur r.-v.

DOM. LANDRAT-GUYOLLOT Gemme océane 2011

6 000 | ▪ | 11 à 15 €

Après la « Gemme de feu » de ces deux dernières années, c'est la cuvée Gemme océane née de marnes kimméridgiennes qui est mise en avant dans le Guide. Son bouquet, encore fermé, mais d'une belle finesse, est dominé par un fruité mûr. Ronde au premier contact, la bouche est tonifiée ensuite par une acidité encore serrée qui, soulignée par des arômes d'agrumes, apporte beaucoup de fraîcheur. Fait pour durer, ce vin accompagnera des crustacés. Le **pouilly-sur-loire 2011 Les Binerelles (5 à 8 €; 5 000 b.)**, délicat et léger, est le vin de tout un repas. Il est également cité.

Dom. Landrat-Guyollot, Les Berthiers, 16, rue du Mont-Beauvois, 58150 Saint-Andelain, tél. 03.86.39.11.83, fax 03.86.39.11.65, contact@landrat-guyollot.com
t.l.j. 9h-12h 13h-18h; sam. dim. sur r.-v.

GILLES LANGLOIS Les Champs Billards 2011 ★

10 000 | ▪ | 8 à 11 €

Un bouquet classique mais élégant, composé de buis, d'agrumes et de fleurs blanches accueille le dégustateur. Des notes de poire et une pointe vanillée apportent un surcroît de personnalité, avant une bouche souple et soyeuse qui se termine sur la douceur d'un fruité persistant. La richesse de cette bouteille, alliée à une pointe de vivacité, devrait s'accorder avec une cuisine sucrée-salée.

Gilles Langlois, 6, rue de Breugnon-à-Boisfleury, 58150 Tracy-sur-Loire, tél. 03.86.26.17.18, fax 03.86.26.17.42, langlois.pouilly@orange.fr t.l.j. 9h-12h 14h-19h

MARCHAND ET FILS Prestige 2011

1 200 | ▮▮ | 11 à 15 €

À la tête du domaine, Clément Marchand perpétue une tradition viticole familiale qui remonte à 1650. Sa cuvée Prestige, élevée dix mois en fût, est encore dominée par le boisé à l'olfaction, mais l'équilibre avec le vin est réussi. Au nez, les notes de torréfaction et de grillé laissent progressivement percer le fruité (agrumes). En bouche, le boisé se fond dans une rondeur et une douceur gourmandes, relevées par une belle acidité finale. À attendre un an ou deux.

Dom. Marchand et Fils, BP 2, Les Loges, 58150 Pouilly-sur-Loire, tél. et fax 03.86.24.93.55, sarlmarchandetfils@gmail.fr r.-v.

DOM. DES MARINIERS 2011 ★

107 000 | ▪ | 8 à 11 €

Le nom du domaine fait allusion aux gabares qui naviguaient jadis sur la Loire et qui s'arrêtaient au village voisin des Loges, pour charger les tonneaux. Près d'une quinzaine d'hectares sont consacrés à ce pouilly-fumé dominé par des senteurs gourmandes de pêche blanche et de pamplemousse. Riche et intense, la bouche est joliment structurée par une acidité qui lui donne du mordant. La dégustation s'achève sur une belle fraîcheur aux évocations d'agrumes. Le **pouilly-sur-loire 2011 (5 à 8 €; 2 600 b.)** est par ailleurs cité : léger, souple et fruité, il accompagnera un plateau de fruits de mer.

SARL Jacques Marchand, 36, rte Nationale, Maltaverne, 58150 Tracy-sur-Loire, tél. 02.48.78.54.51, fax 02.48.78.54.55, nathalie.simon@josephmellot.com r.-v.
Catherine Corbeau-Mellot

DOM. MASSON-BLONDELET Villa Paulus 2011

35 000 | ▪ | 11 à 15 €

Jean-Michel Masson valorise ses terroirs en les vinifiant séparément. Villa Paulus, récoltée sur des marnes kimméridgiennes, exprime une grande maturité au nez, à travers des parfums de coing et d'abricot agrémentés de nuances épicées. La souplesse de l'attaque se prolonge par un palais gras, généreux et fruité, mêlé d'une fine fraîcheur en finale.

Dom. Masson-Blondelet, 1, rue de Paris, 58150 Pouilly-sur-Loire, tél. 03.86.39.00.34, fax 03.86.39.04.61, info@masson-blondelet.com t.l.j. 9h-12h30 14h-18h

JOSEPH MELLOT Le Chant des vignes 2011 ★★

60 000 | ▪ | 8 à 11 €

L'histoire de la maison Joseph Mellot débute en 1513 à Sancerre, avec Pierre-Étienne Mellot. Catherine Corbeau-Mellot préside aujourd'hui aux destinées de cet important négoce, qui rayonne sur l'ensemble des vignobles du Centre et de la vallée de la Loire. Le jury a été séduit par ce Chant des vignes au bouquet complexe, une alliance de pêche de vigne, d'agrumes et de sureau nuancée d'une touche minérale et fumée. La bouche vineuse confirme cette richesse aromatique marquée par un fruité exotique (litchi) d'une grande finesse. La finale fraîche et minérale achève de convaincre.

SAS Joseph Mellot, rte de Ménétréol, 18300 Sancerre, tél. 02.48.78.54.54, fax 02.48.78.54.55, josephmellot@josephmellot.com
t.l.j. 8h15-12h 13h30-17h; sam. dim. sur r.-v.
Catherine Corbeau-Mellot

JEAN-PAUL MOLLET Tradition 2011

25 000 | ▪ | 8 à 11 €

Deux pouilly-fumé présentés par Jean-Paul Mollet ont été sélectionnés par le jury : une citation pour chacun. Le plus convaincant est cette cuvée Tradition aux parfums floraux et végétaux (iris, buis, genêt). Nette à l'attaque, sa bouche montre du gras, de la fraîcheur et une longueur séduisante. Ce vin harmonieux devrait bien évoluer. Sur ses talons, la cuvée **L'Antique 2011 (11 à 15 €; 12 000 b.)** est appréciée pour ses arômes frais, dominés par les fruits exotiques (mangue, litchi).

Jean-Paul Mollet, 11, rue des Écoles, Boisgibault, 58150 Tracy-sur-Loire, tél. 02.48.54.13.88, fax 02.48.54.09.28, jp.mollet@wanadoo.fr t.l.j. sf dim. 8h-12h 13h35-19h

DOMINIQUE PABIOT Les Vieilles Terres 2011

82 000 | ▪ | 8 à 11 €

Les Vieilles Terres, produites autour des Loges, gardent la mémoire d'une tradition viticole ancienne. Elles

LOIRE

s'annoncent par des senteurs de buis, d'agrumes et de genêt, classiques du cépage sauvignon sur ce terroir. Franc à l'attaque, le palais repose sur une grande fraîcheur. Élancé, bien équilibré, ce vin est une expression délicate du blanc fumé.

Dominique Pabiot, pl. des Mariniers, Les Loges, 58150 Pouilly-sur-Loire, tél. 03.86.39.19.09, fax 03.86.39.09.91, contact@dominiquepabiot.com r.-v.

JONATHAN DIDIER PABIOT Aubaine 2010 ★★

3 000 | 20 à 30 €

Du haut du village des Loges, Didier et Jonathan Pabiot, au milieu des terroirs calcaires qui entourent leur cave, ont une superbe vue sur la Loire sauvage. Cet environnement, ils le préservent, travaillant en bio depuis plus de six ans. Expressif, le nez de ce 2010 est resté d'une étonnante jeunesse. Il exprime la fraîcheur des agrumes (orange, citron vert, pamplemousse) et la finesse des fleurs blanches. La bouche confirme ces expressions : une vivacité appuyée soutient sa structure nette et concentrée, au fruité toujours frais et persistant. Un pouilly-fumé déjà savoureux, qui a le potentiel pour rester deux à trois ans en cave.

Jonathan Didier Pabiot, 1, rue Saint-Vincent, Les Loges, 58150 Pouilly-sur-Loire, tél. 03.86.39.01.32, fax 03.86.39.03.27, pabiot-jonathan@wanadoo.fr r.-v.

DOM. ROGER PABIOT Coteau des Girarmes 2011 ★

50 000 | 5 à 8 €

L'exploitation est située en bordure de la réserve naturelle de Loire, dont la flore et la faune sont appréciées des spécialistes et des promeneurs. Les amateurs de vins pourront, eux, venir découvrir ce 2011 au bouquet puissant, empreint de douceur : aux arômes de fruits bien mûrs et confits (abricot) s'ajoute une note de miel. Le palais, gras et concentré, reste équilibré. Long en finale, il évoque la pêche, la rose et le litchi. Un pouilly original, à servir sur une truite au bleu.

Dom. Roger Pabiot et ses Fils, 13, rte de Pouilly, Boisgibault, 58150 Tracy-sur-Loire, tél. 03.86.26.18.41, fax 03.86.26.19.89, domainerogerpabiot@wanadoo.fr
t.l.j. 8h-12h 14h-18h

DOM. DU PETIT SOUMARD Vieilles Vignes 2010 ★

4 500 | 8 à 11 €

Cette cuvée est issue des plus vieilles vignes du domaine, plantées au sortir de la Seconde Guerre mondiale par le grand-père de Thierry et d'Emmanuel Langoux, les actuels exploitants. Expressif et délicat, le nez livre des notes florales et vanillées qui s'ouvrent ensuite sur le zeste d'orange, comme un gage de maturité. Fraîche et dense, la bouche évoque les agrumes et la fleur d'acacia. Ce vin riche et équilibré pourra encore vieillir quatre à cinq ans, même s'il est déjà prêt.

EARL Marcel Langoux, Dom. du Petit Soumard, 1, rue de l'Abreuvoir, 58150 Saint-Andelain, tél. 03.86.39.11.17, fax 03.86.39.13.62, domaine.langoux.marcel@orange.fr
t.l.j. 8h-12h 13h30-19h; dim. sur r.-v.

CAVES DE POUILLY-SUR-LOIRE Les Rochettes 2011 ★★

40 000 | 8 à 11 €

La Cave coopérative des Moulins à Vent est une institution à Pouilly-sur-Loire, où elle participe au développement du vignoble depuis plus de soixante ans. Elle fait ici encore honneur à l'appellation avec une cuvée provenant de marnes kimméridgiennes. Ces Rochettes révèlent au premier nez des nuances grillées et minérales (pierre à fusil) sur un fond classique de notes florales et fruitées. En bouche, la montée en puissance est étonnante : la légère douceur de l'attaque est relayée par des sensations de volume puis de fraîcheur, avant une finale intensément minérale. Un pouilly-fumé riche et raffiné, à servir sur un chapon à la crème. Autre production de la cave, **La Bergerie 2011 (40 000 b.)**, aux senteurs de fruits blancs, est citée.

Caves de Pouilly-sur-Loire, Les Moulins à Vent, 39, av. de la Tuilerie, 58150 Pouilly-sur-Loire, tél. 03.86.39.10.99, fax 03.86.39.02.28, caves.pouilly.loire@wanadoo.fr
t.l.j. 8h-12h 13h30-18h

MICHEL REDDE ET FILS La Moynerie 2010

n.c. | 11 à 15 €

Sébastien et Romain Redde conduisent le domaine familial selon une démarche bio – non certifiée. Leur cuvée Moynerie, élevée à la fois en cuve, en foudre et en demi-muid, livre avec finesse des parfums de fruits blancs, d'orange séchée et de bourgeon de cassis sur un fond minéral. Ronde et légèrement citronnée, la bouche fait preuve d'un bon équilibre.

Michel Redde et Fils, La Moynerie, RN7, La Route-Bleue, 58150 Saint-Andelain, tél. 03.86.39.14.72, fax 03.86.39.04.36, thierry-redde@michel-redde.com
t.l.j. sf dim. 8h-12h 13h30-18h

♥ **DOM. DE RIAUX** 2011 ★★★

95 000 | 8 à 11 €

Le domaine de Riaux voit se succéder les Jeannot de père en fils, mais le magnifique terroir d'argile à silex demeure, et l'exigence de qualité se transmet de génération en génération. Comme le pouilly-sur-loire élu coup de cœur, le pouilly-fumé arrive au sommet. Le bouquet déroule des volutes sans fin : fruit de la Passion, agrumes, bourgeon de cassis, buis, fleur de sureau, poivre... La bouche s'affirme par son volume, sa tenue et sa fraîcheur jusqu'à une finale longue et tendue, promesse d'un beau vieillissement. Une superbe harmonie entre finesse et puissance, à apprécier avec un bar sauce au beurre noir, selon un juré.

SCEA Jeannot Père et Fils, Dom. de Riaux, 58150 Saint-Andelain, tél. 03.86.39.11.37, fax 03.86.39.06.21, alexis.jeannot@wanadoo.fr
t.l.j. 8h-13h 14h-19h; dim. sur r.-v.

♥ DOM. SEGUIN 2011 ★★

65 000 ■ 8 à 11 €

Philippe Seguin a associé les vignes des trois terroirs qui composent son vignoble – calcaires, marnes et argile à silex –, pour élaborer ce superbe 2011 à la robe or pâle brillant. Au nez, les arômes se font séducteurs : fruits bien mûrs (pêche jaune), fleurs blanches et notes de bourgeon de cassis se fondent en un bel ensemble. La bouche monte encore d'un cran. Grasse, ample, très soyeuse, elle est équilibrée par un fond de nervosité et une noble amertume qui lui prédisent une bonne garde. Le retour aromatique sur la fleur d'acacia et les fruits frais ajoute une touche de finesse à cette bouteille à partager sur un brochet au beurre blanc. La **cuvée Prestige 2011 (13 000 b.)** obtient elle aussi deux étoiles pour son élégance aromatique, pour sa puissance et sa longueur. Elle s'appréciera dans sa jeunesse avec une caille aux raisins, par exemple.

Dom. Seguin, Le Bouchot, 58150 Pouilly-sur-Loire, tél. 03.86.39.10.75, fax 03.86.39.10.26, herve.seguin@wanadoo.fr r.-v.

DOM. TABORDET 2011 ★

65 000 ■ 5 à 8 €

Le domaine Tabordet prépare la relève avec Gaël, fils d'Yvon, et Marius, fils de Pascal, qui acquièrent petit à petit de l'expérience auprès de leurs parents. Leur pouilly-fumé, né de sols argilo-calcaires, est expressif dès l'olfaction. Les notes d'agrumes sont bien présentes et agréables. Vive, empreinte de jeunesse, la bouche montre un beau volume et des arômes fruités, tout au long de la dégustation. Une bouteille fort plaisante par sa fraîcheur, qui pourra s'apprécier dès l'apéritif, puis sur des coquillages.

Yvon et Pascal Tabordet, rue du Carroir-Perrin, 18300 Verdigny, tél. 02.48.79.34.01, fax 02.48.79.32.69, domaine.tabordet@wanadoo.fr r.-v.

DOM. THIBAULT 2011 ★

100 000 ■ 8 à 11 €

En pouilly-fumé, le domaine d'André Dezat et Fils produit une cuvée unique, assemblage des différents terroirs de l'exploitation (le reste des vignes étant consacré au sancerre). Le nez de ce 2011 s'ouvre sur un fruité exotique qui parle avec éloquence. Un léger fumé lui donne du relief. Fraîche à l'attaque, la bouche se fait ronde et douce, même si elle est empreinte d'une fine minéralité. Un pouilly-fumé représentatif du millésime, à servir sur du poisson, après six mois de garde.

SCEV André Dezat et Fils, rue des Tonneliers, Chaudoux, 18300 Verdigny, tél. 02.48.79.38.82, fax 02.48.79.38.24, dezat.andre@terre-net.fr r.-v.

CH. DE TRACY Mademoiselle de «T» 2011

80 000 ■ 11 à 15 €

Si le domaine était déjà planté en vigne au XIVe s., ce sont les plus jeunes ceps qui ont été sélectionnés pour produire la cuvée Mademoiselle de « T ». Intense et caractéristique du cépage, le bouquet repose sur une dominante de bourgeon de cassis et de pamplemousse, qui marque la maîtrise de la vinification. La bouche, bien équilibrée, dévoile une fraîcheur agréable et un côté salin. Pour accompagner des poissons.

Ch. de Tracy, 58150 Tracy-sur-Loire, tél. 03.86.26.15.12, fax 03.86.26.10.73, contact@chateau-de-tracy.com

t.l.j. 8h-12h 13h30-17h30; sam. dim. sur r.-v.

HUBERT VENEAU Cuvée S. 2010 ★

10 000 ■ 8 à 11 €

« S » comme silex : on comprend l'origine de cette cuvée. La minéralité est d'ailleurs présente à la première approche, apportant d'entrée une certaine distinction. Mais ce sont surtout de délicates notes de fleurs blanches et des nuances d'agrumes confits, presque miellés, qui ressortent. La bouche montre une jeunesse bien conservée, faite de fraîcheur citronnée, et une finale d'une bonne longueur. La cuvée principale **2011 (45 000 b.)** est, quant à elle, citée pour ses arômes à dominante végétale et acidulée (groseille à maquereau, bourgeon de cassis), et pour sa vivacité.

SCEA Hubert Veneau, Les Ormousseaux, 58200 Saint-Père, tél. 03.86.28.01.17, fax 03.86.28.44.71, hubert.veneau@wanadoo.fr

t.l.j. sf dim. 9h-12h 14h-19h

Pouilly-sur-loire

Superficie : 31 ha
Production : 1 331 hl

GILLES BLANCHET 2011

6 500 ■ - de 5 €

Les reflets or vert et argentés attirent le regard du dégustateur qui découvre ensuite un bouquet intense, particulièrement élégant, aux nuances de lait d'amandes et de pistache. La bouche est ronde, très ronde en attaque, offrant une sensation de volume qui tend à se dissiper vers la finale, malgré une pointe de vivacité. Pour des fromages de chèvre peu affinés.

EARL Gilles Blanchet, Le Bourg, 16, rue Saint-Edmond, 58150 Saint-Andelain, tél. 03.86.39.14.03, fax 03.86.39.00.54, gilles.blanchet@wanadoo.fr r.-v.

♥ DOM. DE RIAUX Vieilles Vignes 2011 ★★

3 300 ■ 5 à 8 €

Une cuvée de vieilles vignes décidément irrésistible ! Bertrand et Alexis Jeannot décrochent leur troisième coup de cœur en l'espace de quatre ans avec leur pouilly-sur-loire né de ceps de soixante ans. Intense et fin, le nez de ce 2011 est typé et respire la fraîcheur : aubépine, pistache, citron, touche végétale. La structure est de toute beauté : rondeur en attaque, plénitude en milieu de bouche, vivacité irréprochable pour soutenir l'ensemble et finale aromatique tout en fraîcheur fruitée. À déguster sur un plateau de fruits de mer ou pour lui-même, à l'apéritif. L'année 2011 est décidément faste pour le domaine : reportez-vous à la section « pouilly-fumé ».

LOIRE

SCEA Jeannot Père et Fils, Dom. de Riaux, 58150 Saint-Andelain, tél. 03.86.39.11.37, fax 03.86.39.06.21, alexis.jeannot@wanadoo.fr
t.l.j. 8h-13h 14h-19h; dim. sur r.-v.

GUY SAGET 2011

13 866 ■ 5 à 8 €

La maison de négoce Saget présente un chasselas au premier nez intense, sur des notes de croûte de pain, qui déploie à l'aération des arômes plus typiques d'amande, de noisette et surtout d'agrumes (citron). Ronde et souple en attaque, la bouche est ensuite soutenue par une acidité bienvenue et plaisante. À servir sur un jeune fromage à pâte dure, du type emmental ou comté.

SA Saget La Perrière, La Castille, 58150 Pouilly-sur-Loire, tél. 03.86.39.57.75, fax 03.86.39.08.30, guy-saget@wanadoo.fr
t.l.j. sf dim. 8h-12h 14h-18h

Quincy

Superficie : 249 ha
Production : 11 542 hl

C'est sur les bords du Cher, non loin de Bourges et près de Mehun-sur-Yèvre, lieux riches en souvenirs historiques du XVes., que s'étendent les vignobles de Quincy et de Brinay, couvrant des plateaux de graves sablo-argileuses sur calcaires lacustres. Le seul cépage sauvignon fournit des vins légers et distingués dans le type frais et fruité.

Si, comme l'écrivait le Dr Guyot au XIXes., le cépage domine le cru, le quincy montre aussi que, dans une même région, la même variété peut s'exprimer différemment selon la nature des sols ; une chance pour l'amateur, qui trouvera ici l'un des plus élégants vins de Loire, à déguster avec les poissons et les fruits de mer aussi bien qu'avec les fromages de chèvre.

LA BERRYCURIENNE 2011

10 000 8 à 11 €

C'est la passion d'un groupe d'amis pour le vin et la région du Berry qui est à l'origine de cette cuvée issue de vieilles vignes de soixante ans. Par ses notes de bonbon acidulé, d'agrumes et par sa touche végétale, le nez joue sur l'originalité et la finesse. Plutôt vive et fruitée, la bouche offre un équilibre plaisant. Une bouteille qui devrait bien s'entendre avec un feuilleté de chèvre frais.

SCEV Les BerryCuriens, Le Buisson-Long, rte de Quincy, 18120 Brinay, tél. 02.48.51.30.17, fax 02.48.51.35.47
r.-v.

GÉRARD BIGONNEAU 2011

33 000 ■ 5 à 8 €

Virginie Bigonneau, également productrice de reuilly, a pris la suite de Gérard, son père, voilà quelques années. Son quincy livre des arômes d'agrumes qui, dès l'olfaction, laissent présager un caractère acidulé. Celui-ci est confirmé en bouche : une fraîche sensation citronnée, équilibrée par une pointe de douceur, confère de la droiture à cet ensemble fort agréable, à la finale légèrement minérale. À servir d'ici deux ans sur un brochet au beurre blanc.

EARL Bigonneau, La Chagnat, 18120 Brinay, tél. 02.48.52.80.22, fax 02.48.52.83.41, earl-bigonneau@orange.fr r.-v.

DOM. DES COUDEREAUX Mardelles 2011

40 000 ■ 5 à 8 €

Cette cuvée est issue d'une des parcelles les plus qualitatives de l'exploitation de Jean-Paul Godinat, également négociant en Touraine. Le nez développe des notes d'agrumes caractéristiques du sauvignon (citron bien mûr) rehaussées par une touche de minéralité. La bouche confirme cette impression par sa fraîcheur. Léger, souple et équilibré, ce quincy sera apprécié à l'apéritif.

SCEA des Coudereaux, 34, rte de Bourges, 18510 Menetou-Salon, tél. 02.48.64.88.88, fax 02.48.64.87.97, chais.du.val.de.loire@wanadoo.fr
t.l.j. sf sam. dim. 8h30-11h30 14h-17h

DOM. PIERRE DURET 2011 ★

93 000 ■ 5 à 8 €

Pierre Duret fut le dernier vigneron de sa lignée. N'ayant pas de successeur, il a cédé son domaine il y a quelques années à la famille Joseph Mellot qui a souhaité l'honorer en conservant son nom. Fortement marqué par les agrumes (orange, citron) et le bourgeon de cassis, le bouquet de ce 2011 est flatteur. En bouche, l'acidité équilibre le gras, formant un ensemble élégant et généreux. Cette bouteille aura sa place à table près d'une volaille en sauce.

SARL Dom. Pierre Duret, Le Buisson-Long, rte de Quincy, 18120 Brinay, tél. 02.48.51.30.17, fax 02.48.51.35.47, lesentierduvin@lesentierduvin.com r.-v.
Catherine Corbeau-Mellot

DOM. LECOMTE Vieilles Vignes 2011

5 000 ■ 8 à 11 €

Comme dans le précédent millésime, la cuvée Vieilles Vignes de Bruno Lecomte a été retenue par le jury. La macération préfermentaire d'une partie de la vendange contribue à son expression aromatique en apportant des nuances d'agrumes prononcées. La fraîcheur persiste tout au long de la dégustation, de l'attaque jusqu'à une finale ronde et gourmande. Un 2011 sur la vivacité, à associer à un fromage de chèvre.

Dom. Lecomte, 105, rue Saint-Exupéry, 18520 Avord, tél. 02.48.69.27.14, fax 02.48.69.16.42, quincy.lecomte@wanadoo.fr r.-v.

DOM. PHILIPPE PORTIER La Quincyte 2011 ★

13 000 ■ 8 à 11 €

En 1991, Philippe Portier a relancé la culture de la vigne sur cette exploitation familiale. Il a fortement développé son domaine grâce à d'importants efforts dans le domaine technique et commercial. Sa Quincyte 2011 dévoile un bouquet agréable de bonne intensité, sur le bourgeon de cassis et le citron. Construit sur une vivacité rare dans ce millésime, le palais montre aussi un peu de douceur et de gras. Ce vin pourra accompagner des moules au curry dès la sortie du Guide.

Philippe Portier, Dom. de la Brosse, 18120 Brinay, tél. 02.48.51.04.47, fax 02.48.51.00.96, philippe.portier@wanadoo.fr

t.l.j. 8h-12h 14h-18h; sam. dim. sur r.-v.; f. 2e sem. août

DIDIER RASSAT Cuvée Tradition 2011 ★★

20 000 ■ 8 à 11 €

Didier et Nathalie Rassat ont créé ce petit domaine en 1995 sur des sols siliceux classiques de l'appellation quincy. Leur cuvée Tradition se distingue d'abord par son bouquet intense et frais aux notes d'agrumes (citron, pamplemousse) et de fleurs (seringa), nuancé d'une touche végétale. La bouche séduit par sa densité et sa persistance, son équilibre entre vivacité et rondeur, sa minéralité et sa noble amertume en finale. Un ensemble harmonieux, à servir sur un poisson de Loire.

Didier Rassat, Champ-Martin, 18120 Cerbois, tél. 02.48.51.70.19, didier.rassat@wanadoo.fr

r.-v.

DOM. ADÈLE ROUZÉ 2011 ★

15 000 ■ 5 à 8 €

Adèle Rouzé organise des portes ouvertes au domaine chaque année le jour de l'Ascension et invite quelques collègues agriculteurs pour un marché fermier. Une occasion toute trouvée pour déguster ce beau quincy à l'olfaction intense et complexe. Les notes exotiques (litchi, ananas) dominent au premier nez, puis on décèle à l'aération des nuances de pêche jaune. Ronde et ample, la bouche est animée par une pointe de vivacité. Riche et gourmand, ce sauvignon pourra être apprécié dès maintenant, mais aussi dans deux à trois ans.

Adèle Rouzé, chem. des Vignes, 18120 Quincy, tél. 02.48.58.93.08, fax 02.48.58.90.56, arouze@terre-net.fr

t.l.j. sf dim. 9h-12h 14h-18h

DOM. JACQUES ROUZÉ Collection Les Bâtonniers 2010 ★

2 000 ■ 5 à 8 €

Figurant parmi les plus anciens vignerons de l'appellation, Jacques Rouzé est épaulé par son fils Côme depuis quelques années. Ensemble, ils présentent une cuvée aux arômes empreints de finesse (poire, agrumes, meringue), qui montrent un petit début d'évolution à travers des notes de tilleul. Ample en attaque, ce vin allie avec justesse, mais aussi avec une certaine légèreté, le gras et la vivacité. Un ensemble fondu et élégant. La cuvée **Vignes d'Antan 2011 (14 000 b.)** décroche elle aussi une étoile pour sa fraîcheur et sa minéralité.

Rouzé, chem. des Vignes, 18120 Quincy, tél. 02.48.51.35.61, fax 02.48.51.05.00, rouze@terre-net.fr

t.l.j. sf dim. 9h-12h 14h-18h

JACQUES SIRET 2011 ★

26 000 ■ 5 à 8 €

Souvent mentionné dans le Guide, le quincy de Jacques Siret occupe la totalité du vignoble, c'est-à-dire 6 ha. Très expressif au nez, il dévoile un bouquet tout en nuances : les notes fruitées (ananas, pamplemousse) le disputent aux arômes végétaux (genêt, buis). Le côté variétal du sauvignon est aussi marqué au palais, persistant et porté par une belle fraîcheur. L'harmonie entre le nez et la bouche est réussie. À servir sur un plateau de fruits de mer, d'ici 2014.

SCEA Dom. du Grand Rosières, Le Grand-Rosières, 18400 Lunery, tél. 02.48.68.90.34, jacquessiret@wanadoo.fr

r.-v.

DOM. DU TREMBLAY Cuvée Vieilles Vignes 2010 ★

10 000 8 à 11 €

Ces vignes de quarante-cinq ans en moyenne représentent un sixième du vignoble de Jean Tatin, et sont dispersées sur les terroirs de Chaumoux, de Nouzats et de Gatebourse. Des notes vanillées se dévoilent au premier nez, faisant place ensuite aux fruits mûrs (abricot), au genêt et au pamplemousse. Ronde et soyeuse, la bouche est vivifiée en finale par une pointe de fraîcheur. Un vin plein, assez riche, qui peut attendre 2013 pour se fondre, et accompagner alors du foie gras.

Jean Tatin, SCEA Dom. du Tremblay, Le Tremblay, 18120 Brinay, tél. 02.48.75.20.09, fax 02.48.75.70.50, contact@domaines-tatin.com

t.l.j. 8h-12h30 13h30-18h; sam. dim. sur r.-v.

DOM. DE VILLALIN 2011

46 600 ■ 5 à 8 €

Maryline et Jean-Jacques Smith vous accueillent dans un ancien corps de ferme traditionnel, représenté sur l'étiquette de ce quincy. Quoiqu'encore assez fermé le jour de la dégustation, le nez montre de la finesse. Les nuances fruitées (ananas bien mûr, pêche) dominent, mais on trouve aussi de jolies notes florales. La bouche commence par de la rondeur et un peu de gras. La fraîcheur prend ensuite le dessus jusqu'à la finale franche et persistante, aux nuances d'agrumes.

EARL Dom. de Villalin, Le Grand Villalin, 18120 Quincy, tél. 02.48.51.34.98, fax 02.48.51.09.74, v.quincy@wanadoo.fr

t.l.j. 8h-12h 14h-18h; dim. sur r.-v.

LOIRE

Reuilly

Superficie : 202 ha
Production : 10 739 hl (53 % blanc)

Par ses coteaux accentués et bien ensoleillés, par ses sols remarquables, Reuilly semble prédestiné à la viticulture. L'appellation recouvre 7 communes situées dans l'Indre et le Cher, dans une région charmante traversée par les vertes vallées du Cher, de l'Arnon et du Théols.

Le sauvignon produit des blancs secs et fruités, qui prennent ici une ampleur remarquable. Le pinot gris fournit localement un rosé de pressoir tendre et délicat, qui risque de disparaître, supplanté par le pinot noir dont on tire également d'excellents rosés, plus colorés, mais surtout des rouges pleins, toujours légers, au fruité affirmé.

BERRYCURIEN 2011 ★

■ 3 000 8 à 11 €

Passionnés de vin et du Berry, les « BerryCuriens » présentent un rosé issu de pur pinot gris. Très pâle, la robe annonce un caractère tout en subtilité. Le nez, encore discret, laisse percer des senteurs de groseille et de fruits blancs. Après une attaque franche, le palais déroule de la fraîcheur et, par petites touches, affirme sa structure et révèle son élégance. Pour accompagner tout un repas, dès la sortie du Guide.

SCEV Les BerryCuriens, Le Buisson-Long, rte de Quincy, 18120 Brinay, tél. 02.48.51.30.17, fax 02.48.51.35.47
r.-v.

GÉRARD BIGONNEAU 2011 ★

■ 12 000 ■ 5 à 8 €

Reprise par Virginie, la fille de Gérard Bigonneau, œnologue de formation, la propriété propose un rosé flatteur par son intensité autant que par sa structure. Le nez respire les fleurs épanouies et les fruits mûrs (ananas, fraise). Riche sans lourdeur, la bouche est soutenue par une belle acidité et offre une agréable persistance fruitée. Un rosé équilibré et élégant, à partager en toutes circonstances.

EARL Bigonneau, La Chagnat, 18120 Brinay, tél. 02.48.52.80.22, fax 02.48.52.83.41, earl-bigonneau@orange.fr r.-v.

DOM. DU BOURDONNAT 2011 ★

■ 16 000 ■ 5 à 8 €

Paré d'une robe limpide au rubis légèrement nuancé de grenat, ce pinot noir livre un bouquet bien typé, où les notes de fruits rouges (griotte) s'expriment avec finesse. Un peu timide en attaque, la bouche révèle une sructure souple, portée par une jolie fraîcheur. Un ensemble élégant, qui pourra être dégusté sans attendre.

François Charpentier et Fils, 12, rue Jean-Jaurès, 36260 Reuilly, tél. 06.77.84.67.36, fax 02.54.49.29.91
r.-v.

DOM. CORDAILLAT 2011 ★★

■ 18 500 ■ 5 à 8 €

Michel Cordaillat a acquis un savoir-faire remarquable, comme le montre ce blanc qui fait suite à un autre sauvignon, Les Sables 2010, noté deux étoiles l'an dernier. Le bouquet intense de ce 2011 s'agrémente d'élégantes notes florales et épicées sur un fond de pamplemousse et de buis. Franc en attaque, charnu, le palais se prolonge sur des arômes empreints d'une fraîche minéralité. Pour une dorade à la plancha, d'ici 2015. Une étoile est attribuée au **2011 rouge (8 à 11 € ; 9 000 b.)** pour ses arômes de fruits rouges acidulés et pour sa rondeur.

Dom. Cordaillat, Le Montet, 18120 Méreau, tél. 02.48.52.83.48, fax 02.48.52.83.09, domainecordaillat@orange.fr
t.l.j. 9h-12h 15h-19h; dim. sur r.-v.

LES DEMOISELLES TATIN Les Lignis 2011

■ 6 000 ■ 5 à 8 €

Jean Tatin tient ce domaine de sa famille maternelle qui en est propriétaire depuis 1873. C'est là qu'il a fait ses premières vendanges dans les années 1950. D'abord fermé, son rosé libère à l'aération des senteurs de bonbon anglais. Fraîche et même acidulée, la bouche est équilibrée et d'autant plus agréable qu'elle s'ouvre en finale sur de belles notes fruitées.

SCEV Les Demoiselles Tatin, Le Tremblay, 18120 Brinay, tél. 02.48.75.20.09, fax 02.48.75.70.50, contact@domaines-tatin.com
t.l.j. 8h-12h30 13h30-18h; sam. dim. sur r.-v.
Jean Tatin

PASCAL DESROCHES 2010

■ 9 000 ■ 5 à 8 €

Rouge cerise à reflets cuivrés, la robe claire de ce pinot noir annonce déjà une certaine évolution. Au milieu de ses parfums de fruits rouges, on distingue des notes presque animales. Plus classique, la bouche se montre souple et légère, évoquant la cerise en rétro-olfaction. Dès la sortie du Guide, ce rouge au bel équilibre pourra être servi sur une charcuterie ou un fromage de chèvre frais.

Pascal Desroches, 13, rue de Charost, 18120 Lazenay, tél. 02.48.51.71.60, fax 02.48.71.14.28, desroches18120@orange.fr t.l.j. 9h-12h30 17h-19h30

DYCKERHOFF Le Carroir du Gué 2010 ★★

■ 5 000 ■ 5 à 8 €

Christian Dyckerhoff, dont l'épouse Bénédicte est issue d'une famille de vignerons alsaciens, a commencé en 2000 à défricher et planter les parcelles pentues à l'origine de ce reuilly. Ce travail se trouve aujourd'hui récompensé par la qualité de ce 2010 rubis soutenu, jugé remarquable. Tout en délicatesse, le nez s'ouvre progressivement sur une riche palette de petits fruits bien mûrs : le cassis, la mûre, la framboise. La bouche, dans une belle harmonie, présente de la concentration, du volume et une grande finesse de tanins. La finale persiste longuement sur les notes fruitées. Prêt dès 2013, ce vin pourra aussi affronter une garde de trois ans avant d'accompagner un rôti de veau.

Dyckerhoff, Le Carroir-du-Gué, 18290 Plou, tél. 02.48.26.20.46, fax 02.48.26.22.67, christian.dyckerhoff@wanadoo.fr r.-v.

CH. GAILLARD 2011 ★

■ 2 500 ■ 8 à 11 €

Nathalie Lafond et son père Claude, vigneron reconnu de l'appellation, se sont associés à Gérard Chomette, propriétaire de la magnifique bâtisse de château Gaillard. Leur rosé associe des odeurs de fruits rouges frais à des nuances de fleurs blanches. L'attaque élégante dévoile une vivacité révélatrice d'un ensemble tonique et gourmand. À déguster sur des grillades ou à l'apéritif. Le **2011 rouge (5 000 b.)**, léger, est cité pour ses arômes de griotte et de mûre.

SCEA Ch. Gaillard, 8, rte de Saint-Pierre-de-Jards, 36260 Reuilly, tél. 02.54.49.22.17, fax 02.54.49.26.64, claude.lafond@wanadoo.fr
t.l.j. sf dim. 9h-12h 13h30-18h

JEAN-SYLVAIN GUILLEMAIN Les Conges 2011 ★

■ 5 300 ■ 5 à 8 €

L'année 2012 voit naître une nouvelle structure intégrant Aline et Lucie Guillemain pour assurer la continuité de ce domaine qui vient d'atteindre ses vingt ans. Les vieilles vignes font peu à peu place à de plus jeunes, mais la qualité subsiste. D'un rose très pâle à reflets argentés, ce rosé fait preuve à l'olfaction d'intensité et de complexité, déclinant des notes amyliques, florales, et des nuances de fruits rouges et de fruits exotiques. Rond et souple en bouche, il a besoin de quelques mois encore pour s'affirmer. Un rosé de pur pinot gris qui conviendra à un poisson.

SARL Guillemain Père et Filles, Palleau, 18120 Lury-sur-Arnon, tél. 02.48.52.99.01, fax 02.48.52.99.10, contact@guillemain.com t.l.j. 8h-12h 13h30-18h

CLAUDE LAFOND La Grande Pièce 2011 ★★

21 000 — 5 à 8 €

Déjà sélectionnée dans le Guide pour les deux précédents millésimes, cette cuvée La Grande Pièce, issue d'un sol sablo-graveleux, fait un véritable saut qualitatif avec sa version 2011. Puissant et complexe, le nez délivre une farandole de nuances fruitées (fraise des bois, bonbon anglais) et florales. L'attaque franche est suivie de sensations de souplesse et de vinosité. Longue et complexe, la bouche finit sur des impressions de pêche, de groseille et de fruits exotiques. Un vrai rosé de gastronomie.

SARL Claude Lafond, 8, rte de Saint-Pierre-de-Jards, Le Bois-Saint-Denis, 36260 Reuilly, tél. 02.54.49.22.17, fax 02.54.49.26.64, nathalie.lafond.reuilly@orange.fr r.-v.

DOM. MABILLOT 2011 ★

28 000 — 5 à 8 €

Matthieu, le fils d'Alain Mabillot, est revenu sur le domaine en 2008 après s'être forgé une expérience à Pauillac et à l'étranger. Les deux générations présentent ensemble trois reuilly retenus par le jury. D'abord ce sauvignon or pâle, au fin bouquet de fleurs blanches (chèvrefeuille), qui déroule au palais du gras, des arômes élégants de fruits mûrs et de fleurs, et une finale acidulée. Ensuite, noté une étoile également, le **2010 blanc La Ferté (8 à 11 €; 4 500 b.)**, qui étonne par sa fraîcheur, mise en valeur par des notes de pierre à fusil. Enfin, le **2010 rouge (11 000 b.)**, cité pour son charme aromatique (fraise, cerise) et pour sa souplesse.

Alain et Matthieu Mabillot, 3, chem. de l'Orme, Villiers-les-Roses, 36260 Sainte-Lizaigne, tél. 02.54.04.02.09, fax 02.54.04.01.33, alain.mabillot@wanadoo.fr r.-v.

DOM. VALÉRY RENAUDAT Les Lignis 2011 ★★

5 300 — 5 à 8 €

Installé en 1999 sur 2,5 ha, à cheval sur les appellations reuilly et quincy, Valéry Renaudat a, depuis, multiplié sa surface de vigne par six. Désormais « habitué » des coups de cœur du Guide, il a développé une structure de négoce d'où est issue cette admirable cuvée à la robe saumon pâle, qui exprime dès l'approche sa richesse. Le bouquet (fraise des bois, ananas, fleurs blanches) est à la fois gourmand et d'une grande finesse. Ample et gras, concentré, équilibré grâce à une juste fraîcheur, le palais offre une longue finale fruitée (pêche, kiwi). Cette bouteille s'accordera avec des plats exotiques épicés. Production du domaine, le **Dom. du Chêne vert 2011 blanc (26 000 b.)** séduit par sa vivacité et son fruité intense : abricot, citron confit, ananas. Il décroche une étoile.

Dom. Valéry Renaudat, 3, pl. des Écoles, 36260 Reuilly, tél. 02.54.49.38.12, fax 02.54.49.38.26, domaine@valeryrenaudat.fr t.l.j. sf dim. 8h-17h30, mer. sam. sur r.-v.; f. 15-30 août

LES ROUESSES 2011 ★

20 000 — 5 à 8 €

Ce vignoble de 14 ha a été repris en 1997 par la famille Mellot qui a développé un espace œnotouristique sur le siège de l'exploitation. Vous y apprécierez ce reuilly aux parfums intenses de buis, de pamplemousse et de pêche blanche. Cette fraîcheur aromatique se retrouve dans une bouche légère, vive et équilibrée. Un reuilly qui a du nerf, pour un ris de veau à la crème. Issu du négoce, le **Jean Michel Sorbe 2010 rouge (15 000 b.)**, cité, est un vin rouge classique, au nez de griotte et aux tanins mesurés. Cité, également, le **Jean-Michel Sorbe 2011 blanc (15 000 b.)** associe finesse aromatique (fleurs blanches, amande, agrumes) et vivacité.

SARL Dom. Jean-Michel Sorbe, Le Buisson-Long, rte de Quincy, 18120 Brinay, tél. 02.48.51.30.17, fax 02.48.51.35.47, jeanmichelsorbe@jeanmichelsorbe.com r.-v.

Catherine Corbeau-Mellot

DOM. DES TEMPLIERS 2010 ★

6 000 — 5 à 8 €

L'un est issu d'une famille de tradition viticole, l'autre est amateur de vin : Franck Poirier et Bernard Pousset se sont associés pour créer en 2000 ce petit domaine de 3 ha. Leur 2010, d'un rubis foncé profond, mêle au nez des arômes de fruits des bois (fraise, framboise, mûre) à des nuances d'épices et de marc frais. Sa structure tannique bien travaillée lui donne beaucoup de présence. Ce reuilly a l'harmonie des rouges de terroir argilo-calcaire et pourrait former une belle alliance avec une carpe au vin rouge.

Poirier, L'Ormeteau, 36260 Reuilly, tél. 02.54.49.23.25, fax 02.54.49.29.14, fpoirier@terre-net.fr t.l.j. sf dim. 8h-19h

VINCENT 2011 ★★

12 000 — 5 à 8 €

Superbe palmarès pour Jacques Vincent qui place ses trois couleurs dans la sélection du Guide, et de quelle façon ! Issu d'un terroir argilo-calcaire, tel que les affectionne le pinot noir, le rouge fait des étincelles dans sa robe sombre aux reflets violacés. Les notes de fruits rouges bien mûrs fusent dès le premier nez, invitant à découvrir une bouche souple et ronde, aux tanins fondus et au

fruité persistant. Un grand reuilly, pour un coquelet à la diable ou un rôti de veau. Le **2011 rosé (24 000 b.)**, riche en arômes fruités (pêche de vigne, abricot, fraise), décroche une étoile. Quant au **2011 blanc (12 000 b.)**, il est cité pour sa rondeur et ses parfums de fruits blancs.

SCEV Vincent, 11, chem. des Caves, 18120 Lazenay, tél. 02.48.51.73.55, fax 02.48.51.14.96, vincent.pierre.18@gmail.com t.l.j. 9h-12h 14h-17h

Saint-pourçain

Superficie : 695 ha
Production : 21 297 hl (71 % rouge et rosé)

Le paisible et plantureux Bourbonnais (département de l'Allier) possède aussi un vignoble, sur 19 communes, au sud-ouest de Moulins. Les vignes croissent sur les coteaux de la vallée de la Sioule ou sur des plateaux calcaires, à proximité. Les blancs ont fait autrefois la réputation de Saint-Pourçain ; un cépage local, le tressallier, est assemblé au chardonnay et au sauvignon, donnant une grande originalité aromatique à ces vins. Aujourd'hui, les rouges sont les plus nombreux. Fruités et charmeurs, ils proviennent de l'assemblage de gamay et de pinot noir.

DOM. DE BELLEVUE Origine 2011 ★

8 600 5 à 8 €

La propriété et ses bâtiments du XIXe s. se situent au cœur du vignoble bourbonnais. On y découvre cet assemblage de chardonnay (60 %) et de tressallier issus d'un terroir granitique caillouteux. Jaune pâle, il développe de légères senteurs florales. La bouche jeune et fraîche, d'une belle longueur, annonce une bonne capacité d'évolution. Prêt à boire, ce 2011 s'arrondira avec un an de garde. La **Grande Réserve 2011 blanc (21 000 b.)** fait jeu égal. L'ajout de sauvignon aux cépages précédents accentue les notes florales et la fraîcheur aromatique. Noté une étoile également, le **rouge 2009 Les Roches grises (10 300 b.)** associe des notes de grillé et de réglisse dans une bouche aux tanins soyeux.

Jean-Louis Pétillat, Bellevue, 03500 Meillard, tél. 04.70.42.05.56, fax 04.70.42.09.75, jean-louis.petillat1@wanadoo.fr t.l.j. sf dim. 9h-12h 14h-19h

CÉDRIC ET BENOÎT BONVIN Nectar de Vincent 2011

6 000 - de 5 €

Travaillant en duo depuis 2010, les frères Bonvin sont complémentaires sur leur exploitation de 17 ha : Cédric se charge de la technique, et Benoît de la vente. Ils proposent un assemblage de chardonnay et de tressallier au nez floral, nuancé de senteurs d'agrumes. Ces arômes se confirment à la suite de la dégustation, ponctuant une attaque douce et une bouche équilibrée, dont la finale est animée d'une pointe minérale.

Cave Bonvin, 11, rue Sainte-Catherine, 03500 Louchy-Montfand, tél. 06.32.15.44.56, fax 04.70.45.69.13, cave.bonvin@gmail.com t.l.j. sf dim. 8h-12h 14h-19h

DOM. DES BOURRATS Tradition 2011

2 800 - de 5 €

Après avoir travaillé dix ans auprès de Robert Prelot, Laetitia Lachérade a repris le domaine début 2011. Elle souhaite conserver l'authenticité des vins de son prédécesseur et présente ici son premier millésime. Une robe grenat foncé annonce un nez encore discret de fruits noirs et rouges. La bouche, à l'attaque souple mais aux tanins encore jeunes, gagnera en rondeur d'ici un à deux ans. Le **blanc 2010 cuvée des Bergerons (5 à 8 € ; 2 830 b.)** est également cité : nez floral et végétal, bouche souple, d'une belle longueur.

Dom. des Bourrats, lieu-dit Les Bourrats, rue des Acacias, 03500 Saint-Pourçain-sur-Sioule, tél. 06.25.29.01.01, robert.prelot@wanadoo.fr t.l.j. 9h-19h; dim. 9h-12h
Lachérade

♥ CH. COURTINAT Rouge Tradition 2011 ★★★

13 000 - de 5 €

Habitué du Guide dans les trois couleurs du saint-pourçain, Christophe Courtinat fait sensation cette année avec cette cuvée de gamay (80 %) et de pinot noir, entièrement égrappée et élevée en cuve pendant six mois. La robe d'un grenat profond brille de mille feux pour annoncer l'arrivée d'un bouquet intense dominé par les fruits rouges bien mûrs, voire confits. En bouche, le fruité est toujours présent, porté par une puissante structure aux tanins soyeux conférant à l'ensemble assise et persistance. Une grande réussite, à découvrir sans attendre. Le **rouge 2010 cuvée des Pérelles (5 à 8 € ; 7 500 b.)** décroche quant à lui une étoile pour ses notes finement boisées et sa souplesse. Le **blanc 2011 (8 000 b.)**, à dominante de chardonnay, est cité pour sa rondeur.

Christophe Courtinat, 11, rue de Venteuil, 03500 Saulcet, tél. 04.70.45.44.84, fax 04.70.45.80.13, cavecourtinat@wanadoo.fr r.-v.

GARDIEN FRÈRES La Réserve des grands jours 2010 ★★

■ 25 000 5 à 8 €

Olivier et Christophe Gardien représentent la quatrième génération sur ce domaine de 21 ha acquis en 1924 par leur ancêtre Justin. Leur Réserve, issue de pinot noir (60 %) et de gamay, a charmé le jury par sa maturité. La robe grenat révèle déjà quelques reflets tuilés. Complexe, le nez témoigne d'un long séjour dans des fûts de chêne du Tronçais (douze mois) : l'élevage ajoute aux nuances de fruits cuits des notes vanillées caractéristiques. L'attaque souple dévoile des tanins soyeux et fondus sur un fond boisé bien équilibré. À servir dès la sortie du Guide. Le **rouge 2011 cuvée du Terroir (moins de 5 € ; 30 000 b.)** allie les fruits rouges à la vivacité d'un vin encore jeune. Le **blanc 2011 Nectar des fées (moins de 5 € ; 40 000 b.)** se distingue par sa fraîcheur et par son nez d'agrumes et de fleurs. Ces deux vins sont cités.

Dom. Gardien Frères, 7, Chassignolles, 03210 Besson, tél. 04.70.42.80.11, c.gardien@03.sideral.fr t.l.j. sf dim. 9h-12h 14h-19h

DOM. JALLET Les Ceps centenaires 2011 ★

■ 6 000 5 à 8 €

Plus que centenaires, ces vignes de gamay (associées à 10 % de pinot noir) sont conduites par la quatrième génération vigneronne de la famille Jallet. Certaines ont été plantées avant 1913, date de la création du domaine. Elles donnent naissance à un vin rouge sombre, aux parfums légers, mais nets, de petits fruits rouges. La mise en bouche plaît par sa fraîcheur, laquelle anime une belle matière fruitée aux tanins solides. À découvrir après deux ans de garde. Le **rouge 2010 Les Pierres brûlées (3 600 b.)**, élevé en fût, est cité pour ses arômes vanillés et sa bouche gouleyante.

Dom. Jallet, 30, pl. des Cailles, 03500 Saulcet, tél. et fax 04.70.45.39.78 t.l.j. 8h-12h 14h-19h

FAMILLE LAURENT Puy réal 2009 ★★

■ 8 000 8 à 11 €

Cette cuvée élevée pendant un an en fût de chêne est toujours très appréciée du jury qui, alors que les dégustations se font à l'aveugle, lui décerne année après année deux étoiles : preuve de la remarquable régularité de ce vin. Dominé par le pinot noir, le 2009 se présente sous une robe grenat intense. Son nez très aromatique offre des senteurs de griotte mariées à de subtiles notes boisées. La charpente aux tanins fondus s'harmonise avec une belle ampleur. Un vin à découvrir dès aujourd'hui ou à attendre un an pour obtenir encore plus de velouté. Le **blanc Calnite 2011 (5 à 8 € ; 6 500 b.)** charme par sa jeunesse : floral et végétal, il impose son volume et sa rondeur, et décroche une étoile.

Famille Laurent, Montifaud, 03500 Saulcet, tél. 04.70.45.90.41, fax 04.70.45.90.42, cave.laurent@wanadoo.fr t.l.j. sf dim. 8h30-12h 14h-18h30

DOM. NEBOUT Le Tressallier des gravières 2011

22 000 5 à 8 €

Installé avec ses parents depuis 2006, Julien Nebout a élevé en cuve la majorité de cette cuvée de tressallier, y assemblant 15 % du même cépage élevé en fût sur lies fines. Vêtu d'une robe jaune pâle légèrement ambré, ce vin s'ouvre au nez sur des notes de fruits exotiques. Plus amylique, la bouche allie rondeur et fraîcheur dans un bel équilibre. Le **rouge 2010 Séduction (9 200 b.)**, un 100 % pinot noir élevé en fût, est également cité. Tannique, il révèle des notes empyreumatiques intenses et attendra un an ou deux.

Dom. Nebout, rte de Montluçon, 03500 Saint-Pourçain-sur-Sioule, tél. 04.70.45.31.70, fax 04.70.45.12.54, julienebout@yahoo.fr t.l.j. sf dim. 9h-12h 14h-18h30

FRANÇOIS RAY ET ALEXANDRE PINET Cuvée des gaumes 2011 ★

■ 15 000 5 à 8 €

En 2011, Alexandre Pinet, gendre de François Ray, a rejoint avec son épouse cette exploitation d'une vingtaine d'hectares. La tradition ainsi que la qualité sont maintenues ; en témoigne cette cuvée de gamay et de pinot noir souvent retenue dans le Guide. Sous sa belle robe grenat se dévoile un bouquet de fruits rouges un peu cuits. L'attaque franche déroule une matière ample et équilibrée, dont les tanins devront s'assouplir : un à deux ans de garde. Le **blanc 2011 Tradition (10 000 b.)** est par ailleurs cité. Assemblage de trois cépages, il offre des nuances florales et une jolie fraîcheur.

Dom. Ray, 8, rue Louis-Neillot, 03500 Saulcet, tél. 04.70.45.35.46, fax 04.70.45.64.96, ray.francois@akeonet.com t.l.j. sf dim. 9h-12h 14h-19h

UNION DES VIGNERONS DE SAINT-POURÇAIN Réserve spéciale 2011

60 000 - de 5 €

Créée en 1952, cette cave coopérative, qui rassemble aujourd'hui une soixantaine de vignerons, est la seule de l'appellation saint-pourçain. Deux de ses cuvées ont été retenues. Ce blanc d'assemblage tout d'abord, qui se pare d'une robe jaune pâle aux reflets verts. Son nez et sa bouche, tout en discrétion, jouent sur la fraîcheur des notes florales. C'est un vin souple et léger. Le **vin gris 2011 (30 000 b.)** ensuite, un rosé 100 % gamay qui révèle des arômes fruités (cerise et agrumes) dans une bouche vive et gouleyante.

Union des Vignerons de Saint-Pourçain, 3, rue de la Ronde, 03500 Saint-Pourçain-sur-Sioule, tél. 04.70.45.42.82, fax 04.70.45.99.34, udv@udvstpourcain.com t.l.j. sf dim. 8h30-12h30 13h30-18h

Y. TOUZAIN 2011 ★

■ 6 800 - de 5 €

Après avoir été chef de culture dans les Graves, Yannick Touzain a repris ce domaine de Contigny en 2001, amorçant là une jolie carrière en saint-pourçain. Auteur d'un blanc élu coup de cœur dans la dernière édition du Guide, il se distingue cette fois en rouge, avec un assemblage de gamay (70 %) et de pinot noir. Vêtu d'une robe légère, ce 2011 s'ouvre sur un nez discrètement fruité et s'épanouit en bouche sur les fruits acidulés. De la souplesse, de la rondeur et de la fraîcheur : un bel équilibre pour un vin à apprécier dès aujourd'hui.

Yannick Touzain, 9, rte de Moulins, 03500 Contigny, tél. et fax 04.70.45.95.05, vin.y.touzain@cegetel.net t.l.j. 9h-19h

LOIRE

Sancerre

Superficie : 2 830 ha
Production : 135 393 hl (79 % blanc)

Perché sur un piton rocheux, Sancerre domine la Loire et son vignoble, réputé dès le Moyen Âge. Sur 14 communes s'étend un magnifique réseau de collines parfaitement adaptées à la viticulture, bien exposées et protégées. Les sols portent des noms locaux : « terres blanches » (marnes argilo-calcaires du kimméridgien) ; « caillottes » et « griottes » (calcaires) ; « cailloux » ou « silex » (sols siliceux du Tertiaire).

Deux cépages règnent à Sancerre : le sauvignon en blanc et le pinot noir en rouge. Le premier s'épanouit dans des blancs frais, jeunes et fruités, qui prennent des nuances différentes selon les types de sols ; le second s'exprime dans des rosés tendres et subtils, et dans des rouges légers, parfumés et amples.

Sancerre, c'est aussi un milieu humain particulièrement attachant. Il n'est pas facile, en effet, de produire un grand vin avec le sauvignon, cépage de deuxième époque de maturité, non loin de la limite nord de la culture de la vigne, à des altitudes de 200 à 300 m et sur des sols qui comptent parmi les plus pentus du pays, d'autant que les fermentations se déroulent en fin de saison dans des conditions délicates.

On appréciera le sancerre blanc sur les fromages de chèvre secs, comme l'illustre crottin de Chavignol (AOC) – village situé dans l'aire d'appellation viticole –, sur les poissons ou les entrées chaudes peu épicées ; les rouges iront sur les volailles et les préparations locales à base de viande.

DOM. AUCHÈRE 2011 ★★

40 000 | 8 à 11 €

Jean-Jacques Auchère, installé à la suite de son père en 1987, exporte la moité de sa production vers la Belgique, l'Allemagne, les États-Unis et le Japon notamment. Gageons que cette admirable cuvée confortera sa réputation à l'étranger. Aromatiquement complexe, elle offre un plaisir certain dès l'olfaction : douces notes de fruits exotiques, nuances de fleurs blanches et touches végétales. Franche et précise, la bouche se fait séductrice : une fraîcheur bien équilibrée, une belle minéralité, de la persistance. Tout en finesse, d'une grande personnalité, ce sancerre sera encore plus apprécié après deux ans de garde.

Auchère, 18, rue de l'Abbaye, 18300 Bué, tél. 06.09.72.29.30, jean-jacques.auchere@terre-net.fr
r.-v.

DOM. SYLVAIN BAILLY Terroirs 2011 ★

n.c. | 8 à 11 €

Sonia Bailly a rejoint ses parents sur le domaine il y a maintenant cinq ans. C'est en famille, donc, qu'a été élaboré ce sancerre au bouquet caractéristique du sauvignon par ses notes de buis et de genêt. L'aération dévoile aussi d'élégantes nuances de mirabelle et de fumé. La souplesse et la fraîcheur se répondent tout au long de la dégustation. Offrant un bon retour aromatique sur le fruit, ce 2011 conviendra à un fromage de chèvre. La cuvée **Chêne Marchand 2011** est citée pour sa structure tendre et onctueuse.

Dom. Sylvain Bailly, 71, rue de Venoize, 18300 Bué, tél. 02.48.54.02.75, fax 02.48.54.28.41, domaine.sylvain.bailly@orange.fr
t.l.j. 8h-18h; dim. sur r.-v.

DOM. BAILLY-REVERDY 2010

25 000 | 8 à 11 €

Franck Bailly, rejoint par son neveu Aurélien en 2011, propose un sancerre rouge issu des plus vieilles vignes de l'exploitation. Malgré un élevage d'un an en fût, ce 2010 ne semble pas marqué par le bois. Des arômes de fruits rouges (fraise, framboise) dominent le nez, tandis que le palais, ample, repose sur des tanins denses, encore austères en finale. Une année de garde leur permettra de s'arrondir.

Dom. Bailly-Reverdy, 43, rue de Venoize, 18300 Bué, tél. 02.48.54.18.38, fax 02.48.78.04.70, bailly.reverdy@wanadoo.fr
t.l.j. 9h-12h 14h-18h; sam. dim. sur r.-v.

♥ ÉMILE BALLAND Croq'Caillotte 2010 ★★

4 600 | 15 à 20 €

Un jeune vigneron (à peine plus de dix ans de métier), de jeunes vignes (les plus âgées ont été plantées en 2003), un beau terroir calcaire, une exposition plein sud et une forte pente sont à l'origine de cette superbe cuvée empreinte de fraîcheur. Le nez intense et complexe marie les fruits mûrs (litchi, orange), la fleur d'acacia et une touche végétale (feuille de tomate). Le palais gras et ample est porté par une acidité parfaitement équilibrée aux allures citronnées, qui porte loin la finale. Déjà harmonieux, ce sancerre sera à son apogée d'ici deux à trois ans et fera le bonheur des invités avec des aumonières de saint-jacques sur fondue de poireaux.

Émile Balland, RN 7, 45420 Bonny-sur-Loire, tél. 03.86.39.26.51, fax 03.86.39.22.57, emile.balland@orange.fr r.-v.

DOM. JEAN-PAUL BALLAND 2010 ★★

■ 20 000 🛢 8 à 11 €

Issu d'une longue lignée de vignerons, Jean-Paul Balland est aujourd'hui accompagné de ses filles Isabelle, l'œnologue, et Élise, la commerciale. Leurs vins sont habitués aux honneurs du Guide (un coup de cœur pour le blanc 2009, notamment), et le millésime 2010 ne fait pas exception à la règle. Pour ce sancerre rouge, l'élevage de quinze mois en fût a été parfaitement maîtrisé. Les arômes de mûre et de cerise répondent à des notes de torréfaction (vanille, café) dans une superbe harmonie. La bouche est structurée par des tanins encore affirmés, qui n'enlèvent rien toutefois à la gourmandise du fruité. Il faudra savoir attendre ce vin riche et puissant (deux ans) pour le servir sur du petit gibier à plume. Plus marqué par le bois (moka, vanille), le **blanc 2010 Grande Cuvée (11 à 15 €; 8 000 b.)** est cité.

Dom. Jean-Paul Balland, 10, chem. de Marloup, 18300 Bué, tél. 02.48.54.07.29, fax 02.48.54.20.94, balland@balland.com
t.l.j. sf dim. 9h-12h 14h-18h; f. sam. jan.-fév.

PASCAL BALLAND 2010

■ 10 000 8 à 11 €

Cette cuvée résulte d'un assemblage de terroirs calcaires et argilo-calcaires. Rubis aux légers reflets orangés, elle livre des arômes plaisants de fruits rouges et de cassis mêlés de notes épicées et confiturées. Souple et plutôt ample en bouche, elle finit sur une sensation de puissance. Elle s'accordera avec un lapin en sauce, dès la sortie du Guide. Caractérisé par son nez d'agrumes et sa jeunesse, le **blanc 2011 (50 000 b.)** est cité. On attendra un à deux ans que ses arômes s'épanouissent.

EARL Pascal Balland, rue Saint-Vincent, 18300 Bué, tél. 02.48.54.22.19, fax 02.48.78.08.59, pascalballand@wanadoo.fr
t.l.j. 8h-12h 13h30-18h; dim. sur r.-v.

BALLAND-CHAPUIS Le Chatillet 2011 ★

50 000 8 à 11 €

Un assemblage de parcelles situées à Sancerre et à Bué est à l'origine de cette cuvée au premier nez très discret. Le bouquet s'ouvre après aération sur des notes amyliques et des senteurs de fruits blancs. L'attaque en bouche est incisive, et la fraîcheur règne en maître dans une structure pleine et harmonieuse, enrobée de nuances fruitées et végétales. Une bouteille prête à accompagner des crustacés.

Dom. Balland-Chapuis, L'Esterille, 18300 Bué, tél. 02.48.54.06.67, fax 02.48.54.07.97, balland-chapuis@wanadoo.fr
t.l.j. sf sam. dim. 8h-12h 13h30-17h30
J.-L. Saget

DOM. CÉDRICK BARDIN 2011

35 000 8 à 11 €

Cédrick Bardin, producteur et négociant à Pouilly-sur-Loire, signe une cuvée qui, si elle n'atteint pas la qualité du précédent millésime (deux étoiles), plaît par son bouquet expressif aux nuances surmûries, qui vient confirmer la première impression apportée par sa teinte dorée. Suave et ample, le palais révèle un fruité imposant et persistant qu'il conviendra d'associer à un poisson en sauce.

EURL Cédrick Bardin, 12, rue Waldeck-Rousseau, 58150 Pouilly-sur-Loire, tél. 03.86.39.11.24, cedrick.bardin@orange.fr r.-v.

DOM. BIZET 2011 ★

16 500 5 à 8 €

Après avoir décroché un coup de cœur l'an dernier pour le millésime 2010, Thibault Bizet ne démérite pas : son blanc, élevé cinq mois sur lies fines, est jugé très réussi. Le nez s'ouvre progressivement sur le fruit (pêche blanche), avec une nuance florale (acacia). Bien équilibrée, la bouche est ronde et soyeuse, soutenue par une fine vivacité qui met en valeur la finale fruitée. Le **rouge 2010 (4 000 b.)**, aux notes de griotte et à la charpente solide, obtient une citation.

Dom. Thibault Bizet, Chambre, 18300 Sury-en-Vaux, tél. et fax 02.48.79.34.43, domaine.bizet@orange.fr
t.l.j. sf dim. 9h-18h

DOM. BONNARD 2010 ★

■ 5 300 8 à 11 €

Bernard Bonnard et son épouse ont su transmettre leur passion de la vigne et du vin à leurs deux filles, qui travaillent aujourd'hui sur le domaine. La famille présente un sancerre rubis à reflets violets, élevé pendant dix-huit mois, pas moins. Mariage gourmand de fruits rouges (cerise, groseille, fraise), le nez montre de la fraîcheur. Souple à l'attaque, marquée en finale par des tanins en cours d'affinage, la bouche confirme l'élégance de ce sancerre rouge, léger et fruité, qui s'accordera avec un lapin aux pruneaux après une petite année de garde.

Dom. Bonnard, Les Chailloux, rte de Chavignol, 18300 Sancerre, tél. 02.48.54.17.47, fax 02.48.78.02.84, claire.bonnard@orange.fr r.-v.

HENRI BOURGEOIS D'antan 2010 ★

14 000 20 à 30 €

Née dans les terroirs à silex de Saint-Satur, cette cuvée est mise en bouteilles après un élevage partiel sous bois de dix mois. Son bouquet intense allie des notes vanillées et exotiques (fruit de la Passion). Ample à l'attaque, rond et gras, avec une finale légèrement acidulée, le palais laisse deviner un beau potentiel de conservation (trois à cinq ans). Trois autres cuvées du domaine sont citées. **La Côte des Monts Damnés 2011 blanc (11 à 15 €; 13 000 b.)**, qui joue sur le gras et la richesse en bouche ; la cuvée **Jadis 2010 blanc (12 000 b.)**, qui associe une matière ample et fraîche à des notes fruitées et toastées ; enfin, **La Chapelle des Augustins 2010 blanc (15 à 20 €; 12 000 b.)**, issue du négoce, qui plaît par sa vivacité et ses arômes floraux et citronnés.

Dom. Henri Bourgeois, Chavignol, 18300 Sancerre, tél. 02.48.78.53.20, fax 02.48.54.14.24, domaine@henribourgeois.com t.l.j. 9h30-18h30

DOM. DES BROSSES 2011 ★★

50 000 5 à 8 €

Voilà maintenant cinq ans que Nicolas Girard a pris la suite de son père à la tête du domaine. Sa cuvée principale (8,5 ha sur les onze que compte le vignoble) provient de parcelles situées sur des sols argilo-calcaires. Ouverte dès le premier nez, elle libère un joli flux aromatique dominé par des nuances florales (acacia), qui confèrent aussi à la bouche une réelle élégance. Une noble acidité, un beau volume, un toucher soyeux et une impression saline forment l'harmonie de ce vin à la longue finale fruitée et minérale. L'équilibre est idéal, le plaisir assuré.

🔑 SCEV Alain Girard et Fils, Dom. des Brosses, 18300 Veaugues, tél. 02.48.79.24.88, domainedesbrosses@yahoo.fr ☑ 🍷 🚶 r.-v.

♥ DOM. DU CARROIR PERRIN 2011 ★★

	3 000	▮	5 à 8 €

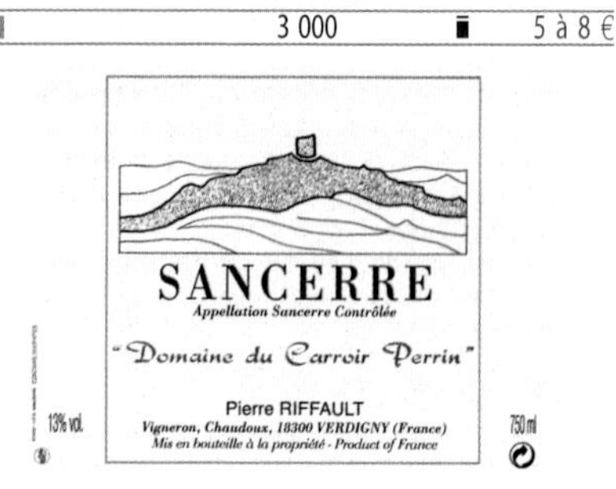

Pierre Riffault et son fils Bertrand, installé en 2006, sont équipés pour vous recevoir et vous proposer un tour du vignoble et de la cave, et aussi pour vous loger : ils ont restauré trois maisons anciennes qui servent de gîtes sur l'exploitation. Vous pourrez ainsi venir découvrir sans hésitation leur domaine et ce sancerre rosé lumineux, qui livre une palette séduisante de petits fruits rouges bien mûrs, de pêche et de rose. La bouche parfaitement équilibrée réunit la rondeur, le volume et une fraîcheur finement acidulée. Un modèle de longueur et d'harmonie.

🔑 Pierre Riffault, Rue du Carroir-Perrin, Chaudoux, 18300 Verdigny, tél. 02.48.79.31.03, fax 02.48.79.35.68, pierre.riffault@aliceadsl.fr
☑ 🍷 🚶 t.l.j. sf dim. 8h-12h 13h30-19h 🏠 B

DOM. DU CARROU 2011 ★

	44 000	▮	8 à 11 €

Les Roger sont vignerons de père en fils depuis plus de trois cents ans. La cave de Dominique Roger, installée au cœur du village de Bué dans une ancienne « vigneronnerie » du XIX[e]s., a vu grandir ce sauvignon au nez encore fermé, qui dévoile cependant de fines notes de fleurs blanches et de fruits. Fraîche à l'attaque, la bouche se montre légèrement iodée, puis exprime des arômes d'agrumes dans une structure assez riche, ample et de bonne longueur. Pour une poêlée de saint-jacques. Le **rouge 2011 cuvée La Jouline Vieilles Vignes (15 à 20 € ; 3 400 b.)** décroche une étoile pour sa bouche suave, encore quelque peu dominée par une solide structure tannique (attendre trois ans). Enfin, le **blanc 2011 Chêne Marchand (11 à 15 € ; 2 800 b.)** est cité pour son beau volume.

🔑 Dominique Roger, 7, pl. du Carrou, 18300 Bué, tél. 02.48.54.10.65, fax 02.48.54.38.77, contact@dominique-roger.fr
☑ 🍷 🚶 t.l.j. 8h30-12h 14h-18h30; dim. sur r.-v. 🏠 B

ROGER CHAMPAULT Côte de Champtin 2010 ★★

	2 500	▮ 🛢	11 à 15 €

Claude et Laurent Champault, les fils de Roger, sont établis au hameau de Champtin, ancienne seigneuriale implantée sur des lieux-dits réputés de Sancerre. Ils s'illustrent cette année avec un vin pourpre soutenu, dont le nez discret livre une belle gamme de senteurs de griotte à l'eau-de-vie, de cassis, de vanille et de violette. Souples à la première approche, les tanins rappellent vite leur présence mais sans agressivité. Élevé partiellement en fût, ce vin montre du corps, de la structure et une grande persistance fruitée. Pour un magret de canard grillé, à partir de fin 2013. Le sancerre **Les Pierris 2010 rouge (8 à 11 € ; 45 000 b.)**, à l'expression confiturée et épicée, est cité ; il pourra être dégusté plus tôt.

🔑 Laurent et Claude Champault, 5, rte de Foulot, Champtin, 18300 Crézancy-en-Sancerre, tél. 02.48.79.00.03, fax 02.48.79.09.17, roger.champault@orange.fr
☑ 🍷 🚶 t.l.j. sf dim. 8h-12h 13h30-18h

DOM. LES CHAUMES 2011 ★

	65 000		5 à 8 €

Jean-Jacques Bardin a fait du chemin depuis son installation à Pouilly en 1969, avec 1 ha de vigne. Il conduit aujourd'hui une quarantaine d'hectares et présente ici un sancerre à la robe jaune pâle parcourue de reflets dorés. Le nez discret exprime surtout des notes d'agrumes et de fleurs. La bouche est souple et très fondue, ce qui favorise le retour du fruité en rétro-olfaction.

🔑 Jean-Jacques Bardin, lieu-dit Les Chaumes, 58150 Pouilly-sur-Loire, tél. 03.86.39.15.87, fax 03.86.39.08.77, jean-jacquesbardin@wanadoo.fr ☑ 🍷 r.-v.

DANIEL CHOTARD 2010 ★

	80 000	▮	8 à 11 €

Vignerons et tonneliers, les ancêtres de Daniel Chotard ont toujours travaillé dans le monde du vin. Ce dernier a effectué un passage à l'Éducation nationale avant de revenir à ses racines vigneronnes. Son 2010, élevé un an en cuve, a gardé au nez ses caractères de jeunesse : les notes de buis, d'orange et d'acacia dominent. Souple à l'attaque, il montre de la légèreté puis une belle vivacité, jusqu'à la finale aux accents de fruits exotiques. Un sancerre qui a du nerf et que l'on pourra apprécier à l'apéritif, aujourd'hui comme dans deux ou trois ans.

🔑 Daniel et Simon Chotard, 5, rue des Fontaines, Reigny, 18300 Crézancy-en-Sancerre, tél. 02.48.79.08.12, fax 02.48.79.09.21, sancerre@danielchotard.fr
☑ 🍷 🚶 t.l.j. 9h-12h 14h-18h30; dim. sur r.-v.

DOM. DES CLAIRNEAUX 2011 ★

	8 400	▮	5 à 8 €

Les deux fils de Jean-Marie Berthier ont acquis une partie de leur expérience à l'étranger : Clément dans l'Oregon, et Florian en Nouvelle-Zélande (deux pays aujourd'hui réputés, notamment pour leur pinot noir). Ils sont sûrement plein d'idées nouvelles pour l'exploitation. Leur rosé développe un bouquet agréable – signe d'une vinification réussie – au fruité mûr (fraise) de bonne intensité. La bouche montre de la fraîcheur, mais aussi un caractère plus vineux. Elle se prolonge plaisamment sur des notes de pêche et d'abricot.

🔑 Jean-Marie Berthier, Les Clairneaux, 18240 Sainte-Gemme-en-Sancerrois, tél. 02.48.79.40.97, contact@vignoblesberthier.fr
☑ 🍷 🚶 t.l.j. 8h-12h 13h30-19h 🏠 C

DANIEL CROCHET 2010 ★

	10 000	▮ 🛢	8 à 11 €

Voici un vigneron qui ne manque jamais un rendez-vous du Guide. Habitué des étoiles en AOC sancerre, il voit encore trois de ses cuvées retenues par le jury. Le rouge à la robe grenat est plutôt réservé à l'olfaction. Il joue sur la finesse, évoquant les fruits rouges agrémentés d'une touche poivrée. En bouche, on sent de la matière, de la fraîcheur et des tanins affirmés qui auront besoin de deux ans de garde pour s'arrondir. Le **blanc 2011 (27 000 b.)** est cité pour son fruité bien mûr et son caractère chaleureux, tandis que le **rosé 2011 (5 300 b.)** reçoit sa citation pour son équilibre entre rondeur et fraîcheur.

Daniel Crochet, 61, rue de Venoize, 18300 Bué, tél. 02.48.54.07.83, fax 02.48.54.27.36, daniel-crochet@wanadoo.fr
t.l.j. sf dim. 9h-12h 13h-18h

DOMINIQUE ET JANINE CROCHET Cuvée Prestige 2011 ★

4 500 | 8 à 11 €

Née sur un sol argilo-calcaire, cette cuvée Prestige issue de vignes âgées de cinquante ans présente un bouquet d'agrumes. Soyeuse au palais, elle ne manque ni de fraîcheur ni de longueur. La finale aux accents de terroir est plaisante et confirme la finesse de cette bouteille à servir avec un crottin de Chavignol. Le **blanc 2011 (5 à 8 €; 40 000 b.)**, frais et équilibré, est par ailleurs cité.

Dom. Dominique et Janine Crochet, 64, rue de Venoize, 18300 Bué, tél. 02.48.54.19.56, fax 02.48.54.12.61, earlcrochetdominiqueetjanine@wanadoo.fr
t.l.j. 8h-12h 14h-18h30

DOM. DAULNY 2011 ★

85 000 | 5 à 8 €

Étienne Daulny exporte plus de 80 % de sa production. Né d'un assemblage de marnes kimméridgiennes et de sols calcaires, son 2011 dévoile progressivement son bouquet : des notes fruitées s'ajoutent aux premières nuances florales (sureau) et variétales (buis). Net à l'attaque, légèrement perlant, il s'appuie sur une matière ronde et pleine ; la longue finale promet un bel avenir à cette bouteille. À découvrir sur un bar en croûte de sel.

Étienne Daulny, Chaudenay, 18300 Verdigny, tél. 02.48.79.33.96, fax 02.48.79.33.39, domaine-daulny@wanadoo.fr r.-v.

DOM. VINCENT DELAPORTE Maxime Vieilles Vignes 2010

15 000 | 11 à 15 €

Le nez de cette cuvée née sur silex a du caractère. Il associe les notes de buis et de bourgeon de cassis à des parfums boisés de moka et de vanille. Rond en attaque, gras en milieu de bouche, ce vin livre une finale un peu plus abrupte, n'ayant pas encore « digéré » son élevage sous bois. On patientera deux ans pour le laisser trouver son équilibre et exprimer tous ses arômes aux accents exotiques.

Dom. Vincent Delaporte, Chavignol, 18300 Sancerre, tél. 02.48.78.03.32, fax 02.48.78.02.62, delaportevincent.sancerre@wanadoo.fr
t.l.j. 8h-12h 13h30-18h

ANDRÉ DEZAT ET FILS 2011

100 000 | 8 à 11 €

Cette cuvée d'assemblage des trois principaux terroirs du Sancerrois présente au nez des notes de fleurs et de fruits blancs. Souple en attaque, ronde et onctueuse, la bouche s'achève sur des évocations d'agrumes d'une bonne persistance. Pour un tartare de saumon, par exemple.

SCEV André Dezat et Fils, rue des Tonneliers, Chaudoux, 18300 Verdigny, tél. 02.48.79.38.82, fax 02.48.79.38.24, dezat.andre@terre-net.fr r.-v.

DOM. DOUDEAU-LÉGER 2011 ★★

12 200 | 5 à 8 €

Le sancerre rouge de Pascal Doudeau confirme encore une fois la qualité du terroir argilo-calcaire de Sury-en-Vaux et son adéquation parfaite avec le pinot noir. Ce millésime 2011 à la robe grenat soutenu séduit par son expression olfactive puissante d'une grande maturité, sur les fruits rouges bien mûrs, le cassis et le pruneau. Si l'attaque est tout en vivacité, la bouche présente cette même richesse fruitée, presque confiturée, et une agréable rondeur, que l'on appréciera à partir de 2013. Le **blanc 2011 (4 000 b.)** décroche une étoile pour ses fines senteurs florales et pour sa fraîcheur délicate. Enfin, le **rosé 2011 (50 000 b.)**, plutôt rond et vineux, obtient une citation.

Dom. Doudeau-Léger, Les Giraults, 18300 Sury-en-Vaux, tél. 02.48.79.32.26, fax 02.48.79.29.80
t.l.j. 9h-12h 14h-19h

DOM. GÉRARD FIOU Le Grand Roc Terroir de silex 2010

5 300 | 15 à 20 €

La parcelle du Grand Roc, 80 ares de sauvignon planté sur un terroir de silex, fournit cette année une cuvée aux arômes intenses et typés : le bourgeon de cassis domine, suivi par des nuances de pamplemousse sur un fond vanillé ; ces notes d'agrumes persistent dans une bouche à laquelle elles apportent de la fraîcheur. Ample et gras, ce blanc montre une franche nervosité en finale. Le **rosé 2011 (11 à 15 €; 2 600 b.)**, à réserver aux amateurs de rosés riches, fruités et légèrement tendres, est par ailleurs cité.

SCEV Dom. Gérard Fiou, 15, rue Hilaire-Amagat, 18300 Saint-Satur, tél. 02.48.54.16.17, fax 02.48.54.36.89, domaine.gerard.fiou@orange.fr r.-v.

DOM. BERNARD FLEURIET ET FILS Tradition 2011 ★

110 000 | 8 à 11 €

De jeunes vignes de sauvignon plantées sur un terroir argilo-calcaire, une vinification à basse température, un élevage de huit mois sur lies et voici un sancerre doré que les dégustateurs ont découvert avec un plaisir non dissimulé. Le nez, exubérant, évoque à la fois le pamplemousse, les fleurs blanches et la poire avec de fraîches nuances de chlorophylle. La bouche ronde et croquante dévoile la même richesse fruitée, réveillée par une finale acidulée. Pour sublimer des ris de veau à la crème. Noté une étoile également, le **rouge 2010 Anthocyane (15 à 20 €; 4 000 b.)** marie les arômes de fruits noirs et rouges et de vanille dans un ensemble concentré, encore marqué par son élevage sous bois. À attendre deux ans.

Dom. Bernard Fleuriet et Fils, La Vauvise, 18300 Menetou-Ratel, tél. 02.48.79.34.09, fax 02.48.79.34.38, fleuriet.vauvise@wanadoo.fr r.-v.

P. FONTAINE 2011 ★★

3 000 | 8 à 11 €

Patrice Fontaine exploite un vignoble entièrement implanté sur les coteaux du village de Chavignol. Il en tire

LOIRE

un blanc au bouquet intense, plutôt végétal à la première approche, puis plus complexe et subtil, mariant avec harmonie les fleurs blanches et le pamplemousse. La bouche séduit tout de suite par son attaque franche, son volume, sa fraîcheur, sa finesse et sa richesse aromatique en finale. Un grand sancerre, gourmand et frais, à présenter aujourd'hui comme dans trois ans à un carpaccio de poisson citronné.

Dom. Fontaine, Le Caveau, 18300 Chavignol,
tél. 02.48.54.13.47 t.l.j. 8h-20h

DOM. FOUASSIER Les Chasseignes 2010 ★★

45 000 11 à 15 €

Ce domaine de 56 ha est conduit à la fois en agriculture biologique (certification AB obtenue à partir du millésime 2011) et en biodynamie (certification Biodyvin à venir). Son Chasseignes, issu d'un terroir calcaire, montre sa maturité dès le premier nez, celui-ci étant dominé par de doux parfums de mangue. S'il se montre plein, gras et charnu, il conserve de la fraîcheur au palais et exprime toujours des arômes de fruits exotiques, mêlés de coing en finale. Un vin de gastronomie à déguster, par exemple, avec un saumon sauce mousseline, d'ici deux à trois ans. **Le Clos de Bannon 2011 blanc (18 000 b.)** est cité pour sa fraîcheur et son bouquet floral.

Dom. Fouassier, 180, av. de Verdun, 18300 Sancerre,
tél. 02.48.54.02.34, fax 02.48.54.35.61, contact@fouassier.fr
t.l.j. 8h30-12h 14h30-18h

MAISON FOUCHER Le Mont 2010 ★★

10 000 5 à 8 €

Un élevage prolongé et judicieusement dosé entre le bois et la cuve est à l'origine de cette bouteille aboutie et séduisante, proposée par la maison de négoce Foucher. Sa robe attrayante, d'un rubis intense aux reflets pourpres, précède des parfums de griotte, de cassis et de fruits confits d'une grande délicatesse. Des tanins soyeux, du volume, de la finesse, une longue finale fruitée... Cette bouteille a tous les atouts d'un grand sancerre rouge, qui pourra s'apprécier dès aujourd'hui mais aussi séjourner quelques années en cave.

Maison Foucher, 29, rte de Bouhy, 58200 Alligny-Cosne,
tél. 03.86.26.87.27, fax 03.86.26.87.20, foucher.lebrun@m-p.fr
t.l.j. sf sam. dim. 8h-12h 14h-18h; f. août
Picard Vins et Spiritueux

FOURNIER PÈRE ET FILS Cuvée Silex 2010 ★★

30 000 11 à 15 €

Claude Fournier, à la fois viticulteur et négociant, conduit un domaine de 32 ha répartis sur trois appellations : pouilly-fumé, menetou-salon et sancerre. C'est dans cette dernière appellation qu'il s'impose : trois de ses blancs ont été retenus par le jury, la cuvée Silex en tête. Celle-ci s'ouvre sur un nez empreint de minéralité (pierre à fusil), nuancé de subtiles notes de noisette et d'agrumes. Franche à l'attaque, la bouche réunit fraîcheur, élégance et complexité aromatique dans un équilibre sans faille qui confirme la dominante minérale. Un sancerre long et typé à découvrir avec un sandre au beurre blanc. **Les Boffants 2010 blanc (8 000 b.)** décroche une étoile pour ses arômes de pêche blanche et d'agrumes associés à un caractère friand. Le **Monts Damnés 2010 blanc (15 à 20 €; 8 000 b.)** est cité : pour amateurs d'arômes très « sauvignonnés » (bourgeon de cassis).

SAS Fournier Père et Fils, rte de la Garenne, Chaudoux, 18300 Verdigny, tél. 02.48.79.35.24, fax 02.48.79.30.41, claude@fournier-pere-fils.fr
t.l.j. 8h-12h 13h30-18h; sam. dim. sur r.-v.

DOM. DE LA GARENNE 2011 ★

9 000 8 à 11 €

Obtenu par pressurage direct des raisins, ce rosé pâle à reflets argentés montre encore une fois la qualité des vins du domaine, même après le passage de relais de 2008. Il libère des parfums intenses et élégants, à dominante fruitée : fruits rouges, bonbon anglais, pointe d'agrumes. Ample et vineuse, la bouche est équilibrée par une belle fraîcheur. Ce rosé aromatique sera en accord avec un lapin à la sarriette. Le **blanc 2011 (60 000 b.)** est par ailleurs cité pour ses notes d'agrumes et de bourgeon de cassis.

Dom. de la Garenne, rue Saint-Vincent, 18300 Verdigny,
tél. 02.48.79.35.79, fax 02.48.79.32.82,
contact@sancerrelagarenne.com
t.l.j. sf dim. 9h-12h 14h-19h; f. 15-31 août

DOM. LA GEMIÈRE 2010

13 000 5 à 8 €

Le domaine tire son nom d'un lopin de terre où a été construite une cave sur deux niveaux, ce qui permet d'utiliser la gravité. Les notes de petits fruits cuits (framboise, cassis) qui animent le nez de ce 2010 sont caractéristiques du pinot noir. De subtiles nuances d'épices s'y ajoutent, avant une attaque souple et fraîche. La matière, ample, repose sur des tanins soyeux. Prêt à boire, ce rouge s'alliera avec du petit gibier à plume.

Daniel Millet et Fils,
Dom. la Gemière, 1, La Gemière-Champtin,
18300 Crézancy-en-Sancerre, tél. 02.48.79.07.96,
fax 02.48.79.02.10, contact@domainelagemiere.fr
t.l.j. 8h-12h 13h30-18h30

DOM. MICHEL GIRARD ET FILS 2011 ★★

84 000 8 à 11 €

Présent chaque année dans les pages sancerre du Guide, en blanc comme en rouge ou en rosé, le domaine Michel Girard reçoit cette fois tous les honneurs avec ce sauvignon né de trois terroirs différents. Calcaires, argilo-calcaires et silex, chacun apporte ici ses qualités pour composer une superbe symphonie, annoncée par une brillante robe or pâle. Tout en finesse, le bouquet allie une multitude de senteurs, de la pêche au citron en passant par le sureau et le buis. Cette complexité aromatique se retrouve au sein d'une bouche ample, souple et fraîche, dont l'élégance s'alliera à un poisson noble d'ici deux ans. Avec son nez de griotte épicée, ses tanins mûrs et son palais charnu, le **rouge 2010 (23 000 b.)** décroche, lui, une étoile. Enfin, le **rosé 2011 (10 000 b.)** est cité pour sa finesse fruitée et sa fraîcheur acidulée.

Dom. Michel Girard et Fils, rue du Carroir-Perrin, 18300 Verdigny, tél. 02.48.79.33.36, fax 02.48.79.33.66, michelgirard.fils@wanadoo.fr

t.l.j. 9h-12h 14h-18h; sam. dim. sur r.-v.

JÉRÔME GODON 2011 ★★

15 000 — 5 à 8 €

Sur cette exploitation familiale ancrée depuis des générations dans le terroir, Jérôme Godon a voulu redonner à la vigne toute l'importance qu'elle mérite. Installé en 2006, il a développé la vente en bouteille et supprimé l'activité d'élevage pour mieux se consacrer à l'élaboration et à la valorisation de ses vins. Une décision heureuse, si l'on en juge par ce sancerre blanc qui dévoile une très grande finesse, de l'intensité et beaucoup de complexité. Des senteurs de fruits blancs, d'agrumes, de bourgeon de cassis et une touche de minéralité composent un magnifique bouquet. En bouche, la puissance aromatique s'installe avec assurance, évoquant les fruits exotiques, avant une finale d'une superbe fraîcheur. Aucune hésitation pour le coup de cœur ! Le jury attribue une étoile au **rosé 2011 (5 000 b.)** pour sa rondeur et sa persistance fruitée.

Jérôme Godon, Les Fouchards, 18240 Sainte-Gemme-en-Sancerrois, tél. 02.48.79.33.30, fax 02.48.78.02.61 t.l.j. 8h-12h 14h-19h

VINCENT GRALL Tradition 2011 ★

17 000 — 8 à 11 €

Avec ses 3,8 ha de vigne, Vincent Grall est l'un des plus petits producteurs du Sancerrois. Bien situé à l'entrée de la ville, il vous accueillera pour une dégustation, bien sûr, mais aussi pour une visite de son vignoble. Vous pourrez découvrir ce 2011 plutôt discret au premier nez, qui dévoile peu à peu un profil variétal où rhubarbe, citron vert et pistache se côtoient en toute harmonie. L'attaque souple est relayée par des impressions de fraîcheur sur des notes fruitées (agrumes, abricot), avant une finale marquée par une noble amertume et des arômes d'amande persistants.

Vincent Grall, 149, av. Nationale, 18300 Sancerre, tél. 02.48.78.00.42, fax 02.48.54.14.23, vincent.grall@wanadoo.fr r.-v.

ALAIN GUENEAU La Guiberte 2011

60 000 — 8 à 11 €

Alain Gueneau et sa fille Élisa présentent ici leur cuvée principale (11 ha sur un vignoble qui en compte seize) issue de sols argilo-calcaires qui engendrent en général des vins intensément aromatiques. C'est le cas de celui-ci, doté d'un nez puissant de bourgeon de cassis et de pamplemousse, où percent quelques notes iodées. Direct en attaque, puis léger et souple, ce sancerre montre du volume et un bon retour aromatique. C'est un vin d'apéritif. Souple en attaque, puis marqué par des tanins encore stricts, le **rouge 2010 (20 000 b.)** est cité pour ses arômes de fruits rouges et noirs.

Alain Gueneau, Maison-Sallé, 18300 Sury-en-Vaux, tél. 02.48.79.30.51, fax 02.48.79.36.89, agueneau@terre-net.fr

r.-v.

DOM. SERGE LALOUE 2010 ★

20 000 — 8 à 11 €

Des sols calcaires pour 60 % et de silex pour 40 %, un élevage de 60 % en cuve et de 40 % en fût, voilà de façon mathématique un résumé viticole et œnologique de cette cuvée. Le bois transparaît à l'olfaction mais le raisin conserve toute sa place grâce à des arômes de fruits rouges et noirs (fraise, mûre). La bouche révèle des tanins fondus qui confortent la sensation d'un élevage maîtrisé. La finale, fruitée, fait preuve d'une belle ampleur. On attendra encore un an pour obtenir un boisé parfaitement intégré. Avec des arômes très typés du sauvignon et une belle tenue en bouche, le **blanc 2011 cuvée Domaine (70 000 b.)** est cité.

Serge Laloue, rue de la Mairie, 18300 Thauvenay, tél. 02.48.79.94.10, fax 02.48.79.92.48, contact@serge-laloue.fr

t.l.j. sf dim. 8h-12h 13h30-17h30; sam. sur r.-v.

LAPORTE La Comtesse 2010 ★★

2 900 — 15 à 20 €

Proposée par la partie négoce du domaine Laporte, la cuvée La Comtesse est issue d'une petite zone privilégiée, incluse dans la Côte des Monts Damnés à Chavignol. Au premier abord, son nez est dominé par les senteurs de bourgeon de cassis du cépage. Celles-ci laissent ensuite la place à des notes d'orange bien mûre et de fleurs blanches : une complexité appréciée par le jury. La bouche confirme ces atouts : à la fois ronde et fraîche en attaque, elle fait preuve de fermeté et de longueur. Un vin plein de jeunesse, qui pourra affronter une garde de trois à quatre ans. **Les Grandmontains 2011 blanc (11 à 15 €)**, aux arômes subtils et persistants de fruits et de pierre à fusil, obtient, lui, une étoile. Enfin, la cuvée issue du domaine, **Le Rochoy 2011 blanc (11 à 15 €)**, est citée. Encore trop jeune lors de la dégustation, elle dévoilait néanmoins une matière riche et ample, prometteuse.

SAS Laporte, Cave de La Cresle, rte de Sury-en-Vaux, BP 34, 18300 Saint-Satur, tél. 02.48.78.54.20, fax 02.48.54.34.33, contact@laporte-sancerre.com r.-v.

Arnaud Bourgeois

DOM. SERGE LAPORTE Esprit 2010

8 000 — 8 à 11 €

Le domaine a modifié en 2012 l'habillage de sa gamme de crus, qu'il a entièrement rebaptisée. La qualité est toujours au rendez-vous, à en juger par ce sancerre rouge aux parfums d'épices (cannelle, poivre) et de petits fruits rouges. L'attaque dévoile une matière fraîche, modelée par des tanins souples qui assurent le volume. Légère et équilibrée, cette bouteille à la finale fruitée (griotte) pourra accompagner un coq au vin.

🔑 Dom. Serge Laporte, Chavignol, 18300 Sancerre, tél. 02.48.54.30.10, fax 02.48.54.28.91, domaine.serge.laporte@wanadoo.fr
t.l.j. 9h-12h30 14h-19h

CHRISTIAN LAUVERJAT Cœur à prendre 2010 ★

	10 000		8 à 11 €

Si cette cuvée a été élevée sous bois, dans des cuves tronconiques, pendant près d'un an, l'apport de l'élevage reste fort discret, respectant bien le vin. Le nez puissant livre des notes de fruits bien mûrs (fraise des bois, myrtille) et montre aussi quelques notes épicées. La bouche est fondue. Souple en attaque, elle s'appuie sur des tanins plutôt soyeux. Encore jeune, ce sancerre charmeur gagnera à attendre au moins un an pour accéder à son plein épanouissement. Fruité au nez (melon, rhubarbe, pêche blanche), frais et long en bouche, le **blanc 2011 Moulin des Vrillères (5 à 8 €; 16 000 b.)** est par ailleurs cité.

🔑 Christian Lauverjat, Moulin des Vrillères, 18300 Sury-en-Vaux, tél. 02.48.79.38.28, fax 02.48.79.39.49, lauverjat.christian@wanadoo.fr
t.l.j. sf dim. 9h-12h 13h30-18h ❷

DOM. LEGROS 2011

	40 000		8 à 11 €

Jean-Louis Legros et son fils Timothy ont élaboré un sancerre au bouquet attrayant, dominé par des notes de fruits blancs (pêche, prune), complétées par quelques nuances de sous-bois. De l'attaque à la finale, la bouche se montre souple, assez tendre et aromatique. Pour une papillote de sole à la crème.

🔑 Legros, Chappe, 18300 Sury-en-Vaux, tél. 02.48.79.34.47, fax 02.48.79.33.78, j.l.legros@wanadoo.fr t.l.j. 8h-20h

ÉRIC LOUIS 2011 ★

	16 300		8 à 11 €

La cave voûtée en pierre du Morvan donne du cachet à cette exploitation installée sur les terres de Thauvenay depuis plus de deux siècles. Son rosé pâle, aux reflets saumonés, dévoile un bouquet discret et fin : des notes d'agrumes et de fruits rouges sont égayées de nuances florales. La prise en bouche, souple, laisse s'exprimer une plaisante vivacité qui se maintient jusqu'à la finale aux accents fruités. Un rosé élégant, à la fois rond et frais, pour accompagner un buffet froid.

🔑 SARL Éric Louis, 26, rue de la Mairie, 18300 Thauvenay, tél. 02.48.79.91.46, fax 02.48.79.93.48, ericlouis@sancerre-ericlouis.com
t.l.j. 10h-12h 13h30-19h

YVES ET PIERRE MARTIN Chavignol 2011 ★★★

	6 000		8 à 11 €

Pierre Martin a rejoint son père Yves sur l'exploitation il y a maintenant dix ans. Il a apporté ses idées et les pratiques nouvelles de la viticulture. Résultat d'une saignée consécutive à une courte macération, ce rosé brillant est animé de reflets violets. Son bouquet puissant est dominé par des senteurs fruitées (fraise, agrumes) et agrémenté de fraîches touches florales. Droit et net en attaque, le palais offre une sensation de vivacité mesurée et d'ampleur. Il s'attarde longuement sur le pamplemousse rose. Un rosé de gastronomie que l'on savourera avec une brochette de silure. Le **blanc 2010 Les Monts Damnés (11 à 15 €; 4 000 b.)** est cité pour son fruité, sa fraîcheur et pour sa finale citronnée.

🔑 Yves et Pierre Martin, Chavignol-Le-Bourg, 18300 Sancerre, tél. et fax 02.48.54.24.57, chavipierrot@orange.fr r.-v.

DOM. MASSON-BLONDELET Thauvenay 2011

	18 000		11 à 15 €

Le nom de cette cuvée vient de Thauvenay, la commune qui l'a vue naître, sur un complexe de sols calcaires et argilo-siliceux. Encore fermé, son nez se dévoile progressivement, exprimant de jolies notes de fruits exotiques, d'agrumes (pamplemousse) et de fleurs. Vif à l'attaque, le palais révèle du gras, ce qui lui confère une certaine richesse. La tension finale fait ressortir une belle minéralité. Un sancerre prometteur, à réserver à un poisson de rivière (brochet ou sandre).

🔑 Dom. Masson-Blondelet, 1, rue de Paris, 58150 Pouilly-sur-Loire, tél. 03.86.39.00.34, fax 03.86.39.04.61, info@masson-blondelet.com t.l.j. 9h-12h30 14h-18h

THIERRY MERLIN-CHERRIER Le Chêne Marchand 2010 ★★

	6 900		15 à 20 €

Célèbre lieu-dit de Bué, le Chêne Marchand est situé sur un pur terroir calcaire. D'emblée, cette cuvée séduit par sa superbe fraîcheur : le bouquet, d'abord plutôt réservé, livre des arômes d'une remarquable jeunesse, le citron vert se mêlant à une élégante touche de buis. Franche en attaque, ample et équilibrée, la bouche est tenue par une vivacité bien dosée. Ce sancerre tout en finesse aura besoin d'un an de garde pour se livrer complètement ; il accompagnera agréablement une truite sauvage. La cuvée principale de **blanc 2011 (8 à 11 €; 70 000 b.)** reçoit une étoile pour son fruité de pêche blanche et pour son palais charnu.

🔑 Thierry Merlin-Cherrier, 43, rue Saint-Vincent, 18300 Bué, tél. 02.48.54.06.31, fax 02.48.54.01.78
r.-v.

DOM. FRANCK MILLET 2011 ★★

	9 000		8 à 11 €

Une magnifique cave voûtée a été agencée pour recevoir les visiteurs, qu'ils viennent individuellement ou en groupe. Autour de la table en orme, vous pourrez déguster ce rosé pâle aux reflets saumon, d'où émerge une large gamme de senteurs fruitées. La pêche jaune et l'abricot se mêlent avec élégance aux notes de petits fruits rouges (framboise, fraise des bois, groseille). La vivacité de l'attaque est relayée par une finesse suave qui met en valeur le long retour aromatique des fruits en finale. Une bouteille à savourer sur un vacherin glacé aux fraises. Le **blanc 2011 (60 000 b.)** est cité pour ses arômes d'agrumes et de fruits exotiques.

🔑 Franck Millet, 68, rue Saint-Vincent, 18300 Bué, tél. 02.48.54.25.26, fax 02.48.54.39.85, franck.millet@wanadoo.fr r.-v.

FLORIAN MOLLET L'Antique 2011

	20 000		11 à 15 €

Une cuvée « non filtrée, non collée », comme tient à le préciser Florian Mollet, vigneron à Saint-Satur depuis 2000. Les arômes sont délicats : fleurs blanches, pamplemousse, léger fumé. La bouche, onctueuse, est équilibrée entre le gras et une légère minéralité. Plutôt généreux, ce sancerre évoque les agrumes dans une finale qui appelle des crustacés ou une terrine de poisson.

Florian Mollet, 84, av. de Fontenay, 18300 Saint-Satur, tél. 02.48.54.13.88, fax 02.48.54.09.28, florian.mollet@wanadoo.fr ✉ Y ⛹ t.l.j. 8h-12h 14h-18h

DOM. ANDRÉ NEVEU Le Grand Fricambault 2011 ★★

	17 000		5 à 8 €

Valérie, fille d'André Neveu, et son mari Thomas Dezat ont pris la relève en 1998. Actuellement en pleins travaux de réaménagement de leurs cuveries, ils présentent un rosé d'un bel éclat, animé de reflets saumonés. L'olfaction intense est dominée par une suite de notes fruitées (framboise, citron, pomme, pêche) aux nuances exotiques. La bouche, tout en fraîcheur, confirme cette palette d'arômes fruités et offre une finale vive et persistante.

SCEV Dom. André Neveu, Chavignol, 18300 Sancerre, tél. 02.48.54.04.48, fax 02.48.78.02.28, chavignol@wanadoo.fr ✉ Y r.-v.

PATRICK NOËL 2010 ★

	50 000		8 à 11 €

Issu d'une famille de vignerons de Chavignol, Patrick Noël a été rejoint en 2009 par sa fille Julie, œnologue... et ensemble, ils rejoignent cette année le Guide. Leur sancerre blanc ? Il s'ouvre en finesse sur un bouquet de fleurs blanches et de fruits exotiques : Passion, orange, ananas. Généreuse, la bouche joue plus sur le gras que sur la fraîcheur. Cette richesse fait de cette bouteille un vin de gastronomie, à ouvrir sur un poisson en sauce, une sole ou un saumon, par exemple.

EARL Patrick Noël, av. de Verdun, rte de Bannay, 18300 Saint-Satur, tél. 02.48.78.03.25, fax 02.48.54.06.88, patricknoel-vigneron@orange.fr ✉ Y ⛹ t.l.j. sf dim. 8h-12h 14h-19h

DOM. DE LA PERRIÈRE 2011 ★

	20 000		11 à 15 €

Creusées dans le calcaire, les galeries à l'origine du nom de la propriété furent d'abord exploitées par les moines au XIIe s., puis par un domaine viticole et une champignonnière dans les années 1850, avant de devenir les Caves de la Perrière. Elles ont vu grandir ce sancerre aux senteurs de groseille et de mûre, juste nuancées des touches épicées de l'élevage. En bouche, le boisé marque un peu plus sa présence par une matière douce et des tanins affirmés en finale. Cela dit, l'ensemble reste souple, léger et fruité (cerise) et sera à découvrir à partir de 2013.

Dom. de la Perrière, Caves de la Perrière, 18300 Verdigny, tél. 02.48.54.16.93, fax 02.48.54.11.54 ✉ Y ⛹ t.l.j. 8h-12h 14h-18h; f. sam. dim. 15 déc.-15 mars
J.-L. Saget

CHARMES DE PERRIÈRE 2011 ★

	40 000		8 à 11 €

Ce négociant, qui figure parmi les plus anciens du Sancerrois, est aujourd'hui dans le giron du groupe Saget La Perrière. Il est ici sélectionné dans les deux couleurs principales de l'appellation. En blanc, son Charmes de Perrière propose un bouquet intense, dominé d'abord par les agrumes (citron, pamplemousse) et nuancé de jolies notes mentholées. La bouche est ronde et douce sur toute sa longueur, juste réveillée en finale par une noble amertume. Le **rouge 2011 René Carroi (20 000 b.)** obtient également une étoile pour ses notes gourmandes de fruits rouges, pour sa rondeur et ses tanins fondus.

Pierre Archambault, Caves de la Perrière, 18300 Verdigny, tél. 02.48.54.16.93, fax 02.48.54.11.54, domainelaperriere@wanadoo.fr ✉ Y ⛹ t.l.j. 8h-12h 14h-18h; f. sam. dim. 15 déc.-15 mars
J.-L. Saget

DOM. DU PETIT ROY 2011 ★

	5 000		5 à 8 €

Issue d'un sol argilo-calcaire, cette cuvée a la teinte saumon pâle des rosés obtenus par un pressurage direct. Son bouquet intense est dominé par des notes fruitées : fraise, framboise, pamplemousse, bonbon anglais. Ces nuances se retrouvent en bouche, portées par une jolie fraîcheur et une matière ample et équilibrée. Un rosé vif et élégant, à déguster autour de charcuteries fines. Le **blanc 2011 (20 000 b.)** est cité pour ses arômes d'agrumes confits et pour sa bouche tendre.

Pierre et Alain Dezat, Maimbray, 18300 Sury-en-Vaux, tél. 02.48.79.34.16, fax 02.48.79.35.81, dezat.pierre@orange.fr ✉ Y ⛹ r.-v.

♥ DOM. DU PRÉ SEMELÉ Camille 2010 ★★★

	1 500		11 à 15 €

Associés à leur père Rémy, Julien et Clément Raimbault rencontrent toujours un même succès avec leurs sancerre rouges. Déjà élue coup de cœur dans le précédent millésime, cette cuvée Camille montre encore en 2010 ses immenses qualités. La robe profonde, pourpre foncé, annonce une farandole de senteurs qui se répondent les unes aux autres (cassis, framboise, pivoine, vanille et chocolat). La bouche affiche beaucoup de volume et de douceur. Les tanins soyeux tapissent le palais sans aspérité jusqu'à une finale un peu plus sauvage. Avec de la charpente, de la mâche, un long retour sur les fruits rouges, ce sancerre devra attendre trois ans pour atteindre son plein épanouissement. Le **rouge 2010 Domaine (8 à 11 €; 10 000 b.)**, aux arômes de griotte et de violette, et à la bouche structurée, obtient une étoile. Il patientera un an en cave. Quant au **blanc 2011 Domaine (5 à 8 €; 50 000 b.)**, il est cité pour sa typicité.

Dom. du Pré Semelé, Julien et Clément Raimbault, Maimbray, 18300 Sury-en-Vaux, tél. 02.48.79.33.50, fax 09.70.62.18.01, rjc.raimbault@orange.fr ✉ Y ⛹ t.l.j. sf dim. 9h-12h 14h-19h
Raimbault

PAUL PRIEUR ET FILS 2011 ★

	18 000		8 à 11 €

L'étiquette du domaine a été dessinée par Paul Prieur quand il a décidé de valoriser sa récolte en vente directe, voilà plus de soixante ans. Quant à ce rosé couleur pelure d'oignon, il présente un bouquet aussi intense que fin, sur des notes de fruits rouges, de pamplemousse et de fleurs. Ample et nette en attaque, la bouche montre du gras et de la douceur, avant une finale fraîche aux nuances de framboise et d'agrumes.

Paul Prieur et Fils, rte des Monts-Damnés, 18300 Verdigny, tél. 02.48.79.35.86, fax 02.48.79.36.85, domaine@paulprieur.com
t.l.j. 9h-12h 14h-18h; dim. sur r.-v.

PIERRE PRIEUR ET FILS Cuvée Maréchal Prieur 2010

3 000 | 15 à 20 €

Cette cuvée prestigieuse du domaine a été créée en mémoire des branches Maréchal et Prieur, à l'origine de la propriété. Grenat à reflets violets, elle s'ouvre à l'aération sur des notes de cassis, de mûre et de thym. Ronde en attaque, souple en milieu de bouche, elle laisse remonter des tanins un peu austères en finale. Le long retour sur les fruits rouges est un gage d'avenir : attendre deux à trois ans. Le **Dom. de Saint-Pierre 2011 blanc (8 à 11 €; 80 000 b.)**, aux arômes classiques et à la bouche vive, est cité.

Pierre Prieur et Fils, rue Saint-Vincent, 18300 Verdigny, tél. 02.48.79.31.70, fax 02.48.79.38.87
t.l.j. sf dim. 9h-12h 14h-18h

NOËL ET JEAN-LUC RAIMBAULT 2011 ★

38 000 | 5 à 8 €

Les terres blanches désignent en Sancerrois la couche géologique des marnes kimméridgiennes. C'est sur ce terroir qu'a pris naissance cette cuvée aux arômes exubérants ; du fruité au premier nez, puis des nuances plus végétales, typiques du sauvignon (genêt, bourgeon de cassis). La bouche, qui a de la matière et de la consistance, affirme franchement ce caractère variétal dans un équilibre tout en rondeur. Pour un apéritif dînatoire, dès la sortie du Guide.

Dom. Noël et Jean-Luc Raimbault, lieu-dit Chambre, rte de Sancerre, 18300 Sury-en-Vaux, tél. et fax 02.48.79.36.56, raimbault.noel@wanadoo.fr
r.-v.

PHILIPPE RAIMBAULT Apud Sariacum 2011

40 000 | 8 à 11 €

Philippe Raimbault pourra vous faire découvrir la collection de fossiles marins qu'il expose dans sa cave, parmi lesquels une ammonite qui figure d'ailleurs sur l'étiquette de ce vin tout en subtilité. Les arômes de fruits blancs, d'agrumes et de fleurs apportent au bouquet une élégance et une fraîcheur que l'on retrouve en bouche. Celle-ci se caractérise par sa rondeur, son équilibre et sa finesse fruitée.

EARL Philippe Raimbault, rte de Maimbray, 18300 Sury-en-Vaux, tél. 02.48.79.29.54, fax 02.48.79.29.51, philipperaimbault@terre-net.fr r.-v.

ROGER ET DIDIER RAIMBAULT 2011 ★

70 000 | 8 à 11 €

De nombreuses facettes des terroirs argilo-calcaires sancerrois se retrouvent dans cette cuvée qui regroupe les raisins de vingt-cinq parcelles aux sols et aux expositions différents. Son bouquet particulièrement intense montre de la finesse : les notes d'agrumes dominent, puis des nuances végétales (bourgeon de cassis) apparaissent. L'attaque est pure et incisive, la suite soyeuse et fruitée, la finale longue et chaleureuse. Pour une blanquette de veau. Par ailleurs, le **rouge 2010 (17 000 b.)** est cité pour son fruité et ses tanins soyeux.

Roger et Didier Raimbault, Chaudenay, 18300 Verdigny, tél. 02.48.79.32.87, fax 02.48.79.39.08, didier@raimbault-sancerre.com
t.l.j. 8h30-12h 13h30-18h30

DOM. RAIMBAULT-PINEAU 2011 ★

60 000 | 8 à 11 €

Jean-Marie Raimbault représente la dixième génération à la tête de ce domaine (17 ha aujourd'hui). Son sancerre blanc livre un nez encore retenu, mais doté de belles senteurs de raisin frais, de sureau, d'agrumes et de buis. La bouche dévoile de la rondeur, du gras et un beau volume, vivifiée d'une légère fraîcheur. Le jury suggère d'attendre encore une petite année pour une expression aromatique plus intense et fruitée.

Dom. Raimbault-Pineau, rte de Sancerre, 18300 Sury-en-Vaux, tél. 02.48.79.33.04, fax 02.48.79.36.25, scev.raimbaultpineau@terre-net.fr
t.l.j. 9h-12h 14h-18h; sam. sur r.-v.; f. 1er-15 jan.

DOM. HIPPOLYTE REVERDY 2010 ★

12 000 | 5 à 8 €

Une valeur sûre de l'appellation, ce sancerre rouge du domaine Hippolyte Reverdy. Pour le millésime 2010, il se pare d'une robe très profonde, grenat à reflets violets. L'olfaction reflète un élevage en fût conduit avec doigté. Les premières notes viennent du boisé (torréfaction, vanille), puis le vin reprend le dessus et impose ses jolies nuances de fruits cuits et confiturés (pruneau, framboise). La bouche est charpentée par des tanins fondus, et la finale, fruitée, est de bonne longueur. Attendre un an ou deux avant de servir cette bouteille sur une fondue bourguignonne.

Dom. Hippolyte Reverdy, rue de la Croix-Michaud, Chaudoux, 18300 Verdigny, tél. 02.48.79.36.16, fax 02.48.79.36.65, domaine.hreverdy@wanadoo.fr r.-v.

PASCAL ET NICOLAS REVERDY Terre de Maimbray 2010 ★★

14 000 | 8 à 11 €

Pascal Reverdy a décidé d'élever cette cuvée en cuve de bois et en fût (pendant onze mois), mais il n'utilise jamais de bois neuf, ce qui lui permet d'éviter une trop forte emprise du merrain. Ici, le boisé passe même inaperçu : au nez, on découvre des notes gourmandes de fruits rouges traduisant la maturité (framboise, cerise) ; en bouche, les tanins sont fondus, soyeux. La matière est là, la longueur aussi. Une harmonie parfaite, à apprécier aujourd'hui comme dans quatre ans. Le **blanc 2010 Les Anges lots Vieilles Vignes (11 à 15 €; 5 600 b.)**, droit, vif et fruité, décroche une étoile. Il montre de belles capacités de garde.

Pascal et Sophie Reverdy, Maimbray, 18300 Sury-en-Vaux, tél. 02.48.79.37.31, fax 02.48.79.41.48, reverdypn@wanadoo.fr
t.l.j. sf mer. 10h-12h 14h-18h; dim. sur r.-v.

DOM. REVERDY DUCROUX Beau Roy 2011

n.c. | 8 à 11 €

Le nez intense (fruits mûrs, agrumes) de ce Beau Roy est un élégant reflet du terroir calcaire où il a pris naissance. Plaisante et riche, la bouche est construite sur la rondeur, le gras et la maturité du raisin. La fraîcheur étant tout juste perceptible, ce sancerre est à découvrir dans sa jeunesse, sur une volaille en sauce.

Dom. Reverdy Ducroux, rue du Pressoir, Chaudoux, 18300 Verdigny, tél. 02.48.79.31.33, fax 02.48.79.36.19, reverdy.ducroux.sancerre@wanadoo.fr
r.-v.

Reverdy Père et FIls

BERNARD REVERDY ET FILS 2011

	70 000		8 à 11 €

Si le nez de ce 2011 est peu disert, on y distingue tout de même une intéressante série aromatique : fruits à chair blanche, agrumes, notes végétales sur un arrière-plan floral. La bouche souple établit une bonne balance entre la douceur et la vivacité. Rond et acidulé, ce sancerre blanc plaira à table avec le classique crottin de Chavignol.

SCEV Bernard Reverdy et Fils, rte des Petites-Perrières, Chaudoux, 18300 Verdigny, tél. 02.48.79.33.08, fax 02.48.79.37.93, reverdybernard@orange.fr r.-v.

DANIEL REVERDY ET FILS 2011 ★

	1 800		5 à 8 €

2011 est le dixième millésime de Cyrille Reverdy associé à son père Daniel. Ce rosé intrigue par sa couleur soutenue, grenadine, loin du saumoné pâle habituel en sancerre. Il libère des arômes de petits fruits rouges et beaucoup de vinosité. Souple en attaque, la bouche apparaît ronde et soyeuse. Il s'en dégage une certaine puissance et de la gourmandise, le tout porté par une longue finale sur les fruits bien mûrs. Un vin atypique mais fort plaisant, à accorder avec un repas exotique.

Dom. Daniel Reverdy et Fils, Chaudenay, 18300 Verdigny, tél. et fax 02.48.79.33.29, daniel-et-fils.reverdy@wanadoo.fr t.l.j. 8h-12h 13h30-18h

JEAN REVERDY ET FILS Les Villots 2011 ★

	9 000		8 à 11 €

Voici un sancerre rosé bien connu des habitués du Guide, que Christophe Reverdy élabore à partir du pinot noir planté sur deux types de terroir : argilo-calcaire et silex. Amylique et fruité, le nez évoque le pamplemousse, la poire, le bonbon à la fraise... Il annonce une bouche légère et très aromatique, axée sur la fraîcheur, la vivacité. Idéal pour un apéritif. Citée, la cuvée **La Reine blanche 2011 (60 000 b.)** est un sauvignon fin, floral et fruité, empreint lui aussi de fraîcheur.

EARL Jean Reverdy et Fils, rue du Carroir-Perrin, Chaudoux, 18300 Verdigny, tél. 02.48.79.31.48, fax 02.48.79.32.44, jreverdy@wanadoo.fr r.-v.

ALBAN ROBLIN 2011 ★★

	20 000		8 à 11 €

Alban Roblin est un jeune vigneron installé depuis 2009, après la division de l'exploitation familiale. C'est déjà sa deuxième sélection dans le Guide, grâce à une cuvée issue de marnes argilo-calcaires. Ses fragrances complexes traduisent bien la typicité du terroir : des notes minérales (pierre à fusil) expressives, des nuances de fleurs blanches et de buis. La bouche confirme ces impressions avec une attaque franche, beaucoup de gras en milieu, de la fermeté en finale et un retour aromatique minéral très élégant. Le **rouge 2010 (4 000 b.)**, au fruité flatteur et aux tanins fondus, décroche une étoile.

Alban Roblin, La Rabotine, rte de Maimbray, 18300 Sury-en-Vaux, tél. et fax 02.48.79.31.15, roblin.larabotine@orange.fr t.l.j. 9h-12h 14h-18h30

MATTHIAS ET ÉMILE ROBLIN Origine 2010 ★★

	8 000		8 à 11 €

Matthias Roblin et son frère Émile sont associés depuis 2006 sur la propriété familiale dont l'origine remonte au XVIII[e]s. Vêtue d'une robe grenat intense aux reflets cardinal, cette cuvée témoigne d'un élevage ponctuel en fût assuré avec dextérité. Au nez, les notes de framboise et de liqueur de cassis dominent nettement le discret boisé qui apporte de la complexité. La bouche va dans le même sens : ronde et soyeuse, elle réussit le mariage entre le vin et les tanins de l'élevage, subtils et fondus. Un sancerre long et gourmand, qui l'on appréciera encore plus après une petite année de garde. Une étoile est attribuée au **blanc 2010 Enclos de Maimbray (14 000 b.)** pour ses arômes frais de fleurs et de fruits blancs.

Matthias et Émile Roblin, Maimbray, 18300 Sury-en-Vaux, tél. 02.48.79.48.85, fax 02.48.79.31.34, matthias.emile.roblin@orange.fr r.-v.

JEAN-MAX ROGER Vieilles Vignes 2010 ★

	12 000		15 à 20 €

En 1972, Jean-Max Roger reprend les 4 ha de vignes légués par ses parents. Aujourd'hui, il conduit avec deux de ses fils un domaine huit fois plus étendu. Cette cuvée, née de vignes d'une quarantaine d'années, a été élevée pour un tiers en fût. Il en ressort un bouquet intense et complexe où se mêlent des nuances florales (tilleul), des notes de fruits secs (noisette) et un fin vanillé. Souple et généreux en attaque, le palais est largement dominé par les arômes boisés que viennent nuancer quelques notes de fleurs et de fruits exotiques. Un sancerre long et gras, assez original, à servir sur des toasts au foie gras.

Jean-Max Roger, 11, pl. du Carrou, 18300 Bué, tél. 02.48.54.32.20, fax 02.48.54.10.29, contact@jean-max-roger.fr t.l.j. 8h-18h; sam. dim. sur r.-v.

DOM. DE LA ROSSIGNOLE 2011 ★

	80 000		8 à 11 €

François et Jean-Marie Cherrier, les fils de Pierre qui ont rejoint le domaine en 1984, présentent une belle gamme de leur production, avec deux cuvées sélectionnées par le jury. Intense mais encore réservé, le nez de leur blanc 2011 est dominé par les nuances d'agrumes et de fruits exotiques. Harmonieuse, la bouche réunit une attaque franche, une matière tenue par la fraîcheur et une finale puissante, longue, aux arômes fruités. Ce sancerre dynamique et riche s'accordera avec un poisson à la crème. Le **blanc 2010 L'Essentiel (10 000 b.)**, à la bouche ample et fraîche enrobée d'arômes fruités, décroche lui aussi une étoile.

Pierre Cherrier et Fils, rue de la Croix-Michaud, Chaudoux, 18300 Verdigny, tél. 02.48.79.34.93, fax 02.48.79.33.41, cherrier@easynet.fr r.-v.

DOM. CHRISTIAN SALMON Cuvée Silex 2011 ★★★

	80 000		8 à 11 €

À la tête du domaine familial depuis 1995, Armand Salmon voit régulièrement ses vins sélectionnés dans le Guide, en sancerre comme en pouilly-fumé. Le sauvignon et le terroir argilo-calcaire de Bué n'ont donc pas de secret pour lui. Mais cette cuvée provient de sols riches en silex.

LOIRE

Elle en tire un bouquet citronné nuancé de notes d'orange sanguine, signe d'une maturité optimale, et de touches mentholées. Ce mariage heureux entre le raisin bien mûr et la fraîcheur se retrouve au sein d'un palais concentré, ample, aux évocations d'abricot et d'agrumes. À la fois riche et fringant, ce sancerre est une superbe expression du terroir. Le **rouge 2010 cuvée Fût de chêne (15 à 20 €; 10 000 b.)**, avec ses tanins fondus et ses arômes de fruits noirs et de torréfaction, décroche deux étoiles. Issu du négoce récemment créé, le **blanc 2010 Armand Salmon (15 000 b.)** obtient une étoile. Assez vif, il sera à son optimum dans deux à trois ans.

SAS Christian Salmon, Rue Saint-Vincent, 18300 Bué,
tél. 02.48.54.20.54, fax 02.48.54.30.36,
domainechristiansalmon@wanadoo.fr
t.l.j. sf dim. 9h-12h 13h30-18h; f. août

CH. DE SANCERRE 2010 ★★

48 000 11 à 15 €

Le château, flanqué de la célèbre tour des Fiefs qui domine la ville, appartient à la famille Marnier-Lapostolle depuis 1919. Son rouge a été élevé pour partie pendant dix-sept mois en cuve, l'autre partie passant douze mois en fût. Il en résulte un bouquet très fruité (cerise, figue, mûre), aux nuances boisées harmonieuses (grillé, vanille, cacao). En bouche, les tanins sont mûrs mais serrés. On sent de la rondeur, du gras, de la concentration. Le boisé domine un peu à ce stade, mais la matière est là, ainsi que la longueur. On pourra donc attendre deux ans avant d'ouvrir cette bouteille sur un lapin chasseur.

Sté Marnier-Lapostolle, Ch. de Sancerre, 18300 Sancerre,
tél. 02.48.78.51.52, fax 02.48.78.51.56,
cherrier.g@grandmarnier.tm.fr
t.l.j. sf dim. 8h-12h 13h30-17h30

LA CAVE DES VINS DE SANCERRE Le Fait de Roy 2010

n.c. 11 à 15 €

Ce blanc de la coopérative de Sancerre livre au nez des arômes typiques du sauvignon : notes de citronnelle et de fleurs, nuancées de fruits exotiques. La bouche, vive et légère, est marquée par des touches d'agrumes (pamplemousse, orange) qui se prolongent agréablement en finale. Un vin tout indiqué pour des moules marinière, dès la sortie du Guide.

Cave des Vins de Sancerre, 682, av. de Verdun,
18300 Sancerre, tél. 02.48.54.19.24, fax 02.48.54.16.44,
infos@vins-sancerre.com r.-v.

DOM. DE SARRY Les Mille Sens 2011 ★★

60 000 8 à 11 €

Le vignoble, créé en 1907, a été successivement géré par les familles Millerioux et Théveneau. Il est aujourd'hui conduit par les Brock (Christelle et Nicolas). Si, à la date de la dégustation, le bouquet de ce sancerre exprimait quelques arômes fermentaires, nul doute qu'à la sortie du Guide, les notes citronnées auront pris le dessus, associées à une jolie touche mentholée. L'équilibre en bouche, lui, est déjà trouvé : il met en avant la finesse et la fraîcheur. D'une grande longueur, ce vin ravit par sa pureté et ses saveurs d'agrumes. Tout indiqué pour un plateau de fruits de mer.

Dom. de Sarry, 4, rte de Bourges,
18300 Le Briou-de-Veaugues, tél. 02.48.79.07.92,
fax 02.48.79.05.28, info@sarry.org r.-v.

DAVID SAUTEREAU 2011

7 000 5 à 8 €

Ce rosé de pressée (associé à 10 % de rosé de saignée) offre à l'œil une teinte soutenue, corail chatoyant. Son bouquet gourmand sur le bonbon anglais et les fruits rouges annonce une bouche ronde et assez puissante, avec du volume et un fruité intense. Sa richesse s'appréciera à table, sur un cake olives-jambon, par exemple.

David Sautereau, Les Epsailles,
18300 Crézancy-en-Sancerre, tél. 02.48.79.42.52,
fax 02.48.79.44.12, david.sautereau@wanadoo.fr
t.l.j. 8h-12h 13h30-19h; dim. sur r.-v.

CH. DE THAUVENAY 2011

66 000 8 à 11 €

L'origine du vignoble remonte à 1819, date de sa création par Jean-Pierre de Montalivet, ami et ministre de l'Intérieur de Napoléon. Le bouquet intense de ce 2011 allie les nuances variétales aux notes de terroir. Franche en attaque, la bouche laisse se développer gras et puissance. Soutenue par une belle fraîcheur, elle doit encore s'ouvrir et s'affirmer : on attendra deux ans.

SCEV Comte Georges de Choulot, Ch. de Thauvenay,
18300 Thauvenay, tél. 02.48.79.90.33, fax 02.48.79.95.67,
chateaudethauvenay@wanadoo.fr
t.l.j. 8h-12h 14h-18h; sam. dim. sur r.-v.

MICHEL THOMAS ET FILS Silex 2010 ★★

9 000 8 à 11 €

Michel et Laurent Thomas, dont la cave regarde Sancerre depuis le hameau des Égrots, vinifient une parcelle de 1,53 ha sur un terroir d'argiles à silex. Ils obtiennent cette année un sancerre d'une grande finesse, dont le nez dévoile avec subtilité des notes d'iris, de kiwi et de coing. Équilibré, le palais affiche de la souplesse, de la rondeur et une pointe de gras. Une finale longue et nerveuse complète avec fraîcheur ce tableau sobre d'une rare élégance.

SCEV Michel Thomas et Fils, Les Égrots,
18300 Sury-en-Vaux, tél. 02.48.79.35.46, fax 02.48.79.37.60,
thomas.mld@wanadoo.fr
t.l.j. 9h-18h30; sam. dim. sur r.-v.

DOM. THOMAS ET FILS Grand'Chaille 2011 ★

7 000 8 à 11 €

Les chailloux (à rapprocher de « caillou ») désignent les sols d'argile à silex d'où ce Grand'Chaille est issu. Si elle reste peu expansive, l'olfaction s'exprime avec élégance : sur un fond d'agrumes se dessinent une belle minéralité et des touches mentholées. La bouche se montre plus ouverte, dévoilant du gras et beaucoup de fruité (fruits exotiques, pêche blanche). Complexe et harmonieux, ce vin d'avenir se tiendra bien pendant trois à quatre ans. Le **blanc 2011 Le Pierrier (65 000 b.)** est cité pour sa structure ample et pour ses arômes d'agrumes.

Dom. Thomas et Fils, rue du Pressoir, 18300 Verdigny,
tél. 02.48.79.38.71, fax 02.48.79.38.14,
contact@domainethomas.fr
t.l.j. 8h30-12h 13h30-18h; dim. sur r.-v.

CLAUDE ET FLORENCE THOMAS-LABAILLE
La Fleur de Galifard 2011 ★

2 000 15 à 20 €

Jean-Paul Labaille et son épouse Florence ont pu vinifier leurs cuvées 2011 dans leur nouveau chai situé sur la route de Chavignol à Sancerre. Cette cuvée Fleur de Galifard d'abord, issue de vieilles vignes, mêle avec complexité des senteurs d'agrumes, de bourgeon de cassis et de genêt. Son attaque franche révèle une matière d'une bonne tenue, fraîche, qui monte progressivement en puissance. Un sancerre délicat, au fruité intense. Le **blanc 2011 Les Aristides (11 à 15 € ; 10 000 b.)**, droit et fin, équilibré, acidulé en finale, obtient une citation.

Thomas-Labaille, Chavignol, 18300 Sancerre,
tél. 02.48.54.06.95, fax 02.48.54.07.80,
thomas.labaille@wanadoo.fr r.-v.

DOM. DE LA TONNELLERIE 2011

5 000 | 5 à 8 €

D'un rose soutenu, ce 2011 est issu d'un assemblage de pressée et de saignée. Les arômes de petits fruits rouges dominent le nez. Très ronde et élégante, la bouche livre un fruité plaisant (pêche, prune), soutenu par une pointe d'amertume en finale.

Gérard et Hubert Thirot, allée du Chatiller, 18300 Bué,
tél. 02.48.54.16.14, fax 02.48.54.00.42,
gerard.thirot@wanadoo.fr
t.l.j. sf dim. 8h30-12h 14h-18h30

JEAN-PIERRE VACHER ET FILS 2011 ★

3 000 | 5 à 8 €

Jean-Pierre Vacher travaille un vignoble d'une dizaine d'hectares, en association avec son fils Jérôme depuis 2004. Ils proposent un rosé à la robe cristalline ornée de reflets saumonés. Le bouquet est ouvert et typé : pamplemousse, groseille, bonbon anglais. Souple en attaque, vif et bien structuré, le palais persiste sur des notes de fraîcheur. Un rosé parfait pour l'apéritif.

EARL Jean-Pierre Vacher et Fils, rte de Sancerre,
18300 Menetou-Ratel, tél. 02.48.79.38.89, fax 02.48.79.27.31,
earlvacher@aol.com r.-v.

DOM. ANDRÉ VATAN Les Charmes 2011 ★

63 000 | 8 à 11 €

André et Arielle Vatan ont été rejoints cette année par leur fils Adrien sur l'exploitation. Ce sauvignon dévoile des arômes intenses de fruits exotiques (Passion, mangue, ananas), nuancés d'épices poivrées. Chaleureux et gras à l'attaque, le palais montre aussi par la suite une certaine nervosité et une jolie minéralité en finale.

André Vatan, rte des Petites-Perrières, Chaudoux,
18300 Verdigny, tél. 02.48.79.33.07, fax 02.48.79.36.30,
avatan@terre-net.fr r.-v.

DOM. DES VIEUX PRUNIERS 2011 ★

14 000 | 8 à 11 €

Comme dans le précédent millésime, le rosé de Christian Thirot a été jugé très réussi. Il apparaît vêtu d'une robe œil-de-perdrix de bonne intensité, animée de légers reflets orangés. Le nez, bien ouvert, affirme avec finesse des arômes de fraise et de griotte. Une belle attaque, un volume puissant, de la longueur, une finale sur le noyau de cerise composent un vin gourmand.

Christian Thirot-Fournier,
1, chem. de Marcigoi, Venoize, 18300 Bué,
tél. 02.48.54.09.40, fax 02.48.78.02.72,
thirot.fournier-christian@wanadoo.fr
t.l.j. sf dim. 8h-12h 14h-19h; f. 15-31 août

LOIRE

LA VALLÉE DU RHÔNE

CONDRIEU CÔTE-RÔTIE TAVEL
SYRAH GRENACHE
VIOGNIER GIGONDAS
CHÂTEAUNEUF-DU-PAPE
HERMITAGE RASTEAU CAIRANNE
CLAIRETTE-DE-DIE
VENTOUX COSTIÈRES-DE-NÎMES

LA VALLÉE DU RHÔNE

Fougueux, le Rhône file vers le Midi, vers le soleil. Sur ses rives, s'étendent des vignobles parmi les plus anciens de France. Aujourd'hui, la vallée du Rhône est, en matière de vins d'appellation, la seconde région viticole de la France après le Bordelais. Outre les vins rouges, majoritaires, souples ou de garde, souvent chaleureux, elle possède avec Tavel la plus ancienne appellation de rosés et produit, notamment avec les hermitage et les condrieu, des blancs de haute lignée. Enfin, les vins doux naturels de Beaumes-de-Venise et de Rasteau montrent l'appartenance de la région à l'orbite méditerranéenne.

Superficie
73 468 ha
Production
2 830 000 hl
Types de vins
Rouges très majoritairement, rosés et quelques rares blancs ; vins doux naturels ; quelques effervescents (clairette-de-die).
Sous-régions
Vallée du Rhône septentrionale (entre Vienne et la rivière Drôme au sud de Valence) et vallée du Rhône méridionale (du sud de Montélimar à Avignon et à la Durance).
Cépages principaux
Rouges : syrah, grenache, mourvèdre, cinsault, carignan et de nombreux autres cépages devenus très rares (counoise, vaccarèse, muscardin...).
Blancs : viognier, roussanne, marsanne, grenache blanc, clairette blanche, bourboulenc...

Le legs des Romains et des papes C'est aux abords de Vienne que se trouve l'un des plus anciens vignobles du pays, développé par les Romains, après avoir été sans doute créé par des Phocéens de Marseille. Vers le IVe s. avant notre ère, la viticulture est attestée aux environs des actuels hermitage et côte-rôtie ; dans la région de Die, elle apparaît dès le début de l'ère chrétienne. À la suite des Templiers (au XIIe s.), le pape Jean XXII et ses successeurs d'Avignon ont développé le vignoble de Châteauneuf-du-Pape. Quant aux vins de la Côte du Rhône gardoise, ils connurent une grande vogue aux XVIIe et XVIIIe s. ; les cités de Tavel et des environs édictèrent des règles de production tout en apposant sur leurs tonneaux les lettres « CDR » (pour « Côtes-du-Rhône ») – une anticipation de l'AOC.

XXe s. : le renouveau Longtemps, les vins du Rhône, produits loin de Paris et des grands axes commerciaux, furent mésestimés, même si les vrais amateurs prisaient les hermitage ou côte-rôtie. La vigne était d'ailleurs çà et là supplantée par les oliveraies et les vergers. Gentil vin de comptoir, le côtes-du-rhône, souvent issu de brèves cuvaisons, apparaissait rarement aux tables élégantes. Il voisinait avec le beaujolais dans les « bouchons » lyonnais. Aujourd'hui, son image s'est nettement redressée tandis que son visage s'est diversifié, du primeur au vin de garde rappelant les crus. Le vignoble, qui s'était rétracté au XIXe s., a regagné du terrain. La coopération, très présente dans la région avec 95 caves et 5 groupements de producteurs, participe largement à l'économie viticole de la vallée, produisant presque les deux tiers des volumes, aux côtés de quelque 1 560 caves particulières. Le négoce-éleveur, malgré le prestige de certaines maisons, est moins important que dans d'autres vignobles (3 % des volumes).

Le nord et le sud Certains experts différencient les vins de la rive gauche de la vallée, qui seraient plus lourds et capiteux, de ceux de la rive droite, plus légers. Mais on distingue surtout la vallée du Rhône septentrionale, au nord de Valence, et la vallée du Rhône méridionale, au sud de Montélimar, deux secteurs séparés l'un de l'autre par une zone d'environ cinquante kilomètres où la vigne est absente. Topographie, paysages, climat, sols, encépagement, culture : le nord et le sud de la vallée diffèrent nettement. Au nord de Valence, la vallée s'encaisse entre Alpes et Massif central ; le climat est tempéré, avec une influence continentale ; les coteaux sont souvent très pentus et les sols le plus souvent granitiques ou schisteux ; les vins sont issus du seul cépage syrah pour les rouges, des cépages marsanne et roussanne pour les blancs, ou encore du viognier (condrieu, château-grillet). Au sud de Montélimar, la vallée s'élargit, on arrive en Provence ; le climat est méditerranéen, les sols sur substrat calcaire sont très variés : terrasses à galets roulés, sols rouges argilo-sableux, molasses et sables ; le cépage principal est ici le grenache, mais les excès climatiques obligent les viticulteurs à utiliser plusieurs cépages pour obtenir des vins parfaitement équilibrés : en rouge, la syrah, le mourvèdre, le cinsault, le carignan... en blanc, la clairette, le bourboulenc, la roussanne.

De l'appellation régionale aux crus Comme dans d'autres régions viticoles, il existe une hiérarchie des vins. Au sommet, les appellations communales. Côte-rôtie, condrieu, hermitage, saint-joseph, cornas... celles-ci constituent la quasi-totalité des vignobles de la partie septentrionale, beaucoup moins étendue. Au sud, le plus illustre de ces crus est châteauneuf-du-pape, mais sept villages occupent le même rang, comme gigondas, vaqueyras ou tavel. À la base de la pyramide, l'appellation régionale côtes-du-rhône s'étend sur 171 communes, presque toutes situées au sud. Entre appellations communales et régionales, les côtes-du-rhônes-villages, également situés dans la partie méridionale, proviennent de 95 communes plus réputées.

Dans l'orbite de la vallée du Rhône Parfois assez éloigné du fleuve, d'autres vignobles sont rattachés à la vallée du Rhône. Ce sont les AOC grignan-les-adhémar, au sud de Montélimar et au nord de Bollène ; côtes-du-vivarais, sur la rive droite, de part et d'autre des gorges de l'Ardèche ; costières-de-nîmes, sur cette même rive, aux confins du Languedoc ; ventoux, qui prospère entre Vaison-la-Romaine et Apt sous la protection du Géant de Provence ; luberon, implanté plus au sud, sur la rive droite de la Durance ; coteaux-de-pierrevert, dans le département des Alpes-de-Haute-Provence. Il faut encore citer la région de Die, dans la vallée de la Drôme, en bordure du Vercors. Plus montagneux, plus frais, le Diois, aux sols d'éboulis calcaires, est propice aux cépages blancs comme la clairette et le muscat.

Les appellations régionales de la vallée du Rhône

Côtes-du-rhône

Superficie : 37 465 ha
Production : 1 456 900 hl (97 % rouge et rosé)

Définie dès 1937, l'appellation régionale côtes-du-rhône figure au nombre des plus anciennes. C'est aussi l'une des plus vastes, la seconde en superficie après Bordeaux. Elle s'étend en effet sur six départements : Rhône, Loire, Ardèche, Gard, Drôme et Vaucluse. L'essentiel de la production provient des quatre derniers, situés dans la vallée du Rhône méridionale, au sud de Montélimar, les vignobles de la partie nord fournissant presque exclusivement des vins d'AOC locales. Sur la rive droite du Rhône, les vignes couvrent les pentes de collines ; sur la rive gauche, elles affectionnent des bassins à fond plat aux sols de galets mêlés d'argiles sableuses rouges.

Dans cette partie sud du vignoble, l'encépagement est bien méridional, le dernier décret (1996) renforçant l'importance du grenache (40 % minimum), de la syrah et du mourvèdre dans les rouges et rosés. Les cépages secondaires, qui sont ici légion, ne peuvent pas totaliser plus de 30 % de l'encépagement. Ce sont notamment le cinsault, le carignan et encore la counoise, le muscardin, le vaccarèse, le terret. Des cépages blancs peuvent même entrer dans la composition des rosés. Les côtes-du-rhône blancs font intervenir principalement les grenache blanc, clairette, marsanne, roussanne, bourboulenc et viognier.

À la diversité des sols, des microclimats et des cépages répond celle des vins : vins rouges de semi-garde, tanniques et généreux, à servir sur de la viande rouge, produits dans les zones les plus chaudes et sur des sols de diluvium alpin (Domazan, Estézargues, Courthézon, Orange...) ; vins rouges plus légers, fruités et plus nerveux, nés sur des sols eux-mêmes plus légers (Nyons, Sabran, Bourg-Saint-Andéol...) ; vins primeurs disponibles à partir du troisième jeudi de novembre. La chaleur estivale contribue à la rondeur des blancs et des rosés. Producteurs et œnologues cherchent aujourd'hui à extraire le maximum d'arômes et à obtenir des vins frais et délicats. On servira les blancs sur les poissons de mer, les rosés sur des salades composées ou de la charcuterie.

ESPRIT DES ARCHES 2010

■ 10 080 ▮ - de 5 €

Fruits et légumes, jus de fruits, confitures, huile d'olive de Nyons, les frères Ravoux proposent à la vente une large gamme de produits. Côté vigne, ils signent un 2010 apprécié pour son équilibre, sa longueur et son « fruité direct ». Un vin flatteur et facile d'accès, à réserver pour une bonne grillade.

GAEC Dom. des Arches, quartier Les Arches,
26110 Mirabel-aux-Baronnies, tél. 04.75.27.11.00,
fax 04.75.27.17.70, domainedesarches@club-internet.fr
t.l.j. sf dim. 9h-12h 14h-18h30
Daniel et Alain Ravoux

LES ASSEYRAS Cuvée Rosenvie 2011

3 001 | 5 à 8 €

Plantées sur les hauteurs de Tulette, les vignes du domaine sont inondées du soleil de Provence. Né sur un sol très caillouteux, ce rosé de saignée se présente dans une robe rose soutenu, intense et brillante. Le nez s'ouvre à l'aération sur des notes de fruits surmûris ; l'annonce d'une bouche ronde et suave, florale et fruitée. Pour des aiguillettes de volaille à la tomate.

Dom. les Asseyras, rte de Visan, 26790 Tulette,
tél. et fax 04.75.98.30.81, daniel.blanc@cegetel.net
t.l.j. 9h-19h

DOMAINES ANDRÉ AUBERT Cuvée Vieilles Vignes 2010 ★

10 000 | 5 à 8 €

Les Domaines Aubert, aujourd'hui conduits par les trois frères Claude, Yves et Alain, fils d'André, proposent une cuvée Vieilles Vignes 100 % grenache, chaleureuse, sur les fruits rouges confiturés et les épices. Bref, un vin bien typé par son cépage, à découvrir dès aujourd'hui, plutôt sur une viande en sauce. Dans un style assez proche, vineux et généreux, la cuvée **La Sérine 2010 rouge (moins de 5 € ; 20 000 b.)** est citée pour sa persistance aromatique, son volume et ses tanins fondus.

Les Domaines Aubert, RN7, rond-point Sud,
26290 Donzère, tél. et fax 04.75.51.78.53,
vins-aubert-freres@wanadoo.fr t.l.j. 10h-19h

DOM. BAUZON 2010 ★

8 000 | - de 5 €

La Suzienne, coopérative fortement impliquée dans la reconnaissance d'une appellation *villages* portant le nom de Suze-la-Rousse, connaît la valeur de son terroir. Avec ces deux cuvées, elle avance des arguments convaincants. Et ce 2010 fleure bon le terroir avec ses senteurs de garrigue, agrémentées d'épices (poivre) et de fruits mûrs. La bouche affiche un bon volume, de la longueur, de la fraîcheur et les mêmes arômes « terroités » perçus à l'olfaction. Un vin gourmand et bien typé, à déguster dès à présent sur une daube de bœuf. Noté une étoile également, le **2010 rouge Grande Réserve Vieilli en fût de chêne (5 à 8 € ; 35 000 b.)** séduit par son nez complexe de fruits, de fumé et de tabac blond, puis par son palais de belle puissance, aux tanins serrés. À découvrir dans les deux ans, sur une entrecôte aux sarments.

Cave La Suzienne, av. des Côtes-du-Rhône,
26790 Suze-la-Rousse, tél. 04.75.04.48.38, fax 04.75.04.48.39,
caveau.la.suzienne@orange.fr t.l.j. 8h30-12h 14h-18h30

DOM. BEAUPIERRE 2010 ★

48 000 | - de 5 €

Installée aux portes du Luberon, sur la commune de Lauris, cette maison de négoce propose avec ce Domaine Beaupierre un bon classique, au nez intense de fruits mûrs et d'épices, à la bouche aimable, fruitée et bien dessinée par des tanins soyeux. La cuvée **Olivier Ravoire 2010 rouge (100 000 b.)**, obtient également une étoile pour son bouquet lui aussi bien typé (fruits, épices, garrigue) et pour sa mâche fondante. **La Dive 2011 rouge (100 000 b.)**, friande et franche, est citée.

Ravoire et Fils,
Le Grand Jardin, CS60201, 225, av. de la Gare, 84360 Lauris,
tél. 04.90.08.76.31, fax 04.90.08.76.35,
contact@ravoire-fils.com
t.l.j. sf sam. dim. 8h30-12h 13h30-17h30

LOUIS BERNARD 2011 ★★

100 000 | 5 à 8 €

Sylvain Jean, l'œnologue de cette maison de négoce, a élaboré une cuvée grenache-syrah-carignan remarquable de bout en bout. Drapé dans une belle robe noire au disque violet, ce vin dévoile des parfums intenses de fruits noirs et de violette, nuancés de notes animales. Soutenue par des tanins fins et fondus à souhait, la bouche affiche de la puissance mais aucune lourdeur, longuement tapissée par un superbe fruité. « Un vin abouti », conclut un dégustateur. À boire ou à attendre trois ans. Le **Dom. Sarrelon 2011 rouge (60 000 b.)**, chaleureux, vineux et intense, obtient une étoile, de même que le **2011 rosé (100 000 b.)**, frais, fruité et équilibré.

Louis Bernard, Le Village, 84190 Gigondas,
tél. 04.90.12.32.42, fax 04.90.12.32.49, louis-bernard@gmdf.fr
Éric Brousse

CH. DU BOIS DE LA GARDE 2011 ★

50 000 | 5 à 8 €

Après la déroute de Waterloo, la garde napoléonienne aurait investi Sorgues et planté les premières vignes de ce vaste domaine. Depuis 1976, les Barrot sont aux commandes. Ils signent un rosé de saignée (pour le grenache) et de pressurage direct (pour les autres cépages), qui séduit par sa palette aromatique intense à dominante de fruits rouges, par sa fraîcheur, son équilibre et sa persistance en bouche. Un rosé gourmand, tout indiqué pour l'apéritif.

Robert Barrot, 1, av. du Baron-Le-Roy,
84230 Châteauneuf-du-Pape, tél. 04.90.83.51.73,
fax 04.90.83.52.77, chateaux@vmb.fr
t.l.j. 10h-19h; f. jan.-fév. sf vac. scolaires

DOM. DU BOIS DE SAINT-JEAN Pur Cent 2010 ★★

3 000 | 11 à 15 €

L'année 2010 est à marquer d'une pierre blanche pour Xavier Anglès : naissance de son fils Gabin, cent ans jour pour jour après que son arrière-grand-père, Joseph Requin, eut planté la première vigne du domaine. Naissance aussi de cette nouvelle cuvée issue de ces vénérables ceps, hommage à l'aïeul. Et pour couronner le tout, un coup de cœur enthousiaste et deux autres cuvées

RHÔNE

sélectionnées... Séduisant de bout en bout, ce 2010 livre un bouquet complexe et frais de fruits noirs et rouges (groseille, fraise...), d'épices et de rose. D'une puissance parfaitement maîtrisée, la bouche se révèle onctueuse, charnue et dense, et déploie une très longue finale « en queue de paon », intense et épicée. Un vin qui éveille les sensibilités de gastronomes des jurés : poularde demi-deuil pour l'un, canard aux fruits rouges pour l'autre, volaille truffée pour un troisième... Pour aujourd'hui ou dans quatre ou cinq ans. Et le festival des frères Anglès, aux portes d'Avignon, continue avec la **cuvée de Voulongue 2010 rouge (8 à 11 € ; 6 500 b.)**, un grenache de garde, d'une réelle concentration, qui décroche deux étoiles, et avec la **cuvée Les Vents 2011 rouge (8 à 11 € ; 6 000 b.)**, notée une étoile, riche, douce et gourmande, à boire plus jeune.

EARL Vincent et Xavier Anglès,
126, av. de la République, 84450 Jonquerettes,
tél. et fax 04.90.22.53.22, xavier.angles@wanadoo.fr
t.l.j. 8h-12h 14h-20h; dim. 8h-12h

LE BOIS DES DENTELLES 2010

4 000 | 5 à 8 €

David Gaugué s'est installé en 2006 sur ce petit domaine en cours de conversion bio. Il signe une cuvée confidentielle née du grenache (80 %) et de la syrah, qui s'ouvre à l'agitation sur la cerise, le kirsch, le pruneau et le cassis, avec quelques nuances animales à l'arrière-plan. La bouche se révèle tout aussi fruitée, bien structurée et de bonne longueur. À découvrir sur un sauté de bœuf aux poivrons, au cours des deux prochaines années.

David Gaugué, Le Grand-Vallat, 84290 Cairanne,
tél. 06.72.57.49.60, david.gaugue@laposte.net r.-v.

DOM. BONETTO-FABROL Mas Vincente 2010 ★

15 000 | 5 à 8 €

Au domaine, un sentier aménagé conduit à des cuves d'époque romaine. Autre originalité proposée par Philippe Fabre, bien contemporaine celle-ci : cet assemblage peu courant, mi-grenache mi-cinsault à la source de ce 2010 au nez intense de fruits mûrs, agrémenté de senteurs de sous-bois, et qualifié de « viril » en raison de sa puissance tannique. À classer parmi les côtes-du-rhône de garde (quatre ou cinq ans).

Dom. Bonetto-Fabrol, quartier Les Jaffagnards,
26700 La Garde-Adhémar, tél. 04.75.52.14.38,
fax 04.75.04.42.01, domainebonettofabrol@orange.fr
r.-v.

BONNIE ET CLYDE Bonnie 2011 ★

3 000 | 5 à 8 €

Alors voilà, Clyde a une petite amie, elle est belle et son prénom c'est Bonnie. À eux deux ils forment le gang... de cette coopérative de Laudun, première productrice de côtes-du-rhône blancs. Si Clyde (en rouge) avait séduit les jurés l'an dernier, c'est au tour de sa complice de briller. Drapée dans une robe élégante aux reflets dorés, elle livre des parfums délicats de fleurs blanches et de pêche, qui se prolongent dans une bouche douce et persistante. À savourer sur un risotto aux asperges et à la truffe blanche.

Les Vignerons des Quatre Chemins, RD 6086,
30290 Laudun, tél. 04.66.82.00.22, fax 04.66.82.44.26,
technique@vignerons4chemins.com
t.l.j. sf dim. 9h-12h 14h-18h

CH. DE BOUSSARGUES Cuvée de la Chapelle 2011 ★★

13 000 | 8 à 11 €

Au château de Boussargues, valeur sûre de l'appellation, la vigne et l'olivier sont cultivés depuis l'Antiquité. Aujourd'hui, ce sont les Malabre qui exploitent depuis 1964 les 30 ha du domaine. Ils nous proposent une cuvée mi-grenache mi-syrah, de couleur rubis intense, aux parfums de baies noires, de cerise, d'épices douces et de violette. Dans la continuité du nez, la bouche se révèle chaleureuse et dense, portée par des tanins soyeux enrobés de senteurs méridionales de thym et de romarin. À découvrir d'ici 2013-2014. Le **rosé 2011 (5 à 8 € ; 8 500 b.)**, frais et fruité, obtient une étoile. Félicitations et bonne retraite à l'œnologue B. Ganichot, dont c'était ici la dernière vinification...

Chantal Malabre, Ch. de Boussargues, Colombier,
30200 Sabran, tél. 04.66.89.32.20, fax 04.66.79.81.64,
malabre@wanadoo.fr t.l.j. 9h-19h

DOM. LA BOUVAUDE Signature 2009 ★★

2 550 | 20 à 30 €

Fer de lance du domaine, cette cuvée 100 % syrah dévoile un caractère fermé et « sauvage », sur des notes animales (cuir), qui se mâtine de senteurs de garrigue et d'épices douces à l'aération. Puissant, bâti sur une solide charpente, le palais offre une belle matière et un boisé encore dominant mais de qualité. De quoi voir venir pour les trois prochaines années. On verrait bien ici des souris d'agneau confites au romarin. La cuvée **Syrah 2009 rouge (11 à 15 € ; 8 000 b.)**, dans un style proche, boisé et « viril », obtient une étoile, de même que le **Couleurs d'été 2011 rosé Fruiandise (5 à 8 €)**, fruité, franc et long.

Stéphane Barnaud, Dom. la Bouvaude,
26770 Rousset-les-Vignes, tél. 04.75.27.90.32,
fax 04.75.27.98.72, stephane.barnaud@wanadoo.fr
t.l.j. 9h-19h; f. fév. et dim. a.-m.

DOM. DES BOUZONS La Friandise 2011 ★

20 000 | 5 à 8 €

Une équipe bien rodée : aux vinifications, Marc Serguier, épaulé par Serge Mouriesse, œnologue réputé de la vallée du Rhône ; à la vigne depuis trois ans, son fils Nicolas ; à l'accueil et à la vente, son épouse Claudine. Si certaines cuvées du domaine se distinguent par un fort caractère, celle-ci est résolument tournée vers le fruit (cerise griotte, framboise), une « friandise » gourmande, tout en souplesse et en légèreté. L'archétype du « vin plaisir », à déguster dans l'année sur une grillade au feu de bois.

Marc Serguier, 194, chem. des Manjo-Rassado,
30150 Sauveterre, tél. 04.66.90.04.41, fax 04.66.39.43.52,
domaine.des.bouzons@wanadoo.fr
t.l.j. sf dim. lun. 9h-12h 14h30-18h30

LES VIGNERONS DU CASTELAS Rouge classique 2010 ★

15 000 | - de 5 €

La coopérative de Rochefort-du-Gard propose en effet un bon classique avec cette cuvée à dominante de syrah (70 %, le grenache en complément). Classique par son bouquet de fruits rouges (cerise burlat) et d'olive noire. Classique aussi par son palais rond, fruité, harmonieux, ourlé par une agréable fraîcheur. « Un adepte du bon vivre », conclut un dégustateur. Pour un déjeuner sur l'herbe, avec tartes salées et cochonnailles. Le **blanc 2011 Les Mésanges (15 000 b.)**, floral, franc et vif, obtient

La vallée du Rhône (partie septentrionale)

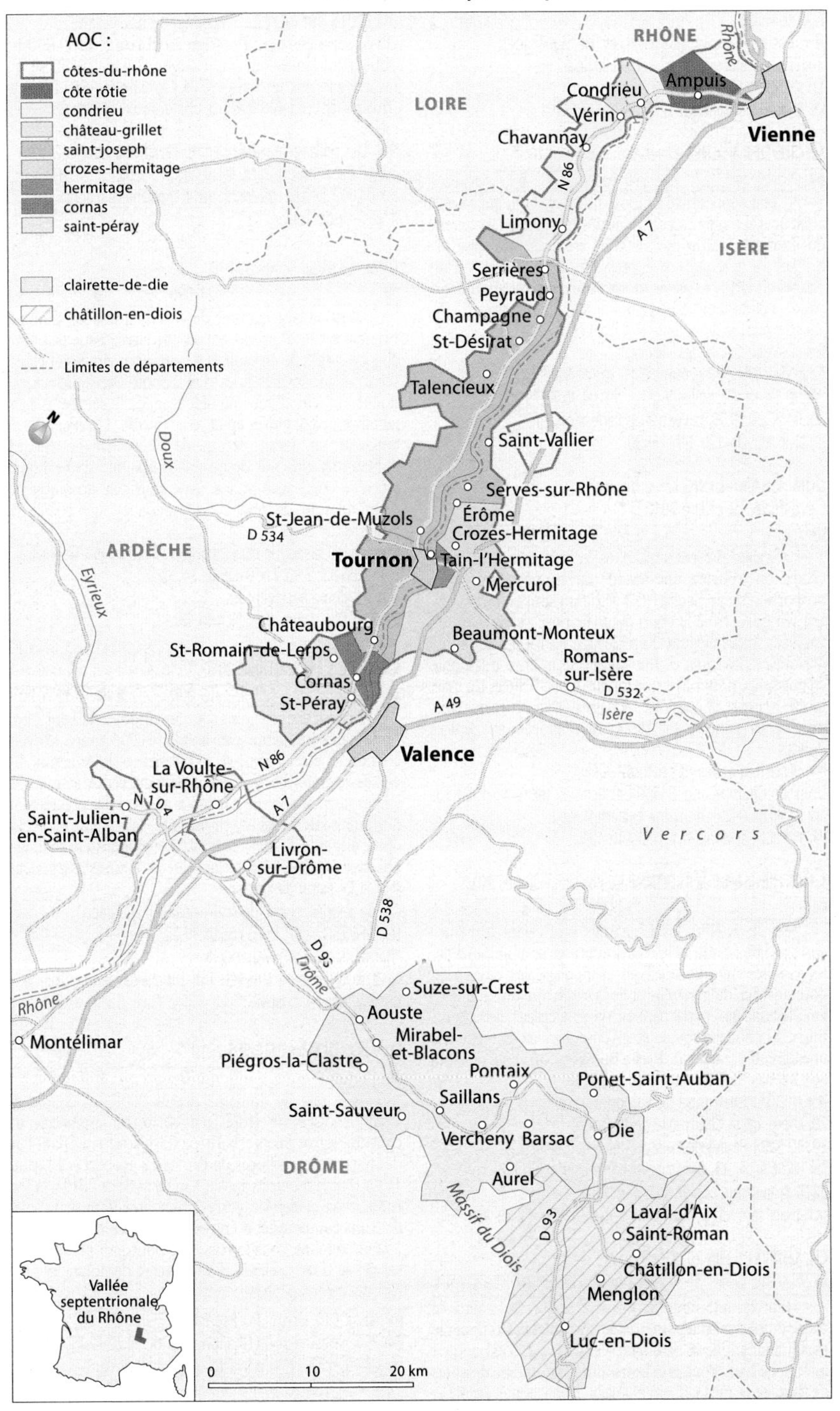

également une étoile. On le verrait bien sur du thon grillé à la tomate.

Les Vignerons du Castelas, av. de Signargues, 30650 Rochefort-du-Gard, tél. 04.90.26.62.66, fax 04.90.26.62.64, vcastelas@orange.fr

t.l.j. sf dim. 9h-12h 14h30-18h15

CÉCILE DES VIGNES Révélation fruitée 2010 *

90 000 - de 5 €

Cette coopérative propose une cuvée qui annonce la couleur et la tonalité aromatique dès l'étiquette. Le contenu du flacon ne déçoit pas : la robe est d'un beau pourpre brillant ; le bouquet est expressif et franc, sur les fruits rouges en effet ; le palais, doux et soyeux, est à l'unisson, fruité et charmeur. À boire dès aujourd'hui et sans chichi, sur une terrine de volaille et autres charcuteries.

Caveau Cécile des Vignes, Cave des Vignerons réunis, 541, rte de Valréas, 84290 Sainte-Cécile-les-Vignes, tél. 04.90.30.79.36, fax 04.90.30.39.39, caveau@ceciledesvignes.fr

t.l.j. 8h-12h 14h-18h30

DOM. CHAMP-LONG La Lauzerette Élevé en fût de chêne 2010 **

5 500 8 à 11 €

Au pied du Ventoux, dans le petit village d'Entrechaux, on trouvera une grande cuvée, née d'une forte proportion de grenache (95 %) et d'un soupçon de syrah. Un vin qui a frôlé le coup de cœur pour ses fines notes vanillées, reflet élégant d'un élevage en fût ajusté qui ne masque pas les fruits, et pour son palais intense, qui monte en puissance pour offrir une longue finale fruitée. En deux mots : maîtrise et équilibre. À déguster au cours des trois prochaines années, sur un gigot d'agneau aux épices douces.

Christian et Jean-Christophe Gély, Dom. de Champ-Long, 84340 Entrechaux, tél. 04.90.46.01.58, fax 04.90.46.04.40, domaine@champlong.fr

t.l.j. sf dim. 9h-12h30 14h-19h

CHARTREUSE DE VALBONNE La Font des dames 2010

15 600 5 à 8 €

Si, au XIII[e]s., les Chartreux cultivaient ici, entre autres, le pinot noir et le chardonnay, ce sont aujourd'hui les variétés méridionales qui composent les cuvées du domaine. Ici, du grenache et de la syrah, qui ont donné ce vin élégant, aux parfums bien typés d'épices et de fruits mûrs, à la bouche souple et soyeuse, égayée en finale par une agréable fraîcheur. Prêt à boire, sur un sauté de lapin aux herbes de Provence par exemple.

ASVMT Chartreuse de Valbonne, 28, chem. de la Chartreuse-de-Valbonne, 30130 Saint-Paulet-de-Caisson, tél. 04.66.90.41.21, fax 04.66.90.41.11, domaine@chartreusedevalbonne.com

avr.-sep. t.l.j. 9h-12h 14h-18h; oct.-mars sam. dim. 11h-12h30 14h-17h

CH. CHEYLUS Elin 2011 **

13 000 5 à 8 €

Elin est une nouvelle cuvée créée en 2011 dans le cadre du partenariat entre une propriété et la Compagnie rhodanienne. Elle se distingue d'emblée par son bouquet intense de fruits rouges et noirs mûrs, agrémenté de notes de fruits secs, puis par son palais bien charpenté, ample et soyeux à la fois, porté par de fins et doux tanins. À boire d'ici 2016, sur une pièce de gibier ou une viande rouge. La cuvée **Jean Berteau Prestige 2010 rouge (180 000 b.)** obtient une étoile pour son élevage en fût bien maîtrisé, qui ne masque pas les fruits. **Les Combelles 2011 rouge (moins de 5 € ; 400 000 b.)**, chaleureuse et structurée, est citée.

La Compagnie rhodanienne, 19, Chem.-Neuf, 30210 Castillon-du-Gard, tél. 04.66.37.49.50, fax 04.66.37.49.51, pierre.martin@rhodanienne.com

Groupe Taillan

DOM. CLAVEL Régulus 2010

21 000 5 à 8 €

Dans la large gamme de vins du domaine, Claire et Françoise Clavel proposent ici une cuvée issue de grenache, de syrah, de cinsault et de carignan vinifiés et élevés séparément, sur lies fines. Un assemblage judicieux qui donne un vin d'une aimable rondeur, généreux mais jamais lourd, fruité et épicé avec finesse. Un peu plus de longueur lui aurait permis de décrocher l'étoile... Il l'obtiendra sans nul doute en compagnie d'une bonne pièce de bœuf juste grillée, avec pour seul accompagnement un tour de poivre du moulin et une poêlée de pommes de terre.

Dom. Clavel, rue du Pigeonnier, 30200 Saint-Gervais, tél. 04.66.82.78.90, fax 04.66.82.74.30, clavel@domaineclavel.com

t.l.j. sf dim. 9h-12h 14h-19h

CLOS DE L'HERMITAGE 2010 *

15 000 15 à 20 €

Propriété de l'ancien coureur automobile Jean Alesi, ce domaine fréquente avec assiduité ce chapitre, souvent en bonne place. Situées à Villeneuve-lès-Avignon, les vignes de grenache, de syrah et de mourvèdre, assemblées ici par tiers, ont donné naissance à ce vin de caractère, au nez intense de cassis, de pruneau et de réglisse, empreint d'une élégante douceur en bouche et plus austère en finale. On attendra deux à quatre ans que les tanins s'assagissent.

SCEA Henri de Lanzac, Ch. de Ségriès, chem. de la Grange, 30126 Lirac, tél. 04.66.50.22.97, fax 04.66.50.17.02, chateaudesegries@wanadoo.fr

t.l.j. sf dim. 10h-12h 15h-18h au caveau Le Chemin du Roy à Tavel; f. janv.

LE CLOS DES SAUMANES 2010 *

4 600 5 à 8 €

À la tête du domaine depuis 2008, un couple de Champenois a été séduit par ce terroir argilo-calcaire couvert de gros galets et battu par le mistral, situé dans l'un des plus anciens villages de Provence. Robert et Martine Janer font leur entrée dans le Guide avec ce 2010 à la fois rond, suave et bien structuré, longuement tapissé de notes de fruits compotés et d'épices. À boire dans les deux ans à venir sur une volaille rôtie ou, pourquoi pas, sur une salade de fraises relevée d'une touche de poivre.

NOUVEAU PRODUCTEUR

Janer, 510, chem. des Saumanes, 84470 Châteauneuf-de-Gadagne, tél. 04.90.22.42.75, fax 04.90.22.18.29, info@leclosdessaumanes.com

t.l.j. 8h-18h; sam. dim. sur r.-v.

DOM. LE CLOS DU BAILLY 2010 ★★

■ 10 000 ▮ - de 5 €

À la tête d'un vignoble de 36 ha, tout proche du pont du Gard, Richard Soulier maîtrise parfaitement son terroir argilo-calcaire et s'assure d'une sélection rigoureuse des meilleures parcelles pour élaborer ses cuvées. Témoin, la présence régulière de ses vins dans ces pages et, a fortiori, ce coup de cœur pour cet assemblage classique de grenache (60 %) et de syrah. La robe est sombre et profonde. Le nez, « sauvage », mêle des notes animales (cuir) aux fruits mûrs et aux épices douces. La bouche se montre puissante, généreuse, suave et longue, avec toujours des senteurs animales à l'arrière-plan. Un ensemble très harmonieux, racé et intense, à découvrir avec un gigot à la ficelle, dans les cinq prochaines années.

Richard Soulier,
Dom. le Clos du Bailly, 17, rue d'Avignon, 30210 Remoulins,
tél. 04.66.37.12.23, fax 04.66.37.38.44,
clos.du.bailly@wanadoo.fr
t.l.j. sf dim. 9h-12h 14h-19h

CLOS DU CAILLOU Bouquet des garrigues 2010 ★

■ 58 000 ▮ 8 à 11 €

Originalité du domaine, la cave, construite en 1867 par Élie Dussaud, collaborateur de Ferdinand de Lesseps, est constituée d'une série de galeries voûtées creusées dans le safre. Élevée en cuve de bois, en foudre et demi-muid, ce 2010 à dominante de grenache tapisse le verre de larmes épaisses, annonciatrices d'un vin généreux. De fait, le palais, soutenu par des tanins fondus, se révèle assez gras, persistant, parfumé du début à la fin de notes de fruits à maturité (mûre, cerise) et d'épices. Un ensemble harmonieux, à déguster dans les trois ou quatre années à venir. Le **rouge 2010 Les Quartz (11 à 15 € ; 20 000 b.)**, floral, boisé avec finesse, souple et frais, obtient également une étoile, tandis que le **rouge 2010 Réserve (15 à 20 € ; 6 500 b.)**, chaleureux, épicé et réglissé, est cité.

Clos du Caillou, chem. Saint-Dominique,
84350 Courthézon, tél. 04.90.70.73.05, fax 04.90.70.76.47,
closducaillou@wanadoo.fr
t.l.j. sf dim. 9h-12h 13h30-18h
Sylvie Vacheron

CLOS DU PÈRE CLÉMENT Style 2010 ★

■ 20 000 ▮ - de 5 €

L'œnotourisme a le vent en poupe ; les frères Depeyre – Gérard à la vigne, Jean-Paul à la cave – en sont conscients et proposent depuis 2011 un gîte avec piscine sur leur propriété de 75 ha en cours de conversion bio. L'occasion de découvrir cette cuvée grenache-syrah, qui a du style en effet. Un style fruité (framboise, cerise, myrtille) et épicé, franc et solide. Un style somme toute assez classique et fort plaisant, qui devrait convenir à une grillade de bœuf ou d'agneau, aujourd'hui comme dans deux ans.

Depeyre,
Clos du Père Clément, rte de Vaison-la-Romaine,
84820 Visan, tél. 04.90.41.93.68, fax 04.90.41.97.04,
info@clos-pere-clement.com
t.l.j. sf dim. 9h-12h 14h-18h30

JEAN-LUC COLOMBO Le Vent 2010 ★

■ n.c. 8 à 11 €

Jean-Luc Colombo, négociant-éleveur installé depuis 1982 dans le nord de la vallée rhodanienne, signe une cuvée élégante dans sa robe pourpre soutenu. Au nez, les fruits rouges compotés mènent la danse, rehaussés de touches épicées. La bouche dévoile quant à elle des notes réglissées et légèrement musquées, soutenues par des tanins soyeux et délicats. Un vin prêt à boire, sur des spaghetti all'amatriciana.

Vins Jean-Luc Colombo, 10-12, rue des Violettes,
07130 Cornas, tél. 04.75.84.17.10, fax 04.75.84.17.19,
colombo@vinscolombo.fr t.l.j. 9h-18h

DOM. DU CORIANÇON 2010 ★

■ 15 000 ▮ 5 à 8 €

Cette cuvée associe le grenache, dominant (70 %), à la syrah, au cinsault et au mourvèdre. Il en résulte un joli vin harmonieux, tout en fruit (la framboise, le cassis, le pruneau en finale) et nuancé d'épices, rond, fin et charpenté à la fois. À déguster dans deux ou trois ans, sur un picodon.

François Vallot, Dom. du Coriançon, 26110 Vinsobres,
tél. 04.75.26.03.24, fax 04.75.26.44.67,
fvallot@domainevallot.com
t.l.j. sf dim. 9h-12h 14h-19h

DOM. COSTE CHAUDE Florilège 2010

■ 16 000 ▮ 5 à 8 €

Situé sur un plateau argilo-calcaire, à 350 m d'altitude, le vignoble, en cours de conversion bio, s'étend sur 22 ha. Grenache, syrah et un soupçon de carignan ont donné naissance à ce vin pourpre, dont les reflets orangés expriment la maturité. Au nez, des notes animales se mêlent aux fruits. La bouche, à l'unisson, se montre ronde et avenante, portée par des tanins enrobés. À boire au cours des prochaines années, sur une blanquette de veau, par exemple.

SARL Dom. de Coste Chaude,
3100, rte de Saint-Maurice par la montagne, 84820 Visan,
tél. 04.90.41.91.04, fax 04.90.41.96.52,
info@domaine-coste-chaude.com
t.l.j. 8h-12h 13h-18h
Marianne Fues

LES COTEAUX DU RHÔNE Jean-Henri Fabre entomologiste 2010

■ 50 000 - de 5 €

Cette cuvée rend hommage à Jean-Henri Fabre, entomologiste et félibre provençal, qui s'est éteint en 1915 à Sérignan-du-Comtat. Elle se présente dans une robe grenat, limpide et brillante. Le nez typé du grenache, est bien ouvert sur les fruits rouges mûrs, la fraise des bois notamment. On retrouve ce fruit dans une bouche souple et légère, fraîche et équilibrée. Déjà plaisante, cette bouteille accompagnera volontiers une fricassée de volaille ou un tajine de poulet.

Cave Les Coteaux-du-Rhône, BP 7,
84830 Sérignan-du-Comtat, tél. 04.90.70.04.22,
fax 04.90.70.09.23, coteau.rhone@orange.fr r.-v.

DOM. COULANGE Rochelette 2010 ★★

5 000 | 5 à 8 €

Élu coup de cœur l'an dernier pour la version 2009 de cette Rochelette, le domaine Coulange signe un 2010 qui a peu à envier à son devancier. Le vin s'annonce dans une robe grenat aux reflets violets, le nez empreint de senteurs fruitées intenses (cassis, mûre, cerise). Ronde et très longue, la bouche impressionne par sa concentration, son volume et son fruité généreux. « Du fruit, encore du fruit, toujours du fruit », résume, enthousiaste, un dégustateur. Une bouteille d'une grande harmonie, à découvrir au cours des deux prochaines années. Accord conseillé par Christelle Coulange : un chevreuil aux myrtilles et purée de lentilles.

EARL Dom. Coulange, quartier Saint-Ferréol,
07700 Bourg-Saint-Andéol, tél. et fax 04.75.54.56.26,
domaine.coulange@free.fr r.-v.

CH. COURAC 2011 ★★★

150 000 | 5 à 8 €

Cinquième coup de cœur pour le château Courac de Frédéric et Joséphine Arnaud, troisième dans cette appellation, deux ayant été obtenus en *villages* (Laudun). On sent ici une justesse d'assemblage, fruit d'un palais infaillible qui doit juger sans appel chaque cuvée en sortie de vinification, l'écarter ou la sélectionner pour élaborer un grand vin. Ce 2011 a fait forte impression. Drapé dans une superbe robe pourpre aux reflets violines de jeunesse, il livre des parfums exquis et intenses de fruits rouges, d'épices douces et de violette. La bouche se révèle suave, onctueuse, dense et généreuse, étayée par des tanins charnus et caressants, qui étirent la finale sur de fines notes réglissées. À déguster dans les trois ou quatre prochaines années, sur un gigot d'agneau en croûte d'herbes. Le **Mas Arnaud 2011 rouge (20 000 b.)**, fruité à souhait, souple, friand et soyeux, obtient une étoile, de même que le suave et gourmand **Dom. Quart du Roy 2011 rouge (80 000 b.)**.

SCEA Frédéric Arnaud, Ch. Courac, 30330 Tresques,
tél. 04.66.82.90.51, fax 04.66.82.94.27,
chateaucourac@wanadoo.fr r.-v.

CH. DE LA CROIX CHABRIÈRES 2010 ★

12 000 | 5 à 8 €

Patrick Daniel, à la tête de ce domaine de 33 ha depuis 1988, signe un 2010 harmonieux, né de grenache, de syrah et de cinsault. Fruité et floral, le nez séduit par son intensité. Le palais, bien équilibré, concentré et long, dévoile de beaux tanins fondus qui permettront à cette bouteille d'être appréciée aussi bien aujourd'hui que dans deux ans.

Ch. de la Croix Chabrières, rte de Saint-Restitut,
84500 Bollène, tél. 04.90.40.00.89, fax 04.90.40.19.93,
contact@chateau-croix-chabrieres.com
t.l.j. 9h-12h 14h-18h30; dim. 9h-12h
Patrick Daniel

DOM. NICOLAS CROZE Vieilles Vignes 2011 ★

4 500 | 5 à 8 €

Installés depuis 1994 sur le domaine familial, situé à l'extrême sud de l'Ardèche, Nicolas Croze et son épouse Carine conduisent un vignoble de 27 ha. Ils signent une cuvée mi-marsanne mi-viognier d'une belle couleur jaune pâle aux reflets verts. Le nez libère de fines notes muscatées de rose et d'abricot. Le palais, longuement parcouru des mêmes arômes que ceux perçus à l'olfaction, s'équilibre entre rondeur et vivacité. Pour un tajine de poisson ou une tarte aux abricots. Le **rouge 2010 L'Épicurienne (8 à 11 € ; 6 500 b.)**, frais, fruité et boisé avec discernement, obtient également une étoile.

Nicolas Croze, 1, rue Max-Ernst,
07700 Saint-Martin-d'Ardèche, tél. 04.75.04.62.28,
fax 04.75.51.30.27, contact@domaine-nicolas-croze.com
t.l.j. 9h30-12h30 16h30-19h30; f. ap.-m. en jan.-fév.

DAME NOIRE Mourvèdre 2010 ★★

10 000 | 8 à 11 €

L'année 2012 marque le passage en bio de la totalité du vignoble. Pour chaque vin, Christophe Coste procède à un tri méticuleux des vendanges, et les cuvées sont vinifiées par cépages. Dans cette Dame noire, le seul mourvèdre est à l'œuvre. Il en résulte un vin d'une grande finesse aromatique : fruits noirs, griotte, épices, sous-bois, garrigue. Signe d'une excellente maturité du raisin, le palais, ample et soyeux, dévoile une douceur caressante et des tanins fondus à souhait. Déjà prête, cette bouteille fera un bon compagnon pour une viande longuement mijotée, un bœuf bourguignon par exemple. La cuvée **Les Ombres 2010 rouge (15 à 20 € ; 6 000 b.)**, aux accents plus « nordistes » (100 % syrah) et élevée en barrique, séduit par ses arômes fruités mâtinés de champignon, par sa rondeur, sa générosité et son boisé fin. Deux étoiles également, et une garde de trois ans à envisager.

Christophe Coste, 5, chem. des Issarts, 30650 Saze,
tél. 04.90.31.73.55, fax 04.13.33.54.50,
contact@domainecharite.com r.-v.

DAUVERGNE RANVIER Terre de fruits 2011 ★

30 000 | 5 à 8 €

Cette Terre de fruits, née de grenache (75 %) et de syrah plantés sur des terrasses caillouteuses, porte bien son nom. De fait, le nez évoque avec intensité les fruits rouges et noirs. À l'unisson, le palais séduit par sa finesse et par son harmonie entre fruité, rondeur et fraîcheur. Un vin qualifié de « féminin », que l'on appréciera... sur son fruit, à l'apéritif, accompagné de tapas au jambon, ou sur des grillades. Le **blanc 2011 Vin gourmand (25 000 b.)**, à dominante de viognier, avec le grenache blanc en complément, est cité pour son équilibre alcool-acidité et pour son fruité croquant.

R & D Vins, Ch. Saint-Maurice, RN 580, L'Ardoise,
30290 Laudun, tél. 04.66.82.96.57, fax 04.66.82.96.58,
francois.dauvergne@dauvergne-ranvier.com

DUVERNAY 2010 ★

10 300 | 5 à 8 €

Grenache, syrah et carignan composent cette belle cuvée couleur grenat, qui livre des parfums intenses de crème de cassis ; de fines senteurs végétales apportent de la complexité. La bouche se révèle ample et ronde, plus sévère en finale, les tanins devant encore se fondre. À boire dans un an ou deux, sur un canard aux olives.

SA Duvernay Vins Millésimés D.V.M., 1, rue de la Nouvelle-Poste, BP 25, 84231 Châteauneuf-du-Pape Cedex, tél. 04.90.83.71.88, fax 04.90.83.70.72, dvm.duvernay@wanadoo.fr
r.-v.

DOM. DES ESCARAVAILLES Les Sablières 2010 ★

20 000 | 5 à 8 €

Ce domaine très régulier en qualité propose un 2010 bien typé, au nez franc et intense de fruits rouges, relevé par une jolie fraîcheur minérale. Le palais, dans le prolongement du bouquet, séduit par la finesse de ses arômes, par son équilibre entre rondeur et fraîcheur et par ses tanins soyeux. À boire dès aujourd'hui. Le **rosé 2011 Les Antimagnes (12 000 b.)**, fruité et plutôt chaleureux, est cité, de même que le **blanc 2011 La Ponce (7 000 b.)**, à la fois riche et frais.

SCEA du Dom. des Escaravailles, Ferran et Fils, 84110 Rasteau, tél. 04.90.46.14.20, fax 04.90.46.11.45, domaine.escaravailles@rasteau.fr
r.-v.

DOM. EYVERINE Passion 2010

2 100 | 5 à 8 €

Ce jeune domaine créé en 2009 propose une cuvée d'une aimable simplicité, née de grenache et de syrah. Le nez est plutôt discret mais plaisant, sur les fruits rouges nuancés de quelques notes amyliques. La bouche se révèle plus chaleureuse, toujours sur le fruit, et de bon volume, soutenue par des tanins souples. Nul besoin de l'attendre : ce vin accompagnera dès aujourd'hui grillades et assiette de charcuterie.

Denis Monnier, Dom. Eyverine, Combe de Pauline, 84290 Cairanne, tél. 06.15.07.83.34, fax 04.90.37.79.21, domaine-eyverine@orange.fr r.-v.

LES GARRIGUES 2011 ★

50 000 | 5 à 8 €

Sur ce terroir du cru lirac, fait d'argiles sableuses et de galets roulés, Jean-François Assémat élabore des cotes-du-rhone qu'il veut faciles d'accès, friands et légers. Ainsi ne pousse-t-il pas trop loin l'extraction, obtenant des cuvées à l'image de ce 2011, appréciable pour son élégance aromatique (fruits mûrs, épices et... garrigue), ample, doux et soyeux en bouche, équilibré par une juste fraîcheur. C'est un vin prêt à boire, mais on peut aussi l'attendre un à trois ans. Pour accompagner, pourquoi pas une blanquette de veau ? Du même propriétaire, le **Dom. Castel Oualou 2010 rouge (100 000 b.)** est cité pour son boisé délicat, en harmonie avec le fruit.

Vignobles Assémat, BP 15, 30150 Roquemaure, tél. 04.66.82.65.52, fax 04.66.82.86.76, vignobles.assemat@wanadoo.fr
t.l.j. 8h-18h; sam. dim. sur r.-v.

DOM. DE GIVAUDAN Les Hauts de Castellade 2010 ★

7 000 | 15 à 20 €

David Givaudan, à la tête de 20 ha, conduit la première et unique cave particulière du village de Cavillargues. Il propose ici une cuvée de caractère, née de grenache et de syrah, au bouquet naissant mais déjà puissant de fruits mûrs, de réglisse et de bois frais. La bouche, concentrée et solide, mêle elle aussi le fruité (fraise écrasée) et les notes intenses de l'élevage. Une petite garde d'un an ou deux devrait harmoniser l'ensemble. La cuvée **Manon 2011 blanc (5 à 8 €; 10 000 b.)**, boisée, généreuse et douce, est citée.

David Givaudan, lieu-dit Les Périgouses, 30330 Cavillargues, tél. et fax 04.66.82.44.58, givaudandavid@aol.com
t.l.j. sf dim. 8h-12h 14h-18h

DOM. DU GRAND MONTMIRAIL Premières Vendanges 2010 ★

15 000 | 5 à 8 €

Productrice de gigondas, de vacqueyras, de crus septentrionaux et de vins de la Côte de Nuits, la famille Chéron, originaire de Bourgogne, signe avec ce 2010 ses premières vendanges dans l'appellation côtes-du-rhône, après avoir repris en fermage une parcelle de vieilles vignes. Et le résultat est très convaincant : robe élégante, rouge grenat ; nez fruité (cassis) ; palais fin et aromatique, où l'on retrouve un fruité croquant relevé d'épices. Un vin harmonieux et friand, à déguster au cours des deux prochaines années.

Dom. du Grand Montmirail, Le Grand-Montmirail, 84190 Gigondas, tél. 04.90.65.85.91, fax 04.90.65.89.23
r.-v.
Famille Chéron

LA GRAND'RIBE Vieilles Vignes 2011

20 000 | 5 à 8 €

Ces vieilles vignes (grenache, syrah, mourvèdre) ont quarante-cinq ans d'âge moyen. Elles ont donné naissance à ce 2011 expressif, au nez fin de fruits rouges et d'épices douces, souple et soyeux en bouche, qui s'achève sur une jolie finale en harmonie avec l'olfaction. Un vin équilibré et déjà plaisant, que l'on verrait bien avec un gigot au jus de romarin.

Dom. de la Grand'Ribe, 1711, rte de Bollène, 84290 Sainte-Cécile-les-Vignes, tél. 04.90.30.83.75, fax 04.90.30.76.12, info@grandribe.com
t.l.j. sf dim. 9h-12h 14h-18h; sam. hors saison sur r.-v.
Fromont

GRAND ROCASSON 2010 ★

4 400 | 5 à 8 €

Le domaine est dans la famille Arnaud depuis quatre générations. À sa tête depuis 2009, Agnès et son mari Patrick Vernier. Mi-grenache mi-syrah, ce 2010 est un agréable « vin plaisir », au bouquet fruité et réglissé, ample et charnu en bouche, structuré avec suffisamment de fermeté pour affronter une garde de deux ou trois ans. Mais on pourra d'ores et déjà l'apprécier sur des côtes d'agneau au thym.

SCEA Ch. Cabrières, rte d'Orange RD 68, BP 14, 84231 Châteauneuf-du-Pape Cedex 1, tél. 04.90.83.70.26, fax 04.90.83.75.90, contact@chateau-cabrieres.fr
r.-v.
Vernier

DOM. DES GRAVENNES Cuvée Marie-Louise 2010 ★

■ 5 000 8 à 11 €

Cette cuvée Marie-Louise fait la part belle au mourvèdre (50 %), avec le grenache et la syrah pour compagnons d'assemblage. Elle offre un nez finement boisé, agrémenté de fruits rouges, qui se prolonge agréablement dans une bouche ronde, persistante et équilibrée. Pour du petit gibier, d'ici deux ans. À noter que le domaine est en conversion bio depuis 2011.

Dom. des Gravennes, 2933, rte de Baume, 26790 Suze-la-Rousse, tél. 04.75.04.84.41, fax 04.75.01.94.80, domaine.des.gravennes@wanadoo.fr r.-v.

Bayon de Noyer

DOM. LES HAUTES CANCES Cuvée Tradition 2010 ★

■ 8 800 5 à 8 €

À la tête de ce domaine de 17 ha, un couple de médecins à la retraite. Ici, on soigne le fruit : vendanges manuelles, entrée de la vendange par gravité, immersion du marc réduisant les manipulations, absence de levurage, de collage et de filtration... Le résultat est ici un 2010 rubis profond, au nez intense de fruits noirs (myrtille, cassis), souple et tout aussi aromatique en bouche. La finale, plus rugueuse, appelle toutefois une petite garde d'un an.

SCEA Achiary-Astart, quartier Les Travers, 84290 Cairanne, tél. et fax 04.90.30.76.14, contact@hautescances.com r.-v.

DOM. ALBIN JACUMIN Les Bédines 2011

■ 9 000 5 à 8 €

Principalement tourné vers l'élaboration des châteauneuf-du-pape, ce domaine familial soigne aussi ses côtes-du-rhône, à l'image de ce 2011 de bonne facture. Un « classique » intensément bouqueté sur les fruits mûrs et les épices, affichant une belle présence tannique et un équilibre certain. À boire ou à garder trois ou quatre ans.

Dom. Albin Jacumin, EARL A. et S. Jacumin, 9, chem. du Clos, BP 28, 84231 Châteauneuf-du-Pape, tél. et fax 04.90.83.78.55, domaine.ajacumin@orange.fr r.-v.

ALAIN JAUME ET FILS Réserve Grand Veneur 2010 ★

■ 200 000 5 à 8 €

La Réserve Grand Veneur de cette maison de négoce habituée du Guide revêt une robe rubis aux reflets éclatants. Au nez, elle dispense des parfums discrets de fruits à l'alcool mêlés à d'autres arômes plus frais de bourgeon de cassis. La bouche, ample et longue, revient sur les fruits, avant de laisser la place aux épices et à la réglisse. À boire dès l'automne, sur une daube provençale. La **Réserve Grand Veneur 2011 rosé (25 000 b.)**, florale (violette), à la fois ronde et fraîche, est citée. On lui destinera une volaille.

Alain Jaume et Fils, Dom. Grand Veneur, 1358, rte de Châteauneuf-du-Pape, 84100 Orange, tél. 04.90.34.68.70, fax 04.90.34.43.71, alain.jaume@wanadoo.fr

t.l.j. sf dim. 8h-12h 13h30-18h

STÉPHANE KACI VII 2010 ★★

■ 30 000 - de 5 €

Cette cuvée du négociant Stéphane Kaci a frôlé le coup de cœur. Ses arguments ? Une palette aromatique remarquable et intense, très typée syrah avec ses notes de violette et d'épices. Un palais à l'unisson, ample, concentré et long, dont la puissance n'altère en rien la douceur du fruité. Armée pour une garde de trois à cinq ans, cette bouteille s'appréciera aussi à l'automne 2012, sur une pièce de gibier, comme un sauté de sanglier aux aubergines par exemple. La cuvée **K 2010 rouge (5 à 8 €; 30 000 b.)**, charnue, souple et enrobée, est citée.

Vignobles et Domaines du Rhône, 14, rue Rhin-et-Danube, 69009 Lyon, tél. 04.37.24.24.50, fax 04.72.74.41.23, contact@vignobles-domaines-du-rhone.fr

Stéphane Kaci

DOM. LAFOND ROC ÉPINE 2010 ★

■ 100 000 5 à 8 €

Valeur sûre en tavel et surtout en lirac (huit coups de cœur au total), ce domaine soigne aussi ses côtes-du-rhône.

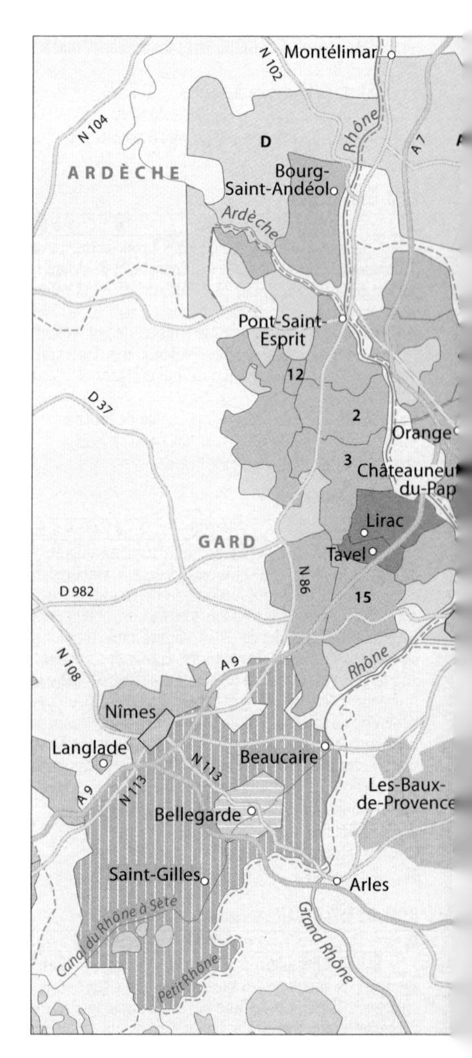

Ce 2010 issu de grenache et de syrah dévoile un bouquet intense de petits fruits noirs et de sous-bois, prolongé par une bouche ronde, riche et charnue, marquée par une noble amertume en finale. À boire ou à attendre jusqu'en 2015.

Dom. Lafond, rte des Vignobles, 30126 Tavel, tél. 04.66.50.24.59, fax 04.66.50.12.42, lafond@roc-epine.com r.-v.

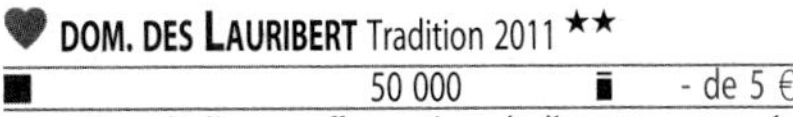

DOM. DES LAURIBERT Tradition 2011 ★★

■ 50 000 - de 5 €

Deux étoiles en *villages*, deux étoiles et un coup de cœur en côtes-du-rhône : cette édition est à marquer d'une pierre blanche pour le domaine des Lauribert, sorti de la cave coopérative en 1997, sous l'impulsion de Laurent Sourdon. Ce 2011 présente un superbe nez tout en fruits, avec le cassis en première ligne. La bouche se révèle douce et très longue, tapissée d'arômes de cerise confite et de réglisse, et bâtie sur de beaux tanins souples et fins. À déguster dès aujourd'hui. Que diriez-vous d'un coquelet aux épices ou d'un canard aux cerises par exemple ? Le

La vallée du Rhône (partie méridionale)

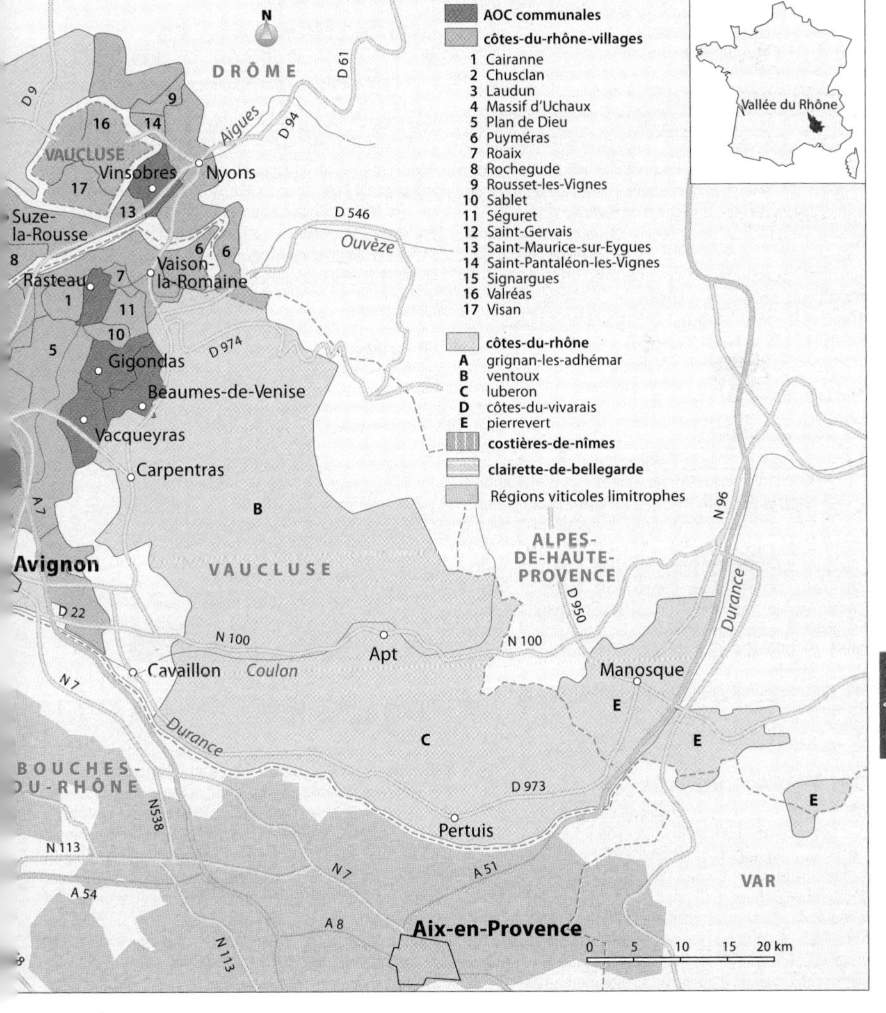

blanc 2011 Fine fleur (5 à 8 € ; 13 000 b.), subtilement floral et épicé, obtient une étoile.

Dom. des Lauribert, 2249, chem. de Roussillac, 84820 Visan, tél. 04.90.35.26.82, fax 04.90.37.40.98, lauribert@wanadoo.fr

t.l.j. 8h30-12h 14h-18h30

Sourdon

LAVAU 2011 ★

10 000 | 5 à 8 €

À la tête de cette maison de négoce, une famille saint-émilionnaise, « émigrée » en terres rhodaniennes en 1964. En 2011, elle a acquis des vignes à Valréas, afin de proposer sa propre cuvée de domaine, « sur un segment haut de gamme », promet-elle. Sortie prévue en 2013... En attendant, ce « simple » côtes-du-rhône séduit par son bouquet dynamique et généreusement fruité et par son palais intense, long et tonique. Un vin harmonieux, à déguster sur un fromage de chèvre frais.

Lavau, rte de Cairanne, 84150 Violès, tél. 04.90.70.98.70, fax 04.90.70.98.79, aurelie@lavau.eu

t.l.j. sf dim. 10h-12h 14h-19h

DOM. LA LÔYANE Tradition 2010 ★

25 000 | 5 à 8 €

Grenache (50 %), syrah, carignan et mourvèdre pour cette cuvée de la Lôyane, un domaine habitué du Guide, réunion de trois vignobles situés sur les communes de Lirac, de Rochefort-sur-Gard et de Saze. Le vin exhale des senteurs intenses de fruits rouges. S'y ajoutent les épices dans un palais souple et rond, jusqu'à la finale plus stricte, qui appelle une garde de deux ou trois ans.

Dubois, GAEC Dom. la Lôyane, Le Clos-Marie, chem. de la Font-des-Cavens, 30650 Rochefort-du-Gard, tél. 06.11.60.86.36, fax 04.90.26.68.04, la-loyane-jean-pierre.dubois@orange.fr

t.l.j. sf dim. lun. mar. 9h-12h 14h-19h

DOM. DE LUMIAN 2011 ★

9 000 | 5 à 8 €

Associé à la clairette, au viognier et à une pointe d'ugni blanc et de bourboulenc, le grenache blanc a donné naissance à cette cuvée au bouquet délicat de fruits blancs mêlés à de plus originales notes d'épices douces et à quelques nuances végétales plus vives. Une complexité que l'on retrouve dans une bouche ronde et suave, équilibrée par une fine acidité. Un vin atypique et harmonieux, à servir sur un couscous de poisson. Le **rosé 2011 (9 000 b.)**, floral, fruité et gourmand, obtient également une étoile.

Gilles Phétisson, Dom. de Lumian, 84600 Valréas, tél. 06.08.09.96.86, fax 04.90.35.18.38

t.l.j. 9h-12h 14h-19h; f. dim. ap.-m. de nov. à mars

DOM. MABY Variations 2011 ★

9 000 | 5 à 8 €

Plus connu des lecteurs pour son lirac (six coups de cœur) et pour son tavel (Richard Maby est d'ailleurs le président de l'appellation), ce domaine propose aussi de jolis côtes-du-rhône, à l'image de ce rosé à dominante de cinsault. Un vin tout en fruit, où la griotte joue le premier rôle, frais et doux à la fois en bouche, ample et de belle longueur. Un apéritif sympathique, qui pourra se prolonger sur une viande blanche ou un saumon grillé.

Dom. Maby, 249, rue Saint-Vincent, 30126 Tavel, tél. 04.66.50.03.40, fax 04.66.50.43.12, domaine-maby@wanadoo.fr

t.l.j. 8h-17h30; sam. dim. sur r.-v.

DOM. DE MAGALANNE 2011

5 000 | - de 5 €

Les frères Crouzet, Jean-Baptiste et Julien, proposent un blanc plaisant, issu de roussanne, de marsanne et de grenache blanc. Au nez pointent surtout de délicates notes de fleurs blanches. En bouche, les fruits blancs (pêche, poire) s'imposent avec douceur et finesse. Un peu plus de longueur aurait permis à ce vin d'obtenir une étoile. Le **rouge 2011 (10 000 b.)**, franc et aromatique, est également cité.

Dom. de Magalanne, rte de Signargues, 30390 Domazan, tél. 06.67.41.65.21, fax 04.66.57.21.58, domainedemagalanne@wanadoo.fr r.-v.

DOM. PATRICE MAGNI La Cueillette 2010

8 000 | 5 à 8 €

La « cueillette » des traditionnels grenache et syrah a donné un joli vin à la robe homogène, d'un rouge tirant vers le violet, au nez franc et plaisant de cassis, de réglisse et de torréfaction. Un intense fruité légèrement épicé donne le ton en bouche, enrobant une structure assez légère et un boisé bien fondu. À boire dans les deux ans, sur des travers de porc ou des brochettes d'agneau.

Dom. Patrice Magni, 13, rte de Bédarrides, 84230 Châteauneuf-du-Pape, tél. 06.89.35.67.22, fax 09.71.70.36.03, domainepatrice.magni@wanadoo.fr

r.-v.

CH. MALIJAY 2010 ★★

17 000 | 5 à 8 €

Si le château de Malijay existe depuis le XIe s., on y exploite la vigne depuis « seulement » le XVIe s. Le vignoble s'étend sur 130 ha, complanté des cépages traditionnels, blancs et rouges, de la vallée du Rhône. Grenache, syrah et mourvèdre sont à l'œuvre dans cette cuvée remarquable en tout point. Drapé dans une robe profonde aux reflets violines, ce 2010 livre un bouquet à la fois puissant et charmeur de fruits noirs mûrs relevés de notes poivrées. En bouche, tout est en place : on trouve du gras, du volume, un fruité généreux et caressant (pruneau, fruits noirs confits), des tanins fins et soyeux. Un vin complet et d'une grande harmonie, à servir aujourd'hui comme dans quatre ou cinq ans, sur une épaule d'agneau au safran. Le **rouge 2010 La Part des anges (8 à 11 €)**, à dominante de syrah, souple, frais, fruité et épicé, est cité.

SCEA du Ch. Malijay, chem. des Plames, 84150 Jonquières, tél. 04.90.70.33.44, fax 04.90.70.36.07, contact@chateaumalijay.com t.l.j. sf dim. 9h-18h
Pierre Deltin

CH. DE MANISSY 2010

	30 000		5 à 8 €

Ce domaine de 40 ha, ancienne propriété des pères missionnaires de la Sainte-Famille, appartient depuis 2003 à Florian André. Ce dernier a élaboré, à partir du grenache, du carignan, du cinsault et de la counoise, un 2010 qui s'ouvre sur les fruits bien mûrs, relayés à l'aération par des notes florales et épicées. La bouche se révèle douce et souple, une agréable fraîcheur venant en soutien. Prêt à boire, et conseillé par le vigneron sur un lapin à la tomate, au fenouil et au thym.
Ch. de Manissy, rte de Roquemaure, 30126 Tavel, tél. 04.66.82.86.94, fax 04.66.33.13.59 r.-v.
Florian André

GABRIEL MEFFRE Instants rares Syranne 2011 ★

	50 000		8 à 11 €

Avec cette gamme Instants rares, la maison Meffre entend proposer des vins originaux et en quantité limitée – 50 000 cols tout de même pour cette Syranne –, à une clientèle d'amateurs. Ce 100 % syrah se distingue par son intensité aromatique tout au long de la dégustation, sur les fruits mûrs, et par sa structure puissante mais élégante, qui lui assurera une bonne garde de trois à cinq ans. Parfait pour une pièce de gibier. Dans la même gamme, la cuvée **Instants rares Vionnier 2011 blanc (40 000 b.)**, douce et fruitée, est citée et fera un bon compagnon pour une cuisine sucrée-salée. La cuvée **La Châsse Réserve 2010 rouge (5 à 8 € ; 120 000 b.)**, onctueuse, ronde et fruitée à souhait, obtient quant à elle une étoile.
Gabriel Meffre, Le Village, 84190 Gigondas, tél. 04.90.12.32.42, fax 04.90.12.32.49, gabriel-meffre@meffre.com

MONTALCOUR Cuvée Prestige 2011

	160 000		- de 5 €

Résolument tourné vers les fruits rouges, la framboise notamment, ce rosé de pressurage direct pourrait faire penser à un tavel tant sa robe est soutenue. Le palais, gras et chaleureux, renoue avec les fruits rouges et offre un bon équilibre. Tout indiqué pour des tomates farcies.
Sté des Vins de France, 1, rue des Oliviers, 94320 Thiais, tél. 01.45.60.76.00, fax 01.46.86.54.05, mark.svf@castel-freres.com
Castel Frères

CH. DE MONTFAUCON Comtesse Madeleine 2011 ★

	10 000		11 à 15 €

Cette Comtesse Madeleine a vu le jour dans un château du XIes., ancienne forteresse campée sur un promontoire, vigie sur le Rhône, fleuve qui marquait la frontière entre le royaume de France et le Saint-Empire romain germanique. Hommage à la grand-mère de Rodolphe de Pins, cette cuvée associe la marsanne et le viognier, et dans une moindre mesure la clairette et le piquepoul. Original, ce vin dévoile au nez des senteurs douces, presque sucrées de fruits blancs, de poire notamment. Puis au palais un boisé soutenu, vanillé, donne le ton, accompagné par de surprenantes notes de figue. Un vin atypique mais très agréable, rond et persistant, que certains dégustateurs verraient bien donner la réplique à un roquefort.
Ch. de Montfaucon, 22, rue du Château, 30150 Montfaucon, tél. 04.66.50.37.19, fax 04.66.50.62.19, contact@chateaumontfaucon.com
t.l.j. sf sam. dim. 14h-18h
Rodolphe de Pins

DOM. MONTMARTEL 2011 ★★

	120 000		5 à 8 €

Situé sur les coteaux dominant Tulette et Visan, ce domaine étend son vignoble sur 90 ha, conduit en bio certifié. Assemblage équilibré de grenache, de syrah et de carignan, ce 2011 déploie au nez des parfums intenses de fruits écrasés, que la bouche, puissante et longue, agrémente de notes épicées. Un ensemble très harmonieux, racé et apte à la garde. On pourra le servir dans quatre ou cinq ans sur une viande en sauce ou du gibier.
Dom. Montmartel, 2, rte de Saint-Roman, 26790 Tulette, tél. 04.75.98.01.82, fax 04.75.98.39.09, vmarres@hotmail.fr
t.l.j. 9h-12h 14h-18h
Damien Marres

CH. DE MONTMIRAIL Cuvée Jeune Vigne 2011

	n.c.		5 à 8 €

Ces jeunes vignes ont vingt ans. Duo de grenache et de syrah à parts égales, elles ont donné naissance à ce 2011 au nez expressif de fruits frais, de garrigue et d'épices. La bouche, à l'unisson, se révèle souple et ronde, portée par des tanins encore un peu stricts, mais que deux ans de garde devraient amadouer.
Ch. de Montmirail, cours Saint-Assart, BP 12, 84190 Vacqueyras, tél. 04.90.65.86.72, fax 04.90.65.81.31, archimbaud@chateau-de-montmirail.com
t.l.j. sf dim. 9h-12h 14h-18h
Archimbaud

CH. MONT-REDON 2011 ★

	25 000		5 à 8 €

Avec sa solide réputation en châteauneuf-du-pape, ce domaine surprend souvent par la qualité de ses « simples » côtes-du-rhône. En voici encore un bel exemple : ce blanc à forte dominante de roussanne, cépage qui, associé au viognier, confère au nez un intense caractère floral et au palais du gras et de la richesse, équilibrés par une juste fraîcheur. Tout indiqué pour un poisson en sauce.
Ch. Mont-Redon, BP 10, 84231 Châteauneuf-du-Pape Cedex, tél. 04.90.83.72.75, fax 04.90.83.77.20, contact@chateaumontredon.fr r.-v.
Abeille-Fabre

DOM. DU MOULIN 2011 ★★

	8 000		- de 5 €

Denis Vinson et ses fils portent haut les couleurs des côtes-du-rhône rosés avec cette cuvée née à quelques kilomètres des coteaux ensoleillés de Vinsobres. Drapé dans une robe soutenue et intense, à l'opposé de la tendance actuelle du rosé pâle, ce vin déploie des parfums soutenus de fleurs blanches et de fruits rouges écrasés (fraise, framboise). D'une grande souplesse en attaque, le palais poursuit sur cette ligne aromatique et séduit par sa richesse bien maîtrisée, qui jamais n'alourdit la dégustation. Une vaste gamme d'accords gourmands s'offre à vous (tajine, cuisine sucrée-salée, grillades...).

Denis et Charles Vinson, Dom. du Moulin, 26110 Vinsobres, tél. 04.75.27.65.59, fax 04.75.27.63.92, denis.vinson@wanadoo.fr
t.l.j. 8h-12h 13h30-19h; f. dim. a.-m.

DOM. GUY MOUSSET Les Garrigues 2010 ★★

15 000 | 8 à 11 €

L'histoire vigneronne de la famille Mousset est vieille de cinq siècles ; l'installation à Châteauneuf-du-Pape date des années 1930, et sur le Clos Saint-Michel de 1957. Avec l'arrivée en 1996 de Franck et Olivier, le domaine s'est enrichi de parcelles en côtes-du-rhône et en *villages*, sur la commune de Sérignan-du-Comtat. C'est là qu'est née cette cuvée qui prend des allures de cru selon les dégustateurs. Au nez, les douze mois de fût se manifestent à travers des notes torréfiées, agrémentées de nuances d'épices (clou de girofle) et de fruits noirs. Séveuse et puissante, la bouche offre elle aussi une belle complexité aromatique : fruits noirs et épices, à nouveau, garrigue et enfin, dans une longue finale, chocolat et Zan. À découvrir au cours des trois ou quatre prochaines années, sur un lapin aux aromates ou sur une épaule d'agneau aux épices.

EARL Vignobles Guy Mousset et Fils, Le Clos Saint-Michel, 2505, rte de Châteauneuf-du-Pape, 84700 Sorgues, tél. 04.90.83.56.05, fax 04.90.83.56.06, mousset@clos-saint-michel.com t.l.j. 9h-19h

CH. NOËL SAINT-LAURENT 2009

3 500 | 8 à 11 €

L'une des rares caves particulières de Morières-lès-Avignon, ancienne propriété papale – à quelques kilomètres au sud-est d'Avignon – gérée autrefois par les moines chartreux, et conduite depuis 1950 par la famille Noël. Ce 2009 élevé douze mois en fût livre des parfums intenses de fruits noirs, agrémentés de nuances empyreumatiques et mentholées. La bouche se révèle soyeuse et souple dès l'attaque, et le boisé est déjà bien fondu. Une bouteille prête à boire.

SCEA Dom. Saint-Laurent, Ch. Saint-Laurent, 1847, rte de Noves, 84310 Morières-lès-Avignon, tél. 04.90.33.34.90, argentines@wanadoo.fr r.-v.

OGIER Héritages 2011 ★

150 000 | 5 à 8 €

Deux cuvées de la maison de négoce Ogier sont retenues. En tête, ce rosé en robe claire, qui déborde de fruits frais, tant au nez qu'en bouche. Soutenu par une fine acidité, c'est un vin équilibré et dynamique. Parfait pour une salade de chèvre chaud. La cuvée **Les Allégories d'Antoine Ogier 2010 rouge (8 à 11 €)**, fruitée, épicée, ample et chaleureuse, obtient également une étoile. Un vin « solaire » pour une cuisine méditerranéenne, à boire dès à présent.

Ogier, 10, av. Louis-Pasteur, 84230 Châteauneuf-du-Pape, tél. 04.90.39.32.00, fax 04.90.83.72.51, ogier@ogier.fr
t.l.j. sf dim. 9h-12h 14h-18h30 2
Jean-Pierre Durand

CH. DE PANÉRY Cuvée Henry 2010 ★★

10 000 | 8 à 11 €

Ce vaste domaine, établi sur un étang assaini en 1631, s'étend sur 528 ha. On y produit non seulement du raisin, mais aussi des céréales. Côté vigne, ce 2010 est l'expression aboutie de la syrah (70 % de l'assemblage, aux côtés du grenache) et d'un élevage en fût maîtrisé. Tout en élégance, le bouquet dévoile des senteurs de réglisse très finement épicées. Le palais se révèle suave, tendre et long, sans afficher de boisé trop prononcé – le merrain se traduit par de douces notes de caramel se mariant avec bonheur aux arômes de Zan et de fruits. Un ensemble harmonieux, à déguster dans les trois ou quatre ans sur une gigue de chevreuil.

Ch. de Panéry, chem. d'Uzès, 30210 Pouzilhac, tél. 04.66.37.04.44, fax 04.66.37.62.38, contact@panery.fr
t.l.j. 9h-12h 15h-18h 5
Rutger Grijseels

DOM. PÉLAQUIÉ 2010 ★

50 000 | 5 à 8 €

Si Luc Pélaquié a la réputation d'être l'un des meilleurs vignerons en blancs de la vallée du Rhône, il propose aussi des rouges très soignés, à l'image de celui-ci, né de grenache et de syrah vinifiés séparément. Les fruits rouges et le cassis composent un bouquet franc et dynamique. En bouche, le vin se révèle souple et très rond, ample et soyeux. Prêt à boire, il pourra aussi attendre une paire d'années.

Luc Pélaquié, 7, rue du Vernet, 30290 Saint-Victor-la-Coste, tél. 04.66.50.06.04, fax 04.66.50.33.32, contact@domaine-pelaquie.com
r.-v.

DOM. ROGER PERRIN Prestige blanc 2011 ★

9 000 | 5 à 8 €

Véronique Perrin a repris le vignoble familial aux vendanges 2010. Elle signe un blanc issu de cépages variés, grenache blanc et viognier en tête, dont le bouquet, doux et subtil, évoque les fruits blancs (poire). La même douceur fruitée se retrouve dans une bouche ample et élégante. Un ensemble cohérent et équilibré, qui plaira dès aujourd'hui sur une viande blanche, un quasi de veau à l'orange par exemple, ou sur un poisson en sauce.

Dom. Roger Perrin, 2316, rte de Châteauneuf-du-Pape, 84100 Orange, tél. 04.90.34.25.64, fax 04.90.34.88.37, dne.rogerperrin@wanadoo.fr r.-v.

DOM. DU PESQUIER 2010

7 000 | 5 à 8 €

Plus connu des lecteurs pour ses gigondas et ses vacqueyras, ce domaine propose aussi de bons côtes-du-rhône. Témoin cette trilogie grenache-mourvèdre-carignan élevée en cuve pendant dix-huit mois, au nez franc de fruits rouges mûrs prolongé par un palais doux en attaque, plus austère en milieu de bouche, épicé en finale, avec en soutien une fraîcheur agréable. Un vin équilibré, que l'on peut d'ores et déjà servir sur une grillade, ou attendre deux ou trois ans pour obtenir un meilleur fondu.

Dom. du Pesquier, Le Pesquier, 84190 Gigondas, tél. 04.90.65.86.16, fax 04.90.65.88.48, contact@domainedupesquier.com r.-v.
Boutière

DOM. DE LA PRÉSIDENTE Velours rouge 2010 ★

600 | 30 à 50 €

Cette Présidente est loin d'être une inconnue pour nos lecteurs. Elle fréquente ces pages avec une belle assiduité, souvent décorée d'étoiles. Ici, elle se présente dans une robe de velours rouge – un rouge intense et limpide –, le nez ouvert sur la réglisse et le boisé (elle a séjourné douze mois en fût). Plus fruitée et épicée (poivre) en bouche, elle revient en finale sur des notes d'élevage marquées. Armée pour durer, cette cuvée confidentielle pourra patienter à l'ombre de la cave trois à cinq ans. On lui réservera à sa sortie une belle côte de bœuf ou une pièce de gros gibier.

Dom. de la Présidente, BP 1, rte de Cairanne, 84290 Sainte-Cécile-les-Vignes, tél. 04.90.30.80.34, fax 04.90.30.72.93, aubert@presidente.fr
t.l.j. sf dim. 9h-12h 14h-18h30
Céline Aubert

CELLIER DES PRINCES Réserve 2011 ★

	600 000		- de 5 €

Unique coopérative de Châteauneuf-du-Pape, le Cellier des Princes signe un côtes-du-rhône gourmand à souhait, né du grenache (80 %), de la syrah et du mourvèdre. Derrière une robe aux reflets bleutés, on découvre un bouquet puissant de fruits rouges, accompagné de nuances amyliques. En bouche, le vin se révèle tout aussi fruité, gras et long, soutenu par des tanins bien fondus. Une « friandise », à déguster dès à présent, pourquoi pas sur des caillettes tièdes d'Ardèche.

Cellier des Princes, 758, rte d'Orange, 84350 Courthézon, tél. 04.90.70.21.44, fax 04.90.70.27.56, lesvignerons@cellierdesprinces.com
t.l.j. 8h-12h30 13h30-18h30

DOM. LA RÉMÉJEANNE Les Arbousiers 2011 ★★★

	40 000		8 à 11 €

CÔTES DU RHÔNE

Sixième coup de cœur pour le domaine, et deuxième d'affilée pour cette cuvée des Arbousiers dans sa version rouge. Plantés sur un magnifique terroir de grès calcaire exposé au soleil levant, les ceps de grenache et de syrah ont engendré un 2011 d'exception, au nez puissant de fruits mûrs et d'épices, équilibré à la perfection en bouche, à la fois doux et frais, robuste et élégant, profond et long. De garde assurément (cinq ans, voire plus). Le **blanc 2011 Les Arbousiers (12 000 b.)**, délicatement floral et miellé, ample et rond, obtient une étoile.

EARL Rémy Klein, Cadignac, 30200 Sabran, tél. 04.66.89.44.51, fax 04.66.89.64.22, contact@remejeanne.com
t.l.j. sf dim. 9h-12h 14h-18h; sam. 9h-12h

LES VIGNERONS DE REMOULINS Moulin de Fergault Vieilles Vignes 2010

	4 000		5 à 8 €

La petite coopérative de Remoulins propose une cuvée plaisante, issue majoritairement de grenache, fruitée et épicée (poivre), souple, fraîche et légère. La cuvée **Moulin de Fergault rouge 2010 (moins de 5 €; 5 300 b.)**, dans un style similaire, sur les fruits frais, est également citée. Deux vins d'une aimable simplicité, à réserver pour un barbecue aux derniers beaux jours de l'arrière-saison.

Les Vignerons de Remoulins, 88, av. Geoffroy-Perret, 30210 Remoulins, tél. 04.66.37.14.51, fax 04.66.37.42.84, cavevinic.remoulins@orange.fr
t.l.j. sf dim. 9h-12h 14h-18h

ROCCA MAURA 1737 2010 ★

	20 000		5 à 8 €

La coopérative de Roquemaure signe deux cuvées issues du même assemblage grenache-syrah, l'une élevée en cuve uniquement, **Les Barryes 2010 rouge (25 000 b.)**, citée pour son fruité, et ce 1737, passé en partie en fût, au nez de fruits rouges et d'épices agrémenté de nuances animales, souple et équilibré en bouche, sans boisé prééminent. Deux vins à déguster dans l'année.

Rocca Maura, 1, rue des Vignerons, 30150 Roquemaure, tél. 04.66.82.82.01, fax 04.66.82.67.28, contact@vignerons-de-roquemaure.com
t.l.j. sf dim. 9h-12h 14h-18h
Milaire

DOM. ROCHE-AUDRAN 2011

	50 000		5 à 8 €

Ce vignoble de 32 ha, créé en 1998, est entièrement conduit en biodynamie. Vincent Rochette propose un 2011 encore jeune, comme en témoignent la robe rouge intense aux reflets violets et les tanins fermes, enrobés de plaisantes notes fruitées et épicées. À attendre deux ou trois ans. On appréciera plus tôt, dans l'année, la cuvée **César 2010 rouge (11 à 15 €; 12 000 b.)**, généreuse et fruitée – malgré un élevage en fût de douze mois qui ne transparaît pas à la dégustation.

Vincent Rochette, Dom. Roche-Audran, rte de Saint-Roman, 84110 Buisson, tél. 06.08.97.99.21, fax 04.90.28.90.96, contact@roche-audran.com r.-v.

DOM. DE ROCHEMOND 2011 ★★

	n.c.		5 à 8 €

Éric Philip tire de ses ceps de grenache, de syrah et de carignan plantés sur un sol caillouteux un 2011 complet, fin et équilibré. Au nez, la violette se mêle harmonieusement aux fruits rouges frais (framboise). La bouche dévoile une agréable sucrosité, tempérée par une juste fraîcheur, et monte en puissance dans une longue et belle finale. À déguster dans l'année, sur un gigot d'agneau. Du même propriétaire, le **Dom. du Grand Bécassier 2010** rouge obtient une étoile pour sa bonne typicité : fruits confiturés, épices et tanins serrés.

EARL Philip Ladet, hameau de Mégier, Cadignac Sud, 30200 Sabran, tél. 04.66.79.04.42, fax 04.66.39.20.06, domaine-de-rochemond@wanadoo.fr
t.l.j. 8h-12h 13h-17h; sam. dim. sur r.-v.

DOM. LA ROIZELIÈRE 2011

	15 000		5 à 8 €

Jean-Pierre Lambert, à la tête de ce domaine familial depuis 1988, signe un 2011 de bonne facture. Le nez, expressif et gourmand, dévoile des notes de fruits et

RHÔNE

d'épices douces bien mêlées. La bouche, adossée à des tanins fondus, offre un bon volume et prolonge agréablement les sensations olfactives. À boire dans l'année.
Dom. la Roizelière,
Jean-Pierre Lambert, 14, rue Frédéric-Soumille,
84350 Courthézon, tél. 04.90.70.80.29, fax 04.90.70.25.84,
dom.roizeliere@wanadoo.fr r.-v.

LA ROMAINE Terre antique 2010

12 600 | 5 à 8 €

La coopérative de Vaison-la-Romaine propose deux duos grenache-syrah, mais assemblés dans des proportions différentes : 60-40 pour cette Terre antique, 80-20 pour la cuvée **Tradition 2010 rouge (moins de 5 € ; 95 000 b.)**, droite, fruitée et tendue par une jolie vivacité. On retrouve le même fruité direct et franc en humant la première, ainsi qu'une agréable fraîcheur en bouche, mais avec un côté plus velouté. Deux vins déjà plaisants et faciles d'accès, à découvrir dès l'automne.
Cave la Romaine, quartier Le Colombier,
84110 Vaison-la-Romaine, tél. 04.90.36.00.43,
caveau@cave-la-romaine.com r.-v.

DOM. DE LA ROUETTE Élégance 2011

2 000 | 5 à 8 €

Déjà présente dans l'édition précédente, mais dans sa version blanche, cette cuvée des frères Guigue revient dans une parure rose saumoné et dans le millésime 2011. Au nez, les notes fruitées donnent le *la* de la dégustation. Le palais est à l'unisson, tout en fruit, vif et tonique. Suggestion gourmande : une poêlée de calamars à l'armoricaine.
Sébastien et Matthieu Guigue, 2, Sous-le-Barri,
30650 Rochefort-du-Gard, tél. 04.90.31.79.39,
infodomainedelarouette@orange.fr
t.l.j. 9h30-12h 15h-19h; dim. 9h30-12h

DOM. ROUGE GARANCE Blanc de Garance 2011 ★★

7 500 | 8 à 11 €

« On m'appelle Garance »... Le rôle de l'immense Arletty dans *Les Enfants du paradis* de Marcel Carné a inspiré le nom de ce domaine né de la collaboration de Bertrand Cortellini et de l'acteur Jean-Louis Trintignant. Côté vin, pas de premier rôle ici, mais quatre cépages associés à égalité : grenache blanc, marsanne, roussanne et viognier. Le bouquet est résolument floral, parfumé de délicates senteurs d'aubépine. Le palais se révèle dense, généreux, charnu et long. Une cuvée d'une réelle élégance, à découvrir dans l'année, sur une lotte au fenouil.
SCEA Dom. Rouge Garance, chem. de Massacan,
30210 Saint-Hilaire-d'Ozilhan, tél. et fax 04.66.37.06.92,
contact@rougegarance.com r.-v.

DOM. SAINT-AMANT Cuvée Nathalie 2009 ★★

1 200 | 20 à 30 €

Cette cuvée Nathalie est réservée aux meilleurs millésimes. 2009 fut une bonne année, et les Wallut ont élaboré un vin remarquable en tout point, où la syrah tient le premier rôle. De belles notes fruitées accompagnent au nez les senteurs boisées de l'élevage. On retrouve ces sensations dans une bouche fine et élégante, longuement soutenue par des tanins fondus à souhait. Un modèle d'équilibre, à découvrir dès à présent, tout comme la cuvée **Les Clapas 2010 rouge (8 à 11 € ; 8 700 b.)**, notée une étoile pour sa rondeur, sa bonne structure et ses parfums épicés.
Dom. Saint-Amant, 84190 Suzette, tél. 04.90.62.99.25,
fax 04.90.65.03.56, contact@saint-amant.com
t.l.j. 9h-18h; sam. dim. sur r.-v.
Famille Wallut

DOM. SAINTE-ANNE 2011 ★

6 000 | 5 à 8 €

Régulièrement au firmament pour ses *villages* (un coup de cœur cette année encore), ce domaine signe aussi un côtes-du-rhône blanc très réussi, né de cépages variés. Un vin d'une grande puissance aromatique, d'abord floral, puis fruité à l'aération, tout aussi puissant en bouche, vif et long. Idéal pour un poisson grillé ou de nobles crustacés.
EARL Dom. Sainte-Anne, Les Cellettes,
30200 Saint-Gervais, tél. 04.66.82.77.41, fax 04.66.82.74.57,
domaine.ste.anne@orange.fr
t.l.j. sf sam. dim. 9h-11h 14h-18h

CH. SAINT-ESTÈVE Tradition rosé 2011 ★

15 000 | 5 à 8 €

Sur les 230 ha que compte ce domaine, 50 ha sont consacrés à la vigne, 24 ha à diverses cultures et le reste recouvert des bois et des garrigues du massif d'Uchaux ; 3,25 ha de grenache, de syrah et de mourvèdre sont quant à eux dédiés à ce rosé de saignée primesautier, véritable panier de fruits rouges – fraise en tête – relevé d'épices. Rond, gras mais sans lourdeur, c'est un vin bien fruité et long en bouche.
Ch. Saint-Estève d'Uchaux, 1100, rte de Sérignan,
84100 Uchaux, tél. 04.90.40.62.38, fax 04.90.40.63.49,
chateau.st.esteve@wanadoo.fr
t.l.j. sf dim. 10h-12h 15h-18h; f. sam. jan.-fév.
Famille Français

DOM. SAINT-ÉTIENNE Les Albizzias 2011 ★

20 000 | - de 5 €

L'albizzia, arbre décoratif aux fleurs plumeuses, donne son nom à cette cuvée de couleur grenat, au nez intense de fruits rouges confiturés nuancés de réglisse. La bouche, ample et élégante, s'appuie sur des tanins souples et soyeux. À découvrir dès l'automne, sur un lapin chasseur par exemple.
Dom. Saint-Étienne, chem. des Agaches,
30490 Montfrin, tél. 04.66.57.50.20, fax 04.66.57.22.78
t.l.j. sf dim. 9h-12h 15h-18h

DOM. SAINT-JULIEN DE L'EMBISQUE 2010

6 000 | 5 à 8 €

Si la famille Gaïde vinifie depuis longtemps – d'abord dans le Bordelais du côté de Pauillac, puis dans le Haut Var, et enfin dans la vallée du Rhône depuis 1972 –, elle ne commercialise ses vins que depuis 2011. Elle propose ici une cuvée à dominante de grenache, florale (violette), fruitée (cassis) et réglissée au nez, ronde et équilibrée en bouche. Un vin harmonieux, appréciable dès aujourd'hui, sur une assiette de charcuterie ou une grillade.
Thierry et Fabien Gaïde, L'Embisque, 84500 Bollène,
tél. 06.77.50.68.56, domaine-st-julien@orange.fr
t.l.j. 10h-12h 14h-19h

CH. SAINT-MAURICE Les Parcellaires 2011 ★

■	25 000	▮	5 à 8 €

Ces Parcellaires sont fréquemment sélectionnées dans le Guide. Pour ce rosé 2011, Christophe Valat a sélectionné 4 ha de grenache, de cinsault et de syrah plantés sur argiles rouges et galets roulés. Il en résulte un vin au bouquet exubérant de fruits rouges (cerise, fraise), associé à quelques notes amyliques. Le palais attaque avec franchise, puis déploie une matière riche et douce, sous-tendue par une bonne vivacité. L'ensemble est très harmonieux et s'appréciera volontiers sur une cuisine exotique.

SCA Ch. Saint-Maurice, C. Valat, BP 24, L'Ardoise, 30290 Laudun, tél. 04.66.50.29.31, fax 04.66.50.40.91, chateau.saint.maurice@wanadoo.fr
t.l.j. 9h-12h 14h-18h; sam. dim. sur r.-v.
Valat

DOM. SAINT-PIERRE Tradition 2011

■	6 000	▮	5 à 8 €

Philippe et Jean-François Fauque présentent un assemblage grenache-syrah-cinsault qui plaît par son bouquet intensément fruité. On apprécie aussi son palais gras et généreux, floral et fruité. Si un peu plus de fraîcheur eût été bienvenu, l'ensemble reste harmonieux et bien construit, et s'appréciera sur un poulet tikka masala.

EARL Fauque, Dom. Saint-Pierre, 923, rte d'Avignon, 84150 Violès, tél. et fax 04.90.70.90.27, domaine.saint-pierre@wanadoo.fr
t.l.j. sf dim. 8h-12h 13h30-18h30

CH. SAINT-ROCH 2010 ★

■	40 000	5 à 8 €

Ce domaine, valeur sûre en lirac et en châteauneuf-du-pape (château la Gardine), soigne aussi ses appellations régionales. Ici, un 2010 impeccable, au nez fruité, épicé et floral (violette) comme il se doit, souple, frais et long en bouche. La finale un rien plus tannique incite à attendre cette bouteille de un à trois ans, mais l'on peut aussi l'apprécier dès maintenant, sur des boulettes bœuf-veau sauce à la tomate.

Ch. Saint-Roch, Brunel Frères, chem. de Lirac, 30150 Roquemaure, tél. 04.66.82.82.59, fax 04.66.82.83.00, brunel@chateau-saint-roch.com
t.l.j. sf sam. dim. 8h-12h 14h-17h; f. 1er-15 août
Maxime et Patrice Brunel

CH. SIMIAN 2009

■	12 000	▮	5 à 8 €

Trois générations de Serguier œuvrent actuellement sur ce vignoble assez dispersé. Plantés sur des sols argilo-calcaires et graveleux, des ceps âgés de trente ans de grenache, de syrah, de mourvèdre et de cinsault ont engendré ce vin aux intenses parfums de fruits à noyau, d'épices et de cuir. Le palais est chaleureux ; les tanins apparaissent souples et fondus. On peut déjà ouvrir cette bouteille – « sur un sanglier à la myrte », propose un dégustateur, ou l'attendre deux à trois ans.

Ch. Simian, RD 172, rte d'Uchaux, 84420 Piolenc, tél. 04.90.29.50.67, fax 04.90.29.62.33, chateau.simian@wanadoo.fr
t.l.j. sf dim. 8h30-12h 14h-19h30
Jean-Pierre Serguier

DOM. LA SOUMADE Les Violettes 2010 ★

■	5 000	⧫	15 à 20 €

Cette cuvée apparaît d'abord ouverte sur le boisé de l'élevage, plus fruitée et florale à l'aération. En bouche, le vin se révèle dense, flatteur et complexe, mêlant les épices (curry, poivre) aux notes de caramel et de chocolat apportées par la barrique. À déguster dans les trois ans sur un wok de bœuf sauté aux épices.

Frédéric Roméro, Dom. la Soumade, 84110 Rasteau, tél. 04.90.46.13.63, fax 04.90.46.18.36, dom-lasoumade@hotmail.fr
t.l.j. sf dim. 8h30-11h30 14h-18h

TARDIEU-LAURENT Guy Louis 2010 ★★

■	9 500	⧫	11 à 15 €

Hommage à son père Guy et à son grand-père Louis, cette cuvée associe à parts quasi égales le grenache et la syrah. En dépit de ses dix-huit mois d'élevage en barrique, elle reste intensément fruitée au nez et délicatement florale (fleur de cerisier pour l'un, violette pour l'autre). En bouche, elle emporte l'adhésion par sa rondeur et sa douceur, par ses tanins soyeux et ses arômes gourmands de figue, de prune et de violette, une pointe vanillée rappelant tout de même le passage en fût. Tout cela est bien en place, harmonieux et déjà très plaisant. « Un vin féminin », concluent les jurés.

Maison Tardieu-Laurent, Les Grandes Bastides, rte de Cucuron, 84160 Lourmarin, tél. 04.90.68.80.25, fax 04.90.68.22.65, info@tardieu-laurent.com r.-v.

TERRE DE GAULHEM La Bédaride 2010 ★

■	1 200	⧫	11 à 15 €

Ce jeune domaine, créé en 2006 par Nicolas et Magali Constantin, est situé au nord de Vaison-la-Romaine, à 280 m d'altitude. Après des sélections dans les deux éditions précédentes, il confirme son savoir-faire avec ce 2010 à dominante de grenache récolté à maturité, début octobre. Le nez mêle les fruits mûrs, presque confiturés, au poivre, à la vanille et au sous-bois. Plein, rond, bien structuré, le palais affiche un bel équilibre. La finale, plus austère, appelle toutefois une garde de deux ans pour plus de fondu. Mais les moins patients peuvent déjà apprécier cette bouteille.

Magali et Nicolas Constantin, 1088, chem. de Saumelongue, 84110 Vaison-la-Romaine, tél. et fax 04.90.28.85.71, nicolas.constant1@orange.fr
r.-v.

TERRES D'AVIGNON Croix Valong 2010 ★

■	40 000	⧫	8 à 11 €

Cette cave coopérative regroupe quelque deux cent soixante adhérents et un terroir réparti sur huit communes ; une diversité qui lui offre une large palette pour élaborer des cuvées variées. Ici, trois vins sont retenus. Le préféré est cette Croix Valong, extraite du grenache et de la syrah élevés six mois en fût. Les fruits à maturité (groseille, mûre) dominent la dégustation et tapissent une bouche soyeuse, généreuse et néanmoins solidement structurée. On l'attendra deux ou trois ans. Le **2010 rouge Réserve des armoiries (5 à 8 € ; 500 000 b.)**, frais, élégant et bien charpenté, et le **Dom. de la Croisette 2010 rouge (5 à 8 € ; 32 000 b.)**, puissant, tannique et de garde (cinq ou six ans), sont également très réussis.

RHÔNE

SCA Terres d'Avignon, 457, av. Aristide-Briand, 84310 Morières-lès-Avignon, tél. 04.90.33.55.25, fax 04.90.33.43.31, vignoble@terresdavignon.com
t.l.j. sf dim. 9h-12h30 14h-19h

DOM. DE TOUT-VENT Cuvée réservée 2011 ★

	20 000		8 à 11 €

Un domaine familial de 42 ha, battu par les vents, ancienne propriété de l'acteur Jean-Pierre Darras appartenant à la famille Mousset depuis 1970. Après un court passage de six mois en fût, cette cuvée déploie des parfums torréfiés et vanillés qui laissent libre cours aux senteurs fruitées. Tout aussi finement boisée, la bouche séduit par son élégance, sa rondeur et ses tanins soyeux. À boire dans les trois ans sur un magret de canard sauce aux fruits noirs.
SCCA Fabrice et Yann Mousset, Ch. des Fines Roches, BP 15, 84230 Châteauneuf-du-Pape, tél. 04.90.83.73.10, fax 04.90.83.50.78, contact@mousset.com
t.l.j. 10h-18h (19h en été)

TROIS SAINTS Grande Réserve 2009 ★

	11 500		- de 5 €

Union des vignerons des communes de Saint-Just, Saint-Marcel et Saint-Martin d'Ardèche, cette coopérative a été fondée en 1929. Son emblème : l'aigle de Bonelli, réintroduit dans la réserve naturelle des gorges de l'Ardèche, dont l'étiquette de ce vin reproduit les ailes de manière stylisée. Dans le flacon, un vin fruité (cerise, fraise) et épicé, rond, soyeux et généreux, porté par une structure équilibrée. Accord gourmand en perspective avec un filet de bœuf sauce aux cèpes.
Cellier des Gorges de l'Ardèche, rte de la Gare, 07700 Saint-Marcel-d'Ardèche, tél. 04.75.04.66.83, fax 04.75.98.73.20, cave.stjust.stmarcel@wanadoo.fr
t.l.j. sf dim. 8h-12h 14h-18h

DOM. DE LA VALÉRIANE 2011 ★

	3 500		5 à 8 €

Un habitué du Guide que ce domaine de la Valériane, créé en 1982 par les parents de Valérie Collomb qui en tient les commandes depuis 2004, avec son mari Michel. Ce couple d'œnologues expérimenté signe un 2011 charmeur en diable, sur les fruits rouges écrasés (la fraise notamment) et quelques notes amyliques, franc, frais et souple en bouche. Un beau représentant de l'appellation, conseillé sur une terrine de lapin ou une viande blanche.
Valérie Collomb, rte d'Estézargues, 30390 Domazan, tél. et fax 04.66.57.04.84, valeriane.mc@orange.fr
t.l.j. sf dim. 10h-12h 14h-19h

DOM. DE VAL FRAIS Sélection 2010 ★

	4 000		5 à 8 €

Un domaine de 54 ha, commandé par une bâtisse provençale datée de 1920 et portant le nom de Val Frais. À sa tête depuis 1993, les deux filles et le gendre d'André Vaque. Ce 2010 couleur pourpre fleure bon la truffe et le chocolat. En bouche, il se montre épicé, dense et velouté, soutenu par un boisé délicat qui fait écho aux notes de l'olfaction. Que penseriez-vous d'un parmentier de queue de bœuf à la truffe noire ?
SCEA André Vaque, Dom. de Val Frais, 84350 Courthézon, tél. 04.90.70.84.33, fax 04.90.70.73.61, domaine.valfrais@cegetel.net r.-v.

PIERRE VIDAL La Mission Saint-Pierre 2011 ★★

	130 000		5 à 8 €

Cette jeune maison de négoce, fondée en 2010 par Pierre Vidal, œnologue trentenaire formé en Bourgogne, confirme le bien qu'on pense d'elle avec trois vins sélectionnés, après une entrée remarquée dans le Guide l'an dernier. Cette Mission Saint-Pierre fait la part belle à la syrah (60 %), avec le grenache et le mourvèdre en complément. Elle livre un bouquet intense de fruits noirs et rouges, rejoints par les épices dans une bouche puissante et tannique, qui appelle une garde de deux ou trois ans. Même note et mêmes cépages pour la cuvée **Instinct naturel 2011 rouge (130 000 b.)**, mais dans des proportions différentes, le grenache ayant le rôle principal : un vin suave, souple, fruité et épicé, qualifié de « féminin », à boire dès à présent. Une étoile enfin pour le **rosé 2011 (40 000 b.)**, floral, fruité (fraise écrasée), frais et long.
Pierre Vidal, 631, rte de Sorgues, 84230 Châteauneuf-du-Pape, tél. et fax 04.90.83.70.24, contact@pierrevidal.com

DOM. LE VIEUX LAVOIR 2011 ★

	18 000		5 à 8 €

La cave de ce domaine familial est inspirée de l'architecture du lavoir de Tavel. Elle a abrité ce 2011 né de grenache blanc, de clairette et de roussanne : un vin jaune pâle, qui évoque les fruits blancs, puis, à l'aération, les fleurs blanches. Il se révèle rond et chaleureux en bouche, tapissé de senteurs de pomme compotée. Une bouteille que l'on verrait bien sur une tarte fine aux pommes caramélisées. Le **rouge 2011 (moins de 5 €; 80 000 b.)** obtient également une étoile pour ses notes typées de garrigue et de fruits mûrs. Encore un peu sévère en finale, il est à attendre un an ou deux.
EARL Roudil-Jouffret, rte de la Commanderie, Le Palai-Nord, 30126 Tavel, tél. 04.66.82.85.11, fax 04.66.82.84.18, roudil-jouffret@wanadoo.fr
t.l.j. sf sam. dim. 8h-12h 14h-18h
Didier Jouffret

Côtes-du-rhône-villages

Superficie : 10 240 ha
Production : 354 825 hl (98 % rouge et rosé)

À l'intérieur de l'aire des côtes-du-rhône, quelques communes ont acquis une notoriété certaine grâce à des terroirs qui produisent des vins de semi-garde dont les qualités sont unanimement reconnues. Les conditions de production de ces vins sont soumises à des critères plus restrictifs en matière notamment de délimitation, de rendement et de degré alcoolique par rapport à ceux des côtes-du-rhône. Au sein de l'aire d'appellation, 13 noms de communes historiquement reconnus peuvent figurer sur l'étiquette : Chusclan, Laudun et Saint-Gervais dans le Gard ; Cairanne, Sablet, Séguret, Roaix, Valréas et Visan dans le Vaucluse ; Rochegude, Rousset-les-Vignes, Saint-Maurice, Saint-Pantaléon-les-Vignes dans la Drôme. Ont été récemment reconnus Signargues, dans le Gard, Massif d'Uchaux, Plan de Dieu et Puyméras dans le Vaucluse. Sur le territoire de 70 autres communes du Gard, du Vaucluse et de la Drôme, dans l'aire côtes-du-rhône, une délimitation plus stricte permet de produire des côtes-du-rhône-villages sans nom de commune.

DOM. D'AÉRIA Cairanne Cuvée Prestige 2010 ★★

■ 6 000 11 à 15 €

L'antéfixe représentée sur les étiquettes témoigne du passé antique du domaine, établi à l'emplacement d'une cité gréco-gauloise. Rolland Gap signe une remarquable cuvée mi-grenache mi-mourvèdre, élevée en foudre. Au nez, les fruits rouges (cerise) et noirs (mûre) s'agrémentent de touches animales et réglissées. L'attaque, ample et fraîche, prélude à une bouche tout aussi fruitée, avec des notes de violette en appoint, portée par des tanins souples et soyeux. À boire dès l'automne, sur un magret de canard ou une viande en sauce.

Rolland Gap, SARL Dom. d'Aéria, rte de Rasteau, 84290 Cairanne, tél. 04.90.30.88.78, fax 04.90.30.78.38, domaine.aeria092@orange.fr r.-v.

DOM. ALARY Cairanne La Brunote 2010 ★

■ 10 000 ■ 8 à 11 €

Le 2012 sera le premier millésime pouvant inscrire la mention « agriculture biologique » sur les étiquettes de ce domaine au long passé viticole : la famille Alary cultive la vigne autour de Cairanne depuis 1692 ! Modernité et tradition... Deux vins sont retenus cette année. En tête, cette Brunote issue de grenache, de mourvèdre et de carignan, un vin intense, sur les fruits frais (cassis, fraise des bois), gras, souple et gourmand. Un « vin plaisir » pour tout de suite. Le **cairanne Tradition 2010 rouge (5 à 8 € ; 30 000 b.)**, noté une étoile également, remplace le mourvèdre par la syrah et s'impose, tant par ses arômes de fruits cuits et de garrigue que par son palais ample, long et structuré. On pourra l'attendre deux ou trois ans.

Dom. Alary, La Font d'Estévenas, rte de Rasteau, 84290 Cairanne, tél. 04.90.30.82.32, fax 04.90.30.74.71, alary.denis@wanadoo.fr

t.l.j. sf dim. 8h-12h 14h 18h30; déc.-mars sur r.-v.

DOM. DE L'AMANDINE Séguret 2010 ★

■ 60 000 ■ 5 à 8 €

Plantées sur des coteaux bien exposés bordant les Dentelles de Montmirail, les vignes de syrah et de grenache ont donné naissance à cette cuvée au nez friand et intense de fruits frais. La bouche se révèle souple, soyeuse et veloutée à l'attaque, avant de se montrer un peu plus sévère en finale. Deux ans d'attente permettront un meilleur fondu et un accord gourmand avec une viande en sauce ou un magret.

Dom. de l'Amandine, quartier Bel Air, 84110 Séguret, tél. 04.90.46.12.39, fax 04.90.46.16.64, domaine.amandine@wanadoo.fr

t.l.j. sf dim. 8h-12h 14h-18h

J.-P. Verdeau

DOM. DE L'AMAUVE Séguret La Daurèle 2011

3 000 ■ 8 à 11 €

Christian Vœux, œnologue attaché à plusieurs domaines rhodaniens, affiche plus de trente-cinq millésimes à son actif. Installé en 2006 sur son domaine de 12 ha, il signe ici un 2011 jaune pâle limpide, au nez délicat de fleurs blanches ; un blanc frais, long et bien équilibré en bouche. Parfait pour un apéritif autour d'un bouquet de crevettes.

Christian Vœux, chem. du Jas, 84110 Séguret, tél. 06.10.71.26.72, fax 04.90.65.17.12, contact@domainedelamauve.fr r.-v.

L'AMEILLAUD Cairanne 2010 ★

■ 50 000 ■ 8 à 11 €

Nick Thompson, britannique, et son épouse Sabine conduisent depuis une vingtaine d'années ce domaine dont l'histoire viticole remonte à près de deux siècles. Ils proposent ici une cuvée née de grenache, syrah, carignan et mourvèdre qui séduit d'emblée par son bouquet intense de fruits frais, myrtille en tête. La même puissance fruitée imprègne le palais, onctueux, équilibré et soutenu par de fins tanins. « On en mangerait », conclut un dégustateur sous le charme, « avec un sauté de veau aux épices », propose un autre.

SARL Ameillaud, rte de Rasteau, 84290 Cairanne, tél. 04.90.30.82.02, fax 04.90.30.74.66, contact@ameillaud.com

t.l.j. sf dim. 8h-12h 14h-18h

♥ **FRANÇOIS ARNAUD** 2011 ★★

■ 160 000 ■ 5 à 8 €

Cette maison de négoce créée par François Arnaud Dauvergne et Jean-François Ranvier en 2004 fréquente avec une constance remarquable les pages du Guide et, ce, dans une vaste palette d'appellations, du nord au sud de la vallée du Rhône. Cette cuvée François Arnaud a enthousiasmé les dégustateurs par son bouquet subtil de fruits rouges et noirs relevé de notes poivrées. L'attaque, franche et nette, ouvre sur un palais rond et charnu, qui offre une superbe mâche et des tanins soyeux et affables. La longue finale poivrée, en écho à l'olfaction, conclut parfaitement la dégustation. Un ensemble fin et harmonieux, à découvrir au cours des trois prochaines années, sur du veau marengo. Le **Dom. du Grezas 2011 rouge (26 000 b.)**, épicé, généreux et charpenté, obtient une étoile. On attendra deux ans avant de le déguster sur une viande en sauce.

R & D Vins, Ch. Saint-Maurice, RN 580, L'Ardoise, 30290 Laudun, tél. 04.66.82.96.57, fax 04.66.82.96.58, francois.dauvergne@dauvergne-ranvier.com

RHÔNE

DOM. DE L'AURE Cuvée André 2010 ★★

■ 15 000 5 à 8 €

Du chai, on peut admirer le célèbre pont du Gard ; un chai dans lequel œuvrent depuis 2005 les deux fils de Michel Cruzel, Vivian et Cédric. En est sortie cette cuvée syrah-grenache, drapée dans une robe pourpre sombre aux reflets orangés, signe d'un vin prêt à boire. Au nez, on respire la confiture de framboises, que l'on retrouve dans une bouche tout en rondeur, fine et douce, portée par des tanins mûrs. L'ensemble est très harmonieux, et nos dégustateurs suggèrent pour l'accompagner un dessert aux fruits rouges. La cuvée **Bois de Brignon 2010 rouge (11 à 15 € ; 7 000 b.)**, ronde, souple et boisée, obtient une étoile. On pourra l'apprécier dans les deux ans sur un plat d'hiver, un bœuf bourguignon par exemple.

Dom. de l'Aure, rte de Fournes, 30210 Saint-Hilaire-d'Ozilhan, tél. 04.66.37.00.82, domaine-de-laure@orange.fr t.l.j. sf dim. 9h-19h

DOM. DES AUZIÈRES Réserve 2010 ★

■ 2 500 11 à 15 €

Les ceps de grenache et de syrah, plantés à 300 m d'altitude sur des versants bien exposés au couchant et au levant, ont donné naissance à cette cuvée bien construite autour d'un boisé dominant mais élégant. Au nez, le côté toasté et le vanillé s'imposent au fruité. Les fruits rouges se frayent toutefois un chemin entre les notes d'élevage dans une bouche ronde et longue. Dans deux ou trois ans, l'ensemble sera fondu et un gigot d'agneau sera le bienvenu.

Christophe Cuer, Les Auzières, 84110 Roaix, tél. 06.03.40.55.08, fax 04.90.46.12.75, christophe@auzieres.fr t.l.j. sf dim. 9h-12h 14h-18h 4

DOM. DE LA BASTIDE Visan La Gloire de mon père 2010 ★

■ n.c. 8 à 11 €

Cette bastide est un condensé d'histoire : bâtie sur une ancienne villa romaine, elle fut tour à tour une ferme templière fortifiée, puis un couvent de bénédictins et de dominicains sécularisé à la Révolution et en partie détruit sous la Terreur. Elle est entrée dans la famille Boyer en 1988. Hommage au père de Vincent, disparu en 2008, cette cuvée fait la part belle à la syrah (80 % de l'assemblage aux côtés du grenache). De belles larmes tapissent le verre, annonce d'un vin riche et gras. De fait, la bouche se révèle dense, concentrée et généreuse, bâtie sur des tanins solidement arrimés. Côté arômes, les fruits mûrs (cassis, griotte, fraise des bois) se mêlent, au nez comme en bouche, aux aromates et au Zan. Un ensemble harmonieux et puissant, à encaver deux à trois ans et à servir sur un tajine d'agneau aux aubergines ou sur une pièce de gibier, un civet de marcassin par exemple.

Dom. de la Bastide, 1250, chem. de la Bastide, 84820 Visan, tél. 04.90.41.98.61, fax 04.90.41.97.89, vinboyer@wanadoo.fr r.-v.

Vincent Boyer

LA BASTIDE SAINT-DOMINIQUE 2010 ★

■ 27 000 8 à 11 €

Ce domaine est établi sur les vestiges d'une ancienne chapelle du XVIe s. Éric Bonnet a engagé en 2011 la conversion du vignoble à l'agriculture biologique. Il signe ici une cuvée au bouquet de fruits des bois mûrs à la fois fin et généreux. La bouche, riche et intense, est à l'unisson, construite autour du fruit et de tanins souples. Un vin harmonieux, à déguster dans l'année, sur des tomates farcies par exemple.

Éric Bonnet, 1358, chem. Saint-Dominique, 84350 Courthézon, tél. 04.90.70.85.32, fax 04.90.70.76.64, contact@bastidesaintdominique.com t.l.j. sf sam. dim. 9h-12h 13h30-18h B

DOM. BEAU MISTRAL Rosé du terroir 2011

■ 2 500 5 à 8 €

Les côtes-du-rhône-villages rosés ne sont pas légion ; en voici un très beau représentant, né d'une saignée de cinsault (40 %), de grenache et de mourvèdre. La robe est d'un beau rose franc et intense. Le nez évoque les fleurs blanches et les fruits frais. Ces derniers (abricot, pêche) se retrouvent dans une bouche tonique et persistante. Tout indiqué pour un apéritif, autour d'une assiette de cochonnailles.

Dom. Beau Mistral, rte d'Orange, 84110 Rasteau, tél. 04.90.46.16.90, fax 04.90.46.17.30, domaine.beaumistral@rasteau.fr t.l.j. 9h-12h 14h-18h; dim. sur r.-v.

Jean-Marc Brun

DOM. DU BOIS DES MÈGES

Plan de Dieu Divins Galets 2010 ★

■ 9 000 5 à 8 €

Ce Plan de Dieu, né de grenache à 80 %, avec le mourvèdre en complément, se présente dans une robe rouge profond aux reflets violets. Le nez, discret mais complexe, évoque les feuilles de chêne vert et les baies noires, le cassis notamment. Il invite à poursuivre la dégustation et à découvrir un palais doux et soyeux, une juste fraîcheur apportant un surcroît de peps. La finale, un rien sévère, appelle une petite garde d'un an ou deux. Recommandé sur un agneau au thym.

Ghislain Guigue, 607, rte d'Orange, 84150 Violès, tél. 04.90.70.92.95, fax 04.90.70.97.39, gguigue@boisdesmeges.fr r.-v.

DOM. BOISSON Cairanne L'Exigence 2010 ★★

■ 8 000 11 à 15 €

Les Boisson cultivent la vigne à Cairanne depuis six générations, et Bruno depuis 1998. Fruit d'un tri rigoureux et exigeant des raisins de grenache, de syrah et de mourvèdre, cette cuvée s'annonce dans une robe rouge profond, ornée de beaux reflets. Au nez, des senteurs méridionales de laurier et de thym se mêlent avec intensité à des fragrances de violette et de réglisse. Une complexité aromatique que reprend en chœur le palais, puissant, rond et persistant, y ajoutant d'intéressantes notes d'encre de Chine et de truffe. Un vin bien typé, à découvrir dans les deux ou trois prochaines années, sur du cabri rôti accompagné d'un pain d'aubergine. Plus tannique, à garder deux ou trois ans en cave, le **Massif d'Uchaux 2010 rouge Clos de la Brussière (8 000 b.)** obtient une étoile.

Dom. Boisson, Le Grand-Vallat, 84290 Cairanne, tél. 04.90.30.70.01, fax 04.90.30.89.03, domaineboisson@hotmail.com r.-v.

DOM. CAROLINE BONNEFOY Valréas 2011 ★★

■ 20 000 8 à 11 €

Caroline Bonnefoy signe un Valréas de très belle facture. Le grenache et la syrah (20 %) s'y expriment avec

intensité, à travers des parfums intenses de fruits confiturés, d'épices et de réglisse. La bouche se révèle chaleureuse, longuement portée par des tanins soyeux enrobés de notes réglissées et épicées qui font écho à l'olfaction. Un vin cohérent et généreux, que l'on verrait, aujourd'hui comme dans cinq ans, sur un rôti de porc aux pruneaux.
Caroline Bonnefoy, rte de Montélimar, 84600 Valréas, tél. 06.87.14.21.48, fax 04.90.35.18.38, domainedelumian@wanadoo.fr t.l.j. 9h-12h 14h-19h

DOM. LA BOUVAUDE Rousset-les-Vignes
Élevé en fût de chêne 2010 ★

■ 5 300 5 à 8 €

Les plus vieilles vignes du domaine, de cinquante ans d'âge moyen, sont à l'œuvre dans cette cuvée élevée dix mois en barrique de chêne. Au nez, les notes vanillées et grillées du fût se mêlent aux fruits rouges et aux épices. On retrouve tout cela dans une bouche équilibrée, ronde et longue, aux tanins soyeux. À déguster dans une paire d'années, sur une entrecôte aux sarments.
Stéphane Barnaud, Dom. la Bouvaude, 26770 Rousset-les-Vignes, tél. 04.75.27.90.32, fax 04.75.27.98.72, stephane.barnaud@wanadoo.fr
t.l.j. 9h-19h; f. fév. et dim. a.-m.

DOM. BRUSSET Cairanne Les Travers 2011 ★

10 000 8 à 11 €

Trio de grenache blanc, de roussanne et de viognier, ce 2011 revêt une élégante robe d'un jaune clair limpide. Au nez, les fleurs blanches se marient harmonieusement aux fruits et aux épices. Suivant la même ligne aromatique, la bouche se révèle souple, ronde et suave. La longueur n'est pas la moindre de ses qualités. Une cuvée à découvrir dès aujourd'hui, sur une cassolette de moules au safran.
Dom. Brusset, Le Village, 84290 Cairanne, tél. 04.90.30.82.16, fax 04.90.30.73.31, domaine-brusset@wanadoo.fr t.l.j. 9h-12h 14h-18h

DOM. DE CABASSE Séguret Cuvée Garnacho 2010

■ 14 000 8 à 11 €

Changement de main sur le domaine : en 2012, Alfred et Nicolas Haeni ont cédé la place à la famille Baudry. Mais ce sont bien les noms des anciens propriétaires qui sont apposés sur l'étiquette de ce 2010. Le grenache y tient le haut du pavé, avec la syrah, la counoise et le carignan pour compagnons. Au nez, les fruits et les épices se nuancent de notes réglissées. Équilibrée, la bouche dévoile une jolie matière, du fruit et des tanins aimables. À boire dans l'année, sur une bonne grillade. Est également cité le **Séguret Le Rosé de Marie-Antoinette 2011 (10 500 b.)**, un vin généreux, sur les fruits noirs bien mûrs, presque compotés. On lui réservera des gambas flambées ou une viande blanche.
Dom. de Cabasse, rte de Sablet, 84110 Séguret, tél. 04.90.46.91.12, fax 04.90.46.94.01, info@cabasse.fr
t.l.j. 9h-12h 14h-18h
Benoît Baudry

DOM. DES CABOITS Plan de Dieu 2010 ★

■ 5 000 5 à 8 €

Ce domaine familial est sorti de la cave coopérative en 1991, sous l'impulsion de Jeanine et de Christian Latour et de leur fils aîné Didier. En 2003, Jean-Louis, le cadet, a pris la relève. Il propose ici un Plan de Dieu de caractère, au nez complexe et expressif sur les fruits noirs (cassis, mûre), les épices (poivre), la violette et le cuir. La bouche se révèle ample et puissante, étayée par une robuste ossature tannique et ragaillardie par une fine acidité en finale. Tout cela laisse augurer une bonne tenue dans le temps. Dans trois à cinq ans, cette bouteille fera le bonheur d'un repas de retour de chasse ou accompagnera une côte de bœuf aux sarments.
Jean-Louis Latour, 72, av. Gal-de-Gaulle, 84850 Camaret-sur-Aigues, tél. 04.90.37.25.13, domaine.des.caboits@aliceadsl.fr
t.l.j. sf dim. lun. 14h-19h; sam. 10h-12h

DOM. CAMP REVÈS 2011

10 000 5 à 8 €

Regroupement en 1992 des caves du Thor, de Morières-lès-Avignon et de Châteauneuf-de-Gadagne, cette coopérative a changé de nom en 2005 : les Vignerons des coteaux d'Avignon sont devenus Terres d'Avignon. La qualité reste au rendez-vous, témoin ce 2011 issu de grenache blanc, de viognier et de clairette, un vin finement bouqueté, sur les fleurs blanches et les agrumes, généreux et souple en bouche, vivifié par une juste acidité en finale. Pour l'apéritif, avec quelques beignets de fleur de courgette.
SCA Terres d'Avignon, 457, av. Aristide-Briand, 84310 Morières-lès-Avignon, tél. 04.90.33.55.25, fax 04.90.33.43.31, vignoble@terresdavignon.com
t.l.j. sf dim. 9h-12h30 14h-19h

LES VIGNERONS DU CASTELAS Signargues
Vieilles Vignes 2010 ★

■ 15 000 5 à 8 €

La coopérative de Rochefort-du-Gard (1956) a étendu sa production aux villages Signargues depuis 2005. Cette cuvée, issue à parts égales de grenache et de syrah, avec 20 % de carignan en appoint, a fait belle impression. Les dégustateurs ont aimé sa robe grenat, limpide et intense. Posant le nez dans le verre, ils ont fait un agréable voyage dans le temps et dans leurs souvenirs d'enfance, en humant les senteurs du bâton de réglisse, de la pâte de fruits rouges et du caramel au lait, de douces sensations prolongées par une bouche persistante, soyeuse et caressante. Que diriez-vous d'un agneau sucré aux dattes ?
Les Vignerons du Castelas, av. de Signargues, 30650 Rochefort-du-Gard, tél. 04.90.26.62.66, fax 04.90.26.62.64, vcastelas@orange.fr
t.l.j. sf dim. 9h-12h 14h30-18h15

♥ **CAMILLE CAYRAN** Cairanne Antique 2010 ★★★

■ 45 000 11 à 15 €

Palmarès mémorable pour la coopérative de Cairanne : cinq cuvées sélectionnées et un coup de cœur en

RHÔNE

prime pour ce 2010. Quelques chiffres pour situer la cave ? 150 adhérents, 900 ha de vignes, 35 000 hl par an et quelque quatre millions de cols produits à l'année : ce que l'on appelle un acteur de poids... Mais quantité sait aussi rimer avec qualité. Pour preuve cette cuvée Antique, jugée exceptionnelle. Le nez, qu'un dégustateur qualifie de « vénéneux et diabolique » – c'est un compliment ! –, mêle des parfums intenses et originaux de jacinthe et de violette, accompagnés de notes réglissées. Le voyage se poursuit dans une bouche suave, fine et élégante, où l'on rencontre des arômes classiques de fruits rouges et d'autres, plus surprenants, de fleurs d'amandier. D'une complexité rare, à la fois puissant et subtil, ce vin s'appréciera dès à présent ou dans deux ans, pour lui-même ou avec un mets délicat, un filet de bœuf par exemple. La ronde des couleurs et des arômes continue avec quatre autres cuvées obtenant chacune une étoile : le **Cairanne 2010 rouge Les Salyens (8 à 11 € ; 45 000 b.)**, ample, soyeux et épicé (poivre rose, paprika), le **Cairanne Dentelles de Camille 2010 rouge (15 à 20 € ; 15 000 b.)**, frais et fruité, le **Cairanne Victor Delauze Framboise et litchi 2011 rosé (5 à 8 € ; 40 000 b.)**, franc, fruité (agrumes) et tonique, et enfin le **Cairanne Victor Delauze Pêche et genêt 2011 blanc (5 à 8 € ; 60 000 b.)**, rond et floral.

Maison Camille Cayran, rte de Sainte-Cécile, 84290 Cairanne, tél. 04.90.30.82.05, fax 04.90.30.74.03
t.l.j. 9h-18h30 (été 19h)

DOM. CHARITÉ Signargues Bastien 2010 ★

12 000 | 8 à 11 €

2012 marque le passage au bio de l'intégralité du vignoble de Christophe, troisième génération de Coste à œuvrer sur ce domaine de 38 ha. La succession devrait être féminine, avec Capucine et Charlotte, nées en 2007 et 2010, deux très beaux millésimes pour la vallée du Rhône. Celui-ci, un Signargues issu de grenache, syrah et mourvèdre, dévoile un bouquet de fruits des bois (framboise) plein de fraîcheur. Une attaque tout en souplesse introduit un palais ample, doux et fin, tapissé d'arômes de fruits rouges et de réglisse, soutenu par des tanins fondus. Pour un agneau grillé aux herbes, dès à présent.

Christophe Coste, 5, chem. des Issarts, 30650 Saze, tél. 04.90.31.73.55, fax 04.13.33.54.50, contact@domainecharite.com r.-v.

CHARTREUSE DE VALBONNE Terrasses de Montalivet 2011 ★

2 000 | 8 à 11 €

Les chartreux ont planté la vigne ici au XIIIe s., sur les coteaux dominant le monastère. Après leur départ en 1901, le vignoble fut laissé à l'abandon, avant de renaître à partir de 1977. Aujourd'hui, le domaine viticole a presque retrouvé sa surface d'origine, avec plus de 15 ha. Il est géré dans le cadre d'un centre d'aide par le travail et emploie des travailleurs handicapés pour les travaux des vignes. On y découvre un blanc délicat, né du seul viognier, un vin très floral (aubépine, fleur de cerisier), rond, souple, fin et équilibré par une subtile vivacité. Accord gourmand en perspective avec des tagliatelles aux langoustines.

ASVMT Chartreuse de Valbonne, 28, chem. de la Chartreuse-de-Valbonne, 30130 Saint-Paulet-de-Caisson, tél. 04.66.90.41.21, fax 04.66.90.41.11, domaine@chartreusedevalbonne.com
avr.-sep. t.l.j. 9h-12h 14h-18h; oct.-mars sam. dim. 11h-12h30 14h-17h

DOM. DES CINQ SENS 2 Le Nez 2011 ★★

8 000 | 5 à 8 €

Un nouveau nom dans le Guide. Ce domaine, créé en 2010, étend ses vignes sur 50 ha, en cours de conversion bio. Pour chaque cuvée, l'idée est de mettre en avant une caractéristique sensorielle. Ici, « floral voluptueux », indique l'étiquette. La dégustation de ce vin blanc confirme la pertinence des deux adjectifs : cet assemblage à parts égales de roussanne, marsanne et viognier dévoile un bouquet d'une grande finesse, très floral en effet, avec des nuances fraîches d'agrumes en complément. Puissante et montante, la bouche ne dit pas autre chose, et livre une remarquable finale, longue et intense. Un modèle d'harmonie, à découvrir dans les deux ans, sur une bourride de lotte ou une volaille à la crème.

NOUVEAU PRODUCTEUR

Dom. des Cinq Sens, rte du Moulin, 26790 Rochegude, tél. 04.75.51.23.72, fax 04.75.51.23.62, info@domaine5sens.com
t.l.j. 8h-12h 14h-18h; sam. dim. sur r.-v.
Isabel Fromont

CLOS BELLANE Valréas Les Échalas 2010 ★★

6 000 | 15 à 20 €

Ici, les vignes, plantées à 410 m d'altitude, côtoient les truffes et les abeilles (le domaine abrite 120 ruches). La syrah, enracinée dans un sol argilo-calcaire, est seul maître à bord de ce 2010. Elle manifeste sa présence à travers des parfums intenses de fruits frais, le boisé de l'élevage restant imperceptible. Tout aussi fruité, le palais se montre souple, soyeux, structuré sans excès. Une gourmandise à découvrir dès cet automne, mais qui pourra aussi vieillir trois ou quatre ans. Le **Clos Petite Bellane 2011 blanc (8 à 11 € ; 15 000 b.)**, vif et tonique, sur les agrumes, obtient une étoile. On le recommande sur des huîtres de Bouzigues.

Clos Petite Bellane, rte de Vinsobres, chem. Sainte-Croix, BP 80, 84602 Valréas Cedex, tél. 04.90.35.22.64, fax 04.90.35.19.27, clos-petite-bellane@wanadoo.fr
t.l.j. sf sam. dim. 9h-12h 14h-18h
M. Vedeau

CLOS DU PÈRE CLÉMENT Visan Cuvée Notre-Dame 2009 ★

17 200 | 8 à 11 €

Ce domaine, situé à proximité de la chapelle Notre-Dame-des-Vignes (XVIe s.), a engagé en 2011 la conversion du vignoble à l'agriculture biologique : les étiquettes pourront donc l'indiquer à partir du millésime 2014. C'est aussi l'année où il faudra déboucher ce 2009, s'il n'a pas déjà été bu. Un vin rouge vif aux nuances violines, joliment parfumé de réglisse et de fruits rouges et noirs (cassis), frais, souple et bien équilibré en bouche. Déjà aimable, ce 2009 fera volontiers compagnie à un sauté de veau à la tomate.

Depeyre, Clos du Père Clément, rte de Vaison-la-Romaine, 84820 Visan, tél. 04.90.41.93.68, fax 04.90.41.97.04, info@clos-pere-clement.com
t.l.j. sf dim. 9h-12h 14h-18h30

LA COMBE DES AVAUX Laudun 2011 ★

18 000 | 5 à 8 €

La coopérative de Chusclan signe un beau triplé dans cette édition. En tête, ce 2011 mi-grenache mi-syrah, un vin expressif, sur les fruits, les épices et la réglisse, frais, intense et long en bouche. Des tanins bien présents mais sans agressivité lui assureront une garde de deux ou trois ans. Le **Terra Vitae 2011 rouge Laudun (10 000 b.)**, issu de l'agriculture biologique, à la fois puissant et frais, et **Les Monticauts 2010 rouge Chusclan (12 000 b.)**, plus soyeux, sont cités.

Laudun Chusclan Vignerons, rte d'Orsan, 30200 Chusclan, tél. 04.66.90.11.03, fax 04.66.90.16.52, contact@lc-v.com t.l.j. 9h-12h 14h-18h

LES COMBELLES 2011

400 000 | - de 5 €

Cette marque de négoce propose ici un vin plaisant, mi-grenache mi-syrah, qui évoque au nez la confiture de fruits rouges. La bouche dévoile une belle matière, mais se montre aussi assez tannique et sévère. Une garde de deux ou trois ans lui apporteront l'harmonie. Une viande en sauce sera aussi bienvenue.

La Compagnie Rhodanienne, 19, Chemin-Neuf, 30210 Castillon-du-Gard, tél. 04.66.37.49.50, fax 04.66.37.49.51, pierre.martin@rhodanienne.com

Groupe Taillan

LES COTEAUX Visan La Garde des lions 2011 ★★

1 000 | 5 à 8 €

Proposé par la coopérative de Visan, ce blanc issu de clairette (50 %), de grenache blanc (40 %) et de viognier se présente dans une seyante robe claire et lumineuse, empreinte de délicates senteurs florales (rose blanche, lys) et fruitées. La même finesse règne en bouche, où une juste vivacité apporte longueur et tonicité. Un ensemble très harmonieux, à servir dans l'année sur un loup au fenouil. Le **Visan 2009 rouge cuvée Marot (15 à 20 € ; 5 000 b.)**, proposé uniquement en magnum sérigraphié à l'or fin, obtient une étoile pour ses saveurs de raisin mûr, de cerise et de fraise.

Cave Les Coteaux, SCA Les Coteaux de Visan, 84820 Visan, tél. 04.90.28.50.80, fax 04.90.28.50.81, cave@coteaux-de-visan.fr t.l.j. 9h-12h 14h-18h

♥ LES COTEAUX DE SAINT-MAURICE Saint-Maurice Grande Réserve Vieilli en fût de chêne 2010 ★★

87 000 | 5 à 8 €

Fondée en 1940, la qualitative cave de Saint-Maurice signe un vin unanimement salué par les dégustateurs comme gourmand et séducteur en diable. Expressif et flatteur, le nez évoque pêle-mêle les fruits rouges mûrs à souhait, le cassis, le poivre, la vanille et les aromates. Une complexité que l'on retrouve dans une bouche ample, puissante et fraîche à la fois, soutenue par des tanins extraits en finesse, qui portent loin la finale. Dans deux ou trois ans, cette Grande Réserve accompagnera avec bonheur un pavé de bœuf sauce café.

Cave des Coteaux de Saint-Maurice, rte de Nyons, 26110 Saint-Maurice-sur-Eygues, tél. 04.75.27.63.44, fax 04.75.27.67.32, cavesaintmaurice@orange.fr t.l.j. 8h-12h 14h-18h

LA COTERIE Visan 2009 ★

10 000 | - de 5 €

Cette maison de négoce regroupe cinq coopératives et dix domaines viticoles pour offrir une vaste gamme d'une vingtaine d'appellations rhodaniennes, nordistes et sudistes. Elle propose ici une cuvée de négoce qui associe au grenache (70 %) la syrah, le mourvèdre et le carignan. La robe pourpre aux reflets violets attire l'œil. Le nez évoque le cassis et la réglisse. Des arômes agrémentés de notes de fruits rouges confits, que prolonge avec persistance et intensité une bouche solidement charpentée, généreuse et fraîche à la fois. Un vin équilibré et bien construit, que l'on dégustera sur une épaule d'agneau braisée dans un à trois ans.

SICA Vignobles la Coterie, 228, rte de Carpentras, 84190 Beaumes-de-Venise, tél. 04.90.12.41.04, fax 04.90.65.02.05, contact@lacoterie.fr

CH. COURAC Laudun 2011 ★★

18 000 | 5 à 8 €

Les années se suivent et se ressemblent pour le Château Courac, valeur sûre de l'appellation, souvent aux meilleures places dans le Guide. Deux étoiles sont attribuées à ce Laudun de haut vol, un vin d'un rouge intense et profond, au nez non moins intense de fruits rouges, nuancé d'une pointe animale. La bouche attaque avec franchise, avant de révéler une superbe matière, épaulée par des tanins fondus et soyeux qui portent loin la finale. Un *villages* des plus harmonieux, à déguster dans deux ou trois ans sur une *pancetta ripiena* (épaule de veau à la farce blettes et ricotta). Du même propriétaire, le **Dom. Quart du Roy 2011 Laudun rouge (8 000 b.)**, chaleureux et massif, obtient une étoile. On le conservera en cave trois ou quatre ans.

SCEA Frédéric Arnaud, Ch. Courac, 30330 Tresques, tél. 04.66.82.90.51, fax 04.66.82.94.27, chateaucourac@wanadoo.fr r.-v.

CH. LA COURANÇONNE Séguret La Fiole du chevalier d'Elbène 2011 ★★

9 700 | 5 à 8 €

La fiole du chevalier d'Elbène – ce notable d'Avignon et chevalier du Saint-Esprit possédait une partie de ces terres au XVIIe s. – recèle un beau et doux breuvage, né du viognier (50 %), de la roussanne et du grenache blanc. On y perçoit d'intenses notes fruitées (agrumes, fruits exotiques), qui se prolongent avec persistance dans une bouche ronde, souple et remarquablement équilibrée. Parfait pour un poisson en sauce. Pour accompagner la daube provençale, on choisira **La Fiole du chevalier d'Elbène rouge 2010 (8 à 11 € ; 12 000 b.)**, un vin ample, puissant et épicé, qui obtient une étoile.

EARL Ch. la Courançonne, 3618, rte de Cairanne, 84150 Violès, tél. 04.90.70.92.16, fax 04.90.70.90.54, info@lacouranconne.com t.l.j. 9h-12h30 14h-17h30; sam. dim. sur r.-v.

Meffre

DOM. DE DIEUMERCY Plan de Dieu 2011

■ 80 000 ▮ 5 à 8 €

Un soupçon de mourvèdre accompagne le grenache et la syrah dans ce vin friand et plaisant, vêtu d'une robe pourpre sombre. Au nez dominent les fruits noirs frais et leur pendant confit. On retrouve ces arômes dans une bouche bien équilibrée entre rondeur et vivacité, soutenue par des tanins souples et soyeux. À boire dès à présent, de même que le **Dom. Camvaillan 2011 rouge (moins de 5 €; 80 000 b.)**, tout en fruit, agrémenté de nuances bien méridionales de garrigue.

Dom. Jack Meffre et Fils, Le Village, 84190 Gigondas, tél. 04.90.70.94.90, fax 09.57.45.68.27, hmeffre@free.fr r.-v.

CH. DE DOMAZAN 2010 ★★

■ 90 000 ▮ 5 à 8 €

« Vin issu de raisins en conversion vers l'agriculture biologique », indique l'étiquette de cette cuvée de négoce. Des raisins de grenache et de syrah, à l'origine d'un *villages* violet foncé, qui s'ouvre à l'aération sur des notes intenses de fruits noirs et de sous-bois. Rond et frais à la fois, le palais fait preuve d'une réelle finesse. Ses tanins jeunes et prometteurs assureront à cette bouteille un bon vieillissement de deux à quatre ans. Un filet de bœuf sera ici en très bonne compagnie.

Louis Bernard, Le Village, 84190 Gigondas, tél. 04.90.12.32.42, fax 04.90.12.32.49, louis-bernard@gmdf.fr

Éric Brousse

DOM. DUSEIGNEUR Laudun Par Philippe Faure-Brac 2009 ★★

■ 1 836 ▮ 20 à 30 €

Philippe Faure-Brac, élu meilleur sommelier du monde en 1992, est à l'origine de cette cuvée jugée remarquable par les dégustateurs du Guide. Le grenache et la syrah, cultivés selon les principes de la biodynamie, sont ici associés pour donner à ce vin d'intenses senteurs épicées et fruitées. Une puissance aromatique que l'on retrouve dans une bouche dense, riche et généreuse, portée par de fins tanins. De l'équilibre, de la force et de l'élégance pour ce Laudun de gastronomie, à déguster dans les trois ou quatre années à venir. Que diriez-vous d'un pavé de chevreuil sauce au vin ?

Duseigneur, rue Nostradamus, 30126 Saint-Laurent-des-Arbres, tél. 04.66.50.02.57, info@domaineduseigneur.com r.-v.

ROMAIN DUVERNAY 2010 ★

■ 5 000 ▮ - de 5 €

Les vins de Romain Duvernay, négociant à Châteauneuf-du-Pape, sont régulièrement sélectionnés dans ces pages. Ici, un *villages*, assemblage classique grenache-syrah, au nez non moins classique, généreux et intense de fruits mûrs et d'épices ; en bouche il se montre à la fois onctueux et puissant, offrant toujours ces arômes de fruits compotés relevés de nuances épicées qui tapissent longuement la finale. À boire dans les deux prochaines années – sur un gâteau au chocolat, propose un dégustateur, sur un canard à l'orange ou un civet de lapin, conseille le négociant. Faites votre choix...

SA Duvernay Vins Millésimés D.V.M., 1, rue de la Nouvelle-Poste, BP 25, 84231 Châteauneuf-du-Pape Cedex, tél. 04.90.83.71.88, fax 04.90.83.70.72, dvm.duvernay@wanadoo.fr r.-v.

DOM. DES ESCARAVAILLES Roaix Les Hautes Granges 2010 ★★

■ 6 400 11 à 15 €

Coup de cœur dans l'édition précédente, cette cuvée n'a pas grand-chose à envier à sa devancière et brille de deux étoiles dans sa version 2010. La syrah y joue toujours le premier rôle, une longue fermentation est toujours opérée et le vin est toujours élevé douze mois en fût de chêne français. Au nez, la réglisse se mêle avec élégance aux notes boisées. La bouche y ajoute les fruits noirs écrasés et impressionne par son volume, sa densité et son onctuosité, offrant de beaux tanins soyeux en soutien et une longue finale. Puissance et finesse sont les maîtres-mots de la dégustation. À déguster dans deux ou trois ans sur une pièce de gibier en sauce.

SCEA du Dom. des Escaravailles, Ferran et Fils, 84110 Rasteau, tél. 04.90.46.14.20, fax 04.90.46.11.45, domaine.escaravailles@rasteau.fr r.-v.

DOM. DE L'ESPIGOUETTE Plan de Dieu 2010 ★

■ 30 000 ▮ 5 à 8 €

Avec l'arrivée en 2009 de ses deux fils Émilien et Julien, Bernard Latour a engagé la conversion au bio du vignoble et créé une nouvelle cave de stockage. Il propose un *villages* issu de la trilogie grenache-syrah-mourvèdre, un vin bien constitué, au nez chaleureux de griotte à l'alcool agrémenté d'une légère note musquée. La bouche est à l'unisson, très généreuse, sur fond de fruits rouges à l'eau-de-vie, et adossée à des tanins jeunes qui doivent encore s'assouplir. Entre 2014 et 2016, l'harmonie devrait être au rendez-vous.

EARL Dom. de l'Espigouette, 1008, rte d'Orange, 84150 Violès, tél. 04.90.70.95.48, fax 04.90.70.96.06, espigouette@aol.com r.-v.

Bernard Latour

DOM. EYVERINE Cairanne Élégance 2009

■ 3 600 ▮ 11 à 15 €

Fort de trente ans d'expérience dans la culture de la vigne, Denis Monnier a fait son entrée dans le Guide l'an dernier, avec ce domaine repris en avril 2009. Il confirme son savoir-faire avec cette cuvée Élégance issue de l'une des plus hautes parcelles du vignoble, un assemblage à parité de grenache et de syrah. Le nez se révèle puissant et chaleureux, sur les fruits à l'alcool et les épices douces. Tout aussi généreuse, soutenue par des tanins fondus, la bouche laisse une agréable impression de rondeur et d'onctuosité. Une bouteille à déguster dans les deux ans à venir, sur une daube de bœuf ou sur un dessert au chocolat noir.

Denis Monnier, Dom. Eyverine, Combe de Pauline, 84290 Cairanne, tél. 06.15.07.83.34, fax 04.90.37.79.21, domaine-eyverine@orange.fr r.-v.

DOM. DU FAUCON DORÉ Puyméras Triavitis 2010

■ 2 600 ▮ 5 à 8 €

Le domaine, conduit en agriculture biologique depuis 1999, a poursuivi sa démarche en optant pour la biodynamie en 2009, à l'arrivée de Damien, fils de Jean Beaumont. Ce 2010 livre un bouquet chaleureux de fruits à l'eau-de-vie, enrichi de nuances animales. La bouche, dans la même lignée, se révèle généreuse et ronde, adossée à des tanins fondus et à une pointe de fraîcheur bienvenue. L'ensemble, harmonieux, est à boire dans deux ou trois ans sur un civet.

Dom. du Faucon doré,
EARL Jean Beaumont, 92, chem. du Jas, 84110 Faucon,
tél. 04.90.46.46.01, fax 04.90.46.44.73,
faucon.dore@gmail.com
t.l.j. sf dim. lun. 10h-12h30 14h-19h; oct.-avr. sur r.-v.

DOM. DES FAVARDS Plan de Dieu Vieilli en fût 2010 ★

21 000 | 5 à 8 €

Casimir Barbaud planta ici les premières vignes en 1922. Depuis 1976, son petit-fils Jean-Paul conduit le domaine, auquel il a donné le surnom attribué à son grand-père : « favard », ou chanceux, celui qui a toujours la fève dans la galette des rois... C'est plutôt un civet de lièvre ou un carré d'agneau qui devra accompagner ce Plan de Dieu généreux et onctueux, longuement tapissé de fruits à l'alcool (griotte kirschée), quelques notes vanillées à l'arrière-plan. Une bouteille à servir au cours des deux ou trois prochaines années.

Jean-Paul Barbaud,
Dom. des Favards, 1349, rte d'Orange, 84150 Violès,
tél. 04.90.70.94.64, fax 04.90.70.97.28,
domaine.des.favards@orange.fr
t.l.j. 9h-20h; oct.-avr. sur r.-v.

DOM. LA FLORANE Visan À fleur de pampre 2011

15 000 | 5 à 8 €

Sorti de la cave coopérative en 2001, ce domaine est un « clos végétal » de près 38 ha – 24 ha de vignes en coteaux et en altitude (250 à 350 m), entourés de 14 ha de bois – que François et Adrien Fabre convertissent actuellement à l'agriculture biologique. Ce rosé né de cinsault, de grenache et de syrah se présente dans une robe brillante. Le nez, élégant, est empreint de notes fruitées, qui se prolongent dans une bouche longue, fraîche et tonique. Le **Visan Terre pourpre 2009 rouge (11 à 15 €; 10 000 b.)**, élevé en fût, est également cité pour son boisé bien intégré, pour son fruité plaisant et pour sa souplesse.

Dom. la Florane, rte de Saint-Maurice par la montagne,
84820 Visan, tél. 04.90.41.90.72, fax 04.90.12.02.85,
contact@domainelaflorane.com
t.l.j. sf sam. dim. 8h-12h30 13h30-18h
Fabre

DOM. LA GARANCIÈRE Séguret 2010 ★

n.c. | 11 à 15 €

Au milieu des parcelles du domaine poussent des garances, fleurs d'un blanc jaunâtre dont le rhizome contient une substance très colorante, utilisée pour teindre les tissus et les peintures. Point de notes florales dans ce 2010, mais plutôt du fruit, mûr, et quelques notes d'épices. En bouche, du gras et des tanins soyeux qui donnent au vin un agréable caractère velouté. À boire dans les deux ans – pourquoi pas sur un lapin aux épices douces ?

Chastan, Clos du Joncuas, 84190 Gigondas,
tél. 04.90.65.86.86, fax 04.90.65.83.68,
contact@closdujoncuas.fr r.-v.

CH. GIGOGNAN Bois des moines 2010

12 600 | 8 à 11 €

En 2010, cet ancien prieuré devenu domaine viticole s'est ouvert à l'œnotourisme en proposant des chambres d'hôtes. La même année a vu le logo AB orner les étiquettes, comme sur ce Bois des moines né de la trilogie grenache-syrah-mourvèdre. Le nez s'ouvre timidement sur les fruits noirs (mûre, cassis). La bouche offre moins de retenue et se montre généreuse, souple et fruitée. Un vin flatteur et facile d'accès, à boire dans l'année sur une grillade.

Ch. Gigognan, 1180, chem. du Castillon, 84700 Sorgues,
tél. 04.90.39.57.46, fax 04.90.39.15.28,
info@chateau-gigognan.fr
t.l.j. sf dim. 10h-12h 14h-18h 5
J. Callet

DOM. LA GRANDE BELLANE Valréas Réserve 2010 ★

15 000 | 8 à 11 €

Propriété des Marres depuis cinq générations, ce domaine d'altitude (400 m) propose deux vins très réussis, l'un comme l'autre issus d'un assemblage grenache-syrah. Si le **Valréas 2011 cuvée Tradition (5 à 8 €; 90 000 b.)**, puissant, long, sur les fruits confiturés, donne la même part à chaque cépage, cette Réserve privilégie (un peu) le grenache. Il en résulte un vin puissant, plus encore que le précédent, dense et persistant, sur les fruits mûrs, la réglisse et les épices, de plaisantes notes mentholées apportant au nez un surcroît de fraîcheur. Un *villages* « viril », que l'on laissera vieillir deux ou trois ans en cave avant de lui réserver une viande en sauce.

Dom. la Grande Bellane, EARL Gaïa, 84600 Valréas,
tél. 04.75.98.01.82, fax 04.75.98.39.09,
contact@domaine-grande-bellane.com
t.l.j. 9h-12h 14h-18h
Damien Marres

LA GRAND'RIBE 2009 ★★

22 800 | 8 à 11 €

Les Fromont ont toujours le sens de la nouveauté et de l'accueil ; cette année, ils lancent des cours de cuisine provençale au domaine, les samedis d'été. L'occasion peut-être de découvrir cette cuvée appréciée en tout point : pour sa robe, intense et profonde ; pour son bouquet, ouvert et expressif, sur le café torréfié et les fruits rouges et noirs ; pour son palais enfin, long, gras, aux tanins soyeux et fondus. Un vin équilibré et harmonieux, à découvrir dans les trois à cinq prochaines années sur une épaule d'agneau aux épices douces accompagnée d'un tian de légumes.

Dom. de la Grand'Ribe, 1711, rte de Bollène,
84290 Sainte-Cécile-les-Vignes, tél. 04.90.30.83.75,
fax 04.90.30.76.12, info@grandribe.com
t.l.j. sf dim. 9h-12h 14h-18h; sam. hors saison sur r.-v.
Fromont

DOM. DES GRAVENNES 2010 ★

10 000 | 5 à 8 €

Bernadette et Jean Bayon de Noyer ont repris le domaine familial en 1996. En 2011, leur fils Luc les a rejoints. C'est aussi à cette date que la conversion bio du vignoble a été engagée. On découvre ici un vin expressif et agréable, au nez de fruits à noyau et d'aromates, franc en bouche, concentré avec mesure, équilibré. Un bon classique, à déguster dès à présent sur des côtes d'agneau accompagnées d'une ratatouille.

Dom. des Gravennes, 2933, rte de Baume,
26790 Suze-la-Rousse, tél. 04.75.04.84.41, fax 04.75.01.94.80,
domaine.des.gravennes@wanadoo.fr r.-v. 2
Bayon de Noyer

CAVE LE GRAVILLAS Plan de Dieu 2010

■ 93 000 ▮ 5 à 8 €

Grenache, syrah et mourvèdre composent ici un vin rubis soutenu, au nez méridional de fruits rouges (cerise) et de garrigue. Les fruits macérés s'invitent en bouche, accompagnés de tanins soyeux et fondus. Le **Séguret 2010 rouge (93 100 b.)**, dans un style proche, est également cité. Deux *villages* qui feront de bons compagnons pour des tomates et des courgettes farcies.

Cave le Gravillas, chem. de la Diffre, 84110 Sablet, tél. 04.90.46.90.20, fax 04.90.46.96.71, cave.gravillas@wanadoo.fr t.l.j. 8h-12h 14h-18h30

DOM. GRÈS SAINT-VINCENT Signargues 2010 ★★

■ 25 000 ▮ 5 à 8 €

La cave d'Estézargues propose une cuvée remarquable, assemblant grenache (50 %), syrah, mourvèdre, carignan et cinsault. La robe est sombre et profonde. Au nez, les épices et la réglisse se mêlent aux fruits rouges. Bâtie sur des tanins fondus, la bouche se révèle généreuse, vineuse, puissante et ronde, une juste fraîcheur venant apporter équilibre et longueur. À déguster au cours des trois ou quatre prochaines années. Le **Dom. de Pierredon Signargues 2010 rouge (25 000 b.)**, dans un style assez proche mais plus souple, obtient une étoile tout comme la cuvée du **Dom. d'Andezon 2010 rouge (35 000 b.)**, un vin équilibré, aux tanins fondus.

Cave des Vignerons, rte des Grès, 30390 Estézargues, tél. 04.66.57.03.64, fax 04.66.57.04.83, caveau@vins-estezargues.com t.l.j. 8h-12h 14h-18h

DOM. GRIS DES BAURIES Duo des Achaux 2009

■ 7 330 ▮ 5 à 8 €

L'histoire débute en 2005 par la rencontre de deux couples, étrangers au métier viticole mais réunis par une même passion du vin, qui prennent en fermage une vigne de 12 ha, qu'ils restructurent et convertissent au bio. Ce Duo des Achaux, mi-grenache mi-syrah, a fière allure dans sa robe rouge intense aux reflets violets. Du verre s'échappent des parfums soutenus de fruits rouges confits, fraise en tête. Dans la continuité aromatique du nez, la bouche se révèle bien équilibrée entre alcool et fraîcheur, et s'achève sur une finale fruitée fort plaisante. À déguster dans les deux prochaines années sur une viande rouge grillée.

Patrick Bernard, quartier Les Aires, 26770 Taulignan, tél. 04.75.53.60.87, fax 04.75.53.53.98, info@gris-des-bauries r.-v.

Gris des Bauries

DOM. GROSSET Cairanne 2010 ★

■ 16 000 ▮ 8 à 11 €

Proposé par la célèbre maison de négoce-éleveur Brotte, ce 2010 est né sur le sol de grès recouvert de terre rouge du domaine Grosset. Il s'impose d'emblée par son bouquet intense d'épices, de fumé, de cuir et de garrigue. Les fruits (fraise des bois, cassis) s'invitent dans une bouche ample, souple et onctueuse. Déjà prête, cette bouteille pourra aussi attendre deux ou trois ans. Accord gourmand en perspective avec un ragoût de poulet aux olives noires. Coup de cœur l'an dernier pour son 2010, le **Ch. de Bord 2011 blanc Laudun La Croix de Frégère (10 000 b. ; 5 à 8 €)**, frais et léger, floral et fruité, est cité.

Brotte, Le Clos, rte d'Avignon, BP 1, 84231 Châteauneuf-du-Pape Cedex, tél. 04.90.83.70.07, fax 04.90.83.74.34, brotte@brotte.com t.l.j. 9h-12h 14h-18h

♥ **DOM. LES HAUTES CANCES** Cairanne Cuvée Col du Débat 2010 ★★★

■ 3 200 ▮ 15 à 20 €

À la tête depuis 1981 de ce domaine de 17 ha créé par l'arrière-grand-père de madame, un couple de médecins à la retraite. Anne-Marie et Jean-Marie Achiary-Astart soignent leurs vignes avec des interventions homéopathiques. Les ceps de grenache, de carignan, de syrah et de counoise se portent à merveille, et donnent naissance à ce Cairanne de haute volée. Intense et complexe, le bouquet mêle les fruits noirs confiturés (cassis, mûre), le poivre et la vanille. Bâtie sur des tanins au grain velouté, la bouche est un monument d'harmonie, qui allie puissance, volume, générosité, finesse aromatique et élégance. Une longue finale onctueuse et réglissée conclut la dégustation. Une « force tranquille », résume une dégustatrice sous le charme. À déguster sans ordonnance (mais avec modération bien sûr), dans les cinq prochaines années. Un lièvre à la royale serait le bienvenu, un filet de bœuf en brioche également. Le **Cairanne 2010 rouge Cuvée Tradition (8 à 11 €; 11 500 b.)**, fin et soyeux, présentant une solide structure, floral et épicé, obtient deux étoiles. On l'appréciera plus tôt (dans les deux ou trois ans), sur un lapin à la moutarde par exemple.

SCEA Achiary-Astart, quartier Les Travers, 84290 Cairanne, tél. et fax 04.90.30.76.14, contact@hautescances.com r.-v.

DOM. DE LA JANASSE Terre d'argile 2010 ★

■ n.c. 11 à 15 €

Élaborée autour du trio grenache-syrah-mourvèdre, assemblés par tiers, cette cuvée de la Janasse s'ouvre doucement sur les fruits noirs. Plus loquace, sur les fruits et les épices, la bouche se révèle ample, concentrée et chaleureuse. À boire dans deux ans, sur un civet de lièvre.

EARL Aimé Sabon, Dom. de la Janasse, 27, chem. du Moulin, 84350 Courthézon, tél. 04.90.70.86.29, fax 04.90.70.75.93, lajanasse@free.fr r.-v.

DOM. DU JAS 2009

■ 4 500 ▮ 8 à 11 €

Hubert et Pierre Pradelle proposent un *villages* de bonne facture, à dominante de grenache (80 %), avec la syrah et un soupçon de cinsault en appoint. Généreux, le nez évoque les fruits rouges à l'alcool. La bouche dans le même registre fruité se montre souple et légère, portée par des tanins aimables. À boire ou à attendre deux ans.

Hubert et Pierre Pradelle,
Dom. du Jas, 2935, rte de Jaume-de-Transit,
26790 Suze-la-Rousse, tél. 04.75.98.23.20, fax 04.75.04.83.82,
domainedujas@club-internet.fr
t.l.j. 10h-12h30 14h-19h; dim. sur r.-v.

DOM. DES LAURIBERT Valréas Flaveur 2010 ★★

■ 15 000 8 à 11 €

Le nom du domaine est un assemblage des prénoms des membres actifs de la famille (Laurent, Marie et Robert). L'art de l'assemblage se vérifie aussi (surtout) en cave, avec ce Valréas issu de grenache et de syrah. La robe rouge cerise ornée de reflets bruns indique un vin à maturité. Le nez, fin et complexe, mêle les fruits rouges à l'alcool, les épices douces et le chocolat. Souple et onctueuse en attaque, la bouche affiche un très beau volume. L'alcool est bien fondu, les tanins se montrent soyeux et veloutés, et la finale apparaît longue et intense. À boire dès à présent, sur un rôti de bœuf en croûte d'herbes.

Dom. des Lauribert, 2249, chem. de Roussillac,
84820 Visan, tél. 04.90.35.26.82, fax 04.90.37.40.98,
lauribert@wanadoo.fr
t.l.j. 8h30-12h 14h-18h30
Sourdon

LEPLAN-VERMEERSCH GT-G 2010 ★

■ 16 000 11 à 15 €

GT ? « Grand Terroir, et non Grand Tourisme », précise Dick Vermeersch, ancien pilote automobile flamand converti à la vigne en 2000. Et G comme grenache, cépage qui, après dix mois passés en barrique, confère à cette cuvée un bouquet expressif et complexe d'épices (clou de girofle) et de vanille, agrémenté d'appétissantes senteurs de viennoiserie. Après une attaque souple, le palais dévoile des tanins fondus et renoue avec les arômes de l'olfaction, y ajoutant de chaleureuses notes de fruits à l'alcool et d'autres, plus fraîches, de menthol. Un vin harmonieux, encore un peu trop boisé pour certains. Parfait sur une cuisine relevée. Le **2010 rouge GT-S (15 à 20 €; 12 000 b.)**, dédié à la syrah, est cité pour son intensité aromatique (épices, fruits confiturés, notes animales) et pour son volume.

LePlan-Vermeersch, 100, chem. du Grand-Bois,
26790 Suze-la-Rousse, tél. 04.75.00.00.80, fax 04.75.00.00.81,
info@leplan.net
t.l.j. sf sam. dim. 9h-12h 14h-18h; f. hiver
Vermeersch

DOM. LA LÔYANE 2010 ★

■ 2 000 5 à 8 €

Ce domaine régulier en qualité propose un 2010 issu de la trilogie grenache-syrah-mourvèdre. Paré d'une robe bordeaux aux reflets cerise, ce vin livre un bouquet friand de fruits rouges mûrs et de réglisse, agrémenté de notes de cuir, structuré avec élégance par des tanins soyeux, enrobés de cassis, de réglisse et de vanille. Il offrira le meilleur de lui-même dans deux ou trois ans, sur un rôti de canard aux épices douces.

Dubois, GAEC Dom. la Lôyane, Le Clos-Marie,
chem. de la Font-des-Cavens, 30650 Rochefort-du-Gard,
tél. 06.11.60.86.36, fax 04.90.26.68.04,
la-loyane-jean-pierre.dubois@orange.fr
t.l.j. sf dim. lun. mar. 9h-12h 14h-19h

♥ **DOM. DE LUCÉNA** Visan Passo Fino 2009 ★★

■ 20 000 5 à 8 €

Jusqu'en 2004, le domaine, dans la famille Michel depuis plus de cinquante ans, apportait ses raisins à la cave coopérative. Laurent Michel a alors créé Lucéna en assemblant les prénoms de ses enfants, Lucie, Cédric et Nathan. Il assemble aussi les cépages, ici le grenache, la syrah, le cinsault, le mourvèdre et le carignan. De beaux reflets roses animent la robe rubis foncé de cette cuvée. Au nez, le cassis mène la danse. Après une attaque en souplesse, le palais, long et généreux, dévoile une structure élégante et solide à la fois, enrobée de notes de fruits noirs et de cerise à l'alcool. À déguster dans deux ou trois ans, sur un magret aux cèpes. Le **Visan 2009 rouge Frison (11 à 15 €; 3 000 b.)**, fruit d'un élevage de vingt-quatre mois en fût, décroche également deux étoiles pour son intensité aromatique (fruits compotés, pruneau), sa souplesse et son harmonie en bouche.

Laurent Michel, 1600, chem. du Tastelet, 84820 Visan,
tél. 04.90.28.71.22, fax 09.77.85.65.22,
domainelucena@wanadoo.fr
t.l.j. sf dim. 9h30-12h 15h-18h

CH. DE MARJOLET Laudun Cuvée Tradition 2010 ★★

■ 40 000 5 à 8 €

Ce domaine, régulièrement sélectionné dans ce Guide – on se souvient notamment d'un coup de cœur pour cette même cuvée version 2007 –, propose un Laudun remarquable à tous les stades de la dégustation. La robe, intense, est d'un élégant violet soutenu. Le nez, intense lui aussi, mêle les fruits rouges aux épices. La bouche se révèle puissante et souple à la fois, ample et bien structurée, dominée par des arômes de fruits mûrs et de réglisse. À découvrir dans trois ou quatre ans, sur un rôti de sanglier aux champignons des bois.

Ch. de Marjolet, 30330 Gaujac, tél. 04.66.82.00.93,
fax 04.66.82.92.58, chateau.marjolet@wanadoo.fr
t.l.j. sf sam. dim. 9h-12h 14h-18h
Pontaud

LE MAS DES FLAUZIÈRES Séguret Cuvée Julien 2010 ★

■ 15 000 5 à 8 €

Ancienne ferme du château d'Entrechaux, le Mas des Flauzières étend son vignoble de 35 ha sur plusieurs communes à l'ombre du mont Ventoux. Grenache et syrah composent ici un Séguret bouqueté avec élégance, sur les fruits mûrs et les épices. Une introduction classique prélude à une bouche bien équilibrée, soutenue par des tanins fondus et soyeux. À boire au cours des cinq prochaines années, sur une daube de bœuf.

Le Mas des Flauzières, rte de Vaison-la-Romaine, 84340 Entrechaux, tél. 04.90.46.00.08, fax 04.90.35.51.12, lemasdesflauzieres@yahoo.fr
t.l.j. sf dim. 10h-12h 14h-18h; f. jan.
Jérôme Benoit

CH. MAUCOIL 2011 ★

	6 000		5 à 8 €

Plus connu des lecteurs pour ses châteauneuf-du-pape, le château Maucoil soigne aussi ses *villages*, à l'image de ce 2011, un rosé de pressurage issu de grenache et d'une pointe de syrah. C'est un vin rose pâle, au nez floral et fruité de belle intensité, frais, harmonieux et long en bouche. Bénédicte et Charles Bonnet, installés en 2009 à la tête du domaine familial, proposent un accord gourmand très tentant avec un millefeuille à la tomate et à la brousse.

Ch. Maucoil, chem. de Maucoil, 84100 Orange, tél. 04.90.34.14.86, fax 04.90.34.71.88, bbonnet@maucoil.com
t.l.j. 9h-12h 14h-18h; f. sam. dim. en jan.-fév.
Bénédicte et Charles Bonnet

GABRIEL MEFFRE Plan de Dieu Solis Terra 2011 ★

	80 000		8 à 11 €

Gabriel Meffre fut un acteur prépondérant de la remise en valeur du Plan de Dieu après la Deuxième Guerre mondiale. Il y replanta la vigne et y installa la plupart de ses vignobles. Plus de cinquante ans après, en 2005, ce terroir réputé dès le XIIIes. accéda à la dénomination communale. La célèbre maison de négoce-éleveur propose un 2011 des plus méridionaux, avec son bouquet intense aux senteurs de garrigue et de sous-bois. En bouche, les tanins se font soyeux et fondus, les arômes de fruits noirs mûrs se mêlent à la réglisse, et l'ensemble séduit par son harmonie. À boire dès aujourd'hui ou dans deux ans, sur un pigeon aux épices.

Gabriel Meffre, Le Village, 84190 Gigondas, tél. 04.90.12.32.42, fax 04.90.12.32.49, gabriel-meffre@meffre.com

CH. MONGIN Vénissat Élevé en fût 2009

	4 000		8 à 11 €

Cette cuvée, élevée douze mois en fût, fait la part belle à la syrah, qui représente 90 % de l'assemblage, avec le grenache à ses côtés. Un vin boisé, fruité et réglissé tout au long de la dégustation, souple et équilibré en bouche. Prêt à boire, sur une grillade au feu de bois.

Ch. Mongin, Lycée viticole d'Orange, 2260, rte du Grès, 84100 Orange, tél. 04.90.51.48.04, fax 04.90.51.48.25, chateaumongin@chateaumongin.com
t.l.j. sf sam. dim. mer. 9h-12h 14h-17h

LES VIGNERONS DE MONTFRIN Les Confidentielles 2010 ★

	10 000		8 à 11 €

La coopérative de Montfrin propose une cuvée à dominante de syrah, qui séduit par son bouquet puissant de fruits noirs mûrs, de pruneau et de réglisse. La bouche, à l'unisson, se révèle ample et souple, adossée à des tanins soyeux. Un bon représentant de l'appellation, à servir dès l'automne sur du petit gibier.

Cave des Vignerons de Montfrin, rte de la Gare, 30490 Montfrin, tél. 04.66.57.53.63, fax 04.66.57.55.50, cave.coop.montfrin@wanadoo.fr
t.l.j. sf dim. 9h-12h 14h-18h

DOM. DU MOULIN 2011 ★★

	7 000		5 à 8 €

Associé depuis 2010 à son fils Charles, Denis Vinson signe régulièrement de belles cuvées, que ce soit en appellations régionales ou dans le cru vinsobres. Il propose ici un vin blanc issu de viognier et de clairette, élevé pour une toute petite partie (5 %) en barrique. Le résultat est remarquable : robe légère, jaune pâle aux reflets roses ; nez puissant de pain grillé et de crème brûlée mâtiné de nuances fruitées ; palais bien typé viognier, rond et intense (pêche, abricot), tonifié par la fraîcheur de la clairette. Un ensemble très équilibré, à découvrir au cours des deux prochaines années sur un poulet aux écrevisses ou des saint-jacques en gratin.

Denis et Charles Vinson, Dom. du Moulin, 26110 Vinsobres, tél. 04.75.27.65.59, fax 04.75.27.63.92, denis.vinson@wanadoo.fr
t.l.j. 8h-12h 13h30-19h; f. dim. a.-m.

ORATOIRE SAINT-MARTIN Cairanne Haut-Coustias 2009 ★

	10 000		15 à 20 €

Cette cuvée de l'Oratoire Saint-Martin est une valeur sûre de l'appellation, que six coups de cœur ont mis en valeur dans ces pages. La version 2009 fait belle impression. Issue d'une dominante de mourvèdre (60 %), avec la syrah et le grenache en complément, elle dévoile d'intenses parfums de fruits noirs et d'épices, tonifiés par des notes plus végétales. La bouche séduit par sa finesse, sa souplesse et sa longueur. Signe d'un élevage bien maîtrisé, le passage sous bois de vingt-quatre mois ne marque pas le vin. À boire ou à attendre deux ou trois ans. Le **Cairanne 2010 rouge cuvée Prestige (10 000 b.)**, gras, fruité, aux tanins fondus, obtient également une étoile.

Frédéric et François Alary, rte de Saint-Roman-de-Malegarde, 84290 Cairanne, tél. 04.90.30.82.07, fax 04.90.30.74.27, falary@wanadoo.fr
t.l.j. sf dim. 9h-12h 14h-18h30

DOM. PÉLAQUIÉ Laudun 2010

	45 000		5 à 8 €

Plus connu pour ses vins blancs, Luc Pélaquié maîtrise aussi la vinification des vins rouges, témoin ce Laudun fort plaisant. Les fruits rouges et noirs frais composent un bouquet friand à souhait. En bouche, les fruits sont toujours là, accompagnés d'épices, de réglisse et de tanins souples et ronds. Un vin gourmand et dynamique, à servir dès à présent sur une bonne grillade aux sarments.

Luc Pélaquié, 7, rue du Vernet, 30290 Saint-Victor-la-Coste, tél. 04.66.50.06.04, fax 04.66.50.33.32, contact@domaine-pelaquie.com
r.-v.

DOM. DU PETIT-BARBARAS Sélection 2010 ★★

	13 000		5 à 8 €

Cette cuvée met la syrah à l'honneur (80 % de l'assemblage, le grenache en complément). Derrière une robe sombre aux reflets rubis, on découvre un nez intensément épicé (poivre), vanillé et réglissé. La bouche attaque avec franchise, puis se fait ronde et généreuse, portée par des tanins denses mais soyeux. La longue finale épicée fait écho à l'olfaction. Un vin harmonieux, au boisé bien maîtrisé, que l'on pourra laisser mûrir encore deux ou trois ans en cave avant de le servir avec un pigeon rôti aux épices et aux petits pois.

SCEA Feschet, 350, quartier Barbaras, 26790 Bouchet, tél. 04.75.04.80.02 t.l.j. sf dim. 9h-12h 14h-19h

DOM. PIQUE-BASSE Roaix Au cœur du Ventabren 2010 ★

1 800 | 15 à 20 €

Olivier Tropet, œnologue de formation, a repris en 2002 le domaine de ses grands-parents, coopérateurs, et créé un chai en 2008. Il signe une cuvée 100 % syrah, vêtue d'une robe sombre et intense, au nez puissant de fruits confiturés, à la bouche concentrée et réglissée, portée par des tanins bien fondus. Déjà très agréable, cette bouteille pourra aussi être attendue deux ou trois ans.

Olivier Tropet, rte de Villedieu, quartier Piquebas, 84110 Roaix, tél. et fax 04.90.46.19.82, earl.desplans@wanadoo.fr r.-v.

DOM. PHILIPPE PLANTEVIN 2009 ★

12 000 | 5 à 8 €

Philippe Plantevin propose une cuvée issue de grenache (50 %), de syrah, de mourvèdre et de carignan dont le bouquet intense ne laisse pas indifférent : les fruits se mêlent à des notes animales et épicées, avec des nuances de champignon. En bouche, le charme continue d'opérer grâce à une rondeur avenante et des tanins fondus, qui portent loin la finale fraîche et épicée. Une bouteille que l'on verrait bien, dès cet automne, sur des tendrons de veau caramélisés, accompagnés d'une poêlée de champignons des bois.

Dom. Philippe Plantevin, La Daurelle, chem. des Partides, 84290 Cairanne, tél. 04.90.30.71.05, philippe-plantevin@wanadoo.fr mar. mer. jeu. 10h-15h

DOM. LE PUY DU MAUPAS Puyméras 2010

2 380 | 8 à 11 €

Ce 2010, issu de grenache (60 %), de syrah, de mourvèdre et de carignan, se présente dans une élégante tenue grenat ornée de reflets violets. De plaisantes notes balsamiques (encens) montent du verre. Les fruits cuits, la réglisse et le poivre s'invitent en bouche, accompagnant des tanins bien présents. À boire dès la sortie du Guide et pendant deux ans, sur un sauté d'agneau aux aubergines, par exemple.

Christian Sauvayre, Dom. le Puy du Maupas, Le Maupas, 84110 Puyméras, tél. 04.90.46.47.43, fax 04.90.46.48.51, sauvayre@puy-du-maupas.com t.l.j. 10h-12h 14h-18h (avr.-sept. 8h-19h) 2

DOM. DE LA RENJARDE Massif d'Uchaux Réserve de Cassagne 2009 ★

14 000 | 11 à 15 €

Ce domaine, établi sur un ancien site romain, étend ses vignes en terrasses sur une surface de 51 ha. Des ceps de grenache et de syrah de quarante ans donnent naissance à cette cuvée élaborée uniquement les grandes années. Dans le verre, on décèle immédiatement des parfums puissants et généreux de confiture de groseilles. La bouche, riche, bâtie sur des tanins bien enveloppés, et boisée sans excès, prolonge avec la même intensité ces douces sensations fruitées. Un vin harmonieux, qui accompagnera dès l'automne un sauté d'agneau aux olives.

Dom. de la Renjarde, rte d'Uchaux, 84830 Sérignan-du-Comtat, tél. 04.90.83.70.11, fax 04.90.83.79.69, contact@renjarde.fr t.l.j. sf sam. dim. 9h-12h 14h-16h

Richard

DOM. RIGOT Plan de Dieu Volupté 2010 ★

75 000 | 8 à 11 €

Plus connu des lecteurs pour ses « simples » côtes-du-rhône, et notamment pour sa cuvée Prestige des garrigues, ce domaine propose ici un *villages* tout à fait réussi. Grenache (80 %) et syrah composent un vin bien typé, au bouquet généreux de fruits très mûrs et d'épices, ample, riche et puissant en bouche, étayé par des tanins solides mais sans agressivité aucune. Un vin dense et équilibré, que l'on pourra attendre quatre ou cinq ans, ou boire dès l'automne sur un osso bucco.

Dom. Rigot, Les Hauts-Débats, 84150 Jonquières, tél. 04.90.37.25.19, fax 04.90.37.29.19, joelle@domaine-rigot.fr t.l.j. sf dim. 8h-12h 15h-19h

LES VIGNERONS DE ROAIX-SÉGURET Séguret 2011 ★

30 600 | 5 à 8 €

La coopérative de Séguret propose un blanc élégant dans sa tenue pâle et brillante. Au nez, les fleurs blanches (chèvrefeuille, aubépine) se mêlent à des notes végétales plus fraîches. La bouche se révèle fine, délicate et longue, plus sur la rondeur que sur la vivacité. Ce qui appellera un accord gourmand avec une viande blanche à la crème, des sot-l'y-laisse de dinde à l'estragon, par exemple. Le **Roaix 2009 rouge Sélection vieilles vignes Vieilli en fût de chêne (6 300 b.)**, tannique et boisé, est cité. On l'attendra deux ou trois ans pour un meilleur fondu.

Les Vignerons de Roaix-Séguret, rte de Vaison-la-Romaine, 84110 Séguret, tél. 04.90.46.91.13, fax 04.90.46.94.59, vignerons.roaix-seguret@wanadoo.fr r.-v.

DOM. ROCHE-AUDRAN Visan 2011 ★

20 000 | 5 à 8 €

Conduit en biodynamie, ce domaine étend ses vignes sur 35 ha. Des ceps de grenache et de syrah âgés de cinquante ans ont donné naissance à ce vin harmonieux et équilibré, au nez expressif et intense de fruits confiturés. Les épices et surtout le Zan se mêlent à la danse dans une bouche friande et souple. À boire dans l'année, sur une grillade ou un tajine de veau.

Vincent Rochette, Dom. Roche-Audran, rte de Saint-Roman, 84110 Buisson, tél. 06.08.97.99.21, fax 04.90.28.90.96, contact@roche-audran.com r.-v.

LA ROMAINE Séguret 2010

5 000 | 5 à 8 €

La cave de Vaison-la-Romaine signe une cuvée née de grenache (70 %) et de syrah, au bouquet discret de fruits rouges. Dans le prolongement du nez, la bouche se révèle soyeuse et ronde, laissant en finale une agréable sensation de légèreté. Un « vin plaisir », à boire dès aujourd'hui sur une volaille rôtie.

Cave la Romaine, quartier Le Colombier, 84110 Vaison-la-Romaine, tél. 04.90.36.00.43, caveau@cave-la-romaine.com r.-v.

DOM. DES ROMARINS Signargues 2009 ★

5 000 | 5 à 8 €

Xavier Fabre, quatrième du nom à la tête du domaine familial, a élaboré à partir des grenache, syrah et mourvèdre une cuvée à la robe rubis foncé, au nez intense de fruits mûrs et d'épices enrobés d'un léger boisé. La bouche, dans le même registre, se révèle ronde, bien structurée et longue. À déguster dans les deux prochaines années, avec un sauté d'agneau à la tomate.

Fabre, rte d'Estézargues, 30390 Domazan, tél. 04.66.57.43.80, domromarin@aol.com
t.l.j. sf dim. lun. mar. 10h-12h 15h-19h

DOM. ROUGE GARANCE Les Saintpierre 2010

3 800 | 11 à 15 €

Le domaine, certifié bio depuis 2010, a été créé en 1997 par Bertrand Cortellini et l'acteur Jean-Louis Trintignant. Cette cuvée, à forte dominante de syrah (90 %), avec le mourvèdre en appoint, a intéressé les dégustateurs par son bouquet original de figue sèche, agrémenté d'épices. On retrouve cette tonalité atypique dans une bouche aux tanins fondus, soutenue par une agréable fraîcheur. À découvrir dès à présent, sur un tajine d'agneau aux pruneaux et à la figue.

SCEA Dom. Rouge Garance, chem. de Massacan, 30210 Saint-Hilaire-d'Ozilhan, tél. et fax 04.66.37.06.92, contact@rougegarance.com r.-v.
Cortellini

ROUVRE SAINT-LÉGER Laudun 2011 ★★

4 200 | 11 à 15 €

Découvert dans le Guide dans l'édition précédente pour son Laudun blanc 2010, ce domaine a été créé en 2008 par Adrien Borrelly et Didier Dumont, avec 3 ha pris sur les 60 que compte le vignoble de la famille Borrelly. Son vin confirme sa qualité avec la version 2011, en « gagnant » une étoile. Le viognier (70 %) et la clairette confèrent à cette cuvée un bouquet à la fois intense et subtil d'aubépine, d'orange et de citron. On retrouve tout cela dans une bouche qui charme par sa droiture, sa fraîcheur tonique, sa délicatesse et sa longueur. Recommandé par les dégustateurs sur un poisson sauce curry.

Dom. Rouvre Saint-Léger, ferme de la Rouveyrolle, rte de Saint-Laurent-des-Arbres, 30290 Laudun, tél. 06.17.33.80.26, a.borrelly@rouvresaintleger.com r.-v.

DOM. SAINT-ANDÉOL Cairanne 2010 ★

26 000 | 8 à 11 €

Ce domaine, situé sur les hauteurs de Cairanne, est conduit par les Beaumet depuis trois générations, et par Jean-Jacques depuis 1988. Ce dernier propose un Cairanne 2010 grenache-syrah de belle facture, joliment bouqueté sur les fruits rouges, les épices et le sous-bois. Frais, long et solidement charpenté par des tanins encore en devenir, ce millésime mérite de s'arrondir en cave pendant un an ou deux ; l'accord avec un rôti de bœuf aux champignons n'en sera que meilleur.

Beaumet, Dom. Saint-Andéol, 84290 Cairanne, tél. 04.90.30.81.53, fax 04.90.30.88.94, cave.beaumet@free.fr r.-v.

DOM. SAINT-ANTOINE Plan de Dieu 2011 ★

n.c. | - de 5 €

Proposé par la coopérative de Rasteau, ce 2011 a été vinifié avec les raisins de Michel Isnard, du domaine Saint-Antoine. En robe violet foncé, il offre un nez intense de fruits rouges (cerise) et noirs (cassis) bien mûrs. On retrouve les fruits confiturés dans une bouche ample, structurée par des tanins encore un peu sévères en finale, qu'il faudra laisser s'affiner deux ans en cave. Le **Roaix 2011 rouge**, dans un style assez proche, sur les fruits mûrs et encore en devenir, est cité.

Les Vignerons de Rasteau et de Tain l'Hermitage, rte des Princes d'Orange, 84110 Rasteau, tél. 04.90.10.90.10, fax 04.90.10.90.36, vrt@rasteau.com

DOM. SAINTE-ANNE Saint-Gervais Les Mourillons 2009 ★★★

4 000 | 11 à 15 €

Une constance exceptionnelle pour les Steinmaier, venus de Bourgogne en 1965 pour faire de cet ancien prieuré de la chartreuse de Valbonne un domaine incontournable, qui décroche ici son dix-neuvième coup de cœur ! Ces Mourillons, nés de grenache et de syrah, dévoilent un bouquet d'une élégance rare, mariage subtil des fruits rouges mûrs et d'un boisé parfaitement fondu, agrémenté de nuances de truffe et de garrigue. Après une attaque franche, le palais, porté par des tanins veloutés, s'impose par sa finesse, son volume, sa chair et par sa longue et délicate finale. Ce vin mérite d'être attendu trois à cinq ans, mais il se dégustera déjà avec grand plaisir sur un civet de marcassin ou une belle côte de bœuf. Le **Saint-Gervais 2009 rouge (4 500 b.)**, rond et fruité, obtient une étoile, de même que la **cuvée Notre-Dame-des-Cellettes 2009 rouge (8 à 11 € ; 13 000 b.)**, riche, aromatique (notes animales, feuille de cassis) et structurée avec finesse.

EARL Dom. Sainte-Anne, Les Cellettes, 30200 Saint-Gervais, tél. 04.66.82.77.41, fax 04.66.82.74.57, domaine.ste.anne@orange.fr
t.l.j. sf sam. dim. 9h-11h 14h-18h
Steinmaier

LES VIGNERONS DE SAINT-GERVAIS Saint-Gervais 2011

50 000 | 5 à 8 €

La cave de Saint-Gervais signe une cuvée à base de grenache, de syrah et de mourvèdre qui séduit par son bouquet subtil de fruits rouges confiturés et d'épices. La bouche suit la même ligne ; elle se montre franche en attaque, puis dévoile une belle matière étayée par des tanins solides et encore austères. Le gage d'un bon vieillissement pour les deux prochaines années et d'une

rencontre gourmande réussie avec un rôti de bœuf. Le **Saint-Gervais Réserve du Crouzau 2011 rouge (30 000 b.)**, plus frais et léger, est également cité.
Cave des Vignerons Saint-Gervais, Le village, 30200 Saint-Gervais, tél. 04.66.82.77.05, fax 04.66.82.78.85, cave.saintgervais@orange.fr
t.l.j. sf dim. 9h-12h 14h30-18h30

CH. SAINT-MAURICE Laudun Les Coteaux 2011 ★★

60 000 | 5 à 8 €

Enracinés sur des coteaux aux sols de galets roulés, les ceps de grenache, de syrah et de carignan donnent naissance à ce vin rubis intense, au nez de réglisse et de fruits à l'alcool. Après une attaque pleine de fraîcheur, le palais s'étire longuement jusqu'à la finale fruitée et réglissée, en écho à l'olfaction, portée par des tanins qui assureront à cette bouteille une bonne tenue au vieillissement pour les trois à cinq ans à venir. Parfait sur une goûteuse pièce de bœuf.
SCA Ch. Saint-Maurice, C. Valat, BP 24, L'Ardoise, 30290 Laudun, tél. 04.66.50.29.31, fax 04.66.50.40.91, chateau.saint.maurice@wanadoo.fr
t.l.j. 9h-12h 14h-18h; sam. dim. sur r.-v.

DOM. SAINT-MICHEL Massif d'Uchaux 2010

7 000 | 5 à 8 €

Mi-syrah mi-grenache, cette cuvée dévoile un joli nez d'épices, de fruits rouges frais et de violette, avec une note de bourgeon de cassis. Le palais, souple et frais, offre une matière bien fondue et des tanins soyeux. « Un bon vin de copains », conclut un juré, à déguster sans chichi autour d'une grillade au barbecue.
Dom. Saint-Michel, hameau de la Galle, 1, rue de l'Église, 84100 Uchaux, tél. et fax 04.90.40.62.20, nicolas.gaec@wanadoo.fr
t.l.j. 9h-12h 14h-19h; dim. sur r.-v.
GAEC Nicolas

CAVE DE SAINT-PANTALÉON-LES-VIGNES Rousset les Vignes 2009

8 000 | 5 à 8 €

La cave de Saint-Pantaléon-les-Vignes propose ici une cuvée issue du duo classique grenache-syrah, qui plaît par son nez de fruits mûrs. La bouche est à l'unisson, persistante sur le fruit, mais toutefois encore un peu sévère en finale. Dans deux ans, l'harmonie sera au rendez-vous.
Cave de Saint-Pantaléon-les-Vignes, 3, rte de Nyons, 26770 Saint-Pantaléon-les-Vignes, tél. 04.75.27.90.44, fax 04.75.27.96.43, sca@cave-st-pantaleon.com
t.l.j. 9h-12h 14h-18h

CAVES SAINT-PIERRE Signargues 2010

66 000 | 5 à 8 €

Proposée par la maison de négoce castelpapale Skalli, cette cuvée offre un bouquet généreux mais fin de fruits rouges. Dans la continuité du nez, la bouche se révèle ronde et douce, égayée par une pointe de vivacité bienvenue et soutenue par des tanins discrets. À boire sur son fruit, et sur une bonne grillade. Dans la même veine, le frais et gouleyant *villages* **2010 rouge (260 000 b.)** est également cité.
Les Vins Skalli, av. Pierre-de-Luxembourg, BP 5, 84230 Châteauneuf-du-Pape, tél. 04.90.83.58.35, info@skalli.com
t.l.j. 10h-12h 15h-18h au Pavillon des Vins

DOM. SAINT-PIERRE Plan de Dieu 2010

15 000 | 8 à 11 €

Initiée par Jean-Claude Fauque en 1972, la mise en bouteilles des vins du domaine est poursuivie depuis 1984 par ses fils Philippe et Jean-François. Grenache pour moitié, syrah et mourvèdre pour l'autre, ce 2010 livre un bouquet chaleureux et méridional de fruits à l'alcool et d'épices, de garrigue et de cannelle. La bouche, souple et aimable, prolonge ces sensations, portée par des tanins fins et veloutés jusqu'à la finale réglissée. À boire dès aujourd'hui, sur un bœuf en ragoût.
EARL Fauque, Dom. Saint-Pierre, 923, rte d'Avignon, 84150 Violès, tél. et fax 04.90.70.90.27, domaine.saint-pierre@wanadoo.fr
t.l.j. sf dim. 8h-12h 13h30-18h30

CH. SIGNAC Chusclan Cuvée Combe d'enfer 2010 ★

20 800 | 11 à 15 €

Le château Signac, ancienne ferme fortifiée du XVIIes., est régulièrement mentionné dans ces pages, souvent en bonne place. Fidèle à sa réputation, il propose ici un Chusclan très réussi, assemblage harmonieux de syrah, de carignan, de grenache, de mourvèdre et d'un peu de counoise. Au nez, les épices se mêlent aux fruits mûrs. À l'unisson, la bouche se montre charnue, ronde et longue, adossée à des tanins veloutés et fondus. Prêt à boire, sur des aubergines farcies, par exemple.
SCA Ch. Signac, D 121, av. de la Roquette, 30200 Bagnols-sur-Cèze, tél. 04.66.89.58.47, fax 04.66.50.28.32, info@chateau-signac.com
t.l.j. sf dim. 9h-17h; sam. sur r.-v.

DOM. DE LA TÊTE NOIRE Cairanne 2010 ★

8 000 | 5 à 8 €

Les Belges Hubert Toint et Jean-François Lénelle ont créé ce domaine de 18 ha (en conversion bio) en 2008. Entrés dans le Guide dès leur second millésime, pour leur vacqueyras Tradition 2009, ils confirment ici leur savoir-faire avec ce Cairanne 2010 couleur pourpre, au nez fruité à souhait, souple et puissant en bouche, soutenu par des tanins fins et par une jolie finale acidulée. À découvrir dans les deux années à venir, sur un pavé de bœuf.
Dom. de la Tête noire, La Payouse, 84190 Gigondas, tél. et fax 04.90.35.28.34, domaine@latetenoire.fr
t.l.j. sf lun. 10h-13h 14h-18h; f. 24 déc.-1er mars

RHÔNE

LA TOUR COSTE Le Miocène 2010 ★

20 000 | 8 à 11 €

Cette maison de négoce de Valréas propose une cuvée née sur des sols du Miocène supérieur. Vêtu d'une élégante et profonde robe grenat, ce 2010 dévoile un premier nez sur le cuir, bientôt relayé à l'aération par des senteurs complexes de fruits rouges frais, de vanille et d'épices. Une attaque souple ouvre sur une bouche à la fois puissante, ample, généreuse et fine, soutenue par des tanins veloutés. La finale, sur les fruits confiturés et des notes toastées, laisse une agréable sensation de douceur. On pourra servir cette bouteille aujourd'hui ou dans deux ans, sur une viande longuement mijotée.

⊶ Maison Les Deux Rhônes,
rte de Vinsobres, chem. Sainte-Croix, BP 80, 84602 Valréas Cedex, tél. 04.90.35.22.64, fax 04.90.35.19.27

DOM. LUCIEN TRAMIER Plan de Dieu 2010 ★

■ 6 000 5 à 8 €

Drapé dans une robe grenat aux reflets violets de jeunesse, ce 2010 issu de grenache et de syrah livre de fines senteurs de fruits noirs et rouges agrémentées de notes réglissées. La bouche se révèle douce, dense et concentrée, adossée à des tanins solides, encore un peu sévères en finale. Le gage d'une bonne garde de deux ou trois ans, et d'une rencontre réussie avec une viande rouge en sauce.

⊶ Dom. Lucien Tramier, Pied Girod, 84150 Jonquières, tél. et fax 04.90.70.65.80, max.thomas3@wanadoo.fr
r.-v.

TROIS SAINTS 2009

■ 59 333 5 à 8 €

Cette coopérative, fondée en 1929, réunit les vignerons de trois communes ; « trois saints » : Saint-Just, Saint-Marcel et Saint-Martin d'Ardèche. Elle propose une cuvée issue à parts quasi égales de grenache et de syrah, dont les senteurs intenses de fruits rouges invitent à poursuivre la dégustation. Et l'on retrouve les fruits, accompagnés de notes réglissées, dans une bouche équilibrée et persistante. À boire dès l'automne, sur un lapin à la tomate.

⊶ Cellier des Gorges de l'Ardèche, rte de la Gare, 07700 Saint-Marcel-d'Ardèche, tél. 04.75.04.66.83, fax 04.75.98.73.20, cave.stjust.stmarcel@wanadoo.fr
t.l.j. sf dim. 8h-12h 14h-18h

DOM. DE VERQUIÈRE Plan de Dieu 2011 ★★

■ 15 000 5 à 8 €

Depuis 2009, c'est la quatrième génération – Thibaut aux vinifications et Romain à la vigne – qui conduit le domaine, et le convertit, comme nombre de vignerons, à l'agriculture biologique. Deux cuvées sont sélectionnées : le **Sablet 2011 blanc (8 à 11 € ; 6 000 b.)**, noté une étoile pour son élégant profil aromatique (fleurs blanches, pamplemousse, citron) et pour sa longueur en bouche, et ce Plan de Dieu remarquable. La robe, lumineuse, est couleur framboise. Le nez, tout en finesse et en subtilité, évoque la groseille rehaussée d'une touche poivrée. Le prélude à une bouche fraîche, franche et tonique, portée par des tanins serrés, et longuement fruitée : « la framboise sous la rosée », précise un dégustateur. Un vin élégant et déjà harmonieux, que l'on pourra aussi laisser vieillir jusqu'en 2017.

⊶ Romain et Thibaut Chamfort,
Dom. de Verquière, 3, rue Georges-Bonnefoy, 84110 Sablet, tél. 04.90.46.90.11, fax 04.90.46.99.69, chamfort@domaine-de-verquiere.com
t.l.j. sf dim. 9h-12h 14h-18h

VIDAL-FLEURY Cairanne 2010 ★

■ 20 000 8 à 11 €

Si l'architecture de la cave de cette très ancienne et réputée maison de négoce (1781) est imposante, inspirée du site archéologique de Sakaraa, le vin proposé ici brille par la finesse de son bouquet, frais, floral (violette) et fruité (cassis, mûre). Le palais poursuit sur la même ligne aromatique, ajoutant une délicate touche de poivre rose, et séduit par son volume, sa rondeur aimable et le soyeux de ses tanins. Un ensemble équilibré et subtil, à découvrir au cours des trois prochaines années, sur des aiguillettes de volaille marinées aux épices douces.

⊶ Vidal-Fleury, 48, rte de Lyon, 69420 Tupin-et-Semons, tél. 04.74.56.10.18, fax 04.74.56.19.19, contact@vidal-fleury.com r.-v.
⊶ Famille Guigal

VIEUX MANOIR DU FRIGOULAS
Cuvée Saint-Vincent 2009 ★

■ 11 000 5 à 8 €

Premier millésime pour Benjamin Roca, héritier de seize générations de Robert à la tête du domaine familial et petit-fils d'Alain, le premier à mettre en bouteilles en 1973. Des premiers pas réussis à en juger par cette cuvée d'un beau rouge intense, au nez épicé et fruité (cerise, cassis), souple et ronde en bouche, un peu plus austère en finale toutefois. Mais rien de rédhibitoire, une petite garde d'un an ou deux apportera l'harmonie.

⊶ Benjamin Roca, 51, rue des Oliviers, 30130 Saint-Alexandre, tél. 04.66.39.18.71, fax 04.66.90.79.34, contact@frigoulas.com t.l.j. sf dim. 10h-12h 16h-19h

La vallée du Rhône septentrionale

Côte-rôtie

Superficie : 255 ha
Production : 10 603 hl

Situé à Vienne, sur la rive droite du fleuve, c'est le plus ancien vignoble de la vallée du Rhône. Il est réparti entre les communes d'Ampuis, de Saint-Cyr-sur-Rhône et de Tupin-et-Semons. La vigne y est cultivée sur des coteaux très abrupts, presque vertigineux. On distingue la Côte Blonde et la Côte Brune en souvenir d'un certain seigneur de Maugiron qui aurait, par testament, partagé ses terres entre ses deux filles, l'une blonde, l'autre brune. Les vins de la Côte Brune sont les plus corsés, ceux de la Côte Blonde les plus fins.

Le sol est le plus schisteux de la région. Les vins sont uniquement des rouges, obtenus à partir du cépage syrah, mais aussi du viognier, dans une proportion maximale de 20 %. Le côte-rôtie est d'un rouge profond, et offre un bouquet délicat à dominante de framboise et d'épices, avec une touche de violette. Vin de garde d'une bonne structure tannique et très long en bouche, il a indéniablement sa place au sommet de la gamme des vins du Rhône et s'allie parfaitement aux mets convenant aux grands vins rouges.

GUY BERNARD Coteaux de Bassenon 2010 ★

■ 3 000 30 à 50 €

Deux cuvées du domaine ont été retenues par les dégustateurs, une étoile chacune. Le **Côte Rozier 2010**

(2 000 b.) est un vin viril, aux tanins stricts ; une bouteille de caractère qui patientera six à huit ans en cave. Née à l'extrême sud de l'appellation, la cuvée Coteaux de Bassenon est plus « consensuelle ». Au nez, elle dévoile des notes toastées et épicées intenses, qui dominent encore un peu le fruit. En bouche, elle monte rapidement en puissance, portée par des tanins serrés mais soyeux. Un beau mariage de droiture et de délicatesse, que l'on laissera mûrir encore cinq ou six ans.

Dom. Guy Bernard, 9, rte de Lyon, 69420 Tupin-et-Semons, tél. 04.74.59.54.04, fax 04.74.56.68.81, domaineguybernard@orange.fr
r.-v.

PATRICK ET CHRISTOPHE BONNEFOND
Colline de Couzou 2010 ★

■ 20 000 30 à 50 €

Leur Colline de Couzou 2009 avait décroché deux étoiles. La version 2010, plus facile d'accès, en obtient une. Le nez, subtil, mêle les fruits rouges, les épices et la vanille. Après une attaque sur la fraîcheur, le palais se révèle riche, dense et rond, plus serré et austère en finale. À attendre deux ou trois ans.

Dom. Patrick et Christophe Bonnefond, Mornas, rte de Rozier, 69420 Ampuis, tél. 04.74.56.12.30, fax 04.74.56.17.93, gaec.bonnefond@orange.fr
r.-v.

DOM. DE BONSERINE La Viallière 2009 ★★

■ 4 500 30 à 50 €

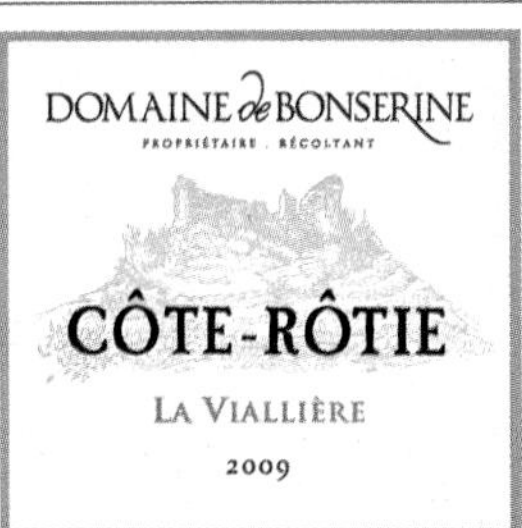

Le premier millésime issu de cette parcelle date de 2003. La version 2009 atteint des sommets. Stéphane Carrel, l'œnologue, a élaboré un grand côte-rôtie, associant une pointe de viognier (3 %) à la syrah. La robe, profonde et sombre, annonce un bouquet des plus intenses et d'une réelle complexité : on y perçoit les fruits noirs (mûre), du cacao et des notes de havane. Dans le prolongement du nez, la bouche se révèle nette, puissante et suave à la fois, soutenue par des tanins serrés qui portent loin, très loin, la finale. Résultat remarquable d'un élevage parfaitement maîtrisé, cette bouteille, d'une grande élégance, est armée pour une garde d'au moins cinq à dix ans.

Dom. de Bonserine, 2, chem. de la Viallière, Verenay, 69420 Ampuis, tél. 04.74.56.14.27, fax 04.74.56.18.13, bonserine@wanadoo.fr t.l.j. sf dim. 9h-17h
Guigal

CHAMPIN LE SEIGNEUR 2010 ★★

■ 35 000 30 à 50 €

Le domaine a été créé en 1987 à partir d'1 ha de vigne ; il en compte douze aujourd'hui, répartis entre les

appellations côte-rôtie et condrieu. Un quart de siècle au service de la viticulture permet d'engranger des certitudes. Celles-ci se reflètent dans cette bouteille remarquable en tout point. On y hume de subtiles notes de cacao, de violette et de fruits rouges, avec une petite touche animale. En bouche, tout est en place. L'attaque est fraîche et tonique, marquée par un bon boisé. Puis le vin, ample et complexe, prend le dessus, montre une réelle puissance mais une puissance maîtrisée, offrant un caractère très soyeux et voluptueux. La finale, d'une grande longueur, laisse le souvenir d'un vin savoureux et d'une rare élégance. On a déjà envie de le déguster, mais la patience (six à dix ans, et plus encore) offrira à vos palais un ravissement extrême.

Jean-Michel Gerin, 19, rue de Montmain, 69420 Ampuis, tél. 04.74.56.16.56, fax 04.74.56.11.37, info@domaine-gerin.fr
r.-v.

DAUVERGNE RANVIER Grand vin 2010

■ 20 000 30 à 50 €

Après douze mois de barrique, ce vin présente un bouquet toasté, marqué par une note giboyeuse qui appellera un carafage avant la dégustation. En bouche, il offre une bonne densité, de la sucrosité et des tanins bien marqués, encore un peu sévères en finale. À déguster dans les trois ou quatre prochaines années.

R & D Vins, Ch. Saint-Maurice, RN 580, L'Ardoise, 30290 Laudun, tél. 04.66.82.96.57, fax 04.66.82.96.58, francois.dauvergne@dauvergne-ranvier.com

DOM. GARON Les Rochins Terroir brun Élevé en fût de chêne français 2010 ★★

■ 2 500 50 à 75 €

Cette famille est présente à Ampuis depuis le XVe s. Le premier vigneron connu est Guillaume Garon, né en 1475. Le domaine familial – les parents et leurs deux fils – fait partie des habitués du Guide. Cette cuvée Les Rochins se distingue par un bouquet élégant de fruits noirs, de vanille, de fumé et de cannelle. Après une attaque fraîche, le palais se révèle doux, long, généreux et structuré avec finesse. Un vin très bien construit, où rien n'est en excès. À découvrir dans deux ou trois ans sur un pigeon aux épices. La cuvée **Les Triotes 2010 Terroir blond Élevé en fût de chêne français (20 000 b. ; 20 à 30 €)**, plus simple et légère mais plaisante, s'appréciera plus tôt. Elle est citée.

Dom. Garon, 58, rte de la Taquière, 69420 Ampuis, tél. 04.74.56.14.11, fax 04.74.56.11.84, vins@domainegaron.fr
r.-v.

LA LANDONNE 2008 ★★

■ n.c. ⅢⅠ + de 100 €

Un des vins « cultes » de la maison Guigal, dont l'étiquette, reproduisant une mosaïque gallo-romaine, évoque la présence ancestrale des ceps sur les terroirs de la côte-rôtie. Il naît de pure syrah, contrairement à d'autres vedettes de la maison, qui laissent entrer dans le vin une goutte de viognier. Le cépage s'accroche à un terrain en forte pente et plonge ses racines dans des sols argilo-calcaires riches en oxyde de fer. Comme les autres « grands » de la maison, La Landonne séjourne quarante mois en pièce neuve. Ce n'est pourtant pas le bois qui s'affiche dans ce 2008, mais plutôt un mélange de poivre et de laurier. Dégageant à la fois de la puissance et de la fraîcheur, ce millésime reste dans l'austérité de jeunesse d'un vin de garde. Cependant, il laisse déjà percer sa personnalité, belle expression du terroir où le sol magnifié par le travail de l'homme apporte toute sa richesse. Si son potentiel est indubitable, il n'atteint pas celui du 2007. On pourra donc déguster ce millésime avant son devancier, avec du gibier ou un pavé de bœuf de Salers.

É. Guigal, Ch. d'Ampuis, 69420 Ampuis,
tél. 04.74.56.10.22, fax 04.74.56.18.76, contact@guigal.com
r.-v.

GABRIEL MEFFRE Les Mazes 2010

■ 6 000 30 à 50 €

Ce négociant de la vallée du Rhône méridionale présente un vin qui joue sur la finesse et le fruit. Le nez offre une certaine complexité, entre notes de Zan, d'olive noire et de fruits rouges. Dans le prolongement du bouquet, la bouche, plaisante, affiche une bonne longueur et un fruité délicat. La finale, plus sévère, appelle toutefois une petite garde d'un an ou deux.

Gabriel Meffre, Le Village, 84190 Gigondas,
tél. 04.90.12.32.42, fax 04.90.12.32.49,
gabriel-meffre@meffre.com
Éric Brousse

VIGNOBLES DU MONTEILLET Les Grandes Places 2009 ★★

■ 1 500 ⅢⅠ 75 à 100 €

Le vignoble est situé à 320 m d'altitude, sur les hauteurs de Chavanay. Une valeur sûre de la vallée du Rhône septentrionale, avec huit coups de cœur dans diverses appellations. Et ce côte-rôtie, né sur le lieu-dit Les Grandes Places, de prendre de la hauteur. Les trente-six mois de barrique marquent certes le vin, mais c'est un boisé maîtrisé et élégant, qui laisse les fruits noirs mûrs (cassis) s'exprimer. Le palais montre une grande finesse, une complexité naissante et une aimable rondeur qui enrobe des tanins de belle facture. À attendre au moins quatre ou cinq ans ; cette bouteille pourra aussi passer la décennie en cave.

Stéphane Montez, Dom. du Monteillet, 42410 Chavanay,
tél. 04.74.87.24.57, fax 04.74.87.06.89,
stephanemontez@aol.com
t.l.j. sf dim. 8h30-12h 14h-18h30

DOM. NIERO 2010

■ 7 500 ⅢⅠ 20 à 30 €

Fondé en 1973 par Jean Pinchon, fromager, à partir d'un hectare de vignes, ce domaine, conduit depuis 2004 par son gendre Robert Niero, étend aujourd'hui son vignoble sur près de 6 ha, dont 1,8 ha consacré à ce côte-rôtie bien typé syrah du Nord avec ses parfums intenses de violette. En bouche, le vin est franc, ample, frais et long, épicé et réglissé, un rien plus austère en finale. À ouvrir dans deux ou trois ans.

Rémi et Robert Niero, imp. du Pressoir, rue de la Mairie,
69420 Condrieu, tél. 04.74.56.86.99,
domaine@vins-niero.com r.-v.

DOM. PICHAT Champon's 2010 ★

■ 10 000 ⅢⅠ 20 à 30 €

Conduit en lutte raisonnée depuis 2009, ce domaine étend ses vignes en côte-rôtie et en condrieu. Il propose ici un vin élégant dans sa robe carminée. Les deux ans d'élevage confèrent au bouquet de jolies notes de viennoiserie mâtinées de réglisse et de fruits mûrs. Le palais, ample et généreux, en retire des tanins bien présents mais fins et les mêmes arômes de biscuit et de réglisse, un beau retour des fruits confiturés marquant la finale. On pourra commencer à servir cette bouteille dans deux ou trois ans.

Dom. Pichat, 6, chem. de la Viallière, 69420 Ampuis,
tél. 04.74.48.37.23, fax 04.74.48.30.35,
info@domainepichat.com r.-v.

CHRISTOPHE PICHON La Comtesse en Côte blonde 2010 ★

■ 2 500 ⅢⅠ 50 à 75 €

Cette Comtesse avait décroché un coup de cœur dans l'édition précédente. Elle revient cette année, sans atteindre les sommets de sa « grande sœur » – la barre était placée très haut tout de même –, mais avec quelques arguments à faire valoir. Drapée dans une robe sombre au disque brillant, elle livre des senteurs boisées intenses, les fruits rouges restant pour l'heure en retrait. Les notes d'élevage s'imposent aussi en bouche, mais le vin affiche suffisamment de richesse, de volume et de puissance tannique pour patienter sagement en cave, cinq ou six ans minimum, et attendre que le bois se fonde. Une étoile également pour la cuvée **Rozier 2010 (2 500 b. ; 30 à 50 €)**, plus florale (iris, violette), bien structurée et elle aussi marquée par l'élevage.

Christophe Pichon, 36, Le Grand-Val, Verlieu,
42410 Chavanay, tél. 04.74.87.06.78, fax 04.74.87.07.27,
chrpichon@wanadoo.fr r.-v.

♥ **LA TURQUE** 2008 ★★

■ n.c. ⅢⅠ + de 100 €

L'une des bouteilles de rêve de la maison Guigal. Cette parcelle de la Côte Brune, restaurée par Étienne Guigal en 1985, bénéficie d'une exposition plein sud et d'un terroir de micaschistes dont l'altération a donné des argiles riches en oxyde de fer. La syrah, à laquelle se mêle un soupçon (7 %) de viognier, a vieilli quarante mois en pièce de chêne neuve. L'étiquette de ce vin est bien connue des amateurs : très colorée, elle est reproduite tous les ans dans la rubrique « côte-rôtie » car, méritant sa réputation, elle semble avoir pris un abonnement aux coups de cœur. Le suspense ne porte guère que sur le nombre d'étoiles : deux ou trois ? Deux, pour ce 2008. Mais qui pourra soutenir que 2008 n'est pas un bon millésime après avoir dégusté cette bouteille ? Le poivre est d'emblée très présent au nez, puis le vin explore les petits fruits macérés, la mûre et le cassis. Le côté épicé persiste tout au long de la dégustation ; on perçoit aussi en bouche une note réglissée évoquant le Zan, sur des tanins très fins. Sans avoir le fond du millésime précédent, ce 2008 en a la classe. Il peut attendre dix ans. On le goûterait volontiers avec un simple filet de bœuf.

É. Guigal, Ch. d'Ampuis, 69420 Ampuis, tél. 04.74.56.10.22, fax 04.74.56.18.76, contact@guigal.com r.-v.

DANIEL, ROLAND ET GISÈLE VERNAY 2010 ★

18 000 | 20 à 30 €

Ici, on élabore du côte-rôtie depuis cinq générations. Ce vin très réussi fait honneur aux ancêtres. Après une attaque légèrement animale, des notes de cassis et de fraise écrasée apparaissent dans une ambiance toastée qui reflète l'élevage de dix-huit mois en demi-muid. La bouche se révèle ample, douce et riche, portée par des tanins bien présents mais fins, et montre une belle intensité en finale. À déguster dans cinq ans, sur un navarin d'agneau.

Daniel, Roland et Gisèle Vernay, 358, Le Plany, 69560 Saint-Cyr-sur-le-Rhône, tél. 04.74.53.18.26, fax 04.74.53.63.95, gaecvernay@wanadoo.fr r.-v.

VIDAL-FLEURY La Chatillonne Côte blonde 2007 ★

3 400 | 50 à 75 €

Une longue macération de trois semaines, un élevage luxueux de quarante-huit mois en fût, pas de collage, juste une filtration avant la mise en bouteilles : la vénérable maison Vidal-Fleury (1781) a voulu tirer la quintessence de la vendange. Le résultat ? Un vin très rond, à la structure fondue, les fruits en gelée (framboise et cassis) apportant une délicate touche de sucrosité. Ce côte-rôtie pourra accompagner, dans les trois à cinq prochaines années, un coq à la bière, spécialité du nord de la France.

Vidal-Fleury, 48, rte de Lyon, 69420 Tupin-et-Semons, tél. 04.74.56.10.18, fax 04.74.56.19.19, contact@vidal-fleury.com r.-v.

Famille Guigal

FRANÇOIS VILLARD Le Gallet blanc 2009

16 500 | 30 à 50 €

Ce vin fait l'objet d'un élevage en fûts, dont 50 % étaient neufs ; pourtant, le côté boisé (grillé, fumé) reste mesuré, au nez comme en bouche, et n'écrase pas le fruit. Cassis en tête, celui-ci est agrémenté de nuances épicées. Le séjour dans le chêne a surtout permis au palais, fruité et de bonne longueur, de développer des tanins bien fondus, un peu plus fermes en finale toutefois. Un ensemble équilibré, que l'on pourra commencer à apprécier dans deux ou trois ans.

François Villard, 330, rte du Réseau-Ange, 42410 Saint-Michel-sur-Rhône, tél. 04.74.56.83.60, fax 04.74.56.87.78, vinsvillard@wanadoo.fr r.-v.

Condrieu

Superficie : 145 ha
Production : 5 265 hl

Le vignoble est situé à 11 km au sud de Vienne. Bien que l'aire d'appellation soit répartie sur sept communes et trois départements, sa superficie est restreinte, ce qui fait du condrieu un vin rare. D'autant plus qu'il naît exclusivement d'un cépage peu répandu, le viognier, qui s'exprime parfaitement sur les sols granitiques de son terroir. Le condrieu est un vin blanc riche en alcool, gras, souple, mais avec de la fraîcheur. Très parfumé, il exhale des arômes floraux – où domine la violette – et des notes d'abricot. On le servira jeune, sur toutes les préparations à base de poisson, même s'il peut vieillir cinq ans. Il existe aussi une production de vendanges tardives obtenues par tries successives (jusqu'à huit passages par récolte).

DE BOISSEYT-CHOL Les Corbonnes 2011 ★

3 800 | 20 à 30 €

Ouvert en 1962, le caveau de dégustation de ce domaine familial (six générations depuis 1797) fête cette année ses cinquante ans. Vous pourrez y déguster ce condrieu jaune doré, au nez intense, floral (rose), fruité (abricot, pêche) et miellé. Gras, ample, puissant et long, le palais achève de convaincre. Déjà harmonieuse, cette bouteille a l'étoffe pour affronter trois à cinq ans de garde.

De Boisseyt-Chol, 178, RD 1086, Les Prairies, 42410 Chavanay, tél. 04.74.87.23.45, fax 04.74.87.07.36, infos@deboisseyt-chol.com t.l.j. sf dim. 9h-12h 14h-18h

Didier Chol

DOM. CHAMBEYRON Coteau de Vernon 2011 ★

3 500 | 20 à 30 €

Bernard Chambeyron, aidé de son père Maurice, a créé ce domaine en 1987. Son fils Mathieu, salarié sur l'exploitation depuis 2005, s'est installé en 2010. La famille pourra dignement fêter les vingt-cinq ans du domaine avec ce condrieu, né sur le coteau de granite et de lœss du Coteau de Vernon. La robe est jaune clair, de belle intensité. Les dix mois de fût marquent le nez de leur présence vanillée et torréfiée. On les retrouve dans une bouche ample, longue et bien équilibrée entre acidité et alcool. On attendra deux ou trois ans que le boisé se fonde avant de servir cette bouteille sur un foie gras.

Dom. Chambeyron, Boucharey, 69420 Ampuis, tél. 04.74.56.15.05, fax 04.74.56.00.39, bernard-chambeyron@orange.fr t.l.j. sf dim. 13h30-19h

AURÉLIEN CHATAGNIER 2010 ★★

2 000 | 20 à 30 €

Installé en 2002, Aurélien Chatagnier continue de gravir progressivement les échelons et décroche deux étoiles cette année pour ce 2010 à l'élégante robe jaune d'or brillant, ornée de beaux reflets argentés. Le nez, très riche, fruit d'une matière première mûre à souhait, mêle l'abricot confit, la pêche, le miel et l'aubépine. À cette complexité répond celle d'un palais qui plaît aussi par sa rondeur avenante, son ampleur, son boisé fondu et sa persistance. Tout est en place, il ne reste plus qu'à préparer un bon risotto crémeux aux saint-jacques.

Aurélien Chatagnier, rte de Limony, 42520 Saint-Pierre-de-Bœuf, tél. 04.74.31.75.53, aurelien.chatagnier@free.fr r.-v.

CUILLERON Les Chaillets 2010 ★★

17 000 | 30 à 50 €

Le domaine, fondé par le grand-père en 1920, faillit disparaître à la fin des années 1980, faute de successeur. C'est ainsi que débute l'histoire vigneronne d'Yves Cuilleron, qui part suivre une formation viticole à Mâcon avant de reprendre les terres familiales en 1987. Depuis, l'homme collectionne les étoiles et les coups de cœur du Guide. Sa cuvée Les Chaillets – nom donné aux terrasses des coteaux pentus de l'appellation – est à nouveau en bonne place cette année. Dans le verre, une belle teinte jaune doré ornée de reflets verts. Le nez est puissant, concentré sur les fruits mûrs (orange sanguine, abricot), avec une touche minérale en soutien. Franc et harmonieux, le palais tient bien la note, longuement. « De l'élégance à revendre », conclut un juré. Accord (très) gourmand avec une poêlée de langoustines aux agrumes.

Yves Cuilleron, 58, RD 1086, Verlieu, 42410 Chavanay, tél. 04.74.87.02.37, fax 04.74.87.05.62, cave@cuilleron.com r.-v.

DAUVERGNE RANVIER Vin rare 2010

4 000 | 30 à 50 €

Depuis sa création en 2004, cette maison de négoce fréquente avec assiduité les pages du Guide dans diverses appellations rhodaniennes. Elle propose ici un vin jaune pâle qui s'ouvre sur des notes de citron et de fruits blancs agrémentées d'un boisé toasté. L'aération dévoile un caractère plus confit, sur le miel et l'abricot sec. Ronde et souple en attaque, la bouche renoue avec les agrumes, qui apportent une juste fraîcheur. Un condrieu bien gourmand, que l'on appréciera sur un poisson de roche.

R & D Vins, Ch. Saint-Maurice, RN 580, L'Ardoise, 30290 Laudun, tél. 04.66.82.96.57, fax 04.66.82.96.58, francois.dauvergne@dauvergne-ranvier.com

DELAS Clos Boucher 2010

5 000 | 30 à 50 €

Propriété de la grande maison champenoise Deutz, ce négociant-éleveur rhodanien signe un condrieu issu d'une sélection parcellaire, né sur le terroir granitique du Clos Boucher. Au nez, une touche de violette s'associe à de fraîches nuances mentholées. La bouche se révèle riche et ronde, fluide et délicate. Un vin bien en place, à découvrir sur un soufflé aux écrevisses.

Delas Frères, ZA de l'Olivet, 07300 Saint-Jean-de-Muzols, tél. 04.75.08.60.30, fax 04.75.08.53.67, france@delas.com t.l.j. sf dim. 9h30-12h 14h30-18h30

Champagne Deutz

DOM. FARJON 2010

4 000 | 20 à 30 €

Thierry Farjon a vendangé tardivement, à la fin de septembre. Le vin en tire un nez puissant, presque exubérant, d'orange confite, de pêche et d'abricot mûrs. Dans la continuité du bouquet, le palais se révèle ample et chaleureux mais sans lourdeur, conservant un caractère souple et plaisant. Pour un poisson en sauce ou un foie gras.

Thierry Farjon, Morzelas, 42520 Malleval, tél. 04.74.87.16.84, domaine.farjon@orange.fr r.-v.

DOM. FAURY La Berne 2010 ★

2 800 | 20 à 30 €

Lionel Faury a élaboré un condrieu jaune pâle aux reflets argentés, qui joue sur le registre de la finesse plutôt que de la puissance. Au nez, l'ambiance est florale, avec de délicates notes de violette au premier plan, une pointe minérale en fond. On retrouve tout cela dans une bouche ronde et longue, qui fait aussi la part belle à la fraîcheur. Un beau représentant de l'appellation.

Dom. Faury, La Ribaudy, 42410 Chavanay, tél. 04.74.87.26.00, fax 04.74.87.05.01, contact@domaine-faury.fr r.-v.

DOM. PIERRE GAILLARD 2011

13 000 | 30 à 50 €

Planté sur les terrasses granitiques exposées plein sud de Côte Bellay et de Boissey, le viognier a donné naissance à ce condrieu pâle et brillant, encore sous l'emprise du bois au premier nez. L'aération libère des notes florales, fruitées et épicées. En bouche, les notes d'élevage tiennent toujours le haut du pavé, mais le vin a suffisamment de coffre pour assimiler le fût, une bonne vivacité finale lui apportant un surcroît de tonus. À attendre un à trois ans.

Dom. Pierre Gaillard, lieu-dit Chez Favier, 42520 Malleval, tél. 04.74.87.13.10, fax 04.74.87.17.66, vinsp.gaillard@wanadoo.fr r.-v.

MARTHOURET 2010 ★

2 000 | 20 à 30 €

Pascal Marthouret est installé à Charnas depuis 2002. Il propose un condrieu que les dégustateurs ont jugé très réussi pour son nez concentré, un peu boisé, mais surtout minéral, égayé par une touche fraîche d'agrumes. Ils ont également prisé sa richesse et son volume en bouche, avec toujours cette pointe « terroitée » en soutien, qui apporte de la fraîcheur et de l'équilibre. Parfait à l'apéritif ou avec un fromage de chèvre sec.

Pascal Marthouret, Les Coins, 07340 Charnas, tél. et fax 04.75.34.15.82, pascal.marthouret@laposte.net r.-v.

RÉMI ET ROBERT NIERO Les Ravines 2010 ★

10 000 | 20 à 30 €

Fromager de son état, Jean Pinchon fonde le domaine en 1973. Son gendre Robert quitte le monde de la banque en 1985 pour prendre cet hectare de vignes (5,7 ha aujourd'hui, en condrieu et en côte-rôtie), rejoint par son fils Rémi en 2004. Ces Ravines – souvenir d'un orage brutal survenu en 2000 – se distinguent par un bouquet boisé, beurré, floral et fruité (agrumes), puis par une bouche ronde, souple et expressive (abricot et pêche blanche), soutenue par une bonne vivacité qui lui donne de l'allonge. Un condrieu bien typé.

Rémi et Robert Niero, imp. du Pressoir, rue de la Mairie, 69420 Condrieu, tél. 04.74.56.86.99, domaine@vins-niero.com r.-v.

ANDRÉ PERRET Chery 2010 ★★

	13 000		30 à 50 €

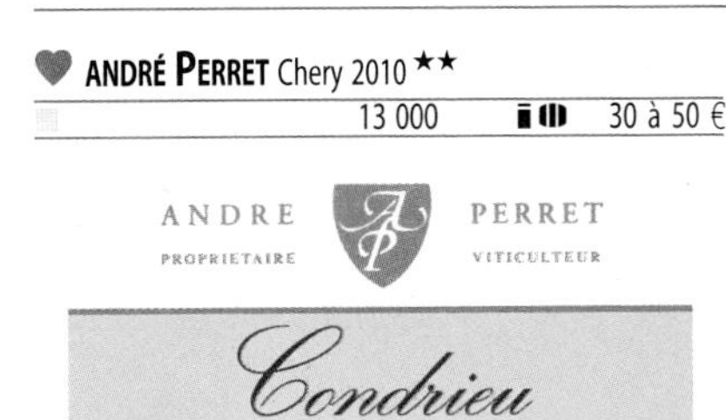

Dire de ce domaine qu'il est une valeur sûre de l'appellation relève de la litote. Les étoiles se comptent ici par dizaines et les coups de cœur ne manquent pas au palmarès. André Perret maîtrise son viognier sur le bout du sécateur et signe ici un condrieu exemplaire, qui tutoie l'exceptionnel. Trois quarts du vin ont été élevés en barrique pendant un an, le reste en cuve pendant quinze mois. Le résultat ? Une cuvée jaune d'or, élégante et lumineuse, au nez déjà très ouvert, minéral et frais, sur les agrumes, citron en tête. Ample, riche et caressante, la bouche persiste longuement ; elle affiche une élégance remarquable et un potentiel de garde certain. Les moins patients se délecteront de cette bouteille dès l'automne, sur un noble crustacé ou un poulet aux écrevisses ; les autres pourront attendre trois ou quatre ans.

André Perret, 17, RD 1086, Verlieu, 42410 Chavanay, tél. 04.74.87.24.74, fax 04.74.87.05.26, andre.perret@terre-net.fr r.-v.

DOM. DE PIERRE BLANCHE La Légende 2010 ★★

	1 200		20 à 30 €

Les parcelles du vignoble s'étagent en terrasses sur des coteaux bien pentus, situés entre 125 et 350 m d'altitude. Celle, granitique, qui a donné naissance à ce condrieu confidentiel fait 80 ares. Drapé dans une robe jaune d'or scintillante, le vin dévoile un bouquet à la fois concentré et subtil, mûr (orange confite) et minéral. Puissant, ample, riche, le palais ne se départit jamais de son élégance et fait un long écho à l'olfaction. Le coup de cœur n'était pas loin... La cuvée **Résurgence 2010 (4 000 b.)**, grasse et très ouverte sur des notes agrumes et d'épices, obtient une étoile.

Xavier Mourier, 53, RN 86, Chanson, 42410 Chavanay, tél. 04.74.87.04.07, fax 04.37.02.05.42, michel@domainemourier.fr
t.l.j. sf dim. lun. 9h-12h 15h-19h

LES VINS DE VIENNE La Chambée 2010 ★

	6 000		30 à 50 €

À l'origine de la renaissance du vignoble de Seyssuel, en perdition depuis le XIXᵉs., Les Vins de Vienne regroupent trois vignerons de renom : Yves Cuilleron, Pierre Gaillard et François Villard, dont on retrouve les noms par ailleurs dans ce chapitre. Ils proposent ici un condrieu qui séduit par sa belle minéralité, tant au nez qu'en bouche. On aime aussi ses notes de pêche mûre et d'abricot, son palais ample, riche et concentré mais jamais lourd. Que diriez-vous d'un colombo de poulet ?

Les Vins de Vienne, 1, ZA de Jassoux, 42410 Chavanay, tél. 04.74.85.04.52, fax 04.74.31.97.55, contact@lesvinsdevienne.fr r.-v.

FRANÇOIS VILLARD DePoncins 2010 ★

	13 000		30 à 50 €

La vinification s'est déroulée en fût, dont 35 % en barrique neuve. Le vin en conserve l'empreinte légèrement toastée, laissant les fruits cuits (confiture d'abricots) et les agrumes (citron) s'exprimer librement. Le palais, souple en attaque, gras sans être lourd, aromatique – on retrouve l'abricot (sec) aux côtés du miel et du grillé de l'élevage –, est soutenu par une fraîcheur citronnée. Un ensemble équilibré et harmonieux.

François Villard, 330, rte du Réseau-Ange, 42410 Saint-Michel-sur-Rhône, tél. 04.74.56.83.60, fax 04.74.56.87.78, vinsvillard@wanadoo.fr r.-v.

Saint-joseph

Superficie : 1 160 ha
Production : 42 110 hl (92 % rouge)

Sur la rive droite du Rhône, l'appellation saint-joseph s'étend sur 26 communes de l'Ardèche et de la Loire. Ses coteaux en pente escarpée offrent de belles vues sur les Alpes, le mont Pilat et les gorges du Doux. Les vignes croissent sur des sols granitiques. La syrah engendre des vins rouges élégants, relativement légers et tendres, aux arômes subtils de framboise, de poivre et de cassis, qui se révéleront sur les volailles grillées ou sur certains fromages. Les cépages roussanne et marsanne donnent des vins blancs gras, aux parfums délicats de fleurs, de fruits et de miel. Ils rappellent les hermitage mais sont à servir assez jeunes.

DOM. ALÉOFANE 2010 ★

	6 400		15 à 20 €

Le nom du domaine fait référence au livre de Godfrey Sweven, *L'Archipel de l'exil*, dans lequel Aléofane est une île imaginaire où le vin, considéré comme un bien rare, diabolique et guérisseur, est prescrit sur ordonnance médicale ! C'est sans ordonnance que l'on dégustera ce saint-joseph à la robe veloutée, rouge grenat aux reflets violines dont le nez discret s'ouvre à l'aération sur les fruits mûrs et le thé fumé. Plus loquace, sur les fruits noirs (mûre sauvage), la bouche séduit par son volume, sa douceur et son côté soyeux. La finale, plus tannique, appelle deux ans d'attente. À boire (avec modération) sur des petits farcis au canard confit.

Natacha Chave, La Burge, 26600 Mercurol, tél. et fax 04.75.07.00.82, chavenatacha@yahoo.fr r.-v.
Dom. Aléofane

DOM. BOISSONNET Belive 2010

	8 000		15 à 20 €

Frédéric Boissonnet a repris le domaine familial en 1990, un millésime d'exception pour lui puisque son fils Guillaume est né cette année-là. Pour les vingt ans du

RHÔNE

jeune homme, il signe un saint-joseph de belle facture. Le nez accuse certes encore les quinze mois de barrique (café torréfié), mais on perçoit aussi de plaisantes notes florales et fruitées. La bouche dévoile une matière première de qualité, soutenue par des tanins bien présents et un boisé chocolaté en finale. Guillaume attendra ses vingt-cinq ans pour apprécier ce 2010 à son optimum.
Dom. Boissonnet, 51, rue de la Voûte, 07340 Serrières, tél. 04.75.34.07.99, fax 04.75.34.04.55, domaine.boissonnet@orange.fr
t.l.j. 9h-12h 13h-16h; sam. dim. sur r.-v.

J. BOUTIN Parcelle de Jean 2009 ★

5 000 — 15 à 20 €

Signé par Stéphane Vedeau et par sa mère Jeannine Boutin, ce 2009 se présente dans une robe très sombre. Il livre un bouquet intense de crème de mûre et de violette sur fond boisé. En bouche, il se montre concentré et encore sous l'emprise du merrain, avec une belle fraîcheur en soutien. Attendre trois à cinq ans pour un meilleur fondu. Le potentiel est là.
Jeannine Boutin, rte de Vinsobres, chem. Sainte-Croix, BP 80, 84602 Valréas, tél. 04.90.35.22.64, fax 04.90.35.19.27, info@pointdecollection.com
t.l.j. sf sam. dim. 9h-12h 14h-18h
Vedeau

BRUNEL DE LA GARDINE 2009 ★

n.c. — 15 à 20 €

Vignerons depuis 1670, les Brunel, propriétaires des châteaux La Gardine à Châteauneuf-du-Pape et Saint-Roch à Lirac, ont créé en 2007 cette maison de négoce pour élargir leur gamme de vins rhodaniens. Ce saint-joseph, encore sur la réserve, dévoile après agitation des parfums de fumée et de violette. Le palais affiche une belle matière, tendre et souple, adossée à des tanins au grain fin et sous-tendue par une agréable fraîcheur. Ce 2009 a suffisamment de relief et d'étoffe pour patienter trois à cinq ans en cave.
Brunel Père et Fils, rte de Roquemaure, BP 52, 84232 Châteauneuf-du-Pape Cedex, tél. 04.90.83.73.20, fax 04.90.83.77.24, chateau@gardine.com
t.l.j. sf dim. 9h-12h 13h-18h; sam. sur r.-v.

AURÉLIEN CHATAGNIER 2010 ★

6 000 — 11 à 15 €

Même si l'installation (2002) fut difficile, à force de persévérance, Aurélien Chatagnier se hisse avec une belle régularité dans les pages du Guide. Son saint-joseph a séduit les dégustateurs moins par son nez, très toasté, qui laisse pour l'heure les fruits noirs sous l'éteignoir, que par son palais énergique et corpulent, qui dévoile une belle matière et de fins tanins. On attendra quatre ou cinq ans, voire plus, que le boisé se fonde.
Aurélien Chatagnier, rte de Limony, 42520 Saint-Pierre-de-Bœuf, tél. 04.74.31.75.53, aurelien.chatagnier@free.fr r.-v.

DOM. DU CHÊNE Anaïs 2009 ★

n.c. — 15 à 20 €

Cette cuvée a été créée en 1987, année de naissance d'Anaïs, la fille des Rouvière. Issue de vieilles vignes en coteau, elle a fait l'objet d'un élevage de quinze mois en fût. Et cela se perçoit à la dégustation. Au nez, le boisé se mêle aux épices douces (vanille) et aux fruits noirs (mûre) et rouges (cerise burlat). La bouche se révèle concentrée et riche, et la barrique lui apporte une structure certaine, qui confine à l'austérité en finale. Mais le potentiel est là, et ce vin qualifié de « viril » est armé pour une garde de cinq ans.
Marc et Dominique Rouvière, Dom. du Chêne, 8, Le Pêcher, 42410 Chavanay, tél. 04.74.87.27.34, fax 04.74.87.02.70, rouviere.marc@wanadoo.fr r.-v.

JEAN-LUC COLOMBO Les Pierres tombées 2010 ★

n.c. — 15 à 20 €

Ce 2010 a été élaboré après une longue macération et un élevage partiel en fût de un à deux vins pendant un an. Et pourtant, tout au long de la dégustation, le boisé ne s'impose pas, son apport ayant été plutôt pensé pour obtenir plus de souplesse. Au premier nez se manifestent de fines senteurs de violette, relayées à l'aération par des parfums de mûre. Un petit côté animal apparaît dans une bouche élégante et de bonne longueur. Un ensemble harmonieux, que l'on pourra déguster aussi bien à l'automne que dans deux ou trois ans.
Vins Jean-Luc Colombo, 10-12, rue des Violettes, 07130 Cornas, tél. 04.75.84.17.10, fax 04.75.84.17.19, colombo@vinscolombo.fr t.l.j. 9h-18h

♥ **PIERRE ET JÉRÔME COURSODON** L'Olivaie 2010 ★★

6 000 — 20 à 30 €

Les années se suivent et se ressemblent pour les Coursodon : leur Paradis Saint-Pierre rouge 2009 fut élu coup de cœur l'an dernier – le onzième ! Et voici leur Olivaie 2010 au firmament. De vieux ceps de syrah âgés de soixante ans ont donné naissance à un vin sombre et dense, tirant sur le noir. Au nez, les notes empyreumatiques apportées par quinze mois de barrique se mêlent avec intensité aux senteurs de fruits noirs et d'épices du cépage. Le palais se révèle d'une grande concentration, complexe, très long et remarquablement équilibré, de beaux tanins souples et affinés venant en soutien. À déguster dans quatre ou cinq ans sur des rognons de veau sauce madère ou sur un râble de lièvre aux épices douces. Le **2010 rouge La Sensonne (30 à 50 € ; 3 000 b.)**, qui reflète l'ensemble des terroirs du domaine, issu d'un élevage sur lie en barrique neuve, dévoile un nez torréfié et vanillé, des tanins fins et un bel équilibre général. Né des plus vieilles vignes du domaine et élevé en demi-muid, le **2010 rouge Paradis Saint-Pierre (30 à 50 €; 2 000 b.)**, s'il ne rayonne pas comme d'habitude, séduit par ses arômes très agréables de fruits confiturés et par ses tanins élégants qui lui assureront une bonne garde. Ces deux cuvées reçoivent chacune une étoile.

EARL Pierre Coursodon, 3, pl. du Marché,
07300 Mauves, tél. 04.75.08.18.29, fax 04.75.08.75.72,
pierre.coursodon@wanadoo.fr r.-v.

CUILLERON Les Serines 2009 ★

20 000 — 20 à 30 €

2009 fut une année très chaude et l'on retrouve les ardeurs du soleil dans ce saint-joseph. Puissant, le nez évoque la gelée de coing et les fruits noirs bien mûrs, agrémentés de notes florales intenses (aubépine, rose, violette), une touche de noix de coco rappelant les dix-huit mois de fût. Après une attaque pleine de fraîcheur, le palais offre beaucoup de volume et de gras, et s'achève sur une finale tannique encore un peu austère. Une bouteille de garde, à servir sur un pot-au-feu élaboré avec du bœuf fin gras du Mézenc.

Yves Cuilleron, 58, RD 1086, Verlieu, 42410 Chavanay,
tél. 04.74.87.02.37, fax 04.74.87.05.62, cave@cuilleron.com
r.-v.

DELAS François de Tournon 2009 ★

25 000 — 15 à 20 €

Ce négociant n'a pas ici cherché l'extraction ; il propose au contraire un vin tout en fruit, qui exhale de jolies notes de fraise écrasée, presque confiturée. Tout aussi fruitée, la bouche est de belle tenue et bien équilibrée. Une bouteille qui se laisse déjà boire mais qui peut aussi attendre quelques années.

Delas Frères, ZA de l'Olivet, 07300 Saint-Jean-de-Muzols,
tél. 04.75.08.60.30, fax 04.75.08.53.67, france@delas.com
t.l.j. sf dim. 9h30-12h 14h30-18h30
Champagne Deutz

DOM. ÉRIC ET JOËL DURAND Les Coteaux 2010 ★★

23 000 — 11 à 15 €

Une syrah de vingt ans est à l'origine de cette cuvée régulière en qualité. Ici, le vin a besoin d'un peu d'aération pour révéler ses parfums chaleureux de fruits cuits mêlés de notes de sous-bois et d'épices, signes d'une belle matière première, de vendanges arrivées à pleine maturité. En bouche, il se montre puissant, riche mais sans jamais céder à la lourdeur, et laisse au contraire l'impression d'une grande finesse, accentuée par une longue finale sur le cassis – fruit et bourgeon. Un bon potentiel d'évolution en perspective, de cinq ans minimum. Le **2010 rouge Lautaret (15 à 20 € ; 4 000 b.)**, plus simple mais très harmonieux, mariage réussi du bois et du fruit, reçoit une étoile.

Éric et Joël Durand, 2, imp. de la Fontaine,
07130 Châteaubourg, tél. 04.75.40.46.78, fax 04.75.40.21.29,
ej.durand@wanadoo.fr r.-v.

PIERRE FINON Les Rocailles 2010 ★

7 000 — 11 à 15 €

Pierre Finon, installé depuis 1983 à Charnas, propose deux cuvées très réussies. Les Rocailles est un vin qui se livre doucement, à l'aération, sur des notes de fruits confiturés mâtinées de nuances boisées. Plus prolixe, la bouche, toujours sur les fruits mûrs et le boisé, agrémentées de senteurs florales et épicées en finale, s'appuie sur une fine acidité et sur des tanins bien présents, voire un peu stricts. À attendre deux ou trois ans. **Le Caprice d'Héloïse 2009 rouge (15 à 20 € ; 3 000 b.)** fait jeu égal grâce à sa trame précise, sa bonne longueur et ses arômes plaisants de Zan, de violette, de vanille et de girofle.

Pierre Finon, 20, imp. des Vieux-Murs, Picardel,
07340 Charnas, tél. 04.75.34.08.75, fax 04.75.34.06.78,
domaine.finon@gmail.com r.-v.

GILLES FLACHER 2010 ★

12 000 — 11 à 15 €

Ce domaine existe depuis 1806. Gilles Flacher l'a repris en 1991 et, en vingt ans, a porté sa superficie de 1,5 ha à 8 ha, dans les appellations saint-joseph et condrieu. Ce 2010 s'ouvre d'emblée, une touche animale laissant rapidement place au cassis et aux épices. L'attaque est franche, le développement harmonieux, ample, intense, porté par un boisé de qualité mais qui doit encore se fondre et par des tanins enrobés, un peu plus austères en finale. L'ensemble, bien structuré, devrait bien évoluer d'ici trois à cinq ans. Citée, la **cuvée Prestige 2010 rouge (15 à 20 € ; 6 000 b.)**, pour l'heure moins accessible, plus marquée par son élevage en barrique, devrait gagner en complexité après quatre ou cinq ans de garde.

EARL Flacher, 971, rue Principale, 07340 Charnas,
tél. 04.75.34.09.97, fax 04.75.34.09.96, earl-flacher@orange.fr
r.-v.

DOM. JEANNE GAILLARD La Relève 2010

4 000 — 15 à 20 €

Jeanne Gaillard a la vigne dans le sang. Fille de Pierre, elle s'est frottée au métier dès son plus jeune âge. Après une formation au lycée viticole de Beaune, elle a fait ses classes dans un domaine bourguignon puis en Californie, avant de s'installer en 2008 sur la propriété d'un exploitant à la retraite. Elle signe ici un saint-joseph d'une belle couleur grenat, au nez plaisant et expressif de fruits noirs et de pruneau, tonifié par une touche mentholée. En bouche, le vin est franc, souple, bâti sur des tanins fondus, réglissé et floral (violette) en finale. Ou comment se faire un prénom...

Dom. Jeanne Gaillard, Le Bourg, 42520 Malleval,
tél. 04.74.87.13.10, fax 04.74.87.17.66,
jeagaillard@wanadoo.fr r.-v.

DOM. PIERRE GAILLARD Les Pierres 2010 ★

5 000 — 20 à 30 €

Ce vin, né de vignes âgées de vingt-cinq ans, se présente dans une robe limpide et brillante. S'il ne se découvre pas facilement, tout est à sa place. Il dévoile après aération des parfums boisés puissants sans être écrasants, les fruits noirs pointant le bout du nez. En bouche, il reste un peu fermé, toujours sur une dominante boisée (cacao), mais offre une jolie rondeur et des tanins affinés, plus austères en finale. Un ensemble encore en devenir, bien construit, que l'on sortira de cave dans deux ou trois ans.

Dom. Pierre Gaillard, lieu-dit Chez Favier,
42520 Malleval, tél. 04.74.87.13.10, fax 04.74.87.17.66,
vinsp.gaillard@wanadoo.fr r.-v.

DOM. BERNARD GRIPA 2010 ★★

33 000 — 15 à 20 €

Coup de cœur cette année en saint-péray, ce domaine, que l'on ne présente plus, soigne aussi son saint-joseph, comme toujours. « Quelle classe ! », s'exclame un juré sous le charme. Le nez, intense et complexe, associe les fruits rouges mûrs, les épices et des senteurs de garrigue. Le palais, d'une richesse remarquable, allie une très grosse matière à une réelle expression du terroir, à travers des notes minérales qui soulignent un beau fruité et qui donnent de l'allonge à la finale. Un travail d'artiste...

Dom. Bernard Gripa, 5, av. Ozier, 07300 Mauves, tél. 04.75.08.14.96, fax 04.75.07.06.81, gripa@wanadoo.fr
r.-v.

DOM. JEAN-CLAUDE MARSANNE 2010 ★

16 000 | 15 à 20 €

Lorsqu'en 2002 les parents de Jean-Claude Marsanne prennent leur retraite, celui-ci prend la relève et se lance dans la commercialisation en bouteilles des vins du domaine. Il a bien retenu les leçons de son BTS à Beaune pour offrir un vin complexe et élégant. Il a su attendre une juste maturité et vinifier sans abuser d'artifices (comme un élevage imposant) : les fruits noirs mûrs ont ici le premier rôle. Au final, ce 2010 se révèle riche et puissant mais sans excès, équilibré en tout point.

Jean-Claude Marsanne, 25, av. Ozier, 07300 Mauves, tél. 04.75.08.86.26, cavemarsanne@aol.com r.-v.

PASCAL MARTHOURET 2010

8 000 | 8 à 11 €

S'il n'y a que 15 % de fût neuf pour l'élevage de ce vin, l'apport du bois se ressent d'emblée au nez, même si la palette est aussi épicée et fruitée. Le palais se révèle gras et ample, porté par de bons tanins. Mais l'ensemble, de qualité, reste encore sur la réserve et l'on attendra deux ans pour que cet « adolescent » dévoile tous ses atouts.

Pascal Marthouret, Les Coins, 07340 Charnas, tél. et fax 04.75.34.15.82, pascal.marthouret@laposte.net
r.-v.

VIGNOBLES DU MONTEILLET
Grand-Duc du Monteillet 2010 ★

10 000 | 15 à 20 €

Stéphane Montez a assemblé deux tiers de marsanne et un tiers de roussanne pour élaborer ce blanc passé huit mois en barrique. Derrière une robe or pâle, on découvre un joli bouquet aux parfums grillés et toastés associés à une belle expression fruitée de pêche et d'abricot. Le palais se révèle complexe, gras, puissant et long, soutenu par une juste acidité. Un ensemble harmonieux et bien typé. La **cuvée du Papy 2010 rouge (30 000 b.)**, caractérisée par des notes d'évolution au nez (cuir), soyeuse, ample et de bonne longueur en bouche, est citée.

Stéphane Montez, Dom. du Monteillet, 42410 Chavanay, tél. 04.74.87.24.57, fax 04.74.87.06.89, stephanemontez@aol.com
t.l.j. sf dim. 8h30-12h 14h-18h30

DIDIER MORION Les Échets 2010

5 000 | 11 à 15 €

Cette cuvée régulièrement sélectionnée dans le Guide s'invite à nouveau dans ce chapitre. Sans atteindre le niveau du 2009, la version 2010 a quelques arguments à faire valoir. Une bonne aération est nécessaire pour qu'elle libère ses senteurs fruitées et épicées. Le fruit apparaît en bouche également, avec plus d'intensité mais par paliers, accompagné par des tanins encore un peu sévères en finale. Deux ou trois ans de garde devraient arrondir l'ensemble.

Didier Morion, Épitaillon, 42410 Chavanay, tél. 04.74.87.26.33, fax 04.74.48.23.57, domainedidiermorion@hotmail.fr r.-v.

DOM. MUCYN 2010

14 000 | 11 à 15 €

Après une formation « viti-œno » à Beaune, Hélène et Jean-Pierre Mucyn créent en 2001 ce domaine, installé dans un ancien relais batelier au pied de l'Hermitage. Ils proposent un vin au bouquet flatteur de cassis, avec un léger grillé à l'arrière-plan. Le fruit noir est présent tout au long de la dégustation et imprègne un palais frais, léger et fin. Pour un plaisir immédiat, sur une viande rouge grillée.

Dom. Mucyn, quartier des Îles, 26600 Gervans, tél. et fax 04.75.03.34.52, mucyn@club-internet.fr r.-v.

X.-M. NOVIS ET J.-M. CHAPAS Cuvée du Prieur 2010

5 000 | 11 à 15 €

Ancienne exploitation dédiée à la production fruitière ; ce n'est que dans les années 2000 que le père et l'oncle plantent les premiers ceps de vigne. En 2005, Xavier Novis prend la relève et signe sa première vinification. Les vignes sont logiquement jeunes, d'une dizaine d'années. Il est dès lors peu étonnant que la concentration des vins reste mesurée, comme pour ce 2010 de bonne facture, parfumé de notes de cuir, de girofle et de garrigue, frais et équilibré en bouche, dévoilant un léger boisé (café) à l'arrière-plan. À boire dès l'automne.

Novis, 5, Le Palot, 42520 Saint-Pierre-de-Bœuf, tél. 06.67.40.61.21, fax 04.74.87.12.70, domainenovis@gmail.com r.-v.

ALAIN PARET Les Larmes du père 2009 ★

39 780 | 11 à 15 €

Le nom de cette cuvée est un clin d'œil aux aïeux qui cultivaient les coteaux de l'appellation. Ce saint-joseph en est un beau représentant. De sympathiques notes de crème de cassis, de poivre et de laurier titillent le nez et invitent à pousser plus loin la dégustation. On découvre en bouche un vin harmonieux, soutenu par une belle minéralité qui rappelle l'origine granitique du terroir. Le boisé est bien intégré, le fruit à l'honneur et les tanins finement ciselés. Si la tentation est déjà grande d'ouvrir cette bouteille, deux ou trois ans d'attente lui conféreront plus d'harmonie encore.

Maison Alain Paret, pl. de l'Église, 42520 Saint-Pierre-de-Bœuf, tél. 04.74.87.12.09, fax 04.74.87.17.34, maison.paret@wanadoo.fr
t.l.j. sf dim. lun. 8h-12h 14h-18h; sam. 8h-13h

ANDRÉ PERRET Les Grisières 2009 ★★

5 000 | 15 à 20 €

Plus souvent remarqué pour ses saint-joseph blancs – il brille aussi régulièrement en condrieu, comme cette année –, André Perret signe ici un rouge de haut niveau. Si les dix-huit mois de fût marquent quelque peu le vin au premier nez, l'aération libère d'intenses senteurs de violette et d'angélique, accompagnées de notes de réglisse et de fruits mûrs. En bouche, l'extraction est parfaitement ajustée et l'équilibre s'opère entre les tanins et le fruit. L'ensemble est dense et fin, ample et frais. Un vin gourmand que l'on peut déjà savourer mais qui saura aussi attendre quelques années.

André Perret, 17, RD 1086, Verlieu, 42410 Chavanay, tél. 04.74.87.24.74, fax 04.74.87.05.26, andre.perret@terre-net.fr r.-v.

DOM. DE PIERRE BLANCHE Les 85 rangs 2010

■ 5 000 15 à 20 €

Cette vigne de syrah plantée en 1990, à la création du domaine, a donné naissance à ce 2010 plaisant et prêt à boire. Le nez évoque les fruits rouges cuits mêlés d'épices. Après une attaque franche et fraîche, le palais, souple et plutôt léger, dévoile une agréable sucrosité, renforcée par les mêmes arômes de fruits très mûrs perçus à l'olfaction. Pour une grillade d'agneau accompagnée de tomates provençales.

Xavier Mourier, 53, RN 86, Chanson, 42410 Chavanay, tél. 04.74.87.04.07, fax 04.37.02.05.42, michel@domainemourier.fr
t.l.j. sf dim. lun. 9h-12h 15h-19h

DOM. DES REMIZIÈRES 2010 ★★

■ 13 500 11 à 15 €

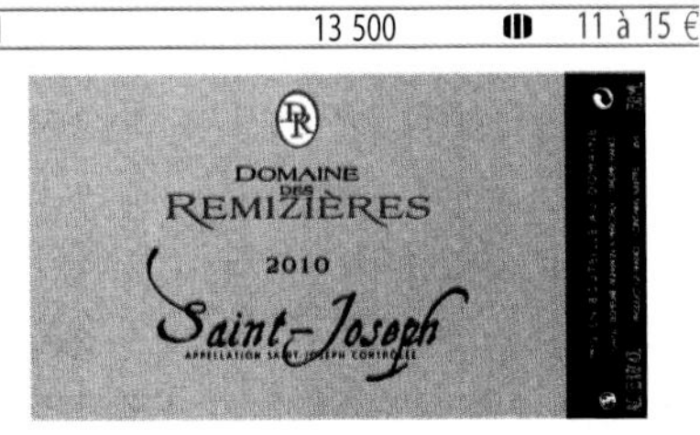

Le domaine de Philippe Desmeure, Grappe d'or de l'édition précédente et « multi-coup de cœur », notamment pour ses hermitage, est une valeur sûre de la vallée du Rhône septentrionale. Les étiquettes changent, mais la qualité du vin demeure. Celui-ci atteint des sommets, et même s'il est encore un peu sur la réserve, il a tout d'un grand. D'abord fermé, le nez s'ouvre à l'aération sur des senteurs d'une grande netteté de cassis écrasé et de cannelle. Long, puissant et doux à la fois, porté par des tanins d'une remarquable finesse, le palais est un modèle d'harmonie, une « force tranquille » qui va crescendo et devrait totalement s'épanouir dans trois à cinq ans.

Cave Desmeure, Dom. des Remizières, rte de Romans, 26600 Mercurol, tél. 04.75.07.44.28, fax 04.75.07.45.87, contact@domaineremizieres.com
t.l.j. sf dim. 9h-12h 14h-18h30

ÉRIC ROCHER Terroir de Champal 2010 ★★

■ 19 000 11 à 15 €

Éric Rocher a bien réussi ses rouges 2010, aussi bien en saint-joseph qu'en crozes-hermitage. Cette cuvée s'impose d'emblée par son bouquet puissant de fruits noirs confiturés, de violette, de sous-bois et de cuir. Fidèle au nez, le palais dévoile une belle mâche, longuement soutenu par une juste fraîcheur et des tanins soyeux. Dans deux ou trois ans, cette bouteille fera merveille sur des perdreaux rôtis aux épices. À découvrir également, la cuvée **Mayane 2010 blanc (6 800 b.)**, pour son expression aromatique complexe (fruits exotiques, citron, brioche) et pour sa fine fraîcheur en bouche.

Éric Rocher, Dom. de Champal, quartier Champal, 07370 Sarras, tél. 04.78.34.21.21, fax 04.78.34.30.60, vignobles.rocher@wanadoo.fr r.-v.

DOM. ROCHEVINE Cœur de Rochevine 2010 ★★

■ 8 000 20 à 30 €

La coopérative de Saint-Désirat, créée en 1960, représente 40 % de l'appellation saint-joseph, rien de

moins. Un acteur qui compte donc, et qui sait faire rimer quantité avec qualité. Elle tient son rang avec son **Septentrio 2010 rouge (11 à 15 €; 55 000 b.)**, aromatique, riche et long, au boisé élégant et aux tanins fins, soutenu par une belle fraîcheur, qui recueille une étoile. Mais c'est avec le premier millésime de cette cuvée haut de gamme qu'elle tient le haut de l'affiche. Ce vin, sélection parcellaire de 2,6 ha du domaine de Rochevine, est né sur un coteau à très forte pente exposé au sud-est. Son bouquet, riche et complexe, ne cache pas les dix-huit mois de barrique, mais rien d'écrasant ici, de belles nuances florales et une grande fraîcheur donnant aussi le ton. Toujours fraîche, puissante et élégante, la bouche offre le même équilibre entre notes variétales (fruits, violette) et arômes tertiaires, adossée à des tanins caressants. Déjà charmeur en diable, ce 2010 est armé pour affronter une bonne garde de quatre ou cinq ans.

Cave Saint-Désirat, 07340 Saint-Désirat, tél. 04.75.34.22.05, fax 04.75.34.30.10, maisondesvins@cave-saint-desirat.fr
t.l.j. 9h-12h 14h-18h

CAVE DE TAIN Esprit de granit 2010 ★

■ 40 000 11 à 15 €

La cave de Tain a été récompensée en 2011 par le trophée du développement durable pour saluer une démarche collective engagée en 2007 ; année qui a vu aussi l'arrivée d'un nouveau directeur, Xavier Gomart. Ce dernier pourra ajouter une étoile du Guide Hachette au palmarès de la coopérative grâce à ce 2010, belle expression de la syrah en saint-joseph. L'élevage en barrique marque le nez de senteurs empyreumatiques, accompagnées de notes de violette et de fruits noirs. La bouche dévoile de la concentration et une bonne structure tannique qui permettra à ce vin de bien vieillir trois ou quatre ans.

Cave de Tain, 22, rte de Larnage, 26603 Tain-l'Hermitage, tél. 04.75.08.20.87, fax 04.75.07.15.16, contact@cavedetain.com r.-v.

DOM. DU TUNNEL 2010 ★

■ 10 000 15 à 20 €

Cela fait quinze ans que Stéphane Robert s'est installé à Saint-Péray. Il vous accueillera, toute l'année, dans son caveau du centre-ville pour déguster ce saint-joseph sombre, presque noir, au nez encore sur la réserve. Mais le temps d'une discussion avec le vigneron, et le vin vous livrera ses arômes élégants de violette, d'iris, de cerise confite et d'épices. Toutefois, le bois est encore marqué et ne permet pas une expression totale. Il confère au palais, ample, bien structuré et long, un caractère assez austère en finale, que trois ou quatre ans de garde assoupliront. Patience, le dialogue s'instaure...

🔑 Stéphane Robert,
Dom. du Tunnel, 20, rue de la République,
07130 Saint-Péray, tél. 04.75.80.04.66, fax 04.75.80.06.50,
domaine-du-tunnel@wanadoo.fr
t.l.j. 10h-19h; f. 1er -7 août

DOM. VALLET Méribets 2010 ★

■	20 000		11 à 15 €

Anthony Vallet a quitté la cave coopérative en 1990. Les 2,8 ha de vignes sont devenus 11,5 ha aujourd'hui, en saint-joseph et en condrieu. Il signe ici deux cuvées très réussies. La préférée est ce Méribets, un vin d'abord sur la réserve, qui s'ouvre à l'agitation sur le cassis, le thé et le menthol, rond et fondu en bouche, avec une belle fraîcheur en soutien, une pointe plus tannique en finale appelant une garde de deux ou trois ans. La cuvée **Muletiers 2010 rouge (5 500 b.)**, plus boisée, bien structurée et de bonne longueur, sur les fruits confiturés et le pruneau, est également à attendre.

🔑 Dom. Vallet, La Croisette, RD 86, 07340 Serrières,
tél. 04.75.34.04.64, fax 04.75.34.14.68,
domaine.vallet@orange.fr r.-v.

LES VINS DE VIENNE L'Élouède 2010 ★

□	4 600		15 à 20 €

Cette association de vignerons réputés a développé depuis 1998 une activité de négoce haut de gamme sur la majorité des crus de la vallée du Rhône. Elle offre ici un exemple de son savoir-faire. Ce blanc d'une belle complexité s'équilibre au nez entre fruits (pêche) et notes d'élevage, agrémentés d'une touche miellée. Le palais, expressif, dévoile beaucoup de volume et de gras, avec une juste vivacité en soutien et un petit côté épicé en finale qui apporte un supplément d'âme. À servir dans les deux prochaines années sur une poularde de Bresse aux morilles.

🔑 Les Vins de Vienne, 1, ZA de Jassoux, 42410 Chavanay,
tél. 04.74.85.04.52, fax 04.74.31.97.55,
contact@lesvinsdevienne.fr r.-v.

Crozes-hermitage

Superficie : 1 495 ha
Production : 67 000 hl (92 % rouge)

Cette appellation, couvrant des terrains moins difficiles à cultiver que ceux de l'hermitage, s'étend sur 11 communes environnant Tain-l'Hermitage. C'est le plus vaste vignoble des appellations septentrionales. Les sols, plus riches que ceux de l'hermitage, donnent des vins moins puissants, fruités et à servir jeunes. Rouges, ils sont assez souples et aromatiques ; blancs, ils sont secs, frais et floraux, légers en couleur et, comme les hermitage blancs, ils iront parfaitement sur les poissons d'eau douce.

♥ **ALÉOFANE** 2010 ★★★

■	25 000		11 à 15 €

Natacha Chave, installée en 2004 sur les terres de Mercurol, franchit une nouvelle étape avec ce millésime

2010 qui décroche un coup de cœur sans réserve. De superbes reflets violines animent la robe rubis foncé. Expressif et complexe, le nez associe les fruits rouges mûrs, le poivre et la vanille, avec une touche minérale en soutien. Après une attaque souple, le palais monte en puissance, se fait généreux, riche et dense, porté par des tanins étoffés jusqu'à la longue, très longue finale, fraîche et épicée. Pour plagier Leibniz, qui disait que faire de la musique consiste à calculer sans le savoir, faire un grand vin, c'est calculer avec le savoir...

🔑 Natacha Chave, La Burge, 26600 Mercurol,
tél. et fax 04.75.07.00.82, chavenatacha@yahoo.fr r.-v.
🔑 Dom. Aléofane

DOM. BERNARD ANGE 2010

■	16 000		8 à 11 €

Curiosité du domaine : la cave troglodytique est située dans une ancienne carrière de pierre du XVIe s. d'où l'on extrayait la molasse. Un lieu propice au vieillissement des vins en fût de chêne, comme celui-ci, qui a séjourné douze mois dans la barrique. Mais ce sont plutôt les fleurs (rose) et les fruits qui se manifestent dans le verre, accompagnés d'une touche réglissée. Le palais se montre ample et puissant, encore un peu strict en finale. On attendra deux ou trois ans que les tanins s'adoucissent quelque peu.

🔑 Bernard Ange, Pont-de-l'Herbasse, 26260 Clérieux,
tél. et fax 04.75.71.62.42, domaine_bernardange@orange.fr
t.l.j. sf dim. 9h-12h15 13h30-19h

J. BOUTIN Les Hauts Granites 2010 ★

■	8 000		11 à 15 €

Cette jeune maison, créée en 2007 par Stéphane Vedeau et sa mère Jeannine Boutin, propose un crozes-hermitage d'un joli grenat soutenu. Les arômes de confiture de myrtilles flattent le nez, complétés par des nuances d'épices et de fumé. La bouche, ample, puissante et fondue, confirme le caractère gourmand de ce vin, étayé en finale par une bonne vivacité. À boire au cours des deux ans à venir, sur une viande en sauce.

🔑 Jeannine Boutin,
rte de Vinsobres, chem. Sainte-Croix, BP 80, 84602 Valréas,
tél. 04.90.35.22.64, fax 04.90.35.19.27,
info@pointdecollection.com
t.l.j. sf sam. dim. 9h-12h 14h-18h
🔑 M. Vedeau

BROTTE La Rollande 2010

■	20 000		11 à 15 €

Une grande famille de vignerons et de commerçants de Châteauneuf-du-Pape depuis trois générations. Fondée en 1931, la maison Brotte s'est diversifiée en proposant des crus septentrionaux. Ici, un crozes-hermitage élevé à 50 % en cuve et à 50 % en fût, plaisant par son bouquet mêlé de fruits à l'eau-de-vie (fraise, pruneau) et de chocolat, et par son palais velouté, souple et de bonne longueur. Il est prêt.

Brotte, Le Clos, rte d'Avignon, BP 1,
84231 Châteauneuf-du-Pape Cedex, tél. 04.90.83.70.07,
fax 04.90.83.74.34, brotte@brotte.com
t.l.j. 9h-12h 14h-18h

CHAPOUTIER Les Meysonniers 2010 ★

215 000 | 11 à 15 €

À propos de cette cuvée du célèbre négociant-éleveur Chapoutier, il faut noter tout d'abord le très beau travail de l'élevage, qui donne au palais des tanins fondus à souhait et un caractère plein de rondeur. Son côté épicé (poivre), réglissé, floral et fruité lui apporte une bonne complexité, tant au nez qu'en bouche. Déjà prête, elle accompagnera avec bonheur un tajine d'agneau.

Maison M. Chapoutier, 18, av. du Dr-Paul-Durand,
26600 Tain-l'Hermitage, tél. 04.75.08.28.65,
fax 04.75.08.81.70, chapoutier@chapoutier.com
t.l.j. 9h-12h30 14h-19h

YANN CHAVE 2010 ★

50 000 | 15 à 20 €

Après l'avoir fait tourner dans le verre, on découvre ce 2010 dans sa jolie complexité aromatique balançant entre le cassis confituré, les fruits rouges frais et la réglisse. Lui répond une bouche franche, souple et longue, aux tanins enrobés, à laquelle une belle fraîcheur apporte l'équilibre, à l'image de la trompette de Miles Davis dans le Quintette avec Colman, Hancock, Carter et Williams. Cité, le **2010 rouge Le Rouvre (20 à 30 €; 20 000 b.)**, élevé en fût de chêne rouvre, est très... boisé, mais il a suffisamment de structure pour attendre un meilleur fondu, d'ici une paire d'années.

Yann Chave, La Burge, 26600 Mercurol,
tél. 04.75.07.42.11, fax 04.75.07.47.34, chaveyann@yahoo.fr

CAVE DE CLAIRMONT Classique 2010 ★★

12 000 | 8 à 11 €

CLASSIQUE DE CLAIRMONT
CAVE DE CLAIRMONT
Une attention toute particulière
2010
CROZES-HERMITAGE

Beau doublé pour la cave de Clairmont (fondée en 1972 par trois familles de vignerons), et dans les deux couleurs : idéal pour découvrir l'appellation. Au sommet de l'affiche, cette cuvée Classique, née de la seule marsanne, revêt une superbe robe jaune doré. Les fruits confits, le miel et une touche briochée composent un bouquet doux et charmeur. La bouche impressionne d'emblée par sa puissance et son volume. Apanage des grands vins, elle offre aussi une belle longueur et un équilibre remarquable grâce à une fraîcheur minérale qui porte loin la finale. Le **2009 rouge Immanence (15 à 20 €; 7 000 b.)**, complexe (réglisse, rose, fruits confiturés, épices), riche, ample et fondu, obtient deux étoiles également.

Cave des Clairmonts, 755, rte des Vignes,
26600 Beaumont-Monteux, tél. 04.75.84.61.91,
fax 04.75.84.56.98, contact@cavedeclairmont.com
t.l.j. sf dim. 9h-12h 14h-18h

DOM. DU COLOMBIER Cuvée Gaby 2010 ★★

15 000 | 15 à 20 €

Hommage au père du vigneron, ce vin sombre et dense offre l'image remarquable d'une syrah du Nord élevée avec une grande maîtrise. On y ressent tout à la fois de la générosité, à travers des senteurs intenses de fruits confits et d'épices, du gras, de la puissance, mais aussi de la fraîcheur et beaucoup d'élégance. Et quelle longueur, qui fait penser au final d'une symphonie de Mahler... La prochaine décennie lui appartient.

Dom. du Colombier, Le Chenet, 26600 Mercurol,
tél. 04.75.07.44.07, fax 04.75.07.41.43,
dom.ducolombier@free.fr r.-v.

CH. CURSON 2010 ★★

12 000 | 15 à 20 €

Ce 2010 provient d'une sélection des meilleures parcelles du domaine, ancienne propriété de Diane de Poitiers. Seuls les vieux pieds de syrah sont choisis ici. La vendange fait l'objet d'un éraflage total, d'une macération à froid pendant deux jours avant une fermentation de trois semaines. Puis l'élevage se fait en fût neuf. Cela donne un vin sombre et profond, au nez fin et complexe où se mêlent la fraise, le cassis et la vanille, relevés par une note de menthe. Le palais est concentré, gras et intense, adossé à des tanins bien présents mais fondus et à un boisé élégant et dosé avec justesse. Le résultat d'une belle synergie entre le propriétaire et son œnologue pour marier avec à-propos le raisin et le fût. On pourra envisager une garde de cinq ans et plus.

Étienne Pochon, Ch. de Curson, 26600 Chanos-Curson,
tél. 04.75.07.34.60, fax 04.75.07.30.27,
domainespochon@wanadoo.fr r.-v.
SCI Château

EMMANUEL DARNAUD 2010 ★★

35 000 | 15 à 20 €

Les années se suivent et se ressemblent pour Emmanuel Darnaud depuis son installation en 2001. Après un coup de cœur dans l'édition précédente, pour sa cuvée Mise en bouche 2009 rouge, il signe un 2010 des plus remarquables, gras, suave et puissant à la fois, armé pour bien vieillir grâce à des tanins étoffés et soyeux. On apprécie aussi son intensité et sa complexité aromatique, qui ne se dément pas du début à la fin de la dégustation : fruits rouges mûrs, violette, tabac blond, réglisse, vanille. À servir dans les quatre ou cinq prochaines années, sur une souris d'agneau aux cèpes par exemple.

Emmanuel Darnaud, 21, rue du Stade, lot. Rémy-Sottet,
26600 La Roche-de-Glun, tél. 04.75.84.81.64,
emmanuel.darnaud26@orange.fr

DAUVERGNE RANVIER Granite et Galets 2010

15 000 | 11 à 15 €

Cette maison de négoce créée en 2004 propose des vins issus de sélections parcellaires. Celui-ci, drapé dans une belle robe pourpre, se montre déjà très ouvert au nez, sur les fruits rouges et le cassis, soulignés d'un léger vanillé. Le palais est frais et équilibré, avec la même dominante fruitée et le même boisé fondu. Avec un peu plus de longueur, ce 2010 aurait atteint l'étoile. À boire dans les deux années à venir.

R & D Vins, Ch. Saint-Maurice, RN 580, L'Ardoise, 30290 Laudun, tél. 04.66.82.96.57, fax 04.66.82.96.58, francois.dauvergne@dauvergne-ranvier.com

DELAS Les Launes 2010

13 000 | 11 à 15 €

La présence de 20 % de roussanne à côté de la marsanne n'est sans doute pas étrangère à la sensation de gras perçue dans ce blanc du négociant Delas. S'y ajoute une pointe de vivacité nécessaire à l'équilibre et qui donne de la longueur au vin. Un crozes équilibré, à déguster dès à présent sur un fromage à pâte cuite.

Delas Frères, ZA de l'Olivet, 07300 Saint-Jean-de-Muzols, tél. 04.75.08.60.30, fax 04.75.08.53.67, france@delas.com
t.l.j. sf dim. 9h30-12h 14h30-18h30
Champagne Deutz

ROMAIN DUVERNAY 2010

18 000 | 8 à 11 €

La robe de ce 2010, couleur cerise burlat ornée de jolis reflets carminés, annonce le nez où l'on retrouve la cerise, accompagnée de notes de cassis : un vin qui « pinote », écrit un juré ! La bouche se révèle gourmande et tout aussi fruitée, mais ses tanins encore un peu sévères appellent une garde de deux ans.

SA Duvernay Vins Millésimés D.V.M., 1, rue de la Nouvelle-Poste, BP 25, 84231 Châteauneuf-du-Pape Cedex, tél. 04.90.83.71.88, fax 04.90.83.70.72, dvm.duvernay@wanadoo.fr r.-v.

DOM. DES ENTREFAUX 2010

70 000 | 11 à 15 €

Ce domaine, régulier en qualité, propose une cuvée dont le bouquet chaleureux de fruits confits, voire confiturés, agrémentés de notes d'épices, de réglisse et de fumé de l'élevage, témoigne d'une vendange tardive pour obtenir une maturité poussée. Après une attaque franche, le palais, à travers des arômes généreux de fruits à l'eau-de-vie, confirme le boisé qui apporte une petite pointe d'austérité. À attendre deux ou trois ans pour que l'ensemble s'harmonise. À noter que la conversion bio est engagée ici depuis 2009.

Dom. des Entrefaux, quartier de La Beaume, 26600 Chanos-Curson, tél. 04.75.07.33.38, fax 04.75.07.35.27, entrefaux@wanadoo.fr r.-v.
Tardy

FAYOLLE FILS ET FILLE Les Pontaix 2010 ★

4 000 | 11 à 15 €

En 2002, Laurent Fayolle et sa sœur Céline ont repris le domaine familial créé en 1870 par Fortuné Fayolle, l'une des premières propriétés à avoir vendu du vin en bouteilles dans l'appellation ; c'était à l'époque du grand-père Jules, en 1959. Ses descendants poursuivent ce travail avec talent, et récoltent un beau doublé pour le millésime 2010. En tête, cette cuvée Les Pontaix, un blanc de marsanne pure au joli nez de noisette et fleurs blanches, ample, fruité et bien équilibré entre douceur et fraîcheur en bouche. Parfait pour un poisson en sauce. La cuvée **Les Pontaix 2010 rouge (12 000 b.)** obtient la même note, tant pour son volume et sa puissance en bouche que pour sa complexité aromatique (cèdre, genièvre, épices, boisé léger). On l'attendra deux ou trois ans pour permettre aux tanins de se fondre.

Fayolle Fils et Fille, 9, rue du Ruisseau, 26600 Gervans, tél. 04.75.03.33.74, fax 04.75.03.32.52, contact@fayolle-filsetfille.fr
t.l.j. sf sam. dim. 9h-12h 13h30-18h

FERRATON PÈRE ET FILS Les Pichères 2010 ★★

5 000 | 15 à 20 €

Cette société de négoce de Tain-l'Hermitage, bien connue des lecteurs du Guide, aussi bien en crozes que dans la prestigieuse AOC voisine hermitage, fait coup double avec deux cuvées sélectionnées. La préférée est ce 2010 aux reflets violines, au nez agréable et gourmand de Zan, de gelée de mûre et de cassis, une touche poivrée venant rehausser le tout. En bouche, elle se montre équilibrée, élégante, pleine de finesse et de fraîcheur, soutenue par des tanins souples. Le **2010 rouge La Matinière (8 à 11 €; 15 000 b.)**, ample, généreux et soyeux, obtient une étoile.

Ferraton Père et Fils, 13, rue de la Sizeranne, 26600 Tain-l'Hermitage, tél. 04.75.08.59.51, fax 04.75.08.81.59, ferraton@ferraton.fr r.-v.

DOM. DES HAUTS CHÂSSIS Les Galets 2010 ★

40 000 | 15 à 20 €

Franck Faugier a, semble-t-il, recherché une maturité assez poussée, à en juger par les senteurs de fruits très mûrs, presque confiturés, qui se dégagent du verre, accompagnées de nuances de pain grillé. On retrouve ces notes de surmaturité, évocatrices de fruits à l'eau-de-vie, dans une bouche de bonne concentration, portée par de solides tanins et « rafraîchie » par une vivacité bienvenue. On peut déjà apprécier cette bouteille de caractère, ou l'attendre trois ou quatre ans.

Dom. des Hauts Châssis, Les Hauts-Châssis, 26600 La Roche-de-Glun, tél. et fax 04.75.84.50.26, domaine.des.hauts.chassis@wanadoo.fr r.-v.
Franck Faugier

DOM. PHILIPPE ET VINCENT JABOULET 2009 ★★

45 000 | 11 à 15 €

Élevé à 20 % en fût pendant un an, ce 2009 séduit par son bouquet complexe et généreux où l'on devine des notes de tabac blond, de griotte, de mûre sauvage. Un dégustateur y perçoit aussi un original côté tourbé. La bouche affiche un volume imposant, de la rondeur et de la douceur, renforcés par des tanins enrobés. Un vin gourmand, qui pourra se conserver trois ou quatre ans et fera merveille sur une viande en sauce.

Philippe et Vincent Jaboulet, La Négociale, 26600 Mercurol, tél. 04.75.07.44.32, fax 04.75.07.44.06, jabouletphilippeetvincent@wanadoo.fr r.-v.

DOM. DU MURINAIS Vieilles Vignes 2010 ★★

30 000 | 11 à 15 €

Pas de doute, ce domaine a gravi les échelons depuis sa sortie de la cave coopérative en 1998. Il atteint ici des sommets avec cette cuvée Vieilles Vignes, élevée un an en fût. La robe est sombre et profonde, noir d'encre. Le nez, complexe et suave, mêle les fruits très mûrs à un boisé parfaitement intégré. Portée de bout en bout par une

fraîcheur minérale, la bouche impressionne par son volume, sa longueur et sa structure massive mais élégante. Un crozes de garde assurément, que l'on attendra trois à cinq ans. Deux étoiles sont également attribuées au **2010 rouge Les Amandiers (43 000 b.)**, élevé en cuve, plus sur le fruit (cassis, cerise), agrémenté d'une classique note de violette, flatteur et bien équilibré en bouche, ainsi qu'au **2009 rouge Caprice de Valentin (15 à 20 € ; 7 000 b.)**, opulent, d'une générosité et d'une sucrosité toutes « sudistes », marqué par un joli boisé (deux ans de barrique).

Dom. du Murinais,
1890, rte du Laboureur, quartier Champ-Bernard,
26600 Beaumont-Monteux, tél. 04.75.07.34.76,
fax 04.75.07.35.91, lltardy@aol.com r.-v.
Luc Tardy

OGIER Les Brunnelles 2010 *

30 000 | 8 à 11 €

Ce négociant castelpapal respecte les fondamentaux de l'appellation : du fruit, du fruit, du fruit... Ici, des fruits des bois, mais aussi une touche de violette bien typée syrah. En bouche, l'élevage est bien maîtrisé et le boisé ajusté, la structure souple et enrobée, le grain de tanins fin et l'équilibre réussi. À boire dans les deux ans à venir, sur une bonne grillade aux sarments.

Ogier, 10, av. Louis-Pasteur,
84230 Châteauneuf-du-Pape, tél. 04.90.39.32.00,
fax 04.90.83.72.51, ogier@ogier.fr
t.l.j. sf dim. 9h-12h 14h-18h30
Jean-Pierre Durand

DOM. PRADELLE 2010 *

80 000 | 8 à 11 €

Ce domaine signe un crozes joliment teinté de rouge profond, dominé au nez par la cerise noire bien mûre, agrémentée de mûre, de vanille, d'épices et d'une touche de laurier. Le vin se fait puissant en bouche, étayé par des tanins encore bien perceptibles et vifs, et par un boisé qui doit encore se fondre. Un très beau représentant de l'appellation, à servir dans les trois prochaines années sur un magret de canard aux girolles. Le **2011 blanc (10 000 b.)**, ample, rond et aromatique (miel, amande, fleurs blanches), obtient la même distinction.

Dom. Pradelle, 5, rue du Riou, 26600 Chanos-Curson,
tél. 04.75.07.31.00, fax 04.75.07.35.34,
domainepradelle@yahoo.fr
t.l.j. sf dim. 8h-12h 14h-18h

DOM. DES REMIZIÈRES Cuvée particulière 2010 *

26 000 | 8 à 11 €

Valeur sûre de l'appellation, comme de l'AOC voisine hermitage, avec plusieurs coups de cœur à son palmarès, ce domaine fidèle au rendez-vous du Guide signe deux cuvées très réussies. La préférée, de peu, est ce rouge d'un rubis profond et brillant, au nez friand de fruits noirs mûrs agrémenté de notes florales (pivoine) et vanillées. La bouche se révèle ample et charnue, douce et fondue, portée par des tanins au grain fin. À déguster aujourd'hui ou dans trois ans, sur un petit gibier, un faisan aux raisins par exemple. La **Cuvée Christophe 2010 blanc (11 à 15 € ; 9 000 b.)** dévoile un bouquet de fleurs blanches et de miel mâtiné d'un bon boisé. Encore un peu dominé par l'élevage, le palais offre beaucoup de volume et de longueur. Pour un poisson en sauce ou une belle volaille.

Cave Desmeure, Dom. des Remizières, rte de Romans,
26600 Mercurol, tél. 04.75.07.44.28, fax 04.75.07.45.87,
contact@domaineremizieres.com
t.l.j. sf dim. 9h-12h 14h-18h30

ÉRIC ROCHER Chaubayou 2010 *

10 000 | 11 à 15 €

Éric Rocher est tombé, il y a près de quinze ans, sous le charme de cette propriété à l'abandon, de sa situation d'altitude et des vents qui balayent les vignes et leur apportent la fraîcheur nécessaire. La syrah s'y épanouit et a donné naissance à ce vin plein de jeunesse, comme en témoigne la robe grenat intense aux reflets violacés. Au nez, les fruits confiturés en légère surmaturité se nuancent d'épices, de raisins secs et de fleurs. Les vents ont, semble-t-il, bien joué leur rôle, une belle fraîcheur venant apaiser une bouche ample et ronde, soutenue par de jolis tanins soyeux. À servir dans deux ans, sur un lapin aux épices douces.

Éric Rocher, Dom. de Champal, quartier Champal,
07370 Sarras, tél. 04.78.34.21.21, fax 04.78.34.30.60,
vignobles.rocher@wanadoo.fr r.-v.

CAVE DE TAIN 2011 *

90 000 | 5 à 8 €

Créée en 1933, la cave de Tain réunit 310 adhérents, répartis sur cinq appellations de la vallée du Rhône nord. En crozes-hermitage, elle se distingue cette année par ce blanc 100 % marsanne, vêtu d'une robe limpide et brillante, jaune aux reflets dorés. On apprécie sa grande fraîcheur et son volume, ainsi que son nez miellé auquel une touche florale de tilleul confère un agréable caractère printanier.

Cave de Tain, 22, rte de Larnage,
26603 Tain-l'Hermitage, tél. 04.75.08.20.87,
fax 04.75.07.15.16, contact@cavedetain.com r.-v.

LES VINS DE VIENNE Les Palignons 2009 **

n.c. | 15 à 20 €

Ce remarquable crozes du trio Cuilleron, Gaillard et Villard a frôlé le coup de cœur. Ses arguments ne manquent pas en effet, à commencer par sa robe, intense et limpide, parcourue d'élégants reflets violines. Le bouquet n'est pas en reste : puissant et complexe, il associe les épices, la vanille, les fruits rouges, la crème de cassis et quelques volutes de tabac. Souple en attaque, le palais se montre gras, rond et vigoureux à la fois, épaulé par des tanins fondus, et livre une finale longue et puissante, « wagnérienne » selon un dégustateur mélomane... Accord gourmand en perspective, dans trois à cinq ans, avec un pigeonneau aux épices douces.

Les Vins de Vienne, 1, ZA de Jassoux, 42410 Chavanay,
tél. 04.74.85.04.52, fax 04.74.31.97.55,
contact@lesvinsdevienne.fr r.-v.

Hermitage

Superficie : 135 ha
Production : 4 365 hl (75 % rouge)

Le coteau de l'Hermitage, très bien exposé au sud, est situé au nord-est de Tain-l'Hermitage. La culture de la vigne y remonte au IVes. av. J.-C., mais on attribue l'origine du nom de l'appellation au chevalier Gaspard de Sterimberg qui, revenant de la croisade contre les Albigeois en 1224, décida de se retirer du monde. Il édifia un ermitage, défricha et planta de la vigne.

Le massif de Tain est constitué à l'ouest d'arènes granitiques, terrain propice à la syrah (les Bessards). Plantées de roussanne et surtout de marsanne, les parties est et sud-est de l'appellation, formées de cailloutis et de lœss, ont vocation à produire des vins blancs (les Rocoules, les Murets).

L'hermitage rouge est un très grand vin de garde, tannique, extrêmement aromatique, qui demande un vieillissement de cinq à dix ans, voire de vingt ans, avant de développer un bouquet d'une richesse et d'une qualité rares. On le servira entre 16 °C et 18 °C, sur du gibier ou des viandes rouges. L'hermitage blanc est un vin très fin, peu acide, souple, gras et parfumé. Il peut être apprécié dès la première année mais atteindra son plein épanouissement après un vieillissement de cinq à dix ans. Cependant, les grandes années, en blanc comme en rouge, peuvent supporter une garde de trente ou quarante ans.

DOM. BELLE 2009 ★

■ 4 200 ⏺ 30 à 50 €

La robe de ce 2009 élevé vingt-six mois en fût est profonde et intense. Le nez, expressif et tout aussi intense, mêle le moka, la framboise très mûre et la réglisse. La bouche, puissante, chaleureuse, aux tanins serrés, évoque plutôt le camphre, l'anis et le sous-bois. La finale encore un peu sévère appelle une garde de trois ans. Tout indiqué pour une daube de bœuf.

Dom. Belle, 510, rue de la Croix, 26600 Larnage, tél. 04.75.08.24.58, fax 04.75.07.10.58, domaine.belle@wanadoo.fr r.-v.

DOM. JEAN-LOUIS CHAVE 2009 ★★

■ n.c. + de 100 €

Ce grand millésime continue une impressionnante série d'hermitage rouges qui récoltent toujours des étoiles par paire, pour le moins. Ce vin a obtenu sept coups de cœur – pour s'en tenir aux plus récents. Le 2009 est l'expression de son millésime très solaire. D'une rare puissance, il demande à être aéré plusieurs heures avant d'exprimer le fruit mûr – des notes de confiture de mûres, qui traduisent le caractère surmûri de la syrah. Il possède ce côté velouté qui tapisse bien la bouche, et qui est le gage d'un avenir radieux. On tient déjà un beau vin. Mais il s'agit de servir un « grand » vin, ce qui demandera une longue patience : c'est la loi des bouteilles de prestige et de garde. On oubliera donc sans crainte ce millésime pendant dix ans dans l'obscurité d'une bonne cave. Il atteindra alors le début de son apogée et l'on pourra commencer à le savourer avec une selle de chevreuil aux airelles, par exemple.

Jean-Louis Chave, 37, av. du Saint-Joseph, 07300 Mauves, tél. 04.75.08.24.63, fax 04.75.07.14.21

♥ **DOM. JEAN-LOUIS CHAVE 2009 ★★**

n.c. + de 100 €

L'habillage de cette bouteille a légèrement changé. Cherchez bien. Le graphisme est immuable, mais regardez : les mentions obligatoires, indispensables, sérieuses, voire rébarbatives, ont migré vers une contre-étiquette et, sur l'étiquette allégée, Hermitage est devenu « L'hermitage ». Comme on voit aussi « le montrachet » sur certains flacons d'un autre vin blanc illustre. Un « L » qui affirme la juste ambition de ce vin : être emblématique de l'illustre colline. Un « L » qui lui permet de voler vers de nouveaux sommets, avec ce 2009 élu coup de cœur à la suite des 2006, 2003 et 1998. Sous une robe jaune d'or, on découvre des accents floraux évocateurs de camomille et des notes de miel. La bouche laisse une impression de finesse, en s'imposant par son gras. Tout est à sa place dans ce vin qui mérite d'attendre (de cinq à dix ans pour le moins) en raison de sa grande richesse. Il serait dommage de ne pas lui laisser le temps de développer toute sa palette d'arômes. On lui réservera de simples œufs brouillés... à la truffe.

Jean-Louis Chave, 37, av. du Saint-Joseph, 07300 Mauves, tél. 04.75.08.24.63, fax 04.75.07.14.21

YANN CHAVE 2010 ★

■ 5 000 ⏺ 50 à 75 €

Valeur sûre des appellations hermitage et crozes-hermitage, Yann Chave signe un très beau 2010. La robe est grenat sombre à reflets violines. Le nez, discret mais déjà complexe, dévoile à l'aération des notes d'épices, de fruits rouges et de violette, agrémentées d'une pointe de fumé et de cuir. Et ce vin ne manque pas non plus de fraîcheur. On la perçoit à l'olfaction, mais aussi dans une bouche élégante, de bonne puissance et soutenue par des tanins bien présents mais assez souples pour un hermitage. Le fruité est là, le boisé bien intégré, et la finale s'étire sur une jolie note réglissée. À boire dans trois à cinq ans, sur un civet de lièvre ou un ragoût de bœuf.

Yann Chave, La Burge, 26600 Mercurol, tél. 04.75.07.42.11, fax 04.75.07.47.34, chaveyann@yahoo.fr

DOM. DU COLOMBIER 2009

■	9 000	◖◗	50 à 75 €

Après dix-huit mois d'élevage en barrique, cet hermitage se présente dans une robe grenat profond, le nez empreint d'une jolie minéralité, avec un côté presque iodé, qu'accompagnent des notes fruitées et vanillées. Le palais se révèle bien concentré, puissant, « brutal » même selon un dégustateur, qui imagine que c'est peut-être ainsi qu'était l'hermitage originel... On le servira sur un civet de lièvre, dans quatre ou cinq ans.

Dom. du Colombier, Le Chenet, 26600 Mercurol, tél. 04.75.07.44.07, fax 04.75.07.41.43, dom.ducolombier@free.fr r.-v.

ROMAIN DUVERNAY 2010

■	9 000	▮	20 à 30 €

Si l'an passé ce négociant nous avait proposé un vin de grande garde avec son 2009, autant ce 2010 s'appréciera plus jeune, dans les deux ou trois prochaines années. La cerise à l'eau-de-vie se marie à des notes de sous-bois et à une nuance florale pour composer un bouquet agréable. Le palais, à l'unisson, séduit par son bon volume et son équilibre.

SA Duvernay Vins Millésimés D.V.M., 1, rue de la Nouvelle-Poste, BP 25, 84231 Châteauneuf-du-Pape Cedex, tél. 04.90.83.71.88, fax 04.90.83.70.72, dvm.duvernay@wanadoo.fr r.-v.

FAYOLLE FILS ET FILLE Les Dionnières 2010 ★★

■	1 400	◖◗	30 à 50 €

Cet hermitage est né sur le lieu-dit des Dionnières, de vieux ceps de syrah âgés de soixante ans. La vendange est éraflée, puis macère en demi-muid pendant vingt-sept jours. Après un élevage d'un an en fût, il en ressort un vin au nez d'épices (girofle), de fruits mûrs et de café, avec une petite touche de musc à l'arrière-plan. En bouche, ce 2010 associe dans un bel équilibre puissance et rondeur, longuement soutenues par des tanins « sculptés dans le granite », entendez des tanins massifs, gage d'un bon vieillissement en cave de trois à cinq ans. Les moins patients pourront tout de même se délecter de cette bouteille dès l'automne, sur un carré d'agneau par exemple.

Fayolle Fils et Fille, 9, rue du Ruisseau, 26600 Gervans, tél. 04.75.03.33.74, fax 04.75.03.32.52, contact@fayolle-filsetfille.fr
t.l.j. sf sam. dim. 9h-12h 13h30-18h

FERRATON PÈRE ET FILS Les Miaux 2009 ★

■	3 000	◖◗	30 à 50 €

Cette cuvée propose une belle expression de l'appellation. Derrière une robe grenat intense, on découvre un bouquet floral et empyreumatique. En bouche, le vin se montre puissant, généreux mais sans excès, longuement porté par des tanins bien fondus. À attendre trois ans avant de l'accompagner d'une daube de bœuf au chocolat. Le **2010 blanc Les Miaux (2 000 b.)**, gras, floral et vanillé, est cité.

Ferraton Père et Fils, 13, rue de la Sizeranne, 26600 Tain-l'Hermitage, tél. 04.75.08.59.51, fax 04.75.08.81.59, ferraton@ferraton.fr r.-v.

DOM. PHILIPPE ET VINCENT JABOULET 2009 ★

□	3 000	◖◗	30 à 50 €

La parcelle familiale d'où est issu ce 2009 a la particularité d'être plantée uniquement en roussanne. La fermentation a lieu en fût, ainsi que l'élevage, pendant douze mois. Et cela se remarque à la dégustation : le nez, plutôt réservé, dévoile des notes de noisette et de vanille aux côtés des parfums de fleurs blanches. Le palais se révèle rond et gras mais sans lourdeur, avec un boisé de qualité. L'ensemble demande toutefois à s'ouvrir ; on l'attendra trois ou quatre ans.

Philippe et Vincent Jaboulet, La Négociale, 26600 Mercurol, tél. 04.75.07.44.32, fax 04.75.07.44.06, jabouletphilippeetvincent@wanadoo.fr
r.-v.

DOM. DES REMIZIÈRES Cuvée Émilie 2010 ★★

■	6 000	◖◗	30 à 50 €

Un hermitage 2009 de ce domaine a obtenu un coup de cœur et la Grappe d'or du Guide. Ce vignoble familial qui, avec treize coups de cœur, est devenu incontournable, a pris son envol avec Philippe Desmeure, installé en 1977 et aujourd'hui à la tête de 32 ha. L'hermitage est le fleuron de l'exploitation, mais les Desmeure ne réservent pas tous leurs soins qu'à ce grand terroir : voyez, par exemple, cette année, la rubrique « saint-joseph » ... Quant à cette cuvée, créée en 1995, elle est dédiée à la fille de Philippe. Émilie a contribué à son excellence : œnologue diplômée, elle travaille depuis 2004 à la cave. Son 2010 arbore une robe intense, noir d'encre. Au nez, des évocations de cerise burlat mettent l'eau à la bouche. Après un séjour de quinze mois en barrique neuve, on ne lui trouve aucun caractère boisé – signe d'un élevage bien mené. Si l'extraction, très sensible, est sans doute due au millésime, ce vin exprime aussi une grande sucrosité et des tanins bien enrobés. On pourra commencer à le servir dans cinq ans – soit avant son devancier le 2009. Bel accord en perspective avec un lièvre à la royale.

Cave Desmeure, Dom. des Remizières, rte de Romans, 26600 Mercurol, tél. 04.75.07.44.28, fax 04.75.07.45.87, contact@domaineremizieres.com
t.l.j. sf dim. 9h-12h 14h-18h30

♥ **CAVE DE TAIN** Gambert de Loche 2009 ★★

■	12 800	◖◗	30 à 50 €

Gambert de Loche

Cette bouteille rend le plus beau des hommages au créateur de cette cave fondée en 1933, qui regroupe aujourd'hui 310 coopérateurs. Le charme opère d'emblée avec sa robe profonde et intense, d'un superbe rubis soutenu. Le nez, riche et très expressif, mêle le cassis, la noisette, le clou de girofle et le cumin. Lui répond un palais ample, concentré, tapissé de fruits mûrs qui lui confèrent une impression de douceur caressante, et bâti sur des tanins au grain très fin. Dans trois à six ans, on réservera à cette superbe cuvée un mets délicat, une gibelotte de lapin aux truffes, par exemple.

Cave de Tain, 22, rte de Larnage, 26603 Tain-l'Hermitage, tél. 04.75.08.20.87, fax 04.75.07.15.16, contact@cavedetain.com r.-v.

DOM. DES TOURETTES 2009 *

30 000 | 30 à 50 €

Négociant de la vallée du Rhône septentrionale, dans le giron des Champagnes Deutz depuis 1977, Delas propose un 2009 déjà prêt. Drapé dans une robe brillante, ce vin dévoile un bouquet délicatement floral, sur la violette. À l'attaque, il « surfe » sur un fruité léger de fraise et de framboise qui persiste en bouche. Sa structure très enrobée en fait un hermitage facile d'accès, qui apporte un réel plaisir et s'appréciera sur une noble volaille.

Delas Frères, ZA de l'Olivet, 07300 Saint-Jean-de-Muzols, tél. 04.75.08.60.30, fax 04.75.08.53.67, france@delas.com t.l.j. sf dim. 9h30-12h 14h30-18h30

Champagne Deutz

Cornas

Superficie : 115 ha
Production : 4 210 hl

En face de Valence, l'appellation s'étend sur la seule commune de Cornas. Les sols, en pente assez forte, sont composés d'arènes granitiques, maintenues en place par des murets. Issu de syrah récoltée à faibles rendements (30 hl/ha), le cornas est un vin rouge viril, charpenté, qu'il faut faire vieillir au moins trois années – mais il peut attendre parfois beaucoup plus – afin qu'il puisse exprimer ses arômes fruités et épicés sur des viandes rouges et du gibier.

A. CLAPE 2010 **

18 000 | 30 à 50 €

PRODUIT DE FRANCE VIN

PRODUCT OF FRANCE WINE

Cornas

APPELLATION CORNAS CONTROLÉE

ALC. 14% BY VOL. RHÔNE WINE 750 ML

MIS EN BOUTEILLE A LA PROPRIÉTÉ

A. CLAPE, S.C.E.A Propriétaire-Viticulteur à CORNAS (Ardèche)

CONTAINS SULFITES E 220

Ce vin est à l'image de l'esprit de cette maison secrète, discrète, qui exporte pourtant une grande partie de sa production. Un domaine où l'on s'est toujours attaché à bichonner les vignes : une attention vigilante qui est à la source de tout bon vin. Les Clape préfèrent observer jour après jour les progrès de la maturation, trier les grappes sur souche plutôt que de rechercher les longues macérations et les surextractions. Cette démarche permet la révélation du terroir. Ce millésime fait ainsi ressentir pleinement la pierre chauffée au soleil. C'est un cornas dans toute sa puissance, entendez aussi un cornas tout en puissance. Sa robe profonde est un écrin fermé à double tour où, comme on le devine, se cache, dans une trame resserrée, un concentré d'arômes complexes qui ne se révélera pleinement que dans dix ans. C'est donc un vrai cornas, qui vous demande un trésor de patience pour vous livrer son trésor de saveurs. À oublier dans une cave aussi sombre que sa couleur pour accéder au vrai bonheur de l'œnophile.

SCEA Dom. Clape, 146, av. Colonel-Rousset, 07130 Cornas, tél. 04.75.40.33.64, fax 04.75.81.01.98 r.-v.

DOM. COURBIS La Sabarotte 2010 **

5 000 | 30 à 50 €

2010

La Sabarotte

Cornas

Appellation Cornas Contrôlée

Alc. 14% by Vol. Mis en bouteille au 750 ML.

Domaine Courbis - 07130 Châteaubourg

Produit de France - Contient des Sulfites

Les Courbis, Laurent et Dominique, persistent et signent : encore un coup de cœur après celui obtenu l'an dernier pour leur magnifique cuvée Les Eygats 2009. La Sabarotte est un lieu-dit aux sols d'arènes granitiques où s'enracinent de vieux ceps de syrah âgés de soixante-cinq ans. Macération longue d'un mois, élevage de dix-huit mois en fût, tout a été mis en œuvre ici pour en faire un grand vin de garde. Le résultat ? Un cornas riche, concentré, puissant et complexe. On y hume des senteurs intenses d'épices et de fruits noirs mûrs, agrémentées d'un boisé non moins marqué, qui doit encore se fondre. Mais avec une telle structure, avec un tel coffre, ce 2010 est armé pour l'assimiler et pour une très longue vie en cave. On l'en sortira dans sept ou huit ans minimum, et il pourra patienter dix ans et plus.

Dom. Courbis, rte de Saint-Romain, 07130 Châteaubourg, tél. 04.75.81.81.60, fax 04.75.40.25.39, contact@domaine-courbis.fr t.l.j. sf dim. 9h-12h 14h-18h; sam. sur r.-v.

DUMIEN-SERRETTE Patou 2010 **

5 000 | 15 à 20 €

Ce vin, qui a frôlé le coup de cœur, a séduit d'emblée par sa robe dense et profonde, ornée d'un liseré violet. Son bouquet très ouvert sur les épices, le cuir et les fruits noirs s'accompagne d'une agréable touche boisée, révélatrice d'un élevage parfaitement maîtrisé. La bouche, à l'unisson, se montre riche, charnue, tout en rondeur, adossée à des tanins fondus et portée par une longue finale chaleureuse. S'il est déjà fort aimable, ce cornas est armé pour durer, cinq ou six ans, et plus encore.

Dumien-Serrette, 18, rue du Ruisseau, 07130 Cornas, tél. et fax 04.75.40.41.91, contact@serrette.com r.-v.

ROMAIN DUVERNAY 2009 **

1 000 | 20 à 30 €

Négociant à Châteauneuf-du-Pape, Romain Duvernay explore également la partie nord de la vallée rhodanienne. Ce cornas, « aux courbes bien équilibrées » selon un juré, se drape d'une robe noire. Fin et intense à la fois, il exhale des parfums de fruits rouges très mûrs, bien dans l'esprit du millésime. En bouche, il se révèle long, puissant, dense et concentré, soutenu par une belle trame de tanins serrés. Pouvant attendre cinq ans, cette bouteille procurera aussi un plaisir certain dès maintenant.

SA Duvernay Vins Millésimés D.V.M., 1, rue de la Nouvelle-Poste, BP 25, 84231 Châteauneuf-du-Pape Cedex, tél. 04.90.83.71.88, fax 04.90.83.70.72, dvm.duvernay@wanadoo.fr r.-v.

DOM. PIERRE GAILLARD 2010

2 500 | 30 à 50 €

La robe est assez dense, ornée de reflets violets de jeunesse. Le nez mêle boisé bien fondu, fruits mûrs et notes de tabac. En accord avec l'olfaction, le palais, sans afficher une grande puissance, est bien construit autour de tanins soyeux et fait preuve d'une belle vivacité qui tend l'ensemble vers une finale un rien plus austère. Un vin équilibré, que l'on peut commencer à boire et qui pourra attendre trois à cinq ans.

Dom. Pierre Gaillard, lieu-dit Chez Favier, 42520 Malleval, tél. 04.74.87.13.10, fax 04.74.87.17.66, vinsp.gaillard@wanadoo.fr r.-v.

DOM. PHILIPPE ET VINCENT JABOULET 2009 ★

5 000 | 20 à 30 €

Ce domaine familial, conduit par les Jaboulet depuis six générations, propose un 2009 de belle facture, au nez délicat de garrigue et d'olive noire, accompagné par un boisé discret. En bouche, le vin dévoile une matière dense et riche, enrobée de fruits mûrs et de notes vanillées, avec en soutien une vivacité gage d'une belle espérance de vie. « Typique de la syrah de Cornas », résume un dégustateur, celle qu'il faut attendre – cinq ou six ans ici – pour obtenir finesse et harmonie.

Philippe et Vincent Jaboulet, La Négociale, 26600 Mercurol, tél. 04.75.07.44.32, fax 04.75.07.44.06, jabouletphilippeetvincent@wanadoo.fr r.-v.

TARDIEU-LAURENT Coteaux 2010 ★★

4 000 | 20 à 30 €

Ce négociant du Luberon a fait le bon choix pour ce cornas : des vignes de cinquante ans, un élevage de vingt-quatre mois en fût pour obtenir des tanins bien fondus et sans agressivité. Le vin impressionne d'emblée dans sa robe très sombre au liseré violacé. Le nez, ouvert sur des notes de cassis très mûr et de fumé, prélude à un palais riche, plein, dense, étayé par une longue finale tout en fraîcheur. Jeune, ce 2010 accompagnera une côte de bœuf. Après cinq ans de vieillissement, on le servira sur un lièvre à la royale.

Maison Tardieu-Laurent, Les Grandes Bastides, rte de Cucuron, 84160 Lourmarin, tél. 04.90.68.80.25, fax 04.90.68.22.65, info@tardieu-laurent.com r.-v.

DOM. DU TUNNEL 2010 ★

11 000 | 20 à 30 €

Ce domaine créé en 1996 s'étend sur 10 ha. Le caveau est situé au centre-ville de Saint-Péray, dans une vieille bâtisse âgée de deux cent cinquante ans. Stéphane Robert vous y accueillera volontiers et, l'été, vous fera visiter le vignoble. Son cornas se pare d'une robe dense et sombre, et dévoile des senteurs de fruits noirs compotés, mâtinées d'épices (poivre) et de nuances florales (iris). La bouche se révèle puissante, chaleureuse et charnue, soulignée en finale par une fraîcheur bienvenue et par une pointe d'amertume. À attendre quatre ou cinq ans.

Stéphane Robert, Dom. du Tunnel, 20, rue de la République, 07130 Saint-Péray, tél. 04.75.80.04.66, fax 04.75.80.06.50, domaine-du-tunnel@wanadoo.fr t.l.j. 10h-19h; f. 1er -7 août

ALAIN VOGE Les Vieilles Vignes 2009 ★

12 000 | 30 à 50 €

« Un cornas d'antan », résume un dégustateur ; « très cornas », commente un autre. Débat entre jeunes et modernes ? Tous s'accordent pour trouver à ce 2009 une certaine rusticité, due à des tanins sévères : une puissance à l'état brut, avec un côté animal qui accompagne les fruits, les épices et un boisé fondu. Un vin viril en somme, à attendre quatre ou cinq ans et à réserver pour une pièce de gibier.

Dom. Alain Voge, 4, imp. de l'Équerre, 07130 Cornas, tél. 04.75.40.32.04, fax 04.75.81.06.02, contact@alain-voge.com t.l.j. sf dim. 9h-18h; sam. sur r.-v.

Saint-péray

Superficie : 75 ha
Production : 2 170 hl (10 % effervescents)

Situé face à Valence, le vignoble de Saint-Péray est dominé par les ruines du château de Crussol. Un microclimat un peu plus froid et des sols plus riches que dans le reste de la région sont favorables à la production de vins plus acides et moins riches en alcool, issus de marsanne et de roussanne, bien adaptés à l'élaboration de blanc de blancs par la méthode traditionnelle.

YVES CUILLERON Les Cerfs 2010

4 500 | 15 à 20 €

« Très typé marsanne », note un dégustateur après avoir posé son nez dans le verre... Bravo, ce 2010 est en effet né de la seule marsanne. Derrière un boisé léger (neuf mois de barrique), on perçoit de jolies notes de fleurs blanches, de miel et de noisette. La bouche ? D'un bon volume, riche et mûre mais sans lourdeur, florale et boisée avec discernement. Un petit surplus de vivacité aurait été bienvenu, mais l'ensemble reste harmonieux et s'appréciera sur une raie aux câpres.

Yves Cuilleron, 58, RD 1086, Verlieu, 42410 Chavanay, tél. 04.74.87.02.37, fax 04.74.87.05.62, cave@cuilleron.com r.-v.

♥ **DOM. BERNARD GRIPA** Les Figuiers 2010 ★★

10 000 | 20 à 30 €

« Multi-coups de cœur », ce domaine s'illustre à nouveau en saint-péray avec ces Figuiers, déjà plusieurs fois en haut de l'affiche, et précisément dans l'édition précédente... Roussanne (60 %) et marsanne ont donné naissance à un vin d'une rare finesse, tout en dentelle. Brillante, la robe est d'un beau jaune doré aux reflets verts. Très floral (acacia), frais et délicat, le nez dévoile aussi des

RHÔNE

notes de noisette et quelques senteurs grillées apportées par les onze mois de barrique. Bien étoffée, ample et suave, la bouche trouve son équilibre et son allonge remarquable dans une fraîcheur minérale qui pousse loin la finale. À réserver pour un mets fin, un homard bleu aux agrumes par exemple. La cuvée **Les Pins 2010 (11 à 15 € ; 13 000 b.)**, plus discrète mais d'une jolie finesse, à dominante d'agrumes (orange, citron), obtient une étoile.

Dom. Bernard Gripa, 5, av. Ozier, 07300 Mauves, tél. 04.75.08.14.96, fax 04.75.07.06.81, gripa@wanadoo.fr
r.-v.

DOM. DU TUNNEL Roussanne 2010 ★★

1 500 | 15 à 20 €

Deux approches « variétales » différentes de l'appellation avec ces cuvées signées Stéphane Robert. Né de la seule roussanne, ce 2010 a frôlé le coup de cœur. Ses arguments ne manquent pas : une élégante robe jaune paille ; un bouquet complexe et ouvert sur les fleurs blanches, le miel et la pierre à fusil ; un palais rond, riche et puissant, qui donne l'impression de croquer dans une poire juteuse, un boisé élégant et fondu à l'arrière-plan. Un juré envisage un poulet aux morilles, un autre un poulet au citron. Faites votre choix... La cuvée **Marsanne 2010 (11 à 15 € ; 1 000 b.)**, empreinte de sucrosité, chaleureuse et fruitée (pêche, abricot), obtient une étoile.

Stéphane Robert, Dom. du Tunnel, 20, rue de la République, 07130 Saint-Péray, tél. 04.75.80.04.66, fax 04.75.80.06.50, domaine-du-tunnel@wanadoo.fr
t.l.j. 10h-19h; f. 1er -7 août

LES VINS DE VIENNE Les Archevêques 2009 ★★

2 400 | 20 à 30 €

Comme à leur habitude, le trio Cuilleron-Gaillard-Villard s'invite dans ces colonnes, ici avec un saint-péray de pure marsanne. Au nez, les dégustateurs notent la présence du cépage, dans toute sa richesse, à travers des notes florales et miellées, tonifiées par une agréable fraîcheur minérale. Le boisé des dix-huit mois d'élevage est sensible mais bien fondu, il n'écrase pas les apports variétaux. En bouche, on découvre un vin puissant, gras, long, fruité et boisé avec la même justesse qu'à l'olfaction. Une bouteille harmonieuse que l'on verrait bien sur une volaille de Bresse.

Les Vins de Vienne, 1, ZA de Jassoux, 42410 Chavanay, tél. 04.74.85.04.52, fax 04.74.31.97.55, contact@lesvinsdevienne.fr r.-v.

FRANÇOIS VILLARD Version longue 2009

2 500 | 15 à 20 €

Version longue ? Certainement une référence au long élevage en fût de dix-huit mois qui a contribué au caractère de cette cuvée. Et les notes grillées du merrain marquent avec insistance toute la dégustation. Les agrumes arrivent toutefois à pointer le bout du nez. Mais le vin révèle suffisamment de matière et de structure pour « digérer » la barrique. Les amateurs de vins boisés l'apprécieront dès l'automne, les autres attendront deux à trois ans.

François Villard, 330, rte du Réseau-Ange, 42410 Saint-Michel-sur-Rhône, tél. 04.74.56.83.60, fax 04.74.56.87.78, vinsvillard@wanadoo.fr r.-v.

DOM. ALAIN VOGE Fleur de Crussol 2010

n.c. | 20 à 30 €

Après seize mois d'élevage en barrique, ce saint-péray livre des parfums boisés intenses (grillé, fumé). L'aération fait apparaître les fleurs blanches et le miel. La bouche se révèle à la fois puissante et vive ; on y retrouve l'empreinte boisée de l'olfaction, mais aussi son côté floral et miellé. Bref, un vin cohérent mais qui doit encore fondre ses notes de merrain : un à deux ans d'attente devraient suffire.

Dom. Alain Voge, 4, imp. de l'Équerre, 07130 Cornas, tél. 04.75.40.32.04, fax 04.75.81.06.02, contact@alain-voge.com
t.l.j. sf dim. 9h-18h; sam. sur r.-v.

Clairette-de-die

Superficie : 1 401 ha
Production : 84 272 hl

Le vignoble du Diois occupe les versants de la moyenne vallée de la Drôme, entre Luc-en-Diois et Aouste-sur-Sye. Sans doute héritière du vin doux pétillant des Voconces mentionné par Pline l'Ancien, la clairette-de-die méthode dioise ou ancestrale est un vin mousseux doux et à faible teneur en alcool, dominé par le cépage muscat (75 % minimum) et qui termine naturellement sa fermentation en bouteille, sans adjonction de liqueur de tirage. L'appellation autorise aussi l'élaboration d'effervescents à base de clairette selon la méthode traditionnelle, avec seconde fermentation en bouteille.

DOM. ACHARD-VINCENT Tradition 2010 ★★

50 000 | 8 à 11 €

Depuis trente ans, les Achard conduisent leur vignoble en agriculture biologique. Le fils Thomas a développé la biodynamie à son arrivée, en 2005. Il y a beaucoup de constance dans ce domaine, et les vins sont régulièrement en haut de l'affiche dans le Guide. L'édition 2013 n'échappe pas à la règle et cette clairette recueille les louanges des jurés. Les dégustateurs ont aimé son nez délicatement muscaté, floral et miellé, comme sa bouche fort longue et très aromatique – on retrouve le miel et les fleurs blanches – et pleine de douceur. Accord gourmand en perspective avec un sabayon à l'abricot.

Thomas Achard, Le Village, 26150 Sainte-Croix, tél. 04.75.21.20.73, fax 04.75.21.20.88, contact@domaine-achard-vincent.com
t.l.j. sf dim. 9h-12h 14h-18h

CHAMBÉRAN ★

80 000 | 5 à 8 €

Un quart de clairette, trois quarts de muscat, voilà un « cocktail » qui marche bien et qui donne naissance à ce vin équilibré et fin, aussi bien dans la bulle que dans les arômes. C'est franc, net, droit, et le côté floral (aubépine) confère beaucoup de délicatesse à cette bouteille. La cuvée **Rives et Terrasses Tradition (50 000 b.)**, issue du même assemblage, est de la même veine, fine et florale ; elle obtient logiquement la même note.

Union des Jeunes Viticulteurs récoltants, rte de Die, 26340 Vercheny, tél. 04.75.21.70.88, fax 04.75.21.73.73, contact@ujvr.fr t.l.j. 9h-12h 14h-18h30

JAILLANCE Cuvée Excellence Tradition Pur muscat ★

60 000 | 5 à 8 €

La cave de Die Jaillance signe une clairette jaune illuminée de reflets argentés très brillants. Le nez s'annonce évidemment muscaté, mais on perçoit aussi des notes de rose, de gingembre ou encore de miel. La bouche, plus retenue, discrètement florale et fruitée, possède une bonne longueur et affiche un bel équilibre entre rondeur et vivacité. Un juré verrait bien cette clairette accompagner un fraisier.

La Cave de Die Jaillance, av. de la Clairette, 26150 Die, tél. 04.75.22.30.00, fax 04.75.22.21.06, info@jaillance.com t.l.j. 9h-12h30 14h30-19h

DOM. DE MAGORD Tradition 2011 ★

n.c. | 5 à 8 €

Jérôme Vincent, trente-neuf ans, conduit le domaine familial depuis 2005. Il signe une clairette 100 % muscat qui séduit d'emblée par sa bulle fine et régulière. Le nez, sans être exubérant, offre d'agréables senteurs florales et épicées. En bouche, ce vin se montre flatteur par son attaque vive et franche, et par ses arômes de pêche blanche, de fruits exotiques et de rose. À servir au dessert – pourquoi pas sur un gâteau aux noix ?

EARL du Dom. de Magord, 26150 Barsac, tél. 04.75.21.71.43, fax 08.11.38.93.91, domainedemagord@orange.fr r.-v.

Jérôme Vincent

RASPAIL Méthode dioise ancestrale 2010 ★

19 220 | 5 à 8 €

« Une bouteille typique de son appellation », écrit un dégustateur. Ses atouts ? Une mousse régulière, qui coiffe une robe jaune pâle, une bulle fine et persistante, le tout dans une ambiance très florale (rose, fraisia) et fraîche. Parfait pour l'apéritif.

EARL Georges Raspail, rte du Camping-Municipal, quartier La Roche, 26340 Aurel, tél. 04.75.21.71.88, fax 04.75.21.71.89, ets.raspail@orange.fr t.l.j. 9h30-12h30 14h30-19h30

Crémant-de-die

Production : 1 993 hl

L'AOC a été reconnue en 1993. Le crémant-de-die est produit à partir du cépage clairette, selon la méthode traditionnelle qui consiste en une seconde fermentation en bouteille.

CAROD Combe Armand 2006 ★★

20 000 | 5 à 8 €

Propriété des Grands Chais de France depuis 2008, la maison Carod s'est considérablement développée et commercialise aujourd'hui quelque 2 000 000 de cols. C'est une clairette presque pure (90 %) qu'elle nous propose ici, complétée à parts égales d'aligoté et de muscat. La robe est jaune doré, animée par un joli cordon de bulles fines. Le bouquet, complexe, mêle des notes de laurier et de mie de pain. En bouche, le vin se montre ample et gras en attaque, puis la vivacité prend le relais jusqu'à la longue finale. Un crémant équilibré et élégant.

Carod, quartier du Gap, 26340 Vercheny, tél. 04.75.21.73.77, fax 04.75.21.75.22, bleberre@caves-carod.fr t.l.j. sf. dim. oct.-mars 9h-12h 14h-18h

LGCF

JEAN-CLAUDE RASPAIL ET FILS 2009 ★

11 000 | 8 à 11 €

Après des études d'œnologie en Champagne et un passage chez Bollinger, Frédéric Raspail est revenu en 2001 sur le domaine familial – 15 ha conduits en bio depuis quinze ans. Autant dire que le vigneron maîtrise le sujet... Son crémant se présente dans une robe pâle, à la bulle légère. Le nez, tout en finesse, évoque la noisette fraîche. Le palais, dosé avec justesse, offre beaucoup de fraîcheur et une belle longueur. À servir à l'apéritif ou sur une truite aux amandes.

Jean-Claude Raspail et Fils, La Mûre, 26340 Saillans, tél. 04.75.21.55.99, fax 04.75.21.57.57, contact@raspail.com t.l.j. 9h-12h 14h-18h30; f. 5-31 jan.

La vallée du Rhône méridionale

Vinsobres

Superficie : 450 ha
Production : 15 625 hl

Appartenant autrefois à l'appellation côtes-du-rhône-villages, Vinsobres a été promu en appellation locale en 2006. Celle-ci concerne uniquement les vins rouges nés sur la commune de Vinsobres, dans la Drôme.

Les vins doivent provenir d'un assemblage d'au moins deux cépages principaux, dont le grenache, qui doit représenter 50 % minimum, la syrah et/ou le mourvèdre devant atteindre 25 % minimum à l'horizon 2015.

DOM. CONSTANT-DUQUESNOY Confidence 2010 ★★

5 000 | 15 à 20 €

Ce domaine, né d'un rachat de vignes en 2005, s'est affirmé depuis comme une valeur sûre de l'appellation ; on se souvient notamment du coup de cœur pour le premier millésime de Gérard Constant. Cette Confidence a bien des choses à dire. Au nez, elle s'exprime d'emblée : torréfié

RHÔNE

délicat, fruits mûrs à souhait, épices douces, réglisse, note fraîche de sous-bois. Tout aussi expressive, la bouche, fruitée et épicée, douce et concentrée, offre un bel équilibre entre tanins fondus et boisé savamment dosé. Accord gourmand en perspective avec un agneau au thym, dans deux ou trois ans.

Dom. Constant-Duquesnoy, Les Arches, rte de Nyons, 26110 Mirabel-aux-Baronnies, tél. 06.77.38.23.34, g.constant@skynet.be r.-v.

DAUVERGNE RANVIER 2010 ★

25 000 | 8 à 11 €

Cette maison de négoce créée en 2004 propose une cuvée classiquement bâtie autour du grenache (60 %) et de la syrah, mariage heureux des épices, du boisé vanillé et des fruits mûrs, avec quelques nuances florales. En bouche, le vin se montre chaleureux, doux, concentré avec mesure, bien structuré, d'une bonne longueur et équilibré par une finale plus fraîche. Un ensemble harmonieux, à découvrir dans les deux ou trois ans à venir sur une épaule d'agneau aux épices.

R & D Vins, Ch. Saint-Maurice, RN 580, L'Ardoise, 30290 Laudun, tél. 04.66.82.96.57, fax 04.66.82.96.58, francois.dauvergne@dauvergne-ranvier.com

PASCAL ET RICHARD JAUME Clos des Échalas 2010 ★★

2 000 | 20 à 30 €

L'arrière-grand-père fut l'un des pionniers de l'appellation côtes-du-rhône, créée en 1937 et de la reconnaissance de Vinsobres en *villages*. Depuis, les générations se succèdent de père en fils, les sélections dans ces pages également, que ce soit en appellation régionale ou en vinsobres. Le 2009 fut coup de cœur dans l'édition précédente, le 2010 obtient deux étoiles. Ses arguments : une robe noire, dense et profonde ; un bouquet intense et riche de fruits noirs confiturés, d'épices, de sous-bois, de café torréfié et de coco ; un palais complet et équilibré qui associe concentration, puissance tannique et fraîcheur, fruité mûr et boisé fondu. Parfait pour un cuissot de chevreuil aux airelles, dans deux ou trois ans. La cuvée **Référence 2010 (8 à 11 € ; 40 000 b.)**, ample, finement épicée et boisée, aux tanins arrondis, obtient une étoile.

EARL Dom. Jaume, 24, rue Reynarde, 26110 Vinsobres, tél. 04.75.27.61.01, fax 04.75.27.68.40, vignoble@domainejaume.com t.l.j. sf dim. 9h-12h 13h30-19h (18h en hiver)

DOM. DE MONTINE 2010 ★

20 000 | 8 à 11 €

Plus connus pour leur coteaux-du-tricastin (devenu grignan-les-adhémar), les Monteillet exploitent aussi la vigne sur le cru vinsobres. Ils signent un 2010 élaboré autour du grenache (80 %), qui offre un nez expressif de fruits mûrs et d'épices sur un fond de sous-bois et de boisé léger. Cette palette aromatique se retrouve dans une bouche concentrée et chaleureuse, adossée à de solides tanins qui méritent une garde de deux ou trois ans pour s'arrondir. Le vin sera alors prêt pour accompagner un repas d'hiver, du gibier en sauce par exemple.

Jean-Luc et Claude Monteillet, hameau de La Grande-Tuilière, 26230 Grignan, tél. 04.75.46.54.21, fax 04.75.46.93.26, domainedemontine@wanadoo.fr t.l.j. 9h-12h 14h-19h D

FAMILLE PERRIN Les Cornuds 2010

100 000 | 8 à 11 €

La famille Perrin a acquis en 2001 ce vignoble vinsobrais situé à 440 m d'altitude, au lieu-dit Les Cornuds. Syrah et grenache à parts égales y ont donné naissance à ce 2010 qui délivre des notes finement boisées, accompagnées de parfums de petits fruits des bois et d'épices. On retrouve ces arômes dans une bouche aux tanins bien présents mais encore un peu austères en finale. Une bouteille à attendre un an ou deux, avant de la servir sur une côte de bœuf aux olives noires.

Famille Perrin, rte de Jonquières, 84100 Orange, tél. 04.90.11.12.00, fax 04.90.11.12.19, thomas@familleperrin.com r.-v.

DOM. LE PUY DU MAUPAS 2010

2 320 | 8 à 11 €

Installé en cave particulière en 1987 avec 12 ha, Chistian Sauvayre en exploite aujourd'hui 42, répartis sur quatre appellations. Grenache, syrah et mourvèdre sont assemblés dans cette cuvée plaisante, au nez épicé et fruité, à la matière plutôt légère étayée par des tanins enrobés. Bref, ce vin reste dans la mesure et s'appréciera dès aujourd'hui sur un civet de lapin à l'origan.

Christian Sauvayre, Dom. le Puy du Maupas, Le Maupas, 84110 Puyméras, tél. 04.90.46.47.43, fax 04.90.46.48.51, sauvayre@puy-du-maupas.com t.l.j. 10h-12h 14h-18h (avr.-sept. 8h-19h) 2 E

DOM. DU TAVE Cuvée Paradis 2010 ★

2 000 | 8 à 11 €

Depuis son installation en 2008 sur 3,3 ha de l'exploitation familiale, Audrey Latard poursuit son bonhomme de chemin et signe à nouveau un vinsobres de belle facture. Pour sa cuvée Paradis, elle pratique un élevage en fût de trois vins afin d'obtenir un boisé discret. De fait, ce 2010 dévoile un bouquet vanillé et torréfié en finesse, agrémenté d'épices, qui laisse s'exprimer les fruits mûrs (cerise confite, pruneau). La bouche, à l'unisson, se révèle concentrée sans excès, douce, ronde et fondue, portée par des tanins encore jeunes mais élégants. À boire dans deux ou trois ans, sur un civet de lièvre.

Audrey Latard, Les Ratiers, 26110 Vinsobres, tél. 06.78.46.04.91, audrey.latard@hotmail.fr r.-v.

♥ CAVE LA VINSOBRAISE Cuvée Therapius 2010 ★★★

20 000 | 11 à 15 €

Sébastien Fraychet, le maître de chai, a eu la main heureuse en 2010, millésime à marquer d'une pierre blanche pour la Vinsobraise : un coup de cœur et une pluie d'étoiles pour quatre vins retenus. Cette cuvée Therapius, qui fait la part belle à la syrah, revêt une élégante robe d'un rouge dense et profond tirant sur le noir – l'annonce d'un bouquet intense et complexe qui marie les fruits rouges et noirs compotés, la vanille, le café torréfié, les épices douces et la violette. La bouche est un modèle du genre : beaucoup de concentration et de gras mais aucune lourdeur, du volume et de la longueur, des tanins ronds et parfaitement ciselés, un juste boisé et un fruité intense. Un vin de garde assurément, à attendre au moins trois à cinq ans. À dominante de grenache, la **Sélection vieilles vignes 2010 (5 à 8 €; 40 000 b.)**, tout en fruits et en finesse, décroche deux étoiles. La cuvée **Grenat 2010 (5 à 8 €; 27 000 b.)**, fruitée, épicée, ronde et friande, obtient une étoile, de même que la cuvée **Émeraude 2010 (5 à 8 €; 30 000 b.)**, bien équilibrée entre le fruit et le fût. Un beau panorama des vins de Vinsobres.

Cave la Vinsobraise, 26110 Vinsobres, tél. 04.75.27.64.22, fax 04.75.27.66.59, infos@la-vinsobraise.com
t.l.j. 8h-12h 14h-18h

DENIS VINSON ET FILS Cuvée Charles Joseph 2010 ★

4 174 | 15 à 20 €

Valeur sûre de l'appellation, avec plusieurs coups de cœur à son actif (le dernier en date pour ses Vieilles Vignes de Jean Vinson 2008), ce domaine est fidèle au rendez-vous. Il présente ici cette cuvée Charles Joseph, du nom de l'un des fils de Denis Vinson. Mi-grenache mi-syrah, le vin arbore une robe rubis aux reflets violets. Au nez, il mêle classiquement boisé torréfié, épices, fruits à l'alcool et nuances de sous-bois. En bouche, les notes de l'élevage se font dominatrices, les fruits mûrs restant à l'arrière-plan, le tout bâti sur des tanins qui commencent à se fondre. Dans deux ans, ce vinsobres accompagnera volontiers un lapin à la tapenade.

Denis et Charles Vinson, Dom. du Moulin, 26110 Vinsobres, tél. 04.75.27.65.59, fax 04.75.27.63.92, denis.vinson@wanadoo.fr
t.l.j. 8h-12h 13h30-19h; f. dim. a.-m.

Rasteau sec

Superficie : 1 300 ha
Production : 29 000 ha

L'appellation d'origine contrôlée rasteau se décline désormais en VDN (voir section Les vins doux naturels du Rhône) et en vin rouge sec grâce à l'accession en 2009 des côtes-du-rhône-villages Rasteau (village reconnu depuis 1966) en cru des Côtes du Rhône, le seizième du secteur, qui s'étend sur la seule commune de Rasteau.

Les conditions bioclimatiques de cette zone géographique sont particulièrement favorables au cépage grenache, qui atteint ici naturellement la complète maturité nécessaire à l'élaboration de grands vins, plus particulièrement dans les situations où prédominent les sols sableux et caillouteux. Ces mêmes conditions sont également favorables à la syrah et au mourvèdre (cépage à maturité tardive), notamment lorsqu'ils sont plantés sur des marnes sableuses ou sablo-argileuses. Les vins, exclusivement rouges, sont riches en alcool, gras, puissants et très aromatique. Leur structure tannique est le gage d'un excellent potentiel de garde.

DOM. DE BEAURENARD 2010 ★

40 000 | 11 à 15 €

Ce domaine, dans la famille Coulon depuis sept générations, est conduit en biodynamie. L'assemblage grenache-syrah donne un vin complet et intense, chaleureux au premier nez, sur les fruits à l'alcool, puis torréfié à l'aération, avec quelques nuances florales en complément. Quant au palais, structuré par des tanins enrobés, il ne manque ni de caractère ni de longueur. Un rasteau déjà harmonieux, que l'on appréciera aujourd'hui ou dans deux ans sur une viande en sauce.

SCEA Paul Coulon et Fils, Dom. de Beaurenard, 10, av. Pierre-de-Luxembourg, 84230 Châteauneuf-du-Pape, tél. 04.90.83.71.79, fax 04.90.83.78.06, paul.coulon@beaurenard.fr
t.l.j. sf dim. 9h-12h 13h30-17h30

DOM. BRESSY-MASSON Cuvée Paul-Émile 2010 ★

9 000 | 11 à 15 €

Grenache, syrah et mourvèdre composent ce vin pourpre aux reflets rubis, au nez intense et chaleureux de fruits rouges mûrs. Dans la continuité de l'olfaction, la bouche, généreuse, mêle les fruits compotés aux épices et s'appuie sur des tanins intenses mais fondus. Parfait pour une pièce de gibier, dès cet automne.

Marie-France Masson, Dom. Bressy-Masson, rte d'Orange, 84110 Rasteau, tél. 04.90.46.10.45, fax 04.90.46.17.78, marie-francemasson@club-internet.fr
t.l.j. 9h-13h 14h-18h30

DOM. COMBE JULIÈRE 2010 ★★

20 000 | 8 à 11 €

Installé en 1994 sur le vignoble familial, Laurent Robert a apporté ses raisins à la coopérative de Rasteau jusqu'en 1999, date à laquelle il a loué une cave pour ses vinifications, pour acquérir finalement son propre chai en 2003. Il signe ici un 2010 séducteur en diable dans sa robe pourpre limpide et brillante. Au nez, les fruits kirschés se mêlent aux senteurs fraîches du sous-bois et de l'eucalyptus. La bouche tient la note, soutenue d'emblée par une belle vivacité mentholée, avant que n'apparaissent des arômes de fruits rouges mûrs, qui lui donnent un caractère plus rond et généreux. Un vin très équilibré, bien structuré et long, à découvrir dès cet automne sur une estouffade de bœuf.

Laurent Robert, Les Jaux, 84110 Rasteau,
tél. et fax 04.90.46.19.78, laura.coulet@voila.fr r.-v.

DOM. DES COTEAUX DES TRAVERS Cuvée Prestige 2010 *

■	n.c.		11 à 15 €

Les plus vieux ceps de grenache, de syrah et de mourvèdre du domaine, plantés sur des coteaux exposés au soleil levant (« travers »), ont donné naissance à ce rasteau au nez intense et expressif de fruits rouges compotés, d'épices et de notes boisées. Dans le prolongement du bouquet, la bouche se montre généreuse, ample, bien structurée et longue. Un vin élégant, à déguster aujourd'hui ou dans deux ans sur un sauté d'agneau aux aubergines.

Robert Charavin, Dom. des Coteaux des Travers,
84110 Rasteau, tél. 04.90.46.13.69, fax 04.90.46.15.81,
coteaux-des-travers@rasteau.fr t.l.j. sf dim. 10h-18h

CH. LA COURANÇONNE Magnificat 2010

■	4 000		11 à 15 €

Ce vignoble implanté sur sol argileux est situé sur les premières terrasses de Rasteau. Des ceps, âgés de quarante ans, de grenache, de syrah et de mourvèdre ont donné naissance à ce vin pourpre intense, presque noir. Des notes de garrigue et d'épices se mêlent aux fruits rouges et à un boisé léger (élevage en foudres et demi-muids) pour composer un bouquet très méridional. La bouche se montre ronde, généreuse, structurée sans excès et de bonne longueur. À découvrir dans les deux prochaines années sur un agneau au thym.

EARL Ch. la Courançonne, 3618, rte de Cairanne,
84150 Violès, tél. 04.90.70.92.16, fax 04.90.70.90.54,
info@lacouranconne.com
t.l.j. 9h-12h30 14h-17h30; sam. dim. sur r.-v.
Meffre

HELEN DURAND 2010

■	15 000		8 à 11 €

Helen Durand signe un rasteau tout en fruit. Au nez, les fruits à noyau (cerise, pruneau) se mêlent aux fruits secs. En bouche, l'impression est plus tonique et acidulée, soulignée par des notes de griotte et autres fruits rouges frais. Un ensemble harmonieux et prêt à boire.

Helen Durand, rte d'Orange, 84110 Rasteau,
tél. 04.90.46.11.20, fax 04.90.46.15.96,
durand.helen@wanadoo.fr

DOM. DES ESCARAVAILLES La Ponce 2010 *

■	30 000		8 à 11 €

Les lecteurs du Guide connaissent bien cette étiquette ornée d'un scarabée. La cuvée La Ponce revient, toujours composée de 80 % de grenache, avec la syrah en complément. Une même extraction en douceur également pour obtenir ce palais équilibré, fin et velouté, tapissé d'arômes de fruits rouges mûrs et d'épices que le nez avait déjà humés dans le verre. Un vin harmonieux, à déguster dans les deux années à venir sur un rôti de bœuf aux morilles.

SCEA du Dom. des Escaravailles, Ferran et Fils,
84110 Rasteau, tél. 04.90.46.14.20, fax 04.90.46.11.45,
domaine.escaravailles@rasteau.fr r.-v.

DOM. GRANGE BLANCHE 2010 *

■	10 000		8 à 11 €

Un ancien relais de poste planté au milieu des vignes, sur un coteau balayé par le mistral face aux dentelles de Montmirail et au mont Ventoux. Grenache, syrah et mourvèdre composent un rasteau sombre, presque noir. Après aération, le nez libère des parfums intenses de fruits noirs mûrs et d'épices douces. Le palais se révèle puissant, corpulent, solidement bâti sur des tanins corsés, qui poussent loin la finale. Armé pour une garde de trois à cinq ans, ce rasteau accompagnera un mets de caractère, du sanglier en daube par exemple.

Karine, Julian et Didier Biscarrat, hameau de Blovac,
84110 Rasteau, tél. 04.90.46.41.30, grangeblanche@orange.fr
r.-v.

DOM. MARTIN Les Sommets de Rasteau 2010

■	4 500		8 à 11 €

Installés en 2005 sur le domaine familial, David et Éric Martin exploitent un vignoble de 67 ha. Pour cette cuvée, les plus vieilles vignes situées sur les coteaux pentus dans le haut de Rasteau sont mises à contribution. Après un élevage en vieux foudres de chêne, le vin dévoile un nez expressif et fin de fruits rouges, de cassis et de coing, relayé par une bouche ronde et généreuse mais sans lourdeur. Un rasteau équilibré, à boire dès à présent sur un civet de lièvre.

Dom. Martin, rte de Vaison, 84850 Travaillan,
tél. 04.90.37.23.20, fax 04.90.37.78.87,
martin@domaine-martin.com r.-v.

DOM. LA SOUMADE Cuvée Confiance 2010

■	5 000		15 à 20 €

La confiance exige aussi de la discrétion, aussi pas de développement aromatique intempestif pour ce 2010, mais plutôt un nez réservé et fin de fruits rouges. La bouche est à l'avenant, retenue et délicate, fruitée et structurée sans excès par des tanins ronds. Un rasteau friand, à apprécier dès maintenant sur une viande rouge grillée.

Frédéric Roméro, Dom. la Soumade, 84110 Rasteau,
tél. 04.90.46.13.63, fax 04.90.46.18.36,
dom-lasoumade@hotmail.fr
t.l.j. sf dim. 8h30-11h30 14h-18h

PIERRE VIDAL 2010 **

■	60 000		8 à 11 €

Déjà remarqué l'an dernier pour un Plan de Dieu 2009, ce jeune œnologue formé en Bourgogne et installé depuis dix ans à Châteauneuf-du-Pape auprès de son épouse, vigneronne, a monté sa structure de négoce en 2010. Il propose cette année un rasteau drapé dans une robe carminée aux reflets violets, intensément bouqueté, sur les fruits secs, les fruits à l'eau-de-vie et les épices douces. Ample, chaleureux et bien charpenté, ce 2010 révèle une jolie trame acide apportant l'équilibre. Un beau travail de vinification. Recommandé sur un sauté de veau aux olives, d'ici deux ou trois ans.

Pierre Vidal, 631, rte de Sorgues,
84230 Châteauneuf-du-Pape, tél. et fax 04.90.83.70.24,
contact@pierrevidal.com

Gigondas

Superficie : 1 225 ha
Production : 32 180 hl

Au pied des étonnantes Dentelles de Montmirail, le vignoble de Gigondas ne couvre que la commune du même nom. Il est constitué d'une série de coteaux et de vallonnements. La vocation viticole de l'endroit est très ancienne, mais son réel développement ne date que du XIXes., sous l'impulsion d'Eugène Raspail. D'abord côtes-du-rhône, puis, en 1966, côtes-du-rhône-villages, Gigondas obtient ses lettres de noblesse en tant qu'appellation spécifique en 1971.

Les caractéristiques du sol et le climat donnent leurs caractères aux vins, le plus souvent rouges à forte teneur en alcool, puissants et charpentés, tout en présentant une palette aromatique d'une grande finesse où se mêlent épices et fruits à noyau. Bien adaptés au gibier, les gigondas mûrissent lentement et peuvent garder leurs qualités pendant de nombreuses années. Il existe également quelques vins rosés, eux aussi chaleureux.

LA BASTIDE SAINT-VINCENT Costevieille 2010 ★

■ 3 200 15 à 20 €

Plantés sur des coteaux argilo-calcaires en terrasses, situés à 400 m d'altitude, les ceps de grenache, de syrah et de mourvèdre ont donné naissance à ce gigondas fruité à souhait, agrémenté d'épices douces et d'un boisé léger. Dans la continuité du bouquet, le palais se montre plein, charnu, ample et long, rendu un brin austère en finale par un boisé sensible, qui s'estompera après deux ou trois ans de cave. La **cuvée principale 2010 (8 à 11 € ; 17 700 b.)**, fraîche et fruitée, est citée.

Laurent Daniel,
La Bastide Saint-Vincent, 1047, rte de Vaison-la-Romaine, 84150 Violès, tél. 04.90.70.94.13, fax 04.90.70.96.13, bastide.vincent@free.fr t.l.j. sf dim. 9h-12h 14h-19h

DOM. DES BOSQUETS 2010 ★

■ 20 000 15 à 20 €

Au lieu-dit des Bosquets, on trouve trace de la *vinea culta* dès 1376. La première bâtisse du domaine, construite par Jean de Rivière, seigneur de Laval, date de 1644. Eugène Raspail, durant la seconde moitié du XIXes, puis Gabriel Meffre un siècle plus tard contribuèrent au développement de la propriété, aujourd'hui dirigée par la fille de ce dernier, Sylvette Bréchet et par ses fils Laurent et Julien. Côté cave, on trouve un vin sombre qui, sans grand débordement, livre d'agréables senteurs de fruits concentrés et de réglisse. Ample et douce en attaque, et dans la continuité aromatique du nez, la bouche est tapissée de tanins soyeux qui lui confèrent un côté velouté. Doté d'un bon potentiel de garde, ce gigondas accompagnera dans trois ou quatre ans une pièce de gibier.

SARL Giaconda, Dom. des Bosquets, 84190 Gigondas, tél. 04.90.83.70.31, fax 04.90.83.51.97, contact@famillebrechet.fr t.l.j. 10h-12h 14h-18h
Famille Bréchet

♥ DOM. LA BOUÏSSIÈRE La Font de Tonin 2010 ★★

■ 6 000 20 à 30 €

Ce domaine fort régulier en qualité décroche ici son troisième coup de cœur. Pour un duo grenache-mourvèdre des plus remarquables. Si l'élevage (partiel) en barrique se manifeste au cœur du bouquet, il laisse libre

cours aux fruits frais. Le palais semble bâti selon les règles d'or de l'architecture antique, d'un équilibre sans faille, droit et puissant, élégant et long. Mais c'est un chef-d'œuvre encore en devenir, et si les fondations sont solides, la patine du temps (cinq à dix ans) lui donnera tout son cachet.

EARL Faravel, rue du Portail, 84190 Gigondas, tél. 04.90.65.87.91, fax 04.90.65.82.16, labouissiere@aol.com t.l.j. 9h-19h

BROTTE 2010 ★

■ 17 000 11 à 15 €

Gigondas tire son nom du mot latin *jucundus* (agréable, charmant) ; agréable, ce 2010 de la maison Brotte l'est assurément. Rubis intense, il livre un bouquet harmonieux, à la fois floral, fruité et un rien animal. Après une attaque souple, il monte rapidement en puissance, se révélant corsé et généreux, tapissé d'arômes de fruits confits et de notes boisées bien mariées. Il est prêt à accompagner un poulet aux cèpes. La cuvée **Vieilles Vignes 2010 (20 à 30 € ; 1 500 b.)** obtient également une étoile pour ses arômes intenses de fruits noirs mûrs et d'épices douces, ainsi que pour son palais ample, rond et bien structuré. À boire ou à garder deux à trois ans.

Brotte, Le Clos, rte d'Avignon, BP 1, 84231 Châteauneuf-du-Pape Cedex, tél. 04.90.83.70.07, fax 04.90.83.74.34, brotte@brotte.com t.l.j. 9h-12h 14h-18h

BRUNEL DE LA GARDINE 2009 ★

■ n.c. 15 à 20 €

Plus connu des lecteurs pour ses châteauneuf-du-pape, ce négociant signe ici un gigondas très réussi, trio classique de grenache, de syrah et de mourvèdre. Le nez, fort plaisant, mêle la cerise, la prune, les épices douces et quelques notes d'iris. Concentré, épicé et long, le palais affiche encore toute la verve de la jeunesse. Une pièce de gibier lui conviendra, d'ici trois à cinq ans.

Brunel Père et Fils, rte de Roquemaure, BP 52, 84232 Châteauneuf-du-Pape Cedex, tél. 04.90.83.73.20, fax 04.90.83.77.24, chateau@gardine.com t.l.j. sf dim. 9h-12h 13h-18h; sam. sur r.-v.

DOM. BRUNELY Les Rocassières 2010 ★

■ 5 000 11 à 15 €

Charles Carichon avait décroché un coup de cœur l'an dernier avec cette même cuvée Les Rocassières, qui porte le nom de son lieu-dit d'origine, là où s'enracinent de vieux ceps de grenache et de mourvèdre. Moins impressionnante mais très réussie, la version 2010 s'illustre par son bouquet riche et intense de fruits à l'eau-de-vie, de pruneau, de figue confite et de grillé. Rond, gras,

généreux et puissant, le palais tient la note. Cette bouteille bien dans le style gigondas pourra s'allier à un gigot d'agneau ou un gibier à plume d'ici deux ou trois ans.
Charles Carichon, 1272, rte de la Brunely, 84260 Sarrians, tél. 04.90.65.41.24, fax 04.90.65.30.60, domaine-de-la-brunely@wanadoo.fr r.-v.

FLORENT ET DAMIEN BURLE Les Pallieroudas 2010

63 000 | 11 à 15 €

Issu de grenache et de mourvèdre (15 %), ce 2010 est un gigondas gourmand et aromatique. On y décèle des senteurs de fruits rouges écrasés, de mûre et de poivre. Le palais, de bonne ampleur, s'appuie sur des tanins enrobés et finit sur une note mentholée plaisante et tonique. Prêt à boire sur une grillade de bœuf relevée d'épices.
Dom. Florent et Damien Burle, La Beaumette, 84190 Gigondas, tél. 04.90.70.94.85, fax 04.90.70.94.61, caroleetdamien.burle@sfr.fr t.l.j. 8h-18h

DOM. LES CHÊNES BLANCS 2009 ★★

6 600 | 11 à 15 €

Les classiques grenache, syrah et mourvèdre sont assemblés ici à une originale touche (7 %) de clairette. Le résultat est jugé remarquable : intense et complexe, le nez mêle les fruits un peu grillés à la vanille, au sous-bois ou encore à la réglisse et au café torréfié. Le palais, tout aussi démonstratif, arrondi par des tanins enrobés, est une subtile alliance de force et de douceur. Un gigondas très gourmand, suave et puissant. Armé pour durer encore cinq ou six ans, il peut aussi s'apprécier aujourd'hui, sur un civet de sanglier par exemple.
Jean Roux, Dom. les Chênes blancs, 84190 Gigondas, tél. 04.90.65.85.04, fax 04.90.65.82.94, jean.roux@domaine-les-chenes-blancs.fr r.-v.

DOM. LE CLOS DES CAZAUX Prestige 2010 ★

6 000 | 15 à 20 €

Deux frères, Frédéric à la cave et Jean-Michel à la vigne et à la vente, conduisent ce domaine : 15 ha en gigondas et 25 ha en vacqueyras. Cette cuvée Prestige, élevée dix-huit mois en barrique, propose une composition aromatique particulièrement riche : épices, fruits mûrs (cassis, framboise) et fleurs fraîches, qui contrastent avec des notes de cuir. Adossée à des tanins fondus, la bouche offre du volume et beaucoup de rondeur. On y retrouve le même défilé d'arômes perçu à l'olfaction, qui imprègne une longue finale. Un vin déjà harmonieux, que l'on pourra aussi garder en cave trois à cinq ans.
Famille Archimbaud-Vache, Dom. le Clos des Cazaux, chem. du Moulin, 84190 Vacqueyras, tél. 04.90.65.85.83, fax 04.90.41.75.32, closdescazaux@wanadoo.fr
t.l.j. sf dim. 9h-12h 14h-18h; ouv. sam. de Pâques à Toussaint
Jean-Michel et Frédéric Vache

ROMAIN DUVERNAY 2010 ★

8 000 | 11 à 15 €

Drapé dans une robe sombre illuminée de reflets brillants, ce 2010 séduit par ses parfums fruités et épicés, intenses et généreux. Après une attaque ronde, il allie dans un bel équilibre concentration et finesse. Il faudra toutefois deux ou trois ans de vieillissement pour une totale harmonie.
SA Duvernay Vins Millésimés D.V.M., 1, rue de la Nouvelle-Poste, BP 25, 84231 Châteauneuf-du-Pape Cedex, tél. 04.90.83.71.88, fax 04.90.83.70.72, dvm.duvernay@wanadoo.fr r.-v.

DOM. DES FLORETS Suprême 2010

n.c. | 20 à 30 €

Ce domaine, racheté en 2007, propose une cuvée grenache-mourvèdre au nez intense de fruits mûrs (cassis), de réglisse, de fumé et de vanille, ragaillardi par de légères nuances mentholées. En bouche, le boisé se fait dominant, mais sans totalement étouffer le fruit et les épices, des tanins fermes apportant un surcroît de personnalité. Un vin encore en devenir, que l'on attendra deux à quatre ans avant de le servir sur du gibier.
Dom. des Florets, rte des Dentelles, 84190 Gigondas, tél. et fax 04.90.40.47.51, scea-domainedesflorets@orange.fr r.-v.
Boudier

DOM. DE FONT-SANE Tradition 2010

24 000 | 11 à 15 €

Cette cuvée est issue de cinq parcelles réparties dans différents secteurs de l'appellation et assemble plusieurs cépages, le grenache en tête, la syrah, une touche de mourvèdre et de cinsault en complément. Un vin généreux qui s'épanouit au nez sur les épices douces et les fruits mûrs. La bouche suit la même ligne aromatique, dévoilant des tanins encore un peu « bruts de décoffrage » mais de qualité. Un défaut de jeunesse et un atout pour l'avenir. À attendre trois à cinq ans.
EARL Dom. de Font-Sane, 84190 Gigondas, tél. 04.90.65.86.36, fax 04.90.65.81.71, domaine@font-sane.com
t.l.j. sf dim. 9h-12h 14h-18h
Cunty

DOM. LA FOURMONE Secret de la barrique 2010 ★★

4 000 | 11 à 15 €

Trois étoiles pour leur vacqueyras blanc, deux étoiles et un coup de cœur pour ce gigondas : les filles Combe ont brillé, comme souvent, dans cette édition. Ce Secret de la barrique avait obtenu la plus haute distinction dans le millésime 2008. La version 2010 fait valoir de magnifiques arguments : une robe profonde et dense pour commencer, qui invite à poursuivre la dégustation ; un nez sans artifice et tout en finesse, aux senteurs de fruits rouges, de violette, de poivre et de vanille ; une bouche longue, veloutée et caressante – une touche féminine, précise un dégustateur –, structurée par des tanins serrés et élégants. Déjà affable, ce gigondas étoffé et racé est aussi armé pour durer. On pourra l'attendre trois à cinq ans avant de lui servir un cuissot de chevreuil ou une daube de joue de bœuf. La **cuvée Fauquet 2010 (25 000 b.)**, à dominante de fruits rouges nuancés de cacao et d'épices, franche, fraîche et portée par de fins tanins, pourra patienter deux ou trois ans en cave avant d'accompagner un filet mignon en croûte. Elle obtient une étoile.

Combe et Filles, Dom. la Fourmone, rte de Bollène, 84190 Vacqueyras, tél. 04.90.65.86.05, fax 04.90.65.87.84, contact@fourmone.com t.l.j. sf dim. 9h30-18h; ouv. dim. de Pâques au 15 août

DOM. LA GARRIGUE 2010

13 000 | 11 à 15 €

Une pointe de cinsault s'ajoute au grenache et à la syrah dans ce 2010 pourpre soutenu. Ce gigondas dévoile des notes intenses de fruits noirs confiturés mêlées de senteurs de... garrigue. Il se révèle ample, doux et long en bouche, une légère astringence marquant la finale. Deux ou trois ans de vieillissement seront nécessaires à son épanouissement.

SCEA A. Bernard et Fils, Dom. la Garrigue, 84190 Vacqueyras, tél. 04.90.65.84.60
t.l.j. 8h-12h 14h-18h30; dim. sur r.-v.

DOM. DU GRAND BOURJASSOT Cuvée Cécile 2010 ★

4 500 | 11 à 15 €

Pierre Varenne a quitté la coopérative de Gigondas en 1992 pour créer avec son épouse Marie-Claude ce domaine, qu'ils convertissent au bio depuis 2009. Leur cuvée Cécile (du nom de leur fille) se pare d'une robe rubis intense et brillant. Les fruits écrasés embaument le verre, puis apparaissent des notes grillées, fumées, boisées et animales. À cette complexité répond un palais souple en attaque, puis généreux, puissant et tannique jusqu'en finale mais sans se départir d'une réelle élégance. On attendra ce vin deux ou trois ans, et même plus, avant de le servir sur une pièce de gibier.

Dom. du Grand Bourjassot, quartier Les Parties, 84190 Gigondas, tél. 04.90.65.88.80, fax 04.90.65.89.38, grandbourjassot@free.fr
t.l.j. sf dim. 10h-12h 14h30-18h; f. nov.-mai
Marie-Claude et Pierre Varenne

DOM. DU GRAPILLON D'OR Excellence 2010 ★★

7 000 | 20 à 30 €

Pour cette cuvée, Bernard Chauvet a souhaité privilégier l'expression du terroir et des cépages (grenache et syrah) ; par conséquent, pas de fût et vingt-quatre mois de cuve. Le résultat est exemplaire : nez intense et élégant de fruits confits mâtinés d'épices ; palais concentré mais sans excès, ample, rond et doux, longuement parcouru de notes de fruits noirs mûrs, cassis en tête. Une bouteille que l'on verrait, aujourd'hui comme dans trois ans, sur un pigeon rôti accompagné de quelques cèpes. La cuvée classique **2010 (11 à 15 € ; 54 000 b.)**, élevée en foudre de chêne, fruitée (fraise, framboise), boisée avec mesure, plutôt tannique en fin de bouche, est citée.

EARL Bernard Chauvet, Dom. du Grapillon d'Or, 84190 Gigondas, tél. 04.90.65.86.37, fax 04.90.65.82.99, c.chauvet@domainedugrapillondor.com
t.l.j. sf dim. 9h-12h 14h-18h

ALAIN JAUME ET FILS Terrasses de Montmirail 2010 ★

n.c. | 15 à 20 €

Du grenache, de la syrah et une pointe de mourvèdre pour ce 2010 de la maison de négoce Alain Jaume. Le nez évoque les fruits frais, les épices (poivre) et la réglisse, agrémentés d'une nuance florale originale de tilleul. Sur la même ligne aromatique, le palais séduit par sa douceur et sa rondeur, de bons tanins lui apportant la structure nécessaire pour voir venir encore trois ou quatre ans. Unanimement recommandé par les jurés sur une viande en sauce.

Alain Jaume et Fils, Dom. Grand Veneur, 1358, rte de Châteauneuf-du-Pape, 84100 Orange, tél. 04.90.34.68.70, fax 04.90.34.43.71, alain.jaume@wanadoo.fr
t.l.j. sf dim. 8h-12h 13h30-18h

DOM. DE LONGUE TOQUE 2009 ★

8 400 | 15 à 20 €

Grenache, syrah et mourvèdre sont associés ici pour donner naissance à un vin très élégant du début à la fin de la dégustation. Derrière une robe dense et profonde, on découvre un bouquet finement fruité. La bouche séduit par son équilibre, sa longueur et son côté tonique. Accord gourmand en perspective avec du bœuf bourguignon, dans les deux prochaines années. Plus puissant et tannique, le **2010 Hommage à Gabriel Meffre (30 à 50 € ; 2 000 b.)**, noté une étoile également, est un grenache de caractère, armé pour une garde d'au moins quatre ou cinq ans.

Gabriel Meffre, Le Village, 84190 Gigondas, tél. 04.90.12.32.47, fax 04.90.12.32.49, gabriel-meffre@meffre.com
t.l.j. sf dim. lun. 10h-12h30 14h30-18h
Éric Brousse

LE MAS DES FLAUZIÈRES Terra Rosso 2010 ★

2 000 | 20 à 30 €

Jérôme Benoît propose avec cette cuvée Terra Rosso un grenache original par l'impression de fruits exotiques dégagée par le premier nez. À l'aération surgissent des notes plus classiques de fruits rouges, de sous-bois et autres effluves chocolatés et vanillés. Après une belle attaque, la bouche dévoile des tanins serrés, enrobés par un boisé chocolaté élégant qui apporte une touche de rondeur. Au final, un vin harmonieux, à boire dans les deux ou trois prochaines années. **La Grande Réserve 2010 (11 à 15 € ; 15 000 b.)**, généreuse et suave, fruitée et épicée, est citée.

Le Mas des Flauzières, rte de Vaison-la-Romaine, 84340 Entrechaux, tél. 04.90.46.00.08, fax 04.90.35.51.12, lemasdesflauzieres@yahoo.fr
t.l.j. sf dim. 10h-12h 14h-18h; f. jan.
Jérôme Benoît

CH. DE MONTMIRAIL Cuvée de Beauchamp 2010 ★

40 000 | 11 à 15 €

L'ancienne station thermale de Montmirail accueille aujourd'hui les chais de ce domaine dont les vins fréquentent assidûment les chapitres vacqueyras et gigondas. Cette cuvée, ornée de beaux reflets pourpres, exhale des parfums chaleureux de fruits à l'eau-de-vie. En bouche, le fil conducteur reste la générosité, les fruits confiturés apportant une agréable douceur. Une petite accroche tannique en finale rappelle que nous sommes bien à Gigondas. La **cuvée Saint-Maurice 2010 (20 à 30 € ; 3 500 b.)**, boisée, concentrée et puissante, obtient également une étoile.

RHÔNE

🔑 Ch. de Montmirail, cours Saint-Assart, BP 12, 84190 Vacqueyras, tél. 04.90.65.86.72, fax 04.90.65.81.31, archimbaud@chateau-de-montmirail.com
t.l.j. sf dim. 9h-12h 14h-18h
🔑 Archimbaud

DOM. NOTRE-DAME DES PALLIÈRES Les Mourres 2010

■	30 000	▮	8 à 11 €

De couleur sombre, ce 2010 est à apprivoiser. Après une bonne aération, il dévoile d'originales notes de sous-bois, de champignon et de fruits des bois. L'attaque est souple, presque sucrée, puis le vin se fait chaleureux et rond, porté par une structure légère. On le dégustera dès à présent sur une cuisine relevée, un curry d'agneau par exemple.

🔑 Dom. Notre-Dame des Pallières, chem. des Tuileries-de-Lencieu, 84190 Gigondas, tél. et fax 04.90.65.83.03, contact@pallieres.com
t.l.j. sf dim. 10h-12h 14h-19h; f. 15 sept.-15 oct.
🔑 Jean-Pierre et Claude Roux

OGIER Oratorio 2010 ★

■	30 000	⫴	20 à 30 €

Cette maison de négoce ancienne (1859) propose un gigondas rubis sombre, qui développe un large et intense éventail aromatique : fruits rouges et noirs (cassis et cerise bien mûrs) agrémentés d'épices, de sous-bois et de fumé. L'attaque souple, ronde, prélude à une bouche charnue, généreuse et tout aussi aromatique, faite d'une succession de notes de garrigue, de fruits à maturité, d'épices et de vanille. Les tanins sont bien fondus et soyeux. À boire dans trois à cinq ans sur un civet de lapin.

🔑 Ogier, 10, av. Louis-Pasteur, 84230 Châteauneuf-du-Pape, tél. 04.90.39.32.00, fax 04.90.83.72.51, ogier@ogier.fr
t.l.j. sf dim. 9h-12h 14h-18h30
🔑 Jean-Pierre Durand

DOM. PAILLÈRE ET PIED-GÛ 2010 ★

■	10 000	▮	11 à 15 €

Situé sur le flanc nord-ouest des Dentelles de Montmirail, ce domaine étend ses vignes sur une trentaine d'hectares. De vieux ceps de grenache, de syrah et de mourvèdre ont engendré un vin au bouquet riche et complexe de fruits cuits, de pruneau, d'épices et de nuances animales, ample, concentré et bien structuré en bouche. Une fois les tanins émoussés par deux ou trois ans de garde, ce gigondas sera le bienvenu sur une cuisine épicée.

🔑 Frédéric Stehelin, Paillère et Pied-Gû, 84190 Gigondas, tél. et fax 04.90.65.84.14, contact@vinstehelin.fr
t.l.j. sf dim. 8h-12h 13h-18h

DOM. PALON Cuvée Noé 2010 ★

■	1 400	▮⫴	11 à 15 €

Cette cuvée Noé, partiellement élevée en fût, s'annonce intense, tant dans sa robe, sombre et profonde, que dans ses parfums généreux de fruits confits. Soutenue par une vivacité contenue, la bouche manifeste un beau volume, de la douceur et de la rondeur. Un gigondas bien équilibré, à la fois souple et puissant, que l'on dégustera dans les trois ou quatre prochaines années. La cuvée principale **2010 (12 000 b.)**, souple et fruitée, est citée.

🔑 Dom. Palon, Le Pot du Bary, D7, rte de Vacqueyras, 84190 Gigondas, tél. 04.90.62.24.84, fax 04.90.28.08.79, contact@domainepalon.com r.-v.

DOM. LE PÉAGE 2009 ★★

■	70 000	▮	11 à 15 €

L'un des premiers domaines de l'appellation à avoir commercialisé son vin en bouteilles, dans l'immédiat après-guerre ; il est conduit par la famille Saurel-Chauvet depuis quatre générations. Ce 2009 se présente dans une robe sombre aux reflets violets de jeunesse. Le nez, expressif et tout en fruit, évoque avant tout la fraise. On retrouve le fruit dans une bouche puissante et fine à la fois, empreinte d'une agréable sucrosité et relevée en finale par les épices. Un ensemble harmonieux, à déguster dans deux ou trois ans.

🔑 Saurel-Chauvet, La Beaumette, 84190 Gigondas, tél. et fax 04.90.70.96.80, saurel-chauvet@wanadoo.fr
r.-v.

DOM. DU PRADAS 2010 ★

■	18 000	▮	11 à 15 €

Un domaine de 4,6 ha, dédié à la seule appellation gigondas. On y découvre un 2010 timide au nez, sur les fruits noirs et le Zan. Bien plus loquace, le palais impressionne par sa puissance et sa matière riche et généreuse, portée par des tanins encore en devenir. On pourra commencer à déguster ce vin dans quatre ou cinq ans, sur un cuissot de chevreuil par exemple.

🔑 Dom. du Pradas, Le Grand-Montmirail, 84190 Gigondas, tél. et fax 04.90.62.94.28 r.-v.
🔑 Sylvie Cottet

CH. RASPAIL 2010 ★

■	40 000	▮	11 à 15 €

C'est grâce à la vente au British Museum d'une statue trouvée à Vaison-la-Romaine qu'Eugène Raspail, acteur prépondérant au XIX^e^s. de la reconnaissance des vins de Gigondas, accessoirement amateur d'antiquités, put édifier son château aux allures de palais italien. Propriété de la famille Meffre depuis 1979, ce vignoble de 43 ha est aujourd'hui conduit par Christian et François Meffre. Ce 2010 a lui aussi fière allure dans sa robe brillante aux reflets rubis. Plaisant, le bouquet mêle les fruits mûrs au pruneau et aux épices, tonifié par une touche mentholée. On retrouve tous ces arômes dans une bouche ample et souple, affermie par des tanins consistants mais sans agressivité, qui portent loin la finale. À boire ou à garder deux ou trois ans.

🔑 Christian Meffre, Ch. Raspail, 84190 Gigondas, tél. 04.90.65.88.93, fax 04.90.65.88.96, chateau.raspail@wanadoo.fr
t.l.j. sf sam. dim. 8h30-12h 13h30-17h

CH. REDORTIER 2010 ★★

■	10 000	▮	11 à 15 €

Ce domaine « d'altitude » (500 m) est une ancienne place-forte des princes d'Orange. Depuis 1956, il est le « fief » de la famille de Menthon. Il propose un gigondas sombre, tirant sur le noir, illuminé de reflets violets. Dès le premier nez, intense, se libèrent des parfums de sous-bois et d'épices, avant que les fruits ne se manifestent à l'aération. Souple en attaque, la bouche impose rapidement sa puissance et son volume, soutenue par une solide structure tannique porteuse d'un bel avenir. Cinq à sept ans de garde n'effraieront pas cette bouteille, une belle pièce de gibier non plus.

Ch. Redortier, hameau Châteauneuf-Redortier, 84190 Suzette, tél. 04.90.62.96.43, fax 04.90.65.03.38, chateau-redortier@wanadoo.fr t.l.j. 9h-12h 14h-17h
de Menthon

DOM. DU ROUCAS DE SAINT-PIERRE 2010

■ 20 000 11 à 15 €

Ce domaine de 5,5 ha dédié au seul gigondas tire son nom d'un énorme rocher (« roucas » en provençal) décroché de la falaise des Dentelles de Montmirail et venu s'échouer au milieu du vignoble. Grenache et syrah ont donné naissance à un 2010 au nez intense et généreux de fruits mûrs, chaleureux mais sans lourdeur en bouche, de bonne longueur. Agréable dès maintenant.

Dom. du Roucas de Saint-Pierre, 84190 Gigondas, tél. 04.90.65.00.22 r.-v.

DOM. SAINT-DAMIEN Vieilles Vignes 2010

■ 15 000 11 à 15 €

Cet assemblage de grenache et de mourvèdre, élevé en foudre, s'ouvre sur des notes de tabac, d'herbes aromatiques et de garrigue, les fruits ressortant à l'agitation. Assez puissant, porté par des tanins encore sévères et par une fine acidité, le palais laisse augurer un bon vieillissement de deux ou trois ans.

Dom. Saint-Damien, La Beaumette, 84190 Gigondas, tél. 04.90.70.96.42, fax 04.90.70.96.41, contact@domaine.saint.damien.com r.-v.
Joël Saurel

DOM. SAINT-FRANÇOIS-XAVIER SFX 2010 ★★

■ 45 000 8 à 11 €

Le nez de ce 2010, signé Christian et Jean-François Gras, fait alterner nuances balsamiques et parfums de fruits frais. Très équilibrée, la bouche dévoile une matière ronde, fruitée et réglissée, étayée par une belle fraîcheur, gage de longévité. Apogée estimé par les jurés : 2017-2020. En attendant, on pourra apprécier le **2010 Prestige des Dentelles (11 à 15 € ; 15 000 b.)**, un vin bien bouqueté (épices, fruits rouges, grillé, vanille), ample et rond, auquel une paire d'années devraient suffire pour s'exprimer pleinement.

Dom. Saint-François-Xavier, Les Terres, 84190 Gigondas, tél. 06.20.52.64.54, fax 04.90.65.86.76, gigondasvin@wanadoo.fr
t.l.j. 8h-12h 13h-18h; sam. dim. sur r.-v.; f.août

DOM. DE LA SOUCHIÈRE 2010 ★

■ 16 000 11 à 15 €

Proposé par la coopérative de Gigondas, ce 2010 associe une touche de cinsault aux classiques grenache et syrah. Fruité pour certains, floral pour d'autres, le bouquet apparaît à tous concentré et « assaisonné » d'épices (poivre). Une très belle impression se dégage de l'attaque avec une déclinaison aromatique dans le droit fil du nez. Gras, long et tannique, le palais a du caractère et requiert une garde de trois à cinq ans, voire plus. Tout indiqué pour une viande en sauce. La cave propose deux autres cuvées de belle facture, élevées en cuve : **Les Hauts de la Queyronnière 2010 (8 à 11 € ; 60 000 b.)**, également une étoile pour son bouquet expressif (fruits mûrs, épices, cuir), pour sa rondeur, sa générosité et ses tanins soyeux, et **Le Forlancier 2010 (8 à 11 € ; 60 000 b.)**, cité pour son fruité fin et harmonieux.

Gigondas la Cave, Les Blaches, D 7, 84190 Gigondas, tél. 04.90.65.86.27, fax 04.90.65.80.13, infos@cave-gigondas.fr t.l.j. 9h-12h30 14h-18h

DOM. LA SOUMADE 2010 ★

■ 3 500 15 à 20 €

Ce gigondas est issu de jeunes vignes (dix ans), vinifiées en demi-muid. Après aération, de jolies notes de fruits cuits (mûre) se manifestent. La bouche se révèle riche, douce et élégante, portée par des tanins serrés et par une juste fraîcheur. L'ensemble est équilibré et à déguster dans les deux ou trois prochaines années.

Frédéric Roméro, Dom. la Soumade, 84110 Rasteau, tél. 04.90.46.13.63, fax 04.90.46.18.36, dom-lasoumade@hotmail.fr
t.l.j. sf dim. 8h30-11h30 14h-18h

TARDIEU-LAURENT Les Lauzières 2010 ★★

■ 2 500 15 à 20 €

Une pointe de syrah (10 %) est ici associée au grenache. Le nez discret et fin commence à s'émanciper (fruits rouges compotés, sous-bois, épices) et laisse imaginer une belle complexité avec un peu de vieillissement. En bouche, cette palette s'enrichit de réglisse et poivre. Le caractère velouté de la charpente est très apprécié, et la finale persistante prolonge agréablement le plaisir. Déjà aimable aujourd'hui, ce gigondas le sera encore plus dans trois à cinq ans, accompagné d'un tajine d'agneau aux aubergines ou, plus classiquement, d'un coq au vin.

Maison Tardieu-Laurent, Les Grandes Bastides, rte de Cucuron, 84160 Lourmarin, tél. 04.90.68.80.25, fax 04.90.68.22.65, info@tardieu-laurent.com r.-v.
Michel Tardieu

DOM. DE LA TOURADE Font des Aïeux 2009 ★

■ 7 000 11 à 15 €

La Font des Aïeux, hommage aux ancêtres, est drapée dans une robe profonde et dense. Elle livre de fins parfums de fruits et d'épices. Le boisé reste en retrait grâce à un élevage en foudre. Le palais se révèle ample, bien structuré et long. Un ensemble élégant, à déguster dans deux ans – pourquoi pas sur du bœuf bourguignon ?

EARL André Richard, Dom. de la Tourade, 84190 Gigondas, tél. 04.90.70.91.09, fax 04.90.70.96.31, tourade@aol.com t.l.j. 9h-18h

PIERRE VIDAL 2010

■ 15 000 11 à 15 €

Jeune négociant de trente-trois ans installé à l'été 2010, Pierre Vidal a fait son entrée dans l'édition précédente. Il confirme cette année son savoir-faire en plaçant dans la sélection un gigondas qui ne cache pas son élevage (partiel) en fût. Le nez, intense, évoque ainsi le pain grillé, le café torréfié, et laisse pour l'heure le fruit en retrait. Il en va de même en bouche, où le merrain impose ses notes empyreumatiques, mais ce vin a suffisamment de coffre pour l'intégrer. Il vous faudra seulement un peu de patience (quatre ou cinq ans) pour l'apprécier, sauf si vous êtes amateur de vins boisés.

Pierre Vidal, 631, rte de Sorgues, 84230 Châteauneuf-du-Pape, tél. et fax 04.90.83.70.24, contact@pierrevidal.com

VIGNERONS DE CARACTÈRE Éloquence 2010 ★

■ 25 000 15 à 20 €

De l'éloquence, cette cuvée de la coopérative de Vacqueyras n'en manque pas. Elle s'exprime sans réserve sur les fruits mûrs, voire cuits, mâtinés de nuances florales (violette) et fumées. Douce, ample et concentrée en bouche, elle garde toujours une agréable souplesse et une fraîcheur bienvenue qui équilibre l'ensemble et lui donne du « peps ». On la verrait bien sur un plat sucré-salé.

Vignerons de Caractère, rte de Vaison-la-Romaine, 84190 Vacqueyras, tél. 04.90.65.84.54, fax 04.90.65.81.32, contact@vigneronsdecaractere.com t.l.j. 9h-19h

XAVIER VINS 2010 ★

■ 5 000 15 à 20 €

Afrique du Sud, Australie, Nouvelle-Zélande, Bordelais, Champagne, Xavier Vignon a exploré les vignobles du vaste monde avant de poser ses valises à Châteauneuf-du-Pape en 1998 pour créer un négoce « de niche ». Issu d'une sélection parcellaire rigoureuse, ce gigondas a fréquenté la barrique pendant douze mois. Au nez, les fruits rouges participent activement à l'intensité aromatique ; point de notes boisées perçues par les dégustateurs, le signe d'un élevage bien ajusté. Franc en attaque, également fruité, le palais dévoile des tanins stricts, qui commencent à s'arrondir et devraient atteindre une juste rondeur d'ici trois ou quatre ans. « Un style moderne », conclut un juré. Plus « à l'ancienne » et plus généreuse, la **cuvée Xavier 2010 (5 000 b.)** obtient aussi une étoile.

Xavier Vins, chem. des Saintes-Vierges, 84350 Courthézon, tél. 09.53.16.52.13, fax 09.58.16.52.13, info@xaviervins.com

t.l.j. sf sam. dim. 8h-17h; f. 22 déc.-3 jan.

Xavier Vignon

Vacqueyras

Superficie : 1 455 ha
Production : 42 325 hl (97 % rouge et rosé)

Consacré en AOC communale en 1990, le vignoble de Vacqueyras est situé dans le Vaucluse, entre Gigondas au nord et Beaumes-de-Venise au sud-est. Son territoire s'étend sur les deux communes de Vacqueyras et de Sarrians. Les vins rouges, largement majoritaires, sont élaborés à base de grenache, de syrah, de mourvèdre et de cinsault ; ils sont aptes à la garde (trois à dix ans). Les quelques rosés sont issus d'un encépagement similaire. Les blancs, confidentiels, naissent des cépages clairette, grenache blanc, bourboulenc et roussanne.

DOM. LA BOUÏSSIÈRE 2010 ★★

■ 8 000 11 à 15 €

Avec ce 2010, tous les nez, même les plus difficiles, trouveront parfums à leur goût : fruits surmûris, fruits à l'alcool, notes grillées, Zan, cuir... Une complexité et une richesse aromatiques auxquelles répond une bouche remarquablement équilibrée, qui allie fraîcheur, tanins sur le point de se fondre, douceur et longue finale réglissée. « Sérieux, frais et gourmand à la fois », résume un juré.

EARL Faravel, rue du Portail, 84190 Gigondas, tél. 04.90.65.87.91, fax 04.90.65.82.16, labouissiere@aol.com t.l.j. 9h-19h

DOM. BRUNELY Tradition 2010

■ 20 000 8 à 11 €

Ce vin livre un nez plaisant de fruits à noyau et d'épices. En bouche, son atout réside aujourd'hui plus dans sa palette aromatique, à l'unisson de l'olfaction, que dans sa structure encore un peu sévère – le gage d'une bonne évolution pour les deux ou trois prochaines années.

Charles Carichon, 1272, rte de la Brunely, 84260 Sarrians, tél. 04.90.65.41.24, fax 04.90.65.30.60, domaine-de-la-brunely@wanadoo.fr r.-v.

DOM. CHAMFORT 2010

■ n.c. 8 à 11 €

Ce domaine créé en 1993 a été repris en 2010 par la famille Perdigao. Grenache, mourvèdre et syrah, par ordre d'importance, composent un vacqueyras agréable. Une aération lui est nécessaire pour distiller ses parfums de groseille et de cassis. Dans le prolongement du nez, la bouche offre un bon volume et des tanins fondus. Un vin équilibré, que l'on pourra servir dès à présent sur des brochettes de mouton.

Dom. Chamfort, RD 977, 84110 Sablet, tél. 04.90.46.94.75, fax 04.90.46.99.84, domaine-chamfort@orange.fr t.l.j. 9h-12h 14h-17h; sam. dim. sur r.-v.

Vasco Perdigao

♥ **DOM. DE CHANTEGUT** Tradition 2010 ★★

■ 14 000 11 à 15 €

L'histoire se répète pour ce domaine, installé dans une ancienne magnanerie datant du XVIII[e]s. : voici un deuxième coup de cœur consécutif, après celui obtenu par cette même cuvée dans sa version 2009. Le 2010 est un vacqueyras au nez complexe et frais, qui marie les fruits rouges à des notes d'épices, de musc et de réglisse. Cette dernière nuance, accompagnée de notes confites, se prolonge dans une bouche fondue, ronde et riche mais qui ne cède jamais à la lourdeur, sous-tendue par une fine vivacité. Un modèle d'équilibre et d'harmonie, à découvrir dès cet automne sur une cuisse de canard confite. Le **2010 rouge Les Clés de la magnaneraie (18 000 b.)**, plus sévère en bouche mais qui reste agréable grâce à un doux vanillé et à un beau fruité, obtient une étoile. Si vous restez sur l'idée du canard, préférez alors une sauce au poivre vert.

Pierre Marseille,
EARL de Tourreau, 436, bd du Comté-d'Orange,
84260 Sarrians, tél. 04.90.65.46.38, fax 04.90.65.33.60,
domainedechantegut@wanadoo.fr
t.l.j. 9h-12h30 14h-19h

DOM. DE LA CHARBONNIÈRE 2010 ★

17 000 | 15 à 20 €

Après un remarquable 2009 (deux étoiles), Véronique Maret a, pour sa deuxième vinification aux côtés de sa sœur Caroline et de son père Michel, élaboré un 2010 très réussi. D'abord sur la réserve, ce vin livre après aération des parfums d'épices et de fruits rouges et noirs. En bouche, les fruits sont toujours là, les tanins bien présents, extraits avec mesure. Un ensemble harmonieux et bien construit, à découvrir dans les deux ans, sur un civet de lièvre.

EARL Michel Maret et Filles,
Dom. de la Charbonnière, 26, rte de Courthézon, BP 83,
84232 Châteauneuf-du-Pape Cedex, tél. 04.90.83.74.59,
fax 04.90.83.53.46, contact@domainedelacharbonniere.com
t.l.j. sf dim. 8h30-12h 14h-18h; sam. sur r.-v.

DOM. LE CLOS DES CAZAUX Cuvée grenat noble 2009 ★

4 000 | 11 à 15 €

Le domaine des frères Vache est une valeur sûre de l'appellation. Deux cuvées ont ici retenu l'attention des dégustateurs. En tête, ce 2009 bien nommé, qui dévoile un bouquet de petits fruits rouges confiturés. En bouche, son attaque vive, sa générosité, son volume et sa belle présence tannique en font un vin complet. Un bon classique, à marier à une daube provençale dans les deux prochaines années. Le **2010 blanc Les Clés d'or (8 à 11 € ; 6 500 b.)** obtient également une étoile pour son nez finement minéral et fruité (agrumes), et pour son palais floral et bien équilibré entre rondeur et fraîcheur. Prêt pour un pavé de saumon à l'aneth.

Famille Archimbaud-Vache,
Dom. le Clos des Cazaux, chem. du Moulin,
84190 Vacqueyras, tél. 04.90.65.85.83, fax 04.90.41.75.32,
closdescazaux@wanadoo.fr
t.l.j. sf dim. 9h-12h 14h-18h; ouv. sam. de Pâques à Toussaint
Jean-Michel et Frédéric Vache

LA COTERIE 2010

6 500 | 5 à 8 €

Cette maison de négoce regroupe cinq coopératives et une dizaine de domaines, pour quelque vingt appellations rhodaniennes (nord et sud). Ici, elle propose une cuvée qui s'exprime avec discrétion et élégance, sur les fruits frais et les épices, avec une pointe de cuir. La bouche se montre souple, fraîche et fruitée, une petite accroche tannique venant juste perturber la finale. Mais rien de rédhibitoire, l'ensemble est plaisant, gourmand, et prêt à boire.

SICA Vignobles la Coterie, 228, rte de Carpentras,
84190 Beaumes-de-Venise, tél. 04.90.12.41.04,
fax 04.90.65.02.05, contact@lacoterie.fr

♥ DOM. LE COUROULU Cuvée classique 2009 ★★

36 000 | 8 à 11 €

Élégant échassier au long bec recourbé, le courlis (*couroulu* en provençal) donne son nom à ce domaine.

L'élégance est aussi (surtout) dans le flacon. Au nez, de fines et fraîches nuances mentholées se mêlent à des senteurs de garrigue et de résine de pin. Après une attaque vive et stimulante, le palais renoue avec ces parfums méditerranéens, soutenu par des tanins souples et soyeux qui confèrent à la longue finale un caractère caressant. Bonne nouvelle, le vin est déjà prêt à boire, sur une épaule d'agneau au romarin par exemple. Deuxième bonne nouvelle, il peut aussi patienter deux ou trois ans dans votre cave pour des sensations gustatives nouvelles. De plus longue garde, le **2009 rouge Vieilles Vignes (11 à 15 € ; 9 500 b.)**, généreux et puissant, obtient une étoile, de même que le **2010 blanc cuvée Laura (2 000 b.)**, ample, frais et élégant.

Dom. le Couroulu, La Pousterle, 84190 Vacqueyras,
tél. 04.90.65.84.83, fax 04.90.65.81.25
t.l.j. sf dim. 9h30-12h 14h-18h; f. 7-27 jan.
Guy Ricard

DAUVERGNE RANVIER Vin rare 2010

30 000 | 11 à 15 €

Classique par l'assemblage, grenache à 65 %, avec la syrah en complément, cette cuvée de négoce séduit par sa palette, alliance réussie entre des arômes d'épices (poivre), de cuir et de fruits rouges. La bouche, à l'unisson, est bien équilibrée, soutenue par des tanins souples et soyeux. Un vin bien dans l'esprit de l'appellation, à boire dans les deux ans sur un magret de canard.

R & D Vins, Ch. Saint-Maurice, RN 580, L'Ardoise,
30290 Laudun, tél. 04.66.82.96.57, fax 04.66.82.96.58,
francois.dauvergne@dauvergne-ranvier.com

ROMAIN DUVERNAY 2010 ★

8 000 | 8 à 11 €

Du vieux grenache, implanté sur d'anciennes garrigues, sur des argilo-calcaires et des galets roulés, associé à la syrah et au mourvèdre, a donné naissance à ce beau vacqueyras aux parfums de fruits grillés par le soleil, de réglisse et de poivre. Le palais reprend en cœur les notes de l'olfaction et s'impose d'emblée par sa solide trame tannique. Armé pour trois à cinq ans de garde, et pour affronter une gardiane de taureau.

SA Duvernay Vins Millésimés D.V.M.,
1, rue de la Nouvelle-Poste, BP 25,
84231 Châteauneuf-du-Pape Cedex, tél. 04.90.83.71.88,
fax 04.90.83.70.72, dvm.duvernay@wanadoo.fr r.-v.

DOM. DE L'ESPIGOUETTE 2010 ★

10 000 | 8 à 11 €

Avec l'arrivée d'Émilien et de Julien Latour en 2009, le domaine a engagé sa conversion à l'agriculture biologique. Ce 2010 a été élevé en foudre, ce qui permet au boisé de rester en retrait et aux fruits rouges mûrs de s'exprimer avec intensité. En bouche, il affiche une belle présence, caractérisée par un fruité chaleureux (cerise à l'eau-de-vie) mâtiné d'épices et par des tanins bien marqués. Il est prêt, pour ceux qu'une petite austérité finale ne gêne pas, ou à attendre une paire d'années.

EARL Dom. de l'Espigouette, 1008, rte d'Orange, 84150 Violès, tél. 04.90.70.95.48, fax 04.90.70.96.06, espigouette@aol.com r.-v.

Bernard Latour

DOM. FONT SARADE Les Hauts de la Ponche 2010 ★★

■ 22 000 ▮ 8 à 11 €

Ce domaine très régulier en qualité s'illustre à nouveau avec cette cuvée née de grenache pour moitié, de syrah et de mourvèdre pour l'autre. Le nez puissant, riche et complexe, mêle des senteurs de garrigue, de violette, de fruits confits et de musc. Après une belle attaque sur la cerise et les épices, le palais monte en puissance, porté par des tanins serrés mais soyeux, qui donnent de l'allonge à la finale. Ce vacqueyras de facture remarquable peut se boire ou s'attendre. Il accompagnera nombre de plats de viande en sauce.

Bernard Burle, La Ponche, 84190 Vacqueyras, tél. 06.30.08.81.93, fax 04.90.65.82.97, fontsarade@aol.com t.l.j. sf dim. 8h-12h 14h-18h

DOM. LA FOURMONE Cuvée Fleurantine 2011 ★★★

6 000 11 à 15 €

Ce domaine, conduit depuis plus de vingt ans par Marie-Thérèse Combe, est un grand habitué de ce chapitre, mais le plus souvent sous la bannière rouge des vacqueyras et des gigondas. Cette Fleurantine tient cette année le premier rôle et n'était pas loin de décrocher la palme. Drapée dans une robe jaune pâle, elle dévoile une multitude de nuances fruitées, florales et minérales. La bouche, magnifique de rondeur délicate et de finesse, décline elle aussi une vaste palette aromatique, où l'on perçoit notamment la pêche, l'abricot et une pointe complexe de fumé. Long et d'une rare élégance, ce vacqueyras appelle un mets subtil, tel un chapon (le poisson, non la volaille) farci aux petits légumes de printemps. Le **2010 rouge Sélection Maître de chais (8 à 11 € ; 12 000 b.)**, puissant, généreux et consistant, obtient une étoile. On lui réservera, dans deux ans, un carré d'agneau ou un civet.

Combe et Filles, Dom. la Fourmone, rte de Bollène, 84190 Vacqueyras, tél. 04.90.65.86.05, fax 04.90.65.87.84, contact@fourmone.com

t.l.j. sf dim. 9h30-18h; ouv. dim. de Pâques au 15 août

DOM. LA GARRIGUE La Cantarelle 2009

■ 9 200 ▮ 20 à 30 €

Cette Cantarelle est l'expression, plutôt classique, des plus vieilles vignes du domaine. Au nez, les notes chaleureuses de kirsch sont la trame de fond. Après une attaque vive, on retrouve cette générosité dans une bouche puissante, aux tanins soyeux. À attendre deux ans et servir sur une viande en sauce.

SCEA A. Bernard et Fils, Dom. la Garrigue, 84190 Vacqueyras, tél. 04.90.65.84.60

t.l.j. 8h-12h 14h-18h30; dim. sur r.-v.

DOM. DE LONGUE TOQUE 2010

■ 6 000 11 à 15 €

Ce domaine tire son nom des longs bosquets (toques) autrefois utilisés pour démarquer les parcelles de vigne. Grenache et syrah ont donné naissance à un vin rouge limpide et brillant, orné de quelques reflets tuilés. Au premier nez, le court élevage en fût est perceptible, puis les fruits rouges agrémentés de nuances de sous-bois se manifestent. En bouche, l'association du fruité (griotte) et du boisé, alliée à une agréable sucrosité, confère à ce vacqueyras un style classique.

Gabriel Meffre, Le Village, 84190 Gigondas, tél. 04.90.12.32.47, fax 04.90.12.32.49, gabriel-meffre@meffre.com

t.l.j. sf dim. lun. 10h-12h30 14h30-18h

Éric Brousse

DOM. LA MONARDIÈRE Les 2 Monardes 2010 ★

■ 25 000 11 à 15 €

La famille Vache, installée depuis 2007 sur ce domaine de 21 ha, propose une cuvée équilibrée tout au long de la dégustation. Au nez, les fruits rouges et noirs légèrement confiturés s'associent en toute harmonie aux épices douces (cannelle). La bouche, ample, ne dit pas autre chose : notes épicées et fruitées sont à l'unisson, agrémentées de discrètes touches animales, et les tanins, souples et soyeux, concourent à son aménité. Le **2009 rouge Vieilles Vignes (15 à 20 € ; 10 000 b.)** ajoute du mourvèdre au grenache et à la syrah, d'où sans doute ses parfums de cuir et de fourrure bien perceptibles. On apprécie aussi sa structure souple et fondue. Une étoile également.

Dom. la Monardière, Les Grès, 84190 Vacqueyras, tél. 04.90.65.87.20, fax 04.90.65.82.01, info@monardiere.fr

t.l.j. sf dim. 9h-12h 14h-18h; f. jan.-fév.

Damien Vache

DOM. DE MONTVAC Mélodine 2011 ★★

5 000 11 à 15 €

Les lecteurs ont eu la chance d'entendre plusieurs fois déjà la douce musique de cette Mélodine (on se rappelle notamment un coup de cœur pour le 2008). Assemblage de clairette, de roussanne, de bourboulenc et de viognier, la version 2011 égrène des notes intenses et complexes, à la fois florales, fruitées et boisées, mais un boisé fondu et élégant. Sans dissonance, le palais se révèle rond, gras et soyeux, délicatement parfumé de pêche et de fleurs blanches. La finale, vive, longue et tonique, est remarquable. Un ensemble d'une grande harmonie « féminine ».

Cécile Dusserre, Dom. de Montvac, 84190 Vacqueyras, tél. 04.90.65.85.51, fax 04.90.65.82.38, dusserre@domainedemontvac.fr

t.l.j. sf dim. 9h-12h 14h-18h

DOM. LES ONDINES 2010

■ 35 000 8 à 11 €

Jérémy Onde, installé en 2002 sur le domaine familial, signe un 2010 qui plaît par son nez qui s'ouvre à l'agitation sur les fruits noirs à l'alcool et les épices. La bouche, souple et de bonne tenue, s'équilibre entre sucrosité et fraîcheur. Pour une viande rouge grillée.

Dom. les Ondines, 413, rte de la Garrigue-Sud, 84260 Sarrians, tél. 04.90.65.86.45, fax 09.70.06.60.15, domainelesondines@orange.fr

t.l.j. sf dim. 9h-12h 14h30-18h (15h-19h l'été)

Jérémy Onde

FAMILLE PERRIN Les Christins 2010 ★

■	30 000	🍷	11 à 15 €

Grenache à 80 %, ce 2010 se présente dans une robe aux reflets jeunes, qui s'accorde avec les notes de fruits frais perçues à l'olfaction, une pointe de caramel rappelant le fût. La bouche offre un beau volume, de la douceur et un agréable fruité qui persiste longuement en finale. Un ensemble accessible et charmeur.

Famille Perrin, rte de Jonquières, 84100 Orange, tél. 04.90.11.12.00, fax 04.90.11.12.19, thomas@familleperrin.com r.-v.

DOM. DU PESQUIER 2010 ★

■	4 000		8 à 11 €

Ce vacqueyras se présente drapé dans une robe très foncée, ornée de reflets brillants. Le bouquet, intense, hésite entre fruits rouges, violette, réglisse et fleur de vigne. La bouche, puissante et généreuse mais sans se départir d'une réelle fraîcheur, s'appuie sur une structure fine qui participe à l'équilibre. À boire dans les deux ans sur un gigot d'agneau.

Dom. du Pesquier, Le Pesquier, 84190 Gigondas, tél. 04.90.65.86.16, fax 04.90.65.88.48, contact@domainedupesquier.com r.-v.

Boutière

DOM. DE LA PIGEADE 2010 ★

■	6 000		11 à 15 €

Si Thierry et Marina Vaute privilégient depuis leur installation en 1996 la production de muscat-de-beaumes-de-venise, ils soignent aussi leurs vacqueyras, élaborés depuis 2007. Celui-ci dévoile d'intenses et généreux parfums de fruits rouges (cerise), d'épices et d'aromates (laurier). La bouche, à l'unisson, se révèle ample, ronde, riche et puissante, encore un peu marquée par la barrique (moka, vanille) et portée par des tanins denses et soyeux. C'est « fort et fort agréable », conclut un dégustateur. Une bouteille à servir dans les trois prochaines années, sur un canard aux épices.

Thierry et Marina Vaute, Dom. de la Pigeade, rte de Caromb, 84190 Beaumes-de-Venise, tél. 04.90.62.90.00, fax 04.90.62.90.90, contact@lapigeade.fr t.l.j. sf dim. 9h-12h 14h-18h; f. 1er-15 jan.

DOM. LE PONT DU RIEU 2009 ★

■	10 000		5 à 8 €

L'intensité du nez, dans un registre chaleureux de fruits à l'eau-de-vie (griotte), a été unanimement remarquée par les dégustateurs. La cerise kirschée continue d'imprimer sa marque dans une bouche ronde et soyeuse, campée sur des tanins fondus. Cette cuvée tout en douceur rappelle celles d'antan où le grenache, sur son terroir de prédilection, menait la danse. À déguster dès à présent sur un sauté de lapin aux olives.

EARL Céline et Jean-Pierre Faraud, Dom. le Pont du Rieu, 84190 Vacqueyras, tél. 04.90.65.86.03, fax 04.90.65.89.09, lepontdurieu@orange.fr t.l.j. sf dim. 8h30-12h 14h-18h30

RÉSERVE SAINT-DOMINIQUE 2010 ★

■	3 800		8 à 11 €

Plus connu des lecteurs pour ses châteauneuf-du-pape (Bastide Saint-Dominique), Éric Bonnet a développé un négoce d'où est issu ce vacqueyras de belle facture. Ouvert, fin et élégant, le nez mêle les épices, les fruits noirs mûrs et le pruneau. Porté par des tanins qui commencent à se fondre et tapissé de notes de framboise, le palais séduit par son harmonie entre fraîcheur, souplesse et douceur. À déguster dans les deux ou trois prochaines années.

Éric Bonnet, 1358, chem. Saint-Dominique, 84350 Courthézon, tél. 04.90.70.85.32, fax 04.90.70.76.64, reserve@bastidesaintdominique.com t.l.j. sf sam. dim. 9h-12h 13h30-18h

DOM. LA ROUBINE 2010 ★★

■	10 000		8 à 11 €

Le domaine sera en bio certifié à partir de 2013. En attendant, on découvre avec plaisir ce 2010 au bouquet naissant et élégant de fruits noirs mêlés de notes de torréfaction et de sous-bois. En bouche, l'élevage reste mesuré (grillé, café) et laisse sur le devant de la scène le côté gourmand et frais du fruité, le tout porté par des tanins ronds et fondus. Déjà appréciable, ce vin peut aussi patienter deux ou trois ans en cave.

Éric Ughetto, Dom. la Roubine, quartier Santa Duc, 84190 Gigondas, tél. 04.90.65.81.55, fax 04.90.12.36.28, domaine.laroubine@laposte.net r.-v.

DOM. SAINT-PIERRE 2010

■	20 000		11 à 15 €

Double coup de cœur l'an dernier pour leur côtes-du-rhône Tradition 2009 et leur Plan de Dieu 2009, les frères Fauque signent ici un vacqueyras plaisant, au nez intense, fruité, épicé (poivre) et réglissé. En bouche, les tanins mènent la danse, conférant à ce vin une bonne structure mais aussi un caractère un peu austère, qui s'adoucira d'ici un an ou deux, même si cette bouteille sera déjà à son avantage cet hiver, avec une viande rouge grillée.

EARL Fauque, Dom. Saint-Pierre, 923, rte d'Avignon, 84150 Violès, tél. et fax 04.90.70.90.27, domaine.saint-pierre@wanadoo.fr t.l.j. sf dim. 8h-12h 13h30-18h30

SEIGNEUR DE LAURIS 2009 ★★

■	12 000		11 à 15 €

Le seigneur de Lauris, bailleur des ancêtres de la famille Arnoux au XVIIIe s., n'aurait sans doute pas dédaigné ce breuvage. Au nez, les fruits confiturés côtoient la vanille, la réglisse se faisant discrète en toile de fond. La bouche, sur la même lignée aromatique, se montre onctueuse et persistante, campée sur des tanins soyeux. Un vin élégant et déjà charmeur en diable, que l'on verrait bien accompagner une noisette de chevreuil aux airelles.

Arnoux et Fils, Cave du Vieux Clocher, 84190 Vacqueyras, tél. 04.90.65.84.18, fax 04.90.65.80.07, info@arnoux-vins.com t.l.j. 9h-12h30 14h-19h

TARDIEU-LAURENT Vieilles Vignes 2010 ★★

■	6 000		20 à 30 €

Cette cuvée de négoce tutoie les sommets et a frôlé la troisième étoile. Alliance fusionnelle entre les arômes frais et fruités des cépages et les nuances dues à l'élevage, elle offre un bouquet très ouvert de petits fruits noirs, de cuir, d'épices, de caramel et de sous-bois. Veloutés à souhait, les tanins portent longuement le palais, qui

RHÔNE

renoue avec les fruits et les épices, avec toujours à l'arrière-plan ces notes de caramel au lait. La finale, longue et puissante, achève de convaincre. À déguster aujourd'hui ou dans trois ans, sur une viande rouge en ragoût. La cuvée principale **2010 rouge (11 à 15 €; 15 000 b.)** est tout aussi remarquable : parfums boisés discrets (café, vanille), épices et fruits noirs pour la gamme aromatique, rondeur, finesse et tanins fondus pour la bouche.

Maison Tardieu-Laurent,
Les Grandes Bastides, rte de Cucuron, 84160 Lourmarin,
tél. 04.90.68.80.25, fax 04.90.68.22.65,
info@tardieu-laurent.com r.-v.

DOM. DE VAL FRAIS 2010 ★★

11 000 | 5 à 8 €

Transmis de mère en fille depuis trois générations, ce domaine est actuellement dirigé par les deux filles et le gendre d'André Vaque. Châteauneuf ou vacqueyras, les vins fréquentent avec assiduité les pages du Guide. Ce 2010 est un remarquable classique. Au nez, les fruits rouges macérés dans l'eau-de-vie fixent la ligne directrice. En bouche, ce vin adopte un profil rond et généreux, puissant et velouté, bien dans le style de l'appellation. Il est prêt pour du gibier à plume, de préférence rôti. Mais il est aussi armé pour une garde de trois ou quatre ans.

SCEA André Vaque, Dom. de Val Frais,
84350 Courthézon, tél. 04.90.70.84.33, fax 04.90.70.73.61,
domaine.valfrais@cegetel.net r.-v.

DOM. DE VERQUIÈRE 2010

n.c. | 8 à 11 €

Ce 2010 incorpore 10 % de cinsault aux côtés du grenache et de la syrah. Cela donne un vin au fruité agréable et au boisé mesuré dû à un élevage en foudre. Le palais se montre chaleureux, sur les fruits rouges à l'alcool, agrémenté d'une pointe de réglisse. À boire dès à présent sur une viande rouge en sauce ou, pourquoi pas, sur un lapin à la tapenade.

Romain et Thibaut Chamfort,
Dom. de Verquière, 3, rue Georges-Bonnefoy, 84110 Sablet,
tél. 04.90.46.90.11, fax 04.90.46.99.69,
chamfort@domaine-de-verquiere.com
t.l.j. sf dim. 9h-12h 14h-18h

PIERRE VIDAL 2010

60 000 | 11 à 15 €

Entré dans le Guide l'an dernier, ce jeune œnologue châteauneuvois, qui a créé sa structure de négoce en 2010, confirme son savoir-faire avec ce vacqueyras de bonne facture. Le bouquet, chaleureux, décline des notes de fruits noirs (myrtille) à l'eau-de-vie. Cette ligne aromatique est aussi le fil conducteur en bouche. Un vin homogène, encore un peu austère en finale toutefois, qui s'appréciera dans un an ou deux sur un lapin aux olives.

Pierre Vidal, 631, rte de Sorgues,
84230 Châteauneuf-du-Pape, tél. et fax 04.90.83.70.24,
contact@pierrevidal.com

VIDAL-FLEURY 2010

12 000 | 8 à 11 €

Jeunesse et vivacité se remarquent à la robe limpide et brillante. Du verre s'échappe une succession de parfums épicés (poivre) et fruités (cassis, cerise), agrémentés après aération de subtiles nuances florales. Après une attaque franche, le palais se révèle ample et souple, soutenu par des tanins soyeux. La finale, sur la fraîcheur, apporte un surcroît de tonus à l'ensemble. Prêt à boire, sur une épaule d'agneau rôtie aux herbes.

Vidal-Fleury, 48, rte de Lyon, 69420 Tupin-et-Semons,
tél. 04.74.56.10.18, fax 04.74.56.19.19,
contact@vidal-fleury.com r.-v.
Famille Guigal

VIGNERONS DE CARACTÈRE Éternité 2010 ★

26 000 | 15 à 20 €

Éternité... Il serait dommage d'attendre autant pour savourer cette cuvée de la coopérative de Vacqueyras. Le nez dévoile des parfums intenses de fruits rouges confiturés, groseille en tête, épaulés par un boisé léger et des nuances épicées. Dès l'attaque, le palais affiche un beau volume et une rondeur avenante, soulignée par des arômes de fruits rouges bien mûrs. La finale se montre plus tannique mais très agréable et donne un supplément de structure à l'ensemble. Parfait pour une viande en sauce.

Vignerons de Caractère, rte de Vaison-la-Romaine,
84190 Vacqueyras, tél. 04.90.65.84.54, fax 04.90.65.81.32,
contact@vigneronsdecaractere.com t.l.j. 9h-19h

Beaumes-de-venise

Superficie : 580 ha
Production : 19 880 hl

Reconnue en 2005, cette appellation concerne uniquement les vins rouges issus de quatre communes du Vaucluse limitrophes des AOC gigondas et vacqueyras : Beaumes-de-Venise, Lafare, La Roque Alric, Suzette, sur une surface délimitée de 1 456 ha. Les vins doivent provenir d'un assemblage de cépages principaux (au moins 50 % de grenache noir et 25 % de syrah à l'horizon 2015).

BALMA VENITIA Carte noire 2010 ★

17 000 | 5 à 8 €

La coopérative locale voit deux de ses cuvées sélectionnées. En tête, cette Carte noire assemblant grenache, syrah, cinsault et mourvèdre : un vin grenat soutenu, au nez discret mais plaisant de fruits mûrs finement épicés, bien structuré et longuement fruité en bouche. Un ensemble harmonieux, à découvrir dès à présent. La cuvée **Terres du Trias 2010 (8 à 11 €; 73 000 b.)**, sans appoint de cinsault, plus austère au moment de la dégustation mais équilibrée, est citée.

SCA Balma Venitia, 228, rte de Carpentras,
84190 Beaumes-de-Venise, tél. 04.90.12.41.00,
fax 04.90.12.41.21, vignerons@beaumes-de-venise.com
t.l.j. 8h30-12h30 14h-18h (été 19h)

DOM. BEAUVALCINTE Les Trois Amours 2010 ★

10 000 | 8 à 11 €

Pas moins de six cépages composent cette cuvée née sur les hauteurs de l'appellation, dans le village de Suzette. Ornée de reflets violines, elle délivre des parfums fruités nuancés de notes animales. La bouche, généreuse, fruitée

(mûre) et persistante, dévoile des tanins jeunes mais enrobés et déjà aimables. À découvrir dans les deux ans sur un gigot d'agneau à l'ail ou sur un tajine aux pruneaux.
Bernard et Sylvie Mendez, La Grange-Neuve, 84190 Suzette, tél. 04.90.65.08.37, contacts@domainebeauvalcinte.com
t.l.j. sf dim. 10h-18h30

DOM. CAROLINE BONNEFOY 2010

8 000 | 8 à 11 €

Premier millésime pour Caroline Bonnefoy et une belle réussite que ce 2010. Paré d'une robe aux reflets violets de jeunesse, le vin dévoile des parfums plaisants de fruits rouges agrémentés de notes de champignon et de musc. En bouche, il affiche une rondeur avenante et un fruité fin, mâtiné de notes réglissées. Pour un plaisir immédiat, sur une viande rouge grillée.
Caroline Bonnefoy, rte de Montélimar, 84600 Valréas, tél. 06.87.14.21.48, fax 04.90.35.18.38, domainedelumian@wanadoo.fr t.l.j. 9h-12h 14h-19h

DOM. DE CASSAN Félibrige 2009

3 000 | 11 à 15 €

Jean-Charles et Vincent Croset, à la tête de l'exploitation depuis 2010, rendent ici hommage à leur père Paul, fondateur du domaine en 1974, vigneron qui savait aussi manier le verbe en bon félibre (poète d'expression provençale). Après un long élevage en fût (dix-huit mois), ce 2009 mi-grenache mi-syrah s'impose d'emblée par son bouquet intense de fruits confits (cassis, fruits rouges), puis par son palais puissant, concentré et chaleureux. Un vin de caractère, à réserver pour une pièce de gibier, dans deux ou trois ans.
SCEA Saint-Christophe, Dom. de Cassan, 84190 Lafare, tél. 04.90.62.96.12, fax 04.90.65.05.47, domainedecassan@wanadoo.fr
t.l.j. sf dim. 10h-12h 14h-18h

LA COTERIE 2010

45 000 | 5 à 8 €

Cette maison de négoce créée en 1993 propose un beaumes-de-venise de belle facture, issu de grenache, de syrah et d'un peu de mourvèdre. Au nez, les fruits mûrs (cassis, fraise des bois) se manifestent avec intensité. On les retrouve dès l'attaque dans une bouche persistante et solidement charpentée, qui devrait s'arrondir d'ici deux ans.
SICA Vignobles la Coterie, 228, rte de Carpentras, 84190 Beaumes-de-Venise, tél. 04.90.12.41.04, fax 04.90.65.02.05, contact@lacoterie.fr

CH. LA CROIX DES PINS Les Dessous des Dentelles 2010

3 000 | 8 à 11 €

Entrée en matière réussie pour les nouveaux propriétaires de ce domaine, trois associés installés en avril 2010. Sous les Dentelles de Montmirail, les ceps de grenache (70 %), de syrah et de mourvèdre ont donné naissance à ce vin rubis, au nez agréablement fruité, cassis en tête, au palais souple, soyeux et persistant, que l'on appréciera dès l'automne – pourquoi pas sur une omelette aux truffes ?
Ch. la Croix des Pins, 902, chem. de la Combe, 84380 Mazan, tél. 04.90.66.37.48, fax 04.90.40.36.88, chateaulacroixdespins@orange.fr
t.l.j. sf dim. 10h-12h 14h-17h (été 15h-18h30); f. sam. en hiver
Éric Petitjean

DOM. DE DURBAN Vieilles Vignes 2010 ★★

80 000 | 5 à 8 €

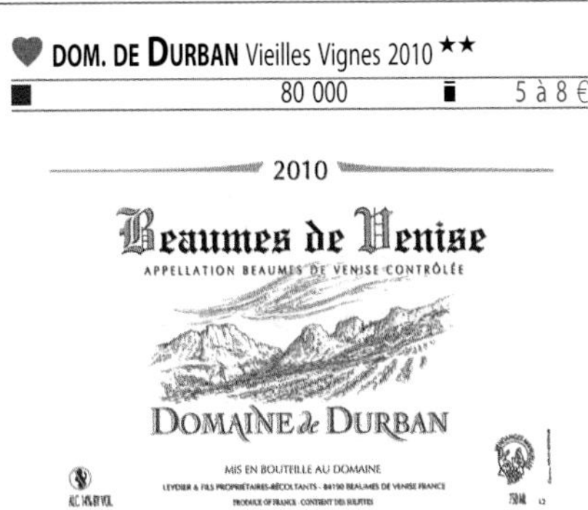

De vieilles vignes de grenache, de syrah et de mourvèdre de près de cinquante ans accrochées au dôme triasique surplombant Beaumes-de-Venise ont donné naissance à ce superbe 2010. La robe est sombre, pourpre foncé, animée de reflets violets. Le nez s'ouvre sur une pointe minérale évoquant la pierre mouillée, relayée par des notes plus chaleureuses de fruits à l'alcool. La bouche séduit par sa finesse, sa rondeur flatteuse, sa puissance maîtrisée et par sa longue finale marquée d'une noble amertume. Déjà très harmonieux, ce vin pourra patienter deux ou trois ans en cave avant d'accompagner un rôti de bœuf aux champignons des bois.
Dom. de Durban, SCE Leydier et Fils, 84190 Beaumes-de-Venise, tél. 04.90.62.94.26, fax 04.90.65.01.85, domaine.de.durban@wanadoo.fr
t.l.j. sf dim. 9h-12h 14h-18h

DOM. DES GARANCES La Rouyère 2010 ★

40 000 | 8 à 11 €

Assemblage classique de grenache (75 %) et syrah, cette cuvée rouge limpide et brillant s'ouvre après agitation sur les fruits mûrs et une pointe animale. Portée par une attaque minérale, la bouche dévoile un beau fruité et des tanins bien présents, un rien austères en finale, que deux années en cave permettront d'affiner.
Dom. des Garances, La Treille, 84190 Suzette, tél. et fax 04.90.65.07.97, domaine-des-garances@wanadoo.fr
t.l.j. 9h-12h 14h-18h

GIGONDAS LA CAVE Terrissimo 2010 ★

49 000 | 5 à 8 €

La cave coopérative de Gigondas, créée en 1956, met ici en valeur le terroir argilo-calcaire situé sur le versant sud des Dentelles de Montmirail qui a vu naître ce vin. La robe est pourpre limpide. Le nez évoque les fruits confits et la prune. La bouche se révèle bien équilibrée, longue et intensément fruitée, avec quelques nuances épicées. Un ensemble harmonieux, à boire dans les deux ans à venir sur une viande en sauce.
Gigondas la Cave, Les Blaches, D 7, 84190 Gigondas, tél. 04.90.65.86.27, fax 04.90.65.80.13, infos@cave-gigondas.fr t.l.j. 9h-12h30 14h-18h

DOM. LES GOUBERT 2010 ★

■	11 500	▮	5 à 8 €

Le vignoble de 23 ha s'étage entre 150 et 400 m, sur quarante parcelles en terrasses et en coteaux, aux sols et aux expositions variés. Pour cette cuvée, des ceps de cinquante ans de grenache, de syrah et de cinsault plantés sur argilo-calcaire ont été sélectionnés. Il en résulte un vin sombre aux reflets violacés, discrètement floral et fruité au nez, plus expressif en bouche, sur les fruits confits, la cerise notamment, à la structure ronde et équilibrée. À boire dans les deux ans à venir sur un canard rôti.

Jean-Pierre Cartier, Dom. les Goubert, 84190 Gigondas, tél. 04.90.65.86.38, fax 04.90.65.81.52, jpcartier@lesgoubert.fr
t.l.j. sf sam. dim. 9h-12h 14h-18h

DOM. DU GRAND MONTMIRAIL 2010

■	10 000	▮	8 à 11 €

Yves Chéron pratique une culture « mûrement » raisonnée (pas d'engrais chimiques, enherbement, limitation des insecticides et des traitements contre les maladies...). Il bichonne ses ceps de grenache et de syrah, qui ont donné naissance à cette cuvée drapée de violet, au nez discrètement fruité, solidement bâtie en bouche mais encore austère en finale. Il faudra attendre une paire d'années pour apprécier ce vin à son optimum.

Dom. du Grand Montmirail, Le Grand-Montmirail, 84190 Gigondas, tél. 04.90.65.85.91, fax 04.90.65.89.23
r.-v.
Famille Chéron

MARTINELLE 2009 ★

■	8 000	▮	15 à 20 €

Construit sur le grenache, ce beaumes-de-venise affiche une belle robe grenat aux reflets pourpres et dévoile un bouquet puissant de fruits rouges confiturés. La bouche se montre suave, riche et concentrée, tapissée de fruits mûrs et portée par une bonne structure et une longue finale. Une bouteille tout indiquée pour un tajine d'agneau, aujourd'hui ou dans deux ans.

Martinelle, La Font-Valet, 84190 Lafare, tél. 04.90.65.05.56, info@martinelle.com r.-v.

CH. REDORTIER Monsieur le Comte 2010

■	4 000	▮	11 à 15 €

Monsieur le Comte – il s'agit de François de Menthon, homme politique sous la IVe République et grand-père des actuelles propriétaires – s'invite à nouveau dans ces pages. Il se présente dans une tenue grenat aux reflets violets, parfumé de senteurs fruitées tant au nez qu'en bouche, bien structuré, frais et équilibré. Un vin déjà plaisant, à ouvrir dès l'automne sur un lapin aux herbes.

Ch. Redortier, hameau Châteauneuf-Redortier, 84190 Suzette, tél. 04.90.62.96.43, fax 04.90.65.03.38, chateau-redortier@wanadoo.fr t.l.j. 9h-12h 14h-17h
Sabine et Isabelle de Menthon

CH. SAINT-SAUVEUR Cuvée Chapelle Saint-Sixte 2010 ★

■	5 200	⦀	8 à 11 €

La chapelle Saint-Sixte, datée du XIIes., sert aujourd'hui de caveau de dégustation et accessoirement de lieu d'exposition de peintures. L'occasion de découvrir ce vin à dominante de grenache, élevé douze mois en fût, au bouquet agréable de fruits rouges et noirs mûrs agrémenté d'épices, au palais généreux, ample et soyeux. À partager dans les deux ans à venir sur une viande en sauce.

Ch. Saint-Sauveur EARL Les Héritiers de Marcel Rey, 1451, av. Joseph-Vernet, 84810 Aubignan, tél. 04.90.62.60.39, fax 04.90.62.60.46, vins@domaine-st-sauveur.fr
t.l.j. 9h15-12h15 14h15-19h; dim. sur r.-v.
Guy Rey

Châteauneuf-du-pape

Superficie : 3 155 ha
Production : 83 865 hl (95 % rouge)

Le vignoble, qui garde le souvenir des papes d'Avignon, est situé sur la rive gauche du Rhône, à une quinzaine de kilomètres au nord de l'ancienne cité pontificale. L'appellation fut la première à avoir défini légalement ses conditions de production, dès 1931. Son territoire s'étend sur la quasi-totalité de la commune qui lui a donné son nom et sur certains terrains de même nature des communes limitrophes d'Orange, de Courthézon, de Bédarrides et de Sorgues. Son originalité provient de son sol, formé notamment de vastes terrasses de hauteurs différentes, recouvertes d'argile rouge mêlée à de nombreux cailloux roulés. Parmi les cépages autorisés, très divers, prédominent grenache, syrah, mourvèdre et cinsault.

Les châteauneuf-du-pape s'apprécient mieux après une garde qui varie en fonction des millésimes. Amples, corsés et charpentés, ce sont des vins au bouquet puissant et complexe, qui accompagnent avec succès les viandes rouges, le gibier et les fromages. Les rares blancs savent cacher leur puissance par la finesse de leurs arômes.

VIGNOBLE ABEILLE 2009

■	20 000	▮⦀	15 à 20 €

Vêtu d'une robe pourpre, ce 2009, duo de grenache et de syrah, dévoile un bouquet intense d'épices, de vanille et de fruits mûrs. À l'unisson, le palais se révèle dense et de bonne longueur, soutenu par des tanins encore austères en finale et qui demandent deux ou trois ans pour s'arrondir. Un bon classique pour une viande en sauce.

Les Vignerons de Rasteau et de Tain-l'Hermitage, rte des Princes-d'Orange, 84110 Rasteau, tél. 04.90.10.90.10, fax 04.90.10.90.36

DOM. DU BANNERET 2009 ★

■	10 000	⦀	30 à 50 €

Jean-Claude Vidal, ancien architecte-urbaniste, a repris en 1988 le vignoble familial, réparti sur sept parcelles. À la manière des grands-parents, il assemble ici treize cépages, grenache en tête, avec une pointe de cépages blancs aussi, pour élaborer cette cuvée bien bouquetée, sur les fruits confiturés, les épices et le grillé. La bouche, dans la continuité du nez, affiche du volume et des tanins enveloppés qui assureront à ce vin un vieillissement profitable de quatre ou cinq ans. Mais on peut déjà l'apprécier sur un agneau aux épices douces.

Jean-Claude Vidal, 35, rue Porte-Rouge, 84230 Châteauneuf-du-Pape, tél. et fax 04.90.83.72.04, jeanclaudevidal@orange.fr r.-v.

DOM. LA BARROCHE Signature 2009

	12 000		30 à 50 €

« Un bon classique », écrivent les dégustateurs à propos de ce 2009 issu de la non moins classique trilogie grenache-syrah-mourvèdre. Au nez, des notes boisées se mêlent aux fruits à l'alcool, aux épices et à quelques senteurs fraîches de fougère. La bouche, à l'unisson, offre du volume et de la longueur, portée par des tanins enrobés. On optera également pour du « classique » à table : une viande en sauce, une gardiane de taureau par exemple.

Dom. la Barroche, 19, av. des Bosquets, 84230 Châteauneuf-du-Pape, tél. 06.62.84.95.79, fax 09.59.22.95.25, contact@domainelabarroche.com r.-v.

Julien et Christian Barrot

LA BASTIDE SAINT-DOMINIQUE Les Hespérides 2010 ★

	2 500		30 à 50 €

Le jardin des Hespérides d'Éric Bonnet est une parcelle d'un hectare, où les pommes d'or prennent la forme de raisins de grenache et de mourvèdre. Assemblés à parts égales, ces deux cépages ont donné naissance à une cuvée d'un beau rubis aux reflets violets, qui exhale de fines senteurs de fruits rouges et noirs et de sous-bois, agrémentées d'une pointe minérale. Après une attaque douce et moelleuse, le palais affiche un bel équilibre entre l'alcool, jamais chaud, et l'acidité, jamais agressive, le tout bâti sur des tanins élégants. « À croquer sur son fruit », conclut un dégustateur, qui verrait bien cette bouteille accompagner une côte de bœuf, dans les deux années à venir.

Éric Bonnet, 1358, chem. Saint-Dominique, 84350 Courthézon, tél. 04.90.70.85.32, fax 04.90.70.76.64, contact@bastidesaintdominique.com t.l.j. sf sam. dim. 9h-12h 13h30-18h

DOM. DE BEAURENARD Boisrenard 2010 ★★

	9 000		30 à 50 €

Valeur sûre de l'appellation, ce domaine, dans la famille Coulon depuis sept générations et conduit en biodynamie, a le sens de la tradition. Cette cuvée assemble, « à l'ancienne », les treize cépages de Châteauneuf, avec le grenache dans le rôle principal ; une tradition qui trouve aujourd'hui peu d'adeptes. Le résultat est remarquable. Au nez, les fruits rouges se mêlent aux épices et au sous-bois. S'ouvrant sur une agréable sensation de moelleux, la bouche séduit par sa rondeur, son fruité généreux, sa structure fine et bien travaillée. Ce vin conjugue caractère et élégance. Si cette bouteille peut patienter en cave quatre ou cinq ans, rien n'empêche une dégustation dans l'année, sur un civet, de lièvre ou de chevreuil, ou sur un agneau en croûte.

SCEA Paul Coulon et Fils, Dom. de Beaurenard, 10, av. Pierre-de-Luxembourg, 84230 Châteauneuf-du-Pape, tél. 04.90.83.71.79, fax 04.90.83.78.06, paul.coulon@beaurenard.fr t.l.j. sf dim. 9h-12h 13h30-17h30

DOM. BENEDETTI Tradition 2009 ★

	10 000		20 à 30 €

Sorti de la coopérative en 1998, ce domaine s'est rapidement tourné vers le bio, alors peu répandu. Depuis 2010, les vinifications sont assurées par le fils. La robe, grenat sombre, attire l'œil. Du verre s'échappent d'agréables senteurs de fruits noirs mûrs, presque confiturés, de pruneau et de boisé fondu. La bouche se révèle ronde, grasse, ample et charnue. Les tanins sont soyeux et harmonieusement répartis, la finale apparaît longue, épicée et fruitée. Un châteauneuf bien dans la tradition, à déguster sur un bœuf en daube.

Dom. Benedetti, 25, chem. Roquette, 84370 Bédarrides, tél. 06.61.77.24.77, fax 04.90.33.24.97, domainebenedetti@yahoo.fr r.-v.

DOM. BERTHET-RAYNE Vieilli en fût de chêne 2010 ★★

	8 000		15 à 20 €

Christian Berthet-Rayne conduit le domaine familial depuis 1980 ; sa fille Laure et son gendre Martial Capeau l'accompagnent depuis 2004. Ils proposent ici un châteauneuf accompli, né de grenache, de mourvèdre et d'une touche originale de counoise. Ce 2010 charme d'entrée par son nez riche et complexe de tabac, d'épices et de fruits rouges mûrs. La mise en bouche dévoile une agréable fraîcheur, puis le vin se fait rond et généreux, soutenu par des tanins puissants mais sans agressivité, un fruité bien présent apportant en finale une jolie touche gourmande. À partager dans trois à cinq ans, sur une selle d'agneau aux olives et gnochetti aux blettes.

Berthet-Rayne, 2334, rte de Caderousse, 84350 Courthézon, tél. 04.90.70.74.14, fax 04.90.70.77.85, christian.berthet-rayne@wanadoo.fr t.l.j. 8h-12h 13h30-18h30; sam. dim. sur r.-v.

DOM. BOSQUET DES PAPES À la gloire de mon grand-père 2010

	5 600		20 à 30 €

Le nom de ce domaine familial fondé en 1860 provient du quartier des Bosquets où sont établis les chais. Le grenache, accompagné de 2 % de cinsault, a donné ici un vin de prime abord fermé, qui s'ouvre à l'aération sur les fruits à l'alcool et quelques nuances de cuir. La bouche, plus loquace, se révèle très chaleureuse, vineuse et tannique. Autant de caractéristiques qui requièrent un passage en cave certain (cinq ans et plus) et appellent à table un mets de caractère comme un civet de sanglier.

EARL Maurice et Nicolas Boiron, Dom. Bosquet des Papes, 18, rte d'Orange, BP 50, 84232 Châteauneuf-du-Pape Cedex, tél. 04.90.83.72.33, fax 04.90.83.50.52, bosquet.des.papes@orange.fr t.l.j. sf sam. dim. 9h-12h 14h-17h30

DOM. LA BOUTINIÈRE Grande Réserve 2010 ★★

	n.c.		20 à 30 €

Grenache, syrah, mourvèdre et cinsault, par ordre d'importance, sont à l'origine de ce vin dominé par le bois

RHÔNE

(vanille, fumé), quelques notes d'encens et de sauge apportant une note de complexité. En bouche, les fruits prennent le pouvoir, accompagnés par des tanins bien présents mais affables. On attendra trois à cinq ans que l'ensemble s'harmonise. Un rôti de bœuf sera alors le bienvenu.

Dom. la Boutinière, 17, rte de Bédarrides, 84230 Châteauneuf-du-Pape, tél. 04.90.83.75.78, fax 04.90.83.76.29 t.l.j. 10h-12h30 13h30-19h30
Boutin

BROTTE Vieilles Vignes 2010 ★

	4 000		30 à 50 €

La maison Brotte conseille avec cette cuvée un chausson de foie gras truffé ou un ragoût de poulet aux olives noires. Des accords gourmands qui siéront en effet à cet assemblage grenache-syrah-mourvèdre, un vin au nez intense de fruits rouges (groseille, framboise) et noirs (cassis) associés à des notes boisées bien marquées, tout en rondeur et soyeux en bouche, persistant sur les fruits et le cacao. Un ensemble flatteur et bien construit, à conserver deux à quatre ans en cave.

Brotte, Le Clos, rte d'Avignon, BP 1, 84231 Châteauneuf-du-Pape Cedex, tél. 04.90.83.70.07, fax 04.90.83.74.34, brotte@brotte.com
t.l.j. 9h-12h 14h-18h

LA CÉLESTIÈRE Les Domaines 2009 ★

	7 743		30 à 50 €

Ce domaine récent (2008) a fait son entrée dans le Guide l'an dernier avec sa cuvée La Croze 2009 ; il confirme à présent ses bonnes dispositions avec cette cuvée Les Domaines, dans le même millésime. Après dix-huit mois de fût, nul boisé dominateur dans ce duo grenache-mourvèdre, mais un bouquet intense de fruits à l'alcool et d'épices. Longue et tout aussi intensément fruitée, la bouche se révèle ronde et charnue, étayée par une juste fraîcheur qui tonifie et allonge la finale. Une bouteille harmonieuse et apte à une garde de cinq ou six ans.

La Célestière, 1956, rte de Roquemaure, 84230 Châteauneuf-du-Pape, tél. 04.90.25.28.92, fax 04.90.25.33.29, info@lacelestiere.fr
t.l.j. sf sam. dim. 9h-12h 13h-18h
Béatrice Joyce

DOM. CHANTE CIGALE 2011

	18 600		20 à 30 €

Le domaine étend son vignoble de 50 ha sur trente-cinq parcelles, une vaste palette de terroirs avec laquelle Alexandre Favier « joue » depuis 2000. Plantés sur sables et galets roulés, des ceps de grenache blanc, de roussanne, de marsanne et de clairette, cépages assemblés à parts égales, ont donné ce 2011 jaune paille aux reflets blancs, joliment bouqueté : fleurs blanches, pomme, vanille, grillé, pointe minérale. L'attaque fraîche ouvre sur un palais équilibré et fin, fruité et légèrement torréfié en finale. Pour une salade du pêcheur.

Dom. Chante Cigale, av. Pasteur, 84230 Châteauneuf-du-Pape, tél. 04.90.83.70.57, fax 04.90.83.58.70, info@chante-cigale.com
t.l.j. sf dim. 9h-18h

DOM. CHANTE-PERDRIX 2011

	4 000		15 à 20 €

À l'origine de ce châteauneuf blanc, le grenache blanc (70 %), la clairette, le bourboulenc et la roussanne. Le nez, délicat et finement minéral, évoque surtout les fleurs blanches. Vive en attaque, la bouche offre un développement plus rond et généreux, et une finale marquée par une noble amertume. Un loup grillé sera de bonne compagnie, dès l'automne.

Dom. Chante-Perdrix, Vignoble Nicolet, BP 6, 84231 Châteauneuf-du-Pape Cedex, tél. 04.90.83.71.86, fax 04.90.83.53.14, chante-perdrix@wanadoo.fr r.-v.
GFA Nicolet-Perges

DOM. DE LA CHARBONNIÈRE
Cuvée Mourre des perdrix 2009 ★

	20 000		30 à 50 €

Bien connue des lecteurs, cette cuvée Mourre des perdrix (du nom du lieu-dit qui l'a vue naître) est fidèle au rendez-vous du Guide. Certes la 2009 n'atteint pas les hauteurs de sa devancière, coup de cœur dans l'édition 2012, mais elle possède quelques atouts à faire valoir. À commencer par sa jolie robe pourpre aux reflets violines, puis son bouquet intense et complexe de fruits noirs, de garrigue, de poivre et de camphre. Puissante et chaleureuse, rafraîchie par une pointe de vivacité bienvenue, la bouche s'appuie sur de fins tanins et déroule d'agréables notes de tabac et d'épices. Un vin harmonieux, à apprécier dans deux à quatre ans sur du bœuf en daube.

EARL Michel Maret et Filles, Dom. de la Charbonnière, 26, rte de Courthézon, BP 83, 84232 Châteauneuf-du-Pape Cedex, tél. 04.90.83.74.59, fax 04.90.83.53.46, contact@domainedelacharbonniere.com
t.l.j. sf dim. 8h30-12h 14h-18h; sam. sur r.-v.

CLOS DU CAILLOU Les Safres 2010 ★

	12 000		20 à 30 €

Côté cave, un ensemble de galeries voûtées creusées dans le safre en 1867 par Élie Dussaud, collaborateur de Ferdinand de Lesseps, célèbre pour la réalisation du canal de Suez. Côté vigne, 53 ha conduits en bio. Le grenache (95 %), complété par une touche de mourvèdre, de cinsault et de vaccarèse, a donné naissance à ce vin qui demande une petite aération pour dévoiler de fins arômes de fruits rouges et d'épices, agrémentés de nuances florales. Dans le prolongement du bouquet, la bouche est bien construite autour de tanins de qualité, présents sans écraser la matière. Les plus impatients procéderont à un carafage avant d'apprécier cette bouteille, les autres attendront trois à cinq ans que l'ensemble se fonde.

Clos du Caillou, 84350 Courthézon, tél. 04.90.70.73.05, fax 04.90.70.76.47, closducaillou@wanadoo.fr
t.l.j. sf dim. 9h-12h 13h30-18h
Sylvie Vacheron

CLOS DU CALVAIRE 2010 ★

	25 000		15 à 20 €

Un domaine fondé en 1923 par Alphonse Mayard. Issu de la nouvelle cave de vinification, ce 2010 associe grenache, syrah et cinsault. On y décèle au nez les fruits mûrs à souhait– « qui me rappellent la confiture de cerises de ma mère », précise un dégustateur –, les épices et une touche animale. Un bouquet bien typé auquel fait écho un palais harmonieux, ample, suave et long. Un bon classique, à découvrir dans les cinq prochaines années, sur un agneau de sept heures ou, pour un accord ton sur ton, sur un canard aux cerises.

Vignobles Mayard, 24, av. Baron-Le-Roy, BP 16,
84230 Châteauneuf-du-Pape, tél. 04.90.83.70.16,
fax 04.90.83.50.47, contact@vignobles-mayard.fr
t.l.j. 10h-12h30 14h-18h

COMTE DE LAUZE 2011

3 800 | 20 à 30 €

Ce Comte de Lauze, né de grenache blanc, de roussanne, de clairette et de bourboulenc, vous reçoit en toute simplicité, habillé d'une tenue jaune vif et limpide, parfumé de notes florales (acacia) et fruitées (agrumes). Persistant sur la même ligne aromatique, la bouche se révèle bien équilibrée, ni trop grasse ni trop vive. Parfait pour une terrine de poisson, dès cet automne.

Dom. Comte de Lauze, 8, av. des Bosquets, BP 45,
84232 Châteauneuf-du-Pape Cedex, tél. 04.90.83.72.87,
fax 04.90.83.50.93, comtelauze@wanadoo.fr
t.l.j. 8h30-18h; sam. dim. sur r.-v.

DOM. DE LA CÔTE DE L'ANGE Vieilles Vignes 2009

3 000 | 30 à 50 €

Ces vieilles vignes de grenache (85 %) et de mourvèdre atteignent l'âge vénérable de quatre-vingt-dix ans. Elles ont donné naissance à une cuvée grenat soutenu, qui mêle au nez les fruits confits, l'essence de thym, la réglisse, les épices et un léger boisé. Ronde, riche et d'un bon volume, à dominante boisée, la bouche se fait plus chaleureuse en finale. À boire entre 2013 et 2016, sur une viande en sauce de préférence.

Yannick Gasparri,
Dom. de la Côte de l'Ange, 9, La Font-du-Pape,
84230 Châteauneuf-du-Pape, tél. 04.90.83.72.24,
fax 04.90.83.54.88, cotedelange@libertysurf.fr
t.l.j. sf dim. 9h-12h 14h-18h

DOM. CYRIL COULON Cuvée Manon 2010

1 200 | 20 à 30 €

Cyril Coulon quitte le domaine familial en 1999 et s'installe sur un vignoble de poche de 79 ares, qu'il cultive selon les principes du bio mais sans certification, se laissant la possibilité de recourir aux produits curatifs si un risque de perdre la vendange se faisait sentir. Récoltés à la mi-septembre, les grenache, syrah, mourvèdre et cinsault ont donné naissance à cette Manon (prénom de la deuxième fille du vigneron). Les fruits confiturés (mûre, myrtille) mâtinés d'une note animale composent un bouquet plaisant. Des nuances boisées (cacao) viennent compléter cette palette dans une bouche ronde et persistante. Une pointe d'austérité en finale appelle une petite garde d'un à trois ans.

Cyril Coulon, 1350 D, chem. de l'Oiselet,
84700 Sorgues, tél. 06.84.11.12.09, cyrilnad@orange.fr
r.-v.

CRISTIA Vieilles Vignes 2010 ★★

3 600 | 50 à 75 €

Avec l'arrivée de Baptiste et Dominique Grangeon en 1999, le domaine, fondé par leur grand-père en 1942, a changé de cap : passage du vrac à la bouteille, mise en place de sélections parcellaires, diminution des rendements, élaboration de cuvées spéciales. Un saut qualitatif et une pluie d'étoiles dans ces pages, ainsi que plusieurs coups de cœur, dont le dernier en date... dans l'édition précédente, pour la cuvée Renaissance. Place ici à ces

CRISTIA

2010

Vieilles Vignes

Châteauneuf-du-Pape

Appellation Châteauneuf-du-Pape contrôlée

Mis en bouteille au Domaine

Vieilles Vignes de grenache, des ceps octogénaires qui ont donné naissance à ce 2010 à la robe noire, parfumé de notes intenses de poivre blanc, de cardamome, de pruneau et de fruits mûrs. À cette complexité répond un palais à la fois suave et puissant, d'un volume impressionnant et d'une grande richesse, qui s'étire longuement en finale sur des nuances réglissées. « Du travail d'orfèvre », conclut un dégustateur. Les moins patients l'apprécieront dès l'automne, les autres pourront attendre cinq à dix ans. Un accord gourmand original ? Des rougets au vin rouge.

Dom. de Cristia, 33, fg Saint-Georges,
84350 Courthézon, tél. 04.90.70.24.09, fax 04.90.70.25.38,
contact@cristia.com r.-v.
Dominique et Baptiste Grangeon

FINES ROCHES 2009 ★

6 500 | 20 à 30 €

Au début du XX^e^s., Frédéric Mistral et Alphonse Daudet fréquentèrent ce haut-lieu de la culture provençale, sous l'impulsion de son propriétaire de l'époque, le marquis Folco de Baroncelli. Depuis les années 1930, c'est la famille Mousset-Barrot qui participe, d'une façon vinicole, à la renommée de la culture méridionale. Et ce 2009, composé à parts égales de grenache, de syrah et de mourvèdre, de dévoiler des senteurs sudistes de garrigue, accompagnées de notes de fruits rouges mûrs, de sous-bois, d'épices et de cuir, relayées par une bouche chaleureuse, aux tanins soyeux et aimables. Déjà appréciable, cette bouteille peut aussi être attendue trois à cinq ans.

Robert Barrot, 1, av. du Baron-Le-Roy,
84230 Châteauneuf-du-Pape, tél. 04.90.83.51.73,
fax 04.90.83.52.77, chateaux@vmb.fr
t.l.j. 10h-19h; f. jan.-fév. sf vac. scolaires

CH. FORTIA Réserve 2010 ★★

4 000 | 20 à 30 €

Ce domaine fut la propriété du baron Pierre Le Roy, figure tutélaire des appellations d'origine contrôlée dans les années 1930. Cette cuvée Réserve, duo de syrah (80 %) et de mourvèdre élevé en foudre, a fait forte impression auprès des jurés, et le coup de cœur n'était pas loin. Complexe et puissant, le nez associe la truffe, la vanille, le pruneau, les fruits en confiture et la pivoine. Franche en attaque, la bouche s'impose par sa générosité, sa concentration et ses tanins serrés et « virils », gages d'une longue garde de cinq à dix ans, et même plus. Pour un mets de caractère assurément.

Ch. Fortia, rte de Bédarrides, BP 13,
84231 Châteauneuf-du-Pape Cedex, tél. 04.90.83.72.25,
fax 04.90.83.51.03, fortia@terre-net.fr
t.l.j. sf dim. 9h-12h 14h-17h30

RHÔNE

CH. DE LA GARDINE

Cuvée des Générations Marie-Léoncie 2010

6 000 | 30 à 50 €

Cette Marie-Léoncie, née de roussanne et d'une pointe de clairette, se présente dans une robe jaune intense ornée de reflets lumineux. Au nez, le coing et l'abricot un peu confit se mêlent à un boisé discret. La bouche, ample, puissante et persistante, tient la note fruitée ; le boisé est perceptible mais sans excès. On peut attendre deux ans ou ouvrir cette bouteille dès aujourd'hui, sur une volaille, un tajine de poulet au citron, ou encore sur un poisson en sauce, comme une lotte à la crème.

Ch. de la Gardine, BP 35, 84231 Châteauneuf-du-Pape Cedex, tél. 04.90.83.73.20, fax 04.90.83.77.24, chateau@gardine.com

t.l.j. sf dim. 9h-12h 13h-18h; sam. sur r.-v.

Brunel

CH. GIGOGNAN Clos du Roi 2009 ★

3 600 | 20 à 30 €

2009 : le château est rénové ; 2010 : des chambres d'hôtes sont créées et la certification bio est acquise. On avance sur ce domaine relativement jeune, créé en 1996. Et l'on travaille bien les vins, à en juger par cet assemblage grenache-syrah joliment fruité (cerise kirschée) et épicé, tant au nez qu'en bouche, doux, généreux et long. Un rien plus strict en finale, le palais appelle une garde de deux ou trois ans pour parfaire son harmonie. Entente assurée avec des joues de bœuf longuement mijotées.

Ch. Gigognan, 1180, chem. du Castillon, 84700 Sorgues, tél. 04.90.39.57.46, fax 04.90.39.15.28, info@chateau-gigognan.fr

t.l.j. sf dim. 10h-12h 14h-18h 5

J. Callet

DOM. DU GRAND TINEL Alexis Establet 2010 ★★

10 000 | 20 à 30 €

Hommage à l'ancêtre fondateur du domaine, cette cuvée 100 % grenache a été particulièrement appréciée. On y respire les fruits rouges, les fleurs et les épices – des arômes typés et frais. La bouche bien équilibrée entre fraîcheur, gras et tanins souples en fait un vin prometteur pour les cinq prochaines années. Pourquoi pas un sauté d'agneau miel et romarin ?

SAS Les Vignobles Élie Jeune, Dom. du Grand Tinel, 3, rte de Bédarrides, BP 58, 84232 Châteauneuf-du-Pape Cedex, tél. 04.90.83.70.28, fax 04.90.83.78.07, beatrice@domainegrandtinel.com

t.l.j. 9h-12h 14h-18h; sam. dim. sur r.-v.

DOM. DE LA JANASSE 2010 ★

18 000 | 30 à 50 €

Valeur sûre de l'appellation, la Janasse ne manque pas le rendez-vous du Guide et propose un 2010 à la fois sombre et intense dans sa robe pourpre. Au nez, les fruits à l'alcool se mêlent à un boisé élégant. Après une attaque souple, le palais, généreux, renoue avec les fruits mûrs et les notes de fût bien intégrées, puis étire sa longue finale sur le chocolat. Pour un meilleur fondu, on laissera cette bouteille trois ou quatre ans en cave.

EARL Aimé Sabon, Dom. de la Janasse, 27, chem. du Moulin, 84350 Courthézon, tél. 04.90.70.86.29, fax 04.90.70.75.93, lajanasse@free.fr

r.-v.

DOM. LAFOND ROC-ÉPINE 2009

15 000 | 20 à 30 €

Valeur sûre de la vallée du Rhône méridionale, notamment en lirac et en tavel, ce domaine signe un châteauneuf sur la réserve mais prometteur. Le nez, discret, livre après aération des notes de fruits noirs et rouges bien mûrs. La bouche offre un bon volume, portée par des tanins encore sur la défensive mais gages d'une garde de trois ou quatre ans.

Dom. Lafond, rte des Vignobles, 30126 Tavel, tél. 04.66.50.24.59, fax 04.66.50.12.42, lafond@roc-epine.com

r.-v.

DOM. PATRICE MAGNI 2010 ★★

n.c. | 15 à 20 €

Patrice Magni, installé sur ce domaine familial depuis 1993, a élaboré un 2010 en tout point remarquable. Le grenache et la syrah (10 %) à bonne maturité confèrent au nez des parfums flatteurs de fruits noirs et de pruneau, l'aération libérant les épices. Une touche florale s'ajoute à cette palette en bouche et accompagne une matière généreuse et veloutée, qui garde tout au long de la dégustation ses qualités de finesse et d'élégance. Déjà très harmonieux, ce châteauneuf fera un bon compagnon pour un magret aux airelles.

Dom. Patrice Magni, 13, rte de Bédarrides, 84230 Châteauneuf-du-Pape, tél. 06.89.35.67.22, fax 09.71.70.36.03, domainepatrice.magni@wanadoo.fr

r.-v.

MAS DE BOISLAUZON 2010

32 000 | 20 à 30 €

Né du grenache, du mourvèdre et d'une touche de syrah, ce 2010 plaît par son bouquet fin de fruits rouges frais, avec des nuances florales. Le palais s'équilibre entre fraîcheur, générosité et tanins enrobés. Au final, un châteauneuf délicat, que l'on appréciera dans les trois ans, sur un rôti de bœuf par exemple.

Christine et Daniel Chaussy, Mas de Boislauzon, rte de Châteauneuf-du-Pape, 84100 Orange, tél. 04.90.34.46.49, fax 04.90.34.46.61, masdeboislauzon@wanadoo.fr

t.l.j. sf dim. 10h-12h 14h-18h

MAS GRANGE BLANCHE La Font de Bessounes 2009 ★

7 000 | 20 à 30 €

La Font de Bessounes ? « La source des jumelles » en provençal. Ce 2009 prend, lui, sa source dans un trio grenache-syrah-mourvèdre de quarante-cinq ans d'âge moyen. Drapé dans une robe sombre aux reflets violines, il dévoile un bouquet complexe de fruits noirs (cassis, mûre), de poivre, de réglisse et d'olive noire. À ces senteurs bien méridionales répond une bouche fine et croquante, portée par des tanins soyeux et une agréable fraîcheur. Un vin équilibré, à déguster dans les cinq prochaines années. On verrait bien un rôti de canard au poivre ou un sauté de veau aux olives pour l'accompagner.

EARL Cyril et Jacques Mousset, Ch. des Fines Roches, 84230 Châteauneuf-du-Pape, tél. 04.90.22.36.80, fax 04.90.22.35.85, cyril.mousset@wanadoo.fr

t.l.j. 10h-18h; f. jan.

DOM. JULIEN MASQUIN Mémora 2010 ★

■ 3 700 15 à 20 €

En 1936, Paul Masquin acquiert des vignes à Courthézon, mais, occupé par la création d'une société de brosserie, il les confie en métayage à d'autres vignerons. En 1998, son petit-fils Julien reprend l'exploitation et cède ses raisins à la coopérative locale, qu'il quitte en 2009 pour élaborer ses propres vins. Ce 2010 grenache-syrah se présente dans une tenue sombre et dense ; le nez légèrement animal s'ouvre à l'aération sur des senteurs de garrigue. Suit une bouche ample, fruitée et longue, portée par des tanins enrobés. Cinq ou six ans de garde n'effraieront pas cette bouteille, que l'on verrait bien accompagner un rôti de bœuf et sa fricassée de cèpes.

Masquin, 1408, chem. Saint-Dominique, 84350 Courthézon, tél. 06.22.92.01.07, fax 04.90.70.53.05, julien@domainemasquin.com r.-v.

♥ **DOM. DE LA MORDORÉE** La Reine des bois 2010 ★★

■ 15 000 30 à 50 €

Un coup de cœur pour la Mordorée ? Qui s'en étonnera, tant ce domaine enchaîne les millésimes avec une aisance déconcertante ? Pour information, cette même cuvée version tavel monte aussi sur la plus haute marche... La Reine des bois 2010 parade dans une robe grenat soutenu aux reflets violines. Elle livre des parfums puissants de fruits mûrs et de boisé torréfié. La même puissance marque le palais, généreux, riche et long, tapissé d'arômes d'épices douces (cannelle) et de fruits noirs et rouges à maturité. Une réelle élégance et une sensation de douceur se dégagent de ce vin, que l'on laissera sagement en cave encore au moins cinq ans.

Dom. de la Mordorée, chem. des Oliviers, 30126 Tavel, tél. 04.66.50.00.75, fax 04.66.50.47.39, info@domaine-mordoree.com

t.l.j. 8h-12h 13h30-17h30

Delorme

MOURIESSE VINUM Pierre d'ambre 2009 ★

■ 1 000 20 à 30 €

Serge Mouriesse, œnologue-conseil depuis quinze ans, a acquis en 2007 un petit vignoble de 0,27 ha en châteauneuf-du-pape. Pour cette cuvée confidentielle, il a associé le vin de cette parcelle, né sur sables, à du grenache et à de la syrah plantés sur galets roulés. Le résultat ? Un vin pourpre soutenu, au nez intense de fruits noirs confits et d'épices, arômes que l'on retrouve dans une bouche ample, bien structurée et longue. Une belle expression du grenache, à découvrir dans quatre ou cinq ans sur du bœuf bourguignon ou un paleron au vinaigre.

Mouriesse Vinum, 18 bis, chem. du Clos, BP 78, 84232 Châteauneuf-du-Pape Cedex, tél. 06.14.94.69.15, fax 04.90.83.71.29, contact@mouriesse-vinum.com

r.-v.

DOM. DE NALYS Réserve 2010 ★

■ 10 000 20 à 30 €

L'un des plus anciens domaines de l'appellation, répertorié dès le XVII[e]s., alors propriété de la famille de Nalys, et aujourd'hui dans le giron des assurances Groupama. Ce 2010, à dominante de syrah, avec le grenache et le mourvèdre en complément, séduit d'emblée par son bouquet classique d'épices et de fruits noirs nuancés de notes animales. Le palais est jugé « accessible » par les dégustateurs : entendez par là souple, rond et fruité, sans excès tannique, soutenu par une agréable fraîcheur. Bref, un vin équilibré, à découvrir dans les deux ou trois prochaines années sur un lapin aux pruneaux.

Dom. de Nalys, rte de Courthézon, BP 39, 84231 Châteauneuf-du-Pape Cedex, tél. 04.90.83.72.52, fax 04.90.83.51.15, contact@domainedenalys.com

t.l.j. sf dim. 8h30-18h (9h-19h l'été)

Groupama

CH. LA NERTHE Cuvée des Cadettes 2009 ★★

■ 13 000 50 à 75 €

Un vaste domaine historique (92 ha), exclusivement voué au châteauneuf. Les nobles qui le détenaient à l'origine mettaient déjà en bouteilles à la propriété en 1784. Ils le gardèrent à la Révolution mais capitulèrent en 1870 devant le phylloxéra, revendant le vignoble à Joseph Ducos, futur maire de Châteauneuf, qui le remit sur pied. Depuis 1985, les Richard y consacrent tous leurs soins. Si les vignes blanches ont valu à la Nerthe une grande notoriété, les rouges ne sont toutefois pas en reste. Voyez cette cuvée au nom paradoxal. Il ne s'agit en rien d'un « second vin » ni de jeunes vignes ; elle naît des ceps les plus anciens de la propriété : quatre-vingts ans. Elle comprend plus de mourvèdre (31 %) que la cuvée principale. En 2009, année chaude et précoce, ce cépage tardif a pu être vendangé avec la syrah (37 %) et le grenache (32 %), et les trois variétés ont été mises en cuve de bois ensemble. Le vin est déjà bien fondu. Tout en douceur, il présente une puissance maîtrisée et exprime la garrigue, le poivre et les épices, confirmant en bouche cette ligne, sur des notes chocolatées. Agréable actuellement, il a l'envergure d'un vin de garde et surprendra. Il atteindra son optimum dans dix ans.

SCA Ch. la Nerthe, rte de Sorgues, 84230 Châteauneuf-du-Pape, tél. 04.90.83.70.11, fax 04.90.83.79.69, contact@chateaulanerthe.fr r.-v.

Richard

OGIER Les Closiers 2011

20 000 11 à 15 €

La robe est limpide et brillante. Le nez évoque les fleurs et les fruits blancs, agrémentés d'une jolie touche minérale et fumée. La bouche offre un bon équilibre entre une fine acidité et l'alcool, une pointe d'amertume pas désagréable marquant la finale. Un vin que l'on peut boire dès maintenant, sur une brandade de morue par exemple, ou garder deux à trois ans.

Ogier, 10, av. Louis-Pasteur, 84230 Châteauneuf-du-Pape, tél. 04.90.39.32.00, fax 04.90.83.72.51, ogier@ogier.fr

t.l.j. sf dim. 9h-12h 14h-18h30

Jean-Pierre Durand

RHÔNE

DOM. ROGER PERRIN Réserve des Vieilles Vignes 2010 ★

■ 4 600 30 à 50 €

Véronique Perrin a pris en 2010 la suite de son frère Luc sur le domaine familial. Premières vendanges donc pour cette œnologue, et première sélection dans le Guide. Au programme, un châteauneuf issu d'un assemblage diversifié, avec de vieux ceps octogénaires de grenache en figure de proue. Le nez annonce la couleur : puissant et concentré, il mêle les fruits cuits, les épices, le toasté de la barrique, le cuir et quelques nuances balsamiques. La bouche suit cette voie, offrant beaucoup de concentration et de volume, des tanins encore sévères et un boisé prégnant en soutien. Tout cela doit s'harmoniser, mais le potentiel est là : à attendre au moins trois à cinq ans, cette bouteille pourra rester toute une décennie en cave.

Dom. Roger Perrin, 2316, rte de Châteauneuf-du-Pape, 84100 Orange, tél. 04.90.34.25.64, fax 04.90.34.88.37, dne.rogerperrin@wanadoo.fr r.-v.

DOM. PORTE ROUGE 2010 ★

■ 10 000 15 à 20 €

En 2003, Bernard Friedmann a créé de toutes pièces ce petit domaine de 2,5 ha, en achetant des parcelles en châteauneuf, qu'il convertit depuis 2011 à l'agriculture biologique. Il propose un 2010 très réussi et bien dans le style de l'appellation : robe intense, foncée ; bouquet expressif de fruits compotés agrémenté de notes d'herbes fraîches ; bouche puissante et portée par des tanins serrés mais fins. De quoi voir venir pour les six ou sept prochaines années.

Dom. Porte rouge, 9, av. des Bosquets, 84230 Châteauneuf-du-Pape, tél. 06.80.67.85.02, friedmann.bernard@wanadoo.fr r.-v.

Friedmann

DOM. DES RELAGNES Pierre Troupel 2010

■ 3 500 15 à 20 €

Acheté en 2006 par Philippe Kessler, propriétaire de la Calissanne, une référence en coteaux-d'aix, ce domaine est conduit par Jean Bonnet. Ce 2010 dévoile d'intenses parfums de baies noires sauvages, agrémentés de nuances de poivre frais et de genièvre. La bouche, fidèle à l'olfaction, séduit par sa fraîcheur, sa souplesse et sa longueur. Un châteauneuf à boire sur son fruit, sur une viande rouge juste grillée, relevée d'un tour de poivre du moulin, ou sur des rognons de veau.

Dom. des Relagnes, rte de Bédarrides, 84230 Châteauneuf-du-Pape, tél. 04.90.42.63.03, fax 04.90.42.40.00, commercial@chateau-calissanne.fr t.l.j. 9h-19h; dim. 9h-13h; lun. 12h-19h

Sophie Kessler

DOM. DE LA RONCIÈRE Flor de Ronce 2009 ★

■ 6 000 30 à 50 €

L'histoire débute en 1948, avec l'arrivée d'Espagne de Luis Canto, qui devient métayer à Châteauneuf. Son fils Jean-Louis s'installe sur le domaine en 1979, rejoint en 2002 par le petit-fils Geoffrey. Ils nous proposent ici un 2009 couleur cerise, au bouquet intense et complexe de truffe, de fruits mûrs, d'épices et de fumé. Plein, riche et long, le palais s'adosse à de beaux tanins fondus et soyeux. Un ensemble harmonieux, déjà appréciable, qui pourra aussi rester en cave jusqu'en 2018-2020.

Jean-Louis Canto, SCEA Canto et Fils, Dom. de la Roncière, BP 86, 84232 Châteauneuf-du-Pape Cedex, tél. 04.90.83.78.08, fax 04.90.83.74.52, domaine.de.la.ronciere@wanadoo.fr r.-v.; vente au 3, rue de la République

DOM. DE SAINT-PAUL 2010 ★

■ 9 800 15 à 20 €

Grenache, syrah et une touche de cinsault composent ce 2010 au joli nez vanillé, fruité (cassis) et épicé, une touche minérale apportant de la fraîcheur. Ample et longue, la bouche est bien équilibrée entre rondeur et tanins serrés, entre nuances florales, fruitées et boisées. À découvrir dans deux à quatre ans.

Dom. de Saint-Paul, SCEA Élie Jeune, Clos Saint-Paul, rte de Sorgues, BP 58, 84232 Châteauneuf-du-Pape Cedex, tél. 04.90.83.70.28, fax 04.90.83.78.07, beatrice@domainesaintpaul.com r.-v.

DOM. DES SÉNÉCHAUX 2011

12 500 30 à 50 €

Propriétaire de Lynch-Bages, 5e cru classé de Pauillac, Jean-Michel Cazes a acquis en 2006 ses 26 ha de vignes castelpapales. Roussanne, grenache blanc, clairette et bourboulenc sont ici associés pour donner naissance à ce blanc en robe pâle et brillante, au nez discret et délicat de fleurs blanches (aubépine), bien équilibré en bouche entre gras et vivacité. Une volaille en sauce lui ira très bien, dans les deux ans à venir.

Dom. des Sénéchaux, 3, rue de la Nouvelle-Poste, 84230 Châteauneuf-du-Pape, tél. 04.90.83.73.52, fax 04.90.83.52.88, senechaux@domaine-des-senechaux.com t.l.j. sf sam. dim. 8h30-12h30 13h30-18h30

Jean-Michel Cazes

CH. SIXTINE Cuvée du Vatican 2010 ★★

■ 18 000 30 à 50 €

Le conclave des dégustateurs a consacré ce 2010, assemblage classique de grenache, de syrah et de mourvèdre, paré d'une robe pourpre de circonstance. Du verre s'échappent des senteurs intenses d'olive noire et de petits fruits rouges. Après une attaque fraîche et dynamique, le palais, riche et généreux, apparaît bâti sur une structure tannique imposante et néanmoins d'une réelle finesse. Puis une originale note iodée vient égayer la finale de ce vin remarquablement équilibré. Du Michel-Ange en bouteille... À attendre trois à cinq ans, voire davantage.

Ch. Sixtine, 10, rte de Courthézon, 84230 Châteauneuf-du-Pape, tél. 04.90.83.70.51, fax 04.90.83.50.36, contact@cuveeduvatican.fr r.-v.

Diffonty

FRÉDÉRIC STEHELIN Cuvée Bertrand Stehelin 2010

■ n.c. 20 à 30 €

Les ceps de grenache et syrah à l'origine de ce vin s'enracinent dans le terroir d'argile rouge et de galets roulés du lieu-dit Pied-Redon. La robe est pourpre et limpide. Le nez s'ouvre doucement sur les fruits à l'alcool. Le palais se révèle généreux, fruité et épicé, soutenu par de bons tanins fondus. Avec un peu plus de persistance, l'étoile était acquise. À boire dans les deux ou trois prochaines années.

Frédéric Stehelin, Paillère et Pied-Gû, 84190 Gigondas, tél. et fax 04.90.65.84.14, contact@vinstehelin.fr
t.l.j. sf dim. 8h-12h 13h-18h

DOM. PIERRE USSEGLIO ET FILS Tradition 2010 ★★

45 000 | 20 à 30 €

Un nom aux consonances transalpines : Francis Usseglio a en effet franchi les Alpes dans les années 1930, pour s'installer sur les terres castelpapales et fonder le domaine en 1949. Son fils Pierre prend la relève et agrandit le vignoble. Ce sont ses enfants Jean-Pierre et Thierry qui sont désormais aux commandes. Les deux frères proposent un 2010 qui a remporté le coup de cœur. Ses atouts ? Un bouquet expressif de fruits rouges et noirs (cassis), d'épices et de vanille, prélude à une bouche ample, ronde et charnue, adossée à de nobles tanins, soyeux et fins. Un vin harmonieux, élégant et profond, à déguster dans les cinq prochaines années sur un agneau au thym ou un magret de canard sauce au vin.

Dom. Pierre Usseglio et Fils, 10, rte d'Orange, 84230 Châteauneuf-du-Pape, tél. 04.90.83.72.98, fax 04.90.83.56.70, domaine-usseglio@wanadoo.fr
r.-v.

DOM. RAYMOND USSEGLIO ET FILS Tradition 2011

8 000 | 20 à 30 €

Stéphane Usseglio, troisième du nom à conduire le domaine familial, propose un blanc issu classiquement de grenache blanc, de roussanne, de clairette et de bourboulenc. Le nez, expressif et intense, évoque pêle-mêle les fleurs blanches, les agrumes, les fruits blancs, la noisette et les épices. La bouche se montre riche et généreuse, étayée par une fraîcheur bienvenue et agrémentée par une finale florale élégante. Ce vin mérite d'attendre une paire d'années pour parfaire son harmonie et se révéler pleinement.

Dom. Raymond Usseglio et Fils, 16, rte de Courthézon, BP 29, 84230 Châteauneuf-du-Pape, tél. 04.90.83.71.85, fax 04.90.83.50.42, info@domaine-usseglio.fr r.-v.

CH. DE VAUDIEU Clos du Belvédère 2011 ★★

3 000 | 30 à 50 €

Château édifié en 1767 par l'amiral Gérin, lieutenant de l'amirauté de Marseille. En 1955, Gabriel Meffre en fait l'acquisition, restructure et agrandit le vignoble : aujourd'hui 70 ha en 32 parcelles, autour d'un vénérable cèdre du Liban bicentenaire. Depuis 1987, sa fille Sylvette Bréchet, épaulée par ses deux fils Laurent et Julien, est aux commandes. Régulièrement en bonne place – la cuvée principale de blanc fut coup de cœur l'an dernier dans le millésime 2010 –, le vin de Vaudieu s'invite à nouveau dans ces colonnes avec cette cuvée de grenache blanc. De beaux reflets verts éclairent une robe jaune paille. Au nez, les fleurs blanches (acacia) se mêlent à un boisé ajusté. En bouche, l'équilibre est remarquable : du gras et de la fraîcheur, un élevage bien fondu qui n'écrase pas les arômes variétaux, une finale longue et dynamique. De nobles crustacés sont cordialement invités à table.

SARL Giaconda, Ch. de Vaudieu, rte de Courthézon, 84230 Châteauneuf-du-Pape, tél. 04.90.83.70.31, fax 04.90.83.51.97, contact@famillebrechet.fr
t.l.j. 8h30-12h30 14h-17h30
Famille Bréchet

XAVIER VINS 2009 ★★

6 000 | 20 à 30 €

Natif de Picardie, Xavier Vignon, après avoir œuvré comme *flying winemaker* dans nombre de vignobles français et étrangers, a créé une maison de négoce en 1998. Ce 2009 séduit d'emblée par sa large palette aromatique : pain d'épice, tabac blond, réglisse... Le palais achève de convaincre par sa grande douceur et son boisé élégant, qui n'écrase pas le fruit. Un modèle d'harmonie, à déguster sur un bœuf aux épices.

Xavier Vins, chem. des Saintes-Vierges, 84350 Courthézon, tél. 09.53.16.52.13, fax 09.58.16.52.13, info@xaviervins.com
t.l.j. sf sam. dim. 8h-17h; f. 22 déc.-3 jan.
Xavier Vignon

Lirac

Superficie : 745 ha
Production : 19 440 hl (91 % rouge et rosé)

Située en face de Châteauneuf-du-Pape, sur la rive droite du Rhône, l'appellation regroupe les vignobles de Lirac, de Saint-Laurent-des-Arbres, de Saint-Geniès-de-Comolas et de Roquemaure, au nord de Tavel. Les vignerons de ces côtes du Rhône gardoises ont été pionniers, se regroupant dès le XVIIIes. pour défendre et valoriser leur production, déjà réputée au XVIes. Les magistrats locaux l'authentifiaient en apposant sur les fûts, au fer rouge, les lettres « C d R ». Terrasses de cailloux roulés et terrains calcaires produisent des vins dans les trois couleurs : les rosés et les blancs, tout de grâce et de parfums, se boivent jeunes avec des fruits de mer ; les rouges puissants et généreux accompagnent les viandes rouges.

DOM. AMIDO 2010 ★

4 500 | 8 à 11 €

Un coup de cœur en tavel, une étoile en lirac : joli palmarès pour ce domaine cette année. Dominé par le mourvèdre, ce 2010 se pare d'une robe veloutée, couleur rubis foncé. Au nez, il livre des parfums de fruits mûrs mâtinés de nuances de cèdre et de fumé. Le palais se révèle gras et charnu, méditerranéen à souhait avec ses senteurs de garrigue. Un très beau représentant de l'appellation, à découvrir dans les deux ans à venir sur une terrine de lapin au thym.

🔑 SCEA Dom. Amido, Le Palai-Nord, 30126 Tavel,
tél. et fax 04.66.50.04.41, domaineamido@cegetel.net
t.l.j. 8h-12h 14h-18h; sam. dim. sur r.-v.

CH. D'AQUERIA 2011 ★★

	18 000		8 à 11 €

Valeur sûre en lirac et en tavel, ce domaine étend ses 56 ha de vignes d'un seul tenant autour d'un château du XVIᵉs. et son parc à la française. Vincent et Bruno de Bez proposent un blanc issu de cinq cépages (grenache blanc pour moitié), élégamment vêtu d'une robe pâle et limpide. Le nez dévoile de fines notes florales et fruitées. La bouche se révèle ronde et généreuse mais sans lourdeur aucune, tonifiée par une trame fraîche et un rien acidulée. Un vin équilibré, à réserver « pour une viande blanche en sauce ou, plus original, pour une fondue savoyarde », conseillent les vignerons.

🔑 SCA Jean Olivier, Ch. d'Aqueria, 30126 Tavel,
tél. 04.66.50.04.56, fax 04.66.50.18.46, contact@aqueria.com
r.-v.

DOM. DES CARABINIERS 2011 ★★

	4 000	8 à 11 €

Conduit en agriculture biologique depuis 1997, ce domaine régulier en qualité est passé en biodynamie en 2010. Son blanc, issu de clairette, roussanne, grenache blanc et bourboulenc, se présente dans une robe jaune brillant aux reflets verts. Le bouquet livre des parfums de fleurs blanches et d'agrumes. Souple en attaque, la bouche se révèle riche, aromatique et longue, une pointe de vivacité apportant le juste équilibre. Un vin harmonieux, à déguster sur une brandade de morue.

🔑 Christian Leperchois, Dom. des Carabiniers, RN 580,
30150 Roquemaure, tél. 04.66.82.62.94, fax 04.66.82.82.15,
carabinier@wanadoo.fr
t.l.j. sf sam. dim. 9h-12h 14h-18h

DOM. CASTEL OUALOU Instant rosé 2011 ★

	40 000		5 à 8 €

Les vignobles Assémat proposent un rosé bien typé, rose pâle à reflets violines, au nez frais et intensément fruité. Le palais se révèle bien équilibré entre le gras, la vivacité et le fruit (fraise), et s'étire longuement en finale. Tout indiqué pour l'apéritif ou pour une cuisine épicée.

🔑 Vignobles Assémat, BP 15, 30150 Roquemaure,
tél. 04.66.82.65.52, fax 04.66.82.86.76,
vignobles.assemat@wanadoo.fr
t.l.j. 8h-18h; sam. dim. sur r.-v.

DOM. DES COLOMBETTES 2010

	13 000		5 à 8 €

Mi-grenache mi-syrah, ce lirac vinifié par la coopérative de Pujaut se présente dans une jolie robe rubis limpide, le nez empreint de senteurs fruitées (mûre sauvage) et réglissées. Franche, fraîche, équilibrée, la bouche est à l'unisson, la réglisse et les fruits noirs accompagnant une agréable finale. À boire dans l'année, sur une viande en sauce.

🔑 SCA Cellier des Chartreux, RD 6580, 30131 Pujaut,
tél. 04.90.26.39.40, fax 04.90.26.46.83,
contact@cellierdeschartreux.fr
t.l.j. 8h-12h30 15h-19h

DOM. CORNE-LOUP Vieilli en fût de chêne 2010 ★

	12 000		8 à 11 €

Ce domaine tire son nom d'un ancien quartier de Tavel où, autrefois, un villageois était chargé d'alerter les habitants de l'arrivée imminente des loups. Il propose ici un lirac de bonne facture, à la robe profonde, grenat soutenu. Le nez, ouvert, mêle senteurs de sous-bois, de cannelle, avec une touche florale. La bouche, épicée et fruitée, se révèle franche et solidement structurée, gage d'un bon vieillissement de deux ou trois ans.

🔑 Dom. Corne-Loup, rue Mireille, 30126 Tavel,
tél. 04.66.50.34.37, fax 04.66.50.31.36,
corne-loup@wanadoo.fr r.-v.
🔑 Jacques Lafond

CH. CORRENSON Divinitas 2009 ★

	15 000		8 à 11 €

Installé depuis 2000 sur ce vignoble familial de 70 ha, Vincent Peyre représente la troisième génération. Il signe un 2009 à dominante de syrah, grenache et mourvèdre venant en complément. La robe est rouge foncé. Le nez, intense et généreux, mêle les fruits noirs mûrs au café torréfié. La bouche, dans le prolongement du bouquet, se montre chaleureuse et concentrée, soutenue par des tanins souples et soyeux. Un vin harmonieux, à réserver dans deux ou trois ans pour un civet.

🔑 Vincent Peyre, rte de Roquemaure,
30150 Saint-Geniès-de-Comolas, tél. 04.66.50.05.28,
fax 04.66.33.08.54, contact@chateau-correnson.fr
t.l.j. sf dim. 10h-12h 15h30-18h30

♥ **DOM. COUDOULIS** Hommage 2010 ★★

	7 000		15 à 20 €

Hommage aux plus vieilles et plus belles parcelles du domaine, cette cuvée a enthousiasmé les jurés. La syrah, élevée en fût, et le grenache, élevé en cuve, ont donné naissance à un lirac intense et fin à tous les stades de la dégustation. La robe est d'un beau rouge grenat profond. Le nez, expressif et franc, mêle en toute harmonie les fruits frais, les fruits mûrs et les épices (cannelle, safran). Le palais se montre charnu, riche et soyeux, soutenu par des tanins caressants et par une longue finale vanillée et épicée. Parfait sur un colombo de porc, aujourd'hui comme dans deux ans.

🔑 Dom. Coudoulis, rte de Saint-Victor-la-Coste,
30126 Saint-Laurent-des-Arbres, tél. et fax 04.66.03.29.13,
guillaumeperraud@orange.fr r.-v.

DOM. CROZE-GRANIER Bel Air 2010 ★★

	2 000		11 à 15 €

Grenache (80 %) et syrah composent ici une cuvée couleur rubis aux reflets bleutés, très fine et complexe dans sa palette aromatique mêlée de fruits rouges, d'épices (poivre, cannelle), de toasté et de senteurs typiques de garrigue. Au diapason, le palais se révèle doux et rond en attaque, puis monte en puissance, étayé par des tanins imposants mais élégants et par un boisé bien dosé. De quoi voir venir pour les trois prochaines années. Sans nom de cuvée, l'autre **rouge 2010 (8 à 11 € ; 1 000 b.)**, élevé en cuve, généreusement fruité, équilibré et long, obtient une étoile.

Dom. Croze-Granier, rue de L'Escatillon, 30150 Roquemaure, tél. 04.66.82.56.73, contact@domainegranier.fr r.-v.

CH. LE DEVOY MARTINE Via secreta 2010 ★

40 000 | 8 à 11 €

La Via secreta de Véronique Lombardo trace un chemin des plus agréables au sein des ceps de grenache, syrah, mourvèdre et cinsault pour aboutir à ce vin rubis soutenu, intensément fruité où l'on hume la cerise et la fraise compotées, avec quelques nuances épicées à l'arrière-plan. La bouche, souple et fine, emprunte la même voie fruitée et épicée, jusqu'à une longue finale gourmande. Une bouteille élégante, que l'on verrait bien accompagner un magret de canard.

Ch. le Devoy Martine, RN 580, 30126 Saint-Laurent-des-Arbres, tél. 04.66.50.01.23, fax 04.66.50.43.58, scealombardo@wanadoo.fr
t.l.j. sf dim. 8h30-12h 14h-18h; sam. sur r.-v.
Lombardo

DOM. DUSEIGNEUR Antarès 2009 ★

27 000 | 15 à 20 €

Conduit en bio depuis 1997 et en biodynamie depuis 2003, ce domaine propose un lirac rouge profond, au nez intense de fruits frais rehaussé de notes mentholées. La bouche, veloutée et persistante, dévoile un fruité plus chaleureux, soutenue par des tanins doux et la même fraîcheur mentholée perçue à l'olfaction. Un vin bien construit, équilibré, à découvrir dans les deux ou trois ans à venir.

Duseigneur, rue Nostradamus, 30126 Saint-Laurent-des-Arbres, tél. 04.66.50.02.57, info@domaineduseigneur.com r.-v.

CH. LA GENESTIÈRE Cuvée Raphaël 2010 ★★

26 000 | 8 à 11 €

La cave du domaine, fondé en 1935 par la famille Bernard et repris en 1994 par les Garcin, est installée dans une ancienne magnanerie. On y trouve cet assemblage classique grenache-syrah-mourvèdre élevé douze mois en fût, à l'origine d'un vin remarquable en tout point. La robe est intense et profonde. Le nez, franc, complexe et fin, mêle les fruits mûrs à la garrigue et à la vanille. Le palais, tapissé d'arômes de réglisse, de crème de café et de nuances fumées, se révèle rond à souhait, généreux, étayé par une trame tannique bien présente mais soyeuse. Une bouteille harmonieuse, à ouvrir dans les deux ans sur un perdreau rôti. La **cuvée Raphaël 2011 blanc (6 000 b.)**, florale, fraîche et équilibrée, obtient également deux étoiles.

Dom. Genestière Saint-Anthelme, Cravailleux, 30126 Tavel, tél. 04.66.50.07.03, fax 04.66.50.27.03, garcin-layouni@domaine-genestiere.com
t.l.j. 8h-12h 13h30-17h30
J.-C. Garcin

DOM. GRAND VENEUR Clos de Sixte 2010 ★

60 000 | 11 à 15 €

Navire-amiral de la maison Jaume et Fils, le Grand Veneur a étendu son vignoble en 2003 sur l'appellation lirac avec ce Clos de Sixte. Dans sa version 2010, le vin, paré d'une robe carminée aux reflets violets, dévoile un nez complexe de fruits cuits, d'épices, de tabac blond et de pierre à fusil. La bouche est à l'unisson, bien équilibrée, longue et d'une puissance mesurée. À boire dans les deux ans à venir. Côté négoce, le **châteauneuf Alain Jaume 2010 rouge Roquedon (8 à 11 € ; 27 000 b.)**, rond, soyeux et fruité, obtient lui aussi une étoile.

Dom. Grand Veneur, 1358, rte de Châteauneuf-du-Pape, 84100 Orange, tél. 04.90.34.68.70, fax 04.90.34.43.71, alain.jaume@wanadoo.fr
t.l.j. sf dim. 8h-12h 13h30-18h
Alain Jaume

DOM. DU JONCIER Les Muses 2010

6 600 | 15 à 20 €

Marine Roussel, après un parcours en graphisme et en illustration, reprend en 1996 le vignoble familial créé par son père. Elle le conduit en bio et en biodynamie, à petits rendements, et privilégie les extractions en douceur et les cuvaisons longues. Ici, dix-sept mois de cuve pour aboutir à ce 2010 pourpre aux reflets violines, au nez expressif de sous-bois, de fruits noirs mûrs et de réglisse, franc et équilibré en bouche, soutenu par des tanins fondus et tapissé d'arômes fruités et épicés. À boire dans les deux ou trois prochaines années, sur un canard sauce au poivre vert, par exemple.

Marine Roussel, Dom. du Joncier, 5, rue de la Combe, 30126 Tavel, tél. 04.66.50.27.70, fax 04.84.25.30.61, domainedujoncier@free.fr r.-v.

DOM. LAFOND La Ferme romaine 2009 ★

12 000 | 15 à 20 €

Cet incontournable domaine tavellois est fidèle au rendez-vous du Guide, comme toujours. Trois cuvées sont retenues en lirac. Cette Ferme romaine est un vin solaire, bien représentatif de ce millésime de grande maturité que fut 2009. La robe est rouge sang, profonde et dense. Le nez évoque le pruneau à l'eau-de-vie. La bouche est puissante, chaleureuse, charnue ; on y retrouve ces arômes de fruits macérés dans l'alcool, soutenus par des tanins soyeux. À réserver dès l'automne pour un gibier ou une viande en sauce. Le **Lafond Roc-Épine 2010 rouge (8 à 11 € ; 70 000 b.)**, cuvée principale du domaine, plus frais, ample, rond et fruité, fait jeu égal, tout comme le **Lafond Roc-Épine blanc 2011 (8 à 11 € ; 12 000 b.)**, long et bien équilibré.

Dom. Lafond, rte des Vignobles, 30126 Tavel, tél. 04.66.50.24.59, fax 04.66.50.12.42, lafond@roc-epine.com r.-v.

DOM. LA LÔYANE Cuvée Marie 2010 ★★

	1 950		20 à 30 €

Domaine la Lôyane
2010 Cuvée Marie 2010
Vendanges Manuelles
LIRAC
APPELLATION LIRAC CONTRÔLÉE
14,5%vol. Élevé et Mis en Bouteille au Domaine 75 cl
G.A.E.C Domaine la Lôyane
Dominique, Jean-Pierre, Romain DUBOIS - Propriétaires-Récoltants
Le Clos Marie - Quartier la Lôyane - 30650 ROCHEFORT DU GARD
CONTIENT DES SULFITES - PRODUIT DE FRANCE - CONTAINS SULFITES

Issue d'une parcelle de ceps centenaires implantée à Saint-Laurent-des-Arbres, cette cuvée Marie fait la part belle au grenache et a séjourné douze mois en barrique. Elle se présente dans une robe sombre et dense, tirant vers le noir. Le nez, puissant et chaleureux, évoque le pruneau à l'eau-de-vie, la cerise burlat bien mûre, le sous-bois et le café torréfié. Portée par des tanins soyeux et fondus, la bouche séduit par sa douceur, sa souplesse, sa rondeur et sa longue finale épicée et réglissée. Armée pour une garde de quatre ou cinq ans, cette bouteille fera merveille sur des cailles au foie gras. La cuvée principale **2010 rouge (8 à 11 €; 5 000 b.)**, notée une étoile, est un lirac chaleureux, kirsché, rafraîchi par une touche mentholée. Sa belle présence tannique laisse entrevoir un bon potentiel de vieillissement.

Dubois, GAEC Dom. la Lôyane, Le Clos-Marie, chem. de la Font-des-Cavens, 30650 Rochefort-du-Gard, tél. 06.11.60.86.36, fax 04.90.26.68.04, la-loyane-jean-pierre.dubois@orange.fr t.l.j. sf dim. lun. mar. 9h-12h 14h-19h

DOM. MABY Casta Diva 2011 ★★

	2 600		15 à 20 €

« Multi-coups de cœur », ce domaine, conduit depuis 2005 par Richard Maby, petit-fils du fondateur, étend l'essentiel de son vignoble sur le plateau de galets roulés de Vollongue. Deux blancs sont à l'honneur. Cette Casta Diva, issue de viognier et de clairette à parts égales, avec le piquepoul en appoint, se pare d'une robe jaune pâle aux reflets verts. Le nez, à la fois riche et fin, mêle un boisé délicat à un fruité mûr. Frais en attaque, le palais montre ensuite plus de gras et de chaleur, et déroule une longue finale aromatique et généreuse, soutenue par le même boisé mesuré perçu à l'olfaction. À déguster sur une viande blanche ou un poisson en sauce. La cuvée **La Fermade 2011 blanc (8 à 11 €; 28 000 b.)**, élevée en cuve, fraîche et fruitée, obtient une étoile.

Dom. Maby, 249, rue Saint-Vincent, 30126 Tavel, tél. 04.66.50.03.40, fax 04.66.50.43.12, domaine-maby@wanadoo.fr t.l.j. 8h-17h30; sam. dim. sur r.-v.

MAS ISABELLE Grand Roc 2010 ★

	9 000		11 à 15 €

Isabelle Boulaire avait fait une entrée remarquée l'an dernier dans ces pages avec son Grand Roc 2009, son premier millésime en solo, hors de la cave coopérative. Elle confirme son savoir-faire avec son 2010, un vin de couleur cerise noire, au bouquet expressif de fruits mûrs et de vanille, souple, frais, épicé et bien structuré en bouche. De bons arguments pour une dégustation dans les deux ans sur une pastilla de canard aux myrtilles.

Isabelle Boulaire, 53, rue du Pont-de-Nizon, 30126 Lirac, tél. 04.66.50.47.98, contact@mas-isabelle.com r.-v.

CH. MONT-REDON 2010 ★

	73 000		8 à 11 €

Coup de cœur pour son rosé 2010 l'an dernier, Mont-Redon, valeur sûre de l'appellation, revient avec un rouge et un blanc. Le premier est un vin couleur cerise noire ornée de reflets bleutés, qui s'ouvre à l'aération sur le poivre et la réglisse. La myrtille et la vanille complètent cette palette aromatique dans une bouche souple, ronde et soyeuse. Déjà aimable, ce lirac pourra aussi patienter deux ou trois ans en cave. Le **2011 blanc (11 000 b.)**, bien équilibré entre rondeur et fraîcheur, entre boisé et fruité, obtient également une étoile.

Ch. Mont-Redon, BP 10, 84231 Châteauneuf-du-Pape Cedex, tél. 04.90.83.72.75, fax 04.90.83.77.20, contact@chateaumontredon.fr r.-v.
Abeille-Fabre

DOM. DE LA MORDORÉE La Reine des bois 2011 ★★

	18 000	11 à 15 €

Plus souvent distingué pour sa Reine des bois version rouge, l'incontournable domaine de la Mordorée s'illustre particulièrement cette année avec son blanc. Pas moins de six cépages sont ici assemblés : grenache blanc, viognier, roussanne, marsanne, piquepoul et clairette. Le résultat ? Un vin limpide et lumineux dans sa robe jaune pâle, au nez intense de fruits à chair blanche et de fruits exotiques, remarquablement équilibré en bouche, à la fois rond et frais, soutenu par une fine acidité qui porte loin la finale. Parfait pour une dorade grillée. **La Reine des bois 2010 rouge (15 à 20 €; 40 000 b.)** ne manque pas au rendez-vous ; franche, fruitée, elle dévoile un boisé bien intégré et des tanins serrés : une étoile.

Dom. de la Mordorée, chem. des Oliviers, 30126 Tavel, tél. 04.66.50.00.75, fax 04.66.50.47.39, info@domaine-mordoree.com t.l.j. 8h-12h 13h30-17h30
Delorme

DOM. LA ROCALIÈRE Dentelle noire 2009 ★★

	4 500		15 à 20 €

Les lecteurs ne seront pas surpris de retrouver les vins de la Rocalière, valeur sûre des appellations lirac et tavel. Ici, deux rouges ont charmé les jurés. En premier lieu, cette Dentelle noire drapée d'une robe... noire, particulièrement profonde. Au nez, les fruits rouges confiturés se mêlent à de belles senteurs truffées. On retrouve ces arômes dans une bouche riche, puissante et longue, portée par des tanins fondus. À boire dès l'automne ou à garder trois ou quatre ans, ce vin fera merveille sur une daube. La cuvée principale **2010 rouge (8 à 11 €; 11 000 b.)** obtient une étoile pour son joli fruité rehaussé d'épices et de notes de sous-bois.

Dom. la Rocalière, Le Palai-Nord, 30126 Tavel, tél. 04.66.50.12.60, fax 04.66.50.23.45, rocaliere@wanadoo.fr t.l.j. 8h-12h 14h-18h; sam. dim. sur r.-v.

ROCCA MAURA Terra ancestra 2010 ★

■ 13 000 11 à 15 €

La très qualitative et ancienne (1922) cave coopérative de Roquemaure – coup de cœur l'an dernier pour sa Terra ancestra en rouge 2009 – est fidèle au rendez-vous du Guide. Assemblage par tiers de syrah, de grenache et de mourvèdre, cette même cuvée version 2010, pourpre intense, livre un bouquet délicat et ouvert de fruits rouges (cerise) et noirs agrémenté de vanille et de réglisse. La bouche offre un beau retour fruité, soutenue par des tanins au grain fin et une trame acide agréable et vivifiante. Un vin équilibré, que l'on pourra déguster aujourd'hui ou dans deux ans sur une bavette aux échalotes. Le **Tradition rosé 2011 (5 à 8 €; 20 000 b.)**, amylique, fruité (agrumes) et frais, est cité.

Rocca Maura, 1, rue des Vignerons, 30150 Roquemaure, tél. 04.66.82.82.01, fax 04.66.82.67.28, contact@vignerons-de-roquemaure.com

t.l.j. sf dim. 9h-12h 14h-18h

CH. SAINT-ROCH 2011 ★★

■ 10 000 8 à 11 €

Blanc, rouge, rosé, les trois couleurs de l'appellation sont ici représentées. En tête, ce rosé couleur saumonée, au nez intense de fruits mûrs, que prolonge une bouche riche, longue, équilibrée par une juste fraîcheur en finale. Un vin harmonieux, pour tout un repas. La cuvée **Confidentielle 2010 rouge (11 à 15 €; 10 000 b.)**, souple, ronde, au boisé fondu, obtient une étoile, tandis que la cuvée **Les Sentes 2011 blanc (5 à 8 €; 5 000 b.)** est citée pour son nez de noisette et de fruits mûrs, et pour son palais bien équilibré.

Ch. Saint-Roch, Brunel Frères, chem. de Lirac, 30150 Roquemaure, tél. 04.66.82.82.59, fax 04.66.82.83.00, brunel@chateau-saint-roch.com

t.l.j. sf sam. dim. 8h-12h 14h-17h; f. 1er-15 août

CH. DE SÉGRIÈS 2010

■ 67 000 8 à 11 €

Ce domaine familial de 30 ha propose un « rouge plaisir » issu de cinq cépages. Un vin carminé, animé de reflets violets, qui mêle au nez des senteurs de sous-bois, de garrigue et de fruits rouges mûrs. Au palais, il se montre souple, frais, fruité et de bonne longueur. À boire dès à présent sur une grillade.

SCEA Henri de Lanzac, Ch. de Ségriès, chem. de la Grange, 30126 Lirac, tél. 04.66.50.22.97, fax 04.66.50.17.02, chateaudesegries@wanadoo.fr

t.l.j. sf dim. 10h-12h 15h-18h au caveau Le Chemin du Roy à Tavel; f. janv.

LES VIGNERONS DE TAVEL Les Hauts d'Acantalys 2010

■ 19 000 5 à 8 €

La coopérative de Tavel propose une cuvée assemblant grenache, syrah, mourvèdre et carignan. Dans le verre, une teinte rouge foncé et des parfums discrets de fruits rouges frais. On retrouve les fruits, cerise en tête, dans une bouche structurée par des tanins bien présents, encore un peu austères en finale. À attendre un an ou deux pour que l'ensemble se fonde.

Les Vignerons de Tavel, rte de la Commanderie, 30126 Tavel, tél. 04.66.50.03.57, fax 04.66.50.46.57, contact@cavedetavel.com r.-v.

Tavel

Superficie : 945 ha
Production : 35 790 hl

Considéré par beaucoup comme le meilleur rosé de France, ce grand vin de la vallée du Rhône provient d'un vignoble situé dans le département du Gard, sur la rive droite du fleuve, à Tavel et sur quelques parcelles de la commune de Roquemaure. C'est la seule appellation rhodanienne à ne produire que du rosé. Sur des sols de sable, d'alluvions argileuses ou de cailloux roulés, grenache, cinsault, mourvèdre, syrah, accompagnés de carignan et aussi de cépages blancs donnent un vin généreux, au bouquet floral et fruité, qui accompagnera poisson en sauce, charcuterie et viandes blanches.

♥ **DOM. AMIDO** Les Amandines 2011 ★★

■ 25 000 8 à 11 €

Macération du grenache noir pendant quarante-huit heures, débourbage du jus de saignée et de presse, puis fermentation ; encuvage et fermentation du cinsault pendant sept jours ; pressurage direct de la syrah ; assemblage post-fermentation des cépages. Telle est la « recette » à l'origine de cette cuvée, dont le nom fait référence à Amandine, petite-fille de Christian Amido. Le résultat est superbe. La robe se fait brillante, couleur grenadine, ornée de reflets violines. Le nez intense mêle fruits rouges frais et nuances mentholées. Le palais fruité, frais et long, est un modèle du genre. Un tavel remarquablement équilibré, que l'on verrait bien sur des tempuras.

SCEA Dom. Amido, Le Palai-Nord, 30126 Tavel, tél. et fax 04.66.50.04.41, domaineamido@cegetel.net

t.l.j. 8h-12h 14h-18h; sam. dim. sur r.-v.

LES COMBELLES 2011 ★★

■ 80 000 5 à 8 €

Cette maison de négoce propose une cuvée issue de grenache à 80 %, avec le cinsault et la syrah en complément. Une belle teinte rose saumon aux éclats orangés illumine le verre. Au nez, les fruits rouges mûrs et les agrumes font bon ménage. Dans le prolongement de l'olfaction, la bouche renoue avec les fruits, la fraise écrasée notamment, soutenue par une franche vivacité qui lui donne de l'allonge. Un tavel harmonieux, à découvrir sur une paella.

La Compagnie rhodanienne, 19, Chem.-Neuf, 30210 Castillon-du-Gard, tél. 04.66.37.49.50, fax 04.66.37.49.51, pierre.martin@rhodanienne.com
Groupe Taillan

DOM. CORNE-LOUP Cuvée du Gouverneur 2011 ★

3 800 | 11 à 15 €

Cette cuvée du Gouverneur, assemblage de six cépages, grenache en tête, se présente dans une élégante robe rose vif qui attire l'œil. Le nez se montre frais et fruité, avec une touche minérale en soutien. La bouche offre du gras et du volume, une bonne structure et un fruité intense. Voilà un vin gourmand que l'on appréciera volontiers sur une viande blanche. La **cuvée principale 2011 (8 à 11 € ; 100 000 b.)**, issue des mêmes cépages, plus légère et bien équilibrée, est citée.

Dom. Corne-Loup, rue Mireille, 30126 Tavel, tél. 04.66.50.34.37, fax 04.66.50.31.36, corne-loup@wanadoo.fr r.-v.
Jacques Lafond

DOM. GARCIN 2011 ★

70 000 | 8 à 11 €

Ce vaste domaine de 110 ha, dont la cave est une ancienne magnanerie, est conduit depuis 1994 par J.-C. Garcin. Ce dernier signe un tavel plein de fraîcheur, qui dévoile, derrière sa robe brillante, couleur grenadine, des notes de fruits rouges (fraise), d'agrumes et de pivoine. Franche en attaque, la bouche est au diapason, portée par une jolie finale acidulée. Un poisson grillé sera le bienvenu. Le **Dom. la Genestière 2011 Cuvée Raphaël (40 000 b.)**, frais et fruité, est cité.

Dom. Genestière Saint-Anthelme, Cravailleux, 30126 Tavel, tél. 04.66.50.07.03, fax 04.66.50.27.03, garcin-layouni@domaine-genestiere.com
t.l.j. 8h-12h 13h30-17h30
J.-C. Garcin

DOM. LAFOND ROC-ÉPINE 2011 ★

130 000 | 8 à 11 €

Coup de cœur l'an dernier pour leur tavel 2010, Jean-Pierre et Pascal Lafond signent un 2011 issu de raisins en conversion bio depuis 2009. En robe claire, ce vin livre un bouquet fort plaisant de fruits frais, agrémenté de nuances florales. La bouche est à l'unisson, fruitée, vive et tonique. Un bon classique, à déguster sur un *vitello tonnato*.

Dom. Lafond, rte des Vignobles, 30126 Tavel, tél. 04.66.50.24.59, fax 04.66.50.12.42, lafond@roc-epine.com
r.-v.

DOM. DE LANZAC Cuvée Prestige 2011 ★

6 000 | 11 à 15 €

Cette cuvée Prestige est issue de vieux ceps de grenache, de syrah et de cinsault. Drapée dans une robe rose bonbon, elle dévoile des parfums intenses et fins de fruits exotiques, rehaussés par une touche minérale. On retrouve cette finesse dans une bouche vive, citronnée et longue. Une bouteille tout indiquée pour un apéritif sous la tonnelle, une petite friture de chipirons posée sur la table de jardin.

Dom. de Lanzac, rte de Pujaut, 30126 Tavel, tél. 04.66.50.22.17, fax 04.66.50.47.44, domainedelanzac@hotmail.com t.l.j. sf dim. 9h-19h

DOM. LAURENT 2011 ★

5 000 | 5 à 8 €

Proposé par la coopérative de Roquemaure, ce 2011 né de grenache et de syrah séduit par son nez intensément fruité (fraise, groseille, cerise), un rien floral. On retrouve le fruit dans une bouche harmonieuse, juste dosage de fraîcheur et de gras. Parfait pour une cuisine asiatique, des nems aux crevettes par exemple.

Rocca Maura, 1, rue des Vignerons, 30150 Roquemaure, tél. 04.66.82.82.01, fax 04.66.82.67.28, contact@vignerons-de-roquemaure.com
t.l.j. sf dim. 9h-12h 14h-18h
Milaire

LAVAU 2011 ★

5 000 | 5 à 8 €

La famille Lavau, originaire de Saint-Émilion, est installée dans la vallée du Rhône depuis 1964. Cette maison de négoce, en partenariat avec 350 vignerons rhodaniens, vient d'acquérir un vignoble à Valréas et lancera prochainement sa propre cuvée de domaine. En attendant, on appréciera ce tavel de négoce très réussi, au nez léger mais fort plaisant de fruits rouges, au palais gras et rond, une juste vivacité en soutien apportant l'équilibre. Un vin harmonieux, à déguster sur des *involtini* à la sauce tomate.

Lavau, rte de Cairanne, 84150 Violès, tél. 04.90.70.98.70, fax 04.90.70.98.79, aurelie@lavau.eu
t.l.j. sf dim. 10h-12h 14h-19h

DOM. MABY Prima Donna 2011 ★★

20 000 | 8 à 11 €

Cette Prima Donna de Richard Maby, issue de cinsault à 60 % et de grenache noir, arbore une jolie robe brillante et livre des parfums intenses de fruits frais (fraise, cerise). En bouche, elle fait montre d'une grande fraîcheur, longuement tapissée d'arômes de fruits rouges et de fruits à chair blanche. De quoi ravir les papilles sur un saumon mi-cuit et légumes à la provençale.

Dom. Maby, 249, rue Saint-Vincent, 30126 Tavel, tél. 04.66.50.03.40, fax 04.66.50.43.12, domaine-maby@wanadoo.fr
t.l.j. 8h-17h30; sam. dim. sur r.-v.

MAISON MÉJAN-TAULIER 2011

19 000 | 5 à 8 €

Florence Méjan convertit son vignoble à l'agriculture biologique et le logo devrait bientôt être apposé sur l'étiquette. Ce 2011 à dominante de grenache (60 %), paré d'une robe saumonée, livre un bouquet de fruits frais (cerise, fraise). La bouche, elle aussi sur les fruits rouges, se montre vive et tonique. Pour l'apéritif ou une grillade au barbecue.

SCEA Méjan-Taulier, pl. du Pt-Le-Roy, 30126 Tavel, tél. 04.66.50.04.02, fax 04.66.50.21.72, domaine.mejan@orange.fr r.-v.

♥ **DOM. DE LA MORDORÉE** La Reine des bois 2011 ★★

3 000 | 11 à 15 €

Nouveau coup de cœur pour la Mordorée ! Après La Dame rousse l'an dernier, place à La Reine des bois, qui s'illustre plus souvent en lirac. Elle revêt ici une superbe robe rose bonbon, « pimpante et joyeuse », écrit un dégustateur. Le nez, à la fois subtil et intense, mêle la fleur

de sureau aux fruits rouges et aux fruits exotiques (grenade). Tout aussi raffinée, la bouche tient la note et s'étire longuement en finale, portée par une fraîcheur délicate. Un vin remarquable d'élégance, que l'on réservera pour un mets fin, un dos de cabillaud aux piquillos et purée de patates douces, par exemple. **La Dame rousse 2011 (8 à 11 € ; 40 000 b.)**, gourmande, fraîche et fruitée, obtient une étoile.

Dom. de la Mordorée, chem. des Oliviers, 30126 Tavel, tél. 04.66.50.00.75, fax 04.66.50.47.39, info@domaine-mordoree.com
t.l.j. 8h-12h 13h30-17h30
Delorme

OGIER Bargelière 2011

90 000 | 5 à 8 €

Cette cuvée de négoce se présente dans une robe rose foncé, ornée de reflets orangés. Elle exhale des parfums de bonbon anglais, de litchi et de fruits des bois. En bouche, elle joue plutôt dans le registre de la douceur que dans celui de la vivacité, offrant un bon volume et de la longueur. Un tavel tout indiqué pour une cuisine sucrée-salée.

Ogier, 10, av. Louis-Pasteur, 84230 Châteauneuf-du-Pape, tél. 04.90.39.32.00, fax 04.90.83.72.51, ogier@ogier.fr
t.l.j. sf dim. 9h-12h 14h-18h30 2

PRIEURÉ DE MONTÉZARGUES 2011 ★★

90 000 | 8 à 11 €

Californie, Argentine, Australie, Afrique du Sud, Bordelais, Bourgogne, Guillaume Dugas a parcouru le vaste monde viticole avant de s'installer en 2003 sur cet ancien prieuré de l'ordre de Gramont (XIIe s.). Il signe un tavel remarquable par son bouquet fin de fruits rouges et d'agrumes (clémentine), et par son palais élégant, fruité, rond et tonique à la fois grâce à une belle vivacité en soutien. Un vin harmonieux, qui devrait s'entendre avec un carpaccio de thon.

Guillaume Dugas, Prieuré de Montézargues, rte de Rochefort-du-Gard, 30126 Tavel, tél. 04.66.50.04.48, fax 04.66.50.30.41, gdugas@prieuredemontezargues.fr
t.l.j. 8h-12h 14h-18h; sam. dim. sur r.-v.

DOM. LA ROCALIÈRE Perle de culture 2011 ★

3 600 | 8 à 11 €

Cette Perle de culture, issue de grenache, de cinsault et de syrah, revêt une belle robe rubis clair. Au nez, elle évoque les fleurs blanches et les fruits à chair blanche. En bouche, on apprécie son volume, sa fraîcheur et sa finesse. Un rosé équilibré, à découvrir sur un poulet tandoori. La **cuvée principale 2011 (20 000 b.)**, plus douce, est citée.

Dom. la Rocalière, Le Palai-Nord, 30126 Tavel, tél. 04.66.50.12.60, fax 04.66.50.23.45, rocaliere@wanadoo.fr
t.l.j. 8h-12h 14h-18h; sam. dim. sur r.-v.
Borrelly-Maby

DOM. ROC DE L'OLIVET 2011

3 300 | 8 à 11 €

Thierry Valente a conservé une bouteille millésimée 1935, souvenir des premiers temps du domaine familial, avant que son nom ne disparaisse un an plus tard et que les raisins ne soient apportés à la coopérative de Tavel. Ressuscité en 1996, le Roc de l'Olivet fréquente régulièrement les colonnes du Guide. Ce 2011, en robe légère ornée de reflets bleutés, s'ouvre à l'aération sur les petits fruits rouges et dévoile une bouche à l'unisson, fraîche et fruitée. Un rosé d'apéritif, à servir avec quelques feuilles de vignes en accompagnement.

Thierry Valente, chem. de la Vaussière, 30126 Tavel, tél. et fax 04.66.50.37.87, valente.thierry@wanadoo.fr
r.-v.

LES VIGNERONS DE TAVEL Cuvée Tableau 2011 ★

20 000 | 5 à 8 €

Dans ce Tableau, sélection parcellaire signée par la coopérative de Tavel, le grenache est au premier plan (60 %), le cinsault et la clairette au second, avec quelques touches de carignan, de syrah et d'autres cépages en complément. La robe est rose foncé. La palette aromatique est dominée par les fruits rouges, fraise en tête, agrémentée de nuances florales et, en bouche, de notes d'agrumes. L'ensemble est bien composé, frais et harmonieux.

Les Vignerons de Tavel, rte de la Commanderie, 30126 Tavel, tél. 04.66.50.03.57, fax 04.66.50.46.57, contact@cavedetavel.com r.-v.

CH. DE TRINQUEVEDEL Cuvée traditionnelle 2011

130 000 | 8 à 11 €

Les Demoulin se succèdent depuis soixante-dix ans et quatre générations sur ce domaine de 27 ha commandé par une bastide du XVIIIe s. Pour ce 2011, sept cépages sont utilisés, grenache, cinsault et clairette en tête. Un vin plaisant, rose soutenu aux reflets grenat, sur les fleurs et fruits blancs, frais et gourmand en bouche. Pour une poêlée de calamars à la sauce tomate.

Ch. de Trinquevedel, 30126 Tavel, tél. 04.66.50.04.04, fax 04.66.50.31.66, demoulin@chateau-trinquevedel.fr
t.l.j. 9h-12h 14h-19h; sam. dim. sur r.-v.
Demoulin

DOM. LE VIEUX MOULIN 2011 ★★

29 000 | 5 à 8 €

Ce domaine familial, conduit de père en fils depuis six générations, étend son vignoble de 60 ha sur les AOC tavel, lirac et côtes-du-rhône ainsi qu'en IGP. Six cépages sont ici saignés pour donner naissance à ce 2011 rubis clair nuancé de violet, au nez intense de fruits noirs (cassis) et rouges, au palais frais, aromatique et équilibré. Un tavel friand, à boire sur une cuisine exotique, des nouilles sautées au poulet et petits légumes croquants, par exemple.

EARL Roudil-Jouffret, rte de la Commanderie, Le Palai-Nord, 30126 Tavel, tél. 04.66.82.85.11, fax 04.66.82.84.18, roudil-jouffret@wanadoo.fr
t.l.j. sf sam. dim. 8h-12h 14h-18h
Didier Jouffret

Costières-de-nîmes

Superficie : 3 950 ha
Production : 207 365 hl (92 % rouge et rosé)

Rouges, rosés ou blancs, les costières-de-nîmes naissent dans un vignoble établi sur les pentes ensoleillées de coteaux constitués de cailloux roulés – les cailloutis du villafranchien –, dans un quadrilatère délimité par Meynes, Vauvert, Saint-Gilles et Beaucaire, au sud-est de Nîmes, et au nord de la Camargue. L'appellation s'étend sur le territoire de vingt-quatre communes. Les cépages autorisés en rouge sont le carignan, le cinsault, le grenache noir, le mourvèdre et la syrah ; en blanc, ce sont la clairette, la marsanne, la roussanne et le rolle. Les rosés s'associent aux charcuteries de l'Ardèche, les blancs se marient fort bien aux coquillages et aux poissons de la Méditerranée, et les rouges, chaleureux et corsés, préfèrent les viandes grillées. Une route des Vins parcourt cette région au départ de Nîmes.

CH. BEAUBOIS Élégance 2011 ★★★

5 000 — 8 à 11 €

Ce terroir argilo-calcaire du sud des Costières a été mis en valeur au XIIIe s. par les moines de l'abbaye cistercienne de Franquevaux. La proximité de la Méditerranée engendre de salutaires nuits fraîches qui calment les ardeurs diurnes du soleil. La syrah, le grenache et le cinsault y trouvent un beau terrain d'expression ; ils ont donné naissance à ce vin magnifique dans sa robe pâle et brillante, couleur pamplemousse rose. Très expressif, le bouquet évoque l'abricot frais, l'amande douce et les fleurs blanches. Le palais se fait caressant, doux et délicat, et prolonge les senteurs florales et fruitées de l'olfaction dans une superbe et longue finale. De l'élégance à revendre et un accord (très) gourmand avec une poêlée de saint-jacques ou un gratin de langoustines à la tomate. Le **blanc Élégance 2011 (8 000 b.)**, frais, intense et fruité, obtient une étoile.

Fanny et François Boyer, Ch. Beaubois, 30640 Franquevaux, tél. 04.66.73.30.59, fax 04.66.73.33.02, chateau-beaubois@wanadoo.fr
t.l.j. 9h-12h 14h-18h

CH. DE BEZOUCE 2011 ★

45 333 — - de 5 €

Ici, on a « l'éco-attitude » : bouchons issus de forêts protégées, étiquettes et cartons en papier recyclé, verre recyclable... On a aussi le souci du vin bien fait, comme en témoigne ce rouge issu de syrah et de grenache, au nez intense de fruits rouges relevés de notes poivrées, au palais gras, puissant et bâti sur des tanins encore en devenir mais prometteurs. À servir sur une pièce de gibier dans un an ou deux. Le **rosé 2011 (28 533 b.)**, généreux, rond, floral et fruité, est cité.

Denis Roux, Ch. Bezouce, 47, rte Nationale, 30320 Bezouce, tél. 06.70.01.85.38, fax 04.66.75.26.67, chateaubezouce@wanadoo.fr
t.l.j. sf dim. 10h-12h 16h-18h30

CH. BOLCHET Cuvée Tradition Amaury 2011 ★

24 000 — 5 à 8 €

Amaury est l'un des trois enfants de Béatrice Bécamel, installée à la tête du vignoble familial depuis 1991. Il donne son nom à ce costières mi-grenache mi-syrah, un vin rouge sombre et profond, au nez puissant de fruits rouges et d'épices, gras et intense en bouche, adossé à des tanins fondus. Un ensemble déjà fort aimable, que l'on pourra aussi apprécier dans un an ou deux sur une épaule d'agneau rôtie à la fleur de sel.

Béatrice Bécamel, Ch. Bolchet, 30132 Caissargues, tél. et fax 04.66.29.14.79, vin.chateau.bolchet@wanadoo.fr
t.l.j. sf dim. 9h-12h 14h-19h; sam. 9h-12h

CH. DE CAMPUGET 2011 ★★

150 000 — 5 à 8 €

Une invitation au partage sous la tonnelle que ce rosé syrah-grenache, en compagnie de salades, charcuteries et autres gourmandises apéritives. Les petits fruits rouges, fraise en tête, aiguisent le nez, puis les papilles, en tapissant longuement un palais tendre, ample et frais. Un vin friand à souhait et très expressif, que l'on pourra aussi garder pour les grillades et la salade de fruits.

Ch. de Campuget, Campuget, 30129 Manduel, tél. 04.66.20.20.15, fax 04.66.20.60.57, campuget@campuget.com
t.l.j. sf dim. 9h-12h 14h-18h 5
Famille Dalle

DAUVERGNE RANVIER Vin gourmand 2011 ★

120 000 — - de 5 €

Cette cuvée à dominante de syrah annonce la couleur : un vin gourmand. Entendez par là un vin au nez généreusement fruité et épicé (poivre), intense et tout aussi généreux en bouche, adossé à des tanins fondus. Pour un plaisir immédiat, sur une entrecôte sauce au poivre. La **cuvée Pitchoun 2011 rouge (5 à 8 €; 30 000 b.)**, dans un style proche, plus chaleureuse encore et également bien épicée, est citée.

R & D Vins, Ch. Saint-Maurice, RN 580, L'Ardoise, 30290 Laudun, tél. 04.66.82.96.57, fax 04.66.82.96.58, francois.dauvergne@dauvergne-ranvier.com

CH. L'ERMITAGE Sainte-Cécile 2011

5 400 — 8 à 11 €

Roussanne, viognier et grenache blanc, par ordre d'importance, composent cette cuvée pâle et cristalline. Au nez, la vanille a le premier rôle, les fruits restant en retrait. Les trois mois de fût donnent aussi le ton dans un palais frais, assez puissant et de bonne longueur. Idéal pour amateurs de blancs boisés, ce costières s'appréciera de préférence sur une volaille ou un poisson en sauce.

Jérôme Castillon,
Ch. l'Ermitage, 1301, chem. dit de La Saou,
30800 Saint-Gilles, tél. 04.66.87.04.49, fax 04.66.87.16.02,
contact@chateau-ermitage.com
t.l.j. sf dim. 9h-12h 13h30-17h30

CH. FONT BARRIÈLE 2010

15 000 | 8 à 11 €

Née en 2004 de la fusion de quatre coopératives, la cave Les Vignerons créateurs a vinifié ce vin du château Font Barrièle, propriété de la famille Gourjon depuis quatre générations. La robe est dense et profonde. Le nez mêle aux fruits noirs un boisé encore prégnant (cèdre, vanille). Le palais, ample et tannique, est lui aussi encore sous l'emprise du fût. Une garde de deux ou trois ans est nécessaire pour que l'ensemble se fonde. À réserver à un mets de caractère, une gardiane par exemple.

SCA Les Vignerons créateurs, 20, rte de Nîmes,
30300 Jonquières-Saint-Vincent, tél. 04.66.01.10.39,
fax 04.66.01.14.90, c.gourjon@vigneronscreateurs.com
t.l.j. sf dim. 9h-12h 14h30-18h

CH. GRAND ESCALION Haut Turcas 2011 ★

36 000 | - de 5 €

Prenons un peu de hauteur : ce domaine tire son nom de sa situation, en haut d'une colline, et sa cuvée Haut Turcas signifie « monticule ». Côté vin, le niveau aussi est tiré vers le haut avec ce rosé couleur pomélo, au nez intense de groseille et de mandarine, souple, tonique et fruité en bouche, une jolie finale acidulée concluant la dégustation. Parfait pour un apéritif accompagné d'une *bruschetta* de tomate, poivron mariné et jambon de Parme.

Gabriel Meffre, Ch. Grand Escalion, 30510 Générac,
tél. 04.90.12.32.42, fax 04.90.12.35.49,
gabriel-meffre@meffre.com

MARC KREYDENWEISS Perrières 2010

20 000 | 11 à 15 €

Acquis par une famille bien connue à Andlau en Alsace et cultivé en bio depuis 1999, ce domaine propose un assemblage réussi de mourvèdre, grenache, syrah et carignan à parts égales. Le nez se distingue par des notes balsamiques intenses (cèdre), le fruit restant pour l'heure en retrait. Gras, onctueux, mais encore un peu boisé, le palais est à l'avenant. À servir dans les deux prochaines années sur une volaille rôtie accompagnée de champignons.

Marc Kreydenweiss, 701, chem. des Perrières,
30129 Manduel, tél. 04.66.20.60.09,
manduel@kreydenweiss.com r.-v.

MAS CARLOT Tradition 2011 ★

28 000 | 5 à 8 €

Ancienne propriété de l'amiral de Grasset, qui fut au service de Ferdinand II de Bourbon, roi des Deux-Siciles, ce domaine est conduit depuis 1998 par Nathalie Blanc-Marès. Comme l'an dernier, sa cuvée Tradition a séduit les dégustateurs. Et comme l'an dernier, elle plut par son bouquet expressif et délicat où l'on perçoit des notes de verveine en complément des fruits mûrs, puis par son palais équilibré, riche, aromatique et long, avec une juste fraîcheur en soutien et une belle finale épicée. Pour un soufflé au fromage ou une terrine de poisson. Le **Ch. Paul Blanc 2010 rouge (8 à 11 €; 8 000 b.)**, rond, fruité et boisé, est cité.

Nathalie Blanc-Marès, GFA Mas Carlot,
30127 Bellegarde, tél. 04.66.01.11.83, fax 04.66.01.62.74,
mascarlot@aol.com r.-v.

MAS DES BRESSADES Cuvée Tradition 2011 ★

50 000 | 5 à 8 €

Cyril Marès, sixième du nom sur le domaine familial, signe un rosé plein de charme, issu de grenache, de syrah et de cinsault. La robe est d'un beau rose soutenu, égayée de reflets bleutés. Le nez évoque les fruits frais, agrémenté de notes douces de confiserie. La bouche est à l'unisson, fruitée à souhait, ronde et charnue, marquée par des arômes de garrigue et d'épices en finale. Tout indiqué pour une cuisine provençale, une pissaladière par exemple. La **cuvée Excellence blanc 2011 (8 à 11 €; 10 000 b.)**, élégante mais encore un peu sous l'emprise du bois, est citée.

Cyril Marès,
Mas des Bressades, Le Grand Plagnol RD 3 de Bellegarde,
30129 Manduel, tél. 04.66.01.66.00, fax 04.66.01.80.20,
masdesbressades@aol.com
t.l.j. sf sam. dim. 8h-12h 13h-17h; f. 7-15 août

CH. MOURGUES DU GRÈS Terre de Feu 2010 ★

8 000 | 11 à 15 €

Propriété du couvent des Ursulines de Beaucaire jusqu'à la Révolution, cette exploitation de 68 ha est entrée dans la famille Collard en 1963. François y est arrivé en 1994 pour les premières mises en bouteilles au domaine. Cette cuvée n'est produite que lorsque les vieux grenaches (90 % de l'assemblage) offrent des raisins très concentrés. Ce fut le cas en 2010 et le vin, d'un rouge profond, de proposer un bouquet intense de fruits mûrs à souhait (cerise confite), d'épices, de réglisse et de violette (l'apport de la syrah), relayé par un palais dense et long, aux tanins soyeux. Une pointe d'austérité en finale appelle toutefois un peu de patience. Dans un an ou deux, cette bouteille accompagnera volontiers un sauté d'agneau au cacao ou des magrets de canard aux figues. Le **Terre d'Argence rouge 2009 (8 à 11 €; 25 000 b.)**, rond, fruité et épicé, est cité. Du même propriétaire, le **Ch. la Tour de Béraud 2011 rosé (moins de 5 €; 9 000 b.)**, frais et énergique, sur les petits fruits rouges acidulés, est également cité.

François Collard,
Ch. Mourgues du Grès, rte de Saint-Gilles, D 38,
30300 Beaucaire, tél. 04.66.59.46.10, fax 04.66.59.34.21,
chateau@mourguesdugres.com
t.l.j. sf dim. 9h (sam. 10h)-12h 14h-18h;
sam. a.-m. sur r.-v.

CH. DE NAGES JT 2010 ★★

7 500 | 11 à 15 €

Michel Gassier est de ceux qui pensent que les grands vins se font d'abord à la vigne, avec le respect du sol – ici, des galets roulés – et un tri draconien des raisins. La conversion bio de son vignoble va dans ce sens. L'objectif : élaborer des vins tournés vers la fraîcheur et la minéralité, vers le plaisir avant tout. Cette cuvée JT à forte dominante de syrah, dédiée à son grand-père Joseph Torrès, respire la garrigue, la violette, le poivre et le cassis frais, avec une touche de cèdre à l'arrière-plan. À cette complexité olfactive fait écho un palais dense, riche et long, méditer-

RHÔNE

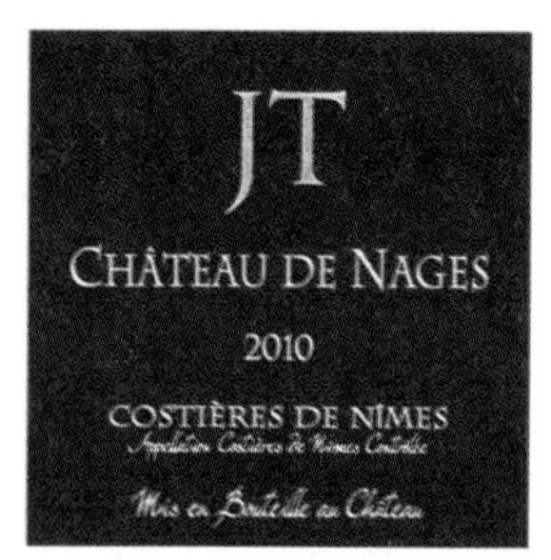

ranéen à souhait avec ses senteurs d'aromates et de fruits noirs mûrs, et porté par des tanins élégants et bien ciselés. Un vin harmonieux en diable, à découvrir d'ici deux à trois ans sur un jarret de veau au romarin ou une daube provençale aux olives noires. Le **2010 rouge Vieilles Vignes (8 à 11 € ; 25 000 b.)**, puissant mais soyeux, fruité, boisé avec discernement, obtient une étoile.

Michel Gassier, Ch. de Nages, chem. des Canaux, 30132 Caissargues, tél. 04.66.38.44.30, fax 04.66.38.44.39, info@michelgassier.com
t.l.j. sf dim. 10h-12h 15h-19h; f. 1re sem. de jan.

CH. D'OR ET DE GUEULES Trassegum 2010 ★

23 000 | 11 à 15 €

Né de syrah (50 %), de carignan et de mourvèdre, ce filtre d'amour (*trassegum* en occitan) tapisse le verre d'une couleur rouge sombre aux reflets bleutés. Il s'en échappe des senteurs bien mariées de fruits compotés, de réglisse, de moka et d'épices douces. La bouche est à l'unisson, portée par des tanins doux et soyeux. Un vin harmonieux et déjà prêt.

Ch. d'Or et de Gueules, chem. des Cassagnes, rte de Générac, 30800 Saint-Gilles, tél. 04.66.87.32.86, fax 04.66.87.39.11, chateaudoretdegueules@wanadoo.fr
t.l.j. sf dim. 9h-19h
de Puymorin

DOM. PASTOURET 2011 ★

4 000 | 5 à 8 €

Officiellement en bio depuis 1993 mais « converti » à cette démarche depuis 1981, année de l'installation des Pastouret, ce domaine propose un blanc mi-clairette mi-grenache blanc qui séduit d'emblée dans sa robe d'un jaune pâle limpide. Le nez mêle les fleurs blanches à une touche briochée. Le palais ample et rond est étayé par une note épicée et par une agréable vivacité qui lui donnent de l'équilibre et de la longueur. Parfait pour un poisson grillé. La **Cuvée spéciale 2010 rouge (5 760 b.)**, bien structurée, est citée.

Michel Pastouret, Dom. Pastouret, rte de Jonquières, 30127 Bellegarde, tél. et fax 04.66.01.62.29, contact@domaine-pastouret.com
lun. mer. ven. sam. 10h-19h

DOM. DE LA PATIENCE Cuvée Prestige 2010 ★

6 000 | 5 à 8 €

Il vous faudra un peu de patience en effet – mais pas trop, un an ou deux – pour apprécier ce vin à sa juste valeur. La syrah (90 % de l'assemblage aux côtés du grenache) confère au bouquet des élans épicés, floraux et fruités bien typés. La bouche tient bien la note et affiche une belle structure tannique. De quoi affronter sans crainte une pièce de gibier ou une viande en sauce un peu relevée. Le **Nemausa rosé 2011 (15 000 b.)**, étiqueté bio (les trois ans de conversion étant révolus), fait jeu égal : c'est un vin couleur peau de pêche, délicatement fruité (abricot, pêche de vigne, pamplemousse), tendre et frais à la fois.

EARL Dom. de la Patience, RD 6086, 30320 Bezouce, tél. 04.66.75.95.94, domainedelapatience@orange.fr
t.l.j. sf dim. 9h-12h 14h-18h
Aguilar

DOM. DU PÈRE GUILLOT 2011 ★

40 000 | - de 5 €

Producteur dans le Beaujolais, Laurent Guillot a succombé en 1995 aux charmes des Costières et, plus particulièrement, de ce terroir de gress sur lequel s'enracinent ceps de syrah et de grenache. Dans le verre, ce rosé affiche une belle robe foncée, couleur grenadine, et dévoile des parfums intenses de pamplemousse, de réglisse et de fruits confiturés (abricot, mûre, fraise). En bouche, il se montre puissant et généreux, empreint d'une agréable sucrosité. Un rosé de dessert, que l'on verrait bien sur une tarte aux fruits.

Dom. du Père Guillot, rte du Pont-des-Tourradons, 30740 Le Cailar, tél. 04.66.88.69.60, fax 04.66.88.69.61, laurent.guillot3@wanadoo.fr t.l.j. 8h-12h 13h30-19h

LE PIGEONNIER 2011 ★★

30 000 | - de 5 €

La petite cave coopérative de Meynes avait déjà brillé l'an dernier avec un rosé 2010 élu coup de cœur. Deux étoiles saluent ce 2011, rosé de saignée et de pressurage direct, un vin fruité en diable (petits fruits rouges confiturés) souple, rond et très aromatique (groseille, fraise, framboise) en bouche, une touche acidulée apportant une agréable fraîcheur. Un costières gourmand, à servir sur des aiguillettes de poulet à la plancha accompagnées d'une ratatouille. Le **2010 rouge (10 000 b.)**, généreux et bien structuré, est cité.

SCA des Grands Vins de Pazac, rte de Redessan, 30840 Meynes, tél. 04.66.57.59.95, fax 04.66.81.73.37, cavedepazac@aol.com
t.l.j. sf dim. 8h-12h30 13h30-19h

DOM. DE POULVAREL Les Perrottes 2010

10 000 | 8 à 11 €

Un ancien tunnel romain situé à Sernhac donne son nom à cette cuvée née de grenache et de syrah. Les quinze mois de fût confèrent au nez des senteurs empyreumatiques et épicées qui se mêlent aux fruits noirs mûrs. La bouche se montre tannique et chaleureuse, dominée elle aussi par la barrique (moka, cacao). Un vin de caractère, à attendre deux ans pour un meilleur fondu.

Pascal et Élisabeth Glas, 110, chem. de la Soubeyranne, 30210 Sernhac, tél. et fax 04.66.01.67.46, domaine.poulvarel@wanadoo.fr
t.l.j. 10h-12h 17h-19h; dim. sur r.-v.

CH. ROUSTAN 2010

57 000 | - de 5 €

Cet ancien banquier et fils de vigneron a repris en 1989 le domaine familial établi sur le versant sud des Costières. Il propose un 2010 au nez épicé et floral, bien typé syrah (50 % de l'assemblage avec grenache et mourvèdre en appoint). Le palais est bien structuré, généreux et de bonne longueur. À apprécier dès aujourd'hui et pendant deux ans sur une viande en sauce.

Michel Castillon,
Ch. Roustan, 1301, chem. dit de La Saou, 30800 Saint-Gilles,
tél. 04.66.87.04.49, fax 04.66.87.16.02,
contact@chateau-ermitage.com
t.l.j. sf dim. 9h-12h 13h30-17h30

CH. SAINT-CYRGUES Cuvée Edem 2011 ★

3 000 — 5 à 8 €

Guy de Mercurio, œnologue suisse, conduit depuis 1991 cette exploitation qui doit son nom aux ruines de la chapelle de Saint-Cirice présentes sur le domaine. Il signe un blanc à dominante de roussanne, au nez discret de fleurs blanches, au palais, gras, ample et long, égayé par une finale poivrée. Un ensemble harmonieux, à goûter sur des gambas grillées. La **cuvée Edem 2011 rosé (15 000 b.)**, fraîche, florale et fruitée, est citée.

SCEA de Mercurio, Ch. Saint-Cyrgues, av. de Verdun, 30800 Saint-Gilles, tél. 04.66.87.31.72, fax 04.66.87.70.76, info@saint-cyrgues.com r.-v.

CH. SAINTE-ELISABETH 2011 ★

66 000 — - de 5 €

Ce vin de négoce associe 60 % de grenache à la syrah. D'un beau rubis profond, il dévoile un bouquet puissant de fruits rouges, de pruneau et de poivre. Dans la continuité du bouquet, le palais se révèle ample, gras et persistant, et porté par des tanins fondus. À boire dans les deux années à venir sur une viande en sauce, un osso bucco par exemple.

Louis Bernard, Le Village, 84190 Gigondas,
tél. 04.90.12.32.42, fax 04.90.12.32.49, louis-bernard@gmdf.fr
Éric Brousse

SIRACANTA 2011 ★

8 000 — 5 à 8 €

Cette cuvée a été baptisée en référence à la syrah (95 % de l'assemblage) et aux pyracanthas qui entourent le mas. Elle se présente dans une robe rubis soutenu, le nez empreint de fruits rouges et de notes plus surprenantes de poivron. Le palais se montre gras et intense, étayé par des tanins bien marqués mais soyeux. Un vin équilibré, à découvrir dans un an ou deux. Une étoile également pour le **Ch. Cadenette 2011 rosé (5 000 b.)**, qui offre une belle harmonie entre douceur et fraîcheur du fruit.

Pierre Dideron, Dom. de la Cadenette,
30600 Vestric-et-Candiac, tél. 04.66.88.21.76,
fax 04.66.88.20.59, lacadenette@orange.fr
t.l.j. 8h-12h 14h-18h

♥ CH. DES TOURELLES Grande Cuvée 2010 ★★

3 500 — 8 à 11 €

Implanté sur un site archéologique gallo-romain, ce vaste domaine familial de 92 ha (dont 45 ha en costières-de-nîmes) a reconstitué un vignoble et une cave romaine et propose d'originales dégustations de vins... romains. Mais c'est un vin bien de notre temps que Hervé Durand et son fils Guilhem ont élaboré ici. La syrah y tient le premier rôle, un petit pour cent de mourvèdre venant en appoint. Elle confère au nez d'intenses notes d'épices et de fruits noirs mâtinées d'une légère touche boisée. Harmonieuse et longue, la bouche affiche une belle structure tannique enrobée

d'arômes de fruits mûrs et de nuances vanillées qui lui assure une bonne garde. Dans deux ou trois ans, cette bouteille fera merveille sur une selle d'agneau aux épices. La cuvée **Le Coin des Grenades rosé 2011 (5 à 8 €; 5 000 b.)** obtient deux étoiles pour son bouquet puissant de fruits des bois et de réglisse et pour son palais riche, généreux et fruité. Un rosé de gastronomie que l'on verrait bien sur une côte de veau à la tomate. Une étoile enfin pour **Le Grand Amandier blanc 2011 (5 à 8 €; 4 200 b.)**, long et complexe (fruits blancs, poivre, menthol).

Hervé et Guilhem Durand,
Ch. des Tourelles, 4294, rte de Saint-Gilles, 30300 Beaucaire,
tél. 04.66.59.19.72, fax 04.66.59.50.80,
tourelles@tourelles.com
t.l.j. sf dim. 9h-12h 14h-18h; f. jan.-avr.

CH. DE LA TUILERIE 2011 ★

45 000 — 8 à 11 €

Ce domaine est situé sur la voie Regordane qui, au Moyen Âge, menait les pèlerins du Puy-en-Velay à Saint-Gilles dans le Gard, avant qu'ils ne rejoignent le chemin de Compostelle. Il fournissait alors le bois de chauffage et le vin de messe à l'abbaye de Saint-Gilles. Les œnophiles ont aujourd'hui remplacé les pénitents, et les cuvées de Chantal Comte n'ont rien d'un vin de messe... Ici, un rosé de saignée de pure syrah, couleur saumonée, tout en fruits (cassis, fraise, groseille), avec la violette en appoint, équilibré, frais et tonique en bouche. « Un vin réjouissant », conclut un juré. Le **2011 blanc (13 000 b.)**, né de grenache blanc et de viognier, ample et fin, obtient également une étoile.

Chantal Comte,
ch. de la Tuilerie, 237, chem. de la Tuilerie, 30900 Nîmes,
tél. 04.66.70.07.52, fax 04.66.70.04.36,
chantal.comte@chateautuilerie.com
t.l.j. 9h-13h 14h-18h 5 3

CH. DE VALCOMBE Prestige 2010 ★★

30 000 — 8 à 11 €

Une belle allée de pins mène à ce domaine de 75 ha commandé par des bâtiments du XIXe s. et conduit depuis 2009 par Nicolas et Basile Ricome. On y découvre un 2010 à dominante de syrah, dense et sombre, orné de reflets violines de jeunesse. Le cassis mûr s'associe au poivre, au sous-bois, à la réglisse et au chocolat pour composer un bouquet intense et complexe. La densité de la robe se retrouve dans une bouche fruitée, épicée, longue et soutenue par de fins tanins. À déguster dans les deux prochaines années sur un gigot d'agneau à l'ail. Le **Tradition blanc 2011(5 à 8 €; 20 000 b.)**, ample, souple, élégant, fruité et épicé, obtient une étoile.

EARL Les Vignobles Dominique Ricome,
Valcombe, rte de Saint-Gilles, 30510 Générac,
tél. 04.66.01.32.20, fax 04.66.01.92.24, valcombe@wanadoo.fr
t.l.j. sf dim. 9h-12h 14h-18h; sam. sur r.-v.

CH. VESSIÈRE 2010

■ 75 000 5 à 8 €

Ce domaine de 65 ha, depuis sept générations dans la famille Teulon, achèvera bientôt sa conversion bio. La syrah (80 %) et le grenache donnent naissance à ce vin grenat foncé, marqué au nez par les notes grillées des six mois de barrique. La bouche se montre veloutée en attaque, puis arrivent les tanins, en ordre serré, donnant un caractère plus strict à la finale. On attendra un an ou deux que l'ensemble s'assouplisse.

Philippe Teulon, Ch. Vessière, rte de Montpellier, 30800 Saint-Gilles, tél. 04.66.73.30.66, fax 04.66.73.33.04, chateauvessiere@aol.com

t.l.j. 8h-12h 13h-19h

CH. VIRGILE 2011

30 000 5 à 8 €

Les Baret cultivent la vigne depuis 1924, en cave particulière jusque dans les années 1950, puis en cave coopérative et de nouveau en propre depuis 1986, sous la houlette de Serge et Thierry. À dominante de grenache, ce rosé de pressurage s'annonce dans une jolie robe brillante et livre avec retenue des parfums de fruits rouges et de bonbon anglais. Le palais, plus prolixe, sur la fraise gariguette, se révèle tonique et frais. Un « vin péchu », résume un dégustateur.

EARL Dom. de Virgile, Mas Virgile, rte du Pont-des-Tourradons, 30600 Vauvert, tél. 04.66.73.32.97, fax 04.66.51.47.80, mas-virgile@orange.fr

t.l.j. sf dim. 8h-18h

Grignan-les-adhémar

Superficie : 1 900 ha
Production : 54 660 hl (93 % rouge et rosé)

Longtemps appelée coteaux-du-tricastin, cette appellation est située au sud de Montélimar, dans la partie nord de la vallée du Rhône méridionale, à la limite du climat méditerranéen. Les vignes sont implantées sur des terrains caillouteux d'alluvions anciennes et des coteaux sableux, sur 22 communes de la rive gauche du fleuve, de La Baume-de-Transit au sud, en passant par Saint-Paul-Trois-Châteaux, jusqu'aux Granges-Gontardes, au nord. Assemblant les cépages grenache et syrah, complétés par le cinsault, le mourvèdre et le carignan, les vins rouges, largement majoritaires, sont pour la plupart à consommer jeunes.

DOM. ANDRÉ AUBERT Le Devoy 2011 ★

5 000 - de 5 €

Les frères Aubert – Claude, Yves et Alain –, sont installés sur ce vaste domaine de 140 ha depuis 1981. Ils signent une cuvée issue, par ordre d'importance, de grenache blanc, de clairette, de bourboulenc et de viognier. Derrière la robe jaune clair aux reflets argentés pointe un nez finement fruité (abricot, pamplemousse) et floral, relayé par un palais harmonieux, ample et gras, avec une juste vivacité en soutien. À déguster sur des asperges sauce mousseline ou sur un poisson en sauce.

Les Domaines Aubert, RN7, rond-point Sud, 26290 Donzère, tél. et fax 04.75.51.78.53, vins-aubert-freres@wanadoo.fr t.l.j. 10h-19h

CH. BIZARD Serre de Courrent Monopole 2010 ★★★

■ 12 000 11 à 15 €

Après un coup de cœur pour son rosé d'Archas 2010 dans la précédente édition, ce rouge issu de syrah (70 %) et de grenache a charmé les jurés : il n'était pas loin de renouveler l'exploit. La robe est d'un superbe rouge dense et profond. Expressif et puissant, le bouquet mêle les fruits noirs compotés (cassis, mûre), les épices (vanille, réglisse, poivre) et la violette. Une complexité et une intensité aromatiques que l'on retrouve dans une bouche longue, riche et caressante, soutenue par des tanins fondus et soyeux. Une gourmandise à savourer dans les trois prochaines années, sur un canard à l'orange par exemple. Le **rosé d'Archas 2011 (5 à 8 €; 10 000 b.)**, souple et fruité, est cité.

Ch. Bizard, chem. de Bizard, 26780 Allan, tél. 04.75.46.64.69, fax 04.75.46.67.56, chanzy@chateaubizard.fr

t.l.j. 8h-12h 14h-18h; sam. dim. sur r.-v.

Marc Lépine

DOM. BONETTO-FABROL Le Colombier 2010 ★

■ 9 000 5 à 8 €

Les étiquettes de ce domaine très régulier en qualité portent désormais le logo AB, étape vers la biodynamie. Dans le verre, un 2010 mi-grenache mi-syrah paré d'une robe rouge sombre, presque noire. Au nez, les épices douces se mêlent aux fruits et à la réglisse. En bouche, le vin se montre encore jeune et tannique, mais la matière est là, et le temps – deux ou trois ans – lui apportera l'harmonie.

Dom. Bonetto-Fabrol, quartier Les Jaffagnards, 26700 La Garde-Adhémar, tél. 04.75.52.14.38, fax 04.75.04.42.01, domainebonettofabrol@orange.fr

r.-v.

CH. LA CROIX CHABRIÈRES La Diva 2010 ★

8 000 8 à 11 €

Patrick Daniel est installé depuis 1988 sur ce domaine de 33 ha, commandé par une maison bourgeoise du XIXe s. Il propose ici un pur viognier très expressif : on hume dans le verre des parfums généreux de fruits exotiques, de miel, de mangue, complétés par un boisé discret. Après une attaque en souplesse, le palais laisse une agréable sensation de douceur que ne reniera pas un foie gras ou un poisson en sauce. On appréciera le jeu de mots pour la cuvée **Diam en Terre 2010 rouge Cuvée noire (15 à 20 €; 5 000 b.)** et, plus encore, son fruité intense et ses tanins ronds, au grain fin, qui en font un vin complet et élégant.

Ch. de la Croix Chabrières, rte de Saint-Restitut, 84500 Bollène, tél. 04.90.40.00.89, fax 04.90.40.19.93, contact@chateau-croix-chabrieres.com

t.l.j. 9h-12h 14h-18h30; dim. 9h-12h

DOM. DU DEVOY 2010 ★

■ 20 000 5 à 8 €

Ce vin de négoce issu de grenache et de syrah se présente dans une élégante robe rubis. Au nez, il dévoile d'intenses parfums de fruits frais. En bouche, il affiche un

beau volume et des tanins encore un peu sévères mais de qualité, enrobés par des notes chaleureuses de fruits à l'eau-de-vie. À boire dans un an ou deux sur une viande en sauce.
Vignobles et Domaines du Rhône,
14, rue Rhin-et-Danube, 69009 Lyon, tél. 04.37.24.24.50,
fax 04.72.74.41.23, contact@vignobles-domaines-du-rhone.fr
Stéphane Kaci

DOM. DE GRANGENEUVE Terre d'épices 2010 ★★

30 000 | 11 à 15 €

Comme toujours, le domaine de Grangeneuve – aujourd'hui conduit par les enfants et petits-enfants d'Odette et Henri Bour, les fondateurs – est au rendez-vous du Guide, avec pas moins de quatre cuvées retenues, une pluie d'étoiles et un coup de cœur pour cette Terre d'épices. Syrah et grenache à parts égales ont donné naissance à ce vin noir, intense et profond. Au nez, du fruit et des... épices, douces ou plus soutenues (vanille, poivre). En bouche, la garrigue et un boisé parfaitement fondu renforcent cette complexité olfactive et viennent agrémenter une chair ample, dense et riche. Un vin complet, équilibré et long, à découvrir dans les trois ans à venir sur une daube de bœuf bien relevée. **La Truffière 2010 rouge (30 000 b.)**, à forte dominante de syrah, généreuse, charpentée, très aromatique (fruits compotés, épices, boisé vanillé) et persistante, décroche elle aussi deux étoiles, comme la cuvée **V 2011 blanc (11 000 b.)**, issue du viognier à 90 %, également très expressive (fleurs blanches, abricot, épices douces, agrumes), ronde et riche en bouche. Enfin, la cuvée **Vieilles Vignes 2010 rouge (8 à 11 € ; 70 000 b.)**, fruitée à souhait et un rien florale, harmonieuse et longue, obtient une étoile.
Dom. Bour, Dom. de Grangeneuve, 26230 Roussas,
tél. 04.75.98.50.22, fax 04.75.98.51.09,
domaines.bour@wanadoo.fr t.l.j. 9h-12h30 14h-19h

DOM. DE MONTINE Viognier 2011

25 000 | 8 à 11 €

Valeur sûre de l'appellation, ce domaine propose un pur viognier de belle facture. Ses atouts sont une robe d'or pâle, limpide et brillante, une palette aromatique flatteuse (aubépine, pêche, abricot) et un palais ample et gras. Une bouteille bienvenue sur un poisson grillé.
Jean-Luc et Claude Monteillet,
hameau de La Grande-Tuilière, 26230 Grignan,
tél. 04.75.46.54.21, fax 04.75.46.93.26,
domainedemontine@wanadoo.fr
t.l.j. 9h-12h 14h-19h D

DOM. PASSION D'UNE FEMME Passion 2010 ★

6 000 | 5 à 8 €

Vigne, lavande, arbres fruitiers, truffiers... ici, tout est couleurs et senteurs provençales, qu'Audrey Chauvin, installée en 2005 sur le domaine familial, tente de retranscrire sur les étiquettes colorées de ses flacons. Dans le verre, c'est le rouge foncé qui domine. Au nez, les fruits frais (cerise, framboise) sont bien présents, nuancés de notes réglissées, et la bouche, de bonne longueur, affiche un bel équilibre entre vivacité et rondeur. Un vin à boire dans sa jeunesse, sur une grillade. Le **2010 rouge Léa (5 000 b.)**, d'une aimable simplicité, fruité et un rien épicé, est cité.
Passion d'une femme, 980, chem. des Plaines-Sud,
26770 Roche-Saint-Secret, tél. 04.75.53.56.37,
audreychauvin@wanadoo.fr
t.l.j. sf dim. lun. 10h-12h 14h-18h C
Audrey Chauvin

DOM. DES ROSIER Bergère des Viogniers 2011 ★★

14 000 | 8 à 11 €

Bruno Rosier est établi depuis 1992 dans ce mas de pierres blanches de la Drôme provençale, situé au pied du petit village de Chantemerle-lès-Grignan. Il a élaboré à partir du seul viognier cette cuvée jaune d'or ornée de reflets verts. L'abricot, la pêche, les fleurs blanches et la vanille se marient avec bonheur pour composer un bouquet intense et complexe. Dans la continuité du nez, avec quelques touches de fruits secs en complément, la bouche se montre généreuse, ample et ronde, rehaussée par une finale plus tonique et vive. Un blanc de repas, que l'on verrait bien sur une noble volaille, une poularde truffée par exemple. Le **2010 rouge Plaisir (moins de 5 € ; 10 000 b.)**, léger et épicé, est cité.
Dom. des Rosier, 335, rte des Vignes,
26230 Chantemerle-lès-Grignan, tél. et fax 04.75.98.53.84,
marc.domaine.des.rosier@gmail.com
t.l.j. sf dim. 9h-12h 14h-18h30 B

DOM. ROZEL Insouciance 2011

15 000 | 5 à 8 €

Voilà un rosé qui porte bien son nom. Paré d'une robe pâle aux reflets pelure d'oignon, c'est un vin simple et aimable, sur les fleurs blanches et les agrumes, pamplemousse en tête, franc et frais en bouche. À déguster sans chichis, à l'apéritif ou sur un poisson en papillote.
Bruno Rozel, 202, rte de Montélimar, 26230 Valaurie,
tél. 04.75.98.57.23, domaine_rozel@orange.fr
t.l.j. 8h-19h30; dim. 10h-18h C

DOM. SERRE DES VIGNES Secret de syrah 2010 ★★

10 000 | 5 à 8 €

Jérôme et Vincent Roux réalisent un beau triplé avec en tête ce 2010 de pure syrah, un vin sombre, tirant sur le noir, au nez complexe de fruits mûrs, d'épices, de réglisse et de notes boisées. Généreux mais sans lourdeur, il se révèle élégant et persistant en bouche, longuement tapissé d'arômes de garrigue, d'épices et de sous-bois. « Il a le sens de l'équilibre », conclut un juré. Sont cités **Le Mas de Merlère 2010 rouge (10 000 b.)**, plus simple mais plaisant par son fruité confituré, ainsi que le **2011 rosé La Dignerette (moins de 5 € ; 12 000 b.)**, floral et fruité au nez, franc et vif en bouche.
Dom. du Serre des Vignes,
505, traverse du Serre-des-Vignes, 26770 Roche-Saint-Secret,
tél. 06.75.06.93.38, fax 04.75.53.51.98,
info@serredesvignes.com t.l.j. 9h-12h 14h-19h
Jérôme et Vincent Roux

RHÔNE

LA SUZIENNE CT 2010

■ 8 000 5 à 8 €

La cave coopérative de Suze-la-Rousse, située au pied du célèbre château, propose un 2010 à dominante de grenache, avec la syrah en appoint, qui séduit avant tout par son fruité. Au nez, les fruits rouges frais mènent la danse. Ils sont aussi le fil conducteur d'un palais souple et léger. Un vin plaisant, à réserver pour une grillade.

Cave La Suzienne, av. des Côtes-du-Rhône, 26790 Suze-la-Rousse, tél. 04.75.04.48.38, fax 04.75.04.48.39, caveau.la.suzienne@orange.fr t.l.j. 8h30-12h 14h-18h30

CELLIER DES TEMPLIERS Diamant noir 2010 *

■ 8 000 5 à 8 €

Aux heures du marché, les rues de Richerenches se parfument des effluves de ce « diamant noir » qu'est la truffe. La coopérative locale célèbre le noble champignon avec cette cuvée... noir d'encre, au nez, non pas de *Tuber Melanosporum*, mais plus classiquement de fruits rouges frais et de réglisse, solidement charpentée en bouche mais avec élégance et au fruité persistant. Un vin équilibré et fin, que l'on verrait bien servi avec des aubergines farcies. Le **2011 blanc Les Grignandises (moins de 5 €; 5 000 b.)** est cité pour son bouquet complexe d'agrumes, de pomme, de menthol et de fleurs blanches, et pour son palais harmonieux, à la fois rond et frais.

Cellier des Templiers, rte de Baume, 84600 Richerenches, tél. 04.90.28.01.00, fax 04.90.28.02.47, cellier.templiers@orange.fr r.-v.

DOM. VERGOBBI 2011

■ 10 000 - de 5 €

Mi-grenache mi-syrah, ce 2011 d'un rose clair brillant dévoile un bouquet bien ouvert de petits fruits rouges et noirs (cassis, groseille) rehaussés d'une touche épicée. La bouche, soutenue par un léger perlant en attaque, se révèle fraîche, tonique et fruitée. Un vin tout indiqué pour un apéritif, accompagné de jambon serrano et de poivrons marinés.

SAS Baron d'Escalin, 980, rte des Charrettes, 26290 Les Granges-Gontardes, tél. 04.75.98.58.40, fax 04.75.53.83.40, info@barondescalin.com t.l.j. sf dim. 9h-12h 13h30-18h30

Ventoux

Superficie : 6 235 ha
Production : 231 995 hl (96 % rouge et rosé)

À la base du massif calcaire du Ventoux – le Géant du Vaucluse (1 912 m) –, des sédiments tertiaires portent ce vignoble qui s'étend sur 51 communes entre Vaison-la-Romaine au nord et Apt au sud. Le climat, plus froid que celui des côtes-du-rhône, entraîne une maturité plus tardive. Les vins rouges sont frais et élégants dans leur jeunesse ; ils sont davantage charpentés dans les communes situées le plus à l'ouest (Caromb, Bédoin, Mormoiron). L'AOC produit de plus en plus des rosés à boire jeunes ainsi que des blancs.

DOM. ALLOÏS Infiniment rouge 2011

■ 16 000 5 à 8 €

François Busi avait fait une entrée remarquée il y a trois ans dans le Guide avec son rouge Un soir d'été 2008 ; depuis lors, il s'invite à chaque édition, ici avec deux cuvées réussies. Tout d'abord, ce rouge à dominante de syrah, encore un peu fermé au nez, plus bavard en bouche, souple et soyeux. Un style léger et tout indiqué pour un barbecue aux derniers beaux jours de l'automne. Ensuite l'**Infiniment blanc 2011 (3 000 b.)** est un joli blanc né de grenache et d'ugni blanc, floral et fruité (agrumes) au nez, frais et tonique en bouche.

François Busi, Le Boisset, 84750 Caseneuve, tél. 04.90.74.41.16, busi.fr@voila.fr t.l.j. sf dim. 8h-12h 14h-19h

DOM. DES ANGES 2011 **

■ 6 500 5 à 8 €

Il y a plus de vingt-cinq ans, le mont Ventoux et ses somptueux paysages ont donné à G. McGuiness, Irlandais de Kilkenny, un coup de foudre. Ce vin a, quant à lui, comblé les jurés du Guide. Il se pare d'une jolie robe rose bonbon aux reflets violines et livre de fines senteurs de petits fruits rouges et de bourgeon de cassis. Dans une bouche parcourue d'intenses arômes fruités, il offre un équilibre remarquable entre fraîcheur et rondeur. Pour un plaisir terrestre, à servir tout simplement à l'apéritif autour de quelques crevettes et tapas... Le **2010 rouge (11 à 15 €; 9 000 b.)**, à forte dominante de syrah, obtient une étoile pour son bouquet original de micocoulier en fleur agrémenté plus classiquement de fruits noirs et d'épices, et pour son palais suave et rond. Le **blanc 2011 (15 000 b.)**, floral et fruité (mangue), fin et d'une bonne longueur, est cité.

SCA Dom. des Anges, quartier Notre-Dame-des-Anges, 84570 Mormoiron, tél. 04.90.61.88.78, fax 04.90.61.98.05, contact@domainedesanges.com t.l.j. 8h-12h 13h-17h; sam. dim. sur r.-v.
G. McGuiness

AURETO Cuvée Maestrale 2010 **

■ 11 200 11 à 15 €

Avec son hôtel cinq étoiles et ses deux restaurants, Aureto joue clairement la carte de l'œnotourisme de luxe. Luxueuse aussi, cette cuvée Maestrale, qui a belle allure dans sa robe grenat foncé aux reflets violines de jeunesse. Au nez, complexité rime avec intensité, et les fruits noirs se mêlent à un assortiment d'épices et à un boisé léger. Tout cela trouve un écho enchanteur dans une bouche très longue et charpentée avec élégance. On peut déjà apprécier cette bouteille ou l'attendre trois à cinq ans pour des plaisirs gustatifs nouveaux. Recommandé sur une épaule d'agneau confite. Le **rouge 2010 Autan (8 à 11 €; 10 690 b.)**, épicé et mentholé au nez, plutôt viril et carré en bouche, est cité. Quant au **rosé 2011 Autan (8 à 11 €; 9 750 b.)**, il obtient une étoile pour sa robe cristalline, pour ses arômes discrets mais plaisants de petits fruits rouges et pour sa fraîcheur.

Aureto, hameau de la Coquillade, 84400 Gargas, tél. 04.90.74.54.67, fax 04.90.74.71.86, info@aureto.fr t.l.j. 10h-12h30 14h-19h (18h nov.-mars); f. dim. nov.-mars

DOM. DE L'AUVIÈRES Cuvée des amandiers 2011 *

■ 5 000 5 à 8 €

Alain et Mathieu Zimmerlin conduisent ce domaine créé en 2001 à partir de vieilles parcelles de carignan dans le piémont sud de Gordes. Ils ont diversifié l'encépagement en rouge et planté en blanc. Ici, grenache, roussanne et viognier donnent naissance à ce ventoux d'un jaune soutenu, presque doré. Au nez, les fleurs blanches sont titillées par des notes plus vives d'agrumes. En bouche, le contraste générosité-fraîcheur est fort plaisant. L'ensemble est harmonieux et s'appréciera volontiers sur un poisson grillé.

Dom. de l'Auvières, Le Plan-de-l'Abba, 84220 Gordes, tél. 04.90.75.01.97, fax 04.90.05.81.25, domainedelauvieres@free.fr t.l.j. 9h-12h 15h-19h
Zimmerlin

DOM. AYMARD 2011

20 000 | - de 5 €

Harmonie est le maître mot pour décrire ce rosé couleur framboise, issu de grenache, de cinsault et de syrah. Une harmonie fruitée : des arômes de fraise, de framboise et de groseille s'invitent tout au long de la dégustation, au nez comme en bouche, soulignés par une jolie fraîcheur. À savourer sur une salade niçoise par exemple.

Dom. Aymard, 1698, chem. d'Aubignan à Mazan, 84200 Carpentras, tél. 04.90.60.06.35, fax 04.90.67.02.79, domaine.aymard@hotmail.fr
t.l.j. sf dim. 8h-12h 14h-19h

VIGNOBLES DE BALMA VENITIA Passe colline 2011 ★

n.c. | - de 5 €

Proposé par la coopérative de Beaumes-de-Venise, ce ventoux né de grenache (80 %), de cinsault et d'un soupçon de syrah et de carignan offre au regard une robe rose vif et intense, nuancée de reflets bleutés, et une corbeille de fruits en guise de bouquet (framboise, cassis, mûre). La bouche, dans la lignée du nez, persiste sur les fruits, onctueuse, généreuse, égayée en finale par des notes anisées. Parfait pour un début de repas, avec des tomates provençales par exemple.

SCA Balma Venitia, 228, rte de Carpentras, 84190 Beaumes-de-Venise, tél. 04.90.12.41.00, fax 04.90.12.41.21, vignerons@beaumes-de-venise.com
t.l.j. 8h30-12h30 14h-18h (été 19h)

BEAUMONT DU VENTOUX Prestige de nos vignes Élevé en fût de chêne 2010 ★

25 000 | 5 à 8 €

Syrah (80 %) et grenache sont assemblés dans cette cuvée grenat soutenu, dont le bouquet révèle un élevage en fût bien maîtrisé. On retrouve ce boisé discret dans un palais ample, bien structuré et long. Un ventoux équilibré, au caractère affirmé mais sans excès. À déguster dans deux ou trois ans sur une viande rouge en sauce.

Cave de Beaumont, La Plantade, 84340 Beaumont-du-Ventoux, tél. 04.90.65.21.01, fax 04.90.65.13.59, coop.beaumont.vtx@orange.fr
t.l.j. 9h-12h 14h-18h

CH. BLANC Un autre regard 2010

55 000 | 5 à 8 €

Grenache, syrah et carignan sont assemblés dans ce 2010 grenat intense. Au nez, les fruits confiturés côtoient les fruits à noyau, les épices et les notes boisées. Dans le prolongement du bouquet, la bouche affiche une bonne concentration et des tanins encore un peu sévères qu'un an ou deux de garde assagiront.

SCEA Ch. Blanc, quartier Grimaud, 84220 Roussillon, tél. 04.90.05.64.56, fax 04.90.05.72.79, chateaublanc-chasson@wanadoo.fr
t.l.j. 8h-12h 14h-18h30; f. dim. nov.-avr.
Lelièvre

DOM. DU BON REMÈDE Narcisse des poètes 2011

3 000 | 5 à 8 €

Ce blanc à forte dominante de clairette se pare d'une robe pâle aux reflets dorés. D'agréables nuances d'agrumes s'échappent du verre. Ces arômes se prolongent dans un palais frais en attaque, plus doux dans son déroulement. Un vin équilibré, à boire dans sa prime jeunesse.

EARL Frédéric Lucile Delay, 1248, rte de Malemort, 84380 Mazan, tél. et fax 04.90.69.69.76, domainedubonremede@orange.fr
t.l.j. 9h-19h; f. dim. hors saison

DOM. DE LA BRUNELY 2010

12 000 | 5 à 8 €

Plus connu pour ses vacqueyras, ce domaine soigne aussi ses ventoux, à l'image de ce 2010 né de vignes d'un âge respectable (quarante ans) vendangées à pleine maturité si l'on en juge par les chaleureux parfums fruités qui se dégagent du nez et qu'une touche de cuir agrémente. Assez ample, gras et toujours fruité, le palais est bien équilibré. Pour un plaisir immédiat. Le **rosé 2011 (4 000 b.)**, à la robe soutenue, aux parfums de fruits rouges (fraise, framboise), généreux en bouche et plus frais en finale, est également cité.

Charles Carichon, 1272, rte de la Brunely, 84260 Sarrians, tél. 04.90.65.41.24, fax 04.90.65.30.60, domaine-de-la-brunely@wanadoo.fr r.-v.

DOM. DE LA CAMARETTE Armonia 2011

30 000 | 5 à 8 €

Ce domaine familial, aujourd'hui conduit par la troisième génération, s'est résolument tourné vers l'œnotourisme : chambres d'hôtes, gîte, restaurant. Nancy et Alexandra Gontier ont aussi engagé en 2011 la conversion bio du vignoble. Grenache, cinsault et carignan composent ce vin plein de fraîcheur et de fruit – la fraise écrasée surtout – agrémenté de nuances florales, ample et harmonieux en bouche, un brin tannique en finale, ce qui en fait un bon rosé de repas à servir sur des rougets grillés. L'**Armonia 2011 blanc (12 000 b.)** séduit par son bouquet complexe (fruits secs, notes beurrées, herbe fraîche, fruits acidulés) et par son palais onctueux vivifié par des notes d'agrumes.

Dom. de la Camarette, 439, chem. des Brunettes, 84210 Pernes-les-Fontaines, tél. 04.90.61.60.78, fax 04.90.66.46.20, contact@domaine-camarette.com
t.l.j. sf dim. 9h-12h 14h-18h
Gontier

CANTEPERDRIX 2011 ★

66 000 | - de 5 €

Deux cuvées très réussies sont proposées par la cave de Mazan. La préférée est cet assemblage traditionnel de clairette et de grenache blanc d'une belle clarté, au nez puissant dominé par des notes florales et fruitées et à la bouche soutenue par un côté acidulé tonique et long. Un vin harmonieux, à ouvrir à l'apéritif, pour le finir sur une viande blanche. La cuvée **Un été dans le Sud rosé 2011 (80 000 b.)**, joliment fruitée, souple et fraîche, est citée.

🔑 Les Vignerons de Canteperdrix, 890, rte de Caromb, 84380 Mazan, tél. 04.90.69.41.67, fax 04.90.69.87.41, magasin@cotes-du-ventoux.com ☑ 🍷 🚶 r.-v.

DOM. CHAMP-LONG
Autrefois Élevé en fût de chêne 2010 ★

■	1 000	🍷	15 à 20 €

Dans cette cuvée Autrefois, Christian et Jean-Claude Gély donnent la parole à leurs plants de syrah vendangés à la main. La robe est d'un rubis intense nuancé de reflets violines de jeunesse. Le bouquet, expressif, associe les épices douces et le caramel blond. Franc en attaque, le palais offre sur un fond épicé, une belle mâche renforcée par un boisé de qualité et des tanins bien présents. À servir dans les deux ans sur un pâté de lièvre. Cité, le **Tradition 2011 blanc (5 à 8 € ; 8 000 b.)** séduit par son profil vif et finement fruité. Une citation enfin pour **Les Gressannes 2011 blanc (8 à 11 € ; 4 500 b.)**, assemblage de grenache et de roussanne ayant séjourné quelques mois en fût, au nez citronné et floral, vanillé et beurré, fin et boisé en bouche, mais sans excès.
🔑 Christian et Jean-Christophe Gély, Dom. de Champ-Long, 84340 Entrechaux, tél. 04.90.46.01.58, fax 04.90.46.04.40, domaine@champlong.fr
☑ 🍷 🚶 t.l.j. sf dim. 9h-12h30 14h-19h

DOM. DE LA CRILLONNE Vieilles Vignes 2009 ★

■	4 000	🍷	8 à 11 €

En 2000, Vincent de Dianous a quitté l'industrie automobile pour revenir sur ses terres et remettre en état le vignoble familial délaissé. Les vieux ceps de grenache (80 %) et de syrah ont donné naissance à ce 2009 longuement élevé en fût (quinze mois). Un vin intensément bouqueté : on y perçoit des notes d'épices, de garrigue, de fruits confits et de chocolat, palette aromatique que l'on retrouve dans une bouche bien structurée, dense et longue. À boire ou à attendre deux ans.
🔑 Vincent de Dianous, chem. de Beau-Clos, 84800 Saumane-de-Vaucluse, tél. 06.60.41.39.44, lacrillonne@aol.com ☑ 🍷 r.-v.

CH. LA CROIX DES PINS 2010

■	40 000	■	8 à 11 €

La chapelle intérieure et la pergola de cette bastide de style toscan rappellent qu'au XVIes. le domaine appartenait à un prélat italien. Depuis 2010, trois associés ont repris le domaine et converti le vignoble à l'agriculture biologique. Ils proposent une cuvée grenat clair, au nez complexe d'épices (poivre), de fruits compotés et de cuir, à la bouche fruitée et veloutée. À boire dès aujourd'hui.
🔑 Ch. la Croix des Pins, 902, chem. de la Combe, 84380 Mazan, tél. 04.90.66.37.48, fax 04.90.40.36.88, chateaulacroixdespins@orange.fr
☑ 🍷 🚶 t.l.j. sf dim. 10h-12h 14h-17h (été 15h-18h30); f. sam. en hiver
🔑 Éric Petitjean

DOM. LA FERME SAINT-MARTIN Les Estaillades 2010

■	12 000	■	5 à 8 €

Ces Estaillades sont un éloge du grenache, cépage composant tous les assemblages régionaux, qui peut presque se suffire à lui-même – 90 % ici, le cinsault venant en appoint – quand les conditions et le savoir-faire du vigneron sont réunis. Cette variété donne un vin plaisant, au nez de fruits noirs et de pivoine, souple et volumineux, à boire dès maintenant sur une grillade au feu de bois.
🔑 Guy et Thomas Jullien, Dom. de la Ferme Saint-Martin, 84190 Suzette, tél. 04.90.62.96.40, contact@fermesaintmartin.com
☑ 🍷 🚶 t.l.j. sf dim. 10h-12h30 14h-18h

DOM. DE FONDRÈCHE Il était une fois 2010 ★★

■	6 000	■ 🍷	20 à 30 €

L'objectif de ce domaine : faire des vins *identiterres*, dans le respect du terroir et, plus largement, de l'environnement. Les vignerons se sont donc naturellement intéressés à la démarche bio, et la conversion est en cours. Ils nous racontent ici une bien belle histoire avec ce 2010 né de vignes octogénaires et qu'il ne faut point brusquer, mais accompagner avec douceur, d'où le choix d'un élevage en foudre. Un vin au nez concentré, puissant et complexe qui met les fruits rouges sur le devant de la scène, avec des nuances de pivoine et d'épices douces à l'arrière-plan. Ample, élégante et harmonieuse, la bouche s'appuie sur des tanins d'une grande finesse extraits avec délicatesse. Un bel exemple de maîtrise pour ces vinificateurs qui se défendent de vouloir forcer la nature. Le **Persia 2011 blanc (15 à 20 € ; 6 000 b.)**, au nez typé d'agrumes et de fleurs blanches, acidulé et vif en bouche, est cité.
🔑 Dom. de Fondrèche, quartier Fondrèche, 84380 Mazan, tél. 04.90.69.61.42, fax 04.90.69.61.18, contact@fondreche.com ☑ 🍷 🚶 t.l.j. sf sam. dim. 14h-18h
🔑 M. Vincenti

LE DOM. DU GRAND JACQUET
Rendez-vous sous le chêne... 2011 ★

■	9 000	■	5 à 8 €

Tradition oblige, les vendangeurs se donnent rendez-vous sous le chêne près de la maison, avant d'entamer leur journée de travail. C'est également à l'ombre d'un arbre, bien installé au frais, une tarte aux fruits posée sur la table de jardin, que l'on dégustera ce rosé léger et pimpant dont le nez dévoile de charmantes notes de fruits à chair blanche. Dans une bouche bien équilibrée, à la fois ronde et tonique, s'invitent la rose, la pêche et une pointe citronnée. En deux mots : un ensemble fin et aromatique. La cuvée **Juste avant les sangliers 2009 rouge (11 à 15 € ; 9 000 b.)**, une étoile, est un vin au nez épicé et fruité, d'une structure un peu « sauvageonne », que le temps (deux ou trois ans) va cependant apprivoiser.
🔑 Dom. Grand Jacquet, 2869, la Venue-de-Carpentras, 84380 Mazan, tél. 04.90.63.24.87, contact@domaine-grandjacquet.com
☑ 🍷 t.l.j. sf dim. 10h-18h; f. 1er jan.-15 mars

LE GRAND VALLAT Grand Vallat 2010 ★

■	6 000	■	5 à 8 €

Le Grand Vallat étend ses 7 ha de vignes sur des coteaux où la nature, faune et flore, a tous ses droits. Petite production, vendange manuelle, très peu d'interventions au chai, juste ce qu'il faut, pas de bois... Le résultat ? Une intense bouffée de fruits noirs frais, un palais d'une puissance notable, mais sans agressivité, avec de la rondeur, de la douceur et des tanins bien enrobés en soutien qui laissent envisager une évolution prometteuse dans les deux prochaines années.
🔑 Dom. le Grand Vallat, 60, chem. de Saint-Estève, 84570 Blauvac, tél. 04.90.61.73.65, valentini@infonie.fr
☑ 🍷 🚶 r.-v.
🔑 Marc Valentini

GRANGE DES DAMES 2011 ★★

	20 000	▮	- de 5 €

2011 semble être la grande année des rosés nés sous la protection du Géant de Provence, témoin cette Grange des dames de la coopérative du Mont Ventoux à la robe printanière très avenante. Fraise, caramel au lait, bonbon acidulé, le nez offre un véritable retour en enfance. La bouche se montre ronde et fruitée, tonifiée juste ce qu'il faut par une vivacité sous-jacente qui donne de l'allonge à la finale. Un vin équilibré, à réserver pour des agapes sous la tonnelle. Un même équilibre entre gras et fraîcheur caractérise la cuvée **Ô 2011 rosé (100 000 b.)**, qui plaît aussi pour ses arômes de fraise des bois : deux étoiles également. La cuvée **Chais du Grillon 2011 blanc**, jugée elle aussi remarquable, s'impose par la puissance de son bouquet fruité, par sa finesse et sa longueur en bouche. Le **rouge 2010 Vieilles Vignes (38 000 b.)**, intensément fruité et réglissé, souple et gouleyant, obtient une étoile.

SCA Vignerons du Mont Ventoux, quartier La Salle, 84410 Bédoin, tél. 04.90.12.88.00, fax 04.90.65.64.43, sdamian@bedoin.com r.-v.

DOM. LES HAUTES BRIGUIÈRES
Prestige Vieilli en fût de chêne 2010 ★★

	8 000		5 à 8 €

Planté à 350 m d'altitude, le vignoble des Hautes Briguières s'étage en terrasses, profitant d'un ensoleillement maximal. Cette cuvée Prestige prend elle aussi de la hauteur. Drapée dans une robe bordeaux, elle livre un intense bouquet de fruits mûrs mêlés d'épices (poivre blanc) à peine marqué par le passage en barrique. Bien fondue en bouche, elle offre une belle matière, à l'unisson avec l'olfaction, portée par une solide structure tannique et un boisé maîtrisé. Voilà qui promet un bon vieillissement durant trois à cinq ans.

François-Xavier Rimbert, Dom. les Hautes Briguières, 84570 Mormoiron, tél. 04.90.61.71.97, fax 04.90.61.85.80, fxrimbert@aol.com
t.l.j. 9h-19h; hiver 9h-17h30

DOM. J & D 2011 ★

	3 000	▮	5 à 8 €

Deuxième année dans le Guide pour ce jeune domaine, en conversion bio, créé en 2009 par Julien Arocas. La robe de ce duo grenache blanc (80 %) et clairette est pâle et brillante. Le nez, tout en finesse, mêle de fraîches senteurs fruitées (poire, pêche, agrumes) à la douceur du miel. La bouche est qualifiée de « sensuelle » par un juré sous le charme : entendez suave, persistante, sans jamais manquer toutefois de peps car sous-tendue par une belle vivacité. Un vin prêt à boire, sur un poisson en sauce.

Dom. J & D, EARL Vignobles Arocas, 31, rte de Mazan, 84330 Caromb, tél. 06.64.91.42.34, domaine.jd@gmail.com
t.l.j. sf dim. 9h-12h 15h-19h

MARRENON Classique 2011

	50 000	▮	- de 5 €

Si l'assemblage de cette cuvée est classique (grenache et syrah), les vendanges, nocturnes, le sont moins. Il en résulte un joli rosé de pressée fruité à souhait (fraise écrasée, cerise). La vivacité est présente mais la dégustation laisse finalement une agréable impression charnue. Pour l'apéritif ou des grillades.

Marrenon, rue Amédée-Giniès, 84240 La Tour-d'Aigues, tél. 04.90.07.40.65, fax 04.90.07.30.77, marrenon@marrenon.com t.l.j. 8h30-12h30 14h30-19h

MARTINELLE 2010 ★

	30 000	▮	8 à 11 €

Grenache, syrah et une pointe de mourvèdre pour ce 2010 qui s'ouvre d'emblée sur les fruits rouges (griotte) et le pruneau agrémentés d'une nuance feuille de tabac. Dans une bouche gourmande, les fruits persistent et signent. « Un vin de copains », précise un dégustateur, qui le verrait bien sur un gigot d'agneau.

Martinelle, La Font-Valet, 84190 Lafare, tél. 04.90.65.05.56, info@martinelle.com r.-v.

MAS ONCLE ERNEST Patience et longueur de temps 2010 ★

	4 000	▮	8 à 11 €

Il aura fallu douze mois de patience à Alexandre Roux pour que ce 2010 termine son élevage. Les dégustateurs auront pris également leur temps pour apprécier ce vin d'un rouge intense et brillant, dont le nez puissant distille des parfums floraux et épicés (lys, pivoine, girofle). La bouche se montre douce et caressante, soutenue par des tanins patinés. Un vin « féminin », résument les jurés. Les plus impatients le goûteront dès à présent, les autres pourront l'attendre trois à quatre ans. **L'Instant présent 2010 rouge (5 à 8 € ; 9 000 b.)**, élevé en cuve, est cité pour son nez mentholé et pour son côté gourmand en bouche, malgré une pointe d'austérité finale qui disparaîtra d'ici une paire d'années.

Roux, EARL Saint-André, quartier Saint-André, 84340 Entrechaux, tél. 06.64.85.02.18, mas-oncle-ernest@hotmail.fr r.-v.

DOM. DU PASTRE 2011 ★

	15 000	▮	5 à 8 €

Cette maison de négoce de Gigondas propose avec ce rosé issu de syrah, de cinsault et de mourvèdre un vin tout en finesse. Derrière la robe saumonée se dévoile un bouquet fin et frais de fruits acidulés, relayé par un palais vif et tonique, qui ne manque pas non plus de rondeur. Bref, un ventoux équilibré, qui conviendra aussi bien à une cuisine provençale (tian, farcis) qu'à une cuisine asiatique (nems, crevettes sel et poivre...).

Louis Bernard, Le Village, 84190 Gigondas, tél. 04.90.12.32.42, fax 04.90.12.32.49, louis-bernard@gmdf.fr

CH. PESQUIÉ Terrasses 2011 ★★

	200 000	▮	8 à 11 €

Ce domaine bénéficie d'une belle implantation en plein cœur du Ventoux, sur le versant sud du mont. La

cuvée Terrasses, en référence à cette situation, se présente dans une élégante robe rouge burlat qui met l'eau à la bouche. Les fruits noirs confiturés (cassis) et les épices composent un nez intense et flatteur. En bouche, la réglisse prend la relève, accompagnée d'une pointe épicée en écho à l'olfaction, le tout soutenu par des tanins très fins et soyeux. Cette bouteille remarquablement construite ne dédaignera pas un gibier à plume. Le **Quintessence rouge 2010 (15 à 20 €; 20 200 b.)** a connu douze mois de fût. Puissant au nez comme en bouche, boisé avec maîtrise, élégant et long, il est armé pour une garde de quatre ou cinq ans. Il obtient deux étoiles également.

Ch. Pesquié, rte de Flassan, BP 6, 84570 Mormoiron, tél. 04.90.61.94.08, fax 04.90.61.94.13, contact@chateaupesquie.com t.l.j. 9h-12h 14h-18h; f. dim. du 1er oct. à Pâques
Famille Chaudière Bastide

LA ROMAINE Tradition 2011

12 000 - de 5 €

Proposé par la cave de Vaison-la-Romaine, ce duo grenache-cinsault se présente dans une belle robe saumonée. Le style est marqué par la rondeur et la douceur, et par un fruité intense. L'ensemble est de bonne facture et s'appréciera sans chichis sur une assiette de charcuteries.

Cave la Romaine, quartier Le Colombier, 84110 Vaison-la-Romaine, tél. 04.90.36.00.43, caveau@cave-la-romaine.com r.-v.

LA CAVE SAINT-MARC Soleil rosé 2011 ★★

40 000 - de 5 €

Cette coopérative fondée en 1928 fédère aujourd'hui quelque trois cents familles de vignerons. Par conséquent, un acteur qui compte... Elle signe ici un Soleil rosé brillant et lumineux, couleur pétale de rose, qui fleure bon le bonbon, les fleurs et les fruits rouges. Ample, rond tout en restant frais jusqu'en finale, le palais est tapissé de fruits rouges mûrs, fraise et groseille en tête, des notes de rose marquant délicatement la finale. Un vin gourmand et élégant, qui passera de l'apéritif à la cuisine asiatique sans difficulté. Le **Soleil 2011 blanc (40 000 b.)** obtient une étoile pour sa finesse aromatique (notes beurrées et florales, arômes d'agrumes et de noisette) et pour sa richesse et sa rondeur en bouche. Le **Saint-Marc 2010 rouge (120 000 b.)**, floral, fruité, ample et généreux, fait jeu égal.

Cave coopérative Saint-Marc, av. de l'Europe, 84330 Caromb, tél. 04.90.62.40.24, fax 04.90.62.48.83 r.-v.

CH. SAINT-PONS 2011 ★

6 000 5 à 8 €

Ce petit domaine de 10 ha propose un rosé de belle facture, de couleur saumonée, au nez délicat d'agrumes et de fleurs blanches. Des notes friandes de bonbon et de rose s'ajoutent à cette palette aromatique dans une bouche bien équilibrée entre fraîcheur et rondeur. Un ensemble élégant et fin, que l'on verrait bien sur une escalope milanaise.

Ch. Saint-Pons, 84400 Villars, tél. 04.90.75.55.84, fax 04.90.75.56.04, chateau@saintpons.com t.l.j. 10h-19h
Carrel-Deren

SYLLA Saint-Auspice 2011 ★

18 000 5 à 8 €

Cette cuvée de la coopérative d'Apt marie avec succès le grenache (60 %), la syrah et le cinsault. La robe est d'un seyant rose bonbon. Un joli nez fruité annonce une bouche fraîche à l'attaque, elle aussi sur le fruit (fruits rouges, agrumes), puis plus ronde en milieu de parcours. Un vin équilibré qui se plaira avec une darne de saumon en papillote. Cité, l'**Obage 2010 rouge (20 000 b.)**, qui fait la part belle au grenache, est un vin fruité, épicé, souple et généreux.

SCA Sylla, BP 141, 84405 Apt Cedex, tél. 04.90.74.05.39, fax 04.90.04.72.06, sylla@sylla.fr t.l.j. sf dim. 9h-19h

DOM. DE TARA Hautes Pierres 2011 ★

5 000 11 à 15 €

Valeur sûre de l'appellation, le domaine de Patrick et Michèle Folléa s'illustre cette année avec ces Hautes Pierres nées de roussanne et de grenache blanc, vinifiées et élevées en fût. À l'œil, des reflets dorés rehaussent un jaune déjà soutenu. Le nez se montre puissant et prodigue de notes de fruits à chair blanche, d'herbe fraîche, de beurre et de miel. Bien équilibré, même si le bois est encore présent, le palais affiche une belle vivacité qui lui donne du peps.

SCEA Dom. de Tara, Les Rossignols, 84220 Roussillon, tél. 04.90.05.74.87, fax 04.90.05.71.35, domainedetara@orange.fr t.l.j. 10h-19h
Folléa

TERRAVENTOUX 2011 ★

40 000 5 à 8 €

La vénérable coopérative (1929) de Villes-sur-Auzon signe un rosé pâle orné de beaux reflets violines. Les agrumes et le bonbon acidulé composent un bouquet vif et fin. Le palais se fait plus rond, plus doux, mais reste pourvu d'une agréable fraîcheur sous-jacente qui apporte l'équilibre et la longueur. Parfait pour une mise en bouche ou avec des farcis provençaux. La cuvée **Cour carrée 2010 rouge (moins de 5 €; 50 000 b.)**, fruitée, réglissée et épicée, généreuse en bouche, est citée.

Cave TerraVentoux, rte de Carpentras, 84570 Villes-sur-Auzon, tél. 04.90.61.80.07, fax 04.90.61.97.23 t.l.j. sf dim. 9h-12h 14h-18h

TERRES CACHÉES 2011 ★

65 000 5 à 8 €

De beaux reflets bleutés animent la robe pâle de ce rosé de la coopérative de Saint-Didier. Au nez, les fruits rouges frais offrent un premier contact agréable, bientôt complétés par les agrumes et quelques notes amyliques. Ronde et douce, la bouche fait longuement écho à l'olfaction. Un vin harmonieux et élégant, qu'un dégustateur verrait bien avec un agneau grillé.

SCA la Courtoise, rte de la Cave, 84210 Saint-Didier, tél. 04.90.66.01.15, fax 04.90.66.13.19, cave.la.courtoise@wanadoo.fr
t.l.j. sf dim. 8h30-12h 14h-18h

DOM. TERRUS 2010

20 000 — 5 à 8 €

Un partage équitable entre grenache et syrah pour ce ventoux de la coopérative de Goult. Malgré un nez discret, les épices ressortent après une petite aération, avec des fruits à l'arrière-plan. Portée par des tanins bien fondus, la bouche séduit par sa rondeur avenante et par son fruité frais et persistant. Un vin plaisant, à boire dès à présent. La cuvée **Aubépine 2011 blanc (40 000 b.)**, mi-grenache blanc mi-clairette, au nez expressif d'agrumes, de fruits exotiques et de fleurs blanches, fine et équilibrée en bouche, est également citée.

Cave de Lumières, 84220 Goult, tél. 04.90.72.20.04, fax 04.90.72.42.52, info@cavedelumieres.com
t.l.j. 8h-12h 14h-18h

DOM. DU TIX Cuvée de Bramefan 2010 ★★

13 000 — 11 à 15 €

PRODUIT DE FRANCE
DOMAINE du TIX
2010
CUVÉE DE BRAMEFAN
A.O.C. VENTOUX
MIS EN BOUTEILLE AU DOMAINE
MARIE PIRSCH & PHILIPPE DANEL PROPRIÉTAIRES-RÉCOLTANTS

Le vignoble s'étend sur 15 ha au sud du mont Ventoux, sur la colline de Notre-Dame-des-Anges, à 350 m d'altitude ; cette cuvée atteint les sommets. Une forte proportion de syrah (92 %) aux côtés du grenache se traduit par une robe pourpre foncé. Le nez impressionne par son intensité et sa complexité : les notes de fruits confiturés (cerise) ou de fruits à l'eau-de-vie se mêlent à des nuances de vanille et de bon gâteau fait maison à peine sorti du four. Une invite gourmande à poursuivre la dégustation : l'attaque est ronde, le développement ample, riche et généreux, étayé par des tanins bien arrimés, et la finale longuement étirée sur les fruits mûrs. Un agneau de sept heures sera ici en excellente compagnie dès l'automne, comme dans deux ou trois ans. Une étoile pour la **cuvée Doña Maria 2010 rouge (15 à 20 € ; 4 000 b.)**, complexe (fruits mûrs, tapenade, garrigue), puissante, vineuse et solidement structurée, qui accompagnera volontiers un pigeon après deux ou trois ans de garde.

Dom. du Tix, Colline Notre-Dame-des-Anges, 84570 Mormoiron, tél. et fax 04.90.61.84.43, contact@domaine-du-tix.fr r.-v.
Mme Pirsch

CH. UNANG La Croix 2009 ★

5 000 — 15 à 20 €

James et Joanna King sont venus d'Écosse en 2001 reprendre cette ancienne propriété de l'évêché de Venasque, dont le vignoble étagé entre 220 et 330 m d'altitude est en cours de conversion bio. Grenache, syrah et carignan, par ordre d'importance, ont donné naissance à ce ventoux dont la robe rouge foncé laisse deviner une bonne maturité. Le nez méridional mêle garrigue, épices et fruits mûrs. Le palais, bien équilibré, tient la note, s'étirant longuement en finale sur les fruits et le poivre. À boire dans les deux ou trois prochaines années sur une daube provençale.

James King, Ch. Unang, 84570 Malemort-du-Comtat, tél. 04.90.69.91.37, bureau@chateauunang.com
t.l.j. sf dim. 10h-12h 14h-18h

CH. VALCOMBE Épicure 2011 ★

5 000 — 8 à 11 €

Luc Guénard a repris en 2009 ce vignoble de 28 ha situé au pied du Ventoux et des Dentelles de Montmirail, qu'il a conduit d'emblée selon les préceptes de l'agriculture biologique (conversion en cours en vue de la certification). Assemblés à parts égales, le grenache blanc, la roussanne, la clairette et le bourboulenc composent ce vin dédié à Épicure. Le nez séduit par sa puissance fruitée. Le passage partiel en fût reste très discret et laisse le fruit s'exprimer dans une bouche souple et équilibrée. Recommandé sur une viande blanche.

EARL Maison Guénard, 480, chem. de Valcombe, 84330 Saint-Pierre-de-Vassols, tél. 04.90.62.51.29, fax 09.74.44.07.07, contact@chateau-valcombe.fr
t.l.j. 8h-12h 13h-17h

DOM. DE LA VERRIÈRE 2011

24 000 — 5 à 8 €

Sur l'étiquette, un souffleur de verre italien, en souvenir des verriers transalpins installés ici au XVe s. par le roi René, comte de Provence, alors propriétaire du domaine. Dans le flacon, du rose saumoné pour la couleur, du fruit, discret, avec pour le nez, une sympathique touche de bonbon anglais, du gras, de la rondeur et une pointe de sucrosité pour la bouche. Alliance gourmande en perspective avec un mets sucré-salé. Cité, le **blanc 2011 (11 800 b.)**, à dominante de roussanne, séduit par son fruité acidulé et frais. Il accompagnera des coquillages.

Jacques Maubert, Dom. de la Verrière, 84220 Goult, tél. 04.90.72.20.88, fax 04.90.72.40.33, laverriere2@wanadoo.fr t.l.j. sf dim. 9h-12h 14h-18h

VINDEMIO Imagine 2010 ★

12 000 — 11 à 15 €

Un nom de cuvée invitant au rêve, inscrit sur une étiquette blanche épurée, voilà qui donne envie de voir ce qui se passe dans le flacon. Les dégustateurs du Guide, qui n'avaient qu'un numéro anonyme sur la bouteille, nous donnent leur interprétation : une robe élégante, rouge grenat intense, un nez complexe de fruits noirs mûrs agrémentés de notes fumées, une bouche puissante et solidement structurée, un peu austère en finale, parfumée d'épices et de fruits à maturité. De quoi voir venir pour les deux ou trois prochaines années.

Vindemio, 34, av. Jean-Jaurès, 84570 Villes-sur-Auzon, tél. 04.90.70.20.45, fax 09.70.62.46.01, vindemio@hotmail.fr t.l.j. 9h-12h 16h-19h; t.l.j. 9h-12h en hiver; f. jan.

Luberon

Superficie : 3 200 ha
Production : 136 220 hl (80 % rouge et rosé)

Le vignoble, AOC depuis 1988, est implanté sur 36 communes des versants nord et sud du massif calcaire du Luberon, entre les vallées de la Durance au sud et du Calavon au nord. Les vins rouges et rosés portent l'empreinte du grenache et de la syrah, cépages obligatoires éventuellement complétés par des variétés secondaires comme le cinsault et le carignan. Le climat plus frais qu'en vallée du Rhône et les vendanges plus tardives expliquent la part relativement importante des vins blancs, qui naissent principalement des cépages grenache blanc, clairette, vermentino et roussanne.

BASTIDE DE RHODARÈS 2010 ★★

■ 2 000 11 à 15 €

Cette coopérative est née en 2009 de la fusion des caves de Cadenet, Lourmarin, Lauris et Cucuron. Pour les vins rouges, elle travaille en partenariat avec la maison de négoce de Lourmarin Tardieu-Laurent. Cette cuvée issue de syrah (60 %) et de grenache dévoile un nez intense de fruits rouges confiturés. Les épices, la réglisse et la garrigue s'y ajoutent dans une bouche ronde, généreuse et élégante à la fois, de bonne longueur. Déjà harmonieuse, cette bouteille pourra aussi vieillir deux ou trois ans. Prêt à boire, le **2010 rouge Rhodarès (5 à 8 €; 3 000 b.)**, moins concentré et plus souple, obtient une étoile. Le **2011 rosé Haut Coulobre (moins de 5 €; 15 000 b.)**, fruité et légèrement amylique, est cité.

SCA Louérion Terres d'Alliance, quartier Châteauvieux, 84160 Cucuron, tél. 04.90.77.21.02, fax 04.90.77.11.10, contact@luberon-provence.com t.l.j. 9h-12h 14h30-19h

CH. BLANC 2011 ★

15 000 11 à 15 €

Ce domaine, installé dans une ancienne verrerie, convertit son vignoble à l'agriculture biologique depuis 2009. Il propose un vin de couleur or pâle aux reflets verts, issu de grenache, clairette, bourboulenc et roussanne assemblés à parts égales. Le nez, très expressif, mêle notes de poire bien mûre et d'aubépine. Le palais offre un bel équilibre douceur-acidité, un volume et une longueur appréciables. Parfait sur un poisson en sauce.

Ch. la Verrerie, rte de Lauris, 84360 Puget, tél. 04.90.08.32.98, fax 04.90.08.25.45, la-verrerie@wanadoo.fr
t.l.j. 9h30-18h; sam. dim. 10h-13h 15h-18h
Descours

CAVE DE BONNIEUX Les Safres 2011

30 000 - de 5 €

La doyenne des caves coopératives du Luberon (1920) vendange de nuit depuis trois ans pour ses rosés, afin de leur conférer plus de fraîcheur et de conserver un bon fruité. De fait, les dégustateurs ont apprécié ce 2011 tout en fruit, soutenu par une belle vivacité. À déguster sans chichis, sur une bonne grillade au feu de bois.

Cave de Bonnieux, quartier de la Gare, 84480 Bonnieux, tél. 04.90.75.80.03, fax 04.90.75.98.30, caveau@cavedebonnieux.com
t.l.j. sf dim. 9h-12h 14h30-18h; f. lun. matin en hiver

CH. LA CANORGUE 2010 ★★

■ 87 000 8 à 11 €

Domaine phare de l'appellation et remarquable de constance, La Canorgue ne manque pas le rendez-vous de cette nouvelle édition. Ce 2010 débute lentement, va crescendo jusqu'à sa longue finale épicée. Entre-temps, on aura emprunté un sentier des plus méridionaux, fait de senteurs de garrigue et de cassis confituré, puis un palais ample et franc, tapissé de tanins soyeux. Le vin a connu le fût, et pourtant, aucun boisé intempestif. Tout est bien en place, harmonieux. À servir sur des côtes d'agneau grillées, dès à présent ou dans deux ans. Né de vignes âgées de soixante ans, le **2010 rouge Coin perdu (15 à 20 €; 7 500 b.)**, fruité, épicé et floral (violette), apparaît plus anguleux. On l'attendra deux ou trois ans. Il obtient une étoile, comme le **2011 rosé (45 000 b.)**, expressif (fraise, pêche, aubépine), à la fois rond et frais, bien équilibré en somme.

Jean-Pierre et Nathalie Margan, Ch. la Canorgue, rte du Pont-Julien, 84480 Bonnieux, tél. 04.90.75.81.01, chateaucanorgue.margan@wanadoo.fr
t.l.j. sf dim. 9h-12h 14h-18h

DOM. DE LA CITADELLE Gouverneur Saint-Auban 2009 ★

■ 16 000 20 à 30 €

Lorsqu'il s'installe en 1989 dans ce vieux mas au pied de Ménerbes, Yves Rousset-Rouard a 8 ha de vignes pour « terrain de jeu » ; aujourd'hui, le vignoble s'étend sur 39 ha, répartis sur soixante parcelles et accueillant quatorze cépages. Une belle palette à sa disposition pour faire varier les plaisirs. Du plaisir, ce 2009 en donne assurément. Au nez, il mêle les épices, les aromates, des senteurs balsamiques et celles, toastées et fumées, de la barrique. À ce bouquet complexe répond un palais équilibré entre tanins fondus, boisé maîtrisé et intensité aromatique (genièvre, épices). À boire dans les deux ou trois ans à venir, avec une volaille rôtie et gratin dauphinois. Le **2009 rouge Les Artèmes (11 à 15 €; 20 000 b.)**, souple, fin et fruité, est cité, tandis que le **2011 blanc Les Artèmes (11 à 15 €; 10 000 b.)**, délicatement bouqueté (pêche, abricot) et minéral, reçoit également une étoile.

Dom. de la Citadelle, rte de Cavaillon, 84560 Ménerbes, tél. 04.90.72.41.58, fax 04.90.72.41.59, contact@domaine-citadelle.com
t.l.j. 9h-12h 14h-19h; f. sam. dim. jan. fév.
Rousset-Rouard

CH. DE CLAPIER 2010

■ 8 162 5 à 8 €

Ancienne propriété du marquis de Mirabeau, ce domaine entre dans la famille Montagne en 1880. À la pointe de la modernité, les aïeux y installent un égrappoir animé par une machine à vapeur, ainsi qu'une batterie de douze foudres en chêne encore en état aujourd'hui. C'est en cuve que ce rouge a été élaboré. Le grenache (65 %) lui confère sa rondeur, ses tanins soyeux et ses notes de fruits rouges confits, la syrah, ses arômes d'épices, une pointe « exotique » de pinot noir venant en complément. Un vin plaisant et équilibré. Le **2011 blanc (6 800 b.)**, discrètement floral, bien équilibré entre gras et fraîcheur, est également cité.

Thomas Montagne, rte de Manosque, 84120 Mirabeau, tél. 04.90.77.01.03, fax 04.90.77.03.26, chateau-de-clapier@wanadoo.fr
t.l.j. sf dim. 9h30-12h30 14h-18h

COLLET D'AYGUES 2010

	6 000		5 à 8 €

L'heure est au regroupement dans le système coopératif. En 2005, les deux caves de La Tour-d'Aigues ont fusionné, et en 2010, la cave de La Motte-d'Aygues est venue les rejoindre. Cette cuvée joue la carte de la syrah (80 %) et livre un bouquet de fruits rouges et d'épices, qui se prolonge dans une bouche souple et légère. Le **Collet d'Aygues 2011 rosé (3 500 b.)**, rond et fruité, est également cité.

SCA Valdèze, 288, bd de la Libération, 84240 La Tour-d'Aigues, tél. 04.90.07.42.12, fax 04.90.07.49.08, valdeze@valdeze.fr
t.l.j. sf dim. lun. 9h-12h30 15h-19h

CH. LA DORGONNE 2011 ★

	21 000		5 à 8 €

Le domaine s'étend sur 70 ha d'un seul tenant, dont 28 consacrés à la vigne, le reste étant réparti entre oliviers, céréales, bois et garrigue. Il propose un rosé mi-cinsault (saignée) mi-grenache (pressurage direct) qui donne l'impression de humer une salade de fruits rouges – fraise et framboise en tête. La bouche, ronde et persistante, fait apparaître un plaisant côté floral. Pourquoi pas une salade de fruits rouges relevés d'une touche de poivre, pour un accord ton sur ton ? À dominante de rolle et d'ugni blanc, le **2011 blanc (8 à 11 € ; 12 000 b.)**, gras et long, sur les fruits exotiques (mangue), obtient également une étoile.

Ch. la Dorgonne, 84240 La Tour-d'Aigues, tél. 04.90.07.50.18, fax 04.90.07.56.55, info@ladorgonne.com
t.l.j. 8h-20h
Familles Parmentier-Jolly

CH. LES EYDINS L'Ouvière 2011 ★

	4 000		8 à 11 €

Les Eydins, d'origine germanique et cousins du comte de Toulouse, vécurent ici du XIIes. jusqu'à la Révolution. Depuis 2002, Serge Seignon conduit en bio les 18 ha du domaine. Il signe un blanc au bouquet intense de fruits exotiques (mangue, litchi), très minéral et tonique. Fidèle à l'olfaction, la bouche se révèle fraîche et longue. Le **2011 rosé (5 à 8 € ; 7 000 b.)**, puissant, gras et complexe (poivre, poire), obtient également une étoile.

Ch. les Eydins, rte du Pont-Julien, 84480 Bonnieux, tél. et fax 04.90.75.61.58, serge.seignon@club-internet.fr
t.l.j. 9h-12h30 14h30-19h
Serge Seignon

DOM. FAVEROT Le Mazet 2010 ★

	8 000		5 à 8 €

Ce mas provençal, dont une partie date du XVIes., fut transformé en magnanerie au XVIIIes., puis en domaine viticole dans les années 1920. Syrah, grenache et carignan, par ordre d'importance, composent un vin encore un peu fermé, qui laisse poindre après agitation quelques notes de violette et de musc. De même, ce 2010 se livre peu en bouche, mais il laisse entrevoir un bel avenir grâce à sa structure solide. À revoir dans une paire d'années sur une terrine de sanglier. La **cuvée du Général 2010 rouge (11 à 15 € ; 3 300 b.)**, florale (violette) et fruitée (cassis), souple et longue, obtient elle aussi une étoile. Le **2011 rosé (7 300 b.)**, agréablement fruité (groseille) et d'une aimable rondeur, est cité.

Dom. Faverot, SCEA Dom. de l'Allée, 771, rte de Robion, 84660 Maubec, tél. et fax 04.90.76.65.16, domainefaverot@wanadoo.fr
t.l.j. 9h-12h 14h30-19h

CH. FONTVERT Soulèu e Terraire 2010 ★★

	3 000		11 à 15 €

SOULÈU E TERRAIRE

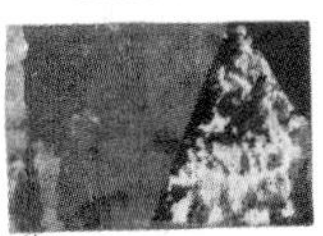

CHÂTEAU FONTVERT

LUBERON

2010

Ce domaine, propriété de la famille Monod depuis les années 1950, n'est sorti de la cave coopérative qu'en 2001. Il s'est alors doté d'un nouvel outil de production, a entièrement restructuré le vignoble, en cours de conversion biologique et biodynamique, et construit une nouvelle cave. Des efforts qui portent leurs fruits, à en juger par ce remarquable 2010 d'un beau grenat intense, né à parts égales de grenache et de syrah. Au nez comme en bouche, il offre une large et complexe palette aromatique : violette, réglisse, cacao, praline. On apprécie aussi sa concentration, ses tanins soyeux et sa longueur. Déjà fort aimable, il a suffisamment d'étoffe pour être « oublié » quatre ou cinq ans en cave. Élevé en cuve, le **2010 rouge Les Restanques (5 à 8 € ; 10 000 b.)** évolue dans un registre plus souple et fruité. Harmonieux et rond, il reçoit une étoile. Cité, le **2011 rosé Soulèu e Terraire (5 à 8 € ; 18 500 b.)** a connu un élevage partiel en fût, dont il retire des notes de caramel qui se marient à des nuances de fruits mûrs, et un palais rond rehaussé par une pointe de fraîcheur.

Ch. Fontvert, chem. de Pierrouret, 84160 Lourmarin, tél. 04.90.68.35.83, fax 04.90.68.35.89, info@fontvert.com
t.l.j. sf dim. 9h-18h30; sur r.-v. d'oct. à avr.
Monod

CH. GRAND CALLAMAND Vous 2011 ★

	1 200		5 à 8 €

Nathalie Souzan, installée en 2005 sur ce domaine commandé par une bastide aux allures templières, signe un rosé confidentiel, élaboré à partir du grenache (90 %) et d'une pointe de counoise. Ce vin intéresse par sa finesse, son élégance et sa longueur. Très aromatique, il mêle notes de fruits rouges, de pêche et de fleurs blanches, soulignées par une juste fraîcheur.

Ch. Grand Callamand, rte de la Loubière, 84120 Pertuis, tél. et fax 04.90.09.61.00, chateaugrandcallamand@wanadoo.fr r.-v.

RHÔNE

DOM. DES MARCHANDS Les Castes Côté terrasses 2010

■ 2 000 5 à 8 €

Elle est parisienne, lui auvergnat ; ils ont quitté la capitale pour créer ce domaine en 2003. Leur objectif : élaborer des « vins plaisir, des vins "amicaux", souples et fruités ». Les dégustateurs confirment que l'objectif est atteint ; l'un d'eux parle d'un « vin plaisir, à boire entre copains sous la tonnelle... » Tout est dit : voilà un rouge franc et frais, aux tanins fondus, parfumé de discrètes notes de sous-bois, d'épices et de fruits rouges. Sortez barbecue et grillades !

EARL Pichot et Fils, Les Castes, 84240 Ansouis, tél. 04.90.07.57.03, pichotst@wanadoo.fr t.l.j. 9h-19h

MARRENON Grand Marrenon Élevé en fût de chêne 2010 ★

■ 120 000 8 à 11 €

Ce groupement de neuf coopératives propose une cuvée issue d'une sélection parcellaire, qui a connu une cuvaison longue d'un mois et un élevage d'un an en barrique. Au nez, il dévoile des notes de vanille, de gingembre et de fruits noirs confiturés. En bouche, les dégustateurs louent l'élégance des tanins, la matière ample et aromatique (fruits, épices), et le boisé bien maîtrisé. À attendre deux ans pour un fondu optimal de l'élevage. Le **2010 blanc Grand Marrenon Élevé en fût de chêne (50 000 b.)**, très aromatique, à dominante de pêche et délicatement vanillé, obtient lui aussi une étoile, tout comme le **2011 rosé Pétula (5 à 8 €; 70 000 b.)**, frais, gourmand et complexe (framboise, pamplemousse, bonbon, sureau).

Marrenon, rue Amédée-Giniès, 84240 La Tour-d'Aigues, tél. 04.90.07.40.65, fax 04.90.07.30.77, marrenon@marrenon.com t.l.j. 8h30-12h30 14h30-19h

DOM. DE LA ROYÈRE L'Oppidum 2011 ★

4 000 5 à 8 €

Attachée à promouvoir le travail des vigneronnes, Anne Hugues, créatrice de l'association « Femmes-Vignes-Rhône », montre la voie depuis 1988 et son premier millésime. Elle signe un blanc 2011 or pâle, au nez vanillé et délicatement fruité (poire, pêche). Le palais, à l'unisson, agrémenté de nuances florales et épicées, séduit par son équilibre entre rondeur et fraîcheur. À boire dans les deux ou trois prochaines années, sur une volaille à la crème.

SCEA Anne Hugues, 375, rte de la Senancole, 84580 Oppède, tél. 04.90.76.87.76, fax 04.90.76.79.50, info@royere.com t.l.j. sf sam. dim. 9h-12h 14h-18h

SYLLA Mourre Nègre 2011 ★

■ 18 000 5 à 8 €

Grenache (60 %) et syrah composent un rosé joliment vêtu d'une robe pivoine, claire et brillante, qui aiguise les papilles avec son bouquet expressif de fraise, de groseille et de framboise, une touche amylique soulignant une vinification à basse température. En bouche, la présence soutenue du fruit et une aimable rondeur rendent ce vin gourmand et friand. Le **2010 rouge Dom. le Tourrel (4 400 b.)**, sur les fruits confiturés et les épices, aux tanins serrés et fins, un rien austères en finale, obtient également une étoile. On pourra le boire dès à présent ou l'attendre deux ans.

SCA Sylla, BP 141, 84405 Apt Cedex, tél. 04.90.74.05.39, fax 04.90.04.72.06, sylla@sylla.fr t.l.j. sf dim. 9h-19h

DOM. LES VADONS La Melchiorte 2009

■ 6 000 11 à 15 €

Cette cuvée tire son nom d'une parcelle où pousse le mourvèdre, cépage associé ici (30 %) au grenache et à la syrah. Cet assemblage a donné naissance à un 2009 bien dans son millésime : un vin chaleureux, épicé (poivre), encore sous l'emprise du merrain mais suffisamment étoffé pour digérer son élevage. À réserver pour une viande en sauce, une daube provençale par exemple.

Dom. les Vadons, La Resparine, 84160 Cucuron, tél. 06.03.00.10.29, fax 04.90.77.13.40, les.vadons@wanadoo.fr t.l.j. sf dim. 10h30-12h30 15h-19h; f. lun. mer. dim. d'oct. à mai 2

Louis-Michel Bremond

DOM. DES VAUDOIS 2011 ★

1 900 5 à 8 €

Trois vins retenus, et c'est un bel aperçu des différentes couleurs de l'appellation qui est ici proposé. En tête, ce blanc 2011 très expressif, qui associe au nez la pêche, l'abricot et la mangue, et qui se montre ample, frais et tonique en bouche, égayé par une jolie finale acidulée. Le **2009 rouge (6 600 b.)**, chaleureux (fruits à l'alcool), aux tanins fondus, bien dans l'esprit du millésime, est cité, de même que le **2011 rosé (3 800 b.)**, vif et fruité en attaque, plus généreux en finale.

EARL François Aurouze, Dom. des Vaudois, rue du Temple, 84240 Cabrières-d'Aigues, tél. 04.90.77.60.87, fax 09.56.96.95.26, aurouze@terre-net.fr t.l.j. sf dim. lun. 10h-13h 16h-19h

Pierrevert

Superficie : 360 ha
Production : 15 541 hl (90 % rouge et rosé)

Dans le département des Alpes-de-Haute-Provence, la majeure partie des vignes se trouve sur les versants de la rive droite de la Durance (Corbières, Sainte-Tulle, Pierrevert, Manosque...). Les conditions climatiques, déjà rigoureuses, cantonnent la culture de la vigne dans une dizaine de communes sur les quarante-deux que compte légalement l'aire d'appellation. Les vins rouges, rosés et blancs, d'assez faible degré alcoolique et d'une bonne nervosité, sont appréciés par ceux qui traversent cette région touristique. Les coteaux-de-pierrevert ont été reconnus en appellation d'origine contrôlée en 1998.

DOM. LA BLAQUE 2011 ★

■ 50 000 5 à 8 €

Ce domaine, valeur sûre de l'appellation, signe un rosé élégant dans sa robe couleur pétale de rose, très pâle et brillante. Son fruité, léger et délicat, se retrouve dans une bouche persistante, tonifiée par une jolie vivacité qui réveille les papilles. Tout indiqué pour un apéritif sous la tonnelle, autour d'une anchoïade par exemple.

Dom. la Blaque, 04860 Pierrevert, tél. 04.92.72.39.71, fax 04.92.72.81.26, domaine.lablaque@wanadoo.fr
t.l.j. sf dim. 8h-12h 14h-18h

CH. RÉGUSSE 2011 ★

12 000 | 5 à 8 €

Ce blanc couleur jaune pâle aux reflets verts est né de l'assemblage vermentino-ugni blanc. Au nez, les fruits jaunes, l'abricot notamment, s'effacent à l'aération pour laisser la place à ceux à chair blanche, puis aux agrumes. Sans être explosif, le palais révèle une richesse appréciable, égayée par une pointe de vivacité en finale.

SAS Régusse, Dom. de Régusse, rte de la Bastide-des-Jourdans, 04860 Pierrevert, tél. 04.92.72.30.44, fax 04.92.72.69.08, domaine-de-regusse@wanadoo.fr
t.l.j. 9h30-12h30 14h30-19h
Munier

CH. DE ROUSSET 2011 ★

45 000 | 5 à 8 €

Le château de Rousset, situé à l'extrême sud du plateau de Valensole, est dans la famille Emery depuis 1825. Petit à petit, Roseline et Hubert laissent la main à leur fils Thomas. Leur blanc, à dominante de vermentino, séduit par ses doux parfums fruités et floraux. Vif à l'attaque, le palais se fait plus rond au développement, tandis qu'une jolie touche acidulée étire la finale. À marier avec un poisson ou une cuisine épicée. Le **2011 rosé (50 000 b.)**, vif et fruité, est cité.

Ch. de Rousset, Rousset, 04800 Gréoux-les-Bains, tél. 04.92.72.62.49, fax 04.92.72.66.50, roseline.emery@wanadoo.fr
t.l.j. sf dim. 9h-12h 14h-18h30
Famille Emery

Côtes-du-vivarais

Superficie : 439 ha
Production : 18 485 hl (95 % rouge et rosé)

À la limite nord-ouest des Côtes du Rhône méridionales, les côtes-du-vivarais chevauchent les départements de l'Ardèche et du Gard. Les vins, produits sur des terrains calcaires, sont essentiellement des rouges à base de grenache (30 % minimum), de syrah (30 % minimum), et des rosés, caractérisés par leur fraîcheur et à boire jeunes. Ce VDQS a été reconnu en AOC en 1999.

DOM. DE BEL AIR Grande Réserve 2011 ★

40 000 | - de 5 €

Ce vin de négoce mi-grenache mi-syrah se pare d'une robe rouge soutenu aux reflets violets de jeunesse. S'il reste discret au nez, quelques notes de fruits rouges pointant à l'aération, il se montre plus expressif en bouche, sur les fruits rouges mûrs. Concentré, ample, rond et campé sur de solides tanins, il est à ouvrir dans deux ou trois ans sur un rôti de bœuf.

R & D Vins, Ch. Saint-Maurice, RN 580, L'Ardoise, 30290 Laudun, tél. 04.66.82.96.57, fax 04.66.82.96.58, francois.dauvergne@dauvergne-ranvier.com

CLOS DE L'ABBÉ DUBOIS 2010

10 000 | - de 5 €

Ce bon abbé Dubois – ancêtre de Claude Dumarcher, lequel partit construire une école en Inde au XVIIIe s. – a revêtu une chasuble pourpre. Il embaume la garrigue, les épices, les fruits rouges et noirs (cassis). Il dévoile ensuite une aimable rondeur, mais sans se départir d'une certaine puissance, soutenue par des tanins soyeux. Au final, un vin « jovial » et plaisant, loin des canons du vin de messe, que l'on appréciera dans deux ans sur un gigot d'agneau.

Claude Dumarcher, Le Village, RD4, 07700 Saint-Remèze, tél. 04.75.98.98.44, claudedumarcher@orange.fr
t.l.j. sf mer. dim. 10h-12h 15h-18h30

VIGNERONS DES COTEAUX D'AUBENAS

Cuvée des seigneurs 2011

20 000 | - de 5 €

Ce rosé de saignée de la coopérative de Saint-Étienne-de-Fontbellon associe classiquement le grenache (70 %) et la syrah. Il en résulte une robe rose pastel, limpide et brillante. Le nez évoque les fruits rouges et les agrumes, arômes que prolonge une bouche généreuse et persistante. On verrait bien cette bouteille sur une paella.

Les Vignerons des Coteaux d'Aubenas, BP 11, 07200 Saint-Étienne-de-Fontbellon, tél. 04.75.35.17.58, fax 04.75.35.54.98, caves.vivaraises@wanadoo.fr
t.l.j. sf dim. 8h30-12h 14h-18h30

MAS DE BAGNOLS 2010

2 000 | 5 à 8 €

Ce 2010, issu à parts égales de grenache blanc et de marsanne, revêt une robe jaune doré brillant. Au nez, il mêle des notes de fruits secs et de pierre à fusil. En bouche, il se montre généreux et rond, en harmonie avec les parfums perçus à l'olfaction, agrémenté d'une pointe de vivacité bienvenue et d'un boisé discret.

Pierre Mollier, Mas de Bagnols, Les Côtes, 07110 Vinezac, tél. 04.75.36.51.99, fax 04.75.36.48.91, masdebagnols@orange.fr
t.l.j. sf dim. 9h-12h 14h-18h

Les vins doux naturels de la vallée du Rhône

Rasteau

Superficie : 38 ha
Production : 1 045 hl

Tout au nord du département du Vaucluse, ce vignoble s'étale sur deux formations distinctes : des sables, marnes et galets au nord ; des terrasses d'alluvions anciennes du Rhône (quaternaire), avec des galets roulés, au sud. Le grenache (90 % minimum) y fournit un vin doux naturel rouge ou doré.

RHÔNE

DOM. BEAU MISTRAL Vieilli en fût de chêne

■ 1 500 8 à 11 €

De vieux ceps de grenache âgés de soixante-dix ans ont donné naissance à ce rasteau vieilli dix-huit mois en fût de chêne. Au nez, l'orange amère se mêle à des notes plus évoluées de vieux cuir. La bouche se montre puissante et bien structurée. Accord classique mais sûr : un gâteau au chocolat.

Dom. Beau Mistral, rte d'Orange, 84110 Rasteau, tél. 04.90.46.16.90, fax 04.90.46.17.30, domaine.beaumistral@rasteau.fr
t.l.j. 9h-12h 14h-18h; dim. sur r.-v.
Jean-Marc Brun

DOM. BRESSY-MASSON Rancio

■ 2 000 11 à 15 €

Élevé trois ans en fût de chêne, ce rasteau se révèle bien typé rancio au nez, avec des notes de noix et de pistache grillée. Ample et plutôt léger en bouche, il accompagnera volontiers un dessert aux fruits secs.

Marie-France Masson, Dom. Bressy-Masson, rte d'Orange, 84110 Rasteau, tél. 04.90.46.10.45, fax 04.90.46.17.78, marie-francemasson@club-internet.fr
t.l.j. 9h-13h 14h-18h30

CAVE DE RASTEAU Signature 2007 ★

■ 18 000 11 à 15 €

Comme à son habitude, la cave de Rasteau – l'une des plus anciennes coopératives de la vallée du Rhône (1925) et principale productrice de l'appellation – s'invite dans ces pages avec sa cuvée Signature. Ce 2007 dévoile un bouquet intense et généreux de cerise à l'eau-de-vie, agrémenté d'une douce note de chocolat chaud. Le palais est à l'unisson, et l'on pense immédiatement à une forêt noire pour accompagner ce vin, aujourd'hui comme dans cinq ans.

Ortas - Cave de Rasteau, rte des Princes-d'Orange, 84110 Rasteau, tél. 04.90.10.90.10, fax 04.90.46.16.65, rasteau@rasteau.com
t.l.j. 9h-12h30 14h-19h; juil. août sept. 9h-19h

DOM. DU TRAPADIS Grenat 2010

■ 5 000 11 à 15 €

Vin de dessert, indique l'étiquette. On choisira par exemple une tarte chocolat-fruits rouges pour accompagner ce rasteau muté sur grains. Ce vin séduit d'emblée par la finesse de son bouquet, fruité et boisé avec mesure, puis par son palais aromatique et bien structuré. Il pourra patienter quatre ou cinq ans en cave.

Dom. du Trapadis, rte d'Orange, 84110 Rasteau, tél. 04.90.46.11.20, fax 04.90.46.15.96, hd@domainedutrapadis.com r.-v.
Durand Helen

Muscat-de-beaumes-de-venise

Superficie : 490 ha
Production : 9 265 hl

Au nord de Carpentras, se découpent les impressionnantes Dentelles de Montmirail. Le vignoble est implanté sur leur versant sud, dans un paysage qui doit ses couleurs à des calcaires grisâtres et à des marnes rouges. Une partie des sols est formée de sables, de marnes et de grès, une autre de terrains tourmentés datant du trias et du jurassique. Le seul cépage est le muscat à petits grains ; mais dans certaines parcelles, une mutation donne des raisins roses. Mutés à l'eau-de-vie comme les autres vins doux naturels, les vins doivent avoir au moins 110 g/l de sucre. Aromatiques, fruités et fins, ils trouvent toute leur place à l'apéritif et sur certains fromages ou desserts.

VIGNOBLES DE BALMA VENITIA Tradition ★

100 000 8 à 11 €

Cette vénérable cave coopérative fondée en 1956 propose une cuvée tout en finesse, qui séduit d'emblée par ses notes florales, lilas en tête. En bouche, la pêche et l'abricot rivalisent d'intensité, portés par une juste fraîcheur. Tout indiqué pour un dessert aux fruits, une tarte aux pêches par exemple, pour un accord ton sur ton.

SCA Balma Venitia, 228, rte de Carpentras, 84190 Beaumes-de-Venise, tél. 04.90.12.41.00, fax 04.90.12.41.21, vignerons@beaumes-de-venise.com
t.l.j. 8h30-12h30 14h-18h (été 19h)

DOM. DES ENCHANTEURS Ambre céleste 2010

2 000 15 à 20 €

Ce domaine de création récente (2009) avait fait une belle entrée dans le Guide l'an dernier avec son ventoux rouge Rêve de rubis 2009. Il propose ici un muscat couleur... ambre, au nez aérien, à dominante de fruits exotiques. L'amande prend le relais en bouche, avec une agréable vivacité en soutien. Pourquoi pas un dessert au chocolat ?

Dom. des Enchanteurs, 52, chem. d'Aubignan, 84330 Saint-Hippolyte-le-Graveyron, tél. 04.90.12.69.82, bertrand@domainedesenchanteurs.fr
r.-v.

LES VINS DE PAYS / IGP

MERLOT CÔTES DE GASCOGNE
CABERNET VAL DE LOIRE
GRENACHE SYRAH
CHARDONNAY CHARENTES
MUSCAT PAYS D'OC
MEUSE VAUCLUSE
ARDÈCHE SAUVIGNON

LES VINS DE PAYS/IGP

Production : 12 Mhl, dont environ 80 % en rouge et rosé
Principales régions : Languedoc-Roussillon (85 % des volumes), PACA (9 %), Midi-Pyrénées (8 %)
Répartition par catégories : 49 % en vins de pays de région, 27 % comme vins de zone local 24 % en vins de pays de département.

Depuis la réforme de classification des vins de 2009, les vins de pays (VDP) – qui faisaient partie jusqu'alors de la même catégorie que les vins de table – sont devenus des IGP (indications géographiques protégées). Ils rejoignent ainsi les AOC, inclus comme elles dans la famille des vins dotés d'une indication géographique. Ils fournissent aussi bien des vins de cépage que des vins « d'auteurs » issus de cépages oubliés ou d'assemblages inovants.

Des vins de pays aux IGP Créés à la fin des années 1960 pour résoudre la crise des vins de table boudés par les consommateurs, les vins de pays étaient à l'origine de simples vins de table personnalisés par une provenance géographique. Ils sont depuis le 1er août 2009 des indications géographiques protégées (IGP). À ce titre, ils rejoignent les AOP (ex-AOC) dans la catégorie des vins à indication géographique et sont donc gérés par l'Inao, organisme responsable de tous les signes d'origine et de qualité. Néanmoins, cette mutation de vin de pays en IGP n'est pas automatique, et chaque syndicat viticole gérant un VDP avait jusqu'à fin juin 2011 pour déposer un dossier de passage en IGP auprès de l'Inao, qui devait le transmettre après validation à la Commission européenne, pour étude et enregistrement. Pendant cette période de transition, les producteurs ont le choix pour l'étiquetage : ils peuvent conserver la mention « vin de pays », utiliser la mention « indication géographique protégée » ou les deux conjointement.

Trois catégories Il existe trois catégories d'IGP, selon l'extension de la zone géographique dans laquelle ils sont produits et qui compose leur dénomination : IGP « régionaux », issus de six grandes zones regroupant plusieurs départements (Val de Loire, Atlantique, Comté tolosan, Pays d'Oc, Méditerranée, Comtés rhodaniens et Franche-Comté) ; IGP de département, à l'exclusion toutefois des départements dont le nom est aussi celui d'une appellation (Jura, Savoie, Corse) ; enfin, IGP de zone provenant d'une entité restreinte correspondant parfois à un ou plusieurs cantons, une vallée ou une commune (ex. : Côtes de la charité, Duché d'Uzès, Cité de Carcassonne).

Le Languedoc en tête Les vins de pays représentent un gros quart de la production française en volume (entre 25 et 30 % selon les millésimes). La première région de production est le Languedoc-Roussillon, avec 85 % des volumes, très loin devant les régions PACA (9 %) et Midi-Pyrénées (8 %).

Des vins de cépages ou des vins d'assemblage originaux Le principal intérêt des vins de pays est la souplesse d'utilisation des cépages dont ils disposent. C'est ainsi que s'est développée ces dernières années la catégorie des « vins de cépage », cuvées élaborées à partir d'une unique variété de raisin fièrement affichée sur l'étiquette. Pour le producteur, les vins de pays offrent une possibilité de s'exprimer différemment, en dehors de canons de l'appellation d'origine, soit parce que les variétés qu'il utilise sont interdites dans les AOP locales, soit parce qu'il les emploie dans des proportions différentes de celles prévues en appellation. C'est également un moyen de compléter une offre en proposant une entrée de gamme, car les vins de pays, moins coûteux à produire, sont souvent vendus moins cher que les vins d'appellation. Les coopératives s'en sont d'ailleurs fait une spécialité et on y trouve des cuvées de vins de pays agréables, permettant une première approche des cépages et de la région.

Vallée de la Loire

Les vins de pays du Val de Loire, dénomination régionale, représentent à eux seuls 95 % de l'ensemble des IGP de ceux produits en vallée de la Loire ; une vaste région qui regroupe quatorze départements : Maine-et-Loire, Indre-et-Loire, Loiret, Loire-Atlantique, Loir-et-Cher, Indre, Allier, Deux-Sèvres, Puy-de-Dôme, Sarthe, Vendée, Vienne, Cher, Nièvre. À ces vins s'ajoutent les vins de pays de départements et les vins de pays de petites zones : Coteaux de la Charité, Coteaux de Tannay (Nièvre), Coteaux du Cher et de l'Arnon (entre l'Indre et le Cher) et Calvados (Basse-Normandie).

La production globale repose sur les cépages traditionnels de la région. Les vins blancs qui représentent 50 % de la production sont secs, frais et fruités, et principalement issus des cépages chardonnay, sauvignon et grolleau gris. Les vins rouges et rosés proviennent le plus souvent des cépages gamay, cabernet franc, pinot noir et grolleau noir. Ces vins de pays sont, en général, à servir jeunes. Cependant, dans certains millésimes, le cabernet peut se bonifier en vieillissant.

Calvados

ARPENTS DU SOLEIL Auxerrois 2011 ★

19 400 | 8 à 11 €

Gérard Samson est l'unique producteur de vin de la Normandie. Coup de cœur l'an dernier pour son pinot gris, il s'invite à nouveau dans le Guide avec un auxerrois qui, sans atteindre les mêmes sommets, fait belle impression. La robe est d'un joli jaune soutenu orné de reflets or gris. Le nez s'ouvre d'emblée sur les fruits compotés, la pêche notamment. Le palais, à l'unisson, se révèle souple, rond et gras, avec une juste fraîcheur en appoint. À découvrir dès aujourd'hui sur un livarot ou un poulet au cidre. (Bouteilles de 50 cl.)

Gérard Samson, Arpents du Soleil, Grisy, 14170 Saint-Pierre-sur-Dives, tél. 02.31.40.71.82, gerard.samson979@orange.fr
lun. ven. 14h-18h30; 1er sam. du mois 10h-17h

Côtes de la Charité

DOM. DU PUITS DE COMPOSTELLE Chardonnay Élevé en fût de chêne 2010

6 000 | 5 à 8 €

Emmanuel Rouquette, œnologue en pays charitois, a acquis ce petit vignoble de 3,4 ha en 1999, bientôt rejoint par quelques amis et membres de sa famille. Il signe un chardonnay de belle facture, jaune pâle aux reflets verts, au nez floral et fruité, légèrement boisé et mentholé. Une agréable fraîcheur vient en soutien d'une bouche ronde et souple, aux arômes d'agrumes, de fruits secs et de merrain bien fondu. Un vin équilibré, à boire ou à garder un à deux ans.

Dom. du Puits de Compostelle, Mauvrain, 58700 La Celle-sur-Nièvre, tél. 03.86.70.03.29, fax 03.86.70.06.74, emmanuel.rouquette@wanadoo.fr
r.-v.
Rouquette

Puy-de-Dôme

YVAN BERNARD Chardonnay Oppidum 2011 ★

2 000 | 5 à 8 €

Yvan Bernard est installé sur un ancien oppidum où il conduit ses 6 ha de vignes en bio (actuellement en conversion). Coup de cœur l'an dernier pour une syrah rouge, il propose ici un chardonnay fruité et mûr, gras et ample, que certains dégustateurs attendraient bien un an ou deux avant de le servir sur un risotto au safran.

Yvan Bernard, pl. de la Reine, 63114 Montpeyroux, tél. 04.73.55.31.97, bernard_corent@hotmail.com
sam. 9h-12h

MARC PRADIER Pinot noir Authentique Élevé en fût de chêne 2011

3 800 | 5 à 8 €

Regrettant que l'on ne puisse plus produire en AOC côtes-d'auvergne des cuvées de pur pinot noir, Marc Pradier les propose en IGP, en continuant de revendiquer leur « authenticité ». De fait, on découvre un rouge mariant l'épice et le fruit mûr, un peu marqué par l'année d'élevage en fût mais néanmoins d'une belle rondeur et d'une persistance porteuse d'avenir. À ouvrir dans un an sur un pavé de salers.

Marc Pradier, 9, rue Saint-Jean-Baptiste, centre-ville, 63730 Les Martres-de-Veyre, tél. 04.73.39.86.41, fax 04.73.39.88.17, pradiermarc@orange.fr
sam. 8h30-12h

♥ **SAINT-VERNY** Pinot noir Véraison 2011 ★★

19 000 | 5 à 8 €

Saint-Verny porte fièrement les couleurs de l'Auvergne viticole : ici le rouge et le rosé. En rosé, on découvre un vin saumoné, au nez discret hésitant entre le fruité et le floral, plus démonstratif en bouche où on assiste à un joli mariage entre fraîcheur et fruit surmûri. Le **2010 rouge pinot noir Véraison (17 800 b.)** est cité pour son côté gourmand aux accents épicés.

Cave Saint-Verny, 2, rte d'Issoire, 63960 Veyre-Monton, tél. 04.73.69.60.11, fax 04.73.69.65.22, saint.verny@saint-verny.com r.-v.

Les indications géographiques protégées (vins de pays)

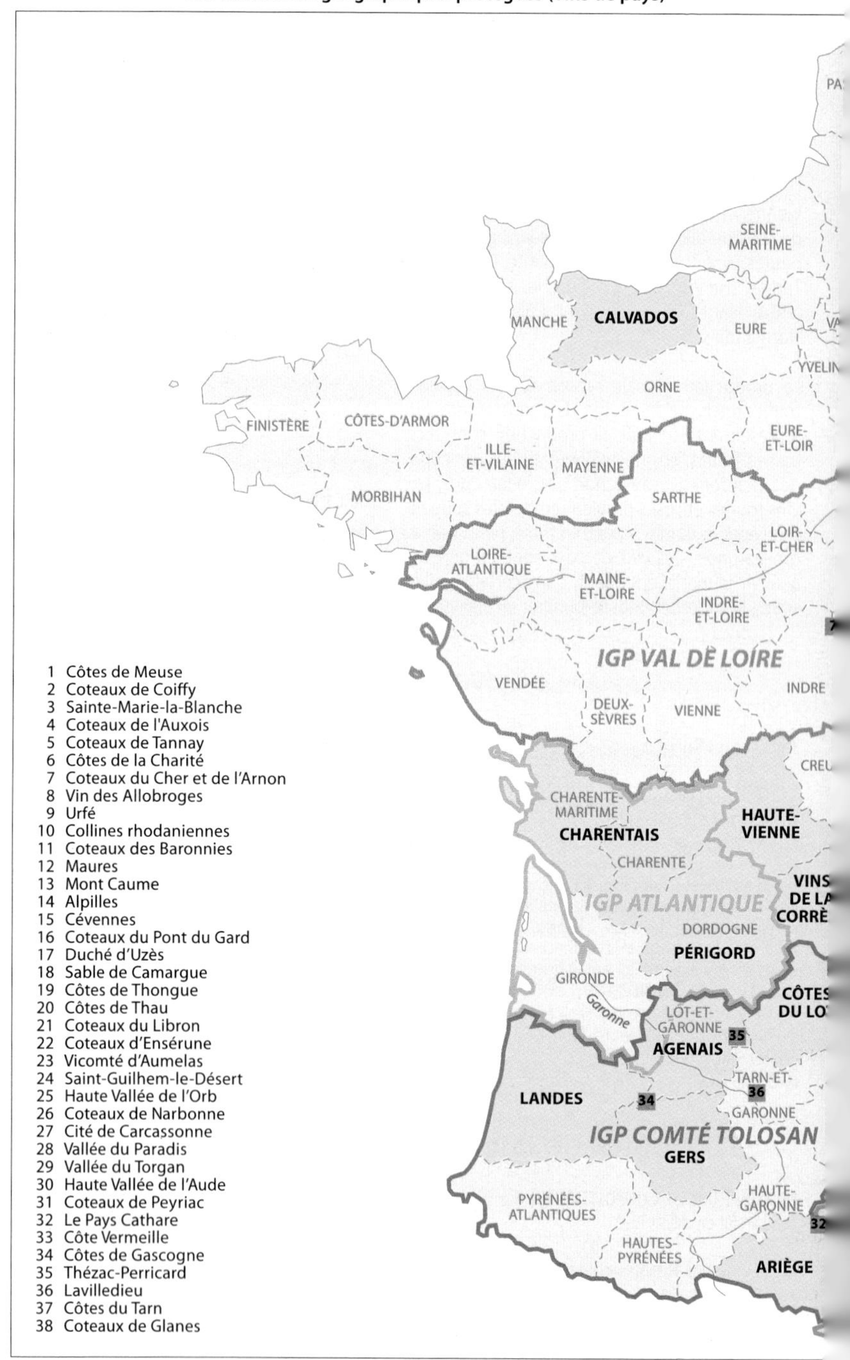

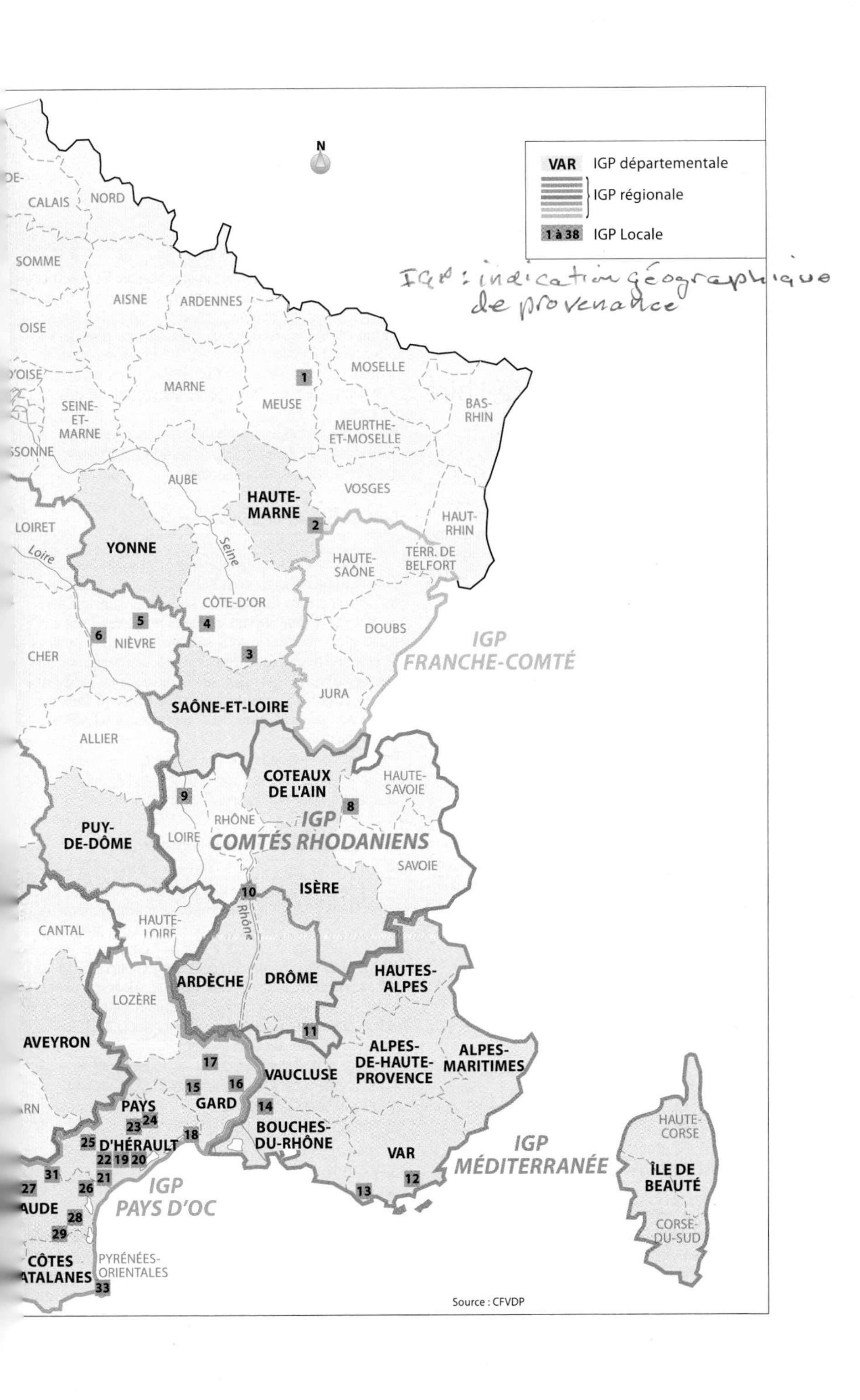
N
VAR IGP départementale
IGP régionale
1 à 38 IGP Locale
IGP : indication géographique de provenance
CALAIS
NORD
SOMME
AISNE
ARDENNES
OISE
MOSELLE
MARNE
MEUSE
SEINE-ET-MARNE
BAS-RHIN
MEURTHE-ET-MOSELLE
AUBE
HAUTE-MARNE
VOSGES
LOIRET
Loire
YONNE
Seine
HAUT-RHIN
HAUTE-SAÔNE
TERR. DE BELFORT
CÔTE-D'OR
NIÈVRE
CHER
DOUBS
IGP FRANCHE-COMTÉ
SAÔNE-ET-LOIRE
JURA
ALLIER
COTEAUX DE L'AIN
HAUTE-SAVOIE
RHÔNE
IGP COMTÉS RHODANIENS
PUY-DE-DÔME
LOIRE
SAVOIE
ISÈRE
Rhône
CANTAL
HAUTE-LOIRE
ARDÈCHE
DRÔME
HAUTES-ALPES
LOZÈRE
AVEYRON
ALPES-DE-HAUTE-PROVENCE
ALPES-MARITIMES
VAUCLUSE
GARD
PAYS D'HÉRAULT
BOUCHES-DU-RHÔNE
HAUTE-CORSE
IGP MÉDITERRANÉE
VAR
ÎLE DE BEAUTÉ
IGP PAYS D'OC
CORSE-DU-SUD
PYRÉNÉES-ORIENTALES
Source : CFVDP

LE SANG DES VOLCANS Syrah 2009 ★

■ 800 15 à 20 €

Benoît Montel conduit ses 11 ha en viticulture raisonnée, mais vise le bio et la biodynamie d'ici quelques années. Élevée dix-huit mois en fût, sa syrah s'est fait désirer mais l'attente en valait la peine : épices et réglisse au nez, matière soyeuse et structurée en bouche, c'est un vin complexe à découvrir sur du petit gibier. En blanc, la cuvée **Benoît Montel 2011 Les Varennes sauvignon chardonnay (5 à 8 € ; 1 000 b.)** est citée pour ses notes florales élégantes.

EARL Benoît Montel, 6, rue Henri-Goudier, 63200 Riom, tél. 06.74.50.00.24, fax 04.73.64.96.14, benoit-montel@orange.fr r.-v.

Val de Loire

ABBAYE DE SAINTE-RADEGONDE Merlot cabernet-sauvignon 2011 ★★

■ 22 000 - de 5 €

Cet assemblage de style bordelais (60 % merlot, 40 % cabernet-sauvignon) permet de découvrir un visage méconnu de l'abbaye, plus souvent sélectionnée dans nos colonnes pour ses blancs du Pays nantais. Derrière la robe rouge violacé, on découvre un nez discret mais séducteur mariant le fruit et le cacao. Matière, équilibre, longueur : la bouche n'offre, selon un dégustateur conquis par ses tanins « sans violence », « que du bonheur ». Vous pourrez vous en assurer sur un rosbif ou du gibier délicat (pavé de biche).

Abbaye de Sainte-Radegonde, Sainte-Radegonde, 44330 Le Loroux-Bottereau, tél. 02.40.03.74.78, fax 02.40.03.79.91, info@radegonde.fr r.-v.

AMPELIDÆ Vienne Sauvignon Le S 2010 ★

10 000 15 à 20 €

Installé en 1996 sur le domaine familial qui n'avait qu'une production viticole anecdotique, Frédéric Brochet s'active à développer les cuvées, toutes en bio depuis 2007. Il prend plaisir à faire du vin et cela se sent, comme en témoigne ce sauvignon luxueusement élaboré qui porte autant la marque du cépage que de l'élevage. Au nez, les agrumes se marient à la vanille, tandis qu'en bouche on assiste aux noces de la fraîcheur et du gras. À laisser vieillir un peu avant d'ouvrir cette bouteille sur une viande blanche ou des ravioles à la truffe.

Ampelidæ, Manoir de Lavauguyot, 86380 Marigny-Brizay, tél. 05.49.88.18.18, fax 05.49.88.18.85, ampelidae@ampelidae.com
t.l.j. sf dim. 9h-12h30 14h-17h30
Frédéric Brochet

DOM. D'AVRILLÉ Chardonnay 2011 ★

20 000 - de 5 €

Les cordonniers ne sont pas toujours les plus mal chaussés... pour preuve, Eusèbe Biotteau qui, ne pouvant plus respirer les effluves de cuir, décida de changer de métier et de donner libre cours à son autre passion, la vigne. Aujourd'hui, les frères Biotteau nous font sentir de bien plus agréables parfums avec ce chardonnay qui dévoile de fines notes florales et mentholées. La bouche assez puissante balance entre le gras et la fraîcheur. À aérer avant de servir cette bouteille sur des crustacés.

SCEA Biotteau, Ch. d'Avrillé, 49320 Saint-Jean-des-Mauvrets, tél. 02.41.91.22.46, fax 02.41.91.25.80, chateau.avrille@wanadoo.fr
t.l.j. sf dim. 9h30-12h 14h30-18h30

BARTON & GUESTIER Sauvignon blanc Original B & G 2011

60 000 8 à 11 €

Ce sauvignon bio, taillé pour le marché à l'export et notamment britannique, permet de découvrir le visage ligérien de cette vénérable maison de négoce bordelaise. Floral et fruité, exotique et frais, le nez déroule ses classiques. La bouche, sans être d'une immense longueur, offre ce qu'il faut de chair et de vivacité. Bien fait et apte à accompagner un fromage de chèvre ou un dos de cabillaud.

Barton & Guestier, Ch. Magnol, 87, rue du Dehez, 33290 Blanquefort, tél. 05.56.95.48.00, fax 05.56.95.48.01, petra.frebault@barton-guestier.com

DOM. DE BEAUREGARD Sauvignon 2011 ★★

5 000 - de 5 €

Éric, le fils de la famille Macé, a pris les rênes du domaine familial angevin en 2005. Il se montre habile dans les deux couleurs. En blanc, ce sauvignon diaphane livre un nez réjouissant mêlant quelques notes végétales aux fruits mûrs (poire), le tout souligné d'un trait vanillé. Structure et finesse caractérisent la bouche et suggèrent un mariage avec des asperges sauce mousseline. Le **2010 rouge cuvée du Paradis cabernet franc (6 000 b.)** décroche une étoile pour sa matière souple et soyeuse intensément fruitée.

EARL Beauregard, 49600 La Chaussaire, tél. 02.41.56.73.84, fax 02.41.56.49.03, beauregard.viticulteur@orange.fr r.-v.

DOM. DE BELLEVUE Sauvignon Inspiration 2011 ★

8 000 5 à 8 €

Formé (et bien formé) à l'école de viticulture d'Amboise, Raphaël Midoir représente la cinquième génération de vignerons. Il a été bien inspiré quand il a produit ce sauvignon moelleux, oiseau plutôt rare dans ces parages, qui aura besoin d'encore un peu de temps pour digérer son élevage (trois mois de fût, raisonnable). Alors le fruité se libérera et on appréciera mieux l'équilibre entre douceur et fraîcheur qu'offre la bouche. On servira cette bouteille sur une tarte aux abricots.

Dom. de Bellevue, 132, chem. des Loges-de-Vignes, 41700 Chémery, tél. 02.54.71.83.58, fax 02.54.71.50.30, domainedebellevue41@orange.fr
t.l.j. sf dim. 9h-13h 14h-18h30

DOM. DU BOIS-PERRON Merlot 2011 ★

■ 1 300 - de 5 €

Déjà sélectionné l'an dernier pour le 2010, le merlot du domaine conserve son étoile dans le millésime suivant. Le nez s'attarde sur les fruits rouges sans jamais tomber dans la lourdeur, tandis que la bouche moyennement ample combine souplesse et fraîcheur. Déjà prêt, un vin « friand », en un mot, que l'on aura plaisir à boire sur des charcuteries.

🔑 GAEC du Bois-Perron, Brégeon-Burot, Le Perron, 44430 Le Loroux-Bottereau, tél. 02.51.71.90.63, fax 02.40.03.71.55, jean-michel.burot@wanadoo.fr
r.-v.

DOM. DES BONNES GAGNES Sauvignon 2011

7 000 - de 5 €

Spécialiste de l'anjou-villages-brissac, ce domaine maîtrise également bien le sauvignon en vin de pays. Il faut dire que la famille Héry est installée sur ces terres depuis 1610 ! Passé la robe jaune pâle, on découvre au nez des arômes variétaux, genêt et agrumes, portés par une note minérale. Souple et équilibrée sans manquer de fraîcheur, la bouche retrouve ces parfums. Un blanc bien dans son cépage, à ouvrir sans attendre sur des verrines de la mer.

🔑 Héry, Dom. des Bonnes Gagnes, Orgigné, 49320 Saint-Saturnin-sur-Loire, tél. 02.41.91.22.76, hery.vignerons@wanadoo.fr
t.l.j. sf dim. 9h-12h 14h-19h

HENRI BOURGEOIS Rosé de pinot noir Petit Bourgeois 2011 ★

67 000 8 à 11 €

Régulièrement sélectionné pour ses pouilly-fumé et sancerre blancs, ce producteur nous fait découvrir une autre facette de sa gamme avec ce rosé de macération (trois jours) à la robe framboise assez intense. Le nez de petits fruits rouges compotés est agréable, de même que la bouche souple et tendre qui trouve en finale une pointe de vivacité bienvenue. Un rosé à servir sur des entrées exotiques (tempuras de gambas, nems).

🔑 SAS Henri Bourgeois, Chavignol, 18300 Sancerre, tél. 02.48.78.53.20, fax 02.48.54.14.24, domaine@henribourgeois.com r.-v.

GWENAËL BRICARD Chardonnay 2011 ★★

3 000 - de 5 €

Repéré l'an dernier pour un rosé et un blanc moelleux, Gwenaël Bricard se distingue cette année grâce à son chardonnay sec. Né à la limite entre le Muscadet et l'Anjou, c'est un vin jaune pâle qui se livre sans attendre, exhalant d'intenses parfums de fruits mûrs à la limite de l'exotique. Suivant le même registre aromatique, la bouche affiche du gras, de la richesse et de la longueur. Un vin racé qui pourra accompagner une blanquette de veau.

🔑 Gwenaël Bricard, La Patelière, 49270 Saint-Laurent-des-Autels, tél. 06.61.77.01.58, fax 02.40.83.73.24, gwenael.bricard@wanadoo.fr r.-v.

HENRY BROCHARD Sauvignon blanc Les Carisannes 2011 ★

46 000 5 à 8 €

Henry Brochard plante les premières vignes en 1959. Sur 5 ha aujourd'hui, ses petites-filles Caroline, Isabelle et Anne-Sophie unissent leurs talents et leurs prénoms pour proposer cette gamme sélectionnée dans les deux couleurs. En blanc, le sauvignon se montre à la fois vif et suave, mêlant harmonieusement les agrumes et la pêche. Typé et idéal pour l'apéritif. En rouge, le **2011 Les Carisannes pinot noir (7 300 b.)** obtient également une étoile pour son côté friand et gouleyant qui le destine à accompagner des charcuteries.

🔑 Henry Brochard, Chavignol, 18300 Sancerre, tél. 02.48.78.20.10, fax 02.48.78.20.19, lesvins-henrybrochard@wanadoo.fr
t.l.j. 9h-12h 14h-18h

LA CASSEMICHÈRE Chardonnay 2011

8 000 - de 5 €

Ce domaine du Pays nantais propose un chardonnay bien typé qui libère au nez des arômes de fruits blancs, de beurre et de brioche. On retrouve ces parfums dans une bouche ronde à laquelle une touche d'amertume finale donne du caractère. À déboucher sur une terrine de maquereau.

🔑 SCEA Ch. Cassemichère, La Cassemichère, 44330 La Chapelle-Heulin, tél. 02.40.06.74.07, fax 02.28.01.14.43, chateau.cassemichere@orange.fr
t.l.j. sf dim. 9h-12h 14h-18h
🔑 Ganichaud

LA CAVE DU CHÂTAIGNIER Cabernet franc Cristof'iz 2011 ★

5 000 - de 5 €

Installé en 1993 comme arboriculteur (production de cassis), Jacques Pineau a repris en 2002 avec son épouse l'exploitation viticole de ses beaux-parents. Il en tire aujourd'hui ce cabernet franc pourpre foncé ouvert sur les fruits rouges et les épices, souple à l'attaque avant d'offrir une trame tannique fondue mais néanmoins présente qui marque un peu la finale. À attendre un an ou deux, puis à servir sur une viande rouge.

🔑 Jacques Pineau, Le Châtaignier, 49530 Liré, tél. 02.40.09.07.16, earllesvignes@terre-net.fr
ven. 8h30-12h30 14h-19h; sam. 8h30-12h30

LA CHAUME Vendée Bel canto 2009 ★

20 000 8 à 11 €

Ce 100 % merlot affiche une robe grenat soutenu. Au nez, la griotte mène la danse. Les épices s'invitent dans une bouche ample et puissante, bâtie sur des tanins bien présents mais enrobés. Un bel ensemble, structuré et armé pour une garde d'un an ou deux. Le **2008 rouge Orféo (11 à 15 €; 15 000 b.)**, assemblage de merlot, de cabernet-sauvignon et de négrette, obtient également une étoile pour son bouquet de fruits noirs compotés et son palais rond et équilibré.

🔑 Prieuré la Chaume, 35, chem. de la Chaume, 85770 Vix, tél. 02.51.00.49.38, contact@la-chaume.net r.-v.
🔑 Christian Chabirand

PHILIPPE CHÉNARD Chardonnay 2011 ★

20 000 - de 5 €

Il n'est pas rare que les producteurs de muscadet complètent leur gamme avec une cuvée de chardonnay, cépage qui semble bien se plaire sur les terres du Pays nantais. C'est le cas ici comme le montre ce vin très aromatique mariant la pêche fraîche et les fruits secs, bien équilibré entre le gras et la vivacité. Un bon compagnon pour un cocktail de crevettes.

🔑 EARL Vignobles Philippe Chénard, La Boisselière, 44330 Le Pallet, tél. 02.40.80.98.17, philippe.chenard@wanadoo.fr r.-v.

DOM. DE LA CHIGNARDIÈRE Cabernet franc 2011 ★

2 500 - de 5 €

Après un très joli gamay rosé l'an dernier qui lui avait valu deux étoiles, Vincent Barré retrouve la sélection avec un rouge intense et bien typé. Plutôt foncé, ce cabernet franc offre des arômes de fruits rouges et noirs avant de développer une chair souple et fruitée bien soutenue par une trame de tanins fondus. « Généreux et bien vinifié », tel est le verdict d'un dégustateur qui s'imagine le boire sur une goûteuse viande rouge grillée.

Vincent Barré, 1, La Chignardière, 49230 Tillières, tél. 06.18.95.35.51, v-barre@orange.fr r.-v.

LE CLOS DU CHAILLOU Chardonnay 2011 ★

3 000 - de 5 €

La quatrième génération officie aujourd'hui sur les terrains vallonnés et rocailleux de Vallet. Son chardonnay est un vin intense mariant la pêche et le pamplemousse, d'une agréable fraîcheur en bouche où un léger perlant vient apporter « de la gaieté ». À découvrir sur une choucroute de la mer. Le **rosé 2011 Le Chaillou cabernet franc-sauvignon (10 000 b.)**, assemblage à égalité des deux cabernets, est cité pour son côté friand et gourmand.

Allard-Brangeon, La Guertinière, 44330 Vallet, tél. et fax 02.40.36.27.43, allard-brangeon@orange.fr r.-v.

DOM. DE LA COCHE Pays de Retz Chardonnay 2011 ★★

12 000 - de 5 €

Grappe de bronze du Guide 2009 pour un muscadet-côtes-de-grand-lieu, ce domaine régale ici avec un chardonnay complexe, à la fois puissant et fin, qui joue sur les registre floral, fruité et épicé. Franchise, gras et minéralité caractérisent la bouche qui fait preuve d'une grande persistance. À ouvrir dans les deux ou trois ans sur des crustacés. Le **2011 rouge Eccho (3 000 b.)**, assemblage de grolleau (80 %), de gamay et de merlot, obtient une étoile pour sa richesse aromatique.

Dom. de la Coche, La Coche, 44680 Sainte-Pazanne, tél. 02.40.02.44.43, contact@domainedelacoche.com t.l.j. sf dim. 10h-12h 14h-19h

CLAUDE COGNÉ Sauvignon 2011 ★★

65 000 - de 5 €

Est-ce parce que ce sauvignon est très démonstratif qu'un dégustateur suppose « qu'il plaira aux Anglo-Saxons » ? La découverte aromatique commence par une discrète note de feuille de tomate avant de continuer par des parfums plus classiques de bourgeon de cassis et de genêt. La bouche, plus ronde que fraîche, se montre intense et au final harmonieuse. À boire sans attendre sur des toasts de chèvre chauds.

SCEV Claude Cogné, 227, La Couperie, 49270 Saint-Christophe-la-Couperie, tél. 02.40.83.73.16, fax 02.40.83.76.71, cogne.vin@orange.fr r.-v.

DOM. DU COING DE SAINT-FIACRE Chardonnay Cuvée Aurore 2011 ★

27 000 5 à 8 €

Aurore ? Tout simplement la fille de Véronique Günther-Chéreau qui a décidé en 1989 de délaisser la pharmacie pour s'occuper du domaine familial à plein temps. Sous la robe pâle de ce 2011, on découvre un nez mêlant la fleur d'oranger et les fruits blancs. La bouche développe une matière riche et ample aux accents d'agrumes et de fruits confits. Un joli vin qui peut accompagner une viande blanche (un poulet au curry par exemple).

Véronique Günther-Chéreau, Ch. du Coing, 44690 Saint-Fiacre-sur-Maine, tél. 02.40.54.85.24, contact@chateau-du-coing.com t.l.j. 9h-13h 14h-18h

DOM. DU COLOMBIER Sauvignon blanc 2011 ★

6 000 - de 5 €

Jean-Yves Bretaudeau invite à une intéressante dégustation comparée de sauvignons. Dans sa variante blanche, c'est un vin typé aux arômes d'agrumes et de bourgeon de cassis, souple et persistant en bouche. Le **2011 sauvignon gris (10 000 b.)** penche plus vers le fruit exotique (litchi) ; moins complexe, néanmoins agréable, il est cité.

Jean-Yves Bretaudeau, 3, Le Colombier, 49230 Tillières, tél. 02.41.70.45.96, fax 02.76.01.32.71, contact@lecolombier.com r.-v.

BRUNO CORMERAIS Merlot 2011 ★

4 000 - de 5 €

Spécialiste du muscadet-sèvre-et-maine, le domaine propose ici un rosé plutôt inattendu issu de merlot et d'un pressurage direct. Derrière une robe pelure d'oignon, le nez libère d'intenses notes de pêche et d'abricot. Gourmande, la bouche ne manque ni de matière ni de longueur. À ouvrir sur des tapas un peu relevées.

EARL Bruno, Marie F. et Maxime Cormerais, La Chambaudière, 44190 Saint-Lumine-de-Clisson, tél. 02.40.03.85.84, b.mf.cormerais@wanadoo.fr r.-v.

DAHERON Sauvignon 2011 ★

13 000 - de 5 €

L'an dernier, on découvrait le chardonnay du domaine. Cette année, c'est le sauvignon qui figure en bonne place grâce à son nez de fleurs blanches, d'agrumes et de buis et à sa matière structurée, bien équilibrée entre souplesse et minéralité, délicatement parfumée. À ouvrir dans un an sur des fromages de chèvre.

EARL Pierre Daheron, 9, Le Parc, 44650 Corcoué-sur-Logne, tél. 02.40.05.86.11, fax 02.40.05.94.98, contact@vignoble-daheron.fr r.-v.

DOM. DE L'ERRIÈRE Cabernet-sauvignon 2011 ★

4 000 - de 5 €

Ce domaine du Pays nantais propose un rosé à la robe violacé soutenu, au nez « vineux » développant d'intenses arômes de fruits mûrs. La bouche fait honneur au cépage en offrant beaucoup de matière et de fraîcheur. Parfait pour la pizza, comme le suggèrent les producteurs eux-mêmes.

GAEC Madeleineau, L'Errière, 44430 Le Landreau, tél. 02.40.06.43.94, fax 02.40.06.48.82, domaine-madeleineau@orange.fr r.-v.

DOM. DE LA FERTÉ Chardonnay 2011

6 000 - de 5 €

Petit-fils du fondateur du domaine, Jérôme Sécher s'est associé en 2006 avec Hervé Denis sur les 28 ha du domaine. Le tandem propose un chardonnay délicatement aromatique (fleurs et fruits blancs), frais et léger en bouche, qui fera un parfait vin d'apéritif.

Jérôme Sécher et Hervé Denis, La Ferté, 44330 Vallet, tél. et fax 02.40.86.37.48, gaecdelaferte@orange.fr t.l.j. 9h-12h30 14h-19h; dim. sur r.-v.

DOM. DE LA FRUITIÈRE Chardonnay 2011 ★★

25 000 - de 5 €

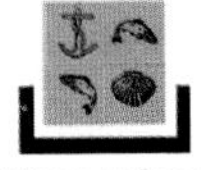

PRODUCT OF FRANCE
DOMAINE DE
LA FRUITIÈRE
CHARDONNAY
VIN DE PAYS DU VAL DE LOIRE
aromatique et élégant
PROPRIÉTAIRE RÉCOLTANT

Si Château-Thébaud n'a pas encore obtenu la reconnaissance en « cru communal » du Muscadet, comme ce fut le cas récemment pour Gorges, Le Pallet et Clisson, la famille Lieubeau pourra se consoler avec ce coup de cœur distinguant son élégant chardonnay. La robe jaune pâle doré et le nez complexe, entre fleurs blanches et fruits mûrs (coing, poire), « donnent envie de connaître la suite ». La voici : attaque soyeuse, matière ample et assez structurée, finale longue et harmonieuse. Un blanc de caractère pour un poisson en sauce légèrement relevé.

Lieubeau Vigneron, La Fruitière, 44330 Château-Thébaud, tél. 02.40.06.54.81, fax 02.40.06.54.55, pierre@lieubeau.com
t.l.j. sf dim. 10h30-12h30 14h-19h

LE GAÉLIQUE Marches de Bretagne Pinot gris 2011

15 000 - de 5 €

Cette cuvée de pinot gris, coup de cœur l'an dernier dans le millésime 2010, a conservé son étiquette représentant le triskell, mais a changé de nom : exit Le Celtique, voici Le Gaélique ! Le nez frais et discret s'ouvre sur des notes florales et fruitées. La bouche fait preuve d'une certaine vivacité, qui permet d'imaginer un accord avec une choucroute alsacienne.

Vignoble Bidgi, 11, rue du Calvaire, La Cornillère, 44690 La Haye-Fouassière, tél. 02.40.54.83.24, scea.bideau.giraud@wanadoo.fr r.-v.

DOM. DES GALLOIRES Sauvignon 2011 ★★

6 000 - de 5 €

SAUVIGNON

On connaît bien le domaine pour ses coteaux-d'ancenis, particulièrement pour une malvoisie moelleuse souvent sélectionnée et qui décrocha même un coup de cœur dans le Guide 2007. Cette année, c'est à ce sauvignon que revient cet honneur, et il est facile de comprendre pourquoi : robe limpide à reflets dorés, nez élégant mariant les fruits exotiques et les fleurs blanches, bouche bien construite empreinte d'une vivacité toute minérale. Pas loin de la troisième étoile et tout près du fromage de chèvre.

Dom. des Galloires, La Galloire, 49530 Drain, tél. 02.40.98.20.10, fax 02.40.98.22.06, contact@galloires.com
t.l.j. sf dim. 9h-12h 14h-19h (sam. 17h)
Toublanc

DOM. LE GRAND FÉ Grolleau 2011 ★

12 000 - de 5 €

Le domaine produit toute une gamme de rosés : après le cabernet demi-sec de l'an dernier, voici deux vins secs issus de deux cépages différents. Intéressons-nous d'abord au grolleau, à son nez d'agrumes et de groseille, et à sa bouche fraîche et gourmande, qui persiste longuement sur le fruit. Parfait pour aiguiser les papilles à l'apéritif. Ensuite au **2011 gamay (3 000 b.)**, cité, dont l'équilibre penche vers la rondeur et que l'on servira plus volontiers sur des viandes froides.

EARL Jean Boutin, 8, Le Poirier, 44310 La Limouzinière, tél. et fax 02.40.05.83.66, jean-boutin@wanadoo.fr
t.l.j. sf dim. 10h-12h30 15h-19h30 (sam. 17h)

DOM. DU GRAND FIEF Sauvignon 2011 ★★

10 000 - de 5 €

Établi sur le terroir de gabbro de Vallet, dans la zone « Sèvre et Maine » du muscadet, le domaine propose un sauvignon tout en finesse, encore un peu fermé au nez. La bouche se montre plus expressive, ample et fraîche, toujours élégante, exprimant jusque dans une longue finale des arômes légèrement exotiques. À découvrir sans attendre.

EARL Dominique Guérin, Les Corbeillères, 44330 Vallet, tél. 02.40.36.27.37, dominique.guerin13@wanadoo.fr
t.l.j. sf dim. 8h-20h

DOM. DE LA HALLOPIÈRE Chardonnay 2011

140 000 - de 5 €

La cave d'Ancenis propose un chardonnay qui a été vinifié pour moitié à basse température, afin de faire ressortir les arômes, et pour moitié traditionnellement, avec fermentation malolactique pour arrondir le vin. Le résultat ? Un blanc expressif (poire, noisette, pain de mie) et bien équilibré entre rondeur et vivacité, à découvrir sur des crudités.

Terrena Vignerons de la Noëlle, bd des Alliés, 44150 Ancenis, tél. 02.40.98.92.72, fax 02.40.98.96.70, fgouraud@terrena.fr
t.l.j. sf dim. 9h-18h30; sam. 9h-13h

DOM. DE LA HOUSSAIS Cabernet franc 2010 ★

15 000 - de 5 €

Souvent retenu pour ses gros-plants, ce domaine propose ici un rouge élevé pendant un an en cuve, mais auquel les dégustateurs ont trouvé un petit côté boisé. La bouche plaisante exprime le fruité de la cerise dans un ensemble structuré qui devra encore patienter un an ou deux avant de rejoindre à table une viande rouge grillée.

EARL Gratas, La Houssais, 44430 Le Landreau, tél. 02.40.06.46.27, domainedelahoussais@orange.fr
r.-v.

VIGNOBLE MALIDAIN Chardonnay Le Demi-Bœuf 2011 ★

25 000 - de 5 €

On a souvent raconté dans le Guide l'histoire du « demi-bœuf ». Parlons donc plutôt ici de celle de Romain

Malidain, revenu sur le domaine familial en 2006 après un BTS viti-oeno, une année de marketing et des stages en France et à l'étranger. De quoi assurer la succession et le maintien de la qualité comme le montre ce chardonnay délicatement fruité (pomme et poire), frais et assez gras, auquel une pointe d'amertume confère présence et longueur. À ouvrir sans attendre sur un sandre au beurre blanc, nantais évidemment.

EARL Vignoble Malidain, 6, Le Demi-Bœuf, 44310 La Limouzinière, tél. 02.40.05.82.29, fax 02.40.05.95.97, ledemiboeuf@vignoblemalidain.com
t.l.j. sf dim. 8h-12h 14h-18h; sam. 8h-12h

JOSEPH MELLOT Pinot noir Destinéa 2011

20 000 - de 5 €

Important producteur et négociant du Centre-Loire, fort d'une centaine d'hectares en propre, Joseph Mellot produit dans toutes les appellations de la région, mais aussi en vin de pays. Son pinot noir mêle les fruits rouges et les épices et développe une matière d'ampleur honorable portée par des tanins fins et fondus. Une belle expression du cépage, à ouvrir sur des terrines ou des charcuteries.

SAS Joseph Mellot, rte de Ménétréol, 18300 Sancerre, tél. 02.48.78.54.54, fax 02.48.78.54.55, nathalie.simon@josephmellot.com
t.l.j. 8h15-12h 13h30-17h; sam. dim. sur r.-v.
Catherine Corbeau-Mellot

DOM. DE MONTGILET Sauvignon 2011 ★★

19 780 - de 5 €

Souvent sélectionnés pour leurs coteaux-de-l'aubance ou leur anjou-villages-brissac, les Lebreton ont élaboré un sauvignon de belle facture, intensément fruité (agrumes et pomme). Souple à l'attaque, la bouche monte en puissance jusqu'à une longue finale marquée d'une pointe d'amertume plaisante. À boire sur un plateau de fruits de mer.

Dom. de Montgilet, Victor et Vincent Lebreton, 10, chem. de Montgilet, 49610 Juigné-sur-Loire, tél. 02.41.91.90.48, fax 02.41.54.64.25, montgilet@wanadoo.fr t.l.j. sf dim. 8h-18h

DOM. DU MOULIN CAMUS Chardonnay 2011 ★

7 000 - de 5 €

Établi sur une quarantaine d'hectares, ce domaine du Pays nantais vinifie toute une gamme de cépages, en AOC ou en IGP. On découvre ici un chardonnay fruité (pêche blanche), équilibré entre rondeur et vivacité, et un **2011 rouge cabernet franc (20 000 b.)**, cité, discrètement aromatique et à la bouche soyeuse. Deux vins à déguster sans attendre, le premier sur des saint-jacques poêlées, le second sur un steak au poivre vert.

Huteau-Hallereau, 41, rue Saint-Vincent, 44330 Vallet, tél. 02.40.33.93.05, fax 02.40.36.29.26, domainedumoulincamus@wanadoo.fr
t.l.j. sf dim. 8h30-12h30 14h-18h; sam. sur r.-v.
Boulanger

LE MOULIN DE LA TOUCHE Sauvignon 2011 ★

8 000 - de 5 €

Créé en 1970 sur les coteaux sud dominant le marais breton et la baie de Bourgneuf, le domaine s'étend aujourd'hui sur une quinzaine d'hectares. Son sauvignon est un vin bien typé, entre notes végétales et exotiques, d'une agréable vivacité en bouche. À servir sur un poisson grillé. Pour le poisson en sauce, vous préférerez le **2011 chardonnay (12 000 b.)**, cité pour sa souplesse aux accents de fleurs et de fruits blancs.

Joël et Vincent Hérissé, Le Moulin de la Touche, 44580 Bourgneuf-en-Retz, tél. 02.40.21.47.89, contact@lemoulindelatouche.com
t.l.j. sf dim. 10h-12h 15h-18h

DOM. DU PETIT CLOCHER Chardonnay 2011

17 000 - de 5 €

Une petite pointe de sucres résiduels (5 g/l) donne à ce chardonnay un côté rond et gras, qui s'accorde bien avec les notes de fruits mûrs et de miel découvertes au nez. Un style qui a ses amateurs et qui invite à servir cette bouteille sur des saint-jacques à la crème.

Dom. du Petit Clocher, 1, rue du Layon, 49560 Cléré-sur-Layon, tél. 02.41.59.54.51, fax 02.41.59.59.70, petit.clocher@wanadoo.fr
t.l.j. sf dim. 8h30-12h30 14h-18h
Denis

VIGNOBLE POIRON-DABIN Chardonnay 2011 ★

14 000 5 à 8 €

Coup de cœur l'an dernier pour un pinot noir, ce domaine du Pays nantais propose aujourd'hui un chardonnay aussi intense au nez qu'en bouche. La dégustation commence par des parfums d'abricot confit, de pêche et de poire et se poursuit par une bouche fraîche et fruitée à la finale croquante. À servir dans les deux ans.

Poiron-Dabin, Chantegrolle, 44690 Château-Thébaud, tél. 02.40.06.56.42, fax 02.40.06.58.02, poirondabin@orange.fr t.l.j. sf dim. 9h-12h 14h-19h

DOM. DE LA RENNE Chardonnay 2011 ★

13 300 - de 5 €

Cet important domaine de 80 ha possède un encépagement diversifié qui lui permet de produire en AOC touraine, mais aussi en IGP. Son chardonnay élevé sur lies fines se montre généreux, tant dans son bouquet floral et fruité que dans sa matière riche et ronde qui s'épanouit dans une finale légèrement acidulée. Un vin bien équilibré qui ne demande qu'une viande blanche pour passer à table.

Dom. de la Renne, 1, chem. de la Forêt, 41140 Saint-Romain-sur-Cher, tél. 02.54.71.72.79, fax 02.54.71.35.07 t.l.j. sf dim. 9h-12h 14h-18h

GUY SAGET Pinot noir 2011 ★★

25 000 - de 5 €

S'il est installé à Pouilly-sur-Loire et spécialisé dans les blancs de cette région, ce négociant-éleveur maîtrise également bien le pinot noir comme le montrent les deux cuvées sélectionnées. En version rouge, c'est un vin qui respire la cerise et la mûre, et développe une chair souple légèrement épicée. Le **2011 rosé (40 000 b.)**, une étoile, se montre tout aussi fruité, mais dans un registre naturellement plus frais.

SA Saget La Perrière, La Castille, 58150 Pouilly-sur-Loire, tél. 03.86.39.57.75, fax 03.86.39.08.30, guy-saget@wanadoo.fr
t.l.j. sf sam. dim. 8h-12h 14h-18h

JEAN-MICHEL SORBE Sauvignon
La Bacchusate 2011 ★★

10 000 - de 5 €

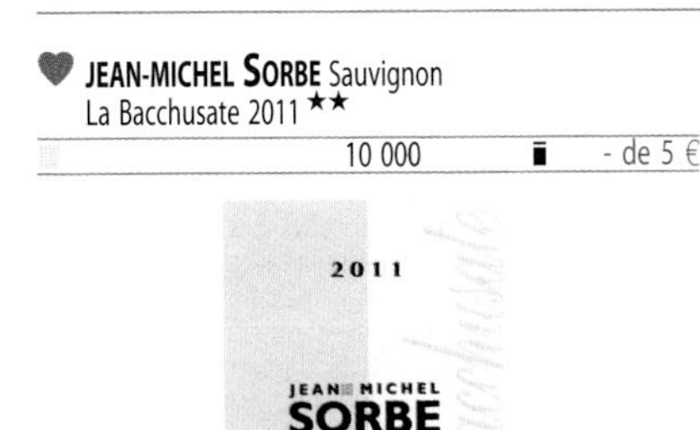

La maison Sorbe, située entre Quincy et Reuilly, est l'un des producteurs emblématiques du Centre-Loire. On lui connaissait des coups de cœur en reuilly blanc, on lui en découvre un en IGP. Le cépage reste le même, un sauvignon parfaitement maîtrisé, qui offre un nez fruité exubérant et une bouche charnue et de grande classe. Si vous comptez dessus pour le crottin de Chavignol, tâchez de ne pas finir toute la bouteille sur le poisson grillé !

SARL Jean-Michel Sorbe,
Le Buisson-Long, rte de Quincy, 18120 Brinay,
tél. 02.48.51.30.17, fax 02.48.51.35.47,
jeanmichelsorbe@jeanmichelsorbe.com r.-v.
Catherine Corbeau-Mellot

TERRA LIGERIA Sauvignon 2011 ★

60 000 - de 5 €

La coopérative du Haut-Poitou regroupe une centaine de viticulteurs représentant 350 ha. Elle propose un sauvignon élevé sur lies fines, dont le nez bien typé affiche une belle complexité : agrumes, bourgeon de cassis et fruits exotiques. D'abord souple, la bouche gagne en fraîcheur au fil de la dégustation. Parfait pour un fromage de chèvre.

Cave du Haut-Poitou, 32, rue Alphonse-Plault,
86170 Neuville-de-Poitou, tél. 05.49.51.21.65,
fax 05.49.51.91.13, c-h.p@wanadoo.fr
t.l.j. 9h-12h 14h-19h; dim. 9h-12h30

DOM. LA TOUR BEAUMONT Gamay 2011 ★

10 000 5 à 8 €

Après quelques années passées en Bourgogne, Pierre Morgeau est de retour au domaine familial où il officie aux côtés de ses parents toujours en activité. Vinifié à quatre mains, ce gamay est un vin souple et léger, très aromatique (fruits rouges, épices), à ouvrir sur des charcuteries fines. En blanc, le **2011 chardonnay (16 000 b.)** est cité pour son agréable rondeur.

Gilles et Brigitte Morgeau, 2, av. de Bordeaux,
86490 Beaumont, tél. et fax 05.49.85.50.37,
tour.beaumont@terre-net.fr
t.l.j. sf dim. 9h30-12h 14h30-19h (18h en hiver)

DOM. DE LA TOURETTE Cabernet franc
Passionnément 2011 ★

9 500 - de 5 €

Voici un rosé de saignée original qui affiche une légère rondeur due aux sucres résiduels (16 g/l). Cela donne un vin ample et gourmand intensément aromatique, qui navigue entre la pêche et les fruits rouges, sur un fond floral. On l'ouvrira plutôt sur une salade de fruits frais qu'à l'apéritif.

GAEC Leroy-Freuchet, 11 bis, Le Gast,
44690 Maisdon-sur-Sèvre, tél. 02.40.06.62.48,
fax 02.40.33.56.74, domainedelatourette@wanadoo.fr
t.l.j. sf dim. 8h-12h30 14h-19h

DOM. DE LA TOURLAUDIÈRE Marches de Bretagne
Chardonnay 2011 ★

30 000 - de 5 €

Conduit en viticulture raisonnée, le domaine envisage une conversion au bio. En attendant, découvrez ce chardonnay qui affiche un bouquet complexe mêlant les fruits (Passion, agrumes), la fleur blanche et un léger boisé hérité de l'élevage partiel en fût. La bouche franche ne se départit jamais de sa fraîcheur, que vient équilibrer un joli gras. Le **2011 pinot gris (5 à 8 € ; 4 200 b.)**, cité, est un vin légèrement moelleux porté sur le fruit mûr et les épices.

EARL Petiteau-Gaubert,
La Tourlaudière, 174, Bonne-Fontaine, 44330 Vallet,
tél. 02.40.36.24.86, fax 02.40.36.29.72,
vigneron@tourlaudiere.com r.-v.

CAVE DE VENDÔMOIS Pineau d'Aunis
Trésors d'antan 2011 ★★

9 500 5 à 8 €

La coopérative du Vendômois propose une intéressante gamme de cuvées mettant en valeur des « cépages rares et oubliés ». Le pineau d'Aunis, que l'on rencontre en assemblage dans les AOC locales, offre ici un rosé fruité et épicé, « aérien » et très agréable. À marier à un plateau de fromages frais. Le **2011 pinot blanc vrai (6 000 b.)** obtient, quant à lui, une étoile pour son équilibre entre souplesse et fraîcheur et pour ses notes florales et fruitées.

Cave coopérative du Vendômois,
60, av. du Petit-Thouars, 41100 Villiers-sur-Loir,
tél. 02.54.72.90.69, fax 02.54.72.75.09,
caveduvendomois@wanadoo.fr
t.l.j. sf dim. lun. 9h-12h 14h-19h

DOM. DE VILLEMONT Vienne Cuvée Sélection 2011 ★

4 000 5 à 8 €

Ce domaine du Haut-Poitou propose un intéressant rouge d'assemblage mêlant cabernet-sauvignon (60 %), pinot noir (30 %) et gamay. Encore un peu fermé, le nez libère à l'agitation quelques notes fruitées et végétales. En bouche, on découvre une matière toujours fruitée, riche et structurée, qu'il faudra attendre. À ouvrir dans un an ou deux sur un lapin à la moutarde.

EARL Alain Bourdier,
6, rue de l'Ancienne-Commune, Seuilly, 86110 Mirebeau,
tél. 05.49.50.51.31, fax 05.49.50.96.71,
domaine-de-villemont@wanadoo.fr
t.l.j. 9h30-12h 14h-18h; f. 1re sem. de jan.

Aquitaine et Charentes

Cette région est formée par les départements de Charente et Charente-Maritime, de Gironde, Landes, Dordogne et Lot-et-Garonne. Une majorité de vins rouges souples et parfumés sont produits dans le secteur aquitain, issus des cépages bordelais que complètent quelques cépages locaux plus rustiques (tannat, abouriou, bouchalès, fer). Charentes et Dordogne donnent surtout des vins de pays blancs, légers et fins (ugni blanc, colombard), ronds (sémillon en assemblage avec d'autres cépages) ou corsés (baroque). Charentais, Agenais, Terroirs landais et Thézac-Perricard sont les dénominations sous-régionales ; Dordogne, Gironde et Landes constituent les dénominations départementales.

À l'origine, le Bordelais n'était pas autorisé à proposer des vins de pays. Un décret de 2006 créant les vins de pays de l'Atlantique met fin à cette situation. Ces vins, rouges, rosés ou blancs, proviennent d'une zone qui inclut la Gironde, les deux Charentes, la Dordogne et quelques cantons de l'ouest du Lot-et-Garonne.

Agenais

CÔTES DES OLIVIERS Élevé en fût de chêne 2009 ★★

1 450 | 5 à 8 €

Jean-Pierre Richarte, malgré ses nombreuses occupations – production de pruneaux d'Agen et de noix franquette – signe un millésime 2009 d'excellente facture, né d'un assemblage cabernets-merlot. La robe rouge foncé laisse apparaître de jolis reflets framboise. Les arômes du nez sont ceux de raisins ramassés à bonne maturité : cassis, fraise, mûre, groseille... La bouche retrouve ces saveurs fruitées très intenses, complétées par du gras, du volume, des tanins discrets mais « efficaces » et des nuances grillées et vanillées apportées par le bois. Un beau moment de dégustation à prévoir avec une côte de bœuf, à partir de 2013.

Jean-Pierre Richarte, Côtes des Oliviers, 47140 Auradou, tél. 05.53.41.28.59, cotes-des-oliviers@wanadoo.fr
t.l.j. 9h-12h30 13h-19h

LES SEPT MONTS Prestige 2011 ★

10 000 | - de 5 €

La coopérative des 7 Monts ne pouvait trouver meilleure situation qu'au pied de la cité médiévale de Monflanquin, une des plus belles bastides du Lot-et-Garonne. Une sélection parcellaire rigoureuse et une bonne maturité des raisins, principalement du merlot, ont donné naissance à cette cuvée rouge cerise aux jolis parfums de fruits mûrs relevés d'une note poivrée. La bouche allie en toute harmonie le gras, le volume, un éclatant fruité, un discret vanillé et de savoureux tanins. À attendre un an ou deux.

Cave des Sept Monts, Le Lidon, 47150 Monflanquin, tél. 05.53.36.33.40, vincent.la-mache@terres-du-sud.fr
r.-v.

Atlantique

DAGUET DE BERTICOT Merlot 2011 ★★

280 000 | - de 5 €

La coopérative de Landerrouat est également présente dans la sélection IGP du Guide pour ses rosés et ses rouges du millésime 2011. Ce Daguet de Berticot, à la jolie couleur saumonée, fait l'unanimité du jury grâce à son fruité intense auxquel s'ajoutent des parfums de bonbon anglais. Cette superbe présence aromatique est confirmée dans une bouche très typée à la chair ronde et dense, montrant un équilibre parfait entre la douceur, l'acidité et l'alcool. Un vin léger, frais et de grande longueur, à découvrir sans tarder sur un carpaccio de thon par exemple. **Le Petit Berticot 2011 rosé (30 000 b.)**, au joli fruité, à la bouche généreuse et suave décroche une étoile, de même que le **Daguet de Berticot 2011 rouge (630 000 b.)** aux élégants parfums de fruits rouges, à la bouche ronde, riche et douce.

Prodiffu, 17-19, rte des Vignerons, 33790 Landerrouat, tél. 05.56.61.33.73, fax 05.56.61.40.57, france@prodiffu.com
r.-v.

VIGNOBLES BERTRAND Merlot Cabernet-sauvignon 2011 ★

20 000 | - de 5 €

Légèrement saumoné, ce rosé se distingue par son bouquet intense et alerte de fruits rouges frais. L'attaque franche et vive prélude à une matière souple, ronde, équilibrée et très aromatique, qui laisse en finale une agréable sensation de fruits mûrs mêlée de notes plus acidulées. À déguster à l'apéritif, puis avec des tomates farcies.

SARL M. et J.-F. Bertrand, Le Feynard, 17210 Chevanceaux, tél. 05.46.04.61.08, fax 05.46.04.66.00, contact@vignobles-bertrand.fr r.-v.

LE ROSÉ DE DILLON 2011 ★

20 000 | 5 à 8 €

Exploitation du lycée viticole de Blanquefort, le château Dillon doit son nom à un Irlandais, Robert Dillon, qui acheta ce domaine en 1754. Assemblage réussi de merlot et de cabernet franc, ce rosé de pressurage représente dignement son terroir : de belles nuances bois de rose, des parfums fruités charmeurs (groseille, framboise), du volume, du gras, de la rondeur, une juste acidité et une longue finale. Le témoignage d'une vinification soignée et maîtrisée.

EPLEFPA Bordeaux-Gironde, 84, av. du Gal-de-Gaulle, 33290 Blanquefort, tél. 05.56.95.39.94, fax 05.56.95.36.75, chateau-dillon@chateau-dillon.com r.-v.

HAUT GUILLEBOT Impatient 2011 ★★

24 000 - de 5 €

Propriété familiale de 60 ha qui a la particularité d'avoir toujours été dirigée par des femmes, depuis sept générations. Couvrant les coteaux argilo-calcaires dominant la vallée de la Dordogne face à la cité médiévale de Saint-Émilion, ce vaste vignoble propose un 2011 paré d'une élégante robe sombre, presque noire. Le bouquet est marqué par une jolie présence de fruits rouges et de cassis. Plaisant et volumineux, le palais est structuré autour de tanins assouplis qui portent loin la finale au fruité séducteur. Un « vin plaisir », à savourer dans un an ou deux avec un rosbif.

SCEA Ch. Haut Guillebot, 8, Guillebot, 33420 Lugaignac, tél. 05.57.84.53.92, fax 05.57.84.62.73, chateauhautguillebot@wanadoo.fr r.-v.
Labouille

Charentais

DENIS ET VINCENT BENOIT Merlot 2010

6 000 - de 5 €

Cette exploitation familiale principalement orientée vers la production de cognac s'investit depuis les années 2000 dans l'élaboration de vins de pays dans les trois couleurs. Ce 2010 laisse s'exprimer la personnalité et la richesse du merlot : teinte grenat, nez s'épanouissant à l'agitation sur des arômes fruités, épicés et minéraux, bouche vive en attaque, puis douce et gourmande, à la finale fruitée et chocolatée.

Denis et Vincent Benoît, Sainte-Radegonde, 16360 Baignes-Sainte-Radegonde, tél. 05.45.78.40.60, fax 05.45.98.69.05, gaec-du-sourdour@wanadoo.fr r.-v.

HENRI DE BLAINVILLE Merlot-Cabernet 2011 ★★

20 000 - de 5 €

Charentes Alliance, première coopérative agricole du Poitou-Charentes, présente un assemblage de merlot (60 %) et de cabernet (40 %) à la belle couleur vieux rose, brillant de reflets dorés. Le bouquet, légèrement floral, est dominé par de gourmands parfums de fruits rouges mûrs. La bouche, ample, ronde et complexe est parcourue d'une discrète acidité qui apporte personnalité et équilibre à ce rosé charmeur, tout indiqué pour une paella. Présenté par la cave de Saint-Sornin, **La Fenêtre sur l'histoire 2011 rouge merlot (5 à 8 €; 15 000 b.)** offre des parfums chaleureux de fruits rouges confiturés et de cassis dans une bouche tendre, concentrée, aux tanins fondus. Une étoile.

Charentes Alliance, Zone Montplaisir sud, 51, rue Pierre Loti, 16100 Cognac, tél. 05.16.45.60.00, fax 05.16.45.60.09 r.-v.

DOM. CAZULET 2010 ★

5 000 5 à 8 €

Stéphane Cazulet exploite un vignoble de 9 ha en agriculture biologique ; 1 ha est consacré au chardonnay, à l'origine de ce blanc or pâle, qui dévoile d'intenses parfums floraux et beurrés sur un léger fond boisé. La bouche ronde et croquante, finement épicée, s'épanouit en un fruité agréable et frais. Une légère pointe d'amertume plutôt aimable conclut la dégustation. Un vin à découvrir sur un poisson en sauce.

Cazulet, Plissonneau, 17150 Saint-Bonnet-sur-Gironde, tél. 06.25.70.25.09, fax 05.46.70.28.16, domainecazulet@orange.fr t.l.j. 8h-12h 14h-19h

DOM. DU GROLLET Réserve 2009 ★★

45 000 8 à 11 €

Ce très ancien domaine dont l'existence remonte au XVIe s. a été acquis par André Renaud, propriétaire de la maison de cognac Rémy Martin, en janvier 1936. Son gendre, André Hériard Dubreuil, y créa le vignoble de rouge il y a vingt-cinq ans. Nés sur un terroir argilo-siliceux sur graves, les merlot (80 %) et cabernet-sauvignon qui composent cette cuvée sont issus d'une sélection parcellaire rigoureuse et d'une conduite à faibles rendements. Ils ont donné naissance à un 2009 riche et complexe, destiné à un bel avenir : une robe sombre aux reflets étincelants ; un bouquet de fruits cuits, de noyau et d'épices dans un écrin suave et vanillé ; une bouche ample, ronde et chaleureuse, enrobée de tanins fermes aux nuances de grillé et de cacao ; une finale minérale, fraîche et persistante. Un vin au caractère boisé attachant, à découvrir au cours des trois prochaines années.

Domaines Rémy Martin, 20, rue de la Société-Vinicole, 16100 Cognac, tél. 06.83.81.24.66, eric.jaunet@remy-cointreau.com

LES HAUTS DE TALMONT Le Merlot rosé 2011 ★

12 000 5 à 8 €

Michel Guilllard, Jean-Jacques Vallée et Lionel Gardrat se sont associés pour planter sur la falaise de Talmont-sur-Gironde, haut-lieu touristique de la Charente-Maritime, un vignoble de merlot et de colombard pour produire d'excellents vins de pays (IGP), dont ce rosé, de pur merlot, élaboré par pressurage direct. Ce cépage apporte un fruité aux jolies nuances de fraise, de framboise et de groseille et une matière ronde, pleine et structurée, soutenue par une légère acidité citronnée.

SARL Les Hauts de Talmont, rue du Port, 17120 Talmont-sur-Gironde, tél. 06.61.67.17.17, fax 05.46.90.95.22 t.l.j. 10h-13h 15h-19h; f. oct.-mars

MAINART 538 2010 ★★

25 200 5 à 8 €

538, c'est le nombre de parcelles vinifiées par la maison de négoce des Maines pour sa gamme de vins de terroirs. Né sur un sol argilo-calcaire, cet assemblage merlot-cabernet se présente dans une robe intense aux reflets rubis, d'où s'élèvent des parfums complexes de fruits noirs compotés, de noisette grillée et de menthol complétés de fines notes boisées. L'attaque suave et gourmande introduit une matière ample, tendre et concentrée, portée par des tanins veloutés. Fruits rouges et vanille se marient en douceur dans une finale fraîche et persistante qui autorisera une garde de trois ans.

La Maison des Maines, Au Malestier, 16130 Segonzac, tél. 05.45.36.48.38, fax 05.45.36.48.36, contact@charlemagne.fr
t.l.j. sf sam. dim. 9h-12h30 14h-17h
Bouyer

MAINE AU BOIS Sauvignon 2010 ★

	3 990		- de 5 €

Doni, maison de négoce de Saint-Eugène (Charente-Maritime), présente une fois de plus un vin d'une bonne tenue. Issu du seul sauvignon, ce 2010 élevé huit mois en fût développe à l'aération d'intenses senteurs fruitées et florales soutenues par un boisé grillé bien dosé. Cette fine expression aromatique se manifeste à nouveau dans une bouche dense, bien construite, affermie par une acidité qui lui apporte tonicité et longueur. À découvrir sur un plateau de fruits de mer.

Doni, 24, chem. de l'Alambic, 17520 Saint-Eugène, tél. 05.46.70.02.40, fax 05.46.70.02.03, maineaubois@orange.fr r.-v.

DOM. MONTANSIER Merlot Les Pierres plates 2010

	3 000		5 à 8 €

Un plateau calcaire dominant la vallée de la Charente, un terroir pierreux, un seul cépage – le merlot – une vinification et un élevage traditionnel en fût ont donné ce vin typé, complet et prometteur. Une teinte rubis brillant, un bouquet complexe mêlant les fruits rouges, la réglisse et le cuir dans un écrin finement boisé, une bouche souple en attaque, assez ample, aux nuances de cacao et aux tanins enrobés ; la finale offre un retour acidulé apportant une touche de vivacité. À apprécier dès à présent.

François Jobit, Chebrat, 16120 Graves-Saint-Amant, tél. 06.22.10.44.89, fjobit@yahoo.fr
sam. 9h-12h30 A

DOM. DE MONTIZEAU Merlot 2011 ★★

	n.c.		- de 5 €

Régulièrement remarqué dans le Guide, en pineau-des-charentes comme en vin de pays, Thierry Jullion a élaboré un rosé si plaisant qu'il a frôlé le coup de cœur. La belle robe rose foncé intense, couleur groseille aux reflets violacés traduit des raisins de merlot amenés à bonne maturité. Une saignée bien maîtrisée confère à l'ensemble un équilibre admirable, rehaussé par cette présence intense des arômes de fruits rouges mûrs fondus dans une chair ronde et croquante. Une juste acidité apporte la fraîcheur voulue à ce rosé très fruité, conclu par une noble amertume. À découvrir sur une assiette de tomates-mozzarella.

EARL Dom. de Montizeau, Montizeau, 17520 Saint-Maigrin, tél. 05.46.70.00.73, fax 05.46.70.02.60, jullion@wanadoo.fr
t.l.j. sf sam. dim. 14h-19h 2 C
Thierry Jullion

DOM. DE PONCEREAU DE HAUT Merlot 2010

	12 000		- de 5 €

Le domaine a longtemps produit volailles, céréales et vin de chaudière pour le cognac. En 1978, le premier vin blanc sec est élaboré, suivi en 1986 des premiers rouges et rosés. Ce 2010 de pur merlot, au rubis brillant, offre un mariage réussi du fruité et des épices douces. La bouche souple et ample conserve cette agréable expression aromatique, soutenue par une trame tannique de bonne facture.

Jean-Claude Benassy, 1, Poncereau-de-Haut, 17120 Épargnes, tél. 05.46.90.73.63, contact@domaine-poncereau-de-haut.fr
t.l.j. sf dim. 9h-12h 14h30-19h E

Landes

ADORÉE 2011 ★

	8 000		5 à 8 €

Ce moelleux issu de petit manseng a fière allure dans sa robe jaune paille. Il s'épanouit sur de plaisants arômes de fruits bien mûrs (poire) et de fleurs sur un fond boisé délicat et fondu. Le palais révèle des saveurs de fruits confits et de miel au sein d'une matière douce, bien équilibrée, qui ne tombe jamais dans la lourdeur. Un ensemble harmonieux et prometteur.

Les Vignerons landais, 30, rue Saint-Jean, 40320 Geaune, tél. 05.58.44.51.25, fax 05.58.44.40.22, technique@tursan.fr t.l.j. sf dim. 9h-12h 14h-17h30

DOM. DE LABAIGT Coteaux de Chalosse 2011 ★

	20 000		- de 5 €

Cette cuvée est surprenante par sa couleur intense, presque noire (dominante de tannat), mais aussi par sa belle expression associant des arômes de fruits rouges, de fleurs et de sous-bois à une fine note animale. Sa bouche, assez souple, déroule une matière ample, bien construite, avec un fruit plus affirmé (cerise, griotte bien mûre), des tanins enrobés et une finale sur la réglisse de belle persistance. Un vin à déguster sans attendre.

Dominique Lanot, 1127, rte du Grand-Arrigan, 40290 Mouscardès, tél. 05.58.98.02.42, fax 05.58.98.80.75, dominique.lanot@wanadoo.fr
t.l.j. sf dim. 9h-12h 13h30-18h

Périgord

LE HAUT PAÏS Sauvignon 2011 ★

	66 000		- de 5 €

Remarquée l'an passé pour son rosé de merlot 2010, la coopérative de Sigoulès signe à nouveau un très beau vin du Périgord, un blanc sec issu de sauvignon. Paré d'une robe jaune pâle aux reflets verts, ce 2011 se distingue par de beaux arômes fruités (fruits exotiques, écorce d'orange) et floraux (fleurs blanches, citronnelle). Ample et généreuse, la bouche offre une acidité à la fois tonique et vivifiante, du fruit et au final un bel équilibre.

Les Vignerons de Sigoulès, Cave de Sigoulès, 24240 Sigoulès, tél. 05.53.61.55.00, fax 05.53.61.55.10, contact@vigneronsdesigoules.fr
t.l.j. sf. dim. 9h-12h30 14h-17h30 (18h30 en été)

Pays de la Garonne

Avec Toulouse en son cœur, cette région regroupe dans la dénomination régionale « vins de pays du Comté tolosan » les départements suivants : Ariège, Aveyron, Haute-Garonne, Gers, Landes, Lot, Lot-et-Garonne, Pyrénées-Atlantiques, Hautes-Pyrénées, Tarn et Tarn-et-Garonne. Les dénominations sous-régionales ou locales sont : côtes du Tarn, coteaux de Glanes (Haut-Quercy au nord du Lot : rouges pouvant vieillir), coteaux et terrasses de Montauban, côtes de Gascogne (zone de production de l'armagnac dans le Gers et quelques communes des départements limitrophes), côtes du Condomois et de Montestruc, et enfin Bigorre.

La diversité des sols et des climats, des rivages atlantiques au sud du Massif central, alliée à une gamme particulièrement étendue de cépages, en fait une région aux vins de pays d'une variété extrême : c'est à la fois son originalité et son attrait. L'ensemble de la région produit environ 1,5 million d'hectolitres, dont plus de 800 000 hl de blancs en Côtes de Gascogne et 250 000 hl en Comté tolosan.

Ariège

COTEAUX D'ENGRAVIÈS Roc des Maillols 2010 ★

■ 10 000 8 à 11 €

Cet assemblage à dominante de syrah, complété du merlot et du cabernet-sauvignon, symbolise la rencontre de la Méditerranée et de l'Atlantique au pied des Pyrénées, dans cette partie de l'Ariège située à l'est du Plantaurel. Sous une robe aux nuances rubis brillant s'exprime un bouquet assez intense composé de groseille, de cassis, d'une note de violette et d'une pincée d'épices. Franche en attaque, la bouche offre un équilibre friand et gourmand, bâtie sur une structure svelte aux tanins fins. À essayer sur une tarte aux fruits rouges.

Babin - Coteaux d'Engraviès, 8, rue Rescanières, 09120 Vira, tél. 05.61.68.68.68, fax 05.61.68.73.97, contact@coteauxdengravies.com

t.l.j. sf dim. lun. mar. 10h-12h 15h-18h; f. de nov. à mai

DOM. DE LASTRONQUES Syrah 2010 ★

■ 5 300 5 à 8 €

Ancienne seigneurie au XVIIIes., commandé par une bâtisse bâtie en brique rouge, le domaine est situé sur des coteaux exposés plein sud face aux Pyrénées. La robe grenat de son vin de syrah s'anime de reflets noirs. Le nez, assez corsé et épicé, exprime aussi quelques touches de violette. Plus fruitée, sur le cassis, la bouche se montre très ronde, douce et chaleureuse. Les tanins sont présents, assez bien fondus, et soutiennent une longue finale épicée. Prêt à boire.

EARL Christian et Andrea Cydonia Zeller, 09210 Lézat-sur-Lèze, tél. 05.61.69.12.13, fax 05.61.69.18.44, cydoniaviti@wanadoo.fr r.-v.

DOM. DU SABARTHÈS Les Vignals Élevé en fût de chêne 2009 ★★

■ n.c. 5 à 8 €

Situé dans le Plantaurel, dans l'enceinte du Parc régional, le domaine du Sabarthès choie cette parcelle de tannat et de cabernet franc (complétée d'un soupçon de merlot) exposée face aux Pyrénées. Sa cuvée Les Vignals reçoit pour la deuxième année consécutive un coup de cœur, preuve de sa remarquable régularité. Vêtue d'une robe grenat sombre, elle livre un bouquet réunissant les fruits rouges, le cassis, les épices et une touche de poivron. Une fraîcheur aromatique que l'on retrouve dans un palais concentré, étoffé de tanins fins et d'un boisé bien intégré. L'ensemble parfaitement équilibré propose une belle représentation de ce terroir d'Ariège. À déguster dès aujourd'hui et à redécouvrir après deux à trois ans de garde pour de nouvelles sensations.

Entreprise adaptée Le Sabarthès, Le Sabarthès, 09120 Montégut-Plantaurel, tél. 05.61.05.33.33, fax 05.61.05.33.60, terroirs@apajh09.asso.fr

t.l.j. sf dim. 9h-12h 13h30-18h; sam. 9h-12h

Apajh

Aveyron

DOM. PLEYJEAN Cuvée des 4 Vents 2011 ★

■ 3 600 5 à 8 €

Passionnée de vigne et de vin, Sandra Lemoine a décidé, à l'âge de trente-six ans, de changer de métier et de vie pour se consacrer à ce petit domaine de 3,3 ha. Une reconversion réussie, si l'on en juge par ce rosé de syrah et de cabernet franc, dont le nez léger mais agréable évoque la fraise et le bonbon anglais. La bouche est à la fois fraîche – voire vive en attaque – et empreinte de douceur. Elle conforte la sentation de confiserie fruitée perçue au nez. La chair est ample, soyeuse et longue. Un rosé gourmand, parfait pour des grillades.

Sandra Lemoine, Pleyjean, 12200 Martiel, tél. 05.65.29.46.57, sandra-lemoine@wanadoo.fr r.-v.

Comté tolosan

LA SYRAH DE BOUISSEL 2010 ★★

■ 5 600 5 à 8 €

Avec l'IGP Comté Tolosan, les producteurs des appellations du Sud-Ouest ont la possiblité de produire des vins plus singuliers, comme cette cuvée de pure syrah née sur le terroir du fronton. Déjà coup de cœur dans le millésime 2009, celle-ci se présente dans ses plus beaux

atours : une robe d'un rouge dense et profond aux nuances violines, un parfum de belle maturité, typique du cépage par ses notes d'épices poivrées, qui évoque aussi les fruits rouges compotés. En bouche, on retiendra la densité, la maturité et la richesse d'une matière parfaitement maîtrisée tant à la vendange qu'au chai. Une superbe bouteille qui inspire maints accords gourmands – une souris d'agneau confite au thym et au romarin, suggère un juré.

Pierre, Anne-Marie et Nicolas Selle, Ch. Bouissel, 200, chem. du Vert, 82370 Campsas, tél. 05.63.30.10.49, fax 05.63.64.01.22, chateaubouissel@orange.fr
t.l.j. sf dim. 10h-12h 14h-19h, sam. sur r.-v.

CABIDOS Petit Manseng doux Comte Philippe de Nazelle Vendange passerillée 2009 ★

10 000 | 15 à 20 €

Le château de Cabidos produit son blanc sec en IGP Pyrénées-Atlantiques (élu coup de cœur dans ce Guide) et son moelleux de petit manseng en Comté tolosan. La version 2009 de ce vin passerillé s'habille d'une robe doré soutenu. Son bouquet marie les fruits mûrs (pêche, abricot, melon) à des notes d'élevage sous bois (brioche, vanille). La bouche s'ouvre sur la vivacité et le fruit pour poursuivre tout en rondeur sur une matière riche et concentrée alliant des arômes affirmés de fruits confits à de légères nuances boisées. Un vin liquoreux, à réserver pour une tarte aux pommes.

Vivien de Nazelle, Ch. de Cabidos, 64410 Cabidos, tél. 05.59.04.43.41, fax 05.59.04.41.83, vin.de.cabidos@wanadoo.fr
t.l.j. sf dim. 8h-12h 14h-18h

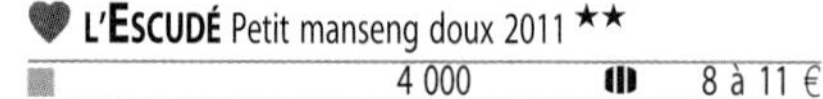
L'ESCUDÉ Petit manseng doux 2011 ★★

4 000 | 8 à 11 €

Ancienne ferme béarnaise restaurée à partir de 2003 par Murielle et Laurent Caubet, L'Escudé est un véritable modèle quand il s'agit d'élaborer des « joyaux » du Comté tolosan : les dégustateurs manquaient presque de mots pour exprimer leur admiration devant les deux vins doux proposés. Le premier décroche un coup de cœur. D'un jaune d'or soutenu, il exprime des parfums explosifs de pêche, de melon et d'ananas, agrémentés d'un soupçon de vanille. La bouche offre beaucoup de volume, de rondeur, un fruité croquant et une finale légèrement briochée d'une grande persistance. Les éloges ne manquent pas non plus pour le **2011 petit manseng passerillé (1 300 b.)** récolté un mois plus tard et plus liquoreux encore (100 g/l de sucres résiduels contre 70 g/l pour le premier), qui décroche deux étoiles. Des vins fruités d'une impressionnante richesse, pour accompagner foie gras ou pâtisseries.

Murielle et Laurent Caubet, L'Escudé, 64410 Cabidos, tél. 06.07.47.10.27, vin.lescude@orange.fr
t.l.j. sf dim. 9h-12h 14h-18h30; sam. sur r.-v.

VIN LE FLEUR Bouquet fruité 2011 ★★

80 000 | - de 5 €

Assemblage de colombard (70 %) et d'ugni blanc proposé par la cave coopérative de Crouseilles, ce 2011 à la robe jaune clair nuancé de reflets verts séduit par son nez très ouvert et complexe partagé entre les fruits exotiques, les agrumes, l'abricot et les fleurs blanches. L'attaque tout en fraîcheur, légèrement perlante, montre aussi de la rondeur et dévoile un beau volume dans lequel se déploie une palette aromatique persistante, généreuse et gourmande. Un vin croquant, surprenant de fraîcheur et de fruité, à déguster sur une sole meunière par exemple.

Cave de Crouseilles, 64350 Crouseilles, tél. 05.62.69.66.77, fax 05.62.69.66.08, m.darricau@crouseilles.fr r.-v.

DOM. MARGUERITE 2011

89 200 | - de 5 €

Vêtu d'une robe rose bonbon assez soutenu et vif, ce 2011 offre un joli nez fruité de fraise, de framboise et de groseille, agrémenté de nuances florales. La bouche à la fois ronde et fraîche est animée d'un joli perlant qui soutient cette même palette aromatique. La finale est marquée par des saveurs acidulées et une agréable pointe d'amertume.

SCEA Ch. Marguerite, 1709, chem. Cavailles, 82370 Campsas, tél. 09.61.37.69.90, fax 05.63.64.08.21, chateau.marguerite@wanadoo.fr r.-v.

DOM. DU PEYRAT 2010 ★

4 000 | 5 à 8 €

Une robe d'un beau jaune aux nuances dorées. Un nez assez intense partagé entre les agrumes, la cire d'abeille et des senteurs boisées. Une bouche ronde, à la fois douce, puissante et suffisamment fraîche, qui rappelle les arômes perçus au nez avec des accents de vanille et de pêche jaune. Voilà ce que propose cet assemblage de petit et gros mansengs, un vin moelleux à servir sur des toasts au foie gras.

Fabien Desserez, Maison Larrat, 1100, rte de Pimbo, 40320 Puyol-Cazalet, tél. 06.81.43.53.80, fax 05.24.84.34.61, fabien@filsdupeyrat.fr
t.l.j. sf dim. 9h-12h 14h-18h

DOM. DE REVEL Doux Rêve 2011 ★

6 500 | 5 à 8 €

Déjà cités pour un vin doux dans le millésime 2009, les Raynal décrochent une étoile pour ce 2011 à la robe jaune pâle. Le nez frais et assez intense révèle des impressions muscatées accompagnées de notes de pêche blanche et

d'agrumes. La bouche ronde et souple s'anime d'une sensation de vivacité fruitée qui confère un équilibre croquant à ce moelleux fort plaisant, à déguster à l'apéritif.
EARL Papyllon, La Cave de Revel, 82800 Vaïssac, tél. 05.63.30.92.97, wineofmick@yahoo.fr r.-v.

EXTRÊME DE SAINT-LOUIS 2010 ★

3 200 | 20 à 30 €

Situé au cœur de l'appellation fronton, ce domaine conduit en agriculture biologique produit aussi de belles cuvées en IGP, telle celle-ci constituée de merlot et de négrette à égales proportions, élevée douze mois en fût. D'un grenat foncé légèrement tuilé, ce 2010 livre un bouquet partagé entre parfums de fruit (framboise) et nuances boisées (fumé, toasté). Le palais ample et gras repose sur des tanins discrets et laisse poindre une note de fraîcheur en finale. Un vin riche qu'il faut carafer pour mieux l'apprécier. Le **Dom. Saint-Louis 2011 blanc sec (5 à 8 €; 33 300 b.)**, rond, croquant et fruité, décroche aussi une étoile.
SCEA Ch. Saint-Louis, 380, chem. du Bois-Vieux, 82370 Labastide-Saint-Pierre, tél. 05.63.30.13.13, fax 09.70.62.12.72, proprietaire@chateausaintlouis.fr
t.l.j. 9h-12h 14h-18h; sam. dim. sur r.-v.
Mahmoudi

TERREO Malbec 2011 ★

300 000 | - de 5 €

Proposé par la coopérative de Parnac, ce malbec a été apprécié pour sa couleur soutenue aux nuances violines et pour son nez enjôleur de marmelade de fruits rouges et noirs légèrement épicés. Après une attaque souple, on découvre une bouche ronde, tout en fruit, soutenue par une belle fraîcheur et d'une longueur appréciable. Un vin harmonieux, à attendre une petite année pour un meilleur fondu des tanins.
Côtes d'Olt-Vinovalie, Caunezil, 46140 Parnac, tél. 05.65.30.71.86, fax 05.65.30.35.08 r.-v.

Corrèze

COTEAUX DE LA VÉZÈRE Coteaux du Saillant-Vézère Dernières Vendanges 2010

2 550 | 11 à 15 €

Ce vin est, comme son nom l'indique, issu d'une récolte tardive de pur chenin en légère surmaturation. Paré d'une robe jaune clair aux légers reflets verts, il offre un nez plutôt délicat, à la fois floral et miellé, agrémenté de notes de fruits confits (coing, agrumes). En bouche, une sucrosité bien présente et un fruité intense soutenus par une agréable acidité composent un ensemble équilibré et de bonne tenue. Pour l'apéritif.
SCA Coteaux de la Vézère, La Jurgie-le Saillant, 19240 Allassac, tél. 05.55.25.24.60, fax 05.55.25.24.76, scacoteauvezere@wanadoo.fr r.-v.

MILLE ET UNE PIERRES Élevé en fût de chêne 2009

53 000 | 5 à 8 €

La cave coopérative de Branceilles a entrepris la restructuration de 30 ha de vignes sur d'anciennes truffières. Ce 2009 montre déjà des nuances brique, signe d'un début d'évolution. Le nez de bonne intensité dévoile des senteurs de cuir, de fruits rouges confits et de vanille. La bouche présente une structure déliée aux tanins souples, empreinte d'une certaine douceur apportée par un léger boisé aux nuances de moka. À déguster sans attendre.
Cave viticole de Branceilles, Le Bourg, 19500 Branceilles, tél. 05.55.84.09.01, fax 05.55.25.33.01, cavebranceilles@wanadoo.fr
t.l.j. sf dim. 10h-12h 15h-18h

Coteaux de Glanes

LES VIGNERONS DU HAUT-QUERCY Merlot Fondateurs 2010

26 600 | 5 à 8 €

La cave coopérative des Vignerons du Haut-Quercy représente ici l'IGP Coteaux de Glanes avec deux cuvées rouges réussies : la **Tradition 2011 (moins de 5 €; 130 133 b.)**, issue d'un assemblage de trois cépages, et ce 2010 né du seul merlot. Sa robe est d'un beau rouge rubis intense. Le nez franc, à dominante de fruits rouges, annonce une bouche svelte mais aux tanins assez serrés. Un trait de fraîcheur mentholée vient souligner le fruit en finale. Un ensemble équilibré.
Les Vignerons du Haut-Quercy, Le Bourg, 46130 Glanes, tél. et fax 05.65.39.73.42, coteauxdeglanes@wanadoo.fr
t.l.j. sf dim. 10h-12h 15h-18h

Coteaux et terrasses de Montauban

LE MAS DES ANGES 2010

7 200 | 8 à 11 €

Juan Kervyn, non content de relancer ce vignoble en 2007, a aménagé trois chambres d'hôtes au domaine pour que les vancanciers puissent venir profiter de la région et de ses vins, tel ce 2010 rouge foncé à reflets violets qui offre un nez montant aux notes poivrées, suivies de près par des senteurs de fruits rouges et d'épices douces. La bouche, solidement structurée, est assise sur des tanins affirmés qui s'annoblissent grâce à la douceur du fruit en confiture et d'un boisé toasté. Attendre un an ou deux que l'ensemble se fonde.
EARL du Mas des Anges, 1623, rte de Verlhac-Tescou, 82000 Montauban, tél. et fax 05.63.24.27.05, info@lemasdesanges.com r.-v. 3
Juan Kervyn

DOM. DE MONTELS Louise 2010 ★★

10 000 | 5 à 8 €

Louise, la fille de Philippe Romain, est née en 2001 tout comme le premier millésime de cette cuvée composée de cabernet franc (60 %) et de tannat. Pour sa dixième année, donc, ce vin a enchanté le jury dans sa superbe robe cerise burlat bien sombre. Le nez, intense, évoque une large variété de fruits rouges et noirs en ganache chocolatée. La bouche est souple et ronde, enveloppée de douceur. On y retrouve un fruit bien mûr légèrement confituré. Des tanins enrobés soutiennent la longue et élégante finale, suggérant de savourer ce vin dès aujourd'hui sur une lamproie à la bordelaise. Le **2011 blanc Prestige (moins de 5 €; 10 000 b.)** est par ailleurs cité pour sa légèreté et sa fraîcheur aromatique.

Philippe et Thierry Romain,
Dom. de Montels, chem. de la Tauge, 82350 Albias,
tél. 05.63.31.02.82, fax 05.63.31.07.94,
philippe.romain.montels@orange.fr
t.l.j. 9h-12h 14h-19h

Côtes de Gascogne

ARAMIS Tannat Syrah 2011 ★★

180 000 | - de 5 €

Grande habituée du Guide pour ses magnifiques madiran du château d'Aydie, la famille Laplace propose ici un vin à large dominante de tannat, à la robe pourpre intense. Le bouquet exubérant mêle les fruits rouges très mûrs, le cassis et le poivre. La bouche ne déçoit pas avec son volume, son fruité gourmand, sa rondeur, ses tanins soyeux et sa longue finale empreinte de fraîcheur. À déguster avec une terrine de campagne au cours des deux années à venir. Le **2011 blanc sauvignon colombard (73 000 b.)** obtient une étoile pour sa fraîcheur et ses arômes d'agrumes et de buis.

SARL Pierre Laplace, 64330 Aydie, tél. 05.59.04.08.00,
fax 05.59.04.08.08, contact@famillelaplace.com
t.l.j. 9h-13h 14h-19h

BRUMONT Gros Manseng-Sauvignon 2011 ★★

1 100 000 | 5 à 8 €

L'incontournable Alain Brumont, vigneron emblématique du madiran et du pacherenc avec ses châteaux Montus et Bouscassé, fait de fort intéressantes incursions en vin de pays. Avec le même talent, comme le prouve ce blanc d'assemblage, compagnon rêvé d'une bouillabaisse. Mariage de fruits jaunes et blancs (pêche, nectarine), d'agrumes et de notes plus végétales (buis), le bouquet délicat précède une bouche complexe. Présence du fruit, du gras, de la fraîcheur et d'une matière veloutée qui tend vers une fine acidité portée par des impressions citronnées : un vin d'une grande élégance.

SA Vignobles Brumont, Ch. Bouscassé,
32400 Maumusson-Laguian, tél. 05.62.69.74.67,
fax 05.62.69.70.46, contact@brumont.fr
t.l.j. 9h-12h30 14h-18h

DOM. DES CASSAGNOLES Gros Manseng Sélection 2011 ★★

100 000 | - de 5 €

Coup de cœur du Guide dans les millésimes 2009 et 2010, la cuvée de gros manseng de la famille Baumann fait de nouveau belle impression. Jaune pâle aux reflets dorés, ce nouveau millésime offre un bouquet complexe alliant en toute subtilité la pomme verte, le citron, le chèvrefeuille, le miel et les fruits exotiques. Une riche palette qui annonce une matière ample et concentrée marquée par une délicate fraîcheur. Pour une volaille aux morilles ou un tartare de saumon au basilic. Le **2011 blanc Éclat de sauvignon (9 900 b.)**, aux arômes de clémentine et de grillé sur fond minéral, obtient la même note pour son volume et sa complexité.

Dom. des Cassagnoles, Famille Baumann, BP 13,
32330 Gondrin, tél. 05.62.28.40.57, fax 05.62.28.42.42,
j.baumann@domainedescassagnoles.com
t.l.j. sf dim. 9h-12h 14h-18h; sam. 9h30-12h30 14h-17h30

DOM. CHIROULET Terroir gascon 2010 ★

65 000 | 5 à 8 €

Assemblage de quatre cépages dominé par le merlot, ce 2010 a bénéficié d'une extraction douce et d'un élevage pour deux tiers en fût, un tiers en foudre de bois. Il en ressort paré de rubis brillant aux reflets noirs. Son bouquet de fraise et de cassis porte aussi la marque chaleureuse de l'élevage dans ses notes grillées et épicées. La bouche, fraîche en attaque, fruitée et légère, s'appuie sur des tanins fins et un discret boisé. Cité, le **2011 blanc Terres blanches (20 000 b.)** se montre friand, floral et fruité.

Famille Fezas, Dom. Chiroulet, Heux,
32100 Larroque-sur-l'Osse, tél. 05.62.28.02.21,
fax 05.62.28.41.56, chiroulet@wanadoo.fr
t.l.j. sf dim. 9h-12h 14h-18h30

COLOMBELLE L'Original 2011 ★★★

2 000 000 | - de 5 €

Brillante coopérative régionale, la cave des Producteurs Plaimont va encore faire des heureux avec sa gamme Colombelle. Cet Original, dominé par le cépage colombard (80 %), offre un nez explosif axé sur les agrumes et les fruits exotiques. En bouche, il allie du volume, du gras, et une fine vivacité pour équilibrer l'ensemble. C'est un vin croquant, friand, aux arômes de pêche et d'abricot et à la finale fraîchement acidulée. Délicieux pour un apéritif avec des toasts au foie gras. Toujours en sec, le **2011 blanc Grands Lilas (5 à 8 € ; 30 000 b.)** décroche deux étoiles pour son élégance florale et citronnée, pour son ampleur, sa souplesse et sa vivacité. En moelleux, le **Soleil Gascon 2011 blanc (5 à 8 € ; 50 000 b.)**, sur les abricots compotés, le miel et les fruits confits, décroche une étoile.

Plaimont Producteurs ,
Les Producteurs Vignoble de Gascogne, rte d'Orthez,
32400 Saint-Mont, tél. 05.62.69.62.87, fax 05.62.69.61.68,
d.caillard@plaimont.fr r.-v.

DOM. DE DANIS Colombard-sauvignon 2011 ★★★

30 000 | - de 5 €

Victoire Piquemal et son frère Vincent ont la volonté de ne produire que des vins réellement adaptés à leur terroir du Gers septentrional ; c'est pourquoi ils cultivent uniquement des cépages blancs : colombard, sauvignon et gros manseng pour les vins de pays, folle blanche pour l'armagnac. Jugée remarquable dans le millésime 2010, cette cuvée a encore davantage ébloui le jury, décrochant ainsi la note maximale. Vêtue d'une robe jaune pâle aux reflets verts, elle s'ouvre sur des senteurs toniques et gourmandes de litchi, de nectarine et de pamplemousse rose. Franc en attaque, le palais se fait ample et onctueux avant de dévoiler une longue finale

acidulée, sur la fraîcheur des agrumes et de la pêche blanche. Un blanc d'exception, qui fera des merveilles sur des calamars farcis.
EARL Dom. de Danis, 32440 Castelnau-d'Auzan, tél. 05.62.29.21.27, domaine.danis@orange.fr
t.l.j. 9h-13h 14h-18h
Piquemal

ESPÉRANCE Sauvignon-Gros Manseng Cuvée d'Or 2011 ★★★

n.c. | 5 à 8 €

Les étiquettes du domaine conduit par Claire de Montesquiou possèdent un petit supplément d'âme grâce au coup de crayon du créateur de mode Jean-Charles de Castelbajac. Les vins, eux, semblent à la hauteur de cette élégante présentation, notamment cette cuvée d'Or qui décroche cette année une étoile supplémentaire grâce à sa palette aromatique des plus flatteuses. Litchi, kiwi, pêche blanche et fleur d'oranger accueillent le dégustateur, le plongeant ensuite dans un univers floral, harmonieux, empreint d'une superbe fraîcheur, dont la finale rappelle la mandarine. Pour un plateau de sushis. La **cuvée Rosée 2011 (50 000 b.)** est par ailleurs citée pour ses arômes discrets de pamplemousse rose.
Dom. d'Espérance, Espérance, 40240 Mauvezin-d'Armagnac, tél. 05.58.44.85.93, fax 05.58.44.87.15, info@esperance.fr
t.l.j. sf mar. jeu. 8h-12h; sam. dim. sur r.-v.
Claire de Montesquiou

DOM. LES ESQUIROTS Sauvignon 2011 ★★

13 300 | 5 à 8 €

Le nom de ce domaine perché sur des coteaux aux sols de sables rouges signifie en gascon « les écureuils » – des animaux que l'on peut en effet croiser sur ce terroir entre les chênes, les noisetiers et autres acacias. Ce sauvignon marie au nez des senteurs fruitées de pamplemousse, de litchi et de coing, agrémentées de nuances florales. À la fois gras et rond, vif et fin, ce vin complet et équilibré reprend au palais les arômes du nez avec élégance. Pour une salade de crabe aux agrumes. Le **2011 chardonnay (8 700 b.)** dévoile, en plus du fruit, des notes grillées et vanillées. Il est cité.
CPR – Les Hauts-de-Montrouge, rte d'Aire-sur-Adour, 32110 Nogaro, tél. 05.62.09.01.79, fax 05.62.09.10.99, cpr@de-castelfort.com t.l.j. sf dim. 9h-12h 14h-18h

♥ **FLORENBELLE** 2011 ★★

500 000 | - de 5 €

Comme dans le précédent millésime, la cave coopérative de Saint-Mont décroche un coup de cœur pour sa cuvée Florenbelle à dominante de colombard (70 % de l'assemblage), complétée par le sauvignon et l'ugni blanc. Une confirmation, s'il en fallait, du savoir-faire des vinificateurs et de la qualité de la sélection parcellaire. Cristalline, la robe aux reflets argent de ce 2011 annonce un bouquet riche et d'une grande finesse, mené par les agrumes et les fruits exotiques sur fond floral (acacia). Tout aussi élégante, la bouche se construit autour du fruit et de la fraîcheur, dévoilant une finale vive aux accents citronnés. Pour accompagner une daurade au four et sa fondue de poireau. Dans un style plus doux, le **2010 blanc moelleux Fleur de givre (5 à 8 €; 50 000 b.)** est cité.
Producteurs Plaimont, rte d'Orthez, 32400 Saint-Mont, tél. 05.62.69.62.87, fax 05.62.69.61.68, d.caillard@plaimont.fr
r.-v.

FLEUR DE FORTUNET Colombard 2011 ★★

100 000 | - de 5 €

Entreprise familiale depuis quatre générations, le domaine de Fortunet a conquis le jury avec un colombard jaune pâle cristallin, ouvert sur des parfums d'agrumes, de fleurs blanches et de nectarine. L'attaque franche, sur la fraîcheur, met au jour un équilibre réussi entre vivacité et rondeur, fruit et minéralité, richesse et élégance. La finale aux notes iodées confère à la bouche une touche d'originalité. Pour des coquilles Saint-Jacques ou un plateau de fruits de mer. Toujours en blanc, le **2011 Plaisir d'Emma** (20 000 b.), cité, associe la vivacité du sauvignon (notes de buis) au fruité du chardonnay.
Dom. de Fortunet, Fortunet, 32110 Lanne-Soubiran, tél. 06.80.32.74.50, fax 05.62.08.89.19, info@domaine-fortunet.com r.-v.

DOM. GUILLAMAN Les Hauts de Guillaman Élevé en fût de chêne 2010 ★★

5 000 | 8 à 11 €

Dominique Ferret n'avait pas seize ans quand il commença à travailler le domaine de ses grands-parents, ancienne métairie du couvent des ursulines de Gondrin. Il présente ici un rouge de pur merlot, élevé pendant un an en fût de chêne neuf. Superbe dans sa robe grenat aux nuances violines, ce vin se distingue par d'intenses parfums de fruits rouges et noirs confiturés mêlés d'épices douces. Rond et concentré, le palais se montre structuré et marie harmonieusement le fruit et la vanille de l'élevage. À découvrir après un à trois ans de garde.
Dom. Guillaman, Guillaman, 32330 Gondrin, tél. 05.62.29.13.82, fax 05.62.29.16.50, guillaman@orange.fr
t.l.j. sf sam. dim. 10h-12h 14h-19h

DOM. DE LARTIGUE 2011 ★★

10 000 | 5 à 8 €

La famille de Francis Lacave travaillait dans l'horticulture avant de se spécialiser dans la pépinière viticole puis dans la viticulture. Si les plantes ornementales ont été délaissées, les deux dernières activités subsistent. Né de la seule syrah, ce rosé de saignée plaît pour ses parfums d'agrumes, de rose et de petits fruits rouges. Son fruité très marqué (fraise, cerise) envahit une bouche ronde, souple, à la finale friande et longue. Un rosé de gastronomie. Cité, le **2011 blanc (50 000 b.)**, assemblage de quatre cépages, se distingue par sa vivacité citronnée.
EARL Francis Lacave, Dom. de Lartigue, 32800 Bretagne-d'Armagnac, tél. 05.62.09.90.09, fax 05.62.09.79.60, francis.lacave@wanadoo.fr
t.l.j. 9h-12h 14h-18h30; sam. dim. sur r.-v.

VDP/IGP

FRANÇOIS LURTON Sauvignon
Les Fumées blanches 2011 ★★

480 000 | - de 5 €

La maison de négoce François Lurton a vinifié et élevé sur lies pendant huit mois ce sauvignon issu d'un terroir argilo-calcaire. Ce 2011 se pare d'une robe très pâle nuancée des reflets verts de jeunesse, et livre des senteurs de citron et de fleurs blanches. Une attaque souple et fraîche, un développement équilibré entre rondeur et vivacité, une palette aromatique acidulée centrée sur les agrumes... De quoi régaler les papilles en compagnie d'une douzaine d'huîtres.

François Lurton, Dom. de Poumeyrade, 33870 Vayres, tél. 05.57.55.12.12, francoislurton@francoislurton.com

DOM. DE MAGNAUT 2011 ★★

10 000 | 5 à 8 €

Le domaine s'est fait connaître grâce aux armagnacs de Pierre Terraube, et continue sur le chemin de la renommée avec son fils Jean-Marie, régulièrement remarqué pour ses floc-de-gascogne. Les IGP ne sont pas en reste, comme le montre ce rosé de syrah au bouquet gourmand de cerise, de groseille, de framboise et de pamplemousse. La bouche ample et ronde dévoile un superbe équilibre entre richesse et fraîcheur. Sa finale s'étire sur de plaisantes notes de petits fruits rouges. Le **2011 blanc sec colombard (40 000 b.)**, aux fins arômes d'agrumes, obtient une citation.

Jean-Marie Terraube, Dom. de Magnaut, 32250 Fourcès, tél. 05.62.29.45.40, fax 05.62.29.58.42, domainedemagnaut@wanadoo.fr
t.l.j. sf dim. 9h-12h 14h-19h

DOM. DE MAOURIES Autan 2011 ★★

6 000 | 5 à 8 €

Trois représentants de la famille Dufau, Philippe, Pascal et Isabelle, conduisent aujourd'hui ce domaine de 30 ha souvent sélectionné dans le Guide pour ses madiran et ses saint-mont. Ils proposent ici un assemblage de chardonnay et de sauvignon aux parfums intenses de fleurs, de buis, de litchi et d'agrumes. Après une attaque vive et franche, le palais dévoile du gras et une certaine douceur, sur des notes de pêche et de fruits exotiques, avant de finir sur la fraîcheur des agrumes, teintée d'une noble amertume. Cité, le **2011 blanc moelleux Foehn (20 000 b.)** montre une sucrosité légère réveillée par une acidité citronnée.

Dom. de Maouries, Maouries, 32400 Labarthète, tél. 05.62.69.63.84, fax 05.62.69.65.49, domainedemaouries@alsatis.net
t.l.j. sf dim. 9h-12h30 14h-18h30

DOM. DE MAUBET 2011 ★

200 000 | - de 5 €

Nadège et Sylvain Fontan gèrent un important vignoble de 80 ha qu'ils ont repris voilà six ans à la suite de leurs parents. Leur blanc sec est issu d'un assemblage de quatre cépages dominé par le colombard et élevé sur lies. Il livre un bouquet finement végétal et minéral, agrémenté de citron vert. Une fraîcheur aromatique enrichie en bouche de notes plus douces de fruits blancs. L'ensemble, de bonne tenue, reste centré sur la vivacité, mais sans manquer de gras. Un compagnon tout trouvé pour des crustacés.

EARL Vignobles Fontan, Dom. de Maubet, 32800 Noulens, tél. 05.62.08.55.28, fax 05.62.08.58.94, contact@vignoblesfontan.com
t.l.j. sf sam. dim. 8h-12h 14h-18h

DOM. DE MÉNARD Colombard-Sauvignon 2011 ★★★

200 000 | - de 5 €

L'histoire du domaine commence en 1920, lorsque le grand-père suisse d'Élisabeth Prataviera décide de s'installer en Gascogne. Une récolte de nuit à basse température, un pressurage pneumatique sous gaz inerte, un élevage sur lies fines de quatre mois, rien n'a été négligé pour obtenir cette magnifique cuvée à la robe or pâle nuancée de reflets gris. Fin et élégant, le bouquet évoque à la fois les agrumes, les fleurs blanches avec quelques notes minérales. Une fraîcheur aromatique confirmée par une bouche ample à la rondeur fruitée, que parfait une finale intense aux nuances citronnées persistantes. Autre blanc sec du domaine, la **cuvée Marine 2011 (300 000 b.)** décroche une étoile. Complexe à l'olfaction, elle allie tendresse et vivacité et s'appréciera sur une friture d'éperlans.

EARL Charpenties, Dom. de Ménard, 32330 Gondrin, tél. 05.62.29.13.33, fax 05.62.29.10.71, contact@domainedemenard.com
t.l.j. sf sam. dim. 9h-12h 14h-18h

PERRÉOU Sauvignon Gros Manseng L'Émotion 2011 ★★★

25 000 | 5 à 8 €

Jean-Pierre Montelieu, à la tête du domaine depuis six ans, réussit un joli doublé. Deux de ses blancs secs, issus d'assemblages différents, ont été sélectionnés par le jury. La préférence va à ce 2011 dominé par le sauvignon qui, paré de sa robe aux reflets dorés, livre un bouquet subtil de fruits exotiques, d'agrumes et de fleurs blanches. L'attaque tout en souplesse dévoile une matière ronde et soyeuse, contrebalancée par une finale fraîche, d'une grande persistance. Avec son nez mûr sur le coing et la pêche, sa bouche tendre et élégante, le 2011 **L'Émotion chardonnay gros manseng (15 000 b.)** décroche une étoile. On l'imagine bien sur de la cuisine exotique.

SCEA Dom. de Perréou, La Pélinguette, 32800 Cazeneuve, tél. 05.62.08.93.09, fax 05.62.08.13.95, jean-pierre.montelieu@orange.fr r.-v.

DOM. DES PERSENADES Petit Manseng 2011 ★★

15 000 | 8 à 11 €

Située au cœur de l'Armagnac sur le plateau de la Ténarèze, cette ancienne propriété familiale présente un vin doux à la robe or clair brillant, qui fleure bon l'abricot, le coing, la mangue et les agrumes confits. Fondu et velouté, tout en douceur, en volume et en fruit (abricot toujours), le palais est équilibré grâce à une magnifique fraîcheur. Un « vin plaisir » à l'expression gourmande, à savourer sur un crumble de pêche au chocolat. Le **2011 blanc sec ugni blanc colombard (moins de 5 €; 120 000 b.)** décroche une étoile pour son nez fruité et sa bouche vive et citronnée.

EARL Dom. des Persenades, 32800 Cazeneuve, tél. 05.62.09.99.30, fax 05.62.09.84.64, dom.persenades@hotmail.fr r.-v.
Christian Marou

PYRÈNE Gros Manseng et Sauvignon blanc
Chambre d'amour 2011 ★★

30 000 | 5 à 8 €

Récemment créée, la structure de négoce Osmin et Cie, conduite par cinq associés, s'est spécialisée dans les vins du Sud-Ouest. Dans la gamme Pyrène, deux de ses cuvées ont été retenues par le jury. Ce moelleux tout d'abord, dont le nez s'ouvre à l'aération sur les agrumes, les fleurs et les fruits blancs. Équilibré entre sucre et acidité, le palais soyeux marie des notes de pomme et d'ananas. À ouvrir en dessert avec une croustade. En sec, le **2011 blanc cuvée Marine (200 000 b.)** est cité pour sa rondeur et sa fraîcheur aux nuances d'agrumes et de fleurs blanches.

Lionel Osmin & Cie, ZI Berlanne, rue d'Aspe, bât. 6, 64160 Morlaas, tél. 05.59.05.14.66, fax 05.59.05.47.09, vin@osmin.fr r.-v.

DOM. DU REY Colombard-Sauvignon 2011 ★★

20 000 - de 5 €

C'est le colombard qui est majoritaire dans cet assemblage (70 %), complété par le sauvignon censé apporter sa fraîcheur à un ensemble or pâle animé de reflets verts. Les notes de fruits exotiques du premier cépage sont en effet agrémentées de senteurs plus « rafraîchissantes » de menthol, d'agrumes et de buis. La bouche, ample, ronde et d'une belle présence fruitée, est elle aussi soutenue par une fine vivacité. Une bouteille idéale pour accompagner une truite aux amandes. Par ailleurs, le **2011 blanc 4 cépages (20 000 b.)** décroche une étoile. Gras, charmeur et long, il est axé sur les agrumes bien mûrs.

Claude Almayrac, Dom. du Rey, 32330 Gondrin, tél. 05.62.29.11.85, fax 05.62.29.12.81, contact@domainedurey.com r.-v.

RIGAL Tannat-Merlot Les Palombières 2011 ★★

100 000 - de 5 €

Maison de négoce bien connue spécialisée dans les vins du Sud-Ouest, Rigal propose ici un rouge de Gascogne dominé par le tannat, qui affiche déjà sa richesse dans une robe cerise noire. Le nez évoque une salade de fruits rouges agrémentée d'épices et de chocolat. La bouche aux arômes tout aussi gourmands montre un certain volume, des tanins souples et enrobés, ainsi qu'une belle fraîcheur. À essayer sur un magret de canard aux pruneaux, d'ici un à deux ans. Le **2011 blanc The original colombard (5 à 8 €; 100 000 b.)** décroche une étoile avec son bouquet d'agrumes et sa fraîcheur citronnée.

Rigal, Ch. Saint-Didier Parnac, 46140 Parnac, tél. 05.65.30.70.10, fax 05.65.20.16.24, marketing@rigal.fr

DOM. DU TARIQUET Les Dernières Grives 2010 ★★★

20 000 11 à 15 €

Incontournable pour ses blancs de Gascogne, le domaine du Tariquet présente un liquoreux de haut niveau. Jaune paille aux reflets d'or, ce petit manseng élevé un an en fût offre un nez franc et intense composé de fruits confits, d'abricot, de truffe, de miel et de vanille. Son attaque souple, son développement ample et fruité, sa structure généreuse et équilibrée, sa longue finale... Toutes ces qualités vous feront passer un grand moment de dégustation, à accompagner de toasts au foie gras et d'un chutney de mangue. Autre liquoreux, le **2011 Premières Grives (5 à 8 €; 1 500 000 b.)** est cité pour sa concentration et ses saveurs de fruits confits. Une citation revient aussi au **2011 blanc sec Classic ugni blanc-colombard (moins de 5 €; 1 500 000 b.)**, aux arômes plus discrets.

SCV Ch. du Tariquet, Saint-Amand, 32800 Eauze, tél. 05.62.09.87.82, fax 05.62.09.89.49, contact@tariquet.com t.l.j. sf dim. 9h30-12h 14h30-18h

Famille Grassa

UBY Chardonnay-Muscadelle 2011 ★

100 000 5 à 8 €

En 2010, la famille Morel effectuait une conversion à l'agriculture biologique sur ses terres à céréales. En 2012, elle entreprend le même processus pour une partie de son vignoble. En attendant de voir apparaître des cuvées bio, on découvre ce 2011 aux senteurs presque muscatées, agrémentées d'agrumes et de poire. Tendre et soyeux, ce vin affiche une rondeur assez originale, qui devrait s'accorder avec des toasts de chèvre chaud. La même note est attribuée au **2011 blanc colombard-ugni blanc (moins de 5 €; 600 000 b.)**, plus typique, plus frais, sur les agrumes et les fruits blancs.

SCEA Jean-Charles Morel, Uby, 32150 Cazaubon, tél. 05.62.09.51.93, fax 05.62.09.58.94 r.-v.

Côtes du Tarn

♥ COMTE DE THUN La Maze 2008 ★★

4 400 30 à 50 €

Le comte Ferdinand de Thun s'est entouré de talents aux accents d'Italie, d'abord en la personne de Riccardo Cotarella, œnologue reconnu, ensuite avec le jeune vigneron Orlando Caporro qui gère l'équipe du domaine depuis cinq ans. C'est au cépage merlot que celle-ci fait honneur en élaborant un magnifique vin à la robe tulipe noire. Intense et complexe, le bouquet évoque les petits fruits noirs, la cerise en confiture et le pain toasté auxquels s'ajoutent la réglisse et la vanille. Une approche flatteuse pour inviter à la découverte d'un palais dense et riche porté par des tanins enrobés. L'élevage sous bois lègue son empreinte grillée à l'ensemble, tout en laissant s'exprimer la cerise noire dans une longue finale. À servir dans un an ou deux avec un faisan.

Dom. du Comte de Thun, Ch. de Frausseilles, 81170 Frausseilles, tél. 05.63.56.14.02, fax 05.63.56.15.03, chateaufrausseilles@orange.fr t.l.j. sf ven. sam. dim. 8h-12h30 14h-16h30

DOM. D'EN SÉGUR Sauvignon blanc 2011

15 000 - de 5 €

Robe légère d'or pâle, parfums intenses de fleurs blanches, d'agrumes et de poire : ainsi se présente le sauvignon de Pierre Fabre, à la tête du domaine depuis huit ans. Équilibrée entre rondeur et fraîcheur, la bouche affiche une belle présence aromatique dans un registre plutôt fruité (pomme golden). Un vin bien construit, à privilégier à l'apéritif.

Dom. d'En Ségur, rte de Saint-Sulpice, 81500 Lavaur, tél. 05.63.58.09.45, fax 05.63.58.65.03, ensegur@wanadoo.fr t.l.j. sf dim. 9h-17h
Pierre Fabre

LABASTIDE Le Cadet de la Bastide 2011 *

60 000 - de 5 €

La cave coopérative de Marssac-sur-Tarn propose ici un assemblage syrah-merlot. Paré d'une robe grenat intense et vive, le vin dévoile un nez soutenu de cassis, de framboise et de groseille en confiture. La bouche bien ronde repose sur des tanins souples et fondus et le fruit est mis en valeur dans une longue finale compotée. Un vin gourmand et prêt à boire. Le **2011 rouge Terrane (60 000 b.)** est par ailleurs cité. Quant à la cuvée **Le Cadet de la Bastide 2011 rosé (66 000 b.)**, il obtient une étoile pour sa structure gouleyante et fraîche enrobée de fruits (fraise, cerise).
Cave de Labastide, BP 12, 81150 Marssac-sur-Tarn, tél. 05.63.53.73.73, fax 05.63.53.73.74, commercial@cave-labastide.com r.-v.

DOM. SARRABELLE Syrah Élevé en fût de chêne 2010 **

13 000 5 à 8 €

Les frères Laurent et Fabien Caussé, habitués des colonnes du Guide en vin de pays comme en gaillac, ont élevé pendant un an leur vin de syrah en barrique de chêne. La robe couleur cerise noire laisse présager une forte concentration. Le nez intense, copieusement épicé, met en valeur les fruits noirs et le bâton de réglisse sur un léger fond boisé. La bouche confirme cette impression de richesse, tant par son volume que par ses arômes : les mêmes qu'à l'olfaction, auxquels s'ajoute une note caractéristique de violette. La structure est solide, les tanins présents et de qualité : ils devraient se fondre avec deux à trois ans de garde.
Dom. Sarrabelle, Les Fortis, 81310 Lisle-sur-Tarn, tél. 05.63.40.47.78, fax 05.63.81.49.36, contact@sarrabelle.com t.l.j. sf dim. 9h-12h 14h-19h
Caussé

VIGNÉ-LOURAC Prunelard Cépage rare 2011 **

6 200 - de 5 €

Le prunelard, cépage peu courant, est une ancienne variété de la région qui avait presque disparu du paysage gaillacois avant d'être remis en valeur par une poignée de vignerons. Alain et Vincent Gayrel sont de ceux-là, en proposant ici une version grenat brillant qui tire vers le pourpre. Le nez, après une légère aération, dévoile des notes de cerise à l'eau-de-vie, d'épices et de sous-bois frais. L'attaque est souple, puis on assiste à une belle montée en puissance des arômes de griotte, de cassis et d'épices. L'ensemble reste rond, équilibré et soyeux. Cité, le **2011 blanc mauzac-sauvignon (400 000 b.)** se distingue par sa souplesse, ses parfums d'agrumes et ses notes végétales.
Alain et Vincent Gayrel, 103, av. Foch, 81600 Gaillac, tél. 05.63.81.21.11, fax 05.63.81.21.09, cave-gaillac@wanadoo.fr t.l.j. 9h30-12h30 14h30-19h30

LES VIGNES DES GARBASSES Duras 2011

3 000 5 à 8 €

Une robe sombre qui oscille entre le grenat et le noir. Un nez de raisin surmûri aux nuances de pruneau, de cacao et d'épices. Une bouche ronde qui confirme cette forte maturité tant par ses arômes fruités et poivrés que par ses tanins bien fondus. Ainsi s'exprime ici le cépage duras, spécialité du Gaillacois, qui offre un vin aromatique, à déguster sans attendre sur un steak au poivre vert.
Guy Fontaine, Le Bousquet, 81500 Cabanes, tél. 05.63.42.02.05, vignesdesgarbasses@orange.fr t.l.j. sf dim. 9h-19h

Côtes du Lot

DÉMON NOIR Malbec 2011

200 000 - de 5 €

La coopérative de Parnac, dont les cahors sont régulièrement mentionnés dans le Guide, propose ici un vin de pays de pur malbec. Dans sa robe grenat profond, presque opaque, ce 2011 s'annonce par un nez intense qui marie les fruits rouges, le menthol et la réglisse. La bouche bien construite, plutôt structurée, à la fois ronde et croquante, témoigne d'une bonne maturité du fruit.
Côtes d'Olt-Vinovalie, Caunezil, 46140 Parnac, tél. 05.65.30.71.86, fax 05.65.30.35.08 r.-v.

DOM. DOLS Vendange d'octobre 2011

n.c. 8 à 11 €

Les côtes du Lot sont ici représentées par un vin blanc moelleux, penchant vers le liquoreux, issu de chenin. Vêtu d'une robe jaune pâle à reflets verts, celui-ci s'ouvre après aération sur un fin bouquet aux nuances de miel, de coing et de fruits exotiques. La bouche montre du volume et une belle montée en puissance aromatique. Équilibrée, elle est à la fois douce et fraîche, empreinte de saveurs d'abricot réveillées par une pointe d'amertume en finale.
Dom. Dols, EARL Dols, Bouzies-Bas, 46330 Saint-Géry, tél. 05.65.31.26.86, fax 05.56.30.20.48, dols.gaec@wanadoo.fr t.l.j. sf dim. 14h-20h

LE ROSÉ DE FANTOU Malbec 2011 *

10 000 - de 5 €

Comme le malbec est réputé donner des vins très noirs, le couple Aldhuy-Thévenot a préféré faire subir aux raisins une saignée « instantanée » afin d'obtenir ce rosé à la robe légère, saumonée, parcourue de reflets bleutés. Le nez montant, net et franc, dévoile des senteurs de fruits rouges. La bouche se montre souple, ronde et douce, agrémentée par les arômes fruités perçus à l'olfaction et réveillée par une fine fraîcheur. À apprécier avec une assiette de charcuterie.
Aurélie et Loïc Aldhuy-Thévenot, EARL Ch. Fantou, 46220 Prayssac, tél. 05.65.30.61.85, fax 05.65.22.45.69, chateau-fantou@orange.fr
t.l.j. 9h-12h30 14h-18h30; dim. sur r.-v.

DAME DE GRÉZETTE Viognier 2011 **

12 000 20 à 30 €

Le cépage viognier, originaire de la vallée du Rhône, a fait son apparaition il y a maintenant plus d'une dizaine d'années dans les côtes du Lot. Il peut donner naissance à des cuvées remarquables lorsqu'il est aussi bien maîtrisé qu'au domaine de Lagrézette. Coup de cœur dans le millésime précédent, cette Dame de Grézette, vêtue d'une robe paille légère, renouvelle l'exploit. Son nez expressif et intense évoque à la fois les fleurs et les fruits à chair blanche avec, en fond, une délicate touche boisée. L'attaque souple et fraîche dévoile une bouche équilibrée,

ronde, ample et riche dont on apprécie la belle montée en puissance des arômes épicés. Un vin charnu et gourmand, à savourer sur une blanquette de veau ou un poisson en sauce.

SCEV La Grézette, Dom. de Lagrézette, 46140 Caillac, tél. 05.65.20.07.42, fax 05.65.20.06.95, adpsa@lagrezette.fr t.l.j. 10h-12h 14h-18h; f. jan.

Alain-Dominique Perrin

L'INSTANT MALBEC 2011 ★

42 000 - de 5 €

Le domaine d'Isabelle et de Philippe Vincens s'est lancé dans la production de rosé avec le millésime 2005. Six ans plus tard, il a élaboré un rosé de malbec à la robe saumonée assez pâle, qui séduit par un bouquet plaisant de fruits rouges sur fond floral et par une bouche bien équilibrée entre fraîcheur et douceur. Une légère sucrosité confère à ce vin un côté rond et gourmand qui plaira sur des salades composées. Cité, le **2011 blanc chardonnay Sur le chemin de pierre levée (5 à 8 €; 1 800 b.)** offre une bouche vive, légère et épicée.

Ch. Vincens, Foussal, 46140 Luzech, tél. 05.65.30.51.55, fax 05.65.20.15.83, philippe@chateauvincens.fr r.-v. E

RIGAL The Original Malbec 2011 ★

200 000 5 à 8 €

La maison de négoce Rigal propose une gamme de vins qui met en valeur le cépage roi de Cahors : le malbec. Deux cuvées obtiennent chacune une étoile pour ce millésime : **Terra d'Olt 2011 rouge (moins de 5 €; 100 000 b.)**, un vin croquant sur le fruit, et cet Original Malbec d'une teinte rouge profond et limpide. Ses parfums de fraise précèdent une bouche très ronde et bien fondue, portée par une fine acidité et agréablement réglissée en finale. Deux vins à découvrir au cours des deux années à venir, sur un lapin aux pruneaux, par exemple.

Rigal, Ch. Saint-Didier Parnac, 46140 Parnac, tél. 05.65.30.70.10, fax 05.65.20.16.24, marketing@rigal.fr

ROSÉ DE SÉGOS 2011 ★

5 200 5 à 8 €

Cyrille Delmouly conduit le domaine de Maison neuve, en AOC cahors, depuis treize ans. Il propose un malbec à la robe saumonée très pâle, qui s'ouvre au nez sur de fines senteurs florales (aubépine) et fruitées (agrumes) agrémentées de notes de bonbon anglais. Suave, gouleyant et fruité, c'est un rosé légèrement sucré (demi-sec), original, à déguster bien frais.

Delmouly, Maison neuve, 46800 Le Boulvé, tél. 05.65.31.95.76, fax 05.65.31.93.80, domainemaisonneuve@wanadoo.fr r.-v.

ROSÉ D'UN ÉTÉ Malbec 2011 ★

n.c. - de 5 €

Une robe légère, rose très clair aux reflets d'argent, habille ce rosé de saignée qui annonce déjà sa modernité. Délicat, plutôt friand, ce vin livre un bouquet subtil et complexe de groseille, de chèvrefeuille et de melon aux nuances citronnées. L'attaque en souplesse dévoile du gras, de la fraîcheur et un joli retour aromatique des fruits exotiques qui parfument la finale douce et persistante. Un rosé bien équilibré, parfait pour accompagner un carpaccio de bœuf.

EARL Roussille et Filles, rte de la Gineste, 46700 Duravel, tél. 05.65.36.50.09, fax 05.65.24.67.64, closduchene@wanadoo.fr t.l.j. 9h-12h 15h-19h

TU BOIS COÂ? Malbec 2011

21 000 5 à 8 €

Encore un pur malbec, ainsi va la tendance pour les rosés du Lot. Celui-ci est très coloré, rose à reflets rouge fraise : les raisins ont macéré sept heures avant le pressurage. Son nez se dévoile petit à petit, offrant à l'aération de nets parfums fruités et amyliques (bonbon anglais). La bouche est vineuse, comme le laissait présager la teinte, assez puissante mais non dénuée de fraîcheur. Cette bouteille de bonne tenue s'accordera volontiers avec une paella.

La Bérangeraie, Coteaux de Cournou, 46700 Grézels, tél. 05.65.31.94.59, fax 05.65.31.94.64, berangeraie@wanadoo.fr t.l.j. 10h-12h 14h-19h

Pyrénées-Atlantiques

♥ **CABIDOS** Petit manseng sec
Comte Philippe de Nazelle 2009 ★★

10 000 15 à 20 €

Une fois de plus, le coup de cœur des jurés des Pyrénées-Atlantiques revient au domaine Cabidos, passé maître dans la sublimation du petit manseng, et à son blanc sec drapé d'une robe jaune paille limpide et brillant. Le nez, des plus expressifs, combine les fleurs blanches, les fruits jaunes (abricot) et les fruits exotiques. Une attaque franche introduit une bouche vive et équilibrée, de grande tenue, dont les arômes évoquent les bonbons acidulés aux fruits. Un grand vin de caractère, tout en fraîcheur et à la finale tendue, qui s'alliera avec le poisson et le fromage (de l'ossau-iraty par exemple).

Vivien de Nazelle, Ch. de Cabidos, 64410 Cabidos, tél. 05.59.04.43.41, fax 05.59.04.41.83, vin.de.cabidos@wanadoo.fr t.l.j. sf dim. 8h-12h 14h-18h A

DOM. DE MONCADE Tannat Élevé en fût de chêne 2010 ★

■ 2 600 5 à 8 €

Déjà très remarqués en IGP Comté tolosan, Murielle et Laurent Caubet ne s'arrêtent pas là et proposent deux belles réussites en rouge des Pyrénées-Atlantiques. **L'Escudé 2010 rouge (8 à 11 € ; 1 500 b.)** décroche une étoile, comme ce tannat rouge cerise au nez intense et complexe de fruits rouges et noirs bien mûrs, mâtiné de notes épicées. Franche à l'attaque, la bouche bien équilibrée, s'appuie sur des tanins fondus enrobés de cassis et de vanille. Un superbe retour du fruit (framboise) persiste dans une longue finale. Agréable dès aujourd'hui, ce 2010 pourra aussi affronter une petite garde.

Murielle et Laurent Caubet, L'Escudé, 64410 Cabidos, tél. 06.07.47.10.27, vin.lescude@orange.fr
t.l.j. sf dim. 9h-12h 14h-18h30; sam. sur r.-v.

Languedoc et Roussillon

Vaste amphithéâtre ouvert sur la Méditerranée, la région Languedoc-Roussillon décline ses vignobles du Rhône aux Pyrénées catalanes. Premier ensemble viticole français, elle produit près de 80 % des vins de pays de France. Le vin de pays régional « IGP d'Oc », constitué en majorité des vins de cépage avec six variétés principales (cabernet-sauvignon, merlot, syrah en rouge et chardonnay, sauvignon, viognier en blanc), représente 3,5 millions d'hectolitres.

Obtenus par la vinification séparée de cuvées, les vins de pays de la région Languedoc-Roussillon sont issus non seulement de cépages traditionnels (carignan, cinsault et grenache, syrah pour les vins rouges et rosés, clairette, grenache blanc, macabeu, muscat, terret pour les blancs) mais aussi de cépages non méridionaux : merlot, cabernet-sauvignon, cabernet franc, cot, petit verdot et pinot noir pour les vins rouges ; chardonnay, sauvignon et viognier pour les vins blancs.

Aude

DOM. DE FONTENELLES Coteaux de Miramont Cuvée du Poète Renaissance 2011 ★

■ 30 000 8 à 11 €

Ce domaine est passé de 7 ha lors de sa création dans les années 1950 à 40 ha aujourd'hui. Thierry et Nelly Tastu proposent cette cuvée d'une belle couleur grenat. D'une réelle complexité, le nez de fruits rouges, de garrigue et d'épices, annonce un palais bien équilibré, ample, intense et souple, au joli fruité. À servir dès maintenant, en carafe, sur une viande rouge ou sur un plat asiatique.

Thierry Tastu,
Dom. de Fontenelles, 78, av. des Corbières, 11700 Douzens, tél. et fax 04.68.79.12.89, t.tastu@fontenelles.com
r.-v.

DOM. DE MARTINOLLES Chardonnay 2011 ★

n.c. 5 à 8 €

Si la commune de Saint-Hilaire est bien connue pour son abbaye où fut inventée la blanquette-de-limoux en 1531, elle abrite aussi l'un des meilleurs domaines agricoles de la région. Outre les vignes ancestrales, la propriété exploite sept cents oliviers et une centaine de chênes truffiers. Reprise en 2011 par la jeune génération, elle signe cette cuvée de chardonnay au bouquet franc de mirabelle et de chèvrefeuille agrémenté d'une touche de noisette. En bouche, les arômes floraux se mêlent à d'élégantes notes vanillées. Droit, affichant de la vivacité et du volume, ce 2011 se révèle bien équilibré. À marier avec des coquilles Saint-Jacques à la sauce safranée.

Dom. de Martinolles, 11250 Saint-Hilaire, tél. 04.68.69.41.93, fax 04.68.69.45.97, info@martinolles.com
t.l.j. sf sam. dim. 9h-12h 14h-18h
J.-C. Mas

LO PETIT FANTET D'HIPPOLYTE 2011 ★★

■ 8 000 8 à 11 €

Lo Fantet, « l'enfant » en langue d'oc, c'est la parcelle qui porte les raisins. Hippolyte, c'est le jeune fils de Pierre Bories et c'est lui qui a réalisé le dessin devenu étiquette. Un dessin frais, simple, gai, nature, comme cette cuvée couleur griotte, fleurant la violette et les fruits rouges bien mûrs. Rond et tendu au palais, ce vin parfaitement équilibré affirme une réelle concentration. Il accompagnera aussi bien une côte de bœuf qu'un plateau de fromages.

Pierre Bories, RD 613, TM 26, 11200 Montséret, tél. 04.68.43.35.20, fax 04.68.43.35.45, pbories@chateaulesollieux.com t.l.j. 9h-18h

Cévennes

AGARRUS La Vigne du facteur 2010 ★★

■ 6 270 5 à 8 €

Après des études d'agronomie en Alsace, Serge Scherrer reprend en 2007 ce domaine baptisé du mot occitan *agarrus* qui désigne un petit chêne exclusivement méditerranéen dont on extrayait le rouge kermès. Cette cuvée, vendangée manuellement et vinifiée avec des levures indigènes, séduit dans sa belle robe profonde aux jolis reflets violets. Elle offre un nez très agréable, qui mêle notes minérales et touches de cacao. Quant à la bouche, bien équilibrée, ample et structurée, elle s'exprime sur les fruits noirs et les épices. Magnifique et élégant, ce flacon est à boire d'ici sept ans, sur du gigot d'agneau. À noter : ce domaine est en cours de conversion à l'agriculture biologique.

Serge Scherrer, 1, rue des Jardins, 30700 Montaren-et-Saint-Médiers, tél. 06.70.78.06.66, serge.scherrer@free.fr r.-v.

LES CLAUX DES TOURETTES 2011

6 605 - de 5 €

Les Claux des Tourettes, issus de la fusion de deux caves coopératives qui ont uni leurs forces pour « produire des vins de qualité », sont en cours de conversion vers l'agriculture biologique. Ce rosé, qui se veut « gourmand, voire naïf avant tout », a séduit les dégustateurs qui ont aimé sa robe rose pâle aux reflets orangés, son nez franc aux notes d'agrumes, de fruits rouges et de fleurs. En bouche, ce vin éclatant allie fleurs, fruits et notes amyliques. Un vin frais et équilibré, à partager autour de grillades.

SCA les Claux des Tourettes, rte de Ners, quartier Droy, 30360 Cruviers-Lascours, tél. 04.66.83.21.64, fax 04.66.83.30.26, lesclauxdestourettes@cegetel.net
r.-v. 2 B

DOM. DE ROTONDE CAVALIER Florilège 2011 ★★

1 600 5 à 8 €

Créé en 1870, ce domaine familial de 9 ha est situé au pied des Cévennes sur les mamelons argilo-calcaires dominant la vallée du Gardon. Quant à la cave, elle a été installée dans la remise des machines de l'ancienne gare de Lézan. Ce fort joli vin, issu majoritairement de syrah et élevé en cuve, séduit par sa belle robe sombre aux reflets rouge vif et par son bouquet intense et complexe de violette et de garrigue. En parfaite harmonie avec le nez, la bouche est soutenue par des tanins fins et fermes qui mènent vers une longue finale. À découvrir dès la sortie du Guide ou, pour les plus patients, dans un à deux ans sur un cassoulet.

SCEA Jérémie Fossat, 75, av. de la Gare, 30350 Lézan, tél. et fax 04.66.83.08.81, rotondecavalier@orange.fr
r.-v.

DOM. LE SOLLIER Terre ronde 2010 ★

15 000 5 à 8 €

Située dans le nord-ouest du département du Gard, entre Anduze et Saint-Hippolyte-du-Fort, sur les contreforts des Cévennes, cette dynamique exploitation familiale, transmise de génération en génération depuis 1949, fait sa première apparition dans le Guide. À 300 m d'altitude, 3 ha de vignes ont donné naissance à cette cuvée composée de syrah (60 %) et, à parts égales, de grenache et de cinsault. Ce 2010 se présente dans une belle robe rouge rubis aux reflets couleur cerise. Le nez complexe et empyreumatique dévoile des notes grillées et torréfiées. S'il montre encore beaucoup de retenue, ce vin dispose d'un bon potentiel aromatique. À découvrir d'ici trois à cinq ans sur un cassoulet.

Laurent Olivier, Mas du Saulier, Hameau de Graniers, 30170 Monoblet, tél. 04.66.85.41.39, laurent.olivier35@sfr.fr
r.-v.

TERRA MONTI La Perrine 2010

3 000 5 à 8 €

Ray Monahan, d'origine irlandaise, grand amateur de vin, a acquis ce petit vignoble d'une dizaine d'hectares en 2007. Installé sur les contreforts des Cévennes, le domaine est en cours de conversion vers l'agriculture biologique. La Perrine est un assemblage mettant en vedette le viognier (90 %, complété par le chardonnay) ; une partie des vins a séjourné huit mois en fût de chêne. Cet élevage ne fait aucun doute car de plaisantes notes boisées et grillées sont encore très présentes dans ce vin. Vive, la bouche reflète un ensemble plutôt nerveux.

Terra Monti, Dom. du Lys, rte d'Uzès, 30700 Blauzac, clairesaurel@monti.ie t.l.j. sf dim. 10h-17h30
Monahan

Cité de Carcassonne

PLÔ ROUCARELS Carignan 2010 ★

5 200 8 à 11 €

Qui de Julien ou de Julia a donné naissance à ce carignan, vinifié pour une moitié en macération carbonique et de façon traditionnelle pour l'autre ? Au nez, une explosion de cassis et de mûre : ces vignes de soixante-dix ans ont encore bon pied et elles donnent bon œil à ce vin brillant, profond et franc, aux tanins soyeux de qualité. En bouche, l'équilibre est parfait entre puissance et harmonie, entre vivacité et douceur. Ce 2010 mérite d'être carafé avant le service, afin de donner le meilleur de lui-même sur des grillades.

Plô Roucarels, 18, rue Frédéric-Mistral, 11250 Couffoulens, tél. 06.61.77.51.35, fax 09.81.40.87.17, postmaster@plo-roucarels.com
t.l.j. 12h-14h 17h-20h; sam. dim. sur r.-v.
Julien et Julia Gil

Coteaux du Libron

IN VINO EROTICO 2010 ★★

100 000 5 à 8 €

Cette cave coopérative traditionnelle des années 1930 a su traverser les crises grâce à la stabilité de ses équipes (seulement cinq présidents en soixante-dix ans) et aussi grâce à sa capacité d'innovation et de communication. Pour preuve cette cuvée au nom évocateur, qui attirera aussi grâce à sa jolie étiquette, facilement identifiable, illustrée d'un caméléon. Une nouvelle fois, la qualité est au rendez-vous : noté une étoile dans le millésime 2009, ce bel assemblage de syrah, de merlot et de cabernet-sauvignon en décroche deux cette année ! La robe profonde aux reflets violets annonce un bouquet intense, riche et complexe, fait de caramel, de vanille, de chocolat, de guimauve et d'épices mêlés à des notes minérales. Ample et généreuse, la bouche, sur les fruits noirs et la cannelle, se révèle gourmande. Un vin de plaisir immédiat, idéal sur un plat épicé.

Les Vignerons de Cers-Portiragnes, 3, av. de l'Égalité, 34420 Portiragnes, tél. 04.67.90.91.90, fax 04.67.39.45.47, caveau.portiragnes@codewine.com
t.l.j. sf dim. 9h-12h 15h-19h

DOM. PREIGNES LE NEUF Chardonnay Prestige 2011

50 000 - de 5 €

Depuis 1870, cinq générations de vignerons indépendants se sont succédé sur cette magnifique propriété qui compte aujourd'hui 200 ha d'un seul tenant. Parée d'une jolie robe or pâle, cette cuvée, issue d'une des plus belles parcelles de chardonnay du domaine, offre un nez plaisant de fleurs blanches et de vanille, fruit de l'élevage en barrique. Un léger perlant à l'attaque apporte une agréable fraîcheur, qui se prolonge dans une bouche généreuse à la finale charnue.

Dom. de Preignes le Neuf, rte de Béziers, 34450 Vias, tél. 04.67.21.51.48, fax 04.13.33.50.76, contact@preignesleneuf.com
t.l.j. sf sam. dim. 8h-12h 13h-17h30

Coteaux de Narbonne

DOM. JEAN GLEIZES 1939 2011 ★

13 000	8 à 11 €

1939, c'est l'année où Paul-Célestin Gleizes réalisa la première mise en bouteilles au domaine de tout le département de l'Aude. En 2005, Pierre-Philippe Callegarin, fils d'un viticulteur bordelais né en 1939, reprend ce domaine et propose des vins d'assemblage, dont cette cuvée à dominante de grenache noir (80 %). Derrière le pourpre de la robe, une très jolie matière concentrée autour des fruits confiturés, de la vanille, des épices et du grillé, que l'élevage sous bois de six mois ne vient pas masquer exagérément. Un vin impétueux et chaleureux, à attendre un an ou deux.

Dom. Jean Gleizes, 2, av. de Capestang, 11590 Ouveillan, tél. 04.68.46.02.69, fax 04.68.46.05.51, info@domaine-jean-gleizes.com
t.l.j. sf dim. 9h-12h 14h-18h
Callegarin

DOM. LALAURIE Alliance 2011 ★★★

48 000	- de 5 €

La dixième génération depuis la création de ce domaine familial, représentée par les sœurs jumelles Camille et Audrey, a pris le relais avec enthousiasme et joué sur l'alliance de cinq cépages pour obtenir ce joyau d'un rubis brillant de mille feux. Ce 2011 charme par son nez mutin de violette et de mauve, par sa bouche consistante et élégante, parfaitement équilibrée, aux saveurs réglissées. Son fondu et sa douce chaleur achèvent de convaincre. Ce vin exceptionnel donnera la pleine mesure de son potentiel sur une pièce de charolais aux morilles.

Jean-Charles Lalaurie, 2, rue Le-Pelletier-de-Saint-Fargeau, 11590 Ouveillan, tél. 04.68.46.84.96, fax 04.68.46.93.92, lalaurie@domaine-lalaurie.com
t.l.j. sf dim. 10h-12h30 15h-19h

Côte Vermeille

DOM. PIC JOAN 2011 ★★

3 500	11 à 15 €

Depuis 2009, ce petit domaine s'est fait une place dans ce merveilleux vignoble de la Côte Vermeille. Cultiver des vignes en terrasses sur des pentes vertigineuses avec la mer en point de mire est le lot quotidien de ces vignerons, et la beauté du paysage n'enlève rien à la difficulté du labeur. Avec passion et ténacité, on arrive à récolter ici des raisins de qualité. Ceux-ci ont donné naissance à de jolis vins, tel ce rosé qui s'est démarqué des autres car il reflète l'authenticité et le terroir. Ce 2011 s'annonce par une robe soutenue, prélude à un bouquet de fraise, de framboise et de rose. Ronde en bouche, cette cuvée révèle très vite une belle personnalité, avec de la matière et de la longueur. Un rosé de table, que l'on ouvrira sur une viande blanche.

Jean Solé, 20, rue de l'Artisanat, 66650 Banyuls-sur-Mer, tél. 06.21.34.20.96, domainepicjoan@orange.fr
t.l.j. 9h-23h (été); 10h-19h (hiver)

Côtes catalanes

DOM. ALQUIER 2010 ★★★

3 500	5 à 8 €

Au débouché de la sauvage vallée du Tech, vous trouverez niché au pied des montagnes des Albères Saint-Jean-Pla-de-Corts, le village où Patricia et Pierre Alquier ont décidé de reprendre le domaine viticole familial. Marier la modernité et la tradition, voici la devise de ces deux diplômés, l'un en pharmacie, l'autre en œnologie. Le fruit de leur passion s'exprime dans cette cuvée issue d'une union originale : 60 % de merlot complété de grenache et de carignan, deux cépages locaux. D'un rouge profond, la robe de ce 2010 annonce un nez intense de fruits rouges et noirs, prélude à une bouche ample et complexe, bien équilibrée entre fraîcheur et finesse. Les tanins fondus portent loin la finale. Un vin d'une très grande harmonie, à savourer sur une côte de bœuf à la moelle.

Alquier, Dom. Alquier, 66490 Saint-Jean-Pla-de-Corts, tél. 04.68.83.20.66, fax 04.68.83.55.45, domainealquier@wanadoo.fr
t.l.j. sf sam. dim. 9h-12h 15h-19h

DOM. LA BEILLE Grenache 2009 ★★★

2 500	8 à 11 €

À Corneilla-la-Rivière, tout le monde connaît Agathe et Ashley, vignerons en agriculture biologique depuis 2010. Lui, *winemaker* australien très attaché à son pays natal, et elle, catalane jusqu'au bout des ongles. De cette association insolite est né ce grenache noir vinifié pur, comme il est souvent d'usage aux pays des Wallabies. Cette cuvée a tout simplement ébloui les dégustateurs avec sa robe d'un rouge profond, son bouquet intense et complexe de fruits mûrs, de pruneau et de mûre, et sa bouche de velours révélant toute la douceur que seul le grenache noir peut offrir. Une simplicité magnifique et un équilibre tout simplement parfait. À découvrir sur un tajine d'agneau aux pruneaux.

Agathe Larrère, 18, rue Saint-Jean, 66550 Corneilla-la-Rivière, tél. 04.68.57.17.82, la-beille@neuf.fr r.-v.

DOM. BOUDAU Le Petit Closi 2011 ★★

25 000	5 à 8 €

Le Petit Closi, c'est une institution pour les Perpignanais et pour les touristes qui viennent goûter au soleil généreux du Roussillon ! Le domaine Boudau excelle autant avec ses vins secs qu'avec ses vins doux naturels, mais en IGP, c'est leur rosé qui est à l'honneur. La couleur de ce 2011 est éclatante, le nez intense, sur la fraise, le bonbon anglais et les épices, l'attaque franche, et la bouche ample et fraîche, d'une grande puissance aromatique. Très équilibré, ce vin accompagnera à merveille vos apéritifs et vos grillades.

Dom. Boudau, 6, rue Marceau, 66600 Rivesaltes,
tél. 04.68.64.45.37, fax 04.68.64.46.26,
contact@domaineboudau.fr
t.l.j. sf dim. 10h-12h 15h-19h; sam. 10h-12h en hiver

DOM. DU CLOS DES FÉES Grenache blanc
Vieilles Vignes 2011 ★

10 000 | 15 à 20 €

Hervé Bizeul se bat pour faire connaître les vins du Roussillon et pour révéler la diversité des terroirs et des cépages de la région, qu'il a appris à magnifier. Cette cuvée Vieilles Vignes du célèbre domaine du Clos des Fées est une pure expression du grenache blanc. Le nez puissant et élégant affiche un bouquet floral et fruité (poire, pêche, fruits exotiques) et une touche vanillée. Si l'attaque est fraîche, le palais se montre plutôt gras, enrobé par des notes de pêche de vigne et de citron. La finale très longue est marquée par une note d'amertume savoureuse. À apprécier avec des coquilles Saint-Jacques au lait de coco.

Dom. du Clos des Fées, 69, rue Mal-Joffre,
66600 Vingrau, tél. 04.68.29.40.00, fax 04.68.29.03.84,
info@closdesfees.com r.-v.
Hervé Bizeul

FLEUR DE CAILLOU 2011 ★

8 000 | 11 à 15 €

Jean-Philippe Padié est un vigneron poète. Comme Baudelaire, il a su chanter le vin pour exprimer les qualités du terroir de Calce. Ce blanc au nom évocateur en est une belle expression. Le bouquet révèle des arômes floraux intenses avec des notes de guimauve, de gingembre, et une touche minérale. Après une attaque vive montrant beaucoup de personnalité, la bouche, sur les fruits exotiques et le citron, est soulignée par une minéralité surprenante, qui donne l'impression de « croquer du caillou ». La longueur est remarquable et l'équilibre parfait. À boire comme à attendre, une bouteille qui appelle une brouillade d'œufs à la truffe noire.

Jean-Philippe Padié, 11, rue des Pyrénées, 66600 Calce,
tél. et fax 04.68.64.29.85, contact@domainepadie.com
r.-v.

DOM. GAUBY Les Calcinaires 2011 ★

24 000 | 11 à 15 €

Gérard Gauby et sa famille sont des précurseurs, des inventeurs à la recherche de la perfection, de l'équilibre accompli. Ils sont souvent copiés, rarement égalés. À Calce, sur ce terroir calcaire fabuleux, les vins sont uniques, si on laisse la nature s'exprimer. Voyez ce 2011 : le nez est une explosion de rose, de citron, de pêche, mâtinés de notes mentholées. La bouche est à l'unisson, tout aussi fraîche. Son équilibre parfait invite à déguster cette bouteille sans attendre mais ce blanc saura aussi patienter quelques années pour le plaisir de tous. Idéal sur une fricassée de volaille fermière.

Dom. Gauby, La Muntada, 66600 Calce,
tél. 04.68.34.35.19, fax 04.68.64.41.77,
domaine.gauby@wanadoo.fr

LE GRENACHE DE RANCY 2011 ★★★

3 150 | 8 à 11 €

Au pays des vieux vins doux naturels et, surtout, des extraordinaires rancios, Jean-Hubert et Brigitte Verdaguer sont au sommet de leur art. Dès lors, il n'est pas étonnant de les retrouver distingués dans ce Guide avec un vin sec, issu du grenache, cépage emblématique de la vallée des Fenouillèdes. La vinification a été confiée à leur œnologue de fille et, pour cette première, la réussite est totale : robe rouge rubis ; nez intense avec des notes de poivre du Sichuan et de garrigue ; attaque franche et ample, bouche aromatique dominée par le pruneau et les épices douces, tanins fondus. Un vin accompli au bel équilibre, tout en douceur et en élégance.

Dom. de Rancy, 11, rue Jean-Jaurès,
66720 Latour-de-France, tél. 04.68.29.03.47,
info@domaine-rancy.com
t.l.j. 10h-12h30 15h-19h; dim. 15h-19h
Verdaguer

HOSPICES CATALANS Merlot
Les Vignes de Martin 2011 ★★

40 000 | - de 5 €

La famille Cazes, pionnière de la viticulture biologique dans le Roussillon, peut être fière de sa situation : 200 ha en biodynamie et une notoriété durable. Mais cela ne suffit pas, elle continue à avancer et à nouer des partenariats avec d'autres vignerons qui exploitent des terroirs différents. La robe de ce merlot, rubis aux reflets violets, annonce un nez intense de fruits mûrs : cerise, framboise et myrtille. En bouche, ce vin est très rond, gras et équilibré, sur le fruit et les épices. Persistant, il s'accordera à des grillades.

Cazes, 4, rue Francisco-Ferrer, 66600 Rivesaltes,
tél. 04.68.64.08.26, fax 04.68.64.69.79, info@cazes.com
t.l.j. sf dim. 8h30-12h 14h-18h30

DOM. LAFAGE Cadireta 2011 ★★

10 000 | 8 à 11 €

Le domaine Lafage est une institution à Perpignan, grâce à la qualité constante et reconnue de sa production, due à un travail rigoureux. Il a su allier technique et tradition pour respecter le terroir du Roussillon et le caractère des cépages. Dans cette cuvée, c'est le chardonnay qui domine. Drapé dans une robe aux reflets verts, ce 2011 dévoile un nez puissant, très floral et fruité (pêche), agrémenté de notes de noisette et de beurre. L'attaque en bouche est moelleuse, avec beaucoup de gras et des arômes plaisants de citron confit et de fruits exotiques. La dégustation s'achève sur une longue finale portée par une agréable fraîcheur. À apprécier sur un poulet à la crème et aux morilles. Le **2010 rouge Nicolas Vieilles Vignes 100 % grenache noir (11 à 15 €; 15 000 b.)** obtient une étoile pour son nez intense de fruits rouges et d'épices, pour sa bouche persistante et son bel équilibre.

SCEA Dom. Lafage, Mas Miraflors, rte de Canet,
66000 Perpignan, tél. 04.68.80.35.82, fax 04.68.80.38.90,
contact@domaine-lafage.com r.-v.

DOM. LAFFORGUE Vieux Porche 2010 ★

4 000 | 5 à 8 €

Depuis qu'il s'est installé en 2001, Noël Lafforgue n'a cessé d'améliorer la qualité de ses vins et de minimiser l'impact de ses pratiques sur la nature qui l'environne et qu'il aime tant. Il fait maintenant partie des vinificateurs réguliers de la région. La cuvée Vieux Porche est un bel exemple du travail de ce Catalan. Le carignan et la syrah réunis offrent une robe pourpre, prélude à un nez intense de fruits rouges et de garrigue (thym et romarin). Rond et fruité, ce vin équilibré, élaboré avec beaucoup d'attention,

VDP/IGP

de très belle longueur, est soutenu par des tanins fondus et élégants. Noël Lafforgue le recommande sur un boudin au poivre grillé aux sarments. Sa cuvée **K ré de rosé 2011 (2 500 b.)**, nommée ainsi car issue de vignes au carré typiques du vignoble catalan, obtient également une étoile pour sa vivacité et pour sa rondeur.

Noël Lafforgue, 26 bis, rte Nationale, 66550 Corneilla-La-Rivière, tél. et fax 04.68.73.12.25, lafforgue.noel@orange.fr r.-v.

DOM. LAURIGA Merlot L 2010 ★★

	6 000		5 à 8 €

Autour du vieux mas catalan s'étend un terroir de cailloux et de galets roulés propice à la production de vins de qualité. Jacqueline Lauriga est à la tête du domaine, en attendant que ses enfants prennent la relève. Représentant la quatrième génération de cette famille de vignerons des Aspres, elle perpétue avec passion la belle réputation des vins de Lauriga, réguliers, harmonieux et équilibrés. Ce coup de cœur couronne un merlot, incitation à la gourmandise et au plaisir partagé. Le nez s'ouvre sur des parfums de poivron grillé et d'épices orientales. Après une attaque ample avec du gras, la bouche séduit par ses arômes élégants de pruneau, soutenus par des tanins très fins. Une bouteille harmonieuse, à ouvrir pour de bons amis et à apprécier sur de la charcuterie catalane.

Ch. Lauriga, traverse de Ponteilla, RD 37, 66300 Thuir, tél. 04.68.53.26.73, fax 04.68.53.58.37, info@lauriga.com r.-v.

Jacqueline Clar

DOM. LES CONQUES Toine 2011 ★

	3 000	5 à 8 €

Travailler des sols vivants et pratiquer un enherbement qui permet de garder une vie et un échange entre les plantes, tels sont les objectifs de François Douville qui aime à parler de son vignoble. Vous l'aurez compris, le domaine Les Conques est en agriculture biologique. Après un carafage nécessaire pour libérer les arômes, ce rouge dévoile des notes de petits fruits et de poivre. La bouche aux arômes fins et aux tanins puissants plaît par sa bonne fraîcheur et sa persistance qui annonce un joli potentiel de garde. Un vin de caractère à marier avec un gigot d'agneau de sept heures.

François Douville, 5, place de la Mairie, 66300 Fourques, tél. 04.68.52.82.56, francois.douville@wanadoo.fr r.-v.

BERNARD MAGREZ
Passion blanche Les Clés de l'excellence 2010 ★★

	4 000		11 à 15 €

Vinifiant dans l'ancienne cave coopérative du village de Montner, Bernard Magrez s'est épris de ce petit coin de paradis sur les contreforts de Força Réal, encore épargné par les promoteurs. Il y cultive sur schistes les cépages blancs locaux, grenaches gris et blancs, macabeu et muscat à petits grains, qui composent cette cuvée. Le nez, complexe, est dominé par la sauge et le buis, avec une touche de pierre à fusil. Vive et tendue, la bouche est marquée par les caractères des cépages et la minéralité, dans un bel équilibre. À servir avec des filets de rouget aux herbes de la garrigue.

Dom. Bernard Magrez, 2, Grand-Rue, 66720 Montner, tél. et fax 04.68.80.24.81, domaines-magrez-montner@orange.fr r.-v.

MAS KAROLINA 2010 ★★

	12 300		8 à 11 €

On a du mal à se souvenir que Caroline Bonville vient de la région bordelaise, tant son intégration dans les Pyrénées-Orientales est réussie. La robe rouge grenat de ce 2010 ainsi que son nez capiteux aux notes de fruits rouges écrasés, de chocolat et de torréfaction ont su séduire les dégustateurs. La bouche est bien équilibrée, douce et ronde en attaque, puis plus fraîche, avec des arômes de réglisse et d'épices. La maîtresse des lieux suggère de servir son vin sur un tajine ou sur un couscous. L'occasion d'un beau dépaysement...

Caroline Bonville, 29, bd de l'Agly, 66220 Saint-Paul-de-Fenouillet, tél. 06.20.78.05.77, fax 04.68.84.78.30, mas.karolina@gmail.com t.l.j. 10h-12h 15h-18h; f. jan.-mars

DOM. MOUNIÉ 2011 ★★

	4 000		5 à 8 €

L'atout du Roussillon est incontestablement la richesse et la diversité de ses terroirs. Le vignoble de Tautavel est au cœur de cette mosaïque, et Claude Rigaill, au domaine Mounié, et son œnologue Brigitte Soriano connaissent parfaitement les nuances entre les marnes schisteuses, les schistes et les terres argilo-calcaires. Cette complexité est une force que l'on retrouve dans ce rosé qui a séduit le jury. La couleur tendre, rose saumonée, le nez délicat et fin de fruits, de fleurs, de vanille agrémenté d'une touche anisée, ainsi que la bouche fraîche et aromatique sur la rose, sont une invitation à la dégustation. Un travail sérieux et appliqué. On tenterait bien ce rosé avec de l'agneau au curry.

Dom. Mounié, 1, av. du Verdouble, 66720 Tautavel, tél. 04.68.29.12.31, domainemounie@free.fr r.-v.

Claude Rigaill

DOM. STÉPHANE OLOGARAY Bérénice 2010 ★★★

	5 100		8 à 11 €

Sur les terrains argilo-calcaires de Vingrau au cœur d'un paysage de rêve, a été créé en 2010 le domaine Ologaray, en cours de conversion vers l'agriculture biologique. Stéphane Ologaray souhaite que s'expriment pleinement les qualités du grenache et du carignan sur les différents terroirs de Vingrau, de Tautavel et d'Opoul perdus aux confins du Roussillon. Ce premier millésime est une réussite exceptionnelle : belle robe couleur cerise noire ; nez intense mariant la garrigue et la tapenade ; attaque franche, prélude à une bouche à l'équilibre parfait, sur les fruits noirs ; tanins fondus, signe de grande qualité. À ouvrir sur un pigeonneau en cocotte.

Stéphane Ologaray, 21, rue de la Révolution, 66600 Vingrau, tél. 06.76.63.39.69, contact@dos-domaine.net r.-v.

INFINIMENT DE L'OU 2010 ★★

5 000	15 à 20 €

Ce domaine, ayant appartenu à l'ordre des Templiers, est converti à l'agriculture biologique depuis 1998 et n'a de cesse de mettre en avant le terroir. Il tire son nom d'une source de forme ovoïde (du catalan *ou* qui signifie œuf) située dans le vignoble. Un coup de cœur distingue cette magnifique cuvée or soutenu issue de chardonnay. Complexe, le nez marqué par un boisé élégant libère un bouquet de pomme mûre et de fleurs. La bouche, vanillée, déploie une belle matière, adossée à des tanins fins et élégants. Une bouteille à servir dans un an ou deux sur un tartare de daurade. En rouge, le domaine n'est pas en reste. Le **2010 rouge Infiniment de l'Ou (8 000 b.)**, puissant et frais, et **Secret de schistes 2010 rouge (30 à 50 €; 3 000 b.)**, harmonieux et chaleureux, obtiennent chacun deux étoiles. Un très beau tir groupé...

Ch. de l'Ou, rte de Villeneuve, 66200 Montescot, tél. 04.68.54.68.67, fax 09.71.70.26.53, chateaudelou66@orange.fr r.-v.

DOM. PAGÈS HURÉ Muscat sec 2010 ★★

11 975	5 à 8 €

Trois générations de cette famille contemplent la magnifique chaîne montagneuse des Albères, stylisée sur l'étiquette. Un vrai travail de vinification et d'élevage est effectué pour sublimer le muscat d'Alexandrie, cépage catalan par excellence. Le résultat est à la hauteur des espérances : belle robe or animée de reflets verts, nez intense de fleur d'oranger, d'anis, de lys et de sureau, attaque fraîche et équilibrée, qui porte loin une bouche fine et suave aux notes de fruits exotiques et d'anis encore. À marier avec une crème brûlée aux asperges.

Dom. Pagès Huré, 2, allée des Moines, 66740 Saint-Génis-des-Fontaines, tél. et fax 04.68.89.82.62, pages.hure@free.fr r.-v.

DOM. DE LA PERDRIX La Coule douce 2011 ★

10 000	- de 5 €

Au cœur des Aspres dans le Roussillon, les terres sont rudes et le climat est difficile, mais cela n'a pas empêché André et Virginie Gil de reprendre le vignoble familial, avec passion et ambition. Pour cette édition du Guide, ils livrent une cuvée au nom évocateur : La Coule douce. Pourtant, nul doute qu'il en faut du travail pour offrir une robe tendre aux reflets verts, un nez intense aux senteurs de terroir et de miel, une bouche minérale et bien équilibrée. Une bouteille à déguster sur un bar en croûte de sel.

Dom. de la Perdrix, Traverse-de-Thuir, 66300 Trouillas, tél. et fax 04.68.53.12.74, contact@domaine-perdrix.fr t.l.j. sf dim. 10h-12h30 15h-18h30 (19h30 juil.-août-sept.)

DOM. LE ROC DES ANGES Pyrénées-Orientales L'Oca 2010 ★

1 000	30 à 50 €

Le domaine est devenu une référence et un atout sérieux pour les vins du Roussillon. En très peu de temps, il a atteint un niveau qualitatif enviable avec sa gamme variée et respectueuse de la tradition catalane. Marjorie et Stéphane Gallet sont unis dans le travail et la volonté de mieux faire. Ils défendent avec chaleur une viticulture saine et respectueuse non seulement de l'environnement mais aussi du bon sens vigneron. La cuvée *Oca*, « oie » en catalan – du nom de la parcelle où elle est née, qui ressemble à une oie en plein vol – est issue d'un cépage emblématique : le macabeu. Rares sont ceux qui osent le vinifier seul. Tout en retenue, le nez très élégant s'exprime sur le silex, l'acacia et le miel. En bouche, la matière vive et nerveuse est soutenue par les mêmes notes aromatiques. Un parfait équilibre, qui promet à ce vin un bel avenir. Suggestion d'accord : des ris de veau à la Crécy.

Dom. le Roc des Anges, 2, pl. de l'Aire, 66720 Montner, tél. 04.68.29.16.62, fax 04.68.29.45.31, rocdesanges@wanadoo.fr r.-v.

Gallet

DOM. DE ROMBEAU 2010 ★★

n.c.	5 à 8 €

L'auberge située dans les anciens chais du domaine est une adresse incontournable dans les Pyrénées-Orientales. Là, entre deux baptêmes et trois mariages, Pierre-Henri de la Fabrègue prendra le temps de vous raconter de truculentes anecdotes sur la vie catalane d'antan. Et tout cela ne saurait s'achever sans un verre de vin du domaine par exemple, de cette cuvée issue de syrah et de cabernet franc à la belle robe d'un rouge profond. Le bouquet complexe mêle les fruits rouges et noirs, et les épices de la garrigue. Ample, la bouche aux tanins fondus offre de beaux arômes de fruits confits, qui portent loin la finale. À savourer sur des grillades catalanes.

SCEA Dom. de Rombeau, 2, av. de la Salanque, 66600 Rivesaltes, tél. 04.68.64.35.35, fax 04.68.64.64.66, domainederombeau@wanadoo.fr t.l.j. 10h-19h 2

P.-H. de la Fabrègue

ARNAUD DE VILLENEUVE Muscat moelleux 2011 ★★

53 000	- de 5 €

La cave coopérative, créée en 1909, regroupe 350 vignerons qui exploitent 2 500 ha. Pour faire face à son développement, elle met en place progressivement de nouvelles installations. Cette année, un moelleux issu du cépage muscat, bien représentatif de cette partie du Roussillon, a charmé le jury. La couleur pâle de ce vin contraste avec son nez explosif de litchi, de fruit de la Passion, d'abricot et de menthol. La bouche, volumineuse, dévoile d'agréables arômes de violette et de mangue. Quant à la finale, nerveuse, elle contribue au bon équilibre de l'ensemble. Pour le dessert, avec une glace à la pêche du Roussillon.

Arnaud de Villeneuve,
Les Vignobles du Rivesaltais, 153, RD 900, 66600 Rivesaltes,
tél. 04.68.64.06.63, fax 04.68.64.64.69, contact@caveadv.com
r.-v.

Côtes de Thau

HENRI DE RICHEMER Marselan - Syrah Terre & mer 2011 ★

50 000 - de 5 €

Cette cave située sur le quai du port de Marseillan, au bord de l'étang de Thau, a été longtemps intimement liée au commerce maritime du vin. En effet, son créateur, Henri Richet, fut surnommé Henri de Richemer en raison de la prospérité de son activité de négoce. Aujourd'hui, c'est une coopérative qui regroupe 450 viticulteurs. Le jury a retenu cet assemblage de marselan et de syrah qui porte beau dans sa jolie robe rouge. Laurier et cacao annoncent un palais ample, harmonieux et gourmand, où l'on croque dans la cerise et les fruits noirs. Le **2011 blanc sec Terre & mer (50 000 b.)** issu des terret-bourret, cépages traditionnels du Languedoc, reçoit également une étoile pour sa fraîcheur et pour son plaisant équilibre.

Les Caves Richemer, 1, rue du Progrès, BP 20,
34340 Marseillan, tél. 04.67.77.20.16, fax 04.67.77.62.50,
contact@richemer.fr t.l.j. sf dim. 9h-12h30 15h-19h

Côtes de Thongue

DOM. D'AUBARET Merlot-Cabernet Réserve 2011 ★★

18 000 5 à 8 €

Le domaine d'Aubaret est situé à Magalas, commune proche de Pézenas, sur un plateau argilo-calcaire. Il appartient à la famille Bonfils, comme les dix-sept autres domaines qui constituent un véritable empire viticole bâti avec passion et persévérance. Cette cuvée de merlot et de cabernet-sauvignon, dans son écrin noir, marie avec élégance les fruits noirs et l'olive noire à des notes de garrigue (thym). Tout aussi concentrée, soutenue par des tanins soyeux, la bouche n'est pas en reste. Puissant, intense, velouté et ample, ce vin remarquable accompagnera à merveille un gigot de sept heures.

GFA Dom. de Cantaussels, 34290 Servian,
tél. 04.67.93.10.10, fax 04.67.93.10.05,
bonfils@bonfilswines.com

Bonfils

DOM. DES CAPRIERS Sauvignon - Viognier
L'Imaginaire de Paul 2011

6 000 5 à 8 €

Entre mer et montagne, le domaine s'étend sur une trentaine d'hectares le long du Libron. Les sols de grès et de calcaire ont nourri le sauvignon et le viognier, entrés chacun à parité dans la composition de cette cuvée. Des notes minérales et florales s'expriment au nez avec fraîcheur et délicatesse, alors que la pêche et l'abricot emplissent généreusement la bouche de leurs saveurs. Une finale vive et légèrement mentholée tonifie agréablement l'ensemble. À servir sur du poisson grillé.

GAEC Marion et Mathieu Vergnes,
Dom. des Capriers, 605, av. de la Gare, 34480 Puissalicon,
tél. et fax 04.67.36.21.08, mathieu@domainedescapriers.fr
r.-v.

LES CHEMINS DE BASSAC Isa 2011

20 000 5 à 8 €

Les actuels propriétaires, autrefois enseignants, ont repris en 1987 ce petit domaine familial, depuis lors conduit en bio. Isa prête son nom à la cuvée, et Rémi, qui est aussi peintre, en signe l'étiquette. Des notes de fleurs blanches et d'abricot annoncent ce vin issu de roussanne (60 %) et de viognier, équilibré et frais, à la belle finale citronnée.

Les Chemins de Bassac, 9, pl. de la Mairie,
34480 Puimisson, tél. 04.67.36.09.67, fax 04.67.36.14.05,
remi.ducellier@wanadoo.fr r.-v.

Isabelle et Rémi Ducellier

CLAMERY Muscat 2011 ★

6 000 - de 5 €

La cave coopérative de Servian joue l'originalité avec ce muscat sec présenté dans une bouteille bleutée à l'étiquette chatoyante – que les jurés n'ont pas eu sous les yeux. Tout aussi inattendus, les arômes de buis qui dominent le nez avant qu'il ne s'ouvre sur des accents gourmands d'agrumes, de fruits exotiques (litchi) et d'abricot. Ample et vive à l'attaque, la bouche finit sur une note douce de fruits mûrs. Un dégustateur suggère en accompagnement une salade exotique aux fruits de mer.

Les Vignerons de l'Occitane, 101, Grand-Rue, BP 28,
34290 Servian, tél. 04.67.39.07.39, fax 04.67.39.94.18,
info@lesvigneronsdeloccitane.com
t.l.j. 9h-12h 14h30-18h

DOM. COSTE ROUSSE CR Grande Cuvée 2009

n.c. 15 à 20 €

Il y a quatorze générations, la famille Taïx implantait son domaine, aujourd'hui en cours de conversion vers l'agriculture biologique, au cœur des Côtes de Thongue près de Magalas. Mi-syrah mi-grenache, cette cuvée, récoltée manuellement, affiche une robe profonde et dévoile un nez finement boisé. Équilibrée et fraîche, la bouche est portée par des tanins bien présents qui invitent à déguster ce 2009 d'ici deux ou trois ans sur un mafé de bœuf ou sur un civet de marcassin.

Patrice Taïx, 14, av. de la Gare, 34480 Magalas,
tél. 09.81.67.37.95, domaine@costerousse.com r.-v.

LES FLEURS DE MONTBLANC Sauvignon 2011 ★

30 000 - de 5 €

La cave coopérative de Montblanc, créée en 1937, réunit 450 adhérents, qui cultivent 1 500 ha de vignes. La parfaite connaissance des terroirs, le contrôle des rendements, le savoir-faire et la solidarité des viticulteurs sont à l'origine d'évolutions qui permettent la production de vins de qualité. À preuve ce pur sauvignon à la jolie robe jaune doré aux reflets verts, et au nez intense de buis et d'agrumes. Le palais, gras et puissant, révèle des notes de fleurs blanches jusqu'à la longue finale.

Les Vignerons de Montblanc, 447, av. d'Agde,
34290 Montblanc, tél. 04.67.98.50.26, fax 04.67.98.61.00,
cavecoop.montblanc@wanadoo.fr
t.l.j. sf sam. dim. 8h-12h 13h30-16h45

DOM. LA FONT DE L'OLIVIER Carignan
Vieilles Vignes 2010 ★

8 000 5 à 8 €

Bruno Granier s'est installé à son compte en 1999, après s'être consacré au domaine familial pendant plusieurs années. Ce domaine de 20 ha cultivé selon la démarche bio possède des vignes de carignan âgées de quatre-vingts ans, qui ont donné naissance à cette cuvée vinifiée en macération carbonique. Le résultat ? Ce coquet 2010 paré de pourpre, au bouquet de cuir et de garrigue, et à la bouche puissante et charnue rehaussée de notes gourmandes de cassis. Ce vin aux tanins encore sévères mérite de patienter trois ans en cave, avant d'être servi sur un civet de sanglier.

Bruno Granier, 620, chem. du Pendut, 34480 Magalas, tél. et fax 04.67.36.11.70, bru.granier@wanadoo.fr
r.-v.

DOM. ÉRIC GELLY Plaisir des sens 2011 ★

6 000 | 5 à 8 €

Depuis sept générations, la famille Gelly cultive la vigne. Éric, arrivé à la tête de l'exploitation en 2006, a consacré 1 ha à ce rosé né de grenache (85 %) et de syrah. Ce vin limpide, aux reflets orangés, dévoile un bouquet de fruits rouges en parfaite harmonie avec la fraîcheur et le gras de la bouche. À découvrir dès aujourd'hui sur un plat méditerranéen. Pourquoi pas sur une broufade ?

Dom. Éric Gelly, 35, av. de Magalas, 34480 Pouzolles, tél. 06.28.33.93.94, fax 04.67.24.70.12, domaineericgelly@orange.fr
t.l.j. sf dim. lun. 9h-12h 14h30-18h30

DOM. DE MONT D'HORTES Chardonnay 2011 ★★

20 000 | 5 à 8 €

Le domaine de Mont d'Hortes, situé à l'emplacement d'une ancienne villa romaine, s'ordonne autour d'un pigeonnier du Moyen Âge. Implanté sur un plateau argilo-calcaire, il domine le village de Saint-Thibéry, qui abrite une abbaye. Les deux frères Anglade, Jean-Victor et Roch, ont repris de main de maître le vignoble familial et mettent à profit leur expérience pour élaborer des cuvées remarquables, tel ce chardonnay au bouquet intense d'agrumes. Après une attaque fraîche mêlant des notes acidulées et beurrées, le palais au très bel équilibre montre un style assez moderne. Aromatique et harmonieux, ce vin s'accordera bien avec des coquilles Saint-Jacques gratinées.

Jean-Victor et Roch Anglade, Dom. de Mont d'Hortes, 34630 Saint-Thibéry, tél. 04.67.77.88.08, fax 04.67.30.17.57, mont-dhortes@wanadoo.fr t.l.j. 9h-12h 14h-18h

DOM. DE MONTMARIN Sauvignon 2011 ★

180 000 | - de 5 €

Ancienne seigneurie royale, le domaine, acquis en 1488 par Nicolas de Sarret, reste la propriété de la famille depuis vingt-huit générations. Cette exploitation, qui s'est spécialisée dans la production de vins blancs, signe ce pur sauvignon très réussi dans sa robe intensément dorée. Bien présent et fort aromatique, avec des notes florales séduisantes en finale, ce vin sera agréable à déguster sur une salade de chèvre chaud ou sur un filet de lieu noir frit, tout simplement.

Dom. de Montmarin, 34290 Montblanc, tél. 04.67.77.47.70, fax 04.67.77.58.50 r.-v.
de Bertier

DOM. SAINT-GEORGES D'IBRY Excellence 2011 ★★★

4 400 | 5 à 8 €

Créé en 1860, ce domaine situé au nord de Béziers a vu se succéder des générations de vignerons. Depuis vingt-cinq ans, Michel Cros allie tradition et modernité dans une logique de qualité et de respect de l'environnement. Dans ses vastes chais, une partie de l'imposante batterie de foudres de chêne côtoie des installations de haute technologie. Assemblage de grenache (70 %) et de syrah, ce rosé a été vinifié à basse température. Les arômes amyliques du bouquet, évoquant le litchi, se prolongent dans une bouche remarquable, vive et élégante, qui laisse une agréable sensation d'harmonie et de finesse. Un « vin de plaisir » par excellence, parfaitement équilibré, à déguster sur un poisson blanc à la plancha.

Michel Cros, Dom. Saint-Georges d'Ibry, rte d'Espondeilhan, 34290 Abeilhan, tél. 04.67.39.19.18, fax 04.67.39.07.44, info@saintgeorgesdibry.com
t.l.j. sf dim. 9h-12h 14h-18h30

Duché d'Uzès

DOM. DES COUDEROUSSES 2011 ★

2 500 | 5 à 8 €

Le domaine de Couderousses est dirigé avec passion par Philippe Moutet, qui est passé avec succès du secteur bancaire au monde viticole. Situé à 20 km de Nîmes, le vignoble est cultivé avec beaucoup de sérieux, dans un total respect de l'environnement. Paré d'une robe soutenue et élégante, ce rosé révèle un nez intense de fruits qui se confirme dans une bouche puissante, fraîche et équilibrée, qui finit sur une plaisante pointe d'amertume. Un 2011 à la belle personnalité, idéal pour accompagner une pissaladière.

Philippe Moutet, 10, place du 11-Novembre, 30730 Fons, tél. 06.15.01.50.44, lescouderousses@hotmail.fr
r.-v.

ORÉNIA Réserve 2010 ★

3 300 | 11 à 15 €

« Le dire c'est bien, le faire c'est mieux. » C'est ainsi que Philippe Nusswitz, élu meilleur sommelier de France en 1986, s'est installé en 2003 dans le piémont cévenol. Plus d'une fois en vue dans le Guide, il soumet cette année aux jurés un assemblage de viognier, de roussanne et de marsanne. Ce 2010 dévoile un bouquet où se mêlent harmonieusement l'abricot, le citron et les nuances de fumé et de vanille léguées par le fût. Bien équilibrée, ronde et onctueuse, la bouche s'achève sur des notes d'orange amère confite.

Les Vins Philippe Nusswitz, La Bruguière, 30170 Durfort, tél. 04.66.80.40.45, philippe@orenia.fr
r.-v.

TERRA MONTI Brion 2010 ★

2 700 | 8 à 11 €

Terra Monti, aux portes des Cévennes, est la réalisation du rêve de deux Irlandais : Raymon et Eileen Monahan, originaires de Sligo. Soucieux de préserver la biodiversité, ils pratiquent l'agriculture biologique, et la certification est pour bientôt. La robe rubis intense de cet assemblage de syrah et de grenache annonce un nez d'épices et de cerise kirschée, alliées à un boisé qui demande à se fondre. Après une attaque sur le toasté de l'élevage, des notes de cerise et de fruits noirs imposent leur présence, soutenues par des tanins généreux. Un vin massif, à marier avec un civet de chevreuil.

Terra Monti, Dom. du Lys, rte d'Uzès, 30700 Blauzac, clairesaurel@monti.ie t.l.j. sf dim. 10h-17h30
Monahan

LES VIGNES DE L'ARQUE 2011 ★★★

n.c. | - de 5 €

Cette cave, créée en 1994, vinifie la récolte de deux familles qui se sont unies afin d'améliorer la production de leurs vins. Son rosé a subjugué les dégustateurs qui l'ont porté aux nues : une splendide robe pastel, un nez floral agrémenté de touches poivrées, aux fragrances de lilas que l'on retrouve, mêlées à des notes de bonbon anglais et de jacinthe, dans une bouche gourmande qui procure beaucoup de plaisir. L'ensemble, équilibré par une belle fraîcheur, se révèle très friand. À essayer sur un croustillant de rougets.

Les Vignes de l'Arque, rte d'Alès, 30700 Baron, tél. 04.66.22.37.71, fax 04.66.03.04.34, vigne-de-larque@wanadoo.fr t.l.j. 9h-12h 14h-18h
Fabre

Gard

MAS DES BRESSADES Cabernet - Syrah Les Vignes de mon père Élevé en fût de chêne 2010 ★

n.c. | 8 à 11 €

Situé au nord-est de l'appellation costières-de-nîmes, le Mas des Bressades appartient à la famille Marès depuis plusieurs générations. Cyril Marès, actuel propriétaire, a fait le tour du monde et vinifié aux États-Unis et au Chili avant de revenir au domaine, et à ses racines, pour élaborer son propre vin, fort de l'expérience acquise. Cette cuvée, dédiée à son père, est un assemblage de cabernet-sauvignon et de syrah. La robe noire est animée de reflets rubis ; le nez mûr évoque les fruits noirs, l'olive noire et le tabac. Après une attaque ronde, la bouche élégante est dominée par les fruits rouges et le sous-bois. La finale de caractère annonce un potentiel certain. Patientez deux à trois ans avant de déguster cette bouteille sur un parmentier de canard.

EARL Mas des Bressades, Le Grand Plagnol, RD 3 de Bellegarde, 30129 Manduel, tél. 04.66.01.66.00, fax 04.66.01.80.20, masdesbressades@aol.com
t.l.j. sf sam. dim. 8h-12h 13h-17h; f. 7-15 août
Cyril Marès

Haute vallée de l'Orb

TERRES D'ORB 2011 ★★

150 000 | - de 5 €

Cette cave coopérative créée en 1967 signe une remarquable cuvée à la robe profonde animée de reflets violines, voire bleutés. Le nez original, friand et intense, est très fruité, avec des notes de cassis. Le cassis s'allie à la framboise et à la mûre dans une bouche d'une belle longueur, soutenue par des tanins soyeux. Parfait pour une ratatouille accompagnée de grillades.

SCAV Cave de Roquebrun, av. des Orangers, 34460 Roquebrun, tél. 04.67.89.64.35, fax 04.67.89.57.93, cave@cave-roquebrun.fr
t.l.j. sf dim. 9h30-12h30 14h-18h

Hérault

DOM. CASTAN Carignan Savignus 2011 ★

4 000 | 5 à 8 €

C'est en 1993 en plein cœur du village de Cazouls-lès-Béziers qu'André Castan et son épouse Monique, succédant à quatre générations de viticulteurs, donnent une nouvelle impulsion à leur domaine en créant une cave particulière. Ce carignan, cultivé sur des coteaux argilo-calcaires, devra être carafé pour révéler tout le potentiel aromatique du cépage. Il évoque les petits fruits rouges et la garrigue. Sa structure tannique puissante incite à servir ce 2011 sur un coq au vin. Cité, le **Terroir du Miocène 2010 blanc (8 à 11 €; 1 500 b.)** séduit par sa rondeur et sa vivacité.

EARL Dom. Castan, 28, av. Jean-Jaurès, 34370 Cazouls-lès-Béziers, tél. 04.67.93.54.45, domandrecastan@aol.com
t.l.j. sf dim. 10h-12h30 16h-19h30

DOM. DU CHAPITRE Collines de la Moure Alliance 2011 ★

6 800 | 5 à 8 €

Situé au sud de Montpellier dans la commune de Villeneuve-lès-Maguelone, ce domaine a été légué en 1968 à l'école d'agronomie par la comtesse Sabatier d'Espeyran. Dynamique et tourné vers l'avenir, le vignoble a toujours su être à la pointe de l'innovation, travaillant notamment sur les sélections variétales. Le caveau de dégustation est installé dans d'anciennes écuries du XIXe s. parfaitement conservées. Cette cuvée à la robe cerise soutenue dévoile des notes expressives de fruits confits et une belle minéralité. La bouche très puissante et concentrée s'accordera à merveille avec un poulet yassa.

Dom. du Chapitre, 170, bd du Chapitre, 34750 Villeneuve-lès-Maguelone, tél. 04.67.69.48.04, fax 04.67.69.53.14, chapitre@supagro.inra.fr
t.l.j. sf dim. lun. 9h-12h 13h-18h; sam. 9h-12h30

DOM. DE LA CLAPIÈRE Étincelle 2010 ★★

5 000 | 20 à 30 €

Situé à Montagnac près de Pézenas, ce domaine bâti à l'emplacement d'une villa romaine fut longtemps un relais sur le chemin de Saint-Jacques-de-Compostelle. Cette magnifique bastide de style toscan, entourée d'oliviers, de vignes et de champs de blé, possède une cave datant de 1852 qui abrite encore des foudres immenses d'une autre époque. Les dégustateurs ont été conquis par ce 100 % syrah à la robe rouge soutenu animée de jolis reflets. Le nez, très riche et complexe, livre des parfums de vanille, de fruits et de garrigue. À l'unisson, le palais est aromatique, intense et parfaitement équilibré. Avec ses notes d'épices, de garrigue et de torréfaction, ce vin, qu'on laissera décanter au moins deux heures, sera parfait sur un dessert au chocolat noir. Une étoile pour la cuvée **Gatefer 2010 rouge (8 à 11 €; 30 000 b.)**, de belle intensité, à la bouche ronde, douce et tendre exprimant des notes de vanille, de café et de pruneau.

Dom. de la Clapière, 34530 Montagnac, tél. 04.67.24.06.16, fax 04.67.24.06.41, domaine@laclapiere.com
t.l.j. 10h-12h30 14h-17h30 3
Sophie et Xavier Palatsi

CLOS DES CLAPISSES Carignan
Coteaux du Salagou 2011 ★★★

■ 8 000 5 à 8 €

Cette petite propriété familiale sise non loin du lac du Salagou bénéficie d'un terroir exceptionnel composé de basalte et de cinérite noire, desquels les vins tirent le meilleur parti. Le domaine est en conversion vers l'agriculture biologique, signe de respect envers la nature et les sols cultivés. Les dégustateurs ont plébiscité ses vins. Issue de carignan, cette cuvée s'annonce expressive dans sa robe pourpre soutenu. Le nez marie les fruits noirs avec des notes de caramel au lait et une touche épicée. Très ample, la bouche offre des arômes persistants de fruits confits, étayée par des tanins de qualité. Son équilibre parfait invite à découvrir sans attendre ce remarquable 2011 sur un lapin aux épices. Le **carignan 2011 blanc (8 à 11 € ; 6 500 b.)** obtient deux étoiles pour sa vivacité et pour son bel équilibre.

Bruno Peyre, chem. des Landes, 34800 Octon, tél. 04.67.96.26.01, clos.clapisses@yahoo.fr r.-v.

♥ **DOM. FÉLINES JOURDAN** Coteaux de Béssilles
Chardonnay-Roussanne Les Fruités 2011 ★★

50 000 - de 5 €

Créé en 1983, ce domaine familial situé en bordure de l'étang de Thau, a été repris en 1995 par Claude Jourdan. Aux cépages annoncés sur l'étiquette s'ajoutent trois variétés : le sauvignon, le piquepoul et un brin de muscat. Habillé d'une robe dorée aux reflets verts, ce 2011 au bouquet délicat et complexe mêle notes florales, agrumes (pamplemousse, surtout) et fruit de la Passion. D'un équilibre parfait entre rondeur et vivacité, le palais, à l'unisson, s'enrichit de notes beurrées, avant de finir sur les épices douces. Un vin d'une rare harmonie à partager sur des fruits de mer gratinés.

Claude Jourdan, Dom. Félines Jourdan, 34140 Mèze, tél. 04.67.43.69.29, fax 04.67.78.43.28, claude@felines-jourdan.com r.-v.

DOM. DE JONQUIÈRES 2009 ★

4 800 11 à 15 €

Ce domaine a remporté une médaille d'argent à l'Exposition universelle de 1889 à Paris. Il fut toujours précurseur dans sa région et, depuis fort longtemps, révèle les qualités de son terroir. Cette cuvée est le mariage improbable du Languedoc et de la Loire : grenache blanc et chenin ! Or, le résultat a conquis les dégustateurs. La robe vieil or aux reflets safran annonce un nez intense de miel, de fleurs séchées et de caramel au lait. En bouche, l'attaque fraîche et ample à la fois introduit un palais complexe, très long, au relief bien mis en valeur par des notes épicées et vanillées. À consommer avec des filets de rouget aux épices.

François et Isabelle de Cabissole, Ch. de Jonquières, 34725 Jonquières, tél. 04.67.96.62.58, fax 04.67.88.61.92, contact@chateau-jonquieres.com r.-v.

MAS DU POUNTIL Mont Baudile 2011

4 000 5 à 8 €

C'est au pied du plateau du Larzac que le Mas du Pountil a été créé en 2000. Cette entreprise familiale, en conversion vers l'agriculture biologique depuis 2009, s'appuie sur sa bonne connaissance des cépages et des terroirs pour extraire le meilleur de ceux-ci. Ce rosé à majorité de grenache (60 %) arbore une jolie couleur rose soutenu. Le nez offre des notes de cassis et de fruits rouges, qui se prolongent dans une bouche gourmande, très agréable, équilibrée et de bonne persistance. À déguster sur des tapas.

Brice Bautou, Mas du Pountil, 10 bis, rue du Foyer-Communal, 34725 Jonquières, tél. et fax 04.67.44.67.13, mas.du.pountil@wanadoo.fr r.-v.

MAS FABREGOUS Coteaux du Salagou Croquignol 2010 ★

■ 15 000 5 à 8 €

Croquignol, personnage célèbre de la bande dessinée *Les Pieds nickelés*, a réjoui bien des générations. Cette personnalité « canaille » sied parfaitement bien à ce vin de plaisir, jeune et élégant. Originale, cette cuvée est composée à 60 % d'alicante-bouschet, un cépage « teinturier » qui apporte au vin couleur et rondeur. Ajoutez un brin de syrah et de grenache et vous obtiendrez un bouquet évocateur de sirop de cassis et de confiture de mûres. Un soupçon de fraîcheur, et le tour est joué. N'attendez pas pour découvrir cette bouteille sur des tagliatelles aux fruits de mer.

Philippe Gros, Mas Fabregous, chem. d'Aubaygues, 34700 Soubès, tél. 04.67.44.31.75, masfabregous@free.fr r.-v.

MAS RENÉ GUILHEM Coteaux du Salagou
Cantagrive 2010 ★★

■ 3 702 8 à 11 €

Une cuvaison de trente jours aurait pu donner naissance à un costaud difficile à maîtriser. Point de cela ici. Le trio syrah, mourvèdre, grenache se révèle gagnant. Ce vin à la bouche fondue et harmonieuse régale avec ses arômes de cassis, de cerise, de réglisse et de fruits confits. Sa superbe finale laisse une sensation de plénitude.

EARL René Guilhem, chem. de la Faïence, 34800 Clermont-l'Hérault, tél. 06.75.66.04.62, fax 04.67.96.30.13, patrice-gros@live.fr r.-v.

♥ **DOM. SAINTE-CÉCILE DU PARC**
Caux Notes pures 2011 ★★

3 600 8 à 11 €

À proximité de Pézenas, le domaine aux terrasses ensoleillées s'étend sur 12 ha. Plantation de 8 000 pieds/ha sur la moitié du domaine, construction d'une nouvelle cave, conversion en cours à l'agriculture biologique : ce vignoble a été bien repris en main depuis son rachat en 2005 par Christine Mouton-Bertoli. Cette cuvée a ravi le jury par son beau duo de notes fruitées – fruits exotiques et agrumes –, et par sa bouche ample, gourmande et

VDP/IGP

fraîche qui s'étire longuement en finale. Un vin original, d'excellent niveau, que l'on appréciera dès la sortie du Guide, ou dans les deux années qui suivent, sur une volaille en sauce.

Dom. Sainte-Cécile du Parc, rte de Caux, 34120 Pézenas, tél. 06.79.18.68.56, fax 04.67.84.86.37, cmb@stececileduparc.com r.-v.

Pays d'Oc

L'AGARY Sauvignon 2011 ★

4 000 - de 5 €

Les vignerons de Montaud, réunis sous l'enseigne des Celliers du Val des Pins, proposent un blanc qui donnera un avant-goût de vacances. Éclatant et chaleureux comme le soleil d'été, ce pur sauvignon offre des notes intenses de garrigue portées par de fines nuances mentholées. Vous le dégusterez bien frais sous la tonnelle. Le beau cépage du septentrion s'est converti avec bonheur au farniente méridional. Imaginez ce joli vin onctueux sur une dorade grillée.

Celliers du Val des Pins, 18, rue de Montlaur, 34160 Montaud, tél. 04.67.86.94.55, valdespins@wanadoo.fr t.l.j. 9h30-12h 15h30-19h (rte de Beaulieu à Sussargues)

DOM. L'AMIRAL L'Escale de l'Amiral 2011 ★

14 000 5 à 8 €

Un aïeul amiral, un domaine en forme de coque de bateau ; les descendants de cette propriété familiale, créée en 1812, amènent ainsi ce grenache à bon port, les cales regorgeant de senteurs épicées (réglisse). La voilure est élégante, la charpente soutenue par une trame tannique racée et corsée. Pas de tonneaux à bord, mais une cargaison de fruits rouges, une réserve de confitures variées et une profusion de sacs de poivre. Ce bâtiment harmonieux de la poupe à la proue a l'envergure pour naviguer longtemps contre vents et marées...

Bénédicte Gobé, 14, av. de l'Amiral-Gayde, 11800 Aigues-Vives, tél. 04.68.79.25.29, fax 09.60.48.58.67, contact@chateaulamiral.fr t.l.j. 10h30-12h30; sam. dim. sur r.-v. 8

8 **AUBAÏ MEMA** Carignan L'Insoumise Vieilles Vignes 2010 ★★

6 500 8 à 11 €

Situé non loin du village médiéval d'Aubais dans le Gard, ce domaine dispose d'un vignoble de 10 ha dans la vallée de Liverna. La propriété signe un pur carignan aux arômes intenses de réglisse et de garrigue, en harmonie avec la bouche élégante et équilibrée. Les tanins puissants annoncent un très beau potentiel et incitent à attendre cette superbe bouteille trois à quatre ans avant de l'ouvrir sur un civet de sanglier.

SARL Aubaï Mema, 120, chem. de Junas, 30250 Aubais, tél. 04.66.73.52.76, mark.haynes@aubaimema.com r.-v.

AUSSIÈRES Cabernet-sauvignon Syrah 2010 ★

550 000 5 à 8 €

« Un lieu sauvage et naturel qui dégage une grande force, une grande beauté et une terre au potentiel exceptionnel », c'est ainsi que le baron Éric de Rothschild aime à décrire ses terres du château d'Aussières. Associé aux domaines Listel pour faire renaître l'un des plus beaux et des plus anciens vignobles du Narbonnais, les Domaines Barons de Rothschild (Lafite) ont établi un plan de réhabilitation de grande ampleur pour cette vaste unité de 550 ha. Pour cette cuvée, le cabernet-sauvignon a été associé à la syrah. Le résultat ? Une robe grenat brillant, un nez associant des notes de poivron grillé (cabernet) et des senteurs d'épices et de fruits rouges. La bouche est tout en rondeur, avec du gras et des arômes de fruits noirs qui tapissent le palais. Des tanins de qualité confèrent à cette bouteille de la personnalité et permettront d'envisager un bel accord sur un civet de sanglier.

SAS Aussières, RD 613, 11100 Narbonne, tél. 04.68.45.17.67, fax 04.68.45.76.38, aussieres@lafite.com r.-v.

Dom. Barons de Rothschild (Lafite)

BEAUVIGNAC Chardonnay 2011 ★★

130 000 - de 5 €

La cave fondée en 1932 exploite aujourd'hui 1 600 ha et ne cesse de se moderniser, investissant dans des outils de production haut de gamme et fonctionnels. Issu d'une sélection parcellaire de qualité, ce chardonnay porte beau dans sa robe éclatante animée de reflets verts, qui annonce un bouquet de fruits exotiques (ananas) et de fruits blancs. Riche et ample, avec du gras, ce vin accompagnera à merveille une sole meunière.

Les Costières de Pomérols, av. de Florensac, 34810 Pomérols, tél. 04.67.77.01.59, fax 04.67.77.77.21, info@cave-pomerols.com t.l.j. sf dim. 8h30-12h 14h-18h

BORIE D'ALFI 2011 ★

20 000 - de 5 €

Bruno Correia, ancien restaurateur parisien, goûte aux joies du retour à la terre. Sans faire de révolution ni culturelle ni culturale, il laisse simplement s'exprimer son terroir, ainsi que le prouve ce vin pourpre aux reflets violacés, qui évoque la burlat bien mûre. D'abord frais, élégant et souple, le palais s'impose par son volume, sa douceur et son caractère racé pour finir sur des notes intenses de fruits rouges. Une union heureuse du merlot et de la syrah.

SCEA Ch. Borie Neuve, Dom. de Borie Neuve, 11800 Badens, tél. 04.68.79.28.62, fax 04.68.79.05.06, contact.chateauborieneuve@nordnet.fr t.l.j. sf dim. 9h-12h 14h-19h 4 8

LES VIGNERONS DE CALVISSON Cinsault 2011 ★

20 000 - de 5 €

Ce rosé entre en scène sur un tempo classique dans sa robe brillante, couleur saumon. Il évolue sur des notes « technos », associant au nez nuances amyliques et parfums de fleurs blanches. Après une attaque franche et suave sur le coulis de fraises, le palais s'arrondit sur la cerise mûre, jusqu'à la finale langoureuse et longue. Un rosé équilibré à savourer sur une viande blanche ou sur un plat exotique.

SCA Costières et Soleil, rte de la Cave, 30420 Calvisson, tél. 04.66.01.31.31, fax 04.66.01.38.85, sylviemerrien@vignoblesdusoleil.fr
t.l.j. sf dim. 10h-12h30 14h30-19h

JOSEPH CASTAN Chardonnay Élégance 2011 ★★

300 000 | - de 5 €

Cette maison de négoce située à la périphérie de Montpellier propose un chardonnay remarquable. Dans sa robe limpide d'un jaune citron brillant, ce 2011 fait belle impression. Intense et complexe, le nez évoque les fleurs jaunes et les fruits exotiques (ananas). La bouche ample et grasse, portée par une plaisante acidité, dévoile en finale des arômes d'épices, de fruits mûrs et d'abricot confit. Une bouteille harmonieuse que l'on pourra attendre deux à trois ans avant de la découvrir sur un tajine d'agneau aux abricots.

SARL Joseph Castan, 375, rue des Écoles, 34670 Baillargues, tél. 04.67.40.00.64, fax 04.67.16.47.62, contact@josephcastan.com

DOM. LES CHARMETTES Viognier 2011 ★

4 000 | - de 5 €

Quatre générations de vignerons ont patiemment construit, agrandi et transformé un domaine familial aujourdhui riche de 95 ha. Nicolas et Éric Alcon, représentants de la nouvelle génération, proposent deux vins blancs très réussis. Ce viognier aux arômes d'ananas, de zeste de pamplemousse et de citron confit, affiche une bouche ample, ronde et chaleureuse, où l'on retrouve les agrumes enrichis de notes de poire dans une longue finale. Le **chardonnay 2011 (27 000 b.)**, dans son habit or pâle, allie les fleurs blanches, le miel et les fruits mûrs (melon, abricot, ananas) dans un équilibre frais et délicat. On recommande le premier vin sur un turbot à la crème, et le second sur un plat asiatique.

GAEC les Charmettes, rte de Florensac, 34340 Marseillan, tél. 06.22.30.43.75, fax 04.67.77.66.16, alcon.nicolas@laposte.net r.-v.
Famille Alcon

CHICHERY Merlot 2011 ★

30 000 | 5 à 8 €

Situé près de Pézenas, une ville chargée d'histoire, le château de Montpezat est un magnifique ensemble architectural dédié depuis plusieurs générations à la viticulture. Fier de cet héritage et soucieux de le transmettre dans des conditions respectueuses de l'environnement, Jean-Christophe Blanc est engagé dans une conversion à l'agriculture biologique. Il signe un merlot à la robe grenat et au nez complexe de fruits noirs, d'épices, de sous-bois et de fleurs. Dans le même registre aromatique, la bouche, après une attaque franche, s'impose par son volume et par la qualité de ses tanins. Un vin soyeux, parfait pour accompagner des joues de porc aux épices.

Jean-Christophe Blanc, Ch. de Montpezat, 34120 Pézenas, tél. 04.67.98.10.84, fax 04.88.04.99.49, contact@chateau-montpezat.com
t.l.j. 10h-12h 14h-19h; hiver sur r.-v.

L'INDOMPTABLE DE CIGALUS 2010 ★

n.c. | 15 à 20 €

Pour dynamiser le sol et la vigne, le domaine de Cigalus a recours à des préparations chargées de forces cosmiques. Cet engagement en viticulture biodynamique se veut un exemple afin que les terroirs de la région retrouvent leur équilibre. L'Indomptable de Cigalus est issu de cépages bordelais (cabernet-sauvignon, merlot) et méditerranéen (syrah). Dans sa très belle robe sombre aux reflets violines, cette cuvée évoque les fruits mûrs confiturés comme la myrtille ou le pruneau. L'attaque, grasse et suave, introduit une bouche intense et concentrée, sur les fruits noirs jusqu'à la finale généreuse et longue. La bouteille idéale pour un carré d'agneau aux herbes. Même distinction pour le **Cigalus 2010 rouge (20 à 30 €)**, un vin puissant et équilibré au beau potentiel.

Gérard Bertrand, Ch. l'Hospitalet, rte de Narbonne Plage, 11104 Narbonne Cedex, tél. 04.68.45.36.00, fax 04.68.45.27.17, vins@gerard-bertrand.com t.l.j. 9h-19h

CLAMERY Viognier 2011 ★

6 000 | - de 5 €

La marque résulte de la fusion de neuf caves coopératives sur un territoire viticole de 3 000 ha. Parmi les nombreuses cuvées élaborées, ce viognier à la production confidentielle a charmé les dégustateurs par la finesse de son bouquet de fleur d'oranger et de fruits confits. Bien équilibrée, la bouche ronde et chaleureuse évolue sur des notes d'abricot. Une côte de veau à la crème saura sublimer cette bouteille très réussie.

Les Vignerons de l'Occitane, 101, Grand-Rue, BP 28, 34290 Servian, tél. 04.67.39.07.39, fax 04.67.39.94.18, info@lesvigneronsdeloccitane.com
t.l.j. 9h-12h 14h30-18h

LA CONCORDE 2011

n.c. | - de 5 €

Créée en 1949 par un petit groupe de viticulteurs, la cave d'Abeilhan a su évoluer et s'adapter aux nouvelles envies des consommateurs, plantant très tôt des cépages dits « améliorateurs » tout en gardant un encépagement traditionnel. Aujourd'hui, elle exploite près de 1 000 ha. Cette cuvée composée de syrah et de grenache se présente dans une robe profonde, qui annonce un nez très fruité aux fragrances de fraise et de framboise, avec un soupçon d'épices et de garrigue. Dans le même registre fruité, la bouche révèle des arômes de mûre qui s'invitent à la fête, le tout enveloppé par des tanins soyeux dans une jolie fraîcheur. À apprécier sur un plateau de fromages de la région.

Les Coteaux de Thongue et Peyne, 8, bd Pasteur, 34290 Abeilhan, tél. 04.67.39.00.20, fax 04.67.39.25.11, coteauxdabeilhan@orange.fr
t.l.j. sf dim. 10h-12h 15h-17h

COULEURS DU SUD Sauvignon blanc 2011 ★★★

n.c. | - de 5 €

Les vins de cépages n'ont pas de secrets pour Robert Skalli : il fut l'un des premiers à en proposer aux consommateurs et à inciter les vignerons de la région à planter de nouvelles variétés. Ce sauvignon blanc est l'un des représentants les plus typiques de cette production. La robe, couleur paille très clair, est animée de reflets verts ; le nez puissant associe les fruits blancs, le pamplemousse et une touche végétale. En bouche, les arômes sont intenses : aux fruits blancs (pêche) se mêlent le melon et la pastèque. Un équilibre parfait, de la fraîcheur, une grande longueur. À déguster sur un poisson en papillote aux zestes d'agrumes. La cuvée **Skalli 2010 Réserve chardonnay (5 à 8 €; 50 000 b.)** obtient une étoile pour son nez de noix de coco, de fleurs blanches, de miel et de fruits exotiques, et pour sa bouche fraîche et exubérante, soulignée par des notes de gentiane. Même note pour le **chardonnay 2011 (moins de 5 €)** fruité (agrumes), gras et bien équilibré.

Les Vins Skalli, av. Pierre-de-Luxembourg, BP 5, 84230 Châteauneuf-du-Pape, tél. 04.90.83.58.35, info@skalli.com
t.l.j. 10h-12h 15h-18h au Pavillon des Vins

DOM. DES CREISSES Les Brunes 2009 ★

	5 600		20 à 30 €

Orientée au sud-est, une parcelle de mourvèdre située sur le coteau des Brunes, au sol basaltique sombre, a donné son nom à cette cuvée. Ce cépage, associé au cabernet-sauvignon et à la syrah, permet à Philippe Chesnelong et à son équipe de réaliser leur ambition : donner naissance à un grand vin rouge de Méditerranée. Ce 2009 aux arômes intenses d'épices et de cassis agrémentés de notes vanillées a séduit le jury par son gras et son volume. Équilibré, porté par une matière bien présente et par un boisé judicieux qui n'écrase pas les arômes de fruits noirs, le palais annonce un vin de garde. À carafer avant de servir cette bouteille avec un osso bucco et son risotto à la milanaise.

Chesnelong, 247, av. Jean-Moulin, 34290 Valros, tél. 06.75.66.65.78, fax 04.67.98.55.36, lescreisses@free.fr
r.-v.

LA CROIX CHEVALIÈRE 2010 ★

	1 000		20 à 30 €

Depuis 1990, ce producteur chablisien exploite aux portes de Béziers un vignoble d'une quarantaine d'hectares au beau potentiel, témoin cette cuvée de pure syrah qui allie caractère et élégance. La robe profonde ornée de reflets violacés annonce un bouquet intense de fruits rouges et d'épices (réglisse) mâtinés de notes chocolatées. Riche et complexe, le palais aux tanins soyeux est à l'unisson. Cette bouteille très réussie s'appréciera sur du gibier en sauce. Même distinction pour le **Mas la Chevalière 2010 rouge Vignoble Roqua blanca (11 à 15 €; 26 000 b.)**, puissant et concentré.

Dom. Laroche, 22, rue Louis-Bro, 89800 Chablis, tél. 03.86.42.89.00, fax 03.86.42.89.29, chrystel.meunier@larochewines.com r.-v.

DOM. DAURION Chardonnay 2011 ★

	6 500		5 à 8 €

L'arrivée d'Isabelle Cordoba-Collet donne un souffle nouveau à la propriété familiale acquise par son grand-père dans les années 1950. Plus connu des amateurs du Guide pour ses languedoc rouges, le domaine propose un pur chardonnay or pâle, au nez d'agrumes et de pêche, prélude à une belle fraîcheur en bouche et à une finale sur l'écorce de citron. On appréciera cette jolie bouteille à l'apéritif. La cuvée **merlot 2011 rouge (7 000 b.)** est citée pour son nez pimpant de framboise et d'épices, et pour sa bouche souple et ronde, encore chaleureuse.

SCEA Dom. Daurion, 34720 Caux, tél. 04.67.98.47.36, fax 04.67.00.58.43, info@daurion.fr r.-v.
Isabelle Cordoba

ÉLÉGANCE Muscat à petits grains Cuvée réservée Robert-Georges Sourina 2009 ★★

	7 000		11 à 15 €

Le domaine produit du muscat-de-frontignan, vin doux naturel obtenu après mutage à l'eau-de-vie, et ce vin naturellement doux, également élaboré à base du cépage muscat à petits grains récolté par tries successives de raisins surmûris. Avec un réel savoir-faire, comme en témoigne cette cuvée au fruité intense de litchi, d'abricot, de fruits confits et de miel. La bouche est un exemple d'harmonie ; ample, elle s'étire longuement sur des notes de rose, de poivre blanc et de vanille. Le coup de cœur n'est pas passé loin. Idéal pour du foie gras, une tarte aux fruits ou encore du roquefort.

Dom. du Mas de Madame, rte de Montpellier, 34110 Frontignan, tél. 06.07.38.77.89, fax 04.99.57.09.17, jacques.sourina@mas-de-madame.com
t.l.j. 9h-12h30 15h-19h

ESCATTES Chardonnay Les Roches bleues 2010 ★

	2 400		11 à 15 €

Situé à Calvisson non loin de Sommières dans le Gard, ce domaine familial a su allier tradition, modernité et respect de l'environnement, et la conversion à l'agriculture biologique est en cours. Cette cuvée est baptisée Roches bleues car elle est issue d'un terroir de marnes bleues qui donnent au paysage une teinte particulière. Un chardonnay à la robe brillante et au nez floral, minéral et boisé, mâtiné de notes de vanille et de confiture de pêches. Après une attaque vive se développe un palais puissant et équilibré jusqu'à la finale charnue. À déguster sur une dorade royale au four.

Dom. de l'Escattes, Mas d'Escattes, 30420 Calvisson, tél. 04.66.01.40.58, fax 04.66.01.42.20, snc.robelin@wanadoo.fr
t.l.j. sf dim. lun. 8h30-12h30 (mer. sam.); 14h30-18h30 (mar. jeu. ven.)
Robelin

THIERRY & GUY FAT BASTARD Blushing bastard 2011 ★

	130 000		5 à 8 €

Ce vin est le fruit du hasard et d'une amitié entre deux hommes : Thierry, l'œnologue français, qui effectuait des essais dans sa cave, laissant reposer des assemblages sur lies, les fit goûter à Guy, son agent anglais, qui proposa d'en faire une cuvée. La marque Fat bastard – que nous nous dispenserons de traduire, mais qui est dédiée à des vins riches et ronds – était née pour sceller l'amitié franco-britannique... Le nez très fruité de ce rosé, sur la fraise et le cassis, révèle le grenache qui entre dans sa composition. La bouche est sur la fraîcheur de la groseille avec des notes de garrigue. Un bon équilibre qui ravira les amateurs lors d'un barbecue entre amis.

Gabriel Meffre, Le Village, 84190 Gigondas, tél. 04.90.12.32.42, fax 04.90.12.32.49, gabriel-meffre@meffre.com

LES VIGNERONS DE FLORENSAC Chardonnay 2011 ★

	20 000		- de 5 €

La cave coopérative des vignerons de Florensac, à l'architecture typique du Languedoc, a connu un certain essor durant les années 1970-1980. Depuis, elle a réalisé de nombreux investissements, dont le dernier en date est un pôle œnotouristique comprenant un espace de vente interactif et un restaurant. Les vignerons, engagés dans une politique stricte de qualité, proposent ce pur chardonnay d'un jaune paille agrémenté de reflets argentés. Le nez délicatement floral associe le genêt et les fleurs blanches. Équilibrée, grasse et fraîche, la bouche oscille entre les notes de beurre et d'agrumes. Bel accord avec une dorade au four.

Les Vignerons de Florensac, 5, av. des Vendanges, 34510 Florensac, tél. 04.67.77.00.20, fax 04.67.77.79.66, cave.florensac@orange.fr t.l.j. 9h-18h (19h en été)

GAYDA Viognier 2011

80 000 | 5 à 8 €

On accède au domaine par le chemin de Moscou, mais la propriété est bien dans l'Aude. Ce sera l'occasion de découvrir ce viognier qui se manifeste avec élégance et finesse sur les fruits exotiques. Ce 2011 sait rester frais et finit sur une note épicée légèrement fumée. Idéal pour accompagner de la cuisine sucrée-salée.

Dom. Gayda, chem. de Moscou, 11300 Brugairolles, tél. et fax 04.68.31.64.14, info@domainegayda.com r.-v. E

DOM. JEAN GLEIZES Ovilius 2010 ★★

12 000 | 11 à 15 €

Pierre-Philippe Callegarin a repris en 2005 ce domaine fondé il y a quelque six cents ans. C'est l'ancienne propriété de Jean Gleizes, qui fut le premier à mettre en bouteilles des vins sur la commune, aujourd'hui disparu mais dont la marque commerciale demeure. Cette cuvée Ovilius, qui porte le nom d'un vétéran romain auquel le village d'Ouveillan rend hommage, est née d'un assemblage à dominante de syrah (80 %) complétée de grenache noir. Elle a été élevée huit mois en barrique. D'une teinte profonde tirant sur le noir, le 2010 dévoile un bouquet d'une grande complexité aromatique (vanille, épices et pruneau). On laissera les tanins solides et soyeux se fondre encore deux ans avant de déguster cette bouteille « sur un moelleux au chocolat », si l'on suit le conseil d'un dégustateur.

Dom. Jean Gleizes, 2, av. de Capestang, 11590 Ouveillan, tél. 04.68.46.02.69, fax 04.68.46.05.51, info@domaine-jean-gleizes.com t.l.j. sf dim. 9h-12h 14h-18h

Callegarin

LA GRANGE Chardonnay Terroir 2011

10 000 | 5 à 8 €

Le vignoble du domaine La Grange, idéalement implanté près du parc régional du Haut-Languedoc, est établi à 250 m d'altitude, une situation idéale pour tempérer le soleil méditerranéen. La gamme Terroir associe un cépage et un lieu-dit spécifique. La cuvée sélectionnée est issue de chardonnay, variété parfaitement adaptée à son terroir argilo-calcaire. De teinte très claire, elle affiche un nez intense d'agrumes et d'abricot. En bouche, une fraîcheur acidulée, agréable et salutaire, porte le vin, associée à des notes de fleurs blanches. L'ensemble, très bien équilibré, se mariera avantageusement avec du ris de veaux braisé.

SARL la Grange, rte de Fouzilhon, 34320 Gabian, tél. 04.67.24.69.81, shugeux@domaine-lagrange.com t.l.j. sf sam. dim. 9h-16h30 C

Freund

DOM. DE GRÉZAN Chardonnay Antique 2011 ★

n.c. | 5 à 8 €

Cette ancienne commanderie de l'ordre des Templiers est aujourd'hui un lieu de vie important dans la région, reconnu pour son vignoble, pour son restaurant gastronomique et ses chambres d'hôtes. Outre les vins de l'AOC faugères, vous y découvrirez ce pur chardonnay à la robe or pâle, au bouquet fin et floral, à la bouche fruitée (agrumes, abricot sec, fruits cuits) affichant du gras et de la douceur.

Ch. Grézan, D 909, 34480 Laurens, tél. 04.67.90.27.46, fax 04.67.90.29.01, contact@chateaudegrezan.fr t.l.j. sf dim. 8h-12h 14h-18h30 3

Fabien Pujol

SERRE DE GUÉRY Chardonnay La Force 2011 ★

n.c. | 5 à 8 €

Situé au cœur du Minervois, ce domaine bien connu des habitués du Guide, notamment pour ses minervois, signe un chardonnay qui se plaît sur ce terroir argilo-calcaire. Très réussi, ce 2011 affiche une robe brillante et un beau potentiel. Le nez, qui mêle fruits mûrs, miel et notes grillées, est intense et complexe. Puissante, ronde et charnue, la bouche s'étire longuement en finale, soulignée par un boisé de qualité qui demande encore à se fondre. On réservera cette bouteille à un brochet au beurre blanc. Même note pour le **sauvignon La Sagesse 2011**, dont le bouquet de buis et de citron vert se prolonge dans une bouche fraîche et harmonieuse.

Ch. Guéry, 4, av. du Minervois, 11700 Azille, tél. et fax 04.68.91.44.34, rh-guery@chateau-guery.com r.-v.

LES HAUTS DE JANEIL Syrah-Grenache 2011 ★

50 000 | 5 à 8 €

Argentine, Chili, Espagne, Portugal : François Lurton est un infatigable découvreur de terroirs. Il n'oublie pas la France avec notamment des vignobles sur les terroirs des appellations fitou et côtes-du-roussillon-villages Tautavel, sans oublier le pays d'Oc. Née sur un sol argilo-calcaire, cette cuvée couleur griotte, au nez intense de fruits et de bonbon anglais, dévoile une bouche ronde et équilibrée. Un « vin plaisir » à découvrir sur un poulet aux olives noires.

François Lurton, Dom. de Poumeyrade, 33870 Vayres, tél. 05.57.55.12.12, francoislurton@francoislurton.com

DOM. DE L'HERBE SAINTE Chardonnay Élevé en fût de chêne 2011 ★

2 330 | 5 à 8 €

Originaire de Bourgogne, la famille Greuzard s'est installée en 1980 sur ce domaine qui emprunte son nom à la garrigue (de l'occitan *herbo santo*, plante aromatique). Dans sa robe or clair aux reflets verts, son chardonnay a séduit le jury qui a aimé son nez puissant d'agrumes, encore dominé par un boisé élégant, et sa bouche vive et bien structurée mariant arômes vanillés et floraux. À ouvrir dès aujourd'hui sur une pintade au vin blanc et à la crème.

Greuzard, Dom. de l'Herbe Sainte, 11120 Mirepeisset, tél. 04.68.46.30.37, fax 04.68.46.06.15, herbe.sainte@wanadoo.fr t.l.j. 10h-12h 16h-19h; dim. sur r.-v.

DOM. LA JASSE D'ISNARD Élégance 2009 ★★

2 000 | 8 à 11 €

En vous promenant du côté d'Aimargues, dans le Gard, vous vous arrêterez peut-être devant ce joli mas languedocien typique du XVIIIᵉs. Propriété de la même famille depuis le début du siècle, ce domaine est en deuxième année de conversion vers l'agriculture biologique. Sur des sols argilo-calcaires, le chardonnay a donné naissance à ce très joli vin habillé d'une robe paille intense, à laquelle répond un nez prolixe sans être exubérant, d'une grande pureté, mêlant des notes d'agrumes, de fleurs blanches et de noisette. Ronde à l'attaque, citronnée et beurrée, la bouche conjugue douceur et fraîcheur. Ce vin remarquable accompagnera à merveille une côte de veau à la normande.

EARL Vignobles Michelon, Dom. de la Jasse d'Isnard, 30470 Aimargues, tél. 04.66.88.61.98, fax 04.66.88.50.31, domaine@jassedisnard.com t.l.j. 9h-19h

DOM. LALAURIE Syrah Première 2010 ★★

6 000 | 11 à 15 €

Les filles de Jean-Charles Lalaurie signent un 100 % syrah fort séduisant dans sa robe profonde ornée de reflets violacés. Le bouquet intense et délicat, qui évoque les fruits mûrs, les épices (réglisse) et le bois de l'élevage, se prolonge dans une bouche riche et complexe, soutenue par des tanins à la fois puissants et soyeux. On pourra apprécier ce grand vin sur une entrecôte grillée.

Jean-Charles Lalaurie,
2, rue Le-Pelletier-de-Saint-Fargeau, 11590 Ouveillan,
tél. 04.68.46.84.96, fax 04.68.46.93.92,
lalaurie@domaine-lalaurie.com
t.l.j. sf dim. 10h-12h30 15h-19h

DOM. DE LARZAC Syrah Marselan 2010 ★★

7 200 | - de 5 €

Des cuvées régulièrement « étoilées » dans le Guide (coup de cœur dans le millésime 2005). Cette année ne fait pas exception. Cet assemblage de syrah (60 %) et de marselan a eu la préférence avec sa robe profonde, son nez original de fruits noirs (myrtille) et de torréfaction, sa bouche complexe, solide et riche, garante d'un excellent potentiel de garde. D'ici deux à trois ans, cette bouteille sera à son apogée. Une étoile pour la cuvée **roussanne-chardonnay 2011 (19 440 b.)**, au nez de litchi et de citron agrémentés de notes minérales et fumées, ronde et fraîche en bouche.

Dom. de Larzac, rte de Roujan, 34120 Pézenas,
tél. 04.67.90.76.29, fax 04.67.98.10.59,
contact@chateau-larzac.fr

Bonafé

DOM. DE MAIRAN Chardonnay classique 2011 ★★

21 000 | 5 à 8 €

À mi-chemin entre mer et montagne, les terres argilo-calcaires de Mairan portent de la vigne depuis l'époque gallo-romaine. Elles virent naître jadis Jean-Jacques Dortous de Mairan, mathématicien, astronome et géophysicien, qui rédigea en 1733 le *Traité physique et historique de l'aurore boréale*. Héritier d'une longue histoire, ce domaine signe un chardonnay très pâle animé de reflets verts, au nez de fruits (prune) et de fleurs blanches. Après une attaque fraîche, la bouche dévoile des arômes persistants d'abricot et d'agrumes. À savourer avec une mouclade de Saintonge.

Jean-Baptiste Peitavy, Dom. de Mairan,
34620 Puisserguier, tél. 04.67.11.98.01, fax 04.67.11.92.67,
mairan@domainedemairan.com
t.l.j. 9h-12h 14h-18h; sam. dim. sur r.-v.

DOM. DE LA MALAVIEILLE Charmille 2010 ★

20 000 | 5 à 8 €

Le domaine cultivé en agriculture biologique et biodynamique propose cette cuvée d'un rouge profond né sur un terroir d'argilites rouges et de basalte. Bien dans l'air du temps, elle a tout pour plaire. Séduisante par son fruité croquant de bigarreau charnue et bien mûre, elle appartient néanmoins à la catégorie des vins généreux et chaleureux avec sa matière volumineuse et ses tanins carrés, denses et épicés (poivre, cannelle). Équilibré et puissant, ce 2010 au beau potentiel peut être apprécié dès aujourd'hui.

Bertrand, Malavieille, 34800 Mérifons, tél. 04.67.96.34.67, fax 04.67.96.32.21, domainemalavieille.merifons@wanadoo.fr
r.-v.

CAVE LA MALEPÈRE Chardonnay 2011 ★

10 000 | 5 à 8 €

Créée en 1949 à Arzens dans l'Aude, la cave regroupe plus de deux cents viticulteurs qui travaillent sur 2 000 ha et représente ainsi l'une des plus grosses coopératives de France. Sa devise se résume en un seul mot « RARE » : Réactivité, Amélioration, Respect, Environnement. Dans une livrée dorée, ce pur chardonnay affiche un bouquet floral en harmonie avec les notes boisées très bien intégrées de l'élevage. Fruité, harmonieux et long, ce vin est idéal pour accompagner une volaille à la crème ou un chaource.

Cave la Malepère, av. des Vignerons, 11290 Arzens,
tél. 04.68.76.71.71, fax 04.68.76.71.72,
caveau@cavelamalepere.fr
t.l.j. sf sam. dim. 8h-12h 14h-18h

MARQUIS DE PENNAUTIER Chardonnay Terroirs d'altitude 2010 ★

28 000 | 8 à 11 €

Édifié sous Louis XIII, le château de Pennautier est inscrit à l'inventaire supplémentaire des Monuments historiques. Héritiers directs des Pennautier, Nicolas et Miren de Lorgeril, représentant la dixième génération, ont repris le domaine en 1987. Les vignes de chardonnay, à l'origine de cette cuvée, sont exposées au nord pour bénéficier de la fraîcheur en été, ce qui permet aux raisins de conserver une belle acidité. Jaune intense, ce vin au nez élégant offre un éventail gourmand d'arômes : poire, pomme au four, nougatine. La bouche, chaleureuse, laisse les agrumes, la vanille et la pêche de vigne s'exprimer avec bonheur jusqu'à la finale réveillée par des notes citronnées. Un vin recommandé sur une viande blanche en sauce.

Vignobles Lorgeril, BP 4, Ch. de Pennautier,
11610 Pennautier, tél. 04.68.72.65.29, fax 04.68.72.65.84,
marketing@lorgeril.com
t.l.j. sf dim. 10h-18h (ven. sam. 22h); f. jan.

DOM. PAUL MAS Cabernet-sauvignon syrah Vignes de Nicole 2011 ★

n.c. | 8 à 11 €

Les Domaines Paul Mas sont une valeur sûre du Languedoc-Roussillon. Ils proposent des vins soigneusement élaborés, dont la qualité ne se dément pas au fil des éditions du Guide. C'est sur les communes de Pézenas et de Montagnac que les raisins de cet assemblage ont été soigneusement sélectionnés. Une robe foncée aux reflets pourpres ; un nez aux senteurs de poivron grillé caractéristiques du cabernet, associées à des notes de garrigue et d'épices (souvenir de l'élevage) assez intenses ; une bouche ronde, avec du gras, adossée à un boisé encore présent sur fond de fruits rouges : tout séduit dans ce vin puissant que l'on appréciera dès l'automne sur un fromage à pâte molle.

Domaines Paul Mas, rte de Villeveyrac, 34530 Montagnac, tél. 04.67.90.16.10, fax 04.67.98.00.60, info@paulmas.com t.l.j. sf sam. dim. 10h-12h 13h30-17h30 (ven. 16h30); en juil.-août 10h-19h

MAS BELLES EAUX Mourvèdre 2011 ★

5 200 | 8 à 11 €

Situé à Caux, non loin de Pézenas dans l'Hérault, ce mas du XVII[e]s. doit son nom aux sources qui jaillissent ici de terre avant d'alimenter la rivière Peyne. Ce 100 % mourvèdre, à la robe d'un rouge franc brillant et soutenu, dévoile un bouquet intense de fruits rouges qui se prolonge dans un palais au boisé bien fondu, soutenu par des tanins souples. À associer sans hésiter à des viandes grillées lors d'un repas sous la tonnelle.

Mas Belles Eaux, 34720 Caux, tél. 04.67.09.30.96, fax 04.67.90.85.45, contact@mas-belleseaux.fr r.-v.

Axa Millésimes

MAS DU SALAGOU Cinerite 2010 ★★★

1 000 | 30 à 50 €

Cette petite propriété familiale située non loin du lac du Salagou, sur des terres volcaniques, signe une cuvée qui révèle les caractères du sol de cinérites d'où elle est issue. Paré d'une splendide robe rouge sombre aux reflets violines, ce 2010 dévoile des parfums délicats de fruits des bois et de pierre à fusil sur un fond toasté de qualité. La bouche veloutée confirme le fruit, la minéralité et les notes grillées. Ce vin d'une belle maturité est le produit d'un travail soigné et du respect d'un terroir unique. À servir avec une côte de bœuf, tout simplement. La cuvée **La Ruffe 2011 rouge (8 à 11 € ; 5 500 b.)** obtient deux étoiles pour sa puissance et pour son harmonie. À noter : le domaine est en cours de conversion bio.

Bruno Peyre, chem. des Landes, 34800 Octon, tél. 04.67.96.26.01, clos.clapisses@yahoo.fr r.-v.

MÉDITÉO Cabernet-sauvignon 2011 ★★

20 000 | 5 à 8 €

La cuvée Méditéo, mise en bouteilles par la maison de négoce gigondassienne Meffre, a connu un franc succès puisque, à l'aveugle, les dégustateurs en ont retenu deux versions. Ce cabernet-sauvignon se présente dans une tenue seyante, sombre et intense, aux reflets grenat, et dévoile des notes variétales de poivron. Ample, riche et concentré, le palais se révèle d'une grande harmonie. À associer avec une moussaka, une ratatouille et de la viande grillée bien relevée. Le **sauvignon 2011 blanc (20 000 b.)** reçoit une étoile pour son élégance et pour sa complexité aromatique.

Gabriel Meffre, Le Village, 84190 Gigondas, tél. 04.90.12.32.42, fax 04.90.12.32.49, gabriel-meffre@meffre.com

DOM. MIRABEL Loriot 2011 ★

2 400 | 11 à 15 €

Sur un terroir d'exception composé d'éclats calcaires, la Gravette, Samuel et Vincent Feuillade exploitent la vigne avec exigence, ce qui les a conduits à s'engager en 2009 dans une démarche de conversion à l'agriculture biologique. La cuvée Loriot, à dominante de viognier (60 %, avec la roussanne en complément), est vinifiée en fût et élevée en cuve. Il en résulte un blanc d'une grande finesse : une robe pâle, un fruité léger (ananas), de la minéralité. La bouche équilibrée et d'une belle longueur est relevée en finale par une pointe plaisante d'amertume. Ce vin donnera le meilleur de lui-même dans un an ou deux.

Samuel et Vincent Feuillade, Dom. Mirabel, 30260 Brouzet-lès-Quissac, tél. 06.22.78.17.47 r.-v.

MOULIN GIMIÉ Chardonnay 2010 ★

7 670 | 8 à 11 €

C'est au bord du canal du Midi que se situe ce domaine bâti à l'emplacement d'un ancien moulin à eau, dont la fonction première en 1650 était de moudre du blé. Aujourd'hui, on peut déguster au moulin – converti en caveau de dégustation – ce chardonnay drapé dans une robe jaune intense aux reflets verts. Au nez de fleurs blanches, de miel et d'anis, assorti d'un soupçon de menthol, succède une bouche complexe aux arômes de vanille, de pain grillé et de fleurs. Du volume, de l'équilibre et de la fraîcheur : ce vin a tout pour s'entendre avec la spécialité de la maison, le poulet aux morilles.

François Gimié, 49, rue Gambetta, Le Moulin, 34310 Capestang, tél. 06.12.99.20.18, fax 04.67.93.34.46, moulingimie@hotmail.fr t.l.j. 10h30-20h; dim. sur r.-v.

ORBIEL & FRÈRES Sauvignon blanc 2011 ★

50 000 | - de 5 €

Les celliers Jean d'Alibert proposent ce sauvignon blanc d'une grande typicité. Le nez délicatement végétal évoque la menthe poivrée et la verveine, avec une touche fraîche de pointe d'asperge. La bouche gourmande redouble d'intensité ; minéralité, générosité et longueur sont les atouts de cette cuvée à apprécier sur des gambas à l'américaine.

Union des producteurs du Haut-Minervois, rte de Pépieux, RD 52-115, 11160 Rieux-Minervois, tél. 04.68.78.22.14, fax 04.68.78.29.16, ccharpentier@jeandalibert.fr r.-v.

EXTRAIT DE L'ORMARINE 2011

20 000 | 5 à 8 €

Si le picpoul-de-pinet est la production phare de cette coopérative, celle-ci produit également des vins de cépages, dont cette syrah née sur un terroir calcaire. Derrière une robe rouge profond animée de reflets violets, le nez intense de ce 2011, encore dominé par le boisé, dévoile des notes de cassis. La bouche ronde, d'une bonne présence tannique, est soutenue par une légère acidité, qui vient contrebalancer les notes boisées persistantes. Pour des côtes d'agneau au gril. Également cité, le **Haut de Senaux 2011 rouge merlot (moins de 5 € ; 20 000 b.)** est plus moderne, dominé par des arômes fruités et amyliques.

Cave de l'Ormarine, 13, av. du Picpoul, 34850 Pinet, tél. 04.67.77.03.10, fax 04.67.77.76.23, caveormarine@wanadoo.fr t.l.j. sf dim. 8h30-12h 14h-18h

DOM. DE PANÉRY Cuvée Hélène 2011

■ 10 000 ■ 8 à 11 €

Le château de Panéry est une ancienne ferme construite sur un étang asséché dès 1631. Racheté par un industriel reconverti à la viticulture, ce site magnifique produit maintenant des vins de qualité, dont ce merlot qui se plaît sur ces sols argilo-calcaires. La robe est rubis ; le nez, d'abord très confituré, évolue sur des parfums d'épices et de fruits noirs. En bouche, on retrouve la concentration du merlot, au sein d'une matière soutenue par des tanins serrés et agrémentée d'arômes fruités très persistants. Pour une daube de bœuf.

Ch. de Panéry, chem. d'Uzès, 30210 Pouzilhac, tél. 04.66.37.04.44, fax 04.66.37.62.38, contact@panery.fr t.l.j. 9h-12h 15h-18h

CUVÉE PAREDAUX Tradition 2010 ★★

■ 10 000 ■ - de 5 €

Ce domaine des Lauriers, au nom prédestiné, se voit « couronner » pour ce 2010. Un remarquable vin rouge qui a quatre as dans son jeu : cabernet, petit verdot, syrah et carignan. Le nez abat un brelan gagnant : cerise, fraise et kirsch, tandis que la bouche souple, élégante et chaleureuse, joue ses atouts en finesse, soutenue par des tanins fondus et racés. Un fruité intense porte loin la finale. Pour une partie de cartes, dès à présent.

Dom. des Lauriers, 15, rte de Pézenas, 34120 Castelnau-de-Guers, tél. 04.67.98.18.20, fax 04.67.98.96.49, marccabrol@domaine-des-lauriers.com r.-v.

LE PLÔ NOTRE-DAME Chenin faisant... 2011 ★

□ 3 660 ■ 8 à 11 €

Lorsqu'il reprend l'exploitation familiale, créée il y a quatre générations, Nicolas Azalbert lui donne le nom du lieu-dit où sont plantées les plus vieilles vignes du domaine, Le Plô Notre-Dame. Mais c'est d'une jeune parcelle que provient cette cuvée 100 % chenin. La robe jaune paille s'orne de reflets argentés. Le nez d'une grande délicatesse s'ouvre sur des notes de miel, de coing et de pêche de vigne. La fleur d'acacia et les fruits à chair blanche tapissent une bouche vive et fraîche. Une bouteille élégante, à marier avec de nombreux plats : quiche aux asperges, truite aux amandes ou encore chèvre frais.

Nicolas Azalbert, L'Atelier, rte du Pouzet, 11600 Bagnoles, tél. 04.68.77.05.33, fax 04.68.26.32.24, plonotredame@orange.fr r.-v.

DOM. DES POURTHIÉ 2011 ★

■ 25 000 ■ - de 5 €

Au nord d'Agde, à 4 km de la mer Méditerranée, ce domaine est établi sur un terroir de moraines glaciaires. Jean Pourthié, qui a repris l'exploitation familiale en 2000, signe un rosé issu d'un assemblage de syrah (75 %), de cinsault (20 %) et d'un brin de grenache. Drapé dans une belle robe lumineuse, ce vin possède bien des atouts : un nez expressif, fruité et acidulé (notes de bonbon anglais), une bouche à l'unisson, fraîche et longue. Parfait pour un repas sous la tonnelle – pourquoi pas une ratatouille au jambon cru ?

GAF Grange rouge, Dom. des Pourthié, 34300 Agde, tél. 04.67.94.21.76, fax 04.67.21.30.55, jean.pourthie@9business.fr t.l.j. sf dim. 9h-18h

PREIGNES Collection 2009 ★★

■ 32 000 ■ 11 à 15 €

Exploitation agricole dès l'époque romaine, le domaine a traversé les siècles avec fierté. François Bergon, l'arrière-grand-père de l'actuel propriétaire, en a fait l'acquisition en 1903. Ce 2009 affiche une livrée rouge profond aux reflets violines avant d'offrir un bouquet franc, complexe et aromatique de fruits rouges, d'épices et de poivron grillé. Souple et pleine, la bouche s'étire longuement, portée par des tanins bien fondus. On aimera ce très joli vin, prêt à boire, sur une côte de bœuf au gros sel ou sur un navarin d'agneau. Noté une étoile, le **Dom. Preignes le Vieux 2010 syrah Prestige (8 à 11 €; 66 000 b.)** a séduit le jury par son nez intense et aromatique et par sa bouche structurée au boisé bien fondu.

Dom. Preignes le Vieux, 34450 Vias, tél. 04.67.21.67.82 t.l.j. sf sam. dim. 9h-19h

PUECH-BERTHIER Sauvignon 2011 ★

□ 5 000 ■ - de 5 €

Thierry Coulomb affine chaque année davantage ses vinifications et ce sauvignon est un bel exemple de son travail. Ne vous fiez pas à son teint pâle et délicat, car il est éclatant de santé, primesautier avec ses notes printanières de fleurs blanches et ses arômes généreux de poire bien juteuse. Élégante et fine, la bouche est soutenue par une belle minéralité d'où émergent quelques notes végétales (pointe d'asperge). Un vin frais et long qui sera idéal pour des coquillages.

EARL Dom. Puech-Berthier, rue du 19-Mars-1962, 30190 Castelnau-Valence, tél. 06.12.10.96.32, fax 04.66.78.70.53, thierrycoulomb@orange.fr r.-v.

Coulomb

DOM. DE PUILACHER Grand Tour 2010 ★

■ 5 000 ■ 5 à 8 €

Propriété de la famille Fages depuis le XVIe s., ce domaine a pour devise : « Les pieds ancrés dans la terre, le regard tourné vers les étoiles. » Au XVIIIe s., le Grand Tour était LE voyage que faisaient les jeunes de la haute société afin de parfaire leur éducation. Cette cuvée se veut initiatique ; elle invite à la dégustation dans sa robe intense et profonde, prélude à un nez franc, fruité et légèrement épicé. Vive et friande, la bouche a du caractère. À associer à une gardiane de taureau.

Dom. de Puilacher, av. de la Piboule, 34230 Puilacher, tél. et fax 04.67.96.72.33, domainedepuilacher@wanadoo.fr r.-v.

PUYDEVAL 2010 ★

■ 120 000 ■ 8 à 11 €

À la vue de l'étiquette, on se dit que cette maison de négoce ne fera pas le vin comme tout le monde : se faisant l'ambassadeur du « bien boire », Jeff Carrel démontre qu'avec 120 000 cols disponibles, on peut être original mais aussi accessible. Il faudra tout de même un peu de patience, car ce 2010 aux arômes d'arabica, de vanille et de cacao se révèle être un méridional bon teint, concentré, puissant, solidement campé sur des tanins musculeux. Généreuse, cette cuvée exprimera tout son potentiel dans quelques années.

Jeff Carrel, 12, quai de Lorraine, 11100 Narbonne, tél. 06.32.54.77.11, toowo@wanadoo.fr

RAFALE Chardonnay 2011 ★★★

140 000 | ▮ | - de 5 €

Les vignerons Catalans prouvent une nouvelle fois leur savoir-faire avec trois cuvées sélectionnées issues de cépages qui n'ont pas leur berceau dans la région. La préférée, la Rafale chardonnay, or pâle, dévoile des notes de pêche, de fleur d'acacia et d'agrumes. La bouche révèle une onctuosité particulièrement agréable (due aux quelques sucres résiduels) et une puissance aromatique remarquable, qui fait écho à l'olfaction. Un travail d'orfèvre, à apprécier sur des crustacés. Les cuvées **Rafale 2011 sauvignon (30 000 b.)** et **Quatre Saisons 2011 cabernet (20 000 b.)** obtiennent chacune une étoile.

Vignerons catalans, 1870, av. Julien-Panchot, BP 29000, 66962 Perpignan Cedex 9, tél. 04.68.85.04.51, fax 04.68.55.25.62, contact@vigneronscatalans.com

RÉBUS Chardonnay 2011 ★

5 300 | - de 5 €

La cave coopérative de Bessan, fondée en 1937, offre une large gamme de vins sur les 373 ha cultivés par ses adhérents. Ce chardonnay obtenu par macération pelliculaire à froid, fermenté à basse température (16 °C) et élevé sur lies, présente une robe jaune paille soutenu et dévoile des notes d'abricot, de fruits mûrs et de vanille. Ample, grasse et harmonieuse, la bouche laisse une impression très agréable grâce à sa finale sur l'abricot confit et l'ananas. Recommandé sur une volaille en sauce.

SCA Le Rosé de Bessan, rue de la Coopérative, 34550 Bessan, tél. 04.67.77.42.03, fax 04.67.77.50.42, le.rose.de.bessan@wanadoo.fr

t.l.j. sf dim. 9h-12h30 15h-19h

DOM. SAINT-MARTIN DES CHAMPS Viognier Chardonnay 2011 ★

50 000 | ▮ | 5 à 8 €

Transmis de père en fils depuis 1675, ce domaine de 90 ha est aujourd'hui dirigé par Pierre et Michel Birot. Les terroirs argilo-calcaires de la propriété, exposés plein sud, sont consacrés aux saint-chinian tandis que les sols plus calcaires orientés au nord sont plantés de viognier et de chardonnay, cépages à l'origine de ce vin très plaisant. Floral et fruité, agrémenté de quelques notes minérales, le bouquet ne manque pas d'intensité. Ample, la bouche affiche un bel équilibre entre rondeur et fraîcheur. À marier sans attendre à une salade de fruits exotiques.

Birot, Ch. Saint-Martin-des-Champs, rte de Puimisson, 34490 Murviel-lès-Béziers, tél. 04.67.32.92.58, fax 04.67.37.84.49, domaine@saintmartindeschamps.com

t.l.j. 9h-18h30

♥ **DOM. SAINT-MICHEL ARCHANGE** La Tour de Boussecos 2010 ★★★

7 000 | ▮ | 8 à 11 €

Rien ne préparait Charles Janbon, professeur à la faculté de médecine de Montpellier, à devenir vigneron, quand il a repris le domaine en 2005. La volonté de se montrer digne de l'héritage familial se traduit dans cette cuvée issue des cépages typiques de la région que sont le carignan, le grenache et la syrah. La robe soutenue est animée de reflets cerise. Le nez expressif dévoile des notes de garrigue, d'épices, de chocolat et de fruits confiturés. En bouche, après une attaque franche, on découvre un vin équilibré, agrémenté de notes gourmandes de cacao, de réglisse, de fumé. La finale sur le Zan laisse une impression

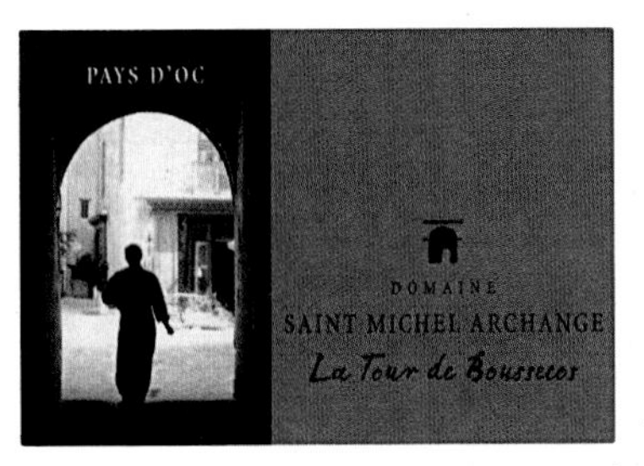

de maturité. Les tanins de qualité demandent encore à se fondre. Pour un civet de chevreuil.

Dom. Saint-Michel Archange, 6, rue des Châteaux, 11120 Bize-Minervois, tél. 06.17.83.38.17, stmichelarchange@hotmail.fr r.-v.

Charles Janbon

♥ **STONY** Vendanges surmûries Lumière d'automne 2007 ★★★

900 | ▮ | 15 à 20 €

Souvent sous le feu des projecteurs pour ses muscat-de-frontignan, le domaine est ici distingué pour ce muscat élégant dans sa tenue ambrée brillante aux reflets or. L'entrée en scène est majestueuse : vanille, orange amère, abricot et coing se mêlent à la cire d'abeille et aux épices (clou de girofle). Harmonieux, complexe, frais et grandiose, ce grand vin mérite le rappel et vos applaudissements sur une croustade aux noix ou sur une tarte pomme-cannelle.

Ch. de Stony, La Peyrade, 34110 Frontignan, tél. 04.67.18.80.30, fax 09.70.62.40.99, chateaudestony@orange.fr

t.l.j. 9h-12h30 14h-18h30; dim. sur r.-v.

F. Nodet

TERRES EN COULEURS Envie de l'année 2011 ★★

600 | ▮ | 8 à 11 €

C'est une invitation à peindre une toile, quand sous le soleil du Midi tous les paysages s'illuminent comme ce vin intense et limpide, aux reflets émeraude. La terre se dessine, brune et contrastée de galets blonds, comme ce vin délicatement épicé, vif et citronné, harmonieux, enjoué et frais. Ainsi apparaît sous les touches successives de l'artiste-vigneron une « terre en couleurs » riche, ample et complexe, qui nous ravit...Une remarquable expression du vermentino.

Nathalie et Patrick Goma, lieu-dit Croix-de-Vias, rte de Nizas, 34120 Pézenas, tél. 04.67.01.21.47, contact@terresencouleurs.fr

t.l.j. sf mer. 18h30-20h; sam. dim. 15h-20h

VERMEIL DU CRÈS Muscat sec 2011 ★

33 300 ■ - de 5 €

Une partie du vaste vignoble de la cave coopérative de Sérignan se situe sur les sols légers de la vallée alluviale de l'Orb. Elle bénéficie d'un microclimat maritime, qui permet une maturation optimale du muscat d'Alexandrie à l'origine de cette cuvée. Derrière la robe lumineuse de ce vin, on découvre un nez de rose, de litchi et d'abricot. La bouche délicate, gourmande et longue offre une chair ronde et fraîche à la fois, aux accents suaves de fruits exotiques. Un pur plaisir.

SCAV Les Vignerons de Sérignan,
114, av. Roger-Audoux, 34410 Sérignan, tél. 04.67.32.24.82,
fax 04.67.32.59.66, vignerons.de.serignan.34@wanadoo.fr
t.l.j. sf dim. 9h-12h 15h-18h

LES VIGNES DE L'ARQUE Saveur d'automne 2010 ★★

n.c. 11 à 15 €

Le nom de la cave et le logo de l'étiquette évoquent le château médiéval du IXᵉs., l'Arque de Baron, qui surplombe le domaine. Si on ajoute à ce prestigieux voisinage la proximité d'Uzès, très ancien duché, on comprendra que ce vin est inspiré par de nobles sentiments. Un liquoreux issu de viognier surmûri, voici qui est audacieux et parfaitement réussi puisque ce 2010 a frôlé le coup de cœur. La robe jaune paille aux reflets dorés annonce la suite, véritable hymne à la douceur : coing, pain d'épice, miel et abricot confit se marient harmonieusement pour composer un ensemble ample, soyeux et persistant, équilibré par une belle fraîcheur. On réservera cette remarquable bouteille à une tarte aux abricots rouges du Roussillon.

Les Vignes de l'Arque, rte d'Alès, 30700 Baron,
tél. 04.66.22.37.71, fax 04.66.03.04.34,
vigne-de-larque@wanadoo.fr t.l.j. 9h-12h 14h-18h
Fabre

VILLA NORIA Cabernet-sauvignon 2010 ★

52 300 5 à 8 €

Au nez, une explosion de parfums : délicates touches de poivron rouge d'abord, puis coulis de cassis et chocolat fondant, enfin notes de vanille. La bouche chaleureuse est dans le même registre ; puissante et harmonieuse, elle invite à découvrir ce vin sur une cuisine méridionale. Un air méditerranéen pour ce cépage atlantique qui se révèle bien adapté à ce terroir volcanique (basalte).

Cédric Arnaud, 9, av. André-Bringoier,
34530 Montagnac, tél. 06.84.80.33.98, arnaudce@hotmail.fr
r.-v.

DOM. VERENA WYSS Viognier 2011 ★★

6 000 ■ 8 à 11 €

Wyss signifie blanc en suisse alémanique ; c'est également le nom de la propriétaire qui dirige ce domaine en conversion bio. Élaborer et vinifier ce viognier semblait donc naturel pour la productrice. Les dégustateurs sont tombés d'emblée sous le charme de la robe aux reflets verts, intense et brillante. Le nez, sur des notes de citron et de bergamote, annonce la fraîcheur de la bouche, légère et harmonieuse, qui s'achève sur des notes de fruits exotiques et de vanille fort plaisantes.

Verena Wyss, Canteperdrix, chem. du Pètrole,
34320 Gabian, tél. 04.67.24.77.63, fax 04.67.24.87.07,
contact@domaineverenawyss.com r.-v.

DOM. LES YEUSES Syrah Les Épices 2010 ★

50 000 5 à 8 €

Depuis 1977, la famille Dardé dirige ce domaine de 80 ha proche du bassin de Thau. L'influence maritime atténue les excès du climat méditerranéen et permet une maturation maximale des raisins. Tout comme l'an dernier, cette pure syrah décroche une étoile pour sa complexité aromatique et sa belle matière. Notes réglissées, anisées, parfums de garrigue et même une pointe de café tapissent une bouche ample et longue, au boisé fondu. À apprécier sans attendre.

GAEC du Dom. les Yeuses, rte de Marseillan, RD 51,
34140 Mèze, tél. 04.67.43.80.20, fax 04.67.43.59.33,
contact@lesyeuses.fr t.l.j. sf dim. 9h-12h 15h-19h
Dardé

DOM. LA YOLE 1771 2010 ★

3 000 11 à 15 €

Les caves du domaine la Yole, inscrites sur le cadastre napoléonien, étaient situées au croisement de trois routes bordées de pins. On s'y retrouvait, on y commerçait et on y buvait aussi du vin. Aujourd'hui, le vignoble s'étend sur 110 ha et possède une diversité de cépages et de terroirs qui permet d'élaborer des assemblages qualitatifs comme cette cuvée 1771 qui rappelle la date de création de la propriété. Issu de cabernet-sauvignon, de syrah et de merlot, ce 2010 s'habille d'une robe sombre aux reflets violets, avant de dévoiler un nez intense de fruits rouges très mûrs et de vanille. En bouche, on trouve beaucoup de gras ainsi qu'une expression aromatique intense qui fait écho à l'olfaction. « Un vin moderne et dans l'air du temps », écrit un dégustateur qui le recommande avec une côte de bœuf aux cèpes.

Jean-Loïc Gassier, BP 23, 34350 Vendres,
tél. 04.67.37.37.85, fax 04.67.26.64.05,
infowinery@layolewineresort.com
t.l.j. sf dim. lun. 15h-18h30; sam. 9h30-18h30;
ouv. t.l.j. en saison

Sable de Camargue

COMMANDEUR DE JARRAS Gris de gris
Tête de cuvée 2011 ★

30 000 11 à 15 €

Établis en Camargue où se côtoient chevaux, taureaux et flamants roses, les domaines Listel représentent le plus grand propriétaire récoltant d'Europe avec plus de 1 800 ha dans les sables. Implantés depuis 1883, ils ont su adapter la culture de la vigne au terroir. Du fait des sols particulièrement filtrants, ils ont opté pour un enherbement naturel régulé par le passage dans les vignes de 5 000 moutons chaque année. Une centaine d'hectares sont encore francs de pied (non greffés), car le phylloxéra ne se développe pas sur ce type de sols. Ce Gris de gris Tête de cuvée est issu de ces vignes historiques. Derrière une belle robe brillante rose pâle, ce vin dévoile un nez expressif, fin et agréable, et une bouche bien équilibrée, pleine et aromatique avec des notes de violette jusqu'à la longue finale. À marier aussi bien avec des crustacés qu'avec de l'agneau aux girolles. Le **2011 Pink Flamingo Gris de gris Tête de cuvée (5 à 8 € ; 500 000 b.)** est cité pour sa bouche fraîche et fruitée.

SAS Domaines Listel, Ch. de Villeroy, RN 112, 34200 Sète, tél. 04.67.46.84.00, fax 04.67.46.84.22, lborel@listel.fr t.l.j. 10h-12h 14h-18h
Vranken

Saint-Guilhem-le-Désert

DOM. DE L'HORTUS Val de Montferrand Grande Cuvée 2010 ★

	17 000		20 à 30 €

Persuadés que l'on pouvait élaborer de grands vins en Languedoc, Jean et Marie-Thérèse Orliac s'installèrent au début des années 1970 entre les montagnes du Pic-Saint-Loup et de l'Hortus. Cette magnifique vallée, désertée depuis la fin de la dernière guerre, était à défricher et à rebâtir intégralement, ce qui a exigé beaucoup de persévérance et de courage. Mais cela en a valu la peine, car depuis, ce domaine n'a de cesse de produire des vins remarquables. Composée de chardonnay (70 %) et de viognier, la Grande Cuvée 2010, d'une belle limpidité, est animée de reflets or. Le nez de fruits secs et d'agrumes, légèrement toasté, se révèle complexe. Dans le même registre, avec des arômes de pêche blanche en sus, le palais très harmonieux présente un beau volume. Même distinction pour le **Val de Montferrand Classique 2011 blanc (8 à 11 € ; 80 000 b.)** au nez puissant, friand et complexe, et à la bouche très aromatique, de belle longueur.
EARL Vignobles Orliac, Dom. de l'Hortus, 34270 Valflaunès, tél. 04.67.55.31.20, fax 04.67.55.38.03, orliac.hortus@wanadoo.fr t.l.j. sf dim. 10h-12h 15h-18h

Vallée du Paradis

TERRE DES ANGES 2011 ★

	100 000		- de 5 €

De la vallée du Paradis, cette Terre des anges nous fait atteindre le royaume des cieux. De la robe pourpre cardinal s'élèvent des arômes gourmands de burlat juteuse et de mûre. La bouche, puissante et douce, agrémentée de notes de réglisse et de pain d'épice s'étire longuement jusqu'à la finale chaleureuse aux nuances d'eau-de-vie de prune. Un avant-goût d'éternité.
Les Maîtres Vignerons de Cascastel, Grand-Rue, 11360 Cascastel-des-Corbières, tél. 04.68.45.91.74, fax 04.68.45.82.70, info@cascastel.com
t.l.j. sf sam. dim. 8h-12h 14h-18h

DOM. VAL AUCLAIR 2011 ★

	3 000		8 à 11 €

Situé au sud de Carcassonne, le domaine, certifié en AB, a une devise : « Nous ne faisons pas du vin, nous préservons un terroir et des vignes centenaires pour les générations futures. » Ces vignerons passionnés proposent une jolie cuvée 100 % macabeu. La robe aux reflets or est limpide et brillante. Le bouquet subtil et complexe révèle des arômes de coing et d'abricot qui se retrouvent dans une bouche tout aussi intense, onctueuse et ronde. À boire sur un poisson grillé ou sur un pélardon.
Dom. Val Auclair, 1, av. Saint-Victor, 11360 Fontjoncouse, tél. 06.81.61.78.86, valauclair@free.fr
r.-v.

Provence, basse vallée du Rhône, Corse

On retrouve dans ces régions la diversité des cépages méridionaux, mais ceux-ci sont rarement utilisés seuls ; en proportions variables et selon les conditions climatiques et pédologiques, ils sont assemblés à des cépages internationaux : chardonnay, sauvignon, cabernet-sauvignon ou merlot, auxquels s'ajoute la syrah venue de la vallée du Rhône. Les dénominations départementales s'appliquent au Vaucluse, aux Bouches-du-Rhône, au Var, aux Alpes-de-Haute-Provence, aux Alpes-Maritimes et aux Hautes-Alpes. Le vin de pays de Méditerranée, à vocation régionale, couvre les régions PACA (à l'exception du département des Bouches-du-Rhône) et Corse, ainsi que la Drôme et l'Ardèche dans la région Rhône-Alpes.

Alpes-de-Haute-Provence

DOM. DE ROUSSET Rosé fruité 2011

	50 000		5 à 8 €

Le château de Rousset regarde Manosque par-dessus la Durance. La famille Emery y cultive la vigne depuis 1825, Roseline et Hubert depuis 1985, et bientôt le fils Thomas prendra la relève. Cinsault, grenache, syrah et muscat composent ce rosé bien fruité, tant au nez qu'en bouche. Un vin sans chichi, frais, équilibré, facile à boire.
Ch. de Rousset, Rousset, 04800 Gréoux-les-Bains, tél. 04.92.72.62.49, fax 04.92.72.66.50, roseline.emery@wanadoo.fr
t.l.j. sf dim. 9h-12h 14h-18h30
Famille Emery

Alpilles

CELLIER DE LAURE Cabernet Caprice de Laure 2011

	10 500		- de 5 €

La vénérable cave coopérative de Noves (1929) présente une cuvée 100 % cabernet-sauvignon drapée dans une robe d'un rose pâle tout à fait méridional. Rose, violette, poivron, bourgeon de cassis, le nez se révèle assez complexe et bien typé. La bouche plaît par son équilibre et sa bonne structure. Parfait pour une grillade au feu de bois.
SCA Cellier de Laure, 1 av. Agricol Viala, 13550 Noves, tél. 04.90.94.01.30, fax 04.90.92.94.85, contact@cellierdelaure.fr
t.l.j. sf dim. 8h30-12h30 14h30-18h30

DOM. D'ÉOLE 2011

	10 000		8 à 11 €

Rolle et grenache blanc associés à 60/40 donnent naissance à un vin jaune pâle aux reflets verts. Le nez se révèle joliment floral. Le palais, léger, d'une rondeur avenante, égayé par une touche acidulée, y ajoute une

VDP/IGP

pointe d'ananas. Un vin plaisant, à déguster autour d'un apéritif aux saveurs marines.
Dom. d'Éole, chem. des Pilons, rte de Mouriès, D24, 13810 Eygalières, tél. 04.90.95.93.70, fax 04.90.95.99.85, domaine@domainedeole.com
t.l.j. 10h-12h30 14h30-18h; sam. dim. sur r.-v.
C. Raimont

DOM. GUILBERT 2011 ★

	8 000		8 à 11 €

Un jeune domaine créé en 2007 à partir du rachat de vignes plantées sur le versant nord des Alpilles, face au mistral, sur des terrains en pente douce. Issu de cabernet-sauvignon (60 %) et de grenache, ce rosé livre un bouquet intense, floral et fruité, que relaie un palais frais, citronné et persistant. Ce vin a du relief et de la tonicité ; on le servira volontiers sur un poisson sauce aux agrumes.
Guy et Nathalie Delacommune, chem. du Trou-des-Bœufs, La Haute Galine, 13210 Saint-Rémy-de-Provence, tél. 04.32.61.18.89, fax 04.32.60.10.63, domaineguilbert@orange.fr
t.l.j. sf dim. 9h-13h 14h-18h

DOM. VAL DE L'OULE Rouge Émotion 2011 ★

	13 000		5 à 8 €

Ce domaine de 13,5 ha cultivé en bio, situé au cœur du parc naturel des Alpilles, propose un assemblage merlot-syrah-grenache qui se présente dans une élégante robe rouge profond aux reflets violets. Au nez, les fruits rouges donne le ton, que reprend en écho un palais franc, bien structuré et de belle longueur. À boire dans les deux ans, sur un carré d'agneau par exemple.
SCIEV Benoît, quartier de la Gare, BP 17, 13940 Mollégès, tél. 04.90.95.19.06, fax 04.90.95.42.00, costebonne@wanadoo.fr
t.l.j. sf dim. 9h-12h 14h-18h

Bouches-du-Rhône

LES BEYNES Marselan 2011

	25 000		- de 5 €

Le marselan, cultivé en bio, donne ici naissance à ce 2011 grenat aux reflets violacés, au nez intense de fruits rouges (cerise). Dans la continuité du bouquet, la bouche plaît par sa souplesse, ses tanins serrés et sa bonne longueur. À boire dès à présent sur un quasi de veau aux girolles.
Odile Cavard de Roux, Dom. du Haut-Attilon et Beynes, 13104 Mas-Thibert, tél. 04.90.98.70.04, fax 04.90.98.72.30, contact@lesbeynes.fr r.-v.

LES VIGNERONS DU GARLABAN Rolle 2011 ★

	25 000		- de 5 €

Regroupement des caves du pays d'Aubagne jusqu'aux portes de Marseille, cette coopérative créée en 1924 étend son vignoble entre les collines du Garlaban et de la Sainte-Baume. Ce 100 % rolle vêtu d'une robe jaune paille brillant livre un bouquet fin de fleurs blanches (aubépine), de poire, de fruits exotiques et de pain d'épice. Tout aussi aromatique, la bouche séduit par sa rondeur, son volume et sa longueur, avec en soutien la juste fraîcheur qui fait l'équilibre. Pour un poisson grillé ou un fromage sec.
Les Vignerons du Garlaban, 8, chem. de Saint-Pierre, 13390 Auriol, tél. 04.42.04.70.70, fax 04.42.72.89.49, vignerons.garlaban@wanadoo.fr
t.l.j. sf dim. 9h-12h 15h-19h

DOM. DU JAS DE COLLAVERY 2011 ★

	2 000		- de 5 €

Proposé par la coopérative d'Éguilles, ce rosé né de muscat à petits grains (90 %) et de grenache noir se présente dans une livrée pâle, couleur coquille d'œuf, le nez empreint de senteurs très... muscatées, la rose en tête. La bouche se montre ample, souple et fruitée, un peu plus chaleureuse en finale. Parfait pour l'apéritif.
Le Cellier d'Éguilles, 1, pl. Lucien-Fauchier, 13510 Éguilles, tél. 04.42.92.51.12, fax 04.42.92.38.57, celliereguilles@orange.fr t.l.j. sf dim. 9h-12h30 14h-19h

DOM. DE LUNARD Cabernet-sauvignon 2011 ★

	15 000		- de 5 €

Ce pur cabernet-sauvignon se présente dans une robe grenat sombre. Le nez évoque les épices, la réglisse, le cassis et la cerise griotte. Franche en attaque, ample et longue, la bouche dévoile de jolis tanins enrobés. À boire dans l'année sur un curry d'agneau ou un magret de canard.
EARL Dom. de Lunard, chem. de Lunard, 13140 Miramas, tél. 04.90.50.93.44, fax 04.90.50.73.27, domaine.lunard@wanadoo.fr
t.l.j. sf dim. lun. 9h-12h 15h-19h 3
François Michel

MAS DE REY Marselan 2011

	15 000		5 à 8 €

Ce domaine de 53 ha propose avec ce pur marselan né sur un sol argilo-sableux un vin plaisant, qui demande une petite aération pour révéler ses parfums d'épices et de fruits noirs. Le palais attaque avec netteté, déroule un joli fruité mâtiné d'épices en harmonie avec l'olfaction, soutenu par des tanins fondus. À boire dès à présent, sur des paupiettes de veau à la tomate.
SCA Mas de Rey, C 144, ancienne rte de Saint-Gilles, 13200 Arles, tél. 04.90.96.11.84, fax 04.90.96.59.44, mas.de.rey@aliceadsl.fr
t.l.j. sf dim. 9h-12h30 13h30-18h30
Mazzoleni

DOM. LA MICHELLE Gris 2011 ★

	12 000		5 à 8 €

Issu du tout nouveau chai de vinification créé en 2010, ce rosé de pressurage associe une pointe de grenache (10 %) au muscat de Hambourg. Ce dernier confère au nez des notes typiques de rose, accompagnées d'arômes de fruits jaunes légèrement compotés. La bouche se révèle ronde, onctueuse et douce, égayée par une finale fraîche et persistante. Parfait pour un dessert aux fruits, une tarte aux abricots par exemple.
Jean-François Margier, Dom. La Michelle, 13390 Auriol, tél. 04.42.04.74.09, fax 04.42.70.83.99, margier@domainelamichelle.com r.-v.

Hautes-Alpes

DOM. ALLEMAND 2011 ★

8 000 | 5 à 8 €

Ce domaine peut s'enorgueillir d'être le premier à avoir commercialisé du vin en bouteilles dans les Hautes-Alpes. Ardent défenseur du mollard, cépage local, il se distingue ici avec un muscat à petits grains, à l'origine d'un vin pâle et brillant, finement floral et fruité, plein, souple, équilibré et long en bouche. « Un vin qui respire le soleil », conclut un dégustateur, qui le verrait bien en compagnie d'un saumon sauvage à l'unilatéral et ses petits légumes croquants.

Dom. Allemand, La Plaine de Théüs, 05190 Théüs, tél. 04.92.54.40.20, fax 04.92.54.41.50, marc.allemand@wanadoo.fr t.l.j. sf dim. 9h-12h 14h-18h

Île de Beauté

DOM. FAZI 2011 ★★

135 000 | - de 5 €

Proposé par la coopérative d'Aghione, cet assemblage de niellucciu (50 %), de sciaccarellu et de merlot revêt une robe rose « très tendance », entendez très pâle. Au nez, du fruit, du fruit et du fruit. En bouche, du fruit toujours et encore, de la douceur et de la vivacité, bref de l'équilibre. Parfait pour l'apéritif ou une salade... de fruits.

Les Vignerons d'Aghione, Samuletto, 20270 Aghione, tél. 04.95.56.60.20, fax 04.95.56.61.27, coop.aghione.samuletto@wanadoo.fr r.-v.

MEZIORNU 2011 ★

n.c. | 5 à 8 €

Une belle entrée dans le Guide pour ce domaine créé en 2010, reprise d'une exploitation familiale de 5 ha. Ce pur merlot ne laisse pas indifférent avec son bouquet intense d'épices, de fruits mûrs et de poivron rouge. La bouche plaît aussi par sa générosité, sa bonne structure et sa longue finale ample et chaleureuse. Un vin gourmand, à déguster dès aujourd'hui sur une assiette de charcuteries corses.

NOUVEAU PRODUCTEUR

Christian-Émile Estève, Rotani, 20270 Aléria, tél. 06.09.97.03.17 t.l.j. 8h-20h

DOM. DE PETRAPIANA Niellucciu 2011 ★

13 300 | - de 5 €

Éric et Antoine Poli exploitent un domaine de la côte orientale, adossé aux arêtes rocheuses et implanté sur un terroir argilo-caillouteux propre à l'épanouissement des cépages autochtones. Ici, le niellucciu joue en solo. Son « cousin » 2010 rosé avait décroché un coup de cœur l'an dernier. Ce 2011, sans atteindre les mêmes sommets, a plus d'un atout à faire valoir : une robe élégante, d'un beau rubis ; un nez intense, sur le cassis, la mirte et le poivre, et enfin une bouche franche et directe à l'attaque, généreuse, fruitée et épicée. Un ensemble harmonieux et cohérent.

Éric et Antoine Poli, Linguizzetta, 20230 San-Nicolao, tél. 04.95.38.86.38, fax 04.95.38.94.71, domaine.de.piana@wanadoo.fr t.l.j. 8h30-19h

♥ RÉSERVE DU PRÉSIDENT Gris de grenache 2011 ★★

350 000 | - de 5 €

Une étiquette bien connue des lecteurs, plusieurs fois reproduite dans ces pages. Ici, un gris de grenache des plus aboutis, drapé dans une élégante robe d'un rose chair limpide et brillant. Au nez, les petits fruits rouges se marient à des notes amyliques et florales (rose). En bouche, la fraîcheur est de mise, mais sans nervosité excessive, préservant une jolie rondeur et un côté soyeux caressant. Un vin d'une remarquable finesse, que l'on verrait bien accompagner un carpaccio de veau, corse bien entendu... La **Réserve du président cabernet-sauvignon 2011 rouge (250 000 b.)**, ronde, structurée avec mesure, fruitée et un rien animale, obtient une étoile. Parfaite pour des tomates farcies ou des paupiettes de veau à la tomate.

SCA Union de Vignerons de l'Île de Beauté, Padulone, 20270 Aléria, tél. 04.95.57.02.48, fax 04.95.57.09.59, aleymarie@uvib.fr r.-v.

DOM. DE TERRA VECCHIA 2011 ★

75 000 | - de 5 €

Que ce soit avec son étiquette Clos Poggiale ou avec cette Terra Vecchia, ce domaine fréquente les pages du Guide avec une remarquable constance, et plus d'un coup de cœur à son actif. Ce 2011 mi-merlot mi-niellucciu séduit par son bouquet vif, amylique, fruité et épicé. Le charme opère aussi en bouche, autour d'une belle fraîcheur et d'arômes en harmonie avec ceux perçus au nez. Un ensemble équilibré, tonique, « tout terrain » : apéritif, grillades de viandes ou de poissons, desserts aux fruits...

SAS Terra Vecchia, Dom. Terra Vecchia, 20270 Tallone, tél. 04.95.57.20.30, fax 04.95.57.08.98, contact@clospoggiale.fr t.l.j. sf dim. 9h-18h

Renucci

TERRAZZA D'ISULA Chardonnay-Vermentinu 2011 ★★

250 000 | - de 5 €

Trois cuvées retenues pour cette maison de négoce de Borgo. Né sur un terroir argilo-schisteux bien exposé au levant, bénéficiant de la fraîcheur des proches montagnes, cet assemblage chardonnay-vermentinu (60/40) donne naissance à un vin finement bouqueté autour des fleurs blanches, des fruits exotiques et des fruits jaunes (pêche). La bouche se révèle d'une avenante rondeur, ample et délicate, en harmonie avec l'olfaction, portée en finale par une belle tension. Recommandé sur une salade poulet-ananas. Le **Terrazza d'isula sciaccarellu-cinsault 2011 rosé (300 000 b.)**, épicé, vif, nerveux même, obtient une étoile, comme le **Umani merlot-**

nielluciu 2011 rouge (200 000 b.), souple, rond et aromatique (fruits rouges, épices, maquis).
UVAL-Les Vignerons corsicans, Rasignani, 20290 Borgo, tél. 04.95.58.44.00, fax 04.95.38.38.10, uval.fm@corsicanwines.com
t.l.j. sf dim. 9h-12h 15h-19h

DOM. VECCHIO 2011 ★

n.c.	8 à 11 €

Un domaine de 12 ha situé au pied du monte Sant' Appiano (1 100 m), face à la mer, restructuré à partir de 2000 par Florence Giudicelli-Girard et son mari. La conduite du vignoble se fait *a l'antiga*, ce que la vigneronne appelle la culture « sur-raisonnée » : limitation des rendements à 35 hl, recours très modéré aux produits chimiques de synthèse, enherbement, pacage de moutons... Bref, le respect de la vigne et de la terre. Ici, des ceps de vermentinu de vingt-cinq ans, vendangés à la main sont à l'origine d'un vin au nez aérien, minéral et exotique, à la bouche plus généreuse, ronde et douce. L'ensemble est équilibré et s'appréciera volontiers sur un risotto aux fruits de mer.
Florence Giudicelli-Girard, Dom. Vecchio, Listincone, 20230 Chiatra, tél. 06.03.78.09.96, fax 04.95.38.03.37, vecchio@sfr.fr t.l.j. sf dim. 10h30-12h 15h-19h; sur r.-v. en hiver

Méditerranée

LA CANORGUE 2011 ★

10 700	11 à 15 €

Valeur sûre du vignoble du Luberon, pionnière de la viticulture bio, la Canorgue est fidèle au rendez-vous. Syrah pour moitié, merlot et cabernet composent ce 2011 rouge profond aux reflets violets. Au nez, des notes de poivron rouge se mêlent à des parfums de fruits mûrs. Souple en attaque, ample, ronde et douce, la bouche fait écho à l'olfaction, adossée à de fins tanins. Un ensemble harmonieux, cohérent, à déguster dès aujourd'hui sur un sauté de veau aux poivrons.
Jean-Pierre et Nathalie Margan, Ch. la Canorgue, rte du Pont-Julien, 84480 Bonnieux, tél. 04.90.75.81.01, chateaucanorgue.margan@wanadoo.fr
t.l.j. sf dim. 9h-12h 14h-18h

DOM. DU GRAND CROS Chardonnay Vermentino Jules 2011

15 000	5 à 8 €

Ce domaine entouré de restanques et d'oliviers a tapé dans l'œil des Faulkner en 2000, qui l'ont entièrement réhabilité. Ce vin a quant à lui réjoui les dégustateurs qui ont aimé sa robe couleur paille, son bouquet floral et minéral et sa bouche franche, fraîche et équilibrée. Un bel assemblage chardonnay-rolle, à découvrir sur un poisson grillé.
Dom. du Grand Cros, RD 13, 83660 Carnoules, tél. 04.98.01.80.08, fax 04.98.01.80.09, info@grandcros.fr
t.l.j. sf dim. 9h-18h
J. Faulkner

MAS GRANGE BLANCHE 2010 ★

15 000	- de 5 €

Bien connus des lecteurs pour leurs châteauneuf-du-pape (Ch. des Fines Roches), les Mousset soignent aussi leurs vins de pays, à l'image de ce 2010 né de grenache (50 %), de cinsault et de syrah. Au nez, les petits fruits rouges et noirs confiturés donnent le ton. Ample, gras et soutenu par des tanins fins et fondus, le palais tient bien la note et livre une plaisante finale longue et chaleureuse. À déguster au cours des deux ou trois prochaines années sur une daube de bœuf provençale.
EARL Cyril et Jacques Mousset, Ch. des Fines Roches, 84230 Châteauneuf-du-Pape, tél. 04.90.22.36.80, fax 04.90.22.35.85, cyril.mousset@wanadoo.fr
t.l.j. 10h-18h; f. jan.

VIGNERONS DU MONT VENTOUX Viognier 2011 ★★

80 000	5 à 8 €

Ce 100 % viognier de la coopérative de Bédoin revêt une élégante robe paille et s'ouvre d'emblée sur un fruité exubérant (fruits exotiques, abricot). Le palais confirme le nez : du fruit, du fruit, du fruit. De la fraîcheur aussi et une belle longueur. « Un vin festif », conclut un dégustateur qui le verrait bien en accompagnement d'un plat asiatique.
SCA Vignerons du Mont Ventoux, quartier La Salle, 84410 Bédoin, tél. 04.90.12.88.00, fax 04.90.65.64.43, sdamian@bedoin.com r.-v.

DOM. MUR-MUR-IUM Merlot Élixir 2009 ★

16 000	8 à 11 €

Situé au pied du mont Ventoux, ce jeune domaine créé en 2008 fait une belle entrée dans le Guide avec cet Élixir de pur merlot. Un vin paré d'une robe rouge profond aux reflets violines, qui fleure bon la confiture de fruits rouges, signe d'un raisin très mûr ; il s'affirme en bouche autour de tanins bien arrimés mais sans agressivité, enrobés d'un joli fruité en harmonie avec l'olfaction. À boire dans les deux ans, sur une viande en sauce.
NOUVEAU PRODUCTEUR
SCEA Vignobles Pichon, rte de Flassan, 84570 Mormoiron, tél. 06.82.88.02.12, fax 04.90.69.76.00, pichon2@wanadoo.fr
r.-v.

DOM. L'OPPIDUM DES CAUVINS Sauvignon Cassus 2011 ★

10 000	- de 5 €

Bien connu des lecteurs, ce domaine établi sur un ancien oppidum propose un pur sauvignon de belle facture. Une robe jaune pâle brillant, un nez d'herbe fraîchement coupée mâtiné de nuances citronnées, une bouche aérienne, longue et tonique, à dominante de fruits exotiques et d'agrumes : voilà un joli vin bien typé, à déguster sur un fromage de chèvre, un plateau de fruits de mer ou un poisson grillé.
Dom. l'Oppidum des Cauvins, RD 543, Les Cauvins, 13840 Rognes, tél. et fax 04.42.50.29.40, oppidumdescauvins@wanadoo.fr
t.l.j. sf dim. 9h-12h 14h-19h
Rémy Ravaute

PESQUIÉ Viognier 2011 ★

13 000	8 à 11 €

Ce domaine, situé sur le versant sud du mont Ventoux, signe un 100 % viognier qui séduit d'emblée par sa robe d'or pâle. Le charme opère aussi au nez, à travers d'intenses et fraîches notes fruitées. D'une belle finesse, précise, équilibrée, la bouche ne dit pas autre chose, mêlant de subtiles saveurs de pomme et de fruits exotiques. Une bouteille élégante, qui conviendra tout à fait avec des asperges ou un gratin de poisson.

Ch. Pesquié, rte de Flassan, BP 6, 84570 Mormoiron, tél. 04.90.61.94.08, fax 04.90.61.94.13, contact@chateaupesquie.com t.l.j. 9h-12h 14h-18h; f. dim. du 1er oct. à Pâques

Famille Chaudière Bastide

LE PLAN-VERMEERSCH GT-A 2010 ★★

6 000 | 8 à 11 €

Conduit par un ancien pilote automobile, ce domaine créé en 2000 signe ici un vin de pur aramon, cépage oublié et assimilé aux « vins de masse », aujourd'hui réduit à la portion congrue. Certains se souviendront aussi qu'il faisait tourner la tête à Félicie dans la chanson de Fernandel... Il a aussi fait chavirer, de plaisir, les dégustateurs du Guide, qui ont aimé sa robe intense et sombre, son nez empyreumatique et épicé, sa bouche ample et charnue, soutenue par un boisé sensible mais de qualité et par de fins tanins. Un vin de caractère, à laisser mûrir encore deux ou trois ans.

Le Plan-Vermeersch, 100, chem. du Grand Bois, 26790 Suze-la-Rousse, tél. 04.75.00.00.80, fax 04.75.00.00.81, info@leplan.net t.l.j. sf sam. dim. 9h-12h 14h-18h

Vermeersch

DOM. LA RIGOULINE 2011 ★★

30 000 | 5 à 8 €

Cette cave coopérative fondée en 1924, établie aux portes d'Aix-en-Provence, signe un rosé mi-caladoc mi-merlot qui a enthousiasmé les dégustateurs. Drapé dans une élégante robe rose pâle limpide, ce vin livre un bouquet complexe et intense de cassis et de fleurs blanches. La bouche tient la note, se montre ronde, riche et douce, une juste vivacité apportant équilibre et longueur. Un rosé bien sous tous les rapports, charmeur et gourmand, à déguster de l'apéritif au dessert.

Les Quatre Tours, Cave de Venelles, 56, av. de la Grande-Bégude, 13770 Venelles, tél. 04.42.54.71.11, fax 04.42.54.11.22, 4tours@wanadoo.fr t.l.j. 9h-12h 14h30-19h; dim. 9h-12h

VIGNERONS DE CARACTÈRE Petit Caprice 2011

13 000 | 5 à 8 €

À vignerons de caractère, vins de caractère. Ce 2011 né des cépages viognier, sauvignon, grenache blanc et chardonnay se pare d'une robe éclatante, jaune doré. Au nez, des notes minérales de pierre mouillée se mêlent à des effluves de fleurs blanches. Dans le même registre, la bouche franche, fraîche et dynamique s'achève sur une jolie note citronnée. Pour un poisson sauce aux agrumes.

Vignerons de Caractère, rte de Vaison-la-Romaine, 84190 Vacqueyras, tél. 04.90.65.84.54, fax 04.90.65.81.32, contact@vigneronsdecaractere.com t.l.j. 9h-19h

Mont-Caume

DOM. PEY-NEUF 2011 ★

100 000 | 5 à 8 €

Non loin du port de Bandol et des calanques, ce domaine de 56 ha réserve 15 ha de ses vignes à ce Mont-Caume né des cépages grenache, cinsault, mourvèdre et carignan. La robe est d'un joli rose peau de pêche, pâle comme il est de bon ton aujourd'hui. Nez et palais se révèlent finement floraux. L'ensemble est harmonieux et délicat. Parfait pour l'apéritif et les grillades.

Guy Arnaud, Ch. Pey-Neuf, 1947, rte de la Cadière-d'Azur, 83270 Saint-Cyr-sur-Mer, tél. 04.94.90.14.55, fax 04.94.26.13.89, domaine.peyneuf@wanadoo.fr r.-v.

Principauté d'Orange

DOM. ALARY Roussanne La Grange Daniel 2011 ★★

3 000 | 5 à 8 €

La famille Alary, présente à Cairanne depuis des lustres, travaille à la conversion bio de son vignoble. Sa roussanne est un vin très aromatique (fruit, miel, vanille), ample en bouche, qui attaque sur la fraîcheur avant de terminer sur une note plus chaleureuse. À réserver à une viande blanche en sauce accompagnée de champignons.

Dom. Alary, La Font d'Estévenas, rte de Rasteau, 84290 Cairanne, tél. 04.90.30.82.32, fax 04.90.30.74.71, alary.denis@wanadoo.fr t.l.j. sf dim. 8h-12h 14h-18h30; déc.-mars sur r.-v.

DOM. BEAU MISTRAL Cuvée des Vieux Ceps 2011 ★★

4 000 | - de 5 €

Coup de cœur en rouge dans le millésime 2009, la cuvée des Vieux Ceps apparaît cette année en rosé. On retrouve toujours les grenache, merlot et cabernet sexagénaires, accompagnés du carignan. L'ensemble frais et friand, assez persistant, développe une palette complexe mêlant fruits rouges, fleurs blanches et fruits secs. Pour un tian de légumes.

Dom. Beau Mistral, rte d'Orange, 84110 Rasteau, tél. 04.90.46.16.90, fax 04.90.46.17.30, domaine.beaumistral@rasteau.fr t.l.j. sf. sam. 9h-12h 14h-18h; dim. sur r.-v.

Jean-Marc Brun

LES COTEAUX DU RHÔNE 2011 ★★

■	50 000	■	- de 5 €

De passage à Sérignan, ne manquez pas la visite du Harmas, l'ancienne demeure devenue musée de l'entomologiste Jean-Henri Fabre. Ensuite, arrêtez-vous à la cave déguster ce superbe rosé à dominante de grenache, qui respire le bonbon, le fruit mûr et la fleur. Frais et gras à la fois, d'une bonne longueur, le palais réjouit. « Un vin de copains », conclut un dégustateur. À ouvrir à l'apéritif.

Les Coteaux du Rhône, BP 7,
84830 Sérignan-du-Comtat, tél. 04.90.70.04.22,
fax 04.90.70.09.23, coteau.rhone@orange.fr ☒ Y ⚲ r.-v.

DOM. DE LA JANASSE 2011 ★

■	n.c.	■	5 à 8 €

Domaine réputé de Châteauneuf, la Janasse sait aussi régaler avec un simple rosé. Un vin très agréable, d'une fraîcheur minérale, et d'une certaine complexité aromatique (fruits rouges, bonbon, fleurs des champs). À servir sur des charcuteries.

EARL Aimé Sabon,
Dom. de la Janasse, 27, chem. du Moulin, 84350 Courthézon,
tél. 04.90.70.86.29, fax 04.90.70.75.93, lajanasse@free.fr
☒ Y ⚲ r.-v.

DOM. MONGIN 2009 ★★

■	2 000	◖◗	5 à 8 €

Le lycée viticole d'Orange fait coup double cette année. Coup double mais pas coup de cœur, distinction qu'a pourtant failli décrocher ce rouge élaboré « à la bordelaise » : un assemblage merlot-cabernet élevé six mois en fût. Rouge soutenu, il exprime les fruits rouges et noirs surmûris et affiche de la structure, de l'élégance et de la persistance. **Le Grès 2011 blanc (moins de 5 €; 1 500 b.)** reçoit une étoile pour sa finesse.

Ch. Mongin, Lycée viticole d'Orange, 2260, rte du Grès,
84100 Orange, tél. 04.90.51.48.04, fax 04.90.51.48.25,
chateaumongin@chateaumongin.com
☒ Y ⚲ t.l.j. sf sam. dim. mer. 9h-12h 14h-17h

DOM. RIGOT 2011 ★

■	18 500	■	- de 5 €

Souvent retenu pour ses côtes-du-rhône (plusieurs fois coup de cœur), le domaine propose un vin de pays à l'assemblage tout aussi rhodanien (grenache, syrah, carignan), joliment fruité et épicé. Bien équilibré, long et gouleyant (« un vrai vin de soif », s'enthousiasme un juré), ce 2011 s'associera bien avec une piperade.

Dom. Rigot, Les Hauts-Débats, 84150 Jonquières,
tél. 04.90.37.25.19, fax 04.90.37.29.19,
joelle@domaine-rigot.fr
☒ Y ⚲ t.l.j. sf dim. 8h-12h 15h-19h

DOM. LUCIEN TRAMIER Trilogie 2010

■	4 000	■	- de 5 €

Cette Trilogie assemble quatre cépages : syrah, grenache, carignan et alicante. Ne cherchez pas l'erreur, son nom vient du fait qu'elle se décline en trois couleurs ! Le rouge est un vin simple, qui respire le fruit surmûri et les épices et se montre bien équilibré en bouche. Pour accompagner quelques saucisses au barbecue.

Dom. Lucien Tramier, Pied Girod, 84150 Jonquières,
tél. et fax 04.90.70.65.80, max.thomas3@wanadoo.fr
☒ Y ⚲ r.-v.

Var

LUDOVIC DE BEAUSÉJOUR 2011 ★

■	35 000	■	5 à 8 €

N'était la présence de merlot (20 %) aux côtés du cinsault et du grenache, ce rosé du Var pourrait faire « un bon côtes-de-provence », comme le souligne un dégustateur. La couleur pétale de rose, le nez fin et floral et la chair souple et aromatique contribuent à l'attrait de cette cuvée à servir sur une cuisine du soleil (rougets en tapenade).

Berne Sélection, chem. de Berne, 83510 Lorgues,
tél. 04.94.60.43.60, fax 04.94.60.43.58,
vins@chateauberne.com ☒ Y ⚲ r.-v.

HAMEAU DES VIGNERONS DE CARCÈS
Carignan Cinsault 2011

■	12 000	■	- de 5 €

Dans le nouveau magasin construit en style provençal, vous pourrez acheter les vins de la coopérative mais également de l'huile d'olive. Ce rouge d'assemblage est un vin frais et facile à boire, qui vous séduira par son nez mêlant l'épice et le cassis et par sa chair souple et fruitée non dépourvue de structure. Pour accompagner des grillades.

Hameau des Vignerons de Carcès, 66, av. Ferrandin,
83570 Carcès, tél. 04.94.04.50.04, fax 04.94.04.34.25,
r.rouaud@hameaudecarces.com
☒ Y ⚲ t.l.j. sf dim. 8h30-12h 13h30-18h

LES CAVES DU COMMANDEUR Syrah Cabernet 2011 ★★

■	12 000	■	5 à 8 €

Il n'est pas rare en Provence de voir le cabernet, cépage bordelais, siéger aux côtés de la syrah, variété sudiste. Le résultat est ici un vin qui a enthousiasmé nos dégustateurs par sa robe soutenue, son nez de fruits rouges bien mûrs et sa bouche ronde et dense, souple et acidulée en finale. Un vrai vin de plaisir qui a frôlé le coup de cœur.

Les Caves du Commandeur, 44, rue de la Rouguière,
83570 Montfort-sur-Argens, tél. 04.94.59.59.02,
fax 04.94.59.53.71, valcommandeur@aol.com
☒ Y t.l.j. sf dim. lun. 9h-12h30 14h30-18h30

DOM. GIROUD 2009

■	4 000	■	5 à 8 €

Syrah, grenache, cabernet, cinsault et carignan composent cette cuvée rubis qui libère à l'agitation des notes de fruits noirs et de grillé. Un juré y sent même une agréable odeur de foin. Le palais, simple et léger, fait preuve de souplesse et de finesse. Privilégier une viande blanche en sauce.

Ch. Giroud, rte du Luc, 83340 Cabasse,
tél. 06.82.86.52.29, fax 04.94.80.29.83,
chateaugiroud@yahoo.fr ☒ Y ⚲ r.-v.

DOM. HERMITAGE SAINT-MARTIN Ikon 2011 ★

700 | 20 à 30 €

Cette cuvée de prestige du domaine a bénéficié d'un élevage d'un an en fût. Le boisé se fait encore sentir, au nez comme en bouche, par des notes de vanille et de grillé qu'une petite garde permettra d'estomper. La matière est là et le vin n'aura aucun mal à patienter avant de révéler tout son potentiel, sur un homard grillé au feu de bois par exemple.

Ch. Hermitage Saint-Martin,
303, chem. du Haut-Pansard, BP 1,
83250 La Londe-les-Maures, alexia@vinsfayard.com
t.l.j. sf dim. 9h30-12h 14h-17h30 (19h été)
Enzo Fayard

DOM. DE MARGÜI Perle de Margüi 2011 ★

7 850 | 11 à 15 €

En 2012, cap sur la biodynamie ! Pour l'instant, le domaine est en bio certifié, comme ce gris cinsault-grenache qui mêle l'agrume, le bonbon et le cassis. La bouche ne manque pas de caractère, affichant même une légère amertume en finale. À découvrir sur des légumes farcis provençaux.

Ch. Margüi, Dom. de Margüi, rte de Barjols,
83670 Châteauvert, tél. 09.77.90.23.18, fax 04.94.77.30.34,
philguillanton@yahoo.com r.-v.
Marie Guillanton

DOM. DE REILLANNE 2011 ★

70 000 | - de 5 €

Le domaine pratique la viticulture raisonnée, avec certification Terra Vitis. Le label est porté par cette cuvée de vermentino (ou rolle) aux élégants reflets vert pâle, qui libère des parfums exotiques rappelant la mangue et le litchi. Tout aussi aromatique, la bouche ample et soyeuse finit sur une fraîcheur toute minérale. À déguster à l'apéritif.

SCEA Ch. Reillanne, rte de Saint-Tropez,
83340 Le Cannet-des-Maures, tél. 04.94.50.11.70,
fax 04.94.50.11.75,
commercial@chevron-villette-vigneron.com
t.l.j. sf sam. dim. 9h-12h 14h-17h
G. de Chevron-Villette

SAINT-ANDRÉ DE FIGUIÈRE Le Saint-André 2011 ★★

21 000 | 5 à 8 €

Cette cuvée de rolle est issue de l'activité de négoce du domaine, qui sélectionne avec soin les terroirs de partenaires voisins. La réussite est au rendez-vous comme le montre ce blanc qui respire les agrumes et les fleurs blanches, dont la bouche ample et grasse aux accents abricotés est parfaitement équilibrée par la vivacité. Une superbe expression du cépage à réserver à du saumon fumé.

Saint-André de Figuière,
605, rte de Saint-Honoré, BP 47, 83250 La Londe-les-Maures,
tél. 04.94.00.44.70, fax 04.94.35.04.46,
figuiere@figuiere-provence.com
t.l.j. sf dim. 9h-12h 14h-18h
Alain Combard

LES VIGNERONS DE LA SAINTE-BAUME Chardonnay Cuvée des Quatre Chênes 2010 ★

1 500 | 5 à 8 €

Les Quatre Chênes, c'est le nom d'un quartier historique de la Sainte-Baume. Ce chardonnay a effectivement connu le bois, pendant neuf mois, et en ressort avec un nez vanillé et toasté assez prononcé. La bouche grasse et ample semble également marquée par l'élevage. À réserver aux amateurs de ce type de vin, qui pourront ouvrir cette bouteille sur une blanquette de veau aux champignons.

Les Vignerons de la Sainte-Baume, Les Fauvières,
83170 Rougiers, tél. 04.94.80.42.47, fax 04.94.80.40.85,
cave.saintebaume@wanadoo.fr
t.l.j. sf dim. 9h-12h 15h-18h
Giraud

TRIENNES Viognier Sainte-Fleur 2010 ★★

41 000 | 11 à 15 €

Le viognier est un cépage aromatique à l'origine de vins gras qui peuvent parfois paraître légèrement doux alors qu'ils sont secs. C'est le cas de celui-ci, ample et puissant, marqué par des notes florales et fruitées intenses. « Un nez de liquoreux », précise un juré séduit par l'harmonie de ce vin que vous pourrez associer selon la saison à un foie gras poêlé ou à des asperges.

Triennes, RN 560, 83860 Nans-les-Pins,
tél. 04.94.78.91.46, fax 04.94.78.65.04, triennes@triennes.com
t.l.j. sf dim. 9h-12h 13h-18h; sam. 10-18h (19h l'été)
Seysses

VAL D'IRIS Cabernet-sauvignon 2010

7 000 | 8 à 11 €

Ancienne vétérinaire, Anne Dor s'est installée en 1999 sur ce domaine qui compte aujourd'hui un peu plus de 8 ha. Après un merlot l'an dernier, voici un cabernet-sauvignon. On sait que ce cépage se plaît bien dans les environs, ce que démontre cette cuvée qui respire le fruit noir, se montre souple à l'attaque avant de finir sur une note plus austère. À attendre un an ou deux.

Val d'Iris, 341, chem. de la Combe, 83440 Seillans,
tél. 04.94.76.97.66, info@valdiris.com r.-v.
Dor

Vaucluse

AURETO Tramontane 2010 ★★

11 200 | 11 à 15 €

Vignoble lié au domaine de la Coquillade, complexe touristique du Ventoux, Aureto propose un vin intéressant, assemblage de quatre cépages : caladoc, marselan, syrah et cabernet-sauvignon. Élevé pendant quatorze mois, c'est un rouge au nez chaleureux et puissant mêlant le fruit mûr, le café et le cacao. Ample et charnue, la bouche se montre très soyeuse. À ouvrir dans les deux ans sur une pièce de gibier. Pas loin du coup de cœur.

Aureto, hameau de la Coquillade, 84400 Gargas, tél. 04.90.74.54.67, fax 04.90.74.71.86, info@aureto.fr
t.l.j. 10h-12h30 14h-19h (18h nov.-mars); f. dim. nov.-mars

LA BASTIDE SAINT-VINCENT Mademoiselle Garance 2011

15 000 | - de 5 €

Qui a dit que les IGP étaient surtout des vins monocépages ? Ce domaine prouve le contraire avec ce rouge qui ne compte pas moins de cinq variétés dans son assemblage (caladoc, marselan, carignan, grenache et syrah). Il en résulte un vin gentiment fruité (fraise et framboise), rond et agréable, à boire légèrement rafraîchi sur une grillade.

Laurent Daniel,
La Bastide Saint-Vincent, 1047, rte de Vaison-la-Romaine, 84150 Violès, tél. 04.90.70.94.13, fax 04.90.70.96.13, bastide.vincent@free.fr t.l.j. sf dim. 9h-12h 14h-19h

CHANTE COUCOU Cabernet-sauvignon 2011 ★

7 500 | - de 5 €

Encore une sélection pour cette cuvée de la coopérative, présente sans discontinuer dans le Guide depuis dix ans. Son rosé est un vin assez clair, d'une bonne intensité aromatique, mariant le cassis aux fleurs blanches. Le palais parfaitement équilibré se montre aimable et rond. À servir à l'apéritif sur des toasts de tapenade.

SCA Valdèze, 288, bd de la Libération, 84240 La Tour-d'Aigues, tél. 04.90.07.42.12, fax 04.90.07.49.08, valdeze@valdeze.fr
t.l.j. sf dim. lun. 9h-12h30 15h-19h

DOM. DE COMBEBELLE 2011

4 000 | - de 5 €

Ce domaine d'une quarantaine d'hectares, en conversion bio, pratique la vendange manuelle. Son rosé de saignée, mi-grenache mi-cinsault, respire la fraise et le bonbon. Rond et frais, friand en un mot, il accompagnera une grillade et son gratin d'aubergines.

EARL Dom. de Combebelle, RD 538, 26110 Piegon, tél. 04.75.27.18.96, cave@domaine-combebelle.com
t.l.j. 9h-12h 14h-19h
Éric Sauvan

DOM. DES ENCHANTEURS Viognier & Grenache blanc Songe d'or 2010 ★

4 700 | 15 à 20 €

Ce domaine créé en 2009 avait fait une entrée remarquée avec deux étoiles pour un rouge en AOC ventoux. Il prouve ici qu'il maîtrise bien la vinification en blanc avec cette cuvée élevée dix mois en fût. Le bouquet affiche non seulement des notes grillées et vanillées, mais également du fruit (pêche blanche). Empreint des mêmes arômes, le palais s'équilibre entre le gras et la fraîcheur. À ouvrir sans attendre sur une lotte à l'armoricaine.

Dom. des Enchanteurs, 52, chem. d'Aubignan, 84330 Saint-Hippolyte-le-Graveyron, tél. 04.90.12.69.82, bertrand@domainedesenchanteurs.fr r.-v.

DOM. DU GRAND JACQUET La Cuvée des Herbes folles 2011

9 000 | 5 à 8 €

Le Grand Jacquet, c'est Joël, installé avec Patricia depuis 2000 sur ce domaine de 15 ha conduit en biodynamie. Alliant cabernet-sauvignon et syrah, son rosé libère des notes de fleurs blanches et de pêche. La bouche, simple mais agréable, fait preuve d'une bonne fraîcheur. Une suggestion d'accord ? Une soupe d'amandes glacée à la menthe fraîche, ou bien un cabillaud vapeur à la coriandre et au pamplemousse.

Dom. du Grand Jacquet, 2869, la Venue-de-Carpentras, 84380 Mazan, tél. 04.90.63.24.87, contact@domaine-grandjacquet.com
t.l.j. sf dim. 10h-18h; f. 1er jan.-15 mars
Joël Jacquet

DOM. LES HAUTES BRIGUIÈRES Viognier 2011

3 000 | 5 à 8 €

Engagé dans une conversion bio depuis 2010, François-Xavier Rimbert a cherché avec ce blanc à élaborer un « viognier encore plus gourmand ». Comprenez demi-sec, le vin contenant quelque 15 g/l de sucres résiduels. Ceux-ci confèrent à la bouche douceur et gras, dans un ensemble marqué par la violette et le fruit blanc. À essayer sur du foie gras.

François-Xavier Rimbert, Dom. les Hautes Briguières, 84570 Mormoiron, tél. 04.90.61.71.97, fax 04.90.61.85.80, fxrimbert@aol.com
t.l.j. 9h-19h; hiver 9h-17h30

LES LAURIBERT La Cuvée de Lilou 2011 ★

5 000 | 5 à 8 €

Pour Lilou, une des jumelles de la famille, un vin moelleux (35 g/l de sucres résiduels) assemblant à parts égales roussanne et marsanne. Un exercice réussi si l'on en juge par le nez acacia-cannelle et par la chair ronde aux accents de miel. À servir frais sur un dessert aux fruits ou sur un plat sucré-salé.

Dom. des Lauribert, 2249, chem. de Roussillac, 84820 Visan, tél. 04.90.35.26.82, fax 04.90.37.40.98, lauribert@wanadoo.fr
t.l.j. 8h30-12h 14h-18h30
Laurent Sourdon

DOM. DES MARCHANDS Chardonnay 2011 ★★

5 000 | 5 à 8 €

Ce couple « mixte » (un Auvergnat et une Parisienne) continue de tracer son sillon depuis son installation en cave particulière en 2003. Son blanc est un vrai « chardonnay sudiste », très expressif au nez (abricot, fruits exotiques), ample et long mais parfaitement équilibré par une belle fraîcheur. Pour des rougets grillés.

EARL Pichot et Fils, Les Castes, 84240 Ansouis, tél. 04.90.07.57.03, pichotst@wanadoo.fr t.l.j. 9h-19h

DOM. DE MARIE Viognier 2011 ★★

n.c. | 8 à 11 €

Cette cuvée assemble un tiers de raisins traités en pressurage direct et deux tiers ayant bénéficié d'une macération pelliculaire de deux jours. Cela donne un vin très aromatique (« du fruit plein le nez ! » s'enthousiasme un dégustateur), bien équilibré entre rondeur et fraîcheur.

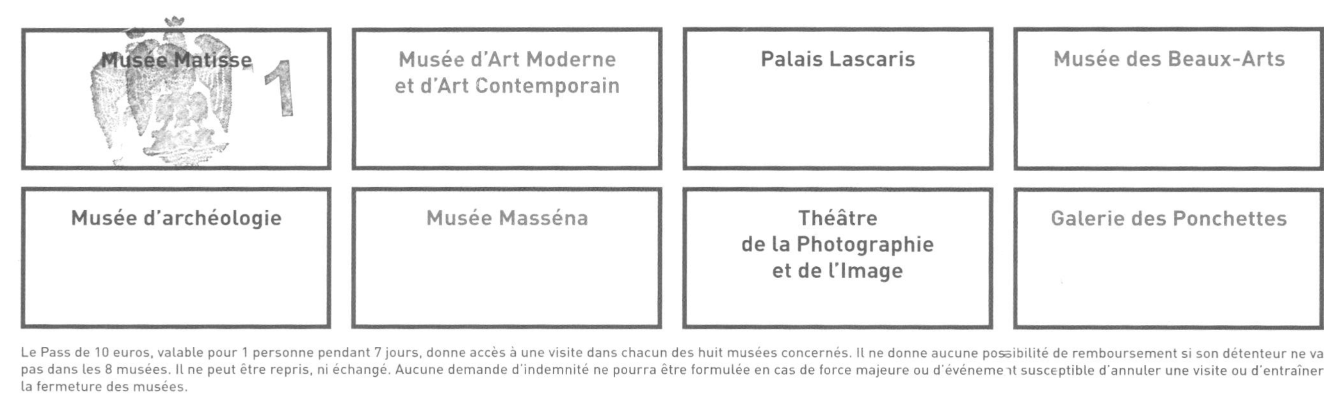

Le Pass de 10 euros, valable pour 1 personne pendant 7 jours, donne accès à une visite dans chacun des huit musées concernés. Il ne donne aucune possibilité de remboursement si son détenteur ne va pas dans les 8 musées. Il ne peut être repris, ni échangé. Aucune demande d'indemnité ne pourra être formulée en cas de force majeure ou d'événement susceptible d'annuler une visite ou d'entraîner la fermeture des musées.

NICE 2013

UN ÉTÉ POUR MATISSE

21 JUIN AU 23 SEPTEMBRE

PASS 8 EXPOSITIONS 10€

VILLE DE NICE

VALABLE JUSQU'AU 14 JUIL. 2013

N° 19783

Finesse, complexité, persistance, tout y est. À ouvrir sur des asperges sauce mousseline.
🔑 SCEA Dom. de Marie, quartier La Verrerie, 84560 Ménerbes, tél. 04.90.72.54.23, fax 04.90.72.54.24, contact@domainedemarie.com ☑ Y ✱ r.-v.
🔑 Groupe Sibuet

DOM. MARTIN 100 % Syrah Yves Martin 2010 ★★

■ 1 200 ⅠⅡⅠ 15 à 20 €

Yves Martin, disparu en 2003, aurait été fier du travail de ses successeurs... Voyez cette syrah élevée un an sous bois ; elle doit encore un peu « digérer » son élevage mais se montre déjà très intéressante : parfums de fruits noirs, chair ronde et puissante, structurée et déjà plaisante. Le pavé de biche aux baies roses attendra un peu.
🔑 Dom. Martin, rte de Vaison-la-Romaine, 84850 Travaillan, tél. 04.90.37.23.20, fax 04.90.37.78.87, martin@domaine-martin.com ☑ Y ✱ r.-v.

DOM. DE LA PIGEADE Petits Grains de folie 2011 ★

7 000 ▮ 8 à 11 €

Ces petits grains, ce sont ceux du muscat évidemment, provenant d'une parcelle déclassée naguère dédiée au vin doux naturel AOC. Sous des reflets argentés, le nez libère des senteurs d'agrumes, de bourgeon de cassis et de fleurs blanches. La bouche, empreinte d'une petite sucrosité, reste toujours fraîche, les arômes muscatés ressortant en finale. Asperges ou rougets au fenouil, à vous de choisir.
🔑 Thierry et Marina Vaute, Dom. de la Pigeade, rte de Caromb, 84190 Beaumes-de-Venise, tél. 04.90.62.90.00, fax 04.90.62.90.90, contact@lapigeade.fr
☑ Y ✱ t.l.j. sf dim. 9h-12h 14h-18h; f. 1er-15 jan.

DOM. PONTBRIANT Viognier 2011

4 000 ▮ 5 à 8 €

La propriété aurait appartenu jadis au prince d'Orange. Aujourd'hui, François Merle y élabore un viognier tirant vers le fruit exotique, marqué en bouche d'un léger perlant qui lui confère de la fraîcheur. Pour une terrine de saint-jacques.
🔑 SCEA François Merle, Dom. Pontbriant, 2178, rte de Sérignan, 84100 Orange, tél. et fax 04.90.34.07.11 ☑ Y ✱ r.-v.

DOM. DU PUY MARQUIS Merlot 2010 ★

■ 3 000 ⅠⅡⅠ 5 à 8 €

L'étiquette noire et or de cette bouteille, ornée d'un blason, a un petit air bordelais. Cela tombe bien, celle-ci renferme un pur merlot élevé un an en fût, dont le bouquet délicatement torréfié exprime la vanille et le fruit noir. La bouche à la fois structurée et veloutée affiche une belle ampleur. Un vin qui pourra patienter un an ou deux.
🔑 Claude Leclercq, Dom. du Puy Marquis, rte de Rustrel, 84400 Apt, tél. 04.90.74.51.87, fax 04.90.04.69.80
☑ Y ✱ t.l.j. 9h30-18h30

BERTRAND STEHELIN 2010 ★

■ 4 000 ▮ⅠⅡⅠ 5 à 8 €

Syrah, merlot et carignan composent à parts égales cette cuvée encore un peu marquée par l'élevage, et qu'il faudra attendre deux ans. On appréciera alors encore mieux ses arômes de fruits rouges et noirs et sa chair ample et gourmande. À ouvrir sur des charcuteries de caractère.
🔑 Bertrand Stehelin, Paillère et Pied-Gû, 84190 Gigondas, tél. et fax 04.90.65.84.14, contact@vinstehelin.fr
☑ Y ✱ t.l.j. sf dim. 8h-12h 13h-18h

DOM. DU VAS Muscat petits grains Muscat d'Alexandrie 2011 ★

2 500 ▮ 5 à 8 €

« Échange de finesse », c'est le slogan de cette cuvée (chaque vin du domaine est ainsi « sous-titré »). Un bicépage muscat très... muscaté (abricot frais, coing), intense et long, qui fera un heureux mariage avec une tarte aux fruits. À moins que vous ne préfériez le boire bien frais, à l'apéritif.
🔑 Dom. du Vas, 1741 chem. du Vas, 84810 Aubignan, tél. 04.90.62.61.86, fax 04.90.62.76.04, gontard.freres@wanadoo.fr
🔑 D. et T. Gontard

DOM. DES VAUDOIS Viognier Léonce 2011 ★

2 200 ⅠⅡⅠ 5 à 8 €

Léonce est l'aïeul qui a repris la culture de la vigne sur l'exploitation en 1920. Le viognier qui lui est dédié, d'un élégant jaune pâle argenté, respire le miel et l'acacia. Ronde à l'attaque, plus fraîche en finale, la bouche se montre très agréable. Idéal pour l'apéritif.
🔑 EARL François Aurouze, Dom. des Vaudois, rue du Temple, 84240 Cabrières-d'Aigues, tél. 04.90.77.60.87, fax 09.56.96.95.26, aurouze@terre-net.fr
☑ Y ✱ t.l.j. sf dim. lun. 10h-13h 16h-19h

Alpes et pays rhodaniens

De l'Auvergne aux Alpes, la région regroupe les départements de Rhône-Alpes. La diversité des terroirs y est donc importante et se retrouve dans l'éventail des vins régionaux. Les cépages bourguignons (pinot, gamay, chardonnay) et les variétés méridionales (grenache, cinsault, clairette) se rencontrent. Ils côtoient les enfants du pays que sont la syrah, la roussanne et la marsanne dans la vallée du Rhône, ainsi que la mondeuse, la jacquère ou le chasselas en Savoie, ou encore l'étraire de la dui et la verdesse, curiosités de la vallée de l'Isère. L'usage des cépages bordelais (merlot, cabernet, sauvignon) se développe également.

Ain, Ardèche, Drôme et Isère sont les dénominations départementales. Il existe également deux vins de pays régionaux : le vin de pays des Comtés rhodaniens, qui peut être produit sur les huit départements de la région ; le vin de pays de Méditerranée, qui est revendiqué dans la région Provence-Alpes-Côte-d'Azur, en Corse, mais aussi dans la Drôme et en Ardèche.

Ardèche

CAVE LABLACHÈRE Coteaux de l'Ardèche Chatus Trias Cévenol 2010

■ 30 000 5 à 8 €

Cépage ancestral des Cévennes ardéchoises, le chatus donne naissance à ce vin rouge intense aux reflets violets, qui mêle au nez des notes boisées fondues aux petits fruits rouges et à quelques nuances animales. La bouche est à l'unisson, encore sous l'emprise du merrain, mais sa solide structure lui permettra de bien « digérer » son élevage d'ici deux ou trois ans. Pour une viande rouge ou une pièce de gibier.

Cave coop. Lablachère, La Vignolle, 07230 Lablachère, tél. 04.75.36.65.37, fax 04.75.36.69.25, cave.lablachere@wanadoo.fr
t.l.j. sf dim. 8h30-12h 14h-18h30

LOUIS LATOUR Coteaux de l'Ardèche Chardonnay 2010 ★

1 000 000 5 à 8 €

Cette célèbre maison de négoce bourguignonne s'est installée en Ardèche en 1979, le chardonnay dans ses bagages. Ici, un vin fort plaisant, finement bouqueté sur le beurre frais et le tilleul, rond, ample, gras et long en bouche, une pointe de vivacité venant égayer la finale. À boire sur une viande blanche ou sur un poisson en sauce.

Louis Latour, La Téoule, RN 102, 07400 Alba-la-Romaine, tél. 04.75.52.45.66, fax 04.75.52.87.99, aberthon@louislatour.com
t.l.j. sf dim. 9h-12h 14h-18h

MAS DE BAGNOLS Coteaux de l'Ardèche Chardonnay 2010 ★

2 500 5 à 8 €

Plantés sur les coteaux caillouteux de Vinezac, les ceps de chardonnay donnent naissance à cette jolie cuvée couleur jaune citron, au nez expressif de fleurs blanches (tilleul). Le palais apparaît vif en attaque, puis ample et rond dans son développement et frais en finale. Un vin équilibré en somme, à boire à l'apéritif ou sur un poisson grillé.

Pierre Mollier, Mas de Bagnols, Les Côtes, 07110 Vinezac, tél. 04.75.36.51.99, fax 04.75.36.48.91, masdebagnols@orange.fr
t.l.j. sf dim. 9h-12h 14h-18h

LES VIGNERONS DE MONTFLEURY Coteaux de l'Ardèche Cuvée des 100 Vignerons 2011

■ 8 000 5 à 8 €

La cave de Mirabel propose ici une cuvée rouge sombre aux reflets bleutés, au nez empreint d'épices (poivre), de senteurs de résine de pin, de fruits rouges et de cassis. En bouche, le boisé se fait plus prégnant, masquant quelque peu les fruits, mais il y a suffisamment de matière pour le « digérer », et après deux ou trois ans de garde l'ensemble sera bien fondu.

SCA Les Vignerons de Montfleury, quartier Gare, 07170 Mirabel, tél. 04.75.94.82.76, fax 09.70.06.11.60, cooperative-montfleury@wanadoo.fr
t.l.j. 8h-12h 14h-18h

DOM. DE PEYRE BRUNE Coteaux de l'Ardèche Les Chênes Élevé en fût de chêne 2011 ★

■ 11 000 5 à 8 €

Après dix ans passés dans le secteur informatique, Régis Quentin abandonne en 2002 les claviers d'ordinateurs pour le sécateur. Bien lui en a pris, à en juger par cette cuvée de syrah (50 %), de carignan et de grenache. Un vin au nez de fruits rouges (cerise) légèrement vanillé, au palais rond, souple et persistant porté par de jolis tanins au grain fin. Pour un plaisir immédiat autour d'une bonne grillade aux sarments.

Dom. de Peyre Brune, Pléoux, 07460 Beaulieu, tél. 04.75.39.29.01, contact@peyrebrune.com
r.-v.
Quentin

CELLIER DU PONT D'ARC 2011 ★

4 620 - de 5 €

Des ceps de grenache âgés de vingt ans ont donné naissance à ce rosé pâle et brillant, aux beaux reflets bleutés, au nez puissant et généreux, floral et fruité (fraise des bois). Rond, gras et plein, le palais prolonge les sensations olfactives pour composer un ensemble harmonieux et gourmand. Parfait pour une grillade ou une cuisine exotique.

Vignerons Sud Ardèche, rte de Pradons, 07120 Ruoms, tél. 04.75.88.02.16, fax 04.75.88.11.50, vignerons.sudardeche@gmail.com r.-v.

ÉRIC ROCHER Arzelle Viognier 2010 ★

19 000 8 à 11 €

Également producteur de vins d'appellation de la vallée du Rhône nord, Éric Rocher signe un 100 % viognier, dont le nom renvoie aux sols granitiques qui ont vu naître ce vin. Au nez, les fleurs blanches (acacia) dominent, avec quelques nuances exotiques. En bouche, on perçoit une belle fraîcheur apportée par ce vignoble d'altitude qui a tant séduit le vigneron lors de son installation en 1987. Au final, un ensemble bien équilibré, dynamique et fort plaisant, à déguster sur une salade de poulpe par exemple.

Éric Rocher, Dom. de Champal, quartier Champal, 07370 Sarras, tél. 04.78.34.21.21, fax 04.78.34.30.60, vignobles.rocher@wanadoo.fr r.-v.

BENOÎT SALEL ET ÉLISE RENAUD Coteaux de l'Ardèche Viognier Qué sa quo! 2010

6 000 8 à 11 €

Qué sa quo ? Un pur viognier proposé par un tout jeune domaine créé en 2008. Drapé dans une robe jaune pâle et brillante, ce vin évoque avec intensité l'abricot et les fleurs blanches, accompagnés d'une touche beurrée et surtout d'un boisé encore bien présent. La bouche se montre ronde, onctueuse et souple, avec toujours ces notes d'élevage à l'arrière-plan. Les amateurs de vins boisés apprécieront cette bouteille dès aujourd'hui, les autres attendront un an ou deux.

Dom. Salel et Renaud, la Charrière, 07230 Faugères, tél. 06.73.59.92.51, fax 09.56.81.87.17, domainesalel@free.fr
r.-v.

LES TERROIRS DE VALVIGNÈRES Coteaux de l'Ardèche La Vigne au cœur 2009

■ n.c. - de 5 €

Née il y a soixante ans cette année, cette coopérative signe avec ce « quatre quarts » grenache, merlot, cabernet-sauvignon et syrah une cuvée plaisante, joliment bouquetée autour des fruits rouges mûrs, à la bouche ronde et généreuse, un rien plus sévère en finale. À boire dans l'année, sur des caillettes.

Cave coop. de Valvignères, quartier Auvergne, 07400 Valvignères, tél. 04.75.52.60..60, fax 04.75.96.44.79, cave.valvigneres@wanadoo.fr
t.l.j. sf dim. 9h-12h 14h-18h

DOM. VIGIER Coteaux de l'Ardèche Viognier Cuvée Mathilde 2011 ★

10 000 | 8 à 11 €

Ce domaine ancien (1789) propose à partir du seul viognier un moelleux à la robe d'or élégante, au nez non moins élégant d'agrumes, de fruits jaunes (abricot) et blancs agrémentés de douces nuances de pâtisserie. Dans le même registre aromatique, la bouche se révèle ample, suave et ronde, sous-tendue par une juste fraîcheur. Un vin équilibré et délicat, à déguster sur du foie gras ou un dessert aux fruits.

Dupré et Fils, Dom. de Vigier, 07150 Lagorce, tél. 04.75.88.01.18, fax 04.75.37.18.79, duprefils@wanadoo.fr
r.-v.

VIGNERONS ARDÉCHOIS Douceurs d'Orélie 2011 ★★

40 000 | 5 à 8 €

Viognier récolté en vendanges tardives, sauvignon et un soupçon de muscat donnent naissance à cette remarquable cuvée drapée dans une seyante robe jaune paille. Au nez, les agrumes, les fruits exotiques et les fruits à chair blanche bien mûrs se mêlent en toute harmonie. Une nuance florale vient s'ajouter aux fruits dans une bouche douce mais sans lourdeur aucune, finement équilibrée par une délicate fraîcheur. Un vin de haute expression, subtil et élégant, à déguster à l'apéritif, accompagné de toasts au foie gras, ou avec un dessert aux fruits.

Cave coop. Vogüé, 07200 Vogüé, tél. 04.75.39.98.00, fax 04.75.39.69.48, uvica@uvica.fr
t.l.j. sf dim. 9h-12h 14h-18h; lun. 14h-18h
Vignerons ardéchois

Collines rhodaniennes

DOM. DES COLLINES Syrah Merlot Les Égrèves 2010

13 540 | - de 5 €

C'est dans un caveau flambant neuf (2011) que Christine Pochon, à la tête d'un petit vignoble de 6,2 ha, vous accueillera pour une dégustation de vins de pays, rouges et rosés. Celui-ci, né de syrah (80 %) et de merlot, dévoile de jolies senteurs de pruneau, de réglisse et de fruits confiturés (cerise, cassis). Le palais se révèle charnu et rond, fondu à souhait, une agréable note épicée venant relever le tout en finale. À boire dans les deux ou trois ans à venir sur un pavé de bœuf sauce au poivre. À noter : la conversion bio du vignoble est engagée.

Christine Pochon, Le Village, 26260 Chavannes, tél. 06.70.56.52.05, fax 04.75.45.07.13, christine.pochon@orange.fr r.-v.

JEANNE GAILLARD Merlot Petit Merle 2010 ★

1 700 | 5 à 8 €

Installée en 2008 sur une quinzaine d'hectares en crozes-hermitage et dans cette IGP, la fille de Pierre Gaillard, bien connu des amateurs de condrieu, de côte-rôtie et de saint-joseph, commence à se faire un prénom avec son Petit Merle. Ce pur merlot avait déjà séduit les dégustateurs dans sa version 2009 ; le 2010 plaît par son bouquet généreux de pruneau, de cuir, de sous-bois et d'épices douces, et par son palais rond, ample, charnu, à la structure fondue et à la finale joliment réglissée. Bon pour le service, sur un sauté d'agneau aux olives, par exemple.

Dom. Jeanne Gaillard, Le Bourg, 42520 Malleval, tél. 04.74.87.13.10, fax 04.74.87.17.66, jeagaillard@wanadoo.fr r.-v.

GRAND BELIGA 2011 ★★★

6 400 | 5 à 8 €

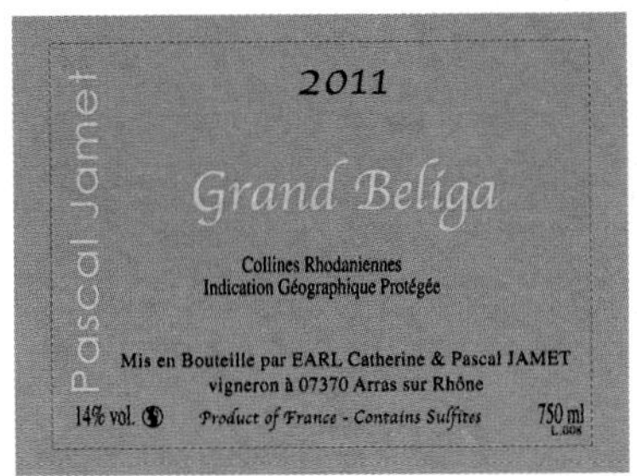

Cette cuvée de Catherine et Pascal Jamet avait déjà « sévi » dans le millésime 2003, décrochant alors un coup de cœur avec deux étoiles ; le 2011 fait mieux encore ! Né de syrah (60 %), de merlot et de cabernet-sauvignon, ce... « grand nigaud » – *grand beliga* en patois – a fière allure dans sa robe bigarreau aux reflets violets. Il se fait séducteur dès le premier nez, dévoilant d'intenses senteurs de fruits noirs, de réglisse, d'épices, de sous-bois... En bouche, il s'impose par sa puissance maîtrisée, sa concentration, sa chair ronde, fruitée et épicée, et par ses tanins présents mais fondus. Armé pour durer (deux à cinq ans), il se montre déjà fort aimable et accompagnera un gigot d'agneau dans l'année.

EARL Catherine et Pascal Jamet, 119, rue de la Mairie, 07370 Arras-sur-Rhône, tél. et fax 04.75.07.09.61, jametpascal@aol.com r.-v.

VIGNOBLES DU MONTEILLET Le Petit Viognier 2010

8 000 | 11 à 15 €

Bien connu des lecteurs du Guide pour ses vins de la vallée du Rhône nord (condrieu, côte-rôtie, saint-joseph), Stéphane Montez soigne aussi les IGP. Ici, un pur viognier né sur un sol de granite, élevé huit mois en barrique. Au nez, des notes beurrées se mêlent à la noisette, au miel et aux fleurs blanches. La bouche offre un bon équilibre entre rondeur et vivacité. Un ensemble harmonieux.

Stéphane Montez, Dom. du Monteillet, 42410 Chavanay, tél. 04.74.87.24.57, fax 04.74.87.06.89, stephanemontez@aol.com
t.l.j. sf dim. 8h30-12h 14h-18h30

Coteaux des Baronnies

LE MAS SYLVIA Cuvée Amazone 2010

5 500 | 5 à 8 €

Créé en 2010, ce domaine de la Drôme provençale fait son entrée dans le Guide avec son premier millésime, un 2010 né de la syrah (50 %) complétée à parts égales de merlot et de cabernet-sauvignon. Un vin plaisant par son nez de fruits rouges rehaussés d'épices douces ; arômes qui se prolongent agréablement dans une bouche ronde, ample et bien structurée par des tanins soyeux. « Un vin sans chichi », conclut un dégustateur, à boire dans l'année sur une bonne grillade au feu de bois.

NOUVEAU PRODUCTEUR

Sylvia Teste, quartier Le Beau, 26110 Curnier, tél. 06.71.66.47.62, le.mas.sylvia@gmail.com r.-v.

ROSIÈRE Héritage 2010

5 000 | 11 à 15 €

Un tiers de merlot, un tiers de cabernet, un tiers de syrah, telle est la « recette » de ce 2010 Héritage, hommage aux fondateurs du domaine et parents de Valéry Liotaud. Ce dernier signe un vin finement bouqueté sur les petits fruits noirs et rouges, équilibré en bouche, à la fois rond et bien structuré. On attendra toutefois un an ou deux que les tanins, un peu plus stricts en finale, s'assouplissent.

Valéry Liotaud, Dom. La Rosière, Le Routas, 26110 Sainte-Jalle, tél. 04.75.27.30.36, fax 04.75.27.33.69, vliotaud@yahoo.fr t.l.j. sf dim. 9h-12h 14h-19h

Drôme

CAVE DE LA VALDAINE Coteaux de Montélimar Syrah 2011

6 000 | - de 5 €

Cette coopérative née en 1949 regroupe les viticulteurs de la plaine de la Valdaine, des coteaux de Savasse, de Montélimar, de Marsanne et du Tricastin et, depuis 2005, des coteaux de Libron. Elle propose ici un 2011 de pure syrah, paré d'une robe rouge soutenu, encore sur la réserve au nez, mais plus prolixe en bouche autour des fruits rouges et noirs et des épices. De bonne longueur, équilibré, ce vin pourra s'apprécier dès aujourd'hui ou dans un an sur un plat relevé, un tajine par exemple.

Cave de la Valdaine, 20, rte de Montélimar, 26160 Saint-Gervais-sur-Roubion, tél. 04.75.53.80.08, cave.valdaine@wanadoo.fr r.-v.

Régions de l'Est

On trouvera ici des vins originaux, issus de vignobles décimés par le phylloxéra mais qui eurent leur heure de gloire, bénéficiant du voisinage prestigieux de la Bourgogne ou de la Champagne. Ce sont d'ailleurs les cépages de ces régions que l'on retrouve, avec ceux de l'Alsace ou du Jura, vinifiés le plus souvent individuellement ; les vins ont alors le caractère de leur cépage : auxerrois, chardonnay, pinot noir, gamay ou pinot gris.

Coteaux de l'Auxois

COTEAUX DE VILLAINES-LES-PRÉVÔTES Auxerrois 2011

7 693 | 5 à 8 €

Après une expérience de deux ans dans le vignoble du Minervois, Jérôme Massé a pris en charge la production de ce domaine de la Côte d'Or en 1996. Il présente un auxerrois vêtu d'or pâle limpide, qui révèle de frais parfums de fleurs blanches et de zeste de citron. L'attaque flatteuse annonce un développement aérien, équilibré sur la fraîcheur. Les arômes naviguent entre les agrumes et la pomme verte. Pour un apéritif convivial ou des crustacés.

SA des Coteaux de Villaines-Les-Prévôtes et Viserny, 1, rue Amont, 21500 Villaines-les-Prévôtes, tél. 03.80.96.71.95, vins.villainesviserny@wanadoo.fr
t.l.j. sf dim. 14h-18h; sam. 10h-12h (14h-18h en jui.-août)

VIGNOBLE DE FLAVIGNY-ALÉSIA Auxerrois La Convivialité 2010 ★

4 000 | 5 à 8 €

Sur le domaine d'Ida Nel, à chaque cépage correspond son caractère qui inspire le nom de cuvée : la convivialité pour l'auxerrois, la vivacité pour l'aligoté, la tendresse pour le pinot noir... Ici, l'auxerrois se pare d'une robe jaune intense pour faire preuve de son amabilité fruitée : senteurs de poire et de pêche suivies d'une bouche ample et soyeuse, sur les fruits jaunes, les fruits secs et quelques touches briochées. La finale montre un peu plus de fraîcheur. Le **rouge 2010 pinot noir La Tendresse (11 000 b.)** décroche aussi une étoile pour ses arômes de fraise, sa fine vivacité et ses tanins fondus.

SCEA Vignoble de Flavigny-Alésia, Pont-Laizan, 21150 Flavigny-sur-Ozerain, tél. 03.80.96.26.63, fax 03.80.96.25.83, vignoble-de-flavigny@wanadoo.fr
t.l.j. 10h-19h
Ida Nel

Coteaux de Coiffy

LES COTEAUX DE COIFFY Auxerrois 2011

14 000 | - de 5 €

Taillées en lyre, les vignes d'auxerrois à l'origine de ce vin jaune clair sont âgées d'une vingtaine d'années. Elles s'expriment doucement à l'olfaction sur un bouquet empreint de fraîcheur, qui rappelle le bonbon acidulé. Un fin perlant anime la mise en bouche qui confirme les impressions du nez, y ajoutant une touche de pomme granny. La finale, persistante, montre un caractère plus chaleureux.

SCEA Les Coteaux de Coiffy, 6, rue des Bourgeois, 52400 Coiffy-le-Haut, tél. et fax 03.25.84.80.12, renautlaurent@aol.com
t.l.j. 14h30-18h; f. dim. en jan.-fév.
Laurent Renaut

FLORENCE PELLETIER Pinot noir Atout cœur 2010

4 347 - de 5 €

C'est dans une ancienne maison de maître que Florence Pelletier vous accueillera pour vous faire découvrir ses vastes caves voûtées, datant du Moyen Âge, et sa production, représentée ici par un rouge à la robe éclatante. Le premier nez, frais et subtil, développe de fines nuances de fruits rouges, prélude à une bouche vive et équilibrée que soutiennent des tanins fermes. Ceux-ci devraient s'arrondir au cours des deux prochaines années.

Florence Pelletier, 3, rue des Bourgeois, 52400 Coiffy-le-Haut, tél. 03.25.90.21.12, caves-de-coiffy@wanadoo.fr t.l.j. 15h-18h

Côte de la Meuse

E. ET PH. ANTOINE 2011 ★

2 700 - de 5 €

Philippe et Évelyne Antoine exploitent depuis sa création, en 1979, le domaine de la Goulotte et ses 5 ha de vignes. Leur blanc d'auxerrois s'affiche dans une robe d'un or gris limpide animé de reflets verts. Fin et discret au nez, il évoque les fruits blancs avant de dévoiler un palais équilibré aux nuances florales et acidulées (agrumes) d'une belle persistance. Par ailleurs, le **rouge 2009 (4 000 b.)** né de gamay et de pinot noir est cité pour ses parfums expressifs de pruneau et de sous-bois, et pour sa solide trame tannique.

Dom. de la Goulotte, chez Philippe et Évelyne Antoine, 6, rue de l'Église, 55210 Saint-Maurice-sous-les-Côtes, tél. 03.29.89.38.31, fax 03.29.90.01.80, domainedelagoulotte@orange.fr
r.-v.

DOM. DE COUSTILLE Auxerrois 2011

4 500 - de 5 €

Coup de cœur du Guide dans le millésime 2009, le pur auxerrois du domaine de Coustille, plus modeste que son devancier, a encore une fois attiré l'attention du jury. Récolté à la fin septembre et pressuré en vendange entière, il s'ouvre dès le premier nez sur des accents de fruits surmûris. Le palais tout en souplesse fait preuve de douceur, en harmonie avec des nuances de pomme bien mûre – une sensation de douceur contrebalancée en finale par une pointe acidulée.

SCEA de Coustille, 23, Grande-Rue, 55300 Buxerulles, tél. 03.29.89.33.81, fax 03.29.90.01.88, jean.philippe55@orange.fr r.-v.
Jean Philippe

DOM. DE MONTGRIGNON Pinot gris Auxerrois 2011

3 500 - de 5 €

Régulièrement présent dans le Guide, ce domaine a participé à la relance du vignoble meusien dans les années 1970. Assemblage à parts égales de pinot gris et d'auxerrois, ce 2011 se pare d'une robe pâle aux reflets argentés. Le nez libère un cortège de fruits frais à dominante de citron vert. L'attaque souple dévoile une matière ronde aux notes beurrées, sur fond de minéralité. Une finale florale ajoute de la complexité à l'ensemble.

GAEC de Montgrignon, 9, rue des Vignes, 55210 Billy-sous-les-Côtes, tél. 03.29.89.58.02, fax 03.29.90.01.04, info@domaine-montgrignon.com
r.-v.

♥ **DOM. DE MUZY** Les Marpaux Vieilles Vignes Auxerrois 2011 ★★★

7 000 5 à 8 €

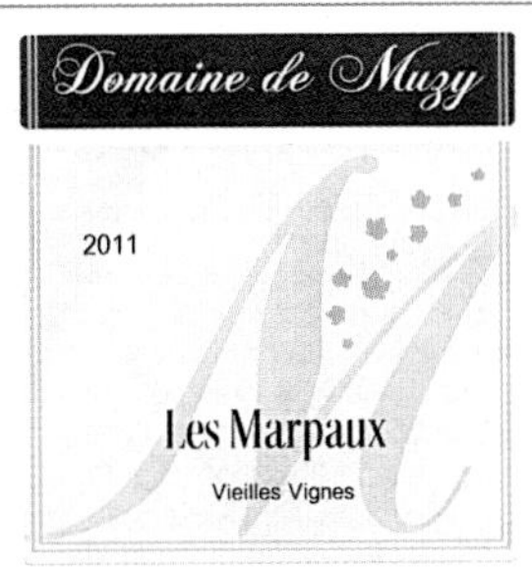

Jean-Marc Liénard n'en est pas à son premier coup de cœur ! Il a décroché le titre à maintes reprises avec des rosés d'assemblage, des rouges de pinot et des blancs d'auxerrois. Et il peut encore ajouter deux cœurs à sa collection : en blanc et en rouge. Dans sa robe jaune pâle aux reflets verts, cet auxerrois offre un bouquet intense de fruits exotiques, d'agrumes et de cire d'abeille. Son palais gras et harmonieux répond à cette riche palette par des arômes persistants de pêche blanche. Un blanc de grande expression, pour un poisson de rivière. L'autre coup de cœur est attribué au **rouge 2009 pinot noir La Côte (11 à 15 €; 6 000 b.)**, avec trois étoiles. Ouvert sur les épices et les fruits noirs, ce vin développe une superbe structure composée de tanins souples enrobés de vanille. Sa matière et sa longueur ont impressionné le jury. Enfin, le **rosé 2011 Gris Terre amoureuse (moins de 5 €; 18 600 b.)** décroche une étoile pour ses parfums de rose et de litchi.

Dom. de Muzy, 3, rue de Muzy, 55160 Combres-sous-les-Côtes, tél. 03.29.87.37.81, fax 03.29.87.35.00, info@domainedemuzy.fr
t.l.j. sf dim. 9h-12h 14h-18h
Liénard

Franche-Comté

VIGNOBLE GUILLAUME Pinot noir Collection réservée À mon père 2010 ★★

7 400 15 à 20 €

Le vignoble Guillaume a pris naissance au XVIII[e]s. et le domaine a été complété par une activité de greffage en 1895. Avec ce long passé de pépiniériste viticole, il peut se targuer de posséder des ceps de premier choix. Les vins semblent en profiter, décrochant régulièrement des coups de cœur dans le Guide. Encore une fois admirable, ce pinot noir de la Collection réservée séduit dans une robe grenat d'un bel éclat. Ouvert sur la framboise et les épices, son bouquet incite à découvrir une matière ample et fondue, portée par des tanins d'une grande finesse. La

finale vive et persistante annonce un beau potentiel de garde, de cinq ans environ, même si le plaisir est déjà complet. Le **chardonnay 2010 Vieilles Vignes (8 à 11 € ; 18 600 b.)**, blanc élevé en fût, livre des notes toastées et fruitées dans un palais ample et puissant. Il obtient une étoile, tout comme le **pinot noir 2010 rouge Vieilles Vignes (8 à 11 € ; 23 600 b.)** qui marie le fruit et le bois dans une belle rondeur.
Vignoble Guillaume, 32, Grande-Rue, 70700 Charcenne, tél. 03.84.32.77.22, fax 03.84.32.84.06, vignoble@guillaume.fr
t.l.j. sf dim. 9h-12h 14h-18h

Haute-Marne

LE MUID MONTSAUGEONNAIS Pinot noir Élevé en fût de chêne 2010 ★

	15 500		5 à 8 €

Une poignée d'hommes et de femmes se sont associés à la fin des années 1980 pour redonner vie à ce vignoble de Haute-Marne, disparu depuis la crise phylloxérique. Une heureuse initiative puisque les vins du Muid montsaugeonnais sont désormais chaque année remarqués dans le Guide. Ce pinot noir a passé une année sous bois et en ressort avec un bouquet de fruits rouges, de cassis et d'épices, arômes qui se prolongent dans une bouche fondue et équilibrée, dont les tanins doivent s'assagir en finale. Une étoile également pour le **blanc 2010 chardonnay cuvée Exception (8 à 11 € ; 800 b.)** un vin pour l'heure nerveux qui devra aussi attendre quelques mois pour permettre à ses arômes de fruits jaunes, d'amande et de bonbon acidulé de s'épanouir. Cité enfin, le **rosé 2011 (10 500 b.)** se montre frais et fruité.
Le Muid montsaugeonnais, 23, av. de Bourgogne, 52190 Vaux-sous-Aubigny, tél. et fax 03.25.90.04.65, muidmontsaugeonnais@orange.fr r.-v.

Saône-et-Loire

VIN DES FOSSILES Pinot noir En Fond Grain 2010 ★

	2 000	5 à 8 €

Ce vin rubis brillant est né à l'extrême sud-ouest de la Bourgogne sur le domaine conduit par Jean-Claude Berthillot depuis maintenant vingt ans. Ouvert sur des nuances boisées et grillées, il parvient à exprimer le fruit dans une bouche ample et complexe, de très bonne tenue. Les tanins présents sans agressivité font preuve de souplesse jusqu'en finale, où ils prennent des accents poivrés. On attendra un an ou deux avant de servir cette bouteille sur un bœuf bourguignon.
Jean-Claude Berthillot, Les Chavannes, 71340 Mailly, tél. 03.85.84.01.23, jean-claude.berthillot@orange.fr
r.-v.

LE LUXEMBOURG

MOSELLE LUXEMBOURGEOISE
GRAND 1ER CRU RIESLING
CRÉMANT-DU-LUXEMBOURG
PINOT GRIS AUXERROIS
GEWURZTRAMINER
PINOT BLANC VENDANGE TARDIVE
VIN DE GLACE VIN DE PAILLE

LES VINS DU LUXEMBOURG

Superficie
1 270 ha
Production
132 000 hl
Types de vins
Blancs secs et moelleux ultramajoritaires (vendanges tardives, vins de glace, vins de paille) ; vins effervescents (crémant-de-Luxembourg) ; rouges et rosés.
Cépages principaux
Rouges : pinot noir (parfois vinifié en blanc).
Blancs : auxerrois, riesling, pinot blanc, rivaner, elbling, pinot gris, gewurztraminer, chardonnay.

Petit État prospère au cœur de l'Union européenne, situé à la charnière des mondes germanique et latin, le Grand-Duché de Luxembourg est un pays viticole à part entière. La consommation de vin par habitant y est proche de celle que l'on observe en France et en Italie. Le vignoble s'inscrit le long du cours sinueux de la Moselle, dont les coteaux portent des ceps depuis l'Antiquité. Longtemps pourvoyeur de vins ordinaires, le Grand-Duché s'est orienté depuis les années 1930 vers une politique de qualité. La production vinicole du Grand-Duché est confidentielle, à la mesure de sa modeste superficie. Essentiellement des vins blancs, vifs et aromatiques.

Dès l'Antiquité On sait l'importance que prit le vignoble mosellan au IVe s., lorsque Trèves – très proche de la frontière actuelle du Grand-Duché de Luxembourg – devint résidence impériale et l'une des quatre capitales de l'Empire romain. Aujourd'hui, sur 42 km, de Schengen à Wasserbillig, les coteaux de la rive gauche de la Moselle forment un cordon continu de vignobles, autour des cantons de Remich et de Grevenmacher. Orientés au sud et au sud-est, ceux-ci bénéficient de l'effet bienfaisant des eaux du fleuve, qui estompent les courants d'air froid venant du nord et de l'est, et modèrent l'ardeur du soleil de l'été. En raison de leur latitude septentrionale (49 degrés de latitude N), ils produisent presque exclusivement des vins blancs. Près de 26 % d'entre eux proviennent du cépage rivaner (ou müller-thurgau). L'elbling, cépage typique du Luxembourg (8 % de la surface viticole), donne un vin léger et rafraîchissant. Les vins les plus recherchés proviennent des cépages auxerrois, riesling, pinot blanc, chardonnay, pinot gris, pinot noir et gewurztraminer.

Une stricte politique de qualité Créée en 1935, la marque nationale des vins de la Moselle luxembourgeoise a pour objet d'encourager la qualité et de permettre au consommateur de réaliser ses choix sous la garantie officielle de l'État. En 1985 est apparue l'appellation contrôlée moselle luxembourgeoise et en 1991, le crémant-de-luxembourg. Il existe aussi une hiérarchie des vins (marque nationale, appellation contrôlée, vin classé, premier cru, grand premier cru). L'originalité du classement des vins, en fonction de leur notation lors de chaque agrément, mérite d'être soulignée : les vins qui ont obtenu entre 18 et 20 points sont qualifiés de grand premier cru, entre 16 et 17,9 de premier cru, entre 14 et 15,9 de vin classé, entre 12 et 13,9 de vin de qualité sans mention particulière et en dessous de 12 points de simple vin de table. Depuis 2001, les viticulteurs peuvent produire des vins de vendanges tardives, des vins de glace et des vins de paille.

Les vins sont produits par des viticulteurs coopérateurs (61 % de la production), par des vignerons indépendants (23 %) et par des négociants (16 %). Remich est le siège d'un centre de recherches et de l'organisation officielle de la viticulture.

Moselle luxembourgeoise

DOM. MATHIS BASTIAN Wellenstein Foulschette
Pinot gris 2011

Gd 1er cru 8 320 ■ 8 à 11 €

Voilà quarante ans que Mathis Bastian perpétue l'exploitation familiale, qui couvre près de 14 ha à Remich et dans les environs. Ses pinots gris sont très souvent en bonne place dans le Guide. Ce 2011 s'habille d'une robe très pâle, pratiquement transparente, aux reflets argentés. À ses parfums de fleurs blanches répond une bouche qui tire son agrément de son fruité et de sa légèreté.

Mathis Bastian, 29, rte de Luxembourg, 5551 Remich, tél. 23.69.82.95, fax 23.66.91.18, domaine.mathisbastian@pt.lu r.-v.

ALBERT BERNA Ahner Palmberg Riesling 2011 ★★★

Gd 1er cru	3 300		8 à 11 €

Comme l'an dernier, ce viticulteur a présenté un riesling issu d'une petite parcelle de 37 ares. Son vin captive par son nez intense, élégant et flatteur, mêlant de vives notes citronnées et des nuances plus mûres évoquant l'abricot. Cette complexité s'affirme en bouche, où une fine acidité minérale vient donner de la fraîcheur et de l'énergie à une matière volumineuse aux arômes de fruits très mûrs. La finale persistante est la marque d'un grand riesling, au potentiel de garde assuré. Digne d'un homard « avec espuma de wasabi », précise un dégustateur gourmet.

Caves Berna, 7, rue de la Résistance, 5401 Ahn, tél. 76.02.08, fax 76.93.28, info@cavesberna.lu r.-v.

BERNARD-MASSARD Côtes de Grevenmacher Gewürztraminer 2011 ★★

Gd 1er cru	4 400	▮	5 à 8 €

À l'origine spécialisée dans les effervescents, cette maison excelle aujourd'hui dans tous les types de vins, comme ce gewürztraminer. Si la robe jaune doré est intense, le nez demande de l'aération pour livrer de suaves parfums fruités qui s'épanouissent en bouche. Les notes typiques de litchi et de rose s'accompagnent d'arômes plus vifs de pamplemousse qui tonifient une matière ronde, marquée par des sucres résiduels bien fondus. Cette bouteille laisse une impression de puissance. Bernard-Massard a aussi proposé un **grand 1er cru Côtes de Grevenmacher pinot gris 2011 (15 400 b.)** qui a obtenu une citation.

SA Caves Bernard-Massard, 8, rue du Pont, 6773 Grevenmacher, tél. 75.05.451, fax 75.06.06, info@bernard-massard.lu t.l.j. 9h-18h; f. nov.-mars

♥ **CEP D'OR** Stadtbredimus Fels Pinot gris 2011 ★★★

	3 000	▮	8 à 11 €

Originaires de la proche Lorraine, les Vesque se sont établis au XVIIIes. à Stadtbredimus où ils sont devenus métayers du château. Aujourd'hui, Jean-Marie Vesque signe un vin de toute beauté. La robe jaune paille s'anime de reflets dorés. Les parfums, intenses et d'une grande finesse, évoquent les fruits jaunes bien mûrs, la pêche des étés radieux. En bouche, ce 2011 s'impose par sa puissante structure, par sa rondeur et par sa finale explosive. Déjà prêt, il pourra donner la réplique à un mets de caractère : une volaille de fête sauce morille ou du gibier à plume, par exemple. On pourra aussi le laisser en cave deux à trois ans. Du même producteur, le **grand 1er cru Stadtbredimus Goldberg pinot blanc 2011 (5 à 8 €; 3 000 b.)** est cité.

SA Cep d'or, 15, rte du Vin, 5429 Hëttermillen, tél. 76.83.83, fax 76.91.91, info@cepdor.lu r.-v.
Famille Vesque

DOM. CLOS DES ROCHERS Ahn Palmberg Riesling 2011 ★

	2 700	▮	15 à 20 €

Créé il y a plus d'un siècle par la famille Clasen, ce domaine, dans l'orbite de la maison Bernard-Massard, est toujours géré par les descendants des fondateurs. Il signe un riesling aux discrets parfums de pêche et d'agrumes, assortis d'une fine minéralité. La belle attaque suave dévoile une bouche harmonieuse, assez puissante et équilibrée, dans le même registre aromatique que le nez. Ce vin devrait gagner en expression au cours des deux prochaines années.

SARL Dom. Clos des Rochers, 8, rue du Pont, 6773 Grevenmacher, tél. 75.05.451, fax 75.06.06, info@bernard-clos-des-rochers.lu t.l.j. 9h-18h; f. nov.-mars

DOM. CHARLES DECKER Stréiwäin / Vin de paille Auxerrois 2009 ★★

	400		30 à 50 €

Une des spécialités du domaine : du vin de paille (Stréiwäin) élaboré avec des cépages de la Moselle, comme cet auxerrois. D'un or profond, ce 2009 déploie avec intensité une palette aromatique fruitée d'une grande finesse, faite de fruits secs, de coing et de fruits confits. Puissant, gras et persistant, il montre un très bel équilibre entre les sucres et l'acidité. (Bouteilles de 37,5 cl.)

Dom. Charles Decker, 7, rte de Mondorf, 5441 Remerschen, tél. 23.60.95.10, fax 23.60.95.20, deckerch@pt.lu

DOM. DESOM Remich Hôpertsbour Pinot gris 2011 ★

Gd 1er cru	7 000	▮	8 à 11 €

Provenant du domaine propre de la famille Desom, ce pinot gris au nez de pêche et de fleurs blanches se montre, franc à l'attaque, ample et gras avec ce qu'il faut de vivacité. S'il n'est pas très long, ce 2011 séduit par son fruité et par son équilibre. Un joli vin d'apéritif.

Dom. Desom, 9, rue Dicks, 5521 Remich, tél. 23.60.40, fax 23.69.93.47, desom@pt.lu r.-v.

CAVES GALES Wellenstein Kurschels Riesling 2011 ★★

Gd 1er cru	n.c.	▮	8 à 11 €

Sa couleur or intense attire. Elle annonce un nez surprenant mais très plaisant, aux parfums à la fois mûrs et acidulés de fruits exotiques (mangue, Passion, grenade), de fruits jaunes, de groseille à maquereau blanche ; une touche minérale et iodée caractéristique apporte de la complexité. En bouche, la belle attaque fraîche est relayée par des impressions de rondeur et de douceur. Ce riesling tire son harmonie d'une belle maturité alliée à la richesse de la structure. La finale persistante laisse une impression de puissance. Un vin de gastronomie qui formera un bel accord avec une volaille en sauce crémeuse.

SA Caves Gales, 6, rue de la Gare, BP 49, 5690 Ellange-Gare, tél. 23.69.90.93, fax 23.69.94.34, info@gales.lu r.-v.

HÄREMILLEN Ehnen Woussert Riesling Vieilles Vignes en terrasses 2011 ★★★

Gd 1er cru | 2 200 | 8 à 11 €

Rattaché à la commune de Wormeldange, Ehnen est un village vigneron typique avec ses maisons resserrées près de la Moselle, comme pour laisser plus de place aux ceps qui escaladent des coteaux pentus. Parmi les vignerons indépendants, la famille Mannes-Kieffer accueille les visiteurs dans un ancien moulin. Cette année, on pourra y déguster ce riesling or blanc aux légers reflets verts et aux parfums captivants : les fruits blancs (pêche et poire) et les agrumes se mêlent à une fine minéralité de terroir, sur des notes de pierre à fusil. La bouche suit la même ligne et ajoute à cette gamme des touches d'épices douces. Autant que par ses arômes, ce vin brille par sa puissante structure et par sa longue finale racée. Un riesling de garde. Quant au **Mertert Herrenberg pinot gris grand 1er cru 2011 (13 500 b.)**, il fait jeu égal, avec trois étoiles. D'un jaune doré brillant, il charme par son fruité acidulé aux nuances de fruits blancs, qui se confirme dans une bouche exceptionnelle par sa puissance, sa fraîcheur, son équilibre et sa longueur. Une superbe expression du millésime.

Dom. viticole Häremillen, 3, op der Borreg, 5419 Ehnen, tél. 76.84.36, fax 76.91.93, info@haeremillen.lu
r.-v.

DOM. ALICE HARTMANN Wormeldange Koeppchen Riesling Sélectionné avec amour par Léa Linster 2010 ★★★

2 000 | 11 à 15 €

Un domaine traditionnel, fondé dans les années 1900 et qui ne couvre pas plus de 5 ha. Cette cuvée est l'un de ses fleurons : elle provient de très vieux ceps de riesling (soixante-dix ans) plantés sur le coteau pentu du cru Koeppchen aménagé en terrasses. Cette vigne produit évidemment à faibles rendements. Si l'on se souvient que le millésime 2010 a été favorable à ce cépage, on ne s'étonnera pas de découvrir un vin « d'une harmonie exemplaire », pour reprendre la conclusion d'un dégustateur. Un riesling dense, ample, mûr, complexe, fruité (agrumes, fruits blancs, fruits jaunes...) et minéral, servi par une légère touche de botrytis. Sa finale vive est d'une longueur exceptionnelle et son potentiel est à la mesure de sa remarquable structure (six ans de garde, voire davantage).

SA Dom. Alice Hartmann, 72-74, rue Principale, 5480 Wormeldange, tél. 76.00.02, fax 76.04.60, domaine@alice-hartmann.lu r.-v.

♥ **DOM. KOHLL-LEUCK** Ehnen Kelterberg Riesling 2011 ★★★

Gd 1er cru | 4 040 | 8 à 11 €

Ehnen et plusieurs villages voisins fêtent le riesling en septembre. On élit la reine du Riesling. Une seule reine à Ehnen, mais dans le Guide Hachette, deux rois ! Luc Kohll, qui représente la quatrième génération et qui vient de s'installer avec son beau-frère, reçoit l'une des couronnes. Le riesling vient du lieu-dit Kelterberg, aux sols très calcaires. D'un jaune pâle cristallin aux reflets verts, il offre un caractère très sec, très minéral. Il garde d'abord ses parfums cachés dans sa chair dense et il faut l'aérer pour qu'il livre des notes fruitées d'une belle fraîcheur : de l'agrume confit, des notes acidulées (citron vert), alliées à la minéralité du terroir que l'on retrouve en bouche. Vif et long, c'est un riesling de grande gastronomie, à marier à un poisson noble cuisiné, comme le brochet. C'est aussi un grand vin de garde que l'on peut laisser en cave au

moins cinq ans. Une belle découverte à faire dans une cave qui offre une production de plus en plus diversifiée sur ses 12 ha, dont le Guide se fait l'écho d'année en année.

Dom. viticole Kohll-Leuck, an der Borreg, 4, 5419 Ehnen, tél. 76.02.42, fax 76.90.40, domaine@kohll.lu r.-v.

DOM. L. & R. KOX Remich Fels Pinot gris 2011

Gd 1er cru | 2 800 | 8 à 11 €

« L. et R. », ce sont Laurent et Rita Kox, vignerons indépendants de Remich, à la tête de 10 ha de vignes. Le duo a proposé ces dernières années de superbes pinots gris issus d'autres lieux-dits. On n'a pas oublié le 2008 Schwebsange Kolteschberg, l'un des coups de cœur de l'édition 2010. Ce millésime apparaît plus modeste, plus timide dans sa robe pâle aux reflets argentés. Mais il a retenu l'attention par la finesse de son fruité et par l'intensité et les aimables rondeurs de sa bouche, agrémentée de notes de fruits blancs.

Dom. viticole L. & R. Kox, 6A, rue des Prés, 5561 Remich, tél. 23.69.84.94, fax 23.69.81.01, kox@pt.lu
r.-v.

DOM. JEAN LINDEN-HEINISCH Greiveldange Hütte 2011

Gd 1er cru | 5 000 | 5 à 8 €

Village viticole historique, Ehnen abrite de nombreux vignerons, comme Jean Linden-Heinisch qui manque rarement le rendez-vous du Guide. Ses 7 ha de vignes se répartissent dans plusieurs localités environnantes. Ce pinot gris du cru Hütte provient ainsi de Greiveldange, à quelques kilomètres en amont. D'un jaune pâle brillant, il libère des parfums de fruits exotiques nuancés de notes d'agrumes et de fleurs. En bouche, il offre une belle tenue et une finale agréable et persistante.

Dom. viticole Jean Linden-Heinisch, 8, rue Isidore-Comes, 5417 Ehnen, tél. 76.06.61, fax 76.91.29, domaine.linden@pt.lu r.-v.

CAVES FERNAND PUNDEL-SIBENALER Nossbam Riesling 2010 ★

3 000 | 8 à 11 €

La commune de Wormeldange chérit tout particulièrement le riesling. Elle dispose d'un important vignoble et héberge de nombreux metteurs en marché, comme Fernand et Pit Pundel, qui perpétuent une lignée vigneronne remontant au XVIIe s. Leur riesling Nossbam 2010 apparaît encore jeune et n'a pas dit son dernier mot. Mais au nez comme au palais, il affiche une complexité naissante dans ses parfums de citron confit, de pamplemousse, de citrus, nuancés de touches plus mûres de fruits exotiques et de fruits jaunes. Une belle minéralité marque la bouche qui ne manque ni de l'étoffe ni de l'acidité qui font les vins de garde. Déjà harmonieux, ce millésime mérite d'attendre deux ou trois ans et devrait vivre bien davantage.

Caves Pundel-Sibenaler, 149, rue Principale, 5480 Wormeldange, tél. 76.00.59, fax 76.91.08, pundel@internet.lu r.-v.

CH. DE SCHENGEN Auxerrois 2011 ★★★

	4 400		5 à 8 €

Le cadre, superbe, inspira Victor Hugo qui séjourna dans le Grand-Duché : sa tour féodale à poivrière orne les étiquettes du domaine. Les vins sont à la hauteur du site : l'exploitation, gérée par la maison Bernard-Massard, a plus d'un coup de cœur à son actif. Ce 2011 a d'ailleurs frôlé cette distinction. La robe jaune doré annonce le fruité élégant et épanoui du nez, qui mêle les agrumes, le kiwi, les fruits jaunes et la mangue. Une richesse aromatique qui traduit la belle maturité de la vendange. En bouche, c'est un vin puissant, à la fois ample et vif, plein de dynamisme. Une bouteille qui ne manque pas de caractère et qui pourrait donner la réplique à des spécialités chinoises, selon les dégustateurs. Quant au **pinot gris 2011 (8 à 11 € ; 13 500 b.)**, il apparaît encore jeune, mais il montre déjà une belle harmonie. On aime la finesse de ses arômes de fleurs blanches et de pêche, sa matière franche et ronde, sa finale fraîche et fruitée : deux étoiles.

Dom. Thill, 8, rue du Pont, 6773 Grevenmacher, tél. 75.05.451, fax 75.06.06, info@chateau-de-schengen.com t.l.j. 9h-18h; f. nov.-mars

DOM. SCHUMACHER-LETHAL ET FILS
Wousselt Riesling 2011 ★★★

Gd 1er cru	3 300		5 à 8 €

La commune de Wormeldange se flatte d'être une terre d'élection pour le riesling. À goûter celui-ci, on comprend qu'il ne s'agit pas d'un slogan pour prospectus touristiques. Ce cépage, Erny et Tom Schumacher le défendent bien en proposant des bouteilles comme celle-ci, née dans le cru Wousselt. Si la couleur, jaune pâle aux reflets verts, est classique, ce 2011 se distingue dès l'olfaction par la franchise et l'élégance de ses parfums à dominante fruitée : du verre montent des senteurs de pamplemousse et de poire qui prennent à l'aération des tons plus chauds de fruits jaunes comme la mirabelle. On retrouve cette palette en bouche, avec une belle fraîcheur et un parfait équilibre entre la douceur et l'acidité. Les sucres résiduels, bien fondus, confèrent au palais une rondeur très agréable qui évite la lourdeur. La finale persistante laisse le souvenir d'une remarquable harmonie. À servir dès la sortie du Guide avec un poisson fin ou, comme le suggère un juré, avec un carpaccio de saint-jacques au citron vert.

Dom. Schumacher-Lethal et Fils, 117, rte du Vin, 5481 Wormeldange, tél. 76.01.34, fax 76.85.04, contact@schumacher-lethal.lu r.-v.

Le Luxembourg

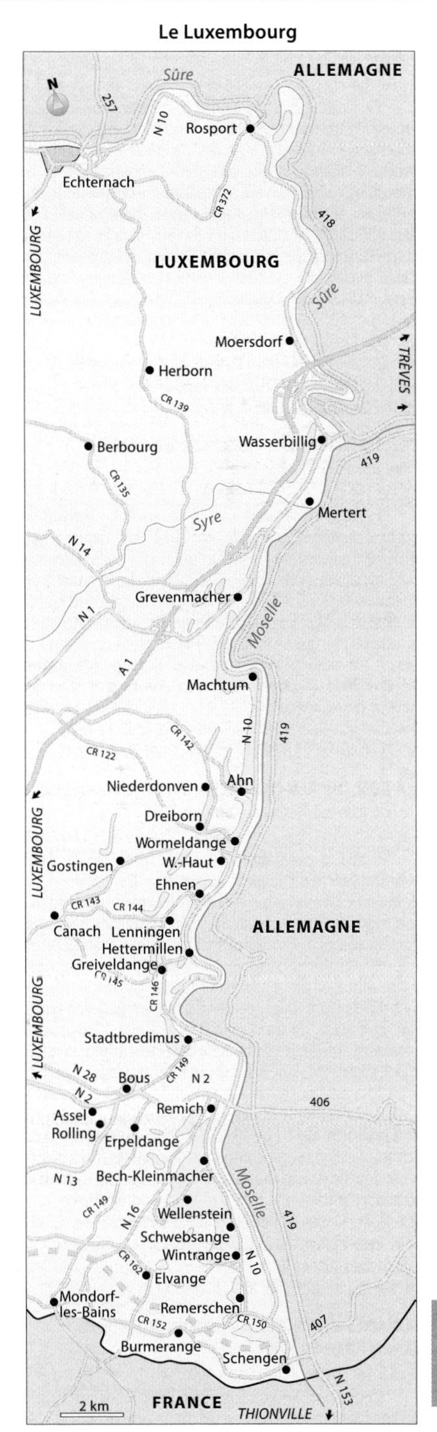

CAVES ST.-MARTIN Charta Schengen
Prestige Riesling 2011 ★★

Gd 1er cru	670	▮	11 à 15 €

Ce riesling suit une charte de qualité dont l'originalité est d'être transfrontalière – conforme à l'« esprit de Schengen ». Elle regroupe des producteurs luxembourgeois, allemands et français (AOC moselle). D'un or étincelant, ce 2011 dévoile après aération des parfums tout en finesse d'agrumes (pamplemousse, clémentine) et de fleurs blanches, auxquels fait écho une bouche structurée et très fraîche, gage d'un potentiel de garde intéressant. La finale persistante confère à cette bouteille une grande classe. Une belle expression du terroir et un vin de gastronomie. « À attendre... avec impatience », conclut un juré. Un an devrait suffire.

🔑 SA Caves St.-Martin, 53, rte de Stadtbredimus, BP 20, 5501 Remich, tél. 26.60.991, fax 23.69.94.34, info@cavesstmartin.lu r.-v.

CAVES ST.-REMY-DESOM Stadtbredimus Dieffert
Pinot gris 2011 ★★★

Gd 1er cru	8 000	▮	5 à 8 €

Forte d'un vignoble de 40 ha et d'une activité de négoce, cette maison fête en 2012 son quatre-vingt-dixième anniversaire – avec un pinot gris qui a obtenu la note maximale pour son côté séducteur. Le bouquet a un charme fou : les fruits jaunes se mêlent aux agrumes, avec un côté exotique. Le palais harmonieux, intense, structuré et long est marqué en finale par un joli retour des agrumes. Quant au riesling **Wormeldange Koeppchen grand 1er cru 2011 (8 000 b.)**, c'est un vin racé et frais qui obtient deux étoiles.

🔑 Caves St.-Remy-Desom, 9, rue Dicks, 5521 Remich, tél. 23.60.40, fax 23.69.93.47, desom@pt.lu r.-v.

Ⓑ **DOM. SUNNEN-HOFFMANN** Wintrange Hommelsbierg
Domaine et Tradition pinot gris 2011 ★★

	2 600	▮	11 à 15 €

Est-ce la proximité de la zone protégée de Haff Réimech, terre d'étangs et refuge pour les oiseaux ? Ce domaine s'est mis au bio dès 2001. Il exploite aujourd'hui son vignoble en biodynamie. Avec plusieurs coups de cœur à son actif (notamment l'an dernier), il figure au nombre des valeurs sûres de la Moselle luxembourgeoise. Cette année, un pinot gris remarquable. Derrière une robe aux reflets jaune doré, ce 2011 livre des parfums typés, tout en finesse, de fruits jaunes et de fumé. Une attaque moelleuse introduit une bouche bien structurée à la finale fraîche et fruitée. Une bouteille très harmonieuse, à marier à un foie gras poêlé ou à une viande blanche en sauce. Quant au **riesling Remerschen Hiischebierg Domaine et Tradition 2011 (1 330 b.)**, il obtient une étoile pour ses arômes flatteurs et complexes mariant les fruits blancs à une touche de surmaturation, et pour son palais rond et élégance, grâce à une fine acidité bien intégrée.

🔑 Dom. Sunnen-Hoffmann, 6, rue des Prés, 5441 Remerschen, tél. 23.66.40.07, fax 23.66.43.56, info@caves-sunnen.lu
t.l.j. sf sam. dim. 8h-12h 13h30-17h

DOMAINES VINSMOSELLE Wormeldange Koeppchen
Riesling Art et Vin 2010

Gd 1er cru	13 940		5 à 8 €

Cette bouteille a quelque peu divisé les dégustateurs, certains auraient souhaité un peu moins de rondeur et plus de longueur. Tous les jurés s'accordent cependant sur l'agrément de sa palette aromatique, mêlant les fruits blancs (pomme) et les agrumes, avec une touche exotique. Un fruité qui se prolonge dans une bouche droite, fraîche, légèrement épicée. À servir dès la sortie du Guide.

🔑 Domaines Vinsmoselle, Caves de Wormeldange, 115, rte du Vin, 5481 Wormeldange, tél. 76.82.11, fax 76.82.15, info@vinsmoselle.lu
t.l.j. 7h-18h

DOMAINES VINSMOSELLE Bech-Kleinmacher Enschberg
Pinot blanc 2011 ★★

Gd 1er cru	n.c.		5 à 8 €

Signé par la coopérative de Wellenstein, un joli pinot blanc au nez pimpant de fruits blancs et d'agrumes mûrs. La bouche, à l'unisson, dévoile un fruité concentré qui traduit une belle maturité. Elle est ronde, bien structurée, équilibrée, marquée par un plaisant retour des fruits en finale.

🔑 Dom. Vinsmoselle, Caves de Wellenstein, 37, rue des Caves, 5471 Wellenstein, tél. 26.66.141, fax 23.69.76.54, info@vinsmoselle.lu
r.-v.

DOMAINES VINSMOSELLE Charta Schengen
Prestige Auxerrois 2011 ★★

Gd 1er cru	2 066	▮	15 à 20 €

Les caves de Remerschen des domaines Vinsmoselle sont des partenaires de la Charte Schengen, label de qualité regroupant des producteurs luxembourgeois, français et allemands ayant comme trait d'union la vallée de la Moselle. Dans ce cadre, elle signe un auxerrois au nez expansif, mêlant la pêche et la prune. Les fruits jaunes s'allient à la mangue dans une bouche ample et ronde à souhait, avec ce qu'il faut de vivacité, avant une finale un rien épicée. À servir à l'apéritif ou sur des salades composées.

🔑 Vinsmoselle - Caves du Sud, 32, rte du Vin, Remerschen, 5440 Schengen, tél. 23.66.41.65, fax 23.66.41.66, h.schmitt@vinsmoselle.lu r.-v.

Crémant-de-luxembourg

♥ **DOM. MATHIS BASTIAN** ★★★

	20 255	▮	8 à 11 €

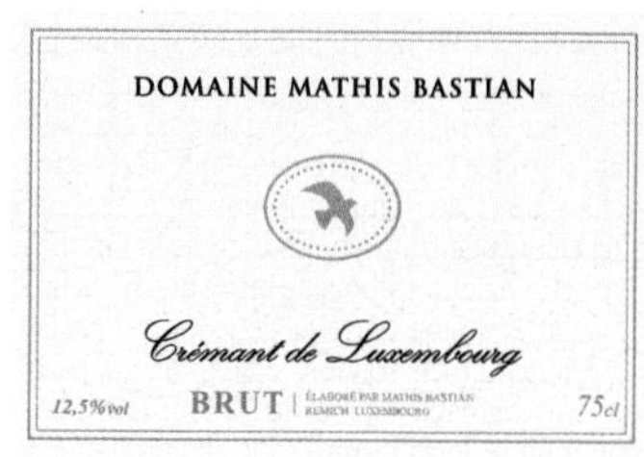

Mathis Bastian et sa fille Anouk perpétuent une exploitation familiale couvrant près de 14 ha aux environs de Remich. Leur assemblage de quatre cépages dominé par l'auxerrois est couronné roi des crémants de la dégustation. Pour sa mousse élégante, très fine et régulière, qui monte dans une robe jaune pâle aux légers reflets verts ; pour sa palette aromatique d'une grande finesse, évoluant du registre floral et brioché à l'univers frais des agrumes, complétée en bouche par des notes de pomme mûre ; et enfin pour son équilibre parfait en bouche, entre une belle ampleur et une vivacité tonique. Un vin tout en dentelle, qui accompagnera poissons nobles et fruits de mer.

Mathis Bastian, 29, rte de Luxembourg, 5551 Remich, tél. 23.69.82.95, fax 23.66.91.18, domaine.mathisbastian@pt.lu r.-v.

LEGILL Cuvée Riesling ★

4 000 — 8 à 11 €

Ce crémant présente l'originalité d'être exclusivement issu de riesling. Un joli cordon persistant anime la robe jaune pâle aux reflets verts. Le nez apparaît discret, sur les fruits blancs. En revanche, la bouche affiche une belle vivacité qui porte loin des arômes de pêche blanche et d'ananas. Le poisson semble tout indiqué.

Caves Paul Legill, 27, rte du Vin, 5445 Schengen, tél. 23.66.40.38, fax 23.60.90.97, plegill@pt.lu r.-v.

POLL-FABAIRE Cuvée Riesling

29 000 — 8 à 11 €

« Il est à mon goût », conclut un des dégustateurs. De quoi aborder ce crémant en toute confiance. À noter qu'il est né de pur riesling, ce qui en fait une curiosité pour le public français. Le nez intensément fruité évoque les fruits jaunes mûrs : mirabelle et abricot. Ces arômes se prolongent et persistent en bouche au sein d'une belle matière, bien structurée et fraîche.

Domaines Vinsmoselle, Caves de Stadtbredimus, Kellereiswee, 5450 Stadtbredimus, tél. 23.69.66, fax 23.69.91.89, info@vinsmoselle.lu

POLL-FABAIRE 2009

28 000 — 8 à 11 €

La robe jaune pâle aux reflets verts est parcourue de bulles fines. La palette aromatique mêle les agrumes et des notes plus chaleureuses de fruits exotiques (mangue) et de pêche. L'attaque élégante et fringante est suivie d'impressions plus rondes. Un crémant équilibré, pas très puissant mais intéressant, notamment par ses arômes.

Poll-Fabaire, Caves des Crémants, 115, rte du Vin, 5481 Wormeldange, tél. 76.82.11, fax 76.82.15, info@pollfabaire.lu t.l.j. 7h-18h

POLL-FABAIRE Cuvée Pinot blanc ★★★

29 000 — 8 à 11 €

Quand les suggestions d'accord gourmand fusent, c'est bon signe. Signe que les jurés aimeraient voir le vin sur leur table. Pour cette cuvée de pinot blanc présentée par les caves de Wellenstein, des écrevisses en salade à la crème aux zestes d'orange ? Ou un filet de turbot au beurre blanc. Les jurés sont d'accord sur l'essentiel : ce crémant mérite trois étoiles. Son nez expressif, floral et fruité, mêle des notes de pêche blanche et de fruits exotiques. C'est en bouche que cette bouteille se distingue par sa structure, son élégance et sa persistance aromatique.

Domaines Vinsmoselle, Caves de Wellenstein, 13, rue des Caves, 5471 Wellenstein, tél. 26.66.141, fax 23.69.76.54, info@pollfabaire.lu t.l.j. sf dim. 8h-12h 13h-18h

DOM. SCHUMACHER-LETHAL ET FILS Cuvée Pierre ★

45 000 — 8 à 11 €

La fraîcheur est le maître mot de la dégustation : fraîcheur des senteurs de raisin frais, des fruits blancs ou exotiques ; fraîcheur de l'attaque et du développement en bouche, où l'on retrouve les fruits blancs, alliés aux agrumes. Une bouteille tonique, pour l'apéritif.

Dom. Schumacher-Lethal et Fils, 117, rte du Vin, 5481 Wormeldange, tél. 76.01.34, fax 76.85.04, contact@schumacher-lethal.lu r.-v.

CAVES ST.-REMY-DESOM Élégance ★★

16 000 — 5 à 8 €

Un cordon fin et très régulier de bulles monte dans le verre teinté de jaune pâle. Les parfums sont frais, intensément floraux. La bouche tient les promesses du nez. L'attaque agréable et vive introduit un registre fruité, dévoilant des notes de poire mûre et de pomme acidulée qui persistent en finale. Aromatique, cette bouteille ne manque pas d'étoffe, ce qui lui permettra d'être servie au repas.

Caves St.-Remy-Desom, 9, rue Dicks, 5521 Remich, tél. 23.60.40, fax 23.69.93.47, desom@pt.lu r.-v.

SUNNEN-HOFFMANN Cuvée L et F

9 100 — 11 à 15 €

Cette cuvée a déjà valu deux coups de cœur à cette exploitation, cultivée en agriculture biologique. Cette année, elle révèle une belle maîtrise de la vinification des effervescents. Ce vin à la bulle fine et vive sur une robe d'or blanc s'annonce par un nez frais et floral, tout en finesse. La bouche vive ajoute à cette palette des notes de poire et de pomme. Un crémant d'apéritif par excellence.

Dom. Sunnen-Hoffmann, 6, rue des Prés, 5441 Remerschen, tél. 23.66.40.07, fax 23.66.43.56, info@caves-sunnen.lu t.l.j. sf sam. dim. 8h-12h 13h30-17h

DOM. THILL Riesling Cuvée Victor Hugo 2009 ★★★

4 000 — 11 à 15 €

Cuvée Victor Hugo ? Ce nom rappelle que le célèbre écrivain a séjourné au domaine, situé dans le village de Schengen et célèbre par son château. Né de riesling, ce crémant jaune pâle aux reflets verts, animé de jolies bulles fines et persistantes, offre un nez frais et séducteur, sur les agrumes et l'ananas. Toujours vif et fruité à l'attaque, il est bien structuré, droit et net, d'une grande finesse.

Dom. Thill, 8, rue du Pont, 6773 Grevenmacher, tél. 75.05.451, fax 75.06.06, info@chateau-de-schengen.com t.l.j. 9h-18h; f. nov.-mars

LA SUISSE

TESSIN GENÈVE VAUD
BLAUBURGUNDER
PETITE ARVINE HUMAGNE
NEUCHÂTEL VALAIS
GRISONS FENDANT
ZURICH GAMARET
DÔLE JOHANNISBERG

LES VINS SUISSES

Le vignoble suisse s'étend à la naissance des trois grands bassins fluviaux drainés par le Rhône à l'ouest des Alpes, par le Rhin au nord et par le Pô au sud de cette chaîne. Si sa superficie est modeste, comparable à celle du vignoble alsacien, il bénéficie d'une grande diversité de sols et de climats qui forment autant de terroirs différents malgré leur relative proximité. Traditionnellement cultivée sur les coteaux ensoleillés, très pentus ou en terrasses, la vigne compose de superbes paysages de piémont et de coteaux, dominant souvent lacs et cours d'eau. Surtout connue pour ses vins blancs de chasselas, la Suisse offre une production diverse et originale, grâce à des cépages locaux. Vins liquoreux flétris, rosés œil-de-perdrix, rouges puissants et aromatiques... Le pays offre de belles occasions de découvertes.

Superficie
14 900 ha
Types de vins
Blancs secs, moelleux et liquoreux, rouges (de garde et légers, quelques liquoreux), rosés.
Cépages principaux
Rouges : pinot noir, gamay, merlot, gamaret, cornalin, humagne rouge, syrah, diolinoir, garanoir, mondeuse, cabernet-sauvignon.
Blancs : chasselas (fendant), müller-thurgau, johannisberg (sylvaner), amigne, arvine, pinot blanc, pinot gris, savagnin (heida, païen), marsanne.

Bassins linguistiques On distingue trois régions viticoles principales en fonction du découpage linguistique du pays. Cependant celles-ci sont loin d'être uniformes, tant les contrastes qu'elles présentent sont saisissants. À l'ouest, le vignoble de la Suisse romande couvre plus des trois quarts de la surface viticole du pays. De Genève, il s'étire jusqu'au cœur des Alpes dans le canton du Valais, en longeant les rives du lac Léman, dans le canton de Vaud. Plus au nord, il s'approprie encore les rives des lacs de Neuchâtel, de Morat et de Bienne (Canton de Berne) sur les contreforts du Jura. Beaucoup plus éparpillé, le vignoble de la Suisse alémanique totalise 17 % de la surface viticole. Il s'égrène tout au long de la vallée du Rhin où, à partir de Bâle, il remonte le cours du fleuve jusqu'à l'est du pays. Il pénètre également loin à l'intérieur du territoire sur les meilleurs sites des coteaux dominant de nombreux lacs et vallées. En Suisse italophone, la vigne se concentre dans les vallées méridionales du Tessin où les conditions naturelles du versant sud des Alpes se distinguent nettement de celles des autres régions viticoles.

Un encépagement très divers Outre toute une gamme de spécialités (les cépages locaux), les vignerons de Suisse romande privilégient par tradition le cépage blanc chasselas. Le pinot noir est ici le cépage rouge le plus cultivé, suivi du gamay. Le pinot noir domine également en Suisse alémanique où il côtoie le cépage blanc müller-thurgau et diverses variétés locales très recherchées par les amateurs. En Suisse italienne, c'est le merlot qui fait la renommée des vins de cette partie du pays où les cépages blancs sont peu représentés.

Canton de Vaud

Au Moyen Âge, les moines cisterciens ont défriché une grande partie de cette région de la Suisse et constitué le vignoble vaudois. Si, au milieu du siècle passé, celui-ci était le premier canton viticole devant le vignoble zurichois, les ravages du phylloxéra imposèrent une reconstitution complète. Aujourd'hui, le canton de Vaud occupe la deuxième place derrière le Valais.

Depuis plus de quatre cent cinquante ans, le vignoble vaudois s'est donné une véritable tradition viticole reposant aussi bien sur ses châteaux – on en compte près d'une cinquantaine – que sur l'expérience des grandes familles de vignerons et de négociants. En juin 2007, le paysage de vignes en terrasses de Lavaux a été inscrit au patrimoine mondial par l'Unesco.

Les conditions climatiques déterminent quatre grandes zones viticoles. Les rives vaudoises du lac de Neuchâtel et celles de l'Orbe produisent des vins friands aux arômes délicats. Les rives du Léman, entre Genève et Lausanne, protégées au nord par le Jura et bénéficiant de l'effet de régulation thermique du lac, donnent naissance à des vins tout en finesse. Les vignobles de Lavaux, entre Lausanne et Château-de-Chillon, avec en leur cœur les vignobles en terrasses du Dézaley, bénéficient à la fois de la chaleur accumulée dans les murets et de la lumière reflétée par le lac ; ils produisent des vins structurés et complexes qui se distinguent souvent par des notes de miel et des saveurs grillées. Enfin, les vignobles du Chablais sont situés au nord-est du Léman et remontent la rive droite du Rhône. Les terroirs se caractérisent par des sols pierreux et un climat très marqué par le fœhn ; les vins sont puissants, avec des arômes de pierre à fusil.

La spécificité du vignoble vaudois tient à son encépagement. C'est la terre d'élection du chasselas (70 % de l'encépagement) qui atteint ici sa pleine expression. Les cépages rouges représentent quant à eux 27 % : 15 % de pinot noir et 12 % de gamay. Ces deux variétés souvent assemblées sont connues sous l'appellation d'origine contrôlée salvagnin.

Quelques spécialités (variétés) représentent 3 % de la production : pinot blanc, pinot gris, gewurztraminer, muscat blanc, sylvaner, auxerrois, charmont, mondeuse, plant-robert, syrah, merlot, gamaret, garanoir, etc.

LE DOM. D'AUCRÊT Lavaux Lutry Sans Souci 2011 ★

3 000 | 8 à 11 €

Ce domaine familial, créé en 1141, propose un chasselas élevé sept mois en cuve. Le nez discret révèle à l'olfaction des notes complexes de fleurs blanches et de levures fraîches. Le palais affiche un beau volume et de la souplesse, et dévoile en finale des notes plus suaves. À apprécier sans attendre sur des émincés de poulet au curry vert thaï.

Le Dom. d'Aucrêt, chem. de Bahyse-Dessus 2, CP 144, 1096 Cully, tél. 21.799.36.75, fax 21.799.38.14, michel@aucret.ch

Michel Blanche

H. BADOUX Chablais Aigle les murailles 2011 ★★

80 000 | 20 à 30 €

Cette maison de négoce propose un chardonnay né sur des terrasses de calcaires alluvionnaires. Remarquable, ce 2011 jaune paille animé de reflets dorés dévoile de beaux arômes de fruits exotiques et de citron. Frais, plein et harmonieux, le palais se montre friand et plein d'attraits. À boire dès la sortie du Guide à l'apéritif ou à réserver pour un filet de veau au citron.

SA Badoux Vins, rte d'Ollon 8, 1860 Aigle, tél. 41.024.68.88, info@badoux-vins.ch r.-v.

FERNAND BLANCHARD ET FILS La Côte Tartegnin Les Panissières 2011 ★★

Gd cru | 12 000 | 5 à 8 €

David et François Blanchard, à la tête du domaine familial Le Cellier du Mas depuis 1985, proposent un pur chasselas, jaune intense animé de reflets dorés, au bouquet de pêche blanche mâtiné de notes de fleurs séchées. Quant au palais, sur les fruits jaunes, il s'impose par sa puissance, son gras, son ampleur et sa longueur « dynamique ». Tout indiqué pour une truite au bleu.

Blanchard Frères, rte du Creux-du-Mas 22, 1185 Mont-sur-Rolle, tél. 21.825.30.57, fax 21.825.49.03, dgblanchard@bluewin.ch r.-v.

LES BLASSINGES Lavaux Saint-Saphorin 2011

Gd cru | 28 000 | 11 à 15 €

Pierre-Luc Leyvraz, bien connu des amateurs du Guide, propose une cuvée jaune pâle aux reflets verts, qui dévoile un nez puissant, floral et légèrement « brûlon » (terroir). Végétale (herbe sèche) à l'attaque, la bouche intense et longue évolue vers des notes beurrées, avec une pointe d'amertume en finale. Ce vin en devenir pourra être servi sur une salade de chèvre chaud.

Pierre-Luc Leyvraz, chem. de Baulet 4, 1071 Chexbres, tél. 21.946.19.40, fax 21.946.19.45, info@leyvraz-vins.ch r.-v.

STÉPHANE BORTER Chablais Yvorne Chasselas du district d'Aigle 2011 ★★

Gd cru | 1 200 | 11 à 15 €

Sur les 10 ha cultivés du domaine, Stéphane Borter en vinifie aujourd'hui 1,7 ha. Cette microcuvée aux beaux reflets dorés s'ouvre timidement sur la fleur de tilleul mêlée à des notes minérales et salines. La bouche, dominée par les arômes de poire williams, se révèle bien équilibrée entre rondeur et fraîcheur. À la fois riche et racé, vif et expressif, ce vin fera un compagnon parfait pour une terrine de porc ou une assiette de charcuterie.

Stéphane Borter, Fontanney 13, 1860 Aigle, tél. 24.466.53.52, st.borter@bluewin.ch r.-v.

PHILIPPE BOVET Atlantique 2010 ★★

2 000 | 20 à 30 €

Philippe Bovet a repris en 2002 le domaine familial. Dans sa cave moderne, récemment construite, ce vin de gamay a séjourné douze mois en fût. Le résultat ? Une robe pourpre aux reflets violacés, un beau nez frais de fruits rouges agrémenté de notes de fumée et de réglisse. Suave et gras, le palais s'étire sur la myrtille et la mûre, soutenu par des tanins fins et un boisé bien maîtrisé. Un joli vin, puissant et harmonieux, à réserver pour une viande rouge grillée.

Philippe Bovet, rte de Genolier 7, La Cour, 1271 Givrins, tél. et fax 22.369.38.14, info@philippebovet.ch en sem. sur r.-v.; sam. 9h30-12h; f. jan.

LA CAPITAINE La Côte Begnins Chardonnay 2010 ★★

Gd cru | 10 000 | 15 à 20 €

Ce domaine de 18 ha, conduit en agriculture biologique depuis 1994, propose un pur chardonnay. Dans sa robe jaune foncé, ce 2010 flatte le nez par ses arômes exotiques de mangue. Vive à l'attaque, sur des notes de pamplemousse rose, la bouche livre des nuances de citron vert en finale. « Un vin surprenant qui a de l'avenir, à découvrir sur une daurade au gros sel », conclut un dégustateur.

Reynald Parmelin, Dom. la Capitaine, En Marcins 2, 1268 Begnins, tél. et fax 22.366.08.46, info@lacapitaine.ch t.l.j. sf dim. 7h-18h; sam. 9h-12h

LES CELLIERS DU CHABLAIS Chablais Yvorne Le Florin 2011 ★

	12 000	▮	11 à 15 €

Fondée en 1904 par l'association vinicole d'Aigle, la coopérative du Chablais regroupe cent trente cinq récoltants, répartis sur 50 ha. Elle propose ici un vin au bouquet intense de pêche jaune, dont la bouche fraîche et minérale est « arrondie » par une agréable touche beurrée et agrémentée, en finale, d'une pointe d'amertume. Cette bouteille est prête à boire, sur un brochet du lac Léman.

SA Les Celliers du Chablais, av. Margencel 9, 1860 Aigle, tél. 24.466.24.51, fax 24.466.62.15, info@celliersduchablais.ch t.l.j. sf sam. dim. 7h30-12h 13h30-17h

CH. DE CHÂTAGNERÉAZ La Côte Mont-sur-Rolle 2011 ★

Gd cru	10 000	▮	11 à 15 €

Cet assemblage de gamay majoritaire complété de gamaret (15 %) et de garanoir (10 %) se présente dans une belle robe pourpre soutenu. Le bouquet ample évoque les fruits rouges, la mûre et le sous-bois. L'attaque racée dévoile une matière ferme, soutenue par des tanins fins qui invitent à une petite garde (deux ans) avant d'apprécier ce vin qualifié de « rustique » sur un papet vaudois.

Ch. de Châtagneréaz, pl. de la Gare 7, 1180 Rolle, tél. 21.822.02.02, fax 21.822.03.03, concours@schenk-wine.ch r.-v.

SA Schenk

CAVE CIDIS La Côte Merlot Réserve Inspiration 2010 ★★

	13 000		20 à 30 €

La coopérative de Tolochenaz, créée en 1933, régulièrement distinguée dans le Guide, propose un merlot élevé neuf mois en fût. D'une belle couleur pourpre brillant, ce 2010 développe un bouquet variétal de bourgeon de cassis que l'on sent déjà complexe avec ses notes de torréfaction et de menthol. Gras, sans manquer de fraîcheur, accompagné de notes de fumée froide, le palais s'appuie sur des tanins fins qui autorisent une garde de deux ans. Pourquoi ne pas l'essayer sur une côte de veau aux pruneaux ? Le **2011 blanc Clos de Barin (8 à 11 € ; 15 000 b.)** reçoit une étoile pour son nez floral et fruité, et pour sa bouche à la fois ronde et fraîche.

Cave Cidis, chem. du Saux 5, 1131 Tolochenaz, tél. 21.804.54.54, fax 21.804.55.55, cidis@cidis.ch t.l.j. sf sam. dim. lun. 9h-12h 13h30-18h30

Uvavins

♥ **CLOS DES ABBAYES** Lavaux Dézaley 2011 ★★★

Gd cru	n.c.		15 à 20 €

Nouveau coup de cœur pour cet ancien évêché de la ville de Lausanne (XIIe s.), propriété de la commune depuis 1536. Ce chasselas, élevé en foudre de chêne, possède tous les atouts des grands vins : la fraîcheur, la matière et la minéralité. Sous une robe dorée élégante, il dévoile un nez superbe de pêche de vigne et de silex qui annonce une bouche fruitée (poire williams, mangue), riche et tendre. Un vin d'une grande harmonie qui se plaira auprès d'une pintade aux chanterelles.

Ville de Lausanne, Clos des Abbayes, 1071 Chexbres, tél. 21.315.42.84, vignobles@lausanne.ch r.-v.

CLOS DU CHÂTELARD Chablais Villeneuve Gewürztraminer Vendange tardive 2009 ★★

Gd cru	1 200	▮	15 à 20 €

La maison Hammel propose un liquoreux issu de gewürztraminer paré d'une belle robe dorée. Zeste d'orange confite et notes de caramel... à l'orange s'expriment avec bonheur dans une bouche riche, équilibrée en finale par une belle acidité. « Un vin qui transcende son cépage », s'exclame un dégustateur qui le recommande sur un fromage bleu ou une mousse au chocolat. Même distinction pour L'**Apicius Chablais Villeneuve grand cru 2009 rouge (20 à 30 € ; 3 800 b.)** au nez complexe de vanille, d'épices et de tourbe, et à la bouche généreuse aux tanins encore serrés. Du même producteur, le **Dom. de Fischer La Côte Féchy grand cru 2011 blanc (8 à 11 € ; 25 000 b.)** reçoit une étoile pour son élégance et sa belle persistance aromatique.

SA Hammel, chem. des Cruz 1, 1180 Rolle, tél. 21.822.07.07, fax 21.822.07.00, fpenta@hammel.ch t.l.j. sf sam. dim. 8h-12h 14h-17h

CONCISE Bonvillars Vieille Vigne 2011

Gd cru	1 800	▮	8 à 11 €

Propriété dans la même famille depuis cinq générations, ce domaine propose une cuvée de chasselas qui a bénéficié d'un élevage mixte (60 % en cuve, le reste en fût), dont elle tire un bouquet intense de mirabelle et de vanille. La bouche ample et ronde évoque quant à elle les fruits mûrs. Un vin harmonieux de bonne longueur à découvrir sur un poulet aux morilles.

Éric et Martial Du Pasquier, rte cantonnale 2, 1426 Concise, tél. 79.759.48.43, fax 24.434.16.50, info@cavedupasquier.ch t.l.j. sf dim. 16h-18h; sam. 10h-14h, f. jan.-fév. 2

VIGNOBLE COUSIN Bonvillars Gaya Assemblage 2010 ★★

	1 600		15 à 20 €

Cet assemblage à dominante de gamaret a séduit les dégustateurs par sa belle robe soutenue aux reflets violacés, par son nez discret et élégant de violette et de cassis, et par sa bouche aromatique, sur les fruits des bois mâtinés d'épices (clou de girofle). Ses tanins fins autorisent une petite garde et un bon accord avec une côte de bœuf.

Vignoble Cousin, rte de Provence 42, 1426 Concise, tél. 79.718.71.31, info@vignoblecousin.ch ven. 17h-18h30

♥ **CH. DE CRANS** Nyon Galisse Assemblage de cépages nobles Élevé en barrique 2009 ★★★

Gd cru	n.c.		15 à 20 €

Bel exemple d'architecture du XVIIIe s., ce château bâti sur un coteau commande un vignoble de 12,5 ha qui domine le lac Léman. Élevé vingt-quatre mois en fût, cet assemblage de gamaret et de garanoir à parts égales, complété d'un brin de merlot (20 %), a réjoui les dégus-

tateurs. Dans sa belle robe pourpre profond, il dévoile une palette aromatique intense qui évoque les fruits noirs sauvages et le cacao. La trame tannique, encore jeune, soutient une bouche bien structurée qui conjugue rondeur et fraîcheur (notes mentholées en finale). Une superbe cuvée qui dévoilera tous ses atouts d'ici deux à cinq ans. Savourez-la, pour le contraste, sur un foie gras poêlé, ou plus classiquement sur une selle de chevreuil. Le **grand cru 2011 blanc Nyon chasselas (8 à 11 €; 10 000 b.)** reçoit une étoile pour son bouquet floral et pour son équilibre.

Pilloud Gilles, rue Antoine Saladin 8, 1299 Crans-près-Céligny, tél. 22.776.34.04, fax 22.776.88.10, pilloud.gilles@gmail.com
jeu. sam. 9h-12h 16h30-18h30

CRÊT-DESSOUS Lavaux Épesses Calamin 2011 ★

Gd cru | 9 000 | 11 à 15 €

Dans sa robe jaune clair aux reflets verts, ce 2011 élevé sept mois en cuve séduit par ses parfums de silex et d'agrumes (pamplemousse, citron vert). Souple, gras et équilibré, le palais dévoile en finale des arômes de pain frais accompagnés d'une pointe d'amertume. Pour un filet de loup au citron vert ou un tartare de féra (poisson du lac Léman).

Gay et Pestalozzi, Crêt-Dessous, 1098 Épesses, tél. 79.450.57.22, gpvins@gmail.com r.-v.

UNION VINICOLE DE CULLY Lavaux Villette Cuvée des Helvètes 2011 ★

Gd cru | 10 402 | 8 à 11 €

Né sur les coteaux en terrasse de Lavaux, cette cuvée, aux beaux reflets argentés, a séjourné en cuve six mois avant de livrer des arômes vifs de citron. La bouche, perlante en attaque, se fait ensuite plus suave, empreinte de notes de banane et d'agrumes. Pour l'apéritif ou pour accompagner des filets de perche au beurre citronné.

Union vinicole Cully, rue de la Gare 10, 1096 Cully, tél. 21.799.12.96, fax 21.799.12.66, info@uvc.ch
t.l.j. sf dim. 7h30-12h 13h30-17h; f. mi-jui.-mi-août

CURE D'ATTALENS Lavaux Chardonne 2011 ★

Gd cru | 120 000 | 11 à 15 €

Propriétaire de nombreux domaines réputés, la maison de négoce Obrist, créée en 1854, voit deux de ses cuvées sélectionnées. Ce grand cru au nez discret de fruits mûrs révèle un plaisant perlant à l'attaque avant d'évoluer vers la douceur autour d'arômes gourmands de fruits exotiques et de miel d'acacia. Une richesse qui appelle une fondue de vacherin fribourgeois. Même note pour le **grand cru Dom. du Manoir assemblage rouge de Valeyres-sous-Rances (8 à 11 €; 30 000 b.)**, fruité et délicat.

SA Obrist, av. Reller 26, CP 816, 1800 Vevey, tél. 21.925.99.25, obrist@obrist.ch
t.l.j. sf dim. 10h-18h; sam. 10h-13h

DENIS FAUQUEX Calamin 2011 ★

Gd cru | 1 500 | 11 à 15 €

D'une parcelle de 22 ares, Denis Fauquex a tiré cette cuvée jaune pâle qui libère des notes de champignon frais. La bouche, crayeuse et perlante en attaque, évolue vers des notes discrètes de pain de seigle et d'anis étoilé. Un 2011 puissant, gras et long, qui méritera de patienter en cave une paire d'années avant d'être dégusté sur un feuilleté aux champignons.

Denis Fauquex, rte de la Corniche 17, 1097 Riex, tél. 21.799.11.49, fax 21.799.11.42, denis.fauquex@bluewin.ch r.-v.

JEAN-MARC FAVEZ Lavaux Chardonne Viognier 2011 ★★

2 700 | 15 à 20 €

Ce remarquable viognier, de couleur jaune intense, s'ouvre timidement sur l'abricot. La bouche puissante, chaleureuse et fruitée, sans toutefois manquer de fraî-

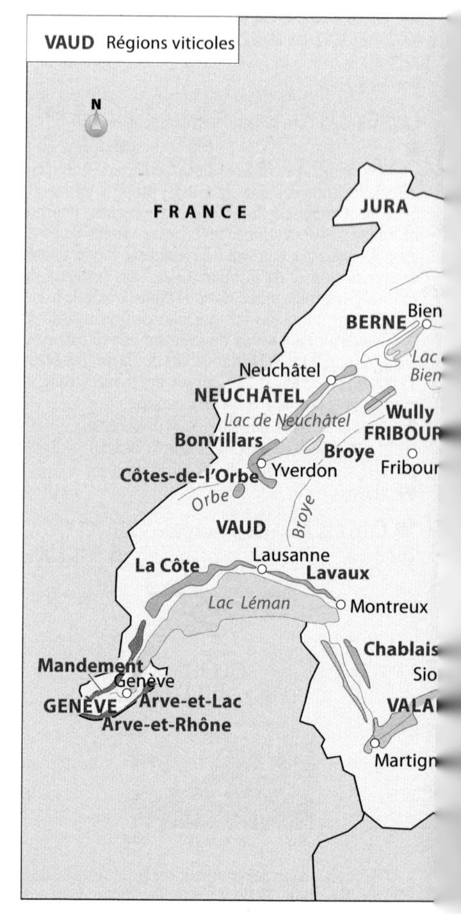

cheur, laisse en finale d'ardentes notes de poivre blanc. Ce vin dévoilera tout son potentiel dans deux ans sur un poulet au basilic.

Jean-Marc Favez, Sentier des Curtis 2, 1806 Saint-Légier, tél. 79.647.77.49, jm.favez@bluewin.ch r.-v.

PATRICK FONJALLAZ Lavaux Dezaley de l'Évêque 2011 ★★

Gd cru	18 000		15 à 20 €

Un joli doublé pour Patrick Fonjallaz qui propre deux 2011 jugés remarquables. Ce grand cru, vêtu d'une belle robe jaune aux reflets dorés, présente bien des atouts : un nez séduisant mêlant les agrumes et l'anis, une bouche tonique dès l'attaque, servie par une jolie structure, une finale fraîche soutenue par une noble amertume. Un vin puissant et vif, à découvrir d'ici un an ou deux sur un carpaccio de féra à la citronnelle. Même note pour le **2011 blanc Saint-Saphorin La Rionde Lavaux (11 à 15 € ; 6 000 b.)**, souple, aromatique et persistant.

Patrick Fonjallaz, ruelle du Petit-Crêt, 1098 Épesses, tél. 21.799.14.44, fax 21.799.21.71, info@patrick-fonjallaz.ch r.-v.

♥ **DOM. DES FRÈRES DUBOIS** Lavaux Dézaley-Marsens De la Tour Élevé en foudre de chêne 2009 ★★★

Gd cru	6 000		20 à 30 €

Deux cuvées sélectionnées et un coup de cœur pour les frères Dubois. Ce 2009, élevé dans les caves du Petit Versailles, six mois en cuve, douze mois en fût, revêt une robe animée de reflets dorés qui annonce un nez intense

La Suisse

de fruits jaunes bien mûrs. Après une attaque ample et suave, la bouche impressionne par son gras et son volume, portés par une belle fraîcheur, et par sa longue finale à la fois minérale et miellée. Un vin admirable à boire sans attendre sur une volaille à la crème et aux morilles. Deux étoiles pour le **2010 grand cru Lavaux Dézaley-Marsens De la Tour (15 à 20 €)**, au nez floral (sureau) et vanillé, et au palais ample et puissant.

SA Les Frères Dubois, Le Petit Versailles, 1096 Cully, tél. 21.799.22.22, fax 21.799.22.54, office@lfd.ch
t.l.j. sf dim. lun. 10h-12h30 15h-18h30

DOM. GENEVAZ Lavaux Villette Renardeau Assemblage de nobles cépages rouges Élevé en fût de chêne 2010 ★

	1 400		20 à 30 €

Un superbe trio 100 % suisse de diolinoir (60 %), de garanoir et de gamaret est à l'origine de ce 2010 élevé douze mois en fût. Cette cuvée, au nez intense de fleurs, de fruits noirs et d'amande amère, se révèle chaleureuse et fruitée en bouche, avec une pointe de fraîcheur en finale. Un vin encore sur la réserve, qui gagnera à patienter en cave avant d'être débouché sur des côtelettes d'agneau au thym.

Josiane Malherbe, rue Saint-Georges 27, 1091 Villette, tél. 21.799.13.40, fax 21.799.44.50, josiane.malherbe@genevaz.ch r.-v.

CAVE MIRABILIS Côte de l'Orbe Gamaret Garanoir Élevé en barrique 2010 ★★

	1 000		15 à 20 €

Ce vin à dominante de gamaret complété d'un brin de garanoir se présente dans une robe pourpre profond presque noir, prélude à un bouquet expressif de fruits noirs et d'épices. Après une attaque sur des notes acidulées et fumées, la bouche plaît par sa fraîcheur, ses arômes de fruits confits et de cacao et par sa longue finale. On laissera cette belle bouteille reposer en cave deux à cinq ans.

Pierre-Yves Poget, rte de Bretonnières 16a, 1352 Agiez, tél. 24.441.43.21, vinspoget@bluewin.ch r.-v.

DOM. DE MONTAUBAN Bonvillars Pinot noir 2010 ★

Gd cru	3 000		11 à 15 €

Ce domaine familial remonte à 1538. Ce grand cru couleur pourpre plaît d'emblée par son nez de fruits rouges. Après une attaque souple sur des notes de cerise, le palais dévoile une jolie fraîcheur qui apporte du tonus et de l'équilibre. Un vin plaisant et prêt à boire sur un rosbif froid.

SA Jean et Pierre Testuz, Le Treytorrens, 1096 Cully, tél. 21.799.99.99, info@testuz.ch
t.l.j. sf dim. 10h-19h; sam. 10h-17h

BENJAMIN MOREL – FRÉDÉRIC HOSTETTLER Chardonnay Confidentiel 2010 ★★

	2 000		15 à 20 €

Cette maison de négoce se distingue ici avec un chardonnay fort bien réussi. À un bouquet plaisant de fruits jaunes et de citron confit succède un palais suave, sur la pêche et l'abricot mûrs, gras et puissant, une pointe plaisante d'amertume accompagnant une longue finale. Une bouteille bien construite, à apprécier sans attendre sur des fruits de mer.

Benjamin Morel et Frédéric Hostettler, Le Château, rue du Village 5, 1358 Valeyres-sous-Rances, tél. 24.441.07.01, info@chateauvaleyres.ch r.-v.

MARTIAL NEYROUD Lavaux-Montreux Merlot Élevé et vieilli en barrique de chêne 2010 ★★

Gd cru	1 285		20 à 30 €

Ce merlot, élevé douze mois en fût de chêne, a charmé d'emblée les dégustateurs dans sa belle robe rubis. Intense, il exprime des notes sauvages et généreuses de fruits noirs et de café. Après une attaque veloutée, le palais se révèle ample, rond, long et persistant, soutenu par des tanins soyeux qui permettront d'apprécier cette bouteille dès aujourd'hui sur des pâtes au pesto ou sur un lapin à la moutarde. « Un coup de cœur sans la moindre fausse note », conclut le jury. Même note pour le **grand cru 1807 Rouge Lavaux-Montreux 2010 (15 à 20 €; 2 571 b.)**, un vin puissant, gras et long, porté par de bons tanins et armé pour la garde.

Martial Neyroud, Ch. des Chables 40, 1807 Blonay, tél. 21.921.26.56, fax 21.921.26.07, martial@domainesneyroud.ch
r.-v.

JEAN-FRANÇOIS NEYROUD-FONJALLAZ Lavaux Chardonne Les Berneyses 2011 ★★★

Gd cru	8 000		8 à 11 €

Ce domaine, dont la création remonte à 1901, propose une cuvée d'exception qui dévoile des arômes intenses de citron jaune bien mûr rehaussé par des notes minérales. L'attaque souple vivifiée par une pointe « terroitée » prélude à une bouche ample et riche. Un vin puissant et long, « dans l'apprentissage de sa vie », souligne un dégustateur, à découvrir dans quelques années sur un poisson en sauce ou sur un vieux gruyère. **Le Chardon d'argent grand cru Lavaux Chardonne Mûri sur lie 2011 blanc (6 000 b.)**, rond et épanoui, agrémenté de notes minérales, reçoit deux étoiles.

Jean-François Neyroud-Fonjallaz, rte du Vignoble 13, 1803 Chardonne, tél. 21.921.71.73, fax 21.922.70.17, vins@neyroud.ch
t.l.j. sf dim. 8h-12h 13h-18h; sam. 8h-12h

JACQUES PELICHET Féchy Gewürztraminer Surmaturé La Douce Éliane 2011 ★★

	1 000		11 à 15 €

FÉCHY
Appellation d'origine contrôlée la Côte
la douce Éliane
Gewürztraminer 2011
Surmaturé
Jacques Pelichet - Viticulteur encaveur
Féchy
14% vol. Contient des sulfites 37,5 cl

Le gewürztraminer donne naissance à cette superbe cuvée dorée, au nez complexe d'épices (safran, curry) et de feuille de thé. Le charme persiste en bouche, où se mêlent des arômes de zeste d'orange confite et de gingembre. Gras, puissant et persistant, ce très beau vin, soutenu par une fine acidité, accompagnera à merveille un époisses, une tarte Tatin ou un carpaccio d'ananas.

Jacques Pelichet, Féchy-Dessus 25, 1173 Féchy, tél. 21.808.51.41, fax 21.808.51.01, j-pelichet@hotmail.com r.-v.

DOM. LE PETIT COTTENS La Côte Luins Réserve 2011 ★★

Gd cru	n.c.		8 à 11 €

Cette maison de négoce suisse bien implantée en Bourgogne, à Beaune et à Savigny, voit quatre de ses cuvées distinguées. Proposé par la maison Schenk, le Côte Luins Réserve du domaine Le Petit Cottens obtient deux étoiles pour sa robe jaune aux reflets verts, son nez de fleurs blanches et pour sa bouche ample qui fait la part belle aux fruits exotiques (mangue). Un vin ample et friand, qu'on appréciera avec des asperges sauce hollandaise. Le **grand cru Ch. Maison blanche Yvorne savagnin 2011 blanc (15 à 20 € ; 1 600 b.)**, au bouquet plaisant de fruits jaunes et de citron confit, et au palais suave et puissant, avec une légère pointe d'amertume, reçoit, lui aussi, deux étoiles. Il s'appréciera sur des fruits de mer. Le **grand cru 2011 blanc Dom. du Martheray Féchy (11 à 15 € ; 80 000 b.)** reçoit une étoile pour sa finesse, son volume et sa rondeur. Une étoile enfin pour le **2011 blanc Bolle La Côte Féchy Filet d'or (8 à 11 € ; 4 800 b.)**, au nez complexe de jasmin et de pierre chaude, à la bouche chaleureuse soutenue par un léger perlant.

Dom. le Petit Cottens, 1268 Begnins, tél. 21.822.02.02, fax 21.822.03.03, schenk@schenk-wine.ch r.-v.
J.-P. et R. Walther

PRÉ-LYRE Lavaux Saint-Saphorin L'Excellence de Lavaux 2011 ★★

Gd cru	5 000		11 à 15 €

Cette cuvée, qui porte le nom du lieu-dit de la parcelle où elle est née, se présente dans son habit jaune paille aux reflets dorés. Complexe, le bouquet dévoile des notes de fleurs blanches. Après une attaque souple et légèrement perlante, le palais se révèle équilibré, offrant des notes de caramel contrebalancées en finale par des arômes de citron et une plaisante minéralité. Un vin flatteur, idéal pour aiguiser les papilles avant le repas, ou en entrée sur une salade de chèvre chaud.

Jean-Luc Blondel, chem. du Vigny 12, 1096 Cully, tél. 21.799.31.92, fax 21.799.21.92, info@domaine-blondel.ch r.-v.

DOM. LES REVENTS La Côte Mont-sur-Rolle 2011

Gd cru	10 000		8 à 11 €

Jaune doré, ce 2011 livre un nez intense de citron qui annonce une bouche souple dès l'attaque, vive et tonique, sur les agrumes et dotée d'une pointe de salinité qui s'accommodera facilement de filets de perche meunière.

Dom. les Revents, 2, rte de la Vallée, 1180 Rolle, tél. 04.178.89.16, lesrevents@hotmail.com r.-v.
Stéphane Zeugin

ROCHETTAZ Lavaux Pully Nobles cépages 2011 ★

	4 750		11 à 15 €

Le pinot noir (60 %) complété à parts égales de gamay et de garanoir donne naissance à cette cuvée pourpre qui révèle un bouquet un peu fermé de framboise et de sureau. Frais et bien équilibré, ce vin un brin rustique, porté par des tanins fondus, dévoile des notes de sous-bois en fin de bouche. Pour un poulet grillé.

Commune de Pully, Cave communale, av. Samson-Reymondin, 1009 Pully, tél. 21.721.35.26, fax 21.721.35.15, domaine@pully.ch r.-v.

LES ROMAINES Nyon Gamay 2010 ★

	3 360		15 à 20 €

D'un rouge pourpre soutenu aux beaux reflets violacés, ce 2010 laisse paraître des senteurs de fruits rouges frais (framboise, fraise) et noirs, et des notes de vanille. Le palais, encore un peu marqué par la barrique, dévoile une belle matière portée par des tanins serrés et une pointe d'acidité. Voilà qui promet une très élégante bouteille d'ici deux à trois ans, à découvrir sur des paupiettes de bœuf. Une étoile pour la cuvée **Les Romaines chardonnay Grande Réserve 2010 blanc (2 500 b.)**, puissante et bien équilibrée entre douceur et acidité.

Les Frères Dutruy, Grand-Rue 18, 1297 Founex, tél. 22.776.54.02, dutruy@lesfreresdutruy.ch r.-v.

LA CAVE VEVEY-MONTREUX Lavaux Saint-Légier La Chiésaz 2011 ★

	3 900		8 à 11 €

La coopérative de Montreux signe ce chasselas au bouquet doux et flatteur de pâte d'amandes. Frais à l'attaque, le palais laisse, quant à lui, les fruits exotiques s'exprimer et dévoile une finale suave, agrémentée d'une pointe d'amertume. À servir dès la sortie du Guide sur des filets de perche meunière ou sur une quiche aux légumes.

La Cave Vevey-Montreux, 28, av. de Belmont, 1820 Montreux, tél. 21.963.13.48, fax 21.963.34.34, cvm-bureau@bluewin.ch r.-v.

JEAN VOGEL ET FILS Lavaux Calamin 2011 ★

Gd cru	4 500		11 à 15 €

Cette cuvée dévoile un nez encore discret qui s'ouvre à l'aération sur des arômes minéraux, végétaux (herbe séchée) et légèrement vanillés. Gras et puissant en bouche, ce vin onctueux (notes de beurre) et long s'équilibre grâce à une juste fraîcheur. À servir avec à un poisson du lac Léman ou un gruyère d'alpage.

Jean Vogel et Fils,
Dom. de La Croix Duplex, rte de Chenaux 2,
1091 Grandvaux, tél. 21.799.15.31, fax 21.799.38.13,
domaine@croix-duplex.ch
t.l.j. sf dim. 10h-18h; sam. 10h-15h

ARTISANS VIGNERONS D'YVORNE Chablais Yvorne Tradition 2011 ★

180 000 | 11 à 15 €

Fondée en 1902 par huit vignerons, cette coopérative réunit aujourd'hui cent vingt membres qui cultivent 55 ha de vignes (sur les 160 ha de l'aire de production Yvorne). Cette cuvée jaune clair animée de reflets gris dévoile de discrètes notes d'herbes sèches. La bouche évolue, quant à elle, sur des arômes de fleurs et de fruits avec, en appoint, une belle vivacité minérale et citronnée. À apprécier au printemps sur des asperges sauce mousseline.

Artisans vignerons d'Yvorne, Les Maisons-Neuves 5, CP 43, 1853 Yvorne, tél. 24.466.23.44, fax 24.466.59.19, info@avy.ch t.l.j. 7h30-12h 13h30-17h

Canton du Valais

Pays de contrastes, la vallée du haut Rhône a été façonnée au cours des millénaires par le retrait du glacier. Un vignoble a été implanté sur des coteaux souvent aménagés en terrasses.

Le Valais, un air de Provence au cœur des Alpes : à proximité des neiges éternelles, la vigne côtoie l'abricotier et l'asperge. Sur le sentier des bisses (nom local des canaux d'irrigation), le promeneur rencontre l'amandier et l'adonis, le châtaignier et le cactus, la mante religieuse et le scorpion ; il peut palper le long des murs l'absinthe et l'armoise, l'hysope et le thym.

Plus de quarante cépages sont cultivés dans le Valais, certains introuvables ailleurs tels l'arvine et l'humagne, l'amigne et le cornalin. Le chasselas se nomme ici fendant et, dans un heureux mariage, le pinot noir et le gamay donnent la dôle, tous deux crus AOC qui se distinguent selon les divers terroirs par leur fruité ou leur noblesse.

CAVE DE L'ADRET Marsanne blanche Élevé en fût de chêne 2010 ★★★

1 000 | 15 à 20 €

Né sur un terroir de schistes, cette cuvée s'affirme élégante dans sa robe dorée. Le nez magnifique de poire confite évolue vers la truffe blanche. Le palais, à la fois ample, gras et puissant, frais et tonique, s'étire sur une longue finale, légèrement vanillée. Un vin au superbe potentiel, à déguster dès maintenant ou à attendre « plus de dix ans », comme le suggère un dégustateur. Pour un poulet à la crème.

Paul-Henri Roux, rue de l'École 51, Champlan, 1971 Grimisuat, tél. 27.398.21.86, info@adret.ch r.-v.

CAVE ARDÉVAZ Dôle 2011 ★★

8 000 | 11 à 15 €

Rachel Boven, à la tête des 13 ha de ce domaine créé en 1956, propose un assemblage de pinot noir (50 %) et de gamay (45 %) complété d'un brin d'ancelotta. Drapée dans sa belle robe rouge soutenu animée de reflets violacés, cette cuvée séduit par son nez de livèche fraîche. Après une attaque chaleureuse sur les fruits macérés à l'eau-de-vie mâtinés de notes de pruneau cuit, la bouche ample dévoile de beaux tanins, jeunes et prometteurs. À découvrir d'ici deux à cinq ans sur une viande rouge grillée. Le **gamay 2011 (20 000 b.)** reçoit une étoile pour son nez de fruits rouges et de sureau et pour sa plaisante acidité. Même note pour le **pinot noir 2011 (20 000 b.)**, aux notes discrètes de framboise écrasée, de champignon et de sous-bois.

Cave Ardévaz, rue de Latigny 4, 1955 Chamoson, tél. 27.306.28.36, fax 27.306.74.00, info@boven.ch r.-v.
Famille Boven

CAVE ARDÉVAZ Petite Arvine 2011 ★★

8 000 | 11 à 15 €

La famille Boven, qui produit pas moins de 26 appellations différentes sur son petit domaine, voit cette Petite Arvine, jaune aux reflets dorés, distinguée pour son bouquet de fruits jaunes (pêche) et pour son palais riche et volumineux, empreint de notes d'agrumes (zeste de citron vert) en finale. Un vin équilibré à essayer sur une soupe de moules au safran. Le **johannisberg 2011 (20 000 b.)** et l'**humagne blanche 2011 (1 500 b.)** se distinguent chacun avec une étoile. Le premier, aux notes amyliques (banane), est un vin frais un peu « techno » à découvrir sans attendre ; le second, au nez d'amande verte et d'olive, révèle une finale un peu *bitter*.

Cave Ardévaz, rue de Latigny 4, 1955 Chamoson, tél. 27.306.28.36, fax 27.306.74.00, info@boven.ch r.-v.
Famille Boven

GÉRALD BESSE Petite Arvine Martigny Les Serpents Flétrie sur souche 2010 ★★

n.c. | 20 à 30 €

Une pluie d'étoiles a déjà récompensé ce domaine repris en 1979 par Gérald Besse. Cette petite arvine vieillie sur souche se pare d'une belle robe jaune foncé qui annonce un nez intense et complexe aux notes de miel et de rhubarbe confite. L'attaque ample est bien balancée entre vivacité et douceur. Le milieu de bouche, à l'unisson, développe une riche expression aromatique « exubérante, voire extravagante », souligne un dégustateur. Un beau vin, très long, puissant, magnifique expression de la petite arvine liquoreuse, à savourer sur un soufflé au citron vert ou à la mangue.

Gérald et Patricia Besse,
rte de la Combe 14, Les Rappes, 1921 Martigny-Combe,
tél. 27.722.78.81, fax 27.723.21.94, info@besse.ch
r.-v.

LES BIOLLES Johannisberg 2011 ★★

n.c. | 8 à 11 €

Cette cuvée est issue de sylvaner, un cépage rarement utilisé dans le canton du Valais. Derrière une robe jaune paille, ce 2011 dévoile un bouquet de fruits jaunes. L'attaque est puissante, la bouche harmonieuse et la finale sur la minéralité. Un vin prêt à boire sur un vieux fromage d'alpage ou une raclette.

Cave des Biolles,
Stéphane Solliard SA, rue des Caves 17, 1964 Conthey,
tél. 27.346.24.30, fax 27.346.67.75,
cavesdesbiolles@bluewin.ch r.-v.

CHARLES BONVIN Fendant Sans culotte 2011 ★★★

28 000 | 15 à 20 €

Pas moins de quatre vins sélectionnés pour ce domaine qui remonte à 1858 et peut s'enorgueillir d'être la plus ancienne maison du Valais. Ce fendant, dans son habit jaune animé de reflets dorés, a eu la préférence des jurés. Au nez de brûlon et de silex fait écho un palais perlant, ample, sec et tranchant, légèrement amer en finale. Un vin bien « typé terroir » à réserver à un fromage vieux d'alpage. Le **johannisberg Mont Fleuri 2011 blanc (10 000 b.)** et la **petite arvine Noble Cépage 2011 blanc (30 à 40 €; 20 000 b.)** décrochent chacun deux étoiles ; le premier pour ses parfums persistants de fruits jaunes bien mûrs et de pâte d'amandes et pour sa belle minéralité, le second pour sa fraîcheur et son léger perlant. Une étoile pour la **syrah Noble Cépage 2011 rouge (20 à 30 €; 12 000 b.)**, un vin frais, sur les fruits noirs et la livèche, légèrement épicé en finale.

Charles Bonvin, rue de la Blancherie 61, 1950 Sion,
tél. 27.203.41.31, fax 27.203.47.07, info@bonvin1858.ch
r.-v.

CAVE LE BOSSET Marsanne Les Fourches 2010 ★★

1 000 | 15 à 20 €

Romaine Blaser-Michellod, l'œnologue du domaine, signe une marsanne expressive et bien dans son appellation, élevée neuf mois en fût. Ce 2010, jaune doré, chaleureux au nez, est dominé par la vanille et le caramel mêlés aux fruits à l'alcool et au rhum vieux agricole. Puissant et volumineux, ce vin possède un beau potentiel de garde. Pour un dessert ou un fromage bleu.

Cave Le Bosset, Romaine Blaser-Michellod, CP 90,
1912 Leytron, tél. 27.306.18.80, fax 27.306.56.23,
cave@lebosset.ch r.-v.

VINS DES CHEVALIERS Dôle des Chevaliers 2011 ★

25 000 | 15 à 20 €

Coup de cœur l'an dernier pour un pinot noir 2009, ce domaine revient avec un rouge et un blanc qui reçoivent chacun une étoile. Cet assemblage de pinot noir majoritaire complété de syrah (15 %) et de gamay (5 %) présente un nez de fruits rouges mêlés de fleur d'églantine et une bouche structurée, bien équilibrée entre fraîcheur et suavité. À apprécier dans les deux ans à venir sur un émincé de veau à la zurichoise. Même note pour le liquoreux **Chevalier d'or 2010 blanc (20 à 30 €; 2 300 b.)**, élevé quatorze mois en fût, doux et frais à la fois.

Vins des Chevaliers, Varenstrasse 40, 3970 Salgesch,
tél. 27.455.28.28, fax 27.455.34.28, info@chevaliers.ch
r.-v.
Patrick Z'Brun

FERNAND CINA Heida Vieilles Vignes 2011 ★★

6 500 | 15 à 20 €

Animée de reflets dorés, la robe de ce pur heida (savagnin) annonce un nez subtil et élégant, qui se prolonge dans une bouche ronde, ample et fruitée (fruits exotiques). De la puissance, du gras, une bonne matière, une légère douceur finale : ce vin se mariera à merveille sur un fromage d'alpage vieux ou sur un poisson de mer en sauce. L'**Ermitage Vieilles Vignes Réserve du caveau 2011 blanc (2 000 b.)**, de pure marsanne, obtient également deux étoiles pour son bouquet de fruits jaunes mûrs et pour sa bouche ample, riche, chaleureuse et persistante, égayée par des notes minérales.

SA Fernand Cina, Bahnhofstrasse 27, 3970 Salgesch,
tél. 27.455.09.08, fax 27.456.43.81, caves@fernand-cina.ch
t.l.j. sf dim. 9h-12h 14h-17h; sam. 9h-12h

COLLINE DES PLANZETTES Fendant Ville de Sierre 2011 ★

1 400 | 11 à 15 €

Issue de 19 ares de chasselas, cette cuvée jaune à reflets dorés se distingue par son nez aux notes fermentaires et par sa bouche vive et florale. Un fendant qualifié de « moderne », idéal pour l'apéritif.

Colline des Planzettes, rte Sous-Géronde 29,
3960 Sierre, tél. 27.455.04.83, fax 27.455.78.83,
collineplanzettes@bluewin.ch r.-v.

DOM. DE CRETAZ-PLAN Dôle 2010 ★★★

15 000 | 11 à 15 €

Cette cuvée met en valeur le pinot, majoritaire ici, complété de gamay. Ce vin couleur pourpre, au nez ouvert de cerises confites agrémenté de notes de fumée froide, dévoile une bouche souple et fraîche (nuances mentholées), de bon volume, marquée en finale par une touche plus évoluée mais élégante de cuir. À boire sans attendre sur un pavé de rumsteack persillé.

Jacques-Alphonse et Philippe Orsat Frères,
SA Cave Taillefer, rue de l'Indivis 6, 1906 Charrat,
tél. 27.747.15.25, admin@cavetaillefer.ch
t.l.j. sf sam. dim. 8h-12h 13h30-17h30

DOM. DES CRÊTES Savagnin blanc Coteaux de Sierre Païen 2011 ★★★

2 500 | 15 à 20 €

Ce domaine créé en 1950 produit tous les vins du Valais sur les 28 ha du vignoble. Voici un savagnin remarquable qui séduit d'emblée par sa robe jaune animée de reflets dorés, prélude à un nez ouvert de fruits jaunes mûrs. Ample et riche, l'attaque annonce un beau développement au palais : beaucoup de matière, du gras, de la puissance et, pour conclure, une pointe fraîche de pomelo. À l'apéritif ou sur un tartare de thon rouge au gingembre.

Joseph Vocat et Fils, rue de Pont-Chalais 26, 3976 Noës,
tél. 27.458.26.49, fax 27.458.28.49, info@vocatvins.ch
t.l.j. 9h30-11h30 14h-17h

CAVE LA DANSE Malvoisie flétrie Vendanges tardives Élevé en barrique 2009 ★

1 500 | 20 à 30 €

Cette cuvée, vendangée le 22 décembre 2009 et ayant bénéficié d'un élevage en barrique, se présente dans une robe dorée brillante, le nez empreint de notes intenses de fruits très mûrs. Du volume, de la douceur, des notes gourmandes de sirop de sucre de canne et de caramel au lait : ce liquoreux fera un compagnon parfait pour un éclair au café ou un Paris-Brest.

Francis Salamin, Cave la Danse, rue de la Signièse,
3960 Sierre, tél. et fax 27.203.16.48,
francis.salamin@netplus.ch r.-v.

♥ **DEFAYES ET CRETTENAND** Syrah 2011 ★★★

5 600 | 15 à 20 €

Trois vins retenus pour ce domaine, une pluie d'étoiles et un coup de cœur pour cette syrah. Drapé dans une

robe presque noire aux reflets violacés, ce 2011 livre un nez discret mais élégant d'herbe fraîche et de fumé. L'attaque ample annonce une bouche bien balancée entre les fruits noirs et les épices (clou de girofle), portée par de beaux tanins qui promettent un grand vin dans trois à cinq ans. À découvrir sur une selle de chevreuil. Même note pour le **cornalin 2011 rouge (20 à 30 €; 4 000 b.)**, un vin en devenir à la belle matière, marqué en fin de bouche par des notes de graphite. La **petite arvine 2011 blanc (3 000 b.)**, trois étoiles également, vive et minérale, révèle un superbe volume et d'intenses arômes de rhubarbe et de citron vert.

Defayes et Crettenand, En Arche 44, 1912 Leytron, tél. 27.306.28.07, fax 27.306.28.84, vins@defayes.com

r.-v.

♥ GILBERT DEVAYES
Petite Arvine de Leytron 2011 ★★★

	6 000	15 à 20 €

C'est dans un caveau de dégustation du XVIIe s. que vous pourrez découvrir cette cuvée née sur un terroir de schistes noirs du Dogge. Jaune doré aux reflets verts, ce 2011 séduit par son bouquet de fruits blancs mûrs mâtinés d'une pointe anisée. Vive, la bouche dévoile un beau volume, portée par d'intenses notes de pomelo en finale. Une magnifique expression de la petite arvine et un vin d'une remarquable fraîcheur parfait pour accompagner des noix de Saint-Jacques à la crème. Le **gamay de Leytron 2011 rouge (8 à 11 €; 5 000 b.)**, fruité (mûre, myrtille), corsé et puissant, décroche deux étoiles.

Gilbert Devayes, ruelle de la Cotze 5, 1912 Leytron, tél. 79.220.34.68, fax 27.306.63.46, info@cavedevayes.ch

r.-v.

DOM. DE L'ÉTAT DU VALAIS Rèze Grand Brûlé 2011 ★★

	900	15 à 20 €

Le domaine expérimental de l'État du Valais, spécialisé dans la recherche et le développement des cépages autochtones, propose une cuvée confidentielle, issue de rèze. Ses atouts ? Une robe jaune doré, un nez de fruits exotiques et une bouche vive et fruitée, sur les fruits blancs et le litchi. Un vin moderne, prêt à être apprécié à l'heure de l'apéritif ou sur une salade de chèvre chaud. Une étoile pour la **dôle 2010 rouge (4 000 b.)**, assemblage de pinot noir et de gamay, apprécié pour sa vivacité.

Cave de l'État du Valais, Dom. du Grand-Brûlé, 1912 Leytron, tél. 27.306.21.05, fax 27.306.36.05, grandbrule1@bluewin.ch

t.l.j. sf sam. dim. 10h30-12h 13h15-17h

LES FILS DE CHARLES FAVRE Gamay Hurlevent 2011 ★

	10 000	11 à 15 €

Paré d'une robe rubis foncé, ce gamay dévoile un nez floral, puis une bouche ample qui s'achève sur des notes de fruits compotés, égayés par une légère minéralité. Un vin jovial, à déguster sans attendre à l'heure de l'apéritif, accompagné de charcuteries valaisannes.

SA Les Fils de Charles Favre, av. de Tourbillon 29, 1950 Sion, tél. 27.327.50.50, fax 27.327.50.51, info@favre-vins.ch

t.l.j. sf dim. 7h30-12h 13h30-17h30

♥ LES FRÈRES PHILIPPOZ Humagne rouge Leytron 2011 ★★★

	2 500	15 à 20 €

Toujours aussi régulier en qualité, ce domaine appartenant à la famille Philippoz depuis 1864 se place dans le peloton de tête de l'appellation avec cette humagne rouge des plus réussies. Cette dernière a fière allure dans sa robe rouge foncé aux reflets brillants. Le nez intense mêle harmonieusement l'écorce de chêne, le tabac et le café. Après une attaque souple et aérienne, la bouche d'une grande vivacité révèle de beaux arômes de griotte fraîche assortis en finale de notes minérales. Une magnifique expression de ce rare cépage valaisan, à découvrir sur une salade de chèvre chaud, maintenant ou dans deux ans.

Philippoz Frères, rte de Saillon 8, 1912 Leytron, tél. 79.219.26.44, fax 27.306.30.16, r.philippoz@bluewin.ch

r.-v.

♥ MAURICE GAY Johannisberg de Chamoson La Guérite 2011 ★★★

	20 000	11 à 15 €

Deux coups de cœur et une pluie d'étoiles ont déjà récompensé ce domaine créé en 1883. Plantés sur un terroir schisteux, 2 ha de sylvaner ont donné naissance à cette cuvée exceptionnelle qui réunit tous les atouts : un bel habit jaune paille, un bouquet intense de fruits jaunes mûrs, une bouche d'une très grande fraîcheur qui mêle la pêche blanche, le noyau de cerise et, en finale, une pointe d'amande blanche. Un vin de grande classe à apprécier sur une volaille grillée, dès la sortie du Guide ou, pour les plus patients, dans deux à cinq ans.

Vins Maurice Gay, rue de Ravanay 1, 1955 Chamoson, tél. 27.306.53.53, mauricegay@mauricegay.ch
t.l.j. sf sam. dim. 7h30-12h 13h30-17h; f. 23 jui.-10 août

JEAN-RENÉ GERMANIER Amigne de Vétroz 2011 ★★

50 000 | 15 à 20 €

Jean-René Germanier et Gilles Besse représentent les troisième et quatrième générations à la tête de ce domaine créé en 1896. Ils proposent ici un moelleux jaune doré, au nez de fruits blancs à l'eau-de-vie. Dans le même registre, la bouche, souple et fraîche, affiche un bel équilibre entre douceur et acidité. Pour une salade de fruits frais à dominante d'ananas ou, pourquoi pas, un carpaccio d'ananas au basilic.

SA Jean-René Germanier, Balavaud, 1963 Vétroz, tél. 27.346.12.16, fax 27.346.51.32, info@jrgermanier.ch
r.-v.

GRAND BOUQUET Johannisberg du Valais 2011 ★★

80 000 | 8 à 11 €

Issue de vignes de sylvaner âgées de trente ans, cette cuvée de la coopérative Provins Valais, acteur viticole incontournable de la région, a séduit le jury par sa robe lumineuse à reflets dorés, par son nez de fruits jaunes agrémentés de notes minérales et par sa bouche puissante, bien structurée, soutenue par une noble amertume en finale. À apprécier sans attendre sur un fromage de la région. Une étoile pour le **Pierrafeu Fendant du Valais 2011 (11 à 15 €; 150 000 b.)**, au nez discrètement floral (fleurs de tilleul) et minéral, et d'un beau volume en bouche.

Provins, rue de l'Industrie 22, 1950 Sion, tél. 84.066.61.12, fax 27.328.66.60, vins@provins.ch
t.l.j. sf dim. 9h30-12h 13h30-18h30

CAVE LA GROTTE Dôle 2011 ★★

1 500 | 8 à 11 €

Cet assemblage traditionnel valaisan de pinot (60 %), de gamay (10 %) et de carminoir a de beaux arguments à faire valoir : robe rubis foncé, nez fruité de cerise compotée bien typé pinot noir, bouche souple aux tanins fondus, agrémentée d'une pointe sauvage d'herbe sèche et de foin coupé. Pourquoi pas sur un plat de pâtes sauce tomate et basilic ?

Cave la Grotte, Noël Schwery Fils, rte du Simplon 19, 1958 Saint-Léonard, tél. et fax 27.203.12.79, info@cavelagrotte.ch r.-v.

GREGOR KUONEN Gamay 2011 ★★

10 000 | 11 à 15 €

« Notre passion, votre plaisir », telle est la devise de la maison Gregor Kuonen. L'objectif est atteint. Ce 2011 rubis foncé aux arômes persistants de fruits rouges mûrs agrémentés de notes florales offre une bouche à la fois fraîche et onctueuse, qui dévoile en finale des notes de confiture d'airelles et des tanins encore fermes. Une bouteille bien construite, à attendre deux ans et à servir sur un poulet grillé à l'estragon. Le **pinot noir Grande Réserve 2010 (15 à 20 €; 8 000 b.)** obtient la même distinction. Ce vin convivial se révèle chaleureux et tendre, intensément aromatique sur les fruits rouges compotés et la pivoine.

Gregor Kuonen, Caveau de Salquenen, Unterdorfstrasse 11, 3970 Salgesch, tél. 27.455.82.31, fax 27.455.82.42, info@gregor-kuonen.ch
t.l.j. sf dim. 8h-12h 13h30-17h30; sam. 8h-12h

CAVE DU LAC Syrah Saint-Léonard 2011 ★

1 500 | 15 à 20 €

Ce domaine de 5 ha est situé à proximité du lac souterrain de Saint-Léonard, une attraction touristique fort prisée dans la région. Discret, ce 2011 rouge foncé aux reflets violacés dévoile de plaisantes notes de racine et de gentiane. Le lys se manifeste à l'attaque, accompagné de nuances fraîches légèrement mentholées. Le jury recommande ce vin encore jeune sur un tartare épicé de bœuf d'Hérens, dans deux à cinq ans.

Camille Gillioz, rue du Lac 18, 1958 Saint-Léonard, tél. 27.203.36.08, fax 27.203.25.66, cavedulac@bluewin.ch
r.-v.

LEUKERSONNE Cornalin 2011 ★★

4 000 | 15 à 20 €

Pas moins de dix-huit cépages sont cultivés sur les 22 ha du domaine. Les dégustateurs ont tout particulièrement apprécié ce cornalin aux reflets violacés, qui libère des notes flatteuses de résine de pin et dévoile un palais suave et plaisant. À découvrir sur des atriaux ou un cochon de lait à la broche, aujourd'hui ou d'ici deux à cinq ans. Une étoile pour la **syrah 2011 (5 500 b.)**, fraîche et fruitée, et pour le **johannisberg 2011 blanc (11 à 15 €; 12 000 b.)**, à dominante de fruits jaunes.

Kellerei Leukersonne, Sportplatzstrasse 5, 3952 Susten-Leuk, tél. 27.473.20.35, fax 27.473.40.15, info@leukersonne.ch r.-v.

DOMINIQUE LUISIER Collonges Gamay Vieilles Vignes 2011 ★★★

1 000 | 8 à 11 €

Dans ce charmant bourg médiéval situé entre Martigny et Sion, sur la rive droite du Rhône, Dominique Luisier a élaboré un gamay admirable vêtu d'une belle parure pourpre brillant. Au nez, une explosion de fruits rouges et de notes d'herbe sèche (tabac). L'attaque élégante et fruitée ouvre un palais tapissé de notes de fruits sauvages et de noyau de cerise qui s'étirent dans une très longue finale. À réserver pour l'apéritif ou pour une assiette valaisanne.

Dominique Luisier, av. des Comtes de Savoie 203, 1913 Saillon, tél. 79.447.40.08, dom.luisier@bluewin.ch
r.-v.

CAVE LA MADELEINE Païen d'Ardon 2011 ★

4 000 15 à 20 €

Ce domaine, dirigé depuis 1991 par André Fontannaz, est bien connu des lecteurs du Guide. Ce pur savagnin blanc a bénéficié d'un élevage mixte de six mois (85 % en cuve et 15 % en fût), et en ressort avec un bouquet qui évoque la paille et l'herbe sèche. Bien équilibrée, la bouche souple et tendre est portée par une certaine vivacité (notes d'agrumes). Ce 2011 sera prêt à paraître à table dès la sortie du Guide, sur un plat asiatique au curry doux.

André Fontannaz, Cave la Madeleine, 1963 Vétroz, tél. 27.346.45.54, info@fontannaz.ch r.-v.

CAVE DU MARÉCHAL Côteau Lentine 2011 ★

750 11 à 15 €

Première distinction dans le Guide pour ce domaine familial créé en 1986 à Savièse. Ce pur chasselas, jaune aux reflets verts, dévoile un nez de fruits blancs mûrs et une bouche tout aussi plaisante, mariage d'élégance et de fraîcheur, portée par une belle finale acidulée sur la pomme verte. À découvrir sur des coquillages et des crustacés, dès la sortie du Guide.

René Jacquier-Dubuis, rue de Granois 59, Cave du Maréchal, 1965 Savièse, tél. 27.395.36.38, manina.jacquier@netplus.ch r.-v.

ALBERT MATHIER ET FILS Syrah 2010 ★

n.c. 15 à 20 €

Cette maison de négoce familiale créée en 1928 propose un vin de pure syrah vêtu de grenat foncé. Le nez d'abord discret s'ouvre après aération sur des notes de clou de girofle. À l'unisson, la bouche portée par une agréable fraîcheur s'enrichit de notes de fumée froide agrémentées en finale de quelques touches végétales. Idéal pour accompagner un civet de chamois. On pourra attendre ce joli vin deux à dix ans.

Albert Mathier et Fils, Bahnhofstrasse 3, Postfach 16, 3970 Salgesch, tél. 27.455.14.19, albert@mathier.ch r.-v.

MERLE DES ROCHES Ermitage du Valais 2009 ★★★

1 000 20 à 30 €

Issue de 3 ha de vignes âgées de cinquante-deux ans, cette marsanne (ou ermitage en Valais), élevée dix-huit mois en fût, ravit par sa robe dorée et son bouquet intense et chaleureux d'eau-de-vie de framboise, par son palais tout aussi aromatique, complété de citron jaune confit et de melon. Ample, riche et puissant, ce liquoreux est armé pour la garde mais peut aussi être apprécié dès la sortie du Guide.

SA Dom. du Mont d'Or, rue de Savoie 64, CP 415, 1951 Sion, tél. 27.346.20.32, fax 27.346.51.78, montdor@montdor.ch t.l.j. 9h30-19h

DOM. MONTZUETTES Humagne rouge 2011 ★★

1 500 15 à 20 €

Voici un vin tendu qui méritera d'attendre deux à cinq ans pour révéler tout son potentiel. Habillé de rouge sombre, il dévoile un nez discret d'herbe sèche. La bouche se révèle dense, puissante et bien structurée, et offre une belle finale aux accents de graphite et d'épices (clou de girofle). Idéal sur un filet d'agneau en croûte d'herbes.

Dom. Montzuettes, Charles-André Lamon, Saint-Clément 8, 3978 Flanthey, tél. 79.220.75.80, fax 27.458.25.35, ch.-andre@montzuettes.ch r.-v.

Ch.-André Lamon

LA MOURZIÈRE Marsanne blanche Les Coteaux de Sierre 2011 ★★

1 200 11 à 15 €

La cave Caloz, implantée à Miège depuis quatre générations, vinifie une vingtaine de cépages, en rouge ou en blanc. Cette cuvée revêt une robe jaune doré qui annonce un nez intense d'ananas frais. Après une attaque souple se développe un palais puissant et chaleureux, offrant une belle finale sur le caramel. Un vin flatteur qui séduit les papilles par sa douceur. À réserver sur une terrine de foie gras ou du foie gras poêlé.

Conrad et Anne-Carole Caloz, anc. rte de Sierre 1, 3972 Miège, tél. et fax 27.455.22.06, caloz.conrad@bluewin.ch r.-v.

DOM. DES MUSES Petite Arvine flétrie 2011 ★★★

1 100 20 à 30 €

Le domaine des Muses a été bien inspiré avec ces trois cuvées distinguées. Élevé dix mois en fût, ce liquoreux jaune doré s'ouvre sur un bouquet très subtil et élégant de fleurs blanches et d'abricot. Gras et ample à l'attaque, le palais s'achève sur des notes de pamplemousse rose qui apportent de la fraîcheur. Une « belle liqueur », conclut un dégustateur, à savourer sur un foie gras poêlé. (Bouteilles de 50 cl.) Le liquoreux (trois étoiles) **Polymnie Séduction or 2009 blanc (30 à 40 € ; 1 600 b.)**, au nez complexe d'eau-de-vie de framboise et de truffe blanche, se révèle puissant et d'une grande finesse, légèrement épicé en finale. Deux étoiles pour le moelleux **Muscat flétri 2011 (15 à 20 € ; 4 000 b. de 50 cl)**, doux, intense et aromatique.

Dom. des Muses, Île Falcon, rue du Manège 2, 3960 Sierre, tél. 27.455.73.09, fax 27.455.18.69, info@domainedesmuses.ch r.-v.

L'ORPAILLEUR Or jaune Élevé en fût de chêne 2011 ★★

5 000 15 à 20 €

Né en 1999, l'Orpailleur, mi-pinot gris mi-marsanne, séduit d'emblée par sa robe dorée et son joli nez de fruits blancs à l'eau-de-vie (poire williams). Gras en attaque, le palais s'étire sur les fruits exotiques et les épices (clou de girofle), embellis d'un soupçon de vanille et de grillé, souvenir de l'élevage en fût. Un beau vin, plein et aromatique, parfait pour accompagner une tarte aux abricots Luizet du Valais.

SA Frédéric Dumoulin, rte d'Italie 81, 1958 Uvrier, tél. 27.203.04.46, info@orpailleur.ch r.-v.

L' Orpailleur

DOM. LA RODELINE Cornalin Fully Combe d'enfer 2011 ★★★

4 000 20 à 30 €

Sur les terrasses de Fully, ce vignoble familial consacre 70 ares (sur les 6 ha de vignes) à cette cuvée qui magnifie le cornalin. Tout est là : une belle robe aux reflets violets, un nez de myrtille, de mûre et de confiture de cerises noires, une attaque ample et suave prélude à un palais à la fois frais, puissant et gras, porté par une trame tannique de grande qualité. Une grande bouteille, à

découvrir sur un paillard de veau dès l'automne, mais qui pourra aussi être attendue pendant dix ans.

🔑 Dom. la Rodeline, La Fontaine, 1926 Fully, tél. 27.746.17.54, rodeline@mycable.ch ✉ 🍷 r.-v.

🔑 Yvon Roduit

SERGE ROH Amigne de Vétroz 2011 ★

	6 200	▮	15 à 20 €

Serge Roh a repris le domaine familial en 1999. Il signe ici un moelleux jaune doré au joli nez de fruits blancs (poire williams) et à la bouche souple qui dévoile en finale des notes discrètes de mandarine. Un vin flatteur qui laissera une excellente impression sur un foie gras poêlé.

🔑 Serge Roh, rue des Vignerons 88, 1963 Vétroz, tél. 27.346.13.63, serge.roh@bluewin.ch ✉ 🍷 r.-v.

DAVID ROSSIER Petite Arvine 2011 ★★★

	2 200	▮	15 à 20 €

David Rossier dirige ce domaine de 4,5 ha depuis 1999. Née sur une parcelle de 25 ares, cette cuvée élevée six mois en cuve porte beau dans sa robe jaune animée de reflets verts. Aux notes fermentaires de l'olfaction succèdent dans un palais ample et intense des arômes vifs de citron, agrémentés en finale des notes de pomelo et de rhubarbe. Un vin harmonieux, puissant et élégant, qu'il conviendra d'apprécier dès la sortie du Guide, sur un émincé de poulet au curry vert thaï par exemple.

🔑 Cave David Rossier, rte de Chamoson 43, 1912 Leytron, tél. 79.204.17.45, fax 27.306.64.21, info@david-rossier-vins.ch ✉ 🍷 r.-v.

SAINT-JODERN KELLEREI Heida Visperterminen 2011 ★★★

	n.c.		15 à 20 €

Récolté sur un terroir de moraines schisteux, le savagnin, ou heida, a donné naissance à ce superbe vin jaune clair brillant, au bouquet riche de fruits jaunes mûrs. Au palais, la puissance et le gras dominent, équilibrés en finale par une pointe de minéralité fort plaisante. Un vin ample et harmonieux, à découvrir à l'apéritif. Trois étoiles également pour le **Heida Veritas 2010 (30 à 50 €)**, pour son volume admirable et sa longueur.

🔑 Saint-Jodern Kellerei, Unterstalden, 3932 Visperterminen, tél. 27.948.43.48, fax 27.948.43.49, info@jodernkellerei.ch

✉ 🍷 🚶 t.l.j. sf dim. 8h-12h 13h30-17h30; sam. 9h-12h 13h30-16h

CAVE SAINT-PHILIPPE Zudannaz Gamay de Salquenen 2010 ★★

	2 500	▮	15 à 20 €

Un terroir d'éboulis calcaires, où le gamay exprime tout son potentiel aromatique, a donné naissance à ce 2010 au bouquet de fruits rouges et d'amande amère. Souple, fraîche et pimpante, la bouche, dans le même registre, est soutenue par une belle acidité. À boire dès aujourd'hui sur la fraîcheur du fruit, à l'apéritif ou sur des hors-d'œuvre. Même distinction pour le **pinot noir de Salquenen Saint-Jean Baptiste 2010 (20 à 30 €; 9 000 b.)**, de belle extraction, aux nuances discrètes de fruits rouges, et à la bouche fraîche et friande.

🔑 Philippe Constantin, Pachienstrasse 19, 3970 Salgesch, tél. 27.455.72.36, info@cave-st-philippe.ch

✉ 🍷 🚶 t.l.j. sf dim. 8h30-11h30 13h30-17h

CAVE SAINT-PIERRE Malvoisie Réserve des administrateurs 2011 ★★

	30 000	▮	15 à 20 €

À la tête de la cave de Saint-Pierre depuis 2001, Claude Crittin présente un pinot gris (ou malvoisie) bien typé. Ce moelleux est apprécié pour sa robe couleur paille, son nez de pâte de coings, sa bouche souple et élégante aux notes de poire cuite et de caramel, bien équilibrée entre la douceur et l'acidité. Parfait pour un feuilleté aux poires.

🔑 SA Cave Saint-Pierre, rue de Ravanay 1, 1955 Chamoson, tél. 27.306.53.54, saintpierre@saintpierre.ch

✉ 🍷 🚶 t.l.j. sf sam. dim. 7h30-12h 13h30-17h30; f. 23 jui.-10 août

♥ **CAVE AU SOLEIL LEVANT** Lentine 2011 ★★★

	2 000	▮	8 à 11 €

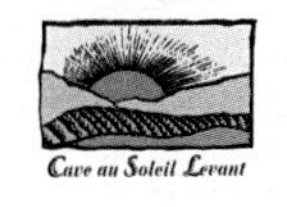

Cette cave mérite le détour autant pour sa vue splendide sur le val d'Hérens que pour ce pur chasselas, modèle d'équilibre. Jaune à reflets verts, ce 2011 a réjoui les dégustateurs par son nez minéral, superbe, et par sa bouche d'une grande fraîcheur qui oscille entre les fleurs blanches (tilleul) et les fruits exotiques. Une admirable cuvée animée par un perlant élégant, à partager à l'apéritif lors d'une grande occasion.

🔑 Blaise Dubuis, Cave au Soleil levant, rue du Stade, 1965 Savièse, tél. 27.395.24.90, fax 27.395.24.91, cave.soleillevant@bluewin.ch ✉ 🍷 🚶 r.-v.

LA TOURMENTE Chamoson Syrah 2011 ★★

	n.c.	▮	15 à 20 €

Nul besoin de présenter ce domaine aux fidèles lecteurs du Guide. Cette pure syrah, déjà plébiscitée l'an dernier, suscite la même adhésion des jurés. Parée d'une élégante robe sombre aux reflets violacés, elle livre un joli nez d'herbe fraîche et sèche. La bouche dévoile quant à elle des arômes de myrtille et de mûre, relayés en finale par des nuances légèrement poivrées. Un bel ensemble, à servir sur des côtelettes d'agneau grillées.

🔑 Les Fils Bernard Coudray, Cave la Tourmente, 1955 Chamoson, tél. 27.306.59.61 ✉ 🍷 🚶 r.-v.

VARONE Petite arvine 2011 ★★★

	12 000	15 à 20 €

Créé en 1900, ce domaine familial propose une petite arvine pimpante dans sa robe jaune aux reflets dorés. Si le nez est empreint de fruits confits, la bouche, légèrement perlante en attaque, évoque l'ananas frais et dévoile une finale « tendue », vive et puissante. Une bouteille en devenir, à déguster dans quelques années sur un filet de veau au citron. Une étoile pour l'**amigne 2011 (4 000 b.)**, riche, ample et chaleureuse, sur l'écorce de mandarine. Un vin doux original, d'une importante sucrosité.

Philippe Varone, CP 4326, 1950 Sion 4, tél. 27.203.56.83, fax 27.203.47.07, info@varone.ch

t.l.j. sf dim. 10h-12h 14h-18h30; sam. 10h-12h 14h-17h

ARTHUR VARONIER-GRICHTING Humagne blanc Leyscher 2011 ★

	1 100	20 à 30 €

Ce domaine créé en 1984 présente un humagne blanc paré d'une robe jaune pâle et au nez discret. Souple à l'attaque, la bouche se montre plus expressive et livre de plaisants arômes d'amande douce. Servir bien frais à l'apéritif ou sur un vieux fromage d'alpage.

Arthur Varonier, Leyscherstr. 21, 3953 Varen, tél. 79.409.39.02, leyscher@bluewin.ch r.-v.

CAVE DU VERSEAU Humagne rouge Les Coteaux de Sierre 2010 ★

	2 700	15 à 20 €

Un terroir de calcaire en altitude, des vignes d'humagne rouge âgées de vingt-quatre ans et des vendanges le 25 octobre ont permis d'obtenir ce 2010 dont le nez végétal évoque l'herbe fraîchement coupée agrémentée de notes de poivron rouge. Servi par une structure souple, le palais dévoile des touches épicées. Cette cuvée très réussie accompagnera dès la sortie du Guide – ou d'ici deux ans – des aubergines farcies à la viande.

Stéphane Clavien, rte de Montana 29, 3968 Veyras, tél. 27.455.37.03, clavienstef@bluewin.ch r.-v.

NIKLAUS WITTWER Fendant Les Corbassiers 2011 ★★

	n.c.	8 à 11 €

En 1990, Niklaus Wittwer reprend le négoce familial. Très vite, il acquiert des parcelles de vignes sur les coteaux de Sion pour produire également ses propres vins. Ce fendant est un bel exemple de son savoir-faire. Derrière une robe jaune animée de reflets dorés, on découvre de plaisants parfums de jasmin. Le palais tendre, ample, suave et gras, n'est pas en reste, équilibré par la fraîcheur qu'apportent les notes minérales et un léger perlant. Un vin techniquement très bien fait, à déguster en apéritif.

Niklaus Wittwer, Case postale, 1950 Sion, tél. 31.711.15.75, fax 31.711.17.86, info@vennerhus.ch

r.-v.

Canton de Genève

Déjà présente en terre genevoise avant l'ère chrétienne, la vigne a survécu aux vicissitudes de l'Histoire pour s'épanouir pleinement dès la fin des années 1960. Elle bénéficie d'un climat tempéré dû à la proximité du lac, d'un très bon ensoleillement et d'un sol favorable, et se partage entre 32 appellations. Les efforts entrepris pour améliorer le potentiel des vins genevois par des méthodes culturales respectueuses de l'environnement, le choix de cépages moins productifs et appropriés à un sol généralement caractérisé par une forte teneur en calcaire permettent de garantir au consommateur un vin de haute qualité. Les exigences contenues dans les textes de loi traduisent autant la volonté des autorités que celle de la profession de mettre sur le marché des vins qui satisfont aux normes des AOC.

Outre les principaux crus provenant du chasselas pour les blancs, du gamay et du pinot noir pour les rouges, les spécialités comme le chardonnay, le pinot blanc, l'aligoté, le gamaret et le cabernet rencontrent un franc succès auprès de l'amateur avisé.

DOM. DES ABEILLES D'OR Chouilly Pinot gris 2010

	5 000	11 à 15 €

Parmi les vingt cépages cultivés par la famille Desbaillets sur son domaine de 34 ha, c'est le pinot gris qui a ici fait la différence. Ce vin à la robe jaune aux nuances cuivrées livre au nez de douces notes de pâte de coings, de miel et de cire d'abeille. Tout en volume, la bouche fait preuve de richesse et d'une longueur intéressante. À apprécier avec une raclette, par exemple.

Dom. des Abeilles d'or, rte du Moulin-Fabry 3, 1242 Chouilly, tél. 22.753.16.37, fax 22.753.80.20, info@abeillesdor.ch

t.l.j. sf dim. 17h-19h; sam. 10h-14h

René et laurent Desbaillets

DOM. DE BEAUVENT Coteau de Lully Merlot Les Bacheroux 2010 ★

1er cru	1 800	11 à 15 €

Le vignoble de Bernard Cruz, situé sur le coteau de Bernex exposé sud-sud-est, est composé à 60 % de cépages rouges et à 40 % de cépages blancs. Élevé pendant une année en cuve, ce merlot à la robe violet profond s'ouvre sur un bouquet intense de sous-bois et d'humus. D'une grande typicité en bouche, il se montre particulièrement dense, ample et puissant, puis laisse le dégustateur sur une impression persistante de réglisse.

Cave de Beauvent, 265, rue de Bernex, 1233 Bernex, tél. 22.757.11.96, fax 22.757.10.74, bcruz@cave-de-beauvent.ch

t.l.j. sf dim. 17h-19h; sam. 9h-12h; f. 25 déc.-10 jan.

Bernard Cruz

DOM. DE CHAFALET Vin doux Élise 2010

	900	20 à 30 €

Né de raisins de sauvignon passerillés récoltés fin octobre et pressés à la veille de Noël, cette cuvée Élise a aussi bénéficié d'un élevage de quatorze mois. Elle en ressort parée d'une robe jaune aux nuances orangées et offre un bouquet puissant de pêche et d'écorce d'orange

confite. La bouche allie douceur et fraîcheur dans un ensemble gourmand qui rappelle toujours la pêche, soutenu par une jolie vivacité.
Dom. de Chafalet, chem. de Chafalet 16, 1283 Dardagny, tél. 22.754.11.79, fax 22.754.11.84, info@domainedechafalet.ch r.-v.
Sylvie et Guy Rome

DOM. DES CHARMES Coteau de Peissy Sauvignon blanc 2010 ★★

1er cru	4 000		11 à 15 €

Voici l'un des « derniers-nés » du domaine d'Anne et Bernard Conne, vignerons à Satigny depuis 1989 : un sauvignon blanc issu du coteau de Peissy. Et c'est une véritable réussite. Brillant dans sa robe jaune paille, ce 2010 montre à l'olfaction une rare complexité aromatique ; il offre un parfum d'exotisme (fruit de la Passion, litchi) mêlé d'une touche végétale (bourgeon de cassis) et agrémenté d'une note mentholée. La bouche impressionne quant à elle par son volume et sa longueur. Idéal pour accompagner des asperges.
Dom. des Charmes, rte de Crédery 11, Peissy, 1242 Satigny, tél. 22.753.22.16, fax 22.753.18.37, info@domainedeschaumes.ch
mer. jeu. ven. 11h-12h 17h-18h; sam. 9h-13h
Bernard Conne

CH. DE CHOUILLY 2009 ★

1er cru	1 500		20 à 30 €

Dans le petit village de Peissy, situé à 10 km de Genève, Bernard Rochaix exploite avec deux de ses enfants un vignoble d'une centaine d'hectares, dont 16 ha sont en propriété. Ce 1er cru se présente dans une robe grenat profond et dévoile des parfums poivrés agrémentés de subtiles notes de poivron rouge (15 % de cabernet-sauvignon). Le palais aux tanins encore fermes s'enrobe d'une belle sucrosité et d'arômes de torréfaction. Pour une entrecôte grillée.
Cave et Domaine les Perrières, rte de Peissy 54, 1242 Satigny, tél. 22.753.90.00, fax 22.753.90.09, info@lesperrieres.ch
t.l.j. sf. dim. 9h-12h 14h-18h (sam. 17h)

LE CLOS DE CÉLIGNY La Côte-Céligny Chardonnay 2011 ★

	9 200		11 à 15 €

D'un seul tenant, ce beau vignoble de 8,5 ha, idéalement exposé et cultivé depuis le Moyen Âge, est à l'origine de ce chardonnay élevé sept mois en cuve. La robe jaune pâle annonce un nez discret de fruits légèrement vanillés. Après une attaque puissante sur les agrumes, la bouche veloutée est tendue par une belle acidité qui lui donne de l'équilibre. Un vin frais et tendre à la fois, à savourer sur une salade d'écrevisses.
Le Clos de Céligny, H. Schütz et R. Moser, rte de Céligny 38, 1298 Céligny, tél. 22.364.23.19, fax 22.364.57.46, moser@clos-de-celigny.ch
sam. 9h-12h

CLOS DE LA DONZELLE Gamaret 2009 ★★

	1 500		8 à 11 €

La variété est de mise au Clos de la Donzelle, un domaine aux mains de la famille Vuagnat depuis quatre générations et qui produit vingt cuvées différentes dont des monocépages, des assemblages, des liquoreux et des effervescents. Ce rouge issu de gamaret élevé en foudre a fait forte impression dans sa robe violacée. À la fois épicé et fruité au nez (poivre et cerise noire), il séduit par sa bouche tout en fraîcheur, ferme, persistante et toujours épicée.
Clos de la Donzelle, rte de la Donzelle 8, 1283 Dardagny, tél. 22.754.02.81, fax 22.754.14.44, bernard.vuagnat@bluewin.ch r.-v.
Bernard Vuagnat-Mermier

LA CÔTE D'OR Kerner 2010 ★

	2 500		11 à 15 €

Venu d'Allemagne, le cépage kerner, que l'on retrouve ici planté sur un sol calcaire, est une curiosité de ce vignoble genevois. Ce 2010 n'a pas effectué de fermentation malolactique et a donc gardé une belle fraîcheur. Jaune pâle, il livre à foison des parfums de lilas, de muguet, de jasmin... Un bouquet de fleurs qui annonce un palais volumineux et persistant, conclu par une jolie vivacité. Idéal pour un plateau de fruits de mer.
Dom. de la Côte d'or, rue Centrale 41, 1247 Anières, tél. 22.751.19.54, fax 22.751.19.56, info@lacotedor.ch
t.l.j. sf dim. 10h-18h

LE CRÊT Aligoté 2010

	3 000		11 à 15 €

La famille Berthaudin, déjà productrice de vins vaudois depuis 1962, officie aussi depuis plus de vingt ans en tant que viticulteur et négociant sur le canton de Genève. Elle propose ici un aligoté aux reflets verts qui exprime toute sa fraîcheur au travers de parfums d'agrumes, de citronnelle et de verveine. C'est un vin d'une belle typicité, avec du volume et une pointe de vivacité, qui s'accordera sur des crustacés.
Dom. du Crêt, rte des Jeunes 43, 1227 Carouge, tél. 22.732.06.26, fax 22.732.84.60, info@berthaudin.ch
r.-v.
Claude Berthaudin

LES CRÊTETS La Mécanique du temps 2009 ★

	1 500		11 à 15 €

« Assemblage de cépages rouges », signale l'étiquette. Il s'agit en effet du mariage à parts égales des cépages suisses gamaret et garanoir, élevés dix mois en barrique. Ancien ingénieur dans les produits de luxe et la haute-horlogerie, Philippe Plan propose ici un vin bien ciselé aux reflets violet profond. Le bouquet, puissant et complexe, évoque le pruneau en confiture que l'on retrouve dans une bouche ronde et généreuse, bâtie sur des tanins soyeux.
Cave les Crêtets, chem. des Crêtets 24, 1242 Peissy, tél. 22.753.10.97, fax 22.753.06.24, info@lescretets.ch
r.-v.
Philippe Plan

SÉBASTIEN DUPRAZ Blanc blanc 2009

	3 000		11 à 15 €

Un assemblage de cépages blancs (pinot blanc, riesling, sylvaner) dont une partie a été élevée en barrique de 300 l et l'autre en cuve, durant une année. Le résultat ? Un vin jaune paille au nez discret de kumquat, de miel et de genêt, relayé par une bouche ronde, ample, aux accents d'agrumes et de vanille. Un ensemble qui joue sur la finesse et sera apprécié sur un sandre au beurre blanc.

Cave des Chevalières, chem. de Placet 8, 1286 Soral, tél. 22.756.16.66, fax 22.756.43.92, cdupraz@infomaniak.ch t.l.j. sf dim. 10h-12h 17h-18h30

Sébastien Dupraz

DOM. DES GROUBEAUX Assemblage rouge 2009 ★

■	1 000		11 à 15 €

Après avoir œuvré dans de grandes caves, Yves Kohli rêvait de pouvoir exploiter son propre domaine et d'élaborer ses vins. C'est chose faite depuis 2009, et il peut s'exprimer au travers de onze cuvées différentes. Son rouge d'assemblage dominé par le merlot s'ouvre sur des notes florales, fruitées (cassis) et kirschées. La bouche, élégante, offre beaucoup de fraîcheur et de croquant, et se voit enrobée d'un léger vanillé.

NOUVEAU PRODUCTEUR

Dom. des Groubeaux, chem. des Ambys 17, 1246 Corsier, tél. 79.474.29.92, yves.kolhi@bluewin.ch r.-v.

Yves Kohli

♥ **LES HUTINS** Vin doux Pinot gris de Dardagny 2008 ★★

■	1 500		15 à 20 €

Régulièrement remarqué dans le Guide, tant pour ses vins rouges que pour ses blancs secs, le couple Hutin est cette fois-ci félicité pour un vin liquoreux né du seul pinot gris. Récoltés fin octobre, passerillés deux mois, les raisins ont donné un véritable « nectar » jaune aux nuances caramel. Le bouquet généreux évoque la mandarine confite, et la bouche, soutenue par une belle fraîcheur, offre une matière veloutée et longue, à la finale légèrement moka. On imaginerait bien cette bouteille à Noël, sur une bûche pâtissière.

Dom. les Hutins, chem. de Brive 8, 1283 Dardagny, tél. 22.754.12.05, fax 22.754.03.13, info@domaineleshutins.ch ven. 17h-18h30; sam. 9h-12h

Émilienne et Jean Hutin

ÉRIC LEYVRAZ Cabernet-sauvignon 2009

■	1 500		11 à 15 €

Cette entreprise familiale, gérée par Éric Leyvraz depuis une quarantaine d'années, s'étend sur 29 ha de vignes. Elle présente un cabernet-sauvignon à la parure violet intense, qui titille le nez de ses riches parfums épicés et de ses notes de mûre, de figue et de chocolat noir. Une attaque croquante précède une bouche structurée, dont les tanins solides sont enrobés d'un fin toasté.

Dom. des Bossons, rte de Maison rouge 27, 1242 Peissy, tél. 22.753.11.60, fax 22.753.90.09, info@domaine-des-bossons.com r.-v.

DOM. DE MIOLAN Coteaux de Choulex Constance 2010 ★

■ 1er cru	1 220		15 à 20 €

Bertrand Favre est depuis quinze ans le fermier (locataire) de ce vieux domaine genevois, dans la même famille depuis plus de quatre siècles. Il s'est lancé dans la biodynamie en 2007, et ses vins sont estampillés du label BioSuisse. Cet assemblage de merlot et de cabernets a séduit les dégustateurs par son profil aromatique complexe, sur les fleurs (œillet), les épices (clou de girofle, cardamome) et les notes de tabac nées de l'élevage en fût.

Dom. de Miolan, chem. des Princes 83, 1244 Choulex, tél. 89.449.05.74, fax 22.750.04.40 r.-v.

Bertrand Favre

DOM. DE LA PLANTA L'Esprit de Genève 2009 ★

■	n.c.		15 à 20 €

Certains se souviendront peut-être du coup de cœur décroché par cet Esprit de Genève dans le millésime 2005. Assemblant gamay (55 %), gamaret et garanoir, Bernard Bosseau signe à nouveau une jolie cuvée, à la robe rubis nuancée de violet. Le nez tout en nuances navigue entre le chocolat, la cerise et la griotte. Vive en attaque, la bouche dévoile une matière ample et souple, teintée d'une belle fraîcheur, et des notes kirschées en finale.

Dom. de la Planta, chem. de la Côte 11, 1283 Dardagny, tél. 22.754.12.59, fax 22.754.15.59, info@domainedelaplanta.ch r.-v.

Bernard Bosseau

DOM. DE LA RÉPUBLIQUE ET CANTON DE GENÈVE Pinot blanc 2010 ★

■	2 000	■	8 à 11 €

Le domaine de l'État de Genève s'étend sur une petite surface d'à peine 6 ha, sur laquelle il teste une vingtaine de cépages différents afin de contribuer à l'amélioration des sélections variétales. Son pinot blanc livre un bouquet typique empreint de finesse, aux subtiles notes de beurre frais et de miel. Le palais, friand, plaît pour sa richesse, son volume et sa minéralité.

Vignoble République et canton de Genève, rte de Soral 93, 1233 Bernex, tél. 22.388.71.09, fax 22.388.70.90, thierry.anet@etat.ge.ch r.-v.

Thierry Anet

♥ **LES VALLIÈRES** Deux Louis 2009 ★★

■	n.c.		15 à 20 €

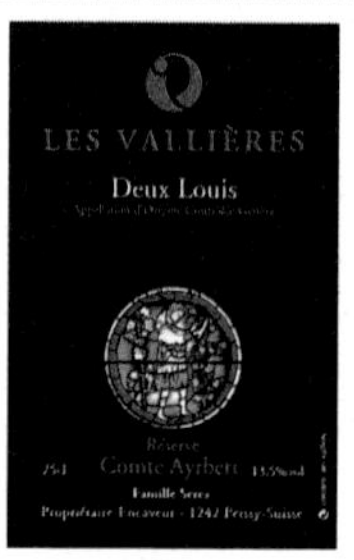

Deux étoiles dans le millésime 2007, deux autres avec ce 2009... Décidément, l'assemblage rouge de Louis et André Serex s'affirme comme une valeure sûre. Il est composé de quatre cépages à parts égales : les deux cabernets, le gamaret et le garanoir. Dans sa robe violet profond, il témoigne de son long élevage en barrique par des parfums de moka et de pain toasté associés à des notes d'épices douces. Le fruit s'exprime dans une bouche ferme, dense, d'un grand volume et d'une belle fraîcheur. On patientera un peu pour laisser le boisé et les tanins se fondre.

Les Vallières, rte de Charny 36, 1242 Satigny, tél. 22.753.16.04, fax 22.753.03.33, lesvallieres@bluewin.ch
r.-v.
Louis et André Serex

DOM. DE LA VIGNE BLANCHE Merlot Cuvée Éléonore 2010 ★

1 600 | 11 à 15 €

Si Roger Meylan a créé le domaine avec son père en 1970, il le conduit désormais avec sa fille Sarah, œnologue de formation. Leur merlot 2010 vêtu d'une robe rouge magenta n'a pas connu le bois et peut donc laisser pleinement s'exprimer le fruit. Des parfums de fruits noirs et de pruneau compoté annoncent le palais ample, d'une grande souplesse, que soutiennent des tanins à la fois solides et veloutés. Prêt à boire sur du bœuf grillé ou un canard aux pruneaux.

Dom. de la Vigne Blanche, rte de Vandœuvres 13, 1223 Cologny, tél. 22.736.80.34, fax 22.700.34.16, sarahmeylan@bluewin.ch r.-v.
Roger et Sarah Meylan

Canton de Neuchâtel

Proche du lac qui reflète le soleil, adossé aux premiers contreforts du Jura qui lui offrent une exposition privilégiée, le vignoble neuchâtelois s'étire sur une étroite bande de 40 km entre Le Landeron et Vaumarcus. Le climat sec et ensoleillé de cette région, de même que les sols calcaires jurassiques ou morainiques qui y prédominent, conviennent bien à la culture de la vigne, ce qu'attestent les historiens qui nous apprennent que la première vigne y fut officiellement plantée en 998 ; à Neuchâtel, la vigne est donc plus que millénaire. Dans ce vignoble de 600 ha, le pinot noir et le chasselas règnent en maîtres. On trouve également quelques spécialités blanches (pinot gris, chardonnay, sauvignon blanc, gewurztraminer, doral, viognier) et rouges (gamaret, garanoir). Leur culture occupe aujourd'hui 15 % des surfaces. Cet encépagement riche est à l'origine d'une très large palette de vins et de saveurs différentes, grâce au savoir-faire des vignerons et à la diversité des terroirs. Le très typique œil-de-perdrix, un rosé local inimitable, ainsi que la perdrix blanche, une spécialité protégée obtenue par pressurage sans macération, sont tous les deux issus du pinot noir, la valeur sûre du vignoble neuchâtelois. Les vins rouges issus de ce cépage, élégants et fruités, souvent racés, sont aptes au vieillissement. Les gamaret et garanoir, fréquemment assemblés, parfois également avec le pinot noir, conviennent très bien à l'élevage en barrique et donnent des vins rouges charpentés. Ces deux cépages n'ont d'ailleurs que récemment acquis leurs lettres de noblesse en faisant leur entrée dans l'arrêté de l'AOC. Cette décision survient alors que les premières plantations dans le canton remontent à une vingtaine d'années. Cela démontre le souci de qualité de l'Interprofession vitivinicole neuchâteloise, qui a préféré attendre que ces cépages aient fait leurs preuves. Il en est de même pour les cépages blancs charmont et viognier. La variété des sols du canton, d'est en ouest, ainsi que les styles personnels des vinificateurs, sont à l'origine d'une grande diversité de goûts et d'arômes des vins blancs de chasselas et promettent à l'amateur curieux plus d'une découverte intéressante. On relèvera encore une spécialité locale issue du même cépage : le « Non filtré », vin primeur qui rafraîchit les palais l'été venu et réjouit les gastronomes amateurs de cuisine exotique. Chacune des dix-huit communes viticoles produit sa propre appellation, alors que l'appellation Neuchâtel est applicable à l'ensemble des productions du canton.

CH. D'AUVERNIER Pinot gris 2011 ★★★

18 000 | 11 à 15 €

Avec plus de quatre cents ans de vinifications à leur actif, les Caves du château d'Auvernier représentent la tradition des vins neuchâtelois dans le sens noble du terme. Thierry Grosjean et son équipe ont construit leur réputation sur ces bases indestructibles, et se montrent à la hauteur avec un vin légèrement ambré qui est apparu au jury comme l'archétype du pinot gris. Son nez de caramel au lait, sa richesse et sa douceur agrémentées d'une vivacité un rien perlante en font un neuchâtel particulièrement racé. Autre cuvée retenue, le **pinot noir élevé en barrique 2009 rouge** démontre une parfaite maîtrise de la vinification sous bois.

Caves du ch. d'Auvernier, Le Château, pl. Épancheurs 6, 2012 Auvernier, tél. 32.731.21.15, fax 32.730.30.03, wine@chateau-auvernier.ch
t.l.j. sf dim. 7h30-12h 13h30-17h; sam. 10h-12h

CAVES DE CHAMBLEAU Œil-de-perdrix 2011 ★★★

15 000 | 11 à 15 €

De par sa position géographique, la propriété domine les vignobles de Colombier et d'Auvernier ainsi que le lac de Neuchâtel. La qualité de ses vins tient la comparaison, comme le prouve ce rosé de pinot noir à la robe saumon pâle. Le bouquet séduit par ses subtiles notes de mandarine, d'abricot et de fraise, quand la bouche joue le contraste entre richesse et vivacité, tout en étant racée, longue et harmonieuse. Une bouteille montrant le savoir-faire de Valérie et Louis-Philippe Burgat, qui ont réussi en moins de dix ans à faire de leur domaine l'un des plus réputés du canton.

Louis-Philippe Burgat, Dom. de Chambleau, 2013 Colombier, tél. 32.731.16.66, info@chambleau.ch
ven. 17h-19h30 sam. 9h-13h; f. fin jui.-début août

CAVE DES COTEAUX Pinot noir Terra ancestra 2011 ★★★

30 000 | 11 à 15 €

Créée en 1949 par les vignerons de Bevaix et de Cortaillod, cette cave n'a cessé de croître ces dernières années, surtout en qualité, notamment sous l'impulsion de son œnologue Jeanine Schaer. Elle propose plusieurs gammes, dont la Terra Ancestra, représentant les meilleures vignes transmises de père en fils. Ce pinot noir d'un équilibre exquis a séduit le jury par ses lignes épurées et par sa typicité aromatique faite de petits fruits frais (framboise). Sa structure souple laisse la part belle à l'élégance et à la pureté du cépage qu'accompagnent des tanins soyeux. Un bel ambassadeur du pinot noir.

Cave des Coteaux, rte du Vignoble 27, 2017 Boudry, tél. 32.843.02.60, fax 32.843.02.69, info@cave-des-coteaux.ch
r.-v.

DOM. DE L'ÉTAT DE NEUCHÂTEL Auvernier 2011 ★★★

6 000 | 8 à 11 €

La Station viticole cantonale doit répondre à plusieurs missions, notamment l'expérimentation et le conseil à la production. C'est également une exploitation dont une grande partie des vignes est affermée. La nouvelle équipe, composée entre autres du jeune directeur Sébastien Cartillier et de l'œnologue Yves Dothaux, propose un chasselas d'Auvernier à la robe or pâle, qui présente un nez subtil de tilleul et de miel. Ce vin a réussi à rester svelte malgré un millésime chaleureux. Élégant et primesautier, il saura accompagner fromages du Jura et filets de perche. Pour découvrir le chasselas dans d'autres habits, dégustez le **Pain blanc 2011 Auvernier élevé en barrique**, plus racé et sophistiqué.

Station viticole cantonale, Fontenettes 37, 2012 Auvernier, tél. 32.889.37.04, fax 32.889.37.14, station.viticole@ne.ch r.-v.
État de Neuchâtel

♥ **ALAIN GERBER** Expression 2010 ★★★

2 100 | 15 à 20 €

Jeune vigneron dynamique à la tête de 7 ha, Alain Gerber représente la troisième génération de ce domaine créé il y a plus de cinquante ans et habitué des distinctions. Il est également président de la Fédération neuchâteloise des vignerons. Dans ses nouveaux locaux, il vous fera découvrir de merveilleux nectars, tel ce chardonnay élevé en barrique. « C'est une bombe », s'exclame un juré. Le fait est que, paré de sa robe dorée, il « explose » dès le premier nez sur le fruit compoté, la vanille et le pain grillé. Si le chêne est présent, il reste bien fondu dans une matière ample et structurée, tout en fraîcheur. Des notes torréfiées accompagnent la longue finale qui laisse présager un grand avenir. Autre vin blanc du domaine, le **pinot gris 2011** démontre l'excellence de cette spécialité du canton de Neuchâtel.

Alain Gerber, imp. Alphonse-Albert 8, 2068 Hauterive, tél. 32.753.27.53, fax 32.753.09.41, info@gerber-vins.ch
r.-v.

DOM. GRISONI Cuvée Saint-Louis Pinot noir 2010 ★★★

3 800 | 15 à 20 €

L'exploitation fête cette année les soixante-quinze ans de sa création par Louis Grisoni. Aujourd'hui, c'est Christian Jeanneret qui veille aux destinées du domaine, avec l'amour du terroir et le souci de la perfection qui le caractérisent. Son pinot noir est un réel bonheur pour les sens : une robe soutenue et des fragrances d'une complexité sans égale, véritabe ronde de fruits mûrs, de tabac, de musc et de vanille. Le palais bien structuré, équilibré entre fermeté et souplesse, accueille une fraîcheur séduisante qui prolonge une finale légèrement réglissée. Le fruité et la finesse de l'**œil-de-perdrix 2011 Les Moussières** sauront aussi éveiller vos papilles.

Dom. Grisoni, chem. des Devins 1, 2088 Cressier, tél. 32.757.12.36, fax 32.757.12.10, christian.jeanneret@grisoni-vins.ch
t.l.j. sf dim. 7h-17h; sam. 9h30-11h45
Christian Jeanneret

♥ **DOM. DE MONTMOLLIN** Auvernier Goutte d'or 2011 ★★★

10 000 | 11 à 15 €

Grand habitué des coups de cœur du Guide, ce domaine travaille quatre sites bien distincts (Auvernier, Areuse, Bevaix et Gorgier) afin d'obtenir des expressions de terroir différentes. C'est peut-être la clé de sa réussite et de sa régularité – pour ne pas dire sa précision horlogère neuchâteloise... Son chasselas a encore une fois enchanté nos jurés : une robe d'or pâle, un nez discret mais complexe alliant les agrumes, le tilleul et les fruits mûrs, et une bouche à l'unisson. Issu de vendanges très mûres mais sans céder au travers du millésime, la lourdeur, ce 2011 d'une grande élégance est empreint d'une belle vivacité en phase avec sa minéralité. Une superbe bouteille pour fêter les soixante-quinze ans du domaine.

Dom. de Montmollin, Grand-Rue 3, 2012 Auvernier, tél. 32.737.10.00, fax 32.737.10.01, info@domainedemontmollin.ch r.-v.

DOM. SAINT-SÉBASTE Œil-de-perdrix 2011 ★★★

25 000 | 11 à 15 €

Situé à l'est de Neuchâtel, ce domaine de près de 20 ha est dirigé par Jean-Pierre Kuntzer, un pur artisan qui chouchoute ses vignes et dorlote ses vins, à la recherche du mariage idéal. Son œil-de-perdrix vous permettra de découvrir la spécialité qui a fait la renommée et la fierté du vignoble neuchâtelois. De sa robe saumon clair à sa bouche élégante, il offre en effet toute la typicité de ce style de vin. Son nez de fraise mûre donne une idée de la richesse du millésime dont le côté chaleureux se retrouve aussi au palais, mais heureusement teinté d'une belle vivacité. Quelques tanins soyeux permettent l'accroche nécessaire pour déguster ce rosé au cours d'un repas. Découvrez aussi, du même domaine, le **Sélection 2011 blanc**, un chasselas de haut rang.

Jean-Pierre Kuntzer, rue Daniel-Dardel 11, 2072 Saint-Blaise, tél. 32.753.14.23, info@kuntzer.ch
t.l.j. sf sam. dim. 9h-12h 14h-18h

Canton du Tessin

Superficie : 1 024 ha

Le vignoble tessinois s'étend de Giornico au nord à Chiasso au sud. Une grande partie des 3 800 viticulteurs du canton possèdent de petites parcelles auxquelles ils consacrent leurs loisirs ; une centaine travaillent leurs vignes à plein temps et vendent leur raisin aux coopératives, tandis qu'une trentaine vinifient et commercialisent leur production. Le cépage roi du canton est le merlot d'origine bordelaise, introduit dans le Tessin dans les premières années du XX^e^s. et qui recouvre aujourd'hui 85 % de la surface viticole du canton. Ce cépage permet la production de vins blancs, rosés et rouges. Ces derniers, les plus répandus, sont plus ou moins légers ou corsés, parfois élevés en barrique. Leur aptitude à la garde varie en fonction du temps de cuvaison.

CASTELLO DI CANTONE Merlot del Mago 2009 ★★

8 000 | 30 à 50 €

Angelo Delea vous conseille de déguster son « merlot du magicien » élevé dix-huit mois en fût de chêne neuf avec du bœuf braisé au vin... de merlot bien sûr. Vêtu d'une robe rubis intense, ce 2009 aux parfums de griotte et de confiture de prunes, rehaussés de notes épicées, accompagnera ce plat de sa matière riche et bien charpentée, chaleureuse sans excès. Un beau moment de dégustation en perspective.

Vini e Distillati Angelo Delea, Zandone 11, 6616 Losone, tél. 91.791.08.17, fax 91.791.59.08, vini@delea.ch
r.-v.

CHIERICATI Sinfonia barrique Merlot 2009 ★★★

14 000 | 20 à 30 €

Élevé pendant vingt-quatre mois en barriques neuves, ce 2009 rubis intense offre un bouquet complexe et d'une grande finesse dominé par les fruits rouges, les épices nées du passage sous bois en complément. Ample et opulente, marquée par une trame tannique puissante mais déjà bien fondue, la bouche est celle d'un vin plein de promesses, que l'on appréciera après une à trois années de garde sur un tournedos grillé.

SA Vini Chiericati, via Convento 10, CP 1214, 6501 Bellinzona, tél. 91.825.13.07, fax 91.826.40.07, info@chiericati.ch r.-v.
Angelo Cavalli

FRATELLI CORTI Lenéo Merlot Riserva 2009 ★★

6 000 | 20 à 30 €

Nicola Corti, viticulteur-négociant installé à Balerna, présente ici un pur merlot né sur sol argileux et élevé pendant deux ans en barriques de l'Allier. Grenat profond, ce vin s'ouvre au nez sur des nuances de griotte et de mûre agrémentées des parfums boisés et fumés de l'élevage. Une attaque ample dévoile un palais riche et charnu, porté par des tanins fins. Une longue finale fruitée achève de convaincre les dégustateurs. Assemblage de merlot et de cabernet-sauvignon, le **Salorino 2010 rouge (1 800 b.)** décroche quant à lui une étoile pour son fin bouquet de fruits mêlés d'épices, pour sa bouche opulente et pour sa structure ample, encore jeune.

SA Fratelli Corti, via Sottobisio 13a, 6828 Balerna, tél. 91.683.37.02, fax 91.683.17.85, vino@fratellicorti.ch
r.-v.

GIANFRANCO CHIESA Chardonnay Riserva Rovio 2010 ★★

1 500 | 20 à 30 €

Né sur une petite surface (un demi-hectare) de vignes de chardonnay du terroir de Rovio, ce 2010 élevé onze mois en fût de chêne affiche une robe jaune doré étincelante. Il livre ensuite un nez délicatement beurré, où se répondent les agrumes et la noisette grillée. Ample et soyeuse, la bouche dévoile une finale persistante qui rappelle les arômes du bouquet, agrémentés d'une discrète touche de vanille. Pour accompagner une terrine de poisson par exemple.

Gianfranco Chiesa, SA Vini Rovio, Inbasso 21, 6821 Rovio, tél. 91.649.58.31 r.-v.

MATASCI FRATELLI Sirio Barrique 2010 ★

9 000 | 15 à 20 €

Cette maison de négoce propose uniquement des vins issus de merlot. Celui-ci a partagé son élevage entre la cuve et le fût de chêne pendant douze mois. Il en ressort vêtu de rubis aux reflets grenat, et livre des parfums soutenus de pruneau, de griotte compotée, de vanille et de clou de girofle. La bouche généreuse, charpentée, s'appuie sur des tanins riches mais fondus, qui devront encore s'assagir en finale. Un vin élégant que l'on oubliera en cave un an ou deux.

SA Matasci Fratelli, via Verbano, 6598 Tenero, tél. 91.735.60.11, fax 91.735.60.19, info@matasci.com
r.-v.

CANTINA SOCIALE MENDRISIO La Trosa Vigne Vecchie 2009 ★★

4 000 — 15 à 20 €

Située à l'extrême sud de la Suisse, cette cave coopérative fait preuve d'un sérieux qui n'est plus à démontrer. Sa sélection de merlot 2009 née sur des sols calcaires de la région du Mendrisiotto s'habille d'une robe rubis profond animée de reflets grenat. Typique du cépage (fruits rouges), le bouquet est rehaussé de fines nuances épicées. Le palais, complexe, est structuré par des tanins fondus qui apportent de la noblesse mais aussi une pointe d'austérité à la longue finale. Autre merlot, le **Tenuta Montalbano Riserva 2010 rouge (20 à 30 €; 3 000 b.)** aux arômes de fruits rouges et d'épices montre un palais gras, charnu et puissant. Plein de promesses, il obtient une étoile.

Cantina Sociale Mendrisio, via G.-Bernasconi 22, 6850 Mendrisio, tél. 91.646.46.21, fax 91.646.43.64, info@cantinamendrisio.ch r.-v.

CASTELLO DI MORCOTE 2009 ★

28 000 — 30 à 50 €

Ce vin de merlot, complété par un soupçon de cabernet franc (10 %), plaît par sa couleur rubis intense et par son nez d'une belle richesse : cerise noire, prune et cassis sont accompagnés de notes de vanille et de chocolat issues de l'élevage en fût. Annoncée par une attaque chaleureuse, la bouche montre du volume, des tanins encore jeunes et une finale longue et sans détour. On pourra envisager une petite garde.

SA Tenuta Castello Morcote, strada al castel 27, 6921 Vico-Morcote, tél. 79.337.35.07, fax 91.996.12.30, info@castellodimorcote.com r.-v.

TENUTA SAN GIORGIO Raggio di Sole 2010 ★★★

1 500 — 20 à 30 €

Ayant déjà obtenu deux étoiles dans sa version 2009, la cuvée blanche de Mike Rudolph, née de sauvignon (90 %) que complète une touche de chardonnay, monte en gamme avec ce nouveau millésime. Parée d'une robe jaune paille animée de reflets verts, elle laisse parler son cépage dominant dans un riche bouquet d'agrumes aux fines notes végétales (bourgeon de cassis). Le palais rond et plein fait preuve d'un équilibre remarquable, jusque dans une finale particulièrement longue et d'une admirable finesse.

Mike Rudolph Tenuta San Giorgio, via al Bosco 39, 6990 Cassina-d'Agno, tél. 91.605.58.68, fax 91.605.58.80, info@tenutasangiorgio.ch r.-v.

STORTACÒLL 2010 ★

6 000 — 15 à 20 €

Le carminoir et le gamaret, cépages rouges typiques de la Suisse, ont été assemblés au merlot pour donner ce 2010 grenat aux nuances violacées. Des senteurs riches et fruitées s'élèvent du verre, évoquant à la fois la prune, la cerise et la framboise. Nette en attaque, la bouche est marquée par des tanins distingués qui prendront un contour velouté dans un an ou deux.

SA Fumagalli, via Sottobisio 5, 6828 Balerna, tél. 91.697.63.47, fax 91.697.63.49, info@fumagallisa.ch
r.-v.

♥ **TAMBORINI** Comano Merlot 2009 ★★★

2 700 — 30 à 50 €

Vêtu d'une robe rubis profond, ce pur merlot est issu d'une petite parcelle d'1,27 ha plantée sur un sol légèrement acide. Les dégustateurs sont séduits dès le premier nez par une envolée de notes de cerise noire, de prune et de framboise qui composent un bouquet variétal de grande intensité, soutenu par des notes épicées et balsamiques. La bouche se fait riche sans être opulente. Elle offre un équilibre tout en finesse, soutenu par des tanins soyeux et bien fondus, portant loin une finale savoureuse.

SA Eredi Carlo Tamborini, via Serta 14, 6814 Lamone, tél. 91.935.75.45, fax 91.935.75.49, info@tamborini-vini.ch
r.-v. 4

TENIMENTO DELL'ÖR Pinot nero 2010 ★

3 500 — 20 à 30 €

Reconstitué entièrement à partir des années 1980, le vignoble de l'Agriloro (20 ha) comporte une parcelle d'un hectare de pinot noir d'où est issu ce 2010 vêtu d'une robe grenat soutenu. Intense, le nez s'ouvre sur le cassis et les fruits rouges écrasés, qu'agrémente un boisé subtil. Une attaque franche fait place à une bouche puissante, ample et bien structurée. Un équilibre très réussi pour un vin qui s'alliera, par exemple, à un canard rôti.

SA Agriloro, Tenimento dell'Ör, 6864 Arzo, tél. 91.646.74.03, fax 91.646.32.33, info@agriloro.ch
r.-v.
Meinrad Perler

VALSANGIACOMO Rubro di Rubro Merlot Riserva 2009 ★★

1 400 — 50 à 75 €

Produit seulement les années exceptionnelles, ce vin est issu des meilleures barriques de la cuvée principale Rubro, un pur merlot, dont l'élevage est alors prolongé : deux années au total. Il s'annonce dans une livrée rubis profond à reflets pourpres. Son bouquet dominé par des senteurs de fruits rouges compotés est rehaussé de notes chocolatées et balsamiques. On retrouve en bouche la même richesse aromatique que soutiennent des tanins encore jeunes, mais qui ont commencé à se fondre. La persistance de la finale laisse envisager une belle garde.

Valsangiacomo, viale Alle-Cantine 6, 6850 Mendrisio, tél. 91.683.60.53, fax 91.683.70.77, info@valswine.ch
r.-v.

GLOSSAIRE

A

Acescence
Maladie provoquée par des micro-organismes et donnant un vin piqué.

Acidité
1) Ensemble des acides présents dans le vin. 2) Saveur acide, l'une des quatre saveurs élémentaires, avec l'amer, le sucré et le salé. Présente sans excès, l'acidité est nécessaire à l'équilibre du vin, en lui apportant fraîcheur et nervosité. Mais lorsqu'elle est très forte, elle devient un défaut, en lui donnant un caractère mordant et vert. En revanche, si elle est insuffisante, le vin est mou.

Aérer
Exposer à l'air le vin avant le service, pour lui permettre de s'ouvrir davantage, d'épanouir ses arômes et d'arrondir ses tanins.

Agressif
Se dit d'un vin montrant trop de force et attaquant désagréablement les muqueuses.

Aigre
Se dit d'un vin présentant un caractère acide trop marqué, assorti d'une odeur particulière rappelant celle du vinaigre.

Aimable
Se dit d'un vin dont tous les aspects sont agréables et pas trop marqués.

Alcool
Composant le plus important du vin après l'eau, l'alcool éthylique apporte au vin son caractère chaleureux. Mais s'il domine trop, le vin devient brûlant.

Alcooleux
Se dit d'un vin déséquilibré où la sensation chaleureuse, voire brûlante, de l'alcool apparaît trop marquée.

Ambré
1) D'une couleur proche de l'ambre prise parfois par les vins blancs vieillissant longuement, ou s'oxydant prématurément. 2) Mention désignant sur l'étiquette les rivesaltes ou rasteau blancs élevés longuement en milieu oxydatif.

Amertume
Sensation gustative, l'une des quatre saveurs élémentaires, elle est aussi nécessaire à l'équilibre des vins et participe de leur longueur. Normale pour certains vins rouges jeunes et riches en tanins, l'amertume est dans les autres cas un défaut dû à une maladie bactérienne.

Ampélographie
Science étudiant les cépages.

Ample
Se dit d'un vin harmonieux donnant l'impression d'occuper pleinement et longuement la bouche.

Amylique
Désigne un arôme évoquant la banane, les bonbons acidulés (« bonbons anglais ») ou le vernis à ongles (dans ce cas, c'est un défaut), présent dans certains vins primeurs ou jeunes.

Analyse sensorielle
Nom technique de la dégustation.

Animal
Qualifie l'ensemble des odeurs du règne animal : musc, venaison, cuir..., surtout fréquentes dans les vins rouges vieux.

Anthocyanes
Pigments bleus contenus dans la pellicule des raisins noirs et qui, solubles dans l'alcool, donnent leur couleur aux vins rouges au cours de la fermentation. Avec le temps, le bleu s'estompe et la couleur du vin passe du violacé au tuilé.

AOC
Appellation d'origine contrôlée. Système réglementaire français garantissant l'authenticité de certains produits – en particulier le vin – issus d'un terroir donné et dont les caractères tiennent également à des « usages loyaux et constants ». Les grands vins proviennent de régions d'AOC. Voir AOP.

AOP
Appellation d'origine protégée. Terme équivalent de l'AOC à l'échelle européenne, et qui souligne la protection juridique (contre les fraudes et contrefaçons) dont jouissent les produits d'appellation. Voir AOC.

Apogée
Période très variable selon les types de vin et les millésimes, et qui correspond à l'optimum qualitatif d'un vin. Après l'apogée vient le déclin.

Âpre
Se dit d'un vin procurant une sensation rude, un peu râpeuse, provoquée par un fort excès de tanins.

Aromatique
Se dit d'un cépage (muscat, gewurztraminer...) ou d'un vin caractérisé par des arômes intenses.

Arôme
Dans le langage technique de la dégustation, ce terme devrait être réservé aux sensations olfactives perçues en bouche. Mais le mot désigne aussi fréquemment les odeurs en général.

Assemblage
Mélange de plusieurs vins pour obtenir un lot unique. Faisant appel à des vins de même origine, l'assemblage est très différent du coupage – mélange de vins de provenances diverses –, qui a une connotation péjorative.

Astringent
Se dit d'un vin présentant un caractère un peu âpre et rude en bouche. L'astringence apparaît souvent dans de jeunes vins rouges riches en tanins, ayant besoin de s'arrondir.

Attaque
Premières impressions perçues après la mise du vin en bouche.

Austère
Se dit d'un vin rouge généralement jeune, encore fermé aromatiquement, très marqué par les tanins et astringent. Cette sévérité s'estompe en principe avec le temps.

B

Balsamique
Qualificatif d'odeurs venues de la parfumerie et comprenant, entre autres, l'encens, la résine et le benjoin.

Ban des vendanges
Fixation par une autorité (autrefois le seigneur) de la date du début des vendanges. Il est aujourd'hui fixé par arrêté préfectoral sur proposition de l'INAO, à maturité des raisins.

Barrique
Fût bordelais de 225 litres, ayant servi à déterminer le tonneau (unité de mesure correspondant à quatre barriques, soit 900 litres).

Beurré
Se dit d'un arôme rappelant le beurre frais, présent dans certains vins blancs, notamment ceux élevés sous bois.

Biodynamique (agriculture)
Agriculture biologique s'inscrivant dans une vision du monde liant la plante et tous les êtres vivants au cosmos et fondant les travaux à la vigne et au chai sur les cycles de la lune.

Biologique (agriculture)
Agriculture n'utilisant aucun fertilisant ou pesticide de synthèse.

Biologique (vin)
Vin issu de raisins biologiques et élaboré en respectant les règles de vinification adoptées par l'UE en 2012. Ce règlement européen prohibe certaines pratiques, limite les intrants et additifs, notamment le soufre.

Boisé
Se dit d'un vin élevé en barrique et présentant les arômes résultant d'un séjour dans le bois : vanille et notes empyreumatiques telles que bois brûlé, café torréfié, cacao.

Botrytis cinerea
Nom d'un champignon entraînant la pourriture des raisins. Apparaissant par temps strictement pluvieux, la pourriture est dite grise ; elle est néfaste pour le raisin. Due à l'alternance de brouillard (ou de petites précipitations) suivi de soleil, la pourriture, qualifiée de noble, produit une concentration des raisins qui est à la base de l'élaboration des vins blancs liquoreux.

Bouche
Terme désignant l'ensemble des caractères du vin perçus dans la bouche.

Bouchon (goût de)
Défaut irrémédiable du vin se traduisant par un goût de moisi, de vieux papier, de liège, résultant d'une contamination du bouchon de liège par un composé chimique appelé trichloroanisole (TCA). Des produits de traitement du bois (palettes, charpentes utilisées dans les installations de vinification) peuvent produire des effets analogues.

Bouquet
Caractères odorants se percevant au nez lorsque l'on flaire le vin dans le verre, puis dans la bouche sous le nom d'arôme. À l'origine réservé aux vins vieux, ce terme s'applique aujourd'hui à tous types de vins.

Bourbe
Éléments solides en suspension dans le moût. Voir débourbage.

Brillant
Se dit d'une robe très limpide dont les reflets brillent fortement à la lumière.

Brûlé
Qualificatif, parfois équivoque, d'odeurs diverses, allant du caramel au bois brûlé.

Brut
Se dit d'un vin effervescent comportant très peu de sucre (juste assez pour tempérer l'acidité du vin, soit entre 6 et 12 g/l) ; brut zéro (brut nature) désigne un champagne non dosé. Voir dosage.

C

Capiteux
Caractère d'un vin très riche en alcool, jusqu'à en être fatigant.

Carafe
1) Récipient de verre de forme ventrue et à col étroit utilisé pour aérer ou décanter le vin. 2) Vins de carafe : vins qui se boivent jeunes et qu'autrefois on tirait directement au tonneau. Par exemple, certains muscadets ou beaujolais.

Casse
Accident (oxydation ou réduction) provoquant une perte de limpidité du vin.

Caudalie
Unité de mesure de la durée de persistance en bouche des arômes après la dégustation (1 caudalie = 1 seconde).

Cépage
Nom de la variété, en matière de vignes.

Chai
Bâtiment dédié à l'élaboration et à l'élevage des vins.

Chair
Caractéristique d'un vin donnant dans la bouche une impression de plénitude et de densité, sans aspérité.

Chaleureux
Se dit d'un vin procurant, notamment par sa richesse alcoolique, une impression de chaleur.

Chapeau
Dans la vinification des vins rouges, désigne les pellicules et autres parties solides du raisin qui remontent et s'amassent à la surface de la cuve après quelques jours de fermentation.

Chaptalisation
Addition de sucre dans la vendange, contrôlée par la loi, afin d'obtenir un bon équilibre du vin par augmentation de la richesse en alcool lorsque celle-ci est trop faible.

Charnu
Se dit d'un vin ayant de la chair.

Charpente
Bonne constitution d'un vin avec une prédominance tannique ouvrant de bonnes possibilités de vieillissement.

Chartreuse
Dans le Bordelais, petit château du XVIIIe siècle ou du début du XIXe.

Château
Terme souvent utilisé pour désigner des exploitations vinicoles, même si parfois elles ne comportent pas de véritable château.

Clairet
Vin rouge léger et fruité, ou vin rosé produit en Bordelais et en Bourgogne.

Claret
Nom donné par les Anglais au vin rouge de Bordeaux.

Clavelin
Bouteille de forme particulière et d'une contenance de 62 cl, réservée aux vins jaunes du Jura.

Climat
Nom de lieu-dit cadastral dans le vignoble bourguignon.

Clone
Ensemble des pieds de vigne issus d'un pied unique par multiplication (bouturage ou greffage).

Clos
Très usité dans certaines régions pour désigner les vignes entourées de murs (Clos de Vougeot), ce terme a pris souvent un usage beaucoup plus large, désignant parfois les exploitations elles-mêmes.

Collage
Opération de clarification réalisée avec un produit (blanc d'œuf, colle de poisson) se coagulant dans le vin en entraînant dans sa chute les particules restées en suspension.

Complexe
Se dit d'un vin déployant tout au long de la dégustation (du premier nez à la finale) une succession d'arômes variés tout en étant fondus, en harmonie les uns avec les autres et avec la texture. Un vin complexe laisse une impression durable de charme et de profondeur.

Concentré
Se dit d'un vin riche dans tous ses composants (sucres dans les vins liquoreux, tanins dans les vins rouges, composés aromatiques) et qui laisse une impression de densité, d'intensité et de profondeur.

Cordon
Mode de conduite des vignes palissées.

Corps
Caractère d'un vin alliant une bonne constitution (charpente et chair) à de la chaleur.

Corsé
Se dit d'un vin ayant du corps.

Coulant
Voir gouleyant.

Coulure
Non-transformation de la fleur en fruit due à une mauvaise fécondation, pouvant s'expliquer par des raisons diverses (climatiques, physiologiques, etc.).

Coupage
Mélange de vins de provenances diverses (à ne pas confondre avec l'assemblage).

Courgée
Nom de la branche à fruits laissée à la taille et qui est ensuite arquée le long du palissage dans le Jura (en Mâconnais, elle porte le nom de queue).

Court
Se dit d'un vin laissant peu de traces en bouche après la dégustation (on dit aussi « court en bouche »).

Crémant
Vin effervescent d'AOC élaboré par méthode traditionnelle, avec des contraintes spécifiques, dans les régions d'Alsace, du Bordelais, de Bourgogne, de Die, du Jura, de Limoux et dans le Val de Loire, ainsi qu'au Luxembourg.

Cru
Terme dont le sens varie selon les régions (terroir ou domaine), mais contenant partout l'idée d'identification d'un vin à un lieu défini de production.

Cuvaison
Période pendant laquelle, après la vendange en rouge, les matières solides restent en contact avec le jus en fermentation dans la cuve. Sa longueur détermine la coloration et la force tannique du vin.

D

Débourbage
Clarification du jus de raisin non fermenté, séparé de la bourbe.

Débourrement
Ouverture des bourgeons et apparition des premières feuilles de la vigne.

Décanter
Transvaser un vin de sa bouteille dans une carafe pour lui permettre d'abandonner son dépôt.

Déclassement
Suppression du droit à l'appellation d'origine d'un vin ; celui-ci est alors commercialisé comme Vin de France.

Décuvage
Séparation du vin de goutte et du marc après fermentation (on dit aussi écoulage).

Dégorgement
Dans la méthode traditionnelle, élimination du dépôt de levures formé lors de la seconde fermentation en bouteille.

Degré alcoolique
Richesse du vin en alcool exprimée en pourcentage de volume d'alcool contenu dans le vin.

Demi-sec
Vin comprenant une certaine proportion de sucres résiduels sans être pour autant moelleux. Les champagnes et mousseux demi-secs, dont le dosage est compris entre 32 et 50 g/l, sont des vins conseillés pour le dessert.

Dépôt
Particules solides contenues dans le vin, notamment dans les vins vieux (où il est enlevé avant dégustation par la décantation).

Dosage
Apport de sucre (exprimé en g/l) sous forme de liqueur d'expédition à un vin effervescent, après le dégorgement. Il varie selon le degré de vivacité souhaité (voir extra-brut, brut, extra-dry, sec, demi-sec).

Doux
Terme s'appliquant à des vins sucrés.

Dur
Un vin dur est caractérisé par un excès d'astringence et d'acidité, pouvant parfois s'atténuer avec le temps.

E

Échelle des crus
Système complexe de classement des communes de Champagne en fonction de la valeur des raisins qui y sont produits.

Écoulage
Voir décuvage.

Effervescent
Synonyme de mousseux.

Égrappage
Séparation des grains de raisin de la rafle.

Élégant
Se dit d'un vin qui, au-delà de l'équilibre, présente des qualités de charme et d'harmonie, sans la moindre lourdeur.

Élevage
Clarification, stabilisation et affinage du vin (en cuve, en fût ou dans d'autres récipients) effectués après la fermentation.

Empyreumatique
Famille d'arômes évoquant le brûlé ou le fumé : bois brûlé, fumée, cendre, goudron, et aussi les denrées qui résultent de la torréfaction, comme le café, le thé ou le cacao, ou encore le pain grillé et le tabac.

Encépagement
Ensemble des cépages cultivés dans un vignoble ; proportion relative des différents cépages dans un domaine ou un vignoble donné.

Enveloppé
Se dit d'un vin riche en alcool, mais dans lequel le moelleux domine.

Épais
Se dit d'un vin donnant en bouche une impression de lourdeur et d'épaisseur.

Épanoui
Qualificatif d'un vin équilibré qui a acquis toutes ses qualités de bouquet.

Épicé
Se dit d'un arôme évoquant les épices : poivre, cannelle, noix muscade, clou de girofle...

Équilibré
Se dit d'un vin présentant un bon équilibre entre tous ses constituants et saveurs, en particulier : alcool et acidité dans les vins blancs secs, alcool, acidité et sucres dans les vins blancs moelleux, alcool, acidité et force tannique dans les vins rouges.

Éraflage
Séparation des baies de raisin de la rafle (la partie ligneuse de la grappe) avant fermentation pour éviter la présence de tanins rustiques dans le vin. Synonyme : égrappage.

Étampage
Marquage des bouchons, des barriques ou des caisses à l'aide d'un fer.

Évent (goût d')
Défaut caractérisant un vin exposé à l'air, et qui a perdu ses qualités aromatiques.

Éventé
Se dit d'un vin ayant perdu tout ou partie de ses arômes à la suite d'une oxydation.

Évolué
Se dit d'un vin montrant par sa couleur (tuilée chez les rouges, ambrée chez les blancs), par ses arômes ou sa structure qu'il amorce la fin de son apogée et demande à être consommé rapidement.

Expressif
Se dit d'un vin épanoui et offrant des arômes bien marqués.

Extra-brut
Se dit d'un champagne très vif, dont la teneur en sucres est inférieure à 6 g/l. (Voir dosage.)

Extraction
Au cours de la fermentation des vins rouges, absorption par le moût des composés contenus dans les pellicules des baies, comme les tanins et les pigments colorés. Cette absorption peut être favorisée par diverses opérations, comme les pigeages et remontages (voir ces mots). Lorsqu'elle est excessive, on parle de surextraction.

Extra-dry
Se dit d'un champagne très légèrement moelleux dont le dosage est compris entre 12 et 17 g/l. (Voir dosage.)

F

Fatigué
Terme s'appliquant à un vin ayant perdu provisoirement ses qualités (par exemple après un transport) et nécessitant un repos pour les recouvrer.

Féminin
Caractérise les vins dont l'agrément résulte de l'élégance et de la finesse plus que de la puissance.

Fermé
S'applique à un vin de qualité encore jeune, n'ayant pas acquis un bouquet très prononcé et qui nécessite donc d'être attendu pour être dégusté.

Fermentation
Processus permettant au jus de raisin de devenir du vin, grâce à l'action de levures transformant le sucre en alcool.

Fermentation malolactique
Transformation, sous l'effet de bactéries lactiques, de l'acide malique du vin en acide lactique et en gaz carbonique ; elle a pour effet de rendre le vin moins acide.

Fillette
Nom donné dans le Val de Loire à la demi-bouteille (37,5 cl).

Filtration
Clarification du vin à l'aide de filtres.

Finale
Impressions plus ou moins durables que l'on ressent en bouche une fois le vin avalé (ou recraché dans le cas d'une dégustation professionnelle). La finale peut être courte ou persistante.

Finesse
Qualité d'un vin délicat et élégant.

Fleur
Maladie du vin se traduisant par un voile blanchâtre et un goût d'évent.

Floral
Se dit d'un vin dominé par des arômes évoquant les fleurs ; suivant les cas, fleurs blanches (aubépine, acacia, jasmin, chèvrefeuille...), rose, pivoine, violette...

Fondu
Désigne un vin, notamment un vin vieux, dans lequel les différents caractères se mêlent harmonieusement entre eux pour former un ensemble bien homogène.

Foudre
Tonneau de grande capacité.

Foulage
Opération consistant à faire éclater la peau des grains de raisin.

Foxé
Désigne l'odeur, entre celle du renard et celle de la punaise, que dégage le vin produit à partir de certains cépages hybrides.

Frais
Se dit d'un vin légèrement acide, mais sans excès, qui procure une sensation de fraîcheur.

Franc
Désigne l'ensemble d'un vin, ou l'un de ses aspects (couleur, bouquet, goût...) sans défaut ni ambiguïté.

Friand
Qualificatif d'un vin à la fois frais et fruité.

Fruité
Se dit d'un vin, en général jeune, dont la palette aromatique est dominée par des arômes de fruits frais. Selon la couleur et le style des vins : arômes de fruits rouges (cerise, griotte, framboise, groseille, fraise...), noirs (cassis, myrtille, mûre), jaunes (abricot, pêche jaune, mirabelle), exotiques (mangue, litchi, ananas), blancs (pomme, poire, pêche blanche), agrumes (citron, pamplemousse, mandarine...).

Fumé
Qualificatif d'odeurs proches de celle des aliments fumés, caractéristiques, entre autres, du cépage sauvignon ; d'où le nom de blanc fumé parfois donné à cette variété.

Fumet
Synonyme ancien de bouquet.

G

Garde (vin de)
Désigne un vin montrant une bonne aptitude au vieillissement.

Garrigue
Notes évoquant les herbes aromatiques méditerranéennes telles que le thym ou le romarin, décelées dans de nombreux vins méridionaux.

Généreux
Se dit d'un vin riche en alcool, mais sans être fatigant, à la différence d'un vin capiteux.

Générique
Terme pouvant avoir plusieurs acceptions, mais désignant souvent un vin de marque par opposition à un vin de cru ou de château, employé parfois abusivement pour désigner les appellations régionales (par exemple bordeaux, bourgogne...).

Gibier
Famille d'arômes animaux évoquant la venaison, et présents dans certains vins rouges vieux. Voir venaison.

Glace (vin de)
Vin liquoreux obtenu par pressurage de baies gelées récoltées au cœur de l'hiver.

Glycérol
Tri-alcool légèrement sucré, issu de la fermentation du jus de raisin, qui donne au vin son onctuosité.

Gouleyant
Se dit d'un vin souple et agréable, glissant bien dans la bouche.

Gourmand
Se dit d'un vin flatteur et aromatique, qui invite à la dégustation immédiate.

Goutte (vin de)
Dans la vinification en rouge, vin issu directement de la cuve au décuvage (voir presse).

Gras
Synonyme d'onctueux.

Gravelle
Terme désignant le dépôt de cristaux de tartre dans les vins blancs en bouteille.

Graves
Sol composé de cailloux roulés et de graviers, très favorable à la production de vins de qualité, que l'on trouve notamment en Médoc et dans les Graves.

Greffage
Méthode employée depuis la crise phylloxérique, consistant à fixer sur un porte-greffe résistant au phylloxéra un greffon d'origine locale.

Gris (vin)
Vin obtenu en vinifiant en blanc des raisins à la pellicule colorée (noire ou grise), par pressurage direct, sans macération. Il s'agit d'un rosé très peu coloré.

H

Harmonieux
Se dit d'un vin équilibré laissant une impression flatteuse d'élégance.

Hautain (en)
Taille de la vigne en hauteur.

Herbacé
Se dit d'un arôme végétal peu flatteur évoquant l'herbe ou les feuilles fraîches. Voir végétal.

Hybride
Terme désignant les cépages obtenus à partir de deux espèces de vignes différentes.

I

IGP
Indication géographique protégée, catégorie définie en 2009 et correspondant aux vins de pays. Elle désigne des vins issus d'une zone géographique délimitée, mais dont le lien au terroir est moins fort que pour les vins AOC. L'IGP s'applique à d'autres denrées dont la notoriété et le caractère sont liés à un territoire donné mais dont certaines phases d'élaboration peuvent se dérouler en dehors de cet espace géographique.

Impériale
Voir Mathusalem.

INAO
Institut national de l'origine et de la qualité (autrefois Institut national des appellations d'origine). Organisme français dépendant du ministère de l'Agriculture et ayant en charge les signes de qualité : AOC, IGP, STG (spécialités traditionnelles garanties), labels rouges et agriculture biologique.

J

Jambes
Synonyme de larmes.

Jéroboam
Grande bouteille contenant l'équivalent de quatre bouteilles.

Jeune
Qualificatif très relatif pouvant désigner un vin de l'année déjà à son optimum, aussi bien qu'un vin ayant passé sa première année mais n'ayant pas encore développé toutes ses qualités.

L

Lactique (acide)
Acide obtenu par la fermentation malolactique.

Larmes
Traces laissées par le vin sur les parois du verre lorsqu'on l'agite ou l'incline.

Léger
Se dit d'un vin peu coloré et peu corsé, mais équilibré et agréable. En général, à boire assez rapidement.

Levures
Champignons microscopiques unicellulaires provoquant la fermentation alcoolique.

Lies
Dépôt constitué par les levures mortes après la fermentation. Certains vins blancs sont élevés sur leurs lies, ce qui rend leurs arômes et leur structure plus complexes et plus riches.

Limpide
Se dit d'un vin de couleur claire et brillante ne contenant pas de matières en suspension.

Liqueur d'expédition
Dans le champagne et les vins élaborés selon la méthode traditionnelle, ajout précédant le bouchage de vin destiné à combler le vide dans la bouteille créé par le dégorgement. Ce vin ajouté est souvent édulcoré par du sucre, incorporé en proportion variable selon le style de vin recherché, brut, demi-sec, etc. (voir dosage). Synonyme : liqueur de dosage.

Liqueur de tirage
Dans le champagne et les mousseux de méthode traditionnelle, liqueur ajoutée au vin au

moment de la mise en bouteille (tirage) ; elle est composée de sucres et de levures dissous dans du vin. Ces composants provoqueront la seconde fermentation en bouteille aboutissant à la formation de bulles de gaz carbonique.

Liquoreux
Vins blancs riches en sucre, souvent obtenus à partir de raisins sur lesquels s'est développée la pourriture noble, et se distinguant entre autres par un bouquet spécifique (notes confites ou rôties). Les vins liquoreux peuvent aussi provenir d'un passerillage des baies sur souche ou sur claies (vins de paille).

Long
Se dit d'un vin dont les arômes laissent en bouche une impression plaisante et persistante après la dégustation. On dit aussi : d'une bonne longueur.

Lourd
Se dit d'un vin excessivement épais, trop chargé en tanins ou en sucres, manquant selon les cas de souplesse ou de fraîcheur.

M

Macération
Contact du moût avec les parties solides du raisin pendant la cuvaison.

Macération carbonique
Mode de vinification en rouge par macération de grains entiers dans des cuves saturées de gaz carbonique ; il est utilisé notamment pour la production de certains vins primeurs.

Macération pelliculaire
Technique consistant à laisser macérer les baies de raisin à l'abri de l'air et à basse température avant la fermentation, ce qui a pour résultat de favoriser l'expression aromatique du vin.

Mâche
Terme s'appliquant à un vin possédant à la fois épaisseur et volume et qui donne l'impression qu'il pourrait être mâché.

Madérisé
Se dit d'un vin blanc qui, en vieillissant, s'oxyde et prend une couleur ambrée et un goût rappelant celui du madère.

Magnum
Bouteille contenant l'équivalent de deux bouteilles ordinaires.

Malique (acide)
Acide présent à l'état naturel dans beaucoup de vins et qui se transforme en acide lactique par la fermentation malolactique.

Marc
Matières solides restant après le pressurage.

Mathusalem
Autre nom pour la bouteille impériale, équivalant à huit bouteilles ordinaires.

Maturation
Transformation subie par le raisin quand il s'enrichit en sucre et perd une partie de son acidité pour arriver à maturité.

Merrain
Bois de chêne fendu utilisé dans la fabrication des barriques.

Méthode traditionnelle
Technique d'élaboration des vins effervescents comprenant une prise de mousse en bouteille, conforme à la méthode d'élaboration du champagne. Autrefois abusivement appelée « méthode champenoise ».

Mildiou
Maladie provoquée par un champignon parasite qui attaque les organes verts de la vigne.

Millerandage
Anomalie dans la maturation du raisin, conduisant à la présence, dans une même grappe, de baies de taille inégale et souvent réduite. Ce phénomène, dû à de mauvaises conditions climatiques au moment de la floraison, a pour conséquence de diminuer les rendements et parfois d'améliorer la qualité du vin, grâce à l'importance relative des pellicules qui contiennent les composés les plus intéressants du vin.

Millésime
Année de récolte d'un vin.

Minéral
Se dit d'un vin présentant une note aromatique évoquant les roches (dans les blancs : silex, craie, note saline, voire pétrole dans certains rieslings évolués ; dans les rouges : graphite, schiste chauffé au soleil...). Cette série aromatique est souvent associée à des sensations de vivacité. La minéralité pourrait être un effet du terroir (exemple : touches de pierre à fusil des vins de Loire issus de sauvignon planté sur argiles à silex).

Mistelle
Moût de raisin frais, riche en sucre, dont la fermentation a été arrêtée par l'adjonction d'alcool. Synonyme : vin de liqueur.

Moelleux
Qualificatif s'appliquant généralement à des vins blancs doux se situant entre les secs et les liquoreux proprement dits. Se dit aussi, à la dégustation, d'un vin à la fois gras et peu acide.

Mordant
Caractère d'un vin très vif et/ou astringent, légèrement agressif.

Mou
Se dit d'un vin déséquilibré par son manque d'acidité.

Moût
Désigne le liquide sucré extrait du raisin.

Musquée
Se dit d'une odeur rappelant celle du musc.

Mutage
Opération consistant à arrêter la fermentation alcoolique du moût en y ajoutant de l'alcool vinique, pratiquée notamment pour obtenir vins doux naturels et vins de liqueur.

N

Nabuchodonosor
Bouteille géante équivalant à vingt bouteilles ordinaires.

Négoce
Terme employé pour désigner le commerce des vins et les professions s'y rapportant. Est employé parfois par opposition à viticulture.

Négociant-éleveur
Dans les grandes régions d'appellations, négociant ne se contentant pas d'acheter et de revendre les vins mais, à partir de vins très jeunes, réalisant toutes les opérations d'élevage jusqu'à la mise en bouteilles.

Négociant-manipulant
Terme champenois désignant le négociant qui achète des vendanges pour élaborer lui-même un vin de Champagne.

Nerveux
Se dit d'un vin marquant le palais par des caractères bien accusés et une pointe d'acidité, mais sans excès.

Net
Se dit d'un vin franc, aux caractères bien définis.

Nez
Terme regroupant l'ensemble des odeurs perçues en respirant le vin. Le « premier nez » désigne les premières senteurs humées, avant l'agitation du verre.

Nouveau
Se dit d'un vin des dernières vendanges, et plus particulièrement d'un vin primeur.

O

Odeur
Perçues directement par le nez, à la différence des arômes de bouche, les odeurs du vin peuvent être d'une grande variété, rappelant aussi bien les fruits ou les fleurs que la venaison.

Œil
1) Synonyme de bourgeon. 2) Terme désignant l'aspect visuel du vin. Synonyme : robe.

Œnologie
Sciences (chimie, biologie, microbiologie) appliquées à l'élaboration et à la conservation du vin.

Œnologue
Titulaire du diplôme national d'œnologie, chargé d'élaborer le vin, parfois conseil des propriétés ou des maisons de négoce.

Œnophile
Amateur de vin.

Oïdium
Maladie de la vigne provoquée par un petit champignon et qui se traduit par une teinte grise et un dessèchement des raisins ; se traite par le soufre.

OIV
Organisation internationale de la vigne et du vin. Organisme intergouvernemental étudiant les questions techniques, scientifiques ou économiques soulevées par la culture de la vigne et la production du vin.

Onctueux
Qualificatif d'un vin se montrant en bouche agréablement moelleux, gras.

Organoleptique
Désigne les qualités ou propriétés perçues par les sens lors de la dégustation, comme la couleur, l'odeur ou le goût.

Ouillage
Opération consistant à rajouter régulièrement du vin dans chaque barrique pour la maintenir pleine et éviter l'oxydation du vin au contact de l'air.

Ouvert
Se dit d'un vin au nez épanoui et expressif, en général à son apogée.

Oxydatif (élevage)
Méthode d'élevage visant à faire acquérir au vin certains arômes d'évolution (fruits secs, orange amère, café, rancio...) en l'exposant à l'air ; on l'élève alors soit dans des barriques, demi-muids ou foudres non ouillés, parfois entreposés en

plein air, soit dans des bonbonnes exposées au soleil et aux variations de températures. Ce type d'élevage caractérise certains vins doux naturels, portos et autres vins de liqueur.

Oxydation
Résultat de l'action de l'oxygène de l'air sur le vin. Excessive, elle se traduit par une modification de la couleur (tuilée pour les rouges, ambrée pour les blancs) et du bouquet.

P

Paille (vin de)
Vin liquoreux obtenu grâce à un passerillage après récolte de grappes de raisins déposées sur des claies ou suspendues dans des locaux bien aérés.

Parfum
Synonyme d'odeur avec, en plus, une connotation laudative.

Passerillage
Dessèchement du raisin à l'air s'accompagnant d'un enrichissement en sucre. Les baies passerillées (ou flétries) donnent des vins liquoreux.

Perlant
Se dit d'un vin dégageant de petites bulles de gaz carbonique.

Persistance
Phénomène se traduisant par la perception de certains caractères du vin (saveur, arômes) après que celui-ci a été avalé. Une bonne persistance est un signe positif.

Pétillant
Désigne un vin légèrement effervescent dont la pression du gaz carbonique est moins forte que dans les autres vins mousseux.

Phylloxéra
Puceron qui, entre 1860 et 1880, ravagea le vignoble français en provoquant la mort des racines par sa piqûre.

Pièce
Nom du fût utilisé en Bourgogne (capacité de 228 litres).

Pierre à fusil
Se dit d'un arôme qui évoque l'odeur du silex venant de produire des étincelles.

Pigeage
Au cours de la vinification des vins rouges, opération consistant à enfoncer dans le moût du raisin le chapeau (voir ce mot) constitué par les parties solides du raisin, ce qui favorise une extraction des composants du raisin. Voir aussi : extraction, remontage.

Piqué
Qualificatif d'un vin atteint d'acescence, maladie se traduisant par une odeur aigre prononcée.

Piqûre (acétique)
Synonyme d'acescence.

Plat
Se dit d'un vin déséquilibré, trop faible en alcool.

Plein
Se dit d'un vin ayant des qualités d'ampleur, qui donne en bouche une sensation de plénitude.

Pommadé
Se dit d'un vin déséquilibré, pâteux, sirupeux, dont la trop grande richesse en sucres donne une impression de lourdeur.

Pourriture noble
Nom donné à l'action du *Botrytis cinerea* sous certaines conditions atmosphériques (matinées brumeuses et journées ensoleillées) grâce à laquelle les baies de raisin se concentrent en sucres, permettant d'élaborer des vins blancs liquoreux.

Presse (vin de)
Dans la vinification en rouge, vin tiré des marcs par pressurage après le décuvage. Voir goutte (vin de).

Pressurage
En blanc ou en rosé de pressurage, action de presser le raisin pour en tirer du jus. En rouge, opération consistant à presser le marc de raisin pour en extraire le vin.

Primeur (achat en)
Achat fait peu après la récolte et avant que le vin soit consommable.

Primeur (vin)
Vin élaboré pour être bu très jeune, mis en bouteille et commercialisé très peu de temps après la fermentation (environ deux mois). Synonyme : nouveau.

Prise de mousse
Nom donné à la deuxième fermentation alcoolique que subissent les vins mousseux. Elle donne lieu à un dégagement de gaz carbonique dans la bouteille.

Puissance
Caractère d'un vin qui est à la fois plein, corsé, généreux et d'un riche bouquet.

R

Racé
Caractère d'un grand vin remarquable par son élégance et sa finesse.

Rafle
Terme désignant dans la grappe le petit branchage supportant les grains de raisin qui, lors d'une vendange non éraflée, apporte des tanins et une certaine acidité au vin.

Raisonnée (agriculture)
Agriculture conventionnelle mais soucieuse de limiter au maximum les traitements de synthèse.

Rancio
Caractère particulier pris par certains vins doux naturels (arômes de noix) au cours de leur vieillissement.

Râpeux
Se dit d'un vin très astringent, donnant l'impression de racler le palais.

Récoltant-manipulant
En Champagne, vigneron élaborant lui-même ses cuvées à partir des raisins de sa propriété exclusivement.

Réduction
Évolution d'un vin en bouteille, à l'abri de l'air. Elle permet l'apparition d'arômes plus éloignés du fruité originel, dits arômes tertiaires (venaison, truffe, sous-bois...).

Réduit
Se dit d'un vin présentant des arômes rappelant le renfermé, qui peuvent se dégager à l'ouverture d'une bouteille longtemps fermée. Ils s'estompent généralement à l'aération.

Remontage
Opération consistant, en début de fermentation, à soutirer le moût hors de la cuve par le bas, puis à l'y réincorporer par le haut. Elle a pour but d'apporter de l'oxygène au moût pour favoriser la multiplication des levures responsables de la fermentation, tout en humidifiant le chapeau (voir ce mot) qui pourrait s'oxyder ou s'altérer. Enfin elle met en contact les jus avec les pellicules des baies, riches en pigments colorés, en composés aromatiques et en tanins.

Remuage
Dans la méthode traditionnelle, opération visant à amener les dépôts contre le bouchon par le mouvement imprimé aux bouteilles placées sur des pupitres. Le remuage peut être manuel ou mécanique (à l'aide de gyropalettes).

Riche
Qualificatif d'un vin coloré, généreux, puissant et en même temps équilibré.

Rimage
Désigne un vin doux naturel mis en bouteille précocement pour lui conserver son fruité, à la différence de ceux élevés en milieu oxydatif (voir ce mot).

Robe
Terme employé souvent pour désigner la couleur d'un vin et son aspect extérieur.

Rognage
Action de couper le bout des rameaux de vigne en fin de végétation.

Rond
Se dit d'un vin dont la souplesse, le moelleux et la chair donnent en bouche une agréable impression de rondeur.

Rôti
Caractère spécifique donné par la pourriture noble aux vins liquoreux, qui se traduit par un goût et des arômes de confit.

S

Saignée (rosé de)
Vin rosé tiré d'une cuve de raisin noir au bout d'un court temps de macération.

Salmanazar
Bouteille géante contenant l'équivalent de douze bouteilles ordinaires.

Sarment
Rameau de vigne de l'année.

Saveur
Sensation (sucrée, salée, acide ou amère) produite sur la langue par un aliment.

Sec
Pour les vins tranquilles, caractère dépourvu de saveur sucrée (moins de 4 g/l). Dans l'échelle de douceur des vins effervescents, il s'agit d'un caractère très légèrement sucré (dosage entre 17 et 35 g/l).

Sévère
Se dit d'un vin rouge généralement jeune, très marqué par les tanins et astringent. Voir austère.

Solera
Méthode d'élevage pratiquée en Andalousie pour certains xérès, et qui vise à assembler en continu vins anciens et vins plus jeunes. Elle consiste à empiler plusieurs étages de barriques ; celles situées au niveau du sol (solera) contiennent les vins les plus âgés, les plus jeunes étant entreposés dans les barriques de

l'étage supérieur. On prélève dans les tonneaux du niveau inférieur le vin à mettre en bouteille, qui est remplacé par du vin plus jeune de l'étage supérieur, et ainsi de suite.

Solide
Se dit d'un vin bien constitué, possédant notamment une bonne charpente.

Souple
Se dit d'un vin dans lequel le moelleux l'emporte sur l'astringence.

Soutirage
Opération consistant à transvaser un vin d'un contenant (cuve ou fût) dans un autre pour en séparer la lie.

Soyeux
Qualificatif d'un vin souple, moelleux et velouté, avec une nuance d'harmonie et d'élégance.

Stabilisation
Ensemble des traitements destinés à la bonne conservation des vins.

Structure
Désigne à la fois la charpente et la constitution d'ensemble d'un vin.

Sulfatage
Traitement, jadis pratiqué à l'aide de sulfate de cuivre, appliqué à la vigne pour prévenir les maladies cryptogamiques.

Sulfitage
Introduction de solution sulfureuse (SO_2) dans un moût ou dans un vin pour le protéger d'accidents ou maladies, ou pour sélectionner les ferments.

Surmaturité
Caractère de raisins récoltés tardivement, riches en sucres, qui donnent des vins souvent moelleux et marqués par des arômes confits.

T

Taille
Coupe des sarments pour régulariser et équilibrer la croissance de la vigne afin de contrôler la productivité.

Tanin
Substance se trouvant dans le raisin, et qui apporte au vin sa capacité de longue conservation et certaines de ses propriétés gustatives.

Tannique
Caractère d'un vin laissant apparaître une note d'astringence due à sa richesse en tanins.

Tendu
Se dit d'un vin vif et nerveux.

Terroir
Territoire s'individualisant par certaines caractéristiques physiques (sol, sous-sol, exposition...) déterminantes pour son vin.

Thermorégulation
Technique permettant de contrôler et de maîtriser la température des cuves pendant la fermentation.

Tirage
1) Synonyme de soutirage. 2) Mise en bouteille du champagne avant la prise de mousse. Synonyme de soutirage.

Tonneau
Unité de mesure pour le transport et la commercialisation des vins en vrac et correspondant à 4 barriques de 225 litres, soit 900 litres.

Tranquille (vin)
Désigne un vin non effervescent.

Tries (vendanges par)
Vendanges effectuées en plusieurs passages successifs pour récolter à leur concentration optimale les raisins touchés par la pourriture noble. Elles permettent l'élaboration de grands vins liquoreux.

Tuilé
1) Caractère des vins rouges évolués qui, en vieillissant, prennent une teinte rouge jaune. 2) Plus spécialement, mention sur l'étiquette désignant un rivesaltes rouge élevé au moins trente mois en milieu oxydatif.

V

VDQS
Devenu AOVDQS. Appellation d'origine vin délimité de qualité supérieure, produit dans une région délimitée selon une réglementation précise. Antichambre des AOC, cette catégorie a disparu en 2011.

Végétal
Se dit du bouquet ou des arômes d'un vin (principalement jeune) rappelant l'herbe ou la végétation. Les arômes végétaux peuvent traduire un manque de maturité de la récolte ou une extraction trop forte.

Venaison
S'applique au bouquet d'un vin rappelant l'odeur de grand gibier.

Vert
Se dit d'un vin trop acide.

Vieux
Terme pouvant avoir plusieurs acceptions, mais désignant en général un vin ayant plusieurs années d'âge et ayant vieilli en bouteille après avoir séjourné en tonneau.

Vif
Se dit d'un vin frais et léger, avec une petite dominante acide mais sans excès, et agréable.

Village
1) Terme employé dans certaines régions pour individualiser un secteur particulier au sein d'une appellation plus large (côtes-du-rhône, côtes-du-roussillon, beaujolais). 2) En Bourgogne, vin d'appellation communale non classé en premier cru.

Vin de liqueur
Vin doux ne répondant pas aux normes réglementaires des vins doux naturels, ou vin obtenu par mélange de moût et d'eau-de-vie (pineau des charentes, floc-de-gascogne, macvin-du-jura).

Vin de pays
À l'origine, vin appartenant au groupe des vins de table, mais dont on mentionnait sur l'étiquette la région géographique d'origine. Devenus IGP (indication géographique protégée) en 2009, les vins de pays sont désormais classés dans la catégorie des vins avec indication géographique, comme les AOC. La mention « vin de pays » peut subsister sur l'étiquette. Voir IGP.

Vin de table
Catégorie de vin n'affichant aucune indication géographique sur l'étiquette et provenant souvent de coupages entre des vins de différents vignobles de France ou de l'UE. Ces vins sont désormais appelés « vins sans indication géographique » (et « vins de France » s'ils proviennent du territoire national).

Vin doux naturel
Vin obtenu par mutage à l'alcool vinique du moût en cours de fermentation, souvent issu des cépages muscat et/ou grenache et correspondant à des conditions strictes de production, de richesse et d'élaboration.

Vineux
Se dit d'un vin possédant une certaine richesse alcoolique et présentant de façon nette les caractéristiques distinguant le vin des autres boissons alcoolisées.

Vinification
Méthode et ensemble des techniques d'élaboration du vin.

Viril
Se dit d'un vin à la fois charpenté, corsé et puissant.

Volume
Caractéristique d'un vin donnant l'impression de bien remplir la bouche.

VQPRD
Vin de qualité produit dans une région déterminée. Correspondait au vin AOC dans le langage réglementaire de l'Union européenne. Aujourd'hui, l'UE distingue les vins avec indication géographique (IG), qui incluent les anciens vins de pays, des vins sans indication géographique (VSIG).

VSIG
Vin sans indication géographique. Dans le langage réglementaire de l'UE, désigne aujourd'hui les anciens vins de table, qui peuvent être issus de coupages de différents vignobles. Cette catégorie exclut désormais les vins de pays (IGP) qui proviennent obligatoirement d'une zone géographique.

INDEX DES APPELLATIONS

A

Ajaccio, 873
Aloxe-corton, 494
Alsace edelzwicker, 71
Alsace gewurztraminer, 78
Alsace grand cru, 104
Alsace klevener-de-heiligenstein, 72
Alsace muscat, 75
Alsace pinot gris, 91
Alsace pinot noir, 99
Alsace pinot ou klevner, 73
Alsace riesling, 84
Alsace sylvaner, 74
Anjou, 973
Anjou-coteaux-de-la-loire, 989
Anjou-gamay, 979
Anjou-villages, 979
Anjou-villages-brissac, 982
Arbois, 693
Auxey-duresses, 533

B

Bandol, 823
Banyuls, 799
Banyuls grand cru, 801
Barsac, 392
Bâtard-montrachet, 549
Béarn, 938
Beaujolais, 142
Beaujolais-villages, 146
Beaumes-de-venise, 1166
Beaune, 514
Bellet, 830
Bergerac, 908
Bergerac rosé, 913
Bergerac sec, 915
Blanquette méthode ancestrale, 763
Blanquette-de-limoux, 762
Blaye, 223
Blaye-côtes-de-bordeaux, 224
Bonnes-mares, 470
Bonnezeaux, 1000
Bordeaux, 184
Bordeaux clairet, 194
Bordeaux rosé, 196
Bordeaux sec, 200
Bordeaux supérieur, 208
Bourgogne, 404
Bourgogne-aligoté, 416
Bourgogne-côte-chalonnaise, 568
Bourgogne-grand-ordinaire, 415
Bourgogne-hautes-côtes-de-beaune, 486
Bourgogne-hautes-côtes-de-nuits, 449
Bourgogne-passetoutgrain, 415
Bourgueil, 1028
Bouzeron, 569
Brouilly, 151
Bugey, 720
Buzet, 904

C

Cabardès, 725
Cabernet-d'anjou, 985
Cabernet-de-saumur, 1007
Cadillac, 387
Cadillac-côtes-de-bordeaux, 318
Cahors, 880
Canon-fronsac, 242
Cassis, 831
Castillon-côtes-de-bordeaux, 302
Cérons, 391
Chablis, 425
Chablis grand cru, 442
Chablis premier cru, 434
Chambertin, 461
Chambertin-clos-de-bèze, 462
Chambolle-musigny, 469
Champagne, 608
Chapelle-chambertin, 463
Charmes-chambertin, 463
Chassagne-montrachet, 551
Château-chalon, 697
Châteaumeillant, 1067
Châteauneuf-du-pape, 1168
Chénas, 156
Chevalier-montrachet, 549
Cheverny, 1059
Chinon, 1040
Chiroubles, 159
Chorey-lès-beaune, 512
Clairette-de-die, 1152
Clairette-du-languedoc, 727
Clos-de-la-roche, 468
Clos-de-vougeot, 471
Clos-saint-denis, 468
Collioure, 796
Condrieu, 1137
Corbières, 727
Corbières-boutenac, 736
Cornas, 1150
Corse ou vin-de-corse, 868
Corton, 499
Corton-charlemagne, 503
Costières-de-nîmes, 1182
Côte-de-beaune, 519
Côte-de-beaune-villages, 567
Côte-de-brouilly, 154
Côte-de-nuits-villages, 483
Côte-roannaise, 1073
Côte-rôtie, 1134
Coteaux-champenois, 688
Coteaux-d'aix-en-provence, 833
Coteaux-d'ancenis, 972
Coteaux-de-l'aubance, 988
Coteaux-de-saumur, 1007
Coteaux-du-giennois, 1068
Coteaux-du-layon, 992
Coteaux-du-loir, 1048
Coteaux-du-lyonnais, 177
Coteaux-du-quercy, 891
Coteaux-du-vendômois, 1064
Coteaux-varois-en-provence, 837
Côtes-d'auvergne, 1070
Côtes-de-bergerac, 917
Côtes-de-bergerac moelleux, 918
Côtes-de-bordeaux-saint-macaire, 322
Côtes-de-bourg, 233
Côtes-de-duras, 927
Côtes-de-millau, 899
Côtes-de-provence, 842
Côtes-de-toul, 133
Côtes-du-brulhois, 904
Côtes-du-forez, 1074
Côtes-du-jura, 699
Côtes-du-marmandais, 907
Côtes-du-rhône, 1104
Côtes-du-rhône-villages, 1120
Côtes-du-roussillon, 783
Côtes-du-roussillon-villages, 790
Côtes-du-vivarais, 1197
Cour-cheverny, 1062
Crémant-d'alsace, 128
Crémant-de-bordeaux, 222
Crémant-de-bourgogne, 418
Crémant-de-die, 1153
Crémant-de-limoux, 764
Crémant-de-loire, 952
Crémant-du-jura, 705
Criots-bâtard-montrachet, 550
Crozes-hermitage, 1144

E

Échézeaux, 473
Entre-deux-mers, 311

F

Faugères, 737
Fiefs-vendéens, 970
Fitou, 739
Fixin, 454
Fleurie, 161
Floc-de-gascogne, 944
Francs-côtes-de-bordeaux, 310
Fronsac, 245
Fronton, 900

G

Gaillac, 892
Gevrey-chambertin, 456
Gigondas, 1156
Givry, 578
Grands-échézeaux, 475
Graves, 324
Graves-de-vayres, 315
Graves supérieures, 332
Grignan-les-adhémar, 1186
Griotte-chambertin, 464
Gros-plant-du-pays-nantais, 970

H

Haut-médoc, 353
Haut-poitou, 816
Hermitage, 1148

I

Irancy, 446
Irouléguy, 943

J

Jasnières, 1049
Juliénas, 163
Jurançon, 939

L

L'étoile, 707
Ladoix, 491
Lalande-de-pomerol, 259
Languedoc, 742
Latricières-chambertin, 463
Les baux-de-provence, 829
Limoux, 765
Lirac, 1175
Listrac-médoc, 362
Loupiac, 388
Luberon, 1194
Lussac-saint-émilion, 292

M

Mâcon et mâcon-villages, 583
Macvin-du-jura, 707
Madiran, 930
Malepère, 766
Maranges, 564
Marcillac, 898
Margaux, 364
Marsannay, 452
Maury, 811
Mazis-chambertin, 465
Mazoyères-chambertin, 465
Médoc, 343
Menetou-salon, 1075
Mercurey, 574
Meursault, 538
Minervois, 768
Minervois-la-livinière, 773
Monbazillac, 919
Montagne-saint-émilion, 294
Montagny, 581
Monthélie, 530
Montlouis-sur-loire, 1050
Montrachet, 548
Montravel, 921
Morey-saint-denis, 466
Morgon, 166
Moselle, 135
Moulin-à-vent, 170
Moulis-en-médoc, 371
Muscadet, 956
Muscadet-coteaux-de-la-loire, 968
Muscadet-côtes-de-grand-lieu, 967
Muscadet-sèvre-et-maine, 957
Muscat-de-beaumes-de-venise, 1198
Muscat-de-frontignan, 779
Muscat-de-lunel, 778
Muscat-de-mireval, 780
Muscat-de-rivesaltes, 806
Muscat-de-saint-jean-de-minervois, 781
Muscat-du-cap-corse, 877

N

Nuits-saint-georges, 479

O

Orléans, 1063
Orléans-cléry, 1063

P

Pacherenc-du-vic-bilh, 934
Palette, 866
Patrimonio, 875
Pauillac, 374
Pécharmant, 923
Pernand-vergelesses, 497
Pessac-léognan, 333
Petit-chablis, 422
Pierrevert, 1196
Pineau-des-charentes, 817
Pomerol, 249
Pommard, 520
Pouilly-fuissé, 594
Pouilly-fumé, 1078
Pouilly-loché, 599
Pouilly-sur-loire, 1083
Pouilly-vinzelles, 600
Premières-côtes-de-bordeaux, 389
Puisseguin-saint-émilion, 299
Puligny-montrachet, 545

Q

Quarts-de-chaume, 999
Quincy, 1084

R

Rasteau, 1197
Rasteau sec, 1155
Régnié, 173
Reuilly, 1085
Richebourg, 478
Rivesaltes, 802
Romanée-saint-vivant, 478
Rosé-d'anjou, 983
Rosé-de-loire, 950
Rosé-des-riceys, 689
Rosette, 926
Roussette-de-savoie, 718
Ruchottes-chambertin, 466
Rully, 570

S

Saint-amour, 175
Saint-aubin, 556
Saint-bris, 447
Saint-chinian, 774
Saint-émilion, 265
Saint-émilion grand cru, 269
Saint-estèphe, 379
Saint-georges-saint-émilion, 301
Saint-joseph, 1139
Saint-julien, 383
Saint-mont, 936
Saint-nicolas-de-bourgueil, 1035
Saint-péray, 1151
Saint-pourçain, 1088
Saint-romain, 536
Saint-sardos, 908
Saint-véran, 601
Sainte-croix-du-mont, 390
Sainte-foy-bordeaux, 317
Sancerre, 1090
Santenay, 559
Saumur, 1002
Saumur-champigny, 1008
Saussignac, 926
Sauternes, 392
Savennières, 990
Savennières-roche-aux-moines, 991
Savigny-lès-beaune, 505
Seyssel, 719

T

Tavel, 1179
Touraine, 1015
Touraine-amboise, 1024
Touraine-azay-le-rideau, 1026
Touraine-mesland, 1027
Touraine-noble-joué, 1024
Tursan, 937

V

Vacqueyras, 1162
Valençay, 1065
Ventoux, 1188
Vin-de-savoie, 710
Vins-d'estaing, 898
Vinsobres, 1153
Viré-clessé, 591
Volnay, 526
Vosne-romanée, 475
Vougeot, 471
Vouvray, 1053

VINS DE PAYS/IGP,
Agenais, 1210
Alpes-de-Haute-Provence, 1241
Alpilles, 1241
Ardèche, 1250
Ariège, 1213
Atlantique, 1210
Aude, 1222
Aveyron, 1213
Bouches-du-Rhône, 1242
Calvados, 1201
Cévennes, 1222
Charentais, 1211

Cité de Carcassonne, 1223
Collines rhodaniennes, 1251
Comté tolosan, 1213
Corrèze, 1215
Côte de la Meuse, 1253
Côte Vermeille, 1224
Coteaux de Coiffy, 1252
Coteaux de Glanes, 1215
Coteaux de l'Auxois, 1252
Coteaux de Narbonne, 1224
Coteaux des Baronnies, 1252
Coteaux du Libron, 1223
Coteaux et terrasses de Montauban, 1215
Côtes catalanes, 1224
Côtes de Gascogne, 1216
Côtes de la Charité, 1201
Côtes de Thau, 1228
Côtes de Thongue, 1228
Côtes du Lot, 1220
Côtes du Tarn, 1219
Drôme, 1252
Duché d'Uzès, 1229
Franche-Comté, 1253
Gard, 1230
Haute-Marne, 1254
Haute vallée de l'Orb, 1230
Hautes-Alpes, 1243
Hérault, 1230
Île de Beauté, 1243
Landes, 1212
Méditerranée, 1244
Mont-Caume, 1245
Pays d'Oc, 1232
Périgord, 1212
Principauté d'Orange, 1245
Puy-de-Dôme, 1201
Pyrénées-Atlantiques, 1221
Sable de Camargue, 1240
Saint-Guilhem-le-Désert, 1241
Saône-et-Loire, 1254
Val de Loire, 1204
Vallée du Paradis, 1241
Var, 1246
Vaucluse, 1247

LUXEMBOURG
Crémant-de-luxembourg, 1260
Moselle luxembourgeoise, 1256

SUISSE
Canton de Genève, 1276
Canton de Neuchâtel, 1279
Canton de Vaud, 1263
Canton du Tessin, 1281
Canton du Valais, 1270

INDEX DES COMMUNES

A

Abeilhan 1229 1233
Abzac 257 263
Adissan 727
Agde 1238
Aghione 870 1243
Agiez 1268
Ahn 1257
Aigle 1264 1265
Aigne 771 772
Aigues-Vives 772 1232
Aimargues 1236
Aix-en-Provence 835
Aix-les-Bains 714
Ajaccio 874
Alaigne 767
Alairac 772
Alba-la-Romaine 1250
Albas 883 885 889
Albias 1216
Aléria 869 871 1243
Alès 799 803
Allan 1186
Allassac 1215
Alligny-Cosne 1094
Aloxe-Corton 450 457 478 479 496 500 501 502 503 506 538
Alzonne 726
Ambarès 192
Ambès 193 220
Ambierle 1073 1074
Amboise 967 1025 1051 1052 1053
Ambonnay 634 670 675 680 683
Ammerschwihr 71 86 88 91 93 103 104 108 112 114 117 122 124 126 127 129 131
Ampuis 1135 1136 1137
Ancenis 1207
Ancy-sur-Moselle 135
Andlau 87 96 111 114 120 126 127
Angers 987
Anglade 231
Aniane 745 747 754
Anières 1277
Anse 143
Ansouis 1196 1248
Antisanti 870
Antugnac 763 764 765
Apremont 711 712 715 717 719
Apt 1192 1196 1249
Aragon 726
Arbanats 330
Arbin 717
Arbois 693 695 696 697 699 702 705 706 709
Arcay 1068
Arcenant 449 452 470 481 485
Argelès-sur-Mer 790 811
Argeliers 768
Argens-Minervois 771
Arlay 697 699 700 704
Arles 1242
Armissan 759
Arnas 161
Arras-sur-Rhône 1251
Arrentières 620 624 658
Ars-sur-Moselle 136
Arsac 354 356 366 369 370
Artiguelouve 940
Arveyres 209 215 256 260 316 317
Arzens 732 767 1236
Arzo 1282
Aspères 755
Aspiran 762
Assas 746
Assignan 781
Athée-sur-Cher 1021
Aubais 1232
Aubie-Espessas 223
Aubignan 1168 1249
Aubigné-sur-Layon 976 977 996 1001
Aubinges 1075 1076
Aumelas 746
Auradou 1210
Aurel 1153
Aurensan 937
Aurillac 1071
Auriol 1242
Aurions-Idernes 935
Aurons 835
Autignac 737
Auvernier 1279 1280
Auxerre 413
Auxey-Duresses 414 488 491 520 529 530 533 534 535 537 538 540 542 544 556 566
Avenay-Val-d'Or 617 630 654 661
Avensan 355 379
Avirey-Lingey 625 635 644 662
Avize 613 619 623 625 637 643 652 655 666 677 678 684 686 688
Avon-les-Roches 1048
Avord 1068 1084
Aÿ 615 619 628 634 642 645 646 647 689
Aydie 931 932 936 1216
Ayguetinte 945
Ayse 711
Azay-le-Rideau 1026 1027
Azé 176 413 584
Azillanet 773
Azille 770 773 1235
Azy-sur-Marne 661

B

Babeau-Bouldoux 775 778
Badens 769 770 771 1232
Bagat-en-Quercy 889
Bages 805 810
Bagnoles 771 1238
Bagnols-sur-Cèze 1133
Baignes-Sainte-Radegonde 1211
Baillargues 1233
Baixas 792 810
Balbronn 78 85
Balerna 1281 1282
Baleyssagues 929
Ballaison 714 717
Balnot-sur-Laignes 645 676
Banyuls-dels-Aspres 787 804
Banyuls-sur-Mer 797 798 799 800 801 802 1224
Bar-sur-Aube 621
Bar-sur-Seine 685
Barbechat 970
Barbonne-Fayel 653
Barizey 547 577
Baron 1230 1240
Baroville 614 641
Barr 100 104 116 125
Barsac 201 391 392 393 394 395 396 397 398 1153
Baslieux-sous-Châtillon 658 668 689
Bassac 820
Bassoues-d'Armagnac 944
Bassuet 658 659
Baubigny 491
Baurech 197 222 321
Bayas 213
Bayon-sur-Gironde 235 239
Bazarnes 448
Beaucaire 1183 1185
Beaufort 768
Beaujeu 149 152
Beaulieu 1250
Beaulieu-sur-Layon 984 991 992 996 998
Beaumes-de-Venise 1125 1163 1165 1166 1167 1189 1198 1249
Beaumont 816 1209
Beaumont-du-Ventoux 1189
Beaumont-en-Véron 1048
Beaumont-Monteux 1145 1147
Beaune 405 408 409 412 413 435 436 437 444 450 459 461 462 463 465 468 472 479 480 482 483 484 487 492 497 498 500 501 504 506 512 514 515 516 517 518 519 521 524 527 528 531 533 535 537 539 541 542 543 548 549 550 552 553 554 555 556 562 571 574 588
Beblenheim 74 95 96 105 109 115 126
Bédarrides 1169
Bédoin 1191 1244
Bégadan 343 344 345 346 347 349 350 351 352
Begnins 1264 1269
Béguey 197 198 200 320 322 326
Beine 405 423 424 428 432 433 436 438 440
Bélesta 791 807
Bellebat 194
Bellegarde 1183 1184
Bellinzona 1281
Belvès-de-Castillon 197 201 290 300 305 308 309
Belvèze-du-Razès 767

COMMUNES

Benais 1028 1030 1031 1033 1034 1035 1036
Bennwihr 78 94 211
Béon 720
Bergbieten 123
Bergerac 912 921 924 925
Bergères 674
Bergheim 73 75 80 87 88 112 130
Bergholtz 110
Berlou 776
Bernardvillé 94
Bernex 1276 1278
Bernouil 408 429
Berru 671
Berry-Bouy 1076
Berson 226 227 229 231 232
Béru 426
Bessan 1239
Besse-sur-Issole 849
Besson 1089
Bétête 1068
Bethon 646 655
Beychac-et-Caillau 202 212 312 317 336 341
Béziers 759
Bezouce 1182 1184
Billième 718
Billy-sous-les-Côtes 1253
Binson-et-Orquigny 666
Biron 818
Bisseuil 615 664
Bissey-sous-Cruchaud 582
Bizanet 728
Bize-Minervois 769 771 1239
Blacé 149
Blaignan 346 352
Blaison-Gohier 974
Blanquefort 187 189 198 200 201 202 203 205 266 322 326 336 344 357 361 366 394 1204 1211
Blanzat 1071
Blasimon 188 312
Blauvac 1190
Blauzac 1223 1230
Blaye 224
Blénod-lès-Toul 135
Bléré 1019 1020
Blienschwiller 74 81 83 84 87 101 103 118 125 126 130
Bligny 618 625 633
Bligny-lès-Beaune 409 411 416 493 509 510 522 523 529 534
Blonay 1268
Boersch 100
Boisse 914
Bollène 1110 1118 1186
Bommes 394 395 397 398
Bondoufle 143
Bonnencontre 487 520
Bonneville 922
Bonnieux 1194 1195 1244
Bonny-sur-Loire 1070 1090
Bordeaux 193 204 221 277 288 303 334 344 350 381 394
Borgo 872 873 1244
Bormes-les-Mimosas 843 846 863
Bouaye 968
Bouchet 1131
Boudes 1071 1072 1073
Boudry 1280
Bourg-Saint-Andéol 1110
Bourg-sur-Gironde 222 234 235 236 238 240
Bourges 1068
Bourgneuf-en-Retz 1208
Bourgueil 1028 1029 1031 1032 1034 1035 1037 1038 1039 1041 1043 1044
Boursault 621 655 657
Boutenac 732 736
Bouze-lès-Beaune 487 497 507 513
Bouzeron 406 569 570 571 578
Bouzigues 751 827
Bouzille 969
Bouzy 614 615 616 621 628 632 641 682 683 685 689
Boyeux-Saint-Jérôme 721
Brains 968
Branceilles 1215
Bras 841
Brasles 631
Braud-et-Saint-Louis 231
Bravone 868
Bray 591
Brens 896
Bretagne-d'Armagnac 946 1217
Brézé 1004 1008 1010
Briare 1070
Brigné 970 976 980 984 986
Brignoles 837 839 840 847
Brinay 1084 1085 1086 1087 1209
Brissac 983 1000 1002
Brissac-Quincé 952 974 985 986 988
Brizambourg 819
Brossay 1005 1008
Brouillet 613
Brouzet-lès-Quissac 1237
Brugairolles 1235
Brugny-Vaudancourt 620 641
Bruley 134 135
Budos 325 330 332
Bué 1070 1077 1090 1091 1092 1093 1096 1099 1100 1101
Buisson 1117 1131
Busque 898
Bussières 586 590
Buxerulles 1253
Buxeuil 634 645 654 666
Buxières-sur-Arce 675
Buxy 572 580 582
Buzet-sur-Baïse 905 906

C

Cabanes 1220
Cabasse 852 853 859 865 1246
Cabestany 785 803 804 808
Cabidos 1214 1221 1222
Cabrerolles 738 739
Cabrières 727 744
Cabrières-d'Aigues 1196 1249
Cadalen 897
Cadaujac 333
Cadillac 187 201 329 330
Cadillac-en-Fronsadais 324
Cahuzac-sur-Vère 895 896 897
Caillac 885 886 1221
Cairanne 1106 1111 1112 1121 1122 1123 1124 1126 1128 1130 1131 1132 1245
Caissargues 1182 1184
Calce 784 803 807 1225
Calenzana 870 871
Calignac 906
Caluire 163
Calvi 870
Calvisson 749 1233 1234
Camaret-sur-Aigues 1123
Camarsac 186
Cambes 196
Camblanes-et-Meynac 320
Camiac-et-Saint-Denis 220
Camiran 192
Campagne-sur-Aude 765
Camplong-d'Aude 729 730 735
Camprond 265
Campsas 901 902 903 1214
Campugnan 191 230
Candé-sur-Beuvron 1062
Canéjan 342
Canet-en-Roussillon 783 786 788 802
Cannet 933
Cantenac 364 365 366 367 368 370
Capendu 730
Capestang 1237
Capian 199 205 312 319 320 321 322
Caramany 791
Carbon-Blanc 185 195 198 201 242 312 348 379
Carcassonne 767
Carcès 848 862 1246
Cardan 321
Cardesse 942
Carignan-de-Bordeaux 188 300 318
Carnac-Rouffiac 888
Carnoules 849 853 1244
Caromb 1191 1192
Carouge 1277
Carpentras 1189
Carquefou 969
Cars 223 226 227 228 229 230 232 238
Cartelègue 230
Cascastel-des-Corbières 729 740 741 1241
Caseneuve 1188
Cases-de-Pène 785 792 794 805
Cassagnes 794
Cassina-d'Agno 1282
Cassis 831 832 833
Castanet 893
Castelnau-d'Aude 772
Castelnau-d'Auzan 1217
Castelnau-d'Estrétefonds 902
Castelnau-de-Guers 750 752 1238
Castelnau-le-Lez 777
Castelnau-Valence 1238
Castillon-du-Gard 1108 1125 1180
Castillon-la-Bataille 310
Castres-Gironde 325 326 327 332 341
Castries 748
Caudrot 202 206 212 223 323
Cauro 874
Causse-de-la-Selle 753
Caussens 947
Causses-et-Veyran 739 774 775 777

Caux 1234 1237
Cavillargues 1111
Cazaubon 1219
Cazaugitat 186 209
Cazedarnes 776 777
Cazeneuve 1218
Cazouls-les-Béziers 774 745 1230
Cébazat 1072
Céligny 1277
Celles-sur-Ource 622 627 631 642 656 660 669 679 686 687
Cellettes 1060
Cénac 320
Cépie 766
Cerbois 1085
Cercié 149 153 154 171 173
Cerdon 721
Cérons 325 328 391
Cersay 976 981
Cerseuil 632
Cessenon-sur-Orb 774 778
Cesseras 773
Cestayrols 894 896
Ceyras 748
Chablis 405 407 418 422 423 424 426 427 428 429 430 431 432 433 434 435 436 437 439 440 441 442 443 444 445 446 448 1234
Chacé 1007 1009 1010 1011
Chagny 576
Chahaignes 1049 1050
Chaintré 584 585 595 597 600 601
Chalonnes-sur-Loire 980 989 990 994 998
Châlons-en-Champagne 650
Chalus 1070
Chambolle-Musigny 468 470
Chamery 619 651 660 669
Chamoson 1270 1273 1275
Champ-sur-Layon 951 952 979 984 985 986 987 990
Champignol-lez-Mondeville 637
Champillon 614
Chançay 1053 1057 1058
Chânes 412 588 589 601 604
Change 561 566
Changey-Échevronne 498
Chanos-Curson 1145 1146 1147
Chantemerle-lès-Grignan 1187
Chantonnay 971
Chapareillan 712 713 719
Charcenne 1254
Chardonne 1268
Charentay 152 156 159
Chargé 1023
Charly-sur-Marne 615 626 638 645 656 658 667 679
Charnas 1138 1141 1142
Charnay 144
Charnay-lès-Mâcon 586 587 594 599
Charrat 1271
Chassagne-Montrachet 405 525 546 550 551 552 553 554 555 556 557 558 561 562 563 565
Chasselas 584 601 604
Chassignelles 429
Château-Chalon 698 699 700 702 707 708
Château-Thébaud 957 959 961 1207 1208
Châteaubourg 1141 1150
Châteaugay 1071 1072
Châteaumeillant 1067 1068
Châteauneuf-de-Gadagne 1108
Châteauneuf-du-Pape 1105 1111 1112 1114 1115 1116 1120 1126 1128 1133 1140 1145 1146 1147 1149 1151 1155 1156 1157 1158 1160 1161 1163 1166 1169 1170 1171 1172 1173 1174 1175 1178 1181 1234 1244
Chateauvert 840 1247
Châteauvieux 1018
Châtenois 75
Châtillon-d'Azergues 161
Châtillon-sur-Cher 1024
Chaudefonds-sur-Layon 984 990 995 996
Chaumont-le-Bois 418
Chaumuzy 678
Chaux 449 481 569
Chavagnes 978 997
Chavagnes-les-Eaux 951 956 975 978 986 987 994 998 1000
Chavanay 1136 1137 1138 1139 1140 1141 1142 1143 1144 1147 1151 1152 1252
Chavannes 1251
Chavignol 1094
Chavot-Courcourt 682
Cheillé 1024 1026 1027
Cheilly-lès-Maranges 488 556 560 564 565 572 577
Chémery 1016 1204
Chemilly-sur-Serein 424 435 439
Chénas 158 162 164 171
Chenay 631
Chenôve 481
Cherves-Richemont 817
Chervey 651
Chevanceaux 818 1210
Cheverny 1061 1062 1063
Chexbres 1264 1265
Chiatra 1244
Chichée 432 437 441
Chignin 711 714 715 716
Chigny les Roses 624 637 649 662 670 682
Chille 701
Chindrieux 712
Chinon 1041 1042 1043 1046 1047 1048
Chiroubles 145 159 160 161 168
Chitry 406 409 410 412 414 416 421 431 433 441 446
Chorey-lès-Beaune 417 492 493 494 495 496 500 502 506 507 508 509 510 513 514 516 517 519 523
Chouilly 629 642 656 679 684 687 1276
Choulex 1278
Choussy 1018 1022
Chouzé-sur-Loire 1035 1037
Chusclan 1125
Cissac-Médoc 354 355 356 357 358 359 360 361
Civrac-en-Médoc 343 344 346 348 349
Civrac-sur-Dordogne 211
Civray-de-Touraine 1015 1022
Claret 762
Cléebourg 85
Cléré-sur-Layon 974 987 997 1208
Clérieux 1144
Clermont-l'Hérault 1231
Clessé 587 592 593 594
Clion 819
Clisson 965 966 987 988 1016
Cocumont 907 908
Cognac 1211
Cognocoli-Monticchi 874 875
Cogny 142
Cogolin 851 852 865
Coiffy-le-Haut 1253
Collan 407 423 428 430 436
Collioure 797 798 800 801 810
Colmar 75 81 95 110 123
Cologny 1279
Colombé-la-Fosse 629 643 654
Colombé-le-Sec 627 665
Colombier 911 912 915 916 920 924 1280
Combertault 487 558
Comblanchien 469 480 482 484 540
Combres-sous-les-Côtes 1253
Compeyre 900
Comps 234
Concise 1265
Concourson-sur-Layon 981 982 994 996 1008
Condom 945
Condrieu 1136 1138
Congy 625
Conilhac-Corbières 736
Conne-de-Labarde 918
Conques-sur-Orbiel 726
Conthey 1271
Contigny 1089
Contz-les-Bains 136
Corbonod 720
Corcelles-en-Beaujolais 167
Corcelles-les-Arts 534 540 546
Corconne 750
Corcoué-sur-Logne 968 1206
Corgoloin 471 483 484 485 492 496 499 503 506 511 518
Cormeray 1059
Cormot-le-Grand 486
Cormoyeux 665
Cornas 1109 1140 1150 1151 1152
Corneilla-del-Vercol 784
Corneilla-La-Rivière 1226 790 791 792 1224
Corpeau 416 498 571
Correns 843 848 853 861
Corsier 1278
Cosne-sur-Loire 1069
Cotignac 847 858
Coubeyrac 214
Coubisou 898
Couches 421 567
Couchey 455 457
Couddes 1019
Coudoux 836
Couffoulens 1223
Couffy 1015

Coulanges-la-Vineuse 404
Coulommes-la-Montagne 672
Couquèques 348 349
Cour-Cheverny 1059 1060 1062
Courgis 438
Courjeonnet 627
Courmas 613
Cournonsec 761
Courteron 640
Courthézon 1109 1117 1118 1120 1122 1128 1162 1165 1166 1169 1170 1171 1172 1173 1175 1246
Coutures 980
Cramant 619 649 652 653 660 670 674 680 687 688
Crançot 698 700 704 705 706 709
Crans-près-Céligny 1266
Cravant-les-Coteaux 1040 1041 1043 1044 1045 1046 1047 1048
Crèches-sur-Saône 155 590
Creissan 775
Cressier 1280
Creysse 924 926
Crézancy-en-Sancerre 1092 1094 1100
Crouseilles 932 935 938 1214
Crouttes-sur-Marne 616
Crouzilles 1042 1048
Cruet 714
Cruviers-Lascours 1223
Cruzy 776
Cubnezais 225
Cucugnan 732
Cucuron 1194 1196
Cuers 842 858
Cuis 643 664
Cuisles 648
Culles-les-Roches 583
Cully 1264 1266 1268 1269
Cumières 638 671 678
Cuqueron 940
Curnier 1252
Curtil-Vergy 449
Cussac-Fort-Médoc 353 358

D

Dahlenheim 73 77 103
Daignac 189 202
Dambach-la-Ville 77 82 85 87 96 102 104 105 113 114 116 130
Damery 617 632 639 646 657 673 681
Dampierre-sur-Loire 1003 1004 1007 1010 1012
Darbonnay 703 709
Dardagny 1277 1278
Dardenac 188 198
Dareizé 145
Davayé 584 585 586 592 595 598 602 603 604 605
Demigny 486 487 516 559 572 578
Denée 993
Denicé 142 172
Dezize-lès-Maranges 551 552 559 564 565 566 567
Die 1153
Diusse 932
Dizy 617 620 627
Domazan 1114 1120 1132
Donazac 767
Donnazac 895
Donzac 191 199 203 206 223 321 387 904
Donzère 1105 1186
Dorlisheim 71 74 100
Douelle 883 888
Doulezon 192 220
Douzens 732 734 1222
Draguignan 860
Drain 968 969 976 1207
Dun-sur-Auron 1067
Duras 928 930
Duravel 883 884 886 890 1221
Durfort 1229

E

Eauze 904 1219 947
Ébaty 154 414
Eccica-Suarella 873 874
Échevronne 488 509
Écueil 622 633 651 655
Éguilles 834 1242
Eguisheim 74 77 80 81 86 88 92 94 95 96 102 105 108 109 113 114 115 124 127 128 129 132
Ehnen 1258
Ellange-Gare 1257
Elne 789
Embres-et-Castelmaure 729
Émeringes 164
Entrecasteaux 842 861
Entrechaux 1108 1130 1159 1190 1191
Épargnes 1212
Épernay 616 617 618 623 633 635 638 639 644 645 650 655 659 660 661 663 664 666 669 672 677 681 684
Épesses 1266 1267
Epfig 81 91 100
Épineuil 404 420 425
Escales 728
Esclottes 929
Escoussans 191 194 213 314
Espiet 197 221
Espira-de-l'Agly 787 792 793 794 804 807 808 809 810
Essômes-sur-Marne 668
Estagel 787 789 792 794 795 803
Estézargues 1128
Esvres-sur-Indre 1024
Étoges 620 676 685
Étrigny 408
Eugénie-les-Bains 937
Évenos 827 828
Eygalières 834 836 1242
Eynesse 220 318

F

Fabas 902
Fabrègues 747
Fabrezan 729
Faleyras 312
Fargues 394 395 397
Faucon 1127
Faugères 737 738 1250
Faveraye-Machelles 999 1000
Faye-d'Anjou 975 977 978 981 987 992 994 995 996 998 1001
Féchy 1269
Feings 1061
Feliceto 871
Félines-Minervois 769
Festigny 640 642 659
Feugarolles 905
Figari 871
Fitou 740 741 742
Fixin 454 455 456 458 462 484
Flanthey 1274
Flassans-sur-Issole 848 859
Flaugeac 920
Flavigny-sur-Ozerain 1252
Fleurie 161 162 163 169 171 420
Fleurieux-sur-l'Arbresle 178
Fleury-d'Aude 756 757
Fleys 430 431 438 439 440
Florensac 750 1235
Floressas 887 889
Folelli 871
Fondettes 1026
Fons 1229
Fontaine-Denis 613
Fontaines 576
Fontanès 749 759
Fontenay-près-Chablis 425 433 436 437 442 443 444 445
Fontès 758
Fontette 629 679
Fontguenand 1065 1067
Fontjoncouse 1241
Fos 739
Fossoy 632 674
Fougères-sur-Bièvre 1060 1062
Fougueyrolles 373 923
Founex 1269
Fourcès 947 1218
Fourques 1226
Fours 224 227 228
Francs 310 311 922
Francueil 1020
Frangy 718
Franquevaux 1182
Frausseilles 1219
Fréjus 849
Fresnes 1062
Fréterive 714 718
Fronsac 242 243 244 245 246 247 249
Frontenas 143
Frontignan 779 780 1234 1239
Fronton 901 902 903 904
Fuissé 585 587 590 592 593 596 597 598 599 600 601 602 603 605
Fully 1275

G

Gabarnac 387 389
Gabian 750 1235 1240
Gageac-Rouillac 927
Gaillac 892 893 894 895 896 897 898 1220
Gaillan-en-Médoc 344 346 348 350 352
Galgon 197 201 207 210 218 219 248
Gan 938 941 942
Gardegan 309
Gardegan-et-Tourtirac 187 219 305 306 308

Garéoult 837 838 839
Gargas 1188 1248
Gassin 857 860 861 865
Gaujac 1129
Gauriac 234 237
Geaune 938 1212
Générac 224 1183 1185
Génissac 185 186 191 196 200 205 208 218 317
Genouilly 583
Gergovie 1072
Gertwiller 72
Gervans 1142 1146 1149
Gevingey 701
Gevrey-Chambertin 407 450 452 453 455 456 457 458 459 460 461 462 463 464 465 466 467 472 473 476 481 482 484 498 501 510 511 542
Gignac 746
Gignac-la-Nerthe 834
Gigondas 857 1105 1111 1115 1116 1126 1127 1130 1133 1136 1157 1158 1159 1160 1161 1162 1164 1165 1167 1168 1175 1185 1191 1234 1237 1249
Ginestet 926
Gironde-sur-Dropt 185 186 188 200 211 219 245 297 312 322 916
Givrins 1264
Givry 515 574 579 580 581 582
Glanes 1215
Gleizé 171
Gondrin 944 947 1216 1217 1218 1219
Gonfaron 850 851 852
Gordes 1189
Gorges 958 959 960 963 964 965 966 967
Gornac 214 215
Goult 1193
Goutrens 899
Grandvaux 1270
Grauves 635 636 662
Graves-Saint-Amant 1212
Gréoux-les-Bains 1197 1241
Grevenmacher 1257 1259 1261
Grezels 881 1221
Grézillac 185 191 199 213 314 334 335 341
Grignan 1154 1187
Grimaud 853
Grimisuat 1270
Groslée 721
Gruissan 732
Gueberschwihr 81 83 87 90 110 113 122 123 131
Guebwiller 90
Guizengeard 821
Guzargues 761
Gyé-sur-Seine 637 640 651

H

Hattstatt 96 119
Hauterive 1280
Hautvillers 616 643 657 683
Haux 204 319
Heiligenstein 72 75 82 131
Herrlisheim-près-Colmar 81
Héry 411
Hëttermillen 1257
Homps 768
Hontanx 946
Huismes 1041 1047
Huisseau-sur-Cosson 1061
Hunawihr 71 83 88 90 98 101 103 116 117 124 130
Husseren-les-Châteaux 91 97 98 118
Hyères 843 846 854 856 861

I

Igé 419 587
Igny-Comblizy 617
Illats 328 329
Ingersheim 71 96 97 101 109 113
Ingrandes-de-Touraine 1028 1029 1030 1032 1033 1034 1035
Irancy 413 446 447
Irouléguy 944
Ispoure 943
Itterswiller 94 98 101 132

J

Jambles 567 575 578 579 581
Janvry 652 672
Jau-Dignac-et-Loirac 347 348 350 351 352
Jaulgonne 621
Joigny 406
Jongieux 712 715 718 719
Jonquerettes 1106
Jonquery 613 648
Jonquières 751 1115 1131 1134 1231 1246
Jonquières-Saint-Vincent 1183
Jouques 834
Jugazan 189 193 197
Juigné-sur-Loire 953 983 989 1208
Juillac 220
Jujurieux 720 722
Juliénas 144 157 164 165 166 176
Jullié 164 166 177
Jully-les-Buxy 583
Jully-sur-Sarce 661
Jurançon 939 941 942

K

Katzenthal 77 86 95 108 111 116 117 118 119 125
Kaysersberg 110 127 128
Kientzheim 73 76 79 102 108 123
Kintzheim 96

L

L'Étoile 707
La Brède 324 325 326 328 329
La Cadière-d'Azur 825 826 827 828 829 846
La Caunette 769
La Celle 839 841
La Celle-sous-Chantemerle 649
La Celle-sur-Nièvre 1201
La Chapelle-Basse-Mer 966
La Chapelle-de-Guinchay 147 151 157 158 159 165 168 171 176 598
La Chapelle-Heulin 963 1205
La Chapelle-Monthodon 679
La Chapelle-sous-Brancion 586
La Chapelle-Vaupelteigne 426 427 434 438
La Chartre-sur-le-Loir 1049
La Chaussaire 1204
La Couture 971
La Crau 847 857
La Croix-Valmer 845 847 855
La Digne-d'Aval 763
La Fosse-de-Tigné 978
La Garde 825
La Garde-Adhémar 1106 1186
La Garde-Freinet 855
La Haye-Fouassière 957 962 1207
La Limouzinière 967 968 1207 1208
La Livinière 769 772
La Londe-les-Maures 848 849 850 851 854 855 859 861 862 864 865 866 1247
La Môle 858
La Motte 849 850 853 854 857 860 863
La Neuville-aux-Larris 620
La Palme 741
La Pommeraye 978 981 990
La Possonnière 980
La Regrippière 960
La Réole 190
La Rivière 196 248
La Roche-Clermault 1041 1046
La Roche-de-Glun 1145 1146
La Roche-Vineuse 412 417 584 588 589 597
La Rochepot 486
La Roquebrussanne 840
La Sauve 194 196 207 319
La Sauve-Majeure 221 315
La Tour-d'Aigues 1191 1195 1196 1248
La Varenne 972
La-Roche-Clermault 1045
Labarde 357 367 368 371
Labarthète 936 1218
Labastide-d'Armagnac 946
Labastide-Marnhac 885 891
Labastide-Saint-Pierre 900 901 903 904 1215
Lablachère 1250
Lacapelle-Cabanac 886
Ladaux 197 204 305
Ladoix-Serrigny 411 474 476 477 484 492 493 494 495 496 500 501 502 503 504 505 507 510 511 512
Lafare 1167 1168 1191
Lagorce 1251
Lagrasse 733
Lagraulet-du-Gers 947
Lahourcade 940
Lalande-de-Pomerol 259 260 261 262 263 264 286
Lamarque 188 203 272 358 359 366 387
Lambesc 833 835 836
Lamone 1282
Lamonzie-Saint-Martin 909 910
Lamothe-Montravel 910 918 923
Lancié 142 146 162 163 169 172
Lançon-de-Provence 833 834 837

COMMUNES

Landerrouat 185 192 201 202 207 208 1210
Landiras 324 328 331
Landreville 629 650 676
Langoiran 222 319 321
Langon 325 326 329 332
Lanne-Soubiran 1217
Lansac 233 235 237 240
Lantignié 147 149 168 169 175
Larée 946
Larnage 1148
Laroin 943
Laroque 388
Larroque-sur-l'Osse 945 1216
Laruscade 227
Lasseube 939 940
Latour-de-France 795 805 1225
Latresne 350
Laudun 1106 1110 1119 1121 1132 1133 1135 1138 1146 1154 1163 1182 1197
Laurens 737 738 739 1235
Lauret 745
Lauris 1105
Lavau 1069
Lavaur 1220
Lavérune 749 751
Lavigny 698 700 708
Lazenay 1086 1088
Le Beausset 824 826 827 829
Le Bois-d'Oingt 146 172
Le Bois-Plage 820
Le Bosc 752
Le Boulvé 885 1221
Le Breuil 145 664
Le Briou-de-Veaugues 1100
Le Brûlat-du-Castellet 824
Le Bugue 914
Le Cailar 1184
Le Camp-du-Castellet 824
Le Cannet-des-Maures 846 848 854 856 864 1247
Le Castellet 824 827
Le Cellier 972
Le Chateley 702 706
Le Fleix 318 912 914
Le Landreau 958 959 961 967 970 1206 1207
Le Loroux-Bottereau 958 959 964 966 970 1204 1205
Le Luc 853 858
Le Luc-en-Provence 855 856
Le Mesnil-sur-Oger 625 632 644 654 665 669 670 674 675 678 684
Le Muy 861
Le Pallet 957 959 962 964 965 1205
Le Pecq 278
Le Perréon 148 149
Le Plan-du-Castellet 826
Le Pian-Médoc 359 369
Le Pian-sur-Garonne 323 388
Le Pradet 847 858
Le Puy 221 315
Le Puy-Notre-Dame 1004 1005 1007 1010
Le Soler 787 809
Le Tholonet 867
Le Thoronet 842
Le Thoureil 952
Le Val 838 840 857 860
Le Verdier 895
Le Vernois 698 704 705 706 708 709
Lecci 872
Légny 144
Lembras 925 926
Léognan 333 334 336 337 338 339 340 341
Les Arcs 851 865
Les Arcs-sur-Argens 843 847 855 857 862 863
Les Arsures 694
Les Artigues-de-Lussac 251 259 260 280 293
Les Baux-de-Provence 830
Les Granges-Gontardes 1188
Les Lèves-et-Thoumeyragues 187 199 216 317 911
Les Marches 711 712 715 717 718
Les Martres-de-Veyre 1072 1073 1201
Les Mayons 851
Les Moutiers-en-Retz 970
Les Riceys 619 631 642 644 652 666 674 690
Les Salles-de-Castillon 303
Les Verchers-sur-Layon 950 993
Lesparre-Médoc 350 352
Lesquerde 793 805
Lestiac-sur-Garonne 190 196 217 319
Létra 142
Leucate 735 740 741 807
Leuvrigny 621
Leynes 143 407 585 597 602 605
Leytron 1271 1272 1275
Lézan 1223
Lézat-sur-Lèze 1213
Lézignan-Corbières 729 731 732 735 738 768 790
Lézignan-la-Cèbe 747
Lhomme 1049
Lhuis 721 722
Libourne 217 252 253 254 255 256 257 258 259 261 263 266 277 278 284 285 292
Liergues 142 143
Lignan-de-Bordeaux 190 214 220
Lignières-de-Touraine 1023 1026
Lignorelles 423 424 425 428 430 431 433 442
Ligny-le-Châtel 424 430 444
Ligré 1043 1045
Ligueux 210 217
Limeray 1016 1025 1026
Limoux 763 764 765 766
Lirac 1108 1178 1179
Liré 969 972 1205
Lisle-sur-Tarn 893 894 895 897 1220
Listrac-Médoc 297 300 358 359 360 362 363 364 372 373
Loché 599
Lorgues 843 846 849 850 856 861 862 1246
Losone 1281
Loubès-Bernac 929
Louchy-Montfand 1088
Loupia 765
Loupiac 193 206 319 330 388 389
Lourmarin 1119 1151 1161 1166 1195
Louvois 622 626 639 663 671
Luc-sur-Orbieu 733 734 753
Lucey 134
Lucq-de-Béarn 942
Ludes 618 623 640 642 648 650 665 671 673
Ludon-Médoc 353 358 360 365 373
Lué-en-Baugeois 988
Lugaignac 1211
Lugasson 192 207 211
Lugny 404 583
Lugon 208
Lugon-et-l'Île-du-Carnay 198 213
Lumio 869
Lunay 1065
Lunel 750 779
Lunery 1085
Luri 871 878
Lury-sur-Arnon 1087
Lussac 187 202 206 275 292 293 294 296 299 310
Lussault-sur-Loire 1052
Luzech 882 885 890 1221
Lye 1021 1066
Lyon 1112 1187

M

Macau 208 217 298 354 356 357 359 366
Magalas 739 753 1228 1229
Magny-lès-Villers 485 490 501
Mailhac 770
Mailly 1254
Mailly-Champagne 641 660 673
Maisdon-sur-Sèvre 957 967 1209
Malemort-du-Comtat 1193
Maligny 424 425 429 431 433 439 441 442 444 445
Malleval 1138 1141 1151 1251
Malves-en-Minervois 771
Manduel 1182 1183 1230
Mantry 699 703 707 708
Maransin 208
Marchampt 147 150
Marcillac 192 199 226 232
Marcilly-le-Châtel 1074 1075
Marçon 1048 1049 1050
Mardeuil 616 623 625 638 657 659 680
Mareau-aux-Prés 1063 1064
Mareuil-le-Port 613 661 662
Mareuil-sur-Aÿ 616 624 646 663 670 689
Mareuil-sur-Cher 1020 1023
Mareuil-sur-Lay 971
Marey-lès-Fussey 450 498
Margaux 205 359 366 367 368 369 370 371
Margueron 218
Marieulles 136
Marignieu 720
Marigny-Brizay 1204
Marin 713
Marmande 907
Marsannay-la-Côte 405 409 452 453 454 455 456 459 462 466 469 472 477 485 494 507
Marseillan 1228 1233
Marssac-sur-Tarn 894 1220

Martiel 1213
Martigné-Briand 952 953 974 975 976 980 984 993 994 997 1003
Martigny-Combe 1270
Martigues 837
Martillac 333 336 338 339 340 342
Mas-Thibert 1242
Massangis 411 447 448
Massignieu-de-Rives 722
Massingy 420
Mathenay 697
Maubec 1195
Maumusson 935
Maumusson-Laguian 931 933 934 935 936 1216
Mauriac 194
Maury 791 793 794 795 796 812 813
Mauves 1141 1142 1148 1152
Mauvezin-d'Armagnac 945 1217
Mauzé-Thouarsais 1006
Mazan 1167 1189 1190 1248
Mazères 324 331
Mazerolles 820
Mazion 226 241
Meillard 1088
Meloisey 490 510 515 521 523 524 525 535 537 543 556
Mendrisio 1282
Ménerbes 1194 1249
Menetou-Ratel 1093 1101
Menetou-Salon 1075 1076 1077 1084
Menétru-le-Vignoble 700 701 705 708
Mercuès 887 891
Mercurey 150 408 417 483 548 569 570 572 574 575 576 577 578 580
Mercurol 1139 1143 1144 1145 1146 1147 1148 1149 1151
Méreau 1086
Mérifons 754 1236
Mérignac 339 341
Merrey-sur-Arce 621
Méry-Prémecy 646
Mescoulès 910
Mesland 953 1027
Mesnay 694 695 708
Meuilley 495
Meursanges 410
Meursault 163 410 412 414 415 418 420 460 469 482 485 488 496 500 504 506 507 508 510 512 515 516 517 518 519 520 521 526 528 530 531 532 533 534 535 537 538 539 540 541 542 543 544 545 546 547 549 553 554 557 558 562 564 566 571 582 591
Meurville 638
Meusnes 1015 1020 1023 1024 1065 1066
Meynes 1184
Meyrargues 836
Meyreuil 867
Mèze 749 756 1231 1240
Mézières-lez-Cléry 1063
Mézin 946
Mezzavia 874
Miège 1274
Migé 410
Millas 793 809
Millery 178
Milly 428 429 436 438 443 571
Minerve 772 773
Mirabeau 1195
Mirabel 1250
Mirabel-aux-Baronnies 1105 1154
Miramas 1242
Mirebeau 817 1209
Mirepeisset 770 1235
Mireval 780
Mittelbergheim 76 101 104 113 114 121 123 127 129
Mittelwihr 79 84 85 92 97 99 105 109 115 122 123 128 131
Mollégès 1242
Molosmes 408 420
Molsheim 120
Mombrier 238 239
Monbadon 304
Monbazillac 909 914 917 918 919 920 921 924 925
Moncaup 935
Monein 939 940 941 942 943
Monestier 912 916 917 927
Monfaucon 911
Monflanquin 1210
Monnières 964
Monoblet 1223
Monprimblanc 203 328 329 388 390
Monségur 195
Mont-le-Vignoble 135
Mont-près-Chambord 1061 1062
Mont-Saint-Père 629
Mont-sur-Rolle 1264
Montagnac 753 755 756 760 762 1230 1237 1240
Montagne 205 223 255 257 258 263 264 267 273 293 294 295 296 297 298 299 302 311
Montagnieu 722
Montagny-lès-Beaune 421
Montagny-lès-Buxy 581 582 583
Montaigu 704
Montalzat 891
Montans 893
Montaren-et-Saint-Médiers 1222
Montauban 1215
Montaud 1232
Montazeau 922
Montblanc 1228 1229
Montbrun-des-Corbières 734 735
Montégut-Plantaurel 1213
Montels 892
Montescot 787 810 1227
Montfaucon 1115
Montfort 1005
Montfort-sur-Argens 848 1246
Montfrin 1118 1130
Montgenost 629
Montgueux 635 636 653 681 684
Monthélie 515 527 531 532 534 539 540 541 546
Monthelon 627 633 665
Monthou-sur-Cher 1019 1024
Montignac 190 204 215
Montigny-la-Resle 441
Montigny-lès-Arsures 693 694 695 697
Montjean-sur-Loire 953
Montlouis-sur-Loire 1051 1052 1053
Montmelas-Saint-Sorlin 144
Montner 786 1226 1227
Montoire-sur-le-Loir 1049 1050 1065
Montoulieu 748
Montpellier 732 745 750
Montpeyroux 743 744 751 753 758 1071 1201
Montpezat-de-Quercy 891
Montréal 768
Montreuil-Bellay 1006
Montreux 1269
Montrichard 1021 1057
Montséret 1222
Montsoreau 1012
Montussan 212 213
Morancé 144 145
Morey-Saint-Denis 416 455 456 457 459 461 462 463 464 466 467 468 469 470 471 474 485
Morières-lès-Avignon 1116 1120 1123
Morlaas 899 916 934 1219
Mormoiron 1188 1191 1192 1193 1244 1245 1248
Moroges 421 569 572
Morogues 1077
Mosnes 1025
Mosson 419
Mouleydier 925
Mouliets-et-Villemartin 215
Moulis-en-Médoc 355 362 371 372 373
Moulon 185 314
Mourens 187 222 328
Mouscardès 1212
Moussy 630 663 676
Mouzillon 957 959 962 964 966 967
Mozé-sur-Louet 956 989
Muides-sur-Loire 1060
Murviel-les-Béziers 775 1239
Mutigny 648
Myans 716

N

Nans-les-Pins 1247
Nantoux 490 517 524 529 531 532 560 571
Narbonne 728 734 736 740 744 752 755 756 757 759 764 770 784 803 1232 1233 1238
Narbonne-Plage 752 759
Naujan-et-Postiac 185 197 198 199 206 207 210 315
Nauviale 899
Néac 256 259 261 262 263 264 265 287 288 298
Neffiès 758
Nérac 905 906
Neuillac 818
Neuville-de-Poitou 816 1209
Neuville-sur-Seine 628 672
Nevy-sur-Seille 698 701
Nice 831
Niedermorschwihr 109
Nîmes 754 1185
Nissan-lez-Ensérune 762
Nizas 744 747

Noé-les-Mallets 640 686 689
Noës 1271
Nogaro 945 947 1217
Noizay 1053 1054 1055
Nolay 486 487 528 540
Nordheim 131
Nothalten 83 98 103 132
Notre-Dame-d'Allençon 975 988
Noulens 1218
Noves 1241
Noyers-sur-Cher 955 1016 1021
Noyers-sur-Serein 426
Nueil-sur-Layon 974 993 1005
Nuelles 144
Nuits-Saint-Georges 411 415 419 455 457 458 459 460 463 467 472 476 479 480 481 482 483 484 497 501 504 506 516 517 518 520 524 528 537 538 542 543 554 561 562 576 577
Nyls-Ponteilla 786

O

Obermorschwihr 76 78 87 92
Obernai 71
Octon 755 1231 1237
Odenas 151 152 153 154 155 156
Œuilly 658 681
Oger 624 664 684
Oisly 1018 1022 1023 1061
Oletta 876
Ollières 837 840
Ollioules 829
Onzain 1027 1028
Oppède 1196
Orange 1112 1116 1130 1154 1159 1165 1172 1174 1177 1246 1249
Ordonnac 344 348 350
Ornaisons 728 729 737
Orschwihr 74 78 79 89 93 94 99 101 102 121
Orschwiller 78 79 85 93 129
Ostheim 80
Ottrott 103
Ouveillan 1224 1235 1236
Ozenay 412 588
Ozillac 818 821

P

Panjas 946
Pannessières 700 708
Panzoult 1041 1042 1043 1044 1045 1046
Parçay-Meslay 1059
Pardaillan 930
Parempuyre 356
Parnac 882 889 890 919 934 1215 1219 1220 1221
Parnay 1006 1008 1011 1014
Paroy-sur-Tholon 415
Passa 788 805
Passavant-sur-Layon 978
Passenans 698 701 705
Passy-Grigny 634 658 675 681
Passy-sur-Marne 617 658 667 679
Patrimonio 875 876 877 878
Pauillac 199 206 374 375 376 377 378 379 382 397
Payros-Cazautets 938
Paziols 740 742 807
Peissy 1277 1278
Pellegrue 204 216
Pennautier 726 794 1236
Pérignac 821
Périssac 212
Pernand-Vergelesses 496 497 498 499 502 504 505 510 518
Pernes-les-Fontaines 1189
Péronne 593
Perpignan 784 785 788 789 790 795 796 804 805 806 808 809 811 1225 1239
Pertuis 1195
Pescadoires 881
Pessac 337 340 341
Pessac-sur-Dordogne 317
Petit-Palais 210
Petite-Hettange 136
Peyriac-de-Mer 732 733
Pézenas 756 758 760 762 1232 1233 1236 1239
Pfaffenheim 80 82 84 87 88 89 92 94 97 99 113 117 121
Piegon 1248
Pierreclos 585 587 590 600
Pierrefeu 857
Pierrefeu-du-Var 843 852 855 859 864
Pierrerue 775 777
Pierrevert 1197
Pierry 614 620 633 647 657 663 679
Pieusse 763
Pignans 844 860
Pinet 757 1237
Pineuilh 184 193 195
Piolenc 1119
Pissotte 971
Plaisance 916
Plassac 227 230
Pleine-Selve 224
Plessis-Barbuise 682
Plou 1086
Podensac 325 391
Poggio-d'Oletta 876
Poleymieux-au-Mont-d'Or 177
Poligny 699 703 704 706 709
Polisy 641
Pomerol 250 251 252 253 254 255 256 257 258 259 260 261 262 264 270 295 303 309
Pomérols 745 1232
Pommard 413 450 469 473 476 478 493 513 516 520 521 522 523 524 525 526 528 530 533 537 544 561
Pommiers 142 143 146 158
Pompignac 194
Pomport 909 910 915 916 919 920 921
Poncé-sur-le-Loir 1050
Poncin 721 722
Pontanevaux 153 586 600
Ponte-Leccia 873
Ponteilla 788 789
Pontevès 838 841
Port-Lesney 694 701
Port-Sainte-Foy 923
Port-Sainte-Foy-et-Ponchapt 923
Portel-des-Corbières 733
Portets 211 326 327 328 329 330 331
Porticcio 873
Portiragnes 1223
Porto-Vecchio 872
Pothières 421
Pouançay 1003
Pougny 1070
Pouillé 1017 1019 1021 1023
Pouillon 630
Pouilly-le-Monial 146
Pouilly-sur-Loire 1068 1077 1078 1079 1080 1081 1082 1083 1084 1091 1092 1096 1208
Poujols 757
Pourcieux 851 859
Pourrières 859 860
Pouzilhac 1116 1238
Pouzolles 759 1229
Prades-sur-Vernazobre 777
Prayssac 881 884 886 887 890 1220
Préhy 425 426 427 435 437 446
Preignac 330 331 332 393 394 395 396 398
Premeaux-Prissey 416 449 469 471 473 474 475 482 483 485 492 495 503 508 512 519 536
Prignac-en-Médoc 352
Prignac-et-Marcamps 235 236 240
Prigonrieux 914 916 926
Prissé 589 591 603 604 605
Propriano 871
Prouilly 630 644
Prunay 630
Pruzilly 165
Puéchabon 755
Puget 1194
Puget-sur-Argens 850
Puget-Ville 849 853 855 863
Pugnac 227 229 236
Puilacher 1238
Puimisson 1228
Puissalicon 1228
Puisseguin 213 268 292 294 298 299 300 301 305 307 308 309
Puisserguier 777 1236
Pujaut 1176
Pujols 196 212
Puligny-Montrachet 406 411 431 439 504 505 529 542 546 547 548 549 550 553 555 571
Pully 1269
Pupillin 693 695 696 697 706 708 709
Puy-l'Évêque 888 889
Puyloubier 850 852 856 857 862 863
Puyméras 1131 1154
Puyol-Cazalet 1214
Puyricard 833 836

Q

Quarante 775 778
Queyrac 347 351
Queyssac 925
Quincié-en-Beaujolais 144 145 147 148 149 152 153 155 166 168 169 174
Quincy 1085
Quinsac 195 199 207 318 322

R

Rabastens 896
Rablay-sur-Layon 980 982
Ramatuelle 858 864 866
Rasiguères 796 806
Rasteau 1111 1119 1122 1126 1132 1155 1156 1161 1168 1198 1245
Rauzan 186 314
Razac-de-Saussignac 909 913 915 917 918
Régnié-Durette 151 158 168 170 173 174 175
Reichsfeld 92
Reignac 226 233
Reims 612 623 624 646 647 649 651 653 665 666 668 671 672 675 677 680 686 687
Réjaumont 945
Remerschen 1257 1260 1261
Remich 1256 1257 1258 1260 1261
Remigny 546 565
Remoulins 1109 1117
Renaison 1073 1074
Restigné 1028 1029 1030 1031 1032 1033 1034 1035 1040
Reugny 1058
Reuil 617 627 636
Reuilly 1086 1087
Rians 835 836
Ribagnac 913
Ribaute 733 734
Ribeauvillé 73 79 89 98 99 116 121 124 130
Richerenches 1188
Rieux-Minervois 770 1237
Riex 1266
Rilly-la-Montagne 626 627 639 648 660 668 669
Rilly-sur-Loire 1022 1024
Rimons 200 208
Riom 1071 1204
Rions 203 312 318 319 320
Riquewihr 76 82 86 89 94 95 97 100 111 112 132
Riscle 933
Rivarennes 1027
Rivesaltes 784 791 795 797 803 806 807 808 811 813 1225 1227 1228
Rivière-sur-Tarn 900
Rivière 1041
Rivolet 148
Roaillan 331
Roaix 1122 1131
Roche-Saint-Secret 1187
Rochecorbon 953 1054 1056
Rochefort-du-Gard 1108 1114 1118 1123 1129 1178
Rochefort-sur-Loire 955 979 991 995 997 998 1000
Rochegude 1124
Rogliano 877
Rognes 833 835 836 1244
Rolle 1265 1269
Romanèche-Thorins 157 160 171 172 173
Romery 652 683
Roquebrun 776 777 1230
Roquebrune-sur-Argens 846 859
Roquefort-la-Bédoule 832 844
Roquemaure 1111 1117 1119 1176 1177 1179 1180
Roquessels 739
Roquetaillade 766
Rorschwihr 76 90 93 97 112
Rosheim 103 118 128
Rosnay 971 972
Rotalier 700 702
Roubia 773
Rouffach 111 116 120
Rouffignac-de-Sigoulès 921
Rougiers 840 1247
Roullens 767
Roussas 1187
Rousset-les-Vignes 1106 1123
Roussillon 1189 1192
Routier 767
Rouvres-les-Vignes 639
Rovio 1281
Ruch 210
Ruffey-sur-Seille 703
Ruffieux 712
Ruillé-sur-Loir 1049 1050
Rully 419 420 421 422 560 568 569 570 571 572 574 575 581
Ruoms 1250

S

Sablet 1128 1134 1162 1166
Sablons 301
Sabran 1106 1117
Sacy 648 683
Sadirac 191 213 313
Saillans 245 246 247 248 249 1153
Saillon 1273
Sain-Bel 178
Saint-Aignan 245 246 248 249 259 1020
Saint-Alban-les-Eaux 1074
Saint-Alexandre 1134
Saint-Amand-de-Nouère 821
Saint-Amour-Bellevue 148 164 165 166 176 177
Saint-Andelain 1078 1079 1080 1081 1082 1083 1084
Saint-André-de-Cubzac 189 190 214 221
Saint-André-de-Roquelongue 733 734 736
Saint-André-de-Sangonis 727 749
Saint-André-du-Bois 187 205 216 217 323 324
Saint-André-et-Appelles 317
Saint-Androny 217
Saint-Antoine-de-Breuilh 910 922
Saint-Antoine-du-Queyret 186 194 210 213 214
Saint-Antonin 865
Saint-Antonin-du-Var 847 863
Saint-Arnac 795
Saint-Astier 928 929
Saint-Aubin 515 545 547 548 549 550 551 552 554 555 557 558 559 561 564 574
Saint-Aubin-de-Blaye 189 205 227 233
Saint-Aubin-de-Branne 209
Saint-Aubin-de-Lanquais 913
Saint-Aubin-de-Luigné 974 975 979 987 990 991 992 993 994 995 998 999 1000
Saint-Avit-de-Soulège 207 222
Saint-Baldoph 716
Saint-Bauzille-de-Montmel 754
Saint-Benoît 722
Saint-Benoît-la-Forêt 1043
Saint-Blaise 1281
Saint-Bonnet-sur-Gironde 818 1211
Saint-Bris-le-Vineux 405 407 408 409 413 414 415 416 417 418 426 429 430 438 446 447 448
Saint-Cannat 834
Saint-Caprais-de-Blaye 196 226 232
Saint-Caprais-de-Bordeaux 318 320
Saint-Céols 1077
Saint-Cernin-de-Labarde 918
Saint-Chamas 836
Saint-Chinian 775 776 777 778 781
Saint-Christol 748
Saint-Christoly-de-Blaye 238 240
Saint-Christoly-Médoc 346 351 352
Saint-Christophe-des-Bardes 270 272 274 276 282 285 287 289
Saint-Christophe-la-Couperie 1206
Saint-Cibard 310
Saint-Ciers-d'Abzac 215
Saint-Ciers-de-Canesse 224 233 234 236 240 241
Saint-Ciers-sur-Gironde 228 230 231
Saint-Claude-de-Diray 1061
Saint-Clément 761
Saint-Crespin-sur-Moine 958 962
Saint-Cyr-en-Bourg 1004 1011 1012
Saint-Cyr-les-Colons 410 417
Saint-Cyr-Montmalin 694 705
Saint-Cyr-sur-le-Rhône 1137
Saint-Cyr-sur-Mer 825 826 828 1245
Saint-Denis-de-Pile 296
Saint-Denis-de-Vaux 568 575
Saint-Désert 568 579 580
Saint-Désirat 1143
Saint-Didier 1193
Saint-Didier-sur-Beaujeu 150
Saint-Drézery 758
Saint-Émilion 289 189 194 208 251 252 254 261 262 263 264 265 266 267 268 269 270 272 273 274 275 276 277 278 279 280 281 282 283 284 285 286 287 288 289 290 291 296 303 307 352 911
Saint-Estèphe 356 379 380 381 382 383
Saint-Étienne-de-Baïgorry 944
Saint-Étienne-de-Fontbellon 1197
Saint-Étienne-de-Lisse 266 278 279 284 285 289 304 306 307
Saint-Étienne-des-Oullières 148 150 154
Saint-Étienne-du-Grès 830

COMMUNES

Saint-Étienne-la-Varenne 153
Saint-Eugène 1212
Saint-Faust 941 943
Saint-Félix-de-Foncaude 220
Saint-Félix-de-Lodez 738 754 758 760
Saint-Fiacre-sur-Maine 958 962 964 1206
Saint-Florent 875 876 877
Saint-Florent-le-Vieil 952 969 979
Saint-Frichoux 771
Saint-Gély-du-Fesc 746
Saint-Gènes-de-Blaye 232
Saint-Genès-de-Lombaud 189 214
Saint-Geniès-de-Comolas 1176
Saint-Geniès-de-Fontedit 739 774
Saint-Génis-des-Fontaines 783 811 1227
Saint-Georges-de-Reneins 155
Saint-Georges-sur-Cher 1017 1019 1020
Saint-Géréon 969 972
Saint-Germain-d'Esteuil 344
Saint-Germain-du-Puch 186 191 195 196 198 204 210 216 219 313 316 317
Saint-Germain-sur-l'Arbresle 145 415
Saint-Germain-sur-Vienne 1022
Saint-Gervais 184 209 217 222 1108 1118 1132 1133
Saint-Gervais-sur-Roubion 1252
Saint-Géry 1220
Saint-Gilles 1183 1184 1185 1186
Saint-Haon-le-Vieux 1073
Saint-Herblon 973
Saint-Hilaire 1222
Saint-Hilaire-d'Ozilhan 1118 1122 1132
Saint-Hilaire-de-Clisson 962
Saint-Hilaire-Saint-Florent 954 986 1005
Saint-Hippolyte 81 98 102 108 116 260 269 275 277 278 285 286 290 291
Saint-Hippolyte-le-Graveyron 1198 1248
Saint-Jean-d'Ardières 143 145 151 167 170
Saint-Jean-de-Blaignac 209
Saint-Jean-de-Chevelu 715
Saint-Jean-de-Duras 930
Saint-Jean-de-Fos 743
Saint-Jean-de-la-Blaquière 745 747
Saint-Jean-de-la-Porte 719
Saint-Jean-de-Minervois 772 781
Saint-Jean-de-Muzols 1138 1141 1146 1150
Saint-Jean-des-Mauvrets 973 983 1204
Saint-Jean-Lasseille 787
Saint-Jean-Pla-de-Corts 783 1224
Saint-Julien 150 151
Saint-Julien-Beychevelle 384 385 386
Saint-Julien-d'Eymet 910
Saint-Julien-de-Concelles 963
Saint-Just-sur-Dive 1002 1006 1013
Saint-Lager 152 153 154 155
Saint-Lambert-du-Lattay 951 954 955 974 978 981 982 986 988 993 994 998 999
Saint-Lanne 932
Saint-Laurent-de-la-Cabrerisse 734 736
Saint-Laurent-des-Arbres 1126 1176 1177
Saint-Laurent-des-Autels 1205
Saint-Laurent-des-Combes 246 263 270 281 283 287 289 297 302
Saint-Laurent-des-Vignes 910 915 919
Saint-Laurent-du-Bois 185 215
Saint-Laurent-L'Abbaye 1078
Saint-Laurent-Médoc 349 353 354 356 358 360 361 376 379 384
Saint-Léger-de-Montbrillais 1004 1006 1008
Saint-Légier 1267
Saint-Léon 311
Saint-Léon-d'Issigeac 910
Saint-Léonard 1273
Saint-Lothain 701
Saint-Loubès 200 211 219 220 221
Saint-Loup-Géanges 501
Saint-Lumine-de-Clisson 959 960 1206
Saint-Magne-de-Castillon 195 252 266 269 278 280 283 298 302 303 304 305 306 307 308 309
Saint-Maigrin 820 1212
Saint-Maixant 322
Saint-Marcel-d'Ardèche 1120 1134
Saint-Mariens 200 203 228 229
Saint-Martin-d'Ablois 648 674
Saint-Martin-d'Ardèche 1110
Saint-Martin-de-Gurçon 914
Saint-Martin-de-Laye 216
Saint-Martin-de-Sescas 216 323
Saint-Martin-du-Bois 190 204 209 215 249
Saint-Martin-Lacaussade 226 227 229 231
Saint-Martin-le-Beau 1051 1052
Saint-Martin-sous-Montaigu 576
Saint-Mathieu-de-Treviers 746 747 748 749 756 760 762
Saint-Maurice-lès-Couches 409 414 421
Saint-Maurice-sous-les-Côtes 1253
Saint-Maurice-sur-Eygues 1125
Saint-Maximin-la-Sainte-Baume 838 841
Saint-Méard-de-Gurçon 911 923
Saint-Médard-d'Eyrans 336
Saint-Médard-de-Guizières 201 292
Saint-Melaine-sur-Aubance 983 989
Saint-Même-les-Carrières 820
Saint-Michel-de-Fronsac 242 243 244 247
Saint-Michel-de-Lapujade 207
Saint-Michel-sur-Rhône 1137 1139 1152
Saint-Mont 931 933 934 937 1216 1217
Saint-Morillon 330 332
Saint-Nexans 916 918 919
Saint-Nicolas-de-Bourgueil 953 1018 1029 1030 1032 1034 1036 1037 1038 1039 1040
Saint-Ouen-les-Vignes 1025
Saint-Palais 232
Saint-Palais-de-Phiolin 818
Saint-Pantaléon-les-Vignes 1133
Saint-Pargoire 751
Saint-Patrice 1033
Saint-Paul 224 232
Saint-Paul-de-Fenouillet 784 786 788 790 793 794 806 807 808 812 813 1226
Saint-Paulet-de-Caisson 1108 1124
Saint-Péray 1144 1151 1152
Saint-Père 1069 1083
Saint-Pey-d'Armens 267 277 279 284 285 291 306 310
Saint-Philbert-de-Bouaine 968
Saint-Philippe-d'Aiguilhe 281 303 306 309
Saint-Philippe-du-Seignal 214
Saint-Pierre-à-Champ 981
Saint-Pierre-d'Albigny 716 719
Saint-Pierre-d'Aurillac 199 314 323
Saint-Pierre-de-Bœuf 1138 1140 1142
Saint-Pierre-de-Mons 325 331
Saint-Pierre-de-Vassols 1193
Saint-Pierre-la-Mer 743 757
Saint-Pierre-sur-Dives 1201
Saint-Pourçain-sur-Sioule 1088 1089
Saint-Quentin-de-Baron 315 332
Saint-Remèze 1197
Saint-Rémy-de-Provence 830 1242
Saint-Romain 503 534 536 537 538 541 544
Saint-Romain-sur-Cher 1016 1018 1023 1208
Saint-Sardos 908
Saint-Satur 1076 1093 1095 1097
Saint-Saturnin-de-Lucian 743 746 751 760
Saint-Saturnin-sur-Loire 982 1205
Saint-Sauveur 354 357 360 376
Saint-Sauveur-de-Bergerac 926
Saint-Sauveur-de-Meilhan 907
Saint-Sauveur-de-Puynormand 219
Saint-Savin 229
Saint-Sernin 929
Saint-Sernin-de-Duras 928
Saint-Sernin-du-Plain 566 580
Saint-Seurin-de-Cadourne 353 354 356 357 359 360 361 381
Saint-Seurin-de-Cursac 228
Saint-Sulpice-de-Faleyrens 186 266 267 268 269 280 282 283 286 289 291 299
Saint-Symphorien 229
Saint-Thibéry 1229
Saint-Thierry 667
Saint-Trojan 237 238 239
Saint-Tropez 851

Saint-Vérand 142 143 146 176 589 602 604
Saint-Victor-la-Coste 1116 1130
Saint-Vincent-de-Barbeyrargues 748
Saint-Vincent-de-Paul 319
Saint-Vincent-de-Pertignas 219
Saint-Vincent-Rive-d'Olt 882 884 888
Saint-Vivien-de-Blaye 228
Saint-Yzans-de-Médoc 346 347 351 352
Sainte-Agnès 703 710
Sainte-Anastasie 842
Sainte-Anne-d'Évenos 826
Sainte-Anne-du-Castellet 824
Sainte-Cécile-du-Cayrou 894
Sainte-Cécile-les-Vignes 1108 1111 1117 1127
Sainte-Colombe 304 305 307
Sainte-Colombe-de-la-Commanderie 805
Sainte-Colombe-en-Brulhois 906
Sainte-Croix 894 1152
Sainte-Croix-du-Mont 186 321 330 388 390 391 396
Sainte-Eulalie 320
Sainte-Foy-la-Grande 189 917
Sainte-Gemme-en-Sancerrois 1092 1095
Sainte-Jalle 1252
Sainte-Lizaigne 1087
Sainte-Lucie-de-Porto-Vecchio 870
Sainte-Marie-la-Blanche 491
Sainte-Paule 144
Sainte-Pazanne 1206
Sainte-Radegonde 191 202 211
Sainte-Terre 188
Saisy 488
Saix 1009
Salelles-du-Bosc 761
Salgesch 1271 1273 1274 1275
Salies-de-Béarn 938
Salignac 188
Sallebœuf 218 312
Salles-Arbuissonnas 147 149 151
Salles-d'Angles 818
Salles-d'Aude 756 757
Salles-la-Source 899
Salses-le-Château 786 804
Sambin 1059 1061
Samonac 236 241
Sampigny-lès-Maranges 491 564 567
San-Nicolao 871 875 1243
Sanary-sur-Mer 826 853
Sancerre 1079 1081 1091 1093 1094 1095 1096 1097 1100 1101 1205 1208
Santenay 408 411 450 470 472 490 501 505 517 518 519 522 524 525 527 538 543 544 545 546 550 551 552 553 555 557 559 560 561 562 563 564 566 567 577
Sarcy 650
Sari-d'Orcino 873
Sarras 1143 1147 1250
Sarrians 1158 1162 1163 1164 1189
Sartène 868 870 872
Sassangy 577
Sassay 1021
Satigny 1277 1279
Saturargues 779
Saulcet 1089
Saulchery 639
Saumane-de-Vaucluse 1190
Saumur 952 954 1002 1004 1010 1011 1013
Saussignac 927
Sauternes 208 326 394 395 398
Sauteyrargues 752
Sauveterre 1106
Sauveterre-de-Guyenne 191 193 197 207 213 311 314 912
Savennières 990 991
Savièse 1274 1275
Savignac 218
Savignac-de-L'Isle 211
Savigny-en-Véron 1038 1042 1043 1044 1047 1048
Savigny-le-Temple 150
Savigny-lès-Beaune 408 419 458 470 487 490 496 498 502 504 507 508 509 511 512 516 521 533 536 566 575
Saze 1110 1124
Sazilly 1044
Schengen 1260 1261
Scherwiller 77 86 102 112
Seebach 76
Segonzac 820 1212
Séguret 1121 1123 1131
Seigy 1016
Seillans 1247
Seillonnaz 720
Selles-sur-Cher 1066 1067
Semens 195 198 203 390
Sénas 835
Sérignan 762 1240
Sérignan-du-Comtat 1110 1131 1246
Sermiers 641
Sernhac 1184
Serrières 412 588 1140 1144
Serrières-en-Chautagne 717 719
Servian 1228 1233
Serzy-et-Prin 614 632
Sète 1241
Seyssel 720
Sierre 1271 1274
Sigolsheim 80 108 119 125
Sigoulès 912 917 927 1212
Sillery 678
Sion 1271 1272 1273 1274 1276
Siran 768 772 774
Soings 1023
Soings-en-Sologne 1021
Sologny 589
Solutré-Pouilly 176 584 586 591 594 595 596 597 598 599 601 603
Sommières 748 760
Sonnac 817
Soral 1278
Sorgues 1116 1127 1171 1172
Soturac 882 886 887
Soubès 755 760 1231
Soublecause 934
Souel 895
Soulangis 1075
Soulignac 214 312
Soultz-Wuenheim 120
Soultzmatt 75 77 90 92 102 112 114 117 118 120 131
Soussac 187 193
Soussans 361 367 368 371
Souzay-Champigny 1002 1005 1009
Stadtbredimus 1261
Sury-en-Vaux 1091 1093 1095 1096 1097 1098 1099 1100
Susten-Leuk 1273
Suze-la-Rousse 1105 1112 1127 1129 1188 1245
Suzette 1118 1161 1167 1168 1190

T

Tailly 541
Tain-l'Hermitage 791 799 1143 1145 1146 1147 1149 1150
Taissy 682
Talairan 735
Tallone 869 872 1243
Talmont-sur-Gironde 1211
Talus-Saint-Prix 650 656
Taluyers 178
Taradeau 860 864
Tarerach 789
Targon 189 193 214
Taron 938
Taulignan 1128
Tauriac 230 232 233 237 238 239
Tautavel 793 794 796 808 809 810 813 1226
Tauxières 618
Tauxières-Mutry 614 659
Tavel 1113 1114 1115 1120 1172 1173 1176 1177 1178 1179 1180 1181
Tavernes 838
Tayac 311
Tenero 1282
Terrats 789 806
Teuillac 235 239 241
Teyran 761
Thauvenay 1095 1096 1100
Theizé 142 144 145
Thénac 911 918
Thésée 1015 1016
Théüs 1243
Thézan-des-Corbières 720 734
Thiais 1115
Thoré-la-Rochette 1064
Thouarcé 973 976 979 981 982 985 986 995 997 1000 1001
Thuir 785 806 809 1226
Tigné 951 987
Tillières 960 961 966 1206
Tizac-de-Curton 205 313
Tolochenaz 1265
Tonnerre 406 412 431
Toul 133
Toulenne 331 332
Tournus 420
Tours-sur-Marne 626 654
Tourves 837 839 841
Touzac 818
Tracy-sur-Loire 1078 1079 1080 1081 1082 1083
Traenheim 80 82 89 119
Travaillan 1156 1249
Trèbes 771
Trelins 1075

Trélou-sur-Marne 630 667 686
Trémont 951 974 985 993 996 999
Trenal 704
Treslon 652
Trespoux-Rassiels 887 890
Tresques 1110 1125
Tresserre 789 790
Tresses 216 221
Trets 851 855 856
Trigny 618 640
Troissy 655 662 668
Trouillas 786 787 788 810 1227
Tuchan 742 810
Tulette 1105 1115
Tupin-et-Semons 1134 1135 1137 1166
Turckheim 73 84 100 115
Turquant 1003 1006 1007 1008 1014

U

Uchaux 1118 1133
Uchizy 587 590
Urville 636 669
Uvrier 1274

V

Vacqueyras 1115 1158 1159 1160 1162 1163 1164 1165 1166 1245
Vacquières 750 752 754 755
Vacquiers 903
Vadans 694 696
Vailhauquès 758
Vaison-la-Romaine 1118 1119 1132 1192
Vaïssac 891 1215
Valady 899
Valanjou 995
Valaurie 1187
Valeyrac 348 350 351
Valeyres-sous-Rances 1268
Valflaunès 744 751 752 753 754 755 761 1241
Vallet 956 957 958 959 960 962 963 965 966 967 984 1206 1207 1208 1209
Valréas 1114 1123 1124 1127 1134 1140 1144 1167
Valros 1234
Valvignères 1251
Vandières 633 667 678
Varen 1276
Varrains 1002 1003 1006 1009 1010 1011 1012 1013 1014
Vauchrétien 975 982 983 989
Vaudelnay 995 1003 1006 1007
Vauvert 1186
Vaux 136
Vaux-en-Beaujolais 155
Vaux-en-Bugey 722
Vaux-sous-Aubigny 1254
Vauxrenard 147 148 162 163
Vayres 315 316 741 1218 1235
Veaugues 1076 1092
Vendres 757 1240
Venelles 1245
Venoy 422 428
Ventenac-Cabardès 725 726 727
Venteuil 614 645 646 661 672 673
Vérac 209 212 221
Vérargues 761
Vercheny 1153
Verdelais 195 318 387 390
Verdigny 1083 1092 1093 1094 1095 1097 1098 1099 1100 1101
Vergisson 587 590 591 594 595 596 597 598 603 604 605
Vernègues 833
Verneuil 656
Vernou-sur-Brenne 1054 1055 1056 1057 1058 1059
Verrières 820
Vert-Toulon 672
Vertheuil 349 357 361
Vertou 957 963 967
Vertus 620 628 635 636 638 643 649 653 660 663 667 673 685 687
Verzenay 613 623 626 633 649 675 676 687
Verzy 634 652 666 677
Vestric-et-Candiac 1185
Vétroz 1273 1274 1275
Vevey 1266
Veyras 1276
Veyre-Monton 1072 1201
Vianne 906
Vias 1224 1238
Vic-la-Gardiole 779 780
Vic-le-Comte 1071
Vico-Morcote 1282
Vidauban 843 847 850 854 856 858 862 866
Viella 931 934 935 936
Vieussan 774
Vignonet 267 276 279 283 287 307
Vignoux-sous-les-Aix 1077
Villaines-les-Prévôtes 1252
Villars 1192
Villars-Fontaine 452
Villars-sur-Var 848
Villaudric 901
Ville-sur-Arce 628 639 662 670 681
Villecroze 841 864
Villedommange 616 634 641
Villelongue-d'Aude 764
Villematier 902
Villemolaque 786
Villemontais 1074
Villenave-d'Ornon 335 342
Villeneuve 209 239 240
Villeneuve-d'Ascq 147
Villeneuve-de-Duras 928 929
Villeneuve-de-la-Raho 784 809
Villeneuve-des-Corbières 741
Villeneuve-lès-Maguelone 1230
Villeneuve-Minervois 769
Villers-la-Faye 492
Villers-Marmery 621 647 677
Villers-sous-Châtillon 626 628 630 674
Villes-sur-Auzon 1192 1193
Villesèque 884 887 888
Villette 1268
Villette-lès-Arbois 697
Villevenard 667 671
Villeveyrac 743 759
Villié-Morgon 156 159 160 162 167 168 169 170 172 174
Villiers-sur-Loir 1064 1065 1209
Vinassan 753
Vinay 622
Vincelles 618
Vindrac-Alayrac 892
Vineuil 1061
Vinezac 1197 1250
Vingrau 791 792 803 1225 1227
Vinsobres 1109 1116 1130 1154 1155
Vinzelles 600 601
Violès 1114 1119 1122 1125 1126 1127 1133 1156 1157 1164 1165 1180 1248
Vira 1213
Viré 588 591 592 593 594
Vire-sur-Lot 881 882 884 885 888
Visan 1109 1114 1122 1124 1125 1127 1129 1248
Visperterminen 1275
Viviers 442
Vix 972 1205
Voegtlinshoffen 79 91 96 99 105 115 129 130
Vogüé 1251
Voiteur 699 704 706 709
Volnay 413 490 502 519 522 525 526 527 528 529 530 531 532 547
Vongnes 721 722
Vosne-Romanée 413 450 458 459 464 467 472 473 474 475 476 477 478 479 480 482 502
Vougeot 411 467 470 471
Vouvray 1054 1055 1056 1057 1058 1059
Vrigny 629 657

W

Walbach 86
Wellenstein 1260 1261
Westhalten 73 75 93 110 117 121 122
Westhoffen 91
Wettolsheim 74 82 83 84 88 90 93 109 110 111 118 125 131
Wihr-au-Val 103
Wolxheim 84 89 97 110 122 126 129 131
Wormeldange 1258 1259 1260 1261

Y

Yvorne 1270
Yvrac 320

Z

Zellenberg 82 86 100
Zilia 868

INDEX DES PRODUCTEURS

L'indexation ne tient pas compte de l'article défini

A

Aakesson Sven Anders 860
Abart Michel 902
Abbaye GAEC de l' 1078
Abbaye de Brully Dom. de l' 551
Abbaye de Sainte-Radegonde 1204
Abbaye Saint-Hilaire 837
Abbé Rous Cave de l' 797 800 801
Abeille-Fabre 1115 1178
Abeilles d'or Dom. des 1276
Abelanet Marie-Françoise 740
Abelé Henri 612
Abonnat Cave 1070
Achard Patrice 990 992
Achard Thomas 1152
Achiary-Astart SCEA 1112 1128
Ackerman 952 1021 1057
Ackermann EARL André 76
Acquaviva Achille 870
Acquaviva Marina 871
Adam Dom. Pierre 104
Adam Francis 847
Adam Jean-Baptiste 91
Adams M. et Mme 280
Adapei 81 897
Adissan Cave coop. La Clairette d' 727
Adoir Daniel et Fabien 176
Afrique Ch. l' 842
Agassac SCA Ch. d' 353
Aghione Les Vignerons d' 870 1243
Agriloro SA 1282
Aguerre Marie-Christine 243
Aguilar 1184
Aguilas Janes et Pierre 995
Aiguilhe SCEA du Ch. d' 303
Aiguilhe Querre SCEA Ch. d' 303
Aimery-Sieur d'Arques 763 766
Al Mouli Celler d' 810
Aladame Stéphane 581
Alard SCEA 917
Alary Dom. 1121 1245
Alary Frédéric et François 1130
Albà SCEA 303
Albas Distribution France Vin 883
Albères SCV Les Vignerons des 783 811
Albert Bruno 1006
Albert Jean-Claude 728
Albertini 873
Albrecht Lucien 78
Albucher GAEC des Vignobles 203 388
Alcon Famille 1233
Aldhuy-Thévenot Aurélie et Loïc 1220
Aleman Louis 747
Aléofane Dom. 1139 1144
Alexandre Dom. Guy et Olivier 434
Alexandre Yann 613
Alexandre Père et Fils Dom. 565
Alias Bernard 734
Alibert et Fils EARL Denis 836
Allaines François d' 486 559 578
Allaines Philippe d' 743
Allard Famille P. et J. 733
Allard N. et J.-P. 969 972
Allard-Brangeon 960 1206
Allemand Dom. 1243
Alliance Aquitaine 318 912 914
Alliance Bourg 232 238
Alliance Champagne 649 665
Alliance des Vignerons du Beaujolais 171
Alliance Minervois SCAV 768
Allianz Fr 353 358
Alliès EARL 759
Allimant-Laugner 78
Allion Dom. Guy 1015
Almayrac Claude 1219
Alméras Roland 760
Alouettes Ch. des 147
Alpha Loire Domaines 967
Alquier 783 1224
Alquier Dom. Frédéric 737
Althoff Béatrice 748
Alvitis EARL 237
Alzipratu Dom. d' 868
Amandière SAS Dom. de l' 281
Amandiers SCEA des 295
Amandine Dom. de l' 1121
Amants de la Vigneronne Les 737
Amarine Dom. d' 142
Amart Bertrand 332
Amberg EARL Dom. Yves 100
Amboise Lycée viticole d' 1025
Ambroise Maison 473 492 536
Ambroisie Dom. de l' 133
Amécourt SCEA Famille d' 207 311 912
Ameillaud SARL 1121
Amélie Vignes 269
Amido SCEA Dom. 1176 1179
Amillet Pierre 665
Amiot et Fils Dom. Guy 551
Amiral SCA Les Caves de l' 842
Amirault Jean-Marie 1028
Amirault Thierry 1036
Amirault Thierry et Xavier 953
Amirault Yannick 1035
Ammeux Isabelle 613
Ampelidæ 1204
Ancely Bernard 768
Ancien Monastère Dom. de l' 100
Ancienne Cure SARL L' 920 924
Anciens de la Viticulture Coopérative des 678
Andlau et environs Cave vinicole d' 100
André Florian 1115
André Pierre 503 538
Andreani F. et S. 870
Anet Thierry 1278
Ange Bernard 1144
Angelier Frères 711
Angelliaume EARL Caves 1040
Angelot GAEC Maison 720
Angelus Ch. 269
Anger Jean-Claude 1006
Anges SCA Dom. des 1188
Anglade Jean-Victor et Roch 1229
Anglades Ch. des 843
Angles Bernard 899
Anglès Ch. d' 743
Anglès EARL Vincent et Xavier 1106
Angliviel de La Beaumelle Jean-Pierre 215
Angludet SCEA Ch. 364
Anne de Joyeuse Oustal 765
Anney Vignobles Jean 356
Annibals Dom. des 837
Anstotz et Fils 78 85
Antech Georges et Roger 763 764
Antugnac Ch. d' 765
Apajh 1213
Apelbaum C. 287
Apiès Ch. les 843
Apolline EARL Ch. l' 269
Arbo EARL 310
Arbogast Vignoble Frédéric 91
Arbois Fruitière vinicole d' 693
Archambault Pierre 1097
Arches GAEC Dom. des 1105
Archimbaud 1115 1160
Archimbaud SCEA Dom. d' 743
Archimbaud-Vache Famille 1158 1163
Ardévaz Cave 1270
Ardhuy Dom. d' 471 492 499 503 506
Ardouin Famille 278
Ardurats Jean-Louis et Bruno 329
Arguti Dom. 790 807
Ariston Bruno 613
Arlaud Dom. 463 468
Arlay Ch. d' 699
Arles Claude 752
Arlot Dom. de l' 475
Arlus Ch. d' 892
Armand 186
Arnaud Cédric 1240
Arnaud Guy 828 1245
Arnaud Jean-Michel 769
Arnaud Michel 971
Arnaud SCEA des Vignobles Jean-Yves 387 389
Arnaud SCEA Frédéric 1110 1125
Arnaud Vignobles 241
Arnaud et Marcuzzi Vignobles 321
Arnaude Ch. l' 843
Arnauds SCEA Ch. des 259
Arnold Pierre 104
Arnould et Fils Michel 613
Arnoux et Fils 1165
Arnoux Père et Fils 494 500 506 514
Arpin EARL Vignobles G. 254 265 296

Arraou M. 941
Arretxea Maison 944
Arrivé Arnaud et Marie-Pierre 812
Assailly-Leclaire SARL Champagne 613
Assémat Vignobles 1111 1176
Asseyras Dom. les 1105
Asten SCEA d' 933
Astros SCEA du Ch. d' 843
Athimon et ses enfants 972
Aubaï Mema SARL 1232
Aubert Alain 283
Aubert Céline 1117
Aubert Les Domaines 1105 1186
Aubert Vignobles 263 277 307
Aubert-Gourdon 982
Aubinel 604
Aubrion 223
Aubron Patrice 960
Auchan 147
Auchère 1090
Aucœur Dom. 170
Audebert et Fils Dom. 1028 1035 1041
Audemard 852
Audiot Francis 1076
Audoin Dom. Charles 452
Audouin GAEC 311
Audouit Patrick 214
Audoy SCE des Domaines 379 380
Audrain 957
Aufranc Pascal 164
Auger Éric 300
Auger SAS Famille 300
Augis Dom. 1015 1065
Augusseau Philippe 966
Auguste SCEA Christophe 404
Augustin Paul 613
Aujoux Les Vins 147 176
Aulée Ch. de l' 1026
Aumerade Ch. de l' 843
Auney Christian 325
Aupetitgendre Dom. 1015
Aupilhac 743
Aupit Stéphane 820
Auque Jacques et Bernard 895
Aure Dom. de l' 1122
Aureto 1188 1248
Aurilhac et la Fagotte Ch. d' 353
Auriol SAS Les Domaines 729 738 768 790
Auris-Albert EARL 728
Aurisset 942
Aurouze EARL François 1196 1249
Aussières SAS 728 1232
Autour du vin 777
Autréau de Champillon 614
Autréau-Lasnot 614
Auvernier Caves du ch. d' 1279
Auvières Dom. de l' 1189
Auvigue Vins 594
Aviet Vincent 693
Axa Millésimes 256 378 379 398 475 1237
Aymard Dom. 1189
Azalbert Nicolas 771 1238
Azé Cave d' 584
Azémar Véronique et Stéphane 884

B

Babin – Coteaux d'Engraviès 1213
Bacave M.-H. 734
Bachelet Jean-François 551 559 565
Bachelet Jean-Louis 552 559 565
Bachelet Vincent 552 565
Bachelet et Fils Dom. Jean-Claude 545 552
Bachey-Legros Dom. 538 552 559
Bacou 734
Bader Dom. 91
Bader-Mimeur 405 553
Badiller Marc 1024 1027
Badin EARL Christelle et Christophe 1059
Badinand Famille 164
Badoux Vins SA 1264
Badoz Benoit 699
Bagatelle EARL 775 781
Bagnost SARL Arnaud 614
Bagrau EARL Dom. 833
Baillarguet Philippe 274
Baillergeon 1009
Baillon Alain 1073
Bailly Alain 614
Bailly Dom. Sylvain 1090
Bailly Jean-Pierre 1078
Bailly Michel et David 1078
Bailly Lapierre Caves 418
Bailly-Reverdy Dom. 1090
Bakx Josephus 209
Balaguer 808
Balaran EARL Denis 894
Balestre 279
Balland Dom. Jean-Paul 1091
Balland EARL Pascal 1091
Balland Émile 1090
Balland-Chapuis Dom. 1070 1091
Ballande 370
Ballarin Jean-Louis 222
Ballet GFA Vignoble 316
Balliccioni Dom. 737
Ballorin et F. Dom. 416
Balma Venitia SCA 1166 1189 1198
Balsamines EARL Les 892
Bannwarth et Fils Laurent 78 92
Bantegnies et Fils SCEA 225
Bara Paul 614
Baranger Jacques 978
Barat Dom. 434
Barat-Sigaud Liliane 887
Baratin Chantal 142
Barbanau Ch. 832 844
Barbarin Famille 372
Barbaud Jean-Paul 1127
Barbe Famille 396
Barbe J.-C. 330 332
Barbé Pierre 213
Barbeau et Fils Maison 817
Barbeiranne Ch. 844
Barbet 154 167 173
Barbet Xavier 586 598 600
Barbet-Crouzy Indivision 176
Barbier et Fils Dom. 479 506 520
Barbier-Louvet EARL 614
Barbou EARL 1018
Barc EARL Patrick 1041
Barc - Vallée 1018 1030 1040

Barde 923
Bardet SCEA des Vignobles 307
Bardet et Fils Dom. 426
Bardibel GAF 242
Bardin EURL Cédrick 1068 1091
Bardin Jean-Jacques 1078 1092
Bardinet Sébastien et Anabelle 276
Barfontarc De 614
Barlet et Fils Raymond 715 719
Barnaud Stéphane 1106 1123
Barnaut 615
Baron Claude 615
Baron Dom. 1016
Baron SCEA Vignobles 817
Baron Albert 615
Baron'Arques Dom. de 766
Baron d'Espiet Union de producteurs 197 221
Baron de Hoen SICA 105
Baron-Fuenté 615
Baronnat Jean 171
Barrabaque-SCEV Noël Ch. 242 245
Barraud SCEA des Vignobles Denis 283
Barré Didier 934
Barré Guilhem 725
Barre Paul 243
Barré Vincent 1206
Barré Frères 1016
Barreau EARL Jean-Michel et Jean-Philippe 960
Barreau J.-C. et Fils EARL Dom. 892
Barreau-Badar Mme 250
Barrère Anne-Marie 940
Barrières GFA des 227
Barroche Dom. la 1169
Barrot Julien et Christian 1169
Barrot Robert 1105 1171
Barse SARL des Vignobles 212
Barse-Bozza Mme 212
Bart Dom. 405 454
Barthe SCA Vignobles Claude 210
Barthe Véronique 189 202
Barthélémy Louis 615
Barthelmé 118
Barthès Monique 824
Barthès Philippe 826
Barton Famille 385
Barton & Guestier 198 205 1204
Bas Ch. 833
Bassereau 236
Bastard 833
Bastard et Éric Davin Laurent 835
Bastian Mathis 1256 1261
Bastide Ch. la 728
Bastide Dom. de la 1122
Bastide neuve Dom. de la 846
Bastide Père et Fille GAEC 895
Bastor et Saint-Robert SCEA de 331 393
Bataillard 157
Batlle Nicolas 794 812
Bauchet 615
Baud Père et Fils Dom. 705
Baudare Ch. 900
Baudel Thierry et Marie-Hélène 888

Baudet Alain et Christophe 295
Baudet Bruno 315
Baudet Vignobles Michel 230
Baudrit Daniel 967
Baudry Benoît 1123
Baudry GAEC 926
Bauget-Jouette 616
Baumann-Zirgel 92 105
Baur A. L. 105
Baur Dom. Charles 105 128
Baur Maison Léon 92
Baur Petit-Fils François 100
Bautou Brice 1231
Bayle SARL Bruno de 350
Baylet Vignobles 313
Bayon Chloé 587
Bayon de Noyer 1112 1127
Bazantay EARL Florence et Sylvain 980 986
Bazin Thierry 232
BCD SCEA 301
BDM SCEA 361
Be Smart! – NCD 621
Béates Dom. les 833
Beau Mistral Dom. 1122 1198 1245
Beaufort Herbert 616 689
Beaujeau Jacques 983 1000 1002 1012
Beaumartin SCA Famille 285
Beaumet 1132
Beaumont Cave de 1189
Beaumont EARL Dom. des 456 466
Beaumont SCE Ch. 353
Beaumont des Crayères 616
Beaune Dom. du lycée viticole de 514
Beauregard EARL 1204
Beauregard SCEA Ch. 250
Beauregard SCEV 644
Beauregard Mirouze Ch. 728
Beauvent Cave de 1276
Bécamel Béatrice 1182
Bécavin 969
Béchet Jean-Yves 235
Becht Pierre et Frédéric 100
Beck Hubert 105
Beck Dom. du Rempart 85
Beck et Fils EARL Francis 100
Becker GAEC J.-Philippe et J.-François 100
Bécot Gérard et Dominique 270
Bedel SARL Françoise 616
Bedenc Stéphane 286
Beert Jean-Pierre 837
Befve Pia et Dominique 366
Bégude Dom. de la 824
Begue-Mathiot Dom. 434
Béguinot R.-F. 998
Beheity Pierre-Michel 932
Beillard Briante GFA 152
Beille 803
Béjot Jean-Baptiste 591
Bel Air Cave de 167
Bel-Air Ch. de 151
Bel Air Dom. de 1078
Bel-Air Lycée de 151
Bel Air SCEA Ch. 294 379
Belambrée Dom. de 833
Belcier SCA Ch. de 303
Béliers EARL Dom. les 135
Belland Roger 545 551 552 560
Bellang et Fils Dom. Christian 526
Bellanger 192 207
Bellanger Frédéric 211
Belle Dom. 1148
Belle Dame Dom. de la 780
Bellefont-Belcier Ch. 270
Bellegrave EARL Ch. 374
Bellene Dom. de 483 506
Belleverne Ch. de 157
Belleville 1075
Belleville Dom. 560 570
Bellevue Ch. 270
Bellevue Dom. 1016
Bellevue Dom. de 1016 1204
Bellevue la Forêt Ch. 901
Belliard EARL Claude et Pascale 193
Bellier Dom. Pascal 1061
Bellivier Vincent 1041
Bellivière Dom. de 1049
Belloc Jean-Noël 325
Belluard Dom. 711
Bénard-Pitois L. 616
Benassis Dom. 783 802
Benassy Jean-Claude 1212
Bénat Frédéric 165
Benazeth Frank 769
Benedetti Dom. 1169
Bénito M. 853
Benoist Delphine et Laurent 1016
Benoist SCEV 302
Benoit Denis 697
Benoît Denis et Vincent 1211
Benoit Jérôme 1130 1159
Benoit Patrice 1051
Benoît SCIEV 1242
Benoit et Fils Paul 693 708
Bérangeraie La 881 1221
Bérard SARL Philippe 344
Bérard-Meuret Bénédicte 670
Béraud-Sudreau 336
Berdoulet Patrick 934
Bérenger Henri 860
Béréziat Christian 149
Béréziat SCEA Jean-Jacques 154
Bergalasse Ch. la 937
Bergasse-Milhé 778
Bergeonnière Dom. de la 1016
Berger L. 1052
Berger Xavier 488 572
Berger-Rive Dom. 488 572
Bergère GFA La 302
Bergeret François 486
Bergerie d'Aquino 837
Bergeron Dom. Jean-François et Pierre 164
Bergeron Jean-Michel 229
Bergeronneau Florent 616
Bergey Denis 351
Berjal Julien 273
Berlinger Catherine et Thomas 240
Berlureau 267 296
Berna Caves 1257
Bernaleau 354 370
Bernard 360 376
Bernard Dom. Guy 1135
Bernard EARL 856
Bernard Jean 407 602
Bernard Louis 1105 1126 1185 1191
Bernard Marie-France 346
Bernard Martine et Philippe 455
Bernard Olivier 334
Bernard Patrick 1128
Bernard Philippe et Martine 484
Bernard René et Béatrice 712
Bernard Yvan 1071 1201
Bernard et Fils SCEA A. 1159 1164
Bernard-Massard SA Caves 1257
Bernat SARL Ch. le 299
Bernat SCEA du 197
Berne en Provence Vignobles de 846
Berne Sélection 1246
Bernède et Fils EURL Philippe 884
Bernet EARL 931
Bernhard Dom. Jean-Marc 108
Bernhard-Reibel Dom. 75
Bernier Christian 234
Bernillon Bernadette 155
Béroujon David 151
BerryCuriens SCEV Les 1084 1086
Bersan Bruno 1002
Bersan Dom. Jean-Louis et Jean-Christophe 405 447
Bersan Dom. Pierre-Louis et Jean-François 405 426 448
Berta-Maillol Dom. 797 799
Bertagna Dom. 471
Berteau et Vincent Mabille Pascal 1054
Berthaudin Claude 1277
Berthaut Denis 454
Berthelemot Dom. Brigitte 515 520 530
Berthelot Pascal 1051
Berthelot Paul 617
Berthenet Dom. 582
Berthet-Bondet 700
Berthet-Rayne 1169
Berthier Jean-Marie 1092
Berthillot Jean-Claude 1254
Berthollier Denis et Didier 711
Berthomieu Joël 778
Berthoune SCEA 834
Berticot Cave de 928 930
Bertier de 1229
Bertin Christophe 617
Bertin EARL Michel 958
Bertin Jacqueline 928
Berton Nathalie 1058
Bertrand 740 754 1236
Bertrand EARL Jean-Michel 231
Bertrand Famille 273
Bertrand Gérard 728 736 740 744 764 770 784 803 1233
Bertrand Roger 733
Bertrand SARL M. et J.-F. 818 1210
Bertrand SCEA 259
Bertrand-Bergé Dom. 740 807
Bertrand-Gabriel EARL 906
Besard Thierry 1026
Besombes-Moc-Baril SA 986
Besse Gérald et Patricia 1270
Bessède Bernard 301
Besserat de Bellefon 617
Bessette EARL André 207
Bessières Guillaume 888
Bessières Serge 888
Bessineau SAS des Vignobles 197 201 300 305

Besson Dom. G. et X. 515 579
Besson EARL 434 442
Besson Maxence et Sébastien 172
Besson Père et Fils 172
Bessonne 854
Bestheim & Châteaux 211
Bestheim Cave de Bennwihr 78
Betemps Philippe 711
Bethmann de 340
Beton Jean-Claude 262
Beuvin 347
Beychevelle SC Ch. 384
Beyer Émile 108
Beynat SCEA Ch. 266
Beyssac Dom. de 907
Bezios J.-M. et M.-J. 893
Bézios Jérôme 896
BHL 270
Bianchetti Jacques 873
Biard-Loyaux 617
Biau Vignobles 911
Bibey GFA 347
Bich Héritiers du Baron 278
Bichot Albert 444
Bichot Grégoire 480 516
Bideau Jean-Vincent 226
Bidgi Vignoble 962 1207
Bidon Jean-Claude 310
Bienfaisance SA Ch. la 270
Biet Jean-Marc 1016
Bignon 861
Bignon-Cordier Mme Nancy 386
Bigonneau EARL 1084 1086
Bigorre SCEA de 194
Bilancini Claudie et Bruno 921
Bile Brigitte 792
Billard 486 1045
Billard Arnaud 617
Billard Daniel 565
Billard-Gonnet Dom. 520
Billaud Samuel 426 434
Billaud-Simon Dom. 426 434 443
Billiard Hubert 617
Bindernagel Ludwig 700
Biolles Cave des 1271
Biotteau SCEA 973 1204
Bireaud Bernard 930
Birghan SCA René 92
Birot 1239
Biscarrat Karine, Julian et Didier 1156
Bissey Cave de 582
Biston-Brillette EARL Ch. 372
Bitouzet-Prieur 527
Bizard Ch. 1186
Bizard Luc 990
Bizet Dom. Thibault 1091
Bizeul Hervé 1225
Bladinières Famille 881
Blaise Bruno 617
Blanc Charles 916
Blanc Jean-Christophe 1233
Blanc SCEA Ch. 1189
Blanc Foussy SA 953
Blanc Tourans SCEA 289 298 302
Blanc-Marès Nathalie 1183
Blanchard SCEA 928
Blanchard Frères 1264
Blanche Michel 1264
Blanches Fleurs Dom. les 515
Blanchet EARL Francis 1078
Blanchet EARL Gilles 1083
Blanchet Yannick 720
Blancheton EARL 930
Blanck Dom. Paul 73 108
Blanck et Fils EARL André 79 108
Blanco Raphaël 170
Blanzac EARL Ch. 303
Blaque Dom. la 1197
Blard et Fils Dom. 711 718
Blasco Catherine 357
Blasimon Cave coop. de 188
Blasons de Bourgogne Union 418 422 426
Blassan SCE du Ch. de 208
Bléger Dom. 79 85
Bléger François 108
Blés d'or GAEC des 621
Bligny Ch. de 618
Blin H. 618
Blin Maxime 618
Blin et Fils R. 618
Bloch Carol 729
Blondeau et Fils Dom. 708
Blondel 618
Blondel Jean-Luc 1269
Blot Christian 1054
Blouin EARL Dom. Michel 992
Boch EARL Charles 72
Bockmeulen SCEA Vignobles 309
Bocquet SCEA Daniel 426
Bodard Emmanuel de 572
Bodillard André et Michèle 174
Bodineau Dom. 950 993
Boeckel 101
Boesch et Petit-Fils EARL Jean 92
Boever-Denancy SCEV 618
Bohn François 109
Bohn et Fils EARL Albert 108
Bohn Fils René 101
Bohrmann Dom. 520
Boidron Jean-Noël 205
Boigelot Éric 530
Boigne Jean de 308
Boileau, W. Nathan, C. Simon GAEC É. 422 435
Boire Philippe 520
Boiron EARL Maurice et Nicolas 1169
Bois Sylvain 720
Bois Mozé Dom. de 980
Bois Noël Dom. du 506
Bois noir SARL Ch. 208
Bois-Perron GAEC du 958 1205
Boisard Fils 1039
Boisdron 839
Boisseaux 462 466 472 543
Boisseaux J. 459 477
Boisséson M. de 227
Boisset FGV 515
Boisset Maison Jean-Claude 457 538
Boisseyt-Chol De 1137
Boissieu de 597
Boisson Dom. 1122
Boisson EARL 486
Boissonneau 198
Boissonneau EARL Vignobles 207
Boissonnet Dom. 1140
Boissons SPAL 143
Boivert Hélène 349
Boizel 618
Bolleau Famille J.-C. 339
Bollinger 619 954 1005
Bolloré 845
Bologna Laurent 864
Bon EARL 398
Bon Famille 204 216
Bonaccorsi Jérôme 232
Bonafé 1236
Boncheau EARL 294
Bondon M.-C 370
Bonetto-Fabrol Dom. 1106 1186
Bonfils 771 1228
Bonfils Jérôme 735
Bonhomme Dom. André 591
Bonhomme Pascal 592
Bonhoure 902
Bonifaci 838
Bonjean GAEC 1071
Bonnaire 619
Bonnange Ch. 226
Bonnard Dom. 1080 1091
Bonnard Fils GAEC 720
Bonnardot Dom. 492
Bonnardot Ludovic 487 520
Bonnaud Ch. Henri 867
Bonneau Cédric et Anthony 1002
Bonneau EARL Joël 228
Bonneau Jean-Marie 388
Bonnefond Dom. Patrick et Christophe 1135
Bonnefoy Caroline 1123 1167
Bonnel Thierry 772
Bonnelière Dom. la 1002 1009
Bonnepart EARL 145
Bonnet Bénédicte et Charles 1130
Bonnet Damien 893
Bonnet Éric 1122 1165 1169
Bonnet SCEA Vignobles 331
Bonnet SAS Maison Alexandre 619
Bonnet et Fils EARL 234
Bonnet-Kenney 199 322
Bonnet-Ponson 619
Bonnie A. A. 336 339
Bonnieux Cave de 1194
Bonnin Philippe 292
Bonnin SCEA Sophie et Jean-Christian 974
Bonnod-Lacour 721
Bonserine Dom. de 1135
Bontoux Maxime 279
Bontoux-Bodin SCEA 832
Bonville Caroline 794 812 1226
Bonville SARL Olivier 619
Bonvin Cave 1088
Bonvin Charles 1271
Bony Dom. Jean-Pierre 483
Borda SCEA Alain et Philippe 739
Bordeaux-Gironde EPLEFPA 357 1211
Bordenave Dom. 939
Bordenave et Fils EARL 224 228
Bordenave-Coustarret 939
Bordeneuve-Entras GAEC 945
Borderie EARL Vignobles 201 292
Borderie SCI La 909
Borderies Jean et Jérôme 892
Bordet SARL J.-F. 445
Boré EARL Alain 981 990
Borel-Lucas 620
Borès Marie-Claire et Pierre 92
Boret EARL 952
Borgeot SARL 546
Borgers Christine 914

Borie 363
Borie SA Jean-Eugène 385
Borie de Maurel Dom. 769
Borie Neuve SCEA Ch. 1232
Bories Pierre 1222
Borras-Gauch Famille 757
Borrelly-Maby 1181
Borter Stéphane 1264
Bortoli Patrice de 217
Bortolussi Alain 936
Bos Thierry 185 322
Bosc Michel 295
Boscary Jacques 759
Boscq-Vignobles Dourthe Ch. le 380
Bosq et Fils EARL 363
Bosredon SCEA Comte de 915
Bosseau Bernard 1278
Bosset Cave Le 1271
Bosson Alain 717 719
Bossons Dom. des 1278
Bott Frères Dom. 79
Bott-Geyl 109
Bouade Ch. la 393
Boüard Hubert de 261
Boüard de Laforest Héritiers de 269
Boüard et Bernard Pujol Hubert de 194
Bouard-Bonnefoy Dom. 552
Bouby 936
Bouc et la Treille Le 177
Boucabeille Dom. 791
Boucard Thierry 1028
Boucard et Degaugue 1029
Bouchacourd Daniel 151
Bouchard 737
Bouchard Maison Jean 405 436 521 574
Bouchard Pascal 405 435 443
Bouchard Philippe 457 479 506
Bouchard Aîné et Fils 515
Bouchard Père et Fils 405 484 487 506 552
Bouché Élise et Paul 925
Bouché Père et Fils 620
Boucher 870
Boucher Christophe et Brigitte 958
Boucher EARL 1019
Boucher Françoise et Ludovic 1035
Bouchet Dom. 1051
Bouchié-Chatellier 1078
Bouchon 196 317
Bouchot Dom. du 1079
Boudal-Bénézech Marie-Geneviève 739
Boudat Cigana Vignobles F. 222 328
Boudau Dom. 791 1225
Boudier 1158
Boudin Francis 427
Boudon Vignoble 312
Bouey SAS Maison 192
Bouey SCEA Vignobles 218
Bouffard GAEC Gilles et Frédéric 958
Boufflerd 359
Bougrier SA 1020
Bougues-Cayre Cédric et Amélie 913
Bouhélier Sylvain 418
Bouillot Maison Louis 419
Bouin-Boumard 957
Bouisse-Matteri Dom. 846
Bouisson 863
Boulachin-Chaput 620
Boulaire Isabelle 1178
Boulanger 1208
Boulanger Catherine et François 965
Boulanger Patrice 958
Boulard et Filles Dominique 620
Bouldy Jean-Marie 250
Boulet Nadège et David 164
Bouley Dom. Jean-Marc 527
Bouley Réyane et Pascal 527 531
Boulin EARL 323
Boulon Dom. J. 167
Boulonnais Jean-Paul 620
Bouquerries GAEC des 1041
Bouquey et Fils EARL 274
Bouquier François 336
Bour Dom. 1187
Bourdelat EARL Albert 620
Bourdier EARL Alain 817 1209
Bourdil 910
Bourdil GFA Domaines 273
Bourdon EARL François et Sylvie 584 601
Bourdoux Nicolas 1009
Bourdy Caves Jean 697
Bourgeois Arnaud 1095
Bourgeois Dom. Henri 1091
Bourgeois SAS Henri 1205
Bourgeois-Boulonnais 620
Bourgeon EARL René 579
Bourgne 776
Bourgogne Compagnie vinicole de 576
Bourgogne Select SARL 176
Bourgueil Cave des Vins de 1031
Bourillon Frédéric 1054
Bourlon-Destouet SCEA 300
Bournazel GFA des Comtes de 396
Bourotte SAS Vignobles 292
Bourotte-Audy Famille 252
Bourrats Dom. des 1088
Bourrier 787 810
Boursault Ch. de 621
Bourseau GFA 260
Bouscaut Ch. 333
Bousquet Jean-Jacques 885 891
Bousquet Jean-Noël 732
Bousquet SCEA 771
Bousquet SCEA Le 282
Bousquet Thierry 940
Boussey Dom. Denis 527 531 539
Boussey EARL du Dom. Éric 531 539
Boussey Laurent 515 531
Bout du Monde Dom. le 487
Bouthenet Dom. Marc 565
Boutière 1116 1165
Boutillez-Guer 621
Boutin 1170
Boutin EARL Jean 968 1207
Boutin Jeannine 1140 1144
Boutinière Dom. la 1170
Boutiny GFA de 857
Boutisse SARL 272
Bouvet 858
Bouvet-Ladubay 1002
Bouvier Dom. Régis 452
Bouvier Dom. René 452 457 484
Bouvier Élie 734
Bouyer 1212
Bouyer EARL 818
Bouygues 382 383
Bouys Martine 748
Bouyx EARL 324
Bouzereau Jean-Marie 539
Bouzereau Philippe 516 534 540 553
Bouzereau Vincent 500 531 539
Bouzereau-Gruère et Filles Hubert 546
Bove Tom 856
Boven Famille 1270
Bovet Philippe 1264
Boxler GAEC Justin 109
Boyd-Cantenac et Pouget SCE Ch. 365 370
Boyé Vincent 218
Boyer Dominique 234
Boyer Éric 171
Boyer Fanny et François 1182
Boyer Vincent 1122
Boyer-Ricard 828
Boyreau EARL Famille 330
Brac de La Perrière Loïc 153
Brague SCEA Ch. de 209
Branaire-Ducru Ch. 384
Branas Grand Poujeaux Ch. 372
Branceilles Cave viticole de 1215
Branchaud EARL 818
Branchereau EARL 995 999
Brando Jean-François 832
Braquessac 379
Braquessac EARL 379
Brasseur EARL Vignobles 217
Brateau Dominique 621
Braud Vignobles 240
Brault EARL 952
Brault GAEC 975
Braun Camille 101
Braun et Fils François 79 93
Braymand Marie-Claire 144
Brazilier Dom. 1064
Bréchet Famille 1157 1175
Brecq Jean 1037
Brédif Marc 1054
Brégançon SARL Ch. de 846
Brelière Jean-Claude 419 570
Bremond Louis-Michel 1196
Brèque Rémy 222
Bressande Dom. de la 572
Bretaudeau Jean-Yves 960 1206
Breton Franck 1051
Breton Jean-François 241
Breton Jean-Marc 1031
Breton Laurent 643
Breussin Yves et Denis 1054
Briacé Ch. de 959
Briard Christian 621
Briard Damien 318
Bricard Gwenaël 1205
Brice 621
Briday Dom. Michel 570
Brie Ch. la 909
Briest 338
Brillette SARL Ch. 372
Briolais et Fille Dominique 241
Brisebarre Philippe 1054

Brisson Gérard 167
Brisson Jean-Claude 288
Brisson SCEA Vignobles 193
Brisson-Jonchère 621
Brissy SCEA 859
Brizé EARL Dom. de 953 980 1003
Brizi EARL Napoléon 877
Brobecker SCEA Vins 109
Brocard Daniel 700 708
Brocard Jean-Marc 425 426 435
Brocard Michel 622
Brocard Pierre 622
Brochard Henry 1205
Brochard Hubert 1079
Brochard-Cahier EARL 346
Brochard-Guiho Vignoble 957
Brochet Alain 622
Brochet Frédéric 1204
Brochet Vincent 622
Brochot Francis 622
Brocot Marc 494
Brocourt 1041
Brondel EARL 143
Bronzo SCEA 824
Brossay Ch. de 974
Brotte 1128 1145 1157 1170
Brouard François 187
Brouard GAEC Bruno et Christophe 998
Brouette-Jaillance 222
Brouillat Marie-Alyette 733
Brousse Éric 1105 1126 1136 1159 1164 1185
Broustet SCEA Ch. 393
Broutet F. 907
Brown SCEA Ch. 333
Broyers Les Vins des 171
Bru Gérard 758
Bru-Baché Dom. 939
Bruguière Mas 753
Brulat Dominique 835
Brulhois Les Vignerons du 904
Brumont SA Vignobles 931 933 1216
Brun 282
Brun Jean-Marc 1122 1198 1245
Brun-Craveris GAEC 864
Bruneau EARL Alain 1036
Bruneau Jean-Charles 1036
Bruneau Sylvain 1036
Bruneau et Fils EARL Yvan et Ghislaine 1036
Brunel 1172
Brunel Franck 145
Brunel Maxime et Patrice 1119
Brunel Père et Fils 1140 1157
Brunet Dom. Nicolas 1055
Brunet Dom. Pascal 1042
Brunet GAEC du Dom. de 753
Brunet Patrick 163
Brunot et Fils SCEA J.-B. 262 287
Brusset Dom. 1123
Bryczek Christophe 457 466 469
Buecher Paul 93 109
Buffavent GFA du Ch. de 142
Buffeteau SCEA Vignobles 214
Buhren Philippe de 703
Buisson Christophe 534 536
Buisson Dom. Henri et Gilles 503 536
Buisson-Battault 539
Bulliat Dom. Loïc et Noël 167
Bulliat Éric 159
Bunan Dom. 828 846
Bunel SARL Éric 622
Buratti-Berlinger Catherine et Thomas 240
Burc 888
Burckel-Jung Dom. 72
Burel M. 837
Burelle Didier 492
Burgat Louis-Philippe 1280
Burghart-Spettel Vins d'Alsace 109
Burle Bernard 1164
Burle Dom. Florent et Damien 1158
Burliga 312
Burn Dom. Ernest 110
Burner 122
Buronfosse GAEC 700
Burrier Famille 602
Burrier Joseph 592
Burrus 897
Bursin Agathe 73 93
Busi François 1188
Busin EARL Jacques 623
Butin Philippe 698 700 708
Butterfield David 515 539
Butterlin Jean 110
Buxy Vignerons de 582
Buzet Les Vignerons de 905 906
Byards Caveau des 698 708

C

C.A.V.E.S SCV 784 809
CA Grands Crus 206
Cabanes 743
Cabaret Luc 781
Cabarrouy Dom. de 939
Cabasse Dom. de 1123
Cabernelle Dom. de la 1036
Cabissole François et Isabelle de 751 1231
Cabrières SCEA Ch. 1111
Cabrol Marc 752
Cachat-Ocquidant Dom. 492 500 507 512
Cadart 1023
Cadel Guy 623
Cadenière Dom. la 833
Cadet-Bon SCEV Ch. 272
Cadiérenne SCV La 825 846
Cadoux Michel, Damien et Nicole 1063
Cady Dom. 993
Cafol SARL Ch. 304
Cagueloup SCEA Dom. de 825
Cailbourdin Alain 1079
Caillard 916
Caillavel GAEC Ch. 915
Caillé François 1046
Cailleau EARL Pascal 982 988
Cailleau Xavier 974
Cailleau et Fils EARL 994
Caillot Dom. Michel 521 539 549
Cajus SCEA Ch. 186 195
Caladroy Ch. de 791 807
Calce SCV Les Vignerons du Ch. de 784 803 807
Calissanne Ch. 834
Calisse Ch. la 838
Callegarin 1224 1235
Callet J. 1127 1172
Callet Porche 1006
Callot et Fils Pierre 623
Calmette 777
Calon Emmanuel 665
Calon Ségur SCEA 380
Calonnière Ch. de la 993
Caloz Conrad et Anne-Carole 1274
Calvel J. 763
Calvel Pascale 736
Calvet Paulin 341
Camarette Dom. de la 1189
Camarsac Ch. de 186
Cambaret Dom. de 838
Cambon la Pelouse SCEA 354 366
Cambriel GAEC Les Vignobles 728
Cambuse Dom. de la 968
Camensac Ch. de 354
Cameron Marc 405
Caminade SCEA Ch. la 882
Caminade SCEA Vignobles Marc 186
Camplong Vignerons de 729
Campuget Ch. de 1182
Camus Fabrice 921
Camus-Bruchon et Fils 507 521
Canard-Duchêne 623
Candastre SCEA Ch. 893
Canon Ch. 272
Cantalric Ucavca 730
Cantaussels GFA Dom. de 1228
Cantegrive Ch. 304
Canteloup EARL Ch. de 227
Cantemerle SC Ch. 354
Cantenac SCEA Ch. 272
Cantenac SFV 367
Cantenac-Brown Ch. 366
Canteperdrix Les Vignerons de 1190
Cantié et Campadieu 801
Cantin Benoît 446
Canto Jean-Louis 1174
Canto Perlic SCEA 893
Canuel Gérard et Catherine 269
Cap de Faugères Ch. 304
Cap Leucate Vignobles 735 740 807
Capdemourlin Jacques 273
Capdepon 764
Capdevielle Alain 362
Capdevielle Bernard et Sandrine 240
Capion Ch. 745
Capitain-Gagnerot 476 492 494 503
Capmartin Denis 934
Capmartin Guy 935
Capuano-Ferreri EARL Dom. 553 560
Caramany SCV de 791
Caraud SCEA de 906
Carayol Claude 726
Carayon 261
Carbonnell 790 811
Carcanieux SCF Ch. 347
Carcenac Dom. 893
Carcès Hameau des Vignerons de 1246
Cardetti F. 903
Carême Olivier 1055
Carichon Charles 1158 1162 1189
Carignan Ch. 318

Carle Pierre 909
Carles Maison 276
Carles SCEV Ch. de 245
Carli 1019
Carlini EARL Jean-Yves de 623
Carlsberg Famille 359
Carmes Haut-Brion Ch. les 334
Carod 1153
Carpentey 314 323
Carré Dom. Denis 515 521 537
Carreau Gilles 142
Carreau et Fils SCEV G. 227
Carreau-Gaschereau 836
Carrel Éric et François 712 718
Carrel Jeff 1238
Carrel-Deren 1192
Carrère EARL Vignobles 296
Carrère Joëlle 912
Carrière-Audier Dom. 774
Carrille Jean-François 276
Carroi – Bruno Breton EARL du 1028
Carrol de Bellel EARL 901
Carron Denis 143
Carroy et Fils Jacques 1079
Carsin GFA Ch. 319
Cartaux Sébastien 704
Cartaux-Bougaud Dom. 704
Carteau Côtes Daugay Ch. 273
Carteyron Patrick 191 205 218
Cartier EARL Dom. François 1017
Cartier Jean-Pierre 1168
Cartier Michel 712
Casabianca Dom. 868
Cascastel Les Maîtres Vignerons de 729 740 1241
Caslot-Pontonnier 1036
Cassagnoles Dom. des 944 1216
Cassemichère SCEA Ch. 1205
Cassignard SCE Vignobles 315
Cassignol Famille 741
Cassin Famille 904
Cassot et Fille SCEA 884
Castagnier EARL Dom. 466 468 471
Castaing et Fils 919
Castan EARL Dom. 745 1230
Castan Marc 741
Castan SARL Joseph 1233
Castéja Émile 378
Castéja H. 394
Castéja Héritiers 374 376
Castéja-Preben-Hansen Indivision 253 270
Castel 326
Castel Groupe 352
Castel Frères 200 942 963 1115
Castelas Les Vignerons du 1108 1123
Castell-Reynoard Dom. 825
Castellane de 623
Castelmaure SCV 729
Castelnau CRVC de 623
Castille Fondation la 847
Castillon Jérôme 1183
Castillon Michel 1185
Catarelli EARL Dom. de 875
Caternet P. 839
Cathiard SAS D. 333 342
Catroux Philippe 1025
Cattier 624
Cattin Frères 79
Caubet Murielle et Laurent 1214 1222
Cauquil Line 775
Caussé 897 1220
Causse Michel et Marcelle 749
Causse d'Arboras Dom. du 745
Cauvin M. 901
Cavalier Jean-Benoît 752
Cavalier SCEA Ch. 847
Cavalli Angelo 1281
Cavanna Giorgio 328
Cavard de Roux Odile 1242
Cave Lamartine Dom. de la 165
Caveau bugiste Le 721
Caves de la propriété SARL 544
Cayran Maison Camille 1124
Cayx SCEA Ch. de 882
Cazaillan GAEC de 343
Cazanove Charles de 624
Cazeau et Perey SCI Domaines 197
Cazenave-Mahé SCEA Y. 316
Cazeneuve Ch. de 745
Cazeneuve Martine 360 365 373
Cazes 784 791 797 803 807 1225
Cazes Jean-Michel 332 375 378 382 1174
Cazin François 1062
Cazottes EARL 898
Cazulet 1211
Cécile des Vignes Caveau 1108
Célestière La 1170
Cellarmony GIE 393 331
Cellier aux Moines Dom. du 574 579
Cellier de Laure SCA 1241
Cénac Jean-François 239
Cendrillon Dom. la 729
Cenival Olivier de 993
Cenni Maïté et Guy 208
Cep d'or SA 1257
Cerberon Dom. du 540
Cerciello 832 844
Cerf SARL 850
Cers-Portiragnes Les Vignerons de 1223
Cesbron-Martin EARL 985 987
Chabbert Gérard 773
Chabbert-Fauzan Dom. 773
Chabirand Christian 1205
Chablais SA Les Celliers du 1265
Chablis Union des viticulteurs de 435
Chablisienne La 427
Chadronnier Famille 311
Chafalet Dom. de 1277
Chaigne et Fils Vignobles 185
Chailleau Héritiers 276
Chaillot Dom. du 1067
Chaillou GFA 980
Chainier SCA Dom. 1023
Chaintré Cave de 601
Chaintres Ch. de 1007
Chais de Francs et Gardegan 305
Chais de Rions SARL Les 190
Chaix Grégoire 865
Chala 348
Chaland Jean-Marie 593
Chaley et Fille SCEA Dom. Yves 449
Chalmeau Patrick et Christine 416
Chalmeau et Fils Edmond 406
Chambard Jean-Bernard 288
Chambert Vignobles 889
Chambeyron Dom. 1137
Chambre d'Agriculture du Gers 947
Chamfort Dom. 1162
Chamfort Romain et Thibaut 1134 1166
Chamirey Ch. de 574
Champ de Cour Indivision du domaine de 171
Champagnon Jean-Paul 161
Champagny Vignoble de 1073
Champalou 1055
Champaud Maxime 531 560 571
Champault Laurent et Claude 1092
Champavigne GAEC 653
Champeau SCEA Dom. 1079
Champenois 219
Champier Joachim et Audry 156
Champion EARL Pierre 1055
Champliaud Guillaume 586
Champteloup SCEA 970
Champy Dom. 497 527
Chancel Jean 615
Chancelle Thierry 1003 1007
Chandesais Maison 576
Chanel 272 371
Chanfreau Famille 363
Changarnier SCEA Dom. 531
Chanoine Frères 624
Chanson Père et Fils 435 479 497 500 516 553
Chant d'Oiseaux Vignoble du 1064
Chantalouettes EARL Les 1079
Chante Cigale Dom. 1170
Chante-Perdrix Dom. 1170
Chantegrille Dom. de 157
Chantemerle Dom. de 427
Chanzy Dom. 406 571
Chapelle Dom. 560
Chapelle SARL 527
Chaperon Jean-Yves 746
Chapinière de Châteauvieux La 1018
Chapitre Dom. du 1230
Chapon EARL 821
Chapot Philippe 712
Chapoutier Maison M. 791 799 1145
Chappaz d'Argan SCEA 370
Chapuis et Chapuis 513
Chaput Jacques 624
Chapuy 624
Charache EARL Dom. Vincent 487 497 507
Charavin Robert 1156
Charbaut SARL Guy 624
Charbaux Frères 625
Charbonnier 234
Charbonnier Claude 701
Charbonnier EARL Christian 1042
Charbonnier EARL Michel et Stéphane 1018
Charbonnier Éric 625
Chardin Père et Fils SCEA 625
Chardon Sophie et Thierry 1015
Chardonnay Dom. du 422 435
Chardonnet EARL Lionel 625
Charentes Alliance 1211

PRODUCTEURS

Charier-Barillot SCEA 1009
Charlemagne Guy 625
Charlemagne Robert 625
Charlet Jacques 598
Charleux et Fils Maurice 565
Charlier Luc 792
Charlopin Dom. Philippe 453 457 464 472 473 476
Charlopin Hervé 453
Charlot Pierre 317
Charlot Vincent 625
Charmail SCA Ch. 354
Charmensat EARL 1071
Charmeraie Dom. de la 601
Charmes Dom. des 1277
Charmes-Godard Ch. les 310
Charmetant Jacques 142
Charmettes GAEC les 1233
Charmond Philippe 594
Charpentier 373 626 964
Charpentier et Fils François 1086
Charpentier Père et Fils GAEC 962
Charpenties EARL 1218
Charrier Alain 394
Charrier Famille 933
Charrière 779
Charrion Laurent 153
Charritte EARL Flora et Jean-Paul 318
Charron SCEA Ch. 227
Charton Dom. 575
Chartreuse de Valbonne ASVMT 1108 1124
Chartreux SCA Cellier des 1176
Chartron Jean 504 546 549 550 571
Chartron-Dupard SCI 406 553
Chassagne-Montrachet SCEV Ch. de 556 558
Chasse-Spleen Ch. 355 372
Chasselas Ch. de 584 601
Chasselay Claire et Fabien 161
Chasselinat Marc 293
Chassenard 906
Chasserat Ch. 230
Chassey Guy de 626
Chastan 1127
Chastel Benoît 152
Chastel Guy 173
Chastel-Sauzet Denis 172
Châtagneréaz Ch. de 1265
Chatagnier Aurélien 1138 1140
Château SAS Vignobles Alain 995
Château SCI 1145
Château-Gris Dom. du 476
Châteaux et Terroirs 87
Chatelain SAS Dom. 1079
Chatelard SCEA Ch. du 142
Chatelier Jean-Michel 316
Chatellier et Fils 959
Chatenay Laurent 1051
Chater Dom. 928
Chatet SARL 686 689
Chatonnet SCEV Vignobles 262 265
Chaucesse Jean-Claude 1074
Chaudat Odile 484
Chaude Écuelle Dom. de 435
Chaudière Bastide Famille 1192 1245
Chaudron 626
Chaumet-Rousseau EARL 229
Chaumont Stéphane 379
Chausse Ch. de 847
Chausselières Dom. des 959
Chaussy Christine et Daniel 1172
Chautagne Cave de 712
Chauveau EARL Dom. 1080
Chauvelin SCEA de 853
Chauvenet Dom. Jean 480
Chauvenet-Chopin 484
Chauvet A. 626
Chauvet Damien 626
Chauvet EARL Bernard 1159
Chauvet SCEV Marc 627
Chauvin Audrey 1187
Chauvin Dom. Pierre 980
Chauvin SCEA Ch. 273
Chauvin SCEA Jean-Bernard 951 993
Chauvin-Cesbron 980
Chave Jean-Louis 1148
Chave Natacha 1139 1144
Chave Yann 1145 1148
Chavet et Fils G. 1075
Chavy EARL Franck 151
Chavy Jean-Louis 546
Chazalon Dom. Stéphane 746
Chefdebien Paul de 756
Chelin 1028
Chemarin Lucien 150
Chemarin Nicolas 147
Chemin des Rêves Le 746
Cheminade Vignobles 277
Cheminal 779
Chemins de Bassac Les 1228
Chénard EARL Vignobles Philippe 1205
Chêne Dom. 584
Chêne rond GAEC Dom. du 883
Chéré Étienne 627
Chéreau-Carré 958
Cherel 750
Chermette Pierre-Marie 146
Chéron Famille 1111 1168
Cherrier et Fils Pierre 1099
Chesné GAEC Patrice et Anne-Sophie 961
Chesneau et Fils EARL 1059
Chesnelong 1234
Chetaille Gilbert 152
Chéty SCEA Famille 238
Chéty et Fils EARL Vignobles Jean 228
Cheurlin-Dangin 627
Cheval Blanc SC du 273
Cheval Quancard 201 242 312 348 379
Chevalerie Dom. de la 1029
Chevalier 419
Chevalier Nicolas 248
Chevalier Patrice 245 249
Chevalier Roland 952 969 979
Chevalier SARL Claude 492
Chevalier SC Dom. de 334 339
Chevalier Père et Fils 484 494 500 504
Chevalières Cave des 1278
Chevaliers Vins des 1271
Chevallier Dom. 422 428
Chevallier Pierre-François 959
Chevallier Sylvie 920
Chevallier Yves 480
Chevallier-Bernard EARL 712
Chevassu-Fassenet Marie-Pierre 701 705
Cheveau Dom. 176 594
Chevigneux Dom. de 712
Chevillon-Chezeaux Dom. 480
Chevrier Bertrand 712
Chevrier Patrice 159
Chevrier-Loriaud Corinne 223 232
Chevrolat EARL Michel 690
Chevron-Villette G. de 1247
Chevrot SCEA Vignobles Pierre 195
Chevrot et Fils Dom. 560 565
Cheylan Robert 837
Cheysson Dom. Émile 159
Chezeaux Philippe 480
Chézeaux SCEV Les 1076
Chiericati SA Vini 1281
Chilliet Denis 142
Chiquet Gaston 627
Choblet SARL Jérôme 968
Chofflet-Valdenaire Dom. 579
Chol Didier 1137
Cholet Christian 534 540 546
Chollet Cédric 1027
Chollet Gilles 1080
Chollet Jean-Jacques 265
Chollet Paul 419
Chombart Neel 204
Chopin EARL Julien 627
Chopin et Fils Dom. A. 469 480 484
Chossart Jean-Luc 804
Chotard Daniel et Simon 1092
Choulot SCEV Comte Georges de 1100
Choupette EARL Dom. de la 560
Chouteau Xavier 952
Chouvac Hervé 330 391 396
Christophe et Fils Dom. 423 428 435
Chupin 951 966 984
Cidis Cave 1265
Cina SA Fernand 1271
Cinq Sens Dom. des 1124
Cinq Vents Dom. 746
Cinquau Dom. du 940
Cinquin Franck 173
Cinquin Guy et Chantal 575
Cinquin Paul 173
Ciroci Pierre 191
Citadelle Dom. de la 1194
Cîteaux Ch. de 516 540
Citran Ch. 355
Clair Dom. Bruno 453 507
Clair EARL Françoise et Denis 546 557 561
Clair EARL Pascal 818
Clairac Dom. de 774
Clairmonts Cave des 1145
Clape SCEA Dom. 1150
Clapière Dom. de la 1230
Clar Jacqueline 785 809 1226
Clarence Dillon Dom. 289
Claux Delorme Le 1066
Claux des Tourettes SCA les 1223
Clavel Dom. 1108
Clavel Dom. Pierre 746
Clavelier et Fils 480 540

Claverie 284
Clavien Stéphane 1276
Cléebourg Cave vinicole de 85
Clémancey Dom. 455 457
Clément 627
Clément Dom. Philippe 406
Clément Isabelle et Pierre 1075
Clément Julien et Rémi 161
Clenet Olivier 959
Clérambault 628
Clinet Ch. 251
Clos Dom. des 480 516
Clos Bellevue 940
Clos Canereccia 869
Clos Chaumont Ch. 319
Clos Cibonne Dom. 847
Clos d'Alzeto 873
Clos de Baux SARL 1009
Clos de Bellevue Dom. le 779
Clos de Céligny Le 1277
Clos de la Chapelle-Champy Dom. 528
Clos de la Donzelle 1277
Clos de la Vicairie SCEA du 395
Clos de Salles EARL du Ch. 252
Clos des Augustins 747
Clos des Fées Dom. du 1225
Clos des Garands Dom. du 162
Clos des Jacobins 274
Clos des Monts Le 1071
Clos des Nines 747
Clos des Quarterons 953 1036
Clos des Religieuses SCEA 301
Clos des Rochers SARL Dom. 1257
Clos des Rocs SCEA Vignoble du 599
Clos des Vignes SCEA 851
Clos du Beau-Père SCEA 264
Clos du Breil Vergniaud Le 910
Clos du Caillou 1109 1170
Clos du Clocher SC 252
Clos du Maine-Chevalier EARL 916
Clos du Notaire SCEA du Ch. le 234
Clos du Serres Le 747
Clos Fourtet SCEA 275
Clos Gautier Dom. 848
Clos La Madeleine 275
Clos Petite Bellane 1124
Clos Saint-Jacques Dom. du 406
Clos Saint-Joseph 848
Clos Saint-Louis Dom. du 455 484
Clos Sainte-Apolline 93
Clos Salomon Dom. du 579 582
Closel Dom. du 990
Closel du 581
Closerie de Chanteloup 1025 1051
Closerie des Alisiers 481
Closiot SCEA Ch. 394
Closset Fabrice 701
Clotte SCEA du Ch. la 276
Clouet Paul 628
Club 51 SARL 381
Cochard et Fils 977 1001
Coche Dom. de la 1206
Cochran V. 235
Coessens Jérôme 628
Cofco 264
Coffinet-Duvernay Dom. 550 553
Cognard Lydie et Max 1029 1036
Cogné SCEV Claude 1206
Coignard-Benesteau EARL 988
Coirier Dom. 971
Colbert 750
Colbert SCA Ch. 234
Colbert SCEA Domaines de 848
Colbois EARL Dom. Michel 406 416
Colin 628
Colin Dom. Bruno 546 561
Colin Patrice 1064
Colin et Fils Dom. Marc 549 550 557
Colin-Seguin Maison 554
Colinot 446
Coll-Escluse André 805
Colla Sylvain 1042
Collard Daniel 628
Collard François 1183
Collard Olivier 628
Collard-Chardelle 628
Collard-Picard 628
Collet EARL René 613
Collet Cogevi 628
Collet de Bovis SCEA 831
Collet et Fils Dom. Jean 436
Collin Charles 629
Collin-Bourisset 155 590
Colline des Planzettes 1271
Collines de la Hage SCEA Les 209
Collomb Valérie 1120
Collon 629
Collonge Fabien 160
Collot Carole et Sébastien 777
Collotte 211
Collotte Dom. 453 455 469
Collovray Julien 584 605
Collovray et Terrier 585 592 595 603
Colmar Dom. viticole de la Ville de 95 110
Colombé-le-Sec et Environs Sté coopérative vinicole de 627
Colombier Dom. du 436 443 712 1145 1149
Colombière Ch. la 901
Colombo Vins Jean-Luc 1109 1140
Colonge et Fils Dom. André 162
Combard Alain 861 1247
Combe et Filles 1159 1164
Combe Grande Dom. la 730
Combebelle EARL Dom. de 1248
Combes 904
Combes-Peyraud 755
Combier Jean-François 595
Comin Claude 194 210
Commanderie EARL Ch. la 380
Commandeur Les Caves du 848 1246
Compagnet SCEA 349
Compagnie des Vins d'Autrefois 480
Compagnie médocaine des Grands Crus 201
Compagnie rhodanienne La 1108 1180
Complices de Loire 1018 1030 1040
Comptoir des Vins de Flassans Le 848
Comte Chantal 1185
Comte de Lauze Dom. 1171
Comte de Monspey Dom. 152
Comte de Thun Dom. du 1219
Comte Senard Dom. 500
Comyn Jean 629
Condamin GAEC du Dom. 178
Condamine Bertrand Ch. 747
Condemine EARL Florence et Didier 173
Condom SCEA 929
Confession Ch. la 276
Confrérie du Jurançon 942
Confuron François 476
Confuron-Cotetidot 464
Coninck Famille De 252
Coninck Patrick de 318
Connaisseur La Cave du 407
Conne Bernard 1277
Conquessac EARL Dom. de 975
Conrad 850
Consorts Clauzel SCEA 255
Constant-Duquesnoy Dom. 1154
Constantin Magali et Nicolas 1119
Constantin Philippe 1275
Conti SCEA De 913
Contrepois 741
Copinet EARL 629
Coquard 171
Coquard Jean-Michel 146
Coquard Maison 142
Coquard Olivier 143
Coquelle Nathalie 837
Coquillette Christian 677
Coquillette Stéphane 629
Corbeau-Mellot Catherine 1081 1084 1087 1208 1209
Corbiac Durand de 924
Corbin SC Ch. 276
Cordaillat Dom. 1086
Cordier Christophe 585
Cordier Dom. 602
Cordier-Mestrezat Grands Crus 204 288 303 381
Cordoba Isabelle 1234
Cordonnier EARL François 372
Cordonnier SCEA P. 371
Cork-Sentilles SARL 934
Cormerais EARL Bruno, Marie F. et Maxime 960 1206
Cornasse Dom. de la 428 436
Corne-Loup Dom. 1176 1180
Corneau Paul 1080
Cornélie Ch. 356
Cornin Dominique 585 595
Cornu SCEA Dom. 501
Coron Père et Fils 481
Corre SCEA Le 1044
Correns Les Vignerons de 848
Corsin Dom. 595 602
Cortellini 1132
Corti SA Fratelli 1281
Corton André SAS 457 479 506 538
Cosme EARL Thierry 1055
Cosme Mathieu 1053
Cosne-sur-Loire Lycée viticole de 1069
Cosson Rémi 1024
Costamagna SNC B.-M. 850
Coste Christophe 1110 1124
Coste-Caumartin Dom. 521 537

Coste Chaude SARL Dom. de 1109
Costes 882
Costières de Pomérols 745 1232
Costières et Soleil SCA 1233
Cosyns SCEA 235
Côte d'or Dom. de la 1277
Coteau Ch. le 366
Coteaux Cave Les 1125
Coteaux Cave des 1280
Coteaux d'Aubenas Les Vignerons des 1197
Coteaux de Coiffy SCEA Les 1253
Coteaux de la Vézère SCA 1215
Coteaux de Saint-Maurice Cave des 1125
Coteaux de Thongue et Peyne Les 1233
Coteaux de Villaines-Les-Prévôtes et Viserny SA des 1252
Coteaux des Margots Dom. 585
Coteaux du Lyonnais Cave des 178
Coteaux du Pic SCA Les 748
Coteaux du Rhône Les 1110 1246
Coteaux Romanais Les Vignerons des 1018
Coteaux Valentin EARL les 683
Coteill-Dolcerocca Christian 741
Coterie SICA Vignobles la 1125 1163 1167
Côtes d'Agly Les Vignerons des 787 794 803
Côtes d'Olt-Vinovalie 1215 1220
Côtes Rémont Dom. de 158
Coton Dom. 1042
Cottavoz Bernadette 236
Cottet Sylvie 1160
Coudereaux SCEA des 1084
Coudoulet Dom. 773
Coudoulis Dom. 1176
Coudray Les Fils Bernard 1275
Couet Emmanuel 1069
Coufran SCA Ch. 356
Couhins Ch. 335
Couillaud et Fils 970
Coulange EARL Dom. 1110
Coulerette Ch. de la 849
Coulet 753
Couleurs Doyard 304 649
Coulomb 1238
Coulon Cyril 1171
Coulon Éric 629
Coulon et Fils SCEA Paul 1155 1169
Coulondre 761
Couly Pierre et Bertrand 1042
Couly-Dutheil 1042
Coume Del Mas 797
Cour au Berruyer Ch. de la 1026
Cour Céleste Dom. de la 407
Courançonne EARL Ch. la 1125 1156
Courant Xavier 1033
Courbet Dom. 698 701
Courbis Dom. 1150
Courcel Dom. de 521
Courcel Nicolas et Françoise de 361
Coureau 229
Cournuaud de 244
Cournut Jean-Pierre 555 563
Couronneau Ch. 210
Couroulu Dom. le 1163
Courrèges A. 875
Courrian 352
Courselle Vignobles 194 196 207 319
Coursodon EARL Pierre 1141
Courtault Dom. Jean-Claude 423 428
Courteillac SCEA Dom. de 210
Courtillier Marlot EARL 629
Courtinat Christophe 1089
Courtois Biancone Sophie 860
Courtoise SCA la 1193
Courty Arlette et Rémi 441
Cousin Christian 995 1003
Cousin Vignoble 1265
Cousiney Didier 323
Coustal Anne-Marie et Roland 772
Coustal Isabelle 772
Coustille SCEA de 1253
Cousy Sébastien 925
Coutancie Dom. de 926
Coutelas Damien 630
Coutelas David 630
Coutet Ch. 392
Coutière 326
Coutinel Ch. 901
Couture 885
Couturier Dom. Marcel 585 600
Couvent Fils SARL 630
Couvreur EARL Alain 630
CPR 947
Crampes Jean 202 212
Cransac SCEA Dom. de 902
Craveia-Goyaud 397
Créa Dom. de la 537
Credoz Dom. Jean-Claude 698 708
Crée SARL Ch. de la 561
Crémade Ch. 867
Crès Ricards Dom. des 748
Crespin Jean-Pierre 156
Crêt Dom. du 1277
Crêt d'Œillat EARL du 174
Crété et Fils Dominique 630
Crêtets Cave les 1277
Crézégut 758
Cricket SAS 285
Cripps 758
Cristia Dom. de 1171
Croc du Merle Dom. du 1060
Crocé-Spinelli Vignobles 847
Crochet Daniel 1093
Crochet Dom. Dominique et Janine 1093
Croisard Christophe 1049
Croisille Ch. les 885
Croix SCF Ch. de la 344
Croix-Beauséjour EARL Ch. 295
Croix Chabrières Ch. de la 1110 1186
Croix de Gay SCEV Ch. La 253
Croix de Labrie SCEA Ch. 277
Croix de Mouchet SCEA Ch. la 296
Croix de Roche EARL la 210
Croix des Pins Ch. la 1167 1190
Croix et de la Bastide blanche Domaines de la 845
Croix Mélier EARL Dom. de la 1051
Croix Saint-André GFA Ch. la 261
Croix Sainte-Eulalie Dom. la 775
Croix Senaillet Dom. de la 586 595 602
Croquet 841 864
Cros Michel 1229
Cros Pierre 769
Crostes H.-L. Ch. les 849
Crouseilles Cave de 932 935 938 1214
Crouze Dom. de la 595
Crozals de 770
Croze Nicolas 1110
Croze-Granier Dom. 1177
Cruchandeau Julien 449 481 569
Crucifix Père et Fils 630
Crus Faugères Les 737
Cruz Bernard 1276
Cuer Christophe 1122
Cuer Stéphane 856
Cuilleron Yves 1138 1141 1151
Cuillier Père et Fils 630
Cuisset Catherine et Guy 916
Cuisset Gérard 927
Cully Union vinicole 1266
Cundall Betty-Ann 838
Cune EARL Dom. de la 1010
Cunty 1158
Cuperly 630
Curassier 1020
Curial et Fils Jean 589 602
Curis Frédéric 595 602
Curl SCEA Vignobles Famille 243 307
Curnière Ch. la 838
Cuvelier Domaines 380
Cuvelier Philippe 275 373
CVBG 394
Cydonia Zeller EARL Christian et Andrea 1213
Cyrot-Buthiau Dom. 561

D

D'Aucrêt Le Dom. 1264
D'Espérance Dom. 1217
Da Costa Alain 1042
Dabadie Pierre 935
Dabudyk Nicolas 244
Dadda-Leveilley 349
Daheron EARL Pierre 1206
Daheuiller SCA 1014
Dalle Famille 1182
Dalmasso 831
Dalmasso Sonia et Rémi 275
Dalmeran Dom. 830
Damais Laurent 748
Damoy Pierre 407 453 457 462 463
Dampierre SAS Comte Audoin de 631
Dampt Dom. Vincent 428
Dampt EARL Éric 407 423
Dampt EARL Hervé 407 423 428
Dampt Emmanuel 407
Dampt Maison 443
Dampt Sébastien 428
Dampt Vignoble 407 423 428 436
Dampt et Fils Daniel 429 436
Dampt-Dupas EARL 423
Dananchet EARL Robert et Benjamin 587

Danemark SAR le prince Henrik de 882
Daniel 909
Daniel Laurent 1157 1248
Daniel Patrick 1110
Danis EARL Dom. de 1217
Danjean-Berthoux 575
Danjou-Banessy Dom. 792
Dansault EARL Gabriêle et Régis 1053
Darde 755
Dardé 1240
Daridan Benoît 1060
Darnajou-Merle 263
Darnat 540 554
Darnaud Emmanuel 1145
Darragon Maison 1055
Darribéhaude SCE des Vignobles 289
Darriet 193 319 330 342 389
Darriet-Lescoutra EARL 363
Dartier Marie-Pierre et Pierre-Charles 226
Dartiguenave Jean-Luc 352
Darviot Bertrand 519 545
Dassault SAS Ch. 277
Dauba Sandrine et Xavier 393
Daulhiac EARL Thierry et Isabelle 918
Daulne Jean-Michel et Marilyn 448
Daulny Étienne 1093
Dauphine SCEA Ch. de la 246
Daurat-Fort SCEA R. 742 810
Dauré Vignobles 785
Dauriac Christian 286
Daurion SCEA Dom. 1234
Dauvissat Agnès et Didier 423
Dauvissat Caves Jean et Sébastien 436
Dauvissat Vincent 436 443
Dauzac SCA Ch. 367
Davanture Dom. 568 579
Davau Viviane 248
Davault Christophe 1017
Davenne SARL Clotilde 437 446
Daviau 974 988
David EARL 893
David Philippe 187
David SCEA J. et E. 396
David Garbes SARL Vignobles 387
David-Lecomte SCEA 978
Davy André 998 1000
Daziano Isabelle et Jean-Pierre 851
D.C.O.C. EARL 213
De Coninck F. 243
De Pedro Roland 253
De Salvo Robert 824
Debavelaere Félix 569 571
Debourg Bruno 145
Debray Dom. 531
Decamps 834
Decelle 793 812
Decelle SCEA Olivier 247 278 347
Decelle-Villa 481 528
Dèche 947
Dechelle Henri 631
Dechelle Philippe 631
Decker Dom. Charles 1257
Decoster Dominique 279
Decoster T. 274
Defaix Bernard 429 437
Defayes et Crettenand 1272
Deffarge Danger EARL 922
Deffois Reth 974
Defrance Jacques 631
Defrance Philippe 408 416 448
Dega SCEA des Vignobles 886
Degas Marie-José 191 210 316
Degueurce 583
Deguillaume SCE Michel 220
Deheurles Marcel 631
Dehours 632
Déhu Père et Fils 632
Deibener Patrick 633
Delabaye et Fils SCE Maurice 632
Delaby 504 528 541 547
Delacommune Guy et Nathalie 830 1242
Delacour 276
Delagarde et Filles Vincent 632
Delagrange Dom. Henri 528
Delaille SARL G.L. 1060
Delalande Patrick 1046
Delaleu Alain 1055
Delalex – La Grappe dorée Dom. 713
Delamotte 632
Delanoue Jérôme 1030 1037
Delanoue Frères EARL 1033
Delaporte Dom. Vincent 1093
Delarue Patrice et Lydie 1039
Delas Frères 1138 1141 1146 1150
Delaude 767
Delaunay Dom. 953
Delaunay Vignoble Daniel et Fabrice 1019
Delaunay Père et Fils EARL 1031 1044
Delavenne Père et Fils 632
Delay EARL Frédéric Lucile 1189
Delay Richard 701
Delbeck Vignobles et Développements 264 302
Delea Vini e Distillati Angelo 1281
Delecheneau 1052
Delfour-Borderie Mme 254
Delhumeau Luc et Line 953 980 1003
Delille 829
Della-Vedove EARL 944
Delmas Dom. 763 764
Delmas Pierre-André 808
Delmouly 1221
Delol SCEV B. 297
Delon J.-H. 350 386
Delon et Fils SCEA Guy 383 386
Delong SCEA Vignobles 223 323
Delor Maison 394
Delorme 1173 1178 1181
Delorme André 419 575
Delorme Dom. Michel 408
Delouvin-Nowack 633
Deltin Pierre 1115
Demange Francis 134
Demangeot Dom. 561 566
Demilly Gérard 633
Démocrate 196
Demois EARL 1043
Demoiselles Cellier des 736
Demoiselles SCEA Ch. des 849
Demoiselles SCEA Les 305
Demoiselles Tatin SCEV Les 1086
Demonchaux Jacques, Alice, Aurélien 218
Demont 1032
Demont Georges 175
Demont Nicolas 159
Demougeot Rodolphe 507
Demoulin 1181
Denéchaud Bernard 229
Denis 987 997 1208
Denis Bruno 1023
Denis EARL Hervé 1053
Denis Père et Fils Dom. 497 504
Denois Vignobles Jean-Louis 766
Denuziller Dom. 586 596
Denz Silvio 278 304
Dépagneux Jacques 168 171
Depardon Olivier 168
Depardon Père et Fils EARL 164
Depaule Michel 777
Depeyre 1109 1124
Depons Bernard 303
Depons Romain 279
Derats 488 537 566
Deriaux Nicole 707
Dericbourg 633
Dernier Bastion SCEA Dom. du 812
Derouet 188
Dérouillat Luc 633
Derrieux Pierre et Fils GAEC 894
Derroja Claude 769
Desachy 850
Desauge GFA 528
Desautez et Fils EARL 633
Desbaillets René et laurent 1276
Desbordes-Amiaud 633
Desbourdes EARL Hervé 1043
Desbourdes EARL Rémi 1048
Desbourdes Francis et Françoise 1041
Desbourdes Renaud 1045
Deschamps Marc 1080
Deschamps Philippe 152
Descours 1194
Désertaux-Ferrand Dom. 484
Desgouille Yann et Stéphanie 605
Deshaires Joseph 602
Deshayes EARL Pierre 149
Desloges Dom. 1019
Desloges Maryline et François 1018
Desmartis Pierre 921
Desmeure Cave 1143 1147 1149
Desmirail SCEA Ch. 367
Desmoulins A. 633
Desmures Anne-Marie et Armand 159
Desom Dom. 1257
Désormière Dom. 1073
Desouche 1012
Despagne 185 197 206 207 315 321
Despagne Murielle et François 251 282 303
Despagne et Fils SCEV 293 296
Desplace Paul 173
Desprat Vins 1071
Desprès EARL Georges 148
Desqueyroux et Fils SCEA Vignobles Francis 325 332
Desroches 595

PRODUCTEURS

Desroches Jean-Michel 1019
Desroches Pascal 1086
Desroches Philippe 597
Desroches Pierre 586 596 603
Dessendre Marie-Anne et Jean-Claude 414 421
Desserez Fabien 1214
Dessèvre Vignoble 951 987
Desvignes Didier 162
Desvignes Dom. 579
Déthune EARL Paul 634
Déturche 717
Deu Jean-François 798 801
Deutz 634
Deutz Champagne 1138 1141 1146 1150
Deux Arcs Dom. des 975
Deux Châteaux SCEA des 154 173
Deux Rhônes Maison Les 1134
Deux Roches Dom. des 603
Deux Terres Vignoble des 760
Deux Vallées SCEA Dom. des 975 994
Devaux 685
Devayes Gilbert 1272
Devevey Jean-Yves 487 516
Deveza Chantal 792
Devèze SCEA du Dom. de la 748
Devictor Rémy 863
Devillard 574
Devillard Famille 474 482 580
Devillard SAS A & A 408
Devilliers Pascal 634
Devoy Martine Ch. le 1177
Dewe Agnès 576
Dezat Pierre et Alain 1097
Dezat et Fils SCEV André 1083 1093
Dézé Jean-Yves 1005
Dézé Laurent 1005
Dhommé Dom. 990
Dianous Vincent de 1190
Diconne Christophe 540
Dideron Pierre 1185
Die Jaillance La Cave de 1153
Dielesen 855
Dietrich Claude 76
Dietrich EARL Michel 203 312 320
Dietrich Jean 110 128
Diffonty 1174
Dignac 255 295
Dillon SAS Dom. Clarence 337 340
Dimani et Fils 882
Dime SCEA de la 1029
Direct Wines (Castillon) SARL 304
Diringer Dom. 110
Dirler Jean 110
Dirler-Cadé 110
Dischler Dom. André 110
Diusse Ch. de 932
Dmitriev 856
Dock Christian 72
Dock et Fils Paul 75
Dohet Jérôme 289
Doisy-Védrines SC 394
Dols Dom. 1220
Dom Basle 634
Dom Brial Vignobles 792 810
Dom Caudron 634
Dom Pérignon - MHCS 635
Domi Pierre 635
Domi-Cours Ch. 211
Dominicain Cave coop. le 797
Doni 1212
Dopff au Moulin 111
Dopff et Irion 89
Doquet Pascal 635
Dor 1247
Dorbon Joseph 694
Doreau Gérard 532
Dorgonne Ch. la 1195
Dorléans EARL 1060
Dorneau Vignobles 246
Dornier Vignobles 784
Dorry Louis 586
Dosnon & Lepage 635
Douaix Dom. de la 449 481 485
Doublet EARL Vignobles 289
Doublet SCEA Bernard et Dominique 315 332
Douce-Jeantet 214
Doudeau-Léger Dom. 1093
Doudet Dom. 487 507
Doudet Isabelle 566
Doudet-Naudin 408 566 575
Doué Didier 635
Doué Étienne 636
Dourdon-Vieillard 636
Dournel Nicole 924
Dournie Ch. la 775
Dourthe 187 202 218 266 326 336 344 353 380 735
Doussau Yves 931
Dousseau Famille 936
Doussot-Rollet Dom. 494
Doussoux-Baillif SCEA 818
Douville François 1226
Doyard 636
Doyard Philippe 636
Doyenné SCEA du 320
Dozon Laure 1043
Drag Christophe 480
Drappier 636
Dressayre Jean-Luc 773
Dreyer et Fils Dom. Robert 128
Driant Jacques 636
Drode Vignobles 239
Droin Jean-Paul et Benoît 429 437 443
Drouard 957
Drouet GFA 963
Drouet Patrick 818
Drouhin Maison Joseph 437 444 554
Drouhin-Laroze Dom. 458
Drouin 596
Drouin Thierry 596
Droulers 245
Drussé Nathalie et David 1030 1037
Dubard Vignobles 911
Dubœuf Georges 142
Dubœuf SA Les Vins Georges 160
Dubois 1114 1129 1178
Dubois David 261
Dubois EARL Dom. Jean-Luc 513
Dubois EARL Dom. Serge 1030
Dubois Gérard 637
Dubois Hervé 637
Dubois SARL Raphaël 469
Dubois d'Orgeval Dom. 507
Dubois et Fils Dom. R. 449 508
Dubois et Fils Vignobles 226
Dubois JCM SCEA 256 260
Duboscq et Fils Henri 381
Dubost SARL L. 264
Dubourdieu EARL Denis et Florence 322 326
Dubourdieu EARL Pierre et Denis 201 391 392
Dubourdieu Hervé 397
Dubourg 331
Dubourg Vignobles 191
Dubreuil EARL Vignoble 1019
Dubreuil EARL Vignobles 293
Dubreuil Philippe et Arnaud 408 508
Dubreuil-Fontaine Dom. P. 499 502 504
Dubrey Cyril 340
Dubuet-Monthélie et Fils 532 534
Dubuis Blaise 1275
Ducau SCEA Marc 389
Ducau Vignobles 391
Ducellier Isabelle et Rémi 1228
Duchemin Éric 567
Duchemin Rémi 758
Ducolomb Pierre 721
Ducourd EARL Domaines 788
Ducourt Vignobles 197 204
Ducroux Damien 152
Ducs d'Aquitaine SCEA Les 219
Dudon SARL 197 321
Dufaitre-Genin Sylvie 152
Dufau 936
Dufeu Bruno 1030
Duffau Bruno 893
Duffau Joël 185 314
Duffau SC Vignobles Éric 185 200 208
Duffau-Lagarrosse 263
Duffort SAS 858
Duffort SAS Gérard 827
Duffour EARL Vignobles 947
Dufouleur SCEA Dom. Guy et Yvan 455 561
Dufouleur Frères 472 481
Dufour EARL 398
Dufour Florence 992
Dufour Lionel 508
Dufour Patrick 168
Dufourg EARL Vignobles 194
Dugas Guillaume 1181
Dugois Dom. Daniel 694
Dugoua Vignobles 327
Duhart-Milon Ch. 375
Dujardin Dom. 532
Dulon 214
Duluc Pierre et Daniel 818
Dulucq EARL 938
Dumangin Fils J. 637
Dumarcher Claude 1197
Dumas Philippe 239
Dumas SCEA Domaines Roland 217
Duménil 637
Dumien-Serrette 1150
Dumon Alain 293
Dumon Éric 843
Dumont Jean 1080
Dumont Lou 466 481
Dumont Marc 560 570 582 588
Dumont et Fils SARL 637
Dumont et Fils SCEV R. 637
Dumontet Pierre 195 198

Dumoulin SA Frédéric 1274
Dumoutier 827
Dumoux Anny 601
Dupasquier et Fils Dom. 497
Dupéré Barrera 825
Dupeuble Sylvie et Jean-Luc 147
Dupeyrat et Fils SCEA Vignobles 299
Duplessis Dom. Gérard 429
Duplessy Sté civile Ch. 320
Dupont-Fahn Michel 532 540
Dupont-Fahn Raymond 541
Dupont-Tisserandot 464 465 501
Duporge et Fils 213
Duport Maison Yves 721
Duport Dumas 721
Dupraz Sébastien 1278
Dupré et Fils 1251
Dupuis EARL 1033
Dupuy Christine 933
Dupuy Patrick 299
Dupuy SCEA 910
Dupuy SCEA Vignobles Joël 238
Dupuy de Lôme Dom. 826
Durand 728
Durand Dom. Loïc 487 513
Durand Éric et Joël 1141
Durand Helen 1156
Durand Hélène et Amélie 211 330
Durand Hervé et Guilhem 1185
Durand Jean-Pierre 1116 1147 1160 1173
Durand Nicolas et Sandrine 165
Durand Philippe 298
Durand Sabine et Olivier 761
Durand Yves 170
Durand-Félix EARL 408
Durand-Pouget 910
Durand-Valentin 752
Durban Dom. de 1167
Durdilly Guillaume 144
Durdilly Pierre 172
Duret SARL Dom. Pierre 1084
Durette Ch. de 158
Durou et Fils 885
Durousseau Thierry 368
Durrmann A. et A. 111
Durup Père et Fils SA Jean 429
Duseigneur 1126 1177
Dusserre Cécile 1164
Dussourt Dom. 86
Dutertre EARL Dom. 1025
Dutheil de la Rochère 828
Dutron Denis 599 605
Dutruilh 277
Dutruy Les Frères 1269
Duval et Blanchet 344 394
Duval-Leroy 638
Duval Voisin SCEA 1030
Duveau 1004
Duveau Fabien 1007
Duveau GAEC Dominique et Alain 1006 1012
Duvernay Cyrille 152
Duvernay Marc et Fabienne 154
Duvernay Vins Millésimés D.V.M. SA 1111 1126 1146 1149 1151 1158 1163
Duverneuil 294
DWL France SA 349
Dyckerhoff 1086

E

Eblin-Fuchs Dom. 86
Écard Dom. Michel et Joanna 508
Ecklé et Fils Jean-Paul 86 111
Éclair Ch. de l' 143
École Dom. de l' 111
Edel et Fils François 79 85
Edmundson Remus Wines SCEA 278
Edre Dom. de l' 792
Egreteau EARL 819
Éguilles Le Cellier d' 834 1242
Ehrhart Henri 86 93
Ehrhart et Fils Dom. André 111
Éléphants Dom. des 1019
Ellevin GAEC 437
Elliau Philippe 1003 1007
Ellner 638 747
Ellul Gilles et Sylvie 748
Ellul-Ferrières Dom. 748
Eloy Didier 590
Emery Famille 1197 1241
En Belles Lies Maison 561
En Ségur Dom. d' 1220
Enaud Vincent 771
Enchanteurs Dom. des 1198 1248
Engarran SCEA du Ch. de l' 749
Engel Dom. Fernand 97 112
Engel et Fils GAEC Frédéric 86 112
Engel Frères Dom. 93
Entrefaux Dom. des 1146
Éole Dom. d' 834 1242
EPI 646 671
Épiard EARL Vignoble 968
Épinay EARL de l' 1003
Érable Dom. de l' 429
Érésué Patrick 310
Ermel David 101
Ermitage de la Garenne EARL Ch. l' 299
Ermitage du Pic Saint-Loup GAEC 749
Errecart Peïo 943
Escalin SAS Baron d' 1188
Escande Michel, Gabriel et Maxime 769
Escaravailles SCEA du Dom. des 1111 1126 1156
Escarelle SA 839
Escattes Dom. de l' 749 1234
Esclans Caves d' 850
Escoffier Franck 501
Esnault et Matrion 1004 1008
Espagnet Michel d' 859
Espagnet Vignobles 326
Esparron Dom. de l' 850
Espelque et Kandler 773
Espérance EARL Dom. de l' 638
Esperet Dom. d' 808
Espigouette EARL Dom. de l' 1126 1164
Espinay de l' 1021
Estabel Caves de l' 727 744
Establet Marcel 922
Estager Charles 261
Estager SCEA Vignobles J.-P. 257 261
Estager et Fils G. 380
Estandon Vignerons 847
Estanilles SCEA Ch. des 738
Estello Dom. de l' 850
Esterlin 638
Esteve 869
Estève Christian-Émile 1243
Estienne Famille 827
Estournet Les Vignobles Philippe 241
Estrade Philippe 733
État du Valais Cave de l' 1272
Etchegaray 1005 1008
Étienne 638
Étienne Christian 638
Étienne Pascal 638
Étoile EARL Ch. de l' 707
Étoile Sté coopérative l' 797 799 802
Étoile de Salles L' 261
Eugénie Ch. 885
Euromurs 205 323
Évangile Ch. l' 253
Évêché Dom. de l' 808
Eydins Ch. les 1195
Eymas Éric 240
Eymas et Fils EARL Vignobles 232
Eynard-Sudre EARL 235
Eyran SCEA Ch. d' 336
Eyssards GAEC des 912

F

Fabre 358 769 1127 1132 1230 1240
Fabre Denis 346
Fabre Famille 753 843
Fabre Jean-Marie 742
Fabre Michel 862
Fabre Pierre 1220
Fabre Cordon Ch. 732
Fabrègue P.-H. de la 795 1227
Fabrici Vincent 425 433 442
Fadat 743
Fagard Vignobles 210
Fage SAS Ch. 316
Fagot Jean-Charles 416 498 571
Fagot et Fils SARL François 639
Fahrer Paul 129
Fahrer-Ackermann Dom. 93
Faîtières Les 79
Faiveley Dom. 458 463 501 504 576
Faixo Bernadette et Jean Pierre 742
Falfas Ch. 235
Faller Luc 94 101
Falloux et Fils SCEA 1004 1007
Falmet Michel 639
Falxa SCEA Vignobles 312
Faniest SCEA 288
Faramond Hubert de 894
Faraud EARL Céline et Jean-Pierre 1165
Faravel EARL 1157 1162
Fardeau SCEA 986
Fargues Dom. 416
Farjon Thierry 1138
Fasquel Christophe 496
Fasy SARL 929
Fatien Père et Fils Maison 408 541 571
Faucon doré Dom. du 1127
Faudot Dom. Martin 708
Faudot Sylvain 694 705
Faugas SCEA du Ch. 389

PRODUCTEURS

Faugères SARL Ch. 278
Faugier Franck 1146
Faulkner J. 853 1244
Fauque EARL 1119 1133 1165
Fauquex Denis 1266
Faure SCEA Vignobles 233 324
Faure David 359
Faure Janine et Cédric 904
Faure-Barraud GFA 281
Faury Dom. 1138
Fauvette Vins D. 155
Fauvy Laurent 1030
Faux SCE du Ch. Jean 211
Faverot Dom. 1195
Favez Jean-Marc 1267
Favier SCEA Anna et Jacques 249
Favre Bertrand 1278
Favre Jocelyne et Jean 148
Favre SA Les Fils de Charles 1272
Fayard Enzo 1247
Fayat Vignobles Clément 253 277 356
Faÿe SCEV Serge 639
Fayet GAEC 902
Fayolle Fils et Fille 1146 1149
Febvre Mme 844
Félix Dom. 417 446
Félix Hervé 429
Fenals Pierre 561
Fenouillet SCEA 738
Feray Gilles 1057
Férec-Jouve SCEA 827
Ferme blanche Dom. de la 832
Fernandez 776
Ferran SCEA Ch. 336
Ferrand Nadine 586
Ferrand Pierre 1045
Ferrande SC Ch. 326
Ferrandis Christophe 876
Ferrari Christophe 447
Ferraton Père et Fils 1146 1149
Ferré Jean-Marc 970
Ferret Patrick et Martine 412 588
Ferret-Lorton SCEA 596
Ferry Lacombe Ch. 851
Ferté Dom. de la 580
Feschet SCEA 1131
Fesles Ch. de 986 1000
Fessardière Ch. de la 1003
Feuillade Samuel et Vincent 1237
Feuillat-Juillot Dom. 582
Feuillata Dom. de la 143
Feuillatte Nicolas 639
Fèvre Dom. Nathalie et Gilles 437 444
Fèvre Dom. William 423 448
Fèvre et Évelyne Penot Dany 639
Février Stéphane 239
Feyzeau SCEA Vignobles 209
Fezas Famille 945 1216
FGV 440 445
Fichet Dom. Olivier 587
Fichet Dom. Pierre-Yves et Olivier 419
Fieuzal SC Ch. de 336
Figeac Ch. 279
Figeat Colette 1080
Figuet Bernard 639
Figuette Jacques 759
Fil Jérôme 770
Filhot SCEA du Ch. 394
Filipov 281
Filliatreau Paul 1003 1010
Fillon Dom. 417 448
Filou Nicolas 321
Finon Pierre 1141
Fiolleau-Le Logis du Coin EARL 968
Fiou SCEV Dom. Gérard 1093
Fischbach GAEC 80
FL Dom. 987
Flacher EARL 1141
Flageul M. 372
Flamand-Delétang Dom. 1052
FLAO 954 1004
Flavigny-Alésia SCEA Vignoble de 1252
Fleck et Fille Dom. René 112
Fleith Vincent 71 101
Fleur Cardinale SCEA Ch. 279
Fleur Chaigneau SCEA Ch. la 261
Fleur de Plince SCEA Ch. la 253
Fleur Saint-Georges SC Ch. la 261
Fleurance 970
Fleurance et Fils GAEC Camille 962
Fleurie Cave des producteurs de 162
Fleuriet et Fils Dom. Bernard 1093
Fleury 640 862
Fleury Wines 189
Fleys GAEC Dom. du Ch. de 438
Florance EARL Jean-Pierre et Éric 961
Florane Dom. la 1127
Florensac Les Vignerons de 750 1235
Florets Dom. des 1158
Fluteau EARL Thierry 640
Foissy-Joly 640
Folléa 1192
Follin-Arbelet Dom. 478 501
Foltzenlogel Véronique et Thierry 1040
Fompérier Vignobles 283
Foncalieu Les Vignobles 732
Fonchereau SCA Ch. 212
Fondis Dom. du 1037
Fondrèche Dom. de 1190
Fongaban Ch. 305
Fongiras SC Ch. 350
Fonjallaz Patrick 1267
Fonné Dom. Michel 94
Fonné René 129
Fonplégade SAS Ch. 280
Fonréaud SC Ch. 372
Font Blanque GAEC de 902
Font du Broc Ch. 851
Font-Sane EARL Dom. de 1158
Fonta Éric 329 332
Fontaine Dom. 1094
Fontaine Guy 1220
Fontaine-Saint-Cric SA Ch. 246
Fontan EARL Vignobles 1218
Fontanel Dom. 793 808
Fontannaz André 1274
Fontbaude Ch. 195 305
Fontenay Dom. du 1074
Fontenay EARL Dom. de 1019
Fontenelles SCEA Les 910
Fontesole SCVA La 758
Fontesteau SARL Ch. 357
Fontvert Ch. 1195
Força Réal SCEA Dom. 793
Força Réal SCV Les Vignerons de 809
Forcato et Fils GAEC 190
Forest Éric 596
Forest-Marié SCEV 640
Forétal Dom. de 148
Forey Père et Fils Dom. 467 476
Forget Christian 640
Forget-Chemin 640
Forgues Valérie 1020
Fornerot Dom. Jérôme 561
Fort Isabelle 296
Fortia Ch. 1171
Fortin Denis 716
Fortineau Régis 1056
Fortunet Dom. de 1217
Fossat SCEA Jérémie 1223
Fouassier Dom. 1094
Foucard et Fils SCE Y. 299
Foucher EARL 1013
Foucher Maison 1094
Foucher Olivier 1076
Foucou Olivier 861
Fougères SC Ch. des 326
Fouillet Jacqueline 600
Fourcas-Borie SCA Ch. 363
Fouré-Roumier-de Fossey Maison 469 541
Fournaire et Philippe Jouffroy Bruno 857
Fournas SC Ch. le 354
Fournier Claire et Gabriel 493
Fournier Daniel 455
Fournier Dom. Jean 453 485
Fournier Famille 209
Fournier Julien 796 813
Fournier Thierry 640
Fournier Père et Fils SAS 1094
Fournier-Castéja 197 200 322
Fournillon et Fils Dom. 408 429
Fournis Le 984
Fourreau 263
Fourrey Dom. 438
Fourrier Philippe 641
Fourtout EARL David 918
Foussat 767
Fraiseau Viviane 1076
Fraisse Anne-Lise 762
Franc de Ferrière Wilfrid 317
Franc-Guadet SAS 280
Franc-Mayne SCEA Ch. 281
Français Famille 1118
Français Laurent 212
France SCA Ch. la 202 212
Frances et Fils GAEC 770
François-Brossolette 641
Francs et Gardegan Chais de 187 219
Franssu Xavier et Violaine de 776
Frappier-Bouyge SARL 244
Frégate Dom. de 826
Freixenet 612
Frères Dubois SA Les 1268
Frérie SC de la 308
Frérot et Daniel Dyon Marie-Odile 408
Fresne Benjamin de 854
Fresne Ch. du 975 981 995
Fresne Gabriel 641
Fresne Pierre 641

Fresneau François et Xavier 1048 1050
Fresnet-Baudot 641
Freudenreich et Fils Joseph 129
Freudenreich et Fils Robert 80 94
Freund 750 1235
Frevet-Guillo 487
Frey Charles et Dominique 102
Frey Famille 358
Frey-Sohler 112
Freyburger Georges et Claude 112
Freyburger Marcel 112
Frick Pierre 113
Friedmann 1174
Frissant 1025
Fritsch Joseph 102
Fritz Dom. 80
Froehlich et Fils Dom. Fernand 80
Froment Jacques 881
Froment-Griffon 641
Fromentin 641
Fromentin-Leclapart 641
Fromont 1111 1127
Fromont Isabel 1124
Fromont Pauline et Géraud 703
Frontignan Muscat SCA 779
Fronton Nez SARL 904
Fronton – Vinovalie Cave de 902
Fruitière EARL La 961
Fuchs Dom. Henry 73
Fues Marianne 1109
Fumagalli SA 1282
Fumey et Adeline Chatelain Raphaël 694
Furdyna EARL 642
Futeul Frères 964

G

Gabard EARL Vignobles 197 201 219
Gabillière Dom. de la 1025
Gabin Isabelle et Grégoire 328
Gaboriaud-Bernard Vignobles Véronique 260 286
Gachet Philippe 918
Gadant Marie-Christine 409
Gadois Benjamin 813
Gadras SCEA Vignobles 199
Gaffelière Ch. la 281
Gaget Dom. 168
Gagnet EARL Ferme de 946
Gahier Michel 694
Gaïde Thierry et Fabien 1118
Gaidon Christian 162
Gaillard Ch. 953 1027
Gaillard Dom. Jeanne 1141 1251
Gaillard Pascal 819
Gaillard Pierre 797 800 819 1138 1141 1151
Gaillard SCEA Ch. 1086
Gaillot EARL Dom. 941
Gales SA Caves 1257
Galhaud SCEA Martine 288
Gallet 1227
Gallimard Père et Fils EARL 642
Galloires Dom. des 969 976 1207
Galoupet SAS Ch. du 851
Galteau GAEC 1034
Galteau Guillaume 1035
Gambal Maison Alex 554
Gambier Thomas et Denis 1033
Gambini Jean-Charles 839
Gan Jurançon Cave de 938 941 942
Ganichaud 1205
Gantonnet SC Ch. 202
Gantzer SCEA Lucien 113
Gap Rolland 1121
Garances Dom. des 1167
Garanches Dom. de 152
Garandeau M. 306
Garaudet Florent 532 546
Garaudet Paul 541
Garcia SCEA Vignobles José 851
Garcin J.-C. 1177 1180
Garcin S. 337
Gard Philippe 797
Garde Ch. la 336
Garde Jean-Marie 252
Garde Jean-Paul 262
Garde-Lasserre SCEA 252
Gardette Stéphane 168
Gardien Frères Dom. 1089
Gardine Ch. de la 1172
Gardinier X. 383
Garenne Dom. de la 1094
Garlaban Les Vignerons du 1242
Garnaudière GAEC de la 967
Garnier Christophe 1026
Garnier Dom. 1020
Garnier GAEC 856
Garnier SCEA 838
Garnier et Fils Dom. 424 430 444
Garod Denis 169
Garon Dom. 1135
Garrassin 841
Garreau SCEA Ch. 227 946
Garrey Philippe 576
Gaschy Paul 94 113
Gascogne Producteurs Vignoble de 931 937
Gaspard 911
Gasparde Ch. la 306
Gasparri Yannick 1171
Gasqui SCEA Ch. 851
Gass Fabrice 639
Gassier G. 839
Gassier Jean-Loïc 1240
Gassier Michel 1184
Gassier SCEA Ch. 852
Gassot Gauthier 951 986 1000
Gauby Dom. 1225
Gaucher Sébastien 244
Gaudefroy 1023
Gaudinat-Boivin EARL 642
Gaudrelle Ch. 1056
Gaudrie et Fils SCEV 249
Gaudron Christophe 1059
Gaudron EARL Dom. Sylvain 1056
Gaudry Denis 1081
Gaudy-Dantin 926
Gauffroy Dom. Marc 547
Gaugué David 1106
Gaury et Fils SCEA 285
Gaussen Ch. Jean-Pierre 826
Gaussen Famille 827
Gautherin et Fils EARL Raoul 430
Gautheron Dom. Alain et Cyril 430 438
Gauthier Christian 962
Gauthier EARL Jacky 168
Gauthier EARL Jean-Paul et Hervé 163
Gauthier EARL Laurent 169
Gauthier GAEC 1031
Gautier 843
Gautier Philippe 322
Gautreau SCEA Jean 361
Gavignet Dom. Philippe 481
Gavignet Maurice 562
Gavoty Roselyne 852
Gay Catherine et Maurice 162
Gay Vins Maurice 1273
Gay et Fils Dom. Michel 495 508 513
Gay et Fils EARL François 493 495 513 516
Gay et Pestalozzi 1266
Gayda Dom. 1235
Gaye Yseult de 282
Gayet Charles-Henri 717
Gayraud Alain 887
Gayrel Alain et Vincent 898 1220
Gayrel Les Domaines Philippe 895
Gazeau Michel 975
Gazin Ch. du 244
Gazin GFA Ch. 254
GCF 970 986 1000
Geffard 985 997 1001
Geffard SARL Henri 820
Geiger-Kœnig Simone, Richard et Patrick 94
Geiler Cave Jean 113
Gelin Dom. Pierre 458 462
Gelin Gilles 163
Gélis Nicolas 902
Gelly Dom. Éric 1229
Gély Christian et Jean-Christophe 1108 1190
Gendrier Jocelyne et Michel 1060
Gendron Dom. Philippe 1056
Geneletti Dom. 698 707
Geneste Reine et Christophe 916
Genestière Saint-Anthelme Dom. 1177 1180
Genet Jacques 1044
Genet Michel 642
Genèves Dom. des 438
Genevey 269
Génot-Boulanger Ch. 504 528 541 547
Genouilly Cave des vignerons de 583
Genovesi Sébastien 831
Genty Guy 1061
Geoffray Claude 156
Geoffrenet-Morval Dom. 1068
Geoffroy Dom. Alain 433 438
Geoffroy EARL 930
Geoffroy Nathalie 428
Geoffroy René 642 689
George Dom. 438
Georgeton-Rafflin 642
Gérardin 910
Géraud et Fils 919
Gérault Gilles et Laetitia 925
Gerbais Pierre 642
Gerbeaux Dom. des 596
Gerber Alain 1280
Gerber EARL Jean-Paul et Dany 113
Gerbet Dom. François 473 476
Gerin Jean-Michel 1135
Germain Alain 144

Germain Gilbert et Philippe 532
Germain SARL Arnaud 541
Germain Valérie 227
Germain Père et Fils Dom. 537
Germanier SA Jean-René 1273
Géromin Michel 214
Gervais Famille 896
Gervoson 338
Geschickt Frédéric 124
Gessler et Fils GAEC 946
GFA 397
Gheeraert 419
Ghigo Robert 866
Giachino Dom. 713
Giacometti 876
Giaconda SARL 1157 1175
Gianesini 726
Gianfranco Chiesa 1281
Gibault Vignoble 1066
Giboulot Jean-Michel 508 516
Gibourg Robert 467
Gierszewski Peter 591
Gigognan Ch. 1127 1172
Gigondas la Cave 1161 1167
Gigou Vins 1049
Gil Julien et Julia 1223
Gilardi SA 857
Gilbon Cave 1075
Gilet François 1059
Gilg Dom. Armand 113
Gille Dom. 482
Gilles Pilloud 1266
Gillet Most SARL 666
Gillet Queyrens Vignobles 206 388
Gillioz Camille 1273
Gilloire Laurent 1046
Gilmore Lisa 712
Gimarets Ch. des 171
Gimié François 1237
Gimonnet EARL G-O Jean-Luc 643
Gimonnet et Fils Pierre 643
Giner Famille 744
Ginestet Maison 188 300
Ginglinger Dom. Pierre-Henri 86 113
Ginglinger Paul 102
Ginglinger-Fix 129
Girard Dom. 767
Girard Dom. Jean-Jacques 509
Girard J.-M. et N. 1006
Girard Nicolas 1076
Girard Philippe 509
Girard et Fils Dom. 596
Girard et Fils Dom. Michel 1095
Girard et Fils SCEV Alain 1092
Girard Frères EARL 1006
Girard-Madoux Samuel et Fabien 714
Girard-Madoux Yves 714
Girardi GAEC Michel et Stéphane 721
Girardin Aleth 521
Girardin Vincent 562
Girardin Yves 560
Giraud 1247
Giraud EARL Vignobles Robert 221
Giraud Maurice 493 525 533 544
Giraudière M. 1004 1008 1010
Giraudon EARL 409
Giraudon Vincent 1073
Girault 953
Girault EARL Dominique 1016
Girault Vincent 1027
Giresse Sylvie 236
Girondaise La 188 312
Gironville SC de la 354 357
Girou Florent 914
Giroud Ch. 852 1246
Giroud Dom. Éric et Catherine 587
Giroud Maison Camille 462 463 501 504
Giroux Olivier 599
Giscle Dom. de la 852
Giscours SE Ch. 357 367
Gisselbrecht et Fils Willy 114
Giudicelli-Girard Florence 1244
Giusiano 835
Givaudan David 1111
Glantenay EARL Bernard et Thierry 529
Glas Pascal et Élisabeth 1184
Gleizes Agnès 775
Gleizes Dom. Jean 1224 1235
Glemet EARL Patrice 231
Glipa Dimitri 786
Glotin Yves 316
Gobé Bénédicte 1232
Gobet David 149
Gobillard Pierre 643
Gobillard et Fils J.-M. 643
Gobin GAEC 957
Godeau 1022
Godeau Nicole 218
Godefroid 737
Godefroy Dom. Jérôme 1037
Godineau 259
Godineau Jean-Pascal 1001
Godon Jérôme 1095
Goerg Paul 643
Goetz et Fils Mathieu 129
Goffre-Viaud SCEA Vignobles 373
Goichot Maison André 409 562
Goichot Rolande 583
Goigoux EARL Pierre 1071
Goislot-Papin GAEC 963
Goisot Dom. Anne et Arnaud 409
Goisot Guilhem et Jean-Hugues 409 417 447
Goizil Denis 978 997
Goma Nathalie et Patrick 1239
Gondard Pierre 592
Gonet Philippe 644
Gonet et Fils SCEV Michel 317 336 341 643
Gonet-Médeville Julie 367 395
Gonfaron Maîtres Vignerons de 852
Gonfrier Frères SCEA 196 217 319
Gonnet Charles 714
Gonon Dom. 603
Gontard D. et T. 1249
Gontier 1189
Gordon SARL Andrew 929
Gorges de l'Ardèche Cellier des 1120 1134
Gorostis Anne 767
Gosseaume Lionel 1022
Gosseaume Thierry 1018
Gosset 644
Goubard et Fils EARL Michel 568 580
Goubau SCEA des Vignobles 306
Goudal Jocelyne et Michel 269
Goudichaud EARL Ch. 316
Gouffier Dom. 576
Gouillon Danielle 169
Gouillon Dominique 155
Goujon Olivier 247
Goujou Dominique 300
Goulard EARL 644
Goulley Dom. Philippe 438
Goulotte Dom. de la 1253
Goupy Véronique 839
Gouraud Xavier 959
Gourdon Franck 952 997
Gourjon Jean-Louis 855
Gourmandière Les Maîtres Vignerons de La 1020
Gouron Laurent et Stéphane 1043
Goussard Didier 644
Goussard et Dauphin 644
Goutorbe H. 645
Goutte d'or EARL La 714
Gracia Alain et Martine 233
Graler 789
Grall Vincent 1095
Grand Dom. 698 701 705
Grand Arc Dom. du 732
Grand Barrail Lamarzelle Figeac Ch. 281
Grand Bos SCEA du Ch. du 327
Grand Bourjassot Dom. du 1159
Grand Callamand Ch. 1195
Grand Clos Dom. du 1004 1008
Grand Corbin Manuel Ch. 282
Grand Cros Dom. du 853 1244
Grand Enclos de Cérons SCEA du 328
Grand Ferrand Ch. 191 213
Grand'Grange Ch. 148
Grand Guilhem Dom. 741
Grand Jacquet Dom. du 1190 1248
Grand Jour SCEA Ch. 235
Grand Listrac Cave 362 363 364 372
Grand-Maison Ch. 236
Grand'Maison Les Vignerons de la 1064
Grand Montmirail Dom. du 1111 1168
Grand Moulin GAEC du 227
Grand Pontet Ch. 282
Grand-Puy Ducasse Ch. 376
Grand'Ribe Dom. de la 1111 1127
Grand Rosières SCEA Dom. du 1085
Grand Vallat Dom. le 1190
Grand Veneur Dom. 1177
Grand'Vigne La 839
Grande Barde SCEA de la 302
Grande Bellane Dom. la 1127
Grande Chaume Dom. de la 430
Grande Pallière Dom. de la 853
Grande Séouve SCA Dom. de la 834
Grandeau Vignobles 216
Grandes Murailles SA Les 276
Grandes Vignes Dom. les 976 995 1001
Grandjean Lucien et Lydie 168
Grandmougin Christophe 574
Grandpré Dom. de 853
Grands Crus Crédit Agricole 376 382 397

Grands Crus Maison des 490 563 567
Grands Crus blancs Cave des 600
Grands Crus de France Sté fermière des 188 203 272 359 387
Grands Crus du Libournais SC des 243
Grands Esclans SCEA Dom. des 853
Grands Millésimes de France 353
Grands Vins de Gironde 211
Grange Dom. de la 1020
Grange GAEC de la 1061
Grange SARL la 750 1235
Grange-Bourbon GFA La 152
Grange Léon La 776
Grange Neuve SCEA de 919
Grange rouge GAF 1238
Grangeon Dominique et Baptiste 1171
Granger EARL Pascal 165
Grangette Dom. la 750
Granier 750
Granier Bruno 1229
Granier Jean-Christophe 750
Grant Philip 901
Granzamy 645
Grappe Didier 701
Gras Alain 534 537
Grassa Famille 1219
Gratas EARL 1207
Gratian EARL 947
Gratien Alfred 645
Gratiot Gérard 645
Grave SCA Dom. la 328
Grave Béchade Ch. la 929
Gravelines SARL Ch. 195 198 203 390
Gravennes Dom. des 1112 1127
Graves de Viaud Ch. les 236
Gravette SCA la 750
Gravillas Cave le 1128
Grayon Christophe et Fabienne 1071
Greffet et Thierry Nouvel Philippe 599
Greffière Ch. de la 417
Grégoire 208 302
Grégoire Dom. Le 583
Grégoire EARL Vincent 1037
Grégoire James 196 248
Grégoire Nicolas 231
Greiner Dom. Laurence et Philippe 76 94
Grellier 915
Gremillet 645
Grenelle Louis de 954 1004
Grenier Michel 1057
Grès SAS Les 826
Grès Saint-Paul Ch. 750 779
Grès, Pierre Descotes Dom. des 178
Gresle Ivan 858
Gresser Dom. 114
Greuzard 770 1235
Greuzard I.V.X. 417
Greysac SAS 346
Grézan Ch. 738 1235
Grézette SCEV La 886 1221
Grier Dom. 784 793
Grijseels Rutger 1116
Grill 749
Grille Ch. de la 1043
Grillet EARL Dom. de 229
Grimard GAEC des 922
Grimaud SCV Les Vignerons de 853
Gripa Dom. Bernard 1142 1152
Gris des Bauries 1128
Grisard Dom. 714 718
Grisard Patrick 356
Grisard Philippe 714
Grisoni Dom. 1280
Griss Dom. Maurice 114
Grivault SCE du Dom. Albert 541
Grix de La Salle Le 213
GRM 195
Groies SCEA Les 818
Gromand d'Évry SC 358
Gros Christian 495
Gros Dom. A.-F. 450 469 473 476 478 516 522
Gros Dom. Michel 482
Gros Philippe 755 1231
Gros et Fils 255
Gros Frère et Sœur Dom. 450 472 474 475 478
Grosbois Dom. 1044
Grosjean Claude 171
Grosset Serge 995
Grossot Corinne et Jean-Pierre 439
Grotte Cave la 1273
Groubeaux Dom. des 1278
Groupama 353 1173
Gruaud Larose Ch. 385
Gruet SARL 645
Gruhier 404 420 425
Gruissan La Cave de 732
Grumier Fabien 646
Gruss et Fils Joseph 80 129
Grussaute Jean-Marc 939
Gsell Henri 114
Gsell Joseph 102
Gualtieri 859
Guégniard Yves et Anne 979 986 990
Gueguen Frédéric 427
Gueissard SAS Dom. 826 853
Guénard EARL Maison 1193
Gueneau Alain 1095
Gueneau et Fils EARL Louis 996
Guenescheau Patrick 1037
Guérard Michel 937
Gueridon 189
Guérin Benoît et Nicole 238
Guérin EARL Dominique 1207
Guérin Philippe 962
Guerinaud Emmanuel 820
Guerrin Nadine et Maurice 587 603
Guéry Ch. 770 1235
Gueth EARL Edgard 86
Guette-Soleil Dom. de 424 439
Gueugnon Remond Dom. 587
Guez 227
Guibergia 853
Guibert Fabrice 978 987 998
Guichard 1025 1051
Guichard Baronne 259 287
Guichard et Paul Goldschmidt Aline 259 287
Guichet Alain 967
Guichot J. 863
Guida 760
Guigal 1134 1135 1137 1166
Guigal É. 1136 1137
Guignard GAEC Philippe et Jacques 326 395
Guignard Frères GAEC 331
Guignier Monique et Bernard 163
Guigue Ghislain 1122
Guigue Sébastien et Matthieu 1118
Guilbaud Frères 987
Guilde des Vignerons La 854
Guilhem EARL René 1231
Guillaman Dom. 1217
Guillanton 840
Guillanton Marie 1247
Guillard SCEA 458
Guillard et P. Chevillon M.-F. 464 465 501
Guillaume SCEA Ch. 214
Guillaume Vignoble 1254
Guillemain Père et Filles SARL 1087
Guillemard 491
Guillemard Éric et Florence 538
Guillemard-Clerc Dom. 547
Guillemet Famille 365 370
Guillemot SCE du Dom. Pierre 509
Guillet EARL 999
Guillet Laurent 167
Guillo Christophe 558
Guillon 453 458 465 467
Guillon Michel 295 311
Guillot Dom. Patrick 576
Guillot Henri-Paul 910
Guillot SCE des Dom. Jean 320
Guilloterie Dom. de la 1004
Guimberteau Maryse 297
Guimberteau Michel 296
Guinabert Benoît 398
Guinabert Pierre 395
Guindon Vignoble 969
Guion Stéphane 1031
Guiraud Michel et Pompilia 776
Guironnet Frères EARL 211
Guirouilh SCEA 940
Guiton Dom. Jean 409 509 522
Guizard Dom. 751
Günther-Chéreau Véronique 962 1206
Guthmann Aimé 73
Gutrin Ph. et J.-C. 560
Guy Florence 775
Guyard Alain 454
Guyard Éric 454 4
Guyon Dom. Antonin 458 504
Guyon Dom. Dominique 498
Guyon EARL Dom. 458 472 474 477
Guyon Jean 347
Guyon-Labat 925
Guyot Cédric 685
Guyot Dominique 646
Guyot Olivier 409 469

H

Haag Jean-Marie 114
Haag et Fils Dom. Robert 102
Habert Gaultier Françoise 1052
Haeffelin Vignoble Daniel 94

Haegelin SCEA Bernard 94
Haegi Dom. 76 114
Hahusseau 1060
Haigre James 430
Halabi Famille S. 366
Halbeisen 80
Halbert SCEA Joseph et Éric 987 995
Hallek Michaël 219
Halley Guillaume 246
Halluin D' 354
Hamelin Dom. 430
Hamet-Spay Dom. 148
Hamm 646
Hammel SA 1265
Hammel-Chéron 464
Hansmann 129
Hanteillan SAS Ch. 357
Hardouin Mickaël 1003 1010
Hardy Dominique 962
Häremillen Dom. viticole 1258
Harmand-Geoffroy 458 465
Harris Arielle et Jem 738
Hartmann André 115
Hartmann Gérard et Serge 115
Hartmann SA Dom. Alice 1258
Hartweg Jean-Paul et Frank 95 115
Haseth-Möller de 245
Haton Jean-Noël 646
Hauller SA 87 130
Haut Bonneau SCEA Ch. 297
Haut Bourg SCEA Dom. du 968
Haut Breton Larigaudière SCEA Ch. 368
Haut-Cazevert SA Ch. 188 312
Haut-Corbin Ch. 283
Haut Coulon Ch. de 320
Haut de la Bécade Ch. 376
Haut Guérin SARL Ch. du 229
Haut Guillebot SCEA Ch. 1211
Haut Meyreau SCEA Ch. 188 198
Haut-Minervois SCV Les Crus du 773
Haut-Minervois Union des producteurs du 1237
Haut-Monplaisir Ch. 886
Haut Nadeau SCEA Ch. 214
Haut-Poitou Cave du 816 1209
Haut-Pommarède Ch. 328
Haut Pougnan SCEA Ch. 189 214
Haut-Quercy Les Vignerons du 1215
Haut-Sarpe SA SE du Ch. 284
Haut-Surget GFA 263
Haute-Fonrousse EARL Ch. 919
Hautefeuille Catherine d' 918
Hautes-Côtes La Cave des 412
Hauts Châssis Dom. des 1146
Hauts de Caillevel Ch. les 920
Hauts-de-Montrouge CPR – Les 945 1217
Hauts de Riquets Vignoble 929
Hauts de Talmont SARL Les 1211
Hauts Perrays Dom. des 984
Hautvillers Coop. des Vignerons d' 616
Haverlan Dominique 326 328
Haverlan GFA Domaines 327
Haye SC Ch. la 381
Hayot SCE Vignobles du 397
Hebinger Christian et Véronique 95
Hébrart Marc 646
Hecht & Bannier 751 827
Hecquet 923
Hedon – Ch. Hortala Bernard 732
Hegoburu Yvonne 943
Heidsieck & C° Monopole 647
Heimbourger Dom. 410
Helen Durand 1198
Hembise SARL Vignobles Jean-Paul 918
Hénin Pascal 647
Hénin-Delouvin 647
Henriet-Bazin 647
Henrion Arnaud et Marielle 1026
Henriot 647
Henriot Famille 423 484 487 506 552
Henriquès 793
Henriquet 719
Henry 864
Henry Pascal 417
Héraud et Filles EARL 351
Hérault Dom. Éric 1044
Herbert Stéphane 648
Hérissé Joël et Vincent 1208
Hermann 754
Hermet Jérôme 743
Hermitage de la Croix de Bontar SCEA l' 849
Hermitage Saint-Martin Ch. 1247
Hermouet Philippe 246
Herre 801
Hertz Dom. Victor 81
Hertz SCEA Bruno 115
Hertzog EARL Sylvain 87
Hervé Jean-Noël 248
Hervé Vincent 968
Hervieux-Dumez 648
Héry 982 1205
Herzog Vins d'Alsace Émile 115
Heucq André 648
Heurlier Stéphane 241
Heyberger EARL Michel 81
Heyberger et Fils Roger 76
Hirissou 896
HN SCEA Dom. 338
Horcher Alfred 115
Hordé Yves 694 701
Hospital Patrick 207 222
Hostens-Picant SCEA Ch. 317
Houblin Dom. 410
Houdet EARL 995
Hours SARL Charles 943
Hourtou Ch. 237
Houx EARL Alain et Arnaud 1031
Houx GAEC Christian et Jérôme 1035
Hubau B. & G. 244
Huber 682
Huber et Bléger Dom. 102
Huber-Verdereau Dom. 522 547
Hubert Jean-Luc 236
Huchet Jérémie 959
Hudelot 452
Hueber et Fils SARL Jean-Paul 95
Huet Famille 1005
Huet L.B. 592
Hugg Marcel 87
Hughes Beguet Dom. 694
Hugot EARL Romuald 432
Huguenot Dom. 459
Hugues SCEA Anne 1196
Huguet Patrick 1061
Huiban Auguste 648
Humbert Frères Dom. 459
Humbrecht Claude et Georges 87
Humbrecht Dom. Paul 87
Humbrecht Jean-Bernard 81
Hummel Odile 100
Hunawihr Cave vinicole de 116 130
Hunold EARL Bruno 116
Huot Fils L. 648
Huré EARL Vignobles 927
Huré Frères 648
Hureau Ch. du 1004 1010
Hurst Armand 73
Hurtault EARL Olivier 1046
Husson Xavier 648
Huteau-Hallereau 965 1208
Hutin Émilienne et Jean 1278
Hutins Dom. les 1278
Hyvernière Dom. de l' 963

I

Ibanez Valérie et Dominique 759
Icard 220
Idyllle Dom. de l' 714
Ilbert Julien et Jean-Pierre 884
Île de Beauté SCA Union de Vignerons de l' 871 1243
Ille Ch. de l' 733
Iltis et Fils Dom. Jacques 116
Imbert C. M. et C. 872
INRA 335
Irouléguy Cave d' 944
Isenbourg Le Clos Ch. 87
Issan Ch. d' 367
Isselée Éric 649
Izarn Jean-François 774

J

J & D Dom. 1191
Jaboulet Philippe et Vincent 1146 1149 1151
Jaboulet-Vercherre 415
Jacob Dom. 493 495 501 505
Jacob Dom. Lucien 488 509
Jacob-Frèrebeau Frédéric 498
Jacolin Pierre 1077
Jacquart 649
Jacquart André 649
Jacqueline Xavier 714
Jacquement Christian 306
Jacquet Dom. 410
Jacquet Joël 1248
Jacquier-Dubuis René 1274
Jacquin et Fils Dom. Edmond 715 718
Jacumin Dom. Albin 1112
Jadot Louis 492 498 550
Jaeger-Defaix Dom. 571
Jaffelin Maison 459 498 537
Jale Dom. de 854
Jallet Dom. 1089
Jamain EARL Pierre 649
Jambon Dominique 169
Jambon Guénaël 170
Jambon Romain 153
Jambon et Fils Dom. Marc 587 600

Jamet Antoine et François 1034 1040
Jamet EARL Catherine et Pascal 1251
Jamet Laurent 1037
Janbon Charles 1239
Janer 1108
Janin Jean-Claude et Marie-Odile 593
Janin Madeleine et Jacques 176
Janisson 650
Janisson Franck 649
Janisson et Fils 649
Janisson-Baradon SCEV 650
JanotsBos 410 557
Janoueix J.-P. 306
Janoueix Jean-François 284
Janoueix Jean-Philippe 276
Janoueix Vignobles Pierre-Emmanuel 257
Janvier Pascal 1049
Jany-Andreu 747
Jas d'Esclans EARL du Dom. du 854
Jaubert-Noury 787
Jaume Alain 1177
Jaume EARL Dom. 1154
Jaume et Fils Alain 1112 1159
Javernand Ch. de 160
Javillier Dom. Patrick 410 541
Javoy et Fils EARL 1063
Jean SCEA Philippe et Véronique 246
Jean et David Dumont Cécile 290
Jean et Fils EARL Dom. Guy-Pierre 450
Jeandeau Denis 593 603
Jeanjean 738 754 780
Jeanjean Gérard 754
Jeanneret Christian 1280
Jeannette SCEA Ch. la 854
Jeanniard Dom. Alain 455
Jeanniard GVB Alain 485
Jeannin 793 809
Jeannot Père et Fils SCEA 1082 1084
Jeante 918
Jeaunaux Cyril 650
Jerphanion Guillaume de 841
Jessiaume Dom. 517 562
Jessiaume SARL Maison 470 472 501 522
Jestin Vignobles 921
Jeune SAS Les Vignobles Élie 1172
Joannet Dom. Michel 450 498
Jobard Dom. Claudie 572
Jobart Abel 650
Jobit François 1212
Joblot P. 109
Joggerst et Fils EARL 116
Joguet Charles 1044
Joillot Dom. Jean-Luc 522
Joliet EARL de 902
Joliet Père et Fils EARL 455
Jolimont Louis de 151
Jolivet SC Vignobles 187
Jolly René 650
Joly 686 689
Joly Dom. Virgile 751
Joly EARL Claude et Cédric 702
Joly Jean 158
Jomard Pierre et Jean-Michel 178
Jonchère 621
Jonquères d'Oriola EARL 784
Jordi Nicole 1011
Jordy 752
Jorez Bertrand 650
Joselon EARL 951 975 994
Joseph Perrier 650
Josselin Jean-Pierre 651
Jouan Olivier 470
Jouard Dom. Gabriel et Paul 554 562
Jouard EARL Vincent et François 554
Joubaud 733
Joubert Jean-Pierre 175
Jouclary Ch. 726
Jouffret Didier 1120 1181
Joulin Philippe 1011
Joulin et Fils Alain 1052
Jourdain EARL F. 1021 1066
Jourdan Claude 749 1231
Jourdan GAEC 824
Jourdan Gilles 485
Jourdan Luc 761
Jousseaume 315
Jousselin Pascal 1023
Jousselinière GAEC de la 963
Jousset Vincent 981 996
Joussier EARL Vincent et Sylvie 568 575
Jouves Fabien 887
Joyce Béatrice 830 1170
Joyeux Robert 729
Joyeux et Havard 922
Juillard Franck 176
Juillot Dom. Michel 576
Jülg Peter 76
Julien 244
Julien Isabelle et Xavier 413
Julien Raymond 771
Juliénas Association des producteurs du cru 166
Juliénas Cave coop. de 157
Jullian EARL 178
Jullien Guy et Thomas 1190
Jullien de Pommerol Famille 523
Jullion 229
Jullion Thierry 1212
Jumert Charles 1064
Junayme SCEA Ch. 243
Juncarret SCEA Ch. 316
Jund Maison Martin 81
Junet Patrick 275
Jung Thierry 72
Justin EARL Guy 718

K

Kaci Stéphane 1112 1187
Kalian Griaud EARL 920
Kamerbeek SCEA 831
Kamm Jean-Louis et Éric 116
Karantes Ch. des 752
Karcher et Fils Dom. Robert 75
Kelhetter Damien 73
Kennel Julien 855
Kerbiquet Pascal 1079
Kerlann Hervé 410
Kervyn Juan 1215
Kessler Sophie 1174
Kessler-Matière-CHIP International 834
Kientz Fils René 87
Kiert SCEA Vignobles 238
King James 1193
Kinsella Michèle et Gérard 158
Kirmann Philippe 128
Kirwan Ch. 368
Kjellberg-Cuzange EARL Vignobles 186
Kjellerup K. 568 581
Klée Albert 116
Klée EARL Henri 95 116
Klée Frères SCEA 95
Klein EARL Rémy 1117
Klein Éric 102
Klein Raymond et Martin 77
Klein-Brand SARL 102
Klipfel 116
Klur Clément 117
Knowland Deborah 774
Knysz 752
Koehler et Fils EARL Jean-Claude 117
Koehly Jean-Marie 96
Köhler B. 757
Kohli Yves 1278
Kohll-Leuck Dom. viticole 1258
Kopf Famille 492 498 550 596
Kowal 629
Kox Dom. viticole L. & R. 1258
Kraft Laurent 1056
Kressmann 189 203
Kressmann SCEA Vignobles Jean 338 339
Kreydenweiss Marc 87 96 1183
Krug Vins fins de Champagne 651
Kubler Dom. Paul 75 117
Kuehn SA Vins d'Alsace 117
Kuentz et Fils Romain 117
Kugler-Bourgine 146
Kuhlmann-Platz 117
Kuhnel Anita et André 172
Kumpf et Meyer Dom. 118
Kuntzer Jean-Pierre 1281
Kuonen Gregor 1273
Kurver Éric 834
Kwok Elaine 283

L

L'Hoste Père et Fils 658
La Farge Géraud et Laurence de 1076
La Filolie Arnaud de 284
La Vigerie Éric et Sylvie de 1047
Labastide Cave de 894 1220
Labat Élisabeth 194
Labat Marc et Olivier 942
Labbe et Fils 651
Labégorce SC Ch. 368 369
Labeille Lisette 316
Labet Dom. 702
Labet Julien 702
Labiche Damien et Anaïs 241
Lablachère Cave coop. 1250
Laborbe-Juillot SCEA 572 580
Laborde Ronan 251
Laborie A. 213 294
Labouille 1211

Labourons SCEA Ch. des 163
Labroue Jean 890
Labrousse-Jacques Chardat SCEA Ch. 229
Labruyère 258
Labruyère Famille 518
Labruyère SCEV Héritiers 172
Labry Dom. André et Bernard 534
Labry Gilles 488
Lac SAS Les Domaines du 848
Lac SCEA Dom. du 926
Lacapelle Cabanac Ch. 886
Lacave EARL Francis 946 1217
Lachérade 1088
Lacheteau SA 967 984
Lacombe SCF 346
Lacombe Noaillac Ch. 352
Lacoque Hervé 169
Lacoste Corinne 946
Lacoste Jean-Louis 942
Lacoste SCEA Vignobles 312 320
Lacourte-Godbillon 651
Laculle 651
Ladesvignes Ch. 921
Ladet EARL Philip 1117
Ladoucette de 445 1054
Lafage 812
Lafage EARL Dom. de 891
Lafage Jean-Marc 808
Lafage SCEA Dom. 785 795 808 1225
Lafaye Claude 919
Laffitte Jean-Marc 935
Laffont Dom. 933
Lafforgue Noël 1226
Lafitte Charles 651
Lafitte EARL Ch. 941
Lafon-Lafaye EARL des Vignobles 919
Lafon-Rochet Ch. 381
Lafond Dom. 1113 1172 1178 1180
Lafond Jacques 1176 1180
Lafond SARL Claude 1087
Laforest Jean-Marc 174
Lafosse EARL Dominique 325
Lafoux SCEA Ch. 839
Lagadec-Janoueix 249
Lagarde Christophe 733
Lagarde EARL Roland 734
Lagardère SCEV 258 298
Lagille et Fils 652
Lagneau Gérard et Jeannine 149 174
Lagneaux-Blaton SCEA 382
Lagoutte Gérard 726
Lagrange Ch. 385
Lagrave Vincent 211
Laguiche Alain de 699
Laguillon et Fils EARL Vignobles 306
Lagune Ch. la 358
Lahaye Frédéric 188
Lahaye Michel 522
Lahaye Vincent 523
Lahiteau SCEA Jean-Pierre 396
Laidière Dom. de la 827
Laissus Frédéric 174
Lajonie 925
Lalande SCE Ch. 385
Lalande et Fils EARL 392
Lalanne Fabien 328
Lalaudey SCEA Ch. 373
Lalaurie Jean-Charles 1224 1236
Lallement Alain 652
Lallement Damien 634
Lallez 232
Lallez Éric 357
Laloue Serge 1095
Lamarche Canon Ch. 244
Lamarlière SARL SVR – Philippe 652
Lamarque Vignobles 298
Lamartine SCEA Ch. 887
Lambert 720
Lambert Arnaud 1002 1006 1013
Lambert Bruno de 258
Lambert EARL Patrick 1044
Lambert Frédéric 702 706
Lambert Lepoittevin-Dubost SCEA 922
Lamblin et Fils 424 431 439 444
Lamblot 652
Lamé Delisle Boucard 1029
Lamiable 381
Lamiraux M. 645
Lamon Ch.-André 1274
Lamothe Dom. de 894
Lamothe Patrick et Hervé 395
Lamothe SC Ch. 358
Lamothe SCEA Vignobles Ch. 237
Lamothe de Haux Ch. 204
Lamotte Famille 979
Lamoureux Guy 652
Lamoureux-Vincent EARL 690
Lamouthe GAEC de 910
Lamy Dom. Hubert 547 554 557
Lamy René 555
Lamy-Pillot Dom. 555 557
Lancelot 652
Lancelot-Pienne 652
Lancelot-Royer EARL P. 653
Lancelot-Wanner Y. 653
Lancien 980
Lancyre SCEA Ch. de 752
Landais François 209
Landanger 502 525 529
Lande de Taleyran GAEC La 312
Landeau Vignobles 319
Landerrouat-Duras-Cazaugitat Vignerons de 185 201
Landes EARL des Vignobles du Ch. des 293
Landmann EARL Armand 103
Landmann Seppi 118
Landrat-Guyollot Dom. 1081
Landreau SARL Dom. du 954
Landureau SCFED 344
Langlois Gilles 1081
Langlois Michel 1070
Langlois-Chateau 954 1005
Langoiran SC Ch. 321
Langoureau Dom. Sylvain 557
Langoux EARL Marcel 1082
Languedocienne et ses vignerons La 768
Lannac Saint-Jean 887
Lannoye SCEV 307
Lanot Dominique 1212
Lansade - Robert Saléon-Terras SCEA Régis 924
Lanson 653
Lanson Christophe 163
Lanson-BCC 617 618 619 624 653 684
Lanux Philippe 936
Lanversin Suzel de 838
Lanzac Dom. de 1180
Lanzac SCEA Henri de 1108 1179
Lapalu Dom. 347
Lapalu J.-M. 349 352
Lapeyre Pascal 938
Lapierre Bernard 597 603
Lapierre Christophe 158
Lapierre Yves 836
Laplace 166 177
Laplace EARL de 930
Laplace GAEC Vignobles 931
Laplace Jean-Luc 154
Laplace SARL Pierre 1216
Laponche Jean 846
Laporte Dom. Serge 1096
Laporte Marie-Véronique 363
Laporte Raymond 809
Laporte SAS 1095
Lapouble-Laplace Henri 941
Lardy Lucien 163
Large Aurélien 170
Large Franck 147
Large Michel et Alain 191
Largeot Dom. Daniel 495 513
Larmandier Guy 653
Laroche Dom. 431 439 1234
Laroche Tessa 991
Laroche et Fils 431
Laroche et Fils SCEV 424 431
Larochette EARL Jean-Yves 589 604
Larochette Fabrice 597 600
Laronze 414
Laroppe Marc 134
Laroppe Vincent 134
Larose-Trintaudon SA 353 358
Laroze SCE Ch. 285
Laroze de Drouhin 459
Larquey SCEA Dom. de 219
Larrère Agathe 790 1224
Larriaut SCEA Jacques 199
Larrieu 391
Larrieu SARL 941
Larrivet Haut-Brion Ch. 338
Larroque Rémi 895
Larroudé Jean-Marc 938
Larroudé SARL 942
Larteau SCEV du Ch. 215
Lartigue Bernard 364 373
Lartigue GAEC 358
Lartigue Jean-Claude 891
Larue Dom. 557
Larzac Dom. de 1236
Lascaux EARL Vignobles 190 204 215 249
Lascombes Ch. 368
Lasnier Bernard 193
Lasnier SCEA Vignobles Francis 193
Lassagne 176
Lassagne Daniel et Nicolas 293
Lassaigne EARL Gérard 653
Lassarat Roger 597 604
Lassus-Le Reysse EARL 350
Latard Audrey 1154
Lataste Vignobles Vincent 329
Lateyron 223
Latham Éric 734
Lathuilière Dom. Patrice 153
Lathuilière-Gravallon 169

Latil EARL Bruno 840
Latouche 227 836
Latour Bernard 1126 1164
Latour Dom. Vincent 542 558
Latour Jean-Louis 1123
Latour Louis 421 441 446 517 555 1250
Latour SCV du Ch. 377
Latour et Fils Henri 488 534 542
Latour-Giraud Dom. 542
Latrille Sté 941
Latz Michaël 843
Laubie A. et A.-M. 215
Laudun Chusclan Vignerons 1125
Laulan Ducos SC Ch. 347
Launes Ch. des 855
Launois Père et Fils 654
Laur Patrick et Ludovic 887
Laurens Dom. J. 763
Laurent Famille 1089
Laurent-Gabriel EARL 654
Laurent-Perrier 623 632 654 678
Lauret Dominique 287
Lauribert Dom. des 1114 1129 1248
Lauriers Dom. des 752 1238
Lauriga Ch. 785 809 1226
Laurilleux EARL Patrick et Caroline 974 993
Lausanne Ville de 1265
Laussac SARL la Comtesse de 307
Lauverjat Christian 1096
Lauzade-Sénéclauze Ch. 855
Laval-Pomerol SCEA Famille 254
Lavallée 430 438
Lavantureux Dom. Roland 424 431
Lavau 1114 1180
Lavau EARL 309
Lavau Pierre 287
Lavaud Sophie 319
Lavergne EARL 913
Lavernette Ch. de 597
Laviale-Van Malderen et Hervé Laviale Griet 259 264 281 293
Lavigne SCEA 281 306
Lavigne-Véron SCEA 1011
Lavignère SCEA du Ch. 284
Laville Ch. 330 332 396
Lazzarini 876 878
Le Biavant Laetitia et Mickaël 905
Le Brun de Neuville 655
Le Brun Servenay SCEV 655
Le Clerc Frédéric 352
Le Gallais 655
Le Roy 299
Le Stunff Laurent 875
Lebeault Maison 420
Leblanc Philippe et Pascal 998
Leblanc et Fils EARL Jean-Claude 994
Leblond-Lenoir Noël 654
Leblond-Lenoir Pascal 654
Leboeuf SCEV Alain 654
Lebreton Chantal 253
Lebreton EARL J.-Y. A. 983
Lebreuil Pierre et Jean-Baptiste 509
Leccia Dom. 876
Léchenault Reine 569
Leclair François 1023
Leclair Marylène et Serge 1065
Leclaire Reynald 663
Leclercq Claude 1249
Leclère Hervé 655
Lecoffre Joël 1024
Lecomte Dom. 1068 1084
Leconte Xavier 655
Leduc-Frouin Dom. 976 984
Leenhardt André 745
Lefévère M-B 289
Lefèvre Didier 655
Leflaive Frères Olivier 431 439 505 529 542 550 555
Léger EARL 997
Léger Patrick 1020
Legill Caves Paul 1261
Léglise Éric 366
Legou Dom. Vincent 517
Legouge-Copin 656
Legrand Éric 656
Legrand René-Noël 1011
Legras Pierre 656
Legras et Haas 656
Legret Alain 656
Legros 1096
Léguillette-Romelot 656
Leisen, T. Caboz, B. Petit J.-M. 136
Lejeune 889
Lejeune Dom. 523
Lelais Francine et Raynald 1050
Lelarge Alain 1051
Lelarge Dominique 657
Lelièvre 1189
Lelièvre EARL Dom. 134
Lemaire Fernand 657
Lemaire Patrice 657
Lemaire SAS Henri 657
Lemaitre Vincent 224 240
Lemarié Marthe et François 728
Lemoine GAEC Alain et Gilles 981
Lemoine Sandra 1213
Lench Andy 318
Lenique et Fils SA 657
Lenoble A.R. 657
Léon Angélique 1044
Léoville Las Cases SC. Ch. 384 386
Léoville Poyferré SF du Ch. 386
Lepage-Macé SCEA 224
Lepaumier Dom. 741
Leperchois Christian 1176
Lépine Éric 896
Lépine Marc 1186
LePlan-Vermeersch 1129
Lepoutre Serge 284
Leprince Charles 657
Lequart Laurent 658
Lequeux-Mercier 658
Lequin et Fils Louis 505
Leriche Marie-José 341
Leroy 359
Leroy Jean-Michel 976 996
Leroy-Freuchet GAEC 967 1209
Lescaut Alain 930
Lescoutras et Fils EARL 312
Lescure EARL Dom. de 903
Lescure Fabien de 161
Lescure Jean-Luc 913
Leseurre Gilbert 658
Lesgourgues Vignobles 324
Lespinasse 324
Lesquerde SCV 793
Lestage SC Ch. 363
Letartre Bertrand 861
Lété-Vautrain 658
Leukersonne Kellerei 1273
Lévêque SAS Vignobles 325
Levieux Vignerons 192 220
Leydet EARL Vignobles 259 285
Leymarie Jean-Pierre 338
Leymarie-CECI 411 467 470
Leyvraz Pierre-Luc 1264
Lézignan Le Chai des Vignerons de 731
LGCF 1005 1153
Lhuillier Vignobles Pierre et Hervé 212
Lhumeau EARL Joël et Jean-Louis 976 984
Liards Dom. des 1052
Libourne Lycée viticole de 297
Libourne-Montagne Lycée viticole 263
Lichine Sacha 850
Lichtlé Fils Marcel 103
Liébart-Régnier 658
Liénard 1253
Lieubeau 961
Lieubeau Vigneron 1207
Lieue - EARL Famille Vial Ch. la 839
Ligier Dom. 695 702
Lignac Guy-Petrus 283
Ligtmans Roelof 417 577
Lihour Christian 940
Lilian Ladouys SAS Ch. 382
Limon Hervé 854
Limousin et Freya Skoda Patrice 939
Linard François 296
Linden-Heinisch Dom. viticole Jean 1258
Lindenlaub Jacques et Christophe 74
Lingot-Martin Cellier 722
Lionne GFA de 329
Liotaud Valéry 1252
Lipp Jean-François 118
Liquière Ch. de la 739
Lisennes Ch. de 216
Listel Domaines 852
Listel SAS Domaines 1241
Littière Gérard 658
Livera Philippe 461
Lobre GAEC Jean-Pierre et Paulette 200 208
Loichet Vins Sylvain 513
Loirac SCEA Ch. 347
Loire Les Caves de la 985 986
Loiret Brigitte et Michel 963
Loiret Vincent 957
Lolicé SCEA Dom. 855
Lombard & Cie 659
Lombardo 1177
Lonclas Bernard 659
Long-Depaquit Dom. 439 444
Loquineau Philippe 1062
Lorang et Fils EARL Victor 77
Lorent Jacques 659
Lorentz Gustave 130
Lorentz J.-L. 116

PRODUCTEURS

Lorentz Jérôme 75 88
Lorenzetti 378 382
Lorgeril Vignobles 726 794 1236
Lorieux Damien 1031
Lorieux Pascal et Alain 1038 1045
Loriot Gérard 659
Loriot Michel 659
Lornet Frédéric 695 775
Loron SNC Les Domaines Jean 167
Loron et Fils 153 586 600
Loron et Fils SAS Louis 420
Lorteaud Francis 233
Lorteaud et Filles SCEA 227
Loste et Chantal Lefèvre Alexandre 1066
Lostende Mme de 601
Lou Bassaquet SCA Cellier 855
Lou Dumont Maison 455
Loubrie Grands Vignobles 398
Louérion Terres d'Alliance SCA 1194
Louis SARL Éric 1096
Louis SCE Ch. 285
Loustalot Claude 939
Lousteauneuf Ch. 348
Louvet Frédéric 659
Louvet Vignobles Gilles 752
Lovato Grégory 215
Lozey De 660
Lucas Jacques 218
Lucciardi Josette et Joseph 870
Luchey-Halde Ch. 339
Luddecke SARL Henri 323
Lugagnac SCEA du Ch. de 204 216
Lugny Cave de 404 583
Lugon Union de producteurs de 198 213
Luigi Jean-Noël 877
Luisier Dominique 1273
Lumières Cave de 1193
Lunard EARL Dom. de 1242
Luneau Christian et Pascale 963
Luneau Emmanuel 960
Luneau Gilles 963
Luneau et Fils GAEC Michel 964
Luneau Frères EARL 966
Lupé-Cholet 442 476
Lupin Bruno 718
Luquot GFA Vignobles 277
Lur-Saluces Alexandre de 394
Lurkroft Sté 309
Lurton André 185 213 314 334 335 339 341
Lurton Denis 367
Lurton EARL Pierre 205 313
Lurton François 741 794 1218 1235
Lurton Henri 366
Lurton Thierry 186
Lurton Vignobles Marie-Laure 362
Lussac SCEA Ch. de 293
Lusseaud EARL Vignobles 962
LVA 151 168 171 176
LVMH 398 635 651 663 664 677 686
LVMH et Albert Frère 273
Lycée viticole 909
Lyonnat SCEA 294

M

Mabileau Frédéric 1032 1038
Mabileau Guy et Lysiane 1038
Mabileau Jacques et Vincent 1038
Mabileau Jean-François 1029
Mabileau Laurent 1032
Mabille Francis 1056
Mabille Vignobles 209
Mabillot Alain et Matthieu 1087
Maby Dom. 1114 1178 1180
Macault 983
Macle Dom. 699 702
Maclou Gaëlle 857
Macquigneau-Brisson Vignoble 972
MACSF 368
Madalle Jean-Philippe 775
Madeleineau GAEC 970 1206
Madelin et Dany Petit Claude 411
Madeloc Dom. 797 800
Mader Dom. 88 103
Mado SCEA Chantal et Jean-Marie 191 230
Madrague Dom. de la 855
Madrelle EARL Gilles 1057
Maestrojuan 945
Maetz Dom. Jacques 103
Magalanne Dom. de 1114
Magellan Dom. 753
Magnaudeix Famille 291
Magni Dom. Patrice 1114 1172
Magnien Dom. Michel 464 467 468 469
Magnien Dom. Sébastien 488 517 537
Magnien Dom. Stéphane 467
Magnien Frédéric 459 462 467 470 474
Magord EARL du Dom. de 1153
Magrez Bernard 340 341 346 361 786 853 1226
Mahmoudi A. 903 1215
MAIF 367
Maillard Dom. 502 509 513 517 523
Maillard Patrice 860
Maillet EARL Laurent et Fabrice 1057
Maillet Jean-Jacques 1049 1050
Mailliard Michel 660
Mailly Grand Cru 660
Maïme Ch. 855
Maine GAEC du 923
Maines La Maison des 1212
Maire Henri 699
Maison du vigneron La 698 700 705
Maison Père et Fils Dom. 1061
Maître Éric 660
Maitre Gérard 572 580
Malabre Chantal 1106
Malafosse 767
Malandes Dom. des 439 444
Malartic-Lagravière SC Ch. 336 339
Malaterre-Rolland SCEA 202
Malauger SCEA de 921
Maldant Jean-Pierre 411
Malepère Cave la 1236
Malescot Saint-Exupéry SCEA Ch. 369
Malet Jérôme 806 811
Malet Roquefort Maison 189 208 267
Malet, Johan Micoud, Matthieu Chalmé Alexandre de 252
Malet-Roquefort Léo de 281
Maletrez SAS Frédéric 660
Malfard SCA de 216
Malherbe Josiane 1268
Malidain EARL Vignoble 1208
Malijay SCEA du Ch. 1115
Malinge Gilles 850
Mallard Laurent 194 314
Mallard et Fils Michel 493 495
Malleret SCEA 359 369
Mallol Bernard 660
Malot 677
Malromé SCEA 205 216 323
Maltroye Ch. de la 555 563
Maltus JCP 291
Manceau Jean-Max 1046
Manceaux Roger 660
Mancey Cave des Vignerons de 420
Mandard Jean-Christophe 1020
Mandeville Olivier 773
Mandois 633
Mangeart Isabelle 747
Mangeot J.-M. 135
Mangot GFA du Ch. 285 304
Manissy Ch. de 1115
Mann Dom. Albert 118
Mann EARL Jean-Louis 81 88
Mann Pierre 741
Manoir SCEA Dom. du 96
Manoir de la Firetière EARL 964
Manoir Murisaltien Demessey 582
Manoncourt SCEA Famille 279
Mansanné Gaston 942
Mansard SCEV Gilles 613
Mansard-Baillet 660
Manya-Puig Dom. 800
Maouries Dom. de 936 1218
Mar SARL du Ch. de la 719
Maradenne-Guitard EARL de Nozières 888
Marana Cave coopérative de la 873
Maratray-Dubreuil Dom. 510
Maravenne Ch. 855
Marc Anne 897
Marcadet Jérôme 1061
Marchais Patrice 959
Marchand Bruno 297
Marchand Denis 482 498 542
Marchand Jean-Philippe 450 459 510
Marchand Pascal 542
Marchand SARL Jacques 1081
Marchand et Fils Dom. 1081
Marchand et Fils GAEC 228
Marchand Frères Dom. 464 465 467
Marche Dom. la 569
Marchesseau Bertrand et Vincent 1034
Marchive Lyne 439 444
Mardon Jean-Luc 1023
Maréchal EARL Catherine et Claude 411 510 523 529 534

Marès Cyril 1183 1230
Mareschal Julien 693
Maret et Filles EARL Michel 1163 1170
Marey EARL Dom. 495
Marey SARL Éric 502
Marey et Fils EARL Pierre 498 505 510
Margan Jean-Pierre et Nathalie 1194 1244
Margaux SCA du Ch. 205 369
Margerand Denise 158
Margier Jean-François 1242
Margillière SCEA Ch. 839
Marguerite SCEA Ch. 903 1214
Marguet Benoît 683
Margüi Ch. 840 1247
Mari Éric 771
Maridet Dom. du 804
Marie 366
Marie Jean-Pierre 354
Marie SCEA Dom. de 1249
Marie du Fou Ch. 971
Marigrolles EARL Dom. des 1011
Marin EARL Dom. Robert 593
Marin-Audra SCEA 260
Marinot-Verdun 566 580
Marion 413 461 556
Marion Thibaut 519
Marionnet Henry et Jean-Sébastien 1021
Marjolet Ch. de 1129
Marmandais SCA Cave du 907 908
Marmorières SCEA Ch. de 753
Marné Dom. 1052
Marnier-Lapostolle Sté 1100
Marniquet EARL Brice 661
Marniquet Jean-Pierre 661
Maroslavac-Léger Dom. 411
Marou Christian 1218
Marquis de Terme Ch. 369
Marre Francis 897
Marrenon 1191 1196
Marres Damien 1115 1127
Marsannay Ch. de 459 462 466 472 477
Marsanne Jean-Claude 1142
Marsau SC Ch. 311 922
Marsaux-Donze SCEV 233
Marseille Pierre 1163
Marteau Dom. Jacky 1021
Marteaux Olivier 661
Martel et C° G.H. 661
Martellière Dom. J. 1049 1050 1065
Martenot Maison François 535 542
Martet SCEA Ch. 318
Marthouret Pascal 1138 1142
Martin 376
Martin Anne-Marie et Michel 197
Martin Bruno 231
Martin D. et N. 841
Martin Dom. 1156 1249
Martin Dom. des 976 981
Martin Domaines 384 386
Martin Dominique 964
Martin Dominique et Christine 143 585
Martin Fabrice 459
Martin GAEC 586 602 595
Martin GAEC Luc et Fabrice 990 996
Martin Jean-Jacques 604
Martin Jean-Paul 240
Martin Laure 722
Martin Michel 510 513 517
Martin Pierre 696
Martin Yves et Pierre 1096
Martin-Dufour Dom. 417 514
Martin-Faudot Dom. 695
Martin-Luneau 964
Martinelle 1168 1191
Martinette SCEA la 856
Martini-Ledentu 874
Martinolles Dom. de 1222
Martinot 661
Martischang et Fils EARL Henri 82
Martray Laurent 155
Marty Anne-Marie 1069
Marx et Fils SCEV Denis 661
Mary Jean-Luc et Jean-Albert 1010
Mas Domaines Paul 753 1237
Mas J.-C. 1222
Mas Jean-Claude 748
Mas Amiel Dom. 793 812
Mas Baux EARL 786
Mas Bécha Dom. du 786
Mas Belles Eaux 1237
Mas bleu Dom. du 834
Mas Crémat Dom. 793 809
Mas d'Aurel 895
Mas de Cadenet 856
Mas de Fournel SCEA 754
Mas de la Barben 754
Mas de la Vallongue SCEA 836
Mas de Lunès SARL 754
Mas de Madame Dom. du 779 1234
Mas de Rey SCA 1242
Mas del Périé 887
Mas des Anges EARL du 1215
Mas des Bressades EARL 1230
Mas des Caprices 741
Mas des Chimères 755
Mas des Flauzières Le 1130 1159
Mas du Soleilla 755
Mas Granier 755
Mas Mudigliza 786
Mas neuf des Aresquiers SCEA 700
Mas Peyrolle 755
Mas rouge Dom. du 779
Mas Sainte-Berthe 830
Masburel Ch. 917
Mascaronne SCEA Ch. la 856
Masquin 1173
Massa Sylvain 851
Massicot Père et Fils EARL 992
Massin Thierry 662
Massin et Fils Rémy 662
Masson Jacques et Marie-Gabrielle 289
Masson Marie-France 1155 1198
Masson-Blondelet Dom. 1081 1096
Massonie SCEA Vignobles Michel-Pierre 263
Matasci Fratelli SA 1282
Mathelin 662
Mathelin Hervé 662
Mathier et Fils Albert 1274
Mathieu Michel 662
Mathieu Serge 662
Mathieu-Princet SARL 662
Mathon Stéphane 153
Matignon EARL Yves et Hélène 976
Matines Dom. des 1005 1008
Matray EARL Lilian et Sandrine 144
Matray Jean-François 174
Matrion et Fabrice Esnault Étienne 1010
Matthys-Meynard Sean 333
Matton 857
Mau SA Yvon 186 200 211 219 245 297 916
Mau et Dirkzwager Familles 333 350
Maubert Jacques 1193
Maucoil Ch. 1130
Maudry David 1080
Maufoux Prosper 411 563
Maule Frédéric 298
Mauler Dom. 96
Maumus Jacques 932
Maupague Ch. 856
Mauperthuis EARL de 411 447 448
Maurac SCEA Ch. 359
Maurel 843
Maurel Vignobles Alain 726
Mauriac-Hourtinat Les Vins 229
Maurice Ève 135
Maurice Gonzague 299
Maurin Isabelle et François 210
Mauroy 1078
Maury 914
Maury Nicole 926
Maury – GFA des Coteaux de Pérignan Paul 756
Maury SCAV Les Vignerons de 795 812
Max Louis 411 459 542
Mayard Vignobles 1171
Mayle Denise 206
Maynadier Dom. 741
Maynadier Laurent 740
Mayne SCE Ch. le 396
Mayne-Vieil SCEA du 248
Mazeau Benjamin 189
Mazet SCEV 662
Mazeyres SC Ch. 256
Mazières Véronique et Philippe 209
Mazille-Descotes Dom. 178
Mazilly Maison Aymeric 488 558
Mazilly Père et Fils Dom. 523 543
Mazzesi Nicolas 1024
Mazzoleni 1242
McGuiness G. 1188
Médeville et Fils SCEA Jean 187 201 330
Médot 663
Meffre 374 385 1125 1156
Meffre Christian 1160
Meffre Claude 378 380
Meffre Gabriel 857 1115 1130 1136 1159 1164 1183 1234 1237
Meffre et Fils Dom. Jack 1126
Mège Frères SCEA 224
Mégé-Pons 739
Meix-Foulot Dom. du 576
Méjan-Taulier SCEA 1180

Méjane Dom. de 719
Méli Pascal 234
Melin 590 598
Melin Ch. de 488 537 566
Mellot SAS Joseph 1081 1208
Menand Dom. 576
Ménard et Fils J.-P. 820
Ménard-Gaborit SC 964
Menaudat SCEA Ch. le 217
Menaut EARL Christian et Pascal 490 517
Mendez Bernard et Sylvie 1167
Mendrisio Cantina Sociale 1282
Menegazzo Filles EARL 945
Meneret Dominique 210
Menthon de 1161
Menthon Sabine et Isabelle de 1168
Mercadier 188 395
Merceron-Martin Dom. 972
Mercey Ch. de 577
Mercian Corporation 361
Mercier 663
Mercier André et Philippe 793 804 808
Mercier Les Vignobles 972
Merckle Pierre 88
Mercurio SCEA de 1185
Mergey Évelyne 412 588
Mérias Benoît 1051
Méric Ch. 348
Méric et Fils SCEA Vignobles 388 390
Merigot Damien 1059
Merillier EARL des Vignobles 927
Meritum SCEA 759
Merlaut Jean 197 321 385
Merle 167
Merle Alain 174
Merle Christelle et Christophe 892
Merle Mathilde 846
Merle SCEA François 1249
Merlet-Brunet Annie 314
Merlin 412 588 597
Merlin-Cherrier Thierry 1096
Merlo Lucas 894
Mersiol 96
Mesclances SCEA Les 857
Meslet EARL Dominique 1038
Meslet Germain 1032
Meslet-Thouet EARL 1032
Mesliand Dom. Stéphane 1026
Meslin 285
Messey GFA Ch. de 588
Mestreguilhem Brigitte 189
Mestreguilhem Richard 287
Métaireau Grand Mouton Louis 964
Métivier EARL 1057
Métivier Natacha 1042
Metrat Bernard 163
Métrat Sylvain 155
Mette EARL Les Domaines de la 329
Metz Hubert 130
Metz-Geiger 81
Meulière La 431 440
Meuneveaux 502
Meunier Gaëlle et Jérôme 547 577
Meunier SCEA Danielle 284
Meurgey P. 497 527
Meursault Dom. du Ch. de 543
Meyer 93
Meyer Christaine, Aurélie et Fernand 119
Meyer Denis 130
Meyer EARL Alfred 118
Meyer EARL François 118
Meyer François et Félix 119
Meyer Gilbert 96
Meyer Hubert 81
Meyer Jean-Luc et Bruno 77 96
Meyer et Fils EARL Lucien 96 119
Meyer et Fils EARL René 119
Meyer-Fonné Dom. 119
Meyer-Krumb Vins d'Alsace 119
Meylan Roger et Sarah 1279
Meynard EARL 200 221
Meynard P. 373
Meynard SCEA Vignobles 278 309
Meyran Marylenn et André 169
Meyre SCEA Vignobles Alain 358 362
Meyrignac P. 303
Mézerette 791 807
Méziat Gilles 160
Méziat Père et Fils EARL 168
Mézy 747
Miailhe SAS Vignobles E. F. 361
Miailhe et Marie-Cécile Vicaire Éric 356 361
Michaud Dom. 955 1021
Michaud Jean-Marie 1021
Michaut 424 432 440
Micheau-Maillou René 260
Michel Bruno 663
Michel E. 663
Michel EARL Jean 663
Michel François 1242
Michel Jean-François 703
Michel Jean-Pierre 593
Michel Laurent 1129
Michel Paul 664
Michel et Fils Louis 440 444
Michelon EARL Vignobles 1236
Michelot Dom. Alain 482
Midey Marie-Hélène et Jean-Yves 164
Midoir 1016
Miéry Ch. de 703
Migliore 850
Mignard Christian 774
Mignon Charles 664
Mignon Pierre 664
Migot Alain 134
Milaire 1117 1180
Milan Jean 664
Milaur SCEV JA 641
Milens SARL Ch. 290
Milhade Brigitte et Gérard 294
Milhade Éts 207
Milhade Vignobles Xavier 272
Milhau-Lacugue Ch. 777
Millaire Jean-Yves 243
Millegrand SCEA Ch. de 771
Millerand 1038 1043
Millet Ch. de 947
Millet Dom. 431
Millet Franck 1096
Millet et Fils Daniel 1094
Million-Rousseau Michel et Xavier 715
Millon Jean-Noël 1013
Milly Albert de 664
Minchin 1066
Minier Claude 1065
Minière SCEV du Ch. 1028
Ministère de l'Agriculture 398
Minne 826 853
Minuty SA 857
Minvielle Xavier 266 279
Miolan Dom. de 1278
Miolane Christian 149
Miolane Patrick 555 558
Miquel Raymond 781
Mirande Yannick 374
Mirault Maison 1057
Miraval SA Ch. 840 857
Mire l'Étang Ch. 756
Mirebeau Ch. 340
Misserey 577
Mittnacht Frères Dom. 71
Mivida SCEA 219
Mocci Christian 754
Mochel Dom. Frédéric 119
Mochel-Lorentz 82 119
Modat Dom. 794
Modet et Fils Vignobles Claude 222 321
Moellinger et Fils Joseph 74 88
Moët et Chandon – MHCS 664
Moillard 163 412 415 482 485 510 566 571
Moines SCEA du Ch. des 263
Moingeon - La Maison du Crémant 420
Moingeon et Fils André 548
Moissenet-Bonnard Jean-Louis 523
Molin EARL Armelle et Jean-Michel 456
Molinari et Fils SCEA 329
Molinas Bruno 571
Molinié Mathieu 888
Molle Bernard 914
Mollet Florian 1097
Mollet Jean-Paul 1081
Mollex Maison 720
Mollier Pierre 1197 1250
Moltès Dom. Antoine 88
Monahan 1223 1230
Monardière Dom. la 1164
Monbazillac SA Ch. de 925
Monbouché 921
Monbousquet SAS Ch. 286
Monceny Bertrand de 450
Moncuit Pierre 665
Mondet SARL 665
Mondiale La 282
Monestié Alain 896
Monestier la Tour SCEA 917
Monet 855
Monette Dom. de la 417
Mongeard-Mugneret Dom. 475
Mongin Ch. 1130 1246
Mongravey SCEA 354 370
Monin Dom. 722
Monmarthe Jean-Guy 665
Monmousseau 1021 1057
Monmousseau Alexandre 1056
Monnet Jean-Marc 165
Monnier Denis 1111 1126
Monnier Dom. René 517
Monnier Pierre-Christophe et Jean-Pierre 351

Monnier et Fils SCEA Dom. Jean 543
Monnot Xavier 517
Monod 1195
Monplaisir Dom. de 1066
Monségur SCA Les Vignerons réunis de 315
Monspey Sophie de 152
Mont d'Or SA Dom. du 1274
Mont-Pérat SCEA de 205 321
Mont-près-Chambord Vignerons de 1061
Mont-Redon Ch. 1115 1178
Mont Tauch SICA Caves du 742
Mont Ventoux SCA Vignerons du 1191 1244
Montagnac Les Vignobles 756
Montagne Éric 881
Montagné Jacques 791
Montagne Thomas 1195
Montana Ch. 787 804
Montaud Ch. 857
Montaudon 665
Montbarbon Jacky 588 593
Montblanc Les Vignerons de 1228
Montbourgeau Dom. de 707
Montchovet Alain et Gilles 490 529
Montchovet Éric 490 524 532
Monteillet Jean-Luc et Claude 1154 1187
Monteils SCEA Dom. de 396
Montel EARL Benoît 1071 1204
Montel SCEA Ch. 761
Montels SCEV B. 895
Montemagni 876 878
Monternot GAEC J. et B. 149
Monterrain Dom. de 412 588
Montesquiou Claire de 945 1217
Montez Stéphane 1136 1142 1252
Montfaucon Ch. de 1115
Montfleury SCA Les Vignerons de 1250
Montfort Julien 914
Montfort SCEA baron de 307
Montfrin Cave des Vignerons de 1130
Montgilet Dom. de 989 1208
Montgrignon GAEC de 1253
Montguéret Ch. de 1005
Monthelon-Morangis Coopérative vinicole 665
Montigny Dom. de 1021
Montigny Édouard 1064
Montigny-Piel 1063
Montillet Alain de 833
Montizeau EARL Dom. de 820 1212
Montmarin Dom. de 1229
Montmartel Dom. 1115
Montmirail Ch. de 1115 1160
Montmollin Dom. de 1280
Montoray SCEV Dom. de 1052
Montrose SCEA du Ch. 382
Montzuettes Dom. 1274
Morand-Monteil Gérôme et Dolores 926
Morat Gilles 594
Morazzani Charles 871
Morcote SA Tenuta Castello 1282
Mordacq 982
Mordorée Dom. de la 1173 1178 1181
Moreau 761
Moreau David 563
Moreau EARL Béatrice et Patrice 1045
Moreau Jean-Michel 412
Moreau SCEV 257
Moreau et Fils J. 440 445
Moreau Père et Fils Christian 440 445
Moreau-Naudet 440
Moreaud 284
Morel SCEA Jean-Charles 1219
Morel et Frédéric Hostettler Benjamin 1268
Morel Père et Fils 666 690
Morel-Thibaut Dom. 703
Moret 750
Moret SARL David 543 548
Morey Dom. Pierre 532 543
Morey Ets André 588
Morey-Blanc 558
Morgeau Gilles et Brigitte 816 1209
Morin Albert 756
Morin André-Jean 697
Morin Guy 160
Morin Hervé 1039
Morin Olivier 412 431
Morion Didier 1142
Moritz Dom. Claude 120
Moron GAEC 953 983
Morot Dom. Albert 518
Moser 104
Mosnier EARL Sylvain 440
Mosny EARL Daniel et Thierry 1052
Mossé Jacques 805
Mothe et ses Fils Guy 436 443
Motte SCEA Dom. de la 424 432 440
Mottet Bruno 202 212
Moueix Éts Jean-Pierre 254 255 257 258
Moueix Maison Antoine 352
Moueix SAS Alain 280
Moueix SC Bernard 258
Moueix SCEA des Vignobles Armand 256
Mouillard Jean-Luc 699 703 707 708
Mouilles GFA du Dom. des 165
Moulin SCEA ch. le 256
Moulin de Corneil Ch. 388
Moulin de Dusenbach Dom. du 130
Moulin de l'Abbaye EARL 348
Moulin de la Roque 827
Moulin de Sanxet SCEA 915
Moulin du Jura SCEA 267 296
Moulin du Sablon EARL le 978
Moulin Giron EARL Dom. du 969 972
Moulin noir SC Ch. du 298
Moulin-à-Vent GFA 391
Moulin-à-vent SCEV Ch. du 172
Moulinier Dom. Guy et Stéphane 777
Mouly 897
Mounié Dom. 809 1226
Mourat J. 971
Moureau M. 270
Mouresse SCEA Dom. de 858
Mourier Xavier 1139 1143
Mouriesse Vinum 1173
Mourlan Patrick 837
Moussé-Galoteau et Fils EARL 666
Mousset EARL Cyril et Jacques 1172 1244
Mousset SCCA Fabrice et Yann 1120
Mousset et Fils EARL Vignobles Guy 1116
Moussis SCEA des 356
Moustie 481 485
Moutard-Diligent 420 634 666
Moutardier 666
Moutet Philippe 1229
Moutète Ch. la 858
Mouton SCEA Dom. 580
Mouty SCEA Vignobles Daniel 188
Mouzon-Leroux SARL 666
Moyau Ch. 757
Moyer Dom. 1053
Moyne Renaud 697
Moynier Élisabeth et Luc 748
Moze-Berthon SCEA 255
Muchada 940
Mucyn Dom. 1142
Mugneret Dominique 474 477 482
Muid montsaugeonnais Le 1254
Muller et Fils Charles 89
Muller et Fils Jules 75
Mulliez Isabelle 354 357
Mulonnière SAS Ch. de la 984 996
Mumm G.-H. 666
Munch EARL Vignobles 294
Munck-Lussac SARL 293
Munier 1197
Mur Chantal et Philippe 935
Murail Fabien 971
Muré Francis 75
Mure Pascal 490 529 532
Muré – Clos Saint-Landelin 120
Mureau SCEV Régis 1032
Mureau Stéphane 1047
Muret SCA de 359
Murgers GAEC des 579
Murinais Dom. du 1147
Murray David 470 472 517 522 562 841
Muscat SCA le 772 781
Muses Dom. des 1274
Musset EARL des Vignobles J.-F. 267
Musset-Roullier Vignoble 978 981
Musso Louis 874
Mussotte Fabienne 394
Mutin SARL Henri 420
Muzard et Fils Dom. Lucien 524 543 566
Muzard et Fils SARL Lucien 555 563
Muzy Dom. de 1253
Mylord SCEA Ch. 191

N

Nadal Jean-Marie 787 809
Nadalié Christine 208 356
Nairac Ch. 392
Nairaud-Suberville SCEA 1068

Nalys Dom. de 1173
Nardoni Pierre 360
Nativel EARL 231
Nau Frères 1032
Naudé Bernard 667
Naudin-Ferrand Dom. Henri 485 490
Naudin-Varrault 450 490 567
Naulet Vignobles 299
Navarre Alain 667
Navicelle Dom. de la 858
Nazelle Vivien de 1214 1221
Nazins GFA des 153
Neau SCEA Amélie et Régis 1011
Nebout Dom. 1089
Négly Ch. la 757
Nègre 790
Nègre Marien 277
Négrel Guy et Matthieu 856
Négrier EARL Stéphane 356
Neipperg S. von 303
Nel Ida 1252
Nerleux Dom. de 1011
Nerthe SCA Ch. la 1173
Nervat Dom. de 158
Nesme Alain 147
Nesme Martial 143
Nesme Mickaël 155
Nestuby Ch. 858
Neuchâtel État de 1280
Neumeyer Dom. Gérard 120
Neveu SCEV Dom. André 1097
Newman GFA Dom. 465 518 533
Neyroud Martial 1268
Neyroud-Fonjallaz Jean-François 1268
Nicolas Éric 1049
Nicolas GAEC 1133
Nicolas SC des Héritiers 253
Nicolet-Perges GFA 1170
Nicolle Dom. Charly 440
Nicollet et Fils Gérard 120
Niero Rémi et Robert 1136 1138
Nieuwaal Erik 353
Nigay Pascal 175
Nivière Luc 865
Nivollet B. et B. 751
Noblaie Dom. de la 1045
Noblesse EARL du Ch. de la 827
Nodet F. 1239
Noë Dom. de la 957
Noël EARL Patrick 1076 1097
Noël Famille 245 242
Noël Tour Saint-Germain EARL 232
Noëllat et Fils SCEA Dom. Michel 474 477
Noëlle Terrena Vignerons de la 1207
Noëls Dom. des 978 987 996
Noir Frères 703
Noiré Dom. de 1046
Noirot et Fils SARL 421
Noizet Carole 667
Nolot SCEA Catherine 982 994
Nominé-Renard 667
Nonancourt Famille de 654
Nony Vignobles Léon 262 298
Nony-Borie Vignobles 358
Norguet EARL Dominique 1064
Normand Sylvaine et Alain 589
Notre-Dame des Pallières Dom. 1160
Nouet Frères GAEC 965
Nouvel EARL Valérie et Patrick 894
Nouvel SCEA Vignobles 275
Novaretti M. 862
Novella Pierre-Marie 876
Novis 1142
Nowack Frédéric 667
Nudant Dom. 474 477 495 502
Nusswitz Les Vins Philippe 1229

O

Obrist SA 1266
Occitane Les Vignerons de l' 1228 1233
Octavie Dom. 1022
Ogereau Vincent 978 981
Ogier 1116 1147 1160 1173 1181
Oiselinière Sté fermière de l' 965
Oisly et Thésée Confrérie des Vignerons de 1061 1022
Ojeda Emmanuelle et Jean-Luc 920
Oliveira Lecestre Dom. de 445
Olivier Ch. 340
Olivier Claude 786
Olivier EARL Dom. 1039
Olivier Laurent 1223
Olivier Pierre 460 496 543
Olivier SARL Manuel 467 524 543
Olivier SCA Jean 1176
Olivier Père et Fils EARL 667
Ollier Luc et Françoise 739
Ollier SCEA des Vignobles 383
Ollier-Taillefer Dom. 739
Ollières Ch. d' 840
Olmeta-Savelli Stéphanie 878
Ologaray Stéphane 1227
Olry 158
Olt Les Vignerons d' 898
Omasson Bernard 1033
Omasson Nathalie 1033
Onclin Justin 372
Onde Jérémy 1164
Ondet-Février 273
Ondines Dom. les 1164
Onffroy Baron Roland de 230 237
Onillon Denis 972
Opérie Nathalie et Gérard 268
Oppidum des Cauvins Dom. l' 835 1244
Or et de Gueules Ch. d' 1184
Orban Charles 668
Orenga Henri 875 877 878
Orenga de Gaffory GFA 877 878
Orfée Les Celliers d' 737
Orion Père et Fils EARL 971
Orlandi Frères SCEA 239
Orliac EARL Vignobles 751 1241
Ormarine Cave de l' 757 1237
Ormes EARL T et C Ch. les 386
Orosquette Jean-François 770
Orpailleur L' 1274
Orsat Frères Jacques-Alphonse et Philippe 1271
Orsucci François 869
Ortas - Cave de Rasteau 1198
Ortelli Patricia 838
Ortola SCEA des Dom. Georges 757
Ory Christophe et Nicolas 1029
Osmin & Cie Lionel 899 916 934 1219
Ossard EARL 184
Ott SA Domaines 848
Ou Ch. de l' 787 810 1227
Ouches Dom. des 1033
Oudin Dom. 441
Oulié Bruno 935
Ournac Pierre-André 773
Oury Pascal 136
Overnoy-Crinquand Dom. 695
Ovide et Fils EARL 233

P

P'tit Domaine Le 1012
Pabiot Dominique 1082
Pabiot Jonathan Didier 1082
Pabiot et Fils Jean 1080
Pabiot et ses Fils Dom. Roger 1082
Pabus SAS Ch. 191
Pacaud-Chaptal 727
Pacioselli Nathalie et Jean-Patrick 831
Padié Jean-Philippe 1225
Paeffgen Stefan 350
Pagès Gilles 754
Pagès Marc 768
Pages Vignobles Marc 352
Pagès Huré Dom. 1227
Paget Nicolas 1027
Paillard Bruno 668 863
Paillard-Chauvet Famille 626
Paillette SARL 668
Pain Dom. Charles 1046
Pain Philippe 1042
Painturaud J. 820
Pairault Ph. et F. 386
Paire Famille 1074
Palais EARL Yann et Sylvie 1074
Palatin 309
Palatsi Sophie et Xavier 1230
Paleine SAS Dom. de la 1005
Pallaruelo Pascal 217
Pallet Vignerons du 965
Palmer Ch. 370
Palmer et C° 668
Palon Dom. 1160
Paloumey SA Ch. 360 365 373
Palthey 591
Palu Famille 755
Pampelonne Ch. de 858
Pampres d'or Dom. des 144
Panéry Ch. de 1116 1238
Panis Louis 736
Panisseau Ch. 911
Panman Jan et Caryl 766
Pantarotto Alfred 220
Paolini 870
Pape Clément Ch. 340 341
Papiau SCEA 997
Papin 991
Papin Christian 983
Papin EARL Hervé 989
Papon-Nouvel Catherine 308
Papyllon EARL 891 1215
Paquereau EARL Cyrille et Sylvain 965
Paques et Fils 668
Paquet Agnès 524 535 556

Paquet Michel 605
Paquet et Fils Dom. 584
Paquette Jérôme 849
Paradis Vignobles du 1045
Parayre Joëlle 767
Parc GFA du 963
Parcé EARL A. 810
Parcé Joseph 795
Parcé Thierry et Jean-Emmanuel 798 800
Pardiguière Dom. de la 858
Pardon et Fils 149
Parenchère Ch. de 217
Parent François 468 472 524
Parent SAS Dom. 524
Paret F. 832
Paret Maison Alain 1142
Paret SCEA Vignoble 296
Pariente Xavier et Christine 290
Parigot Dom. 490 510 525
Parinet 172
Parize Père et Fils EARL 580
Parlange Famille 318
Parmelin Reynald 1264
Parmentier et Jolly Familles 830
Parmentier-Jolly Familles 1195
Parnay Ch. de 1011
Partitor SAS 279
Pas de l'Âne SARL 286
Pas de l'Escalette Dom. du 757
Pas du Cerf SCEA Ch. 859
Pascal Alain 826
Pascal EARL Olivier 829
Pascal Famille 574 579
Pascal Franck 668 689
Pascal Blondel 758
Pascal et Céline Devictor Jérôme 826
Pascaud Edgard 858
Pasquier 1010
Pasquier Éric et Martial Du 1265
Pasquier GAEC Laurent et Jacky 1062
Pasquier GAEC Nicolas et Jacques 1012
Pasquier Patrick 1009
Pasquier-Meunier Ph. 736
Passama 806
Passion d'une femme 1187
Passot Alain 160
Passot Jacky 160
Passot Jean-Guillaume 156
Pastourel et Fils Yves 780
Pastouret Michel 1184
Pastricciola GAEC 877
Patache d'Aux Ch. 349
Pataille Sylvain 454
Paternel Dom. du 832
Patience EARL Dom. de la 1184
Patissier Jean-François 162
Patour Éric 669
Patriarche Alain 544
Patriarche Père et Fils 482
Pauchard Christophe 487 528 540
Pauget Pascal et Sylvie 412
Paul Jean-Marie 860
Paulands Caves 496
Paulet EARL Hubert 669
Paulin 861
Pauly Héritiers 393
Pauquet EARL Vignobles 192
Pautrizel Jacques 236
Pauty 281
Pauty Vignobles 909
Pauvert F. 929
Pauvif SCEA 228
Pavelot EARL Dom. 499
Pavelot EARL Dom. Jean-Marc et Hugues 496 511
Pavie SCA Ch. 286
Pays de Millau CAV 900
Pazac SCA des Grands Vins de 1184
Pech-Redon Ch. 757
Péchard Patrick et Ghislaine 175
Pêcheur Dom. Christian et Patricia 703 709
Pécoula Dom. de 921
Pécresse 243
Pédesclaux SCEA Ch. 378
Pedini Gilles 848
Peigné et Fils EARL 962
Peillot EARL Famille 722
Peitavy Jean-Baptiste 1236
Pélaquié Luc 1116 1130
Pélépol 862
Pelichet Jacques 1269
Pélissier Cave David 1072
Pellé EARL Vignobles 323
Pellegrini 759
Pellerin Domaines et Châteaux 144
Pelletant 821
Pelletier 485 1041
Pelletier Florence 1253
Pelletier Jean-Benoît 774
Pelletier-Hibon Dom. 580
Peltier Dom. 700
Peltier Frères EARL 1057
Pelvillain 889
Péna Ch. de 794 805
Penaud Patrick 226
Penavayre 903
Péquin François 1016
Péquin Vincent 1026
Peraldi EARL Dom. 874
Percher Luc 1062
Perdigao Vasco 1162
Perdriaux SARL 1059
Perdrix Dom. de la 787 810 1227
Perdrix Dom. des 474 482
Perdrix Philippe 722
Perdrycourt Dom. de 441
Père Auguste GAEC Caves du 1022
Père Guillot Dom. du 1184
Père Tienne Cave du 589
Péré-Vergé SCEA Vignobles 254 262
Peretti della Rocca de 872
Perez Charles 786
Périgord Vins fins du 910 915 919
Perler Meinrad 1282
Pernet Jean 669
Pernod Ricard 666 669
Pernot et ses Fils Paul 548
Peronne et Piriou 801
Péronnet Alain 923
Péroudier SCEA du Ch. 914
Perrachon Laurent 164
Perrachon Pierre 176
Perrachon Pierre-Yves 157
Perras 144
Perraud 148
Perraud EARL Dom. 412 589
Perraud GAEC Stéphane et Vincent 966
Perraud Jean-François 177
Perraud Laurent 965
Perrault Christian 566
Perréou SCEA Dom. de 1218
Perret 322
Perret André 1139 1142
Perret Éric 774
Perrier Dom. le 925
Perrier Marlyse et Gérard 149
Perrier et Fils Jean 715
Perrier-Jouët 669
Perrière Dom. de la 1097
Perrières Cave et Domaine les 1277
Perrin Alain-Dominique 886 1221
Perrin Dom. Christian 493 496
Perrin Dom. Roger 1116 1174
Perrin EARL Daniel 669
Perrin Famille 1154 1165
Perrin SCEA Philibert 338
Perrin et Fils SCEA A. 334
Perrodo Famille 368 369
Perromat EARL Vignobles Jacques 324
Perromat EARL Jacques et Guillaume 395
Perromat Jean-Xavier 391
Perrot Famille 588
Perroud Robert 156
Perse Gérard 286
Persenades EARL Dom. des 1218
Perseval Isabelle et Benoist 669
Persilier Gilles 1072
Perthuy Pierre-Yves 957
Pertois-Moriset 670
Pertuzot Romain 514
Pesquié Ch. 1192 1245
Pesquier Dom. du 1116 1165
Pétillat Jean-Louis 1088
Petit Camille et Marie-Thérèse 1034
Petit Dom. Désiré 696 709
Petit É. 256 264
Petit Franc 842
Petit James 1033
Petit Jean-Michel 696 709
Petit Romuald 604
Petit SCEA Jean-Dominique 186 214
Petit SCEA Vignobles Marcel 280 308
Petit Sébastien 213
Petit Vignobles Jean 285 304
Petit Clocher Dom. du 987 997 1208
Petit Coteau SARL Dom. du 1057
Petit Cottens Dom. le 1269
Petit Gontey SARL Le 194
Petit Métris Dom. du 991 999
Petit Puch GFA du 317
Petit Thouars Yves du 1022
Petit-Lécuyer SCEA 256 288
Petit-Village Ch. 256
Petite Croix Dom. de la 981 985 997 1001
Petiteau-Gaubert EARL 966 1209
Petitjean Éric 1167 1190
Petitjean-Pienne EARL 670
Petitot Dom. 483 485 496

PRODUCTEURS

Petra Bianca Dom. 871
Pétré Daniel 670
Petrus SC du Ch. 257
Pey blanc Dom. 835
Peyoriol GFA 309
Peyrabon SARL Ch. 360 376
Peyrassol SCEA Commanderie de 859
Peyrat-Fourthon Ch. 360
Peyre Bruno 1231 1237
Peyre Vincent 1176
Peyre Brune Dom. de 1250
Peyrère-Lucas SCEA la 218
Peyronie SCEA Dom. 376
Peyronnet EARL Dom. 780
Peyroutet-Davancens Chantal 941
Peyruse EARL des Vignobles 351
Peytavy Philippe 746
Pèze EARL La 909
Pfaffenheim Cave des vignerons de 121
Pfister Dom. 77 103
PH-CH 646 671
Phélan Ségur Ch. 383
Phétisson Gilles 1114
Philip et Virginie Fabre Guillaume 850
Philippart SARL Maurice 670
Philippe Jean 1253
Philippon 438
Philipponnat 670
Philippoz Frères 1272
Pialentou SCEA du 896
Piat 210
Pibaleau Pascal 1027
Pibarnon Ch. de 828
Pibran Ch. 379
Picamelot Maison Louis 421
Picant Yves 317
Picard Jacques 671
Picard Maison Michel 525
Picard et Fils Jean-Paul 1077
Picard Vins et Spiritueux 1094
Pichard Philippe 1046
Pichat Dom. 1136
Pichet EARL Thomas 1033
Pichet Patrimoniale du Groupe 334
Pichon Bernard 960
Pichon Christophe 1136
Pichon SCEA Claude-Michel 957
Pichon SCEA Vignobles 1244
Pichon-Longueville Ch. 378
Pichon-Longueville Comtesse de Lalande Ch. 378
Pichot Dom. 1058
Pichot et Fils EARL 1196 1248
Picot Pierre 1067
Picque Caillou GFA Ch. 341
Pieaux EARL Bruno et Jean-Michel 1058
Piéguë Ch. 955
Pieron SCEA PO 890
Pierrail EARL Ch. 218
Pierre des Dames Dom. de la 589 604
Pierre dorées Vignerons des 146
Pierre-Bise EARL Ch. 991 992
Pierrefeu Cave de 859
Pierrefeu Mme de 848
Pierres dorées Dom. des 145
Pierres rouges Dom. des 604
Pierrettes Dom. des 1022
Pierreux SCEV Ch. de 154
Pierron SC du Ch. 906
Pierson-Cuvelier 671
Piétrement-Renard 671
Piétri-Clara Laetitia 798 800 810
Piffaut Éric 421
Pignard Évelyne et Guy 161
Pigneret Fils Dom. 421 572
Pignier Dom. 704
Pigoudet SC Ch. 835
Piguet-Chouet Max et Anne-Marye 535 544
Piguet-Girardin Dom. 556
Pillot Fernand et Laurent 556
Pilotte-Audier Vignobles 281
Pin EARL 979 998
Pinault F. 377
Pineau Jacques 1205
Pineau Vincent 966
Pinet Pierre-Antoine 974 993
Pinon GAEC Michel et Damien 1058
Pinot 851
Pinquier Thierry 533
Pins EARL Dom. des 177
Pins Rodolphe de 1115
Pinson SCEA Dom. 441
Pinte Dom. de la 696
Pion Philippe 1047
Pique-Sègue SNC Ch. 923
Piquemal Dom. 787 794 810 1217
Piriou et Peronne 798
Pirou Auguste 706
Pirsch Mme 1193
Pisani Lycée viticole Edgard 1006
Pisani-Ferry SCEA Édouard 1008 1014
Pistre Nicolas 776
Pitault-Landry et Fils 1034 1039
Pizay Ch. de 145 170
Pizzaferri 762
Plaimont Producteurs 933 937 1216 1217
Plaimont Terroirs et Châteaux 934 937
Plaisance Ch. 903
Plaisance SC Vignobles 239
Plan Philippe 1277
Plan de l'Homme Le 758
Plan-Vermeersch Le 1245
Planères Ch. 787
Planes Famille Rieder SCEA Les 859
Planta Dom. de la 1278
Plantade Père et Fils SCEA 338
Plantevin Dom. Philippe 1131
Plantey SCE 378
Plessis Christian et Sylvie 991
Plince GFA château 257
Plisson SCEA Vignobles 226
Plô Roucarels 1223
Plouzeau Marc 1041
Ployez-Jacquemart SAS 671
Pluchot 1074
Pochon Christine 1251
Pochon Étienne 1145
Poget Pierre-Yves 1268
Pointe Ch. la 257
Pointeau Nicolas 1048
Poirier 1087
Poiron-Dabin 1208
Poitevin 281 306 1003
Poitevin EARL 348
Poitevin EARL André 164
Poittevin EARL Gaston 671
Poix Tyrel de 874
Pol Roger SA 672
Poli Ange 871
Poli Éric 875
Poli Éric et Antoine 1243
Poli Marie-Brigitte 875
Poll-Fabaire 1261
Pollier EARL Dom. Daniel 597
Pommard Ch. de 493 533
Pommard SARL Caves de la Propriété Ch. de 525
Pommeraud Jean-François 231
Pommier Isabelle et Denis 424 432 441
Poncetys Dom. des 598 605
Pons Gilles 865
Ponsard-Chevalier Dom. 563 566
Ponson Pascal 672
Ponsot Jean-Baptiste 572
Pontac Jacques de 397
Pontac-Lynch GFA Ch. 370
Pontaud 1129
Pontié Philippe 886
Pontoise Cabarrus SAS Ch. 360
Ponty 245
Ponz GFA Henri 224
Porcheron Domaines Philippe 359
Poret Mme 637
Port-Jean EARL de 969
Port-Sainte-Foy Union de viticulteurs de 923
Portal 864
Portal Jérôme 768
Portaz EARL Dom. Marc 719
Porte rouge Dom. 1174
Portier Philippe 1085
Portier SCV Ch. 172
Potel Nicolas 548
Potel-Prieux 672
Potensac Ch. 350
Poterie Dom. de la 982
Pothiers Dom. des 1074
Potiron SCEA Ch. de 321
Pottier Le 219
Pouderoux Dom. 795 813
Pouderoux Francis et Martine 890
Pouget Didier 145 415
Pouillon et Fils R. 689
Pouilloux Thierry 821
Pouilly-sur-Loire Caves de 1082
Poujo EARL 936
Poujol Dom. du 758
Poulet Père et Fils 460 518
Poulette Dom. de la 483
Poullain Luc 1019
Poulleau Dom. Michel 413 519
Poulvère et Barses GFA 924
Pountet Dom. du 904
Poupat et Fils Dom. 1070
Poupineau Gérard 1035
Pourquet Mme 282
Pourreau SCEA Vignobles 348
Pourtalès Max de 357
Pousse Anne 237

Pousse d'or Dom. de la 502 525 529
Poussin EARL Caves 1058
Poux Marie-Françoise et Élisabeth 778
Poyet Dom. du 1074
Pradas Dom. du 1160
Prade Mari Dom. la 771
Pradel Pierre 885
Pradel de Lavaux et de Boüard de Laforest 270
Pradelle Dom. 1147
Pradelle Hubert et Pierre 1129
Pradels-Quartironi Dom. des 777
Pradier Jean-Pierre 1073
Pradier Marc 1072 1201
Prat François 903
Prat Yveline 672
Pratavone SCEA Dom. de 874
Pratx Cylia 813
Pré Baron Dom. 1023
Pré Semelé Dom. du 1097
Prébost Richard 825
Préceptorie 795
Preignes le Neuf Dom. de 1224
Preignes le Vieux Dom. 1238
Preiss-Zimmer SARL 82 97
Prémeaux Dom. du Ch. de 416 485
Présidente Dom. de la 1117
Presqu'île de Saint-Tropez SCA Les Maîtres Vignerons de la 860
Prestige des Sacres 672
Preuillac SCF du Ch. 350
Préveaux Bruno 1046
Prévost Cave 1077
Prévost François 978
Prévosteau Jean-Charles 349
Prié Philippe 672
Prieur Ch. et A. 673
Prieur Dom. Jacques 518
Prieur Dominique 544 563
Prieur G. 544
Prieur Maison G. 518 525
Prieur SAS Ch. et A. 667
Prieur et Fils Paul 1098
Prieur et Fils Pierre 1098
Prieur-Brunet Dom. 544 550 563
Prieuré Dom. du 490 511
Prieuré Les Vignerons du 166
Prieuré Borde-Rouge Ch. 733
Prieuré de Meyney SC 382
Prieuré de Saint-Jean-de-Bébian 758
Prieuré la Chaume 1205
Prieuré Lalande GFA Ch. 239
Prieuré-Lichine Ch. 370
Prin – Jean-Luc Boudrot Dom. 494 496 511
Princé Ch. 989
Princes Cellier des 1117
Priorat GAEC du 914
Prissette Éric 762
Prodiffu 192 202 208 1210
Prost et Fils EARL Serge 567
Provence verte Vignerons de la 840
Providence Sœurs de la 1029
Provins 1273
Prudhomme 1006
Prugnard Jean-Pierre 1072
Prunier Dom. Jean-Pierre et Laurent 533 535
Prunier SARL Vincent 529 535 556
Prunier et Fille Dom. Michel 535
Prunier-Bonheur 533 535 538 544
Prunier-Damy Philippe 535 538
Puech-Auger Dom. 758
Puech-Berthier EARL Dom. 1238
Pueyo EARL Vignobles 266
Puffeney Frédéric 696
Puig Marie-Françoise 805
Puilacher Dom. de 1238
Puillat Christine et Didier 148
Puisseguin Curat EARL Ch. de 301
Puisseguin – Lussac-Saint-Émilion Vignerons de 292 300 308
Puits de Compostelle Dom. du 1201
Pujol 738
Pujol Annick 311
Pujol Fabien 1235
Pujol-Izard Dom. 771
Pulido J.-M. 304
Pully Commune de 1269
Pumpyanskiy Alexander 758
Pundel-Sibenaler Caves 1259
Pupillin Fruitière vinicole de 696 706
Puy Castéra SCE Ch. 360
Puy-Servain SCEA 923
Puymorin de 1184
Puyol SCEA des Vignobles Stéphane 266 911
Puypezat-Rosette Ch. 912
Puzio-Lesage 277

Q

Quancard et Max Cazottes Joël 316
Quarres Dom. des 982
Quat'z'arts Villa 777
Quatre Chemins Les Vignerons des 1106
Quatre Sœurs SCEA Dom. des 350
Quatre Tours Les 1245
Quatresols-Gauthier 673
Quénard André et Michel 715
Quénard Dom. Pascal et Annick 716
Quénard Jean-Pierre et Jean-François 716
Quenioux 1062
Quentin 1250
Quercy GFA Ch. 287
Quercy Vignerons du 891
Querre Famille 256
Queyrens et Fils SC Vignobles Jean 191 199 206 223 321
Quié Jean-Michel 371 375
Quilichini Élisabeth 868
Quillot Dom. 704 706
Quinard Julien 722
Quinçay Ch. de 1023
Quinçay-Cadart Ch. de 1066
Quinn Brenda et Lochlann 336
Quinquarlet SCEA 749
Quinsac Cave de 199
Quivy Gérard 460 464

R

R & D Vins 1110 1121 1135 1138 1146 1154 1163 1182 1197
Rabastens SCA Vignerons de 896
Rabelais SICA des Vins de 1047
Rabiller René et Dany 383
Rabineau-Fillion 975 982 989
Raboutet Didier 227
Racault Ines 1008
Race Denis 432 445
Racey 351
Raffault Dom. Olga 1047
Raffault EARL Jean-Maurice 1047
Raffinat et Fils 1068
Rafflin EARL Serge 673
Ragot Dom. 581
Ragotière SCEA de la 960
Raguenot-Lallez-Miller EARL 196 232 357
Raimbault 1097
Raimbault Dom. Noël et Jean-Luc 1098
Raimbault EARL Philippe 1098
Raimbault Roger et Didier 1098
Raimbault-Pineau Dom. 1098
Raimont C. 834 1242
Rainaud Sylvie 376
Rainon-Henriet 647
Raissac Ch. 759
Rambeaud SCEA François 295
Rame GFA Ch. la 186 321 388 391
Ramonteu Henri 940
Rampon Daniel 170
Rampon et Fils EARL Michel 174
Rancy Dom. de 795 805 1225
Raoult 237
Raousset SCEA Héritiers de 160
Raoust Michel 871
Raoux SCA Domaines Philippe 297
Rapeneau 618 660
Rapet et Fils Dom. François 536 544
Rapet Père et Fils 496 499 505 518
Rapin 194
Rapp EARL Jean et Guillaume 71
Raquillet François 572 578
Raspail EARL Georges 1153
Raspail et Fils Jean-Claude 1153
Rasque Ch. 860
Rassat Didier 1085
Rasteau et de Tain l'Hermitage Les Vignerons de 1132 1168
Ratas SCEA Dom. des 1070
Rateau EARL Vignobles Jérôme 738
Ratier Guy 762
Ratron EARL Dom. 1009
Rauzan Les Caves de 186 314
Rauzan-Ségla Ch. 371
Ravache 267
Ravache G. 189
Ravaille 749
Ravat Éric 245
Ravat et Fils SCEA 247
Ravaut SARL Vincent 477
Ravaute 835
Ravaute Rémy 1244
Ravel F. 857
Ravier EARL Pascal 716
Ravier EARL Philippe et Sylvain 716

Ravoire et Fils 1105
Ravoux Daniel et Alain 1105
Ray Dom. 1089
Raymond 863
Raymond Yves 364
Raymond VFI SARL 215
Raynal 891
Raynaud J. 867
Rayne-Vigneau Ch. de 206 397
Rayre Ch. la 916
Razès Cave du 767
Razungles 791 803
RCR Group 186 191 209 235 289 298 302
Réal Martin SCEA Ch. 860
Réaud J.-F. 189 205 227
Rebeilleau Jean-Pierre et Sylvain 1012
Rebes Laurent 345
Reboul Fabien 761
Rebourgeon Dom. Michel 413
Rebourgeon-Mure Dom. 525
Rebourseau Dom. Henri 472
Reculet Jean-Louis 200
Redde et Fils Michel 1082
Rédempteur Champagne du 673
Redortier Ch. 1161 1168
Regaud SCEA 221
Regin André 89 131
Régina Dom. 135
Réglat EARL Vignobles Laurent 329 388 390
Réglat Guillaume et Caroline 328
Régnard 432 445
Regnard Christian 491 567
Régnard SCEV 951 985
Regnaudot Bernard 564 567
Regnaudot et Fils Jean-Claude 564 567
Régnier SAS Louis 673
Régusse SAS 1197
Reh-Siddle Eva 471
Reich GAEC des Vignobles 343
Reiffers Famille 276
Reignac Ch. de 219
Reillanne SCEA Ch. 1247
Reinhart Pierre 89 121
Reitz Maison Paul 511 518
Relagnes Dom. des 1174
Remaury Damien 770
Remond J.-C. 587
Remoulins Les Vignerons de 1117
Remparts EARL Dom. des 413
Remparts de Neffiès SCEA 758
Remy Dom. Chantal 463
Remy Dom. Joël 491
Remy Ernest 673
Rémy Martin Domaines 1211
Remy-Collard F. 674
Renard Lionel 1006
Renardière Dom. de la 696 709
Renaud Jean-Marc 980
Renaud Pascal 598
Renaud-Cointreau 644
Renaudat Dom. Valéry 1087
Renaudie Ch. la 925
Renaudie Dom. de la 1023
Renaut Laurent 1253
Renck EARL Raymond 74
René Rieux Dom. 897
Renier 197
Renjarde Dom. de la 1131
Renne Dom. de la 1208
Renoir-Bourdelois SCEV 620
Renou Chantal 1040
Renou Famille 991 999
Renou Frères et Fils EARL 969 976
Rentz et Fils SARL 82
Renucci 1243
Renucci Bernard 871
Renvoisé Jean-Marie 1050
République et canton de Genève Vignoble 1278
Ressès M. 882
Retailleau Denis 993
Réthoré Richard 1039
Rétiveau-Rétif EARL 1003 1007 1014
Retour aux Sources EARL Le 1074
Rettenmaier Otto 290
Reuiller EARL Vincent 1000
Reulet SCEA 732
Reulier Romain 973
Revaire Muriel 229
Reveillas Bernard 775
Revents Dom. les 1269
Reverchon Xavier 704 706 709
Reverdy Dom. Hippolyte 1098
Reverdy Pascal et Sophie 1098
Reverdy Patrick 736
Reverdy Ducroux Dom. 1098
Reverdy et Fils Dom. Daniel 1099
Reverdy et Fils EARL Jean 1099
Reverdy et Fils SCEV Bernard 1099
Reverdy Père et FIls 1098
Rey Ève et Michel 598
Rey Guy 1168
Rey et Fils EARL Simon 203 228
Reynardière Dom. de la 739
Reynaud Vignobles 330
Reyne SCEA Ch. la 889
Reynier Guillaume 836
Reyser EARL Dom. Hubert 131
Reysson Ch. 361
Rezé Didier 1038
Rhodanienne La Compagnie 1125
Rhône Vignobles et Domaines du 1112 1187
Ribeauvillé Cave de 89 99 121
Ribes Famille 903
Ribet Jean-Marc 762
Ribourel Jacques 759
Ricard Guy 1163
Ricardelle Ch. 759
Ricaud Ch. de 206 322
Richard 310 719 1131 1173
Richard EARL André 1161
Richard EARL Philippe 1047
Richard Famille 289
Richard Fanny 298
Richard Pierre 704 706 709
Richard SCE Dom. Henri 460
Richarte Jean-Pierre 1210
Richel Bernard et Christophe 716
Richemer Les Caves 1228
Richert 291
Richomme EARL Franck 674
Richou Dom. 956 989
Richoux Thierry 413
Ricome EARL Les Vignobles Dominique 1185
Rideau Marc 1008
Rieffel André 121
Rieflé Christophe 89 97
Rieflé Dom. 121
Rière Cadène Dom. 788 811
Rietsch Dom. 121
Rieussec Ch. 397
Riffault Pierre 1092
Rigaill Claude 809 1226
Rigal 889 919 934 1219 1221
Rigal EARL Vignobles 915
Rigal Famille 890
Rigaud Ch. 301
Rigollot Emmanuel 674
Rigolot Marc 674
Rigot Dom. 1131 1246
Rimauresq Dom. de 860
Rimbert François-Xavier 1191 1248
Rineau Damien 967
Rineau Vincent 966
Rion Dom. Armelle et Bernard 413 473 477
Rion Dom. Michèle et Patrice 483
Rivalerie Ch. la 232
Rive Droite SCEA de la 207 315
Rives-Blanques Ch. 766
Rivier Delfau 891
Rivière Martine 262
Rivière Pascale 751
Rivière Philippe 216
Rivière SCA Ch. de la 196 248
Rivière SCE Vignobles Pierre 274
Roaix-Séguret Les Vignerons de 1131
Robbins 917
Robelin 1234
Robelin Fils Dom. 704 709
Roben SCEA 925
Robert 244 674 1004
Robert A. 674
Robert Alain et Cyril 1058
Robert André 674
Robert EARL Vignobles 221 315
Robert GFA 763
Robert Laurent 1156
Robert Stéphane 1144 1151 1152
Robertie Ch. la 921
Roberts Ricardo et Évelyne 221
Robin 288
Robin Dom. Guy 445
Robin EARL Louis et Claude 977 996 1001
Robin Gérard 432
Robin Jocelyne 190
Robin Louis 432
Robin SARL 189 205 227
Robin SAS Vignobles 252
Robin SCEA Ch. 309
Robin SCEA Jacques 675
Robin Vignobles 301
Robin, J. Guyon, Y. Vatelot A. 307
Robineau Michel 998
Roblin Alban 1099
Roblin Matthias et Émile 1099
Roc Dom. le 903
Roc des Anges Dom. le 1227
Roca Benjamin 1134
Rocalière Dom. la 1178 1181
Rocault Lucien et Fanny 491
Rocca Maura 1117 1179 1180
Rochais Guy 991 997 1000

Roche Christian 915
Roche EARL Dom. de la 966
Roche Aiguë EARL La 491 538
Roche Beaulieu SCEA Ch. la 309
Roche bleue Dom. de la 1049
Roche de Bellène Maison 462 548 549
Roche Honneur Dom. de la 1047
Rochebin SCEV Dom. de 413
Rocher Benoît 988
Rocher Éric 1143 1147 1250
Rocher Jean-Claude 299
Rocher Corbin SCEA Ch. 298
Roches Didier 925
Rochet SCEA 190
Rochette Vincent 1117 1131
Rocheville EARL Dom. de 1006
Rocourt EARL Michel 675
Rodeline Dom. la 1275
Rodet Antonin 548
Rodet-Récapet GFA 233
Rodez Éric 675
Rodrigues-Lalande EARL Vignobles 325 341
Rodriguez Thierry 739
Roduit Yvon 1275
Roederer 354 378 383 675 848
Roger Dominique 1092
Roger Jean-Max 1099
Roger Yvette, André et Frédéric 994
Rogge-Cereser 675
Roh Serge 1275
Roi Éric 1034
Roi Dagobert Cave du 89
Roizelière Dom. la 1118
Rol Valentin SAS Vignobles 288
Rolet Jarbin SCEA 186 209
Rolet Père et Fils 696
Rolland 202 830
Rolland Marie-France 1023
Rolland Michel et Dany 246
Rolland SCEA des Dom. 250 260
Rollet EARL Georges et Vincent 166
Rollet SA Vignobles 291 306
Rollin Père et Fils 499
Rolly Gassmann 90
Romain Bouchard 430
Romain Philippe et Thierry 1216
Romaine Cave la 1118 1132 1192
Romanée-Conti SC du Dom. de la 474 475 479 502
Romanin Dom. 590 598
Romat et Jean Mallet Hervé 236
Rombeau SCEA Dom. de 795 811 1227
Rome Sylvie et Guy 1277
Roméro Frédéric 1119 1156 1161
Rominger Dom. Éric 121
Rompillon SARL Dom. 982
Romy Nicolas 145
Roncée Dom. du 1041
Rongier et Fils EARL 593
Rontein 319
Ropiteau Frères 544
Roque Ch. la 759
Roquebrun SCAV Cave de 777 1230
Roquefeuil Loïc de 311
Roquefeuille SCEA Ch. de 860
Roquefort Ch. 192 207
Roquegrave SA Ch. 350
Roques SCEA Vignobles Ch. de 301
Roquette GFA La 231
Roquière Cave Coop. Vinicole de la 840
Rosé de Bessan SCA Le 1239
Rose des vents Dom. la 840
Rose et Paul EARL Dom. 767
Roseraie Vignoble de la 1034 1040
Rosier Dom. 765
Rosier Dom. des 1187
Rosinoer 866
Roskam Frans 359
Roskam-Brunot Nicole 272
Rospars Alain 267
Rossier Cave David 1275
Rossignol Dom. Philippe 456 460
Rossignol Pascal 788 805
Rossignol Régis 519 525 529
Rossignol-Boinard SCEA Vignobles 224
Rossignol-Février Dom. 526 530
Rossignol-Trapet Dom. 460 511
Rothschild Baron Philippe de 199 374 375 378
Rothschild CV Baron Edmond de 297 300
Rothschild Dom. Barons de 376 377 728
Rothschild Expl. Vinicole Edmond de 360 362 373
Rothschild GFA Baronne Philippine de 766
Rothschild (Lafite) Dom. Barons de 253 375 397 1232
Rotier Dom. 897
Rotisson Dom. de 145 415
Roty GAEC du 973
Rouballay Noë 1022
Roubaud J.-F. 858
Roubine Ch. 861
Roubineau Frédéric 199
Roucas Dom. de 861
Roucas de Saint-Pierre Dom. du 1161
Roudil-Jouffret EARL 1120 1181
Roudon Didier 142
Rouet Dom. des 1047
Rouge Garance SCEA Dom. 1118 1132
Rouges-Queues Dom. des 564
Rouget SGVP 258
Rougeyron Dom. 1072
Rougon Didier 834
Rouïre-Ségur SARL 734
Roulerie Ch. de la 979
Roullet EARL Dominique 983
Roumage EARL Jean-Louis et Estelle 196 198 204 216 313
Roumazeilles EARL 395
Roumazeilles-Cameleyre Odile 395
Roumégous Denis 330
Roumégous Jean-René 190
Rouquette 316 1201
Rousse Ch. de 942
Rousse Wilfrid 1047
Rousseau EARL Christian et Anne 1001
Rousseau Hubert 967
Rousseau Laurent et Stéphanie 257
Rousseau SCE Vignobles 263
Rousseau Tony 974 986
Rousseau Vignobles 257
Rousseau de Sipian Ch. 351
Rousseau Frères 1024
Rousseau-Rodriguez Élisabeth 309
Rousseaux Denis 675
Rousseaux-Fresnet Jean-Brice 676
Roussel Marine 1177
Rousselin Dom. Pascal 805
Rousselle V. 861
Rousselon et Fils EARL 388
Rousselot Rémy 248 259
Rousset Ch. de 1197 1241
Rousset-Rouard 1194
Roussille EARL 883
Roussille et Filles EARL 1221
Roussot Thierry 166
Roussy de Sales Marquise de 151
Routas Ch. 841
Rouvière Marc et Dominique 1140
Rouvière Nicole 195
Rouvre Saint-Léger Dom. 1132
Roux 1191
Roux Christian 515 551 564 574
Roux Denis 1182
Roux EARL 350
Roux Gilles et Cécile 174
Roux Jean 1158
Roux Jean-Claude 1068
Roux Jean-Pierre et Claude 1160
Roux Jérôme et Vincent 1187
Roux Paul-Henri 1270
Roux SCEA André 847
Roux SCEA Vignobles 215
Roux Vignobles Daniel et Nicolas 187
Roux et Fils SCEV Vignobles Alain 243
Roux Père et Fils 545 558
Roux-Oulié Arnaud 245
Rouy Hubert 840
Rouzaud 675
Rouzé 1085
Rouzé Adèle 1085
Rouzier Jean-Marie 1031 1043
Roy 460 1066
Roy Alain 583
Roy SCEA Dom. 425
Roy Vignobles 239
Roy et Fils Dom. Georges 496 514 519
Roy René Les Vignerons du 836
Roy-Trocard SCEV 247
Royer Jean-Jacques et Sébastien 676
Royer Richard 676
Royer Père et Fils 676
Royet Dom. 421
Rozel Bruno 1187
Rozier Claudine 184
Rudloff François 300
Ruelle-Pertois SCEV 676
Ruff Daniel 72 82 131
Ruffin et Fils 676
Ruhlmann 105
Ruhlmann Fils Gilbert 77
Ruhlmann-Dirringer 77 82
Ruinart 677

Rullier François 986
Rullier SARL Vignobles Brigitte 246
Rully Saint-Michel GFA Dom. 572
Runge Kenth 865
Runner et Fils EARL François 97
Rybinski Emmanuel 884
Rybinski et Fabien Jouves Emmanuel 887
Ryhiner M. 561
Ryman SA 911

S

Sabarthès Entreprise adaptée Le 1213
Sabineu 808
Sabon EARL Aimé 1128 1172 1246
Sabrand Francis 482 498 542
Saby et Fils Vignobles Jean-Bernard 246 263 283 297 302
Sack François 832
Sacy Louis de 677
Sadoux Pierre 909 917
SAFIRE SA 929
Saget Jean-Louis 984 996 1070 1080 1091 1097
Saget La Perrière 951 984 1077 1084 1208
Sagne Jean-Louis 745
Saint-Abel Dom. 564 574
Saint-Amant Dom. 1118
Saint-André de Figuière 861 1247
Saint-Andrieu Dom. 861
Saint-Augustin Cellier 835
Saint-Benoit Cellier 697
Saint-Brice SCV Cave 346 351
Saint-Chinian Cave des Vignerons de 778
Saint-Christophe SCEA 1167
Saint-Damien Dom. 1161
Saint-Désirat Cave 1143
Saint-Didier-Parnac SCEA Ch. 890
Saint-Émilion Union de producteurs de 266 267 268 269 270 279 283 290
Saint-Estèphe Marquis de 382
Saint-Estève d'Uchaux Ch. 1118
Saint-Étienne Cellier des 150
Saint-Étienne Dom. 1118
Saint-Eutrope EARL Ch. de 734
Saint-Exupéry de 926
Saint-Exupéry Jacques de 757
Saint-François-Xavier Dom. 1161
Saint-Gabriel Cong. 959
Saint-Germain Basile 744
Saint-Germain Dom. 716 719
Saint-Gervais Cave des Vignerons 1133
Saint-Go Ch. 937
Saint-Hilaire Dom. 836
Saint-Jean de la Gineste SCEA 734
Saint-Jean du Noviciat 755
Saint-Jodern Kellerei 1275
Saint-Julien Cave de 150
Saint-Julien EARL Dom. 841
Saint-Julien d'Aille Ch. 862
Saint-Just Dom. de 1002 1006 1013
Saint-Laurent SCEA Dom. 1116
Saint-Louis SCEA Ch. 903 1215
Saint-Marc Cave coopérative 1192
Saint-Martin de la Garrigue SCEA 760
Saint-Maurice SCA Ch. 1119 1133
Saint-Michel Dom. 1133
Saint-Michel Archange Dom. 1239
Saint-Mitre Dom. 841
Saint-Nicolas SCEA du Ch. 788
Saint-Orens Daniel 933
Saint-Pancrace Dom. 413
Saint-Pantaléon-les-Vignes Cave de 1133
Saint-Paul Dom. de 1174
Saint-Pierre Dom. de 697
Saint-Pierre SA Cave 1275
Saint-Pons Ch. 1192
Saint-Pourçain Union des Vignerons de 1089
Saint-Roch Ch. 1119 1179
Saint-Roman d'Esclans 863
Saint-Sardos Les Vignerons de 908
Saint-Saturnin Les Vins de 760
Saint-Sauveur Ch. 1168
Saint-Sébastien Dom. 798 801
Saint-Ser SAS Dom. de 863
Saint-Seurin SCEA 889
Saint-Seurin-de-Cadourne SCV 357
Saint-Sidoine Cellier 849
Saint-Verny Cave 1072 1201
Saint-Victor Éric de 828
Sainte-Anne EARL Dom. 1118 1132
Sainte-Barbe SCEA Ch. 193 220
Sainte-Baume Le Cellier de la 841
Sainte-Baume Les Vignerons de la 840 1247
Sainte-Béatrice Ch. 862
Sainte-Cécile du Parc Dom. 760 1232
Sainte-Croix Ch. 862
Sainte-Lucie Dom. 862
Sainte-Marguerite Ch. 862
Sainte-Roseline SCEA Ch. 862
Saintout Bruno 349 384
Sala Francis 780
Salamin Francis 1271
Salasar SA Joseph 765
Salel et Renaud Dom. 1250
Sales GFA château de 258
Salettes Ch. 828
Salinas 863
Salitis Ch. 726
Salle Saint-Estèphe SC La 383
Salles 745
Sallette 348
Sallier 836
Salmon Dominique 961
Salmon EARL 678
Salmon SAS Christian 1100
Salmon et Fils EURL 295
Salmona Guy 903
Salomon Christelle 678
Salon 678
Salvat Dom. 788 806
Salvert 279
Salvestre et Fils 776
Salvy Dom. 897
Sambardier Damien 172
Samson Gérard 1201
San Quilico EARL Dom. 875 877
Sancerre Cave des Vins de 1100
Sanchez-Le Guédard 678
Sanchez-Ortiz 261
Sanfins José 359 366
Sanfourche EARL Vignobles 203 387
Sanglière EARL Dom. de la 863
Sangouard-Guyot Dom. 598
Sans Souci SAS 288
Sansonnet SCEA Ch. 289
Sant Armettu EARL 871
Santamaria Dom. 877
Santé Bernard 159
Santenay SAS Ch. de 519 559 577
Santini 832
Sanzay Antoine 1013
Sanzay Dom. des 1013
Saouliak Emmanuel 83
Saparale Dom. 872
Sarda-Bobo Denis 807
Sarda-Malet Dom. 789 806 811
Sarrabelle Dom. 897 1220
Sarrazin et Fils SARL Michel 567 578 581
Sarrins Dom. des 863
Sarry Dom. de 1100
Sartre SCEA du Ch. le 341
SAS Prat 672
Sassangy Ch. de 577
Sassi Roch 848
Saü Ch. de 806
Sauger Dom. 1062
Saulnier EARL Marco 97
Saumaize Guy 604
Saumaize Jacques et Nathalie 590 605
Saumaize-Michelin Dom. Roger et Christine 598
Saumur Cave des Vignerons de 1012
Saupin Serge 966
Saurel Joël 1161
Saurel P. 787 804
Saurel-Chauvet 1160
Sauronnes Dom. des 863
Saurs SCEA Ch. de 897
Saury Marc 920
Sautereau David 1100
Sauvan Éric 1248
Sauvat Dom. Claude et Annie 1073
Sauvayre Christian 1131 1154
Sauvegarde SCF La 193
Sauvestre Dom. Vincent 512 530 564
Sauvète Dom. 1024
Sauveterre-de-Guyenne Cave de 193
Sauvion Alexis 956
Savagny Dom. de 706 709
Savary EARL Dom. 433 441
Savas 193
Savatier Sélection SAS 861
Savignac Julien de 914
Savigneux 336

Savoye Laurent 162
Savoye Suzanne et René 161
Saxby William 666
Sazi – Courège-Longue David 905
SCADIF 150
Schaetzel Martin 122
Schaffhauser SARL Jean-Paul 82 131
Schaller et Fils EARL Edgard 122 131
Scharsch Dom. Joseph 97 122
Scheidecker Philippe 97 122
Schelcher 847
Schenk 470 502 512 533 536
Schenck Bruno 732
Schenk SA 1265
Schepper De 368
Scherb et Fils Louis 122
Scherb et Fils SCEA Bernard 90
Scherer Vignoble André 97
Scherrer Serge 1222
Scherrer Thierry 131
Scheufele 917
Schiff J. 350
Schillinger EARL Émile 83
Schirmer et Fils Dom. Lucien 90 131
Schistes Dom. des 789 795
Schlegel-Boeglin Dom. 122
Schlumberger Domaines 90
Schmidt 321
Schmidt P.-H. 148
Schmidt-Rabe 835
Schmitt Dom. Roland 123
Schmitt et Carrer 123
Schneider 788
Schoech Dom. Maurice 71
Schoenheitz Henri 103
Schoepfer Dom. Michel 74
Schoepfer Jean-Louis 90
Schoffit Dom. 123
Schröder & Schyler Maison 221
Schueller EARL Maurice 123 131
Schueller Edmond et Damien 98
Schulte Robert et Agnès 907
Schumacher-Lethal et Fils Dom. 1259 1261
Schuster de Ballwil Armand 314
Schwach Sébastien 83 90
Schwartz Christian 103
Schwartz Dom. J.-L. 98 132
Schwebel 130
Schweitzer SCEA Vignobles Luc 226
Schwertz 771
Schÿler Famille 368
Schyler Yann 221
Sciard-Jabiol SAS Françoise 278
Sciortino Thierry 1071
Sclafer Chantal 267 285
Sécher et Hervé Denis Jérôme 1206
Secondé EARL François 678
Secondé P. & E. 615
Secret Frères et Fils 343
Segond Bruno 348
Seguin Dom. 1083
Seguin Dom. Gérard 461
Seguin SC Dom. de 342
Seguin SC du Ch. de 220
Seguin-Manuel Dom. 413 461 519 556
Séguinot et Filles Dom. Daniel 433 441
Séguinot-Bordet EARL Dom. 425
Seignez Bruno 865
Seignon Serge 1195
Seilly Dom. 71
Seize Robert 299
Sélèque 679
Selle Michelle 901
Selle Pierre, Anne-Marie et Nicolas 901 1214
Seltz et Fils EARL Fernand 123
Semeria Laura 1061
Seminel François 854
Semper Dom. 813
Sénailhac Ch. 211 221
Sénéchaux Dom. des 1174
Sénéclauze 369 855
Senez 679
Senoche Dom. de 717
Sept Monts Cave des 1210
Sérame SAS Ch. de 735
Serex Louis et André 1279
Sergenton EARL 916
Serguier Jean-Pierre 1119
Serguier Marc 1106
Sérignan SCAV Les Vignerons de 762 1240
Seroin 871
Serre des Vignes Dom. du 1187
Serrigny Francine et Marie-Laure 512
Serveaux Pascal 679
Servière 779
Servière Jean-Philippe 750
Servin Dom. 441 446
Seubert SCEA 742
Sevault Philippe 1050
Sevenet Vignobles 331
Sevenet-Lateyron Marie-France 331
Sevin 1062
Seydoux 738
Seysses 1247
Sèze Famille 248
Shen 347
Sibran 855
Sibuet Groupe 1249
Sicard Dom. 772
Sicard et Filles EARL Vignoble René 220
Sicardi Marc 839
Sicarex Beaujolais 143
Sichel 364
Sié Arnaud 735
Siegler Jean 123
Sieur d'Arques Aimery 765
Sigalas Rabaud Ch. 397
Sigaud Jean-Marie 886
Sigaut Dom. Anne et Hervé 468 470
Signac SCA Ch. 1133
Signé Vignerons 145
Sigolsheim Cave de 108
Sigoulès Les Vignerons de 912 917 927 1212
Silvestre-Du Closel SCEV Dom. 581
Silvestrini SCEA Vignobles 292
Simart Pascal 679
Simart-Moreau 679
Simian Ch. 1119
Simon 781
Simon Alain 679
Simon Dom. Aline et Rémy 98
Simon et Vérax 886
Simon-Devaux 679
Simonin Jacques 598
Simonis Étienne 124
Simonis et Fils EARL Jean-Paul 124
Simonnet-Febvre 421 441 446
Sinson EARL Hubert et Olivier 1024 1066
Sipp Grands vins d'Alsace Louis 124
Sipp Jean 98 124
Sipp Vincent 100
Sipp-Mack Dom. 98 124
Siran SC Ch. 371
Siranière EARL La 772
Sirot-Soizeau F. 394
Sisqueille Cathy et Philippe 788
Sixtine Ch. 1174
Skalli Les Vins 1133 1234
Sloge 893
SMABTP 283 354
Smati 329
Socheleau 975 994
Sœurs Saint-Charles Congrégation des 152
Sohler Damien et Nicolas 112
Sohler Dom. Philippe 98
Sohler Jean-Marie et Hervé 83
Sol-Payré Dom. 789
Solane SARL Les Domaines de la 744
Solane et Fils GFA Bernard 390
Solé Jean 798 1224
Solidaires Châteaux 230 238
Solorzano J.-B. 329
Sommiérois SCA Les Vignerons du 760
Sonnette Jacques 679
Sontag EARL Dom. Claude 136
Sorbe SARL Dom. Jean-Michel 1087
Sorbe SARL Jean-Michel 1209
Sordet Jérôme 521 537
Sorg Dom. Bruno 124 132
Sorge SCEA des Vignobles Jean 361 367
Soriano 902
Sorin 413
Sorin-Coquard Dom. 414
Sorin De France Dom. 414 418
Sorine Christian 556 564
Sou Romain 237
Soubie 216
Souch SCEA Dom. de 943
Soucherie Ch. 998
Souciou EARL Philippe 1027
Soufrandise Dom. la 590 598
Soulat Éric 727
Soulier Brigitte 921
Soulier Richard 1109
Sounit Dom. Roland 414 418
Sounit Maison Albert 421 568 581
Source Dom. de la 831
Sourdais EARL Pierre 1048
Sourdais EARL Serge et Bruno 1045
Sourdet-Diot EARL 679

Sourdon 1114 1129
Sourdon Laurent 1248
Sourina M. 779
Soutard SCEA Ch. 282
Soutiran 680
Soutiran EARL Patrick 680
Sovex-Woltner 185
Spadone Christophe 849
Spannagel Dom. Paul 125
Spannagel Dom. Vincent 125
Sparr Dom. Charles 132
Spay Bernadette 165
Spay Romain 177
Spettel 109
Speyer Pierre 933
Spitz et Fils 125
Spizzo 831
Spring Michael et Susan 885
Sroka Viviane 910
St.-Martin SA Caves 1260
St.-Remy-Desom Caves 1260 1261
Stapurewicz Daniel 136
Station viticole cantonale 1280
Stehelin Bertrand 1249
Stehelin Frédéric 1160 1175
Steinmaier 1132
Stentz André 125
Stentz-Buecher Dom. 83
Stephen Garry 835
Stintzi Gérard 91
Stirn Dom. 125
Stoeffler Dom. Vincent 125
Stony Ch. de 1239
Straub Jean-Marie 126
Straub Fils Joseph 83 126
Stroobandt 320
Suard Stéphane et Francis 1048
Sublett Didier 301
Subrin Georges 144
Sud Ardèche Vignerons 1250
Sud Roussillon Les Vignobles du 788
Suduiraut Ch. 398
Suenen Aurélien 680
Suffrène Dom. la 829
Sulzer Vignobles 310
Sumeire Famille 842 856
Sunnen-Hoffmann Dom. 1260 1261
Suntory Ltd 385
Suremain Dom. de 578
Suriane SCEA Dom. de 836
Suteau Carmen 970
Suteau-Ollivier EARL 970
Sutra de Germa et Christian Gil Anne 756
Suzienne Cave La 1105 1188
Suzzoni Étienne 869
Swartvagher-Cavalié 890
Sylla SCA 1192 1196
Sylvain Vignobles Jean-Luc 206 275 294

T

Tabordet Yvon et Pascal 1083
Tach Frédéric 325
Tachon Marie-Claire et René 155
Tadieu 946
Tailhades Régis 772
Taillan 217
Taillan Groupe 1108 1125 1180
Tailleurguet EARL Dom. 936
Tain Cave de 1143 1147 1150
Taittinger 680
Taïx Patrice 1228
Taïx Pierre 297 301 305
Talbot Ch. 386
Talmard EARL Gérald 590
Taluau-Foltzenlogel EARL 1034 1040
Tamborini SA Eredi Carlo 1282
Tambour EARL Cave 801
Tanguy Yann 785 804 808
Tanneux-Mahy 680
Tapon Raymond 261
Tara SCEA Dom. de 1192
Taradeau SCA Les Vignerons de 864
Tardieu Michel 1161
Tardieu-Laurent Maison 1119 1151 1161 1166
Tardy 1146
Tardy Luc 1147
Tardy Patrick 712
Tari-Heeter Nicole 392
Tariquet SCV Ch. du 1219
Tarlant 681
Taste et Barrié SCEA des Vignobles de 240
Tastet Denis 946
Tastu Thierry 732 1222
Tatin Jean 1085 1086
Taudou 765
Taupenot Pierre 538
Taupenot-Merme Dom. 461 464 466
Taureau SCE Ch. 213 294
Tautavel-Vingrau Vignerons de 796 813
Tauzies Ch. de 897
Tavel Les Vignerons de 1179 1181
Teillaud 849 862
Teiller Dom. Jean 1077
Teissèdre 756
Teissèdre Les Vins Jean-Pierre 148 154
Telmont J. de 681
Templiers Cellier des 798 801 802 1188
Tenuta San Giorgio Mike Rudolph 1282
Tereygeol 360
Ternynck Laurent et Marie-Noëlle 411 447
Terra Corsa EARL 870
Terra Monti 1223 1230
Terra Vecchia 872 1243
Terral Franck 196
Terrassous SCV Vignobles 789 806
Terrat P.-F. 833
Terraube Jean-Marie 947 1218
TerraVentoux Cave 1192
Terre-Blanque SCEA 232
Terregelesses – Françoise André Dom. des 497 512 514
Terres blanches Dom. des 830
Terres d'Avignon SCA 1120 1123
Terres de Chatenay Dom. des 593
Terres de Gascogne 945
Terres de Joies Vignobles des 772
Terres de Velle Dom. des 414 530
Terres et Vins SARL 146 158
Terres noires GAEC des 1027
Terres secrètes Vignerons des 591 605
Terrier Dominique 592
Terrigeol et Fils SCEA 230
Terroirs du Vertige SCAV Les 735
Terroirs et Talents 171
Terroirs romans SARL 784 809
Tertre Daugay SARL Ch. 289
Tessandier A. 298
Tesseron Famille 381
Tessier 545
Tessier Christian et Fabien 1060
Tessier Dom. Philippe 1063
Tessier SCEA 1010
Tessier SCEA Michel 955 981
Teste Sylvia 1252
Testulat SA V. 681
Testuz SA Jean et Pierre 1268
Tête Justine 147
Tête Les vins Louis 150
Tête Michel 165
Tête noire Dom. de la 1133
Teulier Philippe 899
Teulon Philippe 1186
Tévenot Vignoble 1062
Teyssandier Thierry 930
Teyssier SCEA du Ch. 291
Tézenas 846
Thénac SCEA Ch. 918
Therasse 195 203 390 906
Thermes Dom. des 864
Théron Michel 356
Thérond Jocelyne 755
Therrey EARL Vignoble Éric 681
Theulot Nathalie et Jean-Claude 578
Thévenet Isabelle et Xavier 681
Thévenin Philippe 681
Thévenot-Le Brun et Fils Dom. 450
They et Associés EARL Alexandre 735
Thibault Christian 1043
Thibault GAEC 1070
Thibert Père et Fils Dom. 601 605
Thiebault 623
Thiénot 682
Thiénot Alain 206 331 322
Thiénot SA 623
Thienpont Luc 366
Thienpont Nicolas 310
Thiery SCEA 216
Thill Dom. 1259 1261
Thill Éric et Bérengère 704
Thillardon Paul-Henri 157
Thirot Gérard et Hubert 1101
Thirot-Fournier Christian 1101
Thirouin et Thierry De Taffin Cécile 189 214
Thollet Patrice 178
Thomann 96
Thomas 163 482 485 510 955
Thomas Dom. Gérard 559
Thomas H.-N. 480 540
Thomas Lucien 603
Thomas Vignobles 364
Thomas et Fils André 126
Thomas et Fils Dom. 1100

Thomas et Fils SCEV Michel 1100
Thomas-Labaille 1101
Thomassin SAS 336
Thomasson S. 324
Thorin Maison 166
Thuerry Ch. 841 864
Thunevin SARL 274
Thunevin-Calvet 796
Tibie Jacques 730
Tiercelines Cellier des 696 699 706
Tigny G. de 1007
Tijou Hervé 974 992
Tillède SARL Dom. de Ch. 317
Tingaud 929
Tinon EARL Vignoble 390
Tirecul la Gravière Ch. 921
Tiregand SCEA Ch. de 926
Tirroloni Toussaint 874
Tisserond François et Philippe 956
Tissier SAS J.M. 682
Tissier et Fils Diogène 682
Tissot Jacques 705
Tissot Jean-Louis 697
Tissot Thierry 722
Tissot et Fils Michel 709
Tivoli Cave du 1067
Tix Dom. du 1193
Tixier Michel 682
Tola-Manenti 873
Tonon Didier 937
Torchet Frédéric 682
Tordeur Sophie et Didier 387 390
Tornay Bernard 682
Torraccia Dom. de 872
Tortochot Dom. 465
Toublanc 968 969 976 1207
Toublanc Jean-Claude 972
Toulois Les Vignerons du 135
Tour Dom. de la 425 433 442
Tour blanche Ch. la 398
Tour Carnet Ch. la 361
Tour de Mons SAS Ch. la 371
Tour du Moulin SCEA Ch. 249
Tour Figeac SC la 290
Tour Prignac SC 352
Tour Saint-Bonnet SARL du Ch. 352
Tour Saint-Honoré Ch. la 864
Tour Vieille Dom. la 801
Touraize Dom. de la 697
Tourenne et Boyer 266
Tournefeuille SCEA Ch. 264
Tournier Geneviève et Henri 828
Tournier Guilhem 829
Tournier SCEA Vignobles J.-P. 258
Tourrel EARL 842
Tourril Ch. 773
Tourte Ch. du 332
Touzain Yannick 1089
Toxé Jean-Pierre 308
Toyer Gérard 1067
Tracy Ch. de 1083
Tramier Adrien 351
Tramier Dom. Lucien 1134 1246
Tramier et Fils 150 483
Tranchée Dom. de la 1048
Trapadis Dom. du 1198
Trapet Jean-Claude 452
Trapet Père et Fils Dom. 463
Travers SAS 242
Trébignaud Philippe 590
Treilles d'Antonin Les 865
Trémoine Les Vignerons de 796 806
Trento Thierry 352
Trépaloup Dom. de 761
Tresch Groupe 535
Treuvey Dom. Céline et Rémi 697
Tribaut 652
Tribaut G. 683
Tribaut M. 683
Tribaut-Schloesser 683
Trichard EARL Frédéric 154
Trichard GAEC Bernard, Laurent, Didier 175
Trichard Thérèse et Jacques 174
Trichon EARL Dom. 722
Triennes 1247
Trigant GFA du Ch. 342
Trilles Jean-Baptiste 789
Trinque SARL Vignobles 231
Trinquevedel Ch. de 1181
Tripoz Catherine et Didier 599
Tritant Alfred 683 689
Trocard 247
Trocard Benoît 274
Trocard Jean-Louis 251 260 280 293
Troccon Thierry 721
Trois Croix EARL Les 249
Trois Monts Dom. des 999
Trois Origines SARL les 305
Trois Orris Dom. des 789
Trois Terres Dom. les 865
Trois Toits SCEA Dom. des 967
Tronquoy-Lalande Ch. 383
Tropet Olivier 1131
Tropez Dom. 865
Troquart Ch. 302
Trosset SCEA Les Fils de Charles 717
Trottières SCEA Dom. des 979
Trouillard 683
Trouillet Dom. 599
Truant 280
Truc F. 838
Truet Lionel 1025
Tupinier-Bautista Dom. 578
Turckheim Cave de 84
Turpin Christophe 1077
Turtaut Dominique 331
Tutiac Les Vignerons de 192 199 232

U

U.V.C.B. Coop. 646
UAPL 986 1022 1047 1061
Ughetto Éric 1165
Uijttewaal EARL A. et F. 351
Uni-Médoc Les Vignerons d' 344 348 350
Union auboise 685
Union Champagne 677 686
Union des Jeunes Viticulteurs récoltants 1153
UNIRE SCA 820
Univitis SCA 187 199 216 911
Usseglio et Fils Dom. Pierre 1175
Usseglio et Fils Dom. Raymond 1175
Uvavins 1265

V

Vaccelli Dom. de 875
Vache Damien 1164
Vache Jean-Michel et Frédéric 1158 1163
Vacher Maison Adrien 717
Vacher et Fils EARL Jean-Pierre 1101
Vacheron Sylvie 1109 1170
Vadé Patrick 1013
Vadons Dom. les 1196
Vaillant 976 1067
Vaisinerie SCEA la 301
Vaissière 898
Val Auclair Dom. 1241
Val d'Arenc SCA Dom. de 829
Val d'Iris 1247
Val de Mercy Ch. du 414 433 530
Val des Haïs EARL 638
Val des Pins Celliers du 1232
Valade EARL P.-L. 290 308
Valat 1119
Valdaine Cave de la 1252
Valdèze SCA 1195 1248
Valençay SCA La Cave de 1067
Valente Thierry 1181
Valentin Famille 851
Valentin Geoffrey 821
Valentine 683
Valentines Ch. les 865
Valentini Marc 1190
Valetanne Ch. la 865
Valette Dom. 865
Valette Patrick 220
Valette Thierry 305
Valfon GAEC Dom. 789
Valinière GAEC Dom. de 739
Vallat Jean-François 753
Vallée Éric et Patrick 1034 1040
Vallet Alain 958
Vallet Dom. 1144
Vallet Yohann et Thierry 986
Vallette EARL Vignobles 373 923
Vallières Les 1279
Vallon Les Vignerons du 899
Vallons de Fontfresque Dom. les 841
Vallot François 1109
Valmy Ch. 790 811
Valsangiacomo 1282
Valton Michel 943
Valvignères Cave coop. de 1251
Vanasten 933
Vancoillie Nathalie 847
Vandôme Rémi et Laurent 761
Vanlancker Guy 769
Vanucci-Couloumère Josée et Fabrice 869
Vaque SCEA André 1120 1166
Vaquer Dom. 790
Vareille Éric 245
Varenne Marie-Claude et Pierre 1159
Varnier-Fannière 684
Varoilles Dom. des 461 464
Varone Philippe 1276
Varonier Arthur 1276
Vas Dom. du 1249
Vatan André 1101
Vatan Philippe 1004
Vatelot 219

PRODUCTEURS

Vaucelles H. de 394
Vaucorneilles EARL Les 1028
Vaudoisey Christophe 526 530
Vaudoisey-Creusefond 526
Vaugaudry SCEA Ch. de 1048
Vaugelas SCEA Ch. de 735
Vaupré Dom. 591 599
Vauroux SCEA Dom. de 433
Vaute Thierry et Marina 1165 1249
Vauthier Frédéric 293
Vauversin F. 684
Vauvy Patrick 1016
Vaux Ch. de 136
Vayssette 898
Vazart-Coquart et Fils 684
Vedeau 1140
Vedeau M. 1124 1144
Védélago Jean-Paul 305
Veilex Florence 1018
Veilloux Dom. de 1062
Velut EARL 684
Vendômois Cave coopérative du 1065 1209
Veneau SCEA Hubert 1083
Venise provençale Cave vinicole 837
Venoge De 684
Venot GAEC 569
Venture 754
Venturi-Pieretti Lina 871 878
Vénus Dom. de 790
Vérargues Ch. de 761
Verbeek Pieter 319
Verbeelen Anne-Marie et Dierik 786
Verchere 148
Verchères EARL Les 144
Verdaguer 795 805 1225
Verdale Olivier et Jean-Louis 734
Verdeau J.-P. 1121
Verdier 965
Verdier EARL Sébastien 988 999
Verdier et Jacky Logel Odile 1075
Verdier-Fourure EARL 895
Verdignan SC Ch. 361
Verfaillie 308
Vergécosse SCEA 591
Vergès 849
Vergez 360
Vergier Christian 154 414
Vergneau Christophe 911
Vergnes GAEC Marion et Mathieu 1228
Vergniaud Famille 910
Vergnon J.-L. 684
Verhaeghe Pascal et Jean-Marc 882
Vermeersch 1129 1245
Vernay Daniel, Roland et Gisèle 1137
Vernier 1111
Vernous SCA Ch. 352
Vernus Armand et Céline 153
Verrerie Ch. la 1194
Verret SARL Bruno 447
Verret SARL Dom. 415
Verrier et Fils 685
Verrières Dom. les 762
Vertus d'Élise Les 685
Vervier 590
Vespeille SCEA 786
Vesque Famille 1257
Vesselle 916
Vesselle Alain 685
Vesselle Jean 689
Vesselle Maurice 685
Veuve Ambal 421
Veuve Cheurlin 686
Veuve Clicquot Ponsardin 686
Veuve J. Lanaud 686
Veuve Olivier et Fils 686
Vevey-Montreux La Cave 1269
Veyrac Guillaume 900
Veyry et Sclafer Indivision 267 285
Veyssière 268
Vezain Éric 227
Vézien et Fils Marcel 687
Vialade Claude 729 738 768 790
Vialard 354 355
Vialla-Donnadieu 760
Viallet Maison Philippe 717 719
Viard Florent 687
Viau Guilhem 744
Viaud Jean-Luc 967
Viaud SAS du Ch. de 264
Vico SCEA Dom. 873
Victor Jean-Philippe 863
Vidal 909
Vidal Jean-Claude 1169
Vidal Johan 889
Vidal Pierre 1120 1156 1161 1166
Vidal-Dumoulin 739
Vidal-Fleury 1134 1137 1166
Vidal-Revel 853
Vidaubanaise SCA La 866
Videau EARL Fabienne et Philippe 343
Videau-Roze des Ordons SCEA 344
Vieil Armand Cave du 120
Vieille Cure SNC Ch. la 249
Vieille Église Dom. de la 291
Vieille Fontaine Dom. de la 570 574
Vieille Forge Dom. de la 126
Vien-Graciet 911
Vienne Les Vins de 1139 1144 1147 1152
Viennet 759
Vieux Collège EARL Dom. du 454 456
Vieux Longa SCEA Ch. 268
Vieux Maillet SCEA Ch. 259 264
Vieux Noyer Dom. du 900
Vieux Pourret SNC Ch. 291
Vigne Blanche Dom. de la 1279
Vigneau Arnaud 932
Vigneau-Chevreau Dom. 1053
Vigneau-Pouguet 932
Vigneron savoyard Le 715
Vignerons Cave des 1128
Vignerons ardéchois 1251
Vignerons catalans 790 796 804 811 1239
Vignerons corsicans UVAL-Les 872 1244
Vignerons créateurs SCA Les 1183
Vignerons de Caractère 1162 1166 1245
Vignerons foréziens Cave des 1075
Vignerons landais Les 938 1212
Vignerons londais Cave des 866
Vignes d'Adélie Les 594
Vignes de l'Arque Les 1230 1240
Vignobles de Terroirs 347 393 889
Vignon EARL Michel 687
Vignon Philippe 253
Vignon Xavier 1162 1175
Vignot Dom. Alain 415
Vigot Fabrice 475 477
Vigouroux Bertrand-Gabriel 906
Vigouroux GFA Georges 887
Vilain Gérald 435
Vilain Frères 439
Villa Tempora 762
Villaine Dom. A. et P. de 569 570 578
Villalin EARL Dom. de 1085
Villamont Henri de 470 502 512 533 536
Villard François 1137 1139 1152
Villars-Fontaine Ch. de 452
Villars-Foubet Céline 355
Villars-Foubet et Jean Merlaut Céline 354
Villars-Lurton Claire 367
Villeneuve Arnaud de 806 1228
Villeneuve Daniel 1070
Villeneuvoise SC 209
Villette SARL Jules et Marie 917
Vimes-Philippe SAS Vignoble 356
Vimont ESAT Magdeleine de 332
Vin'4 SARL 252
Vinas Claudine et Éric 899
Vincens Ch. 890 1221
Vincent Anne-Marie et Jean-Marc 545 564
Vincent Cédric 146
Vincent Famille 327
Vincent François 969
Vincent Jean-Paul et Guillemette 155
Vincent Jérôme 1153
Vincent Marc 1005
Vincent SCEA Vignobles 190 204 215
Vincent SCEV 1088
Vincenti M. 1190
Vindemiatrix 799 803
Vindemio 1193
Vinet André 988
Vinodom 366
Vinovalie / Côtes d'Olt 882
Vins de France Sté des 1115
Vinsmoselle Domaines 1260 1261
Vinsmoselle - Caves du Sud 1260
Vinsobraise Cave la 1155
Vinson Denis et Charles 1116 1130 1155
Vinzelles Ch. de 601
Violot-Guillemard Thierry 526
Viot 746
Virant Ch. 837
Viré Cave de 594
Virgile EARL Dom. de 1186
Visage SCEA des Vignobles 267
Viticoeur SCEA 308
Vitteaut-Alberti 422
Viudes Pierre et Julie 780
Vivier-Merle Christian 144

Viviers SCEV Ch. de 442
Vocat et Fils Joseph 1271
Vocoret Dom. Yvon et Laurent 433 442
Vocoret et Fils Dom. 442
Vodanis Dom. de 1059
Vœux Christian 1121
Voge Dom. Alain 1151 1152
Vogel et Fils Jean 1270
Vogt EARL Laurent 126
Vogüé Cave coop. 1251
Voie des Loups SCE la 663
Voirin-Desmoulins 687
Voirin-Jumel 687
Voisine EARL Olivier 980 989 994
Voiteur Fruitière vinicole de 699 706
Vollereaux 647
Volterra Ch. 866
Voluet Guy 166
Vonderheyden Laurent 369
Vonville et Fils Jean-Charles 103
Vorburger et Fils EARL Jean-Pierre 99
Vorburger-Meyer Vignoble 91
Vordy Didier 773
Vosgien Dom. Claude 135
Vougeraie Dom. de la 471 503 512 519
Vouvray Cave des Producteurs de 1056
Vrai Canon Bouché EARL 245
Vranken 687 1241
Vranken Pommery Monopole 647 651 672 687
Vranken Pommery Production 672
Vrignaud Dom. 433 442
Vrignaud Joël 318
Vrillonnière EARL de La 970
Vuagnat-Mermier Bernard 1277
Vuillien Vignobles 929
Vullien et Fils EARL Dom. Jean 718

W

Wach Guy 126
Wach et Fils Jean 127
Wackenthaler François 127
Waegell 132
Wallin 843
Wallut Famille 1118
Walther J.-P. et R. 1269
Wantz Dom. Alfred 104 127
Wantz SAS Charles 104
Waris Bertrand 688
Waris et Filles EARL 688
Waris et Fils Alain 688
Waris-Hubert 688
Waris-Larmandier EARL 688
Wassler Fils EARL Jean-Paul 74 84
Watrin D. 320
Weinbach Dom. 127
Weindel V.-Paul 864
Weisskopf Xavier 1053
Welle Alain de 859
Welty Dom. Jean-Michel 74
Wemyss 860
Whitehead Delphine 413
Wicky Gilles 710
Wiestner 846
Wildbolz 755
Willm Alsace 127 132
Wilmers Robert G. 337
Winevest Saint-Émilion SCEA 294 301
Witkowski 153
Wittmann Dom. 127
Wittwer Niklaus 1276
Wolfberger 128 132
Wouters 843
Wulf M. de 854
Wunsch et Mann 84
Wurtz Denis 126
Wurtz et Fils EARL Willy 84 128
Wyss Verena 1240

X

Xans EARL Vignobles Florence et Alain 266 280
Xans Sébastien 291
Xavier Vins 1162 1175

Y

Yeuses GAEC du Dom. les 1240
Yon-Figeac SA Ch. 291
Yquem SA du Ch. d' 208 398
Yung et Fils SCEA Charles 198 320
Yung et Fils SCEA P. 195 207 322
Yvorne Artisans vignerons d' 1270

Z

Z'Brun Patrick 1271
Zausa EARL des Vignobles 330
Zernott 757
Zeugin Stéphane 1269
Zeyssolff G. 72
Ziegler EARL Albert 99
Ziegler Philippe 128
Ziegler-Mauler Fils Dom. J.-J. 99 128
Zimmerlin 1189
Zink Pierre-Paul 84 99
Zirgel 92 105
Zodo Jean-Marie 855
Zoeller EARL Maison 84
Zordan Claude 169
Zuger J.-L. 369
Zyla-Mercadier SEV 328

INDEX DES VINS

L'indexation ne tient pas compte de l'article défini

1

1808 2011 ROSÉ Côtes-du-brulhois 904
1938 Lussac-saint-émilion 292 • Puisseguin-saint-émilion 300

A

A RONCA Corse ou vin-de-corse 871
ABBAYE CH. L' Blaye-côtes-de-bordeaux 224
ABBAYE DOM. DE L' Côtes-de-provence 842
ABBAYE DE BRULLY DOM. DE L' Chassagne-montrachet 551
ABBAYE DE MARMOUTIER Vouvray 1053
ABBAYE DE SAINT-LAURENT CH. DE L' Pouilly-fumé 1078
ABBAYE DE SAINTE-RADEGONDE Val de Loire 1204
ABBAYE DE VALMAGNE Languedoc 743
ABBAYE DU PETIT QUINCY DOM. DE L' Bourgogne 404 • Chablis 425
ABBAYE SAINT-HILAIRE Coteaux-varois-en-provence 837
ABBAYE SYLVA PLANA Faugères 737
ABBÉ ROUS Banyuls grand cru 801 • Collioure 796
ABEILLE VIGNOBLE Châteauneuf-du-pape 1168
ABEILLES D'OR DOM. DES Canton de Genève 1276
ABELANET CH. Fitou 740
ABELÉ HENRI Champagne 612
ABELYCE CH. Saint-émilion grand cru 269
ABONNAT JACQUES ET XAVIER Côtes-d'auvergne 1070
ABOTIA DOM. Irouléguy 943
ABSOLU DE SAINT-MONT Saint-mont 937
ACHARD-VINCENT DOM. Clairette-de-die 1152
ACHILLE PRINCIER Champagne 613
ACKERMAN Crémant-de-loire 952
ACKERMANN ANDRÉ Alsace muscat 76
ADAM LE PINOT GRIS DE JEAN-BAPTISTE Alsace pinot gris 91
ADAM DOM. PIERRE Alsace grand cru 104
ADAUGUSTA CH. Saint-émilion grand cru 269
ADISSAN CH. D' Clairette-du-languedoc 727
ADORÉE Landes 1212
ADRET CAVE DE L' Canton du Valais 1270
AÉRIA DOM. D' Côtes-du-rhône-villages 1121
AFRIQUE CH. L' Côtes-de-provence 842
AGAPE Cadillac-côtes-de-bordeaux 318
AGAPÉ DOM. Alsace pinot noir 100
AGARRUS Cévennes 1222
AGARY L' Oc 1232
AGASSAC CH. D' Haut-médoc 353
AIGUES VIVES CH. Corbières 727
AIGUILHE CH. D' Castillon-côtes-de-bordeaux 302
AIGUILHE QUERRE CH. D' Castillon-côtes-de-bordeaux 303
AIGUILLOUX CH. Corbières 728
ALADAME STÉPHANE Montagny 581
ALARY DOM. Côtes-du-rhône-villages 1121 • Principauté d'Orange 1245
ALBÀ CH. Castillon-côtes-de-bordeaux 303
ALBÈRES LES VIGNERONS DES Côtes-du-roussillon 783
ALBRECHT LUCIEN Alsace gewurztraminer 78
ALÉOFANE Crozes-hermitage 1144 • Saint-joseph 1139
ALEXANDRE DOM. Maranges 564
ALEXANDRE GUY ET OLIVIER Chablis premier cru 434
ALEXANDRE YANN Champagne 613
ALEXANDRIN DOM. Languedoc 743
ALEYRAC CH. D' Brouilly 151
ALLAINES FRANÇOIS D' Bourgogne-hautes-côtes-de-beaune 486 • Givry 578 • Santenay 559
ALLÉGRETS DOM. DES Côtes-de-duras 928
ALLEMAND DOM. Hautes-Alpes 1243
ALLIANCE MINERVOIS Minervois 768
ALLIMANT-LAUGNER DOM. Alsace gewurztraminer 78
ALLION DOM. GUY Touraine 1015
ALLOÏS DOM. Ventoux 1188
ALOUETTES CH. DES Beaujolais-villages 147
ALQUIER DOM. Côtes catalanes 1224 • Côtes-du-roussillon 783
ALQUIER DOM. Faugères 737
ALTER EGO Margaux 370
ALTÉUS Madiran 933
ALTIMAR CH. Lalande-de-pomerol 262
ALZIPRATU DOM. D' Corse ou vin-de-corse 868
AMANDIERS DOM. DES Saumur-champigny 1008
AMANDINE DOM. DE L' Côtes-du-rhône-villages 1121
AMANTS DE LA VIGNERONNE LES Faugères 737
AMARINE DOM. D' Beaujolais 142
AMAUVE DOM. DE L' Côtes-du-rhône-villages 1121
AMBERG YVES Alsace pinot noir 100
AMBROISE MAISON Échézeaux 473 • Ladoix 491 • Saint-romain 536
AMBROISIE DOM. DE L' Côtes-de-toul 133
ÂME DU TERROIR L' Bordeaux clairet 194
AMEILLAUD L' Côtes-du-rhône-villages 1121
AMIDO DOM. Lirac 1175 • Tavel 1179
AMIOT ET FILS DOM. GUY Chassagne-montrachet 551
AMIRAL DOM. L' Oc 1232
AMIRAL LES CAVES DE L' Côtes-de-provence 842
AMIRAULT JEAN-MARIE ET NATHALIE Bourgueil 1028
AMIRAULT YANNICK Saint-nicolas-de-bourgueil 1035
AMOUR CH. D' Muscadet-sèvre-et-maine 957
AMPÉLIA CH. Castillon-côtes-de-bordeaux 303
AMPELIDÆ Val de Loire 1204
ANCELY DOM. Minervois 768 • Minervois-la-livinière 768
ANCIEN MONASTÈRE DOM. DE L' Alsace pinot noir 100
ANCIEN RELAIS DOM. DE L' Juliénas 164
ANCIENNE CURE L' Bergerac sec 915 • Côtes-de-bergerac 915 • Monbazillac 920 • Pécharmant 924
ANDEZON DOM. D' Côtes-du-rhône-villages 1128
ANDLAU-BARR CAVE VINICOLE D' Alsace pinot noir 100
ANDRÉ DOM. FRANÇOISE Beaune 514 • Chorey-lès-beaune 512 • Pernand-vergelesses 497
ANDRÉ PIERRE Corton-charlemagne 503 • Meursault 538
ANDRON BLANQUET CH. Saint-estèphe 379
ANGE DOM. BERNARD Crozes-hermitage 1144
ANGELIER DOM. DE L' Muscadet-sèvre-et-maine 957
ANGELIÈRE DOM. DE L' Crémant-de-loire 952
ANGELLIAUME CAVES Chinon 1040
ANGELOT MAISON Bugey 720
ANGELUS CH. Saint-émilion grand cru 269
ANGES DOM. DES Ventoux 1188
ANGES DOM. DES Vin-de-savoie 711
ANGLADE-BELLEVUE CH. Blaye-côtes-de-bordeaux 224
ANGLADES CH. DES Côtes-de-provence 842
ANGLÈS CH. D' Languedoc 743
ANGLUDET CH. Margaux 364
ANGUEIROUN DOM. DE L' Côtes-de-provence 843
ANGUILLÈRES CH. LES Bordeaux 184
ANNA CH. D' Sauternes 393
ANNE DE JOYEUSE Limoux 765
ANNIBALS CH. DES Coteaux-varois-en-provence 837
ANNIVY DOM. Saumur 1002
ANSTOTZ MARC Alsace gewurztraminer 78 • Alsace riesling 85
ANTECH Crémant-de-limoux 764
ANTHIME Champagne 613
ANTHONIC CH. Moulis-en-médoc 371
ANTOINE E. ET PH. Côte de la Meuse 1253

ANTUGNAC CH. D' Limoux 765
APIÈS CH. LES Côtes-de-provence 843
APOLLINE CH. L' Saint-émilion grand cru 269
AQUERIA CH. D' Lirac 1176
ARAMIS Côtes de Gascogne 1216
ARBOGAST ET FILS FRÉDÉRIC Alsace pinot gris 91
ARBOIS FRUITIÈRE VINICOLE D' Arbois 693
ARBOUTE DOM. DE L' Coteaux-du-layon 992
ARCHANGE L' Saint-émilion 265
ARCHES ESPRIT DES Côtes-du-rhône 1104
ARCHIMBAUD DOM. D' Languedoc 743
ARCISON VIGNOBLE DE L' Anjou 973
ARDÉVAZ CAVE Canton du Valais 1270
ARDHUY DOM. D' Clos-de-vougeot 471 • Corton 499 • Corton-charlemagne 503 • Ladoix 492 • Savigny-lès-beaune 505
ARGELIERS LES VIGNERONS D' Minervois 768
ARGENTEYRE CH. L' Médoc 343
ARGUTI DOM. Côtes-du-roussillon-villages 790 • Muscat-de-rivesaltes 807
ARISTON JEAN-ANTOINE Champagne 613
ARLAUD DOM. Charmes-chambertin 463 • Clos-de-la-roche 468 • Clos-saint-denis 468
ARLAY CH. D' Côtes-du-jura 699
ARLOT DOM. DE L' Vosne-romanée 475
ARLUS CH. D' Gaillac 892
ARMAILHAC Pauillac 374
ARMAJAN DES ORMES CH. D' Sauternes 395
ARNAUD FRANÇOIS Côtes-du-rhône-villages 1121
ARNAUDE CH. L' Côtes-de-provence 843
ARNAUDS CH. DES Lalande-de-pomerol 259
ARNAULD CH. Haut-médoc 353
ARNOLD PIERRE Alsace grand cru 104
ARNOULD ET FILS MICHEL Champagne 613
ARNOUX PÈRE ET FILS DOM. Aloxe-corton 494 • Beaune 514 • Corton 500 • Savigny-lès-beaune 506
ARPENTS DU SOLEIL Calvados 1201
ARPENTY L' Chinon 1040
ARQUIÈS CH. D' Cahors 881
ARRAS CH. DES Bordeaux 184
ARRETXEA Irouléguy 943
ARRICAU-BORDES CH. Madiran 934 • Pacherenc-du-vic-bilh 934
ARRICAUD CH. D' Graves 324
ARRIVÉ DOM. Maury 811
ARROLA Irouléguy 944
ARROMANS CH. LES Bordeaux 184
ARTIGAUX CH. LES Graves-de-vayres 315
ARTIX CH. Minervois 768
ASPRAS DOM. DES Côtes-de-provence 843
ASSAILLY Champagne 613
ASSEYRAS LES Côtes-du-rhône 1105
ASTOUS CH. LES Jurançon 942
ASTRIS Buzet 905
ASTROS CH. D' Côtes-de-provence 843
AU PONT DE GUÎTRES CH. Lalande-de-pomerol 259
AUBAÏ MEMA Oc 1232
AUBARET DOM. D' Côtes de Thongue 1228
AUBERT DOM. ANDRÉ Côtes-du-rhône 1105 • Grignan-les-adhémar 1186
AUBRADE CH. DE L' Bordeaux sec 200 • Bordeaux supérieur 208
AUCHÈRE DOM. Sancerre 1090
AUCŒUR DOM. Morgon 170 • Moulin-à-vent 170
AUCRÊT LE DOM. D' Canton de Vaud 1264
AUDEBERT ET FILS VIGNOBLE Bourgueil 1028 • Chinon 1041 • Saint-nicolas-de-bourgueil 1035
AUDOIN DOM. CHARLES Marsannay 452
AUFRANC DOM. PASCAL Juliénas 164
AUGIS DOM. Touraine 1015 • Valençay 1065
AUGUSTE CHRISTOPHE Bourgogne 404
AUGUSTIN PAUL Champagne 613
AUJOUX Beaujolais-villages 147
AULÉE CH. DE L' Touraine-azay-le-rideau 1026
AULNAYE DOM. DE L' Muscadet-sèvre-et-maine 957
AUMERADE CH. DE L' Côtes-de-provence 843
AUMONIER DOM. DE L' Touraine 1015
AUPETITGENDRE DOM. Touraine 1015
AUPILHAC DOM. D' Languedoc 743
AURE DOM. DE L' Côtes-du-rhône-villages 1122
AURELIUS Saint-émilion grand cru 269
AURELLES DOM. LES Languedoc 744
AURETO Vaucluse 1247 • Ventoux 1188
AURILHAC CH. D' Haut-médoc 353
AURIOL LES DOM. Minervois 768
AURIS CH. Corbières 728
AURORE L' Bourgogne 404
AURORE PRESTIGE L' Mâcon et mâcon-villages 583
AUSSIÈRES Oc 1232
AUSSIÈRES CH. D' Corbières 728
AUTRÉAU DE CHAMPILLON Champagne 614
AUTRÉAU-LASNOT Champagne 614
AUVERNIER CH. D' Canton de Neuchâtel 1279
AUVIÈRES DOM. DE L' Ventoux 1188
AUVIGUE Pouilly-fuissé 594
AUZIÈRES DOM. DES Côtes-du-rhône-villages 1122
AVRILLÉ CH. D' Anjou 973 • Val de Loire 1204
AYDIE Madiran 931 • Pacherenc-du-vic-bilh 931
AYMARD DOM. Ventoux 1189

B

B. SÉLECT Saint-amour 175
BABLUT DOM. DE Anjou 973 • Coteaux-de-l'aubance 988
BACCHUS CAVEAU DE Arbois 693
BACHELET DOM. JEAN-LOUIS Chassagne-montrachet 551 • Maranges 565 • Santenay 559
BACHELET JEAN-FRANÇOIS Chassagne-montrachet 551 • Maranges 565 • Santenay 559
BACHELET VINCENT Chassagne-montrachet 552 • Maranges 565
BACHELET ET FILS JEAN-CLAUDE Chassagne-montrachet 552 • Puligny-montrachet 545
BACHEN BARON DE Tursan 937
BACHEY-LEGROS DOM. Chassagne-montrachet 552 • Meursault 538 • Santenay 559
BADER DOM. Alsace pinot gris 91
BADER-MIMEUR Bourgogne 404
BADIN CHRISTELLE ET CHRISTOPHE Cheverny 1059
BADOUX H. Canton de Vaud 1264
BADOZ BENOIT Côtes-du-jura 699
BAGATELLE Muscat-de-saint-jean-de-minervois 781
BAGNOL DOM. DU Cassis 831
BAGNOST A. Champagne 614
BAGRAU DOM. Coteaux-d'aix-en-provence 833
BAGUIERS DOM. DES Bandol 824
BAILLON ALAIN Côte-roannaise 1073
BAILLY ALAIN Champagne 614
BAILLY DOM. SYLVAIN Sancerre 1090
BAILLY JEAN-PIERRE Pouilly-fumé 1078
BAILLY MICHEL Pouilly-fumé 1078
BAILLY LAPIERRE Crémant-de-bourgogne 418
BAILLY-REVERDY DOM. Sancerre 1090
BALLAN-LARQUETTE CH. Bordeaux 185
BALLAND DOM. JEAN-PAUL Sancerre 1091
BALLAND ÉMILE Sancerre 1090
BALLAND PASCAL Sancerre 1091
BALLAND-CHAPUIS Sancerre 1091
BALLARIN JEAN-LOUIS Crémant-de-bordeaux 222
BALLICCIONI DOM. Faugères 737
BALLORIN ET F. DOM. Bourgogne-aligoté 416
BALMA VENITIA Beaumes-de-venise 1166 • Muscat-de-beaumes-de-venise 1198 • Ventoux 1189
BALSAMINE CH. Gaillac 892
BANNERET DOM. DU Châteauneuf-du-pape 1168
BANNWARTH LAURENT Alsace gewurztraminer 78 • Alsace pinot gris 91
BAOUX DOM. DES Coteaux-d'aix-en-provence 834
BARA PAUL Champagne 614
BARACAN CH. Cadillac-côtes-de-bordeaux 319
BARAT DOM. Chablis premier cru 434
BARBANAU CH. Cassis 832 • Côtes-de-provence 843

BARBEAU Pineau-des-charentes 817
BARBEIRANNE CH. Côtes-de-provence 844
BARBEROUSSE CH. Saint-émilion 265
BARBIER DOM. Pommard 520 • Savigny-lès-beaune 506
BARBIER ET FILS DOM. Nuits-saint-georges 479
BARBIER-LOUVET Champagne 614
BARBINIÈRE DOM. DE LA Fiefs-vendéens 971
BARC PATRICK Chinon 1041
BARDET ET FILS Chablis 425
BARDIN DOM. CÉDRICK Coteaux-du-giennois 1068 • Sancerre 1091
BARDIN JEAN-JACQUES Pouilly-fumé 1078
BARFONTARC DE Champagne 614
BARNAUT Champagne 615
BARON DOM. Touraine 1016
BARON CLAUDE Champagne 615
BARON ALBERT Champagne 615
BARON D'ALBRET Buzet 904
BARON D'ESPIET Bordeaux rosé 196
BARON DE BRANE Margaux 366
BARON DE HOEN Alsace grand cru 104
BARON DE LAUDENAC Bordeaux supérieur 208
BARON DE LESTAC Bordeaux sec 200
BARON ERMENGAUD Faugères 737
BARON ET FILS VEUVE Pineau-des-charentes 817
BARON KIRMANN Crémant-d'alsace 128
BARON LA ROSE Bordeaux 185
BARON'ARQUES DOM. DE Limoux 765
BARON-FUENTÉ Champagne 615
BARONNAT JEAN Moulin-à-vent 171
BARRABAQUE CH. Canon-fronsac 242 • Fronsac 245
BARRAIL CHEVROL CH. Fronsac 245
BARRÉ GUILHEM Cabardès 725
BARRÉ FRÈRES Touraine 1016
BARRE GENTILLOT CH. Graves-de-vayres 316
BARREAU DOM. Gaillac 892
BARRÉJAT CH. Madiran 934 • Pacherenc-du-vic-bilh 934
BARRES DOM. DES Coteaux-du-layon 992 • Savennières 990
BARROCHE DOM. LA Châteauneuf-du-pape 1169
BARROUBIO DOM. DE Muscat-de-saint-jean-de-minervois 781
BART DOM. Bourgogne 405 • Fixin 454
BARTHÉLÉMY LOUIS Champagne 615
BARTHÈS CH. Bandol 824
BARTON & GUESTIER Val de Loire 1204
BAS CH. Coteaux-d'aix-en-provence 833
BASCOU CH. DU Saint-mont 936
BASQUE CH. DU Saint-émilion grand cru 269
BASSAIL DOM. DE Madiran 934 • Pacherenc-du-vic-bilh 934
BASTIAN DOM. MATHIS Crémant-de-luxembourg 1260 • Moselle luxembourgeoise 1256
BASTIDE CH. LA Corbières 728
BASTIDE CH. LA Côtes-du-marmandais 907
BASTIDE DOM. DE LA Côtes-du-rhône-villages 1122
BASTIDE BLANCHE LA Bandol 824
BASTIDE BLANCHE DOM. DE LA Côtes-de-provence 845
BASTIDE DE LA CISELETTE Bandol 824
BASTIDE DE RHODARÈS Luberon 1194
BASTIDE DES OLIVIERS LA Coteaux-varois-en-provence 837
BASTIDE NEUVE DOM. DE LA Côtes-de-provence 845
BASTIDE SAINT-DOMINIQUE LA Châteauneuf-du-pape 1169 • Côtes-du-rhône-villages 1122
BASTIDE SAINT-VINCENT LA Gigondas 1157 • Vaucluse 1248
BASTOR-LAMONTAGNE CH. Sauternes 393
BATAILLEY CH. Pauillac 374
BAUCHET PÈRE ET FILS Champagne 615
BAUD PÈRE ET FILS DOM. Crémant-du-jura 705
BAUDARE CH. Fronton 900
BAUDRY-DUTOUR Chinon 1041
BAUGET-JOUETTE Champagne 615
BAULOS-CHARMES CH. Pessac-léognan 333
BAUMANN-ZIRGEL Alsace grand cru 105 • Alsace pinot gris 92
BAUMELLES CH. DES Bandol 824
BAUR A. L. Alsace grand cru 105
BAUR CHARLES Alsace grand cru 105 • Crémant-d'alsace 128
BAUR FRANÇOIS Alsace pinot noir 100
BAUR LÉON Alsace pinot gris 92
BAUZON DOM. Côtes-du-rhône 1105
BÉARD LA CHAPELLE CH. Saint-émilion grand cru 270
BÉATES DOM. LES Coteaux-d'aix-en-provence 833
BEAU MAYNE Bordeaux 187
BEAU MISTRAL DOM. Côtes-du-rhône-villages 1122 • Principauté d'Orange 1245 • Rasteau 1198
BEAU RIVAGE CH. Bordeaux supérieur 208
BEAU-SÉJOUR BÉCOT CH. Saint-émilion grand cru 270
BEAU-SITE HAUT-VIGNOBLE CH. Saint-estèphe 379
BEAUBOIS CH. Costières-de-nîmes 1182
BEAUFORT HERBERT Champagne 616 • Coteaux-champenois 688
BEAULIEU CH. DE Côtes-du-marmandais 907
BEAULIEU CARDINAL CH. Saint-émilion 268
BEAUMONT CH. Haut-médoc 353
BEAUMONT DOM. DE Vouvray 1053
BEAUMONT DOM. DES Gevrey-chambertin 456 • Morey-saint-denis 466
BEAUMONT DES CRAYÈRES Champagne 616
BEAUMONT DU VENTOUX Ventoux 1189
BEAUNE DOM. DU LYCÉE VITICOLE DE Beaune 514
BEAUPIERRE DOM. Côtes-du-rhône 1105
BEAUREGARD CH. Pomerol 250
BEAUREGARD DOM. DE Val de Loire 1204
BEAUREGARD DUCASSE CH. Graves 324
BEAUREGARD MIROUZE CH. Corbières 728
BEAUREGARD-DUCOURT CH. Bordeaux rosé 197
BEAURENARD DOM. DE Châteauneuf-du-pape 1169 • Rasteau sec 1155
BEAUREPAIRE DOM. DE Menetou-salon 1075
BEAUREPAIRE DOM. DE Muscadet-sèvre-et-maine 957
BEAUROIS DOM. DES Coteaux-du-giennois 1068
BEAUSÉJOUR LUDOVIC DE Var 1246
BEAUVALCINTE DOM. Beaumes-de-venise 1166
BEAUVENT DOM. DE Canton de Genève 1276
BEAUVERNAY DOM. DE Juliénas 164
BEAUVIGNAC Languedoc 744 • Oc 1232
BÉCHEREAU CH. Lalande-de-pomerol 259
BECHT PIERRE ET FRÉDÉRIC Alsace pinot noir 100
BECK FRANCIS Alsace pinot noir 100
BECK HUBERT Alsace grand cru 105
BECK DOM. DU REMPART Alsace riesling 85
BECKER Alsace pinot noir 100
BEDEL FRANÇOISE Champagne 616
BÉGOT CH. Côtes-de-bourg 233
BÉGUDE DOM. DE LA Bandol 824
BEGUE-MATHIOT DOM. Chablis premier cru 434
BÉGUINERIES DOM. DES Chinon 1041
BEILLE DOM. LA Côtes catalanes 1224 • Côtes-du-roussillon-villages 790
BÉJOT JEAN-BAPTISTE Santenay 564
BEL AIR CH. Montagne-saint-émilion 294
BEL AIR CH. Sainte-croix-du-mont 390
BEL AIR CH. Saint-estèphe 379
BEL-AIR CH. DE Brouilly 151
BEL AIR DOM. DE Côtes-du-vivarais 1197
BEL-AIR DOM. DE Muscadet-sèvre-et-maine 957
BEL AIR DOM. DE Pouilly-fumé 1078
BEL AIR VIGNERONS DE Chiroubles 167 • Morgon 166
BEL AIR-L'ESCUDIER CH. Côtes-de-bourg 233
BEL-AIR LA ROYÈRE CH. Blaye 223 • Blaye-côtes-de-bordeaux 231
BEL-AIR ORTET CH. Saint-estèphe 379
BEL AIR PERPONCHER CH. Bordeaux 185 • Bordeaux rosé 197 • Bordeaux sec 206
BELAMBRÉE DOM. Coteaux-d'aix-en-provence 833
BELAYGUES CH. Fronton 900

BELCIER LE PIN DE Castillon-côtes-de-bordeaux 303
BELGRAVE CH. Haut-médoc 353
BÉLIERS DOM. LES Moselle 135
BELINGARD CH. Bergerac sec 915
BELLAND ROGER Chassagne-montrachet 552 • Criots-bâtard-montrachet 550 • Puligny-montrachet 545 • Santenay 559
BELLANG ET FILS CHRISTIAN Volnay 526
BELLE DOM. Hermitage 1148
BELLE ANGEVINE DOM. DE LA Coteaux-du-layon 992
BELLE DAME DOM. DE LA Muscat-de-mireval 780
BELLE-GARDE CH. Bordeaux 185 • Bordeaux sec 200 • Bordeaux supérieur 208
BELLE-VUE CH. Haut-médoc 353
BELLEFONT-BELCIER CH. Saint-émilion grand cru 270
BELLEGRAVE CH. Pauillac 374
BELLEGRAVE CH. Pomerol 250
BELLÈNE DOM. DE Côte-de-nuits-villages 483
BELLENE DOM. DE Savigny-lès-beaune 506
BELLES COURBES DOM. Saint-chinian 774
BELLEVERNE CH. DE Chénas 157
BELLEVILLE ALAIN Menetou-salon 1075
BELLEVILLE DOM. Rully 570 • Santenay 560
BELLEVILLE DOM. DE Morgon 176
BELLEVUE CH. Côtes-de-bergerac moelleux 918
BELLEVUE CH. Entre-deux-mers 311
BELLEVUE CH. Saint-émilion grand cru 270
BELLEVUE CH. DE Anjou 974 • Coteaux-du-layon 992
BELLEVUE CH. DE Morgon 167
BELLEVUE DOM. Touraine 1016
BELLEVUE DOM. DE Saint-pourçain 1088
BELLEVUE DOM. DE Touraine 1016 • Val de Loire 1204
BELLEVUE LA FORÊT CH. Fronton 901
BELLIVIER Chinon 1041
BELLIVIÈRE DOM. DE Jasnières 1049
BELLOY CH. Canon-fronsac 242
BELLUARD DOM. Vin-de-savoie 711
BELVÈZE CH. Malepère 766
BENAGE FONTAINE CH. Bordeaux supérieur 208
BÉNARD-PITOIS L. Champagne 616
BENASSIS DOM. Côtes-du-roussillon 783 • Rivesaltes 802
BENAZETH FRANK Minervois 768
BENEDETTI DOM. Châteauneuf-du-pape 1169
BENEYT CH. Cadillac-côtes-de-bordeaux 318
BENOIT DENIS ET VINCENT Charentais 1211
BENOIT PATRICE Montlouis-sur-loire 1050
BENOIT PAUL Macvin-du-jura 708
BENOIT ET FILS PAUL Arbois 693
BÉRANGERAIE DOM. LA Cahors 881
BERCEAU DU CHAMPAGNE LE Champagne 616
BÉRET NOIR Saint-mont 937
BERGALASSE CH. LA Saint-mont 937
BERGAT CH. Saint-émilion grand cru 270
BERGEONNIÈRE DOM. DE LA Touraine 1016
BERGERET FRANÇOIS Bourgogne-hautes-côtes-de-beaune 486
BERGERIE DOM. DE LA Anjou-villages 979 • Cabernet-d'anjou 985 • Savennières 990
BERGERIE D'AQUINO Coteaux-varois-en-provence 837
BERGERIE DU CAPUCIN Languedoc 744
BERGERON DOM. Juliénas 164 • Saint-amour 164
BERGERONNEAU-MARION F. Champagne 616
BERGIRON DOM. DE Côte-de-brouilly 154
BERLIÈRE CH. Montagne-saint-émilion 295
BERNA ALBERT Moselle luxembourgeoise 1257
BERNADON CH. DE Bordeaux clairet 195
BERNADOTTE CH. Haut-médoc 354
BERNARD GUY Côte-rôtie 1134
BERNARD LOUIS Côtes-du-rhône 1105
BERNARD YVAN Côtes-d'auvergne 1070 • Puy-de-Dôme 1201
BERNARD-MASSARD Moselle luxembourgeoise 1257
BERNAT CH. DU Bordeaux rosé 197
BERNAT CH. LE Puisseguin-saint-émilion 299
BERNE CH. DE Côtes-de-provence 846
BERNET DOM. Madiran 931
BERNHARD DOM. JEAN-MARC Alsace grand cru 105
BERNHARD & REIBEL DOM. Alsace sylvaner 75
BERNOLLIN DOM. Bourgogne-côte-chalonnaise 568 • Montagny 581
BÉROUJON DOM. Brouilly 151
BERRYCURIEN Reuilly 1086
BERRYCURIENNE LA Quincy 1084
BERSAN DOM. Saint-bris 447
BERSAN DOM. JEAN-LOUIS ET JEAN-CHRISTOPHE Bourgogne 405
BERSAN PIERRE-LOUIS ET JEAN-FRANÇOIS Bourgogne 405 • Chablis 426 • Saint-bris 448
BERTA-MAILLOL DOM. Banyuls 799 • Collioure 797
BERTAGNA DOM. Vougeot 471
BERTAUDIÈRE DOM. DE LA Muscadet-sèvre-et-maine 957
BERTEAU JEAN Côtes-du-rhône 1108
BERTEAU ET VINCENT MABILLE PASCAL Vouvray 1054
BERTHAUT VINCENT ET DENIS Fixin 454
BERTHELEMOT DOM. Beaune 514 • Monthélie 530 • Pommard 520
BERTHELOT PAUL Champagne 616
BERTHENET JEAN-PIERRE Montagny 582
BERTHENON CH. Blaye-côtes-de-bordeaux 224
BERTHET-BONDET DOM. Côtes-du-jura 700
BERTHET-RAYNE DOM. Châteauneuf-du-pape 1169
BERTHOLLIER DENIS ET DIDIER Vin-de-savoie 711
BERTHOUMIEU DOM. Madiran 934 • Pacherenc-du-vic-bilh 934
BERTICOT Atlantique 1210 • Côtes-de-duras 928
BERTIN CHRISTOPHE Champagne 617
BERTIN DOM. MICHEL Muscadet-sèvre-et-maine 958
BERTINEAU SAINT-VINCENT CH. Lalande-de-pomerol 259
BERTINERIE CH. Blaye-côtes-de-bordeaux 225
BERTINS DOM. LES Côtes-de-duras 928
BERTRAND VIGNOBLES Atlantique 1210
BERTRAND GÉRARD Corbières-boutenac 736 • Côtes-du-roussillon 783 • Crémant-de-limoux 764 • Fitou 740 • Languedoc 744 • Limoux 764 • Rivesaltes 802
BERTRAND M. ET J.-F. Pineau-des-charentes 817
BERTRAND-BERGÉ Fitou 740 • Muscat-de-rivesaltes 807
BERTRANDS NECTAR DES Blaye-côtes-de-bordeaux 225
BERTRANDS CH. DES Côtes-de-provence 846
BERZÉ CH. DE Mâcon et mâcon-villages 590
BESAGE CH. LA Bergerac 912 915 • Bergerac sec 915
BESARD THIERRY Touraine-azay-le-rideau 1026
BESOMBES ALBERT Cabernet-d'anjou 986
BESSANE CH. LA Margaux 364
BESSE GÉRALD Canton du Valais 1270
BESSERAT DE BELLEFON Champagne 617
BESSEY DE BOISSY Coteaux-du-quercy 891
BESSON DOM. Chablis grand cru 442 • Chablis premier cru 434
BESSON DOM. Givry 578
BESSONS DOM. DES Touraine 1016
BESTHEIM Alsace gewurztraminer 78
BESTHEIM Alsace grand cru 108
BETEMPS PHILIPPE Vin-de-savoie 711
BEYCHEVELLE CH. Saint-julien 384
BEYER ÉMILE Alsace grand cru 108
BEYNAT CH. Saint-émilion 266
BEYNES LES Bouches-du-Rhône 1242
BEYSSAC DOM. DE Côtes-du-marmandais 907
BEZOUCE CH. DE Costières-de-nîmes 1182
BIARD-LOYAUX Champagne 617
BICHON CASSIGNOLS CH. Graves 324
BIDEAU JEAN-VINCENT Blaye-côtes-de-bordeaux 226
BIENFAISANCE CH. LA Saint-émilion grand cru 270
BIET JEAN-MARC Touraine 1016
BIGONNEAU GÉRARD Quincy 1084 • Reuilly 1086

BILA-HAUT DOM. DE Côtes-du-roussillon-villages 790
BILÉ DOM. DE Floc-de-gascogne 944
BILLARD DANIEL Maranges 565
BILLARD PÈRE ET FILS Champagne 617
BILLARD PÈRE ET FILS DOM. Bourgogne-hautes-côtes-de-beaune 486
BILLARD-GONNET DOM. Pommard 520
BILLARDS DOM. DES Saint-amour 176
BILLAUD SAMUEL Chablis 426 • Chablis premier cru 434
BILLAUD-SIMON DOM. Chablis 426 • Chablis grand cru 443 • Chablis premier cru 434
BILLAUDS CH. LES Blaye-côtes-de-bordeaux 226
BILLIARD HUBERT Champagne 617
BINASSAT CH. Côtes-de-bergerac moelleux 918
BIOLLES LES Canton du Valais 1270
BIRGHAN Alsace pinot gris 92
BIRIUS DOM. DE Pineau-des-charentes 818
BIROT Bordeaux rosé 197 • Bordeaux sec 200
BISSEY CAVE DE Montagny 582
BISTON-BRILLETTE CH. Moulis-en-médoc 371
BITOUZET-PRIEUR Volnay 526
BIZARD CH. Grignan-les-adhémar 1186
BIZET DOM. Sancerre 1091
BLADINIÈRES L'EXCELLENCE DU CH. Cahors 881
BLAINVILLE HENRI DE Charentais 1211
BLAISE-LOURDEZ ET FILS Champagne 617
BLANC CH. Luberon 1194
BLANC CH. Ventoux 1189
BLANC CH. JACQUES Saint-émilion grand cru 289
BLANC CH. PAUL Costières-de-nîmes 1183
BLANC FOUSSY Crémant-de-loire 953
BLANCHARD ET FILS FERNAND Canton de Vaud 1264
BLANCHES FLEURS DOM. LES Beaune 515
BLANCHET FRANCIS Pouilly-fumé 1078
BLANCHET GILLES Pouilly-sur-loire 1083
BLANCHET YANNICK Bugey 720
BLANCK DOM. PAUL Alsace grand cru 108 • Alsace pinot ou klevner 73
BLANCK ET SES FILS ANDRÉ Alsace gewurztraminer 79 • Alsace grand cru 108
BLANZAC CH. Castillon-côtes-de-bordeaux 303
BLAQUE DOM. LA Pierrevert 1196
BLARD ET FILS Roussette-de-savoie 718 • Vin-de-savoie 711
BLASON DE BOURGOGNE Chablis 426 • Crémant-de-bourgogne 418 • Petit-chablis 422
BLASSAN CH. DE Bordeaux supérieur 208
BLASSINGES LES Canton de Vaud 1264
BLÉGER DOM. CLAUDE ET CHRISTOPHE Alsace gewurztraminer 79 • Alsace riesling 85
BLÉGER FRANÇOIS Alsace grand cru 108
BLEUCES DOM. DES Saumur-champigny 1008
BLIGNY CH. DE Champagne 617
BLIN H. Champagne 618
BLIN MAXIME Champagne 618
BLIN ET FILS R. Champagne 618
BLONDEAU ET FILS Macvin-du-jura 708
BLONDEL Champagne 618
BLOT CHRISTIAN Vouvray 1054
BLOUIN MICHEL Coteaux-du-layon 992
BLOY CH. DU Montravel 922
BOCCARDS LES Chénas 157
BOCH CHARLES Alsace klevener-de-heiligenstein 72
BOCQUET DANIEL Chablis 426
BODIÈRE DOM. DE LA Anjou 974 • Cabernet-d'anjou 986
BODIN Cassis 832
BODINEAU DOM. Coteaux-du-layon 992 • Rosé-de-loire 950
BOECKEL Alsace pinot noir 101
BOESCH ET PETIT-FILS JEAN Alsace pinot gris 92
BOEVER ET FILS PIERRE Champagne 618
BOHN Alsace pinot noir 101
BOHN ALBERT Alsace grand cru 108
BOHN FRANÇOIS Alsace grand cru 109
BOHRMANN DOM. Pommard 520
BOHUES DOM. DES Coteaux-du-layon 993
BOIGELOT ÉRIC Monthélie 530
BOIRE DOM. PHILIPPE Pommard 520
BOIS CAVEAU SYLVAIN Bugey 720
BOIS BRULEY DOM. DU Muscadet-sèvre-et-maine 958
BOIS DE LA BOSSE DOM. DU Beaujolais-villages 148
BOIS DE LA GARDE CH. DU Côtes-du-rhône 1105
BOIS DE LA SALLE TRADITION DU Chénas 157 • Saint-amour 157
BOIS DE SAINT-JEAN DOM. DU Côtes-du-rhône 1105
BOIS DE TAU CH. DU Côtes-de-bourg 233
BOIS DES DENTELLES LE Côtes-du-rhône 1106
BOIS DES MÈGES DOM. DU Côtes-du-rhône-villages 1122
BOIS DIEU DOM. DE Beaujolais 142
BOIS DU JOUR DOM. DU Beaujolais 142
BOIS GAULTIER DOM. DU Valençay 1065
BOIS MAYAUD DOM. DU Saint-nicolas-de-bourgueil 1035
BOIS MIGNON DOM. DU Saumur-champigny 1009
BOIS MOZÉ DOM. DE Anjou-villages 979
BOIS NOËL DOM. DU Savigny-lès-beaune 506
BOIS NOIR CH. Bordeaux supérieur 208
BOIS PERTUIS CH. Bordeaux 188
BOIS-BRINÇON CH. D Anjou 974
BOIS-MALOT CH. Bordeaux sec 200 • Bordeaux supérieur 221
BOIS-MOZÉ PASQUIER DOM. DU Saumur-champigny 1009
BOIS-PERRON DOM. DU Muscadet-sèvre-et-maine 958 • Val de Loire 1204
BOIS-VERT CH. Blaye-côtes-de-bordeaux 226
BOISANTIN DOM. Languedoc 744
BOISSET JEAN-CLAUDE Gevrey-chambertin 456 • Meursault 538
BOISSEYT-CHOL DE Condrieu 1137
BOISSON DOM. Bourgogne-hautes-côtes-de-beaune 486
BOISSON DOM. Côtes-du-rhône-villages 1122
BOISSONNET DOM. Saint-joseph 1139
BOIZEL Champagne 618
BOLCHET CH. Costières-de-nîmes 1182
BOLLE 2011 BLANC Canton de Vaud 1269
BOLLINGER Champagne 618
BON PASTEUR CH. LE Pomerol 250
BON REMÈDE DOM. DU Ventoux 1189
BONALGUE CH. Pomerol 252
BONETTO-FABROL DOM. Côtes-du-rhône 1106 • Grignan-les-adhémar 1186
BONHOMME DOM. ANDRÉ Viré-clessé 591
BONHOMME DOM. PASCAL Viré-clessé 592
BONHOSTE CH. DE Bordeaux supérieur 208
BONJEAN Côtes-d'auvergne 1071
BONNAIRE Champagne 619
BONNANGE CH. Blaye-côtes-de-bordeaux 226
BONNARD DOM. Sancerre 1091
BONNARD FILS MAISON Bugey 720
BONNARDOT DOM. Ladoix 492 • Pommard 520
BONNAT CH. LE Graves 324
BONNAUD CH. HENRI Palette 866
BONNEFOND PATRICK ET CHRISTOPHE Côte-rôtie 1135
BONNEFOY DOM. CAROLINE Beaumes-de-venise 1167 • Côtes-du-rhône-villages 1122
BONNELIÈRE CH. DE LA Chinon 1041
BONNELIÈRE DOM. LA Saumur 1002 • Saumur-champigny 1009
BONNES GAGNES DOM. DES Anjou-villages-brissac 982 • Val de Loire 1205
BONNET ALEXANDRE Champagne 619
BONNET CH. Bordeaux 185
BONNET CH. Moulin-à-vent 157
BONNET CH. Entre-deux-mers 314
BONNET-PONSON Champagne 619
BONNEVEAUX DOM. DES Saumur-champigny 1009
BONNIE ET CLYDE Côtes-du-rhône 1106
BONNIEUX CAVE DE Luberon 1194
BONNIN CH. Lussac-saint-émilion 292
BONNIN SOPHIE ET JEAN-CHRISTIAN Anjou 974

BONNOD-LACOUR NATHALIE ET PASCAL Bugey 720
BONSERINE DOM. DE Côte-rôtie 1135
BONVILLE CAMILLE Champagne 619
BONVIN CÉDRIC ET BENOÎT Saint-pourçain 1088
BONVIN CHARLES Canton du Valais 1271
BONY DOM. JEAN-PIERRE Côte-de-nuits-villages 483
BORD CH. DE Côtes-du-rhône-villages 1128
BORDE DOM. DE LA Arbois 693
BORDENAVE CH. Sauternes 393
BORDENAVE DOM. Jurançon 939
BORDENAVE-COUSTARRET DOM. Jurançon 939
BORDERIE CH. LA Bergerac 909
BOREL-LUCAS Champagne 619
BORÈS MARIE-CLAIRE ET PIERRE Alsace pinot gris 92
BORGEOT DOM. Puligny-montrachet 545
BORIE DOM. LA Cahors 881
BORIE BLANCHE DOM. DE LA Monbazillac 920
BORIE D'ALFI Oc 1232
BORIE DE MAUREL DOM. Minervois 769
BORIE LA VITARÈLE Saint-chinian 774
BORTER STÉPHANE Canton de Vaud 1264
BOSCQ CH. LE Saint-estèphe 380
BOSQUET DES PAPES DOM. Châteauneuf-du-pape 1169
BOSQUETS DOM. DES Gigondas 1157
BOSSET CAVE LE Canton du Valais 1271
BOSSIS RAYMOND Pineau-des-charentes 818
BOTT FRÈRES DOM. Alsace gewurztraminer 79
BOTT-GEYL DOM. Alsace grand cru 109
BOTTIÈRE CH. DE LA Juliénas 164
BOTTIÈRE-PAVILLON DOM. DE LA Juliénas 164
BOUADE CH. LA Sauternes 393
BOUARD-BONNEFOY DOM. Chassagne-montrachet 552
BOUC ET LA TREILLE LE Coteaux-du-lyonnais 177
BOUCABEILLE DOM. Côtes-du-roussillon-villages 791
BOUCAUDE LA Bordeaux 185
BOUCHACOURD DANIEL Brouilly 151
BOUCHARD JEAN Bourgogne 405 • Mercurey 574 • Pommard 521
BOUCHARD MICHEL Bourgogne 405 • Bourgogne-hautes-côtes-de-beaune 487 • Côte-de-nuits-villages 483
BOUCHARD PASCAL Bourgogne 405 • Chablis premier cru 435 • Chablis grand cru 443
BOUCHARD PHILIPPE Gevrey-chambertin 457 • Nuits-saint-georges 479 • Savigny-lès-beaune 506
BOUCHARD AÎNÉ ET FILS Beaune 515
BOUCHARD PÈRE ET FILS Chassagne-montrachet 552 • Savigny-lès-beaune 506
BOUCHÉ PÈRE ET FILS Champagne 620
BOUCHER CHRISTOPHE ET BRIGITTE Muscadet-sèvre-et-maine 958
BOUCHET CH. DU Buzet 905
BOUCHET DOM. Montlouis-sur-loire 1051
BOUCHIÉ-CHATELLIER Pouilly-fumé 1078
BOUCHOT DOM. DU Pouilly-fumé 1079
BOUDAU DOM. Côtes catalanes 1224 • Côtes-du-roussillon-villages 791
BOUFFARD DOM. Muscadet-sèvre-et-maine 958
BOUFFEVENT CH. Bergerac 909
BOUHÉLIER SYLVAIN Crémant-de-bourgogne 418
BOUILLEROT CH. DE Bordeaux 185 • Côtes-de-bordeaux-saint-macaire 322
BOUILLOT LOUIS Crémant-de-bourgogne 418
BOUISSE-MATTERI DOM. Côtes-de-provence 846
BOUISSEL CH. Comté tolosan 1213 • Fronton 901
BOUÏSSIÈRE DOM. LA Gigondas 1157 • Vacqueyras 1162
BOUJAC CH. Fronton 901
BOULACHIN-CHAPUT Champagne 620
BOULANGER PATRICE Muscadet-sèvre-et-maine 958
BOULARD DOMINIQUE Champagne 620
BOULET DOM. Juliénas 164
BOULEY DOM. JEAN-MARC Volnay 527
BOULEY DOM. RÉYANE ET PASCAL Monthélie 530 • Volnay 527
BOULON DOM. J. Morgon 167
BOULONNAIS JEAN-PAUL Champagne 620
BOUQUERRIES DOM. DES Chinon 1041
BOUQUET DE VIOLETTES CH. Lalande-de-pomerol 265
BOURDELAT EDMOND Champagne 620
BOURDELOIS R. Champagne 620
BOURDICOTTE CH. Bordeaux 185 • Bordeaux supérieur 209
BOURDIEU CH. Blaye-côtes-de-bordeaux 226
BOURDON DOM. Mâcon et mâcon-villages 584 • Saint-véran 601
BOURDONNAT DOM. DU Reuilly 1086
BOURDONNIÈRE CH. DE LA Muscadet-sèvre-et-maine 960
BOURDY JEAN Château-chalon 697
BOURG DOM. DU Saint-nicolas-de-bourgueil 1038
BOURGELAT CAPRICE DE Graves 325
BOURGEOIS HENRI Sancerre 1091 • Val de Loire 1205
BOURGEOIS-BOULONNAIS Champagne 620
BOURGEON RENÉ Givry 579
BOURGUET CH. Gaillac 892
BOURILLON-DORLÉANS DOM. Vouvray 1054
BOURNAC CH. Médoc 343
BOURONIÈRE DOM. DE LA Fleurie 161
BOURRATS DOM. DES Saint-pourçain 1088
BOURRÉE CH. LA Castillon-côtes-de-bordeaux 309
BOURRÉE CH. LA Castillon-côtes-de-bordeaux 303
BOURSAULT CH. DE Champagne 620
BOURSEAU CH. Lalande-de-pomerol 260
BOUSCASSÉ CH. Madiran 931
BOUSCAUT CH. Pessac-léognan 333
BOUSQUETTE CH. Saint-chinian 774
BOUSSARGUES CH. DE Côtes-du-rhône 1106
BOUSSEY DOM. DENIS Meursault 538 • Monthélie 531 • Volnay 527
BOUSSEY DOM. ÉRIC Meursault 539 • Monthélie 531
BOUSSEY DOM. LAURENT Beaune 515 • Monthélie 531
BOUT DU LIEU DOM. LE Cahors 881
BOUT DU MONDE DOM. LE Bourgogne-hautes-côtes-de-beaune 487
BOUTHENET MARC Maranges 565
BOUTILLEZ-GUER Champagne 621
BOUTILLOT CH. Bordeaux 186
BOUTIN J. Crozes-hermitage 1144 • Saint-joseph 1140
BOUTINIÈRE DOM. LA Châteauneuf-du-pape 1169
BOUTISSE CH. Saint-émilion grand cru 270
BOUVAUDE DOM. LA Côtes-du-rhône 1106 • Côtes-du-rhône-villages 1123
BOUVERIE DOM. DE LA Côtes-de-provence 846
BOUVET LADUBAY Saumur 1002
BOUVIER RÉGIS Marsannay 452
BOUVIER RENÉ Côte-de-nuits-villages 484 • Gevrey-chambertin 457 • Marsannay 452
BOUVRET OLIVIER ET BERTRAND Champagne 621
BOUXHOF DOM. DU Alsace gewurztraminer 79 • Alsace riesling 85
BOUYSSES CH. LES Cahors 882
BOUZEREAU DOM. JEAN-MARIE Meursault 539
BOUZEREAU DOM. VINCENT Corton 500 • Meursault 539 • Monthélie 531
BOUZEREAU PHILIPPE Auxey-duresses 534 • Chassagne-montrachet 552
BOUZEREAU-GRUÈRE ET FILLES HUBERT Puligny-montrachet 546
BOUZONS DOM. DES Côtes-du-rhône 1106
BOVET PHILIPPE Canton de Vaud 1264
BOXLER JUSTIN Alsace grand cru 109
BOYD-CANTENAC CH. Margaux 365
BRAGUE CH. DE Bordeaux supérieur 209
BRAMEFANT CH. Bergerac 909
BRANAIRE-DUCRU CH. Saint-julien 384
BRANAS GRAND POUJEAUX CH. Moulis-en-médoc 372
BRANCHAUD Pineau-des-charentes 818

VINS

BRANDE CH. LA Castillon-côtes-de-bordeaux 303
BRANE-CANTENAC CH. Margaux 365
BRANNE CH. LA Médoc 343
BRATEAU-MOREAUX Champagne 621
BRAUDE FELLONNEAU CH. Haut-médoc 354
BRAUN CAMILLE Alsace pinot noir 101
BRAUN ET SES FILS FRANÇOIS Alsace gewurztraminer 79 • Alsace pinot gris 92
BRAVES DOM. DES Régnié 173
BRAZALEM DOM. DE Buzet 905
BRAZILIER DOM. Coteaux-du-vendômois 1064
BRÉDIF MARC Vouvray 1054
BRÉGANÇON CH. DE Côtes-de-provence 846
BRELIÈRE JEAN-CLAUDE ET ANNA Crémant-de-bourgogne 419 • Rully 570
BRÈQUE RÉMY Crémant-de-bordeaux 222
BRESSY-MASSON DOM. Rasteau 1198 • Rasteau sec 1155
BRETHOUS THIBAULT DE Saint-mont 937
BRETON FRANCK Montlouis-sur-loire 1051
BREUIL CH. DU Haut-médoc 354
BREUIL DOM. DU Beaujolais-villages 147
BREUIL RENAISSANCE CH. LE Médoc 344
BREUSSIN YVES Vouvray 1054
BRÉZÉ CH. DE Saumur 1002
BRIACÉ CH. DE Muscadet-sèvre-et-maine 958
BRIAND CH. Bergerac 913 • Bergerac rosé 913
BRIARD CHRISTIAN Champagne 621
BRICARD GWENAËL Val de Loire 1205
BRICE Champagne 621
BRIDANE CH. LA Saint-julien 384
BRIDAY DOM. MICHEL Rully 570
BRIE CH. LA Bergerac 909 • Bergerac sec 909 • Monbazillac 909
BRIGNAU LE CHEMIN DE Castillon-côtes-de-bordeaux 308
BRIGNEAU DOM. DE Cabernet-d'anjou 986
BRILLETTE CH. Moulis-en-médoc 372
BRIN DOM. DE Gaillac 892
BRIOT CH. Bordeaux rosé 197
BRISEBARRE VIGNOBLE Vouvray 1054
BRISSON GÉRARD Morgon 167
BRISSON-JONCHÈRE Champagne 621
BRIZÉ DOM. DE Anjou-villages 980 • Crémant-de-loire 953 • Saumur 1003
BRIZI DOM. NAPOLÉON Muscat-du-cap-corse 877
BROBECKER Alsace grand cru 109
BROCARD DANIEL Côtes-du-jura 700 • Macvin-du-jura 708
BROCARD JEAN-MARC Chablis 426 • Chablis premier cru 435
BROCARD MICHEL Champagne 622
BROCARD PIERRE Champagne 622
BROCHARD HENRY Val de Loire 1205
BROCHARD HUBERT Pouilly-fumé 1079
BROCHET LOUIS Champagne 622
BROCHET VINCENT Champagne 622
BROCHET-HERVIEUX Champagne 622
BROCHOT ANDRÉ Champagne 622
BROCOT MARC Aloxe-corton 494
BROCOURT PHILIPPE Chinon 1041
BRONDEAU CH. DE Bordeaux supérieur 210
BRONDELLE CH. Graves 325
BROSSAY CH. DE Anjou 974
BROSSES DOM. DES Sancerre 1091
BROTTE Châteauneuf-du-pape 1170 • Crozes-hermitage 1144 • Gigondas 1157
BROUSTET CH. Sauternes 393
BROWN CH. Pessac-léognan 333
BROYERS LES VINS DES Moulin-à-vent 171
BRU LAGARDETTE CH. Cahors 882
BRU-BACHÉ DOM. Jurançon 939
BRÛLESÉCAILLE CH. Côtes-de-bourg 233
BRUMONT Côtes de Gascogne 1216
BRUNEAU ET FILS YVAN ET GHISLAINE Saint-nicolas-de-bourgueil 1036
BRUNEAU-DUPUY CAVE Saint-nicolas-de-bourgueil 1035
BRUNEL DE LA GARDINE Gigondas 1157 • Saint-joseph 1140
BRUNELY DOM. Gigondas 1157 • Vacqueyras 1162
BRUNELY DOM. DE LA Ventoux 1189
BRUNET DOM. NICOLAS Vouvray 1054
BRUNET DOM. PASCAL Chinon 1041
BRUSSET DOM. Côtes-du-rhône-villages 1123
BRUYÈRES DOM. DES Juliénas 164
BRYCZEK CHRISTOPHE Chambolle-musigny 469 • Gevrey-chambertin 457 • Morey-saint-denis 466
BUECHER PAUL Alsace grand cru 109 • Alsace pinot gris 93
BUFFAVENT CH. DE Beaujolais 142
BUISSON CHRISTOPHE Auxey-duresses 534 • Saint-romain 536
BUISSON DOM. HENRI ET GILLES Corton-charlemagne 503 • Saint-romain 536
BUISSON-BATTAULT DOM. Meursault 539
BUJAN CH. Côtes-de-bourg 233
BULLIAT ÉRIC ET FABIENNE Chiroubles 159
BULLIAT DOM. LOÏC ET NOËL Morgon 167
BUNAN Bandol 828
BUNAN DOMAINES Côtes-de-provence 846
BUNEL ÉRIC Champagne 622
BURCKEL JUNG Alsace klevener-de-heiligenstein 72
BURDELINES DOM. DES Moulin-à-vent 171
BURELLE DIDIER Ladoix 492
BURGHART-SPETTEL Alsace grand cru 109
BURLE FLORENT ET DAMIEN Gigondas 1158
BURN DOM. ERNEST Alsace grand cru 109
BURONFOSSE PEGGY ET JEAN-PASCAL Côtes-du-jura 700
BURRIER JOSEPH Viré-clessé 592
BURSIN AGATHE Alsace pinot gris 93 • Alsace pinot ou klevner 73
BUSIN JACQUES Champagne 622
BUSSAC CH. Graves-de-vayres 315
BUSSIÈRE DOM. DE LA Santenay 563
BUTIN PHILIPPE Château-chalon 697 • Côtes-du-jura 700 • Macvin-du-jura 708
BUTTERFIELD Beaune 515 • Meursault 539
BUTTERLIN Alsace grand cru 110
BUXY VIGNERONS DE Montagny 582
BUZET LES VIGNERONS DE Buzet 905
BYARDS CAVEAU DES Château-chalon 698 • Macvin-du-jura 708

C

CABANNE CH. LA Pomerol 257
CABANNES CH. LES Bordeaux 186
CABARROUY DOM. DE Jurançon 939
CABASSE DOM. DE Côtes-du-rhône-villages 1123
CABELIER MARCEL Château-chalon 698 • Côtes-du-jura 700 • Crémant-du-jura 705
CABERNELLE DOM. DE LA Saint-nicolas-de-bourgueil 1036
CABIDOS Comté tolosan 1214 • Pyrénées-Atlantiques 1221
CABOITS DOM. DES Côtes-du-rhône-villages 1123
CABREDON CH. Cadillac-côtes-de-bordeaux 318
CABRIÈRES CH. DE Languedoc 744
CABROL DOM. DE Cabardès 726
CACHAT-OCQUIDANT DOM. Chorey-lès-beaune 512 • Corton 500 • Ladoix 492 • Savigny-lès-beaune 506
CADEL GUY Champagne 623
CADENETTE CH. Costières-de-nîmes 1185
CADENIÈRE DOM. LA Coteaux-d'aix-en-provence 833
CADERIE CH. LA Bordeaux supérieur 209
CADET SOUTARD CH. Saint-émilion grand cru 289
CADET-BON CH. Saint-émilion grand cru 272
CADIÉRENNE LA Bandol 824 • Côtes-de-provence 846
CADOLE DE GRILLE-MIDI Chiroubles 159
CADY DOM. Coteaux-du-layon 993
CAFOL CH. Castillon-côtes-de-bordeaux 304
CAGUELOUP DOM. DU Bandol 825
CAHUZAC CH. Fronton 902
CAILBOURDIN DOM. A. Pouilly-fumé 1079
CAILLABÈRE DOM. DE LA Béarn 938
CAILLAVEL CH. Bergerac sec 915 • Monbazillac 915
CAILLETEAU BERGERON CH. Blaye-côtes-de-bordeaux 226
CAILLOT DOM. MICHEL Bâtard-montrachet 549 • Meursault 539 • Pommard 521

CAILLOTS DOM. DES Touraine 1016
CAILLOUX DE BY CH. Médoc 351
CAJUS CH. Bordeaux 186 • Bordeaux clairet 195
CALADROY CH. DE Côtes-du-roussillon-villages 791 • Muscat-de-rivesaltes 807
CALCE CH. DE Côtes-du-roussillon 784 • Muscat-de-rivesaltes 807 • Rivesaltes 803
CALISSANNE CH. Coteaux-d'aix-en-provence 833
CALISSE CH. LA Coteaux-varois-en-provence 837
CALLOT PIERRE Champagne 623
CALON SÉGUR CH. Saint-estèphe 380
CALONNIÈRE CH. LA Coteaux-du-layon 993
CALVEL DOM. Corbières-boutenac 736
CALVISSON LES VIGNERONS DE Oc 1232
CAMARETTE DOM. DE LA Ventoux 1189
CAMARSAC CH. Bordeaux 186
CAMBARET DOM. DE Coteaux-varois-en-provence 838
CAMBAUDIÈRE DOM. DE LA Fiefs-vendéens 971
CAMBON LA PELOUSE CH. Haut-médoc 354
CAMBON LA PELOUSE L'AURA DE Margaux 366
CAMBRIEL CH. Corbières 728
CAMBUSE DOM. DE LA Coteaux-d'ancenis 968 • Muscadet-coteaux-de-la-loire 968
CAMENSAC CH. DE Haut-médoc 354
CAMERON Bourgogne 405
CAMIN LARREDYA Jurançon 939
CAMINADE CH. LA Cahors 882
CAMINADE HAUT GUÉRIN CH. Bordeaux 186
CAMP REVÈS DOM. Côtes-du-rhône-villages 1123
CAMPET CH. Cadillac-côtes-de-bordeaux 318
CAMPILLOT CH. Médoc 344
CAMPLAT DOM. DU Bordeaux sec 200
CAMPLONG VIGNERONS DE Corbières 728
CAMPUGET CH. DE Costières-de-nîmes 1182
CAMUS-BRUCHON ET FILS Pommard 521 • Savigny-lès-beaune 507
CAMVAILLAN DOM. Côtes-du-rhône-villages 1126
CANARD-DUCHÊNE Champagne 623
CANDASTRE CH. Gaillac 893
CANESSE CH. DE Côtes-de-bourg 234
CANON CH. Canon-fronsac 242
CANON CH. Saint-émilion grand cru 272
CANON CHAIGNEAU CH. Lalande-de-pomerol 260
CANON PÉCRESSE CH. Canon-fronsac 243
CANON SAINT-MICHEL CH. Canon-fronsac 243
CANORGUE LA Luberon 1194 • Méditerranée 1244
CANTEGRIVE CH. Castillon-côtes-de-bordeaux 304
CANTELAUDETTE CH. Graves-de-vayres 315
CANTELOUP CH. Blaye-côtes-de-bordeaux 226
CANTELYS CH. Pessac-léognan 333
CANTEMERLE CH. Haut-médoc 354
CANTEMERLE DOM. DE Bordeaux supérieur 209
CANTENAC CH. Saint-émilion grand cru 272
CANTENAC BROWN CH. Margaux 366
CANTEPERDRIX Ventoux 1189
CANTIN CH. Saint-émilion grand cru 272
CANTIN BENOÎT Irancy 446
CANTO PERLIC DOM. Gaillac 893
CANTONE CASTELLO DI Canton du Tessin 1281
CANTONNET DOM. DU Bergerac sec 915 • Saussignac 915
CANTREAUX DOM. DES Muscadet-sèvre-et-maine 959
CAP CETTE Languedoc 744
CAP D'OR CH. Saint-georges-saint-émilion 302
CAP DE FAUGÈRES CH. Castillon-côtes-de-bordeaux 304
CAP DE MOURLIN CH. Saint-émilion grand cru 272
CAP LÉON VEYRIN CH. Listrac-médoc 362
CAP LEUCATE LES VIGNERONS DU Fitou 740 • Muscat-de-rivesaltes 807
CAPBERN GASQUETON CH. Saint-estèphe 380
CAPDEPON MICHÈLE Blanquette méthode ancestrale 764
CAPDET CH. Listrac-médoc 362
CAPELLE CH. LA Bordeaux supérieur 209
CAPET BÉGAUD CH. Canon-fronsac 243
CAPION CH. Languedoc 745
CAPITAIN-GAGNEROT Corton-charlemagne 503 • Ladoix 492 • Vosne-romanée 475
CAPITAINE LA Canton de Vaud 1264
CAPITELLE DES SALLES CH. Languedoc 745
CAPMARTIN DOM. Madiran 935 • Pacherenc-du-vic-bilh 935
CAPPES CH. DE Côtes-de-bordeaux-saint-macaire 323
CAPRIERS DOM. DES Côtes de Thongue 1228
CAPUANO-FERRERI Chassagne-montrachet 553 • Santenay 560
CAPUCINS CH. DES Lalande-de-pomerol 259
CARABINIERS DOM. DES Lirac 1176
CARAMANY LES VIGNERONS DE Côtes-du-roussillon-villages 791
CARBONNEAU CH. Sainte-foy-bordeaux 317
CARBONNIEU DOM. DE Sauternes 393
CARBONNIEUX CH. Pessac-léognan 333 • Pessac-léognan 334
CARCENAC DOM. Gaillac 893
CARCÈS HAMEAU DES VIGNERONS DE Var 1246
CARDINAL-VILLEMAURINE CH. Saint-émilion grand cru 276
CARÊME VIGNOBLES OLIVIER Vouvray 1055
CARIGNAN CH. Cadillac-côtes-de-bordeaux 318
CARLES CH. DE Fronsac 245
CARLINI JEAN-YVES DE Champagne 623
CARLMAGNUS CH. Fronsac 245
CARMELS DOM. LES Cadillac-côtes-de-bordeaux 319
CARMES HAUT-BRION CH. LES Pessac-léognan 334
CAROD Crémant-de-die 1153
CAROLINE CH. Moulis-en-médoc 372
CARONNE SAINTE-GEMME CH. Haut-médoc 358
CARPE DIEM CH. Côtes-de-provence 846
CARRÉ DENIS Beaune 515 • Pommard 521 • Saint-romain 536
CARREL ÉRIC ET FRANÇOIS Roussette-de-savoie 718 • Vin-de-savoie 711
CARRELOT DES AMANTS Côtes-du-brulhois 904
CARRIÈRE-AUDIER DOM. Saint-chinian 774
CARROI DOM. DU Bourgueil 1028
CARROI ROUGE 2011 RENÉ Sancerre 1097
CARROIR PERRIN DOM. DU Sancerre 1092
CARROL DE BELLEL CH. Fronton 901
CARROU DOM. DU Sancerre 1092
CARROY ET FILS JACQUES Pouilly-fumé 1079
CARSIN CH. Cadillac-côtes-de-bordeaux 319
CARTEAU CH. Saint-émilion grand cru 273
CARTIER DOM. FRANÇOIS Touraine 1017
CARTIER MICHEL ET MIREILLE Vin-de-savoie 712
CASABIANCA DOM. Corse ou vin-de-corse 868
CASCASTEL LES MAÎTRES VIGNERONS Corbières 729 • Fitou 740
CASENEUVE DOM. DE Côtes-de-provence 847
CASSAGNOLES DOM. DES Côtes de Gascogne 1216 • Floc-de-gascogne 944
CASSAN DOM. DE Beaumes-de-venise 1167
CASSEMICHÈRE LA Val de Loire 1205
CASTAGNIER DOM. Clos-de-la-roche 468 • Clos-de-vougeot 471 • Morey-saint-denis 466
CASTAING CH. Côtes-de-bourg 234
CASTAN DOM. Hérault 1230 • Languedoc 745
CASTAN JOSEPH Oc 1233
CASTEL LA PÈZE Bergerac 909
CASTEL OUALOU DOM. Côtes-du-rhône 1111 • Lirac 1176
CASTELAS LES VIGNERONS DU Côtes-du-rhône 1106 • Côtes-du-rhône-villages 1123
CASTELBRUCK CH. Margaux 368
CASTELFORT DE Floc-de-gascogne 944

VINS

CASTELL-REYNOARD DOM. Bandol 825
CASTELLANE DE Champagne 623
CASTELLAT DOM. DU Bergerac rosé 913
CASTELLU DI BARICCI Corse ou vin-de-corse 868
CASTELMAURE Corbières 729
CASTELNAU DE Champagne 623
CASTELNEAU CH. DE Entre-deux-mers 311
CASTELOT CH. LE Saint-émilion grand cru 284
CASTERA DOM. Jurançon 940
CASTILLE CH. DE LA Côtes-de-provence 847
CASTILLON CH. DE Bandol 824
CASTRES CH. DE Graves 325
CATARELLI DOM. DE Patrimonio 875
CATROUX PHILIPPE Touraine-amboise 1025
CATTIER Champagne 623
CATTIN FRÈRES Alsace gewurztraminer 79
CAUHAPÉ DOM. Jurançon 940
CAUSE DOM. DE Cahors 882
CAUSSADE CH. LA Bordeaux 186 • Sainte-croix-du-mont 391
CAUSSE D'ARBORAS DOM. DU Languedoc 745
CAVALIER CH. Côtes-de-provence 847
CAVE LAMARTINE DOM. DE LA Juliénas 165
CAVEAU BUGISTE LE Bugey 721
CAVEAU DU TERROIR Côtes-du-jura 700
CAYLA CH. Cadillac-côtes-de-bordeaux 319
CAYRAN CAMILLE Côtes-du-rhône-villages 1123
CAYX LES MARCHES DE Cahors 882
CAZAL DOM. LE Minervois 769
CAZANOVE CHARLES DE Champagne 624
CAZEAU CH. Bordeaux rosé 197
CAZENEUVE CH. DE Languedoc 745
CAZES Collioure 797 • Côtes-du-roussillon 784 • Côtes-du-roussillon-villages 791 • Muscat-de-rivesaltes 807 • Rivesaltes 803
CAZULET DOM. Charentais 1211
CÉCILE DES VIGNES Côtes-du-rhône 1108
CÈDRE CH. DU Cahors 882
CÉLESTIÈRE LA Châteauneuf-du-pape 1170
CELLIER AUX MOINES DOM. DU Givry 579 • Mercurey 574
CELLIER DE LAURE Alpilles 1241
CELLIER DU PALAIS LE Vin-de-savoie 712
CELLIER YVECOURT Bordeaux sec 200
CENDRILLON LA Corbières 729
CEP D'OR Moselle luxembourgeoise 1257
CERBERON DOM. DU Meursault 540
CERBIER CH. DU Corbières 729
CÉRONS CH. DE Cérons 391
CERTAN DE MAY DE CERTAN CH. Pomerol 250
CESSERAS CH. Minervois-la-livinière 773
CÉZELLY DOM. Fitou 740
CÉZIN DOM. DE Coteaux-du-loir 1048 • Jasnières 1049
CHABBERT-FAUZAN DOM. Minervois-la-livinière 773
CHABERTS CH. DES Coteaux-varois-en-provence 838
CHABLAIS LES CELLIERS DU Canton de Vaud 1265
CHABLIS UNION DES VITICULTEURS DE Chablis 426 • Chablis premier cru 435
CHABLISIENNE LA Chablis 426 • Chablis premier cru 435
CHABRIER CH. LE Bergerac 909 • Côtes-de-bergerac 909
CHADENNE CH. Fronsac 246
CHAFALET DOM. DE Canton de Genève 1276
CHAILLOT DOM. DU Châteaumeillant 1067
CHAINCHON CH. Castillon-côtes-de-bordeaux 310
CHAINTRÉ CAVE DE Saint-véran 601
CHAINTRÉ CH. DE Mâcon et mâcon-villages 584
CHAINTRES DOM. DE Cabernet-de-saumur 1007
CHAIS DU VIEUX BOURG LES Côtes-du-jura 700
CHAISE DOM. DE LA Touraine 1017
CHAIZE CH. DE LA Brouilly 151
CHALEY ET FILLE DOM. YVES Bourgogne-hautes-côtes-de-nuits 449
CHALMEAU CHRISTINE ET PATRICK Bourgogne-aligoté 416
CHALMEAU ET FILS DOM. EDMOND Bourgogne 406
CHAMBÉRAN Clairette-de-die 1153
CHAMBERT CH. DE Cahors 889
CHAMBEYRON DOM. Condrieu 1137
CHAMBLEAU CAVES DE Canton de Neuchâtel 1279
CHAMFORT DOM. Vacqueyras 1162
CHAMIREY CH. DE Mercurey 574
CHAMP CHAPRON DOM. DU Gros-plant-du-pays-nantais 970
CHAMP DE COUR DOM. DE Moulin-à-vent 171
CHAMP DES SŒURS CH. Fitou 740
CHAMP DIVIN Côtes-du-jura 700
CHAMP-LONG DOM. Côtes-du-rhône 1108 • Ventoux 1190
CHAMPAGNON DOM. JEAN-PAUL Fleurie 161
CHAMPAGNY CH. DE Côte-roannaise 1073
CHAMPALOU Vouvray 1055
CHAMPAUD MAXIME Monthélie 531 • Rully 570 • Santenay 560
CHAMPAULT ROGER Sancerre 1092
CHAMPEAU DOM. Pouilly-fumé 1079
CHAMPIN LE SEIGNEUR Côte-rôtie 1135
CHAMPION PIERRE Vouvray 1055
CHAMPS DE LOUYS LES Bourgueil 1028
CHAMPS FLEURIS DOM. DES Coteaux-de-saumur 1007 • Saumur 1003
CHAMPY DOM. Pernand-vergelesses 497 • Volnay 527
CHANAU PIERRE Beaujolais-villages 147
CHANCELLE LYDIE ET THIERRY Coteaux-de-saumur 1007 • Saumur 1003
CHANDELLIÈRE CH. LA Médoc 343
CHANGARNIER DOM. Monthélie 531
CHANOINE Champagne 624
CHANSON DOM. Beaune 515 • Pernand-vergelesses 497
CHANSON PÈRE ET FILS Chablis premier cru 435 • Chassagne-montrachet 553 • Corton 500 • Nuits-saint-georges 479
CHANT D'OISEAUX VIGNOBLE DU Orléans 1064 • Orléans-cléry 1064
CHANTE-ALOUETTE CH. Blaye-côtes-de-bordeaux 227
CHANTALOUETTE CH. Pomerol 258
CHANTALOUETTES DOM. DES Pouilly-fumé 1079
CHANTE CIGALE DOM. Châteauneuf-du-pape 1170
CHANTE COUCOU Vaucluse 1248
CHANTE-PERDRIX DOM. Châteauneuf-du-pape 1170
CHANTECLER CH. Pauillac 374
CHANTEGRILLE DOM. DE Chénas 157
CHANTEGRIVE CH. DE Graves 325
CHANTEGUT DOM. DE Vacqueyras 1162
CHANTELEUSERIE DOM. DE LA Bourgueil 1028
CHANTELOUVE CH. Entre-deux-mers 312
CHANTELUNE CH. Margaux 366
CHANTEMERLE DOM. DE Chablis 427 • Coteaux-du-layon 993
CHANTEMERLE DOM. DE Chablis 427
CHANZY DOM. Bourgogne 406 • Rully 571
CHAPELAINS CH. DES Sainte-foy-bordeaux 317
CHAPELLE DOM. DE LA Touraine 1017
CHAPELLE JEAN-FRANÇOIS Volnay 527
CHAPELLE BELLEVUE CH. LA Graves-de-vayres 316
CHAPELLE DE BARBE Bordeaux supérieur 209
CHAPELLE DE VENENGE LA Brouilly 153
CHAPELLE ET FILS DOM. Santenay 560
CHAPINIÈRE LA Touraine 1018
CHAPITRE DOM. DU Hérault 1230
CHAPITRE DOM. DU Touraine 1018
CHAPONNE DOM. DE LA Morgon 167
CHAPOT PHILIPPE Vin-de-savoie 712
CHAPOUTIER Banyuls 799 • Crozes-hermitage 1145
CHAPUIS ET CHAPUIS Chorey-lès-beaune 512
CHAPUT JACQUES Champagne 624
CHAPUY Champagne 624
CHARACHE DOM. VINCENT Bourgogne-hautes-côtes-de-beaune 487 • Pernand-vergelesses 497 • Savigny-lès-beaune 507
CHARBAUT GUY Champagne 624
CHARBAUX FRÈRES Champagne 624
CHARBONNIER CHRISTIAN Chinon 1042

CHARBONNIER DOM. Touraine 1018
CHARBONNIER ÉRIC Champagne 625
CHARBONNIÈRE DOM. DE LA Châteauneuf-du-pape 1170 • Vacqueyras 1163
CHARDIN ROLAND Champagne 625
CHARDONNAY DOM. DU Chablis premier cru 435 • Petit-chablis 422
CHARDONNET ET FILS Champagne 625
CHARITÉ DOM. Côtes-du-rhône-villages 1124
CHARLEMAGNE GUY Champagne 625
CHARLEMAGNE ROBERT Champagne 625
CHARLEUX ET FILS DOM. MAURICE Maranges 565
CHARLOPIN DOM. PHILIPPE Échézeaux 473 • Gevrey-chambertin 457 • Marsannay 453 • Vosne-romanée 476
CHARLOPIN HERVÉ Marsannay 452
CHARLOPIN-PARIZOT DOM. PHILIPPE Charmes-chambertin 464 • Clos-de-vougeot 472
CHARLOT-TANNEUX Champagne 625
CHARMAIL CH. Haut-médoc 354
CHARMENSAT A. Côtes-d'auvergne 1071
CHARMERAIE DOM. DE LA Saint-véran 601
CHARMES DOM. DES Canton de Genève 1277
CHARMES-GODARD CH. LES Francs-côtes-de-bordeaux 310
CHARMETANT CAROLINE ET JACQUES Beaujolais 142
CHARMETTES DOM. LES Oc 1233
CHARMOISE LA Cour-cheverny 1062
CHARMOND PHILIPPE Pouilly-fuissé 594
CHARPENTIER Champagne 626
CHARPENTIER J. Champagne 626
CHARRIÈRE CH. DE LA Santenay 560
CHARRON CH. Blaye-côtes-de-bordeaux 227
CHARRON CH. Bordeaux 186
CHARTON VINCENT ET JEAN-PIERRE Mercurey 574
CHARTREUSE DE VALBONNE Côtes-du-rhône 1108 • Côtes-du-rhône-villages 1124
CHARTRON JEAN Bourgogne 406 • Chassagne-montrachet 553 • Puligny-montrachet 546 • Rully 571
CHARVERRON DOM. DE Beaujolais 142
CHASSAGNE-MONTRACHET CH. DE Chassagne-montrachet 553
CHASSE-SPLEEN CH. Haut-médoc 354 • Moulis-en-médoc 372
CHASSELAS CH. DE Mâcon et mâcon-villages 584 • Saint-véran 601
CHASSELAY CLAIRE ET FABIEN Fleurie 161
CHASSEY GUY DE Champagne 626
CHÂTAGNERÉAZ CH. DE Canton de Vaud 1265
CHATAGNIER AURÉLIEN Condrieu 1137 • Saint-joseph 1140
CHÂTAIGNALS DOM. DES Cahors 882
CHATAIGNERAIE-LABORIER DOM. Pouilly-fuissé 594
CHÂTAIGNIER LA CAVE DU Val de Loire 1205
CHÂTAIGNIER DURAND DOM. Juliénas 165
CHATAIN PINEAU CH. Lalande-de-pomerol 260
CHÂTEAU-GRIS DOM. DU Vosne-romanée 476
CHÂTEAUMEILLANT LA CAVE DES VINS DE Châteaumeillant 1067
CHATELAIN DOM. Pouilly-fumé 1079
CHATELARD CH. DU Beaujolais 142
CHÂTELET LE Saint-émilion grand cru 273
CHATELLIER ET FILS Muscadet-sèvre-et-maine 959
CHATENAY LAURENT Montlouis-sur-loire 1051
CHATER Côtes-de-duras 928
CHAUDAT DOM. Côte-de-nuits-villages 484
CHAUDE ÉCUELLE DOM. DE Chablis premier cru 435
CHAUDRON Champagne 626
CHAUME LA Val de Loire 1205
CHAUMES DOM. LES Sancerre 1092
CHAUSSE CH. DE Côtes-de-provence 847
CHAUSSELIÈRES DOM. DES Muscadet-sèvre-et-maine 959
CHAUTAGNE CAVE DE Vin-de-savoie 712
CHAUTARDE DOM. LA Coteaux-varois-en-provence 838
CHAUVEAU DOM. Pouilly-fumé 1079
CHAUVENET DOM. JEAN Nuits-saint-georges 479
CHAUVENET-CHOPIN Côte-de-nuits-villages 484
CHAUVET A. Champagne 626
CHAUVET HENRI Champagne 626
CHAUVET MARC Champagne 626
CHAUVIN CH. Saint-émilion grand cru 273
CHAUVIN DOM. PIERRE Anjou-villages 980
CHAUVINIÈRE LA Muscadet-sèvre-et-maine 959
CHAVE DOM. JEAN-LOUIS Hermitage 1148
CHAVE YANN Crozes-hermitage 1145 • Hermitage 1148
CHAVET FILS Menetou-salon 1075
CHAVY JEAN-LOUIS Puligny-montrachet 546
CHAVY LOUIS Nuits-saint-georges 480
CHAY CH. LE Blaye-côtes-de-bordeaux 227
CHAZALON DOM. Languedoc 746
CHAZELAY DOM. DU Brouilly 151
CHEC CH. LE Graves 325
CHEMARIN NICOLAS Beaujolais-villages 147
CHEMIN CH. LE Pomerol 250
CHEMIN DES RÊVES LE Languedoc 746
CHEMIN ROYAL CH. Moulis-en-médoc 372
CHEMIN SAINT-JACQUES Fronton 902
CHEMINS D'ORIENT LES Pécharmant 924
CHEMINS DE BASSAC LES Côtes de Thongue 1228
CHEMINS DE CARABOTE LES Languedoc 746
CHEMINS DE LA CROIX DU CASSE Pomerol 253
CHÊNAIE DU TILH Madiran 931
CHÉNARD PHILIPPE Val de Loire 1205
CHÉNAS CAVE DU CH. DE Chénas 171 • Moulin-à-vent 171
CHÊNE DOM. Mâcon et mâcon-villages 584
CHÊNE DOM. DU Pineau-des-charentes 818
CHÊNE DOM. DU Saint-joseph 1140
CHÊNE CH. GRAND Côtes-du-brulhois 904
CHÊNE DE MARGOT CH. LE Blaye-côtes-de-bordeaux 226
CHÊNE PEYRAILLE Bergerac 910
CHÊNE ROND DOM. DU Cahors 882
CHÊNE VERT DOM. DU Reuilly 1087
CHÊNE-VIEUX CH. Puisseguin-saint-émilion 299
CHÊNEPIERRE DOM. DE Chénas 158 • Moulin-à-vent 158
CHÊNES DOM. DES Côtes-du-roussillon-villages 791 • Rivesaltes 803
CHÊNES BLANCS DOM. LES Gigondas 1158
CHENEVIÈRES DOM. DES Chablis 427
CHERCHY-DESQUEYROUX CH. Graves 325 • Graves supérieures 332
CHÉRÉ ÉTIENNE Champagne 627
CHÉREAU L'ÉGÉRIE DU CH. Lussac-saint-émilion 292
CHÉRUBIN CH. Saint-émilion grand cru 273
CHESNAIE CH. DE LA Muscadet-sèvre-et-maine 958
CHESNAIES DOM. DES Bourgueil 1028
CHESNAIES DOM. DES Coteaux-du-layon 993
CHESNEAU DOM. Cheverny 1059
CHETAILLE GILBERT Brouilly 152
CHEURLIN-DANGIN Champagne 627
CHEVAL BLANC CH. Saint-émilion grand cru 273
CHEVAL QUANCARD Bordeaux sec 200 • Entre-deux-mers 312
CHEVALERIE DOM. DE LA Bourgueil 1029
CHEVALIER Crémant-de-bourgogne 419
CHEVALIER DOM. DE Pessac-léognan 334
CHEVALIER CLAUDE Ladoix 492
CHEVALIER DES TERRASSES Cahors 883
CHEVALIER-MÉTRAT DOM. Brouilly 155 • Côte-de-brouilly 154
CHEVALIER PÈRE ET FILS DOM. Aloxe-corton 494 • Corton 500 • Corton-charlemagne 504 • Côte-de-nuits-villages 484
CHEVALIERS DOM. DES Brouilly 147
CHEVALIERS VINS DES Canton du Valais 1271
CHEVALIERS DES BRARDS CH. Blaye-côtes-de-bordeaux 227

VINS

CHEVALLERIE LA Saint-nicolas-de-bourgueil 1036
CHEVALLERIE VIGNOBLE DE LA Saint-nicolas-de-bourgueil 1036
CHEVALLIER DOM. Chablis 427 • Petit-chablis 422
CHEVALLIER DOM. PIERRE Muscadet-sèvre-et-maine 959
CHEVALLIER YVES Nuits-saint-georges 480
CHEVALLIER-BERNARD Vin-de-savoie 712
CHEVASSU MARIE ET DENIS Crémant-du-jura 705 • Côtes-du-jura 701
CHEVEAU DOM. Pouilly-fuissé 594 • Saint-amour 176
CHEVIGNEUX DOM. DE Vin-de-savoie 712
CHEVILLON-CHEZEAUX DOM. Nuits-saint-georges 480
CHÈVRE BLEUE DOM. DE LA Chénas 158 • Moulin-à-vent 158
CHEVRIER BERTRAND Vin-de-savoie 712
CHEVROLAT M. Rosé-des-riceys 690
CHEVRON VILLETTE Côtes-de-provence 848
CHEVROT DOM. Maranges 565 • Santenay 560
CHEYLUS CH. Côtes-du-rhône 1108
CHEYSSON DOM. Chiroubles 159
CHÈZE CH. LA Cadillac-côtes-de-bordeaux 319
CHICHERY Oc 1233
CHIERICATI Canton du Tessin 1281
CHIGNARDIÈRE DOM. DE LA Val de Loire 1205
CHIQUET GASTON Champagne 627
CHIROULET DOM. Côtes de Gascogne 1216 • Floc-de-gascogne 945
CHIZEAUX DOM. DU Beaujolais-villages 147
CHOFFLET-VALDENAIRE DOM. Givry 579
CHOLET-PELLETIER CHRISTIAN Auxey-duresses 534 • Meursault 540 • Puligny-montrachet 546
CHOLLET GILLES Pouilly-fumé 1080 • Pouilly-sur-loire 1080
CHOLLET PAUL Crémant-de-bourgogne 419
CHOPIN JULIEN Champagne 627
CHOPIN ET FILS DOM. A. Chambolle-musigny 469 • Côte-de-nuits-villages 484 • Nuits-saint-georges 480
CHOPINIÈRE DU ROY DOM. DE LA Bourgueil 1029
CHOTARD DANIEL Sancerre 1092
CHOUILLY CH. DE Canton de Genève 1277
CHOUPETTE DOM. DE LA Santenay 560
CHRISTOPHE ET FILS Chablis 428 • Chablis premier cru 435 • Petit-chablis 423
CHUPIN DOM. Rosé-d'anjou 984 • Rosé-de-loire 951
CICÉRON CH. Corbières 729
CIDIS CAVE Canton de Vaud 1265
CIGALUS L'INDOMPTABLE DE Oc 1233
CINA FERNAND Canton du Valais 1271
CINQ SENS DOM. DES Côtes-du-rhône-villages 1124
CINQ VENTS DOM. Languedoc 746
CINQUAU DOM. DU Jurançon 940
CISSAC CH. Haut-médoc 355
CITADELLE DOM. DE LA Luberon 1194
CÎTEAUX CH. DE Beaune 516 • Meursault 540
CITRAN CH. Haut-médoc 355
CLAIR DOM. BRUNO Marsannay 453 • Savigny-lès-beaune 507
CLAIR FRANÇOISE ET DENIS Puligny-montrachet 546 • Saint-aubin 556 • Santenay 560
CLAIR PASCAL Pineau-des-charentes 818
CLAIRAC CH. Blaye-côtes-de-bordeaux 227
CLAIRAC DOM. DE Saint-chinian 774
CLAIRMONT CAVE DE Crozes-hermitage 1145
CLAIRNEAUX DOM. DES Sancerre 1092
CLAMERY Côtes de Thongue 1228 • Oc 1233
CLAPE A. Cornas 1150
CLAPIER CH. DE Luberon 1194
CLAPIÈRE DOM. DE LA Hérault 1230
CLARETTES CH. Côtes-de-provence 847
CLARIÈRE LAITHWAITE CH. LA Castillon-côtes-de-bordeaux 304
CLARKE CH. Listrac-médoc 362
CLARTIÈRE DOM. DE LA Anjou 974 • Coteaux-du-layon 993
CLAUX DELORME LE Valençay 1065
CLAUX DES TOURETTES LES Cévennes 1223
CLAUZOTS CH. LES Graves 325
CLAVEL DOM. Côtes-du-rhône 1108
CLAVEL DOM. Languedoc 746
CLAVELIER ET FILS Meursault 540 • Nuits-saint-georges 480
CLAYOU DOM. DE Coteaux-du-layon 993 • Rosé-de-loire 951
CLÉEBOURG CAVE DE Alsace riesling 85
CLÉMANCEY DOM. Fixin 454 • Gevrey-chambertin 457
CLÉMENT CHARLES Champagne 627
CLÉMENT DOM. Bourgogne 406
CLÉMENT ISABELLE ET PIERRE Menetou-salon 1075
CLÉMENT J. Champagne 627
CLÉMENT JULIEN ET RÉMI Fleurie 161
CLÉMENT-PICHON CH. Haut-médoc 355
CLÉMENT SAINT-JEAN CH. Médoc 344
CLÉMENT TERMES CH. Gaillac 893
CLENET OLIVIER Muscadet-sèvre-et-maine 959
CLÉRAMBAULT Champagne 627
CLERC MILON CH. Pauillac 374
CLINET CH. Pomerol 251
CLOCHEMERLE Beaujolais 142
CLOS CH. DU Pouilly-fuissé 594
CLOS DOM. DES Beaune 516 • Nuits-saint-georges 480
CLOS ALIVU Patrimonio 875
CLOS BADON THUNEVIN Saint-émilion grand cru 273
CLOS BAGATELLE Saint-chinian 774
CLOS BASTÉ Madiran 935 • Pacherenc-du-vic-bilh 935
CLOS BELLANE Côtes-du-rhône-villages 1124
CLOS BELLEVUE Jurançon 940
CLOS BELLEVUE Muscat-de-lunel 778
CLOS BENGUÈRES Jurançon 940
CLOS BOURGELAT Graves 325
CLOS CANERECCIA Corse ou vin-de-corse 868
CLOS CANON Saint-émilion grand cru 272
CLOS CAPITORO Ajaccio 873
CLOS CHAUMONT CH. Cadillac-côtes-de-bordeaux 319
CLOS CIBONNE Côtes-de-provence 847
CLOS CROIX DE MIRANDE Montagne-saint-émilion 295
CLOS CULOMBU Corse ou vin-de-corse 869
CLOS D'ALARI DOM. DU Côtes-de-provence 847
CLOS D'ALZETO Ajaccio 873
CLOS D'ORLÉA Corse ou vin-de-corse 869
CLOS D'UN JOUR LE Cahors 883
CLOS DE BARIN 2011 BLANC Canton de Vaud 1265
CLOS DE BAUX Saumur-champigny 1009
CLOS DE CÉLIGNY LE Canton de Genève 1277
CLOS DE FOURCHIS DOM. DU Mâcon et mâcon-villages 584
CLOS DE L'ABBAYE Bourgueil 1029
CLOS DE L'ABBÉ DUBOIS Côtes-du-vivarais 1197
CLOS DE L'AMANDAIE Languedoc 746
CLOS DE L'ATELIER LE Cheverny 1059
CLOS DE L'ÉGLISE Madiran 931
CLOS DE L'HERMITAGE Côtes-du-rhône 1108
CLOS DE LA BARILLÈRE Muscadet-sèvre-et-maine 959
CLOS DE LA BIERLE DOM. DU Bugey 721
CLOS DE LA CHAPELLE DOM. Volnay 527
CLOS DE LA DONZELLE Canton de Genève 1277
CLOS DE LA GRILLE Chinon 1042
CLOS DE LA RIVIÈRE Saint-chinian 775
CLOS DE LA VIEILLE ÉGLISE Pomerol 251
CLOS DE LA VIERGE Jurançon 940
CLOS DE SALLES CH. Pomerol 251
CLOS DEL REY Côtes-du-roussillon-villages 791
CLOS DES ABBAYES Canton de Vaud 1265
CLOS DES AUGUSTINS Languedoc 747
CLOS DES BAIES Saint-émilion grand cru 274
CLOS DES CAPUCINS Bordeaux sec 201
CLOS DES CAZAUX DOM. LE Gigondas 1158 • Vacqueyras 1163
CLOS DES CHAUMES LE Fiefs-vendéens 971
CLOS DES CLAPISSES Hérault 1231

CLOS DES CORDELIERS Saumur-champigny 1009
CLOS DES DEMOISELLES Listrac-médoc 363
CLOS DES FÉES DOM. DU Côtes catalanes 1225
CLOS DES GARANDS DOM. DU Fleurie 161
CLOS DES GOHARDS DOM. DU Anjou 974 • Coteaux-du-layon 994 • Rosé-de-loire 951
CLOS DES GRIVES Côtes-du-jura 701
CLOS DES JACOBINS Saint-émilion grand cru 274
CLOS DES MAILLES LE Cabernet-d'anjou 986
CLOS DES MENUTS Saint-émilion grand cru 274
CLOS DES MONTS LE Côtes-d'auvergne 1071
CLOS DES MORAINS Saumur-champigny 1009
CLOS DES NINES Languedoc 747
CLOS DES QUARTERONS Crémant-de-loire 953
CLOS DES QUARTERONS LE Saint-nicolas-de-bourgueil 1036
CLOS DES QUATRE VENTS Margaux 366
CLOS DES ROCHERS DOM. Moselle luxembourgeoise 1257
CLOS DES ROCS Pouilly-loché 599
CLOS DES ROMAINS Saint-émilion grand cru 274
CLOS DES SAUMANES LE Côtes-du-rhône 1108
CLOS DES VINS D'AMOUR Côtes-du-roussillon 784
CLOS DU BAILLY DOM. LE Côtes-du-rhône 1109
CLOS DU BREIL LE Bergerac 909 • Bergerac sec 909
CLOS DU CAILLOU Châteauneuf-du-pape 1170
CLOS DU CAILLOU Côtes-du-rhône 1109
CLOS DU CALVAIRE Châteauneuf-du-pape 1170
CLOS DU CH. DE CADILLAC Cadillac-côtes-de-bordeaux 319
CLOS DU CHAILLOU LE Muscadet-sèvre-et-maine 960 • Val de Loire 1206
CLOS DU CHAPITRE DOM. DU Saint-amour 176
CLOS DU CHÂTELARD Canton de Vaud 1265
CLOS DU CHÊNE Cahors 883
CLOS DU CLOCHER Pomerol 252
CLOS DU FIEF DOM. DU Juliénas 165
CLOS DU HEZ Graves 325
CLOS DU JAUGUEYRON Haut-médoc 356
CLOS DU MAINE-CHEVALIER Bergerac sec 915
CLOS DU MARQUIS Saint-julien 384
CLOS DU NOTAIRE CH. LE Côtes-de-bourg 234
CLOS DU PAVILLON Puisseguin-saint-émilion 299
CLOS DU PÈRE CLÉMENT Côtes-du-rhône 1109 • Côtes-du-rhône-villages 1124
CLOS DU PIAT Côtes-de-bourg 238
CLOS DU ROY Fronsac 246
CLOS DU ROY Lalande-de-pomerol 260
CLOS DU SERRES DOM. LE Languedoc 747
CLOS DUBREUIL Saint-émilion grand cru 274
CLOS FLORIDÈNE Graves 326
CLOS FORNELLI Corse ou vin-de-corse 869
CLOS FOURTET Saint-émilion grand cru 274
CLOS GAUTIER Côtes-de-provence 847
CLOS GUIROUILH Jurançon 940
CLOS HAUT VALOIR Muscat-de-rivesaltes 807
CLOS JACQUEMEAU Saint-émilion grand cru 276
CLOS JULIEN EXTRAVAGANCE DU Bergerac 910 • Montravel 910
CLOS JUNET Saint-émilion grand cru 275
CLOS L'EXQUISE Saint-georges-saint-émilion 301
CLOS LA BOHÈME Haut-médoc 356
CLOS LA COUTALE Cahors 884
CLOS LA CROIX D'ARRIAILH Montagne-saint-émilion 295
CLOS LA MADELEINE Saint-émilion grand cru 275
CLOS LA ROSE Saint-émilion grand cru 276
CLOS LANDRY Corse ou vin-de-corse 869
CLOS LES AMANDIERS Montagne-saint-émilion 295
CLOS LES GRANDES VERSANNES Saint-émilion grand cru 275
CLOS LUCCIARDI Corse ou vin-de-corse 870
CLOS MARTINEAU Anjou-villages-brissac 982
CLOS MAURICE LES Saumur-champigny 1010
CLOS MAURICE DOM. DES Saumur 1003
CLOS MIREILLE Côtes-de-provence 848
CLOS MONICORD Bordeaux supérieur 209
CLOS NICROSI Muscat-du-cap-corse 877
CLOS ORNASCA Ajaccio 873
CLOS PEYRASSOL LE Côtes-de-provence 859
CLOS POGGIALE Corse ou vin-de-corse 872
CLOS PUY ARNAUD Castillon-côtes-de-bordeaux 304
CLOS RENÉ Pomerol 252
CLOS RÉQUIER Côtes-de-provence 848
CLOS ROCA DOM. DU Languedoc 747
CLOS ROMANILE Saint-émilion grand cru 275
CLOS SAINT-ANDRÉ APREMONT 2011 BLANC Vin-de-savoie 716
CLOS SAINT FIACRE Orléans 1063 • Orléans-cléry 1063
CLOS SAINT-JACQUES DOM. DU Bourgogne 406
CLOS SAINT-JEAN Muscat-de-saint-jean-de-minervois 781
CLOS SAINT-JOSEPH Côtes-de-provence 848
CLOS SAINT-JULIEN Saint-émilion grand cru 275
CLOS SAINT-LOUIS Côte-de-nuits-villages 484 • Fixin 455
CLOS SAINT-MARTIN Saint-émilion grand cru 275
CLOS SAINT-MICHEL Canon-fronsac 243
CLOS SAINTE ANNE Cadillac-côtes-de-bordeaux 319
CLOS SAINTE-APOLLINE Alsace pinot gris 93
CLOS SAINTE-MAGDELEINE Cassis 832
CLOS SALOMON Givry 579 • Montagny 582
CLOS SAN QUILICO Muscat-du-cap-corse 877 • Patrimonio 875
CLOS TEDDI Patrimonio 875
CLOS THOU Jurançon 940
CLOS TROTELIGOTTE Cahors 884
CLOS VÉDÉLAGO Castillon-côtes-de-bordeaux 305
CLOS VIEUX TAILLEFER Pomerol 252
CLOS VILLEMAURINE Saint-émilion grand cru 276
CLOSAILLES DOM. DES Pouilly-vinzelles 600
CLOSEL DOM. DU Savennières 990
CLOSERIE DOM. DE LA Bourgueil 1029
CLOSERIE DE CHANTELOUP Montlouis-sur-loire 1051 • Touraine-amboise 1025
CLOSERIE DES ALISIERS Nuits-saint-georges 480
CLOSERIE DU BAILLI Côtes-de-bourg 238
CLOSERIES DES MOUSSIS LES Haut-médoc 356
CLOSIOT CH. Sauternes 394
CLOSSERONS DOM. DES Coteaux-du-layon 994
CLOTTE CH. LA Saint-émilion grand cru 276
CLOUET PAUL Champagne 628
CLUZEAU CH. Bergerac 920 • Bergerac sec 920 • Monbazillac 920
COCHE DOM. DE LA Val de Loire 1206
COESSENS Champagne 628
COFFINET-DUVERNAY DOM. Bâtard-montrachet 550 • Chassagne-montrachet 553
COGNARD LYDIE ET MAX Bourgueil 1029 • Saint-nicolas-de-bourgueil 1036
COGNÉ CLAUDE Val de Loire 1206
COING DE SAINT-FIACRE DOM. DU Val de Loire 1206
COINTES CH. DE Malepère 767
COIRIER DOM. Fiefs-vendéens 971
COLBERT CH. Côtes-de-bourg 234
COLBERT CANNET CH. Côtes-de-provence 848
COLBOIS DOM. MICHEL Bourgogne 406 • Bourgogne-aligoté 416
COLETTE DOM. DE Morgon 167
COLIN Champagne 628
COLIN BRUNO Puligny-montrachet 546 • Santenay 561
COLIN PATRICE Coteaux-du-vendômois 1064

COLIN ET FILS MARC Bâtard-montrachet 550 • Montrachet 549 • Saint-aubin 557
COLIN-SEGUIN MAISON Chassagne-montrachet 554
COLINOT ANITA, JEAN-PIERRE & STÉPHANIE Irancy 446
COLLARD-CHARDELLE Champagne 628
COLLARD-PICARD Champagne 628
COLLET Champagne 628
COLLET RENÉ Champagne 613
COLLET D'AYGUES Luberon 1195
COLLET DE BOVIS Bellet 830
COLLET ET FILS DOM. JEAN Chablis premier cru 435
COLLIN CHARLES Champagne 629
COLLIN-BOURISSET Côte-de-brouilly 155 • Juliénas 155
COLLINE DES PLANZETTES Canton du Valais 1271
COLLINES DOM. DES Bordeaux supérieur 209
COLLINES DOM. DES Collines rhodaniennes 1251
COLLIS LES Bourgueil 1029
COLLON Champagne 629
COLLOTTE DOM. Chambolle-musigny 469 • Fixin 455 • Marsannay 453
COLLOVRAY JULIEN Mâcon et mâcon-villages 584
COLLOVRAY ET TERRIER Mâcon et mâcon-villages 584 • Pouilly-fuissé 595 • Viré-clessé 592
COLMAR DOM. VITICOLE DE Alsace grand cru 110
COLOMBELLE Côtes de Gascogne 1216
COLOMBETTES DOM. DES Lirac 1176
COLOMBIER DOM. DU Anjou-villages 980 • Cabernet-d'anjou 986
COLOMBIER DOM. DU Chablis grand cru 443 • Chablis premier cru 436
COLOMBIER DOM. DU Crozes-hermitage 1145 • Hermitage 1149
COLOMBIER DOM. DU Régnié 173
COLOMBIER DOM. DU Val de Loire 1206
COLOMBIER DOM. DU Vin-de-savoie 712
COLOMBIÈRE CH. LA Fronton 901
COLOMBINE DOM. DE LA Bordeaux 187
COLOMBO JEAN-LUC Côtes-du-rhône 1109 • Saint-joseph 1140
COLONGE ET FILS DOM. ANDRÉ Fleurie 162
COLONNE LA Médoc 346
COMBE AU LOUP DOM. DE LA Morgon 168
COMBE BLANCHE Minervois 769
COMBE DES AVAUX LA Côtes-du-rhône-villages 1124
COMBE GRANDE DOM. LA Corbières 729
COMBE JULIÈRE DOM. Rasteau sec 1155
COMBEBELLE DOM. DE Vaucluse 1248
COMBEL LA SERRE CH. Cahors 884
COMBELLES LES Côtes-du-rhône-villages 1125 • Tavel 1179
COMBES CH. LES Bordeaux sec 201 • Lussac-saint-émilion 292
COMBIERS DOM. DES Fleurie 162
COMBRILLAC CH. Bergerac 913 • Bergerac rosé 913
COMIGNE CH. DE Corbières 730
COMMANDERIE CH. LA Saint-émilion grand cru 274
COMMANDERIE CH. LA Saint-estèphe 380
COMMANDERIE DOM. DE LA Chinon 1042
COMMANDERIE DE QUEYRET CH. LA Bordeaux supérieur 210
COMMANDERIE DU BARDELET CH. LA Bordeaux 186
COMMANDEUR LES CAVES DU Côtes-de-provence 848 • Var 1246
COMMANDEUR DE JARRAS Sable de Camargue 1240
COMPLICES DE LOIRE Touraine 1018
COMPTOIR DES VINS DE FLASSANS LE Côtes-de-provence 848
COMTE DE LAUZE Châteauneuf-du-pape 1171
COMTE DE MONSPEY DOM. Brouilly 152
COMTE DE THUN Côtes du Tarn 1219
COMTE PERALDI Ajaccio 874
COMTE SENARD Corton 500
COMTESSE DU PARC CH. Haut-médoc 356
COMYN JEAN Champagne 629
CONCISE Canton de Vaud 1265
CONCORDE LA Oc 1233
CONDAMIN DOM. Coteaux-du-lyonnais 177
CONDAMINE BERTRAND CH. Languedoc 747
CONDEMINE FLORENCE ET DIDIER Régnié 173
CONDOM CAVE DE Floc-de-gascogne 945
CONDOM CH. Côtes-de-duras 929
CONFESSION CH. LA Saint-émilion grand cru 276
CONFIDENCE DE MARGAUX CH. Margaux 366
CONFRÉRIE DOM. DE LA Bourgogne-hautes-côtes-de-beaune 487 • Meursault 540 • Volnay 528
CONFURON-COTETIDOT Charmes-chambertin 464
CONFURON-GINDRE FRANÇOIS Vosne-romanée 476
CONGY DOM. DE Pouilly-fumé 1080
CONILH HAUTE-LIBARDE CH. Côtes-de-bourg 234
CONNAISSEUR LA CAVE DU Bourgogne 406
CONNIVENCE CH. LA Pomerol 252
CONQUESSAC DOM. DE Anjou 975
CONQUÊTES DOM. DES Languedoc 747
CONSEILLANTE CH. LA Pomerol 252
CONSTANT-DUQUESNOY DOM. Vinsobres 1153
CONTRIE VIGNOBLE DE LA Saint-nicolas-de-bourgueil 1035
COPINET JACQUES Champagne 629
COQUARD MAISON Juliénas 142
COQUARD OLIVIER Beaujolais 142
COQUILLETTE STÉPHANE Champagne 629
COQUIN DOM. DE Menetou-salon 1076
CORBIAC CH. Pécharmant 924
CORBILLIÈRES DOM. DES Touraine 1018
CORBIN CH. Montagne-saint-émilion 295
CORBIN CH. Saint-émilion grand cru 276
CORDAILLAT DOM. Reuilly 1086
CORDEILLAN-BAGES CH. Pauillac 375
CORDIER CHRISTOPHE Mâcon et mâcon-villages 585
CORDIER PÈRE ET FILS DOM. Mâcon et mâcon-villages 585 • Saint-véran 601
CORIANÇON DOM. DU Côtes-du-rhône 1109
CORMERAIS DOM. BRUNO Muscadet-sèvre-et-maine 960 • Val de Loire 1206
CORNASSE DOM. DE LA Chablis 428 • Chablis premier cru 436
CORNE-LOUP DOM. Lirac 1176 • Tavel 1180
CORNEAU DOM. PAUL Pouilly-fumé 1080
CORNEILLA CH. DE Côtes-du-roussillon 784
CORNÉLIE CH. Haut-médoc 356
CORNEMPS CH. DE Bordeaux supérieur 210
CORNIN DOMINIQUE Mâcon et mâcon-villages 585 • Pouilly-fuissé 595
CORNU DOM. Corton 500
CORNULIÈRE DOM. DE LA Muscadet-sèvre-et-maine 960
CORON PÈRE ET FILS Nuits-saint-georges 481
CORREAUX CH. DES Bourgogne 407 • Saint-véran 602
CORRENS LES VIGNERONS DE Côtes-de-provence 848
CORRENSON CH. Lirac 1176
CORSIN DOM. Pouilly-fuissé 595 • Saint-véran 602
CORTI FRATELLI Canton du Tessin 1281
COS LABORY CH. Saint-estèphe 380
COSME DOM. THIERRY Vouvray 1055
COSNE-SUR-LOIRE LYCÉE AGRICOLE DE Coteaux-du-giennois 1069
COSSIEU-COUTELIN CH. Saint-estèphe 379
COSSON RÉMI Touraine-noble-joué 1024
COSTE BRULADE Côtes-de-provence 849
COSTE-CAUMARTIN DOM. Pommard 521 • Saint-romain 537
COSTE CHAUDE DOM. Côtes-du-rhône 1109
COSTE-MOYNIER DOM. DE LA Languedoc 747
COSTE ROUSSE DOM. Côtes de Thongue 1228
COSTES DOM. DES Pécharmant 924
COSTES-CIRGUES DOM. DE Languedoc 748
COSTES ROUGES DOM. DES Marcillac 898
CÔTÉ BASSIN Bordeaux sec 201
CÔTE D'OR LA Canton de Genève 1277

CÔTE DE BALEAU CH. Saint-émilion grand cru 276
CÔTE DE FRANCE CH. Côtes-du-marmandais 907
CÔTE DE L'ANGE DOM. DE LA Châteauneuf-du-pape 1171
CÔTE DES CHARMES DOM. DE LA Morgon 173 • Régnié 173
CÔTE MARJAC LA Petit-chablis 425
CÔTE MONTPEZAT CH. Bordeaux sec 201 • Bordeaux rosé 197 • Castillon-côtes-de-bordeaux 305
CÔTÉ PONTOISE Haut-médoc 360
COTEAU CH. LE Margaux 366
COTEAU DE VALLIÈRES DOM. DU Morgon 168
COTEAU DES CHARMES DOM. DU Beaujolais-villages 147
COTEAU SAINT-VINCENT Anjou-coteaux-de-la-loire 989 • Anjou-villages 980 • Coteaux-du-layon 994
COTEAUX CAVE DES Canton de Neuchâtel 1280
COTEAUX LES Côtes-du-rhône-villages 1125
COTEAUX D'AUBENAS VIGNERONS DES Côtes-du-vivarais 1197
COTEAUX DE COIFFY LES Coteaux de Coiffy 1252
COTEAUX D'ENGRAVIÈS Ariège 1213
COTEAUX DE LA VÉZÈRE Corrèze 1215
COTEAUX DE ROMARAND DOM. DES Beaujolais-villages 147
COTEAUX DE SAINT-MAURICE LES Côtes-du-rhône-villages 1125
COTEAUX DE VILLAINES-LES-PRÉVÔTES Coteaux de l'Auxois 1252
COTEAUX DES MARGOTS DOM. Mâcon et mâcon-villages 585
COTEAUX DES OLIVIERS DOM. Morgon 168
COTEAUX DES TRAVERS DOM. DES Rasteau sec 1156
COTEAUX DU LYONNAIS CAVE DES Coteaux-du-lyonnais 178
COTEAUX DU PIC LES Languedoc 748
COTEAUX DU RHÔNE LES Côtes-du-rhône 1109 • Principauté d'Orange 1246
COTEAUX ROMANAIS LES VIGNERONS DES Touraine 1018
COTERIE LA Beaumes-de-venise 1167 • Côtes-du-rhône-villages 1125 • Vacqueyras 1163
CÔTES D'AGLY LES VIGNERONS DES Rivesaltes 803
CÔTES DE BONDE CH. Montagne-saint-émilion 295
CÔTES DE CHAMBEAU CH. Montagne-saint-émilion 295
CÔTES DE MARTET CH. Bordeaux 187
CÔTES DE SAINT-CLAIR CH. Puisseguin-saint-émilion 299
CÔTES DES OLIVIERS Agenais 1210
CÔTES RÉMONT DOM. DE Chénas 158
COTILLON BLANC LE Bonnezeaux 1000 • Cabernet-d'anjou 986 • Rosé-de-loire 951
COTON DOM. Chinon 1042
COTOYON DOM. LE Juliénas 165
COUCHEROY CH. Pessac-léognan 334
COUCHETIÈRE DOM. DE LA Anjou 975
COUDEREAUX DOM. DES Quincy 1084
COUDEROUSSES DOM. DES Duché d'Uzès 1229
COUDERT CH. Saint-émilion grand cru 276
COUDOULIS DOM. Lirac 1176
COUDRAIE CH. LA Bordeaux 186
COUDRIÈRES DOM. DES Vouvray 1055
COUET DOM. Coteaux-du-giennois 1069
COUFRAN CH. Haut-médoc 356
COUHINS CH. Pessac-léognan 334
COUHINS-LURTON CH. Pessac-léognan 335
COUILLAUD FRÈRES Muscadet-sèvre-et-maine 960
COUJAN CH. Saint-chinian 775
COULANGE DOM. Côtes-du-rhône 1110
COULERETTE CH. DE LA Côtes-de-provence 849
COULEURS D'ÉTÉ Côtes-du-rhône 1106
COULEURS DU SUD Oc 1233
COULON DOM. CYRIL Châteauneuf-du-pape 1171
COULON ROGER Champagne 629
COULONGE CH. Bordeaux 187
COULY PIERRE ET BERTRAND Chinon 1042
COULY-DUTHEIL Chinon 1042
COUME DEL MAS Collioure 797
COUME MAJOU DOM. DE LA Côtes-du-roussillon-villages 792
COUR CH. DE LA Saint-émilion grand cru 276
COUR AU BERRUYER CH. DE LA Touraine-azay-le-rideau 1026
COUR CÉLESTE DOM. DE LA Bourgogne 407
COUR DU ROY DOM. DE LA Chablis premier cru 436
COUR SAINT-VINCENT Languedoc 748
COURAC CH. Côtes-du-rhône 1110 • Côtes-du-rhône-villages 1125
COURANÇONNE CH. LA Côtes-du-rhône-villages 1125 • Rasteau sec 1156
COURBET DOM. Château-chalon 698 • Côtes-du-jura 701
COURBIS DOM. Cornas 1150
COURCEL DOM. DE Pommard 521
COURÈGE-LONGUE Buzet 905
COURLAT CH. DU Lussac-saint-émilion 292
COURONNEAU CH. Bordeaux supérieur 210
COUROULU DOM. LE Vacqueyras 1163
COURRÈGES CH. Cadillac-côtes-de-bordeaux 319
COURS LES Côtes-de-duras 929
COURSODON PIERRE ET JÉRÔME Saint-joseph 1140
COURT-LES-MÛTS CH. Côtes-de-bergerac 917
COURTAULT DOM. JEAN-CLAUDE Chablis 428 • Petit-chablis 423
COURTEILLAC DOM. DE Bordeaux supérieur 210
COURTILLIER MARLOT Champagne 629
COURTINAT CH. Saint-pourçain 1088
COUSIN VIGNOBLE Canton de Vaud 1265
COUSPAUDE CH. LA Saint-émilion grand cru 276
COUSTARELLE CH. LA Cahors 884
COUSTAUT CH. Graves 329
COUSTILLE DOM. DE Côte de la Meuse 1253
COUSTOLLE CH. Canon-fronsac 243
COUTANCIE DOM. DE Bergerac 926 • Rosette 926
COUTELAS DAMIEN Champagne 629
COUTELAS DAVID Champagne 630
COUTELIN-MERVILLE CH. Saint-estèphe 380
COUTET CH. Barsac 392
COUTINEL CH. Fronton 901
COUTURIER MARCEL Mâcon et mâcon-villages 585 • Pouilly-loché 600
COUVENT FILS Champagne 630
COUVREUR ALAIN Champagne 630
CRABITAN-BELLEVUE CH. Sainte-croix-du-mont 390
CRAMPILH DOM. DU Pacherenc-du-vic-bilh 935
CRANS CH. DE Canton de Vaud 1265
CRANSAC CH. Fronton 901
CRÉA DOM. DE LA Saint-romain 537
CREDOZ DOM. JEAN-CLAUDE Château-chalon 698 • Macvin-du-jura 708
CRÉE CH. DE LA Santenay 561
CREISSAN CH. Saint-chinian 775
CREISSES DOM. DES Oc 1234
CRÉMADE CH. Palette 867
CRÉMANT DE MELIN Crémant-de-bordeaux 222
CRÉMAT CH. DE Bellet 831
CRÉPUSCULE D'ÉTÉ Côtes-du-marmandais 908
CRÈS RICARDS CH. DES Languedoc 748
CRÊT LE Canton de Genève 1277
CRÊT DES GARANCHES DOM. Brouilly 152
CRÊT-DESSOUS Canton de Vaud 1266
CRÊT D'ŒILLAT DOM. DU Régnié 174
CRETAZ-PLAN DOM. DE Canton du Valais 1271
CRÉTÉ ET FILS DOMINIQUE Champagne 630
CRÊTES DOM. DES Beaujolais 143
CRÊTES DOM. DES Canton du Valais 1271
CRÊTETS LES Canton de Genève 1277
CREUZE NOIRE DOM. DE LA Beaujolais 143 • Mâcon et mâcon-villages 585
CRILLONNE DOM. DE LA Ventoux 1190
CRISTIA Châteauneuf-du-pape 1171
CROC DU MERLE DOM. DU Cheverny 1060
CROCHET DANIEL Sancerre 1092

VINS

CROCHET DOMINIQUE ET JANINE Sancerre 1093
CROCK CH. LE Saint-estèphe 380
CROISARD CHRISTOPHE Coteaux-du-loir 1048
CROISETTE DOM. DE LA Côtes-du-rhône 1119
CROISILLE CH. LES Cahors 884
CROIX CH. LA Fronsac 246
CROIX CH. LA Graves 326
CROIX CH. DE LA Médoc 344
CROIX DOM. DE LA Côtes-de-provence 845
CROIX ARPIN DOM. DE LA Côtes-d'auvergne 1071
CROIX BELLEVUE CH. LA Lalande-de-pomerol 260
CROIX BONNEAU CH. LA Montagne-saint-émilion 295
CROIX CARRON DOM. DE LA Saint-amour 176
CROIX CHABRIÈRES CH. DE LA Côtes-du-rhône 1110 • Grignan-les-adhémar 1186
CROIX CHAPTAL DOM. LA Clairette-du-languedoc 727
CROIX CHEVALIÈRE LA Oc 1234
CROIX DE BONTAR CH. Côtes-de-provence 849
CROIX DE GALERNE DOM. LA Coteaux-du-layon 994
CROIX DE GAY CH. LA Pomerol 253
CROIX DE LABRIE CH. Saint-émilion grand cru 277
CROIX DE LAGORCE Moulis-en-médoc 372
CROIX DE MOUCHET CH. LA Montagne-saint-émilion 295
CROIX DE QUEYNAC CH. LA Bordeaux sec 201 • Bordeaux supérieur 219
CROIX DE RAMBEAU CH. Lussac-saint-émilion 292
CROIX DE ROCHE CH. LA Bordeaux supérieur 210
CROIX DE SAINT-JEAN DOM. LA Minervois 769
CROIX DE TERRE DOM. DE LA Côtes-du-roussillon 784
CROIX DE THOMAS CH. Saint-georges-saint-émilion 302
CROIX DE TOURANS CH. Saint-émilion grand cru 289
CROIX DES MARCHANDS DOM. LA Gaillac 893
CROIX DES MOINES CH. LA Lalande-de-pomerol 260
CROIX DES PINS CH. LA Beaumes-de-venise 1167 • Ventoux 1190
CROIX DU MERLE CH. LA Saint-émilion grand cru 277
CROIX DU TRALE CH. Haut-médoc 356
CROIX FIGEAC CH. Saint-émilion grand cru 277
CROIX LARTIGUE CH. LA Castillon-côtes-de-bordeaux 305
CROIX MARZELLE DOM. DE LA Saint-amour 176
CROIX MÉLIER DOM. DE LA Montlouis-sur-loire 1051
CROIX PICHON CH. LES Muscadet-sèvre-et-maine 960
CROIX ROUGES LES Juliénas 145
CROIX SAINT-ANDRÉ CH. LA Lalande-de-pomerol 260
CROIX SAINT-CYPRIEN DOM. DE LA Côte-de-brouilly 144
CROIX SAINT-JEAN CH. LA Lalande-de-pomerol 261
CROIX SAINT-LOUIS CH. LA Lalande-de-pomerol 260
CROIX SAINT-PIERRE CH. LA Blaye-côtes-de-bordeaux 227
CROIX SAINTE-EULALIE DOM. LA Saint-chinian 775
CROIX SENAILLET DOM. DE LA Mâcon et mâcon-villages 585 • Pouilly-fuissé 595 • Saint-véran 602
CROIX-JURA CH. LA Montagne-saint-émilion 296
CROIZET-BAGES CH. Pauillac 375
CROS CH. LE Saint-émilion grand cru 286
CROS DOM. DU Marcillac 899
CROS PIERRE Minervois 769
CROSTES CH. LES Côtes-de-provence 849
CROULE DOM. DE LA Touraine-azay-le-rideau 1026
CROUSEILLES CAVE DE Béarn 938 • Madiran 932 • Pacherenc-du-vic-bilh 935
CROUZE DOM. DE LA Pouilly-fuissé 595
CROZE DOM. NICOLAS Côtes-du-rhône 1110
CROZE-GRANIER DOM. Lirac 1176
CRU DU PARADIS Madiran 932
CRU GODARD CH. Francs-côtes-de-bordeaux 310
CRU LAROSE Jurançon 941
CRU PEYRAGUEY CH. Sauternes 394
CRUCHANDEAU JULIEN Bourgogne-hautes-côtes-de-nuits 449 • Bouzeron 569 • Nuits-saint-georges 481
CRUCIFIX PÈRE ET FILS Champagne 630
CRUZEAU CH. Saint-émilion grand cru 277
CRUZEAU CH. DE Pessac-léognan 335
CUCHOUS CH. Côtes-du-roussillon-villages 796
CUCHOUS EXCELLENCE DU CH. Côtes-du-roussillon-villages 796
CUILLERON Condrieu 1138 • Saint-joseph 1141
CUILLERON YVES Saint-péray 1151
CUILLIER PÈRE ET FILS Champagne 630
CULLY UNION VINICOLE DE Canton de Vaud 1266
CUNE DOM. DE LA Saumur-champigny 1010
CUPERLY Champagne 630
CURE D'ATTALENS Canton de Vaud 1266
CUREBÉASSE DOM. DE Côtes-de-provence 849
CURIAL ET FILS JEAN Saint-véran 602
CURIS DOM. Saint-véran 602
CURIS FRÉDÉRIC Pouilly-fuissé 595
CURNIÈRE CH. LA Coteaux-varois-en-provence 838
CURSON CH. Crozes-hermitage 1145
CYROT-BUTHIAU DOM. Santenay 561

D

D'ELNE VIGNERONS Côtes-du-roussillon 784
DA COSTA DOM. Chinon 1042
DACHER DE DELMONTE CH. Listrac-médoc 362
DAHERON Val de Loire 1206
DALEM CH. Fronsac 246
DALMERAN CH. Les baux-de-provence 830
DAME BERTRANDE DOM. DE Côtes-de-duras 929
DAME NOIRE Côtes-du-rhône 1110
DAMIENS DOM. Madiran 932 • Pacherenc-du-vic-bilh 932
DAMOY PIERRE Bourgogne 407 • Marsannay 453
DAMOY DOM. PIERRE Chambertin 461 • Chapelle-chambertin 463 • Gevrey-chambertin 457
DAMPIERRE COMTE A. DE Champagne 631
DAMPT DOM. Bourgogne 407
DAMPT ÉRIC Petit-chablis 423
DAMPT MAISON Chablis grand cru 443
DAMPT VIGNOBLE Bourgogne 407
DAMPT VIGNOBLE Petit-chablis 423
DAMPT DOM. SÉBASTIEN Chablis 428
DAMPT VINCENT Chablis 428
DAMPT ET FILS DANIEL Chablis 428 • Chablis premier cru 436
DANIS DOM. DE Côtes de Gascogne 1216
DANJEAN-BERTHOUX Mercurey 575
DANJOU-BANESSY DOM. Côtes-du-roussillon-villages 792
DANSE CAVE LA Canton du Valais 1271
DARIDAN BENOÎT Cheverny 1060 • Cour-cheverny 1060
DARNAT HENRI Chassagne-montrachet 554 • Meursault 540
DARNAUD EMMANUEL Crozes-hermitage 1145
DARRAGON MAISON Vouvray 1055
DARRÈZES DOM. DES Saint-amour 176
DARZAC CH. Bordeaux supérieur 210
DASSAULT CH. Saint-émilion grand cru 277
DAULNE DOM. JEAN-MICHEL Saint-bris 448
DAULNY DOM. Sancerre 1093
DAUPHINE DELPHIS DE LA Fronsac 246
DAURION DOM. Oc 1234
DAUVERGNE RANVIER Condrieu 1138 • Costières-de-nîmes 1182 • Côte-rôtie 1135 • Côtes-du-rhône 1110 • Crozes-hermitage 1145 • Vacqueyras 1163 • Vinsobres 1154
DAUVISSAT AGNÈS ET DIDIER Petit-chablis 423
DAUVISSAT CAVES JEAN ET SÉBASTIEN Chablis premier cru 436
DAUVISSAT VINCENT Chablis grand cru 443 • Chablis premier cru 436
DAUZAC CH. Margaux 366
DAVANTURE DOM. Bourgogne-côte-chalonnaise 568 • Givry 579
DAVENNE CLOTILDE Chablis premier cru 436 • Irancy 446

DEBAVELAERE ANNE-SOPHIE Rully 571
DEBAVELAERE FÉLIX ET ANNE-SOPHIE Bouzeron 569
DEBRAY DOM. Monthélie 531
DECELLE-VILLA Nuits-saint-georges 481 • Volnay 528
DECHELLE HENRI Champagne 631
DECHELLE PHILIPPE Champagne 631
DECKER DOM. CHARLES Moselle luxembourgeoise 1257
DEFAIX DOM. BERNARD Chablis 429 • Chablis premier cru 437
DEFAYES ET CRETTENAND Canton du Valais 1271
DEFFENDS CH. Côtes-de-provence 849
DEFFENDS DOM. DU Coteaux-varois-en-provence 838
DEFRANCE JACQUES Champagne 631
DEFRANCE PHILIPPE Bourgogne 408 • Bourgogne-aligoté 416 • Saint-bris 448
DEGAS CH. Bordeaux supérieur 210
DEHEURLES ET FILS MARCEL Champagne 631
DEHOURS DOM. Champagne 631
DÉHU PÈRE ET FILS Champagne 632
DELABAYE ET FILS MAURICE Champagne 632
DELAGARDE V. Champagne 632
DELAGRANGE ET FILS DOM. HENRI Volnay 528
DELAILLE EMMANUEL Cheverny 1060
DELALEX DOM. Vin-de-savoie 713
DELAMOTTE Champagne 632
DELANOUE JÉRÔME Bourgueil 1030 • Saint-nicolas-de-bourgueil 1036
DELAPORTE DOM. VINCENT Sancerre 1093
DELAS Condrieu 1138 • Crozes-hermitage 1146 • Saint-joseph 1141
DELAUNAY Crémant-de-loire 953
DELAUNAY VIGNOBLE Touraine 1019
DELAVENNE PÈRE ET FILS Champagne 632
DELAY RICHARD Côtes-du-jura 701
DELMAS Blanquette-de-limoux 763 • Blanquette méthode ancestrale 763 • Crémant-de-limoux 764
DELMAS MARIE Muscat-de-rivesaltes 807
DELMOND CH. Sauternes 396
DELOR MAISON Sauternes 394
DELORME ANDRÉ Crémant-de-bourgogne 419 • Mercurey 575
DELORME MICHEL Bourgogne 408
DELOUVIN-NOWACK Champagne 632
DEMANGE FRANCIS Côtes-de-toul 133
DEMANGEOT DOM. Maranges 565 • Santenay 561
DEMESSEY Montagny 582 • Santenay 560
DEMIANE DOM. Brouilly 151
DEMILLY DE BAERE Champagne 633
DEMOISELLES CELLIER DES Corbières-boutenac 736
DEMOISELLES CH. DES Castillon-côtes-de-bordeaux 305
DEMOISELLES CH. DES Côtes-de-provence 849
DEMOISELLES TATIN LES Reuilly 1086
DÉMON NOIR Côtes du Lot 1220
DEMONT NICOLAS Chiroubles 159
DEMOUGEOT RODOLPHE Savigny-lès-beaune 507
DENIS PÈRE ET FILS DOM. Corton-charlemagne 504 • Pernand-vergelesses 497
DENOIS DOM. JEAN-LOUIS Limoux 766
DENUZILLER DOM. Mâcon et mâcon-villages 586 • Pouilly-fuissé 595
DÉPAGNEUX JACQUES Morgon 168 • Moulin-à-vent 171
DEPARDON OLIVIER Morgon 168
DEPEYRE DOM. Côtes-du-roussillon-villages 792
DERICBOURG GASTON Champagne 633
DERNIER BASTION DOM. DU Maury 812
DÉROUILLAT Champagne 633
DESACHY DOM. Côtes-de-provence 849
DESAUGE Volnay 528
DESAUTEZ ET FILS E. Champagne 633
DESBORDES-AMIAUD Champagne 633
DESCHAMPS MARC Pouilly-fumé 1080
DESCHAMPS PHILIPPE Brouilly 152
DESCLAU CH. Bordeaux supérieur 211
DESCOTES ET FILS ÉTIENNE Coteaux-du-lyonnais 178
DÉSERTAUX-FERRAND Côte-de-nuits-villages 484
DESHAIRES JOSEPH Saint-véran 602
DESLINES DOM. Saint-chinian 775
DESLOGES DOM. Touraine 1019
DESMIRAIL CH. Margaux 367
DESMOULINS ET CIE A. Champagne 633
DESMURES ANNE-MARIE ET ARMAND Chiroubles 159
DESOM DOM. Moselle luxembourgeoise 1257
DESON CH. Bordeaux sec 201
DÉSORMIÈRE ET FILS MICHEL Côte-roannaise 1073
DÉSOUCHERIE QUARTET DE LA Cheverny 1060 • Cour-cheverny 1060
DESPRAT Côtes-d'auvergne 1071
DESPRÉS ET FILS GEORGES Beaujolais-villages 148
DESROCHES DOM. Touraine 1019
DESROCHES DOM. PIERRE Mâcon et mâcon-villages 586 • Pouilly-fuissé 596 • Saint-véran 602
DESROCHES PASCAL Reuilly 1086
DESTRIER CH. LE Saint-émilion grand cru 277
DESVIGNES DIDIER Fleurie 162
DESVIGNES DOM. Givry 579
DÉTHUNE PAUL Champagne 633
DEUTZ Champagne 634
DEUX ARCS DOM. DES Anjou 975
DEUX MOULINS DOM. DES Anjou-villages-brissac 983
DEUX ROCHES DOM. DES Saint-véran 603
DEUX VALLÉES DOM. DES Anjou 975 • Coteaux-du-layon 994
DEVAYES GILBERT Canton du Valais 1272
DEVÈS CH. Fronton 902
DEVEVEY Beaune 516 • Bourgogne-hautes-côtes-de-beaune 487
DEVEZA DOM. Côtes-du-roussillon-villages 792
DEVÈZE-MONNIER CH. DE LA Languedoc 748
DEVILLARD A. & A. Bourgogne 408
DEVILLIERS PASCAL Champagne 634
DEVISE D'ARDILLEY CH. Haut-médoc 356
DEVOY DOM. DU Grignan-les-adhémar 1186
DEVOY MARTINE CH. LE Lirac 1177
DEYREM VALENTIN CH. Margaux 367
DEZAT ET FILS ANDRÉ Sancerre 1093
DHOMMÉ DOM. Savennières 990
DIABLES DOM. DES Côtes-de-provence 850
DICONNE DOM. Meursault 540
DIETRICH CLAUDE Alsace muscat 76
DIETRICH JEAN Alsace grand cru 110 • Crémant-d'alsace 128
DIEUMERCY DOM. DE Côtes-du-rhône-villages 1126
DILIGENT FRANÇOIS Champagne 634
DILLON CH. Atlantique 1210 • Haut-médoc 356
DIRINGER Alsace grand cru 110
DIRLER-CADÉ Alsace grand cru 110
DISCHLER Alsace grand cru 110
DIUSSE CH. DE Madiran 932 • Pacherenc-du-vic-bilh 932
DIVE LA Côtes-du-rhône 1105
DOCK DOM. Alsace klevener-de-heiligenstein 72
DOCK PAUL Alsace sylvaner 75
DOISY-DAËNE CH. Barsac 392 • Bordeaux sec 201
DOISY-VÉDRINES CH. Sauternes 394
DOLS DOM. Côtes du Lot 1220
DOM BASLE Champagne 634
DOM BRIAL Côtes-du-roussillon-villages 792
DOM CAUDRON Champagne 634
DOM PÉRIGNON Champagne 634
DOMAZAN CH. DE Côtes-du-rhône-villages 1126
DOMENI LO Cahors 885
DOMI PIERRE Champagne 635
DOMI-COURS CH. Bordeaux supérieur 211
DOMINIQUE CH. LA Saint-émilion grand cru 277
DOMS CH. Bordeaux supérieur 211 • Graves 329
DONATIEN DOM. LOUIS Muscadet-sèvre-et-maine 960
DONISSAN CH. Listrac-médoc 363
DOPFF AU MOULIN Alsace grand cru 110
DOQUET-JEANMAIRE Champagne 635
DORBON JOSEPH Arbois 693
DOREAU DOM. Monthélie 531

DORGONNE CH. LA Luberon 1195
DORRY DOM. LOUIS Mâcon et mâcon-villages 586
DOSNON & LEPAGE Champagne 635
DOUAIX DOM. DE LA Bourgogne-hautes-côtes-de-nuits 449 • Côte-de-nuits-villages 484 • Nuits-saint-georges 481
DOUDEAU-LÉGER DOM. Sancerre 1093
DOUDET DOM. Bourgogne-hautes-côtes-de-beaune 487 • Savigny-lès-beaune 507
DOUDET-NAUDIN Bourgogne 408 • Maranges 566 • Mercurey 575
DOUÉ DIDIER Champagne 635
DOUÉ ÉTIENNE Champagne 635
DOUESNERIE CH. LA Coteaux-de-l'aubance 988
DOUESNERIE DOM. DE LA Anjou 975
DOURDON-VIEILLARD Champagne 636
DOURNIE CH. LA Saint-chinian 775
DOURTHE Bordeaux 187 • Bordeaux sec 202 • Graves 326 • Médoc 344 • Saint-émilion 266
DOUSSOT-ROLLET DOM. Aloxe-corton 494
DOYAC CH. Haut-médoc 357
DOYARD Champagne 636
DOYARD-MAHÉ Champagne 636
DOYENNÉ CH. LE Cadillac-côtes-de-bordeaux 320
DOZON DOM. Chinon 1042
DRAPPIER Champagne 636
DREYER DOM. Crémant-d'alsace 128
DRIANT-VALENTIN Champagne 636
DROIN JEAN-PAUL ET BENOÎT Chablis 429 • Chablis grand cru 443 • Chablis premier cru 437
DROUET ET FILS DOM. Pineau-des-charentes 818
DROUHIN JOSEPH Chassagne-montrachet 554
DROUHIN-LAROZE DOM. Gevrey-chambertin 458
DROUHIN-VAUDON Chablis grand cru 443 • Chablis premier cru 437
DROUIN DOM. THIERRY Pouilly-fuissé 596
DRUSSÉ NATHALIE ET DAVID Bourgueil 1030 • Saint-nicolas-de-bourgueil 1037
DUAUX DOM. DES Muscadet-sèvre-et-maine 960
DUBŒUF GEORGES Chiroubles 159
DUBOIS DOM. Bourgueil 1030
DUBOIS DOM. JEAN-LUC Chorey-lès-beaune 513
DUBOIS GÉRARD Champagne 637
DUBOIS HERVÉ Champagne 637
DUBOIS RAPHAËL Chambolle-musigny 469
DUBOIS D'ORGEVAL DOM. Savigny-lès-beaune 507
DUBOIS ET FILS R. Bourgogne-hautes-côtes-de-nuits 449 • Savigny-lès-beaune 507
DUBREUIL PHILIPPE ET ARNAUD Savigny-lès-beaune 508
DUBREUIL VIGNOBLE Touraine 1019
DUBREUIL-CORDIER PHILIPPE Bourgogne 408
DUBREUIL-FONTAINE PÈRE ET FIS P. Corton-charlemagne 504
DUBUET-MONTHÉLIE ET FILS GUY Auxey-duresses 534 • Monthélie 532
DUC DE SEIGNADE Bordeaux 187
DUCLA CH. Bordeaux supérieur 211
DUCOLOMB PIERRE Bugey 721
DUCQUERIE DOM. DE LA Coteaux-du-layon 994
DUCROUX DAMIEN Brouilly 152
DUDON CH. Bordeaux rosé 197
DUFEU DOM. BRUNO Bourgueil 1030
DUFFAU DOM. Gaillac 893
DUFILHOT CH. Bordeaux clairet 195
DUFOULEUR DOM. GUY ET YVAN Fixin 455 • Santenay 561
DUFOULEUR FRÈRES Clos-de-vougeot 472 • Nuits-saint-georges 481
DUFOUR DOM. LIONEL Savigny-lès-beaune 508
DUGAY CH. JEAN Graves-de-vayres 316
DUGOIS DOM. DANIEL Arbois 694
DUHART-MILON CH. Pauillac 375
DUJARDIN DOM. Monthélie 532
DULUC Pineau-des-charentes 818
DUMANGIN FILS J. Champagne 637
DUMÉNIL Champagne 637
DUMIEN-SERRETTE Cornas 1150
DUMON BOURSEAU MILON CH. Lussac-saint-émilion 293
DUMONT ARNAUD Champagne 637
DUMONT JEAN Pouilly-fumé 1080
DUMONT LOU Morey-saint-denis 466 • Nuits-saint-georges 481
DUMONT ET FILS R. Champagne 637
DUMONTET PIERRE Bordeaux clairet 195
DUPASQUIER DOM. MARGUERITE **Rully 571**
DUPASQUIER ET FILS Pernand-vergelesses 497
DUPÉRÉ BARRERA Bandol 825
DUPLESSIS GÉRARD Chablis 429
DUPLESSY CH. Cadillac-côtes-de-bordeaux 320
DUPONT-FAHN DOM. Meursault 540 • Monthélie 532
DUPONT-FAHN DOM. RAYMOND Meursault 540
DUPONT-TISSERANDOT DOM. Charmes-chambertin 464 • Corton 501 • Mazis-chambertin 465
DUPORT YVES Bugey 721
DUPORT ET DUMAS Bugey 721
DUPRAZ SÉBASTIEN Canton de Genève 1277
DUPUY DE LÔME DOM. Bandol 825
DURAND DOM. ÉRIC ET JOËL Saint-joseph 1141
DURAND HELEN Rasteau sec 1156
DURAND LOÏC Bourgogne-hautes-côtes-de-beaune 487 • Chorey-lès-beaune 513
DURAND-FÉLIX DOM. Bourgogne 408
DURBAN DOM. DE Beaumes-de-venise 1167
DURET DOM. PIERRE Quincy 1084
DURETTE CH. DE Chénas 158
DURRMANN ANNA ET ANDRÉ Alsace grand cru 111
DURUP Chablis 429
DUSEIGNEUR DOM. Côtes-du-rhône-villages 1126 • Lirac 1177
DUSSOURT DOM. ANDRÉ Alsace riesling 85
DUTERTRE DOM. Touraine-amboise 1025
DUTHIL CH. Haut-médoc 357
DUTRUCH GRAND POUJEAUX CH. Moulis-en-médoc 372
DUVAL-BLANCHET Médoc 344
DUVAL ET BLANCHET Sauternes 394
DUVAL-LEROY Champagne 637
DUVAL VOISIN Bourgueil 1030
DUVEAU FABIEN Coteaux-de-saumur 1007
DUVERNAY Brouilly 152
DUVERNAY Côtes-du-rhône 1110
DUVERNAY ROMAIN Cornas 1150 • Côtes-du-rhône-villages 1126 • Crozes-hermitage 1146 • Gigondas 1158 • Hermitage 1149 • Vacqueyras 1163
DYCKERHOFF Reuilly 1086

E

EBLIN-FUCHS Alsace riesling 86
ÉCARD DOM. MICHEL ET JOANNA Savigny-lès-beaune 508
ÉCHARDIÈRES DOM. DES Touraine 1019
ÉCHELETTE DOM. DE L' Mâcon et mâcon-villages 586
ECKLÉ JEAN-PAUL Alsace grand cru 111 • Alsace riesling 86
ÉCLAIR CH. DE L' Beaujolais 143
ÉCOLE DOM. DE L' Alsace grand cru 111
EDMUS CH. Saint-émilion grand cru 278
EDRE DOM. DE L' Côtes-du-roussillon-villages 792
EDWIGE FRANÇOIS Champagne 638
ÉGLISE CH. DU DOM. DE L' Pomerol **253**
EGRETEAU VIGNOBLE Pineau-des-charentes 818
ÉGUILLES LE CELLIER D' Coteaux-d'aix-en-provence 834
EHRHART DOM. ANDRÉ Alsace grand cru 111
EHRHART HENRI Alsace pinot gris 93 • Alsace riesling 86
ÉLÉGANCE Oc 1234
ÉLÉPHANTS DOM. DES Touraine 1019
ÉLITE SAINT-ROCH Médoc 348
ÉLIXIR DE GRAVAILLAC CH. Bordeaux supérieur 211
ELLEVIN ALEXANDRE Chablis premier cru 437
ELLNER CHARLES Champagne 638
ELLUL-FERRIÈRES DOM. Languedoc 748
ELYSIS Cabernet-d'anjou 986
EMBIDOURE DOM. D' Floc-de-gascogne 945
EN BELLES LIES Santenay 561
EN SÉGUR DOM. D' Côtes du Tarn 1219
ENCHANTEURS DOM. DES Muscat-de-beaumes-de-venise 1198 • Vaucluse 1248
ENCLOS HAUT-MAZEYRES CH. Pomerol 253
ENCLOS PONTYS L' Montravel 922
ENGARRAN CH. DE L' Languedoc 748

ENGEL Alsace pinot gris 93
ENGEL DOM. FERNAND Alsace grand cru 111
ENGEL ET FILS FRÉDÉRIC Alsace grand cru 112 • Alsace riesling 86
ENTRAS Floc-de-gascogne 945
ENTRE-CŒURS DOM. DE L' Montlouis-sur-loire 1051
ENTREFAUX DOM. DES Crozes-hermitage 1146
ENVIE L' Montagne-saint-émilion 296
ÉOLE DOM. D' Alpilles 1241 • Coteaux-d'aix-en-provence 834
ÉPHÉMÈRE Buzet 905
EPICURUS Bergerac 910
ÉPINAUDIÈRES DOM. DES Cabernet-d'anjou 986
ÉPINAY DOM. DE L' Saumur 1003
ÉPINE L'ARCHANGE DU CH. L' Saint-émilion grand cru 278
EPIRÉ CH. D' Savennières 990
ÉRABLE DOM. DE L' Chablis 429
ERLES CH. DES Fitou 740
ERMEL DAVID Alsace pinot noir 101
ERMITAGE CH. L' Costières-de-nîmes 1182
ERMITAGE DOM. DE L' Menetou-salon 1076
ERMITAGE DE LA GARENNE CH. L' Puisseguin-saint-émilion 299
ERMITAGE DU PIC SAINT-LOUP Languedoc 749
ERRIÈRE DOM. DE L' Val de Loire 1206
ESCARAVAILLES DOM. DES Côtes-du-rhône 1111 • Côtes-du-rhône-villages 1126 • Rasteau sec 1156
ESCARAVATIERS CH. Côtes-de-provence 850
ESCARELLE CH. DE L' Coteaux-varois-en-provence 838
ESCATTES DOM. DE L' Languedoc 749 • Oc 1234
ESCAUSSES DOM. D' Gaillac 893
ESCLANS CAVES D' Côtes-de-provence 850
ESCOFFIER DOM. Corton 501
ESCUDÉ L' Comté tolosan 1214 • Pyrénées-Atlantiques 1222
ESCUDETTES LES Mâcon et mâcon-villages 586
ESCURAC CH. D' Médoc 344
ESPARRON DOM. DE L' • Côtes-de-provence 850
ESPÉRANCE DOM. D' Floc-de-gascogne 945 • Côtes de Gascogne 1217
ESPÉRANCE DOM. DE L' Gros-plant-du-pays-nantais 961 • Muscadet-sèvre-et-maine 960
ESPERET DOM. D' Muscat-de-rivesaltes 808
ESPIGNE CH. L' Fitou 741
ESPIGOUETTE DOM. DE L' Côtes-du-rhône-villages 1126 • Vacqueyras 1163
ESPRIT 1909 Corbières 730
ESPRIT D'ESTUAIRE Médoc 344
ESPRIT DE LABASTIDE Gaillac 894
ESPRIT DE VIGNES Saint-mont 937
ESQUIROTS DOM. LES Côtes de Gascogne 1217
ESSENCE D'ABOURIOU Côtes-du-marmandais 907
ESTANILLES CH. DES Faugères 738
ESTELLO DOM. DE L' Côtes-de-provence 850
ESTERLIN Champagne 638
ÉTAT DE NEUCHÂTEL DOM. DE L' Canton de Neuchâtel 1280
ÉTAT DU VALAIS DOM. DE L' Canton du Valais 1272
ÉTÉ DOM. DE L' Coteaux-du-layon 994
ÉTIENNE CHRISTIAN Champagne 638
ÉTIENNE DANIEL Champagne 638
ÉTIENNE PASCAL Champagne 638
ÉTILLY DOM. D' Chinon 1043
ÉTOILE L' Banyuls 799 • Banyuls grand cru 801 • Collioure 797
ÉTOILE CH. DE L' L'étoile 707
ÉTOILE DE CLOTTE CH. L' Saint-émilion grand cru 278
ÉTOILE DE SALLES CH. L' Lalande-de-pomerol 261
EUGÉNIE CH. Cahors 885
EUROPE DOM. DE L' Mercurey 575
EUZIÈRE CH. L' Languedoc 749
ÉVANGILE CH. L' Pomerol 253
ÉVÊCHÉ DOM. DE L' Bourgogne-côte-chalonnaise 568 • Mercurey 575
ÉVÊCHÉ DOM. DE L' Muscat-de-rivesaltes 808
EXCELLENCE L' Buzet 905
EXPERT CLUB Beaujolais 143
EYDINS CH. LES Luberon 1195
EYMERITS LES Bordeaux supérieur 211
EYRAN CH. D' Pessac-léognan 335
EYRINS CH. DES Margaux 367
EYSSARDS CH. DES Bergerac sec 912
EYVERINE DOM. Côtes-du-rhône 1111 • Côtes-du-rhône-villages 1126

F

FABRE CORDON CH. Corbières 731
FAGE CH. Graves-de-vayres 316
FAGÉ CH. LE Bergerac 910 • Bergerac rosé 910
FAGOT FRANÇOIS Champagne 638
FAGOT JEAN-CHARLES Bourgogne-aligoté 416 • Pernand-vergelesses 497 • Rully 571
FAHRER PAUL Crémant-d'alsace 129
FAHRER-ACKERMANN Alsace pinot gris 93
FAÎTEAU CH. Minervois 769
FAÎTIÈRES CAVE LES Alsace gewurztraminer 79
FAIVELEY DOM. Corton 501 • Corton-charlemagne 504 • Gevrey-chambertin 458 • Latricières-chambertin 463
FALFAS CH. Côtes-de-bourg 234
FALLER LUC Alsace pinot gris 93 • Alsace pinot noir 101
FALMET MICHEL Champagne 639
FAMILLE EXCELLOR Bordeaux sec 202
FAMILONGUE DOM. DU Languedoc 749
FANTOU LE ROSÉ DE Côtes du Lot 1220
FARET DESGRANGES Castillon-côtes-de-bordeaux 305
FARGUES CH. DE Sauternes 394
FARGUES DOM. Bourgogne-aligoté 416
FARJON DOM. Condrieu 1138
FARLURET CH. Sauternes 394
FAT BASTARD THIERRY & GUY Oc 1234
FATIEN PÈRE ET FILS MAISON Bourgogne 408 • Meursault 541 • Rully 571
FAUCON DORÉ DOM. DU Côtes-du-rhône-villages 1126
FAUCONNERIE CH. LA Montagne-saint-émilion 296
FAUDOT DOM. MARTIN Macvin-du-jura 708
FAUDOT SYLVAIN Arbois 694 • Crémant-du-jura 705
FAUGAS CH. Premières-côtes-de-bordeaux 389
FAUGÈRES CH. Saint-émilion grand cru 278
FAUQUEX DENIS Canton de Vaud 1266
FAURE CH. JEAN Saint-émilion grand cru 278
FAURIE DE SOUCHARD CH. Saint-émilion grand cru 278
FAURY DOM. Condrieu 1138
FAUVETTE VINS Côte-de-brouilly 155
FAUVY LAURENT Bourgueil 1030
FAUX CH. JEAN Bordeaux supérieur 211
FAVARDS DOM. DES Côtes-du-rhône-villages 1127
FAVEROT DOM. Luberon 1195
FAVEZ JEAN-MARC Canton de Vaud 1266
FAVRE LES FILS DE CHARLES Canton du Valais 1272
FAYAT CH. Pomerol 253
FAYAU CH. Bordeaux 187
FAŸE SERGE Champagne 639
FAYET CH. Fronton 902
FAYOLLE FILS ET FILLE Crozes-hermitage 1146 • Hermitage 1149
FAZI DOM. Corse ou vin-de-corse 870 • Île de Beauté 1243
FÉLINES JOURDAN DOM. Hérault 1231 • Languedoc 749
FÉLIX DOM. Bourgogne-aligoté 417 • Irancy 446
FÉLIX HERVÉ Chablis 429
FENÊTRE SUR L'HISTOIRE LA Charentais 1211
FENOUILLET DOM. DE Faugères 738
FÉRAUD DOM. DES Côtes-de-provence 850
FERME BLANCHE DOM. LA Cassis 832
FERME DES LICES LA Côtes-de-provence 851
FERME SAINT-MARTIN DOM. LA Ventoux 1190
FERRAGES CH. DES Côtes-de-provence 851
FERRAN CH. Fronton 902
FERRAN CH. Pessac-léognan 336
FERRAN PRADETS Côtes-du-marmandais 907
FERRAND CH. DE Saint-émilion grand cru 278
FERRAND NADINE Mâcon et mâcon-villages 586

VINS

FERRAND-LARTIGUE CH. Saint-émilion grand cru 278
FERRANDE CH. Graves 326
FERRANT DOM. DE Côtes-de-duras 929
FERRATON PÈRE ET FILS Crozes-hermitage 1146 • Hermitage 1149
FERRET-LORTON Pouilly-fuissé 596
FERRIÈRE CH. Margaux 367
FERRY LACOMBE CH. Côtes-de-provence 851
FERTÉ DOM. DE LA Givry 579
FERTÉ DOM. DE LA Val de Loire 1206
FESLES CH. DE Bonnezeaux 1000 • Cabernet-d'anjou 986
FESSARDIÈRE CH. DE LA Muscadet 956
FESSARDIÈRE CH. DE LA Saumur 1003
FEUILLARDE DOM. DE LA Saint-véran 603
FEUILLAT-JUILLOT DOM. Montagny 582
FEUILLATA DOM. DE LA Beaujolais 143
FEUILLATTE NICOLAS Champagne 639
FÈVRE DANY Champagne 639
FÈVRE DOM. NATHALIE ET GILLES Chablis grand cru 444 • Chablis premier cru 437
FÈVRE WILLIAM Petit-chablis 423 • Saint-bris 448
FICHET DOM. Crémant-de-bourgogne 419
FICHET DOM. OLIVIER Mâcon et mâcon-villages 586
FIEF COGNARD LE Muscadet-sèvre-et-maine 961
FIERVAUX DOM. DE Coteaux-du-layon 994 • Saumur 1003
FIEUZAL ABEILLE DE Pessac-léognan 336
FIGARELLA DOM. Corse ou vin-de-corse 870
FIGEAC CH. Saint-émilion grand cru 279
FIGUET BERNARD Champagne 639
FIL DOM. PIERRE Minervois 770
FILAINE ALEXANDRE Champagne 639
FILHOT CH. Sauternes 394
FILLIATREAU DOM. Saumur 1003 • Saumur-champigny 1010
FILLON CH. Bordeaux supérieur 211
FILLON ET FILS DOM. Bourgogne-aligoté 417 • Saint-bris 448
FINES CAILLOTTES PRESTIGE DES Pouilly-fumé 1080
FINES ROCHES Châteauneuf-du-pape 1171
FINON PIERRE Saint-joseph 1141
FIOU DOM. GÉRARD Sancerre 1093
FISCHBACH Alsace gewurztraminer 80
FISCHER DOM. DE Canton de Vaud 1265
FIUMICICOLI DOM. Corse ou vin-de-corse 870
FL LA ROSE Cabernet-d'anjou 987
FLACHER GILLES Saint-joseph 1141
FLAMAND-DELÉTANG DOM. Montlouis-sur-loire 1051
FLAUGERGUES CH. DE Languedoc 749
FLAUNYS CH. Montagne-saint-émilion 296
FLAVIGNY-ALÉSIA VIGNOBLE DE Coteaux de l'Auxois 1252
FLECK RENÉ Alsace grand cru 112
FLEITH VINCENT Alsace edelzwicker 71 • Alsace pinot noir 101
FLEUR CH. LA Saint-émilion grand cru 279
FLEUR VIN LE Comté tolosan 1214
FLEUR BALESTRE CH. Saint-émilion grand cru 279
FLEUR CAILLEAU CH. LA Canon-fronsac 243
FLEUR CARDINALE CH. Saint-émilion grand cru 279
FLEUR CHAIGNEAU AMBROISIE DE LA Lalande-de-pomerol 261
FLEUR D'ARTHUS LA Saint-émilion grand cru 279
FLEUR DE BOÜARD LA Lalande-de-pomerol 261
FLEUR DE CAILLOU Côtes catalanes 1225
FLEUR DE LISSE CH. Saint-émilion 266 • Saint-émilion grand cru 279
FLEUR DE PLINCE CH. LA Pomerol 253
FLEUR DES GRAVES CH. LA Graves-de-vayres 316
FLEUR GARDEROSE CH. LA Saint-émilion 266
FLEUR GRANDS-LANDES CH. LA Montagne-saint-émilion 296
FLEUR HAUT GAUSSENS CH. Bordeaux supérieur 212
FLEUR HAUT MOULIN CH. LA Bordeaux supérieur 212
FLEUR LARTIGUE CH. Saint-émilion grand cru 279
FLEUR LESCURE CH. Saint-émilion 266
FLEUR PEREY CH. LA Saint-émilion 266 • Saint-émilion grand cru 279
FLEUR PETRUS Pomerol 254
FLEUR PEYRABON CH. LA Pauillac 375
FLEUR VILLATTE CH. LA Bordeaux 187
FLEUR-GAZIN CH. LA Pomerol 253
FLEURIE CAVE DES GRANDS VINS DE Fleurie 162
FLEURIET ET FILS DOM. BERNARD Sancerre 1093
FLEURON DES ROCHETTES Muscadet-sèvre-et-maine 961
FLEURS DE MONTBLANC LES Côtes de Thongue 1228
FLEURY PÈRE ET FILS Champagne 639
FLEYS CH. DE Chablis premier cru 437
FLORANE DOM. LA Côtes-du-rhône-villages 1127
FLORENBELLE Côtes de Gascogne 1217
FLORENSAC LES VIGNERONS DE Languedoc 750 • Oc 1234
FLORETS DOM. DES Gigondas 1158
FLORIS EXCELLENCE DE Minervois 770
FLUTEAU Champagne 640
FOISSY-JOLY Champagne 640
FOLLIN-ARBELET DOM. Corton 501 • Romanée-saint-vivant 478
FONBADET CH. Pauillac 376
FONCALIEU LE VIGNOBLES Corbières 732
FONCHEREAU CH. Bordeaux supérieur 212
FONDIS DOM. DU Saint-nicolas-de-bourgueil 1037
FONDRÈCHE DOM. DE Ventoux 1190
FONGABAN CH. Castillon-côtes-de-bordeaux 305
FONGIRAS CH. Médoc 350
FONGRAVE CH. Bordeaux 187
FONJALLAZ PATRICK Canton de Vaud 1267
FONNÉ ANTOINE Crémant-d'alsace 129
FONNÉ MICHEL Alsace pinot gris 94
FONPLÉGADE CH. Saint-émilion grand cru 280
FONRÉAUD CH. Listrac-médoc 363
FONROQUE CH. Saint-émilion grand cru 280
FONT BARRIÈLE CH. Costières-de-nîmes 1183
FONT BLANQUE CH. Fronton 902
FONT DE L'OLIVIER DOM. LA Côtes de Thongue 1228
FONT-DESTIAC Bordeaux 187
FONT DU BROC CH. LA Côtes-de-provence 851
FONT-SANE DOM. DE Gigondas 1158
FONT SARADE DOM. Vacqueyras 1164
FONT-VIVE CH. DE Bandol 826
FONTAINE P. Sancerre 1093
FONTAINE-SAINT-CRIC CH. Fronsac 246
FONTANCHE CH. Saint-chinian 775
FONTANEL DOM. Côtes-du-roussillon-villages 792 • Muscat-de-rivesaltes 808
FONTBAUDE CH. Bordeaux clairet 195 • Castillon-côtes-de-bordeaux 305
FONTCREUSE CH. DE Cassis 832
FONTENAY LE CH. DE Touraine 1019
FONTENELLES CH. Corbières 732
FONTENELLES CH. LES Bergerac 910
FONTENELLES DOM. DE Aude 1222
FONTENIL CH. Fronsac 246
FONTENILLE DOM. DE Pouilly-fumé 1080
FONTESTEAU CH. Haut-médoc 357
FONTLADE CH. DE Coteaux-varois-en-provence 839
FONTRIANTE DOM. DE Beaujolais-villages 160 • Chiroubles 160
FONTVERT CH. Luberon 1195
FONVIEILLE CH. Fronton 902
FORCHETIÈRE CH. LA Gros-plant-du-pays-nantais 970
FOREST ÉRIC Pouilly-fuissé 596
FOREST-MARIÉ Champagne 640
FORÉTAL DOM. DE Beaujolais-villages 148
FOREY PÈRE ET FILS DOM. Morey-saint-denis 466 • Vosne-romanée 476
FORGES DOM. DES Chinon 1043
FORGES DOM. DES Coteaux-du-layon 995 • Quarts-de-chaume 999
FORGET JEAN Champagne 640
FORGET-CHEMIN Champagne 640
FORGUES VALÉRIE Touraine 1020

FORLANCIER LE Gigondas 1161
FORNEROT DOM. JÉRÔME Santenay 561
FORTIA CH. Châteauneuf-du-pape 1171
FORTINEAU RÉGIS Vouvray 1055
FORTUNET FLEUR DE Côtes de Gascogne 1217
FOSSE DE DOULAIE DOM. DE LA Chinon 1043
FOSSILES VIN DES Saône-et-Loire 1254
FOUASSIER DOM. Sancerre 1094
FOUCHER DOM. OLIVIER Menetou-salon 1076
FOUCHER MAISON Sancerre 1094
FOUCHEREAU PAULINE Bourgueil 1030
FOUGAS CH. Côtes-de-bourg 235
FOUGEAILLES CH. Lalande-de-pomerol 261
FOUGÈRES CH. DES Graves 326
FOUQUETTE DOM. DE LA Côtes-de-provence 851
FOUR À CHAUX DOM. DU Coteaux-du-vendômois 1064
FOURCAS-BORIE CH. Listrac-médoc 363
FOURÉ-ROUMIER-DE FOSSEY Chambolle-musigny 469 • Meursault 541
FOURMONE DOM. LA Gigondas 1158 • Vacqueyras 1164
FOURN DOM. DE Blanquette-de-limoux 763
FOURNELLES DOM. DES Côte-de-brouilly 155
FOURNERY DOM. DE Malepère 767
FOURNEY CH. Saint-émilion grand cru 291
FOURNIER DANIEL Fixin 455
FOURNIER DOM. JEAN Côte-de-nuits-villages 485 • Marsannay 453
FOURNIER THIERRY Champagne 640
FOURNIER PÈRE ET FILS Sancerre 1094
FOURNILLON DOM. Bourgogne 408
FOURNILLON ET FILS DOM. Chablis 429
FOURREAU CH. Bordeaux supérieur 212
FOURREY DOM. Chablis premier cru 438
FOURRIER PHILIPPE Champagne 640
FRAISEAU-LECLERC CAVE Menetou-salon 1076
FRAMBOISIÈRE DOM. DE LA Mercurey 575
FRANC-BAUDRON L'AUDACIEUX DE Montagne-saint-émilion 296
FRANC GRÂCE-DIEU CH. Saint-émilion grand cru 280
FRANC LA FLEUR CH. Castillon-côtes-de-bordeaux 306
FRANC LA ROSE CH. Saint-émilion grand cru 280
FRANC LARTIGUE EMBELLIE DE Saint-émilion grand cru 280
FRANC-MAILLET CH. Pomerol 254
FRANC-MAYNE CH. Saint-émilion grand cru 280
FRANC PATARABET CH. Saint-émilion grand cru 281
FRANCE CH. DE Pessac-léognan 336
FRANCE CH. LA Bordeaux sec 202 • Bordeaux supérieur 212
FRANCES CH. Minervois 770
FRANCHAIE CH. LA Anjou-villages 980
FRANÇOIS-BROSSOLETTE Champagne 641
FRANCS-BORIES CH. Saint-émilion 266
FRANDAT CH. DU Buzet 905
FRAPPE-PEYROT CH. Cadillac 387
FRÉGATE DOM. DE Bandol 826
FRÈRES DUBOIS DOM. DES Canton de Vaud 1267
FRÈRES PHILIPPOZ LES Canton du Valais 1272
FRÉROT ET DANIEL DYON MARIE-ODILE Bourgogne 408
FRESCHE DOM. DU Anjou-coteaux-de-la-loire 989 • Anjou-villages 980
FRESNAYE VIGNOBLE DE LA Cabernet-d'anjou 987 • Coteaux-du-layon 995
FRESNE CH. DU Anjou 975 • Anjou-villages 981 • Coteaux-du-layon 995
FRESNE GABRIEL Champagne 641
FRESNE LE VIGNOBLE DU Saint-nicolas-de-bourgueil 1037
FRESNE DUCRET Champagne 641
FRESNET-BAUDOT Champagne 641
FREUDENREICH JOSEPH Crémant-d'alsace 129
FREUDENREICH ROBERT Alsace gewurztraminer 80 • Alsace pinot gris 94
FREY DOMINIQUE ET JULIEN Alsace pinot noir 101
FREY-SOHLER Alsace grand cru 112
FREYBURGER GEORGES ET CLAUDE Alsace grand cru 112
FREYBURGER MAISON MARCEL Alsace grand cru 112
FREYNELLE CH. LA Bordeaux sec 202
FRICK PIERRE Alsace grand cru 112
FRISSANT DOM. Touraine-amboise 1025
FRITSCH J. Alsace pinot noir 102
FRITZ DOM. Alsace gewurztraminer 80
FROEHLICH Alsace gewurztraminer 80
FROMENT-GRIFFON Champagne 641
FROMENTIN-LECLAPART Champagne 641
FRUITIÈRE DOM. DE LA Muscadet-sèvre-et-maine 961 • Val de Loire 1207
FUCHS HENRY Alsace pinot ou klevner 73
FULCRAND CABANON Languedoc 744
FUMEY ET ADELINE CHATELAIN RAPHAËL Arbois 694
FURDYNA MICHEL Champagne 641
FUSIONELS VIGNOBLE LES Faugères 738
FUYE DOM. DE LA Coteaux-de-saumur 1007 • Saumur 1003

G

GABARON DOM. Faugères 738
GABARRE CH. LA Bordeaux rosé 197
GABETTERIE DOM. DE LA Bonnezeaux 1000
GABILLIÈRE DOM. DE LA Touraine-amboise 1025
GABRIEL CH. Puisseguin-saint-émilion 299
GABY CH. Canon-fronsac 243
GACHE CH. DE Buzet 905
GACHÈRE DOM. DE LA Anjou-villages 981
GACHET DOM. DE Lalande-de-pomerol 261
GACHON CH. Montagne-saint-émilion 296
GADANT DOM. MARIE-CHRISTINE Bourgogne 409
GAÉLIQUE LE Val de Loire 1207
GAFFELIÈRE CH. LA Saint-émilion grand cru 281
GAFFELIÈRE LÉO DE LA Saint-émilion 266
GAGET DOM. Morgon 168
GAGEY DOM. Ladoix 492
GAGNEBERT DOM. DE Anjou-villages-brissac 983 • Crémant-de-loire 953
GAGNERIES DOM. DES Bonnezeaux 1000
GAGNEROT CAPITAIN Aloxe-corton 494
GAGNET FERME DE Floc-de-gascogne 945
GAHIER MICHEL Arbois 694
GAIDON CHRISTIAN Fleurie 162
GAILLARD CH. Touraine-mesland 1027
GAILLARD CH. Reuilly 1086
GAILLARD JEANNE Collines rhodaniennes 1251
GAILLARD DOM. JEANNE Saint-joseph 1141
GAILLARD DOM. PIERRE Condrieu 1138 • Cornas 1151 • Saint-joseph 1141
GAILLARD PIERRE Pineau-des-charentes 819
GAILLARD ET FILS PIERRE Pineau-des-charentes 819
GAILLOT DOM. Jurançon 941
GALANTIN DOM. LE Bandol 826
GALES CAVES Moselle luxembourgeoise 1257
GALISSONNIÈRE CH. DE LA Muscadet-sèvre-et-maine 961
GALLAND CH. Francs-côtes-de-bordeaux 310
GALLIMARD PÈRE ET FILS Champagne 642
GALLOIRES DOM. DES Anjou 975 • Coteaux-d'ancenis 969 • Muscadet-coteaux-de-la-loire 968 • Val de Loire 1207
GALMOISES DOM. DES Saumur-champigny 1010
GALOPIÈRE DOM. DE LA Ladoix 492
GALOUPET CH. DU Côtes-de-provence 851
GALUCHES DOM. DES Chinon 1043
GAMBAL ALEX Chassagne-montrachet 554
GANDELINS DOM. DES Chénas 158

GANDINES DOM. DES Mâcon et mâcon-villages 587
GANGETTES DOM. LES Monbazillac 924 • Pécharmant 924
GANTONNET CH. Bordeaux sec 202
GANTZER LUCIEN Alsace grand cru 113
GARANCE HAUT GRENAT CH. Médoc 345
GARANCES DOM. DES Beaumes-de-venise 1167
GARANCHES DOM. DES Brouilly 152
GARANCIÈRE DOM. LA Côtes-du-rhône-villages 1127
GARAUDET FLORENT Monthélie 532 • Puligny-montrachet 546
GARAUDET PAUL Meursault 541
GARBELLE LES BARRIQUES DE Coteaux-varois-en-provence 839
GARBES CH. DE Cadillac 387
GARCIN DOM. Tavel 1180
GARCINIÈRES CH. DES Côtes-de-provence 851
GARDE CH. LA Pessac-léognan 336
GARDE DOM. DE LA Cahors 885 • Coteaux-du-quercy 891
GARDETTE STÉPHANE Morgon 168
GARDIEN FRÈRES Saint-pourçain 1089
GARDINE CH. DE LA Châteauneuf-du-pape 1172
GARENNE CH. LA Lussac-saint-émilion 293
GARENNE DOM. DE LA Sancerre 1094
GARINET DOM. DU Cahors 885
GARLABAN LES VIGNERONS DU Bouches-du-Rhône 1242
GARNAUDIÈRE LA Muscadet-côtes-de-grand-lieu 967
GARNIER OLIVIER Touraine 1020
GARNIER ET FILS Chablis 429 • Chablis grand cru 444 • Petit-chablis 423
GARNIÈRE DOM. DE LA Muscadet-sèvre-et-maine 962
GARODIÈRE DOM. DE LA Morgon 168
GARON DOM. Côte-rôtie 1135
GARRAUD CH. Lalande-de-pomerol 261
GARREAU CH. Blaye-côtes-de-bordeaux 227
GARREAU CH. Floc-de-gascogne 946
GARREY PHILIPPE Mercurey 576
GARRICQ CH. LA Moulis-en-médoc 373
GARRIGO DOM. LA Fitou 741
GARRIGUE DOM. LA Gigondas 1159 • Vacqueyras 1164
GARRIGUES LES Côtes-du-rhône 1111
GASCHY PAUL Alsace grand cru 113 • Alsace pinot gris 94
GASPARDE CH. LA Castillon-côtes-de-bordeaux 306
GASQUI CH. Côtes-de-provence 851
GASSIER CH. Côtes-de-provence 852
GATINES DOM. DE Cabernet-d'anjou 987 • Rosé-de-loire 951
GAUBERT GRAVEUM DE Graves 326
GAUBY DOM. Côtes catalanes 1225
GAUCHER SÉBASTIEN Canon-fronsac 243
GAUCHERAUD CH. CAMILLE Blaye-côtes-de-bordeaux 227
GAUCHERIE DOM. DE LA Bourgueil 1032
GAUDARD DOM. Coteaux-du-layon 995
GAUDINAT-BOIVIN Champagne 642
GAUDOU CH. DE Cahors 885
GAUDRELLE CH. Vouvray 1056
GAUDRON DOM. SYLVAIN Vouvray 1056
GAUDRONNIÈRE DOM. DE LA Cheverny 1060
GAUDRY DOM. DENIS Pouilly-fumé 1081
GAUFFROY DOM. MARC Puligny-montrachet 547
GAULETTERIES DOM. DES Jasnières 1050
GAUSSEN CH. JEAN-PIERRE Bandol 826
GAUTHERIN ET FILS RAOUL Chablis 430
GAUTHERON Chablis 430 • Chablis premier cru 438
GAUTHIER CH. Blaye-côtes-de-bordeaux 232
GAUTHIER CHRISTIAN Muscadet-sèvre-et-maine 962
GAUTHIER DOM. LAURENT Morgon 169
GAUTREAU JEAN Haut-médoc 361
GAVIGNET MAURICE Santenay 561
GAVIGNET PHILIPPE Nuits-saint-georges 481
GAVOTY DOM. Côtes-de-provence 852
GAY CH. LE Pomerol 254
GAY MAURICE Canton du Valais 1272
GAY ET FILS FRANÇOIS Aloxe-corton 494 • Beaune 516 • Chorey-lès-beaune 513 • Ladoix 493
GAY ET FILS MICHEL Aloxe-corton 495 • Chorey-lès-beaune 513 • Savigny-lès-beaune 508
GAY-COPÉRET DOM. Fleurie 162
GAYDA Oc 1235
GAYON CH. Bordeaux sec 202 • Bordeaux supérieur 212
GAZIN CH. Pomerol 254
GAZIN CH. DU Canon-fronsac 244
GAZIN ROCQUENCOURT CH. Pessac-léognan 336
GEAI CH. LE Bordeaux supérieur 212
GEFFARD HENRI Pineau-des-charentes 819
GEIGER-KOENIG Alsace pinot gris 94
GEILER JEAN Alsace grand cru 113
GÉLÉRIES DOM. DES Bourgueil 1031 • Chinon 1043
GELIN DOM. PIERRE Chambertin-clos-de-bèze 462 • Gevrey-chambertin 458
GELLY DOM. ÉRIC Côtes de Thongue 1229
GEMEILLAN CH. Médoc 351
GEMIÈRE DOM. LA Sancerre 1094
GÉNAUDIÈRES DOM. DES Coteaux-d'ancenis 972
GENDRIER MICHEL Cheverny 1060 • Cour-cheverny 1060
GENDRON DOM. Vouvray 1056
GENELETTI DOM. Château-chalon 698
GENELETTI PÈRE ET FILS DOM. L'étoile 707
GENESTIÈRE CH. LA Lirac 1177
GENESTIÈRE DOM. LA Tavel 1180
GENET MICHEL Champagne 642
GENEVAZ DOM. Canton de Vaud 1268
GENÈVES DOM. DES Chablis premier cru 438
GENIBON AMÉTHYSTE DE Côtes-de-bourg 235
GENIBON-BLANCHEREAU CH. Côtes-de-bourg 235
GÉNOT-BOULANGER CH. Corton-charlemagne 504 • Meursault 541 • Puligny-montrachet 547 • Volnay 528
GENOUILLY CAVE DE Montagny 582
GENTILLOT CH. Graves-de-vayres 316
GEOFFRENET-MORVAL DOM. Châteaumeillant 1067
GEOFFROY Coteaux-champenois 689
GEOFFROY ALAIN Chablis premier cru 438
GEOFFROY RENÉ Champagne 642
GEORGE Chablis premier cru 438
GEORGETON-RAFFLIN Champagne 642
GERBAIS PIERRE Champagne 642
GERBEAUX DOM. DES Pouilly-fuissé 596
GERBER ALAIN Canton de Neuchâtel 1280
GERBER JEAN-PAUL Alsace grand cru 113
GERBET DOM. FRANÇOIS Échézeaux 473 • Vosne-romanée 476
GERMAIN ARNAUD Meursault 541
GERMAIN GILBERT ET PHILIPPE Monthélie 532
GERMAIN PÈRE ET FILS DOM. Saint-romain 537
GERMANIER JEAN-RENÉ Canton du Valais 1273
GERMAR BRETON Champagne 642
GESLETS DOM. DES Saint-nicolas-de-bourgueil 1037
GHEERAERT CLAUDE Crémant-de-bourgogne 419
GIACHINO DOM. Vin-de-savoie 713
GIACOMETTI DOM. Patrimonio 875
GIANFRANCO CHIESA Canton du Tessin 1281
GIBAULT VIGNOBLE Valençay 1066
GIBOULOT JEAN-MICHEL Beaune 516 • Savigny-lès-beaune 508
GIBOURG DOM. ROBERT Morey-saint-denis 467
GIBRALTAR DOM. DE Muscat-de-mireval 780
GIGOGNAN CH. Châteauneuf-du-pape 1172 • Côtes-du-rhône-villages 1127
GIGONDAS LA CAVE Beaumes-de-venise 1167
GIGOU Coteaux-du-loir 1049
GILG DOM. ARMAND Alsace grand cru 113
GILLE DOM. Nuits-saint-georges 482
GIMARETS CH. DES Moulin-à-vent 171
GIMONNET JEAN Champagne 643
GIMONNET ET FILS PIERRE Champagne 643
GINESTE CH. LA Cahors 885
GINESTET Bordeaux 187 • Puisseguin-saint-émilion 299

GINGLINGER PAUL Alsace pinot noir 102
GINGLINGER PIERRE HENRI Alsace grand cru 113 • Alsace riesling 86
GINGLINGER-FIX Crémant-d'alsace 129
GIRARD DOM. Malepère 767
GIRARD DOM. Pouilly-fuissé 596
GIRARD DOM. NICOLAS Menetou-salon 1076
GIRARD DOM. PHILIPPE Savigny-lès-beaune 509
GIRARD JEAN-JACQUES Savigny-lès-beaune 508
GIRARD ET FILS DOM. MICHEL Sancerre 1094
GIRARD-MADOUX SAMUEL ET FABIEN Vin-de-savoie 714
GIRARD-MADOUX YVES Vin-de-savoie 713
GIRARDI MICHEL ET STÉPHANE Bugey 721
GIRARDIÈRE DOM. DE LA Touraine 1020
GIRARDIN ALETH Pommard 521
GIRARDIN DOM. VINCENT Santenay 562
GIRARDRIE DOM. DE LA Coteaux-de-saumur 1007 • Saumur 1004
GIRAUDIÈRE LA Coteaux-de-saumur 1007 • Saumur 1004 • Saumur-champigny 1010
GIRAUDIÈRES DOM. DES Anjou-villages-brissac 983
GIRAUDON Bourgogne 409
GIRAUDON VINCENT Côte-roannaise 1073
GIRONDAISE LA Bordeaux 188 • Entre-deux-mers 312
GIRONVILLE CH. DE Haut-médoc 357
GIROUD CAMILLE Chambertin 462 • Corton 501 • Corton-charlemagne 504 • Latricières-chambertin 463
GIROUD CH. Côtes-de-provence 852
GIROUD DOM. Var 1246
GIROUD ÉRIC ET CATHERINE Mâcon et mâcon-villages 587
GISCLE DOM. DE LA Côtes-de-provence 852
GISCOURS CH. Margaux 367
GISSELBRECHT WILLY Alsace grand cru 114
GIVAUDAN DOM. DE Côtes-du-rhône 1111
GLANTENAY DOM. BERNARD ET THIERRY Volnay 528
GLEIZES DOM. JEAN Coteaux de Narbonne 1224 • Oc 1235
GLORIA CH. Saint-julien 384
GOBILLARD PIERRE Champagne 643
GOBILLARD ET FILS J.-M. Champagne 643
GODARD BELLEVUE CH. Francs-côtes-de-bordeaux 310
GODEAU CH. Saint-émilion grand cru 281
GODEFROY DOM. Saint-nicolas-de-bourgueil 1037
GODON JÉRÔME Sancerre 1095
GOERG PAUL Champagne 643
GOETZ Crémant-d'alsace 129
GOICHOT ANDRÉ Santenay 562
GOICHOT & FILS DOM. ANDRÉ Bourgogne 409
GOISOT DOM. ANNE ET ARNAUD Bourgogne 409
GOISOT GUILHEM ET JEAN-HUGUES Bourgogne 409 • Bourgogne-aligoté 417 • Irancy 446
GOMBAUDE-GUILLOT CH. Pomerol 254
GOMERIE CH. LA Saint-émilion grand cru 270
GONDARD DOM. PIERRE Viré-clessé 592
GONDARD PERRIN DOM. Viré-clessé 592
GONET MICHEL Champagne 643
GONET PHILIPPE Champagne 644
GONET SULCOVA Champagne 644
GONFARON VIGNERONS DE Côtes-de-provence 852
GONNET CHARLES Vin-de-savoie 714
GONON DOM. Saint-véran 603
GORCE CH. LA Médoc 345
GORDONNE CH. LA Côtes-de-provence 852
GORGES DU SOLEIL DOM. DES Rivesaltes 803
GOSSET Champagne 644
GOUBARD ET FILS DOM. MICHEL Bourgogne-côte-chalonnaise 568 • Givry 580
GOUBAU CH. Castillon-côtes-de-bordeaux 306
GOUBERT DOM. LES Beaumes-de-venise 1168
GOUFFIER DOM. Mercurey 576
GOUILLON DOM. Côte-de-brouilly 155
GOUILLON DOM. Morgon 169
GOULARD J.M. Champagne 644
GOULLEY DOM. PHILIPPE Chablis premier cru 438
GOUPRIE CH. Pomerol 254
GOURMANDIÈRE LES MAÎTRES VIGNERONS DE LA Touraine 1020
GOURON DOM. Chinon 1043
GOUSSARD DIDIER Champagne 644
GOUSSARD ET DAUPHIN Champagne 644
GOUTORBE H. Champagne 645
GOUTTE D'OR LA Crépy 714 • Vin-de-savoie 714
GRÂCE DIEU CH. LA Saint-émilion grand cru 281
GRÂCE DIEU LES MENUTS CH. LA Saint-émilion grand cru 281
GRAIN DE LUNE Banyuls 799 • Rivesaltes 803
GRAIN DE VELOURS Gaillac 894
GRALL VINCENT Sancerre 1095
GRANAJOLO DOM. DE Corse ou vin-de-corse 870
GRAND DOM. Château-chalon 698 • Côtes-du-jura 701 • Crémant-du-jura 705
GRAND ABORD CH. Graves 327
GRAND ANTOINE CH. Bordeaux 188
GRAND ARC DOM. DU Corbières 732
GRAND ART LE Médoc 344
GRAND BARIL CH. Montagne-saint-émilion 296
GRAND BARRAIL LAMARZELLE FIGEAC CH. Saint-émilion grand cru 281
GRAND BÉCASSIER DOM. DU Côtes-du-rhône 1117
GRAND BELIGA Collines rhodaniennes 1251
GRAND BERT CH. Saint-émilion grand cru 281
GRAND BERTIN DE SAINT-CLAIR CH. Médoc 349
GRAND BOISSAC CH. Puisseguin-saint-émilion 300
GRAND BOS CH. DU Graves 327
GRAND BOUQUET Canton du Valais 1273
GRAND BOURDIEU SENSATION DE CH. Graves 327
GRAND BOURJASSOT DOM. DU Gigondas 1159
GRAND CALLAMAND CH. Luberon 1195
GRAND CLOS DOM. DU Coteaux-de-saumur 1008 • Saumur 1004
GRAND CLOS DE BRIANTE Brouilly 152
GRAND CORBIN MANUEL CH. Saint-émilion grand cru 282
GRAND CORBIN-DESPAGNE CH. Saint-émilion grand cru 282
GRAND CROS DOM. DU Méditerranée 1244
GRAND CROS LE Côtes-de-provence 852
GRAND ENCLOS DU CHÂTEAU DE CÉRONS Graves 327
GRAND ESCALION CH. Costières-de-nîmes 1183
GRAND FAURIE LA ROSE CH. Saint-émilion grand cru 282
GRAND FÉ DOM. LE Muscadet-côtes-de-grand-lieu 967 • Val de Loire 1207
GRAND FERRAND CH. Bordeaux supérieur 213
GRAND FIEF DOM. DU Val de Loire 1207
GRAND FIEF DE LA CORMERAIE Muscadet-sèvre-et-maine 962
GRAND GALLIUS CH. Médoc 346
GRAND GARANT DOM. DE Fleurie 171 • Moulin-à-vent 171
GRAND'GRANGE CH. Beaujolais-villages 148
GRAND GUILHEM DOM. Fitou 741
GRAND JACQUET DOM. DU Vaucluse 1248 • Ventoux 1190
GRAND JAURE DOM. DU Rosette 926
GRAND JOUR CH. Cadillac-côtes-de-bordeaux 320
GRAND JOUR CH. Côtes-de-bourg 235
GRAND LACAZE CH. Médoc 350
GRAND LAUNAY CH. Côtes-de-bourg 235
GRAND LISTRAC Listrac-médoc 363
GRAND-MAISON CH. Côtes-de-bourg 235
GRAND'MAISON LES VIGNERONS DE LA Orléans 1064 • Orléans-cléry 1064
GRAND MAYNE Côtes-de-duras 929
GRAND MAZEROLLES CH. Blaye-côtes-de-bordeaux 226
GRAND MONTMIRAIL DOM. DU Beaumes-de-venise 1168 • Côtes-du-rhône 1111
GRAND MORTIER GOBIN Muscadet-sèvre-et-maine 962

VINS

GRAND MOULIN CH. Corbières 732
GRAND MOULIN CH. LE Blaye-côtes-de-bordeaux 227
GRAND ORMEAU CH. Lalande-de-pomerol 262
GRAND ORMEAU DOM. DU Lalande-de-pomerol 262
GRAND PAROISSIEN LE Haut-médoc 357
GRAND PEYROT CH. Sainte-croix-du-mont 390
GRAND PEYROU CH. Castillon-côtes-de-bordeaux 306
GRAND PEYRUCHET CH. Loupiac 388
GRAND'PIÈCE DOM. DE LA Côtes-de-provence 853
GRAND PLANTIER CH. DU Bordeaux sec 203 • Loupiac 388
GRAND-PONTET CH. Saint-émilion grand cru 282
GRAND-PORTAIL CH. Bordeaux supérieur 213
GRAND PRÉ CH. DE Morgon 169
GRAND PRÉ DOM. DU Pouilly-fuissé 596
GRAND'RIBE LA Côtes-du-rhône 1111 • Côtes-du-rhône-villages 1127
GRAND ROC CH. DU Bergerac 910
GRAND ROCASSON Côtes-du-rhône 1111
GRAND ROCHE DOM. Chablis 430 • Chablis premier cru 438
GRAND SAINT-BRICE Médoc 346
GRAND TERTRE CH. Castillon-côtes-de-bordeaux 306
GRAND TINEL DOM. DU Châteauneuf-du-pape 1172
GRAND TUILLAC CH. Castillon-côtes-de-bordeaux 306
GRAND VALLAT LE Ventoux 1190
GRAND VENEUR DOM. Lirac 1177
GRAND VERDUS CH. LE Bordeaux supérieur 213
GRAND'VIGNE LA Coteaux-varois-en-provence 839
GRAND-PUY DUCASSE CH. Pauillac 376
GRANDE BELLANE DOM. LA Côtes-du-rhône-villages 1127
GRANDE BORIE CH. LA Bergerac rouge 919 • Côtes-de-bergerac moelleux 919 • Côtes-de-bergerac rouge 919
GRANDE CHAUME DOM. DE LA Chablis 430
GRANDE CLOTTE CH. LA Bordeaux sec 202
GRANDE FERRIÈRE DOM. DE Beaujolais 143
GRANDE FOUCAUDIÈRE DOM. DE LA Touraine-amboise 1025
GRANDE PALLIÈRE DOM. DE LA Côtes-de-provence 853
GRANDE PLEYSSADE CH. LA Bergerac 910
GRANDE SÉOUVE DOM. DE LA Coteaux-d'aix-en-provence 834
GRANDES BRUYÈRES DOM. DES Beaujolais-villages 148
GRANDES COSTES DOM. LES Languedoc 750
GRANDES PIERRES MESLIÈRES DOM. DES Coteaux-d'ancenis 972
GRANDES VERSANNES Bordeaux rosé 198 • Bordeaux supérieur 213
GRANDES VIGNES DOM. LES Anjou 976 • Bonnezeaux 1001 • Coteaux-du-layon 995
GRANDMAISON DOM. DE Pessac-léognan 336
GRANDPRÉ DOM. DE Côtes-de-provence 853
GRANDS CHAMPS LES Lussac-saint-émilion 292
GRANDS CHÊNES CH. LES Médoc 346
GRANDS CRAYS DOM. LES Viré-clessé 592
GRANDS CRUS BLANCS CAVE DES Pouilly-loché 600 • Pouilly-vinzelles 600
GRANDS ESCLANS DOM. DES Côtes-de-provence 853
GRANDS ORMES LES Saint-émilion grand cru 282
GRANDS ORMES DOM. DES Bordeaux 188
GRANDS SILLONS CH. LES Pomerol 255
GRANGE LA Languedoc 750 • Oc 1235
GRANGE DOM. DE LA Cheverny 1060 • Cour-cheverny 1060
GRANGE DOM. DE LA Muscadet-sèvre-et-maine 962
GRANGE DOM. DE LA Touraine 1020
GRANGE BLANCHE DOM. Rasteau sec 1156
GRANGE BOURBON LA Brouilly 152
GRANGE DE BESSAN CH. LA Médoc 346
GRANGE DES DAMES Ventoux 1191
GRANGE LÉON DOM. LA Saint-chinian 775
GRANGE NEUVE DOM. DE Côtes-de-bergerac moelleux 919
GRANGE-NEUVE CH. Pomerol 255
GRANGE-NEUVE VIGNOBLE Beaujolais 143
GRANGE TIPHAINE DOM. LA Montlouis-sur-loire 1052
GRANGENEUVE DOM. DE Grignan-les-adhémar 1187
GRANGER PASCAL Juliénas 165
GRANGÈRE CH. LA Saint-émilion grand cru 282
GRANGERIE DOM. DE LA Mercurey 576
GRANGETTE DOM. LA Languedoc 750
GRANIT BLEU DOM. DU Beaujolais-villages 148
GRANITES ROSES LES Morgon 151
GRANZAMY PÈRE ET FILS Champagne 645
GRAPILLON D'OR DOM. DU Gigondas 1159
GRAPPE DIDIER Côtes-du-jura 701
GRAS ALAIN Auxey-duresses 534 • Saint-romain 537
GRATIEN ALFRED Champagne 645
GRATIOT GÉRARD Champagne 645
GRAUZILS CH. LES Cahors 886
GRAVE CH. LA Minervois 770
GRAVE CH. LA Sainte-croix-du-mont 390
GRAVE CH. DE LA Côtes-de-bourg 236
GRAVE BÉCHADE CH. LA Côtes-de-duras 929
GRAVELIÈRE CH. DE LA Graves 328
GRAVELINES CH. Premières-côtes-de-bordeaux 390 • Bordeaux clairet 195 • Bordeaux rosé 198 • Bordeaux sec 203
GRAVENNES DOM. DES Côtes-du-rhône 1112 • Côtes-du-rhône-villages 1127
GRAVÈRE CRU DE Sainte-croix-du-mont 390
GRAVES CH. LES Blaye-côtes-de-bordeaux 228
GRAVES D'ARDONNEAU DOM. DES Blaye-côtes-de-bordeaux 228 • Bordeaux sec 203
GRAVES DE CHAMP DES CHAILS CH. LES Blaye-côtes-de-bordeaux 227
GRAVES DE VIAUD CH. LES Côtes-de-bourg 236
GRAVETTE LA Languedoc 750
GRAVETTE LACOMBE CH. LA Médoc 346
GRAVETTES-SAMONAC CH. Côtes-de-bourg 236
GRAVIÈRE CH. LA Lalande-de-pomerol 262
GRAVIÈRES CH. LES Saint-émilion grand cru 282
GRAVILLAS CAVE LE Côtes-du-rhône-villages 1128
GRAVILLOT CH. LE Lalande-de-pomerol 262
GREFFE C. Vouvray 1056
GREFFIÈRE CH. DE LA Bourgogne-aligoté 417
GRÉGOIRE DOM. LE Montagny 583
GREINER LAURENCE ET PHILIPPE Alsace muscat 76 • Alsace pinot gris 94
GREMILLET Champagne 645
GRENACHE DE RANCY LE Côtes catalanes 1225
GRENELLE LOUIS DE Crémant-de-loire 953 • Saumur 1004
GRENIÈRE CH. DE LA Lussac-saint-émilion 293
GRÈS SAINT-PAUL Languedoc 750 • Muscat-de-lunel 779
GRÈS SAINT-VINCENT DOM. Côtes-du-rhône-villages 1128
GRÈS SORIAN Languedoc 750
GRESSER DOM. Alsace grand cru 114
GRESSINA CH. Blaye-côtes-de-bordeaux 228
GREYSAC CH. Médoc 346
GRÉZAN CH. Faugères 738
GRÉZAN DOM. DE Oc 1235
GREZAS DOM. DU Côtes-du-rhône-villages 1121
GRÉZETTE DAME DE Côtes du Lot 1220
GRIER DOM. Côtes-du-roussillon 784 • Côtes-du-roussillon-villages 793
GRIFFON DOM. DU Côte-de-brouilly 155
GRILLE CH. DE LA Chinon 1043
GRILLON CH. AU Bordeaux supérieur 213
GRILLON CH. LE Bordeaux supérieur 213
GRILLOT DOM. DE Chablis 430
GRIMARD CH. LES Côtes-de-montravel 922 • Montravel 922

GRIMARDY RÉVÉLATION DE Montravel 922
GRIMAUD LES VIGNERONS DE Côtes-de-provence 853
GRIMONT CH. Bordeaux clairet 195 • Cadillac-côtes-de-bordeaux 322
GRINOU CH. Bergerac sec 916
GRIOCHE VIGNOBLE DE LA Bourgueil 1031
GRIPA DOM. BERNARD Saint-joseph 1141 • Saint-péray 1151
GRIS DES BAURIES DOM. Côtes-du-rhône-villages 1128
GRISARD DOM. Roussette-de-savoie 718 • Vin-de-savoie 714
GRISARD PHILIPPE Vin-de-savoie 714
GRISONI DOM. Canton de Neuchâtel 1280
GRISS DOM. MAURICE Alsace grand cru 114
GRISSAC CH. DE Côtes-de-bourg 236
GRIVAULT ALBERT Meursault 541
GROLET CH. LA Côtes-de-bourg 236
GROLLAY DOM. DU Saint-nicolas-de-bourgueil 1037
GROLLET DOM. DU Charentais 1211
GROS DOM. A.-F. Beaune 516 • Bourgogne-hautes-côtes-de-nuits 450 • Chambolle-musigny 469 • Échézeaux 473 • Pommard 522 • Richebourg 478 • Vosne-romanée 476
GROS CHRISTIAN Aloxe-corton 495
GROS DOM. MICHEL Nuits-saint-georges 482
GROS FRÈRE ET SŒUR DOM. Bourgogne-hautes-côtes-de-nuits 450 • Clos-de-vougeot 472 • Échézeaux 473 • Grands-échézeaux 475 • Richebourg 478
GROS'NORÉ DOM. DU Bandol 826
GROSBOIS DOM. Chinon 1044
GROSSE PIERRE DOM. DE LA Chiroubles 160
GROSSET DOM. Coteaux-du-layon 995
GROSSET DOM. Côtes-du-rhône-villages 1128
GROSSOMBRE DE SAINT-JOSEPH CH. Bordeaux supérieur 213
GROSSOT CORINNE ET JEAN-PIERRE Chablis premier cru 438
GROTTE CAVE LA Canton du Valais 1273
GROUBEAUX DOM. DES Canton de Genève 1278
GRUAUD LAROSE CH. Saint-julien 384
GRUET Champagne 645
GRUET ET FILS G. Champagne 645
GRUHIER Crémant-de-bourgogne 419
GRUMIER MAURICE Champagne 646
GRUSS Alsace gewurztraminer 80 • Crémant-d'alsace 129
GRUSSIUS Corbières 732
GRYPHÉES DOM. LES Beaujolais 172 • Moulin-à-vent 171
GSELL HENRI Alsace grand cru 114
GSELL JOSEPH Alsace pinot noir 102
GUADET CH. Saint-émilion grand cru 283
GUADET PLAISANCE CH. Montagne-saint-émilion 297
GUEIRANNE CH. LA Côtes-de-provence 853
GUEISSARD LES VIGNOBLES Bandol 826 • Côtes-de-provence 853
GUELET DOM. DU Beaujolais-villages 148
GUENAULT DOM. Touraine 1020
GUENEAU ALAIN Sancerre 1095
GUÉRIN PHILIPPE Muscadet-sèvre-et-maine 962
GUERINAUD Pineau-des-charentes 820
GUERRIN NADINE ET MAURICE Mâcon et mâcon-villages 587 • Saint-véran 603
GUÉRY CH. Minervois 770
GUÉRY SERRE DE Oc 1235
GUETH EDGARD Alsace riesling 86
GUETTE-SOLEIL DOM. DU Chablis premier cru 439 • Petit-chablis 424
GUEUGNON REMOND DOM. Mâcon et mâcon-villages 587
GUEYZE LA TUQUE DE Buzet 906
GUIBOT CH. Puisseguin-saint-émilion 300
GUICHE CH. DE LA Montagny 583
GUICHOT CH. Bordeaux supérieur 213
GUILBAUD FRÈRES Cabernet-d'anjou 987
GUILBERT DOM. Alpilles 1242 • Les baux-de-provence 830
GUILDE DES VIGNERONS Côtes-de-provence 854
GUILHEMAS DOM. Béarn 938
GUILHON D'AZE DOM. DE Floc-de-gascogne 946
GUILLAMAN DOM. Côtes de Gascogne 1217
GUILLARD S.C. Gevrey-chambertin 458
GUILLAU DOM. DE Coteaux-du-quercy 891
GUILLAUME VIGNOBLE Franche-Comté 1253
GUILLAUME BLANC CH. Bordeaux supérieur 213
GUILLEMAIN JEAN-SYLVAIN Reuilly 1086
GUILLEMARD-CLERC Puligny-montrachet 547
GUILLEMIN LA GAFFELIÈRE CH. Saint-émilion grand cru 283
GUILLEMOT DOM. PIERRE Savigny-lès-beaune 509
GUILLON ET FILS JEAN-MICHEL Gevrey-chambertin 458 • Marsannay 453 • Mazis-chambertin 465 • Morey-saint-denis 467
GUILLON-NARDOU CH. Francs-côtes-de-bordeaux 310
GUILLOT DOM. PATRICK Mercurey 576
GUILLOT CLAUZEL CH. Pomerol 255
GUILLOTERIE DOM. DE LA Saumur 1004
GUILLOU CH. Montagne-saint-émilion 297
GUIMONIÈRE CH. DE LA Coteaux-du-layon 995
GUINDON DOM. Muscadet-coteaux-de-la-loire 969
GUION DOM. Bourgueil 1031
GUIPIÈRE CH. DE LA Muscadet-sèvre-et-maine 962
GUIRAUD MICHEL ET POMPILIA Saint-chinian 776
GUITIGNAN CH. Moulis-en-médoc 372
GUITON DOM. JEAN Bourgogne 409 • Pommard 522 • Savigny-lès-beaune 509
GUIZARD DOM. Languedoc 750
GUTHMANN AIMÉ Alsace pinot ou klevner 73
GUYARD ALAIN Marsannay 453
GUYON DOM. Clos-de-vougeot 472 • Échézeaux 474 • Gevrey-chambertin 458 • Vosne-romanée 476
GUYON DOM. ANTONIN Corton-charlemagne 504 • Gevrey-chambertin 458
GUYON DOM. DOMINIQUE Pernand-vergelesses 498
GUYONNETS CH. LES Cadillac 387 • Sainte-croix-du-mont 390
GUYOT OLIVIER Bourgogne 409 • Clos-saint-denis 468
GUYOT-GUILLAUME Champagne 646
GUYOT-POUTRIEUX SÉLECTION Champagne 685

H

HAAG JEAN-MARIE Alsace grand cru 114
HAAG ET FILS DOM. ROBERT Alsace pinot noir 102
HABERT JEAN-PAUL Montlouis-sur-loire 1052
HAEFFELIN Alsace pinot gris 94
HAEGELIN BERNARD Alsace pinot gris 94
HAEGI DOM. Alsace grand cru 114 • Alsace muscat 76
HAIE-THESSENTE CH. LA Muscadet-sèvre-et-maine 962
HALBEISEN Alsace gewurztraminer 80
HALLOPIÈRE DOM. DE LA Val de Loire 1207
HAMELIN DOM. Chablis 430
HAMET-SPAY DOM. Beaujolais-villages 148
HAMM Champagne 646
HANSMANN Crémant-d'alsace 129
HANTEILLAN CH. Haut-médoc 357
HÄREMILLEN Moselle luxembourgeoise 1258
HARMAND-GEOFFROY Gevrey-chambertin 458 • Mazis-chambertin 465
HARTMANN ANDRÉ Alsace grand cru 115
HARTMANN DOM. ALICE Moselle luxembourgeoise 1258
HARTMANN GÉRARD ET SERGE Alsace grand cru 115
HARTWEG Alsace grand cru 115 • Alsace pinot gris 95
HATON JEAN-NOËL Champagne 646
HAUCHAT CH. Fronsac 246
HAULLER ET FILS JEAN Alsace riesling 86
HAURA CH. Cérons 391 • Graves 326
HAUT-BACALAN CH. Pessac-léognan 336
HAUT-BAGES MONPELOU CH. Pauillac 376
HAUT-BAILLY CH. Pessac-léognan 336

HAUT-BAJAC CH. Côtes-de-bourg 236
HAUT BALLET CH. Fronsac 246
HAUT-BARADIEU CH. Saint-estèphe 380
HAUT-BERGERON CH. Sauternes 394
HAUT-BERGEY CH. Pessac-léognan 337
HAUT BERNASSE CH. Côtes-de-bergerac 917
HAUT-BERNAT CH. Puisseguin-saint-émilion 300
HAUT-BEYCHEVELLE GLORIA CH. Saint-julien 384
HAUT-BEYZAC CH. Haut-médoc 357
HAUT-BICOU CH. Bordeaux 188
HAUT-BLAIGNAN Médoc 346
HAUT-BLANVILLE CH. Languedoc 751
HAUT BONNEAU CH. Montagne-saint-émilion 297
HAUT BOURG DOM. DU Gros-plant-du-pays-nantais 968 • Muscadet-côtes-de-grand-lieu 968
HAUT BRILLETTE Moulis-en-médoc 372
HAUT-BRION CH. Pessac-léognan 337
HAUT-BRION LA CLARTÉ DE Pessac-léognan 337
HAUT-BRION LE CLARENCE DE Pessac-léognan 337
HAUT-BRISSON CH. Saint-émilion grand cru 283
HAUT-CANTELOUP CH. Blaye-côtes-de-bordeaux 228
HAUT-CAPITOLE Fronton 902
HAUT-CARLES Fronsac 245
HAUT-CAZEVERT CH. Bordeaux 188 • Entre-deux-mers 312
HAUT-CHAIGNEAU CH. Lalande-de-pomerol 262
HAUT CHATAIN CH. Lalande-de-pomerol 262
HAUT-COLOMBIER CH. Blaye-côtes-de-bordeaux 228
HAUT CONDISSAS CH. Médoc 346
HAUT-CORBIN CH. Saint-émilion grand cru 283
HAUT COULON CH. DE Cadillac-côtes-de-bordeaux 320
HAUT COUSTET CH. Sauternes 395
HAUT-D'ARZAC CH. Bordeaux rosé 198
HAUT DAMBERT AGAPE DU CH. Bordeaux supérieur 214
HAUT DE LA BÉCADE CH. Pauillac 376
HAUT DE SENAUX Oc 1237
HAUT FRESNE DOM. DU Anjou 976 • Coteaux-d'ancenis 969 • Muscadet-coteaux-de-la-loire 969
HAUT GAYAT CH. Graves-de-vayres 316
HAUT GRAMONS CH. Graves 328
HAUT-GRAVET CH. Saint-émilion grand cru 283
HAUT-GRELOT CH. Blaye-côtes-de-bordeaux 228
HAUT-GRILLON CH. DU Sauternes 395
HAUT GUÉRIN CH. DU Blaye-côtes-de-bordeaux 229
HAUT GUILLEBOT Atlantique 1211
HAUT JEAN REDON CH. Côtes-de-bordeaux-saint-macaire 323
HAUT LA GRÂCE DIEU CH. Saint-émilion grand cru 283
HAUT LA VALETTE CH. Blaye-côtes-de-bordeaux 229
HAUT LAMOUTHE CH. Bergerac 910 • Bergerac rosé 910
HAUT LARIVEAU CH. Canon-fronsac 244
HAUT-LAVERGNE CH. Saint-émilion 267
HAUT-LAVIGNÈRE CH. Saint-émilion grand cru 283
HAUT LIGNIÈRES CH. Faugères 738
HAUT MALLET CH. Entre-deux-mers 312
HAUT-MARBUZET CH. Saint-estèphe 381
HAUT-MAURAC CH. Médoc 347
HAUT MAURIN CH. Bordeaux sec 203 • Cadillac 387
HAUT-MAYNE CH. Sauternes 395
HAUT MEYREAU CH. Bordeaux 188 • Bordeaux rosé 198
HAUT-MONDAIN CH. Bordeaux rosé 198
HAUT-MONGEAT CH. Bordeaux clairet 195
HAUT-MONPLAISIR CH. Cahors 886
HAUT MONTLONG DOM. Bergerac sec 916 • Monbazillac 916
HAUT-MOULEYRE CH. Bordeaux sec 203 • Cadillac 387
HAUT-MOULEYRE S Bordeaux 188
HAUT-MOUSSEAU CH. Côtes-de-bourg 241
HAUT-MYLÈS CH. Médoc 344
HAUT NADEAU CH. Bordeaux supérieur 214
HAUT-NOUCHET CH. Pessac-léognan 337
HAUT PAÏS LE Périgord 1212
HAUT PANET CH. Canon-fronsac 244
HAUT-PÉCHARMANT DOM. DU Pécharmant 924
HAUT PERRON ROUGE DOM. DU Touraine 1015
HAUT PERTHUS CH. Bergerac 910
HAUT-PEYCHEZ CH. Fronsac 247
HAUT PEZAUD CH. DU Bergerac rosé 914
HAUT-PLANTADE CH. Pessac-léognan 338
HAUT-POITOU CAVE DU Haut-poitou 816
HAUT-POMMARÈDE CH. Graves 328
HAUT POUGNAN CH. Bordeaux 188 • Bordeaux supérieur 214
HAUT-POURRET CH. Saint-émilion grand cru 284
HAUT-PRADIER CH. Côtes-de-bourg 238
HAUT-QUERCY LES VIGNERONS DU Coteaux de Glanes 1215
HAUT-REYS CH. Graves 328
HAUT RIAN CH. Bordeaux sec 203 • Cadillac-côtes-de-bordeaux 320 • Entre-deux-mers 312
HAUT-RIEUFLAGET GRAND JUAN DU CH. Bordeaux supérieur 214
HAUT-ROZIER CH. Francs-côtes-de-bordeaux 311
HAUT SAINT-BRICE CH. Saint-émilion grand cru 286
HAUT-SAINT-GEORGES CH. Saint-georges-saint-émilion 302
HAUT-SARPE CH. Saint-émilion grand cru 284
HAUT-SEGOTTES CH. Saint-émilion grand cru 284
HAUT SELVE CH. Graves 324
HAUT-SURGET CH. Lalande-de-pomerol 262
HAUT-TERRIER CH. Blaye-côtes-de-bordeaux 229
HAUT TROCARD LA GRÂCE DIEU PASSION DU CH. Saint-émilion grand cru 281
HAUT-VALENTIN CH. Cadillac 387
HAUT VEYRAC CH. Saint-émilion grand cru 284
HAUT VIEUX CHÊNE CH. Bordeaux 189
HAUT-VIGNEAU CH. Blaye 223
HAUTE-BORIE CH. Cahors 886
HAUTE-COUR DE LA DÉBAUDIÈRE Muscadet-sèvre-et-maine 963
HAUTE-FONROUSSE CH. Côtes-de-bergerac moelleux 919
HAUTE MOLIÈRE DOM. DE Fleurie 162
HAUTE-NAUVE CH. Saint-émilion grand cru 283
HAUTE-PERCHE DOM. DE Anjou-villages-brissac 983
HAUTERIVE LE HAUT CH. Corbières 732
HAUTES BRIGUIÈRES DOM. LES Vaucluse 1248 • Ventoux 1191
HAUTES CANCES DOM. LES Côtes-du-rhône 1112 • Côtes-du-rhône-villages 1128
HAUTS CHÂSSIS DOM. DES Crozes-hermitage 1146
HAUTS DE CAILLEVEL CH. LES Côtes-de-bergerac 920 • Monbazillac 920
HAUTS DE JANEIL LES Oc 1235
HAUTS DE LA GAFFELIÈRE LES Bordeaux 189
HAUTS DE LA QUEYRONNIÈRE LES Gigondas 1161
HAUTS DE PALETTE CH. LES Cadillac-côtes-de-bordeaux 320
HAUTS DE RIQUETS LES Côtes-de-duras 929
HAUTS DE SAINT-ROME LES Clairette-du-languedoc 727
HAUTS DE TALMONT LES Charentais 1211
HAUTS DE TOUSQUIRON LES Médoc 347
HAUTS PERRAYS DOM. DES Rosé-d'anjou 984
HAYE CH. LA Saint-estèphe 381
HAYES DOM. DES Beaujolais-villages 148
HEBINGER CHRISTIAN ET VÉRONIQUE Alsace pinot gris 95
HÉBRART Champagne 646
HECHT & BANNIER Bandol 826 • Languedoc 751
HEIDSIECK CHARLES Champagne 646
HEIDSIECK ET C^O^ MONOPOLE Champagne 646
HEIMBOURGER DOM. Bourgogne 409
HÉLÈNE DE CHOISEUL Champagne 647

HELYOS Banyuls 799
HÉNIN PASCAL Champagne 647
HÉNIN-DELOUVIN Champagne 647
HENRI Cadillac-côtes-de-bordeaux 320
HENRIET-BAZIN D. Champagne 647
HENRIOT Champagne 647
HENRY PASCAL Bourgogne-aligoté 417
HÉRAULT DOM. ÉRIC Chinon 1044
HERBAUGES DOM. DES Muscadet-côtes-de-grand-lieu 968
HERBE SAINTE CH. DE L' Minervois 770 • Oc 1235
HERBERT STÉPHANE Champagne 647
HERMITAGE DOM. DE L' Bandol 827
HERMITAGE SAINT-MARTIN DOM. Var 1247
HERTZ BRUNO Alsace grand cru 115
HERTZ VICTOR Alsace gewurztraminer 80
HERTZOG Alsace riesling 87
HERVELYNE DOM. D' Régnié 174
HERVIEUX-DUMEZ Champagne 648
HERZOG ÉMILE Alsace grand cru 115
HEUCQ PÈRE ET FILS Champagne 648
HEYBERGER MICHEL Alsace gewurztraminer 81
HEYBERGER ROGER Alsace muscat 76
HOMS DOM. DES Minervois 770
HORCHER Alsace grand cru 115
HORDÉ DOM. Arbois 694 • Côtes-du-jura 701
HORTALA CH. Corbières 732
HORTENSE CUVÉE Bordeaux rosé 198
HORTUS DOM. DE L' Languedoc 751 • Saint-Guilhem-le-Désert 1241
HOSANNA CH. Pomerol 255
HOSPICES CATALANS Côtes catalanes 1225 • Côtes-du-roussillon 784
HOSPICES DE COLMAR Alsace pinot gris 95
HOSPITAL CH. L' Côtes-de-bourg 237
HOSTE BLANC CH. DE L' Entre-deux-mers 313
HOSTENS-PICANT CH. Sainte-foy-bordeaux 317
HOUBLIN DOM. JEAN-LUC Bourgogne 410
HOUDET VIGNOBLE Coteaux-du-layon 995
HOURS CHARLES Jurançon 943
HOURTOU CH. Côtes-de-bourg 237
HOUSSAIS DOM. DE LA Val de Loire 1207
HOUX ALAIN ET ARNAUD Bourgueil 1031
HUBER ET BLÉGER Alsace pinot noir 102
HUBER-VERDEREAU DOM. Pommard 522 • Puligny-montrachet 547
HUEBER Alsace pinot gris 95
HUET L.B. Viré-clessé 592
HUGG MARCEL Alsace riesling 87
HUGHES BEGUET Arbois 694
HUGON CH. Pécharmant 925
HUGUENOT Gevrey-chambertin 458
HUGUET DOM. Cheverny 1061
HUIBAN AUGUSTE Champagne 648
HUMBERT FRÈRES DOM. Gevrey-chambertin 459
HUMBRECHT Alsace riesling 87
HUMBRECHT BERNARD Alsace gewurztraminer 81
HUMBRECHT P. Alsace riesling 87
HUNAWIHR CAVE VINICOLE DE Alsace grand cru 115 • Crémant-d'alsace 130
HUNOLD Alsace grand cru 116
HUOT FILS L. Champagne 648
HURÉ FRÈRES Champagne 648
HUREAU CH. DU Saumur 1004 • Saumur-champigny 1010
HURST A. Alsace pinot ou klevner 73
HUSSON ET FILS ROBERT Champagne 648
HUTINS LES Canton de Genève 1278
HYVERNIÈRE CH. DE L' Muscadet-sèvre-et-maine 963

I

IDYLLE DOM. DE L' Vin-de-savoie 714
ILIXENS Bordeaux 189
ILLE CH. DE L' Corbières 732
ILRHÉA Pineau-des-charentes 820
ILTIS JACQUES Alsace grand cru 116
IN VINO EROTICO Coteaux du Libron 1223
INSOUCIANCE CH. L' Saint-estèphe 381
INSOUMISE CH. L' Bordeaux 189 • Bordeaux supérieur 214
INSTANT MALBEC L' Côtes du Lot 1221
ISENBOURG CH. Alsace riesling 87
ISLE FORT CH. L' Bordeaux supérieur 214
ISSAN CH. D' Margaux 367
ISSELÉE ÉRIC Champagne 648

J

J & D DOM. Ventoux 1191
JABOULET DOM. PHILIPPE ET VINCENT Cornas 1151 • Crozes-hermitage 1146 • Hermitage 1149
JABOULET-VERCHERRE Bourgogne-passetoutgrain 415 • Meursault 542
JACOB DOM. Aloxe-corton 495 • Corton 501 • Corton-charlemagne 505 • Ladoix 493
JACOB DOM. LUCIEN Bourgogne-hautes-côtes-de-beaune 488 • Savigny-lès-beaune 509
JACOB-FRÈREBEAU Pernand-vergelesses 498
JACQUART Champagne 649
JACQUART ANDRÉ Champagne 649
JACQUELINE XAVIER Vin-de-savoie 714
JACQUET CH. Bordeaux 189
JACQUET SÉVERINE ET LIONEL Bourgogne 410
JACQUIN DOM. EDMOND Roussette-de-savoie 718 • Vin-de-savoie 714
JACUMIN DOM. ALBIN Côtes-du-rhône 1112
JADOT LOUIS Bâtard-montrachet 550 • Pernand-vergelesses 498
JAEGER-DEFAIX DOM. Rully 571
JAFFELIN Gevrey-chambertin 459 • Pernand-vergelesses 498 • Saint-romain 537
JAILLANCE Clairette-de-die 1153 • Crémant-de-bordeaux 222
JALE DOM. DE Côtes-de-provence 854
JALGUE CH. LA Bordeaux supérieur 214
JALLET DOM. Saint-pourçain 1089
JALOUSIE DOM. LA Chinon 1044
JAMAIN PIERRE Champagne 649
JAMARD BELCOUR CH. Lussac-saint-émilion 293
JAMBON DOM. DOMINIQUE Morgon 169
JAMBON ROMAIN Brouilly 152
JAMBON ET FILS DOM. MARC Mâcon et mâcon-villages 587 • Pouilly-vinzelles 600
JANASSE DOM. DE LA Châteauneuf-du-pape 1172 • Côtes-du-rhône-villages 1128 • Principauté d'Orange 1246
JANISSON PH. Champagne 649
JANISSON ET FILS Champagne 649
JANISSON-BARADON ET FILS Champagne 649
JANOTSBOS Bourgogne 410 • Saint-aubin 557
JANVIER PASCAL Coteaux-du-loir 1049
JARDINS DE CYRANO LES Bergerac rosé 914 • Bergerac sec 914
JARENTES DOM. DE Beaujolais 143
JARNOTERIE VIGNOBLE DE LA Saint-nicolas-de-bourgueil 1038
JAS DOM. DU Côtes-du-rhône-villages 1128
JAS D'ESCLANS Côtes-de-provence 854
JAS DE COLLAVERY DOM. DU Bouches-du-Rhône 1242
JASSE CASTEL LA Languedoc 751
JASSE D'ISNARD DOM. LA Oc 1236
JASSON CH. DE Côtes-de-provence 854
JAU CH. DE Côtes-du-roussillon 784
JAUBERTIE CH. DE LA Bergerac 911 • Bergerac sec 911
JAUME ALAIN Châteauneuf 1177
JAUME PASCAL ET RICHARD Vinsobres 1154
JAUME ET FILS ALAIN Côtes-du-rhône 1112 • Gigondas 1159
JAVERNAND CH. DE Chiroubles 160
JAVERNIÈRE DOM. DE Morgon 169
JAVILLIER PATRICK Bourgogne 410 • Meursault 541
JAYLE CH. DE Côtes-de-bordeaux-saint-macaire 323
JEAN DE GUÉ CH. Lalande-de-pomerol 263
JEAN ET FILS DOM. GUY-PIERRE Bourgogne-hautes-côtes-de-nuits 450
JEANDEAU DENIS Saint-véran 603 • Viré-clessé 592
JEANDEMAN CH. Fronsac 247
JEANNETTE CH. LA Côtes-de-provence 854
JEANNIARD ALAIN Côte-de-nuits-villages 485 • Fixin 455

JEAUNAUX-ROBIN Champagne 650
JESSIAUME DOM. Beaune 516 • Santenay 562
JESSIAUME MAISON Chambolle-musigny 469 • Clos-de-vougeot 472 • Corton 501 • Pommard 522
JOANNET DOM. Bourgogne-hautes-côtes-de-nuits 450 • Pernand-vergelesses 498
JOBARD CLAUDIE Rully 571
JOBART ABEL Champagne 650
JOGGERST Alsace grand cru 116
JOGUET CHARLES Chinon 1044
JOILLOT JEAN-LUC Pommard 522
JOININ CH. Bordeaux 189
JOLIET CH. Fronton 902
JOLIET DOM. Fixin 455
JOLIETTE DOM. Côtes-du-roussillon-villages 793 • Muscat-de-rivesaltes 808 • Rivesaltes 804
JOLLY RENÉ Champagne 650
JOLLY FERRIOL DOM. Rivesaltes 804
JOLY CLAUDE ET CÉDRIC Côtes-du-jura 702
JOLY DOM. VIRGILE Languedoc 751
JOLYS CH. Jurançon 941
JOMARD PIERRE ET JEAN-MICHEL Coteaux-du-lyonnais 178
JONCIER DOM. DU Lirac 1177
JONCIEUX CH. LE Blaye-côtes-de-bordeaux 229
JONQUIÈRES CH. DE Languedoc 751 • Hérault 1231
JORDI DOM. Saumur-champigny 1010
JORDY DOM. Languedoc 752
JOREZ BERTRAND Champagne 650
JOSEPH PERRIER Champagne 650
JOSSELIN JEAN Champagne 650
JOUAN OLIVIER Chambolle-musigny 470
JOUARD DOM. GABRIEL ET PAUL Chassagne-montrachet 554 • Santenay 562
JOUARD DOM. VINCENT ET FRANÇOIS Chassagne-montrachet 554
JOUCLARY CH. Cabardès 726
JOULIN DOM. Saumur-champigny 1011
JOULIN ET FILS ALAIN Montlouis-sur-loire 1052
JOUR DE SOIF Bourgueil 1031
JOURDAIN FRANCIS Valençay 1066
JOURDAN GILLES Côte-de-nuits-villages 485
JOUSSELINIÈRE CH. Muscadet-sèvre-et-maine 963
JOUVENTE CH. Graves 328
JOŸ DOM. DE Floc-de-gascogne 946
JOYEUSE DOM. LA Moselle 135
JUGE CH. LE Sauternes 395
JUILLARD FRANCK Saint-amour 176
JUILLOT DOM. MICHEL Mercurey 576
JÜLG MAISON Alsace muscat 76
JULIA CH. Pauillac 376
JULIAN CH. Bordeaux supérieur 214
JULIEN CH. Haut-médoc 358
JULIEN DE SAVIGNAC Bergerac rosé 914
JULIENNE DOM. DE LA Coteaux-varois-en-provence 839
JULLION THIERRY Pineau-des-charentes 820
JUMELLES DOM. DES Beaujolais-villages 147
JUMERT CHARLES Coteaux-du-vendômois 1064
JUNAYME CH. Canon-fronsac 243
JUNCARRET CH. Graves-de-vayres 316
JUND MAISON MARTIN Alsace gewurztraminer 81
JUPILLE CARILLON CH. Saint-émilion 267
JURA-PLAISANCE CH. Montagne-saint-émilion 297
JURAT CH. LE Saint-émilion grand cru 283
JURQUE CH. DE Jurançon 941
JUSTICES CH. LES Sauternes 395
JUSTIN GUY Roussette-de-savoie 718

K

KACI STÉPHANE Côtes-du-rhône 1112
KALIAN CH. Monbazillac 920
KALON NODOZ CH. Côtes-de-bourg 237
KAMM Alsace grand cru 116
KARANTES CH. DES Languedoc 752
KARCHER Alsace sylvaner 75
KEHREN – DENIS MEYER DOM. Crémant-d'alsace 130
KELHETTER Alsace pinot ou klevner 73
KELLNER CHARLES Crémant-d'alsace 130
KENNEL VIGNOBLE Côtes-de-provence 854
KERLANN HERVÉ Bourgogne 410
KETTY CH. Sauternes 395
KIENTZ Alsace riesling 87
KIRWAN CH. Margaux 368
KLÉE ALBERT Alsace grand cru 116
KLÉE HENRI Alsace grand cru 116 • Alsace pinot gris 95
KLÉE FRÈRES Alsace pinot gris 95
KLEIN RAYMOND ET MARTIN Alsace muscat 77
KLEIN-BRAND Alsace pinot noir 102
KLIPFEL Alsace grand cru 116
KLUR Alsace grand cru 117
KOEHLER ET FILS JEAN-CLAUDE Alsace grand cru 117
KOEHLY Alsace pinot gris 95
KOHLL-LEUCK DOM. Moselle luxembourgeoise 1258
KOX DOM. L. & R. Moselle luxembourgeoise 1258
KRAFT LAURENT Vouvray 1056
KRESSMAN Sauternes 394
KRESSMANN Bordeaux 189 • Bordeaux sec 203
KREYDENWEISS MARC Alsace pinot gris 96 • Alsace riesling 87 • Costières-de-nîmes 1183
KRUG Champagne 651
KUBLER PAUL Alsace grand cru 117 • Alsace sylvaner 75
KUEHN Alsace grand cru 117
KUENTZ Alsace grand cru 117
KUHLMANN-PLATZ Alsace grand cru 117
KUHNEL A. & A. Moulin-à-vent 172
KUMPF ET MEYER DOM. Alsace grand cru 117
KUONEN GREGOR Canton du Valais 1273

L

L DE LÉZIGNAN Corbières 731
L'HOSTE PÈRE ET FILS Champagne 658
LABADIE CH. Médoc 347
LABAIGT DOM. DE Landes 1212
LABASTIDE Côtes du Tarn 1220
LABASTIDE CAVE DE Gaillac 894
LABAT CH. Haut-médoc 358
LABBE ET FILS Champagne 651
LABÉGORCE CH. Margaux 368
LABET DOM. Côtes-du-jura 702
LABET JULIEN Côtes-du-jura 702
LABLACHÈRE CAVE Ardèche 1250
LABORBE-JUILLOT DOM. Givry 580 • Rully 572
LABORDERIE MONDÉSIR CH. Lalande-de-pomerol 263
LABOTTIÈRE RÉSERVE Bordeaux sec 203
LABOURÉ GONTARD BLANC Crémant-de-bourgogne 420
LABOURONS CH. DES Fleurie 162
LABRANCHE LAFFONT DOM. Madiran 932 • Pacherenc-du-vic-bilh 933
LABRUYÈRE DOM. Moulin-à-vent 172
LABRY DOM. Auxey-duresses 534
LABRY GILLES Bourgogne-hautes-côtes-de-beaune 488
LAC CAVE DU Canton du Valais 1273
LAC LES VIGNOBLES DU Rosette 926
LACAPELLE CABANAC CH. Cahors 886
LACAUSSADE SAINT-MARTIN CH. Blaye-côtes-de-bordeaux 229
LACHAUX DOM. DE Côtes-d'auvergne 1071
LACHETEAU Rosé-d'anjou 984
LACOMBE NOAILLAC CH. Médoc 352
LACOUR JACQUET CH. Haut-médoc 358
LACOURTE-GODBILLON Champagne 651
LACOUTURE CH. Côtes-de-bourg 237
LACROIX CH. DE Côtes-du-roussillon 785 • Muscat-de-rivesaltes 808 • Rivesaltes 804
LACROUX CH. DE Gaillac 894
LACULLE Champagne 651
LADESVIGNES CH. Monbazillac 920
LAFAGE DOM. Côtes catalanes 1225 • Côtes-du-roussillon 785 • Muscat-de-rivesaltes 808
LAFAGE DOM. DE Coteaux-du-quercy 891
LAFARGUE CH. Pessac-léognan 338
LAFFITTE-TESTON CH. Madiran 935 • Pacherenc-du-vic-bilh 935
LAFFONT Madiran 933
LAFFORGUE DOM. Côtes catalanes 1225
LAFITE CARRUADES DE Pauillac 376
LAFITE ROTHSCHILD CH. Pauillac 377
LAFITTE CH. Jurançon 941
LAFITTE CHARLES Champagne 651

LAFLEUR DE HAUTE-SERRE CH. Cahors 887
LAFON JEAN Blanquette-de-limoux 763
LAFON-ROCHET CH. Saint-estèphe 381
LAFOND CH. Canon-fronsac 244
LAFOND CLAUDE Reuilly 1087
LAFOND ROC-ÉPINE DOM. Châteauneuf-du-pape 1172 • Côtes-du-rhône 1112 • Lirac 1177 • Tavel 1180
LAFONT-MENAUT CH. Pessac-léognan 338
LAFOREST JEAN-MARC Brouilly 174 • Régnié 174
LAFORÊT CH. Bordeaux supérieur 214
LAFOUX CH. Coteaux-varois-en-provence 839
LAFRAN-VEYROLLES DOM. Bandol 827
LAGARDE LES HAUTS DE Bordeaux supérieur 215
LAGARÈRE CH. Bordeaux 190
LAGILLE ET FILS Champagne 651
LAGNEAU DOM. Beaujolais-villages 149 • Régnié 174
LAGNET CH. Bordeaux 192 • Bordeaux supérieur 220
LAGORCE CH. DE Bordeaux 189
LAGORCE BERNADAS CH. Moulis-en-médoc 373
LAGRANGE CH. Cadillac-côtes-de-bordeaux 320 • Entre-deux-mers 312
LAGRANGE CH. Pomerol 255
LAGRANGE CH. Saint-julien 385
LAGRAVE-AUBERT CH. Castillon-côtes-de-bordeaux 306
LAGRÉZETTE CH. Cahors 886
LAGUILHON DOM. Jurançon 941
LAGUNE CH. LA Haut-médoc 358
LAGUNE DE MERCEY CH. LA Bordeaux 189
LAHAYE DOM. MICHEL Pommard 522
LAHAYE VINCENT Pommard 523
LAIDIÈRE DOM. DE LA Bandol 827
LAISSUS FRÉDÉRIC Régnié 174
LAJARRE CH. Bordeaux supérieur 215
LALANDE CH. Listrac-médoc 363
LALANDE CH. Saint-julien 385
LALANDE BORIE CH. Saint-julien 385
LALANDE-LABATUT CH. Entre-deux-mers 312
LALAUDEY CH. Moulis-en-médoc 373
LALAURIE DOM. Coteaux de Narbonne 1224 • Oc 1236
LALIS CH. Corbières 733
LALLEMENT ALAIN Champagne 652
LALOUE DOM. SERGE Sancerre 1095
LAMARCHE CANON CH. Canon-fronsac 244
LAMARLIÈRE PHILIPPE Champagne 652
LAMARQUE CH. DE Haut-médoc 358
LAMARTINE CH. Cahors 886
LAMARZELLE CORMEY CH. Saint-émilion grand cru 284
LAMAZOU DOM. Béarn 938
LAMBERT FRÉDÉRIC Côtes-du-jura 702 • Crémant-du-jura 705
LAMBERT PATRICK Chinon 1044
LAMBERT DE SEYSSEL Seyssel 719
LAMBLIN Petit-chablis 424
LAMBLIN ET FILS Chablis 431 • Chablis grand cru 444 • Chablis premier cru 439
LAMBLOT Champagne 652
LAMOTHE CH. Côtes-de-bourg 237
LAMOTHE DOM. DE Gaillac 894
LAMOTHE BELAIR CH. Bergerac rosé 911
LAMOTHE BELLEVUE CH. Bergerac 911
LAMOTHE-CISSAC CH. Haut-médoc 358
LAMOTHE DE HAUX CH. Bordeaux sec 204
LAMOTHE GUIGNARD CH. Sauternes 395
LAMOTHE-VINCENT CH. Bordeaux 190 • Bordeaux sec 204 • Bordeaux supérieur 215
LAMOUREUX GUY Champagne 652
LAMY HUBERT Chassagne-montrachet 554 • Puligny-montrachet 547 • Saint-aubin 557
LAMY-PILLOT DOM. Chassagne-montrachet 554 • Saint-aubin 557
LANCELOT CLAUDE Champagne 652
LANCELOT-PIENNE Champagne 652
LANCELOT-ROYER P. Champagne 653
LANCELOT-WANNER Y. Champagne 653
LANCYRE CH. DE Languedoc 752
LANDE CH. LA Bordeaux 190
LANDE DOM. DE LA Bourgueil 1031 • Chinon 1044
LANDE DOM. DE LA Monbazillac 921
LANDE DE TALEYRAN CH. LA Entre-deux-mers 312
LANDEREAU CH. Entre-deux-mers 312
LANDES CH. DES Lussac-saint-émilion 293
LANDIRAS CH. DE Graves 328
LANDMANN DOM. Alsace pinot noir 102
LANDMANN SEPPI Alsace grand cru 118
LANDON DOM. DE Pineau-des-charentes 820
LANDONNE LA Côte-rôtie 1136
LANDRAT-GUYOLLOT DOM. Pouilly-fumé 1081 • Pouilly-sur-loire 1081
LANDREAU DOM. DE Crémant-de-loire 954
LANDREAU VILLAGE DOM. DU Muscadet-sèvre-et-maine 963
LANGEL MAURIAC CH. Bordeaux 188
LANGLOIS Crémant-de-loire 954
LANGLOIS GILLES Pouilly-fumé 1081
LANGLOIS MICHEL Coteaux-du-giennois 1069
LANGLOIS-CHATEAU DOM. Saumur 1004
LANGOA BARTON CH. Saint-julien 385
LANGOIRAN CH. Cadillac-côtes-de-bordeaux 320
LANGOUREAU DOM. SYLVAIN Saint-aubin 557
LANIOTE CH. Saint-émilion grand cru 284
LANNAC SAINT-JEAN Cahors 887
LANSON Champagne 653
LANZAC DOM. DE Tavel 1180
LAOUGUÉ DOM. Madiran 935 • Pacherenc-du-vic-bilh 935
LAPERRE-COMBES Madiran 931
LAPEYRE DOM. Béarn 938
LAPEYRE VITATGE VIELH DE Jurançon 941
LAPIERRE BERNARD Pouilly-fuissé 597 • Saint-véran 603
LAPLACE DOM. DE Côtes-de-duras 929
LAPORTE Sancerre 1095
LAPORTE DOM. Muscat-de-rivesaltes 808
LAPORTE DOM. SERGE Sancerre 1095
LAPUYADE CH. Jurançon 942
LARDIT CH. Castillon-côtes-de-bordeaux 307
LARDY LUCIEN Fleurie 163
LARGEOT DANIEL Aloxe-corton 495 • Chorey-lès-beaune 513
LARIBOTTE CH. Sauternes 396
LARIGAUDIÈRE TRIANON DE Margaux 368
LARIVEAU CH. Canon-fronsac 244
LARMANDIER GUY Champagne 653
LAROCHE CH. Cadillac-côtes-de-bordeaux 321
LAROCHE CH. Côtes-de-bourg 237
LAROCHE DOM. Chablis 431 • Chablis premier cru 439
LAROCHE BEL AIR CH. Cadillac-côtes-de-bordeaux 321
LAROCHE-CLAUZET Médoc 344
LAROCHE-JOUBERT CH. Côtes-de-bourg 237
LAROCHE-PIERRE DOM. Chablis 431 • Petit-chablis 424
LAROCHETTE FABRICE Pouilly-fuissé 597 • Pouilly-vinzelles 600
LAROPPE VINCENT Côtes-de-toul 134
LAROQUE CH. Margaux 366
LAROQUE CH. Saint-émilion grand cru 284
LAROSE PERGANSON CH. Haut-médoc 358
LAROSE-TRINTAUDON CH. Haut-médoc 358
LAROZE CH. Saint-émilion grand cru 285
LAROZE DE DROUHIN Gevrey-chambertin 459
LARRAT CH. Blaye-côtes-de-bordeaux 229
LARRIEU TERREFORT CH. Margaux 368
LARRIVAUX CH. Haut-médoc 358
LARRIVET HAUT-BRION CH. Pessac-léognan 338
LARROQUE CH. Bordeaux sec 204
LARROQUE DOM. DE Gaillac 894
LARROQUE-VERSAINES CH. Bordeaux supérieur 215
LARROUDÉ Jurançon 942
LARTEAU CH. Bordeaux supérieur 215
LARTIGUE DOM. DE Côtes de Gascogne 1217 • Floc-de-gascogne 946
LARUE DOM. Saint-aubin 557

LARY CH. Bordeaux 190
LARZAC DOM. DE Oc 1236
LASCAUX ANCÊTRE DE Bordeaux supérieur 215
LASCAUX CH. Bordeaux 190 • Bordeaux sec 204
LASCAUX CH. DE Languedoc 752
LASCOMBES CH. Margaux 368
LASCOURS CH. DE Languedoc 752
LASSAGNE DOM. Juliénas 176 • Saint-amour 176
LASSAIGNE GÉRARD Champagne 653
LASSALLE CH. Graves 328
LASSARAT ROGER Pouilly-fuissé 597 • Saint-véran 604
LASSÈGUE Saint-émilion grand cru 285
LASTOURS CH. Gaillac 894
LASTOURS CH. DE Corbières 733
LASTRONQUES DOM. DE Ariège 1213
LATEYRON Crémant-de-bordeaux 222
LATHIBAUDE CH. Graves-de-vayres 317
LATHUILIÈRE DOM. Brouilly 153
LATHUILIÈRE-GRAVALLON Fleurie 169 • Morgon 169
LATITUDE 44 Languedoc 752
LATOUR CH. Pauillac 377
LATOUR LES FORTS DE Pauillac 377
LATOUR LOUIS Ardèche 1250 • Beaune 517 • Chassagne-montrachet 555
LATOUR VINCENT Meursault 541
LATOUR À POMEROL CH. Pomerol 255
LATOUR ET FILS HENRI Auxey-duresses 534 • Bourgogne-hautes-côtes-de-beaune 488 • Meursault 542
LATOUR-GIRAUD DOM. Meursault 542
LATOUR-LABILLE ET FILS JEAN Saint-aubin 558
LATOUR-MARTILLAC CH. Pessac-léognan 338
LATREILLE-SOUNAC CH. Madiran 933
LATTES CH. LES Médoc 347
LAUBAREL DOM. Gaillac 894
LAUBESSE DOM. DE Floc-de-gascogne 946
LAUDUC CH. Bordeaux supérieur 215
LAULAN DOM. DE Côtes-de-duras 930
LAULAN DUCOS CH. Médoc 347
LAULERIE CH. Bergerac 911 • Montravel 911
LAUNAY PIERRE Champagne 653
LAUNES CH. DES Côtes-de-provence 855
LAUNOIS PÈRE ET FILS Champagne 654
LAURENS DOM. J. Blanquette-de-limoux 763
LAURENT DOM. Tavel 1180
LAURENT FAMILLE Saint-pourçain 1089
LAURENT-GABRIEL Champagne 654
LAURENT-PERRIER Champagne 654
LAURETS LES Puisseguin-saint-émilion 300
LAURIBERT DOM. DES Côtes-du-rhône 1113 • Côtes-du-rhône-villages 1129
LAURIBERT LES Vaucluse 1248
LAURIERS CH. DES Languedoc 752
LAURIGA CH. Côtes-du-roussillon 785 • Muscat-de-rivesaltes 809
LAURIGA DOM. Côtes catalanes 1226
LAUROU CH. Fronton 902
LAUSSAC CH. DE Castillon-côtes-de-bordeaux 307
LAUVERJAT CHRISTIAN Sancerre 1096
LAUZADE CH. Côtes-de-provence 855
LAUZETTE-DECLERCQ CH. LA Haut-médoc 359
LAVALLADE CH. Saint-émilion grand cru 285
LAVANTUREUX ROLAND Chablis 431 • Petit-chablis 424
LAVAU Côtes-du-rhône 1114 • Tavel 1180
LAVERNETTE CH. DE Pouilly-fuissé 597
LAVIGNE DOM. Saumur-champigny 1011
LAVIGNE-VÉRON DOM. Saumur-champigny 1011
LAVILLE CH. Sauternes 396
LAVILLE BERTROU CH. Minervois 770
LAZZARINI DOM. Muscat-du-cap-corse 877 • Patrimonio 876
LE BRUN DE NEUVILLE Champagne 654
LE BRUN SERVENAY Champagne 655
LE GALLAIS Champagne 655
LEBEAULT Crémant-de-bourgogne 420
LEBLOND-LENOIR NOËL Champagne 654
LEBLOND-LENOIR PASCAL Champagne 654
LEBOEUF ALAIN Champagne 654
LEBOSCQ CH. Médoc 349
LEBREUIL DOM. Savigny-lès-beaune 509
LECCIA DOM. Patrimonio 876
LÉCHENAULT DOM. FRANCE Bouzeron 569
LECLÈRE HERVÉ Champagne 655
LECOMTE DOM. Châteaumeillant 1068 • Quincy 1084
LECONTE XAVIER Champagne 655
LÉCUYER CH. Pomerol 256
LEDUC-FROUIN Anjou 976 • Rosé-d'anjou 984
LEFÈVRE DIDIER Champagne 655
LEFEVRE REMONDET Crémant-de-bourgogne 420
LEFLAIVE OLIVIER Bâtard-montrachet 550 • Chablis 431 • Chablis premier cru 439 • Chassagne-montrachet 555 • Corton-charlemagne 505 • Meursault 542 • Volnay 529
LÉGENDE Saussignac 926
LEGILL Crémant-de-luxembourg 1261
LEGOU DOM. VINCENT Beaune 517
LEGOUGE-COPIN Champagne 656
LEGRAND ÉRIC Champagne 656
LEGRAND RENÉ-NOËL Saumur-champigny 1011
LEGRAS PIERRE Champagne 656
LEGRAS & HAAS Champagne 656
LEGRET JEAN-PIERRE Champagne 656
LEGROS DOM. Sancerre 1096
LÉGUILLETTE-ROMELOT Champagne 656
LÉHOUL CH. Graves 328 • Graves supérieures 332
LEJEUNE DOM. Pommard 523
LELARGE-PUGEOT Champagne 657
LELIÈVRE Côtes-de-toul 134
LEMAIRE FERNAND Champagne 657
LEMAIRE HENRI Champagne 657
LEMAIRE PATRICE Champagne 657
LEMAIRE ROSÉ CLAUDE Champagne 657
LENIQUE MICHEL Champagne 657
LENOBLE Champagne 657
LÉO DE PRADES CH. Saint-estèphe 381
LÉON ANGÉLIQUE Chinon 1044
LÉOVILLE-BARTON CH. Saint-julien 385
LÉOVILLE LAS CASES CH. Saint-julien 385
LÉOVILLE POYFERRÉ CH. Saint-julien 386
LEPAUMIER DOM. Fitou 741
LEPLAN-VERMEERSCH Côtes-du-rhône-villages 1129
LEPRINCE CHARLES Champagne 657
LEQUART LAURENT Champagne 657
LEQUEUX-MERCIER Champagne 658
LEQUIN LOUIS Corton-charlemagne 505
LEROY DOM. Anjou 976 • Coteaux-du-layon 995
LÉRY DOM. DE Cheverny 1061
LES CONQUES DOM. Côtes catalanes 1226
LESCURE DOM. DE Fronton 903
LESEURRE GILBERT Champagne 658
LESPARRE CH. Graves-de-vayres 316
LESPAULT-MARTILLAC CH. Pessac-léognan 339
LESQUERDE LES VIGNERONS DE Côtes-du-roussillon-villages 793
LESTAGE CH. Listrac-médoc 363
LESTAGE CH. Montagne-saint-émilion 297
LESTAGE SIMON CH. Haut-médoc 359
LESTRILLE CH. Bordeaux rosé 198 • Entre-deux-mers 313
LESTRILLE CAPMARTIN CH. Bordeaux clairet 196 • Bordeaux sec 204 • Bordeaux supérieur 216
LÉTÉ-VAUTRAIN Champagne 658
LEUKERSONNE Canton du Valais 1273
LEVRATIÈRE DOM. DE LA Morgon 169
LEVRETTE CH. LA Blaye-côtes-de-bordeaux 229
LEYDET-VALENTIN CH. Saint-émilion grand cru 285
LEYMARIE-CECI DOM. Bourgogne 410 • Chambolle-musigny 470 • Morey-saint-denis 467
LEYRE-LOUP RÉSERVE LOUIS Fleurie 163
LEYVRAZ ÉRIC Canton de Genève 1278
LHIOT DOM. DE Buzet 906

LHUMEAU JEAN-LOUIS Anjou 976 • Rosé-d'anjou 984
LIARDS DOM. DES Montlouis-sur-loire 1052
LIBRAN DOM. DU Coteaux-d'aix-en-provence 836
LICHTLÉ FILS MARCEL Alsace pinot noir 103
LIDEYRE CH. Castillon-côtes-de-bordeaux 307
LIDONNE CH. DE Côtes-de-bourg 238
LIÉBART-RÉGNIER Champagne 658
LIEUE CH. LA Coteaux-varois-en-provence 839
LIGIER PÈRE ET FILS DOM. Arbois 694 • Côtes-du-jura 702
LIGRÉ CH. DE Chinon 1045
LILIAN LADOUYS CH. Saint-estèphe 382
LINDEN-HEINISCH DOM. JEAN Moselle luxembourgeoise 1258
LINDENLAUB JACQUES Alsace pinot ou klevner 73
LINGOT-MARTIN Bugey 722
LINOTTE DOM. DE LA Côtes-de-toul 134
LINQUIÈRE DOM. LA Saint-chinian 776
LION BEAULIEU CH. Bordeaux sec 207
LION PERRUCHON CH. Lussac-saint-émilion 293
LIONNE CH. DE Graves 329
LIOT CH. Sauternes 396
LIOUNER CH. Listrac-médoc 363
LIPP FRANÇOIS Alsace grand cru 118
LIQUIÈRE CH. DE LA Faugères 738
LISENNES CH. DE Bordeaux supérieur 216
LITTIÈRE GÉRARD Champagne 658
LOCHÉ CH. DE Pouilly-loché 600
LOGIS DOM. DU Muscadet-côtes-de-grand-lieu 968
LOGIS DE LA BOUCHARDIÈRE LE Chinon 1045
LOGIS DU PRIEURÉ LE Anjou-villages 981 • Coteaux-du-layon 996
LOICHET SYLVAIN Chorey-lès-beaune 513
LOIRAC CH. Médoc 347
LOIRET BRIGITTE ET MICHEL Muscadet-sèvre-et-maine 963
LOLICÉ DOM. Côtes-de-provence 855
LOMBARD & CIE Champagne 659
LONCLAS BERNARD Champagne 659
LONG-DEPAQUIT DOM. Chablis grand cru 444 • Chablis premier cru 439
LONG-PECH DOM. DE Gaillac 894
LONGESSAIGNE Beaujolais 144
LONGUE TOQUE DOM. DE Gigondas 1159 • Vacqueyras 1164
LONGUEROCHE DOM. DE Corbières 733
LOQUINEAU PHILIPPE Cour-cheverny 1062
LORANG Alsace muscat 77
LORENT JACQUES Champagne 659
LORENTZ GUSTAVE Crémant-d'alsace 130
LORENTZ FILS JÉRÔME Alsace riesling 87 • Alsace sylvaner 75
LORGERIL Cabardès 726
LORIÈRE CH. DE Muscadet-côtes-de-grand-lieu 968
LORIEUX ALAIN Chinon 1045
LORIEUX DAMIEN Bourgueil 1031
LORIEUX PASCAL Saint-nicolas-de-bourgueil 1038
LORIOT DOM. DU Menetou-salon 1076
LORIOT GÉRARD Champagne 659
LORIOT MICHEL Champagne 659
LORNET FRÉDÉRIC Arbois 695
LORON Crémant-de-bourgogne 420
LOU BASSAQUET Côtes-de-provence 855
LOU DUMONT Fixin 455
LOUIS CH. Saint-émilion grand cru 285
LOUIS ÉRIC Sancerre 1096
LOUPIAC-GAUDIET CH. Loupiac 389
LOUPS DOM. DES Coteaux-du-giennois 1070
LOUSTALÉ DOM. Jurançon 941
LOUSTEAUNEUF CH. Médoc 347
LOUVET YVES Champagne 659
LOUVIÈRE CH. LA Pessac-léognan 339
LÔYANE DOM. LA Côtes-du-rhône 1114 • Côtes-du-rhône-villages 1129 • Lirac 1178
LOZEY DE Champagne 659
LUC L'ORANGERIE DE Languedoc 753
LUCANIACUS Lalande-de-pomerol 263
LUCAS CH. Lussac-saint-émilion 293
LUCÉNA DOM. DE Côtes-du-rhône-villages 1129
LUCHEY-HALDE CH. Pessac-léognan 339
LUDEMAN LES CÈDRES CH. Graves 329
LUGAGNAC EOS DU CH. DE Bordeaux sec 204 • Bordeaux supérieur 216
LUISIER DOMINIQUE Canton du Valais 1273
LUMIAN DOM. DE Côtes-du-rhône 1114
LUNARD DOM. DE Bouches-du-Rhône 1242
LUNEAU CHRISTIAN ET PASCALE Muscadet-sèvre-et-maine 963
LUNEAU GILLES Muscadet-sèvre-et-maine 963
LUNEAU ET FILS MICHEL Muscadet-sèvre-et-maine 963
LUPIN DOM. Roussette-de-savoie 718
LURTON FRANÇOIS Côtes de Gascogne 1218
LUSSAC CH. DE Lussac-saint-émilion 293
LYNCH-BAGES CH. Pauillac 377
LYNCH-MOUSSAS CH. Pauillac 378
LYONNAT CH. Lussac-saint-émilion 294
LYSARDIÈRE DOM. DE LA Chinon 1045

M

MABILEAU DOM. LAURENT Bourgueil 1032
MABILEAU FRÉDÉRIC Bourgueil 1032 • Saint-nicolas-de-bourgueil 1038
MABILEAU JACQUES ET VINCENT Saint-nicolas-de-bourgueil 1038
MABILEAU LYSIANE, GUY ET WILFRIED Saint-nicolas-de-bourgueil 1038
MABILEAU-REZÉ DOM. Saint-nicolas-de-bourgueil 1038
MABILLE FRANCIS Vouvray 1056
MABILLOT DOM. Reuilly 1087
MABY DOM. Côtes-du-rhône 1114 • Lirac 1178 • Tavel 1180
MACHORRE CH. Bordeaux supérieur 216
MACLE DOM. Château-chalon 698 • Côtes-du-jura 702
MADELEINE CAVE LA Canton du Valais 1274
MADELIN-PETIT Bourgogne 411
MADELOC DOM. Banyuls 800 • Collioure 797
MADER Alsace pinot noir 103 • Alsace riesling 88
MADRAGUE DOM. DE LA Côtes-de-provence 855
MADRELLE GILLES Vouvray 1056
MADURA DOM. LA Saint-chinian 776
MAELS DOM. DES Minervois 771
MAESTRACCI DOM. Corse ou vin-de-corse 870
MAETZ JACQUES Alsace pinot noir 103
MAGALANNE DOM. DE Côtes-du-rhône 1114
MAGDELEINE BOUHOU CH. Blaye-côtes-de-bordeaux 229
MAGELLAN DOM. Languedoc 753
MAGNAUT DOM. DE Côtes de Gascogne 1218 • Floc-de-gascogne 947
MAGNEAU CH. Graves 329
MAGNI DOM. PATRICE Châteauneuf-du-pape 1172 • Côtes-du-rhône 1114
MAGNIEN DOM. MICHEL Charmes-chambertin 464 • Clos-de-la-roche 468 • Clos-saint-denis 469 • Morey-saint-denis 467
MAGNIEN DOM. SÉBASTIEN Beaune 517 • Bourgogne-hautes-côtes-de-beaune 488 • Saint-romain 537
MAGNIEN DOM. STÉPHANE Morey-saint-denis 467
MAGNIEN FRÉDÉRIC Chambertin-clos-de-bèze 462 • Chambolle-musigny 470 • Échézeaux 474 • Gevrey-chambertin 459 • Morey-saint-denis 467
MAGNOL LES CHARMES DE Bordeaux rosé 198 • Bordeaux sec 204
MAGONDEAU CH. DE Fronsac 247
MAGORD DOM. DE Clairette-de-die 1153
MAGREZ BERNARD Côtes catalanes 1226 • Côtes-du-roussillon 785
MAILLARD DOM. Corton 501
MAILLARD PÈRE ET FILS DOM. Beaune 517 • Chorey-lès-beaune 513 • Pommard 523 • Savigny-lès-beaune 509
MAILLES CH. DES Sainte-croix-du-mont 390
MAILLET JEAN-JACQUES Coteaux-du-loir 1049 • Jasnières 1050
MAILLET PÈRE ET FILS Vouvray 1057
MAILLETTES DOM. DES Saint-véran 604

VINS

MAILLIARD MICHEL Champagne 660
MAILLOCHES DOM. DES Bourgueil 1032
MAILLY GRAND CRU Champagne 660
MAÏME CH. Côtes-de-provence 855
MAINART Charentais 1211
MAINE CH. LE Saint-émilion 267
MAINE AU BOIS Charentais 1212
MAINE RABYON CH. Saint-émilion grand cru 285
MAINE REYNAUD CH. Saint-émilion grand cru 285
MAIRAN DOM. DE Oc 1236
MAIRE HENRI Château-chalon 699
MAISON BLANCHE GRAND CRU CH. Canton de Vaud 1269
MAISON DU CRÉMANT BLANC LA Crémant-de-bourgogne 420
MAISON PÈRE ET FILS DOM. Cheverny 1061
MAÎTRE ÉRIC Champagne 660
MAÎTRE CABESTANY Muscat-de-rivesaltes 809
MAJORINE CELLIER DE Corbières 733
MAJOUREAU CH. Côtes-de-bordeaux-saint-macaire 323 • Crémant-de-bordeaux 223
MALANDES DOM. DES Chablis grand cru 444 • Chablis premier cru 439
MALARRODE DOM. DE Jurançon 942
MALARTIC-LAGRAVIÈRE CH. Pessac-léognan 339
MALAVIEILLE DOM. DE LA Oc 1236
MALBAT CH. Bordeaux 190
MALDANT DOM. JEAN-PIERRE Bourgogne 411
MALECOURSE CH. Bergerac 911
MALENGIN CH. DE Montagne-saint-émilion 297
MALEPÈRE CAVE LA Oc 1236
MALESCOT SAINT-EXUPÉRY CH. Margaux 368
MALETREZ FRÉDÉRIC Champagne 660
MALFARD CH. Bordeaux supérieur 216
MALIDAIN VIGNOBLE Val de Loire 1207
MALIJAY CH. Côtes-du-rhône 1114
MALLARD ET FILS MICHEL Aloxe-corton 495
MALLARD ET FILS DOM. MICHEL Ladoix 493
MALLE CH. DE Sauternes 396
MALLERET CH. DE Haut-médoc 359 • Margaux 369
MALLEVIEILLE CH. DE LA Bergerac 911 • Côtes-de-bergerac 911 • Montravel 911
MALLOL-GANTOIS Champagne 660
MALMAISON CH. Moulis-en-médoc 373
MALROMÉ CH. DE Bordeaux sec 205 • Bordeaux supérieur 216 • Côtes-de-bordeaux-saint-macaire 323
MALTROYE CH. DE LA Chassagne-montrachet 555 • Santenay 562
MALVES CH. Minervois 771
MAMARUTÁ DOM. Fitou 741
MAMIN FLEUR Graves 329
MANCEAUX ROGER Champagne 660
MANCEY LES ESSENTIELS DE Crémant-de-bourgogne 420
MANDAGOT CH. Languedoc 753
MANDARD JEAN-CHRISTOPHE Touraine 1020
MANDRIA DI SIGNADORE A Patrimonio 876
MANGOT CH. Saint-émilion grand cru 285
MANISSY CH. DE Côtes-du-rhône 1115
MANN ALBERT Alsace grand cru 118
MANN JEAN-LOUIS ET FABIENNE Alsace gewurztraminer 81 • Alsace riesling 88
MANOIR DOM. DU Alsace pinot gris 96
MANOIR GRAND CRU DOM. DU Canton de Vaud 1266
MANOIR DE LA BELLONNIÈRE Chinon 1045
MANOIR DE LA FIRETIÈRE Muscadet-sèvre-et-maine 964
MANOIR DE MERCEY Bourgogne-hautes-côtes-de-beaune 488 • Rully 572
MANOIR DU CAPUCIN Mâcon et mâcon-villages 587
MANOIR DU CARRA Moulin-à-vent 172
MANSARD Champagne 660
MANTELLIÈRE DOM. DE LA Beaujolais 144
MANYA-PUIG DOM. Banyuls 800
MAOURIES DOM. DE Côtes de Gascogne 1218 • Pacherenc-du-vic-bilh 936
MAR CH. DE LA Roussette-de-savoie 718
MARATRAY-DUBREUIL DOM. Savigny-lès-beaune 510
MARAVENNE CH. Côtes-de-provence 855
MARCADET JÉRÔME Cheverny 1061
MARCHAND DENIS Meursault 542 • Nuits-saint-georges 482 • Pernand-vergelesses 498
MARCHAND JEAN-PHILIPPE Bourgogne-hautes-côtes-de-nuits 450 • Gevrey-chambertin 459 • Savigny-lès-beaune 510
MARCHAND PASCAL Meursault 542
MARCHAND ET FILS Pouilly-fumé 1081
MARCHAND FRÈRES DOM. Charmes-chambertin 464 • Griotte-chambertin 464 • Morey-saint-denis 467
MARCHANDS DOM. DES Luberon 1196 • Vaucluse 1248
MARCHE DOM. LA Bourgogne-côte-chalonnaise 568
MARÉCHAL CATHERINE ET CLAUDE Auxey-duresses 534 • Bourgogne 411 • Pommard 523 • Savigny-lès-beaune 510 • Volnay 529
MARÉCHAL CAVE DU Canton du Valais 1274
MAREY DOM. Aloxe-corton 495
MAREY ÉRIC Corton 502
MAREY ET FILS PIERRE Corton-charlemagne 505 • Pernand-vergelesses 498 • Savigny-lès-beaune 510
MARGALAINE BENJAMIN DE Haut-médoc 359
MARGALLEAU BRUT DOM. Vouvray 1058
MARGAUX CH. Margaux 369
MARGAUX PAVILLON BLANC DU CH. Bordeaux sec 205
MARGAUX PAVILLON ROUGE DU CH. Margaux 369
MARGELLES LES Puisseguin-saint-émilion 300
MARGILLIÈRE CH. Coteaux-varois-en-provence 839
MARGUERITE DOM. Comté tolosan 1214 • Fronton 903
MARGÜI CH. Coteaux-varois-en-provence 839
MARGÜI DOM. DE Var 1247
MARIA JONQUÈRES CH. Rivesaltes 804
MARIDET DOM. Rivesaltes 804
MARIE DOM. DE Vaucluse 1248
MARIE DU FOU CH. Fiefs-vendéens 971
MARIN DOM. ROBERT Viré-clessé 593
MARINIÈRE DOM. DE LA Chinon 1045
MARINIERS DOM. DES Pouilly-fumé 1081 • Pouilly-sur-loire 1081
MARINOT-VERDUN Givry 580 • Maranges 566
MARIONNET HENRY Touraine 1021
MARJOLET CH. DE Côtes-du-rhône-villages 1129
MARJOSSE CH. Bordeaux sec 205 • Entre-deux-mers 313
MARMORIÈRES CH. DE Languedoc 753
MARNÉ DOM. Montlouis-sur-loire 1052
MARNES BLANCHES DOM. DES Côtes-du-jura 702
MARNIÈRES CH. LES Bergerac sec 916
MARNIQUET JEAN Champagne 661
MARNIQUET JEAN-PIERRE Champagne 661
MARO DE SAINT-AMANT CH. Saint-émilion grand cru 286
MAROSLAVAC-LÉGER DOM. Bourgogne 411
MARQUIS D'ALESME-BECKER CH. Margaux 369
MARQUIS DE BERN Bordeaux 190
MARQUIS DE CHAMTERAC Bergerac 925 • Pécharmant 925
MARQUIS DE GREYSSAC L'HÉRITAGE DU Bordeaux supérieur 216
MARQUIS DE LAS CASES LE PETIT LION DU Saint-julien 386
MARQUIS DE PENNAUTIER Oc 1236
MARQUIS DE SAINT-ESTÈPHE TRADITION DU Saint-estèphe 382
MARQUIS DE TERME CH. Margaux 369
MARQUIS DE VAUBAN CH. Blaye 224
MARQUISE D'ALESME Margaux 369
MARQUISON DOM. DU Beaujolais 144
MARRENON Luberon 1196 • Ventoux 1191
MARSAN CH. DE Bordeaux clairet 196 • Bordeaux supérieur 217
MARSANNAY CH. DE Chambertin 462 • Clos-de-vougeot 472 • Gevrey-chambertin 459 • Ruchottes-chambertin 466 • Vosne-romanée 477

MARSANNE DOM. JEAN-CLAUDE Saint-joseph 1142
MARSAU CH. Francs-côtes-de-bordeaux 311
MARTEAU DOM. JACKY Touraine 1021
MARTEAUX OLIVIER ET LAETITIA Champagne 661
MARTEL & C° G.H. Champagne 661
MARTELLIÈRE DOM. J. Coteaux-du-loir 1049 • Coteaux-du-vendômois 1065 • Jasnières 1050
MARTENOT MAISON FRANÇOIS Auxey-duresses 534 • Meursault 542
MARTET CH. Sainte-foy-bordeaux 318
MARTHERAY GRAND CRU 2011 BLANC DOM. DU Canton de Vaud 1269
MARTHOURET PASCAL Condrieu 1138 • Saint-joseph 1142
MARTIN BERNARD ET DOMINIQUE Muscadet-sèvre-et-maine 964
MARTIN DOM. Anjou 976
MARTIN DOM. Rasteau sec 1156 • Vaucluse 1249
MARTIN DOM. CHANTAL ET MICHEL Beaune 517 • Chorey-lès-beaune 513 • Savigny-lès-beaune 510
MARTIN DOM. FABRICE Gevrey-chambertin 459
MARTIN DOM. DES Anjou-villages 981
MARTIN GEORGES Bugey 722
MARTIN JEAN-JACQUES ET SYLVAINE Saint-véran 604
MARTIN LUC ET FABRICE Coteaux-du-layon 996 • Savennières 990
MARTIN YVES ET PIERRE Sancerre 1096
MARTIN-DUFOUR DOM. Bourgogne-aligoté 417 • Chorey-lès-beaune 513
MARTIN-FAUDOT DOM. Arbois 695
MARTIN-LUNEAU Muscadet-sèvre-et-maine 964
MARTINELLE Beaumes-de-venise 1168 • Ventoux 1191
MARTINETTE CH. LA Côtes-de-provence 856
MARTINI DOM. Ajaccio 874
MARTINOLLES DOM. DE Aude 1222
MARTINOT ALBIN Champagne 661
MARTRAY LAURENT Côte-de-brouilly 155
MARX DENIS Champagne 661
MAS PAUL Languedoc 753 • Oc 1236
MAS AMIEL Côtes-du-roussillon-villages 793 • Maury 812
MAS BAUX Côtes-du-roussillon 786
MAS BÉCHA Côtes-du-roussillon 786
MAS BELLES EAUX Oc 1237
MAS BLEU DOM DU Coteaux-d'aix-en-provence 834
MAS BRUGUIÈRE Languedoc 753
MAS BRUNET Languedoc 753
MAS CARLOT Costières-de-nîmes 1183
MAS CRÉMAT DOM. Côtes-du-roussillon-villages 793 • Muscat-de-rivesaltes 809
MAS D'AUREL Gaillac 895
MAS DE BAGNOLS Ardèche 1250 • Côtes-du-vivarais 1197
MAS DE BERTRAND LE Languedoc 753
MAS DE BOISLAUZON Châteauneuf-du-pape 1172
MAS DE CADENET Côtes-de-provence 856
MAS DE CYNANQUE Saint-chinian 776
MAS DE FIGUIER Languedoc 754
MAS DE FOURNEL Languedoc 754
MAS DE LA BARBEN Languedoc 754
MAS DE LA GARRIGUE Côtes-du-roussillon-villages 793
MAS DE LA SERANNE Languedoc 754
MAS DE LAVAIL Maury 812
MAS DE LUNÈS Languedoc 754
MAS DE MADAME Muscat-de-frontignan 779
MAS DE MARTIN Languedoc 754
MAS DE REY Bouches-du-Rhône 1242
MAS DE RIMBAULT Muscat-de-frontignan 779
MAS DEL PÉRIÉ Cahors 887
MAS DEN FOUNS Côtes-du-roussillon 786
MAS DES ANGES LE Coteaux et terrasses de Montauban 1215
MAS DES BORRELS Côtes-de-provence 856
MAS DES BRESSADES Costières-de-nîmes 1183 • Gard 1230
MAS DES BROUSSES Languedoc 754
MAS DES CAPRICES Fitou 741
MAS DES CHIMÈRES Languedoc 755
MAS DES COMBES Gaillac 895
MAS DES FLAUZIÈRES LE Côtes-du-rhône-villages 1129 • Gigondas 1159
MAS DES MONTAGNES Côtes-du-roussillon-villages 793
MAS DÉU CH. DU Côtes-du-roussillon 786
MAS DU NOVI Languedoc 755
MAS DU POUNTIL Hérault 1231
MAS DU SALAGOU Oc 1237
MAS DU SOLEILLA Languedoc 755
MAS FABREGOUS Hérault 1231 • Languedoc 755
MAS GABINÈLE Faugères 739
MAS GOURDOU Languedoc 755
MAS GRANGE BLANCHE Châteauneuf-du-pape 1172 • Méditerranée 1244
MAS GRANIER Languedoc 755
MAS ISABELLE Lirac 1178
MAS JANEIL Côtes-du-roussillon-villages 794
MAS KAROLINA Côtes catalanes 1226 • Côtes-du-roussillon-villages 794 • Maury 812
MAS LA CHEVALIÈRE Oc 1234
MAS LAVAIL Côtes-du-roussillon-villages 794
MAS MUDIGLIZA Côtes-du-roussillon 786
MAS ONCLE ERNEST Ventoux 1191
MAS PAUMARHEL Minervois-la-livinière 773
MAS PEYROLLE Languedoc 755
MAS PIGNOU DOM. Gaillac 895
MAS PORQUETIÈRE Côtes-de-provence 856
MAS RENÉ GUILHEM Hérault 1231
MAS ROUGE DOM. DU Muscat-de-frontignan 779
MAS SAINTE-BERTHE Les baux-de-provence 830
MAS SYLVIA LE Coteaux des Baronnies 1252
MAS TRINCAT DOM. DU Côtes-du-roussillon 786
MAS VENTENAC Cabardès 726
MASBUREL CONSUL DE Côtes-de-bergerac 917
MASCARONNE LA Côtes-de-provence 856
MASQUIN DOM. JULIEN Châteauneuf-du-pape 1173
MASS CH. DU Bordeaux supérieur 217
MASSAC CH. Loupiac 389
MASSIN THIERRY Champagne 661
MASSIN ET FILS RÉMY Champagne 662
MASSON-BLONDELET DOM. Pouilly-fumé 1081 • Sancerre 1096
MATARDS CH. DES Blaye-côtes-de-bordeaux 229
MATASCI FRATELLI Canton du Tessin 1281
MATHELIN Champagne 662
MATHELIN HERVÉ Champagne 662
MATHERON CH. Côtes-de-provence 856
MATHIER ET FILS ALBERT Canton du Valais 1274
MATHIEU CH. JEAN Bordeaux supérieur 217
MATHIEU SERGE Champagne 662
MATHIEU-PRINCET Champagne 662
MATHON DOM. Beaujolais-villages 153 • Brouilly 153
MATHURINS DOM. DES Saint-chinian 776
MATIGNON DOM. Anjou 976
MATINES DOM. DES Coteaux-de-saumur 1008 • Saumur 1005
MATRAS CH. Saint-émilion grand cru 286
MATRAY DOM. Beaujolais 144
MATTES-SABRAN CH. DE Corbières 733
MAUBET DOM. DE Côtes de Gascogne 1218
MAUCOIL CH. Côtes-du-rhône-villages 1130
MAUFOUX PROSPER Bourgogne 411 • Santenay 563
MAULER ANDRÉ Alsace pinot gris 96
MAUPAGUE CH. Côtes-de-provence 856
MAUPERTHUIS DOM. DE Bourgogne 411 • Irancy 447 • Saint-bris 448
MAURAC CH. Haut-médoc 359
MAURERIE DOM. LA Saint-chinian 776
MAURETTE DOM. DE LA Côtes-de-provence 856
MAURINE ROUGE DOM. LA Saint-chinian 777
MAURY LES VIGNERONS DE Maury 812
MAURY PAUL Languedoc 755

MAUVAN DOM. DE Côtes-de-provence 857
MAX LOUIS Bourgogne 411 • Gevrey-chambertin 459 • Meursault 542
MAYNADIER DOM. Fitou 741
MAYNE-BLANC L'ESSENTIEL DE Lussac-saint-émilion 294
MAYNE CABANOT CH. Entre-deux-mers 313
MAYNE D'OLIVET Bordeaux sec 205
MAYNE DU HAYOT CH. Sauternes 396
MAYNE LALANDE CH. Listrac-médoc 363
MAYNE-VIEIL CH. Fronsac 248
MAZARIN CH. Loupiac 389
MAZERIS CH. Canon-fronsac 244
MAZET PASCAL Champagne 662
MAZETIER CH. Bordeaux supérieur 217
MAZEYRES CH. Pomerol 256
MAZILLE-DESCOTES DOM. Coteaux-du-lyonnais 178
MAZILLY MAISON AYMERIC Bourgogne-hautes-côtes-de-beaune 488 • Saint-aubin 558
MAZILLY PÈRE ET FILS DOM. Meursault 542 • Pommard 523
MÉA GUY Champagne 663
MÉDITÉO Oc 1237
MÉDOT Champagne 663
MEFFRE GABRIEL Côte-rôtie 1136 • Côtes-de-provence 857 • Côtes-du-rhône 1115 • Côtes-du-rhône-villages 1130
MEIX DOM. DES Saint-aubin 558
MEIX-FOULOT DOM. DU Mercurey 576
MÉJAN-TAULIER MAISON Tavel 1180
MÉJANE DOM. DE Roussette-de-savoie 719
MELIN CH. Cadillac-côtes-de-bordeaux 321
MELIN DOM. DU CH. DE Bourgogne-hautes-côtes-de-beaune 488 • Maranges 566 • Saint-romain 537
MELLOT JOSEPH Pouilly-fumé 1081 • Val de Loire 1208
MENAND DOM. Mercurey 576
MÉNARD DOM. DE Côtes de Gascogne 1218
MÉNARD ET FILS J.-P. Pineau-des-charentes 820
MÉNARD-GABORIT DOM. Muscadet-sèvre-et-maine 964
MENAUDAT CH. LE Bordeaux supérieur 217
MENAUT CHRISTIAN ET PASCAL Beaune 517 • Bourgogne-hautes-côtes-de-beaune 488
MENDRISIO CANTINA SOCIALE Canton du Tessin 1282
MERCERON-MARTIN DOM. Coteaux-d'ancenis 972
MERCEY CH. DE Mercurey 577
MERCIER Champagne 663
MERCIER CH. Côtes-de-bourg 238
MERCIER VIGNOBLE Fiefs-vendéens 971
MERCKLE ET SA FILLE AUDREY PIERRE Alsace riesling 88
MERCREDIÈRE CH. DE LA Muscadet-sèvre-et-maine 964
MERCUÈS CH. DE Cahors 887
MERGEY ÉVELYNE ET DOMINIQUE Bourgogne 411 • Mâcon et mâcon-villages 588
MÉRIBELLES DOM. LES Saumur 1005
MÉRIC CH. Médoc 348
MÉRIC DE Champagne 663
MERITZ CH. LES Gaillac 895
MERLE DOM. ALAIN Régnié 174
MERLE DES ROCHES Canton du Valais 1274
MERLES CH. LES Bergerac 925 • Bergerac sec 925 • Pécharmant 925
MERLETTE DOM. DE LA Côte-de-brouilly 155
MERLIN Bourgogne 412 • Mâcon et mâcon-villages 588 • Pouilly-fuissé 597
MERLIN-CHERRIER THIERRY Sancerre 1096
MERRAIN ROUGE Médoc 348
MERSIOL DOM. Alsace pinot gris 96
MESCLANCES CH. LES Côtes-de-provence 857
MESLET DOMINIQUE Saint-nicolas-de-bourgueil 1038
MESLET-THOUET Bourgueil 1032
MESLIAND DOM. Touraine-amboise 1025
MESLIÈRE CH. Muscadet-coteaux-de-la-loire 972
MESSEY CH. DE Mâcon et mâcon-villages 588
MÉTAIREAU GRAND MOUTON LOUIS Muscadet-sèvre-et-maine 964
MÉTAIRIE GRANDE DU THÉRON Cahors 887
MÉTIVIER VINCENT Vouvray 1057
METRAT ET FILS DOM. Fleurie 163
METZ HUBERT Crémant-d'alsace 130
METZ-GEIGER Alsace gewurztraminer 81
MEULIÈRE DOM. DE LA Chablis 431 • Chablis premier cru 439
MEUNEVEAUX DOM. DIDIER Corton 502
MEUNIER GAËLLE ET JÉRÔME Mercurey 577 • Puligny-montrachet 547
MEUNIER SAINT-LOUIS CH. Corbières-boutenac 736
MEURSAULT DOM. DU CH. DE Meursault 543
MEYER ALFRED Alsace grand cru 118
MEYER FRANÇOIS Alsace grand cru 118
MEYER GILBERT Alsace pinot gris 96
MEYER HUBERT Alsace gewurztraminer 81
MEYER JEAN-LUC Alsace muscat 77 • Alsace pinot gris 96
MEYER RENÉ Alsace grand cru 118
MEYER ET FILS LUCIEN Alsace grand cru 119 • Alsace pinot gris 96
MEYER-FONNÉ Alsace grand cru 119
MEYER-KRUMB Alsace grand cru 119
MEYNEY CH. Saint-estèphe 382
MEYREUIL CH. DE Palette 867
MEZIORNU Île de Beauté 1243
MIAUDOUX CH. Bergerac 927 • Saussignac 927
MICHAUD DOM. Crémant-de-loire 954 • Touraine 1021
MICHEL ANDRÉ ET JEAN-FRANÇOIS Côtes-du-jura 703
MICHEL BRUNO Champagne 663
MICHEL E. Champagne 663
MICHEL JEAN Champagne 663
MICHEL JEAN-PIERRE Viré-clessé 593
MICHEL PAUL Champagne 664
MICHEL ET FILS LOUIS Chablis grand cru 444 • Chablis premier cru 440
MICHELLE DOM. LA Bouches-du-Rhône 1242
MICHELOT DOM. ALAIN Nuits-saint-georges 482
MIÉRY CH. DE Côtes-du-jura 703
MIGNAN CH. Minervois-la-livinière 773
MIGNON CHARLES Champagne 664
MIGNON PIERRE Champagne 664
MIGOT ALAIN Côtes-de-toul 134
MIHOUDY DOM. DE Anjou 976 • Bonnezeaux 1001
MILAN JEAN Champagne 664
MILENS CH. Saint-émilion grand cru 290
MILHAU-LACUGUE CH. Saint-chinian 777
MILLAS CH. Muscat-de-rivesaltes 809
MILLE ET UNE PIERRES Corrèze 1215
MILLE HOMMES CH. Entre-deux-mers 314
MILLE ROSES CH. Haut-médoc 359
MILLEGRAND CH. Minervois 771
MILLERAND LAURENCE ET CHRISTIAN Saint-nicolas-de-bourgueil 1038
MILLET CH. Graves 329
MILLET CH. DE Floc-de-gascogne 947
MILLET DOM. Chablis 431
MILLET DOM. FRANCK Sancerre 1096
MILLION ROUSSEAU MICHEL ET XAVIER Vin-de-savoie 715
MILLY ALBERT DE Champagne 664
MINERAIE VIGNOBLE DE LA Saint-nicolas-de-bourgueil 1039
MINIER DOM. Coteaux-du-vendômois 1065
MINIÈRE CH. DE Bourgueil 1028
MINUTY CH. Côtes-de-provence 857
MINVIELLE CH. Bordeaux rosé 198
MIOLAN DOM. DE Canton de Genève 1278
MIOLANE CHRISTIAN Beaujolais-villages 149
MIOLANE DOM. PATRICK Chassagne-montrachet 555 • Saint-aubin 558
MIOULA DOM. DU Marcillac 899
MIRABEL DOM. Oc 1237
MIRABILIS CAVE Canton de Vaud 1268
MIRADOU LE Collioure 797
MIRAULT MAISON Vouvray 1057
MIRAUSSE CH. Minervois 771
MIRAVAL CH. Coteaux-varois-en-provence 840 • Côtes-de-provence 857
MIRE L'ÉTANG CH. Languedoc 756
MIREBEAU CH. Pessac-léognan 339
MISSEREY P. Mercurey 577
MISSION HAUT-BRION CH. LA Pessac-léognan 340
MISTRAL CH. Côtes-de-provence 857
MITTELBURG DOM. DU Alsace gewurztraminer 81

MITTNACHT DOM. Alsace edelzwicker 71
MOCHEL FRÉDÉRIC Alsace grand cru 119
MOCHEL-LORENTZ Alsace gewurztraminer 82 • Alsace grand cru 119
MODAT DOM. Côtes-du-roussillon-villages 794
MOELLINGER ET FILS JOSEPH Alsace pinot ou klevner 74 • Alsace riesling 88
MOËT ET CHANDON Champagne 664
MOILLARD Bourgogne 412 • Bourgogne-passetoutgrain 415 • Côte-de-nuits-villages 485 • Fleurie 163 • Maranges 566 • Nuits-saint-georges 482 • Savigny-lès-beaune 510
MOINEAUX DOM. DES TROIS Gaillac 895
MOINES CH. DES Lalande-de-pomerol 263
MOINES DOM. AUX Savennières-roche-aux-moines 991
MOINES CH. LES Médoc 348
MOINGEON ET FILS DOM. ANDRÉ Puligny-montrachet 547
MOISSENET-BONNARD JEAN-LOUIS Pommard 523
MÔLE CH. DE Puisseguin-saint-émilion 300
MOLÉON M DE Graves 329
MOLHIÈRE CH. Côtes-de-duras 930
MOLIN ARMELLE ET JEAN-MICHEL Fixin 455
MOLLET FLORIAN Sancerre 1096
MOLLET JEAN-PAUL Pouilly-fumé 1081
MOLLEX MAISON Seyssel 720
MOLTÈS Alsace riesling 88
MONARDIÈRE DOM. LA Vacqueyras 1164
MONASTÈRE CH. DU Graves 329
MONASTÈRE DE SAINT-MONT Saint-mont 937
MONASTREL DOM. Minervois 771
MONBADON CH. DE Castillon-côtes-de-bordeaux 307
MONBLANC DOM. Madiran 933
MONBOUSQUET CH. Saint-émilion grand cru 286
MONBRISON CH. Margaux 369
MONBRUN CH. Pomerol 256
MONCADE DOM. DE Pyrénées-Atlantiques 1222
MONCENY BERTRAND DE Bourgogne-hautes-côtes-de-nuits 450
MONCONSEIL GAZIN CH. Blaye-côtes-de-bordeaux 230
MONCUIT PIERRE Champagne 664
MONCUIT ROBERT Champagne 665
MONDAIN CH. Bordeaux 190
MONDÉSIR CH. Bergerac 911
MONDET Champagne 665
MONESTIER LA TOUR CH. Bergerac 917 • Côtes-de-bergerac 917
MONETTE DOM. DE LA Bourgogne-aligoté 417 • Mercurey 577
MONFORT-BELLEVUE Médoc 348
MONGEARD-MUGNERET DOM. Grands-échézeaux 475
MONGEAT CH. Graves-de-vayres 317
MONGES CH. DES Languedoc 756
MONGIN CH. Côtes-du-rhône-villages 1130
MONGIN DOM. Principauté d'Orange 1246
MONGRAVEY CH. Margaux 370
MONIAL Champagne 665
MONIN DOM. Bugey 722
MONMARTHE Champagne 665
MONMOUSSEAU Touraine 1021 • Vouvray 1057
MONNIER DOM. RENÉ Beaune 517
MONNIER ET FILS DOM. JEAN Meursault 543
MONPLAISIR CH. Côtes-du-marmandais 908
MONPLAISIR DOM. DE Valençay 1066
MONPLÉZY DOM. Languedoc 756
MONREGARD LA CROIX CH. Pomerol 252
MONS CH. DE Floc-de-gascogne 947
MONSÉGUR CH. DE Bordeaux 191
MONSEIGNEUR CH. Blaye-côtes-de-bordeaux 230
MONT CH. DU Graves 330 • Sainte-croix-du-mont 391 • Sauternes 396
MONT DOM. LE Anjou 977 • Bonnezeaux 1001 • Coteaux-du-layon 996
MONT D'HORTES DOM. DE Côtes de Thongue 1229
MONT-HAUBAN Champagne 665
MONT-PÉRAT CH. Bordeaux sec 205 • Cadillac-côtes-de-bordeaux 321
MONT-PRÈS-CHAMBORD VIGNERONS DE Cheverny 1061
MONT-REDON CH. Côtes-du-rhône 1115 • Lirac 1178
MONT TAUCH Fitou 742
MONT VENTOUX VIGNERONS DU Méditerranée 1244
MONTAGNAC LES VIGNOBLES Languedoc 756
MONTAGNES BLANCHES 2011 Coteaux-du-giennois 1070
MONTAL DE Floc-de-gascogne 947
MONTALCOUR Côtes-du-rhône 1115
MONTANA CH. Côtes-du-roussillon 786 • Rivesaltes 804
MONTANSIER DOM. Charentais 1212
MONTAUBAN DOM. DE Canton de Vaud 1268
MONTAUD CH. Côtes-de-provence 857
MONTAUDON Champagne 665
MONTAURIOL CH. Fronton 902
MONTAURONE CH. Coteaux-d'aix-en-provence 834
MONTBARBON DOM. Mâcon et mâcon-villages 588 • Viré-clessé 593
MONTBOURGEAU DOM. DE L'étoile 707
MONTCABREL DOM. Saint-chinian 777
MONTCELLIÈRE DOM. DE LA Coteaux-du-layon 996
MONTCHOVET ALAIN ET GILLES Bourgogne-hautes-côtes-de-beaune 490 • Volnay 529
MONTCHOVET DOM. ÉRIC Bourgogne-hautes-côtes-de-beaune 490 • Monthélie 532 • Pommard 523
MONTCY DOM. DE Cheverny 1061
MONTDOYEN CH. Côtes-de-bergerac 917
MONTEILLET VIGNOBLES DU Collines rhodaniennes 1251 • Côte-rôtie 1136 • Saint-joseph 1142
MONTEILS DOM. DE Sauternes 396
MONTEL BENOÎT Côtes-d'auvergne 1071 • Puy-de-Dôme 1204
MONTELS CH. Gaillac 895
MONTELS DOM. DE Coteaux et terrasses de Montauban 1215
MONTEMAGNI DOM. Muscat-du-cap-corse 878 • Patrimonio 876
MONTERNOT DOM. Beaujolais-villages 149
MONTERRAIN DOM. DE Bourgogne 412 • Mâcon et mâcon-villages 588
MONTFAUCON CH. DE Côtes-du-rhône 1115
MONTFLEURY LES VIGNERONS DE Ardèche 1250
MONTFOLLET CH. Blaye-côtes-de-bordeaux 230 • Côtes-de-bourg 238
MONTFORT DOM. DE Saumur 1005
MONTFRIN LES VIGNERONS DE Côtes-du-rhône-villages 1130
MONTGILET DOM. DE Coteaux-de-l'aubance 989 • Val de Loire 1208
MONTGRIGNON DOM. DE Côte de la Meuse 1253
MONTGUÉRET CH. DE Saumur 1005
MONTHUYS PÈRE ET FILS Champagne 615
MONTICAUTS LES Côtes-du-rhône-villages 1125
MONTIGNAC PIERRE DE Médoc 348
MONTIGNY DOM. DE Touraine 1021
MONTILLETS DOM. DES Morgon 170
MONTINE DOM. DE Grignan-les-adhémar 1187 • Vinsobres 1154
MONTIZEAU DOM. DE Charentais 1212
MONTLAU CH. Entre-deux-mers 314
MONTLAUR CH. Cahors 887
MONTLISSE CH. Saint-émilion grand cru 286
MONTMAL CH. DE Fitou 742
MONTMARIN DOM. DE Côtes de Thongue 1229
MONTMARTEL DOM. Côtes-du-rhône 1115
MONTMELAS CH. DE Beaujolais 144
MONTMIRAIL CH. DE Côtes-du-rhône 1115 • Gigondas 1159
MONTMOLLIN DOM. DE Canton de Neuchâtel 1280
MONTNER CH. Côtes-du-roussillon 787 • Côtes-du-roussillon-villages 794
MONTORAY DOM. DE Montlouis-sur-loire 1052
MONTPLAISIR CH. Bergerac sec 916 • Rosette 916
MONTPY DOM. DE Maury 813
MONTREMBLANT CH. Saint-émilion 266

VINS

MONTROSE CH. Saint-estèphe 382
MONTROZIER DOM. Côtes-de-millau 899
MONTUS CH. Madiran 933
MONTVAC DOM. DE Vacqueyras 1164
MONTZUETTES DOM. Canton du Valais 1274
MORCOTE CASTELLO DI Canton du Tessin 1282
MORDORÉE DOM. DE LA Châteauneuf-du-pape 1173 • Lirac 1178 • Tavel 1180
MOREAU DAVID Santenay 563
MOREAU JEAN-MICHEL Bourgogne 412
MOREAU ET FILS J. Chablis grand cru 444 • Chablis premier cru 440
MOREAU-NAUDET Chablis premier cru 440
MOREAU PÈRE ET FILS DOM. CHRISTIAN Chablis grand cru 445 • Chablis premier cru 440
MOREAUX DOM. DES Touraine 1021
MOREL – FRÉDÉRIC HOSTETTLER BENJAMIN Canton de Vaud 1268
MOREL PÈRE ET FILS Champagne 665 • Rosé-des-riceys 690
MOREL-THIBAUT DOM. Côtes-du-jura 703
MORET DAVID Meursault 543 • Puligny-montrachet 548
MOREY ANDRÉ Mâcon et mâcon-villages 588
MOREY PIERRE Meursault 543 • Monthélie 532
MOREY-BLANC Saint-aubin 558
MORILLON CH. Blaye-côtes-de-bordeaux 230 • Bordeaux 191
MORIN DOM. Chiroubles 160
MORIN HERVÉ Saint-nicolas-de-bourgueil 1039
MORIN OLIVIER Bourgogne 412 • Chablis 431
MORIN-LANGARAN DOM. Languedoc 756
MORION DIDIER Saint-joseph 1142
MORITZ DOM. Alsace grand cru 119
MOROT ALBERT Beaune 517
MORTIER DOM. DU Saint-nicolas-de-bourgueil 1039
MOSNIER SYLVAIN Chablis premier cru 440
MOSNY DANIEL ET THIERRY Montlouis-sur-loire 1052
MOSSÉ CH. Rivesaltes 804
MOST Champagne 666
MOTHE DU BARRY CH. LA Entre-deux-mers 314
MOTHE PEYRAN LA Madiran 933
MOTTE DOM. DE LA Brouilly 153
MOTTE DOM. DE LA Chablis 432 • Chablis premier cru 440 • Petit-chablis 424
MOUCHÈRES CH. DES Languedoc 756
MOUILLARD JEAN-LUC Château-chalon 699 • Côtes-du-jura 703 • L'étoile 707 • Macvin-du-jura 708
MOUILLES DOM. DES Fleurie 165 • Juliénas 165
MOULIÉ DOM. DU Madiran 933
MOULIÈRE CH. LA Côtes-de-duras 930
MOULIN CH. DU Haut-médoc 359
MOULIN CH. LE Pomerol 256
MOULIN DOM. DU Côtes-du-rhône 1115 • Côtes-du-rhône-villages 1130
MOULIN DOM. DU Gaillac 895
MOULIN-À-VENT CH. DU Moulin-à-vent 172
MOULIN BERGER DOM. DU Juliénas 165 • Saint-amour 177
MOULIN BLANC DOM. DU Beaujolais 144
MOULIN CAMUS DOM. DU Gros-plant-du-pays-nantais 965 • Muscadet-sèvre-et-maine 964 • Val de Loire 1208
MOULIN CARESSE CH. Bergerac 922 • Montravel 922
MOULIN DE CANHAUT CH. Médoc 348
MOULIN DE CASSY CH. Médoc 349
MOULIN DE CHASSERAT CH. Blaye-côtes-de-bordeaux 230
MOULIN DE CHAUVIGNÉ Savennières 991
MOULIN DE CLOTTE CH. Castillon-côtes-de-bordeaux 307
MOULIN DE CORNEIL CH. Cadillac 388
MOULIN DE DUSENBACH DOM. DU Crémant-d'alsace 130
MOULIN DE GRILLET CH. Blaye-côtes-de-bordeaux 230
MOULIN DE GUIET CH. Côtes-de-bourg 238
MOULIN DE L'ABBAYE CH. Médoc 348
MOULIN DE LABORDE Saint-émilion 267
MOULIN DE LA BRIDANE CH. Saint-julien 384
MOULIN DE LA GRANGÈRE CH. Saint-émilion grand cru 282
MOULIN DE LA ROQUE Bandol 827
MOULIN DE LA ROQUILLE CH. Francs-côtes-de-bordeaux 311
MOULIN DE LA ROSE CH. Saint-julien 386
MOULIN DE LA SOULOIRE CH. Bordeaux 191
MOULIN DE LA TOUCHE LE Val de Loire 1208
MOULIN DE PEYRONIN CH. Bordeaux clairet 196
MOULIN DE SANXET Monbazillac 915
MOULIN DE TASSIN CH. Cadillac-côtes-de-bordeaux 320
MOULIN DE VALÉRIEN LE Cérons 391
MOULIN DE VIGNOLLE CH. Bordeaux sec 205
MOULIN DES BESNERIES Coteaux-de-l'aubance 989
MOULIN DES BLAIS CH. Côtes-de-bourg 238
MOULIN DES GRAVES CH. Saint-émilion 267
MOULIN DU CAILLOU CH. Montagne-saint-émilion 297
MOULIN DU JURA CH. Saint-émilion 267
MOULIN DU SABLON LE Anjou 977
MOULIN FAVRE CH. Brouilly 153
MOULIN GALHAUD Saint-émilion grand cru 288
MOULIN-GARREAU CH. Montravel 922
MOULIN GIMIÉ Oc 1237
MOULIN GIRON DOM. DU Coteaux-d'ancenis 972 • Muscadet-coteaux-de-la-loire 969
MOULIN HAUT-LAROQUE CH. Fronsac 248
MOULIN LA BERGÈRE CH. Saint-georges-saint-émilion 302
MOULIN NOIR CH. DU Montagne-saint-émilion 297
MOULIN PEY-LABRIE CH. Canon-fronsac 244
MOULIN RICHE CH. Saint-julien 386
MOULINET CH. Pomerol 256
MOULINIER DOM. Saint-chinian 777
MOULINS CH. DES Médoc 348
MOULINS DE BOISSE Bergerac rosé 914 • Bergerac sec 914
MOULINS-LISTRAC CH. Puisseguin-saint-émilion 300
MOUNIÉ DOM. Côtes catalanes 1226 • Muscat-de-rivesaltes 809
MOURAS CH. Graves 330 • Graves supérieures 332
MOURESSE CH. Côtes-de-provence 858
MOURGUES DU GRÈS CH. Costières-de-nîmes 1183
MOURIESSE VINUM Châteauneuf-du-pape 1173
MOURZIÈRE LA Canton du Valais 1274
MOUSSÉ-GALOTEAU ET FILS Champagne 666
MOUSSENS CH. Gaillac 896
MOUSSET DOM. GUY Côtes-du-rhône 1116
MOUSSEYRON CH. Bordeaux rosé 199
MOUTARD PÈRE ET FILS Champagne 666
MOUTARD-DILIGENT DOM. Crémant-de-bourgogne 420
MOUTARDIER Champagne 666
MOUTÈTE CH. LA Côtes-de-provence 858
MOUTIN CH. Graves 330
MOUTINS CH. LES Bordeaux 188
MOUTON DOM. Givry 580
MOUTON CADET LE ROSÉ DE Bordeaux rosé 199
MOUTON ROTHSCHILD CH. Pauillac 378
MOUTTE BLANC CH. Bordeaux supérieur 217
MOUZON-LEROUX PH. Champagne 666
MOYA CH. Castillon-côtes-de-bordeaux 307
MOYAU CH. Languedoc 756
MOYER DOM. Montlouis-sur-loire 1053
MUCYN DOM. Saint-joseph 1142
MUGNERET DOMINIQUE Échézeaux 474 • Nuits-saint-georges 482 • Vosne-romanée 477
MUID MONTSAUGEONNAIS LE Haute-Marne 1254
MULLER JULES Alsace sylvaner 75
MULLER ET FILS CHARLES Alsace riesling 88

MULONNIÈRE CH. DE LA Coteaux-du-layon 996 • Rosé-d'anjou 984
MUMM G.-H. Champagne 666
MUNCH L'ART DES Lussac-saint-émilion 294
MUR-MUR-IUM DOM. Méditerranée 1244
MURÉ FRANCIS Alsace sylvaner 75
MURE PASCAL Bourgogne-hautes-côtes-de-beaune 490 • Monthélie 532 • Volnay 529
MURÉ RENÉ Alsace grand cru 120
MUREAU DOM. RÉGIS Bourgueil 1032
MURENNES DOM. Côtes-de-provence 858
MURET CH. Haut-médoc 359
MURINAIS DOM. DU Crozes-hermitage 1146
MUSES DOM. DES Canton du Valais 1274
MUSOLEU DOM. DE Corse ou vin-de-corse 871
MUSSET-ROULLIER VIGNOBLE Anjou 978 • Anjou-villages 981
MUSSO DOM. JEAN ET GENO Mercurey 577
MUTIN HENRI Crémant-de-bourgogne 420
MUZARD ET FILS LUCIEN Maranges 566 • Meursault 543 • Pommard 524 • Santenay 563
MUZY DOM. DE Côte de la Meuse 1253
MYLORD CH. Bordeaux 191
MYON DE L'ENCLOS CH. Moulis-en-médoc 373
MYRAT CH. DE Sauternes 396

N

NADAL-HAINAUT CH. Côtes-du-roussillon 787 • Muscat-de-rivesaltes 809
NAGES CH. DE Costières-de-nîmes 1183
NAIRAC CH. Barsac 392
NAIRAUD-SUBERVILLE Châteaumeillant 1068
NAÏS DOM. Coteaux-d'aix-en-provence 834
NALYS DOM. DE Châteauneuf-du-pape 1173
NAPOLÉON Champagne 666
NARTETTE DOM. DE LA Bandol 827
NAU FRÈRES Bourgueil 1032
NAUDÉ BERNARD Champagne 667
NAUDIN-FERRAND DOM. HENRI Bourgogne-hautes-côtes-de-beaune 490 • Côte-de-nuits-villages 485
NAUDIN-VARRAULT Bourgogne-hautes-côtes-de-beaune 490 • Bourgogne-hautes-côtes-de-nuits 450 • Côte-de-beaune-villages 567
NAUDONNET PLAISANCE CH. Entre-deux-mers 314
NAUZE CH. LA Castillon-côtes-de-bordeaux 307
NAVAILLES CH. DE Jurançon 942
NAVARRE ALAIN Champagne 667
NAVICELLE DOM. DE LA Côtes-de-provence 858
NAZINS DOM. DES Brouilly 153
NEBOUT DOM. Saint-pourçain 1089
NÉGLY CH. LA Languedoc 757
NÉGRIT HÉRITAGE DE Montagne-saint-émilion 298
NERLEUX DOM. DE Saumur-champigny 1011
NERTHE CH. LA Châteauneuf-du-pape 1173
NERVAT DOM. DE Chénas 158
NESME MICKAËL Côte-de-brouilly 155 • Morgon 155
NESTUBY CH. Côtes-de-provence 858
NEUMEYER GÉRARD Alsace grand cru 120
NEVEU DOM. ANDRÉ Sancerre 1097
NEWMAN DOM. Beaune 518 • Mazis-chambertin 465 • Monthélie 533
NEYRAC CH. Pécharmant 925
NEYROUD MARTIAL Canton de Vaud 1268
NEYROUD-FONJALLAZ JEAN-FRANÇOIS Canton de Vaud 1268
NICOLLE DOM. CHARLY Chablis premier cru 440
NICOLLET Alsace grand cru 120
NICOT CH. Bordeaux 191
NIERO DOM. Côte-rôtie 1136
NIERO RÉMI ET ROBERT Condrieu 1138
NIGRI DOM. Jurançon 942
NINON CH. Bordeaux rosé 199
NITRAY CH. DE Touraine 1021
NOBLAIE DOM. DE LA Chinon 1045
NOBLESSE CH. DE LA Bandol 827
NODOZ CH. Côtes-de-bourg 238
NOË DOM. DE LA Muscadet 957
NOËL PATRICK Menetou-salon 1076 • Sancerre 1097
NOËL SAINT-LAURENT CH. Côtes-du-rhône 1116
NOËLLAT ET FILS DOM. MICHEL Échézeaux 474 • Vosne-romanée 477
NOËLS DOM. DES Anjou 978 • Cabernet-d'anjou 987 • Coteaux-du-layon 996
NOIRAIE DOM. DE LA Bourgueil 1032
NOIRÉ DOM. DE Chinon 1046
NOIROT ET FILS A. Crémant-de-bourgogne 420
NOIZET CAROLE Champagne 667
NOMINÉ-RENARD Champagne 667
NORMAND SYLVAINE ET ALAIN Mâcon et mâcon-villages 589
NOTRE-DAME DES PALLIÈRES DOM. Gigondas 1160
NOTRE-DAME DU QUATOURZE CH. Languedoc 757
NOUET Muscadet-sèvre-et-maine 965
NOUVEAU MONDE DOM. LE Languedoc 757
NOUVELLES CH. DE Fitou 742 • Muscat-de-rivesaltes 809
NOVELLA DOM. Patrimonio 876
NOVIS ET J.-M. CHAPAS X.-M. Saint-joseph 1142
NOWACK Champagne 667
NOZIÈRES CH. Cahors 887
NUCLÉUS DE G. Bergerac 922
NUDANT DOM. Aloxe-corton 495 • Corton 502 • Échézeaux 474 • Vosne-romanée 477
NUEIL DOM. DE Chinon 1046
NUGUES DOM. DES Fleurie 163
NUITON-BEAUNOY Bourgogne 412

O

OCTAVIE DOM. Touraine 1021
OGEREAU DOM. Anjou 978 • Anjou-villages 981
OGIER Châteauneuf-du-pape 1173 • Côtes-du-rhône 1116 • Crozes-hermitage 1147 • Gigondas 1160 • Tavel 1181
OISELINIÈRE CH. DE L' Muscadet-sèvre-et-maine 965
OISLY ET THÉSÉE LA CONFRÉRIE DES VIGNERONS DE Cheverny 1061 • Touraine 1022
OLIVEIRA LECESTRE DOM. DE Chablis grand cru 445
OLIVETTE DOM. DE L' Bandol 827
OLIVIER CH. Pessac-léognan 340
OLIVIER DOM. Saint-nicolas-de-bourgueil 1039
OLIVIER MANUEL Morey-saint-denis 467 • Pommard 524
OLIVIER PIERRE Aloxe-corton 495 • Gevrey-chambertin 460 • Meursault 543
OLIVIER PÈRE ET FILS Champagne 667
OLLIER-TAILLEFER DOM. Faugères 739
OLLIÈRES CH. D' Coteaux-varois-en-provence 840
OLLWILLER CH. Alsace grand cru 120
OLMETA STÉPHANIE Muscat-du-cap-corse 878
OLOGARAY DOM. STÉPHANE Côtes catalanes 1226
OLT LES VIGNERONS D' Vins-d'estaing 898
OMASSON BERNARD Bourgueil 1033
OMASSON NATHALIE Bourgueil 1033
OMBRES LES Côtes-du-rhône 1110
OMERTA CH. DE L' Graves 330
ONDINES DOM. LES Vacqueyras 1164
ONILLON DENIS Coteaux-d'ancenis 972
OPHRYS DOM. DES Vin-de-savoie 715
OPPIDUM DES CAUVINS DOM. L' Coteaux-d'aix-en-provence 835 • Méditerranée 1244
OR D'HIVER L' Jurançon 942
OR DU TEMPS L' Saint-émilion 268
OR ET DE GUEULES CH. D' Costières-de-nîmes 1184
ORATOIRE SAINT-MARTIN Côtes-du-rhône-villages 1130
ORBAN CHARLES Champagne 668
ORBIEL & FRÈRES Oc 1237
ORENGA DE GAFFORY Muscat-du-cap-corse 878 • Patrimonio 876
ORÉNIA Duché d'Uzès 1229
ORFÉE CELLIERS D' Corbières-boutenac 736
ORMARINE L' Languedoc 757 • Oc 1237
ORME BRUN CH. Saint-émilion grand cru 282
ORMES CH. LES Saint-julien 386
ORMES DE PEZ CH. Saint-estèphe 382

VINS

ORMES SORBET CH. LES Médoc 349
ORPAILLEUR L' Canton du Valais 1274
ORYADE Castillon-côtes-de-bordeaux 308
OSMIN & CIE LIONEL Bergerac sec 916 • Jurançon sec 933 • Madiran 933 • Marcillac 899
OU CH. DE L' Côtes catalanes 1227 • Côtes-du-roussillon 787 • Muscat-de-rivesaltes 810
OUBLIÉE DOM. DE L' Bourgueil 1033
OUCHE GAILLARD DOM. DE L' Montlouis-sur-loire 1053
OUCHES DOM. DES Bourgueil 1033
OUDIN DOM. Chablis premier cru 440
OURY-SCHREIBER Moselle 136
OVERNOY-CRINQUAND DOM. Arbois 695

P

P'TIT BELLEVUE DOM. DU Régnié 174
P'TIT DOMAINE LE Saumur-champigny 1012
P'TIT PARADIS DOM. DU Chénas 158
PABIOT DOMINIQUE Pouilly-fumé 1081
PABIOT DOM. ROGER Pouilly-fumé 1082
PABIOT JONATHAN DIDIER Pouilly-fumé 1082
PABUS CH. Bordeaux 191
PAGÈS HURÉ DOM. Côtes catalanes 1227
PAGET NICOLAS Touraine-azay-le-rideau 1026
PAILLARD BRUNO Champagne 668
PAILLÈRE ET PIED-GÛ DOM. Gigondas 1160
PAILLETTE Champagne 668
PAILLETTE CH. LA Bordeaux supérieur 217
PAIMPARÉ DOM. DE Anjou-villages 981 • Crémant-de-loire 955
PAIN DOM. CHARLES Chinon 1046
PAINTURAUD J. Pineau-des-charentes 820
PALAIS DOM. DES Côte-roannaise 1074
PALEINE DOM. DE LA Saumur 1005
PALLET VIGNERONS DU Muscadet-sèvre-et-maine 965
PALMER CH. Margaux 370
PALMER & C^O Champagne 668
PALON DOM. Gigondas 1160
PALOUMEY CH. Haut-médoc 359
PALVIÉ LES SECRETS DU CH. Gaillac 896
PAMPELONNE CH. DE Côtes-de-provence 858
PAMPRES D'OR DOM. DES Beaujolais 144
PANÉRY CH. DE Côtes-du-rhône 1116
PANÉRY DOM. DE Oc 1238
PANIGON CH. DE Médoc 349
PANISSEAU CH. DE Bergerac 911
PAPE CLÉMENT CH. Pessac-léognan 340 • Pessac-léognan 341
PAPILLON DOM. Beaujolais 145
PAQUEREAU CYRILLE ET SYLVAIN Muscadet-sèvre-et-maine 965
PÂQUES CH. LES Blaye-côtes-de-bordeaux 231
PAQUES ET FILS Champagne 668
PAQUET AGNÈS Auxey-duresses 535 • Chassagne-montrachet 555 • Pommard 524
PARADIS DOM. DU Touraine-mesland 1027
PARCÉ DOM. Muscat-de-rivesaltes 810
PARDIGUIÈRE DOM. DE LA Côtes-de-provence 858
PARDON DOM. Beaujolais-villages 149
PAREDAUX CUVÉE Oc 1238
PARENCHÈRE CH. DE Bordeaux supérieur 217
PARENT DOM. Pommard 524
PARENT FRANÇOIS Clos-de-vougeot 472 • Morey-saint-denis 468 • Pommard 524
PARET ALAIN Saint-joseph 1142
PARIGOT DOM. Bourgogne-hautes-côtes-de-beaune 490 • Pommard 524 • Savigny-lès-beaune 510
PARIZE PÈRE ET FILS Givry 580
PARNAY CH. DE Saumur-champigny 1011
PAROISSE DOM. DE LA Côte-roannaise 1074
PARSAC CH. DE Montagne-saint-émilion 297
PAS DE L'ÂNE CH. Saint-émilion grand cru 286
PAS DE L'ESCALETTE DOM. DU Languedoc 757
PAS DU CERF CH. Côtes-de-provence 858
PASCAL FRANCK Champagne 668 • Coteaux-champenois 689
PASSAVANT CH. DE Anjou 978
PASSE CRABY CH. Bordeaux supérieur 217
PASSEDIEU CH. DE Côtes-de-bourg 239
PASSELYS DOM. LE Cahors 888
PASSION D'UNE FEMME DOM. Grignan-les-adhémar 1187
PASSOT JEAN-GUILLAUME Côte-de-brouilly 156
PASTOURET DOM. Costières-de-nîmes 1184
PASTRE DOM. DU Ventoux 1191
PASTRICCIOLA DOM. Patrimonio 877
PATACHE D'AUX CH. Médoc 349
PATAGON DOM. DE Valençay 1067
PATAILLE DOM. SYLVAIN Marsannay 454
PATERNEL DOM. DU Cassis 832
PATIENCE DOM. DE LA Costières-de-nîmes 1184
PATOUR ÉRIC Champagne 668
PATRIARCHE DOM. ALAIN Meursault 544
PATRIARCHE PÈRE ET FILS Nuits-saint-georges 482
PATY CLAUNE CH. Blaye-côtes-de-bordeaux 231
PAUGET PASCAL Bourgogne 412
PAULANDS LA MAISON Aloxe-corton 496
PAULET HUBERT Champagne 669
PAVELOT DOM. Pernand-vergelesses 498 • Savigny-lès-beaune 511
PAVIE CH. Saint-émilion grand cru 286
PAVIE DECESSE CH. Saint-émilion grand cru 286
PAVILLON CH. DU Canon-fronsac 244
PAVILLON CH. LE Bergerac 912
PAVILLON DE BELLEVUE Médoc 344
PAYRAL CH. LE Côtes-de-bergerac 918
PAYRE CH. DU Cadillac-côtes-de-bordeaux 321
PÉAGE DOM. LE Gigondas 1160
PECH-CÉLEYRAN CH. Languedoc 757
PECH-REDON CH. Languedoc 757
PECH ROME DOM. Languedoc 758
PÊCHEUR DOM. Côtes-du-jura 703
PÊCHEUR DOM. CHRISTIAN ET PATRICIA Macvin-du-jura 708
PÉCOULA DOM. DE Bergerac rosé 921 • Bergerac sec 921 • Monbazillac 921
PÉDESCLAUX CH. Pauillac 378
PEILLOT FAMILLE Bugey 722
PÉJUSCLAT DOM. Cahors 888
PÉLAQUIÉ DOM. Côtes-du-rhône 1116 • Côtes-du-rhône-villages 1130
PELICHET JACQUES Canton de Vaud 1269
PÉLISSIER DAVID Côtes-d'auvergne 1072
PELLER-LAROQUE CH. Cadillac 388
PELLETANT Pineau-des-charentes 820
PELLETIER FLORENCE Coteaux de Coiffy 1253
PELLETIER-HIBON DOM. Givry 580
PELOU PIERRE Muscat-de-rivesaltes 810
PELTIER MAISON Vouvray 1057
PÉNA CH. DE Côtes-du-roussillon-villages 794 • Rivesaltes 805
PENIN CH. Bordeaux 191 • Bordeaux sec 205 • Bordeaux supérieur 218
PENLOIS DOM. DU Beaujolais 172 • Moulin-à-vent 172
PERAYNE CH. Côtes-de-bordeaux-saint-macaire 323
PERBOS TAP D'E Côtes-du-marmandais 908
PERCHADE CH. DE Tursan 937
PERCHER LUC Cour-cheverny 1062
PERDRIX DOM. Bugey 722
PERDRIX DOM. DE LA Côtes catalanes 1227 • Côtes-du-roussillon 787 • Muscat-de-rivesaltes 810
PERDRIX DOM. DES Échézeaux 474 • Nuits-saint-georges 482
PERDRYCOURT DOM. DE Chablis premier cru 441
PÈRE AUGUSTE CAVES DU Touraine 1022
PÈRE GUILLOT DOM. DU Costières-de-nîmes 1184
PÈRE LA GROLLE LE Beaujolais 144
PÈRE TIENNE CAVE DU Mâcon et mâcon-villages 589
PERELLES DOM. DES Beaujolais 145
PÉRELLES DOM. DES Mâcon et mâcon-villages 589 • Saint-véran 604
PERIER CH. DU Médoc 349

PERNET JEAN Champagne 669
PERNOT ET SES FILS PAUL Puligny-montrachet 548
PÉROUDIER CH. Bergerac rosé 914 • Bergerac sec 914
PERRAUD DOM. Bourgogne 412 • Mâcon et mâcon-villages 589
PERRAUD LAURENT Muscadet-sèvre-et-maine 965
PERRAUD STÉPHANE ET VINCENT Muscadet-sèvre-et-maine 965
PERRAULT ET FILS DOM. Maranges 566
PERRE CH. DE Bordeaux sec 205
PERRÉE DOM. DE LA Saint-nicolas-de-bourgueil 1039
PERRÉOU Côtes de Gascogne 1218
PERRET ANDRÉ Condrieu 1139 • Saint-joseph 1142
PERRIER GÉRARD ET MARLYSE Beaujolais-villages 149
PERRIER DOM. LE Pécharmant 925
PERRIER ET FILS JEAN Vin-de-savoie 715
PERRIER-JOUËT Champagne 669
PERRIÈRE CH. LA Bordeaux sec 206 • Lussac-saint-émilion 294
PERRIÈRE CHARMES DE Sancerre 1097
PERRIÈRE DOM. DE LA Sancerre 1097
PERRIÈRE LA Muscadet 957
PERRIÈRES DOM. DES Muscadet-sèvre-et-maine 966
PERRIN DANIEL Champagne 669
PERRIN DOM. CHRISTIAN Aloxe-corton 496 • Ladoix 493
PERRIN DOM. ROGER Châteauneuf-du-pape 1174 • Côtes-du-rhône 1116
PERRIN FAMILLE Vacqueyras 1165 • Vinsobres 1154
PERRON CH. Lalande-de-pomerol 263
PERRON LA FLEUR CH. Lalande-de-pomerol 263
PERROU CH. Bergerac 912
PERROUD ROBERT Côte-de-brouilly 156
PERRUCHE DOM. DE LA Saumur-champigny 1011
PERRUCHOT CH. Meursault 544
PERSENADES DOM. DES Côtes de Gascogne 1218
PERSEVAL-FARGE Champagne 669
PERSILIER GILLES Côtes-d'auvergne 1072
PERTOIS-MORISET Champagne 669
PERTUZOT ROMAIN Chorey-lès-beaune 514
PESQUIÉ CH. Méditerranée 1244 • Ventoux 1191
PESQUIER DOM. DU Côtes-du-rhône 1116 • Vacqueyras 1165
PETIT DÉSIRÉ Arbois 695 • Macvin-du-jura 709
PETIT ROMUALD Saint-véran 604
PETIT TH. Champagne 670
PETIT-BARBARAS DOM. DU Côtes-du-rhône-villages 1130
PETIT BOCQ CH. Saint-estèphe 382
PETIT BONDIEU DOM. DU Bourgueil 1033
PETIT CHAMBORD LE Cheverny 1062 • Cour-cheverny 1062
PETIT CLOCHER DOM. DU Cabernet-d'anjou 987 • Coteaux-du-layon 996 • Val de Loire 1208
PETIT CLOS DES CHAMPS Lalande-de-pomerol 263
PETIT COTEAU DOM. DU Vouvray 1057
PETIT COTTENS DOM. LE Canton de Vaud 1269
PETIT COUSINAUD DOM. LE Pineau-des-charentes 821
PETIT FANTET D'HIPPOLYTE LO Aude 1222
PETIT FOMBRAUGE CH. Saint-émilion grand cru 287
PETIT GRAIN Muscat-de-saint-jean-de-minervois 781
PETIT GRAVET AÎNÉ CH. Saint-émilion grand cru 275
PETIT MALROMÉ DOM. DU Côtes-de-duras 930
PETIT MÉTRIS DOM. DU Quarts-de-chaume 999 • Savennières 991
PETIT NOYER DOM. DU Vouvray 1057
PETIT PUCH CH. DU Graves-de-vayres 317
PETIT PUITS DOM. DU Chiroubles 160
PETIT ROY DOM. DU Sancerre 1097
PETIT SOLEIL LE Bordeaux supérieur 219
PETIT SONNAILLER CH. Coteaux-d'aix-en-provence 835
PETIT SOUMARD DOM. DU Pouilly-fumé 1082
PETIT SOUPER DOM. DU Bourgueil 1033
PETIT THOUARS CH. DU Touraine 1022
PETIT VAL DOM. DU Anjou 978 • Coteaux-du-layon 997
PETIT-VILLAGE CH. Pomerol 256
PETITE BORIE CH. Bergerac 909
PETITE CHAPELLE DOM. DE LA Saumur 1005
PETITE CROIX DOM. DE LA Anjou-villages 981 • Bonnezeaux 1001 • Coteaux-du-layon 997 • Rosé d'anjou 981
PETITE GALLÉE DOM. DE LA Coteaux-du-lyonnais 178
PETITE MAIRIE DOM. DE LA Bourgueil 1033
PETITE MARNE DOM. DE LA Côtes-du-jura 703
PETITE ROCHE DOM. DE LA Rosé-d'anjou 985 • Rosé-de-loire 951
PETITEAU-GAUBERT Muscadet-sèvre-et-maine 966
PETITES GROUAS DOM. DES Coteaux-du-layon 997
PETITJEAN-PIENNE Champagne 670
PETITOT DOM. Aloxe-corton 496 • Côte-de-nuits-villages 485 • Nuits-saint-georges 483
PETITS QUARTS DOM. DES Bonnezeaux 1001
PETRA BIANCA DOM. Corse ou vin-de-corse 871
PETRAPIANA DOM. DE Île de Beauté 1243
PÉTRÉ & FILS DANIEL Champagne 670
PETROCORE LE Côtes-de-bergerac 920
PETRUS Pomerol 256
PEY CH. LE Médoc 349
PEY CH. JEAN DE Entre-deux-mers 314
PEY BERLAND CH. Moulis-en-médoc 373
PEY BLANC DOM. Coteaux-d'aix-en-provence 835
PEY-CHAUD BOURDIEU CH. Côtes-de-bourg 239
PEY LA TOUR CH. Bordeaux supérieur 218
PEY LABRIE CH. Canon-fronsac 245
PEY-NEUF CH. Bandol 828 • Mont-Caume 1245
PEYFAURES CH. Bordeaux supérieur 218
PEYRABON CH. Haut-médoc 360
PEYRADE CH. DE LA Muscat-de-frontignan 779
PEYRASSOL CH. Côtes-de-provence 859
PEYRAT CH. LE Castillon-côtes-de-bordeaux 308
PEYRAT DOM. DU Comté tolosan 1214
PEYRAT-FOURTHON CH. Haut-médoc 360
PEYRE CH. LA Saint-estèphe 383
PEYRE BRUNE DOM. DE Ardèche 1250
PEYRE-LEBADE CH. Haut-médoc 360
PEYREBLANQUE CH. Graves 330
PEYREGRANDES CH. DES Faugères 739
PEYRÈRE DU TERTRE CH. LA Bordeaux supérieur 218
PEYREYRE CH. Blaye-côtes-de-bordeaux 231
PEYREYRE CH. LA Haut-médoc 360
PEYRONNET DOM. Muscat-de-frontignan 780
PEYROU CH. Castillon-côtes-de-bordeaux 308
PEYROUQUET CH. Saint-émilion 268
PEYRUCHET CH. Bordeaux sec 206
PEZ CH. DE Saint-estèphe 383
PFAFFENHEIM CAVE DE Alsace grand cru 120
PFISTER DOM. Alsace muscat 77 • Alsace pinot noir 103
PHÉBUS GASTON Madiran 934
PHÉLAN SÉGUR CH. Saint-estèphe 383
PHILIPPART MAURICE Champagne 670
PHILIPPE-LE-HARDI CH. Mercurey 577
PHILIPPONNAT Champagne 670
PIADA CH. Barsac 392
PIALENTOU DOM. DE Gaillac 896
PIANA DOM. DE Corse ou vin-de-corse 871
PIBALEAU PASCAL Touraine-azay-le-rideau 1027
PIBARNON CH. DE Bandol 828
PIC JOAN DOM. Collioure 797 • Côte Vermeille 1224
PICAMELOT LOUIS Crémant-de-bourgogne 421

VINS

PICARD DOM. JEAN-PAUL Menetou-salon 1076
PICARD JACQUES Champagne 670
PICARD MICHEL Pommard 525 • Saint-aubin 558
PICHARD DOM. Madiran 934
PICHARD PHILIPPE Chinon 1046
PICHAT DOM. Côte-rôtie 1136
PICHON CHRISTOPHE Côte-rôtie 1136
PICHON-LONGUEVILLE BARON CH. Pauillac 378
PICHON-LONGUEVILLE COMTESSE DE LALANDE CH. Pauillac 378
PICHOT DOM. Vouvray 1057
PICQUE CAILLOU CH. Pessac-léognan 341
PIEAUX BRUNO ET JEAN-MICHEL Vouvray 1058
PIED-FLOND DOM. DE Coteaux-du-layon 997 • Rosé-de-loire 951
PIÉGUË CH. Crémant-de-loire 955
PIERETTI DOM. Corse ou vin-de-corse 871 • Muscat-du-cap-corse 878
PIERHEM CH. Pomerol 257
PIERRAFEU Canton du Valais 1273
PIERRAIL CH. Bordeaux supérieur 218
PIERRE CH. DE LA Brouilly 153
PIERRE DOM. DE Touraine 1022
PIERRE BLANCHE DOM. DE Condrieu 1139 • Saint-joseph 1143
PIERRE BLANCHE DOM. DE LA Muscadet-côtes-de-grand-lieu 968
PIERRE DES DAMES DOM. DE LA Mâcon et mâcon-villages 589 • Saint-véran 604
PIERRE-BISE CH. Savennières 991 • Savennières-roche-aux-moines 991
PIERREDON DOM. DE Côtes-du-rhône-villages 1128
PIERREFEU LES VIGNERONS DE LA CAVE DE Côtes-de-provence 859
PIERRÈRES CH. LES Blaye 224
PIERRES DORÉES DOM. DES Beaujolais 145
PIERRES ROUGES DOM. DES Saint-véran 604
PIERRETTES DOM. DES Touraine 1022
PIERREUX CH. DE Brouilly 153
PIERRON CH. Buzet 906
PIERSON-CUVELIER Champagne 671
PIÉTOURD CAVE DU Chinon 1046
PIETRELLA DOM. DE Ajaccio 874
PIÉTREMENT-RENARD Champagne 671
PIÉTRI-GÉRAUD DOM. Banyuls 800 • Collioure 798 • Muscat-de-rivesaltes 810
PIGANEAU CH. Saint-émilion grand cru 287
PIGEADE DOM. DE LA Vacqueyras 1165 • Vaucluse 1249
PIGEONNIER LE Costières-de-nîmes 1184
PIGNERET FILS DOM. Crémant-de-bourgogne 421 • Rully 572
PIGNIER DOM. Côtes-du-jura 703
PIGOUDET CH. Coteaux-d'aix-en-provence 835
PIGUET-CHOUET MAX ET ANNE-MARYE Auxey-duresses 535 • Meursault 544
PIGUET-GIRARDIN Chassagne-montrachet 556
PILAR CH. LA Côtes-de-duras 930
PILET CH. Bordeaux sec 206 • Cadillac-côtes-de-bordeaux 321
PILLEBOIS CH. Castillon-côtes-de-bordeaux 308
PILLET VIRGINIE Corton 502 • Pernand-vergelesses 499
PILLOT FERNAND ET LAURENT Chassagne-montrachet 556
PIN BEAUSOLEIL CH. LE Bordeaux supérieur 218
PIN-FRANC CH. DU Bordeaux 191 • Bordeaux rosé 199
PINCHINAT DOM. Côtes-de-provence 859
PINDEFLEURS CH. Saint-émilion grand cru 287
PINERAIE CH. Cahors 888
PINET LA ROQUETTE CH. Blaye-côtes-de-bordeaux 231
PINQUIER DOM. THIERRY Monthélie 533
PINS CH. LES Muscat-de-rivesaltes 810
PINS DOM. DES Beaujolais-villages 149
PINS DOM. DES Saint-amour 177
PINS DOM. LES Bourgueil 1034 • Saint-nicolas-de-bourgueil 1039
PINSON DOM. Chablis premier cru 441
PINTE DOM. DE LA Arbois 696
PION CH. Côtes-de-bergerac 925
PIOTE CH. DE Crémant-de-bordeaux 223
PIPEAU CH. Saint-émilion grand cru 287
PIPER-HEIDSIECK Champagne 671
PIQUE-BASSE DOM. Côtes-du-rhône-villages 1131
PIQUE-SÈGUE TERRE DE Côtes-de-montravel 923 • Montravel 923
PIQUEMAL DOM. Côtes-du-roussillon 787 • Côtes-du-roussillon-villages 794 • Muscat-de-rivesaltes 810
PIRON CH. Graves 330
PIROU AUGUSTE Crémant-du-jura 706
PIROUETTE CH. LA Médoc 349
PISANI LYCÉE VITICOLE EDGARD Saumur 1005
PISSE-LOUP DOM. DE Chablis 432
PITRAY CH. DE Castillon-côtes-de-bordeaux 308
PIZAY CH. DE Beaujolais 145 • Morgon 145
PLACE DES VIGNES DOM. Juliénas 166
PLACES CH. DES Graves 330
PLAGNAC CH. Médoc 349
PLAIGNE DOM. DE LA Régnié 174
PLAINE DOM. DE LA Muscat-de-frontignan 780
PLAISANCE CH. Côtes-de-bourg 239
PLAISANCE CH. DE Coteaux-du-layon 997 • Quarts-de-chaume 999 • Savennières 991
PLAISANCE CH. MARIE Bergerac rosé 927 • Bergerac sec 927 • Côtes-de-bergerac 927 • Saussignac 927
PLAISANCE THIBAUT DE Fronton 903
PLAISIR Bordeaux 191
PLAN DE L'HOMME Languedoc 758
PLAN-VERMEERSCH LE Méditerranée 1245
PLANÈRES CH. Côtes-du-roussillon 787
PLANES DOM. DES Côtes-de-provence 859
PLANTA DOM. DE LA Canton de Genève 1278
PLANTEVIN DOM. PHILIPPE Côtes-du-rhône-villages 1131
PLANTEY CH. Pauillac 378
PLAT FAISANT CH. Cahors 888
PLESSIS LES CAVES DU Saint-nicolas-de-bourgueil 1039
PLEYJEAN DOM. Aveyron 1213
PLINCE CH. Pomerol 257
PLINCETTE CH. Pomerol 257
PLÔ NOTRE-DAME LE Minervois 771 • Oc 1238
PLÔ ROUCARELS Cité de Carcassonne 1223
PLOYEZ-JACQUEMART Champagne 671
POËLERIE VIGNOBLE DE LA Chinon 1046
POINTE CH. LA Pomerol 257
POIRON-DABIN VIGNOBLE Val de Loire 1208
POITEVINIÈRE DOM. DE LA Muscadet-sèvre-et-maine 966
POITTEVIN GASTON Champagne 671
POL ROGER Champagne 671
POLIGNAC DOM. Floc-de-gascogne 947
POLL-FABAIRE Crémant-de-luxembourg 1261
POLLIER DOM. DANIEL Pouilly-fuissé 597
POMMARD CH. DE Meursault 544 • Monthélie 533 • Pommard 525
POMMERY Champagne 672
POMMIER ISABELLE ET DENIS Chablis 432 • Chablis premier cru 441 • Petit-chablis 424
POMPLES DOM. DES Côtes-de-provence 859
PONCEREAU DE HAUT DOM. DE Charentais 1212
PONCETYS DOM. DES Pouilly-fuissé 597 • Saint-véran 604
PONCHEMIN CH. Bordeaux 192
PONCHON DOM. DE Brouilly 170 • Morgon 170
PONSARD-CHEVALIER DOM. Maranges 566 • Santenay 563
PONSON PASCAL Champagne 672
PONSOT JEAN-BAPTISTE Rully 572
PONT-CLOQUET CH. Pomerol 257
PONT D'ARC CELLIER DU Ardèche 1250
PONT DE BRION CH. Graves 329
PONT DE GUESTRES DOM. Lalande-de-pomerol 259
PONT DU RIEU DOM. LE Vacqueyras 1165
PONT-PERRAULT DOM. DE Coteaux-du-layon 997
PONTAC-LYNCH CH. Margaux 370
PONTBRIANT DOM. Vaucluse 1249
PONTET BAGATELLE CH. Coteaux-d'aix-en-provence 835

PONTET BEL AIR SEMMACARI DE Côtes-de-bordeaux-saint-macaire 323
PONTET-CHAPPAZ CH. Margaux 370
PONTET REYNAUD CH. Graves 330
PONTEY CH. Médoc 350
PONTOISE CABARRUS CH. Haut-médoc 360
PONZAC CH. Cahors 888
PORT CH. DU Cahors 889
PORT-JEAN DOM. DE Muscadet 969 • Muscadet-coteaux-de-la-loire 969
PORTAIL DOM. LE Cheverny 1063 • Cour-cheverny 1063
PORTAILLE DOM. DU Crémant-de-loire 955
PORTAZ DOM. MARC Roussette-de-savoie 719
PORTE ROUGE DOM. Châteauneuf-du-pape 1174
PORTES DE BORDEAUX LES Bordeaux 193
PORTIER CH. Moulin-à-vent 172
PORTIER DOM. PHILIPPE Quincy 1085
POTARDIÈRE DOM. DE LA Gros-plant-du-pays-nantais 970
POTEL-PRIEUX Champagne 672
POTENSAC CH. Médoc 350
POTERIE DOM. DE LA Anjou-villages 982
POTHIERS DOM. DES Côte-roannaise 1074
POTIRON CH. DE Cadillac-côtes-de-bordeaux 321
POUDEROUX DOM. Côtes-du-roussillon-villages 794 • Maury 813
POUGET CH. Margaux 370
POUILLON R. Coteaux-champenois 689
POUILLOUX THIERRY Pineau-des-charentes 821
POUILLY-SUR-LOIRE CAVES DE Pouilly-fumé 1082
POUINIÈRES DOM. DES Muscadet-sèvre-et-maine 966
POUJEAUX CH. Moulis-en-médoc 373
POUJO DOM. Pacherenc-du-vic-bilh 936
POUJOL DOM. DU Languedoc 758
POULET PÈRE ET FILS Beaune 518 • Gevrey-chambertin 460
POULETTE DOM. DE LA Nuits-saint-georges 483
POULLEAU PÈRE ET FILS DOM. Bourgogne 412 • Côte-de-beaune 519
POULTIÈRE DOM. DE LA Vouvray 1058
POULVAREL DOM. DE Costières-de-nîmes 1184
POULVÈRE CH. Côtes-de-bergerac 924
POUNTET DOM. DU Côtes-du-brulhois 904
POUPAT ET FILS DOM. Coteaux-du-giennois 1070
POURCIEUX CH. DE Côtes-de-provence 859
POUROUTOU CH. Bordeaux 192
POURTHIÉ DOM. DES Oc 1238
POUSSE D'OR LA Corton 502 • Pommard 525 • Volnay 529
POUSSIN CAVES Vouvray 1058
POUVEREL DOM. Côtes-de-provence 859
POUYANNE CH. Graves 330
POYEBADE DOM. DE LA Brouilly 154
POYET DOM. DU Côtes-du-forez 1074
PRADAL CH. Rivesaltes 805
PRADAS DOM. DU Gigondas 1160
PRADE CH. LA Francs-côtes-de-bordeaux 310
PRADE MARI DOM. LA Minervois 771
PRADELLE DOM. Crozes-hermitage 1147
PRADELLES DOM. DES Fronton 903
PRADIER MARC Côtes-d'auvergne 1072 • Puy-de-Dôme 1201
PRAPIN DOM. DE Coteaux-du-lyonnais 178
PRAT YVELINE Champagne 672
PRATAVONE DOM. DE Ajaccio 874
PRÉ BARON DOM. DU Touraine 1022
PRÉ SEMELÉ DOM. DU Sancerre 1097
PRÉ-LYRE Canton de Vaud 1269
PRÉCEPTORIE LA Côtes-du-roussillon-villages 795
PREIGNES Oc 1238
PREIGNES LE NEUF DOM. Coteaux du Libron 1223
PREIGNES LE VIEUX DOM. Oc 1238
PREISS-ZIMMER Alsace gewurztraminer 82 • Alsace pinot gris 96
PRÉMEAUX CH. DE Bourgogne-passetoutgrain 415 • Côte-de-nuits-villages 485
PRÉMYA Lussac-saint-émilion 292 • Puisseguin-saint-émilion 300
PRÉSIDENTE DOM. DE LA Côtes-du-rhône 1116
PRESSOIR FLANIÈRE DOM. DU Bourgueil 1034
PRESSOIR FLEURI DOM. DU Beaujolais 145 • Chiroubles 145
PRESTIGE DES SACRES Champagne 672
PRETY CH. Mâcon et mâcon-villages 589
PREUILLAC CH. Médoc 350
PRÉVEAUX DOM. BRUNO Chinon 1046
PRÉVOST CAVE Menetou-salon 1077
PRÉVOST FRANÇOIS Anjou 978
PRIÉ PHILIPPE Champagne 672
PRIEUR CH. ET A. Champagne 673
PRIEUR DOM. JACQUES Beaune 518
PRIEUR G. Beaune 518 • Pommard 525
PRIEUR ET FILS PAUL Sancerre 1097
PRIEUR ET FILS PIERRE Sancerre 1098
PRIEUR SAINT-FLORENT Castillon-côtes-de-bordeaux 305
PRIEUR-BRUNET DOM. Bâtard-montrachet 550 • Meursault 544 • Santenay 563
PRIEURÉ CH. LE Saint-émilion grand cru 287
PRIEURÉ DOM. DU Bourgogne-hautes-côtes-de-beaune 490 • Savigny-lès-beaune 511
PRIEURÉ LA CAVE DU Roussette-de-savoie 719 • Vin-de-savoie 715
PRIEURÉ LES VIGNERONS DU Beaujolais-villages 166 • Juliénas 166
PRIEURÉ BORDE-ROUGE CH. Corbières 733
PRIEURÉ D'AUNIS LE Saumur-champigny 1012
PRIEURÉ DE CÉNAC MISSION Cahors 890
PRIEURÉ DE MONTÉZARGUES Tavel 1181
PRIEURÉ DE SAINT-CÉOLS LE Menetou-salon 1077
PRIEURÉ DE SAINT-JEAN DE BÉBIAN Languedoc 758
PRIEURÉ LALANDE CH. Côtes-de-bourg 239
PRIEURÉ-LES-TOURS CH. Graves 329
PRIEURÉ-LICHINE CH. Margaux 370
PRIEURÉ SAINT-HIPPOLYTE Languedoc 758
PRIN DOM. Aloxe-corton 496 • Ladoix 494 • Savigny-lès-beaune 511
PRINCÉ CH. Coteaux-de-l'aubance 989
PRINCE LARQUEY CH. Bordeaux supérieur 219
PRINCES CELLIER DES Côtes-du-rhône 1117
PRIOLAT LE Bordeaux supérieur 219
PRIORAT CH. DU Bergerac rosé 914
PROST ET FILS SERGE Maranges 566
PROVENCE VERTE VIGNERONS DE LA Coteaux-varois-en-provence 840
PROVIDENCE CH. Pomerol 257
PRUGNARD JEAN-PIERRE Côtes-d'auvergne 1072
PRUNIER DOM. JEAN-PIERRE ET LAURENT Auxey-duresses 535 • Monthélie 533
PRUNIER VINCENT Auxey-duresses 535 • Chassagne-montrachet 556 • Volnay 529
PRUNIER ET FILLE DOM. MICHEL Auxey-duresses 535
PRUNIER-BONHEUR Auxey-duresses 535 • Meursault 544 • Monthélie 533 • Saint-romain 537
PRUNIER-DAMY DOM. Auxey-duresses 535 • Saint-romain 538
PUECH-AUGER Languedoc 758
PUECH-BERTHIER Oc 1238
PUECH-HAUT CH. Languedoc 758
PUFFENEY FRÉDÉRIC Arbois 696
PUIG-BONAS CH. Rivesaltes 805
PUILACHER DOM. DE Oc 1238
PUISSEGUIN CURAT CH. DE Puisseguin-saint-émilion 300
PUITS DOM. DU Mâcon et mâcon-villages 589
PUITS DE COMPOSTELLE DOM. DU Côtes de la Charité 1201
PUJOL DOM. Minervois 771
PUNDEL-SIBENALER CAVES FERNAND Moselle luxembourgeoise 1258
PUPILLIN FRUITIÈRE VINICOLE DE Arbois 696 • Crémant-du-jura 706
PUY DOM. DU Chinon 1046
PUY CASTÉRA CH. Haut-médoc 360
PUY DU MAUPAS DOM. LE Côtes-du-rhône-villages 1131 • Vinsobres 1154
PUY FAVEREAU CH. Bordeaux supérieur 219

PUY GARANCE CH. Castillon-côtes-de-bordeaux 308
PUY MARQUIS DOM. DU Vaucluse 1249
PUY-SERVAIN CH. Haut-montravel 923 • Montravel 923
PUYANCHÉ CH. Francs-côtes-de-bordeaux 310
PUYBARBE CH. Côtes-de-bourg 239
PUYDEVAL Oc 1238
PUYNARD CH. Blaye-côtes-de-bordeaux 231
PUYNORMOND CH. Montagne-saint-émilion 298
PUYPEZAT-ROSETTE CH. Bergerac 912
PYRÈNE Côtes de Gascogne 1218

Q

QUANTIN CH. DE Pessac-léognan 335
QUARRES DOM. DES Anjou-villages 982
QUART DU ROY DOM. Côtes-du-rhône 1110 • Côtes-du-rhône-villages 1125
QUARTERON DOM. DU Coteaux-d'ancenis 969 • Muscadet-coteaux-de-la-loire 969
QUARTIRONI DE SARS CH. Saint-chinian 777
QUAT'Z'ARTS VILLA Saint-chinian 777
QUATRE SAISONS Oc 1239
QUATRE SŒURS CH. DES Médoc 350
QUATRE VENTS CH. AUX Médoc 350
QUATRE VENTS DOM. DES Cassis 832
QUATRE VENTS DOM. DES Chinon 1047
QUATRESOLS-GAUTHIER Champagne 673
QUATTRE LES CARRALS DU CH. Cahors 889
QUÉNARD ANDRÉ ET MICHEL Vin-de-savoie 715
QUÉNARD DOM. PASCAL ET ANNICK Vin-de-savoie 716
QUÉNARD JEAN-FRANÇOIS Vin-de-savoie 715
QUERCY CH. Saint-émilion grand cru 287
QUEYNAC Bordeaux supérieur 219
QUEYRENS ET FILS J. Crémant-de-bordeaux 223
QUEYRON PATARABET CH. Saint-émilion 268
QUILLOT DOM. Côtes-du-jura 704 • Crémant-du-jura 706
QUIMPER CH. Haut-médoc 357
QUINARD CAVEAU Bugey 722
QUINÇAY CH. DE Touraine 1023 • Valençay 1066
QUINSAC LE ROSÉ DE Bordeaux rosé 199
QUINTIGNY CH. DE Côtes-du-jura 704
QUIVY DOM. Charmes-chambertin 464
QUIVY GÉRARD Gevrey-chambertin 460

R

RABELAIS CAVES DES VINS DE Chinon 1047
RABELAIS DOM. DE Touraine-mesland 1027
RABIEGA Côtes-de-provence 860
RACE DENIS Chablis 432 • Chablis grand cru 445
RAFALE Oc 1239
RAFFAULT JEAN-MAURICE Chinon 1047
RAFFAULT OLGA Chinon 1047
RAFFLIN SERGE Champagne 673
RAFOU DE BÉJARRY DOM. DU Muscadet-sèvre-et-maine 966
RAGOT DOM. Givry 580
RAGUENIÈRES DOM. DES Bourgueil 1034
RAHOUL CH. Graves 330
RAILLÈRES DOM. DES Muscadet 957
RAIMBAUDIÈRE DOM. DE LA Cabernet-d'anjou 987 • Rosé-d'anjou 985
RAIMBAULT Gaillac 896
RAIMBAULT NOËL ET JEAN-LUC Sancerre 1098
RAIMBAULT PHILIPPE Sancerre 1098
RAIMBAULT ROGER ET DIDIER Sancerre 1098
RAIMBAULT-PINEAU DOM. Sancerre 1098
RAISINS DORÉS DOM. DES Vouvray 1058
RAISINS OUBLIÉS LES Bergerac sec 919 • Côtes-de-bergerac moelleux 919
RAISSAC CH. Languedoc 759
RAMADE DOM. DE LA Languedoc 759
RAMATUELLE DOM. Coteaux-varois-en-provence 840
RAMBAUDS CH. LES Bordeaux supérieur 219
RAME CH. LA Cadillac 388 • Cadillac-côtes-de-bordeaux 321 • Sainte-croix-du-mont 391
RAMPON DANIEL Morgon 170
RANCY DOM. DE Côtes-du-roussillon-villages 795 • Rivesaltes 805
RAOUSSET CH. DE Chiroubles 160
RAPET DOM. Auxey-duresses 536 • Meursault 544
RAPET PÈRE ET FILS Aloxe-corton 496 • Beaune 518 • Corton-charlemagne 505 • Pernand-vergelesses 499
RAPP JEAN ET GUILLAUME Alsace edelzwicker 71
RAQUILLET FRANÇOIS Mercurey 577 • Rully 572
RASPAIL Clairette-de-die 1153
RASPAIL CH. Gigondas 1160
RASPAIL ET FILS JEAN-CLAUDE Crémant-de-die 1153
RASQUE CH. Côtes-de-provence 860
RASSAT DIDIER Quincy 1085
RASTEAU CAVE DE Rasteau 1198
RASTOUILLET LESCURE CH. Saint-émilion 268
RATAS DOM. DES Coteaux-du-giennois 1070
RAUZAN DESPAGNE CH. Bordeaux rosé 197 • Bordeaux sec 206 • Entre-deux-mers 315
RAUZAN-GASSIES CH. Margaux 370
RAUZAN-SÉGLA CH. Margaux 371
RAVAUT VINCENT Vosne-romanée 477
RAVIER PASCAL Vin-de-savoie 716
RAVIER PHILIPPE Vin-de-savoie 716
RAVINETS DOM. DES Saint-amour 177
RAVOIRE OLIVIER Côtes-du-rhône 1105
RAY ET ALEXANDRE PINET FRANÇOIS Saint-pourçain 1089
RAYNE-VIGNEAU CH. DE Bordeaux sec 206 • Sauternes 397
RAYNIÈRES DOM. DES Saumur-champigny 1012
RAYRE CH. LA Bergerac blanc 916 • Bergerac sec 916
RAZ CH. LE Montravel 923
RAZ CAMAN CH. LA Blaye-côtes-de-bordeaux 231
RÉAL-CAILLOU CH. Lalande-de-pomerol 263
RÉAL MARTIN CH. Côtes-de-provence 860
REBOURGEON MICHEL Bourgogne 413
REBOURGEON-MURE DOM. Pommard 525
REBOURSEAU DOM. HENRI Clos-de-vougeot 472
RÉBUS Oc 1239
RÉCÈS CH. Cahors 889
RECTORIE DOM. DE LA Banyuls 800 • Collioure 798
REDDE ET FILS MICHEL Pouilly-fumé 1082
RÉDEMPTEUR CHAMPAGNE DU Champagne 673
REDON CH. Saint-émilion 268
REDORTIER CH. Beaumes-de-venise 1168 • Gigondas 1160
REGIN ANDRÉ Alsace riesling 89 • Crémant-d'alsace 130
RÉGINA DOM. Côtes-de-toul 134
RÉGNARD Chablis 432 • Chablis grand cru 445
REGNARD DOM. CHRISTIAN Bourgogne-hautes-côtes-de-beaune 490 • Maranges 567
REGNAUDOT BERNARD Maranges 567 • Santenay 563
REGNAUDOT ET FILS JEAN-CLAUDE Maranges 567 • Santenay 564
REGNIER DOM. Saumur-champigny 1012
RÉGNIER LOUIS Champagne 673
REGUIGNON CH. DE Bordeaux 192
RÉGUSSE CH. Pierrevert 1197
REIG CH. Collioure 798
REIGNAC CH. DE Bordeaux supérieur 219
REILLANNE DOM. DE Var 1247
REINE BLANCHE CH. Saint-émilion grand cru 282
REINE JEANNE LA CAVE DE LA Arbois 696 • Château-chalon 699 • Crémant-du-jura 706
REINE JULIETTE DOM. Languedoc 759
REINE PÉDAUQUE Meursault 538
REINHART VIGNOBLES Alsace grand cru 121 • Alsace riesling 89

REITZ PAUL Beaune 518 • Savigny-lès-beaune 511
RELAGNES DOM. DES Châteauneuf-du-pape 1174
RELAIS DE LA POSTE CH. Côtes-de-bourg 239
RÉMÉJEANNE DOM. LA Côtes-du-rhône 1117
REMIZIÈRES DOM. DES Crozes-hermitage 1147 • Hermitage 1149 • Saint-joseph 1143
REMOULINS LES VIGNERONS DE Côtes-du-rhône 1117
REMPARTS DOM. DES Bourgogne 413
REMY DOM. CHANTAL Latricières-chambertin 463
REMY DOM. JOËL Bourgogne-hautes-côtes-de-beaune 491
REMY ERNEST Champagne 673
REMY-COLLARD F. Champagne 673
RENARD LIONEL Saumur 1006
RENARDIÈRE DOM. DE LA Arbois 696 • Macvin-du-jura 709
RENAUD PASCAL Pouilly-fuissé 598
RENAUDAT DOM. VALÉRY Reuilly 1087
RENAUDIE CH. LA Pécharmant 925
RENAUDIE DOM. DE LA Touraine 1023
RENCK RAYMOND Alsace pinot ou klevner 74
RENCONTRE DOM. DE LA Muscat-de-mireval 780
RENJARDE DOM. DE LA Côtes-du-rhône-villages 1131
RENNE DOM. DE LA Val de Loire 1208
RENTZ ET FILS Alsace gewurztraminer 82
RENUCCI DOM. Corse ou vin-de-corse 871
RENVOISÉ JEAN-MARIE Jasnières 1050
RÉPUBLIQUE ET CANTON DE GENÈVE DOM. DE LA Canton de Genève 1278
RÉSERVE DES JACOBINS Saint-émilion grand cru 287
RÉSERVE DU PRÉSIDENT Corse ou vin-de-corse 871 • Île de Beauté 1243
RÉSERVE SAINT-DOMINIQUE Vacqueyras 1165
RESPIDE CH. Graves 331
RESTANQUES BLEUES LES Coteaux-varois-en-provence 840
RÊVA CH. Côtes-de-provence 860
REVEL Comté tolosan 1214 • Coteaux-du-quercy 891
REVENTS DOM. LES Canton de Vaud 1269
REVERCHON XAVIER Côtes-du-jura 704 • Crémant-du-jura 706 • Macvin-du-jura 709
REVERDI CH. Listrac-médoc 364
REVERDY DOM. HIPPOLYTE Sancerre 1098
REVERDY PASCAL ET NICOLAS Sancerre 1098
REVERDY DUCROUX DOM. Sancerre 1098
REVERDY ET FILS BERNARD Sancerre 1099
REVERDY ET FILS DANIEL Sancerre 1099
REVERDY ET FILS JEAN Sancerre 1099
RÉVÉRENCE CH. LA Saint-émilion grand cru 288
REVOL DOM. DE LA Beaujolais 145
REY CH. DE Côtes-du-roussillon 787
REY DOM. DU Côtes de Gascogne 1219
REY ÈVE ET MICHEL Pouilly-fuissé 598
REYNARDIÈRE DOM. DE LA Faugères 739
REYNAUD CH. DE Côtes-de-bourg 239
REYNE CH. LA Cahors 889
REYNON CH. Cadillac-côtes-de-bordeaux 321
REYSER HUBERT Crémant-d'alsace 131
REYSSE CH. LE Médoc 350
REYSSON CH. Haut-médoc 360
RHODES CH. DE Gaillac 896
RIAUX DOM. DE Pouilly-fumé 1082 • Pouilly-sur-loire 1083
RIBEAUVILLÉ CAVE DE Alsace grand cru 121 • Alsace riesling 89
RICARDELLE CH. Languedoc 759
RICARDS CH. LES Blaye-côtes-de-bordeaux 231
RICAUD CH. DE Bordeaux sec 206
RICAUD CH. DE Cadillac-côtes-de-bordeaux 322
RICAUD CH. Blaye-côtes-de-bordeaux 230
RICHARD DOM. HENRI Gevrey-chambertin 460
RICHARD DOM. PIERRE Crémant-du-jura 706
RICHARD PHILIPPE Chinon 1047
RICHARD PIERRE Côtes-du-jura 704 • Macvin-du-jura 709
RICHEL BERNARD ET CHRISTOPHE Vin-de-savoie 716
RICHEMER HENRI DE Côtes de Thau 1228
RICHÈRES DOM. DES Anjou 978 • Cabernet-d'anjou 987 • Coteaux-du-layon 997
RICHOMME M. Champagne 674
RICHOU DOM. Coteaux-de-l'aubance 989 • Crémant-de-loire 956
RICHOUX THIERRY Bourgogne 413
RIEFFEL Alsace grand cru 121
RIEFLÉ CHRISTOPHE Alsace pinot gris 97 • Alsace riesling 89
RIEFLÉ DOM. Alsace grand cru 121
RIÈRE CADÈNE DOM. Côtes-du-roussillon 788 • Muscat-de-rivesaltes 810
RIETSCH Alsace grand cru 121
RIEUSSEC CH. Sauternes 397
RIEUX DOM. RENÉ Gaillac 896
RIGAL Cahors 889 • Côtes de Gascogne 1219 • Côtes du Lot 1221
RIGAUD CH. Puisseguin-saint-émilion 301
RIGOLLOT CLAUDE Champagne 674
RIGOLOT MARC Champagne 674
RIGOT DOM. Côtes-du-rhône-villages 1131 • Principauté d'Orange 1246
RIGOULINE DOM. LA Méditerranée 1245
RIMAURESQ Côtes-de-provence 860
RIN DU BOIS DOM. DU Touraine 1023
RINEAU DAMIEN Muscadet-sèvre-et-maine 967
RION DOM. ARMELLE ET BERNARD Bourgogne 413 • Clos-de-vougeot 472 • Vosne-romanée 477
RION DOM. MICHÈLE ET PATRICE Nuits-saint-georges 483
RIQUEWIHR DOM. DU CH. DE Alsace riesling 89
RIVALERIE CH. LA Blaye-côtes-de-bordeaux 232
RIVES-BLANQUES CH. Limoux 766
RIVIÈRE CH. DE LA Bordeaux clairet 196 • Fronsac 248
ROAIX Côtes-du-rhône-villages 1132
ROAIX-SÉGURET LES VIGNERONS DE Côtes-du-rhône-villages 1131
ROBELIN FILS DOM. Côtes-du-jura 704 • Macvin-du-jura 709
ROBERPEROTS CH. Bordeaux 192
ROBERT A. Champagne 674
ROBERT ANDRÉ Champagne 674
ROBERT DOM. DE Fleurie 163
ROBERT VALÉRY Champagne 674
ROBERT ET FILS VIGNOBLE ALAIN Vouvray 1058
ROBERTERIE CH. LA Bordeaux supérieur 219
ROBERTIE CH. LA Côtes-de-bergerac 921 • Monbazillac 921
ROBERTIE HAUTE LA Côtes-de-bergerac 921
ROBIN CH. Castillon-côtes-de-bordeaux 309
ROBIN GÉRARD Chablis 432
ROBIN GUY Chablis grand cru 445
ROBIN JACQUES Champagne 675
ROBIN LOUIS Chablis 432
ROBIN LOUIS Côte-roannaise 1074
ROBINEAU MICHEL Coteaux-du-layon 998
ROBINIÈRES VIGNOBLE DES Bourgueil 1034
ROBLIN ALBAN Sancerre 1099
ROBLIN MATTHIAS ET ÉMILE Sancerre 1099
ROC CH. DU Corbières 733
ROC LE Fronton 903
ROC DE GRIMON Castillon-côtes-de-bordeaux 305
ROC DE L'OLIVET DOM. Tavel 1181
ROC DE MIREMONT Côtes-de-bergerac moelleux 919
ROC DES ANGES DOM. LE Côtes catalanes 1227
ROC PLANTIER CH. Côtes-de-bourg 240
ROC SAINT-JACQUES CH. Puisseguin-saint-émilion 300
ROCA CH. LA Muscat-de-rivesaltes 811
ROCALIÈRE DOM. LA Lirac 1178 • Tavel 1181
ROCAULT LUCIEN ET FANNY Bourgogne-hautes-côtes-de-beaune 491
ROCCA MAURA Côtes-du-rhône 1117 • Lirac 1179
ROCFLAMBOYANT Fitou 742
ROCHE CH. DE LA Touraine 1023
ROCHE DOM. DE LA Muscadet-sèvre-et-maine 966
ROCHE DOM. DE LA Pessac-léognan 341

VINS

ROCHE AIGUË DOM. DE LA Bourgogne-hautes-côtes-de-beaune 491 • Saint-romain 538
ROCHE-AUDRAN DOM. Côtes-du-rhône 1117 • Côtes-du-rhône-villages 1131
ROCHE BEAULIEU CH. LA Castillon-côtes-de-bordeaux 309
ROCHE BLEUE DOM. DE LA Coteaux-du-loir 1049
ROCHE BLONDE DOM. DE Vouvray 1059
ROCHE DE BELLÈNE MAISON Chambertin 462 • Chevalier-montrachet 549 • Puligny-montrachet 548
ROCHE DU POTET DOM. LA Chiroubles 160
ROCHE HONNEUR DOM. DE LA Chinon 1047
ROCHE MOREAU DOM. DE LA Coteaux-du-layon 998 • Quarts-de-chaume 1000
ROCHE REDONNE DOM. Bandol 828
ROCHE ROSE DOM. DE LA Régnié 175
ROCHE SAINT-AENS LA Anjou 978 • Coteaux-du-layon 998
ROCHE SAINT-JEAN CH. LA Bordeaux 192
ROCHE SAINT-MARTIN DOM. DE LA Brouilly 154
ROCHE THULON DOM. DE LA Régnié 175
ROCHEBELLE CH. Saint-émilion grand cru 288
ROCHEBIN DOM. DE Bourgogne 413
ROCHELAMBERT DOM. DE LA Saumur 1006
ROCHELIERRE DOM. DE LA Fitou 742
ROCHELLES DOM. DES Anjou-villages-brissac 983
ROCHEMOND DOM. DE Côtes-du-rhône 1117
ROCHEMORIN CH. DE Pessac-léognan 341
ROCHEPINAL DOM. DE LA Montlouis-sur-loire 1053
ROCHER BENOÎT Cabernet-d'anjou 987
ROCHER ÉRIC Ardèche 1250 • Crozes-hermitage 1147 • Saint-joseph 1143
ROCHER-BONREGARD CH. Pomerol 257
ROCHER CORBIN CH. Montagne-saint-émilion 298
ROCHER DES VIOLETTES LE Montlouis-sur-loire 1053
ROCHER NOTRE-DAME DOM. DU Coteaux-du-layon 998
ROCHES CH. DES Cahors 889
ROCHES DE FERRAND CH. LES Fronsac 248
ROCHES DU PY DOM. DES Morgon 170
ROCHES NOIRES LES Côtes-du-roussillon-villages 795
ROCHETTAZ Canton de Vaud 1269
ROCHETTE DOM. DE LA Touraine 1023
ROCHETTES CH. DES Anjou-villages 982 • Coteaux-du-layon 994
ROCHEVILLE DOM. DE Saumur 1006
ROCHEVINE DOM. Saint-joseph 1143
ROCOURT MICHEL Champagne 675
RODELINE DOM. LA Canton du Valais 1274
RODET ANTONIN Puligny-montrachet 548
RODEZ ÉRIC Champagne 675
ROEDERER LOUIS Champagne 675
ROGER JEAN-MAX Sancerre 1099
ROGGE-CERESER Champagne 675
ROH SERGE Canton du Valais 1275
ROI DAGOBERT CAVE DU Alsace riesling 89
ROIZELIÈRE DOM. LA Côtes-du-rhône 1117
ROL VALENTIN CH. Saint-émilion grand cru 288
ROLET DOM. Arbois 696
ROLLAN DE BY CH. Médoc 346
ROLLAND CH. Cadillac-côtes-de-bordeaux 322
ROLLAND MARIE-FRANCE Touraine 1023
ROLLET GEORGES ET VINCENT Beaujolais-villages 166 • Juliénas 166
ROLLIN PÈRE ET FILS DOM. Pernand-vergelesses 499
ROLLY GASSMANN Alsace riesling 90
ROMAINE LA Côtes-du-rhône 1118 • Côtes-du-rhône-villages 1131 • Ventoux 1192
ROMAINES LES Canton de Vaud 1269
ROMANÉE-CONTI DOM. DE LA Corton 502 • Échézeaux 474 • Grands-échézeaux 475 • Romanée-saint-vivant 478
ROMANESCA DOM. Moulin-à-vent 172
ROMANIN DOM. Mâcon et mâcon-villages 590 • Pouilly-fuissé 598
ROMANY DOM. Beaujolais 145
ROMARINE CH. LA Bordeaux supérieur 220
ROMARINS DOM. DES Côtes-du-rhône-villages 1132
ROMBEAU CH. Côtes-du-roussillon-villages 795 • Muscat-de-rivesaltes 811
ROMBEAU DOM. DE Côtes catalanes 1227
ROMER DU HAYOT CH. Sauternes 397
ROMILHAC CH. DE Corbières 734
ROMINGER ÉRIC Alsace grand cru 121
ROMPILLON DOM. Anjou-villages 982
ROMY NICOLAS Beaujolais 145
RONCIÈRE DOM. DE LA Châteauneuf-du-pape 1174
RONGIER ET FILS Viré-clessé 593
ROOY FOLLY DU Pécharmant 925
ROPITEAU Meursault 544
ROQUE CH. LA Languedoc 759
ROQUE LE MAYNE CH. Castillon-côtes-de-bordeaux 309
ROQUE-PEYRE CH. Montravel 923
ROQUE SESTIÈRE Corbières 734
ROQUEBRUN CAVE DE Saint-chinian 777
ROQUEFEUILLE CH. DE Côtes-de-provence 860
ROQUEFORT CH. Bordeaux 192 • Bordeaux sec 206
ROQUEGRAVE CH. Médoc 350
ROQUEMALE DOM. DE Languedoc 759
ROQUES CH. DE Puisseguin-saint-émilion 301
ROQUES MAURIAC CH. Bordeaux 192 • Bordeaux supérieur 220
ROQUETAILLADE LA GRANGE CH. Graves 331
ROQUEVIEILLE CH. Castillon-côtes-de-bordeaux 309
ROQUIÈRE LA Coteaux-varois-en-provence 840
ROSE BELLEVUE CH. LA Blaye-côtes-de-bordeaux 232
ROSE BRANA CH. LA Saint-estèphe 383
ROSE BRISSON CH. LA Saint-émilion grand cru 288
ROSÉ D'UN ÉTÉ Côtes du Lot 1221
ROSÉ DE SÉGOS Côtes du Lot 1221
ROSE DES VENTS DOM. LA Coteaux-varois-en-provence 840
ROSE ET PAUL DOM. Malepère 767
ROSE GADIS CH. LA Bordeaux 192
ROSE MONTAURAN CH. LA Bordeaux 193
ROSE PONCET CH. LA Castillon-côtes-de-bordeaux 309
ROSE TRIMOULET CH. LA Saint-émilion grand cru 288
ROSERAIE VIGNOBLE DE LA Bourgueil 1034 • Saint-nicolas-de-bourgueil 1040
ROSIER DOM. Blanquette-de-limoux 764 • Crémant-de-limoux 764
ROSIER DOM. DES Grignan-les-adhémar 1187
ROSIÈRE Coteaux des Baronnies 1252
ROSSIER DAVID Canton du Valais 1275
ROSSIGNOL DOM. Côtes-du-roussillon 788 • Rivesaltes 805
ROSSIGNOL PHILIPPE Fixin 456 • Gevrey-chambertin 460
ROSSIGNOL-CHANGARNIER DOM. RÉGIS Beaune 518 • Pommard 525 • Volnay 529
ROSSIGNOL-FÉVRIER DOM. Pommard 526 • Volnay 529
ROSSIGNOL-TRAPET DOM. Gevrey-chambertin 460 • Savigny-lès-beaune 511
ROSSIGNOLE DOM. DE LA Sancerre 1099
ROTIER DOM. Gaillac 897
ROTISSON Beaujolais 145
ROTISSON DOM. DE Bourgogne-grand-ordinaire 415
ROTONDE CAVALIER DOM. DE Cévennes 1223
ROTY CH. DU Coteaux-d'ancenis 972
ROUBINE CH. Côtes-de-provence 860
ROUBINE DOM. LA Vacqueyras 1165
ROUCAS DOM. DE Côtes-de-provence 861
ROUCAS DE SAINT-PIERRE DOM. DU Gigondas 1161
ROUDÈNE DOM. DE Fitou 742
ROUESSES LES Reuilly 1087
ROUET FAMILLE Chinon 1047
ROUËT LE Côtes-de-provence 861

ROUETTE DOM. DE LA Côtes-du-rhône 1118
ROUFFIAC CH. DE Cahors 890
ROUGE GARANCE DOM. Côtes-du-rhône 1118 • Côtes-du-rhône-villages 1132
ROUGE GORGE DOM. DU Faugères 739
ROUGEMONT CH. Graves 331
ROUGERIE CH. DE Bordeaux supérieur 220
ROUGES-QUEUES DOM. DES Santenay 564
ROUGET CH. Pomerol 258
ROUGEYRON DOM. Côtes-d'auvergne 1072
ROUILLÈRE DOM. LA Côtes-de-provence 861
ROUÏRE-SÉGUR DOM. Corbières 734
ROUISSOIR CHAI DU Pineau-des-charentes 821
ROULERIE CH. DE LA Anjou 979
ROUMIEU CH. Sauternes 397
ROÛMIEU-LACOSTE CH. Sauternes 397
ROUQUETTE CH. DE Bordeaux 193 • Loupiac 389
ROUQUETTE-SUR-MER CH. Languedoc 759
ROUSSE CH. DE Jurançon 942
ROUSSE WILFRID Chinon 1047
ROUSSEAU DE SIPIAN CH. Médoc 350
ROUSSEAU FRÈRES Touraine-noble-joué 1024
ROUSSEAUX-BATTEUX Champagne 675
ROUSSEAUX-FRESNET Champagne 676
ROUSSELIÈRE CH. LA Saint-estèphe 381
ROUSSELIN DOM. Rivesaltes 805
ROUSSELLE CH. Côtes-de-bourg 240
ROUSSELLE CH. LA Fronsac 248
ROUSSET CH. DE Pierrevert 1197
ROUSSET DOM. DE Alpes-de-Haute-Provence 1241
ROUSTAN CH. Costières-de-nîmes 1184
ROUTAS CH. Coteaux-varois-en-provence 841
ROUVIÈRE CH. LA Bandol 828
ROUVRE SAINT-LÉGER Côtes-du-rhône-villages 1132
ROUX DOM. Châteaumeillant 1068
ROUX PÈRE ET FILS Chassagne-montrachet 551 • Meursault 544 • Saint-aubin 558
ROUZAN DOM. DE Vin-de-savoie 716
ROUZÉ DOM. ADÈLE Quincy 1085
ROUZÉ DOM. JACQUES Quincy 1085
ROY DOM. Petit-chablis 424
ROY DOM. MARC Gevrey-chambertin 460
ROY JEAN-FRANÇOIS Valençay 1066
ROY ET FILS DOM. GEORGES Aloxe-corton 496 • Beaune 519 • Chorey-lès-beaune 514
ROYER JEAN-JACQUES ET SÉBASTIEN Champagne 676
ROYER RICHARD Champagne 676
ROYER PÈRE ET FILS Champagne 676
ROYÈRE DOM. DE LA Luberon 1196
ROYET DOM. Crémant-de-bourgogne 421
ROYLLAND CH. Saint-émilion grand cru 288
ROZEL DOM. Grignan-les-adhémar 1187
RUAT PETIT POUJEAUX CH. Moulis-en-médoc 373
RUDLOFF JOSEPH Alsace pinot gris 97
RUELLE-PERTOIS Champagne 676
RUÈRE DOM. DE Mâcon et mâcon-villages 590
RUFF DANIEL Alsace gewurztraminer 82 • Crémant-d'alsace 131
RUFF ET FILS DOM. A. Alsace klevener-de-heiligenstein 72
RUFFIN ET FILS Champagne 676
RUHLMANN FILS GILBERT Alsace muscat 77
RUHLMANN-DIRRINGER Alsace gewurztraminer 82 • Alsace muscat 77
RUINART Champagne 676
RULLY CH. DE Rully 572
RULLY SAINT-MICHEL DOM. DE Rully 572
RUNNER DOM. Alsace pinot gris 97

S

SABARDA DOM. Côtes-du-roussillon 788
SABARTHÈS DOM. DU Ariège 1213
SABINES DOM. DES Lalande-de-pomerol 264
SABOTS DE VÉNUS DOM. DES Vin-de-savoie 715
SABLARD CH. LE Côtes-de-bourg 240
SABLES VERTS DOM. DES Saumur 1006 • Saumur-champigny 1012
SABLIÈRE DOM. DE LA Chinon 1048
SABLIÈRE FONGRAVE CH. DE LA Bordeaux supérieur 220
SABLONS LE CHAI DES Touraine 1023
SACRÉ CŒUR DOM. DU Muscat-de-saint-jean-de-minervois 781
SACY LOUIS DE Champagne 677
SADI MALOT Champagne 677
SAGET GUY Menetou-salon 1077 • Pouilly-sur-loire 1084 • Val de Loire 1208
SAINT-ABEL DOM. Rully 574 • Santenay 564
SAINT-AHON CH. Haut-médoc 361
SAINT-ALBERT DOM. Côtes-de-provence 861
SAINT AMAND DOM. DE Bordeaux clairet 196
SAINT-AMANT DOM. Côtes-du-rhône 1118
SAINT-ANDÉOL DOM. Côtes-du-rhône-villages 1132
SAINT-ANDRÉ CORBIN CH. Saint-georges-saint-émilion 302
SAINT-ANDRÉ DE FIGUIÈRE DOM. Côtes-de-provence 861 • Var 1247
SAINT-ANDRIEU DOM. Côtes-de-provence 861
SAINT-ANGE CH. Saint-émilion grand cru 288
SAINT-ANTOINE DOM. Côtes-du-rhône-villages 1132
SAINT-AUGUSTIN CELLIER Coteaux-d'aix-en-provence 835
SAINT-AVIT DOM. Orléans 1063 • Orléans-cléry 1063
SAINT-BENOIT CELLIER Arbois 696
SAINT-BERNARD CH. Canon-fronsac 244
SAINT-CHAMANT Champagne 677
SAINT-CHINIAN CAVE DES VIGNERONS DE Saint-chinian 777
SAINT-CHRISTOLY CH. Médoc 351
SAINT-CHRISTOPHE CH. Saint-émilion grand cru 289
SAINT-CYRGUES CH. Costières-de-nîmes 1185
SAINT-DAMIEN DOM. Gigondas 1161
SAINT-DIDIER-PARNAC CH. Cahors 890
SAINT-ÉMILION UNION DE PRODUCTEURS DE Saint-émilion 268
SAINT-ENNEMOND DOM. DE Beaujolais-villages 149 • Brouilly 149
SAINT-ESPRIT CH. Saint-émilion grand cru 289
SAINT-ESTÈVE CH. Corbières 734
SAINT-ESTÈVE CH. Côtes-du-rhône 1118
SAINT-ÉTIENNE CELLIER DES Beaujolais-villages 149
SAINT-ÉTIENNE DOM. Côtes-du-rhône 1118
SAINT EUGÈNE CH. Pessac-léognan 341
SAINT-EUTROPE CH. DE Corbières 734
SAINT-FÉLIX Languedoc 760
SAINT-FERRÉOL DOM. DE Coteaux-varois-en-provence 841
SAINT-FRANÇOIS-XAVIER DOM. Gigondas 1161
SAINT-GALL DE Champagne 677
SAINT-GEORGES CÔTE PAVIE CH. Saint-émilion grand cru 289
SAINT-GEORGES D'IBRY DOM. Côtes de Thongue 1229
SAINT-GERMAIN CH. Bordeaux sec 207
SAINT-GERMAIN DOM. Irancy 447
SAINT-GERMAIN DOM. Roussette-de-savoie 719 • Vin-de-savoie 716
SAINT-GERVAIS LES VIGNERONS DE Côtes-du-rhône-villages 1132
SAINT-GO CH. Saint-mont 937
SAINT-HILAIRE CH. Médoc 351
SAINT-HILAIRE DOM. Coteaux-d'aix-en-provence 835
SAINT-HUBERT CH. Saint-émilion grand cru 277
SAINT-JACQUES DOM. Rully 574
SAINT-JACQUES CALON CH. Montagne-saint-émilion 298
SAINT-JEAN CELLIER Côtes-du-roussillon 788
SAINT-JEAN DOM. Bellet 831
SAINT-JEAN DOM. Saumur 1006
SAINT-JEAN LES VIGNERONS DE Minervois 772
SAINT-JEAN DE LA GINESTE CH. Corbières 734
SAINT-JEAN DE LAVAUD CH. Lalande-de-pomerol 264
SAINT-JODERN KELLEREI Canton du Valais 1275

VINS

SAINT-JULIEN CAVE DE Beaujolais 150 • Beaujolais-villages 150
SAINT-JULIEN CH. Coteaux-varois-en-provence 841
SAINT-JULIEN D'AILLE CH. Côtes-de-provence 862
SAINT-JULIEN DE L'EMBISQUE DOM. Côtes-du-rhône 1118
SAINT-JUST DOM. DE Saumur 1006 • Saumur-champigny 1012
SAINT-LANNES DOM. Floc-de-gascogne 947
SAINT-LOUANS CH. DE Chinon 1043
SAINT-LOUIS CH. Comté tolosan 1215 • Fronton 903
SAINT-LOUIS DU THORONET CH. Côtes-de-provence 848
SAINT-MARC LA CAVE Ventoux 1192
SAINT-MARTIN CH. Listrac-médoc 364
SAINT-MARTIN DOM. Muscat-de-rivesaltes 811
SAINT-MARTIN DE LA GARRIGUE CH. Languedoc 760
SAINT-MARTIN DES CHAMPS DOM. Oc 1239
SAINT-MAUR DOM. DE Rosé-de-loire 952
SAINT-MAURICE CH. Côtes-du-rhône 1119 • Côtes-du-rhône-villages 1133
SAINT-MICHEL DOM. Côtes-du-rhône-villages 1133
SAINT-MICHEL ARCHANGE DOM. Oc 1239
SAINT-MITRE DOM. Coteaux-varois-en-provence 841
SAINT-NICOLAS CH. Côtes-du-roussillon 788
SAINT-PANCRACE DOM. Bourgogne 413
SAINT-PANTALÉON-LES-VIGNES CAVE DE Côtes-du-rhône-villages 1133
SAINT-PAUL DOM. DE Châteauneuf-du-pape 1174
SAINT-PHILIPPE CAVE Canton du Valais 1275
SAINT-PIERRE CAVE Canton du Valais 1275
SAINT-PIERRE CAVES Côtes-du-rhône-villages 1133
SAINT-PIERRE CH. Côtes-de-provence 862
SAINT-PIERRE CH. Saint-julien 386
SAINT-PIERRE DOM. Côtes-du-rhône 1119 • Côtes-du-rhône-villages 1133 • Vacqueyras 1165
SAINT-PIERRE DOM. DE Arbois 697
SAINT-PIERRE DOM. DE Sancerre 1098
SAINT-PIERRE L'ÉGLISE Puisseguin-saint-émilion 301
SAINT-PONS CH. Ventoux 1192
SAINT-POURÇAIN UNION DES VIGNERONS DE Saint-pourçain 1089
SAINT-PRÉ Beaujolais 146
SAINT-ROBERT CH. Graves 331
SAINT-ROCH CH. Côtes-du-roussillon-villages 795 • Lirac 1179
SAINT-ROMAN D'ESCLANS Côtes-de-provence 863
SAINT-SATURNIN CH. Médoc 351
SAINT-SATURNIN LES VINS DE Languedoc 760
SAINT-SAUVEUR CH. Beaumes-de-venise 1168
SAINT-SÉBASTE DOM. Canton de Neuchâtel 1281
SAINT-SÉBASTIEN DOM. Banyuls 800 • Collioure 798
SAINT-SER DOM. Côtes-de-provence 863
SAINT-VERNY Côtes-d'auvergne 1072 • Puy-de-Dôme 1201
SAINT-VINCENT CH. Fronsac 248
SAINT-VINCENT DOM. Saumur-champigny 1013
SAINTE-ANNE CH. Bandol 828
SAINTE-ANNE DOM. Côtes-du-rhône 1118 • Côtes-du-rhône-villages 1132
SAINTE-ANNE DOM. DE Rosé-de-loire 952
SAINTE-BARBE CH. Bordeaux 193 • Bordeaux supérieur 220
SAINTE-BARBE DOM. Viré-clessé 593
SAINTE-BAUME CELLIER DE LA Coteaux-varois-en-provence 841
SAINTE-BAUME LES VIGNERONS DE LA Var 1247
SAINTE-BÉATRICE CH. Côtes-de-provence 861
SAINTE-CÉCILE DU PARC DOM. Hérault 1231 • Languedoc 759
SAINTE-CLAIRE DOM. Petit-chablis 425
SAINTE-CROIX CH. Côtes-de-provence 862
SAINTE-ELISABETH CH. Costières-de-nîmes 1185
SAINTE-EULALIE CH. Minervois 771
SAINTE-HÉLÈNE CH. Sauternes 396
SAINTE-LÉOCADIE DOM. Minervois 772
SAINTE-LUCIE DOM. Côtes-de-provence 862
SAINTE-MARGUERITE CH. Côtes-de-provence 862
SAINTE-MARIE-DES-CROZES DOM. Corbières 734
SAINTE-MAROTINE CH. Bordeaux 193
SAINTE-ROSELINE CH. Côtes-de-provence 862
SAINTONGERS D'HAUTEFEUILLE CH. LES Côtes-de-bergerac 918
SALADE SAINT-HENRI CH. DE LA Languedoc 760
SALASAR Blanquette-de-limoux 765 • Crémant-de-limoux 765
SALEL ET ÉLISE RENAUD BENOÎT Ardèche 1250
SALES CH. DE Pomerol 258
SALETTES CH. Bandol 828
SALISQUET DOM. Buzet 906
SALITIS CH. Cabardès 726
SALLE CAVES DE LA Chinon 1048
SALMON Champagne 677
SALMON DOM. CHRISTIAN Sancerre 1099
SALOMON CHRISTELLE Champagne 678
SALON Champagne 678
SALVARD DOM. DU Cheverny 1060
SALVAT DOM. Côtes-du-roussillon 788 • Rivesaltes 806
SALVY DOM. Gaillac 897
SAMION CH. Montagne-saint-émilion 298
SAN GIORGIO TENUTA Canton du Tessin 1282
SAN PEYRE DOM. Coteaux-d'aix-en-provence 836
SANCERRE CH. DE Sancerre 1100
SANCERRE LA CAVE DES VINS DE Sancerre 1100
SANCHEZ-LE GUÉDARD Champagne 678
SANCILLON DOM. DU Côte-de-brouilly 156
SANG DES VOLCANS LE Puy-de-Dôme 1204
SANGER Champagne 678
SANGLIÈRE DOM. DE LA Côtes-de-provence 863
SANGOUARD-GUYOT DOM. Pouilly-fuissé 598
SANSONNET CH. Saint-émilion grand cru 289
SANSONNETS DOM. DES Pouilly-fuissé 598
SANT ARMETTU Corse ou vin-de-corse 871
SANTAMARIA DOM. Patrimonio 877
SANTÉ BERNARD Chénas 158
SANTENAY CH. DE Beaune 519 • Saint-aubin 558
SANZAY ANTOINE Saumur-champigny 1013
SANZAY DOM. DES Saumur-champigny 1013
SAPARALE DOM. Corse ou vin-de-corse 872
SAPINIÈRE DOM. DE LA Malepère 767
SARAIL LA GUILLAUMIÈRE CH. Bordeaux supérieur 220
SARANSOT-DUPRÉ CH. Listrac-médoc 364
SARAZINIÈRE DOM. DE LA Mâcon et mâcon-villages 590
SARDA-MALET DOM. Côtes-du-roussillon 788 • Muscat-de-rivesaltes 811 • Rivesaltes 806
SARLANDIE CH. DE Bordeaux supérieur 211
SARRABELLE DOM. Côtes du Tarn 1220 • Gaillac 897
SARRAZIN ET FILS MICHEL Givry 581 • Maranges 567 • Mercurey 578
SARRELON DOM. Côtes-du-rhône 1105
SARRINS CH. DES Côtes-de-provence 863
SARRY DOM. DE Sancerre 1100
SARTRE CH. LE Pessac-léognan 341
SAÜ CH. DE Rivesaltes 806
SAUGER DOM. Cheverny 1061
SAULAIES DOM. DES Coteaux-du-layon 998
SAULE CH. DE LA Montagny 583
SAULNIER Alsace pinot gris 97
SAUMAIZE JACQUES ET NATHALIE Mâcon et mâcon-villages 590 • Saint-véran 605
SAUMAIZE-MICHELIN DOM. Pouilly-fuissé 598
SAUMAN CH. Côtes-de-bourg 240
SAUPIN SERGE Muscadet-sèvre-et-maine 966
SAURONNES DOM. DES Côtes-de-provence 863

SAURS CH. DE Gaillac 897
SAUTEREAU DAVID Sancerre 1100
SAUVAGE CH. DE Graves 331
SAUVAGEONNE CH. LA Languedoc 744
SAUVAGNÈRES CH. Buzet 906
SAUVAT ANNIE Côtes-d'auvergne 1072
SAUVEGARDE CH. LA Bordeaux 193
SAUVEROY DOM. Anjou-villages 982 • Cabernet-d'anjou 988
SAUVESTRE DOM. VINCENT Santenay 564 • Savigny-lès-beaune 511 • Volnay 530
SAUVÈTE DOM. Touraine 1023
SAUVETERRE Bordeaux 193
SAUVEUSE CH. DE LA Côtes-de-provence 863
SAUVION Muscadet-sèvre-et-maine 966
SAVAGNY DOM. DE Crémant-du-jura 706 • Macvin-du-jura 709
SAVARY FRANCINE ET OLIVIER Chablis 433 • Chablis premier cru 441
SAVIGNAC JULIEN DE Bergerac 914
SAVOYE DOM. RENÉ Chiroubles 160
SCHAETZEL MARTIN Alsace grand cru 121
SCHAFFHAUSER JEAN-PAUL Alsace gewurztraminer 82 • Crémant-d'alsace 131
SCHALLER Alsace grand cru 122 • Crémant-d'alsace 131
SCHARSCH DOM. JOSEPH Alsace grand cru 122 • Alsace pinot gris 97
SCHEIDECKER Alsace grand cru 122 • Alsace pinot gris 97
SCHENGEN CH. DE Moselle luxembourgeoise 1259
SCHERB Alsace riesling 90
SCHERB ET FILS LOUIS Alsace grand cru 122
SCHERER ANDRÉ Alsace pinot gris 97
SCHERRER THIERRY Crémant-d'alsace 131
SCHILLINGER Alsace gewurztraminer 83
SCHIRMER DOM. Alsace riesling 90 • Crémant-d'alsace 131
SCHISTES DOM. DES Côtes-du-roussillon 789 • Côtes-du-roussillon-villages 795
SCHLEGEL-BOEGLIN Alsace grand cru 122
SCHLUMBERGER DOMAINES Alsace riesling 90
SCHMITT DOM. ROLAND Alsace grand cru 122
SCHMITT & CARRER Alsace grand cru 123
SCHOECH DOM. MAURICE Alsace edelzwicker 71
SCHOENHEITZ Alsace pinot noir 103
SCHOEPFER DOM. MICHEL ET VINCENT Alsace pinot ou klevner 74
SCHOEPFER JEAN-LOUIS Alsace riesling 90
SCHOFFIT DOM. Alsace grand cru 123
SCHUELLER EDMOND Alsace pinot gris 98
SCHUELLER MAURICE Alsace grand cru 123 • Crémant-d'alsace 131
SCHUMACHER-LETHAL ET FILS DOM. Crémant-de-luxembourg 1261 • Moselle luxembourgeoise 1259
SCHWACH DOM. FRANÇOIS Alsace gewurztraminer 83 • Alsace riesling 90
SCHWARTZ CHRISTIAN Alsace pinot noir 103
SCHWARTZ DOM. J.-L. Alsace pinot gris 98
SCHWARTZ J.-L. Crémant-d'alsace 132
SÉBINIÈRE CH. DE LA Muscadet-sèvre-et-maine 967
SECONDÉ FRANÇOIS Champagne 678
SECRET DE SCHISTES Côtes catalanes 1227
SÉDUCTION D'AUTOMNE Jurançon 942
SÉGRIÈS CH. DE Lirac 1179
SÈGUE LONGUE MONNIER CH. Médoc 351
SEGUIN CH. Blaye-côtes-de-bordeaux 232
SEGUIN CH. Pessac-léognan 341
SEGUIN CH. DE Bordeaux supérieur 220
SEGUIN DOM. Pouilly-fumé 1083
SEGUIN GÉRARD Gevrey-chambertin 461
SEGUIN-MANUEL Beaune 519 • Bourgogne 413 • Chassagne-montrachet 556 • Gevrey-chambertin 461
SÉGUINOT DOM. DANIEL Chablis 433 • Chablis premier cru 441
SÉGUINOT-BORDET Chablis grand cru 445
SÉGUINOT-BORDET DOM. Petit-chablis 425
SÉGUR DE CABANAC CH. Saint-estèphe 383
SÉGURE CH. DE Fitou 742
SEIGNEUR DE LAURIS Vacqueyras 1165
SEIGNEURIE LA Saumur-champigny 1013
SEIGNEURS DE BERGERAC Bergerac rosé 916 • Bergerac sec 916
SEIGNEURS DES ORMES Bordeaux supérieur 220
SEILLY DOM. Alsace edelzwicker 71
SÉLÈQUE Champagne 678
SELTZ DOM. FERNAND Alsace grand cru 123
SEMENTAL Bergerac 912
SEMPER Maury 813
SÉNAILHAC CH. Bordeaux supérieur 221
SÉNÉCHAUX DOM. DES Châteauneuf-du-pape 1174
SENEZ CRISTIAN Champagne 679
SENOCHE DOM. DE Vin-de-savoie 717
SEPT MONTS LES Agenais 1210
SEPT VIGNES DOM. DES Alsace gewurztraminer 83
SÉRAME CH. DE Corbières 734
SERGENT DOM. Madiran 936 • Pacherenc-du-vic-bilh 936
SERRE DES VIGNES DOM. Grignan-les-adhémar 1187
SERRE ROMANI Maury 813
SERRELONGUE DOM. Côtes-du-roussillon-villages 795 • Maury 813
SERRIGNY DOM. FRANCINE ET MARIE-LAURE Savigny-lès-beaune 512
SERVEAUX FILS Champagne 679
SERVELIÈRE DOM. LA Saint-chinian 778
SERVIN DOM. Chablis grand cru 445 • Chablis premier cru 441
SESQUIÈRES DOM. Cabardès 726
SEUIL CH. DU Coteaux-d'aix-en-provence 836
SEVAULT PHILIPPE Jasnières 1050
SEVIN CYRILLE Cheverny 1062
SICARD DOM. Minervois 772
SIEGLER JEAN Alsace grand cru 123
SIEUR D'ARQUES Blanquette-de-limoux 763 • Crémant-de-limoux 765
SIGALAS RABAUD Sauternes 397
SIGAUT DOM. ANNE ET HERVÉ Chambolle-musigny 470 • Morey-saint-denis 468
SIGNAC CH. Côtes-du-rhône-villages 1133
SIGOULÈS L'AUDACE DE Bergerac 912 • Bergerac rosé 912 • Bergerac sec 912
SIGOULÈS LES VIGNERONS DE Bergerac rosé 917 • Bergerac sec 916 • Côtes-de-bergerac 917
SILLON CÔTIER DOM. DU Gros-plant-du-pays-nantais 970
SILVESTRE-DU CLOSEL DOM. Givry 581
SIMART-MOREAU Champagne 679
SIMIAN CH. Côtes-du-rhône 1119
SIMON CH. Sauternes 397
SIMON ALINE ET RÉMY Alsace pinot gris 98
SIMON-DEVAUX Champagne 679
SIMONIN DOM. Pouilly-fuissé 598
SIMONIS ÉTIENNE Alsace grand cru 123
SIMONIS JEAN-MARC Alsace grand cru 124
SIMONNET-FEBVRE Chablis grand cru 446 • Chablis premier cru 441 • Crémant-de-bourgogne 421
SINE NOMINE Côte-roannaise 1074
SINNE DOM. DE LA Alsace grand cru 124
SINSON HUBERT ET OLIVIER Touraine 1024 • Valençay 1066
SIPP JEAN Alsace grand cru 124 • Alsace pinot gris 98
SIPP LOUIS Alsace grand cru 124
SIPP-MACK Alsace grand cru 124 • Alsace pinot gris 98
SIRACANTA Costières-de-nîmes 1185
SIRAN CH. Margaux 371
SIRANIÈRE DOM. LA Minervois 772 • Minervois-la-livinière 772
SIRET JACQUES Quincy 1085
SISSAN CH. Bordeaux sec 207
SIXTINE CH. Châteauneuf-du-pape 1174
SKALLI Oc 1234
SMITH HAUT LAFITTE CH. Pessac-léognan 342
SOCIANDO-MALLET CH. Haut-médoc 361
SOHLER DOM. PHILIPPE Alsace pinot gris 98

VINS

SOHLER J.-M. Alsace gewurztraminer 83
SOL-PAYRÉ DOM. Côtes-du-roussillon 789
SOLANE DOM. DE LA Languedoc 744
SOLEIL CH. Lussac-saint-émilion 294 • Puisseguin-saint-émilion 301
SOLEIL LEVANT CAVE AU Canton du Valais 1275
SOLLIER DOM. LE Cévennes 1223
SOMMIÉROIS VIGNERONS DU Languedoc 760
SONNETTE JACQUES Champagne 679
SONTAG CLAUDE Moselle 136
SORBA DOM. DE LA Ajaccio 874
SORBE JEAN MICHEL Reuilly 1087 • Val de Loire 1209
SORG BRUNO Alsace grand cru 124 • Crémant-d'alsace 132
SORIN DE FRANCE DOM. Bourgogne 414 • Bourgogne-aligoté 417
SORIN-COQUARD DOM. Bourgogne 413
SORINE ET FILS Chassagne-montrachet 556 • Santenay 564
SOUBIRAN R DE Côtes-du-marmandais 908
SOUCH DOM. DE Jurançon 942
SOUCHERIE CH. Coteaux-du-layon 998
SOUCHIÈRE DOM. DE LA Gigondas 1161
SOUDARS CH. Haut-médoc 361
SOUFRANDISE LA Mâcon et mâcon-villages 590 • Pouilly-fuissé 598
SOULEILLES DOM. DES Malepère 767
SOULS LES Languedoc 760
SOUMADE DOM. LA Côtes-du-rhône 1119 • Gigondas 1161 • Rasteau sec 1156
SOUNIT ALBERT Crémant-de-bourgogne 421
SOUNIT DOM. ROLAND Bourgogne 414 • Bourgogne-aligoté 418
SOURCE DOM. DE LA Bellet 831
SOURCE DES FÉES DOM. LA Pouilly-fuissé 599
SOURCE DU RUAULT LA Saumur-champigny 1013
SOURDAIS PIERRE Chinon 1048
SOURDET-DIOT Champagne 679
SOUTERRAINS DOM. DES Touraine 1024
SOUTIRAN Champagne 680
SOUTIRAN PATRICK Champagne 680
SOUVIOU DOM. DE Bandol 828
SOUZY CH. DU Beaujolais-villages 150
SPANNAGEL PAUL Alsace grand cru 125
SPANNAGEL VINCENT Alsace grand cru 125
SPARR TRADITION Crémant-d'alsace 132
SPITZ ET FILS Alsace grand cru 125
ST.-MARTIN CAVES Moselle luxembourgeoise 1260
ST.-REMY-DESOM CAVES Crémant-de-luxembourg 1261 • Moselle luxembourgeoise 1260
STEHELIN BERTRAND Vaucluse 1249
STEHELIN FRÉDÉRIC Châteauneuf-du-pape 1174
STENTZ ANDRÉ Alsace grand cru 125
STENTZ-BUECHER DOM. Alsace gewurztraminer 83
STINTZI Alsace riesling 91
STIRN DOM. Alsace grand cru 125
STOEFFLER DOM. VINCENT Alsace grand cru 125
STONY Oc 1239
STORTACÒLL Canton du Tessin 1282
STRAUB Alsace grand cru 126
STRÉVIC-GODINEAU CH. Bordeaux supérieur 221
STROMBERG DOM. DU Moselle 136
STV Bergerac rosé 914
SUARD STÉPHANE ET FRANCIS Chinon 1048
SUAU CH. Bordeaux rosé 199 • Cadillac-côtes-de-bordeaux 322
SUDUIRAUT CH. Sauternes 398
SUENEN Champagne 680
SUFFRÈNE DOM. LA Bandol 829
SUNNEN-HOFFMANN Crémant-de-luxembourg 1261 • Moselle luxembourgeoise 1260
SUR LE CHEMIN DE PIERRE LEVÉE 2011 BLANC CHARDONNAY Côtes du Lot 1221
SUREMAIN DOM. DE Mercurey 578
SURIANE DOM. DE Coteaux-d'aix-en-provence 836
SUZIENNE LA Grignan-les-adhémar 1188
SYLLA Luberon 1196 • Ventoux 1192

T

TABORDET DOM. Pouilly-fumé 1083
TAILHADES MAYRANNE DOM. Minervois 772
TAILLEFER CH. Pomerol 258
TAILLEURGUET DOM. Madiran 936 • Pacherenc-du-vic-bilh 936
TAIN CAVE DE Crozes-hermitage 1147 • Hermitage 1149 • Saint-joseph 1143
TAITTINGER Champagne 680
TALBOT CH. Saint-julien 386
TALMARD GÉRALD ET PHILIBERT Mâcon et mâcon-villages 590
TALUAU JOËL Bourgueil 1034 • Saint-nicolas-de-bourgueil 1040
TALUOS DOM. Cabardès 727
TAMBORINI Canton du Tessin 1282
TAMBOUR CAVE Banyuls 801
TANELLA DOM. DE Corse ou vin-de-corse 872
TANNERIES DOM. DES Châteaumeillant 1068
TANNEUX-MAHY Champagne 680
TANO PÉCHARD DOM. Régnié 175
TARA DOM. DE Ventoux 1192
TARADEAU LES VIGNERONS DE Côtes-de-provence 863
TARAUDIÈRE DOM. DE LA Gros-plant-du-pays-nantais 970
TARDIEU-LAURENT Cornas 1151 • Côtes-du-rhône 1119 • Gigondas 1161 • Vacqueyras 1165
TARGÉ CH. DE Coteaux-de-saumur 1008 • Saumur-champigny 1014
TARIQUET DOM. DU Côtes de Gascogne 1219
TARLANT Champagne 680
TARREYROTS CH. Bordeaux supérieur 221
TASTA CH. Canon-fronsac 245 • Fronsac 248
TASTA CH. DU Cadillac-côtes-de-bordeaux 322
TASTE CH. DE Côtes-de-bourg 240
TAUDOU Crémant-de-limoux 765
TAUPENOT PIERRE Saint-romain 538
TAUPENOT-MERME DOM. Charmes-chambertin 464 • Gevrey-chambertin 461 • Mazoyères-chambertin 465
TAUREAU CH. Lussac-saint-émilion 294
TAURUS-MONTEL CH. Languedoc 760
TAUTAVEL-VINGRAU VIGNERONS Côtes-du-roussillon-villages 796 • Maury 813
TAUZIES CH. Gaillac 897
TAUZION CH. Bordeaux 187
TAVE DOM. DU Vinsobres 1154
TAVEL LES VIGNERONS DE Lirac 1179 • Tavel 1181
TAYAC-PLAISANCE CH. Margaux 366
TEILLER DOM. JEAN Menetou-salon 1077
TEISSÈDRE JEAN-PIERRE Brouilly 154
TELMONT J. DE Champagne 681
TEMBOURET DOM. DU Fronton 903
TEMPÉRÉ DOM. DE Chiroubles 161
TEMPLE CH. LE Médoc 351
TEMPLIERS CELLIER DES Banyuls 801 • Banyuls grand cru 802
TEMPLIERS CELLIER DES Grignan-les-adhémar 1188
TEMPLIERS DOM. DES Reuilly 1087
TENIMENTO DELL'ÖR Canton du Tessin 1282
TERRA ICONIA Beaujolais 146
TERRA LIGERIA Val de Loire 1209
TERRA MONTI Cévennes 1223 • Duché d'Uzès 1229
TERRA NOSTRA Corse ou vin-de-corse 872
TERRA VECCHIA DOM. DE Corse ou vin-de-corse 872 • Île de Beauté 1243
TERRA VITAE Côtes-du-rhône-villages 1125
TERRASSES DE LUNES Saint-nicolas-de-bourgueil 1040
TERRASSON CH. Castillon-côtes-de-bordeaux 309
TERRASSOUS Côtes-du-roussillon 789 • Rivesaltes 806
TERRAVENTOUX Ventoux 1192
TERRAZZA D'ISULA Île de Beauté 1243
TERRE BLANCHE Bordeaux 193
TERRE-BLANQUE Blaye-côtes-de-bordeaux 232
TERRE BLEUE Montravel 923
TERRE D'INSOLENCE Saint-sardos 908
TERRE DE GAULHEM Côtes-du-rhône 1119
TERRE DES ANGES Vallée du Paradis 1241
TERRE MÉGÈRE DOM. DE Languedoc 761
TERRE NOIRE ROUGE Bergerac 923
TERRE SATINÉE ROSÉ Bergerac 923
TERRE VIEILLE CH. Pécharmant 925

TERREBERT CH. Côtes-du-marmandais 908
TERREBRUNE DOM. DE Bandol 829
TERREFORT BELLEGRAVE CH. Côtes-de-bourg 241
TERREO Comté tolosan 1215
TERRES BLANCHES DOM. DES Les baux-de-provence 830
TERRES CACHÉES Ventoux 1192
TERRES D'AVIGNON Côtes-du-rhône 1119
TERRES D'ORB Haute vallée de l'Orb 1230
TERRES DE CHATENAY DOM. DES Viré-clessé 593
TERRES DE JOIES VIGNOBLES DES Minervois 772
TERRES DE MORAINES Madiran 931
TERRES DE VELLE DOM. DES Bourgogne 414 • Volnay 530
TERRES EN COULEURS Oc 1239
TERRES ET VINS Beaujolais 146
TERRES GEORGES DOM. Minervois 772
TERRES NOIRES DOM. DES Touraine-mesland 1027
TERRES SECRÈTES VIGNERONS DES Mâcon et mâcon-villages 590 • Saint-véran 605
TERRIADES LES Rosé-d'anjou 985
TERRIÈRE CH. DE LA Brouilly 154 • Moulin-à-vent 173
TERRISSES DOM. DES Gaillac 897
TERROIR DU MIOCÈNE Hérault 1230
TERROIR LES MOURELS Minervois 772
TERROIRS DU VERTIGE Corbières 735
TERRUS DOM. Ventoux 1193
TERTRE CH. DU Fronsac 249
TERTRE DAUGAY CH. Saint-émilion grand cru 289
TERTRE DE BELVÈS CH. Castillon-côtes-de-bordeaux 309
TERTRE DES GOULARDS CH. Sainte-foy-bordeaux 318
TESSIER DOM. Meursault 545
TESSIER DOM. PHILIPPE Cour-cheverny 1063
TESTE CH. DE Cadillac 388
TESTULAT V. Champagne 681
TÊTE LOUIS Beaujolais-villages 150
TÊTE DANS LES ÉTOILES LA Languedoc 761
TÊTE NOIRE DOM. DE LA Côtes-du-rhône-villages 1133
TÉVENOT VIGNOBLE Cheverny 1062
TEYNAC CH. Saint-julien 386
TEYSSIER CH. Saint-émilion grand cru 291
THALIE DOM. DE Mâcon et mâcon-villages 591
THAUVENAY CH. DE Sancerre 1100
THÉBOT CH. Bordeaux 193
THÉNAC CH. Bergerac sec 918 • Côtes-de-bergerac 918
THENOUX CH. Bergerac 912
THERMES DOM. DES Côtes-de-provence 864
THERREY ÉRIC Champagne 681
THEULET CH. Bergerac sec 917
THEULOT JUILLOT DOM. Mercurey 578
THÉVENET-DELOUVIN Champagne 681
THÉVENIN PHILIPPE Champagne 681
THÉVENOT-LE BRUN ET FILS DOM. Bourgogne-hautes-côtes-de-nuits 450
THIBAULT DOM. Pouilly-fumé 1083
THIBERT PÈRE ET FILS DOM. Pouilly-vinzelles 600 • Saint-véran 605
THIÉNOT Champagne 681
THIEULEY CH. Bordeaux 194 • Bordeaux clairet 196 • Bordeaux sec 207
THILL DOM. Crémant-de-luxembourg 1261
THILL ÉRIC ET BÉRANGÈRE Côtes-du-jura 704
THIVIN CH. Beaujolais-villages 156 • Côte-de-brouilly 156
THOMAS ANDRÉ Alsace grand cru 126
THOMAS ET FILLES DOM. GÉRARD Saint-aubin 559
THOMAS ET FILS DOM. Sancerre 1100
THOMAS ET FILS MICHEL Sancerre 1100
THOMAS-LABAILLE CLAUDE ET FLORENCE Sancerre 1100
THORIN Beaujolais-villages 166 • Juliénas 166 • Moulin-à-vent 166
THUERRY CH. Coteaux-varois-en-provence 841 • Côtes-de-provence 864
THUNEVIN-CALVET DOM. Côtes-du-roussillon-villages 796
THYS CH. LE Cadillac-côtes-de-bordeaux 322
TILLE CAMELON CH. LA Médoc 351
TILLÈDE CH. Graves-de-vayres 317
TILLEULS DOM. DES Gevrey-chambertin 461
TIMBERLAY CH. Bordeaux supérieur 221
TIRECUL LA GRAVIÈRE CH. Monbazillac 921
TIREGAND CH. DE Pécharmant 926
TISSIER J. M Champagne 682
TISSIER ET FILS DIOGÈNE Champagne 682
TISSOT JACQUES Côtes-du-jura 705
TISSOT JEAN-LOUIS Arbois 697
TISSOT THIERRY Bugey 722
TISSOT ET FILS MICHEL Macvin-du-jura 709
TIX DOM. DU Ventoux 1193
TIXIER MICHEL Champagne 682
TONNELLERIE DOM. DE LA Sancerre 1101
TONNELLERIE DOM. DE LA Touraine-amboise 1026
TOQUES ET CLOCHERS Limoux 766
TORCHET FRÉDÉRIC Champagne 682
TORNAY BERNARD Champagne 682
TORRACCIA DOM. DE Corse ou vin-de-corse 872
TORTOCHOT DOM. Mazis-chambertin 465
TOULOIS LES VIGNERONS DU Côtes-de-toul 135
TOULONS DOM. LES Coteaux-d'aix-en-provence 836
TOUMILON CH. Graves 331
TOUR DOM. DE LA Alsace gewurztraminer 83 • Alsace grand cru 126
TOUR DOM. DE LA Chablis 433 • Chablis premier cru 441 • Petit-chablis 425
TOUR BAJOLE DOM. DE LA Bourgogne 414 • Crémant-de-bourgogne 421
TOUR BAYARD CH. Montagne-saint-émilion 298
TOUR BEAUMONT DOM. LA Haut-poitou 816 • Val de Loire 1209
TOUR BEL-AIR CH. Fronsac 249
TOUR BEL AIR CH. Haut-médoc 361
TOUR BIROL CH. Côtes-de-bourg 241
TOUR BLANCHE CH. LA Sauternes 398
TOUR CARNET CH. LA Haut-médoc 361
TOUR CASTILLON CH. Médoc 351
TOUR CHAPOUX CH. Bordeaux 194
TOUR COSTE LA Côtes-du-rhône-villages 1133
TOUR D'AURON CH. Bordeaux sec 207
TOUR DE BÉRAUD CH. LA Costières-de-nîmes 1183
TOUR DE BIGORRE CH. Bordeaux 194
TOUR DE BONNET CH. Entre-deux-mers 314
TOUR DE BY CH. LA Médoc 351
TOUR DE CALENS CH. Graves 331
TOUR DE CASTRES CH. Graves 325
TOUR DE GRANGEMONT CH. Bergerac 912 • Bergerac sec 912
TOUR DE GUIET CH. Côtes-de-bourg 241
TOUR DE L'ANGE CH. DE LA Mâcon et mâcon-villages 591
TOUR DE MIRAMBEAU CH. Bordeaux sec 207 • Entre-deux-mers 314
TOUR DE MONS CH. LA Margaux 371
TOUR DE SARRAIL CH. Bordeaux 194
TOUR DE YON CH. Saint-émilion grand cru 290
TOUR DES BANS LA Morgon 170
TOUR DES BOURRONS DOM. DE LA Fleurie 163
TOUR DES COMBES CH. Saint-émilion grand cru 209
TOUR DES GRAVES CH. Côtes-de-bourg 241
TOUR DES VIDAUX DOM. LA Côtes-de-provence 864
TOUR DU FORT LA Malepère 767
TOUR DU MOULIN CH. Fronsac 249
TOUR DU MOULIN DU BRIC CH. Côtes-de-bordeaux-saint-macaire 323
TOUR DU PAS SAINT-GEORGES CH. Saint-georges-saint-émilion 302
TOUR DU SÈME Saint-émilion grand cru 290
TOUR FIGEAC CH. LA Saint-émilion grand cru 290
TOUR GALLUS LA Muscadet-sèvre-et-maine 967
TOUR GOYON CH. LA Beaujolais-villages 149
TOUR HAUT-CAUSSAN CH. Médoc 352
TOUR LÉOGNAN CH. Pessac-léognan 333 • Pessac-léognan 334

TOUR MAILLET CH. Pomerol 258
TOUR MASSAC CH. Margaux 365
TOUR-PIBRAN CH. Pauillac 379
TOUR PRIGNAC Médoc 352
TOUR RASTIGNAC LA Médoc 352
TOUR SAINT-BONNET CH. Médoc 352
TOUR SAINT-GERMAIN CH. Blaye-côtes-de-bordeaux 232
TOUR SAINT-HONORÉ CH. Côtes-de-provence 864
TOUR SERAN CH. Médoc 347
TOUR SIEUJEAN CH. Pauillac 379
TOUR VIEILLE DOM. LA Banyuls 801
TOURADE DOM. DE LA Gigondas 1161
TOURAIZE DOM. DE LA Arbois 697
TOURANS CH. Saint-émilion grand cru 289
TOURELLES CH. DES Costières-de-nîmes 1185
TOURELLES CH. LES Cadillac-côtes-de-bordeaux 319
TOURETTE DOM. DE LA Muscadet-sèvre-et-maine 967 • Val de Loire 1209
TOURETTES DOM. DES Hermitage 1150
TOURLAUDIÈRE DOM. DE LA Muscadet-sèvre-et-maine 966 • Val de Loire 1209
TOURMENTE LA Canton du Valais 1275
TOURMENTINE CH. Bergerac 927 • Saussignac 927
TOURNEFEUILLE CH. Lalande-de-pomerol 264
TOURNELLES Buzet 906
TOURNELS DOM. DES Côtes-de-provence 864
TOURNIER CH. GUILHEM Bandol 829
TOURNIERS DOM. DES Beaujolais 146
TOURRAQUE DOM. LA Côtes-de-provence 864
TOURREL 2010 ROUGE DOM. LE Luberon 1196
TOURRIL CH. Minervois 773
TOURS DE PEYRAT CH. LES Blaye-côtes-de-bordeaux 230
TOURS DE PIERREUX LES Brouilly 153
TOURS DES GENDRES Bergerac 913
TOURS SEGUY CH. LES Côtes-de-bourg 241
TOURTE CH. DU Graves 332
TOURTES CH. DES Blaye-côtes-de-bordeaux 232 • Bordeaux clairet 196
TOUT-VENT DOM. DE Côtes-du-rhône 1120
TOUZAIN Y. Saint-pourçain 1089
TOYER GÉRARD Valençay 1066
TRACY CH. DE Pouilly-fumé 1083
TRADITION DES COLOMBIERS Médoc 348
TRAGINER DOM. DU Banyuls 801 • Collioure 798
TRAMIER DOM. LUCIEN Côtes-du-rhône-villages 1134 • Principauté d'Orange 1246
TRAMIER ET FILS L. Beaujolais-villages 150 • Juliénas 150 • Nuits-saint-georges 483
TRANCHÉE DOM. DE LA Chinon 1048
TRAPADIS DOM. DU Rasteau 1198
TRAPET JEAN-CLAUDE Bourgogne-hautes-côtes-de-nuits 450
TRAPET PÈRE ET FILS DOM. Latricières-chambertin 463
TRAVERSES CH. LES Médoc 352
TREILLE DOM. DE LA Fleurie 163
TREILLES D'ANTONIN LES Côtes-de-provence 865
TREMBLAY DOM. DU Quincy 1085
TRÉMOINE LES VIGNERONS DE Côtes-du-roussillon-villages 796 • Rivesaltes 806
TRÉPALOUP DOM. DE Languedoc 761
TRESMOULIS Corbières 735
TRÉSOR DU GRAND MOINE CH. Lalande-de-pomerol 264
TREUVEY DOM. CÉLINE ET RÉMI Arbois 697
TRÉVIAC CH. DE Corbières 735
TREYTINS CH. Montagne-saint-émilion 298
TRIANON CH. Saint-émilion grand cru 270
TRIAU CH. Bordeaux supérieur 211
TRIBALLE DOM. DE LA Languedoc 761
TRIBAUT G. Champagne 682
TRIBAUT-SCHLOESSER Champagne 683
TRICHARD FRÉDÉRIC Beaujolais-villages 154 • Brouilly 154
TRICHON DOM. Bugey 722
TRIENNES Var 1247
TRIGANT CH. Pessac-léognan 342
TRILLES DOM. Côtes-du-roussillon 789
TRIMOULET CH. Saint-émilion grand cru 290
TRINQUEVEDEL CH. DE Tavel 1181
TRIPOZ DOM. CATHERINE ET DIDIER Pouilly-fuissé 599
TRITANT ALFRED Champagne 683 • Coteaux-champenois 689
TROIS CAZELLES DOM. DES Cahors 890
TROIS CROIX CH. LES Fronsac 249
TROIS MONTS DOM. DES Coteaux-du-layon 998
TROIS MOULINS CH. Haut-médoc 354
TROIS ORRIS DOM. DES Côtes-du-roussillon 789
TROIS SAINTS Côtes-du-rhône 1120 • Côtes-du-rhône-villages 1134
TROIS TERRES DOM. LES Côtes-de-provence 865
TROIS TOITS DOM. DES Muscadet-sèvre-et-maine 967
TROIZELLES DOM. DE Juliénas 177 • Saint-amour 177
TROMPE-TONNEAU DOM. DE Coteaux-du-layon 999
TRONQUOY-LALANDE CH. Saint-estèphe 383
TROPEZ DOM. Côtes-de-provence 865
TROPLONG MONDOT Saint-émilion grand cru 290
TROQUART CH. Saint-georges-saint-émilion 302
TROSSET LES FILS DE CHARLES Vin-de-savoie 717
TROTANOY CH. Pomerol 258
TROTTIÈRES DOM. DES Anjou 979
TROUILLARD Champagne 683
TROUILLÈRES DOM. DES Côtes-d'auvergne 1073
TROUILLET FRÉDÉRIC Pouilly-fuissé 599
TROUPIAN CH. Haut-médoc 359
TRUCHASSON Côtes-de-duras 930
TU BOIS COÂ? Côtes du Lot 1221
TUFFIÈRE DOM. DE LA Cabernet-d'anjou 988
TUILERIE CH. DE LA Costières-de-nîmes 1185
TUILERIE DU PUY CH. LA Bordeaux supérieur 221
TUILERIE PAGÈS CH. Entre-deux-mers 315
TUILERIES CH. LES Médoc 352
TUILIÈRE CH. LA Côtes-de-bourg 241
TUILIÈRE LA Bergerac rosé 914 • Bergerac sec 915
TUNNEL DOM. DU Cornas 1151 • Saint-joseph 1143 • Saint-péray 1152
TUPINIER-BAUTISTA Mercurey 578
TURCAUD CH. Bordeaux supérieur 221 • Entre-deux-mers 315
TURCKHEIM CAVE DE Alsace gewurztraminer 83
TURPIN CHRISTOPHE ET GUY Menetou-salon 1077
TURQUE LA Côte-rôtie 1136
TUTIAC LES VIGNERONS DE Blaye-côtes-de-bordeaux 232 • Bordeaux rosé 199

U

UBY Côtes de Gascogne 1219
UMANI Île de Beauté 1243
UNANG CH. Ventoux 1193
UROULAT Jurançon 943
USSEGLIO ET FILS DOM. PIERRE Châteauneuf-du-pape 1175
USSEGLIO ET FILS DOM. RAYMOND Châteauneuf-du-pape 1175
UZA CH. D' Graves 331

V

VACCELLI DOM. DE Ajaccio 874
VACHER ADRIEN Vin-de-savoie 717
VACHER ET FILS JEAN-PIERRE Sancerre 1101
VADONS DOM. LES Luberon 1196
VAILLANT SÉBASTIEN Valençay 1067
VAISINERIE CH. LA Puisseguin-saint-émilion 301
VAISSIÈRE CH. Minervois 773
VAISSIÈRE DOM. DE Gaillac 898
VAL AUCLAIR DOM. Vallée du Paradis 1241
VAL D'ARENC CH. Bandol 829
VAL D'ASTIER DOM. Côtes-de-provence 865
VAL D'IRIS Var 1247
VAL DE CAIRE DOM. Coteaux-d'aix-en-provence 836
VAL DE L'OULE DOM. Alpilles 1242
VAL DE MERCY CH. DU Bourgogne 414 • Chablis 433
VAL DE MERCY CH. DU Volnay 530
VAL FRAIS DOM. DE Côtes-du-rhône 1120 • Vacqueyras 1166

VAL HULIN DOM. DU Saumur-champigny 1014
VALADE CH. Saint-émilion grand cru 290
VALAMBELLE DOM. Faugères 739
VALANDRAUD CH. Saint-émilion grand cru 274
VALANGES DOM. DES Saint-véran 605
VALCOMBE CH. Ventoux 1193
VALCOMBE CH. DE Costières-de-nîmes 1185
VALDAINE CAVE DE LA Drôme 1252
VALENTIN CH. Haut-médoc 361
VALENTIN CH. Sainte-croix-du-mont 391
VALENTIN JEAN Champagne 683
VALENTINE Champagne 683
VALENTINES CH. LES Côtes-de-provence 865
VALENTONS CANTELOUP CH. DES Bordeaux supérieur 221
VALÉRIANE DOM. DE LA Côtes-du-rhône 1120
VALETANNE CH. LA Côtes-de-provence 865
VALETTE DOM. Côtes-de-provence 865
VALETTE DOM. DU CH. DE LA Brouilly 156 • Côte-de-brouilly 156
VALFLAUNÈS CH. DE Languedoc 761
VALFON CH. Côtes-du-roussillon 789
VALGUY CH. Sauternes 398
VALLAGON ROUGE CH. Touraine 1022
VALLÉES LA CAVE DES Touraine 1024 • Touraine-azay-le-rideau 1027
VALLET DOM. Saint-joseph 1144
VALLETTES DOM. DES Bourgueil 1034 • Saint-nicolas-de-bourgueil 1040
VALLIÈRE CH. LA Lalande-de-pomerol 264
VALLIÈRES DOM. DE Régnié 175
VALLIÈRES LES Canton de Genève 1278
VALLON LES VIGNERONS DU Marcillac 899
VALLONGUE DOM. DE LA Coteaux-d'aix-en-provence 836
VALLONS DE FONTFRESQUE DOM. LES Coteaux-varois-en-provence 841
VALLOUVIÈRES CH. Saint-chinian 778
VALMENGAUX DOM. DE Bordeaux 194
VALMY Côtes-du-roussillon 789 • Muscat-de-rivesaltes 811
VALMY DUBOURDIEU LANGE Castillon-côtes-de-bordeaux 310
VALOIS CH. DE Pomerol 258
VALSANGIACOMO Canton du Tessin 1282
VALVIGNÈRES LES TERROIRS DE Ardèche 1250
VAQUER Côtes-du-roussillon 790
VARI CH. Monbazillac 921
VARIÈRE CH. LA Anjou-villages-brissac 983 • Bonnezeaux 1002 • Quarts-de-chaume 1000
VARINELLES DOM. DES Saumur-champigny 1014
VARNIER-FANNIÈRE Champagne 683
VAROILLES DOM. DES Charmes-chambertin 464 • Gevrey-chambertin 461
VARONE Canton du Valais 1276
VARONIER-GRICHTING ARTHUR Canton du Valais 1276
VARUA MAOHI Cahors 890
VAS DOM. DU Vaucluse 1249
VATAN DOM. ANDRÉ Sancerre 1101
VAUCLAIRE CH. DE Coteaux-d'aix-en-provence 836
VAUCORNEILLES LES Touraine-mesland 1027
VAUDIEU CH. DE Châteauneuf-du-pape 1175
VAUDOIS DOM. DES Luberon 1196 • Vaucluse 1249
VAUDOISEY CHRISTOPHE Pommard 526 • Volnay 530
VAUDOISEY-CREUSEFOND Pommard 526
VAUGAUDRY CH. DE Chinon 1048
VAUGELAS CH. Corbières 735
VAUGONDY DOM. DE Vouvray 1059
VAUPRÉ DOM. Mâcon et mâcon-villages 591 • Pouilly-fuissé 599
VAURE CH. DE LA Bergerac 912
VAUROUX DOM. DE Chablis 433
VAUVERSIN F. Champagne 684
VAUX CH. DE Moselle 136
VAYSSETTE DOM. Gaillac 898
VAZART-COQUART ET FILS Champagne 684
VECCHIO DOM. Île de Beauté 1244
VEILLOUX DOM. DE Cheverny 1062
VELLE CH. DE LA Beaune 519 • Meursault 545
VELUT JEAN Champagne 684
VENDANGES DE LISE LES Entre-deux-mers 312
VENDÔME DOM. LA Saint-mont 937
VENDÔMOIS CAVE COOPÉRATIVE DU Coteaux-du-vendômois 1065 • Val de Loire 1209
VENEAU HUBERT Pouilly-fumé 1083
VENISE PROVENÇALE LA Coteaux-d'aix-en-provence 836
VENOGE DE Champagne 684
VENOT DOM. Bourgogne-côte-chalonnaise 569
VENUS CH. Graves 332
VÉNUS DOM. DE Côtes-du-roussillon 790
VÉRARGUES CH. DE Languedoc 761
VERDIER DOM. Cabernet-d'anjou 988 • Coteaux-du-layon 999
VERDIER ET JACKY LOGEL ODILE Côtes-du-forez 1074
VERDIGNAN CH. Haut-médoc 361
VERDOTS SELON DAVID FOURTOUT LES Bergerac 918 • Côtes-de-bergerac 918
VEREZ CH. Côtes-de-provence 866
VERGÉCOSSE Mâcon et mâcon-villages 591
VERGER DOM. LE Chablis 433
VERGIER CHRISTIAN Bourgogne 414 • Brouilly 154
VERGNES CH. LES Bordeaux rosé 199
VERGNON J. -L. Champagne 684
VERGOBBI DOM. Grignan-les-adhémar 1188
VERMEIL DU CRÈS Languedoc 761 • Oc 1240
VERMONT CH. Bordeaux 194
VERNAJOU CH. DE Bergerac 912
VERNAY DANIEL, ROLAND ET GISÈLE Côte-rôtie 1137
VERNÈDE CH. LA Languedoc 762
VERNELLERIE DOM. DE LA Bourgueil 1034
VERNOUS CH. Médoc 352
VERONNET DOM. DE Roussette-de-savoie 719 • Vin-de-savoie 717
VERQUIÈRE DOM. DE Côtes-du-rhône-villages 1134 • Vacqueyras 1166
VERRET BRUNO Irancy 447
VERRET DOM. Bourgogne 414
VERRIER FRANCIS Champagne 684
VERRIÈRE CH. LA Bordeaux sec 207
VERRIÈRE DOM. DE LA Ventoux 1193
VERRIÈRES DOM. LES Languedoc 762
VERSEAU CAVE DU Canton du Valais 1276
VERT CH. Côtes-de-provence 866
VERTUS D'ÉLISE LES Champagne 685
VERZIER CH. DE Beaujolais-villages 150
VESSELLE ALAIN Champagne 685
VESSELLE JEAN Coteaux-champenois 689
VESSELLE MAURICE Champagne 685
VESSIÈRE CH. Costières-de-nîmes 1186
VEUVE A. DEVAUX Champagne 685
VEUVE AMBAL Crémant-de-bourgogne 421
VEUVE CHEURLIN Champagne 685
VEUVE CLICQUOT PONSARDIN Champagne 686
VEUVE DOUSSOT Champagne 686 • Coteaux-champenois 689
VEUVE ÉMILLE Champagne 686
VEUVE J. LANAUD Champagne 686
VEUVE OLIVIER ET FILS Champagne 686
VEVEY-MONTREUX LA CAVE Canton de Vaud 1269
VEYRES CH. DE Sauternes 395
VÉZIEN MARCEL Champagne 686
VIALADE INTENSE DE CLAUDE Côtes-du-roussillon 790
VIALLET PHILIPPE Roussette-de-savoie 719 • Vin-de-savoie 717
VIARD FLORENT Champagne 687
VIAUD CH. DE Lalande-de-pomerol 264
VIAUD JEAN-LUC Muscadet-sèvre-et-maine 967
VIAUT CH. DE Bordeaux supérieur 222
VICO DOM. Corse ou vin-de-corse 872
VICOMTESSE CH. LA Saint-estèphe 379
VIDAL PIERRE Côtes-du-rhône 1120 • Gigondas 1161 • Rasteau sec 1156 • Vacqueyras 1166
VIDAL-FLEURY Côte-rôtie 1137 • Côtes-du-rhône-villages 1134 • Vacqueyras 1166

VINS

VIDAUBANAISE LA Côtes-de-provence 866
VIEILLE DOM. DE LA Languedoc 762
VIEILLE BERGERIE CH. LA Bergerac rosé 921 • Monbazillac 921
VIEILLE CURE CH. LA Fronsac 249
VIEILLE ÉGLISE CELLIER DE LA Juliénas 166
VIEILLE ÉGLISE DOM. DE LA Saint-émilion grand cru 291
VIEILLE FONTAINE DOM. DE LA Bouzeron 569 • Rully 574
VIEILLE FORGE DOM. DE LA Alsace grand cru 126
VIEILLE RIBOULERIE DOM. DE LA Fiefs-vendéens 972
VIEILLE TOUR CH. DE LA Bordeaux sec 207
VIELLA CH. Madiran 936 • Pacherenc-du-vic-bilh 936
VIÉNAIS DOM. DES Bourgueil 1035
VIENNE LES VINS DE Condrieu 1139 • Crozes-hermitage 1147 • Saint-joseph 1144 • Saint-péray 1152
VIEUX BOURG DOM. DU Côtes-de-duras 930
VIEUX BOURG DOM. DU Saumur 1006
VIEUX CHASTYS DOM. DES Régnié 175
VIEUX CHÂTEAU DES ROCHERS Montagne-saint-émilion 298
VIEUX CHÂTEAU GACHET Lalande-de-pomerol 264
VIEUX CHÂTEAU GAUBERT Graves 326
VIEUX CHÂTEAU MAZERAT Saint-émilion grand cru 291
VIEUX CHÂTEAU PALON Montagne-saint-émilion 299
VIEUX CLOS CHAMBRUN Lalande-de-pomerol 265
VIEUX COLLÈGE DOM. DU Fixin 456 • Marsannay 454
VIEUX FRÊNE DOM. DU Muscadet-sèvre-et-maine 967
VIEUX GADET CH. Médoc 352
VIEUX-GARROUILH CH. Saint-émilion 268
VIEUX GUINOT CH. DU Saint-émilion grand cru 291
VIEUX LANSAC CH. Côtes-de-bourg 242
VIEUX LARMANDE CH. Saint-émilion grand cru 291
VIEUX LAVOIR DOM. LE Côtes-du-rhône 1120
VIEUX LIRON CH. Bordeaux 194
VIEUX LONGA CH. Saint-émilion 268
VIEUX MAILLET CH. Pomerol 259
VIEUX MANOIR DU FRIGOULAS Côtes-du-rhône-villages 1134
VIEUX MAURINS CH. LES Saint-émilion 269
VIEUX MOULEYRE CH. Fronsac 249
VIEUX MOULIN CH. Corbières 735
VIEUX MOULIN DOM. DU Bourgueil 1035
VIEUX MOULIN DOM. LE Tavel 1181
VIEUX MOULINS CH. LES Blaye-côtes-de-bordeaux 232
VIEUX NOYER DOM. DU Côtes-de-millau 900
VIEUX PARC CH. DU Corbières 735
VIEUX PLANTY CH. Blaye-côtes-de-bordeaux 233
VIEUX POURRET CH. Saint-émilion grand cru 291
VIEUX PRESSOIR DOM. DU Maranges 567
VIEUX PRESSOIR DOM. DU Saumur 1006
VIEUX PRESSOIR DOM. DU Touraine 1024
VIEUX PRUNIERS DOM. DES Sancerre 1101
VIEUX SARPE CH. Saint-émilion grand cru 284
VIGIER DOM. Ardèche 1251
VIGNARET DOM. DU Coteaux-varois-en-provence 841
VIGNAU LA JUSCLE DOM. Jurançon 943
VIGNE BLANCHE DOM. DE LA Canton de Genève 1279
VIGNÉ-LOURAC Côtes du Tarn 1220 • Gaillac 898
VIGNERONS ARDÉCHOIS Ardèche 1251
VIGNERONS CATALANS Côtes-du-roussillon-villages 796
VIGNERONS DE CARACTÈRE Gigondas 1162 • Méditerranée 1245 • Vacqueyras 1166
VIGNERONS FORÉZIENS CAVE DES Côtes-du-forez 1075
VIGNERONS LANDAIS LES Tursan 938
VIGNERONS LONDAIS CAVE DES Côtes-de-provence 866
VIGNES D'ADÉLIE LES Viré-clessé 593
VIGNES DE JOANNY LES Saint-véran 605
VIGNES DE L'ALMA LES Anjou 979 • Anjou-gamay 979 • Muscadet-coteaux-de-la-loire 969 • Rosé-de-loire 952
VIGNES DE L'ARQUE LES Duché d'Uzès 1230 • Oc 1240
VIGNES DES GARBASSES LES Côtes du Tarn 1220
VIGNOL CH. Entre-deux-mers 315
VIGNON PÈRE ET FILS Champagne 687
VIGNOT ALAIN Bourgogne 415
VIGOT DOM. FABRICE Échézeaux 475 • Vosne-romanée 477
VIGUERIE DE BEULAYGUE CH. Fronton 904
VILLA ANGELI DOM. LA Corse ou vin-de-corse 873
VILLA BEL-AIR CH. Graves 332
VILLA NORIA Oc 1240
VILLA SOLEIL Côtes-du-roussillon 790
VILLA SYMPOSIA Languedoc 762
VILLA TEMPORA Languedoc 762
VILLAINE DOM. A. ET P. DE Bourgogne-côte-chalonnaise 569 • Bouzeron 570 • Mercurey 578
VILLALIN DOM. DE Quincy 1085
VILLAMONT HENRI DE Auxey-duresses 536 • Chambolle-musigny 470 • Corton 502 • Monthélie 533 • Savigny-lès-beaune 512
VILLARD FRANÇOIS Condrieu 1139 • Côte-rôtie 1137 • Saint-péray 1152
VILLARGEAU DOM. DE Coteaux-du-giennois 1070
VILLARS CH. Fronsac 249
VILLARS-FONTAINE CH. DE Bourgogne-hautes-côtes-de-nuits 452
VILLEFRANCHE CH. Sauternes 398
VILLEGEORGE CH. DE Haut-médoc 361
VILLEMAJOU DOM. DE Corbières 727
VILLEMONT DOM. DE Haut-poitou 816 • Val de Loire 1209
VILLENEUVE ARNAUD DE Côtes catalanes 1227 • Rivesaltes 806
VILLENEUVE DOM. DE Languedoc 762
VILLHARDY CH. Saint-émilion grand cru 286
VILLIERS DOM. LES Beaujolais-villages 150
VIMONT CH. DE Graves 332
VINCENS CH. Cahors 890
VINCENT Reuilly 1087
VINCENT CÉDRIC Beaujolais 146
VINCENT JEAN-MARC Meursault 545 • Santenay 564
VINCENT LAMOUREUX Rosé-des-riceys 690
VINDEMIO Ventoux 1193
VINEA DE CANON FRONSAC Canon-fronsac 245
VINET ANDRÉ Cabernet-d'anjou 988
VINS CŒUR DOM. DES Bourgueil 1035
VINSMOSELLE DOMAINES Moselle luxembourgeoise 1260
VINSOBRAISE CAVE LA Vinsobres 1154
VINSON ET FILS DENIS Vinsobres 1155
VINSSOU DOM. DE Cahors 890
VINZELLES CH. DE Pouilly-vinzelles 601
VIOLETTE CH. DE LA Vin-de-savoie 717
VIOLOT-GUILLEMARD THIERRY Pommard 526
VIRANEL CH. Saint-chinian 778
VIRANT CH. Coteaux-d'aix-en-provence 837
VIRCOULON CH. Bordeaux sec 207 • Bordeaux supérieur 222
VIRÉ CAVE DE Viré-clessé 594
VIRGILE CH. Costières-de-nîmes 1186
VISSOUX DOM. DU Beaujolais 146 • Fleurie 146
VISTA DOM. LA Côtes-du-roussillon-villages 795
VITALIS CH. Pouilly-fuissé 599
VITALLIS CH. Saint-véran 605
VITTEAUT-ALBERTI L. Crémant-de-bourgogne 422
VIVIERS CH. DE Chablis premier cru 442
VOCORET DOM. YVON ET LAURENT Chablis 433 • Chablis premier cru 442
VOCORET ET FILS DOM. Chablis premier cru 442
VODANIS DOM. DE Vouvray 1059
VOGE ALAIN Cornas 1151
VOGE DOM. ALAIN Saint-péray 1152
VOGEL ET FILS JEAN Canton de Vaud 1269

VOGT DOM. LAURENT Alsace grand cru 126
VOIGNY CH. Sauternes 398
VOIRIN-DESMOULINS Champagne 687
VOIRIN-JUMEL Champagne 687
VOITEUR FRUITIÈRE VITICOLE DE Château-chalon 699 • Crémant-du-jura 706
VOLTERRA CH. Côtes-de-provence 866
VOLUET GUY Juliénas 166
VONVILLE JEAN-CHARLES ET STÉPHANE Alsace pinot noir 103
VORBURGER Alsace pinot gris 98
VORBURGER-MEYER VIGNOBLE Alsace riesling 91
VORDY MAYRANNE DOM. Minervois 773
VOSGIEN DOM. CLAUDE Côtes-de-toul 135
VOUGERAIE DOM. DE LA Beaune 519 • Bonnes-mares 471 • Corton 503 • Savigny-lès-beaune 512 • Vougeot 471
VOULTE-GASPARETS CH. LA Corbières 736
VOUTE SAINT-ROC Côtes-du-brulhois 904
VRAI CANON BOUCHÉ CH. Canon-fronsac 245
VRANKEN Champagne 687
VRAY CROIX DE GAY CH. Pomerol 259
VRAY HOUCHAT CH. Fronsac 248
VRIGNAUD DOM. Chablis 433 • Chablis premier cru 442
VRILLONNIÈRE DOM. DE LA Gros-plant-du-pays-nantais 970 • Muscadet-sèvre-et-maine 970
VULLIEN ET FILS DOM. JEAN Vin-de-savoie 718

W

WACH GUY Alsace grand cru 126
WACH JEAN Alsace grand cru 126
WACKENTHALER Alsace grand cru 127
WAEGELL Crémant-d'alsace 132
WANTZ CHARLES Alsace pinot noir 104
WANTZ DOM. ALFRED Alsace grand cru 127
WANTZ STÉPHANE Alsace pinot noir 104
WARIS ET FILLES Champagne 687
WARIS ET FILS ALAIN Champagne 688
WARIS-HUBERT Champagne 688
WARIS-LARMANDIER Champagne 688
WASSLER J.-P. Alsace gewurztraminer 84 • Alsace pinot ou klevner 74
WEINBACH DOM. Alsace grand cru 127
WELTY Alsace pinot ou klevner 74
WESTPHALIE CH. Bergerac 911
WIALA CH. Fitou 742
WICKY CHRISTELLE ET GILLES Macvin-du-jura 709
WILLM Alsace grand cru 127 • Crémant-d'alsace 132
WITTMANN DOM. Alsace grand cru 127
WITTWER NIKLAUS Canton du Valais 1276
WOLFBERGER Alsace grand cru 127 • Crémant-d'alsace 132
WUNSCH ET MANN Alsace gewurztraminer 84
WURTZ W. Alsace gewurztraminer 84 • Alsace grand cru 128
WYSS DOM. VERENA Oc 1240

X

XANS SÉBASTIEN Saint-émilion grand cru 291
XAVIER VINS Châteauneuf-du-pape 1175 • Gigondas 1162

Y

Y Bordeaux sec 207
YEUSES DOM. LES Oc 1240
YOLE DOM. LA Oc 1240
YON-FIGEAC CH. Saint-émilion grand cru 291
YQUEM CH. D' Sauternes 398
YS D' Saint-véran 605
YVORNE ARTISANS VIGNERONS D' Canton de Vaud 1270

Z

ZAHN MARTIN Alsace pinot gris 99
ZEYSSOLFF Alsace klevener-de-heiligenstein 72
ZIEGLER ALBERT Alsace pinot gris 99
ZIEGLER-MAULER Alsace grand cru 128 • Alsace pinot gris 99
ZINK Alsace gewurztraminer 84 • Alsace pinot gris 99
ZOELLER MAISON Alsace gewurztraminer 84